Klett's Modern GERMAN and ENGLISH Dictionary

Klett's Modern GERMAN and ENGLISH Dictionary

Third Edition

English-German by
Professor Erich Weis

English-German/German-English
Edited by Professor Erich Weis

NTC Publishing Group

Library of Congress Cataloging-in-Publication Data

Weis, Erich, 1910–
Klett's modern German and English dictionary / edited by Erich Weis. — 3rd ed.
p. cm.
ISBN 0-8442-2870-2
1. German language—Dictionaries—English. 2. English language—Dictionaries—German. I. Title.
PF3640.W347 1998
433'.21—dc21
98-12961
CIP

Previously published in Germany as
PONS-Kompaktwörterbuch Englisch-Deutsch

This edition published 1998 by NTC Publishing Group
A division of NTC/Contemporary Publishing Group, Inc.
4255 West Touhy Avenue, Lincolnwood (Chicago), Illinois 60646-1975 U.S.A.

Printed in the United States of America
International Standard Book Number: 0-8442-2870-2
15 14 13 12 11 10 9 8 7 6 5 4 3 2 1

Contents

English-German

German-English

Introduction

This newly revised third edition of *Klett's Modern German and English Dictionary* is a highly practical reference designed as an aid to students, teachers, translators, scholars, business people—virtually anyone working with the German language. The revised and updated edition contains more than 5,000 new words and senses reflecting changes and developments in the past few years.

One major development reflected in this edition is the new German orthography. In the German-English section, the old spellings that have been superseded by the spelling reform are still included, along with an indication of the new spelling; old and reformed spellings are clearly identified.

As a comprehensive guide to contemporary German, the dictionary concentrates on the most important words of everyday language, as well as on numerous compounds, technical terms, and idiomatic expressions. Frequently, carefully chosen examples illustrate the proper context in which a word can be used. At the beginning of the dictionary, a special summary of German grammar serves as a concise yet thorough guide to the general patterns and exceptions within the German language. This section covers noun gender and case; articles; demonstratives; adjective agreement; comparatives and superlatives; irregular adjectives and adverbs; regular and irregular verbs in all tenses, voices, and moods; prepositions; and question words.

Other features add to the usefulness of the reference. German noun plurals and irregular verbs are indicated within individual entries. In a special reference section, the most frequently used irregular verbs are conveniently listed with their principal parts. Correct pronunciation is indicated by means of the IPA international alphabet. All of these convenient features have been set in an easy-to-use format that is exceptionally clear.

For its comprehensiveness, clarity, and practicality, *Klett's Modern German and English Dictionary* is an invaluable tool for the professional or general reader working with the German language or people.

IX

Summary of German Grammar

Nouns (Substantives)

The gender of German nouns is identified by the endings attached to articles and to demonstratives. Since grammatical gender has little to do with natural gender (sex) in German, a noun is replaced by its appropriate pronoun. Note that in the PLURAL no distinction is made as to gender:

SINGULAR			
der Tisch	**er**	[the table	it]
die Tasche	**sie**	[the pocket	it]
das Tuch	**es**	[the cloth	it]
PLURAL			
die Tische	**sie**	[the tables	they]
die Taschen	**sie**	[the pockets	they]
die Tücher	**sie**	[the cloths	they]

The PLURAL is formed in a number of ways. Nouns ending in *-e* usually add an *-n:*

die Tasche	die Taschen	[pocket(s)]
der Kunde	die Kunden	[customer(s)]
das Auge	die Augen	[eye(s)]

Many masculine (*der*) nouns add an *-e:*

der Tisch	die Tische	[table(s)]
der Tag	die Tage	[day(s)]
der Arm	die Arme	[arm(s)]

Many feminine (*die*) nouns add an *-en:*

die Tür	die Türen	[door(s)]
die Uhr	die Uhren	[clock(s)]
die Frau	die Frauen	[woman (women)]

A number of very common nouns, both masculine (*der*) and feminine (*die*), add an *-e* and umlaut the stem vowel:

der Stuhl	die Stühle	[chair(s)]
der Stand	die Stände	[stand(s)]
der Kopf	die Köpfe	[head(s)]
die Hand	die Hände	[hand(s)]
die Nacht	die Nächte	[night(s)]
die Wand	die Wände	[wall(s)]

Several masculine (*der*) and feminine (*die*) nouns umlaut the stem vowel:

der Mantel	die Mäntel	[(over)coat(s)]
der Garten	die Gärten	[garden(s), yard(s)]
der Vater	die Väter	[father(s)]
der Bruder	die Brüder	[brother(s)]
die Mutter	die Mütter	[mother(s)]
die Tochter	die Töchter	[daughter(s)]

Most masculine (*der*) and neuter (*das*) nouns ending in *-er* add nothing in the plural:

der Lehrer	die Lehrer	[teacher(s)]
der Arbeiter	die Arbeiter	[worker(s)]
das Fenster	die Fenster	[window(s)]
das Zimmer	die Zimmer	[room(s)]
das Laster	die Laster	[(moral) vice(s)]
der Laster	die Laster	[truck(s)]

Many common masculine (*der*) nouns referring to people add an *-en:*

der Mensch	die Menschen	[human being(s)]
der Pilot	die Piloten	[pilot(s)]
der Student	die Studenten	[student(s)]

All feminine (*die*) nouns derived from the masculine counterpart and ending in *-in* add *-nen:*

die Lehrerin	die Lehrerinnen	[teacher(s)]
die Studentin	die Studentinnen	[student(s), "coed(s)"]
die Arbeiterin	die Arbeiterinnen	[worker(s)]

Several common masculine (*der*) and neuter (*das*) nouns add an *-er* and umlaut the stem vowel in the plural:

der Mann	die Männer	[man (men)]
das Buch	die Bücher	[book(s)]
der Gott	die Götter	[god(s)]
das Dorf	die Dörfer	[village(s)]

- A number of patterns for determining the gender and the plural form of a given noun are discussed in the explanations on pp. IV–VI at the beginning of the German-English section of this dictionary.

Case

All nouns and pronouns are inflected for case. There are four cases:

Nominative the subject, used often with the verbs *sein* [to be], *werden* [to become], *heißen* [to be called], *aussehen (wie)* [to look (like)], etc.

Accusative the direct object of most transitive verbs; also follows the prepositions *bis* [until, up to], *durch* [through], *für* [for], *gegen* [against], *ohne* [without], *um* [around]

Dative the indirect object; also follows the prepositions *ab* [from this point on], *aus* [out of], *außer* [except], *bei* [at], *gegenüber* [opposite], *mit* [with], *nach* [after, towards], *seit* [since], *von* [of, from], *zu* [to]

Genitive the possessive case; also follows the prepositions *(an)statt* [instead of], *trotz* [in spite of], *während* [during], *wegen* [because of], *innerhalb* [inside of], *außerhalb* [outside of], *oberhalb* [above], *unterhalb* [below]

Definite Article

The endings for case, number, and gender can be illustrated on the definite article (= English "the"):

	SINGULAR			PLURAL
	Masculine	Feminine	Neuter	
Nominative	der	die	das	die
Accusative	den	die	das	die
Dative	dem	der	dem	den
Genitive	des	der	des	der

Demonstratives

The following demonstratives have exactly the same ending as the definite article:

dieser	[this]
welcher	[which]
jener	[that (rare in spoken German)]
solcher	[such a, (a) ... like that]
mancher	[many a, many (usually replaced by *viel(e)* in the plural)]
aller	[all (singular rare)]
jeder	[every, each (no plural!)]

The following demonstratives have the same endings as the definite article except for the masculine singular nominative, the neuter singular nominative, and the neuter singular accusative:

ein	[one, a/an (no plural!)]
kein	[no, not a]
mein	[my]
dein	[your—familiar singular]
sein	[his, its]
ihr	[her, their]
Ihr	[your—formal singular and plural]
unser	[our]
euer	[your—familiar plural]

Adjectives

Adjectives have no special endings when they follow the noun. They take gender, number, and case endings when they precede or replace the noun.

1. If there are only adjectives in front of the noun, they all take the same endings as the definite article, with the exception of the genitive singular masculine and neuter:

	SINGULAR			PLURAL
	Masculine	Feminine	Neuter	
Nom.	guter Wein	gute Milch	gutes Wasser	gute Getränke
Acc.	guten Wein	gute Milch	gutes Wasser	gute Getränke
Dat.	gutem Wein	guter Milch	gutem Wasser	guten Getränken
Gen.	guten Weines	guter Milch	guten Wassers	guter Getränke
	[good wine	good milk	good water	good drinks]

- All nouns take an *-n* in the dative plural, with the exception of those "foreign words" which form their plural by adding *-s*.

- Masculine and neuter singular nouns normally take *-(e)s* in the genitive!

2. If there are adjectives preceded by a demonstrative with all the endings illustrated for the definite article, then the adjectives receive endings according to the following table:

	SINGULAR			PLURAL
	Masculine	**Feminine**	**Neuter**	
Nominative	e	e	e	en
Accusative	en	e	e	en
Dative	en	en	en	en
Genitive	en	en	en	en

	SINGULAR		
	Masculine	**Feminine**	**Neuter**
Nominative	der gute Wein	die gute Uhr	das gute Buch
Accusative	den guten Wein	die gute Uhr	das gute Buch
Dative	dem guten Wein	der guten Uhr	dem guten Buch
Genitive	des guten Weines	der guten Uhr	des guten Buches
	[the good wine]	[the good clock]	[the good book]

	PLURAL
Nominative	die guten Menschen
Accusative	die guten Menschen
Dative	den guten Menschen
Genitive	der guten Menschen
	[the good people]

- The demonstratives like *ein, kein,* etc., do not have endings in the masculine and neuter nominative singular and in the neuter accusative singular. The adjectives which follow them take the corresponding definite article endings:

ein alter Tisch	[an old table]
der alte Tisch	[the old table]
ein neues Buch	[an old book]
das alte Buch	[the old book]

Comparative/Superlative

The comparative of adjectives and adverbs is formed by adding *-er* to the base form. The superlative is formed by adding *(am) ...-(e)ste(n)* to the base form.

klein	[small]	kleiner (als)	[smaller (than)]	kleinste(n)	[smallest]
fest	[firm]	fester (als)	[firmer (than)]	festeste(n)	[firmest]

Many common adjectives and adverbs require an umlaut in the comparative and superlative, including: *alt* [old], *jung* [young], *lang* [long], *groß* [large, great], *arm* [poor], *klug* [smart, intelligent], *warm* [warm], *kalt* [cold], *stark* [strong], *schwach* [weak], *kurz* [short], *rot* [red], *schwarz* [black], *hoch* [tall, high], *nah* [near].

alt	älter	älteste(n)
jung	jünger	jüngste(n)
groß	größer	größte(n)
hoch	höher	höchste(n) (Note irregularity!)
nah	näher	nächste(n)/naheste(n) (Note irregularity!)

The comparative and superlative forms of adjectives are full-fledged adjectives and take the endings listed above when used in front of nouns.

der kleine Tisch	[the small table]
der kleinere Tisch	[the smaller table]
der kleinste Tisch	[the smallest table]
die alten Menschen	[the old people]
die älteren Menschen	[the older people]
die ältesten Menschen	[the oldest people]

The superlative is frequently in the form *am . . . -sten* when it stands after a noun. This is always the case with adverbs.

am schönsten am kleinsten am ältesten am größten

Dieses Buch ist das schönste/am schönsten.
[This book is the best.]

Er fährt am schnellsten.
[He travels the fastest.]

Irregular Adjectives/Adverbs

gut	[good]	besser	[better]	beste(n)	[best]
viel	[much]	mehr	[more]	meiste(n)	[(the) most]
bald	[soon]	eher	[sooner]	am ehesten	[soonest]
gern	[gladly]	lieber		am liebsten	

- *Gern* is an adverb used to indicate a liking for doing something:

  Ich singe gern. [I like to sing.]

- *Lieber* indicates preference for something:

  Ich tanze lieber. [I prefer to dance.]

- *Am liebsten* expresses the same idea as "like most of all" in English:

  Ich lese am liebsten. [I like to read most of all.]

Verbs

Present

Infinitive	machen [to do]	sehen [to see]	geben [to give]	fahren [to travel; to go]
ich [(I)]	mache	sehe	gebe	fahre
du [(you)]	machst	siehst	gibst	fährst
er [(he, it)] / sie [(she, it)] / es [(it)]	macht	sieht	gibt	fährt
wir [(we)]	machen	sehen	geben	fahren
ihr [(you)]	macht	seht	gebt	fahrt
sie [(they)] / Sie [(you)]	machen	sehen	geben	fahren

- *Sie* is the formal form of address; *du* and *ihr* are the familiar forms of address (singular and plural respectively).

- Most German verbs form their present tense like *machen* above. Stem-vowel change verbs like *sehen, geben, fahren* include: *lesen, nehmen, tragen, waschen, treffen, essen, fressen, wachsen, fallen, geschehen.*

Past

Verbs like *machen* form their simple past tense base form by attaching *-te* to the stem (e.g., *mach-*), then adding the following endings:

ich	—	wir	-(e)n
du	-st	ihr	-t
man	—	sie	-(e)n

Verbs like *sehen, fahren, gehen, schlafen, finden, stehen,* etc., have an irregular simple past tense base form. See pp. XXI–XXIV for the most common irregular verbs. The above endings are added to the base form of all verbs in the simple past.

ich machte, sah	wir machten, sahen
du machtest, sahst	ihr machtet, saht
man machte, sah	sie machten, sahen

Past Participles

Most past participles are formed by adding *ge-* and *-t* to the verb stem:

machen	gemacht	suchen	gesucht	bohren	gebohrt
sagen	gesagt	buchen	gebucht	kochen	gekocht

Many common verbs, however, have a past participle beginning with *ge-* and ending with *-en* plus a change in the stem:

sprechen	gesprochen	klingen	geklungen	stehen	gestanden
bleiben	geblieben	sitzen	gesessen	beissen	gebissen
lügen	gelogen	liegen	gelegen	gehen	gegangen
stehen	gestanden				

For further details about the formation and use of the past participle, see pp. VII–VIII at the beginning of the German-English section of this dictionary. The list of the most common strong (irregular) verbs is on pp. XXI–XXIV of this section.

Present Perfect and Past Perfect

The present perfect is formed with the present tense of *haben* or *sein* plus the past participle placed at the end of the clause. The past perfect is formed with the simple past tense of *haben* or *sein* plus the past participle placed at the end of the clause.

Present	Ich schreibe jeden Tag einen Brief. [I write a letter every day.]
Present Perfect	Ich habe gestern einen Brief geschrieben. [I wrote/have written a letter yesterday.]
Past Perfect	Ich hatte vorher einen Bericht geschrieben. [I had written a report beforehand.]
Past	Ich schrieb einen Brief und einen Bericht. [I wrote a letter and a report.]

Present	Wir fahren heute nach Österreich. [We go/are going to Austria today.]
Present Perfect	Wir sind gestern nach Frankfurt gefahren. [We went to Frankfurt yesterday.
Past Perfect	Wir waren vorher nach Luxemburg gefahren. [We had gone to Luxemburg beforehand.]
Past	Wir fuhren nach Frankreich. [We went to France.]

Auxiliary Verbs

Present

Infinitive	sein [to be]	haben [to have]	werden [to become]
ich	bin	habe	werde
du	bist	hast	wirst
er, sie, es	ist	hat	wird
wir	sind	haben	werden
ihr	seid	habt	werdet
sie, Sie	sind	haben	werden

Past and Past Participle

ich	war	hatte	wurde
du	warst	hattest	wurdest
er, sie, es	war	hatte	wurde
wir	waren	hatten	wurden
ihr	wart	hattet	wurdet
sie, Sie	waren	hatten	wurden
Participle	gewesen	gehabt	geworden, worden

Modal Verbs

Modal verbs include:

können	[can, be able]
dürfen	[may, be allowed to]
sollen	[should, ought to]
wollen	[want (to)—NEVER will/shall!]
müssen	[must, have to]
mögen	[like (to)]

- *Wollen* indicates intention or wish or plan. *Werden* is used to indicate the future.

Ich will morgen Abend kommen.	[I want to come tomorrow evening.]
Ich werde morgen Abend kommen.	[I will/am going to come tomorrow evening.]

Their present tense plural forms are perfectly regular. The singular forms have certain peculiarities:

ich	kann, soll, will, muss, darf, mag
du	kannst, sollst, willst, musst, darfst, magst
er, sie, es	kann, soll, will, muss, darf, mag

Their simple past tense forms are listed on pp. XXI–XXIV. The present and past perfect tenses of modals are formed with the *ge-* plus *-t* past participle, but only when the modal is used as a full verb. In practice, however, a form that looks like the infinitive is placed after the verb infinitive containing the main idea of the sentence:

Present	Du kannst nicht treu sein. [You cannot be faithful.]
Past	Du konntest nicht treu sein. [You could not be faithful.]
Present Perfect	Du hast nicht treu sein können. [You have not been able to be faithful.]
Past Perfect	Du hattest nicht treu sein können. [You had not been able to be faithful.]

- All modal verbs take *haben* in the compound tenses!

Werden: Future and Passive

The future tense is formed with the present tense indicative of *werden* plus the infinitive at the end of the clause. In this respect, *werden* functions exactly like a modal verb.

Ich *werde* die Zeitung *lesen.*	[I will read the newspaper.]
Mein Freund *wird* die Zeitung *lesen.*	[My friend will read the newspaper.]
Wir *werden* alle eine Zeitung *lesen.*	[We will all read a newspaper.]

The passive voice is formed with the appropriate tense of *werden* plus the past participle placed at the end of the clause. The only difference is in the present or past perfect, which require *worden* instead of *geworden* as the past participle of *werden.*

Present	Die Zeitung *wird gelesen.* [The newspaper is (being) read.]
Past	Die Zeitung *wurde gelesen.* [The newspaper was (being) read.]
Present Perfect	Die Zeitung *ist gelesen worden.* [The newspaper has been/was read.]
Past Perfect	Die Zeitung *war gelesen worden.* [The newspaper had been read.]
Future	Die Zeitung *wird gelesen werden.* [The newspaper will be read.]

Subjunctive

The subjunctive is used to indicate wishes or statements contrary to fact. Its equivalent in English is the modal verb "would" plus the infinitive, as in "I would go to the store if there were time." The present tense subjunctive is formed by taking the simple past and adding the following endings, to the extent that the ending isn't there already:

ich	-e	wir	-en
du	-est	ihr	-et
man	-e	sie	-en

In the case of "weak" (regular) verbs, the past tense indicative and the present tense subjunctive are usually exactly the same forms. In the case of "strong" (irregular) verbs, the stem vowel will be umlauted if possible.

ich machte, suchte, kochte, bohrte, sagte	[I would do, look for, cook, bore, say]
ich hätte, wäre, führe, gäbe, sähe, müsste	[I would have, be, go, give, see, have to]

It is possible to use the subjunctive of *werden* (= *würde*) with the infinitive to create the subjunctive of most verbs, although the "pure" subjunctive of the verbs *sein, haben, können, dürfen, sollen, wollen, müssen, mögen* is normally preferred.

The past tense subjunctive is formed by using the present tense subjunctive of *haben* or *sein* plus the past participle placed at the end of the clause. Its equivalent in English is "would have" plus the past participle, as in "I would have read the newspaper, if there had been time."

ich hätte ... gemacht, gesucht, gekocht, gebohrt, gesagt
[I would have ... done, looked for, cooked, bored, said]

ich wäre ... gewesen, gegangen, gereist, geflogen
[I would have ... been, gone, traveled, flown]

Prepositions

Prepositions govern the accusative, dative, or genitive cases. The prepositions listed under Case above are always used with that particular case. In addition, the following prepositions are used with the dative when they indicate location in space or time or with the accusative when they indicate change of location in space or time.

an	[at (location near a vertical surface!)]
auf	[on (location near a horizontal surface!)]
hinter	[behind]
in	[in]
neben	[next to]
über	[above, over]
unter	[below, under]
vor	[in front of]
zwischen	[between]

Das Buch liegt auf dem Tisch.	[The book is lying on the table.]
Ich lege das Buch auf den Tisch.	[I am laying/putting the book on(to) the table.]
Wir sitzen in der Bibliothek.	[We are sitting in the library.]
Wir gehen in die Bibliothek.	[We are going in(to) the library.]

It is possible to replace most prepositional phrases by a word beginning with *da(r)-* or *wo(r)-*:

darauf	worauf?	[on it	on what?]
daraus	woraus?	[out of it	out of what?]
dabei	wobei?	[at it	at what?]
dadurch	wodurch?	[through it	through what?]
dafür	wofür?	[for it	for what?]
dagegen	wogegen?	[against it	against what?]
dahinter	wohinter?	[behind it	behind what?]
darin	worin?	[in it	in what?]
damit	womit?	[with it	with what?]
danach	wonach?	[after it	after what?]
darunter	worunter?	[under it	under what?]
davon	wovon?	[from it	from what?]
davor	wovor?	[in front of it	in front of what?]

- The prepositions governing the genitive do not have replacements with *da(r)-* or *wo(r)-*. Instead the *da(r)-* equivalents are:

  *statt*dessen *während*dessen *trotz*dem des*wegen*

The same applies to the following prepositions as well:

*außer*dem *ohne*dies *seit*dem

- The *da(r)-* and *wo(r)-* compounds cannot be used in reference to people. Instead the preposition plus the appropriate pronoun must be used.

  Ich schreibe mit einem Bleistift; ich schreibe *damit.*
  [I write with a pencil; I write with it.]
  Ich arbeite mit Kindern; ich arbeite *mit ihnen.*
  [I work with children; I work with them.]

Pronouns

Personal Pronouns

	SINGULAR				
Nominative	ich	du	er	sie	es
Accusative	mich	dich	ihn	sie	es
Dative	mir	dir	ihm	ihr	ihm
(Genitive	meiner	deiner	seiner	ihrer	seiner)
	[I	you (*fam*)	he	she	it]

	PLURAL		
Nominative	wir	ihr	sie/Sie
Accusative	uns	euch	sie/Sie
Dative	uns	euch	ihnen/Ihnen
(Genitive	unserer	eurer	ihrer/Ihrer)
	[we	you (*fam*)	they/you (*formal*)]

- The genitive of personal pronouns is listed here for reference only. It is rarely used in modern spoken German.

Reflexive Pronouns

	SINGULAR					PLURAL		
Accusative	mich	dich	sich	sich	sich	uns	euch	sich/sich
Dative	mir	dir	sich	sich	sich	uns	euch	sich/sich

Relative Pronouns

	SINGULAR			PLURAL
	Masculine	**Feminine**	**Neuter**	
Nominative	der	die	das	die
Accusative	den	die	das	die
Dative	dem	der	dem	denen
Genitive	dessen	deren	dessen	deren

Question Pronouns

Nominative	wer?	[who?]	was?	[what?]
Accusative	wen?	[whom?]	was?/wo(r)-?	[what?]
Dative	wem?	[(to) whom?]	—/wo(r)-?	[(to) what?]
Genitive	wessen?	[whose?]	wessen?	[whose?]

- *Wo(r)-?* is used with prepositions: *wozu?, worauf?, womit?, worin?,* etc.
- *Wessen?* is usually avoided in modern spoken German, being replaced by *von wem?* or *von was?* or *wovon?.*

Other Pronouns

man	[one, they, you, people]
nichts	[nothing]
viel	[much, a lot]
viele	[many]
alles	[everything]
alle	[everybody, everyone, all]
etwas	[something, somewhat]
einige	[some, several, a few]
wenige	[few]
(ein) wenig	[(a) little]
ein bisschen	[a little]

Other Question Words

wann?	[when?]
wo?	[where?]
wie?	[how?]
warum?	[why?]
wieviel(e)?	[how much (many)?]
wieso?	[how come?]
wohin?	[where ... to?]
woher?	[where ... from?]
wie oft?	[how often?]
wie lange?	[how long?]

The Most Important Irregular German Verbs

Derivatives and compounds should be looked up under the basic verb.

Ex. **"ab|brechen"** under **"brechen"**

Infinitive	Past	Past Participle
backen	backte (buk)	gebacken
befehlen	befahl	befohlen
beginnen	begann	begonnen
beißen	biss	gebissen
bergen	barg	geborgen
bersten	barst	geborsten **<sein>**
bewegen	bewog	bewogen
biegen	bog	gebogen
bieten	bot	geboten
binden	band	gebunden
bitten	bat	gebeten
blasen	blies	geblasen
bleiben	blieb	geblieben **<sein>**
bleichen	bleichte (blich)	gebleicht (geblichen) **<sein>**
braten	briet	gebraten
brechen	brach	gebrochen **<sein>**
brennen	brannte	gebrannt
bringen	brachte	gebracht
denken	dachte	gedacht
dingen	dingte (dang)	gedungen (gedingt)
dreschen	drosch (drasch)	gedroschen
dringen	drang	gedrungen **<sein>**
dünken	dünkte (deuchte)	gedünkt (gedeucht)
dürfen	durfte	dürfen, gedurft
empfehlen	empfahl	empfohlen
essen	aß	gegessen
fahren	fuhr	gefahren **<sein>**
fallen	fiel	gefallen **<sein>**

Infinitive	Past	Past Participle
fangen	fing	gefangen
fechten	focht	gefochten
finden	fand	gefunden
flechten	flocht	geflochten
fliegen	flog	geflogen **<sein>**
fliehen	floh	geflohen **<sein>**
fließen	floss	geflossen **<sein>**
fragen	fragte (frug)	gefragt
fressen	fraß	gefressen
frieren	fror	gefroren **<sein>**
gären	gor (gärte)	gegoren (gegärt) **<sein>**
gebären	gebar	geboren
geben	gab	gegeben
gedeihen	gedieh	gediehen **<sein>**
gehen	ging	gegangen **<sein>**
gelingen	gelang	gelungen **<sein>**
gelten	galt	gegolten
genesen	genas	genesen **<sein>**
genießen	genoss	genossen
geschehen	geschah	geschehen **<sein>**
gewinnen	gewann	gewonnen
gießen	goss	gegossen
gleichen	glich	geglichen
gleiten	glitt (gleitete)	geglitten (gegleitet) **<sein>**
glimmen	glomm, glimmte	geglommen, geglimmt
graben	grub	gegraben

Infinitive	Past	Past Participle
greifen	griff	gegriffen
haben	hatte	gehabt
hangen	hing	gehangen
hängen	hing (hängte)	gehangen (gehängt) <sein>
hängen	hängte (hing)	gehängt (gehangen)
hauen	haute	gehauen (hieb)
hauen	hieb (haute)	gehauen
heben	hob (hub)	gehoben
heißen	hieß	geheißen (gehießen)
helfen	half	geholfen
kennen	kannte	gekannt
klimmen	klomm, klimmte	geklom- men, geklimmt <sein>
klingen	klang	geklungen
kneifen	kniff	gekniffen
kommen	kam	gekommen <sein>
können	konnte	können, gekonnt
kreischen	kreischte (krisch)	gekreischt (gekrischen)
küren	kürte (kor)	gekürt (gekoren)
laden	lud	geladen
lassen	ließ	lassen, gelassen
laufen	lief	gelaufen <sein>
leiden	litt	gelitten
leihen	lieh	geliehen
lesen	las	gelesen
liegen	lag	gelegen <sein>
löschen	losch	geloschen <sein>
lügen	log	gelogen
mahlen	mahlte	gemahlen
meiden	mied	gemieden

Infinitive	Past	Past Participle
melken	molk, melkte	gemolken, gemelkt
messen	maß	gemessen
misslingen	misslang	misslungen <sein>
mögen	mochte	mögen, gemocht
müssen	musste	müssen, gemusst
nehmen	nahm	genommen
nennen	nannte	genannt
pfeifen	pfiff	gepfiffen
pflegen	pflog (*obs*)	gepflogen
preisen	pries	gepriesen
quellen	quoll	gequollen <sein>
raten	riet	geraten
reiben	rieb	gerieben
reißen	riss	gerissen <sein>
reiten	ritt	geritten <sein>
rennen	rannte (rennte)	gerannt <sein>
riechen	roch	gerochen
ringen	rang	gerungen
rinnen	rann	geronnen <sein>
rufen	rief	gerufen
salzen	salzte	gesalzen (gesalzt)
saufen	soff	gesoffen
saugen	sog, saugte	gesogen, gesaugt
schaffen	schuf, schaffte	geschaffen, geschafft
schallen	schallte, scholl	geschallt
scheiden	schied	geschieden <sein>
scheinen	schien	geschienen
scheißen	schiss	geschissen
schelten	schalt	gescholten
scheren	schor (scherte)	geschoren (geschert)
schieben	schob	geschoben

Infinitive	Past	Past Participle
schießen	schoss	geschossen <sein>
schinden	schindete	geschunden
schlafen	schlief	geschlafen
schlagen	schlug	geschlagen <sein>
schleichen	schlich	geschlichen <sein>
schleifen	schliff	geschliffen
schließen	schloss	geschlossen
schlingen	schlang	geschlungen
schmeißen	schmiss	geschmissen
schmelzen	schmolz (schmelzte)	geschmolzen (geschmelzt) <sein>
schnauben	schnaubte (schnob)	geschnaubt (geschnoben)
schneiden	schnitt	geschnitten
schrecken	schreckte, schrak	geschreckt (geschrocken) <sein>
schreiben	schrieb	geschrieben
schreien	schrie	geschrie(e)n
schreiten	schritt	geschritten <sein>
schwären	schwärte (schwor)	geschwärt (geschworen)
schweigen	schwieg	geschwiegen
schwellen	schwoll	geschwollen <sein>
schwimmen	schwamm	geschwommen <sein>
schwinden	schwand	geschwunden <sein>
schwingen	schwang	geschwungen
schwören	schwor (schwur)	geschworen
sehen	sah	gesehen
sein	war	gewesen <sein>

Infinitive	Past	Past Participle
senden	sandte (sendete)	gesandt (gesendet)
sieden	sott, siedete	gesotten, gesiedet
singen	sang	gesungen
sinken	sank	gesunken <sein>
sinnen	sann	gesonnen
sitzen	saß	gesessen <sein>
sollen	sollte	sollen, gesollt
spalten	spaltete	gespaltet, gespalten
speien	spie	gespie(e)n
spinnen	spann	gesponnen
spleißen	spliss	gesplissen
sprechen	sprach	gesprochen
sprießen	spross	gesprossen <sein>
springen	sprang	gesprungen <sein>
stechen	stach	gestochen <sein>
stecken	steckte (stak)	gesteckt
stehen	stand	gestanden <sein>
stehlen	stahl	gestohlen
steigen	stieg	gestiegen <sein>
sterben	starb	gestorben <sein>
stieben	stob (stiebte)	gestoben (gestiebt) <sein>
stinken	stank	gestunken
stoßen	stieß	gestoßen <sein>
streichen	strich	gestrichen <sein>
streiten	stritt	gestritten
tragen	trug	getragen
treffen	traf	getroffen
treiben	trieb	getrieben <sein>

Infinitive	Past	Past Participle
treten	trat	getreten <sein>
triefen	triefte	getrieft (getroffen) <sein>
trinken	trank	getrunken
trügen	trog	getrogen
tun	tat	getan
verderben	verdarb	verdorben <sein>
verdrießen	verdross	verdrossen
vergessen	vergaß	vergessen
verlieren	verlor	verloren
wachsen	wuchs	gewachsen <sein>
wägen	wog (wägte)	gewogen (gewägt)
waschen	wusch	gewaschen
weben	webte (wob)	gewebt (gewoben)

Infinitive	Past	Past Participle
weichen	wich	gewichen <sein>
weisen	wies	gewiesen
wenden	wendete, wandte	gewendet, gewandt
werben	warb	geworben
werden	wurde (ward)	worden, geworden <sein>
werfen	warf	geworfen
wiegen	wog	gewogen
winden	wand	gewunden
winken	winkte	gewinkt (gewunken)
wissen	wusste	gewusst
wollen	wollte	wollen, gewollt
wringen	wrang	gewrungen
zeihen	zieh	geziehen
ziehen	zog	gezogen <sein>
zwingen	zwang	gezwungen

Explanation of English-German Entries

I. Type faces

Bold	for keyword entries;
Halfbold	for examples and for idiomatic expressions in the source language as well as for Roman and Arabic numerals;
Italics	for information on word class and gender, for explanations, for indications of language level;
Basic Style	for the German translations of English keywords, examples, and idiomatic expressions;
Basic Style (Modern)	in <...> for the forms of irregular verbs in English, for irregularities in comparative and superlative forms of English adjectives, and for irregular plural forms of English substantives;
SMALL CAPITALS	for indication of subject area.

Example: **bag** [bæg] **I.** *s* **1.** Beutel, Sack *m;* Tasche *f,* Handgepäck *n;* (*paper* ~) Tüte *f;* (*money* ~) Geldbeutel *m;* (*hand* ~) Handtasche *f* **2.** (*game-*~) Jagdbeute *f* **3.** **~s** Hose *f;* **~s of** jede Menge; **the whole ~ of tricks** die ganze Trickkiste; **let the cat out of the ~** (*fig*) die Katze aus dem Sack lassen; **a ~ of bones** Haut u. Knochen; **old ~** (*pej*) alte Schachtel **II.** *tr* **1.** in den Sack stecken; (*fig*) einstecken **2.** (*sl*) sich unter den Nagel reißen **3.** (*Jäger*) erbeuten, erlegen **III.** *itr* sich ausbeulen

II. Arrangement of Keyword Entries

All keywords in boldface are in alphabetical order.

The *Roman numerals* serve to distinguish the different word classes to which a keyword can belong, as well as to separate types of verbs (*tr, itr, refl, impers*).

Example: **vault²** [vɔːlt] **I.** *s* (SPORT) Sprung *m* **II.** *tr* überspringen, springen über **III.** *itr* springen

Different definitions of a keyword are indicated by *Arabic numerals.*

Example: **ac·com·plish** [əˈkʌmplɪʃ] *tr* **1.** vollenden **2.** vollbringen, zu Stande bringen, leisten **3.** (*Zweck, Aufgabe*) erfüllen; (*Plan*) verwirklichen, ausführen; (*Arbeit*) verrichten

III. Tilde ~

The tilde ~ replaces the previous boldface keyword in examples and idiomatic expressions.

Example: **ba·con** [ˈbeɪkən] *s* (durchwachsener) Speck *m;* **save one's ~** (*fam*) mit heiler Haut davonkommen

IV. Gender

All German substantives are provided with an indication of the gender class (*m, f, n*) to which they belong. In cases where two or more substantives have the same gender only the last word in the series will be marked.

Example: **re·jec·tion** [rɪˈdʒekʃn] *s* **1.** Ablehnung, Zurückweisung *f* **2.** Abweisung *f;* Verwerfen *n* **3.** (MED) Abstoßung *f*

Masculine substantives which can be declined like adjectives are listed with an *r* in parentheses.

Example: Beamte(r) *m* = der Beamte, ein Beamter

Substantives which are declined like adjectives and which can be masculine or feminine are marked as follows:

Example: Angestellte(r) *f m* = der Angestellte, ein Angestellter
die Angestellte, eine Angestellte

If a masculine substantive has a feminine counterpart ending in *-in,* the latter will be listed in parentheses as follows:

Example: Ingenieur(in) *m(f)*
Chirurg(in) *m(f)*
Agent(in) *m(f)*

If a translation consists of an adjective and a substantive, the gender will not be listed, since the gender of the substantive can be readily determined from the declined form of the adjective.

Example: **va·cancy** [ˈveɪkənsɪ] *s* **1.** Leere *f* **2.** (*Hotel*) freies Zimmer **3.** (*Firma*) offene Stelle **4.** (*fig*) geistige Leere; . . .

V. Additional Information for Verbs, Adjectives, and Substantives

Prepositions which are used with a verb, substantive, or adjective are listed in parentheses with their German equivalent after the German translation.

Example: **re·sult** ... sich ergeben, resultieren (*from* aus)
re·sult·ant ... sich ergebend, resultierend (*from* aus)
re·ac·tion ... Reaktion *f* (*to* auf; *against* gegen)

VI. Phrasal Verbs

Phrasal verbs are verbs which change their basic meaning when a prepositional phrase is added to them. In this dictionary, English phrasal verbs are set off at the end of the entry for the base verb, with transitive and intransitive constructions differentiated and fundamental distinctions in meaning indicated by Arabic numerals. The phrasal verbs are listed alphabetically in their own section within the entry for the base verb. The base verb is printed out for each new phrasal verb. In examples the verb is replaced by a tilde; the preposition is repeated.

Example: **close²** [kləʊz] **I.** *tr* **1.** (zu-, ver)schließen, zumachen; (*Straße*) sperren **2.** in Verbindung, Berührung bringen; (EL: *Stromkreis*) schließen **3.** beenden, ab-, beschließen; (*Versammlung, Sitzung*) schließen **4.** (*Fabrik*) stilllegen **5.** (COM) abschließen, saldieren, liquidieren **6.** (*Hypothek*) löschen; ~ **a deal** ein Geschäft abschließen; ~ **one's eyes** (*fig*) die Augen verschließen (*to* vor) **II.** *itr* **1.** schließen; sich schließen **2.** aufhören, zu Ende gehen **3.** zumachen; (*Betrieb*) stillgelegt werden **4.** sich nähern **III.** *s* **1.** (Ab)Schluss *m*, Ende *n* **2.** Handgemenge *n;* **bring to a** ~ zu Ende bringen; **draw to** ~ zu Ende gehen; **close down** *tr* **1.** (*Betrieb*) stilllegen **2.** (*Geschäft*) schließen; **close in I.** *itr* **1.** näherkommen **2.** (*Winter*) anbrechen; (*Nacht*) hereinbrechen **3.** (*Tage*) kürzer werden **II.** *tr* umgeben; ~ **in on s.o.** jdm zu Leibe rücken; **close off** *tr* abriegeln, absperren; **close up I.** *tr* (ver)sperren, blockieren **II.** *itr* **1.** naherücken **2.** (MIL) aufschließen; **close with** *itr* schließen mit; ~ **with s.o.** mit jdm zu e-m Kompromiss kommen; ~ **with an offer** ein Angebot annehmen

VII. Orthography

The orthography for German is based on *Duden, Die deutsche Rechtschreibung,* 21. Auflage, Mannheim 1996 and *Rechtschreibung 2000. Die Reform auf einen Blick,* 2. Auflage, Klett, Stuttgart 1996. The orthography for English is based on *Advanced Learner's Dictionary of Current English,* Oxford University Press, Oxford 1995. For an explanation of how the new, reformed spelling is represented in this dictionary, see "Identification of Old and New German Spellings."

VIII. Pronunciation

The symbols of the IPA (*International Phonetic Association*) are used throughout this dictionary. The transcription of individual words is taken from *Everyman's English Pronouncing Dictionary* by Daniel Jones and A.C. Gimson and *Advanced Learner's Dictionary of Current English.* Every main keyword is listed with its phonetic transcription. Partial transcriptions are given for derivatives. There is no transcription for compound words if the individual parts do not change their pronunciation when put together to form compounds.

IX. Syllable Division

Syllable division of English words is marked by a raised dot. The division of compound words corresponds to the division of the individual words in a given compound. Deviations from this pattern are listed separately.

Identification of Old and New German Spellings

1. At the level of keywords and secondary keywords

1.1 Cross-references

If the old spelling and the reformed spelling would appear far apart, as with **belemmert** and **belämmert,** two entries are included, cross-referenced as follows. The reformed spelling **belämmert** serves as the main entry (with translation, etc.), while the old spelling **belemmert** is only mentioned as the basis for a cross-reference. There is no translation, etc., under the old spelling.

Under the old spelling, there is a reference to the reformed spelling, thus from **belemmert** to **belämmert.** A gray background marks the old spelling as "old."

At the new spelling, the keyword reflecting the reformed spelling is marked RR (for *Rechtschreibreform*), and there is no reference back to the old spelling; thus the entry **Stängel** does not refer back to **Stengel.**

1.2 Keywords with double *s* following a short vowel

Keywords with the sound "s" following a short vowel are written with double *s* under the spelling reform:

dass, Schloss, Missverständnis, Schuss

The replacement of the former "sharp s" by a double *s* is indicated by the "new" mark RR.

1.3 Coexistence of old and new spellings

If the orthography reform permits both the new spelling and the old spelling to coexist but singles out one variant as the so-called "main variant," then the word will be treated under the main variant, and the secondary variant will be only a reference.

Example: The word **Delphin** may be written according to the reform as (a) **Delphin** or (b) **Delfin.** The spelling **Delphin** serves as the main variant and consequently as the main entry. **Delfin,** the secondary variant, is only a reference.

1.4 Division of "single-word verbs" and "single-word adjectives" into multiple-word constructions

Single-word verbs and adjectives (such as **auseinandersetzen** and **alleinerziehend**) frequently become multiple-word phrases under the orthography reform: **auseinander setzen** and **allein erziehend.**

At the old spelling, which is indicated by a gray background, there is a reference to the appropriate verb or adjective under which the reformed spelling belongs, thus, **auseinandersetzen** under **setzen** and **alleinerziehend** under **erziehen.** Examples that use a reformed spelling are marked accordingly with RR.

The verbal compounds with **sein** (e.g., **ansein, aussein**) are an exception to this rule. These are not listed under **sein** but, when they appear, are placed under the appropriate first element **an, aus,** etc.

1.5 Equivalent spelling variants

In contrast to pairs of spelling variants in which one variant is preferred—for example, **Delphin** (main variant)/**Delfin** (secondary variant)—pairs of spelling variants that are fully equivalent, such as **Alptraum/Albtraum** are also recognized by the spelling reform. In such cases, there is no cross-reference; two full entries are used, and the new spelling is indicated by RR.

1.6 Information on word division

Under the new orthography:

- **st** may be split (**Wes-te**).
- **ck** is no longer replaced by means of *k-k* (**Zu-cker**).
- A single vowel at the beginning of a word may be split off (**U-fer**). This rule also applies to the second element of a compound (**Seeufer**).

2. At the level of microstructure (examples and senses)

In usage and exemplification, and in the area of meaning differentiation, the reformed spelling is used exclusively. Similarly, in the English-German section German words are written exclusively in the reformed spelling.

List of Abbreviations

a.	auch	*also*
Abk	Abkürzung	*abbreviation*
acc	Akkusativ	*accusative*
adj	Adjektiv	*adjective*
adv	Adverb	*adverb*
AERO	Luftfahrt	*aeronautics*
AGR	Landwirtschaft	*agriculture*
allg	allgemein	*commonly*
Am	amerikanisches Englisch	*Americanism*
ANAT	Anatomie	*anatomy*
ARCH	Architektur	*architecture*
ASTR	Astronomie, Astrologie	*astronomy, astrology*
attr	attributiv	*attributive*
aux	Hilfsverb	*auxiliary*
bes.	besonders	*particularly*
BIOL	Biologie	*biology*
BOT	Botanik	*botany*
Br	britisches Englisch	*British English*
CH	schweizerdeutsch	*Swiss German*
CHEM	Chemie	*chemistry*
COM	Handel	*commerce, commercial*
conj	Konjunktion	*conjunction*
dat	Dativ	*dative*
ECCL	kirchlich	*ecclesiastical*
EDV	elektronische Datenverarbeitung	*electronic data processing*
e-e, e-m	eine, einem	
e-n, e-r	einen, einer	*a*
e-s	eines	
EL	Elektrizität	*electricity*
etc.	und so weiter	*et cetera*
etw	etwas	*something*
euph	euphemistisch	*euphemistic*
f	Femininum	*feminine gender*
fam	umgangssprachlich	*colloquial*
fig	bildlich	*figurative*
FILM	Film	*film*
FIN	Finanzwesen	*finances*
GEOG	Geographie	*geography*
GEOL	Geologie	*geology*
gen	Genitiv	*genitive*
GRAM	Grammatik	*grammar*
hist	historisch	*historical*
hum	humoristisch	*humorously*
impers	unpersönlich	*impersonal*
inf	Infinitiv	*infinitive*
interj	Interjektion	*interjection*
iro	ironisch	*ironical*
irr	unregelmäßig	*irregular*
itr	intransitives Verb	*intransitive verb*

jem *jdm* *jdn* *jds*	jemand(em, en, es)	*someone('s)*
JUR	juristisch	*legal*
LING	Linguistik	*linguistics*
LIT	literarisch, Literatur	*literary, literature*
m	Maskulinum	*masculine gender*
MAR	Seefahrt	*marine*
MARKT	Marketing	*marketing*
MATH	Mathematik	*mathematics*
MED	Medizin	*medicine*
METE	Meteorologie	*meteorology*
MIL	Militärwesen	*military*
MIN	Mineralogie, Bergbau	*mineralogy, mining*
MOT	Auto und Verkehr	*driving, traffic*
MUS	Musik	*music(al)*
n	Neutrum	*neuter gender*
num	Zahlwort	*numeral*
obs	veraltet	*obsolete*
od, od	oder	*or*
OPT	Optik	*optics*
ORN	Vogelkunde	*ornithology*
o.s.	sich	*oneself*
österr	österreichisch	*Austrian*
PÄD	Pädagogik, Schulsprache	*education*
PARL	parlamentarisch	*parliamentary*
pej	pejorativ	*pejorative*
PHILOS	Philosophie	*philosophy*
PHOT	Fotografie	*photography*
PHYS	Physik	*physics*
PHYSIOL	Physiologie	*physiology*
pl	Plural	*plural*
pl mit sing	Plural mit Singularkonstruktion	*plural with singular construction*
poet	poetisch	*poetical*
POL	Politik	*politics*
pp	Partizip Perfekt	*past participle*
ppr	Partizip Präsens	*present participle*
pred	prädikativ	*predicative*
pref	Präfix	*prefix*
prep	Präposition	*preposition*
prn	Pronomen	*pronoun*
prov	Sprichwort	*proverb*
PSYCH	Psychologie	*psychology*
RADIO	Rundfunk	*radio*
RAIL	Eisenbahnwesen	*railway, railroad*
refl	reflexiv	*reflexive*
REL	Religion	*religion*
RR	Rechtschreibreform	*German spelling reform*
S	Sache	*thing*
s	Substantiv	*noun*

s.	siehe	*see*
s-e, s-m	seine, seinem	
s-n, s-r	seinen, seiner	*someone's*
s-s	seines	
sing	Singular	*singular*
sl	salopp	*slang*
s.o.	jemand(en, em)	*someone*
s.o.'s	jemandes	*someone's*
SPORT	Sport	*sports*
s.th.	etwas	*something*
TECH	technisch	*technical*
TELE	Nachrichtentechnik	*telecommunications*
THEAT	Theater	*theater*
tr	transitives Verb	*transitive verb*
TV	Fernsehen	*television*
TYP	Typografie, Buchdruck	*typography*
u., u.	und	*and*
v	Verb	*verb*
VET	Tiermedizin	*veterinary medicine*
vulg	vulgär	*vulgar*
®	Warenzeichen	*trademark*
ZOO	Zoologie	*zoology*

Pronunciation Key

Vowels and Diphthongs

[ɑː]	Farm, father
[aɪ]	life
[aʊ]	house
[æ]	man, sad
[e]	get, bed
[eɪ]	name, lame
[ə]	ago, better
[ɜː]	bird, her
[eə]	there, care
[ʌ]	but, son
[ɪ]	it, wish
[iː]	bee, see, me, beat, belief
[ɪə]	here
[ʊə]	no, low
[ɒ]	not, long
[ɔː]	law, all
[ɔɪ]	boy, oil
[ʊ]	push, look
[uː]	you, do
[ʊə]	poor, sure

Consonants

[b]	been, blind
[d]	do, had
[ð]	this, father
[f]	father, wolf
[g]	go, beg
[ŋ]	long, sing
[h]	house
[j]	youth
[k]	keep, milk
[l]	lamp, oil, ill
[m]	man, am
[n]	no, manner
[p]	paper, happy
[r]	red, dry
[s]	stand, sand, yes
[ʃ]	ship, station
[t]	tell, fat
[tʃ]	church, catch
[v]	voice, live
[w]	water, we, which
[z]	zeal, these, gaze
[ʒ]	pleasure
[dʒ]	jam, object
[θ]	thank, death

ː indicates that the preceding vowel is long. The symbol ˈ indicates stress.

A

A, a [eɪ] <*pl* -'s> *s* **1.** (*a.* MUS) A, a *n* **2.** (*Schule*) eins, sehr gut; **from A to Z** von A bis Z; **A1** (MAR) erstklassig, Ia *fam*

a, an [ə, *betont* eɪ, ən, *betont* æn] *art* ein, eine, ein; **five pounds ~ week** fünf Pfund pro Woche; **in ~ day or two** in ein paar Tagen; **he is an Englishman** er ist Engländer; **he is ~ teacher** er ist Lehrer; **~ Mr. Myer** ein (gewisser) Herr Myer; **in ~ sense** in gewissem Sinne

aback [ə'bæk] *adv:* **be taken ~** verblüfft sein

aban·don [ə'bændən] **I.** *tr* verlassen; aussetzen; aufgeben; verzichten (*s.th.* auf etw) **II.** *refl:* **~ o.s.** sich hingeben (*to despair* der Verzweiflung) **III.** *s:* **with ~** leidenschaftlich, mit Leib und Seele; **aban·doned** [ə'bændənd] *adj* **1.** verlassen **2.** (*Leben*) lasterhaft, liederlich

abashed [ə'bæʃt] *adj:* **feel ~** sich schämen

abate [ə'beɪt] **I.** *tr* vermindern; (*Schmerz*) mildern **II.** *itr* (*Wind*) abnehmen, abflauen, sich legen; **abate·ment** [-mənt] *s* **1.** Abnahme *f* **2.** (JUR: *Übelstand*) Beseitigung *f;* **noise ~** Lärmbekämpfung *f*

ab·at·toir ['æbətwɑː(r), *Am* ˌæbə'twɑː(r)] *s* Schlachthof *m*

ab·bess ['æbes] *s* Äbtissin *f;* **ab·bey** ['æbɪ] *s* Abtei *f;* **ab·bot** ['æbət] *s* Abt *m*

ab·brevi·ate [ə'briːvɪeɪt] *tr* ab-, verkürzen; **ab·brevi·ation** [əˌbriːvɪ'eɪʃn] *s* Abkürzung *f*

ABC [ˌeɪbiː'siː] *s* **1.** Abc, Alphabet *n* **2.** (*fig*) Anfangsgründe *mpl* **3.** (RAIL) alphabetischer Fahrplan **4.** (atomic, biological and chemical) ABC; **ABC weapons** ABC-Waffen *fpl*

ab·di·cate ['æbdɪkeɪt] **I.** *tr:* **~ responsibility** sich der Verantwortung entziehen; **~ the throne** abdanken **II.** *itr* abdanken; **ab·di·ca·tion** [ˌæbdɪ'keɪʃn] *s* Abdankung *f*

ab·do·men ['æbdəmən] *s* **1.** (Unter)Leib, Bauch *m* **2.** (*Insekt*) Hinterleib *m;* **ab·domi·nal** [æb'dɒmɪnl] *adj* abdominal, Unterleibs-

ab·duct [æb'dʌkt] *tr* entführen; **ab·duc·tion** [æb'dʌkʃn] *s* Entführung *f*

ab·er·ra·tion [ˌæbə'reɪʃn] *s* **1.** Abweichung *f* **2.** Verirrung *f,* Irrweg *m* **3.** (*mental* ~) geistige Verwirrung

abet [ə'bet] *tr* (*Verbrechen*) begünstigen; **aid and ~ a criminal** e-n Täter begünstigen

abey·ance [ə'beɪəns] *s:* **in ~** in der Schwebe; **fall into ~** außer Kraft treten

ab·hor [əb'hɔː(r)] *tr* verabscheuen; **ab·hor·rence** [əb'hɒrəns] *s* Abscheu *m;* **hold in ~** verabscheuen

abide [ə'baɪd] **I.** *itr:* **~ by** festhalten an; treu bleiben *dat* **II.** *tr:* **he can't ~ him** er kann ihn nicht ausstehen

abil·ity [ə'bɪlətɪ] *s* **1.** Fähigkeit *f* (*for* für, zu) **2.** Talent *n,* Klugheit *f;* Können *n;* **to the best of one's ~** nach besten Kräften

ab·ject ['æbdʒekt] *adj* **1.** elend, erbärmlich **2.** verworfen, gemein; **in ~ poverty** in tiefster Armut

ablaze [ə'bleɪz] *adv, adj pred* **1.** in Flammen; lodernd **2.** (*fig*) glänzend, funkelnd (*with* von, vor); **set ~** entflammen

able ['eɪbl] *adj* **1.** fähig, kompetent **2.** talentiert, begabt; tüchtig, gewandt; **an ~ teacher** ein talentierter Lehrer; **be ~ to** können, vermögen, in der Lage sein zu; **able-bodied** [-'bɒdɪd] *adj* (körperlich) kräftig, gesund; **~ seaman** Vollmatrose *m*

ab·nor·mal [æb'nɔːml] *adj* anomal, abnorm; ungewöhnlich; **ab·nor·mal·ity** [ˌæbnə'mælɪtɪ] *s* **1.** Regelwidrigkeit *f* **2.** (MED) Abnormität *f*

aboard [ə'bɔːd] *adv, prep* an Bord, im Zug, Omnibus, Flugzeug; **go ~** an Bord gehen, sich einschiffen; (*in Zug, Bus, Flugzeug*) einsteigen; **all ~!** alle Mann an Bord!; (RAIL) alles einsteigen!

abode [ə'bəʊd] *s* Aufenthalt *m;* **with** [*o* **of**] **no fixed ~** ohne festen Wohnsitz

ab·ol·ish [ə'bɒlɪʃ] *tr* abschaffen; **ab·oli·tion** [əbəl'ɪʃn] *s* Abschaffung *f*

abom·in·able [ə'bɒmɪnəbl] *adj* scheußlich, widerwärtig; **abom·in·ate** [ə'bɒmɪneɪt] *tr* verabscheuen; **abom·in·ation** [əˌbɒmɪ'neɪʃn] *s* **1.** Abscheu *m* (*of* vor) **2.** Gräuel *m*

abo·rig·inal [ˌæbə'rɪdʒənl] **I.** *adj* **1.** eingeboren, ursprünglich **2.** einheimisch **II.** *s* Ureinwohner(in) *m(f)*

Abo·ri·gi·ne [ˌæbə'rɪdʒɪnɪ] *s* Ureinwohner(in) *m(f)* Australiens

abort [ə'bɔːt] **I.** *tr* (*Embryo*) abtreiben; (*Schwangerschaft, Mission*) abbrechen **II.** *itr* **1.** abtreiben **2.** fehlgebären; **abor·tion** [ə'bɔːʃn] *s* **1.** (MED) Früh-, Fehlgeburt *f* **2.** Schwangerschaftsabbruch *m,* Abtreibung *f* **3.** Fehlschlag *m;* **abort·ive** [ə'bɔːtɪv] *adj* erfolglos

abound [ə'baʊnd] *itr* **1.** im Überfluss vorhanden sein; reich sein (*in* an) **2.** Überfluss haben an, wimmeln (*with* von)

about [ə'baʊt] **I.** *prep* **1.** (*räumlich*) um, um ... herum, über ... hin, auf allen Seiten; **a fence ~ the garden** ein Zaun um den Garten herum **2.** nahe bei, nicht weit von; an **3.** (*Zeit, Maß*) um, ungefähr, etwa, gegen; (**at**) **~ five o'clock** gegen fünf Uhr; **it is ~ the same** es ist ungefähr dasselbe; **~ my size** etwa meine Größe **4.** bei sich, an sich; **have you any money ~ you?** haben Sie Geld bei sich? **5.** in, an; **her hair is the worst thing ~ her** ihr Haar ist das Hässlichste an ihr **6.** (*hinweisend, bezüglich*) von, über, in Bezug auf, betreffend, wegen; **what do you know ~ him?** was wissen Sie über ihn?; **what is it all ~?** um was handelt es sich?; **how ~ money?** wie steht es mit Geld?; **what ~ dinner?** was ist mit dem Abendessen? **II.** *adv* **1.** herum, umher **2.** ringsherum, rundherum, im Kreise **3.** ungefähr, fast, beinahe, nahezu; gleich **4.** abwechselnd; **be ~** sich handeln um; im Begriff sein; auf den Beinen sein; im Umlauf sein, verbreitet sein; **bring ~** zu Wege, zu Stande bringen; **all ~** überall; **round ~** ringsum; **just ~ enough** gerade noch genug; **that will just ~ do** das reicht gerade noch; **about-face/about-turn** [ə'baʊtfeɪs, ə'baʊttɜːn] *s* **1.** Kehrtwendung *f* **2.** (*fig*) (völliger) Umschwung *m*

ab•rasion [ə'breɪʒn] *s* **1.** Abschleifen *n* **2.** (MED) Abschürfung, Schürfwunde *f;* **ab•ras•ive** [ə'breɪsɪv] **I.** *s* Schleifmittel *n* **II.** *adj* **1.** (ab)schleifend, schmirgelartig **2.** (*Person*) scharfzüngig

abreast [ə'brest] *adv* Seite an Seite; nebeneinander; **keep ~ of** [*o* **with**] Schritt halten mit

abridge [ə'brɪdʒ] *tr* **1.** (ab-, ver)kürzen **2.** (*Buch*) zusammenfassen; **abridg(e)ment** [-mənt] *s* **1.** (Ab-, Ver)Kürzung *f* **2.** (*Buch*) gekürzte Ausgabe

abroad [ə'brɔːd] *adv* **1.** im [*o* ins] Ausland **2.** weit umher, (weit) verbreitet; **from ~** aus dem Ausland; **the news quickly spread ~** die Nachricht breitete sich rasch aus; **at home and ~** im In- u. Ausland

abrupt [ə'brʌpt] *adj* **1.** plötzlich, unerwartet, abrupt **2.** (*Verhalten*) schroff, unhöflich, barsch **3.** (*Fels, Pfad*) sehr steil

ABS [ˌeɪbiː'es] *s abbr of* **antilock braking system** ABS *n*

ab•scess ['æbses] *s* (MED) Abszess *m,* Geschwür *n*

ab•scond [əb'skɒnd] *itr* flüchten (*from* vor), sich davonmachen

ab•seil ['æbsaɪl] *refl* sich abseilen

ab•sence ['æbsəns] *s* **1.** Abwesenheit *f* (*from* von) **2.** Fernbleiben *n* **3.** Fehlen, Nichtvorhandensein *n* **4.** (*~ of mind*) Zerstreutheit, Unachtsamkeit *f;* **in ~ of** mangels *+gen;* **on leave of ~** auf Urlaub; **ab•sent** ['æbsənt] **I.** *adj* **1.** abwesend, fehlend **2.** geistesabwesend, zerstreut; **be ~** fehlen, abwesend sein; **be ~ without leave** (MIL) sich unerlaubt von der Truppe entfernt haben **II.** [əb'sent] *refl:* **~ o.s. from** fernbleiben von; **ab•sen•tee** [ˌæbsən'tiː] *s* Abwesende(r) *f m;* **ab•sen•tee•ism** [-ɪzəm] *s* **1.** (dauernde) Abwesenheit *f* **2.** unentschuldigtes Fernbleiben; **ab•sen•tee land•lord** *s* nicht ortsansässiger Grund-, Hausbesitzer; **ab•sent-minded** [ˌæbsənt'maɪndɪd] *adj* zerstreut, geistesabwesend

ab•so•lute ['æbsəluːt] **I.** *adj* **1.** absolut, völlig, vollkommen **2.** (CHEM) unvermischt **3.** (POL) absolut, unumschränkt **II.** *s* Absolutum *n;* **ab•so•lute•ly** [-lɪ, *alleinstehend:* ˌæbsə'luːtlɪ] *adv* **1.** absolut **2.** völlig, vollkommen; **~!** (*fam*) genau!; **ab•sol•ution** [ˌæbsə'luːʃn] *s* (REL) Absolution *f;* **ab•so•lut•ism** ['æbsəluːtɪzəm] *s* (POL) Absolutismus *m*

ab•solve [əb'zɒlv] *tr* **1.** los-, freisprechen **2.** (*von Versprechen*) entbinden (*from* von)

ab•sorb [əb'sɔːb] *tr* **1.** ein-, aufsaugen **2.** (*fig*) ganz in Anspruch nehmen **3.** (*fig*) verdauen, aufnehmen; **ab•sorbed** [əb'sɔːbd] *adj* (*fig*) vertieft; **ab•sorb•ent** [əb'sɔːbənt] *adj* absorbierend; **ab•sorb•ing** [-ɪŋ] *adj* (*fig*) fesselnd, interessant; **ab•sorp•tion** [əb'sɔːpʃn] *s* **1.** (CHEM) Absorption *f* **2.** (*fig*) Vertieftsein *n;* eindringliche Beschäftigung (*in* mit)

ab•stain [əb'steɪn] *itr* sich enthalten (*from s.th.* e-r S)

ab•stemi•ous [əb'stiːmɪəs] *adj* mäßig; enthaltsam

ab•sten•tion [əb'stenʃn] *s* **1.** Enthaltung *f* (*from* von) **2.** (POL) Stimmenthaltung *f*

ab•sti•nence ['æbstɪnəns] *s* Enthaltsamkeit *f* (*from* von)

ab•stract ['æbstrækt] **I.** *adj* abstrakt **II.** *s* (*Buch*) Auszug, Abriss *m;* Zusammenfassung *f;* **in the ~** abstrakt **III.** [əb'strækt] *tr* **1.** e-n Auszug machen (*from* von) **2.** (*fam*) entwenden; **ab•stracted** [æb'stræktɪd] *adj* (*fig*) geistesabwesend; **ab•strac•tion** [əb'strækʃn] *s* **1.** Abstraktion *f* **2.** (*fig*) Zerstreutheit *f* **3.** Entwendung *f* **4.** abstrakter Begriff

ab•struse [əb'struːs] *adj* schwerverständlich; abstrus

ab•surd [əb'sɜːd] *adj* absurd, unsinnig; **ab•surd•ity** [əb'sɜːdətɪ] *s* Unsinn *m*

abun•dance [ə'bʌndəns] *s* Überfluss *m,*

Fülle *f* (*of* an); **abun·dant** [əˈbʌndənt] *adj* **1.** reich (*in* an), üppig **2.** reichlich versehen (*with* mit)

abuse [əˈbjuːz] **I.** *tr* **1.** missbrauchen; falsch anwenden **2.** beschimpfen, beleidigen **II.** [əˈbjuːs] *s* **1.** Missbrauch *m;* Missstand *m* **2.** Beschimpfung *f;* **abusive** [əˈbjuːsɪv] *adj* beleidigend; ~ **language** Schimpfworte *npl*

abut [əˈbʌt] *itr* (an)grenzen (*on, upon* an)

abys·mal [əˈbɪzməl] *adj* (*fig*) entsetzlich (schlecht); ~ **ignorance** grenzenlose Unwissenheit

abyss [əˈbɪs] *s* Abgrund *m*

aca·demic [ˌækəˈdemɪk] **I.** *adj* **1.** akademisch **2.** wissenschaftlich; geistig; **that is** ~ das ist nicht direkt relevant **II.** *s* Akademiker(in) *m(f);* **acad·emy** [əˈkædəmɪ] *s* Akademie *f;* **riding** ~ Reitschule *f;* ~ **of music** Musikhochschule *f*

ac·cede [ækˈsiːd] *itr:* **he ~d to the office of mayor** er trat das Amt des Bürgermeisters an

ac·cel·er·ate [əkˈseləreɪt] **I.** *tr* beschleunigen **II.** *itr* schneller werden; **ac·cel·er·ation** [əkˌseləˈreɪʃn] *s* Beschleunigung *f;* **ac·cel·er·ator** [əkˈseləreɪtə(r)] *s* **1.** (MOT) Gaspedal *n* **2.** (PHYS) Beschleuniger *m*

ac·cent [ˈæksənt] **I.** *s* Ton *m;* Betonung *f;* Akzent *m* **II.** [ækˈsent] *tr* betonen; **ac·cen·tu·ate** [əkˈsentʃʊeɪt] *tr* betonen, heraus-, hervorheben

ac·cept [əkˈsept] *tr* **1.** annehmen, akzeptieren; in Empfang nehmen **2.** einverstanden sein (*s.th.* mit etw), glauben (*s.th.* an etw) **3.** (*Tatsache*) anerkennen, gelten lassen; **ac·cept·able** [-əbl] *adj* **1.** annehmbar **2.** angenehm, zufriedenstellend; **ac·cept·ance** [əkˈseptəns] *s* **1.** Annahme, Entgegennahme *f* **2.** Zustimmung, Einwilligung *f* **3.** (COM) Zusage *f*

ac·cess [ˈækses] **I.** *s* **1.** Zutritt *m* (*to* zu) **2.** (~ *road*) Zugang *m,* Zugangsstraße, f; Zufahrt *f* **3.** (EDV) Zugriff *m* **II.** *tr* (EDV: *Daten*) zugreifen (auf); **ac·cess·ibil·ity** [ækˌsesəˈbɪlətɪ] *s* Erreichbarkeit, Zugänglichkeit *f;* **ac·cess·ible** [əkˈsesəbl] *adj* zugänglich; erreichbar (*to* für); **ac·ces·sion** [ækˈseʃn] *s* (*Bibliothek*) Zugang *m,* Neuerwerbung *f;* ~ **to power** Machtergreifung, -übernahme *f;* ~ **to the throne** Thronbesteigung *f*

ac·ces·sory [əkˈsesərɪ] *s* **1.** Mitschuldige(r) *f m* **2.** Zubehör *n;* **motor-car accessories** Autozubehör *n;* **toilet accessories** Toilettenartikel *pl*

ac·ci·dent [ˈæksɪdənt] *s* **1.** Zufall *m* **2.** Unglück *n;* Unfall *m;* **by** ~ zufällig; **in an** ~ bei e-m Unfall; **without** ~ unfallfrei; **meet with an** ~ e-n Unfall erleiden; ~ **insurance** Unfallversicherung *f;* ~ **prevention** Unfallverhütung *f;* **be ~-prone** zu Unfällen neigen; **ac·ci·den·tal** [ˌæksɪˈdentl] *adj* zufällig; unabsichtlich, versehentlich

ac·claim [əˈkleɪm] *tr* zujubeln (*s.o.* jdm); ~ **s.o. king** jdn zum König ausrufen; **ac·cla·ma·tion** [ˌækləˈmeɪʃn] *s* **1.** lauter Beifall, Zustimmung *f* **2.** (POL) Zuruf *m;* **elect by** ~ durch Akklamation wählen

ac·cli·mate [ˈæklɪmeɪt] (*Am*) *s.* **acclimatize**; **ac·cli·ma·tion** [ˌæklaɪˈmeɪʃn] *s* (*Am*) *s.* **acclimatization**; **ac·cli·mat·iz·ation** [əˌklaɪmətaɪˈzeɪʃn] *s* (*Br*) Akklimatisierung *f* (*to* an); **ac·cli·mat·ize** [əˈklaɪmətaɪz] *tr* (*Br*) (an)gewöhnen, akklimatisieren (*to* an)

ac·com·mo·date [əˈkɒmədeɪt] *tr* **1.** anpassen (*to* an) **2.** e-n Dienst, e-n Gefallen erweisen (*s.o.* jdm), gefällig sein (*with* mit) **3.** beherbergen, unterbringen **4.** Platz haben für; **ac·com·mo·dat·ing** [-ɪŋ] *adj* **1.** gefällig **2.** zuvorkommend; **ac·com·mo·da·tion** [əˌkɒməˈdeɪʃn] *s* **1.** Platz *m* **2.** Einigung, Übereinkunft *f* **3.** Unterbringung(smöglichkeit), Unterkunft *f,* (Fremden)Zimmer *n*

ac·com·pani·ment [əˈkʌmpənɪmənt] *s* (MUS) Begleitung *f* (*to, for* zu); **ac·com·pan·ist** [əˈkʌmpənɪst] *s* Begleiter(in) *m(f);* **ac·com·pany** [əˈkʌmpənɪ] *tr* **1.** (*a.* MUS) begleiten (*on* auf) **2.** verbinden (*with* mit); **be accompanied with** verbunden sein mit

ac·com·plice [əˈkʌmplɪs] *s* Mittäter(in) *m(f),* Komplize *m,* Komplizin *f*

ac·com·plish [əˈkʌmplɪʃ] *tr* **1.** vollenden **2.** vollbringen, zu Stande bringen, leisten **3.** (*Zweck, Aufgabe*) erfüllen; (*Plan*) verwirklichen, ausführen; (*Arbeit*) verrichten; **ac·com·plished** [əˈkʌmplɪʃt] *adj* **1.** vollendet *a. fig* **2.** kultiviert, vielseitig; **ac·com·plish·ment** [-mənt] *s* **1.** Durchführung, Realisierung *f* **2.** **~s** Fähigkeiten, Fertigkeiten *fpl*

ac·cord [əˈkɔːd] **I.** *itr* übereinstimmen (*with* mit) **II.** *tr* gewähren, zugestehen **III.** *s* (JUR) Abkommen *n* (*with* mit, *between* zwischen); **in** ~ **with** in Einklang mit; **of one's own** ~ aus eigenem Antrieb, von sich aus; **with one** ~ einstimmig; **ac·cord·ance** [əˈkɔːdəns] *s:* **in** ~ **with** entsprechend; gemäß; **ac·cord·ing** [əˈkɔːdɪŋ] *prep* gemäß, laut, entsprechend (*to dat*); ~ **to all appearances** allem Anschein nach; ~ **to schedule** fahrplanmäßig; **ac·cord·ing·ly** [-lɪ] *adv* dementsprechend; danach

ac·cord·ion [əˈkɔːdɪən] *s* (MUS) Akkordeon, Schifferklavier *n*

ac·cost [əˈkɒst] *tr* ansprechen

ac•count [əˈkaʊnt] **I.** *s* **1.** Rechnung, Berechnung *f* **2.** Konto, Guthaben *n* (*with* bei) **3.** Rechenschaft, Darlegung *f;* Bericht *m* **4.** **~s** (COM) Buchhaltung, -führung *f;* Bücher *npl;* **of no** ~ unwichtig, unbedeutend; **not on any ~, on no** ~ auf keinen Fall; **on ~ of** wegen, auf Grund +*gen;* **on this** ~ aus diesem Grund; **on one's** ~ für eigene Rechnung; **call to** ~ zur Rechenschaft ziehen (*for* wegen); **give an ~ of s.th.** über etw Bericht erstatten; über etw Rechenschaft ablegen; **open an ~ with the bank** ein Bankkonto eröffnen; **take into** ~ in Betracht ziehen, berücksichtigen; **current** ~ Girokonto *n* **II.** *itr* **1.** Bericht erstatten (*for* über), erklären (*for s.th.* etw) **2.** Rechenschaft ablegen (*for* über); **how do you ~ for that?** wie erklären Sie (sich) das?; **that ~s for it** das ist die Erklärung dafür; **there's no ~ing for tastes** über Geschmack lässt sich streiten; **ac•count•abi•li•ty** [əˌkaʊntəˈbɪlɪtɪ] *s* Verantwortlichkeit *f;* **ac•count•able** [-əbl] *adj* verantwortlich (*for* für); **ac•count•ancy** [əˈkaʊntənsɪ] *s* Buchhaltung *f;* **ac•count•ant** [əˈkaʊntənt] *s* Buchhalter(in) *m(f);* **certified public** ~ Wirtschaftsprüfer(in) *m(f);* **account(s) book** *s* Geschäftsbuch *n*

ac•credit [əˈkredɪt] *tr* **1.** beglaubigen; (POL) akkreditieren (*to* bei) **2.** zuschreiben (*s.o. with s.th.* jdm etw)

ac•crue [əˈkruː] *itr* (*Betrag*) an-, zufallen (*to s.o.* jdm), sich ansammeln

ac•cu•mu•late [əˈkjuːmjʊleɪt] **I.** *tr* auf-, anhäufen; ansammeln **II.** *itr* sich (an)sammeln, anwachsen; **ac•cu•mu•la•tion** [əˌkjuːmjʊˈleɪʃn] *s* Anhäufung, Ansammlung *f;* **ac•cu•mu•la•tor** [əˈkjuːmjʊleɪtə(r)] *s* (TECH) Akku(mulator) *m*

ac•cu•racy [ˈækjərəsɪ] *s* Genauigkeit *f;* **ac•cu•rate** [ˈækjərət] *adj* genau, exakt

ac•cu•sa•tion [ˌækjuːˈzeɪʃn] *s* Anklage *f;* **bring an ~ against s.o.** gegen jdn Anklage erheben

ac•cus•ative [əˈkjuːzətɪv] *s* (GRAM) Akkusativ *m*

ac•cus•at•ory [ækjuːˈzeitəri] *adj* vorwurfsvoll

ac•cuse [əˈkjuːz] *tr* **1.** anklagen, beschuldigen (*of a crime* e-s Verbrechens, *of having done s.th.* etw getan zu haben) **2.** vorwerfen (*of being s.th.* etw zu sein); **accused** [əˈkjuːzd] *s sing u. pl* Angeklagte(r) *f m*

ac•cus•tom [əˈkʌstəm] *tr* gewöhnen (*to* an); **ac•cus•tomed** [əˈkʌstəmd] *adj* gewohnt; **be** ~ gewohnt sein (*to* an); **get** ~ sich gewöhnen (*to* an)

AC/DC¹ [ˌeɪsiːˈdiːsiː] *s abbr of* **alternating current/direct current** Allstrom-

AC/DC² [ˌeɪsiːˈdiːsiː] *adj* (*sl*) bi(sexuell)

ace [eɪs] *s* **1.** (*Spielkarte*) Ass *n;* (*auf Würfeln*) Eins *f* **2.** (*Experte*) Ass *n;* **serve an** ~ ein As spielen; **within an** ~ um Haaresbreite; **~!** (*fam*) Spitze!

acet•ate [ˈæsɪteɪt] *s* (CHEM) Azetat *n;* **acetic** [əˈsiːtɪk] *adj* (CHEM): ~ **acid** Essigsäure *f;* **acety•lene** [əˈsetəliːn] *s* (CHEM) Azetylen *n*

ache [eɪk] **I.** *s:* **~s and pains** Schmerzen *mpl* **II.** *itr:* **my foot ~s** mein Fuß tut mir weh

achieve [əˈtʃiːv] *tr* zu Stande bringen; erreichen; (*Ziele*) verwirklichen; (*Erfolg*) erzielen; **achieve•ment** [-mənt] *s* **1.** Vollendung, Ausführung *f* **2.** Leistung *f;* Errungenschaft *f*

acid [ˈæsɪd] **I.** *adj* sauer, herb, scharf, beißend; ~ **drops** saure Drops *pl;* ~ **rain** saurer Regen; ~ **test** (*fig*) Feuerprobe *f* **II.** *s* **1.** Säure *f* **2.** (*LSD*) Acid *n;* **acid•ic** [əˈsɪdɪk] *adj* sauer, säurehaltig, Säure-; **acid•ify** [əˈsɪdɪfaɪ] *tr* übersäuern; **acid•ity** [əˈsɪdətɪ] *s* Säuregehalt, -grad *m*

ac•knowl•edge [əkˈnɒlɪdʒ] *tr* **1.** anerkennen (*s.o. to be s.th.* jdn als etw) **2.** bestätigen; quittieren **3.** sich erkenntlich zeigen (*s.th. to s.o.* jdm für etw); **this is to ~ receipt of** ich bestätige hiermit den Empfang +*gen;* **ac•knowl•edg(e)•ment** [-mənt] *s* **1.** Anerkennung *f* **2.** Bestätigung *f;* **in ~ of** zum Zeichen der Anerkennung für

acne [ˈæknɪ] *s* (MED) Akne *f*

acorn [ˈeɪkɔːn] *s* (BOT) Eichel *f*

acous•tic [əˈkuːstɪk] **I.** *adj* akustisch **II.** *s pl* Akustik *f;* **acous•tic coup•ler** [ˈkʌplə(r)] *s* (EDV) Akustikkoppler *m;* **acoustic guitar** *s* Akustikgitarre *f;* **acoustic nerve** *s* Gehörnerv *m*

ac•quaint [əˈkweɪnt] *tr* bekannt, vertraut machen (*with* mit); **be ~ed with s.th.** mit etw vertraut sein; **become** [*o* **get**] **~ed with s.o.** mit jdm bekannt werden; **acquaint•ance** [əˈkweɪntəns] *s* Bekanntschaft *f;* Bekannte(r) *f m;* **make s.o.'s** ~ jds Bekanntschaft machen

ac•qui•esce [ˌækwɪˈes] *itr* sich abfinden (*in* mit); **ac•qui•es•cence** [ˌækwɪˈesns] *s* Einwilligung *f* (*in* in); **ac•qui•es•cent** [ˌækwɪˈesnt] *adj* fügsam, nachgiebig

ac•quire [əˈkwaɪə(r)] *tr* **1.** erlangen; erwerben **2.** (*Kenntnisse*) sich aneignen; **~ a taste for s.th.** Geschmack an etw finden; **caviar is an ~d taste** Kaviar ist etwas für Kenner; **acquired immunity** *s* erworbene Immunität; **ac•qui•si•tion** [ˌækwɪˈzɪʃn] *s* **1.** Erwerb *m,* Erwerbung *f* **2.** Anschaffung *f;* **ac•quis•itive** [əˈkwɪzətɪv] *adj* habsüchtig, gierig (*of* auf)

ac•quit [əˈkwɪt] **I.** *tr* (JUR) freisprechen (*of a*

charge von e-r Anklage) **II.** *refl* sich verhalten; ~ **o.s. well** seine Schuldigkeit tun; seine Sache gut machen; **ac•quit•tal** [ə'kwɪtl] *s* (JUR) Freispruch *m*

acre ['eɪkə(r)] *s* Morgen *m* (= *160 square poles = 43 560 square feet = 0,40467 ha*); **acre•age** ['eikrədʒ] *s* Fläche *f*

ac•rid ['ækrɪd] *adj* scharf, ätzend

ac•ri•moni•ous [ˌækrɪ'məʊnɪəs] *adj* (*fig*) scharf, bitter, beißend; **ac•ri•mony** ['ækrɪmənɪ] *s* (*fig*) Schärfe, Bitterkeit *f*

ac•ro•bat ['ækrəbæt] *s* Akrobat(in) *m(f)*; **ac•ro•batic** [ˌækrə'bætɪk] **I.** *adj* akrobatisch **II.** *s pl* Akrobatik *f*

across [ə'krɒs] **I.** *adv* quer durch; jenseits; drüben **II.** *prep* quer über, quer durch; auf der anderen Seite *+gen,* jenseits *+gen,* über; ~ **the board** pauschal; **come** ~ stoßen auf; **come** ~ **as** (**being**) **nervous** nervös wirken; **come** ~ **s.o.** jdm begegnen; **put** ~ durchbringen, -drücken; **get s.th.** ~ **to s.o.** jdm etw klarmachen; **just** ~ gerade gegenüber; **right** ~ quer durch; **live** ~ **the street** gegenüber wohnen; **ten metres** ~ zehn Meter breit

act [ækt] **I.** *s* **1.** Handlung, Tat *f* **2.** (THEAT) Akt, Aufzug *m* **3.** (JUR) Gesetz *n;* Rechtshandlung *f;* **caught in the** ~ auf frischer Tat ertappt; **get your** ~ **together!** reiß dich zusammen!; **in the** ~ **of going** gerade dabei zu gehen; **in on the** ~ mit von der Partie; **don't put on an** ~! spiel doch nicht Komödie!; **the A~s** (**of the Apostles**) die Apostelgeschichte; ~ **of God** höhere Gewalt **II.** *tr* **1.** (THEAT: *e-e Rolle*) spielen; (*Stück*) aufführen **2.** so tun (*a child* wie ein Kind) **III.** *itr* **1.** sich benehmen, sich verhalten (*like* wie) **2.** sich in Szene setzen **3.** handeln, tun, tätig werden (*as* als) **4.** einwirken (*on* auf), beeinflussen (*on s.th.* etw); ~ **for s.o.** in jds Namen, für jdn handeln; ~ **on** (be)folgen; sich richten, handeln nach; ~ **up** (*fam*) Ärger machen; sich schlecht benehmen; **act•ing** ['æktɪŋ] **I.** *adj* stellvertretend, geschäftsführend **II.** *s* Schauspielkunst *f*

ac•tion ['ækʃn] *s* **1.** Tätigkeit *f;* Handeln *n;* Tat *f* **2.** Wirkung *f* **3.** (JUR) Klage *f;* Prozess *m* **4.** (MIL) Kampf(handlung *f*) *m* **5.** Handlungsweise *f;* **for further** ~ zur weiteren Veranlassung; **out of** ~ (TECH) außer Betrieb; **bring s.th. into** [*o* **put s.th. in**] ~ etw in Gang setzen; **take** ~ Schritte unternehmen, Maßnahmen ergreifen; **take** [*o* **bring**] **an** ~ **against s.o.** gegen jdn e-e Klage einreichen; **field** [*o* **sphere**] **of** ~ Tätigkeitsbereich *m;* **where's the** ~? (*sl*) wo geht's ab?; **actionable** [-əbl] *adj* (JUR) verfolgbar, klagbar; **action-packed** *adj* aktionsgeladen; ~ **holiday** Aktivurlaub *m;* **action replay** *s* (TV) Wiederholung *f*

ac•ti•vate ['æktɪveɪt] *tr* (*a.* CHEM) aktivieren; **ac•tive** ['æktɪv] *adj* **1.** tätig, aktiv, handelnd **2.** betriebsam **3.** (*Geist*) beweglich, lebendig; **take an** ~ **part in s.th.** an etw regen Anteil nehmen; ~ **agent** Wirkstoff *m;* **ac•tiv•ist** ['æktɪvɪst] *s* Aktivist(in) *m(f);* **ac•tiv•ity** [æk'tɪvətɪ] *s* Tätigkeit *f;* Geschäftigkeit, Aktivität *f;* **there is little** ~ es ist wenig los

ac•tor ['æktə(r)] *s* (THEAT) Schauspieler *m;* **ac•tress** ['æktrɪs] *s* Schauspielerin *f*

ac•tual ['æktʃʊəl] *adj* wirklich, tatsächlich (vorhanden); eigentlich; **ac•tual•ly** ['æktʃʊlɪ] *adv* **1.** eigentlich, übrigens **2.** tatsächlich, wirklich

actuarial [ˌæktʃʊ'eərɪəl] *adj* versicherungsmathematisch; **ac•tu•ary** ['æktʃʊərɪ] *s* Versicherungsmathematiker(in) *m(f)*

ac•tu•ate ['æktʃʊeɪt] *tr* in Gang bringen; auslösen, betätigen

acu•punc•ture ['ækjʊpʌŋktʃə(r)] *s* (MED) Akupunktur *f*

acute [ə'kju:t] *adj* **1.** spitz **2.** (*Sinne*) scharf **3.** (*Frage*) brennend **4.** (*Ton*) schrill **5.** (*Winkel*) spitz **6.** (MED) akut

ad [æd] *s s.* **advertisement**

AD *s abbr of* **Anno Domini** n. Chr.

adagio [ə'dɑ:dʒɪəʊ] *adj, adv* adagio

Adam ['ædəm] *s* Adam *m;* **not to know s.o. from** ~ jdn überhaupt nicht kennen

ada•mant ['ædəmənt] *adj* (*fig*) unnachgiebig (*to* gegenüber)

Adam's apple *s* Adamsapfel *m*

adapt [ə'dæpt] *tr* **1.** anpassen (*to* an) **2.** (*Roman*) bearbeiten; **adapt•able** [-əbl] *adj* anpassungsfähig (*to* an); **ad•ap•ta•tion** [ˌædæp'teɪʃn] *s* **1.** Anpassung *f* (*to* an) **2.** (THEAT) Bearbeitung *f;* **adapter, adaptor** [ə'dæptə(r)] *s* **1.** Bearbeiter *m* **2.** (TECH) Adapter *m;* **universal** ~ **plug** Sammelstecker *m*

add [æd] **I.** *tr* **1.** hinzusetzen, -tun, -fügen (*to* zu) **2.** (~ *up*) zusammenzählen, addieren **II.** *itr* beitragen (*to* zu), vermehren (*to s.th.* etw); ~ **up to** sich belaufen auf; **ad•den•dum** [ə'dendəm, *pl* ə'dendə] <*pl* -da> *s* Zusatz, Nachtrag *m*

ad•der ['ædə(r)] *s* (ZOO) Natter *f*

ad•dict ['ædɪkt] *s* Süchtige(r); Abhängige(r) *f m;* **ad•dic•ted** [ə'dɪktɪd] *adj* süchtig; ~ **to drugs** rauschgiftsüchtig; **ad•dic•tion** [ə'dɪkʃən] *s* Sucht *f*

ad•ding-ma•chine ['ædɪŋmə'ʃi:n] *s* Addier-, Rechenmaschine *f*

ad•di•tion [ə'dɪʃn] *s* **1.** Bei-, Zugabe *f;* Beifügung *f* **2.** Zusatz *m* **3.** (MATH) Addition *f* **4.** (*Familie*) Zuwachs *m;* **in** ~ außerdem (noch); dazu; **in** ~ **to** (zusätzlich) zu; **ad•di•tional** [ə'dɪʃənl] *adj* zusätzlich; ergänzend; ~ **charge** Preiszuschlag *m;* **ad•di•tion•ally** [ə'dɪʃənəlɪ] *adv* zusätzlich; außerdem; **ad•di•tive** ['ædɪtɪv] *s* Zusatz *m*

ad•dress [ə'dres] **I.** *tr* **1.** (*Brief*) adressieren **2.** (*Person*) anreden; e-e Ansprache halten an (*a meeting* e-e Versammlung) **3.** (*Anfrage*) richten (*to* an); ~ **o.s. to** sich wenden an; ansprechen **II.** [*Am* 'ædres] *s* **1.** Anrede, Ansprache *f* **2.** Anschrift, Adresse *f;* **deliver an** ~ e-e Ansprache halten; **business** ~ Geschäftsadresse *f;* **form of** ~ Anredeform *f;* **home** [*o* **private**] ~ Privatanschrift *f;* **ad•dressee** [ˌædre'siː] *s* Empfänger(in) *m(f),* Adressat(in) *m(f)*

ad•duce [ə'djuːs] *tr* (*Beispiel*) anführen; (*Beweis*) erbringen

ad•en•oids ['ædɪnɔɪdz] *s pl* (MED) Rachenmandeln, Polypen *pl*

adept ['ædept] **I.** *s* Kenner(in) *m(f),* Sachverständige(r) *f m* **II.** *adj* erfahren; sehr geschickt (*in* in, *at doing s.th.* etw zu tun)

ad•equacy ['ædɪkwəsɪ] *s* Angemessenheit *f;* **ad•equate** ['ædɪkwət] *adj* ausreichend (*to* für)

ad•here [əd'hɪə(r)] *itr* **1.** haften, kleben (*to* an) **2.** (*fig*) festhalten (*to* an), bleiben (*to* bei); ~ **to an opinion** bei e-r Meinung bleiben; **ad•her•ence** [əd'hɪərəns] *s* Festhalten *n* (*to* an); **ad•her•ent** [əd'hɪərənt] *s* Anhänger(in) *m(f)*

ad•hes•ive [əd'hiːsɪv] **I.** *adj* klebend; haftend; ~ **plaster** Heftpflaster *n;* ~ **tape** Kleb(e)streifen *m* **II.** *s* Klebstoff *m*

adi•pose tis•sue ['ædɪpəʊsˌtɪʃuː] *s* Fettgewebe *n*

ad•jac•ent [ə'dʒeɪsnt] *adj* angrenzend, anliegend, anstoßend (*to* an); **be** ~ **to** angrenzen an

ad•jec•tival [ˌædʒɪk'taɪvl] *adj* adjektivisch; **ad•jec•tive** ['ædʒɪktɪv] *s* Adjektiv, Eigenschaftswort *n*

ad•join [ə'dʒɔɪn] **I.** *tr* angrenzen an; sehr nahe liegen bei **II.** *itr* nahe beieinander liegen; **ad•join•ing** [-ɪŋ] *adj* benachbart

ad•journ [ə'dʒɜːn] *tr, itr* vertagen (*for a week* um e-e Woche)

ad•just [ə'dʒʌst] **I.** *tr* **1.** anpassen, verstellen; abstimmen (*to* auf); (TECH) einstellen **2.** richtig stellen; in Ordnung bringen; (*Rechnung*) berichtigen **II.** *refl:* ~ **o.s. to** sich anpassen, sich gewöhnen an; sich einstellen auf; **ad•just•able** [-əbl] *adj* regulierbar; ein-, verstellbar; **adjustable spanner** *s* Engländer *m;* **ad•just•ment** [-mənt] *s* **1.** Anpassung, Angleichung *f* **2.** (TECH) Einstellung, Regulierung *f;* ~ **range** (MOT) Einstellbereich *m*

ad•ju•tant ['ædʒʊtənt] *s* Adjutant *m*

ad-lib [ˌæd'lɪb] **I.** *tr, itr* improvisieren **II.** *adv* aus dem Stegreif

ad-man ['ædmæn] <*pl* -men> *s* Anzeigen-, Werbefachmann *m;* **ad-mass** ['ædmæs] *s* durch Werbung leicht zu beeinflussende Menschen *pl*

ad•min•is•ter [əd'mɪnɪstə(r)] *tr* **1.** verwalten; (*Amt*) versehen **2.** (*Trost*) spenden **3.** (*Medizin*) verabreichen; ~ **justice** Recht sprechen; **the oath was ~ed to him** er wurde vereidigt; **ad•min•is•trate** [əd'mɪnɪstreɪt] *tr* (*Am*) verwalten, kontrollieren; **ad•min•is•tra•tion** [ədˌmɪnɪ'streɪʃn] *s* **1.** Verwaltung *f;* Amtsführung, -zeit *f;* Behörde *f* **2.** (POL) Regierung *f* **3.** (*Medizin*) Eingeben *n* **4.** (*Sakrament*) Spenden *n* **5.** (*Eid*) Abnahme *f;* ~ **of justice** Rechtspflege *f;* **ad•min•is•tra•tive** [əd'mɪnɪstrətɪv] *adj* verwaltungsmäßig; **through** ~ **channels** auf dem Verwaltungsweg; **administrative building** *s* Verwaltungsgebäude *n;* **ad•min•is•tra•tor** [əd'mɪnɪstreɪtə(r)] *s* **1.** Verwalter(in) *m(f),* Leiter(in) *m(f)* **2.** (~ *of an estate*) Nachlassverwalter(in) *m(f)*

ad•mir•able ['ædmərəbl] *adj* wunderbar, herrlich; bewundernswert

ad•miral ['ædmərəl] *s* (MAR ZOO) Admiral *m;* **Ad•miral•ty** ['ædmərəltɪ] *s* (*Br*) Marineministerium *n;* **First Lord of the** ~ (*Br*) Marineminister *m*

ad•mir•ation [ˌædmə'reɪʃn] *s* Bewunderung *f* (*of, for* für); **ad•mire** [əd'maɪə(r)] *tr* bewundern (*for* wegen); **ad•mirer** [əd'mɪərə(r)] *s* Bewunderer *m,* Bewunderin *f*

ad•miss•ible [əd'mɪsəbl] *adj* zulässig, statthaft; **ad•mis•sion** [əd'mɪʃn] *s* **1.** Einlass, Eintritt, Zutritt *m* **2.** Eintrittspreis *m,* -geld *n* **3.** Ein-, Zugeständnis *n;* **gain** ~ **to** Zutritt erhalten zu; ~ **free** Eintritt frei; **no ~!** Eintritt verboten!

ad•mit [əd'mɪt] **I.** *tr* **1.** hereinlassen (*into a house* in ein Haus), aufnehmen (*to a club* in e-n Klub) **2.** (*Saal*) Raum haben für **3.** zugeben, ein-, zugestehen; ~ **to the Bar** als Rechtsanwalt, -anwältin zulassen **II.** *itr* gestatten, erlauben (*of no doubt* keinen Zweifel); ~ **of no other meaning** keine andere Bedeutung zulassen; **ad•mit•tance** [əd'mɪtns] *s* Einlass, Zutritt *m;* **no ~!** Zutritt verboten!; **no ~ except on business** kein Zutritt für Unbefugte!; **ad•mit•ted•ly** [əd'mɪtɪdlɪ] *adv* zugegebenermaßen

ad•mon•ish [əd'mɒnɪʃ] *tr* **1.** ermahnen **2.** verwarnen; **ad•mo•ni•tion** [ˌædmə'nɪʃn] *s* **1.** Ermahnung *f* **2.** Warnung *f;* Verwarnung *f*

ado [ə'duː] *s:* **much ~ about nothing** viel Lärm um nichts; **without further ~** ohne weitere Umstände

ado•les•cence [ˌædə'lesns] *s* Jugend *f;* Pubertät *f;* **ado•les•cent** [ˌædəˈlesnt] **I.** *adj* jugendlich **II.** *s* Jugendliche(r) *f m*

adopt [əˈdɒpt] *tr* **1.** (JUR) adoptieren, an Kindes statt annehmen **2.** (*Bericht*) billigen; (*Gedanken*) übernehmen; (*Maßnahmen*) ergreifen; ~ **a motion** e-n Antrag annehmen; **adop•tion** [əˈdɒpʃn] *s* **1.** Adoption *f;* Annahme *f* an Kindes statt **2.** Annahme, Billigung *f*

ador•able [ˌəˈdɔːrəbl] *adj* **1.** liebenswert **2.** reizend, entzückend; **ador•ation** [ˌædəˈreɪʃn] *s* Anbetung *f;* Verehrung *f;* **adore** [əˈdɔː(r)] *tr* **1.** anbeten; verehren **2.** (*fam*) sehr gern haben; **ador•ing** [əˈdɔːrɪŋ] *adj* bewundernd

adorn [əˈdɔːn] *tr* (ver)zieren, schmücken, verschönern; **adorn•ment** [-mənt] *s* Schmuck *m;* Verzierung *f*

ad•ren•alin(e) [əˈdrenəlɪn] *s* Adrenalin *n*

adrift [əˈdrɪft] *adv, adj pred* (MAR) (ab)treibend; **come adrift** (*fig*) sich lösen; (*Pläne*) fehlschlagen

adroit [əˈdrɔɪt] *adj* gewandt, geschickt

adu•la•tion [ˌædjʊˈleɪʃn] *s* Verherrlichung *f*

adult [ˈædʌlt] **I.** *adj* erwachsen; ausgewachsen; (*fig*) reif **II.** *s* **1.** Erwachsene(r) *f m* **2.** ausgewachsenes Tier; **adult education** *s* Erwachsenenbildung *f;* **adult film** *s* Film *m* nur für Erwachsene

adul•ter•ate [əˈdʌltəreɪt] *tr* verfälschen; (*Wein*) panschen; **adul•ter•ation** [əˌdʌltəˈreɪʃn] *s* (Ver)Fälschung *f*

adul•terer [əˈdʌltərə(r)] *s* Ehebrecher *m;* **adul•ter•ess** [əˈdʌltərɪs] *s* Ehebrecherin *f;* **adul•ter•ous** [əˈdʌltərəs] *adj* ehebrecherisch; **adul•tery** [əˈdʌltərɪ] *s* Ehebruch *m*

ad•vance [ədˈvɑːns] **I.** *tr* **1.** vorrücken **2.** befördern **3.** (*Meinung*) vorbringen, äußern; (*Grund*) anführen, vortragen **4.** (*Geld*) vorschießen, -strecken **II.** *itr* **1.** vorgehen, -stoßen, -dringen **2.** Fortschritte machen **3.** (*Preise*) steigen; (*Qualität*) besser werden **III.** *s* **1.** Vorrücken *n* **2.** Fortschritt *m,* Besserung, Aufwärtsentwicklung *f* **3.** (Preis)Erhöhung *f* **4.** Vorschuss *m;* An-, Vorauszahlung *f;* Darlehen *n* **5.** (*Beamter*) Beförderung *f;* **in** ~ im Voraus; **be in** ~ **of one's times** seiner Zeit voraus sein; **be on the** ~ (COM) im Steigen begriffen sein; **book in** ~ vorausbestellen, -belegen; **make ~s to s.o.** (*fig*) an jdn herantreten; (*pej*) sich an jdn ranmachen; **ad•vance booking** *s* Vor(aus)bestellung *f;* Vorverkauf *m;* **ad•vanced** [ədˈvɑːnst] *adj* **1.** (*Alter*) vorgeschritten **2.** fortschrittlich; **ad•vancement** [ədˈvɑːnsmənt] *s* Förderung *f;* (*beruflich*) Beförderung *f;* **advance notice** *s* Voranzeige, Voranmeldung, -kündigung *f;* **ad•vance payment** *s* Vorauszahlung *f*

ad•van•tage [ədˈvɑːntɪdʒ] *s* **1.** Vorteil *m* **2.** Vorzug *m;* Überlegenheit *f* (*over, of* über) **3.** günstige Gelegenheit; **to s.o.'s** ~ zu jds Gunsten; **to the best** ~ so vorteilhaft wie möglich; **be of** ~ von Nutzen, nützlich sein; **have an** ~ **over s.o.** jdm gegenüber im Vorteil sein; **take** ~ **of** übervorteilen (*s.o.* jdn), ausnutzen (*s.th.* etw); **turn to** ~ Vorteil, Nutzen ziehen aus; **ad•van•tageous** [ˌædvənˈteɪdʒəs] *adj* vorteilhaft

ad•vent [ˈædvənt] *s* Anbruch *m;* **A~** Advent *m*

ad•ven•ture [ədˈventʃə(r)] *s* Abenteuer *n;* **ad•ven•turer** [ədˈventʃərə(r)] *s* **1.** Abenteurer(in) *m(f)* **2.** Hochstapler(in) *m(f);* **ad•ven•tur•ous** [ədˈventʃərəs] *adj* abenteuerlich

ad•verb [ˈædvɜːb] *s* Adverb *n;* **ad•verb•ial** [ædˈvɜːbɪəl] *adj* adverbial

ad•ver•sary [ˈædvəsərɪ] *s* Gegner(in) *m(f);* **ad•verse** [ˈædvɜːs] *adj* ungünstig, nachteilig; (*Umstände*) widrig; **ad•ver•sity** [ədˈvɜːsətɪ] *s* Unglück, Missgeschick *n;* Elend *n,* Not *f*

ad•ver•tise [ˈædvətaɪz] **I.** *tr* **1.** anzeigen, ankündigen **2.** werben für; annoncieren **II.** *itr* **1.** inserieren; annoncieren **2.** Reklame machen, Werbung betreiben; ~ **for** inserieren nach; durch e-e Zeitungsanzeige suchen; **ad•ver•tise•ment** [ədˈvɜːtɪsmənt, *Am* ˌædvərˈtaɪzmənt] *s* **1.** (Zeitungs)Anzeige *f,* Inserat *n,* Annonce *f* **2.** Reklame, Werbung *f;* **TV ~s** Werbefernsehen *n;* **ad•ver•tiser** [ˈædvətaɪzə(r)] *s* **1.** Inserent *m* **2.** Anzeigenkunde *m;* **ad•ver•tis•ing** [ˈædvəˌtaɪzɪŋ] *s* Werbung, Reklame *f;* **radio** ~ Rundfunkreklame *f;* **advertising agency** *s* Werbeagentur *f;* **advertising campaign** *s* Werbekampagne *f;* **advertising hoarding** *s* Reklametafel, Plakatwand *f;* **advertising media** *s* Werbemittel *npl;* **advertising space** *s* Reklamefläche *f;* (*Zeitung*) Inseratenteil, Anzeigenteil *m*

ad•vice [ədˈvaɪs] *s* **1.** Rat(schlag) *m* **2.** Gutachten *n* **3.** (COM) Benachrichtigung *f* (*from* von); **a piece** [*o* **a bit**] **of** ~ ein Rat; **act on s.o.'s** ~ jds Rat befolgen; **ask s.o.'s** ~ jdn um Rat fragen; **take medical** ~ e-n Arzt aufsuchen; **ad•vis•able** [ədˈvaɪzəbl] *adj* ratsam, empfehlenswert; **ad•vise** [ədˈvaɪz] *tr* **1.** raten, empfehlen **2.** (COM) benachrichtigen; **be well ~d** wohl beraten sein; **ad•viser** [ədˈvaɪzə(r)] *s* Berater(in) *m(f);* **my legal** ~ mein(e) Rechtsanwalt (-anwältin) *m (f);* **my medical** ~ mein(e) (Haus)Arzt (-Ärztin) *m (f);* **ad•vis•ory** [ədˈvaɪzərɪ] *adj* beratend; **in an** ~ **capacity** in beratender Eigenschaft; ~ **committee** Beratungsausschuss *m;* Beirat *m*

ad•vo•cate ['ædvəkət] **I.** *s* **1.** Fürsprecher(in) *m(f)*, Verfechter(in) *m(f)* **2.** Anwalt *m*, Anwältin *f* **II.** ['ædvəkeɪt] *tr* eintreten (*s.th.* für etw), befürworten

ad-writer ['ædraɪtə(r)] *s* Texter(in) *m(f)*

aegis ['iːdʒɪs] *s* (*fig*) Schirmherrschaft *f*

aeon ['iːən] *s* Ewigkeit *f*

aer•ate ['eəreɪt] *tr* **1.** lüften **2.** mit Kohlensäure versetzen

aer•ial ['eərɪəl] **I.** *adj* **1.** Luft- **2.** (*Kabel*) oberirdisch **II.** *s* (*Br*) Antenne *f*; **aerial view** *s* Luftbild *n*

aero- ['eərə] *prefix* Luft-, Flug-, Aero-

aerobics [eə'rəʊbɪks] *s pl* Aerobic *n sing*

aero•drome ['eərədrəʊm] *s* Flugplatz *m*; **aero•dy•nam•ics** [ˌeərəʊdaɪ'næmɪks] *s pl mit sing* Aerodynamik *f*; **aero•naut•ic(al)** ['eərənɔːtik(l)] *adj* aeronautisch; ~ **engineering** Luftfahrttechnik *f*; ~ **medicine** Luftfahrtmedizin *f*; **aero•naut•ics** [ˌeərə'nɔːtɪks] *s pl mit sing* Aeronautik *f*; **aero•plane** ['eərəpleɪn] *s* Flugzeug *n*; **aero•sol** ['eərəsɒl] *s* Sprühdose *f*

aes•thet•ic(al) [iːs'θetɪk(l)] *adj* ästhetisch; **aes•thet•ics** [iːs'θetɪks] *s pl mit sing* Ästhetik *f*

afar [ə'fɑː(r)] *adv:* **from** ~ aus der Ferne

affa•bil•ity [ˌæfə'bɪlətɪ] *s* Leutseligkeit, Umgänglichkeit *f*; **af•fable** ['æfəbl] *adj* umgänglich

af•fair [ə'feə(r)] *s* **1.** Angelegenheit, Sache *f* **2.** Veranstaltung *f* **3.** (*love* ~) Verhältnis *n* **4.** Affäre *f*, Skandal *m*; **foreign ~s** (POL) auswärtige Angelegenheiten *fpl*; **Secretary of State for Foreign A~s** Außenminister(in) *m(f)*

af•fect [ə'fekt] *tr* **1.** beeinflussen, in Mitleidenschaft ziehen **2.** (MED) angreifen, befallen **3.** e-n tiefen Eindruck machen (*s.o.* auf jdn), bewegen, (be)rühren **4.** vortäuschen, vorgeben; **af•fec•ta•tion** [ˌæfek'teɪʃn] *s* **1.** Verstellung *f* **2.** Künstelei *f*; **af•fected** [ə'fektɪd] *adj* **1.** geziert, affektiert **2.** in Mitleidenschaft gezogen; angegriffen, erkrankt; **af•fec•tion** [ə'fekʃn] *s* (Zu)Neigung *f*; Liebe *f* (*for, towards* zu); **af•fec•tion•ate** [ə'fekʃənət] *adj* liebevoll, herzlich, zärtlich; **yours ~ly** mit herzlichen Grüßen

af•fi•da•vit [ˌæfɪ'deɪvɪt] *s* (JUR) eidesstattliche Versicherung

af•fili•ate [ə'fɪlɪeɪt] **I.** *tr* **1.** angliedern **2.** (*Mitglied*) aufnehmen (*to, with* in) **II.** *itr* eng verbunden sein (*to, with* mit), ein Mitglied sein (*to, with* bei) **III.** *s* (*Am*) Tochter(gesellschaft) *f*; **af•fili•ated** [ə'fɪlɪeɪtɪd] *adv* angeschlossen, verbunden, Schwester-; **af•fili•ation** [əˌfɪlɪ'eɪʃn] *s* **1.** Verbindung *f*, Anschluss *m* **2.** Angliederung *f*

af•fin•ity [ə'fɪnətɪ] *s* **1.** Verwandtschaft *f* **2.** Neigung *f* (*for, to* zu) **3.** (CHEM) Affinität *f*

af•firm [ə'fɜːm] **I.** *tr* (nachdrücklich) erklären; versichern, bestätigen **II.** *itr* (JUR) feierlich versichern; **af•firm•ation** [ˌæfə'meɪʃn] *s* **1.** Bestätigung, Versicherung *f* **2.** (JUR) Erklärung *f* an Eides statt; **af•firm•ative** [ə'fɜːmətɪv] *adj* bejahend; **answer in the** ~ mit „Ja" antworten

af•fix [ə'fɪks] **I.** *tr* anheften, anbringen (*to* an); (*Stempel*) aufdrücken; (*Unterschrift*) beifügen **II.** ['æfɪks] *s* (GRAM) Affix *n*

af•flict [ə'flɪkt] *tr* betrüben, kränken; heimsuchen; **~ed with a disease** von einer Krankheit geplagt; **~ed by doubts** von Zweifeln geplagt; **the ~ed** die Leidenden *pl*; **af•flic•tion** [ə'flɪkʃn] *s* **1.** Leiden *n*, Pein *f* **2.** Kummer *m*, Betrübnis *f* **3.** Gebrechen *n*

af•flu•ence ['æflʊəns] *s* Reichtum *m*; Fülle *f*; Überfluss *m*; **af•flu•ent** ['æflʊənt] *adj* reich (*in, of, with* an); ~ **society** Wohlstandsgesellschaft *f*

af•ford [ə'fɔːd] *tr* **1.** sich erlauben, sich leisten **2.** (*Vergnügen*) geben, gewähren; (*Gewinn*) einbringen; **I can't ~ it** ich kann es mir nicht leisten; **you can ~ to laugh** Sie haben gut lachen; **af•ford•able** [ə'fɔːdəbl] *adj* leicht erschwinglich

af•for•est [ə'fɒrɪst] *tr* aufforsten; **af•for•est•ation** [əˌfɒrɪ'steɪʃn] *s* Aufforstung *f*

af•front [ə'frʌnt] **I.** *tr* beleidigen **II.** *s* Beleidigung *f*

Af•ghan ['æfgæn] **I.** *s* **1.** Afghane *m*, Afghanin *f* **2.** (*Hund*) Afghane *m* **II.** *adj* afghanisch; **Af•ghani•stan** [æf'gænɪstæn] *s* Afghanistan *n*

afield [ə'fiːld] *adv* in die Ferne; fort, weg; **far** ~ weit weg

aflame [ə'fleɪm] *adv, adj pred* in Flammen

afloat [ə'fləʊt] *adv, adj pred* **1.** schwimmend **2.** überflutet **3.** (*fig*) in Umlauf; **set rumours** ~ Gerüchte ausstreuen

afoot [ə'fʊt] *adv, adj pred* im Gange

afore•men•tioned, **afore•said** [əˌfɔː'menʃnd, əˌfɔːsed] *adj* oben genannt

afraid [ə'freɪd] *adj pred:* **be** ~ (sich) fürchten, Angst haben (*of* vor); **I am ~ I have to go** ich muss leider gehen; **don't be ~ to ...** scheuen Sie sich nicht zu ...

afresh [ə'freʃ] *adv* wieder, erneut

Af•ri•ca ['æfrɪkə] *s* Afrika *n*; **Af•ri•can** ['æfrɪkən] **I.** *s* Afrikaner(in) *m(f)* **II.** *adj* afrikanisch

after ['ɑːftə(r)] **I.** *adv* hinterher, darauf, danach, nachher **II.** *prep* **1.** (*räumlich*) hinter, nach, hinter ... her **2.** (*zeitlich*) nach **3.** (*Reihenfolge*) hinter **4.** (*Verhältnis*) entsprechend **5.** (*Grund*) auf Grund von, infolge; bei **6.** (*Gegensatz*) trotz; **day ~ day**

Tag für Tag; **the day ~ tomorrow** übermorgen; **one ~ another** einer nach dem andern; **time ~ time** immer wieder; **~ all** schließlich, eben, doch; letzten Endes; **~ hours** nach Geschäftsschluss; **~ that** danach, nachher, daraufhin **III.** *conj* nachdem; **after-care** ['ɑ:ftəkeə(r)] *s* (MED) Nachbehandlung *f;* **after-din•ner** [ˌɑ:ftə'dɪnə(r)] *adj* nach Tisch; **~ speech** Tischrede *f;* **after-ef•fect** ['ɑ:ftərɪˌfekt] *s* Nachwirkung *f;* **after-life** ['ɑ:ftəlaɪf] *s* Leben *n* nach dem Tod; **after•math** ['ɑ:ftəmæθ] *s* (*fig*) Nachwirkungen *fpl;* **after•noon** [ˌɑ:ftə'nu:n] *s* Nachmittag *m;* **in the ~(s)** nachmittags, am Nachmittag (*at* um); **this ~** heute nachmittag; **good ~!** Guten Tag!; **after-sales service** [ˌɑ:ftə'seilz] *s* Kundendienst *m*

after•shock ['ɑ:ftəʃɒk] *s* Nachbeben *n;* **after•thought** ['ɑ:ftəθɔ:t] *s* nachträgliche Überlegung; **after•wards** ['ɑ:ftəwədz] *adv* danach, später

again [ə'gen] *adv* wieder; noch einmal, nochmals; **as much ~** noch einmal so viel; **never ~** nie wieder, nie mehr; **now and ~** dann und wann; **over and over ~, time and time ~, ~ and ~** immer wieder

against [ə'genst] *prep* gegen, wider; entgegen(gesetzt zu); **be for or ~ s.th.** für oder gegen etw sein; **I'm not ~ it** ich habe nichts dagegen

ag•ate ['ægət] *s* Achat *m*

age [eɪdʒ] **I.** *s* **1.** Alter *n* **2.** Zeitalter *n;* Epoche *f;* **at the ~ of** im Alter von; **for ~s** (*fam*) ewig lang; **in ~s to come** in künftigen Zeiten; **over ~** über der Altersgrenze; **under ~** minderjährig; **be** [*o* **take**] **~s** ewig brauchen; **come of ~** mündig, volljährig werden; **the Ice A~** die Eiszeit; **the Stone A~** die Steinzeit; **the Middle A~s** das Mittelalter **II.** *itr* alt, reif werden; altern **III.** *tr* alt werden lassen, altern; (*Kleidung*) alt machen; (*Käse, Wein*) lagern, reifen; **age-bracket, age-group** *s* Jahrgang *m*

aged¹ [eɪdʒd] *adj* im Alter von

aged² ['eɪdʒɪd] **I.** *adj* **1.** bejahrt, betagt **2.** (*Gebäude, Auto*) sehr alt **II.** *s:* **the ~** die alten Leute

age•ism ['eɪdʒɪzm] *s* Diskriminierung *f* auf Grund des Alters; **age•less** ['eɪdʒlɪs] *adj* zeitlos; nicht alternd; **age limit** *s* Altersgrenze *f;* **age-long** ['eɪdʒlɒŋ] *adj* ewig dauernd

agency ['eɪdʒənsɪ] *s* **1.** Geschäftsstelle *f;* Vertretung *f,* Büro *n;* Agentur *f;* (*government ~*) Behörde, Dienststelle *f* **2.** Tätigkeit, Wirkung *f;* **by** [*o* **through**] **the ~ of** durch Vermittlung von; **tourist** [*o* **travel**] **~** Reisebüro *n*

agenda [ə'dʒendə] *s* Tagesordnung *f;* **be on the ~** auf der Tagesordnung stehen; **place** [*o* **put**] **on the ~** auf die Tagesordnung setzen; **item on the ~** Tagesordnungspunkt *m*

agent ['eɪdʒənt] *s* **1.** Mittel, Agens *n;* (CHEM) Wirkstoff *m* **2.** Vertreter(in) *m(f),* Repräsentant(in) *m(f),* Beauftragte(r) *f m,* Agent(in) *m(f);* **estate ~** Grundstücks-, Immobilienmakler(in) *m(f);* **forwarding ~** Spediteur *m;* **insurance ~** Versicherungsagent(in) *m(f),* -vertreter(in) *m(f);* **sole ~** Alleinvertreter *m;* **travel ~** Reiseverkehrskaufmann *m,* -frau *f*

ag•glom•er•ate [ə'glɒməreɪt] **I.** *tr, itr* zusammenballen, (sich) anhäufen **II.** [ə'glɒmərət] *adj* an-, aufgehäuft; zusammengeballt **III.** [ə'glɒmərət] *s* (GEOL) Agglomerat *n;* **ag•glom•er•ation** [əˌglɒmə'reɪʃn] *s* Zusammenballung, Anhäufung *f*

ag•gra•vate ['ægrəveɪt] *tr* **1.** verschlimmern **2.** ärgern; reizen; **ag•gra•vat•ing** [-ɪŋ] *adj* ärgerlich, lästig; **ag•gra•va•tion** [ˌægrə'veɪʃn] *s* **1.** Verschlimmerung *f;* Erschwerung *f* **2.** Ärger *m*

ag•gre•gate ['ægrɪgɪt] **I.** *adj* gesamt, ganz; **~ amount** Gesamtbetrag *m;* **~ weight** Gesamtgewicht *n* **II.** *s* **1.** (*a.* GEOL) Aggregat *n* **2.** Menge, Summe, Masse *f;* Gesamtheit *f;* Gesamtsumme *f* **III.** ['ægrɪgeɪt] *tr* **1.** anhäufen, vereinigen, verbinden (*to* mit) **2.** sich belaufen (auf)

ag•gres•sion [ə'greʃn] *s* Aggression *f;* Angriff *m;* **ag•gres•sive** [ə'gresɪv] *adj* aggressiv; **ag•gres•sive•ness** [-nəs] *s* Aggressivität *f;* **ag•gres•sor** [ə'gresə(r)] *s* Angreifer(in) *m(f)*

ag•grieved [ə'gri:vd] *adj* **1.** betrübt (*at, by* über) **2.** verletzt (*at, by* durch); (*Blick, Stimme*) gekränkt; **the ~** (**party**) (JUR) der/die Beschwerte

aghast [ə'gɑ:st] *adj pred* entsetzt, bestürzt (*at* über)

agile ['ædʒaɪl, *Am* 'ædʒl] *adj* beweglich, wendig; flink, behände; **agil•ity** [ə'dʒɪlətɪ] *s* Beweglichkeit, Wendigkeit *f,* Behändigkeit *f*

agi•tate ['ædʒɪteɪt] **I.** *tr* **1.** auf-, erregen, beunruhigen (*about* wegen) **2.** schütteln, rütteln **II.** *itr* agitieren (*against* gegen, *for* für); **agi•ta•tion** [ˌædʒɪ'teɪʃn] *s* **1.** Auf-, Erregung *f* **2.** Beunruhigung *f;* Agitation *f;* **agi•ta•tor** ['ædʒɪteɪtə(r)] *s* Aufrührer, Agitator *m*

aglow [ə'gləʊ] *adj pred* **1.** glühend **2.** (*fig*) erregt (*with* von, vor)

ag•nos•tic [æg'nɒstɪk] *s* Agnostiker(in) *m(f)*

ago [ə'gəʊ] *adv* vor; **three months ~** vor

drei Monaten; **a long time** ~ schon lange her; (**just**) **a moment** ~ eben noch; **not long** ~ vor kurzem, unlängst; **a while** ~ vor e-r Weile; **how long** ~? wie lange ist es her?

agog [ə'gɒg] *adj pred* gespannt; **be** ~ **with curiosity** vor Neugier fast platzen; **set s.o.** ~ jdn auf die Folter spannen

ag•on•ize ['ægənaɪz] *itr* sich quälen; **agonized** ['ægənaɪzd] *adj* gequält; **ag•on•iz•ing** ['ægənaɪzɪŋ] *adj* quälend; **ag•ony** ['ægənɪ] *s* **1.** Qual *f* **2.** Todeskampf *m*

agree [ə'gri:] *itr* **1.** einverstanden sein (*to* mit), einwilligen (*to* in), übereinstimmen (*with* mit) **2.** sich einigen, einig sein (*on* über) **3.** verabreden, vereinbaren (*on s.th.* etw) **4.** (*Speisen*) gut bekommen (*with s.o.* jdm); **I don't** ~ **with children staying up late** ich bin dagegen, dass Kinder lange aufbleiben; **agreeable** [-əbl] *adj* **1.** angenehm **2.** liebenswürdig; **be** ~ einverstanden sein (*to* mit); **agree•ment** [-mənt] *s* **1.** Vereinbarung *f*, Übereinkommen *n*, Übereinkunft *f*, Abkommen *n*, Abmachung *f;* Vertrag *m* **2.** Zustimmung, Verständigung, Einigung *f*, Einverständnis, Einvernehmen *n;* **by mutual** ~ in gegenseitigem Einverständnis; **come to an** ~ zu e-m Übereinkommen gelangen, sich verständigen (*with* mit)

ag•ri•busi•ness ['ægrɪˌbɪznɪs] *s* Agroindustrie *f*

ag•ri•cul•tural [ˌægrɪ'kʌltʃərəl] *adj* landwirtschaftlich; **ag•ri•cul•ture** ['ægrɪkʌltʃə(r)] *s* Landwirtschaft *f*

aground [ə'graʊnd] *adj pred* gestrandet; **run** ~ auf Grund laufen

ah [ɑ:] *interj* ach! ah!; **aha** [ɑ:'hɑ:] *interj* aha!

ahead [ə'hed] *adv* vor, voran, voraus; ~ **of** vor; **full speed** ~ volle Kraft voraus; ~ **of time** vorzeitig; **be** ~ **of s.o.** jdm voraus sein; **get** ~ vorwärtskommen; **go** ~ voran-, vorausgehen; weitermachen, fortfahren; **go** ~ **and tell her** sag's ihr doch!; **straight** ~ geradeaus; **way** ~ weit voraus

ahem [ə'həm] *interj* hm!

ahoy [ə'hɔɪ] *interj* (MAR) ahoi!

AI [ˌer'aɪ] *s* **1.** (MED) *abbr of* **artificial insemination** künstliche Befruchtung **2.** (EDV) *abbr of* **artificial intelligence** künstliche Intelligenz

aid [eɪd] **I.** *tr* helfen (*s.o.* jdm, *in* bei) **II.** *s* Hilfe, Unterstützung *f;* **in** ~ **of** zu Gunsten, zur Unterstützung von; **give first** ~ erste Hilfe leisten; **grant in** ~ staatliche Subvention; **aid convoy** *s* Hilfskonvoi *m*

Aids, **AIDS** [eidz] *s abbr of* **Acquired Immune Deficiency Syndrome** (MED) Aids *n*, Immunschwächekrankheit *f*

ail [eɪl] **I.** *tr* schmerzen; **what's ~ing him?** was fehlt ihm? **II.** *itr* kränkeln

aileron ['eɪlərɒn] *s* (AERO) Querruder *n*

ail•ing ['eɪlɪŋ] *adj* leidend; (*fig: Wirtschaft, Industrie*) krank, krankend; **ail•ment** ['eɪlmənt] *s* Gebrechen, Leiden *n;* **all his little ~s** all seine kleinen Wehwehchen

aim [eɪm] **I.** *itr, tr* **1.** zielen (*at* auf, nach) **2.** (*Anstrengungen*) richten (*at* auf, *to do* zu tun) **3.** beabsichtigen, bezwecken (*at doing, to do* zu tun) **II.** *s* Ziel *n;* Zweck *m*, Absicht *f;* **take** ~ **at** zielen auf, aufs Korn nehmen; **aim•less** ['eɪmlɪs] *adj* ziellos

air [eə(r)] **I.** *s* **1.** Luft *f;* Atmosphäre *f a. fig* **2.** (RADIO) Äther *m* **3.** Miene *f*, Aussehen *n;* **a breath of fresh** ~ (*a. fig*) frische Luft; **by** ~ auf dem Luftweg; mit dem Flugzeug; **in the** ~ in der Schwebe, unentschieden; allgemein bekannt; in der Luft liegend; **in the open** ~ unter freiem Himmel; **on the** ~ über den Rundfunk; **be on the** ~ im Rundfunk gesendet werden; **put on** [*o* **give o.s.**] **~s** sich wichtig machen; **take some** ~ frische Luft schnappen; **walk on** ~ (*fam*) überglücklich sein; **open-~**(**theatre**) Freilichtbühne *f;* **prevention of** ~ **pollution** Reinhaltung *f* der Luft **II.** *tr* **1.** (aus-, durch)lüften **2.** (*fig*) bekanntmachen; **air bag** *s* (MOT) Luftsack, Airbag *m;* **air•borne** ['eəbɔ:n] *adj* in der Luft; Luftlande-; **air•brake** ['eəbreɪk] *s* Luftdruckbremse *f;* **air bubble** *s* Luftblase *f;* **air-con•di•tioned** ['eəkən'dɪʃnd] *adj* klimatisiert; **air-con•di•tion•ing** ['eəkən'dɪʃnɪŋ] *s* Klimatisierung *f;* (~ *plant*) Klimaanlage *f;* **air-cooled** ['eəku:ld] *adj* luftgekühlt; **air corridor** *s* Luftkorridor *m;* **air•craft** ['eəkrɑ:ft] *s* Flugzeug *n;* **air•craft carrier** *s* Flugzeugträger *m;* **air•craft industry** *s* Flugzeugindustrie *f;* **air•crew** ['eəkru:] *s* (Flugzeug)Besatzung *f;* **air cushion** *s* Luftkissen *n;* **air•drome** ['eədrəʊm] *s* (*Am*) Flugplatz *m;* **air fan** *s* Ventilator *m;* **air•field** ['eəfi:ld] *s* Flugplatz *m;* **air filter** *s* Luftfilter *m;* **air force** *s* Luftwaffe *f;* **air freight** *s* Luftfracht *f;* **air gun** *s* Luftgewehr *n;* **air hole** *s* Luftloch *n;* **air host•ess** *s* Stewardess *f;* **air lift** *s* Luftbrücke *f;* **air•line** ['eəlaɪn] *s* Fluglinie, -gesellschaft *f;* **air•liner** ['eəlaɪnə(r)] *s* Verkehrsflugzeug *n;* **air•mail** ['eəmeɪl] **I.** *tr* mit Luftpost senden **II.** *s* Luftpost *f;* **air•man** ['eəmən] <*pl* -men> *s* Flieger, Flugzeugführer *m;* **air•plane** ['eəpleɪn] *s* (*Am*) Flugzeug *n;* **air pollutant** *s* Luftschadstoff *m;* **air pollution** *s* Luftverschmutzung *f;* **air•port** ['eəpɔ:t] *s* Flughafen *m;* **air quality** *s* Luftqualität *f;* **air•raid** *s* Luft-, Fliegerangriff *m;* **air•sick** ['eəsɪk] *adj* luftkrank; **air•sick•ness**

[ˈeəˌsɪknɪs] *s* Luftkrankheit *f;* **air space** *s* Luftraum *m;* **air•strip** [ˈeəstrɪp] *s* Start- und Landebahn *f;* **air terminal** *s* Flughafen(abfertigungsgebäude *n*) *m;* **air ticket** *s* Flugschein *m;* **air•tight** [ˈeətaɪt] *adj* luftdicht; **air traffic** *s* Flugverkehr *m;* **air-traffic controller** *s* Fluglotse *m;* **air•way** [ˈeəweɪ] *s* Fluglinie, -gesellschaft *f;* **air•worthi•ness** [ˈeəˌwɜːðɪnɪs] *s* Flugtüchtigkeit *f;* **airworthy** [ˈeəˌwɜːðɪ] *adj* flugtüchtig

airy [ˈeərɪ] *adj* **1.** luftig **2.** (*fig*) lässig, blasiert; (*Versprechen, Theorie*) vage

airy-fairy [ˈeərɪˈfeərɪ] *adj* versponnen; unausgegoren

aisle [aɪl] *s* Gang *m;* **lead a woman down the ~** eine Frau zum Altar führen

ajar [əˈdʒɑː(r)] *adv* halboffen; angelehnt

akim•bo [əˈkɪmbəʊ] *adv:* **with arms ~** mit in die Seite gestemmten Armen

akin [əˈkɪn] *adj pred* verwandt (*to* mit), ähnlich, gleich

alac•rity [əˈlækrətɪ] *s* Bereitwilligkeit *f;* **accept with ~** ohne weiteres annehmen

alarm [əˈlɑːm] **I.** *s* **1.** Alarm *m;* Warnung *f;* (*~ signal*) Alarmsignal *n* **2.** Beunruhigung *f,* Schreck *m* **3.** (*~ clock*) Wecker *m;* **give the ~** Alarm schlagen **II.** *tr* alarmieren; beunruhigen, erschrecken (*at* über); **alarm•ing** [-ɪŋ] *adj* beunruhigend, alarmierend; **alarm•ist** [-ɪst] **I.** *s* Panik-Macher(in) *m(f)* **II.** *adj* Panikstimmung erzeugend

alas [əˈlæs] *interj* ach! leider!

Al•ba•nia [ælˈbeɪnɪə] *s* Albanien; **Al•ba•ni•an** [-n] **I.** *s* **1.** (das) Albanisch(e) **2.** Alban(i)er(in) *m(f)* **II.** *adj* albanisch

al•ba•tross [ˈælbətrɒs] *s* (ZOO) Albatros *m*

al•bino [ælˈbiːnəʊ] <*pl* -binos> *s* Albino *m*

al•bum [ˈælbəm] *s* Album *n*

al•bu•men [ˈælbjʊmɪn] *s* Eiweiß *n;* (CHEM) Albumin *n*

al•co•hol [ˈælkəhɒl] *s* Alkohol *m;* **blood ~ level** Blutalkoholkonzentration *f;* **al•co•holic** [ˌælkəˈhɒlɪk] **I.** *adj* alkoholisch **II.** *s* Alkoholiker(in) *m(f);* **al•co•hol•ism** [-ɪzəm] *s* Alkoholismus *m*

al•cove [ˈælkəʊv] *s* Alkoven *m;* Nische *f*

al•der [ˈɔːldə(r)] *s* (BOT) Erle *f*

al•der•man [ˈɔːldəmən] <*pl* -men> *s* Ratsherr *m*

ale [eɪl] *s* Ale, Bier *n;* **real ~** biologisch gebrautes Bier, Real Ale *n*

alert [əˈlɜːt] **I.** *adj* lebhaft; aufgeweckt **II.** *s* Alarm *m,* Alarmsignal *n;* **be on the ~** auf der Hut sein **III.** *tr* alarmieren; warnen

alga [ˈælgə, *pl* ˈældʒiː] <*pl* algae> *s* (BOT) Alge *f;* **al•gal bloom** [ˈælgəlˌbluːm] *s* Algenblüte, Algenpest *f*

al•ge•bra [ˈældʒɪbrə] *s* Algebra *f;* **al•gebra•ic** [ˌældʒɪˈbreɪɪk] *adj* algebraisch

Al•ge•ria [ælˈdʒɪərɪə] *s* Algerien *n;* **Al•ge•ri•an** [-n] **I.** *s* Algerier(in) *m(f)* **II.** *adj* algerisch

alias [ˈeɪlɪəs] **I.** *adv* sonst … genannt, alias **II.** *s* Deckname *m*

alibi [ˈælɪbaɪ] *s* (JUR) Alibi *n*

Alice band [ˈælɪsˌbænd] *s* Haarreif *m*

alien [ˈeɪlɪən] **I.** *s* Ausländer(in) *m(f),* außerirdisches Wesen **II.** *adj* **1.** ausländisch; außerirdisch **2.** fremd, unbekannt (*to dat*); **alien•ate** [ˈeɪlɪəneɪt] *tr* **1.** befremden; (*Gefühle*) zerstören **2.** (JUR) veräußern; **~ o.s. from s.th.** sich e-r S entfremden; **alien•ation** [ˌeɪlɪəˈneɪʃn] *s* **1.** Entfremdung *f* (*from* von) **2.** (*Eigentum*) Veräußerung *f*

alight¹ [əˈlaɪt] *adj pred* **1.** brennend **2.** (*Gesicht*) glühend, strahlend; **be ~** brennen; in Flammen stehen; **set ~** in Brand setzen, stecken; **keep ~** nicht ausgehen lassen

alight² [əˈlaɪt] *itr* **1.** ab-, aussteigen (*from* von) **2.** (*Vogel, Flugzeug*) landen **3.** zufällig stoßen, treffen (*upon* auf)

align [əˈlaɪn] **I.** *tr* in e-e Linie bringen, (aus)richten (*with* nach) *a. fig* **II.** *refl:* **~ o.s.** sich anschließen (*with* an); **align•ment** [-mənt] *s* **1.** Ausrichtung *f a. fig* **2.** (*fig*) Orientierung, Gruppierung *f;* **out of ~** nicht richtig ausgerichtet (*with* nach)

alike [əˈlaɪk] **I.** *adj pred* ähnlich, gleich **II.** *adv* in gleicher Weise; ohne Unterschied; **treat ~** gleich behandeln

ali•mony [ˈælɪmənɪ] *s* Unterhalt *m;* Alimente *pl*

aline *s.* **align**

alive [əˈlaɪv] *adj meist pred* **1.** lebend(ig) **2.** tätig, unternehmend; **be ~ to s.th.** sich e-r S bewusst sein; **be ~ with s.th.** von etw wimmeln; **keep ~** am Leben erhalten

al•kali [ˈælkəlaɪ] *s* (CHEM) Alkali *n,* Lauge *f;* **al•kal•ine** [ˈælkəlaɪn] *adj* alkalisch

all [ɔːl] **I.** *adj* (*mit Plural*) alle; (*mit Singular*) ganze(r, s); (*mit Possessivpronomen*) all; **~ the children** alle Kinder; **~ the butter** die ganze Butter, all die Butter, alle Butter; **~ my friends** alle meine Freunde; **~ my life** mein ganzes Leben (lang); **~ London** ganz London; **with ~ possible speed** so schnell wie möglich; **for ~ her beauty** trotz (all) ihrer Schönheit **II.** *pron* alles; alle *pl;* **~ of them** sie alle; **~ of it** alles; **~ of Germany** ganz Deutschland; **~ of five minutes** ganze fünf Minuten; **richest of ~** am reichsten; **I like that best of ~** das mag ich am meisten **III.** *adv* ganz; **~ dirty** ganz schmutzig; **~ round** rundum; **~ the same** trotzdem; **not as stupid as ~ that** gar nicht so dumm; **I'm ~ for it** ich bin ganz dafür; **~ the hotter** um so heißer; noch heißer **IV.** *s* alles; **give one's ~** alles geben **V.** (*Wen-*

dungen): **above** ~ vor allem, vor allen Dingen; **after** ~ trotzdem; schließlich (und endlich); **at** ~ überhaupt; **for** ~ **that** trotzdem; **from** ~ **over** von überall her; **in** ~ insgesamt; **not at** ~ keineswegs; überhaupt nicht; nicht im geringsten; keine Ursache!; **once and for** ~ ein für alle Mal; ~ **in** ~ alles in allem; im Ganzen genommen; ~ **alone** ganz allein; ~ **but** beinahe, nahezu; alle, alles außer; ~ **day/night long** den ganzen Tag/die ganze Nacht hindurch; ~ **at once** plötzlich; ~ **right** in Ordnung; schön; einverstanden; ~ **the same** ganz gleich, ganz einerlei; trotzdem; ~ **of a sudden** auf einmal; ~ **the time** die ganze Zeit; ~ **told** alles zusammengenommen; alles in allem; ~ **over** (**the place**) überall; ~ **over the world** in der ganzen Welt; **be** ~ **ears** ganz Ohr sein; **be** ~ **there** auf Draht, schlau, gewitzt sein; **tremble** ~ **over** an allen Gliedern zittern; **you of** ~ **people** vor allem du; **in June, of** ~ **times** ausgerechnet im Juni; **he isn't** ~ **there** er ist nicht richtig im Oberstübchen; **is that** ~ **right with you?** ist Ihnen das recht?; **don't worry, it'll be** ~ **right** mach dir keine Sorgen, es kommt schon alles in Ordnung; **it's** ~ **over with him** er ist erledigt, fertig, ruiniert; ~ **hands on deck!** alle Mann an Deck!; **if that's** ~ **there is to it** wenn's weiter nichts ist; **that's** ~ **I needed** das hat mir gerade noch gefehlt; **our plans are** ~ **set** unsere Pläne stehen fest

all clear [ˌɔːlˈklɪə(r)] *s* (MIL) Entwarnung *f*

al•le•ga•tion [ˌælɪˈgeɪʃn] *s* Behauptung *f;* **al•lege** [əˈledʒ] *tr* behaupten; **al•leged** [əˈledʒd] *adj,* **al•leged•ly** [əˈledʒɪdlɪ] *adv* angeblich

al•le•giance [əˈliːdʒəns] *s* Treue *f;* **oath of** ~ Treueeid *m*

al•le•goric(**al**) [ˌælɪˈgɒrɪk(l)] *adj* allegorisch; **al•le•gory** [ˈælɪgərɪ] *s* Allegorie *f*

al•le•luia [ˌælɪˈluːjə] *s* Hallelujah *n*

al•ler•gen [ˈælədʒən] *s* (MED) Allergen *n;* **al•ler•genic** [æləˈdʒenɪk] *adj* (MED) allergen; **al•ler•gic** [əˈlɜːdʒɪk] *adj* (*a.fig*) allergisch (*to* gegen); **al•lergy** [ˈælədʒɪ] *s* (MED) Allergie *f;* **he suffers from an** ~ er ist Allergiker

al•levi•ate [əˈliːvɪeɪt] *tr* (*Schmerz*) lindern, mildern

al•ley [ˈælɪ] *s* **1.** Gasse *f* **2.** (*bowling* ~) Kegelbahn *f;* **blind** ~ Sackgasse *f;* (*fig*) ausweglose Lage; **alley cat** *s* **1.** streunende Katze **2.** (*sl*) Nutte *f*

All Fools' Day [ˌɔːlˈfuːlzdeɪ] *s* der erste April; **All Hallows'** [ˌɔːlˈhæləʊz] *s* Allerheiligen *n*

al•liance [əˈlaɪəns] *s* **1.** Bündnis *n* **2.** (*Familien*) Verbindung, Verschwägerung *f* **3.** Zusammenschluss *m*

al•lied [ˈælaɪd] *adj* **1.** verbündet, alliiert **2.** verwandt (*to* mit); **the A~ forces** die Alliierten

al•li•ga•tor [ˈælɪgeɪtə(r)] *s* (ZOO) Alligator *m*

all-in [ɔːlˈɪn] *adj* einschließlich, gesamt, global; **I'm** ~ (*fam*) ich bin völlig erledigt

al•lo•cate [ˈæləkeɪt] *tr* an-, zuweisen; **al•lo•ca•tion** [ˌæləˈkeɪʃn] *s* **1.** Zuteilung *f;* An-, Zuweisung *f* **2.** Quote *f;* zugeteilter Betrag

al•lot [əˈlɒt] *tr* **1.** zu-, anweisen; verteilen **2.** zubilligen; **al•lot•ment** [-mənt] *s* **1.** Zu-, Verteilung *f* **2.** An-, Zuweisung *f;* Anteil *m* **3.** (*Br*) Parzelle *f;* Schrebergarten *m*

all-out [ɔːlˈaʊt] *adj* (*fam*) umfassend, total

allow [əˈlaʊ] **I.** *tr* **1.** erlauben, gestatten (*s.o. to do, doing s.th.* jdm etw), zulassen **2.** bewilligen; anerkennen **3.** (*Betrag*) einkalkulieren, vorsehen, ansetzen (*for* für); **will you** ~ **me?** darf ich? **II.** *itr* **1.** erlauben, gestatten, zulassen (*of s.th.* etw) **2.** berücksichtigen, in Betracht ziehen (*for s.th.* etw) **III.** *refl:* ~ **o.s. s.th** sich etw gönnen; sich etw erlauben; **allow•able** [-əbl] *adj* statthaft, zulässig; **allowable expenses** *s pl* abzugsfähige Geschäftsausgaben *fpl;* **allow•ance** [əˈlaʊəns] *s* **1.** Bewilligung, Genehmigung *f* **2.** Zuteilung *f;* Zuschuss *m;* Taschengeld *n;* Beihilfe, Unterstützung *f* **3.** Nachlass, Abzug, Rabatt *m* **4.** (TECH) Toleranz *f;* **make** ~(**s**) **for s.th.** etw berücksichtigen; **children's** ~ Kindergeld *n;* **daily** ~ Tagessatz *m;* **family** ~ Familienzulage *f;* **tax** ~ Steuerfreibetrag *m*

alloy [ˈælɔɪ] *s* Legierung *f*

all-pur•pose [ɔːlˈpɜːpəs] *adj attr* Allzweck; **all right I.** *adj* **1.** anständig, zuverlässig **2.** in Ordnung, okay **II.** *adv* schon; ganz gut; **are you feeling** ~**?** fehlt Ihnen etwas?; **all-round** [ˌɔːlˈraʊnd] *adj* vielseitig; **all-roun•der** [ɔːlˈraʊndə(r)] *s* Multitalent *n,* Allroundsportler(in) *m(f);* **All Saints' Day** *s* Allerheiligen *n;* **all-seater stadium** *s* Stadion *n* ohne Stehplätze; **All Souls' Day** *s* Allerseelen *n;* **all-time high** [ˌɔːlˌtaɪmˈhaɪ] *s* Höchstleistung *f,* -stand *m;* **all-time low** [ˌɔːlˌtaɪmˈləʊ] *s* absoluter Tiefstand

allude [əˈluːd] *itr* anspielen (*to* auf)

allure [əˈlʊə(r)] *s* Reiz, Zauber *m;* **alluring** [əˈlʊərɪŋ] *adj* verlockend, verführerisch

al•lu•sion [əˈluːʒn] *s* Anspielung *f* (*to* auf)

all-weather [ˌɔːlˈweðə(r)] *adj attr* Allwetter-

ally [ˈælaɪ] **I.** *s* Bundesgenosse, Verbündete(r) *m;* (HIST) Alliierte(r) *m* **II.** [əˈlaɪ] *tr* verbünden; vereinigen (*to, with* mit)

al•ma•nac ['ɔːlmənæk] *s* Almanach, Kalender *m*
al•mighty [ɔːl'maɪtɪ] **I.** *adj* allmächtig **II.** *s:* **the A~** der Allmächtige
almond ['ɑːmənd] *s* (BOT) Mandel(baum *m*) *f*
al•most ['ɔːlməʊst] *adv* fast, beinahe
aloe vera [ˌaləʊ'vɪərə] *s* (BOT) Aloe Vera *f*
alone [ə'ləʊn] *adv, adj* allein; nur, bloß; **leave it ~!** lassen Sie es bleiben!; **leave me ~!** lass mich in Ruhe!; **let ~ ...** ganz abgesehen von ...
along [ə'lɒŋ] **I.** *prep* entlang, längs; an ... entlang **II.** *adv* geradeaus, weiter; vorwärts; längs; **all ~** schon immer; **~ here** in dieser Richtung; **~ with** zusammen mit; **come ~** mitkommen; **get ~** Fortschritte machen (*with* mit), auskommen, fertig werden (*with* mit), durchkommen, leben; **take ~** mitnehmen; **how are you getting ~?** wie geht es Ihnen denn?; **along•side** [əˌlɒŋ'saɪd] **I.** *prep* neben **II.** *adv* Seite an Seite; daneben; (MAR) längsseits
aloof [ə'luːf] **I.** *adv* abseits, entfernt, von weitem, fern **II.** *adj* unnahbar, zurückhaltend; **stand** [*o* **hold o.s.**] **~ from s.th.** sich von etw zurückhalten
aloud [ə'laʊd] *adv* laut; **read ~** vorlesen
al•pha ['ælfə] *s* Alpha *n;* **al•pha•bet** ['ælfəbet] *s* Alphabet, Abc *n;* **al•pha•beti•cal** [ˌælfə'betɪkl] *adj* alphabetisch; **al•pha•nu•mer•ic** [ˌælfənjuː'merɪk] *adj* alphanumerisch; **alpha ray** *s* Alphastrahl *m*
al•pine ['ælpaɪn] *adj* alpin
Alps [ælps] *s pl* die Alpen *pl*
al•ready [ɔːl'redɪ] *adv* schon, bereits
al•sa•tian [æl'seɪʃn] *s* (*Br*) Schäferhund *m;* **Al•sa•tian** *adj* elsässisch
also ['ɔːlsəʊ] *adv* auch, ebenfalls
al•tar ['ɔːltə(r)] *s* Altar *m*
al•ter ['ɔːltə(r)] **I.** *tr* (ab-, um-, ver)ändern **II.** *itr* sich wandeln, sich (ver)ändern; **al•ter•able** ['ɔːltərəbl] *adj* veränderlich; **al•ter•ation** [ˌɔːltə'reɪʃn] *s* Änderung *f;* (*an Gebäude*) Umbau *m;* **subject to ~** Änderungen vorbehalten
al•ter•ca•tion [ˌɔːltə'keɪʃn] *s* Auseinandersetzung *f*
al•ter•nate [ɔːl'tɜːnət] **I.** *adj* abwechselnd; **on ~ days** jeden zweiten Tag **II.** ['ɔːltəneɪt] *tr* abwechseln lassen **III.** ['ɔːltəneɪt] *itr* abwechseln (*with* mit); **al•ter•nat•ing** ['ɔːltəneɪtɪŋ] *adj* wechselnd; **~ current** Wechselstrom *m;* **al•ter•na•tive** [ɔːl'tɜːnətɪv] **I.** *adj* alternativ; sich gegenseitig ausschließend **II.** *s* Alternative *f;* **there is no ~** es gibt keine andere Möglichkeit; **al•ter•na•tive•ly** [-lɪ] *adv* im anderen Falle; **alter•nator** ['ɔːltəneɪtə(r)] *s* (EL) Wechselstromgenerator *m;* (MOT) Lichtmaschine *f*
al•though [ɔːl'ðəʊ] *conj* obgleich, wenn auch, obschon
al•tim•eter ['æltɪmiːtə(r)] *s* Höhenmesser *m*
al•ti•tude ['æltɪtjuːd] *s* Höhe *f;* Höhenlage *f;* **fly at an ~ of ...** in e-r Höhe von ... fliegen
alto ['æltəʊ] <*pl* altos> *s* (MUS) Alt *m;* **alto clef** *s* (MUS) Altschlüssel *m;* **alto saxophone** *s* Altsaxophon *n*
al•to•gether [ˌɔːltə'geðə(r)] *adv* **1.** gänzlich, ganz und gar, völlig **2.** alles in allem, insgesamt, im Ganzen
al•tru•ism ['æltruːɪzəm] *s* Selbstlosigkeit *f,* Altruismus *m;* **al•tru•ist** ['æltruːɪst] *s* Altruist *m;* **al•tru•is•tic** [ˌæltruː'ɪstɪk] *adj* altruistisch, selbstlos
alu•min•ium [ˌæljʊ'mɪnɪəm] *s* Aluminium *n;* **aluminium oxide** *s* Tonerde *f;* **alu•mi•num** [ə'luːmɪnəm] *s* (*Am*) *s.* **aluminium**
al•ways ['ɔːlweɪz] *adv* **1.** immer, stets, (be)ständig **2.** von jeher, schon immer
am [əm, *betont* æm] *1. Person Singular Präsens* **be**
amal•gam [ə'mælgəm] *s* **1.** (CHEM) Amalgam *n* **2.** (*fig*) Mischung *f;* **amal•ga•mate** [ə'mælgəmeɪt] **I.** *tr* vermischen; vereinigen, verschmelzen **II.** *itr* **1.** sich vereinigen, verschmelzen **2.** (COM) fusionieren; **amal•ga•ma•tion** [əˌmælgə'meɪʃn] *s* **1.** Amalgamierung *f* **2.** Vereinigung, Verschmelzung, Fusion *f,* Fusionieren *n*
amass [ə'mæs] *tr* an-, aufhäufen; zusammentragen, -bringen
ama•teur ['æmətə(r)] *s* Amateur *m;* **ama•teur•ish** ['æmətərɪʃ] *adj* dilettantisch
amaze [ə'meɪz] *tr* verblüffen, sehr überraschen; **be ~d at** erstaunt sein über; **amaze•ment** [-mənt] *s* Erstaunen *n,* Verblüffung *f;* **amaz•ing** [-ɪŋ] *adj* erstaunlich
Am•azon ['æməzən] *s* (GEOG) Amazonas *m*
am•bas•sa•dor [æm'bæsədə(r)] *s* Botschafter *m;* **am•bas•sa•dress** [æm'bæsədrɪs] *s* Botschafterin *f*
am•ber ['æmbə(r)] **I.** *s* **1.** Bernstein *m* **2.** (*Verkehrsampel*) Gelb *n* **II.** *adj* bernsteinfarben
am•bi•dex•trous [ˌæmbɪ'dekstrəs] *adj* beidhändig
am•bi•guity [ˌæmbɪ'gjuːətɪ] *s* Mehr-, Doppeldeutigkeit *f;* Zweideutigkeit *f;* **am•bigu•ous** [æm'bɪgjʊəs] *adj* mehr-, doppel-, zweideutig
am•bi•tion [æm'bɪʃn] *s* Ehrgeiz *m;* **be filled with ~** ehrgeizig sein; **am•bi•tious** [æm'bɪʃəs] *adj* ehrgeizig
amble ['æmbl] *itr* schlendern

am•bu•lance ['æmbjʊləns] *s* Kranken-, Sanitätswagen *m*
am•bush ['æmbʊʃ] **I.** *s* Hinterhalt *m;* **lie in ~** im Hinterhalt liegen **II.** *tr* aus dem Hinterhalt überfallen
ameba *s* (*Am*) *s.* **amoeba**; **amebic** *adj* (*Am*) *s.* **amoebic**
ameli•or•ate [ə'mi:lɪəreɪt] *tr* verbessern; **ameli•or•ation** [ə,mi:lɪə'reɪʃn] *s* Verbesserung *f*
amen [ɑ:'men, *Am* eɪ'men] *s* Amen *n*
amen•able [ə'mi:nəbl] *adj* zugänglich (*to* für)
amend [ə'mend] *tr* **1.** verbessern **2.** (*Gesetze*) (ab)ändern; **amend•ment** [-mənt] *s* **1.** Verbesserung, Richtigstellung *f* **2.** Änderung *f*
amen•ity [ə'mi:nətɪ] *s* **1.** öffentliche Einrichtung **2.** angenehme Lage; **close to all amenities** in günstiger (Einkaufs- und Verkehrs)Lage; **a house with every ~** ein Haus mit allem Komfort; **high ~ district** gute Wohngegend
Ameri•ca [ə'merɪkə] *s* Amerika *n;* **American** [ə'merɪkən] **I.** *s* Amerikaner(in) *m(f)* **II.** *adj* amerikanisch; **ameri•can•ism** [-ɪzəm] *s* amerikanischer Ausdruck, Amerikanismus; **ameri•can•ize** [-aɪz] *tr* amerikanisieren
am•ethyst ['æmɪθɪst] *s* (MIN) Amethyst *m*
amia•bil•ity [,eɪmɪə'bɪlətɪ] *s* Freundlichkeit, Liebenswürdigkeit *f;* **ami•able** ['eɪmɪəbl] *adj* liebenswürdig
amic•able ['æmɪkəbl] *adj* freundschaftlich, friedlich
amid(**st**) [ə'mɪd(st)] *prep* mitten unter, inmitten
amiss [ə'mɪs] **I.** *adj pred* in Unordnung, schlecht; mangelhaft; **there's something ~** da stimmt irgendetwas nicht **II.** *adv:* **take s.th. ~** etw übelnehmen
am•me•ter ['æmɪtə(r)] *s* (EL) Amperemeter *n*
am•mo•nia [ə'məʊnɪə] *s* (CHEM) Ammoniak *n*
am•mu•ni•tion [,æmjʊ'nɪʃn] *s* Munition *f;* **ammunition dump** *s* Munitionslager *n*
am•nesia [æm'ni:zɪə] *s* (MED) Amnesie *f,* Gedächtnisschwund *m*
am•nesty ['æmnəstɪ] *s* Amnestie *f*
amoeba [ə'mi:bə] *s* (ZOO) Amöbe *f;* **amoebic** [ə'mi:bɪk] *adj:* **~ dysentery** Amöbenruhr *f*
amok [ə'mɒk] *s s.* **amuck**
among(**st**) [ə'mʌŋ(st)] *prep* **1.** unter, zwischen; in; bei **2.** zusammen mit; **~ other things** unter anderem; **be popular ~ them** bei ihnen populär sein; **they agreed ~ themselves** sie kamen untereinander überein; **settle that ~ yourselves!** machen Sie das unter sich aus!
amoral [,eɪ'mɒrəl] *adj* amoralisch
am•or•ous ['æmərəs] *adj* amourös
amor•phous [ə'mɔ:fəs] *adj* **1.** (CHEM MIN) amorph **2.** gestaltlos
amor•ti•za•tion [ə,mɔ:tɪ'zeɪʃn] *s* Amortisation, Tilgung *f;* **amor•tize** [ə'mɔ:taɪz] *tr* amortisieren, tilgen
amount [ə'maʊnt] **I.** *s* **1.** Betrag *m,* Summe *f* **2.** Menge *f;* **any ~ of** beliebig viel; **up to the ~ of** bis zum Betrag von; **large ~s of money** beträchtliche Geldsummen **II.** *itr* **1.** sich belaufen (*to* auf), (den Betrag) erreichen (*to* von), betragen, ausmachen (*to s.th.* etw) **2.** hinauslaufen (*to* auf), bedeuten (*to s.th.* etw); **~ to nothing** belanglos sein; **amount carried forward** *s* (COM) Übertrag *m*
am•pere ['æmpeə(r)] *s* Ampere *n*
am•pheta•mine [æm'fetəmi:n, -mɪn] *s* Amphetamin *n*
am•phib•ian [æm'fɪbɪən] *s* (ZOO) Amphibie *f;* Amphibienfahrzeug *n;* **am•phibi•ous** [æm'fɪbɪəs] *adj* amphibisch
amphi•theatre ['æmfɪ,θɪətə(r)] *s* Amphitheater *n*
ample ['æmpl] *adj* **1.** geräumig, ausgedehnt **2.** reichlich; ausreichend, genügend; **we've (got) ~ time** wir haben reichlich Zeit
am•pli•fi•ca•tion [,æmplɪfɪ'keɪʃn] *s* **1.** Erweiterung, Ausdehnung *f* **2.** zusätzliche Einzelheiten, weitere Ausführungen *fpl* (*upon* über) **3.** (EL) Verstärkung *f;* **am•pli•fier** ['æmplɪfaɪə(r)] *s* (EL) Verstärker *m;* **am•plify** ['æmplɪfaɪ] *tr* **1.** (*a.* EL) verstärken **2.** erweitern, ausdehnen, vergrößern **3.** (*Thema*) näher ausführen, ausführlich darstellen
am•pli•tude ['æmplɪtju:d] *s* **1.** Weite, Größe *f,* Umfang *m;* Fülle *f* **2.** (PHYS) Amplitude *f*
am•poule ['æmpu:l] *s* (MED) Ampulle *f*
am•pu•tate ['æmpjʊteɪt] *tr* amputieren; **am•pu•ta•tion** [,æmpjʊ'teɪʃn] *s* (MED) Amputation *f*
amuck [ə'mʌk] *adv:* **run ~** Amok laufen
amu•let ['æmjʊlɪt] *s* Amulett *n*
amuse [ə'mju:z] **I.** *tr* belustigen, amüsieren; **be ~d at** [*o* **by**] **s.th.** sich freuen über etw **II.** *refl* sich die Zeit vertreiben (*by doing s.th.* mit etw); **amu•se•ment** [-mənt] *s* Belustigung, Unterhaltung *f;* Zeitvertreib *m;* Vergnügen *n* (*at* über); **amusement arcade** *s* Spielhalle *f;* **amusing** [-ɪŋ] *adj* unterhaltend, belustigend, amüsant (*to* für)
an [ən, *betont* æn] *art s.* **a**
ana•bol•ic ster•oid [,ænə'bɒlɪk'stɪərɔɪd] *s* Anabolikum *n*
anach•ron•ism [ə'nækrənɪzəm] *s* Ana-

chronismus *m;* **anach•ron•is•tic** [əˌnækrəˈnɪstɪk] *adj* anachronistisch

ana•conda [ˌænəˈkɒndə] *s* (ZOO) Anakonda *f*

anae•mia [əˈniːmɪə] *s* (MED) Anämie, Blutarmut *f;* **anaemic** [əˈniːmɪk] *adj* blutarm

an•aes•thesia [ˌænɪsˈθiːzɪə] *s* (MED) Narkose, Anästhesie *f;* **an•aes•thetic** [ˌænɪsˈθetɪk] **I.** *adj* betäubend **II.** *s* Betäubungsmittel *n;* **anaes•the•tize** [əˈniːsθətaɪz] *tr* betäuben, narkotisieren

ana•gram [ˈænəgræm] *s* Anagramm *n*

anal [ˈeɪnəl] *adj* anal, Anal-

an•al•gesic [ˌænælˈdʒiːsɪk] **I.** *s* schmerzstillendes Mittel, Analgetikum *n* **II.** *adj* schmerzstillend

an•a•log [ˈænəlɒg] *adj* (EDV) analog; **anal•og•ic(al)** [ˌænəˈlɒdʒɪk(l)] *adj* analog; **anal•og•ous** [əˈnæləgəs] *adj* analog, entsprechend; **anal•ogy** [əˈnælədʒɪ] *s* Analogie, Ähnlichkeit *f;* **on the ~ of** analog zu

ana•lyse [ˈænəlaɪz] *tr* **1.** analysieren, zergliedern, zerlegen **2.** (*fig*) untersuchen; (*Bericht*) auswerten; **analy•sis** [əˈnæləsɪs, *pl* -siːz] <*pl* -ses> *s* **1.** Analyse *f* **2.** Untersuchung, Auswertung *f;* **ana•lyst** [ˈænəlɪst] *s* Analytiker(in) *m(f),* Psychotherapeut(in) *m(f);* **food ~** Lebensmittelchemiker(in) *m(f);* **ana•lyti•c(al)** [ˌænəˈlɪtɪkl] *adj* analytisch; **ana•lyze** (*Am*) *s.* **analyse**

an•archic, **an•archi•cal** [əˈnɑːkɪk(l)] *adj* anarchisch; **an•arch•ism** [ˈænəkɪzəm] *s* Anarchismus *m;* **an•arch•ist** [ˈænəkɪst] *s* Anarchist(in) *m(f);* **an•arch•istic** [ˌænəˈkɪstɪk] *adj* anarchistisch; **an•archy** [ˈænəkɪ] *s* Anarchie *f*

ana•tomi•cal [ˌænəˈtɒmɪkl] *adj* anatomisch; **ana•to•mize** [əˈnætəmaɪz] *tr* **1.** sezieren **2.** (*fig*) in allen Einzelheiten prüfen; **anat•omy** [əˈnætəmɪ] *s* **1.** Anatomie *f* **2.** (*fig*) Aufbau *m*

an•ces•tor [ˈænsestə(r)] *s* Vorfahr *m;* **an•ces•tral** [ænˈsestrəl] *adj* angestammt, seiner/ihrer Vorfahren; **~ home** Stammsitz *m;* **an•ces•try** [ˈænsestrɪ] *s* Vorfahren *mpl,* Abstammung *f*

an•chor [ˈæŋkə(r)] **I.** *s* Anker *m;* **at ~** vor Anker; **cast** [*o* **drop**] **~** Anker werfen; **ride at ~** vor Anker liegen; **weigh ~** den Anker lichten **II.** *tr* verankern **III.** *itr* ankern; **an•chor•age** [ˈæŋkərɪdʒ] *s* Liege-, Ankerplatz *m;* Anker-, Liegegebühren *fpl;* **an•chor•man**, **an•chor•woman** [ˈæŋkəmæn, -wʊmən] <*pl* -men, -women> *s* (TV) Koordinator(in) *m(f)*

an•chovy [ˈæntʃəvɪ] *s* Anschovis, Sardelle *f*

ancient [ˈeɪnʃənt] **I.** *adj* **1.** alt, aus alter Zeit; antik **2.** (*Person*) uralt **II.** *s:* **the ~s** Menschen *m pl* des Altertums

an•cil•lary [ænˈsɪlərɪ, *Am* ˈænsəlerɪ] *adj* **1.** zusätzlich, ergänzend (*to* für) **2.** Neben-, Hilfs-

and [ən, ənd, *betont* ænd] *conj* und; und auch; und dazu; **for days ~ days** tagelang; **years ~ years** jahrelang; **nice ~ warm** schön warm; **~ so on** und so weiter (usw.); **try ~ do it** versuch's doch mal!; **wait ~ see** abwarten

an•ec•do•tal [ˌænɪkˈdəʊtl] *adj* anekdotisch; **an•ec•dote** [ˈænɪkdəʊt] *s* Anekdote *f*

ane•mia *s* (*Am*) *s.* **anaemia**; **anemic** *adj* (*Am*) *s.* **anaemic**

ane•mom•xter [ˌænɪˈmɒmɪtə(r)] *s* Anemometer *n,* Windmesser *m*

anem•one [əˈnemənɪ] *s* (BOT) Anemone *f*

an•es•thesia [ˌænɪsˈθiːʒə] *s* (*Am*) *s.* **anaesthesia**; **an•esthetic** *adj* (*Am*) *s.* **anaesthetic**; **an•es•the•tize** (*Am*) *s.* **anaesthetize**

anew [əˈnjuː] *adv* wieder, von neuem

angel [ˈeɪndʒl] *s* Engel *m a. fig;* **angelic** [ænˈdʒelɪk] *adj* engelhaft

anger [ˈæŋgə(r)] **I.** *s* Ärger, Zorn *m,* Wut *f* (*at* über); **in (a moment of) ~** im Zorn **II.** *tr* wütend machen, ärgern

angle¹ [ˈæŋgl] **I.** *s* **1.** Winkel *m* **2.** Ecke *f* **3.** Seite *f* **4.** Standpunkt *m,* Position *f;* **at an ~ of** in e-m Winkel von; **at an ~** schräg; **consider s.th. from all ~s** etw von allen Seiten betrachten **II.** *tr* **1.** ausrichten, einstellen **2.** (*Information*) färben

angle² [ˈæŋgl] *itr* angeln; **~ for** (*fig*) fischen nach, aus sein auf

ang•ler [ˈæŋglə(r)] *s* Angler(in) *m(f)*

Ang•li•can [ˈæŋglɪkən] **I.** *s* Anglikaner(in) *m(f)* **II.** *adj* anglikanisch; **Anglican Church** *s* anglikanische Kirche

ang•li•cism [ˈæŋglɪsɪzəm] *s* Anglizismus *m;* **ang•li•cist** [ˈæŋglɪsɪst] *s* Anglist(in) *m(f);* **ang•li•cize** [ˈæŋglɪsaɪz] *tr* anglisieren

Anglo [ˌæŋgləʊ] *prefix* Anglo-; englisch-; **anglo•phile** **I.** *s* Anglophile(r) *f m,* Englandfreund *m* **II.** *adj* anglophil, englandfreundlich; **anglo•pho•bia** [ˌæŋgləʊˈfəʊbɪə] *s* Anglophobie *f,* Englandhass *m;* **Anglo-Saxon** [ˌæŋgləʊˈsæksən] **I.** *s* Angelsachse *m,* Angelsächsin *f* **II.** *adj* angelsächsisch

An•go•la [æŋˈgəʊlə] *s* Angola *n;* **An•go•lan** [æŋˈgəʊlən] **I.** *adj* angolanisch **II.** *s* Angolaner(in) *m(f)*

an•gora [æŋˈgɔːrə] *s* Angorawolle *f;* **angora cat** *s* Angorakatze *f*

angry [ˈæŋgrɪ] *adj* **1.** ärgerlich, zornig (*at s.th.* über etw, *with s.o.* auf jdn) **2.** (MED) entzündet **3.** (*See*) aufgewühlt; **be ~** sich ärgern, ärgerlich sein; böse sein (*at, with* auf, mit); **what are you ~ about?** worüber ärgern Sie sich?

an·guish ['æŋgwɪʃ] *s* Schmerz *m,* Qual *f;* **be in** ~ Qualen ausstehen *a. fig*

angu·lar ['æŋgjʊlə(r)] *adj* **1.** wink(e)lig; eckig **2.** (*Mensch*) knochig

ani·mal ['ænɪml] **I.** *s* Tier *n* **II.** *adj* tierisch, animalisch; **animal husbandry** *s* Viehwirtschaft *f;* **animal kingdom** *s* Tierreich *n*

ani·mate ['ænɪmeɪt] **I.** *tr* **1.** beleben, mit Leben erfüllen **2.** aufmuntern, ermutigen, begeistern **3.** (FILM) animieren **II.** ['ænɪmət] *adj* belebt, lebendig; **ani·ma·ted** ['ænɪmeɪtɪd] *adj* **1.** lebhaft, rege; angeregt **2.** beseelt (*by, with* von); ~ **cartoon** (Zeichen)Trickfilm *m;* **ani·ma·tion** [ˌænɪ'meɪʃn] *s* **1.** Aufmunterung *f;* Lebhaftigkeit *f* **2.** (FILM) Animation *f;* **ani·ma·tor** ['ænɪmeɪtə(r)] *s* Animator(in) *m(f)*

ani·mos·ity [ˌænɪ'mɒsətɪ] *s* Feindseligkeit *f;* starke Abneigung (*against* gegen, *between* zwischen)

an·ise ['ænɪs] *s* (BOT) Anis *m;* **ani·seed** ['ænɪsi:d] *s* Anis(samen) *m*

ankle ['æŋkl] *s* Fußknöchel *m;* **sprain one's** ~ sich den Fuß verstauchen; **ankle·bone** ['æŋklbəʊn] *s* Sprungbein *n;* **ankle-deep** *adj, adv* knöcheltief, bis zum Knöchel; **ankle sock** *s* Söckchen *n*

anklet ['æŋklɪt] *s* Fußkettchen *n*

an·nal·ist ['ænəlɪst] *s* Chronist(in) *m(f);* **an·nals** ['ænlz] *s pl* Annalen *pl;* (*von Verein*) Bericht *m*

an·neal [ə'ni:l] *tr* kühlen; (aus)glühen, tempern; (*fig*) stählen

an·nex ['æneks] **I.** *s* **1.** (ARCH) Anbau *m,* Nebengebäude *n* **2.** Anhang *m;* Nachtrag *m* (*to* zu) **II.** [ə'neks] *tr* **1.** (POL) annektieren **2.** anhängen, beifügen; **an·nex·ation** [ˌænek'seɪʃn] *s* (POL) Annexion *f*

an·ni·hi·late [ə'naɪəleɪt] *tr* vernichten; auslöschen; **an·ni·hi·la·tion** [əˌnaɪə'leɪʃn] *s* Vernichtung, Zerstörung, Zerschlagung *f*

an·ni·ver·sary [ˌænɪ'vɜ:sərɪ] *s* Jahrestag *m;* **wedding** ~ Hochzeitstag *m*

an·no·tate ['ænəteɪt] *tr* mit Anmerkungen versehen, kommentieren; **anno·ta·tion** [ˌænə'teɪʃn] *s* Anmerkung *f,* Kommentar *m;* **an·no·ta·tor** ['ænəteɪtə(r)] *s* Kommentator(in) *m(f)*

an·nounce [ə'naʊns] *tr* **1.** ankündigen, melden; ansagen, durchgeben **2.** bekannt geben, machen, anzeigen; **an·nounce·ment** [-mənt] *s* **1.** Ankündigung, Anzeige, Bekanntmachung *f* **2.** (RADIO) Durchsage, Ansage *f;* **an·noun·cer** [ə'naʊnsə(r)] *s* (RADIO) Ansager(in) *m(f)*

an·noy [ə'nɔɪ] *tr* ärgern; aufregen; belästigen; **be** ~**ed** sich ärgern (*at s.th.* über etw, *with s.o.* über jdn); **get** ~**ed** sich aufregen; **an·noy·ance** [-əns] *s* **1.** Ärger *m* **2.** Belästigung, Plage *f;* **an·noy·ing** [-ɪŋ] *adj* lästig, störend; ärgerlich

an·nual ['ænjʊəl] **I.** *adj* jährlich; ~ **general meeting** Jahreshauptversammlung *f;* ~ **ring** (BOT) Jahresring *m;* ~ **salary** Jahresgehalt *n* **II.** *s* **1.** Jahrbuch *n* **2.** einjährige Pflanze; **an·nual·ly** ['ænjʊəlɪ] *adv* jährlich; **twice** ~ zweimal im Jahr, zweimal jährlich

an·nu·ity [ə'nju:ətɪ] *s* Jahresrente, Annuität *f;* **life** ~ Lebens-, Leibrente *f*

an·nul [ə'nʌl] *tr* annullieren, aufheben, für ungültig erklären; **an·nul·ment** [-mənt] *s* Annullierung, Aufhebung, Nichtigkeitserklärung *f;* Abschaffung *f*

An·nun·ci·ation [əˌnʌnsɪ'eɪʃn] *s* Mariä Verkündigung *f* (*25. März*)

an·ode ['ænəʊd] *s* (EL) Anode *f*

ano·dyne ['ænədaɪn] **I.** *s* schmerzstillendes Mittel **II.** *adj* schmerzstillend, beruhigend; (*fig*) harmlos

anoint [ə'nɔɪnt] *tr* (REL) salben

anom·al·ous [ə'nɒmələs] *adj* unregelmäßig; anomal; **anom·aly** [ə'nɒməlɪ] *s* Anomalie *f*

ano·nym·ity [ˌænə'nɪmətɪ] *s* Anonymität *f;* **anony·mous** [ə'nɒnɪməs] *adj* anonym

an·or·ak ['ænəræk] *s* Anorak *m*

an·or·exia [ˌɑnə'reksɪə] *s* Magersucht, Anorexie *f*

an·other [ə'nʌðə(r)] **I.** *adj* **1.** noch eine(r, s) **2.** ein Zweiter **3.** ein anderer; **at** ~ **time** zu e-r anderen Zeit; **in** ~ **place** an e-m anderen Ort **II.** *pron* ein anderer; **one** ~ einander, sich

answer ['ɑ:nsə(r)] **I.** *s* **1.** Antwort *f;* Entgegnung, Erwiderung *f* **2.** (*Problem*) Lösung *f;* **in** ~ **to** als Antwort auf **II.** *itr* **1.** antworten, erwidern, entgegnen **2.** geeignet sein, taugen; ~ **to the name of ...** auf den Namen ... hören **III.** *tr* **1.** beantworten, antworten auf; antworten (*s.o.* jdm) **2.** (*e-r Beschreibung, e-m Zweck*) entsprechen; (*Verpflichtungen*) nachkommen; (*den Anforderungen*) genügen; (*Hoffnung*) erfüllen; (*Gebet*) erhören; (*Bedürfnis*) befriedigen **3.** (JUR) sich verantworten wegen; ~ **the door** die Tür öffnen; ~ **the telephone** ans Telefon gehen; ~ **a description** e-r Beschreibung entsprechen; **answer back** *itr* widersprechen; frech sein; **don't** ~ **back!** keine Widerrede!; ~ **s.o. back** jdm widersprechen; jdm eine freche Antwort geben; **answer for** *itr* **1.** verantwortlich sein für, verantworten **2.** sich verbürgen für; sprechen für; **he has a lot to** ~ **for** er hat einiges auf dem Gewissen; ~ **to s.o. for s.th.** jdm für etw Rechenschaft schuldig sein; ~ **to the controls** auf die Steuerung ansprechen; ~ **to a description** e-r Beschreibung entsprechen; **answer•able** ['ɑːnsərəbl] *adj* **1.** beantwortbar **2.** (JUR) verantwortlich; **be** (**held**) ~ **to s.o. for s.th.** für etw gegenüber jdm verantwortlich sein; **answer•ing ma•chine** ['ɑːnsərɪŋ məˈʃiːn] *s* Anrufbeantworter *m*

ant [ænt] *s* Ameise *f*

an•tag•on•ism [ænˈtægənɪzəm] *s* Gegensatz *m;* Feindseligkeit *f;* **be in** ~ **with** im Gegensatz stehen zu; **an•tag•on•is•tic** [æn,tægəˈnɪstɪk] *adj* feindselig; (*Macht*) gegnerisch, feindlich; (*Interessen*) widerstreitend; **an•tag•on•ize** [ænˈtægənaɪz] *tr* zu seinem Gegner machen

ant•arc•tic [ænˈtɑːktɪk] **I.** *s:* **the A~** die Antarktis **II.** *adj* antarktisch; **Antarctic Circle** *s* Südpolarkreis *m;* **Antarctic Ocean** *s* Südpolarmeer *n,* südlicher Ozean

ant•eater [ˈænt,iːtə(r)] *s* Ameisenbär *m*

ante•ced•ent [,æntɪˈsiːdnt] **I.** *adj* früher (*to* als), vorangehend **II.** *s pl* Vorleben *n;* Abstammung *f*

ante•cham•ber [ˈæntɪʃeɪmbə(r)] *s* Vorzimmer *n*

ante•di•luvian [,æntɪdɪˈluːvɪən] *adj* **1.** vorsintflutlich *a. fig* **2.** altmodisch

ante•lope [ˈæntɪləʊp] *s* (ZOO) Antilope *f*

ante•na•tal [,æntɪˈneɪtl] *adj* vor der Geburt; ~ **clinic** Klinik *f* für schwangere Frauen

an•tenna¹ [ænˈtenə, *pl* ænˈteniː] <*pl* -tennae> *s* (ZOO) Fühler *m*

an•tenna² [ænˈtenə] <*pl* -tennas> *s* (TECH) Antenne *f*

an•ter•ior [ænˈtɪərɪə(r)] *adj* **1.** (*Ort*) vordere(r, s) **2.** (*Zeit*) vorhergehend, früher (*to* als)

ante•room [ˈæntɪrʊm] *s* Vor-, Wartezimmer *n*

an•them [ˈænθəm] *s* Hymne *f*

an•ther [ˈænθə(r)] *s* (BOT) Staubbeutel *m*

ant•hill [ˈænthɪl] *s* Ameisenhaufen *m*

an•thol•ogy [ænˈθɒlədʒɪ] *s* Anthologie *f*

an•thra•cite [ˈænθrəsaɪt] *s* (MIN) Anthrazit *m*

an•thro•poid [ˈænθrəpɔɪd] **I.** *adj* menschenähnlich **II.** *s* Menschenaffe *m;* **an•thro•po•logi•cal** [,ænθrəpəˈlɒdʒɪkl] *adj* anthropologisch; **an•thro•pol•ogy** [,ænθrəˈpɒlədʒɪ] *s* Anthropologie *f*

anti [ˈæntɪ, *Am* ˈæntaɪ] *prep* gegen; **anti-** *prefix* Anti-, anti-; **anti-air•craft** [,æntɪˈeəkrɑːft] *adj attr* Flugabwehr-; ~ **artillery** Flak *f;* ~ **defence** Luftverteidigung *f;* ~ **fire** Flakfeuer *n;* ~ **gun** Flak *f;* **anti•biotic** [,æntɪbaɪˈɒtɪk] *s* Antibiotikum *n;* **anti-blem•ish stick** [,æntɪˈblemɪʃ,stɪk] *s* Antipickelstift *m;* **anti-body** [ˈæntɪbɒdɪ] *s* Antikörper *m*

an•tic [ˈæntɪk] *s meist pl* dummer Streich, Posse *f*

Anti•christ [ˈæntɪkraɪst] *s* Antichrist *m*

an•tici•pate [ænˈtɪsɪpeɪt] *tr* **1.** erwarten **2.** (*zeitlich*) vorwegnehmen, zuvorkommen (*s.th.* e-r S) **3.** vorausberechnen, vorhersehen; voraussehen; ahnen **4.** im Voraus bezahlen; im Voraus verbrauchen; **an•tici•pa•tion** [æn,tɪsɪˈpeɪʃn] *s* **1.** Erwartung, Voraussicht, Ahnung *f;* Erwartungshaltung *f* **2.** Vorwegnahme *f;* Zuvorkommen *n* **3.** Vorausberechnung *f;* **in** ~ im Voraus; in Erwartung (*of +gen*); **an•tici•pa•tory** [æn,tɪsɪˈpeɪtərɪ] *adj* vorwegnehmend

anti•cleri•cal [,æntɪˈklerɪkl] *adj* antiklerikal; **anti•cli•max** [,æntɪˈklaɪmæks] *s* Enttäuschung *f;* (*lit*) Antiklimax *m;* **anti•clock•wise** [,æntɪˈklɒkwaɪz] *adj, adv* entgegen dem Uhrzeigersinn; **anti•coagu•lant** [,æntɪkəʊˈægjʊlənt] **I.** *s* Antikoagulans *n* **II.** *adj* blutgerinnungshemmend; **anti•cor•ros•ive** [,æntɪkəˈrəʊsɪv] *adj* Korrosionsschutz-; **anti•cyc•lone** [,æntɪˈsaɪkləʊn] *s* Hoch(-druckgebiet) *n;* **anti•dazzle** [,æntɪˈdæzl] *adj* blendfrei; ~ **mirror** blendfreier Spiegel; **anti•dote** [ˈæntɪdəʊt] *s* Gegenmittel, Gegengift *n* (*against, for, to* gegen); **anti•freeze** [ˈæntɪfriːz] *s* Frostschutzmittel *n;* **anti•gen** [ˈæntɪdʒən] *s* (BIOL) Abwehrstoff *m;* **anti•his•ta•mine** [,æntɪˈhɪstə,miːn] *s* Antihistamin *n;* **anti•knock** [,æntɪˈnɒk] *adj* (*Benzin*) klopffest; **anti•lock brak•ing sys•tem** [æntɪˈlɒk ˈbreɪkɪŋ ˈsɪstəm] *s* (MOT) Antiblockiersystem, ABS *n*

anti•mat•ter [ˈæntɪmætə(r)] *s* Antimaterie *f;* **anti•mis•sile** [,æntɪˈmɪsaɪl] *adj* Raketenabwehr-; **anti•oxi•dant** [,æntɪˈɒksɪdənt] *s* Antioxydationsmittel *n*

an•tipa•thy [ænˈtɪpəθɪ] *s* Antipathie, Abneigung *f;* Widerwillen *m* (*to, towards, against* gegen); **anti•per•spir•ant** [,æntɪˈpɜːspərənt] *s* Deodorant *n*

an•tipo•des [ænˈtɪpədiːz] *s pl* entgegengesetzte Teile *m pl* der Erde

anti•quar•ian [,æntɪˈkweərɪən] **I.** *adj* antiquarisch **II.** *s* Antiquitätenhändler(in) *m(f);* **anti•quary** [ˈæntɪkwərɪ] *s* **1.** Antiquar(in) *m(f)* **2.** Altertumsforscher(in) *m(f);* **anti•quated** [ˈæntɪkweɪtɪd] *adj* antiquiert; altmodisch; rückständig; **an•tique** [ænˈtiːk] **I.** *s* Antiquität *f* **II.** *adj* antik; ~ **dealer** Antiquitätenhändler(in) *m(f);* **an•tiquity** [ænˈtɪkwətɪ] *s* **1.** Altertum *n* **2. antiquities** Altertümer *pl*

anti-rust [,æntɪˈrʌst] *adj* Rostschutz-; ~ **agent** Rostschutzmittel *n;* ~ **protection** Rostschutz *m;* ~ **paint** Rostschutzfarbe *f;*

anti-Sem•ite [ˌæntɪ'siːmaɪt] *s* Antisemit *m;* **anti-Sem•itic** [ˌæntɪsɪ'mɪtɪk] *adj* antisemitisch; **anti-Sem•it•ism** [æntɪ'semɪtɪsm] *s* Antisemitismus *m;* **anti•sep•tic** [ˌæntɪ'septɪk] **I.** *adj* (MED) antiseptisch, keimtötend **II.** *s* keimtötendes Mittel, Antiseptikum *n;* **anti•so•cial** [ˌæntɪ'səʊʃl] *adj* unsozial; ungesellig; asozial; **anti•static** [ˌæntɪ'stætɪk] *adj* antistatisch; **anti•tank** [ˌæntɪ'tæŋk] *adj* Panzerabwehr-

an•tith•esis [æn'tɪθəsɪs, *pl* æn'tɪθəsiːz] <*pl* -eses> *s* Antithese *f,* Gegensatz *m;* **anti•theti•cal** [ˌæntɪ'θetɪkl] *adj* gegensätzlich

anti•toxin [ˌæntɪ'tɒksɪn] *s* Gegengift *n*

anti-wrinkle cream [ˌæntɪ'rɪŋklˌkriːm] *s* Antifaltencreme *f*

ant•ler ['æntlə(r)] *s* Geweihsprosse *f;* **~s** Geweih *n*

an•to•nym ['æntənɪm] *s* Antonym, Gegensatzwort *n*

anus ['eɪnəs] *s* (ANAT) After *m*

an•vil ['ænvɪl] *s* (*a.* ANAT) Amboss *m*

anxiety [æŋ'zaɪətɪ] *s* **1.** Besorgnis, Angst (-gefühl *n*) *f* (*for, about* um) **2.** (dringender) Wunsch, Verlangen *n* (*for* nach); **with ~** angstvoll, besorgt; **anxious** ['æŋkʃəs] *adj* **1.** besorgt, beunruhigt (*about* wegen) **2.** begierig (*for* nach), gespannt (*for* auf); **be ~** bestrebt sein (*to do s.th.* etw zu tun), besorgt sein, sich Sorgen machen (*about* um)

any ['enɪ] **I.** *adj* **1.** (*in Frage- und verneinenden Sätzen sowie in Bedingungssätzen*) irgendein(e); irgendwelche; etwas; **not ~** kein(e); **have you ~ other questions?** haben Sie noch e-e Frage?; **do you have ~ money with you?** haben Sie Geld bei sich?; **if it's ~ help (at all)** wenn das irgendwie hilft **2.** jede(r, s) beliebige; alle; **come at ~ time** kommen Sie zu jeder (beliebigen) Zeit; **in ~ case** jederzeit; auf jeden Fall; **at ~ rate** auf jeden Fall; **do it ~ way you like** mach es wie du willst **II.** *pron* ein(e), welche(r, s) **III.** *adv* **1.** noch; **not ~ colder** nicht kälter; **~ more?** noch mehr? **2.** überhaupt

any•body ['enɪbɒdɪ] *s, pron* **1.** irgendjemand; **is ~ ill?** ist jemand krank? **2.** jeder (beliebige), jedermann; **~ can do that** jeder kann das; **~ else** (irgend)ein anderer; **if ~** wenn überhaupt jemand; **not ~** niemand; keine(r, s)

any•how ['enɪhaʊ] *adv* **1.** jedenfalls, trotzdem; **~, you can try** du kannst es trotzdem versuchen; **he did it ~** er tat es doch **2.** irgendwie; **he does his work ~** er erledigt seine Arbeit schlecht und recht

any•one ['enɪwʌn] *s.* **anybody**

any•thing ['enɪθɪŋ] **I.** *pron* (irgend) etwas, jedes beliebige; alles; **is there ~ new?** gibt es etwas Neues?; **is ~ left over?** ist noch was übrig?; **if ~** womöglich, noch; eher, sogar; **not ~** nichts; **not for ~** um keinen Preis; **scarcely ~** fast nichts; kaum etwas; **~ but** alles andere als; nichts weniger als; **~ else** noch etwas, sonst etwas **II.** *adv* irgendwie, in irgendeiner Art, überhaupt; **it isn't ~ like him** das sieht ihm überhaupt nicht ähnlich; **it's not worth ~ like that** es ist bei weitem nicht so viel wert

any•way ['enɪweɪ] *adv* irgendwie; ohnehin, sowieso; trotzdem; (*fam: Satzanfang*) auf jeden Fall; **I didn't want to go ~** ich wollte sowieso nicht gehen; **I did it ~** ich tat es trotzdem

any•where ['enɪweə(r)] *adv* irgendwo(hin); wo ... auch (immer); überall (hin); **are you going ~ tomorrow?** gehen Sie morgen irgendwohin?; **~ you go** wohin Sie auch gehen; **he'll never get ~** er kommt nie auf e-n grünen Zweig; **that won't get you ~** damit erreichen Sie gar nichts; **it isn't ~ near the truth** es kommt der Wahrheit auch nicht einmal annähernd nahe; **it isn't ~ near as nice** es ist bei weitem nicht so schön; **if ~** wenn überhaupt (irgendwo); **not ~** nirgendwo(hin); nirgends

aorta [eɪ'ɔːtə] *s* (ANAT) Aorta *f*

apart [ə'pɑːt] *adv* **1.** auseinander, getrennt **2.** zur Seite; abseits (*from* von) **3.** abgesehen von; **~ from** abgesehen von; **know ~** auseinander halten können; **live ~** getrennt leben; **set ~** beiseite legen; **stand ~** beiseite, abseits stehen (*from* von); **take ~** auseinander nehmen, zerlegen; beiseite nehmen; **joking ~!** Scherz beiseite!

apart•heid [ə'pɑːtheɪt] *s* Apartheid *f*

apart•ment [ə'pɑːtmənt] *s* **1.** (*Am*) (Miet)Wohnung, Etagenwohnung *f* **2.** (*Br*) Zimmer *n;* Apartment *n;* **apart•ment house** *s* (*Am*) Mietshaus *n*

apa•thetic [ˌæpə'θetɪk] *adj* apathisch, teilnahmslos; **apa•thy** ['æpəθɪ] *s* Apathie, Teilnahmslosigkeit *f* (*to* gegen)

ape [eɪp] **I.** *s* Affe *m* **II.** *tr* nachäffen

ap•er•ture ['æpətʃə(r)] *s* **1.** Öffnung *f* **2.** (PHOT) Blende *f*

apex ['eɪpeks, *pl* 'eɪpɪsiːz] <*pl* apexes, apices> *s* Spitze *f;* (*a. fig*) Höhepunkt *m*

aph•or•ism ['æfərɪzəm] *s* Aphorismus *m*

api•ar•ist ['eɪpɪərɪst] *s* Bienenzüchter(in) *m(f),* Imker(in) *m(f);* **api•ary** ['eɪpɪərɪ] *s* Bienenhaus *n;* **api•cul•ture** ['eɪpɪkʌltʃə(r)] *s* Bienenzucht *f*

apiece [ə'piːs] *adv* je Stück; pro Kopf

apoca•lypse [ə'pɒkəlɪps] *s* Apokalypse *f;* **apoca•lyp•tic** [əˌpɒkə'lɪptɪk] *adj* apokalyptisch; **~ mood** Weltuntergangsstimmung *f*

apo•gee ['æpədʒiː] *s* **1.** (ASTR) Apogäum *n*

2. (*fig*) Höhepunkt *m*

apolo•getic [əˌpɒlə'dʒetɪk] *adj*, **apolo•geti•cal•ly** [-əlɪ] *adv* entschuldigend; **apolo•gize** [ə'pɒlədʒaɪz] *itr* sich entschuldigen (*to s.o. for s.th.* bei jdm wegen etw); **apol•ogy** [ə'pɒlədʒɪ] *s* **1.** Entschuldigung *f* **2.** Rechtfertigung *f;* **offer s.o. an ~** jdn um Verzeihung bitten; **make apologies** sich entschuldigen; **an ~ for a ...** ein armseliges Exemplar

apo•plec•tic [ˌæpə'plektɪk] *adj* (MED) apoplektisch

apostle [ə'pɒsl] *s* Apostel *m*

apos•trophe [ə'pɒstrəfɪ] *s* Apostroph *m*

ap•pal [ə'pɔːl] *tr* erschrecken; entsetzen; **ap•pall** (*Am*) *s.* **appal**; **ap•palled** [-d] *adj* entsetzt; **ap•pal•ling** [-ɪŋ] *adj*, **ap•pal•ling•ly** [-ɪŋlɪ] *adv* schrecklich, furchtbar, entsetzlich

ap•par•atus [ˌæpə'reɪtəs] *s* Apparat *m*, Gerät *n*, Vorrichtung *f*

ap•parel [ə'pærəl] *s* (*Am*) Kleidung *f*

ap•par•ent [ə'pærənt] *adj* **1.** offenbar, offensichtlich **2.** scheinbar; vermeintlich; **ap•par•ent•ly** [-lɪ] *adv* anscheinend

ap•par•ition [ˌæpə'rɪʃn] *s* Erscheinung *f;* Gespenst *n;* Geist *m*

ap•peal [ə'piːl] **I.** *s* **1.** dringende Bitte (*for* um), Aufruf, Appell *m* **2.** (*fig*) Anziehungskraft *f* **3.** (JUR) Einspruch *m;* Berufung, Revision *f* (*from* gegen) **4.** Flehen *n;* **without further ~** in letzter Instanz; **lodge an ~** Berufung einlegen (*with* bei) **II.** *tr* (JUR): **~ the case** Berufung einlegen **III.** *itr* **1.** sich wenden, appellieren (*to* an), anrufen (*to s.o.* jdn) **2.** (*fig*) zusagen, gefallen (*to s.o.* jdm), Anklang finden (*to* bei) **3.** (JUR) Berufung einlegen (*against* gegen); **ap•peal•ing** [-ɪŋ] *adj* **1.** flehentlich **2.** reizvoll, ansprechend; **ap•peal•ing•ly** [-ɪŋlɪ] *adv* bittend

ap•pear [ə'pɪə(r)] *itr* **1.** (*a.* JUR) erscheinen; zum Vorschein kommen, sichtbar werden, auftauchen **2.** scheinen, den Anschein haben **3.** (*Zeitung*) erscheinen, veröffentlicht werden; (*Buch*) herauskommen; stehen (*in the list* auf der Liste) **4.** (THEAT) auftreten; **~ for s.o.** jdn als Anwalt vor Gericht vertreten; **ap•pear•ance** [ə'pɪərəns] *s* **1.** Erscheinen, Auftauchen *n* **2.** (*Schauspieler*) Auftritt *m* **3.** Aussehen *n;* Äußere(s) *n* **4.** **~s** Anschein, Schein *m;* **~s can deceive** der Schein trügt; **by his ~** seinem Aussehen, seinem Äußeren nach; **to all** [*o* **by all**] [*o* **from all**] **~s** allem Anschein nach; **judge by ~s** nach dem Äußeren urteilen; **keep up ~s** den äußeren Schein wahren; **make an ~** sich zeigen

ap•pease [ə'piːz] *tr* **1.** beruhigen, beschwichtigen **2.** (*Neugier*) befriedigen; **ap•pease•ment** [-mənt] *s* Beruhigung *f;* Befriedigung *f;* **appeasement policy** *s* Beschwichtigungspolitik *f*

ap•pel•lant [ə'pelənt] *s* (JUR) Berufungskläger(in) *m(f)*

ap•pend [ə'pend] *tr* anhängen; beifügen; **ap•pend•age** [ə'pendɪdʒ] *s* Beifügung *f;* Anhang *m;* **ap•pen•di•ci•tis** [əˌpendɪ'saɪtɪs] *s* Blinddarmentzündung *f;* **ap•pen•dix** [ə'pendɪks, *pl* ə'pendɪsiːz] <*pl* -dices> *s* **1.** Anhang *m;* Zusatz *m* (*to* zu) **2.** (ANAT) Blinddarm *m*

ap•per•tain [ˌæpə'teɪn] *itr* **1.** gehören (*to* zu) **2.** betreffen; sich beziehen (*to* auf)

ap•pe•tite ['æpɪtaɪt] *s* Appetit *m;* Lust *f* (*for* auf), Verlangen *n* (*for* nach); **lose one's ~** keinen Appetit haben; **appetite suppressant** *s* Appetitzügler *m;* **ap•pe•tizer** ['æpɪtaɪzə(r)] *s* Appetithappen *m;* **ap•pe•tiz•ing** ['æpɪtaɪzɪŋ] *adj* appetitanregend

ap•plaud [ə'plɔːd] *itr, tr* Beifall klatschen; applaudieren (*s.o.* jdm); **applause** [ə'plɔːz] *s* Beifall, Applaus *m*

apple ['æpl] *s* Apfel *m;* **the ~ of s.o.'s eye** (*fig*) jds Liebling; **the Big A~** New York *m;* **apple•cart** *s:* **upset the ~** alles über den Haufen werfen; **apple•juice** *s* Apfelsaft *m;* **apple•pie** *s* gedeckter Apfelkuchen; **apple•sauce** *s* Apfelmus *n;* **apple•tree** *s* Apfelbaum *m*

ap•pli•ance [ə'plaɪəns] *s* Gerät *n* (*for doing s.th.* um etw zu tun), Apparat *m*, Vorrichtung *f;* **domestic ~s** Haushaltsgeräte *npl*

ap•pli•cable ['æplɪkəbl] *adj* zutreffend, anwendbar (*to* auf); **ap•pli•cant** ['æplɪkənt] *s* Bewerber(in) *m(f)* (*for* um), Antragsteller(in) *m(f)*, Kandidat(in) *m(f);* **ap•pli•ca•tion** [ˌæplɪ'keɪʃn] *s* **1.** An-, Verwendung *f*, Gebrauch *m* (*to* für, auf) **2.** Antrag *m* (*for* auf), Gesuch *n;* Bewerbung *f* (*for* um), Bewerbungsschreiben *n* **3.** (*Verband*) Anlegung *f;* (*Salbe*) Auftragen *n;* Umschlag *m* **4.** Fleiß, Eifer *m* (*in* bei); **on ~ to** auf Antrag, auf Ansuchen an; **file an ~** e-e Bewerbung, e-n Antrag, e-e Anmeldung einreichen (*with* bei); **for external ~** (MED) äußerlich; **this has no ~ to** dies findet keine Anwendung auf; **field of ~** Anwendungsgebiet *n*, -bereich *m;* **letter of ~** Bewerbungsschreiben *n;* **~ form** Bewerbungs-, Antragsformular *n;* **~ program** (EDV) Anwendungsprogramm *n*

ap•plied [ə'plaɪd] *adj* angewandt

ap•ply [ə'plaɪ] **I.** *tr* **1.** anwenden (*to* auf); (*Mittel*) benutzen, verwenden **2.** (*Farbe*) auftragen; (*Pflaster*) auflegen **3.** (*Bremse*) betätigen; **~ one's mind** seinen Kopf anstrengen **II.** *itr* **1.** sich beziehen, zutreffen (*to* auf), gelten (*to* für) **2.** sich wenden (*to*

an), sich bewerben (*for* um) **3.** beantragen (*for s.th.* etw), bitten, nachsuchen (*for* um); ~ **to** Näheres bei **III.** *refl* sich anstrengen
ap•point [ə'pɔɪnt] *tr* **1.** ernennen, bestellen, berufen (*s.o. judge* jdn zum Richter), anstellen **2.** (*Arbeit*) zuteilen **3.** (*Termin*) verabreden; vereinbaren; **ap•pointed** [-ɪd] *adj:* **well/badly** ~ gut/dürftig ausgestattet; **ap•point•ment** [-mənt] *s* **1.** Ernennung *f;* Bestellung *f* **2.** Stelle, Anstellung *f* (*in a firm* bei e-r Firma) **3.** Termin *m;* Verabredung, Vereinbarung *f* **4.** *meist pl* Ausstattung *f;* Mobiliar *n;* **break an** ~ e-e Verabredung nicht einhalten; **have an** ~ e-e Verabredung haben (*with* mit), bestellt sein (*at the dentist's* zum Zahnarzt); **keep an** ~ e-e Verabredung einhalten; **make an** ~ e-e Verabredung treffen; sich anmelden (*with* bei); **appointment book** *s* Terminkalender *m*
ap•por•tion [ə'pɔːʃn] *tr* gleichmäßig, anteilmäßig zu-, verteilen
ap•po•site ['æpəzɪt] *adj* passend; (*Bemerkung*) treffend; **ap•po•si•tion** [ˌæpə'zɪʃn] *s* (GRAM) Apposition, Beifügung *f*
ap•prai•sal [ə'preɪzl] *s* Schätzung, Bewertung *f;* **ap•praise** [ə'preɪz] *tr* abschätzen, taxieren (*to* auf)
ap•preci•able [ə'priːʃəbl] *adj* merkbar, merklich; **it makes an** ~ **difference** es macht e-n fühlbaren Unterschied; **ap•preci•ate** [ə'priːʃɪeɪt] **I.** *tr* **1.** schätzen, (zu) würdigen (wissen) **2.** gut verstehen, gut begreifen **3.** anerkennen; dankbar sein (*s.th.* für etw); **I would** ~ **it, if** es wäre mir lieb, wenn; **I quite** ~ **that** ich verstehe ganz gut, dass **II.** *itr* im Wert steigen; **ap•preci•ation** [əˌpriːʃɪ'eɪʃn] *s* **1.** Ab-, Einschätzung *f* **2.** Würdigung *f;* Verständnis *n* (*of* für) **3.** Dank *m,* Anerkennung *f* **4.** (COM) Wertzuwachs *m;* **ap•preci•ative** [ə'priːʃɪətɪv] *adj* **1.** verständnisvoll (*of* für) **2.** dankbar
ap•pre•hend [ˌæprɪ'hend] *tr* **1.** festnehmen, verhaften **2.** begreifen, erfassen **3.** (be)fürchten; **ap•pre•hen•sion** [ˌæprɪ'henʃn] *s* **1.** Verständnis *n* **2.** *oft pl* Furcht, Besorgnis *f* **3.** Festnahme *f;* **ap•pre•hen•sive** [ˌæprɪ'hensɪv] *adj* besorgt (*for* um, *of* wegen)
ap•pren•tice [ə'prentɪs] **I.** *s* Lehrling *m,* Auszubildende(r) *f m* **II.** *tr* in die Lehre geben (*to* bei); **ap•pren•tice•ship** [ə'prentɪʃɪp] *s* Lehrzeit *f;* Lehre, Ausbildung *f*
ap•proach [ə'prəʊtʃ] **I.** *itr* sich nähern **II.** *tr* **1.** sich wenden, herantreten (*s.o. about s.th.* an jdn wegen etw) **2.** herangehen (*a problem* an ein Problem) **3.** zugehen auf **III.** *s* **1.** Herannahen, Heranrücken *n;* Annäherung *f* **2.** Zugang *m;* (*a. fig:* ~ *road*) Zufahrt(sstraße) *f* **3.** (*fig*) Weg *m,* Methode *f* (*to* zu), Einstellung *f* (*to* zu) **4.** (AERO) Landeanflug *m;* **easy/difficult of** ~ leicht/schwer zugänglich; (*fig*) leicht, schwer ansprechbar; **make** ~**es to s.o.** an jdn herantreten; Annäherungsversuche machen; **approach•able** [-əbl] *adj* **1.** zugänglich, erreichbar **2.** umgänglich
ap•pro•ba•tion [ˌæprə'beɪʃn] *s* Billigung *f*
ap•pro•pri•ate [ə'prəʊprɪət] **I.** *adj* passend, geeignet, zweckdienlich (*to, for* für); (*Bemerkung*) angebracht **II.** [ə'prəʊprɪeɪt] *tr* **1.** sich aneignen **2.** (*Geld*) bestimmen, anweisen, zuteilen (*for* für); **ap•pro•pri•ation** [əˌprəʊprɪ'eɪʃn] *s* **1.** Aneignung *f* **2.** Verwendung *f;* (~ *of funds*) (Geld)Zuteilung, Zuweisung, Bereitstellung *f*
ap•pro•val [ə'pruːvl] *s* Zustimmung, Einwilligung, Billigung, Genehmigung *f* (*of s.th.* für, zu etw); **on** ~ zur Ansicht, auf Probe; **does it meet with your** ~**?** sind Sie damit einverstanden?; **approve** [ə'pruːv] **I.** *tr* billigen, genehmigen **II.** *itr* zustimmen (*of dat*), einverstanden sein (*of* mit), billigen (*of s.th.* etw); **ap•proved** [ə'pruːvd] *adj:* **read and** ~ gelesen u. genehmigt; ~ **school** (*Br obs*) *s.* **community home**; **approv•ing•ly** [ə'pruːvɪŋlɪ] *adv* zustimmend, billigend
ap•proxi•mate [ə'prɒksɪmət] **I.** *adj* annähernd, ungefähr **II.** [ə'prɒksɪmeɪt] *tr, itr* nahe kommen, sich nähern (*to*); (*Summe*) ungefähr betragen; **ap•proxi•mate•ly** [ə'prɒksɪmətlɪ] *adv* ungefähr, etwa; **approxi•ma•tion** [əˌprɒksɪ'meɪʃn] *s* Annäherung *f* (*to* an)
apri•cot ['eɪprɪkɒt] *s* Aprikose *f*
April ['eɪprəl] *s* April *m;* ~ **fool!** April, April!
apron ['eɪprən] *s* **1.** Schürze *f* **2.** (AERO) Vorfeld *n* **3.** (THEAT: ~ *stage*) Vorbühne *f;* **apron-strings** *s pl* Schürzenbänder *npl*
apse [æps] *s* (ARCH) Apsis *f*
apt [æpt] *adj* **1.** fähig (*to do* zu tun) **2.** geeignet, geschickt (*at* in) **3.** (*Bemerkung*) treffend, passend; **be** ~ **to do s.th.** dazu neigen etw zu tun; **I'm** ~ **to be out** (*Am*) es kann sein, dass ich nicht da bin; **ap•titude** ['æptɪtjuːd] *s* **1.** Fähigkeit, Tauglichkeit, Eignung *f* **2.** Begabung *f,* Talent *n* (*for* für); **aptitude test** *s* Eignungsprüfung *f*
aqua•cul•ture ['ækwəˌkʌltʃə(r)] *s* Aquakultur *f;* **aqu•aerobics** [ˌækweə'rəʊbɪks] *s* Wasseraerobic *n;* **aqua•lung** ['ækwəlʌŋ] *s* Tauchgerät *n;* **aqua•mar•ine** [ˌækwəmə'riːn] **I.** *s* (MIN) Aquamarin *m* **II.** *adj* aquamarin(blau); **aqua•plan•ing** [ˌækwə'pleɪnɪŋ] *s* Aquaplaning *n;* **aquarium** [ə'kweərɪəm] *s* Aquarium *n;* **Aquarius** [ə'kweərɪəs] *s* (ASTR) Wassermann *m;* **aqua•tic** [ə'kwætɪk] *adj* im Wasser le-

bend; Wasser-; ~ **sports** Wassersportarten *fpl*
aque•duct ['ækwɪdʌkt] *s* Aquädukt *m*
aqui•line ['ækwɪlaɪn] *adj* Adler-; ~ **nose** Adlernase *f*
Arab ['ærəb] **I.** *s* Araber(in) *m(f)* **II.** *adj* arabisch; **ara•besque** [ˌærə'besk] *s* Arabeske *f;* **Ara•bian** [ə'reɪbɪən] *adj* arabisch; **the ~ Nights** Tausendundeine Nacht; **Ara•bic** ['ærəbɪk] **I.** *s* (das) Arabisch(e), arabische Sprache **II.** *adj* arabisch
ar•able ['ærəbl] *adj* bebaubar, Acker-
ar•bi•ter ['ɑːbɪtə(r)] *s* Schiedsrichter(in) *m(f)* (*of* über); **ar•bit•rary** ['ɑːbɪtrərɪ] *adj* **1.** willkürlich **2.** tyrannisch; **ar•bi•trate** ['ɑːbɪtreɪt] **I.** *tr* schlichten, schiedsrichterlich entscheiden **II.** *itr* Schiedsrichter sein; **ar•bi•tra•tion** [ˌɑːbɪ'treɪʃn] *s* Schiedsspruch *m;* Schlichtung *f;* **ar•bi•tra•tor** ['ɑːbɪtreɪtə(r)] *s* Schiedsrichter(in) *m(f),* Schlichter(in) *m(f)*
ar•bor *s* (*Am*) *s.* **arbour**
arbori•cul•ture ['ɑːbərɪˌkʌltʃə(r)] *s* Baumkultur *f*
ar•bour ['ɑːbə(r)] *s* Laube *f*
arc [ɑːk] *s* Bogen *m;* **arc•lamp** *s* Bogenlampe *f;* **arc•weld•ing** *s* (Licht)Bogenschweißung *f*
ar•cade [ɑː'keɪd] *s* Arkade *f;* Bogengang *m*
arch[1] [ɑːtʃ] **I.** *s* **1.** (ARCH) Bogen *m;* Gewölbe(bogen *m*) *n* **2.** (~ *of the foot*) Fußrücken *m* **3.** (*triumphal* ~) Triumphbogen *m* **II.** *tr* wölben **III.** *itr* sich wölben
arch[2] [ɑːtʃ] *adj* schelmisch, schalkhaft
arch[3] [ɑːtʃ] *adj attr* Erz-; ~ **enemy** Erzfeind *m*
ar•chae•ologi•cal [ˌɑːkɪə'lɒdʒɪkl] *adj* archäologisch; **ar•chae•ol•ogist** [ˌɑːkɪ'ɒlədʒɪst] *s* Archäologe *m,* Archäologin *f;* **ar•chae•ol•ogy** [ˌɑːkɪ'ɒlədʒɪ] *s* Archäologie *f*
ar•chaic [ɑː'keɪɪk] *adj* altertümlich; veraltet, archaisch
arch•angel ['ɑːkeɪndʒl] *s* Erzengel *m*
arch•bishop [ˌɑːtʃ'bɪʃəp] *s* Erzbischof *m;* **arch•bishop•ric** [-rɪk] *s* Erzbistum *n;* **arch•deacon** [ˌɑːtʃ'diːkən] *s* Archidiakon *m;* **arch•dio•cese** [ˌɑːtʃ'daɪəsɪs] *s* Erzdiözese *f*
archer ['ɑːtʃə(r)] *s* Bogenschütze *m;* **archery** ['ɑːtʃərɪ] *s* Bogenschießen *n*
arche•type ['ɑːkɪtaɪp] *s* (PSYCH) Archetyp *m;* Urbild *n*
archi•pel•ago [ˌɑːkɪ'peləgəʊ] <*pl* -ago(e)s> *s* Archipel *m,* Inselgruppe *f*
archi•tect ['ɑːkɪtekt] *s* Architekt(in) *m(f),* Baumeister(in) *m(f);* **archi•tec•ture** ['ɑːkɪtektʃə(r)] *s* Baukunst, Architektur *f*
ar•chives ['ɑːkaɪvz] *s pl* Archiv *n;* **archi•vist** ['ɑːkɪvɪst] *s* Archivar(in) *m(f)*
arch•way ['ɑːtʃweɪ] *s* (ARCH) Bogengang *m;* gewölbter Eingang
arc•tic ['ɑːktɪk] **I.** *adj* arktisch; Polar- **II.** *s:* **the A~** die Arktis; **Arctic Circle** *s* Polarkreis *m;* **Arctic Ocean** *s* Nordpolarmeer *n*
ar•dent ['ɑːdnt] *adj* leidenschaftlich; enthusiastisch, begeistert; brennend, heftig
ar•dor *s* (*Am*), **ar•dour** ['ɑːdə(r)] *s* **1.** Eifer *m,* Leidenschaft *f;* große Begeisterung (*for* für) **2.** (*fig*) Wärme, Glut, Inbrunst *f*
ar•du•ous ['ɑːdjʊəs] *adj* anstrengend; mühsam
are [ə(r), *betont* ɑː(r)] *2. Person Singular, 1., 2., 3. Person Plural Präsens* **be**
area ['eərɪə] *s* **1.** (*a. fig*) Gebiet *n,* Bereich *m* **2.** Teil *m;* Raum *m* **3.** (Grund-, Boden)Fläche *f;* Flächenraum, -inhalt *m* **4.** (*Haus*) Vorplatz *m;* **city** ~ Stadtgebiet *n;* **depressed** ~ Notstandsgebiet *n;* **penalty** ~ (*Fußball*) Strafraum *m;* **postal** ~ Postbezirk *m;* ~ **of responsibility** Verantwortungsbereich *m;* **area code** *s* (TELE) Vorwahl *f*
arena [ə'riːnə] *s* (*a. fig*) Arena *f;* **boxing-~** Boxkampfarena *f*
Ar•gen•ti•na [ˌɑːdʒən'tiːnə] *s* Argentinien *n;* **Ar•gen•tine** ['ɑːdʒəntaɪn] *s:* **the ~** Argentinien *n;* **Ar•gen•tin•ian** [ˌɑːdʒən'tɪnɪən] **I.** *s* Argentinier(in) *m(f)* **II.** *adj* argentinisch
ar•gu•ably ['ɑːgjuːəblɪ] *adv* wohl; **argue** ['ɑːgjuː] **I.** *itr* **1.** diskutieren, sich auseinander setzen (*with* mit, *about* über, *against* gegen) **2.** sich streiten (*about* über) **II.** *tr* **1.** überreden (*s.o. into doing s.th.* jdn, etw zu tun) **2.** bestreiten **3.** (*Gesichtspunkt*) ausführen, darlegen **4.** behaupten (*that* dass); ~ **s.o. out of s.th.** jdm etw ausreden; **ar•gu•ment** ['ɑːgjʊmənt] *s* **1.** Argument *n* (*in his favour* zu seinen Gunsten, *against* gegen) **2.** Beweisführung, Erörterung, Debatte *f* (*about* über) **3.** Auseinandersetzung *f;* Wortwechsel *m* **4.** Thema *n;* Inhaltsangabe *f;* **he doesn't want an ~ with you** er will nicht mit Ihnen streiten; **have an ~** sich streiten; **ar•gu•men•ta•tive** [ˌɑːgjʊ'mentətɪv] *adj* (*Person*) streitsüchtig
aria ['ɑːrɪə] *s* (MUS) Arie *f*
arid ['ærɪd] *adj* **1.** trocken, dürr; wasserarm **2.** (*fig*) langweilig; reizlos
Aries ['eəriːz] *s* (ASTR) Widder *m*
arise [ə'raɪz] <*irr:* **arose, arisen**> *itr* **1.** hervorkommen, -gehen, entstehen (*from, out of* aus) **2.** (*Schwierigkeiten*) sich zeigen, sich ergeben; (*Problem*) aufkommen, auftauchen; herrühren (*from* von)
arisen [ə'rɪzn] *pp of* **arise**
ar•is•toc•racy [ˌærɪ'stɒkrəsɪ] *s* Aristokratie *f;* **ar•is•to•crat** ['ærɪstəkræt] *s* Aristo-

krat(in) *m(f);* **ar•is•to•cratic** [ˌærɪstəˈkrætɪk] *adj* aristokratisch

arith•me•tic [əˈrɪθmətɪk] *s* Arithmetik *f,* Rechnen *n;* **ar•ith•meti•cal** [ˌærɪθˈmetɪkl] *adj* arithmetisch

ark [ɑːk] *s* (REL) Arche *f;* **Noah's** ~ die Arche Noah; ~ **of the Covenant** Bundeslade *f*

arm[1] [ɑːm] *s* **1.** Arm *m* **2.** Ärmel *m* **3.** (~ *of the sea*) (Meeres)Arm *m* **4.** (*Baum*) dicker Ast; ~ **in** ~ Arm in Arm; **hold** [*o* **keep**] **s.o. at ~'s length** sich jdn vom Leibe halten; **welcome s.o. with open ~s** jdn mit offenen Armen empfangen

arm[2] [ɑːm] **I.** *tr* bewaffnen (*with* mit); **~ed with patience** mit Geduld gewappnet **II.** *itr* aufrüsten **III.** *s s.* **arms**

ar•ma•ment [ˈɑːməmənt] *s* **1.** Bewaffnung *f;* Ausrüstung *f* **2.** Aufrüstung *f;* **~s industry** Rüstungsindustrie *f*

ar•ma•ture [ˈɑːmətʃʊə(r)] *s* (EL) Anker *m,* Armatur *f*

arm•chair [ˈɑːmˌtʃeə(r)] *s* Lehnstuhl *m;* **armchair politician** *s* Stammtischpolitiker(in) *m(f)*

armed [ɑːmd] *adj* bewaffnet; ~ **forces** Streitkräfte *fpl*

arm•ful [ˈɑːmfʊl] *s* Arm voll *m;* **arm•hole** *s* Armloch *n*

arm•ing [ˈɑːmɪŋ] *s* Bewaffnung, Ausrüstung *f*

ar•mis•tice [ˈɑːmɪstɪs] *s* Waffenstillstand *m*

ar•mor *s* (*Am*), **ar•mour** [ˈɑːmə(r)] *s* **1.** Panzer *m* **2.** (HIST) Rüstung *f* **3.** (MIL) Panzertruppe *f;* **ar•mour-clad** [ˈɑːməˈklæd] *adj* Panzer-, gepanzert; **ar•moured** [ˈɑːməd] *adj* Panzer-, gepanzert

arm•pit [ˈɑːmpɪt] *s* Achselhöhle *f;* **armrest** [ˈɑːmrest] *s* Armlehne *f*

arms [ɑːmz] *s pl* **1.** Waffen *fpl* **2.** Wappen *n;* **take up** ~ zu den Waffen greifen; (*fig*) zum Angriff übergehen; **be up in ~ about s.th.** über etw empört sein; **be under** ~ unter Waffen stehen; **arms control** *s* Rüstungskontrolle *f;* **arms control talks** *s pl* Rüstungskontrollverhandlungen *fpl;* **arms conversion** *s* Rüstungskonversion *f;* **arms limitation** *s* Rüstungsbegrenzung *f;* **arms race** *s* Wettrüsten *n,* Rüstungswettlauf *m;* **arms reduction** *s* Rüstungsabbau *m*

army [ˈɑːmɪ] *s* **1.** Armee *f;* Heer *n;* Militär *n* **2.** (*fig*) Menge, große Zahl *f,* Heer *n;* **Salvation A~** Heilsarmee *f;* ~ **headquarters** Armeeoberkommando *n;* **be in the** ~ beim Militär sein; **join the** ~ zum Militär gehen

aroma [əˈrəʊmə] *s* Aroma *n;* **aroma•ther•apy** [əˌrəʊməˈθerəpɪ] *s* Aromatherapie *f;* **aro•matic** [ˌærəˈmætɪk] *adj* aromatisch, würzig

arose [əˈrəʊz] *s.* **arise**

around [əˈraʊnd] **I.** *adv* ringsherum, rundherum; nach, auf allen Seiten; überall; (*fam*) in der Nähe; **is he ~?** ist er da?; **he's been ~!** der kennt sich aus! **II.** *prep* **1.** um ... herum, ringsum; am Rande **2.** ungefähr, etwa um; **somewhere ~ here** irgendwo hierherum

arouse [əˈraʊz] *tr* **1.** (auf)wecken **2.** erregen

ar•range [əˈreɪndʒ] *tr* **1.** (an)ordnen; aufstellen **2.** verabreden, planen, arrangieren (*to do s.th., for doing s.th.* dass etw getan wird) **3.** (MUS) umsetzen, bearbeiten **4.** (*Streit*) schlichten; **as ~d** wie abgesprochen; ~ **it so that** richten Sie es so ein, dass; **ar•range•ment** [-mənt] *s* **1.** Ordnung *f;* Anordnung, Gruppierung *f* **2.** **~s** Vorkehrungen *fpl* **3.** Abmachung, Abrede, Vereinbarung, Übereinkunft *f* **4.** (MUS) Bearbeitung *f;* **come to an** ~ zu e-r Einigung kommen; **make ~s** Vorbereitungen treffen

ar•ray [əˈreɪ] **I.** *s* **1.** (An)Ordnung, Aufstellung *f* **2.** (*Kleider*) Staat *m* **3.** Ansammlung *f* **II.** *tr* (an)ordnen; bereitstellen; (*Truppen*) aufstellen

ar•rears [əˈrɪəz] *s pl* **1.** Rückstände *mpl* **2.** unerledigte Sachen *fpl;* **be in** ~ im Rückstand sein

ar•rest [əˈrest] **I.** *tr* **1.** auf-, anhalten; verhindern, hemmen **2.** (*Aufmerksamkeit*) fesseln **3.** (JUR) festnehmen, verhaften **II.** *s* Verhaftung, Festnahme *f;* **under** ~ in Haft; **grant a warrant of** ~ e-n Haftbefehl erlassen; **ar•rest•ing** [-ɪŋ] *adj* fesselnd, auffallend, interessant

ar•ri•val [əˈraɪvl] *s* **1.** Ankunft *f;* Eintreffen *n;* (*Waren*) Eingang *m* **2.** Ankömmling *m;* (*Hotel*) neuer Gast; **on** ~ bei Ankunft; **~s and departures** (RAIL) Ankunft/Abfahrt *f;* (AERO) Ankunft *f*/Abflug *m;* **~s board** Ankunftstafel *f;* **ar•rive** [əˈraɪv] *itr* **1.** ankommen (*at, in* in), eintreffen **2.** (*fig*) gelangen, kommen (*at a decision* zu e-r Entscheidung) **3.** Erfolg haben; ~ **home** nach Hause kommen

ar•ri•viste [ˌæriːˈviːst] *s* Emporkömmling *m*

ar•ro•gance [ˈærəgəns] *s* Arroganz *f,* Hochmut *m;* **ar•ro•gant** [ˈærəgənt] *adj* arrogant, überheblich

ar•row [ˈærəʊ] *s* Pfeil *m;* **ar•row•head** [-hed] *s* Pfeilspitze *f*

arse [ɑːs] *s* (*vulg*) Arsch *m*

ar•senal [ˈɑːsənl] *s* **1.** Arsenal *n* **2.** Waffen-, Munitionsfabrik *f*

ar•senic [ˈɑːsnɪk] *s* (CHEM) Arsen(ik) *n*

ar•son [ˈɑːsn] *s* Brandstiftung *f*

art [ɑːt] *s* **1.** Kunst *f* **2.** Kunstfertigkeit *f;* Geschicklichkeit *f* **3.** Verschlagenheit, List *f* **4.** **~s** Geisteswissenschaften *fpl* **5.** **~s** Kniffe, Schliche *mpl;* **~s and crafts** Kunstgewerbe *n;* **work of** ~ Kunstwerk *n;* ~ **of printing** Druckkunst *f;* **art collection** *s* Kunstsammlung *f;* **art critic** *s* Kunstkritiker(in) *m(f);* **art dealer** *s* Kunsthändler(in) *m(f)*

arte•fact ['ɑːtɪfækt] *s* Artefakt *n*

ar•ter•ial [ɑː'tɪərɪəl] *adj* (MED) Arterien-, Schlagader-; ~ **road** Hauptverkehrsstraße *f;* **ar•terio•scler•osis** [ɑːˌtɪərɪəʊsklə'rəʊsɪs] *s* Arterienverkalkung *f;* **ar•tery** ['ɑːtərɪ] *s* **1.** (MED) Arterie, Schlagader *f* **2.** Verkehrsader *f*

ar•tesian well [ɑː'tiːzɪən'wel] *s* artesischer Brunnen

art•ful ['ɑːtfl] *adj* verschlagen, listig

ar•thri•tic [ɑː'θrɪtɪk] *adj* arthritisch; **ar•thri•tis** [ɑː'θraɪtɪs] *s* Gelenkentzündung, Arthritis *f*

ar•ti•choke ['ɑːtɪtʃəʊk] *s* (BOT) Artischocke *f*

ar•ticle ['ɑːtɪkl] **I.** *s* **1.** (*a.* GRAM JUR COM) Artikel *m;* Gegenstand *m,* Objekt *n* **2.** Aufsatz *m;* (*newspaper* ~) Zeitungsartikel *m* **3.** (GRAM) Geschlechtswort *n* **4.** (JUR) Klausel, Bestimmung *f,* Abschnitt, Paragraf *m* **II.** *tr* in die Lehre geben (*to* bei)

ar•ticu•late [ɑː'tɪkjʊlət] **I.** *adj* klar, gegliedert; unterteilt; deutlich, artikuliert **II.** [ɑː'tɪkjʊleɪt] *tr* **1.** durch ein Gelenk verbinden **2.** gliedern **3.** artikulieren; deutlich aussprechen; ~**d lorry** Sattelschlepper *m;* ~**d bus** Gelenkbus *m;* **ar•ticu•la•tion** [ɑːˌtɪkjʊ'leɪʃn] *s* **1.** Gelenkverbindung *f* **2.** (*Sprache*) Aussprache, Artikulation *f*

ar•ti•fice ['ɑːtɪfɪs] *s* **1.** List *f* **2.** Gewandtheit, Geschicklichkeit *f;* **ar•ti•ficial** [ˌɑːtɪ'fɪʃl] *adj* **1.** künstlich **2.** unnatürlich; geziert, gekünstelt, unecht; ~ **ice** Kunsteis *n;* ~ **insemination** künstliche Befruchtung; ~ **intelligence** (EDV) künstliche Intelligenz; ~ **leather** Kunstleder *n;* ~ **leg** Beinprothese *f;* ~ **manure** Kunstdünger *m;* ~ **respiration** künstliche Atmung; **ar•ti•fici•al•ity** [ˌɑːtɪfɪʃɪ'ælətɪ] *s* künstlicher Charakter; Unnatürlichkeit *f*

ar•til•lery [ɑː'tɪlərɪ] *s* Artillerie *f;* **ar•til•lery•man** [ɑː'tɪlərɪmən] <*pl* -men> *s* Artillerist *m*

ar•ti•san [ˌɑːtɪ'zæn] *s* Handwerker(in) *m(f)*

art•ist ['ɑːtɪst] *s* **1.** Künstler(in *f*) *m* **2.** Könner *m*

art•iste [ɑː'tiːst] *s* Artist(in) *m(f),* Sänger(in) *m(f),* Tänzer(in) *m(f)*

ar•tis•tic [ɑː'tɪstɪk] *adj* **1.** künstlerisch; geschmackvoll **2.** kunstverständig; **art•istry** ['ɑːtɪstrɪ] *s* Kunstsinn *m;* Kunstfertigkeit *f;* künstlerische Fähigkeiten *fpl*

art•less ['ɑːtlɪs] *adj* einfach, natürlich, harmlos

art•work ['ɑːtwɜːk] *s* (*book*) Bildmaterial *n*

arty ['ɑːtɪ] *adj* (*fam*) gewollt künstlerisch

Aryan ['eərɪən] **I.** *adj* arisch **II.** *s* Arier(in) *m(f)*

as [əz, *betont* æz] **I.** *adv* wie, als; wie zum Beispiel; ~ **...** ~ (eben)so ... wie; **not so ...** ~ nicht so ... wie; ~ **long** ~ so lang(e) wie; ~ **much** (**many**) **...** ~ ebenso viel(e) ... wie; bis zu ...; ~ **yet** bis jetzt; bisher; **not** ~ **yet** noch nicht; ~ **well** auch; ~ **well** ~ sowie, dazu, (und) außerdem; ~ **far** ~ bis (zu); so viel; so weit; **I thought** ~ **much** das dachte ich mir doch **II.** *conj* da, weil; als, während; (in der Art) wie, genauso wie; wie, als; obgleich; als (ob); ~ **it were** sozusagen, gleichsam; ~ **if** [*o* **though**] als ob; ~ **...** **so** wie ..., so; ~ **soon** ~ sobald (als), sowie; **everything stands** ~ **it was** alles bleibt beim Alten **III.** *prep* als; in der Eigenschaft als; ~ **for** [*o* **to**] was ... anbetrifft; hinsichtlich; ~ **to whether** ob; **so** ~ **to** um zu; **so** ~ **to be sure** um sicher zu sein **IV.** *pron* welche(r, s); was; wie; **in proportion** ~ in dem Maße, wie

as•bes•tos [æz'bestɒs] *s* Asbest *m*

as•bes•tos•is [ˌæsbes'təʊsɪs] *s* (MED) Asbestose, Asbestlunge *f*

as•cend [ə'send] **I.** *itr* **1.** auf-, ansteigen, sich erheben (*from* von) **2.** (*Ton*) steigen **II.** *tr* **1.** be-, ersteigen; erklettern **2.** (*Thron*) besteigen; **as•cend•ancy, as•cend•ency** [-ənsɪ] *s* (*fig*) Vormachtstellung, Vorherrschaft *f;* **as•cend•ant, as•cend•ent** [-ənt] *adj* aufsteigend; **in the** ~ im Aufgehen; **as•cen•sion** [ə'senʃn] *s* Aufsteigen *n;* **A~ Day** Himmelfahrtstag *m;* **as•cent** [ə'sent] *s* Aufsteigen *n;* Aufstieg *m*

as•cer•tain [ˌæsə'teɪn] *tr* feststellen, ermitteln, herausfinden

as•cetic [ə'setɪk] **I.** *adj* asketisch **II.** *s* Asket *m;* **as•ceti•cism** [ə'setɪsɪzəm] *s* Askese *f*

As•cot heater® ['æskət] *s* (EL) Durchlauferhitzer *m*

as•crib•able [ə'skraɪbəbl] *adj* zuzuschreiben; **as•cribe** [ə'skraɪb] *tr* zuschreiben, beimessen (*to s.o.* jdm); **as•crip•tion** [ə'skrɪpʃn] *s* Zuschreiben *n* (*to s.o.* jdm)

asex•ual [ˌeɪ'sekʃʊəl] *adj* geschlechtslos

ash[1] [æʃ] *s* (BOT: ~ *tree*) Esche *f*

ash[2] [æʃ] *s* **1.** Asche *f* **2.** ~**es** Asche *f,* sterbliche Überreste *mpl*

ashamed [ə'ʃeɪmd] *adj pred* beschämt; **be** ~ sich schämen (*of s.th.* e-r S, *to do s.th.* etw zu tun); **you ought to be** ~ **of yourself** du solltest dich schämen

ash-bin ['æʃbɪn] *s* Ascheneimer *m;* **ash-can** ['æʃkæn] *s* (*Am*) *s.* **ash-bin**

ashore [ə'ʃɔː(r)] *adv* am Ufer, an Land; **go** ~ an Land gehen

ash-pan ['æʃpæn] *s* Aschenkasten *m;* **ash-tray** *s* Aschenbecher *m;* **Ash Wednes-**

day *s* Aschermittwoch *m*
Asia ['eɪʃə] *s* Asien *n;* **Asia Minor** *s* Kleinasien *n;* **Asian**, **Asi•atic** ['eɪʃn, ˌeɪʃɪ'ætɪk] I. *adj* asiatisch II. *s* Asiat(in) *m(f)*
aside [ə'saɪd] *adv* beiseite; abseits; auf die Seite; weg, fort; ~ **from** (*Am*) abgesehen von; außer; (**all**) **joking** ~! Spaß beiseite!; **lay** ~ beiseite legen; (*Gewohnheit*) ablegen, aufgeben; **put** ~ auf die Seite legen, beiseite legen; (*Waren, Geld*) zurücklegen; **set** ~ weg-, beiseite legen; (*Geld*) beiseite legen, zurücklegen; (*Anspruch*) abweisen; (*Einwand*) verwerfen; (*Urteil*) aufheben; **stand** [*o* **step**] ~ zur die Seite gehen
ask [ɑːsk] I. *tr* 1. fragen (*s.o. for s.th., s.o. s.th.* jdn nach etw); (*Frage*) stellen 2. einladen 3. bitten (*s.th. of s.o.* jdn um etw, *s.o. to do s.th.* jdn, etw zu tun), erbitten; erwarten, fordern, verlangen 4. (*Preis*) verlangen; ~ **s.o.'s advice** jdn um Rat fragen; ~ **me another!** frag mich bloß das nicht! II. *itr* fragen (*for* nach), sich erkundigen (*about, after, for* nach), sich informieren (*about* über); ~ **after** sich erkundigen nach; ~ **for permission** um Erlaubnis bitten; ~ **for trouble** Schwierigkeiten heraufbeschwören
askance [ə'skæns] *adv:* **look** ~ **at s.th.** etw misstrauisch, missbilligend betrachten
askew [ə'skjuː] *adv* schief, quer, schräg
ask•ing ['ɑːskɪŋ] *s:* **it's yours for the** ~ Sie brauchen nur darum zu bitten; ~ **price** Verkaufspreis *m*
aslant [ə'slɑːnt] I. *adv* schief, schräg II. *prep* quer über, quer durch
asleep [ə'sliːp] *adj pred* 1. schlafend 2. (*Glieder*) eingeschlafen; **be** ~ schlafen; **fall** ~ einschlafen
as•para•gus [ə'spærəgəs] *s* Spargel *m*
as•pect ['æspekt] *s* 1. Aussehen *n,* Erscheinung *f;* Anblick *m* 2. (*e-s Problems*) Seite *f,* Aspekt, Stand-, Gesichtspunkt *m* 3. (ASTR GRAM) Aspekt *m* 4. (*Haus*) Seite, Lage, Fläche *f*
as•pen ['æspən] *s* (BOT) Espe, Zitterpappel *f*
as•per•ity [æ'sperətɪ] *s* 1. Rauheit, Unebenheit *f* 2. (*fig*) Schroffheit, Strenge, Härte *f*
as•per•sion [ə'spɜːʃn] *s:* **cast ~s on s.o.** jdn verleumden
as•phalt ['æsfælt] I. *s* Asphalt *m* II. *tr* asphaltieren
as•phyxia [æs'fɪksɪə] *s* (MED) Erstickung, Asphyxie *f;* **as•phyxi•ate** [əs'fɪksɪeɪt] *tr* ersticken; **as•phyxi•ation** [əsˌfɪksɪ'eɪʃn] *s* Erstickung *f*
as•pir•ant [ə'spaɪərənt] *s* Bewerber(in) *m(f)* (*to, after* um), Anwärter(in) *m(f)* (*to, after* auf); **as•pir•ation** [ˌæspə'reɪʃn] *s* Verlangen, Streben *n,* Sehnsucht *f* (*after, for* nach); **as•pire** [ə'spaɪə(r)] *itr* streben, trachten (*after, at, to* nach)
as•pirin ['æsprɪn] *s* (MED) Aspirin *n*
as•pir•ing [ə'spaɪərɪŋ] *adj* ehrgeizig; strebend (*after, to* nach)
ass [æs] *s* 1. (*a. fig*) Esel *m* 2. (*fig*) Dummkopf *m;* **make an** ~ **of o.s.** sich lächerlich machen
as•sail [ə'seɪl] *tr* angreifen, überfallen; ~ **s.o. with questions** jdn mit Fragen bestürmen; **be ~ed by doubts** von Zweifeln geplagt sein; **as•sail•able** [-əbl] *adj* angreifbar; anfechtbar
as•sas•sin [ə'sæsɪn] *s* (Meuchel)Mörder(in) *m(f);* **as•sas•sin•ate** [ə'sæsɪneɪt] *tr* ermorden; **as•sas•sin•ation** [əˌsæsɪ'neɪʃn] *s* Ermordung *f,* Attentat *n*
as•sault [ə'sɔːlt] I. *s* 1. (Sturm)Angriff, Überfall *m* (*upon* auf) 2. (JUR) tätliche Beleidigung II. *tr* 1. angreifen, überfallen 2. (JUR) angreifen; sich vergehen an; **assault and battery** *s* (JUR) Körperverletzung *f*
as•semble [ə'sembl] I. *tr* 1. versammeln 2. (TECH) montieren; zusammensetzen 3. (*Parlament*) einberufen II. *itr* sich versammeln; **as•sem•bly** [ə'semblɪ] *s* 1. Versammlung *f;* Zusammenkunft, Veranstaltung *f* 2. (POL) gesetzgebende Körperschaft 3. (TECH) Montage *f;* Zusammensetzen *n;* ~ **line** Fließ-, Montageband *n;* ~ **hall** Aula *f*
as•sent [ə'sent] I. *itr* einwilligen (*to* in), zustimmen (*to dat*), billigen (*to s.th.* etw), beipflichten (*to an opinion* e-r Meinung) II. *s* Zustimmung, Einwilligung, Billigung *f;* **by common** ~ mit Zustimmung aller; **with one** ~ einmütig
as•sert [ə'sɜːt] I. *tr* 1. feststellen; bestehen auf, behaupten 2. (*Recht*) geltend machen; beanspruchen; (*Forderung*) durchsetzen II. *refl* sich durchsetzen; auf seinem Recht bestehen; **as•ser•tion** [ə'sɜːʃn] *s* 1. Erklärung *f;* Behauptung, Feststellung *f* 2. (*Rechte*) Geltendmachung *f;* **make an** ~ e-e Behauptung aufstellen; **as•sert•ive** [ə'sɜːtɪv] *adj* bestimmt; **as•sert•ive•ness** [ə'sɜːtɪvnɪs] *s* Bestimmtheit *f*
as•sess [ə'ses] *tr* 1. bewerten, den Wert feststellen (*s.th.* e-r S) 2. festsetzen, feststellen (*at* auf), (ab)schätzen, veranschlagen 3. (*fig*) einschätzen; **as•sess•ment** [-mənt] *s* 1. Feststellung, Festsetzung *f* 2. Ab-, Einschätzung *f* 3. Bemessung, Veranlagung *f;* **as•sessor** [ə'sesə(r)] *s* 1. (~ *of taxes*) Steuerbeamte(r) *m,* -beamtin *f* 2. (JUR) Beisitzer(in) *m(f)*
as•set ['æset] *s* 1. (*fig*) Vorteil *m,* Plus *n* 2. ~s Aktivposten *mpl,* Aktiva *pl,* Vermögensstand *m,* Aktivvermögen *n;* **capital ~s** Anlagevermögen *n;* **~s and liabilities** Aktiva

u. Passiva *pl*

as•si•du•ity [ˌæsɪ'djuːətɪ] *s* Fleiß, Eifer *m;* **as•sidu•ous** [ə'sɪdjʊəs] *adj* fleißig, eifrig; gewissenhaft

as•sign [ə'saɪn] *tr* **1.** festlegen, festsetzen, bestimmen **2.** an-, zuweisen; zuteilen; (*Aufgabe*) beauftragen mit **3.** (*Ursache*) zuschreiben, bezeichnen (*as* als); (*Bedeutung*) beilegen **4.** (JUR) übertragen, abtreten **5.** ernennen (*to a post* auf e-n Posten); **as•sign•ment** [-mənt] *s* **1.** Zuteilung *f;* An-, Zuweisung *f* **2.** zugewiesene Aufgabe, Auftrag *m* **3.** Ernennung *f;* Posten *m* **4.** (JUR) Übertragung *f*

as•simi•late [ə'sɪməleɪt] *tr* **1.** aufnehmen, einverleiben, integrieren **2.** assimilieren **3.** (geistig) verdauen; **as•simi•la•tion** [əˌsɪmə'leɪʃn] *s* **1.** Angleichung, Assimilation *f* **2.** Übereinstimmung *f*

as•sist [ə'sɪst] **I.** *tr* **1.** helfen (*s.o.* jdm), unterstützen, behilflich sein (*s.o.* jdm) **2.** mitwirken (*in doing s.th.* etw zu tun, *in* bei) **II.** *itr* **1.** Hilfe leisten **2.** beiwohnen; teilnehmen (*at* an); **as•sist•ance** [ə'sɪstəns] *s* Hilfe, Unterstützung *f;* **as•sist•ant** [ə'sɪstənt] **I.** *s* Assistent(in) *m(f),* Helfer(in) *m(f),* Mitarbeiter(in) *m(f)* **II.** *adj* stellvertretend; ~ **director** stellvertretende(r) Direktor(in); ~ **member** außerordentliches, assoziiertes Mitglied; ~ **physician** Assistenzarzt *m,* -ärztin *f;* ~ **professor** (*Am*) Assistenzprofessor(in) *m(f)*

as•sizes [ə'saɪzɪz] *s pl* Schwurgerichtssitzungen *f pl* des High Court of Judges

as•so•ci•ate [ə'səʊʃɪət] **I.** *s* **1.** Mitarbeiter(in) *m(f)* **2.** (COM) Partner(in) *m(f),* Teilhaber(in) *m(f)* **II.** *adj* verbündet, beigeordnet; ~ **professor** (*Am*) außerordentliche(r) Professor(in) **III.** [ə'səʊʃɪeɪt] *tr* **1.** vereinigen, verbinden **2.** hinzufügen; zuordnen; in Zusammenhang bringen (*with* mit) **IV.** [ə'səʊʃɪeɪt] *itr* verkehren (*with s.o.* mit jdm); **he never did ~ with us very much** er war nie mit uns besonders befreundet; **as•so•ci•ation** [əˌsəʊsɪ'eɪʃn] *s* **1.** Vereinigung *f,* Verein *m;* Gesellschaft *f;* Genossenschaft *f* **2.** Umgang, Verkehr *m* (*with* mit), Beziehung *f* (*with* zu) **3.** Gedankenverbindung, Assoziation *f;* **call up ~s** Erinnerungen wachrufen; **join an ~** e-m Verein beitreten; ~ **football** Fußball *m,* Soccer *n*

as•so•nance ['æsənəns] *s* Assonanz *f*

as•sorted [ə'sɔːtɪd] *adj* **1.** sortiert; geordnet **2.** verschiedenartig; gemischt; **ill-~** schlecht zusammenpassend; **well-~** gut zusammenpassend; **as•sort•ment** [ə'sɔːtmənt] *s* **1.** Sortieren, Klassifizieren *n* **2.** Auswahl *f,* Sortiment *n*

as•sume [ə'sjuːm] *tr* **1.** voraussetzen; annehmen, vermuten **2.** vorgeben, unterstellen **3.** (*Macht*) sich anmaßen; (*Amt*) antreten; (*Verantwortung*) übernehmen; (*Namen*) annehmen; **assuming that it is true** angenommen, es stimmt; **as•sumed** [ə'sjuːmd] *adj* (*Name*) angenommen

as•sump•tion [ə'sʌmpʃn] *s* **1.** An-, Übernahme *f* **2.** Aneignung *f* **3.** Vermutung, Annahme, Voraussetzung *f* **4.** Anmaßung *f;* Überheblichkeit *f;* **the A~** (Mariä) Himmelfahrt *f;* **on the ~ that** unter der Annahme, Voraussetzung, dass

as•sur•ance [ə'ʃʊərəns] *s* **1.** Versicherung, Beteuerung, Zusicherung *f* **2.** Sicherheit, Gewissheit *f,* Vertrauen *n;* Selbstsicherheit *f* **3.** Überheblichkeit *f* **4.** (COM) Versicherung *f;* **life ~** Lebensversicherung *f;* **as•sure** [ə'ʃʊə(r)] *tr* **1.** versichern (*s.o. of s.th.* jdm etw), beteuern **2.** garantieren; bürgen für; zusichern **3.** beruhigen **4.** (COM) versichern; **as•sur•ed•ly** [ə'ʃʊərɪdlɪ] *adv* sicherlich

as•ter•isk ['æstərɪsk] *s* (TYP) Sternchen *n*

astern [ə'stɜːn] *adv* (MAR) achtern

as•ter•oid ['æstərɔɪd] *s* (ASTR) Asteroid *m*

asthma ['æsmə] *s* (MED) Asthma *n;* **asth•matic** [æs'mætɪk] *adj* asthmatisch

as•ton•ish [ə'stɒnɪʃ] *tr* in Erstaunen setzen, überraschen; **be ~ed** erstaunt, überrascht sein; sich wundern (*at* über); **as•ton•ish•ing** [-ɪŋ] *adj* erstaunlich, verwunderlich; **it's ~ to me** das überrascht mich; **as•ton•ish•ment** [-mənt] *s* Erstaunen *n,* Verwunderung *f* (*at* über)

astound [ə'staʊnd] *tr* erstaunen

astray [ə'streɪ] *adj:* **go ~** in die Irre gehen; **lead ~** vom rechten Weg abführen

astride [ə'straɪd] *adv, prep, adj pred* rittlings (auf)

as•trin•gent [ə'strɪndʒənt] *adj* **1.** adstringierend **2.** (*fig: Humor*) ätzend

as•trol•oger [ə'strɒlədʒə(r)] *s* Astrologe *m,* -login *f;* **as•tro•logi•cal** [ˌæstrə'lɒdʒɪkl] *adj* astrologisch; **as•trol•ogy** [ə'strɒlədʒɪ] *s* Astrologie *f;* **as•tro•naut** ['æstrənɔːt] *s* Astronaut(in) *m(f);* **as•tro•naut•ics** [ˌæstrə'nɔːtɪks] *s pl mit sing* Astronautik, Raumfahrt *f;* **as•tron•omer** [ə'strɒnəmə(r)] *s* Astronom(in) *m(f);* **as•tro•nomi•cal** [ˌæstrə'nɒmɪkl] *adj* (*a. fig*) astronomisch; **as•tron•omy** [ə'strɒnəmɪ] *s* Astronomie *f*

as•tute [ə'stjuːt] *adj* schlau; scharfsinnig; **as•tute•ness** [-nɪs] *s* **1.** Schlauheit, List *f* **2.** Scharfsinn *m*

asy•lum [ə'saɪləm] *s* Asyl *n;* (Irren)Anstalt *f;* **ask for ~** um Asyl bitten; **apply for ~** Asyl beantragen

at [ət] *prep* **1.** (*Ort*) in, bei, an, auf, zu; ~ **Oxford** in Oxford; ~ **a distance** in e-r Entfernung; ~ **school** in der Schule; ~ **the office** im Büro; ~ **the dentist's** beim Zahnarzt; ~ **work** bei der Arbeit; ~ **the sight** beim Anblick (*of+gen*); ~ **the next corner** an der nächsten Ecke; ~ **the station** auf dem Bahnhof; ~ **home** zu Hause **2.** (*Art und Weise*) in, zu; **be ~ a loss** in Verlegenheit sein; ~ **his request** auf seine Bitte (hin) **3.** (*zeitlich*) um; in; zu; ~ **midnight** um Mitternacht; ~ **night** in der Nacht; ~ **noon** mittags; ~ **the age of** im Alter von; ~ **Christmas** zu Weihnachten **4.** (*Zustand*) in; ~ **peace** im Frieden; ~ **rest** in Ruhe; **I feel ~ ease** mir ist wohl zu Mute **5.** (*Richtung*) nach, gegen, zu, an, auf; **aim ~** zielen nach; **arrive ~ a decision** zu e-r Entscheidung kommen; **be astonished ~** erstaunt sein über; **he is mad ~ me** er ist wütend auf mich **6.** (*bei Zahlangabe*) zu; **buy ~ a pound** zu e-m Pfund kaufen **7.** (*Wendungen*): ~ **all** überhaupt; **not ~ all** gar nicht, durchaus nicht; **not ~ all!** gern geschehen!; ~ **best** bestenfalls; ~ **first** zuerst; ~ **last** endlich; ~ **least** mindestens, wenigstens; ~ **most** höchstens; (**all**) ~ **once** sofort; auf einmal

ata•vism ['ætəvɪzəm] *s* Atavismus *m;* **ata•vis•tic** [ˌætə'vɪstɪk] *adj* atavistisch

ate [et, *Am* eɪt] *s.* **eat**

athe•ism ['eɪθɪɪzəm] *s* Atheismus *m;* **athe•ist** ['eɪθɪɪst] *s* Atheist *m;* **athe•is•tic** [ˌeɪθɪ'ɪstɪk] *adj* atheistisch

ath•lete ['æθli:t] *s* Athlet(in) *m(f),* Leichtathlet(in) *m(f),* Sportler(in) *m(f);* **ath•letic** [æθ'letɪk] **I.** *adj* sportlich; athletisch **II.** *s pl a. mit sing* (Leicht)Athletik *f*

At•lan•tic [ət'læntɪk] **I.** *s* Atlantischer Ozean, Atlantik *m* **II.** *adj* atlantisch

at•las ['ætləs] *s* (GEOG) Atlas *m*

ATM [ˌeɪti:'em] *s abbr of* **automated teller machine** Geldautomat, Bankomat *m*

at•mos•phere ['ætməsfɪə(r)] *s* (*a. fig*) Atmosphäre *f;* **at•mos•pheric** [ˌætməs'ferɪk] *adj* atmosphärisch; ~ **conditions** Witterung *f;* ~ **pollution** Luftverschmutzung, Luftbelastung *f;* ~ **pressure** Luftdruck *m;* ~ **resistance** Luftwiderstand *m;* **at•mos•pher•ics** [ˌætməs'ferɪks] *s pl* (TECH) atmosphärische Störungen *fpl*

atoll ['ætɒl] *s* (GEOG) Atoll *n*

atom ['ætəm] *s* **1.** (CHEM) Atom *n* **2.** (*fig*) winzige Kleinigkeit; **atom bomb** *s* Atombombe *f;* **atomic** [ə'tɒmɪk] *adj* atomar; Atom-; ~ **energy** Atomenergie *f;* ~ **fission** Atomspaltung *f;* ~ **nucleus** Atomkern *m;* ~ **power** Atomkraft *f;* ~ **reactor** Atomreaktor *m;* ~ **weight** Atomgewicht *n;* **at•om•ize** ['ætəmaɪz] *tr* atomisieren; zerstäuben; **at•om•izer** ['ætəmaɪzə(r)] *s* Zerstäuber *m*

atone [ə'təʊn] *itr* sühnen (*for* für); **atone•ment** [-mənt] *s* Sühne, Buße *f*

atro•cious [ə'trəʊʃəs] *adj* **1.** grausam **2.** (*fam*) abscheulich, scheußlich; **atro•city** [ə'trɒsətɪ] *s* **1.** Grausamkeit *f* **2.** Gräueltat *f*

atro•phy ['ætrəfɪ] **I.** *s* (MED) Atrophie *f* **II.** *itr* verkümmern **III.** *tr* verkümmern lassen

at•tach [ə'tætʃ] *tr* **1.** anheften, befestigen (*to* an); (*e-m Schriftstück*) beifügen **2.** (*Bedeutung*) beilegen, beimessen **3.** (MIL) abkommandieren; ~ **o.s. to** sich anschließen an; (*Partei*) beitreten *dat;* **be ~ed** eng verbunden sein (*to* mit), hängen (*to* an); ~ **value to** Wert legen auf

at•taché [ə'tæʃeɪ] *s* (POL) Attaché *m;* **attaché case** *s* Aktentasche *f*

at•tach•ment [ə'tætʃmənt] *s* **1.** Befestigung, An-, Beifügung *f* **2.** Bei-, Anlage *f* **3.** (*fig*) Zuneigung *f* **4.** (TECH) Zusatzvorrichtung *f,* -gerät *n*

at•tack [ə'tæk] **I.** *tr* **1.** (*a.* CHEM) angreifen; sich stürzen (*s.th.* auf etw) **2.** (*Aufgabe*) anpacken, in Angriff nehmen **3.** (*Krankheit*) befallen **II.** *s* **1.** Angriff *m* (*on* auf, gegen) **2.** (*Arbeit*) Inangriffnahme *f* **3.** (*Krankheit*) Anfall *m;* **heart ~** Herzanfall *m;* Herzinfarkt *m*

at•tain [ə'teɪn] **I.** *tr* erreichen, erlangen; vollenden; ~ **power** an die Macht gelangen **II.** *itr* gelangen (*to* bis zu); ~ **a very great age** sehr alt werden; **at•tain•able** [-əbl] *adj* erreichbar; **at•tain•ment** [-mənt] *s* **1.** (*Ziel*) Erreichen *n;* Erlangung *f* **2.** ~**s** Kenntnisse, Fähigkeiten, Fertigkeiten *fpl*

at•tempt [ə'tempt] **I.** *tr* versuchen; wagen; sich bemühen (*to do, at doing s.th.* etw zu tun) **II.** *s* **1.** Versuch *m* (*at* mit) **2.** Anschlag *m;* **make an ~ on s.o.'s life** auf jdn e-n Anschlag verüben

at•tend [ə'tend] **I.** *tr* **1.** (*Schule*) besuchen; beiwohnen (*a meeting* e-r Versammlung); (*Vorlesung*) hören **2.** betreuen, bedienen, pflegen; (*Arzt*) behandeln **3.** (*fig*) begleiten **II.** *itr* **1.** anwesend, zugegen sein (*at* bei) **2.** aufpassen, sich konzentrieren, hören, Acht geben (*to* auf) **3.** beachten, einhalten (*to s.th.* etw) **4.** sich befassen (*to* mit), sorgen (*to* für), sich kümmern (*to* um), besorgen, erledigen (*to s.th.* etw) **5.** erfüllen (*to one's duties* seine Pflicht), ausführen (*to an order* e-n Auftrag) **6.** bedienen (*to a customer* e-n Kunden); **at•tend•ance** [ə'tendəns] *s* **1.** Anwesenheit *f;* Besuch *m* **2.** (Zu)Hörerschaft *f* (*at* bei), Beteiligung *f* (*at* bei, an) **3.** Dienerschaft, Begleitung *f* **4.** (TECH) Wartung *f* **5.** (MED) Behandlung *f;* **be in ~** Dienst haben (*at* bei); **the ~ at the meeting was poor** die Versammlung war schwach besucht; **medical ~** ärztliche Behandlung; ~ **at school** Schulbesuch *m;* ~ **list** [*o* **book**] Anwesenheitsliste *f;* **at•tend-**

ant [ə'tendənt] I. *adj* 1. begleitend, dazugehörig 2. anwesend; ~ **circumstances** Begleitumstände *mpl* II. *s* 1. Diener(in) *m(f)*, Wärter(in) *m(f)*, Aufseher(in) *m(f)* 2. Begleiter(in) *m(f)* 3. Anwesende(r) *f m*

at•ten•tion [ə'tenʃn] *s* 1. Aufmerksamkeit *f* 2. Berücksichtigung, Beachtung *f* 3. (MIL) Habachtstellung *f;* ~! (MIL) stillgestanden!; **without attracting** ~ unauffällig; **attract** ~ Aufmerksamkeit erregen; **call** [*o* **draw**] **s.o.'s** ~ **to s.th.** jdn auf etw hinweisen; (**for the**) ~ **of** (*Brief*) zu Händen von; **pay** ~ Acht geben, aufpassen; **pay** ~ **to s.o.** jdm aufmerksam zuhören; **pay** ~ **to s.th.** etw beachten, auf etw achten; **at•tent•ive** [ə'tentɪv] *adj* 1. aufmerksam (*to* auf) 2. zuvorkommend, gefällig (*to* gegenüber)

at•tenu•ate [ə'tenjʊeɪt] *tr* 1. verdünnen; schwächen 2. verkleinern, verringern 3. (*fig*) abschwächen

at•test [ə'test] I. *tr* 1. bestätigen; beweisen; klarlegen 2. beglaubigen, bescheinigen, beurkunden II. *itr* bezeugen (*to s.th.* etw); **at•tes•ta•tion** [ˌæte'steɪʃn] *s* 1. Bescheinigung, Bestätigung *f;* Beurkundung, Beglaubigung *f* 2. Beweis *m*

at•tic ['ætɪk] *s* Dachboden, Speicher *m*

at•ti•tude ['ætɪtjuːd] *s* Haltung *f;* Verhalten *n,* Einstellung *f* (*towards* gegenüber); **adopt an** ~ e-e Haltung einnehmen; **strike an** ~ sich affektiert benehmen

at•tor•ney [ə'tɜːnɪ] *s* (JUR) 1. Bevollmächtigte(r) *f m* 2. (*Am*) Rechtsanwalt *m,* -anwältin *f;* **letter** [*o* **power**] **of** ~ Vollmacht *f*

at•tract [ə'trækt] *tr* 1. anziehen *a. fig* 2. (*Aufmerksamkeit*) erregen, auf sich lenken 3. (*fig*) fesseln, reizen, anlocken; **without ~ing attention** unauffällig; **at•trac•tion** [ə'trækʃn] *s* 1. (*a.* PHYS) Anziehung *f;* (*power of* ~) Anziehungskraft *f* 2. Reiz, Zauber *m* 3. (THEAT) Attraktion, Zugnummer *f;* **at•tract•ive** [ə'træktɪv] *adj* 1. fesselnd, anziehend 2. (*fig*) verlockend, attraktiv

at•tri•bute [ə'trɪbjuːt] I. *tr* zuschreiben, beimessen (*to s.th.* e-r S) II. ['ætrɪbjuːt] *s* 1. Eigenschaft *f,* Merkmal *n;* (*a.* GRAM) Attribut *n* 2. Kennzeichen *n;* **at•tribu•tive** [ə'trɪbjʊtɪv] I. *adj* (GRAM) attributiv II. *s* (GRAM) Attribut *n*

at•tri•tion [ə'trɪʃn] *s* Abnutzung *f,* Verschleiß *m;* (*fig*) Zermürbung *f;* **war of** ~ Zermürbungskrieg *m*

au•ber•gine ['əʊbəʒiːn] *s* Aubergine *f*

au•burn ['ɔːbən] *adj* rotbraun, kastanienbraun

auc•tion ['ɔːkʃn] I. *s* Auktion, (öffentliche) Versteigerung *f;* **buy by** ~ ersteigern; **sell by** ~ versteigern II. *tr* (~ *off*) versteigern; **auc•tion•eer** [ˌɔːkʃə'nɪə(r)] *s* Auktionator(in) *m(f)*

aud•acious [ɔː'deɪʃəs] *adj* 1. kühn, wagemutig 2. frech, dreist; **aud•ac•ity** [ɔː'dæsətɪ] *s* 1. Kühnheit *f,* Wagemut *m* 2. Dreistigkeit *f*

aud•ible ['ɔːdəbl] *adj* hörbar; vernehmlich

audi•ence ['ɔːdɪəns] *s* 1. Publikum *n;* Zuhörer(schaft *f*) *mpl;* (TV) Zuschauer *mpl;* (RADIO) Hörer *mpl* 2. Audienz *f* (*with* bei)

audio- [ˌɔːdɪəʊ] *prefix* Ton-, Radio-, Hör-; **~-visual aids** Anschauungsmaterial *n;* audiovisuelle Hilfsmittel *npl*

au•dit ['ɔːdɪt] I. *s* Buchprüfung *f;* (~ *of accounts*) Rechnungsprüfung *f* II. *tr* prüfen

aud•ition [ɔː'dɪʃn] I. *s* 1. (Zu-, An)Hören *n* 2. (THEAT) Sprech-, Hörprobe *f* II. *tr* vorsprechen, vorsingen lassen

au•di•tor ['ɔːdɪtə(r)] *s* 1. Wirtschafts-, Buchprüfer(in) *m(f)* 2. (*Am: Universität*) Gasthörer(in) *m(f)*

au•di•tor•ium [ˌɔːdɪ'tɔːrɪəm] *s* 1. Hörsaal *m,* Auditorium *n* 2. Vortrags-, Konzertsaal *m*

aug•ment [ɔːg'ment] I. *tr* vermehren, vergrößern II. *itr* zunehmen, sich vergrößern; **aug•men•ta•tion** [ˌɔːgmen'teɪʃn] *s* Vermehrung, Steigerung, Vergrößerung *f;* Zunahme *f*

au•gur ['ɔːgə(r)] I. *tr* weissagen, vorhersagen II. *itr* ein Vorzeichen sein; ~ **ill/well** ein schlechtes/gutes Vorzeichen sein (*for* für); **au•gury** ['ɔːgjʊrɪ] *s* Vorzeichen *n*

au•gust [ɔː'gʌst] *adj* erhaben

Au•gust ['ɔːgəst] *s* August *m;* **in** ~ im August

aunt [ɑːnt, *Am* ænt] *s* Tante *f*

aura ['ɔːrə] *s* Aura *f*

au•ral ['ɔːrəl] *adj* Ohr-; ~ **surgeon** Ohrenarzt *m*

aur•icle ['ɔːrɪkl] *s* 1. (*Herz*) Vorhof *m* 2. Ohrmuschel *f;* **aur•icu•lar** [ɔː'rɪkjʊlə(r)] *adj* Ohr-

aur•ora [ɔː'rɔːrə] *s:* ~ **australis** Südlicht; ~ **borealis** Nordlicht *n*

aus•pices ['ɔːspɪsɪz] *s pl:* **under the** ~ **of s.o.** unter jds Schirmherrschaft; **aus•pi•cious** [ɔː'spɪʃəs] *adj* erfolgversprechend

aus•tere [ɔː'stɪə(r)] *adj* 1. streng 2. schmucklos, einfach; **aus•ter•ity** [ɔː'sterətɪ] *s* 1. Strenge *f;* Ernst *m* 2. Schmucklosigkeit, strenge Einfachheit *f* 3. (COM) Sparmaßnahmen *fpl*

Aus•tralia [ɒ'streɪlɪə] *s* Australien *n;* **Aus•tral•ian** [ɒ'streɪlɪən] I. *s* Australier(in) *m(f)* II. *adj* australisch

Aus•tria ['ɒstrɪə] *s* Österreich *n;* **Aus•trian** ['ɒstrɪən] I. *s* Österreicher(in) *m(f)* II. *adj* österreichisch

auth•en•tic [ɔː'θentɪk] *adj* authentisch; echt; verbürgt; **auth•en•ti•cate**

[ɔːˈθentɪkeɪt] *tr* **1.** beglaubigen **2.** die Echtheit nachweisen (*s.th. +gen*); **auth•en•ti•ca•tion** [ɔːˌθentɪˈkeɪʃn] *s* Beglaubigung *f;* **auth•en•tic•ity** [ˌɔːθənˈtɪsətɪ] *s* Echtheit *f*

author [ˈɔːθə(r)] *s* **1.** Autor(in) *m(f),* Verfasser(in) *m(f),* Schriftsteller(in) *m(f)* **2.** Urheber(in) *m(f);* **author•ess** [ˈɔːθərɪs] *s* Schriftstellerin *f*

auth•ori•tar•ian [ɔːˌθɒrɪˈteərɪən] *adj* autoritär; **auth•ori•tat•ive** [ɔːˈθɒrɪtətɪv] *adj* **1.** maßgebend; zuverlässig **2.** gebieterisch; entschieden; **auth•or•ity** [ɔːˈθɒrətɪ] *s* **1.** (Amts-, Befehls)Gewalt *f* **2.** Befugnis, Vollmacht *f* **3.** Ansehen *n,* Autorität *f* **4.** Kapazität, Autorität *f,* Experte *m,* Expertin *f* (*on* auf dem Gebiet *+gen*) **5.** zuverlässige Quelle, Nachweis *m* **6.** *meist pl* Behörde(n) *f (pl);* **from competent** ~ von maßgebender Seite; **on one's own** ~ auf eigene Verantwortung; **under the** ~ **of** im Auftrag von; **without** ~ unbefugt, unberechtigt; **apply to the proper** ~ sich an die zuständige Stelle wenden; **have** ~ befugt, ermächtigt sein (*to do* zu tun); **parental** ~ elterliche Gewalt

auth•or•iz•ation [ˌɔːθəraɪˈzeɪʃn] *s* Ermächtigung *f;* **give s.o.** ~ jdn ermächtigen (*to do* zu tun, *for* zu); **auth•or•ize** [ˈɔːθəraɪz] *tr* **1.** bevollmächtigen, ermächtigen; die Befugnis erteilen (*s.o.* jdm) **2.** genehmigen, bewilligen; **through ~d channels** auf dem Dienstweg; **be ~d** befugt, ermächtigt, autorisiert sein (*to* zu); **~d to sign** zeichnungsberechtigt

author•ship [ˈɔːθəʃɪp] *s* **1.** Verfasserschaft *f* **2.** Schriftstellerberuf *m*

auto [ˈɔːtəʊ] <*pl* autos> *s* (*Am fam*) Auto *n;* **auto-** *prefix* selbst(tätig); Auto-, auto-

auto•bio•graphi•cal [ˌɔːtəbaɪəˈgræfɪkl] *adj* autobiografisch; **au•to•bi•ogra•phy** [ˌɔːtəbaɪˈɒgrəfɪ] *s* Autobiografie *f*

auto-bronzer [ˈɔːtəbrɒnzə(r)] *s* Selbstbräuner *m;* **auto-bronzing cream** *s* Selbstbräunungscreme *f*

au•toc•racy [ɔːˈtɒkrəsɪ] *s* Autokratie, Selbstherrschaft *f;* **au•to•crat** [ˈɔːtəkræt] *s* Autokrat(in) *m(f);* **au•to•cratic** [ˌɔːtəˈkrætik] *adj* autokratisch

au•to•cue [ˈɔːtəˌkjuː] *s* (TV) Teleprompter *m*

au•to•graph [ˈɔːtəgrɑːf] **I.** *s* Autogramm *n* **II.** *tr* signieren

au•to•mate [ˈɔːtəmeɪt] *tr* automatisieren; **au•to•ma•ted** [ˈɔːtəmeɪtɪd] *adj* automatisiert; **automated teller machine, ATM** *s* Geldautomat, Bankomat *m;* **au•to•matic** [ˌɔːtəˈmætɪk] **I.** *adj* **1.** automatisch, selbsttätig **2.** (*fig*) mechanisch; ~ **choke** Startautomatik *f;* ~ **pilot** Autopilot *m;* ~ **dialling** (TELE) Wählautomatik *f;* ~ **exposure** (PHOT) Belichtungsautomatik *f;* ~ **gear change** (MOT) Automatikschaltung *f;* ~ **rewind** (*Kamera, Video*) Rückspulautomatik *f* **II.** *s* Maschinenwaffe *f;* Automatikwagen *m;* Waschautomat *m;* **au•to•ma•tion** [ˌɔːtəˈmeɪʃn] *s* Automatisierung *f;* **automa•ton** [ɔːˈtɒmətən] *s* Automat, Roboter *m*

au•to•mo•bile [ˈɔːtəməbiːl] *s* Auto(mobil) *n;* **auto•mo•tive** [ˌɔːtəˈməʊtɪv] *adj* selbstbeweglich; mit Selbstantrieb; Kfz-

au•ton•omous [ɔːˈtɒnəməs] *adj* autonom; **au•ton•omy** [ɔːˈtɒnəmɪ] *s* Autonomie *f*

au•topsy [ˈɔːtɒpsɪ] *s* (MED) Autopsie *f*

au•tumn [ˈɔːtəm] *s* (*a. fig*) Herbst *m;* **in** ~ im Herbst; **au•tum•nal** [ɔːˈtʌmnəl] *adj* herbstlich

aux•ili•ary [ɔːgˈzɪlɪərɪ] **I.** *adj* Hilfs-; zusätzlich **II.** *s* **1.** (~ *verb*) Hilfszeitwort *n* **2. auxiliaries** (MIL) Hilfstruppen *fpl*

avail [əˈveɪl] **I.** *refl* Gebrauch machen (*of* von) **II.** *itr* helfen **III.** *s:* **of no** ~ nutzlos; erfolglos; **to no** [*o* **without**] ~ vergeblich; **be of little** ~ von geringem Nutzen sein (*to* für); **avail•able** [əˈveɪləbl] *adj* **1.** verfügbar **2.** (COM) lieferbar, erhältlich; **by all** ~ **means** mit allen verfügbaren Mitteln; **no longer** ~ (*Buch*) vergriffen; (*Ware*) nicht mehr lieferbar; **be** ~ erhältlich sein

ava•lanche [ˈævəlɑːnʃ] *s* (*a. fig*) Lawine *f*

avant-garde [ˌævɒŋˈgɑːd] *adj* avantgardistisch

av•ar•ice [ˈævərɪs] *s* Habsucht *f;* Geiz *m;* **av•ar•icious** [ˌævəˈrɪʃəs] *adj* habsüchtig; geizig

avenge [əˈvendʒ] **I.** *tr* rächen; strafen **II.** *refl* sich rächen (*on* an)

av•enue [ˈævənjuː] *s* **1.** Allee *f* **2.** (*fig*) Weg, Zugang *m* (*to* zu)

av•er•age [ˈævərɪdʒ] **I.** *s* Durchschnitt *m;* **on** (**an**) ~ durchschnittlich, im Durchschnitt; **be above** (**below**) (**the**) ~ über (unter) dem Durchschnitt liegen **II.** *adj* durchschnittlich, Durchschnitts- **III.** *tr* **1.** im Durchschnitt betragen **2.** den Durchschnitt nehmen von; im Durchschnitt ausmachen, im Mittel ergeben **3.** durchschnittlich verdienen

averse [əˈvɜːs] *adj* abgeneigt (*to dat*), zuwider; **aver•sion** [əˈvɜːʃn] *s* **1.** Widerwille *m,* Abneigung *f* (*to* gegen), Widerstreben *n* **2.** Gräuel *m*

avert [əˈvɜːt] *tr* **1.** abwenden (*from* von) **2.** verhindern, verhüten

avi•ary [ˈeɪvɪərɪ] *s* Vogelhaus *n*

avi•ation [ˌeɪvɪˈeɪʃn] *s* Luftfahrt *f,* Fliegen, Flugwesen *n;* **civil** ~ Zivilluftfahrt; **commercial** ~ Verkehrsluftfahrt *f;* ~ **fuel** Flugbenzin *n*

avid ['ævɪd] *adj* gierig (*for, of* nach), begierig (*for* auf, *of* nach); **avid•ity** [ə'vɪdətɪ] *s* Begierde *f;* Gier *f* (*of, for* nach)
avo•ca•do [ˌævə'kɑ:dəʊ] *s* Avocado *f*
avoid [ə'vɔɪd] *tr* **1.** meiden, aus dem Wege gehen (*s.o.* jdm), ausweichen (*s.o.* jdm) **2.** vermeiden (*doing s.th.* etw zu tun); (*Schaden*) verhüten; **avoid•able** [-əbl] *adj* vermeidbar; **avoid•ance** [-əns] *s* (Ver)Meiden *n;* Verhütung *f;* **tax** ~ Umgehung *f* von Steuern
avow [ə'vaʊ] *tr* anerkennen, zugeben, eingestehen; **avowal** [ə'vaʊəl] *s* Eingeständnis *n;* **avow•ed•ly** [ə'vaʊɪdlɪ] *adv* zugegebener-, eingestandenermaßen
AWACS ['eɪwæks] *s abbr of* **Airborne Warning and Control System** Frühwarnsystem, AWACS *n*
await [ə'weɪt] *tr* **1.** erwarten, warten auf **2.** abwarten
awake [ə'weɪk] <*irr:* awoke, awoken (awaked)> **I.** *tr* aufwecken **II.** *itr* aufwachen **III.** *adj pred* wach, munter; **be** ~ wach sein; **be** ~ **to s.th.** sich e-r S bewusst sein; **wide** ~ hellwach; **awaken** [ə'weɪkən] **I.** *tr* aufwecken **II.** *itr* aufwachen; **awaken•ing** [ə'weɪknɪŋ] *s* (*a. fig*) Erwachen *n*
award [ə'wɔ:d] **I.** *s* **1.** Preis *m;* Auszeichnung *f* **2.** (JUR) Urteilsspruch *m;* (Sachverständigen)Gutachten *n* **3.** Stipendium *n* **II.** *tr* **1.** zuerkennen, zusprechen **2.** (*Preis*) verleihen (*s.o.* jdm)
aware [ə'weə(r)] *adj pred* bewusst; **I'm** ~ **of that** ich bin mir dessen bewusst; **aware•ness** [ə'weənɪs] *s* Bewusstsein *n*
away [ə'weɪ] *adv* **1.** weg, fort **2.** entfernt, abseits **3.** abwesend; **far** ~ weit weg; **far and** ~ bei weitem; **right** [*o* **straight**] ~ auf der Stelle; sofort; **do** ~ **with** abschaffen; beseitigen; **give** ~ verschenken (*s.th.* etw); **give o.s.** ~ sich verraten; **go** ~ weg-, fortgehen; **take** ~ weg-, fortnehmen; **work** ~ unablässig arbeiten; **away match** *s* (SPORT) Auswärtsspiel
awe [ɔ:] **I.** *s* Ehrfurcht *f;* Scheu *f;* **keep s.o. in** ~ jdm imponieren; **stand** [*o* **be**] **in** ~ **of s.o.** jdn fürchten; **strike s.o. with** ~ jdm Furcht einflößen **II.** *tr* Ehrfurcht einflößen (*s.o.* jdm); **be** ~**d** eingeschüchtert sein; **awe-in•spir•ing** ['ɔ:ɪnˌspaɪərɪŋ] *adj,* **awe•some** ['ɔ:səm] *adj* Ehrfurcht gebietend; **what did you think of it? – ~!** (*sl*) wie war's? – Geil!; **awe•struck** ['ɔ:strʌk] *adj* tief beeindruckt
aw•ful ['ɔ:fl] *adj* **1.** furchtbar **2.** (*fam*) scheußlich; **aw•fully** ['ɔ:flɪ] *adv* **1.** schrecklich **2.** (*fam*) furchtbar, schrecklich; äußerst, sehr
awk•ward ['ɔ:kwəd] *adj* **1.** linkisch, unpraktisch, ungeschickt **2.** (*Situation*) peinlich, unangenehm; (*Frage*) schwierig; peinlich; ~ **age** schwieriges Alter
awn•ing ['ɔ:nɪŋ] *s* **1.** Plane *f* **2.** (MAR) Sonnensegel *n* **3.** Markise *f*
awoke, awoken [ə'wəʊk, ə'wəʊkən] *s.* **awake**
awry [ə'raɪ] *adj pred, adv* schief, krumm; **go** ~ schiefgehen
ax *s* (*Am*), **axe** [æks] **I.** *s* Axt *f;* Beil *n;* Hacke *f;* **get the** ~ (*fam*) entlassen, hinausgeworfen werden; **have an** ~ **to grind** persönliche Interessen verfolgen **II.** *tr* (*fig*) stark beschneiden, kürzen, abbauen, streichen
ax•iom ['æksɪəm] *s* Axiom *n,* Grundsatz *m*
axis ['æksɪs, *pl* 'æksi:z] <*pl* axes> *s* **1.** (PHYS POL) Achse *f* **2.** (MATH) Mittellinie *f*
axle ['æksl] *s* (Rad)Achse, Welle *f*
ay•a•tol•lah [ˌaɪjə'tɒlə] *s* Ajatollah *m*
ay(e) [aɪ] **I.** *interj* jawohl! **II.** *s* (PARL) Jasstimme *f;* **the** ~**s have it** die Mehrzahl ist dafür
aza•lea [ə'zeɪlɪə] *s* (BOT) Azalee *f*
az•ure ['æʒə(r)] **I.** *s* Himmelblau *n,* Azur *m* **II.** *adj* himmelblau, azurblau

B

B, b [biː] <*pl* -'s> *s* **1.** B, b *n* **2.** (MUS) H, h *n* **3.** (*Schule*) gut

baa [bɑː] *itr* (*Schaf*) blöken

babble ['bæbl] **I.** *tr, itr* **1.** stammeln, lallen, plappern; schwatzen **2.** (*Wasser*) murmeln, plätschern **II.** *s* Geplapper *n;* Geschwätz *n*

babe [beɪb] *s* **1.** (*poet*) Kind *n* **2.** (*fam*) netter Käfer, Puppe *f;* ~ **in arms** Säugling *m*

babel ['beɪbl] *s* Wirrwarr *m,* Durcheinander *n*

ba•boon [bə'buːn] *s* (ZOO) Pavian *m*

baby ['beɪbɪ] **I.** *s* **1.** Baby *n,* Säugling *m* **2.** (*fam*) Schätzchen *n* **3.** (*sl*) Sache *f;* **carry** [*o* **hold**] **the** ~ (*fam*) die Sache am Hals haben **II.** *tr* verzärteln, verhätscheln; **baby carriage** *s* (*Am*) Kinderwagen *m;* **baby** (**cleansing**) **wipe** *s* Babypflegetuch *n;* **baby food** *s* Babykost *f;* **baby•hood** ['beɪbɪhʊd] *s* Säuglingsalter *n;* **baby pants** *s pl* Gummihöschen *n;* **baby-sitter** ['beɪbɪˌsɪtə(r)] *s* Babysitter(in) *m(f);* **baby stroller** *s* (zusammenklappbarer) Kindersportwagen

bach•elor ['bætʃələ(r)] *s* **1.** Bakkalaureus *m* (*unterster akad. Grad*) **2.** Junggeselle *m*

ba•cil•lus [bə'sɪləs, *pl* bə'sɪlaɪ] <*pl* -li> *s* Bazillus *m*

back [bæk] **I.** *s* **1.** (*a. fig*) Rücken *m* **2.** Rückgrat *n* **3.** Rücklehne *f* **4.** (MOT) Rücksitz *m* **5.** Rückseite *f;* Hintergrund *m* **6.** (*fig*) Kehrseite *f* **7.** (*Fußball*) Verteidiger *m;* **get s.o.'s** ~ **up** jdn auf die Palme bringen; **put one's** ~ **into s.th.** (*fam*) sich in e-e S hineinknien; ~ **of a book/hill** Buch-/Bergrücken *m;* ~ **of the hand** Handrücken *m;* ~ **to** ~ Rücken an Rücken; **at the** ~ **of** hinter; (*fig*) hinter dem Rücken von; **behind s.o.'s** ~ (*fig*) hinter jds Rücken; **with one's** ~ **to the wall** (*fig*) in der Klemme **II.** *adj* **1.** rückwärtig; hinter **2.** (*Betrag*) rückständig **3.** abgelegen, fern **III.** *adv* rückwärts; zurück (*from* von), hinten; wieder; **5 years** ~ vor fünf Jahren; ~ **and forth** hin u. her; **answer** ~ frech antworten; widersprechen; **stand** [*o* **keep**] ~**!** zurück(bleiben)!; **go** ~ **on one's word** sein Versprechen nicht halten **IV.** *tr* **1.** (unter)stützen **2.** (~ *up*) den Rücken decken, beistehen (*s.o.* jdm) **3.** zurückschieben; (MOT) zurückstoßen **4.** wetten (*s.th.* auf etw); **back away** *itr* zurückweichen; **back down** *itr* klein beigeben; **back on to** *itr* hinten angrenzen an; **back out of** *itr* (*fig*) aussteigen aus; (MOT) rückwärts herausfahren aus; **back up I.** *itr* (MOT) zurückstoßen **II.** *tr* **1.** unterstützen; (*Geschichte*) bestätigen; (*Theorie*) untermauern **2.** (MOT) zurückfahren **3.** (EDV) sichern

back-bencher [ˌbæk'bentʃə(r)] *s* (PARL) Hinterbänkler(in) *m(f);* **back•bit•ing** ['bækˌbaɪtɪŋ] *s* Verleumdung *f;* **back•bone** ['bækbəʊn] *s* (*a. fig*) Rückgrat *n;* **back•cloth** ['bækˌklɒθ] *s* (THEAT) Hintergrund(vorhang) *m;* **back•door** [ˌbæk'dɔː(r)] **I.** *adj* (*fig*) heimlich, verstohlen **II.** *s* (*a. fig*) Hintertür *f*

backer ['bækə(r)] *s* **1.** Helfer(in) *m(f),* Förderer *m,* Förderin *f* **2.** (COM) Geldgeber(in) *m(f)* **3.** Wettende(r) *f m*

back•fire [ˌbæk'faɪə(r)] **I.** *s* (MOT) Fehlzündung *f* **II.** *itr* **1.** fehlzünden **2.** schief gehen; (*fam*) ins Auge gehen; **back•gam•mon** [bæk'gæmən] *s* Backgammon *n* (*Spiel*)

back•ground ['bækgraʊnd] *s* **1.** Hintergrund *m;* (*a. fig*) Umwelt *f,* Milieu *n* **2.** (*fig*) berufliche Erfahrung, Aus-, Vorbildung *f* **3.** Vorgeschichte *f* **4.** Zusammenhänge *mpl;* **keep in the** ~ im Hintergrund bleiben

back•hand ['bækhænd] **I.** *s* (*Tennis*) Rückhand *f* **II.** *adj* Rückhand-; **back•hander** [-ə(r)] *s* Schmiergeld *n*

back•ing ['bækɪŋ] *s* **1.** Stütze, Unterstützung, Hilfe *f;* Rückhalt *m* **2.** (MUS) Begleitung *f* **3.** Rücken(verstärkung *f*) *m*

back•lash ['bæklæʃ] *s* **1.** (TECH) Gegenschlag *m* **2.** Gegenreaktion *f;* **back•log** ['bæklɒg] *s* (COM) Rückstände *mpl;* **back matter** *s* **1.** Anhang *m* **2.** Nachspann *m;* **back•number** *s* **1.** (*Zeitung*) alte Nummer **2.** (*fam fig*) altmodischer Mensch; **back•pack** ['bækpæk] *s* (*Am*) Rucksack *m;* **back•packer** *s* (*Am*) Rucksacktourist(in) *m(f);* **back•packing** *s* Rucksacktourismus *m;* **back pay** *s* Nachzahlung *f;* **back•seat** [bæk'siːt] *s* Rücksitz *m;* **take a** ~ sich zurückhalten; **back•seat driver** *s* (*fig*) Besserwisser(in) *m(f);* **back•side** ['bæksaɪd] *s* (*fam*) Hintern *m;* **back•space** ['bækspeɪs] *itr* (EDV) zurücksetzen; **back•stage** [bæk'steɪdʒ] *adj, adv* hinter der Bühne; **back•stairs** [ˌbæk'steəz] *s pl* Hintertreppe *f;* **back•stroke** ['bækstrəʊk] *s* Rückenschwimmen *n;* **back·talk** ['bæktɔːk] *s* (*Am*) unverschämte Antwort; **back·track** ['bæktræk] *itr* umkehren; sich zurückziehen; **back-up** ['bækʌp] *s* **1.** Unterstützung **2.** (EDV) Sicherung *f;* **back-up copy** *s* (EDV) Sicherungskopie *f*

back·ward ['bækwəd] *adj* **1.** rückwärtig; rückwärts gerichtet **2.** zurückgeblieben, rückständig, spät entwickelt; **backwards** ['bækwədz] *adv* rückwärts, zurück; ~ **and forwards** hin u. her

back·wash ['bækwɒʃ] *s* **1.** zurücklaufende Strömung **2.** (*fig*) Nach-, Rückwirkung *f;* **back·water** ['bækˌwɔːtə(r)] *s* **1.** Rückstau *m;* Stauwasser *n* **2.** (*fig*) Stillstand *m;* Stagnation *f* **3.** rückständiges Nest; **back·woods** ['bækwʊdz] *s pl* abgelegene Gegend; **back·woods·man** ['bækwʊdzmən] *s* Hinterwäldler *m;* **back·yard** [ˌbæk'jɑːd] *s* Hinterhof *m*

ba·con ['beɪkən] *s* (durchwachsener) Speck *m;* **save one's** ~ (*fam*) mit heiler Haut davonkommen; **bac·teria** [bæk'tɪərɪə] *s pl* Bakterien *fpl;* **bac·teri·ol·ogist** [bækˌtɪərɪ'ɒlədʒɪst] *s* Bakteriologe *m,* -login *f;* **bac·ter·ium** [bæk'tɪərɪəm] <*pl* -ia> *s* Bakterie *f*

bad [bæd] <*Komparativ* worse, *Superlativ* worst> **I.** *adj* **1.** schlecht **2.** übel **3.** böse, schlimm **4.** (*Fehler*) schwer **5.** widerlich, -wärtig, ärgerlich **6.** unanständig; ungezogen **7.** verdorben; (*Ei*) faul **8.** unpässlich; krank **9.** (*sl*) toll, geil; ~ **debt** uneinbringliche Forderung; ~ **news** (*sl*) übel; **from** ~ **to worse** immer schlimmer; **in** ~ **faith** wider Treu u. Glauben; **in a** ~ **temper** wütend; verärgert; **not** (**half**) ~ (*fam*) nicht übel; **go** ~ schlecht werden, verderben; **I feel** ~ mir ist nicht wohl; **he feels very** ~ **about it** es tut ihm sehr leid; **that is too** ~**!** das ist zu dumm!; ~ **luck** Pech *n* **II.** *s* (das) Böse, Schlechte

bad(**e**) [bæd] *s.* **bid**[2]

badge [bædʒ] *s* Abzeichen *n,* Button *m,* Kennzeichen, Merkmal *n*

badg·er ['bædʒə(r)] **I.** *s* Dachs *m* **II.** *tr* plagen

bad·ly ['bædlɪ] <*Komparativ* worse, *Superlativ* worst> *adv* **1.** schlecht, schlimm **2.** arg, dringend; **come off** ~ schlecht wegkommen; **be** ~ **off** finanziell schlecht dran sein; **want** ~ dringend brauchen [*o* benötigen]; ~ **beaten** vernichtend geschlagen

bad·min·ton ['bædmɪntən] *s* Federball, Badminton *n*

baf·fle ['bæfl] **I.** *tr* **1.** vor den Kopf stoßen; aus dem Konzept bringen **2.** verblüffen, verwirren **3.** (*Pläne*) durchkreuzen, vereiteln; **I am completely** ~**d** ich stehe vor einem Rätsel **II.** *s* (MOT) Umlenkblech *n;* **baf·fling** [-ɪŋ] *adj* **1.** verwirrend; unverständlich **2.** rätselhaft

bag [bæg] **I.** *s* **1.** Beutel, Sack *m;* Tasche *f,* Handgepäck *n;* (*paper* ~) Tüte *f;* (*money* ~) Geldbeutel *m;* (*hand* ~) Handtasche *f* **2.** (*game*~) Jagdbeute *f* **3.** ~**s** Hose *f;* ~**s of** jede Menge; **the whole** ~ **of tricks** die ganze Trickkiste; **let the cat out of the** ~ (*fig*) die Katze aus dem Sack lassen; **a** ~ **of bones** Haut u. Knochen; **old** ~ (*pej*) alte Schachtel **II.** *tr* **1.** in den Sack stecken; (*fig*) einstecken **2.** (*sl*) sich unter den Nagel reißen **3.** (*Jäger*) erbeuten, erlegen **III.** *itr* sich ausbeulen

bag·gage ['bægɪdʒ] *s* (Reise)Gepäck *n;* **baggage car** *s* (*Am*) Gepäckwagen *m;* **baggage check** *s* (*Am*) Gepäckkontrolle *f;* **baggage check-in counter** *s* Abfertigungs-, Abflugschalter *m;* **baggage claim** *s* Gepäckausgabe *f;* **baggage room** *s* Gepäckaufbewahrung *f*

bag·gy ['bægɪ] *adj* bauschig; ausgebeult; sackartig

bag·lady ['bægleɪdɪ] *s* Stadtstreicherin *f*

bag·piper ['bægpaɪpə(r)] *s* Dudelsackpfeifer(in) *m(f);* **bag·pipes** ['bægpaɪps] *s pl* Dudelsack *m*

Ba·ha·mas [bə'hɑːməz] *s pl* Bahamas, Bahamainseln *pl*

Bah·rain [bɑː'reɪn] *s* Bahrain *n*

bail[1] [beɪl] **I.** *s* (JUR) Bürgschaft, Kaution *f;* **out on** ~ auf freiem Fuß gegen Sicherheitsleistung; **go** ~ **for** Bürgschaft leisten für **II.** *tr:* ~ **out** gegen Bürgschaft freibekommen; (*fig*) retten

bail[2] [beɪl] *s* (*Kricket*) Querholz *n*

bail[3] [beɪl] *itr, tr* **1.** (*Wasser*) schöpfen **2.** *s.* **bale**[2]

bai·liff ['beɪlɪf] *s* **1.** Gerichtsvollzieher(in) *m(f),* Gerichtsdiener(in) *m(f)* **2.** (Guts)Verwalter(in) *m(f)*

bait [beɪt] **I.** *tr* **1.** mit e-m Köder versehen **2.** (mit Hunden) hetzen **3.** (*Menschen*) quälen **II.** *s* Köder *m;* (*fig*) (Ver)Lockung, Versuchung *f;* **rise to the** ~ anbeißen, sich ködern lassen

bake [beɪk] **I.** *tr* **1.** backen **2.** (*durch Hitze*) härten; dörren; (*Ziegel*) brennen **II.** *itr* backen; (*a. fig*) braten; **baker** ['beɪkə(r)] *s* Bäcker(in) *m(f);* **bak·ery** ['beɪkərɪ] *s* Bäckerei *f;* **bak·ing** ['beɪkɪŋ] **I.** *s* Backen *n;* Brennen *n* **II.** *adj* glühend heiß; **baking powder** *s* Backpulver *n*

bal·ance ['bæləns] **I.** *s* **1.** (*a. fig*) Waage *f* **2.** Gleichgewicht *n* **3.** (innere) Ausgeglichenheit *f;* Gleichmut *m* **4.** (COM) Überschuss *m;* Saldo *m;* Guthaben *n;* Bilanz *f;* Rechnungs-, Kontenabschluss *m* **5.** Rest, Überschuss *m;* **in the** ~ in der Schwebe; **on** ~ alles in allem; **be** (**thrown**) **off** ~ das

Gleichgewicht verloren haben; **draw the ~, make up the ~, strike the ~** die Bilanz ziehen; **hold the ~** das Zünglein an der Waage bilden; **lose one's ~** das Gleichgewicht, den Kopf verlieren; **credit ~** Habensaldo *m;* **cash ~** Kassenbestand *m;* **~ of payments** Zahlungsbilanz *f* **II.** *tr* **1.** ins Gleichgewicht bringen **2.** (COM) ausgleichen; (*Rechnung*) abschließen **3.** (TECH) auswuchten **III.** *itr* **1.** sich im Gleichgewicht halten *a. fig* **2.** (COM) sich ausgleichen; **bal·anced** ['bælənst] *adj* ab-, ausgeglichen, ausgewogen; **bal·ance sheet** *s* (COM) Bilanz *f*

bal·cony ['bælkənɪ] *s* Balkon *m*

bald [bɔ:ld] *adj* (*Kopf*) kahl; (*Stil*) knapp

bald-head ['bɔ:ldhed] *s* Kahlkopf *m;* **bald-headed** [ˌbɔ:ld'hedɪd] *adj* kahlköpfig; **bald·ly** [bɔ:ldlɪ] *adv* frei heraus, unverblümt; **bald·ness** ['bɔ:ldnɪs] *s* **1.** Kahlköpfigkeit *f* **2.** (*fig*) Dürftigkeit, Knappheit *f*

bale[1] [beɪl] **I.** *s* (COM) Ballen *m;* Bündel *n* **II.** *tr* bündeln

bale[2] [beɪl] *tr:* **~ out** (AERO) abspringen

ba·leen [bə'li:n] *s* Barte *f;* **baleen whale** *s* Bartenwal *m*

bale·ful [beɪlfʊl] *adj* unheilvoll; übel, böse

balk, baulk [bɔ:k] **I.** *s* **1.** Balken *m* **2.** Hindernis *n;* Hemmschuh *m* **II.** *tr* vereiteln, hemmen **III.** *itr* zurückschrecken (*at* vor); (*Pferd*) scheuen (*at* vor)

Balkan States ['bɔlkən steɪts] *s pl* Balkanländer *npl*

ball[1] [bɔ:l] *s* **1.** Kugel *f;* Knäuel *m* **2.** (SPORT) (Spiel)Ball *m* **3.** (*~ of the thumb, of the foot*) Hand-, Fußballen *m* **4.** (*sl: Testikel*) Ei *n;* **on the ~** (*fam*) auf Draht; **keep the ~ rolling** das Gespräch in Gang halten; **play ~** (*fam*) mitmachen, zusammenarbeiten; **set the ~ rolling** den Stein ins Rollen bringen; **the ~ is in his court** er ist am Ball; **~s!** (*sl*) Quatsch!

ball[2] [bɔ:l] *s* (Tanz)Ball *m*

bal·lad ['bæləd] *s* Ballade *f*

bal·last ['bæləst] **I.** *s* **1.** Ballast *m* **2.** Schotter *m* **II.** *tr* mit Ballast beladen

ball-bear·ing [ˌbɔ:l'beərɪŋ] *s* (TECH) Kugellager *n*

bal·let ['bæleɪ] *s* Ballett *n*

ball field ['bɔ:lfi:ld] *s* (*Am*) Baseballplatz *m;* **ball game** *s* Ballspiel *n;* (*Am*) Baseballspiel *n*

bal·lis·tic [bə'lɪstɪk] **I.** *adj* ballistisch; **~ missile** Flugkörper *m;* **go ~** (*fam*) an die Decke gehen, in die Luft gehen **II.** *s pl meist mit sing* Ballistik *f*

bal·loon [bə'lu:n] *s* **1.** Ballon *m* **2.** Sprechblase *f;* **bal·loon·ist** [-ɪst] *s* Ballonfahrer(in) *m(f)*

bal·lot ['bælət] **I.** *s* **1.** Stimmzettel *m* **2.** (Geheim)Abstimmung *f;* Stimmen(-zahl *f*) *fpl;* **take a ~** (geheim) abstimmen; **~-box** Wahlurne *f;* **~ paper** Wahlzettel, Stimmzettel *m* **II.** *itr* (geheim) abstimmen (*for* über)

ball player ['bɔ:lˌpleɪə(r)] *s* Ballspieler(in) *m(f);* (*Am*) Baseballspieler(in) *m(f);* **ball-point-pen** [ˌbɔ:lpɔɪnt'pen] *s* Kugelschreiber *m*

ball·room ['bɔ:lrʊm] *s* Ballsaal *m*

balls-up ['bɔ:lzʌp] *s* (*Br sl*) Durcheinander *n*

balm [bɑ:m] *s* Balsam *m;* **balmy** ['bɑ:mɪ] *adj* **1.** balsamisch **2.** mild; lindernd, heilend **3.** (*sl*) bekloppt

bal·us·trade [ˌbælə'streɪd] *s* Balustrade *f*

bam·boo [bæm'bu:] *s* Bambus(rohr *n*) *m*

bam·boozle [bæm'bu:zl] *tr* (*fam*) beschwindeln (*out of s.th.* um etw), verblüffen; hereinlegen

ban [bæn] **I.** *s* Verbot *n;* Bann *m;* **place** [*o* **put**] **under a ~** verbieten **II.** *tr* **1.** verbieten **2.** (SPORT) sperren

ba·nal [bə'nɑ:l] *adj* banal, abgedroschen; **ba·nal·ity** [bə'nælətɪ] *s* Banalität *f;* Gemeinplatz *m*

ba·nana [bə'nɑ:nə] *s* Banane *f;* **banana republic** *s* Bananenrepublik *f*

band [bænd] **I.** *s* **1.** Band *n* **2.** Ring, Streifen *m;* Leiste *f;* Binde *f;* Gurt *m* **3.** (RADIO ANAT) Band *n* **4.** Bande, Schar *f* **5.** (Musik)Kapelle *f* **II.** *tr, itr* zusammenbinden *a. fig;* **~ together** sich zusammenschließen

ban·dage ['bændɪdʒ] **I.** *s* Bandage, Binde *f;* Verband *m* **II.** *tr* verbinden

ban·dit ['bændɪt] *s* Bandit, Räuber *m*

band·master ['bændmɑ:stə(r)] *s* Kapellmeister *m;* **bands·man** ['bændzmən] <*pl* -men> *s* Musiker *m;* **band·stand** ['bændstænd] *s* Musikpavillon *m*

band·wagon ['bændwægən] *s* (*Am*) Festwagen *m* mit Musikkapelle; **climb** [*o* **jump**] **on the ~** sich dranhängen, zur siegreichen Partei übergehen

bandy ['bændɪ] **I.** *tr* (*Worte, Blicke, Schläge*) tauschen, wechseln; **~ about** (*Nachricht*) verbreiten, herumerzählen; (*Gerüchte*) unter die Leute bringen **II.** *adj* krumm; **~-legged** O-beinig

bang [bæŋ] **I.** *s* **1.** (heftiger) Schlag *m* **2.** (lauter) Knall *m;* **go off with a ~** ein Bombenerfolg sein **II.** *tr* **1.** heftig schlagen (*on s.th.* an etw) **2.** (*Tür*) zuschlagen; **he ~ed his fist on the table** er schlug mit der Faust auf den Tisch **III.** *itr* **1.** (laut) knallen **2.** heftig stoßen (*against* gegen) **IV.** *adv* heftig, mit lautem Knall; **go ~** knallen **V.** *interj* peng! bums!

banger ['bæŋə(r)] *s* **1.** (Brat)Wurst *f* **2.** (*fam*) Klapperkiste *f*

bangle ['bæŋgl] *s* Arm-, Fußring *m*
ban•ish ['bænɪʃ] *tr* **1.** ausweisen (*from* aus), verbannen **2.** (*Gedanken*) vertreiben; **ban•ish•ment** [-mənt] *s* Verbannung, Ausweisung *f*
ban•is•ter ['bænɪstə(r)] *s a. pl* Treppengeländer *n*
ban•jo ['bændʒəʊ] <*pl* banjo(e)s> *s* (MUS) Banjo *n*
bank¹ [bæŋk] **I.** *s* **1.** (Fluss-, See)Ufer *n;* Böschung *f* **2.** Damm, Deich *m* **3.** (*sand~*) (Sand)Bank *f;* (~ *of snow*) (Schnee)Verwehung *f;* (*cloud ~*) (Wolken)Bank *f* **II.** *tr* aufschütten, anhäufen **III.** *itr* (AERO) in die Kurve gehen; **bank up I.** *tr* aufhäufen **II.** *itr* (*Schnee*) sich anhäufen; (*Wolken*) sich auftürmen
bank² [bæŋk] **I.** *s* **1.** Bank(haus, -geschäft *n*) *f* **2.** (*Spiel*) Bank *f* **3.** (MED: *blood ~*) (Blut)Bank *f* **4.** Reserven *fpl* **II.** *tr* (*Geld*) auf die Bank bringen, einzahlen **III.** *itr* **1.** ein Bankkonto haben **2.** (*Spiel*) die Bank halten; ~ **with s.o.** bei jdm ein Konto haben; ~ **(up)on** sich verlassen auf, rechnen mit, zählen auf
bank³ [bæŋk] *s* **1.** Ruderbank *f* **2.** Reihe *f*
bank ac•count ['bæŋkəkaʊnt] *s* Bankkonto *n;* **bank balance** *s* Kontostand *m;* **bank-book** *s* Sparbuch *n;* **bank charges** *s pl* Bankgebühren *fpl;* **bank clerk** *s* Bankangestellte(r) *f m;* **bank code (number)** *s* Bankleitzahl *f;* **banker** ['bæŋkə(r)] *s* Bankier *m;* **~'s order** Zahlungsauftrag *m;* **bank holiday** *s* (*Br*) Feiertag *m;* (*Am*) Bankfeiertag *m;* **bank•ing** ['bæŋkɪŋ] *s* **1.** Bankwesen *n* **2.** (AERO) Schräglage *f;* **banking hall** *s* Schalterhalle *f;* **banking hours** *s pl* Schalterstunden *fpl;* **bank manager** *s* Bankdirektor(in) *m(f);* **bank•note** ['bæŋknəʊt] *s* Banknote *f;* **bank-rate** *s* Diskontsatz *m;* **bank robber** *s* Bankräuber(in) *m(f);* **bank robbery** *s* Banküberfall *m*
bank•rupt ['bæŋkrʌpt] **I.** *s* Bankrotteur *m;* (*a. fig*) Gemein-, Konkursschuldner(in) *m(f)* **II.** *adj* bankrott *a. fig,* zahlungsunfähig; **go** [*o* **become**] ~ in Konkurs gehen **III.** *tr* zu Grunde richten; **bank•ruptcy** ['bæŋkrəpsɪ] *s* **1.** Bankrott, Konkurs *m* **2.** (*fig*) Schiffbruch, Ruin *m;* **bankruptcy proceedings** *s pl* Konkursverfahren *n*
bank statement [bæŋksteɪtmənt] *s* Kontoauszug *m;* **bank transfer** *s* Banküberweisung *f*
ban•ner ['bænə(r)] *s* **1.** Banner *n;* Fahne *f* **2.** Spruch-, Reklametafel *f;* Spruchband *n;* **banner headlines** *s pl* (*Zeitung*) Schlagzeilen *fpl*
banns [bænz] *s pl* (kirchliches) Aufgebot *n*
ban•quet ['bæŋkwɪt] *s* Bankett, Festessen *n;* **banquet-hall** *s* Speise-, Festsaal *m*
ban•tam ['bæntəm] *s* Zwerghuhn *n;* ~ **weight** (*Boxen*) Bantamgewicht *n*
ban•ter ['bæntə(r)] **I.** *s* Geplänkel *n* **II.** *itr* Spaß, Ulk machen, scherzen (*with* mit)
bap•tism ['bæptɪzəm] *s* (*a. fig*) Taufe *f;* **Bap•tist** ['bæptɪst] *s* Baptist(in) *m(f);* **bap•tize** [bæp'taɪz] *tr* taufen *a. fig*
bar [bɑː(r)] **I.** *s* **1.** Stange *f* **2.** (*Schokolade*) Tafel *f* **3.** Querriegel *m;* Schlagbaum *m;* Schranke, Barriere *f;* (Straßen)Sperre *f* **4.** Sandbank *f* **5.** (*fig*) Hindernis *n* (*to* für), Schranke *f* **6.** Querstrich *m;* Querstreifen *m* **7.** (MUS) Taktstrich *m* **8.** Gerichtsschranke *f,* Gericht *n* **9.** Ausschank, Schanktisch *m;* Büfett *n;* Bar, Theke *f;* Tresen *m;* **the B~** der Anwaltsberuf, der Stand der Barrister; **at the B~** vor Gericht; **prisoner at the B~** Angeklagte(r) *f m;* **be called to the B~** als Anwalt/Anwältin vor Gericht zugelassen werden; **read for the B~** Jura studieren; **parallel ~s** (SPORT) Barren *m;* **toll ~** Zollschranke *f* **II.** *tr* **1.** (*Tür, Fenster*) verriegeln, ab-, ver-, zusperren; zumachen, schließen **2.** (*Weg*) (ver)sperren **3.** (*fig*) verbieten, untersagen; (*Person*) hindern (*from* an) **III.** *prep* (*fam*) abgesehen von, außer; ~ **none** ohne Ausnahme; ~ **one** außer einem
barb [bɑːb] *s* **1.** (*Angel, Pfeil*) Widerhaken *m* **2.** (*fig*) Schärfe, Spitze *f*
Bar•ba•dos [bɑː'beɪdɒs] *s* Barbados *n*
bar•bar•ian [bɑː'beərɪən] **I.** *s* Barbar(in) *m(f)* **II.** *adj* barbarisch; roh, ungesittet; **bar•baric** [bɑː'bærɪk] *adj* barbarisch, roh; **bar•bar•ity** [bɑː'bærətɪ] *s* Barbarei *f;* Unmenschlichkeit, Rohheit *f;* **bar•bar•ous** ['bɑːbərəs] *adj* barbarisch, unmenschlich, grausam
bar•be•cue ['bɑːbɪkjuː] **I.** *s* **1.** Grill *m* **2.** Grillfleisch *n* **3.** Grillparty *f* **II.** *tr* auf dem Rost braten, grillen
barbed [bɑːbd] *adj* mit Widerhaken; ~ **wire** Stacheldraht *m*
bar•ber ['bɑːbə(r)] *s* (Herren)Friseur *m;* **barber('s) shop** *s* Friseursalon *m*
bar•bitu•rate [bɑː'bɪtjʊrɪt] *s* Barbiturat *n*
bar code ['bɑːkəʊd] *s* Strichcode *m;* **bar code scanner** *s* Strichcodeleser *m*
bare [beə(r)] **I.** *adj* **1.** nackt, bloß **2.** kahl; ohne, entblößt (*of* von) **3.** (*Raum*) unmöbliert, leer **4.** schmucklos **5.** (*fig*) unverhüllt, offen; (*Tatsachen*) nackt **6.** (*Mehrheit*) knapp **7.** bloß, nur ... , ... allein; **lay ~** entblößen; aufdecken, offen darlegen; **a ~ ten people** nur [*o* gerade] zehn Leute **II.** *tr* **1.** entblößen; aufdecken **2.** (*fig*) enthüllen, bloßlegen; ~ **one's heart** sein Herz ausschütten; **bare•back** ['beəbæk] *adj, adv* (*Pferd*) ohne Sattel; **bare•faced** ['beəfeɪst] *adj* unverfroren, unverschämt;

bare•foot ['beəfʊt] *adj, adv* barfuß; **bare•footed** [ˌbeə'fʊtɪd] *adj, adv* barfuß; **bare•headed** [ˌbeə'hedɪd] *adj* barhäuptig; **bare•ly** ['beəlɪ] *adv* **1.** kaum, knapp **2.** dürftig, spärlich; **bare•ness** ['beənɪs] *s* **1.** Nacktheit, Blöße *f* **2.** Ärmlichkeit, Dürftigkeit *f*

bar•gain ['bɑːgɪn] **I.** *s* **1.** Handel *m;* Geschäft(sabschluss *m*) *n* **2.** günstiges Angebot, Gelegenheitskauf *m;* **into the ~** obendrein, noch dazu; **drive a hard ~** hart handeln; **make the best of a bad ~** (*fig*) sich so gut wie möglich aus der Affäre ziehen; **make a good ~** ein gutes Geschäft machen; **it's a ~!** abgemacht!; **it's a ~ at that price!** das ist geschenkt zu dem Preis!; **a ~'s a ~!** abgemacht ist abgemacht! **II.** *itr* **1.** handeln, feilschen (*with s.o. for s.th.* mit jdm um etw) **2.** verhandeln; abmachen (*with s.o. for s.th., to do* mit jdm, etw zu tun); **~ away** mit Verlust verkaufen; verspielen; veräußern; **~ for** handeln, feilschen um; rechnen mit, zählen auf, erwarten; **bargain•counter** *s* (*Warenhaus*) Sonderangebotstisch *m;* **bargain price** *s* Sonderpreis *m;* **bargain sale** *s* Ausverkauf *m*

barge [bɑːdʒ] **I.** *s* **1.** Last-, Schleppkahn *m;* Barke *f* **2.** Hausboot *n* **II.** *itr* (*fam*): **~ about** herumtrampeln; **~ in** dazwischenplatzen, sich einmischen; **~ into** hineinrennen in, hineinplatzen

bari•tone ['bærɪtəʊn] *s* Bariton *m*

bark¹ [bɑːk] **I.** *s* (*Baum*) Rinde, Borke *f* **II.** *tr* **1.** ab-, entrinden **2.** wund reiben, wund scheuern

bark² [bɑːk] **I.** *s* Bellen *n;* **his ~ is worse than his bite** (*prov*) Hunde, die bellen, beißen nicht **II.** *itr* **1.** bellen, kläffen **2.** anfahren (*at s.o.* jdn); **~ up the wrong tree** auf dem Holzweg sein

bar•keeper ['bɑːkiːpə(r)] *s* Barmann *m;* Gastwirt *m*

bar•ley ['bɑːlɪ] *s* Gerste *f*

bar•maid ['bɑːmeɪd] *s* Bardame *f;* Bedienung *f;* **bar•man** ['bɑːmən] <*pl* -men> *s* Barmann *m;* Kellner *m*

barn [bɑːn] *s* Scheune, Scheuer *f;* (*Am*) Stall *m;* **barn-yard** *s* (Bauern)Hof *m*

ba•rom•eter [bə'rɒmɪtə(r)] *s* (*a. fig*) Barometer *n;* **baro•met•ric(al)** [ˌbærə'metrɪk(l)] *adj* barometrisch; **~ pressure** Luftdruck *m*

bar•on ['bærən] *s* **1.** Baron *m* **2.** (*fig*) Magnat *m;* **bar•on•ess** ['bærənɪs] *s* Baronin *f;* **bar•onet** ['bærənɪt] *s* Baronet *m;* **bar•o•nial** [bə'rəʊnɪəl] *adj* freiherrlich; großartig, prächtig

ba•roque [bə'rɒk] **I.** *adj* (*Kunst*) barock **II.** *s* Barock(stil *m*) *n*

bar•rack ['bærək] **I.** *s meist pl* **1.** (MIL) Kaserne *f* **2.** (Miets)Kaserne *f* **II.** *tr* **1.** kasernieren **2.** (SPORT) auspfeifen

bar•rage ['bærɑːʒ] *s* **1.** Damm *m;* Talsperre *f* **2.** (*~ fire*) Sperrfeuer *n* **3.** (*fig*) Flut *f;* **tidal ~** Gezeitensperrmauer *f;* **~ of questions** Flut von Fragen

bar•rel ['bærəl] *s* **1.** Fass *n* **2.** (TECH) Tank *m* **3.** (Kanonen)Rohr *n;* (Gewehr)Lauf *m* **4.** (*Maßeinheit für Öl*) Barrel *n;* **barrel-organ** *s* Drehorgel *f*

bar•ren ['bærən] *adj* **1.** (*Land*) unfruchtbar **2.** dürr, karg; steril *a. fig* **3.** (*fig*) unergiebig, unproduktiv, unrentabel; **bar•ren•ness** [-nɪs] *s* **1.** Unfruchtbarkeit *f* **2.** (*fig*) Dürftigkeit *f;* Unergiebigkeit *f;* Unproduktivität *f*

bar•ri•cade [ˌbærɪ'keɪd] **I.** *s* Barrikade *f* **II.** *tr* (*Straße*) verbarrikadieren

bar•rier ['bærɪə(r)] *s* **1.** Schranke, Sperre *f;* Barriere *f* **2.** (*fig*) Schranke *f;* Hindernis *n* (*to* für); **barrier cream** *s* (Haut)Schutzcreme *f*

bar•ring ['bɑːrɪŋ] *prep* außer *+dat,* ausgenommen *+acc,* abgesehen von

bar•ris•ter ['bærɪstə(r)] *s* (*~-at-law*) (vor Gericht auftretende(r)) Anwalt *m,* Anwältin *f*

bar•row ['bærəʊ] *s* (*hand-~*) (Trag)Bahre *f;* (*wheel-~*) Schubkarren *m*

bar•ten•der ['bɑːtendə(r)] *s* Barkeeper *m*

bar•ter ['bɑːtə(r)] **I.** *tr* (aus-, ein)tauschen (*against, for* gegen); **~ away** verspielen **II.** *itr* Tauschhandel betreiben **III.** *s* Tausch(handel) *m*

ba•salt ['bæsɔːlt] *s* (GEOL) Basalt *m*

base [beɪs] **I.** *s* **1.** (*a.* MATH) Basis *f,* Grundlinie, Grundfläche *f;* Grundzahl *f* **2.** Fundament *n;* (ARCH) Fuß, Sockel *m* **3.** (*~ plate*) Grundplatte *f* **4.** Grund(-lage *f*) *m,* Basis *f;* Ausgangspunkt *m* **5.** (MIL) Basis *f;* Stützpunkt *m* **6.** (SPORT) Mal *n;* Standlinie *f* **7.** (TECH) Grundstoff *m* **8.** (CHEM) Base *f* **II.** *adj* **1.** niedrig; gewöhnlich, gemein **2.** gering-, minderwertig; (*Münze*) falsch, unecht; (*Metall*) unedel **III.** *tr* basieren, gründen, stützen (*on* auf); **~ o.s. on** sich stützen auf

base•ball ['beɪsbɔːl] *s* Baseball *m;* **base-camp** ['beiskæmp] *s* Basis-, Versorgungslager *n;* **base coat** *s* Unter(nagel)lack *m*

base•less ['beɪslɪs] *adj* grundlos, unbegründet

base•ment ['beɪsmənt] *s* **1.** (ARCH) Fundament *n* **2.** Kellergeschoss *n*

base•ness ['beɪsnɪs] *s* **1.** Niedrigkeit *f;* Gemeinheit, Niedertracht *f* **2.** Minderwertigkeit *f* **3.** Unechtheit *f*

base rate ['beisreit] *s* (FIN) Leitzins *m*

bash [bæʃ] **I.** *tr* (*fam*) heftig schlagen **II.** *s* heftiger Schlag; **have a ~!** (*fam*) probier mal!

bash•ful ['bæʃfl] *adj* **1.** scheu, schüchtern **2.** verlegen, befangen; **bash•ful•ness** ['bæʃfʊlnɪs] *s* Schüchternheit *f;* Befangenheit *f*

ba•sic ['beɪsɪk] *adj* **1.** grundsätzlich (wichtig), prinzipiell; fundamental, elementar **2.** (CHEM) basisch; **ba•si•cally** [-lɪ] *adv* im Grunde; **basic idea** *s* Grund-, Leitgedanke *m;* **basic pay** *s* Grundgehalt *n;* Grundlohn *m;* **basic research** *s* Grundlagenforschung *f;* **basic vocabulary** *s* Grundwortschatz *m;* **basic wage**(**s**) *s* (*a. pl*) Grundlohn *m*

ba•sil•ica [bə'zɪlɪkə] *s* (ARCH) Basilika *f*

ba•sin ['beɪsn] *s* **1.** Schale, Schüssel *f;* Waschbecken *n* **2.** (GEOG) Becken *n* **3.** Bucht *f;* Hafenbecken *n*

ba•sis ['beɪsɪs, *pl* 'beɪsi:z] <*pl* bases> *s* **1.** Basis, Grundlage *f;* Fundament *n* **2.** Grund *m;* **on the ~ of** auf Grund *+gen,* auf der Grundlage *+gen;* **serve as a ~** als Grundlage dienen

bask [bɑ:sk] *itr* (*a. fig*) sich sonnen; **~ in the sun** ein Sonnenbad nehmen

bas•ket ['bɑ:skɪt] *s* Korb *m;* **clothes-~** Wäschekorb *m;* **basket•ball** *s* (SPORT) Basketball *m*

bass[1] [bæs] *s* (ZOO) Flussbarsch *m*

bass[2] [beɪs] *s* (MUS) Bass *m*

bas•soon [bə'su:n] *s* (MUS) Fagott *n*

bas•tard ['bɑ:stəd] **I.** *s* **1.** (*a.* BOT ZOO) Bastard *m* **2.** (*sl*) Schweinehund *m* **II.** *adj* unehelich

baste [beɪst] *tr* **1.** heften **2.** (*bratendes Fleisch*) mit Fett begießen **3.** verprügeln; beschimpfen

bas•tion ['bæstɪən] *s* Bastion *f*

bat[1] [bæt] *s* (ZOO) Fledermaus *f;* **blind as a ~** stockblind

bat[2] [bæt] **I.** *s* (SPORT) Schlagholz *n;* **off one's own ~** auf eigene Faust **II.** *tr* (SPORT) (mit dem Schlagholz) schlagen

bat[3] [bæt] *tr:* **not to ~ an eyelid** nicht mal mit der Wimper zucken

batch [bætʃ] *s* **1.** (*Bäckerei*) Schub *m* **2.** Haufen, Stoß, Stapel *m;* **batch processing** *s* (EDV) Stapelverarbeitung *f*

bated ['beɪtɪd] *adj:* **with ~ breath** mit angehaltenem Atem, voller Spannung

bath [bɑ:θ] **I.** *s* **1.** (*a.* CHEM PHOT) Bad *n* **2.** Badewanne *f;* Badezimmer *n* **3.** ~s (Stadt)Bad *n;* Badeanstalt *f* **4.** Kurort *m;* **have** [*o* **take**] **a ~** ein Bad nehmen **II.** *tr* baden; **bath cube** *s* Würfel Badesalz *m*

bathe [beɪð] **I.** *tr* baden, *a. itr,* befeuchten, benetzen; **go bathing** schwimmen, baden gehen **II.** *s* Baden *n;* Schwimmen *n;* **bather** ['beɪðə(r)] *s* Badende(r) *f m;* **bath•ing** ['beɪðɪŋ] *s* Baden *n;* **bathing-cap** *s* Badehaube *f;* **bathing-costume** *s* Badeanzug *m;* **bathing-trunks** *s pl* Badehose *f*

bath•robe ['bɑ:θrəʊb] *s* Bademantel *m;* **bath•room** ['bɑ:θru:m] *s* Badezimmer *n;* **bath towel** *s* Badetuch *n;* **bath•tub** ['bɑ:θtʌb] *s* Badewanne *f*

ba•tik [bə'ti:k] *s* (*Textil*) Batik(druck) *m*

baton ['bætən] *s* **1.** Kommando-, Marschallstab *m* **2.** Taktstock *m* **3.** (SPORT) (Staffel)Stab *m*

bats•man ['bætsmən] <*pl* -men> *s* (SPORT) Schlagmann *m*

bat•tal•ion [bə'tælɪən] *s* (MIL) Bataillon *n*

bat•ten ['bætn] **I.** *s* Leiste, Latte *f* **II.** *tr* (~ *down*) mit Brettern verstärken **III.** *itr:* **~ on** schmarotzen bei

bat•ter ['bætə(r)] **I.** *tr, itr* **1.** heftig, wiederholt schlagen, verprügeln **2.** (~ *down, in*) nieder-, einschlagen **3.** trommeln (*at the door* gegen die Tür) **4.** böse zurichten **II.** *s* **1.** (*Spiel*) Schlagmann *m* **2.** Teig *m* (*aus Eiern, Milch und Mehl*); **bat•tered** ['bætəd] *adj* **1.** stark mitgenommen, abgenutzt **2.** (*fig*) ausgemergelt, abgezehrt; misshandelt; **~ babies** misshandelte Kinder *npl;* **~ wives** verprügelte Frauen *fpl;* **bat•ter•ing** ['bætərɪŋ] *s* Schläge *mpl;* **child ~** Kindesmisshandlung *f;* **battering ram** ['bætəriŋræm] *s* (HIST) Sturmbock *m*

bat•tery ['bætərɪ] *s* **1.** (MIL EL) Batterie *f* **2.** Reihe, Serie *f* **3.** (JUR) tätlicher Angriff; Tätlichkeiten *fpl* **4.** (AGR) Legebatterie *f;* **battery charger** *s* (EL) Ladegerät *n;* **battery hen** *s* (AGR) Batteriehuhn *n;* **battery powered** *adj* batteriebetrieben

bat•ting ['bætɪŋ] *s* **1.** (Baumwoll)Watte *f* **2.** (SPORT) Schlagen *n*

battle ['bætl] **I.** *s* **1.** Schlacht *f* (*of* bei), Gefecht *n* (*for* um) **2.** (*fig*) Kampf *m* (*for* um); **give** [*o* **offer**] **~** sich zum Kampf stellen **II.** *itr* sich schlagen, kämpfen, streiten (*for* um, *with* mit); **battle-axe** *s* **1.** Streitaxt *f* **2.** Hausdrachen *m;* **battle-cry** *s* Schlachtruf *m;* **battle•dress** ['bætldres] *s* Kampfanzug *m;* **battle•field**, **battle•ground** ['bætlfi:ld, 'bætlgraʊnd] *s* Schlachtfeld *n;* **battle•ments** [-mənts] *s pl* (ARCH MIL HIST) Zinnen *fpl;* **battle•ship** ['bætlʃɪp] *s* Schlachtschiff *n*

baulk [bɔ:k] *s.* **balk**

baux•ite ['bɔ:ksaɪt] *s* (MIN) Bauxit *m*

bawdy ['bɔ:dɪ] *adj* derb, obszön

bawl [bɔ:l] **I.** *tr* (~ *out*) herausschreien, brüllen **II.** *itr* brüllen, grölen; anschreien (*at s.o.* jdn)

bay[1] [beɪ] *s* Lorbeer(baum) *m;* **bay•leaf** *s* Lorbeerblatt *n*

bay[2] [beɪ] *s* Bucht, Bai *f*

bay[3] [beɪ] *s* **1.** Erker *m* **2.** (RAIL) Abstellgleis *n* **3.** (AERO) Schacht *m*

bay[4] [beɪ] **I.** *s* Bellen *n;* **at ~** (*Wild*) gestellt;

(*fig*) ohne Ausweg; **hold** [*o* **keep**] **at** ~ in Schach halten **II.** *itr* bellen

bay⁵ [beɪ] *adj* (*Pferd*) rotbraun

bay·onet ['beɪənɪt] *s* Bajonett, Seitengewehr *n*

bay win·dow [ˌbeɪ'wɪndəʊ] *s* Erkerfenster *n*

ba·zaar [bə'zɑː(r)] *s* **1.** Basar *m* **2.** Kaufhaus *n* **3.** (Wohltätigkeits)Basar *m*

be [biː] <*irr:* am, are, is, are, being, was, were, been> *aux, itr* **1.** sein, existieren, leben, vorhanden sein; sich befinden **2.** (*Zustand*) herrschen; bleiben **3.** (*beruflich*) sein; (*in Zukunft*) werden **4.** stattfinden, geschehen, sich ereignen **5.** gehören **6.** betragen, ausmachen; kosten **7.** bedeuten; gelten (*to s.o.* jdm) **8.** müssen, sollen (*to do* tun); (*verneint*) nicht dürfen **9.** (*Passiv*) werden; ~ **about** in der Nähe sein; ~ **about to do s.th.** im Begriff sein, etw zu tun; ~ **after s.th.** hinter etw her sein; ~ **at s.th.** bei, an etw sein; ~ **at s.o.** an jdm herumnörgeln; ~ **behind** im Rückstand, zu spät dran sein; ~ **by s.o.** jdm zur Seite stehen; ~ **doing** gerade tun; ~ **down** schlecht dran sein; niedergeschlagen sein; ~ **for** eintreten für; (MAR) bestimmt sein nach; ~ **in** zu Hause sein; (PARL) e-n Sitz im Parlament haben; (*fig*) am Ruder sein; ~ **in for** sich beteiligen an; zu erwarten haben; ~ **long** viel Zeit brauchen; ~ **off** weggehen; ~ **on to s.o.** jdm auf die Schliche gekommen sein; ~ **out** nicht zu Hause sein; (PARL) seinen Sitz im Parlament verlieren; Unrecht haben, auf dem Holzweg sein; ~ **out for s.th.** auf der Suche nach etw sein; ~ **up** aufgestanden sein, auf sein; ~ **up to s.o.** jds Aufgabe sein; ~ **up to s.th.** etw im Schilde führen; etw bewältigen können; **it is me** das bin ich; **as it is** wie die Dinge liegen; **here you are!** siehst du! sehen Sie!; **how is he?** wie geht es ihm?; **how is it that ...?** wie kommt es, dass ...?; **how much will that ~?** wie viel macht das?; **let it ~!** lass sein!; **that is his** das gehört ihm; **that is to say** das heißt; **there is/there are ...** es gibt ...; **there you are!** da haben Sie's!; da sind Sie ja!; **when is that to ~?** wann soll das sein?; ~ **that as it may!** wie dem auch sei!; ~ **off with you!** fort mit dir/euch! raus!; **his wife to** ~ seine Zukünftige

beach [biːtʃ] **I.** *s* Strand *m* **II.** *tr* (*Schiff*) auf den Strand setzen; **beach·comber** ['biːtʃkəʊmə(r)] *s* **1.** Strandwelle *f* **2.** (*fam*) Strandgutsammler(in) *m(f)*; **beach-head** ['biːtʃhed] *s* (MIL) Landekopf *m*; **beach·wear** ['biːtʃweə(r)] *s* Strandkleidung *f*

bea·con ['biːkən] *s* **1.** Leuchtfeuer, Lichtsignal *n* **2.** (AERO MAR) Bake *f* **3.** Verkehrs-, Warnsignal *n*

bead [biːd] *s* **1.** Perle *f* **2.** Tropfen *m*; **say** [*o* **tell**] **one's ~s** den Rosenkranz beten; **bead·ing** ['biːdɪŋ] *s* Perlschnur *f*; Perlstab *m*; **beady** ['biːdɪ] *adj:* ~ **eyes** Kulleraugen *npl*; **cast one's ~ eyes on s.th.** sich etw (gut) ansehen

beak [biːk] *s* **1.** Schnabel *m* **2.** (*sl*) Kadi *m*

beaker ['biːkə(r)] *s* Becherglas *n*

beam [biːm] **I.** *s* **1.** Balken *m* **2.** (~ *of balance*) Waagebalken *m* **3.** (*Schiff*) Deck-, Querbalken *m* **4.** (MAR AERO) (größte) Breite *f* **5.** (~ *of light*) (Licht)Strahl *m* **6.** (RADIO) Leit-, Richtstrahl *m* **7.** (*fig*) strahlender Blick; **off** ~ vom Kurs abgekommen; **on** ~ auf Kurs; **be on one's ~-ends** (*fig*) aus dem letzten Loch pfeifen; **broad in the** ~ breit gebaut (*Mensch*) **II.** *tr* (TV) ausstrahlen, senden **III.** *itr* (übers ganze Gesicht) strahlen (*with joy* vor Freude); **beam·ing** ['-ɪŋ] *adj* (*Mensch*) strahlend (*with* vor)

bean [biːn] *s* **1.** Bohne *f* **2.** (*sl*) Birne *f*; **spill the ~s** (*fam*) nicht dichthalten; **I haven't a ~** (*fam*) ich bin (völlig) abgebrannt; **full of ~s** in guter Laune, übermütig; **bean-feast** *s* Festessen *n*; **bean sprout** *s* Sojasprosse *f*, Sojabohnenkeim *m*

bear¹ [beə(r)] **I.** *s* **1.** Bär *m* **2.** (*fig*) (grober) Klotz *m* **3.** (COM) Baissespekulant(in) *m(f)* **II.** *itr* auf Baisse spekulieren

bear² [beə(r)] <*irr:* bore, borne> **I.** *tr* **1.** tragen; (*Namen, Waffe*) führen, tragen; (*Zeichen*) tragen **2.** (*Amt*) ausüben, innehaben **3.** (*Gefühl*) hegen (*against* gegen) **4.** (*Frucht*) tragen, (hervor)bringen; (*Zinsen, Geld*) (ein)bringen, eintragen **5.** (*fig*) (v)ertragen, aushalten, erdulden, leiden **6.** ertragen, dulden, zulassen, gestatten **7.** (*Menschen*) ausstehen, leiden (können); ~ **comparison** e-m Vergleich standhalten (*with* mit); ~ **s.o. a grudge** jdm grollen, jdm böse sein; ~ **s.o. in mind** an jdn denken; ~ **s.th. in mind** etw berücksichtigen; ~ **s.o. out** jds Aussagen bestätigen; ~ (a) **resemblance to** gleichen *dat*, ähneln, ähnlich sein *dat*; ~ **witness** Zeugnis ablegen (*to* für) **II.** *itr* **1.** sich wenden, sich halten (*to the right* nach rechts, rechts), eine Richtung einschlagen (*to* nach) **2.** sich stützen; sich drücken **3.** (*fig*) lasten (*on* auf) **4.** e-n Einfluss haben (*on* auf); sich beziehen (*on* auf); **bring pressure to** ~ Druck ausüben (*on* auf); **bear down** *itr* sich stürzen, losgehen (*on* auf); (*fig*) belasten (*on s.o.* jdn); **bear off** *tr* davontragen; entfernen; (*fig*) gewinnen; **bear up** *itr* sich tapfer zeigen; standhaft bleiben; **bear upon** *itr* Bezug haben auf; Bedeutung haben für; **bear with** *itr* Geduld haben mit

bear•able ['beərəbl] *adj* erträglich

beard [bɪəd] *s* Bart *m;* **bearded** ['-ɪd] *adj* bärtig; **beard•less** ['-lɪs] *adj* bartlos

bearer ['beərə(r)] *s* **1.** Träger(in) *m(f)* **2.** (COM) Überbringer(in) *m(f)*

bear•ing ['beərɪŋ] *s* **1.** Ertragen, Dulden, Aushalten *n* **2.** Verhalten, Auftreten, Benehmen *n* **3.** Bezeichnung *f,* Bezug *m* (*on* auf) **4.** Tragweite *f;* Wirkung *f;* Einfluss *m* (*on* auf) **5.** ~**s** Lage *f;* Kompasskurs *m* **6.** (TECH) Lager(ung *f*) *n;* **beyond** [*o* **past**] **all** ~ unerträglich; **have a** ~ **upon** von Bedeutung sein für, Einfluss haben auf; **have lost one's** ~**s** sich verlaufen haben; (*fig*) nicht mehr aus noch ein wissen; **take one's** ~**s** sich orientieren

bear•skin ['beəskɪn] *s* Bärenfellmütze *f*

beast [bi:st] *s* **1.** (wildes) Tier *n* **2.** (*fig*) Biest *n;* **beast•ly** ['-lɪ] *adj* **1.** (*fig*) viehisch **2.** (*fam*) grässlich, abscheulich

beat [bi:t] <*irr:* beat, beat(en)> **I.** *tr* **1.** schlagen; (*Pfad*) trampeln; (*Weg*) bahnen; (*Teppich*) klopfen; (*Regen*) peitschen (*against the trees* gegen die Bäume), schlagen (*the windows* an die Fenster); (*Eier, Feind*) schlagen **2.** (*Wild*) aufstöbern **3.** (*den Takt*) schlagen **4.** hauen, verhauen, prügeln; (*fam*) verdreschen **5.** (*Gegend*) absuchen **6.** (MIL SPORT) schlagen, besiegen; ~ **s.th. into s.o.** jdm etw einbläuen; ~ **s.o. to s.th.** jdm bei etw zuvorkommen; ~ **a retreat** das Weite suchen; ~ **time** den Takt schlagen; ~ **it!** hau ab! **II.** *itr* **1.** schlagen (*on* an, gegen), klopfen (*a. Herz*), pochen (*at* an) **2.** stürmen, tosen **3.** (*Regen*) prasseln, klatschen (*on* an, auf) **4.** (MAR) lavieren, kreuzen **III.** *s* **1.** Schlag(en *n*) *m;* Klopfen, Pochen *n* **2.** (Herz)Schlag *m* **3.** Takt *m* **4.** (~ *music*) Beat *m* **5.** Rundgang *m;* Runde *f;* (Jagd)Revier *n* **IV.** *adj* (*sl*) ausgepumpt, geschafft, fertig; **dead** ~ (*fam: Mensch*) völlig erledigt, total kaputt; **beat about, beat around** *itr* um sich schlagen; ~ **about the bush** wie die Katze um den heißen Brei herumschleichen; **beat back** *tr* zurückschlagen; **beat down** *tr* ein-, niederschlagen; (*Preis*) drücken; **beat in** *tr* (*Tür, Wand*) einschlagen, -stoßen; **beat off** *tr* abwehren; **beat up** *tr* (*Küche*) kräftig verrühren; (*Menschen*) verdreschen

beaten ['bi:tn] **I.** *pp of* **beat II.** *adj* **1.** geschlagen **2.** (*Weg*) ausgetreten **3.** (*fig*) geschlagen; **off the** ~ **track** (*fig*) weit abgelegen; **beater** ['bi:tə(r)] *s* **1.** Schläger, Klopfer *m* **2.** (*Jagd*) Treiber(in) *m(f)*

bea•tif•ic [bɪə'tɪfɪk] *adj* (glück)selig; **beati•fi•ca•tion** [bɪˌætɪfɪ'keɪʃn] *s* (REL) Seligsprechung *f;* **be•atify** [bɪ'ætɪfaɪ] *tr* (REL) seligsprechen

beat•ing ['bi:tɪŋ] *s* Schlagen *n;* Prügel *pl;* **give s.o. a good** ~ jdm e-e tüchtige Tracht Prügel geben

beat•nik ['bi:tnɪk] *s* Beatnik *m*

beau•tician [bju:'tɪʃn] *s* Kosmetiker(in) *m(f);* **beau•ti•ful** ['bju:tɪfl] *adj* schön; herrlich, wundervoll; **beau•tify** ['bju:tɪfaɪ] *tr* verschönern; **beauty** ['bju:tɪ] *s* **1.** Schönheit *f* **2.** Prachtexemplar *n;* **a** ~ etw Schönes; ~ **is only skin-deep** der äußere Schein kann trügen; **Sleeping B**~ Dornröschen *n;* **beauty contest** *s* Schönheitswettbewerb *m;* **beauty parlo(u)r, beauty salon** *s* Schönheitssalon *m;* **beauty-spot** *s* Schönheitspflästerchen *n;* schöne Gegend

bea•ver ['bi:və(r)] *s* (ZOO) Biber *m;* **eager** ~ Streber(in) *m(f),* Enthusiast(in) *m(f)*

be•calmed [bɪ'kɑ:md] *adj:* **be** ~ (*Schiff*) in e-e Flaute geraten sein

be•came [bɪ'keɪm] *s.* **become**

be•cause [bɪ'kɒz] **I.** *conj* weil, da **II.** *prep:* ~ **of** wegen, infolge *+gen;* ~ **of her/him** ihret-/seinetwegen

beck [bek] *s:* **be at s.o.'s** ~ **and call** nach jds Pfeife tanzen

beckon ['bekən] *tr* (zu)winken (*s.o.* jdm)

be•come [bɪ'kʌm] <*irr:* became, become> **I.** *itr* werden **II.** *tr* **1.** (gut) stehen (*s.o.* jdm), kleiden, passen (*s.o.* jdm) **2.** sich schicken für; **be•com•ing** [-ɪŋ] *adj* kleidsam; **be** ~ **to s.o.** jdm sehr gut stehen; sich für jdn schicken

bec•querel ['bekərel] *s* Becquerel *n*

bed [bed] **I.** *s* **1.** Bett *n* **2.** (Blumen)Beet *n* **3.** (*river* ~) Flussbett *n;* Meeresboden *m* **4.** (TECH) Unterbau *m,* -lage *f;* **get out of** ~ aufstehen; **go to** ~ zu Bett, schlafen gehen; **put to** ~ zu Bett bringen; **take to one's** ~ sich ins Bett legen (müssen); **double** ~ Doppelbett *n* **II.** *tr* setzen, pflanzen; **bed down** *tr* das Bett machen für; **bed in** *tr* einbetten; **bed and breakfast** *s* Zimmer *n* mit Frühstück

be•daubed [bɪ'dɔ:bd] *adj* beschmiert (*with* mit)

bed-clothes ['bedkləʊðz] *s pl* Bettwäsche *f,* -zeug *n;* **bed•ding** ['bedɪŋ] *s* **1.** Bettzeug *n,* -wäsche *f* **2.** Streu *f*

be•deck [bɪ'dek] *tr* schmücken, zieren

be•dev•il [bɪ'devl] *tr:* **be** ~**(l)ed** durcheinander gebracht, gestört sein

bed-fellow ['bedˌfeləʊ] *s* Schlafkamerad(in) *m(f);* (*fig*) Freund(in) *m(f)*

bed•lam ['bedləm] *s* (*fig*) Tollhaus, Chaos *n*

bed•linen ['bedˌlɪnɪn] *s* Bettwäsche *f*

Bed•ouin ['bedʊɪn] **I.** *s* Beduine *m,* Beduinin *f* **II.** *adj* beduinisch

be•drag•gled [bɪ'drægld] *adj* beschmutzt

bed•ridden ['bed,rɪdn] *adj* bettlägerig; **bed-rock** ['bedrɒk] *s* **1.** (GEOL) gewachsener Fels **2.** (*fig*) Grundlage *f;* **bed•room** ['bedrʊm] *s* Schlafzimmer *n;* **bed•side** ['bedsaɪd] *s:* **have a good ~ manner** (*Arzt*) gut mit Kranken umzugehen verstehen; **sit at s.o.'s ~** an jds Bett sitzen; **bedside lamp** *s* Nacht(tisch)lampe *f;* **bedside rug** *s* Bettvorleger *m;* **bedside table** *s* Nachttisch *m;* **bed•sit•ting-room**, **bed•sit•ter** [ˌbed'sɪtɪŋrʊm, ˌbed'sɪtə(r)] *s* Wohn-Schlaf-Zimmer *n;* möbliertes Zimmer; **bed•sore** ['bedsɔ:(r)] *s* wundgelegene Stelle; **bed•spread** ['bedspred] *s* Tagesdecke *f;* **bed•stead** ['bedsted] *s* Bettgestell *n;* **bed•time** ['bedtaɪm] *s* Schlafenszeit *f*

bee [bi:] *s* **1.** Biene *f* **2.** (*Am*) Zirkel *m,* Kränzchen *n;* **busy as a ~** fleißig wie e-e Biene; **have a ~ in one's bonnet** e-n Tick haben; **queen ~** Bienenkönigin *f*

Beeb [bi:b] *s* (*fam*) BBC *f*

beech [bi:tʃ] *s* Buche(nholz *n*) *f;* **beech-nut** ['bi:tʃnʌt] *s* Buchecker *f*

beef [bi:f, *pl* bi:vz] <*pl* beeves> **I.** *s* **1.** Rindfleisch *n* **2.** (*fam: Mensch*) (Muskel)Kraft *f* **II.** *itr* (*sl*) meckern (*about* über); **beef•cake** ['bi:fkeɪk] *s* (*sl*) leichtbekleidete Männer (*bes. in Zeitschriften*); **beef-eater** ['bi:fˌi:tə(r)] *s* Tower-Wärter *m;* **beef•steak** [ˌbi:f'steɪk] *s* Beefsteak *n;* **beef(steak) tomato** *s* Fleischtomate *f;* **beefy** ['bi:fɪ] *adj* fleischig

bee•hive ['bi:haɪv] *s* Bienenstock *m;* **bee-keeper** ['bi:ˌki:pə(r)] *s* Imker(in) *m(f),* Bienenzüchter(in) *m(f);* **bee-line** *s:* **make a ~ for** gerade(wegs) zugehen auf

been [bi:n] *s.* **be**

beer [bɪə(r)] *s* Bier *n;* **beery** ['bɪərɪ] *adj* in Bierlaune, bierselig

bees•wax ['bi:zwæks] *s* Bienenwachs *n*

beet [bi:t] *s* Rübe *f;* **red ~** rote Rübe, Bete; **sugar ~** Zuckerrübe *f*

beetle[1] ['bi:tl] *s* Ramme *f;* Stampfer *m*

beetle[2] ['bi:tl] **I.** *s* Käfer *m* **II.** *itr* überhängen, hervorragen, überstehen; **~ off** abschwirren, abziehen; **beetle-browed** ['bi:tlˌbraʊd] *adj* mit buschigen Augenbrauen

beet•root ['bi:tru:t] *s* rote Bete; **beet sugar** *s* Rübenzucker *m*

be•fall [bɪ'fɔ:l] *irr tr* widerfahren (*s.o.* jdm); **what has befallen him?** was ist ihm zugestoßen?

be•fit [bɪ'fɪt] *tr* angebracht, passend sein (*the occasion* für die Gelegenheit); **be•fit-ting** [-ɪŋ] *adj* angemessen, schicklich

be•fore [bɪ'fɔ:(r)] **I.** *prep* (*zeitlich, räumlich*) vor; **the day ~ yesterday** vorgestern; **~ long** bald, in Bälde; **business ~ pleasure** (*prov*) erst die Arbeit, dann das Vergnügen **II.** *adv* vorn; voran; voraus; (*zeitlich*) (schon) früher, vorher, zuvor; ehemals; **the day ~** am Tag vorher; **long ~** lange vorher, viel früher **III.** *conj* bevor, eher; ehe; **be-fore•hand** [bɪ'fɔ:hænd] *adv* im Voraus, (schon) vorher

be•friend [bɪ'frend] *tr* als Freund behandeln; helfen, unterstützen

beg [beg] **I.** *tr* erbitten; bitten um; **~ a favour of s.o.** jdn um etw bitten; **~ leave to** um Erlaubnis bitten zu; **I ~ your pardon** Verzeihung! wie bitte?; **we ~ to inform you** wir gestatten uns Ihnen mitzuteilen **II.** *itr* **1.** bitten (*for* um) **2.** betteln (gehen) (*for* um); **it is going ~ging** es ist noch zu haben

be•gan [bɪ'gæn] *s.* **begin**

be•get [bɪ'get] <*irr:* begot, begot(ten)> *tr* (er)zeugen, hervorbringen

beg•gar ['begə(r)] **I.** *s* **1.** Bettler(in) *m(f)* **2.** (*fam*) Bürschchen *n,* Kerl(chen *n*) *m* **II.** *tr* an den Bettelstab bringen, ruinieren; **beg•gar•ly** ['begəlɪ] *adj* ärmlich, arm(selig); (*a. fig*) dürftig

be•gin [bɪ'gɪn] <*irr:* began, begun> **I.** *tr* beginnen, anfangen; starten **II.** *itr* **1.** seinen Anfang nehmen; entstehen; beginnen **2.** ausgehen (*at* von); **~ again** (wieder) von vorn anfangen; **to ~ with** erstens; zunächst; **he began by saying ...** zuerst sagte er ...; **be•gin•ner** [bɪ'gɪnə(r)] *s* Anfänger(in) *m(f);* **be•gin•ning** [-ɪŋ] *s* **1.** Beginn *m;* Anfang *m* **2.** Ausgangspunkt, Ursprung *m;* **at the very ~** ganz am Anfang; **from the ~** von Anfang an; **from ~ to end** von Anfang bis Ende; **in the ~** anfangs, am Anfang

be•gonia [bɪ'gəʊnɪə] *s* (BOT) Begonie *f*

be•got, **be•got•ten** [bɪ'gɒt, bɪ'gɒtn] *s.* **beget**

be•grudge [bɪ'grʌdʒ] *tr* beneiden (*s.o. s.th.* jdn um etw); nicht gönnen (*s.o. s.th.* jdm etw); **~ doing s.th.** etw widerwillig tun

be•guile [bɪ'gaɪl] *tr* **1.** täuschen, betrügen **2.** verführen, verleiten (*into doing s.th.* etw zu tun) **3.** (*Zeit*) vertreiben

be•gun [bɪ'gʌn] *s.* **begin**

be•half [bɪ'hɑ:f] *s:* **on ~ of** im Interesse, zu Gunsten, im Sinne von; für; im Namen von

be•have [bɪ'heɪv] **I.** *itr* **1.** sich betragen, sich (gut) benehmen **2.** (*Sache*) gehen, laufen, funktionieren; **he doesn't know how to ~** er weiß sich nicht zu benehmen **II.** *refl* sich benehmen; **~ yourself!** benimm dich!; **be•hav•ior** *s* (*Am*), **be•hav-iour** [bɪ'heɪvɪə(r)] *s* Verhalten, Betragen, Benehmen *n* (*to, towards* gegen); **be on one's best ~** sich von seiner besten Seite zeigen; **be•hav•iour•ism** [-ɪzəm] *s* Behaviorismus *m* (*psychol. Richtung*); **behaviour pattern** *s* Verhaltensweise *f*

be•head [bɪ'hed] *tr* enthaupten

be•hind [bɪ'haɪnd] **I.** *prep* hinter (*a. zeitlich, Reihenfolge*); (*Rangfolge*) unter; **he has s.o. ~ him** hinter ihm steht jem; **who's ~ that scheme?** wer steckt hinter dem Plan?; **~ time** zu spät; **be ~ the times** hinter seiner Zeit zurück sein **II.** *adv* hinten; nach hinten, zurück; dahinter; (*a. fig*) hinterher; rückständig (*with, in* mit); **be ~ in** [*o* **with**] **s.th.** mit e-r Sache im Rückstand sein; **fall ~** zurückbleiben; **my watch is ten minutes ~** meine Uhr geht zehn Minuten nach **III.** *s* (*fam*) Hintern *m;* **be•hind•hand** [bɪ'haɪndhænd] *adv* zurück, im Rückstand (*with* mit)

beige [beɪʒ] *adj* beige

be•ing ['bi:ɪŋ] **I.** *ppr of* **be II.** *s* **1.** Dasein *n* **2.** Wesen *n,* Natur *f;* Existenz *f* **3.** (Lebe)Wesen, Geschöpf *n;* **in ~** existierend, vorhanden; **this ~ so ...** da dies (nun einmal) so ist ...; **the time ~** zum gegenwärtigen Zeitpunkt; zur Zeit; **for the time ~** einstweilen; **come into ~** entstehen

Be•la•rus [ˌbelə'rʌs] *s* Weißrussland *n;* **Be•la•rus•sian** [ˌbelə'rʌʃn] **I.** *adj* weißrussisch **II.** *s* Weißrusse *m;* -russin *f*

be•lated [bɪ'leɪtɪd] *adj* verspätet

belch [beltʃ] **I.** *itr* rülpsen, aufstoßen **II.** *tr* von sich geben, ausstoßen, auswerfen **III.** *s* **1.** Aufstoßen *n* **2.** (*Vulkan*) Ausbruch *m*

be•leaguer [bɪ'li:gə(r)] *tr* belagern

bel•fry ['belfrɪ] *s* Glockenturm *m*

Bel•gian ['beldʒən] **I.** *s* Belgier(in) *m(f)* **II.** *adj* belgisch; **Bel•gium** ['beldʒəm] *s* Belgien *n*

be•lie [bɪ'laɪ] *tr* **1.** belügen, hintergehen **2.** Lügen strafen

be•lief [bɪ'li:f] *s* **1.** (*a.* REL) Glaube(n) *m* (*in* an), Vertrauen *n* (*in* zu), Zuversicht *f* **2.** Meinung, Überzeugung *f;* **beyond** [*o* **past**] **all ~** unglaublich; **to the best of one's ~** nach bestem Wissen u. Gewissen; **be•liev•able** [bɪ'li:vəbl] *adj* glaubhaft, glaubwürdig; **be•lieve** [bɪ'li:v] **I.** *itr* **1.** glauben (*in* an), vertrauen (*in* auf), überzeugt sein (*in* von) **2.** der Meinung sein (*that* dass); **~ in** Vertrauen haben zu; **I ~ so** ich glaube Ja; **I ~ not** ich glaube Nein **II.** *tr* **1.** glauben **2.** denken, meinen **3.** halten für; **would you ~ it!** hätten Sie das für möglich gehalten!; **be•liever** [bɪ'li:və(r)] *s* (REL) Gläubige(r) *f m;* **he is a great ~** er glaubt fest (*in* an)

be•little [bɪ'lɪtl] *tr* herabsetzen, -würdigen, schmälern

bell [bel] *s* **1.** Glocke *f;* Schelle, Klingel *f* **2.** Läuten *n* **3.** (Blüten)Kelch *m* **4.** (MAR) Schiffsglocke *f;* **answer the ~** die (Haus)Tür öffnen; **this rings a ~** das kommt mir bekannt vor; **sound as a ~** gesund u. munter

bella•donna [ˌbelədɒnə] *s* (BOT) Tollkirsche *f*

bell•boy ['belbɔɪ] *s* Page *m;* **bell-flower** *s* Glockenblume *f*

bel•li•cose ['belɪkəʊs] *adj* kriegerisch

bel•liger•ent [bɪ'lɪdʒərənt] *adj* kriegführend; (*Mensch*) aggressiv

bel•low ['beləʊ] **I.** *itr* brüllen; (*vor Schmerz*) heulen **II.** *s* Gebrüll *n*

bel•lows ['beləʊz] *s pl* Blasebalg *m*

bell-push ['belpʊʃ] *s* Klingelknopf *m*

belly ['belɪ] *s* **1.** Bauch *m* **2.** Magen *m;* Unterleib *m* **3.** Ausbauchung *f;* **belly•ache I.** *s* Leibschmerzen *mpl;* (*fam*) Bauchweh *n* **II.** *itr* mächtig jammern, klagen; **belly button** *s* (*fam*) Bauchnabel *m;* **belly dancer** *s* Bauchtänzerin *f;* **belly landing** *s* Bauchlandung *f*

be•long [bɪ'lɒŋ] *itr* **1.** gehören (*to s.o.* jdm) **2.** (*e-r Gemeinschaft*) angehören (*to dat*), dazugehören **3.** zukommen, gebühren (*to s.o.* jdm); **~ here** hergehören, am rechten Platz sein; **I ~ here** ich bin von hier; **where does that ~?** wohin gehört das?; **be•long•ings** [-ɪŋz] *s pl* Eigentum *n,* Habe *f,* Sachen *fpl;* **my ~** meine Habseligkeiten *fpl*

be•loved [bɪ'lʌvɪd] **I.** *adj* (innig) geliebt, (heiß) geliebt (*of, by* von) **II.** *s* Geliebte(r) *f m,* Liebling *m*

be•low [bɪ'ləʊ] **I.** *prep* (*Ort, Rang, Wert*) unter; unterhalb *+gen,* niedriger; geringer; **~ him** unter seiner Würde; **~ the mark** von geringer Qualität **II.** *adv* unten; nach unten, abwärts; hinunter, hinab; niedriger im Rang; **see ~** siehe unten; **go ~** unter Deck gehen

belt [belt] **I.** *s* **1.** Gürtel *m;* Riemen *m;* Gurt *m* **2.** (SPORT) Gürtellinie *f* **3.** Zone *f,* (Anbau)Gebiet *n* **4.** (TECH) Treibriemen *m;* **below the ~** unter der Gürtellinie; (*fig*) unfair; **hit s.o. below the ~** jdm e-n Tiefschlag versetzen; **tighten one's ~** (*a. fig*) den Gürtel enger schnallen; **fasten your seat ~s!** anschnallen!; **green ~** Grüngürtel *m* (*e-r Stadt*); **safety ~** Sicherheitsgurt *m* **II.** *tr* **1.** um-, anschnallen **2.** verdreschen, verprügeln; **belt out** *tr* (*fam*) schmettern; **belt up** *itr* (*sl*) die Klappe halten

belter ['beltə(r)] *s* (*sl*) stimmungsvolles Lied

be•moan [bɪ'məʊn] *tr* beklagen, bedauern

be•mused [bɪ'mju:zd] *adj* verwirrt

bench [bentʃ] *s* **1.** (Sitz)Bank *f* **2.** Richteramt *n,* Richter *mpl,* Gericht *n* **3.** Werkbank *f;* **be on the ~** Richter sein; (SPORT) auf der Reservebank sein; **be raised to the ~** zum Richter bestellt werden; **carpenter's ~** Hobelbank *f;* **bench test** *s* Test *m* auf dem Prüfstand

bend [bend] <*irr:* bent, bent> **I.** *tr* **1.** biegen, beugen, knicken, krümmen; abbiegen (*from* von); (*Bogen*) spannen; (*Kopf*) wenden (*towards us* uns zu) **2.** unterwerfen (*s.o. to one's will* jdn seinem Willen); ~ **s.th. out of shape** etwas verbiegen; ~ **the law** das Gesetz beugen **II.** *itr* **1.** sich biegen, sich beugen, sich neigen; sich krümmen **2.** (*fig*) sich unterwerfen **3.** (*Fluss, Straße, Bahn*) e-e Biegung machen **III.** *s* Biegung, Krümmung *f;* Kurve *f;* **round the** ~ (*fam*) verrückt; **bend back** *itr* sich zurückbiegen; **bend down** *itr* sich bücken; **bended** ['bendɪd] *adj* gebeugt; **on one's** ~ **knees** kniefällig

be•neath [bɪ'ni:θ] **I.** *prep* (*Ort und Rang*) unter, unterhalb; **that's** ~ **him** das ist unter seiner Würde **II.** *adv* (weiter) unten, tiefer

bene•dic•tion [ˌbenɪ'dɪkʃn] *s* Segen(sspruch) *m;* Segnung *f*

bene•fac•tion [ˌbenɪ'fækʃn] *s* **1.** Wohltat *f* **2.** (Geld)Spende *f;* **bene•fac•tor, bene•fac•tress** ['benɪfæktə(r), -trɪs] *s* Wohltäter(in) *m(f),* Förderer *m,* Förderin *f*

be•nefi•cence [bɪ'nefɪsns] *s* Mildtätigkeit, Wohltätigkeit *f;* **be•nefi•cent** [bɪ'nefɪsnt] *adj* wohltätig

bene•fi•cial [ˌbenɪ'fɪʃl] *adj* **1.** nützlich; wohltuend, gesund **2.** (JUR) nutznießend; **bene•fi•ci•ary** [ˌbenɪ'fɪʃərɪ] *s* (JUR) Begünstigte(r) *f m,* Nutznießer(in) *m(f)*

bene•fit ['benɪfɪt] **I.** *s* **1.** Wohltat *f;* Gunst *f;* Hilfe *f* **2.** Nutzen, Vorteil, Gewinn *m* **3.** (*finanziell*) Unterstützung, Beihilfe *f* **4.** (THEAT) Benefizvorstellung *f;* **for the** ~ **of** zum Nutzen von; **for the public** ~ im öffentlichen Interesse; **sickness** ~ Krankengeld *n;* **unemployment** ~ Arbeitslosengeld *n* **II.** *tr* gut tun, nützen (*s.o.* jdm) **III.** *itr* Nutzen ziehen (*by* aus), begünstigt sein (*by* durch)

ben•ev•ol•ence [bɪ'nevələns] *s* Güte *f;* Wohltätigkeit *f;* **ben•ev•ol•ent** [bɪ'nevələnt] *adj* wohlwollend; wohltätig, hilfsbereit; ~ **fund** Unterstützungsfonds *m*

be•nign [bɪ'naɪn] *adj* **1.** gütig, hilfsbereit, gefällig **2.** (*Klima*) mild, gesund **3.** (MED) gutartig

bent [bent] **I.** *pt, pp of* **bend II.** *s* (*fig*) Neigung *f,* Hang *m;* Begabung *f* (*for* zu, für); **follow one's** ~ seinen Neigungen nachgehen **III.** *adj* versessen (*on* auf); **be** ~ **on doing s.th.** entschlossen sein etw zu tun

be•numbed [bɪ'nʌmd] *adj* **1.** steif(gefroren), starr, erstarrt (*with cold* vor Kälte) **2.** (*fig*) benommen, wie gelähmt

ben•zene ['benzi:n] *s* (CHEM) Benzol *n;* **ben•zine** ['benzi:n] *s* Benzin *n* (*bes. Reinigungsmittel*)

be•queath [bɪ'kwi:ð] *tr* vererben; **be•quest** [bɪ'kwest] *s* Hinterlassenschaft *f*

be•rate [bɪ'reɪt] *tr* ausschimpfen

be•reave [bɪ'ri:v] <*irr:* bereft, bereft> *tr* **1.** berauben (*of +gen*) **2.** rauben, nehmen (*s.o. of s.o.* jdm jdn); **the** ~**d** die Hinterbliebenen *pl;* **be•reave•ment** [-mənt] *s* Trauerfall *m;* schmerzlicher Verlust

be•reft [bɪ'reft] *pt, pp of* **bereave**

beret ['bereɪ] *s* Baskenmütze *f,* Béret *n*

Ber•mu•da shorts [bɜ:'mju:dəʃɔ:ts] *s pl* Bermudashorts *pl*

berry ['berɪ] *s* (BOT) Beere *f*

ber•serk [bə'sɜ:k] *adj:* **go** ~ rabiat werden

berth [bɜ:θ] **I.** *s* **1.** (MAR) Koje *f;* (RAIL) Schlafwagenplatz *m* **2.** Liege-, Ankerplatz *m;* **give s.th. a wide** ~ e-n weiten Bogen um etw machen **II.** *itr* (*Schiff*) anlegen

be•seech [bɪ'si:tʃ] <*irr:* beseeched (besought), beseeched (besought)> *tr* (*Person*) ersuchen, anflehen (*for* um); **be•seech•ing** [-ɪŋ] *adj* flehentlich

be•set [bɪ'set] <*irr:* beset, beset> *tr* bedrängen, heimsuchen; ~ **with difficulties** mit Schwierigkeiten überhäuft; **be•set•ting** [-ɪŋ] *adj:* ~ **sin** Gewohnheitslaster *n*

be•side [bɪ'saɪd] *prep* **1.** (*örtlich*) neben, (nahe) an, bei, dicht bei **2.** (*fig*) neben, verglichen mit; **be** ~ **oneself** außer sich sein; **that is** ~ **the point** [*o* **question**] das hat nichts mit der Sache zu tun

be•sides [bɪ'saɪdz] **I.** *prep* außer, neben; abgesehen von **II.** *adv* außerdem, ferner, (noch) dazu, überdies, sonst

be•siege [bɪ'si:dʒ] *tr* **1.** (MIL) belagern *a. fig* **2.** (*fig*) bestürmen (*with questions* mit Fragen)

be•smirch [bɪ'smɜ:tʃ] *tr* beschmutzen, besudeln (*meist fig*)

be•sot•ted [bɪ'sɒtɪd] *adj* **1.** betrunken, betäubt (*with* von) **2.** vernarrt (*with* in)

be•sought [bɪ'sɔ:t] *pt, pp of* **beseech**

best [best] <*Superlativ von* good, well> **I.** *adj* beste(r, s) **II.** *s:* **the** ~ der, die, das Beste **III.** *adv* am besten; am meisten **IV.** *tr* (*fam*) übertreffen, übertrumpfen **V.** (*Wendungen*): **at** ~ bestenfalls, höchstens; ~ **before date** Haltbarkeitsdatum *n;* **in one's (Sunday)** ~ im Sonntagsstaat; **to the** ~ **of one's knowledge** nach bestem Wissen; **to the** ~ **of one's power** [*o* **ability**] so gut man kann; **with the** ~ **of them** so gut wie nur einer; **be at one's** ~ ganz auf der Höhe sein; **do one's** ~ sein Bestes, Möglichstes tun; **make the** ~ **of it** das Beste aus der Sache machen; **put one's** ~ **foot forward** (*fig*) sein Bestes tun; **the** ~ **part of s.th.** das meiste von e-r S; **like** ~ am liebsten mögen; **you had** ~ **...** du würdest am besten, du solltest …

bes·tial ['bestɪəl] *adj* tierisch; unmenschlich; bestialisch; **bes·ti·al·ity** [ˌbestɪ'ælətɪ] *s* **1.** Bestialität, Brutalität *f* **2.** Perversität *f*

be·stir [bɪ'stɜ:(r)] *refl* sich rühren, sich regen

be·stow [bɪ'stəʊ] *tr* verleihen (*s.th. on s.o.* jdm etw); **be·stowal** [bɪ'stəʊəl] *s* Verleihung, Übertragung *f*

best-seller ['bestselə(r)] *s* Bestseller *m*

bet [bet] <*irr:* bet (betted), bet (betted)> **I.** *itr, tr* wetten; **I ~ five pounds on that horse** ich setze fünf Pfund auf das Pferd; **he ~ me five pounds** er wettete mit mir um fünf Pfund; **you ~!** (*fam*) aber sicher!; **you can ~ your bottom dollar** (*fam*) darauf können Sie Gift nehmen!; **I ~ you** (**ten to one**) **that …** ich wette mit Ihnen (zehn gegen eins), dass … **II.** *s* Wette *f;* Wetteinsatz *m;* **that's your best ~!** das ist Ihre beste Chance!

beta-blocker ['bi:tɜ'blɒkə(r)] *s* (MED) Betablocker *m*

beta·carot·ene [ˌbi:tə'kærəti:n] *s* Beta-Karotin *n*

be·tray [bɪ'treɪ] *tr* **1.** verraten (*to* an) **2.** (*Geheimnis*) preisgeben; (*Vertrauen*) missbrauchen; (*Versprechen*) nicht halten **3.** untreu werden (*s.o.* jdm); **~ o.s.** sich verraten; **be·trayal** [bɪ'treɪəl] *s* Verrat *m* (*of* an)

bet·ter ['betə(r)] <*Komparativ von* good, well> **I.** *adj* besser; mehr (*than* als) **II.** *s:* **the ~** der, die, das Bessere; **one's ~s** Höhergestellte *pl* **III.** *adv* besser **IV.** *tr* (ver)bessern; übertreffen; **~ o.s.** sich (beruflich) verbessern; vorwärtskommen **V.** (*Wendungen*): **for ~ for worse** in Freud u. Leid; **change for the ~** sich zum Besseren wenden; **get the ~ of s.o.** jdn übertreffen; **I am getting ~ now** es geht mir (gesundheitlich) (wieder) besser; **I know ~** da lasse ich mir nichts vormachen; **he thought ~ of it** er überlegte es sich noch einmal; **all the ~, so much the ~** um so besser; **~ off** besser dran; wohlhabender, reicher; **the sooner the ~** je eher, desto besser; **the ~ part** [*o* **half**] **of** der größere Teil +*gen,* mehr als die Hälfte; **~ and ~** immer besser; **like ~** lieber haben, vorziehen; **you had ~ go, you ~ go now** du tätest besser daran jetzt zu gehen; **you had ~ not!** das will ich dir nicht geraten haben!

bet·ter, **bet·tor** ['betə(r)] *s* Wettende(r) *f m*

bet·ter·ment ['betəmənt] *s* **1.** Verbesserung *f* **2.** (Wert)Steigerung *f,* Zuwachs *m*

bet·ting ['betɪŋ] *s* Wetten *n;* **betting office** *s* Wettbüro *n*

be·tween [bɪ'twi:n] **I.** *prep* (*zeitlich, örtlich, der Menge, dem Grad nach*) zwischen, unter; dazwischen, darunter; **far ~** in großen Abständen; **few and far ~** (*fig*) dünn gesät; **in ~** dazwischen; inmitten; **~ you and me** unter uns (gesagt) **II.** *adv* dazwischen, darunter; mittendrin

bevel ['bevl] **I.** *s* (TECH) Abschrägung *f* **II.** *tr* (*Kante*) abschrägen

bev·er·age ['bevərɪdʒ] *s* Getränk *n*

bevvy ['bevɪ] *s* **1.** (*Br fam*) (alkoholisches) Getränk *n* **2.** (*Br fam*) Saufabend *m*

be·wail [bɪ'weɪl] *tr* beklagen

be·ware [bɪ'weə(r)] *itr* (*nur im Imperativ inf*) sich in Acht nehmen; **~ what you say!** gib Acht auf das, was du sagst!; **~ of the dog!** Achtung, bissiger Hund!; **~ of pickpockets!** vor Taschendieben wird gewarnt!

be·wil·der [bɪ'wɪldə(r)] *tr* verwirren; verblüffen; **be·wil·dered** [bɪ'wɪldəd] *adj* verwirrt; verblüfft; **be·wil·der·ing** [-ɪŋ] *adj* verwirrend; verblüffend; **be·wil·der·ment** [-mənt] *s* Verwirrung *f;* Verblüffung *f*

be·witch [bɪ'wɪtʃ] *tr* bezaubern, verhexen; **be·witch·ing** [-ɪŋ] *adj* bezaubernd, hinreißend

be·yond [bɪ'jɒnd] **I.** *prep* **1.** jenseits +*gen,* über … hinaus; (*a. fig*) außerhalb +*gen,* weiter als **2.** (*örtlich*) nach **3.** (*zeitlich*) länger als (bis), später als **4.** mehr als; außer, neben; **~ belief** unglaublich; **~ control** unkontrollierbar; **~ hope** hoffnungslos; **~ imagination** unvorstellbar; **be ~ s.o.** jdn übertreffen; **live ~ one's income** über seine Verhältnisse leben; **he is ~ help** ihm ist nicht (mehr) zu helfen; **that is ~ me** das ist mir zu hoch **II.** *adv* jenseits; darüber hinaus **III.** *s:* **the ~** das Jenseits

bi- [ˌbaɪ] *prefix* Zwei-, Doppel-; **bi·an·nual** [ˌbaɪ'ænjʊəl] *adj* halbjährlich

bias ['baɪəs] **I.** *s* (*fig*) **1.** Neigung *f,* Hang *m* (*towards* zu), Vorliebe *f* (*towards* für) **2.** Voreingenommenheit *f* **II.** *adj* schräg; quer verlaufend **III.** *tr* **1.** beeinflussen, in e-e bestimmte Richtung lenken **2.** einnehmen (*towards the plan* für den Plan); **bias**(**s**)**ed** ['baɪəst] *adj* **1.** (*fig*) voreingenommen (*against* gegen) **2.** (JUR) befangen

bib [bɪb] *s* **1.** Lätzchen *n* **2.** (Schürzen)Latz *m*

Bible ['baɪbl] *s* Bibel *f;* **bib·li·cal** ['bɪblɪkl] *adj* biblisch

bib·li·ogra·pher [ˌbɪblɪ'ɒgrəfə(r)] *s* Bibliograf(in) *m(f);* **bib·li·ogra·phic**(**al**) [ˌbɪblɪɒ'græfɪk(l)] *adj* bibliografisch; **bib·li·ogra·phy** [ˌbɪblɪ'ɒgrəfɪ] *s* Bibliografie *f;* **bib·lio·phile** ['bɪblɪəfaɪl] *s* Bibliophile(r) *f m,* Bücherfreund(in) *m(f)*

bi·car·bon·ate [ˌbaɪ'kɑ:bənət] *s* (CHEM): **~ of soda** Natron *n*

bi•cen•ten•ary [ˌbaɪsen'tiːnərɪ] *s* Zweihundertjahrfeier *f*
bi•ceps ['baɪseps] *s* (ANAT) Bizeps *m*
bicker ['bɪkə(r)] *itr* (sich herum)zanken; **bicker•ing** [-ɪŋ] *s* Gezänk *n*
bi•cycle ['baɪsɪkl] *s* Fahrrad *n;* **ride a** ~ Rad fahren
bid[1] [bɪd] <*irr:* bid, bid> **I.** *tr* **1.** bieten (*for* auf) **2.** (*Kartenspiel*) reizen **II.** *itr* bieten **III.** *s* **1.** (*Auktion*) Gebot *n* **2.** Preisangebot *n* **3.** (*Karten*) Reizen *n* **4.** Versuch *m,* Bewerbung, Bemühung *f* (*for* um); **make a ~ for power** nach der Macht greifen
bid[2] [bɪd] <*irr:* bad(e), bidden> *tr* (*Gruß*) entbieten (*s.o.* jdm); ~ **s.o. farewell** jdm Lebewohl sagen
bidden ['bɪdn] *pp of* **bid**[2]
bid•der ['bɪdə(r)] *s* (*Auktion*) Bieter(in) *m(f);* **bid•ding** ['bɪdɪŋ] *s* **1.** (*Auktion*) Gebot *n* **2.** Geheiß *n,* Befehl *m*
bide [baɪd] *tr:* ~ **one's time** seine Zeit, Gelegenheit abwarten
bi•en•nial [baɪ'enɪəl] *adj* **1.** zweijährlich **2.** zweijährig
bier [bɪə(r)] *s* (Toten)Bahre *f*
bi•focals [baɪ'fəʊklz] *s pl* Bifokalbrille *f*
big [bɪg] **I.** *adj* **1.** groß, dick **2.** groß, erwachsen **3.** groß, bedeutend, wichtig **4.** großzügig, -mütig **5.** hochmütig, anmaßend; **have ~ ideas** große Pläne haben; ~ **with** voller, voll von; **the Big Apple** (*fam*) New York **II.** *adv* aufgeblasen, großspurig; **talk** ~ (*fam*) große Töne reden, spucken
big•am•ist ['bɪgəmɪst] *s* Bigamist *m;* **big•amy** ['bɪgəmɪ] *s* Bigamie *f*
big busi•ness [ˌbɪg'bɪznɪs] *s* Großkapital *n;* **big game** *s* Hochwild *n*
bigot ['bɪgət] *s* **1.** engstirniger Mensch **2.** (REL) Frömmler(in) *m(f);* **bigoted** [-ɪd] *adj* engstirnig; bigott; **bigotry** [-rɪ] *s* **1.** Engstirnigkeit *f;* Fanatismus *m* **2.** Bigotterie *f*
big pic•ture [ˌbɪg'pɪktʃə(r)] *s* (*fam*) Überblick *m*
big shot ['bɪgʃɒt] *s* (*fam*) Bonze *m;* **big top** *s* (*Zirkus*) Hauptzelt *n;* **big•wig** ['bɪgwɪg] *s* (*sl*) großes Tier
bike [baɪk] *s* (*fam*) (Fahr)Rad *n;* **bike lane** *s* Radweg *m*
bi•kini [bɪ'kiːnɪ] *s* Bikini *m*
bi•lat•eral [ˌbaɪ'lætərəl] *adj* bilateral, zweiseitig
bil•berry ['bɪlbərɪ] *s* Heidel-, Blaubeere *f*
bile [baɪl] *s* **1.** (MED) Galle *f* **2.** (*fig*) schlechte Laune
bil•har•zia [bɪl'hɑːzɪə] *s* (MED) Bilharzia, Bilharziose *f*
bi•lin•gual [baɪ'lɪŋgwəl] *adj* zweisprachig
bil•ious ['bɪlɪəs] *adj* **1.** Gallen- **2.** (*fig: Mensch*) gallig, reizbar; ~ **attack** Gallenkolik *f*
bill[1] [bɪl] *s* Schnabel *m*
bill[2] [bɪl] **I.** *s* **1.** Rechnung *f* **2.** Anschlag(zettel) *m,* Plakat *n* **3.** (Theater-, Konzert)Programm *n* **4.** (PARL) Gesetzesvorlage *f,* -entwurf *m* **5.** (COM: ~ *of exchange*) Wechsel *m* **6.** (*Am*) Banknote *f,* Geldschein *m;* **cash** [*o* **honour**] **a** ~ e-n Wechsel einlösen; **draw a ~ on s.o.** e-n Wechsel auf jdn ziehen; **fit** [*o* **fill**] **the** ~ (*fig*) passen; **foot the** ~ (*fam*) dafür aufkommen; **pass a** ~ ein Gesetz verabschieden; **stick a** ~ ein Plakat ankleben; **post no ~s!** Plakate ankleben verboten!; **the ~, please!** bitte zahlen!; ~ **of lading** (MAR) Seefrachtbrief *m;* ~ **of entry** Zolleinfuhrerklärung, -deklaration *f;* ~ **of fare** Speisekarte *f;* ~ **of health** Gesundheitsbescheinigung *f,* -pass *m;* ~ **of sale** Kaufurkunde *f* **II.** *tr* **1.** (*durch Anschlag*) bekannt machen, geben; anschlagen **2.** (~ *for*) in Rechnung stellen
bill•board ['bɪlbɔːd] *s* Anschlag-, Plakattafel *f*
bil•let[1] ['bɪlɪt] **I.** *s* **1.** (MIL) Quartierschein *m;* (Privat)Quartier *n* **2.** (*fam*) Stellung, Arbeit *f* **II.** *tr* einquartieren, unterbringen (*on s.o.* bei jdm, *in, at* in)
bil•let[2] ['bɪlɪt] *s* (Holz)Scheit *m*
bill•fold ['bɪlfəʊld] *s* (*Am*) Brieftasche *f*
bil•liards ['bɪlɪədz] *s pl mit sing* Billard(spiel) *n;* **a game of** ~ e-e Partie Billard
bil•lion ['bɪlɪən] *s* Milliarde *f*
bil•low ['bɪləʊ] **I.** *s* (*lit*) Woge *f* **II.** *itr* **1.** wogen **2.** sich (auf)türmen; **bil•lowy** ['bɪləʊɪ] *adj* wogend
bill-poster, **bill-sticker** ['bɪlˌpəʊstə(r), 'bɪlˌstɪkə(r)] *s* Plakat-, Zettelankleber *m;* **bill•post•ing** ['bɪlˌpəʊstɪŋ] *s* Plakatankleben *n*
billy ['bɪlɪ] *s* (~*-can*) Kochgeschirr *n;* **billy-goat** *s* Ziegenbock *m*
bimbo ['bɪmbəʊ] *s* (*pej sl*) Puppe *f*
bi-month•ly [ˌbaɪ'mʌnəlɪ] *adj* zweimonatlich
bin [bɪn] *s* **1.** Behälter *m* **2.** Mülltonne *f*
bi•nary ['baɪnərɪ] *adj* binär; **binary code** *s* (EDV) Binärcode *f*
bind [baɪnd] <*irr:* bound, bound> **I.** *tr* **1.** binden (*a. Buch*) **2.** befestigen (*to, on* an) **3.** (*Küche*) binden **4.** verbinden **5.** einfassen (*with* mit) **6.** (*fig*) binden, verpflichten; ~ **o.s. to s.th.** sich zu etw verpflichten; ~ **over** rechtlich verpflichten; ~ **together** zusammenbinden; (*fig*) verbinden; ~ **up** an-, hoch-, zu-, zusammenbinden **II.** *itr* fest, hart werden; **binder** ['baɪndə(r)] *s* **1.** (Buch)Binder(in) *m(f)* **2.** Band *n;* Binde *f* **3.** Aktendeckel *m* **4.** (AGR) Mähbinder *m* **5.** (TECH) Bindemittel *n;* **bind•ery** ['baɪndərɪ] *s* Buchbinderei *f;* **bind•ing** ['baɪndɪŋ] **I.** *adj* bindend, ver-

bindlich, verpflichtend (*on* für); **be ~ for s.o.** für jdn rechtsverbindlich sein; **legally ~** rechtsverbindlich; **not ~** unverbindlich **II.** *s* **1.** (*Buch*) Einband *m* **2.** Besatz *m;* Saum *m* **3.** (*Ski*) Bindung *f*

bind•weed ['baɪndwiːd] *s* (BOT) Winde *f*

binge [bɪndʒ] *s* (*sl*) Sauferei *f*

bingo ['bɪŋgəʊ] *s* Bingo *n* (*Spiel*)

bin•ocu•lars [bɪ'nɒkjʊləz] *s:* **pair of ~** Fernglas *n*

bi•nomial [baɪ'nəʊmɪəl] *adj* (MATH) binomisch

bio- [ˌbaɪəʊ] *prefix* Bio-, Lebens-; **bio•aer•ation** [ˌbaɪəʊeə'reɪʃn] *s* Belebtschlammverfahren *n,* Schlammbelebung *f;* **bio•chemi•cal** [ˌbaɪəʊ'kemɪkl] *adj* biochemisch; **bio•chem•ist** [ˌbaɪəʊ'kemɪst] *s* Biochemiker(in) *m(f);* **bio•chem•is•try** [ˌbaɪəʊ'kemɪstrɪ] *s* Biochemie *f;* **bio•degrad•able** [ˌbaɪəʊdɪ'greidəbl] *adj* biologisch abbaubar; **bio•degrade** [ˌbaɪəʊdɪ'greid] *itr* sich (biologisch) abbauen; **bio•de•ter•gent** [ˌbaɪəʊdɪ'tɜːdʒənt] *s* biologisches Wasch-, Reinigungsmittel; **bio•di•ver•sity** [ˌbaɪəʊdaɪ'vɜːsətɪ] *s* Artenvielfalt *f;* **bio•dy•nam•ic** [ˌbaɪəʊdainæmik] *adv* biodynamisch; **bio•en•gin•eer•ing** [ˌbaɪəʊendʒɪ'nɪərɪŋ] *s* Biotechnik *f;* **bio•feed•back** [ˌbaɪəʊ'fiːdbæk] *s* Biofeedback *n;* **bio•fuel** ['baɪəʊˌfjuːl] *s* Biobrennstoff *m;* **bio•gas** ['baɪəʊˌgæs] *s* Biogas *n*

bio•graphi•cal [ˌbaɪə'græfɪkl] *adj* biografisch; **bi•ogra•phy** [baɪ'ɒgrəfɪ] *s* Biografie, Lebensbeschreibung *f*

bio•logi•cal [ˌbaɪə'lɒdʒɪkl] *adj* biologisch; **biological control, biocontrol** *s* biologische Schädlingsbekämpfung; **biological indicator** *s* Bioindikator *m;* **bi•ol•ogist** [baɪ'ɒlədʒɪst] *s* Biologe *m,* Biologin *f;* **bi•ol•ogy** [baɪ'ɒlədʒɪ] *s* Biologie *f*

bio•mass [ˌbaiəmæs] *s* Biomasse *f;* **bio•pes•ti•cide** [ˌbaɪəʊ'pestɪsaɪd] *s* Pflanzenschutzmittel *n* auf Naturstoffbasis; **bio•physics** [ˌbaɪəʊ'fɪzɪks] *s pl mit sing* Biophysik *f;* **bio•rhythm** ['baɪəriðəm] *s meist pl* Biorhythmus *m;* **bio•sphere** ['baɪəsfiːə(r)] *s* Biosphäre *f;* **bio•tech•no•lo•gy** [ˌbaɪəʊtek'nɒlədʒɪ] *s* Biotechnik *f;* **bio•tope** ['baɪətəʊp] *s* Biotop *n*

bi•par•ti•san [ˌbaɪpɑːtɪ'zæn] *adj* (POL) Zweiparteien-

bi•ped ['baɪped] *s* (ZOO) Zweifüßler *m*

bi•plane ['baɪpleɪn] *s* (AERO) Doppeldecker *m*

bi•polar [ˌbaɪ'pəʊlə(r)] *adj* bipolar, zweipolig

birch [bɜːtʃ] **I.** *s* **1.** Birke(nholz *n*) *f* **2.** (~-*rod*) (Birken)Rute *f* **II.** *tr* mit der Rute schlagen

bird [bɜːd] *s* **1.** Vogel *m* **2.** (*sl*) Puppe, Biene *f* **3.** (*fam*) Kauz *m;* **kill two ~s with one stone** (*fig*) zwei Fliegen mit einer Klappe schlagen; **~s of a feather flock together** (*prov*) Gleich und Gleich gesellt sich gern; **a ~ in the hand is worth two in the bush** (*prov*) der Spatz in der Hand ist besser als die Taube auf dem Dach; **early ~** Frühaufsteher(in) *m(f);* **~ of passage** Zugvogel *m;* **~ of prey** Raub-, Greifvogel *m;* **bird-cage** *s* Vogelkäfig *m,* -bauer *n;* **bir•die** ['bɜːdɪ] *s* **1.** Vögelchen *n* **2.** (*Golf*) Birdie *n;* **Bird of Paradise** *s* Paradiesvogel *m;* **bird•seed** ['bɜːdsiːd] *s* Vogelfutter *n;* **bird's-eye view** [ˌbɜːdzaɪ'vjuː] *s* Vogelperspektive *f;* **bird's-nest** *s* Vogelnest *n;* **bird table** *s* Futterhäuschen *n*

birth [bɜːθ] *s* **1.** (*a. fig*) Geburt *f* **2.** Abstammung, Herkunft *f,* Ursprung *m* **3.** Entstehung *f,* Aufkommen *n;* Ausgangspunkt, Anbruch *m;* **at ~** bei der Geburt; **by ~** von Geburt; **from his ~** von Geburt an; **give ~ to** zur Welt bringen; (*fig*) ins Leben rufen; **date of ~** Geburtsdatum *n;* **place of ~** Geburtsort *m;* **premature ~** Frühgeburt *f;* **birth certificate** *s* Geburtsurkunde *f;* **birth-control** *s* Geburtenregelung, -kontrolle *f;* **birth•day** ['bɜːθdeɪ] *s* Geburtstag *m;* **birthday party** *s* Geburtstagsfeier, -party *f;* **birthday present** *s* Geburtstagsgeschenk *n;* **birthday suit** *s* (*hum*) Adamskostüm *n;* **birth•mark** *s* Muttermal *n;* **birth•place** *s* Geburtsort *m,* -haus *n;* **birth•rate** *s* Geburtenziffer *f;* **falling ~** Geburtenrückgang *m;* **birth•stone** ['bɜːθstəʊn] *s* Monatsstein *m*

bis•cuit ['bɪskɪt] *s* Keks *m;* (*Am*) Brötchen *n*

bi•sect [baɪ'sekt] *tr* in zwei Teile teilen, halbieren; **bi•sec•tion** [baɪ'sekʃn] *s* Halbierung *f*

bi•sex•ual [ˌbaɪ'sekʃʊəl] **I.** *adj* bisexuell **II.** *s* Bisexuelle(r) *f m*

bishop ['bɪʃəp] *s* **1.** (REL) Bischof *m* **2.** (*Schach*) Läufer *m;* **bishop•ric** [-rɪk] *s* Bistum *n*

bi•son ['baɪsn] *s* (ZOO) Wisent *m;* (*Am*) Bison *m*

bit¹ [bɪt] *s* **1.** (*Pferd*) Gebiss *n* **2.** Bohrer *m;* **take the ~ between one's teeth** (*fig*) sich ins Zeug legen

bit² [bɪt] *s* Bissen *m;* Stückchen *n;* **a ~** ein bisschen; ein Weilchen; **a ~ at a time, ~ by ~** Stück für Stück, schrittweise; **not a ~** kein bisschen, nicht im geringsten; **do one's ~** seine Pflicht tun; **smash to ~s** kurz u. klein schlagen; **he's a ~ better** es geht ihm etwas besser; **I'm going to sleep for a ~** ich gehe e-e Weile schlafen

bit³ [bɪt] *s* (EDV) Bit *n*

bit⁴ [bɪt] *s.* **bite**

bitch [bɪtʃ] I. *s* 1. Hündin *f* 2. (*sl pej*) Weibsstück *n* II. *itr* (*sl*) meckern

bite [baɪt] <*irr:* bit, bitten> I. *tr* 1. beißen 2. (*Insekt*) stechen 3. (TECH) ätzen, zerfressen; ~ **the dust** (*fam*) ins Gras beißen; ~ **one's lips** sich auf die Lippen beißen; ~ **one's nails** an den Nägeln kauen; ~ **off** abbeißen; **once bitten twice shy** (*prov*) ein gebranntes Kind scheut das Feuer II. *itr* 1. (hinein-, zu)beißen (*into, at* in), schnappen (*at s.th.* nach etw) 2. brennen, stechen 3. (TECH) eingreifen (*in* in) 4. (*Fisch*) anbeißen *a. fig* III. *s* 1. Biss(wunde *f*) *m;* Stich *m* 2. (*Angel*) Anbiss *m* 3. Happen, Imbiss *m* 4. (TECH) Eingreifen *n;* Ätzen *n;* Fassen *n* 5. (*fig*) Schärfe, Bitterkeit *f;* **bit•ing** ['-ɪŋ] *adj* 1. (*Wind, Kälte*) schneidend 2. (*fig: Worte*) scharf, beißend

bit•ten ['bɪtn] *s.* **bite**

bit•ter ['bɪtə(r)] I. *adj* 1. bitter *a. fig* 2. (*fig*) schmerzlich, hart, schwer 3. sarkastisch, scharf, heftig 4. (*Wind*) scharf, rauh; (*Kälte*) streng; **to the** ~ **end** bis zum bitteren Ende; **a** ~ **pill to swallow** e-e bittere Pille II. *s* dunkles Bier; **bit•ter•ly** [-lɪ] *adv* bitterlich; **bit•ter•ness** [-nɪs] *s* 1. Bitterkeit, Herbheit *f* 2. (*fig*) Verbitterung *f*

bitu•men ['bɪtjʊmən] *s* Bitumen *n;* **bit•umi•nous** [bɪ'tju:mɪnəs] *adj* (GEOL) bituminös; ~ **coal** Fettkohle *f*

bi•valve ['baivælv] *s* zweischalige Muschel

biv•ouac ['bɪvʊæk] *s* (MIL) Biwak *n*

bi-week•ly [ˌbaɪ'wi:klɪ] *adj* 1. vierzehntäglich 2. zweimal wöchentlich

bi•zarre [bɪ'zɑ:(r)] *adj* bizarr

blab [blæb] I. *itr* schwatzen, plappern II. *tr* ausplaudern

black [blæk] I. *adj* 1. schwarz 2. dunkel, düster, finster 3. schmutzig, dreckig 4. dunkel(häutig) 5. (*fig*) unheimlich, unheilvoll, drohend 6. ärgerlich, mürrisch; böse, abscheulich; ~ **ice** Glatteis *n;* **give s.o. a** ~ **look** jdn finster anblicken; **have s.th. down in** ~ **and white** etw schwarz auf weiß haben; **he is not so** ~ **as he is painted** er ist nicht so schlecht wie sein Ruf II. *s* 1. Schwarz *n,* schwarze Farbe, Schwärze *f* 2. (*Neger*) Schwarze(r) *f m;* **in the** ~ (FIN) in den schwarzen Zahlen III. *tr* schwarz machen, schwärzen; (*Schuhe*) wichsen; **black out** I. *tr* verdunkeln II. *itr* ohnmächtig werden; **black•ball** ['blækbɔ:l] *tr* stimmen gegen; **black•berry** ['blækbərɪ] *s* (BOT) Brombeere *f;* **black•bird** ['blækbɜ:d] *s* Amsel *f;* **black•board** ['blækbɔ:d] *s* Wandtafel *f;* **write on the** ~ an die Tafel schreiben; **black book** *s:* **be in s.o.'s ~s** bei jdm auf der schwarzen Liste stehen; **black•cur•rant** [ˌblæk'kʌrənt] *s* schwarze Johannisbeere;

blacken ['blækən] I. *tr* 1. schwarz machen, schwärzen 2. (*fig*) anschwärzen, schlecht sprechen von II. *itr* schwarz, dunkel werden; **black•eye** *s* blaues Auge

black•guard ['blægɑ:d] I. *s* Schuft, Schurke, Lump *m* II. *tr* heruntermachen, schlecht machen (*s.o.* jdn)

black•head ['blækhed] *s* Mitesser *m;* **black•ing** ['blækɪŋ] *s* schwarze Schuhcreme, -wichse *f;* **black•ish** ['blækɪʃ] *adj* schwärzlich; **black•jack** ['blækˌdʒæk] *s* (*Am*) Totschläger *m* (*Waffe*); **black-lead** [ˌblæk'led] *s* Graphit *m;* **black•leg** ['blækleg] I. *s* (*Br*) Streikbrecher(in) *m(f)* II. *itr* (*Br*) Streikbrecher sein; **black•list** ['blæklɪst] I. *s* schwarze Liste II. *tr* auf die schwarze Liste setzen; **black•mail** ['blækmeɪl] I. *s* Erpressung *f* II. *tr* erpressen; **black•mailer** ['blækmeɪlə(r)] *s* Erpresser(in) *m(f);* **black mark** *s* (*fig*) Minuspunkt *m,* schlechte Note; **black market** *s* schwarzer Markt; **black mar•ke•teer** [ˌblækˌmɑ:kɪ'tɪə(r)] *s* Schwarzhändler(in) *m(f)*

black•ness ['blæknɪs] *s* Schwärze *f*

black•out ['blækaʊt] *s* 1. Stromausfall *m;* Blackout *m;* Verdunkelung *f* 2. Bewusstlosigkeit *f* 3. (*Zensur*) Streichung, Nachrichtensperre *f;* **black pudding** *s* Blutwurst *f;* **Black Sea** *s* Schwarzes Meer; **black sheep** *s* (*fig*) schwarzes Schaf; **black•smith** ['blæksmɪθ] *s* (Grob)Schmied *m;* **black•thorn** ['blækθɔ:n] *s* (BOT) Schwarzdorn *m*

blad•der ['blædə(r)] *s* (ANAT) Blase *f*

blade [bleɪd] *s* 1. Klinge *f* 2. (Ruder-, Säge)Blatt *n;* (Turbinen)Schaufel *f;* (Propeller)Flügel *m* 3. (*shoulder-~*) (Schulter)Blatt *n* 4. (BOT) Halm *m*

blah [blɑ:] *s* (*fam*) Quatsch *m,* Geschwafel *n*

blame [bleɪm] I. *tr* 1. tadeln (*for* wegen) 2. die Schuld geben (*s.o. for s.th.* jdm an e-r S) 3. Vorwürfe machen (*s.th. on s.o.* jdm wegen etw), vorwerfen (*s.th. on s.o.* jdm etw); **be to** ~ (**for**) schuld sein (an); **I'm not blaming you for anything** ich werfe Ihnen nichts vor II. *s* 1. Tadel *m,* Rüge *f,* Verweis *m* 2. Schuld *f* (*on, for* an); **bear the** ~ Schuld haben; **lay the** ~ **for s.th. on s.o.** jdm die Schuld an etw geben; **take the** ~ **for s.th.** die Schuld für etw auf sich nehmen; **blame•less** ['bleɪmlɪs] *adj* untadelig; schuldlos; **blame•worthy** ['bleɪmwɜ:ðɪ] *adj* tadelnswert

blanch [blɑ:ntʃ] I. *tr* 1. weiß machen, bleichen 2. (*durch Brühen*) schälen, enthülsen; (*Küche*) blanchieren II. *itr* erbleichen, erblassen

blanc•mange [blə'mɒnʒ] *s* Pudding *m*
bland [blænd] *adj* **1.** freundlich, umgänglich, angenehm, nett **2.** (*Klima*) mild **3.** nichtssagend **4.** (*Geschmack*) fade; **blandish•ment** ['blændɪʃmənt] *s* Schmeichelei *f*
blank [blæŋk] **I.** *adj* **1.** weiß, leer, unbeschrieben, unausgefüllt **2.** ausdruckslos; inhaltsleer **3.** verblüfft; ~ **cheque** Blankoscheck *m;* ~ **form** unausgefülltes Formular, Vordruck *m;* ~ **space** freier Raum, frei gelassene Stelle; ~ **verse** Blankvers *m* **II.** *s* **1.** (*Buch, Blatt, Papier*) leere Stelle, freier Raum **2.** (*Lotterie*) Formblatt, Formular *n* zum Ausfüllen, Vordruck *m* **3.** (~ *cartridge*) Platzpatrone *f;* **draw a** ~ e-e Niete ziehen
blan•ket ['blæŋkɪt] **I.** *s* (Woll)Decke *f;* **wet** ~ Spiel-, Spaßverderber(in) *m(f);* ~ **of snow** Schneedecke *f* **II.** *adj attr* allgemein, umfassend, pauschal **III.** *tr* be-, über-, zudecken; einhüllen
blare [bleə(r)] **I.** *tr, itr* **1.** (*Trompete*) schmettern **2.** grölen **II.** *s* Schmettern *n;* Lärm *m*
blas•pheme [blæs'fi:m] **I.** *tr* (*Gott*) lästern **II.** *itr* fluchen; lästern (*against* gegen); **blas•phemer** [blæs'fi:mə(r)] *s* Gotteslästerer *m,* -lästerin *f;* **blas•phem•ous** ['blæsfəməs] *adj* (*Mensch*) lästernd; **blasphemy** ['blæsfəmɪ] *s* Gotteslästerung *f*
blast [blɑ:st] **I.** *s* **1.** Windstoß *m* **2.** Knall *m,* Druckwelle, Explosion *f* **3.** Trompetenstoß *m;* Hornsignal *n;* **in** [*o* **at**] **full** ~ auf vollen Touren **II.** *tr* **1.** sprengen **2.** verdorren; erfrieren lassen; vernichten **III.** *itr* (~ *off*) starten (*Rakete*) **IV.** *interj* (*sl*): ~ **(it)**! verflucht!; **blasted** ['blɑ:stɪd] *adj* (*sl*) verflixt, verdammt; **blast-furnace** *s* Hochofen *m;* **blast-off** ['blɑ:stɒf] *s* (*Rakete*) Abschuss *m;* **blast wave** *s* Druckwelle *f*
bla•tant ['bleɪtnt] *adj* **1.** geräuschvoll, laut; aufdringlich **2.** (*Unrecht*) krass, schreiend, offensichtlich
blaze[1] [bleɪz] **I.** *s* **1.** (lodernde) Flamme *f;* Glut *f* **2.** Feuer *n,* Brand *m* **3.** heller Schein **II.** *itr* (*Sonne*) brennen; **blaze away** *itr* drauflos feuern (*at* auf); **blaze up** *itr* aufflammen
blaze[2] [bleɪz] **I.** *s* (*Pferd, Rind*) Blesse *f* **II.** *tr* (*Baum*) markieren; ~ **a trail** e-n Weg bezeichnen
blazer ['bleɪzə(r)] *s* Blazer *m,* leichte Sportjacke
blaz•ing ['bleɪzɪŋ] *adj* **1.** brennend; lodernd; auffallend **2.** (*Lüge*) offenkundig; **in the** ~ **sun** in der prallen Sonne; ~ **hot** glühend heiß
bleach [bli:tʃ] **I.** *s* Bleichmittel *n* **II.** *tr* bleichen; **bleach•ers** ['bli:tʃəz] *s pl* (*Am:* SPORT) Zuschauersitze *mpl* (*im Freien*); **bleach•ing** [-ɪŋ] *s* Bleichen *n*
bleak [bli:k] *adj* **1.** kahl, öde **2.** kalt, rau **3.** (*fig*) unfreundlich, trostlos, trübe
bleary ['blɪərɪ] *adj* unscharf, undeutlich, verschwommen; (*Auge*) trüb; **bleary-eyed** [ˌblɪərɪ'aɪd] *adj* trübäugig
bleat [bli:t] **I.** *itr* **1.** (*Schaf*) blöken; (*Ziege*) meckern **2.** weinerlich reden **II.** *s* Blöken, Meckern *n*
bled [bled] *pt, pp of* **bleed**
bleed [bli:d] <*irr:* bled, bled> **I.** *itr* **1.** bluten (*from* von) **2.** (BOT) Saft verlieren **3.** (*fig:* ~ *for*) leiden (mit); ~ **to death** verbluten **II.** *tr* **1.** zur Ader lassen **2.** (*fig*) schröpfen **3.** (TECH) entlüften; ~ **s.o. white** (*fam*) jdn total ausnehmen; **bleeder** ['bli:də(r)] *s* (MED) Bluter(in) *m(f);* **a cheeky little** ~ (*fam*) ein frecher Lümmel; **bleed•ing** ['-ɪŋ] **I.** *adj* (*sl*) verdammt **II.** *s* **1.** Blutung *f;* Aderlass *m* **2.** (TECH) Entlüften *n*
bleep [bli:p] *tr* anpiepsen; **bleeper** ['blɪ:pə(r)] *s* (TELE) Piepser *m*
blem•ish ['blemɪʃ] **I.** *s* **1.** Fehler, Mangel, Makel *m* **2.** Hautfleck *m* **II.** *tr* entstellen, verunstalten, beflecken; **blemished skin** *s* unreine Haut
blench [blentʃ] *itr* bleich werden
blend [blend] **I.** *tr* **1.** (*Tee, Kaffee, Tabak*) mischen; (*Wein*) verschneiden **2.** übergehen lassen (*into* in) **II.** *itr* **1.** sich (ver)mischen (*with* mit) **2.** (*Farben*) harmonieren (*with* mit) **III.** *s* Mischung *f;* **blender** [blendə(r)] *s* Mixer *m*
bless [bles] *tr* **1.** segnen **2.** preisen; **blessed** ['blesɪd] *adj* **1.** gesegnet, (glück)selig, glücklich **2.** (REL) heilig; selig **3.** Glück bringend **4.** (*sl*) verflixt; **be** ~ **with** gesegnet sein mit; **bless•ing** ['-ɪŋ] *s* **1.** Segen *m;* Gnade *f* **2.** (*fig*) Wohltat *f* (*to* für); **a** ~ **in disguise** Glück *n* im Unglück
blew [blu:] *s.* **blow**
blight [blaɪt] **I.** *s* **1.** (BOT) Mehltau *m* **2.** schädlicher Einfluss **II.** *tr* (*fig*) vereiteln, zunichte machen; **blighter** ['blaɪtə(r)] *s* (*sl*) Ekel *n;* Kerl *m*
bli•mey ['blaɪmɪ] *interj* (*sl*) verdammt!; Mensch!
blind [blaɪnd] **I.** *adj* **1.** blind **2.** (*fig*) uneinsichtig, verständnislos (*to* gegenüber) **3.** planlos; sinnlos **4.** (*Kurve*) unübersichtlich; **be** ~ **in one eye** auf e-m Auge blind sein **II.** *s* Blende *f;* Markise *f;* Rollo *n;* **the** ~ die Blinden *pl* **III.** *tr* **1.** blind machen (*to* für), blenden **2.** (*fig*) verblenden; **blind alley** *s* (*a. fig*) Sackgasse *f;* **that's leading up a** ~ das führt in e-e Sackgasse; **blinder** ['blaɪndə(r)] *s* (*Am*) Scheuklappe *f;* **blind flying** *s* (AERO) Blindflug *m;* **blind•fold** ['blaɪndfəʊld] **I.** *tr* die Augen verbinden

(*s.o.* jdm) **II.** *adj* mit verbundenen Augen **III.** *s* Augenbinde *f;* **blind landing** *s* (AERO) Blindlandung *f;* **blind-man's buff** [ˌblaɪndmænz'bʌf] *s* Blindekuh(spiel *n*) *f;* **blind·ness** ['-nɪs] *s* Blindheit *f;* **blind spot** *s* (ANAT) blinder Fleck; (MOT) toter Winkel; (*fig*) schwacher Punkt; **blind-worm** ['blaɪndwɜːm] *s* (ZOO) Blindschleiche *f*

blink [blɪŋk] **I.** *tr, itr* **1.** blinzeln, zwinkern (*one's eyes* mit den Augen) **2.** (*Licht, Stern*) flimmern; (*Licht*) blinken **3.** (*fig*) nicht sehen wollen, übergehen (*at s.th.* etw) **II.** *s* Blinzeln *n;* **blink·ers** ['blɪŋkəz] *s pl* Scheuklappen *fpl;* **blink·ing** ['-ɪŋ] *adj* (*sl*) verflixt

bliss [blɪs] *s* (Glück)Seligkeit *f;* **bliss·ful** ['blɪsfl] *adj* (glück)selig, überglücklich

blis·ter ['blɪstə(r)] **I.** *s* (MED) Blase *f;* Bläschen *n* **II.** *tr* Blasen bilden auf **III.** *itr* Blasen bekommen; (TECH) Blasen werfen

blith·er·ing ['blɪðərɪŋ] *adj* (*fam*) blöde, dämlich; **a ~ idiot** ein Vollidiot

blitz [blɪts] **I.** *s* Blitzkrieg *m;* Luftangriff *m;* (*fig fam*) Blitzaktion *f* **II.** *tr* heftig bombardieren; **~ed town** zerbombte Stadt

bliz·zard ['blɪzəd] *s* Schneesturm *m*

bloated ['bləʊtɪd] *adj* aufgedunsen (*with* von)

bloater ['bləʊtə(r)] *s* (ZOO) Bückling *m*

blob [blɒb] *s* Tropfen, Klecks *m*

bloc [blɒk] *s* (POL) Block *m*

block [blɒk] **I.** *s* **1.** (Holz)Klotz *m;* (Fels)Block *m;* Hack-, Hauklotz *m* **2.** Richtblock *m* **3.** Wohn-, Häuserblock *m* **4.** (*writing ~*) Schreibblock *m* **5.** (Verkehrs)Hindernis *n,* Sperre *f* **6.** (TECH) Flaschenzug *m* **7.** (TYP) (Druck)Stock *m,* Klischee *n* **8.** (*Spielzeug*) Bauklötz *m* **9.** (*fig*) Block *m,* geschlossene Gruppe, Satz *m* **10.** (MED) Verlegung *f;* **~ of flats** Wohnblock *m* **II.** *tr* **1.** blockieren, verstopfen, aufhalten, (ver)sperren *a. fig* **2.** (*Ball*) abfangen; **block off** *tr* abschirmen, absperren; **block up** *tr* einsperren; zumauern; versperren

block·ade [blɒ'keɪd] **I.** *s* Blockade *f* **II.** *tr* blockieren; (ver)sperren; **block·age** ['blɒkɪdʒ] *s* (MED) Verlegung *f*

block·house ['blɒkhaʊs] *s* Blockhaus *n;* **block letters** *s pl* Blockschrift *f*

bloke [bləʊk] *s* (*sl*) Kerl, Bursche *m*

blond [blɒnd] *adj* (*Mann*) blond; **blonde** [blɒnd] **I.** *adj* (*Frau*) blond **II.** *s* Blondine *f*

blood [blʌd] *s* **1.** Blut *n* **2.** Abstammung, Herkunft *f;* Rasse *f;* **in cold ~** kaltblütig; **make bad ~ between** Unfrieden stiften zwischen; **my ~ ran cold** ich war starr vor Schrecken; **his ~ was up** er war sehr erregt; **it made my ~ boil** ich kochte vor Wut; **circulation of the ~** Blutkreislauf *m;* **my own flesh and ~** mein eigenes Fleisch u. Blut; **blood alcohol** *s* Blutalkohol *m;* **blood bank** *s* (MED) Blutbank *f;* **blood clot** *s* Blutgerinnsel *n;* **blood-curd·ling** ['blʌdˌkɜːdlɪŋ] *adj* haarsträubend; **blood-donor** *s* Blutspender(in) *m(f);* **blood-group** *s* Blutgruppe *f;* **blood·hound** ['blʌdhaʊnd] *s* Bluthund *m*

blood·less ['blʌdlɪs] *adj* **1.** blutleer; bleich **2.** unblutig

blood-poison·ing ['blʌdˌpɔɪznɪŋ] *s* Blutvergiftung *f;* **blood pressure** *s* Blutdruck *m;* **blood-relation** *s* Blutsverwandte(r) *f m;* **blood·shed** ['blʌdʃed] *s* Blutvergießen *n;* **blood·shot** ['blʌdʃɒt] *adj* blutunterlaufen; **blood·stained** ['blʌdsteɪnd] *adj* blutbefleckt; **blood-stock** *s* Vollblutpferde *npl;* **blood-stream** *s* (MED) Blutstrom *m;* **blood-sucker** *s* **1.** (ZOO) Blutegel *m* **2.** (*fig*) Blutsauger *m;* **blood sugar** *s* Blutzucker *m;* **blood test** *s* Blutprobe; Blutuntersuchung *f;* **blood-thirsty** ['blʌdˌθɜːstɪ] *adj* blutdurstig; **blood-transfusion** *s* Blutübertragung *f;* **blood-vessel** *s* (ANAT) Blutgefäß *n*

bloody ['blʌdɪ] **I.** *adj* **1.** blutig, blutend **2.** (*vulg*) verdammt, verflucht; **~ hell!** (*sl*) verdammt! Menschenskind! **II.** *adv* (*vulg*) sehr; **bloody-minded** [ˌblʌdɪ'maɪndɪd] *adj* (*fam*) stur

bloom [bluːm] **I.** *s* **1.** Blüte; (*a. fig*) Blume *f* **2.** Schimmer *m;* **in (full) ~** in (voller) Blüte **II.** *itr* (*a. fig*) blühen

bloomer ['bluːmə(r)] *s* (*sl*) Bock, Schnitzer *m*

bloom·ing ['bluːmɪŋ] *adj* **1.** blühend *a. fig* **2.** (*sl*) verflixt, verteufelt

blos·som ['blɒsəm] **I.** *s* (Baum)Blüte *f;* **in ~** in (voller) Blüte **II.** *itr* **1.** (auf)blühen **2.** (*fig: ~ out*) erblühen, sich entwickeln, sich entfalten (*into* zu)

blot [blɒt] **I.** *s* **1.** Fleck, Klecks *m* **2.** (*fig*) Makel, Schandfleck *m* **II.** *tr* **1.** e-n Klecks machen (*s.th.* auf etw) **2.** ablöschen; **~ out** unleserlich machen, verdecken *a. fig*

blotch [blɒtʃ] *s* Klecks, Fleck *m;* **blotchy** ['blɒtʃɪ] *adj* fleckig

blot·ter ['blɒtə(r)] *s* **1.** Löscher *m* **2.** (*Am*) Kladde *f;* **blot·ting** ['blɒtɪŋ] *adj:* **~ pad** Schreibunterlage *f;* **~ paper** Löschpapier *n*

blotto ['blɒtəʊ] *adj* (*sl*) sternhagelvoll

blouse [blaʊz] *s* Bluse *f*

blow[1] [bləʊ] <*irr:* **blew, blown**> **I.** *itr* **1.** (*Wind*) wehen, blasen, pfeifen; stürmen **2.** (*im Wind*) wegfliegen **3.** (*Blasinstrument*) ertönen **4.** heftig atmen, keuchen, blasen, pusten **5.** (EL: *Sicherung*) durchbrennen **II.** *tr* **1.** blasen, wehen **2.** (*Feuer*) anblasen, anfachen **3.** (MUS: *Instrument*) blasen **4.** (*sl: Geld*) verpulvern; ~ **the horn** (MOT) hupen; ~ **hot and cold** nicht wissen, was man will; ~ **one's nose** sich die Nase putzen; ~ **it!** verdammt noch mal!; ~ **the expense!** egal, was es kostet! **III.** *s* Blasen *n;* **go for a** ~ an die (frische) Luft gehen; **blow away I.** *itr* (*im Wind*) wegfliegen **II.** *tr* **1.** wegwehen, -blasen, -fegen **2.** (*Am sl*) erschießen **3.** (*Am sl*) vernichtend schlagen; **blow down** *tr* (*Sturm*) umwerfen; **blow off I.** *itr* (*im Wind*) wegfliegen **II.** *tr* wegwehen, -blasen, -fegen; **blow out I.** *itr* (*Reifen*) platzen **II.** *tr* (*Streichholz*) ausblasen; ~ **one's brains out** sich e-e Kugel durch den Kopf jagen; **blow over** *itr* vorbei-, vorübergehen; **blow up I.** *tr* **1.** aufblasen, -pumpen **2.** sprengen, in die Luft jagen **3.** (PHOT) vergrößern **II.** *itr* explodieren *a. fig*

blow² [bləʊ] *s* (*a. fig*) Schlag, Stoß *m;* **at one** ~ auf einen Schlag; **without striking a** ~ ohne jede Gewalt; **come to ~s** sich in die Haare geraten; **strike a** ~ **for s.th.** e-r Sache einen großen Dienst erweisen

blow-dry ['bləʊˌdraɪ] *tr* fönen

blower ['bləʊə(r)] *s* **1.** Bläser *m* **2.** Gebläse *n*

blow•fly ['bləʊflaɪ] *s* Schmeißfliege *f;* **blow•hole** ['bləʊhəʊl] *s* **1.** (*Wal*) Nasenloch *n* **2.** Luftloch *n;* **blow•lamp** ['bləʊlæmp] *s* Schweißbrenner *m;* **blown** [bləʊn] *s.* **blow¹**; **blow•out** ['bləʊaʊt] *s* **1.** (EL) Durchschmelzen *n* **2.** (MOT) Reifenpanne *f* **3.** (*sl*) Schlemmerei *f;* **blow•pipe** ['bləʊpaɪp] *s* **1.** Lötrohr *n* **2.** Blasrohr *n;* **blow•torch** ['bləʊtɔːtʃ] *s* Schweißbrenner *m;* **blow-up** ['bləʊʌp] *s* **1.** Explosion *f* **2.** (*fam*) Zornesausbruch *m* **3.** (PHOT) Vergrößerung *f*

blub•ber ['blʌbə(r)] **I.** *s* Walfischspeck *m* **II.** *itr* weinen, heulen

bludgeon ['blʌdʒən] **I.** *s* Knüppel *m* **II.** *tr* **1.** niederknüppeln **2.** zwingen (*into doing s.th.* etw zu tun)

blue [bluː] **I.** *adj* **1.** blau **2.** (*fig*) trübsinnig, schwermütig, niedergeschlagen **3.** unanständig, zweideutig; **dark/light** ~ dunkel-/hellblau; **once in a** ~ **moon** alle Jubeljahre (einmal) **II.** *s* **1.** Blau *n,* blaue Farbe **2.** (POL) Konservative(r) *f m* **3.** **~s** Trübsinn *m,* Schwermut *f;* **out of the** ~ aus heiterem Himmel, unerwartet; **have the ~s** (*Am*) Trübsal blasen; **a bolt from the** ~ (*fig*) ein Blitz aus heiterem Himmel; **blue•berry** ['bluːbərɪ] *s* Blau-, Heidelbeere *f;* **blue•bottle** ['bluːˌbɒtl] *s* (ZOO) Schmeißfliege *f;* **Blue Flag** *s* (EU) blaue Flagge; **blue mussel** *s* Miesmuschel *f;* **blue-pencil** *tr* ausstreichen, korrigieren; zensieren; **blue•print** ['bluːprɪnt] *s* **1.** Blaupause *f* **2.** Plan, Entwurf *m;* **blues** [bluːz] *s* (MUS) Blues *m*

bluff¹ [blʌf] **I.** *s* Steilufer *n;* Klippe *f* **II.** *adj* **1.** (*Klippe*) schroff, abschüssig **2.** (*fig*) rau, aber herzlich

bluff² [blʌf] **I.** *itr* bluffen **II.** *s* Bluff *m;* **I'd call his** ~ ich würde ihn auf die Probe stellen

bluffer ['blʌfə(r)] *s* Angeber(in) *m(f)*

blu•ish ['bluːɪʃ] *adj* bläulich

blun•der ['blʌndə(r)] **I.** *itr* **1.** stolpern (*on, against* gegen, *into* in) **2.** (~ *in*) hineingeraten **3.** e-n Bock schießen **II.** *s* (dummer) Fehler, Schnitzer *m;* **blun•derer** ['blʌndərə(r)] *s* Tölpel, Stümper(in) *m(f)*

blunt [blʌnt] **I.** *adj* **1.** stumpf **2.** geradeheraus, unverblümt **II.** *tr* stumpf machen **III.** *itr* (*fig*) abstumpfen; **blunt•ly** [-lɪ] *adv* ganz offen, frei heraus, unverblümt; **bluntness** [-nɪs] *s* **1.** (*a. fig*) Stumpfheit *f* **2.** (*fig*) Unverblümtheit *f*

blur [blɜː(r)] **I.** *tr* **1.** trüben **2.** trübe, undeutlich, unscharf, verschwommen machen **3.** verwischen, verschmieren **II.** *s* **1.** undeutliches, verschwommenes Bild **2.** Trübung, Verschwommenheit *f* **3.** Fleck *m*

blurb [blɜːb] *s* Waschzettel, Klappentext *m*

blurred [blɜːd] *adj* verschwommen, unscharf

blurt [blɜːt] *tr:* ~ **out** herausplatzen (*s.th.* mit e-r S)

blush [blʌʃ] **I.** *itr* **1.** erröten, (scham)rot werden (*with, for* vor) **2.** sich schämen **II.** *s* Schamröte *f;* Erröten *n;* **at (the) first** ~ auf den ersten Blick; **blusher** [-ə(r)] *s* Rouge *n;* **blusher brush** *s* Rougepinsel *m;* **blush•ing** [-ɪŋ] *adj* errötend

blus•ter ['blʌstə(r)] **I.** *itr* **1.** brausen, toben **2.** schimpfen, poltern **II.** *s* **1.** Toben, Heulen *n* **2.** Wutgeheul, -geschrei *n*

boa ['bəʊə] *s* (ZOO) Boa *f*

boar [bɔː(r)] *s* Eber *m;* Keiler *m*

board [bɔːd] **I.** *s* **1.** Brett *n;* Diele, Planke *f* **2.** Karton *m,* Pappe *f* **3.** (Anschlag-, Wand)Tafel *f* **4.** Spielbrett *n* **5.** Platte *f* **6.** Kost, Verpflegung *f* **7.** Ausschuss *m;* Kommission *f;* Behörde *f;* Ministerium *n;* Vorstand *m* **8.** (MAR) Bord *m;* Deck *n;* **the ~s** (THEAT) die Bretter *npl;* **above** ~ offen, ehrlich; **on** ~ **(a) ship** an Bord e-s Schiffes; **be a member of the** ~ Mitglied des Vorstandes sein; **go by the** ~ (*fig*) fallen gelassen werden; **go on** ~ **ship** sich einschiffen; **sweep the** ~ (*fig*) alle Preise gewinnen; **advisory** ~ Beratungsausschuss *m;* **arbitration** ~ Schlichtungsausschuss *m;* **bulletin** ~ (*Am*) schwarzes Brett; **chess-~** Schachbrett *n;* **examination** ~ Prüfungskommission *f;* **school** ~ Schulbehörde *f;* **B~ of Admiralty** Marineministerium *n;* **B~ of**

Trade Wirtschaftsministerium *n;* ~ **of directors** Vorstand *m;* Aufsichtsrat *m* **II.** *tr* **1.** verschalen, dielen **2.** an Bord gehen (*a ship* e-s Schiffes), besteigen, einsteigen (*the train* in den Zug) **III.** *itr* **1.** in Pension sein (*with* bei) **2.** Internatsschüler(in) sein **3.** (AERO) die Maschine besteigen; **flight LH 283 now ~ing** Aufruf für Passagiere des Fluges LH 283; ~ **out** in Pension wohnen; **boarder** ['bɔ:də(r)] *s* **1.** Kostgänger(in) *m(f)* **2.** Internatsschüler(in) *m(f);* **boarding** ['-ɪŋ] *s* **1.** Täfelung *f,* Dielen *fpl* **2.** Verpflegung, Kost *f;* **boarding-card** *s* (AERO) Bordkarte *f;* **boarding house** *s* **1.** Pension *f* **2.** Wohngebäude *n* eines Internats; **boarding-school** *s* Internat *n;* **board meeting** *s* Vorstandssitzung *f;* **boardroom** ['bɔ:drʊm] *s* Sitzungssaal *m;* **board•walk** ['bɔ:dwɔ:k] *s* (*Am*) Holzsteg *m*

boast [bəʊst] **I.** *s* **1.** Prahlerei *f* **2.** Stolz *m* **II.** *itr* prahlen (*of* mit) **III.** *tr* **1.** sich rühmen (*s.th.* e-r S) **2.** prahlen; **boaster** ['bəʊstə(r)] *s* Aufschneider, Prahlhans *m;* **boast•ful** ['bəʊstfl] *adj* prahlerisch

boat [bəʊt] *s* **1.** Boot *n;* Kahn *m* **2.** Schiff *n;* Dampfer *m* **3.** (*gravy* ~) Soßenschüssel *f;* **in the same** ~ (*fig*) in der gleichen Lage; **cargo** ~ Frachtdampfer *m;* **motor**-~ Motorboot *n;* **rowing** ~ Ruderboot *n;* **sailing** ~ Segelboot *n;* **~s for hire** Bootsverleih *m;* **boat-hook** *s* Bootshaken *m;* **boat-house** *s* Bootshaus *n;* **boat•ing** ['bəʊtɪŋ] *s* Bootfahren *n;* **boat•man** ['bəʊtmən] <*pl* -men> *s* **1.** Bootsverleiher *m* **2.** Ruderer *m,* Ruderin *f;* **boat-people** ['bəʊtpɪ:pl] *s pl* Bootsflüchtlinge *mpl;* **boat-race** *s* (Ruder)Regatta; **boatswain** ['bəʊsn] *s* (MAR) Bootsmann *m;* **boat-train** ['bəʊt,treɪn] *s* Zug *m* mit Schiffsanschluss; **boat trip** *s* Bootsfahrt *f*

bob¹ [bɒb] **I.** *itr* **1.** sich auf- u. abbewegen **2.** knicksen; ~ **up** auftauchen **II.** *tr* nicken mit **III.** *s* **1.** Knicks *m* **2.** Nicken *n*

bob² [bɒb] *s* Bubikopf(frisur *f*) *m*

bob³ [bɒb] *s* (SPORT) Bob *m;* Kufe *f;* **two-man** ~ Zweierbob *m*

bob⁴ [bɒb] *s* (*Br fam*) Shilling *m*

bob•bin ['bɒbɪn] *s* (Garn)Spule *f;* Rolle *f*

bobble hat ['bɒbl,hæt] *s* Pudel-, Bommelmütze *f*

bobby ['bɒbɪ] *s* (*Br fam*) Polizist *m;* **bobby pin** *s* Haarklemme *f;* **bobby-socks** *s pl* (*Am fam*) Söckchen *npl;* **bobby-soxer** ['bɒbɪ,sɒksə(r)] *s* (*Am*) Teenager *m*

bob•sled, bob•sleigh ['bɒbsled, 'bɒbsleɪ] *s* (SPORT) Bob *m*

bob•tail ['bɒbteɪl] *s* Stutzschwanz *m*

bode [bəʊd] *tr:* ~ **ill** ein schlechtes (Vor)Zeichen sein (*for* für)

bod•ice ['bɒdɪs] *s* Mieder, Leibchen *n;* Oberteil *n*

bodi•less ['bɒdɪlɪs] *adj* körperlos

bod•ily ['bɒdəlɪ] **I.** *adj* körperlich, leiblich; **grievous ~ harm** (JUR) schwere Körperverletzung **II.** *adv* **1.** in Person, persönlich; leibhaftig **2.** geschlossen; im Ganzen, als Ganzes **3.** gewaltsam

body ['bɒdɪ] *s* **1.** Körper, Leib *m* **2.** Rumpf *m* **3.** (*dead* ~) Leiche *f;* Leichnam *m* **4.** (*fam*) Person *f,* Mensch *m* **5.** (JUR) Körperschaft *f;* Gremium *n;* Organ *n* **6.** (MIL) (Truppen)Verband *m* **7.** (Menschen)Gruppe, Ansammlung, Masse *f* **8.** Komplex *m;* Material *n;* Masse *f* **9.** (MOT) Karosserie *f* **10.** (*fig*) Gehalt *m;* Stärke, Güte *f* **11.** (PHYS) Körper *m;* **in a** ~ im Ganzen, zusammen, insgesamt; **governing** ~ Direktion, Leitung *f;* **heavenly** ~ Himmelskörper *m;* **legislative** ~ gesetzgebende Körperschaft; **body-bag** *s* Leichensack *m;* **body-building** *s* Bodybuilding *n;* **body-guard** ['bɒdɪgɑ:d] *s* Leibwache *f;* **body language** *s* Körpersprache *f;* **body lotion** *s* Körperlotion *f;* **body politic** *s* Staat(swesen *n*) *m;* **body search** *s* Leibesvisitation *f;* **body(suit)** ['bɒdɪ(,su:t)] *s* Body(suit) *m;* **body•work** ['bɒdɪwɜ:k] *s* (MOT) Karosserie *f*

bog [bɒg] *s* **1.** Sumpf, Morast *m;* Moor *n* **2.** (*Br fam*) Klo *n;* **peat** ~ Torfmoor *n;* **bog down** *tr:* **be ~ged down** feststecken; (*fig*) sich festgefahren haben; **get ~ged down** steckenbleiben; (*fig*) sich festfahren

boggle ['bɒgl] *itr* sprachlos sein; **the mind ~s** das ist ja Wahnsinn

boggy ['bɒgɪ] *adj* sumpfig

bo•gie ['bəʊgɪ] *s* (RAIL) Drehgestell *n*

bo•gus ['bəʊgəs] *adj* falsch, unecht

bogy, bo•gey ['bəʊgɪ] *s* **1.** Kobold *m;* (*fig*) Schreckgespenst *n* **2.** (*Golf*) Bogey *n* **3.** (*sl*) Popel *m*

Bo•he•mi•an [bəʊ'hi:mɪən] *s* **1.** (GEOG) Böhme *m,* Böhmin *f* **2.** **b**~ Bohemien, Künstlertyp *m*

boil [bɔɪl] **I.** *itr, tr* **1.** kochen, sieden **2.** (*fig: vor Wut*) kochen, schäumen (*with* vor) **3.** (*Fluten*) wogen, toben; **make s.o.'s blood** ~ jdn rasend machen **II.** *s* Siedepunkt *m;* **be on the** ~ kochen; **come to the** ~ zu kochen anfangen; **bring s.th. to the** ~ etw aufkochen lassen; **boil away** *itr* verkochen, verdampfen; weiterkochen; **boil down** **I.** *tr* einkochen **II.** *itr* dickflüssig werden; ~ **down to s.th.** (*fig*) auf etw hinauslaufen; **boil over** *itr* überkochen; (*fig*) sich zuspitzen; (*Mensch*) explodieren; **boil up** *itr* aufkochen; (*fig: Wut*) sich steigern; **boiler** ['bɔɪlə(r)] *s* **1.** Warmwasserbereiter, Boiler *m* **2.** (MAR) Kessel *m* **3.**

(*Küche*) Suppenhuhn *n;* **boiler•house** *s* (MAR) Kesselhaus *n;* **boiler•man** ['bɔɪləmən] <*pl* -men> *s* Heizer *m;* **boiler-room** *s* Kesselraum *m;* Heizungskeller *m;* **boiler-suit** *s* Overall *m,* blauer Anton; **boil•ing** [-ɪŋ] *adj* kochend, siedend; ~ **hot** (*fam*) kochend, siedend, glühend heiß; ~**-point** (*a. fig*) Siedepunkt *m*

bois•ter•ous ['bɔɪstərəs] *adj* **1.** heftig, stürmisch **2.** lärmend, laut, ausgelassen

bold [bəʊld] *adj* **1.** kühn, tapfer, mutig **2.** forsch; keck; gewagt; dreist **3.** (*Farbe, Muster*) kräftig; fest umrissen; (*Stil*) ausdrucksvoll **4.** (TYP) fett; halbfett; **make (so)** ~ es wagen (*as to* zu), sich erkühnen; **as** ~ **as brass** frech wie Oskar; **bold•ness** [-nɪs] *s* **1.** Kühnheit, Tapferkeit *f* **2.** Unverfrorenheit *f* **3.** (*fig*) Kräftigkeit *f;* Ausdruckskraft *f*

bole [bəʊl] *s* (Baum)Stamm *m*

bo•le•ro [bə'leərəʊ] *s* Bolero *m*

Bo•liv•ia [bə'lɪvɪə] *s* Bolivien *n;* **Bo•liv•ian** [bə'lɪvɪən] **I.** *adj* boliv(ian)isch **II.** *s* Bolivi(an)er(in) *m(f)*

bol•ster ['bəʊlstə(r)] **I.** *s* Nackenrolle *f* **II.** *tr* (~ *up*) unterstützen, Mut machen (*s.o.* jdm); (*Währung*) stützen; (*Stellung, Ansehen*) aufbessern

bolt [bəʊlt] **I.** *s* **1.** (Tür)Riegel *m* **2.** Bolzen *m* **3.** (*a. fig*) Blitz(strahl) *m* **4.** (*Stoff*) Ballen *m* **5.** (*fam*) Satz *m,* plötzlicher Sprung; **make a** ~ **for it** Fersengeld geben; **a** ~ **from the blue** ein Blitz aus heiterem Himmel **II.** *itr* **1.** davonstürzen, abhauen **2.** (*Pferd*) durchgehen **III.** *tr* **1.** (~ *down*) hinunterschlingen **2.** verriegeln **3.** ver-, festschrauben; **bolt-hole** *s* Schlupfloch *n;* **bolt upright** *adv* kerzengerade

bomb [bɒm] **I.** *s* Bombe *f;* **go like a** ~ (*sl*) ein Bombenerfolg sein; **cost a** ~ (*sl*) ein Heidengeld kosten **II.** *tr* bombardieren; ~ **out** ausbomben **III.** *itr* (*fam*) durchfallen

bom•bard [bɒm'bɑːd] *tr* **1.** (*a. fig*) bombardieren **2.** (*fig*) bestürmen, überschütten; **bom•bard•ment** [bɒm'bɑːdmənt] *s* Bombardierung *f*

bom•bast ['bɒmbæst] *s* Schwulst, Bombast *m;* **bom•bas•tic** [bɒm'bæstɪk] *adj* bombastisch, schwülstig

bomb cra•ter ['bɒm,kreɪtə(r)] *s* Bombenkrater *m;* **bombed** [bɒmd] *adj* (*sl*) besoffen, high; **bomber** ['bɒmə(r)] *s* **1.** Bomber *m,* Bombenflugzeug *n* **2.** Bombenattentäter(in) *m(f);* **bomb•ing** [-ɪŋ] *s* Bombenabwurf *m;* **bomb-proof** *adj* bombensicher; **bomb•shell** ['bɒmʃel] *s* (*fig*) Überraschung *f;* **the news came like a** ~ die Nachricht schlug ein wie e-e Bombe

bona fide [,bəʊnə'faɪdɪ] *adj* (JUR) bona fide, ehrlich, aufrichtig, gutgläubig

bon•anza [bə'nænzə] **I.** *s* Goldgrube *f;* **oil** ~ Ölboom *m* **II.** *adj attr* ergiebig, ertragreich, Boom-

bond [bɒnd] **I.** *s* **1.** Übereinkommen *n* **2.** (Ver)Bindung *f,* Band *n* **3.** (COM) Verbindlichkeit, Verpflichtung *f* **4.** Pfandbrief *m,* Obligation *f;* festverzinsliches Wertpapier **5.** Zollverschluss *m* **6.** Haftfestigkeit *f* **7.** ~**s** Fesseln *fpl;* **in** ~ unter Zollverschluss **II.** *tr* **1.** verpfänden **2.** unter Zollverschluss nehmen

bond•age ['bɒndɪdʒ] *s* Knechtschaft *f*

bonded ['bɒndɪd] *adj:* ~ **warehouse** Zollspeicher *m;* **bond-holder** ['bɒnd,həʊlde(r)] *s* Inhaber(in) *m(f)* von Wertpapieren

bone [bəʊn] **I.** *s* **1.** Knochen *m* **2.** (*Fisch*) Gräte *f* **3.** (*Substanz*) Bein *n* **4.** ~**s** Gebeine *npl;* **to the** ~ bis auf die Knochen, völlig; **be nothing but skin and** ~**s** nur noch Haut u. Knochen sein; **have a** ~ **to pick with s.o.** mit jdm ein Hühnchen zu rupfen haben; **as dry as a** ~ knochentrocken **II.** *tr* **1.** entbeinen; (*Fisch*) entgräten **2.** (*sl*) klauen, mopsen **III.** *itr:* ~ **up on** (*sl*) pauken, büffeln; **bone fracture** *s* Knochenbruch *m;* **bone-head** *s* (*sl*) Dummkopf *m;* **bone idle** *adj* (*sl*) stinkfaul; **bone•less** ['-lɪs] *adj* ohne Knochen; (*Fisch*) ohne Gräten; **bone•meal** ['bəʊnmiːl] *s* Knochenmehl *n;* **bone•shaker** ['bəʊnʃeɪkə(r)] *s* (*fam*) Klapperkasten *m*

bon•fire ['bɒnfaɪə(r)] *s* Freudenfeuer *n;* Feuer *n* im Freien

bon•net ['bɒnɪt] *s* **1.** Haube *f* **2.** (MOT) Motorhaube *f* **3.** Wollmützchen

bonny ['bɒnɪ] *adj* schön, gut aussehend

bo•nus ['bəʊnəs] *s* **1.** Bonus *m,* Gratifikation, Prämie *f* **2.** (COM) Sonderdividende *f;* **Christmas** ~ Weihnachtsgratifikation *f;* **cost-of-living** ~ Teuerungszulage *f*

bony ['bəʊnɪ] *adj* **1.** voller Knochen; (*Fisch*) voller Gräten **2.** knochig **3.** knochendürr

boo [buː] **I.** *interj* bah! pah! buh! **II.** *tr* auspfeifen, -buhen **III.** *itr* buhen

boob [buːb] **I.** *s* **1.** (*fam*) Schnitzer *m* **2.** (*fam*) Brust *f* **II.** *itr* e-n Schnitzer machen; **booby** ['buːbɪ] *s* Tölpel, Trottel *m;* **booby prize** *s* Trostpreis *m*

book [bʊk] **I.** *s* **1.** Buch *n* **2.** Heft *n;* Block *m* **3.** ~**s** (COM) Bücher *npl* **4.** Wettliste *f* **5.** (~ *of matches*) (Streichholz)Heftchen *n* **6.** (MUS) Textbuch *n;* **balance the** ~**s** die Bücher abschließen; **be in s.o.'s black/good** ~**s** bei jdm schlecht/gut angeschrieben sein; **in my** ~ meines Wissens nach; **keep** ~**s** Bücher führen; ~ **of stamps** Briefmarkenheft *n;* ~ **of tickets** Fahrscheinheft *n;* **the (good) B**~ das Buch der Bücher **II.** *tr*

1. buchen **2.** auf-, niederschreiben; notieren; vormerken **3.** (*Platz*) (vor)bestellen, buchen, belegen; (*Karte*) bestellen; (*Gepäck*) aufgeben; (*Fahrkarte*) lösen; **book in I.** *itr* sich eintragen; absteigen (*at* in) **II.** *tr* **1.** eintragen **2.** reservieren lassen (*s.o.* jdm); **book through** *itr* direkt lösen (*to* bis); **book up I.** *itr* buchen **II.** *tr* reservieren lassen; **be ~ed up** ausgebucht sein; ausverkauft sein; **book•able** [-əbl] *adj* im Vorverkauf erhältlich; **book•binder** ['bʊkˌbaɪndə(r)] *s* Buchbinder(in) *m(f);* **book-bind•ing** ['bʊkˌbaɪndɪŋ] *s* Buchbinderei *f;* **book•case** ['bʊkkeɪs] *s* Bücherschrank *m;* **book-club** *s* Buchklub *m;* Lesering *m;* **book-end** *s* Bücherstütze *f*

bookie ['bʊkɪ] *s* (*sl*) Buchmacher *m*

book•ing ['bʊkɪŋ] *s* Buchung, Bestellung *f;* Reservierung *f;* **booking clerk** *s* Fahrkartenverkäufer(in) *m(f);* **booking office** *s* Fahrkartenschalter *m;* Vorverkaufsstelle *f*

book•ish ['bʊkɪʃ] *adj* **1.** lesefreudig **2.** gelehrt **3.** (*Stil*) papieren

book•keeper ['bʊkˌkiːpə(r)] *s* Buchhalter(in) *m(f);* **book•keep•ing** ['bʊkˌkiːpɪŋ] *s* Buchhaltung, -führung *f*

book•let ['bʊklɪt] *s* Broschüre *f*

book•maker ['bʊkˌmeɪkə(r)] *s* Buchmacher(in) *m(f);* **book•mark** ['bʊkmɑːk] *s* Lesezeichen *n;* **book of matches** *s* Streichholzheftchen *n;* **book•plate** ['bʊkpleɪt] *s* Exlibris *n;* **book review** *s* Buchbesprechung *f;* **book reviewer** *s* Kritiker(in) *m(f);* **book•seller** ['bʊkˌselə(r)] *s* Buchhändler(in) *m(f);* **book•shelf** <*pl* -shelves> *s* Bücherregal, -bord *n;* **book-shop** *s* Buchhandlung *f;* **book•stall** ['bʊkstɔːl] *s* Buchverkaufsstand *m;* Zeitungskiosk *m;* **book•store** ['bʊkstɔː(r)] *s* (*Am*) Buchhandlung *f;* **book token** *s* Büchergutschein *m;* **book trade** *s* Buchhandel *m;* **book•worm** ['bʊkwɜːm] *s* (*a. fig*) Bücherwurm *m*

boom¹ [buːm] *s* (TECH) **1.** (*derrik ~*) Ladebaum *m;* Ausleger *m* **2.** Sperre *f* **3.** Galgen *m* für Mikrofon

boom² [buːm] **I.** *s* Brausen, Donnern *n;* ~ **boom** (AERO) Schallknall *m* **II.** *itr* brausen, hallen, dröhnen **III.** *tr:* ~ **out** dröhnen

boom³ [buːm] **I.** *s* (COM) Boom, Aufschwung *m;* Hochkonjunktur *f* **II.** *itr* e-n Aufschwung nehmen; in die Höhe schnellen; **be ~ing** florieren, im Aufschwung begriffen sein, boomen

boom•er•ang ['buːməræŋ] *s* (*a. fig*) Bumerang *m*

boon [buːn] *s* Wohltat *f,* Segen *m*

boor [bʊə(r)] *s* Rüpel *m;* **boor•ish** [-ɪʃ] *adj* rüpel-, lümmelhaft

boost [buːst] **I.** *tr* **1.** (*Preise*) in die Höhe treiben **2.** ankurbeln **3.** (EL: *Strom, Leistung*) verstärken **II.** *s* **1.** Auftrieb *m* **2.** (EL) Verstärkung *f;* **that was a ~ to my ego** das hat mir Auftrieb gegeben; **booster** [buːstə(r)] *s* **1.** (MED) Wiederholungsimpfung *f* **2.** (EL) Puffersatz *m;* (RADIO) Zusatzverstärker *m;* (MOT) Kompressor *m;* Gebläse *n* **3.** (AERO) Zusatztriebwerk *n;* **booster rocket** *s* Start-, Trägerrakete *f;* **booster seat** *s* Stuhlaufsatz *m*

boot [buːt] **I.** *s* **1.** Stiefel *m* **2.** (*Br*) Kofferraum *m;* **die with one's ~s on** in den Sielen sterben; **get the ~** (*sl*) rausgeschmissen werden; **give s.o. the ~** (*sl*) jdn rausschmeißen; **the ~ is on the other foot** (*fig*) es ist gerade andersherum **II.** *tr* **1.** einen Fußtritt geben (*s.th.* e-r S); (*Ball*) kicken **2.** (EDV) urladen, hochladen; **boot out** *tr* (*fam*) rausschmeißen; **boot•black** ['buːtblæk] *s* Schuhputzer *m*

bootee ['buːtiː] *s* **1.** Halbstiefel *m* **2.** gestrickter Babyschuh

booth [buːð] *s* (Markt)Bude *f;* Messestand *m;* **interpreter's ~** Dolmetscherkabine *f;* **polling** [*o* **voting**] ~ Wahlzelle, -kabine *f;* **telephone ~** Fernsprech-, Telefonzelle *f*

boot•jack ['buːtdʒæk] *s* Stiefelknecht *m;* **boot•lace** ['buːtleɪs] *s* Schnürsenkel *m;* **boot•leg** ['buːtleg] *tr* schwarz brennen; schwarz herstellen; schwarz verkaufen; **boot•licker** ['buːtlɪkə(r)] *s* Speichellecker(in) *m(f);* **boot-maker** *s* Schuhmacher(in) *m(f)*

booty ['buːtɪ] *s* (*a. fig*) Beute *f*

booze [buːz] **I.** *itr* (*fam*) saufen **II.** *s* (*fam*) **1.** Alkohol *m* **2.** (*~-up*) Sauferei *f;* **boozer** ['buːzə(r)] *s* (*fam*) **1.** Säufer(in) *m(f)* **2.** (*sl*) Kneipe *f;* **boozy** ['buːzɪ] *adj* (*fam*) be-, versoffen

bor•der ['bɔːdə(r)] **I.** *s* **1.** Kante *f;* Rand(streifen) *m* **2.** (Landes)Grenze *f* **3.** Saum *m;* Einfassung *f* **4.** (*Garten*) Rabatte *f* **II.** *tr* begrenzen; einfassen **III.** *itr:* ~ **on** (*a. fig*) grenzen an; **bor•derer** ['bɔːdərə(r)] *s* Grenzbewohner(in) *m(f);* **bor•der•ing** [-ɪŋ] *adj* angrenzend (*on* an); **bor•der-land** ['bɔːdəlænd] *s* Grenzgebiet *n;* **bor-der•line** ['bɔːdəlaɪn] *s* Grenzlinie *f;* **borderline case** *s* Grenzfall *m*

bore¹ [bɔː(r)] **I.** *tr* **1.** ausbohren, -höhlen **2.** (*~ through*) durchbohren **3.** (*Loch*) bohren **II.** *itr* bohren (*for* nach) **III.** *s* **1.** Kaliber *n;* lichte Weite; Durchmesser *m* **2.** (*~-hole*) Bohrloch *n*

bore² [bɔː(r)] **I.** *tr* langweilen; ~ **s.o. to death** jdn zu Tode langweilen; **be ~d** sich langweilen **II.** *s* langweiliger Mensch, Langweiler *m*

bore³ [bɔː(r)] *s.* **bear²**

bore•dom ['bɔːdəm] *s* Langeweile *f*

borer ['bɔːrə(r)] *s* (TECH) Bohrer *m*
boric ['bɔːrɪk] *adj* Bor-; ~ **acid** Borsäure *f*
bor•ing ['bɔːrɪŋ] *adj* langweilig
born [bɔːn] *adj* geboren; **be** ~ geboren werden; (*fig*) entstehen; **where were you ~?** wo sind Sie geboren?; **he was ~ in the year 1940** er wurde im Jahre 1940 geboren; **he was ~ blind** er ist von Geburt blind; **born-again** ['bɔːnəgen] *adj* (REL) wiedergeboren
borne [bɔːn] *s.* **bear²**
boron ['bɔːrɒn] *s* (CHEM) Bor *n*
bor•ough ['bʌrə] *s* Bezirk *m;* Stadt(gemeinde) *f*
bor•row ['bɒrəʊ] *tr* borgen, (aus-, ent)leihen, entlehnen (*of, from* von) *a. fig;* **bor•rower** ['bɒrəʊə(r)] *s* **1.** Borger(in) *m(f),* (Ent)Leiher(in) *m(f)* **2.** (COM) Kreditnehmer(in) *m(f);* **bor•row•ing** [-ɪŋ] *s* Ausborgen *n;* Anleihe *f*
Bos•nia ['bɒznɪə] *s* Bosnien *n;* **Bos•nian** ['bɒznɪən] **I.** *adj* bosnisch **II.** *s* Bosnier(in) *m(f)*
bosom ['bʊzəm] *s* **1.** (*a. fig*) Busen *m* **2.** (*Kleid*) Brustteil *m* **3.** (*fig*) (das) Innere; **in the ~ of one's family** im Schoße der Familie; ~ **friend** Busenfreund(in) *m(f)*
boss¹ [bɒs] **I.** *s* (*fam*) Boss, Chef *m* **II.** *tr* arrangieren, leiten; ~ **around** herumkommandieren
boss² [bɒs] *s* Knauf, Buckel *m*
bossy ['bɒsɪ] *adj* (*fam*) herrschsüchtig; rechthaberisch
bo'sun ['bəʊsn] *s s.* **boatswain**
bot•an•ical [bə'tænɪkl] *adj* botanisch; **bot•an•ist** ['bɒtənɪst] *s* Botaniker(in) *m(f);* **bot•any** ['bɒtənɪ] *s* Botanik, Pflanzenkunde *f*
botch [bɒtʃ] **I.** *s* Flickwerk *n,* Pfuscherei *f* **II.** *tr* (~ *up*) verpfuschen; **botcher** ['bɒtʃə(r)] *s* Stümper(in) *m(f),* Pfuscher(in) *m(f)*
both [bəʊθ] **I.** *adj, pron* beide; beides; **we ~ can go, we can ~ go** wir beide können gehen; ~ (**the**) **brothers** beide Brüder; **on ~ sides** auf beiden Seiten **II.** *adv:* ~ **... and** sowohl ... als auch
bother ['bɒðə(r)] **I.** *s* **1.** Mühe, Schererei, Schwierigkeit *f* **2.** Plage *f* **II.** *tr* **1.** lästig sein (*s.o.* jdm), belästigen; plagen, quälen **2.** aufregen, aus der Ruhe bringen **III.** *itr* sich Sorgen machen (*about* um), sich kümmern (*about* um); ~ (**it**)! zum Kuckuck!; **don't ~!** bemühen Sie sich nicht!; **bother•ation** [ˌbɒðə'reɪʃn] *interj* verflixt!; **bother•some** ['bɒðəsəm] *adj* ärgerlich, lästig
Bot•swa•na [ˌbɒt'swɑːnə] *s* Botswana *n;* **Bot•swa•nan** [ˌbɒt'swɑːnən] **I.** *adj* botswanisch **II.** *s* Botswaner(in) *m(f)*
bottle ['bɒtl] **I.** *s* Flasche *f;* **lose one's** ~ (*sl*) die Nerven verlieren **II.** *tr* in Flaschen füllen; ~ **up** (*fig*) in sich hineinfressen; **bottle bank** *s* Altglascontainer *m;* **bottle brush** *s* Flaschenbürste *f;* **bottled** ['bɒtld] *adj* in Flaschen; **bottle-feed•ing** ['bɒtlˌfiːdɪŋ] *s* Füttern *n* mit der Flasche; **bottle-green** *adj* flaschengrün; **bottle heater** *s* Fläschchenwärmer *m;* **bottle-neck** ['bɒtlnek] *s* (*a. fig*) Engpass *m;* **bottle-party** *s* Bottle-Party *f* (*Party, bei der jeder Gast ein Getränk mitbringt*)
bot•tom ['bɒtəm] **I.** *s* **1.** Boden, Grund *m* (*a. e-s Gewässers*) **2.** Basis *f;* unteres Ende, Fuß *m* (*bes. e-s Berges*) **3.** Schiffsboden *m* **4.** Sitz *m;* Sitzfläche *f* **5.** (*fig*) Grundlage *f;* Kern *m;* Ursache *f;* **at ~** (*fig*) im Grunde; **from top to ~** von oben bis unten; **from the ~ of my heart** aus tiefstem Herzen; **be at the ~ of s.th.** hinter etw stecken; **get to the ~ of s.th.** e-r Sache auf den Grund gehen; **knock the ~ out of s.th.** etw widerlegen **II.** *adj attr* letzte(r, s), unterste(r, s), niedrigste(r, s) **III.** *itr:* ~ **out** den tiefsten Stand erreichen; **bot•tom•less** [-lɪs] *adj* **1.** grundlos; ohne Boden **2.** (*fig*) unergründlich; **a ~ pit** ein Fass ohne Boden
botu•lism ['bɒtjʊlɪzəm] *s* Lebensmittelvergiftung *f,* Botulismus *m*
bough [baʊ] *s* Ast, Zweig *m*
bought [bɔːt] *s.* **buy**
boul•der ['bəʊldə(r)] *s* Felsblock *m*
bounce [baʊns] **I.** *itr* **1.** auf-, zurückprallen **2.** springen; stürzen **3.** hochschnellen **4.** (*fam: Scheck*) platzen; ~ **back** (*fig*) sich nicht unterkriegen lassen **II.** *tr* **1.** aufprallen lassen **2.** (*sl*) an die Luft setzen **III.** *s* **1.** Rückprall, -stoß *m* **2.** Elastizität *f* **3.** Aufprall *m;* **bouncer** ['baʊnsə(r)] *s* (*fam*) Rausschmeißer *m;* **bounc•ing** ['-ɪŋ] *adj* (*fam*) stramm, drall; **bouncing cradle** *s* Babywippe *f*
bound¹ [baʊnd] **I.** *s* (*a. fig*) Grenze *f;* **out of ~s** Betreten verboten (*im Lokal*); **within the ~s** innerhalb der Grenzen **II.** *tr* begrenzen
bound² [baʊnd] **I.** *s* Sprung, Satz *m* **II.** *itr* springen, e-n Satz machen
bound³ [baʊnd] *adj pred:* **be ~ for** auf dem Weg sein nach; gehen nach; **homeward ~** auf der Heimreise, -fahrt; **outward ~** auf der Ausreise
bound⁴ [baʊnd] **I.** *pt, pp of* **bind** **II.** *adj* verpflichtet, gebunden; **be ~ to do s.th.** etw bestimmt tun; **it's ~ to happen** das muss so kommen; ~ **up in** sehr interessiert an; **be ~ up with** ganz in Anspruch genommen sein von
bound•ary ['baʊndrɪ] *s* Grenze, Trennungslinie *f*
bound•less ['baʊndlɪs] *adj* grenzen-, maß-

los; unbeschränkt

boun·te·ous ['baʊntɪəs] *adj s.* **bountiful; boun·ti·ful** ['baʊntɪfl] *adj* freigebig, großzügig; **bounty** ['baʊntɪ] *s* **1.** Freigebigkeit, Großzügigkeit *f* **2.** großzügige Gabe **3.** Zulage *f*

bou·quet [bʊ'keɪ] *s* **1.** Bukett *n,* (Blumen)Strauß *m* **2.** Bukett *n;* Blume *f* (*des Weines*)

bout [baʊt] *s* **1.** (MED) Anfall *m* **2.** Runde *f* (*Boxen*)

bov·ine ['bəʊvaɪn] *adj* **1.** Rind(er)-, Ochsen- **2.** (*fig*) blöd(e), doof, dumm; ~ **spongiform encephalopathy (BSE)** (*Rinderkrankheit*) Bovine-Spongiform-Enzephalopathie *f*

bow¹ [baʊ] *s* (MAR) Bug *m*

bow² [bəʊ] **I.** *s* **1.** (*Waffe*) Bogen *m* **2.** (MUS) Geigenbogen *m* **3.** (*rain~*) Regenbogen *m* **4.** Knoten *m;* Schleife *f;* **have two strings to one's ~** (*fig*) zwei Eisen im Feuer haben **II.** *itr* den Bogen führen

bow³ [baʊ] **I.** *s* Verbeugung *f* **II.** *itr* **1.** sich verbeugen, sich verneigen **2.** sich biegen **3.** (*fig*) sich beugen; **have a ~ing acquaintance** sich nur flüchtig kennen; ~ **out** sich verabschieden **III.** *tr:* ~ **one's head** den Kopf senken

bowd·ler·ize ['baʊdləraɪz] *tr* (*Buch*) von anstößigen Stellen säubern

bowel ['baʊəl] *s meist pl* Eingeweide *pl;* **bowel movement** *s* Stuhl(gang) *m;* **the ~s of the earth** das Erdinnere

bower ['baʊə(r)] *s* Laube *f*

bowl¹ [bəʊl] *s* **1.** Schüssel *f;* Napf *m;* Schale *f* **2.** Schöpfteil *m* **3.** (*Am*) Sportplatz *m,* Stadion *n*

bowl² [bəʊl] **I.** *s* **1.** (schwere) Holzkugel *f* **2.** **~s** Bowling *n* (*Kugelspiel auf dem Rasen*) **II.** *tr* (SPORT: *Ball*) werfen; (*Kugel*) schieben, rollen; ~ **over** umwerfen, -stoßen; (*fig*) aus dem Konzept bringen; **be ~ed over** sprachlos sein **III.** *itr* Bowling spielen; werfen; ~ **along** (dahin)rollen

bow-legged [ˌbəʊ'legd] *adj* o-beinig

bowler ['bəʊlə(r)] *s* **1.** (*Kricket*) Ballmann, Werfer *m* **2.** (~ *hat*) Melone *f* (*Hut*)

bowl·ing ['bəʊlɪŋ] *s* **1.** Bowlingspiel *n* **2.** (*Kricket*) Werfen *n* des Balles; **bowling alley** *s* Kegelbahn *f;* **bowling-green** *s* Rasenplatz *m* für Bowling

bow·man ['bəʊmən] <*pl* -men> *s* Bogenschütze *m;* **bow·string** ['bəʊstrɪŋ] *s* Bogensehne *f;* **bow tie** *s* Fliege *f;* **bow window** *s* Erkerfenster *n*

bow-wow [ˌbaʊ'waʊ] **I.** *interj* wauwau! **II.** *s* (*Kindersprache*) Wauwau *m*

box¹ [bɒks] *s* (BOT) Buchsbaum *m*

box² [bɒks] **I.** *s* **1.** Schachtel *f* **2.** Kiste *f;* Kasten, Behälter *m;* Karton *m* **3.** Etui, Futteral *n* **4.** Koffer *m* **5.** (Wahl)Urne *f* **6.** Fach *n;* Feld *n;* Rubrik *f* **7.** (*letter-~*) Briefkasten *m* **8.** (*money-~*) Kasse, Geldkassette *f* **9.** (TECH) Gehäuse *n* **10.** (THEAT) Loge *f* **11.** (JUR) Zeugenstand *m* **12.** (*Stall, Garage*) Box *f* **13.** (*Am*) Postfach *n* **II.** *tr* in e-e Schachtel packen; **box in** *tr* einklemmen, einengen *a. fig;* **box off** *tr* unterteilen; **box up** *tr* einschließen

box³ [bɒks] **I.** *tr, itr* boxen; ~ **s.o.'s ears** jdn ohrfeigen **II.** *s* Stoß, Schlag *m;* ~ **on the ear** Ohrfeige *f*

box calf ['bɒkskɑ:f] *s* Boxkalf *n* (*Leder*)

boxer ['bɒksə(r)] *s* Boxer *m;* **box·ing** ['bɒksɪŋ] *s* Boxen *n,* Boxsport *m;* **Box·ing Day** *s* zweiter Weihnachtsfeiertag; **boxing-gloves** *s pl* Boxhandschuhe *mpl;* **boxing-match** *s* Boxkampf *m*

box-num·ber ['bɒksnʌmbə(r)] *s* **1.** Chiffre(-nummer) *f* **2.** Postfach *n;* **box-office** *s* (Theater)Kasse *f;* ~ **hit** Kassenschlager *m*

boy [bɔɪ] *s* **1.** Knabe, Junge *m* **2.** Bursche *m;* **my ~!** (*fam*) mein Lieber!; **old ~!** (*fam*) alter Junge!; **oh, ~!** Junge! Junge!

boy·cott ['bɔɪkɒt] **I.** *s* (COM POL) Boykott *m* **II.** *tr* boykottieren

boy·friend ['bɔɪfrend] *s* Freund *m;* **boyhood** ['bɔɪhʊd] *s* Knabenalter *n;* **boy·ish** ['bɔɪɪʃ] *adj* knaben-, jungenhaft; **boy scout** *s* Pfadfinder *m*

bra [brɑ:] *s* Büstenhalter, BH *m*

brace [breɪs] **I.** *s* **1.** Klammer *f* **2.** (TECH) Strebe, Stütze *f,* Stützbalken *m,* Versteifung *f* **3.** (~ *and bit*) Bohrer *m* **4.** Klammer, Spange *f* (*für Zähne*) **5.** **~s** (*Br: pair of ~s*) Hosenträger *mpl* **6.** geschweifte Klammer **II.** *tr* **1.** verklammern; befestigen; (ver)spannen; (ab)stützen, verstreben **2.** festigen, stärken *a. fig;* **brace up** *itr* sich zusammenreißen, -nehmen

brace·let ['breɪslɪt] *s* Armband *n*

bracken ['brækn] *s* (BOT) Adlerfarn *m*

bracket ['brækɪt] **I.** *s* **1.** Träger, Arm *m;* Konsole *f* **2.** (TYP) Klammer *f* **3.** (*fig*) (Einkommens)Klasse, Gruppe, Schicht *f;* **in ~s** in Klammern; **income ~** Einkommensgruppe *f;* **round ~** runde Klammer; **square ~** eckige Klammer **II.** *tr* **1.** einklammern **2.** (zu e-r Gruppe) zusammenstellen

brack·ish ['brækɪʃ] *adj* brackig

brag [bræg] **I.** *itr* prahlen (*of, about s.th.* mit e-r S), angeben **II.** *s* Prahlerei *f;* **brag·gart** ['brægət] *s* Prahler(in) *m(f),* Aufschneider(in) *m(f)*

braid [breɪd] **I.** *s* **1.** Litze, Kordel, Tresse, Borte *f* **2.** (Band, Haar)Flechte *f* **II.** *tr* **1.** mit Litze besetzen **2.** (*Litze, Haar*) flechten

braille [breɪl] *s* Blinden-, Brailleschrift *f*

brain [breɪn] *s* **1.** Gehirn *n* **2.** (*fig: meist pl*)

Geist, Verstand *m;* Intelligenz *f;* Fähigkeiten *fpl;* Grips *m fam;* **rack one's ~(s)** sich den Kopf zerbrechen; **blow one's ~s out** sich e-e Kugel durch den Kopf jagen; **have ~s** Köpfchen haben, intelligent sein; **have s.th. on the ~** auf etw versessen, erpicht sein; **pick s.o.'s ~** sich von jdm inspirieren lassen; **brain-child** *s* Geistesprodukt *n;* Idee *f;* **brain dead** *adj* (MED) hirntot; **brain death** *s* (MED) Hirntod *m;* **brain drain** *s* Abwanderung *f* von Wissenschaftlern; **brain fever** *s* Hirnhautentzündung *f;* **brain•less** ['-lɪs] *adj* gedankenlos; dumm; **brain scan** *s* (MED) Brain-, Gehirnscan *n;* **brain-storm** *s* **1.** verrückte Idee; geistige Verwirrung **2.** (*Am fam*) Geistesblitz *m;* **brain•storm•ing** ['breɪnstɔːmɪŋ] *s* Brainstorming *n;* **brains trust** *s* Podiumsdiskussion *f;* **brain tumo(u)r** *s* (MED) Gehirntumor *m;* **brain•wash•ing** ['breɪnwɒʃɪŋ] *s* Gehirnwäsche *f;* **brain-wave** ['breɪnweɪv] *s* Geistesblitz *m;* **brain-worker** *s* Kopf-, Geistesarbeiter(in) *m(f);* **brainy** ['breɪnɪ] *adj* klug

braise [breɪz] *tr* (*Küche*) schmoren

brake[1] [breɪk] *s* Unterholz *n*

brake[2] [breɪk] **I.** *s* (TECH) Bremse *f;* **put on the ~s** die Bremsen betätigen, bremsen **II.** *tr, itr* bremsen; **brake block** *s* Bremsklotz *m;* **brake fluid** *s* (MOT) Bremsflüssigkeit *f;* **brake shoe** *s* Bremsschuh *m*

brak•ing ['breɪkɪŋ] *s* Bremsen *n;* **braking distance** *s* Bremsweg *m*

bramble ['bræmbl] *s* Brombeerstrauch *m;* Brombeere *f*

bran [bræn] *s* Kleie *f*

branch [brɑːntʃ] **I.** *s* **1.** Zweig, Ast *m* **2.** Nebenfluss *m;* (Fluss)Arm *m* **3.** (*Straße, Bahn*) Abzweigung, Nebenstrecke *f* **4.** (*fig*) Zweig *m;* Abschnitt *m* **5.** (COM) Branche *f,* Zweig *m* **II.** *itr* sich gabeln; **branch off** *itr* abzweigen, auseinander gehen; **branch out** *itr* sein Geschäft erweitern, vergrößern; **branch line** *s* (RAIL) Zweiglinie, Nebenstrecke *f;* **branch office** *s* Zweigstelle *f,* -geschäft *n,* Filiale *f*

brand [brænd] **I.** *s* **1.** Marke *f;* Warenzeichen *n* **2.** Brandmal *n* **II.** *tr* **1.** brandmarken *a. fig,* ein Zeichen einbrennen (*the cattle* dem Vieh) **2.** mit dem Waren-, Gütezeichen versehen

bran•dish ['brændɪʃ] *tr* schwingen

brand name ['brændneɪm] *s* (COM) Markenname *m,* Marke *f*

brand-new [ˌbrænd'njuː] *adj* (funkel)nagelneu

brandy ['brændɪ] *s* Weinbrand *m;* **brandy snap** *s* Ingwerwaffel *f*

brash [bræʃ] *adj* nassforsch, frech; unverschämt

brass [brɑːs] **I.** *s* **1.** Messing *n* **2.** (MUS: *the ~*) Blasinstrumente *npl* **3.** (*sl*) Geld *n,* Zaster *m* **II.** *adj* Messing-, aus Messing; **brass band** *s* Blaskapelle *f;* **brass hat** *s* (MIL: *sl*) hohes Tier

brass•iere ['bræsɪə(r)] *s* Büstenhalter *m*

brass plate [ˌbrɑːs'pleɪt] *s* Messing-, Türschild *n;* **brass-ware** *s* Messingwaren *fpl;* **brassy** ['brɑːsɪ] *adj* **1.** messingartig **2.** (*Ton*) blechern **3.** (*fam*) frech

brat [bræt] *s* (*pej*) ungezogenes Kind

bra•vado [brə'vɑːdəʊ] *s* forsches Auftreten, Draufgängertum *n*

brave [breɪv] **I.** *adj* tapfer, mutig, unerschrocken, furchtlos **II.** *tr* mutig entgegentreten, trotzen (*s.th.* e-r S); **~ it out** mutig die Stirn bieten; **brav•ery** ['breɪvərɪ] *s* Tapferkeit *f;* (Wage)Mut *m*

bravo [ˌbrɑː'vəʊ] <*pl* bravo(e)s> **I.** *interj* bravo! **II.** *s* Bravo *n*

brawl [brɔːl] **I.** *s* Schlägerei *f* **II.** *itr* **1.** sich zanken, streiten **2.** (*Fluss*) rauschen, tosen; **brawl•ing** [-ɪŋ] *s* Schlägereien *fpl*

brawn [brɔːn] *s* **1.** Muskeln *mpl* **2.** (*fig*) (Muskel)Kraft *f* **3.** Sülze *f;* **brawny** ['brɔːnɪ] *adj* muskulös; kräftig

bray [breɪ] **I.** *s* Iahen *n* **II.** *itr* (*Esel*) iahen

braze ['breɪz] *tr* hartlöten

brazen ['breɪzn] **I.** *adj* **1.** ehern; metallen **2.** (*~-faced*) schamlos, unverschämt **II.** *tr:* **~ it out** frech leugnen

braz•ier ['breɪzɪə(r)] *s* Kohlenbecken *n*

Bra•zil [brə'zɪl] *s* Brasilien *n;* **Bra•zil•ian** [brə'zɪlɪən] **I.** *s* Brasilianer(in) *m(f)* **II.** *adj* brasilianisch

breach [briːtʃ] **I.** *s* **1.** (*fig*) Bruch *m* **2.** (*fig*) Verstoß *m,* Verletzung *f* **3.** Lücke *f;* (MIL) Bresche *f;* **commit ~ of contract** vertragsbrüchig werden; **stand in** [*o* **step into**] **the ~** in die Bresche springen; **~ of promise** Bruch *m* des Eheversprechens; **~ of the peace** öffentliche Ruhestörung, Friedensbruch *m* **II.** *tr* e-e Bresche schlagen in, durchbrechen

bread [bred] **I.** *s* **1.** Brot *n* **2.** Lebensunterhalt *m;* **earn one's ~** seinen Lebensunterhalt verdienen; **know which side one's ~ is buttered** wissen, wo man seinen Vorteil hat; **the daily ~** das tägliche Brot; **a loaf/slice/piece of ~** ein Laib/e-e Scheibe/ein Stück Brot **II.** *tr* panieren; **bread and butter** *s* **1.** Butterbrot *n* **2.** (*fam*) Lebensunterhalt *m;* **bread-basket** *s* **1.** Brotkorb *m* **2.** (*sl*) Magen *m;* **bread•bin** ['bredbɪn] *s* Brotkasten *m;* **bread•crumb** ['bredkrʌm] *s* **1.** Brotkrume *f* **2.** **~s** Paniermehl *n*

breadth ['bretθ] *s* **1.** Breite *f;* Weite *f* **2.** (*fig*) Großzügigkeit *f;* **in ~** breit, in der Breite; **~ of mind** Weitherzigkeit *f*

bread•win•ner ['bred,wɪnə(r)] *s* Ernährer(in) *m(f)*

break [breɪk] <*irr:* broke, broken> **I.** *tr* **1.** (zer)brechen, zerreißen, zerstoßen, aufschlagen **2.** ruinieren, zu Grunde richten; kaputt machen **3.** (*Fensterscheibe*) einschlagen **4.** (*fig: Gesetz*) übertreten; (*sein Wort, Versprechen*) nicht halten; (*Verabredung*) nicht einhalten; (*Vertrag*) verletzen **5.** (*Verlobung*) auflösen **6.** unter-, abbrechen **7.** (*Rekord*) brechen **8.** (EL) abschalten **9.** (*Tier*) zähmen, abrichten **10.** abgewöhnen (*s.o. of s.th.* jdm etw) **11.** (*Weg*) bahnen **12.** mitteilen, eröffnen; (*fam*) beibringen **13.** (*Banknote*) klein machen; **be broken** kaputt, ruiniert sein; ~ **camp** das Lager abbrechen; ~ **one's neck** sich den Hals brechen; ~ **the news** die Nachricht eröffnen **II.** *itr* **1.** (zer)brechen, zu Bruch gehen; zerreißen **2.** (*Tag*) anbrechen, beginnen **3.** (*Unwetter*) aus-, los-, hereinbrechen **4.** (*Wetter*) sich ändern, wechseln **5.** aufhören, zu Ende gehen; **my heart ~s** es tut mir in der Seele weh **III.** *s* **1.** Bruch(stelle *f*) *m,* Sprung, Riss, Knick *m* **2.** Lücke *f;* Nische *f;* Lichtung *f* **3.** Unterbrechung *f;* Pause *f;* Urlaub *m* **4.** Absatz *m* (*in Schrift und Druck*) **5.** Anbruch, Beginn *m* **6.** Wechsel, Umschwung *m,* Wende *f;* (Wetter)Umbruch *m;* **without a** ~ ununterbrochen; **give us a ~!** (*fam*) halt mal die Luft an!; **at ~ of day** bei Tagesanbruch; **bad** ~ Pech *n;* **break away** *itr* **1.** ab-, ausbrechen; abreißen **2.** sich losreißen, sich trennen, sich lossagen (*from* von) **3.** (*Gewohnheiten*) aufgeben (*from s.th.* etw); **break down I.** *tr* **1.** abbrechen, zusammenschlagen; auseinander nehmen, abmontieren **2.** (*fig: Widerstand*) brechen **3.** (*Kosten, Rechnung*) aufgliedern **II.** *itr* **1.** aufhören zu funktionieren; betriebsunfähig werden, kaputt gehen **2.** (MOT) e-e Panne haben **3.** (*fig*) versagen, ausfallen; (*Mensch*) zusammenbrechen; **break even** *intr* (COM) kostendeckend arbeiten, die Ertragsschwelle erreichen; **break forth** *itr* **1.** ausbrechen (*in cheers* in Hochrufe) **2.** hervorbrechen; **break in I.** *tr* **1.** aufbrechen **2.** abrichten, dressieren **3.** (*Person*) einarbeiten **4.** (*Schuhe*) einlaufen **II.** *itr* **1.** einbrechen **2.** unterbrechen; **break into** *itr* **1.** einbrechen in **2.** plötzlich beginnen mit **3.** (*Geld*) anbrechen; **break loose I.** *tr* los-, abbrechen **II.** *itr* ausbrechen; **break off I.** *tr* **1.** abbrechen **2.** (*fig: Verlobung*) aufheben, lösen **II.** *itr* (*in der Rede*) aufhören, abbrechen; **break out** *itr* **1.** (*Gefangener, Feuer, Krieg*) ausbrechen **2.** (MED: ~ *out in a rash*) e-n Ausschlag bekommen **3.** (*fig*) losplatzen; **break through** *tr* durchstoßen, -brechen; **break up I.** *tr* **1.** auf-, er-, zerbrechen, zerstören **2.** (TECH) auseinander nehmen **3.** (*fig: Veranstaltung*) abbrechen, aufheben; (*Versammlung*) auflösen **4.** unterteilen (*into* in), aufschlüsseln, aufgliedern **II.** *itr* **1.** in Stücke gehen, zerschellen **2.** (*fig*) nachlassen, abnehmen, zusammenfallen **3.** in die Ferien gehen

break•able ['breɪkəbl] *adj* zerbrechlich; **break•age** ['breɪkɪdʒ] *s* **1.** Bruch(stelle *f*) *m* **2.** Bruch(schaden) *m;* **break-away** ['breɪkəweɪ] *s* (POL) Absplitterung *f;* **break•down** ['breɪkdaʊn] *s* **1.** Versagen *n;* Ausfall *m;* (Betriebs)Störung *f;* (MOT) Panne *f* **2.** (*fig*) Versagen, Scheitern *n* **3.** (MED) Zusammenbruch *m* **4.** listenmäßige Aufstellung; Aufgliederung, Aufschlüsselung *f;* **break•down lorry** *s* Abschleppwagen *m;* **break•down service** *s* Pannendienst *m*

breaker ['breɪkə(r)] *s* (*Welle*) Brecher *m*

break•fast ['brekfəst] **I.** *s* Frühstück *n;* **have** ~ frühstücken **II.** *itr* frühstücken

break•ing ['breɪkɪŋ] *s* Bruch *m;* **breaking-off** *s* Abbruch *m;* **breaking-test** *s* Bruch-, Zerreißprobe *f;* **break•neck** ['breɪknek] *adj* halsbrecherisch; **breakthrough** ['breɪkθruː] *s* Durchbruch *m;* **break•up** ['breɪkʌp] *s* **1.** Auf-, Zerbrechen, Zerreißen *n* **2.** (*a. fig*) Zerfall *m,* Auflösung *f* **3.** Zusammenbruch *m* **4.** (*Ehe*) Zerrüttung *f;* (*zwischen Freunden*) Bruch *m;* **break•water** ['breɪkwɔːtə(r)] *s* Wellenbrecher *m*

breast [brest] **I.** *s* Brust *f;* (*a. fig*) Busen *m;* **make a clean ~ of s.th.** sich etw vom Herzen reden **II.** *tr* die Stirn bieten, trotzen (*s.th.* e-r S); **breast•bone** ['brestbəʊn] *s* (ANAT) Brustbein *n;* **breast cancer** *s* (MED) Brustkrebs *m;* **breast•feed** ['brestfiːd] *tr, itr* (*Säugling*) stillen; **breast-fed child** Brustkind *n;* **breast pocket** *s* Brusttasche *f;* **breast screening** *s* (MED) Vorsorge-, Reihenuntersuchung *f* auf Brustkrebs; **breast•stroke** ['breststrəʊk] *s* Brustschwimmen *n*

breath [breθ] *s* **1.** Atem(zug *m,* -luft *f*) *m* **2.** (Luft)Hauch *m* **3.** (*fig*) Spur *f,* Anflug *m;* **bad** ~ Mundgeruch *m;* **below** [*o* **under**] **one's** ~ leise, flüsternd; **out of** ~ außer Atem, atemlos; **catch one's** ~ verschnaufen; **gasp for** ~ nach Luft schnappen; **save one's** ~ sich seine Worte sparen; **waste one's** ~ seine Worte verschwenden; **take** ~ Atem holen; **take a deep** ~ tief Luft holen; **it took my ~ away** (*fig*) es verschlug mir den Atem

breath•alyze ['breθəlaɪz] *tr* (MED) jdm eine Atemprobe abnehmen; **breath-**

alyzer ['breθəlaɪzə(r)] *s* (MOT) Alkoholtest *m;* Promillemesser *m*

breathe [bri:ð] **I.** *itr* **1.** atmen **2.** Luft holen; ~ **again** [*o* **freely**] (*fig*) aufatmen **II.** *tr* **1.** einatmen **2.** atmen **3.** flüstern; ~ **one's last** den letzten Atemzug tun; **don't ~ a word about ...** verrate kein Wort über ...; **breather** ['bri:ðə(r)] *s* Atem-, Verschnaufpause *f;* **take a ~** verschnaufen; **breath•ing** ['-ɪŋ] *s* Atmung *f;* **breathing apparatus** *s* Sauerstoffgerät *n;* **breathing space** *s* Atem-, Ruhepause *f;* **breath•less** ['breθlɪs] *adj* **1.** außer Atem, atemlos **2.** (*fig*) atemberaubend; **breath•tak•ing** ['breθteɪkɪŋ] *adj* atemberaubend; **breath test** *s s.* **breathalyzer**

bred [bred] *s.* **breed**

breech [bri:tʃ] **I.** *s* (*Gewehr*) Verschluss *m* **II.** *adj attr* (MED) Steiß-

breeches ['brɪtʃɪz] *s pl* Kniehose *f*

breed [bri:d] <*irr:* **bred, bred**> **I.** *itr* **1.** sich fortpflanzen, sich vermehren **2.** Junge bekommen **II.** *tr* **1.** (AGR) züchten **2.** (*fig*) hervorbringen, erzeugen, die Ursache sein *+gen* **III.** *s* Zucht *f;* Rasse *f;* Art *f;* **breeder** ['bri:də(r)] *s* **1.** Züchter(in) *m(f)* **2.** (PHYS) Brüter *m;* **breed•ing** ['-ɪŋ] *s* **1.** Fortpflanzung *f;* (*a.* PHYS) Brüten *n* **2.** (AGR) Zucht *f* **3.** (*fig*) Erziehung *f* **4.** Benehmen *n;* Bildung *f*

breeze [bri:z] *s* Brise *f;* **there's not a ~ stirring** es weht kein Lüftchen; **breeze in** *itr* fröhlich hereinschneien; **breeze block** [brɪ:z blɒk] *s* Ytong® *m;* **breezy** ['bri:zɪ] *adj* **1.** (leicht) windig; (*Platz*) luftig **2.** (*fig*) lebhaft, flott; kess

breth•ren ['breðrən] *s pl* (REL) Brüder *mpl*

breve [bri:v] *s* (MUS) Brevis *f*

brevi•ary ['bri:vɪərɪ] *s* (REL) Brevier *n*

brev•ity ['brevətɪ] *s* Kürze *f*

brew [bru:] **I.** *tr* **1.** (*Bier*) brauen **2.** (*Getränk*) zubereiten **3.** (*fig*) zu Stande bringen; ausbrüten, -hecken **II.** *itr* **1.** brauen **2.** (*fig*) sich zusammenbrauen, im Anzug sein, in der Luft liegen **III.** *s* Gebräu *n;* **brew up** *itr* (*fam*) Tee machen; **brewer** ['bru:ə(r)] *s* Brauer(in) *m(f);* **brew•ery** ['brʊərɪ] *s* Brauerei *f*

briar ['braɪə(r)] *s s.* **brier**

bribe [braɪb] **I.** *s* Schmier-, Bestechungsgeld *n* **II.** *tr* **1.** bestechen **2.** (*fig*) verleiten, verführen; **bri•bery** ['braɪbərɪ] *s* Bestechung *f;* **attempt at ~** Bestechungsversuch *m;* **(not) open to ~** (un)bestechlich

bric-a-brac ['brɪkəbræk] *s* Nippes, Nippsachen *pl*

brick [brɪk] *s* **1.** Ziegel, Backstein *m* **2.** Block, Riegel *m* **3.** Bauklotz *m* (*Spielzeug*); **drop a ~** (*fam*) ins Fettnäpfchen treten; **brick in, brick up** *tr* zu-, vermauern; **brickie** ['brɪkɪ] *s* (*fam*) Maurer(in) *m(f);* **brick•layer** ['brɪkˌleɪə(r)] *s* Maurer(in) *m(f);* **brick•work** ['brɪkwɜ:k] *s* Maurerarbeit *f;* Mauern *fpl;* **brick•works, brickyard** ['brɪkwɜ:ks, 'brɪkjɑ:d] *s* Ziegelei *f*

bri•dal ['braɪdl] *adj* Braut-; hochzeitlich; **bride** ['braɪd] *s* Braut *f;* **bride•groom** ['braɪdgrʊm] *s* Bräutigam *m;* **bridesmaid** ['braɪdzmeɪd] *s* Brautjungfer *f*

bridge [brɪdʒ] **I.** *s* **1.** (*a.* EL SPORT) Brücke *f* **2.** (MAR) Kommandobrücke *f* **3.** (*Geige, Brille*) Steg *m* **4.** Nasenrücken *m* **5.** (*Zahnprothese*) Brücke *f* **6.** (*Kartenspiel*) Bridge *n* **II.** *tr* **1.** e-e Brücke schlagen/bauen über *+acc* **2.** (*fig*) überbrücken; **bridg•ing loan** ['brɪdʒɪŋ'ləʊn] *s* Überbrückungskredit *m*

bridle ['braɪdl] **I.** *s* Zaum(zeug *n*) *m* **II.** *tr* **1.** (auf)zäumen **2.** (*fig*) im Zaum halten, zügeln **III.** *itr* **1.** den Kopf hoch tragen **2.** sich entrüstet wehren (*at* gegen); **bridle-path** *s* Reitweg *m*

brief [bri:f] **I.** *s* **1.** (JUR) Auftrag *m;* Unterlagen *f pl* zu e-m Fall; (*Br sl*) Anwalt *m,* Anwältin *f* **2.** (COM) Auftrag *m* **3.** (MIL AERO) Flugbesprechung *f* **II.** *tr* **1.** e-n Auftrag geben (*s.o.* jdm) **2.** einweisen, instruieren, unterrichten **III.** *adj* **1.** kurz **2.** kurz gefasst, knapp, gedrängt; **in ~** in Kürze, kurz, *adj;* **be ~** sich kurz fassen; **brief•case** ['bri:fkeɪs] *s* Aktentasche, -mappe *f;* **briefing** ['-ɪŋ] *s* **1.** Einsatzbesprechung *f* **2.** Einweisung, Instruktion *f,* Briefing *n;* **brief•ly** ['-lɪ] *adv* kurz; in Kürze, mit wenigen Worten; **brief•ness** ['-nɪs] *s* Kürze *f;* Gedrängtheit *f*

briefs [bri:fs] *s pl* Damenschlüpfer, Slip *m*

brier, briar ['braɪə(r)] *s* Dornstrauch *m;* Heckenrose *f*

brig•ade [brɪ'geɪd] *s* **1.** (MIL) Brigade *f* **2.** Kolonne *f;* Trupp *m;* **fire ~** Feuerwehr *f*

bright [braɪt] *adj* **1.** leuchtend, strahlend, hell **2.** (*Wetter*) heiter; klar **3.** glücklich, freudig **4.** aufgeweckt, gescheit, klug; **brighten (up)** ['braɪtn (ʌp)] **I.** *tr* **1.** hell, glänzend machen, aufhellen, (auf)polieren **2.** aufheitern, glücklich machen **II.** *itr* **1.** (*Himmel*) sich aufhellen **2.** (*Gesicht*) aufleuchten; **brightener** [-ə(r)] *s* (optischer) Aufheller; **bright•ness** ['-nɪs] *s* **1.** Glanz *m;* Klarheit, Helligkeit *f* **2.** (*fig*) Aufgewecktheit *f*

brill ['brɪl] *adj* (*fam*) prima, toll, Spitze!

bril•liance, bril•liancy ['brɪlɪəns, 'brɪlɪənsɪ] *s* **1.** heller Glanz, Leuchtkraft *f* **2.** (*fig*) geistige Wendigkeit; Brillanz *f;* **brilliant** ['brɪlɪənt] *adj* **1.** hell leuchtend **2.** (*fig*) glänzend, brillant; (*Mensch*) geistreich

brim [brɪm] **I.** *s* **1.** Rand *m* (*e-s Gefäßes*) **2.** (*Hut*) Krempe *f;* **full to the ~** randvoll **II.** *itr* voll sein; ~ **over** überfließen (*with* mit); **brim•ful** [ˌbrɪm'fʊl] *adj* randvoll; **he is ~ of new ideas** er steckt voller Ideen

brine [braɪn] *s* Lake, Sole *f*

bring [brɪŋ] <*irr:* brought, brought> *tr* **1.** (mit-, her)bringen **2.** mitführen, bei sich haben **3.** im Gefolge haben **4.** verschaffen, schenken, geben **5.** (*Gründe*) vorbringen; (*Gewinn*) einbringen; (*Preis*) erzielen **6.** (*Person*) dazu bringen, veranlassen, bewegen; ~ **upon o.s.** sich zuziehen; sich zuzuschreiben haben; sich aufladen; ~ **an action against s.o.** gegen jdn e-e Klage einreichen; ~ **to bear** anwenden (*on* auf), anbringen (*on* bei), geltend machen; ~ **to an end** beenden; ~ **home to s.o.** jdm verständlich machen; jdn überzeugen; ~ **to light** ans Licht bringen; ~ **into the open** an die Öffentlichkeit bringen; ~ **into play** ins Spiel bringen; ins Feld führen; ~ **s.o. to his senses** jdn zur Vernunft bringen; **bring about** *tr* verursachen; zu Stande, zu Wege bringen; **bring along** *tr* mitbringen; **bring back** *tr* **1.** ins Gedächtnis (zurück)rufen **2.** (*Gegenstand*) zurückbringen; ~ **s.o. back to health** jdn wieder gesund machen; **bring down** *tr* **1.** herunterbringen, -holen **2.** (*Preis*) herabsetzen **3.** (*Tier*) zur Strecke bringen; ~ **down the house,** ~ **the house down** (THEAT) die Zuschauer mitreißen; **bring forth** *tr* **1.** zur Welt, hervorbringen **2.** verursachen; **bring forward** *tr* **1.** vorbringen **2.** vorverlegen **3.** zur Sprache bringen **4.** (COM) über-, vortragen; **bring in** *tr* **1.** (*finanziell*) einbringen, abwerfen **2.** hereinbringen **3.** einführen **4.** (*Gesetzesvorlage*) einbringen; **bring off** *tr* **1.** retten, wegbringen **2.** zu Stande, zu Wege bringen; **bring on** *tr* **1.** verursachen, bewirken **2.** zur Sprache bringen **3.** fördern, weiterbringen; **bring out** *tr* **1.** klar, deutlich machen **2.** (*Standpunkt*) vorbringen **3.** (*Buch*) herausbringen **4.** (*Ware*) auf den Markt bringen; ~ **s.o. out of himself** jdm die Hemmungen nehmen; **bring over** *tr* umstimmen, überzeugen; **bring round** *tr* **1.** wieder zu Bewusstsein bringen **2.** umstimmen **3.** bringen (*to* auf); **bring through** *tr* (*Kranken*) durchbringen; **bring to** *tr* **1.** (*Ohnmächtigen*) wieder zu sich bringen **2.** (MAR) beidrehen; **bring under** *tr* **1.** unterwerfen **2.** bringen unter; **bring up** *tr* **1.** auf-, erziehen **2.** zum Stillstand bringen **3.** zur Sprache bringen **4.** erbrechen **5.** (*Truppen*) einsetzen; ~ **up the rear** als Letzter kommen

brink [brɪŋk] *s* (*a. fig*) Rand *m;* **on the ~ of disaster** am Rande des Abgrunds

briny ['braɪnɪ] *adj* salz(halt)ig

bri•quet(te) [brɪ'ket] *s* Brikett *m*

brisk [brɪsk] *adj* **1.** lebhaft, munter **2.** schnell, rasch, flott **3.** belebend, anregend, feurig; **brisk•ness** [-nɪs] *s* Lebhaftigkeit *f*

bristle ['brɪsl] **I.** *s* Borste *f* **II.** *itr* **1.** (*Haar*) (sich) sträuben **2.** strotzen (*with* vor) *a. fig* **3.** (~ *with anger*) zornig werden; **brist•ly** ['brɪslɪ] *adj* stachelig; struppig

Brit•ain ['brɪtn] *s* Großbritannien *n;* **Bri•tan•nic** [brɪ'tænɪk] *adj:* **Her/His ~ Majesty** Ihre/Seine Britannische Majestät; **Brit•ish** ['brɪtɪʃ] **I.** *adj* britisch **II.** *s:* **the ~** die Briten *pl;* **British Broadcasting Corporation, BBC** *s* britische Rundfunkgesellschaft, BBC *f;* **Briton** ['brɪtn] *s* Brite *m,* Britin *f*

brittle ['brɪtl] *adj* **1.** zerbrechlich, spröde **2.** (*fig*) reizbar

broach [brəʊtʃ] *tr* **1.** anzapfen, -stechen **2.** (*Thema*) anschneiden

broad [brɔːd] **I.** *s* (*Am sl*) Frau *f* **II.** *adj* **1.** breit; weit **2.** allgemein, umfassend **3.** grob, vage **4.** großzügig, tolerant **5.** klar, deutlich, unmissverständlich **6.** (*Sprache*) breit; **in ~ outline** in groben Zügen; ~ **hint** deutlicher Wink; ~ **daylight** helles Tageslicht; ~-**leaved tree** Laubbaum *m* **III.** *s:* **the ~ of the back** die Schultergegend; **broad bean** *s* dicke Bohne, Saubohne *f*

broad•cast ['brɔːdkɑːst] <*irr:* broadcast, broadcast> **I.** *s* Rundfunk-, Fernsehübertragung *f* **II.** *tr* **1.** senden, übertragen, im Rundfunk, Fernsehen übertragen **2.** an die große Glocke hängen, ausposaunen **III.** *itr* **1.** senden **2.** im Rundfunk, Fernsehen auftreten; **broad•caster** ['brɔːdkɑstə(r)] *s* Fernseh-, Rundfunksprecher(in) *m(f);* **news ~** Nachrichtensprecher(in) *m(f);* **broad•cast•ing** [-ɪŋ] *s* Rundfunk-, Fernsehübertragung *f;* **broadcasting station** *s* Sender *m*

broaden ['brɔːdn] **I.** *itr* sich verbreitern, sich erweitern **II.** *tr* verbreitern, erweitern

broad•ly ['brɔːdlɪ] *adv* **1.** allgemein **2.** beträchtlich; ~ **speaking** ganz allgemein gesprochen

broad-minded [ˌbrɔːd'maɪndɪd] *adj* tolerant; **broad•sheet** ['brɔːdʃiːt] *s* Flugblatt *n;* ~ **format** Planobogen *m;* **broad•side** ['brɔːdsaɪd] *s* **1.** (MAR) Breitseite *f* **2.** (*fam*) Schimpfkanonade *f*

bro•cade [brə'keɪd] *s* Brokat *m*

broc•coli ['brɒkəlɪ] *s* (BOT) Spargelkohl *m,* Brokkoli *pl*

bro•chure ['brəʊʃə(r)] *s* Broschüre *f*

brogue [brəʊg] *s* derber (Arbeits)Schuh

broil [brɔɪl] *tr* auf dem Rost braten, grillen; **broiler** ['brɔɪlə(r)] *s* **1.** Brathuhn *n* **2.** Grill *m*

broke [brəʊk] **I.** *pt of* **break II.** *adj* (*sl*) abgebrannt, pleite; **go** ~ Pleite gehen; **broken** ['brəʊkn] **I.** *pp of* **break II.** *adj* **1.** kaputt, gebrochen, zerbrochen **2.** (*Stimmung*) gedrückt; (*Gesundheit*) zerrüttet **3.** (*Gelände*) uneben; ~ **English** gebrochenes Englisch; ~ **sleep** unterbrochener Schlaf; **broken-down** *adj* (*Maschine*) nicht betriebs-, gebrauchsfähig; **broken-hearted** *adj* mit gebrochenem Herzen; untröstlich

bro•ker ['brəʊkə(r)] *s* **1.** Makler(in) *m(f)*, Agent(in) *m(f)*, Vermittler(in) *m(f)* **2.** Gerichtsvollzieher(in) *m(f)*; **real estate** ~ Grundstücksmakler(in) *m(f)*; **bro•ker•age** ['brəʊkərɪdʒ] *s* **1.** Maklergeschäft *n* **2.** Maklergebühr, Courtage *f*

brolly ['brɒlɪ] *s* (*Br fam*) Schirm *m*

bro•mide ['brəʊmaɪd] *s* **1.** (CHEM) Bromid *n* **2.** Beruhigungsmittel *n* **3.** (*fam*) Banalität *f*

bro•mine ['brəʊmiːn] *s* Brom *n*

bron•chi ['brɒŋkaɪ, *sing* -kəs] <*sing* bronchus> *s pl* (ANAT) Bronchien *fpl*; **bronchial** ['brɒŋkɪəl] *adj* Bronchial-; **bron•chi•tis** [brɒŋ'kaɪtɪs] *s* Bronchitis *f*, Bronchialkatarrh *m*

bronze [brɒnz] **I.** *s* Bronze *f* **II.** *adj* bronzen; bronzefarben; **Bronze Age** *s* Bronzezeit *f*

brooch [brəʊtʃ] *s* Brosche *f*

brood [bruːd] **I.** *s* (*a. pej*) Brut *f* **II.** *itr* (*a. fig*) brüten (*on, over* über); **broody** ['bruːdɪ] *adj* brütend *a. fig*

brook¹ [brʊk] *s* Bach *m*

brook² [brʊk] *tr* (*meist verneint*) ertragen, dulden

broom [bruːm] *s* **1.** (BOT) Ginster *m* **2.** Besen *m*; **a new ~ sweeps clean** neue Besen kehren gut; **broom•stick** ['bruːmstɪk] *s* Besenstiel *m*

broth [brɒθ] *s* (Fleisch)Brühe *f*

brothel ['brɒθl] *s* Bordell *n*

brother ['brʌðə(r)] *s* **1.** (*a. fig*) Bruder *m* **2.** ~**s** (COM) Gebrüder *mpl*; ~(**s**) **and sister**(**s**) Geschwister *pl*; **brother•hood** [-hʊd] *s* **1.** Brüderschaft *f* **2.** Brüderlichkeit *f*; **brother-in-law** ['brʌðərɪnlɔː] <*pl* brothers-in-law> *s* Schwager *m*; **brother•ly** ['-lɪ] *adj* brüderlich; ~ **love** Nächstenliebe *f*

brought [brɔːt] *s.* **bring**

brow [braʊ] *s* **1.** Augenbraue *f* **2.** (*a. fig*) Stirn *f* **3.** Vorsprung *m*; (Berg)Kuppe *f*; **knit one's ~s** die Stirn runzeln; **brow•beat** ['braʊbiːt] <*irr:* browbeat, browbeaten> *s* unter Druck setzen (*into doing s.th.* etw zu tun)

brown [braʊn] **I.** *adj* braun **II.** *s* Braun *n* **III.** *tr* bräunen; (*Fleisch*) anbraten; **I'm ~ed off** (*fam*) das hängt mir zum Hals raus **IV.** *itr* braun werden; **brown bread** *s* Misch-, Graubrot *n*; **brown goods** [ˌbraʊn'gʊdz] *s pl* Unterhaltungselektronik *f*; **brown rice** *s* Naturreis *m*

brownie ['braʊnɪ] *s* Wichtel *m*; ~ **points** Pluspunkte *mpl*

brown paper ['braʊn'peɪpə(r)] *s* Packpapier *n*; **brown•stone** ['braʊnstəʊn] *s* (*Am*) brauner Sandstein

browse [braʊz] *itr* **1.** weiden **2.** (*fig*) sich umsehen; (*in Büchern*) (herum)schmökern

bruise [bruːz] **I.** *s* (MED) Quetschung *f*; blauer Fleck **II.** *tr* **1.** quetschen; stoßen **2.** grün u. blau schlagen **III.** *itr* blaue Flecke bekommen; **bruiser** ['bruːzə(r)] *s* (*fam*) Schläger *m*

brunch [brʌntʃ] *s* (*fam*) Brunch *n* (*Frühstück u. Mittagessen zugleich*)

bru•nette [bruː'net] **I.** *adj* brünett **II.** *s* Brünette *f*

brunt [brʌnt] *s*: **bear the ~ of s.th.** die Hauptlast e-r S tragen

brush [brʌʃ] **I.** *s* **1.** Bürste *f* **2.** Pinsel *m* **3.** Abbürsten *n* **4.** (Fuchs)Schwanz *m* **5.** Gestrüpp, Unterholz *n* **6.** Zusammenstoß *m* **II.** *tr* **1.** bürsten **2.** fegen, kehren **3.** streifen; ~ **one's teeth** sich die Zähne putzen; **brush aside** *tr* zur Seite schieben, abtun; **brush away** *tr* abbürsten; **brush off** *tr* **1.** abbürsten **2.** (*fam*) abblitzen lassen; **brush up** *tr* **1.** aufkehren **2.** (*fig*) auffrischen; **brush-off** ['brʌʃɒf] *s* Abfuhr *f*; **give sb the ~** (*fam*) jdm eine Abfuhr erteilen; **brush•wood** ['brʌʃwʊd] *s* Unterholz, Dickicht *n*

brusque [bruːsk] *adj* brüsk, barsch; **brusque•ness** [-nɪs] *s* Schroffheit *f*

Brus•sels ['brʌslz] *s* Brüssel *n*; **Brussels sprouts** *s pl* Rosenkohl *m*

bru•tal ['bruːtl] *adj* roh, brutal; **bru•tal•ity** [bruː'tælətɪ] *s* Rohheit, Brutalität *f*; **brutal•ize** ['bruːtəlaɪz] *tr* brutal behandeln

brute [bruːt] **I.** *s* **1.** Tier, Vieh *n* **2.** Rohling *m* **II.** *adj* viehisch, grausam, brutal; roh; stumpf, gefühllos; **by ~ force** mit roher Gewalt; **brut•ish** ['bruːtɪʃ] *adj* tierisch, viehisch; roh

BSE *s abbr of* **bovine spongiform encephalopathy** BSE *f*

bubble ['bʌbl] **I.** *s* **1.** (Luft, Seifen)Blase *f* **2.** (*fig*) Schwindel *m* **II.** *itr* sprudeln, blubbern, schäumen; **bubble over** *itr* überfließen, -sprudeln; **bubble bath** *s* Schaumbad *n*; **bubble gum** *s* Bubblegum *m*; **bub•bly** ['bʌblɪ] **I.** *adj* sprudelnd **II.** *s* (*fam*) Schampus *m*

bu•bonic [bjuː'bɒnɪk] *adj*: ~ **plague** Beulenpest *f*

buc•ca•neer [ˌbʌkə'nɪə(r)] *s* Seeräuber *m*

buck [bʌk] **I.** *s* **1.** Bock *m* (*Reh- und Stein-*

wild); (*Hase*) Rammler *m* **2.** (*old* ~) Geck, Stutzer *m* **3.** (*Am sl*) Dollar *m;* **earn a fast ~** schnelles Geld machen; **pass the ~** die Verantwortung abschieben (*to* auf) **II.** *itr* **1.** (*Pferd*) bocken **2.** (*Mensch*) bocken, sich sträuben; **buck up I.** *itr* (*fam*) **1.** sich beeilen **2.** sich zusammenreißen **II.** *tr* **1.** Dampf machen (*s.o.* jdm) **2.** aufmuntern

bucket ['bʌkɪt] **I.** *s* **1.** Eimer, Kübel *m* **2.** (TECH) Schaufel *f;* **kick the ~** (*sl*) ins Gras beißen **II.** *tr* (*Pferd*) zu Schanden reiten; **bucket•ful** [-fʊl] *s* Eimervoll *m*

buckle ['bʌkl] **I.** *s* Schnalle, Spange *f* **II.** *tr* **1.** an-, um-, zuschnallen **2.** (TECH) (ver)biegen, krümmen **III.** *itr* (TECH) sich werfen; sich verziehen; **~ down to s.th.** etw ernsthaft in Angriff nehmen

buck•shot ['bʌkʃɒt] *s* Rehposten *m;* **buck-skin** ['bʌkskɪn] *s* Wildleder *n*

buck•wheat ['bʌkwi:t] *s* Buchweizen *m*

bud [bʌd] **I.** *s* Knospe *f;* **in (the) ~** voller Knospen; **nip in the ~** (*fig*) im Keim ersticken **II.** *itr* knospen, keimen *a. fig;* **budding** [-ɪŋ] *adj* (*fig*) angehend

buddy ['bʌdɪ] *s* (*sl*) Kumpel *m*

budge [bʌdʒ] *tr:* **I can't ~ it** ich kann es nicht von der Stelle bringen; **it won't ~** es lässt sich nicht bewegen

bud•geri•gar ['bʌdʒərɪgɑ:(r)] *s* Wellensittich *m*

budget ['bʌdʒɪt] **I.** *s* Etat, Finanzplan *m,* Budget *n* **II.** *itr* haushalten; **~ for s.th.** etw im Haushaltsplan vorsehen; **budget•ary** ['bʌdʒɪtərɪ] *adj* Haushalts-, Budget-

buff [bʌf] **I.** *s* **1.** dickes, weiches Leder **2.** (*fam*) bloße Haut **3.** stumpfes Gelbbraun; **in the ~** im Adamskostüm **II.** *adj* lederfarben **III.** *tr* polieren

buf•falo ['bʌfələʊ] <*pl* -falo(e)s> *s* Büffel *m;* Bison *m*

buf•fer ['bʌfə(r)] *s* **1.** (TECH) Puffer, Prellbock *m* **2.** (EDV) Puffer, Zwischenspeicher *m* **3.** Polierpfeile *f*

buf•fet[1] ['bʌfɪt] **I.** *s* (*a. fig*) Schlag *m* **II.** *tr* hin- u. herwerfen

buf•fet[2] ['bʊfeɪ] *s* **1.** Büfett *n;* Theke, Bar *f* **2.** kaltes Büfett; **buffet car** *s* (*Br:* RAIL) Speisewagen *m*

buf•foon [bə'fu:n] *s* Possenreißer, Clown *m*

bug [bʌg] **I.** *s* **1.** Wanze *f* **2.** (*Am*) Insekt *n;* Käfer *m* **3.** (*fam*) Bazillus *m* **4.** (*sl*) Bock, Fehler, Defekt *m* **5.** (*big* ~) hohes Tier **6.** (*Abhörgerät*) Wanze *f* **7.** (EDV) Virus *m* **II.** *tr* **1.** e-e Wanze einbauen in **2.** (*fam*) ärgern

bug•bear ['bʌgbeə(r)] *s* Schreckgespenst *n*

bug•ger ['bʌgə(r)] **I.** *s* (*sl*) Kerl, Bursche *m;* (*als Schimpfwort*) Scheißkerl *m;* **you lucky ~!** da hast du aber Schwein gehabt! **II.** *tr* anal verkehren mit; **(oh,) ~!** (*vulg*) Scheiße!; **bugger off** *itr* (*sl*) abhauen; **bugger up** *tr* (*sl*) versauen; **bug•gery** ['bʌgərɪ] *s* Sodomie *f*

bugging ['bʌgɪŋ] *s* Abhöraktion *f;* **bugging system** *s* Abhörsystem *n*

buggy ['bʌgɪ] *s* **1.** Buggy *m* **2.** (*Am*) Kinderwagen *m*

bugle ['bju:gl] *s* (MUS) Waldhorn *n;* **bugler** ['bju:glə(r)] *s* Hornist(in) *m(f)*

build [bɪld] <*irr:* built, built> **I.** *tr* **1.** bauen (*of* aus) **2.** auf-, erbauen, errichten **II.** *itr* (ein Haus) bauen **III.** *s* Körperbau *m;* Figur *f;* **build in** *tr* einbauen, einplanen; **build on** *tr* anbauen; **build up I.** *tr* **1.** aufbauen, aufbessern **2.** steigern, erhöhen, kräftigen **3.** bebauen **II.** *itr* **1.** entstehen, zunehmen **2.** sich verdichten

builder ['bɪldə(r)] *s* **1.** Erbauer(in) *m(f)* **2.** Baumeister(in) *m(f)* **3.** Bauunternehmer(in) *m(f)* **4.** (*fig*) (Be)Gründer(in) *m(f)*

build•ing ['bɪldɪŋ] *s* **1.** Bau *m,* Bauen *n;* Baukunst *f* **2.** Bau(werk *n*) *m,* Gebäude *n;* **building contractor** *s* Bauunternehmer(in) *m(f);* **building site** *s* Baustelle *f;* **building society** *s* Bausparkasse *f*

build-up ['bɪldʌp] *s* **1.** Reklame; Propaganda *f* **2.** Steigerung *f;* **give s.o. a ~** jdn aufbauen; **a ~ of traffic** eine Verkehrsverdichtung

built [bɪlt] *s.* **build; built-in** ['bɪlt'ɪn] *adj* eingebaut; **built-up** ['bɪltʌp] *adj:* **~ area** bebautes Gelände; geschlossene Ortschaft

bulb [bʌlb] *s* **1.** (Blumen)Zwiebel, Knolle *f* **2.** (Glas)Kolben *m* **3.** (Glüh)Birne *f;* **bulbous** ['bʌlbəs] *adj* (BOT) zwiebelförmig; knollig *a. fig*

Bul•garia [bʌl'geərɪə] *s* Bulgarien *n;* **Bulgar•ian** [bʌl'geərɪən] **I.** *s* Bulgare *m,* Bulgarin *f* **II.** *adj* bulgarisch

bulge [bʌldʒ] **I.** *s* **1.** Ausbuchtung *f;* Rundung *f;* Beule *f* **2.** Zunahme *f* **II.** *itr* anschwellen, sich wölben; e-n Wulst bilden; **bulg•ing** [-ɪŋ] *adj* prall gefüllt

bul•imia [bʊlɪ:mɪə] *s* (MED) Bulimie *f*

bulk [bʌlk] **I.** *s* **1.** Masse *f;* Umfang *m;* Volumen *n;* Größe *f* **2.** Hauptteil *m;* Mehrzahl *f* (*of+gen*); **in ~** unverpackt, lose; in großen Mengen; (COM) en gros; **the ~ of** der größte Teil *+gen* **II.** *itr:* **~ large** bedeutend erscheinen; **bulk buying** *s* Großeinkauf *m*

bulk•head ['bʌlkhed] *s* (MAR) Schott *n*

bulky ['bʌlkɪ] *adj* **1.** umfangreich, massig **2.** unhandlich; sperrig

bull[1] [bʊl] **I.** *s* **1.** Stier, Bulle *m a. fig* **2.** (COM) Haussespekulant *m;* **like a ~ in a china shop** wie ein Elefant im Porzellanladen *m;* **take the ~ by the horns** (*fig*) den Stier bei den Hörnern packen **II.** *itr* (COM) auf Hausse spekulieren **III.** *tr* die Kurse in die Höhe treiben

bull² [bʊl] *s* (REL) Bulle *f*
bull•dog ['bʊldɒg] *s* Bulldogge *f*
bull•doze ['bʊldəʊz] *tr* planieren; ~ **s.o. into doing s.th.** jdn zwingen etw zu tun; **bull•dozer** ['bʊldəʊzə(r)] *s* Planierraupe *f*, Bulldozer *m*
bul•let ['bʊlɪt] *s* Gewehrkugel *f;* Geschoss *n*
bull•etin ['bʊlətɪn] *s* **1.** amtlicher Bericht, Bulletin *n* **2.** Tages-, Krankenbericht *m;* **bulletin board** *s* (*Am*) schwarzes Brett
bul•let•proof *adj* kugelsicher; **bullet train** *s* japanischer Hochgeschwindigkeitszug
bull•fight ['bʊlfaɪt] *s* Stierkampf *m;* **bull•fighter** ['bʊlfaɪtə(r)] *s* Stierkämpfer *m;* **bull•finch** ['bʊlfɪntʃ] *s* Dompfaff *m;* **bull•headed** [ˌbʊl'hedɪd] *adj* starrsinnig, starrköpfig
bul•lion ['bʊlɪən] *s* Gold-, Silberbarren *m*
bull-neck ['bʊlnek] *s* Stiernacken *m*
bul•lock ['bʊlək] *s* (ZOO) Ochse *m*
bull•ring ['bʊlrɪŋ] *s* Stierkampfarena *f;* **bull's-eye** ['bʊlzaɪ] *s* Scheibenmittelpunkt *m*
bull•shit I. *s* (*vulg*) Scheiße *f;* ~**!** Quatsch! **II.** *itr* (*vulg*) Scheiß erzählen
bully¹ ['bʊlɪ] **I.** *s* Tyrann *m;* (*in der Schule*) Rabauke *m* **II.** *tr* einschüchtern; schikanieren; fertig machen
bully² ['bʊlɪ] *s* (~ *beef*) Cornedbeef *n*
bully³ ['bʊlɪ] *interj* (*fam*) prima!; ~ **for you!** gratuliere!
bul•rush ['bʊlrʌʃ] *s* (BOT) Binse *f*
bul•wark ['bʊlwək] *s* **1.** Bollwerk *n* **2.** (MAR) Schanzkleid *n*
bum¹ [bʌm] *s* (*fam*) Gesäß *n,* Hintern *m*
bum² [bʌm] **I.** *s* (*sl*) Penner *m* **II.** *adj* (*sl*) mies, erbärmlich, schlecht **III.** *itr* (*sl*) **1.** rumgammeln **2.** schnorren (*off s.o.* bei jdm)
bumble-bee ['bʌmblbiː] *s* (ZOO) Hummel *f*
bumf [bʌmf] *s* (*sl*) Papierkram *m*
bump [bʌmp] **I.** *tr* **1.** stoßen (*s.th.* gegen etw), rammen **2.** auffahren **II.** *itr* **1.** stoßen, bumsen (*against, into* gegen, an) **2.** (*Wagen*) rumpeln, holpern **III.** *s* **1.** Stoß, Puff, Bums *m* **2.** Beule *f* (*on the head* am Kopf) **3.** (AERO) Bö *f* **4.** (*Straße*) Unebenheit *f* **IV.** *adv* mit e-m Ruck; **bump off** *tr* (*sl*) um die Ecke bringen
bum•per ['bʌmpə(r)] **I.** *s* Stoßstange *f* **II.** *adj:* ~ **crop** Rekordernte *f;* **bumper car** *s* (Auto)Scooter *m*
bumph *s s.* **bumf**
bump•kin ['bʌmpkɪn] *s* Tölpel *m*
bump•tious ['bʌmpʃəs] *adj* überheblich, anmaßend
bumpy ['bʌmpɪ] *adj* holp(e)rig
bun [bʌn] *s* **1.** (*England*) süßes Brötchen **2.** (Haar)Knoten *m*
bunch [bʌntʃ] **I.** *s* **1.** Büschel, Bündel *n* **2.** (*Blumen*) Strauß *m* **3.** (*fam*) Haufen *m,* Gruppe *f;* Trupp, Schwarm *m;* **the best of the** ~ das Beste an der ganzen Sache, das Allerbeste; **a** ~ **of people** eine Menschengruppe; ~ **of grapes** Weintraube *f;* ~ **of keys** Schlüsselbund *m* **II.** *tr:* ~ **together** zusammenfassen **III.** *itr* sich bauschen
bundle ['bʌndl] **I.** *s* Bündel *n a. fig,* Paket *n* **II.** *tr* **1.** (zusammen)bündeln, zusammenbinden **2.** (unordentlich) (hinein)stopfen (*into* in) **3.** (*Menschen*) verfrachten; ~ **away/off/out** (schnell) weg-/fort-/hinausbefördern; ~ **s.o. off to bed** jdn ins Bett packen
bung [bʌŋ] **I.** *s* **1.** Spund *m* **2.** (*sl*) Schmiergeld *n* **II.** *tr* verspunden; ~ **up** verstopfen; ~**ed-up** geschwollen; verstopft
bun•ga•low ['bʌŋgələʊ] *s* Bungalow *m*
bun•gee jump•ing ['bʌndʒɪˌdʒʌmpɪŋ] *s* Bungeespringen *n*
bung-hole ['bʌŋhəʊl] *s* Spundloch *n*
bungle ['bʌŋgl] **I.** *itr* pfuschen, stümpern **II.** *tr* verpfuschen **III.** *s* Pfuscherei, Pfuscharbeit *f;* **bung•ler** ['bʌŋglə(r)] *s* Pfuscher(in) *m(f),* Stümper(in) *m(f);* **bungl•ing** ['-ɪŋ] *adj* stümperhaft
bunk¹ [bʌŋk] *s* Koje *f;* **bunk bed** *s* Etagen-, Stockbett *n*
bunk² [bʌŋk] *s:* **do a** ~ (*sl*) türmen
bunker ['bʌŋkə(r)] **I.** *s* **1.** (MAR) Kohlenbunker *m* **2.** (MIL) Bunker *m* **3.** (*Golf*) Bunker *m* **II.** *tr:* **be** ~**ed** in der Klemme sitzen
bun•kum ['bʌŋkəm] *s* Blödsinn *m*
bunny ['bʌnɪ] *s* (*Kindersprache*) Kaninchen *n*
bunt•ing ['bʌntɪŋ] *s* Fahnentuch *n*
buoy [bɔɪ] **I.** *s* **1.** (MAR) Boje, Bake *f* **2.** (*life-*~) Rettungsring *m* **II.** *tr* (~ *out*) durch Bojen bezeichnen; ~ **up** über Wasser halten; (*fig*) Auftrieb geben, Mut zusprechen (*s.o.* jdm); **buoy•ancy** ['bɔɪənsɪ] *s* **1.** (*Wasser*) Tragfähigkeit *f;* (*Gegenstand*) Schwimmfähigkeit *f* **2.** (*fig*) Spannkraft *f,* Schwung, Lebensmut *m;* **buoy•ant** ['bɔɪənt] *adj* **1.** (*Wasser*) tragend; (*Gegenstand*) schwimmend **2.** (*fig*) schwungvoll **3.** (COM) steigend; lebhaft
bur, burr [bɜː(r)] *s* **1.** (BOT) Klette *f a. fig* **2.** (TECH) Grat *m*
burble ['bɜːbl] **I.** *itr* **1.** murmeln, plätschern; gurgeln **2.** (*fam*) daherquasseln **II.** *s* Plätschern *n*
bur•den ['bɜːdn] **I.** *s* **1.** Last *f a. fig* **2.** (*Schiff*) Tragkraft *f,* Tonnengehalt *m* **3.** Kehrreim, Refrain *m* **4.** Leitgedanke *m;* **be a** ~ **on s.o.** jdm zur Last fallen; ~ **of proof** Beweislast *f* **II.** *tr* belasten *a. fig;* **bur•den•some** [-səm] *adj* lästig, beschwerlich
bureau ['bjʊərəʊ] *s* **1.** Schreibtisch *m* **2.**

Büro *n* 3. (*Am*) Kommode *f;* **information** [*o* **tourist**] ~ Auskunft *f*

bureau•cracy [bjʊə'rɒkrəsɪ] *s* Bürokratie *f;* **bureau•crat** ['bjʊərəkræt] *s* Bürokrat(in) *m(f);* **bureau•cratic** [ˌbjʊərə'krætɪk] *adj* bürokratisch

bur•geon ['bɜːdʒən] *itr* (*lit*) knospen, keimen, sprießen

bur•ger ['bɜːgə(r)] *s* Hamburger *m*

bur•glar ['bɜːglə(r)] *s* Einbrecher(in) *m(f);* **bur•glar•ize** ['bɜːgləraɪz] *tr* (*Am*) einbrechen (*a house* in ein Haus); **bur•glary** ['bɜːglərɪ] *s* Einbruch(sdiebstahl) *m;* **burgle** ['bɜːgl] *tr* einbrechen in; **we were ~d** bei uns wurde eingebrochen

burial ['berɪəl] *s* Begräbnis *n,* Bestattung, Beerdigung *f;* **burial ground** *s* Friedhof *m;* **burial place** *s* Grabstätte *f;* **burial service** *s* Trauerfeier *f;* **burial site** *s* Endlager *n*

bur•lesque [bɜː'lesk] I. *s* 1. Burleske, Posse *f* 2. (*Am*) Varietee *n* II. *adj* possenhaft

burly ['bɜːlɪ] *adj* stämmig, kräftig

burn [bɜːn] <*irr:* burnt (burned), burnt (burned)> I. *tr* 1. verbrennen 2. anbrennen, anzünden, in Brand stecken; (*ein Loch in e-e S*) brennen 3. (*Kohle*) verfeuern; (*Ziegel*) brennen 4. (*den Mund, die Finger*) sich verbrennen *a. fig* 5. (*Speise*) anbrennen lassen 6. (*Hitze*) versengen, verdorren lassen, ausdörren; ~ **one's fingers** sich die Finger verbrennen II. *itr* 1. brennen, in Flammen stehen 2. (*Licht*) brennen, eingeschaltet sein 3. (*Speise*) anbrennen 4. (*fig*) darauf brennen (*to* zu) 5. (*vor Wut*) kochen, schäumen III. *s* Brandwunde, Verbrennung *f;* **burn away** *itr* ab-, aus-, verbrennen; **burn down** *tr, itr* ab-, niederbrennen; **burn out** *tr, itr* 1. völlig aus-, verbrennen, ausgehen 2. (EL) durchbrennen; ~ **o.s. out** sich kaputtmachen; **burn up** I. *tr* 1. verbrennen 2. (*fig*) verzehren II. *itr* 1. in Flammen aufgehen; wieder aufflammen 2. verglühen; **burner** ['bɜːnə(r)] *s* Brenner *m;* **burn•ing** ['bɜːnɪŋ] *adj* 1. brennend *a. fig,* glühend 2. (*fig*) leidenschaftlich, feurig 3. (*Schmach*) empörend; ~ **hot** glühend heiß; ~ **issue** [*o* **question**] brennende Frage

bur•nish ['bɜːnɪʃ] *tr* polieren

burnt [bɜːnt] I. *pt, pp of* **burn** II. *adj* verbrannt; **have a ~ taste** angebrannt schmecken

burp [bɜːp] *itr* (*fam*) rülpsen

burr [bɜː(r)] *s s.* **bur**

bur•row ['bʌrəʊ] I. *s* Bau *m* II. *tr* (*Bau*) graben III. *itr* 1. sich einwühlen, -graben 2. (*fig*) sich vergraben (*into* in)

bur•sar ['bɜːsə(r)] *s* Schatzmeister(in) *m(f),* Quästor(in) *m(f);* **bur•sary** ['bɜːsərɪ] *s* 1. Quästur *f* 2. Stipendium *n*

burst [bɜːst] <*irr:* burst, burst> I. *itr* 1. bersten, (zer)platzen, reißen, zerspringen; explodieren 2. (*Knospe*) aufbrechen; (*Sturm*) ausbrechen; (*Gewitter*) sich entladen 3. bersten, platzen (*with* vor) *a. fig;* ~ **open** aufbrechen; **be ~ing with health** vor Gesundheit strotzen; **be ~ing to** darauf brennen zu; ~ **into tears** in Tränen ausbrechen II. *tr* sprengen; bersten, platzen lassen; ~ **one's side(s) with laughter** vor Lachen platzen; ~ **its banks** über die Ufer treten III. *s* 1. Bersten, Zerspringen *n* 2. (MIL: ~ *of fire*) Feuerstoß *m* 3. (*fig*) Ausbruch, Anfall *m;* ~ **of applause** Beifallssturm *m;* **burst forth** *itr* ausbrechen (*into* in); **burst in** *itr* 1. hereinstürzen 2. dazwischenplatzen; **burst out** *itr* ausbrechen in, ausrufen, (plötzlich) schreien; ~ **out crying** in Tränen ausbrechen; ~ **out laughing** sich vor Lachen nicht halten können; loslachen

Bu•run•di [bʊ'rʊndɪ] *s* Burundi *n;* **Bu•run•dian** [bʊ'rʊndɪən] I. *adj* burundisch II. *s* Burundier(in) *m(f)*

bury ['berɪ] *tr* 1. begraben, beerdigen 2. ein-, vergraben 3. verbergen 4. (*fig*) vergessen, auf sich beruhen lassen; ~ **o.s. in one's books** sich in seinen Büchern vergraben; **buried in thought** gedankenversunken

bus [bʌs] <buses, busses *Am*> I. *s* 1. Bus, Omnibus, Autobus *m* 2. (MOT: *fam*) Kiste *f;* **go by** ~ mit dem Bus fahren; **miss the** ~ (*fam*) den Anschluss verpassen II. *tr* mit dem Bus befördern; **bus driver** *s* Busfahrer(in) *m(f)*

bush [bʊʃ] *s* 1. Busch, Strauch *m;* Gebüsch *n* 2. Busch *m* (*in Afrika*) 3. Haarschopf *m;* **beat about the** ~ (*fig*) wie die Katze um den heißen Brei herumschleichen

bushel ['bʊʃl] *s* Scheffel *m* (*36,37 l*); **hide one's light under a** ~ (*prov*) sein Licht unter den Scheffel stellen

Bush•man ['bʊʃmən] <*pl* -men> *s* Buschmann *m;* **bushy** ['bʊʃɪ] *adj* buschig

busi•ly ['bɪzɪlɪ] *adv* geschäftig, eifrig

busi•ness ['bɪznɪs] *s* 1. Geschäftsleben *n,* Handel *m,* Gewerbe *n* 2. geschäftliches Unternehmen, Geschäftsbetrieb *m,* gewerblicher Betrieb 3. Aufgabe *f;* Angelegenheit, Sache *f* 4. Problem *n;* **in** ~ im Geschäftsleben; **on** ~ geschäftlich; **be in** ~ Geschäftsmann sein; **do** ~ Geschäfte machen; **have no ~ to** kein Recht haben zu; **get down to** ~ zur Sache kommen; **mean** ~ es ernst meinen; **retire from** ~ sich aus dem Geschäftsleben zurückziehen; **set up in** ~ ein Geschäft anfangen; **mind your own ~!** kümmern Sie sich um Ihre eigenen Angelegenheiten!; **send s.o. about his** ~ jdn in seine Schranken weisen; **that's none of your ~!** das geht Sie nichts an!; **what's his ~?** was macht, wovon lebt er?; **what's your ~ (with me)?** was führt Sie zu mir?; **what ~ is he in?** in welcher Branche arbeitet er?; **business address** *s* Geschäftsadresse *f;* **business card** *s* Visitenkarte *f;* **business end** *s* scharfes Ende; **business expenses** *s pl* Geschäftskosten *pl;* **business hours** *s pl* Geschäftszeit(en) *f (pl);* **business letter** *s* Geschäftsbrief *m;* **busi•ness•like** [-laɪk] *adj* **1.** geschäftstüchtig **2.** praktisch (veranlagt), gewandt; **busi•ness•man** [-mæn] <*pl* -men> *s* Geschäftsmann *m;* **business park** *s* Industriegelände *n;* **business transaction** *s* Geschäftsvorfall *m;* **business trip** *s* Geschäftsreise *f;* **busi•ness•woman** [-wʊmən, *pl* -wɪmɪn] <*pl* -women> *s* Geschäftsfrau *f*

busker ['bʌskə(r)] *s* Straßenmusikant(in) *m(f)*

bus•load ['bʌsləʊd] *s* Busladung *f;* **by the ~, in ~s** busweise; **busman's holiday** *s* Fortsetzung *f* der Berufstätigkeit in den Ferien; **bus service** *s* Busverbindung *f;* **bus station** *s* Busbahnhof *m;* **bus stop** *s* Bushaltestelle *f*

bust¹ [bʌst] *s* **1.** Busen *m* **2.** (*Kunst*) Büste *f*

bust² [bʌst] *s* (*Am*) Razzia *f*

bust³ [bʌst] **I.** *tr* **1.** kaputt machen **2.** (*Am*) e-e Razzia durchführen (in) **II.** *itr* kaputt gehen; **go ~** Pleite gehen

bustle ['bʌsl] **I.** *itr* sich geschäftig bewegen, sich tummeln; **~ about** sehr geschäftig tun **II.** *s* Geschäftigkeit, Eile, Hetze *f*

bust-up ['bʌstʌp] *s* (*sl*) Krach, Streit *m*

busy ['bɪzɪ] **I.** *adj* **1.** beschäftigt **2.** bewegt, belebt **3.** (*Straße*) verkehrsreich, belebt; (*Tag*) voll ausgefüllt; (*Mensch*) ausgelastet **4.** (TELE) besetzt; **be ~ doing s.th.** gerade etw tun **II.** *refl* sich beschäftigen (*with* mit); **busy•body** ['bɪzɪˌbɒdɪ] *s* Gschaftlhuber(in) *m(f),* Wichtigtuer(in) *m(f)*

but [bʌt] **I.** *conj* **1.** aber, dennoch, (je)doch, indessen, nichtsdestoweniger, andererseits **2.** sondern; außer dass; ohne dass, ohne zu; wenn nicht **3.** (*nach Verneinung*) dass; **~ that** außer dass, ohne dass; **not only ... ~ also** nicht nur ..., sondern auch **II.** *prep* außer; **anything ~** nichts weniger als; **nothing ~** nichts als; **the last ~ one** der Vorletzte; **all ~ one** alle bis auf einen; **~ for** ohne **III.** *adv* nur, bloß; **all ~** beinahe, fast, nahezu; **~ then** dafür aber **IV.** *pron* (*nach verneintem Hauptsatz*): **there was not one ~ was wounded** es war nicht einer da, der nicht verwundet war **V.** *s* Aber *n*

bu•tane ['bjuːteɪn] *s* Butan(gas) *n*

butch [bʊtʃ] *adj* (*sl*) maskulin

butcher ['bʊtʃə(r)] **I.** *s* **1.** Metzger(in) *m(f),* Fleischer(in) *m(f),* Schlachter(in) *m(f)* **2.** (*fig*) Schlächter *m;* **~'s shop** Fleischerei, Metzgerei *f;* **at the ~'s** beim Fleischer **II.** *tr* (*Menschen*) (hin)schlachten, niedermetzeln; **butchery** ['bʊtʃərɪ] *s* **1.** Metzgerhandwerk *n* **2.** (*fig*) Gemetzel *n*

but•ler ['bʌtlə(r)] *s* Butler *m*

butt¹ [bʌt] *s* **1.** großes Fass **2.** Tonne *f* **3.** (*~-end*) stumpfes Ende

butt² [bʌt] *s* **1.** (Gewehr)Kolben *m* **2.** Zigarettenstummel *m*

butt³ [bʌt] *s* **1.** Schießscheibe *f* **2.** **~s** Kugelfang *m* **3.** (*fig*) Zielscheibe *f*

butt⁴ [bʌt] **I.** *tr* mit dem Kopf stoßen **II.** *itr* (*fam*): **~ in** sich einmischen; **~ into** dazwischenplatzen

but•ter ['bʌtə(r)] **I.** *s* Butter *f;* **peanut-~** Erdnussbutter *f* **II.** *tr* mit Butter bestreichen; **~ up** schmeicheln (*s.o.* jdm); **but•ter•cup** ['bʌtəkʌp] *s* (BOT) Butterblume *f,* Hahnenfuß *m;* **butter-dish** *s* Butterdose *f;* **but•ter•fin•gers** ['bʌtəˌfɪŋgəz] *s sing* Schussel *m*

but•ter•fly ['bʌtəflaɪ] *s* (ZOO) **1.** Schmetterling *m a. fig* **2.** (SPORT) Schmetterlings-, Delphinstil *n*

but•ter•milk ['bʌtəmɪlk] *s* Buttermilch *f*

but•tery ['bʌtərɪ] *s* **1.** Speisekammer *f* **2.** Cafeteria *f*

but•tock ['bʌtək] *s* **1.** Hinterbacke *f* **2.** *meist pl* Hinterteil, Gesäß *n*

but•ton ['bʌtn] **I.** *s* **1.** Knopf *m* **2.** junger Champignon **3.** (EL) Klingel-, Schaltknopf *m* **4.** **~s** (*fam*) Page *m;* **press the ~** auf den Knopf drücken *a. fig* **II.** *tr* zuknöpfen; **~ your lip!** (*sl*) halt den Mund! **III.** *itr* sich knöpfen lassen; **~ up** (zu)knöpfen; (*fam: Aufgabe*) erledigen, fertigbringen; **but•ton•hole** [-həʊl] **I.** *s* **1.** Knopfloch *n* **2.** Sträußchen *n* im Knopfloch **II.** *tr* (*fig*) sich schnappen

but•tress ['bʌtrɪs] **I.** *s* **1.** (ARCH) Strebepfeiler *m* **2.** (*fig*) Stütze *f* **II.** *tr* (*a. fig*) stützen

buxom ['bʌksəm] *adj* drall, vor Gesundheit strotzend

buy [baɪ] <*irr:* bought, bought> **I.** *tr* **1.** kaufen; erwerben, erstehen **2.** (*Fahrkarte*) lösen **3.** (*fig*) erkaufen (*with* mit); **~ at an auction** ersteigern; **~ at a loss/profit** mit Verlust/Gewinn kaufen; **~ s.th.** (*fig*) etw akzeptieren; etw glauben **II.** *s* (*fam*) (guter) Kauf; **buy back** *tr* zurückkaufen; **buy in** *tr* einkaufen; **buy off** *tr* (*fam*) bestechen; **buy out** *tr* auszahlen; aufkaufen; (*Gefangene*) freikaufen; **buy up** *tr* aufkaufen; **buyer** ['baɪə(r)] *s* **1.** Käufer(in) *m(f),* Abnehmer(in) *m(f)* **2.** Einkäufer(in) *m(f);* **~'s**

market Käufermarkt *m*

buzz [bʌz] **I.** *itr* summen, surren, schwirren, brausen, brummen **II.** *tr* **1.** durch Summer herbeirufen **2.** (AERO) niedrig fliegen (*a field* über ein Feld) **III.** *s* **1.** Summen, Brausen, Brummen *n* **2.** Gemurmel, Stimmengewirr *n* **3.** (*fam*) (Telefon)Anruf *m;* **give s.o. a ~** (*fam*) jdn anrufen; **buzz about** *itr* herumschwirren; **buzz off** *itr* (*sl*) abhauen

buz•zard ['bʌzəd] *s* Bussard *m*

buzzer ['bʌzə(r)] *s* (TECH) Summer *m;* **buzz word** *s* Schlagwort *n*

by [baɪ] **I.** *prep* **1.** (*örtlich*) bei, an, neben; **~ the sea** an der See; **close ~ the river** dicht am Fluss; **sit ~ me** setz dich zu mir, neben mich **2.** (*örtlich*) durch, über; **I went ~ Paris** ich bin über Paris gefahren **3.** (*örtlich*) an ... vorbei; **I walked ~ the post-office** ich bin an der Post vorbeigegangen **4.** (*zeitlich*) während, in, an; **~ day** bei, am Tage, tagsüber **5.** (*zeitlich*) vor, bis (zu), spätestens an, um; **~ tomorrow** bis morgen; **~ now** bisher, bis jetzt; **~ then** bis dahin **6.** (*je*): **~ the day** am Tag, täglich, pro Tag; **~ the pound** pfundweise **7.** (*Ausdehnung*): **four feet ~ six** vier zu sechs Fuß **8.** von, durch, mit, (ver)mittels, an; **a tragedy ~ Shakespeare** e-e Tragödie von Shakespeare; **~ car/rail/train/tram/bus/boat** mit dem Wagen/der Bahn/dem Zug/der Straßenbahn/dem Bus/dem Schiff; **~ plane** im Flugzeug; **~ land/sea/air** zu Lande/zu Wasser/auf dem Luftwege; **live ~ bread** von Brot leben **9.** nach (*e-r S urteilen*); **swear ~ s.th.** (*fig*) auf etw schwören; **what do you mean ~ that?** was meinen Sie damit? was wollen Sie damit sagen?; **judge ~ appearances** nach dem Äußeren urteilen **II.** (*Wendungen*): (**all**) **~ o.s.** (ganz) allein; ohne Hilfe; **day ~ day** Tag für Tag, täglich; **little ~ little** nach u. nach, langsam, allmählich, stufen-, schrittweise; **one ~ one** einer nach dem andern; **step ~ step** Schritt für Schritt, schrittweise; **~ chance** zufällig; **~ degrees** stufenweise; **~ the dozen** dutzendweise, im Dutzend; **~ far** bei weitem, (sehr) viel; **~ all/no means** auf jeden/keinen Fall; **~ name** dem Namen nach; **~ the name of** unter dem Namen *+gen;* **~ nature** von Natur (aus); **~ right** von Rechts wegen; **~ the way** [*o* **by**(**e**)] übrigens **III.** *adv* vorbei; **I can't get ~** ich kann, komme nicht vorbei; **in days gone ~** in vergangener, früherer Zeit; **stand ~** in der Nähe, bereit sein; **put** [*o* **lay**] **~** (*fig*) auf die Seite legen, sparen; **~ and ~** nach und nach; **~ and large** im Großen und Ganzen

bye [baɪ] *s* **1.** etw Nebensächliches **2.** (*Kricket*) angerechneter Lauf für e-n vorbeigelassenen Ball

bye-bye ['baɪ'baɪ] **I.** *s* (*Kindersprache*) Heia *f,* Bettchen *n* **II.** *interj* auf Wiedersehen!

by(e)-law ['baɪlɔː] *s* Verordnung *f;* **by-elec•tion** ['baɪɪlekʃn] *s* (PARL) Nachwahl *f;* **by•gone** ['baɪgɒn] **I.** *adj* vergangen **II.** *s:* **let ~s be ~s** lasst die Vergangenheit begraben sein; **by-pass** ['baɪpɑːs] **I.** *s* **1.** Umgehungsstraße *f* **2.** (MED) Bypass *m* **II.** *tr* **1.** umfahren, herumfahren um, umleiten **2.** (*fig*) umgehen; **by-pass operation** *s* (MED) Bypassoperation *f;* **by•path** ['baɪpɑːθ] *s* Neben-, Seitenweg *m a. fig;* **by•play** ['baɪpleɪ] *s* Nebenhandlung *f;* **by-prod•uct** ['baɪprɒdʌkt] *s* Nebenprodukt *n;* **by-road** ['bəɪrəʊd] *s* Neben-, Seitenstraße *f;* **by•stander** ['baɪstændə(r)] *s* Zuschauer(in) *m(f);* **byte** [baɪt] *s* (EDV) Byte *n;* **by-way** ['baɪweɪ] *s* Seitenweg *m;* **by•word** ['baɪwɜːd] *s* Inbegriff *m;* **become a ~ for** gleichbedeutend werden mit

C

C, c [siː] <*pl* -'s> *s* **1.** (*a.* MUS) C, c *n* **2.** (*Schule*) Befriedigend *n*

cab [kæb] *s* **1.** (*taxi-~*) Taxe *f,* Taxi *n* **2.** (RAIL) Führerstand *m* (*a. Kran, Bagger*) **3.** (*Lastkraftwagen*) Führerhaus *n;* **go by ~** mit der Taxe fahren

cab•aret ['kæbəreɪ] *s* Kabarett *n*

cab•bage ['kæbɪdʒ] *s* **1.** Kohl *m* **2.** (*fam*) geistiger Krüppel

cabby ['kæbɪ] *s* (*fam*) Taxifahrer(in) *m(f)*

cabin ['kæbɪn] *s* **1.** Hütte *f;* (*Am*) Wochenendhaus *n* **2.** (MAR) Kabine, Kajüte *f* **3.** Führerhaus *n;* (AERO) Kanzel *f;* **cabin attendant** *s* Steward *m,* Stewardess *f;* **cabin-class** *s* (MAR) zweite Klasse; **cabin cruiser** *s* Motorboot *n* mit Kabine

cabi•net ['kæbɪnɪt] *s* **1.** Glasschrank *m,* Vitrine *f* **2.** Schrank *m;* Kasten *m* **3.** (*radio*) Gehäuse *n* **4.** (POL: *meist C~*) Kabinett *n;* **filing ~** Aktenschrank *m;* **shadow ~** Schattenkabinett *n;* **cabi•net-maker** [-ˌmeɪkə(r)] *s* Möbeltischler(in) *m(f),* -schreiner(in) *m(f)*

cable ['keɪbl] **I.** *s* **1.** Tau *n;* (Draht)Seil *n* **2.** Ankertau *n,* -kette *f;* Trosse *f* **3.** (TELE) Kabel *n;* Kabelnachricht *f* **4.** (EL) Kabel *n;* Leitung *f;* **by ~** durch Kabel, telegrafisch **II.** *tr, itr* (TELE) kabeln; **cable-car** *s* Wagen *m* e-r (Draht)Seilbahn, Straßenbahn; **cable-gram** ['keɪblgræm] *s* Kabel *n;* **cable network** *s* Kabelnetz *n;* **cable-railway** *s* Drahtseilbahn *f;* **cable stitch** *s* Zopfmuster *n;* **cable television** *s* Kabelfernsehen *n*

ca•boodle [kə'buːdl] *s:* **the whole ~** (*fam*) der ganze Kram; der ganze Haufen

cab-rank, cab-stand ['kæbræŋk, 'kæbstænd] *s* Taxi-, Taxenstand *m*

cab•rio•let [ˌkæbrɪəʊ'leɪ] *s* (MOT) Kabriolett *n*

ca•cao [kə'kɑːəʊ] *s* **1.** (*~ bean*) Kakaobohne *f* **2.** (*~-tree*) Kakaobaum *m*

cache [kæʃ] **I.** *s* Versteck *n;* versteckter Vorrat **II.** *tr* verstecken, verbergen

ca•chet ['kæʃeɪ] *s* **1.** (Qualitäts-, Herkunfts)Stempel *m* **2.** (MED) Kapsel *f*

cackle ['kækl] **I.** *s* Gegacker *n;* (*fig*) Gekicher *n* **II.** *itr* gackern; (*fig*) plappern; kichern

ca•coph•ony [kæ'kɒfənɪ] *s* Missklang *m,* Kakophonie *f*

cac•tus ['kæktəs, *pl* 'kæktaɪ] <*pl* -tuses, -ti> *s* Kaktus *m*

CAD *s abbr of* **computer-aided design** CAD *n*

ca•daver [kə'deɪvə(r)] *s* Kadaver *m;* **cadaver bag** *s* (*Am*) Leichensack *m*

caddie ['kædi] *s* (*Golf*) Caddie *m*

caddy ['kædɪ] *s* Teebüchse *f*

ca•dence ['keɪdns] *s* **1.** Kadenz *f* **2.** Rhythmus *m* **3.** Tonfall *m*

ca•det [kə'det] *s* (MIL) Kadett *m*

cadge [kædʒ] *itr, tr* schnorren; **cad•ger** ['kædʒə(r)] *s* Schnorrer(in) *m(f)*

cad•mium ['kædmjəm] *s* Cadmium *n*

cadre ['kɑːdə(r)] *s* Kader *m*

Caesar•ian [sɪ'zeərɪən] *s, adj:* **~ section** (MED) Kaiserschnitt *m*

cae•sium ['sɪːzjəm] *s* Cäsium *n*

café ['kæfeɪ] *s* **1.** (*England*) Café *n;* Restaurant *n* **2.** (*Am*) Bar *f;* **cafe•teria** [ˌkæfɪ'tɪərɪə] *s* Selbstbedienungsrestaurant *n,* Cafeteria *f;* **caf•fein(e)** ['kæfiːn] *s* Koffein *n*

cage [keɪdʒ] **I.** *s* **1.** Käfig *m* **2.** (*Aufzug*) Kabine *f* **3.** (MIN) Förderkorb *m* **4.** (*Hockey*) Tor *n* **II.** *tr* in e-n Käfig sperren; **cagey** ['keɪdʒɪ] *adj* **1.** (*fam*) zurückhaltend **2.** berechnend **3.** (*Am*) gerissen

ca•hoots [kə'huːts] *s* (*fam*): **be in ~ with s.o.** mit jdm unter einer Decke stecken

cairn [keən] *s* Steinpyramide *f*

ca•jole [kə'dʒəʊl] *tr* schmeicheln (*s.o.* jdm); **~ s.o. into/out of doing s.th.** jdn dazu bringen etw zu tun/zu unterlassen; **~ s.th. out of s.o.** jdm etw abbetteln

cake [keɪk] **I.** *s* **1.** Kuchen *m* **2.** Stück *n* (*of soap* Seife), Riegel *m;* Tafel *f* (*of chocolate* Schokolade) **3.** (TECH) Masse *f,* Klumpen *m;* **be a piece of ~** (*fam*) kinderleicht sein **II.** *itr* zusammenbacken, e-n Klumpen bilden

ca•lam•ity [kə'læmətɪ] *s* **1.** Unglück *n;* Schicksalsschlag *m* **2.** Not *f,* Elend *n*

cal•ci•fer•ous [kæl'sɪfərəs] *adj* kalkhaltig; **cal•cify** ['kælsɪfaɪ] *tr, itr* verkalken; **cal•cium** ['kælsɪəm] *s* (CHEM) Kalzium *n;* **~ carbide** Kalziumkarbid *n*

cal•cu•lable ['kælkjʊləbl] *adj* berechenbar; kalkulierbar; **cal•cu•late** ['kælkjʊleɪt] **I.** *itr* rechnen (*on* mit) *a. fig;* (*fig*) sich verlassen (*on* auf) **II.** *tr* **1.** aus-, be-, errechnen; veranschlagen, kalkulieren **2.** (*Am fam*) meinen, annehmen; **be ~d to** (*mit inf*) darauf berechnet, zugeschnitten sein, zu, dass; **cal•cu•lated** [-ɪd] *adj* berechnet, vorbedacht, absichtlich; **take a ~ risk** ein kalkulierbares Risiko eingehen; **cal•cu•lat•ing** [-ɪŋ] *adj* berechnend; überlegt; **~ error** Rechenfehler *m;* **~-machine** Rechenmaschine *f;* **cal•cu•la•tion** [ˌkælkjʊˈleɪʃn] *s* **1.** Kalkulation, (Be)Rechnung *f* **2.** Überschlag, Voranschlag *m* **3.** Überlegung *f;* **~ of cost** Kostenberechnung *f;* **cal•cu•la•tor** [ˈkælkjʊleɪtə(r)] *s* **1.** Kalkulator *m* **2.** Rechner *m;* Rechentabelle *f* **3.** Taschenrechner *m;* **cal•cu•lus** [ˈkælkjʊləs, *pl* -liː] <*pl* -li> *s* **1.** (MED) Stein *m* **2.** (MATH) Rechnungsart *f;* Differenzialrechnung *f*

cal•en•dar [ˈkælɪndə(r)] *s* **1.** Kalender *m* **2.** Verzeichnis, Register *n,* Liste *f* **3.** (JUR) Terminkalender *m;* **~ of events** Veranstaltungskalender *m;* **calendar month** *s* Kalendermonat *m*

calf¹ [kɑːf, *pl* kɑːvz] <*pl* calves> *s* **1.** Kalb *n* **2.** (*Mensch*) Ochse, Esel *m* **3.** (*~-skin*) Kalbleder *n* **4.** Eisscholle *f;* **in** [*o* **with**] **~** (*Kuh*) trächtig

calf² [kɑːf, *pl* kɑːvz] <*pl* calves> *s* Wade *f*

calf-love [ˈkɑːflʌv] *s* Jugendliebe *f*

cali•ber *s* (*Am*) *s.* **calibre**

cali•brate [ˈkælɪbreɪt] *tr* kalibrieren; (*Messgerät*) eichen; **cal•ibre** [ˈkælɪbə(r)] *s* **1.** Kaliber *n* **2.** (*fig*) Format *n,* Bedeutung *f,* Kaliber *n* (*e-s Menschen*)

cal•ico [ˈkælɪkəʊ] <*pl* -ico(e)s> *s* Kaliko *m;* (*Am*) Kattun *m*

call [kɔːl] **I.** *tr* **1.** rufen; (TELE) anrufen; (*Namen*) aufrufen; (*Schauspieler vor den Vorhang*) herausrufen **2.** (*Arzt, Taxe*) holen, rufen **3.** wecken **4.** nennen; bezeichnen **5.** betrachten, ansehen als, halten für **6.** (*in ein Amt*) berufen **7.** (*Versammlung*) einberufen **8.** (*Pause*) einlegen; **be ~ed** heißen, genannt werden (*after s.o.* nach jdm); **~ to account** zur Rechenschaft ziehen; **~ attention to** aufmerksam machen auf; **~ into being** ins Leben rufen; **~ it a day** Feierabend machen; **~ to mind** sich erinnern an; **~ s.o. names** jdn be-, ausschimpfen; **~ to order** zur Ordnung rufen; **~ into question** in Frage stellen **II.** *itr* **1.** rufen **2.** kurz besuchen, vorsprechen **3.** (TELE) anrufen **III.** *s* **1.** Ruf *m* **2.** (TELE) Anruf *m,* (Telefon)Gespräch *n* **3.** (dringende) Bitte, Aufforderung *f* **4.** Abruf *m;* Aufruf *m* **5.** An-, Nachfrage *f* (*for* nach) **6.** Anspruch *m* (*for, on* auf) **7.** (THEAT) Vorhang *m* **8.** (JUR) Aufruf *m* (*of a case* e-r Sache) **9.** (kurzer) Besuch *m* **10.** (RAIL) Aufenthalt, Halt *m* **11.** (MAR AERO) Zwischenlandung *f* **12.** Signal *n* **13.** (*meist verneint*) Notwendigkeit, Gelegenheit *f,* Grund *m,* Ursache *f* (*for, to* zu); **at ~** bereit; verfügbar, greifbar; **at** [*o* **on**] **~** (FIN) auf tägliche Kündigung; **on ~** auf Abruf, auf Anforderung; in Bereitschaft; **within ~** in Ruf-, Hörweite; **give s.o. a ~** (TELE) jdn anrufen; **local ~** (TELE) Ortsgespräch *n;* **roll ~** namentlicher Aufruf; **trunk** [*o* **long-distance**] **~** Ferngespräch *n;* **~ for help** Hilferuf *m;* **~ to order** Ordnungsruf *m;* **call at** *itr* **1.** vorsprechen bei **2.** (*e-m Ort*) halten in; (*e-n Hafen*) anlaufen; (AERO) anfliegen; **call away** *tr* ab-, wegrufen; **call back** *tr* zurückrufen; **call down** *tr* **1.** herunterrufen **2.** (*Zorn*) auf sich ziehen **3.** (*Am fam*) ausschimpfen, herunterputzen; **call for** *tr* **1.** fragen nach, (dringend) verlangen **2.** benötigen, erfordern **3.** (*Konferenz*) einberufen, ansetzen **4.** (*Menschen*) abholen **5.** (*Am: Wetterbericht*) voraussagen; **to be ~ed for** postlagernd; **call forth** *tr* **1.** einsetzen, anwenden **2.** hervorbringen **3.** erfordern; **~ forth all one's energy** seine ganze Kraft zusammennehmen; **call in** **I.** *tr* **1.** hereinrufen; herbeirufen, -holen **2.** (*e-n Arzt*) holen, zuziehen **3.** (*Geld*) zurückfordern; einziehen **II.** *itr* vorsprechen (*on* bei); **call off** *tr* **1.** ab-, wegrufen **2.** (*Veranstaltung*) absagen, abblasen, abbrechen; **call on** *itr* **1.** auf-, besuchen (*at s.o.'s home, office* in jds Heim, Büro), vorsprechen bei **2.** sich wenden an **3.** auffordern (*s.o.* jdn); **call out** **I.** *tr* **1.** herausrufen **2.** in Aktion bringen **3.** (*Namen*) (auf)rufen **4.** (*Haltestelle*) ausrufen **5.** (*Truppen*) einsetzen **6.** (*Am: Schauspieler*) herausrufen **7.** (*Feuerwehr*) herbeirufen **8.** zum Streiken auffordern **II.** *itr* (laut) aufschreien; **call up** *tr* **1.** aufrufen **2.** (TELE) anrufen **3.** ins Gedächtnis rufen **4.** (*fig*) hervorrufen, wachrufen; aufwecken **5.** (MIL) einberufen

call-box [ˈkɔːlbɒks] *s* Telefonzelle *f;* **called** [kɔːld] *adj* genannt; **many are ~** (REL) viele sind berufen; **caller** [ˈkɔːlə(r)] *s* **1.** Besucher(in) *m(f)* **2.** (TELE) Anrufer(in) *m(f);* **call-girl** [ˈkɔːlgɜːl] *s* Callgirl *n*

cal•ligra•phy [kəˈlɪgrəfɪ] *s* Kalligrafie *f*

call•ing [ˈkɔːlɪŋ] *s* (REL) Berufung *f;* **calling card** *s* Visitenkarte *f*

cal•lous [ˈkæləs] *adj* **1.** schwielig **2.** (*fig*) gefühllos, abgestumpft (*to* gegen)

call-sign [ˈkɔːlsaɪn] *s* (RADIO) Sendezeichen *n;* **call-up** [ˈkɔːlʌp] *s* Einberufung *f*

cal•lus [ˈkæləs] *s* **1.** Schwiele *f* **2.** Hornhaut *f* **3.** (MED) Kallus *m*

calm [kɑːm] **I.** *s* **1.** Ruhe, Stille *f* **2.** Windstille, Flaute *f* **3.** (*fig*) (innere) Ruhe *f* **II.** *adj* **1.** ruhig **2.** (wind)still **3.** (*fig*) ruhig, friedlich **III.** *tr* beruhigen; **~ down** sich beruhigen; (*Wind*) abflauen; **calm•ness** [-nɪs] *s* (innere) Ruhe *f;* Stille *f*

cal•oric [ˈkælərɪk] *adj* kalorisch; Wärme-;

cal•orie ['kælərɪ] *s* Kalorie *f;* **cal•or•if•ic** [ˌkælər'ɪfək] *adj* wärmeerzeugend; ~ **value** Heizwert *m*

cal•umny ['kæləmnɪ] *s* Verleumdung *f*

Cal•vary ['kælvərɪ] *s* (REL) Golgatha *n;* Kalvarienberg *m*

calve [kɑːv] *itr* kalben (*a. Eisberg, Gletscher*)

Cal•vin•ism ['kælvɪnɪzəm] *s* Kalvinismus *m;* **Cal•vin•ist** ['kælvɪnɪst] *s* Kalvinist(in) *m(f)*

CAM ['kæm] *s abbr of* **computer-aided manufacture** computergestützte Fertigung

cam [kæm] *s* (TECH) Nocken, Mitnehmer, Daumen *m*

cam•ber ['kæmbə(r)] **I.** *s* **1.** Wölbung, Schweifung *f* **2.** (MOT) Radsturz *m* **II.** *tr* wölben

Cam•bo•dia [kæm'bəʊdɪə] *s* Kambodscha *n;* **Cam•bo•dian** [kæm'bəʊdɪən] **I.** *adj* kambodschanisch **II.** *s* Kambodschaner(in) *m(f)*

cam•cor•der ['kæmkɔdə(r)] *s* Camcorder *m*

came [keɪm] *s.* **come**

camel ['kæml] *s* Kamel *n;* **camel•hair** *s* Kamelhaar *n*

cameo ['kæmɪəʊ] *s* Kamee *f*

cam•era ['kæmərə] *s* Kamera *f;* Fotoapparat *m;* **in** ~ (JUR) unter Ausschluss der Öffentlichkeit; **camera angle** *s* Blickwinkel *m;* **cam•era•man** <*pl* -men> *s,* **cam•era•wo•man** *s* **1.** (FILM) Kameramann *m,* Kamerafrau *f* **2.** Pressefotograf(in) *m(f),* Bildberichter(in) *m(f);* **camera-ready copy, CRC** *s* (TYP) reproreife Vorlage; **camera shot** *s* Einstellung *f;* **camera-shy** *adj* kamerascheu

Came•roon [ˌkæmə'ruːn] *s* Kamerun *n;* **Came•roo•nian** [ˌkæmə'ruːnɪən] **I.** *adj* kamerunisch **II.** *s* Kameruner(in) *m(f)*

camo•mile ['kæməmaɪl] *s* (BOT) Kamille *f*

cam•ou•flage ['kæməˌflɑːʒ] **I.** *s* (MIL) Tarnung *f* **II.** *tr* (MIL) tarnen

camp¹ [kæmp] **I.** *s* **1.** (Zelt)Lager *n;* Lagerplatz *m* **2.** (*fig*) (Partei)Lager *n;* **break up** [*o* **strike**] ~ das Lager abbrechen; **training** ~ Ausbildungslager *n* **II.** *itr* lagern; kampieren; (~ *out*) zelten

camp² [kæmp] **I.** *adj* **1.** schwul **2.** tuntenhaft **3.** übertrieben; manieriert **II.** *tr:* ~ **up** übertrieben darstellen; (*fam*) aufmotzen; ~ **it up** übertreiben; sich weibisch benehmen

cam•paign [kæm'peɪn] **I.** *s* **1.** Feldzug *m;* (*fig*) Kampagne, Aktion *f* **2.** (*electoral* ~) Wahlkampf *m* **3.** (TECH) Kampagne *f;* **advertising** ~ Werbekampagne *f* **II.** *itr* **1.** an e-m Feldzug teilnehmen **2.** (*fig*) agitieren, sich einsetzen (*for* für); **cam•paigner** [kæm'peɪnə(r)] *s* **1.** Feldzugsteilnehmer(in) *m(f),* Kämpfer(in) *m(f)* **2.** Befürworter(in) *m(f),* Gegner(in) *m(f),* Wahlhelfer(in) *m(f)*

camp-bed ['kæmpˌbed] *s* Feldbett *n;* Campingliege *f;* **camp-chair** *s* Campingstuhl *m;* **camper** ['kæmpə(r)] *s* **1.** Camper(in) *m(f)* **2.** Campingbus *m,* Wohnmobil *n;* **camp-fever** *s* (MED) Typhus *m;* **camp-fire** *s* Lagerfeuer *n;* **camp-fol•lower** ['kæmpˌfɒləʊə(r)] *s* **1.** Schlachtenbummler(in) *m(f)* **2.** (MIL) Marketender(in) *m(f)* **3.** (POL) Mitläufer(in) *m(f)*

cam•phor ['kæmfə(r)] *s* (MED) Kampfer *m*

camp•ing ['kæmpɪŋ] *s* Zelten, Camping *n;* **go** ~ zelten; ~**-ground** Camping-, Zeltplatz; ~ **van** Wohnmobil *n;* **camp•site** ['kæmpsait] *s* Camping-, Lager-, Zeltplatz *m;* **camp-stool** *s* Campingstuhl *m*

cam•pus ['kæmpəs] *s* Universitätsgelände *n,* Campus *m*

cam•shaft ['kæmʃɑːft] *s* Nocken-, Steuerwelle *f*

can¹ [kæn] **I.** *s* **1.** Kanne *f;* Behälter *m* **2.** (Konserven)Dose, Büchse *f* **3.** Kanister *m* **4.** Mülleimer *m* **5.** (*Am sl*) Kittchen *n* **6.** (*Am sl*) Klosett *n;* **carry the** ~ (*fam*) den Kopf hinhalten **II.** *tr* **1.** eindosen **2.** (*Am sl*) aufhören mit

can² [kən, *betont* kæn] <*irr:* could> *aux* können; **you can't go** du darfst nicht gehen; **could I look at it?** darf ich es mir ansehen?; **I could have kissed her** ich hätte sie küssen können

Cana•da ['kænədə] *s* Kanada *n;* **Ca•na•dian** [kə'neɪdɪən] **I.** *adj* kanadisch **II.** *s* Kanadier(in) *m(f)*

ca•nal [kə'næl] *s* **1.** Kanal *m* **2.** (ANAT) Röhre *f,* Gang *m;* **ca•nal•iz•ation** [ˌkænəlaɪ'zeɪʃn] *s* Kanalisierung *f;* **ca•nal•ize** ['kænəlaɪz] *tr* **1.** kanalisieren **2.** (*fig*) lenken (*into* in), dirigieren

ca•nary [kə'neərɪ] **I.** *s* Kanarienvogel *m* **II.** *adj* hellgelb; **canary seed** *s* (Kanarien)Vogelfutter *n*

ca•nasta [kə'næstə] *s* Kanasta *n* (*Kartenspiel*)

can•cel ['kænsl] **I.** *tr* **1.** (aus-, durch)streichen; ungültig machen **2.** (*Briefmarke*) entwerten **3.** rückgängig machen, abbestellen; widerrufen, annullieren; (COM) stornieren **4.** (*Veranstaltung*) absagen **5.** (*Vertrag*) lösen **6.** (*Anordnung*) zurückziehen **7.** (MATH: *in e-m Bruch, e-r Gleichung*) streichen, kürzen **8.** (EDV) abbrechen, löschen **II.** *itr* absagen; stornieren; sich (gegenseitig) aufheben; **can•cel•la•tion** [ˌkænsə'leɪʃn] *s* **1.** Streichung *f* **2.** Entwertung *f* **3.** Absage *f* **4.** Kündigung *f* **5.** Annullierung *f,* Abbestellung *f;* (COM) Stornierung *f;* ~ **clause** Rücktrittsklausel *f*

can•cer ['kænsə(r)] *s* **1.** (MED) Krebs *m* **2.** (*fig*) Krebsgeschwür, Übel *n* **3.** (ASTR) Krebs *m;* **cancer check-up** *s* Krebsvorsorge(untersuchung) *f;* **cancer clinic** *s* Krebsklinik *f;* **can•cer•ous** ['kænsərəs] *adj* krebsartig; **cancer research** *s* Krebsforschung *f*

can•de•la•brum [ˌkændɪ'lɑːbrəm, *pl* ˌkændɪ'lɑːbrə] <*pl* -bra> *s* Kandelaber *m*

can•did ['kændɪd] *adj* **1.** aufrichtig, ehrlich **2.** unvoreingenommen **3.** freimütig **4.** (PHOT) unbemerkt aufgenommen

can•di•dacy ['kændɪdəsɪ] *s* Kandidatur *f;* **can•di•date** ['kændɪdət] *s* Kandidat(in) *m(f),* Bewerber(in) *m(f),* Anwärter(in) *m(f),* Prüfling *m;* **can•di•da•ture** ['kændɪdətʃə(r)] *s* (*Br*) Bewerbung, Kandidatur *f*

can•died ['kændɪd] *adj* (*Früchte*) kandiert, überzuckert

candle ['kændl] *s* Kerze *f;* **light a** ~ e-e Kerze anzünden; **burn the** ~ **at both ends** (*fig*) sich keine Ruhe gönnen; **it is not worth the** ~ es lohnt sich nicht; **candle-light** *s* Kerzenlicht *n;* **Candle•mas** ['kændlməs] *s* (REL) Lichtmess *f;* **candle-power** *s* Licht-, Kerzenstärke *f* (*Lichteinheit*); **candle-stick** *s* Leuchter *m;* **candle•wick** ['kændlˌwɪk] *s* Kerzendocht *m*

can•dor *s* (*Am*) *s.* **candour**

can•dour ['kændə(r)] *s* Aufrichtigkeit, Offenheit, Ehrlichkeit *f*

candy ['kændɪ] **I.** *s* **1.** (*sugar*-~) Kandis(zucker) *m* **2.** (*Am*) Bonbon *m;* (*sweets*) Süßigkeiten *fpl* **II.** *tr* **1.** (*Früchte*) kandieren, überzuckern **2.** (*Zucker*) kristallisieren; **candy floss** ['kændɪˌflɒs] *s* (*Br*) Zuckerwatte *f;* **candy store** *s* (*Am*) Süßwarenhandlung *f*

cane [keɪn] **I.** *s* **1.** (BOT) (Schilf-, Zucker)Rohr *n* **2.** (Spazier-, Rohr)Stock *m* **II.** *tr* **1.** (ver)prügeln **2.** das Rohr einziehen in (*e-n Stuhlrahmen*); ~ **s.th. into s.o.** jdm etw einbläuen; **cane chair** *s* Rohrstuhl *m;* **cane sugar** *s* Rohrzucker *m*

can•is•ter ['kænɪstə(r)] *s* Kanister *m,* Blechbüchse, -dose *f*

can•na•bis ['kænəbɪs] *s* **1.** (BOT) Hanf *m* **2.** Cannabis *m*

can•ned [kænd] *adj* **1.** eingemacht, eingedost; Büchsen- **2.** mechanisch konserviert, Konserven- **3.** serienmäßig hergestellt **4.** (*sl*) besoffen; ~ **meat** Büchsenfleisch *n;* ~ **milk** Büchsenmilch *f;* ~ **music** (*fam*) Musikberieselung *f;* **canner** ['kænə(r)] *s* Konservenfabrikant, -arbeiter *m;* **can•nery** ['kænərɪ] *s* Konservenfabrik *f*

can•ni•bal ['kænɪbl] **I.** *s* Kannibale *m* **II.** *adj* kannibalisch; **can•ni•bal•ism** ['kænɪbəlɪzəm] *s* Kannibalismus *m;* **can•ni•bal•ize** ['kænɪbəlaɪz] *tr* (MOT) ausschlachten

can•ning ['kænɪŋ] *adj:* ~ **factory** Konservenfabrik *f;* ~ **industry** Konservenindustrie *f*

can•non ['kænən] **I.** *s* **1.** Kanone *f,* Geschütz *n* **2.** (TECH) Zylinder *m* **3.** (*Br: Billard*) Karambolage *f* **II.** *itr* **1.** karambolieren **2.** (*fig*) zusammenstoßen (*into s.th.* mit etw); **cannon-ball** *s* Kanonenkugel *f;* **can•non•fod•der** ['kænənfɒdə(r)] *s* Kanonenfutter *n*

can•not ['kænɒt] *verneinte Form von* **can**

canny ['kænɪ] *adj* **1.** schlau, pfiffig **2.** vorsichtig **3.** sparsam

ca•noe [kə'nuː] **I.** *s* Kanu, Paddelboot *n* **II.** *itr* Kanu fahren; paddeln; **ca•noe•ing** [-ɪŋ] *s* Kanufahren *n;* **ca•noe•ist** [-ɪst] *s* Kanufahrer(in) *m(f)*

canon•iz•ation [ˌkænənaɪ'zeɪʃn] *s* Heiligsprechung *f;* **canon•ize** ['kænənaɪz] *tr* heilig sprechen

can opener ['kænˌəʊpənə(r)] *s* Büchsenöffner *m*

can•opy ['kænəpɪ] *s* **1.** Baldachin *m;* Betthimmel *m* **2.** (ARCH) Vordach *n* **3.** Überdachung *f* **4.** (AERO) Kabinendach *n* **5.** (BOT) Kronenschluss *m,* Kronen-, Laubdach *n*

can't [kɑːnt] = **cannot**

cant[1] [kænt] **I.** *s* **1.** geneigte Fläche; Schräglage *f* **2.** (*Straße*) Kurvenüberhöhung *f* **II.** *tr* **1.** abschrägen **2.** verkanten **III.** *itr* sich verkanten, umkippen

cant[2] [kænt] *s* **1.** Zunftsprache *f;* Jargon *m* **2.** Gaunersprache *f* **3.** Geschwätz *n* **4.** Heuchelei, Scheinheiligkeit *f* **5.** Redensart *f*

can•tank•er•ous [kæn'tæŋkərəs] *adj* zänkisch, streitsüchtig; rechthaberisch

can•tata [kæn'tɑːtə] *s* (MUS) Kantate *f*

can•teen [kæn'tiːn] *s* **1.** Kantine *f* **2.** (MIL) Feldflasche *f;* Kochgeschirr *n* **3.** Besteckkasten *m*

can•ter ['kæntə(r)] **I.** *s* Handgalopp *m* **II.** *itr* Handgalopp reiten

can•ti•lever ['kæntɪliːvə(r)] **I.** *s* (ARCH) Frei-, Konsol-, Kragträger *m;* (*Brückenbau*) Ausleger *m* **II.** *adj* freitragend

can•vas ['kænvəs] *s* **1.** Kanevas *m* **2.** Segeltuch *n* **3.** Zeltbahn *f,* -tuch *n* **4.** Packleinwand *f* **5.** (*Malerei*) Leinwand *f*

can•vass ['kænvəs] **I.** *tr* **1.** (*Kunden, Wähler*) werben, besuchen **2.** (*Wahlstimmen*) werben **3.** Wahlwerbung machen in (*e-m Gebiet*) **II.** *itr* **1.** (COM POL) werben (*for* für), sich um Aufträge bemühen **2.** e-n Wahlfeldzug führen **3.** sich bewerben (*for* um) **III.** *s* **1.** (Stimmen-, Kunden)Werbung *f* **2.** Werbe-, Wahlfeldzug *m* **3.** (*Am*) Wahlprüfung *f;* **can•vasser** ['kænvəsə(r)] *s* **1.** (Kunden-, Abonnenten)Werber(in) *m(f)* **2.** (POL) Propagandist(in) *m(f)* **3.** (*Am*) Wahlprüfer(in) *m(f);* **can•vass•ing** [-ɪŋ] *s* **1.** (Stimmen-, Kunden)Werbung *f;* (Wahl)Propaganda *f* **2.** (COM) Werbefeldzug *m;* ~ **for votes** Stimmenfang *m*

can•yon ['kænjən] *s* Cañon *m;* Schlucht *f*

CAP ['kæp] *s abbr of* **Common Agricultural Policy** (EU) gemeinsame Agrarpolitik

cap [kæp] **I.** *s* **1.** Mütze, Kappe, Haube *f;* Barett *n;* (Sport-, Klub)Mütze *f* **2.** (TECH) Aufsatz, Deckel *m;* Kappe, Haube *f* **3.** Kapsel *f;* (*a. e-r Flasche*) Verschluss *m* **4.** Spreng-, Zündkapsel *f* **5.** Gipfel *m,* Spitze *f* **6.** (*Empfängnisverhütung*) Pessar *n;* **set one's ~ at s.o.** (*fam*) jdn angeln **II.** *tr* **1.** e-e Mütze aufsetzen (*s.o.* jdm) **2.** mit e-m Deckel, e-r Kappe versehen **3.** (*fig*) übertreffen **4.** e-n akademischen Grad verleihen (*s.o.* jdm) **5.** (FIN POL) eine Obergrenze setzen **6.** (*Br*) e-n Höchstsatz setzen; ~ **everything** alles übertreffen

ca•pa•bil•ity [ˌkeɪpə'bɪlətɪ] *s* **1.** Fähigkeit *f* (*of* zu) **2. capabilities** Begabung *f;* **ca•pable** ['keɪpəbl] *adj* **1.** fähig, tüchtig **2.** befähigt; geeignet **3.** (*pej*) fähig (*of* zu); **be ~ of** im Stande sein zu; können (*singing* singen); ~ **of earning** erwerbsfähig; ~ **of work** arbeitsfähig; **he is ~ of anything** er ist zu allem fähig

ca•pac•ity [kə'pæsətɪ] *s* **1.** Inhalt *m,* Volumen *n* **2.** Fassungskraft *f,* -vermögen *n a. fig* **3.** (*fig*) Umfang *m* **4.** Fähigkeit *f;* geistige Fähigkeiten *fpl* **5.** (TECH) Leistung(sfähigkeit) *f;* Tragkraft *f;* Produktionsvermögen *n* **6.** (MOT) Hubraum *m* **7.** (EL) Kapazität *f* **8.** (JUR) Befugnis *f* **9.** Funktion, Aufgabe, Stellung *f;* **in my ~ as** in meiner Eigenschaft als; **buying ~** Kaufkraft *f;* **filled to ~** (THEAT) voll (besetzt); **have a seating ~ of 600** 600 Sitzplätze haben

cape¹ [keɪp] *s* Umhang *m,* Cape *n*

cape² [keɪp] *s* Kap *n*

ca•per¹ ['keɪpə(r)] *s* Kapernstrauch *mpl;* (*Gewürz*) Kapern *fpl*

ca•per² ['keɪpə(r)] **I.** *s* **1.** Luftsprung *m* **2.** *meist pl* Kapriolen *fpl,* Streiche *mpl* **II.** *itr* (*cut ~s, a ~*) Luftsprünge machen, herumtollen; (*fig*) Kapriolen machen; (*fam*) ein Ding drehen

cap•il•lary [kə'pɪlərɪ] **I.** *adj* haarfein; Kapillar- **II.** *s* (ANAT) Kapillargefäß *n*

capi•tal ['kæpɪtl] **I.** *s* **1.** Kapital, Vermögen *n* **2.** Hauptstadt *f* **3.** großer Anfangs-, Blockbuchstabe *m* **4.** (ARCH) Kapitell *n;* **federal ~** Bundeshauptstadt *f;* **fixed ~** Anlagekapital *n* **II.** *adj* **1.** (*Strafe, Urteil*) Todes-; (*Verbrechen*) todeswürdig, schwer **2.** verhängnisvoll **3.** hauptsächlich; Haupt- **4.** (*fam*) glänzend, prächtig, tadellos, famos **5.** (*Buchstabe*) groß **6.** Kapital-; **capital assets** *s pl* Anlagevermögen *n;* **capital crime** *s* Kapitalverbrechen *n;* **capital gains tax** *s* Kapitalertragssteuer *f;* **capital investment** *s* Kapitalanlage *f;* **capital investment company** *s* Kapitalbeteiligungsgesellschaft *f*

capi•tal•ism ['kæpɪtəlɪzəm] *s* Kapitalismus *m;* **capi•tal•ist** ['kæpɪtəlɪst] **I.** *s* Kapitalist(in) *m(f)* **II.** *adj* kapitalistisch; **capi•tal•is•tic** [ˌkæpɪtə'lɪstɪk] *adj* kapitalistisch

capi•tal•iz•ation [ˌkæpɪtəlaɪ'zeɪʃn] *s* **1.** Kapitalisierung *f* **2.** Großschreibung *f;* **capi•tal•ize** ['kæpɪtəlaɪz] **I.** *itr* Nutzen ziehen (*on* aus) **II.** *tr* **1.** kapitalisieren **2.** groß schreiben

capi•tal let•ter ['kæpɪtl 'letə(r)] *s* großer Anfangsbuchstabe; **capital punishment** *s* Todesstrafe *f*

ca•pitu•late [kə'pɪtʃʊleɪt] *itr* kapitulieren (*to* vor); **ca•pitu•la•tion** [kəˌpɪtʃʊ'leɪʃn] *s* Kapitulation, Übergabe *f*

ca•price [kə'pri:s] *s* Laune *f;* (lustiger, launiger) Einfall *m;* **ca•pri•cious** [kə'prɪʃəs] *adj* launisch, launenhaft

Cap•ri•corn ['kæprɪkɔ:n] *s* (ASTR) Steinbock *m*

cap•size [kæp'saɪz] **I.** *itr* (*Schiff*) kentern **II.** *tr* kentern lassen

cap•stan ['kæpstən] *s* (MAR) Gangspill *n,* Ankerwinde *f*

cap•sule ['kæpsju:l] *s* **1.** (ANAT BOT MED) Kapsel *f* **2.** (BOT) Hülse *f* **3.** (Flaschen)Kapsel *f*

cap•tain ['kæptɪn] **I.** *s* **1.** (MIL) Hauptmann *m* **2.** (MAR) Kapitän *m* **3.** (AERO) Flugzeugführer, -kapitän *m* **4.** Führer(in) *m(f),* Leiter(in) *m(f)* **5.** (*Am*) Oberkellner *m* **6.** (SPORT) Kapitän *m,* Mannschaftsführer(in) *m(f)* **7.** (*Schule*) Sprecher(in) *m(f)* **II.** *tr* **1.** (SPORT: *die Mannschaft*) führen **2.** (MAR) befehligen

cap•tion ['kæpʃn] **I.** *s* **1.** (*Buch*) Kapitelüberschrift *f;* (*Zeitung*) Beitrags-, Artikelüberschrift *f* **2.** Titel, Kopf *m,* Schlagzeile *f* **3.** (Bild)Erklärung *f;* Bildunterschrift *f* **4.** (FILM) Untertitel, (erläuternder) Zwischentext *m* **II.** *tr* mit e-r Überschrift versehen

cap•ti•vate ['kæptɪveɪt] *tr* (*fig*) fesseln, faszinieren, bezaubern; **cap•tive** ['kæptɪv] **I.** *adj* gefangen **II.** *s* Gefangene(r) *f m;* **hold ~** gefangen halten; **take ~** gefangen nehmen; **cap•tiv•ity** [kæp'tɪvətɪ] *s* Gefangenschaft, Haft *f;* **cap•ture** ['kæptʃə(r)] **I.** *s* **1.** Gefangennahme *f* **2.** (MAR) Prise *f* **3.** Eroberung *f;* Beute *f,* Raub *m* **4.** Fang *m* **II.** *tr* **1.** gefangen nehmen **2.** (*Tier, Augenblick, Atmos-*

phäre) einfangen **3.** (*Stadt*) einnehmen; (*Schatz*) erobern; (*Schiff*) kapern **4.** (*Preis, Stimmen*) erbeuten; (*Aufmerksamkeit*) an sich reißen **5.** (EDV) erfassen

car [kɑː(r)] *s* **1.** (Kraft)Wagen *m,* Auto(mobil) *n* **2.** (Straßenbahn)Wagen *m;* (*Am*) (Eisenbahn)Wagen, Waggon *m* **3.** (*Ballon*) Gondel *f* **4.** (*Aufzug*) Fahrstuhl *m;* **by ~** mit dem Wagen, Auto; **drive a ~** e-n Wagen fahren, Auto fahren; **put the ~ in the garage** das Auto in die Garage fahren; **car accessories** *s pl* Ersatzteile *pl;* **car aerial** *s* Autoantenne *f*

ca•rafe ['kærəf] *s* Karaffe *f*

cara•mel ['kærəmel] *s* **1.** Karamel(zucker) *m* **2.** Karamelbonbon *m*

carat ['kærət] *s* Karat *n*

cara•van ['kærəvæn] *s* **1.** Karawane *f* **2.** (*Br:* MOT) Wohnwagen *m* **3.** Zigeuner-, Zirkus-, Wanderschauwagen *m;* **cara•van-sary, cara•van•serai** [ˌkærər'vænsərɪ] *s* Karawanserei *f*

cara•way ['kærəweɪ] *s* (BOT) Kümmel *m;* **caraway seeds** *s pl* (*Gewürz*) Kümmel *m*

car•bide ['kɑːbaɪd] *s* (CHEM) Karbid *n*

car•bine ['kɑːbaɪn] *s* Karabiner *m*

car body ['kɑːbɒdɪ] *s* Karosserie *f*

carbo•hy•drate [ˌkɑːbəʊ'haɪdreɪt] *s* Kohlehydrat *n;* **car•bolic** [kɑː'bɒlɪk] *adj* (CHEM) Karbol-; **~ acid** Karbolsäure *f,* Phenol *n*

car bomb ['kɑːbɒm] *s* Autobombe *f*

car•bon ['kɑːbən] *s* **1.** (CHEM) Kohlenstoff *m* **2.** (EL) Kohlestift *m* (*für Bogenlicht*) **3.** (*~ paper*) Kohlepapier *n* **4.** (*~ copy*) Durchschlag *m,* -schrift *f;* **car•bon•ated** ['kɑːbəneɪtɪd] *adj* mit Kohlensäure; **carbon copy** *s* Durchschlag *m;* (*fig*) Ebenbild *n;* **carbon-copy crime** *s* Nachahmungstat *f;* **carbon dating** *s* Kohlenstoffdatierung *f;* **carbon dioxide** *s* (CHEM) Kohlendioxyd *n;* **car•bonic** [kɑː'bɒnɪk] *adj* (CHEM) Kohlen-; **~ acid** Kohlensäure *f;* **~ oxide** Kohlenoxyd *n;* **car•bon•ize** ['kɑːbənaɪz] *tr* **1.** verkohlen **2.** (*Kohle*) verkoken; **carbon monoxide** *s* Kohlenmonoxyd *n;* **carbon paper** *s* Kohle-, Durchschreibepapier *n*

car-boot sale ['kɑːbuːtˌseɪl] *s privater Flohmarkt, bei dem der Kofferraum als Verkaufsfläche dient*

car•buncle ['kɑːbʌŋkl] *s* **1.** (MIN) Karfunkel *m* **2.** (MED) Karbunkel *m*

car•bu•ret ['kɑːbjʊˌret] *tr* **1.** (CHEM) karburieren **2.** (MOT) vergasen; **car•bu•ret(t)or** [ˌkɑːbjʊ'retə(r)] *s* Vergaser *m*

car•cass, car•case ['kɑːkəs] *s* **1.** Leiche *f;* Tierleiche *f,* Kadaver *m* **2.** (*Metzgerei*) Rumpf *m* **3.** (*Haus, Schiff*) Gerippe *a. pej,* Skelett *n;* Rohbau *m* **4.** (*Reifen*) Karkasse *f* **5.** (*fig*) Trümmer *pl*

car•ci•no•gen ['kɑːsinəˌdʒen] *s* Karzinogen *n;* **car•ci•no•gen•ic** [-ɪk] *adj* karzinogen, krebserzeugend

car•ci•noma [ˌkɑːsɪ'nəʊmə] *s* (MED) Karzinom *n,* Krebs(geschwulst) *m (f)*

card¹ [kɑːd] **I.** *s* Krempel *m* **II.** *tr* krempeln, streichen

card² [kɑːd] *s* **1.** (Spiel-, Post-, Besuchs)Karte *f* **2.** (SPORT) Programm(nummer *f*) *n* **3.** Pappe *f* **4.** **~s** (Arbeits)Papiere *npl* **5.** (*fam*) (komischer) Kerl *m;* **in** [*o* **on the**] **~s** wahrscheinlich, möglich; **have a ~ up one's sleeve** etw in petto haben; **play (at) ~s** Karten spielen; **put lay one's ~s on the table** seine Karten aufdecken; **game of ~s** Kartenspiel *n;* **picture post-~** Ansichtskarte *f;* **reply ~** Antwortkarte *f;* **visiting-** [*o* **calling-**] **~** [*o* **business**] Visitenkarte *f;*

card•board ['kɑːdbɔːd] *s* Pappe *f;* **~ box** Pappschachtel *f,* -karton *m*

car deck ['kɑːˌdek] *s* Autodeck *n*

car•diac ['kɑːdɪæk] *adj* (MED) Herz-; **~ arrest** Herzstillstand *m*

car•di•gan ['kɑːdɪgən] *s* Wolljacke, -weste *f*

car•di•nal ['kɑːdɪnl] **I.** *adj* **1.** hauptsächlich; Haupt- **2.** hochrot **II.** *s* (REL) Kardinal *m;* **cardinal number** *s* Kardinalzahl *f;* **cardinal points** *s pl* Himmelsrichtungen *fpl*

card in•dex ['kɑːdˌɪndeks] *s* Kartei, Kartothek *f*

car•dio•gram ['kɑːdɪəʊgræm] *s* Kardiogramm *n*

car door ['kɑːdɔː(r)] *s* Wagentür *f*

card•phone ['kɑːdfəʊn] *s* Kartentelefon *n;* **card punch** ['kɑːdˌpʌntʃ] *s* Lochkartenmaschine *f;* **card reader** *s* Lesemaschine *f;* **card table** *s* Kartenspieltisch *m*

care [keə(r)] **I.** *s* **1.** Sorgfalt, Achtsamkeit *f* **2.** Pflege *f;* Wartung *f* **3.** Fürsorge *f* **4.** Obhut *f* **5.** Anteilnahme *f,* Interesse *n* **6.** Sorge, Besorgnis *f,* Not *f,* Kummer *m;* **free from ~s** ohne Sorgen, sorgenfrei; **in** [*o* **under**] **s.o.'s ~** in jds Obhut; (**in**) **~ of, c/o** c/o, bei; **take ~** vorsichtig sein, sich hüten, aufpassen; sorgen (*of* für), sich kümmern (*of* um), Acht geben (*of* auf, *that* dass), erledigen (*of s.th.* etw), aufbewahren (*of s.th.* etw); **take ~!** pass auf dich auf!; **take ~ of o.s.** sich pflegen; **that takes ~ of that** damit wäre das erledigt **II.** *itr, tr* sich Sorgen, sich Gedanken machen (*about* über); **~ about** Interesse haben an, Lust haben zu; sich kümmern um; **~ for** sorgen für, aufpassen auf, sich kümmern um; pflegen; (*fragend und verneint*) gern haben, mögen, Interesse haben an; wünschen, haben wollen; **be ~d for** versorgt, aufgehoben sein; ~ **to** Lust haben zu; **not to ~ a rap** sich keinen Deut kümmern (*whether* ob, *for* um); **I don't ~** das ist mir gleich; **what do I ~!** was geht's mich an!; **who ~s?** wen interessiert das schon?; **would you ~ to ...?** macht es Ihnen etwas aus zu ...?; würden Sie vielleicht gerne ...?

ca•reer [kə'rɪə(r)] **I.** *s* **1.** Laufbahn, Karriere *f;* Beruf *m* **2.** voller Galopp; **in full ~** in vollem Galopp; **enter upon a ~** e-e Laufbahn einschlagen **II.** *itr* laufen, eilen, rennen, rasen; **~ about/along/over/through** umher-/entlang-/hinüber-/hindurchrasen; **ca•reer•ist** [kə'rɪərɪst] *s* Karrieremacher(in) *m(f),* Streber(in) *m(f);* **career woman** *s* Karrierefrau *f*

care•free ['keəfri:] *adj* ohne Sorgen, sorglos; **care•ful** ['keəfl] *adj* sorgfältig; achtsam; sorgsam; **be ~** vorsichtig sein, aufpassen; **I was ~ not to go** ich habe mich gehütet zu gehen; **care•ful•ness** [-nɪs] *s* Sorgfalt *f;* Achtsamkeit, Um-, Vorsicht *f;* **care•less** ['keəlɪs] *adj* **1.** sorglos; gleichgültig, gedankenlos; achtlos **2.** unachtsam (*of* gegen), unvorsichtig; nachlässig **3.** sorgenfrei; **care•less•ness** [-nɪs] *s* Sorglosigkeit *f;* Unachtsamkeit *f;* Nachlässigkeit *f*

ca•ress [kə'res] **I.** *s* Liebkosung *f* **II.** *tr* liebkosen, streicheln

care•taker ['keə,teɪkə(r)] *s* **1.** Verwalter, Aufseher *m* **2.** Hausmeister *m;* **~ government** Interimsregierung *f;* **care•worn** ['keəwɔ:n] *adj* erschöpft, ausgemergelt

car ferry *s* Autofähre *f*

cargo ['kɑ:gəʊ] <*pl* -go(e)s> *s* (AERO MAR) Fracht, (Schiffs)Ladung *f;* **cargo aircraft, cargo plane** *s* Transportflugzeug *n;* **cargo boat** *s* Frachtschiff *n*

car hire ['kɑ:,haɪə(r)] *s* Autovermietung *f*

Car•ib•bean [,kærɪ'bi:ən, *Am* ,kæ'rɪbi:ən] **I.** *adj* karibisch **II.** *s* Karibik *f*

cari•ca•ture ['kærɪkətjʊə(r)] **I.** *s* Karikatur *f* **II.** *tr* karikieren; **cari•ca•tur•ist** [-ɪst] *s* Karikaturist(in) *m(f),* Karikaturenzeichner(in) *m(f)*

car•ies ['keəri:z] *s* (MED) Karies *f;* **dental ~** Zahnfäule *f*

car insurance ['kɑ:ɪn,ʃʊərəns] *s* Kraftfahrzeug-, Autoversicherung *f*

car•nal ['kɑ:nl] *adj* fleischlich; sinnlich, geschlechtlich

car•na•tion [kɑ:'neɪʃn] *s* (BOT) Nelke *f*

car•ni•val ['kɑ:nɪvl] *s* **1.** Karneval, Fasching *m* **2.** Lustbarkeit *f,* (Fest)Rummel *m;* Volksfest *n*

car•ni•vore ['kɑ:nɪvɔ:(r)] *s* (ZOO) Fleischfresser *m;* **car•ni•vor•ous** [kɑ:'nɪvərəs] *adj* (ZOO BOT) fleischfressend

carol ['kærəl] **I.** *s* **1.** frohes Lied **2.** (*Christmas ~*) Weihnachtslied *n* **II.** *itr* jubilieren; **carol singers** *s pl* Sternsinger *pl*

car owner ['kɑ:rəʊnə(r)] *s* Autobesitzer(in) *m(f)*

carp¹ [kɑ:p] *s* Karpfen *m*

carp² [kɑ:p] *itr* nörgeln, etwas auszusetzen haben (*at* an)

car park ['kɑ:pɑ:k] *s* Parkplatz *m;* **multistorey ~** Parkhaus *n;* **underground ~** Tiefgarage *f*

car•pen•ter ['kɑ:pəntə(r)] **I.** *s* Zimmermann *m,* Tischler(in) *m(f)* **II.** *tr, itr* zimmern; **car•pen•try** ['kɑ:pəntrɪ] *s* Zimmerhandwerk *n,* -arbeit *f*

car•pet ['kɑ:pɪt] **I.** *s* Teppich *m a. fig,* Läufer *m;* **be on the ~** zur Debatte, zur Diskussion stehen; **have s.o. on the ~** (*fam*) sich jdn vorknöpfen, -nehmen; **sweep s.th. under the ~** (*fig*) etw unter den Teppich kehren **II.** *tr* **1.** mit e-m Teppich, e-m Läufer belegen **2.** (*fam*) herunterputzen; **car•pet-bag** ['kɑ:pɪtbæg] *s* Reisetasche *f;* **car•pet•bag•ger** ['kɑ:pɪt,bægə(r)] *s* (*Am*) politischer Abenteurer; Schwindler *m;* **car•pet•ing** ['kɑ:pɪtɪŋ] *s* Teppich, Teppichboden *m;* Teppiche *mpl;* **car•pet-sweeper** ['kɑ:pɪt,swi:pə(r)] *s* Teppichkehrmaschine *f*

car pool ['kɑ:pu:l] *s* **1.** (*Am*) Fahrgemeinschaft *f* **2.** Fuhrpark *m*

car•riage ['kærɪdʒ] *s* **1.** (*Güter*) Transport *m;* Beförderung *f* **2.** Fracht *f* **3.** Transportgebühr *f,* Frachtkosten *pl,* Fuhrlohn *m,* Rollgeld *n* **4.** Wagen *m;* Waggon *m;* (Eisenbahn-, Personen)Wagen *m;* Kutsche *f* **5.** Wagengestell, Laufwerk *n;* Laufkatze *f* **6.** (MIL: *gun-~*) Lafette *f* **7.** (TECH) Wagen (*a. d. Schreibmaschine*), Schlitten *m;* (AERO: *under~*) Fahrgestell *n* **8.** (Körper)Haltung *f;* Auftreten *n;* Verhalten, Betragen *n;* **~ free** [*o* **paid**] frachtfrei; **~ by air/by rail/by sea** Luft-/Bahn-/Seetransport *m;* **carriage-return** *s* (*Schreibmaschine*) Wagenrücklauf *m;* **carriage•way** ['kærɪdʒ'weɪ] *s* Fahrbahn *f;* **dual ~** Schnellstraße *f*

car•rier ['kærɪə(r)] *s* **1.** (Last-, Gepäck-, Aus)Träger; (*a.* EL) Bote *m* **2.** Fuhrmann *m;* Fuhrunternehmer, Spediteur *m* **3.** (MED) Bazillenträger(in) *m(f)* **4.** (TECH) Mitnehmer, Schlitten *m* **5.** Tragnetz, -gestell *n* **6.** (*Fahrrad*) Gepäckständer, -träger *m* **7.** (*aircraft ~*) Flugzeugträger *m* **8.** (*~-pigeon*) Brieftaube *f;* **carrier-bag** *s* Tragetasche *f*

car•rion ['kærɪən] *s* Aas *n;* **carrion crow** *s* Rabenkrähe *f*

car•rot ['kærət] *s* Mohrrübe, Karotte *f;* **the stick and the ~** (*fig*) Zuckerbrot u. Peitsche; **car•roty** ['kærətɪ] *adj* rötlich, rot(haarig)

carry ['kærɪ] I. *tr* 1. tragen *a. fig,* fahren, befördern, transportieren; (über)bringen 2. (*Wasser, Strom, Öl*) leiten, führen 3. (bei sich) haben (*about one* mit sich), führen, tragen 4. (*Kopf, Körper*) halten 5. (ARCH TECH) halten, stützen, tragen; (*Gewicht, Last*) aushalten 6. (*Buchung*) über-, vortragen 7. (*den Sieg*) davontragen; (*Preis*) gewinnen; (*Argument*) (erfolgreich) behaupten 8. (*Menschen*) für sich einnehmen, gewinnen, überzeugen, mitreißen 9. (PARL: *Antrag*) durchbringen 10. (*Am: Ware*) führen, auf Lager haben 11. (*Nachrichten in Zeitungen*) drucken, bringen; ~ **the can** (*fig*) es ausbaden müssen; ~ **coals to Newcastle** (*fig*) Eulen nach Athen tragen; ~ **consequences** Folgen haben; ~ **conviction** überzeugend wirken; ~ **current** Strom führen; ~ **interest** Zins(en) tragen; ~ **one's point** seine Ansicht durchdrücken; ~ **weight** Gewicht haben, von (ausschlaggebender) Bedeutung sein; **be carried** (*Antrag*) durchgehen, angenommen werden II. *itr* (*bis zu e-r bestimmten Entfernung*) reichen, gehen, tragen, dringen III. *s* 1. Trag-, Reichweite *f* 2. (*Golf*) Flug(strecke *f*) *m* (*des Balles*) 3. (*Am*) Tragen *n* e-s Bootes; **carry along, carry away** *tr* 1. wegtragen, -bringen, -schaffen 2. (*fig*) mitreißen, begeistern; **carry forward** *tr* 1. fortsetzen 2. (*Buchung*) vor-, übertragen; (**amount**) **carried forward** Übertrag *m;* **carry off** *tr* 1. wegschleppen, weg-, mitnehmen, entführen 2. (*Preis*) gewinnen; ~ **it off well** e-e Schwierigkeit glänzend meistern; **carry on** I. *tr* 1. fortsetzen, weiterführen 2. (*Gespräch, Krieg*) führen 3. (*Geschäft*) betreiben 4. (*Beruf*) ausüben II. *itr* 1. weitermachen 2. (*fam*) sich aufregen; die Nerven verlieren; verrückt spielen, den wilden Mann markieren 3. unaufhörlich reden 4. es haben (*with* mit); **carry out** *tr* aus-, durchführen; (*Versprechen*) halten; (*Drohung*) wahrmachen; **carry over** *tr* 1. (*Buchung*) vor-, übertragen 2. vertagen; **carry through** *tr* 1. durchführen, zu Ende bringen 2. durchhelfen (*s.o.* jdm)

carry-cot ['kærɪˌkɒt] *s* Tragbettchen *n;* **carry-forward** [ˌkærɪ'fɔːwəd] *s* (COM) Saldovortrag *m;* **carry•ing** ['kærɪɪŋ] *s* 1. Beförderung *f,* Transport *m,* Fracht *f;* Spedition *f* 2. (~ *fees*) Transportkosten *pl,* Fracht *f* 3. (*Gesetzesvorlage*) Annahme *f;* ~**s-on** (*fam*) Getue *n;* Lärm *m;* Treiben *n;* **carrying agent** *s* Spediteur *m;* **carrying capacity** *s* Tragfähigkeit *f;* Nutzlast *f;* Platzzahl *f;* **carrying trade** *s* Fuhrunternehmen *n;* **carry-over** [ˌkærɪ'əʊvə(r)] *s* (COM) 1. Übertrag *m* 2. Rest *m* 3. Prolongation(sgeschäft *n*) *f*

cart [kɑːt] I. *s* Karren *m;* (zweirädriger) Wagen *m;* **put the ~ before the horse** (*fig*) das Pferd am Schwanz aufzäumen II. *tr* befördern, transportieren

car•tel [kɑː'tel] *s* 1. (FIN) Kartell *n,* Ring *m* 2. (~ *agreement*) Kartellvertrag *m*

car•ter ['kɑːtə(r)] *s* Fuhrmann *m;* **cart-horse** ['kɑːtˌhɔːs] *s* Zugpferd *n*

car•ti•lage ['kɑːtɪlɪdʒ] *s* (ANAT) Knorpel *m*

cart-load ['kɑːtˌləʊd] *s* Fuhre *f*

car•togra•pher [kɑː'tɒgrəfə(r)] *s* Kartograf(in) *m(f);* **car•togra•phy** [kɑː'tɒgrəfɪ] *s* Kartografie *f*

car•ton ['kɑːtn] *s* Karton *m,* Pappschachtel *f;* (*Milch*) Tüte *f;* (*Zigaretten*) Stange *f*

car•toon [kɑː'tuːn] *s* 1. (*Kunst*) Karton, Entwurf *m* 2. (politische) Karikatur, Cartoon *m* 3. (Zeichen)Trickfilm *m;* Trickzeichnung *f,* -bild *n;* **car•toon•ist** [-ɪst] *s* (Karikaturen-, Trickfilm)Zeichner(in) *m(f)*

car•tridge ['kɑːtrɪdʒ] *s* 1. (MIL) Patrone *f* 2. (PHOT) Kassette *f;* (*Füllfederhalter*) Patrone *f* 3. (*Plattenspieler*) Tonabnehmer *m;* **cartridge case** *s* Patronenhülse *f;* **cartridge paper** *s* (starkes) Zeichenpapier *n*

cart-wheel ['kɑːtˌwiːl] *s* (Wagen)Rad *n;* **turn a ~** (SPORT) Rad schlagen

carve [kɑːv] *tr* 1. schnitzen (*on/in(to)/out of wood* in/aus Holz), meißeln (*on, in(to) stone* in Stein), hauen (*out of stone* aus Stein) 2. (*Name*) (ein)ritzen, (ein)schneiden 3. (*zubereitetes Fleisch*) (zer)schneiden, tranchieren, zerlegen 4. (~ *up*) einteilen; in Stücke schneiden; ~ **out** (*fig*) erkämpfen, erarbeiten; **carver** ['kɑːvə(r)] *s* 1. Bildschnitzer(in) *m(f)* 2. Tranchiermesser *npl,* Tranchierbesteck *n;* **carv•ing** [-ɪŋ] *s* Schnitzerei *f;* **carving-knife** *s* Tranchiermesser *n*

car•wash ['kɑːwɒʃ] *s* Autowäsche *f;* Autowaschanlage *f*

cas•cade [kæ'skeɪd] I. *s* 1. Kaskade *f,* Wasserfall *m* 2. (TECH: ~ *connection*) Stufen-, Kaskadenschaltung *f* II. *itr* in Kaskaden herunterfallen

case¹ [keɪs] *s* 1. Fall *m* 2. (GRAM) Fall, Kasus *m* 3. (Rechts)Fall *m,* Sache *f;* Prozess *m* 4. (Krankheits)Fall *m;* Kranke(r) *f m,* Patient(in) *m(f),* Betroffene(r) *f m* 5. (*fam*) sonderbarer Mensch; (**just**) **in ~** im Falle, für den Fall dass; **in ~ of** im Fall +*gen;* **in ~ of doubt** im Zweifelsfall; **in ~ of emergency** im Notfall; **in any ~** auf jeden Fall; **close the ~** die Beweisaufnahme schließen; **make out one's ~ for** seine Gründe darlegen für; **put the ~ that** den Fall annehmen, dass; **that's not the ~** das ist nicht der Fall; **as the ~ stands** so wie die Dinge liegen

case² [keɪs] I. *s* 1. Behälter *m* 2. Hülle, Hülse, Kapsel *f* 3. Etui, Futteral *n,* Scheide *f* 4. Gehäuse *n;* Fach *n;* Tasche *f,* Beutel, Sack *m;* Mappe *f* 5. Schachtel *f,* Kästchen *n,* Kasten *m,* Kiste *f* 6. (*glass* ~) Glas-, Schaukasten *m* 7. (TECH) Be-, Umkleidung *f,* Mantel *m* II. *tr* 1. in e-n Behälter stecken 2. (TECH: ~ *up, over*) überziehen, be-, umkleiden

case-book ['keɪsˌbʊk] *s* Patientenbuch *n;* Buch *n,* in dem die Fälle aufgezeichnet werden; **case law** ['keisˌlɔː] *s* Fallrecht *n;* **case study** ['keɪsˌstʌdɪ] *s* Fallstudie *f*

cash [kæʃ] I. *s* Bargeld *n;* Kasse *f;* Barzahlung *f;* Sofortzahlung *f;* **against/for/in/in ready** ~/~ **down** (gegen, in) bar; **in** ~ bei Kasse; **out of** ~ nicht bei Kasse, ohne Geld; ~ **on delivery** per Nachnahme; **buy for** ~ (gegen) bar kaufen; **pay (in)** ~ bar (be)zahlen; **I have no** ~ **with me** ich habe kein Geld bei mir; ~ **in hand** Bar-, Kassenbestand *m;* **discount for** ~ Rabatt bei Barzahlung; Skonto *n* II. *tr* 1. einwechseln; (*Scheck*) einlösen 2. (ein)kassieren, einziehen; **cash down**, **cash over** *tr* (*Am fam*) das Geld auf den Tisch legen für; **cash in** I. *tr* einlösen II. *itr* (*sl*) abkratzen, ins Gras beißen (müssen); **cash in on** profitieren von; nach Kräften ausnutzen

cash-and-carry [ˌkæʃn'kærɪ] *s* Cash-and-Carry, Abhol-, Mitnahme-, Verbrauchermarkt *m;* **cash balance** *s* Kassenbestand *m;* **adverse** ~ Kassendefizit *n;* **cash box** *s* (Geld)Kassette *f;* **cash card** *s* Geldautomatenkarte *f;* **cash cow** *s* (COM) Milchkuh *f;* **cash crop** *s* für den Markt erzeugte Ernte; **cash dispenser** [di'spensə] *s* Geldautomat *m*

ca·shew ['kæʃuː] *s* Nierenbaum *m,* Cashewnuss *f*

cash flow ['kæʃˌfləʊ] *s* Cashflow *m*

cash·ier¹ [kæ'ʃɪə(r)] *s* Kassierer(in) *m(f)*

cash·ier² [kæ'ʃɪə(r)] *tr* entlassen

cash·mere ['kæʃmɪə] *s* Kaschmir(schal, -stoff) *m*

cash pay·ment ['kæʃˌpeɪmənt] *s* Barzahlung *f;* **cash point** *s* Geldautomat *m;* **cash register** *s* Registrierkasse *f;* **cash sale** *s* Barverkauf *m*

cas·ing ['keɪsɪŋ] *s* 1. (TECH) Be-, Umkleidung, Umhüllung, Hülle *f,* Futteral *n,* Mantel *m* 2. Überzug *m;* Gehäuse *n* 3. (ARCH) (Ver)Schalung *f;* Auskleidung *f* 4. Tür-, Fensterrahmen *m* 5. (MOT) (Reifen)Mantel *m* 6. ~s Därme *mpl* (*als Wursthüllen*)

ca·sino [kə'siːnəʊ] <*pl* -sinos> *s* Kasino *n*

cask [kɑːsk] *s* Fass *n;* Tonne *f;* **cas·ket** ['kɑːskɪt] *s* 1. (Schmuck)Kästchen *n* 2. Urne *f* 3. (*Am*) Sarg *m*

cas·ser·ole ['kæsərəʊl] *s* Kasserolle *f,* Schmortopf *m*

cas·sette [kə'set] *s* (Film-, Tonband-, Video)Kassette *f;* **cassette deck** *s* Kassettendeck; **cassette recorder** *s* Kassettenrecorder *m*

cast [kɑst] <*irr:* cast, cast> I. *tr* 1. (ab-, weg)werfen; (*Netze, Angel*) auswerfen 2. (*Zahn, Huf*) verlieren 3. (*Junge*) werfen 4. (TECH) gießen 5. formen, gestalten 6. (*Schauspieler*) einteilen (*for* für); (*Rolle*) besetzen (*to* mit); ~ **anchor** Anker werfen; ~ **dice** würfeln; ~ **an eye** [*o* **a glance**] **at** [*o* **on**] [*o* **over**] **s.th.** e-n Blick auf etw werfen; ~ **a horoscope** ein Horoskop erstellen; ~ **light/a shadow on** Licht/seinen Schatten werfen auf; ~ **lots** Lose ziehen; das Los entscheiden lassen; ~ **one's skin** (ZOO) sich häuten; ~ **a spell on s.o.** jdn verhexen; ~ **a vote** [*o* **ballot**] seine (Wahl)Stimme abgeben II. *itr* 1. (*Holz*) sich werfen, sich verziehen 2. würfeln 3. die Angel auswerfen 4. die Rollen besetzen III. *s* 1. Wurf(weite *f*) *m;* Auswerfen *n* (*Angel, Netz*) 2. Wurf *m* (*beim Würfeln*) 3. (ZOO) (das) Abgeworfene; (*Raubvogel*) Gewölle *n* 4. (TECH) Gussform *f;* Abguss *m* 5. (*plaster* ~) Gipsverband *m* 6. (THEAT) (Rollen)Besetzung *f;* Ensemble *n* 7. (*fig*) Neigung, Anlage, Eigenart *f* 8. (Farb)Nuance, Schattierung *f,* Schimmer, Anstrich *m* 9. Eigenschaft *f,* Charakter, Wesenszug *m;* (~ *of features*) Gesichtszüge *mpl;* (~ *of mind*) Geistes-, Wesensart *f;* **cast about** *itr* (herum)suchen (*for* nach), (hin u. her) überlegen; **cast aside** *tr* wegwerfen; (*fig*) ablegen; (*Person*) fallen lassen; **cast away** *tr* wegwerfen; **be** ~ **away** gestrandet sein; **cast down** *tr* 1. niederwerfen 2. (*Augen*) senken 3. (*fig*) niederschmettern, deprimieren; **be** ~ **down** niedergeschlagen, traurig sein; **cast in** *tr* (*fig*) teilen (*one's lot with s.o.* sein Los mit jdm); **cast off** I. *tr* 1. (*alte Kleider*) ablegen 2. (*Masche beim Stricken*) abketten 3. (TYP: *Manuskript*) be-, ausrechnen (*in Druckseiten*) 4. (*fig*) verstoßen II. *itr* in See stechen; **cast on** *tr* (*Maschen*) anschlagen; **cast out** *tr* hinauswerfen; vertreiben; **cast up** *tr* 1. hochwerfen 2. (*die Augen*) nach oben richten; (*den Kopf*) hochwerfen 3. (*an den Strand*) anspülen 4. vorhalten (*to s.o.* jdm)

cast·an·ets [kæstə'nets] *s pl* Kastagnetten *pl*

cast·away ['kɑːstəweɪ] I. *s* 1. Verworfene(r), Ausgestoßene(r) *f m* 2. Schiffbrüchige(r) *f m a. fig* II. *adj* 1. verstoßen; unnütz 2. schiffbrüchig, gestrandet *a. fig*

caste [kɑːst] *s* 1. (REL) Kaste *f* 2. Kaste, Gesellschaftsschicht *f* 3. soziale Stellung, Rang *m*

cas•ter ['kɑːstə(r)] *s* **1.** (TECH) Gießer *m* **2.** Streuer *m* **3.** (Lauf)Rolle *f;* **caster sugar** *s* Raffinade *f*

cas•ti•gate ['kæstɪgeɪt] *tr* **1.** züchtigen **2.** (*fig*) heruntermachen; **cas•ti•ga•tion** [ˌkæstɪ'geɪʃn] *s* **1.** Züchtigung *f* **2.** heftiger Tadel

cast•ing ['kɑːstɪŋ] *s* **1.** Guss *m* **2.** ~**s** Gusseisen *n;* Abguss *m* **3.** (THEAT) Rollenverteilung *f* **4.** roher Bewurf **5.** Auswerfen *n* der Angel **6.** (~ *of votes*) Stimmabgabe *f;* **casting vote** *s* (PARL) entscheidende Stimme; **the chairman has the** ~ die Stimme des Vorsitzenden entscheidet

cast iron [ˌkɑːst'aɪən] **I.** *s* Gusseisen *n* **II.** *adj:* (**cast-iron**) gusseisern; (*fig*) hart, unbeugsam; (*Wille*) eisern

castle ['kɑːsl] **I.** *s* **1.** Burg *f;* (festes) Schloss *n* **2.** (*Schach*) Turm *m;* ~**s in the air** [*o* **in Spain**] Luftschlösser *pl* **II.** *itr* (*Schach*) rochieren

cast-off [ˌkɑːst'ɒf] **I.** *s* **1.** Verstoßene(r) *f m* **2.** (das) Weggeworfene **3.** ~**s** abgelegte Kleider *npl* **4.** Umfangsberechnung *f* **II.** *adj* abgelegt

castor ['kɑːstə(r)] *s* **1.** Laufrolle *f* **2.** (Salz)Streuer *m;* **castor oil** *s* (MED) Rizinusöl *n;* **castor stand** *s* (*Am*) Menage *f;* **castor sugar** *s* (*Br*) Sandzucker *m;* Raffinade *f*

cas•trate [kæ'streɪt] *tr* kastrieren

cas•ual ['kæʒʊəl] **I.** *s* **1.** Gelegenheitsarbeiter(in) *m(f)* **2.** ~**s** Freizeitkleidung *f;* Slipper *mpl* **II.** *adj* **1.** zufällig, unerwartet **2.** gelegentlich **3.** (*Bekanntschaft*) flüchtig **4.** zwanglos **5.** lässig; **casual labour, casual work** *s* Gelegenheitsarbeit *f;* **casual labourer, casual worker** *s* Gelegenheitsarbeiter *m*

casu•alty ['kæʒʊəltɪ] *s* **1.** Un(glücks)fall *m* **2.** Verunglückte(r), Verletzte(r) *f m;* (*Krieg*) Gefallene(r) *f m,* Opfer *n* **3. casualities** (MIL) Ausfälle, Verluste *mpl,* Opfer *npl* **4.** (~ *list*) Verlustliste *f;* ~ **insurance** Schadensversicherung *f;* ~ **report** Verlustmeldung *f;* ~ **ward** Unfallstation *f* (*Krankenhaus*)

cat [kæt] *s* **1.** (ZOO) Katze *f* **2.** (MOT: *catalytic converter*) Katalysator *m* **3.** Raupenschlepper *m;* **let the** ~ **out of the bag** (*fig*) die Katze aus dem Sack lassen; **there is not room to swing a** ~ man kann sich dort nicht umdrehen; **it's raining** ~**s and dogs** es regnet in Strömen; **cat litter** *s* Katzenstreu *f*

cata•combs ['kætəkuːmz] *s pl* Katakomben *fpl*

cata•log(ue) ['kætəlɒg] **I.** *s* **1.** Katalog *m,* Verzeichnis *n;* (*price* ~) Preisliste *f;* Prospekt *m* **2.** (*Am*) Vorlesungsverzeichnis *n* **II.** *tr* katalogisieren

ca•ta•ly•sis [kə'tæləsɪs] *s* (CHEM) Katalyse *f;* **cata•lyst** ['kætəlɪst] *s* **1.** (CHEM) Katalysator *m* **2.** (*fig*) beschleunigender Faktor; **ca•ta•ly•tic** *adj* katalytisch; ~ **converter** Katalysator *m*

cata•maran [ˌkætəmə'ræn] *s* **1.** Katamaran *m* **2.** Floß *n*

cat•a•pult ['kætəpʌlt] **I.** *s* (AERO) Katapult *n* **II.** *tr* (AERO: ~ *off*) katapultieren; (heraus)schleudern

cata•ract ['kætərækt] *s* **1.** Katarakt *m;* Wasserfall *m* **2.** (MED) grauer Star

ca•tarrh [kə'tɑː(r)] *s* (MED) Katarr *m*

ca•tas•trophe [kə'tæstrəfɪ] *s* Katastrophe *f;* (*a.* THEAT) Schicksalsschlag *m,* großes Unglück; **cata•strophic** [ˌkætə'strɒfɪk] *adj* katastrophal

cat•call ['kætkɔːl] **I.** *s* (THEAT) Pfeifen, Zischen *n* **II.** *tr* auspfeifen, -zischen

catch [kætʃ] <*irr:* caught, caught> **I.** *tr* **1.** (auf-, ein)fangen **2.** ergreifen, packen, schnappen **3.** (fest)halten; (*Finger*) einklemmen **4.** treffen (*on* auf), einholen, erreichen **5.** (*Ball*) abfangen **6.** (*Zug, Bus*) (noch) erreichen, kriegen *fam* **7.** ertappen, erwischen (*at* bei) **8.** hängen bleiben (*a coat* mit e-m Mantel) **9.** erlangen, erhalten, bekommen **10.** (*Krankheit*) sich holen, sich zuziehen; (*Gewohnheit*) annehmen **11.** mitkriegen, hören, verstehen; ~ **in the act** [*o* **red-handed**] auf frischer Tat ertappen; ~ **(a) cold** sich e-n Schnupfen holen; ~ **s.o.'s eye** jds Blick, Aufmerksamkeit auf sich ziehen; ~ **fire** Feuer fangen; ~ **hold of** ergreifen, packen, anfassen; ~ **it** (*fam*) eins abkriegen; ausgeschimpft, bestraft werden; ~ **the Speaker's eye** (PARL) das Wort erhalten; **I caught my breath** mir stockte der Atem; ~ **me!** denkste! das fällt mir nicht im Traum ein! **II.** *itr* **1.** sich verfangen (*on a nail* an e-m Nagel), sich einklemmen, eingeklemmt werden **2.** (*Schloss, Riegel*) einschnappen, einrasten **3.** (*Schlag*) treffen (*on the nose* auf die Nase) **4.** in Brand geraten, Feuer fangen **5.** (MED) anstecken(d sein) **III.** *s* **1.** Fang *m a. fig* **2.** (*Ball*) Fangen *n* **3.** Beute *f,* Fang *m* **4.** (SPORT) Fangball *m* **5.** (PHOT) Verschluss *m* **6.** (TECH) Anschlag *m,* Arretierung, Sperre *f* **7.** (Tür)Klinke *f;* (Fenster)Griff *m* **8.** (*fig*) Haken, Nachteil *m;* (~ *question*) Fangfrage *f* **9.** (*Frau*) Partie *f;* **there is a** ~ **in it** die Sache hat e-n Haken; ~**-22 situation** Zwickmühle *f;* **catch at** *itr* greifen, fassen, haschen nach; **catch on** *itr* **1.** begreifen, verstehen **2.** Anklang finden, Mode werden; **catch out** *tr* **1.** (*Kricket*) abfangen **2.** (*fig*) ertappen; erwischen; **catch up** *tr* **1.** (*Gewohnheit*) annehmen **2.** (*Redenden*) unterbrechen **3.** aufholen (*s.o., with s.o.* jdn), einholen;

(SPORT) überholen

catch•all ['kætʃɔːl] *s* **1.** (*Am*) Rumpelkammer *f* **2.** (~ *phrase*) allgemeine Bezeichnung; **catcher** ['kætʃə(r)] *s* (*a.* SPORT) Fänger *m;* **catch•ing** ['kætʃɪŋ] *adj* **1.** (*fig*) anziehend, einnehmend **2.** (MED) ansteckend **3.** verfänglich; täuschend; **catch•ment** ['kætʃmənt] *s* (Wasser) Stauung *f;* Reservoir *n;* (~ *area*) Einzugsgebiet *n;* ~**-basin** Staubecken *n;* **catch phrase** *s* Schlagwort *n;* **catch question** *s* Fangfrage *f;* **catch•up** ['kætʃəp] *s* (*Am*) *s.* **ketchup**; **catch•word** ['kætʃˌwɜːd] *s* **1.** Schlagwort *n* **2.** Stichwort *n;* **catchy** ['kætʃɪ] *adj* **1.** eingängig; anziehend, einnehmend, gefällig **2.** verfänglich **3.** schwierig

cat•echism ['kætɪkɪzəm] *s* (REL) Katechismus *m;* **put s.o. through his** ~ (*fig*) jdn genau ausfragen

cat•egori•cal [ˌkætɪ'gɒrɪkl] *adj* kategorisch; **cat•egory** ['kætɪgərɪ] *s* Kategorie *f;* Klasse *f*

cater ['keɪtə(r)] *itr* **1.** be-, heranschaffen, liefern (*for* für), für Verpflegung sorgen **2.** bringen, beschaffen, geben (*to dat*); ~ **for** beliefern; sorgen für; (*Bedürfnisse*) befriedigen; **caterer** ['keɪtərə(r)] *s* Lieferfirma *f* für Speisen und Getränke; **cater•ing** ['keɪtərɪŋ] *s* Versorgung *f* mit Speisen und Getränken; Partyservice *m*

cat•er•pil•lar ['kætəpɪlə(r)] *s* (ZOO TECH) Raupe *f;* **caterpillar tractor** *s* Raupenschlepper *m*

cat•er•waul ['kætəwɔːl] **I.** *itr* miauen **II.** *s* Miauen *n*

cat•gut ['kætgʌt] *s* **1.** (MUS, SPORT) Darmsaite *f* **2.** (MED) Katgut *n*

ca•the•dral [kə'θiːdrəl] *s* Kathedrale *f,* Dom *m*

cath•erine-wheel ['kæθərɪnˌwiːl] *s* **1.** (ARCH) Rosette *f* **2.** (*Feuerwerk*) Feuerrad *n*

cath•eter ['kæθɪtə(r)] *s* (MED) Katheter *m*

cath•ode ['kæθəʊd] *s* (EL) Kathode *f;* **cathode ray** *s* Kathodenstrahl *m*

cath•olic ['kæθəlɪk] *adj* **1.** universal, allgemein **2.** verständnisvoll, tolerant; **Cath•olic** ['kæθəlɪk] **I.** *adj* katholisch **II.** *s* Katholik(in) *m(f);* **Ca•tholi•cism** [kə'θɒləsɪzəm] *s* Katholizismus *m*

cat•kin ['kætkɪn] *s* (BOT) Kätzchen *n;* **cat•nap** ['kætˌnæp] *s* kurzes Schläfchen; **cat's cradle** [ˌkæts'kreɪdl] *s* Katzenleiter *f,* Abnehmespiel *n;* **cat's-eye** ['kætsaɪ] *s* (MOT) Katzenauge *n*

cattle ['kætl] *s* Rind(vieh) *n;* **raise** ~ Vieh züchten; **10** (**head of**) ~ 10 Stück Rindvieh; **cattle-breeder** *s* Viehzüchter(in) *m(f);* **cattle-breeding** *s* Rinderzucht *f;* **cattle-car** *s* (RAIL) Viehwagen *m;* **cattle range** *s* Weidegründe *mpl;* **cattle-thief** *s* Viehdieb *m*

cat•ty ['kætɪ] *adj* **1.** katzenhaft **2.** (*fig*) giftig, boshaft, gehässig; **cat-walk** ['kætˌwɔːk] *s* Laufsteg *m*

Cau•ca•sian [kɔː'keɪzɪən] **I.** *adj* **1.** weiß **2.** kaukasisch **II.** *s* **1.** Weiße(r) *f m* **2.** Kaukasier(in) *m(f)*

cau•cus ['kɔːkəs] *s* (*Am*) **1.** Parteiführerversammlung *f* **2.** Partei-, Wahlausschuss *m* **3.** Clique *f*

caught [kɔːt] *s.* **catch**

caul•dron ['kɔːldrən] *s* großer Kessel

cauli•flower ['kɒlɪflaʊə(r)] *s* Blumenkohl *m*

caulk [kɔːk] *tr* abdichten; (MAR) kalfatern

causal ['kɔːzl] *adj* ursächlich; kausal; **causal•ity** [kɔː'zælətɪ] *s* Kausalzusammenhang *m;* **cau•sa•tive** ['kɔːzətɪv] *adj* **1.** verursachend **2.** (GRAM) kausativ

cause [kɔːz] **I.** *s* **1.** Ursache *f* **2.** Veranlassung *f;* Grund, Anlass *m* (*for* zu) **3.** Sache, Angelegenheit *f* **4.** (JUR) Prozess, Streitfall *m;* **be the** ~ **of s.th.** Anlass zu etw sein; **make common** ~ **with s.o.** mit jdm gemeinsame Sache machen; **plead a** ~ e-e Sache; (*vor Gericht*) vertreten; ~ **of divorce** Scheidungsgrund *m* **II.** *tr* **1.** verursachen; (*Schaden*) zufügen, anrichten **2.** veranlassen **3.** (*Überraschung*) hervorrufen, erregen

cause•way ['kɔːzˌweɪ] *s* (Straßen)Damm *m*

caus•tic ['kɔːstɪk] **I.** *adj* **1.** ätzend **2.** (*fig*) beißend, scharf, sarkastisch; ~ **lime/potash/soda** Ätzkalk *m*/-kali/-natron *n* **II.** *s* Ätzmittel *n*

cau•ter•ize ['kɔːtəraɪz] *tr* **1.** (MED) ausbrennen, ätzen **2.** (*fig*) abstumpfen

cau•tion ['kɔːʃn] **I.** *s* **1.** Vorsicht, Bedachtsamkeit, Umsicht *f* **2.** (JUR) Verwarnung *f* **II.** *tr* **1.** warnen (*against* vor) **2.** verwarnen; **cau•tious** ['kɔːʃəs] *adj* vorsichtig, umsichtig

cav•al•cade [ˌkævl'keɪd] *s* Kavalkade *f;* **cav•alry** ['kævlrɪ] *s* Reiterei, Kavallerie *f;* **cav•alry•man** [-mən] <*pl* -men> *s* Kavallerist *m*

cave [keɪv] **I.** *s* **1.** Höhle *f* **2.** (*Br:* POL) Parteispaltung *f* **II.** *tr* aushöhlen **III.** *itr* **1.** (POL) sich abspalten **2.** zusammensacken **3.** (~ *in*) einsinken, -stürzen; **cave•dweller** *s* Höhlenbewohner(in) *m(f);* **cave-in** ['keɪvɪn] *s* Einsturz *m;* **cave•man** [-mæn] <*pl* -men> *s* Höhlenmensch *m;* (*fig*) primitiver Mensch; **cave painting** *s* Höhlenmalerei *f;* **caver** ['keɪvə(r)] *s* Höhlenforscher(in) *m(f)*

cav•ern ['kævən] *s* (große) Höhle *f;* **cav•ern•ous** [-əs] *adj* **1.** höhlenreich **2.** porös **3.** (*Augen*) hohl, tief(liegend); (*Wangen*)

eingefallen **4.** (*Dunkelheit*) tief
caviar(e) ['kævɪɑː(r)] *s* Kaviar *m*
cav•ity ['kævɪtɪ] *s* **1.** Hohlraum *m*, Höhlung *f* **2.** (*Zahn*) Loch *n*; **abdominal** ~ Bauchhöhle *f*
ca•vort [kə'vɔːt] *itr* (*fam*) herumtollen
caw [kɔː] **I.** *itr* (*Rabe, Krähe*) krächzen **II.** *s* Krächzen *n*
cay•enne [keɪ'en] *s* (~ *pepper*) Cayennepfeffer *m*
CB *s abbr of* **citizens' band radio** CB-Funk *m*
CCTV [ˌsiːsiːtiː'viː] *s abbr of* **closed circuit TV** Fernsehüberwachungsanlage *f*
CD *s abbr of* **compact disc** CD *f*; **CD-player** *s* CD-Gerät *n*, CD-Spieler *m*; **CD-ROM** *s abbr of* **compact disc read-only memory** CD-ROM *f*
CD-ROM player [ˌsiːdiː'rɒmˌpleɪə(r)] *s* CD-ROM-Laufwerk *n*
cease [siːs] **I.** *itr* **1.** aufhören **2.** ablassen (*from* von) **II.** *tr* einstellen, aufhören mit; ~ **payment** (FIN) die Zahlungen einstellen; ~ **work** die Arbeit(en) einstellen; **cease-fire** [ˌsiːs'faɪə(r)] *s* (MIL) Feuereinstellung *f*; Waffenruhe *f*; **cease•less** ['siːslɪs] *adj* unaufhörlich, pausenlos
cedar ['siːdə(r)] *s* (BOT) Zeder *f*; (~-*wood*) Zedernholz *n*
cede [siːd] *tr* abtreten, überlassen (*to* an)
ceil•ing ['siːlɪŋ] *s* **1.** (Zimmer)Decke *f* **2.** (*Schiffbau*) Innenbeplankung *f* **3.** (AERO) untere Wolkengrenze **4.** (AERO) Gipfelhöhe *f* **5.** (FIN) oberste Grenze; Höchstpreis *m*; Plafond *m*
cel•ebrate ['selɪbreɪt] *itr, tr* **1.** (REL) zelebrieren **2.** feiern; **cel•ebrated** [-ɪd] *adj* gefeiert; berühmt (*for* für, wegen); **cel•ebra-tion** [ˌselɪ'breɪʃn] *s* Feier *f*; **celeb•rity** [sɪ'lebrətɪ] *s* Berühmtheit *f* (*a. Person*)
ce•leriac [sə'lerɪæk] *s* (Kollen)Sellerie *m od f*; **ce•le•ry** ['selərɪ] *s* Stangensellerie *m od f*
ce•les•tial [sɪ'lestɪəl] *adj* **1.** (ASTR) Himmels- **2.** himmlisch; **celestial body** *s* Himmelskörper *m*
celi•bacy ['selɪbəsɪ] *s* Ehelosigkeit *f*, Zölibat *n*; **celi•bate** ['selɪbət] **I.** *adj* ehelos **II.** *s* Ehelose(r) *f m*
cell [sel] *s* **1.** (*a.* BIOL POL) Zelle *f* **2.** (EL) Element *n*
cel•lar ['selə(r)] **I.** *s* Keller *m*; **keep a good** ~ e-n guten Tropfen (im Keller) haben **II.** *tr* einkellern
cel•list ['tʃelɪst] *s* Cellist(in) *m(f)*
cell nu•cleus ['selˌnjuːklɪəs] *s* Zellkern *m*
cello ['tʃeləʊ] <*pl* cellos> *s* (MUS) Cello *n*
cel•lo•phane ['seləfeɪn] *s* Zellophan *n*
cel•lu•lar ['seljʊlə(r)] *adj* **1.** (BIOL) zellular **2.** netzförmig; ~ **telephone** Funktelefon *n*; ~ **therapy** Frischzellentherapie *f*
cel•lu•loid ['seljʊlɔɪd] *s* Zelluloid *n*
cel•lu•lose ['seljʊləʊs] *s* Zellulose *f*, Zellstoff *m*
Celt [kelt, selt] *s* Kelte *m*, Keltin *f*; **Celtic** ['keltik, 'seltɪk] **I.** *s* (das) Keltisch(e) **II.** *adj* keltisch
ce•ment [sɪ'ment] **I.** *s* **1.** Zement *m* **2.** Kitt *m*; Bindemittel *n* **3.** (*fig*) Band *n* **II.** *tr* **1.** (aus)zementieren; (ver)kitten, kleben **2.** (*fig*) festigen, zusammenhalten; **cement mixer** *s* Betonmischmaschine *f*
cem•etery ['semətrɪ] *s* Friedhof *m*
cen•ser ['sensə(r)] *s* (REL) Weihrauchfass *n*
cen•sor ['sensə(r)] **I.** *s* Zensor *m* **II.** *tr* zensieren; prüfen; **cen•sori•ous** [sen'sɔːrɪəs] *adj* kritisch; **cen•sor•ship** [-ʃɪp] *s* Zensur *f*; **cen•sus** ['sensəs] *s* (Volks)Zählung *f*, Zensus *m*
cent [sent] *s* (*Am*) Cent *m*; **I don't care a** ~ das ist mir völlig egal; **per** ~ von Hundert;
cen•ten•ar•ian [ˌsentɪ'neərɪən] **I.** *adj* (*Mensch*) hundertjährig **II.** *s* Hundertjährige(r) *f m*; **cen•ten•ary** [sen'tiːnərɪ], **cen•ten•nial** [sen'tenɪəl] **I.** *adj* hundertjährig **II.** *s* Jahrhundert *n*; Hundertjahrfeier *f*
cen•ter (*Am*) *s.* **centre**
cen•ti•grade ['sentɪgreɪd] *adj* (*Thermometer*) Celsius-; **degree** ~ Grad *m* Celsius;
cen•ti•gram(me) ['sentɪgræm] *s* Zentigramm *n*; **cen•ti•meter** (*Am*), **centi-metre** ['sentɪˌmiːtə(r)] *s* Zentimeter *m*;
cen•ti•pede ['sentɪpiːd] *s* (ZOO) Tausendfüß(l)er *m*
cen•tral ['sentrəl] **I.** *adj* in der Mitte gelegen, zentral *a. fig*, Haupt-; ~ **bank** Zentral-, Notenbank *f*; ~ **corridor** [*o* **gangway**] (RAIL) Mittelgang *m*; ~ **heating** Zentralheizung *f*; ~ **locking** (MOT) Zentralverriegelung *f*; ~ **processing unit, CPU** (EDV) Zentraleinheit *f*; ~ **processor** (EDV) Zentraleinheit *f*; ~ **reserve** [*o* **reservation**] Mittel-, Grünstreifen *m* (*auf Autobahn*); ~ **station** Hauptbahnhof *m*; (EL) Kraftwerk *n* **II.** *s* (*Am:* TELE) Zentrale, Vermittlung *f*; (*Am*) Vermittler(in) *m(f)*; **cen•tral•iz-ation** [ˌsentrəlaɪ'zeɪʃn] *s* Zentralisierung *f*;
cen•tral•ize ['sentrəlaɪz] *tr* zentralisieren
centre ['sentə(r)] **I.** *s* **1.** Mittelpunkt *m*, Zentrum *n*; Mitte *f* **2.** Zentrale, Zentralstelle *f* **3.** Sitz, Herd *m* **4.** (SPORT: ~ *forward*) Mittelstürmer *m*; **business** ~ Geschäftszentrum *n*; ~ **back** Vorstopper *m*; **shopping** ~ Einkaufszentrum *n*; ~ **of gravity** [*o* **mass**] Schwerpunkt *m*; ~ **half** (SPORT) Mittelläufer *m*; ~**-line** Mittellinie *f* **II.** *itr* **1.** seinen Mittelpunkt haben (*in* in), beruhen (*on* auf) **2.** sich drehen (*round* um) **3.** sich konzentrieren (*on* auf) **III.** *tr* **1.** in den Mittelpunkt stellen **2.** konzentrieren **3.** (SPORT) zur

Mitte abspielen **4.** (EDV) zentrieren; **be ~ed on** sich drehen, kreisen um

cen•tri•fu•gal [sen'trɪfjʊgl] *adj* zentrifugal; ~ **force** Fliehkraft *f;* **cen•tri•fuge** ['sentrɪfju:dʒ] *s* Zentrifuge *f;* **cen•tri•pe•tal** [sen'trɪpɪtl] *adj* zentripetal

cen•tury ['sentʃərɪ] *s* **1.** Jahrhundert *n* **2.** (*Kricket*) 100 Läufe *mpl*

CEO [ˌsi:i:'əʊ] *s abbr of* **chief executive officer** Generaldirektor(in) *m(f)*

ce•ramic [sɪ'ræmɪk] **I.** *adj* keramisch **II.** *s* **1.** ~**s** Keramik *f* **2.** ~**s** Töpferwaren *fpl;* ~ **hob** Kochfeld *n*

cer•eal ['sɪərɪəl] **I.** *adj* Getreide- **II.** *s* **1.** ~**s** Getreide *n;* Getreideflocken *fpl* **2.** Getreideflocken *pl* (*Cornflakes, Müsli etc*)

cer•ebel•lum [ˌserɪ'beləm] *s* Kleinhirn *n;* **cer•ebral** ['serɪbrəl] *adj* Gehirn-; **cer•ebrum** ['serɪbrəm] *s* Großhirn *n*

cer•emo•nial [ˌserɪ'məʊnɪəl] **I.** *adj* **1.** zeremoniell, feierlich **2.** förmlich **II.** *s* Zeremoniell *n;* **cer•emo•ni•ous** [ˌserɪ'məʊnɪəs] *adj* **1.** feierlich **2.** rituell **3.** zeremoniös, steif; **cer•e•mo•ny** ['serɪmənɪ] *s* Zeremonie *f;* Feierlichkeit *f;* Förmlichkeit *f;* **without** ~ zwanglos; **stand (up)on** ~ auf Äußerlichkeiten Wert legen; **no ~, please!** bitte keine Umstände!

cert [s3:t] *s* (*sl*) todsichere Sache

cer•tain ['s3:tn] *adj* **1.** bestimmt; gewiss; sicher **2.** verlässlich, zuverlässig **3.** überzeugt (*of doing, to do, that* dass man tut), sicher (*of +gen, that* dass); **a** ~ ein(e) gewisse(r, s); **for** ~ bestimmt, (ganz) sicher, *adj;* **to a** ~ **extent** bis zu e-m gewissen Grade; **under** ~ **circumstances** unter bestimmten Umständen; **make** ~ sich vergewissern; **cer•tain•ly** [-lɪ] *adv* sicher(lich), gewiss, wirklich, bestimmt; **I ~ won't do it** ich tue es bestimmt nicht; **cer•tain•ty** [-tɪ] *s* **1.** Gewissheit, Sicherheit, Bestimmtheit *f* **2.** unbestrittene Tatsache; **for a** ~ ohne jeden Zweifel

cer•ti•fi•able [ˌs3:tɪ'faɪəbl] *adj* **1.** feststellbar **2.** (*fam*) unzurechnungsfähig

cer•ti•fi•cate [sə'tɪfɪkət] **I.** *s* Zeugnis *n,* Bescheinigung *f,* Attest *n;* Urkunde *f;* **birth/marriage** ~ Geburts-/Heiratsurkunde *f;* **school** ~ Schulzeugnis *n;* ~ **of origin** Ursprungszeugnis *n* **II.** [sə'tɪfɪˌkeɪt] *tr* bescheinigen, beurkunden; e-e Bescheinigung ausstellen (*s.o.* jdm); **cer•ti•fi•ca•tion** [ˌs3:tɪfɪ'keɪʃn] *s* **1.** Bescheinigung *f* **2.** Beglaubigung, Beurkundung *f*

cer•tify ['s3:tɪfaɪ] *tr* **1.** bestätigen; bescheinigen **2.** beurkunden; **this is to** ~ hiermit wird bescheinigt; **certified copy** beglaubigte Abschrift; **certified public accountant** (*Am*) Wirtschaftsprüfer(in) *m(f)*

cer•ti•tude ['s3:tɪtju:d] *s* Gewissheit *f*

cer•vical ['s3:vɪkl, s3:'vaɪkl] *adj* zervikal, Gebärmutterhals-; ~ **smear** Abstrich *m;* **cer•vix** ['s3:vɪks, *pl* 's3:vɪsi:z] <*pl* -vixes, -vices> *s* Gebärmutterhals *m*

cesium *s s.* **caesium**

ces•sa•tion [se'seɪʃn] *s* Aufhören *n;* Stillstand *m*

cess•pit, cess•pool ['sespɪt, 'sespu:l] *s* **1.** Senkgrube *f* **2.** (*fig*) (Sünden)Pfuhl *m*

Cey•lon [sɪ'lɒn] *s* Ceylon *n;* **Cey•lo•nese** [sɪlɒ'ni:z] **I.** *adj* ceylonesisch **II.** *s* Ceylonese *m,* Ceylonesin *f*

CFC [ˌsi:ef'si:] *s abbr of* **chlorofluorocarbon** FCKW *n;* **CFC-free** *adj* FCKW-frei

Chad [tschæd] *s* Tschad *m*

chafe [tʃeɪf] **I.** *tr* **1.** wund reiben, wund scheuern **2.** reizen, ärgern **II.** *itr* **1.** sich reiben (*on, against* an), sich wund scheuern **2.** sich auf-, erregen, sich ärgern **3.** aufgeregt, -gebracht sein, toben **III.** *s* wund geriebene Stelle

chafer ['tʃeɪfə(r)] *s* (ZOO) **1.** (Mai)Käfer *m* **2.** (*rose-~*) Rosenkäfer *m*

chaff[1] [tʃɑ:f] *s* (AGR) **1.** Spreu *f* **2.** Häcksel *m* **3.** Abfall, Plunder *m*

chaff[2] [tʃɑ:f] **I.** *s* Neckerei *f* **II.** *tr* necken

chaf•finch ['tʃæfɪntʃ] *s* Buchfink *m*

chain [tʃeɪn] **I.** *s* **1.** Kette *f* **2.** Schmuck-, Halskette *f* **3.** (*fig*) (Gedanken)Kette, Folge, Reihe *f* **4.** ~**s** Ketten, Fesseln *fpl a. fig* **5.** (COM) Ladenkette *f;* **in ~s** in Ketten; ~ **of mountains** Bergkette *f* **II.** *tr* (an)ketten, fesseln *a. fig;* (~ *up*) anketten, an die Kette legen; **chain•mail** [ˌtʃeɪn'meɪl] *s* (HIST) Panzerhemd *n;* **chain reaction** *s* Kettenreaktion *f;* **chain saw** *s* Kettensäge *f;* **chain•smoker** *s* Kettenraucher(in) *m(f)*

chair [tʃeə(r)] **I.** *s* **1.** Stuhl *m;* Sessel *m* **2.** (*fig*) Lehrstuhl *m* **3.** Vorsitzende(r) *f m,* Vorsitz *m* **4.** (*Am: electric ~*) elektrischer Stuhl; **with Mr. X in the** ~ unter dem Vorsitz von Herrn X; **leave the** ~ die Sitzung beenden; **take a** ~ Platz nehmen; **take the** ~ den Vorsitz übernehmen; die Sitzung eröffnen **II.** *tr* **1.** den Vorsitz führen bei **2.** im Triumph umhertragen; **chair lift** *s* Sessellift *m;* **chair•man** ['tʃeəmən] <*pl* -men> *s* Vorsitzende(r) *m;* **act as** ~ den Vorsitz führen; **chair•man•ship** ['tʃeəmənʃɪp] *s* Vorsitz *m;* **chair•per•son** *s* Vorsitzende(r) *f m;* **chair•woman** ['tʃeəwʊmən, *pl* -wɪmɪn] <*pl* -women> *s* Vorsitzende *f*

chalet ['ʃæleɪ] *s* **1.** Sennhütte *f* **2.** Schweizerhaus *n* **3.** Ferienhaus *n*

chalk [tʃɔ:k] **I.** *s* **1.** Kreide *f* **2.** (*Spiel*) Punkt *m;* **as like as** ~ **and cheese** grundverschieden, sehr ungleich; **by a long** ~ bei weitem **II.** *tr* mit Kreide zeichnen, markieren; **chalk out** *tr* skizzieren, entwerfen; **chalk up** *tr* ankreiden (*against* *s.o.* jdm); **chalky** ['tʃɔːkɪ] *adj* kreidehaltig; voll Kreide, Kalk

chal•lenge ['tʃælɪndʒ] **I.** *s* **1.** Aufforderung *f;* Anruf *m* (*durch e-n Posten*) **2.** (*Jagd*) Anschlagen *n* (*der Hunde*) **3.** Herausforderung *f* **4.** Anzweifeln, Infragestellen *n* **5.** Wettstreit *m;* Probe *f* **6.** lockende Aufgabe; Problem *n,* Schwierigkeit *f* **7.** Ablehnung *f* (*of a juror* e-s Geschworenen), Anfechtung *f* **II.** *tr* **1.** auffordern **2.** (*Posten*) anrufen **3.** herausfordern **4.** beanspruchen, verlangen **5.** in Frage stellen, bezweifeln, bestreiten, anfechten **6.** (*Aufgabe*) reizen **7.** Einwendungen machen gegen, e-n Einwand erheben gegen; (JUR) (als befangen) ablehnen; **I ~ anybody else to do that!** das soll mir jemand nachmachen!; **chal•len•ger** ['tʃælɪndʒə(r)] *s* Herausforderer(in) *m(f),* Konkurrent(in) *m(f),* Gegner(in) *m(f);* **chal•leng•ing** [-ɪŋ] *adj* **1.** herausfordernd **2.** (*fig*) lockend; faszinierend **3.** schwierig

cham•ber ['tʃeɪmbə(r)] *s* **1.** (POL) Kammer *f;* gesetzgebende Körperschaft; (Handels)Kammer *f* **2.** **~s** (JUR) Richterzimmer *n* **3.** (TECH: *Schusswaffe*) Kammer *f* **4.** Zimmer *n* **5.** **~s** (JUR) Rechtsanwaltskanzlei *f;* **cham•ber•lain** ['tʃeɪmbəlɪn] *s* Kammerherr *m;* **cham•ber•maid** ['tʃeɪmbəmeɪd] *s* Zimmermädchen *n;* **chamber music** *s* Kammermusik *f;* **chamber-pot** *s* Nachttopf *m*

cha•mel•eon [kə'miːlɪən] *s* (ZOO) Chamäleon *n a. fig*

cham•ois ['ʃæmwɑː, *Am* 'ʃæmɪ] <*pl* -> *s* **1.** (ZOO) Gämse *f* **2.** (*~-leather*) Sämisch-, Fensterleder *n*

champ [tʃæmp] **I.** *tr, itr* geräuschvoll kauen **II.** *itr* mit den Zähnen knirschen; **at the bit** sich ungeduldig gebärden **III.** *s* (*sl*) Meister *m;* Sportskanone *f*

cham•pagne [ʃæm'peɪn] *s* Champagner *m*

cham•pion ['tʃæmpɪən] **I.** *s* **1.** Verfechter(in) *m(f)* **2.** (SPORT) Meister(in) *m(f)* **II.** *adj* Meister-; Preis-; beste(r, s), erste(r, s) **III.** *tr* sich einsetzen für, verfechten; verteidigen; **cham•pion•ship** [-ʃɪp] *s* **1.** Eintreten (*of* für), Verfechten *n* **2.** (SPORT) Meisterschaft *fpl,* Meisterschaftskämpfe *mpl*

chance [tʃɑːns] **I.** *s* **1.** Zufall *m* **2.** Möglichkeit, Aussicht, Chance *f;* Gelegenheit *f;* Glück(sfall *m*) *n* **3.** Wagnis, Risiko *n* **4.** Los *n;* **by ~** zufällig, durch Zufall; **on the ~ of** im Falle *+gen,* in der Hoffnung auf; **give s.o. a ~** jdm e-e Chance geben; **give s.o. a fair ~** jdm jede Möglichkeit geben; **stand a (good, fair) ~** Aussichten, Chancen haben; **take a ~** es darauf ankommen lassen; **take one's ~** sein Glück versuchen; **the ~s are against it** vieles spricht dagegen; **not a ~!** keine Spur!; **~ of winning** Gewinnaussichten, -chancen *fpl* **II.** *adj* zufällig **III.** *itr* zufällig geschehen; **~ (up)on** stoßen auf, zufällig finden; **I ~d to be** zufällig war ich **IV.** *tr:* **~ it** es riskieren, wagen; es darauf ankommen lassen; **chance acquaintance** *s* Zufallsbekanntschaft *f;* **chance hit** *s* Zufallstreffer *m*

chan•cel•lor ['tʃɑːnsələ(r)] *s* Kanzler(in) *m(f);* **C~ of the Exchequer** Schatzkanzler *m;* **chan•cel•lory** ['tʃɑːnsəlrɪ] *s* Kanzlei *f* (*e-s Konsulats, e-r Botschaft*), Kanzleramt *n*

chancy ['tʃɑːnsɪ] *adj* (*fam*) riskant

chan•de•lier [ʃændə'lɪə(r)] *s* Kronleuchter *m*

change ['tʃeɪndʒ] **I.** *s* **1.** (Ver)Änderung *f;* (Ver)Wandlung *f* **2.** Wandel, Wechsel, Umschwung *m* **3.** Abwechs(e)lung *f;* Unterschied *m* **4.** frische Wäsche, Kleidung *f* **5.** Kleingeld, Wechselgeld *n;* Wechselkurs *m* **6.** Börse *f;* **for a ~** zur Abwechs(e)lung; **bring about a ~** Wandel schaffen; **give ~ for** herausgeben auf; **ring the ~s** (*fig*) dasselbe immer wieder in anderer Form tun [*o* sagen]; **many ~s have taken place** es hat sich viel verändert; **can you give me ~ (for a pound note)**? können Sie (e-e Pfundnote) wechseln?; **~ for the better** Besserung *f;* **~ of direction** Richtungsänderung *f;* (*fig*) Kurswechsel *m;* **~ of leadership** (POL) Führungswechsel *m;* **~ of life** Wechseljahre *npl;* **~ in values** Wertewandel *m;* **~ in the weather** Wetterwechsel, -umschwung *m* **II.** *tr* **1.** (ab-, um-, ver)ändern; um-, verwandeln (*into* in) **2.** (aus-, um)tauschen; (*Geld*) (um)wechseln **3.** (*Bett*) frisch überziehen; (*andere Kleider*) anziehen **4.** (TECH) umschalten **5.** (*Baby*) wickeln; **~ hands** den Besitzer wechseln; **~ one's mind** sich e-s anderen besinnen, seine Meinung ändern; **I've ~d my mind** ich hab's mir anders überlegt **III.** *itr* **1.** sich (ver)ändern, anders werden, sich (ver)wandeln **2.** (*trains, buses*) umsteigen **3.** sich umziehen; **~ over** die Stellung wechseln; **~ up/down** (MOT) in e-n höheren/niederen Gang schalten; **~ for the better** sich verbessern; **~ for the worse** sich verschlechtern; **all ~!** (RAIL) alles aussteigen!; **change•able** ['tʃeɪndʒəbl] *adj* **1.** veränderlich **2.** wankelmütig; **change machine** ['tʃeɪndʒməʃɪn] *s* (Geld)Wechselautomat *m;* **change-over** ['tʃeɪndʒəʊvə(r)] *s* Umstellung, -schaltung *f;* Übergang, Wechsel *m;* **chang•ing** ['tʃeɪndʒɪŋ] *s:* **~ cubicle** Umkleidekabine *f;* **~ mat** Wickelmulde *f;* **~ of the guard** Wachablösung *f;* **~ room** Umkleideraum *m*

chan•nel ['tʃænl] **I.** *s* **1.** (MAR) Kanal *m* **2.** Fluss-, Kanalbett *n;* Fahrrinne *f* **3.** Rinne *f,* Graben *m* **4.** (ARCH) Hohlkehle *f* **5.** (RADIO)

Kanal *m* **6.** (*fig*) Weg *m,* Verbindung, Vermittlung, Übertragung *f;* **through official ~s** auf dem Dienstweg; **~ of communication** Nachrichtenverbindung *f;* **~ of distribution** Absatzweg *m;* **the** (**English**) **C~** der (Ärmel)Kanal **II.** *tr* **1.** (*Rinne*) graben **2.** (ARCH) auskehlen **3.** hinleiten (*to* zu); **Channel Tunnel** *s* (Ärmel)Kanaltunnel *m*

chant [tʃɑːnt] **I.** *s* **1.** Gesang *m* **2.** Singsang *m* **II.** *tr, itr* **1.** singen **2.** (*pej*) (herunter-, her)leiern

chan•te•relle [ˌtʃæntəˈrel] *s* (BOT) Pfifferling *m*

chaos [ˈkeɪɒs] *s* Chaos *n,* völliges Durcheinander, Wirrwarr *m;* **Chaos Theory** *s* (PHYS) Chaostheorie *f;* **cha•otic** [keɪˈɒtɪk] *adj* chaotisch, wirr

chap[1] [tʃæp] *s* **1.** Riss, Sprung *m* **2.** *meist pl* Kinnbacken *m* (*bes. d. Tiere*)

chap[2] [tʃæp] *s* (*fam*) Kerl, Bursche, Junge *m*

chapel [ˈtʃæpl] *s* **1.** (REL) Kapelle *f;* (nichthochkirchliches) Gotteshaus *n* (*in Großbritannien*) **2.** betriebliche Druckergewerkschaft

chap•er•on(**e**) [ˈʃæpərəʊn] *s* Anstandsdame *f*

chap•lain [ˈtʃæplɪn] *s* (Haus)Kaplan *m*

chap•ter [ˈtʃæptə(r)] *s* **1.** Kapitel *n* **2.** (*fig*) Stück (*e-r Erzählung*), (ausgewähltes) Kapitel, Thema *n* **3.** (REL) Domkapitel *n* **4.** (*Am*) Ortsgruppe *f;* **give ~ and verse for s.th.** etw genau belegen; **chapter-house** *s* **1.** Domstift *n* **2.** (*Am*) Klubhaus *n*

char [tʃɑː(r)] **I.** *tr* verkohlen; schwärzen **II.** *itr* reinemachen, putzen **III.** *s* (*~woman*) Reinemache-, Putzfrau *f*

char•ac•ter [ˈkærəktə(r)] *s* **1.** Kennzeichen *n* **2.** Anlage, Natur *f,* Wesen(sart *f*) *n;* Charakter *m;* (PSYCH) Verhaltensweise *f* **3.** Persönlichkeit, Person *f* **4.** (THEAT) (handelnde) Person, Rolle *f* **5.** Stellung *f,* Rang, Stand *m* **6.** Zeugnis *n,* Empfehlung *f* (*e-s Arbeitgebers*) **7.** Name, Ruf (*of, for +gen*), guter Ruf *m* **8.** Schriftzeichen *n,* Buchstabe *m;* Ziffer *f;* **in the ~ of** in der Eigenschaft als; **it is out of ~** es passt nicht; **character actor** *s* Charakterdarsteller(in) *m(f);* **char•ac•ter•is•tic** [ˌkærəktəˈrɪstɪk] **I.** *adj* charakteristisch, be-, kennzeichnend, typisch (*of* für) **II.** *s* Kennzeichen, Merkmal *n,* Besonderheit *f;* **char•ac•ter•is•ti•cally** [ˌkærəktəˈrɪstɪklɪ] *adv* bezeichnenderweise; **char•ac•ter•iz•ation** [ˌkærəktəraɪˈzeɪʃən] *s* Charakterisierung, Beschreibung *f;* **char•ac•ter•ize** [ˈkærəktəraɪz] *tr* **1.** charakterisieren, beschreiben (als) **2.** kennzeichnen

char•coal [ˈtʃɑːkəʊl] *s* **1.** Holzkohle *f* **2.** Kohlestift *m;* **charcoal-burner** *s* Köhler *m*

charge [tʃɑːdʒ] **I.** *s* **1.** Ladung *f;* (TECH) Beschickung, Füllung *f;* Einsatz *m* **2.** (*oft pl*) Lasten *fpl,* Kosten *pl,* Preis *m* **3.** (*Konto*) Belastung *f;* Lastschrift *f;* Gebühr, Taxe *f* **4.** Amt *n,* Pflicht, Verpflichtung, Verantwortung *f* **5.** Auftrag, Befehl *m* **6.** (Polizei)Aufsicht *f,* Gewahrsam *m;* Überwachung, Obhut, Fürsorge *f* **7.** anvertraute Person/Sache; Schützling *m,* Mündel *n* **8.** (REL) Schafe *npl,* Herde *f* **9.** anvertrautes Gut **10.** Ermahnung, Anweisung *f;* Vorwurf *m;* Beschuldigung, Anklage(punkt *m*) *f* **11.** (JUR) Rechtsbelehrung *f* (*der Geschworenen*) **12.** (MIL) Angriff(ssignal *n*), Sturm *m;* **at s.o.'s ~** zu jds Lasten; auf jds Kosten; **under s.o.'s ~** unter jds Aufsicht; **be in ~ of s.th.** die Aufsicht über, die Verantwortung für etw haben; **bring a ~ against s.o.** jdn anklagen; **have ~ of s.th.** für etw verantwortlich sein; **take ~ of s.th.** für etw die Verantwortung übernehmen; **there's no ~** es kostet nichts; Eintritt frei; **free of ~** gebührenfrei; gratis; **overhead ~s** allgemeine Unkosten *pl;* **travelling ~s** Reisekosten *pl* **II.** *tr* **1.** (be)laden; belasten (*with* mit) **2.** (*Schusswaffe*) laden; (*Batterie*) aufladen **3.** (CHEM) sättigen **4.** (TECH) beschicken **5.** (COM: *Preis*) fordern, verlangen; rechnen für (*e-e Ware, Arbeit*), berechnen (*too much* zuviel); (*~ upon, against s.o.*) jdm aufrechnen **6.** (*Abnehmer*) belasten mit **7.** (*~ off*) abschreiben, abbuchen **8.** anvertrauen (*s.o. with s.th.* jdm etw), beauftragen **9.** anweisen, befehlen (*s.o.* jdm) **10.** ermahnen **11.** zur Last legen, vorwerfen (*s.o. with s.th., s.th. on s.o.* jdm etw), beschuldigen, anklagen **12.** angreifen (*s.o., at s.o.* jdn), anstürmen; (SPORT) (an)rempeln; **~ to s.o.'s account** auf jds Rechnung setzen **III.** *itr* **1.** (e-n Preis) fordern; berechnen (*for s.th.* etw) **2.** sich stürzen (*at* auf *+acc*), angreifen (*at s.o.* jdn); **chargeable** [ˈtʃɑːdʒəbl] *adj* **1.** zu Lasten (*to* von) **2.** gebührenpflichtig **3.** strafbar; **to whom is this ~?** wer soll das bezahlen?; **charge account** *s* Kunden(kredit)konto *n;* **charge card** *s* Kunden(kredit)karte *f*

chargé d'affaires [ʃɑːʒeɪdæˈfeə(r)] *s* (POL) Geschäftsträger *m*

chari•table [ˈtʃærɪtəbl] *adj* **1.** wohl-, mildtätig **2.** nachsichtig; **char•ity** [ˈtʃærətɪ] *s* **1.** Nächstenliebe *f* **2.** Wohltätigkeit *f* **3.** Almosen *npl;* **charity** (**organisation**) *s* Wohltätigkeitsverein *m,* karitative Organisation

charm [tʃɑːm] **I.** *s* **1.** Zauber *m* **2.** Amulett *n* **3.** Anmut *f,* Reiz, Zauber, Charme *m* **II.** *tr* **1.** verzaubern **2.** bezaubern, entzücken; **~ s.th. out of s.o.** jdm etw entlocken **III.** *itr* reizend sein; **charmer** ['tʃɑːmə(r)] *s* **1.** (*fig*) Zauberer *m;* Charmeur *m* **2.** bezaubernde Frau; **snake** ~ Schlangenbeschwörer *m;* **charm•ing** [-ɪŋ] *adj* berückend, betörend; bezaubernd, entzückend, reizend, charmant

chart [tʃɑːt] **I.** *s* **1.** (MAR) Seekarte *f* **2.** Schaubild *n,* grafische Darstellung, Diagramm *n* **3.** Tabelle *f* **4.** ~**s** Hitliste *f* **II.** *tr* **1.** in e-r Karte darstellen **2.** entwerfen, skizzieren

char•ter ['tʃɑːtə(r)] **I.** *s* **1.** Grundgesetz *n,* Verfassungsurkunde *f* **2.** bewilligtes Recht, Vorrecht, Privileg *n* **3.** (MAR AERO) Charter(vertrag) *m* **II.** *tr* **1.** ein (Vor)Recht verleihen (*s.o.* jdm) **2.** (*Schiff, Flugzeug*) chartern; **charter company** *s* (AERO) Chartergesellschaft *f;* **char•ter•ed** ['tʃɑːtəd] *adj:* ~ **accountant** (vereidigte(r)) Wirtschaftsprüfer(in) *m(f);* **char•terer** ['tʃɑːtərə(r)] *s* Befrachter *m;* **charter flight** *s* (AERO) Charterflug *m*

chary ['tʃeərɪ] *adj* **1.** vorsichtig **2.** zurückhaltend (*of* gegenüber)

chase [tʃeɪs] **I.** *s* **1.** Verfolgung *f* **2.** Jagd *f* **3.** verfolgtes Schiff **II.** *tr* **1.** verfolgen; (nach)jagen (*s.o.* jdm, *s.th.* e-r S) **2.** hetzen **3.** (~ *away*) weg-, verjagen, vertreiben **III.** *itr* herrennen (*after s.o.* hinter jdm), nachlaufen (*after s.o.* jdm); (~ *about*) herumrennen

chasm ['kæzəm] *s* **1.** (Erd)Spalt, Abgrund *m* **2.** (*fig*) Lücke *f*

chas•sis ['ʃæsɪ] <*pl* -> *s* Fahrgestell, Chassis *n*

chaste [tʃeɪst] *adj* **1.** keusch **2.** (*fig*) streng, einfach

chas•ten ['tʃeɪsn] *tr* **1.** züchtigen **2.** mäßigen **3.** reinigen; vereinfachen

chas•tise [tʃæ'staɪz] *tr* züchtigen, strafen

chas•tity ['tʃæstətɪ] *s* **1.** Keuschheit *f* **2.** Reinheit, Unberührtheit *f*

chat [tʃæt] **I.** *s* Geplauder *n* **II.** *itr* plaudern, sich unterhalten; ~ **s.o. up** (*fam*) anquatschen

chat•tel ['tʃætl] *s meist pl:* **goods and** ~**s** Hab u. Gut *n*

chat•ter ['tʃætə(r)] **I.** *itr* **1.** (*Menschen*) schnattern, plappern, quasseln **2.** (*Zähne, a.* TECH) klappern **II.** *s* Geschnatter, Geplapper *n;* ~**-box** Plappermaul *n;* **chatty** ['tʃætɪ] *adj* **1.** redselig, geschwätzig **2.** familiär, formlos

chauf•feur ['ʃəʊfə(r)] *s* Chauffeur(in) *m(f),* Fahrer(in) *m(f)*

chau•vin•ism ['ʃəʊvɪnɪzəm] *s* Chauvinismus *m;* **chau•vin•ist** ['ʃəʊvɪnɪst] *s* Chauvinist *m;* **male** ~ (**pig**) (*fam*) Chauvi *m*

cheap [tʃiːp] *adj, adv* **1.** billig; preiswert **2.** verbilligt **3.** minderwertig, schlecht **4.** kitschig **5.** schäbig, gemein; **on the** ~ sehr billig; **feel** ~ sich schäbig vorkommen; **get off** ~ billig davonkommen; **hold** ~ geringschätzen; **dirt** ~ (*fam*) spottbillig; **cheapen** ['tʃiːpən] **I.** *tr* verbilligen, herabsetzen **II.** *itr* billiger werden; **cheap-jack** ['tʃiːpdʒæk] *adj* Ramsch-; **cheap labour** *s* billige Arbeitskräfte *pl;* **cheap•ness** ['tʃiːpnɪs] *s* Billigkeit *f;* Minderwertigkeit *f;* Schäbigkeit *f;* **cheap•skate** ['tʃiːpˌskeɪt] *s* (*sl*) Knicker, Knauser *m*

cheat [tʃiːt] **I.** *tr* betrügen (*of, out of* um); ~ **s.o. out of s.th.** jdn um etw bringen, betrügen, prellen **II.** *itr* mogeln, betrügen **III.** *s* **1.** Betrug, Schwindel *m* **2.** Betrüger(in) *m(f),* Schwindler(in) *m(f);* **cheat sheet** *s* (EDV) Spickzettel *m*

check [tʃek] **I.** *tr* **1.** zum Stillstand bringen, Einhalt gebieten (*s.th.* e-r S), hindern, zurückhalten, unterbinden **2.** eindämmen, hemmen; (TECH) drosseln **3.** tadeln, e-n Verweis erteilen (*s.o.* jdm) **4.** (nach-, über)prüfen, kontrollieren, nachrechnen; (prüfend) vergleichen (*by* mit) **5.** anstreichen, markieren, abhaken **6.** (*Gepäck*) ab-, aufgeben; (*Hut*) an der Garderobe abgeben **7.** Schach bieten (*s.o.* jdm) **II.** *itr* **1.** übereinstimmen **2.** (*Am*) e-n Scheck ausstellen (*for, against an amount* über e-n Betrag, *upon s.o.* auf jdn) **III.** *s* **1.** Schach *n* **2.** Stillstand, Aufschub, Rückschlag *m* **3.** Misserfolg *m;* (*fam*) Schlappe *f* **4.** Hindernis *n,* Widerstand *m* **5.** (Nach-, Über)Prüfung *f;* Kontrolle *f* (*on* über), Probe *f;* (prüfender) Vergleich *m* **6.** Prüf-, Kontrollˈzeichen *n,* -marke *f,* Haken *m* **7.** (*Am*) Gepäckschein *m;* Garderobenmarke *f* **8.** (*Textil*) Karo *n* (*Muster*), karierter Stoff **9.** (*Am*) Rechnung *f* (*in e-m Restaurant*) **10.** (*Am*) *s.* **cheque**: **act as a** ~ **on** hemmend, nachteilig wirken auf; **hold** [*o* **keep**] **in** ~ (*fig*) in Schach halten; **spot** ~ Stichprobe *f;* **check in** *itr* (*Hotel*) sich eintragen, ankommen; (AERO) einchecken; **check off** *tr* abhaken, ankreuzen; (nach)zählen; **check out** *itr* (*Hotel*) die Rechnung bezahlen und abreisen; (*Gepäck*) abholen; weggehen; **check through** *tr* **1.** durchsehen, durchgehen **2.** (*Gepäck*) durchchecken; **check up** *itr* im Einzelnen nachprüfen, genau vergleichen (*on s.th.* etw)

check•book ['tʃekˌbʊk] *s* (*Am*) *s.* **cheque-book**

checker•board ['tʃekə(r)ˌbɔːd] *s* (*Am*) Schach-, Damebrett *n;* **check•ered** ['tʃekə(r)d] (*Am*) *s.* **chequered**; **checkers** ['tʃekəz] *s pl mit sing* (*Am*) Dame(spiel *n*) *f*

check-in desk ['tʃekinˌdesk] *s* (AERO) Abfertigungsschalter *m;* **check-in time**

['tʃekin,taim] *s* (AERO) Eincheckzeit *f*
check•ing ['tʃekɪŋ] *s* Kontrolle *f;* **checking account** *s* (*Am*) Girokonto *n;* **checking form, checking slip** *s* Kontrollzettel, -abschnitt *m*
check-list ['tʃek,lɪst] *s* **1.** Kontrolliste *f* **2.** (POL) Wahlliste *f*
check•mate ['tʃekmeɪt] **I.** *s* (Schach) Matt *n;* (*fig*) hoffnungslose Lage **II.** *tr* matt setzen
check•out *s* (*Supermarkt*) Kasse *f*
check•point ['tʃekpɔɪnt] *s* Überwachungs-, Kontrollstelle *f;* **check room** *s* (*Am*) **1.** Garderobe *f* **2.** (RAIL) Gepäckaufbewahrung *f,* -schalter *m* **3.** (*Hotel*) Gepäckraum *m;* **check•up** ['tʃekʌp] *s* **1.** genaue Prüfung, Kontrolle *f* **2.** (MED) gründliche Untersuchung **3.** (TECH) Nachuntersuchung *f*
cheek [tʃi:k] **I.** *s* **1.** (*a.* TECH) Backe, Wange *f* **2.** (*fig fam*) Unverschämtheit, Frechheit *f;* **he said that tongue in** ~ das hat er nicht ernst gemeint **II.** *tr* frech sein gegen; **cheek•bone** ['tʃi:kbəʊn] *s* Backenknochen *m;* **cheeky** ['tʃi:kɪ] *adj* (*fam*) frech, unverschämt
cheep [tʃi:p] *itr* piepen
cheer [tʃɪə(r)] **I.** *s* **1.** (gute) Stimmung *f;* Frohsinn *m,* Freude *f* **2.** Hoch, Hurra(ruf *m*) *n* **3.** Jubel, Beifall(sruf) *m* **4.** Ermutigung *f;* **be of good** ~ guten Mutes, voller Hoffnung sein; **give three ~s for s.o.** ein dreifaches Hoch auf jdn ausbringen; **give s.o. a** ~ jdn hochleben lassen; **three ~s** ein dreifaches Hoch (*for* für); **cheers!** prosit! tschüss! danke! **II.** *tr* **1.** in gute Stimmung versetzen **2.** (*a.* ~ *up*) auf-, ermuntern, ermutigen **3.** zujubeln (*s.o.* jdm), laut Beifall zollen (*s.o.* jdm) **4.** (*Nachricht*) freudig begrüßen **III.** *itr* Hurra schreien, jubeln (*at the news* bei der Nachricht); ~ **up** froh werden; Mut fassen, Hoffnung schöpfen; ~ **up!** Kopf hoch!; **cheer•ful** ['tʃɪəfʊl] *adj* **1.** froh, freudig **2.** gut aufgelegt; aufgeräumt **3.** erfreulich, angenehm **4.** gefällig, entgegenkommend; **cheer•ful•ness, cheeriness** [-nɪs, 'tʃɪərɪnɪs] *s* Heiterkeit *f;* **cheer•io** [,tʃɪərɪ'əʊ] *interj* (*fam*) mach's gut! prost!; **cheer leader** *s* (*Am*) Teilnehmerin *f* am organisierten Beifall bei College-Sportwettkämpfen; **cheery** ['tʃɪərɪ] *adj* heiter
cheese [tʃi:z] *s* Käse *m;* **hard ~!** Pech!; **cheese•cake** *s* **1.** Käsekuchen *m* **2.** (*sl*) leichtbekleidete Frauen (*bes. in Zeitschriften*); **cheese•cloth** ['tʃi:zklɒθ] *s* indische Baumwolle; **cheesed-off** [,tʃi:zd'ɒf] *adj* (*fam*) angeödet; **cheese-paring** ['tʃi:z,peərɪŋ] *s* Knauserei *f*
chee•tah ['tʃɪ:tə] *s* Gepard *m*
chef [ʃef] *s* Küchenchef *m;* Koch *m*
chemi•cal ['kemɪkl] **I.** *adj* chemisch; ~ **warfare** chemische Kriegführung; ~ **weapons** Chemiewaffen *pl* **II.** *s pl* Chemikalien *fpl;* **chem•ist** ['kemɪst] *s* **1.** Chemiker(in) *m(f)* **2.** (*Br*) Drogist(in) *m(f);* (*dispensing* ~) Apotheker(in) *m(f);* **~'s shop** Drogerie *f;* Apotheke *f;* **chem•is•try** ['kemɪstrɪ] *s* Chemie *f*
chemo•thera•py [] *s* (MED) Chemotherapie *f*
cheque [tʃek] *s* Scheck *m* (*for* auf); **cash a** ~ e-n Scheck einlösen; **give a blank ~ to s.o.** jdm einen Blankoscheck geben; (*fig*) jdm Blankovollmacht geben, (völlig) freie Hand lassen; **make out a** ~ e-n Scheck ausstellen; **crossed** ~ Verrechnungsscheck *m;* **traveller's** ~ Reisescheck *m;* **cheque-account** *s* Girokonto *n;* **cheque-book** *s* Scheckbuch *n;* **cheque card** *s* Scheckkarte *f*
chequ•ered ['tʃekəd] *adj* **1.** kariert **2.** abwechslungsreich; **a ~ career** e-e bewegte Karriere
cher•ish ['tʃerɪʃ] *tr* **1.** hegen (u. pflegen) **2.** hängen an, (großen) Wert legen auf
che•root [ʃə'ru:t] *s* Stumpen *m* (*Zigarre*)
cherry ['tʃerɪ] **I.** *s* (BOT) Kirsche *f;* (~*-tree*) Kirschbaum *m* **II.** *adj* kirschrot; **cherry-blossom** *s* Kirschblüte *f;* **cherry brandy** *s* Kirschlikör *m;* **cherry•stone** *s* Kirschkern *m*
cherub[1] ['tʃerəb, *pl* 'tʃerəbɪm] <*pl* cherubim> *s* (*Engel*) Cherub *m*
cherub[2] ['tʃerəb] <*pl* -s> *s* Putte *f;* Engelskopf *m*
cher•vil ['tʃɜ:vɪl] *s* Kerbel *m*
chess [tʃes] *s* Schach(spiel) *n;* **play (at)** ~ Schach spielen; **chess-board** *s* Schachbrett *n;* **chess•man** ['tʃesmæn] <*pl* -men> *s* Schachfigur *f*
chest [tʃest] *s* **1.** Kiste *f,* Kasten, Behälter *m* **2.** Brust(kasten *m*) *f;* **that's a load off my** ~ da fällt mir ein Stein vom Herzen; ~ **of drawers** Kommode *f*
chest•nut ['tʃesnʌt] **I.** *s* **1.** Kastanie *f* **2.** (~*-tree, -wood*) Kastanie(nbaum *m,* -nholz *n*) *f* **3.** Braune(r) *m* (*Pferd*) **4.** (*fam*) alte Geschichte **II.** *adj* kastanienbraun
chesty ['tʃestɪ] *adj* **1.** (*fam*) erkältet; (*Husten*) rauh, tief **2.** (*Frau*) mit großen Brüsten
chew [tʃu:] **I.** *tr, itr* **1.** kauen **2.** nachdenken, -sinnen (*upon, over* über) **II.** *s* Kauen *n;* Priem *m;* **chew•ing-gum** ['tʃu:ɪŋgʌm] *s* Kaugummi *m*
chic [ʃi:k] *adj* schick, elegant
chi•cane [ʃɪ'kein] *s* (SPORT) Schikane; **chi•can•ery** [ʃɪ'keɪnərɪ] *s* Schikane *f*
chick [tʃɪk] *s* **1.** Küken *n;* junger Vogel **2.** (*fam*) Kind(chen) *n* **3.** (*Am: girl*) Mädchen

n; **chicken** [ˈtʃɪkɪn] *s* **1.** Huhn *n;* Küken *n;* Hähnchen, Hühnchen *n* **2.** (*fig*) Gänschen *n* **3.** (*sl*) Feigling *m;* **I'm no ~** ich bin (doch) kein Kind mehr; **she is no ~** sie ist nicht mehr die Jüngste; **chicken out** *itr* (*fam*) kneifen; **chicken-broth** *s* Hühnersuppe *f;* **chicken-farm** *s* Hühnerfarm *f;* **chicken-feed** *s* lächerliche Summe, Lappalie *f;* **chicken-hearted**, **chicken-livered** [ˌtʃɪkɪnˈhɑːtɪd, ˌtʃɪkɪnˈlɪvəd] *adj* bange, feige; **chicken-pox** *s* Windpocken *pl;* **chicken-run** *s* (*Br*), **chicken-yard** *s* (*Am*) Hühnerhof *m*

chick-pea [ˈtʃɪkpiː] *s* (BOT) Kichererbse *f*

chic•ory [ˈtʃɪkərɪ] *s* (BOT) Chicorée *m od f;* Zichorie *f*

chief [tʃiːf] <*pl* -s> **I.** *s* **1.** Chef *m,* (Ober)Haupt *n,* (An)Führer(in) *m(f);* Leiter(in) *m(f),* Vorgesetzte(r) *f m* **2.** Häuptling *m* (*e-s Stammes*) **II.** *adj* erste(r, s), oberste(r, s); führend, leitend; **chief accent** *s* (MUS) Hauptton *m;* **chief clerk** *s* Büro-, Kanzleivorsteher(in) *m(f);* **chief editor** *s* Hauptschriftleiter(in) *m(f);* **chief executive officer**, **CEO** *s* Generaldirektor(in) *m(f);* **chief justice** *s* Gerichtspräsident(in) *m(f);* **chief•ly** [-lɪ] *adv* hauptsächlich, besonders

chief•tain [ˈtʃiːftən] *s* **1.** Häuptling *m* **2.** Oberhaupt *n,* Älteste(r) *f m*

chil•blain [ˈtʃɪlbleɪn] *s* Frostbeule *f*

child [tʃaɪld] <*pl* children> *s* Kind *n a. fig;* **give birth to a ~** ein Kind zur Welt bringen; **children's allowance** Kinderzulage *f;* **child abuse** [ˈtʃaildəbjuːs] *s* Kindesmisshandlung *f;* **child-bear•ing** [ˈtʃaɪldbeərɪŋ] **I.** *s* Mutterschaft *f* **II.** *adj* (*Alter*) gebärfähig; (*Becken*) gebärfreudig; **child-birth** [ˈtʃaɪldbɜːθ] *s* Entbindung, Niederkunft *f,* Kindbett *n;* **child-hood** [ˈtʃaɪldhʊd] *s* Kindheit *f;* **childish** [ˈtʃaɪldɪʃ] *adj* kindisch; **child•less** [ˈtʃaɪldlɪs] *adj* kinderlos; **child•like** [ˈtʃaɪlaɪk] *adj* kindlich; einfach; **child minder** *s* Tagesmutter *f;* **child-proof** *adj* kindersicher; **child•ren** [ˈtʃɪldrən] *s pl von* **child**; **child-resistant** *adj* kindersicher; **child (safety) seat** *s* Kindersitz *m* im Auto; **child's play** *s* Kinderspiel *n*

Chile [ˈtʃɪlɪ] *s* Chile *n;* **Chil•ean** [ˈtʃɪlɪən] **I.** *adj* chilenisch **II.** *s* Chilene *m,* Chilenin *f*

chill [tʃɪl] **I.** *s* **1.** Frost *m,* Kälte *f* **2.** Kältegefühl, Frösteln *n* **3.** Erkältung *f* **4.** (*fig*) abgekühlte Atmosphäre **5.** (TECH) Gussform, Kokille *f* **II.** *adj* **1.** kühl **2.** (*fig*) (gefühls)kalt, frostig **III.** *tr* **1.** kühlen **2.** (*Blut*) erstarren lassen **3.** (*fig: Atmosphäre, Begeisterung*) abkühlen **4.** (TECH) abschrecken

chilli [ˈtʃɪlɪ] *s* (BOT) Peperoni *f;* (*Gewürz*) Chili *m*

chill(i)•ness [ˈtʃɪl(ɪ)nɪs] *s* Kälte *f a. fig*

chill out [ˌtʃɪlˈaʊt] *itr* (*sl*) sich entspannen

chilly [ˈtʃɪlɪ] *adj* **1.** frostig, fröstelnd **2.** (*fig*) kühl; **feel ~** frösteln

chime [tʃaɪm] **I.** *s* Geläut, Glockenspiel *n* **II.** *tr* **1.** (*die Glocken*) läuten **2.** (*Stunde*) schlagen **III.** *itr* **1.** (*Glocke*) schlagen, läuten **2.** ertönen **3.** (*~ in, together*) in Einklang sein, übereinstimmen (*with* mit); **~ in** sich einschalten

chim•ney [ˈtʃɪmnɪ] *s* Rauchfang, Kamin *m* (*a. im Hochgebirge*), Schornstein *m;* **chimney pot** *s* Schornsteinaufsatz *m;* **chimney stack** *s* Fabrikschornstein *m;* **chimney-sweep(er)** [-ˌswiːpə(r)] *s* Schornsteinfeger(in) *m(f)*

chim•pan•zee [ˌtʃɪmpænˈziː] *s* (ZOO) Schimpanse *m*

chin [ˈtʃɪn] *s* Kinn *n;* **~ up!** Kopf hoch!

china [ˈtʃaɪnə] **I.** *s* (*~-ware*) Porzellan *n* **II.** *adj* Porzellan-

China [ˈtʃaɪnə] *s* China *n*

chin•chil•la [tʃɪnˈtʃɪlə] *s* Chinchilla *f*

Chi•nese [tʃaɪˈniːz] **I.** *adj* chinesisch **II.** *s* **1.** Chinese *m,* Chinesin *f* **2.** (das) Chinesisch(e); **Chinese cabbage** *s* Chinakohl *m;* **Chinese lantern** *s* Lampion *m;* **Chinese mushroom** *s* Austernpilz *m;* **Chinese restaurant** *s* Chinarestaurant *n*

chink [tʃɪŋk] **I.** *s* **1.** Ritze *f,* Spalt, Schlitz *m* **2.** Klang *m* **II.** *tr, itr* klingen lassen; (*Gläser*) anstoßen

Chink [tʃɪŋk] *s* (*sl pej*) Chinese *m,* Chinesin *f*

chintz [tʃɪnts] *s* Chintz *m*

chin•wag [ˈtʃɪnˌwæg] *s* (*sl*) Schwatz *m*

chip [tʃɪp] **I.** *s* **1.** Splitter *m;* Span *m;* Scherbe *f* **2.** (*Porzellan, Glas*) lädierte Stelle **3.** Pommes frites *pl;* (*Am*) Kartoffelchip *m* **4.** Spielmarke *f* **5.** (EDV) Chip *n;* **carry a ~ on one's shoulder** einen Komplex haben; **he is a ~ off the old block** (*prov*) der Apfel fällt nicht weit vom Stamm **II.** *tr* **1.** (*Holz*) zerhacken, spalten **2.** (*Geschirr*) anschlagen, lädieren, ausbrechen (*off, from* aus) **III.** *itr* (*Porzellan, Glas*) (leicht) angestoßen, beschädigt werden; **~ in** (*fam*) ins Wort fallen; (*fam*) Geld (her)geben (*für e-e S*), beitragen (zu etw); **chip-basket** *s* Fritiersieb *n;* **chip•munk** [ˈtʃɪpmʌŋk] *s* (ZOO) Chipmunk *m* (*nordamerik. Erdhörnchen*); **chip-pan** *s* Friteuse *f;* **chipped** [ˈtʃɪpt] *adj* (*Porzellan, Glas*) angestoßen, angeschlagen; **chip•ping** [ˈtʃɪpɪŋ] *s* **1.** (*Am*) Einschnitt *m* **2.** **~s** Splitter *mpl,* Späne *mpl,* (Straßen)Schotter *m;* **chippy** [ˈtʃɪpɪ] **I.** *adj* **1.** trocken, langweilig **2.** reizbar **II.** *s* (*fam*) Fisch- u. Pommes frites-Bude *f*

chi•rop•odist [kɪˈrɒpədɪst] *s* Fußpfleger(in) *m(f)*; **chi•rop•ody** [kɪ'rɒpədɪ] *s* Fußpflege *f*

chi•ro•prac•tic ['kaɪrəpræktɪk] *s* Chiropraktik *f*; **chi•ro•prac•tor** ['kaɪrəpræktə(r)] *s* Chiropraktiker(in) *m(f)*

chirp [tʃɜːp] **I.** *itr, tr* zirpen, zwitschern; (*Lied*) trällern **II.** *s* Gezirp, Gezwitscher *n*; **chirpy** ['tʃɜːpɪ] *adj* lebhaft, munter

chir•rup ['tʃɪrəp] *itr* zwitschern, zirpen

chisel ['tʃɪzl] **I.** *s* Meißel *m* **II.** *tr* **1.** (aus)meißeln **2.** (*sl*) begaunern, betrügen (*out of* um)

chit [tʃɪt] *s* **1.** (*fam*) Kindchen *n* **2.** (*pej*) junges, freches Ding **3.** Notiz *f*, Zettel *m*; abgezeichnete Rechnung (*bes. des Kellners*); **chit-chat** ['tʃɪtˌtʃæt] *s* Geplauder *n*

chiv•al•rous ['ʃɪvlrəs] *adj* ritterlich; **chiv•al•ry** ['ʃɪvlrɪ] *s* **1.** Rittertum *n* **2.** Ritterlichkeit *f*

chives [tʃaɪvz] *s pl* (BOT) Schnittlauch *m*

chlor•ide ['klɔːraɪd] *s* Chlorid *n*; **chlor•in•ate** ['klɔːrɪneɪt] *tr* chlorieren, chloren; **chlor•ine** ['klɔːriːn] *s* Chlor *n*; **chloro•fluoro•carbon** ['klɔrəˌfluːərəˌkɑːbən] *s* (CHEM) Fluorchlorkohlenwasserstoff *m*; **chloro•form** ['klɒrəfɔːm] **I.** *s* Chloroform *n* **II.** *tr* chloroformieren; **chloro•phyll** ['klɒrəfɪl] *s* (BOT) Chlorophyll, Blattgrün *n*; **chlo•rous** ['klɔːrəs] *adj* chlorig

choc-ice ['tʃɒkˌaɪs] *s* Eis *n* mit Schokoladenüberzug

chock [tʃɒk] **I.** *s* (~-*block*) Bremsklotz, -schuh *m* **II.** *tr* (~ *up*) verkeilen; **chock-a-block, chock-full** [ˌtʃɒkə'blɒk, tʃɒk'fʊl] *adj* (*fam*) gerammelt, gedrängt voll (*with* von)

choc•olate ['tʃɒklət] **I.** *s* **1.** Schokolade *f* **2.** Praline *f*; **bar of ~** Tafel *f* Schokolade, Schoko(laden)riegel *m* **II.** *adj* schokoladenbraun

choice ['tʃɔɪs] **I.** *s* **1.** (Aus)Wahl *f* **2.** (das) Beste, (die) Auslese; **at ~** nach Belieben, nach Wunsch; **by ~** vorzugsweise; **have no ~** keine andere Wahl haben; **make a ~** e-e (Aus)Wahl treffen; **I have no ~** es bleibt mir nichts anderes übrig; **he is my ~** ich habe ihn gewählt (*for* als); **a large ~** e-e große Auswahl; **ladies' ~** Damenwahl *f* **II.** *adj* vorzüglich, ausgezeichnet; (aus)gewählt, ausgesucht

choir ['kwaɪə(r)] *s* **1.** (MUS) (Kirchen)Chor *m* **2.** (ARCH) Chor *m*; **choir•mas•ter** ['kwaɪəˌmɑːstə(r)] *s* Chordirigent *m*; **choir stalls** *s pl* Chorgestühl *n*

choke [tʃəʊk] **I.** *tr* **1.** (er)würgen, ersticken *a. fig* **2.** (~ *up*) verstopfen, versperren, vollpfropfen (*with* mit) **3.** (*Gefühl*) unterdrücken, ersticken **4.** (TECH) (ab)drosseln **II.** *itr* (zu) ersticken (drohen), keine Luft bekommen; würgen **III.** *s* **1.** Würgen *n* **2.** (MOT) Choke, Starterzug *m*; **choke back** *tr* unterdrücken, herunterschlucken (*the tears* die Tränen); **choke down** *tr* hinunterwürgen *a. fig*; (*Gefühl*) unterdrücken; **choke off** *tr* (*fig*) anschnauzen; abschrecken; **choke up** *tr* verstopfen, ersticken; **choker** ['tʃəʊkə(r)] *s* Halsreif *m*

chol•era ['kɒlərə] *s* (MED) Cholera *f*

chol•eric ['kɒlərɪk] *adj* cholerisch, jähzornig

cho•les•terol [kə'lestərɒl] *s* Cholesterin *n*; **cholesterol level** *s* Cholesterinspiegel *m*

choose [tʃuːz] <*irr:* chose, chosen> **I.** *tr* **1.** (aus)wählen, aussuchen **2.** vorziehen, lieber wollen, sich entscheiden für **II.** *itr* wählen; **have to ~ between** die Wahl haben zwischen; **I cannot ~ but** mir bleibt nichts anderes übrig als zu; **choos(e)y** ['tʃuːzɪ] *adj* (*fam*) wählerisch

chop [tʃɒp] **I.** *tr* **1.** (zer)hacken; (*Holz*) spalten **2.** (~ *up*) zerkleinern; (*fig: Wort, Satz*) zerhacken **II.** *itr* hacken, hauen, schlagen (*at* nach); **~ and change** wechseln, schwanken, unbeständig sein **III.** *s* **1.** Hieb, Schnitt *m*; Schlag *m* **2.** Kotelett *n* **3.** **~s** Kiefer *mpl*; (*fig*) Rachen *m* **4.** (*Indien, China*) Siegel *n*, Stempel *m*; **first-~/second-~** erstklassig/zweitklassig; **get the ~** (*sl*) rausgeschmissen werden; **chop away** *tr* wegschneiden, -hacken; **chop down** *tr* umhacken, -legen; (*Baum*) fällen; **chop off** **I.** *tr* abhacken, -schneiden, -hauen **II.** *itr* (*Wind*) umschlagen; **chop-chop** *interj* (*fam*) dalli, dalli!; **chop•per** ['tʃɒpə(r)] *s* Hackmesser *n*; (*fam*) Helikopter *m*; **chop•ping** [-ɪŋ] *s*: **~ block** Hackklotz *m*; Block *m*; **~ board** Hackbrett *n*; **choppy** ['tʃɒpɪ] *adj* **1.** unbeständig **2.** (*See*) kabbelig **3.** (*Worte, Sätze*) abgehackt; **chop-sticks** ['tʃɒpstɪks] *s pl* Essstäbchen *npl*

chop•suey [ˌtʃɒp 'suːɪ] *s* Chopsuey *n* (*chinesisches Gericht*)

choral ['kɔːrəl] **I.** *adj* Chor- **II.** *s* Choral *m*

chord ['kɔːd] *s* **1.** (ANAT) Band *n* **2.** (MATH) Sehne *f* **3.** (*fig*) Saite *f* **4.** (MUS) Akkord *m* **5.** (TECH) Gurt(ung *f*) *m*; **strike the right ~** (*fig*) die richtige Saite anklingen lassen; **does that strike a ~?** erinnert dich das an etwas?; **spinal ~** Rückenmark *n*; **vocal ~** Stimmband *n*

chore [tʃɔː(r)] *s meist pl* **1.** unangenehme Arbeit **2.** Hausarbeit *f*

chor•eogra•pher [ˌkɒrɪ'ɒgrəfə(r)] *s* Choreograf(in) *m(f)*; **chor•eogra•phy** [ˌkɒrɪ'ɒgrəfɪ] *s* Choreografie *f*; Tanz-, Ballettkunst *f*

chor•is•ter ['kɒrɪstə(r)] *s* Chorsänger(in) *m(f)*, Chorknabe *m*; **chorus** ['kɔːrəs] **I.** *s* **1.** (*a.* THEAT) Chor *m* **2.** Chorgesang *m* **3.** Refrain *m* **4.** (*Revue*) Tanzgruppe *f*; **in ~** im

Chor, alle zusammen; ~ **girl** Revuetänzerin *f* **II.** *tr, itr* im Chor singen, (auf)sagen, sprechen

chose, chosen [tʃəʊz, 'tʃəʊzn] *s.* **choose**

chow [tʃaʊ] *s* **1.** (~~) Chow-Chow *m* (*Hunderasse*) **2.** (*sl*) Futter *n;* Fraß *m*

chow·der ['tʃaʊdə(r)] *s* (*Am*) dicke (Fisch)Suppe

Christ [kraɪst] **I.** *s* Christus *m* **II.** *interj* Herrgott!; **christen** ['krɪsn] *tr* taufen; **Christen·dom** ['krɪsndəm] *s* die Christenheit; **christen·ing** ['krɪsnɪŋ] *s* Taufe *f*

Chris·tian ['krɪstʃən] **I.** *adj* christlich **II.** *s* Christ(in) *m(f);* **Christian burial** *s* kirchliches Begräbnis; **Christian era** *s* christliche Zeitrechnung; **Chris·ti·an·ity** [ˌkrɪstɪ'ænətɪ] *s* das Christentum; **Chris·tian·ize** ['krɪstʃənaɪz] *tr* christianisieren; **Christian name** *s* Vorname *m*

Christ·mas, Xmas ['krɪsməs] *s* Weihnachten *n;* **at** ~ an Weihnachten; **merry** ~! frohe Weihnachten!; **Father** ~ der Weihnachtsmann; **Christmas carol** *s* Weihnachtslied *n;* **Christmas Day** *s* der 1. Weihnachtstag (*25. Dez.*); **Christmas Eve** *s* der Heilige Abend (*24. Dez.*); **Christmas pudding** *s* Plumpudding *m;* **Christmas tree** *s* Weihnachts-, Christbaum *m*

chro·matic [krəʊ'mætɪk] *adj* (PHYS MUS) chromatisch; **chrome** [krəʊm] *s* (CHEM) Chrom *n;* **chro·mium** ['krəʊmɪəm] *s* (CHEM) Chrom *n*

chro·mo·some ['krəʊməsəʊm] *s* (BIOL) Chromosom *n*

chronic ['krɒnɪk] *adj* **1.** (MED) chronisch **2.** dauernd, (be)ständig **3.** (*sl*) widerlich

chron·icle ['krɒnɪkl] *s* Chronik *f;* **chron·icler** ['krɒnɪklə(r)] *s* Chronist(in) *m(f);* **chro·no·logi·cal** [ˌkrɒnə'lɒdʒɪkl] *adj* chronologisch; **in** ~ **order** in zeitlicher Folge; ~ **chart** Zeittafel *f;* **chro·no·logy** [krə'nɒlədʒɪ] *s* Chronologie *f;* chronologische Übersicht

chry·sa·lis ['krɪsəlɪs] *s* (ZOO) Puppe *f*

chry·san·the·mum [krɪ'sænθəməm] *s* (BOT) Chrysantheme *f*

chubby ['tʃʌbɪ] *adj* pausbäckig

chuck [tʃʌk] **I.** *tr* **1.** wegwerfen **2.** loswerden; ~ **s.o. under the chin** jdn ans Kinn schlagen; ~ **it!** (*fam*) lass das! **II.** *s* **1.** Schlag *m* ans Kinn **2.** Wurf *m* **3.** (*sl*) Entlassung *f,* Hinauswurf *m;* **chuck away** *tr* (*Gelegenheit*) verpassen, versäumen; (*Sachen*) wegwerfen; **chuck out** *tr* (*Menschen*) hinauswerfen; **chuck up** *tr* wegwerfen; (*Arbeitsplatz*) aufgeben; **chucker-out** [ˌtʃʌkər'aʊt] *s* (*sl*) Rausschmeißer *m*

chuckle ['tʃʌkl] **I.** *itr* **1.** kichern; (~ *to o.s.*) in sich hineinlachen **2.** (*Henne*) glucksen **II.** *s* Gekicher, Glucksen *n*

chug [tʃʌg] **I.** *s* Blubbern, Tuckern *n* **II.** *itr* (*Motor*) blubbern, tuckern; (*Maschine*) stampfen; ~ **along** entlangzockeln; (*Schiff*) entlangtuckern; (*fig fam*) (gut) vorankommen

chum [tʃʌm] *s* (Schul)Kamerad *m;* (*fam*) Kumpel *m;* **chum up with/around with** *itr* (*Am fam*) sich (eng) anschließen an; **chummy** ['tʃʌmɪ] *adj* (*fam*) eng befreundet

chump [tʃʌmp] *s* **1.** (Holz)Klotz *m* **2.** Keule *f* **3.** (*fam*) Trottel *m;* **be off one's** ~ eine Meise haben

chunk [tʃʌŋk] *s* **1.** Brocken *m;* Klumpen *m;* (Holz)Klotz *m* **2.** ziemlich hoher Betrag; **chunky** ['tʃʌŋkɪ] *adj* (*fam*) untersetzt; dick

Chun·nel ['tʃʌnl] *s abbr of* **Channel Tunnel** (*fam*) Kanaltunnel *m*

church [tʃɜːtʃ] *s* **1.** Kirche *f* **2.** Gottesdienst *m* **3.** (die) Christen *mpl* **4.** Geistlichkeit *f;* **at** [*o* **in**] ~ in der Kirche, beim Gottesdienst; **in the** ~ in der Kirche; **go to** ~ in die Kirche gehen, den Gottesdienst besuchen; **church·goer** ['tʃɜːtʃˌgəʊə(r)] *s* Kirchgänger(in) *m(f);* **church·war·den** [ˌtʃɜːtʃ'wɔːdn] *s* Kirchenvorsteher, -älteste(r) *m;* **church·yard** [ˌtʃɜːtʃ'jɑːd] *s* Kirchhof *m*

churl·ish ['tʃɜːlɪʃ] *adj* **1.** flegelhaft **2.** filzig, knauserig **3.** mürrisch

churn [tʃɜːn] **I.** *s* **1.** Butterfass *n* **2.** (*Br*) große Milchkanne **II.** *tr* **1.** zu Butter verarbeiten **2.** (~ *up*) auf-, umwühlen **III.** *itr* **1.** buttern **2.** schäumen **3.** sich heftig bewegen

chute [ʃuːt] *s* **1.** Stromschnelle *f* **2.** Rutsche *f* **3.** (SPORT) Rutschbahn *f* **4.** (*fam*) Fallschirm *m*

chut·ney ['tʃʌtnɪ] *s* Chutney *m*

cider ['saɪdə(r)] *s* Apfelwein, Most *m*

cigar [sɪ'gɑː(r)] *s* Zigarre *f;* **cigar·box** [sɪ'gɑːbɒks] *s* Zigarrenkiste *f;* **cigar·case** *s* Zigarrenetui *n;* **cigar-cutter** *s* Zigarrenabschneider *m*

ciga·rette [ˌsɪgə'ret, *Am* 'sɪgəret] *s* Zigarette *f;* **cigarette-case** *s* Zigarettenetui *n;* **cigarette-end** *s* Zigarettenstummel *m;* (*fam*) Kippe *f;* **cigarette-holder** *s* Zigarettenspitze *f;* **cigarette paper** *s* Zigarettenpapier *n*

ciga·rillo [sɪgə'rɪləʊ] *s* Zigarillo *n*

cin·der ['sɪndə(r)] *s* **1.** Schlacke *f* **2.** verkohltes Stück Holz **3.** ~**s** Asche *f;* ~**-track** (SPORT) Aschenbahn *f*

Cin·de·rella [ˌsɪndə'relə] *s* Aschenbrödel,

-puttel *n*

cine- ['sɪnɪ] *prefix* Film-, Kino-; **cine-camera** *s* Filmkamera *f;* **cine-film** *s* Schmalfilm *m;* **cin•ema** ['sɪnəmə] *s* Kino, Film-, Lichtspieltheater *n;* **cinema•goer** *s* Kinobesucher(in) *m(f);* **Cin•ema-scope®** ['sɪnɪməˌskəʊp] *s* Breit(lein)wand *f;* **cin•ema•tic** [ˌsɪnə'mætɪk] *adj* Film-; **cine-pro•jec•tor** ['sɪnɪprəˌdʒektə(r)] *s* Filmprojektor *m*

cin•na•mon ['sɪnəmən] *s* Zimt *m*

cipher, **cypher** ['saɪfə(r)] **I.** *s* **1.** (MATH) Ziffer, Zahl *f;* Null(zeichen *n*) *f* **2.** (*fig*) Null *f*, völlig unbedeutender Mensch **3.** Chiffre *f;* Chiffrierverfahren *n* **4.** (*~-key*) Schlüssel *m* (*e-r Geheimschrift*) **II.** *tr* verschlüsseln, chiffrieren; **cipher code** *s* Chiffrierschlüssel *m*

circle ['sɜːkl] **I.** *s* **1.** (MATH) Kreis *m* **2.** (ASTR) Kreisbahn *f* **3.** Ring *m;* Reif *m* **4.** (SPORT) Rundlauf *m* **5.** (THEAT) Rang *m* **6.** Kreis *m*, Gebiet *n* **7.** (~ *of friends*) Freundes-, Bekanntenkreis *m* **8.** Wirkungskreis *m*, (Einfluss)Sphäre *f;* Spielraum, Bereich *m;* **full ~** rundherum, im Kreise; **square the ~** (*fig*) das Unmögliche versuchen; **dress ~** (THEAT) 1. Rang *m* **II.** *tr* umkreisen; sich bewegen um; umfahren, umgeben **III.** *itr* fahren, segeln, fliegen (*round, about s.th.* um etw), sich im Kreis bewegen; (*Vogel, Flugzeug*) kreisen

cir•cuit ['sɜːkɪt] **I.** *s* **1.** Umkreis, Umfang *m* **2.** Gebiet *n*, Bezirk *m* **3.** Runde *f*, Rundgang *m*, -fahrt *f*, -flug *m* (*of* um), Rundreise *f* **4.** (JUR) Rundreise *f* (e-s Richters); Gerichtsbezirk *m* **5.** (*Am: methodistischer*) (Kirchen)Sprengel *m* **6.** Ring *m;* Kreislauf *m;* Periode *f* **7.** Theater-, Kinoring *m* **8.** (SPORT) Rennbahn *f;* Turnierrunde *f* **9.** (EL) Stromkreis *m;* Schaltung *f;* **short ~** (EL) Kurzschluss *m* **II.** *tr* umfahren, -schiffen, -segeln, -fliegen **III.** *itr* e-e Runde, Rundfahrt, -reise machen; sich im Kreis bewegen; **circuit board** *s* (EL) Schaltplatte *f;* **circuit breaker** *s* (EL) Stromkreisunterbrecher *m;* **circuit diagram** *s* (EL) Schaltplan *m;* **cir•cu•itous** [sɜː'kjuːɪtəs] *adj* weitschweifig; weitläufig; umständlich

cir•cu•lar ['sɜːkjʊlə(r)] **I.** *adj* kreisförmig, rund **II.** *s* Rundschreiben *n;* **circular letter** *s* Rundschreiben *n;* **circular saw** *s* Kreissäge *f;* **circular ticket** *s* Rundreisekarte *f;* **circular tour**, **circular trip** *s* Rundreise, -fahrt *f;* **cir•cu•late** ['sɜːkjʊleɪt] **I.** *itr* **1.** zirkulieren (*a. Blut*), umlaufen **2.** die Runde machen **3.** herumreisen **II.** *tr* in Umlauf setzen; **cir•cu•lat•ing** [-ɪŋ] *adj* (FIN) umlaufend; **~ capital** Umlaufkapital *n;* **cir•cu•la•tion** [ˌsɜːkjʊ'leɪʃn] *s* **1.** (Blut)Zirkulation *f*, Kreislauf *m* **2.** (*Zeitung*) Verbreitung *f;* Auflage(nhöhe, -ziffer) *f* **3.** (Geld)Umlauf *m;* **out of ~** außer Kurs; **with a wide ~** mit hoher Auflage; **be in ~** in Umlauf sein; **put into ~** in Umlauf setzen, in Verkehr bringen; **withdraw from ~** außer Kurs setzen; **cir•cu•la•tory** [ˌsɜːkjʊ'leɪtərɪ] *adj* Kreislauf-; **~ system** Blutkreislauf *m*

cir•cum- ['sɜːkəm] *prefix* (her)um-; Um-; **cir•cum•cise** ['sɜːkəmsaɪz] *tr* (REL MED) beschneiden; **cir•cum•ci•sion** [ˌsɜːkəm'sɪʒn] *s* Beschneidung *f;* **cir•cum•fer•ence** [sə:'kʌmfərəns] *s* (MATH) Umfang *m*, Peripherie *f;* **cir•cum•lo•cu•tion** [ˌsɜːkəmlə'kjuːʃn] *s* Umschreibung *f;* Weitschweifigkeit *f;* **cir•cum•navi•gate** [ˌsɜːkəm'nævɪgeɪt] *tr* umschiffen, -segeln; **cir•cum•navi•ga•tion** [ˌsɜːkəmˌnævɪ'geɪʃn] *s* Umschiffung, Umsegelung *f;* **cir•cum•scribe** ['sɜːkəmskraɪb] *tr* **1.** (MATH: *Figur*) einen Kreis beschreiben um **2.** begrenzen, einschränken **3.** definieren; **cir•cum•scrip•tion** [ˌsɜːkəm'skrɪpʃn] *s* **1.** (MATH) Umschreibung *f* **2.** Ab-, Begrenzung, Beschränkung *f* **3.** (*Münze*) Umschrift *f;* **cir•cum•spect** ['sɜːkəmspekt] *adj* umsichtig; bedachtsam, vorsichtig

cir•cum•stance ['sɜːkəmstəns] *s* **1.** Umstand *m*, Tatsache *f;* Sachverhalt *m* **2.** **~s** Einzelheiten, Gegebenheiten *fpl*, Verhältnisse *npl*, Fall *m;* **in** [*o* **under**] **the ~s** unter diesen Umständen; **in** [*o* **under**] **no ~s** auf keinen Fall; **in all ~s** unter allen Umständen; **in easy/good/flourishing ~s** in angenehmen/guten Verhältnissen; **in bad~s** in schlechten Verhältnissen; **the ~ that** der Umstand, dass; **that depends on ~s** das kommt darauf an; **aggravating/extenuating ~s** (JUR) erschwerende/mildernde Umstände *mpl;* **cir•cum•stan•tial** [ˌsɜːkəm'stænʃl] *adj* **1.** genau, eingehend, ausführlich **2.** zufällig, nebensächlich; **~ evidence** (JUR) Indizienbeweis *m*

cir•cum•vent [ˌsɜːkəm'vent] *tr* umgehen

cir•cus ['sɜːkəs] *s* **1.** Zirkus *m* **2.** (*Br*) runder Platz

cir•rho•sis [sɪ'rəʊsɪs] *s* (MED) Leberzirrhose *f*

cir•rus ['sɪrəs, *pl* 'sɪraɪ] <*pl* -ri> *s* **1.** (BOT) Ranke *f* **2.** (~ *cloud*) Zirrus(wolke *f*) *m*, Federwolke *f*

CIS [ˌsiːeɪ'es] *s abbr of* **Commonwealth of Independent States** GUS *f*

cissy ['sɪsɪ] *s.* **sissy**

cis•tern ['sɪstən] *s* Zisterne *f;* (*Toilette*) Spülkasten *m*

cita•del ['sɪtədəl] *s* Zitadelle *f*

ci•ta•tion [saɪ'teɪʃn] *s* **1.** (JUR) (Vor)Ladung *f* **2.** Anführung *f;* Zitat *n* **3.** (MIL) ehrenvolle

Erwähnung; **cite** [saɪt] *tr* **1.** (JUR) vorladen (*before* vor) **2.** zitieren, anführen; sich berufen (*s.th.* auf etw)
citi•zen ['sɪtɪzn] *s* **1.** Bürger(in) *m(f)* **2.** Städter(in) *m(f)* **3.** Staatsangehörige(r) *f m;* **citi•zens' band** *s* CB-Funk *m;* **citi•zen•ship** [-ʃɪp] *s* Bürgerrecht *n;* Staatsangehörigkeit *f*
cit•ric ['sɪtrɪk] *adj:* ~ **acid** Zitronensäure *f;* **cit•rus** ['sɪtrəs] *s* (~ *fruit*) Zitrusfrucht *f*
city ['sɪtɪ] *s* **1.** (große, bedeutende) Stadt *f* **2.** Stadtgemeinde *f* **3.** Zentrum *n,* Altstadt *f,* Geschäftsviertel *n,* City *f;* **city-father** *s* Stadtrat *m,* Stadtväter *mpl;* **city hall** *s* Rathaus *m;* **city planner** *s* (*Am*) Stadtplaner(in) *m(f)*
civic ['sɪvɪk] **I.** *adj* (staats)bürgerlich; städtisch **II.** *s pl mit sing* Staatsbürgerkunde *f*
civies *s.* **civvies**
civil ['sɪvl] *adj* **1.** (staats)bürgerlich **2.** zivil(rechtlich) **3.** zivil, bürgerlich **4.** höflich, gesittet; **civil action** *s* Zivilprozess *m,* zivilrechtliche Klage; **civil court** *s* Zivilgericht *n;* **civil defence** *s* Zivilschutz *m;* **civil disobedience** *s* passiver Widerstand, ziviler Ungehorsam; **civil engineer** *s* Bauingenieur(in) *m(f)*
ci•vil•ian [sɪ'vɪlɪən] **I.** *s* Zivilist(in) *m(f)* **II.** *adj* bürgerlich
ci•vil•ity [sɪ'vɪlətɪ] *s* Höflichkeit *f*
civi•li•za•tion [ˌsɪvəlaɪ'zeɪʃn] *s* Zivilisation, Kultur *f;* **civi•lize** ['sɪvəlaɪz] *tr* zivilisieren
civil law ['sɪvl'lɔː] *s* bürgerliches Recht; **civil marriage** *s* standesamtliche Trauung; **civil population** *s* Zivilbevölkerung *f;* **civil rights** *s pl* Bürgerrechte, bürgerliche Ehrenrechte *npl;* **civil rights movement** *s* Bürgerrechtsbewegung *f;* **civil servant** *s* (Staats)Beamte(r) *f m;* **civil service** *s* Staatsdienst *m;* **civil war** *s* Bürgerkrieg *m*
civ•vies ['sɪvɪz] *s pl* (*sl*) Zivilkleidung *f*
clack [klæk] **I.** *s* **1.** Klappern *n* **2.** Plappern *n* **3.** Ventil(klappe *f*) *n* **II.** *itr* **1.** klappern **2.** (*fam*) schwatzen
claim [kleɪm] **I.** *s* **1.** Anspruch *m* (*to* auf) **2.** Forderung *f* (*on s.o.* gegen jdn) **3.** Behauptung *f* **4.** Anrecht *n* **5.** (MIN) (beanspruchte) Parzelle *f;* Mutung *f;* Kux *m* **6.** (JUR) Schadenssumme *f,* Klage, Mängelrüge, Reklamation *f;* **baggage** ~ (AERO) Gepäckausgabe *f;* **lay** ~ **to, make a** ~ **to** Anspruch erheben auf; ~ **for damages** Schadensanspruch *m* **II.** *tr* **1.** (*Person*) Anspruch erheben auf **2.** (*Unterstützung*) beantragen; beanspruchen **3.** verlangen, fordern, geltend machen **4.** behaupten, versichern; ~ **attention** Aufmerksamkeit erfordern; **where do I** ~ **my baggage?** wo bekomme ich mein Gepäck? **III.** *itr* Schadensersatz verlangen; ~ **for s.th.** sich etw erstatten lassen; **claim•ant** ['kleɪmənt] *s* Antragsteller(in) *m(f),* Anspruchsberechtigte(r) *f m,* Kläger(in) *m(f)*
clair•voy•ance [kleə'vɔɪəns] *s* Hellsehen *n;* **clair•voy•ant** [kleə'vɔɪənt] *s* Hellseher(in) *m(f)*
clam [klæm] *s* **1.** (ZOO) Venusmuschel *f* **2.** (*Am sl*) maulfauler Mensch; **clam up** *itr* das Maul halten
clam•ber ['klæmbə(r)] *itr* (mühsam) klettern
clam chow•der ['klæmˌtʃaʊdə(r)] *s* (*Am*) Suppe *f* mit Venusmuscheln
clammy ['klæmɪ] *adj* feucht(kalt)
clam•or (*Am*) *s.* **clamour**
clam•or•ous ['klæmərəs] *adj* lärmend, schreiend; **clam•our** ['klæmə(r)] **I.** *s* Geschrei *n,* Lärm *m* **II.** *itr* schreien, lärmen **III.** *itr, tr* laut fordern, rufen (*s.th., for s.th.* nach etw), laut protestieren (*s.th., against s.th.* gegen etw)
clamp [klæmp] **I.** *s* **1.** (Eisen)Klammer *f;* Klemme, (Schraub)Zwinge *f;* (*Kabel*) Schelle *f* **2.** (*Ski*) Strammer *m* **II.** *tr* **1.** (ver)klammern; festklemmen; (ein)spannen **2.** (*Auto*) mit einer Parkkralle festsetzen; **clamp down** *itr* (*fam*) strenger vorgehen (*on s.o.* gegen jdn)
clan [klæn] *s* **1.** (*Schottland*) Clan *m* **2.** Sippschaft *f;* Clique *f*
clan•des•tine [klæn'destɪn] *adj* heimlich, geheim
clang [klæŋ] **I.** *s* Klang *m,* Klirren, Rasseln *n* **II.** *itr* klingen, klirren, rasseln **III.** *tr* klappern lassen; (*Glocke*) läuten; **clanger** ['klæŋgə(r)] *s* (*Br fam*) Fauxpas, Schnitzer *m;* **drop a** ~ ins Fettnäpfchen treten; **clan•gor** (*Am*) *s.* **clangour;** **clang•our** ['klæŋə(r)] *s* Klirren *n,* Schall *m;* (*Trompete*) Geschmetter *n*
clank [klæŋk] **I.** *s* Geklirr, Gerassel *n* **II.** *itr* klirren, rasseln **III.** *tr* klirren lassen
clap [klæp] **I.** *tr* **1.** (zusammen)schlagen **2.** e-n Klaps geben (*s.o.* jdm) **3.** beklatschen, Beifall spenden (*s.o.* jdm); ~ **eyes on s.o.** jdn erblicken; ~ **one's hands** in die Hände klatschen; ~ **s.o. on the shoulder** jdm (freundschaftlich) auf die Schulter klopfen; **he ~ped his hat on** er setzte rasch seinen Hut auf **II.** *itr* (Beifall) klatschen **III.** *s* **1.** (lauter) Schlag *m* **2.** (Hände)Klatschen *n;* Beifall, Applaus *m* **3.** Klaps, leichter Schlag *m* **4.** (*sl*) Tripper *m;* ~ **of thunder** Donnerschlag *m;* **clapped-out** [ˌklæpt'aʊt] *adj* (*fam*) **1.** erschöpft **2.** (*Auto*) klapprig; **clap•per** ['klæpə(r)] *s* **1.** (*Glocke*) Klöppel *m* **2.** (Vogel)Klapper *f;* **run like the ~s** mit einer Affengeschwindigkeit rennen; **clap•trap** ['klæptræp] *s* Geschwätz *n;*

Unsinn *m*

claret ['klærət] *s* roter Bordeauxwein

clari•fi•ca•tion [ˌklærɪfɪ'keɪʃn] *s* **1.** Klärung *f a. fig* **2.** Klarstellung, Verdeutlichung *f;* **clar•ify** ['klærɪfaɪ] **I.** *tr* **1.** abklären, läutern *a. fig,* reinigen **2.** aufklären **II.** *itr* **1.** sich klären *a. fig* **2.** (*fig*) sich aufklären

clari•net [ˌklærɪ'net] *s* (MUS) Klarinette *f*

clar•ity ['klærətɪ] *s* Klarheit, Deutlichkeit *f*

clash [klæʃ] **I.** *itr* **1.** klirren, rasseln **2.** (zusammenprasseln, aufeinanderprasseln, -prallen (*with* mit) **3.** aneinander stoßen, zusammenstoßen, kollidieren *a. fig* **4.** (*fig*) (zeitlich) zusammenfallen **5.** sich widersprechen **6.** nicht zusammenpassen, zueinander passen (*with* mit) **7.** (*Farben*) sich beißen **8.** sich streiten **II.** *s* **1.** Klirren *n* **2.** Zusammenprall, -stoß *m a. fig* **3.** (*fig*) Widerstreit *m;* Disharmonie, Diskrepanz *f* **4.** Kollision *f* **5.** (zeitliches) Zusammentreffen *n*

clasp [klɑ:sp] **I.** *tr* **1.** fest-, an-, einhaken **2.** umklammern, umfassen; fassen, (er)greifen; fest drücken (*to* an); ~ **s.o. in one's arms** jdn in die Arme schließen; ~ **s.o.'s hand** jdm die Hand drücken; ~ **one's hands** die Hände falten **II.** *s* **1.** Haken (u. Öse *m*) *f,* Klammer *f;* Schnalle *f;* Spange *f* **2.** Umklammerung *f;* Umarmung *f;* Händedruck *m;* **clasp knife** <*pl* -knives> *s* Klappmesser *n*

class [klɑ:s] **I.** *s* **1.** Klasse *f* **2.** (Gesellschafts)Klasse, Schicht *f* **3.** (RAIL: *Schule*) Klasse *f;* Unterrichts-, Schulstunde *f;* Vorlesung *f;* Kurs *m* **4.** (*Br: Universität*) Klassifizierung *f* im Examen **5.** (*Am*) Jahrgang *m* **6.** Qualität, Klasse, Güte, Sorte *f;* **in a ~ by itself** von besonderer Qualität; einzigartig; **not to be in the same ~ with** sich nicht messen können mit **II.** *tr* **1.** einstufen, in Gruppen einteilen; einordnen **2.** betrachten (*as* als); **class-conscious** *adj* klassenbewusst; **class distinctions** *s pl* Klassenunterschiede *mpl*

classic ['klæsɪk] **I.** *adj* klassisch **II.** *s* Klassiker *m;* **clas•si•cal** ['klæsɪkl] *adj* **1.** klassisch **2.** (*Bildung*) humanistisch **3.** (ARCH) klassizistisch; **clas•si•cism** ['klæsɪsɪzəm] *s* Klassik *f;* Klassizismus *m;* **clas•si•cist** ['klæsɪsɪst] *s* Altphilologe *m,* -philologin *f;* **clas•sics** ['klæsɪks] *s pl mit sing* Altphilologie *f*

clas•si•fi•ca•tion [ˌklæsɪfɪ'keɪʃn] *s* Klassifizierung, Einteilung *f;* **clas•si•fied** ['klæsɪfaɪd] *adj* **1.** (MIL) geheim **2.** in Klassen eingeteilt; ~ **ad(vertisement)** Kleinanzeige *f;* ~ **directory** Branchenverzeichnis *n;* **clas•sify** ['klæsɪfaɪ] *tr* klassifizieren, einteilen

class•less ['klɑ:ʃlɪs] *adj* klassenlos; **class-mate** ['klɑ:smeɪt] *s* Klassen-, Schulkamerad, Schulfreund *m;* **class•room** ['klɑ:srʊm] *s* Klassenzimmer *n;* **class-struggle** *s* Klassenkampf *m*

classy ['klɑ:sɪ] *adj* (*fam*) Klasse, prima, in Ordnung

clat•ter ['klætə(r)] **I.** *s* **1.** Klappern, Rasseln, Rattern *n* **2.** Lärm, Tumult *m* **II.** *itr* klappern, rasseln, rattern; ~ **along** dahinrattern, -rasseln **III.** *tr* klappern, rattern, rasseln mit

clause [klɔ:z] *s* **1.** Satz *m* **2.** (JUR) Vertragsbestimmung, Klausel *f;* Absatz, Paragraf *m;* **jurisdiction** ~ Gerichtsstandklausel *f;* **main ~, subordinate** ~ Haupt-, Nebensatz *m*

claus•tro•pho•bia [ˌklɔ:strə'fəʊbɪə] *s* Klaustrophobie, Platzangst *f*

clav•icle ['klævɪkl] *s* (ANAT) Schlüsselbein *n*

claw [klɔ:] **I.** *s* **1.** Kralle, Klaue *f;* (*a.* TECH) Tatze, Pfote *f a. pej,* (Krebs)Schere *f* **2.** (TECH) Haken *m* **II.** *tr* **1.** packen **2.** zerkratzen **3.** reißen (*a hole* ein Loch) **III.** *itr* greifen (*at* nach), zerren (*at* an)

clay [kleɪ] *s* Lehm *m;* Ton *m;* **clay pigeon** *s* Tontaube *f*

clean [kli:n] **I.** *adj* **1.** sauber **2.** frisch, neu, unbenutzt **3.** (*Papier*) weiß, unbeschrieben **4.** (*fig*) einwand-, fehlerfrei, tadellos, anständig; fair **5.** unschuldig **6.** vorbehaltlos, uneingeschränkt; (*Wechsel*) einwandfrei **7.** (*Bruch, Schnitt*) sauber; (*Linien*) klar **8.** umweltschonend **9.** geschickt, gewandt; gekonnt *fam;* **have ~ hands/a ~ slate** (*fig*) e-e reine Weste haben; **have a ~ record** e-e tadellose Vergangenheit haben; **keep** ~ sauber halten; **make a ~ breast of s.th.** sich etw vom Herzen reden; **make a ~ copy of s.th.** etw ins Reine schreiben; **make a ~ sweep of s.th.** mit e-r S vollständig aufräumen **II.** *adv* **1.** vollkommen, -ständig, völlig, ganz **2.** sauber, rein **III.** *tr* **1.** reinigen, säubern, putzen **2.** (*Fisch, Geflügel*) ausnehmen; **clean down** *tr* abwischen, -bürsten; gründlich abwaschen; **clean out** *tr* beseitigen, aus-, aufräumen; (*Geld*) aufbrauchen; ~ **s.o. out** (*fam*) jdn ausnehmen; **be ~ed out** (*fam*) blank sein, kein Geld mehr haben; **clean up I.** *tr* **1.** rein machen, sauber machen, aufräumen, aufwischen **2.** (*fam*) fertig machen **3.** (*sl: als Gewinn*) einstecken, in die Tasche stecken, absahnen **II.** *itr* aufräumen; sich waschen

clean-cut [ˌkli:n'kʌt] *adj* **1.** wohlgeformt; gut aussehend **2.** scharf umrissen **3.** (*fig*) klar; **cleaner** ['kli:nə(r)] *s* **1.** Reiniger *m* **2.** Putzfrau *f;* **dry-~'s** chemische Reinigung *f* (*Geschäft*); **take s.o. to the ~'s** (*fam*) jdn übers Ohr hauen, reinlegen; **clean•ing** ['kli:nɪŋ] *s* Reinigung, Säuberung *f;* **clean-**

ing lady, cleaning woman *s* Putzfrau *f;* **clean•li•ness** ['klenlɪnɪs] *s* Reinlichkeit, Sauberkeit *f;* **clean•ly** ['klenlɪ] **I.** *adv* sauber **II.** *adj* reinlich, sauber; **cleanse** ['klenz] *tr* reinigen, säubern; (*Bibel: vom Aussatz*) heilen, rein machen; (*fig*) läutern; (*von Sünde*) frei machen; **cleanser** ['klenzə(r)] *s* Reinigungsmittel *n;* **clean-shaven** ['kli:n'ʃeɪvn] *adj* glatt rasiert; **cleansing cream** *s* Reinigungscreme *f;* **cleansing tissue** *s* Erfrischungstuch *n;* **clean-up** ['kli:nʌp] *s* **1.** Reine-, Saubermachen *n* **2.** (*fam*) Säuberungsaktion *f* **3.** (*Am sl*) Profit, Gewinn *m*

clear [klɪə(r)] **I.** *adj* **1.** klar; hell, rein **2.** deutlich, scharf, fest umrissen **3.** verständlich; eindeutig **4.** (*Straße*) frei; (*Weg*) offen, frei (*of* von) **5.** sicher, zuversichtlich, entschlossen (*of, on* in, hinsichtlich) **6.** frei von Schuld, unschuldig **7.** (*Zeit, Summe*) voll; schuldenfrei **8.** (*Gewinn*) Rein-; Netto- **9.** (*Himmel*) wolkenlos **II.** *adv* **1.** (voll u.) ganz, völlig, vollständig **2.** (*fam*) geradeswegs, mitten durch **III.** *s* **1.** Klartext *m* **2.** (*Am*) Lichtung *f* **3.** lichte Weite **IV.** *tr* **1.** klar, hell, deutlich machen; auf-, erhellen **2.** (*Straße*) freimachen; räumen **3.** (*Wald*) roden **4.** (*Weg*) bahnen **5.** (*Konto*) ausgleichen; (*Schuld*) bereinigen, begleichen **6.** säubern; (*Tisch*) abräumen; aufräumen **7.** (EDV) löschen **8.** (COM: *Lager*) räumen **9.** überholen, springen über, vorbeikommen an **10.** (*fig*) freimachen, befreien (*of, from* von) **11.** (JUR) entlasten, freisprechen (*of* von) **12.** für unbedenklich erklären; genehmigen; freigeben **13.** (FIN) bezahlen, begleichen; einlösen; (*Grundstück*) von Belastungen freimachen **14.** (rein) gewinnen, einnehmen **15.** (RADIO: *Sendezeit*) kaufen **16.** (*Ware*) verzollen; zollamtlich abfertigen **17.** (TECH) entstören; (*Störung*) beseitigen; (*Aufnahme*) löschen **V.** *itr* **1.** klar, hell, deutlich werden **2.** (*Himmel: ~ up*) aufklaren **3.** (*Schiff*) absegeln, -fahren; klarkommen; (*~ in, out*) Hafengebühren bezahlen **VI.** (*Wendungen*): **in the ~** aus allem heraus; **come out of a ~ sky** aus heiterem Himmel kommen; **get ~ of s.th.** etw loswerden; **keep ~ of s.th.** etw meiden; **make o.s. ~** sich verständlich machen; **~ the hurdle** die Schwierigkeiten überwinden; **~ one's throat** sich räuspern; **all ~!** Gefahr vorbei!; **~ the decks!** (MAR) klar Deck!; **a ~ conscience** ein reines Gewissen; **three ~ days** drei volle Tage; **~ profit** [*o* **gain**] Reingewinn *m;* **clear away** *tr* **1.** ab-, wegräumen **2.** (*fig: Zweifel*) beseitigen **3.** (*Schwierigkeiten*) überwinden; **clear off I.** *tr* wegbringen, beseitigen, weg-, fortschaffen **II.** *itr* (*fam*) abhauen, türmen; **clear out I.** *tr* säubern, reinigen; ausräumen **II.** *itr* sich aus dem Staub machen; **clear up** *tr* aufräumen; ins Reine, in Ordnung bringen; (auf)klären

clear•ance ['klɪərəns] *s* **1.** (Auf)Räumung(sarbeiten *f*) *pl,* Beseitigung *f* **2.** (COM) Räumung *f* des Lagers **3.** (FIN) Tilgung *f;* Deckungsbestätigung *f* (*von Scheck*) **4.** Rodung *f* **5.** (*Brücke*) lichte Höhe **6.** (TECH) Spiel(raum *m*) *n,* Abstand, Zwischenraum, freier Raum *m* **7.** Genehmigung, Erlaubnis *f* **8.** (*a.* AERO) Verzollung, Zollabfertigung, Freigabe, Abfertigung *f* **9.** (*bill of ~*) Zoll(abfertigungs)schein *m* **10.** (AERO) Starterlaubnis, -freigabe *f;* **clearance-sale** *s* Räumungs-, Ausverkauf *m*

clear-cut ['klɪə'kʌt] **I.** *adj* **1.** scharf geschnitten **2.** (*fig*) klar, eindeutig **II.** *tr* kahl schlagen, abholzen; **clear-fell** *tr* kahl schlagen, abholzen; **clear film** *s* Klarsichtfolie *f;* **clear-headed** [ˌklɪə'hedɪd] *adj* einsichtig, verständig

clear•ing ['klɪərɪŋ] *s* **1.** Ab-, Verrechnung *f,* Clearing *n* **2.** Rodung *f;* Lichtung *f;* **clearing bank** *s* Clearingbank *f;* **clearing-house** *s* Verrechnungsstelle *f;* **clearing office** *s* Ausgleichs-, Ab-, Verrechnungsstelle *f*

clear•ly ['klɪəlɪ] *adv* **1.** klar (und deutlich) **2.** eindeutig, offensichtlich; **clear•ness** ['klɪənɪs] *s s.* **clarity**; **clear-sighted** [ˌklɪə'saɪtɪd] *adj* **1.** klar sehend **2.** scharfsichtig

cleav•age ['kli:vɪdʒ] *s* **1.** (Auf)Spaltung *f a. fig,* Spalte *f* **2.** Dekolletee *n*

cleave [kli:v] <*irr:* **cleft (cleaved, clove), cleft (cleaved)**> **I.** *tr* **1.** (auf)spalten, zerhacken, auseinander brechen, zerbrechen **2.** (*Weg*) bahnen **3.** (*Menschen*) trennen **II.** *itr* sich spalten

clef [klef] *s* (MUS) (Noten)Schlüssel *m*

cleft [kleft] **I.** *pt, pp of* **cleave II.** *s* Spalte *f,* Riss *m;* Kluft *f a. fig*

cle•ma•tis ['klemətɪs] *s* (BOT) Klematis *f;* Waldrebe *f*

clem•ency ['klemənsɪ] *s* Milde *f;* Nachsicht *f;* **clem•ent** ['klemənt] *adj* milde; nachsichtig

clench [klentʃ] *tr* **1.** (fest) zusammendrücken, -pressen **2.** ergreifen, packen

clergy ['klɜ:dʒɪ] *s sing mit pl* Klerus *m,* Geistlichkeit *f;* **clergy•man** [-mən] <*pl* -men> *s* Geistliche(r) *m;* **clergy•woman** [-wʊmən] *s* Pfarrerin *f*

cleric ['klerɪk] *s* Geistliche(r) *f m*

cleri•cal ['klerɪkl] *adj* **1.** geistlich **2.** (POL) klerikal **3.** Büro-, Schreib-; **clerical error** *s* Schreibfehler *m;* **clerical staff** *s* Büropersonal *n;* **clerical work** *s* Büroarbeit *f*

clerk [klɑ:k, *Am* klɜ:rk] *s* **1.** Büroangestellte(r) *f m,* Sekretär(in) *m(f)* **2.** Buchhalter(in) *m(f),* Kontorist(in) *m(f)* **3.** (*Am*) Verkäufer(in *f*) *m* **4.** Leiter(in) *m(f),* Vorsteher(in) *m(f)*

clever ['klevə(r)] *adj* **1.** klug, gescheit (*a. Rede, Schrift*) **2.** begabt, talentvoll **3.** geschickt, gewandt (*at* in) **4.** tüchtig **5.** gewieft, raffiniert; **clever dick** *s* (*fam*) Besserwisser *m;* **clever•ness** [-nɪs] *s* **1.** Klugheit *f* **2.** Geschicklichkeit, Gewandtheit *f* **3.** Raffinesse *f*

cliché ['kli:ʃeɪ] *s* **1.** Klischee *n* **2.** (*fig*) (abgedroschene) Redensart *f,* Gemeinplatz *m*

click [klɪk] **I.** *s* **1.** Klicken *n;* Knacken *n;* Schnalzen *n* **2.** Sperrhaken *m,* -klinke *f* **II.** *itr* **1.** klicken; knacken; zuschnappen **2.** (*sl*) zusammenpassen; erfolgreich ankommen (*for* bei) **3.** (*fam*) sich verknallen **III.** *tr* schnalzen (*one's tongue* mit der Zunge); ~ **one's heels** die Hacken zusammenschlagen; **click on** *tr* (EDV) anklicken

cli•ent ['klaɪənt] *s* **1.** Klient(in) *m(f),* Mandant(in) *m(f)* (*e-s Rechtsanwalts*) **2.** Patient(in) *m(f)* **3.** Kunde *m,* Kundin *f;* **cli•en•tele** [ˌkli:ɒn'tel] *s* **1.** Kundschaft *f* **2.** (JUR) Klientel *f* **3.** (MED) Patienten *pl*

cliff [klɪf] *s* Klippe *f;* **cliff-hanger** ['klɪfhæŋə(r)] *s spannender Schluss ohne Lösung des Rätsels*

cli•mac•ter•ic [klaɪ'mæktərɪk] **I.** *adj* **1.** kritisch, entscheidend **2.** (PHYSIOL) klimakterisch **II.** *s* **1.** Wechseljahre *pl* **2.** (*fig*) kritische Zeit; **cli•mac•tic** [ˌklaɪ'mæktɪk] *adj:* **a ~ scene** ein Höhepunkt *m*

cli•mate ['klaɪmɪt] *s* **1.** Klima *n a. fig* **2.** (*fig*) Stimmung, Atmosphäre *f;* **cli mat•ic** [klaɪ'mætɪk] *adj* klimatisch; **cli ma•tol•ogist** [ˌklaɪmə'tɒlədʒist] *s* Klimatologe *m,* Klimatologin *f,* Klimaforscher(in) *m(f);* **cli•ma•tol•ogy** [ˌklaɪmə'tɒlədʒɪ] *s* Klimatologie *f*

cli•max ['klaɪmæks] **I.** *s* **1.** Höhepunkt *m* **2.** Orgasmus *m* **II.** *itr* seinen Höhepunkt erreichen

climb [klaɪm] **I.** *tr* **1.** ersteigen, erklimmen *a. fig,* erklettern **2.** steigen, klettern (*the tree* auf den Baum) **II.** *itr* **1.** klettern **2.** (*Straße*) steigen; (empor-, auf)steigen **3.** rasch hineinschlüpfen (*into* in) **III.** *s* **1.** Klettern *n;* Steigung *f;* Steigen *n* **2.** Aufstieg *m* **3.** Kletterpartie *f;* **climb down** *itr* hinab-, hinunterklettern, -steigen; (*fig*) nachgeben; zurücktreten; **climber** ['klaɪmə(r)] *s* **1.** Kletterer *m;* Bergsteiger(in) *m(f)* **2.** (*social* ~) Aufsteiger *m* **3.** Kletterpflanze *f;* **climb•ing** ['klaɪmɪŋ] *s* **1.** Klettern *n;* Bergsteigen *n* **2.** (AERO) Steigflug *m;* **climbing iron** *s* Steigeisen *n*

clinch [klɪntʃ] **I.** *tr* **1.** (*Boxkampf*) umklammern; festhalten **2.** (*Nagel*) krumm schlagen **3.** (MAR: *Tau*) festmachen **4.** (*fig*) fest abmachen; (*Geschäft*) abschließen **II.** *s* **1.** (*Boxkampf*) Clinch *m* **2.** (*sl*) Umarmung *f;* **have s.th. in a ~** etw fest in der Hand haben; **clincher** ['klɪntʃə(r)] *s* entscheidendes Argument; **that's a ~** damit ist der Fall erledigt

cling [klɪŋ] <*irr:* clung, clung> *itr* **1.** haften, sich klammern (*to* an) **2.** (*fig*) hängen, festhalten (*to* an); ~ **together** (fest) zusammenhalten; **cling film** ['kliŋfilm] *s* Frischhaltefolie *f;* **cling•ing** [-ɪŋ] *adj* **1.** (*Kleidung*) enganliegend **2.** (*fig*) (sehr) anhänglich

cli•nic ['klɪnɪk] *s* **1.** (MED) klinisches Praktikum **2.** Klinik *f;* Poliklinik *f;* **speech ~** Beratungsstelle *f* für Sprachgestörte; **cli•nical** ['klɪnɪkl] *adj* **1.** klinisch **2.** (*fig*) kühl, unpersönlich; steril; ~ **thermometer** Fieberthermometer *n*

clink [klɪŋk] **I.** *itr* klirren, klinge(l)n **II.** *tr* klirren lassen; klimpern mit; ~ **glasses** anstoßen **III.** *s* **1.** Klirren *n* **2.** (*sl*) Kittchen *n*

clinker ['klɪŋkə(r)] *s* **1.** Klinker *m* **2.** Schlacke *f* **3.** (*Am sl*) Fehler *m*

clip[1] [klɪp] **I.** *s* **1.** Halter *m;* Klammer *f;* Spange *f* **2.** (*paper* ~) Büroklammer *f;* (*laundry* ~) Wäscheklammer *f* **3.** (*Rohr*) Schelle *f* **4.** (RAIL) Lasche *f* **5.** (MIL) Ladestreifen *m* **6.** (Ohr)Klips *m;* ~**(-on) earring** Klipp, Clip *m* **II.** *tr* festklammern, -klemmen, -halten; **clip•board** ['klipbɔ:d] *s* Klemmbrett *n*

clip[2] [klɪp] **I.** *tr* **1.** (*Haar*) schneiden; (*Hund*) scheren **2.** stutzen; kappen; (*Hecke*) beschneiden **3.** (*Fahrschein*) knipsen **4.** (*aus e-r Zeitung*) ausschneiden **5.** (*fig: Laut, Silbe*) verschlucken **II.** *s* **1.** (Schaf)Schur *f;* Schneiden *n;* Stutzen *n* **2.** Klaps, Schlag *m* **3.** (Film)Ausschnitt *m* **4.** (*fam*) hohes Tempo

clip•per ['klɪpə(r)] *s* **1.** Klipper, Schnellsegler *m* **2.** (AERO) Verkehrsflugzeug *n* **3.** **~s** Schere *f;* **nail-~s** Nagelzwicker *m*

clip•ping ['klɪpɪŋ] *s* **1.** (Zeitungs)Ausschnitt *m* **2.** **~s** Abfälle *mpl*

clique [kli:k] *s* Clique *f,* Klüngel *m;* **cliquish, cliquey** ['kli:kɪʃ, 'kli:kɪ] *adj* cliquenhaft

clit•oris ['klɪtərɪs] *s* (ANAT) Klitoris *f*

cloak [kləʊk] **I.** *s* **1.** Umhang, (weiter) Mantel *m* **2.** (*fig*) Deckmantel, Vorwand *m* (*for* für); **under the ~ of** unter dem Vorwand, im Schutz von; ~ **and dagger operation** Nacht-und-Nebel-Aktion *f* **II.** *tr* (*fig*) verbergen, bemänteln; **cloak•room** ['kləʊkrʊm] *s* **1.** Garderobe *f* **2.** (*Br*) Toilette *f*

clob•ber ['klɒbə(r)] **I.** *s* (*sl*) **1.** Kram *m* **2.** Kleider *npl* **II.** *tr* (*fam*) **1.** (vollkommen) erledigen, fertigmachen **2.** verprügeln

clock [klɒk] **I.** *s* **1.** (*Wand-, Turm-*) Uhr *f* **2.**

(*fam*) Tacho(meter) *m;* **it is ten o'~** es ist 10 Uhr; **round the ~** rund um die Uhr; **put the ~ back** die Uhr zurückstellen, *fig* -drehen; **alarm-~** Wecker *m;* **cuckoo ~** Kuckucksuhr *f* **II.** *tr* mit der Stoppuhr messen, abstoppen; (*Zeit*) registrieren; **clock in** *itr* einstempeln; **clock out** *itr* ausstempeln; **clock up** *tr* **1.** (*Entfernung*) zurücklegen **2.** (*Geschwindigkeit*) erreichen **3.** (*Schulden*) machen **4.** (*Erfolg*) verbuchen; **clock•face** *s* Zifferblatt *n;* **clock radio** *s* Radiowecker *m;* **clock timer** *s* Schaltuhr *f;* **clock-watcher** *s jem, der dauernd auf die Uhr schaut;* **clock•wise** ['klɒkwaɪz] *adj, adv* im Uhrzeigersinn; **clock•work** ['klɒkwɜːk] *s* Uhrwerk *n;* **like ~** (*fig*) wie am Schnürchen; **~ toy** mechanisches Spielzeug

clod [klɒd] *s* **1.** (Erd)Klumpen *m* **2.** (*Mensch*) Trottel *m;* Trampel *m*

clog [klɒg] **I.** *s* **1.** (Holz)Klotz *m* **2.** (*fig*) Klotz *m* am Bein, Hindernis *n* **3.** Holzschuh *m* **II.** *tr* **1.** (*fig*) hemmen **2.** (TECH) verstopfen, verschmieren; blockieren; **be ~ged up** verstopft sein **III.** *itr* **1.** sich (zusammen)ballen **2.** verstopfen; blockiert werden; **clog-dance** ['klɒgdɑːns] *s* Holzschuhtanz *m*

clois•ter ['klɔɪstə(r)] **I.** *s* **1.** Kloster *n* **2.** Kreuzgang *m* **II.** *tr* ins Kloster stecken **III.** *refl:* **~ o.s.** (**away**) sich von der Welt verschließen

clone [kləʊn] **I.** *s* Klon *m* **II.** *tr* klonen; **clon•ing** ['kləʊnɪŋ] *s* Klonen *n*

close¹ [kləʊs] **I.** *adj* **1.** (*örtlich, zeitlich*) nahe **2.** (ab-, ein)geschlossen, eingeengt, beengt, eng(anliegend) **3.** knapp **4.** (*Deckel*) dicht schließend **5.** (*Gelände*) bedeckt, bewachsen **6.** (*fig*) beschränkt, begrenzt **7.** dicht(gedrängt), eng(stehend), eng aneinander gerückt **8.** (*fig*) scharf, streng (bewacht) **9.** vertraut, eng befreundet; (eng) zusammenhängend **10.** voll(ständig), völlig, vollkommen **11.** genau, sorgfältig **12.** sparsam, geizig **13.** verborgen, geheim **14.** zurückhaltend, verschlossen **15.** (POL) in scharfem Wettbewerb befindlich **16.** (*Luft*) verbraucht, schlecht, stickig, drückend, schwül **17.** (*Übersetzung*) getreu, genau **18.** (*Aufmerksamkeit*) gespannt **19.** (*Am fam*) tüchtig **II.** *adv* dicht, nahe (*by* dabei), dicht, eng zusammen **III.** (*Wendungen*): **~ by** in der Nähe; **~ on** nahezu; beinahe; **~ to** dicht, nahe bei; **~ up to** dicht heran an; **from ~ up** aus der Nähe; **~ together** dicht zu-, beisammen; **~ to the ground** dicht am Boden; **after ~ consideration** nach reiflicher Überlegung; **at ~ quarters** in nächster Nähe; **in ~ confinement** unter strenger Bewachung; **in ~ contact** in enger Berührung; **come ~r together** zusammenrücken; **cut ~** glatt abschneiden; **drive up ~** dicht heranfahren; **have a ~ shave** (*fig*) mit knapper Not davonkommen; **press s.o. ~** jdn streng behandeln; **sit ~** eng beieinander sitzen; **stick ~ to s.o.** sich eng an jdn halten; **that was a ~ call!** das war knapp!; **he is a ~ friend of mine** er und ich, wir sind eng miteinander befreundet

close² [kləʊz] **I.** *tr* **1.** (zu-, ver)schließen, zumachen; (*Straße*) sperren **2.** in Verbindung, Berührung bringen; (EL: *Stromkreis*) schließen **3.** beenden, ab-, beschließen; (*Versammlung, Sitzung*) schließen **4.** (*Fabrik*) stilllegen **5.** (COM) abschließen, saldieren, liquidieren **6.** (*Hypothek*) löschen; **~ a deal** ein Geschäft abschließen; **~ one's eyes** (*fig*) die Augen verschließen (*to* vor) **II.** *itr* **1.** schließen; sich schließen **2.** aufhören, zu Ende gehen **3.** zumachen; (*Betrieb*) stillgelegt werden **4.** sich nähern **III.** *s* **1.** (Ab)Schluss *m,* Ende *n* **2.** Handgemenge *n;* **bring to a ~** zu Ende bringen; **draw to ~** zu Ende gehen; **close down** *tr* **1.** (*Betrieb*) stilllegen **2.** (*Geschäft*) schließen; **close in I.** *itr* **1.** näherkommen **2.** (*Winter*) anbrechen; (*Nacht*) hereinbrechen **3.** (*Tage*) kürzer werden **II.** *tr* umgeben; **~ in on s.o.** jdm zu Leibe rücken; **close off** *tr* abriegeln, absperren; **close up I.** *tr* (ver)sperren, blockieren **II.** *itr* **1.** naherücken **2.** (MIL) aufschließen; **close with** *itr* schließen mit; **~ with s.o.** mit jdm zu e-m Kompromiss kommen; **~ with an offer** ein Angebot annehmen

closed [kləʊzd] *adj* **1.** geschlossen; gesperrt **2.** (EL) eingeschaltet, geschlossen; **declare** (**a debate, a meeting**) **~** (e-e Aussprache, e-e Sitzung) für beendet erklären; **road ~!** Straße gesperrt!; **~-circuit television** interne Fernsehanlage *f;* Fernsehüberwachungsanlage *f;* **~-shop system** Gewerkschaftszwang *m;* **close-down** ['kləʊzdaʊn] *s* **1.** Betriebsstillegung *f* **2.** (RADIO) Ende *n* (*der Sendung*); **close-knit** [ˌkləʊs'nɪt] *adj* (*fig*) eng zusammengehörig; **close•ly** [ˌkləʊslɪ] *adv* **1.** dicht, eng **2.** streng **3.** genau; **close•ness** ['kləʊsnɪs] *s* **1.** Enge, Knappheit *f* **2.** Nähe *f* **3.** Schärfe, Strenge *f* **4.** Lückenlosigkeit *f;* Vollständigkeit, Genauigkeit, Sorgfalt *f* **5.** Schwüle *f;* **close season** *s* (*Jagd*) Schonzeit *f*

closet ['klɒzɪt] **I.** *s* **1.** eingebauter (Wand)Schrank **2.** (*water-~*) WC *n,* Abort *m* **II.** *tr, refl:* **~ o.s.** sich zurückziehen (*with* mit) **III.** *adj:* **a ~ liberal** ein heimlicher Liberaler; **be ~ed** e-e vertrauliche Besprechung haben

close-up ['kləʊsʌp] *s* (FILM) Nah-, Großaufnahme *f*

clos•ing ['kləʊzɪŋ] *s* Schließung, Beendigung *f;* (Ab)Schluss *m;* **early ~ day** Tag *m* mit frühem Ladenschluss; **~ of an account** Abschluss *m* e-s Kontos; **closing date** *s* Schlusstermin *m;* **clos•ing down** *s* (*Firma*) Schließung *f;* **clos•ing-down sale** *s* Räumungsverkauf *m;* **closing price** *s* (*Börse*) Schlusskurs *m;* **closing time, closing hour** *s* Geschäfts-, Ladenschluss *m;* Polizeistunde *f*

clo•sure ['kləʊʒə(r)] *s* **1.** (Ver)Schließen *n;* Schließung *f* **2.** (TECH) (Ver)Schluss *m* **3.** (PARL) Schluss *m* der Debatte; **apply (the) ~ to a debate** e-e Debatte schließen; **move the ~** Antrag auf Schluss der Debatte stellen

clot [klɒt] **I.** *s* **1.** Klümpchen *n;* Blutgerinnsel *n* **2.** (*sl*) Depp *m* **II.** *itr* gerinnen **III.** *tr* gerinnen lassen

cloth [klɒθ] *s* **1.** Tuch *n,* Stoff *m* **2.** Tuch *n,* Lappen *m* **3.** Geistlichkeit *f*

clothe [kləʊð] *tr* **1.** kleiden, mit Kleidung versorgen **2.** ankleiden, anziehen **3.** (*fig*) (ein)hüllen **4.** (*fig: Gedanken*) einkleiden

clothes [kləʊðz] *s pl* **1.** Kleider *npl,* Kleidung *f* **2.** Wäsche *f;* **put on/take off one's ~** sich an-/ausziehen; **bed-~** Bettwäsche *f;* **clothes hanger** *s* Kleiderbügel *m;* **clothes-horse** *s* Wäschestän der *m;* **clothes-line** *s* Wäscheleine *f;* **clothes-moth** *s* (ZOO) Kleidermotte *f;* **clothes-peg, clothes-pin** *s* Wäscheklammer *f*

cloth•ing ['kləʊðɪŋ] *s* Kleidung *f;* **clothing industry** *s* Bekleidungsindustrie *f*

cloud [klaʊd] **I.** *s* **1.** Wolke *f a. fig* **2.** trüber Fleck, Schleier *m* **3.** (*Vögel*) Schwarm *m* **4.** (*Pfeile*) Hagel *m* **5.** (*fig*) Schatten *m,* Drohung *f;* **on a ~** (*fam*) im sieb(en)ten Himmel; **be on ~ nine, have one's head in the ~s** überglücklich sein; (*fig*) in den Wolken schweben, (mit den Gedanken) ganz woanders sein; **there's more ~ today than yesterday** es ist heute wolkiger als gestern; **~ of dust** Staubwolke *f;* **~ of flies** Fliegenschwarm *m* **II.** *tr, itr* **1.** (~ *over, up*) (sich) bewölken **2.** (TECH) trüben **3.** (*fig*) (sich) umwölken, (sich) umschatten, (sich) verdüstern; **cloud•burst** *s* Wolkenbruch *m;* **cloud-capped** ['klaʊdkæpt] *adj* (*Berggipfel*) in Wolken gehüllt; **cloud-cuckoo-land** [klaʊd'kʊku:lænd] *s* Wolkenkuckucksheim *n;* **clouded** ['klaʊdɪd] *adj* **1.** bewölkt, bedeckt, wolkig **2.** (*fig*) trübe; **cloud•less** ['klaʊdlɪs] *adj* wolkenlos; ungetrübt; **cloudy** ['klaʊdɪ] *adj* **1.** wolkig, bewölkt **2.** trübe **3.** verschwommen, unklar **4.** düster

clout [klaʊt] **I.** *s* **1.** Lappen *m* **2.** (*fam*) Schlag *m* **3.** (*sl*) Kleidungsstück *n* **4.** (POL) Einfluss *m* **II.** *tr* (*fam*) schlagen

clove¹ [kləʊv] *s* **1.** (Gewürz)Nelke *f* **2.** (BOT) Brutzwiebel *f;* **~ of garlic** Knoblauchzehe *f*

clove² [kləʊv] *s.* **cleave; clo•ven** ['kləʊvn] **I.** *pp of* **cleave II.** *adj* gespalten; **~ hoof** gespaltener Huf

clo•ver ['kləʊvə(r)] *s* (BOT) Klee *m;* **be [o live] in ~** wie die Made im Speck leben; **clover-leaf** <*pl* -leaves> *s* Kleeblatt *n*

clown [klaʊn] **I.** *s* **1.** Clown *m,* dummer August **2.** Tölpel *m* **II.** *itr* **1.** (*Clown*) seine Späße machen **2.** (*fig*) sich dumm benehmen; **clown•ish** ['klaʊnɪʃ] *adj* **1.** tölpelhaft, ungeschliffen **2.** töricht, dumm

club [klʌb] **I.** *s* **1.** Keule *f* **2.** (Golf)Schläger *m* **3.** (Gummi)Knüppel *m* **4.** Klub, Verein *m,* Gesellschaft *f;* (~*-house, -rooms*) Klub-, Vereinshaus *n,* Klubräume *mpl* **5. ~s** (*Spielkarten*) Kreuz, Treff *n,* Eichel(n *pl*) *f;* **Indian ~s** (SPORT) Keulen *fpl;* **join the ~!** ach, du auch! **II.** *tr* **1.** mit der Keule, mit dem Gewehrkolben schlagen **2.** beisteuern, -tragen **3.** (*Geld*) zusammenlegen **III.** *itr* (~ *together*) sich zusammentun; **club-foot** <*pl* -feet> *s* Klumpfuß *m*

clue [klu:] *s* **1.** Anhaltspunkt, Schlüssel *m* (*to* zu) **2.** (roter) Faden, Verlauf *m* (*der Ereignisse*); **he hasn't a ~** er hat keine Ahnung; **clue up** *tr* informieren; **all ~d up** bestens informiert; **clue•less** ['klu:lɪs] *adj* (*fam*) ahnungslos

clump [klʌmp] **I.** *s* **1.** (Erd)Klumpen *m,* (Holz)Klotz *m* **2.** (Baum)Gruppe *f* **3.** (~*-sole*) Doppelsohle *f* **4.** schwerer Tritt **5.** Bakterien *fpl* **II.** *itr* schwer auftreten **III.** *tr* **1.** zusammenballen; anhäufen **2.** (*Bäume, Büsche*) massieren **3.** (*Schuhe*) doppelt sohlen

clum•si•ness ['klʌmzɪnɪs] *s* **1.** Schwerfälligkeit *f;* Ungeschicktheit *f* **2.** Taktlosigkeit *f;* **clumsy** ['klʌmzɪ] *adj* **1.** plump, schwerfällig **2.** unelegant; ungeschickt **3.** taktlos

clung [klʌŋ] *s.* **cling**

clus•ter ['klʌstə(r)] **I.** *s* **1.** (BOT) Traube *f,* Büschel, Bündel *n* **2.** Gruppe *f,* Schwarm *m* **II.** *itr* **1.** in Trauben wachsen **2.** (~ *together*) sich scharen um

clutch [klʌtʃ] **I.** *s* **1.** fester Griff **2.** (TECH) Klaue *f* **3.** (MOT) Kupplung *f* **4.** Gelege *n;* (*Eier*) Brut *f* **5. ~es** (*fig*) Hände, Klauen *fpl,* Gewalt *f;* **fall into s.o.'s ~es** jdm in die Hände fallen; **let in/disengage the ~** (MOT) ein-/auskuppeln; **slip the ~** (MOT) die Kupplung schleifen lassen **II.** *tr* (er)greifen, packen, festhalten, umklammern **III.** *itr* greifen, schnappen (*at* nach); **~ at a straw** sich an e-n Strohhalm klammern

clut•ter ['klʌtə(r)] **I.** *s* Wirrwarr *m,* Unordnung *f;* **be in a ~** in Unordnung sein **II.** *tr* **1.** anhäufen **2.** (~ *up*) in Unordnung bringen

coach [kəʊtʃ] I. *s* **1.** Kutsche *f;* (*stage-~*) Postkutsche *f* **2.** (Eisenbahn)Wagen *m* **3.** Reise(omni)bus *m* **4.** Einpauker, Repetitor *m* **5.** (SPORT) Trainer *m* **II.** *tr* **1.** aufs Examen vorbereiten **2.** trainieren; **coach-builder** ['kəʊtʃbɪldə(r)] *s* Karosseriebauer *m;* **coach car** *s* (RAIL) Großraumwagen *m;* **coach•ing** [-ŋ] *s* Trainieren *n;* **coach-man** ['kəʊtʃmən] <*pl* -men> *s* Kutscher *m;* **coach-work** *s* (MOT) Karosserie *f*

co•agu•late [kəʊ'ægjʊleɪt] **I.** *itr* gerinnen **II.** *tr* gerinnen lassen; **co•agu•lation** [kəʊˌægjʊ'leɪʃn] *s* Gerinnen *n;* Verdichtung *f*

coal [kəʊl] **I.** *s* (Stein)Kohle(n *pl*) *f;* **haul s.o. over the ~s** jdm die Leviten lesen; **carry ~s to Newcastle** (*fig*) Eulen nach Athen tragen; **heap ~s of fire on s.o.'s head** (*fig*) feurige Kohlen auf jds Haupt sammeln **II.** *tr* (MAR) mit Kohlen versorgen **III.** *itr* (MAR) Kohlen einnehmen; **coal-bed**, **coal-seam** *s* Kohlenflöz *n;* **coal-box** *s* Kohlenkasten *m;* **coal-bunker** *s* Kohlenbunker *m;* **coal-face** *s* Streb *m;* **at the ~** im Streb; (*fig*) vor Ort; **coal-fired power station** *s* Kohlekraftwerk *n*

co•ali•tion [ˌkəʊə'lɪʃn] *s* **1.** Vereinigung *f* **2.** (POL) Koalition *f*

coal-mine, **-pit** ['kəʊlmaɪn, -pɪt] *s* Kohlenbergwerk *n,* -grube, Zeche *f;* **coal-miner** *s* Bergmann *m;* **coal-mining** *s* Kohlenbergbau *m;* **coal-tar** ['kəʊltɑ:(r)] *s* Steinkohlenteer *m;* **~ soap** Teerseife *f*

coarse [kɔ:s] *adj* **1.** rau, grob **2.** (ganz) gewöhnlich, sehr einfach **3.** grob(körnig) **4.** (*fig*) derb, unfein; **coarsen** ['kɔ:sn] **I.** *tr* vergröbern **II.** *itr* sich vergröbern; **coarse-ness** ['kɔ:snɪs] *s* Grobheit, Rohheit *f*

coast [kəʊst] **I.** *s* **1.** Küste *f;* Meeresufer *n;* Küstenlandstrich *m* **2.** (*Am*) Rodelbahn *f;* (Ski)Abfahrt *f;* **on the ~** an der Küste; **the ~ is clear** (*fig*) die Luft ist rein **II.** *itr* **1.** (MAR) an der Küste entlang fahren **2.** (hinunter)rodeln **3.** (MOT) im Leerlauf fahren; ausrollen **4.** sich ziellos bewegen; **coastal** ['kəʊstl] *adj* Küsten-; **~ navigation/trade** Küstenschiffahrt *f,* -handel *m;* **~ waters** Küstengewässer *npl;* **coaster** ['kəʊstə(r)] *s* **1.** (MAR) Küstenfahrzeug *n* **2.** (*Am*) Rodelschlitten *m* **3.** (*Glas*) Untersetzer *m* **4.** (*Am*) Berg-und-Tal-Bahn *f;* **coast-guard** *s* Küstenwache *f;* **coast-line** *s* Küstenlinie *f*

coat [kəʊt] **I.** *s* **1.** Jacke *f* **2.** Mantel *m* **3.** (ZOO) Fell *n,* Pelz *m* **4.** Hülle *f,* Überzug *m,* Decke *f;* Anstrich *m;* **cut one's ~ according to one's cloth** sich nach der Decke strecken; **~ of arms** Wappen *n;* **~ of paint** Anstrich *m* **II.** *tr* **1.** bestreichen (*with* mit) **2.** mit e-m Überzug versehen; (ein)hüllen (*with* in), umkleiden; **coated** ['kəʊtɪd] *adj* **1.** überzogen **2.** bedeckt (*with* mit) **3.** beschichtet **4.** (MED) belegt; **coat-hanger** *s* Kleiderbügel *m;* **coat•ing** ['kəʊtɪŋ] *s* **1.** Jacken-, Mantelstoff *m* **2.** Überzug *m,* Hülle *f;* (äußere) Schicht *f* **3.** Belag *m;* Anstrich *m;* (Ver)Putz *m*

coax [kəʊks] *tr* **1.** überreden, im Guten dahin bringen (*s.o. to do, into doing s.th.* dass jem etw tut), beschwatzen **2.** schmeicheln (*s.o.* jdm); **~ s.th. out of** [*o* **from**] **s.o.** jdm etw abschmeicheln

cob [kɒb] *s* **1.** (männlicher) Schwan *m* **2.** (ZOO) kurzbeiniges Pferd **3.** (*~-nut*) (große) Haselnuß *f* **4.** Stück, Klümpchen *n* **5.** (*corn on the ~*) Maiskolben *m*

co•balt ['kəʊbɔ:lt] *s* **1.** (CHEM) Kobalt *n* **2.** (*~-blue*) Kobaltblau *n*

cobble ['kɒbl] **I.** *s* **1.** Kopfstein *m* **2.** **~s** Eier-, Nusskohlen *fpl* **II.** *tr:* **~ together** (*fam*) zusammenschustern

cob•bler ['kɒblə(r)] *s* **1.** Flickschuster *m* **2.** (*fig*) Stümper *m* **3.** (*Getränk*) Cobbler *m;* **a load of old ~s** (*sl*) Unsinn *m*

cobble•stone ['kɒblstəʊn] *s* Pflaster-, Kopfstein *m;* **~ pavement** Kopfsteinpflaster *n*

co•bra ['kəʊbrə] *s* (ZOO) Kobra *f*

cob•web ['kɒbweb] *s* **1.** Spinn(en)gewebe *n,* -faden *m* **2.** (*fig*) Hirngespinst *n;* **blow the ~s away** sich e-n klaren Kopf schaffen

coca ['kəʊkə] *s* (BOT) Koka(strauch *m*) *f;* **Coca-Cola®** [ˌkəʊkə'kəʊlə] *s* Coca-Cola *n;* **co•caine** [kəʊ'keɪn] *s* Kokain *n*

cock [kɒk] **I.** *s* **1.** (ZOO) Hahn *m* **2.** (Vogel)Männchen *n* **3.** (An)Führer *m* **4.** (Wasser)Hahn *m* **5.** (*Gewehr*) Abzug *m* **6.** (*weather ~*) Wetterfahne *f* **7.** Aufrichten *n* **8.** (*Augen*) Zwinkern *n* **9.** Neigung, Schräglage *f* **10.** (*sl*) Mensch, Kamerad *m* **11.** (*sl*) Penis *m* **12.** Heuhaufen *m;* **go off at half ~** ohne genügende Vorbereitung handeln **II.** *tr* **1.** (*~ up*) aufrichten **2.** (*Gewehr*) spannen; **~ one's ears** die Ohren spitzen; **~ one's eye at s.o.** jdm zublinzeln; **~ one's hat** den Hut schief aufsetzen; **~ one's nose** die Nase rümpfen; **he knocked all my plans into a ~ed hat** (*sl*) er machte alle meine Pläne zur Sau

cock•ade [kɒ'keɪd] *s* Kokarde *f*

cock-a-doodle-doo [ˌkɒkəˌdu:dl'du:] *s* Kikeriki *n;* Hahn *m;* **cock-a-hoop** [ˌkɒkə'hu:p] *adj, adv* außer sich vor Freude; frohlockend; (*Am*) in Unordnung

cock-and-bull story [ˌkɒkən'bʊlˌstɔ:rɪ] *s* Lügengeschichte *f*

cocka•too [ˌkɒkə'tu:] *s* (ZOO) Kakadu *m*

cock•chafer ['kɒktʃeɪfə(r)] *s* Maikäfer *m*

cock-crow ['kɒkkrəʊ] *s* **1.** Hahnenschrei *m* **2.** (Morgen)Dämmerung *f*

cocker ['kɒkə(r)] *s* (~ *spaniel*) Cockerspaniel *m*
cock•erel ['kɒkərəl] *s* junger Hahn; **cock-eyed** ['kɒkaɪd] *adj* **1.** schieläugig **2.** schief **3.** doof; **cock•fight**(**ing**) *s* Hahnenkampf *m;* **cocki•ness** ['kɒkɪnɪs] *s* Keckheit, Frechheit, Arroganz *f*
cockle ['kɒkl] *s* **1.** (BOT: *corn-~*) Kornrade *f* **2.** (ZOO: *~-shell*) Herzmuschel *f* **3.** (*~boat*) Nussschale *f;* Jolle *f;* **delight** [*o* **warm**] **the ~s of s.o.'s heart** jdm wird es warm ums Herz
cock•ney ['kɒknɪ] *s* Cockney *m,* (gebürtige(r)) Londoner(in) *m(f)*
cock•pit ['kɒkpɪt] *s* **1.** (Hahnen)Kampfplatz *m* **2.** (AERO) Cockpit *n,* Kanzel *f* **3.** (*Rennwagen*) Cockpit *n,* Fahrersitz *m* **4.** (*Jacht*) Cockpit *n,* Kabinenvorraum *m*
cock•roach ['kɒkrəʊtʃ] *s* (ZOO) Küchenschabe *f*
cocks•comb ['kɒkskəʊm] *s* **1.** Kamm *m* (*des Hahnes*) **2.** (BOT) Hahnenkamm *m;* **cock•sure** [ˌkɒk'ʃʊə(r)] *adj* **1.** todsicher **2.** felsenfest überzeugt (*of, about* von) **3.** von sich überzeugt; **cock•tail** ['kɒkteɪl] *s* Cocktail *m;* ~ **cabinet** Hausbar *f;* **cock-up** ['kɒkʌp] *s* (*sl*) völliges Durcheinander; **cocky** ['kɒkɪ] *adj* keck, dreist, frech
coco ['kəʊkəʊ] <*pl* cocos> *s* (~(*nut*) *tree*) Kokospalme *f*
co•coa ['kəʊkəʊ] *s* Kakao(pulver *n*) *m;* Kakaobohne *f*
coco•nut ['kəʊkənʌt] *s* Kokosnuss *f;* **coco**(**nut**) **butter** *s* Kokosbutter *f;* **coconut matting** *s* Kokosmatte *f;* **coconut milk** *s* Kokosmilch *f;* **coconut palm** *s* Kokospalme *f;* **coconut shy** *s* Wurfbude *f*
cod [kɒd] <*pl* -> *s* (*~fish*) Kabeljau, Dorsch *m;* **dried** ~ Stockfisch *m;* **~-liver oil** Lebertran *m*
COD ['siːəʊ'diː] *abbr of* **cash/collect on delivery** per Nachnahme
coddle ['kɒdl] *tr* **1.** verweichlichen; verhätscheln, verwöhnen **2.** (*Ei*) pochieren
code [kəʊd] **I.** *s* **1.** Kodex *m,* Gesetzbuch *n* **2.** Chiffre *f,* Code, Kode *m* **3.** Telegrafenschlüssel *m* **4.** (EDV) Code *m;* ~ **of honour** Ehrenkodex *m* **II.** *tr* (ver)schlüsseln, chiffrieren; **code name** *s* Deckname *m;* **code number** *s* Kennnummer *f;* **code word** *s* Kennwort *n*
co-de•ter•mi•na•tion [ˌkəʊdɪtɜːmɪ'neɪʃn] *s* Mitbestimmung *f*
codi•fy ['kəʊdɪfaɪ] *tr* kodifizieren
cod•ing ['kəʊdɪŋ] *s* (MATH) Kodierung *f*
co-ed ['kəʊed] *s* **1.** (*Am*) Studentin, Schülerin *f* **2.** (*Br*) gemischte Schule; **co-edu-ca•tion** [ˌkaʊˌedʒʊ'keɪʃn] *s* Koedukation *f*
co-ef•fi•cient [ˌkəʊɪ'fɪʃnt] *s* (MATH PHYS) Koeffizient *m,* Kennzahl *f*
co•erce [kəʊ'ɜːs] *tr* **1.** (*Person*) zwingen, nötigen (*into doing* zu tun) **2.** (*Verhalten*) erzwingen; unterdrücken; **co•ercion** [kəʊ'ɜːʃn] *s* Zwang *m,* Gewalt *f;* **under** ~ unter Zwang, gezwungenermaßen
co•exist [ˌkəʊɪg'zɪst] *itr* gleichzeitig, zusammen (vorhanden) sein, bestehen (*with* mit); **co•exist•ence** [ˌkəʊɪg'zɪstəns] *s* (POL) Koexistenz *f;* **co•exist•ent** [ˌkəʊɪg'zɪstənt] *adj* gleichzeitig (bestehend, vorhanden)
cof•fee ['kɒfɪ] *s* Kaffee *m;* **coffee bar** *s* (kleines) Café *n;* **coffee-bean** *s* Kaffeebohne *f;* **coffee break** *s* Kaffeepause *f;* **coffee-cup** *s* Kaffeetasse *f;* **coffee-grinder**, **coffee-mill** *s* Kaffeemühle *f;* **coffee-grounds** *s pl* Kaffeesatz *m;* **coffee-machine** *s* Kaffeemaschine *f;* **coffee-pot** *s* Kaffeekanne *f;* **coffee-set** *s* Kaffeeservice *n;* **coffee shop** *s* Café *n;* **coffee table** *s* Kaffeetisch *m*
cof•fer ['kɒfə(r)] *s* **1.** Koffer *m,* Kiste *f,* Kasten *m* (*für Wertsachen*) **2.** Kasse *f,* Geldschrank *m* **3.** (TECH) Caisson *m* **4.** **~s** Tresor(raum) *m*
cof•fin ['kɒfɪn] *s* Sarg *m;* **drive a nail into s.o.'s** ~ jds Untergang sein
cog [kɒg] *s* **1.** (TECH) (Rad)Zahn *m* **2.** (*fig:* ~ *in the machine*) Rädchen *n* (*Mensch*)
co•gency ['kəʊdʒənsɪ] *s* Stichhaltigkeit *f;* **co•gent** ['kəʊdʒənt] *adj* **1.** (*Beweis*) zwingend **2.** (*Grund*) triftig
cogi•tate ['kɒdʒɪteɪt] *itr* (tief) nachdenken, nachsinnen (*upon* über); **cogi•tation** [ˌkɒdʒɪ'teɪʃn] *s* **1.** (Nach)Denken, Nachsinnen *n* **2.** **~s** Überlegungen *fpl*
cog•nac ['kɒnjæk] *s* Kognak *m*
cog•nate ['kɒgneɪt] **I.** *adj* verwandt *a. fig* **II.** *s* **1.** Verwandte(r) *m* **2.** verwandtes Wort
cog•ni•tion [kɒg'nɪʃn] *s* Erkenntnis(vermögen *n*) *f;* **cog•ni•tive** ['kɒgnɪtɪv] *adj* kognitiv
cog•no•men [kɒg'nəʊmən] *s* Zu-, Bei-, Spitzname *m*
cog-wheel ['kɒgwiːl] *s* Zahnrad *n*
co•habit [kəʊ'hæbɪt] *itr* ehelich zusammenwohnen; **co•habi•ta•tion** [ˌkəʊhæbɪ'teɪʃn] *s* **1.** eheliches Zusammenwohnen **2.** Beischlaf *m*
co•here [kəʊ'hɪə(r)] *itr* **1.** (miteinander) verbunden sein **2.** zusammenhängen; **co-her•ence** [kəʊ'hɪərəns] *s* Stimmigkeit; Kohärenz *f;* **co•her•ent** ['kəʊ'hɪərənt] *adj* **1.** zusammenhängend, innerlich verbunden **2.** klar gegliedert u. verständlich **3.** (*Argument*) stimmig; **cohe•sion** [kəʊ'hiːʒn] *s* **1.** (PHYS) Kohäsion *f* **2.** (*fig*) Zusammenhalt *m;* **co•he•sive**

[kəʊ'hiːsɪv] *adj* 1. (PHYS) Kohäsions- 2. (*fig*) geschlossen

coil [kɔɪl] I. *s* 1. Spirale *f;* Spule *f* 2. (MED) Spirale 3. Windung *f* II. *tr* (~ *up*) (auf)wickeln, -rollen III. *itr* sich winden, sich zusammenrollen; **coil spring** *s* Sprungfeder *f*

coin [kɔɪn] I. *s* 1. Münze *f* 2. Metall-, Hartgeld *n;* **pay s.o. back in his own** ~ (*fig*) jdm mit gleicher Münze heimzahlen II. *tr* 1. (*Geld, Wort*) prägen 2. (*fig*) ausdenken, ersinnen; **be ~ing money** (*fig fam*) das Geld scheffeln; **coin•age** ['kɔɪnɪdʒ] *s* 1. Prägen (*des Geldes*), Ausmünzen *n* 2. (*fig*) Erfindung, Prägung *f* (*neuer Wörter*); **coin-box telephone** *s* Münzfernsprecher *m*

co•incide [ˌkəʊɪn'saɪd] *itr* 1. (*räumlich*) sich decken 2. (*zeitlich*) zusammenfallen 3. (*fig*) übereinstimmen; **co•inci•dence** [kəʊ'ɪnsɪdəns] *s* 1. Zusammentreffen *n* 2. Übereinstimmung *f* 3. Zufall *m;* **what a** ~ welch ein Zufall; **co•inci•dent** [kəʊ'ɪnsɪdənt] *adj* 1. gleichzeitig; zusammentreffend 2. übereinstimmend; **co•inci•dental** [kəʊˌɪnsɪ'dentl] *adj* 1. zufällig 2. übereinstimmend

co•itus ['kəʊɪtəs] *s* Beischlaf, Koitus *m*

coke [kəʊk] *s* 1. Koks *m* 2. (*sl*) Kokain *n*

Coke® [kəʊk] *s* (*fam*) Coca-Cola *n*

col•an•der ['kɒləndə(r)] *s* Durchschlag *m,* (Küchen)Sieb *n*

cold [kəʊld] I. *adj* 1. kalt 2. (*fig*) kühl, leidenschaftslos 3. (*Empfang*) eisig, frostig 4. (*sl*) besinnungslos 5. frigid; **be** [*o* **feel**] ~ frieren; **I am** ~ ich friere, mir ist kalt; **be ~ to s.o.** kühl zu jdm sein; **in ~ blood** kaltblütig; **get ~ feet** (*fig*) kalte Füße kriegen; **give s.o. the ~ shoulder** jdm die kalte Schulter zeigen; ~ **sweat** Angstschweiß *m* II. *adv:* **refuse** ~ rundweg ablehnen; **make s.o.'s blood run** ~ jdn erschaudern lassen; **come ~ to s.th.** unvorbereitet an etw herangehen; **stop** ~ plötzlich stehen bleiben, anhalten III. *s* 1. Kälte *f* 2. Erkältung *f,* Schnupfen *m;* (**shivering**) **with** ~ (zitternd) vor Kälte; **be left out in the** ~ links liegen gelassen werden; **catch** (**a**) ~ sich erkälten, sich e-n Schnupfen holen; **suffer from the** ~ unter der Kälte leiden; **cold-blooded** [ˌkəʊld'blʌdɪd] *adj* 1. (*Tier, a.fig*) kaltblütig 2. (*fig*) gefühl-, herzlos; **cold cream** *s* Coldcream *f;* **cold cuts** *s pl* kalter Aufschnitt, kalte Platte; **cold front** *s* (METE) Kaltfront *f;* **cold-hearted** [ˌkəʊld'hɑːtɪd] *adj* gefühl-, herzlos; kaltherzig; **cold•ish** ['kəʊldɪʃ] *adj* etwas kalt, kühl; **cold•ness** ['kəʊldnɪs] *s* Kälte *f;* **cold start** *s* (EDV MOT) Kaltstart *m;* **cold storage** *s* Lagerung *f* im Kühlraum; **put in** ~ (*fig*) auf Eis legen; **cold store** *s* Kühlhaus *n;* **cold turkey** *adj* (*sl*): ~ (**cure**) (*sl: Drogen*) totale Entziehung; **cold war** *s* kalter Krieg; **cold wave** *s* (METE) Kältewelle *f*

cole•slaw ['kəʊlslɔː] *s* Krautsalat *m*

colic ['kɒlɪk] *s* Kolik *f*

col•lab•or•ate [kə'læbəreɪt] *itr* zusammenarbeiten (*with* mit); **col•lab•or•ation** [kəˌlæbə'reɪʃn] *s* Zusammenarbeit *f;* (MIL) Kollaboration *f;* **in ~ with** in Zusammenarbeit mit; **col•lab•or•ator** [kə'læbəreɪtə(r)] *s* Mitarbeiter *m;* (MIL) Kollaborateur *m*

col•lapse [kə'læps] I. *s* 1. Einsturz *m* 2. (*fig*) Zusammenbruch *m* 3. (MED) Kollaps, Nervenzusammenbruch *m* 4. (*Börse*) Krach, Sturz *m* II. *itr* 1. zusammen-, einstürzen, zusammenbrechen *a. fig* 2. e-n (Nerven)Zusammenbruch haben; **col•laps•ible** [-əbl] *adj* zusammenlegbar, zusammenklappbar; ~ **boat** Faltboot *n;* ~ **chair** Klappstuhl *m*

col•lar ['kɒlə(r)] I. *s* 1. Kragen *m* 2. (*Hund*) Halsband *n* 3. (*Pferd*) Kum(me)t *n* 4. (TECH) Ring, Reif(en) *m,* Manschette, Muffe *f;* **hot under the** ~ (*fam*) aufgeregt; **blue-~ worker** Arbeiter(in) *m(f);* **white-~ worker** Büroangestellte(r) *f m* II. *tr* 1. beim Kragen nehmen 2. festhalten 3. (*sl*) sich unter den Nagel reißen; **collar-bone** *s* (ANAT) Schlüsselbein *n*

col•lat•eral [kə'lætərəl] I. *adj* 1. seitlich 2. parallel 3. zusätzlich 4. entsprechend II. *s* 1. (Seiten)Verwandte(r) *f m* 2. Sicherheit, Deckung *f;* **col•lat•eral loan** *s* (FIN) Lombardkredit *m;* **col•lat•erally** [kə'lætərəlɪ] *adv* in der Seitenlinie; zusätzlich

col•league ['kɒliːg] *s* Kollege *m,* Kollegin *f*

col•lect [kə'lekt] I. *tr* 1. (ein)sammeln; zusammentragen, zusammenfassen 2. beschaffen; abholen, mitnehmen; (*Geld*) einkassieren 3. (*Briefmarken, Gedanken*) sammeln; ~ **information** sich orientieren; ~ **the mail** den Briefkasten, die Briefkästen leeren II. *itr* 1. sich (an)sammeln; zusammenkommen 2. Geld einziehen III. ['kɒlekt] *s* (REL) Kollekte *f* IV. *adj, adv* (*Am*): **telephone** ~ ein R-Gespräch führen; ~ **on delivery** (**COD**) gegen Nachnahme; **collect call** *s* (*Am*) R-Gespräch *n;* **col•lected** [kə'lektɪd] *adj* (*fig*) gefasst; **col•lec•tion** [kə'lekʃn] *s* 1. Sammlung *f;* Sammeln *n;* Ansammlung *f* 2. Abholung *f;* (Briefkasten)Leerung *f* 3. Einziehung *f,* Einkassieren *n;* (*Steuer*) Erhebung *f* 4. (*Nachrichten*) Beschaffung *f* 5. (COM) Kollektion *f* 6. (Geld-, Spenden)Sammlung *f;* (REL) Kollekte *f;* **stamp** ~ Briefmarkensammlung *f;* ~ **agent** Inkassobevollmächtigte(r) *f m;* **col•lec•tive** [kə'lektɪv] I. *adj* gemeinsam, gemeinschaftlich; vereint, kollektiv; ~ **agreement** Kollektivvertrag *m;* ~ **bargaining** Tarifverhandlungen *fpl;* ~ **consignment** Sammelladung *f;* ~ **farm** Kolchos(e *f*) *m;* ~ **ownership** Gemeineigentum *n;* ~ **responsibility** gemeinsame Verantwortung **II.** *s* **1.** Sammelbegriff *m* **2.** (POL) Kollektiv *n* **3.** Gruppe, Gemeinschaft *f;* **col•lec•tor** [kə'lektə(r)] *s* **1.** Kassierer, Einnehmer *m* **2.** (EL) Stromabnehmer *m;* ~**'s item** Liebhaberstück *n*

col•lege ['kɒlɪdʒ] *s* **1.** College *n* **2.** (kleinere) Universität, Akademie *f;* (Fach)Hochschule *f* **3.** Universitäts-, Schulgebäude *n* **4.** Kolleg(ium) *n;* **col•le•giate** [kə'liːdʒɪət] *adj* College-, Universitäts-

col•lide [kə'laɪd] *itr* **1.** kollidieren, zusammenstoßen, -prallen (*with* mit) **2.** (*fig*) in Widerspruch stehen (*with* zu)

col•lie ['kɒlɪ] *s* Collie, schottischer Schäferhund *m*

col•lier ['kɒlɪə(r)] *s* **1.** Bergmann *m* **2.** Kohlenschiff *n;* **col•liery** ['kɒlɪərɪ] *s* (Kohlen)Grube, Zeche *f*

col•li•sion [kə'lɪʒn] *s* **1.** Zusammenstoß, -prall *m a. fig* **2.** (*fig*) Widerspruch, Konflikt *m*

col•lo•quial [kə'ləʊkwɪəl] *adj* umgangssprachlich, familiär; **col•lo•quial•ism** [-ɪzəm] *s* umgangssprachlicher Ausdruck; **col•lo•quy** ['kɒləkwɪ] *s* Gespräch *n,* Konferenz *f,* Kolloquium *n*

col•lu•sion [kə'luːʒn] *s* geheimes Einverständnis

Co•lom•bia [kə'lʌmbɪə] *s* Kolumbien *n;* **Co•lom•bian** [kə'lʌmbɪən] **I.** *adj* kolumb(ian)isch **II.** *s* Kolumbi(an)er(in) *m(f)*

co•lon ['kəʊlən] *s* **1.** (ANAT) Dickdarm *m* **2.** (TYP) Doppelpunkt *m*

co•lo•nel ['kɜːnl] *s* Oberst *m*

co•lo•nial [kə'ləʊnɪəl] *adj* kolonial; **co•lo•nial•ism** [-ɪzəm] *s* Kolonialismus *m;* **col•on•ist** ['kɒlənɪst] *s* Kolonist(in) *m(f),* Siedler(in) *m(f);* **col•on•iz•ation** [ˌkɒlənaɪ'zeɪʃn] *s* Kolonisation, Besiedlung *f;* **col•on•ize** ['kɒlənaɪz] **I.** *tr* kolonisieren **II.** *itr* e-e Kolonie gründen; (sich an)siedeln; **col•on•izer** ['kɒlənaɪzə(r)] *s* Kolonisator *m;* **col•ony** ['kɒlənɪ] *s* **1.** Kolonie, (An)Siedlung *f* **2.** Kolonie *f* (*e-r Landsmannschaft*) **3.** (ZOO) Kolonie *f;* (*a.* BOT) Volk *n;* ~ **of ants** Ameisenvolk *n;* ~ **of artists** Künstlerkolonie *f*

color ['kʌlə(r)] (*Am*) *s.* **colour**

Colo•rado beetle [ˌkɒlə'rɑːdəʊ'biːtl] *s* (ZOO) Kartoffelkäfer *m*

col•ora•tion [ˌkʌlə'reɪʃn] *s* Färbung *f*

co•los•sal [kə'lɒsl] *adj* kolossal, gewaltig, gigantisch; **co•los•sus** [kə'lɒsəs, *pl* -'lɒsaɪ] <*pl* -suses, -si> *s* Koloss *m*

col•our ['kʌlə(r)] **I.** *s* **1.** Farbe *f* **2.** *meist pl* Farbe *f,* Farbstoff *m* **3.** Haut-, Gesichtsfarbe *f* **4.** (Farb)Ton *m,* Färbung *f* **5.** (*fig*) Anstrich, (An)Schein *m,* Ausrede, -flucht *f* **6.** (*fig*) Wesen *n,* Charakter *m;* Eigenart *f* **7.** Schattierung *f,* Kolorit *n* **8.** ~**s** Farben *fpl* (*als Kennzeichen*) **9.** ~**s** Fahne, Flagge *f;* **be off** ~ (*fam*) sich nicht wohl fühlen; **change** ~ die Farbe; (*im Gesicht*) wechseln; rot werden; **give** [*o* **lend**] ~ **to** (*fig*) unterstreichen; wahrscheinlich, glaubhaft machen; **lose** ~ blass werden; **paint s.th. in bright/dark** ~**s** (*fig*) etw in den glänzendsten/schwärzesten Farben schildern; **see s.th. in its true** ~**s** (*fig*) etw im rechten Licht sehen; **what** ~ **is it?** was für e-e Farbe hat es? **II.** *tr* **1.** färben, (an-, be)malen, (an)streichen, tönen, schattieren **2.** (*fig*) e-n Anstrich geben (*s.th.* e-r S), färben **3.** (*fig*) entstellen; ~ **in** anmalen **III.** *itr* sich (ver)färben; erröten; **colo(u)r-bar** *s* Rassenschranke *f;* **colo(u)r-blind** *adj* farbenblind; **colo(u)r-blindness** *s* Farbenblindheit *f;* **Coloured** ['kʌləd] *s* Farbige(r) *f m;* **col•o(u)red** ['kʌləd] *adj* farbig; ~ **pencil** Farbstift *m;* ~ **people** Farbige *pl;* **col o(u)r•fast** ['kʌlə(r)fɑːst] *adj* farbecht; **colour filter** *s* Farbfilter *m;* **col•o(u)rful** ['kʌləfl] *adj* **1.** farbenreich, -prächtig *a. fig* **2.** (*fig*) farbig, bunt, lebendig; **col•o(u)r•ing** ['kʌlərɪŋ] *s* **1.** Färbung *f,* Farbton *m,* Schattierung *f* **2.** (Gesichts-, Augen-, Haar)Farbe *f* **3.** (*fig*) Färbung, Darstellungsweise *f;* Schein *m;* ~ **cream** Tönungscreme *f;* **col•o(u)r•less** ['kʌləlɪs] *adj* farblos *a. fig;* **colo(u)r line** *s* (*Am*) Rassentrennung *f;* **colo(u)r scheme** *s* Farbgebung, Farbzusammenstellung *f;* **colo(u)r slide** *s* Farbdia *n;* **colo(u)r television** *s* Farbfernsehen *n;* (~ *set*) Farbfernseher *m*

colt [kəʊlt] *s* Hengstfohlen *n*

col•umn ['kɒləm] *s* **1.** Säule *f a. fig* **2.** (TYP) Spalte *f* **3.** regelmäßig erscheinender Zeitungsartikel **4.** (MIL MATH) Kolonne *f;* ~ **of figures** Zahlenreihe *f;* ~ **of mercury** Quecksilbersäule *f;* ~ **of smoke** Rauchsäule *f;* **col•um•nist** ['kɒləmnɪst] *s* Kolumnist(in) *m(f)*

coma ['kəʊmə] *s* (MED) Koma *n,* tiefe Bewusstlosigkeit; **coma•tose** ['kəʊmə təʊs] *adj* im Koma befindlich

comb [kəʊm] **I.** *s* **1.** Kamm *m* **2.** (TECH: *Textil*) (Hechel)Kamm *m* **3.** (ZOO) (Hahnen)Kamm *m* **4.** (*fig*) (Berg-, Wellen)Kamm *m* **5.** (*honey*~) Honigwabe *f;* **your hair needs a good** ~ du solltest dich kämmen **II.** *tr* **1.** kämmen; (*Pferd*) striegeln **2.** (*Textil*) hecheln, (aus)kämmen **3.** (*fig*) durchkämmen, -suchen; ~ **out** auskämmen

com•bat ['kɒmbæt] **I.** *s* Kampf *m;* Gefecht

n; Einsatz *m;* **close** ~ Nahkampf *m* **II.** *itr* kämpfen **III.** *tr* bekämpfen, kämpfen gegen; **combat aircraft** *s* Kampfflugzeug *n;* **com•bat•ant** ['kɒmbətənt] **I.** *adj* kämpfend **II.** *s* Kämpfer(in) *m(f)*

com•bi•na•tion [ˌkɒmbɪ'neɪʃn] *s* **1.** Zusammensetzung *f;* (CHEM) Verbindung *f;* (MATH) Kombination *f* **2.** gemeinsames Handeln, gemeinsame Aktion, Zusammenwirken *n* **3.** (POL COM) (Interessen)Verband *m;* Kartell *n* **4.** (~ *lock*) Kombinationsschloss *n* **5.** Motorrad *n* mit Beiwagen **6. ~s** Hemdhose *f;* **com•bine** [kəm'baɪn] **I.** *tr* **1.** zusammenstellen; (miteinander) verbinden, vereinigen, zusammenschließen; verknüpfen; vermischen **2.** (CHEM) verbinden **3.** kombinieren **II.** *itr* **1.** sich verbinden; (*a.* CHEM) sich vereinigen, sich zusammenschließen (*with* mit) **2.** zusammenarbeiten, zusammenwirken **III.** ['kɒmbaɪn] *s* **1.** Verband, Ring *m,* Kartell *n,* Trust *m* **2.** Finanzgruppe *f* **3.** (*Am*) Mähdrescher *m;* **com•bined** [kəm'baɪnd] *adj* zusammengefasst, gemeinsam; kombiniert; ~ **board** vermischter Ausschuss

com•bust•ible [kəm'bʌstəbl] **I.** *adj* **1.** brennbar; entzündlich **2.** (*fig*) erregbar **II.** *s meist pl* Brennmaterial *n;* **com•bus•tion** [kəm'bʌstʃən] *s* Verbrennung *f;* **combustion chamber** *s* Brennkammer *f*

come [kʌm] <*irr:* came, come> *itr* **1.** (an-, her-, herbei)kommen **2.** erreichen (*to s.th.* etw) **3.** sich belaufen (*to* auf), hinauslaufen (*to* auf) **4.** (*der Ordnung nach*) kommen, folgen **5.** geschehen, sich ereignen, stattfinden **6.** die Folge sein (*of doing* davon dass, wenn man tut) **7.** sich zeigen, sich erweisen als; ~ **of age** mündig werden; ~ **to an agreement** zu e-r Vereinbarung gelangen; ~ **to blows** handgemein werden; ~ **to a decision** sich entscheiden; ~ **to s.o.'s ear(s)** jdm zu Ohren kommen; ~ **to the fore** ins Blickfeld geraten; ~ **into effect** [*o* **force**] in Kraft treten; ~ **to an end** zu Ende kommen, aufhören; ~ **into fashion** [*o* **style**] Mode werden; ~ **to grief** [*o* **harm**] zu Schaden kommen, Schaden (er)leiden; ~ **to grips with** klarkommen mit; ~ **into s.o.'s head** jdm in den Kopf kommen, einfallen; ~ **home** heimkommen, nach Hause kommen; ~ **home to s.o.** jdm einleuchten; ~ **to s.o.'s knowledge** [*o* **notice**] Kenntnis erhalten, erfahren; ~ **to light** ans Licht kommen; ~ **to nothing** ins Wasser fallen; (*fig*) fehlschlagen; ~ **to pass** sich ereignen, geschehen; ~ **and see,** ~ **to see** besuchen; ~ **short of** nicht erreichen, nicht befriedigen, hinter den Ansprüchen zurückbleiben; ~ **into sight** in Sicht kommen, auftauchen; ~ **to a standstill** zum Stillstand kommen; ~ **to terms with s.o.** mit jdm einig werden; ~ **true** wahr, Wirklichkeit werden, sich verwirklichen; in Erfüllung gehen; **how ~s it that ...?** wie kommt es, dass ...?; ~ **what may!** komme, was (da) wolle!; **I don't know whether I'm coming or going** (*fig*) ich weiß nicht, wo mir der Kopf steht; **~!** hör mal! hör zu!; **~, ~!** komm, mach keinen Unsinn!; **come about** *itr* sich ereignen, geschehen, passieren; **come across** *itr* **1.** (zufällig) treffen, begegnen (*s.o.* jdm), stoßen auf **2.** (*Rede*) gut ankommen **3.** den Eindruck machen (*as* ... dass ...); ~ **across with** (*fam*) blechen für, bezahlen; **come again** *itr* wieder-, zurück-, noch (ein)mal kommen; ~ **again!** sag es noch mal!; **come along** *itr* **1.** mitkommen, -gehen (*with s.o.* mit jdm) **2.** (*Gelegenheit*) sich zufällig ergeben **3.** gesünder werden **4.** (*Arbeit*) vorangehen, gedeihen; ~ **along!** los! mach zu! vorwärts!; **everything's coming along fine** alles geht gut; **come apart** *itr* auseinander gehen, in Stücke gehen; **come around** *itr* **1.** (zufällig) vorbeikommen, hereinschauen; gelegentlich wiederkommen **2.** (*e-r Auffassung*) sich anschließen (*to dat*) **3.** nachgeben, einlenken **4.** sich wieder erholen, wieder auf die Beine kommen; **come at** *itr* **1.** kommen, gelangen zu, erreichen **2.** herfallen über, anfallen, -greifen; **come away** *itr* **1.** weggehen **2.** abgehen, sich loslösen; **come back** *itr* **1.** zurückkehren, wiederkommen **2.** wieder einfallen **3.** es heimzahlen; die passende Antwort geben; **come by** *itr* **1.** kommen zu **2.** vorbei-, vorübergehen; **come down** *itr* **1.** herunterkommen, heruntergehen, -reichen (*to* bis) **2.** mit dem Preis heruntergehen **3.** (*durch Überlieferung*) kommen (*to* auf) **4.** (ein)stürzen, fallen **5.** (*fig: sozial*) (ab)sinken; ~ **down (up)on s.o.** jdn tadeln, bestrafen, zur Rechenschaft ziehen; sich auf jdn stürzen; ~ **down with influenza** sich die Grippe geholt haben; ~ **down in favour of s.o.** jdn unterstützen; **come forward** *itr* **1.** vortreten **2.** sich freiwillig melden; **come from** *itr* (her)kommen von; abstammen von; **come in** *itr* **1.** hereinkommen, nähertreten **2.** (*Geld*) hereinkommen **3.** aufkommen, Mode, modern werden; ~ **in for** erhalten (*Erbschaft*); ~ **in handy** [*o* **useful**] nützlich sein; ~ **in second** (SPORT) Zweiter werden, den zweiten Platz belegen; **he came in on the plan** er machte bei dem Projekt mit; **where do I ~ in?** und was ist mit mir?; ~ **in!** herein!; **come into** *tr* erben; ~ **into one's own** zu seinem Recht kommen; **come of** *itr* **1.** die Folge sein

+*gen* **2.** stammen aus; **come off** *itr* **1.** (*Knopf*) abgehen **2.** sich ereignen, stattfinden **3.** eintreten, in Erfüllung gehen **4.** Erfolg haben, ins Schwarze treffen; ~ **off it!** das ist doch nicht dein Ernst!; **come on** *itr* **1.** an die Reihe kommen **2.** nachkommen **3.** anfangen, beginnen; (*Dunkelheit*) hereinbrechen **4.** vorankommen, fortschreiten **5.** (*Frage*) sich erheben, sich ergeben **6.** (THEAT) auftreten; ~ **on!** los! vorwärts! sachte! Unsinn!; **come out** *itr* **1.** herauskommen **2.** (*Fleck*) herausgehen **3.** hervorgehen (*aus e-m Examen*), an den Tag treten, sich zeigen, bekanntwerden, offenkundig werden **4.** (*Zeitung, Druckschrift*) erscheinen, herauskommen **5.** (*als junge Dame*) in die Gesellschaft eingeführt werden **6.** in (den) Streik treten **7.** sich als Homosexueller/Lesbierin bekennen; ~ **out against** sich erklären gegen; ~ **out with** gestehen; herausrücken mit; veröffentlichen; auf den Markt bringen; **he came out third** er wurde Dritter; **come over** *itr* **1.** herüberkommen **2.** übergehen (*to* zu) **3.** (*Gefühle*) überkommen; **what's ~ over you?** was ist in dich gefahren?; **come round** *itr* **1.** außen herumkommen **2.** zu Besuch vorbeikommen **3.** wieder zu sich kommen **4.** sich eines anderen belehren lassen; ~ **round to doing s.th.** dazu kommen etw zu tun; **come through** *itr* **1.** durchkommen, das Ziel erreichen **2.** überstehen **3.** den Erwartungen entsprechen; **come to** *itr* **1.** dazu kommen (*to do* zu tun), führen zu **2.** (wieder) zu sich kommen **3.** sich belaufen auf; **come under** *itr* **1.** fallen unter **2.** unter Aufsicht kommen +*gen;* **come up** *itr* **1.** heraufkommen **2.** (*Gewitter*) im Anzug sein **3.** in die Stadt kommen **4.** die Universität beziehen **5.** (*fig: Mode*) aufkommen **6.** (*Gedanke*) zur Sprache kommen; ~ **up against** stoßen auf; ~ **up to** reichen bis zu; sich belaufen auf; (*den Erwartungen*) entsprechen; (*seinen Platz*) ausfüllen; ~ **up with** erreichen, einholen; vorschlagen, zur Sprache bringen; **something has ~ up** es ist etwas dazwischengekommen; **come upon** *tr* **1.** überfallen, überraschen **2.** in Anspruch nehmen **3.** zufällig treffen, stoßen auf; **come•back** ['kʌmbæk] *s* **1.** Wieder-, Rückkehr *f* **2.** (THEAT FILM) Comeback *n* **3.** Antwort *f*

com•edian [kə'mi:dɪən] *s* Komiker *m;* **com•edienne** [kə,mi:di'ən] *s* Komikerin *f*

come-down ['kʌmdaʊn] *s* **1.** (*fig*) Abstieg *m* **2.** Reinfall *m*

com•edy ['kɒmədɪ] *s* **1.** Lustspiel *n,* Komödie *f* **2.** komische Geschichte

come•li•ness ['kʌmlɪnɪs] *s* Anmut *f;* **come•ly** ['kʌmlɪ] *adj* (*Mensch*) gut aussehend, hübsch

come-on ['kʌmɒn] *s* **1.** Lockmittel *n* **2.** Einladung, Aufforderung *f*

comet ['kɒmɪt] *s* (ASTR) Komet *m*

com•fort ['kʌmfət] **I.** *s* **1.** Trost *m,* Beruhigung *f* (*to* für) **2.** Stütze, Hilfe *f* **3.** Zufriedenheit, Ausgeglichenheit *f* **4.** Bequemlichkeit *f,* Komfort *m;* **live in ~** in angenehmen Verhältnissen leben **II.** *tr* trösten, beruhigen; **com•fort•able** ['kʌmftəbl] *adj* **1.** bequem, behaglich, gemütlich **2.** komfortabel, gut eingerichtet **3.** auskömmlich **4.** sorgenfrei **5.** (*Patient*) ohne Beschwerden; **make yourself ~** machen Sie sich's bequem!; **com•fort•ably** ['kʌmftəblɪ] *adv:* **be ~ off** wohlhabend sein; ~ **warm** angenehm warm; **com•forter** ['kʌmfətə(r)] *s* **1.** Tröster *m* **2.** Schnuller *m* **3.** wollenes Halstuch **4.** (*Am*) Steppdecke *f;* Deckbett *n;* **com•fort•ing** ['kʌmfətɪŋ] *adj* tröstlich; **com•fort•less** ['kʌmfətlɪs] *adj* ohne Komfort; unbehaglich, ungemütlich; **comfort station** *s* (*Br fam*) Pinkelpause *f;* (*Am fam*) öffentliche Toilette; **comfy** ['kʌmfɪ] *adj* (*fam*) behaglich

comic ['kɒmɪk] **I.** *adj* **1.** komisch **2.** spaßig, lustig **II.** *s* **1.** Komiker(in) *m(f)* **2.** Comicheft *n* **3.** ~**s** (*Am*) Comics *mpl;* **comi•cal** ['kɒmɪkl] *adj* **1.** amüsant, lustig **2.** drollig, komisch; **comic book** *s* Comicheft *n;* **comic strip** *s* Comic(strip) *m*

coming ['kʌmɪŋ] **I.** *adj* kommend, (zu)künftig **II.** *s* Kommen *n;* Ankunft *f;* ~**s and goings** Kommen *n* und Gehen *n;* ~ **of age** Mündigwerden *n* **III.** *interj* ja! (ich) komme gleich! sofort!

comma ['kɒmə] *s* Komma *n*

com•mand [kə'mɑ:nd] **I.** *s* **1.** Befehl *m* **2.** Befehlsgewalt *f,* Oberbefehl *m* **3.** Führung, Leitung *f* **4.** Beherrschung *f;* Überblick *m,* Übersicht *f* **5.** Herrschaft *f* (*of* über) **6.** (MIL) Befehlsbereich *m;* **at my ~** zu meiner Verfügung; auf mein Kommando; **by ~** auf Befehl (*of* +*gen*); **under s.o.'s ~** unter jds Befehl; **be in ~** die Befehlsgewalt, das Kommando haben (*of* über); **have a good ~ of s.th.** etw beherrschen; **take ~ of** die Befehlsgewalt, das Kommando übernehmen über **II.** *tr* **1.** befehlen (*s.o. to do s.th.* jdm etw zu tun) **2.** kommandieren **3.** verfügen über; beherrschen, herrschen über **4.** (*fig: Gefühl*) beherrschen, in der Gewalt haben **5.** (*Achtung*) fordern, gebieten; (*Mitgefühl*) verdienen **6.** (*Preis*) erzielen **III.** *itr* **1.** befehlen; herrschen **2.** (MIL) kommandieren; **com•man•dant** [,kɒmən'dænt] *s* (MIL) Kommandant *m;* Befehlshaber *m;* **commander** [kə'mɑ:ndə(r)] *s* (MIL) **1.** (*Ein-*

heit) Kommandeur *m;* (Truppen)Führer *m,* Führer *m* e-r Einheit **2.** (MAR) Fregattenkapitän *m* **3.** (*Panzer, Flugzeug*) Kommandant *m;* **~-in-chief** Oberbefehlshaber *m;* **com·mand·ing** [kə'mɑːndɪŋ] *adj* **1.** kommandierend; befehlshabend **2.** (*Anhöhe, Stellung*) beherrschend **3.** (*fig*) gebieterisch; **command key** *s* (EDV) Befehlstaste *f;* **com·mand·ment** [kə'mɑːndmənt] *s* Gebot *n;* Vorschrift *f;* **the Ten C~s** die Zehn Gebote *npl;* **command module** *s* (*Raumschiff*) Kommandokapsel *f;* **com·mando** [kə'mɑːndəʊ] <*pl* -mandos> *s* (Angehöriger eines) Kommando-, Sabotagetrupp(s) *m;* **command post** *s* Gefechtsstand *m;* **command prompt** *s* (EDV) Befehlseingabeformat *n*

com·mem·or·ate [kə'meməreɪt] *tr* **1.** gedenken (*s.o., s.th.* jds, e-r S), feiern **2.** (*Sache*) erinnern an; **com·mem·or·ation** [kəˌmemə'reɪʃn] *s* (*a.* REL) Gedenk-, Gedächtnisfeier *f;* **in ~ of s.o.** zur Erinnerung an jdn; **com·mem·or·ative** [kə'memərətɪv] *adj* erinnernd (*of* an); **~ plaque** Gedenktafel *f;* **~ stamp** Sondermarke *f*

com·mence [kə'mens] *tr, itr* beginnen, anfangen (*to do/doing s.th.* etw zu tun); **com·mence·ment** [-mənt] *s* **1.** Anfang, Beginn *m* **2.** Promotion(stag *m,* -feier *f*)

com·mend [kə'mend] *tr* **1.** anvertrauen; (an)empfehlen **2.** empfehlen, loben; **com·mend·able** [-əbl] *adj* empfehlens-, lobenswert; **com·men·da·tion** [ˌkɒmen'deɪʃn] *s* **1.** Empfehlung *f* **2.** Lob *n,* Preis *m;* **com·men·da·tory** [kə'mendətrɪ] *adj* empfehlend; **~ letter** Empfehlungsschreiben *n*

com·men·sur·able [kə'menʃərəbl] *adj* vergleichbar (*with, to* mit, dat); **com·men·sur·ate** [kə'menʃərət] *adj* **1.** angemessen, entsprechend (*with, to dat*) **2.** im richtigen, rechten Verhältnis (*with, to* zu)

com·ment ['kɒment] **I.** *s* **1.** Bemerkung *f* **2.** Kommentar *m,* Stellungnahme *f* **3.** Erklärung, Erläuterung *f;* **no ~!** ich habe nichts dazu zu sagen! kein Kommentar! **II.** *itr* **1.** kommentieren (*on s.th.* etw) **2.** seine Meinung äußern (*on* über); **com·men·tary** ['kɒməntrɪ] *s* Kommentar *m* (*on* zu); **com·men·tate** ['kɒmənteɪt] *tr* kommentieren; **com·men·ta·tor** ['kɒmənteɪtə(r)] *s* Kommentator(in) *m(f)*

com·merce ['kɒmɜːs] *s* Handel *m;* (Geschäfts)Verkehr *m;* **com·mer·cial** [kə'mɜːʃl] **I.** *adj* **1.** geschäftlich, kaufmännisch, kommerziell, Handels- **2.** gewerbsmäßig **3.** auf Gewinn aus; gewinnbringend; **~ building** Geschäftsgebäude *n;* **~ company** Handelsgesellschaft *f;* **~ correspondence** Handelskorrespondenz *f;* **~ firm** [*o* **house**] Handelshaus *n;* **~ interests** Geschäftsinteressen *npl;* **~ television** Privatfernsehen *n;* **~ vehicle** Nutzfahrzeug *n* **II.** *s* **1.** Funk-, Fernsehwerbung *f* **2.** Werbespot *m;* **com·mer·ciali·zation** [kəˌmɜːʃəlaɪ'zeɪʃn] *s* Vermarktung, Kommerzialisierung *f;* **com·mer·cial·ize** [kə'mɜːʃəlaɪz] *tr* kommerzialisieren

com·miser·ate [kə'mɪzəreɪt] *itr* Mitleid haben (*with* mit); **com·miser·ation** [kəˌmɪzə'reɪʃn] *s* Mitleid *n*

com·mis·sion [kə'mɪʃn] **I.** *s* **1.** Auftrag *m,* Instruktion *f* **2.** Amt *n,* Funktion *f* **3.** Indienststellung *f* (*e-s Schiffes*) **4.** (Offiziers)Patent *n* **5.** Kommission *f,* Ausschuss *m* **6.** (COM) Bestellung *f,* Auftrag *m,* Order *f* **7.** Kommission *f;* Provision *f* **8.** (JUR) Begehung, Verübung *f;* **by ~** im Auftrag; **in ~** in Betrieb; **in** [*o* **on**] **~** (COM) gegen Provision; **on** [*o* **by**] **way of ~** (COM) in Kommission, im Auftrag; **out of ~** außer Betrieb; **appoint a ~** e-e Kommission einsetzen; **carry out a ~** e-n Auftrag ausführen; **give/take in ~** (COM) in Kommission geben/nehmen; **European ~** EU-Kommission *f* **II.** *tr* **1.** beauftragen, den Auftrag erteilen (*s.o.* jdm) **2.** ermächtigen, bevollmächtigen **3.** (*Schiff*) in Dienst stellen **4.** (MIL) (zum Offizier) befördern **5.** (COM) bestellen; **com·mis·sion·aire** [kəˌmɪʃə'neə(r)] *s* (uniformierter) Portier *m;* **com·mis·sioned** [kə'mɪʃnd] *adj:* **~ officer** (durch Patent bestallter) Offizier *m;* **com·mis·sioner** [kə'mɪʃənə(r)] *s* **1.** Beauftragte(r), Bevollmächtigte(r) *f m* **2.** Kommissions-, Ausschussmitglied *n* **3.** Regierungsvertreter(in) *m(f)* **4.** (*Europäische Union*) Kommissar *m;* **~ for oaths** (*Br*) Notar(in) *m(f)*

com·mit [kə'mɪt] **I.** *tr* **1.** übergeben, anvertrauen **2.** e-m Ausschuss überweisen **3.** (*Verbrechen*) begehen, verüben; **~ to earth/to the flames** der Erde/den Flammen übergeben; **~ to memory** dem Gedächtnis einprägen; **~ to paper/print/writing** niederschreiben; **~ to prison** ins Gefängnis einliefern, festnehmen **II.** *refl* sich festlegen (*on* auf); **~ o.s. to do** [*o* **to doing**] **s.th.** sich verpflichten etw zu tun; **be ~ted to s.th.** sich für etw einsetzen; **com·mit·ment** [-mənt] *s* **1.** Verpflichtung, Bindung *f* **2.** (FIN) Verbindlichkeit *f* **3.** (PARL) Überweisung *f* (an e-n Ausschuss) **4.** Einlieferung *f* (*ins Gefängnis*) **5.** Einweisung *f* (*to* in) **6.** Inhaftierung *f;* **without ~** unverbindlich

com·mit·tee [kə'mɪtɪ] *s* Ausschuss *m,* Kommission *f,* Komitee *n;* **appoint** [*o* **set up**] **a ~** e-n Ausschuss, e-e Kommission einsetzen; **be** [*o* **sit**] **on a ~** e-m Ausschuss, e-r

Kommission angehören; **arbitration** ~ Schlichtungsausschuss *m;* ~ **of experts** Fach-, Sachverständigenausschuss *m*

com•mode [kə'məʊd] *s* **1.** Kommode *f* **2.** (*Am*) Waschtisch *m* **3.** (*night-*~) Nachtstuhl *m* **4.** (*Am*) Toilette *f;* **com•modi•ous** [kə'məʊdɪəs] *adj* geräumig; **com•mod•ity** [kə'mɒdətɪ] *s* **1.** (Gebrauchs)Artikel *m* **2. commodities** Waren *fpl,* Produkte, Verbrauchsgüter *npl;* ~ **exchange** Warenbörse *f;* ~ **market** Waren-, Rohstoffmarkt *m;* Rohstoffbörse *f*

com•mo•dore ['kɒmədɔ:(r)] *s* **1.** (MAR) Flottillenadmiral *m* **2.** (*dienstältester*) Kapitän *m* (*a. e-r Schiffahrtslinie*) **3.** Präsident *m* e-s Jachtklubs

com•mon ['kɒmən] **I.** *adj* **1.** gemein(sam, -schaftlich) **2.** öffentlich; allgemein, (weit) verbreitet **3.** häufig, alltäglich, abgedroschen **4.** ordinär, vulgär, niedrig; **by** ~ **consent** mit Zustimmung aller; **for the** ~ **good** im allgemeinen Interesse; für das allgemeine Wohl; **be** ~ **practice** allgemein üblich sein; **make** ~ **cause with** gemeinsame Sache machen mit; **it is** ~ **knowledge that** es ist allgemein bekannt, dass **II.** *s* **1.** Gemeindeland *n,* -weide *f* **2.** ~**s** (das) gemeine Volk, (die) Bürgerschichten *fpl* **3.** Gemeinschaftsverpflegung *f;* **the** (**House of**) **C**~**s** das Unterhaus; **have s.th. in** ~ etw gemein haben; **have interests in** ~ gemeinsame Interessen haben; **Common Agricultural Policy, CAP** *s* (EU) gemeinsame Agrarpolitik; **common denominator** *s* (MATH) gemeinsamer Nenner; **com•moner** ['kɒmənə(r)] *s* Bürgerliche(r) *f m;* **common ground** *s* gemeinsame Diskussions-, Verhandlungsgrundlage; **common land** *s* Gemeindeland *n;* **common law** *s* Gewohnheitsrecht *n;* **common-law wife** *s* in eheähnlicher Gemeinschaft lebende Frau; **com•mon•ly** ['kɒmənlɪ] *adv* gewöhnlich; im Allgemeinen, allgemein; **Common Market** *s* (HIST) Gemeinsamer Markt, EG *f;* **com•mon-or-gar•den** [ˌkɒmənə'gɑ:dn] *adj* ganz gewöhnlich; **com•mon•place** ['kɒmənpleɪs] **I.** *s* Gemeinplatz *m,* Banalität *f;* alltägliche Sache **II.** *adj* alltäglich; uninteressant; **common room** *s* Gemeinschaftsraum *m;* (*Schule*) Lehrerzimmer *n;* **common sense** *s* gesunder Menschenverstand; **common stock** *s* (FIN) Stammaktien *fpl;* **com•mon•wealth** ['kɒmənwelθ] *s* Gemeinwesen *n;* **the C**~ **of Nations** das Commonwealth; **C**~ **of Independent States, CIS** Gemeinschaft unabhängiger Staaten, GUS *f*

com•mo•tion [kə'məʊʃn] *s* **1.** (heftige) Erregung, Erschütterung *f* **2.** Tumult, Aufruhr *m*

com•mu•nal ['kɒmjʊnl] *adj* **1.** Gemeinde-, Kommunal-; kommunal; gemeindeeigen **2.** Gemeinschafts-; öffentlich

com•mune[1] [kə'mju:n] *itr* **1.** sich vertraulich unterhalten (*with* mit, *together* miteinander) **2.** (*Am:* REL) kommunizieren

com•mune[2] ['kɒmju:n] *s* Kommune *f*

com•muni•cable [kə'mju:nikəbl] *adj* (*Idee, Gefühle*) vermittelbar; (*Krankheit*) übertragbar; **com•muni•cate** [kə'mju:nɪkeɪt] **I.** *tr* **1.** mitteilen **2.** (*a.* PHYS MED) übertragen (*to* auf) **3.** (*Gefühl, Botschaft*) rüberbringen *fam* **II.** *itr* **1.** (REL) das Abendmahl empfangen **2.** in Verbindung stehen (*with* mit), sich besprechen (*with* mit) **3.** (*Zimmer*) durch e-e Tür miteinander verbunden sein; **com•muni•ca•tion** [kəˌmju:nɪ'keɪʃn] *s* **1.** Mitteilung *f* (*to* an) **2.** (PHYS MED) Übertragung *f* **3.** Verbindung *f,* Verkehr *m* **4.** Unterredung, Besprechung *f;* Mitteilung, Nachricht *f* **5.** Verbindung(-sweg *m*) *f,* Verkehr(sweg *m,* -mittel *n*) *m* **6.** Fernmeldewesen *n;* Fernmeldeeinrichtungen *fpl;* ~(**s**) **centre** (MIL) Nachrichtensammelstelle *f;* Fernmeldezentrale *f;* ~ **cord** (RAIL) Notbremse *f;* ~ **line** Verbindungslinie *f;* ~ **satellite** Kommunikations-, Nachrichtensatellit *m;* **com•muni•cat•ive** [kə'mju:nɪkətɪv] *adj* mitteilsam, gesprächig

com•mu•nion [kə'mju:nɪən] *s* **1.** Gemeinschaft *f* **2.** enge Beziehungen *fpl,* Gedankenaustausch *m* **3.** Glaubensgemeinschaft *f* **4.** (*Holy* ~) (heilige) Kommunion *f;* Abendmahl *n;* **go to** ~ zur Kommunion, zum Abendmahl gehen

com•mu•niqué [kə'mju:nɪkeɪ] *s* Kommunikee *n,* amtliche Mitteilung

com•mu•nism ['kɒmjʊnɪzəm] *s* Kommunismus *m;* **com•mu•nist** ['kɒmjʊnɪst] **I.** *s* Kommunist(in) *m(f)* **II.** *adj* kommunistisch

com•mu•nity [kə'mju:nətɪ] *s* **1.** Gemeinschaft *f* **2.** Gemeinwesen *n* **3.** Gemeinsamkeit *f;* (Interessen)Gemeinschaft *f* **4.** (REL) Gemeinde *f* **5.** (BIOL) Lebensgemeinschaft *f;* **the** ~ die Allgemeinheit, die Öffentlichkeit, der Staat; **community centre** *s* Gemeindehaus, -zentrum *n;* **community home** *s* Erziehungsheim *n;* **community singing** *s* gemeinschaftliches Liedersingen; **community worker** *s* Sozialarbeiter(in) *m(f)*

com•mut•able [kə'mju:təbl] *adj* umwandelbar; **com•mu•ta•tion** [ˌkɒmju:'teɪʃn] *s* **1.** (Aus-, Um)Tausch *m* **2.** Ablösung(ssumme) *f* **3.** (Straf)Umwandlung, Herabsetzung *f;* (*Am*) Benutzung *f* e-r Zeitkarte; ~ **ticket** (*Am*) Zeitkarte *f;* **com-**

mute [kəˈmjuːt] I. *tr* 1. (aus-, ein-, um)tauschen (*for* gegen) 2. (FIN) ablösen 3. (JUR: *Strafe*) umwandeln, herabsetzen (*to, into* in) II. *itr* pendeln; **com•muter** [kɒˈmjuːtə(r)] *s* Pendler(in) *m(f)*; **commuter belt** *s* städtischer Einzugsbereich; **commuter train** *s* Pendler-, Vorort(s)zug *m*

com•pact¹ [ˈkɒmpækt] 1. (*powder* ~) Puderdose *f* 2. (*Am*) Kompaktwagen *m*

com•pact² [ˈkɒmpækt] *s* Vertrag *m*, Abkommen *n*

com•pact³ [kəmˈpækt] I. *adj* 1. kompakt 2. (*Stil*) gedrängt 3. (*Schnee, Masse*) fest II. *tr* fest zusammenpressen, -drängen; **be ~ed of** sich zusammensetzen aus; ~ **camera** Kompaktkamera *f*; ~ **disc** Compact-Disc, CD *f*; ~ **disc player** CD-Spieler *m*; **compact•ness** [kəmˈpæktnɪs] *s* 1. (*fig*) Knappheit *f*; Gedrängtheit *f* 2. Festigkeit, Dichte *f*

com•pan•ion [kəmˈpænɪən] *s* 1. Begleiter(in) *m(f)*, Genosse *m*, Genossin *f*; Gefährte *m*, Gefährtin *f* 2. Gesellschafter(in) *m(f)* 3. Gegenstück, Pendant *n* 4. Ratgeber, Leitfaden *m* (*Buch*); **travelling** ~ Reisebegleiter(in), -gefährte *m*, -gefährtin *f*, Mitreisende(r) *f m*; **com•pan•ion•able** [-əbl] *adj* gesellig, umgänglich; **com•pan•ion•ship** [-ʃɪp] *s* Gesellschaft *f*; **com•pan•ion•way** [-weɪ] *s* Kajütentreppe *f*

com•pany [ˈkʌmpənɪ] *s* 1. Gesellschaft, Begleitung *f*; Umgang, Verkehr *m* 2. Gäste *mpl*, Besuch *m* 3. (Handels)Gesellschaft, Firma *f* 4. (Schauspieler)Truppe *f* 5. (*ship's* ~) Besatzung *f* 6. (MIL) Kompanie *f*; **for** ~ zur Gesellschaft; **in** ~ zusammen, gemeinsam; **be good/bad/poor** ~ ein guter/schlechter Gesellschafter sein; **keep** ~ **with** verkehren mit; **part** ~ sich trennen (*with* von)

com•par•able [ˈkɒmpərəbl] *adj* vergleichbar; ähnlich; entsprechend; **com•para•tive** [kəmˈpærətɪv] I. *adj* 1. vergleichend 2. verhältnismäßig, relativ II. *s* (GRAM: ~ *degree*) Komparativ *m*; **com•para•tive•ly** [-lɪ] *adv* vergleichsweise; verhältnismäßig; **com•pare** [kəmˈpeə(r)] I. *tr* 1. (*prüfend*) vergleichen (*with, to* mit) 2. gleichstellen, auf eine Stufe stellen (*to* mit) 3. (GRAM) steigern II. *itr* sich vergleichen (lassen) (*with* mit); ~ **favo(u)rably with** bei e-m Vergleich günstig abschneiden mit III. *s*: **beyond** [*o* **past**] ~ [*o* **without**] unvergleichlich, *adv*; **com•pari•son** [kəmˈpærɪsn] *s* 1. Vergleich *m* (*to, with* mit) 2. Gegenüberstellung *f* 3. (GRAM) Steigerung *f* 4. (EDV) Abgleich *m*; **by** ~ vergleichsweise, verhältnismäßig, *adv*; **in** ~ **with** im Vergleich zu; **bear** [*o* **stand**] ~ **with** sich vergleichen lassen, den Vergleich aushalten mit; **there is no** ~ **between them** sie lassen sich nicht vergleichen

com•part•ment [kəmˈpɑːtmənt] *s* 1. Abteilung *f* 2. Fach, Feld *n* 3. (RAIL) Abteil *n* 4. (MAR) Schott *n*

com•pass [ˈkʌmpəs] *s* 1. Umfang, -kreis *m* 2. Um-, Einfassung, Begrenzung *f* 3. Bezirk *m*, Gebiet *n*, Bereich *m* 4. (MUS) Stimmumfang *m* 5. (*mariner's* ~) (Schiffs)Kompass *m* 6. **~es** Zirkel *m* (*Gerät*)

com•pas•sion [kəmˈpæʃn] *s* Mitleid, -gefühl *n* (*for* mit); **have** [*o* **take**] ~ **on** Mitleid haben mit; **com•pas•sion•ate** [kəmˈpæʃənət] *adj* mitleid(s)voll, mitfühlend; ~ **leave** (*Br*: MIL) Sonderurlaub *m* aus familiären Gründen

com•pati•bil•ity [kəmˌpætəˈbɪlətɪ] *s* 1. Vereinbarkeit *f* 2. Verträglichkeit *f* 3. Kompatibilität *f*; **com•pat•ible** [kəmˈpætəbl] *adj* 1. vereinbar, verträglich (*with* mit), in Übereinstimmung (*with* mit) 2. angemessen (*with s.th.* e-r S) 3. kompatibel

com•patriot [kəmˈpætrɪət] *s* Landsmann *m*, -männin *f*

com•pel [kəmˈpel] *tr* 1. zwingen (*to do* zu tun) 2. erzwingen (*from* von); **com•pel•ling** [-ɪŋ] *adj* 1. zwingend 2. (*fig*) verlockend; unwiderstehlich

com•pen•dium [kəmˈpendɪəm, *pl* kəmˈpendɪə] <*pl* -diums, -dia> *s* 1. Zusammenfassung, Übersicht *f* 2. Grundriss, Leitfaden *m*

com•pen•sate [ˈkɒmpənseɪt] I. *tr* 1. ausgleichen, ersetzen; aufwiegen 2. (PSYCH TECH) kompensieren 3. (FIN) entschädigen 4. (*Schaden*) ersetzen; vergüten II. *itr* 1. ausgleichen (*for s.th.* etw) 2. wieder gutmachen (*for s.th.* etw), Ersatz leisten; **com•pen•sa•tion** [ˌkɒmpenˈseɪʃn] *s* 1. Ausgleich, Ersatz *m* 2. (PSYCH TECH) Kompensation *f* 3. (FIN) Entschädigung *f*, Schadenersatz *m*; Vergütung *f* 4. (*Am*) (Be)Zahlung, Entlohnung *f*; Lohn *m*, Gehalt *n*; **as** [*o* **by way of**] ~ **for** als Ersatz, als Entschädigung für

com•pere [ˈkɒmpeə(r)] I. *s* Ansager(in) *m(f)* II. *tr* ansagen

com•pete [kəmˈpiːt] *itr* 1. sich mitbewerben (*for* um) 2. teilnehmen (*in a contest* an e-m Wettbewerb) 3. wetteifern (*with s.o. for s.th.* mit jdm um etw), konkurrieren, sich messen (*against s.o. in a race* mit jdm bei e-m Rennen)

com•pet•ence [ˈkɒmpɪtəns] *s* 1. Kompetenz *f*; Können, Geschick *n*; Befähigung, Qualifikation *f* (*for s.th.* zu etw) 2. (JUR) Zuständigkeit *f*; **com•pet•ent** [ˈkɒmpɪtənt] *adj* 1. kompetent; geschickt, fähig; befähigt, qualifiziert (*for s.th.* zu etw, *to do* zu tun) **2.** genügend, ausreichend, entsprechend **3.** (JUR) zuständig; (*Zeuge, Beweise*) zulässig

com·pe·ti·tion [ˌkɒmpəˈtɪʃn] *s* **1.** Wettbewerb, -streit, -kampf *m* (*for* um) **2.** (COM) Konkurrenz(kampf *m*) *f* **3.** Preisausschreiben *n;* **be in ~ with** im Wettbewerb stehen mit; **enter into ~ with** in Wettbewerb treten mit; **keen ~** scharfer Wettbewerb; harte Konkurrenz; **com·peti·tive** [kəmˈpetətɪv] *adj* **1.** konkurrierend **2.** konkurrenzfähig; **~ spirit** Wettbewerbs-, Konkurrenzgeist *m;* Kampfgeist *m;* **com·peti·tive·ness** [kəmˈpetətivnəs] *s* Wettbewerbsfähigkeit *f;* **com·peti·tor** [kəmˈpetɪtə(r)] *s* **1.** Mitbewerber(in) *m(f)* **2.** (COM) Konkurrent(in) *m(f)* **3.** (SPORT) Wettkämpfer(in) *m(f),* Teilnehmer(in) *m(f)* (*for* um)

com·pi·la·tion [ˌkɒmpɪˈleɪʃn] *s* Auf-, Zusammenstellung *f;* Kompilation *f;* **com·pile** [kəmˈpaɪl] *tr* **1.** (*Material*) zusammentragen **2.** (*Liste*) zusammenstellen; **com·pil·er** [ˌkɒmˈpɪlə(r)] *s* (EDV) Compiler *m*

com·pla·cence, com·pla·cency [kəmˈpleɪsns(ɪ)] *s* Selbstzufriedenheit, -gefälligkeit *f;* **com·pla·cent** [kəmˈpleɪsnt] *adj* selbstzufrieden, -gefällig

com·plain [kəmˈpleɪn] *itr* **1.** klagen, sich beklagen (*of* über) **2.** sich beschweren (*of, about* über, *to* bei) **3.** jammern **4.** (COM) reklamieren; **com·plain·ant** *s* (JUR) Kläger(in) *m(f);* **com·plaint** [kəmˈpleɪnt] *s* **1.** Klage, Beschwerde, Beanstandung *f* **2.** (COM) Reklamation, Mängelrüge *f* **3.** (JUR) Klage, Strafanzeige *f* (*against* gegen) **4.** (MED) Beschwerden *fpl,* Leiden *n;* **make** [*o* **lodge**] **a ~ against s.o.** sich über jdn beschweren; **~ book** Beschwerdebuch *n*

com·plais·ance [kəmˈpleɪzəns] *s* Gefälligkeit *f;* **com·plais·ant** [kəmˈpleɪzənt] *adj* gefällig, entgegenkommend, willfährig

com·ple·ment [ˈkɒmplɪmənt] **I.** *s* **1.** (*a.* MATH GRAM) Ergänzung *f* **2.** (MAR) Bemannung *f* **3.** (MIL) Sollstärke *f* **4.** (AERO) volle Besatzung **II.** [ˈkɒmplɪment] *tr* ergänzen, vervollständigen; **com·ple·ment·ary** [ˌkɒmplɪˈmentrɪ] *adj* Ergänzungs-; sich ergänzend; **~ colours** Komplementärfarben *fpl*

com·plete [kəmˈpliːt] **I.** *adj* **1.** vollständig, -kommen, völlig, ganz **2.** vollendet, fertig (gestellt), zu Ende (gebracht), abgeschlossen; **~ with** mitsamt, komplett mit **II.** *tr* **1.** vervollständigen, vollständig machen, abschließen **2.** (*Formular*) ausfüllen **3.** beenden, fertig stellen, fertig machen; **com·plete·ly** [-lɪ] *adv* völlig, ganz (u. gar), vollständig, vollkommen; **com·plete·ness** [-nɪs] *s* Vollständigkeit *f;* Vollkommenheit *f;* **com·ple·tion** [kəmˈpliːʃn] *s* **1.** Vervollständigung *f* **2.** Abschluss *m;* (*a.* JUR) Erledigung, Fertigstellung, Vollendung *f* **3.** Ergänzung, Vervollständigung *f* **4.** Ausfüllung *f* (*e-s Formulars*) **5.** (*Vertrag*) Erfüllung *f;* **on ~ of** bei Beendigung *+gen;* **be nearing ~** vor dem Abschluss stehen

com·plex [ˈkɒmpleks] **I.** *adj* **1.** komplex; vielschichtig, vielseitig **2.** kompliziert, verwickelt **II.** *s* (das) Ganze; (*a.* PSYCH) Komplex *m*

com·plexion [kəmˈplekʃn] *s* **1.** (Haut-, Gesichts)Farbe *f,* Aussehen *n* **2.** (*fig*) Aspekt, Anstrich *m*

com·plex·ity [kəmˈpleksətɪ] *s* Komplexität *f;* Kompliziertheit *f*

com·pli·ance [kəmˈplaɪəns] *s* **1.** (*Gesetz*) Befolgung *f* **2.** Einverständnis *n,* Willfährigkeit *f;* **in ~ with** in Übereinstimmung mit; entsprechend, gemäß *+dat;* **com·pliant** [kəmˈplaɪənt] *adj* nachgiebig; willfährig

com·pli·cate [ˈkɒmplɪkeɪt] *tr* komplizieren, (noch) verwickelter, schwieriger machen; **that ~s matters** das macht die Sache noch schwieriger; **com·pli·cated** [-ɪd] *adj* kompliziert; verwickelt; **com·pli·ca·tion** [ˌkɒmplɪˈkeɪʃn] *s* Komplikation *f*

com·plic·ity [kəmˈplɪsətɪ] *s* Mitschuld (*in* an), Mittäterschaft *f* (*in* bei)

com·pli·ment [ˈkɒmplɪmənt] **I.** *s* **1.** Kompliment *n* **2.** Anerkennung *f,* Lob *n* **3.** Ehrenerweisung *f* **4.** **~s** (*in Briefen*) Grüße *mpl,* Gruß *m;* Empfehlung *f;* **angle** [*o* **fish for**] **~s** Komplimente hören wollen; **pay a ~ to s.o.** jdm ein Kompliment machen; **with the ~s of the season** mit den besten Wünschen zum Fest **II.** [ˈkɒmplɪment] *tr* **1.** ein Kompliment machen (*s.o.* jdm) **2.** beglückwünschen (*on* zu); **com·pli·men·tary** [ˌkɒmplɪˈmentrɪ] *adj* **1.** höflich, artig **2.** Ehren-; Gratis-; **~ copy** Widmungs-, Freiexemplar *n;* **~ ticket** Frei-, Ehrenkarte *f;* **compliments slip** *s* (Firmen)Begleitkarte *f*

com·ply [kəmˈplaɪ] *itr* **1.** Folge leisten (*with dat*) **2.** einwilligen (*with* in), zustimmen (*with dat*) **3.** (*Wunsch, Bedingung, Bitte*) erfüllen (*with s.th.* etw)

com·po·nent [kəmˈpəʊnənt] **I.** *adj* einzeln; Einzel-, Teil- **II.** *s* Bestandteil *m;* **additional ~** (MOT) Nachrüstsatz *m;* **component parts** *s pl* Zubehör-, Einzelteile *npl*

com·pose [kəmˈpəʊz] **I.** *tr* **1.** zusammensetzen **2.** (an)ordnen, bilden **3.** ab-, verfassen, aufsetzen, dichten **4.** (MUS) komponieren **5.** (TYP) setzen **6.** (*Streit*) (gütlich) beilegen, schlichten, (glücklich) beenden **7.** (*Gedanken*) sammeln; **be ~d of** bestehen aus **II.** *itr* **1.** schriftstellern; dichten **2.** (MUS) komponieren **III.** *refl* sich beruhigen, sich fassen; **com•posed** [kəm'pəʊzd] *adj* gefasst, ruhig, gelassen; **com•poser** [kəm'pəʊzə(r)] *s* **1.** (MUS) Komponist(in) *m(f)* **2.** Verfasser(in) *m(f)*; **com•pos•ite** ['kɒmpəzɪt] *adj* zusammengesetzt; vielfältig; ~ **photograph** Fotomontage *f*; **com•po•si•tion** [ˌkɒmpə'zɪʃn] *s* **1.** Zusammensetzung, (An)Ordnung, Anlage, Bildung *f* **2.** Abfassung *f* **3.** (MUS) Komposition *f* **4.** (TYP) (Schrift)Satz *m* **5.** (Schul)Aufsatz *m* **6.** Übersetzung *f* **7.** Zusammensetzung *f*, (Auf)Bau *m* **8.** (PSYCH) Anlage, Art *f*, Wesen *n* **9.** (JUR) Verständigung *f*, Vergleich *m*; **com•po•si•tor** [kəm'pɒzɪtə(r)] *s* (TYP) (Schrift)Setzer(in) *m(f)*

com•post ['kɒmpɒst] *s* Kompost *m*

com•po•sure [kəm'pəʊʒə(r)] *s* Fassung, Gelassenheit, (Gemüts)Ruhe *f*

com•pound ['kɒmpaʊnd] **I.** *adj* **1.** zusammengesetzt; aus einzelnen Teilen bestehend **2.** gemischt **3.** (TECH) Verbund- **II.** *s* **1.** Zusammensetzung *f*; Mischung *f* **2.** (*chemische*) Verbindung *f* **3.** (GRAM: ~ *word*) zusammengesetztes Wort **4.** eingefriedeter Platz **III.** [kəm'paʊnd] *tr* **1.** zusammensetzen; verbinden; mischen **2.** (*Streit*) beilegen **3.** (*Schuld*) tilgen; in Raten abzahlen **4.** (*Zinsen*) kapitalisieren **5.** verschlimmern; **this only ~s our difficulties** das erschwert unsere Lage noch zusätzlich **IV.** *itr* **1.** sich vergleichen, sich einigen, sich verständigen (*with* mit) **2.** pauschalieren (*for s.th.* etw); **compound fracture** *s* (MED) komplizierter Bruch; **compound interest** *s* (FIN) Zinseszins *m*

com•pre•hend [ˌkɒmprɪ'hend] *tr* **1.** verstehen, einsehen **2.** umfassen, einschließen

com•pre•hen•sible [ˌkɒmprɪ'hensəbl] *adj* verständlich, begreiflich; **com•pre•hen•sion** [ˌkɒmprɪ'henʃn] *s* **1.** Verstehen, Begreifen *n* **2.** Verständnis *n* (*of* für), Einsicht *f*; Fassungs-, Begriffsvermögen *n* **3.** (Bedeutungs-, Begriffs)Umfang *m*; **beyond** ~ unbegreiflich

com•pre•hen•sive [ˌkɒmprɪ'hensɪv] *adj* umfassend; ~ **coverage** ausführliche Berichterstattung; ~ **insurance** kombinierte Haftpflicht- und Vollkaskoversicherung; ~ **school** Gesamtschule *f*

com•press[1] [kəm'pres] *tr* zusammendrücken, (zusammen)pressen, komprimieren

compress[2] ['kɒmpres] *s* (MED) Kompresse *f*

com•pressed [kəm'prest] *adj* zusammengedrückt; zusammengepresst; ~ **air** Pressluft *f*; **com•pres•sor** [kəm'presə(r)] *s* (TECH) Kompressor *m*

com•prise [kəm'praɪz] *tr* **1.** umfassen; bestehen aus **2.** einschließen (*within* in)

com•pro•mise ['kɒmprəmaɪz] **I.** *s* Kompromiss *m*; Übereinkunft *f*, Vergleich *m* **II.** *itr* e-n Kompromiss, e-n Vergleich schließen (*on* über) **III.** *tr* **1.** kompromittieren; (*Ruf*) schaden (*s.th.* e-r S) **2.** gefährden

comp•trol•ler [kən'trəʊlə(r)] *s* Controller *m*, Rechnungsprüfer(in) *m(f)*

com•pul•sion [kəm'pʌlʃn] *s* Zwang *m*; **under** ~ unter Zwang; **com•pul•sive** [kəm'pʌlsɪv] *adj* Zwangs-; zwingend; **com•pul•sory** [kəm'pʌlsərɪ] *adj* obligatorisch; zwingend, bindend; ~ **auction** Zwangsversteigerung *f*; ~ **education** Schulpflicht *f*; ~ **insurance** Pflichtversicherung *f*; ~ **schooling** allgemeine Schulpflicht; ~ **subject** (*Schule*) Pflichtfach *n*

com•punc•tion [kəm'pʌŋkʃn] *s* Schuldgefühl *n*; Gewissensbisse *mpl*, Reue *f*; **with no** ~ ohne sich schuldig zu fühlen

com•pu•ta•tion [ˌkɒmpjʊ'teɪʃn] *s* (Be-, Er)Rechnung *f*; Überschlag *m*, Schätzung *f*; **com•pute** [kəm'pju:t] *tr, itr* **1.** (aus-, be-, er)rechnen **2.** überschlagen, schätzen, veranschlagen (*at* auf); **com•puter** [kəm'pju:tə(r)] *s* Computer *m*; Rechner *m*; Datenverarbeitungsanlage *f*; **~-aided design, CAD** computergestützter Entwurf; **digital** ~ digitale Rechenanlage; **personal** ~ PC *m*; **computer-aided** *adj* rechnergestützt; **computer centre** *s* Rechenzentrum *n*; **computer crime** *s* Computerkriminalität *f*; **computer freak** [fri:k] *s* Computerfreak *m*; **computer game** *s* Computerspiel *n*; **computer graphics** *s pl* Computergrafik *f*; **com•puter•iz•ation** [kəmˌpju:təraɪ'zeɪʃn] *s* Computerisierung *f*; **com•puter•ize** [kəm'pju:təraɪz] *tr* **1.** auf Computer umstellen **2.** in e-n Computer eingeben; **computer network** *s* Computernetzwerk *n*, Rechnerverbund *m*; **computer programmer** *s* Programmierer(in) *m(f)*; **computer science** *s* Informatik *f*; **computer scientist** *s* Informatiker(in) *m(f)*; **computer search** *s* Rasterfahndung *f*; **computer tomography** *s* Computertomographie *f*; **computer virus** *s* Computervirus *m*; **computer workstation** *s* Computerarbeitsplatz *m*, Workstation *f*

com•rade ['kɒmreɪd] *s* **1.** Kamerad(in) *m(f)* **2.** (POL) Genosse *m*, Genossin *f*; **com•rade•ship** ['kɒmreɪdʃɪp] *s* Kameradschaft *f*

con[1] [kɒn] **I.** *tr* betrügen (*out of* um) **II.** *s* Schwindel, Betrug *m*

con[2] [kɒn]: **pros and ~s** Für *n* und Wider *n*

con art•ist [ˌkɒn'ɑ:tɪst] *s* Hochstapler(in) *m(f)*

con•cat•ena•tion [kɒnˌkætɪ'neɪʃn] *s* Verkettung *f;* Kette, Folge *f*

con•cave ['kɒnkeɪv] *adj* konkav; **concav•ity** [kən'kævɪtɪ] *s* Konkavität *f*

con•ceal [kən'si:l] *tr* verstecken, verbergen; verheimlichen (*from* vor); **concealer stick** *s* Abdeckstift *m;* **con•ceal•ment** [-mənt] *s* **1.** Verbergen *n;* Verheimlichung *f* **2.** Geheimhaltung *f* **3.** Versteck *n*

con•cede [kən'si:d] **I.** *tr* **1.** einräumen, zugeben, anerkennen (*that* dass) **2.** zugestehen **3.** nachgeben (*a point* in e-m Punkt) **4.** (SPORT: *Punkte*) vorgeben **5.** (SPORT: *sl*) verlieren; ~ **defeat** die Niederlage eingestehen **II.** *itr* sich geschlagen geben

con•ceit [kən'si:t] *s* Selbstgefälligkeit, Einbildung *f;* **con•ceited** [-ɪd] *adj* eingebildet

con•ceiv•able [kən'si:vəbl] *adj* denkbar, vorstellbar; **con•ceive** [kən'si:v] **I.** *tr* **1.** aus-, erdenken, ersinnen **2.** (*Gedanken*) fassen; in Worte fassen **3.** sich denken, sich vorstellen, meinen **4.** begreifen, verstehen **5.** (*Kind*) empfangen **II.** *itr* **1.** schwanger werden **2.** sich vorstellen (*of s.th.* etw)

con•cen•trate ['kɒnsəntreɪt] **I.** *tr* **1.** konzentrieren **2.** (CHEM) verdichten, eindicken, kondensieren **3.** (*Strahlen*) bündeln **II.** *itr* sich sammeln, sich konzentrieren (*upon, on* auf), seine Gedanken zusammennehmen **III.** *s* Konzentrat *n;* **con•cen•trated** [-ɪd] *adj* **1.** konzentriert **2.** (*fig*) stark; **con•cen•tration** [ˌkɒnsn'treɪʃn] *s* **1.** Ansammlung *f* **2.** Konzentration *f;* **lacking in** ~ unkonzentriert; **concentration camp** *s* Konzentrationslager *n*

con•cen•tric [kən'sentrɪk] *adj* konzentrisch

con•cept ['kɒnsept] *s* Begriff *m;* Vorstellung, Idee *f;* **con•cep•tion** [kən'sepʃn] *s* **1.** (geistige) Gestaltungskraft *f;* Vorstellungsvermögen *n,* Fassungskraft *f* **2.** Begriff *m;* Auffassung, Vorstellung, Idee *f;* Gedanke *m* **3.** Plan, Entwurf *m* **4.** (PHYSIOL) Empfängnis *f;* **con•cep•tual** [kən'septjʊəl] *adj* Begriffs-; **con•cep•tua•lize** [kən'septjʊəlaɪz] *tr* sich e-e Vorstellung machen von; e-n Plan fassen von

con•cern [kən'sɜ:n] **I.** *tr* **1.** betreffen, angehen, interessieren; wichtig sein für **2.** beunruhigen; **be ~ed about** sich Gedanken, Sorgen machen um; ~ **o.s. about** sich bemühen, sich Mühe machen um; ~ **o.s. with** sich befassen, zu tun haben, sich abgeben mit; **as ~s** was ... betrifft, betreffend, betreffs; **as far as I am ~ed** was mich angeht, von mir aus; **to whom it may** ~ an die zuständige Stelle **II.** *s* **1.** Beziehung *f,* Bezug *m* **2.** Interesse *n,* Anteil *m* **3.** Sorge, Besorgnis, Beunruhigung *f* (*over* wegen) **4.** Angelegenheit, Sache *f* **5.** Geschäft, Unternehmen *n,* Betrieb *m* **6.** (*fam*) Kram, Plunder, Dreck *m;* **with deep** ~ sehr besorgt, *adv;* **have a** ~ **in** interessiert sein, Anteil haben an; **that is no** ~ **of yours** das geht Sie nichts an; **business ~s** Geschäftsinteressen *npl;* **going** ~ gutgehendes Geschäft, Unternehmen; **con•cerned** [kən'sɜ:nd] *adj* **1.** betroffen (*in* von), beteiligt (*in* an) **2.** besorgt, in Unruhe (*at, for s.o.* um jdn, *about s.th.* wegen e-r S); **all** ~ alle Beteiligten *mpl;* **the persons** ~ die Interessenten *mpl,* die Betroffenen *mpl;* **con•cern•ing** [-ɪŋ] *prep* betreffend, betreffs; bezüglich, in Bezug auf

con•cert[1] ['kɒnsət] *s* Konzert *n;* **in** ~ im Chor; gemeinsam; live; **work in** ~ **with** zusammenarbeiten mit

con•cert[2] [kən'sɜ:t] *tr* (*Kräfte*) vereinigen; **con•certed** [kən'sɜ:tɪd] *adj* gemeinsam; (POL) konzertiert

con•cert grand ['kɒnsət grænd] *s* Konzertflügel *m;* **con•cer•tina** [ˌkɒnsə'ti:nə] *s* Ziehharmonika, Konzertina *f;* **con•cert•mas•ter** [ˌkɒnsət'mæstə(r)] *s* Konzertmeister *m;* **con•certo** [kən'tʃeətəʊ] <*pl* -certos> *s* Konzert *n;* **concert pitch** *s* (MUS) Kammerton *m*

con•ces•sion [kən'seʃn] *s* **1.** (behördliche) Bewilligung, Genehmigung, Konzession *f* **2.** Einräumung *f,* Zugeständnis, Entgegenkommen *n;* **grant a** ~ e-e Konzession erteilen; **make ~s** Zugeständnisse machen; **tax** ~ Steuervergünstigung *f*

con•cili•ate [kən'sɪlɪeɪt] *tr* **1.** beschwichtigen, besänftigen **2.** in Übereinstimmung, in Einklang bringen; ~ **s.o.** jds Wohlwollen gewinnen; **con•cili•ation** [kənˌsɪlɪ'eɪʃn] *s* Ausgleich *m;* Einigung *f;* Schlichtung *f;* **conciliation board** *s* Schlichtungskommission *f;* **con•cili•atory** [kən'sɪlɪətərɪ] *adj* versöhnlich, vermittelnd, ausgleichend

con•cise [kən'saɪs] *adj* kurz (u. bündig), knapp, gedrängt, prägnant; **con•cise•ness, con•cision** [kən'saɪsnɪs, kən'sɪʒən] *s* Kürze, Knappheit, Prägnanz *f*

con•clave ['kɒnkleɪv] *s* (REL) Konklave *n;* **sit in** ~ e-e Geheimsitzung abhalten

con•clude [kən'klu:d] **I.** *tr* **1.** beenden, (be-, ab)schließen, zu Ende führen **2.** (*Vertrag*) (ab)schließen **3.** (*Am*) beschließen, entscheiden **II.** *itr* **1.** schließen, den Schluß ziehen, folgern (*that* dass, *from* aus) **2.** enden, aufhören **3.** zu e-m Entschluss, zu e-m Ergebnis kommen; **con•clud•ing** [-ɪŋ] *adj* abschließend, Schluß-

con•clusion [kən'klu:ʒn] *s* **1.** Beendigung *f;* (Ab)Schluss *m* **2.** Abschluss *m* (*e-s Vertrages*) **3.** Beschluss, Entscheid(ung *f*) *m* **4.** Schluss(folgerung *f*) *m,* Folgerung *f* **5.** Ende, Ergebnis *n;* **in** ~ zuletzt, schließlich;

zum Schluss; **bring to a** ~ zum Abschluss bringen; **come to a** ~ zu e-r Ansicht, Überzeugung kommen; **draw the** ~ **from** den Schluss, die Folgerung ziehen aus; **jump to** ~**s** voreilige Schlüsse ziehen; **con•clus•ive** [kən'klu:sɪv] *adj* **1.** abschließend, endgültig; entscheidend **2.** (*Beweis*) schlüssig

con•coct [kən'kɒkt] *tr* **1.** zusammenbrauen **2.** (*fig*) austüfteln, aushecken; **con•coc•tion** [kən'kɒkʃn] *s* **1.** Zusammenbrauen *n* **2.** Gebräu *n* **3.** (*fig*) Aushecken *n;* Erfindung, Idee *f*

con•course ['kɒŋkɔ:s] *s* **1.** Zusammentreffen *n* **2.** (Menschen)Auflauf *m,* Gewühl, Gedränge *n;* Menge, Masse *f* **3.** (*Am*) Aufmarschgelände *n;* (großer) freier Platz, breite Straße, Durchfahrt *f;* (RAIL) Bahnhofshalle *f*

con•crete[1] ['kɒnkri:t] *adj* **1.** fest (geworden), (ver)dicht(et), kompakt **2.** real, wirklich; konkret, gegenständlich **3.** (*Zahl*) benannt

con•crete[2] ['kɒnkri:t] **I.** *s* Beton *m* **II.** *adj* Beton- **III.** *tr* betonieren; **concrete mixer** *s* Betonmischmaschine *f*

con•cu•bine ['kɒŋkjʊbaɪn] *s* Konkubine *f;* Nebenfrau *f*

con•cur [kən'kɜ:(r)] *itr* **1.** zusammenkommen, -treffen, -fallen **2.** zusammen-, mitwirken, (mit) dazu beitragen (*to do s.th.* etw zu tun) **3.** beipflichten, -stimmen (*with s.o.* jdm) **4.** übereinstimmen (*with* mit); **con•cur•rence** [kən'kʌrəns] *s* **1.** Zusammentreffen, -fallen *n* **2.** Zusammenwirken *n,* Mitwirkung *f* **3.** Einverständnis *n;* **con•cur•rent** [kən'kʌrənt] **I.** *adj* **1.** gleichzeitig; zusammentreffend, -fallend **2.** mitwirkend **3.** übereinstimmend **II.** *s* Begleitumstand *m*

con•cuss [kən'kʌs] *tr* erschüttern; **con•cus•sion** [kən'kʌʃn] *s* Gehirnerschütterung *f;* Erschütterung *f*

con•demn [kən'dem] *tr* **1.** verurteilen, missbilligen, ablehnen **2.** (JUR) für schuldig erklären, verurteilen (*to* zu) **3.** für abbruchreif erklären; für nicht mehr seetüchtig erklären **4.** (*Kranken*) aufgeben **5.** (*Am*) beschlagnahmen; enteignen; **con•dem•na•tion** [ˌkɒndem'neɪʃn] *s* **1.** Missbilligung, Ablehnung *f* **2.** (JUR) Verurteilung *f* **3.** (*Am*) Beschlagnahme *f;* Enteignung *f*

con•den•sa•tion [ˌkɒnden'seɪʃn] *s* **1.** Verdichtung, Kondensation *f* **2.** Kondensat *n;* Schwitzwasser *n* **3.** (*fig*) Zusammenfassung, Straffung *f;* **con•dense** [kɒn'dens] **I.** *itr* kondensieren, sich niederschlagen **II.** *tr* **1.** kondensieren **2.** (*fig*) zusammenfassen; ~**d milk** Kondens-, Büchsenmilch *f;* **con•denser** [kɒn'densə(r)] *s* **1.** (CHEM) Kühler *m* **2.** (OPT EL RADIO) Kondensator *m*

con•de•scend [ˌkɒndɪ'send] *itr* sich herablassen (*to do* zu tun); **con•de•scend•ing** [-ɪŋ] *adj* herablassend

con•di•ment ['kɒndɪmənt] *s* Gewürz *n,* Würze *f;* Zutat *f*

con•di•tion [kən'dɪʃn] **I.** *s* **1.** Bedingung, Voraussetzung *f* (*of* für) **2.** Zustand *m,* Beschaffenheit *f* **3.** Stand *m,* Stellung *f,* Rang *m;* Personenstand *m* **4.** (SPORT) gute Form **5.** (JUR) Vorbehalt *m,* Klausel *f* **6.** ~**s** Umstände *mpl,* Gegebenheiten *fpl,* Lage *f;* **in good** ~ in gutem Zustand, gut erhalten; (SPORT) in Form; **on** ~ (**that**) unter der Voraussetzung [*o* Bedingung] (, dass); **on** [*o* **under**] **no** ~ unter keinen Umständen, auf keinen Fall; unter keiner Bedingung; **out of** ~ in schlechter Verfassung; (SPORT) in schlechter Form; **under favo(u)rable** ~**s** unter günstigen Umständen; **answer** [*o* **comply with**] **a** ~ [*o* **fulfil**] e-e Bedingung erfüllen; **be in no** ~ **to** nicht in der Lage sein zu; **keep in good** ~ gut im Stande halten; **make s.th. a** ~ etw zur Voraussetzung machen **II.** *tr* **1.** zur Bedingung machen (*to do* zu tun), an e-e Bedingung knüpfen **2.** in e-n guten Zustand versetzen, in Form bringen *fam* **3.** regeln, bestimmen **4.** gewöhnen (*to* an) **5.** (TECH) konditionieren **6.** (*fig*) programmieren (*to, for* auf) **7.** (COM: *Waren*) prüfen; **con•di•tional** [kən'dɪʃənl] *adj* **1.** an e-e Bedingung geknüpft **2.** bedingt (*on* durch), abhängig (*on* von); **con•di•tional•ly** [kən'dɪʃənəlɪ] *adv* bedingt, unter gewissen Bedingungen; **con•di•tioned** [kən'dɪʃənd] *adj* **1.** bedingt; abhängig (*upon* von) **2.** beschaffen, geartet **3.** (TECH) klimatisiert **4.** (PSYCH) gewöhnt (*to* an), konditioniert; **con•di•tion•er** [kən'dɪʃənə(r)] *s* **1.** (*für Wäsche*) Weichspüler *m* **2.** (*für Haare*) Spülung *f*

con•dol•ence [kən'dəʊləns] *s meist pl* Beileid *n*

con•dom ['kɒndəm] *s* Kondom *n*

con•do•min•ium [ˌkɒndə'mɪnɪəm] *s* **1.** (*Am*) Eigentumswohnung *f* **2.** (POL) Kondominium *n;* Kondominat *n*

con•done [kən'dəʊn] *tr* **1.** verzeihen **2.** (mit Absicht) nicht beachten **3.** (*Fehler*) stillschweigend dulden

con•duc•ive [kən'dju:sɪv] *adj* dienlich, zuträglich (*to* für)

con•duct [kən'dʌkt] **I.** *tr* **1.** führen; leiten **2.** (*Unternehmen*) (durch)führen, leiten **3.** (*Geschäft*) führen **4.** (*Orchester, Chor*) leiten; dirigieren **II.** *refl* sich betragen, sich benehmen **III.** ['kɒndʌkt] *s* **1.** Führung, Leitung, Verwaltung *f* **2.** Handhabung *f* **3.** Verhalten, Betragen, Benehmen *n;* Führung *f;* **con•duc•tive** [kən'dʌktɪv] *adj* (PHYS EL) leitend; **con•duc•tor** [kən'dʌktə(r)] *s* **1.**

Führer(in) *m(f),* Leiter(in) *m(f),* Direktor(in) *m(f)* **2.** (MUS) Dirigent(in) *m(f)* **3.** Schaffner(in) *m(f);* (*Am*) Zugführer(in) *m(f)* **4.** (PHYS EL) (Wärme)Leiter *m;* Blitzableiter *m* **5.** (*Kabel*) Ader *f;* **con•duc•tress** [kən'dʌktrɪs] *s* Schaffnerin *f*

cone [kəʊn] *s* **1.** (MATH) Kegel *m;* Konus *m* **2.** (Berg)Kegel *m* **3.** Eistüte *f* **4.** (BOT) Zapfen *m* **5.** (*Verkehr*) Pylon *m;* ~ **of light** Lichtkegel *m*

coney *s s.* **cony**

con•fec•tion [kən'fekʃn] *s* Konfekt *n;* **con•fec•tioner** [kən'fekʃnə(r)] *s* Konditor(in) *m(f);* **con•fec•tion•ery** [kən'fekʃənərɪ] *s* **1.** Süßwaren *fpl* **2.** Süßwarenhandlung, Konditorei *f*

con•fed•er•acy [kən'fedərəsɪ] *s* **1.** Bund *m,* Bündnis *n* **2.** Verschwörung *f;* **con•fed•er•ate** [kən'fedərət] **I.** *adj* konföderiert; verbündet **II.** *s* **1.** Bundesgenosse, Alliierte(r) *m* **2.** Komplize, Verschwörer *m;* **the C~s** (*Am:* HIST) die Konföderierten *mpl;* **con•fed•er•ation** [kənˌfedə'reɪʃn] *s* Bund *m,* Bündnis *n;* Staatenbund *m*

con•fer [kən'fɜː(r)] **I.** *tr* verleihen, übertragen (*on, upon s.o.* jdm) **II.** *itr* sich beraten, verhandeln (*with* mit); **con•fer•ence** ['kɒnfərəns] *s* **1.** Tagung, Konferenz *f* **2.** Besprechung, Unterredung, Verhandlung *f;* **be in** ~ bei e-r Besprechung sein

con•fess [kən'fes] **I.** *tr* **1.** bekennen, (ein-, zu)gestehen (*to have, to having* zu haben) **2.** (REL) beichten **3.** die Beichte abnehmen (*s.o.* jdm); **I must** ~ ich muss zugeben **II.** *itr* **1.** seine Schuld, seinen Fehler eingestehen **2.** ein Geständnis ablegen; **con•fess•ed•ly** [-ɪdlɪ] *adv* zugestandenermaßen; **con•fes•sion** [kən'feʃn] *s* **1.** Bekenntnis, Geständnis *n* **2.** (REL) Beichte *f* **3.** Bekenntnis *n,* Konfession *f;* **make a full** ~ ein volles Geständnis ablegen; **con•fes•sional** [kən'feʃənl] *s* Beichtstuhl *m;* **con•fes•sor** [kən'fesə(r)] *s* Beichtvater *m*

con•fetti [kən'fetɪ] *s* Konfetti *n*

con•fi•dant [ˌkɒnfɪ'dænt] *s* Vertraute(r) *m;* **con•fi•dante** [ˌkɒnfɪ'dænt] *s* Vertraute *f;* **con•fide** [kən'faɪd] **I.** *tr* anvertrauen (*to s.o.* jdm) **II.** *itr* **1.** vertrauen (*in s.o.* jdm) **2.** sich verlassen (*in s.o.* auf jdn); **con•fi•dence** ['kɒnfɪdəns] *s* **1.** Vertrauen (*in* auf), Zutrauen *n* (*in* zu) **2.** Zuversicht, Überzeugung *f;* Selbstsicherheit *f* **3.** vertrauliche Mitteilung, Geheimnis *n;* **in strict** ~ streng vertraulich; **place** ~ **in s.o.** in jdn Vertrauen setzen; **take s.o. into** ~ jdn ins Vertrauen ziehen; **question of** ~ (POL) Vertrauensfrage *f;* ~ **trick** Schwindel *m;* ~ **trickster** [*o* **man**] Schwindler *m;* **con•fi•dent** ['kɒnfɪdənt] *adj* **1.** sicher, überzeugt (*of* von) **2.** zuversichtlich **3.** selbstsicher **4.** überheblich

con•fi•den•tial [ˌkɒnfɪ'denʃl] *adj* **1.** (*Mitteilung*) vertraulich, geheim **2.** vertraut, eingeweiht; **con•fid•en•tial•ly** [ˌkɒnfɪ'denʃəlɪ] *adv* im Vertrauen; **con•fid•ing** [kən'faɪdɪŋ] *adj* vertrauensvoll

con•fine ['kɒnfaɪn] **I.** *s meist pl* Grenze *f;* Grenzstreifen *m;* (*fig*) Grenzgebiet *n* **II.** [kən'faɪn] *tr* **1.** begrenzen, beschränken (*to* auf) **2.** einsperren, gefangenhalten (*in, to* in); **be ~d** niederkommen, entbunden werden; **be ~d to one's bed** ans Bett gefesselt sein; **be ~d to one's room** das Zimmer nicht verlassen können; ~ **o.s. to** sich beschränken auf; **con•fine•ment** [kən'faɪnmənt] *s* **1.** Einschränkung, Beschränkung *f* **2.** Haft *f;* Einsperren *n;* Einweisung *f;* Gefangenschaft *f* **3.** Niederkunft *f,* Wochenbett *n*

con•firm [kən'fɜːm] *tr* **1.** bestätigen **2.** (*Entschluss*) bekräftigen (*in* in), (be)stärken, festigen **3.** (REL) konfirmieren; firmen; **con•fir•ma•tion** [ˌkɒnfə'meɪʃn] *s* **1.** Bestätigung, Bekräftigung *f* **2.** Festigung *f* **3.** (REL) Konfirmation *f;* Firmung *f;* **con•firmed** [kən'fɜːmd] *adj* **1.** eingefleischt **2.** (MED) chronisch **3.** unverbesserlich

con•fis•cate ['kɒnfɪskeɪt] *tr* beschlagnahmen

con•flict ['kɒnflɪkt] **I.** *s* **1.** Zusammenstoß, Kampf *m* **2.** Streit, Konflikt *m;* Meinungsverschiedenheit *f;* Widerstreit *m* (*der Gefühle*); **in** ~ **with** im Gegensatz zu; ~ **of interests** Interessenkonflikt *m* **II.** [kən'flɪkt] *itr* **1.** im Widerspruch stehen (*with* zu), kollidieren (*with* mit) **2.** sich widersprechen; **conflict attenuation** *s* Konfliktbegrenzung, -eindämmung *f;* **con•flict•ing** [kən'flɪktɪŋ] *adj* (*Gefühle*) widerstreitend; widersprechend

con•flu•ence ['kɒnfluːəns] *s* Zusammenfluss *m*

con•form [kən'fɔːm] **I.** *tr* in Übereinstimmung bringen (*to* mit), anpassen (*to* an) **II.** *itr* **1.** übereinstimmen (*to* mit), entsprechen (*to dat*) **2.** sich anpassen (*to* an); **con•form•ist** [kən'fɔːmɪst] *s* Anpasser(in) *m(f),* Konfirmist(in) *m(f);* **con•form•ity** [kən'fɔːmɪtɪ] *s* **1.** Übereinstimmung *f* (*with* mit) **2.** Anpassung *f* (*to* an); **in** ~ **with** gemäß, übereinstimmend mit

con•found [kən'faʊnd] *tr* **1.** verwechseln (*with* mit) **2.** durcheinander bringen, durcheinander werfen **3.** verwirren, aus der Fassung bringen **4.** zunichte machen; ~ **it!** verdammt (noch mal)!; **con•founded** [-ɪd] *adj* (*fam*) verdammt, verflixt; abscheulich

con•front [kən'frʌnt] *tr* **1.** gegenüberstellen (*with dat*), konfrontieren (*with* mit) **2.** gegenüber-, entgegentreten (*s.th.* e-r S), ins Auge sehen (*danger* der Gefahr); **con·fron·ta·tion** [ˌkɒnfrʌn'teɪʃn] *s* Konfrontation *f*; **con·fron·ta·tional** [ˌkɒnfrʌn'teɪʃnəl] *adj* Konfrontations-

con·fuse [kən'fju:z] *tr* **1.** durcheinander bringen, durcheinander werfen **2.** verwechseln (*with* mit); **con·fused** [kən'fju:zd] *adj* **1.** verwirrt **2.** in Verlegenheit **3.** verworren, unklar; **con·fusion** [kən'fju:ʒn] *s* **1.** Verwirrung *f*, Durcheinander *n* **2.** Aufruhr, Tumult *m* **3.** Verworrenheit *f* **4.** Verwirrtheit, Bestürzung *f* **5.** Verwechs(e)lung *f*

con·geal [kən'dʒi:l] **I.** *tr* (*Kälte*) erstarren lassen **II.** *itr* **1.** (vor Kälte) erstarren, steif werden **2.** (*Flüssigkeit*) fest werden, (ge)frieren **3.** gerinnen

con·gen·ial [kən'dʒi:nɪəl] *adj* **1.** geistesverwandt (*with, to s.o.* jdm) **2.** freundlich, sympathisch **3.** (*Sache*) angenehm, zusagend **4.** passend, angemessen (*to dat*)

con·gested [kən'dʒestɪd] *adj* **1.** überfüllt; übervölkert **2.** sehr dicht besiedelt **3.** (*Straßen*) verstopft **4.** (MED) mit Blutandrang; **con·ges·tion** [kən'dʒestʃən] *s* **1.** (MED) Blutandrang *m* **2.** Überfüllung *f* **3.** (~ *of traffic*) (Verkehrs)Stauung, Stockung, Verstopfung *f* **4.** (~ *of population*) Übervölkerung *f*

con·glom·er·ate [kən'glɒmərət] **I.** *adj* zusammengewürfelt; (*Sprache*) Misch- **II.** *s* Konglomerat *n;* (*fig*) zusammengewürfelte Masse; (COM) (Misch)Konzern *m* **III.** [kən'glɒməreɪt] *itr* sich zusammenballen, verschmelzen; **con·glom·er·ation** [kənˌglɒmə'reɪʃn] *s* Zusammenballung, Anhäufung *f;* Konglomerat *n*

Con·go ['kɒŋgəʊ] *s* Kongo *m;* **Con·golese** [ˌkɒŋgəʊ'li:z] **I.** *adj* kongolesich **II.** *s* Kongolese *m,* Kongolesin *f*

con·gratu·late [kən'grætʃʊleɪt] *tr* Glück wünschen (*s.o.* jdm), gratulieren (*s.o.* jdm, *on* zu); ~ **o.s. on s.th.** sich über etw freuen, über etw froh sein; **con·gratu·lation** [kənˌgrætʃʊ'leɪʃn] *s meist pl* Glückwunsch *m,* Gratulation *f;* ~**s on passing the exam!** ich gratuliere zum bestandenen Examen!

con·gre·gate ['kɒŋgrɪgeɪt] *itr* zusammenkommen, sich versammeln (*round* um +*acc*); **con·gre·ga·tion** [ˌkɒŋgrɪ'geɪʃn] *s* **1.** Ansammlung *f;* Zusammenkunft, Versammlung *f* **2.** (REL) Gemeinde *f;* **con·gre·ga·tional** [ˌkɒŋgrɪ'geɪʃənl] *adj* (REL) Gemeinde-

con·gress ['kɒŋgres] *s* Zusammenkunft, Tagung *f;* Kongress *m;* Parteitag *m;* **C~** (*Am*) der Kongress; **Con·gress·man** [-mən] <*pl* -men> *s* Kongressabgeordnete(r) *m;* **Con·gress·woman** [-wʊmən, *pl* -wɪmɪn] <*pl* -women> *s* Kongressabgeordnete *f*

con·gru·ence ['kɒngrʊəns] *s* **1.** (*a.* GRAM) Übereinstimmung *f* **2.** (MATH) Kongruenz *f;* **con·gru·ent** ['kɒŋgrʊənt] *adj* **1.** (*a.* GRAM) übereinstimmend (*with* mit) **2.** entsprechend, gemäß (*with dat*), passend (*with* zu) **3.** (MATH) kongruent

conical ['kɒnɪkl] *adj* konisch, kegelförmig

coni·fer ['kɒnɪfə(r)] *s* (BOT) Nadelbaum *m;* **co·nif·erous** [kə'nɪfərəs] *adj* (BOT) zapfentragend; ~ **tree** Nadelbaum *m*

con·jec·tural [kən'dʒektʃərəl] *adj* mutmaßlich; **con·jec·ture** [kən'dʒektʃə(r)] **I.** *s* Vermutung, Mutmaßung *f* **II.** *tr* mutmaßen, vermuten **III.** *itr* Vermutungen anstellen

con·ju·gal ['kɒndʒʊgl] *adj* ehelich

con·ju·gate ['kɒndʒʊgeɪt] **I.** *tr* (GRAM) konjugieren **II.** *itr* (BIOL) sich paaren; **con·ju·ga·tion** [ˌkɒndʒʊ'geɪʃn] *s* **1.** (BIOL) Paarung *f* **2.** (GRAM) Konjugation *f*

con·junc·tion [kən'dʒʌŋkʃn] *s* **1.** Verbindung *f* **2.** Zusammentreffen, -fallen *n* **3.** (GRAM ASTR) Konjunktion *f;* **in ~ with** in Verbindung mit

con·junc·ti·vitis [kənˌdʒʌŋktɪ'vaɪtɪs] *s* (MED) Bindehautentzündung *f*

con·jure ['kʌndʒə(r)] *tr, itr* zaubern; **conjure away** *tr* wegzaubern; **conjure up** *tr* hervorzaubern; (*fig*) heraufbeschwören; (*Geist*) beschwören; **con·jurer** *s s.* **conjuror;** **con·jur·ing** [-ɪŋ] *s* Zaubern *n;* Zauberei *f;* **conjuring trick** *s* Zauberkunststück *n;* **con·juror** ['kʌndʒərə(r)] *s* **1.** Zauberkünstler(in) *m(f),* Taschenspieler(in) *m(f)* **2.** Zauberer *m,* Zauberin *f*

conk [kɒŋk] **I.** *tr* (*fam*) hauen **II.** *s* (*fam*) Zinken *m;* **conk out** *itr* **1.** (*fam*) versagen; (MOT) stehenbleiben **2.** (*fam: Mensch*) umkippen; sterben

conker ['kɒŋkə(r)] *s* Rosskastanie *f*

con·man ['kɒnmæn] <*pl* -men> *s* Schwindler, Hochstapler *m*

con·nect [kə'nekt] **I.** *tr* **1.** verbinden (*with* mit); (TELE) anschließen (*with* an) **2.** (TECH) koppeln, kuppeln (*with* mit), an-, einschalten **3.** (*fig*) miteinander in Verbindung, in Zusammenhang bringen; ~ **through** (TELE) durchschalten; **be ~ed with** in Verbindung stehen mit; **be well ~ed** gute Beziehungen haben **II.** *itr* **1.** in Verbindung stehen (*with* mit) **2.** (*Zug*) Anschluss haben (*with* an) **3.** landen (*with a blow* e-n Schlag); **con·nec·ted** [-ɪd] *adj* **1.** verbunden **2.** verwickelt (*with* in) **3.** verwandt **4.** (*fig*) zusammenhängend, logisch aufgebaut; **con·nect·ing** [-ɪŋ] *adj:* ~

flight Anschlussflug *m;* ~ **link** Zwischen-, Bindeglied *n;* ~ **rod** Pleuelstange *f;* ~ **train** Anschlusszug *m*

con•nec•tion, **con•nex•ion** [kə'nekʃn] *s* **1.** Verbindung *f;* (TELE, RAIL) Anschluss *m* **2.** Zusammenhang *m* **3.** (*a. pl*) Beziehungen *f* (*with* zu), Verbindungen *fpl* **4.** Kundenkreis *m,* Kundschaft *f* **5.** Bekanntschaft *f;* Bekanntenkreis *m;* Verwandtschaft *f;* **in this** ~ in diesem Zusammenhang; **in** ~ **with** im Zusammenhang mit; in Bezug auf; **with good** ~**s** mit guten Beziehungen; **establish a** ~ sich e-n Kundenkreis schaffen; **what is the** ~ **between ...?** welcher Zusammenhang besteht zwischen, wie hängen ... zusammen?; **parallel** ~ (EL) Parallelschaltung *f;* **rail/train** ~ Bahn-/Zugverbindung *f;* **telephone** ~ Fernsprechverbindung *f;* ~ **by air/by sea** Flug-/Schiffsverbindung *f;* **con•nect•or** [kə'nektə(r)] *s* (EL) Lüsterklemme *f*

con•niv•ance [kə'naɪvəns] *s* (sträfliche) Nachsicht (*at, in* mit), Begünstigung *f;* **con•nive** [kə'naɪv] *itr* (*Unrecht*) mit Absicht übersehen (*at s.th.* etw), stillschweigend dulden (*at s.th.* etw), Vorschub leisten (*at s.th.* e-r S)

con•nois•seur [ˌkɒnə'sɜː(r)] *s* Kenner *m*

con•no•ta•tion [ˌkɒnə'teɪʃn] *s* Nebenbedeutung, Assoziation *f;* (LING) Konnotation *f*

con•quer ['kɒŋkə(r)] **I.** *tr* **1.** erobern **2.** besiegen, überwältigen, überwinden *a. fig* (*Schwierigkeit*) **3.** (*fig*) Herr werden über **II.** *itr* siegen, siegreich sein; **con•queror** ['kɒŋkərə(r)] *s* Eroberer *m,* Eroberin *f;* Sieger(in) *m(f)*

con•quest ['kɒŋkwəst] *s* **1.** Eroberung *f a. fig* **2.** (JUR) Errungenschaft *f*

con•science ['kɒnʃəns] *s* Gewissen *n;* **in all** ~ (*fam*) alles, was recht ist; **have on one's** ~ auf dem Gewissen haben; **have no** ~ gewissenlos sein; **con•scien•tious** [ˌkɒnʃɪ'enʃəs] *adj* gewissenhaft; **con•scien•tious•ness** [-nɪs] *s* Gewissenhaftigkeit *f;* **conscientious objector** *s* Kriegs-, Wehrdienstverweigerer *m*

con•scious ['kɒnʃəs] *adj* **1.** bewusst **2.** absichtlich, wissentlich; vorsätzlich **3.** (MED) bei Bewusstsein; **be** ~ **of s.th.** sich über etw im Klaren sein; **con•scious•ness** ['kɒnʃəsnɪs] *s* **1.** Bewusstsein *n* (*of +gen, that* dass) **2.** Wissen *n* (*of* um), Kenntnis *f* (*of* von)

con•script [kən'skrɪpt] **I.** *tr* (MIL) einziehen, einberufen **II.** ['kɒnskrɪpt] *s* Wehrdienstpflichtige(r) *m;* **con•scrip•tion** [kən'skrɪpʃn] *s* **1.** Einberufung *f* **2.** Wehrpflicht *f*

con•se•crate ['kɒnsɪkreɪt] *tr* **1.** (REL) weihen, konsekrieren **2.** widmen **3.** heiligen; **con•se•cra•tion** [ˌkɒnsɪ'kreɪʃn] *s* **1.** (REL) Weihe, Konsekration *f* **2.** Hingabe *f* (*to* an)

con•secu•tive [kən'sekjʊtɪv] *adj* aufeinander folgend, fortlaufend; ~ **clause** (GRAM) Konsekutivsatz *m;* ~ **interpreting** Konsekutivdolmetschen *n;* **consecu•tive•ly** [-lɪ] *adv* nacheinander; fortlaufend

con•sen•sus [kən'sensəs] *s* **1.** Übereinstimmung *f* **2.** (~ *of opinion*) übereinstimmende Meinung, allgemeine Ansicht

con•sent [kən'sent] **I.** *itr* einwilligen (*to* in), einverstanden sein (*to* mit) **II.** *s* Einwilligung *f* (*to* in), Einverständnis *n* (*to* mit), Zustimmung *f* (*to* zu); **by mutual** ~ in gegenseitigem Einvernehmen; **give one's** ~ **to** seine Zustimmung erteilen zu

con•se•quence ['kɒnsɪkwəns] *s* **1.** Folge, Konsequenz *f;* Ergebnis *n* **2.** Folgerung *f,* Schluss *m* **3.** Bedeutung, Wichtigkeit *f,* Einfluss *m;* **in** ~ folglich; **in** ~ **of** infolge *+gen;* **of** ~ bedeutend, wichtig (*to* für); **of no** ~ unwichtig, unbedeutend; **be the** ~ **of s.th.** die Folge e-r S sein; **have serious** ~**s** ernste Folgen haben; **bear the** ~**s** die Folgen tragen; **that's of no further** ~ das fällt nicht weiter ins Gewicht; **con•se•quent** ['kɒnsɪkwənt] *adj* folgend (*upon* auf), sich ergebend (*upon* aus); **conse•quen•tial** [ˌkɒnsɪ'kwenʃl] *adj* **1.** sich ergebend (*on* aus) **2.** dünkelhaft **3.** folgerichtig; **con•se•quent•ly** ['kɒnsɪkwəntlɪ] *adv* folglich

con•ser•va•tion [ˌkɒnsə'veɪʃn] *s* **1.** Erhaltung, Bewahrung *f;* Schutz *m* **2.** Umweltschutz *m* **3.** Konservierung *f;* **soil** ~ Bodenmelioration *f;* ~ **area** Naturschutzgebiet *n;* Gebiet *n* unter Denkmalschutz; **con•ser•va•tion•ist** [ˌkɒnsə'veɪʃənɪst] *s* Umweltschützer(in) *m(f),* Denkmalpfleger(in) *m(f);* **conservation technology** *s* Umweltschutztechnik *f*

con•ser•va•tism [kən'sɜːvətɪzəm] *s* (POL) Konservat(iv)ismus *m;* **con•ser•va•tive** [kən'sɜːvətɪv] **I.** *adj* **1.** (*a.* POL) konservativ **2.** vorsichtig, zurückhaltend **II.** *s* (POL) Konservative(r) *f m*

con•ser•va•toire [kən'sɜːvətwɑː(r)] *s* (*Br*) Musikhochschule *f*

con•ser•va•tory [kən'sɜːvətrɪ] *s* **1.** Treibhaus *n;* Wintergarten *m* **2.** (MUS) Konservatorium *n,* Musik(hoch)schule *f*

con•serve [kən'sɜːv] **I.** *tr* **1.** erhalten, bewahren **2.** sparsam umgehen mit **3.** konservieren, einmachen, -kochen **II.** *s meist pl* (das) Eingemachte

con•sider [kən'sɪdə(r)] **I.** *tr* **1.** betrachten, erwägen, bedenken **2.** reiflich überlegen, prüfen **3.** berücksichtigen, Rücksicht nehmen auf **4.** ansehen, betrachten als, halten für; **all things** ~**ed** wenn man alles in Betracht zieht; I ~ ich bin der Auffassung (*that* dass) **II.** *itr* nachdenken, überlegen; **con•sider•able** [kən'sɪdərəbl] *adj* **1.** bedeutend **2.** beachtlich, beträchtlich; **considerate** [kən'sɪdərət] *adj* rücksichtsvoll, aufmerksam, zuvorkommend (*of* gegen); **be ~ of** Rücksicht nehmen auf; **consider•ation** [kən,sɪdə'reɪʃn] *s* **1.** Überlegung, Erwägung *f* **2.** Gesichtspunkt *m* **3.** Beweggrund, Anlass *m;* Umstand *m* **4.** Rücksicht(nahme), Aufmerksamkeit, Zuvorkommenheit *f* (*of* gegenüber) **5.** Vergütung *f,* Entgelt *n;* Gegenleistung *f;* **after long ~** nach reiflicher Überlegung; **in ~ of** in Anbetracht *+gen,* im Hinblick, mit Rücksicht auf; **for a ~** entgeltlich; **of no ~** (**at all**) (völlig) belanglos, unerheblich; **on** [*o* **under**] **no ~** auf keinen Fall, unter keinen Umständen; **on further ~** bei näherer Überlegung; **out of ~ for** mit Rücksicht auf; in Anbetracht *+gen;* **be** (**still**) **under ~** noch nicht entschieden sein; **come into ~** in Frage, in Betracht kommen; **give careful ~ to s.th.** etw sorgfältig erwägen, überdenken; **take into ~** in Betracht, in Erwägung ziehen; berücksichtigen; **considered** [kən'sɪdəd] *adj* überlegt; **your ~ opinion** Ihre geschätzte Meinung; **consider•ing** [kən'sɪdərɪŋ] **I.** *prep* in Anbetracht *+gen,* in Hinblick auf **II.** *adv* (*fam*) den Umständen nach **III.** *conj* da

con•sign•ment [kən'saɪnmənt] *s* **1.** Versand *m,* Zustellung, Aushändigung *f* **2.** (Waren)Sendung *f* **3.** Kommission *f;* Konsignation *f*

con•sist [kən'sɪst] *itr* bestehen, sich zusammensetzen (*of* aus); **~ in** bestehen in; **consist•ency** [kən'sɪstənsɪ] *s* **1.** Dichte, Festigkeit, Konsistenz *f* **2.** Übereinstimmung *f* **3.** logische Folge, Zusammenhang *m,* Folgerichtigkeit *f* **4.** Beständigkeit, Einheitlichkeit *f;* **con•sist•ent** [kən'sɪstənt] *adj* **1.** in Übereinstimmung, in Einklang, vereinbar (*with* mit) **2.** beständig, gleich bleibend **3.** konsequent (*about s.th.* in etw)

con•so•la•tion [,kɒnsə'leɪʃn] *s* Trost *m;* **consolation prize** *s* Trostpreis *m;* **consola•tory** [kən'sɒlətərɪ] *adj* tröstend

con•sole¹ ['kɒnsəʊl] *s* **1.** Konsole *f* **2.** Wandgestell *n* **3.** Musiktruhe *f* **4.** (RADIO) Gehäuse *n* **5.** (TECH) Steuerpult *n*

con•sole² [kən'səʊl] *tr* trösten (*for* über)

con•soli•date [kən'sɒlɪdeɪt] *tr* **1.** stärken, festigen **2.** miteinander verbinden, vereinigen, zusammenschließen; (*a.* FIN) zusammenlegen **3.** (FIN) fundieren, konsolidieren; **con•soli•dated** [-ɪd] *adj* **1.** (FIN) fundiert, konsolidiert **2.** (*Am*) gemeinsam, für mehrere Betriebe arbeitend; **con•soli•dation** [kən,sɒlɪ'deɪʃn] *s* **1.** Stärkung, Festigung *f* **2.** Verbindung, Vereinigung *f,* Zusammenschluss *m,* Fusion *f;* (*a.* FIN) Zusammenlegung *f* **3.** (FIN) Konsolidierung *f*

con•sommé [kən'sɒmeɪ] *s* (klare) Fleischbrühe *f*

con•so•nance ['kɒnsənəns] *s* (MUS) Wohlklang *m,* Konsonanz *f*

con•son•ant ['kɒnsənənt] **I.** *adj* **1.** übereinstimmend (*with* mit) **2.** harmonisch **3.** (GRAM) konsonantisch **II.** *s* (GRAM) Konsonant *m*

con•sort [kən'sɔ:t] **I.** *itr* **1.** Umgang haben, verkehren (*with* mit) **2.** in Einklang stehen, harmonieren (*with* mit) **II.** ['kɒnsɔ:t] *s* **1.** Gemahl(in *f*) *m* **2.** (MAR) Begleitschiff *n;* **prince ~** Prinzgemahl *m;* **con•sor•tium** [kən'sɔ:tɪəm] *s* Konsortium *n*

con•spicu•ous [kən'spɪkjʊəs] *adj* **1.** deutlich sichtbar **2.** auffällig, auffallend **3.** bemerkenswert (*by, for* durch, wegen); **be ~ by one's absence** durch Abwesenheit glänzen; **make o.s. ~** sich auffällig benehmen

con•spir•acy [kən'spɪrəsɪ] *s* Verschwörung *f;* **con•spira•tor** [kən'spɪrətə(r)] *s* Verschwörer(in) *m(f);* **con•spire** [kən'spaɪə(r)] *itr* **1.** sich verschwören (*against* gegen) *a. fig* **2.** (*fig*) zusammenwirken

con•stable ['kʌnstəbl] *s* Polizist(in) *m(f);* **con•sta•bu•lary** [kən'stæbjʊlərɪ] *s* Polizei *f*

con•stancy ['kɒnstənsɪ] *s* **1.** Standhaftigkeit, Beständigkeit *f* **2.** Treue *f* **3.** Stabilität *f;* Dauerhaftigkeit *f*

con•stant ['kɒnstənt] **I.** *adj* **1.** standhaft, beständig **2.** ununterbrochen, fortwährend, dauernd **3.** gleichbleibend, konstant **II.** *s* (MATH PHYS) Konstante *f;* **con•stant•ly** [-lɪ] *adv* (be)ständig, immer(zu), unaufhörlich

con•stel•la•tion [,kɒnstə'leɪʃn] *s* Sternbild *n,* Konstellation *f a. fig*

con•ster•na•tion [,kɒnstə'neɪʃn] *s* Bestürzung, Fassungslosigkeit *f*

con•sti•pate ['kɒnstɪpeɪt] *tr* (MED) verstopfen; **be ~d** Verstopfung haben; **consti•pa•tion** [,kɒnstɪ'peɪʃn] *s* Verstopfung *f*

con•sti•tu•ency [kən'stɪtjʊənsɪ] *s* **1.** Wähler(schaft *f*) *mpl* (*e-s Wahlbezirks*) **2.** Wahlbezirk, -kreis *m;* **con•sti•tu•ent** [kən'stɪtjʊənt] **I.** *adj* **1.** wählend **2.** verfassunggebend **3.** (*Teil*) einzeln **II.** *s* **1.** Wähler(in) *m(f)* **2.** Auftrag-, Vollmachtgeber(in) *m(f),* Mandant(in) *m(f)* **3.** (~ *part*) Grundbestandteil *m;* Bauteil *m;* Komponente *f;* Satzteil *m*

con•sti•tute ['kɒnstɪtju:t] *tr* **1.** (*Person*) einsetzen, ernennen **2.** (*Körperschaft*) konstituieren, begründen; (*Ausschuss*) bilden; (*Einrichtung*) schaffen **3.** (*Gesetz*) in Kraft setzen **4.** (*ein Ganzes*) ausmachen, bilden, darstellen **5.** (*Summe*) betragen

con•sti•tu•tion [ˌkɒnstɪ'tjuːʃn] *s* **1.** Errichtung, Begründung, Konstituierung *f;* Einsetzung *f;* Schaffung, Bildung *f* **2.** (Auf)Bau *m,* Struktur *f* **3.** (*Mensch*) Konstitution *f* **4.** Wesensart *f,* Charakter *m* **5.** Gesellschafts-, Staats-, Regierungsform *f* **6.** Verfassung *f,* (Staats) Grundgesetz *n;* Satzung *f;* **con•sti•tu•tional** [ˌkɒnstɪ'tjuːʃənl] **I.** *adj* **1.** Verfassungs-; (*Monarchie*) konstitutionell; (*Regierung, Vorgang*) verfassungsmäßig **2.** (MED) konstitutionell, der Veranlagung entsprechend; (*Abneigung*) naturgegeben; **it's not ~** das ist verfassungswidrig **II.** *s* Spaziergang *m*

constrain [kən'streɪn] *tr* (er)zwingen; nötigen; **be ~ed by circumstances** Sachzwängen unterliegen; **find o.s. ~ed** sich gezwungen, genötigt sehen; **con•straint** [kən'streɪnt] *s* **1.** Zwang *m* **2.** Verlegenheit, Befangenheit *f;* Zurückhaltung *f* **3.** Einschränkung *f;* **under ~** unter Zwang, zwangsweise; **be under ~** sich in e-r Zwangslage befinden

con•strict [kən'strɪkt] *tr* **1.** einengen **2.** zusammenziehen **3.** beschränken; **con•stric•tion** [kən'strɪkʃn] *s* **1.** Einengung *f* **2.** Zusammenziehen *n* **3.** Beschränkung *f;* **con•strictor** [-ə(r)] *s* (MED) Schließmuskel, Konstriktor *m*

con•struct¹ [kən'strʌkt] *tr* **1.** (auf-, er)bauen, errichten, konstruieren **2.** (*fig*) aus-, erdenken, ersinnen; (*Theorie*) entwickeln **3.** (GRAM: *Satz*) konstruieren

con•struct² ['kɒnstrʌkt] *s* Gedankengebäude *n*

con•struc•tion [kən'strʌkʃn] *s* **1.** Bau *m,* Erbauung, Errichtung *f;* Konstruktion *f* **2.** Gestaltung, Konstruktion *f;* Bauart, -weise, Ausführung *f;* Aufbau *m* **3.** Gebäude *n,* Bau(werk *n*) *m,* Anlage *f* **4.** (*fig*) Deutung, Erklärung, Auslegung *f* **5.** (GRAM) Konstruktion *f;* Satzbau *m;* **under** [*o* **in the course of**] **~** im Bau; **put a** (**good, wrong**) **~ on** (günstig, falsch) auslegen; **~ material** Baumaterial *n;* **~ supervision** Bauaufsicht *f;* **con•struc•tional** [kən'strʌkʃnl] *adj* baulich; **~ drawing** Konstruktionszeichnung *f;* **~ element** Bauelement *n;* **construc•tive** [kən'strʌktɪv] *adj* **1.** (*fig*) aufbauend, konstruktiv, positiv **2.** (*Mensch*) schöpferisch, erfinderisch **3.** (JUR) hypothetisch; **~ dismissal** fingierte Entlassung; **con•structor** [kən'strʌktə(r)] *s* Erbauer(in) *m(f);* Konstrukteur(in) *m(f)*

con•strue [kən'struː] **I.** *tr* **1.** (*Satz*) konstruieren **2.** wörtlich übersetzen **3.** erklären, deuten, auslegen **II.** *itr* (*Satz*) sich konstruieren lassen

con•sul ['kɒnsl] *s* Konsul *m;* **con•su•lar** ['kɒnsjʊlə(r)] *adj* konsularisch; **con•su•late** ['kɒnsjʊlət] *s* Konsulat *n;* **consulate general** *s* Generalkonsulat *n;* **consul general** <*pl* -s-> *s* Generalkonsul *m*

con•sult [kən'sʌlt] **I.** *tr* **1.** um Rat fragen, zu Rate ziehen, konsultieren **2.** (*Buch*) nachschlagen in **3.** beachten, berücksichtigen, bedenken **II.** *itr* sich beraten (*with s.o. about s.th.* mit jdm über etw); **con•sul•tan•cy** [kən'sʌltənsɪ] *s* Beratung *f;* Beratungsbüro *n;* **con•sul•tant** [kən'sʌltənt] **I.** *adj* beratend **II.** *s* **1.** Berater(in) *m(f),* (Rechts)Konsulent(in) *m(f)* **2.** (MED) Spezialist(in) *m(f),* Facharzt *m,* -ärztin *f;* **con•sul•ta•tion** [ˌkɒnsʌl'teɪʃn] *s* **1.** Befragung, Konsultation, Beratung *f* (*with* mit) **2.** Konferenz (*on* über), Sitzung *f;* **on ~ with** nach Rücksprache mit; **~ hour** Sprechstunde *f;* **con•sult•ing** [kən'sʌltɪŋ] *adj* beratend; **~-room** (MED) Sprechzimmer *n*

con•sume [kən'sjuːm] *tr* **1.** verzehren, konsumieren **2.** ver-, aufbrauchen **3.** (*Geld, Zeit, Kraft*) verbrauchen **4.** (*Zeit*) in Anspruch nehmen **5.** zerstören, vernichten; (*Feuer*) verzehren; **con•sumer** [kən'sjuːmə(r)] *s* Verbraucher(in) *m(f),* Konsument(in) *m(f),* Abnehmer(in) *m(f);* **~-friendly** verbraucherfreundlich; **~ resistance** Kaufunlust *f;* **~ society** Konsumgesellschaft *f;* **~ durables** langlebige Gebrauchsgüter *npl;* **~-goods** Konsum-, Verbrauchsgüter *pl;* **~ protection** Verbraucherschutz *m;* **~ advice centre** Verbraucherzentrale *f;* **~ spending** Verbraucherausgaben *pl;* **con•sumer•ism** [-ɪzəm] *s* Konsumsteigerung *f;* Konsumverhalten *n*

con•sum•mate ['kɒnsəmeɪt] **I.** *tr* **1.** vollenden **2.** (JUR: *Ehe*) vollziehen **II.** [kən'sʌmət] *adj* vollständig, vollkommen, vollendet; **con•sum•ma•tion** [ˌkɒnsə'meɪʃn] *s* **1.** Vollendung *f;* (*a.* COM) Abschluss *m,* Ende *n* **2.** (JUR) Vollziehung *f* (der Ehe) **3.** (*fig*) Höhepunkt *m;* Erfüllung *f*

con•sump•tion [kən'sʌmpʃn] *s* **1.** Verbrauch, Konsum *m* (*of* an), Absatz *m* **2.** (MED) Schwindsucht *f;* **~ of energy/fuel/materials/water** Energie-/Brennstoff-/Material-/Wasserverbrauch *m;* **con•sump•tive** [kən'sʌmptɪv] *adj* schwindsüchtig, tuberkulös

con•tact ['kɒntækt] **I.** *s* **1.** Kontakt *m;* (*a.* EL) Berührung *f;* (EL) Kontakt *m* **2.** (*fig*) Verbindung (*with* mit), Beziehung *f* (*with* zu), Kontaktperson *f;* Verbindungsmann *m* **3.** (MED) Kontaktperson *f* **4.** Ansprechpartner(in) *m(f);* **be in ~ with** in Verbindung stehen mit; **make ~** Verbindung anknüpfen (*with* mit); (EL) Kontakt herstellen

II. *tr* Fühlung nehmen, in Verbindung treten mit; sich wenden an; ~ **by telephone** sich telefonisch in Verbindung setzen mit, anrufen; **try to ~ s.o.** versuchen, jdn zu erreichen; **contact-breaker** *s* (EL) Unterbrecher *m;* **contact lens** *s* Kontaktlinse *f;* **contact man** <*pl* -men> *s* Verbindungsmann *f;* **contact print** *s* (PHOT) Kontaktabzug *m*

con•tagion [kənˈteɪdʒən] *s* **1.** (MED) Ansteckung, Übertragung *f;* ansteckende Krankheit, Seuche *f* **2.** (*fig*) verderblicher Einfluss; **con•tagious** [kənˈteɪdʒəs] *adj* ansteckend *a. fig,* übertragbar

con•tain [kənˈteɪn] **I.** *tr* **1.** enthalten **2.** (um)fassen, einschließen, in sich begreifen **3.** (*Gefühl*) beherrschen, zügeln **4.** begrenzen, einschließen **II.** *refl* sich beherrschen, sich in der Gewalt haben, sich zurückhalten; **con•tainer** [kənˈteɪnə(r)] *s* **1.** Behälter *m;* Gefäß *n;* (Benzin)Kanister *m* **2.** (COM) Container *m;* **con•tainer•ize** [kənˈteɪnəraɪz] *tr* **1.** auf Containerbetrieb umstellen **2.** in Containern transportieren; **container ship** *s* Containerschiff *n;* **con•tain•ment** [kənˈteinmənt] *s* **1.** (MIL) Abwehr *f;* In-Schach-Halten *n* **2.** (*in Kernkraftwerk*) Sicherheitsbehälter *m*

con•tami•nate [kənˈtæmɪneɪt] *tr* **1.** verschmutzen, verunreinigen **2.** (MED) verseuchen; (*Gelände*) (radioaktiv) verseuchen **3.** (*fig*) verderben; **~ed by radiation** strahlenverseucht; **con•tami•na•tion** [kənˌtæmɪˈneɪʃn] *s* **1.** Verschmutzung, Verunreinigung *f* **2.** (radioaktive) Verseuchung *f* **3.** Ansteckung *f;* verderblicher Einfluss **4.** (GRAM) Kontamination *f*

con•tem•plate [ˈkɒntempleɪt] **I.** *tr* **1.** betrachten, beschauen **2.** nachdenken, (nach) sinnen über **3.** ins Auge fassen, vorhaben, beabsichtigen **4.** erwarten, rechnen mit **II.** *itr* (nach)sinnen, meditieren (*on* über); **con•tem•pla•tion** [ˌkɒntemˈpleɪʃn] *s* **1.** Betrachtung *f* **2.** Nachdenken, (Nach) Sinnen *n* **3.** Beschaulichkeit *f* **4.** Absicht *f* **5.** Erwartung *f;* **con•tem•pla•tive** [kənˈtemplətɪv] *adj* nachdenklich, besinnlich, beschaulich

con•tem•por•ary [kənˈtemprərɪ] **I.** *adj* **1.** gleichzeitig (*with* mit) **2.** zeitgenössisch **3.** gleichaltrig **II.** *s* Zeit-, Altersgenosse *m,* -genossin *f*

con•tempt [kənˈtempt] *s* **1.** Verachtung, Geringschätzung *f* **2.** Schande *f* **3.** (~ *of court*) Missachtung *f* des Gerichts; Beeinflussung *f* der Rechtspflege; **con•tempt•ible** [kənˈtemptəbl] *adj* verächtlich, verachtenswert; **con•temptu•ous** [kənˈtemptʃʊəs] *adj* verächtlich, geringschätzig

con•tend [kənˈtend] **I.** *itr* **1.** kämpfen, ringen **2.** sich bewerben (*for* um) **3.** streiten, disputieren (*with s.o. about s.th.* mit jdm über etw); ~ **with s.o./s.th.** mit jdm/etw fertig werden **II.** *tr* verfechten; behaupten (*that* dass)

con•tent¹ [ˈkɒntent] *s meist pl* **1.** Rauminhalt *m,* Volumen, Fassungsvermögen *n* **2.** Inhalt *m* **3.** Inneneinrichtung *f* **4.** (*fig*) Gehalt *m;* **table of ~s** (*Buch*) Inhaltsverzeichnis *n*

con•tent² [kənˈtent] **I.** *adj* **1.** zufrieden (*with* mit) **2.** geneigt, bereit, gewillt (*to do* zu tun) **II.** *s* Zufriedenheit *f;* **to one's heart's ~** nach Herzenslust **III.** *tr* zufrieden stellen, befriedigen; ~ **o.s. with** zufrieden sein, sich begnügen mit; **con•tented** [kənˈtentɪd] *adj* zufrieden (*with* mit)

con•ten•tion [kənˈtenʃn] *s* **1.** Streit, Zank *m* **2.** Disput *m,* Wortgefecht *n,* Kontroverse *f* **3.** Streitpunkt *m* **4.** (JUR) Behauptung *f;* **con•ten•tious** [kənˈtenʃəs] *adj* **1.** streitsüchtig **2.** (JUR) streitig; (*Sache*) strittig, umstritten

con•tent•ment [kənˈtentmənt] *s* Zufriedenheit *f*

con•test [kənˈtest] **I.** *tr* **1.** umkämpfen, kämpfen um **2.** sich bemühen, sich bewerben, wetteifern um **3.** bestreiten, in Frage stellen; (*Wahl*) anfechten; ~ **a seat in Parliament** für e-n Sitz im Unterhaus kandidieren **II.** *itr* streiten, kämpfen (*with, against s.o.* mit jdm) **III.** [ˈkɒntest] *s* **1.** Kampf, Streit *m* **2.** Wettkampf, -streit, -bewerb *m* (*for* um); **con•testant** [kənˈtestənt] *s* **1.** Wettkämpfer(in) *m(f)* **2.** Kandidat(in) *m(f)* **3.** Bewerber(in) *m(f);* **contested takeover** *s* (COM) angefochtene Übernahme

con•text [ˈkɒntekst] *s* **1.** (Satz-, Sinn)Zusammenhang *m* **2.** Milieu *n;* Umgebung *f;* Rahmen *m;* **in this ~** in diesem Zusammenhang; **con•tex•tual** [kənˈtekstʃʊəl] *adj* Kontext-; **con•tex•tual•ize** [-ɑɪz] *tr* in einen Zusammenhang setzen

con•ti•nent¹ [ˈkɒntɪnənt] *adj* **1.** zurückhaltend; enthaltsam; keusch **2.** (MED) fähig, Stuhl u. Harn zurückzuhalten

con•ti•nent² [ˈkɒntɪnənt] *s* Festland *n,* Kontinent *m;* **the C~** (Kontinental)Europa *n;* **con•ti•nen•tal** [ˌkɒntɪˈnentl] **I.** *adj* kontinental, europäisch; ~ **climate** Landklima *n;* ~ **quilt** Steppdecke **II.** *s* Bewohner *m* des Kontinents; (Festlands)Europäer(in) *m(f)*

con•tin•gency [kənˈtɪndʒənsɪ] *s* **1.** Möglichkeit *f* **2.** Zufälligkeit *f;* Zufall *m;* Eventualität *f* **3.** **contingencies** unvorhergesehene Ausgaben *fpl;* **be prepared for all contingencies** für alle Eventualitäten vorbereitet sein; ~ **plan** Ausweichplan *m;* **con•tin•gent** [kən'tɪndʒənt] I. *adj* 1. möglich, eventuell; unsicher, ungewiss; zufällig 2. abhängig (*on, upon* von), bedingt II. *s* Kontingent *n,* Quote *f,* Anteil *m*

con•tin•ual [kən'tɪnjʊəl] *adj* 1. wiederholt, ständig wiederkehrend 2. fortwährend, beständig, dauernd; **con•tin•ual•ly** [-lɪ] *adv* immer wieder; ohne Unterbrechung; **con•tinu•ation** [kənˌtɪnjʊ'eɪʃn] *s* 1. Fortsetzung, Weiterführung *f* 2. Fortdauer *f,* -bestehen *n,* -bestand *m* 3. Beibehaltung *f* 4. Erweiterung *f,* Zusatz *m;* Verlängerung *f* 5. (COM) Prolongation *f;* **con•tinue** [kən'tɪnju:] I. *tr* 1. fortsetzen, fortfahren, weitermachen mit 2. verlängern, ausdehnen 3. wiederaufnehmen 4. (bei)behalten 5. (JUR) vertagen; ~ **to do s.th.** etw weiterhin tun; ~ **to read** weiterlesen; **to be ~d** Fortsetzung folgt II. *itr* 1. fortfahren, weitermachen; fortdauern, anhalten 2. (ver)bleiben; weiterhin sein, sich weiterhin befinden 3. weitergehen, fortgeführt werden 4. sich fortsetzen, sich (weiter) erstrecken 5. wieder anfangen, fortfahren; ~ **on** (**one's way**) weiterfahren, -reisen; **con•ti•nu•ity** [ˌkɒntɪ'nju:ətɪ] *s* 1. (Fort)Dauer, Beständigkeit, Stetigkeit *f* 2. natürliche Folge, Zusammenhang *m* 3. (FILM) Anschluss *m* 4. (RADIO) Ansagen *fpl* 5. (*fig*) roter Faden; **in** ~ im Zusammenhang, in der richtigen Reihenfolge; **out of** ~ nicht im Zusammenhang; ~ **of programme** Sendefolge *f;* ~ **girl** Scriptgirl *n;* **con•tinu•ous** [kən'tɪnjʊəs] *adj* 1. zusammenhängend, durchgehend, -laufend 2. stetig, beständig; fortlaufend; ununterbrochen, dauernd 3. kontinuierlich; ~ **current** (EL) Gleichstrom *m;* ~ **paper** [*o* **stationery**] (EDV) Endlospapier *n;* ~ **performance** (FILM) durchgehende Vorstellung; **present/past** ~ Verlaufsform *f* Präsens/Vergangenheit

con•tort [kən'tɔ:t] *tr* 1. verdrehen, verzerren *a. fig* 2. (TECH) verformen; **con•tor•tion** [kən'tɔ:ʃn] *s* 1. Verzerrung *f;* Krümmung *f* 2. (TECH) Verformung *f* 3. Verrenkung *f;* **con•tor•tion•ist** [kən'tɔ:ʃənɪst] *s* Schlangenmensch *m*

con•tour ['kɒntʊə(r)] I. *tr* 1. umreißen 2. (TECH) formen, profilieren 3. (GEOG) e-r Höhenlinie folgen lassen II. *s* Umriss(linie *f*) *m;* **contour line** *s* (GEOG) Höhenlinie *f;* **contour map** *s* Höhenschichtkarte *f*

contra•band ['kɒntrəbænd] *s* 1. Schmuggel *m* 2. Schmuggelware *f*

contra•cep•tion [ˌkɒntrə'sepʃn] *s* Empfängnisverhütung *f;* **contra•cep•tive** [ˌkɒntrə'septɪv] I. *adj* empfängnisverhütend II. *s* Verhütungsmittel *n*

con•tract[1] [kən'trækt] I. *tr* 1. zusammenziehen, verkürzen 2. enger machen, einengen 3. (*Pupille*) verengen 4. (*Schulden*) ansammeln 5. (*Krankheit*) erkranken (an); entwickeln II. *itr* 1. sich zusammenziehen; zusammenschrumpfen; einlaufen 2. enger werden, sich verenge(r)n

contract[2] ['kɒntrækt] I. *s* 1. Vertrag *m,* Abkommen *n,* Kontrakt *m* 2. Übereinkunft, Vereinbarung *f* 3. (Liefer-, Werk)Vertrag *m* 4. (*Bridge*) Kontrakt *m;* **by** ~ vertraglich; **enter into** [*o* **make a**] ~ e-n Vertrag abschließen; **breach of** ~ Vertragsbruch *m;* **marriage** ~ Ehevertrag *m;* ~ **of carriage** Frachtvertrag *m;* ~ **of employment** Arbeits-, Anstellungsvertrag *m* II. *adj* vertraglich festgelegt, vereinbart III. [kən'trækt] *tr* 1. (*Schulden*) machen 2. (*Krankheit*) sich zuziehen, bekommen 3. (*Angewohnheit, Laster*) annehmen; (*Vorliebe*) entwickeln 4. (*Freundschaft*) schließen; (*Ehe*) eingehen; (*Bekanntschaft*) machen 5. (*Verpflichtung*) übernehmen IV. [kən'trækt] *itr* 1. sich vertraglich verpflichten 2. sich verbünden; **contract in** *itr* sich anschließen; (*e-r Versicherung*) beitreten; **contract out** I. *itr* austreten (*of* aus) II. *tr* (*Arbeit*) (außer Haus) vergeben

con•trac•tion [kən'trækʃn] *s* 1. Zusammenziehung *f;* (*Pupille*) Verengung *f* 2. (GRAM) Verkürzung *f* 3. (MED) Wehe *f;* (*von Krankheit*) Erkrankung *f* (*of* an)

con•tractor [kən'træktə(r)] *s* 1. Vertragschließende(r) *f m,* Lieferant(in) *m(f)* 2. (Bau)Unternehmer(in) *m(f);* **con•trac•tual** [kən'træktʃʊəl] *adj* vertraglich

con•tra•dict [ˌkɒntrə'dɪkt] *tr* 1. widersprechen (*s.o.* jdm) 2. für unrichtig erklären 3. im Widerspruch stehen (*s.o., s.th.* zu jdm, zu e-r S), unvereinbar sein (*s.th.* mit e-r S); **con•tra•dic•tion** [ˌkɒntrə'dɪkʃn] *s* 1. Widerspruch *m,* Widerrede *f* 2. Unvereinbarkeit *f;* **con•tra•dic•tory** [ˌkɒntrə'dɪktərɪ] *adj* (sich) widersprechend, widerspruchsvoll

con•tralto [kən'træltəʊ] <*pl* -traltos> *s* Alt(stimme *f*) *m;* Altistin *f*

con•trap•tion [kən'træpʃn] *s* (*fam pej*) Apparat *m;* komisches Ding(s)

con•trary[1] ['kɒntrərɪ] I. *adj* 1. entgegengesetzt, gegenteilig; gegensätzlich 2. ungünstig 3. entgegen, gegen; ~ **to** entgegen +*dat,* gegen; ~ **to expectations** wider Erwarten; ~ **to order** [*o* **rule**] befehls-/regelwidrig II. *s* Gegenteil *n* (*to* von); **on the** ~ im Gegenteil; **to the** ~ im entgegengesetzten Sinn; **proof to the** ~ Gegenbeweis *m*

con•trary[2] [kən'treərɪ] *adj* widerspenstig, bockig

con·trast [kən'trɑːst] **I.** *tr* vergleichen (*with* mit), gegenüberstellen (*with dat*), in Gegensatz stellen (*with* zu) **II.** *itr* sich (stark) abheben (*with* von), abstechen (*with* von, gegen), kontrastieren; im Widerspruch stehen (*with* zu) **III.** ['kɒntrɑːst] *s* Gegensatz *m* (*to* zu), Kontrast *m;* **by ~ with** im Vergleich zu; **in ~ to** im Gegensatz zu; **contrast control** *s* (TV EDV) Kontrastregelung *f;* Kontrastregler *m*

con·tra·vene [ˌkɒntrə'viːn] *tr* **1.** zuwiderhandeln (*s.th.* e-r S), verstoßen (*a law* gegen ein Gesetz); (*Bestimmung, Vorschrift*) nicht beachten **2.** widersprechen (*s.th.* e-r S), in Abrede stellen, Stellung nehmen (*s.th.* gegen etw) **3.** im Widerspruch stehen (*s.th.* zu e-r S); **con·tra·ven·tion** [ˌkɒntrə'venʃn] *s* Zuwiderhandlung *f,* Verstoß *m;* **in ~ of the rules** entgegen den Vorschriften

con·trib·ute [kən'trɪbjuːt] **I.** *tr* **1.** geben (*to* für), beitragen, beisteuern *a. fig* **2.** (*e-n Beitrag*) liefern **II.** *itr* **1.** mitwirken, helfen (*to* bei) **2.** beitragen (*to* zu); **~ to a newspaper** für e-e Zeitung schreiben; **con·tri·bu·tion** [ˌkɒntrɪ'bjuːʃn] *s* **1.** Mitwirkung *f* **2.** Beitrag *m* (*to* zu) **3.** Spende *f;* Beitragsleistung, Beisteuer *f* **4.** (COM) Einlage *f;* **con·tribu·tor** [kən'trɪbjuːtə(r)] *s* (*Zeitschrift*) Mitarbeiter(in) *m(f);* (*Geld*) Spender(in) *m(f);* **con·tribu·tory** [kən'trɪbjʊtrɪ] *adj* **1.** beitragend (*to* zu) **2.** mitwirkend (*to* an), mitverursachend

con·trite ['kɒntraɪt] *adj* zerknirscht; reumütig; **con·trition** [kən'trɪʃn] *s* **1.** Zerknirschung *f,* Schuldbewusstsein *n* **2.** Reue *f*

con·triv·ance [kən'traɪvəns] *s* **1.** Erfindung(sgabe) *f* **2.** Plan, Entwurf, Gedanke *m,* Idee *f* **3.** Kunstgriff, Kniff, Dreh *m* **4.** Erfindung, Vorrichtung *f,* Apparat *m;* **contrive** [kən'traɪv] **I.** *tr* **1.** ausdenken, ersinnen **2.** erfinden; planen, entwerfen **3.** zu Stande, zu Wege bringen, bewerkstelligen **II.** *itr:* **he ~d to escape** es gelang ihm zu fliehen; **she ~d to shock me** sie brachte es fertig, mich zu schockieren

con·trol [kən'trəʊl] **I.** *tr* **1.** beherrschen, in seiner Gewalt haben **2.** e-n beherrschenden, entscheidenden Einfluss haben auf **3.** leiten, lenken, dirigieren, steuern **4.** in Schranken halten; zügeln, mäßigen, einschränken **5.** beaufsichtigen, überwachen; prüfen, kontrollieren **6.** (TECH) regulieren, regeln, steuern **II.** *s* **1.** Herrschaft, Gewalt, Macht *f* (*of* über) **2.** Beherrschung *f,* beherrschender, entscheidender Einfluss (*of* auf) **3.** Leitung, Lenkung, Führung, Steuerung *f* **4.** Bewirtschaftung *f* **5.** Zurückhaltung, Zügelung, Mäßigung, Einschränkung *f* **6.** Aufsicht (*of, over* über), Beaufsichtigung, Überwachung *f;* Kontrolle *f* **7.** (TECH) Regulierung, Steuerung, Betätigung, Bedienung *f;* Schaltung *f;* Regler *m* **8.** (AERO) Steuerung *f* **9.** (~ *room*) Zentrale *f;* (~ *tower*) Kontrollturm *m;* **out of ~** herren-, führerlos; **under ~** unter Aufsicht; **gain ~ over, get ~ of** die Herrschaft gewinnen über; **bring** [*o* **get**] **under ~** unter Kontrolle bringen; **lose ~ of** [*o* **over**] die Gewalt, die Herrschaft verlieren über; **remote ~** Fernlenkung, -steuerung *f;* (TV) Fernbedienung *f;* **volume ~** (RADIO) Lautstärkeregler *m;* **control board** *s* Schalttafel *f;* **control centre** *s* Schaltzentrale *f;* Kontrollzentrum *n;* **control character** *s* (EDV) Steuerzeichen *n;* **control column** *s* Steuersäule *f;* **control desk** *s* Schaltpult *n;* (TV) Regiepult *n;* **con·trol·lable** [-əbl] *adj* **1.** lenkbar; regulierbar **2.** kontrollierbar; **con·trol·led** [kən'trəʊld] *adj* beherrscht; kontrolliert; (*Preise*) gebunden; **con·trol·ler** [kən'trəʊlə(r)] *s* **1.** Leiter(in) *m(f),* Aufseher(in) *m(f),* Aufsichtführende(r) *f m* **2.** Rechnungsprüfer(in) *m(f)* **3.** Kontrolleur(in) *m(f)* **4.** (EL) Steuer-, Fahrschalter, Regler *m;* **control lever** *s* Schalthebel *m;* **control light** *s* Kontrolllampe *f;* **control panel** *s* Schalttafel *f;* (AERO TV) Bedienungsfeld *n;* (MOT) Armaturenbrett *n;* (EDV) Betriebs-, Steuerpult *n;* **control point** *s* Kontrollpunkt *m,* -stelle *f;* **control switch** *s* Kontrollschalter *m;* **control tower** *s* (AERO) Kontrollturm *m;* **control unit** *s* (EDV) Steuer-, Leitwerk *n*

con·tro·ver·sial [ˌkɒntrə'vɜːʃl] *adj* **1.** strittig, umstritten **2.** polemisch, streitlustig; **~ issue** Reizthema, umstrittenes Thema *n;* **be highly ~** stark umstritten sein; **con·tro·versy** ['kɒntrəvɜːsɪ, kən'trɒvəsɪ] *s* **1.** Streitfrage *f;* Kontroverse *f* **2.** (Wort)Streit, Disput *m,* (erregte) Debatte *f;* Polemik *f;* **beyond ~** unumstritten

con·tusion [kən'tjuːʒn] *s* Quetschung, Prellung *f*

co·nun·drum [kə'nʌndrəm] *s* Scherzfrage *f;* knifflige Frage

con·ur·ba·tion [ˌkɒnɜː'beɪʃn] *s* Ballungsraum *m*

con·va·lesce [ˌkɒnvə'les] *itr* genesen, (wieder) gesund werden; **he is convalescing** er ist auf dem Wege der Besserung; **con·va·les·cence** [ˌkɒnvə'lesns] *s* Genesung, Rekonvaleszenz *f;* **con·valescent** [ˌkɒnvə'lesnt] **I.** *adj* genesend **II.** *s* Rekonvaleszent(in) *m(f)*

con·vec·tion *s* (PHYS) Konvektion *f;* **convection oven** *s* Heißluftherd *n*

con·vec·tor (**heater**) [kən'vektə(r) 'hiːtə(r)] *s* Heizstrahler *m*

con·vene [kən'viːn] **I.** *itr* zusammenkommen, sich versammeln **II.** *tr* **1.** zusammenkommen lassen; (*e-e Versammlung*) einberufen **2.** (JUR) (vor)laden; **con•vener** [kən'vi:nə(r)] *s* Einberufende(r) *f m*

con•veni•ence [kən'vi:nɪəns] *s* **1.** Bequemlichkeit, Annehmlichkeit *f;* Vorteil *m* **2.** *meist pl* Bequemlichkeiten *fpl,* Komfort *m* **3.** Waschgelegenheit *f;* Klosett *n;* **at your earliest** ~ möglichst bald; **at your (own)** ~ wenn es Ihnen recht ist [*o* passt]; **make a** ~ **of s.o.** jdn ausnutzen; (**public**) ~ öffentliche Toilette; **with all modern ~s** mit allem modernen Komfort; **con•veni•ent** [kən'vi:nɪənt] *adj* **1.** passend, geeignet; (*Zeit*) gelegen **2.** (*Werkzeug, Gerät*) praktisch, leicht zu handhaben(d); **if it is ~ for you** wenn es Ihnen recht ist

con•venor *s s.* **convener**

con•vent ['kɒnvənt] *s* (Nonnen)Kloster *n*

con•ven•tion [kən'venʃn] *s* **1.** Versammlung *f;* Tagung *f,* Kongress *m;* (*Am:* POL) Parteitag *m* **2.** Übereinkommen, Abkommen *n;* Vereinbarung, Konvention *f;* Vertrag *m* **3.** Sitte *f,* Brauch *m,* Gewohnheit *f;* **con•ven•tional** [kən'venʃənl] *adj* **1.** konventionell, förmlich **2.** üblich, herkömmlich, traditionell

con•verge [kən'vɜ:dʒ] *itr* konvergieren, zusammenlaufen; **con•ver•gence** [kən'vɜ:dʒəns] *s* **1.** (MATH) Konvergenz(punkt *m*) *f* **2.** Annäherung *f;* **con•ver•gent** [kən'vɜ:dʒent] *adj* zusammenlaufend; konvergent

con•ver•sant [kən'vɜ:snt] *adj* **1.** vertraut, bekannt (*with* mit) **2.** erfahren (*with* in)

con•ver•sa•tion [ˌkɒnvə'seɪʃn] *s* Gespräch *n,* Unterhaltung *f;* **make** ~ sich unterhalten; **in ~ with** im Gespräch mit; **enter into a** ~ ein Gespräch anknüpfen; **con•ver•sa•tional** [ˌkɒnvə'seɪʃənl] *adj* **1.** gesprächig; im Plauderton **2.** (*Sprache*) Umgangs-, gesprochen; **con•ver•sa•tional•ly** [-lɪ] *adv* im Plauderton

con•verse¹ [kən'vɜ:s] *itr* sprechen, sich unterhalten (*with s.o. on, about s.th.* mit jdm über etw)

con•verse² ['kɒnvɜ:s] **I.** *adj* entgegengesetzt, umgekehrt **II.** *s* Gegenteil *n*

con•ver•sion [kən'vɜ:ʃn] *s* **1.** Umwandlung *f* (*from* von, *into* in), Umbau *m;* Umstellung *f;* Umrüstung *f* **2.** (TECH) Umformung *f* **3.** (MATH FIN) Umrechnung *f* **4.** (REL) Bekehrung *f,* Übertritt *m;* ~ **table** Umrechnungstabelle *f*

con•vert [kən'vɜ:t] **I.** *tr* **1.** ver-, umwandeln (*into* in) **2.** umbauen, umrüsten; umstellen **3.** (MATH FIN) umrechnen **4.** (REL) bekehren (*to* zu) **5.** (TECH) umformen, umsetzen (*into* in) **II.** ['kɒnvɜ:t] *s* (REL) Konvertit *m;* Bekehrte(r) *f m;* **con•verter** [kən'vɜ:tə(r)] *s* **1.** Konverter *m,* Bessemerbirne *f* **2.** (EL) Umformer *m;* Gleichrichter *m* **3.** (MOT: *catalytic* ~) Katalysator *m;* **con•vert•ible** [kən'vɜ:təbl] **I.** *adj* **1.** umwandelbar **2.** (FIN) konvertierbar; einlösbar (*into* in) **II.** *s* (MOT) Kabrio(lett) *n*

con•vex ['kɒnveks] *adj* konvex

con•vey [kən'veɪ] *tr* **1.** befördern, transportieren, verfrachten **2.** (über-, weg)bringen, hinschaffen **3.** mitteilen **4.** (*Nachricht*) übermitteln **5.** (*Sinn, Gedanken*) vermitteln **6.** (*Trost*) spenden **7.** (*Eigentum, Vermögen*) übertragen, abtreten, übereignen (*to* an); **con•vey•ance** [kən'veɪəns] *s* **1.** Beförderung *f,* Transport *m,* Spedition *f* **2.** (TECH) Zuführung, Leitung *f* **3.** Übermitt(e)lung, Mitteilung *f* **4.** (JUR) Übertragung, Abtretung *f;* ~ **of passengers** Personenbeförderung *f;* **conveyancing** [-ɪŋ] *s* (JUR) (Eigentums)Übertragung *f;* **con•veyor** [kən'veɪə(r)] *s* **1.** Übermittler, Beförderer *m* **2.** Fuhrunternehmer, Spediteur *m* **3.** (TECH) Förderband *n,* -anlage *f;* ~ **belt** Fließ-, Förderband *n*

con•vict ['kɒnvɪkt] **I.** *s* Sträfling *m,* Strafgefangene(r) *f m* **II.** [kən'vɪkt] *tr* **1.** überführen (*of a crime* e-s Verbrechens) **2.** für schuldig befinden [*o* erklären]; verurteilen (*on a criminal charge* wegen e-r strafbaren Handlung, *of murder* wegen Mords); **con•vic•tion** [kən'vɪkʃn] *s* **1.** (JUR) Überführung *f;* Verurteilung *f* **2.** (feste) Überzeugung *f;* **by** ~ aus Überzeugung; **carry** ~ überzeugend wirken; **have a previous** ~ vorbestraft sein (*for* wegen)

con•vince [kən'vɪns] *tr* überzeugen (*of* von); **be ~d (of)** überzeugt sein (von); ~ **o.s. (of)** sich überzeugen (von); **con•vinc•ing** [-ɪŋ] *adj* überzeugend; (*Beweis*) schlagend

con•voy ['kɒnvɔɪ] **I.** *tr* (BES. MAR) geleiten, eskortieren **II.** *s* Konvoi *m;* Geleit *n*

con•vulse [kən'vʌls] *tr* **1.** erschüttern *a. fig* **2.** (*Gesicht*) verzerren; **con•vul•sion** [kən'vʌlʃn] *s* **1.** Erschütterung *f a. fig* **2.** (Nerven)Zuckung *f;* Verkrampfung *f;* **~s of laughter** Lachanfall, -krampf *m;* **con•vul•sive** [kən'vʌlsɪv] *adj* krampfhaft, konvulsivisch; ~ **laughter** Lachkrämpfe *mpl*

cony, coney ['kəʊnɪ] *s* (*Am:* ZOO) Kaninchen *n*

coo [ku:] **I.** *itr* (*Taube*) gurren **II.** *s* Gurren *n*

cook [kʊk] **I.** *tr, itr* kochen; sich kochen lassen; **what's ~ing?** (*Am fam*) was gibt's Neues? **II.** *tr* **1.** (*Essen*) zubereiten; braten, backen **2.** (*fam:* ~ *up*) zusammenbrauen, aushecken, -brüten **3.** verfälschen, (auf)frisieren; (*Konten*) frisieren **III.** *s* Koch *m,* Köchin *f;* **cook•book** ['kʊkbʊk] *s* (*Am*) Kochbuch *n;* **cooker** ['kʊkə(r)] *s* **1.**

Kocher, Kochapparat *m;* Herd *m* **2.** ~**s** Kochapfel *n;* **cook•ery** ['kʊkərɪ] *s* Kochen *n,* Kochkunst, Küche *f;* **cookery book** *s* Kochbuch *n;* **cookie**, **cooky** ['kʊkɪ] *s* (*Am*) **1.** Plätzchen *n* **2.** (*Mensch*) Typ, Kerl *m;* **that's the way the ~ crumbles** so ist das nun mal; **cook•ing** ['kʊkɪŋ] *s* **1.** Kochen *n* **2.** Küche *f,* Essen *n*

cool [kuːl] **I.** *adj* **1.** kühl, frisch **2.** (*fig*) kühl; zurückhaltend; ablehnend **3.** kaltblütig **4.** (*sl*) prima, klasse; **a ~ ...** (*fam: vor e-r Zahlenangabe*) lausige, lumpige, bloß(e), nur; rund ...; **keep ~** Ruhe bewahren; **play it ~** die Nerven nicht verlieren **II.** *s* Kühle *f;* **blow** [*o* **lose**] **one's ~** die Nerven verlieren **III.** *tr* (~ *off*) abkühlen (lassen); **~ it!** (*sl*) nun mach mal halb lang! **IV.** *itr* kühl werden, abkühlen; **~ down** [*o* **off**] (*fig*) ruhiger werden; **cooler** ['kuːlə(r)] *s* **1.** Kühler *m* **2.** (*sl*) Gefängnis *n,* Bau *m;* **cool-headed** [ˌkuːl'hedɪd] *adj* besonnen; **cool•ing** ['kuːlɪŋ] *s* (Ab)Kühlung *f;* **~-off period** Rücktrittsfrist *f;* **cooling fan** *s* **1.** (MOT) Lüfter *m* **2.** (EDV) Kühlgebläse *n;* **cooling tower** *s* Kühlturm *m;* **coolness** ['kuːlnɪs] *s* **1.** Kühle *f* **2.** (*fig*) Kaltblütigkeit *f*

coop [kuːp] **I.** *s* Hühnerstall *m* **II.** *tr* (~ *in, up*) einsperren, einschließen

cooper ['kuːpə(r)] *s* Küfer, Böttcher *m*

co-op•er•ate [kəʊ'ɒpəreɪt] *itr* **1.** zusammenarbeiten (*with* mit) **2.** mitarbeiten, -wirken, -helfen (*in* an); **co-op•er•ation** [kəʊˌɒpə'reɪʃn] *s* **1.** Zusammenarbeit, Mitwirkung *f* **2.** Zusammenschluss *m;* (COM) Genossenschaft *f;* **in ~ with** in Zusammenarbeit mit; **co-op•er•ative** [kəʊ'ɒpərətɪv] **I.** *adj* **1.** zusammenarbeitend, mitwirkend **2.** hilfsbereit, kooperativ **3.** genossenschaftlich **II.** *s* Genossenschaft *f;* **building ~** Baugenossenschaft *f;* **distributive** [*o* **marketing**] **~** Absatzgenossenschaft *f;* **~ shop** [*o* **store**] Konsum(vereinsladen) *m*

co-opt [kəʊ'ɒpt] *tr* hinzuwählen, kooptieren

co-or•di•nate [ˌkəʊ'ɔːdɪnət] **I.** *adj* **1.** gleichrangig, -gestellt, -geordnet **2.** bei-, zugeordnet **II.** *s* **1.** (das) Zugeordnete **2.** (MATH) Koordinate *f* **III.** [ˌkəʊ'ɔːdɪneɪt] *tr* **1.** gleichstellen; bei-, zuordnen, koordinieren **2.** (aufeinander) abstimmen, einander angleichen; **co-or•di•na•tion** [ˌkəʊˌɔːdɪ'neɪʃn] *s* Gleichstellung *f;* Zuordnung *f,* Koordinierung *f*

coot [kuːt] *s* (ZOO) Wasserhuhn *n;* **as bald as a ~** (*fam*) ratzekahl

cop [kɒp] **I.** *s* **1.** (*sl*) Polizist(in) *m(f)* **2.** (*sl*) Verhaftung *f;* **no great ~** wertlos; **it's a fair ~** man hat mich erwischt **II.** *tr* (*sl*) erwischen, schnappen (*at* bei); **~ it** Prügel bekommen; bestraft werden

co-part•ner ['kəʊ'pɑːtnə(r)] *s* Teilhaber(in) *m(f);* **co•part•ner•ship** ['kəʊ'pɑːtnəʃɪp] *s* **1.** Teilhaberschaft *f* **2.** Beteiligung *f* **3.** Mitbestimmung *f*

cope [kəʊp] *itr* sich messen (können) (*with* mit), gewachsen sein (*with dat*), es aufnehmen (*with* mit)

Copenhagen [ˌkəʊpən'heɪgən] *s* Kopenhagen *n*

copier ['kɒpɪə(r)] *s* Kopierer *m;* Kopiergerät *n*

co-pilot ['kəʊ'paɪlət] *s* (AERO) Kopilot(in) *m(f)*

copi•ous ['kəʊpɪəs] *adj* **1.** reich(lich), massenhaft, in Mengen **2.** weitschweifig **3.** (*fig*) viel produzierend

cop•per ['kɒpə(r)] **I.** *s* **1.** Kupfer *n* **2.** Kupfermünze *f* **3.** Kupferkessel *m* **4.** Kupferfarbe *f* **5.** (*sl*) Polizist(in) *m(f)* **II.** *adj* kupfern; **copper beech** *s* (BOT) Blutbuche *f;* **copper-ore** *s* Kupfererz *n;* **copper-plate** ['kɒpəpleɪt] *s* (TYP) Kupferstichplatte *f;* Kupferstich *m;* **copper-smith** *s* Kupferschmied(in) *m(f)*

cop•pice ['kɒpɪs] *s* Dickicht *n;* (~ *wood*) Unterholz *n*

copu•late ['kɒpjʊleɪt] *itr* sich paaren; **copu•la•tion** [ˌkɒpjʊ'leɪʃn] *s* Paarung, Begattung *f*

copy ['kɒpɪ] **I.** *s* **1.** Nachbildung, -ahmung *f* **2.** Kopie, Abschrift *f* **3.** Durchschrift *f,* -schlag *m;* Ausfertigung *f* **4.** (PHOT) Abzug *m* **5.** (Druck)Manuskript *n;* (Werbe)Text *m* **6.** (*Buch, Druck*) Exemplar *n;* (*Zeitung, Zeitschrift*) Nummer *f* **7.** (*Presse*) Stoff *m;* Artikel *m* **8.** Muster, Modell *n;* **clean** [*o* **fair**] **~** Reinschrift *f;* **rough ~** Konzept *n;* **specimen ~** Probenummer *f* **II.** *tr, itr* **1.** nachahmen, -machen; imitieren; nachbilden **2.** (~ *down*) kopieren, abschreiben **3.** vervielfältigen; durchpausen; ab-, nachzeichnen; (EDV) kopieren **4.** (PHOT) e-n Abzug machen von; **~ out** ab-, ins Reine schreiben; **copy•book** **I.** *s* Schreibheft *n;* **blot one's ~** sich etwas zuschulden kommen lassen **II.** *adj* mustergültig; **copycat** *s* (*fam*) Nachahmer(in) *m(f);* **copy desk** *s* Redaktionstisch *m;* **copy editor** *s* Redakteur(in) *m(f);* **copy•ing** [-ɪŋ] *adj,* **copying ink** *s* Kopiertinte *f;* **copying paper** *s* Durchschlagpapier *n;* **copying pencil** *s* Kopierstift *m;* **copy-protection** *s* (EDV) Kopierschutz *m;* **copyright** ['kɒpɪraɪt] **I.** *s* Urheber-, Verlagsrecht *n* (*in* an); **~ reserved** Nachdruck verboten **II.** *tr* urheberrechtlich schützen **III.** *adj* urheberrechtlich geschützt; **copywriter** ['kɒpɪraɪtə(r)] *s* Texter(in) *m(f)*

coral ['kɒrəl] **I.** *s* Koralle *f* **II.** *adj* (*~-red*) korallenrot; **coral island** *s* Koralleninsel *f;* **coral reef** *s* Korallenriff *n*
cord [kɔːd] *s* **1.** Seil *n,* Strick *m* **2.** Bindfaden *m;* (*österreichisch*) Spagat *m* **3.** Leine, Kordel *f;* Litze *f* **4.** (EL) Schnur *f,* Kabel *n* **5.** (ANAT) Band *n,* Strang *m;* (*umbilical ~*) Nabelschnur *f* **6.** Klafter *m od n* **7.** Cordsamt *m*
cor•dial ['kɔːdɪəl] **I.** *adj* **1.** (*fig*) freundlich **2.** (MED) (herz)stärkend **II.** *s* **1.** herzstärkendes Mittel **2.** Fruchtlikör *m;* Fruchtsaftkonzentrat *n;* **cor•dial•ity** [ˌkɔːdɪ'ælətɪ] *s* Freundlichkeit *f*
cord•less *adj* drahtlos, schnurlos; ~ **telephone** drahtloses Telefon *n*
cor•don ['kɔːdn] **I.** *s* **1.** Polizei-, Absperrkette *f,* Kordon *m* **2.** Ordensband *n* **3.** Kordon, Schnurbaum *m* **II.** *tr* (*~ off*) absperren, -riegeln
cor•du•roy ['kɔːdərɔɪ] **I.** *s* **1.** Cordsamt *m* **2.** **~s** Cord(samt)hose *f* **II.** *adj* Cord(samt)-
core [kɔː(r)] **I.** *s* **1.** (BOT) Kerngehäuse, -haus *n* **2.** (EL) Eisenkern *m;* (Kabel)Ader, Seele *f* **3.** (*fig*) Kern(stück *n*) *m,* Herz, Mark, (das) Inner(st)e **4.** (*Atomanlage*) Reaktorkern *n;* **to the ~** durch u. durch, voll u. ganz **II.** *tr* (*Apfel*) entkernen; **core memory** *s* (EDV) Kernspeicher *m;* **core subject** *s* Pflichtfach *n;* **core time** *s* Kern(arbeits)zeit *f*
cork [kɔːk] **I.** *s* **1.** Kork *m;* (*~ oak*) Korkeiche *f* **2.** Pfropfen, Stöpsel *m* **3.** Angelkork, Schwimmer *m* **II.** *tr* (*~ up*) ver-, zukorken; **cork•age** ['kɔkədʒ] *s* Korkengeld *n;* **cork•screw** ['kɔːkskruː] **I.** *s* Korkenzieher *m* **II.** *adj* spiralig; (*Locken*) Korkenzieher-
corn¹ [kɔːn] *s* **1.** Korn, Getreide *n;* (*England meist*) Weizen *m;* (*Schottland, Irland meist*) Hafer *m;* (*Amerika meist*) Mais *m* **2.** Korn(schnaps) *m*
corn² [kɔːn] *s* (MED) Hühnerauge *n;* **tread on s.o.'s ~s** (*fig*) jdm auf die Füße treten
corn³ [kɔːn] *s* (*fam*) Schmalz, Kitsch *m*
corn•cob *s* Maiskolben *m*
cor•nea ['kɔːnɪə] *s* (ANAT) Hornhaut *f*
cor•ner ['kɔːnə(r)] **I.** *s* **1.** Ecke *f;* Winkel *m;* (*street-~*) (Straßen)Ecke *f* **2.** (MOT) Kurve *f* **3.** (finsterer, heimlicher) Winkel *m,* (abgelegene) Gegend *f* **4.** (*tight ~*) Klemme, schwierige Lage *f* **5.** (COM) (spekulative) Aufkäufe *mpl* **6.** (SPORT: *~ kick*) Eckball *m;* **in every nook and ~** in allen Ecken u. Winkeln; **just round the ~** gleich um die Ecke; **cut ~s** Kurven schneiden; (*fig*) das Verfahren abkürzen; **turn the ~** (*fig*) es überstehen, über den Berg kommen; **he's in a ~** er sitzt in der Patsche **II.** *tr* **1.** in die Enge treiben *a. fig* **2.** (COM) aufkaufen **III.** *itr* **1.** e-e Ecke bilden **2.** (MOT) um e-e Kurve biegen; **cor•nered** ['kɔːnəd] *adj* (*fig*) in der Klemme; **corner house** *s* Eckhaus *n;* **corner seat** *s* Eckplatz *m;* **corner shop** *s* Tante-Emma-Laden *m;* **cor•ner•stone** ['kɔːnəstəʊn] *s* **1.** Eck-, Grundstein *m* **2.** (*fig*) Grundlage *f,* Fundament *n*
cor•net ['kɔːnɪt] *s* (MUS) Kornett *n*
corn•flakes ['kɔːnfleɪks] *s pl* Cornflakes *pl;* **corn•flour** ['kɔːnflaʊə(r)] *s* Maisstärke *f,* Stärkemehl *n;* **corn-flower** *s* (BOT) Kornblume *f*
cornice ['kɔːnɪs] *s* Gesims *n*
corn poppy *s* (BOT) Klatschmohn *m;* **corny** ['kɔːnɪ] *adj* **1.** kornreich **2.** (*fam*) altmodisch, abgedroschen; rührselig; kitschig; (*Witz*) doof
cor•oll•ary [kər'ɒlərɪ] *s* (MATH) Korollar *n;* logische Folgerung *f*
cor•on•ary ['kɒrənrɪ] **I.** *adj* (MED) koronar; ~ **thrombosis** Herzinfarkt *m* **II.** *s* Herzinfarkt *m*
cor•on•ation [ˌkɒrə'neɪʃn] *s* Krönung *f,* Krönungsfeierlichkeiten *fpl*
cor•oner ['kɒrənə(r)] *s* (amtlicher) Leichenbeschauer *m;* **~'s inquest** (*bei Todesfall*) amtliche Untersuchung
cor•poral ['kɔːpərəl] **I.** *adj* körperlich, leiblich; ~ **punishment** körperliche Züchtigung **II.** *s* Ober-, Hauptgefreite(r) *f m*
cor•por•ate ['kɔːpərət] *adj* **1.** vereinigt, zusammengeschlossen **2.** körperschaftlich, gesellschaftlich, korporativ **3.** gemeinsam, gemeinschaftlich; ~ **body** Körperschaft *f;* **cor•por•ation** [ˌkɔːpə'reɪʃn] *s* **1.** Körperschaft *f;* juristische Person **2.** Innung, Gilde *f* **3.** Gemeindevertretung *f,* -rat *m* **4.** Unternehmen *n,* Kapitalgesellschaft *f;* (*Am*) Aktiengesellschaft *f;* **corporation bus** *s* städtischer Bus; **corporation tax** *s* Körperschaftssteuer *f*
corps [kɔː(r)] *s* **1.** (MIL) (Armee)Korps *n;* Truppe *f* **2.** Körperschaft *f;* Korps *n;* **medical ~** Sanitätstruppe *f;* **corps de ballet** [ˌkɔːdə'bæleɪ] *s* Ballettgruppe *f*
corpse [kɔːps] *s* Leiche *f,* Leichnam *m*
cor•pus ['kɔːpəs, *pl* 'kɔːpərə] <*pl* -pora> *s* **1.** (MED) Körper *m* **2.** (FIN) Kapitalbetrag *m* **3.** geschlossenes Ganze(s) **4.** Korpus *n,* (Gesetzes)Sammlung *f;* **Corpus Christi** *s* (REL) Fronleichnam *m*
cor•puscle ['kɔːpʌsl] *s* **1.** (PHYS) Korpuskel, Masseteilchen *n* **2.** (PHYSIOL) Blutkörperchen *n*
cor•ral [kə'rɑːl] **I.** *s* **1.** Umzäunung *f,* Pferch *m* **2.** Wagenburg *f* **II.** *tr* (*Vieh*) in e-n Pferch einsperren, einpferchen
cor•rect [kə'rekt] **I.** *adj* **1.** richtig, korrekt, genau **2.** (*Antwort*) zutreffend **3.** (*Verhalten*) einwandfrei; (*Kleidung*) vorschrifts-

mäßig, korrekt **II.** *tr* **1.** verbessern, korrigieren, richtig stellen **2.** (*Uhr*) stellen; (*Fehler*) ausschalten, abstellen **3.** zurechtweisen, tadeln, (be)strafen **4.** ausgleichen; **cor•rec•tion** [kə'rekʃn] *s* **1.** Verbesserung, Korrektur, Berichtigung, Richtigstellung *f* **2.** Zurechtweisung *f,* Tadel *m* **3.** Strafe, Züchtigung *f;* **correction fluid** *s* Korrekturflüssigkeit *f;* **cor•rect•ly** [kə'rektlɪ] *adv* mit Recht; richtig; **cor•rect•ness** [kə'rektnɪs] *s* Richtigkeit, Korrektheit *f*

cor•re•late ['kɒrəleɪt] **I.** *tr* (miteinander) in Beziehung, in Zusammenhang bringen; aufeinander abstimmen **II.** *itr* in Wechselbeziehung stehen (*to, with* zu), sich gegenseitig bedingen; **cor•re•la•tion** [ˌkɒrə'leɪʃn] *s* Wechselbeziehung *f*

cor•re•spond [ˌkɒrɪ'spɒnd] *itr* **1.** entsprechen (*to dat*), übereinstimmen, in Einklang stehen (*with, to* mit) **2.** den Anforderungen genügen (*to +gen*) **3.** in Briefwechsel stehen, korrespondieren (*with* mit); **cor•re•spon•dence** [ˌkɒrɪ'spɒndəns] *s* **1.** Übereinstimmung *f,* Einklang *m* (*with* mit, *between* zwischen) **2.** Entsprechung *f;* Verbindung *f;* Zusammenhang *m* **3.** Schriftverkehr, Briefwechsel *m,* Korrespondenz *f;* Post *f* **4.** (*Zeitung*) Leserbriefe *mpl;* **take care of the ~** die Post erledigen; **be in ~ with** in Briefwechsel stehen, korrespondieren mit; **~ clerk** Korrespondent(in) *m(f);* **~ course** Fernkurs *m;* **~ school** Fernlehrinstitut *n;* **cor•re•spon•dent** [ˌkɒrɪ'spɒndənt] **I.** *adj* entsprechend **II.** *s* **1.** Briefpartner(in) *m(f)* **2.** (*Zeitung*) Korrespondent(in) *m(f),* Berichterstatter(in) *m(f),* Einsender(in) *m(f)* **3.** Geschäftsfreund(in) *m(f);* **foreign ~** Auslandskorrespondent(in) *m(f);* **cor•re•spond•ing** [ˌkɒrɪ'spɒndɪŋ] *adj* **1.** entsprechend (*to dat*), in Einklang (*with* mit) **2.** korrespondierend

cor•ri•dor ['kɒrɪdɔ:(r)] *s* **1.** (*a.* POL) Gang, Korridor, Flur *m* **2.** (*air ~*) Luftkorridor *m,* Flugschneise *f*

corrie ['kɒrɪ] *s* (GEOL) Kar *n*

cor•rob•or•ate [kə'rɒbəreɪt] *tr* bestätigen, bekräftigen, erhärten; **cor•rob•or•ation** [kəˌrɒbə'reɪʃn] *s* Bestätigung, Bekräftigung *f;* **cor•rob•or•at•ive** [kə'rɒbərətɪv] *adj* bestätigend, bekräftigend

cor•rode [kə'rəʊd] **I.** *tr* **1.** zerfressen, -nagen, -setzen; angreifen, ätzen *a. fig* **2.** (*fig*) verderben, schädigen, beeinträchtigen **II.** *itr* sich zersetzen; korrodieren, rosten; **cor•rosion** [kə'rəʊʒn] *s* **1.** Zerfressen *n,* Korrosion *f,* Rosten *n* **2.** Zerstörung *f;* **cor•ros•ive** [kə'rəʊsɪv] *adj* **1.** zerfressend, -setzend **2.** (*fig*) nagend, bohrend, quälend

cor•ru•gated ['kɒrəgeɪtɪd] *adj* gerillt, geriefelt, gewellt; **~ cardboard** [*o* **paper**] **~** Wellpappe *f;* **~ iron** Wellblech *n*

cor•rupt [kə'rʌpt] **I.** *adj* **1.** verdorben, verrottet, faul **2.** (*fig*) (sittlich) verkommen; schlecht, böse **3.** unredlich, unehrenhaft **4.** bestechlich, käuflich; korrupt **5.** (*Text*) entstellt, verfälscht **II.** *tr* **1.** verderben **2.** anstecken, ungünstig beeinflussen, untergraben **3.** bestechen **4.** (*Text*) entstellen, verfälschen **III.** *itr* **1.** verderben, (ver)faulen **2.** (*fig*) verkommen; **cor•rup•tion** [kə'rʌpʃn] *s* **1.** Fäulnis, Verwesung *f* **2.** (Sitten)Verderbnis *f;* Verkommenheit, Verdorbenheit *f;* Verführung *f* **3.** Bestechung *f;* Käuflichkeit *f;* Korruption *f* **4.** (*Text*) Entstellung, Verfälschung *f*

cor•set ['kɔ:sɪt] *s* Korsett *n*

co-signa•tory [ˌkəʊ'sɪgnətərɪ] *s* Mitunterzeichner(in) *m(f)*

co•sine ['kəʊsaɪn] *s* (MATH) Kosinus *m*

cosi•ness ['kəʊzɪnɪs] *s* Gemütlichkeit *f*

cos let•tuce ['kɒsˌletɪs] *s* Romagnasalat *m,* römischer Salat

cos•metic [kɒz'metɪk] **I.** *adj* kosmetisch **II.** *s* **1.** Schönheitsmittel *n* **2.** **~s** Kosmetik *f;* **cos•me•tician** [ˌkɒzmə'tɪʃn] *s* Kosmetiker(in) *m(f)*

cos•mic ['kɒzmɪk] *adj* **1.** kosmisch **2.** riesig, gewaltig, ungeheuer **3.** (wohl)geordnet, harmonisch; **cos•mo•logy** [kɒz'mɒlədʒɪ] *s* Kosmologie *f;* **cos•mo•naut** ['kɒzmənɔ:t] *s* Kosmonaut(in) *m(f);* **cos•mo•poli•tan** [ˌkɒzmə'pɒlɪtən] **I.** *adj* weltbürgerlich, kosmopolitisch **II.** *s* Weltbürger(in) *m(f),* Kosmopolit(in) *m(f);* **cos•mos** ['kɒzmɒs] *s* Kosmos *m,* Weltall *n*

cost [kɒst] <*irr:* **cost, cost**> **I.** *tr* **1.** kosten *a. fig,* zu stehen kommen **2.** (*fig: Zeit, Mühe*) (er)fordern **3.** (*Schaden, Ärger*) einbringen, machen **4.** (COM) kalkulieren, den Kostenpreis festsetzen; **that will ~ him dearly** das wird ihn teuer zu stehen kommen **II.** *s* **1.** Preis *m,* Kosten *pl,* Selbstkostenpreis *m* **2.** Ausgaben, -lagen *fpl* **3.** (*fig*) Einsatz *m;* Schaden, Nachteil, Verlust *m,* Opfer *n* **4.** **~s** Kosten *pl,* Gerichtskosten *pl;* **at ~** zum Selbstkostenpreis; **at the ~ of** auf Kosten *+gen;* **at all ~s, at any ~** um jeden Preis; **without ~** kostenlos, gratis; **bear** [*o* **pay**] **the ~** die Kosten tragen; **carry ~s** Kosten nach sich ziehen; **spare no ~** keine Kosten scheuen; **overhead** [*o* **operating**] [*o* **running**] [*o* **working**] **~s** Betriebs(un)kosten *pl;* **~-benefit analysis** Kosten-Nutzen-Analyse *f;* **~-effective** kostendeckend; **~-effectiveness** Preis-Leistungsverhältnis *n;* **~ of living** Lebenshaltungskosten *pl;* **~-of-living bonus** Teuerungszulage *f;* **~-of-living index** Lebens-

haltungsindex *m*
co-star [ˌkəʊ'stɑː(r)] **I.** *itr* e-e zweite Hauptrolle spielen **II.** *s* zweite(r) Hauptdarsteller(in)
costly ['kɒstlɪ] *adj* **1.** kostspielig, teuer **2.** wertvoll, kostbar
cost price ['kɒstˌpraɪs] *s* Einkaufs-, Selbstkostenpreis *m*
cos•tume ['kɒstjuːm] *s* **1.** Tracht *f* **2.** Kostüm *n;* ~ **jewel(le)ry** Modeschmuck *m*
cosy ['kəʊzɪ] **I.** *adj* gemütlich, behaglich, mollig **II.** *s* (*tea~*) Tee-, Kaffeewärmer *m;* **egg-~** Eierwärmer *m*
cot [kɒt] *s* **1.** (*Br*) Kinderbett *n* **2.** (*Am*) Klapp-, Feldbett *n;* **cot death** *s* Krippentod *m*
co•tan•gent ['kəʊˌtændʒənt] *s* (MATH) Kotangens *m*
cot•tage ['kɒtɪdʒ] *s* kleines Landhaus; Ferien-, Sommerhaus *n;* **cottage cheese** *s* Hüttenkäse *m;* **cottage industry** *s* Heimindustrie *f*
cot•ton ['kɒtn] **I.** *s* **1.** Baumwolle *f* **2.** (~ *yarn*) Baumwollgarn *n* **3.** (*absorbent* ~) Watte *f* **II.** *adj* baumwollen; **cotton on** *itr* (*fam*) es kapieren; **cotton bud** *s* Wattestäbchen *n;* **cotton-grower** *s* Baumwollpflanzer *m;* **cotton mill** *s* Baumwollspinnerei *f;* **cotton•seed** *s* Baumwollsamen *m;* **cotton wool** *s* **1.** (*Br*) Watte *f* **2.** (*Am*) Rohbaumwolle *f*
couch [kaʊtʃ] **I.** *s* **1.** Couch *f,* Liegesofa *n* **2.** Bett *n* **II.** *tr* (*Gedanken*) ausdrücken; abfassen (*in* in) **III.** *itr* (*Tiere*) (nieder)kauern; **couch•ette** [kuː'ʃet] *s* (RAIL) Liegewagen *m;* Liegeplatz *m*
cough [kɒf] **I.** *s* Husten *m;* **have a bad** ~ e-n schlimmen Husten haben **II.** *itr* husten; **cough out** *tr* aushusten; **cough up** *tr* (*sl: Geld*) herausrücken; **cough drop** *s* Hustenpastille *f;* **cough mixture** *s* Hustensaft *m*
could [kʊd] *s.* **can²**
coun•cil ['kaʊnsl] *s* **1.** Rat(sversammlung *f*) *m;* beratende Versammlung; Beratung *f* **2.** (*church* ~) Kirchenrat *m* **3.** Vorstand, Ausschuss *m;* **be in** ~ beraten; **meet in** ~ e-e Sitzung abhalten; **cabinet** ~ Kabinetts-, Ministerrat *m;* **municipal** ~ Stadtrat *m;* **council estate** *s* Siedlung *f* des sozialen Wohnungsbaus; **council flat, council house** *s* Sozialwohnung *f;* **council housing** *s* sozialer Wohnungsbau; **Council of Europe** *s* Europarat *m;* **Council of Ministers** *s* Ministerrat *m;* **coun•cil•lor** ['kaʊnsələ(r)] *s* Rat(smitglied *n*) *m;* Stadtrat *m,* -rätin *f;* **coun•cil•or** *s* (*Am*) *s.* **councillor**; **council tax** *s* (*Br*) Gemeindesteuer *f*
coun•sel ['kaʊnsl] **I.** *s* **1.** Beratung *f* **2.** Rat(schlag) *m* **3.** (*pl: ohne s*) (Rechts)Anwalt *m,* Anwältin *f;* **keep one's own** ~ seine Meinung für sich behalten; ~ **for the defence** Verteidiger(in) *m(f);* ~ **for the prosecution** Staatsanwalt *m,* -anwältin *f* **II.** *tr* (*Sache*) raten, empfehlen; (*Person*) beraten; **coun•sel•ling** ['kaʊnsəlɪŋ] *s* soziale Beratung; **coun•sel•lor** *s* (*Am*), **coun•sel•or** ['kaʊnsələ(r)] *s* **1.** Berater(in) *m(f),* Ratgeber(in) *m(f)* **2.** (*Irland, Amerika*) (Rechts)Anwalt *m,* Anwältin *f*
count¹ [kaʊnt] *s* Graf *m*
count² [kaʊnt] **I.** *tr* **1.** zählen; (~ *up*) zusammenzählen, -rechnen; (*Geld*) (nach)zählen **2.** (~ *in*) (mit)rechnen, einschließen **3.** halten für, ansehen als; in Rechnung stellen **II.** *itr* **1.** (mit)zählen; rechnen **2.** ins Gewicht fallen, wichtig sein; **that doesn't** ~ das macht nichts; das gilt nicht **III.** *s* **1.** (Zusammen)Zählung *f;* (Be)Rechnung *f* **2.** Gesamtzahl *f;* Summe *f,* Ergebnis *n* **3.** (JUR) (An)Klagepunkt *m;* **on all ~s** in jeder Beziehung; **take no** ~ **of s.th.** etw nicht berücksichtigen; **take the** ~ (*Boxen*) ausgezählt werden; **count against s.o.** sich gegen jdn auswirken; **count me in** ich mache mit; **count off** *tr* abzählen; **count out** *tr* **1.** nicht rechnen mit **2.** (*Geldstücke*) zusammenzählen **3.** (*Boxen*) auszählen
count-down ['kaʊntdaʊn] *s* Countdown *m*
coun•ten•ance ['kaʊntɪnəns] **I.** *s* **1.** Gesicht(sausdruck *m*) *n,* Miene *f* **2.** innere Haltung, Fassung *f* **3.** Unterstützung, Ermunterung *f;* **change (one's)** ~ den Gesichtsausdruck wechseln; **give** ~ **to** billigen, unterstützen; **keep (one's)** ~ Haltung, die Fassung bewahren; **lose** ~ die Fassung verlieren **II.** *tr* **1.** billigen, gutheißen **2.** unterstützen, ermutigen
counter ['kaʊntə(r)] **I.** *s* **1.** Zähler *m;* Zählapparat *m,* -werk *n* **2.** Spielmarke *f* **3.** Laden-, Zahltisch *m;* Theke *f,* Büfett *n;* (Bank)Schalter *m* **4.** (*Fechten*) Parade *f;* (*Boxen*) Konter *m* **5.** Erwiderung *f;* **at the** ~ an der Theke; **sold over the** ~ rezeptfrei; **under the** ~ unter dem Ladentisch, heimlich **II.** *adv* entgegen, zuwider; ~ **to s.th.** gegen etw, entgegen e-r S **III.** *adj* entgegengesetzt **IV.** *tr* **1.** entgegenarbeiten **2.** entgegnen; kontern (*s.o.* jdm) **3.** zuwiderhandeln; durchkreuzen **V.** *itr* kontern
counter•act [ˌkaʊntər'ækt] *tr* **1.** entgegen-, zuwiderhandeln, entgegenarbeiten (*s.o.* jdm, *s.th.* e-r S) **2.** neutralisieren; unwirksam machen; **counter•ac•tive** [ˌkaʊntər'æktɪv] *adj* entgegenwirkend; ~ **measure** Gegenmaßnahme *f;* **counter-at•tack** ['kɑːʊntərətæk] **I.** *s* Gegenangriff

m **II.** *itr* e-n Gegenangriff machen **III.** *tr* e-n Gegenangriff machen auf; kontern; **counter·bal·ance** ['kaʊntəbæləns] **I.** *s* Gegengewicht *n* (*to* gegen) **II.** *tr* ein Gegengewicht bilden (*s.th.* zu etw), aufwiegen, ausgleichen, kompensieren; **counter·charge** ['kaʊntətʃɑːdʒ] *s* **1.** (JUR) Gegenklage *f* **2.** Gegenangriff *m;* **counter·check** ['kaʊntətʃek] *s* Gegenkontrolle *f;* **counter-clock·wise** [ˌkaʊntə 'klɒkwaɪz] *adj, adv* (*Am*) gegen den Uhrzeigersinn; **counter-espion·age** [ˌkaʊntər'espɪənɑːʒ] *s* (Spionage)Abwehr *f;* **counter-espionage service** *s* militärischer Abschirmdienst *m*

counter·feit ['kaʊntəfɪt] **I.** *adj* **1.** gefälscht **2.** falsch; ~ **money** Falschgeld *n* **II.** *s* Fälschung *f* **III.** *tr* **1.** fälschen **2.** vortäuschen, heucheln

counter·foil ['kaʊntəfɔɪl] *s* (Kontroll)Abschnitt *m*

counter-in·tel·li·gence [ˌkaʊntər ɪn'telɪdʒəns] *s* (Spionage)Abwehr *f*

counter·mand [ˌkaʊntə'mɑːnd] *tr* **1.** (*Befehl*) widerrufen; (*Anordnung*) aufheben; (*Bestellung*) zurückziehen **2.** abbestellen; absagen

counter·measure ['kaʊntəmeʒə(r)] *s* Gegenmaßnahme *f;* **counter·part** ['kaʊntəpɑːt] *s* **1.** Gegenstück *n* (*of* zu) **2.** Gegenüber *n* **3.** Ergänzung *f* (*of* +*gen*) **4.** Ebenbild *n;* **counter·point** ['kaʊntəpɔɪnt] *s* (MUS) Kontrapunkt *m;* **counter-poise** ['kaʊntəpɔɪz] *s* Gegengewicht *n* (*to* zu) *a. fig,* Gleichgewicht(szustand *m,* -lage *f*) *n;* **counter-pro·duc·tive** [ˌkaʊntəprə'dʌktɪv] *adj* unsinnig, das Gegenteil bewirkend, destruktiv; **counter-rev·ol·ution** [ˌkaʊntəˌrevə'luːʃn] *s* Gegenrevolution *f;* **counter·sign** ['kaʊntəsaɪn] **I.** *s* **1.** Gegenzeichnung *f* **2.** (MIL) Losung, Parole *f* **II.** *tr* **1.** gegenzeichnen **2.** (*fig*) bestätigen; **counter·sink** ['kaʊntəsɪŋk] **I.** *s* (TECH) Versenker *m* **II.** *tr* (*Schraube*) versenken; (*Loch*) senken

counter-terrorism *s* Terrorismusbekämpfung *f*

count·ess ['kaʊntɪs] *s* Gräfin *f*

count·less ['kaʊntlɪs] *adj* zahllos, unzählig

coun·try ['kʌntrɪ] *s* **1.** Land *n* **2.** Heimat(land *n*) *f,* Vaterland *n;* Staat *m;* Volk *n* **3.** *ohne pl* Land(strich *m*) *n,* Gegend(en *pl*) *f,* Gebiet *n a. fig;* **the** ~ das Land (*im Gegensatz zur Stadt*), die Nation; **from all over the** ~ aus allen Teilen des Landes; **in the** ~ auf dem Land; **go to the** ~ (*Br:* PARL) Neuwahlen ausschreiben; **industrial** ~ Industriestaat *m;* **member** ~ Mitgliedstaat *m;* ~ **of destination** (*Post*) Bestimmungsland *n;* ~ **of origin** Herkunfts-, Ursprungsland *n;* **country bumpkin** *s* Bauerntrampel *m,* Bauerntölpel *m,* Hinterwäldler(in) *m(f),* Landpomeranze *f;* **country club** *s* Klub *m* auf dem Lande (für Städter); **country dance** *s* Volkstanz *m;* **country folk** *s* Landvolk *n;* **country house** *s* Landhaus *n;* **coun·try·man** ['kʌntrɪmən] <*pl* -men> *s* **1.** Landsmann *m* **2.** Landmann *m;* **country road** *s* Landstraße *f;* **coun·try-side** ['kʌntrɪsaɪd] *s* Landschaft, Gegend *f;* Land *n;* **in the** ~ auf dem Lande; **country-wide** *adj* über das ganze Land; landesweit; **coun·try·woman** ['kʌntrɪwʊmən, *pl* -wɪmɪn] <*pl* -women> *s* **1.** Landsmännin *f* **2.** Landfrau *f*

county ['kaʊntɪ] *s* Grafschaft *f,* (Land)Kreis *m;* (*Am*) (Verwaltungs-, Regierungs)Bezirk *m* (*e-s Staates*); **county borough** *s* ≈ kreisfreie Stadt, Stadtkreis *m;* **county council** *s* ≈ Kreis-, Bezirkstag *m;* **county court** *s* ≈ Amtsgericht *n;* **county seat** *s* (*Am*) Kreisstadt *f;* **county town** *s* (*Br*) Bezirkshauptstadt *f*

coup [kuː] *s* Coup, Putsch *m;* **coup de grace** [ˌkuːdə'grɑːs] *s* Gnadenstoß *m;* Gnadenschuss *m;* **coup d'état** [ˌkuːdeɪ'tɑː] *s* (POL) Staatsstreich *m*

coupé ['kuːpeɪ] *s* (MOT) Schrägheck, Coupé *n*

couple ['kʌpl] **I.** *s* **1.** Paar *n* **2.** (*married* ~) Ehepaar *n;* **a** ~ **of** (*fam*) zwei; ein paar **II.** *tr* **1.** (ver)koppeln **2.** verheiraten **3.** (*fig*) verbinden, in Verbindung bringen (*with* mit) **4.** (TECH) kuppeln, koppeln **III.** *itr* sich paaren; heiraten

coup·let ['kʌplɪt] *s* Reimpaar *n*

coup·ling ['kʌplɪŋ] *s* **1.** Verbindung *f* **2.** (MOT) Kupp(e)lung *f* **3.** (RADIO CHEM) Kopp(e)lung *f* **4.** Paarung *f*

cou·pon ['kuːpɒn] *s* **1.** Abschnitt, Coupon *m* **2.** Zinsschein *m* **3.** Gutschein *m* **4.** Wettschein *m;* **reply** ~ Antwortschein *m*

cour·age ['kʌrɪdʒ] *s* Mut *m;* Unerschrockenheit *f;* Tapferkeit *f;* **lose** ~ den Mut verlieren; **pluck up** [*o* **muster up**] [*o* **take**] ~ Mut, sich ein Herz fassen; **cou·rageous** [kə'reɪdʒəs] *adj* mutig, tapfer, furchtlos, unerschrocken

cour·gette [kʊə'ʒet] *s* Zucchini *mpl*

cour·ier ['kʊrɪə(r)] *s* **1.** Kurier, (Eil)Bote *m* **2.** Reiseleiter(in) *m(f);* **by** ~ durch Boten

course[1] [kɔːs] *s* **1.** Gang, Lauf *m a. fig,* Fahrt *f* **2.** (*fig*) Ablauf *m;* Fortschritt *m* **3.** Verlauf *m* (*e-r Linie, e-r Straße*); (*Fluss*) Lauf *m* **4.** Kurs *m,* Richtung, Strecke *f* **5.** (*fig*) Weg *m,* Möglichkeit *f;* (Verhaltens-, Lebens)Weise *f* **6.** (*Mahlzeit*) Gang *m* **7.** Reihe, Folge *f* **8.** (~ *of instruction*) Kurs(us), Lehrgang *m* **9.** (SPORT) Bahn *f,* Sportplatz *m* **10.** (ARCH) (Stein)Lage *f;* **in the** ~ **of** im Verlauf *+gen,* während *+gen;* **in due** ~ zu seiner, zu gegebener Zeit; **in ~ of construction** im Bau (befindlich); **in the ~ of time** im Laufe der Zeit; **of** ~ natürlich, selbstverständlich; gewiss, sicher; **run its** ~ seinen Gang gehen, seinen Verlauf nehmen; **set ~ for s.th.** etw ansteuern; **stay the** ~ (*fig*) nicht aufgeben; **take its** ~ seinen Verlauf nehmen; **a matter of** ~ e-e Selbstverständlichkeit; **as a matter of** ~ selbstverständlich; **~ of a disease** Krankheitsverlauf *m;* **the ~ of events** der Gang der Ereignisse; **the ~ of life** der Lauf des Lebens

course² [kɔːs] **I.** *tr* (*Wild*) hetzen, jagen **II.** *itr* **1.** strömen, fließen **2.** jagen

court [kɔːt] **I.** *s* **1.** Hof *m;* Lichthof *m* **2.** (SPORT) (Tennis)Platz *m;* Spielfeld *n* **3.** (Fürsten)Hof *m;* Hofstaat *m;* Empfang *m* bei Hof **4.** Aufwartung, Aufmerksamkeit *f* **5.** Werben *n,* Werbung *f* **6.** Gericht(shof *m*) *n;* Gerichts-, Justizgebäude *n;* Gerichtssitzung *f;* **at** ~ bei Hof; **in** ~ vor, bei Gericht; **bring to** ~ vor Gericht bringen; **represent s.o. in** ~ jdn vor Gericht vertreten; **the ~ is sitting** das Gericht tagt; **juvenile** ~ Jugendgericht *n;* **~ of arbitration** Schiedsgericht *n* **II.** *tr* **1.** den Hof machen (*s.o.* jdm), werben um **2.** (*fig*) sich bemühen um **3.** (*Gelegenheit*) erspähen; (*Gefahr, Unheil*) herausfordern **III.** *itr* jung verliebt sein; auf Freiersfüßen gehen; **when we were ~ing** als wir jung verliebt waren

cour•teous [ˈkɜːtɪəs] *adj* höflich, gesittet; aufmerksam, gefällig, freundlich, nett; **cour•tesy** [ˈkɜːtəsɪ] *s* **1.** Höflichkeit, Freundlichkeit *f* **2.** Gefälligkeit *f;* **by ~ of** mit freundlicher Genehmigung von; **courtesy bus** *s* gebührenfreier Bus; **courtesy light** *s* (MOT) Innenleuchte *f;* **courtesy title** *s* Höflichkeitstitel *m*

court hear•ing [ˌkɔːtˈhɪərɪŋ] *s* Gerichtstermin *m;* **court house** *s* Gerichtsgebäude *n*

court•ier [ˈkɔːtɪə(r)] *s* Höfling *m*

court-mar•tial [ˌkɔːtˈmɑːʃl] **I.** *tr* vor ein Kriegsgericht stellen **II.** *s* Kriegsgericht *n;* **court of appeal** *s* Berufungs-, Revisionsgericht *n;* **court room** *s* Gerichtssaal *m;* **court•yard** [ˈkɔːtjɑːd] *s* Hof(raum) *m;* **in the** ~ auf dem Hof

cousin [ˈkʌzn] *s* Cousin *m,* Cousine *f*

cove [kəʊv] *s* **1.** kleine Bucht **2.** Schlupfwinkel, Unterschlupf *m* **3.** (ARCH) Wölbung *f*

cov•en•ant [ˈkʌvənənt] **I.** *s* **1.** (feierlicher) Vertrag, Pakt *m;* Ab-, Übereinkommen *n* **2.** Vertragsklausel *f* **3.** (REL) Bund *m* **II.** *tr, itr* **1.** e-n Vertrag schließen, übereinkommen, vereinbaren (*with* mit) **2.** sich (vertraglich) verpflichten (*with s.o.* jdm gegenüber)

Cov•en•try [ˈkɒvntrɪ] *s:* **send s.o. to** ~ jdn schneiden

cover [ˈkʌvə(r)] **I.** *tr* **1.** be-, zudecken; be-, überziehen (*with* mit), ausbreiten über **2.** sich verbreiten, sich erstrecken über **3.** einschlagen, einwickeln, umhüllen (*with* mit), einhüllen (*with* in) **4.** abschirmen, schützen, decken; verdecken, verbergen **5.** (*finanziell*) sichern, decken, ausreichen für **6.** (*Strecke*) zurücklegen **7.** (MIL SPORT) decken **8.** (*Radar*) erfassen; (*mit Feuer*) belegen; (*Waffe*) richten auf (*with s.th.* etw), in Schach halten (*with* mit); (*Person*) decken, Feuerschutz geben (*s.o.* jdm) **9.** (*Tier*) decken, bespringen **10.** (*fig*) umfassen, einbeziehen, einschließen, decken; vorhersehen **11.** e-n Bericht zusammenstellen, berichten über **II.** *s* **1.** Decke *f;* Deckel *m;* Überzug *m,* (Schutz)Hülle *f,* Umschlag *m,* Futteral *n* **2.** (*Buch*) Einband(decke *f,* -deckel *m*) **3.** (Brief)Umschlag *m;* Verpackung *f* **4.** Deckung *f,* Schutz *m;* Zuflucht *f,* Unterschlupf *m,* Obdach *n* **5.** Gebüsch, Dickicht, Unterholz *n* **6.** Schutz-, Deckmantel, Vorwand *m;* Tarnung *f* **7.** (FIN) Deckung, Sicherheit *f* **8.** Gedeck *n;* **from ~ to** ~ (*Buch*) von Anfang bis Ende; **under the ~ of** im Schutz (von) *+gen;* **under the same** ~ beiliegend, als Anlage; **under separate** ~ getrennt; **without** ~ (FIN) ungedeckt; **break** ~ die Deckung verlassen; **take** ~ in Deckung gehen, Schutz suchen; **cover for** *tr* einspringen für; **cover in** *tr* (*mit Erde*) auffüllen; überdachen; **cover over** *tr* abdecken, -dichten; zudecken; **cover up I.** *tr* **1.** zudecken, verhüllen **2.** (*fig*) verbergen, vertuschen **II.** *itr* **1.** sich warm einwickeln, anziehen **2.** alles vertuschen; ~ **up for s.o.** jdn decken

cover•age [ˈkʌvərɪdʒ] *s* **1.** Geltungs-, Anwendungsbereich *m* **2.** Umfang *m* eines Versicherungsschutzes **3.** (*durch die Medien*) Berichterstattung *f* (*of* über) **4.** Erfassung *f* **5.** (TELE RADIO) Empfangs-, Sendebereich *m;* Reichweite *f*

cover charge [ˈkʌvətʃɑːdʒ] *s* Preis *m* e-s Gedecks, Gedeck *n*

covered [ˈkʌvəd] *adj* **1.** bedeckt; überdacht **2.** (TECH) umsponnen; isoliert; **period** ~ Berichtszeit *f;* ~ **wagon** Planwagen *m*

cover girl [ˈkʌvəgɜːl] *s* Titelblattmädchen *n* (*auf Illustrierten*)

cover•ing [ˈkʌvərɪŋ] *s* **1.** Decke, Hülle *f;* Verkleidung *f,* Überdachung *f* **2.** (TECH) Verschalung *f;* Überzug *m* **3.** (*Fußboden*) Belag *m;* **covering letter** *s* Begleitbrief *m,* -schreiben *n*

cover note [ˈkʌvənəʊt] *s* vorläufiger Versicherungsschein; Versicherungsdoppelkarte *f;* **cover story** *s* Titelgeschichte *f*

cov•ert [ˈkʌvət] **I.** *adj* (*fig*) versteckt, verborgen, verschleiert, heimlich **II.** *s* Versteck *n*

cover-up ['kʌvərʌp] *s* Verschleierung, Vertuschung *f*

covet ['kʌvɪt] *tr* (heftig) begehren; versessen sein auf

cow¹ [kaʊ] *s* (ZOO) **1.** Kuh *f* **2.** Weibchen *n* (*Elefant, Wal*) **3.** (*pej: Frau*) blöde Kuh; gemeine Ziege; **wait till the ~s come home** warten bis man schwarz wird

cow² [kaʊ] *tr* einschüchtern, verängstigen

cow•ard ['kaʊəd] *s* Feigling *m;* **cow•ard-ice** ['kaʊədɪs] *s* Feigheit, Angst *f;* **cow-ard•ly** ['kaʊədlɪ] *adj* feige

cow•boy ['kaʊbɔɪ] *s* **1.** Cowboy *m* **2.** (*fig fam*) Gauner, Schwindler *m;* **cow•dung** *s* Kuhmist *m*

cower ['kaʊə(r)] *itr* (nieder-, zusammen) kauern, sich ducken

cow•herd ['kaʊhɜːd] *s* Kuhhirt *m;* **cow-hide** ['kaʊhaɪd] *s* **1.** Kuhhaut *f*, -leder *n* **2.** (*Am*) Ochsenziemer *m*

cowl [kaʊl] *s* **1.** (Mönchs)Kutte *f* **2.** Kapuze *f* **3.** Kaminkappe *f;* **cowl•ing** [-ɪŋ] *s* (AERO) Getriebe-, Motorhaube *f*

cow•man ['kaʊmən] <*pl* -men> *s* **1.** (*Am*) Rinder-, Viehzüchter *m* **2.** Stallknecht *m;* **cow•shed** ['kaʊʃed] *s* Kuhstall *m;* **cow-slip** ['kaʊslɪp] *s* (BOT) **1.** (*Br*) Schlüsselblume, Primel *f* **2.** (*Am*) Sumpfdotterblume *f*

cox, **cox•swain** ['kɒksn] *s* **1.** Boots-, Steuermann *m* **2.** Bootsführer *m*

coy [kɔɪ] *adj* **1.** schüchtern; zurückhaltend **2.** (*Frau*) verschämt; spröde

coy•ote [kɔɪ'əʊt, *Am* kaɪ'əʊtɪ] *s* (ZOO) Steppenwolf, Kojote *m*

CPU [ˌsiːpiː'juː] *s abbr of* **central processing unit** (EDV) Zentraleinheit *f*

crab¹ [kræb] *s* **1.** Krabbe *f;* Taschenkrebs *m* **2.** (TECH) Hebezeug *n;* Winde *f* **3.** (~ *louse*) Filzlaus *f* **4.** (SPORT) Brücke *f*

crab² [kræb] **I.** *s* Miesmacher *m;* Nörgler *m* **II.** *itr* (*fam*) meckern, nörgeln, schimpfen **III.** *tr* (*Am*) verderben

crab (**apple**) ['kræbˌæpl] *s* Holzapfel *m;* **crab•bed** ['kræbɪd] *adj* **1.** mürrisch, griesgrämig **2.** kompliziert, schwierig **3.** schwerverständlich, schlecht lesbar; **crabby** ['kræbɪ] *adj* mürrisch, sauertöpfisch; querköpfig; **crab louse** <*pl* -lice> *s* (ZOO) Filzlaus *f*

crack [kræk] **I.** *itr* **1.** rissig werden; (*Glas*) springen **2.** (auf)platzen, bersten, brechen **3.** knallen, krachen **4.** (*Stimme*) brechen; umschlagen, überschnappen **5.** zusammenklappen, -brechen **6.** rasen; **get ~ing!** (*fam*) los! voran! **II.** *tr* **1.** (zer)brechen; beschädigen, zerstören **2.** (*Nuss*) knacken; (*Ei*) aufschlagen; (*Öl*) kracken **3.** knallen lassen **4.** herausschreien; (*die Stimme*) überschnappen lassen **5.** (*fam*) eine knallen (*s.o.* jdm) **6.** (*fam*) rauskriegen, klären, lösen **7.** (*fam: Stellung*) bekommen, erringen **8.** (*Am fam*) ohne Eintrittskarte, uneingeladen besuchen **9.** (*Geld*) wechseln; ~ **a bottle** e-r Flasche den Hals brechen; ~ **a joke** (*fam*) e-n Witz reißen; **he didn't ~ a smile** er verzog keine Miene **III.** *s* **1.** Sprung, Riss, Spalt *m;* Ritze *f* **2.** Knall, Krach, (Donner)Schlag *m;* Schlag, Stoß *m* **3.** (*Stimme*) Überschnappen *n;* (*Peitsche*) Knallen *n* **4.** (*sl*) Versuch *m* **5.** (*fam*) Moment, Augenblick *m*, Sekunde *f* **6.** (*sl*) Pfunds-, Prachtkerl *m;* hervorragender Spieler, Schütze **7.** (*sl*) Witz, Spaß *m;* bissige Bemerkung **8.** (*Droge*) Crack *m;* **at the ~ of dawn** bei Tagesanbruch; beim Morgengrauen; **in a ~** im Nu; **have a ~ at s.th.** etw versuchen; **what's the ~?** (*sl*) was läuft? **IV.** *adj* (*fam*) großartig; prachtvoll, phantastisch; prima **V.** *interj* krach!; **crack down** *itr* (*fam*) fest anpacken, scharf anfassen (*on s.o.* jdn), vorgehen (*on* gegen); **crack up I.** *itr* (*fam*) durchdrehen; zusammenbrechen **II.** *tr* (*fam*) herausstreichen, hochjubeln

crack•down ['krækdaʊn] *s* scharfes Vorgehen (*on* bei); **cracked** [krækt] *adj* **1.** gesprungen; gebrochen; rissig **2.** (*fam*) verrückt

cracker ['krækə(r)] *s* **1.** Knall-, Feuerwerkskörper *m* **2.** Keks *m* **3.** Knallbonbon *n* **4.** ~**s** Nussknacker *m* **5.** (*fam*) tolles Ding; toller Mann; tolle Frau; **crackers** ['krækəz] *adj* (*fam*) übergeschnappt

crackle ['krækl] *itr* knistern, prasseln, knattern; **crack•ling** ['kræklɪŋ] *s* **1.** Geknister, Geprassel *n* **2.** knusprige Kruste (*des Schweinebratens*)

crack•pot ['krækpɒt] **I.** *s* Spinner(in) *m(f)* **II.** *adj* verrückt, irre; **crack-up** ['krækʌp] *s* Zusammenbruch, Kollaps *m*

cradle ['kreɪdl] **I.** *s* **1.** Wiege *f a. fig* **2.** (*fig*) Kindheit *f;* Ursprung *m* **3.** (TECH) Gestell *n;* Schlitten *m;* Telefongabel *f;* **from the ~** von klein auf; **in the ~** in frühester Jugend **II.** *tr* **1.** an sich drücken, halten **2.** (*auf den Armen*) wiegen

craft [krɑːft] *s* **1.** Geschick(lichkeit *f*) *n*, (Hand-, Kunst)Fertigkeit *f* **2.** Handwerk, Gewerbe, Kunstgewerbe *n;* (~-*guild*) Zunft, Innung *f* **3.** Schiff(e *pl*) *n;* Flugzeug(e *pl*) *n* **4.** (*fig*) Verschlagenheit, List *f;* **crafti-ness** ['-ɪnɪs] *s* Schlauheit, List *f;* **craft-shop** ['krɑːftʃɒp] *s* Kunst gewerbeladen *m;* **crafts•man** ['krɑːftsmən] <*pl* -men> *s* Handwerker *m;* **crafty** ['krɑːftɪ] *adj* listig, schlau, gerissen

crag [kræg] *s* Felsspitze *f;* Klippe *f;* **craggy**

['krægɪ] *adj* zerklüftet; steil, schroff; (*Gesicht*) kantig

cram [kræm] **I.** *tr* **1.** hineinstopfen; (voll)stopfen, vollpfropfen (*s.th. into s.th.* etw mit e-r S) **2.** stopfen, nudeln, mästen **3.** (*fam*) einpauken **II.** *itr* **1.** pauken, ochsen, büffeln **2.** verschlingen; **cram•full** [ˌkræm'fʊl] *adj* vollgepfropft; **cram•mer** ['kræmə(r)] *s* **1.** Büffler(in) *m(f)* **2.** Einpauker *m* **3.** Paukbuch *m* **4.** Paukschule *f*

cramp¹ [kræmp] **I.** *s* (MED) Krampf *m* **II.** *tr* **1.** zusammenpferchen **2.** (MED) Krämpfe verursachen in **3.** (*fig*) hindern, hemmen, be-, einengen; ~ **s.o.'s style** jdm hinderlich sein

cramp² [kræmp] **I.** *s* Krampe, Klammer *f* **II.** *tr* klammern; **cram•pons** ['kræmpɒnz] *s pl* Steigeisen *npl*

cran•berry ['krænbərɪ] *s* Preiselbeere *f*

crane [kreɪn] **I.** *s* **1.** (ZOO) Kranich *m* **2.** (TECH) Kran *m* **II.** *tr, itr* (den Hals) recken (*for* nach); **crane•fly** ['kreɪnflaɪ] *s* Schnake *f*

cran•ium ['kreɪnɪəm, *pl* 'kreɪnɪə] <*pl* -ia> *s* (ANAT) Schädel *m*

crank¹ ['kræŋk] *s* **1.** Verrückte(r) *f m* **2.** (*Am*) Griesgram *m*

crank² [kræŋk] **I.** *s* (TECH) Kurbel *f* **II.** *tr* (*Motor:* ~ *up*) ankurbeln; **crank•case** ['kræŋkkeɪs] *s* Kurbelgehäuse *n*, -wanne *f*; **crank•shaft** ['kræŋkʃɑːft] *s* Kurbelwelle *f*

cranky ['kræŋkɪ] *adj* **1.** (TECH) nicht in Ordnung **2.** (*fam*) komisch **3.** (*Am*) schlecht-, übelgelaunt

cranny ['krænɪ] *s* Riss *m*, Ritze *f*, Spalt(e *f*) *m*

crap [kræp] **I.** *s* **1.** (*sl*) Unsinn, Schwindel *m;* Käse, Mist *m* **2.** (*vulg*) Kacke *f* **II.** *itr* (*vulg*) scheißen

crape [kreɪp] *s* **1.** Krepp, Flor *m* **2.** (~ *of mourning*) Trauerflor *m*

crappy ['kræpɪ] *adj* (*sl*) beschissen

crash [kræʃ] **I.** *itr* **1.** zusammenbrechen, (zusammen)krachen **2.** (AERO EDV) abstürzen **3.** krachen, stürzen (*against* gegen) **4.** (MOT) einen Unfall haben **5.** brechen (*through* durch), einbrechen (*into* in) **6.** (wirtschaftlich, finanziell) zusammenbrechen **II.** *tr* **1.** zerschmettern **2.** (AERO) zum Absturz bringen; (MOT) einen Unfall haben mit **3.** (*sl*) eindringen, sich einschleichen in (*e-e Veranstaltung*) **4.** (*sl*) pennen **III.** *s* **1.** Krachen *n;* Krach *m* **2.** Zusammenbrechen *n*, (Ein)Sturz *m* **3.** Zusammenstoß *m* **4.** (AERO) Absturz *m;* (MOT) Unfall *m;* (EDV) Programm-, Systemabsturz *m* **5.** (FIN) Zusammenbruch, Crash *m;* ~ **of thunder** Donnerschlag *m* **IV.** *adj* gewaltsam; unter Einsatz aller Kräfte **V.** *adv* mit e-m Krach; **crash barrier** *s* Leitplanke *f;* **crash course** *s* Intensivkurs *m;* **crash diet** *s* Radikalkur *f;* **crash helmet** *s* (MOT) Sturzhelm *m;* **crash•ing** [-ɪŋ] *adj* (*fam*) fürchterlich; **crash-land** [ˌkræʃ'lænd] *itr* (AERO) bruchlanden; **crash-land•ing** [ˌkræʃ'lændɪŋ] *s* (AERO) Bruchlandung *f;* **crash programme** *s* Intensivprogramm *n*

crass [kræs] *adj* grob; krass; absolut

crate [kreɪt] *s* **1.** Lattenkiste *f* **2.** Packkorb *m* **3.** (*fam: Auto, Flugzeug*) Kiste *f*

cra•ter ['kreɪtə(r)] *s* **1.** (GEOL) Krater *m* **2.** Granat-, Bombentrichter *m*

cra•vat [krə'væt] *s* Halstuch *n*

crave [kreɪv] **I.** *tr* erbitten, erflehen **II.** *itr* sich sehnen (*for* nach), sehnlichst wünschen (*for s.th.* etw); **crav•ing** ['kreɪvɪŋ] *s* Verlangen *n*, Sehnsucht *f* (*for* nach)

crawl [krɔːl] **I.** *itr* **1.** kriechen (*to* vor), krabbeln; schleichen **2.** (*Ort*) wimmeln (*with* von) **3.** (*Haut*) kribbeln **4.** (SPORT) kraulen **II.** *s* **1.** Kriechen *n* **2.** (SPORT) Kraul *n;* **go at a** ~ im Schneckentempo fahren; **crawler** ['krɔːlə(r)] *s* **1.** (SPORT) Kraulstilschwimmer *m* **2.** (*fig*) Kriecher(in) *m(f)*, Speichellecker(in) *m(f)*, Schleimer(in) *m(f)* **3.** **~s** Spielanzug *m;* **crawler lane** *s* (MOT) Kriechspur *f;* **crawlers** ['krɔːləz] *s pl* Strampelanzug, Strampler *m;* **crawling suit** ['krɔːlɪŋˌsuːt] *s* Strampelanzug, Strampler *m*

cray•fish ['kreɪfɪʃ] *s* **1.** (Fluss)Krebs *m* **2.** Languste *f*

crayon ['kreɪən] **I.** *s* Zeichen-, Pastellstift *m* **II.** *tr* **1.** mit Kreide zeichnen **2.** (*fig*) skizzieren

craze [kreɪz] **I.** *tr* **1.** den Verstand rauben (*s.o.* jdm) **2.** (*Glasur*) krakelieren **II.** *s* Manie, fixe Idee *f;* Hobby *n;* Fimmel *m;* **be the** ~ sehr beliebt sein; **the latest** ~ der letzte Schrei; **crazed** [kreɪzd] *adj* wahnsinnig, verrückt (*with* vor); **crazi•ness** ['kreɪzɪnɪs] *s* Wahnsinn *m*, Verrücktheit *f;* **crazy** ['kreɪzɪ] *adj* **1.** wahnsinnig, verrückt (*with* vor, *about* nach) **2.** versessen (*about* auf), wild (*about* nach); ~ **paving** mit unregelmäßigen Platten belegter Weg; **drive** [*o* **send**] **s.o.** ~ jdn wahnsinnig machen; **go** ~ verrückt werden; **at a** ~ **angle** völlig schief

CRC [ˌsiːɑː'siː] *s abbr of* **camera-ready copy** (TYP) reproreife Vorlage

creak [kriːk] **I.** *itr* knarren; quietschen **II.** *s* Knarren *n;* Quietschen *n;* **creaky** ['kriːkɪ] *adj* knarrend; quietschend

cream [kriːm] **I.** *s* **1.** Sahne *f*, Rahm *m* **2.** Creme, Schaum-, Süßspeise *f* **3.** (Haut)Creme *f;* **the** ~ das Beste, die Spitze, die Auslese **II.** *adj* cremefarben **III.** *itr* sahnig werden **IV.** *tr* **1.** entrahmen **2.** eincremen **3.** (*fig: off*) das Beste abschöpfen von **4.** Sahne tun an, in **5.** schaumig schlagen; **cream cheese** *s* Frisch-, Rahmkäse *m;* **cream-colo(u)red** *adj* cremefarben; **cream•ery** ['kriːmərɪ] *s* **1.** Molkerei *f* **2.** Milchgeschäft *n;* **creamy** ['kriːmɪ] *adj* sahnig

crease [kriːs] **I.** *s* **1.** Falte *f;* Kniff *m* **2.** Bügelfalte *f* **3.** Eselsohr *n* **4.** (SPORT) (Tor)Linie *f* **II.** *tr* **1.** falten **2.** (*Hose*) bügeln **3.** zerknittern **III.** *itr* knittern

cre•ate [kriː'eɪt] **I.** *tr* **1.** (er)schaffen **2.** hervorbringen, herstellen, machen **3.** ins Leben rufen; hervorrufen, verursachen, bewirken **4.** machen, ernennen (*s.o. s.th.* jdn zu etw) **5.** gründen, errichten **6.** (THEAT: *Rolle*) zum erstenmal spielen **II.** *itr* (*sl*) Theater, Tamtam machen (*about* um); **creation** [kriː'eɪʃn] *s* **1.** Erschaffung *f* **2.** Werk *n;* Kreation, Modeschöpfung *f* **3.** Erzeugung, Hervorbringung, Herstellung *f* **4.** Verursachung, Bewirkung *f;* Schaffung, Bildung, Gestaltung *f* **5.** (Be)Gründung, Errichtung *f* **6.** Ernennung *f* **7.** (THEAT) Kreieren *n* (*e-r Rolle*); **the C~** die Schöpfung; **cre•ative** [kriː'eɪtɪv] *adj* kreativ, schöpferisch; produktiv (*of* in); ~ **writing** dichterisches Schreiben; **cre•ator** [kriː'eɪtə(r)] *s* Schöpfer, Erzeuger, Hersteller *m;* Modeschöpfer *m;* **the C~** der Schöpfer, Gott *m*

crea•ture ['kriːtʃə(r)] *s* Geschöpf *n,* Kreatur *f;* **living ~** Lebewesen *n;* **lovely ~** herrliches Geschöpf; **creature comfort** *s* leibliches Wohl

crèche [kreɪʃ] *s* Kinderhort *m*

cre•dence ['kriːdns] *s:* **give ~ to** Glauben schenken *dat;* **cre•den•tials** [krɪ'denʃlz] *s pl* **1.** Empfehlungs-, Beglaubigungsschreiben *n* **2.** Zeugnisse *npl,* (Ausweis)Papiere *npl*

credi•bil•ity [ˌkredɪ'bɪlətɪ] *s* Glaubwürdigkeit *f;* **cred•ible** ['kredəbl] *adj* glaubwürdig, zuverlässig

credit ['kredɪt] **I.** *s* **1.** Glaube *m,* Vertrauen *n* **2.** Glaubwürdigkeit *f* **3.** Ansehen *n,* Geltung *f,* (guter) Name, (guter) Ruf *m* **4.** Verdienst *n,* Ehre *f,* Ruhm *m;* Einfluss *m* **5.** Namensnennung, Quellenangabe *f* **6.** (*Am: ~ point*) Gutpunkt *m* **7.** (FIN) Kredit *m;* Guthaben *n,* -schrift *f* **8.** (COM) Haben *n;* **on ~** auf Kredit; **to s.o.'s ~** zu jds Gunsten; **allow/give/grant/open ~ to s.o.** jdm Kredit gewähren/einräumen/eröffnen; **do ~** Ehre machen; **give s.o. ~ for s.th.** jdm etw zutrauen, -schreiben; jdm etw zugute halten; **give s.th. on ~** etw auf Kredit geben, kreditieren **II.** *tr* **1.** glauben, Glauben schenken, (ver)trauen (*s.o., s.th.* jdm, e-r S) **2.** Anerkennung bringen (*s.o.* jdm), (ehrenvoll) erwähnen **3.** (*Am: Universität*) anrechnen **4.** (FIN) Kredit geben (*s.o.* jdm); (COM) gutschreiben, kreditieren; **~ s.th. to s.o.** [*o* **s.o. with s.th.**] jdm etw zutrauen, -schreiben; **credi•table** ['kredɪtəbl] *adj* rühmlich, anerkennenswert (*to* für); **credit agency** *s* Kreditschutzverein *m;* **credit card** *s* Kreditkarte *f;* **credit department** *s* Kreditabteilung *f;* **credit facilities** *s pl* Kreditmöglichkeiten *fpl;* **credit limit** *s* Kredit-, Verfügungsrahmen *m;* **credit note** *s* Gutschrift(sanzeige) *f;* **credi•tor** ['kredɪtə(r)] *s* Gläubiger(in) *m(f);* **creditor bank** *s* Gläubigerbank *f;* **credit page** *s* Herausgeber-, Mitarbeiterseite *f;* **credit rating** *s* Kreditwürdigkeit *f;* **credit side** *s* Habenseite *f;* **on his ~** zu seinen Gunsten; **credit terms** *s pl* Kreditbedingungen *fpl;* **credit-worthy** ['kredɪtwɜːðɪ] *adj* kreditwürdig

cre•du•lity [krɪ'djuːlətɪ] *s* Leichtgläubigkeit *f;* **credu•lous** ['kredjʊləs] *adj* leichtgläubig

creed [kriːd] *s* **1.** (Glaubens)Bekenntnis *n* **2.** Überzeugung *f*

creek [kriːk] *s* **1.** (*Br*) kleine Bucht **2.** (*Am*) Flüsschen *n;* **be up the ~** aufgeschmissen sein; sich völlig vertan haben

creep [kriːp] <*irr:* crept, crept> **I.** *itr* **1.** kriechen *a. fig* (*Zeit*) **2.** schleichen **3.** (*Pflanze*) sich ranken **4.** (*Haut*) kribbeln; **it makes my flesh ~** da bekomme ich eine Gänsehaut **II.** *s* **1.** Kriechen *n* **2.** (*fam*) widerlicher Mensch **3.** **~s** Kribbeln *n,* Schauder *m;* **it gave me the ~s** es überlief mich (eis)kalt, ich bekam e-e Gänsehaut; **creep into** *itr* (*fig*) sich einschleichen in; **creep up** *itr* heranschleichen, sich heranarbeiten (*to* an); **creeper** ['kriːpə(r)] *s* **1.** Kriechtier *n* **2.** Kletterpflanze *f* **3.** **~s** Steigeisen *npl* **4.** **~s** Schuhe *m pl* mit Kreppsohlen **5.** **~s** (*Am*) Strampelhöschen *n;* **creep•ing** [-ɪŋ] *adj* (*Krankheit*) schleichend; **creepy** ['kriːpɪ] *adj* schaurig; gruselig

cre•mate [krɪ'meɪt] *tr* (*Leiche*) einäschern; **cre•ma•tion** [krɪ'meɪʃn] *s* Einäscherung, Feuerbestattung *f;* **cre•ma•tor•ium** [ˌkremə'tɔːrɪəm] *s* Krematorium *n;* **cre•ma•tory** ['kremətərɪ] *s* (*Am*) Krematorium *n*

crept [krept] *s.* **creep**

cres•cent ['kresnt] *s* **1.** Mondsichel *f;* Halbmond *m* **2.** (*Br*) bogenförmig geschwungene Häuserreihe

cress [kres] *s* (BOT) Kresse *f*

crest [krest] *s* **1.** (*Hühner*) Kamm *m* **2.** (ORN) Haube *f;* (ZOO) Schopf *m;* (*Pferd, Löwe*) Mähne *f* **3.** (*auf Helm*) Helmbusch *m* **4.** (*mountain ~*) Bergkamm, -rücken *m* **5.** (*~ of a wave*) Wellenkamm *m* **6.** (ARCH)

Bekrönung *f* **7.** (*fig*) Höchst-, Scheitelpunkt, Gipfel *m;* **on the ~ of the wave** (*fig*) auf dem Gipfel des Glücks; **crest·fallen** ['krest,fɔ:lən] *adj* (*fig*) tief enttäuscht

Crete [kri:t] *s* Kreta *n*

cre·tin ['kretɪn] *s* **1.** Kretin *m,* Schwachsinnige(r) *f m* **2.** (*sl*) Idiot *m*

cre·vasse ['krɪvæs] *s* Gletscherspalte *f*

crev·ice ['krevɪs] *s* Spalte, Ritze *f*

crew [kru:] **I.** *s* **1.** (MAR AERO) Besatzung, Crew *f;* (SPORT) Mannschaft *f* **2.** Gruppe *f* **II.** *itr* der Vorschormann sein **III.** *tr* die Mannschaft sein von; **crew-cut** *s* Bürstenschnitt *m;* **crew-member** *s* Besatzungsmitglied *n*

crib [krɪb] **I.** *s* **1.** Krippe *f* **2.** (*Am*) Kinderbett *n* **3.** Lachsreuse *f* **4.** (*Am*) Behälter *m* (*für Mais*) **5.** (*fam*) Plagiat *n* **6.** (*Schule*) Spickzettel *m;* **~ death** (*Am*) Krippentod *m* **II.** *tr, itr* **1.** (*fam*) plagiieren **2.** (*Schule*) abschreiben

crib·bage ['krɪbɪdʒ] *s* (*Kartenspiel*) Cribbage *n*

crick [krɪk] *s:* **have a ~ in the neck** e-n steifen Hals haben

cricket[1] ['krɪkɪt] *s* (ZOO) Grille *f*

cricket[2] ['krɪkɪt] *s* (SPORT) Kricket *n;* **not ~** (*fam*) unfair; **cricket·bat** *s* (Kricket)Schläger *m;* **cricketer** ['krɪkɪtə(r)] *s* Kricketspieler(in) *m(f);* **cricket ground** *s* (Rasen)Spielfeld *n;* **cricket pitch** *s* Wurfbahn *f*

crier ['kraɪə(r)] *s* **1.** Schreihals *m* **2.** Ausrufer *m;* Gerichtsdiener *m*

crime [kraɪm] *s* **1.** Verbrechen *n a. fig* **2.** Sünde, Schande *f;* Frevel *m;* **commit a ~** ein Verbrechen begehen; **crime prevention** *s* präventive Verbrechensbekämpfung; **crime-rid·den** ['kraɪm,rɪdn] *adj* mit einer hohen Kriminalitätsrate; **crime wave** *s* Welle *f* von Verbrechen

crimi·nal ['krɪmɪnl] **I.** *adj* **1.** verbrecherisch, kriminell; strafbar **2.** (*fam*) schändlich; **~ assault** Körperverletzung *f;* **C~ Investigation Department (CID)** (*Br*) Kriminalpolizei *f;* **~ code** Strafgesetzbuch *n;* **~ law** Strafrecht *n;* **have a ~ record** vorbestraft sein **II.** *s* Verbrecher(in) *m(f);* **crimi·nality** [,krɪmɪ'nælətɪ] *s* Kriminalität *f;* **crimi·nol·og·ist** [krɪmɪ'nɒlədʒɪst] *s* Kriminologe *m;* Kriminologin *f;* **crimi·nol·ogy** [,krɪmɪ'nɒlədʒɪ] *s* Kriminologie *f*

crimp [krɪmp] *tr* **1.** fälteln **2.** (*Haar*) wellen

crim·son ['krɪmzn] **I.** *adj* purpurrot; blutrot **II.** *tr* rot färben **III.** *itr* rot werden; erröten

cringe [krɪndʒ] *itr* **1.** zurückschrecken (*at* vor) **2.** (*fig*) schaudern, sich schütteln **3.** kriechen, katzbuckeln; **make s.o. ~** jdn schaudern lassen, jdm weh tun

crinkle ['krɪŋkl] **I.** *itr* faltig werden; knittern **II.** *tr* zerknittern; **crin·kly** ['krɪŋklɪ] *adj* wellig, faltig; zerknittert

cripple ['krɪpl] **I.** *s* Krüppel *m* **II.** *tr* **1.** zum Krüppel machen **2.** (*fig*) lähmen; schwächen, behindern

cri·sis ['kraɪsɪs, *pl* 'kraɪsi:z] <*pl* -ses> *s* Krise *f;* Wendepunkt, entscheidender Augenblick *m;* **bring to a ~** zu e-r Entscheidung bringen; **pass through a ~** e-e Krise durchmachen; **financial ~** Finanzkrise *f;* **crisis management** *s* Krisenmanagement *n*

crisp [krɪsp] **I.** *adj* **1.** knusp(e)rig **2.** (*Luft*) frisch **3.** (*Stil*) lebendig **4.** (*Benehmen*) entschieden, klar **5.** kraus; wellig, faltig **II.** *s* (*Br*) Kartoffelchip *m* **III.** *tr* **1.** knusp(e)rig machen **2.** kräuseln; **crisp·bread** ['krɪsbred] *s* Knäckebrot *n;* **crispy** ['krɪspɪ] *adj* **1.** knusp(e)rig **2.** kraus

criss-cross ['krɪskrɒs] **I.** *adj* sich kreuzend, gekreuzt **II.** *adv* kreuzweise; durcheinander **III.** *tr* kreuzweise durchziehen

cri·terion [kraɪ'tɪərɪən, *pl* -'tɪərɪə] <*pl* -teria> *s* **1.** Kriterium *n* **2.** Merkmal, Kennzeichen *n*

critic ['krɪtɪk] *s* **1.** Kunstkenner(in) *m(f),* -sachverständige(r) *f m* **2.** Kritiker(in) *m(f);* **criti·cal** ['krɪtɪkl] *adj* **1.** kritisch; (*Augenblick*) entscheidend; ernst, bedenklich **2.** tadelsüchtig (*of s.o.* jdm gegenüber); **at the ~ moment** im entscheidenden Augenblick; **in a ~ situation** in e-r schwierigen Lage; **criti·cism** ['krɪtɪsɪzəm] *s* **1.** Kritik *f* (*of* an, über) **2.** Besprechung *f* **3.** negative Beurteilung; **criti·cize** ['krɪtɪsaɪz] *tr* **1.** kritisieren **2.** sich kritisch äußern über; tadeln; **cri·tique** [krɪ'ti:k] *s* Kritik, Besprechung, Rezension *f*

croak [krəʊk] **I.** *s* Quaken *n,* Krächzen *n* **II.** *itr* **1.** (*Frosch*) quaken **2.** (*Rabe*) krächzen **3.** (*sl*) abkratzen

Croat ['krəʊæt] *s* Kroate *m,* Kroatin *f;* **Croa·tia** [krəʊ'eɪʃɪə] *s* Kroatien *n;* **Croatian** [krəʊ'eɪʃɪən] **I.** *adj* kroatisch **II.** *s* Kroate *m,* Kroatin *f*

cro·chet ['krəʊʃeɪ] **I.** *tr, itr* häkeln **II.** *s* (*~-work*) Häkelarbeit *f;* **crochet·hook** *s* Häkelnadel *f*

crock [krɒk] *s* **1.** Topf *m,* -scherbe *f* **2.** (MOT: *fam*) alte Kiste **3.** (*Mensch*) Klappergestell *n;* **crock·ery** ['krɒkərɪ] *s* Töpferware *f;* Geschirr *n*

croco·dile ['krɒkədaɪl] *s* (ZOO) Krokodil *n;* **walk in a ~** (*Br*) zwei und zwei hintereinander gehen; **crocodile tears** *s pl* Krokodilstränen *fpl*

cro·cus ['krəʊkəs] *s* (BOT) Krokus *m*

croft [krɒft] *s* **1.** eingefriedetes Feld **2.** kleiner Bauernhof; **crofter** ['krɒftə(r)] *s*

Kleinpächter(in) *m(f)*
crois•sant ['krwɑːsɒŋ] *s* Hörnchen, Croissant *n*
crook [krʊk] **I.** *s* **1.** Haken *m* **2.** Hirtenstab *m;* (REL) Krummstab *m* **3.** (*Fluss*) Krümmung, Biegung *f;* (*Arm*) Beuge *f* **4.** (*fam*) Schwindler, Gauner *m* **II.** *tr* krümmen, biegen **III.** *adj* **1.** (*fam*) unehrlich **2.** (*Australien*) krank; kaputt; schlecht; wütend; **crooked** ['krʊkɪd] *adj* **1.** gekrümmt, gebeugt **2.** krumm, schief **3.** buck(e)lig **4.** (*fig: Wege*) krumm **5.** unehrlich
croon [kruːn] *tr, itr* schmalzig singen; **crooner** ['kruːnə(r)] *s* Schlager-, Schnulzensänger(in) *m(f)*
crop [krɒp] **I.** *s* **1.** (*Vogel*) Kropf *m* **2.** Feldfrüchte *fpl,* Getreide *n* **3.** Ertrag *m,* Ernte *f;* Ausbeute *f* **4.** Haufen *m,* Menge *f* **5.** Peitschenstiel *m;* Reitpeitsche *f* **6.** kurzer Haarschnitt; ~ **rotation** Fruchtwechsel *m* **II.** *tr* **1.** kurz abschneiden, stutzen, scheren **2.** ab-, kahlfressen, abgrasen; **crop out** *itr* auftauchen; (GEOL) zutage treten; **crop up** *itr* auftauchen; (*fam*) aufkreuzen; dazwischenkommen
crop•per ['krɒpə(r)] *s* **1.** Kropftaube *f* **2.** (*Mensch*) Anbauer *m* **3.** (*fam*) furchtbarer Sturz **4.** (*fam*) Misserfolg, Reinfall *m;* **be a good/bad** ~ (AGR) gut/schlecht tragen; **come a** ~ (*fam*) furchtbar (hin)fallen; versagen; (*im Examen*) durchsausen, -rasseln
cro•quet ['krəʊkeɪ] *s* (SPORT) Krocket *n*
cross¹ [krɒs] **I.** *s* **1.** Kreuz *n a. fig* **2.** Querstrich *m* (*z.B. beim t*) **3.** (*fig*) Kreuz, Leiden *n* **4.** Ordenskreuz *n* **5.** (BIOL) (Rassen)Kreuzung *f* **6.** (EL) Überbrückung *f;* **the C**~ (REL) das Kreuz (Christi); **the sign of the C**~ das Kreuzzeichen; **bear one's** ~ (*fig*) sein Kreuz auf sich nehmen **II.** *adj* **1.** quer verlaufend, schräg; sich überschneidend **2.** entgegengesetzt, im Widerspruch (*to* zu) **III.** *tr* **1.** kreuzen, durch-, überqueren, überschreiten **2.** das Kreuz machen (*s.th.* über etw) **3.** (*die Beine*) kreuzen, übereinanderschlagen **4.** (*Brücke*) überspannen, hinüberführen (*s.th.* über etw) **5.** mit e-m Querstrich versehen **6.** übersetzen (*s.th.* über), überfliegen **7.** (~ *off,* ~ *out*) (durch)streichen **8.** (*Scheck*) zur Verrechnung ausstellen **9.** (*Plan*) durchkreuzen, vereiteln **10.** (*Person*) in den Weg, entgegentreten (*s.o.* jdm), begegnen (*s.o.* jdm) **11.** (BIOL: *Rassen*) kreuzen; ~ **s.o.'s mind** jdm in den Sinn kommen, einfallen; ~ **s.o.'s path** jds Weg kreuzen, jdm begegnen; ~ **one's t's and dot one's i's** (*fig*) es (ganz) genau nehmen, (sehr) genau sein; ~ **your heart!** Hand aufs Herz!; **I'll keep my fingers ~ed** (*fig*) ich halte den Daumen! **IV.** *itr* **1.** hinüberfahren (*from ... to* von ... nach), (die Straße) überqueren **2.** sich treffen, sich begegnen, sich kreuzen **3.** sich überschneiden **4.** (*Briefe*) sich kreuzen **V.** *refl* (REL) sich bekreuzigen; **cross off, cross out** *tr* (aus-, durch)streichen; **cross over** *itr* hinübergehen; überwechseln (*to* zu)
cross² [krɒs] *adj* ärgerlich, wütend, böse; **be** ~ **with s.o.** mit jdm, auf jdn böse sein
cross•bar ['krɒsbɑː(r)] *s* **1.** Querholz *n,* -balken *m,* -stange *f* **2.** (SPORT) Torlatte *f;* **cross•beam** ['krɒsbiːm] *s* Querbalken *m;* (SPORT) Schwebebalken *m;* **cross•bow** ['krɒsbəʊ] *s* (HIST) Armbrust *f;* **cross-breed** ['krɒsbriːd] **I.** *s* (BIOL) Kreuzung *f;* Mischrasse *f;* Mischling *m* **II.** *tr* kreuzen; **cross-check I.** *tr* doppelt kontrollieren **II.** *s* Gegenprobe *f;* **cross-coun•try** [ˌkrɒs'kʌntrɪ] **I.** *adj* **1.** querfeldein **2.** (MOT) geländegängig; ~ **ski** Langlauf-, Tourenski *m;* ~ **skiing** Skilanglauf *m;* ~ **skier** Skilangläufer(in) *m(f);* ~ **ski run** (Langlauf)Loipe *f;* ~ **flight** (AERO) Überlandflug *m;* ~ **race** Querfeldeinrennen *n* **II.** *adv* querfeldein **III.** *s* Querfeldeinrennen *n;* **cross-current** *s* Gegenströmung *f;* **cross-examination** *s* Kreuzverhör *n;* **cross-examine** *tr* ins Kreuzverhör nehmen; **cross-eyed** ['krɒsaɪd] *adj* schielend; **be** ~ schielen; **cross-fertilization** *s* Fremdbestäubung *f;* (*fig*) gegenseitige Befruchtung; **cross-fire** ['krɒsfaɪə(r)] *s* Kreuzfeuer *n a. fig;* **cross-grained** [ˌkrɒs'greɪnd] *adj* **1.** quer gemasert **2.** (*fig*) eigensinnig; widerborstig, mürrisch; **cross•ing** ['krɒsɪŋ] *s* **1.** Kreuzung *f* **2.** Kreuz-, Schnittpunkt *m* **3.** Überquerung *f,* -gang *m,* -fahrt *f* **4.** (RAIL) Überführung *f;* (Fußgänger)Überweg *m* **5.** (ARCH) Vierung *f;* **level** ~ schienengleicher Bahnübergang; **cross-legged** [ˌkrɒs'legd] *adj* mit übergeschlagenen Beinen; **cross•over** ['krɒsəʊvə(r)] *s* **1.** Kreuzungsstelle *f* **2.** Überführung *f;* **cross-pur•poses** [ˌkrɒs'pɜːpəsɪz] *s pl:* **be at** ~ **with s.o.** mit jdm e-e Meinungsverschiedenheit haben; **talk at** ~ aneinander vorbeireden; **cross-reference** *s* (*Buch*) Verweis *m;* **cross•roads** ['krɒsrəʊdz] *s sing od pl* Wege-, Straßenkreuzung *f;* **at the** ~ (*fig*) am Scheideweg; **cross section** *s* Querschnitt *m a. fig;* **cross•talk** ['krɒstɔːk] *s* Wortgefecht *n;* (TELE) Nebensprechen *n;* **cross•walk** *s* (*Am*) Fußgängerüberweg *m;* **cross•ways** ['krɒsweɪz] *adv* quer; **cross•wind** ['krɒswɪnd] *s* (AERO) Seitenwind *m;* **cross•wise** ['krɒswaɪz] *adv* quer hinüber; kreuzweise; **cross•word** (**puzzle**) ['krɒswɜːd(pʌzl)] *s* Kreuzworträtsel *n*
crotch [krɒtʃ] *s* **1.** Gabel(ung) *f* **2.** (*Hose*)

Schritt *m*

crotchet ['krɒtʃɪt] *s* **1.** (MUS) Viertelnote *f* **2.** (*fig*) Marotte, Schrulle *f;* ~ **rest** (MUS) Viertelpause *f*

crotchety ['krɒtʃɪtɪ] *adj* schrullenhaft; schlecht gelaunt; quengelig

crouch [kraʊtʃ] **I.** *itr* sich ducken, sich (nieder)kauern **II.** *s* geduckte Stellung

croup [kru:p] *s* **1.** (MED) Krupp *m,* Halsbräune *f* **2.** (*Pferd*) Kruppe *f*

crou•pier ['kru:pɪeɪ] *s* Croupier *m*

crow¹ [krəʊ] *s* **1.** Krähe *f* **2.** (~-*bar*) Brecheisen *n;* **as the ~ flies** in der Luftlinie; **eat ~** (*Am fam*) klein beigeben

crow² [krəʊ] **I.** *s* Krähen *n;* (*Säugling*) Krähen, Juchzen *n* **II.** *itr* **1.** krähen **2.** jubeln, frohlocken, triumphieren (*over* über) **3.** (*Kind*) krähen, juchzen

crow•bar ['krəʊbɑ:(r)] *s* Brecheisen *n*

crowd [kraʊd] **I.** *s* **1.** (Menschen)Menge *f,* Menschenmassen *fpl* **2.** Gedränge, Gewühl, Gewimmel *n* **3.** (die) große Masse, (das) gemeine Volk **4.** (*fam*) Gruppe *f,* Haufen, Verein *m,* Gesellschaft *f* **5.** Haufen, Berg, Stoß, Stapel *m;* **follow the ~** (*fig*) der Masse folgen, mitlaufen **II.** *itr* (~ *round*) sich ansammeln, zusammenströmen; (sich) drängen (*round* um, *into* in); (~ *forward*) vorwärtsdrängen, -stürmen **III.** *tr* **1.** drängen, stoßen, schieben **2.** vollstopfen, -pfropfen **3.** (*fam: Menschen*) unter Druck setzen, auf den Leib rücken (*s.o.* jdm); **be ~ed with** wimmeln von; **crowd out** *tr* ausschließen, wegdrängen, verdrängen; **crowd up** *tr* (*Am: Preise*) in die Höhe treiben; **crowded** [-ɪd] *adj* gedrängt, zum Brechen voll (*with* von), zusammengepfercht; ~ **to capacity** bis auf den letzten Platz gefüllt; **crowd•puller** *s* (*fam*) Publikumsmagnet *m*

crown [kraʊn] **I.** *s* **1.** Krone *f* **2.** (Sieger)Kranz *m* **3.** Fünfshillingstück *n* **4.** oberer Teil, Krone *f,* Gipfel *m* **5.** Scheitel, Schädel *m* **6.** Scheitelpunkt *m;* (Dach)First *m;* (Straßen)Kuppe *f* **7.** (Zahn)Krone *f* **8.** (Baum)Krone *f* **9.** (*fig*) Höhepunkt *m,* Krone *f,* Gipfel *m,* Krönung *f* **II.** *tr* **1.** krönen **2.** (*fig*) die Krone aufsetzen (*s.th.* e-r S), vollenden **3.** (*Zahn*) mit e-r Krone versehen **4.** (*sl*) eins aufs Dach geben (*s.o.* jdm); **to ~ it all** um der Sache die Krone aufzusetzen; ~ **s.o. king** jdn zum König krönen; **crown cap** *s* Kronkorken *m;* **crown colony** *s* Kronkolonie *f;* **crown cork** *s* Kronkorken *m;* **crown•ing** [-ɪŋ] *adj* krönend; **crown jewels** *s pl* Kronjuwelen *pl;* **crown prince** *s* Kronprinz *m;* **crown witness** *s* Kronzeuge *m,* Zeuge *m* der Anklage

crow's feet ['krəʊzfi:t] *s pl* Krähenfüße *mpl* (*im Gesicht*); **crow's nest** *s* (MAR) Mastkorb *m*

cru•cial ['kru:ʃl] *adj* entscheidend, kritisch, ernst; **at the ~ moment** im entscheidenden Augenblick; **put to a ~ test** e-r entscheidenden Prüfung unterziehen

cru•cible ['kru:sɪbl] *s* **1.** Schmelztiegel *m* **2.** (*fig*) Feuer-, Bewährungsprobe *f*

cru•ci•fix [ˌkru:sɪ'fɪks] *s* Kruzifix *n;* **cru•ci•fixion** [ˌkru:sɪ'fɪkʃn] *s* Kreuzigung *f;* **cru•cify** ['kru:sɪfaɪ] *tr* **1.** kreuzigen **2.** (*fig*) fertig machen, keinen guten Faden lassen an

cruddy ['krʌdɪ] *adj* (*sl*) mies

crude [kru:d] *adj* **1.** roh **2.** (*fig*) ungeformt, unfertig; unreif, nicht durchdacht **3.** (*Mensch*) grob, ungeschliffen, ungebildet **4.** geschmacklos; ~ **iron** Roheisen *n;* ~ **oil** Rohöl *n;* **crud•ity** ['kru:dətɪ] *s* **1.** Rohheit *f* **2.** grobe Bemerkung, Grobheit *f*

cruel [krʊəl] *adj* **1.** grausam; unmenschlich, erbarmungs-, mitleid(s)los, herzlos (*to* gegen) **2.** (*Wind, Schicksal*) heftig; schrecklich, furchtbar; **cruelty** ['krʊəltɪ] *s* Grausamkeit *f,* Unmenschlichkeit, Herzlosigkeit *f;* ~ **to animals** Tierquälerei *f*

cruise [kru:z] **I.** *itr* **1.** (MAR) kreuzen **2.** umherfahren **3.** mit Reisegeschwindigkeit fahren, fliegen **II.** *s* Kreuz-, Vergnügungsfahrt, Schiffsreise *f;* **go on** [*o* **for**] **a ~** e-e Vergnügungsfahrt machen; **cruise missile** *s* (MIL) Marschflugkörper *m;* **cruiser** ['kru:zə(r)] *s* **1.** (MAR) Kreuzer *m* **2.** Jacht *f;* Motorboot *n* **3.** (*Am*) Funkstreifenwagen *m;* **cruis•ing** [-ɪŋ] *adj:* ~ **speed** Reisegeschwindigkeit *f*

crumb [krʌm] *s* **1.** Stück(chen) *n,* Krume *f,* Krümel *m* **2.** (*fig*) Fetzen *m,* Stück *n,* Brocken *m* **3.** (*sl*) Lump *m* **4.** kleine Geldsumme; **a ~ of** ein bisschen ..., ein wenig ...

crumble ['krʌmbl] **I.** *tr, itr* zerkrümeln, zerbröckeln **II.** *itr* **1.** zer-, verfallen **2.** (*fig*) einstürzen, zusammenbrechen **3.** (*Preise*) abbröckeln; **crum•bly** ['krʌmblɪ] *adj* krümelig, bröckelig

crummy ['krʌmɪ] *adj* (*sl*) **1.** schäbig, dürftig, elend **2.** krank, angeschlagen

crum•pet ['krʌmpɪt] *s kleines rundes Hefegebäck zum Toasten*

crumple ['krʌmpl] **I.** *tr* zerknittern, faltig machen; zusammenknüllen; eindrücken **II.** *itr* **1.** knittern **2.** (*fam:* ~ *up*) zusammenbrechen, zusammensacken **3.** zusammengedrückt werden; **crumple zone** *s* (MOT) Knautschzone *f*

crunch [krʌntʃ] **I.** *tr* knacken, zerbeißen; mampfen **II.** *itr* knirschen, krachen **III.** *s* **1.** Knacken, Knirschen *n* **2.** (*fam*) Zusammenstoß *m* **3.** (*sl*) Krise *f* **4.** Knackpunkt *m;* **when it comes to the ~** wenn es darauf ankommt

cru•sade [kruːˈseɪd] I. *s* (*a.fig*) Kreuzzug *m* (*against* gegen, *for* für) II. *itr* sich an e-m Kreuzzug beteiligen; **cru•sader** [kruːˈseɪdə(r)] *s* Kreuzfahrer *m*

crush [krʌʃ] I. *tr* 1. (zer-, zusammen)drücken, (zer)quetschen, zermalmen, zerschmettern 2. zerkleinern 3. (zer)knüllen, zerknittern 4. (*fig*) zerstören, vernichten; niederschmettern; unterdrücken II. *itr* 1. sich drängen, sich stürzen 2. knittern III. *s* 1. (starker) Druck, Stoß *m* 2. Gedränge *n*, (Menschen)Menge *f*, Massen *fpl* 3. Fruchtsaftgetränk *n* 4. (*fam*) große Gesellschaft, Haufen *m* 5. (*sl*) Schwärmerei *f;* (*Person*) Schwarm *m;* **have a ~ on s.o.** (*sl*) für jdn schwärmen; **crush down** *tr* niederdrücken; zerkleinern; (*fig*) unterdrücken; **crush out** *tr* (*Frucht*) auspressen; (*fig*) auslöschen, völlig vernichten; **crush up** *tr* zermahlen, zerstampfen; **crush barrier** *s* Absperrung *f;* **crush•ing** [-ɪŋ] *adj* überwältigend; erdrückend; niederschmetternd

crust [krʌst] I. *s* 1. (Brot)Kruste, Rinde *f* 2. Stück *n* trockenes Brot 3. Kruste *f* 4. (MED) Schorf *m* 5. (BOT ZOO) Schale *f* 6. Ablagerung *f;* Weinstein *m* 7. (*sl*) Unverschämtheit *f* II. *itr* verkrusten; (*Schnee*) verharschen; **~ over** zufrieren; verkrusten; **crus•ta•cean** [krʌˈsteɪʃn] *s* Krebs-, Schalentier *n;* **crusty** [ˈkrʌstɪ] *adj* 1. verkrustet 2. knusprig 3. (*fig*) mürrisch

crutch [krʌtʃ] *s* Krücke *f a. fig;* **go on ~es** an Krücken gehen

crux [krʌks] *s* 1. Crux *f*, Haken *m* 2. schwieriges Problem

cry [kraɪ] I. *itr* 1. schreien (*for* nach) 2. verlangen (*for* nach) 3. weinen (*with* vor, *for* um), heulen, jammern (*over* über) 4. (*Hund*) anschlagen; **~ for the moon** Unmögliches verlangen; **~ o.s. to sleep** sich in den Schlaf weinen; **~ over spilt milk** Vergangenem nachweinen; **~ (for) vengeance** nach Rache schreien II. *tr* 1. (aus)rufen, schreien 2. verkünden; **~ one's eyes** [*o* **heart**] **out** sich die Augen aus dem Kopf weinen III. *s* 1. Schrei, Ruf *m* 2. Geschrei *n* (*for* nach) 3. Ausrufen, Verkünden *n* 4. Parole *f*, Schlachtruf *m* 5. Weinen, Heulen, Geheul *n* 6. (*Tier*) Gebell *n;* (*Jagdhunde*) Anschlag *m* 7. Koppel, Meute *f;* **be a far ~ from ...** ganz anders sein als ...; **in full ~** in vollem Eifer; **within ~** in Rufweite; **follow in the ~** mit der großen Masse mitlaufen; **have a good ~** sich ausweinen; **cry down** *tr* herabsetzen, schlecht machen; niederschreien; **cry for** *tr* dringend gebrauchen, benötigen; verlangen nach; **cry off** *tr* widerrufen; es sich anders überlegen; sich zurückziehen; **cry out** *tr* aufschreien; **~ out against** scharf protestieren gegen; **~ out for** schreien nach; dringend verlangen; **crying** [ˈkraɪɪŋ] I. *adj* (himmel)schreiend; dringend; **it is a ~ shame** es ist eine wahre Schande II. *s* Weinen *n;* Schreien *n*

crypt [krɪpt] *s* (ARCH) Krypta *f*

cryp•tic [ˈkrɪptɪk] *adj* geheim, verborgen; hintergründig, rätselhaft

crys•tal [ˈkrɪstl] *s* 1. Kristall *m* 2. (*~ glass*) Kristall(glas) *n* 3. (*Am*) Uhrglass *n;* **crystal ball** *s* Glaskugel *f* (*des Hellsehers*); **crys•tal-clear** *adj* glasklar; **crys•tal•line** [ˈkrɪstəlaɪn] *adj* kristallinisch; **crys•tal•li•za•tion** [ˌkrɪstəlaɪˈzeɪʃn] *s* Kristallbildung *f;* Kristallisierung *f;* **crystal•lize** [ˈkrɪstəlaɪz] I. *tr* 1. kristallisieren, auskristallisieren 2. (*fig*) e-e endgültige Gestalt geben (*s.th.* e-r S) II. *itr* 1. Kristalle bilden 2. (*fig*) sich herauskristallisieren; feste Form annehmen

cub [kʌb] *s* 1. Junge(s) *n* (*e-s Raubtieres*) 2. (*Pfadfinder*) Wölfling *m* 3. Neuling, Anfänger *m*

Cuba [ˈkjuːbə] *s* Kuba *n*

Cuban [ˈkjuːbən] I. *adj* kubanisch II. *s* Kubaner(in) *m(f)*

cubby-hole [ˈkʌbɪhəʊl] *s* 1. Kämmerchen *n* 2. Fach *n*

cube [kjuːb] I. *s* 1. Würfel *m* 2. (MATH) Kubikzahl *f*, dritte Potenz; **~ root** (MATH) Kubikwurzel *f* II. *tr* 1. (MATH) in die dritte Potenz erheben 2. in Würfel schneiden; **cu•bic** [ˈkjuːbɪk] *adj* würfelförmig; kubisch; Raum-, Kubik-; **~ metre** Kubikmeter *m;* **~ capacity** Fassungsvermögen *n;* (MOT) Hubraum *m*

cu•bicle [ˈkjuːbɪkl] *s* Kabine *f*

cuckoo [ˈkʊkuː] I. *s* Kuckuck(sruf) *m* II. *adj* (*sl*) verrückt, blöd; **cuckoo-clock** *s* Kuckucksuhr *f*

cu•cum•ber [ˈkjuːkʌmbə(r)] *s* Gurke *f;* **(as) cool as a ~** völlig ungerührt

cud [kʌd] *s:* **chew the ~** wiederkäuen; (*fig*) gründlich überlegen

cuddle [ˈkʌdl] I. *tr* hätscheln, liebkosen; schmusen mit II. *itr* schmusen III. *s* Umarmung *f;* **give s.o. a ~** jdn umarmen; mit jdm schmusen

cud•gel [ˈkʌdʒəl] I. *s* Keule *f*, Knüppel *m;* **take up the ~s for s.o.** für jdn Partei ergreifen II. *tr* (ver)prügeln

cue [kjuː] *s* 1. (THEAT) Stichwort *n* 2. Fingerzeig, Hinweis *m* 3. Billardstock *m*, Queue *n* 4. (MUS) Einsatz *m;* **give s.o. his ~** jdm nahelegen, was er zu tun hat; **take one's ~ from s.o.** sich nach jdm richten

cuff [kʌf] I. *s* 1. Manschette *f* 2. (*Am*) Hosenaufschlag *m* 3. Handschelle *f* 4. Schlag *m*, Ohrfeige *f;* **off the ~** (*sl*) aus dem Stegreif

II. *tr* schlagen, ohrfeigen; **cuff-link** ['kʌflɪŋk] *s* Manschettenknopf *m*
cui•sine [kwɪ'zi:n] *s* Küche, Kochkunst *f*
cul-de-sac ['kʌldəsæk] *s* Sackgasse *f a. fig*
cu•li•nary ['kʌlɪnerɪ] *adj* kulinarisch
cull [kʌl] **I.** *tr* **1.** (*Blumen*) pflücken **2.** (*fig*) auswählen; ausmerzen; ~ **seals** Robbenschlag betreiben **II.** *s* **1.** Auslese *f* **2.** Ausmerzen *n*
cul•mi•nate ['kʌlmɪneɪt] *itr* **1.** (*a. fig*) kulminieren **2.** (*fig*) seinen Höhepunkt erreichen, gipfeln (*in* in); **cul•mi•na•tion** [ˌkʌlmɪ'neɪʃn] *s* **1.** (ASTR) Kulmination *f* **2.** (*fig*) Höhepunkt, Gipfel *m*
cu•lottes [kju:'lɒts] *s pl* Hosenrock *m*
culp•able ['kʌlpəbl] *adj* strafbar, schuldhaft; ~ **negligence** (JUR) grobe Fahrlässigkeit; ~ **homicide** fahrlässige Tötung; **culprit** ['kʌlprɪt] *s* **1.** Angeklagte(r) *f m* **2.** Missetäter(in) *m(f)*, Übeltäter(in) *m(f)*
cult [kʌlt] *s* **1.** (REL) Kult *m a. fig* **2.** Verehrung *f;* **make a ~ out of s.th.** einen Kult mit etw treiben; **cult figure** *s* Kultfigur *f*
cul•ti•vate ['kʌltɪveɪt] *tr* **1.** (AGR) kultivieren, an-, bebauen **2.** (*fig*) kultivieren, pflegen; **cul•ti•vated** [-ɪd] *adj* **1.** (AGR) bebaut; gezüchtet **2.** (*fig*) gebildet, kultiviert; **cul•ti•va•tion** [ˌkʌltɪ'veɪʃn] *s* **1.** (AGR) Anbau *m* **2.** Pflege, Förderung *f* **3.** Kultiviertheit *f;* **cul•ti•va•tor** ['kʌltɪveɪtə(r)] *s* **1.** Landwirt(in) *m(f)* **2.** (AGR) Kultivator *m;* **a ~ of the fine arts** jem, der die schönen Künste pflegt
cul•tural ['kʌltʃərəl] *adj* kulturell; **culture** ['kʌltʃə(r)] *s* **1.** (AGR) Kultur *f,* Anbau *m,* Zucht *f* **2.** (*fig*) Bildung, Kultur *f* **3.** (BIOL) (Bakterien)Kultur *f;* **physical ~** Körperkultur *f;* ~ **medium** Nährboden *m;* **cultured** ['kʌltʃəd] *adj* **1.** gebildet, kultiviert **2.** gezüchtet; ~ **pearl** Zuchtperle *f;* **culture vulture** *s* (*pej*) Kulturfanatiker(in) *m(f);* Kulturkonsument(in) *m(f)*
cum•ber•some, cum•brous ['kʌmbəsəm, 'kʌmbrəs] *adj* **1.** lästig, beschwerlich, mühsam **2.** sperrig, unhandlich **3.** schwerfällig
cumin ['kʌmɪn] *s* Kreuzkümmel *m*
cumu•lat•ive ['kju:mjʊlətɪv] *adj* **1.** sich (an)häufend, zunehmend **2.** kumulativ; **cumu•lus** ['kjumjʊləs, *pl* 'kju:mjʊlaɪ] <*pl* -li> *s* Haufenwolke *f,* Kumulus *m*
cun•ning ['kʌnɪŋ] **I.** *adj* schlau, listig; (*fam*) gerissen **II.** *s* Schläue, Gerissenheit *f*
cup [kʌp] *s* **1.** Tasse *f* **2.** Becher *m* **3.** (SPORT) Pokal *m* **4.** (REL) Kelch *m;* **that's not my ~ of tea** (*fam*) das ist nicht nach meinem Geschmack; **in one's ~s** angezecht; **cupboard** ['kʌbəd] *s* **1.** Schrank *m* **2.** Büfett *n;* **cup final** *s* Pokalendspiel *n;* **cup•ful** ['kʌpfʊl] *s* Tasse *f*
cu•pola ['kju:pələ] *s* (ARCH) Kuppel *f*
cuppa ['kʌpə] *s* (*fam*) Tasse *f* Tee
cup-tie ['kʌptaɪ] *s* (SPORT) Pokalspiel *n*
cup win•ner ['kʌpˌwɪnə(r)] *s* Pokalsieger *m*
cur [kɜ:(r)] *s* **1.** Köter *m* **2.** (*fig*) gemeiner Kerl
cura•bil•ity [ˌkjʊərə'bɪlətɪ] *s* Heilbarkeit *f;* **cur•able** ['kjʊərəbl] *adj* heilbar
cu•rate ['kjʊərət] *s* **1.** Kurat *m* **2.** Vikar *m*
curb [kɜ:b] **I.** *s* **1.** (*Pferd*) Kandare *f* **2.** (*fig*) Zügel *mpl* **3.** Beschränkung *f* **4.** (*Am*) Bordstein *m* **II.** *tr* **1.** an die Kandare nehmen **2.** (*fig*) zügeln, im Zaum halten; bändigen; ~ **one's temper** sich im Zaum halten; **curb bit** *s* Kandare *f;* **curb•stone** ['kɜ:bstəʊn] *s* (*Am*) Bordstein *m*
curd [kɜ:d] *s oft pl* Quark *m;* **curdle** [kɜ:dl] **I.** *tr* gerinnen (lassen) **II.** *itr* gerinnen, sauer werden; **my blood ~d** es durchlief mich eiskalt
cure ['kjʊə(r)] **I.** *s* **1.** (MED) Heilung(sprozess *m*) *f;* Heilmittel, -verfahren *n,* Heilmethode *f* **2.** Kur *f* (*for* gegen) **3.** (*fig*) Mittel *n* (*for* gegen), Abhilfe *f* (*for* für) **4.** Pfarrstelle *f;* Seelsorge *f;* **past ~** unheilbar; ~ **of souls** Seelsorge *f;* **there is no ~ for** es gibt kein Mittel gegen **II.** *tr* **1.** heilen **2.** (*fig*) abhelfen (*s.th.* e-r S), beheben **3.** pökeln, einsalzen; räuchern; konservieren, haltbar machen **4.** (TECH) vulkanisieren; **cure-all** ['kjʊərɔ:l] *s* Allheilmittel *n*
cur•few ['kɜ:fju:] *s* Sperrstunde *f;* Ausgehverbot *n,* -sperre *f*
curi•os•ity [ˌkjʊərɪ'ɒsətɪ] *s* **1.** Neugier(de) *f;* Wissensdurst *m* **2.** Seltenheit, Rarität *f;* ~ **shop** Kuriositätengeschäft *n;* ~ **killed the cat** (*prov*) man soll nicht so neugierig sein; **curi•ous** ['kjʊərɪəs] *adj* **1.** neugierig; wissbegierig **2.** seltsam, eigenartig, ungewöhnlich **3.** (*fam*) komisch; **be ~ about s.th.** auf etw gespannt sein
curl [kɜ:l] **I.** *s* **1.** Locke *f* **2.** Kräuselung *f;* **in ~s** gekräuselt; gelockt; ~ **of smoke** Rauchwölkchen *npl* **II.** *tr* kräuseln **III.** *itr* sich kräuseln; ~ **up** (sich) zusammenrollen; **curlers** ['kɜ:ləz] *s pl* Lockenwickler *mpl*
cur•lew ['kɜ:lju:] *s* (ZOO) Brachvogel *m*
curl•ing ['kɜ:lɪŋ] *s* **1.** Kräuselung *f* **2.** (SPORT) Curling *n;* **curling iron** *s* Lockenstab *m;* **curly** ['kɜ:lɪ] *adj* lockig, wellig
cur•rant ['kʌrənt] *s* **1.** Korinthe *f* **2.** Johannisbeere *f*
cur•rency ['kʌrənsɪ] *s* **1.** (FIN) Währung *f,* Zahlungsmittel *n,* Geldsorte, Valuta *f* **2.** Laufzeit, Gültigkeit *f* **3.** (Geld-, Noten)Umlauf *m;* **gain ~** in Umlauf, in Gebrauch kommen; ~ **control** Devisenkontrolle *f;* ~ **depreciation/devaluation** Geldentwertung/Geldabwertung *f;* ~ **reform**

Währungsreform *f;* **cur•rent** ['kʌrənt] I. *adj* **1.** laufend; im Umlauf befindlich **2.** aktuell; gebräuchlich, üblich **3.** (allgemein)gültig, landläufig **II.** *s* **1.** Strom *m,* Strömung *f;* Luftzug *m* **2.** (EL) Strom *m* **3.** Ab-, Verlauf *m;* (*fig*) Tendenz, Richtung *f;* **current accoount** *s* Girokonto *n;* **current events** *s pl* Tagesgeschehen *n;* **current expenses** *s pl* laufende Ausgaben *fpl;* **cur•rent•ly** [-lɪ] *adv* gegenwärtig, jetzt; **current opinion** *s* öffentliche Meinung; **current rate** *s* (Tages-, laufender) Kurs *m*

cur•ricu•lum [kə'rɪkjʊləm, *pl* kə'rɪkjʊlə] <*pl* -la> *s* Studien-, Lehrplan *m;* **curriculum vitae** [kə'rɪkjʊləm 'vi:taɪ] *s* Lebenslauf *m*

curry ['kʌrɪ] **I.** *s* (~ *powder*) Curry *m od n* **II.** *tr* **1.** (*Pferd*) striegeln **2.** (*Leder*) zurichten **3.** prügeln; ~ **favour with s.o.** sich bei jdm einzuschmeicheln suchen

curse [kɜ:s] **I.** *s* **1.** Verwünschung *f* **2.** Fluch *m,* Unglück *n* (*to* für) **3.** Fluch(wort *n*) *m* **II.** *tr* **1.** verfluchen, verdammen **2.** fluchen über **III.** *itr* fluchen; **cursed** ['kɜ:sɪd] *adj* **1.** verflucht **2.** (*fam*) verflixt

cursor ['kɜ:sə(r)] *s* (EDV) Cursor *m*

cur•sory ['kɜ:sərɪ] *adj* flüchtig, oberflächlich

curt [kɜ:t] *adj* **1.** kurz, knapp **2.** barsch (*to* gegen)

cur•tail [kɜ:'teɪl] *tr* **1.** kürzen **2.** (*Rechte*) schmälern **3.** (*Lohn*) herabsetzen; **curtailment** [-mənt] *s* **1.** (Ab)Kürzung, Verkleinerung *f* **2.** Einschränkung, Schmälerung *f*

cur•tain ['kɜ:tn] **I.** *s* **1.** Gardine *f,* Vorhang *m* **2.** (*fig*) Schleier *m;* **behind the** ~ (*fig*) hinter den Kulissen; **draw a** ~ **over s.th.** (*fig*) über etw nicht mehr sprechen; **lift the** ~ (*fig*) den Schleier lüften; **the** ~ **rises/falls** (THEAT) der Vorhang geht auf/fällt; **it will be** ~**s** (*sl*) dann ist es endgültig aus **II.** *tr* mit e-m Vorhang versehen; ~ **off** mit e-m Vorhang abteilen; **curtain-call** *s* (THEAT) Vorhang *m;* **curtain-raiser** *s* **1.** (THEAT) Eröffnungseinakter *m* **2.** (FILM) Vorspann *m* **3.** Vorspiel *n*

curt•s(e)y ['kə:tsɪ] **I.** *s* Knicks *m* **II.** *itr* knicksen; **drop a** ~ e-n Knicks machen (*to* vor)

cur•va•ture ['kɜ:vətʃə(r)] *s* Krümmung *f;* ~ **of the spine** Rückgrat(ver)krümmunng *f;*

curve [kɜ:v] **I.** *s* Kurve, Biegung, Krümmung *f* **II.** *tr* biegen; wölben; krümmen **III.** *itr* sich biegen; sich wölben, sich krümmen

cushion ['kʊʃn] **I.** *s* **1.** (*a.* TECH) Kissen *n,* Polster *n a. fig* **2.** (TECH) Puffer *m* **3.** (*Billard*) Bande *f* **II.** *tr* **1.** polstern **2.** abschirmen, -decken **3.** (TECH) (ab)federn; (*Stoß*) abfangen **4.** (*Billard*) auf Bande spielen

cushy ['kʊʃɪ] *adj* (*sl*) bequem, leicht

cuss [kʌs] **I.** *s* (*fam*) Fluch *m;* **not worth a tinker's** ~ keinen Heller wert **II.** *itr* (*fam*) fluchen

cus•tard ['kʌstəd] *s* Vanillesoße *f*

cus•tod•ian [kʌ'stəʊdɪən] *s* **1.** Kustos *m* **2.** Verwalter(in) *m(f),* Treuhänder(in) *m(f)* **3.** Pfleger(in) *m(f)* **4.** Hüter(in) *m(f)* **5.** Aufseher(in) *m(f)* **6.** (*Am*) Raumpfleger(in) *m(f);* **cus•tody** ['kʌstədɪ] *s* **1.** Obhut, Verwahrung *f* **2.** Aufsicht(spflicht) *f* (*of* über +*acc*) **3.** (JUR) Sorgerecht *n* **4.** (JUR) Gewahrsam *m,* Haft *f;* **release from** ~ aus der Haft entlassen; **take into** ~ verhaften

cus•tom ['kʌstəm] **I.** *s* **1.** Sitte *f,* Brauch *m,* Gewohnheit *f* **2.** (JUR) Gewohnheitsrecht *n* **3.** (*commercial, trade* ~) Handelsbrauch *m,* Usance *f* **4.** (COM) Kundschaft *f;* Kundenkreis *m;* Klientel *f* **5.** (*pl*) Zoll *m,* Zollverwaltung *f,* Zollgebühren *fpl;* **pass through** ~**s** den Zoll passieren; **it is his** ~ **to do** er pflegt zu tun **II.** *adj* (*Am: Kleidung*) Maß-; **customary** ['kʌstəmərɪ] *adj* üblich, gebräuchlich, gewöhnlich; **custom-built** ['kʌstəm,bɪlt] *adj* spezialangefertigt; **custom clothes** *s pl* (*Am*) Maßkleidung *f*

cus•tomer ['kʌstəmə(r)] *s* **1.** Kunde *m,* Kundin *f,* Käufer(in) *m(f),* Abnehmer(in) *m(f)* **2.** (*fam*) Kerl *m;* **a queer** ~ (*fam*) ein komischer Kauz; **regular** ~ Stammkunde *m,* -kundin *f;* **stray** ~ Laufkunde *m,* -kundin *f;* **customer number** *s* Kundennummer *f;* **customer service** *s* Kundendienst *m*

cus•tom•ize ['kʌstəmaɪz] *tr* (MOT) individuell aufmachen; **customized** [-d] **1.** (MOT) individuell aufgemacht, getunt **2.** kundenspezifisch

custom-made ['kʌstəm'meɪd] *adj* nach Maß angefertigt, spezialangefertigt

customs barrier ['kʌstəmz'bærɪə(r)] *s* Zollschranke *f;* **customs clearance** *s* Zollabfertigung *f;* **customs declaration** *s* Zollerklärung *f;* **customs documents** *s pl* Zollbegleitpapiere *pl;* **customs dues, costum duties** *s pl* Zollgebühren *fpl;* **customs examination** *s* Zollkontrolle *f;* **custom(s)house** *s* Zollamt *n;* **customs investigation** *s* Zollfahndung *f;* **customs investigator** *s* Zollfahnder(in) *m(f);* **customs officer** *s* Zollbeamter *m,* -beamtin *f*

cut [kʌt] <*irr:* cut, cut> **I.** *tr* **1.** (ab-, durch-, zer)schneiden **2.** (*Hecke*) stutzen **3.** (*Gras*) mähen **4.** (*Holz*) hacken, spalten **5.** trennen, (zer)teilen; (auf)schlitzen; abhauen **6.** (*Tier*) verschneiden, kastrieren **7.** (*Stoff*) zuschneiden; (*Film*) schneiden **8.** schnitzen, (ein)gravieren **9.** (*Karten*) abheben **10.** (SPORT: *Ball*) schneiden **11.** (*Ge-*

tränk) verschneiden, verdünnen **12.** (*fig*) beschneiden, verringern, verkleinern; (*Gehalt*) kürzen; (*Preise*) herabsetzen, ermäßigen, reduzieren **13.** (*fam: Menschen*) schneiden, nicht sehen wollen **14.** (*fam: Schule*) schwänzen **15.** (*sl*) stoppen, Schluss machen, aufhören mit; ~ **corners** einsparen (*on* bei); ~ **a figure** Eindruck schinden [*o* machen]; ~ **a tooth** zahnen; ~ **one's teeth on s.th.** sich mit etw versuchen; ~ **it fine** (*fam*) es gerade (so) schaffen; ~ **the ground from under s.o.** [*o* **s.o.'s feet**] (*fig*) jdm den Boden unter den Füßen wegziehen; ~ **no** [*o* **not much**] **ice** (*fam*) nicht viel ausrichten; ~ **the record** den Rekord brechen; ~ **a record** e-e Schallplattenaufnahme machen (*of* von); ~ **both ways** (*fig*) ein zweischneidiges Schwert sein; für beide gelten **II.** *itr* **1.** scharf sein, schneiden **2.** (*Wind*) schneiden; (~ *through*) pfeifen durch **3.** (*fam*) abhauen; (*Schule*) schwänzen **4.** (*Karten*) abheben; ~ **and run** (*fam*) abhauen; ~ **loose** (MAR) losmachen; (*fig*) sich freimachen; (*Am*) loslegen **III.** *adj* **1.** (ab-, aus-, ein)geschnitten; be-, zerschnitten; behauen **2.** beschnitten, kastriert **3.** (*fig*) vekleinert, verringert, reduziert, gekürzt **IV.** *s* **1.** Schnitt *m;* Stich *m* **2.** (Ein)Schnitt *m* **3.** (Schnitt)Wunde *f* **4.** Schnittfuge *f* **5.** (*Fleisch*) Scheibe *f* **6.** (*Schafe*) Schur *f* **7.** Durchstich, Graben *m* **8.** (Druck)Platte *f,* (Kupfer-, Stahl)Stich *m;* Holzschnitt *m* **9.** (*Kleidung*) (Zu)Schnitt *m* **10.** (*Karten*) Abheben *n* **11.** (*short* ~) Abkürzung *f* **12.** (*fig*) Verringerung *f;* Kürzung *f;* **a ~ above** (*fam*) ein bisschen besser als; **salary** ~ Gehaltskürzung *f;* **wage** ~ Lohnkürzung *f;* ~ **in prices** Preissenkung *f;* **cut across** *tr* laufen über, überqueren; widersprechen (*s.th.* e-r S); **cut away** *tr* weg-, abschneiden; **cut back I.** *tr* **1.** zurück-, beschneiden **2.** einschränken; ab-, unterbrechen **II.** *itr* **1.** (FILM) zurückblenden **2.** (*Ausgaben, Essen*) sich einschränken; **cut down I.** *tr* **1.** ab-, umhauen; (*Baum*) fällen **2.** niederhauen, -schlagen **3.** (*fig*) kleiner machen, verkleinern, (ver)kürzen, verringern; herabsetzen, einschränken **4.** herunterhandeln **II.** *itr* sich einschränken; **cut in** *itr* **1.** unterbrechen **2.** (MOT) nach dem Überholen zu rasch einbiegen; schneiden **3.** (*beim Tanzen*) abklatschen; ~ **in on s.o.'s market** jdm Konkurrenz machen; ~ **s.o. in on s.th.** jdn bei etw beteiligen; **cut into** *tr* **1.** anschneiden **2.** (*Gespräch*) sich einschalten in **3.** (*Verkehr*) sich hineindrängeln in **4.** (*fig: Reserven*) angreifen; **cut off** *tr* **1.** abschneiden, -hauen, -trennen **2.** plötzlich unterbrechen; (TELE) unterbrechen **3.** (*Gas, Strom*) abstellen **4.** enterben; **cut out I.** *tr* **1.** ausschneiden; wegschneiden, entfernen **2.** streichen, weg-, auslassen **3.** (*Weg*) bahnen **4.** (*Stoff*) zuschneiden **5.** (*Rivalen*) ausstechen; übertrumpfen, verdrängen **6.** (*das Rauchen*) aufgeben **II.** *itr* (TECH) aussetzen; **be ~ out for s.th.** für etw geschaffen sein; ~ **it out!** hör auf damit!; **have one's work ~ out** alle Hände voll zu tun haben; **cut short** *tr* **1.** abkürzen, unterbrechen **2.** plötzlich beenden; **cut up** *tr* **1.** zerschneiden, -legen **2.** vernichten **3.** (*seelisch*) mitnehmen, aufwühlen; (*fam*) fertigmachen **4.** heftig kritisieren, herunterreißen **5.** (*Am sl*) dumme Witze machen; ~ **up rough** massiv werden; ~ **up well** reich sterben

cut-and-dried [ˌkʌtn'draɪd] *adj* eindeutig, fix und fertig; (*Meinung*) vorgefasst; **cut-away** ['kʌtəweɪ] (TECH) aufgeschnitten; ~ **drawing** Schnitzzeichnung *f;* ~ **model** Schnittmodell *n;* **cut•back** ['kʌtbæk] *s* **1.** Kürzung, Verminderung *f;* Einschränkung *f* **2.** (FILM) Rückblende *f*

cute [kjuːt] *adj* **1.** gewitzt, helle **2.** (*Am fam*) süß; niedlich; hübsch; **cut(e)y, cutie** ['kjuːtɪ] *s* (*Am sl*) süße Maus

cut flowers [ˌkʌt'flaʊəz] *s pl* Schnittblumen *fpl*

cu•ticle ['kjuːtɪkl] *s* **1.** (ANAT BOT) Oberhaut *f* **2.** Nagelhaut *f*

cut•lass ['kʌtləs] *s* Entermesser *n*

cut•lery ['kʌtlərɪ] *s* Besteck *n*

cut•let ['kʌtlɪt] *s* **1.** Schnitzel *n* **2.** Hacksteak *n*

cut-off ['kʌtɒf] *s* **1.** (*Am*) Abkürzung *f* **2.** (TECH) Ausschaltung *f;* **cut-out** ['kʌtaʊt] *s* **1.** Ausschnitt *m* **2.** Ausschneidemodell *n;* Ausschneidepuppe *f* **3.** (EL) Schalter *m;* (~ *switch*) Unterbrecher *m* **4.** (TECH) Aussetzen *n;* **cut-price** *adj* zu Schleuderpreisen; **cut-rate** *adj* verbilligt; **cut-sheet feed** *s* (EDV) Einzelblatteinzug *m*

cut•ter ['kʌtə(r)] *s* **1.** Schneidende(r) *f m,* Schneider(in) *m(f);* Zuschneider(in) *m(f)* **2.** (FILM) Cutter(in) *m(f)* **3.** (TECH) Schneidwerkzeug *n* **4.** (MAR) Kutter *m;* Beiboot *n;* (*Am*) Küstenschutzboot *n*

cut-throat I. *s* Mörder(in) *m(f)* **II.** *adj* mörderisch

cut•ting ['kʌtɪŋ] **I.** *s* **1.** Schneiden *n;* Schnitt *m* **2.** Einschnitt *m;* Durchstich *m* (*für e-e Straße*) **3.** (FILM) Schnitt *m* **4.** (*Br*) (Zeitungs)Ausschnitt *m* **5.** (AGR) Ableger *m* **6.** (*pl*) Abfälle *mpl* **II.** *adj* **1.** (*Kälte, Wind*) schneidend **2.** (*Messer, Kante*) scharf **3.** (*fig*) beißend, verletzend

cuttle•fish ['kʌtlfɪʃ] *s* (ZOO) Tintenfisch *m*

CV [siː'viː] *s abbr of* **curriculum vitae** Lebenslauf *m*

cy•an•ide ['saɪənaɪd] *s* (CHEM) Zyanid *n;* **potassium** ~ Zyankali *n*
cy•ber•net•ics [ˌsaɪbə'netɪks] *s pl mit sing* Kybernetik *f;* **cy•ber•punk** ['saɪbəˌpʌŋk] *s* Cyberpunk *m* (*Mailboxkummunikation in der Sciencefictionszene*); **cy•ber•space** ['saɪbəˌspeɪs] *s* Cyberspace *m* (*vom Computer simulierter dreidimensionaler Raum*)
cy•cla•men ['sɪkləmən] *s* (BOT) Alpenveilchen *n*
cy•cle ['saɪkl] **I.** *s* **1.** Kreis(lauf), Zyklus *m* **2.** Periode *f* **3.** Arbeitsgang *m* **4.** (ASTR) (Kreis)Bahn *f* **5.** (LIT) Sagen-, Legendenkreis *m* **6.** (*fam*) (Fahr)Rad *n;* **economic** [*o* **trade**] [*o* **business**] ~ Konjunkturzyklus *m* **II.** *itr* Rad fahren, radeln
cy•clic(**al**) ['saɪklɪk(l)] *adj* **1.** zyklisch, periodisch **2.** (COM) konjunkturbedingt
cy•cling ['saɪklɪŋ] *s* Radfahren *n;* ~ **shorts** Radlerhose *f;* **cy•clist** ['saɪklɪst] *s* Radfahrer(in) *m(f)*
cy•clone ['saɪkləʊn] *s* Wirbelsturm, Zyklon *m*
cyg•net ['sɪgnɪt] *s* junger Schwan
cyl•in•der ['sɪlɪndə(r)] *s* **1.** (MATH TECH MOT) Zylinder *m* **2.** (TECH) Walze, Trommel, Rolle *f;* **cylinder block** *s* (MOT) Zylinderblock *m;* **cylinder capacity** *s* (MOT) Hubraum *m;* **cylinder head** *s* (MOT) Zylinderkopf *m;* **cy•lin•dri•cal** [sɪ'lɪndrɪkl] *adj* zylindrisch, walzenförmig
cym•bals ['sɪmblz] *s pl* (MUS) Becken *n*
cyn•ic ['sɪnɪk] **I.** *s* Zyniker(in) *m(f)* **II.** *adj* zynisch; **cyni•cal** ['sɪnɪkl] *adj* zynisch; **cyni•cism** ['sɪnɪsɪzəm] *s* Zynismus *m;* zynische Bemerkung *f*
cy•pher ['saɪfə(r)] *s s.* **cipher**
cy•press ['saɪprəs] *s* (BOT) Zypresse *f*
Cyp•ri•ot ['sɪprɪət] **I.** *adj* zypriotisch, zyprisch **II.** *s* Zypriot(in) *m(f),* Zyprer(in) *m(f);* **Cy•prus** ['saɪprəs] *s* Zypern *n*
cyst [sɪst] *s* (MED) Zyste *f;* **cys•ti•tis** [sɪs'taɪtɪs] *s* (MED) Blasenentzündung *f*
czar [zɑː(r)] *s* Zar *m;* **czar•ina** [ˈzɑːˈriːnə] *s* Zarin *f*
Czech [tʃek] **I.** *adj* tschechisch **II.** *s* **1.** Tscheche *m,* Tschechin *f* **2.** (das) Tschechisch(e); **Czech Republic** *s* die Tschechische Republik

D

D, d [diː] <*pl* -'s> *s* (*a.* MUS) D, d *n*

dab¹ [dæb] **I.** *tr* **1.** leicht berühren **2.** ab-, betupfen (*with s.th.* mit etw) **II.** *s* **1.** Klecks *m* **2.** Tupfer *m*

dab² [dæb] *adj* (*fam*): **be a ~ hand at doing s.th.** sich darauf verstehen etw zu tun

dabble ['dæbl] **I.** *tr* plantschen **II.** *itr:* **~ in s.th.** sich nebenbei mit etw beschäftigen

dad(dy) ['dædɪ] *s* (*fam*) Papi, Vati *m*

daddy-long·legs [ˌdædɪ'lɒŋlegz] *s sing* Schnake *f;* (*Am*) Weberknecht *m*

dae·mon ['diːmən] *s s.* **demon**

daf·fo·dil ['dæfədɪl] *s* (BOT) Narzisse, Osterglocke *f*

daft [dɑːft] *adj* (*fam*) dumm, blöd

dag·ger ['dægə(r)] *s* **1.** Dolch *m* **2.** (TYP) Kreuz *n;* **be at ~s drawn with s.o.** mit jdm auf Kriegsfuß stehen; **look ~s at** feindselige Blicke werfen auf

dah·lia ['deɪlɪə] *s* (BOT) Dahlie *f*

daily ['deɪlɪ] **I.** *adj, adv* täglich; Tages-; **~ dozen** Morgengymnastik *f;* **one's ~ bread** das tägliche Brot **II.** *s* **1.** (*~ paper*) Tageszeitung *f* **2.** (*fam*) Zugehfrau *f*

dainti·ness ['deɪntɪnɪs] *s* **1.** Zierlichkeit, Zartheit *f* **2.** Anmutigkeit *f;* **dainty** ['deɪntɪ] **I.** *adj* **1.** (*Person*) zierlich; anmutig **2.** wählerisch (*about* in) **3.** appetitlich **4.** zerbrechlich **II.** *s pl* Leckerbissen *mpl*

dairy ['deərɪ] *s* **1.** Molkerei *f* **2.** Milchgeschäft *n;* **dairy cattle** *s pl* Milchvieh *n;* **dairy·man** [-mən] <*pl* -men> *s* Melker *m,* Molkereiangestellte(r) *f m;* **dairy produce** *s* Molkereiprodukte *npl*

dais ['deɪɪs] *s* Podium *n*

daisy ['deɪzɪ] *s* (BOT) Gänseblümchen *n;* **push up the daisies** (*sl*) die Radieschen von unten begucken; **daisy wheel** *s* Typenrad *n;* **daisy-wheel typewriter** *s* Typenradschreibmaschine *f*

dally ['dælɪ] *itr* **1.** tändeln, flirten (*with* mit) **2.** die Zeit vertrödeln (*over one's work* bei der Arbeit)

dam [dæm] **I.** *s* **1.** Damm *m;* Talsperre *f* **2.** Stausee *m* **II.** *tr* **1.** (*~ in, up*) stauen, eindämmen **2.** (*fig: ~ back*) unterdrücken; (*~ up*) aufstauen

dam·age ['dæmɪdʒ] **I.** *s* **1.** Schaden *m* **2.** **~s** Schadensersatz *m;* **what's the ~?** (*fam*) was kostet der Spaß? **II.** *tr* **1.** beschädigen **2.** schaden (*s.th.* e-r S); **damage limitation** *s* Schadensbegrenzung *f*

dam·ask ['dæməsk] *s* Damast *m*

dame [deɪm] *s* **1.** (Titel *m* e-r) Ordensinhaberin *f* **2.** (*obs*) Dame *f* **3.** (*Am sl*) Weib(sbild) *n*

damn [dæm] **I.** *tr* **1.** (*a.* REL) verdammen **2.** verurteilen; verreißen; **~ it!** verdammt!; **~ it all!** zum Donnerwetter!; **I'll be ~ed if I go** ich denk' nicht dran zu gehen **II.** *s:* **not to care** [*o* **give**] **a ~** sich e-n Dreck daraus machen **III.** *adj, adv* (*fam*) verdammt;

dam·nable ['dæmnəbl] *adj* abscheulich;

dam·na·tion [dæm'neɪʃn] **I.** *s* (*a.* REL) Verdammung *f* **II.** *interj* verdammt!;

damned [dæmd] **I.** *adj* verdammt **II.** *adv* äußerst, sehr **III.** *s:* **the ~** die Verdammten *pl*

damp [dæmp] **I.** *adj* feucht **II.** *s* **1.** Feuchtigkeit *f* **2.** (*fire ~*) schlagende Wetter *npl* **III.** *tr* **1.** an-, befeuchten **2.** (PHYS TECH: *~ down*) drosseln **3.** (EL) dämpfen *a. fig;* **damp-course** *s* (ARCH) Isolierschicht *f;* **dampen** ['dæmpən] *tr* drosseln, dämpfen; **damper** ['dæmpə(r)] *s* Dämpfer *m* (*to* für); **cast a ~ over** entmutigen; **damp·ness** ['dæmpnɪs] *s* Feuchtigkeit *f*

dance [dɑːns] **I.** *itr, tr* **1.** tanzen (*with* mit) **2.** hüpfen (*for, with* vor); **~ attendance on s.o.** sich um jdn unablässig bemühen **II.** *s* **1.** Tanz *m* **2.** Tanzparty *f;* **lead s.o. a pretty ~** jdm Scherereien machen; **dance band** *s* Tanzkapelle *f;* **dance music** *s* Tanzmusik *f;* **dancer** ['dɑːnsə(r)] *s* Tänzer(in) *m(f);* **danc·ing** [-ɪŋ] **I.** *s* Tanzen *n* **II.** *adj attr* Tanz-; **dancing master** *s* Tanzlehrer *m;* **dancing partner** *s* Tanzpartner(in) *m(f);* **dancing shoes** *s pl* Tanzschuhe *mpl*

dan·de·lion ['dændɪlaɪən] *s* (BOT) Löwenzahn *m*

dan·druff ['dændrʌf] *s* Kopfschuppen *fpl*

dandy ['dændɪ] **I.** *s* Dandy *m* **II.** *adj* (*fam*) prima

Dane [dein] *s* Däne *m,* Dänin *f*

dan·ger ['deɪndʒə(r)] *s* Gefahr *f* (*to* für); **in ~** in Gefahr; **out of ~** außer Gefahr; **be a ~ to** e-e Gefahr bilden für; **be in ~ of losing** Gefahr laufen zu verlieren; **caution, ~!** Achtung, Lebensgefahr!; **danger area** *s* Gefahrenzone *f;* **danger money** *s* Gefahrenzulage *f;* **dan·ger·ous**

['deɪndʒərəs] *adj* gefährlich (*to* für)

dangle ['dæŋgl] I. *tr* 1. baumeln lassen 2. (*fig*) in Aussicht stellen (*before s.o.* jdm) II. *itr* baumeln

Dan•ish ['deɪnɪʃ] I. *adj* dänisch II. *s* (das) Dänisch(e)

dank [dæŋk] *adj* nasskalt

Danube ['dænju:b] *s* Donau *f*

dap•per ['dæpə(r)] *adj* elegant; gepflegt

dapple ['dæpl] *tr* sprenkeln

dare [deə(r)] I. *itr* es wagen, sich trauen; **don't you ~ !** unterstehen Sie sich! II. *tr* 1. wagen, riskieren (*to do s.th.* etw zu tun) 2. trotzen, herausfordern; I ~ **say** ich könnte mir denken; vermutlich III. *s* Herausforderung *f;* **do s.th. for a ~** etw als Mutprobe tun; **dare-devil** ['deəˌdevl] *s* Draufgänger(in) *m(f)*

dar•ing ['deərɪŋ] I. *adj* (toll)kühn, waghalsig, gewagt II. *s* Wagemut *m*

dark [dɑ:k] I. *adj* 1. dunkel, finster 2. (*Farbe, Haut, Haare*) dunkel 3. (*fig*) verborgen, versteckt 4. mutlos, niedergeschlagen, traurig 5. düster; ~ **horse** unbekannte Größe II. *s* 1. Dunkelheit, Finsternis *f* 2. (*fig*) Dunkel *n;* **before ~** vor Einbruch der Dunkelheit; **after ~** nach Einbruch der Dunkelheit; **be in the ~ about s.th.** keine Ahnung haben von etw; **the Dark Ages** *s pl* das Mittelalter; **the Dark Continent** *s* der Schwarze Kontinent; **darken** ['dɑ:kən] I. *tr* dunkel machen; ver-, abdunkeln; ~ **s.o.'s door** zu jdm auf Besuch kommen II. *itr* dunkel werden; **darkly** ['dɑ:klɪ] *adv* dunkel; finster; **dark•ness** ['dɑ:knɪs] *s* 1. Dunkelheit, Finsternis *f* 2. (*fig*) Düsterkeit *f;* **dark-room** *s* (PHOT) Dunkelkammer *f;* **dark-skinned** [ˌdɑ:k'skɪnd] *adj* dunkelhäutig

dar•ling ['dɑ:lɪŋ] I. *s* Liebling *m;* Schatz *m* II. *adj* lieb, reizend

darn¹ [dɑ:n] I. *tr* (*Strümpfe*) stopfen II. *s* gestopfte Stelle

darn² [dɑ:n] *tr:* ~ **it!** zum Kuckuck noch mal!; **well I'll be ~ed!** zum Donnerwetter!

darn•ing ['dɑ:n:ɪŋ] *s* Stopfen *n;* **darning-needle** ['dɑ:nɪŋni:dl] *s* Stopfnadel *f*

dart [dɑ:t] I. *tr* 1. (*Blick*) werfen 2. mit e-m Pfeil schießen II. *itr* sausen, flitzen; schnellen III. *s* 1. Sprung, Satz *m* 2. Pfeil *m* 3. **~s** (SPORT) Darts, Pfeilwurfspiel *n* 4. (*Textil*) Abnäher *m;* **dart board** *s* Dartscheibe *f*

dash [dæʃ] I. *tr* 1. schleudern; (zer)schlagen 2. (*fig*) zunichte machen 3. (*Brief:* ~ *off*) rasch hinwerfen; ~ **it!** (*fam*) verdammt! II. *itr* schlagen, prallen (*against* gegen) III. *s* 1. Jagd *f* 2. Schuss *m;* Spritzer *m;* etwas, ein bisschen 3. (*fig*) Schwung, Elan *m* 4. Gedankenstrich *m* 5. (*Morsealphabet*) Strich *m;* **at a ~** wie der Wind; **make a ~** losstürzen; **the ~** der Kurzstreckenlauf; **at one ~** in e-m Zug; **cut a ~** e-e schneidige Figur machen; **dash•board** ['dæʃbɔ:d] *s* (MOT) Armaturenbrett *n;* **dash•ing** ['dæʃɪŋ] *adj* 1. schwungvoll 2. lebhaft; schneidig

das•tard•ly ['dæstədlɪ] *adj* hinterhältig, gemein

DAT [ˌdi:eɪ'ti:] *s abbr of* **digital audio tape** DAT *n*

data ['deɪtə] *s pl oft sing* 1. Einzelheiten, Tatsachen, Gegebenheiten *fpl* 2. Daten *pl,* Angaben *fpl;* **data bank** *s* (EDV) Datenbank *f;* **data•base** *s* (EDV) Datenbasis *f,* Datenbestand *m;* **data bus** *s* Datenbus *m;* **data carrier** *s* (EDV) Datenträger *m;* **data file** *s* Datei *f;* **data network** *s* (EDV) Datennetz *n,* Datenverbund *m;* **data processing** *s* (EDV) Datenverarbeitung *f;* **data protection** *s* Datenschutz *m;* Datensicherheit *f;* **data retrieval** *s* (EDV) Datenabruf *m;* **data transfer** *s* (EDV) Datentransfer *m,* Datenübertragung *f*

date¹ [deɪt] I. *s* 1. Datum *n,* Zeitangabe *f;* Jahreszahl *f* 2. Termin, Zeitpunkt *m* 3. (*fam*) Verabredung *f;* **at that ~** zu jener Zeit; damals; **of recent ~** neueren Datums; **out-of-~** überholt, veraltet, altmodisch; **up-to-~** auf dem neuesten Stand, aktuell; **up to ~** modisch, aktuell; **out of ~** aus der Mode; **fix** [*o* **set**] **a ~** e-e Frist festlegen; e-n Zeitpunkt bestimmen; **have** [*o* **make**] **a ~** sich verabreden; **what is the ~ of ... ?** wann war ... ?; **what is the ~ today?** welches Datum, den Wievielten haben wir heute?; **to ~** bis heute; ~ **of birth** Geburtsdatum *n* II. *tr* 1. datieren; zeitlich festlegen 2. ausgehen (*s.o.* mit jdm) III. *itr:* ~ **from** stammen aus; ~ **back to** zurückgehen auf

date² [deɪt] *s* (BOT) Dattel *f*

dated ['deɪtɪd] *adj* altmodisch; **date-line** *s* (GEOG) Datumsgrenze *f;* **date-stamp** *s* Datumsstempel *m*

da•tive ['deɪtɪv] I. *s* Dativ *m* II. *adj* dativisch, Dativ-

daub [dɔ:b] I. *tr* (be)schmieren; (be)sudeln II. *s* 1. Schmiererei *f* 2. (ARCH) Bewurf *m*

daugh•ter ['dɔ:tə(r)] *s* Tochter *f a. fig;* **daughter-in-law** ['dɔ:tərɪnlɔ:] <*pl* -s-in-law> *s* Schwiegertochter *f*

daunt [dɔ:nt] *tr* entmutigen; **nothing ~ed** unverzagt; **daunt•less** ['dɔ:ntlɪs] *adj* unerschrocken

dawdle ['dɔ:dl] I. *itr* (herum)trödeln, -bummeln II. *tr:* ~ **away** (*Zeit*) vertrödeln, -bummeln; **daw•dler** ['dɔ:dlə(r)] *s* Trödler(in) *m(f)*

dawn [dɔ:n] I. *s* 1. (Morgen)Dämmerung *f,* Tagesanbruch *m* 2. (*fig*) Beginn *m;* **at ~** bei

Tagesanbruch II. *itr* 1. dämmern 2. (*fig*) heraufkommen, beginnen, anbrechen 3. (*Sinn*) dämmern (*on, upon s.o.* jdm)

day [deɪ] *s* 1. Tag *m* 2. Termin *m* 3. Epoche, (Blüte)Zeit *f* 4. ~s Zeiten *fpl;* (**three times**) **a** ~ (dreimal) täglich; **all** ~ den ganzen Tag; **by** ~ am Tag(e), bei Tage; **at the present** ~ gegenwärtig; **at this time of** ~ zu dieser Stunde; **every** ~ jeden Tag, täglich; **from** ~ **to** ~ von Tag zu Tag; **these** ~**s** heute, heutzutage; **in those** ~**s** damals; **in my young** ~**s** in meiner Jugendzeit; **in** ~**s to come** in Zukunft; **one** ~ eines Tages; einmal; **one of these** ~**s** in den nächsten Tagen; einmal; **the other** ~ kürzlich, neulich; **the present** ~ die Gegenwart; **the** ~ **after tomorrow** übermorgen; **this** ~ **week/month/year** heute in acht Tagen/vier Wochen/einem Jahr; **up to this** ~ bis heute; ~ **after** [*o* **by**] ~ Tag für Tag; **the** ~ **before** der, am Vortag; ~ **in,** ~ **out** tagein, tagaus; **call it a** ~ Feierabend, Schluss machen; **have a nice** ~**!** (ich wünsche Ihnen) einen schönen Tag!; **that'll be the** ~ das möcht' ich sehen; **those were the** ~**s** das waren noch Zeiten; **what** ~ **of the week is it?** welchen Wochentag haben wir?; **business** ~ Werk-, Arbeitstag *m;* Markt-, Börsentag *m;* **present-**~ heutig, von heute; **rainy** ~ Regentag *m;* ~ **of arrival** Ankunftstag *m;* ~ **of birth** Geburtstag *m;* ~ **of death** Sterbetag *m;* **day·break** ['deɪbreɪk] *s* Tagesanbruch *m;* **at** ~ bei Tagesanbruch; **day care centre** *s* Tagesstätte *f;* **day·dream** ['deɪdriːm] I. *s* Tagtraum *m* II. *itr* mit offenen Augen träumen; **day·light** ['deɪlaɪt] *s* Tageslicht *n a. fig;* **by** ~ bei Tageslicht; **in broad** ~ am hellichten Tage; **see** ~ (*fam*) kapieren; (wieder) Land sehen; ~**saving time** (*Am*) Sommerzeit *f;* **day nursery** *s* Tagesheim *n* für Kleinkinder; Kindertagesstätte *f;* **day release** *s tageweise Freistellung von Angestellten zur Weiterbildung;* **day return** *s* (Tages)Rückfahrkarte *f;* **day·school** *s* Tagesschule *f;* **day shift** *s* Tagschicht *f;* **day·time cream** *s* Tagescreme *f;* **during** [*o* **in**] **the** ~ bei Tage; **day trip** *s* Kaffeefahrt *f;* Tagesausflug *m*

daze [deɪz] I. *tr* benommen machen II. *s* Benommenheit *f;* **in a** ~ ganz benommen

dazzle ['dæzl] I. *tr* blenden *a. fig* II. *s* Blenden *n*

DC *s s.* **direct current**

DDT [ˌdiːdiː'tiː] *s abbr of* **dichlorodiphenyltrichloroethane** DDT *n*

dea·con ['diːkən] *s* (REL) Diakon *m;* **dea·con·ess** ['diːkənɪs] *s* Diakonissin *f*

dead [ded] I. *adj* 1. tot, verstorben 2. (*Materie*) unbelebt 3. (*Glieder*) taub, abgestorben 4. (*Sprache*) tot 5. (*Maschine*) nicht in Betrieb 6. reg(ungs)los 7. öde, langweilig, leblos 8. (*Schlaf*) tief 9. (*Wasser*) stehend 10. (*Feuer*) erloschen 11. (*Zigarre*) ausgegangen 12. (EL) spannungslos 13. unproduktiv, unergiebig; **shoot s.o.** ~ jdn erschießen; **strike s.o.** ~ jdn erschlagen; **he is** ~ **to pity** er kennt kein Mitleid; ~ **to the world** (*fig*) vollkommen weggetreten; **be in a** ~ **faint** völlig bewusstlos sein; **come to a** ~ **stop** völlig zum Stillstand kommen II. *adv* 1. genau 2. total, völlig; ~ **tired** todmüde; ~**drunk** (*fam*) stockvoll; ~ **against** völlig dagegen; ~ **on target** genau ins Ziel; ~ **slow!** Schritt fahren! III. *s:* **the** ~ die Toten *mpl;* **in the** ~ **of night** mitten in der Nacht; **in the** ~ **of winter** mitten im Winter; **dead-beat** [ˌded'biːt] *adj* völlig kaputt, erschöpft; **dead centre** *s* Mittelpunkt *m*

deaden ['dedn] *tr* mildern, abschwächen; abstumpfen (*to* gegen)

dead end [ˌded'end] *s* Sackgasse *f;* **come to a** ~ (*fig*) in eine Sackgasse geraten; **dead-end** ['dedend] *adj:* ~ **street** Sackgasse *f;* ~ **job** Arbeitsplatz *m* ohne Aufstiegsmöglichkeit; **dead heat** *s* (SPORT) totes Rennen; **dead·line** ['dedlaɪn] *s* letzter Termin; Einsendeschluss *m;* **fix** [*o* **set**] **a** ~ eine Frist setzen; **meet the** ~ den Termin einhalten; **dead·lock** ['dedlɒk] *s* völliger Stillstand; **come to** [*o* **reach**] **a** ~ auf den toten Punkt gelangen, sich festfahren

deadly ['dedlɪ] I. *adj* 1. tödlich 2. Tod- 3. (*fam*) todlangweilig II. *adv:* ~ **pale** totenbleich

dead·pan [ˌded'pæn] I. *s* ausdrucksloses Gesicht II. *adj* unbewegt; **Dead Sea** *s* das Tote Meer; **dead·wood** ['dedˌwʊd] *s* 1. morsches Holz 2. (*fig*) Ballast *m*

deaf [def] I. *adj* taub (*to* für, gegen); **be** ~ **in one ear** auf e-m Ohr taub sein; **turn a** ~ **ear to** nichts hören wollen von; ~ **and dumb** taubstumm II. *s:* **the** ~ die Tauben *pl;* **deaf-aid** *s* Hörapparat *m;* **deafen** ['defn] *tr* taub machen; **deafen·ing** ['defnɪŋ] *adj* ohrenbetäubend; **deaf-mute** [ˌdef'mjuːt] *s* Taubstumme(r) *f m;* **deaf·ness** ['defnɪs] *s* Taubheit *f* (*to* gegenüber)

deal[1] [diːl] <*irr:* dealt, dealt> I. *tr* (~ *out*) aus-, verteilen; ausgeben; ~ **s.o. a blow** jdm einen Schlag versetzen II. *itr* 1. (*Karten*) geben 2. (*Drogen*) dealen; ~ **well by s.o.** jdn gut behandeln; ~ **badly by s.o.** schlecht behandeln III. *s* 1. Handel *m,* Geschäft *n;* Abmachung *f* 2. (Karten)Geben *n;* **make a good** ~ ein gutes Geschäft machen; **give s.o. a square** ~ jdn fair behandeln; **who's** ~ **is it?** wer ist am Geben?;

deal in *tr* handeln mit; **deal out** *tr* verteilen; **deal with** *tr* **1.** verhandeln mit **2.** sich kümmern um; sich befassen mit; fertig werden mit **3.** handeln von

deal² [diːl] **I.** *s* Menge *f;* **a good** [*o* **a great**] ~ eine Menge, viel **II.** *adj:* **a good** ~ ziemlich viel

dealer [ˈdiːlə(r)] *s* **1.** Händler(in) *m(f)* (*in* mit) **2.** (*mit Drogen*) Dealer(in) *m(f)* **3.** (*Am: Börse*) Makler(in) *m(f)* **4.** Kartengeber(in) *m(f);* **wholesale** ~ Großhändler(in) *m(f),* Grossist(in) *m(f);* **dealing** [ˈdiːlɪŋ] *s* **1.** Handel *m;* (*Drogen a.*) Dealen *n* (*in* mit) **2.** (*Am*) Effektenhandel *m* **3.** **~s** Geschäfte *npl,* Umgang *m;* **have ~s with s.o.** mit jdm in (Geschäfts)Verbindung stehen; **dealt** [delt] *s.* **deal¹**

dean [diːn] *s* **1.** (*Kirche, Universität, College*) Dekan *m* **2.** (POL) Doyen *m*

dear [dɪə(r)] **I.** *adj* **1.** lieb, teuer *a. fig* **2.** kostspielig, teuer **3.** (*in der Briefanrede*) liebe(r); sehr geehrte(r); **D** ~ **Sir** sehr geehrter Herr X! **II.** *s* Liebling, Schatz *m;* **give it to me, there's a** ~ gib es mir, sei so lieb **III.** *adv* teuer **IV.** *interj:* **oh, ~!** ~ **me!** **~, ~!** ach du liebe Zeit!; **dear•ly** [-lɪ] *adv* **1.** teuer **2.** von ganzem Herzen; **dear•ness** [-nɪs] *s* hoher Preis

dearth [dɜːθ] *s* Mangel *m* (*of* an)

deary, dearie [ˈdɪərɪ] *s* (*fam*) Liebling *m*

death [deθ] *s* **1.** Tod *m;* Todesfall *m* **2.** (*fig*) Ende *n,* Vernichtung *f;* **at ~'s door** an der Schwelle des Todes; **on pain of** ~ bei Todesstrafe; **be burnt/frozen/starved to** ~ verbrennen/erfrieren/verhungern; **die a natural** ~ e-s natürlichen Todes sterben; **die a violent** ~ e-s gewaltsamen Todes sterben; **he'll be the** ~ **of me yet** er bringt mich noch ins Grab; **put s.o. to** ~ jdn hinrichten; **death-bed** *s* Totenbett *n a. fig;* **death-blow** *s* Todesstoß *m* (*to* für); **death-certificate** *s* Totenschein *m;* **death-duties** *s pl* Erbschaftssteuer *f;* **deathly** *adj, adv* tödlich; **death penalty** *s* Todesstrafe *f;* **death-rate** *s* Sterblichkeit(sziffer), Sterberate *f;* **death row** *s* Todestrakt *m;* **death sentence** *s* Todesurteil *n;* **death squad** *s* Todesschwadron *f,* Todeskommando *n;* **death-trap** *s* Todesfalle *f*

de•bacle [deɪˈbɑːkl] *s* (*fig*) Untergang *m,* Debakel *n*

de•bar [dɪˈbɑː(r)] *tr* ausschließen (*from doing s.th.* etw zu tun)

de•base [dɪˈbeɪs] *tr* **1.** entwürdigen, erniedrigen **2.** (*Münze*) den Wert mindern

de•bat•able [dɪˈbeɪtəbl] *adj* **1.** umstritten **2.** strittig; **de•bate** [dɪˈbeɪt] **I.** *s* Debatte, Diskussion *f;* **open the** ~ (PARL) die Debatte eröffnen **II.** *itr* diskutieren, debattieren (*with s.o. on s.th.* mit jdm über etw) **III.** *tr* debattieren, diskutieren; **de•bater** [dɪˈbeɪtə(r)] *s* Debattierer(in) *m(f)*

de•bauch [dɪˈbɔːtʃ] **I.** *s* Ausschweifung, Orgie *f* **II.** *tr* verderben; **de•bauch•ery** [dɪˈbɔːtʃərɪ] *s* Ausschweifung *f*

de•ben•ture [dɪˈbentʃə(r)] *s* **1.** (kurzfristiger) Schuldschein *m* **2.** (COM) Rückzollschein *m;* **debenture stock** *s* Schuldverschreibung *f;* (*Am*) Vorzugsaktie *f*

de•bili•tate [dɪˈbɪlɪteɪt] *tr* schwächen, entkräften; entnerven; **de•bil•ity** [dɪˈbɪlətɪ] *s* Schwäche *f a. fig*

debit [ˈdebɪt] **I.** *s* Debet, Soll *n,* Lastschrift *f;* ~ **and credit** Soll und Haben *n* **II.** *tr* belasten; ~ **s.o.'s account with s.th.** jds Konto mit etw belasten; **debit-side** *s* Passivseite *f*

deb•on•air [ˌdebəˈneə(r)] *adj* umgänglich, freundlich

de•bris [ˈdeɪbriː] *s* **1.** Schutt *m* **2.** (GEOL) Geröll *n*

debt [det] *s* (COM) Schuld *f;* **out of** ~ schuldenfrei; **be in** ~ verschuldet sein; **run** [*o* **get**] **into** ~ Schulden machen; **pay off a** ~ e-e Schuld abzahlen; **debt-collecting agency** *s* Inkassobüro *n;* **debt-collector** *s* Inkassobeauftragte(r) *f m;* **debtor** [ˈdetə(r)] *s* Schuldner(in) *m(f);* **debtor nation** *s* Schuldnerstaat *m;* **debt servicing** *s* (FIN) Schuldendienst *m*

de•bug [ˌdiːˈbʌg] *tr* **1.** (TECH) den Defekt beheben (*s.th.* bei etw) **2.** (*fig*) entwanzen

de•bunk [diːˈbʌŋk] *tr* den Nimbus nehmen (*s.o.* jdm)

debut [ˈdeɪbjuː] *s* Debüt *n;* **debu•tante** [ˈdebjuːtɑːnt] *s* Debütantin *f*

dec•ade [ˈdekeɪd] *s* Dekade *f,* Jahrzehnt *n*

deca•dence [ˈdekədəns] *s* Dekadenz *f;* **deca•dent** [ˈdekədənt] *adj* dekadent

de•caf [ˈdiːkæf] *s* (*fam*) koffeinfreier Kaffee

de•caf•fein•ated [ˌdiːˈkæfɪneɪtɪd] *adj* koffeinfrei, entkoffeiniert

de•camp [dɪˈkæmp] *itr* sich (auf und) davon-, sich aus dem Staub(e) machen

de•cant [dɪˈkænt] *tr* umfüllen; **de•canter** [dɪˈkæntə(r)] *s* Karaffe *f*

de•capi•tate [dɪˈkæpɪteɪt] *tr* enthaupten; **de•capi•ta•tion** [dɪˌkæpɪˈteɪʃn] *s* Enthauptung *f*

de•cath•lete [dɪˈkæθliːt] *s* (SPORT) Zehnkämpfer(in) *m(f);* **de•cath•lon** [dɪˈkæθlən] *s* (SPORT) Zehnkampf *m*

de•cay [dɪˈkeɪ] **I.** *itr* **1.** sich zersetzen, verfaulen; schlecht werden **2.** verwittern; verblühen, vergehen **3.** verfallen *a. fig* **4.** (*fig*) untergehen, auseinander gehen; verkümmern **II.** *s* **1.** Zersetzung *f;* Verfall, Zerfall *m* **2.** Niedergang, Verfall *m;* **tooth-~** Zahnfäule, Karies *f*

de•cease [dɪ'siːs] *s* Ableben *n,* Tod *m;* **de•ceased** [dɪ'siːst] **I.** *adj* verstorben **II.** *s:* **the** ~ der, die Verstorbene

de•ceit [dɪ'siːt] *s* Täuschung *f;* Betrug *m;* **de•ceit•ful** [dɪ'siːtfl] *adj* **1.** unaufrichtig, betrügerisch **2.** irreführend

de•ceive [dɪ'siːv] **I.** *tr* täuschen, irreführen, hintergehen **II.** *itr* trügen; **de•ceiver** [dɪ'siːvə(r)] *s* Betrüger(in) *m(f)*

de•cel•er•ate [diː'seləreɪt] *tr, itr* langsamer werden; verlangsamen

De•cem•ber [dɪ'sembə(r)] *s* Dezember *m;* **in** ~ im Dezember

de•cency ['diːsnsɪ] *s* Anstand *m,* Anständigkeit, Schicklichkeit *f;* **de•cent** ['diːsnt] *adj* **1.** anständig **2.** (*fam*) ganz nett, (ganz) ordentlich; annehmbar

de•cen•tra•liz•ation [ˌdiːˌsentrəlaɪ'zeɪʃn] *s* Dezentralisation, Dezentralisierung *f;* **de•cen•tra•lize** [ˌdiː'sentrəlaɪz] *tr* dezentralisieren; **de•cen•tra•lized** [-d] *adj* dezentral

de•cep•tion [dɪ'sepʃn] *s* Irreführung, Täuschung *f,* Betrug *m;* **practise** ~ **on s.o.** jdn irreführen; **de•cep•tive** [dɪ'septɪv] *adj* täuschend, trügerisch, irreführend

deci•bel ['desɪbel] *s* (TECH) Dezibel *n*

de•cide [dɪ'saɪd] **I.** *tr* (sich) entscheiden (*between* zwischen, *for, in favour of* zugunsten, *against* gegen); ~ **s.o.'s fate** jds Schicksal bestimmen; ~ **s.o. to do s.th.** jdn veranlassen etw zu tun **II.** *itr* sich entscheiden, sich entschließen; ~ **on** sich entscheiden für; **de•cided** [dɪ'saɪdɪd] *adj* **1.** entschieden; deutlich **2.** entschlossen, bestimmt

de•cidu•ous [dɪ'sɪdjʊəs] *adj* jährlich die Blätter abwerfend; ~ **tree** Laubbaum *m*

deci•mal ['desɪml] *adj* Dezimal-; ~ **fraction** Dezimalbruch *m;* ~ **key** Dezimaltaste *f;* ~ **point** Komma *n;* ~ **system** Dezimalsystem *n;* **deci•mal•ize** ['desɪməlaɪz] *tr* auf das Dezimalsystem umstellen

deci•mate ['desɪmeɪt] *tr* dezimieren

de•cipher [dɪ'saɪfə(r)] *tr* entziffern

de•ci•sion [dɪ'sɪʒn] *s* **1.** Entscheidung *f* (*over* über) **2.** Entschluss *m;* Beschluss *m* **3.** Entschlusskraft, Entschlossenheit *f;* **make a** ~ e-e Entscheidung treffen; **arrive at** [*o* **come to**] **a** ~ e-e Entscheidung treffen; **decision maker** *s* Entscheidungsträger *m;* **decision making** *s* Entscheidungsfindung *f;* **de•ci•sive** [dɪ'saɪsɪv] *adj* **1.** entscheidend, ausschlaggebend (*for* für) **2.** entschieden, entschlossen

deck [dek] **I.** *s* **1.** (MAR) Deck *n* **2.** Verdeck *n* **3.** Spiel *n* Karten; **on** ~ auf Deck; **clear the ~s** (*fig*) sich bereit machen **II.** *tr* schmücken, verzieren; ~ **o.s. out** sich herausputzen (*with* mit); **deck chair** *s* Liegestuhl *m*

de•claim [dɪ'kleɪm] **I.** *tr* vortragen **II.** *itr* deklamieren; ~ **against s.th.** gegen etw wettern; **dec•la•ma•tion** [ˌdeklə'meɪʃn] *s* Deklamation, Tirade *f;* **de•clama•tory** [dɪ'klæmətərɪ] *adj* deklamatorisch, pathetisch

dec•lar•ation [ˌdeklə'reɪʃn] *s* **1.** Erklärung, Aussage *f* **2.** (*Zoll*) Deklaration *f;* **give** [*o* **make**] **a** ~ e-e Erklärung abgeben; ~ **of independence** Unabhängigkeitserklärung *f;* ~ **of intent** Absichtserklärung *f;* ~ **of love** Liebeserklärung *f;* **de•clare** [dɪ'kleə(r)] **I.** *tr* **1.** erklären; bekannt geben **2.** (*Zoll*) angeben, deklarieren **3.** beteuern, erklären; **have you anything to ~?** haben Sie etwas zu verzollen?; ~ **war** (**on s.o.**) (jdm) den Krieg erklären; **I** ~ **this meeting closed** ich erkläre die Sitzung für geschlossen **II.** *itr* sich erklären, sich entscheiden (*against, for* gegen, für)

de•cline [dɪ'klaɪn] **I.** *itr* **1.** verfallen; verblassen **2.** nachlassen, abnehmen; geringer werden **3.** (*Preise*) zurückgehen, sinken, fallen **4.** ablehnen **5.** (GRAM) deklinieren; **in declining health** bei schlechter werdender Gesundheit **II.** *tr* ablehnen, ausschlagen (*doing, to do* zu tun) **III.** *s* **1.** Rückgang *m;* Abnahme *f;* Niedergang, Verfall *m* **2.** Schwächung *f* (*der Gesundheit*); **be on the** ~ abnehmen; (*Preise*) fallen; ~ **of the birthrate** Geburtenrückgang *m*

de•clutch [ˌdiː'klʌtʃ] *itr* (TECH) auskuppeln

de•code [ˌdiː'kəʊd] *tr* entschlüsseln; **de•coder** [diː'kəʊdə(r)] *s* (EDV) Decoder *m*

de•coke [ˌdiː'kəʊk] *tr* (TECH: *fam*) entkohlen

de•col•on•iz•ation [diːˌkɒlənaɪ'zeɪʃn] *s* Dekolonisation *f*

de•com•mis•sion [ˌdiːkə'mɪʃn] *tr* stillegen

de•com•pose [ˌdiːkəm'pəʊz] **I.** *tr* zerlegen, aufspalten **II.** *itr* sich zersetzen; **de•com•po•si•tion** [ˌdiːkɒmpə'zɪʃn] *s* **1.** Aufspaltung, Zerlegung *f* **2.** Zersetzung, Fäulnis *f*

de•com•press [ˌdiːkəm'pres] *tr* den Druck +*gen* vermindern; **de•com•pres•sion** [ˌdiːkəm'preʃn] *s* Druckminderung *f;* **decompression chamber** *s* Unterdruckkammer *f*

de•con•tami•nate [ˌdiːkən'tæmɪneɪt] *tr* entgiften, entseuchen; **de•con•tami•na•tion** [ˌdiːkənˌtæmɪ'neɪʃn] *s* Entseuchung, Entgiftung *f*

de•con•trol [ˌdiːkən'trəʊl] *tr* die Preisüberwachung aufheben; freigeben

dec•or•ate ['dekəreɪt] *tr* **1.** dekorieren, schmücken, verzieren **2.** (*Wände*) bemalen; tapezieren **3.** (*mit e-m Orden*) auszeichnen (*with* mit); **dec•ora•tion**

[ˌdekəˈreɪʃn] *s* **1.** Verzierung, Dekoration *f* **2.** Auszeichnung *f,* Orden *m;* **dec•or•ative** [ˈdekərətɪv] *adj* dekorativ; **dec•or•ator** [ˈdekəreɪtə(r)] *s* Maler(in); Tapezierer(in) *m(f),* Dekorateur(in) *m(f)*

dec•or•ous [ˈdekərəs] *adj* anständig, schicklich; **de•corum** [dɪˈkɔːrəm] *s* Anstand *m,* Schicklichkeit *f*

de•coy [ˈdiːkɔɪ] **I.** *s* **1.** Lockvogel *m a. fig* **2.** (*fig*) Köder *m* **II.** *tr* (ver)locken (*into doing s.th.* etw zu tun)

de•crease [dɪˈkriːs] **I.** *itr* abnehmen, nachlassen; zurückgehen; **in decreasing order of importance** in der Reihenfolge ihrer Bedeutung **II.** *tr* verringern, reduzieren, herabsetzen **III.** [ˈdiːkriːs] *s* Abnahme, Verringerung *f,* Rückgang *m* (*in* an); **on the ~** im Abnehmen; **~ in population** Bevölkerungsrückgang *m*

de•cree [dɪˈkriː] **I.** *s* **1.** Erlass *m,* Verordnung, Verfügung *f* **2.** Gerichtsbeschluss, -entscheid *m;* Urteil *n;* **issue a ~** e-e Verordnung erlassen **II.** *tr* anordnen, verfügen; **decree nisi** [-ˈnaɪsaɪ] *s* (JUR) vorläufiges Scheidungsurteil

de•crepit [dɪˈkrepɪt] *adj* altersschwach; (*fig: Strukturen*) verkrustet; **de•crepitude** [dɪˈkrepitjuːd] *s* Altersschwäche, Verkrustung *f*

de•crimi•na•lize [ˌdiːˈkrɪmɪnəlaɪz] *tr* entkriminalisieren

de•cruit•ment [dɪˈkruːtmənt] *s* (*Am*) Abbau *m* von Arbeitsplätzen

de•cry [dɪˈkraɪ] *tr* anprangern; schlecht machen

dedi•cate [ˈdedɪkeɪt] *tr* **1.** (REL) weihen *a. fig* **2.** (*Buch*) widmen *a. fig;* **~ one's life to s.th.** sein Leben e-r Sache widmen; **dedi•ca•tion** [ˌdedɪˈkeɪʃn] *s* **1.** Einweihung *f* (*to* an) **2.** (*Buch*) Widmung *f* **3.** Hingabe *f*

de•duce [dɪˈdjuːs] *tr* **1.** ab-, herleiten (*from* von) **2.** folgern, schließen (*from* aus); **de•duc•ible** [dɪˈdjuːsəbl] *adj* ableitbar

de•duct [dɪˈdʌkt] *tr* **1.** abziehen (*from* von) **2.** (*Betrag*) einbehalten; **de•duct•ible** [dɪˈdʌktəbl] *adj* absetzbar; abziehbar; **de•duc•tion** [dɪˈdʌkʃn] *s* **1.** Abzug *m* **2.** (COM) Rabatt, Nachlass *m* **3.** Schlussfolgerung *f;* **after ~ of** nach Abzug von; **de•duct•ive** [dɪˈdʌktɪv] *adj* deduktiv, zu folgern(d), sich ergebend

deed [diːd] **I.** *s* **1.** Tat, Handlung *f* **2.** Leistung *f* **3.** (JUR) Übertragungsurkunde *f;* **in word and ~** in Wort und Tat; **~ of convenant** Vertragsurkunde *f* **II.** *tr* (*Am*) notariell übertragen; **deed poll** *s* (JUR) einseitige Erklärung

deem [diːm] *tr:* **~ s.o. s.th.** jdn für etw erachten

deep [diːp] **I.** *adj* **1.** tief *a. fig* **2.** (*Schlaf*) tief **3.** (tief)sinnig, tiefgründig **4.** schwerverständlich; **take a ~ breath** tief atmen; **a two-metre ~ trench** ein zwei Meter tiefer Graben; **go off the ~ end** (*fig*) aufbrausen **II.** *adv* tief; **still waters run ~** (*prov*) stille Wasser sind tief; **~ into the night** bis tief in die Nacht hinein; **~ in debt** tief verschuldet; **~ in love** sehr verliebt **III.** *s:* **the ~** das Meer; **in the ~ of winter** mitten im tiefsten Winter; **deep-acting** [ˌdiːpˈæktɪŋ] *adj* mit Tiefenwirkung

deepen [ˈdiːpən] **I.** *tr* **1.** vertiefen **2.** (*Farben*) verdunkeln **II.** *itr* sich vergrößern

deep-freeze [ˌdiːpˈfriːz] **I.** *s* Tiefkühlschrank *m;* Tiefkühltruhe *f* **II.** *tr* einfrieren; **deep-frozen** [ˌdiːpˈfreʊzn] *adj* tiefgefroren; **deep-frozen foods** *s pl* Tiefkühlkost *f;* **deep-fry** *tr* im Fett schwimmend braten; **deep•ly** [ˈdiːplɪ] *adv* (zu)tief(st); gründlich; **~ hurt** schwer gekränkt; **deep•ness** [ˈdiːpnɪs] *s* **1.** Tiefe *f* **2.** (*fig*) Scharfsinn *m,* Tiefsinnigkeit *f;* **deep-rooted** [ˌdiːpˈruːtɪd] *adj* tief verwurzelt; **deep-sea** *adj* Tiefsee-, Hochsee-; **~ fishing** Hochseefischerei *f;* **deep-seated** [ˌdiːpˈsiːtɪd] *adj* tiefsitzend; **deep space** *s* äußerer Weltraum

deer [dɪə(r)] <*pl* deer> *s* Hirsch *m;* Reh *n;* **red ~** Rotwild *n;* **deer-stalker** [ˈdɪəˌstɔːkə(r)] *s* **1.** (*Person*) Jäger auf der Pirsch **2.** (*Hut*) Sherlock-Holmes-Mütze *f*

de•face [dɪˈfeɪs] *tr* verunstalten

defa•ma•tion [ˌdefəˈmeɪʃn] *s* Verleumdung, Diffamierung *f;* **de•fama•tory** [dɪˈfæmətrɪ] *adj* verleumderisch, beleidigend; **de•fame** [dɪˈfeɪm] *tr* verleumden

de•fault [dɪˈfɔːlt] **I.** *s* **1.** Nichteinhaltung, Nichterfüllung *f;* Versäumnis *n* **2.** Nichterscheinen, Ausbleiben *n;* **in ~ of** in Ermangelung *+gen;* **judgement by ~** Versäumnisurteil *n* **II.** *itr* **1.** säumig sein **2.** vor Gericht nicht erscheinen **3.** (SPORT) nicht antreten; **~ in one's payments** seinen Zahlungsverpflichtungen nicht nachkommen; **default value** *s* (EDV) Standardwert *m*

de•feat [dɪˈfiːt] **I.** *tr* **1.** besiegen, schlagen **2.** (*Plan*) vereiteln, zunichte machen **II.** *s* **1.** Sieg *m* **2.** Ablehnung *f* **3.** Vereitelung *f* **4.** Niederlage *f;* **suffer a ~** e-e Niederlage erleiden; **de•feat•ist** [-ɪst] **I.** *adj* defätistisch **II.** *s* Defätist, Miesmacher *m*

de•fe•cate [ˈdefəkeɪt] *itr* den Darm entleeren; **def•eca•tion** [ˌdefəˈkeɪʃn] *s* (MED) Darmentleerung *f*

de•fect¹ [ˈdiːfekt] *s* Fehler, Defekt *m* (*in* an); **physical ~** körperlicher Schaden

de•fect² [dɪˈfekt] *itr* sich absetzen, abfallen; **~ to the enemy** zum Feind übergehen, überlaufen; **de•fec•tion** [dɪˈfekʃn] *s* Abfall *m,* Überlaufen *n* (*from* von)

de•fec•tive [dɪ'fektɪv] **I.** *adj* **1.** fehlerhaft, schadhaft, defekt **2.** geistesgestört **II.** *s* (*Am*) Geistesgestörte(r) *f m*

de•fence [dɪ'fens] *s* **1.** (*a.* SPORT) Verteidigung *f* **2.** Befestigung, Schutzmaßnahme *f* **3.** (JUR) Verteidigung *f;* **body's ~s** Abwehrkräfte (des Körpers); **in s.o.'s ~** zu jds Rechtfertigung; **come to s.o.'s ~** jdn verteidigen; **speak** [*o* **say**] **in s.o.'s ~** für jdn sprechen; jdn verteidigen; **de•fence•less** [-lɪs] *adj* schutzlos; **defence minister** *s* Verteidigungsminister(in) *m(f)*

de•fend [dɪ'fend] *tr* **1.** (*a.* JUR) verteidigen (*against* gegen) **2.** rechtfertigen; **de•fend•ant** [dɪ'fendənt] *s* Angeklagte(r), Beklagte(r) *f m;* **de•fense** [dɪ'fens] *s* (*Am*) *s.* **defence; Defense Secretary** *s* (*Am*) Verteidigungsminister *m;* **de•fens•ible** [dɪ'fensəbl] *adj* zu verteidigen; vertretbar; **de•fens•ive** [dɪ'fensɪv] **I.** *adj* defensiv; **~ measures** Schutzmaßnahmen *fpl;* **~ weapon** Verteidigungswaffe *f* **II.** *s* Defensive *f;* **on the ~** in der Defensive

de•fer[1] [dɪ'fɜ:(r)] *tr* auf-, hinaus-, verschieben (*doing s.th.* etw zu tun), verlegen

de•fer[2] [dɪ'fɜ:(r)] *itr* sich fügen (*to s.o.* jdm, *to s.th.* in etw)

de•fer•ence ['defərəns] *s* Achtung *f,* Respekt *m;* **in** [*o* **out of**] **~ to** aus Achtung vor; **pay ~ to s.o.** jdm Achtung erweisen; **de•fer•en•tial** [ˌdefə'renʃl] *adj* ehrerbietig (*to* gegenüber)

de•ferred [dɪ'fɜ:d] *adj:* **~ terms** Teilzahlung *f;* **~ payment** Ratenzahlung *f*

de•fiance [dɪ'faɪəns] *s* Trotz *m* (*of* gegenüber), Missachtung *f;* **in ~ of** trotz, ungeachtet *+gen;* **de•fiant** [dɪ'faɪənt] *adj* **1.** herausfordernd **2.** aufsässig, trotzig

de•fi•ciency [dɪ'fɪʃnsɪ] *s* **1.** Mangel *m* **2.** (COM) Defizit *n,* Fehlbetrag *m* **3.** Fehlbestand *m;* **de•fi•cient** [dɪ'fɪʃnt] *adj* unzulänglich; fehlerhaft; **be ~ in** Mangel haben an; **mentally ~** schwachsinnig

defi•cit ['defɪsɪt] *s* Defizit *n;* **show a ~** ein Defizit aufweisen

de•file[1] [dɪ'faɪl] *tr* be-, verschmutzen; schänden

de•file[2] ['di:faɪl] **I.** *s* Hohlweg *m* **II.** *itr* hintereinander marschieren

de•fine [dɪ'faɪn] *tr* **1.** scharf abgrenzen; näher bestimmen, festlegen **2.** klarlegen, -stellen; definieren; **be ~d against** sich abheben von, gegen; **~ one's position** seinen Standpunkt darlegen

defi•nite ['defɪnət] *adj* **1.** definitiv; fest **2.** klar, deutlich, unmissverständlich **3.** bestimmt, sicher; **it's ~ that** es ist sicher, dass; **for a ~ period** für e-e bestimmte Zeit; **defi•nite•ly** [-lɪ] *adv* **1.** fest, definitiv **2.** sicherlich, zweifellos

defi•ni•tion [ˌdefɪ'nɪʃn] *s* **1.** Definition *f* **2.** scharfe Abgrenzung; Festlegung *f* **3.** (Bild-, Ton)Schärfe *f*

de•fini•tive [dɪ'fɪnətɪv] *adj* **1.** entscheidend; maßgeblich **2.** endgültig, definitiv

de•flate [dɪ'fleɪt] **I.** *tr* **1.** (die) Luft lassen aus **2.** (*Notenumlauf*) verringern, vermindern **II.** *itr* (FIN) eine Deflation herbeiführen; **de•fla•tion** [dɪ'fleɪʃn] *s* (FIN) Deflation *f;* **de•fla•tion•ary** [ˌdɪ'fleɪʃnərɪ] *adj* deflationär, deflationistisch

de•flect [dɪ'flekt] *tr* um-, ablenken (*from* von); **de•flec•tion** [dɪ'flekʃn] *s* Ablenkung *f*

de•foli•ant [ˌdi:'fəʊlɪənt] *s* Entlaubungsmittel *n;* **de•foli•ate** [ˌdi:'fəʊlɪeɪt] *tr* entlauben

de•for•est [ˌdi:'fɒrɪst] *tr* abholzen, entwalden; **de•for•est•ation** [di:ˌfɒrɪ'steɪʃn] *s* Abholzung, Entwaldung *f*

de•form [dɪ'fɔ:m] *tr* **1.** deformieren, verformen **2.** entstellen, verunstalten; **de•form•ation** [ˌdi:fɔ:'meɪʃn] *s* **1.** Deformation *f* **2.** (TECH) Verformung *f;* **de•formed** [-d] *adj* deformiert; **de•form•ity** [dɪ'fɔ:mətɪ] *s* **1.** Missbildung, Entstellung *f* **2.** Abartigkeit *f*

de•fraud [dɪ'frɔ:d] *tr* betrügen, hintergehen (*s.o. of s.th.* jdn um etw)

de•fray [dɪ'freɪ] *tr* (*Kosten*) bestreiten, tragen

de•frost [ˌdi:'frɒst] *tr* **1.** enteisen **2.** auftauen

deft [deft] *adj* gewandt, geschickt

de•funct [dɪ'fʌŋkt] *adj* verstorben

defy [dɪ'faɪ] *tr* **1.** sich widersetzen, trotzen (*s.o.* jdm) **2.** widerstehen, trotzen, spotten (*s.th.* e-r S) **3.** herausfordern

de•gen•er•ate [dɪ'dʒenərət] **I.** *adj* degeneriert, entartet **II.** *s* degenerierter Mensch **III.** [dɪ'dʒenəreɪt] *itr* degenerieren, entarten (*into* in, zu); **de•gen•er•ation** [dɪˌdʒenə'reɪʃn] *s* Entartung, Degeneration *f*

de•grade [dɪ'greɪd] *tr* **1.** degradieren **2.** (*fig*) erniedrigen **3.** (GEOL) abtragen **4.** (CHEM) abbauen

de•gree [dɪ'gri:] *s* **1.** (MATH PHYS) Grad *m* **2.** Maß *n* **3.** akademischer Grad **4.** Rang, Stand *m* **5.** (MUS) Stufe *f* (auf einer Tonleiter); **by ~s** nach und nach, allmählich; **to a certain ~** bis zu e-m gewissen Grade; **to some ~** einigermaßen; **to such a ~** in solchem Maße, dermaßen; **drop five ~s** um fünf Grad fallen; **study for a ~** studieren; **get one's ~** seinen akademischen Grad erhalten; **first/second ~ murder** Mord *m/* Totschlag *m;* **~ of development** Entwicklungsstufe *f;* **~ of latitude** Breitengrad; **~ of**

longitude Längengrad *m;* **degree course** *s Studiengang, der zu einem akademischen Grad führt*

de•hu•man•ize [ˌdiːˈhjuːmənaɪz] *tr* entmenschlichen

de•hy•drate [ˌdiːˈhaɪdreɪt] *tr* Wasser entziehen (*s.th.* e-r S); **de•hy•drated** [ˌdiːhaɪˈdreɪtɪd] *adj* Trocken-; pulverisiert; ausgetrocknet; **be ~** Nachdurst haben; **de•hy•dra•tion** [ˌdiːhaiˈdreiʃn] *s* Austrocknung; Dehydration *f*

de-ice [ˌdiːˈaɪs] *tr* (MOT AERO) enteisen

deign [deɪn] *tr:* ~ **to do s.th.** geruhen, sich herablassen etw zu tun

de•ism [ˈdiːɪzəm] *s* Deismus *m*

de•ity [ˈdiːɪtɪ] *s* Gottheit *f*

de•ject [dɪˈdʒekt] *tr* deprimieren; **de•ject•ed** [-ɪd] *adj* bedrückt, niedergeschlagen; **de•jec•tion** [dɪˈdʒekʃn] *s* Niedergeschlagenheit *f*

de•lay [dɪˈleɪ] **I.** *tr* **1.** ver-, aufschieben (*doing s.th.* etw zu tun) **2.** aufhalten; **he ~ed writing the letter** er schob den Brief auf **II.** *itr:* ~ **in doing s.th.** es verschieben etw zu tun; **don't ~!** verlieren Sie keine Zeit! **III.** *s* **1.** Aufenthalt *m* **2.** (*Verkehr*) Stockung *f* **3.** (*Zug*) Verspätung *f;* **without ~** sofort, unverzüglich; **admit of no ~** keinen Aufschub dulden; **have a ~** aufgehalten werden; **a two-hour ~** e-e zweistündige Verspätung; **delayed-action** *adj* (*Bombe*) mit Zeitzünder; **~ shutter release** (PHOT) Selbstauslöser *m;* **de•lay•ing** [-ɪŋ] *adj* hinhaltend; ~ **tactics** Verzögerungstaktik *f*

de•lec•table [dɪˈlektəbl] *adj* köstlich; **de•lec•ta•tion** [ˌdiːlekˈteɪʃn] *s* Vergnügen *n;* **for your ~** um Ihnen e-e Freude zu machen

del•egate I. [ˈdelɪgeɪt] *tr* **1.** delegieren **2.** (*Vollmacht*) erteilen; (*Befugnisse*) übertragen (*to s.o.* jdm) **II.** [ˈdelɪgət] *s* Delegierte(r) *f m,* bevollmächtigte(r) Vertreter(in) *m(f);* **del•ega•tion** [ˌdelɪˈgeɪʃn] *s* Abordnung, Delegation *f*

de•lete [dɪˈliːt] *tr* **1.** streichen (*from* aus) **2.** (EDV) löschen; **de•le•tion** [dɪˈliːʃn] *s* Streichung *f*

deli [ˈdelɪ] *s abbr of* **delicatessen** (*fam*) Delikatessengeschäft *n*

de•lib•er•ate [dɪˈlɪbəreɪt] **I.** *itr* nachdenken (*on, upon* über), sich beraten **II.** *tr* bedenken, erwägen **III.** [dɪˈlɪbərət] *adj* **1.** bewusst, absichtlich **2.** (wohl)überlegt; bedächtig; **de•lib•er•ation** [dɪˌlɪbəˈreɪʃn] *s* **1.** Überlegung *f* **2.** Beratungen *fpl* (*on* über) **3.** Bedächtigkeit *f;* **after due ~** nach reiflicher Überlegung

deli•cacy [ˈdelɪkəsɪ] *s* **1.** Feinheit, Zartheit *f* **2.** Anfälligkeit *f* **3.** Zart-, Feingefühl *n* **4.** Delikatesse *f;* **of great ~** heikel, schwierig;

deli•cate [ˈdelɪkət] *adj* **1.** fein, zart; empfindlich **2.** (MED) empfindlich, anfällig **3.** (*Situation*) heikel, schwierig **4.** (*Instrument*) empfindlich **5.** (*fig*) feinfühlig, zartfühlend **6.** (*Essen*) delikat; **deli•ca•tessen** [ˌdelɪkəˈtesn] *s* Delikatessengeschäft *n*

de•li•cious [dɪˈlɪʃəs] *adj* **1.** herrlich, wunderbar **2.** (*Essen*) schmackhaft, lecker

de•light [dɪˈlaɪt] **I.** *tr* erfreuen **II.** *itr* seine Freude, seinen Spaß haben (*in doing s.th.* etw zu tun) **III.** *s* Freude *f,* Vergnügen *n;* **to my ~** zu meiner Freude; **take ~** Freude, Spaß haben (*in doing s.th.* etw zu tun); **give s.o. ~** jdn erfreuen; **de•light•ful** [dɪˈlaɪtfl] *adj* entzückend, reizend, bezaubernd

de•limit [diːˈlɪmɪt] *tr* abgrenzen

de•lin•eate [dɪˈlɪnɪeɪt] *tr* **1.** skizzieren, entwerfen **2.** beschreiben, schildern

de•lin•quency [dɪˈlɪŋkwənsɪ] *s* **1.** Pflichtvergessenheit *f,* Versäumnis *n* **2.** Kriminalität *f;* **juvenile ~** Jugendkriminalität *f;* **de•lin•quent** [dɪˈlɪŋkwənt] **I.** *adj* **1.** straffällig **2.** (*Am: Steuern*) rückständig **II.** *s* Delinquent *m*

de•liri•ous [dɪˈlɪrɪəs] *adj* **1.** im Delirium, phantasierend **2.** (*fig*) außer sich (*with* vor); **de•liri•ous•ly** [-lɪ] *adv:* ~ **happy** überglücklich; **de•lirium** [dɪˈlɪrɪəm] *s* **1.** Delirium *n* **2.** (*fig*) Taumel *m*

de•liver [dɪˈlɪvə(r)] *tr* **1.** (ab-, aus)liefern, übergeben, zustellen **2.** (*Post*) austragen, zustellen **3.** befreien (*from* von) **4.** (*Rede, Vortrag*) halten **5.** (MED) zur Welt bringen **6.** aushändigen, übergeben **7.** (*Schlag*) versetzen; **be ~ed of** entbunden werden von; **~ed free** frei Haus; **~ the goods** (*fig*) es bringen, schaffen; **de•liver•ance** [dɪˈlɪvərəns] *s* Befreiung, Erlösung *f* (*from* von); **de•liverer** [dɪˈlɪvərə(r)] *s* **1.** (COM) Lieferant(in) *m(f)* **2.** Erlöser(in) *m(f);* **de•liv•ery** [dɪˈlɪvərɪ] *s* **1.** (Aus)Lieferung *f;* Zustellung *f* **2.** (MED) Entbindung *f* **3.** Vortrag *m,* Vortragsweise *f* **4.** Wurf *m* (*e-s Balles*); **on ~** bei Lieferung; **take ~ of** in Empfang nehmen; **cash on ~** gegen Nachnahme; **delivery note** *s* Lieferschein *m;* **delivery room** *s* Kreißsaal *m;* **delivery service** *s* Zustelldienst *m;* **delivery van** *s* (*Br*) Lieferwagen *m*

delta [ˈdeltə] *s* (Fluss)Delta *n;* **delta wing** *s* (AERO) Deltaflügel *m*

de•lude [dɪˈluːd] *tr* täuschen, irreführen; ~ **s.o. into thinking s.th.** jdn dazu verleiten etw zu glauben; ~ **o.s.** sich etwas vormachen

del•uge [ˈdeljuːdʒ] **I.** *s* **1.** Überschwemmung *f* **2.** (*fig*) Flut *f,* Schwall *m;* **the D~** die Sintflut **II.** *tr* überfluten, über-

schwemmen (*with* mit) *a. fig*
de•lusion [dɪ'lu:ʒn] *s* **1.** Täuschung, Irreführung *f* **2.** Wahn *m;* **be under a ~** in einem Wahn leben; **~s of grandeur** Größenwahn *m*
de luxe [dɪ'lʌks] *adj* Luxus-
delve [delv] *itr* sich vertiefen (*into, among* in), durchforschen (*into s.th.* etw)
dema•gog *s* (*Am*) *s.* **demagogue; demagogic** [ˌdemə'gɒgɪk] *adj* demagogisch; **dema•gogue** ['deməgɒg] *s* Demagoge *m;* **dema•gogy** ['deməgɒgɪ] *s* Demagogie *f*
de•mand [dɪ'mɑ:nd] **I.** *tr* **1.** (*Person*) fordern, verlangen, beanspruchen **2.** (*Sache*) erfordern, verlangen, beanspruchen **II.** *s* **1.** Forderung *f;* Verlangen *n* (*for* nach) **2.** (COM) Bedarf *m,* Nachfrage *f* (*for* nach); **on ~** auf Verlangen; bei Sicht; **be in great ~** sehr gefragt sein; **create a ~ for s.th.** e-e Nachfrage für etw schaffen; **demand note** *s* Zahlungsaufforderung *f*
de•mar•cate ['di:mɑ:keɪt] *tr* abgrenzen (*from* von, gegen); **de•mar•ca•tion** [ˌdi:mɑ:'keɪʃn] *s* Abgrenzung *f;* **demarcation line** *s* Demarkationslinie *f*
de•mean [dɪ'mi:n] *refl* sich erniedrigen
de•mean•or (*Am*) *s.* **demeanour**
de•mean•our [dɪ'mi:nə(r)] *s* Benehmen, Betragen *n*
de•mented [dɪ'mentɪd] *adj* wahnsinnig, verrückt
de•merit [di:'merɪt] *s* Fehler, Mangel *m*
de•mesne [dɪ'meɪn] *s* Grundbesitz *m*
demi- ['demɪ] *prefix* halb-; **demi•god** *s* Halbgott *m*
de•mili•tar•ize [ˌdi:'mɪlɪtəraɪz] *tr* entmilitarisieren
de•mise [dɪ'maɪz] *s* Tod *m,* Ableben *n*
de•mist [ˌdi:'mɪst] *tr* (MOT: *Windschutzscheibe*) freimachen; **de•mist•er** [-ə(r)] *s* (MOT) Gebläse *n*
de•mo•bil•ize [di:'məʊbəlaɪz] *tr* demobilisieren
democ•racy [dɪ'mɒkrəsɪ] *s* Demokratie *f;* **demo•crat** ['deməkræt] *s* Demokrat(in) *m(f);* **demo•cratic** [ˌdemə'krætɪk] *adj* demokratisch; **de•moc•ra•ti•za•tion** [-eɪʃn] *s* Demokratisierung *f;* **de•moc•ra•tize** [dɪ'mɒkrətaɪz] *tr* demokratisieren
de•mo•graphic sur•vey [ˌdeməgræfɪk'sɜ:veɪ] *s* demographische Erhebung
de•mol•ish [dɪ'mɒlɪʃ] *tr* **1.** (*Gebäude*) abbrechen, niederreißen **2.** (*fig*) zunichte machen; **demo•li•tion** [ˌdemə'lɪʃn] *s* Abbruch *m*
de•mon ['di:mən] *s* **1.** Dämon *m* **2.** (*fam*) Besessene(r) *f m;* **~ for work** Arbeitstier *n;* **de•mon•iac** [dɪ'məʊnɪæk] *adj,* **demonic** [di:'mɒnɪk] *adj* dämonisch
de•mon•strable ['demənstrəbl] *adj* nachweisbar, offensichtlich; **dem•on•strate** ['demənstreɪt] **I.** *tr* **1.** be-, nachweisen; zeigen **2.** vorführen, demonstrieren **II.** *itr* (POL) demonstrieren; **dem•on•stra•tion** [ˌdemən'streɪʃn] *s* **1.** Beweis(führung *f*) *m;* Vorführung *f* **2.** (POL) Kundgebung, Demonstration *f;* **give a ~** etw demonstrieren; **hold a ~** e-e Demonstration veranstalten; **demonstration model** *s* Vorführmodell *n;* **de•mon•stra•tive** [dɪ'mɒnstrətɪv] *adj* **1.** demonstrativ **2.** (*Mensch*) offen; **dem•on•stra•tor** ['demənstreɪtə(r)] *s* **1.** (COM) Vorführer(in) *m(f)* **2.** (POL) Demonstrant(in) *m(f)*
de•moral•ize [dɪ'mɒrəlaɪz] *tr* demoralisieren, entmutigen
de•mote [ˌdi:'məʊt] *tr* degradieren (*to* zu)
de•mure [dɪ'mjʊə(r)] *adj* **1.** ernst, gesetzt **2.** spröde
den [den] *s* **1.** Höhle *f* **2.** (Räuber)Höhle *f* **3.** (*fam*) Bude *f*
de•nation•al•ize [ˌdi:'næʃənəlaɪz] *tr* (*Industrie*) entnationalisieren, reprivatisieren
de•nial [dɪ'naɪəl] *s* **1.** Leugnen *n;* Dementi *n* **2.** Ablehnung *f,* abschlägige Antwort **3.** Verleugnung *f;* **give an official ~** offiziell dementieren (*to s.th.* etw)
deni•grate ['denɪgreɪt] *tr* verunglimpfen
denim ['denɪm] *s* **1.** Zwil(li)ch, Köper *m* **2.** **~s** Jeans *pl;* **denim jacket** *s* Jeansjacke *f*
deni•zen ['denɪzn] *s* (*a.* ZOO BOT) Bewohner *m*
Den•mark ['denmɑ:k] *s* Dänemark *n*
de•nomi•na•tion [dɪˌnɒmɪ'neɪʃn] *s* **1.** (REL) Konfession *f* **2.** Benennung, Bezeichnung *f* **3.** (COM) Nennbetrag *m* **4.** Klasse, Gruppe *f;* **de•nomi•na•tional** [dɪˌnɒmɪ'neɪʃənl] *adj* konfessionell
de•nomi•na•tor [dɪ'nɒmɪneɪtə(r)] *s* (MATH) Nenner *m;* (**lowest**) **common ~** gemeinsamer Nenner
de•nota•tion [ˌdi:nəʊ'teɪʃn] *s* Begriffsumfang *m,* Denotation *f;* **de•note** [dɪ'nəʊt] *tr* **1.** be-, kennzeichnen; benennen **2.** bedeuten
de•nounce [dɪ'naʊns] *tr* **1.** heftig kritisieren, anprangern **2.** (JUR) anzeigen, denunzieren **3.** (*Abkommen*) kündigen
dense [dens] *adj* **1.** dicht, eng **2.** (*fig*) schwer von Begriff, beschränkt; **dense•ly** [-lɪ] *adv* dicht; **~ populated** dicht bevölkert, dicht besiedelt; **den•sity** ['densətɪ] *s* Dichte *f;* **~ of population** Bevölkerungs-, Besiedlungsdichte *f;* **~ of traffic** Verkehrsdichte *f;* **single/double ~ disk** (EDV) Diskette *f* mit einfacher/doppelter Schreibdichte
dent [dent] **I.** *s* Beule, Delle *f;* **a ~ in one's**

pride (*fig*) verletzter Stolz **II.** *tr* eindrücken, -beulen
den•tal ['dentl] **I.** *adj* **1.** Zahn- **2.** (GRAM) dental; ~ **floss** Zahnseide *f;* ~ **plate** Zahnprothese *f* **II.** *s* Zahnlaut *m;* **den•tist** ['dentɪst] *s* Zahnarzt *m,* -ärztin *f;* **at the** ~**('s)** beim Zahnarzt; **den•tistry** ['dentɪstrɪ] *s* Zahnmedizin *f;* **den•ti•tion** [den'tɪʃn] *s* **1.** Gebissform *f* **2.** Zahnen *n;* **den•tures** ['dentʃəz] *s pl* Gebiss *n*
de•nude [dɪ'nju:d] *tr* **1.** entblößen, bloßlegen (*of* von), freilegen **2.** (*fig*) berauben (*of+gen*)
de•nunci•ation [dɪˌnʌnsɪ'eɪʃn] *s* **1.** (JUR) Anzeige, Denunziation *f* **2.** Kündigung *f* (*e-s Vertrages*) **3.** Verurteilung *f*
deny [dɪ'naɪ] *tr* **1.** (ver)leugnen, bestreiten **2.** ablehnen, -schlagen, verweigern (*to* zu); ~ **o.s.** sich selbst verleugnen; ~ **all responsibility** jede Verantwortung ablehnen; ~ **a request** e-e Bitte abschlagen
de•odor•ant [di:'əʊdərənt] **I.** *adj* desodorierend; ~ **spray** Deospray *n* **II.** *s* Deodorant *n;* **roll-on** ~ Deoroller *m;* **de•odor•ize** [di:'əʊdəraɪz] *tr* desodorieren
de•part [dɪ'pɑ:t] *itr* **1.** abreisen, -fahren; wegfahren **2.** (*fig*) abgehen, abweichen (*from* von); ~ **from the truth** von der Wahrheit abweichen; **be ready to** ~ startbereit sein; **de•parted** [-ɪd] **I.** *adj* verstorben **II.** *s:* **the** ~ der, die Verstorbene
de•part•ment [dɪ'pɑ:tmənt] *s* **1.** Abteilung *f;* Ressort *n* **2.** Fach, Gebiet *n;* **men's clothing** ~ Abteilung *f* für Herrenkleidung; **de•part•mental** [ˌdi:pɑ:t'mentl] *adj* Abteilungs-; **department store** *s* Waren-, Kaufhaus *n*
de•par•ture [dɪ'pɑ:tʃə(r)] *s* **1.** Aufbruch *m a. fig,* Weg-, Abgang *m* **2.** Abreise, -fahrt *f,* -flug *m* **3.** Abweichen *n* (*from* von) **4.** (*fig*) Richtung *f;* Ansatz *m* **5.** ~**s** Abfahrt *f,* Abflug *m;* **departure gate** *s* (AERO) Flugsteig *m;* **departure lounge** *s* (AERO) Abflughalle *f;* **departure time** *s* Abfahrts-, Abflugzeit *f*
de•pend [dɪ'pend] *itr* **1.** abhängen, abhängig sein (*on* von) **2.** sich verlassen (*on, upon* auf); ~ **upon it!** verlassen Sie sich darauf!; **that** [*o* **it all**] ~**s** das kommt drauf an, je nachdem; **de•pend•abil•ity** [dɪˌpendə'bɪlətɪ] *s* Zuverlässigkeit *f;* **de•pend•able** [dɪ'pendəbl] *adj* zuverlässig; **de•pend•ant, de•pend•ent** [dɪ'pendənt] *s* Abhängige(r) *f mpl,* Familienangehörige *pl;* **de•pend•ence** [dɪ'pendəns] *s* **1.** Abhängigkeit *f* (*on, upon* von) **2.** Vertrauen *n* (*on* auf); **de•pend•ency** [dɪ'pendənsɪ] *s* **1.** Abhängigkeit *f* **2.** Kolonie *f,* Schutzgebiet *n;* **de•pend•ent** [dɪ'pendənt] **I.** *adj* abhängig (*on* von); **be** ~ **on** abhängen von; abhängig sein von **II.** *s. s.* **dependant**
de•pict [dɪ'pɪkt] *tr* **1.** abbilden **2.** schildern, beschreiben; **de•pic•tion** [dɪ'pɪkʃn] *s* Schilderung, Beschreibung *f*
de•pila•tory [dɪ'pɪlətrɪ] *s* Enthaarungsmittel *n;* **depilatory cream** *s* Enthaarungscreme *f*
de•plete [dɪ'pli:t] *tr* (aus-, ent)leeren; erschöpfen, vermindern; **de•ple•ted** [-d] *adj* **1.** entleert; erschöpft **2.** (*Uran*) abgereichert; **de•ple•tion** [dɪ'pli:ʃn] *s* Erschöpfung; Verminderung *f*
de•plor•able [dɪ'plɔ:rəbl] *adj* bedauerns-, beklagens-, bejammernswert; **de•plore** [dɪ'plɔ:(r)] *tr* bedauern, beklagen
de•ploy [dɪ'plɔɪ] **I.** *tr* (MIL) einsetzen *a. fig,* aufmarschieren lassen, stationieren **II.** *itr* sich aufstellen; **de•ploy•ment** [-mənt] *s* (MIL) Einsatz *m;* Stationierung *f*
de•popu•late [ˌdi:'pɒpjʊleɪt] *tr* entvölkern
de•port [dɪ'pɔ:t] **I.** *tr* ausweisen, abschieben, deportieren **II.** *refl* sich benehmen; **de•port•ation** [ˌdi:pɔ:'teɪʃn] *s* Deportation, Abschiebung *f;* **de•portee** [ˌdi:pɔ:'ti:] *s* Ausgewiesene(r), Deportierte(r) *f m;* **de•port•ment** [dɪ'pɔ:tmənt] *s* **1.** Betragen, Benehmen *n* **2.** Haltung *f*
de•pose [dɪ'pəʊz] **I.** *tr* aus dem Amt entfernen, absetzen (*from* von) **II.** *itr* (JUR) unter Eid aussagen
de•posit [dɪ'pɒzɪt] **I.** *tr* **1.** hinlegen; hinstellen **2.** (*Geld*) deponieren (*with* bei) **3.** (COM) einzahlen, hinterlegen (*at the bank* bei der Bank) **4.** (GEOL) ablagern (*on* auf) **II.** *s* **1.** Einlage *f,* Guthaben *n* **2.** (COM) Anzahlung *f;* Sicherheit, Kaution *f* **3.** (GEOL) Ablagerung *f;* **have money on** ~ ein Guthaben haben; **put down a** ~ e-e Anzahlung leisten; **leave** [*o* **pay**] **a** ~ e-e Anzahlung machen; **deposit account** *s* Spar-, Depositenkonto *n;* **de•posi•tion** [ˌdepə'zɪʃn] *s* **1.** Entthronung *f;* Absetzung *f* **2.** (JUR) Aussage *f* unter Eid **3.** (GEOL) Ablagerung *f* **4.** (REL: *Kunst*): ~ **from the cross** Kreuzabnahme *f;* **de•posi•tor** [dɪ'pɒzɪtə(r)] *s* Einleger(in) *m(f),* Einzahler(in) *m(f)*
depot ['depəʊ] *s* **1.** (Waren)Lager, Depot, Magazin *n* **2.** (*Am*) Bahnhof *m*
de•prave [dɪ'preɪv] *tr* verderben; **de•praved** [-d] *adj* verworfen; verderbt; **de•prav•ity** [dɪ'prævətɪ] *s* Verderbtheit, Sittenlosigkeit *f*
dep•re•cate ['deprəkeɪt] *tr* missbilligen, ablehnen; **dep•re•cat•ing** [-ɪŋ] *adj* **1.** missbilligend **2.** abwehrend; **dep•reca•tion** [ˌdeprə'keɪʃn] *s* Missbilligung *f;* **dep•re•ca•tory** [ˌdeprə'keɪtərɪ] *adj s.* **deprecating**

de•pre•ci•ate [dɪ'priːʃɪeɪt] I. *tr* 1. im Wert mindern, ent-, abwerten 2. herabsetzen II. *itr* an Wert verlieren; **de•pre•ci•ation** [dɪˌpriːʃɪ'eɪʃn] *s* 1. Entwertung, Wertminderung *f*, -verlust *m* 2. Herabsetzung *f*; ~ **of money** Geldentwertung *f*

dep•re•da•tion [ˌdeprə'deɪʃn] *s oft pl* Verheerung, Verwüstung *f*

de•press [dɪ'pres] *tr* 1. nieder-, herunterdrücken 2. deprimieren, entmutigen 3. (*im Preis*) herabsetzen; **de•pres•sant** [dɪ'presnt] I. *s* Beruhigungsmittel *n* II. *adj* beruhigend; **de•pressed** [dɪ'prest] *adj* 1. (*fig*) deprimiert, niedergeschlagen 2. (COM) flau; notleidend; ~ **area** Notstandsgebiet *n*; **de•press•ing** [-ɪŋ] *adj* bedrückend, deprimierend; **de•press•ion** [dɪ'preʃn] *s* 1. (*a.* MED) Depression *f* 2. Vertiefung, Senke, Mulde *f* 3. (COM) Flaute, Krise *f* 4. (METE) Tief(druckgebiet) *n*; **de•press•ive** [dɪ'presɪv] *adj* depressiv

depri•va•tion [ˌdeprɪ'veɪʃn] *s* 1. Beraubung *f*; Verlust *m*; Entzug *m* 2. Entbehrung *f*, Mangel *m*; **de•prive** [dɪ'praɪv] *tr*: ~ **s.o. of s.th.** jdm etw entziehen; jdn um etw bringen; ~ **o.s. of s.th.** sich etw nicht gönnen; **de•prived** [dɪ'praɪv] *adj* benachteiligt

depth [depθ] *s* 1. Tiefe *f* 2. (*fig*) Kraft, Tiefe *f*; ~**s** (*fig*) Tiefen *fpl*; **at a** ~ **of** in e-r Tiefe von; **get out of one's** ~ (*fig*) den Boden unter den Füßen verlieren; **with great** ~ **of feeling** sehr gefühlvoll; ~ **of field** (PHOT) Tiefenschärfe, Schärfentiefe *f*; **in** ~ eingehend, intensiv; **in the** ~**s of winter** mitten im Winter; **depth charge** *s* Wasserbombe *f*

depu•ta•tion [ˌdepjʊ'teɪʃn] *s* Abordnung *f*; **de•pute** [dɪ'pjuːt] *tr* 1. abordnen, delegieren 2. (*Befugnisse*) übertragen (*to s.o.* jdm); **depu•tize** ['depjʊtaɪz] I. *tr* ernennen II. *itr* vertreten (*for s.o.* jdn); **dep•uty** ['depjʊtɪ] *s* 1. Stellvertreter(in) *m(f)* 2. (POL) Delegierte(r) *f m*

de•rail [dɪ'reɪl] I. *tr* entgleisen lassen II. *itr* entgleisen; **de•rail•ment** [dɪ'reɪlmənt] *s* Entgleisung *f*

de•range [dɪ'reɪndʒ] *tr* 1. verrückt machen 2. (*Plan*) durcheinander bringen; **deranged** [dɪ'reɪndʒd] *adj* gestört, verwirrt; **be mentally** ~ geistesgestört sein; **derange•ment** [-mənt] *s* 1. Geistesgestörtheit *f* 2. Unordnung *f*

Derby ['dɑːbɪ, *Am* 'dɜːrbɪ] *s* 1. Derbyrennen *n* in Epsom, England 2. Pferderennen *n*; **local** ~ Lokalderby *n*

de•regu•la•tion [ˌdɪregjʊ'leɪʃn] *s* 1. Deregulierung *f* 2. Wettbewerbsfreiheit *f*

der•el•ict ['derəlɪkt] I. *adj* 1. baufällig, verfallen 2. verlassen II. *s* Wrack *n a. fig*; **der•el•ic•tion** [ˌderə'lɪkʃn] *s* Verfall *m*; ~ **of duty** Pflichtversäumnis *n*

de•ride [dɪ'raɪd] *tr* sich lustig machen über, verhöhnen; **de•rision** [dɪ'rɪʒn] *s* Spott, Hohn *m*; **object of** ~ Zielscheibe *f* des Spottes; **de•ris•ive** [dɪ'raɪsɪv] *adj* spöttisch; **de•ris•ory** [dɪ'raɪsərɪ] *adj* (*Angebot*) lächerlich

deri•va•tion [ˌderɪ'veɪʃn] *s* 1. (*Wort, Sprache*) Ableitung *f* 2. Herkunft *f*, Ursprung *m*; **de•riva•tive** [dɪ'rɪvətɪv] I. *adj* abgeleitet; nachgeahmt II. *s* Ableitung *f*; Derivat *n*; **de•rive** [dɪ'raɪv] I. *tr* 1. ab-, herleiten (*from* von) 2. (*Gefallen*) gewinnen, erhalten (*from* von); ~ **benefit/profit from** Nutzen/Vorteile ziehen aus II. *itr*: ~ **from** sich ableiten von; herkommen von

der•ma•ti•tis [ˌdɜːmə'taɪtɪs] *s* Hautentzündung *f*; **der•ma•tol•ogist** [ˌdɜːmə'tɒlədʒɪst] *s* Dermatologe *m*, Dermatologin *f*, Hautarzt *m*, -ärztin *f*; **der•ma•tol•ogy** [ˌdɜːmə'tɒlədʒɪ] *s* Dermatologie *f*

dero•gate ['derəgeɪt] *itr* beeinträchtigen (*from s.th.* etw), schaden (*from s.o.* jdm); **dero•ga•tion** [ˌderə'geɪʃn] *s* Beeinträchtigung *f*, Abbruch *m*; **de•roga•tory** [dɪ'rɒgətrɪ] *adj* nachteilig, abträglich (*to* für), abfällig

der•rick ['derɪk] *s* 1. (Lade)Kran *m* 2. Bohrturm *m*

de•sal•in•ate [ˌdɪ'sælɪneɪt] *tr* entsalzen; **de•sal•in•ation** [ˌdɪsælɪ'neɪʃn] *s* Entsalzung *f*; **desalination plant** *s* (Meerwasser)Entsalzungsanlage *f*

de•scale [ˌdiː'skeɪl] *tr* entkalken

des•cant ['deskænt] I. *s* (MUS) Diskant *m* II. [dɪ'skænt] *itr* sich (lobend) auslassen (*on, upon* über)

de•scend [dɪ'send] I. *itr* 1. herab-, hinabsteigen, herabkommen; hinunterfahren; heruntergehen 2. abstammen (*from* von) 3. (*Eigentum*) übergehen (*from* von, *to* auf), vererbt werden 4. herfallen (*on, upon* über), überfallen (*on s.o.* jdn), hereinbrechen (*on* über) 5. sich erniedrigen, herablassen (*to* zu); ~ **to details** in die Einzelheiten gehen II. *tr* (*Treppe*) hinuntergehen, -steigen; **de•scend•ant** [-ənt] *s* Nachkomme, Abkömmling *m*; **de•scent** [dɪ'sent] *s* 1. Abstieg *m*; Hinuntergehen, Absteigen *n*; Abfall *m* 2. Abstammung, Herkunft *f* 3. Vererbung, Übertragung *f* (*to* auf) 4. Überfall *m* (*on, upon* auf) *a. fig* 5. (*fig*) Niedergang, Verfall *m*

de•scribe [dɪ'skraɪb] *tr* 1. beschreiben; schildern, darstellen 2. bezeichnen (*as* als) 3. (*Kreis*) beschreiben; **de•scrip•tion** [dɪ'skrɪpʃn] *s* 1. Beschreibung *f*; Schilderung *f* 2. Bezeichnung *f* 3. (*fam*) Art, Sorte *f;* **beyond** ~ unbeschreiblich; **of every** ~ jeder Art; **answer to a** ~ e-r Beschreibung entsprechen; **de•scrip•tive** [dɪ'skrɪptɪv] *adj* **1.** beschreibend **2.** anschaulich; ~ **writing** Beschreibung *f*

des•ecrate ['desɪkreɪt] *tr* (REL) entweihen; **des•ecra•tion** [ˌdesɪ'kreɪʃn] *s* Entweihung *f*

de•seg•re•gate [ˌdiː'segrɪgeɪt] *tr* die Rassentrennung aufheben in; **de•seg•re•ga•tion** [ˌdiː'segrɪgeɪʃn] *s* Aufhebung *f* der Rassentrennung, Desegregation *f*

de•sen•si•tize [ˌdiː'sensɪtaɪz] *tr* **1.** (PHOT) lichtunempfindlich machen **2.** (MED) desensibilisieren

de•sert¹ [dɪ'zɜːt] **I.** *tr* verlassen, im Stich lassen; ~**ed street** verlassene Straße **II.** *itr* desertieren

des•ert² ['dezət] **I.** *s* Wüste *f* **II.** *adj* **1.** unfruchtbar; Wüsten- **2.** unbewohnt

de•serter [dɪ'zɜːtə(r)] *s* Deserteur *m;* **de•ser•ti•fi•ca•tion** [dɪ'zɜːtɪfɪkeɪʃn] *s* (GEOG) Desertifikation, Wüstenbildung *f*

de•ser•tion [dɪ'zɜːʃn] *s* **1.** (böswilliges) Verlassen *n* **2.** Desertion, Fahnenflucht *f*

de•serts [dɪ'zɜːts] *s pl* Verdienste *npl,* verdiente Belohnung; **according to one's** ~ nach seinen Verdiensten; **get one's (just)** ~ das bekommen, was man verdient hat

de•serve [dɪ'zɜːv] *tr* verdienen; **he ~s to be punished** er verdient es bestraft zu werden; **de•serv•ed•ly** [dɪ'zɜːvɪdlɪ] *adv* verdientermaßen, gebührend; **de•serv•ing** [dɪ'zɜːvɪŋ] *adj* verdienstvoll

de•sign [dɪ'zaɪn] **I.** *s* **1.** Zeichnung, Skizze *f* **2.** Entwurf, Plan *m* **3.** Konstruktion *f* **4.** Design *n;* Muster *n* **5.** (*fig*) Absicht *f,* Vorhaben *n;* **by** ~ mit Absicht, absichtlich; **at the** ~ **stage** im Stadium der Konstruktion; **have ~s on** [*o* **against**] etw im Schilde führen gegen **II.** *tr* skizzieren; entwerfen; konstruieren; ~ **for s.th.** für etw vorsehen **III.** *itr* planen

des•ig•nate¹ ['dezɪgneɪt] *tr* **1.** be-, kennzeichnen **2.** bestimmen, ernennen (*s.o. as s.th.* jdn zu etw)

des•ig•nate² ['dezɪgnɪt] *adj* (*nach Substantiven*) designiert; **des•ig•na•tion** [ˌdezɪg'neɪʃn] *s* **1.** Bezeichnung *f;* Name *m;* Kennzeichnung *f* **2.** Bestimmung, Ernennung *f*

de•sign•ed•ly [dɪ'zaɪnɪdlɪ] *adv* absichtlich; vorsätzlich

de•signer [dɪ'zaɪnə(r)] *s* **1.** Designer(in) *m(f)* **2.** Konstrukteur(in) *m(f)* **3.** (THEAT) Dekorateur(in) *m(f);* ~ **drug** Designerdroge *f;* **de•sign•ing** [dɪ'zaɪnɪŋ] **I.** *adj* intrigant; verschlagen **II.** *s* Entwerfen *n;* Planen, Konstruieren *n*

de•sir•able [dɪ'zaɪərəbl] *adj* **1.** wünschens-, begehrens-, erstrebenswert **2.** (*Haus*) reizvoll, attraktiv; **de•sire** [dɪ'zaɪə(r)] **I.** *tr* **1.** wünschen **2.** begehren, verlangen nach; **it leaves much to be ~d** das lässt viel zu wünschen übrig **II.** *s* **1.** Wunsch *m;* Sehnsucht *f* **2.** Verlangen, Begehren *n* (*for* nach); **de•sir•ous** [dɪ'zaɪərəs] *adj:* **be** ~ **of** den Wunsch haben zu

de•sist [dɪ'zɪst] *itr* Abstand nehmen (*from* von)

desk [desk] *s* **1.** Schreibtisch *m* **2.** (*Geschäft*) Kasse *f* **3.** (*Presse*) Ressort *n* **4.** (*Hotel*) Empfang *m;* **ask at the information** ~ sich bei der Auskunft erkundigen; **desk lamp** *s* Schreibtischlampe *f;* **desk•top pub•lish•ing** ['desktɒp 'pʌblɪʃɪŋ] *s* (EDV) Desktoppublishing *n;* **desk work** *s* Büroarbeit *f*

deso•late ['desəleɪt] **I.** *tr* untröstlich machen, sehr betrüben **II.** ['desələt] *adj* **1.** verwüstet, verlassen, trostlos **2.** (*Mensch*) tieftraurig, zu Tode betrübt; **deso•la•tion** [ˌdesə'leɪʃn] *s* **1.** Verwüstung *f* **2.** Öde, Trostlosigkeit *f* **3.** Verlassenheit, Einsamkeit *f*

des•pair [dɪ'speə(r)] **I.** *itr* verzweifeln (*of* an); ~ **of s.th.** alle Hoffnung auf etw aufgeben **II.** *s* Verzweiflung, Hoffnungslosigkeit *f* (*at* über); **in** ~ verzweifelt; **give up in** ~ verzweifeln, aufgeben; **be the** ~ **of s.o.** jdn zur Verzweiflung bringen; **des•pair•ing** [-ɪŋ] *adj* verzweifelt

des•per•ado [ˌdespə'rɑːdəʊ] <*pl* -ado(e)s> *s* Bandit, Desperado *m*

des•per•ate ['despərət] *adj* **1.** verzweifelt **2.** zum Äußersten entschlossen **3.** (*Lage*) hoffnungslos, ausweglos **4.** (*fig*) extrem; **get** ~ verzweifeln; **des•per•ation** [ˌdespə'reɪʃn] *s* Verzweiflung *f;* **in** ~ aus Verzweiflung; **drive to** ~ zur Verzweiflung bringen

des•pic•able [dɪ'spɪkəbl] *adj* verabscheuungswürdig, widerwärtig

des•pise [dɪ'spaɪz] *tr* verachten, verschmähen

des•pite [dɪ'spaɪt] *prep* trotz

de•spoil [dɪ'spɔɪl] *tr* berauben (*of s.th.* e-r S), plündern

de•spon•dent [dɪ'spɒndənt] *adj* mut-, hoffnungslos, niedergeschlagen

des•pot ['despɒt] *s* Despot *m a. fig;* **des•potic** [dɪ'spɒtɪk] *adj* despotisch, tyrannisch; **des•pot•ism** ['despətɪzəm] *s* Despotismus *m,* Tyrannei *f*

des•sert [dɪ'zɜːt] *s* Nachtisch *m,* Dessert *n;* **des•sert•spoon** [dɪ'zɜːtˌspuːn] *s* Dessertlöffel *m*

de•sta•bil•iz•ation [ˌdiː'steɪbəlaɪz'eɪʃn] *s* Destabilisierung *f;* **de•sta•bil•ize**

[ˌdiːˈsteɪbəlaɪz] *tr* destabilisieren
des•ti•na•tion [ˌdestɪˈneɪʃn] *s* Bestimmung(sort *m*) *f;* Reiseziel *n;* **port of ~** Bestimmungshafen *m*
des•tine [ˈdestɪn] *tr* ausersehen (*for* für, zu), bestimmen; **be ~d to do s.th.** dazu bestimmt sein etw zu tun; **it was ~d to happen** es sollte so kommen
des•tiny [ˈdestɪnɪ] *s* Schicksal, Geschick, Los *n;* **it was his ~** es war sein Schicksal
des•ti•tute [ˈdestɪtjuːt] *adj* **1.** notleidend; mittellos **2.** bar (*of+gen*); **des•ti•tu•tion** [ˌdestɪˈtjuːʃn] *s* Not *f;* Mittellosigkeit *f*
de•stroy [dɪˈstrɔɪ] *tr* **1.** zerstören, vernichten; ruinieren; kaputtmachen **2.** (*Tier*) einschläfern; **de•stroyer** [dɪˈstrɔɪə(r)] *s* (*a.* MAR) Zerstörer *m*
de•struc•tible [dɪˈstrʌktəbl] *adj* zerstörbar; **de•struc•tion** [dɪˈstrʌkʃn] *s* **1.** Zerstörung, Vernichtung *f* **2.** (*fig*) Verwüstung *f;* **de•struc•tive** [dɪˈstrʌktɪv] *adj* zerstörerisch; destruktiv; **de•struc•tive•ness** [-nɪs] *s* zerstörende Wirkung, Destruktivität *f*
de•sul•phur•iz•ation [diːˌsʌlfəraɪˈzeɪʃn] *s* (CHEM) Entschwefelung *f*
des•ul•tory [ˈdesəltrɪ] *adj* flüchtig; halbherzig; vereinzelt
de•tach [dɪˈtætʃ] *tr* **1.** losmachen; abtrennen; herausnehmen (*from* aus) **2.** (MIL) (ab)kommandieren; **~ o.s. from a group** sich von e-r Gruppe lösen; **de•tach•able** [-əbl] *adj* ablösbar, abtrennbar, abnehmbar (*from* von); **de•tached** [dɪˈtætʃt] *adj* **1.** distanziert, unvoreingenommen, kühl **2.** (*Haus*) freistehend; **de•tach•ment** [dɪˈtætʃmənt] *s* **1.** Ablösung, Abtrennung *f;* Herausnehmen *n* **2.** (*fig*) Distanz *f,* Abstand *m* **3.** (MIL) Abordnung *f*
de•tail [ˈdiːteɪl] **I.** *s* **1.** Detail *n;* Einzelheit *f;* Ausschnitt *m* **2.** unwichtige Einzelheit **3.** (MIL) Sondertrupp *m;* **in ~** im Einzelnen, im Detail; **in every ~** Punkt für Punkt; **go into ~s** auf Einzelheiten eingehen **II.** *tr* **1.** genau erzählen, berichten **2.** (MIL) abkommandieren (*for* zu); **de•tailed** [ˈdiːteɪld] *adj* ausführlich, detailliert
de•tain [dɪˈteɪn] *tr* **1.** (*Person*) zurückhalten, aufhalten **2.** (JUR) inhaftieren; festnehmen; **de•tainee** [ˌdiːteɪˈniː] *s* Häftling *m*
de•tect [dɪˈtekt] *tr* **1.** entdecken; feststellen **2.** ausfindig machen; wahrnehmen; **de•tect•able** [-əbl] *adj* feststellbar; **de•tec•tion** [dɪˈtekʃn] *s* **1.** Auf-, Entdeckung *f;* Feststellung *f* **2.** Ermittlung *f;* **escape ~** nicht gefasst werden; **de•tec•tive** [dɪˈtektɪv] *s* Kriminalbeamte(r) *m,* -beamtin *f;* Detektiv(in) *m(f);* **detective inspector** *s* Kriminalkommisar *m;* **detective novel** *s* Kriminalroman *m;* **detective story** *s* Kriminalroman *m;* **detective superintendent** *s* Kriminalrat *m,* -rätin *f;* **de•tector** [dɪˈtektə(r)] *s* (RADIO) Detektor *m*
de•ten•tion [dɪˈtenʃn] *s* **1.** (JUR) Haft *f,* Gewahrsam *m* **2.** (*Schule*) Nachsitzen *n* **3.** (*fig*) Verzögerung *f;* **detention centre** *s* (*Br*) Jugendstrafanstalt *f*
de•ter [dɪˈtɜː(r)] *tr* **1.** abhalten, hindern (*from* an) **2.** abschrecken
de•ter•gent [dɪˈtɜːdʒənt] *s* Reinigungsmittel *n;* Waschmittel *n;* Waschpulver *n*
de•terio•rate [dɪˈtɪərɪəreɪt] *itr* **1.** sich verschlechtern, sich verschlimmern **2.** verfallen; **de•terio•ra•tion** [dɪˌtɪərɪəˈreɪʃn] *s* **1.** Verschlechterung, Verschlimmerung *f* **2.** Verfall *m*
de•ter•min•able [dɪˈtɜːmɪnəbl] *adj* bestimmbar; **de•ter•mi•nant** [dɪˈtɜːmɪnənt] **I.** *adj* determinierend **II.** *s* entscheidender Faktor, Determinante *f;* **de•ter•mi•nate** [dɪˈtɜːmɪnət] *adj* bestimmt, begrenzt, festgelegt; **de•ter•mi•na•tion** [dɪˌtɜːmɪˈneɪʃn] *s* **1.** Entschlossenheit *f;* Entschlusskraft *f* **2.** Bestimmung *f* (*of* von), Festlegung *f;* **de•ter•mine** [dɪˈtɜːmɪn] **I.** *tr* **1.** bestimmen, entscheiden **2.** (*Preis*) festlegen, -setzen **3.** ermitteln **4.** (*Person*) veranlassen **5.** beschließen **6.** (*Vertrag*) (auf)lösen **II.** *itr:* **~ on** sich entschließen zu; **de•ter•mined** [dɪˈtɜːmɪnd] *adj* entschlossen (*to do* zu tun)
de•ter•rence [dɪˈterəns] *s* (MIL) Abschreckung *f;* **de•ter•rent** [dɪˈterənt] **I.** *adj* abschreckend **II.** *s* Abschreckungsmittel *n*
de•test [dɪˈtest] *tr* verabscheuen, hassen; **de•test•able** [-əbl] *adj* abscheulich, scheußlich; **de•tes•ta•tion** [ˌdiːteˈsteɪʃn] *s* Abscheu *m*
de•throne [ˌdiːˈθrəʊn] *tr* entthronen
det•on•ate [ˈdetəneɪt] **I.** *itr* zünden, detonieren **II.** *tr* explodieren lassen; **deton•ation** [ˌdetəˈneɪʃn] *s* Zündung, Detonation *f;* **det•on•ator** [ˈdetəneɪtə(r)] *s* Zündkapsel *f*
de•tour [ˈdiːtʊə(r)] **I.** *s* Abstecher, Umweg *m;* Umleitung *f* **II.** *tr* umleiten
de•tox•ify [dɪˈtɒksɪfaɪ] *tr* entgiften
de•tract [dɪˈtrækt] *itr:* **~ from s.th.** etw beeinträchtigen, e-r S Abbruch tun; **de•tract•or** [dɪˈtræktə(r)] *s* Kritiker(in) *m(f),* Gegner(in) *m(f)*
det•ri•ment [ˈdetrɪmənt] *s* Nachteil, Schaden *m* (*to* für); **to s.o.'s ~** zu jds Nachteil, Schaden; **without ~ to** ohne Schaden für; **det•ri•men•tal** [ˌdetrɪˈmentl] *adj* nachteilig, ungünstig, schädlich (*to* für)
de•tri•tus [dɪˈtraɪtəs] *s* Geröll *n;* Schutt *m*
deuce [djuːs] *s* **1.** (*Spielkarten, Würfel*) Zwei *f* **2.** (*Tennis*) Einstand *m*

de•val•u•ate [ˌdiːˈvæluεɪt] *tr s.* **devalue**; **de•valu•ation** [ˌdiːvæljʊˈeɪʃn] *s* (COM) Abwertung *f;* **de•value** [ˌdiːˈvæljuː] *tr* abwerten

dev•as•tate [ˈdevəsteɪt] *tr* verwüsten, verheeren; **dev•as•tat•ing** [-ɪŋ] *adj* **1.** (*fig*) verheerend, vernichtend **2.** (*fam*) umwerfend; **dev•as•ta•tion** [ˌdevəˈsteɪʃn] *s* Verwüstung *f*

de•vel•op [dɪˈveləp] **I.** *tr* **1.** (*a.* PHOT) entwickeln **2.** (*Idee*) entfalten, ausweiten, ausbauen **3.** (*Boden*) erschließen **4.** (*Haus*) erweitern, ausbauen; sanieren **5.** (*fig*) ausarbeiten, auswerten **6.** (*Krankheit*) sich zuziehen **II.** *itr* **1.** sich entwickeln (*from* aus, *into* zu) **2.** (*Talent*) sich entfalten **3.** entstehen **4.** sich herausstellen, sich zeigen, bekannt werden; **de•vel•oper** [dɪˈveləpə(r)] *s* (*a.* PHOT) Entwickler *m;* **de•vel•op•ing** [dɪˈveləpɪŋ] *adj* aufkommend, entstehend; ~ **country** Entwicklungsland *n;* **de•vel•op•ment** [dɪˈveləpmənt] *s* **1.** Entwicklung *f;* Wachstum *n* **2.** Ausführung *f;* Entfaltung *f* **3.** Nutzbarmachung, Erschließung *f,* Ausbau *m;* ~ **area** Erschließungs-, Fördergebiet *n*

de•vi•ate [ˈdiːvɪeɪt] *itr* abweichen, abkommen (*from* von); **de•vi•ation** [ˌdiːvɪˈeɪʃn] *s* **1.** (*fig*) Abweichung *f* **2.** (*vom Kurs*) Abkommen *n;* **de•vi•ation•ist** [-ɪst] *s* (POL) Abweichler *m*

de•vice [dɪˈvaɪs] *s* **1.** Gerät *n,* Vorrichtung *f* **2.** Kunstgriff, Trick *m;* **leave s.o. to his own ~s** jdn sich selbst überlassen

devil [ˈdevl] **I.** *s* **1.** Teufel *m a. fig* **2.** Teufelskerl *m;* **between the ~ and the deep blue sea** in der Klemme; **like the ~** wie ein Verrückter; **play the ~ with** ruinieren; **go to the ~ !** geh zum Teufel!; **run like the ~** wie ein geölter Blitz sausen; **work like the ~** wie ein Pferd schuften; **what the ~?** was zum Teufel?; **there'll be the ~ to pay** das dicke Ende kommt noch **II.** *tr* scharf gewürzt grillen **III.** *itr* Handlangerdienste tun (*for* für); **devil•ish** [ˈdevəlɪʃ] **I.** *adj* teuflisch, niederträchtig, gemein **II.** *adv* (*fam*) verdammt, mächtig, sehr; **devil-may-care** [ˌdevlmeɪˈkeə(r)] *adj* leichtsinnig; **devil•ment** [ˈdevlmənt] *s* grober Unfug; **full of ~** voller Übermut; **dev•ilry** [ˈdevlrɪ] *s* grober Unfug; Teufelei *f*

de•vi•ous [ˈdiːvɪəs] *adj* **1.** indirekt, gewunden **2.** (*fig*) krumm **3.** (*Mensch*) unaufrichtig, verschlagen; **by ~ ways** auf krummen Wegen; **take a ~ route** e-n Umweg machen

de•vise [dɪˈvaɪz] *tr* **1.** sich ausdenken **2.** (JUR) vermachen, hinterlassen

de•void [dɪˈvɔɪd] *adj* ohne; ~ **of fear** furchtlos

de•vol•ution [ˌdiːvəˈluːʃn] *s* **1.** Übertragung *f* (*from ... to* von ... auf) **2.** (POL) Dezentralisierung *f;* **de•volve** [dɪˈvɒlv] **I.** *tr* übertragen (*on* auf) **II.** *itr* übergehen (*to,* (*up*)*on* auf)

de•vote [dɪˈvəʊt] *tr* **1.** widmen (*to dat*) **2.** verwenden (*to* für); **de•voted** [dɪˈvəʊtɪd] *adj* **1.** voller Hingabe (*to* an) **2.** ergeben, treu; **be ~ to s.o.** sehr an jdm hängen; **devo•tee** [ˌdevəˈtiː] *s* Verehrer(in) *m(f),* Anhänger(in) *m(f),* Liebhaber(in) *m(f);* **de•vo•tion** [dɪˈvəʊʃn] *s* **1.** Hingabe *f* (*to* an), Ergebenheit *f* (*to* gegenüber) **2.** Verwendung *f* **3.** ~**s** Andacht *f;* ~ **to duty** Pflichteifer *m;* **de•vo•tional** [dɪˈvəʊʃənl] *adj* religiös

de•vour [dɪˈvaʊə(r)] *tr* **1.** ver-, hinunterschlingen **2.** (*fig*) verschlingen; **be ~ed** erfüllt sein, verzehrt sein (*by hate* von Hass); **de•vour•ing** [-ɪŋ] *adj* (*fig*) verzehrend

de•vout [dɪˈvaʊt] *adj* **1.** fromm, religiös **2.** aufrichtig, echt

dew [djuː] *s* Tau *m a. fig;* **dew•drop** *s* Tautropfen *m;* **dewy** [ˈdjuːɪ] *adj* taufeucht; ~**-eyed** schmachtend; naiv

dex•ter•ity [ˌdekˈsterətɪ] *s* Geschicklichkeit, Gewandtheit *f a. fig;* **dex•ter•ous, dex•trous** [ˈdekstrəs] *adj* geschickt, gewandt

dex•trose [ˈdekstrəʊz] *s* Traubenzucker *m,* Dextrose *f*

dia•betes [ˌdaɪəˈbiːtɪz] *s* (MED) Diabetes *m;* **dia•betic** [ˌdaɪəˈbetɪk] **I.** *s* Diabetiker(in) *m(f)* **II.** *adj* zuckerkrank

dia•bolic(al) [ˌdaɪəˈbɒlɪk(l)] *adj* **1.** teuflisch **2.** (*fam*) widerlich, abscheulich

dia•dem [ˈdaɪədem] *s* Diadem *n*

di•ag•nose [ˈdaɪəgnəʊz] *tr* (MED) diagnostizieren; **di•ag•nosis** [ˌdaɪəgˈnəʊsɪs, *pl* daɪəgˈnəʊsiːz] <*pl* -noses> *s* Diagnose *f;* **di•ag•nos•tic** [ˌdaɪəgˈnɒstɪk] *adj* diagnostisch

di•ag•onal [daɪˈægənl] **I.** *adj* diagonal **II.** *s* (MATH) Diagonale *f*

dia•gram [ˈdaɪəgræm] *s* grafische Darstellung; Schaubild, Diagramm *n*

dial [ˈdaɪəl] **I.** *s* **1.** Zifferblatt *n* **2.** Skala *f* **3.** (TELE) Wählscheibe *f* **4.** (RADIO) Einstellskala *f* **5.** (*sl*) Fresse *f;* Gesicht *n* **II.** *tr* (TELE) wählen; ~ **direct** durchwählen

dia•lect [ˈdaɪəlekt] *s* Dialekt *m,* Mundart *f;* **dia•lectal** [ˌdaɪəˈlektl] *adj* mundartlich, dialektal

dia•lec•ti•cal [ˌdaɪəˈlektɪkl] *adj* dialektisch

dial•ling [ˈdaɪəlɪŋ]: ~ **code** Vorwahlnummer *f;* ~ **tone** Amtszeichen *n,* Wählton *m*

dia•log (*Am*) *s.* **dialogue**

dia•logue [ˈdaɪəlɒg] *s* Dialog *m a. fig*

di•al•ys•is [daɪ'æləsɪs] *s* (MED) Dialyse *f*
di•am•eter [daɪ'æmɪtə(r)] *s* Durchmesser *m;* **be one metre in** ~ e-n Durchmesser von einem Meter haben; **dia•metri•cal•ly** [ˌdaɪə'metrɪklɪ] *adv* diametral; ~ **opposed** genau entgegengesetzt
dia•mond ['daɪəmənd] *s* **1.** Diamant *m* **2.** (MATH) Rhombus *m* **3.** (*Spielkarten*) Karo *n* **4.** (*Baseball*) Innenfeld *n;* **rough** ~ Rohdiamant *m;* (*fig*) *Mensch mit gutem Kern in rauher Schale;* **diamond cutter** *s* Diamantschleifer *m;* **diamond wedding** *s* diamantene Hochzeit
dia•per ['daɪəpə(r)] *s* (*Am*) Windel *f*
di•apha•nous [daɪ'æfənəs] *adj* durchscheinend, durchsichtig
dia•phragm ['daɪəfræm] *s* **1.** (ANAT PHYS CHEM) Diaphragma *n* **2.** (ANAT) Zwerchfell *n* **3.** (PHYS) Membran *f* **4.** (PHOT) Blende *f* **5.** Pessar *n*
dia•rist ['daɪərɪst] *s* Tagebuchschreiber(in) *m(f)*
di•ar•rhea (*Am*) *s.* **diarrhoea**
di•ar•rhoea [ˌdaɪə'rɪə] *s* (MED) Durchfall *m*
diary ['daɪərɪ] *s* **1.** (*a.* COM) Tagebuch *n* **2.** Terminkalender *m*
dia•tonic [ˌdaɪə'tɒnɪk] *adj* (MUS) diatonisch
dia•tribe ['daɪətraɪb] *s* Schmährede *f*
dice [daɪs] **I.** *s pl* Würfel *mpl;* **play** ~ Würfel spielen **II.** *itr* würfeln; ~ **with death** mit dem Tod(e) spielen **III.** *tr* in Würfel schneiden
dicey ['daɪsɪ] *adj* (*fam*) riskant
di•chot•omy [daɪ'kɒtəmɪ] *s* Trennung *f*
dick [dɪk] *s* **1.** (*vulg*) Penis, Schwanz *m* **2.** (*Am sl*) Detektiv *m;* **clever** ~ (*fam*) Schlaumeier *m*
dick•ens ['dɪkɪnz] *s:* **what the** ~**!** was zum Teufel!
dicky ['dɪkɪ] *adj* (*fam*) angeknackst
dic•ta•phone® ['dɪktəfəʊn] *s* Diktafon *n*
dic•tate [dɪk'teɪt] **I.** *tr* diktieren *a. fig* **II.** *itr:* ~ **to s.o.** jdm diktieren, Vorschriften machen **III.** ['dɪkteɪt] *s meist pl* Diktat, Gebot *n;* **dic•ta•tion** [dɪk'teɪʃn] *s* Diktat *n;* **take a** ~ ein Diktat aufnehmen
dic•ta•tor [dɪk'teɪtə(r)] *s* Diktator(in) *m(f);* **dic•ta•torial** [ˌdɪktə'tɔːrɪəl] *adj* diktatorisch; **dic•ta•tor•ship** [-ʃɪp] *s* Diktatur *f*
dic•tion ['dɪkʃn] *s* Ausdruck(sweise *f*) *m,* Diktion *f*
dic•tion•ary ['dɪkʃənrɪ] *s* Wörterbuch *n*
did [dɪd] *s.* **do**
di•dac•tic [dɪ'dæktɪk] *adj* didaktisch
diddle ['dɪdl] *tr* (*fam*) beschwindeln, übers Ohr hauen
didn't [dɪdnt] = **did not**
die¹ [daɪ] *itr* **1.** sterben (*of* an); (*im Krieg*) fallen **2.** (*Liebe*) vergehen, erlöschen **3.** (*Sitte*) aussterben; untergehen; ~ **of hunger** vor Hunger sterben; **be dying** im Sterben liegen; **be dying to do s.th.** darauf brennen, etw zu tun; ~ **hard** nicht totzukriegen sein; ~ **in one's bed** e-s natürlichen Todes sterben; **die away** *itr* nachlassen; schwächer werden; **die back** *itr* absterben; **die down** *itr* **1.** nachlassen; herunterbrennen **2.** (*Lärm*) schwächer werden **3.** (*Aufregung*) sich legen; **die off** *itr* wegsterben; **die out** *itr* aussterben
die² [daɪ, *pl* daɪs] <*pl* dice> *s* Würfel *m;* **the** ~ **is cast** die Würfel sind gefallen
die³ [daɪ, *pl* daɪz] <*pl* dies> *s* Gussform *f;* Prägestempel *m*
die•back ['daɪˌbæk] *s* (BOT) Baum-, Waldsterben *n*
die•hard ['daɪhɑːd] *s* zäher Kämpfer
die•sel ['diːzl] *s* **1.** Dieselmotor *m* **2.** Dieselkraftstoff *m;* **diesel engine** *s* Dieselmotor *m;* **diesel oil** *s* Dieselöl *n*
diet¹ ['daɪət] **I.** *s* **1.** Nahrung *f* **2.** Diät *f;* Abmagerungskur *f;* **keep to a strict** ~ strenge Diät halten; **put s.o. on a** ~ jdm e-e Diät verordnen; **he is on a** ~ er lebt Diät; er macht eine Abmagerungskur **II.** *itr* Diät leben; eine Abmagerungskur machen
diet² ['daɪət] *s* Abgeordnetenversammlung *f*
die•tary ['daɪətərɪ] *adj* diätetisch; **dietary fibre** *s* Ballaststoffe *pl;* **die•tet•ic** [ˌdaɪə'tetɪk] *adj* diätetisch; **die•tet•ics** [ˌdaɪə'tetɪks] *s pl mit sing* Diätetik *f;* **die•tician** [ˌdaɪə'tɪʃn] *s* Diätist(in) *m(f)*
dif•fer ['dɪfə(r)] *itr* **1.** verschieden sein (*in, as to* in) **2.** sich unterscheiden, abweichen (*from* von) **3.** verschiedener, entgegengesetzter Meinung sein (*on, about, over* über); **agree to** ~ verschiedene Meinungen zugestehen; **I beg to** ~ Verzeihung, da bin ich anderer Ansicht
dif•fer•ence ['dɪfrəns] *s* **1.** Unterschied *m* (*between* zwischen); (*a.* MATH) Differenz *f,* Verschiedenheit *f* **2.** ~**s** Meinungsverschiedenheiten *fpl;* **with the** ~ **that** mit dem Unterschied, dass; **settle one's** ~**s** die Meinungsverschiedenheiten beilegen; **split the** ~ (*fig*) sich auf halbem Wege einigen; **I can't see much** ~ ich sehe keinen großen Unterschied; **make a** ~ **to s.th.** e-n Unterschied bei etw machen; **does it make any** ~ **if ...?** macht es was aus, wenn ...?; **what's the** ~**?** was macht das schon?; **pay the** ~ den Rest bezahlen; ~ **in age** Altersunterschied *m*
dif•fer•ent ['dɪfrənt] *adj* **1.** andere(r, s); anders (*from, to* als) **2.** verschieden, unterschiedlich; **that's a** ~ **matter** das ist etwas anderes; **in what way are they** ~**?** wie unterscheiden sie sich?
dif•fer•en•tial [ˌdɪfə'renʃl] **I.** *adj* unter-

schiedlich, verschieden; ~ **calculus** Differenzialrechnung *f* **II.** *s* **1.** Unterschied *m* **2.** (MATH) Differenzial *n* **3.** (MOT) Differenzial-, Ausgleichsgetriebe *n;* **wage/salary** ~ Lohn-/Gehaltsunterschiede *mpl*

dif•fer•en•ti•ate [ˌdɪfəˈrenʃɪeɪt] **I.** *tr* **1.** unterscheiden, trennen **2.** (*a.* MATH) differenzieren **II.** *itr* sich unterscheiden (*from* von); **dif•fer•en•ti•ation** [ˌdɪfərenʃɪˈeɪʃn] *s* Differenzierung, Unterscheidung *f*

dif•fi•cult [ˈdɪfɪkəlt] *adj* **1.** schwer, schwierig **2.** (*Mensch*) schwierig; anspruchsvoll **3.** (*Lage*) schwierig, heikel; **it's ~ to know whether** es ist schwer zu sagen, ob; **dif•fi•culty** [ˈdɪfɪkəltɪ] *s* **1.** Schwierigkeit *f* (*in walking* beim Gehen) **2.** schwierige Angelegenheit; **with** ~ mit Mühe; **be in difficulties** Schwierigkeiten haben; **get into difficulties** in Schwierigkeiten geraten; **work under difficulties** unter schwierigen Umständen arbeiten

dif•fi•dent [ˈdɪfɪdənt] *adj* zaghaft, schüchtern; **be** ~ kein Selbstvertrauen haben (*about doing s.th.* etw zu tun)

dif•fract [dɪˈfrækt] *tr* (*Licht*) brechen, beugen

dif•fuse [dɪˈfjuːz] **I.** *tr* **1.** ausstrahlen, verbreiten **2.** (*Flüssigkeit*) ausgießen **3.** (*Parfüm*) verbreiten *a. fig* **II.** *itr* **1.** ausstrahlen, sich ausbreiten **2.** (PHYS) diffundieren **3.** (*fig*) sich verbreiten **III.** [dɪˈfjuːs] *adj* **1.** diffus **2.** (*fig*) weitschweifig, langatmig, wortreich; **dif•fu•sion** [dɪˈfjuːʒn] *s* (OPT) Diffusion *f;* Streuung *f*

dig [dɪg] <*irr:* **dug, dug**> **I.** *tr* **1.** (aus-, um)graben **2.** (*Graben*) ausheben **3.** stoßen, schubsen **4.** (*sl*) stehen auf; ~ **s.o. in the ribs** jdn in die Rippen stoßen **II.** *itr* **1.** graben (*for* nach) **2.** stöbern, suchen (*for* nach) **3.** (TECH) schürfen **4.** (*fam*) wohnen, hausen **III.** *s* **1.** Puff, Stoß *m* **2.** (*fig*) Seitenhieb *m* (*at* auf) **3.** Ausgrabung *f;* **dig at** *itr* anmeckern; **dig in I.** *itr* **1.** (*beim Essen*) zugreifen **2.** (MIL) sich eingraben **II.** *tr* eingraben; ~ **one's heels in** (*fig*) sich sperren gegen; **dig into** *tr* **1.** wühlen in **2.** (*fam*) herfallen über; **dig out** *tr* ausgraben; **dig up** *tr* **1.** (*Erde*) aufwühlen, umgraben **2.** (*fig*) ausgraben, ausfindig machen

di•gest [dɪˈdʒest, daɪˈdʒest] **I.** *tr* **1.** verdauen **2.** (*fig*) geistig verarbeiten **II.** *itr* verdauen **III.** [ˈdaɪdʒest] *s* Zusammenfassung *f,* Abriss *m;* **di•gest•ible** [dɪˈdʒestəbl] *adj* verdaulich; **di•ges•tion** [dɪˈdʒestʃən] *s* Verdauung *f;* **di•ges•tive** [dɪˈdʒestɪv] *adj* verdauungsfördernd; ~ **trouble** Verdauungsstörungen *fpl*

dig•ger [ˈdɪgə(r)] *s* **1.** Goldgräber(in) *m(f)* **2.** Bagger *m*

digit [ˈdɪdʒɪt] *s* **1.** Finger *m;* Zehe *f* **2.** (MATH) Ziffer *f;* **digi•tal** [ˈdɪdʒɪtl] *adj* digital; ~ **audio tape, DAT** digitales Tonband, DAT *n;* ~ **computer** Digitalrechner *m;* ~ **recording** Digitalaufnahme *f;* ~ **technology** Digitaltechnik *f;* ~ **TV** Digitalfernsehen *n;* ~ **watch/clock** Digitaluhr *f;* **digi•tal•ize** [ˈdɪdʒɪtəlaɪz] *tr* digitalisieren

dig•ni•fied [ˈdɪgnɪfaɪd] *adj* würdig; würdevoll; **dig•nify** [ˈdɪgnɪfaɪ] *tr* ehren, herausstreichen

dig•ni•tary [ˈdɪgnɪtərɪ] *s* Würdenträger(in) *m(f);* **dig•nity** [ˈdɪgnətɪ] *s* **1.** Würde *f* **2.** Rang *m;* Stellung *f;* **beneath s.o.'s** ~ unter jds Würde; **stand (up)on one's** ~ förmlich sein

di•gress [daɪˈgres] *itr* abschweifen (*from* von); **di•gress•ive** *adj* abschweifend, abweichend

dike [daɪk] **I.** *s* **1.** (Wasser)Graben *m* **2.** Deich, Damm *m a. fig* **3.** (*sl*) Lesbe *f sl* **II.** *tr* eindeichen

dil•api•dated [dɪˈlæpɪdeɪtɪd] *adj* verfallen, baufällig

di•late [daɪˈleɪt] **I.** *tr* weiten, erweitern; dehnen **II.** *itr* sich weiten, sich erweitern; **di•la•tion** [daɪˈleɪʃn] *s* **1.** Ausdehnung *f* **2.** (MED) Erweiterung *f* **3.** (MATH) Streckung *f*

dila•tory [ˈdɪlətərɪ] *adj* **1.** hinhaltend **2.** (*Person*) langsam

di•lemma [dɪˈlemə, daɪˈlemə] *s* Dilemma *n,* Verlegenheit *f;* **place s.o. in a** ~ jdn in e-e Klemme bringen

dil•et•tante [ˌdɪlɪˈtæntɪ, *pl* ˌdɪlɪˈtæntɪ] <*pl* **-tanti**> *s* Dilettant(in) *m(f)*

dili•gence [ˈdɪlɪdʒəns] *s* **1.** Fleiß *m* **2.** Sorgfalt *f;* **dili•gent** [ˈdɪlɪdʒənt] *adj* **1.** fleißig **2.** sorgfältig, gewissenhaft

dill [dɪl] *s* (BOT) Dill *m*

dilly-dally [ˈdɪlɪdælɪ] *itr* (*fam*) (herum)trödeln, bummeln

di•lute [daɪˈljuːt] **I.** *tr* **1.** verdünnen (*to* auf) **2.** verwässern *a. fig* **3.** (*fig*) abschwächen, mildern **II.** *adj* verdünnt; **di•lu•tion** [daɪˈljuːʃn] *s* **1.** Verdünnung *f;* Verwässerung *f a. fig* **2.** (*fig*) Abschwächung *f*

dim [dɪm] **I.** *adj* **1.** trübe, matt **2.** (*Lampe*) schwach, dunkel **3.** undeutlich, verschwommen **4.** (*Erinnerung*) blass, verschwommen **5.** (*fam fig*) schwer von Begriff; **take a ~ view of s.th.** nicht viel von etw halten **II.** *itr* (*Licht*) schwächer werden **III.** *tr* **1.** verdunkeln **2.** (*Licht*) abblenden **3.** (*Sinn*) trüben

dime [daɪm] *s* (*Am*) Zehncentstück *n,* Dime *m*

di•men•sion [dɪˈmenʃn, daɪˈmenʃn] *s* **1.** (*a.* MATH) Dimension *f* **2.** Abmessung *f,* Maß *n;* Ausdehnung *f,* Umfang *m,* Größe *f* **3.** ~**s** Ausmaße *npl;* **of great ~s** sehr groß; **-di•men•sional** [dɪˈmenʃənl, daɪ'menʃənl] *adj* (*Suffix*) -dimensional

dim•in•ish [dɪ'mɪnɪʃ] **I.** *itr* **1.** sich vermindern, sich verringern **2.** abnehmen (*in* an) **3.** nachlassen **II.** *tr* **1.** vermindern, verringern **2.** herabsetzen **3.** (*fig*) dämpfen; **diminished responsibility** *s* verminderte Zurechnungsfähigkeit; **dim•in•ution** [ˌdɪmɪ'nju:ʃn] *s* **1.** Verminderung, Verringerung *f* **2.** Abnahme *f* (*in* an) **3.** (*fig*) Nachlassen *n;* **dim•inu•tive** [dɪ'mɪnjʊtɪv] **I.** *adj* sehr klein, winzig **II.** *s* (GRAM) Verkleinerungsform *f*

dim•mer ['dɪmə(r)] *s* Abblendschalter *m,* -vorrichtung *f;* Dimmer *m;* **dim•ness** ['dɪmnɪs] *s* **1.** Mattheit *f;* Schwäche *f;* Trübheit *f* **2.** (*fig*) Undeutlichkeit, Verschwommenheit *f*

dimple ['dɪmpl] *s* Grübchen *n*

din [dɪn] **I.** *s* Lärm *m,* Getöse *n,* Tumult *m* **II.** *tr:* ~ **s.th. into s.o.** jdm etw einbläuen **III.** *itr* lärmen, toben, dröhnen (*in the ears* in den Ohren)

dine [daɪn] **I.** *itr* speisen; ~ **out** auswärts speisen **II.** *tr* bewirten; **diner** ['daɪnə(r)] *s* **1.** Speisende(r) *f m* **2.** (RAIL) Speisewagen *m* **3.** (*Am*) Speiselokal *n*

din•ghy ['dɪŋgɪ] *s* Ding(h)i *n;* **collapsible** ~ Schlauchboot *n*

din•go ['dɪŋgəʊ] <*pl* -goes> *s* australischer Wildhund, Dingo *m*

dingy ['dɪndʒɪ] *adj* schmuddelig

dining ['daɪnɪŋ]: ~ **car** Speisewagen *m,* Zugrestaurant *n;* ~ **room** Ess-, Speisezimmer *n;* ~ **table** Esstisch *m*

dinkies *s pl* (*fam*) *abbr of* **double income no kids** Doppelverdiener *pl* ohne Kinder; (*fam*) Dinks *pl*

dinky ['dɪŋkɪ] *adj* (*fam*) hübsch, nett, reizend

din•ner ['dɪnə(r)] *s* Hauptmahlzeit *f;* (Mittag-, Abend)Essen *n;* **after** ~ nach Tisch; **at** ~ beim Essen; **be having one's** ~ zu Abend, Mittag essen; **for** ~ zum (Mittag-, Abend)Essen; **ask to** ~ zum (Mittag-, Abend)Essen einladen; ~ **is served** bitte zu Tisch!; **dinner jacket** *s* Smoking *m;* **dinner party** *s* Abendgesellschaft *f;* **dinner service** *s* Essservice, Tafelgeschirr *n;* **dinner table** *s* Tafel *f;* **dinner time** *s* Essenszeit *f*

dino•saur ['daɪnəsɔ:(r)] *s* (ZOO) Dinosaurier *m*

dint [dɪnt]: **by** ~ **of** (ver)mittels, mit Hilfe *+gen,* durch

dio•cese ['daɪəsɪs] *s* Diözese *f*

di•ox•ide [daɪ'ɒksaɪd] *s* (CHEM) Dioxyd *n;* **carbon** ~ Kohlendioxyd *n*

di•oxin [daɪ'ɒksɪn] *s* (CHEM) Dioxin *n*

dip [dɪp] **I.** *tr* **1.** (ein)tauchen, (ein)tunken (*in* in) **2.** (*Hand*) stecken **3.** (MAR: *Fahne*) dippen **4.** (MOT: *Licht*) abblenden **5.** (*Kerzen*) ziehen **II.** *itr* **1.** (*Preise*) fallen **2.** (~ *down*) sich neigen, sich senken; **the sun ~ped below the horizon** die Sonne verschwand hinter dem Horizont **III.** *s* **1.** (Ein-, Unter)Tauchen *n* **2.** (Wasser-, Farb)Bad *n;* Desinfektionslösung *f* **3.** Senke, Mulde *f* **4.** (MAR) Dippen *n* **5.** (*Soße*) Dip *m;* **have** [*o* **go for**] **a** ~ [*o* **take**] baden gehen; **dip into** *itr* **1.** greifen in **2.** e-n kurzen Blick werfen in; ~ **into one's pocket** tief in die Tasche greifen; ~ **into one's savings** seine Ersparnisse angreifen

diph•teria [dɪf'θɪərɪə] *s* (MED) Diphtherie *f*

diph•thong ['dɪfθɒŋ] *s* Diphthong *m*

di•ploma [dɪ'pləʊmə] *s* Diplom *n* (*in* in)

di•plo•macy [dɪ'pləʊməsɪ] *s* (POL) Diplomatie *f;* **diplo•mat** ['dɪpləmæt] *s* Diplomat(in) *m(f);* **diplo•matic** [ˌdɪplə'mætɪk] *adj* (*adv: ~ally*) diplomatisch; **the** ~ **corps** das Diplomatische Korps; ~ **answer** diplomatische Antwort; **di•ploma•tist** [dɪ'pləʊmətɪst] *s.* **diplomat**

dip•per ['dɪpə(r)] *s* **1.** Schöpflöffel *m,* Kelle *f* **2.** (MOT) Abblendschalter *m* **3.** (ORN) Wasseramsel *f;* **the Big D~** (*Am:* ASTR) der Große Bär; **the Little D~** (*Am:* ASTR) der Kleine Bär; **big** ~ Achterbahn *f*

dip•so•mania [ˌdɪpsə'meɪnɪə] *s* Trunksucht *f;* **dip•so•maniac** [ˌdɪpsə'meɪnɪæk] *s* Trunksüchtige(r) *f m*

dip•stick ['dɪpstɪk] *s* (MOT) Ölmessstab *m;* **dip-switch** *s* (MOT) Abblendschalter *m*

dire ['daɪə(r)] *adj* **1.** schrecklich, furchtbar **2.** äußerste(r, s); **be in** ~ **need** in großer Verlegenheit sein

di•rect [dɪ'rekt, daɪ'rekt] **I.** *adj* **1.** direkt **2.** unmittelbar **3.** (*Zug*) durchgehend **4.** (*Bemerkung*) gerade, offen, deutlich; **be a** ~ **descendant of s.o.** ein direkter Nachkomme von jdm sein; **~-mail advertising** Postwurfsendung *f* **II.** *adv* direkt, gerade, unmittelbar; **the flight goes** ~ **to Paris** es ist ein Direktflug nach Paris **III.** *tr* **1.** richten (*towards* auf) **2.** lenken, leiten **3.** (*Verkehr*) regeln **4.** anweisen, anordnen (*s.o. to do s.th.* jdn etw zu tun), befehlen **5.** (*Worte*) richten (*to* an) **6.** (*Brief*) adressieren, schicken (*to* an) **7.** (*Orchester*) dirigieren, leiten **8.** (*Film*) Regie führen bei; ~ **one's remark**(s) **to s.o.** jdn anreden; ~ **one's steps to s.th.** auf etw zugehen; ~ **s.o.'s attention to s.th.** jds Aufmerksamkeit auf etw lenken; **as ~ed** (MED) wie verordnet; ~ **a play** Regie führen; **direct action** *s* direkte Aktion; **direct current** *s* (EL) Gleichstrom *m;* **direct debit** *s* Direktabbuchung *f;* **direct dial phone** *s* Telefon *n* mit Direktdurchwahl; **direct hit** *s* Volltreffer *m*

di•rec•tion [dɪ'rekʃn] *s* **1.** Richtung *f* **2.** Leitung, Führung *f* **3.** (THEAT FILM) Regie *f* **4.** **~s** Anweisungen *fpl,* Angaben *fpl,* Gebrauchsanweisung *f;* **by ~ of** auf Anweisung, Anordnung *+gen;* **in the opposite ~** in entgegengesetzter Richtung; **under the ~ of** unter Leitung von; **sense of ~** Orientierungssinn *m;* **di•rec•tional** [dɪ'rekʃənl] *adj* gerichtet; **~ microphone** Richtmikrofon *n*

di•rec•tive [dɪ'rektɪv] *s* Weisung, Direktive, Richtlinie *f*

di•rect•ly [dɪ'rektlɪ] **I.** *adv* **1.** direkt, unmittelbar *a. fig* **2.** sofort, gleich **II.** *conj* sobald wie

di•rec•tor [dɪ'rektə(r)] *s* **1.** Direktor(in) *m(f),* Leiter(in) *m(f)* **2.** (THEAT FILM) Regisseur(in) *m(f);* **board of ~s** Verwaltungsrat *m;* Vorstand *m;* **~ general** Generaldirektor(in) *m(f);* **di•rec•tor•ate** [dɪ'rektərət] *s* **1.** Direktorenstelle *f* **2.** Aufsichtsrat *m;* **di•rec•tor•ship** [-ʃɪp] *s* Direktorstelle *f*

di•rec•tory [dɪ'rektərɪ] *s* **1.** Adressbuch, Verzeichnis *n* **2.** (*telephone ~*) Telefonbuch *n;* **trade ~** Branchenverzeichnis *n;* **directory enquiries** *s pl* Telefonauskunft *f*

dirt [dɜːt] *s* **1.** Schmutz, Dreck *m* **2.** Unrat, Kehricht *m* **3.** (*fig*) Schmutz *m;* schmutzige Wäsche; **treat s.o. like ~** jdn wie Dreck behandeln; **eat ~** sich widerspruchslos demütigen lassen; **fling** [*o* **throw**] **~ at s.o.** jdn in den Schmutz ziehen; **dirt-cheap** [ˌdɜːt'tʃiːp] *adj* spottbillig; **dirt road** *s* unbefestigte Straße; **dirt track** *s* Feldweg *m;* (SPORT) Aschenbahn *f;* **dirty** ['dɜːtɪ] **I.** *adj* **1.** schmutzig, verschmutzt **2.** (*fig*) unflätig, zotig **3.** (*fig*) niederträchtig, gemein **4.** (*Wetter*) stürmisch, windig; **give s.o. a ~ look** jdm e-n bösen Blick zuwerfen; **play a ~ trick on s.o.** jdm e-n üblen Streich spielen; **~ weather** Dreckwetter *n;* **~ work** Schmutzarbeit *f* **II.** *tr* schmutzig machen, verschmutzen **III.** *s:* **do the ~ on s.o.** jdn reinlegen

dis•abil•ity [ˌdɪsə'bɪlətɪ] *s* **1.** Unfähigkeit *f,* Unvermögen *n* **2.** Behinderung *f;* Invalidität *f;* **~ for work** Arbeitsunfähigkeit *f;* **disable** [dɪs'eɪbl] *tr* **1.** unfähig, untauglich, unbrauchbar machen **2.** (JUR) für unfähig erklären (*from doing s.th.* etw zu tun); **disabled** [dɪs'eɪbld] **I.** *adj* **1.** behindert **2.** unbrauchbar **3.** (JUR) nicht rechtsfähig; **~ person** Behinderte(r) *f m;* **seriously ~** schwerbeschädigt **II.** *s:* **the ~** die Behinderten *pl;* **dis•able•ment** [-mənt] *s* Behinderung *f*

dis•abuse [ˌdɪsə'bjuːz] *tr:* **~ s.o. of s.th.** jdn von etw befreien

dis•ad•van•tage [ˌdɪsəd'vɑːntɪdʒ] **I.** *tr* benachteiligen **II.** *s* **1.** Nachteil *m* **2.** Schaden *m;* **at a ~** im Nachteil; **to s.o.'s ~** zu jds Nachteil; **put at a ~** benachteiligen; **sell at a ~** mit Verlust verkaufen; **dis•ad•van•taged** [-d] *adj* benachteiligt; **dis•ad•van•tage•ous** [ˌdɪsˌædvən'teɪdʒəs] *adj* nachteilig, ungünstig, unvorteilhaft (*to* für)

dis•af•fected [ˌdɪsə'fektɪd] *adj* unzufrieden; entfremdet; **dis•af•fec•tion** [ˌdɪsə'fekʃn] *s* Unzufriedenheit *f;* Entfremdung *f*

dis•agree [ˌdɪsə'griː] *itr* **1.** nicht übereinstimmen (*with* mit), nicht einverstanden sein **2.** e-e Meinungsverschiedenheit haben **3.** schlecht bekommen, unzuträglich sein (*with s.o.* jdm); **dis•agree•able** [ˌdɪsə'griːəbl] *adj* **1.** unangenehm, widerwärtig **2.** (*Wetter*) hässlich **3.** (*Mensch*) unsympathisch; **dis•agree•ment** [ˌdɪsə'griːmənt] *s* **1.** Unstimmigkeit *f;* Uneinigkeit *f* **2.** Meinungsverschiedenheit *f,* Streit *m*

dis•al•low [ˌdɪsə'laʊ] *tr* nicht gelten lassen, nicht anerkennen

dis•ap•pear [ˌdɪsə'pɪə(r)] *itr* ent-, verschwinden (*from* von, aus); **dis•ap•pear•ance** [ˌdɪsə'pɪərəns] *s* Verschwinden *n*

dis•ap•point [ˌdɪsə'pɔɪnt] *tr* **1.** enttäuschen **2.** (*Absicht, Plan*) durchkreuzen, zunichte machen; **dis•ap•pointed** [ˌdɪsə'pɔɪntɪd] *adj* **1.** enttäuscht (*in s.o.* von jdm) **2.** (*Hoffnung*) getäuscht; **dis•ap•point•ing** [-ɪŋ] *adj* enttäuschend; **dis•ap•point•ment** [ˌdɪsə'pɔɪntmənt] *s* Enttäuschung *f*

dis•ap•pro•ba•tion [ˌdɪsˌæprə'beɪʃn] *s* Missbilligung *f*

dis•ap•prove [ˌdɪsə'pruːv] **I.** *tr* missbilligen **II.** *itr* dagegen sein; **~ of s.th.** etw missbilligen

dis•arm [dɪs'ɑːm] **I.** *tr* entwaffnen *a. fig* **II.** *itr* abrüsten; **dis•arma•ment** [dɪs'ɑːməmənt] *s* Abrüstung *f;* **disarmament talks** *s pl* Abrüstungsverhandlungen *fpl;* **dis•arm•ing** [dɪs'ɑːmɪŋ] *adj* (*fig*) entwaffnend

dis•ar•range [ˌdɪsə'reɪndʒ] *tr* durcheinanderbringen

dis•ar•ray [ˌdɪsə'reɪ] **I.** *s* Unordnung *f* **II.** *tr* in Unordnung bringen

dis•as•ter [dɪ'zɑːstə(r)] *s* **1.** Katastrophe *f* **2.** Unglück *n;* Fiasko *n;* **~ area** Katastrophengebiet *n;* **dis•as•trous** [dɪ'zɑːstrəs] *adj* katastrophal, verheerend

dis•be•lief [ˌdɪsbɪ'liːf] *s* Zweifel *m;* Unglaubigkeit *f;* **dis•be•lieve** [ˌdɪsbɪ'liːv] *tr* an-, bezweifeln; nicht glauben; **dis•be•liever** [ˌdɪsbɪ'liːvə(r)] *s* Ungläubige(r) *f m*

dis•burse [dɪs'bɜːs] *tr* aus(be)zahlen; **dis•burse•ment** [-mənt] *s* Auszahlung *f*

disc, disk [dɪsk] *s* 1. Scheibe *f* 2. (ANAT) Bandscheibe *f* 3. (Schall)Platte *f* 4. (EDV) Diskette *f;* (*hard* ~) Platte *f*

dis•card [dɪ'skɑːd] I. *tr* 1. (*Karte, Kleider*) ablegen, abwerfen 2. (*fam*) ausrangieren II. ['dɪskɑːd] *s* 1. abgelegte Karten *fpl* 2. Ausschussware *f*

disc brake ['dɪskbreɪk] *s* (MOT) Scheibenbremse *f*

dis•cern [dɪ'sɜːn] *tr* 1. deutlich sehen, wahrnehmen 2. klar erkennen; **dis•cern•ible** [-əbl] *adj* wahrnehmbar; klar erkennbar; **dis•cern•ing** [-ɪŋ] *adj* 1. anspruchsvoll 2. (*Auge*) fein; **dis•cern•ment** [-mənt] *s* 1. Urteilskraft, -fähigkeit *f* 2. Wahrnehmung *f;* Erkennen *n*

dis•charge [dɪs'tʃɑːdʒ] I. *tr* 1. entladen; (*Ladung, Last*) ab-, ausladen; (MAR) löschen 2. (EL) entladen 3. (*Schuss*) abfeuern 4. (*Gas*) ausströmen lassen 5. (*Eiter*) ausscheiden 6. (*Patienten*) entlassen 7. (*Angeklagten*) freisprechen 8. (*Schuld*) begleichen 9. (*Pflicht*) erfüllen II. *itr* (*Wunde*) eitern III. ['dɪstʃɑːdʒ] *s* 1. Ab-, Entladen *n;* (MAR) Löschen *n* 2. (EL) Entladung *f* 3. (*Gas*) Aus-, Entströmen *n* 4. (MED) Ausfluss *m;* Absonderung *f* 5. (*Patient*) Entlassung *f* 6. (JUR) Freispruch *m* 7. (*Schuld*) Begleichung *f* 8. (*Pflicht*) Erfüllung *f*

dis•ciple [dɪ'saɪpl] *s* 1. Anhänger(in) *m(f)* 2. (REL) Jünger *m*

dis•ci•plin•ary ['dɪsɪplɪnərɪ] *adj* disziplinarisch; ~ **measures** disziplinarische Maßnahmen *fpl;* **dis•ci•pline** ['dɪsɪplɪn] I. *s* 1. Disziplin *f,* Lehrfach *n* 2. Zucht, Disziplin *f* 3. disziplinarische Maßnahmen *fpl;* **keep** [*o* **maintain**] ~ die Disziplin aufrechterhalten II. *tr* 1. disziplinieren; unter Kontrolle halten 2. bestrafen

disc jockey ['dɪskdʒɒkɪ] *s* Diskjockey *m*

dis•claim [dɪs'kleɪm] *tr* 1. abstreiten; von sich weisen 2. (JUR) verzichten auf; ~ **all responsibility** jede Verantwortung von sich weisen; **dis•claimer** [dɪs'kleɪmə(r)] *s* Dementi *n;* **issue a** ~ e-e Gegenerklärung abgeben

dis•close [dɪs'kləʊz] *tr* 1. enthüllen 2. bekannt machen, mitteilen; **dis•clos•ure** [dɪs'kləʊʒə(r)] *s* Enthüllung *f;* Mitteilung *f*

disco ['dɪskəʊ] <*pl* discos> *s* Disko *f*

dis•color (*Am*) *s.* **discolour**

dis•col•our [dɪs'kʌlə(r)] I. *tr* verfärben II. *itr* sich verfärben

dis•com•fit [dɪs'kʌmfɪt] *tr* Unbehagen verursachen (*s.o.* jdm); **dis•com•fi•ture** [dɪs'kʌmfɪtʃə(r)] *s* Unbehagen *n*

dis•com•fort [dɪs'kʌmfət] *s* 1. Un-, Misshagen *n* 2. Beschwerden *fpl*

dis•con•cert [ˌdɪskən'sɜːt] *tr* aus der Fassung bringen

dis•con•nect [ˌdɪskə'nekt] *tr* 1. trennen (*from, with* von) 2. (TECH) auskuppeln 3. (EL) aus-, abschalten 4. (*Wasser*) abstellen; **dis•con•nected** [-ɪd] *adj* 1. unzusammenhängend 2. abgeschaltet, abgestellt

dis•con•tent [ˌdɪskən'tent] *s* Unzufriedenheit *f* (*at, with* mit); **dis•con•tented** [-ɪd] *adj* unzufrieden (*with, about* mit); **dis•con•tent•ment** [-mənt] *s* Unzufriedenheit *f*

dis•con•tinue [ˌdɪskən'tɪnjuː] *tr* 1. unterbrechen, aussetzen mit, aufhören (*doing* zu tun) 2. (*Geschäft*) aufgeben 3. (JUR: *Klage*) einstellen; ~**d line** (COM) ausgelaufene Serie; **dis•con•ti•nuity** [ˌdɪskɒntɪ'njuːɪtɪ] *s* Diskontinuität *f;* **dis•con•tinu•ous** [ˌdɪskən'tɪnjʊəs] *adj* nicht kontinuierlich

dis•cord ['dɪskɔːd] *s* 1. Uneinigkeit *f* 2. (MUS) Missklang *m,* Dissonanz *f;* **dis•cor•dant** [dɪ'skɔːdənt] *adj* 1. nicht übereinstimmend, widersprechend 2. (MUS) disharmonisch

dis•co•theque ['dɪskətek] *s* Diskothek *f*

dis•count ['dɪskaʊnt] I. *s* 1. Nachlass, Skonto, Rabatt *m* (*on* auf) 2. (~ *rate, rate of* ~) Diskontsatz *m;* **at a** ~ auf Rabatt; **give a** ~ **on s.th.** Rabatt auf etw geben; ~ **for cash** Skonto bei Barzahlung; **bank** ~ Bankdiskont *m;* **trade** ~ Händlerrabatt *m* II. [dɪs'kaʊnt] *tr* 1. e-n Rabatt gewähren (*s.th.* für etw) 2. (*Rechnung*) diskontieren 3. (*fig*) unberücksichtigt lassen; **discount store** *s* Discountladen *m*

dis•cour•age [dɪ'skʌrɪdʒ] *tr* 1. entmutigen, mutlos machen 2. abraten (*s.o. from s.th.* jdm von etw) 3. abhalten, abschrecken (*from* von), zu verhindern suchen; **become** ~**d** den Mut verlieren; **dis•cour•age•ment** [-mənt] *s* 1. Mutlosigkeit *f* 2. Abraten *n* 3. Verhinderung *f;* **dis•cour•ag•ing** [-ɪŋ] *adj* entmutigend

dis•course ['dɪskɔːs] I. *s* 1. Diskurs *m,* Rede *f* 2. Vorlesung *f* 3. Abhandlung *f* II. *itr* 1. e-n Vortrag, e-e Vorlesung halten 2. abhandeln (*upon s.th.* etw)

dis•cour•teous [dɪs'kɜːtɪəs] *adj* unhöflich; **dis•cour•tesy** [dɪs'kɜːtəsɪ] *s* Unhöflichkeit *f*

dis•cover [dɪ'skʌvə(r)] *tr* 1. entdecken; finden 2. (*fig*) ausfindig machen; **discoverer** [dɪ'skʌvərə(r)] *s* Entdecker(in) *m(f);* **dis•covery** [dɪ'skʌvərɪ] *s* Entdeckung *f*

dis•credit [dɪs'kredɪt] I. *tr* 1. an-, bezweifeln; keinen Glauben schenken (*s.o.* jdm) 2. in Misskredit bringen (*with* bei) II. *s* 1. Zweifel *m;* Misstrauen *n* 2. Misskredit *m;* **bring** ~ **on s.o.** jdn in Misskredit bringen; **be a** ~ **to s.o.** e-e Schande für jdn sein;

dis•credit•able [-əbl] *adj* schändlich, diskreditierend
dis•creet [dɪ'skriːt] *adj* diskret, rücksichtsvoll
dis•crep•ancy [dɪ'skrepənsɪ] *s* Diskrepanz *f* (*between* zwischen)
dis•cre•tion [dɪ'skreʃn] *s* **1.** Diskretion *f* **2.** Ermessen *n;* **be at s.o.'s ~** in jds Ermessen stehen; **leave to s.o.'s ~** jdm anheim stellen; **it is within your own ~** es liegt bei Ihnen
dis•crimi•nate [dɪ'skrɪmɪneɪt] **I.** *tr* unterscheiden (*from* von) **II.** *itr* **1.** kritisch sein **2.** Unterschiede machen; **~ between** unterscheiden zwischen; **~ in favour of s.o.** jdn bevorzugen; **~ against s.o.** jdn benachteiligen; **dis•crimi nat•ing** [-ɪŋ] *adj* urteilsfähig, kritisch; **dis•crimi•na•tion** [dɪˌskrɪmɪ'neɪʃn] *s* **1.** Unterscheidungsvermögen *n* **2.** unterschiedliche Behandlung; Diskriminierung; Ungleichbehandlung *f;* **racial ~** Rassendiskriminierung *f;* **dis•crimi•na•tory** [dɪ'skrɪmɪnətərɪ] *adj* diskriminierend
dis•cur•sive [dɪ'skɜːsɪv] *adj* weitschweifig
dis•cus ['dɪskəs] *s* (SPORT) Diskus *m;* **discus thrower** *s* Diskuswerfer(in) *m(f)*
dis•cuss [dɪ'skʌs] *tr* diskutieren, erörtern, besprechen; **~ a question with s.o.** mit jdm e-e Frage erörtern; **dis•cussion** [dɪ'skʌʃn] *s* **1.** Diskussion *f* **2.** Besprechung, Beratung *f;* **open/close a ~** e-e Diskussion eröffnen/schließen; **be under ~** zur Diskussion stehen; **after much ~** nach langen Diskussionen
dis•dain [dɪs'deɪn] **I.** *tr* **1.** verachten **2.** verschmähen (*to do* zu tun) **II.** *s* Geringschätzung *f;* **dis•dain•ful** [-fʊl] *adj* verächtlich
dis•ease [dɪ'ziːz] *s* Krankheit *f;* **dis•eased** [dɪ'ziːzd] *adj* krank
dis•em•bark [ˌdɪsɪm'bɑːk] **I.** *tr* ausschiffen **II.** *itr* von Bord gehen; **dis•em•bar•ka•tion** [ˌdɪsˌembɑː'keɪʃn] *s* Landung *f*
dis•en•chant [ˌdɪsɪn'tʃɑːnt] *tr* ernüchtern, enttäuschen
dis•en•fran•chise [ˌdɪsən'fræntʃaɪz] *s.* **disfranchise**
dis•en•gage [ˌdɪsɪn'geɪdʒ] **I.** *tr* **1.** losmachen, lösen **2.** auskuppeln, -rücken, -klinken **3.** (MIL) abziehen **II.** *itr* (MIL) auseinanderrücken; **dis•en•gage•ment** [-mənt] *s* **1.** (Los)Lösung *f* **2.** (POL) Disengagement *n;* Abrücken *n*
dis•en•tangle [ˌdɪsɪn'tæŋgl] *tr* **1.** los-, freimachen, befreien (*from* von) **2.** entwirren, ordnen
dis•favor (*Am*) *s.* **disfavour**
dis•favour [ˌdɪs'feɪvə(r)] *s* **1.** Missfallen *n* **2.** Ungnade *f;* **fall into ~ with** in Ungnade fallen bei; **look with ~ on s.th.** etw missbilligend betrachten
dis•figure [dɪs'fɪgə(r)] *tr* entstellen, verunstalten; **dis•fig•ure•ment** [dɪs'fɪgə(r)mənt] *s* Entstellung, Verunstaltung *f*
dis•fran•chise [dɪs'fræntʃaɪz] *tr* die bürgerlichen Ehrenrechte aberkennen (*s.o.* jdm)
dis•gorge [dɪs'gɔːdʒ] **I.** *tr* **1.** ausspeien **2.** (*fig*) herausrücken **II.** *itr* (*Fluss*) sich ergießen (*into* in)
dis•grace [dɪs'greɪs] **I.** *s* **1.** Ungnade *f* **2.** Schande *f* (*to* für); **bring ~ on s.o.** jdm Schande machen; **be in ~** in Ungnade sein **II.** *tr* Schande bringen über **III.** *refl* sich blamieren; **be ~d** blamiert sein; **dis•grace•ful** [dɪs'greɪsfl] *adj* schändlich; skandalös
dis•gruntled [dɪs'grʌntld] *adj* verstimmt (*at* über, *with s.o.* mit jdm)
dis•guise [dɪs'gaɪz] **I.** *tr* verstellen, tarnen **II.** *refl* sich verkleiden (*as* als) **III.** *s* Verkleidung *f;* Verstellung *f;* **in ~** verkleidet, maskiert
dis•gust [dɪs'gʌst] **I.** *s* Ekel *m* (*at* vor), Widerwille *m;* **go away in ~** sich voller Empörung abwenden **II.** *tr* anekeln, anwidern; **be ~ed with s.o.** über jdn empört sein; **dis•gust•ing** [-ɪŋ] *adj* ekelhaft, widerlich
dish [dɪʃ] **I.** *s* **1.** Schüssel, Schale *f* **2.** Gericht *n,* Speise *f* **3.** **~es** Geschirr *n* **4.** (*sl*) duftes Mädchen; **do the ~es** das Geschirr spülen **II.** *tr* **1.** anrichten **2.** (*Plan*) verpatzen; **dish aerial** *s* Parabolantenne *f,* Schüssel *f fam;* **dish of the day** *s* Tagesgericht *n;* **dish out** *tr* austeilen; **dish up** *tr* **1.** auftragen **2.** (*fig*) auftischen
dis•har•moni•ous [ˌdɪshɑː'məʊnɪəs] *adj* disharmonisch; **dis•har•mony** [dɪs'hɑːmənɪ] *s* Disharmonie *f*
dish•cloth ['dɪʃklɒθ] *s* Spültuch *n;* (*Br*) Geschirrtuch *n*
dis•hearten [dɪs'hɑːtn] *tr* entmutigen; **di•shev•eled** (*Am*) *s.* **dishevelled**
di•shev•elled [dɪ'ʃevld] *adj* **1.** (*Kleidung*) in Unordnung **2.** (*Haare*) zerzaust
dis•hon•est [dɪs'ɒnɪst] *adj* **1.** unredlich, unehrlich **2.** (*fig*) unsauber; **dis•hon•esty** [dɪs'ɒnɪstɪ] *s* **1.** Unredlichkeit, Unehrlichkeit *f* **2.** Unlauterkeit *f*
dis•honor (*Am*) *s.* **dishonour; dis•honor•able** *adj* (*Am*) *s.* **dishonourable**
dis•hon•our [dɪs'ɒnə(r)] **I.** *s* Schande, Unehre *f;* **bring ~ upon s.o.** Schande über jdn bringen **II.** *tr* **1.** Schande bringen über **2.** (*Wechsel*) nicht einlösen; **dis•hon•our•able** [-əbl] *adj* unehrenhaft
dish•pan ['dɪʃpæn] *s* (*Am*) Spül-, Abwaschschüssel *f;* **dish•proof** [dɪʃpruːf] *adj*

spülmaschinenfest; **dish•towel** *s* (*Am*) Geschirrtuch *n;* **dish•washer** *s* **1.** Tellerwäscher(in) *m(f)* **2.** Geschirrspülmaschine *f;* **dish•water** *s* Spül-, Abwaschwasser *n*

dis•il•lusion [ˌdɪsɪ'luːʒn] **I.** *tr* desillusionieren **II.** *s* Desillusion *f;* **dis•il•lusioned** [-d] *adj* desillusioniert; **dis•il•lusion-ment** [-mənt] *s* Desillusionierung *f*

dis•in•cli•na•tion [ˌdɪsɪnklɪ'neɪʃn] *s* Abneigung *f* (*for* gegen); **dis•in•clined** ['dɪsɪn'klaɪnd] *adj* abgeneigt

dis•in•fect [ˌdɪsɪn'fekt] *tr* (MED) desinfizieren; **dis•in•fec•tant** [ˌdɪsɪn'fektənt] *s* Desinfektionsmittel *n;* **dis•in•fec•tion** [ˌdɪsɪn'fekʃn] *s* Desinfektion *f*

dis•in•genu•ous [ˌdɪsɪn'dʒenjʊəs] *adj* unaufrichtig

dis•in•herit [ˌdɪsɪn'herɪt] *tr* enterben

dis•in•te•grate [dɪs'ɪntɪgreɪt] **I.** *tr* auflösen, zersetzen *a. fig* **II.** *itr* **1.** zerfallen **2.** (GEOL) verwittern; **dis•in•te•gra•tion** [dɪsˌɪntɪ'greɪʃn] *s* Auflösung, Zersetzung *f,* Zerfall *m*

dis•in•ter•ested [dɪs'ɪntrəstɪd] *adj* **1.** uneigennützig, selbstlos **2.** unparteiisch, unvoreingenommen

dis•jointed [dɪs'dʒɔɪntɪd] *adj* zusammenhanglos

disk [dɪsk] *s* **1.** *s.* **disc 2.** (EDV) Diskette *f;* **hard** ~ Festplatte; **single/double-sided** ~ einseitig/beidseitig beschreibbare Diskette; **disk drive** *s* Diskettenlaufwerk *n;* **dis-kette** [dɪs'kæt] *s* Diskette *f*

dis•like [dɪs'laɪk] **I.** *tr* nicht leiden können, nicht gern haben; ~ **doing s.th.** etw ungern tun **II.** *s* Abneigung *f,* Widerwille *m,* Antipathie *f* (*of, for* gegen); **take a** ~ **to** e-e Abneigung fassen, e-n Widerwillen bekommen gegen

dis•lo•cate ['dɪsləkeɪt] *tr* **1.** (MED) aus-, verrenken **2.** (*fig*) durcheinanderbringen; **dis•lo•ca•tion** [ˌdɪslə'keɪʃn] *s* **1.** (MED) Verrenkung *f* **2.** (*fig*) Durcheinanderbringen *n*

dis•lodge [dɪs'lɒdʒ] *tr* **1.** (*Stein*) entfernen, lösen **2.** herausstochern

dis•loyal [dɪs'lɔɪəl] *adj* nicht loyal (*to* gegen)

dis•mal ['dɪzməl] *adj* **1.** düster, trübe **2.** (*fig*) pessimistisch

dis•mantle [dɪs'mæntl] *tr* **1.** leer machen, ausräumen **2.** auseinander nehmen, zerlegen; demontieren

dis•may [dɪs'meɪ] **I.** *s* Bestürzung *f;* **in** ~ bestürzt **II.** *tr* bestürzen

dis•mem•ber [dɪs'membə(r)] *tr* **1.** zerstückeln **2.** (*Gebiet*) aufteilen

dis•miss [dɪs'mɪs] *tr* **1.** (*aus e-r Stellung*) entlassen **2.** (*Thema*) fallen lassen; abtun **3.** (JUR) abweisen; **dis•missal** [dɪs'mɪsl] *s* **1.** Entlassung *f;* Kündigung *f;* Abschied *m* **2.** Abtun *n* **3.** (JUR) Abweisung *f*

dis•mount [ˌdɪs'maʊnt] **I.** *tr* (*Reiter*) abwerfen **II.** *itr* absteigen

dis•obedi•ence [ˌdɪsə'biːdjəns] *s* Ungehorsam *m;* **civil** ~ ziviler Ungehorsam; **dis-obedi•ent** [ˌdɪsə'biːdjənt] *adj* ungehorsam (*to* gegen)

dis•obey [ˌdɪsə'beɪ] *tr* **1.** nicht gehorchen (*s.o.* jdm) **2.** sich widersetzen (*an order* e-m Befehl)

dis•oblige [ˌdɪsə'blaɪdʒ] *tr* keinen Gefallen tun (*s.o.* jdm); **dis•oblig•ing** [-ɪŋ] *adj* ungefällig, unhöflich

dis•order [dɪs'ɔːdə(r)] **I.** *s* **1.** Unordnung *f,* Durcheinander *n* **2.** (MED) Funktionsstörung *f* **3.** ~**s** (POL) Unruhen *fpl;* **mental** ~ Geistesgestörtheit *f;* **in** ~ durcheinander **II.** *tr* **1.** in Unordnung bringen **2.** (MED) angreifen; **dis•order•ly** [dɪs'ɔːdəlɪ] *adj* **1.** unordentlich, unaufgeräumt **2.** (*Menge*) aufrührerisch **3.** (*Benehmen*) ungehörig; ~ **house** Bordell *n*

dis•or•gan•ize [ˌdɪs'ɔːgənaɪz] *tr* desorganisieren, durcheinanderbringen

dis•orient, **dis•orien•tate** [dɪs'ɔːrɪənt, dɪs'ɔːrɪənteɪt] *tr* verwirren

dis•own [dɪs'əʊn] *tr* ab-, verleugnen; nichts zu tun haben wollen mit

dis•par•age [dɪ'spærɪdʒ] *tr* herabsetzen, -würdigen; **dis•par•age•ment** [-mənt] *s* Herabsetzung *f;* **dis•par•ag•ing** [-ɪŋ] *adj* geringschätzig

dis•par•ate ['dɪspərət] *adj* verschiedenartig, ungleich; **dis•par•ity** [dɪ'spærətɪ] *s* Ungleichheit *f;* ~ **in age** Altersunterschied *m;* ~ **in rank** Rangunterschied *m*

dis•pas•sion•ate [dɪ'spæʃənət] *adj* unparteiisch

dis•patch [dɪ'spætʃ] **I.** *tr* **1.** abschicken, -senden; aufgeben **2.** (*Zug*) abfertigen **3.** schnell erledigen **4.** töten **II.** *s* **1.** Abschicken, Absenden, Aufgeben *n* **2.** Abfertigung, Erledigung *f* **3.** Telegramm *n,* Depesche *f;* **with** ~ prompt; **dispatch note** *s* Versandanzeige *f,* -auftrag *m*

dis•pel [dɪ'spel] *tr* vertreiben, zerstreuen, auflösen

dis•pens•able [dɪ'spensəbl] *adj* entbehrlich

dis•pens•ary [dɪ'spensərɪ] *s* **1.** Apotheke *f* **2.** Arzneiausgabe(stelle) *f*

dis•pen•sa•tion [ˌdɪspen'seɪʃn] *s* **1.** Aus-, Verteilung *f* **2.** (REL) Befreiung *f* (*from* von) **3.** Fügung *f* (*des Schicksals*) **4.** Glaubenssystem *n*

dis•pense [dɪ'spens] **I.** *tr* **1.** ausgeben, aus-, verteilen **2.** (*Arznei*) zubereiten, ausgeben **3.** (REL) spenden **4.** befreien, dispensieren (*from* von) **II.** *itr:* ~ **with** verzichten auf; **dis•penser** [dɪ'spensə(r)] *s* **1.** Apotheker(in) *m(f)* **2.** (*Automat*) Spender *m;* **cash** ~ Geldautomat *m*

dis•per•sal [dɪ'spɜːsl] *s* Zerstreuung, Auflösung *f;* **dis•perse** [dɪ'spɜːs] **I.** *tr* **1.** ver-, zerstreuen *a. fig* **2.** (*Nebel*) auflösen **3.** (*Licht*) streuen **4.** (*fig*) verbreiten **II.** *itr* sich zerstreuen, auseinander gehen; **dis•persion** [dɪ'spɜːʃn] *s* **1.** Zerstreuung, Auflösung *f* **2.** (OPT) Dispersion, Streuung *f*

dis•pirit•ed [dɪ'spɪrɪtɪd] *adj* mutlos, niedergedrückt

dis•place [dɪs'pleɪs] *tr* **1.** versetzen, -legen, -lagern, -schieben **2.** ablösen, ersetzen; ~**d person** Verschleppte(r) *f m;* **dis•placement** [dɪs'pleɪsmənt] *s* **1.** Verschiebung *f;* Verlagerung *f* **2.** (*Arbeitskräfte*) Freisetzung *f* **3.** Ablösung *f,* Ersatz *m* **4.** (PSYCH) Verdrängung *f* **5.** (MAR) Wasserverdrängung *f;* ~ **of labour** Freisetzung *f* von Arbeitskräften

dis•play [dɪ'spleɪ] **I.** *tr* **1.** (offen) zeigen, zur Schau stellen; ausstellen **2.** (*Macht*) demonstrieren **3.** (*Kleider*) vorführen **4.** (EDV) anzeigen **II.** *s* **1.** Zeigen *n;* Zurschaustellung *f* **2.** (*fig*) Demonstration *f* **3.** Ausstellung *f* **4.** (COM) Auslage *f* **5.** (TYP) Hervorhebung *f* **6.** (EDV) Display *n;* Anzeige *f;* **be on** ~ ausgestellt sein; **display case** *s* Vitrine *f;* **display window** *s* Schaufenster *n*

dis•please [dɪs'pliːz] *tr* **1.** missfallen (*s.o.* jdm) **2.** verstimmen, verärgern; **be ~d with s.o.** über jdn verärgert sein; **dis•pleasing** [-ɪŋ] *adj* unangenehm, lästig; **displeasure** [dɪs'pleʒə(r)] *s* Missfallen *n* (*at* über)

dis•pos•able [dɪ'spəʊzəbl] *adj* **1.** wegwerfbar; Papier-; Einweg-; Wegwerf- **2.** verfügbar; ~ **income** verfügbares Einkommen; ~ **nappy** Wegwerfwindel *f;* **dis•posal** [dɪ'spəʊzl] *s* **1.** Loswerden *n;* Beseitigung *f;* Veräußerung *f* **2.** Verfügung(sgewalt) *f* (*of* über) **3.** Anordnung *f,* Arrangement *n;* **be at s.o.'s** ~ zu jds Verfügung stehen; **waste-~ unit** Müllschlucker *m;* **dis•pose** [dɪ'spəʊz] **I.** *tr* (an)ordnen; aufstellen; ~ **s.o. to do s.th.** jdn geneigt machen etw zu tun **II.** *itr:* ~ **of** loswerden; beseitigen; veräußern; erledigen; (*Zeit*) verfügen über; **dis•posed** [dɪ'spəʊzd] *adj* bereit; **be well** ~ **towards s.o.** jdm wohl wollen; **be ill** ~ **towards s.o.** jdm übel wollen; **dis•po•si•tion** [ˌdɪspə'zɪʃn] *s* **1.** (An)Ordnung *f;* Aufstellung *f* **2.** Veranlagung *f;* Neigung *f,* Hang *m* **3.** Verfügungsgewalt *f;* **her cheerful** ~ ihre freundliche Art

dis•pos•sess [ˌdɪspə'zes] *tr* enteignen

dis•pro•por•tion•ate [ˌdɪsprə'pɔːʃənət] *adj:* **be** ~ in keinem (richtigen) Verhältnis stehen (*to* zu)

dis•prove [ˌdɪs'pruːv] *tr* widerlegen

dis•put•able [dɪ'spjuːtəbl] *adj* anfechtbar; zweifelhaft; **dis•pu•ta•tion** [ˌdɪspjuː'teɪʃn] *s* Disput, Streit *m;* **dis•pu•ta•tious** [ˌdɪspjuː'teɪʃəs] *adj* streitsüchtig; **dis•pute** [dɪ'spjuːt] **I.** *itr* disputieren, streiten (*with, against* mit, *on, about* über) **II.** *tr* **1.** bestreiten, anfechten **2.** (*Frage*) sich streiten über **3.** streitig machen (*s.th. to s.o.* jdm etw) **III.** *s* Kontroverse, Meinungsverschiedenheit *f;* Streit *m;* **beyond** [*o* **past**] ~ unbestritten; **without** ~ zweifellos; **in** ~ strittig; fraglich; **settle a** ~ e-n Streit beilegen; **wages** ~ Tarifauseinandersetzungen *fpl*

dis•quali•fi•ca•tion [dɪsˌkwɒlɪfɪ'keɪʃn] *s* **1.** Disqualifizierung *f* **2.** Untauglichkeit, Unfähigkeit *f* **3.** (SPORT) Ausschluss *m;* **dis•qual•ify** [dɪs'kwɒlɪfaɪ] *tr* **1.** untauglich machen (*from* für) **2.** (SPORT) disqualifizieren; ~ **s.o. from driving** jdm den Führerschein entziehen

dis•quiet [dɪs'kwaɪət] **I.** *tr* beunruhigen **II.** *s* Unruhe, Besorgnis *f;* **dis•quiet•ing** [-ɪŋ] *adj* beunruhigend

dis•re•gard [ˌdɪsrɪ'gɑːd] **I.** *tr* **1.** nicht beachten, ignorieren **2.** (*Gefahr*) missachten **II.** *s* **1.** Nichtbeachtung *f* **2.** Missachtung *f* **3.** Geringschätzung *f*

dis•re•pair [ˌdɪsrɪ'peə(r)] *s* Baufälligkeit *f;* **fall into** ~ verfallen; **in a state of** ~ baufällig

dis•repu•table [dɪs'repjʊtəbl] *adj* verrufen; anrüchig; **dis•re•pute** [ˌdɪsrɪ'pjuːt] *s* schlechter Ruf; **fall into** ~ in Verruf kommen

dis•re•spect [ˌdɪsrɪ'spekt] *s* Respektlosigkeit *f* (*to* gegenüber); **dis•re•spect•ful** [-fʊl] *adj* respektlos

dis•rupt [dɪs'rʌpt] *tr* stören; unterbrechen; **dis•rup•tion** [dɪs'rʌpʃn] *s* Störung *f;* Unterbrechung *f;* **dis•rup•tive** [dɪs'rʌptɪv] *adj* störend

dis•sat•is•fac•tion [ˌdɪsˌsætɪs'fækʃn] *s* Unzufriedenheit *f* (*with* mit); **dis•sat•is•fied** [dɪs'sætɪsfaɪd] *adj* unzufrieden (*with* mit)

dis•sect [dɪ'sekt] *tr* **1.** (ANAT) sezieren **2.** (*fig*) zergliedern; **dis•sec•tion** [dɪ'sekʃn] *s* **1.** (ANAT) Sektion *f* **2.** (*fig*) Zergliederung *f*

dis•semble [dɪ'sembl] *tr* (*Gedanken, Gefühle, Absichten*) verbergen, verhehlen

dis•semi•nate [dɪ'semɪneɪt] *tr* (*fig*) verbreiten; **dis•semi•na•tion** [dɪˌsemɪ'neɪʃn] *s* Verbreitung *f*

dis•sen•sion [dɪ'senʃn] *s* Meinungsverschiedenheit, Differenz *f;* **dis•sent** [dɪ'sent] **I.** *itr* **1.** anderer Ansicht sein (*from* als) **2.** (REL) sich weigern, die Staatskirche anzuerkennen **II.** *s* andere Ansicht; **express one's ~** erklären, dass man (mit etw) nicht übereinstimmt; **dis•senter** [dɪ'sentə(r)] *s* **1.** Dissident(in) *m(f)* **2.** (REL) Dissenter(in) *m(f)*

dis•ser•ta•tion [ˌdɪsə'teɪʃn] *s* Dissertation *f* (*on* über)

dis•ser•vice [dɪs'sɜːvɪs] *s*: **do s.o. a ~** jdm e-n schlechten Dienst erweisen

dis•si•dent ['dɪsɪdənt] **I.** *adj* dissident, regimekritisch **II.** *s* Dissident(in) *m(f)*

dis•simi•lar [dɪ'sɪmɪlə(r)] *adj* unterschiedlich, verschieden (*to* von); **dis•simi•lar•ity** [ˌdɪsɪmɪ'lærətɪ] *s* Unterschiedlichkeit, Verschiedenheit *f*

dis•simu•la•tion [dɪˌsɪmjʊ'leɪʃn] *s* Verstellung, Heuchelei *f*

dis•si•pate ['dɪsɪpeɪt] **I.** *tr* **1.** zerstreuen; auflösen **2.** (*Energie*) verschwenden, vergeuden **II.** *itr* **1.** sich auflösen **2.** (*fig*) sich zerstreuen; **dis•si•pated** ['dɪsɪpeɪtɪd] *adj* zügellos, ausschweifend; leichtlebig; **dis•si•pa•tion** [ˌdɪsɪ'peɪʃn] *s* **1.** Zerstreuung, Auflösung *f* **2.** (*Energie*) Verschwendung *f* **3.** Ausschweifung *f*

dis•so•ci•ate [dɪ'səʊʃɪeɪt] *tr* **1.** trennen (*from* von) **2.** (CHEM) dissoziieren; **~ o.s. from s.o.** sich von jdm distanzieren; **dis•so•cia•tion** [dɪˌsəʊsɪ'eɪʃn] *s* **1.** Trennung *f* **2.** (CHEM) Spaltung *f*

dis•so•lute ['dɪsəljuːt] *adj* ausschweifend, zügellos; **dis•so•lu•tion** [dɪsəl'juːʃn] *s* Auflösung *f*

dis•solve [dɪ'zɒlv] **I.** *tr* **1.** verflüssigen; auflösen *a. fig* **2.** (*Ehe*) scheiden **3.** (*Versammlung*) aufheben **4.** (FILM) überblenden **II.** *itr* **1.** sich (auf)lösen **2.** (*fig*) sich in nichts auflösen; **~ into tears** in Tränen zerfließen

dis•son•ance ['dɪsənəns] *s* Missklang *m,* Dissonanz *f;* **dis•son•ant** ['dɪsənənt] *adj* **1.** unharmonisch **2.** (*Meinung*) unvereinbar

dis•suade [dɪ'sweɪd] *tr* ausreden (*s.o. from s.th.* jdm etw), abbringen (*from doing s.th.* etw zu tun)

dis•tance ['dɪstəns] **I.** *s* **1.** Abstand *m,* Entfernung *f;* Distanz *f* **2.** Zeitraum *m* **3.** (*fig*) Unterschied *m;* **at** [*o* **from a**] **~** von fern, von weitem; **at some ~** in einiger Entfernung; **in the ~** in der Ferne; **it's no ~** es ist nur ein Katzensprung; **it's within walking ~** es ist zu Fuß erreichbar; **cover a ~** e-e Strecke zurücklegen; **keep one's ~** Abstand halten; **what is the ~ to ...?** wie weit ist es nach ...?; **keep s.o. at a ~** jdn auf Distanz halten; **~ runner** Langstreckenläufer(in) *m(f)* **II.** *tr* (SPORT) hinter sich lassen; (*beim Rennen*) abhängen; **dis•tant** ['dɪstənt] *adj* **1.** weit entfernt, fern **2.** (*fig*) weit zurückliegend **3.** (*Verwandter*) weitläufig, entfernt **4.** (*fig*) zurückhaltend; **have a ~ view of s.th.** etw in der Ferne sehen; **in the ~ future** in ferner Zukunft; **dis•tant•ly** [-lɪ] *adv* **1.** entfernt, fern **2.** (*fig*) kühl, zurückhaltend; **~ related** entfernt, weitläufig verwandt

dis•taste [dɪs'teɪst] *s* Abneigung *f,* Widerwille *m* (*for* gegen); **dis•taste•ful** [dɪs'teɪstfl] *adj* widerwärtig; zuwider, unangenehm

dis•temper[1] [dɪ'stempə(r)] *s* (VET) Staupe *f*

dis•temper[2] [dɪ'stempə(r)] *s* Temperafarbe *f*

dis•tend [dɪ'stend] *itr* sich blähen; **dis•ten•sion** [dɪ'stenʃn] *s* (*Magen*) Blähung *f*

dis•til [dɪ'stɪl] **I.** *itr* **1.** sich herausdestillieren **2.** langsam heraustropfen **II.** *tr* **1.** destillieren; brennen **2.** tropfenweise absondern; **dis•till** (*Am*) *s.* **distil**; **dis•til•la•tion** [ˌdɪstɪ'leɪʃn] *s* Destillation *f;* Brennen *n;* Destillat *n;* **dis•til•ler** [dɪ'stɪlə(r)] *s* Destillateur *m;* Whisky-, Branntweinbrenner *m;* **dis•til•lery** [dɪ'stɪlərɪ] *s* Whisky-, Branntweinbrennerei *f*

dis•tinct [dɪ'stɪŋkt] *adj* **1.** deutlich, klar; ausgeprägt; merklich **2.** verschieden **3.** (*fig*) eigen, individuell; **as ~ from** im Unterschied zu; **dis•tinc•tion** [dɪ'stɪŋkʃn] *s* **1.** Unterscheidung *f;* Unterschied *m* **2.** Rang *m;* Vornehmheit *f* **3.** Auszeichnung *f;* **of ~** ausgezeichnet, von Rang; **without ~** ohne Unterschied; **award s.o. academic ~s** jdm akademische Auszeichnungen verleihen; **draw a ~ between** e-n Unterschied machen zwischen; **make ~s** Unterschiede machen, unterscheiden; **dis•tinc•tive** [dɪ'stɪŋktɪv] *adj* kennzeichnend, charakteristisch; unverwechselbar

dis•tin•guish [dɪ'stɪŋgwɪʃ] **I.** *tr* **1.** unterscheiden **2.** erkennen, wahrnehmen, bemerken **3.** auseinander halten, unterscheiden (*from* von) **II.** *itr* unterscheiden (*between, among* zwischen) **III.** *refl* sich auszeichnen, sich hervortun; **dis•tin•guish•able** [-əbl] *adj* **1.** unterscheidbar **2.** zu erkennen, erkennbar; **dis•tin•guished** [dɪ'stɪŋgwɪʃt] *adj* **1.** von hohem Rang; hervorragend **2.** vornehm

dis•tort [dɪ'stɔːt] *tr* **1.** verdrehen *a. fig* **2.** verzerren *a. fig* **3.** entstellen; **dis•tor•tion** [dɪ'stɔːʃn] *s* Verzerrung, Entstellung *f a. fig*

dis•tract [dɪ'strækt] *tr* ablenken (*from* von); **dis•tracted** [dɪ'stræktɪd] *adj* besorgt, beunruhigt; außer sich (*with* vor); **dis•trac•tion** [dɪ'strækʃn] *s* **1.** Unaufmerksamkeit *f* **2.** Ablenkung *f;* Zerstreuung, Unterhaltung *f* **3.** (*fig*) Zerstreutheit, Verwirrung *f;* **to ~** bis zur Raserei, aufs Äußerste

dis•traught [dɪ'strɔːt] *adj* verzweifelt, außer sich

dis•tress [dɪ'stres] **I.** *s* **1.** Kummer *m;* Verzweiflung *f* **2.** Not *f,* Elend *n* **3.** Notlage *f;* **in** ~ (*Schiff*) in Seenot; **be in great** ~ sehr leiden **II.** *tr* Kummer machen, Sorge bereiten (*s.o.* jdm); **dis•tressed** [dɪ'strest] *adj* bekümmert; ~ **area** Notstandsgebiet *n;* **dis•tress•ing** [-ɪŋ] *adj* besorgniserregend; betrüblich

dis•trib•ute [dɪ'strɪbjuːt] *tr* **1.** ver-, aus-, zuteilen **2.** (*Film*) verleihen **3.** (*Dividende*) ausschütten **4.** (COM) vertreiben, absetzen; **dis•tribu•tion** [ˌdɪstrɪ'bjuːʃn] *s* **1.** Ver-, Zuteilung *f* **2.** (*Film*) Verleih *m* **3.** (*Dividende*) Ausschüttung *f* **4.** (COM) Vertrieb, Absatz *m;* **distribution area** *s* Absatzgebiet *n;* **distribution channel** *s* Absatzweg *m;* **distribution rights** *s pl* (COM) Vertriebsrechte *npl;* **dis•tribu•tive** [dɪ'strɪbjʊtɪv] *adj* verteilend; **dis•tribu•tor** [dɪ'strɪbjʊtə(r)] *s* **1.** (*a.* MOT) Verteiler *m* **2.** (COM) Großhändler *m* **3.** Filmverleiher *m*

dis•trict ['dɪstrɪkt] *s* **1.** Gebiet, Land(strich *m*) *n* **2.** (Stadt)Viertel *n* **3.** (Verwaltungs)Bezirk *m;* **electoral** [*o* **polling**] ~ Wahlbezirk *m;* **postal** ~ Post-, Zustellbezirk *m;* **rural** ~ Landbezirk *m;* **district attorney** *s* (*Am*) Bezirksanwalt *m,* -anwältin *f;* **district council** *s* (*Br*) Bezirksregierung *f;* **district court** *s* (*Am*) Bezirksgericht *n*

dis•trust [dɪs'trʌst] **I.** *s* Misstrauen *n* (*of, towards* gegen) **II.** *tr* misstrauen (*s.o.* jdm); **dis•trust•ful** [-fʊl] *adj* misstrauisch (*of* gegenüber)

dis•turb [dɪ'stɜːb] *tr* **1.** stören; unterbrechen **2.** beunruhigen, verwirren **3.** (*fig*) aufwirbeln; durcheinanderbringen; **dis•turb•ance** [dɪ'stɜːbəns] *s* **1.** Störung *f* **2.** ~**s** (POL) Unruhen *fpl;* **cause a** ~ e-e Ruhestörung verursachen; **dis•turbed** [dɪ'stɜːbd] *adj* **1.** geistig gestört **2.** beunruhigt; **dis•turbing** [-ɪŋ] *adj* beunruhigend; störend

dis•unite [ˌdɪsjuː'naɪt] *tr* spalten, entzweien; **dis•unity** [dɪs'juːnətɪ] *s* Uneinigkeit *f*

dis•use [dɪs'juːs] außer Gebrauch kommen; **dis•used** [dɪs'juːzd] *adj* **1.** außer Gebrauch **2.** (*Bergwerk*) stillgelegt

ditch [dɪtʃ] **I.** *s* Graben *m* **II.** *tr* (*sl*) abservieren; wegschmeißen

dither ['dɪðə(r)] **I.** *itr* (*fam*) zaudern, schwanken **II.** *s* (*fam*): **be all of a** ~ ganz aufgeregt sein; ganz verdattert sein

ditto ['dɪtəʊ]: **I'd like tea –** ~ ich möchte Tee – ich auch

ditty ['dɪtɪ] *s* Liedchen *n*

di•ur•nal [daɪ'ɜːnl] *adj* Tages-

di•van [dɪ'væn] *s* Diwan *m;* **divan bed** *s* Liege *f*

dive [daɪv] **I.** *itr* **1.** springen; e-n Kopfsprung machen **2.** tauchen **3.** (*U-Boot*) untertauchen **4.** (*fig*) plötzlich verschwinden (*into* in); ~ **in** hineinspringen; **he ~d into his pocket** er fischte in seiner Tasche **II.** *s* **1.** Sprung *m;* Kopfsprung *m* **2.** Tauchen *n* **3.** (*fam*) Spelunke *f;* **make a** ~ **for s.th.** sich auf etw stürzen; **diver** ['daɪvə(r)] *s* Taucher(in) *m(f);* Turmspringer(in) *m(f);* Kunstspringer(in) *m(f)*

di•verge [daɪ'vɜːdʒ] *itr* auseinander gehen; divergieren; abweichen (*from* von); **di•vergence** [daɪ'vɜːdʒəns] *s* Abweichung *f;* Divergenz *f;* **di•ver•gent** [daɪ'vɜːdʒənt] *adj* divergierend; abweichend

di•verse [daɪ'vɜːs] *adj* verschieden(artig);

di•ver•si•fi•ca•tion [daɪˌvɜːsɪfɪ'keɪʃn] *s* **1.** (COM) Diversifikation *f;* Streuung *f* **2.** Abwechslung *f;* **di•ver•sify** [daɪ'vɜːsɪfaɪ] *tr* **1.** (COM) diversifizieren; auffächern **2.** verschieden(artig), abwechslungsreich gestalten

di•ver•sion [daɪ'vɜːʃn] *s* **1.** Umleitung *f* **2.** (*fig*) Unterhaltung *f;* Ablenkung, Zerstreuung *f*

di•ver•sity [daɪ'vɜːsətɪ] *s* Mannigfaltigkeit, Vielfalt *f*

di•vert [daɪ'vɜːt] *tr* **1.** (*Verkehr*) umleiten **2.** ablenken (*from* von) **3.** (*fig*) ablenken; zerstreuen; **di•vert•ing** [-ɪŋ] *adj* unterhaltsam, amüsant

di•vest [daɪ'vest] **I.** *tr* **1.** entkleiden **2.** berauben (*s.o. of s.th.* jdn e-r S) **II.** *refl* sich trennen (*of* von)

di•vide [dɪ'vaɪd] **I.** *tr* **1.** trennen **2.** teilen (*into* in) **3.** (*Geld*) auf-, verteilen **4.** (MATH) dividieren **5.** (*fig*) entzweien; ~ **the House** (*Br:* PARL) durch Hammelsprung abstimmen lassen **II.** *itr* **1.** sich teilen, sich gliedern (*into* in) **2.** (MATH) sich dividieren lassen **III.** *s* Wasserscheide *f;* **divide off** *itr* sich abtrennen; **divide out** *tr* aufteilen (*among* unter); **divide up** *itr* sich teilen; **di•vid•ed** [dɪ'vaɪdɪd] *adj* **1.** getrennt **2.** (*fig*) gespalten; geteilt; **be** ~ **on a question** in e-r Frage geteilter Meinung sein

divi•dend ['dɪvɪdend] *s* **1.** (FIN) Dividende *f* **2.** (MATH) Dividend *m;* **pay a** ~ e-e Dividende ausschütten

di•vid•ing [dɪ'vaɪdɪŋ] *adj:* ~ **line** Trenn(ungs)linie *f;* ~ **wall** Trennwand *f*

div•i•na•tion [ˌdɪvɪ'neɪʃn] *s* Weissagung, Prophezeiung *f;* **di•vine** [dɪ'vaɪn] **I.** *tr* **1.** weissagen, prophezeien **2.** vermuten, erraten **II.** *s* Geistliche(r) *f m* **III.** *adj* göttlich; ~ **service** Gottesdienst *m;* **di•viner** [dɪ'vaɪnə(r)] *s* Wahrsager(in) *m(f)*

div•ing ['daɪvɪŋ] *s* Tauchen *n;* Wasserspringen *n;* **div•ing-bell** ['daɪvɪŋbel] *s* Taucherglocke *f;* **div•ing-board** ['daɪvɪŋbɔ:d] *s* Sprungbrett *n;* **div•ing-suit** ['daɪvɪŋsju:t] *s* Taucheranzug *m*

di•vin•ing-rod [dɪ'vaɪnɪŋ'rɔd] *s* Wünschelrute *f*

di•vin•ity [dɪ'vɪnətɪ] *s* **1.** Göttlichkeit *f* **2.** Gottheit *f* **3.** Theologie *f*

di•vis•ible [dɪ'vɪzəbl] *adj* (*a.* MATH) teilbar (*by* durch)

di•vi•sion [dɪ'vɪʒn] *s* **1.** (Ein-, Ver)Teilung *f* **2.** (MATH) Division *f* **3.** Abteilung *f;* Sparte *f;* Fach *n;* Kategorie *f* **4.** (MIL) Division *f* **5.** Trennungsstrich *m;* Trennlinie, Grenze *f* **6.** (PARL) Abstimmung *f* durch Hammelsprung **7.** (*fig*) Uneinigkeit, Spaltung *f;* **division of labour** *s* Arbeitsteilung *f*

di•vorce [dɪ'vɔ:s] **I.** *s* **1.** (Ehe)Scheidung *f* **2.** (*fig*) Trennung *f;* **apply** [*o* **sue**] **for a ~** die Scheidungsklage einreichen; **~ proceedings** Scheidungsprozess *m* **II.** *tr* **1.** sich scheiden lassen von **2.** (*fig*) trennen (*from* von); **get ~d** sich scheiden lassen; **he ~d his wife** er ließ sich von seiner Frau scheiden; **they have been ~d** sie haben sich scheiden lassen; **di•vor•cee** [dɪˌvɔ:'si:] *s* Geschiedene(r) *f m*

di•vot ['dɪvət] *s* (*Golf*) Divot *n*

di•vulge [daɪ'vʌldʒ] *tr* bekannt machen, veröffentlichen

DIY *abbr of* **do-it-yourself**

diz•zi•ness ['dɪzɪnɪs] *s* Schwindel(anfall) *m;* **dizzy** ['dɪzɪ] *adj* **1.** schwind(e)lig **2.** (*Höhe*) schwindelerregend **3.** verrückt; **~ spell** Schwindelanfall *m;* **feel ~** schwindlig sein

DNA *s abbr of* **desoxyribonucleic acid** DNS *f*

do [du:] <*irr:* **does, did, done**> **I.** *tr* **1.** tun, machen; **what are you ~ing now?** was machst du nun?; **I will ~ what I can** ich werde tun, was ich kann; **I have nothing to ~** ich habe nichts zu tun **2.** (*ausführen*) machen; **~ a play** ein Stück aufführen; **~ the housework** die Hausarbeit tun; **~ the shopping** einkaufen gehen, die Einkäufe erledigen; **what can I ~ for you?** was kann ich für Sie tun?; **what do you want me to ~?** und was soll ich tun? **3.** (*Schule*) durchnehmen, behandeln **4.** lösen **5.** (*richten*): **~ one's hair** sich frisieren; **~ one's nails** sich die Nägel schneiden; **~ the shoes** die Schuhe putzen **6.** (*beim Friseur*): **I will ~ you next, sir** Sie kommen als Nächster an die Reihe **7.** (*vollenden*): **the work's done now** die Arbeit ist gemacht **8.** (*Museum*) besuchen **9.** (*Geschwindigkeit*) fahren, machen **10.** passen (*s.o.* jdm) **11.** (THEAT) spielen **12.** übers Ohr hauen; **you've been done!** du bist reingelegt worden **13.** (*bearbeiten*): **we don't ~ letters** wir können keine Briefe annehmen **14.** (*Essen*) machen, kochen **15.** (*ermüden*): **he's absolutely done!** er ist völlig geschafft! **II.** *aux* **1.** (*zur Bildung von Frage- und verneinten Sätzen*): **~ you understand?** verstehen Sie?; **I ~ not** [*o* **don't**] **understand** ich verstehe nicht **2.** (*zur Betonung*): **~ stop the noise!** hör' mit dem Lärm auf!; **but I ~ like it** aber es gefällt mir wirklich **3.** (*um die Wiederholung des Verbs zu vermeiden*): **you speak better than I ~** Sie sprechen besser als ich **4.** (*zur Bestätigung*): **he lives in London, doesn't he?** er lebt doch in London?; **so you know him, ~ you?** Sie kennen ihn also, oder? **5.** (*um bei Antworten das Verb zu ersetzen*): **they speak English – ~ they really?** sie sprechen Englisch – wirklich?; **may I come in? – ~!** darf ich hereinkommen? – ja, bitte **III.** *itr* **1.** handeln; **he did right** er hat richtig gehandelt **2.** (*Mensch, Lage, Geschäfte*): **how are you ~ing?** wie geht es Ihnen?; **the business is ~ing well** das Geschäft geht gut **3.** (*Essen*) fertig sein **4.** gehen; **that will never ~!** das geht nicht!; **nothing ~ing** nichts zu machen **5.** reichen; **that'll ~!** jetzt reicht's aber! **IV.** *s* **1.** (*sl*) Schwindel *m* **2.** (*fam*) Veranstaltung, Fete *f* **3.** Sitte *f;* **the ~s and don'ts** was man tun und nicht tun sollte; **fair ~s** (*sl*) gleiches Recht; **do away with** *tr* **1.** abschaffen; vernichten **2.** (*Menschen*) aus dem Wege räumen, erledigen; **do by** *itr:* **~ well by s.o.** jdn gut behandeln; **~ badly by s.o.** jdn schlecht behandeln; **do down** *tr* (*fam*) schlecht machen; **do for** *itr* **1.** (*Person*) fertig machen **2.** putzen für; **be done for** erledigt sein; **do in** *tr* (*sl*) umlegen, killen; **be done in** fertig, geschafft sein; **do out** *tr* aufräumen, reinigen, putzen; **~ s.o. out of his job** jdn um e-e Stelle bringen; **do over** *tr* **1.** neu be-, überziehen **2.** (*sl*) zusammenschlagen; **do up** *tr* **1.** zumachen **2.** (*Waren*) zusammenpacken; einwickeln **3.** neu herrichten; **~ o.s. up** sich zurechtmachen; **do with** *tr* **1.** brauchen **2.** vertragen; **he can't be ~ing with this noise** er kann den Lärm nicht ausstehen; **what has that got to ~ with it?** was hat das damit zu tun?; **I could ~ with a cup of tea** ich könnte e-e Tasse Tee vertragen; **she didn't know what to ~ with herself** sie wusste nichts mit sich anzufangen; **do without** *tr* nicht brauchen, nicht nötig haben, auskommen ohne

doc•ile ['dəʊsaɪl, *Am* 'dɒsl] *adj* **1.** sanftmütig **2.** gelehrig; **do•cil•ity** [dəʊ'sɪlətɪ] *s* **1.** Sanftmut *f* **2.** Gelehrigkeit *f*

dock[1] [dɒk] **I.** *s* **1.** (MAR) Dock *n;* Kai *m* **2.**

~**s** Hafen *m* **II.** *tr* docken **III.** *itr* (MAR) anlegen

dock² [dɒk] *s* (JUR) Anklagebank *f;* **stand in the** ~ auf der Anklagebank sitzen

dock³ [dɒk] **I.** *tr* **1.** (*Schwanz*) stutzen **2.** (*Lohn*) kürzen **II.** *s* gestutzter Schweif

dock⁴ [dɒk] *s* (BOT) Ampfer *m*

docker ['dɒkə(r)] *s* Docker, Hafenarbeiter *m*

docket ['dɒkɪt] **I.** *s* **1.** (JUR) Urteilsregister *n* **2.** (COM) Bestell-, Lieferschein *m;* Laufzettel *m* **3.** Zollquittung *f* **II.** *tr* **1.** (JUR) zusammenfassen **2.** (COM) etikettieren

dock•ing ['dɒkɪŋ] *s* (*Raumfahrt*) Ankoppelung *f*

dock•yard ['dɒkjɑ:d] *s* Werft *f*

doc•tor ['dɒktə(r)] **I.** *s* **1.** (*akademischer Grad*) Doktor *m* **2.** Doktor(in) *m(f),* Arzt *m,* Ärztin *f;* **take one's** ~**'s degree** promovieren; **lady** [*o* **woman**] ~ Ärztin *f* **II.** *tr* **1.** (*Erkältung*) behandeln **2.** (*fig*) manipulieren, zurechtbiegen; (*Dokumente*) frisieren, fälschen; **doc•tor•ate** ['dɒktərət] *s* Doktorgrad *m*

doc•tri•naire [ˌdɒktrɪ'neə(r)] *adj* doktrinär; **doc•trine** ['dɒktrɪn] *s* Doktrin *f,* Grundsatz *m*

docu•ment ['dɒkjʊmənt] **I.** *s* Urkunde *f,* Dokument *n* **II.** *tr* **1.** beurkunden **2.** mit Papieren versehen; **docu•men•tary** [ˌdɒkjʊ'mentərɪ] **I.** *adj* urkundlich, dokumentarisch **II.** *s* Dokumentarfilm *m;* **docu•men•ta•tion** [ˌdɒkjʊmen'teɪʃn] *s* Dokumentation *f;* **document folder** *s* Aktenmappe *f*

dod•dery ['dɒdərɪ] *adj* vertrottelt

dodge [dɒdʒ] **I.** *tr* **1.** schnell ausweichen (*s.th.* e-r S) **2.** (*fig*) sich drücken vor **II.** *itr* ausweichen **III.** *s* **1.** Sprung *m* zur Seite, rasches Ausweichen **2.** Trick *m;* **be up to all the** ~**s** mit allen Wassern gewaschen sein; **dodger** ['dɒdʒə(r)] *s* Schlaumeier, Schlawiner *m*

dodgy ['dɒdʒɪ] *adj* (*fam*) **1.** (*Situation*) vertrackt **2.** (*Maschine*) nicht einwandfrei

doe [dəʊ] *s* **1.** Reh *n,* Hirschkuh *f* **2.** Häsin *f*

doer ['du:ə(r)] *s* (*fam*) Macher *m;* aktiver Mensch

does [dʌz] *3. Person Singular Präsens von* **do**

doe•skin ['dəʊskɪn] *s* Rehleder *n*

doesn't ['dʌznt] = **does not**

dog [dɒg] **I.** *s* **1.** Hund, Rüde *m* **2.** (*fam*) Kerl *m* **3.** ~**s** Hunderennen *n* **4.** (TECH) Klammer *f;* **a** ~**'s dinner/breakfast** (*fam*) Schlamassel *m;* **die like a** ~ im Elend sterben; **lead a** ~**'s life** ein Hundeleben führen; **go to the** ~**s** vor die Hunde gehen; **give a** ~ **a bad name** wer einmal in Verruf kommt; ~ **in the manger** Spielverderber(in) *m(f);* **every** ~ **has his day** jeder hat einmal Glück; **let sleeping** ~**s lie** (*prov*) man soll schlafende Hunde nicht wecken; **hot** ~ Hot dog *m;* **lucky** ~ Glückspilz *m;* **dirty** ~ gemeiner Hund **II.** *tr:* ~ **s.o.** jdm hart auf den Fersen sein; **dog biscuit** *s* Hundekuchen *m;* **dog collar** *s* **1.** Hundehalsband *n* **2.** weißer Stehkragen (*e-s Geistlichen*); **dog days** *s pl* Hundstage *mpl;* **dog-eared** ['dɒgˌɪərd] *adj* (*Buch*) mit Eselsohren

dog•ged ['dɒgɪd] *adj* verbissen, hartnäckig

dog•gerel ['dɒgərəl] *s* Knittelvers *m*

dogma ['dɒgmə] *s* Dogma *n,* Glaubens-, Lehrsatz *m;* **dog•matic** [dɒg'mætɪk] *adj* dogmatisch; **dog•ma•tism** ['dɒgmətɪzəm] *s* Dogmatismus *m*

dogs•body ['dɒgzˌbɒdɪ] *s* Mädchen *n* für alles; **dog-tired** [ˌdɒg'taɪəd] *adj* hundemüde

do•ing ['du:ɪŋ] *s* Tun *n;* **this is your** ~ das ist dein Werk; **it was none of my** ~ ich hatte nichts damit zu tun; **do•ings** ['du:ɪŋz] *s pl* (*fam*) Handlungen, Taten *fpl*

do-it-your•self ['du:ɪtjɔ:'self] **I.** *s* Heimwerken *n* **II.** *adj* Bastler-, Hobby-

dol•drums ['dɒldrəmz] *s pl* (GEOG) Kalmenzone *f;* **be in the** ~ Trübsal blasen; (COM) in einer Flaute stecken

dole [dəʊl] **I.** *s* Stempelgeld *n;* **go** [*o* **be**] **on the** ~ stempeln gehen **II.** *tr:* ~ **out** austeilen

dole•ful ['dəʊlfl] *adj* traurig, trübselig

doll [dɒl] **I.** *s* **1.** Puppe *f* (*a. Mädchen*) **2.** (*Am*) lieber Kerl; ~**'s house** Puppenhaus *n* **II.** *tr:* ~ **up** (*fam*) herausputzen

dol•lar ['dɒlə(r)] *s* Dollar *m*

dol•lop ['dɒləp] *s* (*fam*) Schlag *m*

dolly ['dɒlɪ] *s* **1.** (*Kindersprache*) Püppchen *n* **2.** (FILM) Kamerawagen *m;* **dolly-bird** *s* (*fig fam*) Puppe *f*

dol•phin ['dɒlfɪn] *s* (ZOO) Delphin *m*

dolt [dəʊlt] *s* Tölpel *m*

do•main [dəʊ'meɪn] *s* **1.** Domäne *f* **2.** (*fig*) Gebiet *n,* Bereich *m*

dome [dəʊm] *s* (ARCH) Kuppel *f a. fig*

do•mes•tic [də'mestɪk] *adj* **1.** häuslich **2.** (POL COM) Innen-; Inland-; Binnen-; einheimisch **3.** (ZOO) Haus-; ~ **animal** Haustier *n;* ~ **appliance** Haushaltsgerät *n;* ~ **flight** Inlandsflug *m;* ~ **policy** Innenpolitik *f;* ~ **refuse** [*o* **rubbish**] Hausmüll *m;* ~ **science** Hauswirtschaftslehre; ~ **servant** Hausangestellte(r) *f m;* **do•mes•ti•cate** [də'mestɪkeɪt] *tr* **1.** ans Haus gewöhnen **2.** (*Tiere*) zähmen

domi•cile ['dɒmɪsaɪl] **I.** *s* **1.** Wohnsitz *m* **2.** (FIN) Zahlungsort *m* **II.** *tr* **1.** unterbringen (*with* bei) **2.** (FIN) domizilieren

domi•nance ['dɒmɪnəns] *s* Vorherrschaft, Dominanz *f;* **domi•nant** ['dɒmɪnənt] *adj*

1. (be)herrschend, bestimmend; dominierend 2. (*Gesichtszug*) hervorstechend 3. (MUS) dominant; **domi•nate** ['dɒmɪneɪt] I. *tr* beherrschen *a. fig* II. *itr* dominieren; **domi•na•tion** [ˌdɒmɪ'neɪʃn] *s* (Vor)Herrschaft *f*
domi•neer [ˌdɒmɪ'nɪə(r)] *itr* den Ton angeben; ~ **over** beherrschen, tyrannisieren; **domi•neer•ing** [-ɪŋ] *adj* 1. tonangebend, herrisch 2. tyrannisch
Do•min•ican Re•pub•lic [də'mɪnɪkənˌrɪ'pʌblɪk] *s* Dominikanische Republik
do•min•ion [də'mɪnɪən] *s* 1. Herrschaft, Souveränität *f* (*over* über) 2. Herrschaftsgebiet *n*, -bereich *m*
dom•ino ['dɒmɪnəʊ] <*pl* -inoes> *s* 1. Domino(stein) *m* 2. (*Kostüm*) Domino *m*; **play ~es** Domino spielen; **domino effect** *s* Dominoeffekt *m*
do•nate [dəʊ'neɪt] *tr* spenden; stiften; **do•na•tion** [dəʊ'neɪʃn] *s* 1. Spenden *n*; Stiften *n* 2. Spende *f*
done [dʌn] I. *pp of* **do** II. *adj* 1. getan; erledigt; abgemacht 2. fertig; gar 3. (*fam*) erschöpft, kaputt
do•ner ke•bab ['dəʊnə(r)kə'bæb] *s* Dönerkebab *m*
don•key ['dɒŋkɪ] *s* Esel *m a. fig*; **~'s years** e-e Ewigkeit; **don•key jacket** ['dɒŋkiˌdʒækət] *s* dicke (gefütterte) Jacke; **donkey-work** *s* Routinearbeit; (*pej*) Dreckarbeit *f*
do•nor ['dəʊnə(r)] *s* 1. (JUR) Stifter(in) *m(f)* 2. (MED) Spender(in) *m(f)*
don't [dəʊnt] = **do not**
doodle ['du:dl] I. *itr* Männchen malen II. *s* Gekritzel *n*
doom [du:m] I. *s* Verhängnis, Schicksal *n*; **go to one's ~** seinem Verhängnis entgegengehen II. *tr* verurteilen, verdammen; **be ~ed** verloren sein; **~ed to die** dem Tode geweiht; **dooms•day** ['du:mzdeɪ] *s* der Jüngste Tag
door [dɔ:(r)] *s* 1. Tür *f*; Eingang *m* 2. (*fig*) Weg *m* (*to* zu); **go from ~ to ~** von Tür zu Tür gehen; **live two ~s away** zwei Häuser weiter wohnen; **next ~** nebenan; **next ~ to** (*fig*) beinahe, fast; **open the ~ to s.th.** e-r S Tür und Tor öffnen; **lay s.th. at s.o.'s ~** (*fig*) jdm etw zum Vorwurf machen; **show s.o. the ~** jdn vor die Tür setzen; **back ~** Hintertür *f*; **front ~** Haustür *f*; **door•bell** ['dɔ:bel] *s* Türklingel *f*; **door•frame** *s* Türrahmen *m*; **door•keeper** *s* Portier *m*; **door•knob** *s* Türknopf *m*; **door•man** ['dɔ:mən] <*pl* -men> *s* Pförtner, Portier *m*; **door•mat** *s* Türvorleger *m*; **door•nail**: ~ **dead as a ~** mausetot; **door•plate** *s* Türschild *n*; **door•step** ['dɔ:step] *s* Türstufe *f*; **door-to-door** [ˌdɔ:tə'dɔ:(r)] *adj*: ~ **sales** Haustürgeschäft *n*; ~ **salesman** Vertreter *m*; **door•way** ['dɔ:weɪ] *s* 1. Eingang *m* 2. (*fig*) Weg *m*
dope [dəʊp] I. *s* 1. Rauschgift *n*, Stoff *m* 2. (*sl*) Information *f*, Tip *m* 3. (*sl*) Trottel *m* 4. Lack *m* II. *tr* 1. (*Pferde, Sportler*) dopen 2. Aufputschmittel, Dopingmittel geben (*s.o.* jdm); **dope peddler**, **dope pusher** *s* Drogenhändler(in) *m(f)*, Dealer(in) *m(f)*; **dopey**, **dopy** ['dəʊpɪ] *adj* (*fam*) 1. bekloppt, blöd 2. benommen, benebelt
dor•mant ['dɔ:mənt] *adj* 1. (BOT) ruhend 2. (*Vulkan*) untätig 3. (*Energie*) verborgen, latent; **lie ~** (*fig*) schlummern
dor•mer(-win•dow) ['dɔ:mə(r)(wɪndəʊ)] *s* Mansardenfenster *n*
dor•mi•tory ['dɔ:mɪtrɪ] *s* 1. Schlafsaal *m* 2. (*Am*) (Studenten)Wohnheim *n*; ~ **town** Schlafstadt *f*; **dor•mo•bile®** ['dɔ:məʊbi:l] *s* Wohnmobil *n*
dor•mouse ['dɔ:maʊs] <*pl* -mice> *s* Haselmaus *f*
dor•sal ['dɔ:sl] *adj* (ANAT) Rücken-; ~ **fin** Rückenflosse *f*
DOS [dɒs] *s abk von* **Disk Operating System** (EDV) Diskettenbetriebssystem, DOS *n*
dos•age ['dəʊsɪdʒ] *s* Dosis *f*; Dosierung *f*; **dose** [dəʊs] I. *s* Dosis *f a. fig* II. *tr* Arznei geben (*s.o.* jdm); ~ **o.s.** Medikamente schlucken
doss [dɒs] *itr* (*sl*) pennen; **dos•ser** ['dɒsə(r)] *s* (*Br sl*) Penner(in) *m(f)*; **doss-house** *s* (*Br sl*) billige Unterkunft
dos•sier ['dɒsɪeɪ] *s* Dossier *n*
dot [dɒt] I. *s* 1. Punkt *m* 2. Pünktchen *n*; **on the ~** auf die Minute II. *tr* 1. punktieren 2. (*fig*) übersäen (*with* mit); ~ **an i** einen i-Punkt setzen; ~ **one's i's and cross one's t's** (*fig*) peinlich genau sein; **sign on the ~ted line** (*fig*) formell zustimmen
dote [dəʊt] *itr*: ~ **on** vernarrt sein in; **dot•ing** ['dəʊtɪŋ] *adj* vernarrt, heftig verliebt (*on* in)
dot-matrix print•er ['dɒt'meɪtrɪks 'prɪntə(r)] *s* (EDV) Matrixdrucker *m*
dotty ['dɒtɪ] *adj* (*fam*) schrullig
double ['dʌbl] I. *adj* 1. doppelt, zweifach 2. Doppel- 3. (*Blume*) gefüllt 4. (*fig*) zweideutig; scheinheilig; **have a ~ meaning** doppeldeutig sein; **lead a ~ life** ein Doppelleben führen II. *adv* doppelt, noch einmal so (viel); **see ~** doppelt sehen; **he's ~ your age** er ist doppelt so alt wie du III. *s* 1. (das) Doppelte, (das) Zweifache 2. Ebenbild *n*; Doppelgänger(in) *m(f)* 3. (THEAT FILM) Double *n* 4. (MIL) Laufschritt *m* 5. (*Tennis*) Doppel(spiel) *n*; ~ **or quits** doppelt oder

nichts; **at the** ~ im Laufschritt **IV.** *tr* **1.** verdoppeln **2.** (*Papier*) (einmal) falten **3.** (THEAT FILM) das Double sein (*s.o.* jds) **4.** (MAR) umschiffen **5.** (*Kartenspiel*) verdoppeln **V.** *itr* **1.** sich verdoppeln **2.** (MUS) zwei Instrumente spielen; ~ **for s.o.** (THEAT FILM) jds Double sein; **double back** *itr* kehrtmachen, zurückgehen; **double up I.** *itr* **1.** sich krümmen, sich biegen (*with laughter* vor Lachen) **2.** (*Zimmer*) sich teilen, gemeinsam benutzen **II.** *tr* (*Papier*) falten, knicken

double-bar•rel•led [ˌdʌblˈbærəld] *adj* **1.** (*Gewehr*) doppelläufig **2.** (*Nachname*) Doppel-; **double bass** *s* Kontrabass *m;* **double bed** *s* Doppelbett *n;* **double-breasted** [-ˈbrestɪd] *adj* (*Jacke*) zweireihig; **double-check** *tr* doppelt prüfen; **double chin** *s* Doppelkinn *n;* **double-cross I.** *tr* (*fam*) ein Doppelspiel treiben mit **II.** *s* (*fam*) Doppelspiel *n;* **double-crosser** *s* (*fam*) falscher Hund; **double-dealer** *s* Betrüger(in) *m(f);* **double-dealing I.** *s* Betrügerei *f* **II.** *adj* betrügerisch; **double-decker** *s* Doppeldecker (*a. Brötchen*); **double-Dutch** *s* (*fam*) Kauderwelsch *n;* **double-edged** [-ˈedʒd] *adj* zweischneidig *a. fig;* **double-entry book-keeping** *s* doppelte Buchführung; **double feature** *s* Programm *n* mit zwei Hauptfilmen; **double-glaze** *tr* doppelt verglasen; **double glazing** *s* Doppelverglasung *f,* Doppelfenster *npl;* **double-jointed** [-ˈdʒɔɪntɪd] *adj* sehr gelenkig; **double-park** *itr* in der zweiten Reihe parken; **double-quick I.** *adv* sehr schnell **II.** *adj:* **in** ~ **time** im Nu; **double-sided** *adj* doppelseitig

doubles [ˈdʌblz] *s sing od pl* (SPORT) Doppel *n*

double take [ˌdʌblˈteɪk] *s* (*fig fam*) Spätzündung *f;* **do a** ~ zweimal hingucken (müssen); **double talk** *s* doppeldeutiges Gerede; **double think** *s* widersprüchliches Denken; **double time** *s* doppelter Lohn

doubly [ˈdʌblɪ] *adv* doppelt

doubt [daʊt] **I.** *s* Zweifel *m* (*of, about* an); **be in great** ~ **as to s.th.** schwere Bedenken hinsichtlich e-r S haben; **I am in** ~ **as to whether ...** ich habe so meine Zweifel, ob ...; **in** ~ zweifelhaft; **cast** ~ **on s.th.** etw in Zweifel ziehen; **no** ~ **he will come tomorrow** höchstwahrscheinlich kommt er morgen; **without** (**a**) ~ ohne Zweifel; **beyond** (**all**) ~ ohne (jeden) Zweifel **II.** *tr* bezweifeln; anzweifeln, Zweifel haben an; **I** ~ **whether he will come** ich bezweifle, dass er kommen wird **III.** *itr* Zweifel haben; **doubt•ful** [ˈdaʊtfl] *adj* **1.** unsicher, zweifelhaft; ungewiss **2.** (*Charakter*) zweifelhaft; zwielichtig; **be** ~ **about s.th.** e-r S gegenüber Zweifel hegen; **look** ~ skeptisch aussehen; **doubt•less** [ˈdaʊtlɪs] *adv* ohne Zweifel, zweifellos

dough [dəʊ] *s* **1.** Teig *m* **2.** (*sl*) Moneten *pl;* **dough•nut** [ˈdəʊnʌt] *s* Berliner (Pfannkuchen) *m;* **doughy** [ˈdəʊɪ] *adj* **1.** teigig **2.** (*fam*) käsig, bleich

dour [dʊə(r)] *adj* **1.** mürrisch **2.** (*Kampf*) hart

douse [daʊs] *tr* **1.** eintauchen; Wasser gießen über **2.** (*fam: Licht*) auslöschen

dove¹ [dəʊv] (*Am*) *s.* **dive**

dove² [dʌv] *s* Taube *f a. fig;* **dove•cot**(**e**) [ˈdʌvkəʊt] *s* Taubenschlag *m*

dove•tail [ˈdʌvteɪl] **I.** *s* (TECH) Schwalbenschwanz *m* **II.** *tr* **1.** (TECH) (ver)zinken, verschwalben **2.** (*fig*) koordinieren (*with* mit) **III.** *itr* (*Pläne*) übereinstimmen

dowa•ger [ˈdaʊədʒə(r)] *s* adlige Witwe

dowdy [ˈdaʊdɪ] *adj* schlampig; schlecht gekleidet

dowel [ˈdaʊəl] *s* Dübel *m*

down¹ [daʊn] *s* Daunen *fpl,* Flaum *m*

down² [daʊn] *s meist pl* Hügelland *n*

down³ [daʊn] **I.** *adv* **1.** her-, hinunter; nach unten **2.** (*statische Position*) unten **3.** (*an e-n anderen Punkt*): **on the way** ~ **from London** auf dem Weg von London hierher; ~ **South** im Süden; **go** ~ **to the sea** an die See fahren **4.** (EDV) ausgefallen **5.** (*im Volumen, in der Menge*): **be worn** ~ abgetragen sein; **the wind died** ~ der Wind nahm ab; **the fire is burning** ~ das Feuer erlischt; **the tyres are** ~ die Reifen sind platt; **the price of fruit is** ~ der Obstpreis ist gefallen **6.** (*Schreiben*): **write s.th.** ~ etw aufschreiben; **get s.th.** ~ etw notieren; **be** ~ **for the next race** für das nächste Rennen gemeldet sein **7.** (*zeitlich*): **from 1900** ~ **to the present** seit 1900 bis zur Gegenwart; ~ **through the ages** von jeher **8.** (*Wendungen*): **fall** ~ herunterfallen; ~ **there** da unten; **he's** ~ **with flu** er liegt mit Grippe im Bett; **the sun is** ~ die Sonne ist untergegangen; **head** ~ mit dem Kopf nach unten; **pay s.th.** ~ etw anzahlen; **up and** ~ hin und her; auf und ab; **be** ~ **on s.o.** auf jdn sauer sein; **be** ~ **in the mouth** niedergeschlagen sein **II.** *prep* **1.** her-, hinunter **2.** nach unten; **go** ~ **the hill** den Berg hinuntergehen; **he lives** ~ **the street** er wohnt ein Stückchen weiter die Straße entlang; **he was walking** ~ **the street** er ging die Straße entlang; **she's** ~ **the shops** (*fam*) sie ist einkaufen gegangen; ~ **the ages** durch die Jahrhunderte (hindurch); **ups and** ~**s** gute und schlechte Zeiten **III.** *tr* niederschlagen; ~ **tools** die Arbeit niederlegen; ~

a glass of beer ein Glas Bier runterkippen
down-and-out ['daʊnənaʊt] **I.** *s* Penner(in) *m(f)* **II.** *adj* heruntergekommen; **down•cast** ['daʊnkɑːst] *adj* **1.** niedergedrückt **2.** (*Augen*) niedergeschlagen; **down•fall** ['daʊnfɔːl] *s* **1.** Sturz *a. fig,* Fall *m* **2.** (*fig*) Ruin *m;* Untergang *m* **3.** (*Regen*) Regenschauer, Platzregen *m;* **down-grade** [ˌdaʊn'greɪd] *tr* (*Arbeit*) herunterstufen; degradieren; **down•hearted** [ˌdaʊn'hɑːtɪd] *adj* niedergeschlagen, gedrückt; **down•hill** [ˌdaʊn'hɪl] *adv* bergab, abwärts; **go ~** bergab gehen; (*fig*) auf dem absteigenden Ast sein; **down-mar•ket** [ˌdaʊn'mɑːkɪt] *adj* Billig-, Massen-; **down payment** *s* Anzahlung *f;* **down•pour** ['daʊnpɔː(r)] *s* Platzregen *m;* **down-right** ['daʊnraɪt] **I.** *adj* **1.** (*Lüge*) glatt **2.** (*Lügner*) ausgesprochen **II.** *adv* (*unhöflich*) ausgesprochen; **down•side** ['daʊnsaɪd] *s* Nachteil *m;* **down•siz•ing** ['daʊnsaɪzɪŋ] *s* Stellenabbau *m*
Down's Syn•drome ['daʊnz'sɪndrəʊm] *s* (MED) (Morbus)Down-Syndrom *n*
down•stairs [ˌdaʊn'steəz] **I.** *adv* die Treppe hinunter; (nach) unten **II.** *adj* Parterre-; **the ~ rooms** die unteren Zimmer **III.** *s* Parterre *m;* **down•stream** [ˌdaʊn'striːm] *adv* stromabwärts *a. fig;* **down•time** ['daʊntaɪm] *s* (EDV COM) Ausfallzeit *f;* **down-to-earth** [ˌdaʊntə'ɜːθ] *adj* praktisch veranlagt; wirklichkeitsnah; nüchtern; **down•town** ['daʊntaʊn] **I.** *adv:* **go ~** in die Innenstadt gehen; **live ~** im Zentrum wohnen **II.** *adj:* **~ district** Zentrum *n;* (*Am*) Geschäftsviertel *n* **III.** *s* Geschäftsviertel *n;* **down•trod-den** ['daʊntrɒdn] *adj* (*Volk*) unterdrückt; **down•turn** ['daʊntɜːn] *s* (COM) Abflauen *n;* **down•ward** ['daʊnwəd] **I.** *adj* **1.** abwärtsführend, geneigt **2.** (*fig*) absteigend **II.** *adv* (*a. downwards*) abwärts, bergab; **from the 10th century ~** seit dem 10. Jahrhundert
downy ['daʊnɪ] *adj* flaumig
dowry ['daʊərɪ] *s* Aussteuer, Mitgift *f*
dowse[1] [daʊs] *s.* **douse**
dowse[2] [daʊs] *itr* mit der Wünschelrute suchen; **dows•er** ['daʊsə(r)] *s* Rutengänger(in) *m(f);* **dows•ing** ['daʊsɪŋ] *s* Rutengehen *n*
doyen ['dɔɪən] *s* Doyen *m*
doze [dəʊz] **I.** *itr* (vor sich hin) dösen; **~ off** einnicken **II.** *s* Nickerchen *n*
dozen ['dʌzn] *s* Dutzend *n;* **~s of times** x-mal, tausendmal; **talk nineteen to the ~** unaufhörlich reden
dozy ['dəʊzɪ] *adj* schläfrig
drab [dræb] *adj* **1.** graubraun **2.** (*fig*) trüb(e), düster
dra•co•nian [drə'kəʊnɪən] *adj* drakonisch
draft [drɑːft] **I.** *s* **1.** Skizze *f,* Entwurf *m* **2.** (FIN) Wechsel *m* **3.** (MIL) Sonderkommando *n* **4.** (*Am:* MIL) Rekruten *mpl,* Einberufung zum Wehrdienst **5.** (*Am*) *s.* **draught II.** *tr* **1.** skizzieren, entwerfen **2.** (*Am:* MIL) rekrutieren, einberufen; **~ s.o. to do s.th.** (*fig*) jdn beauftragen etw zu tun; **draft•ee** [ˌdrɑː'ftiː] *s* (*Am:* MIL) Einberufene(r), Wehrpflichtige(r) *f m;* **drafts•man** *s* (*Am*) *s.* **draughtsman**; **drafty** *adj* (*Am*) *s.* **draughty**
drag [dræg] **I.** *s* **1.** Schlepp-, Baggernetz *n* **2.** Hemmklotz *m* **3.** (*fig*) Hemmschuh *m,* Hindernis *n* (*on s.o.* für jdn) **4.** (AERO) Luftwiderstand *m* **5.** (*sl: Zigarette*) Zug *m* **6.** (*sl*) Frauenkleidung *f* (von Männern getragen); **what a ~!** (*fam*) Mann, ist das langweilig; so'n Mist **II.** *tr* **1.** (hinter sich her)ziehen, schleppen **2.** (*Gewässer*) absuchen (*for* nach); **~ one's feet** schlurfen; **~ anchor** vor Anker treiben **III.** *itr* **1.** schleifen, schlurfen **2.** hinterherhinken **3.** (*Zeit*) sich hinziehen; sich in die Länge ziehen; **drag along** *tr* mitschleppen; **drag away** *tr* wegschleppen, -ziehen; **drag behind** *itr* zurück sein, hinterherhinken; **drag down** *tr* herunterziehen *a. fig;* **drag in** *tr* hineinziehen; **drag lift** *s* Schlepplift *m;* **drag off** *tr* wegzerren; **drag on** *itr* sich in die Länge ziehen; sich hinschleppen; **drag out** *tr* in die Länge ziehen; **drag up** *tr* **1.** (*Skandal*) ausgraben **2.** (*fam: Kind*) mehr schlecht als recht aufziehen
dragon ['drægən] *s* Drache *m a. fig*
drag•on•fly ['drægənflaɪ] *s* Libelle *f*
dra•goon [drə'guːn] **I.** *s* Dragoner *m* **II.** *tr* zwingen (*into doing* zu tun)
drain [dreɪn] **I.** *s* **1.** Rohr *n;* Abflussrohr *n* **2.** **~s** Kanalisation *f* **3.** (*fig*) Belastung *f;* **go down the ~** vor die Hunde gehen; **brain ~** Abwanderung *f* von Wissenschaftlern, Braindrain *m* **II.** *tr* **1.** (*a.* MED) drainieren, entwässern, trockenlegen **2.** (*Gemüse*) abgießen **3.** (*Boiler*) das Wasser ablassen von **4.** (*Glas*) leeren; **~ s.o. of strength** an jds Kräften zehren; **~ s.o. dry** jdn ausnehmen **III.** *itr* **1.** (*Gemüse*) abtropfen **2.** (*Land*) entwässert werden; **drain away** *itr* ablaufen; (*fig*) dahinschwinden; **drain off** *tr* abgießen; abtropfen lassen; **drain•age** ['dreɪnɪdʒ] *s* **1.** Entwässerung, Dränage *f* **2.** Entwässerungssystem *n;* Kanalisation *f* **3.** Abwasser *n;* **drainage basin** *s* (GEOG) Einzugsgebiet *n;* **drain•ing board** ['dreɪnɪŋ'bɔːd] *s* Ablauf *m;* **drain•pipe** *s* Abflussrohr *n;* **drainpipe trousers** *s pl* Röhrenhose *f*
drake [dreɪk] *s* Enterich, Erpel *m*

dram [dræm] *s* Schluck *m* (*Whisky*)

drama ['drɑːmə] *s* Drama *n a. fig;* **drama school** *s* Schauspielschule *f;* **dra•matic** [drə'mætɪk] *adj* **1.** dramatisch **2.** schauspielerisch; **dra•mat•ics** [drə'mætɪks] *s pl mit sing* theatralisches Getue; **drama•tis per•sonae** [ˌdræmətɪspɜː'səʊnaɪ] *s pl* Personen *f pl* der Handlung; **drama•tist** ['dræmətɪst] *s* Dramatiker(in) *m(f);* **drama•tiz•ation** [ˌdræmətaɪ'zeɪʃn] *s* Dramatisierung *f;* **drama•tize** ['dræmətaɪz] *tr* dramatisieren

drank [dræŋk] *s.* **drink**

drape [dreɪp] *tr* **1.** drapieren; mit Vorhängen versehen **2.** hüllen; ~ **s.th. over s.th.** etw über etw drapieren; **dra•per** ['dreɪpə(r)] *s* (*Br*) Textilkaufmann *m,* -kauffrau *f;* **dra•pery** ['dreɪpərɪ] *s* **1.** Tuch *n,* Stoff *m* **2.** (*Geschäft*) Stoffladen *m*

dras•tic ['dræstɪk] *adj* **1.** drastisch, durchgreifend **2.** bedrohlich

drat [dræt] *interj* (*fam*) zum Teufel mit ...!

draught [drɑːft] *s* **1.** (Luft)Zug *m,* Zugluft *f* **2.** Schluck, Zug *m* **3.** (*von Fischen*) Fischzug *m* **4.** (MAR) Tiefgang *m* **5.** Fassbier *n* **6.** ~**s** (*Br*) Damespiel *n;* **drink in one** ~ in einem Zug, auf einmal austrinken; **beer on** ~ Bier vom Fass, Fassbier *n;* **draught board** *s* (*Br*) Damebrett *n;* **draughts•man** ['drɑːftsmən] <*pl* -men> *s* **1.** Zeichner *m;* Verfasser *m* **2.** (*Br*) Damestein *m;* **draughty** ['drɑːftɪ] *adj* zugig

draw¹ [drɔː] <*irr:* drew, drawn> *tr* zeichnen; (*Linie*) ziehen

draw² <*irr:* drew, drawn> **I.** *tr* **1.** (an-, herab-, heran-, zu)ziehen (*from* aus), zurückschieben **2.** (*Zahn*) ziehen **3.** holen **4.** (*Interesse*) erregen **5.** (*Menge*) anlocken **6.** einatmen **7.** (*fig*) herausbringen **8.** (*Schluss*) ziehen **9.** (MAR) Tiefgang haben **10.** (*Tier*) ausnehmen **11.** (*Fuchs*) aufstöbern; ~ **one's belt tighter** den Gürtel enger schnallen; ~ **a bath** Badewasser einlassen; ~ **money from the bank** Geld abheben; ~ **first prize** den ersten Preis gewinnen; ~ **comfort from s.th.** sich mit etw trösten; **feel** ~**n towards s.o.** sich zu jdm hingezogen fühlen; ~ **s.o. into s.th.** jdn in etw hineinziehen; ~ **a deep breath** tief Luft holen; ~ **conclusions** Schlüsse ziehen; ~ **a match** unentschieden spielen; ~ **s.th. to a close** etw beenden **II.** *itr* **1.** (*Zeit, Person*) kommen **2.** (*Pfeife, Tee*) ziehen **3.** (SPORT) unentschieden spielen; ~ **round the table** sich um den Tisch versammeln; ~ **to a close** dem Ende zugehen; ~ **nearer** näher kommen **III.** *s* **1.** (*Lotterie*) Ziehung *f* **2.** (SPORT) Unentschieden *n* **3.** (*Film*) Schlager *m;* **be quick on the** ~ (*fig*) schlagfertig sein; **draw apart** *itr* sich lösen; sich auseinanderleben; **draw aside** *tr* beiseite nehmen; **draw away I.** *itr* **1.** losfahren **2.** (*Läufer*) davonziehen **3.** (*Person*) sich entfernen **II.** *tr* weglocken; **draw down** *tr* (*Vorhang*) herunterlassen; **draw in I.** *itr* **1.** (*Zug*) einfahren **2.** (*Tage*) kürzer werden **II.** *tr* **1.** (*Luft*) einziehen **2.** (*fig*) anziehen; **draw off I.** *itr* losfahren **II.** *tr* ausziehen; **draw on I.** *tr* sich stützen auf **II.** *tr* (*Schuhe*) anziehen; **as the night drew on** mit fortschreitender Nacht; **draw out I.** *tr* **1.** herausziehen **2.** ziehen; in die Länge ziehen **II.** *itr* **1.** (*Tag*) länger werden **2.** (RAIL) abfahren; ~ **s.o. out** jdn aus der Reserve locken; **draw together** *tr* miteinander verknüpfen; **draw up I.** *itr* anhalten **II.** *tr* **1.** (*Plan*) entwerfen, ausarbeiten **2.** (*Stuhl*) heranziehen **3.** (*Truppen*) aufstellen **4.** (*Dokumente*) ausstellen; ~ **o.s. up** sich aufrichten

draw•back ['drɔːbæk] *s* Nachteil *m;* **draw•bridge** ['drɔːbrɪdʒ] *s* Zugbrücke *f*

drawer ['drɔː(r)] *s* **1.** Schublade *f* **2.** Zeichner(in) *m(f)* **3.** (FIN) Aussteller(in) *m(f)* **4.** ~**s** (*obs*) Unterhosen *fpl*

draw•ing ['drɔːɪŋ] *s* Zeichnung *f;* **drawing board** *s* Reißbrett *n;* **go back to the** ~ (*fam*) wieder von vorne anfangen; **drawing pin** *s* (*Br*) Reißzwecke *f;* **drawing room** *s* Wohnzimmer *n;* Salon *m*

drawl [drɔːl] **I.** *s* schleppende Sprache **II.** *itr* schleppend sprechen

drawn [drɔːn] **I.** *pp of* **draw II.** *adj* **1.** abgespannt **2.** (*Spiel*) unentschieden

dread [dred] **I.** *tr* (be)fürchten, Angst haben vor; **he** ~**s going to the dentist** er hat Angst zum Zahnarzt zu gehen **II.** *s* Furcht *f;* Grauen *n* (*of* vor); **live in** ~ **of** in ständiger Angst leben vor; **dread•ful** ['dredfl] *adj* furchtbar, schrecklich; **dread•fully** ['dredfəlɪ] *adv* (*fam*) sehr, schrecklich

dream [driːm] <*irr:* dreamed (dreamt), dreamed (dreamt)> **I.** *s* **1.** Traum *m* **2.** Wunsch(bild *n*) *m* **3.** (*fig*) Traum *m,* Gedicht, Wunder *n;* **have a bad** ~ schlecht träumen; **have a** ~ **about s.th.** von etw träumen; **lost in** ~**s** traumverloren; **go into a** ~ zu träumen anfangen **II.** *itr* träumen (*of* von) **III.** *tr* erträumen, träumen von; **dream away** *tr* verträumen; **dream up** *tr* sich einfallen lassen, ausdenken; **dreamer** ['driːmə(r)] *s* Träumer(in) *m(f);* **dream•land** ['driːmlænd] *s* Traumland *n;* **dream•less** ['driːmlɪs] *adj* traumlos; **dream•like** ['driːmlaɪk] *adj* traumähnlich; traumhaft; **dreamt** [dremt] *s.* **dream;** **dreamy** ['driːmɪ] *adj* **1.** verträumt **2.** (*Musik*) zum Träumen **3.** traumhaft

dreary ['drɪərɪ] *adj* eintönig; trüb

dredge[1] [dredʒ] **I.** *s* **1.** Schleppnetz *n* **2.** Bagger *m* **II.** *tr* **1.** (~ *for*) mit dem Schleppnetz fischen **2.** ausbaggern; ~ **up** ausbaggern; (*fig*) ausgraben

dredge[2] [dredʒ] *tr* (*Küche*) bestreuen (*over* über), panieren (*with* mit)

dredger[1] ['dredʒə(r)] *s* **1.** Schleppnetzfischer *m* **2.** Baggerschiff *n;* Bagger *m*

dredger[2] ['dredʒə(r)] *s* Streubüchse *f*

dregs [dregz] *s pl* **1.** Bodensatz *m* **2.** (*fig*) Abschaum *m*

drench [drentʃ] *tr:* **be ~ed to the skin** bis auf die Haut durchnässt sein

dress [dres] **I.** *tr* **1.** (an-, be)kleiden, anziehen **2.** mit Kleidung versorgen **3.** schmücken; (heraus)putzen, dekorieren (*a. Schaufenster*) **4.** (*Wunde*) verbinden **5.** her-, zurichten, vorbereiten **6.** (*Salat*) anmachen **7.** (*Geflügel*) putzen, rupfen u. ausnehmen **8.** (MIL: *Front*) ausrichten **9.** (MAR) beflaggen; **~ed to kill** in Schale, herausgesputzt; ~ **in one's** (**Sunday**) **best** seinen Sonntagsstaat anziehen **II.** *itr* **1.** sich anziehen, -kleiden **2.** Abendkleidung anziehen **III.** *s* **1.** Kleidung *f,* Kleider *npl* **2.** (Damen)Kleid *n;* **in full** ~ in Gala; **dress down I.** *tr* (*fam*) abkanzeln; (*Pferd*) striegeln **II.** *itr* sich unauffällig anziehen; **dress up I.** *itr* **1.** Gesellschaftskleidung anziehen; sich fein machen **2.** sich verkleiden **II.** *tr* (*fig: Tatsachen*) ausschmücken; interessant machen; frisieren; **dress circle** *s* (THEAT) erster Rang; **dress coat** *s* Frack *m;* **dresser** ['dresə(r)] *s* **1.** (THEAT) Garderobier(e) *m (f)* **2.** (MED) Assistent(in) *m(f)* **3.** (Schaufenster)Dekorateur(in) *m(f)* **4.** Anrichte *f,* (Küchen)Büfett *n* **5.** (*Am*) Frisierkommode *f;* **be an elegant** ~ sich elegant kleiden

dress•ing ['dresɪŋ] *s* **1.** Ankleiden *n* **2.** Verbinden *n;* Verband *m;* Verbandszeug *n* **3.** Putzen *n;* Zurichten *n* **4.** (AGR) Düngung *f* **5.** (*Textil*) Appretur *f* **6.** (Salat)Soße *f* **7.** (*Geflügel*) Füllung *f* **8.** (*fam*) Prügel *pl;* **dressing-down** [ˌdresɪŋ'daʊn] *s* **1.** (*fam*) Rüffel *m* **2.** (*fam*) Tracht *f* Prügel; **dressing gown** *s* Morgenrock *m;* **dressing room** *s* Ankleidezimmer *n;* (THEAT) Garderobe *f;* (SPORT) Umkleidekabine *f;* **dressing table** *s* Frisierkommode *f*

dress•maker ['dresˌmeɪkə(r)] *s* (Damen)Schneider(in) *m(f);* **dress•making** ['dresmeɪkɪŋ] *s* Damenschneiderei *f;* **dress rehearsal** *s* (THEAT) Generalprobe *f;* **dress shirt** *s* Frackhemd *n;* **dress suit** *s* Gesellschaftsanzug *m;* **dress uniform** *s* Gala-Uniform *f;* **dressy** ['dresɪ] *adj* **1.** geschniegelt **2.** (*Kleidung*) fein, elegant, fesch

drew [dru:] *s.* **draw**

dribble ['drɪbl] **I.** *tr* tröpfeln, rinnen lassen **II.** *itr* **1.** sabbern, geifern **2.** tröpfeln, rinnen **3.** (SPORT) dribbeln **III.** *s* **1.** Tröpfchen *n* **2.** Rinnsal *n* **3.** (SPORT) Dribbeln *n*

drib•let ['drɪblɪt]: **a** ~ ein bisschen, ein wenig, etwas; **in ~s** nach und nach

dribs [drɪbz] *s pl:* **pay in** ~ **and drabs** abstottern; in kleinen Beträgen zahlen; **in** ~ **and drabs** kleckerweise

dried [draɪd] *adj* getrocknet; ~ **fruit** Dörr-, Backobst *n;* ~ **milk** Milchpulver *n;* **dried-up** [ˌdraɪd'ʌp] *adj* (*fig*) eingetrocknet

drier, dryer ['draɪə(r)] *s* **1.** Trockenapparat *m* **2.** Trockenmittel *n;* **hair-~** Föhn *m*

drift [drɪft] **I.** *s* **1.** Strömung *f* **2.** Fahrtrichtung *f,* Abdrift *f* **3.** Tendenz *f;* (*Ereignisse*) Gang *m;* Absicht *f;* Einfluss *m* **4.** (Schnee)Verwehung *f* **5.** (GEOL) Geschiebe *n* **6.** Treibsand *m* **7.** (*fig*) Ziellosigkeit *f;* ~ **from the land** Landflucht *f* **II.** *itr* **1.** getrieben werden; verweht werden **2.** (AERO) vom Kurs abweichen **3.** (*fig*) sich treiben lassen; (~ *along*) plan-, ziellos umherwandern; **let things** ~ die Dinge laufen lassen **III.** *tr* (zusammen)treiben; aufhäufen; **drift apart** *itr* (*fig*) sich auseinander leben; **drift in** *itr* im Vorbeigehen besuchen, hereinschneien *fam;* **drift off** *itr* (*fam*) sich verkrümeln; **drifter** ['drɪftə(r)] *s* **1.** Logger *m;* Treibnetzfischer *m* **2.** Gammler, Tunichtgut *m;* **drift-ice** *s* Treibeis *n;* **drift-sand** *s* Treibsand *m;* **drift-wood** *s* Treibholz *n*

drill[1] [drɪl] **I.** *s* **1.** Bohrer *m* **2.** (MIL) Drill *m* **II.** *tr, itr* **1.** bohren **2.** drillen **3.** einpauken; ~ **for oil** nach Öl bohren

drill[2] [drɪl] *s* **1.** (AGR) Furche, Rille *f* **2.** (*Textil*) Drillich *m*

drill•ing rig ['drɪlɪŋˌrɪg] *s* **1.** Bohrturm *m* **2.** Bohrinsel *f*

drink [drɪŋk] <*irr:* drank, drunk> **I.** *tr* **1.** trinken **2.** (*Tier*) saufen **3.** (~ *off*) austrinken, leeren **4.** auf-, einsaugen, absorbieren; ~ **s.o.'s health** auf jds Gesundheit trinken **II.** *itr* trinken; saufen; ~ **to s.o.** jdm zutrinken; ~ **to s.th.** auf etw trinken **III.** *s* **1.** Trunk *m* (*Wasser*), Schluck *m* **2.** Getränk *n;* Drink *m;* **the** ~ (*sl*) der Große Teich (*Ozean*); **have a** ~ ein Gläschen trinken; **take to** ~ zu trinken anfangen; **drink in** *tr* (*fig*) begierig aufnehmen; **drink•able** [-əbl] *adj* trinkbar; **drinker** ['drɪŋkə(r)] *s* Trinker(in) *m(f)*

drink•ing ['drɪŋkɪŋ] *s* Trinken *n;* **drinking fountain** *s* Trinkwasserspender *m;* **drinking song** *s* Trinklied *n;* **drinking straw** *s* Trinkhalm *m;* **drinking water** *s* Trinkwasser *n;* **drinking-water supply**

s Trinkwasserversorgung *f*

drip [drɪp] I. *itr* 1. tropfen, tröpfeln (*from* von) 2. (*fig*) triefen (*with* von) II. *tr:* ~ **sweat** von Schweiß triefen III. *s* 1. Tropfen, Tröpfeln *n* 2. Tropfgeräusch *n* 3. (*sl*) doofer Kerl; **drip-dry** [ˌdrɪp'draɪ] I. *adj* bügelfrei II. *tr* tropfnass aufhängen; **drip•ping** ['drɪpɪŋ] I. *adj* 1. (~ *wet*) patschnass 2. (*Hahn, Baum*) tropfend II. *s* 1. Bratenfett *n* 2. Tröpfeln, Tropfen *n*

drive [draɪv] <*irr:* drove, driven> I. *tr* 1. (an-, be)treiben *a. fig* 2. stoßen, jagen, hetzen 3. (*Auto, Passagier*) fahren 4. (*Regen*) peitschen 5. (*Wolken*) jagen 6. (*Pfahl*) einrammen 7. (*fig*) drängen, an-, aufstacheln, aufhetzen 8. zwingen, veranlassen (*to do* zu tun) 9. hineinschlagen (*into* in) 10. (*Sache*) energisch betreiben, durchsetzen, -führen, zum Abschluss bringen; ~ **a hard bargain** hart verhandeln; ~ **into a corner** (*fig*) in die Enge treiben; ~ **home** nach Hause, heimfahren; (*fig*) nahelegen; (*Nagel*) einschlagen; ~ **one's point home** seinen Standpunkt überzeugend darlegen; ~ **crazy** [*o* **mad**] verrückt machen II. *itr* 1. eilen, stürmen, jagen 2. (*im Wind*) treiben 3. (*Fahrzeug, Fahrer*) fahren 4. schwer arbeiten (*at* an); **can you ~?** können Sie Auto fahren? III. *s* 1. Fahren *n* 2. (Spazier)Fahrt *f* 3. Fahrstraße *f*, -weg *m* 4. Auf-, Ausfahrt *f* 5. (MOT TECH) Antrieb *m*, Triebwerk *n* 6. (SPORT) heftiger Schlag, Stoß 7. (PSYCH) Trieb *m;* Schwung, Unternehmungsgeist *m*, Energie, Tatkraft *f* 8. Kampagne *f*, (Werbe-, Propaganda)Feldzug *m* (*against* gegen) 9. (EDV) Laufwerk; **go for a** ~ spazieren fahren; **drive at** *tr* hinauswollen auf; **what are you driving at?** worauf wollen Sie denn hinaus?; **drive in** *tr* einbläuen (*s.o. s.th.* jdm etw); **drive off** *itr* wegfahren; wegjagen; **drive out** *itr* hinausfahren (*into the country* aufs Land); **drive up** I. *tr* hinauf-, in die Höhe treiben; hinauffahren (auf) II. *itr* vorfahren (*to* bei, vor), hinauffahren

drive-in ['draɪvɪn] *s* Drive-in-Restaurant *n;* **drive-in bank** *s* Bank *f* mit Autoschalter; **drive-in cinema** *s* Autokino *n*

drivel ['drɪvl] I. *itr* faseln II. *s* Unsinn *m*

driven ['drɪvn] *s.* **drive**

driver ['draɪvə(r)] *s* 1. (Auto)Fahrer(in) *m(f)*, Chauffeur(in) *m(f)* 2. (*Golf*) Schläger *m;* **~'s cab** Führerstand *m*, -haus *n;* **~'s license** [*o* **permit**] Führerschein *m;* **~'s seat** Fahrersitz *m*

driving ['draɪvɪŋ] I. *adj* 1. (TECH) treibend 2. heftig, stark; ~ **rain** peitschender Regen II. *s* Fahren *n;* **driving ban** *s* Führerscheinentzug *m;* **driving force** *s* Trieb-, treibende Kraft *f;* **driving instructor** *s* Fahrlehrer(in) *m(f);* **driving lessons** *s pl* Fahrstunden *fpl;* **driving licence** *s* Führerschein *m;* **driving pool** *s* Fahrgemeinschaft *f;* **driving school** *s* Fahrschule *f;* **driving test** *s* Fahrprüfung *f*

drizzle ['drɪzl] I. *itr* nieseln II. *s* Sprühregen *m;* **driz•zly** ['drɪzlɪ] *adj* feucht u. neblig

droll [drəʊl] *adj* drollig, ulkig; komisch

drom•edary ['drɒmədərɪ] *s* Dromedar *n*

drone [drəʊn] I. *s* 1. (ZOO) Drohne *f a. fig* 2. Summen, Brummen *n* II. *itr* 1. summen, brummen 2. monoton reden 3. faulenzen

drool [dru:l] *s.* **drivel**

droop [dru:p] I. *itr* 1. herabsinken; herunterhängen (*over* über) 2. kraftlos, welk werden 3. (*Preise*) fallen; (*Kurse*) nachgeben 4. (*fig*) den Kopf hängen lassen II. *tr* hängen lassen

drop [drɒp] I. *s* 1. Tropfen *m* 2. ein bisschen, ein wenig, etwas 3. Sinken, Fallen *n;* Fall, (Ab)Sturz *m* 4. (COM) Rückgang *m;* (*Börse*) Baisse *f* 5. Vorhang *m;* ~ **of blood** Blutstropfen *m;* **a ~ in the bucket** [*o* **in the ocean**] ein Tropfen auf den heißen Stein; ~ **in prices** Preissturz *m;* ~ **in production** Produktionsrückgang *m;* ~ **in performance** Leistungsabfall *m;* ~ **of rain** Regentropfen *m;* ~ **in the temperature** Temperatursturz *m* II. *itr* 1. (herab)tropfen, tröpfeln 2. (herab-, herunter)fallen (*out of the window* aus dem Fenster) 3. hineingeraten (*into* in), stoßen (*into* auf) 4. hin-, umfallen; zusammenbrechen, tot umfallen (*from exhaustion* vor Erschöpfung) 5. schwächer werden, nachlassen; (*Wind*) abflauen 6. (*Temperatur*) fallen, sinken III. *tr* 1. tropfen, tröpfeln; besprengen 2. fallen lassen; (*fig*) fallen lassen; (hin)werfen 3. (*Arbeit*) niederlegen 4. (*Bomben*) abwerfen 5. (*Geld*) verlieren 6. (*Fahrgäste*) absetzen 7. zu Boden strecken; abschießen 8. (*Äußerung*) fallen lassen 9. (*Thema*) auf sich beruhen lassen 10. (*Gewohnheit*) aufgeben 11. (*Buchstaben, Wort*) auslassen 12. (*Brief*) einwerfen (*in the letter-box* in den Briefkasten) 13. (*Junge*) werfen; **let** ~ fallen lassen, aufgeben; ~ **anchor** den Anker werfen; ~ **a brick** [*o* **a clanger**] (*fam*) e-e Dummheit machen; ~ **a hint** e-e Andeutung fallen lassen; ~ **a line** ein paar Zeilen schreiben; **not to be ~ped!** nicht stürzen!; ~ **it!** lass das!; **drop across** *tr* (*fam*) treffen; in die Arme laufen (*s.o.* jdm); **drop behind** *itr* zurückbleiben (hinter); **drop down** *itr* niedersinken; herunterfallen; **drop in** *itr* besuchen; **drop in at** [*o* **on**] **s.o.** [*o* **upon**] bei jdm unerwartet vorsprechen; (*fam*) bei jdm auf e-n Sprung vorbeikommen; (*Aufträge*) bei jdm eingehen; **drop off** *itr* 1. sich zurückziehen 2. nachlassen, zurückgehen; ~ **s.th. off** etw abgeben (*at* bei); ~ **s.o. off** jdn aussteigen lassen; **drop out** *itr* **1.** nicht mehr teilnehmen (*of* an) **2.** (aus der Gesellschaft) aussteigen **3.** ausfallen **4.** ausscheiden

drop kick ['drɒpkɪk] *s* (SPORT) Dropkick, Prellstoß *m;* **drop•let** ['drɒlɪt] *s* Tröpfchen *n;* **drop•out** ['drɒpaʊt] *s* Aussteiger(in) *m(f);* (*pej*) Asoziale(r) *f m,* Studienabbrecher(in) *m(f);* **drop•per** ['drɒpə(r)] *s* Pipette *f;* Tropfer *m;* **drop•pings** ['drɒpɪŋz] *s pl* Dung, Dünger, Mist *m;* **drop shot** *s* (SPORT) Stoppball *m*

dross [drɒs] *s* **1.** (Metall)Schlacken *fpl* **2.** (*fig*) Tand *m*

drought [draʊt] *s* Trockenheit *f;* Dürre(periode, -zeit) *f*

drove[1] [drəʊv] *s.* **drive**

drove[2] [drəʊv] *s* **1.** Herde *f* (*Vieh*) **2.** Menschenmenge, Masse *f;* **they came in ~s** sie kamen in Scharen; **drover** ['drəʊvə(r)] *s* Viehtreiber *m*

drown [draʊn] **I.** *tr* **1.** ertränken **2.** überfluten **3.** einweichen **4.** (*fig*) übertönen, ersticken (*a. in Tränen*); (*Kummer*) betäuben; **be ~ed** ertrinken **II.** *itr* ertrinken

drowse [draʊz] **I.** *s* Schläfrigkeit *f;* Halbschlaf *m* **II.** *itr* schläfrig sein; dösen; ~ **off** eindösen; **drowsy** ['draʊzɪ] *adj* **1.** schläfrig **2.** einschläfernd **3.** (*fig*) schlafmützig

drudge [drʌdʒ] **I.** *s* (*fig*) **1.** (*Mensch*) Arbeitstier *n* **2.** (*Arbeit*) Schufterei *f* **II.** *itr* sich placken, sich (ab)schinden; **drudg•ery** ['drʌdʒərɪ] *s* Plackerei *f*

drug [drʌg] **I.** *s* Medikament *n;* Droge *f,* Rauschgift *n;* **be on ~s** Medikamente einnehmen; drogensüchtig sein; ~ **on the market** Ladenhüter *m* **II.** *tr* **1.** (*Speise, Getränk*) etwas zusetzen (*s.th.* e-r S) **2.** betäuben, narkotisieren **3.** (*Patienten*) Medikamente geben (*s.o.* jdm); **drug abuse** *s* Medikamenten-, Drogenmissbrauch *m;* **drug addict** *s* Rauschgiftsüchtige(r) *f m;* **drug addiction** *s* Rauschgiftsucht, Drogenabhängigkeit *f;* **drug consumption** *s* Drogenkonsum *m;* **drug culture** *s* Drogenkultur *f;* **drug dealer** *s* Dealer *m;* **drug dependency** *s* Medikamenten-, Drogensucht, Medikamenten-, Drogenabhängigkeit *f;* **drug•gist** ['drʌgɪst] *s* (*Am*) Drogist(in) *m(f);* **drug manufacturer** *s* Pharmahersteller *m;* **drug pusher** *s* Pusher, Dealer *m;* **drug squad** *s* Rauschgiftdezernat *n;* Drogenfahndungsbehörde *f;* **drug•store** ['drʌgstɔː(r)] *s* (*Am*) Drugstore *m;* **drug taking** *s* Einnehmen *n* von Drogen, Rauschgift; **drug traffic, drug trafficking** *s* Drogen-, Rauschgifthandel *m;* **drug trafficker** *s* Drogenhändler(in) *m(f)*

druid ['druːɪd] *s* (REL HIST) Druide *m*

drum [drʌm] **I.** *s* **1.** (*a.* TECH) Trommel *f* **2.** (ANAT: *ear-~*) Trommelfell *n* **3.** **~s** Schlagzeug *n* **II.** *itr, tr* **1.** trommeln (*s.th., on s.th.* auf etw) **2.** (~ *up*) ausfindig machen; zusammentrommeln **3.** einhämmern (*s.th. into s.o.* jdm etw); ~ **up business** die Werbetrommel rühren; **drum•beat** ['drʌmbiːt] *s* Trommeln *n;* **drum brake** *s* Trommelbremse *f;* **drum•head** ['drʌmhed] *s* Trommelfell *n;* **drum-major** *s* Tambourmajor *m;* **drum•mer** ['drʌmə(r)] *s* Trommler(in) *m(f),* Schlagzeuger(in) *m(f);* **drum•stick** ['drʌmstɪk] *s* **1.** Trommelstock *m* **2.** (*Geflügel*) Schlegel *m*

drunk [drʌŋk] **I.** *pp of* **drink II.** *adj* **1.** betrunken **2.** (*fig*) trunken (*with* vor); **get ~** sich betrinken; ~ **as a lord** sternhagelvoll **III.** *s* Betrunkene(r) *f m,* Säufer(in) *m(f);* **drunk•ard** ['drʌŋkəd] *s* Trinker(in) *m(f);* **drunken** ['drʌŋkən] *adj* betrunken; trunksüchtig; feuchtfröhlich; **drunkenness** ['drʌŋkənɪs] *s* Trunkenheit *f,* Rausch *m a. fig*

dry [draɪ] **I.** *adj* **1.** trocken **2.** (*Holz*) dürr **3.** ausgetrocknet **4.** (*fig*) trocken, langweilig **5.** (*Wein*) herb, trocken **6.** durstig (machend); (**as**) ~ **as dust** todlangweilig; **keep ~!** vor Feuchtigkeit zu schützen **II.** *tr* (ab)trocknen **III.** *itr* trocknen, trocken werden; **dry up** *itr* abtrocknen; austrocknen, -dörren *a. fig;* (THEAT) stecken bleiben; ~ **up!** (*sl*) halt's Maul!; **dryad** ['draɪəd] *s* Dryade *f*

dry cell ['draɪˌsel] *s* (EL) Trockenelement *n;* **dry cell battery** *s* Trockenbatterie *f;* **dry-clean** *tr* reinigen; **dry-cleaner's** *s* chemische Reinigung (*Geschäft*); **dry-cleaning** *s* chemische Reinigung (*Vorgang*); **dry dock** *s* (MAR) Trockendock *n*

dryer ['draɪə(r)] *s s.* **drier**

dry goods ['draɪ'gʊdz] *s pl* (*Am*) Manufakturwaren *fpl,* Textilien *pl,* Kurzwaren *fpl;* **dry ice** *s* Trockeneis *n;* **dry land** *s* fester Boden; **dry measure** *s* Trockenmaß *n;* **dry•ness** ['draɪnɪs] *s* Trockenheit *f;* **dry rot** *s* **1.** (BOT) Trockenfäule *f* **2.** (*fig*) Verfall *m,* Entartung *f;* **dry-shod** ['draɪʃɒd] *adj* trockenen Fußes; **dry-stone wall** *s* Trockenmauer *f*

DTP [ˌdiːtiː'piː] *s abbr of* **desktop publishing** DTP *n*

dual ['djuːəl] *adj* zweifach, doppelt; **dual carriageway** *s* (*Br*) vierspurige Straße, Schnellstraße *f;* **dual•ism** ['djʊəlɪzəm] *s* Dualismus *m*

dub [dʌb] *tr* **1.** zum Ritter schlagen **2.** e-n Spitznamen geben (*s.o.* jdm) **3.** (FILM) synchronisieren; **dub•bing** ['dʌbɪŋ] *s* (FILM)

Synchronisation *f*

du•bious ['dju:bɪəs] *adj* **1.** zweifelhaft, fraglich **2.** verdächtig **3.** (*Zukunft, Ergebnis*) ungewiss **4.** unsicher, im Zweifel (*of, about* über)

duch•ess ['dʌtʃɪs] *s* Herzogin *f;* **duchy** ['dʌtʃɪ] *s* Herzogtum *n*

duck [dʌk] **I.** *s* **1.** Ente *f* **2.** (*fam*) Liebling *m;* **like a ~ takes to water** (*fig*) mit der größten Selbstverständlichkeit; **like water off a ~'s back** wirkungs-, eindruckslos **II.** *itr* **1.** sich ducken **2.** (kurz) untertauchen **III.** *tr* **1.** (*den Kopf*) schnell einziehen **2.** ins Wasser tauchen **3.** (*sl*) aus dem Wege gehen (*s.o.* jdm, *s.th.* e-r S); **duck•boards** ['dʌkbɔ:dz] *s pl* Lattenrost *m;* **duck•ling** ['dʌklɪŋ] *s* Entchen *n;* **roast ~** Entenbraten *m;* **ducky** ['dʌkɪ] *s* (*fam*) Liebling *m*

duct [dʌkt] *s* **1.** Rohr(leitung *f*) *n* **2.** (ANAT) Gang *m;* Kanal *m*

dud [dʌd] *s* **1.** (*sl*) Versager(in) *m(f)* **2.** (*Bombe*) Blindgänger *m* **3.** (*sl*) ungedeckter Scheck

dude [dju:d] *s* (*Am*) **1.** Städter *m* **2.** feiner Pinkel **3.** (*fam*) Kerl *m*

due [dju:] **I.** *adj* **1.** (*Gelder, Arbeit*) fällig **2.** zahlbar **3.** (*Verkehrsmittel*) planmäßig ankommend, fällig (*at noon* um 12 Uhr mittags) **4.** gebührend, gehörig **5.** zu verdanken(d), zuzuschreiben(d) (*to dat*), zurückzuführend (*to* auf); **after ~ consideration** nach reiflicher Überlegung; **in ~ course** im rechten Augenblick; **in ~ form** ordnungsgemäß; **in ~ time** zu gegebener Zeit; **when ~** (FIN) bei Fälligkeit; **when is the baby ~?** wann kommt das Kind?; **when is the train ~?** wann soll der Zug ankommen?; **~ east** (MAR) genau Ost; **be ~ to** sollen, müssen; (*Am*) im Begriff sein zu; **be ~ to s.o.** jdm zustehen, gebühren; **be ~ to s.th.** auf etw beruhen; **become** [*o* **fall**] **~** fällig werden; **the train is ~ at ...** die planmäßige Ankunft(szeit) des Zuges ist ...; **the plane is already ~** das Flugzeug müsste schon da sein **II.** *s* **1.** *ohne pl* (das) Geschuldete; (das) Zustehende **2. ~s** Abgaben, Gebühren *fpl,* Zoll *m,* Zollgebühren *pl;* (Mitglieds)Beitrag *m* **3. ~s** auszuliefernde Bestellungen *pl*

duel ['dju:əl] *s* **1.** Duell *n* **2.** (*fig*) Kampf, Streit *m*

duet [dju:'et] *s* (MUS) Duett *n;* Duo *n*

duf•fel bag ['dʌflbæg] *s* Matchsack *m;* **duffel coat** *s* Dufflecoat *m*

duf•fer ['dʌfə(r)] *s* Dummkopf *m*

dug¹ [dʌg] *s* Zitze *f*

dug² [dʌg] *s.* **dig; dug-out** ['dʌgaʊt] *s* **1.** (MIL) Schützengraben *m* **2.** (*Boot*) Einbaum *m*

duke [dju:k] *s* Herzog *m*

dull [dʌl] **I.** *adj* **1.** schwerfällig, langsam **2.** langweilig **3.** (*Person*) lustlos **4.** (*Licht*) trüb; matt **5.** (*Wetter*) grau **6.** (*Schmerz*) dumpf **7.** (COM) flau, lustlos; **as ~ as ditch water** sterbenslangweilig **II.** *tr* **1.** (*Sinne*) abstumpfen **2.** (*Schmerz*) lindern **3.** (*Lärm*) dämpfen; **dull•ard** ['dʌləd] *s* Dummkopf *m;* **dull•ness** ['dʌlnɪs] *s* **1.** Schwerfälligkeit, Langsamkeit *f* **2.** Langweiligkeit *f* **3.** Lustlosigkeit *f* **4.** Trübheit, Mattheit *f* **5.** Grauheit *f* **6.** Dumpfheit *f* **7.** Flauheit *f*

duly ['dju:lɪ] *adv* **1.** entsprechend; gebührend, ordnungsgemäß **2.** zur rechten Zeit, rechtzeitig

dumb [dʌm] *adj* **1.** stumm **2.** schweigend, sprachlos (*with* vor) **3.** (*Am fam*) doof, dumm; **be struck ~** sprachlos sein

dumb-bell ['dʌmbel] *s* (SPORT) Hantel *f*

dumb•found [dʌm'faʊnd] *tr* verblüffen; **be ~ed** sprachlos sein

dumb show ['dʌmʃəʊ] *s* Pantomime *f;* **dumb•struck, dumb•stricken** ['dʌmstrʌk, 'dʌmstrɪkən] *adj* sprachlos

dumb waiter [ˌdʌm'weɪtə(r)] *s* **1.** Serviertisch *m,* stummer Diener **2.** (*Am*) Speiseaufzug *m*

dum•found (*Am*) *s.* **dumbfound**

dummy ['dʌmɪ] **I.** *s* **1.** Attrappe *f;* Schaufensterpuppe *f;* Blindband *m* **2.** (*für Babys*) Schnuller *m* **3.** (*Kartenspiel*) Strohmann *m* **4.** (*Am fam*) Dummkopf *m* **II.** *adj attr* unecht; **~ run** Probe *f*

dump [dʌmp] **I.** *tr* **1.** (*Abfall*) (hin)werfen, abladen **2.** (*Last*) ausladen, auskippen **3.** (COM) zu Dumpingpreisen verkaufen **II.** *s* **1.** Schutthaufen *m;* Müllkippe *f* **2.** (MIL) Depot *n* **3.** (*sl*) Dreckloch *n;* Bruchbude *f;* **be down in the ~s** deprimiert sein; **dumper** ['dʌmpə(r)] *s* Kipper *m;* **dumping** [-ɪŋ] *s* **1.** (COM) Dumping *n* **2.** (TECH: *Abfallstoffe*) Verklappung *f;* **"no ~"** „Schutt abladen verboten"; **dumping ground** *s* Schuttabladeplatz *m*

dump•ling ['dʌmplɪŋ] *s* **1.** Knödel, Kloß *m* **2.** (*apple ~*) Apfel *m* im Schlafrock **3.** (*fam*) Dickerchen *n*

dumpy ['dʌmpɪ] *adj* pummelig

dun¹ [dʌn] *adj* graubraun

dun² *tr* mahnen

dunce [dʌns] *s* langsame(r) Schüler(in) *m(f),* Dummkopf *m*

dune [dju:n] *s* Düne *f*

dung [dʌŋ] *s* Dung, Mist *m*

dunga•rees [ˌdʌŋgə'ri:z] *s pl* Latzhosen *fpl*

dun•geon ['dʌndʒən] *s* Verlies *n*

dung•hill ['dʌŋhɪl] *s* Misthaufen *m*

dunk [dʌŋk] *tr* (ein)tunken

duo ['dju:əʊ] <*pl* duos> *s* Duo *n*

duo•denum [ˌdju:ə'di:nəm] *s* Zwölffingerdarm *m*

dupe [dju:p] I. *s* Betrogene(r) *f m* II. *tr* betrügen

du·plex ['dju:pleks] *adj* doppelt; ~ **apartment** (*Am*) zweistöckige Wohnung

du·pli·cate ['dju:plɪkət] I. *adj* doppelt, zweifach; ~ **key** Zweitschlüssel *m* II. *s* Duplikat *n*, Kopie *f*; **in** ~ in doppelter Ausfertigung III. ['dju:plɪkeɪt] *tr* 1. kopieren; vervielfältigen 2. e-e Zweitschrift anfertigen von; **du·pli·ca·tor** ['dju:plɪkeɪtə(r)] *s* Vervielfältigungsapparat *m*; **du·plic·ity** [dju:'plɪsətɪ] *s* Doppelspiel *n*

dura·bil·ity [ˌdjʊərə'bɪlətɪ] *s* Dauer *f*; Haltbarkeit *f*; Widerstandsfähigkeit *f*; **dur·able** ['djʊərəbl] *adj* dauerhaft, haltbar; widerstandsfähig

dur·ation [djʊ'reɪʃn] *s* Dauer, Laufzeit *f*; **for the** ~ für die Dauer

dur·ess [djʊ'res] *s* Zwang *m*, Nötigung *f*

dur·ing ['djʊərɪŋ] *prep* während

dusk [dʌsk] *s* (Abend)Dämmerung *f*; **at** ~ bei Einbruch der Dunkelheit; **dusky** ['dʌskɪ] *adj* dunkel, schwärzlich

dust [dʌst] I. *s* Staub *m*; **throw** ~ **in s.o.'s eyes** jdm Sand in die Augen streuen; **give s.th. a** ~ etw abstauben II. *tr* 1. abstauben 2. (*Kuchen*) pudern III. *itr* Staub wischen; **dust·bin** ['dʌstbɪn] *s* (*Br*) Mülltonne *f*; **dust·cart** *s* (*Br*) Müllwagen *m*; **dust coat** *s* Kittel *m*; **dust cover, dust jacket** *s* Schutzumschlag *m*

duster ['dʌstə(r)] *s* Staubtuch *n*

dust·man ['dʌstmən] <*pl* -men> *s* Müllmann *m*; **dust·pan** *s* Kehrschaufel *f*; **dust storm** *s* Sandsturm *m*; **dust-up** ['dʌstʌp] *s* (*fam*) Streit *m*

dusty ['dʌstɪ] *adj* staubig; verstaubt

Dutch [dʌtʃ] I. *adj* holländisch, niederländisch; **go** ~ getrennte Kasse machen; ~ **courage** angetrunkener Mut II. *s* 1. (das) Holländisch(e), Niederländisch(e) 2. (*Menschen*): **the** ~ die Holländer, Niederländer *pl*; **Dutch·man** [dʌtʃmən] <*pl* -men> *s* Holländer, Niederländer *m*; **the Flying** ~ der Fliegende Holländer; **Dutch·woman** ['dʌtʃˌwʊmən, *pl* -ˌwɪmɪn] <*pl* -women> *s* Holländerin, Niederländerin *f*

duti·able ['dju:tɪəbl] *adj* zollpflichtig

duti·ful ['dju:tɪfl] *adj* pflichtgetreu, -bewusst; gehorsam

duty ['dju:tɪ] *s* 1. Pflicht *f* 2. Aufgabe, Obliegenheit *f* 3. (FIN) Zoll *m*; **do one's** ~ seine Pflicht tun; **as in** ~ **bound** pflichtgemäß; **free from** ~ zollfrei; **off** ~ außer Dienst; dienstfrei; **on** ~ im Dienst; **duty call** *s* Höflichkeitsbesuch *m*; **duty-free** *adj* zollfrei; ~ **shop** Dutyfreeshop *m*; **duty roster** *s* Dienstplan *m*

du·vet ['du:veɪ] *s* Duvet, Federbett *n*

dwarf [dwɔ:f, *pl* dwɔ:vz] <*pl* dwarves> I. *s* Zwerg *m* II. *tr* klein erscheinen lassen III. *adj* zwergenhaft

dwell [dwel] <*irr:* dwelt, dwelt> *itr* wohnen, leben; ~ **on** verweilen, sich länger aufhalten bei; **dweller** ['dwelə(r)] *s* Bewohner(in) *m(f)*; **dwell·ing** [-ɪŋ] *s* Wohnsitz *m*; **dwelling house** *s* Wohnhaus *n*; **dwelt** [dwelt] *s.* **dwell**

dwindle ['dwɪndl] *itr* abnehmen; schwinden; zurückgehen

dye [daɪ] I. *s* Farbstoff *m*; **hair** ~ Haarfärbemittel *n* II. *tr* färben; **dyed-in-the-wool** *adj* (*fig*) durch und durch; **dye-works** *s pl* Färberei *f*

dy·ing ['daɪɪŋ] *adj* 1. sterbend 2. (*Rasse*) aussterbend 3. (*Zivilisation*) untergehend

dyke[1] [daɪk] I. *s* 1. (Wasser)Graben *m* 2. Deich, Damm *m a. fig* II. *tr* eindeichen

dyke[2] *s* (*Am sl*) Lesbe *f*

dy·namic [daɪ'næmɪk] *adj* dynamisch *a. fig*; **dy·namics** [daɪ'næmɪks] *s pl mit sing* Dynamik *f a. fig*

dyna·mite ['daɪnəmaɪt] I. *s* Dynamit *n* II. *tr* sprengen

dy·namo ['daɪnəməʊ] <*pl* -namos> *s* Dynamo(maschine *f*) *m*

dyn·asty ['dɪnəstɪ] *s* Dynastie *f*

dys·en·tery ['dɪsəntrɪ] *s* (MED) Ruhr *f*

dys·lex·ia [dɪs'leksɪə] *s* Legasthenie *f*; **dys·lex·ic** [dɪs'leksɪk] I. *adj* legasthenisch II. *s* Legastheniker(in) *m(f)*

dys·pep·sia [dɪs'pepsɪə] *s* Verdauungsstörung *f*

E

E, e [iː] <*pl* -'s> *s* **1.** (*a.* MUS) E, e *n* **2.** (*Schule*) mangelhaft

each [iːtʃ] **I.** *adj, pron* **1.** jede(r, s) (Einzelne); ~ **and every one** jede(r, s) Einzelne **2.** ~ **other** einander, sich (gegenseitig); **with** ~ **other** miteinander **II.** *adv* je

eager ['iːgə(r)] *adj* **1.** eifrig **2.** begierig (*about, after, for* auf, nach); **be** ~ begierig sein; darauf brennen (*to do* zu tun); **eager beaver** *s* (*fam*) Streber(in) *m(f)*; **eagerness** [-nɪs] *s* Eifer *m;* Ungeduld *f*

eagle ['iːgl] *s* Adler *m;* (*Golf*) Eagle *n;* **eagle-eyed** ['iːglaɪd] *adj* **1.** scharfsichtig **2.** (*fig*) sehr aufmerksam

ear¹ [ɪə(r)] *s* **1.** Ohr *n* **2.** Gehör *n* (*for* für); **be all ~s** ganz Ohr sein; **be out on one's** ~ (*fam*) plötzlich seinen Job los sein; **have one's ~ to the ground** Augen u. Ohren offen halten; **play it by** ~ (*fig*) improvisieren; **his ~s must be burning** (*fig*) seine Ohren müssen ihm klingen; **I pricked up my ~s** ich spitzte die Ohren

ear² [ɪə(r)] *s* (*Getreide*) Ähre *f*

ear•ache ['ɪəreɪk] *s* Ohrenschmerzen *mpl;* **ear•bashing** *s:* **give s.o. an** ~ (*sl*) jdm ein Ohr abreden; **ear•drum** *s* Trommelfell *n;* **ear infection** *s* Ohrenentzündung *f*

earl [ɜːl] *s* (englischer) Graf *m*

ear•lobe ['ɪələʊb] *s* Ohrläppchen *n*

early ['ɜːlɪ] **I.** *adv* früh(zeitig); bald; **as** ~ **as May** schon im Mai; **very** ~ **on** zu sehr früher Zeit; ~ **in life** in jungen Jahren **II.** *adj* früh(zeitig); baldig; **at your earliest convenience** sobald wie möglich; **at the earliest possible date** zum frühest möglichen Zeitpunkt; **in** ~ **summer** im Frühsommer; ~ **closing** (**day**) halber Geschäftstag; ~ **morning call** telefonischer Weckruf; ~ **retirement** vorzeitige Pensionierung; vorgezogener Ruhestand; ~ **retirement scheme** Vorruhestandsregelung *f;* ~ **stage** Anfangs-, Frühstadium *n;* ~ **warning system** (MIL) Frühwarnsystem *n*

ear•mark ['ɪəmɑːk] **I.** *s* **1.** Eigentumszeichen *n* am Ohr (*e-s Haustieres*) **2.** (*fig*) Kennzeichen *n* **II.** *tr* reservieren, zurücklegen, bereitstellen; **~ed funds** zweckgebundene Mittel *npl;* **ear•muffs** *s pl* Ohrenschützer *mpl*

earn [ɜːn] *tr* **1.** (sich) verdienen; (sich) erwerben *a. fig* **2.** (*Zinsen*) bringen; **earned income** ['ɜːnd'ɪnkʌm] *s* Einkünfte *pl* aus Erwerbstätigkeit

ear•nest ['ɜːnɪst] **I.** *adj* **1.** ernsthaft; ernst **2.** aufrichtig, ehrlich **II.** *s:* **in** ~ im Ernst; **in dead** ~ in vollem Ernst; **are you in** ~**?** ist das Ihr Ernst?; **ear•nest•ly** [-lɪ] *adv* ernstlich; inständig

earn•ing ['ɜːnɪŋ] *adj:* ~ **capacity** [*o* **power**] Erwerbs-, Ertragsfähigkeit *f;* **earn•ings** [-ɪŋz] *s pl* Einkommen *n;* Einkünfte *pl,* Einnahme(n *pl*) *f;* Arbeitslohn *m;* **earnings-related** *adj* gehalts-, lohnbezogen

ear•phones ['ɪəfəʊnz] *s pl* (TELE RADIO) Kopfhörer *mpl;* **ear•piece** ['ɪəpiːs] *s* (TELE) Hörer *m;* **ear•plug** *s* Ohrenstöpsel *m;* Oropax® *n;* **ear•ring** ['ɪərɪŋ] *s* Ohrring *m;* **ear•shot** ['ɪərʃɒt] *s:* **out of/within** ~ außer/in Hörweite

earth [ɜːθ] **I.** *s* **1.** Erde *f* **2.** (festes) Land *n;* (Erd)Boden *m;* Erde *f* **3.** (Fuchs-, Dachs)Bau *m;* **on** ~ auf der Erde; auf Erden; **to** (**the**) ~ auf die Erde, zu Boden; **be down to** ~ mit beiden Füßen fest auf der Erde stehen; **come down to** ~ (*fig*) auf den Boden der Tatsachen zurückkehren; **move heaven and** ~ Himmel u. Hölle in Bewegung setzen; **it cost the** ~ es kostete e-n Haufen Geld; **down to** ~ praktisch; nüchtern; sachlich; **why on** ~ warum auch **II.** *tr* **1.** (EL RADIO) erden **2.** (*Kartoffeln:* ~ *up*) häufeln; **earth-bound** ['ɜːθbaʊnd] *adj* erdgebunden; ~ **journey** Flug *m* zur Erde; **earthen•ware** ['ɜːθnweə(r)] *s* Tongeschirr *n;* **earthi•ness** ['ɜːθɪnɪs] *s* Derbheit *f;* **earth•ling** ['ɜːθlɪŋ] *s* (*pej*) Erdenwurm *m;* **earthly** ['ɜːθlɪ] **I.** *adj* irdisch, weltlich; **of no** ~ **use** völlig unnütz **II.** *s* (*fam*): **he hasn't an** ~ er hat nicht die geringste Chance; **earth-orbit** ['ɜːθɔːbɪt] *s* Erdumlaufbahn *f;* **earth•quake** ['ɜːθkweɪk] *s* Erdbeben *n;* **earthquake zone** *s* Erdbebengürtel *m;* **earth-shat•ter•ing** ['ɜːθʃætrɪŋ] *adj* welterschütternd; **earth-work** ['ɜːθwɜːk] *s* Erdarbeiten *fpl;* (MIL) Schanze *f;* **earth•worm** ['ɜːθwɜːm] *s* Regenwurm *m;* **earthy** ['ɜːθɪ] *adj* erdig; (*fig: Mensch, Humor*) derb

ear•wax ['ɪəwæks] *s* Ohrenschmalz *n;* **ear•wig** ['ɪəwɪg] *s* Ohrwurm *m*

ease [iːz] **I.** *s* **1.** Bequemlichkeit *f;* Behagen *n* **2.** Leichtigkeit, Mühelosigkeit *f;* **at** ~ frei, ungezwungen; behaglich; (**stand**) **at** ~**!** (MIL) rührt euch!; **with** ~ mit Leichtigkeit;

mühelos; **be** (**ill**) **at** ~ sich (nicht) wohl fühlen; **live at** ~ in angenehmen Verhältnissen leben; **take one's** ~ es sich bequem machen **II.** *tr* **1.** entlasten, befreien (*of* von) **2.** (*Schmerz*) lindern **3.** erleichtern **4.** ermäßigen, herabsetzen **5.** (~ *down*) verlangsamen **6.** vorsichtig, behutsam bewegen; lockern **III.** *itr* **1.** (*Börsenkurse*) nachgeben **2.** (*Lage*) sich entspannen; **ease off, ease up** *itr* **1.** langsamer werden; sich verlangsamen **2.** (*Lage*) sich entspannen **3.** (*Geschäfte*) ruhiger werden **4.** (*Schmerz, Regen*) nachlassen

easel ['i:zl] *s* Staffelei *f*

eas•ily ['i:zəlɪ] *adv* **1.** leicht, mühelos **2.** zweifellos; bestimmt, bei weitem; **easi•ness** ['i:zɪnɪs] *s* Leichtigkeit *f*

east ['i:st] **I.** *s* Ost(en) *m;* **the E~** der Osten, der Orient; **to the** ~ im Osten, östlich (*of* von) **II.** *adj* östlich; Ost- **III.** *adv* ostwärts, nach Osten; **east-bound** ['i:stbaʊnd] *adj* in Richtung Osten

Easter ['i:stə(r)] *s* Ostern *n;* **at** ~ an Ostern; **Easter Day, Sunday** *s* Ostersonntag *m;* **Easter egg** *s* Osterei *n;* **Easter holidays** *s pl* Osterferien *pl;* **Easter Islands** *s pl* Osterinseln *fpl*

east•er•ly ['i:stəlɪ] **I.** *adj* östlich **II.** *adv* nach, von Osten **III.** *s* Ostwind *m;* **eastern** ['i:stən] *adj* östlich; (**the**) ~ (**states of**) **Germany** die neuen Bundesländer; **easterner** ['i:stənə(r)] *s* (*Am*) Bewohner(in) *m(f)* der Oststaaten; **east•ern•most** ['i:stənməʊst] *adj* östlichste(r, s)

East Ger•ma•ny [ˌi:st'dʒɜ:mənɪ] *s* Ostdeutschland *n;* (POL HIST) DDR

east•ward ['i:stwəd] *adj* östlich; **eastward**(**s**) ['i:stwəd(z)] *adv* ostwärts, nach Osten

easy ['i:zɪ] **I.** *adj* **1.** leicht (*zu tun*), nicht schwer, nicht schwierig **2.** frei von Schmerzen **3.** sorglos, unbekümmert **4.** angenehm, behaglich **5.** (*Kleidung*) bequem **6.** zwanglos **7.** (*Geld*) leicht verdient **8.** (*Börse*) freundlich **9.** (*Zahlungsbedingungen*) günstig; **in** ~ **circumstances,** *Am* **on** ~ **street** in angenehmen Verhältnissen; **on** ~ **terms** (COM) zu günstigen Bedingungen; ~ **on the eye/ear** angenehm zu sehen/zu hören; **I'm** ~ (*fam*) mir ist es eigentlich egal; **it's** ~ **for you to talk** Sie haben gut reden **II.** *adv:* ~**!** ~ **does it!** (immer) sachte!; **take things** ~ sich schonen; **take it** ~**!** immer mit der Ruhe! nimm's nicht so tragisch!; **go** ~ **on** [*o* **with**] **s.th** mit etw sparsam umgehen; **go** ~ **on s.o.** jdn nicht zu streng behandeln; **easy-care** *adj* (*Textilien*) pflegeleicht; **easy-chair** *s* Lehnstuhl *m;* **easy-go•ing** ['i:zɪˌgəʊɪŋ] *adj* (*fig*) gelassen, lässig; großzügig

eat [i:t] <*irr:* ate, eaten> **I.** *tr* **1.** essen; (~ *up*) aufessen, verzehren **2.** (~ *into*) zerfressen; sich hineinfressen in **3.** (~ *away, up*) aufessen; verbrauchen; vernichten **4.** (*Feuer*) verzehren **5.** (*Wasser*) fortspülen **6.** (*Kilometer*) verschlingen, fressen; ~ **dirt** (*fam*) e-e Beleidigung hinunterschlucken; ~ **humble pie** klein beigeben müssen; ~ **one's heart out** sich in Kummer verzehren; ~ **one's words** das Gesagte zurücknehmen; **what's ~ing you?** (*fam*) was hast du denn? **II.** *itr* essen; speisen; ~ **out** zum Essen ausgehen **III.** *s pl* (*fam*) Essen *n;* Esswaren *fpl;* **eat•able** [-əbl] **I.** *adj* ess-, genießbar **II.** *s meist pl* Essen *n;* Nahrung *f,* Nahrungsmittel *npl;* **eat-by date** ['i:tbaɪˌdeɪt] *s* Haltbarkeitsdatum *n;* **eaten** ['i:tn] *s.* **eat**; **eater** ['i:tə(r)] *s* **1.** Esser(in) *m(f)* **2.** Tafelobst *n;* **a big/poor** ~ ein starker/schwacher Esser; **eat•ing** ['i:tɪŋ] *s* Essen *n*

eaves [i:vz] *s pl* Dachvorsprung *m*

eaves•drop ['i:vzdrɒp] *itr* horchen, lauschen; ~ **on s.th.** etw belauschen; **eaves•drop•per** ['i:vzdrɒpə(r)] *s* Horcher(in) *m(f)*

ebb [eb] **I.** *s* **1.** (~-*tide*) Ebbe *f* **2.** (*fig*) Tiefstand *m;* **at a low** ~ auf e-m Tiefstand **II.** *itr* **1.** zurückfluten (*from* von), verebben *a. fig* **2.** (*fig:* ~ *away*) nachlassen

eb•ony ['ebənɪ] *s* Ebenholz *n*

ebul•lient [ɪ'bʌlɪənt] *adj* (*fig*) übersprudelnd (*with* von), enthusiastisch, überschwenglich

EC [i:'si:] *s abbr of* **European Community** (HIST) EG *f*

ec•cen•tric [ɪk'sentrɪk] **I.** *adj* exzentrisch *a. fig* **II.** *s* **1.** Exzentriker(in) *m(f)* **2.** (TECH) Exzenter *m;* **ec•cen•tric•ity** [ˌeksen'trɪsətɪ] *s* (*fig*) Überspanntheit *f*

ec•clesi•as•tic [ɪˌkli:zɪ'æstɪk] *s* Geistliche(r) *f m;* **ec•clesi•as•ti•cal** [ɪˌkli:zɪ'æstɪkl] *adj* kirchlich; geistlich

ECG *s abbr of* **electrocardiogram** EKG *n*

eche•lon ['eʃəlɒn] *s* **1.** Gliederung, Staffelung *f* **2.** (*fig*) Ebene *f;* **the higher ~s** die höheren Ränge

echo ['ekəʊ] <*pl* echoes> **I.** *s* Echo *n a. fig;* (*fig*) Anklang *m* **II.** *itr* widerhallen (*with* von) **III.** *tr* **1.** (*Schall*) zurückwerfen **2.** (*fig*) wiederholen; **echo chamber** *s* Hallraum *m;* **echo-sounder** ['ekəʊˌsaʊndə(r)] *s* Echolot *n*

eclipse [ɪ'klɪps] **I.** *s* **1.** (ASTR) Verfinsterung *f;* Finsternis *f* **2.** (*fig*) Verdunkelung *f;* (Ver)Schwinden *n;* ~ **of the sun/moon** Sonnen-/Mondfinsternis *f* **II.** *tr* **1.** verfinstern **2.** (*fig*) in den Schatten stellen

eco•logi•cal [ˌi:kə'lɒdʒɪkl] *adj* ökologisch,

Öko-; ~ **disaster** Umweltkatastrophe *f;* **eco·logi·cally** [ˌiːkəˈlɒdʒɪklɪ] *adv:* ~ **harmless** (*Produkte, Stoffe*) umweltverträglich; ~ **beneficial** umweltfreundlich; **ecol·ogist** [iːˈkɒlədʒɪst] *s* Ökologe *m,* Ökologin *f;* **ecol·ogy** [iːˈkɒlədʒɪ] *s* Ökologie *f;* **ecol·ogy movement** *s* Umweltbewegung *f;* **ecology party** *s* Ökopartei *f;* **ecology tax** *s* Umweltsteuer *f*

econ·omic [ˌiːkəˈnɒmɪk] *adj* ökonomisch, (volks)wirtschaftlich; Wirtschafts-; ~ **adviser** Wirtschaftsberater(in) *m(f);* ~ **agreement** Handels-, Wirtschaftsabkommen *n;* ~ **aid** Wirtschaftshilfe *f;* ~ **boom** Konjunkturaufschwung *m;* ~ **commission** Wirtschaftskommission *f;* ~ **control** Wirtschaftslenkung *f;* (**world**) ~ **crisis** (Welt)Wirtschaftskrise *f;* ~ **cycle** Konjunkturzyklus *m;* ~ **downswing** Konjunkturabschwung *m;* ~ **feasibility study** Wirtschaftlichkeitsanalyse *f;* ~ **fluctuations** Konjunkturschwankungen *fpl;* ~ **growth** Wirtschaftswachstum *n;* ~ **planning** gesamtwirtschaftliche Planung; ~ **policy** Wirtschaftspolitik *f;* ~ **profit** Grenzkostenergebnis *n;* ~ **recovery** Wirtschaftsbelebung *f;* ~ **refugee** Wirtschaftsflüchtling *m;* ~ **situation** Wirtschaftslage *f;* ~ **structure** Wirtschaftsstruktur *f;* ~ **union** Wirtschaftsunion *f;* ~ **upswing** Konjunkturaufschwung *m;* **econ·omi·cal** [ˌiːkəˈnɒmɪkl] *adj* wirtschaftlich, sparsam (*with* mit); **econ·omics** [ˌiːkəˈnɒmɪks] *s pl* **1.** *mit sing* Wirtschaftswissenschaften *fpl,* Volkswirtschaft(slehre) *f* **2.** *mit pl* Wirtschaftlichkeit *f;* **econ·om·ist** [ɪˈkɒnəmɪst] *s* Wirtschaftswissenschaftler(in) *m(f),* Volkswirt(in) *m(f);* **econ·om·ize** [ɪˈkɒnəmaɪz] *itr* sparsam sein (*in, on* mit); **econ·omy** [ɪˈkɒnəmɪ] *s* **1.** Wirtschaft *f* **2.** Wirtschaftlichkeit; Sparsamkeit *f* **3.** Sparmaßnahme, Einsparung *f;* **make economies** sparen; **the state of the** ~ die Wirtschafts-, Konjunkturlage *f;* **controlled** [*o* **planned**] ~ Planwirtschaft *f;* **market** ~ Marktwirtschaft *f;* **national** ~ Volkswirtschaft *f;* **world** ~ Weltwirtschaft *f;* ~ **class** (AERO) Touristenklasse *f;* ~ **drive** Sparaktion *f;* ~ **price** Sparpreis *m;* ~ **size** Sparpackung *f;* ~ **study** Wirtschaftlichkeitsberechnung *f*

eco·sys·tem [ˈiːkəʊsɪstəm] *s* Ökosystem *n*

ec·stasy [ˈekstəsɪ] *s* **1.** (*a.* REL) Verzückung, Ekstase *f* **2.** Begeisterung(staumel *m*) *f* **3.** (*Droge*) Ecstasy *n;* **ec·static** [ɪkˈstætɪk] *adj* ekstatisch; begeistert, verzückt, hingerissen

ECU [ˈeɪkjuː, ˈiːkjuː] *s abbr of* **European Currency Unit** ECU *m*

Ecua·dor [ˈekwədɔː(r)] *s* Ecuador *n;* **Ecua·dor·ian** [ˌekwəˈdɔːrɪən] **I.** *adj* ecuadorianisch **II.** *s* Ecuadorianer(in) *m(f)*

ecu·meni·cal [ˌiːkjuːˈmenɪkl] *s s.* **oecumenical**

ec·zema [ˈeksɪmə] *s* (MED) Ekzem *n,* Ausschlag *m*

eddy [ˈedɪ] **I.** *s* Wirbel, Strudel *m* **II.** *itr* wirbeln, strudeln

Eden [ˈiːdn] *s* (REL): **the Garden of** ~ der Garten Eden, das Paradies *a. fig*

edge [edʒ] **I.** *s* **1.** (*Klinge*) Schneide *f* **2.** Kante *f* **3.** (*Buch*) Schnitt *m* **4.** Rand *m* **5.** Ufer *n* **6.** (*fam*) Vorteil *m* (*on* vor); **at the** ~ **of** am Rande *+gen;* **on** ~ hochkant; (*fig*) nervös, ungeduldig; **have the** ~ **on s.o.** (*fam*) jdm gegenüber im Vorteil, besser sein; **set s.o.'s teeth on** ~ jdm unangenehm sein; **take the** ~ **off** abschwächen **II.** *tr* **1.** (um)säumen, einfassen **2.** (*Messer*) schleifen **3.** schieben, rücken; ~ **one's way through** sich zwängen durch **III.** *itr* sich e-n Weg bahnen; sich schieben, vorrücken; **edge away** *itr* sich davonmachen; ~ **away from s.o.** von jdm abrücken; **edge forward** *itr* sich vorschieben, vorrücken; **edge off** *itr* ab-, wegrücken; **edge·ways, edge·wise** [ˈedʒweɪz, ˈedʒwaɪz] *adv* **1.** seitwärts, von der Seite **2.** hochkant; **get a word in** ~ zu Worte kommen

edg·ing [ˈedʒɪŋ] *s* Rand, Saum *m;* Borte *f*

edgy [ˈedʒɪ] *adj* (*fig*) nervös, gereizt

ed·ible [ˈedɪbl] **I.** *adj* ess-, genießbar **II.** *s pl* Lebensmittel *npl*

edict [ˈiːdɪkt] *s* Erlass *m;* Edikt *n*

edi·fi·ca·tion [ˌedɪfɪˈkeɪʃn] *s* (*fig*) Erbauung *f*

edi·fice [ˈedɪfɪs] *s* Bauwerk *n a. fig*

edify [ˈedɪfaɪ] *tr* (geistig) erbauen; **edifying** [-ɪŋ] *adj* erbaulich

edit [ˈedɪt] *tr* **1.** (*Buch*) herausgeben **2.** (*Zeitung*) redigieren **3.** (FILM) zusammenstellen **4.** (EDV: *Daten*) edi(ti)eren, aufbereiten; **edi·tion** [ɪˈdɪʃn] *s* **1.** (*Buch*) Ausgabe *f* **2.** Auflage *f;* **morning/evening** ~ Morgen-/Abendausgabe *f;* **pocket** ~ Taschenausgabe *f;* **edi·tor** [ˈedɪtə(r)] *s* **1.** Herausgeber(in) *m(f)* **2.** Redakteur(in) *m(f),* Schriftleiter(in) *m(f)* **3.** (EDV) Editor *m* **4.** (*Film*) Cutter(in) *m(f);* **chief** ~, ~ **in chief** Chefredakteur(in) *m(f);* **letter to the** ~ Leserbrief *m;* **edi·tor·ial** [ˌedɪˈtɔːrɪəl] **I.** *adj* redaktionell; ~ **assistent** Redaktionsassistent(in) *m(f);* ~ **staff** Redaktionsstab *m* **II.** *s* (*Zeitung*) Leitartikel *m*

edu·cate [ˈedʒʊkeɪt] *tr* erziehen, (aus-, heran)bilden; **edu·ca·ted** [ˈedʒʊkeɪtɪd] *adj* gebildet; ~ **guess** auf Tatsachen beruhende Vermutung; **edu·ca·tion** [ˌedʒʊˈkeɪʃn] *s* **1.** (*Prozess*) Erziehung, (Aus-, Heran)Bildung *f* **2.** (*Fachgebiet*) Erziehungswissenschaft, Pädagogik *f;* **adult** ~ Erwachsenenbildung *f;* **compulsory** ~

Schulpflicht *f;* **general** ~ Allgemeinbildung *f;* **ministry of** ~ Kultusministerium *n;* **edu•ca•tional** [ˌedʒʊˈkeɪʃənl] *adj* **1.** erzieherisch **2.** pädagogisch **3.** (*Film, Spiel*) Lehr- **4.** Lehrbuch-; ~ **experience** lehrreiche Erfahrung; ~ **background** Bildungsgang *m;* Vorbildung *f;* ~ **establishment** Bildungsanstalt *f;* ~ **leave** Bildungsurlaub *m;* **edu•ca•tion(•al)•ist** [ˌedʒʊˈkeɪʃən(əl)ɪst] *s* Pädagoge *m,* Pädagogin *f;* Erziehungswissenschaftler(in) *m(f);* **edu•ca•tor** [ˈedʒʊkeɪtə(r)] *s* Erzieher(in) *m(f)*

EEC [iːiːˈsiː] *s abbr of* **European Economic Community** (HIST) EWG *f*

eel [iːl] *s* Aal *m*

eerie, eery [ˈɪərɪ] *adj* schaurig, gespenstisch

ef•face [ɪˈfeɪs] **I.** *tr* **1.** ausradieren **2.** auslöschen, streichen, tilgen *a. fig* **II.** *refl* sich zurückhalten

ef•fect [ɪˈfekt] **I.** *s* **1.** Wirkung *f* (*on* auf) **2.** Folge *f,* Ergebnis *n* (*of + gen*) **3.** Eindruck, Effekt *m* **4.** (JUR) Gültigkeit *f* **5.** (TECH) (Nutz)Effekt *m;* Leistung *f* **6.** **~s** Gegenstände *npl,* Sachen *fpl,* Besitz *m,* (bewegliches) Eigentum *n,* Habe *f;* Effekten *pl;* **in** ~ in Wirklichkeit; (*Gesetz*) gültig, in Kraft; **of no** ~ wirkungslos; **to this** ~ zu dem Zweck; **a letter to the** ~ ein Brief des Inhalts; **words to that** ~ etwas in diesem Sinne; **with** ~ **from ...** mit Wirkung vom ...; **come into** [*o* **take**] ~ in Kraft treten; **put into** ~ in Kraft setzen **II.** *tr* **1.** bewirken; zu Stande bringen **2.** aus-, durchführen; **ef•fec•tive** [ɪˈfektɪv] *adj* **1.** wirksam **2.** wirkungs-, eindrucksvoll **3.** tatsächlich, effektiv; **cost** ~ kostenwirksam; ~ **immediately** mit sofortiger Wirkung; **be** ~ gelten; **become** ~ in Kraft treten; **ef•fec•tive•ness** [-nɪs] *s* Wirksamkeit *f;* **cost** ~ Kostenwirksamkeit *f;* **ef•fec•tual** [ɪˈfektʃʊəl] *adj* wirksam; gültig, in Kraft; **be** ~ die gewünschte Wirkung haben; **ef•fec•tuate** [ɪˈfektʃʊeɪt] *tr* bewirken, zu Stande bringen

ef•femi•nacy [ɪˈfemɪnəsɪ] *s* (*pej*) Unmännlichkeit *f;* **ef•femi•nate** [ɪˈfemɪnət] *adj* (*pej*) unmännlich, weibisch

ef•fer•vesce [ˌefəˈves] *itr* **1.** perlen, sprudeln, moussieren; aufbrausen, -wallen **2.** (*fig*) überschäumen; **ef•fer•ves•cence** [ˌefəˈvesns] *s* **1.** Sprudeln, Aufwallen *n* **2.** (*fig*) Munterkeit, Lebhaftigkeit *f;* **ef•fer•ves•cent** [ˌefəˈvesnt] *adj* **1.** sprudelnd, aufbrausend **2.** (*fig*) überschäumend

ef•fete [ɪˈfiːt] *adj* schwach; saft- und kraftlos

ef•fi•ca•cious [ˌefɪˈkeɪʃəs] *adj* wirksam;

ef•fi•cacy [ˈefɪkəsɪ] *s* Wirksamkeit, Wirkungskraft *f*

ef•fi•ciency [ɪˈfɪʃnsɪ] *s* **1.** Leistungsfähigkeit, Effizienz *f* **2.** Tüchtigkeit *f* **3.** (TECH) Wirkungsgrad *m* **4.** Produktivität *f* **5.** Wirtschaftlichkeit *f;* Rentabilität *f;* ~ **bonus** Leistungszulage *f;* **~-minded** leistungsorientiert; **ef•fi•cient** [ɪˈfɪʃnt] *adj* **1.** wirksam, effizient **2.** rationell, wirtschaftlich **3.** leistungsfähig, ergiebig **4.** (*Mensch*) tüchtig, fähig

ef•flu•ent [ˈeflʊənt] *s* Abwasser *n,* Abfluss *m*

ef•fort [ˈefət] *s* **1.** Anstrengung, Mühe *f* **2.** Kraftaufwand *m* **3.** (TECH) Leistung *f* **4.** Bemühung *f* **5.** Werk *n,* Tat, Leistung *f;* **without** ~ mühelos; **be worth the** ~ der Mühe wert sein; **make every** ~ sich alle Mühe geben; **spare no** ~ keine Mühe scheuen; **ef•fort•less** [-lɪs] *adj* mühelos

ef•front•ery [ɪˈfrʌntərɪ] *s* Unverschämtheit, Frechheit *f*

ef•fu•sion [ɪˈfjuːʒn] *s* Erguss *m a. fig;* **ef•fu•sive** [ɪˈfjuːsɪv] *adj* (*fig*) überschwänglich

EFT [ˌiːefˈtiː] *s abbr of* **electronic funds transfer** elektronischer Zahlungsverkehr

EFTA [ˈeftə] *s abbr of* **European Free Trade Association** EFTA *f*

egg [eg] *s* **1.** (Hühner)Ei *n* **2.** (BIOL) Ei(zelle *f*) *n;* **have** ~ **on one's face** (*fam*) sich blamieren; **put all one's ~s in one basket** (*fig*) alles auf eine Karte setzen; **teach one's grandmother to suck ~s** das Ei will klüger sein als die Henne; **a bad** ~ (*sl*) ein Strolch, ein Taugenichts; **scrambled ~s** Rührei *n;* **boiled/fried ~s** gekochte Eier/Spiegeleier *npl;* **egg on** *tr* aufstacheln, -hetzen; aufmuntern; **egg cell** *s* (BIOL) Eizelle *f;* **egg cup** *s* Eierbecher *m;* **egg•head** [ˈeghed] *s* (*fam*) Intellektuelle(r) *f m;* **egg•plant** *s* (BOT) Aubergine *f;* **egg•shell** *s* Eierschale *f;* **egg spoon** *s* Eierlöffel *m;* **egg timer** *s* Eieruhr *f;* **egg yolk** *s* Eidotter *m,* Eigelb *n*

ego [ˈegəʊ, *Am* ˈiːgəʊ] <*pl* egos> *s* Ich *n;* Selbstbewusstsein *n;* **ego•cen•tric** [ˌegəʊˈsentrɪk] *adj* egozentrisch; **ego•ism** [ˈegəʊɪzəm] *s* Egoismus *m;* **ego•ist** [ˈegəʊɪst] *s* Egoist(in) *m(f);* **ego•istic(al)** [ˌegəʊˈɪstɪk(l)] *adj* egoistisch; **ego•tism** [ˈegəʊtɪzəm] *s* Ichbezogenheit *f;* **ego•tist** [ˈegəʊtɪst] *s* ichbezogener Mensch, Egozentriker(in) *m(f);* **ego•tis•tic(al)** [ˌegəˈtɪstɪk(l)] *adj* geltungsbedürftig; überheblich; **ego trip** [ˈegəʊtrɪp] *s* (*fam*) Egotrip *m;* **be on an** ~ sich selbst beweihräuchern

Egypt [ˈiːdʒɪpt] *s* Ägypten *n;* **Egyp•tian** [ɪˈdʒɪpʃn] **I.** *adj* ägyptisch **II.** *s* Ägypter(in) *m(f)*

eh [eɪ] *interj* **1.** nanu? hm! **2.** (*unhöflich*) was?

eider [ˈaɪdə(r)] *s* (~ *duck*) Eiderente *f;* **eider•down** [ˈaɪdədaʊn] *s* Daunendecke *f;* Federbett *n*

eight [eɪt] I. *adj* acht II. *s* Acht *f;* **have had one over the ~** (*sl*) einen sitzen haben; **eight·een** [ˌeɪ'tiːn] *adj* achtzehn; **eighth** [eɪtθ] *adj* achte(r, s); **eight-hour day** *s* Achtstundentag *m;* **eight·ieth** ['eɪtɪəθ] I. *adj* achtzigste(r, s) II. *s* Achtzigstel *n;* Achtzigste(r, s); **eighty** ['eɪtɪ] I. *adj* achtzig II. *s* Achtzig *f;* **the eighties** die Achtzigerjahre

Eire ['ɛərə] *s* Irland, Eire *n*

either ['aɪðə(r)] I. *pron, adj* eine(r, s) von beiden; jede(r, s), beide(s) II. *adv* (*mit Verneinung*) auch nicht; **I shall not go ~** ich gehe auch nicht III. *conj:* **~ ... or** entweder ... oder

ejacu·late [ɪ'dʒækjʊleɪt] *tr* 1. (*Wort*) ausstoßen 2. (PHYSIOL) ejakulieren; **ejacu·la·tion** [ɪˌdʒækjʊ'leɪʃn] *s* 1. (PHYSIOL) Samenerguss *m* 2. (Auf)Schrei *m*

eject [ɪ'dʒekt] I. *tr* 1. (*Menschen*) hinauswerfen (*from* aus) 2. (JUR) exmittieren 3. (*Flammen, Rauch*) ausstoßen; (*Patrone*) auswerfen 4. (TECH) auswerfen; (*Piloten*) herausschleudern II. *itr* (*Pilot*) den Schleudersitz betätigen; **ejec·tor** [ɪ'dʒektə(r)] *s* (TECH) Auswerfer *m;* **ejector seat** *s* (AERO) Schleudersitz *m*

eke out [iːk aʊt] *tr* 1. verlängern, abrunden (*with, by* durch) 2. (*Vorrat*) strecken; **~ a living** sich mühsam durchschlagen

elab·or·ate[1] [ɪ'læbərət] *adj* 1. sorgfältig, genau ausgearbeitet 2. ausführlich 3. kunstvoll 4. vielgestaltig

elab·or·ate[2] [ɪ'læbəreɪt] I. *tr* sorgfältig ausarbeiten II. *itr* genauere Einzelheiten (an)geben (*on, upon* über), näher ausführen (*on, upon s.th.* etw); **elab·or·ation** [ɪˌlæbə'reɪʃn] *s* genauere Angaben *fpl,* Einzelheiten *fpl*

elapse [ɪ'læps] *itr* (*Zeit*) vergehen, verfließen, verstreichen

elas·tic [ɪ'læstɪk] I. *adj* 1. biegsam, dehnbar 2. elastisch *a. fig;* **~ band** Gummiband *n;* **~ stockings** Gummistrümpfe *mpl* II. *s* Gummiband *n;* **elas·tic·ity** [ˌelæ'stɪsətɪ] *s* 1. Elastizität *f* 2. (*fig*) Spannkraft *f* 3. Anpassungsfähigkeit *f*

elate [ɪ'leɪt] *tr:* **be ~d** stolz, froh, begeistert sein; **ela·tion** [ɪ'leɪʃn] *s* Begeisterung, Freude *f;* Stolz *m*

el·bow ['elbəʊ] I. *s* 1. Ellbogen *m* 2. (TECH) Knie(stück) *n;* **at one's ~** bei der Hand, dicht dabei; **rub ~s with s.o.** mit jdm in nähere Berührung kommen II. *tr* sich bahnen (*one's way through* e-n Weg durch); **~ s.o. out of the way** jdn zur Seite drängen; **elbow grease** *s* (*hum*) 1. (körperliche) Kraft *f* 2. Schufterei *f;* **elbow room** *s* Bewegungsfreiheit *f;* Spielraum *m*

el·der[1] ['eldə(r)] I. *adj attr* (*unter Verwandten*) älter II. *s:* **my ~s** ältere Leute als ich

el·der[2] ['eldə(r)] *s* (BOT) Holunder *m*

el·der·berry ['eldəberɪ] *s* Holunderbeere *f;* **elderberry wine** *s* Holunderbeerwein *m*

el·der·ly ['eldəlɪ] *adj* ältlich, ältere(r)

el·dest ['eldɪst] *adj attr* (*unter Verwandten*) älteste(r, s)

elect [ɪ'lekt] I. *adj* (*nachgestellt*) designiert, zukünftig II. *s* (REL) Auserwählte(r) *f m* III. *tr* wählen (*president* zum Präsidenten); **elec·tion** [ɪ'lekʃn] *s* Wahl *f;* **hold an ~** e-e Wahl durchführen; **stand for ~** kandidieren; **election address, speech** *s* Wahlrede *f;* **election booth** *s* Wahlzelle *f;* **election campaign** *s* Wahlkampf *m;* **election commission, committee** *s* Wahlausschuss *m;* Wahlkomitee *n;* **election day** *s* Wahltag *m;* **election defeat** *s* Wahlniederlage *f;* **elec·tion·eer** [ɪˌlekʃə'nɪə(r)] *itr* Wahlpropaganda treiben; **elec·tion·eer·ing** [ɪˌlekʃə'nɪərɪŋ] *s* Wahlpropaganda *f;* Wahlkampf *m;* **election manifesto** *s* Wahlprogramm *n;* **election meeting** *s* Wahlversammlung *f;* **election platform, program(me)** *s* Wahlprogramm *n;* **election poster** *s* Wahlplakat *n;* **election results, returns** *s pl* Wahlergebnis *n*

elec·tive [ɪ'lektɪv] I. *adj* 1. Wahl- 2. (*Am: Schule*) wahlfrei II. *s* (*Am: Schule*) Wahlfach *n*

elec·tor [ɪ'lektə(r)] *s* 1. (*Br*) Wähler(in) *m(f)* 2. (*Am*) Wahlmann *m;* **E~** (HIST) Kurfürst *m;* **elec·toral** [ɪ'lektərəl] *adj* Wahl-; **~ ballot** Wahl-, Abstimmungsergebnis *n;* **~ campaign** Wahlkampf *m;* **~ college** Wahlkollegium *n;* (*Am*) Wahlmänner *mpl;* **~ commission** [*o* **committee**] Wahlausschuss *m;* Wahlkomitee *n;* **~ defeat** Wahlniederlage *f;* **~ district** Wahlbezirk *m;* **~ list** Wählerliste *f;* **~ rally** Wahlversammlung *f;* **~ register** [*o* **roll**] Wählerliste *f;* **~ system** Wahlsystem *n;* **elec·tor·ate** [ɪ'lektərət] *s* Wähler(schaft *f*) *mpl*

elec·tric [ɪ'lektrɪk] *adj* 1. elektrisch 2. (*fig*) elektrisierend; **~ arc** Lichtbogen *m;* **~ blanket** Heizdecke *f;* **~ light bulb** Glühbirne *f;* **~ chair** elektrischer Stuhl; **~ cooker** Elektroherd *m;* **~ current** elektrischer Strom; **~ motor** Elektromotor *m;* **~ razor** elektrischer Rasierapparat; **~ shock** elektrischer Schlag; (MED) Elektroschock *m;* **~ shock treatment** (MED) Elektroschockbehandlung *f;* **elec·tri·cal** [ɪ'lektrɪkl] *adj* elektrisch; **~ appliances** Elektrogeräte *npl;* **~ engineer** Elektroingenieur(in) *m(f);* **~ engineering** Elektrotechnik *f;* **~ shop** Elektrowerkstatt *f;* **elec·tri·cian** [ɪˌlek'trɪʃn] *s* Elektriker(in) *m(f);* **elec·tric·ity** [ɪˌlek'trɪsətɪ] *s* Elektrizität *f;* Strom *m;* ~ **cut** Stromsperre *f;* Stromausfall *m;* ~ **meter** Stromzähler *m;* ~ **supply** Stromversorgung *f;* ~ **works** Elektrizitätswerk *n*

elec•tri•fi•ca•tion [ɪˌlektrɪfɪ'keɪʃn] *s* Elektrifizierung *f;* **elec•trify** [ɪ'lektrɪfaɪ] *tr* **1.** elektrisieren *a. fig* **2.** elektrifizieren **3.** unter Strom setzen

elec•tro•analy•sis [ɪˌlektrəʊə'nælɪsɪs] *s* Elektrolyse *f;* **elec•tro•cardio•gram** [ɪˌlektrəʊ'kɑːdɪəʊgræm] *s* Elektrokardiogramm, EKG *n;* **elec•tro•cute** [ɪ'lektrəkjuːt] *tr* auf dem elektrischen Stuhl hinrichten; durch elektrischen Strom töten; **elec•tro•cu•tion** [ɪˌlektrə'kjuːʃn] *s* Tod *m* durch Stromschlag; Hinrichtung *f* durch den elektrischen Stuhl; **elec•trode** [ɪ'lektrəʊd] *s* Elektrode *f;* **elec•tro•en•cepha•lo•gram** [ɪˌlektrəʊen'sefələˌgræm] *s* Elektroenzephalogramm, EEG *n;* **elec•tro•ly•sis** [ɪˌlek'trɒləsɪs] *s* Elektrolyse *f;* **elec•tro•mag•net** [ɪ'lektrəʊ'mægnɪt] *s* Elektromagnet *m;* **elec•tro•mag•netic** [ɪˌlektrəʊmæg'netɪk] *adj* elektromagnetisch; **elec•tron** [ɪ'lektrɒn] *s* Elektron *n;* **elec•tronic** [ˌɪlek'trɒnɪk] **I.** *adj* elektronisch; ~ **brain** Elektronen(ge)hirn *n;* ~ **data processing, EDP** elektronische Datenverarbeitung, EDV *f;* ~ **funds transfer, EFT** elektronischer Zahlungsverkehr; ~ **mail** (EDV) elektronische Post; ~ **mailbox** (EDV) elektronischer Briefkasten; ~ **music** elektronische Musik **II.** *s pl mit sing* Elektronik *f;* **elec•tronics** [ˌɪlek'trɒniks] *s* Elektronik *f;* **electron microscope** *s* Elektronenmikroskop *n;* **elec•tro•plate** [ɪ'lektrəʊpleɪt] *tr* galvanisieren; **elec•tro•scope** [ɪ'lektrəʊˌskəʊp] *s* Elektroskop *n;* **elec•tro•ther•apy** [ɪˌlektrəʊ'θerəpɪ] *s* Elektrotherapie *f*

el•egance ['elɪgəns] *s* Eleganz *f;* **el•egant** ['elɪgənt] *adj* elegant

el•egiac [ˌelɪ'dʒaɪək] **I.** *adj* elegisch **II.** *s pl* elegische Verse *mpl;* **el•egy** ['elədʒɪ] *s* Elegie *f*

el•ement ['elɪmənt] *s* **1.** (*a.* MATH CHEM EL) Element *n;* Grundstoff *m* **2.** Bestandteil *m* **3.** Faktor, Umstand *m* **4.** (JUR) Tatbestandsmerkmal *n* **5.** (TECH) Bauelement, -teil *n;* **the ~s** die Elemente *npl,* Anfangsgründe *mpl,* Grundlagen *fpl* (*e-r Wissenschaft*), die Natur(gewalten *pl*) *f;* **in/out of one's ~** in seinem/nicht in seinem Element; ~ **of surprise** Überraschungsmoment *n;* **el•emen•tal** [ˌelɪ'mentl] *adj* **1.** elementar **2.** urgewaltig **3.** einfach; **ele•men•tary** [ˌelɪ'mentərɪ] *adj* **1.** elementar; einführend **2.** einfach; ~ **particle** Elementarteilchen *n;* ~ **school** (*Am*) Volks-, Grundschule *f;* ~ **training** Grundausbildung *f*

el•eph•ant ['elɪfənt] *s* Elefant *m;* **white ~** nutzloser Gegenstand; Fehlinvestition *f;* **el•ephan•ti•asis** [ˌelɪfən'taɪəsɪs] *s* (MED) Elefantiasis *f;* **ele•phan•tine** [ˌelɪ'fæntaɪn] *adj* (*fig*) schwerfällig; **elephant's ear** *s* (BOT) Begonie *f*

el•ev•ate ['elɪveɪt] *tr* **1.** (hoch)heben **2.** (*Person*) befördern (*to* zu) **3.** (*fig*) erbauen **4.** auf e-e höhere Stufe heben; **el•ev•ated** ['elɪveɪtɪd] *adj* erhaben, würdevoll, würdig; gehoben; ~ **railway** Hochbahn *f;* ~ **motorway** (*Br*) Hochstraße *f;* **el•ev•ation** [ˌelɪ'veɪʃn] *s* **1.** Erhebung *f* **2.** Anhöhe *f* **3.** Hoheit, Würde *f;* Erhabenheit *f* **4.** (GEOG) Höhe *f* über dem Meeresspiegel **5.** (ARCH) Aufriss *m;* **front ~** Vorderansicht *f;* **el•ev•ator** ['elɪveɪtə(r)] *s* **1.** (AERO) Höhenruder *n* **2.** (TECH) Winde *f* **3.** (*Am*) Aufzug, Fahrstuhl *m* **4.** (*Am*) (Getreide)Silo *n*

eleven [ɪ'levn] **I.** *adj* elf **II.** *s* (*a.* SPORT) Elf *f;* **elev•enses** [ɪ'levnzɪz] *s pl* (*Br fam*) zweites Frühstück; **elev•enth** [ɪ'levnθ] **I.** *adj* elfte(r, s); **at the ~ hour** in letzter Minute **II.** *s* Elftel *n;* Elfte(r, s)

elf [elf, *pl* elvz] <*pl* elves> *s* Elfe *f;* Kobold *m;* **elf•ish** ['elfɪʃ] *adj* **1.** elfenhaft **2.** koboldhaft, schelmisch

eli•cit [ɪ'lɪsɪt] *tr* ent-, hervorlocken, herausholen (*from* aus)

el•igi•bil•ity [ˌelɪdʒə'bɪlətɪ] *s* **1.** Wählbarkeit *f* **2.** Berechtigung *f;* **eli•gible** ['elɪdʒəbl] *adj* **1.** wählbar **2.** (teilnahme)berechtigt (*for* für), geeignet; **be ~** in Frage kommen; ~ **bachelor** gute Partie

elim•in•ate [ɪ'lɪmɪneɪt] *tr* **1.** entfernen **2.** ausscheiden, -schalten, -lassen, beseitigen (*from* aus) **3.** ausschließen **4.** (MATH) eliminieren **5.** (*Feind, Gegner*) ausschalten, eliminieren; **elim•in•ation** [ɪˌlɪmɪ'neɪʃn] *s* **1.** Ausschaltung *f* **2.** Ausmerzung, Beseitigung *f;* Streichung *f;* Nichtberücksichtigung *f* **3.** (MED SPORT) Ausscheidung *f;* **elimin•ation contest** *s* Ausscheidungswettbewerb *m*

elite [eɪ'liːt] *s* Elite *f;* **elit•ism** [ei'liːtɪsm] *s* Elitedenken *n;* **elit•ist** [ei'liːtɪst] *adj* elitär

elixir [ɪ'lɪksə(r)] *s* Elixier *n*

elk [elk] *s* **1.** Elch *m* **2.** (*Am*) Wapiti *m*

el•lipse [ɪ'lɪps] *s* (MATH) Ellipse *f;* **el•lip•tic(al)** [ɪ'lɪptɪk(l)] *adj* elliptisch

elm [elm] *s* (~ *tree*) Ulme *f*

elo•cu•tion [ˌelə'kjuːʃn] *s* Vortragskunst, -weise *f;* Sprecherziehung *f*

elon•gate ['iːlɒŋgeɪt] **I.** *tr* verlängern **II.** *itr* länger werden; sich strecken

elope [ɪ'ləʊp] *itr* durchbrennen (um zu heiraten) *fam*

elo•quent ['eləkwənt] *adj* **1.** beredsam, redegewandt **2.** vielsagend, ausdrucksvoll (*of* für)

El Sal•va•dore [el'sælvə,dɔ:(r)] *s* El Salvador *n*
else [els] *adv* **1.** sonst, weiter, außerdem, noch **2.** andere(r, s); **anybody ~?** sonst noch jemand?; **anything ~?** sonst noch etwas?; **everybody ~** alle anderen; **everything ~** alles andere; **nobody ~** sonst niemand; **nothing ~** nichts weiter; **or ~** sonst, andernfalls; **somebody ~** jemand anders; **somewhere ~** woanders; woandershin; **what ~?** was noch? was sonst? was weiter?; **else•where** [,els'weə(r)] *adv* **1.** anderswo, sonst wo, woanders **2.** anderswohin
elu•ci•date [ɪ'lu:sɪdeɪt] *tr* erklären, erläutern
elu•sive [ɪ'lu:sɪv] *adj* **1.** ausweichend **2.** schwer zu begreifen(d), zu (er)fassen(d)
elv•ish ['elvɪʃ] *adj s.* **elfish**
em•aci•ated [ɪ'meɪʃɪeɪtɪd] *adj* abgemagert
email ['i:meɪl] *s* E-Mail *f,* elektronische Post
ema•nate ['eməneɪt] *itr* **1.** ausfließen, -strömen **2.** ausstrahlen, ausgehen (*from* von) **3.** (*fig*) herrühren, herstammen (*from* von)
eman•ci•pate [ɪ'mænsɪpeɪt] *tr* **1.** emanzipieren **2.** befreien; **eman•ci•pated** [-ɪd] *adj* **1.** emanzipiert **2.** (*Sklave*) frei(gelassen); **eman•ci•pa•tion** [ɪ,mænsɪ'peɪʃn] *s* Emanzipation *f*
em•balm [ɪm'bɑ:m] *tr* (ein)balsamieren
em•bank•ment [ɪm'bæŋkmənt] *s* **1.** Ufermauer *f,* Damm *m* **2.** Uferstraße *f*
em•bargo [ɪm'bɑ:gəʊ] <*pl* -bargoes> *s* **1.** Embargo *n* **2.** (*fig*) Sperre *f;* **under an ~** mit einem Embargo belegt; **lay** [*o* **put**] **an ~ on** ein Embargo verhängen über; **export/import ~** Aus-/Einfuhrsperre *f*
em•bark [ɪm'bɑ:k] **I.** *tr* einschiffen; verladen (*for* nach), an Bord nehmen **II.** *itr* **1.** sich einschiffen (*for* nach) **2.** abreisen, -fahren (*for* nach) **3.** (*fig*) anfangen (*upon* mit); **em•bar•ka•tion** [,embɑ:'keɪʃn] *s* Einschiffung *f;* Verladung *f*
em•bar•rass [ɪm'bærəs] *tr* **1.** in Verlegenheit, aus der Fassung bringen **2.** (be)hindern; lästig sein (*s.o.* jdm) **3.** in finanzielle Schwierigkeiten bringen; **em•bar•rassed** [ɪm'bærəst] *adj* **1.** in Verlegenheit; verlegen **2.** in Geldverlegenheit; **em•bar•rass•ing** [-ɪŋ] *adj* peinlich, unangenehm; **em•bar•rass•ment** [-mənt] *s* **1.** Verlegenheit *f* **2.** Geldverlegenheit *f;* **be an ~ to s.o.** jdn blamieren
em•bassy ['embəsɪ] *s* (POL) Botschaft *f*
em•bed [ɪm'bed] *tr* einbetten, einlagern; **be ~ded in s.th.** in etw fest verankert sein; **~ in concrete** einbetonieren
em•bel•lish [ɪm'belɪʃ] *tr* verschönern, ausschmücken *a. fig*
em•ber ['embə(r)] *s* **1.** verglühendes Stück Holz **2. ~s** Glut *f*
em•bezzle [ɪm'bezl] *tr* unterschlagen; **em•bezzle•ment** [-mənt] *s* Unterschlagung *f;* **em•bezzler** [ɪm'bezlə(r)] *s* Veruntreuer(in) *m(f)*
em•bit•ter [ɪm'bɪtə(r)] *tr* verbittern; (*Verhältnis*) vergiften
em•blem ['embləm] *s* Sinnbild, Symbol, Emblem *n*
em•bodi•ment [ɪm'bɒdɪmənt] *s* Verkörperung *f;* **em•body** [ɪm'bɒdɪ] *tr* **1.** verkörpern; Gestalt geben (*s.th.* e-r S) **2.** ausdrücken **3.** enthalten, einschließen
em•bo•lism ['embəlɪsm] *s* (MED) Embolie *f*
em•boss [ɪm'bɒs] *tr* **1.** erhaben arbeiten **2.** (*dünnes Metall, Leder*) bossieren, prägen
em•brace [ɪm'breɪs] **I.** *tr* **1.** umarmen **2.** (*Gelegenheit, Beruf*) ergreifen **3.** (*Glauben, Angebot*) annehmen **4.** (*Hoffnung*) hegen **5.** umgeben, einschließen *a. fig* **6.** (*fig*) enthalten, umfassen **II.** *s* Umarmung *f*
em•bro•ca•tion [,embrə'keɪʃn] *s* Einreibemittel *n*
em•broider [ɪm'brɔɪdə(r)] *tr* **1.** besticken **2.** (*fig*) ausschmücken; **em•broidery** [ɪm'brɔɪdərɪ] *s* **1.** Stickerei *f* **2.** (*fig*) Ausschmückung *f*
em•bryo ['embrɪəʊ] <*pl* -bryos> *s* Embryo *m;* **in ~** (*fig*) in den Anfängen; **em•bryonic** [,embrɪ'ɒnɪk] *adj* **1.** (PHYSIOL) embryonal **2.** (*fig*) (noch) unentwickelt
emend [ɪ'mend] *tr* verbessern, berichtigen
em•er•ald ['emərəld] **I.** *s* Smaragd *m* **II.** *adj* smaragdgrün
emerge [ɪ'mɜ:dʒ] *itr* **1.** auftauchen **2.** entstehen (*from, out of* aus) **3.** (*fig*) in Erscheinung treten, sichtbar werden; bekannt werden; **emerg•ence** [ɪ'mɜ:dʒəns] *s* Auftauchen *n,* Entstehung *f*
emerg•ency [ɪ'mɜ:dʒənsɪ] *s* Dringlichkeits-, Notfall *m;* Notlage *f;* **in an** [*o* **in case of**] **~** im Not-, im Ernstfall; **provide for emergencies** für Notfälle Vorsorge treffen; **state of ~** Notstand *m;* **~ aid** Soforthilfe *f;* **~ brake** Notbremse *f;* **~ call** Notruf *m;* **~ dressing** Notverband *m;* **~ exit** Notausgang *m;* **~ landing** (AERO) Notlandung *f;* **~ measure** Notmaßnahme *f;* **~ power** (EL) Notstrom *m;* **~ power generator** (EL) Notstromaggregat *n;* **~ ration** eiserne Ration; **~ sale** Notverkauf *m;* **~ seat** Notsitz *m;* **~ service** Not-, Hilfsdienst *m;* **~ stop** Vollbremsung *f;* **~ tank** Reservetank *m;* **~ telephone** Notrufsäule *f*
emerg•ent [ɪ'mɜ:dʒənt] *adj* (*Land*) aufstrebend
em•ery ['emərɪ] *s* (MIN) Schmirgel *m;* **emery board** *s* Papiernagelfeile *f;* **emery paper** *s* Schmirgelpapier *n*

em•etic [ɪ'metɪk] *s* Brechmittel *n*

emi•grant ['emɪgrənt] *s* Auswanderer *m*, -wand(r)erin *f*, Emigrant(in) *m(f)*; **emi•grate** ['emɪgreɪt] *itr* auswandern, emigrieren (*from* aus, *to* nach); **emi•gra•tion** [ˌemɪ'greɪʃn] *s* Auswanderung, Emigration *f*

emi•nence ['emɪnəns] *s* **1.** (An)Höhe *f* **2.** Ansehen *n*, Berühmtheit *f*; **E~** (REL) Eminenz *f*; **emi•nent** ['emɪnənt] *adj* hervorragend, bedeutend, ausgezeichnet (*in* in, *for* durch); (*Person*) angesehen, berühmt; **emi•nent•ly** [-lɪ] *adv* in hohem Maße

em•iss•ary ['emɪsərɪ] *s* Bote *m*, Botin *f*, Abgesandte(r) *f m*

emission [mɪʃn] *s* **1.** (FIN) Ausgabe, Emission *f* **2.** (PHYS) Emission, Ausstrahlung *f*; (*Wärme, Schall*) Abgabe *f* **3.** Ausströmen *n*; Ausfluss, Austritt *m* **4.** (Samen)Erguss *m*

emit [ɪ'mɪt] *tr* **1.** ausströmen, ausfließen lassen; ausstrahlen; abgeben **2.** (*Gebrüll*) ausstoßen **3.** (FIN) in Umlauf setzen

emolu•ment [ɪ'mɒljʊmənt] *s* Vergütung *f*, Honorar *n*

emo•tion [ɪ'məʊʃn] *s* **1.** Erregung, (innere) Bewegung, Erregtheit *f* **2.** (starkes) Gefühl *n*; **emo•tional** [ɪ'məʊʃənl] *adj* **1.** gefühlsbetont **2.** (leicht) erregbar **3.** gefühlvoll; **emo•tion•less** [-lɪs] *adj* gefühllos

emot•ive [ɪ'məʊtɪv] *adj* gefühlserregend

em•pa•thy ['empəθɪ] *s* Einfühlung(svermögen *n*) *f*

em•peror ['empərə(r)] *s* Kaiser *m*

em•pha•sis ['emfəsɪs] *s* Betonung *f* (*on* auf); **put** [*o* **lay**] ~ **on s.th.** die Betonung auf etw legen; **em•pha•size** ['emfəsaɪz] *tr* Nachdruck legen auf; hervorheben, unterstreichen; **em•phatic** [ɪm'fætɪk] *adj* **1.** emphatisch; nachdrücklich, betont **2.** eindeutig **3.** entscheidend, auffallend; **be ~ about s.th.** etw nachdrücklich betonen

em•pire ['empaɪə(r)] *s* **1.** Reich *n* **2.** Macht *f* **3.** (*fig*) Imperium *n*

em•piri•cal [ɪm'pɪrɪkl] *adj* empirisch; erprobt

em•ploy [ɪm'plɔɪ] *tr* **1.** gebrauchen, benutzen; an-, verwenden **2.** beschäftigen (*in* mit) **3.** (*Arbeitskraft*) an-, einstellen; einsetzen; **be ~ed in doing s.th.** damit beschäftigt sein etw zu tun; **be ~ed part-time** teilzeitbeschäftigt sein; **em•ployee** [ˌɪmplɔɪ'iː] *s* Arbeitnehmer(in) *m(f)*, Angestellte(r) *f m*; **em•ployer** [ɪm'plɔɪə(r)] *s* Unternehmer(in) *m(f)*, Arbeitgeber(in) *m(f)*; **~'s contribution** Arbeitgeberanteil *m*; **em•ploy•ment** [ɪm'plɔɪmənt] *s* **1.** Beschäftigung *f* **2.** Verwendung *f* **3.** Arbeit(sverhältnis *n*), Stellung *f*; **out of ~** arbeits-, stellungslos; **full ~** Vollbeschäftigung *f*; **full-time ~** Ganztagsbeschäftigung *f*; **permanent ~** Dauerbeschäftigung *f*, feste(s) Anstellung(sverhältnis *n*) *f*; **~ agency** [*o* **bureau**] Arbeitsvermittlung *f*; **~ contract** Arbeitsvertrag *m*; **~ exchange** Arbeitsamt *n*; **~ freeze** Einstellungssperre *f*, Einstellungsstopp *m*

em•por•ium [ɪm'pɔːrɪəm] *s* **1.** Handelsplatz *m*; Markt *m* **2.** Warenhaus *n*

em•power [ɪm'paʊə(r)] *tr* berechtigen, ermächtigen (*to do* zu tun); **em•power•ment** [ɪm'paʊəmənt] *s* Ermächtigung *f*

em•press ['emprɪs] *s* Kaiserin *f*

emp•ti•ness ['emptɪnɪs] *s* Leere *f*; **empty** ['emptɪ] **I.** *adj* **1.** leer; leerstehend **2.** (*fig*) inhaltslos, leer; **on an ~ stomach** auf nüchternen Magen; **feel ~** Hunger haben; sich innerlich leer fühlen; **~ of** ohne **II.** *s pl* Leergut *n* **III.** *tr* (*~ out*) (aus-, ent)leeren **IV.** *itr* **1.** sich leeren **2.** (*Fluss*) sich ergießen, münden (*into* in); **empty-handed** [ˌemptɪ'hændɪd] *adj* mit leeren Händen; **empty-headed** [ˌemptɪ'hedɪd] *adj* hohlköpfig; **empty phrase** *s* Leerformel *f*; **empty weight** *s* Eigen-, Leergewicht *n*

EMU [ˌiːem'juː] *s abbr of* **European Monetary Union** EWU *f*, Europäische Währungsunion

emu•late ['emjʊleɪt] *tr* nacheifern (*s.o.* jdm), wetteifern (*s.o.* mit jdm); **emu•la•tion** [ˌemjʊ'leɪʃn] *s* Nacheiferung *f*; Wetteifer *m*

emul•si•fier [ɪ'mʌlsifaɪə(r)] *s* Emulgator *m*; **emul•sify** [ɪ'mʌlsɪfaɪ] *tr* emulgieren; **emul•sion** [ɪ'mʌlʃn] *s* **1.** Emulsion *f* **2.** (*~ paint*) Emulsionsfarbe *f*

en•able [ɪ'neɪbl] *tr* **1.** in den Stand setzen, befähigen (*to do* zu tun) **2.** ermöglichen, möglich machen (*s.o. to* jdm zu) **3.** berechtigen, ermächtigen (*to* zu); **be ~d to** in der Lage sein zu; **enabling act** (JUR) Ermächtigungsgesetz *n*

en•act [ɪ'nækt] *tr* **1.** verfügen, verordnen; (*Gesetz*) erlassen **2.** (THEAT) aufführen; (*Rolle*) spielen; **en•act•ment** [-mənt] *s* Erlass *m* (*e-s Gesetzes*)

en•amel [ɪ'næml] **I.** *s* **1.** Emaille *f*; Glasur *f*; Nagellack *m* **2.** (Zahn)Schmelz *m* **II.** *tr* emaillieren

en•amour [ɪ'næmə(r)] *tr*: **be/become ~ed of** verliebt sein/sich verlieben in

en•camp [ɪn'kæmp] **I.** *tr* (in e-m Lager) unterbringen **II.** *itr* ein Lager aufschlagen; **en•camp•ment** [-mənt] *s* (Zelt)Lager *n*; Lagern *n*

en•case [ɪn'keɪs] *tr*: **be ~d in** eingehüllt sein in

en•cepha•li•tis [ˌensefə'laɪtɪs] *s* Gehirnentzündung, Enzephalitis *f*

en•chant [ɪn'tʃɑːnt] *tr* verzaubern; **be ~ed** entzückt sein (*by, with* über); **en•chanter**

[ɪn'tʃɑːntə(r)] *s* Zauberer *m;* **en•chant•ing** [-ɪŋ] *adj* faszinierend; bezaubernd, entzückend; **en•chant•ment** [-mənt] *s* **1.** Zauber *m* **2.** Entzücken *n;* **en•chant•ress** [ɪn'tʃɑːntrɪs] *s* **1.** Zauberin *f* **2.** bezaubernde Frau

en•cipher [ɪn'saɪfə(r)] *tr* verschlüsseln

en•circle [ɪn'sɜːkl] *tr* **1.** ein-, umschließen **2.** umgeben (*with* mit) **3.** umzingeln, umfassen; **en•circle•ment** [-mənt] *s* Einkesselung *f;* Einkreisung *f*

en•close [ɪn'kləʊz] *tr* **1.** umgeben, einschließen (*in* in) **2.** (*e-m Brief*) beilegen; **en•closed** [ɪn'kləʊzd] *adj:* **please find** ~ in der Anlage erhalten Sie; ~ **area** umbauter Raum; **en•clos•ure** [ɪn'kləʊʒə(r)] *s* **1.** Einzäunung *f* **2.** Gehege **3.** (*Brief*) Anlage *f*

en•code [ɪn'kəʊd] *tr* verschlüsseln

en•compass [ɪn'kʌmpəs] *tr* **1.** ein-, umschließen **2.** umfassen

en•core ['ɒŋkɔː(r)] *s* Dakapo *n;* Zugabe *f*

en•coun•ter [ɪn'kaʊntə(r)] **I.** *tr* **1.** (unerwartet) treffen **2.** (*Schwierigkeiten*) stoßen auf **II.** *s* **1.** Begegnung *f* **2.** Gefecht *n;* ~ **group** Selbsterfahrungsgruppe *f*

en•cour•age [ɪn'kʌrɪdʒ] *tr* **1.** ermutigen **2.** bestärken (*in* in), unterstützen, helfen (*s.o.* jdm) **3.** begünstigen, fördern; **en•cour•age•ment** [-mənt] *s* **1.** Ermutigung *f* **2.** Unterstützung, Förderung *f* **3.** Ansporn *m* (*to* für); **en•cour•ag•ing** [ɪn'kʌrɪdʒɪŋ] *adj* ermutigend; vielversprechend

en•croach [ɪn'krəʊtʃ] *itr* **1.** (unberechtigt) übergreifen (*on, upon* auf), eingreifen (*on, upon* in) **2.** beeinträchtigen, verletzen (*on, upon s.th.* etw); **en•croach•ment** [-mənt] *s* **1.** Über-, Eingriff *m* **2.** Beeinträchtigung *f*

en•cum•ber [ɪn'kʌmbə(r)] *tr* **1.** (be)hindern, belasten **2.** (*fig: Grundstück mit e-r Hypothek*) belasten; **be ~ed** überfüllt sein (*with* mit), belastet sein (*with debts* mit Schulden)

en•cy•clo•p(a)edia [ɪnˌsaɪklə'piːdɪə] *s* Enzyklopädie *f;* **en•cy•clo•p(a)edic** [ɪnˌsaɪklə'piːdɪk] *adj* enzyklopädisch

end [end] **I.** *s* **1.** Ende *n;* Schluss *m* **2.** Ende *n,* Rest *m;* Stummel *m* **3.** Zweck *m,* Ziel *n,* Absicht *f* **4.** Ergebnis *n,* Folge, Konsequenz *f;* **at the** ~ am Ende; **at an** ~ beendet; **a few loose ~s** einige Kleinigkeiten; **for** [*o* **to**] **this** ~ zu diesem Zweck; **in the** ~ schließlich, am Ende; **no** ~ **of** unendlich viel(e) ...; sehr groß; endlos; **on** ~ aufrecht, aufgerichtet; (*Kiste*) hochkant; ohne Unterbrechung; ~ **on** mit dem Ende voran; **to the** ~ **that** zu dem Zweck, dass; damit; **without** ~ endlos; **be at an** ~ zu Ende sein; **be at a loose** ~ (*fam*) gerade nichts (Besonderes) vorhaben; **come to an** ~ zu Ende gehen; **keep one's** ~ **up** seinen Mann stehen; **put an** ~ **to** ein Ende, Schluss machen mit; **make ~s meet** gerade (mit seinem Geld) auskommen; **stand on** ~ (*Haare*) zu Berge stehen, sich sträuben; **there is no** ~ **to it** es nimmt kein Ende; **the** ~ **justifies the means** (*prov*) der Zweck heiligt die Mittel; ~ **of the month** Monatsende *n;* **~-of-season sale** Saisonschlussverkauf *m;* **~-of-year adjustment** Rechnungsabgrenzung *f* **II.** *tr* beenden; beschließen **III.** *itr* **1.** enden; zu Ende sein, gehen; Schluss machen **2.** sein Leben beschließen; ~ **in s.th.** mit etw enden; **end off** *tr* zum Abschluss bringen; **end up** *itr* landen; schließlich werden zu; enden; ~ **up doing s.th.** schließlich etw tun; ~ **up with the wrong thing** schließlich das Falsche haben

en•dan•ger [ɪn'deɪndʒə(r)] *tr* gefährden; **endangered species** *s* vom Aussterben bedrohte Art(en)

en•dear•ing [ɪn'dɪərɪŋ] *adj* gewinnend, einnehmend; **en•dear•ment** [ɪn'dɪəmənt] *s* **1.** Zärtlichkeit *f* **2.** (*term of* ~) Kosewort *n*

en•dea•vor (*Am*) *s.* **endeavour**

en•deav•our [ɪn'devə(r)] **I.** *itr* sich bemühen, sich anstrengen **II.** *s* Anstrengung *f* (*to do, at doing* etw zu tun)

en•demic [en'demɪk] *adj* endemisch

end•ing ['endɪŋ] *s* **1.** Ende *n;* Ausgang *m* **2.** (GRAM) Endung *f*

en•dive ['endɪv, *Am* 'endaɪv] *s* (BOT) Endivie *f*

end•less ['endlɪs] *adj* **1.** endlos, ohne Ende **2.** unendlich; ~ **belt** Transport-, Förderband *n*

end mat•ter ['endˌmætə(r)] *s* **1.** Anhang *m* **2.** (TYP) Nachspann *m*

en•dorse [ɪn'dɔːs] *tr* **1.** indossieren **2.** (*auf dem Führerschein*) einen Strafvermerk eintragen **3.** billigen, zustimmen, beipflichten (*s.th.* e-r S) **4.** unterstützen, sich anschließen (*s.th.* an etw); **en•dorsee** [ɪnˌdɔː'siː] *s* (FIN) Indossat(ar) *m;* **en•dorse•ment** [-mənt] *s* **1.** (FIN) Indossament *n* **2.** (*im Führerschein*) Strafvermerk *m* **3.** Bestätigung, Billigung, Zustimmung *f* **4.** (*Versicherung*) Nachtrag *m;* **en•dorser** [ɪn'dɔːsə(r)] *s* Indossant *m*

en•dow [ɪn'daʊ] *tr* **1.** ausstatten **2.** stiften; **be ~ed with** begabt sein mit; **en•dow•ment** [-mənt] *s* **1.** Ausstattung, Dotierung *f* **2.** Stiftung *f* **3.** Begabung *f,* Talent *n,* Anlage *f;* ~ **fund** Stiftungsvermögen *n;* ~ **insurance** Erlebensversicherung *f;* ~ **mortgage** mit einer Lebensversicherung gekoppelte Hypothek

end•paper ['endpeɪpə(r)] *s* Vorsatzpapier,

-blatt *n;* **end product** *s* Endprodukt *n;* **end result** *s* Endergebnis *n*

en·dur·able [ɪn'djʊərəbl] *adj* erträglich; **en·dur·ance** [ɪn'djʊərəns] *s* Ausdauer, Geduld *f;* (Stand)Festigkeit *f;* **past** [*o* **beyond**] ~ nicht auszuhalten(d), unerträglich; ~ **test** Belastungsprobe *f;* **en·dure** [ɪn'djʊə(r)] **I.** *tr* **1.** ertragen, aushalten **2.** durchmachen; (*verneint*) ausstehen **II.** *itr* Bestand haben; durchhalten

en·ema ['enɪmə] *s* (MED) **1.** Einlauf *m,* Klistier *n* **2.** Klistierspritze *f*

en·emy ['enəmɪ] *s* Feind *m;* **make enemies** sich Feinde machen; **he is his own worst** ~ er schadet sich selbst am meisten

en·er·getic [ˌenə'dʒetɪk] *adj* energisch, tatkräftig, energiegeladen; **en·er·gize** ['enədʒaɪz] *tr* **1.** Energie verleihen (*s.o.* jdm) **2.** (EL) Energie liefern an; **en·ergy** ['enədʒɪ] *s* **1.** Arbeitskraft, Tatkraft, Energie *f* **2.** (PHYS) Kraft, Energie *f* **3. energies** (persönliche) Kraft *f,* Kräfte *fpl;* ~ **conscious** energiebewusst; ~ **conservation** Energieeinsparung *f;* ~ **consumption** Energieverbrauch *m;* ~ **crisis** Energiekrise *f;* ~ **demand** Energiebedarf *m;* ~**-efficient** energiewirksam; ~ **gap** Energielücke *f;* ~ **policy** Energiepolitik *f;* ~ **saving** energiesparend; ~ **shortage** Energieknappheit *f;* ~ **supplies** Energievorräte *mpl;* ~ **supply company** Energieversorgungsunternehmen *n*

en·er·vate ['enəveɪt] *tr* schwächen; entnerven; **en·er·va·ting** [-ɪŋ] *adj* nervenaufreibend

en·feeble [ɪn'fi:bl] *tr:* **be ~d by** geschwächt sein durch

en·force [ɪn'fɔ:s] *tr* **1.** erzwingen (*upon s.o.* von jdm), Geltung verschaffen (*s.th.* e-r S) **2.** durchsetzen, durchführen **3.** (JUR) vollstrecken; **en·force·able** [-əbl] *adj* vollstreckbar, erzwingbar, einklagbar; **en·force·ment** [-mənt] *s* **1.** Erzwingung *f;* (gewaltsame) Durchsetzung *f* **2.** (*Urteil*) Vollstreckung *f* **3.** (*Forderung*) Geltendmachung *f;* ~ **order** Vollstreckungsbescheid *m*

en·fran·chise [ɪn'fræntʃaɪz] *tr* **1.** befreien *a. fig* **2.** das Bürgerrecht, Wahlrecht zuerkennen (*s.o.* jdm)

en·gage [ɪn'geɪdʒ] **I.** *tr* **1.** verpflichten **2.** (*sein Wort*) verpfänden **3.** an-, einstellen, engagieren **4.** (*Zimmer*) sich nehmen **5.** (*in e-e S*) verwickeln, dazu bringen **6.** in Anspruch nehmen; (*die Aufmerksamkeit*) fesseln **7.** (*Truppen*) einsetzen **8.** (TECH) einrücken, kuppeln; ~ **a gear** einen Gang einlegen; ~ **the clutch** kuppeln; ~ **o.s. to do s.th.** sich verpflichten, etw zu tun **II.** *itr* **1.** sich verpflichten (*to do* zu tun) **2.** sich einlassen (*in* auf), sich abgeben (*with* mit), sich beschäftigen, sich befassen (*with* mit) **3.** (TECH) ineinander greifen; **en·gaged** [ɪn'geɪdʒd] *adj* **1.** verlobt **2.** beschäftigt, nicht zu sprechen **3.** (*Platz*) belegt **4.** (TELE) besetzt **5.** (TECH) gekuppelt; **be** ~ damit beschäftigt sein (*in doing s.th.* etw zu tun); verlobt sein; **become** ~ **to s.o.** sich mit jdm verloben; ~ **couple** Verlobte *pl;* ~ **signal** [*o* **tone**] (TELE) Besetztzeichen *n;* **en·gage·ment** [ɪn'geɪdʒmənt] *s* **1.** Verpflichtung *f* **2.** Verlobung *f* (*to* mit) **3.** Abmachung, Vereinbarung *f* **4.** Verabredung *f;* Termin *m* **5.** Beschäftigung, (An)Stellung, Stelle *f,* Engagement *n* **6.** (TECH) Einkuppeln *n* **7.** (MIL) Gefecht *n* **8.** *meist pl* (FIN COM) (finanzielle) Verpflichtungen, Verbindlichkeiten *fpl;* **meet** [*o* **carry out**] **one's ~s** seinen Verpflichtungen nachkommen; **I have a previous** ~ ich bin schon verabredet; **engagement book, diary** *s* Terminkalender *m;* **engagement ring** *s* Verlobungsring *m;* **en·gag·ing** [ɪn'geɪdʒɪŋ] *adj* gewinnend, gefällig; reizend, reizvoll

en·gen·der [ɪn'dʒendə(r)] *tr* hervorrufen, verursachen, erzeugen

en·gine ['endʒɪn] *s* **1.** Maschine *f;* Motor *m;* Triebwerk *n* **2.** (RAIL) Lokomotive *f;* **start/shut off the** ~ den Motor anlassen/abstellen; ~ **block** Motorblock *m;* ~ **bonnet** Motorhaube *f;* ~ **driver** Lok(omotiv)führer(in) *m(f);* ~ **failure** (TECH) Maschinenschaden *m;* (MOT) Motorschaden *m;* ~ **hood** (*Am*) Motorhaube *f;* ~ **room** (MAR) Maschinenraum *m;* ~ **trouble** Motorstörung *f;* **en·gin·eer** [ˌendʒɪ'nɪə(r)] **I.** *s* **1.** Ingenieur(in) *m(f),* Techniker(in) *m(f),* Maschinist(in) *m(f)* **2.** (MIL) Pionier *m* **3.** (*Am*) Lok(omotiv)führer(in) *m(f)* **II.** *tr* **1.** planen, konstruieren, bauen **2.** (*fig fam*) geschickt einfädeln, organisieren; **en·gin·eer·ing** [ˌendʒɪ'nɪərɪŋ] *s* **1.** Ingenieurwesen *n;* Technik *f* **2.** (*mechanical* ~) Maschinenbau *m* **3.** (*fam*) Manipulation *f;* Organisation *f;* **civil** ~ Hoch- und Tiefbau *m;* **electrical** ~ Elektrotechnik *f;* ~ **and design department** technische Abteilung und Konstruktionsbüro; **human** ~ *Anwendung psychologischer Erkenntnisse auf betriebliche menschliche Probleme;* **industrial** ~ Fertigungstechnik *f;* ~ **manager** technische(r) Direktor(in) *m f;* **engineering works** *s mit sing od pl* Maschinenfabrik *f*

Eng·land ['ɪŋglənd] *s* England *n;* **Eng·lish** ['ɪŋglɪʃ] **I.** *adj* englisch; **the** ~ **Channel** der Ärmelkanal; **he's** ~ er ist Engländer **II.** *s* (das) Englisch(e), die englische Sprache; **the** ~ die Engländer *mpl;* **in plain** ~ schlicht u. einfach (ausgedrückt); (*fig*) unverblümt; **Eng·lish·man** [-mən] <*pl*

-men> *s* Engländer *m;* **Eng·lish·woman** [-wʊmən, *pl* -wɪmɪn] <*pl* -women> *s* Engländerin *f*

en·grave [ɪn'greɪv] *tr* **1.** (ein)gravieren (*on* in) **2.** (*fig*) fest einprägen (*on, upon* in); **en·graver** [ɪn'greɪvə(r)] *s* Graveur(in) *m(f),* Stecher(in) *m(f),* Radierer(in) *m(f),* (Holz)Schneider(in) *m(f);* **en·grav·ing** [ɪn'greɪvɪŋ] *s* **1.** Gravieren, Radieren *n* **2.** (Kupfer-, Stahl)Stich *m,* Radierung *f* **3.** (*wood* ~) Holzschnitt *m*

en·gross [ɪn'grəʊs] *tr* ganz in Anspruch nehmen; ausschließlich beschäftigen; **be ~ed** ganz vertieft sein (*in* in), ausschließlich beschäftigt sein (*in* mit)

en·gulf [ɪn'gʌlf] *tr* verschlingen

en·hance [ɪn'hɑːns] *tr* **1.** steigern; erhöhen, vergrößern **2.** verschönern

enigma [ɪ'nɪgmə] *s* (*fig*) Rätsel *n;* **enigmatic(al)** [ˌenɪg'mætɪk(l)] *adj* rätselhaft, unerklärlich, mysteriös

en·joy [ɪn'dʒɔɪ] **I.** *tr* genießen; sich erfreuen (*s.th.* an etw, e-r S), sich freuen (*seeing* zu sehen); **how are you ~ing London?** wie gefällt es Ihnen in London? **II.** *refl* sich gut unterhalten, sich amüsieren; ~ **yourself!** viel Vergnügen!; **en·joy·able** [-əbl] *adj* angenehm; unterhaltsam; **en·joy·ment** [ɪn'dʒɔɪmənt] *s* **1.** Freude *f,* Spaß *m* **2.** (JUR) Genuss *m*

en·large [ɪn'lɑːdʒ] **I.** *tr* vergrößern; verbreitern; ausweiten, ausdehnen; erweitern **II.** *itr* sich vergrößern; sich ausdehnen; sich erweitern; ~ **(up)on** näher eingehen auf; **en·large·ment** [-mənt] *s* Erweiterung, Ausdehnung *f;* (BES. PHOT) Vergrößerung *f*

en·lighten [ɪn'laɪtn] *tr* (*fig*) aufklären, belehren (*on, as to* über); **en·lightened** [ɪn'laɪtnd] *adj* aufgeklärt; **en·lighten·ment** [-mənt] *s* Aufklärung *f;* **the E~** (HIST) die Aufklärung

en·list [ɪn'lɪst] **I.** *tr* **1.** (MIL) anwerben; (MAR) anmustern **2.** (*Hilfe*) in Anspruch nehmen **3.** interessieren (*for* an) **II.** *itr* **1.** sich freiwillig melden (*in the navy* zur Marine) **2.** eintreten (*in* für)

en·liven [ɪn'laɪvn] *tr* **1.** beleben, aufmuntern **2.** (*fig*) er-, aufheitern

en·mesh [ɪn'meʃ] *tr* (*fig*): **be ~ed in** verstrickt sein in

en·mity ['enmətɪ] *s* Feindschaft *f*

en·noble [ɪ'nəʊbl] *tr* adeln *a. fig,* in den Adelsstand erheben

enor·mity [ɪ'nɔːmətɪ] *s* **1.** Ungeheuerlichkeit *f* **2.** Greuel *m* **3.** (*fig*) großer Umfang; **enor·mous** [ɪ'nɔːməs] *adj* riesig, enorm, gewaltig, ungeheuer

enough [ɪ'nʌf] **I.** *adv* genug, genügend; **good ~!** sehr gut!; **likely** ~ sehr wahrscheinlich, höchstwahrscheinlich; **true** ~ nur zu wahr; **sure** ~ freilich, gewiss, allerdings; **surprisingly** ~ überraschenderweise; **well** ~ ziemlich gut; nicht schlecht; **be kind ~ to come** sei so gut und komm!; **he's good ~ in his way** er ist nicht übel **II.** *adj* aus-, hinreichend, hinlänglich, genügend; **more than** ~ mehr als genug; **be** ~ genug sein, genügen, langen; **I had ~ to do** ich hatte genug, alle Hände voll zu tun; **that's quite** ~ mir langt's jetzt

en·quire [ɪn'kwaɪə(r)] *s.* **inquire**

en·quiry [ɪn'kwaɪərɪ] *s s.* **inquiry**

en·rage [ɪn'reɪdʒ] *tr* wütend, rasend machen; **en·raged** [ɪn'reɪdʒd] *adj* wütend, aufgebracht, entrüstet (*at, by, with* über)

en·rap·ture [ɪn'ræptʃə(r)] *tr* hinreißen, bezaubern

en·rich [ɪn'rɪtʃ] *tr* **1.** reicher machen *a. fig* **2.** (*fig*) bereichern, befruchten **3.** anreichern

en·rol [ɪn'rəʊl] **I.** *tr* **1.** eintragen, registrieren **2.** anwerben **II.** *itr* **1.** sich einschreiben, sich immatrikulieren lassen **2.** Mitglied werden; **en·roll** (*Am*) *s.* **enrol**; **en·roll·ment** *s* (*Am*), **en·rol·ment** [-mənt] *s* **1.** Beitrittserklärung *f* **2.** Hörer-, Schülerzahl *f*

en route [ˌɒn'ruːt] *adj* auf dem Weg (*to, for* nach, zu)

en·semble [ɒn'sɒmbl] *s* Ensemble *n*

en·sign ['ensən] *s* **1.** Fahne, Flagge *f* **2.** (*Am*) Fähnrich *m* zur See

en·slave [ɪn'sleɪv] *tr* **1.** versklaven; knechten **2.** unterdrücken

en·snare [ɪn'sneə(r)] *tr* **1.** (*in e-r Schlinge*) fangen **2.** (*fig*) verstricken, umgarnen

en·sue [ɪn'sjuː] *itr* **1.** (unmittelbar) folgen **2.** sich ergeben (*from* aus); **en·su·ing** [-ɪŋ] *adj* (darauf) folgend; nächste(r, s)

en suite (**bath·room**) [ˌɒn'swiːtˌbɑːθruːm] *s* eigenes Bad

en·sure [ɪn'ʃʊə(r)] *tr* **1.** (ver)sichern, sicherstellen (*against, from* gegen) **2.** garantieren (*s.th.* etw) **3.** schützen (*against* gegen)

en·tail [ɪn'teɪl] *tr* **1.** zur Folge haben, mit sich bringen (*on* für) **2.** (JUR) als Erbgut vererben (*on s.o.* jdm)

en·tangle [ɪn'tæŋgl] *tr* **1.** verwickeln **2.** hineinziehen (*in* in), verstricken (*in* in); ~ **o.s., get ~d** sich verwickeln, sich verfangen (*in* in); **en·tangle·ment** [-mənt] *s* (*fig*) Verwick(e)lung *f*

en·ter ['entə(r)] **I.** *tr* **1.** betreten **2.** eindringen in, durchbohren **3.** einschreiben, -tragen, auf die Liste setzen **4.** zu Protokoll geben **5.** (COM) buchen **6.** (EDV: *Daten*) eingeben **7.** eintreten in, Mitglied werden in; ~ **one's name** sich eintragen, -schreiben (lassen); ~ **a protest** Einspruch,

Protest erheben; **it never ~ed my head** das ist mir nie in den Sinn gekommen **II.** *itr* **1.** eintreten, hereinkommen; einsteigen **2.** eindringen **3.** (*Schiff*) einlaufen; ~ **into details** auf Einzelheiten eingehen; ~ **for an examination** sich e-r Prüfung unterziehen; ~ **for** sich melden für; **enter into** *itr* **1.** sich einlassen auf; eingehen auf; teilnehmen an **2.** e-n Teil bilden, e-e Rolle spielen bei **3.** (*Vereinbarung*) treffen **4.** (*Geschäft*) (ab)schließen **5.** (*Vergleich*) eingehen; ~ **into correspondence with** in Briefwechsel treten mit; ~ **into an engagement** e-e Verpflichtung übernehmen; ~ **into relations with** in Beziehung treten zu; **enter up** *tr* eintragen; **enter** (**up**)**on** *tr* **1.** anfangen, beginnen, in Angriff nehmen **2.** (*Laufbahn*) einschlagen **3.** (*Besitz, Erbe*) antreten **4.** (*Sache*) eingehen auf; (*Thema*) anschneiden

en•ter key *s* (EDV) Entertaste, Eingabetaste *f*

en•ter•prise ['entəpraɪz] *s* **1.** Unternehmen, Vorhaben *n,* Pläne *mpl* **2.** Unternehmen *n,* Unternehmung *f,* Geschäft *n,* Betrieb *m* **3.** (*spirit of* ~) Unternehmungsgeist *m;* **free** [*o* **private**] ~ Privatunternehmen *n;* Privatwirtschaft *f;* freies Unternehmertum; **Enterprise Allowance Scheme** *s Programm, wobei Arbeitslose, die eine Firma gründen wollen und bereit sind, im ersten Jahr eine bestimmte Summe darin zu investieren, wöchentlich eine Beihilfe bekommen;* **enterprise culture** *s* eine das Unternehmertum fördernde Gesellschaft; **en•ter•pris•ing** [-ɪŋ] *adj* unternehmungslustig, einfallsreich

en•ter•tain [ˌentə'teɪn] *tr* **1.** unterhalten, belustigen **2.** bewirten; einladen **3.** (*Verdacht*) hegen **4.** (*Ansicht*) haben, vertreten **5.** (*Vorschlag*) in Erwägung ziehen; **they ~ a great deal** sie haben sehr oft Gäste; **en•ter•tainer** [ˌentə'teɪnə(r)] *s* Unterhaltungskünstler(in) *m(f);* **en•ter•tain•ing** [-ɪŋ] *adj* unterhaltend, unterhaltsam; **en•ter•tain•ment** [-mənt] *s* **1.** Unterhaltung *f;* Vergnügen *n* **2.** Darbietung *f* **3.** Bewirtung *f;* ~ **allowance** Aufwandspauschale *f;* ~ **expenses** Bewirtungskosten *pl*

en•thral(**l**) [ɪn'θrɔ:l] *tr* (*fig*) fesseln

en•throne [ɪn'θrəʊn] *tr* auf den Thron setzen

en•thuse [ɪn'θju:z] *itr* begeistert sein; schwärmen (*about* für, von); **en•thusi•asm** [ɪn'θju:zɪæzəm] *s* Begeisterung *f,* Enthusiasmus *m;* **en•thusi•ast** [ɪn'θju:zɪæst] *s* Enthusiast(in) *m(f),* begeisterte(r) Anhänger(in) *m f;* **en•thusi•astic** [ɪnˌθju:zɪ'æstɪk] *adj* begeistert (*at, about* von)

en•tice [ɪn'taɪs] *tr* (an-, ver)locken, verführen, verleiten (*into s.th.* zu etw, *to do, into doing* zu tun); ~ **away** abspenstig machen (*from* von); (COM) abwerben; **en•tice•ment** [-mənt] *s* **1.** Verführung *f;* (Ver)Lockung *f* **2.** Abwerbung *f;* **en•tic•ing** [-ɪŋ] *adj* verlockend, verführerisch

en•tire [ɪn'taɪə(r)] *adj* **1.** ganz; vollständig **2.** völlig, gesamt, total **3.** (*Zustimmung*) uneingeschränkt; **en•tire•ly** [-lɪ] *adv* gänzlich; ~ **different** grundverschieden; **entirety** [ɪn'taɪə(r)ətɪ] *s* Gesamtheit *f;* **in its** ~ in seiner Gesamtheit, in vollem Umfang

en•title [ɪn'taɪtl] *tr* **1.** betiteln **2.** berechtigen (*to* zu); **en•titled** [ɪn'taɪtld] *adj:* **be ~ to** Anspruch haben auf, berechtigt sein zu; ~ **to inherit/to a pension/to vote** erb-/pensions-/stimmberechtigt; **en•title•ment** [-mənt] *s* Berechtigung *f;* Anspruch *m*

en•tity ['entətɪ] *s* Wesen *n;* **legal** ~ juristische Person

ento•mol•ogy [ˌentə'mɒlədʒɪ] *s* Insektenkunde *f*

en•trails ['entreɪlz] *s pl* Eingeweide *npl*

en•train [en'treɪn] *tr* (*Truppen*) verladen

en•trance[1] ['entrəns] *s* **1.** Eingang *m* **2.** (THEAT) Auftritt *m* **3.** Zugang *m* (*into* zu), Eingang(stür *f*) *m* **4.** Einfahrt *f,* Tor *n* **5.** Eintritt(sgeld *n*) *m;* **make one's** ~ eintreten; **no ~!** Eintritt verboten!; **no** ~ **except on business** Unbefugten ist der Eintritt verboten

en•trance[2] [ɪn'trɑ:ns] *tr* hin-, mitreißen (*with* vor); **be ~d by** entzückt sein von

en•trance exam•in•ation ['entrəns ɪgˌzæmɪ'neɪʃn] *s* Aufnahmeprüfung *f;* **entrance fee** *s* Eintrittsgeld *n;* Aufnahme-, Einschreib(e)gebühr *f;* **entrance form** *s* Anmeldeformular *n;* **entrance hall** *s* Vorhalle *f;* Hausflur *m;* **entrance requirement** *s* Zulassungsanforderung *f;* **entrance visa** *s* Einreisevisum *n*

en•trant ['entrənt] *s* **1.** Berufsanfänger(in) *m(f)* **2.** (*Wettkampf*) Teilnehmer(in) *m(f)*

en•treat [ɪn'tri:t] *tr* dringend bitten, ersuchen (*for* um); **en•treaty** [ɪn'tri:tɪ] *s* dringende Bitte

en•trench [ɪn'trentʃ] *tr* verschanzen (*behind* hinter) *a. fig;* **be ~ed** sich eingebürgert haben

entre•pre•neur [ˌɒntrəprə'nɜ:(r)] *s* Unternehmer(in) *m(f);* **entrepreneurial spirit** *s* Unternehmergeist *m*

en•trust [ɪn'trʌst] *tr* **1.** betrauen (*s.o. with s.th.* jdn mit e-r S) **2.** anvertrauen (*s.th. to s.o.* jdm etw)

en•try ['entrɪ] *s* **1.** Eintritt *m;* Einfahrt *f;* Einreise *f* **2.** (*Am*) Einfahrt *f;* Eingang(stür *f*) *m* **3.** Eingangshalle *f,* Flur *m* **4.** (THEAT) Auftritt *m* **5.** Eintrag(ung *f*) *m;* (*Lexikon*) Stichwort *n* **6.** Anmeldung *f* **7.** Aufnahme *f* **8.** Antritt *m* **9.** Namensliste *f* **10.** (*bei e-m Wettkampf*) Bewerber(in) *m(f);* **as per ~** laut Eintrag; **make an ~ of s.th.** etw buchen; **make an ~ in** eintragen in; **no ~** kein Zugang!; **credit/debit ~** Gut-/Lastschrift *f;* **entry fee** *s* Eintrittsgeld *n;* (SPORT) Nenngeld *n;* **entry form** *s* Anmeldeformular *n;* (SPORT) Nennungsformular *n;* **entry permit** *s* Einreiseerlaubnis *f;* **entry·phone** ['entrɪfəʊn] *s* Türsprech-, Wechselsprechanlage *f;* **entry regulations** *s pl* Einreisebestimmungen *fpl;* **entry test** *s* Zulassungsprüfung *f*

en·twine [ɪn'twaɪn] *tr* **1.** umschlingen, umwinden (*with* mit) **2.** winden (*about, around* um)

enu·mer·ate [ɪ'nju:məreɪt] *tr* (auf)zählen; einzeln aufführen; **enu·mer·ation** [ɪˌnju:mə'reɪʃn] *s* (Auf)Zählung *f*

enun·ci·ate [ɪ'nʌnsɪeɪt] **I.** *tr* **1.** klar formulieren **2.** aussprechen **3.** (*Behauptung*) aufstellen **II.** *itr* deutlich sprechen

en·velop [ɪn'veləp] *tr* **1.** einwickeln, -hüllen; verhüllen **2.** einschließen

en·vel·ope ['envələʊp] *s* **1.** Decke, Hülle *f* **2.** (Brief)Umschlag *m*

en·vi·able ['envɪəbl] *adj* beneidens-, begehrenswert; **en·vi·ous** ['envɪəs] *adj* missgünstig, neidisch (*of* auf)

en·vi·ron·ment [ɪn'vaɪərənmənt] *s* **1.** Umgebung *f* **2.** (BIOL) Umwelt *f* **3.** (PSYCH) Milieu *n;* **en·vi·ron·mental** [ɪnˌvaɪərən'mentl] *adj:* **~ awareness** [*o* **consciousness**] Umweltbewusstsein *n;* **~ conditions** Umweltbedingungen *fpl;* **~ forecasting** Umweltplanung *f;* **~ influences** Umwelteinflüsse *mpl;* **~ pollutant** Umweltgift *n;* **~ pollution** Umweltverschmutzung *f;* **en·vi·ron·ment·alist** [ɪnˌvaɪərən'mentəlɪst] *s* Umweltschützer(in) *m(f);* **en·virons** [ɪn'vaɪərənz] *s pl* Umgebung, Umgegend *f*

en·vis·age [ɪn'vɪzɪdʒ] *tr* (*fig*) im Geiste sehen, sich vorstellen

en·voy ['envɔɪ] *s* (POL) Gesandte(r) *f m*

envy ['envɪ] **I.** *s* Neid *m* (*at, of s.o., s.th.* auf jdn, über etw), Missgunst *f;* **out of ~** aus Neid; **be the ~ of s.o.** jds Neid erregen **II.** *tr* beneiden (*s.o. s.th.* jdn um etw), missgönnen (*s.o. s.th.* jdm etw)

en·zyme ['enzaɪm] *s* (CHEM) Enzym *n*

ephem·er·al [ɪ'femərəl] *adj* kurzlebig

epic ['epɪk] **I.** *s* Epos *n* **II.** *adj* **1.** episch **2.** heldenhaft

epi·cen·ter *s* (*Am*), **epi·centre** ['epɪsentə(r)] *s* Epizentrum *n*

epi·cycle ['epɪsaɪkl] *s* Epizykel *m*

epi·demic [ˌepɪ'demɪk] **I.** *adj* epidemisch **II.** *s* Epidemie, Seuche *f*

epi·der·mis [ˌepɪ'dɜ:mɪs] *s* (ANAT) Epidermis, Oberhaut *f*

epi·gram ['epɪgræm] *s* Epigramm *n*

epi·lepsy ['epɪlepsɪ] *s* Epilepsie *f;* **epi·lep·tic** [ˌepɪ'leptɪk] **I.** *adj* epileptisch **II.** *s* Epileptiker(in) *m(f)*

epi·log(ue) ['epɪlɒg] *s* Epilog *m*

Epiph·any [ɪ'pɪfənɪ] *s* (REL) Dreikönigsfest *n*

epis·co·pacy [ɪ'pɪskəpəsɪ] *s* Episkopat *n;* **epis·co·pal** [ɪ'pɪskəpl] *adj* bischöflich; **Epis·co·pa·lian** [ɪˌpɪskə'peɪlɪən] *s* Anhänger(in) *m(f)* der Episkopalkirche

epi·sode ['epɪsəʊd] *s* Episode *f;* Fortsetzung *f;* **epi·sodic** [ˌepɪ'sɒdɪk] *adj* episodisch

epistle [ɪ'pɪsl] *s* (REL) Epistel *f;* **epis·tol·ary** [ɪ'pɪstələrɪ] *adj* Brief-

epi·taph ['epɪtɑ:f] *s* Grabschrift *f*

epi·thet ['epɪθet] *s* Beiwort, Epitheton *n*

epit·ome [ɪ'pɪtəmɪ] *s:* **be the ~ of s.th.** die Verkörperung von etw sein; **epit·om·ize** [ɪ'pɪtəmaɪz] *tr* (*fig*) verkörpern

ep·och ['i:pɒk] *s* Epoche *f,* Zeitabschnitt *m;* **ep·och-mak·ing** ['i:pɒkˌmeɪkɪŋ] *adj* Aufsehen erregend, umwälzend, bahnbrechend

equabil·ity [ekwə'bɪlɪtɪ] *s* (*fig*) (innere) Ausgeglichenheit *f,* Gleichmut *m;* **equable** ['ekwəbl] *adj* **1.** gleichmäßig, gleichförmig **2.** (*fig*) (innerlich) ausgeglichen

equal ['i:kwəl] **I.** *adj* **1.** gleich **2.** gleichgestellt; ebenbürtig (*to +dat*) **3.** (POL) gleichberechtigt (*to, with s.o.* jdm) **4.** gewachsen (*to s.th.* e-r S), in der Lage, fähig, im Stande (*to doing* zu tun); **in ~ parts** zu gleichen Teilen; **on ~ terms** zu gleichen Bedingungen; **be ~ to the occasion** der Lage gewachsen sein **II.** *s, s* Gleichgestellte(r) *f m;* **be the ~ of s.th./be s.o.'s ~** e-r S/jdm gleich sein; **my ~s** meinesgleichen; **he has no ~** er hat nicht seinesgleichen **III.** *tr* **1.** gleichen, gleich sein (*s.o., s.th.* jdm, e-r S) **2.** (*Leistung*) erreichen; gleichkommen (*s.o.* jdm); (SPORT) gleichziehen (*s.th.* mit etw); **equal·ity** [ɪ'kwɒlətɪ] *s* **1.** Gleichheit *f;* Gleichsetzung *f* **2.** (POL) Gleichberechtigung *f;* **~ of opportunity** Chancengleichheit *f;* **equal·iz·ation** [ˌi:kwəlaɪ'zeɪʃn] *s* Ausgleich *m;* **equal·ize** ['i:kwəlaɪz] *tr* ausgleichen; angleichen; **the equalizing goal** das Ausgleichstor; **equal·izer** ['i:kwəlaɪzə(r)] *s* **1.** (SPORT) Ausgleich *m;* Ausgleichstor *n* **2.** (EL) Equalizer *m;* **equal·ly** ['i:kwəlɪ] *adv* **1.** gleich **2.** ebenso, genauso; **equal opportunities** *s pl* Chancengleichheit *f;* **equal(s) sign** *s* (MATH) Gleichheitszeichen *n*

equa•nim•ity [ˌekwəˈnɪmətɪ] *s* Gleichmut *m;* Ausgeglichenheit *f*
equate [ɪˈkweɪt] *tr* (*a.* MATH) gleichsetzen (*to, with* mit); **equa•tion** [ɪˈkweɪʒn] *s* **1.** (MATH CHEM) Gleichung *f* **2.** Gleichsetzung, -stellung *f*
equa•tor [ɪˈkweɪtə(r)] *s* Äquator *m;* **equa•tor•ial** [ˌekwəˈtɔːrɪəl] *adj* äquatorial
eques•trian [ɪˈkwestrɪən] *adj* Reiter-; Reit-; ~ **statue** Reiterstandbild *n;* ~ **sport** Pferde-, Reitsport *m*
equi•dis•tant [ˌiːkwɪˈdɪstənt] *adj* gleich weit entfernt; **equi•lat•eral** [ˌiːkwɪˈlætərəl] *adj* (MATH) gleichseitig
equi•lib•rium [ˌiːkwɪˈlɪbrɪəm, *pl* -rɪə] <*pl* -riums, -ria> *s* Gleichgewicht *n a. fig;* **in** ~ im Gleichgewicht
equi•noc•tial [ˌiːkwɪˈnɒkʃl] *adj* Äquinoktial-; **equi•nox** [ˈiːkwɪnɒks] *s* Tagundnachtgleiche *f*
equip [ɪˈkwɪp] *tr* **1.** ausrüsten, -statten **2.** vorbereiten (*to* zu); **be well ~ped for a job** das nötige Rüstzeug für einen Beruf haben; **equip•ment** [-mənt] *s* **1.** Ausstattung, Ausrüstung *f* **2.** Einrichtung *f* **3.** Ausrüstung *f* **4.** Anlage *f,* Rüstzeug *n* **5.** (COM) Investitionsgüter *npl;* **camping** ~ Campingausrüstung *f;* **office** ~ Büroeinrichtung *f*
equi•table [ˈekwɪtəbl] *adj* gerecht; **equity** [ˈekwətɪ] *s* **1.** Billigkeit, Gerechtigkeit *f* **2.** (COM) Eigenkapital *n* **3.** (JUR) Billigkeitsrecht *n*
equiv•al•ence [ɪˈkwɪvələns] *s* (*a.* CHEM) Gleichwertigkeit *f,* Entsprechung *f;* ~ **relation** (MATH) Äquivalenzrelation *f;* **equiv•al•ent** [ɪˈkwɪvələnt] **I.** *adj* **1.** gleich(wertig) **2.** gleichbedeutend (*to* mit) **3.** entsprechend; **be ~ to s.th.** e-r S gleichkommen; e-r S entsprechen **II.** *s* **1.** Gegenwert *m;* (*a.* CHEM EL) Äquivalent *n* **2.** Gegenstück *n* (*of, to* zu)
equivo•cal [ɪˈkwɪvəkl] *adj* **1.** mehrdeutig **2.** fragwürdig; unsicher; zweifelhaft *a. pej;* **equivo•cate** [ɪˈkwɪvəkeɪt] *itr* zweideutig reden; **equivo•ca•tion** [ɪˌkwɪvəˈkeɪʃn] *s* Zwei-, Mehrdeutigkeit *f*
era [ˈɪərə] *s* Ära *f;* (*a.* GEOL) Zeitalter *n*
eradi•cate [ɪˈrædɪkeɪt] *tr* ausrotten, völlig vernichten
erase [ɪˈreɪz] *tr* **1.** ausradieren **2.** vertilgen, entfernen **3.** (*fig*) auslöschen (*from* aus) **4.** (EDV) löschen; ~ **key** (EDV) Löschtaste *f;* **eraser** [ɪˈreɪzə(r)] *s* **1.** Radiergummi *m* **2.** Tafelwischer *m;* **eras•ure** [ɪˈreɪʒə(r)] *s* **1.** Radieren *n* **2.** radierte Stelle
erect [ɪˈrekt] **I.** *adj* **1.** aufrecht, senkrecht **2.** aufgerichtet **3.** (PHYSIOL) erigiert **II.** *tr* **1.** (*Gebäude*) errichten; aufrichten **2.** senkrecht stellen **3.** (*Maschine*) montieren; **erec•tile** [ɪˈrektaɪl] *adj* (PHYSIOL) erektil, erigibel; **erec•tion** [ɪˈrekʃn] *s* **1.** Errichtung *f,* Bau *m* **2.** Montage *f* **3.** Bau(werk *n*) *m,* Gebäude *n* **4.** (PHYSIOL) Erektion *f*
erg [ɜːg] *s* (PHYS: *Arbeitseinheit*) Erg *n*
ergo•nom•ic [ˌɜgəˈnɒmɪk] *adj* ergonomisch; **ergo•nom•ics** [ˌɜːgəˈnɒmɪks] *s pl mit sing* Ergonomie *f*
er•mine [ˈɜːmɪn] *s* (ZOO) Hermelin *n*
erode [ɪˈrəʊd] *tr* **1.** zerfressen, -nagen **2.** (GEOL: ~ *away*) auswaschen
erogen•ous [ɪˈrɒdʒənəs] *adj* (PHYSIOL) erogen
ero•sion [ɪˈrəʊʒn] *s* **1.** (GEOL) Erosion *f* **2.** (*fig*) langsamer Verlust (*of* an)
erotic [ɪˈrɒtɪk] *adj* erotisch; **eroti•cism** [ɪˈrɒtɪsɪzəm] *s* Erotik *f*
err [ɜː(r)] *itr* **1.** (sich) irren (*in* in) **2.** (REL) fehlen
er•rand [ˈerənd] *s* Botengang *m,* Besorgung *f;* **run ~s** Botengänge, (kleine) Besorgungen machen; **errand boy** *s* Laufbursche *m*
er•rant [ˈerənt] *adj* **1.** umherstreifend **2.** sündig; fehlgeleitet; **knight** ~ fahrender Ritter
er•ratic [ɪˈrætɪk] *adj* **1.** unberechenbar **2.** (*Denken*) sprunghaft **3.** (*Arbeit*) ungleichmäßig **4.** (GEOL) erratisch
er•ratum [eˈrɑːtəm, *pl* eˈrɑːtə] <*pl* errata> *s* Schreib-, Druckfehler *mpl,* Druckfehler(verzeichnis *n*) *mpl*
er•ron•eous [ɪˈrəʊnɪəs] *adj* irrig, falsch; ~ **judg(e)ment** Fehlurteil *n*
er•ror [ˈerə(r)] *s* Irrtum *m;* Fehler *m,* Versehen *n;* **by trial and** ~ durch Ausprobieren; **in** [*o* **through an**] ~ versehentlich, irrtümlich; **be in** ~ im Irrtum sein; **free from** ~ fehlerfrei, -los; **error message** *s* (EDV) Fehleranzeige, Fehlermeldung *f;* **error-prone** [ˈerə(r)prəʊn] *adj* fehleranfällig; **error rate** *s* Fehlerquote *f*
eru•dite [ˈeruːdaɪt] *adj* gelehrt; **eru•di•tion** [ˌeruːˈdɪʃn] *s* Gelehrsamkeit *f*
erupt [ɪˈrʌpt] *itr* **1.** hervorbrechen **2.** (*Vulkan, Streit, Krieg*) ausbrechen **3.** (*Haut*) e-n Ausschlag bekommen **4.** (*Person*) explodieren; **erup•tion** [ɪˈrʌpʃn] *s* **1.** Ausbruch *m* **2.** (Haut)Ausschlag *m*
es•ca•late [ˈeskəleɪt] **I.** *itr* **1.** (*Preise*) ansteigen **2.** (POL) sich ausweiten **II.** *tr* **1.** ausweiten, eskalieren **2.** (*Preise*) sprunghaft steigen lassen; **es•ca•la•tion** [ˌeskəˈleɪʃn] *s* Eskalation *f;* **es•ca•la•tor** [ˈeskəleɪtə(r)] *s* Rolltreppe *f*
es•ca•lope [ˈeskələp] *s* Schnitzel *n*
es•ca•pade [ˌeskəˈpeɪd] *s* toller, dummer Streich
es•cape [ɪˈskeɪp] **I.** *itr* **1.** entfliehen, flüchten, entweichen, entkommen (*from* aus) **2.** entgehen (*from s.th.* e-r S), davonkommen (*with* mit) **3.** (*Flüssigkeit, Gas*)

ausströmen, auslaufen (*from* aus) **4.** entschlüpfen, entschwinden (*from* + *dat*) **II.** *tr* **1.** entfliehen (*s.th.* e-r S), ausweichen (*s.th.* e-r S), vermeiden **2.** (*Name*) entfallen (*s.o.* jdm) **III.** *s* **1.** Flucht *f;* Entkommen *n* **2.** Rettung *f* (*from* von) **3.** Fluchtweg *m* **4.** (TECH) undichte Stelle; **have a narrow** ~ mit knapper Not davonkommen; ~ **attempt** Fluchtversuch *m;* ~ **chute** (AERO) Notrutsche *f;* ~ **notice** unbemerkt bleiben; ~ **valve** Sicherheitsventil *n;* ~ **velocity** Fluchtgeschwindigkeit *f* (*aus dem Schwerefeld*); **es•capee** [ɪˌskeɪ'piː] *s* entwichene(r) Gefangene(r) *f m;* **es•cap•ism** [ɪ'skeɪpɪzəm] *s* Flucht *f* aus der Wirklichkeit, Eskapismus *m;* **es•cap•ist** [-ɪst] *s* Aussteiger(in) *m(f)*

es•carp•ment [ɪ'skɑːpmənt] *s* Steilabhang *m;* Böschung *f*

es•chew [ɪ'stʃuː] *tr* **1.** (ver)meiden, ausweichen (*s.th.* e-r S) **2.** unterlassen; sich enthalten (*s.th.* e-r S)

es•cort[1] ['eskɔːt] *s* **1.** Begleiter(in) *m(f)* **2.** (MIL) Geleitschutz *m,* Eskorte *f*

es•cort[2] [ɪ'skɔːt] *tr* **1.** begleiten **2.** decken, eskortieren

es•cutcheon [ɪ'skʌtʃən] *s* Wappen(schild) *n;* **have a blot on one's** ~ (*fig*) keine reine Weste haben

Es•kimo ['eskɪməʊ] <*pl* -kimo(e)s> *s* Eskimo *m,* Eskimofrau *f*

esopha•gus [iː'sɒfəgəs] *s s.* **oesophagus**

eso•teric [ˌesəʊ'terɪk] *adj* esoterisch

es•pa•drille ['espədrɪl] *s* Espadrille *f*

es•pecial [ɪ'speʃl] *adj* **1.** besondere(r, s) **2.** un-, außergewöhnlich; **es•pecial•ly** [ɪ'speʃəlɪ] *adv* (ganz) besonders, vor allem

espion•age ['espɪənɑːʒ] *s* Spionage *f;* **industrial** ~ Werkspionage *f*

es•pla•nade [ˌesplə'neɪd] *s* Esplanade, (Ufer)Promenade *f*

es•pousal [ɪ'spaʊzl] *s* Parteiergreifung, -nahme *f* (*of* für); **es•pouse** [ɪ'spaʊz] *tr* Partei ergreifen, eintreten für

es•presso [e'spresəʊ] <*pl* -pressos> *s* Espresso *m*

Esq., **Es•quire** [ɪ'skwaɪə(r), *Am* 'eskwaɪər] *s* (*Höflichkeitsfloskel nach dem Namen auf Briefen*) Herrn

es•say[1] [e'seɪ] **I.** *tr* versuchen; erproben **II.** *s* Versuch *m* (*at s.th.* an e-r S, *at doing s.th.* etw zu tun)

es•say[2] ['eseɪ] *s* Essay *m;* Aufsatz *m;* **es•say•ist** [-ɪst] *s* Essayist(in) *m(f)*

es•sence ['esns] *s* **1.** Wesen *n* (*e-r S*) **2.** (das) Wesentliche **3.** Essenz *f;* **in** ~ (im) wesentlich(en); **be of the** ~ sehr wesentlich, wichtig sein; **es•sen•tial** [ɪ'senʃl] **I.** *adj* **1.** wesentlich (*to* für) **2.** unentbehrlich; (lebens)notwendig, unerlässlich; ~ **goods** Güter *n pl* des täglichen Bedarfs; **not** ~ nicht unbedingt erforderlich **II.** *s* (das) Wesentliche, Wichtigste, Notwendigste; Hauptsache *f;* wesentliche Umstände *mpl;* ~**s of life** das Lebensnotwendige; **es•sen•tial•ly** [ɪ'senʃəlɪ] *adv* (im) wesentlich(en), in der Hauptsache

es•tab•lish [ɪ'stæblɪʃ] **I.** *tr* **1.** er-, einrichten, gründen **2.** (*Geschäft*) eröffnen **3.** (*Regelung*) einführen; (*Verbindung*) herstellen, aufnehmen **4.** (*Theorie*) aufstellen **5.** (*Ordnung*) herstellen **6.** (*Frieden*) stiften **7.** (*Autorität*) sich verschaffen **8.** (*Regierung*) bilden **9.** (*Rekord*) aufstellen **10.** (*Ausschuss*) einsetzen **11.** be-, nachweisen, begründen **12.** (*Fakten*) ermitteln **13.** Geltung verschaffen (*s.th.* e-r S) **II.** *refl* sich niederlassen, sich selbstständig machen (*as a grocer* als Lebensmittelhändler), ein Geschäft gründen; **es•tab•lished** [ɪ'stæblɪʃt] *adj* **1.** feststehend **2.** (*Ruf*) gesichert **3.** (*Brauch*) althergebracht **4.** (*Gesetze*) geltend; (*Ordnung*) bestehend; **E**~ **church** Staatskirche *f;* **es•tab•lish•ment** [ɪ'stæbliʃmənt] *s* **1.** Er-, Einrichtung, Gründung *f;* Eröffnung *f* **2.** (*Regierung*) Bildung *f* **3.** Fest-, Klarstellung *f;* Begründung *f;* Beweis *m* **4.** Haus(halt *m*) *n,* Wohnung *f* **5.** Geschäft(shaus) *n,* Firma *f,* Unternehmen *n,* Betrieb *m* **6.** Anstalt, Institution *f* **7.** (Verwaltungs-, Beamten)Apparat, Personalbestand *m;* Truppenstärke *f* **8.** (*Br*) (das) Establishment; **educational** ~ Lehranstalt *f;* **industrial** ~ Industrieunternehmen *n*

es•tate [ɪ'steɪt] *s* **1.** Besitz *m,* Eigentum, Vermögen *n* **2.** Grund-, Landbesitz *m,* (Land)Gut *n,* Besitzung *f* **3.** Besitzrecht *n* **4.** Nachlass *m,* Hinterlassenschaft, Erbmasse *f* **5.** (*bankrupt's* ~) Konkursmasse *f* **6.** Stand, Rang *m;* **family** ~ Familienbesitz *m;* **housing** ~ Wohnsiedlung *f;* **leasehold** ~ Pachtgrundstück *n;* **real** ~ Grundbesitz *m;* Immobilien *pl;* **estate agent** *s* Grundstücksmakler(in) *m(f);* **estate car** *s* Kombi(wagen) *m;* **estate duty** *s,* **estate tax** *s* (*Am*) Erbschaftssteuer *f*

es•teem [ɪ'stiːm] **I.** *tr* **1.** hochschätzen, sehr schätzen **2.** ansehen als, erachten für **II.** *s* (Hoch)Achtung *f* (*for, of* vor), Wertschätzung *f* (*for, of* + *gen*), Ansehen *n*

es•ti•mable ['estɪməbl] *adj* schätzens-, achtenswert; abschätzbar

es•ti•mate[1] ['estɪmeɪt] **I.** *tr* **1.** (ab-, ein)schätzen; taxieren **2.** veranschlagen (*at* auf) **3.** beurteilen **II.** *itr* schätzen

es•ti•mate[2] ['estɪmət] *s* **1.** (Ab)Schätzung, Bewertung *f* **2.** Kostenvoranschlag *m* **3.** (*Lage*) Beurteilung *f* **4.** statistische Messzahl; **at** [*o* **on**] **a rough** ~ grob überschlagen; **rough** ~ Überschlag *m;* ~ **of damages** Schadensberechnung *f;* **es•ti•ma•ted** ['estɪmeɪtɪd] *adj* **1.** geschätzt **2.** voraussichtlich; ~ **cost** Sollkosten *pl;* ~ **time of arrival, ETA** (AERO) voraussichtliche Ankunftszeit; ~ **useful life** geschätzte Nutzungsdauer; ~ **value** Taxwert *m;* **es•ti•ma•tion** [ˌestɪ'meɪʃn] *s* **1.** Beurteilung *f* **2.** Ansicht, Meinung *f* **3.** Hochschätzung, Achtung *f,* Respekt *m;* **in my** ~ meines Erachtens

Es•to•nia [e'stəʊnɪə] *s* Estland *n;* **Es•to•nian** [e'stəʊnɪən] **I.** *adj* estnisch, estländisch **II.** *s* Este *m,* Estin *f*

es•trange [ɪ'streɪndʒ] *tr* entfremden (*from s.o.* jdm); **become ~d from s.o.** sich jdm entfremden; **es•trange•ment** [-mənt] *s* Entfremdung *f*

es•tro•gen ['i:strəʊdʒən] *s* (*Am*) Östrogen *n*

es•tu•ary ['estʃʊərɪ] *s* Mündung *f*

et cet•era [ɪt'setərə] und so weiter, und so fort, usw.

etch [etʃ] *tr, itr* **1.** (*Kunst*) radieren **2.** ätzen (*on* auf) **3.** (*fig*) einprägen (*in* in); **etcher** ['etʃə(r)] *s* Radierer(in) *m(f);* **etch•ing** [-ɪŋ] *s* Radierung *f;* Kupferstich *m*

eter•nal [ɪ'tɜ:nl] *adj* ewig; immer während; **eter•nal•ly** [ɪ'tɜ:nəlɪ] *adv* **1.** für immer **2.** (*fam*) ununterbrochen; **eter•nity** [ɪ'tɜ:nətɪ] *s* Ewigkeit *f*

ether ['i:θə(r)] *s* Äther *m;* **eth•ereal** [ɪ'θɪərɪəl] *adj* (*fig*) ätherisch

ethi•cal ['eθɪkl] *adj* moralisch, ethisch; **eth•ics** ['eθɪks] *s pl a. mit sing* Ethik, Moral *f*

Ethio•pia [ˌi:θɪ'əʊpɪə] *s* Äthiopien *n;* **Ethio•pian** [ˌi:θɪ'əʊpɪən] **I.** *adj* äthiopisch **II.** *s* **1.** Äthiopier(in) *m(f)* **2.** (das) Äthiopisch(e)

ethnic ['eθnɪk] *adj* **1.** ethnisch **2.** (*Atmosphäre*) urtümlich **3.** (*Restaurant*) folkloristisch; **eth•nol•ogy** [eθ'nɒlədʒɪ] *s* Ethnologie *f*

ethos ['i:θɒs] *s* Ethos *n*

ethyl ['eθɪl] *s* (CHEM) Äthyl *n*

eti•quette ['etɪket] *s* Etikette *f;* **breach of professional** ~ standeswidriges Verhalten

ety•mo•logi•cal [ˌetɪmə'lɒdʒɪkl] *adj* etymologisch; **ety•mol•ogy** [ˌetɪ'mɒlədʒɪ] *s* Etymologie *f*

EU [ˌi:'ju:] *s abbr of* **European Union** EU *f*

euca•lyptus [ˌju:kə'lɪptəs] *s* Eukalyptus *m;* **eucalyptus oil** *s* Eukalyptusöl *n*

Eu•char•ist ['ju:kərɪst] *s* (das) heilige Abendmahl

eu•logize ['ju:lədʒaɪz] *tr* übermäßig loben; **eu•logy** ['ju:lədʒɪ] *s* Lobrede *f,* hohes Lob

eu•nuch ['ju:nək] *s* Eunuch *m*

eu•phem•ism ['ju:fəmɪzəm] *s* Euphemismus *m;* **eu•phem•is•tic** [ˌju:fə'mɪstɪk] *adj* euphemistisch, beschönigend

eu•phony ['ju:fənɪ] *s* Wohlklang *m*

eu•phoria [ju:'fɔ:rɪə] *s* Euphorie *f;* **euphoric** [ju:'fɒrɪk] *adj* euphorisch

Eur•asia [jʊə'reɪʒə] *s* Eurasien *n;* **Eurasian** [jʊə'reɪʒn] **I.** *adj* eurasisch **II.** *s* Eurasier(in) *m(f)*

Eur•at•om [jʊə'rætəm] *s abbr of* **European Atomic Energy Community** Euratom *f*

eu•rhyth•mics [ju:'rɪðmɪks] *s pl mit sing* Eurhythmie *f*

Euro•cheque ['jʊrətʃek] *s* Eurocheque *m;* **card** Eurochequekarte, ec-Karte *f;* **Euro•crat** ['jʊərəʊkræt] *s* Eurokrat(in) *m(f);* **Euro•cur•rency** ['jʊrəʊˌkʌrənsɪ] *s* Eurowährung *f;* **Euro•dol•lar** ['jʊərəʊdɒlə(r)] *s* Eurodollar *m*

Europe ['jʊərəp] *s* Europa *n;* **the Council of** ~ der Europarat; **Euro•pean** [ˌjʊərə'pɪən] **I.** *adj* europäisch; ~ **Communities** Europäische Gemeinschaften *fpl;* ~ **Coal and Steel Community** Montanunion *f;* ~ **Council** Europäischer Rat; ~ (**Economic**) **Community, E**(**E**)**C** (HIST) Europäische (Wirtschafts)Gemeinschaft, E(W)G *f;* ~ **elections** Europawahlen *fpl;* ~ **Intercity Train** EuroCity(-Zug), EC *m;* ~ **Monetary Agreement** Europäisches Währungsabkommen; ~ **Monetary System, EMS** Europäisches Währungssystem, EWS *f;* ~ **Monetary Union, EMU** Europäische Währungsunion, EWU *f;* ~ **Parliament** Europaparlament *n;* ~ **Union, EU** Europäische Union, EU *f* **II.** *s* Europäer(in) *m(f)*

eu•tha•nasia [ˌju:θə'neɪzɪə] *s* Euthanasie *f*

evacu•ate [ɪ'vækjʊeɪt] *tr* **1.** räumen; (*Bevölkerung*) evakuieren **2.** (*Darm*) entleeren; **evacu•ation** [ɪˌvækjʊ'eɪʃn] *s* **1.** Räumung *f,* Evakuierung *f* **2.** (Darm)Entleerung *f;* **evacuee** [ɪˌvækju:'i:] *s* Evakuierte(r) *f m*

evade [ɪ'veɪd] *tr* **1.** aus dem Wege gehen, ausweichen (*s.th.* e-r S) **2.** sich entziehen (*s.th.* e-r S) **3.** umgehen, vermeiden (*doing s.th.* etw zu tun) **4.** (*Steuern*) hinterziehen

evalu•ate [ɪ'væljʊeɪt] *tr* **1.** (ab)schätzen, bewerten, taxieren **2.** auswerten **3.** beurteilen; **evalu•ation** [ɪˌvælјʊ'eɪʃn] *s* **1.** Abschätzung, Taxierung *f* **2.** Wertberechnung, -bestimmung, Bewertung *f*

evan•geli•cal [ˌi:væn'dʒelɪkl] *adj* evangelisch; **evan•gel•ist** [ɪ'vændʒəlɪst] *s* **1.** Evangelist(in) *m(f)* **2.** (Wander)Prediger(in) *m(f);* **evan•gelize** [ɪ'vændʒəlaɪz] **I.** *tr* bekehren **II.** *itr* das Evangelium predigen

evap•or•ate [ɪ'væpəreɪt] **I.** *tr* **1.** verdampfen lassen **2.** (*Milch*) kondensieren;

~**d milk** Dosen-, Kondensmilch *f* **II.** *itr* **1.** verdampfen, verdunsten; sich verflüchtigen **2.** (*fig*) (dahin)schwinden, vergehen

evas•ion [ɪ'veɪʒn] *s* **1.** Ausweichen *n;* Umgehen, Vermeiden *n* (*of+gen*) **2.** Ausflucht, Ausrede *f* **3.** (*Steuer*) Hinterziehung *f;* **evas•ive** [ɪ'veɪsɪv] *adj* **1.** ausweichend **2.** (*Bedeutung*) schwer zu fassen(d); **he is so** ~ er weicht dauernd aus

eve [iːv] *s* Vorabend *m;* **on the** ~ **of** am Vorabend *+gen,* (unmittelbar) vor; am Tage vor

even ['iːvn] **I.** *adj* **1.** eben, flach, glatt **2.** gleichmäßig; gleichförmig; regelmäßig **3.** (*Mensch*) ausgeglichen, ruhig **4.** gleich (groß) **5.** (*Zahl*) gerade **6.** (*Maßangabe*) genau; **be** ~ **with s.o.** mit jdm quitt sein; **break** ~ sein Geld wieder herausbekommen; kostendeckend arbeiten; **get** ~ abrechnen (*with s.o.* mit jdm); **make s.th.** ~ etw ebnen; etw glätten; ~ **score** unentschieden; **I'm** ~ **with you** wir beide sind quitt; **odd or** ~ gerade oder ungerade **II.** *tr* **1.** einebnen, gleichmachen **2.** gleichstellen **III.** *itr* **1.** eben, auf gleicher Ebene sein **2.** gleich sein **IV.** *adv* **1.** sogar, selbst **2.** gerade, genau **3.** noch, sogar (*mit Komparativ*) **4.** nämlich; gleich; **never** ~ **...** nie auch nur ...; **not** ~ nicht einmal; selbst ... nicht; ~ **if** selbst wenn; ~ **now** sogar jetzt; gerade jetzt; ~ **so** trotzdem; **even out I.** *itr* **1.** eben werden **2.** (*Preise*) sich einpendeln **II.** *tr* **1.** ausgleichen **2.** glätten; eben machen **3.** gleichmäßig verteilen; **even up** *tr* ausgleichen; aufrunden; (*Schulden*) bezahlen

even•ing ['iːvnɪŋ] *s* **1.** Abend *m* **2.** Abend(veranstaltung, -gesellschaft *f*) *m;* **in the** ~ am Abend; **on Sunday** ~ Sonntagabend; **one** ~ eines Abends; **this/yesterday/tomorrow** ~ heute, gestern, morgen Abend; **evening class** *s* Abendschule *f;* Abendkurs *m;* **evening dress** *s* Abendkleid *n;* Abendanzug *m;* **evening paper** *s* Abendzeitung *f;* **evening star** *s* Abendstern *m*

even•ly ['iːvənlɪ] *adv* **1.** gleichmäßig **2.** ruhig, gelassen; **even•ness** ['iːvnnɪs] *s* **1.** Ausgeglichenheit *f,* Gleichmut *m* **2.** Ebenheit *f* **3.** Gleichmäßigkeit *f;* Regelmäßigkeit *f;* **evens** *s pl:* **it's** ~ **that** es steht 50:50, dass

event [ɪ'vent] *s* **1.** Ereignis, Geschehnis *n,* Begebenheit *f* **2.** (SPORT) Veranstaltung *f;* Wettkampf *m;* Disziplin *f;* **at all ~s, in any** ~ auf alle Fälle, jedenfalls, sowieso; **in the** ~ **of** im Falle *+gen,* bei; **in either** ~ in dem einen oder anderen Falle; **athletic ~s** Leichtathletikkämpfe *mpl*

even-tem•pered ['iːvən'tempəd] *adj* ausgeglichen

event•ful [ɪ'ventfl] *adj* ereignisreich

event•ual [ɪ'ventʃʊəl] *adj* schließlich; **event•ual•ity** [ɪˌventʃʊ'ælətɪ] *s* Möglichkeit, Eventualität *f,* Fall *m;* **event•ual•ly** [ɪ'ventʃʊəlɪ] *adv* schließlich

ever ['evə(r)] *adv* **1.** je(mals) **2.** immer **3.** (*fam*) zum Kuckuck; unheimlich; **as** ~ wie immer; **for** ~ (**and** ~) für alle Zeiten; für immer; **hardly** ~ fast nie; **not ...** ~ noch nie; ~ **since** seitdem; ~ **and again** immer wieder; ~ **so kind** unheimlich nett; **what~/wherever/who~ ... ?** was/wo/wer ... bloß?

ever•glade ['evəgleɪd] *s* (*Am*) Sumpf *m;* **ever•green** ['evəgriːn] *s* **1.** (BOT) immergrüne Pflanze **2.** (MUS) Evergreen *m;* **ever•last•ing** [ˌevə'lɑːstɪŋ] *adj* **1.** beständig, dauernd **2.** unverwüstlich; **ever•more** [ˌevə'mɔː(r)] *adv* immer; **for** ~ für immer

every ['evrɪ] *adj* **1.** jede(r, s) (mögliche) **2.** alle; **each and** ~ **one** jede(r, s) einzelne; ~ **bit** genauso; ~ **now and then** [*o* **again**] ab und zu, von Zeit zu Zeit; ~ **one of them** sie alle ohne Ausnahme; ~ **other day** jeden zweiten Tag; ~ **other week** alle vierzehn Tage; **he has** ~ **reason** er hat allen Grund; ~ **time** jedesmal; **in** ~ **way** in jeder Hinsicht; **every•body, every•one** ['evrɪbɒdɪ, 'evrɪwʌn] *pron* jeder, alle; jedermann; **everybody else** *s* alle anderen, alle übrigen; **every•day** ['evrɪdeɪ] *adj attr* alltäglich, gewöhnlich; **every•one** ['evrɪwʌn] *s s.* **everybody**; **every•thing** ['evrɪθɪŋ] *pron* alles; **she is** ~ **to him** sie ist sein Ein und Alles; ~ **new** alles Neue; **money is** ~ das Geld ist das Wichtigste; **every•where** ['evrɪweə(r)] *adv* überall; wo(hin) auch immer; ~ **I tried** wo ich es auch versucht habe

evict [ɪ'vɪkt] *tr* zur Räumung zwingen

evi•dence ['evɪdəns] *s* **1.** Beweis *m* **2.** Anhaltspunkt, Nachweis *m* **3.** (JUR) Beweismaterial *n;* Beweisstück *n;* Zeugenaussage *f;* **for lack of** ~ aus Mangel an Beweisen; **in** ~ deutlich sichtbar, offenkundig; (*fig*) im Vordergrund; (JUR) als Beweis; **be in** ~ auffallen; **call s.o. in** ~ jdn als Zeugen aufrufen; **furnish** ~ den Beweis erbringen (*of* für); **give** ~ e-e Aussage machen (*for* für, *against* gegen); **bear** ~ **of** Zeugnis ablegen für; deutliche Anzeichen zeigen von; **offer** [*o* **tender**] ~ den Beweis antreten; **produce** ~ Beweise erbringen; **turn King's/Queen's/State's** ~ (*Am*) als Kronzeuge aussagen; ~ **to the contrary** Gegenbeweis *m*

evi•dent ['evɪdənt] *adj* offenkundig, augenscheinlich

evil ['iːvl] **I.** *adj* **1.** schlecht, böse **2.** übel, schlimm **II.** *adv* schlecht, übel **III.** *s* **1.** (das) Böse; Übel *n* **2.** Schlechtigkeit *f* **3.** Unheil *n;*

wish s.o. ~ jdm Böses wünschen; **deliver us from** ~ erlöse uns von dem Bösen; **the lesser** ~ das kleinere Übel; **evil-doer** [ˌi:vl'du:ə(r)] *s* Übeltäter(in) *m(f)*; **evil-minded** [ˌi:vl'maɪndɪd] *adj* **1.** boshaft **2.** (*Bemerkung*) hämisch; **evil-tem•pered** [ˌi:vl'tempəd] *adj* schlechtgelaunt

evince [ɪ'vɪns] *tr* an den Tag legen; zur Schau tragen

evoca•tion [ˌevə'keɪʃn] *s* Heraufbeschwören *n*

evoca•tive [ɪ'vɒkətɪv] *adj:* **be** ~ **of s.th.** an etw erinnern; **evoke** [ɪ'vəʊk] *tr* hervorrufen, wachrufen, erinnern an

evol•ution [ˌi:və'lu:ʃn] *s* **1.** Entwicklung *f* **2.** Entfaltung, Evolution *f*

evolve [ɪ'vɒlv] **I.** *tr* **1.** entwickeln, entfalten (*into* zu) **2.** (*Plan*) ausarbeiten **II.** *itr* **1.** sich entwickeln **2.** entstehen (*from* aus)

ewe [ju:] *s* (Mutter)Schaf *n*

ewer ['ju:ə(r)] *s* Wasserkrug *m,* -kanne *f*

ex [eks] **I.** *prep* (FIN COM) **1.** ohne, ausschließlich; frei von **2.** ab; **price** ~ **works** Preis ab Werk **II.** *s* (*fam*) Verflossene(r) *f m*

ex- [eks] *prefix* ehemalige(r, s), frühere(r, s)

ex•acer•bate [ɪg'zæsəbeɪt] *tr* **1.** verschärfen, verschlimmern **2.** verbittern, verärgern

exact [ɪg'zækt] **I.** *adj* **1.** genau, exakt **2.** pünktlich **3.** gewissenhaft; ~ **fare** passendes Fahrgeld **II.** *tr* **1.** (*Forderung*) eintreiben **2.** (*Geld*) erpressen (*from, of* von) **3.** fordern, verlangen; **exact•ing** [-ɪŋ] *adj* anspruchsvoll; **be** ~ es sehr genau nehmen; viel verlangen; **exacti•tude** [ɪg'zæktɪtju:d] *s* Genauigkeit *f;* **exact•ly** [ɪg'zæktlɪ] *adv* **1.** so ist es, allerdings **2.** genau, ganz; **not** ~ **friendly** nicht gerade freundlich; **not** ~ **sure** nicht ganz sicher; **exact•ness** [ɪg'zæktnɪs] *s* **1.** Genauigkeit *f* **2.** Pünktlichkeit *f*

exag•ger•ate [ɪg'zædʒəreɪt] *tr, itr* übertreiben; **exag•ger•ated** [ɪg'zædʒəreɪtɪd] *adj* übertrieben; **exag•ger•ation** [ɪgˌzædʒə'reɪʃn] *s* Übertreibung *f*

ex•alt [ɪg'zɔ:lt] *tr* **1.** (*fig*) erhöhen; (*in e-n Stand*) erheben (*to* in) **2.** preisen; **exal•ta•tion** [ˌegzɔ:l'teɪʃn] *s* Begeisterung *f;* **ex•alted** [ɪg'zɔ:ltɪd] *adj* **1.** hoch **2.** überschwenglich, exaltiert

exam [ɪg'zæm] *s* Prüfung *f;* **exam•in•ation** [ɪgˌzæmɪ'neɪʃn] *s* **1.** Prüfung *f,* Examen *n* (*in* in) **2.** Untersuchung, Überprüfung *f;* Kontrolle *f* **3.** (JUR) Vernehmung *f;* **(up)on** ~ bei näherer, eingehender Prüfung; **be under** ~ geprüft, vernommen, untersucht werden; **fail (in) an** ~ bei e-r Prüfung durchfallen; **pass an** ~ e-e Prüfung bestehen; **undergo an** ~ (MED) sich e-r Untersuchung unterziehen; ~ **of accounts** Rechnungsprüfung *f;* ~ **of the books** Bücherrevision *f;* ~ **paper** (schriftliche) Prüfungsarbeit *f;* ~ **question** Prüfungsfrage *f;* ~ **of witnesses** Zeugenverhör *n;* **exam•ine** [ɪg'zæmɪn] *tr* **1.** prüfen **2.** untersuchen **3.** besichtigen **4.** verhören, vernehmen; **exam•inee** [ɪgˌzæmɪ'ni:] *s* Prüfling *m;* (Examens)Kandidat(in) *m(f);* **exam•iner** [ɪg'zæmɪnə(r)] *s* **1.** Prüfer(in) *m(f)* **2.** Revisor(in) *m(f)* **3.** (JUR) vernehmende(r) Richter(in) *m f;* **exam•in•ing** [ɪg'zæmɪnɪŋ] *adj:* ~ **body** Prüfungsausschuss *m,* -kommission *f;* ~ **magistrate** Untersuchungsrichter(in) *m(f)*

example [ɪg'zɑ:mpl] *s* **1.** Beispiel *n* **2.** Muster *n* (*of* für) **3.** Vorbild *n* **4.** warnendes Beispiel; **without** ~ beispiellos; **for** ~ zum Beispiel; **be an** ~ **to s.o.** für jdn ein Beispiel sein; **give** [*o* **set**] **an** ~ mit gutem Beispiel vorangehen; **make an** ~ **of** ein Exempel statuieren an

exas•per•ate [ɪg'zɑ:spəreɪt] *tr* verzweifeln lassen, zur Verzweiflung bringen; **exas•per•ating** [ɪg'zɑ:spəreɪtɪŋ] *adj* ärgerlich; **he can be** ~ er kann einen zur Verzweiflung bringen; **exas•per•ation** [ɪgˌzɑ:spə'reɪʃn] *s* **1.** Erbitterung *f* **2.** Ärger *m;* **in** ~ verzweifelt

ex•ca•vate ['ekskəveɪt] *tr* ausbaggern, -graben; **ex•ca•va•tion** [ˌekskə'veɪʃn] *s* **1.** Ausschachtung, Ausbaggerung *f* **2.** Höhlung, Höhle *f* **3.** Ausgrabung *f;* **ex•ca•vator** ['ekskəveɪtə(r)] *s* Trockenbagger *m*

ex•ceed [ɪk'si:d] *tr* **1.** überschreiten; übersteigen **2.** übertreffen (*s.o.'s expectations* jds Erwartungen); **ex•ceed•ing•ly** [-ɪŋlɪ] *adv* äußerst, (ganz) besonders, außerordentlich

ex•cel [ɪk'sel] **I.** *tr* übertreffen, überragen (*in* in); ~ **o.s.** sich selbst übertreffen **II.** *itr* sich auszeichnen, sich hervortun (*at* bei, *in* in, *as* als); **ex•cel•lence** ['eksələns] *s* **1.** Vorzüglichkeit *f* **2.** Fähigkeit *f;* hervorragende Leistung (*at, in* in); **Ex•cel•lency** ['eksələnsɪ] *s* (*Titel*) Exzellenz *f;* **ex•cel•lent** ['eksələnt] *adj* ausgezeichnet, hervorragend

ex•cept [ɪk'sept] **I.** *tr* **1.** ausnehmen, ausschließen (*from* aus) **2.** e-e Ausnahme machen mit **II.** *prep* außer, ausgenommen; ~ **for** bis auf; mit Ausnahme +*gen* **III.** *conj* (*fam*) (je)doch; **ex•cept•ing** [-ɪŋ] *prep* außer, ausgenommen; **ex•cep•tion** [ɪk'sepʃn] *s* **1.** Ausnahme *f* (*to* von) **2.** Einwand *m;* Einwendung *f;* Beanstandung *f* **3.** (JUR) Einrede *f* **4.** Anstoß *m;* **as an** [*o* **by way of**] ~ als Ausnahme; ausnahmsweise; **with the** ~ **of** mit Ausnahme +*gen,* mit der Ausnahme, dass; **with certain** ~**s** mit bestimmten Ausnahmen; **without** ~ ausnahmslos; **be an ~ to s.th.** e-e Ausnahme von etw bilden; **make an ~ to s.th.** von etw e-e Ausnahme machen; **take ~** Anstoß nehmen (*to* an), beanstanden (*to s.th.* etw), Einwendungen erheben (*to* gegen); **the ~ proves the rule** (*prov*) Ausnahmen bestätigen die Regel; **ex•cep•tion•able** [ɪk'sepʃənəbl] *adj* anfechtbar; **ex•cep•tional** [ɪk'sepʃənl] *adj* außergewöhnlich; **~ case** Ausnahmefall *m;* **ex•cep•tion•ally** [ɪk'sepʃnəlɪ] *adv* außergewöhnlich, ungewöhnlich

ex•cerpt ['eksɜːpt] *s* Auszug *m,* Exzerpt *n*

ex•cess [ɪk'ses] **I.** *s* **1.** Übermaß *n* (*of* an) **2.** Überschuss *m* **3. ~es** Exzesse *mpl,* Ausschweifungen *fpl;* (POL) Ausschreitungen *fpl;* **in ~ of** mehr als, über … hinaus; **be in ~ of** hinausgehen über, überschreiten; **carry to ~** übertreiben; über das Ziel hinausschießen (*s.th.* mit etw); **~ of exports** Exportüberschuss *m;* **~ of population** Bevölkerungsüberschuss *m;* **~ of purchasing power** Kaufkraftüberhang *m* **II.** *adj* überschüssig; **excess amount** *s* Mehrbetrag, Überschuss *m;* **excess baggage** *s* Übergewicht *n* (*Gepäck*); **excess charge** *s* zusätzliche Gebühr; (*Post*) Nachporto *n;* **excess expenditure** *s* Mehrausgaben *fpl;* **ex•cess•ive** [ɪk'sesɪv] *adj* übermäßig, übertrieben; **excess production** *s* Produktionsüberschuss *m;* **excess supply** *s* Überangebot *n*

ex•change [ɪk'stʃeɪndʒ] **I.** *tr* **1.** (aus-, ein-, um)tauschen (*with* mit) **2.** (aus-, ein-um)wechseln (*for* gegen); **~ blows** sich schlagen; **~ words** einen Wortwechsel haben **II.** *s* **1.** (Aus-, Um)Tausch *m;* Tauschgeschäft *n* **2.** (Geld)Wechseln *n;* Wechselstube *f* **3.** (*foreign ~*) Valuta *f,* Devisen *pl,* ausländische Zahlungsmittel *npl* **4.** Börse *f* **5.** (TELE) Vermittlung *f;* Zentrale *f;* Fernamt *n* **6.** Wortwechsel *m;* **in ~ for** im Tausch gegen, für; als Entschädigung für; **give in ~** in Tausch geben, einwechseln; **obtain in ~ for s.th.** im Tausch gegen etw erhalten; **bill of ~** Wechsel *m;* Tratte *f;* **corn/cotton ~** Getreide-/Baumwollmarkt *m;* **labo(u)r ~** Arbeitsamt *n;* **rate of ~, ~ rate** Wechselkurs *m;* **stock ~** Börse *f;* **~ of goods** Güter-, Warenaustausch *m;* **~ of letters** Briefwechsel *m;* **~ of views** Meinungsaustausch *m* **III.** *adj attr* **1.** Austausch- **2.** Börsen-; Wechsel-; Devisen-; **ex•change•able** [ɪk'stʃeɪndʒəbl] *adj* austauschbar; umtauschbar; **exchange broker, dealer** *s* Devisenmakler(in) *m(f);* **exchange control** *s* Devisenkontrolle *f;* **exchange market** *s* Devisenmarkt *m;* **exchange rate** *s* Wechselkurs *f;* **exchange regulations** *s pl* Devisenbestimmungen *fpl,* Börsenordnung *f;* **exchange restrictions** *s pl* Devisenbeschränkungen *fpl;* **exchange student** *s* Austauschstudent(in) *m(f);* **exchange teacher** *s* Austauschlehrer(in) *m(f);* **exchange value** *s* Tausch-, Gegenwert *m*

ex•chequer [ɪks'tʃekə(r)] *s* **1.** Staatskasse *f,* Fiskus *m* **2.** (*fam*) Geldmittel *npl;* **the E~** (*Großbritannien*) das Schatzamt, das Finanzministerium; **the Chancellor of the E~** der Schatzkanzler, der Finanzminister

ex•cise¹ ['eksaɪz] *s* **1.** (*~ tax*) Verbrauchssteuer *f* **2.** (*Br*) Abteilung *f* für indirekte Steuern; **~-man** [*o* **-officer**] Steuereinnehmer *m;* **~ duty** Verbrauchsteuer *f*

ex•cise² [ek'saɪz] *tr* (her)ausschneiden

ex•cit•able [ɪk'saɪtəbl] *adj* erregbar; reizbar; **ex•cite** [ɪk'saɪt] *tr* **1.** hervorrufen, erregen **2.** aufregen, nervös machen **3.** begeistern **4.** (PHYSIOL) reizen, erregen; **ex•cit•ed** [ɪk'saɪtɪd] *adj* aufgeregt; erregt; **get ~** sich aufregen (*over* über); **be ~ about prospects/ideas** Aussichten aufregend finden/von Ideen begeistert sein; **ex•cite•ment** [ɪk'saɪtmənt] *s* Aufregung *f;* Erregung *f;* Reizung *f;* **ex•cit•ing** [ɪk'saɪtɪŋ] *adj* aufregend; spannend; erregend

ex•claim [ɪk'skleɪm] *tr, itr* **1.** (aus)rufen **2.** (auf)schreien (*in pain* vor Schmerz); **ex•cla•mation** [ˌekskləˈmeɪʃn] *s* Ausruf *m;* **~ mark,** *Am* **~ point** Ausrufezeichen *n*

ex•clude [ɪk'skluːd] *tr* ausschließen; ausgrenzen (*from* aus); **~ all possibility of doubt** jeden Zweifel ausschließen; **be ~d** nicht zugelassen, ausgeschlossen sein (*from* von); **ex•clud•ing** [ɪk'skluːdɪŋ] *adj* nicht inbegriffen; ausgenommen; **ex•clu•sion** [ɪk'skluːʒn] *s* Ausschluss *m;* Ausgrenzung *f;* **to the ~ of** unter Ausschluss *+gen;* **~s from gross income** steuerfreie Einkünfte; **ex•clus•ive** [ɪk'skluːsɪv] *adj* **1.** ausschließend, ausschließlich **2.** exklusiv **3.** vornehm, elegant **4.** (*fam: Laden*) teuer; **~ of** ausschließlich *+gen;* **be mutually ~** sich gegenseitig ausschließen; **~ agent** Alleinvertreter(in) *m(f);* **~ report** Exklusivbericht *m;* **~ right** Exklusivrecht *n* (*to* auf)

ex•com•muni•cate [ˌekskəˈmjuːnɪkeɪt] *tr* exkommunizieren; **ex•com•muni•ca•tion** [ˌekskəˌmjuːnɪˈkeɪʃn] *s* Exkommunikation *f*

excre•ment ['ekskrəmənt] *s* Kot *m,* Ausscheidung *f,* Fäkalien *pl*

ex•cres•cence [ɪk'skresns] *s* Auswuchs *m* *a. fig,* Wucherung *f*

ex•creta [ɪk'skriːtə] *s pl* Exkremente *npl;* **ex•crete** [ɪk'skriːt] *tr* (PHYSIOL) ausscheiden, absondern; **ex•cre•tion** [ɪk'skriːʃn] *s* Ausscheidung, Absonderung *f;* Exkret *n*

ex•cru•ciat•ing [ɪkˈskruːʃɪeɪtɪŋ] *adj* qualvoll, schmerzhaft

ex•cur•sion [ɪkˈskɜːʃn] *s* **1.** Ausflug *m* **2.** Rundfahrt, -reise *f* **3.** (~ *trip*) Gesellschaftsfahrt *f;* **go on** [*o* **make**] **an** ~ e-n Ausflug machen; **excursion ticket** *s* verbilligte Karte; verbilligtes Ticket; **excursion train** *s* Sonderzug *m*

ex•cus•able [ɪkˈskjuːzəbl] *adj* verzeihlich

ex•cuse[1] [ɪkˈskjuːz] **I.** *tr* **1.** entschuldigen (*for* wegen, *for being late* für das Zuspätkommen) **2.** verzeihen (*s.o.* jdm) **3.** Nachsicht üben gegen, in Schutz nehmen **4.** rechtfertigen, verteidigen **5.** erlassen (*s.o. from s.th.* jdm etw), befreien (*from* von); ~ **me!** entschuldigen Sie!; **you may be ~d now** Sie können jetzt gehen **II.** *refl* sich entschuldigen

ex•cuse[2] [ɪkˈskjuːs] *s* Entschuldigung *f;* Rechtfertigung *f;* Ausrede *f;* **in ~ of** als Entschuldigung; **without** ~ unentschuldigt; **make** [*o* **offer**] **an** ~ sich entschuldigen (*to* bei); **make ~s for s.o.** jdn entschuldigen; **make s.th. one's** ~ etw zur Entschuldigung vorbringen; **~s, ~s!** nichts als Ausreden!

ex-di•rec•tory [ˌeksdɪˈrektərɪ] *adj* nicht im Telefonbuch eingetragen

ex•ecrable [ˈeksɪkrəbl] *adj* abscheulich, grässlich; **ex•ecrate** [ˈeksɪkreɪt] *tr* **1.** verfluchen, verwünschen **2.** verabscheuen

ex•ecute [ˈeksɪkjuːt] *tr* **1.** (*Arbeit*) ausführen; (*Auftrag*) durchführen, erledigen; (*Verkauf*) tätigen **2.** (*Gesetz*) anwenden; (*Amt*) ausüben **3.** (*Urteil*) vollstrecken; (*Verbrecher*) hinrichten **4.** (*Dokumente*) unterzeichnen; (*Vertrag*) ausfertigen; (*Testament*) vollstrecken **5.** (MUS) vortragen; (THEAT) darstellen, aufführen; **ex•ecu•tion** [ˌeksɪˈkjuːʃn] *s* **1.** Aus-, Durchführung, Erledigung *f* **2.** (JUR) Vollstreckung *f;* Pfändung *f* **3.** Hinrichtung *f* **4.** Unterzeichnung, Ausfertigung *f* **5.** (*Kunst*) Ausführung, Technik *f,* Vortrag *m,* Darstellung *f,* Spiel *n;* **carry** [*o* **put**] **into** ~ vollenden, aus-, durchführen, bewerkstelligen; ~ **of contract** Vertragserfüllung *f;* **ex•ecu•tioner** [ˌeksɪˈkjuːʃnə(r)] *s* Scharfrichter *m*

execu•tive [ɪgˈzekjʊtɪv] **I.** *adj* **1.** (POL) ausführend, exekutiv **2.** (COM) geschäftsführend; (*Stellung*) leitend; ~ **ability** Führungsqualität *f;* ~ **(brief)case** Aktentasche *f,* -koffer *m;* ~ **committee** Vorstand *m;* ~ **suite** Vorstandsetage *f;* ~ **functions** Führungsaufgaben *fpl;* ~ **staff** leitende Angestellte *pl* **II.** *s* **1.** (POL) vollziehende Gewalt; (~ *branch*) Exekutive *f* **2.** leitende(r) Angestellte(r) *f m,* Geschäftsführer(in) *m(f);* **top** ~ Spitzenkraft *f*

execu•tor [ɪgˈzekjʊtə(r)] *s* Testamentsvollstrecker(in) *m(f)*

exemp•lary [ɪgˈzemplərɪ] *adj* **1.** musterhaft, -gültig **2.** abschreckend, exemplarisch

exemp•lifi•ca•tion [ɪgˌzemplɪfɪˈkeɪʃn] *s* (Erläuterung *f* durch ein) Beispiel *n;* **exemp•lify** [ɪgˈzemplɪfaɪ] *tr* **1.** durch ein Beispiel erläutern **2.** (*Am*) e-e beglaubigte Abschrift anfertigen von

exempt [ɪgˈzempt] **I.** *tr* befreien, freistellen (*from* von) **II.** *adj* befreit, ausgenommen (*from* von); ~ **from charges** spesen-, kostenfrei; ~ **from duty** gebühren-, abgaben-, zollfrei; ~ **from postage** portofrei; ~ **from taxation** steuerfrei; von den Steuern befreit; **exemp•tion** [ɪgˈzempʃn] *s* **1.** Befreiung, Freistellung *f* (*from* von) **2.** (COM) Steuerfreibetrag *m;* ~ **from duty** Gebühren-, Abgabenfreiheit *f;* ~ **from liability** Haftungsausschluss *m;* ~ **from taxation** Steuerfreiheit *f*

ex•er•cise [ˈeksəsaɪz] **I.** *s* **1.** Übung *f;* (MUS) Etude *f;* (*Schule*) (Schul)Aufgabe *f* **2.** Bewegung *f* **3.** ~**s** (Leibes)Übungen *fpl* **4.** (MIL) Übung *f* **5.** Anwendung *f,* Gebrauch *m;* Ausübung *f* **6.** ~**s** (*Am*) Feierlichkeiten *fpl* **II.** *tr* **1.** üben; (MIL) exerzieren; (*Hund*) spazierenführen **2.** praktizieren; ausüben; gebrauchen **3.** (*Geduld*) aufbringen **4.** (*Pflichten*) erfüllen **5.** ausbilden, einexerzieren **III.** *itr* sich üben (*in* in), sich Bewegung verschaffen; **exercise book** *s* Heft *n;* **ex•er•ciser** [ˈeksəsaɪzə(r)] *s* Trainingsgerät *n,* Heimtrainer *m*

exert [ɪgˈzɜːt] **I.** *tr* **1.** anwenden **2.** (*Druck*) ausüben **3.** (*Einfluss*) aufbieten; zur Geltung bringen **II.** *refl* sich anstrengen; **exer•tion** [ɪgˈzɜːʃn] *s* **1.** Anstrengung *f* **2.** Anwendung *f;* Ausübung *f;* Aufbietung *f*

ex•fo•liant [ɪksˈfəʊlɪənt] *s* Peelingpräparat *n;* **ex•fo•li•ating cream** [eksˌfəʊlɪˈeɪtɪŋˌkriːm] *s* Peelingcreme *f;* **ex•fo•li•ation** [eksˌfəʊlɪˈeɪʃn] *s* Abschilferung *f,* Peeling *n*

ex•ha•la•tion [ˌekshəˈleɪʃn] *s* **1.** Ausatmung *f,* -atmen *n* **2.** Ausdünstung *f;* Dunst *m;* **ex•hale** [eksˈheɪl] *itr, tr* ausatmen

ex•haust [ɪgˈzɔːst] **I.** *tr* **1.** erschöpfen **2.** aufbrauchen **3.** (*Thema*) erschöpfen(d behandeln) **II.** *s* (TECH MOT) **1.** Auspuff(rohr *n*) *m* **2.** Abgas *n* **3.** Abdampf *m;* **exhausted** [-ɪd] *adj* **1.** aufgebraucht **2.** erschöpft; **be** ~ erschöpft sein; **exhaust fumes** *s pl* Abgase *npl;* **ex•haust•ing** [-ɪŋ] *adj* mühsam, anstrengend, ermüdend; **ex•haus•tion** [ɪgˈzɔːstʃn] *s* **1.** Verbrauchen *n* **2.** Erschöpfung, Ermattung *f;* **ex•haus•tive** [ɪgˈzɔːstɪv] *adj* erschöpfend; vollständig; **exhaust pipe** *s* Auspuffrohr *n;* **exhaust system** *s* Auspuff *m*

ex•hibit [ɪgˈzɪbɪt] **I.** *tr* **1.** zeigen, sehen

lassen, zur Schau stellen **2.** ausstellen; (*Ware*) auslegen **3.** (*Papiere*) vorzeigen, -legen; einreichen **4.** (JUR: *Klage*) ein-, vorbringen **II.** *itr* ausstellen **III.** *s* **1.** Ausstellungsstück *n,* -gegenstand *m* **2.** (JUR) Beweisstück *n;* **ex•hi•bi•tion** [ˌeksɪˈbɪʃn] *s* **1.** Ausstellung *f;* (COM: *Waren*) Auslage *f* **2.** Vorlage, Einreichung *f* **3.** Vorführung *f* **4.** (*Br*) Stipendium *n;* **make an ~ of o.s.** sich lächerlich machen; **put on an ~** e-e Ausstellung veranstalten; **art ~** Kunstausstellung *f;* **universal ~** Weltausstellung *f;* **~ hall** Ausstellungshalle *f;* **~ of paintings** Gemäldeausstellung *f;* **~ room** Ausstellungsraum *m*

ex•hi•bi•tion•ism [ˌeksɪˈbɪʃnɪzəm] *s* **1.** Angeberei *f* **2.** (MED) Exhibitionismus *m;* **ex•hi•bi•tion•ist** [ˌeksɪˈbɪʃnɪst] *s* **1.** Angeber(in) *m(f)* **2.** (MED) Exhibitionist(in) *m(f);* **she's a real ~** sie stellt sich gern zur Schau

ex•hibi•tor [ɪgˈzɪbɪtə(r)] *s* Aussteller(in) *m(f)*

ex•hil•ar•at•ing [ɪgˈzɪləreɪtɪŋ] *adj* erhebend; **ex•hil•aration** [ɪgˈzɪləreɪʃn] *s* erhebendes Gefühl

ex•hort [ɪgˈzɔːt] *tr* ermahnen, mahnen; **ex•hor•ta•tion** [ˌeksɔːˈteɪʃn] *s* (Er)Mahnung *f*

ex•hu•ma•tion [ˌekshjuːˈmeɪʃn] *s* Exhumierung *f;* **ex•hume** [eksˈhjuːm] *tr* exhumieren

exi•gence, **exi•gency** [ˈeksɪdʒəns, ˈekzɪdʒənsɪ] *s* **1.** Dringlichkeit *f* **2.** Notwendigkeit, Notlage *f;* dringendes Bedürfnis, Erfordernis *n;* **exi•gent** [ˈeksɪdʒənt] *adj* dringend; streng

exigu•ous [egˈzɪgjʊəs] *adj* **1.** klein, winzig **2.** dürftig

exile [ˈeksaɪl] **I.** *s* **1.** Verbannung *f,* Exil *n* **2.** Verbannte(r) *f m;* **live in ~** im Exil leben **II.** *tr* verbannen (*from* aus)

exist [ɪgˈzɪst] *itr* **1.** bestehen, existieren **2.** leben (*on* von), auskommen (*on* mit) **3.** vorkommen, vorhanden sein; **does that ~?** gibt es das?; **exist•ence** [ɪgˈzɪstəns] *s* **1.** Dasein *n,* Existenz *f* **2.** Leben(sweise *f*) *n;* Vorhandensein *n;* **be in ~** bestehen; **bring** [*o* **call**] **into ~** ins Leben rufen; **come** [*o* **spring**] **into ~** (plötzlich) auftreten; **~ theorem** (MATH) Existenzsatz *m;* **exist•ent** *adj* bestehend, vorhanden; **exis•ten•tial** [ˌegzɪˈstenʃl] *adj* existenziell; **exis•ten•tial•ism** [ˌegzɪˈstenʃəlɪzəm] *s* Existenzialismus *m;* **exist•ing** [ɪgˈzɪstɪŋ] *adj* bestehend, vorhanden; **under ~ circumstances** unter den gegebenen Umständen

exit [ˈeksɪt] **I.** *s* **1.** (THEAT) Abgang *m* **2.** Ausreise *f* **3.** Ausgang *m* (*aus e-m Gebäude*) **II.** *itr* **1.** hinausgehen **2.** (THEAT: *Bühnenanweisung*) (er, sie geht) ab **3.** (EDV) Programm beenden; **exit documents** *s pl* Ausreisepapiere *npl;* **exit permit** *s* Ausreisegenehmigung *f;* **exit visa** *s* Ausreisevisum *n*

ex•odus [ˈeksədəs] *s* Auszug *m;* Abwanderung *f* (*of, from* aus); (*a. fig*) Exodus *m;* **mass ~** Massenabwanderung *f;* **~ of capital** Kapitalflucht *f*

ex of•fi•cio [ˌeks əˈfɪʃɪəʊ] *adj, adv* von Amts wegen, dienstlich

exon•er•ate [ɪgˈzɒnəreɪt] *tr* **1.** (JUR) entlasten **2.** (*von e-r Verbindlichkeit*) befreien, entbinden (*from* von); **exon•er•ation** [ɪgˌzɒnəˈreɪʃn] *s* **1.** Entlastung *f* **2.** Befreiung *f* (*from* von)

exor•bi•tance [ɪgˈzɔːbɪtəns] *s* Übermaß *n;* Maßlosigkeit *f;* **exor•bi•tant** [ɪgˈzɔːbɪtənt] *adj* übertrieben, maßlos; **~ price** Wucherpreis *m*

ex•or•cism [ˈeksɔːsɪzəm] *s* Exorzismus *m;* **ex•or•cist** [ˈeksɔːsɪst] *s* Exorzist *m;* **ex•or•cize** [ˈeksɔːsaɪz] *tr* exorzieren; (*e-n bösen Geist*) austreiben (*from, out of* aus)

exotic [ɪgˈzɒtɪk] *adj* fremdartig, exotisch

ex•pand [ɪkˈspænd] **I.** *tr* **1.** ausbreiten; (aus)dehnen **2.** vergrößern **3.** erweitern (*into* zu) **II.** *itr* **1.** sich ausdehnen (*with heat* durch Hitze) **2.** sich (aus)weiten; sich erweitern, sich verbreitern; zunehmen **3.** gesprächig werden **4.** sich näher auslassen (*on* über); **ex•pand•able** [ɪkˈspændəbl] *adj* **1.** erweiterbar; ausdehnbar **2.** (EDV) aufrüstbar; **ex•pander** [ɪkˈspændə(r)] *s* Expander *m;* **ex•panse** [ɪkˈspæns] *s* (große) Ausdehnung *f;* weiter Raum; **ex•pan•sion** [ɪkˈspænʃn] *s* **1.** Ausdehnung *f* **2.** (*a.* MATH) Erweiterung *f* **3.** (POL) Expansion *f;* **ex•pan•sion•ism** [ɪkˈspænʃənɪzəm] *s* Expansionspolitik *f;* **ex•pan•sive** [ɪkˈspænsɪv] *adj* **1.** dehnbar, expansiv **2.** mitteilsam

ex•patri•ate¹ [eksˈpætrɪeɪt] *tr* ausbürgern

ex•patri•ate² [eksˈpætrɪət] **I.** *adj* im Ausland lebend **II.** *s* im Ausland Lebende(r) *f m*

ex•pect [ɪkˈspekt] *tr* **1.** erwarten; rechnen mit **2.** zumuten (*from s.o.* jdm) **3.** annehmen, meinen, vermuten; **be ~ing** in andern Umständen sein; **~ s.o. to do s.th.** von jdm erwarten, dass er etw tut; **I ~ed as much** das habe ich erwartet; **I can't be ~ed** man kann nicht von mir erwarten; **ex•pect•ancy** [-ənsɪ] *s* Erwartung *f;* **life ~** Lebenserwartung *f;* **ex•pect•ant** [-ənt] *adj* (er)wartend; **~ mother** werdende Mutter; **ex•pec•ta•tion** [ˌekspekˈteɪʃn] *s* **1.** *oft pl* Erwartung, Aussicht(en *pl*) *f* **2.** Anwartschaft *f* (*of* auf); **against** [*o* **contrary**] **to ~(s)** wider Erwarten; **beyond ~(s)** über Erwarten; **in ~ of** in Erwartung *+gen;* **answer** [*o* **come up to**] [*o* **meet**] **s.o.'s ~s** jds Erwartungen entsprechen; **fall short of**

s.o.'s ~s jds Erwartungen nicht entsprechen; ~ **of life** Lebenserwartung *f*

ex•pec•tor•ate [ɪk'spektəreɪt] *tr, itr* ausspeien

ex•pedi•ence, **ex•pedi•ency** [ɪk'spi:dɪəns, ɪk'spi:dɪənsɪ] *s* **1.** Zweckmäßigkeit *f* **2.** eigenes Interesse; **ex•pedi•ent** [ɪk'spi:dɪənt] **I.** *adj* angebracht, zweckmäßig (*to* für) **II.** *s* Ausweg *m;* (Not)Behelf *m*

ex•pedite ['ekspɪdaɪt] *tr* **1.** beschleunigen **2.** absenden; **ex•pedit•ing** [-ɪŋ] *s* Terminüberwachung *f*

ex•pedi•tion [,ekspɪ'dɪʃn] *s* Expedition *f;* Forschungsreise *f;* Feldzug *m;* **go on an ~** auf (eine) Expedition gehen

ex•pedi•tious [,ekspɪ'dɪʃəs] *adj* eilig, prompt; flink

ex•pel [ɪk'spel] *tr* **1.** ausweisen **2.** ausschließen (*from* aus) **3.** (*Gas, Flüssigkeit*) ausstoßen

ex•pen•di•ture [ɪk'spendɪtʃə(r)] *s* **1.** Ausgabe(n *pl*) *f;* Aufwendung *f* **2.** Aufwand *m* (*of* an); **administrative ~** Verwaltungskosten *pl;* **capital ~** Investitionsaufwendungen *fpl;* **cash ~** Geld-, Barausgabe *f;* **social ~** Soziallasten *fpl*

ex•pense [ɪk'spens] *s* **1.** Kosten *pl,* Auslagen, Aufwendungen *fpl* **2. ~s** (Un)Kosten *pl,* Lasten *fpl* **3. ~s** Auslagen *fpl,* Spesen *pl;* **at s.o.'s ~** auf jds Kosten *a. fig;* **free of ~** kosten-, spesenfrei; **bear** [*o* **meet**] [*o* **pay**] **the ~(s)** die Kosten tragen; **go to great ~** sich in Unkosten stürzen; **spare no ~** keine Kosten scheuen; **travelling ~s** Reisekosten *pl;* **expense account** *s* Spesenkonto *n;* **expense allowance** *s* Aufwandsentschädigung *f;* **ex•pens•ive** [ɪk'spensɪv] *adj* kostspielig, teuer

ex•peri•ence [ɪk'spɪərɪəns] **I.** *s* **1.** Erfahrung *f* (*in, of* in) **2.** Praxis, Sachkenntnis *f* **3.** Erlebnis *n* **4.** (COM) Kenntnisse, praktische Fertigkeiten *fpl;* **from ~** aus Erfahrung; **gain ~** Erfahrungen sammeln; **have (a) wide ~** über umfangreiche Erfahrungen verfügen; **learn by ~** aus der Erfahrung lernen; **business ~** Geschäftserfahrung *f;* **driving ~** Fahrpraxis *f;* **professional ~** Berufserfahrung *f* **II.** *tr* **1.** erfahren; erleben **2.** mit-, durchmachen **3.** (*Verluste*) erleiden **4.** (*Schwierigkeiten*) stoßen (auf); **ex•peri•enced** [ɪk'spɪərɪənst] *adj* erfahren, sachkundig; (COM) versiert

ex•peri•ment [ɪk'sperɪmənt] **I.** *s* Versuch *m,* Experiment *n* **II.** *itr* Versuche anstellen; experimentieren (*on* an, *with* mit); **animal ~** Tierversuch *m;* **conduct an ~** einen Versuch durchführen; **ex•peri•men•tal** [ɪk,sperɪ'mentl] *adj* experimentell; **for ~ purposes** zu Versuchszwecken; **~ farm** Versuchsfarm *f;* **~ stage** Versuchsstadium *n;*

ex•peri•men•ta•tion [ɪk,sperɪmen'teɪʃn] *s* Experimentieren *n*

ex•pert ['ekspɜ:t] **I.** *adj* **1.** sachkundig, -verständig **2.** geübt, geschickt (*in, at* in, *with* an); **be ~ at driving** ein ausgezeichneter Fahrer sein **II.** *s* **1.** Sachverständige(r) *f m,* Experte *m,* Expertin *f,* Fachmann *m,* Fachfrau *f* (*in a field* auf e-m Gebiet) **2.** Gutachter(in) *m(f);* **expert advice** *s* fachmännischer Rat; **ex•pert•ise** [,ekspɜ:'ti:z] *s* Expertise *f;* **expert knowledge** *s* Sachkenntnis *f,* Fachwissen *n;* **expert opinion** *s* Sachverständigengutachten *n;* **experts** *s pl* Fachwelt *f;* **expert system** *s* (EDV) Expertensystem *n;* **expert witness** *s* (JUR) sachverständiger Zeuge

ex•pi•ate ['ekspɪeɪt] *tr* sühnen, büßen (für); **ex•pi•ation** [,ekspɪ'eɪʃn] *s* Sühne *f*

ex•pir•ation [,ekspɪ'reɪʃn] *s* **1.** Ende *n,* Ablauf *m* **2.** (FIN) Verfall *m;* **at the ~ of** nach Ablauf *+gen;* **upon ~** bei Verfall; **ex•pire** [ɪk'spaɪə(r)] *itr* enden; ablaufen; ungültig werden; **ex•piry** [ɪk'spaɪərɪ] *s* Ablauf *m;* **expiry date** *s* Ablauftermin *m;* Verfallsdatum *n*

ex•plain [ɪk'spleɪn] **I.** *tr* **1.** erklären, erläutern **2.** begründen, rechtfertigen; **~ away** rechtfertigen; **that ~s everything** damit wird alles klar **II.** *refl* seine Gründe angeben, sich rechtfertigen; **ex•pla•na•tion** [,eksplə'neɪʃn] *s* **1.** Erklärung, Erläuterung *f* **2.** Begründung *f* (*of* für); **in ~ of** zur Erklärung *+gen;* **ex•plana•tory** [ɪk'splænətrɪ] *adj* erklärend, erläuternd

ex•ple•tive [ɪk'spli:tɪv] *s* Füllwort *n;* Ausruf *m;* Kraftausdruck *m*

ex•plic•able [ek'splɪkəbl] *adj* erklärbar; **ex•pli•cate** ['eksplɪkeɪt] *tr* erklären

ex•plicit [ɪk'splɪsɪt] *adj* **1.** eindeutig, klar **2.** ausdrücklich **3.** (*Sprache, Filmszene*) unverhüllt; **be ~ about s.th.** detaillierte Angaben über etw machen

ex•plode [ɪk'spləʊd] **I.** *itr* **1.** explodieren *a. fig,* (zer)platzen **2.** ausbrechen (*with laughter* in Gelächter) **3.** (*Mensch*) bersten (*with* vor) **II.** *tr* **1.** in die Luft jagen, sprengen **2.** (*fig*) zerstören; **ex•plod•ed** [ɪk'spləʊdɪd] *adj:* **~ view** Ansicht *f* der Einzelteile

ex•ploit[1] ['eksplɔɪt] *s* Heldentat *f*

ex•ploit[2] [ɪks'plɔɪt] *tr* **1.** aus-, benutzen; verwerten **2.** (MIN) abbauen **3.** (*pej*) ausbeuten; **ex•ploi•ta•tion** [,eksplɔɪ'teɪʃn] *s* **1.** Nutzung *f;* Verwertung *f* **2.** (MIN) Abbau *m* **3.** Ausnutzung *f;* Ausbeutung *f*

ex•plo•ra•tion [,eksplə'reɪʃn] *s* **1.** Erforschung *f* **2.** (*a.* MED) Untersuchung *f;* **ex•plora•tory** [ɪk'splɒrətrɪ] *adj* Forschungs-,

Untersuchungs-; ~ **talks** Sondierungsgespräche *pl;* **ex•plore** [ɪk'splɔ:(r)] *tr* **1.** erforschen **2.** (*a.* MED) untersuchen; ~ **every possibility** jede Möglichkeit genau prüfen; **ex•plorer** [ɪk'splɔ:rə(r)] *s* Forschungsreisende(r) *f m*

ex•plosion [ɪk'spləʊʒn] *s* **1.** Explosion *f* **2.** (*fig*) Ausbruch *m;* ~ **of laughter** Lachanfall *m;* ~ **of wrath** Zornesausbruch *m;* **ex•plos•ive** [ɪk'spləʊsɪv] **I.** *adj* **1.** explosiv *a. fig* **2.** (*fig*) jähzornig; aufbrausend **II.** *s* **1.** Sprengstoff *m* **2.** (GRAM) Verschlusslaut *m*

ex•po•nent [ɪk'spəʊnənt] *s* **1.** Vertreter(in) *m(f)* **2.** (MATH) Exponent *m;* **ex•po•nen•tial curve** [ˌekspəʊ'nenʃəl 'kɜ:v] *s* Exponentialkurve *f;* **ex•po•nen•tiate** [ˌekspəʊ'nenʃɪeɪt] *tr* (MATH) potenzieren

ex•port[1] [ɪk'spɔ:t] *tr* ausführen, exportieren

ex•port[2] ['ekspɔ:t] *s* Ausfuhr *f,* Export *mpl,* Ausfuhrgüter *npl,* (Gesamt)Ausfuhr *f;* **invisible ~s** unsichtbare Ausfuhren *fpl;* **ex•port•able** [ɪk'spɔ:təbl] *adj* exportfähig; **ex•por•ta•tion** [ˌekspɔ:'teɪʃn] *s* Ausfuhr *f,* Export *m* (*from* aus, *of* von); **export business** *s* Exportgeschäft *f;* **exporter** [ik'spɔ:tə(r)] *s* Exporteur(in) *m(f);* **export goods** *s pl* Exportwaren *fpl;* **export licence** *s* Ausfuhrgenehmigung *f;* **export marketing** *s* Auslandsmarketing *n;* **export regulations** *s pl* Ausfuhrbestimmungen *fpl;* **export surplus** *s* Exportüberschuss *m;* **export trade** *s* Exporthandel *m*

ex•pose [ɪk'spəʊz] *tr* **1.** (*Kind, a. fig*) aussetzen (*to a danger* e-r Gefahr) **2.** entblößen; freilegen **3.** (*fig*) enthüllen, aufdecken **4.** (*Person*) bloßstellen, entlarven (*as* als) **5.** (PHOT) belichten **6.** (COM) ausstellen, -legen, feilbieten; **be ~d for sale** zum Verkauf ausliegen; ~ **to ridicule** der Lächerlichkeit preisgeben; **ex•posed** [ɪk'spəʊzd] *adj* **1.** exponiert, gefährdet; ungeschützt **2.** (*Waren*) ausgestellt; (*Teile*) sichtbar **3.** (PHOT) belichtet; ~ **to the weather** dem Wetter ausgesetzt; **ex•po•si•tion** [ˌekspə'zɪʃn] *s* **1.** Darlegung, -stellung *f;* Erklärung *f* **2.** (COM) Ausstellung, Schau *f*

ex•postu•late [ɪk'spɒstjʊleɪt] *itr* protestieren; disputieren (*with s.o.* mit jdm)

ex•po•sure [ɪk'spəʊʒə(r)] *s* **1.** Ausgesetztsein *n* (*to the rain* dem Regen) **2.** (*fig*) Enthüllung, Bloßstellung *f* **3.** Lage *f* (*e-s Gebäudes*) **4.** (PHOT) Belichtung(szeit) *f* **5.** Publicity *f;* **die of** ~ erfrieren; **indecent** ~ Exhibitionismus *m;* Erregung *f* öffentlichen Ärgernisses; **southern** ~ Südlage *f;* **time** ~ (PHOT) Zeitaufnahme *f;* **exposure meter** *s* (PHOT) Belichtungsmesser *m*

ex•pound [ɪk'spaʊnd] *tr* ausführlich erörtern; erläutern

ex•press [ɪk'spres] **I.** *tr* **1.** ausdrücken, zum Ausdruck bringen, äußern **2.** (*Zeichen*) bedeuten **3.** durch Eilboten, als Eilgut schicken **4.** (*Orange*) auspressen **II.** *refl* sich ausdrücken, sich verständlich machen **III.** *adj* **1.** ausdrücklich; bestimmt, unmissverständlich **2.** Eil-, Schnell-, Express- **IV.** *adv* (*by* ~) durch Eilboten; als Eilgut **V.** *s* **1.** Eilbote *m* **2.** (~ *train*) Schnell-, D-Zug *m* **3.** (~ *bus*) durchfahrender Bus **4.** (*Br:* ~ *delivery*) Eilgutzustellung, -beförderung *f* **5.** (*Am:* ~ *company*) Speditionsgesellschaft *f;* **express highway** *s* (*Am*) Autobahn *f*

ex•press•ion [ɪk'spreʃn] *s* **1.** Ausdruck *m;* Redewendung *f* **2.** Äußerung *f* **3.** (MATH) Formel *f;* **beyond** [*o* **past**] ~ unaussprechlich, unbeschreiblich; **facial** ~ Gesichtsausdruck *m;* **find** ~ **in** zum Ausdruck kommen in; **give** ~ **to** zum Ausdruck bringen

ex•press•ion•ism [ɪk'spreʃənɪzəm] *s* Expressionismus *m;* **ex•press•ion•ist** [ɪk'spreʃənɪst] *s* Expressionist(in) *m(f)*

ex•press•ion•less [ɪk'spreʃənlɪs] *adj* ausdruckslos; **ex•press•ive** [ɪk'spresɪv] *adj* **1.** ausdrucksvoll **2.** ausdrückend (*of s.th.* etw)

ex•press•ly [ɪk'spreslɪ] *adv* ausdrücklich (*for* für)

ex•press•way [ɪk'spresweɪ] *s* (*Am*) Autobahn *f*

ex•pro•pri•ate [eks'prəʊprɪeɪt] *tr* enteignen; **ex•pro•pri•ation** [eks'prəʊprɪeɪʃn] *s* Enteignung *f*

ex•pul•sion [ɪk'spʌlʃn] *s* **1.** Vertreibung *f;* Ausweisung *f* **2.** Ausschluss *m* (*from* aus)

ex•quis•ite ['ekskwɪzɪt] *adj* **1.** fein (gearbeitet) **2.** ausgezeichnet, herrlich **3.** feinfühlig, empfindlich **4.** (*Schmerz*) stechend

ex•ser•vice•man [ˌeks'sɜ:vɪsmən] <*pl* -men> *s* Veteran, ehemaliger Soldat *m*

ex•tant [ek'stænt] *adj* noch vorhanden

ex•tem•por•aneous [ekˌstempə'reɪnɪəs] *adj* unvorbereitet, aus dem Stegreif; **ex•tem•pore** [ek'stempərɪ] *adj, adv* aus dem Stegreif; improvisiert; **ex•tem•po•rize** [ɪk'stempəraɪz] **I.** *itr* aus dem Stegreif sprechen **II.** *tr* improvisieren

ex•tend [ɪk'stend] **I.** *tr* **1.** (aus)dehnen, strecken, verlängern **2.** erweitern, verbreitern, ausbreiten **3.** (*Geschäft, Gebäude*) ausbauen; (*Haus*) anbauen (an) **4.** (*Hand*) ausstrecken, hinhalten **5.** (*Sympathie*) zeigen **6.** (*Freundlichkeit*) erweisen **7.** (*Glückwünsche, Einladung*) aussprechen **8.** (COM) prolongieren; Frist verlängern +*gen* **9.** (*Kredit*) gewähren **10.** (*Saldo*) vor-, übertragen **11.** (*Urkunde*) ausfertigen **12.** (*Küche*) verlängern, strecken **13.** zur

Höchstleistung anspornen **II.** *itr* sich erstrecken, (hinaus)reichen (*beyond* über, *to* bis); **ex•tend•ed** [-ɪd] *adj* verlängert; (COM) prolongiert; ~ **coverage** erweiterter Versicherungsschutz; ~ **credit** verlängerter Kredit; langfristiges Zahlungsziel; ~ **family** Großfamilie *f*

ex•ten•sion [ɪk'stenʃn] *s* **1.** Ausdehnung, Verlängerung *f* (*a. zeitlich*) **2.** Erweiterung, Vergrößerung *f;* An-, Ausbau *m* **3.** Bedeutungsumfang *m* (*e-s Wortes*) **4.** (*Wechsel*) Prolongation *f;* Fristverlängerung *f* **5.** (TELE) (Neben)Anschluss, Apparat *m;* (*österreichisch*) Klappe *f* **6.** An-, Erweiterungsbau *m;* ~ **of business** Geschäftserweiterung, -ausweitung *f;* ~ **of credit** Kreditgewährung *f;* ~ **of leave** Nachurlaub *m;* ~ **of time** Nachfrist *f;* ~ **for payment** Stundung *f;* ~ **3295** Apparat 3295; **extension cable, cord, flex** *s* (*Br:* EL) Verlängerungskabel *n,* -schnur *f;* **extension course** *s* **1.** (*Br*) weiterführender Kurs **2.** (*Am*) Fernlehrgang *m;* **extension ladder** *s* Ausziehleiter *f*

ex•ten•sive [ɪk'stensɪv] *adj* **1.** ausgedehnt **2.** (*fig*) umfassend **3.** (AGR) extensiv

ex•tent [ɪk'stent] *s* **1.** Ausdehnung, Größe *f,* Umfang *m a. fig* **2.** Grad *m;* Ausmaß *n;* **to a certain** ~ bis zu e-m gewissen Grad; **to such an** ~ **that** in solchem Maße, dass; **to the full** ~ in vollem Umfang; **to a great** ~ in hohem Maße; **to some** ~ bis zu e-m gewissen Grad; **to what** ~**?** inwieweit?; **to the** ~ **of** bis zu

ex•tenu•ate [ɪk'stenjʊeɪt] *tr* abschwächen, mildern; **ex•tenu•ating** [-ɪŋ] *adj:* ~ **circumstances** (JUR) mildernde Umstände *mpl;* **ex•tenu•ation** [ɪkˌstenjʊ'eɪʃn] *s:* **in** ~ **of** zur Entschuldigung *+gen*

ex•terior [ɪk'stɪərɪə(r)] **I.** *adj* **1.** äußere(r, s) **2.** außerhalb gelegen (*to s.th.* e-r S) **3.** auswärtig, fremd **II.** *s* **1.** (das) Äußere; Außenseite *f;* Außenansicht *f* **2.** (äußerer) Schein *m* **3.** (FILM) Außenaufnahme *f*

ex•ter•mi•nate [ɪk'stɜːmɪneɪt] *tr* vertilgen, ausrotten; **ex•ter•mi•na•tion** [ɪkˌstɜːmɪ'neɪʃn] *s* Vertilgung, Ausrottung *f*

ex•ter•nal [ɪk'stɜːnl] **I.** *adj* **1.** äußere(r, s) **2.** (MED) äußerlich **3.** (COM) außerbetrieblich **4.** auswärtig **5.** (*Prüfung, Kandidat*) extern **II.** *s pl* Äußerlichkeiten *fpl;* **ex•ter•nal•ize** [ɪk'stɜːnəlaɪz] *tr* Ausdruck geben (*s.th.* e-r S); **external world** *s* (PSYCH) Außenwelt *f*

ex•ter•ri•tor•ial [ˌeksˌterɪ'tɔːrɪəl] *adj* (POL) exterritorial

ex•tinct [ɪk'stɪŋkt] *adj* **1.** (*Vulkan*) erloschen *a. fig* **2.** (*Tier*) ausgestorben **3.** (*fig*) abgeschafft; erloschen; **become** ~ erlöschen; aussterben; **ex•tinc•tion** [ɪk'stɪŋkʃn] *s* **1.** (*Feuer*) Löschen *n* **2.** Aussterben *n* **3.** Vernichtung *f;* ~ **of species** Artenschwund *m*

ex•tin•guish [ɪk'stɪŋgwɪʃ] *tr* **1.** (*Feuer*) (aus)löschen **2.** (EL) abschalten **3.** auslöschen, vernichten **4.** (*Schuld*) tilgen; **ex•tin•guisher** [ɪk'stɪŋgwɪʃə(r)] *s* Feuerlöscher *m*

ex•tir•pate ['ekstəpeɪt] *tr* ausrotten, ausmerzen; beseitigen

ex•tol [ɪk'stəʊl] *tr* preisen, rühmen

ex•tort [ɪk'stɔːt] *tr* erpressen (*from* von); **ex•tor•tion** [ɪk'stɔːʃn] *s* Erpressung *f;* **ex•tor•tion•ate** [ɪk'stɔːʃənət] *adj* erpresserisch, wucherisch

extra ['ekstrə] **I.** *adj* zusätzlich; übrig, Reserve-; Außer-; **a few** ~ **books** ein paar Bücher mehr; ~**-parliamentary** außerparlamentarisch **II.** *adv* besonders; extra; **be charged** ~ **for** gesondert berechnet werden **III.** *s* **1.** Zuschlag *m;* Sonderleistung *f;* Extra *n* **2.** zusätzliche Arbeitskraft; (FILM THEAT) Statist *m* **3.** Extrablatt *n,* Sondernummer *f* **4.** ~**s** Nebenausgaben, -einnahmen *fpl* **5.** ~**s** (*Küche*) Beilagen *fpl;* **extra allowance** *s* Sondervergütung *f;* **extra charge** *s* Aufschlag *m;* (RAIL) Zuschlag *m*

ex•tract[1] [ɪk'strækt] *tr* **1.** (her)ausziehen, herauslösen **2.** (*Zahn*) ziehen **3.** (MATH: *Wurzel*) ziehen **4.** (*Saft*) auspressen **5.** herausnehmen (*from* aus) **6.** herausbekommen (*from s.o.* aus jdm) **7.** (*Geständnis*) erpressen (*from* von) **8.** (*Zitat*) entnehmen (*from a book* e-m Buch), e-n Auszug machen (*from* aus)

ex•tract[2] ['ekstrækt] *s* **1.** (*Küche*) Extrakt *m* **2.** (*Buch*) Auszug *m;* **ex•trac•tion** [ɪk'strækʃn] *s* **1.** Ausziehen *n* **2.** (Zahn)Ziehen *n* **3.** Auszug, Extrakt *m* **4.** Herkunft, Abstammung *f* **5.** (TECH) Gewinnung *f* **6.** (*fig*) Herauslocken *n*

extra•cur•ricu•lar [ˌekstrəkə'rɪkjʊlə(r)] *adj* außerhalb des Lehrplans; ~ **activity** Arbeitsgemeinschaft *f*

ex•tra•dite ['ekstrədaɪt] *tr* (*Person*) ausliefern; **ex•tra•dition** [ekstrə'dɪʃn] *s* Auslieferung *f*

extra•mari•tal [ˌekstrə'mærɪtl] *adj* außerehelich

extra•mural [ˌekstrə'mjʊərəl] *adj:* ~ **course** Universitätskurs *m* für Nicht-Studenten; Volkshochschulkurs *m*

ex•traneous [ɪk'streɪnɪəs] *adj* **1.** fremd **2.** nicht gehörig (*to* zu)

extra•ordi•nary [ɪk'strɔːdnrɪ] *adj* **1.** außerordentlich **2.** außer-, ungewöhnlich **3.** merkwürdig, seltsam **4.** außerplanmäßig

extra pay ['ekstrəˌpeɪ] *s* (*Lohn*) Zulage *f*

ex•trapo•late [ek'stræpəleɪt] *tr* extrapolieren

extra•sen•sory [ˌekstrə'sensərɪ] *adj:* ~ **perception** außersinnliche Wahrnehmung

extra•ter•res•trial ['ekstrətɪ'restrɪəl] *adj* außerirdisch

extra•terri•tor•ial [ˌekstrəˌterɪ'tɔːrɪəl] *adj* (POL) exterritorial

extra time ['ekstrətaɪm] *s* (SPORT) Verlängerung *f*

ex•trava•gance [ɪk'strævəgəns] *s* **1.** Luxus *m* **2.** Verschwendung *f* **3.** Ausgefallenheit *f;* Übertriebenheit *f* **4.** Extravaganz *f;* **ex•trava•gant** [ɪk'strævəgənt] *adj* **1.** übertrieben, übermäßig **2.** überspannt, extravagant **3.** verschwenderisch; **ex•trava•gan•za** [ɪkˌstrævə'gænzə] *s* (THEAT) Ausstattungsstück *n*

ex•treme [ɪk'striːm] **I.** *adj* **1.** äußerste(r, s) **2.** höchste(r, s), größte(r, s) **3.** extrem, radikal; **at the** ~ **end** am äußersten Ende (*of +gen*); **resort to** ~ **measures** zu den äußersten Maßnahmen greifen; **the** ~ **left** (POL) die äußerste Linke; **the E~ Unction** (REL) die Letzte Ölung **II.** *s* **1.** Extrem *n* **2.** höchster Grad **3.** (das) Äußerste; **in the** ~ im höchsten Grade; **go to ~s** bis zum Äußersten gehen; **ex•treme•ly** [-lɪ] *adv* äußerst, höchst; **ex•trem•ism** [ɪk'striːmɪzəm] *s* Extremismus *m;* **ex•trem•ist** [ɪk'striːmɪst] *s* Extremist(in) *m(f);* **ex•trem•ity** [ɪk'stremətɪ] *s* **1.** äußerstes Ende **2.** höchster Grad **3.** höchste Not **4.** **~s** äußerste Maßnahmen *fpl* **5.** **~s** Extremitäten *fpl*

ex•tri•cate ['ekstrɪkeɪt] *tr* **1.** befreien (*from* aus, von) **2.** losmachen, freimachen

ex•tro•vert ['ekstrəvɜːt] *adj* extrovertiert

ex•trude [eks'truːd] **I.** *tr* ausstoßen; herauspressen **II.** *itr* herausragen, -stehen

ex•uber•ance [ɪg'zjuːbərəns] *s* **1.** Lebendigkeit *f* **2.** Überschwang *m* **3.** Überfluss *m;* **ex•uber•ant** [ɪg'zjuːbərənt] *adj* **1.** übersprudelnd; lebendig **2.** überschwenglich

ex•ude [ɪg'zjuːd] *tr* **1.** absondern **2.** (*fig*) ausstrahlen, -strömen

ex•ult [ɪg'zʌlt] *itr* jubeln (*at, over, in* über); **ex•ult•ant** [-ənt] *adj* jubelnd, triumphierend; **ex•ul•ta•tion** [ˌegzʌl'teɪʃn] *s* Jubel, Triumph *m*

eye [aɪ] **I.** *s* **1.** Auge *n* **2.** Gesicht(ssinn *m*) *n* **3.** Auge *n* (*an e-r Kartoffel*) **4.** Knospe *f* **5.** Pfauenauge *n* (*auf der Feder*) **6.** Öhr *n,* Öse, Schlinge *f* **7.** (Sturm)Kern *m;* **in s.o.'s ~s** nach jds Ansicht; **under the very ~s of s.o.** direkt unter jds Augen; **up to the ~s** bis über die Ohren; **with an** ~ **to** mit Rücksicht auf; in der Hoffnung auf; in der Absicht zu; **with the naked** ~ mit bloßem Auge; **be all ~s** aufpassen wie ein Luchs; große Augen machen; **be in the public** ~ im Brennpunkt des öffentlichen Interesses stehen; **catch s.o.'s** ~ jds Blick auf sich ziehen; jds Aufmerksamkeit auf sich lenken; **catch the Speaker's** ~ (PARL) das Wort erhalten; **clap** [*o* **set**] **~s on s.o.** jdn anschauen; **close one's ~s to** nicht sehen wollen; **have an** ~ **for** ein Auge haben für; **have an** ~ **on s.th.** auf etw ein (wachsames) Auge haben; **keep an** ~ **on** (*fig*) im Auge behalten; **make ~s at s.o.** jdm verliebte Blicke zuwerfen; **open s.o.'s ~s** (*fig*) jdm die Augen öffnen; **run an** ~ **over s.th.** etw überfliegen; **see** ~ **to** ~ **with s.o.** mit jdm einer Meinung sein; **see s.th. in one's mind's** ~ sich etw vorstellen können; **black** ~ blaues Auge **II.** *tr* mustern; anstarren; ~ **up** begutachten; ~ **up and down** von oben bis unten mustern; **eye•ball** *s* Augapfel *m;* ~ **to** ~ Auge in Auge (*with* mit); **drugged up to the ~s** (*sl*) total breit, bekifft; **eye•brow** ['aɪbraʊ] *s* Augenbraue *f;* **raise one's ~s** (*fig*) die Stirne runzeln; ~ **pencil** Augenbrauenstift *m;* **eye-catcher** ['aɪkætʃə(r)] *s* Blickfang *m;* **eye contact** *s* Blick-, Sichtkontakt *m;* **eye•ful** ['aɪfʊl] *s* (*sl*): **get an** ~ etwas Hübsches sehen; **I had an** ~ ich hatte genug gesehen; **eye•glass** ['aɪglɑːs] *s* **1.** (OPT) Linse *f* **2.** **~es** Augengläser *npl,* Brille *f;* **eye•lash** ['aɪlæʃ] *s* Wimper *f;* ~ **curler** Wimpernformer *m;* **eye•let** ['aɪlɪt] *s* Öhr *n,* Öse *f;* **eye•lid** ['aɪlɪd] *s* Augenlid *n;* **eye liner** ['aɪlaɪnə(r)] *s* Eyeliner, Lidstrich *m;* **eye-opener** ['aɪˌəʊpnə(r)] *s* (*fam*) Überraschung *f* (*to* für); **eye•piece** ['aɪpiːs] *s* Okular *n;* **eye•shadow** ['aɪʃædəʊ] *s* Lidschatten *m;* **eye•sight** ['aɪsaɪt] *s* Sehkraft, -schärfe *f;* **bad** ~ schlechte Augen *npl;* **eye•sore** ['aɪsɔː(r)] *s* Schandfleck *m;* **it's an** ~ das tut den Augen weh; **eye•strain** *s* Ermüdung *f* der Augen; **eye•tooth** <*pl* -teeth> *s* Eckzahn *m;* **eye•wash** ['aɪwɑʃ] *s* **1.** (MED) Augenwasser *n* **2.** (*fam*) fauler Zauber; Augenwischerei *f;* **eye•witness** *s* Augenzeuge *m*

eyrie, eyry ['eərɪ] *s* Horst *m*

F

F, f [ef] <*pl* -'s> *s* **1.** (*a.* MUS) F, f *n* **2.** (*Am: Schule*) ungenügend

fable ['feɪbl] *s* **1.** Fabel *f* **2.** Märchen *n;* Sage *f;* **fabled** ['feɪbld] *adj* sagenhaft

fab•ric ['fæbrɪk] *s* **1.** Gewebe *n,* Stoff *m* **2.** Struktur *f,* Gefüge *n*

fab•ri•cate ['fæbrɪkeɪt] *tr* **1.** herstellen, fabrizieren **2.** (*fig*) erdichten, erfinden

fabu•lous ['fæbjʊləs] *adj* **1.** sagenhaft, legendär **2.** (*fig*) fantastisch; unglaublich

fa•cade [fə'sɑːd] *s* (ARCH) Fassade *f a. fig*

face [feɪs] **I.** *s* **1.** Gesicht *n* **2.** Gesichtsausdruck *m* **3.** Zifferblatt *n* **4.** Vorderseite *f;* ~ **to** ~ Auge in Auge; **come** ~ **to** ~ **with s.o.** jdn treffen; **look s.o. in the** ~ jdn ansehen; **in the** ~ **of** angesichts; **pull a** ~ das Gesicht verziehen; **set one's** ~ **against s.o.** sich gegen jdn stemmen; **save one's** ~ das Gesicht wahren; **have the** ~ **to do s.th.** die Stirn haben etw zu tun **II.** *tr* **1.** gegenüberstehen, -liegen **2.** (*Fenster*) gehen nach **3.** (*Raum*) liegen nach **4.** (*fig*) rechnen müssen mit **5.** (*Gefahr*) sich stellen (*s.th.* e-r S) **6.** (*Karten*) aufdecken; **be ~d with s.th.** sich e-r S gegenübersehen; ~ **the facts** den Tatsachen ins Auge blicken; ~ **doing s.th.** es fertig bringen etw zu tun **III.** *itr* sehen, blicken (*to, towards* nach); **face up to** *tr* ins Gesicht sehen; sich abfinden mit; **face-cloth** *s* Waschlappen *m;* **face-cream** *s* Gesichtscreme *f;* **face-lift** *s* Gesichtsstraffung *f;* **face-pack** *s* Gesichtspackung *f;* **face-powder** *s* (Gesichts)Puder *m*

facet ['fæsɪt] *s* **1.** Fassette *f* **2.** (*fig*) Seite *f,* Aspekt *m*

fa•cetious [fə'siːʃəs] *adj* scherzend, scherz-, spaßhaft, spaßig

face-to-face ['feistə'feɪs] *adj* persönlich; ~ **discussion** Gespräch *n* unter vier Augen

face value ['feɪsvæljuː] *s* (FIN) Nennwert *m;* **take at** ~ wörtlich, für bare Münze nehmen

fa•cial care [ˌfeɪʃəl'keə(r)] *s* Gesichtspflege *f*

facile ['fæsaɪl] *adj* **1.** leicht, mühelos **2.** (*Stil*) gewandt **3.** oberflächlich

fa•cili•tate [fə'sɪlɪteɪt] *tr* erleichtern; **fa•cili•ta•tor** [fə'sɪlɪteɪtə(r)] *s* Moderator(in) *m(f);* **fa•cil•ity** [fə'sɪlətɪ] *s* **1.** Leichtigkeit, Mühelosigkeit *f* **2.** Einrichtung *f;* **cooking facilities** Kochgelegenheit *f;* **offer facilities** Möglichkeiten bieten; ~ **in learning** leichte Auffassungsgabe

facing ['feɪsɪŋ] *s* **1.** Besatz(stoff) *m* **2.** (ARCH) Verputz *m*

fac•sim•ile [fæk'sɪməlɪ] *s* Faksimile *n;* Telefax *n,* Fern-, Telekopie *f;* **facsimile machine terminal** *s* Telefaxgerät *n*

fact [fækt] *s* **1.** Tatsache *f;* Umstand *m* **2.** Wirklichkeit, Realität *f* **3.** **~s** (JUR) Tatbestand *m;* **as a matter of** ~ in Wirklichkeit, tatsächlich; **in** ~ eigentlich; **stick to the ~s** sachlich bleiben; **founded on** ~ auf Tatsachen beruhend; **hard ~s** nackte Tatsachen *fpl;* **matter-of-~** sachlich; **~s of the case** Sachverhalt *m;* ~ **of life** Tatsache *f;* **the ~s of life** sexuelle Aufklärung; **teach s.o. the ~s of life** jdn aufklären; **fact-find•ing** ['fæktfaɪndɪŋ] *adj* Untersuchungs-; Erkundungs-

fac•tion ['fækʃn] *s* **1.** Gruppe *f,* Splittergruppe *f* **2.** interne Unstimmigkeiten *fpl*

fac•tor ['fæktə(r)] *s* **1.** Faktor *m* **2.** (BIOL) Erbfaktor *m* **3.** (COM) Makler(in) *m(f)*

fac•tory ['fæktərɪ] *s* Fabrik(anlage) *f;* Werk *n;* **F~ Act** Arbeitsschutzgesetz *n;* ~ **building** Fabrikgebäude *n;* ~ **hand** [*o* **worker**] Fabrikarbeiter(in) *m(f);* ~ **farming** (voll)automatisierte Viehhaltung; ~ **inspector** Gewerbeaufsichtsbeamte(r) *m,* -beamtin *f;* ~ **ship** Fabrikschiff *n*

fac•to•tum [fæk'təʊtəm] *s* Mädchen *n* für alles, Faktotum *n*

fac•tual ['fæktʃʊəl] *adj* sachlich; tatsächlich

fac•ulty ['fækltɪ] *s* **1.** Fähigkeit *f,* Vermögen *n;* Begabung *f,* Talent *n* **2.** (*Universität*) Fakultät *f* **3.** (*Am: Schule*) Lehrkörper *m;* **have a** ~ **for doing s.th.** ein Talent dafür haben etw zu tun

fad [fæd] *s* Laune *f,* Tick *m;* **latest** ~ letzter Schrei; **faddish** ['fædɪʃ], **faddy** ['fædɪ] *adj* wählerisch

fade [feɪd] **I.** *itr* **1.** verblassen; verbleichen **2.** (*Blume*) (ver)welken **3.** (*fig*) schwächer werden; verblassen **4.** (TV) aus-, überblenden **5.** (*Bremsen*) nachlassen **II.** *tr* ausbleichen; **fade away** *itr* schwinden, verblassen; verklingen; **fade in** *itr, tr* (FILM RADIO TV) einblenden; **fade out** *itr, tr* (FILM RADIO TV) abblenden; **fade up** *tr* (FILM RADIO TV) aufblenden

faeces ['fiːsiːz] *s pl* Kot *m*

faff about [ˌfæfə'baʊt] *itr* (*fam*) herumwursteln

fag [fæg] I. *itr* 1. schuften, sich abrackern 2. (*Schüler*) Burschendienste tun II. *tr* (~ *out*) erschöpfen, schlauchen III. *s* 1. Schufterei *f* 2. (*Br sl*) Kippe *f;* **fag-end** *s* 1. (*fig*) letztes Ende 2. (*sl*) Kippe *f*

fag•got ['fægət] *s,* **fagot** (*Am*) *s.* **faggot** 1. Reisigbündel *n* 2. (*Küche*) Frikadelle *f* 3. (*Am sl: pej*) Schwule(r) *m*

fail [feɪl] I. *itr* 1. versagen (*of* in), keinen Erfolg haben 2. (*Plan*) fehlschlagen, scheitern, misslingen 3. (*Ernte*) schlecht ausfallen 4. (*im Examen*) durchfallen 5. (*Gesundheit*) sich verschlechtern; schwächer werden 6. (TECH) ausfallen; versagen; **I ~ed** es gelang mir nicht; ~ **in one's duty** seine Pflicht nicht tun; **if all else ~s** wenn alle Stricke reißen II. *tr* 1. (*Prüfung*) durchfallen lassen 2. (*fig*) im Stich lassen; ~ **to do s.th.** etw nicht tun III. *s:* **without** ~ ganz bestimmt; **fail•ing** ['feɪlɪŋ] I. *s* Fehler *m;* Schwäche *f* II. *prep* in Ermangelung +*gen,* ohne, mangels; ~ **this** sonst; **fail-safe** ['feɪlseɪf] *adj* (ab)gesichert; **fail•ure** ['feɪljə(r)] *s* 1. Misserfolg *m;* Fehlschlag *m;* Scheitern *n* 2. (*Mensch*) Versager(in) *m(f),* Niete *f* 3. (TECH) Ausfall *m,* Versagen *n* 4. (COM) Bankrott *m;* **end in** ~ mit e-m Misserfolg enden; **he is a** ~ er taugt nicht viel; ~ **of crops** Missernte *f;* ~ **to answer** nicht erfolgte Antwort

faint [feɪnt] I. *adj* 1. schwach; kraftlos 2. (*Hoffnung*) gering 3. (*Farbe*) matt 4. (*Ton*) schwach; leise; **he looked** ~ er schien einer Ohnmacht nahe; **I haven't the ~est idea** ich habe keine Ahnung II. *s* Ohnmacht *f* III. *itr* ohnmächtig werden (*from, with hunger* vor Hunger); **faint-hearted** [ˌfeɪnt'hɑːtɪd] *adj* zaghaft

fair¹ [feə(r)] I. *adj* 1. gerecht, fair 2. ganz ordentlich; ziemlich 3. (*Wetter*) schön, heiter, sonnig 4. (*Haare*) blond; hell; **a ~ amount** ziemlich viel; **be ~ to s.o.** jdm gegenüber gerecht sein; ~ **enough!** na schön!; **that's only** ~ das ist nur recht und billig II. *adv* den Regeln entsprechend, fair; **play** ~ fair spielen; ~ **and square** offen und ehrlich

fair² [feə(r)] *s* 1. (Jahr)Markt *m* 2. (COM) Messe *f*

fair copy [ˌfeə'kɒpɪ] *s* Reinschrift *f;* **fair game** *s* 1. jagdbares Wild 2. (*fig*) Freiwild *n*

fair•ground ['feəgraʊnd] *s* Rummelplatz *m*

fair•ly ['feəlɪ] *adv* 1. gerecht 2. ziemlich

fair-minded [ˌfeə'maɪndɪd] *adj* gerecht; **fair•ness** ['feənɪs] *s* 1. Gerechtigkeit, Fairness *f* 2. (*Haar*) Blondheit *f;* **fair play** *s* faires Verhalten, Fair play *n*

fair•way ['feəweɪ] *s* 1. (MAR) Fahrrinne *f* 2. (*Golf*) Spielbahn *f*

fairy ['feərɪ] *s* 1. Fee *f* 2. (*sl*) Homosexuelle(r) *m;* **fairy-lamps** *s pl* bunte Lichter *npl;* **fairy•land** ['feərɪlænd] *s* Wunderland, Zauberreich *n;* **fairy-tale** *s* Märchen *n a. fig*

faith [feɪθ] *s* 1. (REL) Glaube(n) *m* (*in* an) 2. Vertrauen *n* (*in* zu) 3. Treue *f;* **have ~ in s.o.** auf jdn vertrauen; **faith cure** *s* Gesundbeten *n;* **faith•ful** ['feɪθfl] I. *adj* 1. treu, ergeben (*to s.o.* jdm) 2. (*Abschrift*) genau II. *s:* **the** ~ die Gläubigen *pl;* **faith•fully** ['feɪθfəlɪ] *adv* treu; **yours** ~ hochachtungsvoll, mit freundlichen Grüßen; **faith healer** *s* Gesundbeter(in) *m(f);* **faith•less** ['feɪθlɪs] *adj* treulos (*to* gegenüber)

fake [feɪk] I. *tr* fälschen; erfinden; vortäuschen II. *s* Fälschung *f*

fakir ['feɪkɪə(r)] *s* Fakir *m*

fal•con ['fɔːlkən] *s* Falke *m*

Falk•land Is•lands *s pl* Falklandinseln, Malvinas *pl*

fall [fɔːl] <*itr:* fell, fallen> I. *itr* 1. (herab-, hinunter)fallen; stürzen 2. (*im Kampf*) fallen 3. sich senken (*a. Stimme*) 4. (*Wind*) sich legen 5. (*Temperatur, Preise*) sinken, fallen 6. (*Land*) eingenommen werden 7. (*Nacht*) hereinbrechen 8. (*auf e-n Tag*) fallen (*on* auf) 9. (*Preis, Gewinn*) fallen (*to s.o.* auf jdn) 10. zerfallen, eingeteilt sein (*into* in); **his face fell** er machte ein langes Gesicht; ~ **in battle** fallen; **the blame for that ~s on him** ihn trifft die Schuld daran; ~ **asleep** einschlafen; ~ **ill** krank werden; ~ **in love with** sich verlieben in; ~ **silent** still werden; ~ **into despair** verzweifeln; ~ **to pieces** verfallen; aus den Fugen geraten II. *s* 1. Fall, Sturz *m* 2. Einnahme, Eroberung *f* 3. (*der Nacht*) Einbruch *m* 4. (*der Preise*) Sinken, Fallen *n* 5. (*Sitte*) Verfall *m* 6. (*Hang*) Gefälle *n* 7. (*Am*) Herbst *m* 8. *meist pl* Wasserfall *m;* ~ **in the birthrate** Geburtenrückgang *m;* ~ **in price** Preisrückgang *m;* ~ **in prices** (FIN: *Börse*) Kursrückgang *m;* ~ **of rain/of snow** Regen-/Schneefall *m;* **fall about** *itr* sich krank lachen; **fall away** *itr* abbröckeln; abfallen *a. fig;* **fall back** *itr* zurückweichen; **fall back on** *tr* zurückgreifen auf; **fall behind** *itr* 1. zurückbleiben 2. (*mit Zahlungen*) im Rückstand bleiben (*with* mit); **fall down** *itr* 1. hinfallen, herunterfallen 2. (*Treppe*) hinunterfallen 3. (*fig*) versagen; **fall for** *tr* (*fam*) 1. sich vergaffen in 2. hereinfallen auf; **fall in** *itr* 1. hineinfallen 2. einstürzen 3. (MIL) antreten; **fall in with** *tr* 1. sich anschließen (*s.o.* jdm) 2. mitmachen bei; **fall off** *itr* zurückgehen, schwächer werden, nachlassen, abnehmen;

fall on *tr* 1. herfallen über 2. (*Verantwortung*) zufallen (*s.o.* jdm); **fall out** *itr* 1. herausfallen 2. sich streiten (*with* mit) 3. sich ergeben; **it fell out that** es geschah, dass; **fall over** *itr* 1. (*Person*) hinfallen 2. fallen über; ~ **over backwards to do s.th.** sich die größte Mühe geben etw zu tun; **fall through** *itr* (*fig*) fehlschlagen, ins Wasser fallen; **fall to** *itr* 1. beginnen, anfangen; reinhauen 2. zufallen, obliegen (*s.o.* jdm)

fal·lacious [fəˈleɪʃəs] *adj* trügerisch; irreführend; **fal·lacy** [ˈfæləsɪ] *s* Irrtum *m;* Trugschluss *m*

fallen [ˈfɔːlən] I. *pp of* **fall** II. *adj* gefallen III. *s:* **the F~** die Gefallenen *pl;* **fall guy** *s* (*Am*) armes Opfer; Sündenbock *m*

fal·lible [ˈfæləbl] *adj* fehlbar

fall·ing star [ˈfɔːlɪŋˈstɑː(r)] *s* Sternschnuppe *f*

fall-off [ˈfɔːlɒf] *s* 1. Rückgang *m,* Abnahme *f* 2. Nachlassen *n*

Fal·lo·pian tube [fəˈləʊpɪənˈtjuːb] *s* Eileiter *m*

fall·out [ˈfɔːlaʊt] *s* radioaktiver Niederschlag, Fall-Out *m;* **fallout shelter** *s* Atombunker *m*

fal·low [ˈfæləʊ] *adj* (AGR) brach *a. fig;* **lie ~** brachliegen

fal·low deer [ˈfæləʊdɪə(r)] *s* Damwild *n*

false [fɔːls] I. *adj* 1. falsch; treulos 2. unrichtig, unwahr; **put s.o. in a ~ position** jdn in e-e Position drängen, die er sonst nicht vertritt; **sail under ~ colours** unter falscher Flagge segeln; **a ~ bottom** ein doppelter Boden II. *adv:* **play s.o. ~** mit jdm ein falsches Spiel treiben; **false alarm** *s* blinder Alarm; **false·hood** [ˈfɔːlshʊd] *s* 1. Unwahrheit *f* 2. Lügen *n;* **false·ness** [ˈfɔːlsnɪs] *s* 1. Falschheit *f* 2. Treulosigkeit *f;* **false start** *s* Fehlstart *m;* **false teeth** *s pl* (künstliches) Gebiss *n*

fal·setto [fɔːlˈsetəʊ] <*pl* -settos> *s* Fistelstimme *f;* Falsett *n*

falsi·fi·ca·tion [ˌfɔːlsɪfɪˈkeɪʃn] *s* (Ver)Fälschung *f;* **fals·ify** [ˈfɔːlsɪfaɪ] *tr* 1. (ver)fälschen 2. widerlegen

fals·ity [ˈfɔːlsətɪ] *s* 1. Falschheit *f* 2. Unrichtigkeit *f*

fal·ter [ˈfɔːltə(r)] *itr* 1. (sch)wanken; stolpern 2. (*Stimme*) stocken; **fal·ter·ing** [ˈfɔːltərɪŋ] *adj* stockend

fame [feɪm] *s* Ruhm *m;* **famed** [ˈfeɪmd] *adj* berühmt (*for* wegen, durch)

fam·il·iar [fəˈmɪlɪə(r)] I. *adj* 1. vertraut; gewohnt, bekannt 2. vertraulich, familiär 3. (*Freunde*) eng; **be ~ with s.th.** sich in etw auskennen; **make o.s. ~ with s.th.** sich mit etw vertraut machen II. *s* Vertraute(r) *f m;* **fam·ili·ar·ity** [fəˌmɪlɪˈærətɪ] *s* 1. Vertrautheit *f* 2. Vertraulichkeit, Intimität *f* 3. *meist pl* Aufdringlichkeit *f;* **fam·il·iar·ize** [fəˈmɪlɪəraɪz] *refl:* ~ **o.s. with s.th.** sich mit etw vertraut, bekannt machen

fam·ily [ˈfæməlɪ] *s* 1. Familie *f* 2. Verwandtschaft *f* 3. Abstammung *f;* **of good ~** aus gutem Hause; **it runs in the ~** das liegt in der Familie; **family allowance** *s* Kindergeld *n;* **family doctor** *s* Hausarzt *m,* -ärztin *f;* **family man** *s* häuslicher Mensch; **family name** *s* Familienname *m;* **family planning** *s* Familienplanung *f;* **family tree** *s* Stammbaum *m*

fam·ine [ˈfæmɪn] *s* Hungersnot *f;* **fam·ish** [ˈfæmɪʃ] *itr* verhungern; **fam·ished** [ˈfæmɪʃt] *adj* (*fam*) ver-, ausgehungert

fa·mous [ˈfeɪməs] *adj* berühmt (*for* durch, wegen); **fa·mous·ly** [-lɪ] *adv* (*fam*) prima, erstklassig

fan¹ [fæn] I. *s* 1. Fächer *m* 2. Ventilator *m* 3. (MOT) Gebläse *n* II. *tr* 1. (an)fächeln 2. (*Feuer, Leidenschaft*) an-, entfachen (*into* zu); ~ **out** fächerförmig ausbreiten III. *itr* (MIL: ~ *out*) ausschwärmen

fan² [fæn] *s* (*fam*) Fan, Verehrer(in) *m(f)*

fa·natic [fəˈnætɪk] I. *adj* fanatisch II. *s* Fanatiker(in) *m(f);* **fa·nati·cal** [-əl] *adj* fanatisch; **fa·nati·cism** [fəˈnætɪsɪzəm] *s* Fanatismus *m*

fan belt [ˈfænbelt] *s* Keilriemen *m*

fan·cied [ˈfænsɪd] *adj* eingebildet

fan·cier [ˈfænsɪə(r)] *s* Liebhaber(in) *m(f)*

fan·ci·ful [ˈfænsɪfl] *adj* 1. fantasiebegabt, einfallsreich 2. (*Idee*) fantastisch

fan club [ˈfænklʌb] *s* Fanclub *m*

fancy [ˈfænsɪ] I. *s* 1. Einbildungskraft, Fantasie *f* 2. Vorliebe, Neigung *f* 3. Laune *f,* Einfall *m;* **a passing ~** nur so eine Laune; **take a ~ to** Gefallen, Geschmack finden an; **take s.o.'s ~** jdm gefallen II. *adj* 1. kunstvoll; ausgefallen 2. (*Idee*) überspannt; seltsam 3. (*Am*) Delikatess-; ~ **prices** gepfefferte Preise; **a big ~ car** ein toller Schlitten III. *tr* 1. sich vorstellen 2. meinen, sich einbilden; ~ **doing that!** so was zu tun!; ~ **him doing that** nicht zu fassen, dass er das getan hat; ~ **that!** denk mal an!; **he fancies that car** das Auto gefällt ihm; **he fancies doing that** er möchte das gern tun IV. *refl* von sich eingenommen sein; sich halten für; **fancy dress** *s* Maskenkostüm *n;* **fancy-free** *adj* ungebunden, frei; **fancy goods** *s pl* Geschenkartikel *mpl;* **fancy man** <*pl* -men> *s* Liebhaber *m*

fan·fare [ˈfænfeə(r)] *s* Fanfare *f*

fang [fæŋ] *s* 1. Fangzahn *m* 2. (*Schlange*) Giftzahn *m*

fan light [ˈfænlaɪt] *s* Oberlicht *n*

fan mail [ˈfænmeɪl] *s* Verehrerpost *f*

fan•tasia [fæn'teɪzɪə] *s* Fantasie *f;* **fan•tas•tic** [fæn'tæstɪk] *adj* **1.** fantastisch **2.** unwahrscheinlich **3.** (*fam*) toll; **fan•tasy** ['fæntəsɪ] *s* **1.** Fantasie, Einbildung *f* **2.** Hirngespinst *n*

fan vault•ing ['fænˌvɔːltɪŋ] *s* (ARCH) Fächergewölbe *n*

fan•zine ['fænziːn] *s* (*fam*) Fanmagazin *n*

far [fɑː(r)] <further, furthest> **I.** *adj* **1.** weiter entfernt; hintere(r,s) **2.** weit entfernt; **the ~ end of the room** das andere Ende des Zimmers; **in the ~ distance** in weiter Ferne; **it's a ~ cry from ...** das ist etwas ganz anderes als ...; **in the ~ future** in ferner Zukunft **II.** *adv* **1.** weit (weg, entfernt), in weiter Ferne; weit her; weit weg **2.** lange hin, lange her **3.** bei weitem, beträchtlich, (sehr) viel; **~ and wide** weit und breit; **~ away** weit entfernt; **as ~ back as 1900** schon 1900; **~ better** weit besser; **as ~ as I am concerned** was mich betrifft; **by ~** bei weitem; **from ~** von weitem; von weit her; **in so ~ as** insofern; **so ~** so weit, bis dahin, bis hierher; bis jetzt; **so ~ so good** so weit, so gut; **~ afield** weit weg; **get ~ from a subject** von e-m Gegenstand weit abschweifen; **~ and away** bei weitem; **~ and near** überall; nah u. fern; **~ from** alles andere als; **~ from it** weit davon entfernt; **~ into the night** bis spät in die Nacht hinein; **go ~** lange reichen; (*fig*) es weit bringen; **that's going too ~** das geht zu weit; **I am ~ from doing it** ich denke nicht daran es zu tun; **I wouldn't carry things too ~** ich würde die Sache nicht auf die Spitze treiben

far•away ['fɑːrəweɪ] *adj* **1.** weit entfernt, abgelegen **2.** verträumt, (geistes)abwesend

farce [fɑːs] *s* Farce *f;* **far•ci•cal** ['fɑːsɪkl] *adj* possenhaft; (*fig*) absurd

fare [feə(r)] **I.** *itr:* **he ~d well** es ging ihm gut **II.** *s* **1.** Fahrgeld *n,* -preis *m* **2.** Fahrgast *m;* **~s, please!** noch jemand zugestiegen?; **have your ~s ready** Fahrgeld bereithalten!; **what's the ~?** was kostet die Fahrt?; **bill of ~** Speisekarte *f*

Far East [ˌfɑː(r)'iːst] *s* Ferner Osten

fare•well [ˌfeə'wel] **I.** *s* Abschied *m;* **make one's ~s** sich verabschieden **II.** *interj* lebe(n Sie) wohl!

fare zone ['feə(r)zəʊn] *s* Tarifzone *f*

far-fetched [ˌfɑː'fetʃt] *adj* weit hergeholt; **far-flung** [ˌfɑː'flʌŋ] *adj* **1.** weit ausgedehnt **2.** abgelegen

farm [fɑːm] **I.** *s* Bauern-, Gutshof *m;* Farm *f* **II.** *tr* (*Land*) bestellen; bewirtschaften **III.** *itr* Landwirtschaft betreiben; **farm out** *tr* (*Arbeit*) vergeben; **farmer** ['fɑːmə(r)] *s* **1.** Bauer *m,* Bäuerin *f,* Landwirt(in) *m(f)* **2.** Pächter(in) *m(f);* **~'s wife** Bäuerin *f;* **~s' cooperative** landwirtschaftliche Genossenschaft; **farm•hand** *s* Landarbeiter(in) *m(f);* **farm•house** *s* Bauernhaus *n;* **farm•ing** ['fɑːmɪŋ] *s* Landwirtschaft *f;* Ackerbau *m;* **farm•stead** ['fɑːmsted] *s* Bauernhof *m;* **farm•yard** ['fɑːmjɑːd] *s* Hof *m*

far-off ['fɑːrɒf] *adj* (weit) entfernt

far-reach•ing [ˌfɑː'riːtʃɪŋ] *adj* weitreichend; **far-see•ing** [ˌfɑː'siːɪŋ] *adj* weitblickend; **far-sighted** [ˌfɑː'saɪtɪd] *adj* **1.** weitsichtig **2.** (*fig*) weitblickend, vorausschauend

fart [fɑːt] **I.** *s* (*vulg*) Furz *m* **II.** *itr* (*vulg*) furzen

far•ther ['fɑːðə(r)] <*Komparativ von* far> **I.** *adj* weiter entfernt **II.** *adv* weiter (weg); **far•thest** ['fɑːðɪst] <*Superlativ von* far> **I.** *adj* entfernteste(r, s), weiteste(r, s); am weitesten weg **II.** *adv* am weitesten entfernt, weg

far•thing ['fɑːðɪŋ] *s* (*obs*) Viertelpenny *m*

fas•cia ['feɪʃə] *s* Armaturenbrett *n*

fas•ci•nate ['fæsɪneɪt] *tr* fesseln, faszinieren, begeistern; **fas•ci•nat•ing** [-ɪŋ] *adj* faszinierend, spannend, fesselnd; **fas•ci•na•tion** [ˌfæsɪ'neɪʃn] *s* Faszination *f;* Zauber *m*

fas•cism ['fæʃɪzəm] *s* Faschismus *m;* **fas•cist** ['fæʃɪst] **I.** *s* Faschist(in) *m(f)* **II.** *adj* faschistisch

fashion ['fæʃn] **I.** *s* **1.** Art und Weise *f* **2.** Mode *f* **3.** Sitte *f,* Brauch *m;* **after** [*o* **in**] **a ~** in gewisser Weise; **in the usual ~** wie üblich; **in ~** in Mode, modern; **out of ~** aus der Mode, unmodern; **come into ~** Mode werden; **go out of ~** unmodern werden; **set the ~** den Ton angeben; **a man of ~** ein modischer Herr **II.** *tr* formen, gestalten; **fashion•able** ['fæʃnəbl] *adj* modern, modisch; elegant, schick; **fashion-designer** *s* Modezeichner(in) *m(f),* –designer(in) *m(f);* **fashion-parade**, **fashion-show** *s* Mode(n)schau *f*

fast¹ [fɑːst] **I.** *adj* **1.** fest **2.** (*Material*) farbecht **3.** (*Freundschaft*) gut **II.** *adv* fest; **stick ~** festsitzen; **stand ~** standhaft bleiben; **play ~ and loose with s.o.** mit jdm ein doppeltes Spiel treiben; **be ~ asleep** tief schlafen

fast² [fɑːst] **I.** *adj* **1.** schnell **2.** (PHOT) hoch empfindlich; lichtstark **3.** (*Mensch, Lebenswandel*) locker; **~ breeder** (**reactor**) schneller Brüter; **~ developing nation** Schwellenland *n;* **~ food** Schnellimbiss *m;* Fastfood *n;* **~ food restaurant** Schnellgaststätte *f;* **~ forward** (*Tonband*) Schnellvorlauf *m;* **~ lane** Überholspur *f;* **~ rewind** (*Tonband*) Schnellrücklauf *m;* **be ~** (*Uhr*) vorgehen **II.** *adv* schnell; **live ~** locker

leben
fast³ [fɑːst] **I.** *itr* fasten **II.** *s* Fasten *n;* Fastenzeit *f;* **break one's ~** das Fasten brechen; **~ day** Fasttag *m*
fas•ten ['fɑːsn] **I.** *tr* **1.** befestigen; anbinden (*to* an) **2.** (*Knopf*) zumachen **3.** (*fig*) zuwenden (*on s.o.* jdm); **~ the blame on s.o.** jdm die Schuld zuschieben; **~ one's seatbelt** sich anschnallen **II.** *itr* sich schließen lassen; **fasten down** *tr* festmachen; **fasten in** *tr* festschnallen; **fasten on** *tr* befestigen, festmachen; (*fig*) herumhacken auf; **fasten up** *tr* zumachen
fas•tener ['fɑːsnə(r)] *s* Verschluss *m;* **zip ~** Reißverschluss *m*
fas•tid•ious [fə'stɪdɪəs] *adj* heikel, wählerisch, anspruchsvoll
fast•ness ['fɑːstnɪs] *s* **1.** Feste *f* **2.** Farbechtheit *f*
fat [fæt] **I.** *adj* **1.** fett **2.** (*Band*) dick **3.** (*Gewinn*) üppig, fett *fam;* **get ~** dick werden; **a ~ lot of good you are!** (*iro*) Sie sind ja 'ne schöne Hilfe! **II.** *s* (*a.* CHEM) Fett *n;* **live off the ~ of the land** wie Gott in Frankreich leben; **the ~ is in the fire** jetzt ist der Teufel los; **vegetable ~** Pflanzenfett *n*
fatal ['feɪtl] *adj* **1.** verhängnisvoll, fatal (*to* für) **2.** tödlich, vernichtend (*to* für)
fatal•ism ['feɪtəlɪzəm] *s* Fatalismus *m;* **fatal•ist** ['feɪtəlɪst] *s* Fatalist(in) *m(f)*
fatal•ity [fə'tælətɪ] *s* **1.** Unglück(sfall *m*) *n,* Tod(esfall) *m* **2.** Unabwendbarkeit *f;* **fatal•ly** ['feɪtəlɪ] *adv* tödlich
fat cat [ˌfæt'kæt] *s* (*sl*) Geldsack *m*
fate [feɪt] *s* **1.** Schicksal, Los *n* **2.** Untergang, Tod *m;* **as sure as ~** todsicher; **fated** ['feɪtɪd] *adj* unglückselig; vom Schicksal bestimmt; **be ~ to fail** zum Scheitern verurteilt sein; **fate•ful** ['feɪtfl] *adj* verhängnisvoll; entscheidend
fat•head ['fæthed] *s* Dummkopf *m*
fa•ther ['fɑːðə(r)] **I.** *s* **1.** Vater *m a. fig* **2.** **~s** Väter *pl,* Vorfahren *pl* **3.** (Be)Gründer *m* **4.** (REL) Pfarrer *m;* Pater *m;* **F~** (REL) Vater, Gott *m* **II.** *tr* zeugen; Urheber sein von; **Father Christmas** *s* Weihnachtsmann *m;* **father figure** *s* (PSYCH) Vaterfigur *f;* **fa•ther•hood** ['fɑːðəhʊd] *s* Vaterschaft *f;* **fa•ther-in-law** ['fɑːðərɪnlɔː] <*pl* -s-in-law> *s* Schwiegervater *m;* **father•land** ['fɑːðəlænd] *s* Vaterland *n;* **fa•ther•less** ['fɑːðəlɪs] *adj* vaterlos; **fa•ther•ly** ['fɑːðəlɪ] *adj* väterlich
fathom ['fæðəm] **I.** *s* (*Längenmaß*) Faden *m* **II.** *tr* **1.** (*die Wassertiefe*) loten **2.** (*fig*) ergründen, erfassen; **I can't ~ him** ich verstehe ihn überhaupt nicht; **fathom•less** [-lɪs] *adj* unergründlich *a. fig*
fa•tigue [fə'tiːg] **I.** *s* **1.** Ermüdung, Erschöpfung *f* **2.** (MIL) Arbeitsdienst *m* **3.** (*Metall*) Ermüdung *f* **II.** *tr* ermüden, strapazieren; **fatigue dress, fatigues** *s pl* (MIL) Arbeitsanzug *m*
fat•less ['fætlɪs] *adj* fettlos; **fat stock** *s* Mastvieh *n;* **fatted** ['fætɪd] *adj:* **kill the ~ calf** e-n Willkommensschmaus veranstalten; **fatten** ['fætn] **I.** *tr* mästen **II.** *itr* fett, dick werden; **fat•ten•ing** ['fætnɪŋ] *adj* dick machend; **fatty** ['fætɪ] **I.** *adj* fett(ig); fetthaltig; **~ acid** Fettsäure *f;* **~ degeneration** (MED) Verfettung *f;* **~ tissue** Fettgewebe *n* **II.** *s* (*fam*) Dickerchen *n*
fa•tu•ity [fə'tjuːətɪ] *s* Albernheit *f;* **fatuous** ['fætʃʊəs] *adj* albern
fau•cet ['fɔːsɪt] *s* (*Am*) (Wasser)Hahn *m*
fault [fɔːlt] **I.** *s* **1.** Fehler *m;* Mangel *m;* Defekt *m* **2.** Schuld *f;* Verschulden *n* **3.** (GEOL) Verwerfung *f;* **at ~** im Irrtum; **to a ~** im Übermaß; **through no ~ of mine** ohne mein Verschulden; **find ~ with** etw auszusetzen haben; **the ~ lies with** die Schuld liegt bei; **it's not my ~** es ist nicht meine Schuld **II.** *tr* Fehler finden an, etw auszusetzen haben an **III.** *itr* (GEOL) sich verwerfen; **fault-finder** *s* Krittler(in) *m(f);* **fault-finding** *s* Nörgelei, Meckerei *f;* **fault-indicator** ['fɔːlt'ɪndɪkeɪtə(r)] *s* (TECH) Störungsanzeige *f;* **fault•less** ['fɔːltlɪs] *adj* fehlerfrei, untadelig, tadellos; **faulty** ['fɔːltɪ] *adj* fehler-, mangelhaft; defekt; **~ circuit** (EL) Fehlschaltung *f*
faun [fɔːn] *s* Faun *m*
fauna ['fɔːnə] *s* Fauna *f*
fa•vor (*Am*) *s.* **favour**; **fa•vor•able** (*Am*) *s.* **favourable**; **fa•vored** (*Am*) *s.* **favoured**; **fa•vor•ite** (*Am*) *s.* **favourite**; **fa•vor•it•ism** (*Am*) *s.* **favouritism**
fa•vour ['feɪvə(r)] **I.** *s* **1.** Gunst *f,* Wohlwollen *n* **2.** Vergünstigung *f* **3.** Gefallen *m,* Gefälligkeit *f* **4.** Schleife *f;* **win s.o.'s ~** jds Gunst erlangen; **find ~ with s.o.** bei jdm Anklang finden; **be in ~ with s.o.** bei jdm gut angeschrieben sein; **fall out of ~** in Ungnade fallen; **be out of ~** nicht mehr beliebt sein; **be in ~ of s.th.** für etw sein; **ask a ~ of s.o.** jdn um e-n Gefallen bitten; **do s.o. a ~** jdm e-n Gefallen tun; **as a ~ to him** ihm zuliebe **II.** *tr* **1.** für gut halten; bevorzugen **2.** begünstigen **3.** beehren **4.** ähnlich sehen (*s.o.* jdm); **I don't ~ the idea** ich halte nichts von der Idee
fa•vour•able ['feɪvərəbl] *adj* **1.** günstig, vorteilhaft (*to* für) **2.** (*Antwort*) positiv
fa•voured ['feɪvəd] *adj:* **a ~ few** einige Auserwählte; **a ~ friend** ein besonderer Freund
fa•vour•ite ['feɪvərɪt] **I.** *s* **1.** Liebling *m;* Günstling *m* **2.** (SPORT) Favorit(in) *m(f);* **this one is my ~** das habe ich am liebsten **II.** *adj attr* Lieblings-; **fa•vour•it•ism**

[-ɪzəm] *s* Vetternwirtschaft *f*
fawn¹ [fɔːn] **I.** *s* **1.** Rehkitz, Hirschkalb *n* **2.** Beige *n* **II.** *adj* beige
fawn² [fɔːn] *itr* **1.** mit dem Schwanz wedeln **2.** (*Mensch*) schmeicheln (*on, upon s.o.* jdm); **fawn·ing** ['fɔːnɪŋ] *adj* kriecherisch
fax [fæks] **I.** *tr* fernkopieren, (tele)faxen **II.** *s* **1.** (*Gerät*) (Tele)Fax *n* **2.** Telekopie, Fernkopie *f;* **fax machine** *s* Telefax(gerät) *n;* **fax subscriber** *s* Telefaxteilnehmer(in) *m(f)*
fear [fɪə(r)] **I.** *s* **1.** Angst, Furcht *f;* Schreck *m* **2.** Scheu, Ehrfurcht *f;* **for ~ that** aus Angst, dass; **go in ~ of s.o.** Angst vor jdm haben; **no ~!** (nur) keine Angst!; **in ~ and trembling** mit schlotternden Knien; **without ~ or favour** ganz gerecht **II.** *tr* **1.** (be)fürchten **2.** Ehrfurcht haben vor **III.** *itr:* **~ for** fürchten um; **fear·ful** ['fɪəfl] *adj* **1.** furchtbar, schrecklich **2.** ängstlich (*of* vor); **be ~ for one's life** um sein Leben fürchten; **fear·less** ['fɪəlɪs] *adj* furchtlos (*of* vor); **fear·some** ['fɪəsəm] *adj* Furcht erregend
feasi·bil·ity [ˌfiːzə'bɪlətɪ] *s* **1.** Aus-, Durchführbarkeit *f* **2.** Wahrscheinlichkeit *f;* **feasibility study** *s* Machbarkeitsstudie *f;* **feas·ible** ['fiːzəbl] *adj* **1.** machbar, durchführbar; realisierbar **2.** (*Entschuldigung*) glaubhaft, plausibel
feast [fiːst] **I.** *s* **1.** (REL) Fest *n* **2.** Festmahl, -essen, Bankett *n* **II.** *tr* festlich bewirten; **~ one's eyes on** seine Augen weiden an **III.** *itr* **1.** (ein Fest) feiern **2.** sich ergötzen (*on* an)
feat [fiːt] *s* Leistung *f;* Kunststück *n*
feather ['feðə(r)] **I.** *s* Feder *f;* Gefieder *n;* **as light as a ~** federleicht; **they are birds of a ~** sie sind vom gleichen Schlag; **show the white ~** Angst verraten; **a ~ in one's cap** Leistung *f,* auf die man stolz sein kann **II.** *tr* **1.** mit Federn versehen [*o* schmücken] **2.** (*Ruder*) flach werfen; **~ one's nest** sein Schäfchen ins Trock(e)ne bringen; **feather-bed I.** *s* mit Federn gefüllte Matratze **II.** *tr* verhätscheln; unnötig subventionieren; **feather-brained** ['feðəbreɪnd] *adj* dumm; leichtsinnig; **featherweight** ['feðəweɪt] *s* **1.** (*Boxen*) Federgewicht *n* **2.** (*fig*) Leichtgewicht *n;* **feathery** ['feðərɪ] *adj* federleicht
fea·ture ['fiːtʃə(r)] **I.** *s* **1.** (Gesichts)Zug *m* **2.** Charakterzug *m,* Kennzeichen, Merkmal *n* **3.** Charakteristikum *n* **4.** (TV) Dokumentarbericht *m,* Feature *n* **5.** (*Zeitung*) Sonderbericht *m;* **a ~ of his style is ...** sein Stil ist durch ... gekennzeichnet; **make a ~ of s.th.** etw besonders hervorheben **II.** *tr* **1.** (*Geschichte*) bringen **2.** (*Rolle*) spielen, darstellen; **feature film** *s* Spielfilm *m;* **fea·ture·less** ['fiːtʃəlɪs] *adj* ohne besondere Merkmale; **feature story** *s* Sonderbericht *m*
feb·rile ['fiːbraɪl] *adj* fieberhaft, fiebernd
Feb·ru·ary ['febrʊərɪ] *s* Februar *m*
feces ['fiːsiːz] (*Am*) *s.* **faeces**
feck·less ['feklɪs] *adj* nutzlos
fed [fed] *s.* **feed**
fed·eral ['fedərəl] *adj* bundesstaatlich; föderativ; **F~ Bureau of Investigation** (**FBI**) (*Am*) Bundeskriminalamt *n;* **the F~ Republic of Germany** die Bundesrepublik Deutschland; **~ state** (*Am*) (Einzel)Staat *m;* **fed·eral·ism** ['fedərəlɪzəm] *s* Föderalismus *m;* **federal·ist** ['fedərəlɪst] *s* Föderalist(in) *m(f);* **fed·er·ate** ['fedəreɪt] **I.** *tr* zu e-m Bund zusammenschließen **II.** *itr* sich zu e-m Bund zusammenschließen; **fed·er·ation** [ˌfedə'reɪʃn] *s* **1.** Zusammenschluss *m* **2.** Föderation *f,* Bund *m*
fed up [ˌfed'ʌp] *adj:* **I'm ~** ich habe die Nase voll; **I'm ~ with it** es hängt mir zum Hals heraus
fee [fiː] *s* **1.** Gebühr *f* **2.** Honorar *n* **3.** (*Schauspieler*) Gage *f,* Bezüge *pl;* **on payment of a small ~** gegen e-e geringe Gebühr; **school ~s** Schulgeld *n*
feeble ['fiːbl] *adj* **1.** schwach **2.** (*Stimme*) matt; **feeble-minded** [-'maɪndɪd] *adj* dümmlich; **feeble·ness** ['fiːblnɪs] *s* Schwäche *f*
feed [fiːd] <*irr:* fed, fed> **I.** *s* **1.** Füttern *n,* Fütterung *f* **2.** (*e-s Babys*) Mahlzeit *f,* Essen *n* **3.** (*e-s Tieres*) Futter *n* **4.** (TECH) Beschickung *f;* Versorgung *f;* Eingabe *f* **II.** *tr* **1.** verpflegen; ernähren **2.** (*Person, Tier*) füttern; (*Baby a.*) stillen **3.** (TECH) versorgen; beschicken; füttern **4.** Geld einwerfen in **5.** (*fig*) Nahrung geben *dat,* nähren; **~ o.s.** sich selbst verpflegen; **~ an animal** e-m Tier zu fressen geben; **~ s.o. with information** jdn mit Informationen versorgen **III.** *itr* (*Tier*) fressen; **feed back** *tr* zurückleiten; rückkoppeln; **feed in** *tr* einführen, -geben, -speisen; **feed on I.** *itr* sich (er)nähren von **II.** *tr* füttern mit; **feed up** *tr* mästen
feed·back ['fiːdbæk] *s* Rückkopp(e)lung *f;* Feedback *n,* Rückmeldung *f;* **~ of information** Rückinformation *f;* **feeder** ['fiːdə(r)] *s* **1.** Versorger *m* **2.** (Saug)Flasche *f* **3.** (TECH) Zuführung(svorrichtung), Speiseleitung *f* **4.** (*Verkehr*) Zubringer *m;* **~ road** Zubringerstraße *f*
feed·ing bottle ['fiːdɪŋˌbɒtl] *s* Babyfläschchen *n*
feel [fiːl] <*irr:* felt, felt> **I.** *tr* **1.** (be)fühlen, betasten **2.** spüren, empfinden *a. fig* **3.** leiden unter; empfinden **4.** glauben; **~ one's way** sich vortasten; **what do you ~**

about it? was halten Sie davon? **II.** *itr* **1.** sich fühlen; sich anfühlen **2.** meinen; ~ **well** sich wohl fühlen; ~ **hungry** hungrig sein; **I** ~ **hot** mir ist heiß; ~ **hard** sich hart anfühlen; **how do you** ~ **about him?** was halten Sie von ihm?; ~ **like** Lust haben auf; ~ **like doing s.th.** Lust haben etw zu tun; **I** ~ **as if** mir ist, als ob; **I'm ~ing much better** es geht mir viel besser **III.** *s* Gefühl *n;* Gefühlseindruck *m;* **have a ~ for s.th.** ein Gefühl für etw haben; **feel about** *itr* umhertasten; **feel for** *itr* fühlen mit

feeler ['fi:lə(r)] *s* (ZOO) Fühler *m a. fig;* **put out ~s** seine Fühler ausstrecken

feel•good fac•tor ['fi:lgʊd,fæktə(r)] *s* Faktor *m* des allgemeinen Wohlbefindens

feel•ing ['fi:lɪŋ] *s* **1.** Gefühl *n* **2.** Empfindung *f* **3.** Mitgefühl *n* **4.** Meinung, Ansicht *f;* **bad** [*o* **ill**] ~ Ablehnung, Bitterkeit *f;* **I have a ~ that ...** ich habe das Gefühl, dass ...; **I hope you haven't any hard ~s** ich hoffe, Sie sind (mir) nicht böse; **hurt s.o.'s ~s** jdn verletzen

feet [fi:t] *s pl* **foot**

feign [feɪn] *tr* **1.** heucheln, simulieren **2.** (*Krankheit*) vortäuschen; **feigned** ['feɪnd] *adj* vorgetäuscht, simuliert, geheuchelt

feint [feɪnt] *s* Finte *f;* **make a ~ of doing** so tun, als ob man tut

fel•ici•ta•tion [fə,lɪsɪ'teɪʃn] *s meist pl* Glückwunsch *m* (*on, upon* zu)

fel•ici•tous [fə'lɪsɪtəs] *adj* (*Ausdruck*) treffend; **fel•ic•ity** [fə'lɪsətɪ] *s* Glück *n,* Glückseligkeit *f*

fe•line ['fi:laɪn] *adj* Katzen-; katzenartig

fell¹ [fel] *s.* **fall**

fell² [fel] *s* Fell *n*

fell³ [fel] *adj* (*lit*) fürchterlich

fell⁴ [fel] *tr* **1.** (*Baum*) fällen **2.** (*Mensch*) niederschlagen

fell⁵ [fel] *s* Berg *m;* Moorland *n*

fel•low ['feləʊ] *s* **1.** Bursche, Kerl *m* **2.** Gefährte, Kamerad, Kollege *m* **3.** (*F~*) Mitglied *n* e-s College **4.** Gegenstück *n;* **my dear** [*o* **good**] **~!** mein lieber Mann!; **old ~!** alter Junge!; **poor ~!** armer Kerl!; **school-~** Schulkamerad *m;* **fellow being** *s* Mitmensch *m;* **fellow citizen** *s* Mitbürger(in) *m(f);* **fellow countryman** *s* Landsmann *m,* -männin *f;* **fellow countrymen** *s pl* Landsleute *pl;* **fellow feeling** *s* Mitgefühl *n,* Sympathie *f;* **fellow member** *s* Klubkamerad(in) *m(f);* **fellow passenger** *s* Mitreisende(r) *f m;* **fel•low•ship** ['feləʊʃɪp] *s* **1.** Kameradschaft *f;* Gemeinschaft *f* **2.** Gesellschaft *f* **3.** Forschungsstipendium *n;* **fellow traveller** *s* **1.** Mitreisende(r) *f m* **2.** (POL) Mitläufer *m;* **fellow worker** *s* Kollege *m,* Kollegin *f*

felon ['felən] *s* (*obs*) (Schwer)Verbrecher(in) *m(f);* **fel•oni•ous** [fɪ'ləʊnɪəs] *adj* (*obs*) verbrecherisch; **fel•ony** ['felənɪ] *s* (*obs*) Verbrechen *n*

felt¹ [felt] *s.* **feel**

felt² [felt] *s* Filz *m;* **felt-tip** (**pen**) *s* Filzschreiber, Filzstift *m*

fe•male ['fi:meɪl] **I.** *adj* weiblich; ~ **screw** Schraubenmutter *f* **II.** *s* **1.** (ZOO) Weibchen *n* **2.** (*pej*) Weib *n;* **female suffrage** *s* Frauenstimmrecht *n*

femi•nine ['femənɪn] *adj* feminin, weiblich; **fem•i•nin•ity** [,femə'nɪnətɪ] *s* Weiblichkeit *f;* **fem•in•ism** ['femɪnɪzəm] *s* Feminismus *m;* **fem•in•ist** ['femɪnɪst] **I.** *adj* feministisch, Frauen- **II.** *s* Feminist(in) *m(f),* Frauenrechtler(in) *m(f)*

fe•mur ['fi:mə(r)] *s* (ANAT) Oberschenkelknochen *m*

fen [fen] *s* Fenn, Moorland *n*

fence [fens] **I.** *s* **1.** Zaun *m;* Hindernis *n* **2.** (*sl*) Hehler *m;* **sit on the** ~ neutral bleiben **II.** *tr* **1.** (~ *in*) ein-, umzäunen **2.** (*sl*) hehlen; ~ **off** absperren **III.** *itr* **1.** (SPORT) fechten **2.** (*fig*) ausweichen (*with a question* e-r Frage) **3.** (*sl*) Hehlerei treiben; **fencer** ['fensə(r)] *s* Fechter(in) *m(f);* **fenc•ing** ['fensɪŋ] *s* **1.** (SPORT) Fechten *n* **2.** Zaun *m,* Umzäunung *f*

fend [fend] *itr:* ~ **for o.s.** für sich sorgen; **fend off** *tr* abwehren

fend•er ['fendə(r)] *s* **1.** Kamingitter *n* **2.** (MAR) Fender *m* **3.** (*Am:* MOT) Kotflügel *m*

fen•nel ['fenl] *s* (BOT) Fenchel *m*

feoff [fi:f] *s s.* **fief**

fer•ment [fə'ment] **I.** *tr* **1.** gären lassen, vergären **2.** (*fig*) anwachsen lassen **II.** *itr* gären *a. fig* **III.** ['fɜ:ment] *s* **1.** Ferment *n* **2.** Gärung *f a. fig* **3.** (*fig*) Unruhe, Erregung *f;* **fer•men•ta•tion** [,fɜ:men'teɪʃn] *s* **1.** Gärung *f a. fig* **2.** (*fig*) Erregung, Unruhe *f*

fern [fɜ:n] *s* Farn(kraut *n*) *m*

fer•ocious [fə'rəʊʃəs] *adj* wild, grimmig, heftig; **fer•oc•ity** [fə'rɒsətɪ] *s* Wildheit, Grimmigkeit *f*

fer•ret ['ferɪt] **I.** *s* (ZOO) Frettchen *n* **II.** *itr* **1.** mit dem Frettchen jagen **2.** (~ *about*) herumstöbern, -schnüffeln; ~ **out** aufstöbern

fer•ro•con•crete [,ferəʊ'kɒŋkri:t] *s* Eisenbeton *m*

fer•rous ['ferəs] *adj* eisenhaltig

fer•rule ['feru:l] *s* Metallring *m*

ferry ['ferɪ] **I.** *s* Fähre *f* **II.** *tr* **1.** (mit der Fähre) übersetzen **2.** transportieren; **ferry-boat** *s* Fähre *f;* **ferry•man** <*pl* -men> *s* Fährmann *m*

fer•tile ['fɜ:taɪl] *adj* **1.** fruchtbar, ertragreich **2.** reich (*of, in* an); **fer•til•ity** [fə'tɪlətɪ] *s* Fruchtbarkeit *f;* Ergiebigkeit *f;* **fer•ti•liz-**

ation [ˌfɜːtəlaɪˈzeɪʃn] *s* **1.** Düngung *f* **2.** (BIOL) Befruchtung *f;* **fer•til•ize** [ˈfɜːtəlaɪz] *tr* **1.** düngen **2.** (BIOL) befruchten; **fer•ti•lizer** [ˈfɜːtəlaɪzə(r)] *s* Dünger *m*

fer•vent [ˈfɜːvənt] *adj* **1.** heiß, glühend **2.** (*Wunsch*) inbrünstig; leidenschaftlich; **fer•vid** [ˈfɜːvɪd] *adj* leidenschaftlich; **fer•vor** *s* (*Am*), **fer•vour** [ˈfɜːvə(r)] *s* **1.** Glut, Hitze *f* **2.** Inbrunst, Leidenschaft *f*

fes•ter [ˈfestə(r)] *itr* **1.** eitern **2.** (*fig: Ärger*) fressen, nagen (*in* in)

fes•ti•val [ˈfestɪvl] *s* **1.** Fest *n;* Feier *f* **2.** (MUS THEAT) Festspiele *npl;* **music** ~ Musikfestspiele *npl;* **Church ~s** Feiertage *mpl;* **fes•tive** [ˈfestɪv] *adj* festlich; **fes•tiv•ity** [feˈstɪvətɪ] *s* **1.** Fest *n,* Feier *f* **2. festivities** Festlichkeiten, Feierlichkeiten *fpl*

fes•toon [feˈstuːn] **I.** *s* Girlande *f* **II.** *tr* mit Girlanden verzieren

fe•tal [ˈfiːtl] (*Am*) *s.* **foetal**

fetch [fetʃ] **I.** *tr* **1.** holen, bringen **2.** (*Schrei*) ausstoßen **3.** (*Geld*) einbringen; **~ s.o. a blow** jdm eine langen **II.** *itr:* **~ and carry for s.o.** bei jdm Mädchen für alles sein; **fetch•ing** [ˈfetʃɪŋ] *adj* (*fam*) bezaubernd

fête [feɪt] **I.** *s* (Garten)Fest *n* **II.** *tr* feiern

fetid [ˈfetɪd] *adj* übelriechend

fet•ish [ˈfetɪʃ] *s* (REL PSYCH) Fetisch *m;* **fet•ish•ism** [ˈfetɪʃɪzəm] *s* Fetischismus *m;* **fet•ish•ist** [ˈfetɪʃɪst] *s* Fetischist(in) *m(f)*

fet•ter [ˈfetə(r)] **I.** *s* **1. ~s** (Fuß)Fesseln *fpl* **2.** (*fig*) Fesseln *fpl* **II.** *tr* **1.** fesseln **2.** (*fig*) in Fesseln legen

fettle [ˈfetl] *s:* **in fine** [*o* **good**] ~ in guter Verfassung

fe•tus [ˈfiːtəs] (*Am*) *s.* **foetus**

feud [fjuːd] **I.** *s* Fehde *f* **II.** *itr* sich befehden

feu•dal [ˈfjuːdl] *adj* feudal; Feudal-, Lehns-; **feu•dal•ism** [-ɪzəm] *s* Lehnswesen *n*

fe•ver [ˈfiːvə(r)] *s* **1.** Fieber *n* **2.** (*fig*) Erregung *f;* **be at ~ pitch** in höchster Erregung sein; **be in a ~ of excitement** in fieberhafter Aufregung sein; **fe•ver•ish** [ˈfiːvərɪʃ] *adj* **1.** fiebernd **2.** (*fig*) fieberhaft

few [fjuː] **I.** *adj* wenige; **~ and far between** dünn gesät; **as ~ as** genauso wenig wie; **a ~** ein paar; **a ~ times** ein paar Male; **quite a ~** ziemlich viele; **every ~ days** alle paar Tage **II.** *pron* wenige; **a ~** ein paar; **quite a ~** e-e ganze Menge; **a ~ more** ein paar mehr; **fewer** [ˈfjuːə(r)] *adj, pron* weniger; **no ~ than** nicht weniger als; **fewest** [ˈfjuːɪst] *adj, pron* die Wenigsten

fi•ancé [fɪˈɒnseɪ] *s* Verlobte(r) *m;* **fiancée** [fɪˈɒnseɪ] *s* Verlobte *f*

fi•asco [fɪˈæskəʊ] <fiascos, fiascoes *Am*> *s* Fiasko *n*

fib [fɪb] **I.** *s* (*fam*) Schwindelei *f* **II.** *itr* flunkern, schwindeln; **fib•ber** [ˈfɪbə(r)] *s* Flunkerer *m*

fiber (*Am*) *s.* **fibre**

fibre [ˈfaɪbə(r)] *s* **1.** Faser *f* **2.** (*fig*) Charakter *m,* Wesen *n;* **cotton** ~ Baumwollfaser *f;* **dietary** ~ Ballaststoffe *pl;* **glass** ~ Glasfiber, -faser *n;* **moral** ~ Charakterstärke *f*

fibre•glass [ˈfaɪbəglɑːs] *s* Fiberglas *n*

fibre op•tic cable [ˈfaɪbə(r)ˈɒptɪkˈkeɪbl] *s* Glasfaserkabel *n;* **fibre optics** [ˈfaɪbə(r)ɒptɪks] *s pl* Glasfaseroptik *f*

fib•ula [ˈfɪbjʊlə] *s* (ANAT) Wadenbein *n*

fickle [ˈfɪkl] *adj* wankelmütig, unbeständig

fic•tion [ˈfɪkʃn] *s* **1.** (*a.* JUR) Fiktion *f* **2.** Erzähl-, Prosaliteratur *f;* **fic•tion•al** [ˈfɪkʃənl] *adj* erfunden, erdichtet

fic•ti•tious [fɪkˈtɪʃəs] *adj* **1.** fiktiv, frei erfunden **2.** falsch

fiddle [ˈfɪdl] **I.** *s* **1.** Fiedel, Geige *f* **2.** (*sl*) Schiebung *f;* **be fit as a ~** gesund und munter sein; **play first/second ~** (*fig*) die erste/die zweite Geige spielen **II.** *itr* **1.** (MUS) fiedeln **2.** herumspielen; **~ about** herumspielen, -fummeln **III.** *tr* (*Bilanz*) frisieren; manipulieren; **fid•dler** [ˈfɪdlə(r)] *s* **1.** Geiger(in) *m(f)* **2.** (*sl*) Gauner(in) *m(f);* **fid•dling** [ˈfɪdlɪŋ] *adj* (*fam*) läppisch; **fid•dly** [ˈfɪdlɪ] *adj* (*fam*) knifflig

fi•del•ity [fɪˈdelətɪ] *s* **1.** Treue *f* **2.** Genauigkeit *f;* **high** ~ Klangtreue *f*

fidget [ˈfɪdʒɪt] **I.** *s* (*fam*) Zappelphilipp *m* **II.** *itr* nervös sein; zappeln; **fidgety** [ˈfɪdʒɪtɪ] *adj* zappelig; nervös

fief, feoff [fiːf] *s* Lehen *n*

field [fiːld] **I.** *s* **1.** Feld *n,* Acker *m;* Wiese *f;* Weide *f* **2.** Platz *m* **3.** (MIL) Feld *n* **4.** (*fig*) (Fach)Gebiet *n,* Bereich, Sektor *m* **5.** (COM) Außendienst *m* **6.** (SPORT) Feld *n;* (*Baseball*) Fängerpartei *f;* **in this ~** (*fig*) auf diesem Gebiet, in diesem Bereich; **working in the ~** auf dem Feld arbeiten; **wheat ~** Weizenfeld *n;* **~ of battle** Schlachtfeld *n;* **~ of vision** Blick-, Gesichtsfeld *n;* **magnetic ~** Magnetfeld *n;* **take the ~** (SPORT) das Spiel eröffnen; **~ of activity** Tätigkeits-, Wirkungsbereich *m;* Arbeitsgebiet *n* **II.** *tr* **1.** (KRICKET, BASEBALL: *den Ball*) auffangen und zurückwerfen **2.** (*Spieler*) als Fänger im Ausfeld einsetzen **III.** *itr* als Fänger spielen; **field day** *s* **1.** (MIL) Manöver *n* **2.** (*fig*) großer Tag; **fielder** *s* (*Kricket*) Fänger(in) *m(f);* **field events** *s pl* (SPORT) Springen, Stoßen u. Werfen *n;* **field glasses** *s pl* Feldstecher *m;* **field mouse** <*pl* -mice> *s* Feldmaus *f;* **fields•man** [ˈfiːldzmən] <*pl* -men> *s* (*Kricket*) Fänger *m;* **field sports** *s pl* Jagd *f,* Schießen *n,* Fischfang *m;* **field•work** [ˈfiːldwɜːk] *s* **1.** Arbeit *f* im Gelände **2.** (*von Soziologen*) Feldforschung *f;* **field-**

worker ['fi:ldwɜ:kə(r)] *s* Praktiker(in) *m(f)*

fiend [fi:nd] *s* **1.** Unhold, Satan *m* **2.** (*fam*) Fanatiker(in) *m(f);* **fresh-air/jazz** ~ Frischluft-/Jazzfanatiker(in) *m(f);* **fiend•ish** ['fi:ndɪʃ] *adj* teuflisch

fierce [fɪəs] *adj* **1.** (*Erscheinung*) wild **2.** (*Blick*) böse **3.** (*Hund*) scharf **4.** (*Kampf*) heftig **5.** (*Konkurrenz*) erbittert; **fierceness** ['fɪəsnɪs] *s* Wildheit *f;* Heftigkeit *f;* Grimmigheit *f;* Schärfe *f*

fiery ['faɪərɪ] *adj* **1.** feurig, glühend, heiß *a. fig* **2.** (*fig*) erregt, aufwühlend

fife [faɪf] *s* (MUS) Querpfeife *f*

fif•teen [ˌfɪf'ti:n] *adj* fünfzehn; **fif•teenth** [ˌfɪf'ti:nθ] *adj* fünfzehnte(r,s)

fifth [fɪfθ] **I.** *adj* fünfte(r, s) **II.** *s* Fünftel *n;* Fünfte(r, s)

fif•ti•eth ['fɪftɪəθ] *adj* fünfzigste(r, s); **fifty** ['fɪftɪ] *adj* fünfzig; **go ~-~ with s.o.** mit jdm halbe-halbe machen

fig [fɪg] *s* Feige *f;* **I don't care a** ~ (*fam*) ich kümmere mich e-n Dreck darum

fight [faɪt] <*irr:* fought, fought> **I.** *s* **1.** Kampf *m a. fig,* Gefecht *n* **2.** Kampfkraft *f,* -geist *m;* **have a ~ with s.o.** sich mit jdm schlagen; **put up a** ~ sich zur Wehr setzen **II.** *itr* kämpfen; sich streiten; ~ **for one's life** um sein Leben kämpfen; ~ **shy of s.th.** e-r S aus dem Weg gehen **III.** *tr* **1.** kämpfen mit **2.** bekämpfen; ankämpfen gegen; **fight back** *itr* zurückschlagen; sich wehren; **fight off** *tr* abwehren; ankämpfen gegen; **fight on** *itr* weiterkämpfen

fighter ['faɪtə(r)] *s* **1.** Kämpfer(in) *m(f)* **2.** (AERO) Jagdflugzeug *n;* **fight•ing** ['faɪtɪŋ] *s* Kampf *m,* Gefecht *n*

fig•ment ['fɪgmənt] *s* Einbildung, Erfindung *f;* **a ~ of the imagination** pure Einbildung

figu•rat•ive ['fɪgjərətɪv] *adj* bildlich, übertragen; **figu•rat•ive•ly** [-lɪ] *adv* in übertragener Bedeutung

fig•ure ['fɪgə(r)] **I.** *s* **1.** Zahl, Ziffer *f* **2.** Figur, Form, Gestalt *f* **3.** Persönlichkeit *f* **4.** (*Modell*) Figur *f* **5.** (*Tanz*) Figur *f* **6.** **~s** Rechnen *n* **7.** (MUS) Motiv *n;* **be good at ~s** ein guter Rechner sein; **she has a good** ~ sie hat e-e gute Figur; **~-hugging** figurbetont; ~ **of fun** Witzfigur *f;* ~ **of speech** Redensart *f* **II.** *tr* **1.** formen, gestalten; (figürlich) darstellen **2.** sich vorstellen **3.** (*Am*) meinen, glauben **III.** *itr* in Erscheinung treten; **he ~d in a play** er trat in einem Stück auf; **figure on** *tr* (*Am*) rechnen mit; **figure out** *tr* begreifen, verstehen; ausrechnen

fig•ure•head ['fɪgəhed] *s* (*a. fig*) Galionsfigur *f;* **figure skater** ['fɪgəˌskeɪtə(r)] *s* Eiskunstläufer(in) *m(f);* **fig•ure-skat•ing** *s* Eiskunstlauf *m*

fila•ment ['fɪləmənt] *s* **1.** (BOT) Staubfaden *m* **2.** (EL) Glüh-, Heizfaden *m*

filch [fɪltʃ] *tr* (*fam*) mausen, stibitzen

file[1] [faɪl] **I.** *s* Feile *f* **II.** *tr* feilen *a. fig;* ~ **smooth** glatt feilen

file[2] [faɪl] **I.** *s* **1.** Aktenhefter, Aktenordner *m* **2.** Akte *f* (*on s.o.* über jdn) **3.** (EDV) Datei *f;* **on** ~ aktenkundig; **keep a ~ on s.o.** e-e Akte über jdn führen **II.** *tr* **1.** ablegen, abheften **2.** (JUR) einreichen; ~ **away** zu den Akten legen; ~ **a suit** Klage erheben

file[3] [faɪl] *s* Reihe *f;* **in Indian** [*o* **single**] ~ im Gänsemarsch; **file in** *itr* hereinmarschieren; **file out** *itr* hinausgehen

file name *s* (EDV) Dateiname *m*

fil•ial ['fɪlɪəl] *adj* Kindes-; ~ **duty** Kindespflicht *f*

fili•bus•ter ['fɪlɪbʌstə(r)] **I.** *s* (PARL) Obstruktion, Dauerrede *f;* (*Person*) Obstruktionspolitiker(in) *m(f)* **II.** *itr* (PARL) Obstruktion treiben

fili•gree ['fɪlɪgri:] *s* Filigran(arbeit *f*) *n*

fil•ing ['faɪlɪŋ] *s* **1.** Ablegen, Abheften *n* **2.** (JUR) Einreichnung *f;* **filing cabinet** *s* Aktenschrank *m*

fil•ings ['faɪlɪŋz] *s pl* Späne *mpl*

Fi•li•pi•no [fɪlɪ'pi:nəʊ] **I.** *adj* filipinisch **II.** *s* Filipino *m,* Filipina *f*

fill [fɪl] **I.** *tr* **1.** füllen, stopfen **2.** (*Zahn*) füllen, plombieren **3.** (*Loch*) zustopfen **4.** erfüllen **5.** (*Stelle*) besetzen, einnehmen, innehaben; **~ed with anger** von Zorn erfüllt **II.** *itr* voll werden, sich füllen **III.** *s:* **drink one's** ~ seinen Durst löschen; **have had one's** ~ gut satt sein; **I've had my ~ of it** ich habe davon die Nase voll; **fill in** *tr* **1.** (*Loch*) auffüllen **2.** (*Formular*) ausfüllen **3.** (*Namen*) einsetzen; ~ **in for s.o.** für jdn einspringen; ~ **s.o. in on s.th.** jdn über etw ins Bild setzen; **fill out I.** *itr* sich blähen; dicker werden **II.** *tr* (*Am: Formular*) ausfüllen; **fill up I.** *tr* **1.** vollfüllen; volltanken **2.** (*Formular*) ausfüllen **II.** *itr* sich (an)füllen, voll werden

fill•er ['fɪlə(r)] *s* **1.** Trichter *m* **2.** Spachtelmasse *f* **3.** (CHEM) Füllstoff *m;* **filler cap** *s* Tankdeckel *m*

fil•let ['fɪlɪt] **I.** *s* **1.** Stirnband *n* **2.** (*Küche*) Filet, Lendenstück *n* **II.** *tr* (*Fleisch, Fisch*) in Filets schneiden

fill•ing ['fɪlɪŋ] **I.** *s* Plombe, Füllung *f* **II.** *adj* sättigend; **filling station** *s* Tankstelle *f*

fil•lip ['fɪlɪp] *s* Ansporn *m,* Aufmunterung *f*

film [fɪlm] **I.** *s* **1.** Film *m,* Schicht *f;* Schleier *m;* Belag *m* **2.** (PHOT FILM) Film *m;* **make** [*o* **shoot**] **a** ~ e-n Film drehen **II.** *tr* (ver)filmen **III.** *itr* sich verfilmen lassen; **film camera** *s* Filmkamera *f;* **film speed** *s* Lichtempfindlichkeit *f;* **film star** *s* Filmstar *m;* **film studio** *s* Filmatelier, -studio *n*

fil•ter ['fɪltə(r)] I. *s* Filter *m* II. *tr* filtern III. *itr* 1. durch-, einsickern 2. (*Br*) sich einordnen; **filter in** *itr* langsam eindringen; einsickern; **filter out** I. *tr* herausfiltern II. *itr* langsam herausgehen; **filter through** *itr* durchsickern *a. fig*

fil•ter bed *s* Filterbett *n,* Filter(schütt)schicht *f;* **filter lane** *s* Abbiegespur *f;* **filter pad** *s* Filtereinsatz *m;* **filter paper** *s* Filterpapier *n;* **filter tip** *s* Filtermundstück *n,* Filter *m*

filth [fɪlθ] *s* 1. Schmutz, Dreck *m* 2. (*fig*) Schweinerei *f;* **filthy** ['fɪlθɪ] *adj* 1. schmutzig, dreckig 2. (*fig*) unanständig, schweinisch; ~ **rich** (*fam*) stinkreich

fil•tra•tion [fɪl'treɪʃn] *s* Filtration *f,* Filtern *n*

fin [fɪn] *s* 1. (*a.* AERO MAR) Flosse *f;* Finne *f* 2. (*Heizkörper*) Rippe *f*

fi•nal ['faɪnl] I. *adj* 1. letzte(r, s); Schluss- 2. letztendlich 3. endgültig; ~ **word** letztes Wort II. *s pl* 1. (Ab)Schlussprüfung *f* 2. (SPORT) Endspiel, Finale *n* 3. (*Zeitung*) Spätausgabe *f*

fi•nale [fɪ'nɑːlɪ] *s* (MUS) Finale *n;* Schlussszene *f*

fi•nal•ist ['faɪnəlɪst] *s* (SPORT) Teilnehmer(in) *m(f),* an der Schlussrunde

fi•nal•ity [faɪ'næləti] *s* 1. Endgültigkeit *f* 2. Entschiedenheit *f*

fi•nal•ize ['faɪnəlaɪz] *tr* abschließen; fertig machen, beenden

fi•nal•ly ['faɪnəlɪ] *adv* 1. endlich, schließlich 2. endgültig, unwiderruflich

fi•nance ['faɪnæns] I. *s* 1. Finanzwesen *n* 2. ~**s** Finanzen *fpl;* ~ **company** Finanzierungsgesellschaft *f* II. *tr* finanzieren; **fi•nan•cial** [faɪ'nænʃl] *adj* finanziell; Finanz-; ~ **adviser** Finanzberater(in) *m(f);* ~ **assistance** Finanzhilfe *f;* ~ **resources** Finanzmittel *npl;* **the** ~ **year** das Rechnungsjahr; **fin•an•cier** [faɪ'nænsɪə(r)] *s* Finanzier *m*

finch [fɪntʃ] *s* (ZOO) Fink *m*

find [faɪnd] <*irr:* found, found> I. *tr* 1. finden 2. besorgen 3. (heraus)finden, ausfindig machen 4. bemerken, gewahr werden 5. halten für, ansehen als 6. (JUR) befinden (*guilty* für schuldig); **it is not to be found** es lässt sich nicht finden; ~ **one's feet** sich zurechtfinden; ~ **fault with** etw auszusetzen haben an; ~ **one's voice** [*o* **tongue**] die Sprache wiederfinden; ~ **one's way** seinen Weg finden; **this tree is found everywhere** diesen Baum findet man überall; ~ **o.s. unable** sich außer Stande sehen; **he found himself in hospital** er fand sich im Krankenhaus wieder II. *itr:* ~ **for the accused** den Angeklagten freisprechen III. *s* Fund *m;* **find out** I. *tr* 1. herausfinden 2. (*Person*) erwischen II. *itr* dahinterkommen

finder ['faɪndə(r)] *s* Finder(in) *m(f);* **find•ing** ['faɪndɪŋ] *s* 1. ~**s** Ergebnis *n,* Befund *m;* Feststellung *f* 2. (JUR) Urteil *n*

fine¹ [faɪn] I. *adj* 1. fein, schön (*a. Wetter*) 2. ausgezeichnet, hervorragend, prächtig 3. (*Material*) fein, zart 4. gesund 5. in Ordnung, gut 6. fein, scharf, spitz; **one** ~ **day** eines schönen Tages; **that's a** ~ **excuse** das ist ja e-e schöne Ausrede; ~ **clothes** feine Kleider; ~ **dust** feiner Staub; **that's** ~! das ist prima!; ~ **feelings** Feingefühl *n* II. *adv* (*fam*) sehr gut, prima; **chop s.th. up** ~ etw fein zerhacken; **that will suit me** ~ das passt mir gut; **I'm feeling** ~ mir geht's bestens; **you're looking very** ~ **today** du siehst heute gut aus; **fine down** *tr* abfeilen; straffen; reduzieren

fine² [faɪn] I. *s* (JUR) Bußgeld *n,* Geldstrafe *f* II. *tr* mit e-r Geldstrafe belegen

fine art [ˌfaɪn'ɑːt] *s meist pl* schöne Künste *fpl*

fine•ness ['faɪnnɪs] *s* 1. Schönheit *f* 2. Güte *f;* Feinheit *f* 3. (*Material*) Zartheit *f* 4. (*Sand*) Feinheit *f* 5. Dünnheit *f*

fin•ery ['faɪnərɪ] *s* 1. Putz, Staat *m* 2. (TECH) Frischofen *m*

fi•nesse [fɪ'nes] *s* 1. Geschicklichkeit *f* 2. (*Karten*) Schneiden *n*

fine-tooth comb [ˌfaɪn'tuːθkəʊm] *s:* **go through s.th. with a** ~ etw genau unter die Lupe nehmen

fin•ger ['fɪŋgə(r)] I. *s* Finger *m;* **cut one's** ~ sich in den Finger schneiden; **burn one's** ~**s** (*fig*) sich die Finger verbrennen; **have a** ~ **in the pie** die Hand im Spiel haben; **lay a** ~ **on s.o.** jdn berühren; **let s.th. slip through one's** ~**s** sich etw entgehen lassen; **twist s.o. around one's (little)** ~ jdn um den kleinen Finger wickeln; **put the** ~ **on s.o.** (*sl*) jdn verpfeifen II. *tr* 1. befühlen, betasten 2. (MUS) mit dem Fingersatz bezeichnen; **fin•ger•ing** ['fɪŋgərɪŋ] *s* (MUS) Fingersatz *m;* **finger•mark** *s* Fingerabdruck *m;* **finger•nail** *s* Fingernagel *m;* **finger•print** ['fɪŋgəprɪnt] I. *s* Fingerabdruck *m* II. *tr* e-n Fingerabdruck nehmen (*s.o.* von jdm); **fin•ger•tip** ['fɪŋgətɪp] *s* Fingerspitze *f;* **have s.th. at one's** ~**s** etw aus dem Effeff kennen; etw parat haben

fin•icky ['fɪnɪkɪ] *adj* wählerisch, verwöhnt (*about* in)

fin•ish ['fɪnɪʃ] I. *s* 1. Ende *n,* Schluss *m* 2. (SPORT) Endkampf, Endspurt *m;* Ziel *n* 3. Schliff *m;* Verarbeitung *f;* Vollendung *f* 4. (TECH) Oberflächenbehandlung *f;* **be in at the** ~ (*fig*) beim Ende dabei sein; **fight to the** ~ bis zum letzten Augenblick kämpfen;

his manners lack ~ seinen Manieren fehlt der Schliff **II.** *tr* **1.** beenden; aufhören (*doing s.th.* etw zu tun) **2.** (*Arbeit*) erledigen, vollenden **3.** fertig stellen, den letzten Schliff geben (*s.th.* e-r S); **have ~ed doing s.th.** mit etw fertig sein; ~ **writing** fertig schreiben **III.** *itr* **1.** zu Ende sein; fertig sein; aufhören **2.** (SPORT) das Ziel erreichen (*with* mit); **finish off I.** *itr* aufhören, Schluss machen **II.** *tr* **1.** fertig machen **2.** (*Essen*) aufessen **3.** (*Tier*) den Gnadenschuss geben *dat* **4.** (*fig*) den Rest geben (*s.o.* jdm); **finish up** *tr* aufessen; ~ **up with a brandy** zum Abschluss e-n Brandy trinken; **finish with** *tr* nicht mehr brauchen; (*fig*) fertig sein mit, nichts mehr zu tun haben wollen mit

fin•ished ['fɪnɪʃt] *adj* **1.** fertig; bearbeitet **2.** (*Erscheinung*) vollendet; **be** ~ fertig, erledigt sein; ~ **goods** Fertigerzeugnisse *npl;* **a** ~ **performance** e-e makellose Aufführung; ~ **product** Fertigprodukt *n*

fin•ish•ing line ['fɪnɪʃɪŋ,laɪn] *s* Ziellinie *f;* **fin•ish•ing post** ['fɪnɪʃɪŋ,pəʊst] *s* Zielpfosten *m*

fi•nite ['faɪnaɪt] *adj* **1.** (*a.* MATH) begrenzt; endlich **2.** (GRAM) finit

Fin•land ['fɪnlənd] *s* Finnland *n*

Finn [fɪn] *s* Finne *m,* Finnin *f;* **Finn•ish** ['fɪnɪʃ] **I.** *adj* finnisch **II.** *s* (das) Finnisch(e)

fiord [fɪ'ɔːd] *s* Fjord *m*

fir [fɜː(r)] *s* **1.** Tanne *f* **2.** Tanne(nholz *n*), Fichte(nholz *n*) *f;* **fir-cone** *s* Tannenzapfen *m*

fire ['faɪə(r)] **I.** *s* **1.** Feuer *n;* Brand *m* **2.** Kaminfeuer *n* **3.** (MIL) Feuer *n* **4.** Erregung, Leidenschaft *f;* **between two ~s** zwischen zwei Feuern; **on** ~ in Brand; **be on** ~ in Flammen stehen; **come under** ~ unter Beschuss geraten; **catch** ~ Feuer fangen; **go through** ~ **and water for s.o.** für jdn durchs Feuer gehen; **play with** ~ (*fig*) mit dem Feuer spielen; **set** ~ **to, set on** ~ in Brand stecken; anzünden; **danger of** ~ Brandgefahr *f;* **liable to catch** ~ feuergefährlich **II.** *tr* **1.** anzünden, in Brand stecken **2.** (*Ofen*) befeuern **3.** (*Ziegel*) brennen **4.** (*fig*) anfeuern; beflügeln; entzünden **5.** (*Feuerwaffe, Geschoss*) abfeuern **6.** (*fam*) feuern, entlassen **III.** *itr* **1.** (*Schuss*) feuern, schießen **2.** (*Maschine*) zünden; **fire away** *itr* (*fam*) losschießen; **fire off** *tr* abschießen

fire alarm ['faɪərə,lɑːm] *s* **1.** Feueralarm *m* **2.** Feuermelder *m;* **fire•arm** *s* Feuer-, Schusswaffe *f;* **fire•ball** ['faɪəbɔːl] *s* (*Atom*) Feuerball *m;* **fire•brand** ['faɪəbrænd] *s* **1.** Feuerbrand *m* **2.** (*fig*) Unruhestifter(in) *m(f);* **fire•break** ['faɪəbreɪk] *s* Feuerschneise *f;* **fire•brick** ['faɪə,brɪk] *s* Schamottenstein *m;* **fire brig•ade** *s* Feuerwehr *f;* **fire•cracker** *s* Knallkörper *m;* **fire•damp** *s* (MIN) Grubengas *n;* schlagende Wetter *npl;* **fire department** *s* (*Am*) Feuerwehr *f;* **fire-eater** *s* Feuerfresser(in) *m(f);* **fire engine** *s* Feuerwehrauto *n;* **fire escape** *s* Feuertreppe, Feuerleiter *f;* **fire extinguisher** *s* Feuerlöscher *m;* **fire•fighter** *s* Feuerwehrmann *m;* **fire•fly** ['faɪəflaɪ] *s* Leuchtkäfer *m;* **fire•guard** *s* Ofenschirm *m;* **fire hazard** *s* Feuersgefahr *f;* **fire house** *s* (*Am*) Feuerwache *f;* **fire insurance** *s* Feuerversicherung *f;* **fire irons** *s pl* Kaminbesteck *n;* **fire•man** ['faɪəmən] <*pl* -men> *s* **1.** Feuerwehrmann *m* **2.** Heizer *m;* **fire•place** ['faɪəpleɪs] *s* Kamin *m;* **fire plug** *s* (*Am*) Hydrant *m;* **fire-proof** *adj* feuerfest, -sicher; **fire-raiser** ['faɪəreɪsə(r)] *s* Brandstifter(in) *m(f);* **fire-raising** ['faɪəreɪsɪŋ] *s* Brandstiftung *f;* **fire•side** ['faɪəsaɪd] *s* Platz *m* um den Kamin; **by the** ~ am Kamin; **fire•water** *s* (*fam*) Feuerwasser *n;* **fire•woman** ['faɪəwʊmən, *pl* -wɪmɪn] <*pl* -women> *s* Feuerwehrfrau *f;* **fire•wood** ['faɪəwʊd] *s* Brennholz *n;* **fire•work** *s* **1.** Feuerwerkskörper *m* **2.** *meist pl* Feuerwerk *n a. fig*

firing ['faɪrɪŋ] *s* (MIL) Feuern *n;* **firing line** *s* Feuer-, Schusslinie *f;* **firing squad** *s* Exekutionskommando *n*

firm[1] [fɜːm] **I.** *adj* **1.** fest; hart; stabil **2.** (*Freundschaft*) beständig, unaufhörlich **3.** (*Basis*) standhaft, unerschütterlich **4.** (COM) fest, stabil **II.** *itr* fest werden **III.** *adv:* **stand** ~ **on s.th.** fest bei etw bleiben

firm[2] [fɜːm] *s* Firma *f,* Unternehmen *n*

fir•ma•ment ['fɜːməmənt] *s* Firmament *n*

firm•ness ['fɜːmnɪs] *s* Festigkeit *f;* Beständigkeit *f*

first [fɜːst] **I.** *adj* erste(r, s); **at** ~ **hand** aus erster Hand; **at** ~ **sight** auf den ersten Blick; **for the** ~ **time** zum erstenmal; ~ **things** ~ eins nach dem anderen; **not to know the** ~ **thing about s.th.** keinen blassen Schimmer von etw haben; **in the** ~ **place** an erster Stelle; zunächst **II.** *adv* **1.** zuerst, als Erste(r, s) **2.** als Erstes, zunächst **3.** zum erstenmal **4.** (zu)erst **5.** eher, lieber; ~ **of all,** ~ **and foremost** zuallererst; ~ **come,** ~ **served** (*prov*) wer zuerst kommt, mahlt zuerst; **come in** ~ das Rennen gewinnen; **I must finish this** ~ ich muss das erst fertig machen **III.** *s* **1.** (*the* ~) der, die, das Erste **2.** (*Schule*) Eins *f* **3.** (MOT) erster Gang; **at** ~ zuerst, zunächst; **from** ~ **to last** von Anfang bis Ende; **first aid** *s* (MED) erste Hilfe; ~ **box** Verbandskasten *m;* ~ **kit** Erste-Hilfe-Ausrüstung *f;* ~ **station** Sanitätswache *f;* **first-born** ['fɜːstbɔːn] *adj* erstgeboren;

first-class [ˌfɜːst'klɑːs] **I.** *adj* erstklassig; ~ **compartment** Abteil *n* erster Klasse **II.** *adv* erster Klasse; **first cousin** *s* Cousin(e) *m (f)* ersten Grades; **first-hand** [ˌfɜːst'hænd] *adj, adv* aus erster Hand; **First Lady** *s* (*Am*) Gemahlin *f* des Präsidenten der USA

first•ly ['fɜːstlɪ] *adv* erstens

first name ['fɜːst neɪm] *s* Vorname *m;* **be on ~ terms** sich mit dem Vornamen anreden, sich duzen; **first night** *s* (THEAT) Erstaufführung *f;* **first offender** *s* (JUR) Ersttäter(in) *m(f),* Nichtvorbestrafte(r) *f m;* **first option** *s* Vorhand *f;* **first-person narrator** *s* Icherzähler(in) *m(f);* **first-rate** [ˌfɜːst'reɪt] *adj* **1.** erstrangig, -klassig **2.** (*fam*) prima, großartig; **first strike** *s* (MIL: *Atomwaffen*) Ersteinsatz, Erstschlag *m*

firth [fɜːθ] *s* Meeresarm *m,* Förde *f*

fis•cal ['fɪskl] *adj* fiskalisch; Finanz-

fish [fɪʃ] <*pl* fish (fishes)> **I.** *s* Fisch *m;* **the F~es** (ASTR) die Fische *pl;* **feel like a ~ out of water** sich fehl am Platze vorkommen; **have other ~ to fry** wichtigere Dinge zu tun haben; **neither ~ nor fowl** weder Fisch noch Fleisch; **a pretty kettle of ~** (*iro*) eine schöne Bescherung; **~ and chips** (fritierter) Fisch und Pommes frites **II.** *itr* **1.** fischen **2.** angeln (*for* nach); **~ in troubled waters** im Trüben fischen **III.** *tr* fischen, angeln in; ~ **out** herausfischen *a. fig;* ~ **up** herausziehen; hervorkramen; **fish•bone** ['fɪʃbəʊn] *s* Fischgräte *f;* **fish•cake** ['fɪʃkeɪk] *s* Fischfrikadelle *f*

fisher•man ['fɪʃəmən] <*pl* -men> *s* Fischer, Angler *m*

fish•ery ['fɪʃərɪ] *s* **1.** Fischerei *f,* Fischfang *m* **2.** Fischereizone *f;* **inshore/deep-sea ~** Küsten-/Hochseefischerei *f*

fish fin•ger [ˌfɪʃ'fɪŋgə(r)] *s* Fischstäbchen *n;* **fish-hook** *s* Angelhaken *m*

fish•ing ['fɪʃɪŋ] *s* Fischen *n;* Angeln *n;* **fishing•grounds** *s pl* Fischgründe *mpl;* **fishing•line** *s* Angelschnur *f;* **fishing rod** *s* Angelrute *f;* **fishing tackle** *s* Angelgerät *n*

fish•mon•ger ['fɪʃmʌŋgə(r)] *s* (*Br*) Fischhändler(in) *m(f);* **fish•pond** *s* Fischteich *m*

fishy ['fɪʃɪ] *adj* **1.** fischartig **2.** (*fam*) verdächtig, faul

fis•sile ['fɪsaɪl] *adj* spaltbar; **fis•sion** ['fɪʃn] *s* **1.** (BIOL) (Zell)Teilung *f* **2.** (PHYS) (Kern)Spaltung *f;* **fis•sion•able** [-əbl] *adj* spaltbar; **fission material** *s* Spaltmaterial *n*

fis•sure ['fɪʃə(r)] *s* Spalt(e *f*) *m,* Kluft *f*

fist [fɪst] *s* Faust *f;* **shake one's ~ at s.o.** jdm mit der Faust drohen

fit¹ [fɪt] *s* (MED) Anfall *m a. fig;* **by** [*o* **in**] **~s and starts** stoßweise; **give s.o. a ~** (*fam*) jdm e-n Schrecken einjagen; ~ **of anger** Wutanfall *m;* ~ **of coughing** Hustenanfall *m;* ~ **of laughter** Lachkrampf *m*

fit² [fɪt] **I.** *adj* **1.** geeignet; günstig **2.** passend, ratsam, angebracht **3.** gesund; in Form; **be ~** geeignet, tauglich sein; **be ~ to be seen** sich sehen lassen können; **keep ~** in Form bleiben; ~ **to drink** trinkbar; ~ **for a position** für e-e Stelle geeignet; ~ **for work** arbeitsfähig **II.** *tr* **1.** passen auf; passen in **2.** (*Kleid*) passen (*s.o.* jdm) **3.** anbringen; montieren; einbauen **4.** (*Tatsachen*) entsprechen (*s.th.* e-r S); ~ **a dress on s.o.** jdm ein Kleid anprobieren; ~ **a key in a lock** e-n Schlüssel ins Schloss stecken **III.** *itr* **1.** passen **2.** zusammenpassen **IV.** *s* Passform *f;* **fit in I.** *tr* **1.** unterbringen **2.** (TECH) einbauen **II.** *itr* **1.** passen (*with* zu) **2.** in Einklang, in Übereinstimmung sein (*with* mit) **3.** harmonieren; **fit out** *tr* ausrüsten, ausstatten; **fit together** *itr* zusammenpassen; **fit up** *tr* **1.** (*Haus*) einrichten, möblieren **2.** ausrüsten (*with* mit) **3.** (*Maschine*) montieren

fit•ful ['fɪtfl] *adj* **1.** unregelmäßig; unbeständig **2.** (*Schlaf*) unruhig

fit•ment ['fɪtmənt] *s* Einrichtungsgegenstand *m;* Möbel(stück) *n*

fit•ness ['fɪtnɪs] *s* **1.** Tauglichkeit, Geeignetheit *f* **2.** Gesundheit *f;* Fitness, Kondition *f*

fit•ted ['fɪtɪd] *adj* **1.** eingerichtet, ausgestattet (*with* mit) **2.** (*Person*) geeignet **3.** (*Hemd*) tailliert; ~ **carpet** Teppichboden *m;* ~ **kitchen** Einbauküche *f;* ~ **sheet** Spannbetttuch *n*

fit•ter ['fɪtə(r)] *s* **1.** Schneider(in) *m(f)* **2.** (TECH) Monteur(in) *m(f),* Schlosser(in) *m(f)* **3.** Installateur(in) *m(f)*

fit•ting ['fɪtɪŋ] **I.** *adj* angebracht, angemessen, geeignet **II.** *s* **1.** (*Kleider*) Anprobe *f* **2.** Zubehörteil *n;* ~**s** Ausstattung *f;* Einrichtung *f;* **go in for a ~** zur Anprobe gehen

five [faɪv] *adj* fünf; **~-day week** Fünftagewoche *f;* **~fold** fünffach; **~-speed gearbox** (MOT) Fünfganggetriebe *n;* **fiver** ['faɪvə(r)] *s* (*fam*) Fünfpfundnote *f*

fix [fɪks] **I.** *tr* **1.** festmachen, befestigen (*to* an), anbringen **2.** (*Bild*) aufhängen **3.** heften, richten (*one's eyes* den Blick, *on, upon* auf) **4.** (*Preis*) festsetzen, festlegen (*at* auf) **5.** (*Aufmerksamkeit*) fesseln **6.** vereinbaren, abmachen **7.** (*Besprechung*) ansetzen, anberaumen **8.** (CHEM PHOT) fixieren **9.** in Ordnung bringen **10.** (*fam*) drehen, schieben, manipulieren; ~ **the blame on s.o.** die Schuld auf jdn schieben; ~ **s.th. in one's mind** sich etw fest einprägen; ~ **a date** ein Treffen vereinbaren; ~

(**up**) **one's face** (*sl*) sich schminken; ~ **one's hair** sich frisieren; ~ **the meal** das Essen fertig machen; **I'll ~ him!** ich werde es ihm schon geben! **II.** *s* **1.** (*fam*) Klemme *f* **2.** (*sl: Drogen*) Fix *m* **3.** (MAR AERO) Standortbestimmung *f;* **in a ~** in e-r Klemme; **fix down** *tr* befestigen; **fix on I.** *tr* festmachen; anstecken **II.** *itr* sich entscheiden für; **fix up** *tr* **1.** anbringen **2.** arrangieren, festmachen; ~ **s.o. up for the night** jdn für die Nacht unterbringen; ~ **s.o. up with s.th.** jdm etw besorgen

fix•ation [fɪk'seɪʃn] *s* Fixierung *f*

fixed [fɪkst] *adj* **1.** fest **2.** (*Idee*) fix **3.** (*Lächeln*) starr; ~ **expenses** Fixkosten *pl;* ~ **interest securities** (FIN) Rentenwerte *pl;* ~ **term deposit** (FIN) Termingeld *n;* ~ **rate of interest** (FIN) Festzins(satz) *m;* **fix•ed•ly** ['fɪksɪdlɪ] *adv* starr, unbeweglich

fixer ['fɪksə(r)] *s* **1.** (PHOT) Fixiermittel *n* **2.** (*Drogen*) Fixer(in) *m(f);* **fix•ing bath** ['fɪksɪŋˌbɑːθ] *s* Fixierbad *n*

fix•ity ['fɪksətɪ] *s:* ~ **of purpose** Zielstrebigkeit *f*

fix•ture ['fɪkstʃə(r)] *s* **1.** Ausstattung *f,* unbewegliches Inventar **2.** (SPORT) Spiel *n;* **lighting ~s** elektrische Anschlüsse *mpl;* **be a ~** (*hum*) zum Inventar gehören

fizz [fɪz] **I.** *itr* zischen; sprudeln, moussieren **II.** *s* **1.** Zischen *n* **2.** Sprudel *m*

fizzle ['fɪzl] *itr* zischen, spucken; ~ **out** verpuffen; im Sand verlaufen

fizzy ['fɪzɪ] *adj* zischend; sprudelnd

fjord [fɪ'ɔːd] *s s.* **fiord**

flab•ber•gast ['flæbəgɑːst] *tr* (*fam*) verblüffen, umhauen

flabby ['flæbɪ] *adj* **1.** schlaff, schlapp **2.** (*fig*) saft- und kraftlos; **flabby cheek** *s* Hängebacke *f*

flac•cid ['flæksɪd] *adj* lose hängend; schlaff

flag¹ [flæg] **I.** *s* Flagge *f;* Fahne *f;* ~ **of convenience** (COM MAR) Billigflagge *f;* **keep the ~ flying** die Stellung halten; **show the ~** seine Anwesenheit dokumentieren **II.** *tr* beflaggen; ~ **down** anhalten; ~ **up** markieren

flag² [flæg] *s* (*~stone*) Steinplatte *f*

flag³ [flæg] *s* (BOT) Schwertlilie *f*

flag⁴ [flæg] *itr* **1.** (*Pflanze*) welken **2.** (*fig*) ermatten, nachlassen

flag day ['flægdeɪ] *s* (*Br*) *Tag, an dem e-e Sammlung für karitative Zwecke durchgeführt wird;* **F~ D~** (*Am*) 14. Juni, *Gedenktag der Einführung der amerikanischen Nationalflagge*

flagel•late ['flædʒəleɪt] *tr* geißeln

flagon ['flægən] *s* bauchige Kanne

flag•pole ['flægpəʊl] *s* Fahnenstange *f*

fla•gran•cy ['fleɪgrənsɪ] *s* eklatante Offensichtlichkeit; Unverhohlenheit *f;* **fla•grant** ['fleɪgrənt] *adj* **1.** (*Verbrechen*) himmelschreiend, empörend **2.** skandalös, eklatant

flag•staff ['flægstɑːf] *s* Fahnenstange *f,* -mast *m*

flail [fleɪl] **I.** *s* Dreschflegel *m* **II.** *tr* dreschen

flair [fleə(r)] *s* Gespür *n;* Fingerspitzengefühl *n;* **have a ~ for s.th.** e-e Nase für etw haben

flake [fleɪk] **I.** *s* **1.** Flocke *f* **2.** (*Metall*) Span *m* **3.** (*Rost*) Splitter *m* **II.** *tr* (*Schokolade*) raspeln **III.** *itr* abbröckeln; abblättern; **flake out** *itr* (*fam*) abschlaffen; **flaky** ['fleɪkɪ] *adj* flockig; schuppig; (*Am sl*) verrückt; ~ **pastry** Blätterteig *m*

flam•boy•ant [flæm'bɔɪənt] *adj* prunkvoll, (farben)prächtig; üppig

flame [fleɪm] **I.** *s* **1.** Flamme *f* **2.** (*fig*) Leidenschaft *f* **3.** (*fam*) Geliebte, Flamme *f;* **be in ~s** in Flammen stehen; **burst into ~s** in Flammen aufgehen **II.** *itr* flammen, lodern; ~ **up** auflodern; (*fig*) in Wut geraten; **flaming** ['fleɪmɪŋ] *adj* **1.** flammend, lodernd; glühend **2.** (*sl*) verdammt

fla•mingo [flə'mɪŋgəʊ] <*pl* -mingo(e)s> *s* Flamingo *m*

flam•mable ['flæməbl] *adj* leicht brennbar

flan [flæn] *s* Obstkuchen *m*

flange [flændʒ] *s* **1.** (TECH) Flansch *m* **2.** (*am Rad*) Spurkranz *m*

flank [flæŋk] **I.** *s* **1.** (ANAT) Flanke *f* **2.** (MIL) Seite, Flanke *f* **II.** *tr* **1.** flankieren **2.** (MIL) umgehen

flan•nel ['flænl] **I.** *s* **1.** Flanell *m* **2.** Waschlappen *m* **3. ~s** Flanellhose *f* **4.** (*sl*) Geschwafel *n* **II.** *itr* (*fig*) schwafeln; **flan•nel•ette** [ˌflænə'let] *s* Baumwollflanell *m*

flap [flæp] **I.** *s* **1.** Klappe *f* **2.** (*~ of skin*) Hautlappen *m* **3.** Klaps *m,* Schlagen *n* **4.** (AERO) Landeklappe *f* **5.** (*sl*) Aufregung , Nervosität *f;* **get into a ~** in helle Aufregung geraten **II.** *itr* **1.** schlagen; flattern **2.** in heller Aufregung sein; **his ears were ~ping** er spitzte die Ohren; ~ **away** davonfliegen **III.** *tr:* ~ **its wings** mit den Flügeln schlagen; **flap•jack** ['flæpdʒæk] *s* Haferflockenplätzchen *n;* (*Am*) Pfannkuchen *m*

flare [fleə(r)] **I.** *itr* **1.** aufflackern, auflodern **2.** (*Hose*) ausgestellt sein; ~ **up** aufflackern; (*fig*) aufbrausen **II.** *s* **1.** Aufleuchten *n;* Aufflackern *n* **2.** Leuchtkugel, Leuchtrakete *f;* Leuchtsignal *n* **3.** (*Mode*) ausgestellter Schnitt; **flare-up** ['fleərʌp] *s* **1.** Aufflackern *n* **2.** (*fig*) Wutausbruch *m*

flash [flæʃ] **I.** *itr* **1.** (auf)blitzen, blinken, funkeln (*with anger* vor Zorn) **2.** (*fig*) sausen, flitzen; ~ **in and out** rein und raus sausen; **a smile ~ed across his face** ein Lächeln huschte über sein Gesicht; ~ **by** vorbeisausen; **the time ~ed past** die Zeit verflog im Nu; **the idea ~ed through my mind** es fuhr mir durch den Sinn; ~ **back** zurückblenden **II.** *tr* **1.** aufblitzen, aufleuchten lassen **2.** (*Ring*) blitzen lassen **III.** *s* **1.** Aufblinken *n;* Blitzen *n* **2.** (PHOT) Blitz(licht *n*) *m* **3.** (MOT) Lichthupe *f* **4.** (*news* ~) Kurzmeldung *f* **5.** (MIL) Abzeichen *n* **6.** (*Am*) Taschenlampe *f* **7.** ~**es** Szenen *fpl,* aus e-m Film; ~ **of lightning** Blitz *m;* **a** ~ **in the pan** ein Strohfeuer *n;* **a** ~ **of wit** ein Geistesblitz *m;* **in a** ~ im Nu; **as quick as a** ~ blitzschnell; **flash•back** ['flæʃbæk] *s* (FILM) Rückblende *f;* **flash•bulb** ['flæʃbʌlb] *s* (PHOT) Blitzbirne *f;* **flash cube** *s* (PHOT) Blitz(licht)würfel *m;* **flasher** ['flæʃə(r)] *s* **1.** (MOT) Lichthupe *f* **2.** (*sl*) Exhibitionist *m;* **flash•gun** ['flæʃgʌn] *s* Blitzlichtgerät *n;* **flash•light** ['flæʃlaɪt] *s* **1.** Blinklicht *n* **2.** (*Am*) Taschenlampe *f* **3.** (PHOT) Blitzlicht *n;* **flash•point** ['flæʃpɔɪnt] *s* Flammpunkt *m;* **flashy** ['flæʃɪ] *adj* auffallend, auffällig

flask [flɑːsk] *s* **1.** Flachmann *m;* Thermosflasche *f* **2.** (CHEM) Glaskolben *m*

flat[1] [flæt] **I.** *adj* **1.** flach, platt, eben **2.** (*fig*) fade, matt, stumpf **3.** (*Absage*) glatt, deutlich **4.** (COM) pauschal **5.** (MUS) zu tief; ~ **fish** Plattfisch *m;* ~ **screen** (TV) Flachbildschirm *m* **II.** *adv* (*Ablehnung*) rundweg, kategorisch; **sing** ~ zu tief singen; **he told me** ~ **that ...** er sagte mir klipp und klar, dass ...; ~ **broke** (*fam*) total pleite; ~ **out** total erledigt; **work** ~ **out** auf Hochtouren arbeiten **III.** *s* **1.** Fläche *f;* flache Seite **2.** (GEOG) Ebene *f* **3.** (MUS) Erniedrigungzeichen *n* **4.** platter Reifen **5.** (THEAT) Kulisse *f*

flat[2] [flæt] *s* (*Br*) Wohnung *f*

flat-bot•tomed [ˌflæt'bɒtəmd] *adj* (*Kahn*) flach; **flat feet** *s pl* Plattfüße *mpl;* **flat-footed** [-'fʊtɪd] *adj* plattfüßig

flat•let ['flætlɪt] *s* Kleinwohnung *f*

flat•ness ['flætnɪs] *s* **1.** Flachheit, Plattheit *f* **2.** Fadheit, Abgedroschenheit *f*

flat•ten ['flætn] **I.** *tr* **1.** planieren; zu Boden drücken; umwerfen **2.** (*Stadt*) dem Erdboden gleichmachen **II.** *itr* flach(er) werden

flat•ter ['flætə(r)] *tr* schmeicheln (*s.o.* jdm); **feel ~ed** sich geschmeichelt fühlen; ~ **o.s. that ...** sich einbilden, dass ...; **flat•terer** ['flætərə(r)] *s* Schmeichler(in) *m(f);* **flatter•ing** [-ɪŋ] *adj* schmeichelhaft; **flattery** ['flætərɪ] *s* Schmeichelei *f*

flatu•lence ['flætjʊləns] *s* (PHYSIOL) Blähung *f*

flaunt [flɔːnt] *tr* zur Schau stellen; prahlen, großtun mit

flaut•ist ['flɔːtɪst] *s* Flötist(in) *m(f)*

fla•vor (*Am*) *s.* **flavour**; **fla•vor•ing** (*Am*) *s.* **flavouring**

fla•vour ['fleɪvə(r)] **I.** *s* **1.** Geschmack *m;* Aroma *n* **2.** (*fig*) Beigeschmack *m* **II.** *tr* würzen *a. fig;* **fla•vour•ing** [-ɪŋ] *s* Aroma *n;* Aromastoff *m;* **artificial** ~ künstlicher Aromastoff

flaw [flɔː] *s* **1.** Sprung, Riss *m* **2.** (Material)Fehler, Defekt, Mangel *m;* **flaw•less** ['flɔːlɪs] *adj* fehlerlos, makellos

flax [flæks] *s* Flachs *m;* **flaxen** ['flæksn] *adj* flachsfarben; ~ **hair** Flachshaar *n*

flay [fleɪ] *tr* **1.** die Haut abziehen (*s.o.* jdm) **2.** (*fig*) keinen guten Faden lassen an

flea [fliː] *s* Floh *m;* **send s.o. off with a** ~ **in his ear** jdn wie e-n begossenen Pudel abziehen lassen; **flea•bite** *s* **1.** Flohbiss *m* **2.** (*fig*) Bagatelle *f;* **flea-bitten** ['fliːbɪtn] *adj* (*fig*) vergammelt; **flea market** *s* Flohmarkt *m*

fleck [flek] **I.** *s* **1.** Fleck(en), Tupfen *m* **2.** Teilchen *n* **II.** *tr* sprenkeln

fled [fled] *s.* **flee**

fledged [fledʒd] *adj* flügge; **fully** ~ (*fig*) vollentwickelt; **fledg(e)•ling** ['fledʒlɪŋ] *s* **1.** Jungvogel *m* **2.** (*fig*) Grünschnabel *m*

flee [fliː] <*irr:* fled, fled> **I.** *itr* entfliehen, flüchten (*from* vor) **II.** *tr* fliehen vor, aus; entfliehen

fleece [fliːs] **I.** *s* Vlies, Schaffell *n* **II.** *tr* **1.** scheren **2.** (*fig*) übers Ohr hauen; schröpfen (*of* um)

fleet[1] [fliːt] *s* **1.** Flotte *f;* Geschwader *n* **2.** Fuhr-, Wagenpark *m*

fleet[2] [fliːt] *adj* schnell, flink

fleet•ing ['fliːtɪŋ] *adj* flüchtig, vergänglich

flesh [fleʃ] *s* **1.** Fleisch *n* **2.** (*von Obst*) (Frucht)Fleisch *n;* **in the** ~ leibhaftig; in Person; **go the way of all** ~ den Weg allen Fleisches gehen; **one's own** ~ **and blood** sein eigenes Fleisch und Blut; **have one's pound of** ~ alles auf Heller und Pfennig bekommen; **flesh•colo(u)red** *adj* fleischfarben; **flesh-pots** *s pl* (*fig*) Fleischtöpfe *mpl;* **flesh-wound** *s* Fleischwunde *f;* **fleshy** ['fleʃɪ] *adj* fleischig; fett

flew [fluː] *s.* **fly**[2], **fly**[3]

flex [fleks] **I.** *tr* biegen, beugen **II.** *s* (EL) Kabel *n*

flexi•bil•ity [ˌfleksə'bɪlətɪ] *s* **1.** Elastizität, Biegsamkeit *f* **2.** (*fig*) Anpassungsfähigkeit, Flexibilität *f;* **flex•ible** ['fleksəbl] *adj* **1.** biegsam, elastisch **2.** (*fig*) anpassungsfähig, flexibel; **flexi•time** ['fleksɪtaɪm] *s* gleitende Arbeitszeit, Gleitzeit *f*

flick [flɪk] **I.** *s* **1.** (Peitschen)Knall *m* **2.** (*mit Fingern*) Schnipsen *n* **3.** ~**s** (*sl*) Kino *n* **II.** *tr* **1.** schnalzen mit **2.** wegschnippen

flicker ['flɪkə(r)] **I.** *itr* **1.** flattern **2.** (*Flamme*) flackern; flimmern; zucken **II.** *s* Flackern, Flimmern, Zucken *n;* ~ **of hope** Hoffnungsschimmer *m*

flick knife ['flɪknaɪf] <*pl* -knives> *s* Klappmesser *n*
flier ['flaɪə(r)] *s s.* **flyer**
flight¹ [flaɪt] *s* **1.** Flug *m,* Fliegen *n* **2.** Flugstrecke *f* **3.** (*Vögel*) Schar *f,* Schwarm *m* **4.** (*fig*) Höhenflug *m* **5.** (~ *of stairs*) Treppenflucht *f;* **in** ~ im Flug; **in the first** ~ (*fig*) an der Spitze
flight² [flaɪt] *s* Flucht *f;* **put to** ~ in die Flucht schlagen; **take (to)** ~ die Flucht ergreifen; ~ **of capital** Kapitalflucht *f*
flight attendant *s* Flugbegleiter(in) *m(f);* **flight controller** *s* Fluglotse *m,* -lotsin *f;* **flight deck** ['flaɪtdek] *s* Flugdeck *n;* **flight engineer** *s* Bordmechaniker(in) *m(f);* **flight•less** [-lɪs] *adj* (*Vogel*) flugunfähig; **flight number** *s* Flugnummer *f*
flighty ['flaɪtɪ] *adj* flatterhaft
flim•si•ness ['flɪmzɪnɪs] *s* **1.** Dünne *f;* Leichtigkeit *f;* Dürftigkeit *f* **2.** (*fig*) Fadenscheinigkeit *f;* **flimsy** ['flɪmzɪ] **I.** *adj* **1.** dünn; leicht; düftig; nicht stabil **2.** (*Ausrede*) fadenscheinig **II.** *s* Durchschlagpapier *n*
flinch [flɪntʃ] *itr* **1.** zurückzucken **2.** (*fig*) zurückschrecken (*from* vor); **without ~ing** ohne e-e Miene zu verziehen
fling [flɪŋ] <*irr:* flung, flung> **I.** *s* **1.** Wurf *m,* Schleudern *n* **2.** (*fig*) Versuch, Anlauf *m;* **have a** ~ **at** sich versuchen an; **have one's** ~ sich austoben **II.** *tr* schleudern; ~ **the window open** das Fenster aufstoßen; ~ **s.th. at s.o.** jdm etw an den Kopf werfen; ~ **into prison** ins Gefängnis werfen; ~ **o.s. into a chair** sich in e-n Sessel werfen; **fling away** *tr* wegwerfen; **fling off** *tr* abwerfen; abschütteln; **fling on** *tr* (*Kleider*) schnell überwerfen; **fling open** *tr* (*Tür*) aufreißen; **fling out** *tr* hinauswerfen
flint [flɪnt] *s* Feuerstein *m*
flip [flɪp] **I.** *tr* **1.** (~ *off*) wegschnippen **2.** (*Pfanne:* ~ *over*) wenden **II.** *itr* **1.** schnipsen **2.** (*sl*) ausflippen **III.** *adj* (*fam*) schnippisch **IV.** *s* **1.** Schnipser *m* **2.** (*fam*) Rundflug *m* **3.** (*Getränk*) Flip *m* **4.** Salto *m;* **flip•chart** *s* Flipchart *n*
flip-flop ['flɪpflɒp] *s* **1.** (EL) Flipflop *m* **2.** (*fam*) Latsche, Sandale *f* **3.** (SPORT) Flickflack *m*
flip•pancy ['flɪpənsɪ] *s* Keckheit *f;* **flippant** ['flɪpənt] *adj* leichtfertig, schnoddrig
flip•per ['flɪpə(r)] *s* (ZOO) Flosse *fpl,* (Schwimm)Flossen *pl*
flip side ['flɪpsaɪd] *s* (*Schallplatte*) Rückseite *f*
flirt [flɜːt] **I.** *itr* flirten; ~ **with an idea** mit e-m Gedanken spielen **II.** *s:* **he is just a** ~ er will nur flirten; **flir•ta•tion** [flɜː'teɪʃn] *s* Flirt *m;* **flir•ta•tious** [flɜː'teɪʃəs] *adj* kokett
flit [flɪt] *itr* **1.** (*Vögel*) flattern, huschen **2.** (*fig*) bei Nacht und Nebel ausziehen
float [fləʊt] **I.** *s* **1.** (TECH) Schwimmer *m;* Schwimmkork *m* **2.** (*Fisch*) Schwimmblase *f* **3.** (AERO) Schwimmwerk *n* **4.** Festzugswagen *m* **5.** (COM) Wechselgeld *n* **II.** *itr* **1.** schwimmen; treiben; schweben **2.** (COM) floaten **III.** *tr* **1.** flottmachen **2.** (COM) in Umlauf bringen; (*Anleihe*) auflegen; (*Handelsgesellschaft*) gründen; (*Wechselkurs*) freigeben; **float around** *itr* im Umlauf sein; herumschweben; **float off** *itr* abtreiben; davonschweben; **flo(a)•ta•tion** [fləʊ'teɪʃn] *s* (COM) *Gesellschaftsgründung durch Aktienemission an der Börse;* **floating** ['fləʊtɪŋ] *adj* **1.** schwimmend, schwebend **2.** (*Bevölkerung*) fluktuierend **3.** (COM) freigegeben; ~ **capital** Umlaufvermögen *n;* ~ **dock** Schwimmdock *n;* ~ **kidney** (MED) Wanderniere *f;* ~ **voter** Wechselwähler(in) *m(f)*
flock¹ [flɒk] **I.** *s* **1.** Herde *f* **2.** (*Vögel*) Schwarm *m* **3.** (*von Personen*) Schar *f,* Haufen *m* **4.** (REL) Herde *f* **II.** *itr* in Scharen kommen; ~ **in** hineinströmen; ~ **together** zusammenströmen; ~ **around s.o.** sich um jdn scharen
flock² [flɒk] *s* Flocke *f*
floe [fləʊ] *s* Treibeis *n,* Eisscholle *f*
flog [flɒg] *tr* **1.** (aus)peitschen, verprügeln **2.** (*sl*) verschachern; **you're ~ging a dead horse** Sie verschwenden Ihre Zeit; **flogging** [-ɪŋ] *s* Tracht *f* Prügel
flood [flʌd] **I.** *s* **1.** Hochwasser *n,* Überschwemmung *f* **2.** (MAR) Flut *f* **3.** (*fig*) Flut *f,* Schwall *m;* **the F~** die Sintflut **II.** *tr* **1.** überschwemmen, überfluten *a. fig* **2.** (*fig*) überschütten (*with* mit); ~ **out** überfluten, unter Wasser setzen; ~ **the market** den Markt überschwemmen; **be ~ed out** durch das Hochwasser vertrieben werden **III.** *itr* (*Fluss*) über die Ufer treten; ~ **in** hereinstürmen; hineinströmen; **flood•light** ['flʌdlaɪt] **I.** *s* Scheinwerfer(licht *n*) *m,* Flutlicht *n* **II.** *tr* anstrahlen, beleuchten
floor [flɔː(r)] **I.** *s* **1.** Fußboden *m;* Tanzboden *m* **2.** Stockwerk *n* **3.** (*von Preisen*) Minimum *n* **4.** (PARL) Sitzungssaal *m;* **give s.o. the** ~ jdm das Wort erteilen; **take the** ~ auf den Tanzboden gehen; (PARL) das Wort ergreifen; **wipe the** ~ **with s.o.** (*fam*) jdn am Boden zerstören; **may I have the ~?** (PARL) ich bitte ums Wort **II.** *tr* **1.** (*Haus*) mit e-m Fußboden versehen **2.** zu Boden strecken, niederschlagen **3.** (*fig*) die Sprache verschlagen (*s.o.* jdm), verblüffen; **floor•board** ['flɔːbɔːd] *s* Diele *f;* **flooring** [-ɪŋ] *s* Fußbodenbelag *m;* **floor lamp** *s* Stehlampe *f;* **floor polish** *s* Bohner-

wachs *n;* **floor show** *s* Nachtklubvorstellung *f;* **floor•walker** *s* Abteilungsleiter(in) *m(f)* (*in Warenhaus*)

flop [flɒp] **I.** *itr* **1.** fallen; sich fallenlassen **2.** (THEAT) durchfallen; nicht ankommen; ~ **down on the bed** sich auf das Bett fallen lassen **II.** *s* **1.** Plumps *m* **2.** (*fam*) Reinfall, Misserfolg *m;* **floppy** ['flɒpɪ] *adj* schlaff; schlapp *a. fig;* ~ **disk** (EDV) Floppydisk, Diskette *f*

flora ['flɔːrə] *s* Flora *f;* **floral** ['flɔːrəl] *adj* Blumen-; geblümt

florid ['flɒrɪd] *adj* **1.** (*Aussehen*) blühend, rosig **2.** (*Kunst*) überladen; blumig, schwülstig

flor•ist ['flɒrɪst] *s* Blumenhändler(in) *m(f);* ~**'s shop** Blumenladen *m*

flo•tel [fləʊ'tel] *s* Hotelschiff *n*

flo•tilla [flə'tɪlə] *s* Flottille *f*

flot•sam ['flɒtsəm] *s* Treibgut *n;* ~ **and jetsam** Strandgut *n a. fig*

flounce¹ [flaʊns] **I.** *itr* stolzieren; ~ **in** hereinstolzieren **II.** *s:* **leave the room with a** ~ aus dem Zimmer stolzieren

flounce² [flaʊns] **I.** *s* Volant *m* **II.** *tr* mit e-m Volant besetzen

floun•der¹ ['flaʊndə(r)] *s* Flunder *f*

floun•der² ['flaʊndə(r)] *itr* sich abstrampeln, sich abzappeln *a. fig;* (*fig*) ins Schwimmen kommen

flour ['flaʊə(r)] **I.** *s* Mehl *n* **II.** *tr* (*Küche*) mit Mehl bestreuen

flour•ish ['flʌrɪʃ] **I.** *itr* **1.** sich gut entwickeln, gedeihen **2.** (*fig*) e-e Blütezeit haben; erfolgreich sein **II.** *tr* (*Fahne*) schwenken **III.** *s* **1.** Schnörkel *m,* Floskel *f a. fig* **2.** (MUS) Fanfare *f* **3.** schwungvolle Bewegung; **flour•ish•ing** ['flʌrɪʃɪŋ] *adj* blühend, florierend

flour mill ['flaʊəmɪl] *s* Getreidemühle *f;* **floury** ['flaʊərɪ] *adj* mehlig

flout [flaʊt] *tr* sich hinwegsetzen über, missachten

flow [fləʊ] **I.** *itr* **1.** fließen, strömen *a. fig* **2.** münden (*into the lake* in den See) **3.** (*Tränen*) rinnen **4.** (*Flut*) steigen **5.** (*Haar*) fließen, wallen; ~ **down** (*Haar*) herunterhängen; ~ **in** hereinströmen **II.** *s* **1.** Fließen, Strömen *n* **2.** Fluss, Strom *m* **3.** (*fig*) Redefluss *m;* ~ **of business** Geschäftsgang *m;* ~ **of traffic** Verkehrsstrom *m;* **go with the** ~ (*fam*) mit dem Strom schwimmen; **flow chart** *s* Flussdiagramm *n*

flower ['flaʊə(r)] **I.** *s* **1.** Blume, Blüte *f* **2.** (*fig*) Blüte *f;* **in** ~ in Blüte; **say it with ~s** lasst Blumen sprechen; **in the** ~ **of youth** in der Blüte der Jugend **II.** *itr* blühen *a. fig;* **flower arrangement** *s* Blumengesteck *n;* **flower•bed** ['flaʊəbed] *s* Blumenbeet *n;* **flow•ered** ['flaʊəd] *adj* geblümt; **flower garden** *s* Blumengarten *m;* **flower•pot** ['flaʊəpɒt] *s* Blumentopf *m;* **flower show** *s* Blumenschau *f;* **flower tub** *s* Blumenkübel *m;* **flowery** ['flaʊərɪ] *adj* **1.** blumenreich, blumig **2.** (*Stil*) bilderreich

flown [fləʊn] *s.* **fly², fly³**

flu [fluː] *s* (*fam*) Grippe *f*

fluc•tu•ate ['flʌktʃʊeɪt] *itr* schwanken *a. fig,* fluktuieren; **fluc•tu•ation** [ˌflʌktʃʊ'eɪʃn] *s* Schwanken *n,* Schwankung *f;* Fluktuation *f;* ~ **of prices/of temperature** Preis-/Temperaturschwankungen *fpl*

flue [fluː] *s* Rauchfang, -abzug *m;* **flue gas** *s* Rauchgas *n;* ~ **desulphurization** Rauchgasentschwefelung *f*

flu•ency ['fluːənsɪ] *s* (Rede)Gewandtheit *f;* **flu•ent** ['fluːənt] *adj* **1.** (*Stil*) flüssig **2.** (*Redner*) gewandt; **speak** ~ **English** fließend Englisch sprechen

fluff [flʌf] **I.** *s* **1.** (Staub)Flocke *f* **2.** Flaum *m* **II.** *tr* **1.** (~ *out*) aufplustern **2.** (*Auftritt*) verpfuschen; **fluffy** ['flʌfɪ] *adj* flaumig

fluid ['fluːɪd] **I.** *adj* **1.** flüssig **2.** (*fig*) veränderlich, ungewiss **II.** *s* (CHEM) Flüssigkeit *f*

flung [flʌŋ] *s.* **fling**

flunk [flʌŋk] **I.** *tr* (*fam*) durchfallen lassen **II.** *itr* (*fam*) durchfallen

flu•or•escence [flʊə'resns] *s* Fluoreszenz *f;* **flu•or•escent** [flʊə'resnt] *adj* fluoreszierend; ~ **tube** Neonröhre *f*

flu•ori•da•tion [ˌflʊərɪ'deɪʃn] *s* (*Trinkwasser*) Fluoridbehandlung *f;* **flu•or•ide** ['flʊəraɪd] *s* (CHEM) Fluorid *n;* **flu•or•ine** ['flʊəriːn] *s* (CHEM) Fluor *n;* **flu•oro•car•bon** [ˌflʊərə'kɑːbən] *s* (CHEM) Fluorkohlenwasserstoff *m*

flurry ['flʌrɪ] **I.** *s* **1.** (~ *of wind*) Windstoß *m* **2.** Schneegestöber *n* **3.** (*fig*) plötzliches Durcheinander, Aufregung *f;* **in a** ~ (**of alarm/of excitement**) in (großer) Aufregung **II.** *tr* verwirrt machen, aufregen

flush¹ [flʌʃ] **I.** *itr* rot werden, rot anlaufen **II.** *tr* **1.** (aus-, durch)spülen **2.** (*Gesicht*) röten; ~ **out** (*Dieb*) aufstöbern, aufspüren **III.** *s* **1.** (Wasser)Guss *m,* Spülung *f* **2.** Auf-, Erblühen *n;* Blüte *f* **3.** Erregung *f,* Aufwallen *n* **4.** Röte *f;* **in the first** ~ **of victory** im ersten Siegestaumel

flush² [flʌʃ] *adj pred* in gleicher Ebene; bündig; **be** ~ gut bei Kasse sein

flush³ [flʌʃ] *tr* (*Vögel*) aufscheuchen

flush⁴ [flʌʃ] *s* (*Poker*) Flush *m*

flushed ['flʌʃt] *adj* rot; gerötet

flus•ter ['flʌstə(r)] **I.** *tr* nervös machen **II.** *s* Verwirrung, Nervosität *f;* **all in a** ~ ganz verwirrt

flute [fluːt] **I.** *s* Querflöte *f* **II.** *tr* (*Pfeiler*) kannelieren; **flut•ing** [-ɪŋ] *s* (ARCH) Kannelierung *f;* **flut•ist** ['flu:tɪst] (*Am*) *s.* **flautist**

flut•ter ['flʌtə(r)] **I.** *itr* **1.** (*a.* MED) flattern **2.** (*Person*) tänzeln **II.** *tr* flattern mit; wedeln mit **III.** *s* **1.** (*a.* MED) Flattern *n* **2.** Erregung, Unruhe, Aufregung *f;* **have a ~** (*fam*) sein Glück beim Wetten versuchen; **in a ~** in heller Aufregung

flu•vial ['flu:vɪəl] *adj* Fluss-

flux [flʌks] *s* **1.** Fluss *m,* Fließen *n* **2.** (MED) Ausfluss *m* **3.** (TECH) Flussmittel *n;* **be in a state of ~** sich ständig ändern

fly¹ [flaɪ] *s* Fliege *f;* **a ~ in the ointment** ein Haar in der Suppe; **there are no flies on him** (*fig*) ihn legt man nicht so leicht rein

fly² [flaɪ] <*irr:* flew, flown> **I.** *itr* **1.** fliegen **2.** (*Zeit*) verfliegen; sausen **3.** (*Fahne*) wehen; **~ past** vorbeisausen; **~ into rage** e-n Wutanfall bekommen; **~ at s.o.** auf jdn losgehen; **the door flew open** die Tür flog auf; **~ in the face of reason** sich über jede Vernunft hinwegsetzen; jeder Vernunft entbehren **II.** *tr* **1.** fliegen lassen **2.** (*Drachen*) steigen lassen **3.** (*Flugzeug*) fliegen; überfliegen **4.** (*Flagge*) wehen lassen **III.** *s:* **go for a ~** fliegen; **fly away** *itr* wegfliegen; abfliegen; **fly in** *tr* einfliegen; **fly off** *itr* abfliegen; wegfliegen; **fly out I.** *itr* ausfliegen **II.** *tr* hinfliegen

fly³ [flaɪ] <*irr:* flew, flown> **I.** *itr* fliehen, flüchten **II.** *tr:* **~ the country** aus dem Land flüchten

fly⁴ [flaɪ] *s* **1.** (Hosen)Schlitz *m* **2.** (*Zelt*) Überdach *n*

fly⁵ [flaɪ] *adj* (*sl*) clever, gerissen

fly•away ['flaɪəweɪ] *adj* flatternd, wehend; **fly-by-night** ['flaɪbaɪnaɪt] **I.** *s* flüchtiger Schuldner; Windhund *m* **II.** *adj* **1.** unzuverlässig **2.** (COM) windig, zweifelhaft; **fly-catcher** ['flaɪˌkætʃə(r)] *s* **1.** (*Vogel*) Fliegenschnäpper *m* **2.** Fliegenfänger *m*

flyer ['flaɪə(r)] *s* **1.** Flieger(in) *m(f)* **2.** Schnellzug *m* **3.** fliegender Start **4.** Handzettel *m;* **high~** (*fam*) Senkrechtstarter *m*

fly•ing ['flaɪɪŋ] *s* Fliegen *n;* **pass with ~ colours** glänzend abschneiden; **flying boat** *s* Flugboot *n;* **flying buttress** *s* Strebebogen *m;* **flying fish** *s* fliegender Fisch; **flying fox** *s* Flughund *m;* **flying picket** *s* mobiler Streikposten; **flying saucer** *s* fliegende Untertasse; **flying squad** *s* Überfallkommando *n;* **flying start** *s* fliegender Start; **he's got off to a ~** er hat e-n hervorragenden Start; **flying time** *s* Flugzeit *f;* **flying visit** *s* Blitzbesuch *m*

fly•leaf ['flaɪli:f] <*pl* -leaves> *s* (*Buch*) Vorsatzblatt *n;* **fly•over** ['flaɪəʊvə(r)] *s* (*Straße*) Überführung *f;* **fly•paper** *s* Fliegenfänger *m;* **fly•past** ['flaɪpɑ:st] *s* Flugparade *f;* **fly•sheet** *s* (*Zelt*) Überdach *n;* **fly•trap** *s* Fliegenfalle *f;* **fly•weight** ['flaɪweɪt] *s* (*Boxen*) Fliegengewicht *n;* **fly-wheel** ['flaɪwi:l] *s* (TECH) Schwungrad *n*

foal [fəʊl] *s* Fohlen, Füllen *n;* **in ~** (*Stute*) trächtig

foam [fəʊm] **I.** *s* Schaum *m;* Gischt *f* **II.** *itr* schäumen (*with rage* vor Wut); **foam bath** *s* Schaumbad *n;* **foam rubber** *s* Schaumgummi *m;* **foamy** ['fəʊmɪ] *adj* schäumend

fob [fɒb] **I.** *s* Uhrtasche *f* **II.** *tr:* **~ s.o. off** jdn abspeisen; **~ s.th. off on s.o.** jdm etw andrehen

fo•cal ['fəʊkl] *adj* im Brennpunkt; **~ length** Brennweite *f;* **~ point** Brennpunkt *m a. fig;* **fo•cus** ['fəʊkəs, *pl* 'fəʊsaɪ] <*pl* focuses, foci> **I.** *s* **1.** (MATH OPT) Brennpunkt *m* **2.** (*fig*) Brennpunkt, Herd *m,* Zentrum *n;* **in (out of) ~** (un)scharf eingestellt; **bring into ~** scharf einstellen **II.** *tr* **1.** (OPT PHOT) einstellen (*on* auf) **2.** (*fig*) konzentrieren (*on* auf)

fod•der ['fɒdə(r)] *s* Futter *n a. fig*

foe•tal ['fi:tl] *adj* fötal; **foe•tus** ['fi:təs] *s* Fötus *m*

fog [fɒg] **I.** *s* **1.** Nebel *m* **2.** (PHOT FILM) (Grau)Schleier *m* **II.** *tr* **1.** (*Glas: ~ up*) beschlagen **2.** (*fig*) trüben, verdunkeln **3.** (PHOT) verschleiern **III.** *itr* **1.** sich beschlagen **2.** (PHOT) e-n Grauschleier bekommen; **fog•bank** ['fɒgbæŋk] *s* Nebelbank *f;* **fog•bound** ['fɒgbaʊnd] *adj* (MAR AERO) durch Nebel behindert

fogey ['fəʊgɪ] *s:* **old ~** alter Kauz

foggy ['fɒgɪ] *adj* **1.** neb(e)lig **2.** (*fig*) undeutlich, verwirrt; **I haven't the foggiest (idea)** ich habe nicht die mindeste Ahnung; **fog•horn** ['fɒghɔ:n] *s* (MAR) Nebelhorn *n;* **fog•lamp** ['fɒglæmp] *s* (MOT) Nebellampe *f;* **rear ~** Nebelschlussleuchte *f*

fogy (*Am*) *s.* **fogey**

foible ['fɔɪbl] *s* (*fig*) Eigenheit *f*

foil¹ [fɔɪl] *tr* **1.** e-n Strich durch die Rechnung machen (*s.o. in s.th.* jdm bei e-r S) **2.** (*Plan*) durchkreuzen

foil² [fɔɪl] *s* Florett *n*

foil³ [fɔɪl] *s* **1.** Folie *f* **2.** (*fig*) Hintergrund *m* (*to* für); **aluminium ~** Alufolie *f*

foist [fɔɪst] *tr:* **~ s.th. off on s.o.** jdm etw andrehen; **~ o.s. on s.o.** sich jdm aufdrängen

fold¹ [fəʊld] **I.** *s* **1.** Falte *f,* Falz, Kniff *m* **2.** (GEOL) Bodenfalte *f* **II.** *tr* **1.** zusammenfalten, -legen, -klappen **2.** (*die Arme*) kreuzen, verschränken **3.** (*die Hände*) falten **4.** (*~ in one's arms*) in die Arme schließen **5.** einhüllen, -wickeln, -schlagen **III.** *itr* **1.** sich zusammenlegen, zusammengelegt werden **2.** (*Geschäft*) eingehen;

fold up *itr* (*Geschäft*) eingehen; abgesetzt werden

fold² [fəʊld] *s* **1.** Pferch *m* **2.** (REL) Herde, Gemeinde *f;* **return to the ~** (*fig*) in den Schoß der Gemeinde zurückkehren

folder ['fəʊldə(r)] *s* **1.** Schnellhefter, Aktendeckel *m* **2.** Merkblatt *n*

fold•ing ['fəʊldɪŋ] *adj* zusammenklappbar; **~ boat** Faltboot *n;* **~ chair** Klappstuhl *m;* **~ doors** Falttür *f;* **~ table** Klapptisch *m*

fo•li•age ['fəʊlɪɪdʒ] *s* Blätter *npl,* Laubwerk *n*

fo•lio ['fəʊlɪəʊ] <*pl* folios> *s* **1.** Folio *n* **2.** Foliant *m*

folk [fəʊk] *s pl* Leute *pl;* **my ~s** (*fam*) meine Leute; **a lot of ~ think ...** viele denken ...; **folk dance** *s* Volkstanz *m;* **folk•lore** ['fəʊklɔː(r)] *s* Folklore *f;* **folk music** *s* Volksmusik *f;* **folk song** *s* Volkslied *n;* **folksy** ['fəʊksɪ] *adj* (*fam*) volkstümlich

fol•low ['fɒləʊ] **I.** *tr* **1.** folgen, nachkommen (*s.o.* jdm) **2.** sich anschließen (*s.o.* jdm) **3.** verfolgen **4.** (*e-m Weg*) folgen **5.** (*Beruf*) ausüben, nachgehen **6.** (*Mode*) mitmachen, folgen **7.** (*Serie*) verfolgen; sich interessieren für; **have s.o. ~ed** jdn verfolgen lassen; **~ one's nose** der Nase nach gehen; **do you ~ me?** können Sie mir folgen? **II.** *itr* **1.** (er)folgen, sich ergeben (*from* aus) **2.** folgen (*on s.th.* auf etw); **as ~s** wie folgt; folgendermaßen; **it ~s that** daraus folgt, es ergibt sich, dass; **follow on** *itr* später folgen, nachkommen; sich ergeben; **follow out** *tr* zu Ende verfolgen, durchziehen; **follow through** *tr* zu Ende führen; **follow up** *tr* **1.** nachgehen **2.** sich näher beschäftigen mit; weiterverfolgen **3.** (*Erfolg*) fortsetzen, ausbauen **4.** (*Vorteil*) (aus)nutzen

fol•lower ['fɒləʊə(r)] *s* **1.** Anhänger(in) *m(f)* **2.** (*pej*) Mitläufer(in) *m(f);* **fol•low•ing** ['fɒləʊɪŋ] **I.** *adj* folgend, weiter, im Anschluss an; **~ wind** Rückenwind *m* **II.** *s* Anhängerschaft *f;* Anhang *m;* **he said the ~** er sagte Folgendes; **fol•low-up** ['fɒləʊˌʌp] *s* **1.** Weiterverfolgen *n* **2.** (*Brief*) Nachfassschreiben *n* **3.** (MED) Nachuntersuchung *f* **4.** Nachfolge-

folly ['fɒlɪ] *s* Torheit, Narrheit *f*

fond [fɒnd] *adj* **1.** zärtlich, liebevoll **2.** vernarrt (*of* in) **3.** zu nachsichtig; **be ~ of** gern haben, mögen; lieben; **be ~ of doing s.th.** etw gern tun; **~est regards** mit lieben Grüßen

fondle ['fɒndl] *tr* (zärtlich, liebevoll) streicheln; hätscheln

fond•ness ['fɒndnɪs] *s* **1.** Begeisterung *f* **2.** Vorliebe *f* (*for* für) **3.** Zuneigung *f*

font [fɒnt] *s* **1.** Taufstein *m* **2.** (TYP) Schrift(art) *f*

food [fuːd] *s* **1.** Essen *n;* Futter *n;* Nahrung *f* **2.** Nahrungsmittel *npl* **3.** (*fig*) Nahrung *f;* **food chain** *s* Nahrungskette *f;* **food poisoning** *s* Lebensmittelvergiftung *f;* **food processor** *s* Küchenmaschine *f;* **food•stuff** *s* Nahrungs-, Lebensmittel *npl*

fool [fuːl] **I.** *s* Dummkopf, Narr *m;* **be a ~ for one's pains** sich umsonst geplagt haben; **live in a ~'s paradise** in e-m Traumland leben; **make a ~ of o.s.** sich lächerlich machen; **make a ~ of s.o.** jdn zum Besten haben; **go on a ~'s errand** e-n nutzlosen Gang tun; **All F~s' Day** der 1. April; **April F~!** April April! **II.** *adj* (*Am fam*) dumm, doof **III.** *itr* herumalbern; Blödsinn machen; **stop ~ing!** lass den Blödsinn!; **~ about** [*o* **around**] herumtrödeln; herumalbern **IV.** *tr* **1.** zum Narren halten; seinen Spaß haben mit **2.** hereinlegen, betrügen; **fool•hardy** ['fuːlhɑːdɪ] *adj* tollkühn; **fool•ish** ['fuːlɪʃ] *adj* dumm, töricht, unklug; **fool•proof** ['fuːlpruːf] *adj* narrensicher, idiotensicher

fools•cap ['fuːlskæp] *s* Akten-, Kanzleipapier *n*

foot [fʊt] <*pl* feet> **I.** *s* **1.** Fuß *m* **2.** unterer Teil, Ende *n* **3.** Fußende *n* **4.** Versfuß *m;* **at the ~ of the page** unten auf der Seite; **on ~** zu Fuß; **under ~** unter den Füßen; auf dem Boden; **be on one's feet** (*nach e-r Krankheit*) wieder auf den Beinen sein; (*finanziell*) auf eigenen Füßen stehen; **put one's ~ down** ein Machtwort sprechen; es strikt verbieten; **put one's best ~ forward** die Beine unter den Arm nehmen; (*fig*) sich anstrengen; **put one's ~ in it** ins Fettnäpfchen treten; **have one ~ in the grave** mit e-m Bein im Grab(e) stehen; **find one's feet** sich eingewöhnen **II.** *tr* (**~** *it*) (zu Fuß) gehen; **~ the bill** (*fam*) für die Rechnung aufkommen

foot•age ['fʊtɪdʒ] *s* Filmmaterial *n*

foot-and-mouth dis•ease ['fʊtænd 'maʊðdɪ'ziːz] *s* Maul- und Klauenseuche *f*

foot•ball ['fʊtbɔːl] *s* **1.** Fußball *m* **2.** amerikanischer Fußball, Football *m;* **football hooligan** *s* Fußballrowdy *m;* **football pools** *s pl* Fußballtoto *n;* **foot•board** ['fʊtbɔːd] *s* Trittbrett *n;* **foot•bridge** ['fʊtbrɪdʒ] *s* Fußgängerbrücke *f;* **foot•care** ['fʊtkeə(r)] *s* Fußpflege *f;* **foothills** *s pl* Gebirgsausläufer *mpl;* **foot•hold** ['fʊthəʊld] *s* **1.** Halt *m a. fig* **2.** (*fig*) fester Stand

foot•ing ['fʊtɪŋ] *s* **1.** Stand, Halt *m* **2.** (*fig*) Grundlage, Basis *f* **3.** Beziehungen *fpl;* **be on a friendly ~ with s.o.** mit jdm auf freundschaftlichem Fuß(e) stehen; **be on the same ~ with s.o.** mit jdm auf gleichem Fuß stehen; **lose one's ~** den Halt

verlieren
foot·lights ['fʊtlaɪts] *s pl* **1.** (THEAT) Rampenlicht *n* **2.** (*fig*) die Bretter *pl,* Bühne *f*
foot·ling ['fu:tlɪŋ] *adj* läppisch; albern
foot·loose ['fʊtlu:s] *adj:* ~ **and fancy-free** frei und ungebunden; **foot·man** [-mən] <*pl* -men> *s* Lakai, Diener *m;* **foot·note** ['fʊtnəʊt] *s* Fußnote, Anmerkung *f;* **foot·path** ['fʊtpɑ:θ] *s* Fuß-, Gehweg *m;* **foot·print** ['fʊtprɪnt] *s* Fußabdruck *m;* **foot·rest** ['fʊtrest] *s* Fußstütze *f*
footsie ['fʊtsɪ] *s:* **play ~ with s.o.** mit jdm füßeln
foot·slog ['fʊtslɒg] *itr* (*fam*) latschen; **foot·sore** ['fʊtsɔ:(r)] *adj:* **be** ~ wunde Füße haben; **foot·step** ['fʊtstep] *s* Schritt, Tritt *m;* **follow in s.o.'s ~s** in jds Fußstapfen treten; **foot·stool** ['fʊtstu:l] *s* Fußschemel *m;* **foot·wear** ['fʊtweə(r)] *s* Schuhwerk *n;* **foot·work** ['fʊtwɜ:k] *s* (SPORT) Beinarbeit *f*
for [fɔ:(r)] **I.** *prep* **1.** für; zu; nach; **go ~ a walk** spazieren gehen; **make ~ home** sich auf den Heimweg machen; **the train ~ Glasgow** der Zug nach Glasgow; **the struggle ~ existence** der Kampf ums Dasein; **what ~?** zu welchem Zweck? **2.** für; **it's not ~ me to say** es steht mir nicht zu mich dazu zu äußern; **a letter ~ you** ein Brief für dich; **are you ~ or against it?** sind Sie dafür oder dagegen **3.** (*betreffend*): **anxious ~ s.o.** um jdn besorgt; **as ~ him** was ihn betrifft **4.** (*Grund*) aus; ~ **this reason** aus diesem Grund; **shout ~ joy** vor Freude jauchzen **5.** trotz; ~ **all her money** trotz all ihres Geldes; ~ **all that** trotzdem **6.** (*im Austausch*) für **7.** (*zeitlich*) seit; für; **I haven't been there ~ three years** ich bin seit drei Jahren nicht dort gewesen; **I'm going to be here ~ three weeks** ich bin für drei Wochen hier **8.** (*Entfernung*): **we walked ~ two miles** wir sind zwei Meilen weit gelaufen **9.** (*in Verbverbindung*): **hope ~ news** auf Nachrichten hoffen; **wait ~ s.o.** auf jdn warten **10.** (*Wunsch*): **a weakness ~** e-e Schwäche für **11.** (*mit Infinitivkonstruktion*): ~ **this to be possible** damit dies möglich wird; **the best would be ~ you to go** das Beste wäre, wenn Sie weggingen **12.** ~ **example** zum Beispiel; **he is in ~ it** er ist dran, fällig **II.** *conj* denn
for·age ['fɒrɪdʒ] **I.** *s* Futter *n* **II.** *itr* nach Futter suchen
foray ['fɒreɪ] *s* (Raub)Überfall *m*
for·bad(e) [fə'bæd] *s.* **forbid**
for·bear [fɔ:'beə(r)] <*irr:* forbore, forborne> *itr:* **we begged him to ~** wir baten ihn darauf zu verzichten; **for·bear·ance** [fɔ:'beərəns] *s* Nachsicht *f*
for·bears ['fɔ:beəz] *s* Vorfahren, Ahnen *mpl*
for·bid [fə'bɪd] <*irr:* forbad(e), forbidden> *tr* **1.** verbieten (*s.o. s.th.* jdm etw) **2.** verhindern; **God ~!** Gott bewahre!; **it is ~den to ...** es ist verboten zu ...; **for·bidden** [fə'bɪdn] **I.** *pp of* **forbid II.** *adj* verboten; ~ **fruit** verbotene Früchte *pl;* **for·bid·ding** [fə'bɪdɪŋ] *adj* bedrohlich; unfreundlich; grauenhaft
for·bore, **for·borne** [fɔ:'bɔ:(r), fɔ:'bɔ:n] *s.* **forbear**
force [fɔ:s] **I.** *s* **1.** Stärke, Kraft *f* **2.** Gewalt *f;* Zwang, Druck *m* **3.** Überzeugungskraft *f;* Eindringlichkeit *f* **4.** Macht *f* **5.** (JUR) Gültigkeit *f;* **the ~s** die Streitkräfte *pl;* **by ~** mit Gewalt; **in ~** in voller Stärke; **in full ~** in voller Stärke; vollzählig; **come into/be in ~** rechtskräftig werden/sein; **join ~s** sich zusammentun; **resort to** [*o* **use**] ~ Gewalt anwenden; ~ **of character** Charakterstärke *f;* ~ **of gravity** Schwerkraft *f;* **the ~ of habit** Macht *f* der Gewohnheit **II.** *tr* **1.** zwingen, Zwang antun (*s.o.* jdm) **2.** erzwingen, mit Gewalt verschaffen **3.** (~ *open*) aufbrechen **4.** aufzwingen, -drängen, -nötigen (*on s.o.* jdm) **5.** überfordern, -anstrengen **6.** (*Pflanzen*) zu beschleunigtem Wachstum anregen **7.** (*Preise*) in die Höhe treiben; ~ **the issue** die Entscheidung erzwingen; ~ **the pace** den Schritt beschleunigen; ~ **one's way through** sich gewaltsam e-n Weg bahnen; ~ **an entry** sich gewaltsam Zutritt verschaffen; ~ **s.th. upon s.o.** jdm etw aufdrängen, aufzwingen; **he was ~d to resign** er wurde gezwungen zurückzutreten; **you can't ~ things** das lässt sich nicht übers Knie brechen; **force into** *tr* hineindrücken, -pressen; **force off** *tr* mit Gewalt abmachen; **force on, force upon** *tr* aufdrängen (*s.th. on s.o.* jdm etw); **force out** *tr* hinausdrängen
forced [fɔ:st] *adj* **1.** erzwungen **2.** (*Lächeln*) gezwungen; ~ **landing** Notlandung *f;* ~ **march** Gewaltmarsch *m;* **force-feed** ['fɔ:sfi:d] <*irr:* force-fed, force-fed> *tr* zwangsernähren; **force·ful** ['fɔ:sfl] *adj* kraftvoll, energisch; stark; eindringlich
for·ceps ['fɔ:seps] *s pl u. sing* (MED) Zange *f;* **forceps delivery** *s* Zangengeburt *f*
forc·ible ['fɔ:səbl] *adj* **1.** gewaltsam, erzwungen **2.** (*Stil*) eindringlich, überzeugend; **forc·ib·ly** ['fɔ:səblɪ] *adv* zwangsweise, gewaltsam
ford [fɔ:d] **I.** *s* Furt *f* **II.** *tr* durchwaten
fore [fɔ:(r)] **I.** *adv* (MAR) vorn; ~ **and aft** (MAR) längsschiffs **II.** *adj* vordere(r, s) **III.** *s* Vorderteil *n;* **to the ~** (*fig*) im Vordergrund, an der Spitze; **come to the ~** ins Blickfeld geraten

fore•arm[1] ['fɔːrɑːm] *s* Unterarm *m*
fore•arm[2] [ˌfɔːr'ɑːm] *tr* vorbereiten; ~ **o.s.** sich wappnen
fore•bear [fɔː'beə(r)] (*Am*) *s.* **forbear**
fore•bears ['fɔːbeəz] (*Am*) *s.* **forbears**
fore•bode [fɔː'bəʊd] *tr* ein Zeichen sein für, deuten auf; **fore•bod•ing** [-ɪŋ] *s* Vorahnung *f,* Vorgefühl *n*
fore•cast ['fɔːkɑːst] <*irr:* forecast (forecasted), forecast (forecasted)> **I.** *tr* vorausplanen; vorhersehen; vorhersagen **II.** *s* **1.** Vorhersage, Prognose *f* **2.** (METE) (Wetter)Voraus-, Vorhersage *f;* **fore•cast•er** [-ə(r)] *s* (METE) Meteorologe *m,* Meteorologin *f*
fore•castle ['fəʊksl] *s* (MAR) Vorschiff *n*
fore•close [fɔː'kləʊz] *tr* (*Darlehen*) kündigen
fore•court ['fɔːkɔːt] *s* Vorhof *m*
fore•father ['fɔːfɑːðə(r)] *s* Ahnherr, Vorfahr *m*
fore•fin•ger ['fɔːfɪŋgə(r)] *s* Zeigefinger *m*
fore•foot ['fɔːfʊt] <*pl* -feet> *s* Vorderfuß *m*
fore•front ['fɔːfrʌnt] *s:* **in the** ~ im Vorfeld
fore•go [fɔː'gəʊ] <*irr:* forewent, foregone> *tr* verzichten auf; **fore•go•ing** ['fɔːgəʊɪŋ] *adj* vorausgehend, vorangehend; **fore•gone** [fɔː'gɒn] **I.** *pp of* **forego** **II.** ['fɔːgɒn] *adj:* **be a** ~ **conclusion** von vornherein feststehen
fore•ground ['fɔːgraʊnd] *s* Vordergrund *m;* **in the** ~ im Vordergrund
fore•hand ['fɔːhænd] *s* (*Pferd, Tennis*) Vorhand *f*
fore•head ['fɒrɪd] *s* Stirn *f a. fig*
foreign ['fɒrən] *adj* **1.** fremd, nicht (da)zugehörig **2.** auswärtig, ausländisch; ~ **person** Ausländer(in) *m(f);* **foreign affairs** *s pl* (POL) Außenpolitik *f;* **foreign correspondent** *s* Auslandskorrespondent(in) *m(f);* **foreign currency** *s* Devisen *fpl,* Fremdwährung *f;* **foreigner** ['fɒrənə(r)] *s* Ausländer(in) *m(f);* **foreign exchange** *s* Devisen *pl;* **foreign language** *s* Fremdsprache *f;* **Foreign Office** *s* (*Br*) Außenministerium *n;* **foreign policy** *s* Außenpolitik *f;* **Foreign Secretary** *s* (*Br*) Außenminister(in) *m(f)*
fore•knowl•edge [ˌfɔː'nɒlɪdʒ] *s* vorherige Kenntnis *f*
fore•man ['fɔːmən] <*pl* -men> *s* Vorarbeiter, Meister, Polier *m*
fore•most ['fɔːməʊst] **I.** *adj* **1.** vorderste(r, s) **2.** (*fig*) führend **II.** *adv* zuerst; **first and** ~ in erster Linie
fore•name ['fɔːneɪm] *s* Vorname *m*
for•en•sic [fə'rensɪk] *adj* gerichtsmedizinisch; forensisch; ~ **medicine** Gerichtsmedizin *f*
fore•or•dain [ˌfɔːrɔː'deɪn] *tr* vorherbestimmen (*to* zu)
fore•paw ['fɔːpɔː] *s* Vorderpfote *f*
fore•play ['fɔːpleɪ] *s* Vorspiel *n*
fore•run•ner ['fɔːrʌnə(r)] *s* **1.** Vorläufer, -reiter *m* **2.** Vorbote *m,* -zeichen *n*
fore•sail ['fɔːseɪl] *s* Focksegel *n*
fore•see [fɔː'siː] <*irr:* foresaw, foreseen> *tr* vorhersehen; **fore•see•able** [-əbl] *adj* vorhersehbar, absehbar; **in the** ~ **future** in absehbarer Zeit
fore•shadow [fɔː'ʃædəʊ] *tr* ahnen lassen, andeuten
fore•sight ['fɔːsaɪt] *s* Voraussicht *f;* Weitsicht *f*
fore•skin ['fɔːskɪn] *s* (ANAT) Vorhaut *f*
for•est ['fɒrɪst] *s* Wald, Forst *m;* **forest blight** (**dieback**) *s* Waldsterben *n;* **forest ranger** *s* (*Am*) Förster(in) *m(f)*
fore•stall [fɔː'stɔːl] *tr* zuvorkommen (*s.o., s.th.* jdm, e-r S), vorbeugen; vorwegnehmen
for•ester ['fɒrɪstə(r)] *s* Förster(in) *m(f);* **for•estry** ['fɒrɪstrɪ] *s* Forstwirtschaft *f*
fore•taste ['fɔːteɪst] *s* Vorgeschmack *m*
fore•tell [fɔː'tel] <*irr:* foretold, foretold> *tr* vorhersagen
for•ever [fə'revə(r)] *adv* **1.** immer, ewig, ständig **2.** (*Am*) (für) immer
fore•warn [fɔː'wɔːn] *tr* vorher warnen (*of* vor)
fore•went [fɔː'went] *s.* **forego**
fore•woman ['fɔːwʊmən, *pl* 'fɔːwɪmɪn] <*pl* forewomen> *s* Meisterin, Vorarbeiterin *f*
fore•word ['fɔːwɜːd] *s* Vorwort *n*
for•feit ['fɔːfɪt] **I.** *s* **1.** Strafe, Buße *f* **2.** (*fig*) Einbuße *f* **3.** ~**s** Pfänderspiel *n* **II.** *adj* (JUR): **be** ~ verfallen sein **III.** *tr* **1.** (JUR) verwirken; verlustig gehen (*s.th.* e-r S) **2.** (*fig*) einbüßen; **for•feit•ure** ['fɔːfɪtʃə(r)] *s* Verwirkung *f;* Verlust *m a. fig*
for•gather [fɔː'gæðə(r)] *itr* sich begegnen, zusammentreffen
for•gave [fə'geɪv] *s.* **forgive**
forge [fɔːdʒ] **I.** *s* Schmiede *f* **II.** *tr* **1.** schmieden *a. fig* **2.** (*Banknote*) nachmachen, fälschen **III.** *itr:* ~ **ahead** Fortschritte machen; vorwärts kommen; (SPORT) vorstoßen; **forger** ['fɔːdʒə(r)] *s* Fälscher(in) *m(f);* **forg•ery** ['fɔːdʒərɪ] *s* Fälschung *f;* Fälschen *n;* ~ **of documents** Urkundenfälschung *f*
for•get [fə'get] <*irr:* forgot, forgotten> **I.** *tr* vergessen (*to do, about doing s.th.* etw zu tun), verlernen **II.** *itr* es vergessen **III.** *refl* sich vergessen, aus der Rolle fallen; **for•get•ful** [fə'getfl] *adj* vergesslich; **for•get-me-not** [fə'getmɪnɒt] *s* (BOT) Vergissmeinnicht *n*
for•give [fə'gɪv] <*irr:* forgave, forgiven>

tr **1.** vergeben, verzeihen (*s.o. s.th.* jdm etw) **2.** (*Schuld*) erlassen; ~ **and forget** vergeben und vergessen; **for•given** [fə'gɪvn] *pp of* **forgive**; **for•giv•ing** [-ɪŋ] *adj* nachsichtig; versöhnlich

forgo [fɔː'gəʊ] <*irr:* forwent, forgone> *s.* **forego**

for•got [fə'gɒt] *s.* **forget**; **for•got•ten** [fə'gɒtn] *s.* **forget**

fork [fɔːk] **I.** *s* **1.** Gabel *f* **2.** Gabelung, Abzweigung *f* **II.** *itr* **1.** sich gabeln **2.** abbiegen (*left* nach links) **III.** *tr* mit e-r Gabel aufladen; ~ **out** (*fam*) zahlen, blechen; **forked** [fɔːkt] *adj* **1.** gegabelt **2.** (*Zunge*) gespalten **3.** (*Blitz*) zickzackförmig; **fork-lift truck** *s* Gabelstapler *m*

for•lorn [fə'lɔːn] *adj* **1.** verlassen **2.** (*Versuch*) verzweifelt; ~ **hope** aussichtsloses Unternehmen

form [fɔːm] **I.** *s* **1.** Form, Gestalt, Figur *f* **2.** (An)Ordnung *f*, Schema *n* **3.** (GRAM) Form *f* **4.** Umgangsform *f* **5.** Formblatt, Formular *n*, Vordruck *m* **6.** (SPORT) Form, (körperliche) Verfassung *f* **7.** (*Br*) Bank (ohne Lehne) *f* **8.** (*Br*) (Schul)Klasse *f*; **in due** ~ vorschriftsmäßig; **without** ~ formlos; **be in good** ~ in guter Verfassung sein; **be out of** ~ nicht in Form sein; **fill in a** ~ ein Formular ausfüllen; **application** ~ Antragsformular *n*; **that is good (bad)** ~ das gehört sich (nicht); **a (mere) matter of** ~ e-e (bloße) Formsache **II.** *tr* **1.** formen, bilden, gestalten **2.** (*Idee*) entwickeln; annehmen **3.** (*Freundschaft*) schließen **4.** (*Eindruck*) gewinnen **5.** bilden, konstituieren, organisieren; (*Gesellschaft*) gründen; (*Regierung*) bilden; ~ **an idea/a plan** e-n Gedanken/e-n Plan fassen; ~ **a judg(e)ment/an opinion** sich ein Urteil/e-e Meinung bilden **III.** *itr* sich bilden, sich entwickeln; (feste) Gestalt annehmen; ~ **up** (sich) aufstellen

for•mal ['fɔːml] *adj* **1.** formell, förmlich **2.** offiziell **3.** (*Unterschied*) formal; **make a** ~ **apology** sich in aller Form entschuldigen; ~ **dress** Gesellschaftskleidung *f*; **for•mal-de•hyde** [fɔː'mældɪhaɪd] *s* (CHEM) Formaldehyd *m*; **for•mal•ity** [fɔː'mælətɪ] *s* **1.** Förmlichkeit *f* **2.** Formalität, Formsache *f*; **as a** ~ der (bloßen) Form wegen; **it's a mere** ~ es ist e-e reine Formsache; **for-mal•ize** ['fɔːməlaɪz] *tr* formalisieren; zur Formsache machen

for•mat ['fɔːmæt] **I.** *s* (*Buch*) Format *n*; Aufmachung *f* **II.** *tr* (EDV) formatieren

for•ma•tion [fɔː'meɪʃn] *s* **1.** Bildung *f*; Gestalt(ung) *f* **2.** Struktur, (An)Ordnung, Gliederung *f*, Aufbau *m* **3.** (*Gesellschaft*) Gründung *f* **4.** (GEOL) Formation *f*; **battle** ~ Gefechtsaufstellung *f*; **formation dancing** *s* Formationstanzen *n*

for•ma•tive ['fɔːmətɪv] **I.** *adj* bildend, gestaltend, plastisch; Bildungs-; ~ **years** entscheidende Jahre *npl* **II.** *s* Wortbildungselement *n*

for•mer ['fɔːmə(r)] **I.** *adj* **1.** früher, ehemalig **2.** erstere(r, s), erstgenannte(r, s); **in** ~ **times** früher **II.** *s:* **the** ~ der, die, das Erstere

for•mer•ly ['fɔːməlɪ] *adv* früher, ehemals

form feed *s* (EDV) Formularvorschub *m*

for•mic acid ['fɔːmɪk'æsɪd] *s* Ameisensäure *f*

for•mi•dable ['fɔːmɪdəbl] *adj* **1.** furchtbar **2.** (*Gegner*) fürchterlich, schrecklich, entsetzlich **3.** (*fam*) gewaltig, riesig

form•less ['fɔːmlɪs] *adj* formlos

for•mula ['fɔːmjʊlə, *pl* 'fɔːmjʊliː] <*pl* formulas, formulae> *s* **1.** Formel *f* **2.** (*Medikament*) Rezept *n*

for•mu•late ['fɔːmjʊleɪt] *tr* formulieren; **for•mu•la•tion** [ˌfɔːmjʊ'leɪʃn] *s* Formulierung *f*

for•ni•cate ['fɔːnɪkeɪt] *itr* Unzucht treiben

for•sake [fə'seɪk] <*irr:* forsook, forsaken> *tr* sich trennen von, verlassen; aufgeben; **forsaken** [fə'seɪkən] *pp of* **forsake**; **forsook** [fə'sʊk] *pt of* **forsake**

for•swear [fɔː'sweə(r)] *irr tr* **1.** abschwören (*s.th.* e-r S) **2.** unter Eid verneinen

for•sythia [fɔː'saɪθɪə] *s* (BOT) Forsythie *f*

fort [fɔːt] *s* Fort *n*; **hold the** ~ (*fig*) die Stellung halten

forte ['fɔːteɪ] *s* starke Seite

forth [fɔːθ] *adv:* **and so** ~ und so weiter; **back and** ~ vor und zurück, hin und her; **from this day** ~ von heute an

forth•com•ing [ˌfɔːθ'kʌmɪŋ] *adj* **1.** (unmittelbar) bevorstehend **2.** (*Buch*) in Kürze erscheinend **3.** (*fig*) mitteilsam; ~ **books** Neuerscheinungen *fpl*; **the money/help is** ~ das Geld/Hilfe kommt

forth•right ['fɔːθraɪt] *adj* **1.** offen, aufrichtig **2.** (*Antwort*) unverblümt

forth•with [ˌfɔːθ'wɪθ] *adv* sofort, umgehend

for•ti•eth ['fɔːtɪəθ] *adj* vierzigste(r, s)

for•ti•fi•ca•tion [ˌfɔːtɪfɪ'keɪʃn] *s* Befestigung *f*; Festungsanlagen *fpl*; **for•tify** ['fɔːtɪfaɪ] *tr* **1.** (*fig*) bestärken, bekräftigen **2.** (MIL) befestigen **3.** (*Nahrungsmittel*) anreichern

for•ti•tude ['fɔːtɪtjuːd] *s* innere Kraft, Stärke

fort•night ['fɔːtnaɪt] *s* vierzehn Tage, zwei Wochen; **for a** ~ für, auf 14 Tage; **today/tomorrow/next Monday** ~ heute/morgen/Montag in 14 Tagen; **fort•night-ly** [-lɪ] **I.** *adj* vierzehntägig; halbmonatlich **II.** *adv* alle 14 Tage (stattfindend, erscheinend)

for•tress ['fɔːtrɪs] *s* Festung *f*

for•tu•itous [fɔː'tjuːɪtəs] *adj* zufällig

for•tu•nate ['fɔːtʃənət] *adj* glücklich; **be ~ in s.th.** bei etw Glück haben; **it was ~ that ...** es war ein Glück, dass ...; **for•tu•nate•ly** [-lɪ] *adv* glücklicherweise

for•tune ['fɔːtʃuːn] *s* **1.** Geschick, Schicksal *n;* Zufall *m* **2.** (*Geld*) Wohlstand, Reichtum *m,* Vermögen *n;* **by good ~** glücklicherweise; **have good** (**bad**) **~** (kein) Glück haben; **the ~s of war** das Auf und Ab des Krieges; **have one's ~ told** sich die Zukunft sagen lassen; **make a ~** ein Vermögen verdienen; **marry a ~** e-e gute Partie machen; **come into a ~** ein Vermögen erben; **fortune hunter** *s* Mitgiftjäger *m;* **fortune teller** *s* Wahrsager(in) *m(f)*

forty ['fɔːtɪ] *adj* vierzig; **have ~ winks** (*fam*) ein Nickerchen machen

fo•rum ['fɔːrəm] *s* Forum *n a. fig*

for•ward ['fɔːwəd] **I.** *adj* **1.** vordere(r, s) **2.** (*zeitlich*) früh-, vorzeitig; Voraus-; fortgeschritten **3.** dreist **4.** (COM) auf Ziel; Termin-; **~ gear** Vorwärtsgang *m* **II.** *adv* **1.** (*a.* *~s*) vorwärts, nach vorn **2.** in die Zukunft; **from that** [*o* **this**] **time ~** seitdem; **bring ~** vorbringen; **step ~** vortreten; **come ~** sich melden **III.** *s* (SPORT) Stürmer(in) *m(f)* **IV.** *tr* **1.** (*Plan*) voran-, weiterbringen; fördern, unterstützen **2.** (*Waren*) befördern, schicken **3.** (*Brief*) nachschicken; **please ~!** bitte nachsenden!

for•ward•ing ['fɔːwədɪŋ] *s* Beförderung *f;* Versand *m,* Spedition *f;* **~ address** Nachsendeanschrift *f;* **~ agent** Spediteur *m;* **~ instructions** Lieferanweisungen *fpl*

for•ward-look•ing ['fɔːwəd,lʊkɪŋ] *adj* fortschrittlich; vorausblickend; **for•ward•ness** ['fɔːwədnɪs] *s* Dreistigkeit *f;* **for•wards** ['fɔːwədz] *adv s.* **forward**

for•went [fɔː'went] *s.* **forgo**

fos•sil ['fɒsl] **I.** *s* Fossil *n* **II.** *adj* versteinert; **~ fuel** fossiler Brennstoff; **fos•sil•ized** ['fɒsəlaɪzd] *adj* versteinert; (*fig*) verknöchert

fos•ter ['fɒstə(r)] *tr* **1.** (*Kind*) in Pflege nehmen **2.** (*fig*) fördern, begünstigen **3.** (*Idee*) hegen; **foster-brother** *s* Pflegebruder *m;* **foster-child** <*pl* -children> *s* Pflegekind *n;* **foster-father** *s* Pflegevater *m;* **foster-mother** *s* Pflegemutter *f;* **foster-sister** *s* Pflegeschwester *f*

fought [fɔːt] *s.* **fight**

foul [faʊl] **I.** *adj* **1.** übel, schlecht **2.** (*Essen*) übelriechend; verdorben **3.** (*Luft*) verbraucht **4.** (*Person*) gemein, fies **5.** (*Wetter*) schlecht **6.** (*Wind*) ungünstig, widrig **7.** (*Sprache*) anstößig, gemein **8.** (SPORT) unfair; ungültig **9.** verwickelt; **fall** [*o* **run**] **~ of s.o.** mit jdm in Konflikt geraten; **~ play** (SPORT) Foul *n* **II.** *s* (SPORT) Foul *n* **III.** *tr* **1.** (*Luft*) verpesten **2.** (*Kamin*) verstopfen **3.** (*Ruf*) lädieren **4.** rammen **5.** (SPORT) verstoßen gegen; **~ up a chance** e-e Chance vermasseln **IV.** *itr* **1.** (*Seil*) sich verwickeln **2.** (SPORT) foulen; **foul-mouthed** ['faʊlmaʊðd] *adj* unflätig, vulgär; **foulness** ['faʊlnɪs] *s* **1.** Verdorbenheit *f;* Fauligkeit *f* **2.** Unflätigkeit *f*

found[1] [faʊnd] *tr* gründen; errichten; **~ s.th. on s.th.** etw auf etw gründen, stützen

found[2] [faʊnd] *tr* (*Metall*) schmelzen und gießen

found[3] [faʊnd] *s.* **find**

foun•da•tion [faʊn'deɪʃn] *s* **1.** Gründung *f;* Errichtung *f* **2.** Schenkung, Stiftung *f* **3.** **~s** Grundmauer *f,* Fundament *n* **4.** (*fig*) Grundlage, Basis *f;* **foundation cream** *s* Grundierungscreme *f;* **foundation stone** *s* Grundstein *m;* **foundation subject** *s* Pflichtfach *n*

foun•der[1] ['faʊndə(r)] *s* Gründer(in) *m(f),* Stifter(in) *m(f)*

foun•der[2] ['faʊndə(r)] *itr* **1.** sinken, untergehen **2.** (*Pferd*) straucheln **3.** (*Plan*) scheitern

foun•der[3] ['faʊndə(r)] *s* (*Metall*) Gießer(in) *m(f)*

Found•ing Fa•ther [,faʊndɪŋ'fɑːðə(r)] *s* (*Am:* HIST) Gründungsvater *m*

foun•dry ['faʊndrɪ] *s* Gießerei *f*

fount [faʊnt] *s* **1.** (*lit*) Born *m;* Quelle *f* **2.** (TYP) Schrift(art) *f*

foun•tain ['faʊntɪn] *s* **1.** Springbrunnen *m;* Fontäne *f* **2.** (*drinking ~*) (Trinkwasser)Brunnen *m;* **fountain pen** *s* Füller, Füllfederhalter *m*

four [fɔː(r)] *adj* vier; **on all ~s** auf allen vieren; **four-by-four** [,fɔːbaɪ'fɔː(r)] *s* Kraftfahrzeug *n* mit Vierradantrieb; **four-door car** ['fɔː(r)dɔː(r) kɑː] *s* viertüriges Auto; **four•fold** ['fɔːfəʊld] *adj, adv* vierfach, -fältig; **four-footed** [,fɔː'fʊtɪd] *adj* vierfüßig; **four-handed** [,fɔː'hændɪd] *adj* (*a.* MUS) vierhändig; **four-leaf clover** *s* vierblättriges Kleeblatt; **four-letter word** *s* unanständiges Wort; **four•some** ['fɔːsəm] *s* Quartett *n;* Viererspiel *n;* **four-square** ['fɔːskweə(r)] *adj* **1.** viereckig **2.** (*Entscheidung*) entschlossen, unnachgiebig; **four•teen** [,fɔː'tiːn] *adj* vierzehn; **four•teenth** [,fɔː'tiːnθ] *adj* vierzehnte(r, s); **fourth** [fɔːθ] **I.** *adj* vierte(r, s) **II.** *s* Viertel *n;* Vierte(r, s); **four-wheel drive** *s* Allrad-, Vierradantrieb *m*

fowl [faʊl] *s* Geflügel *n;* **fowl•pest** ['faʊlpest] *s* Hühnerpest *f*

fox [fɒks] **I.** *s* **1.** Fuchs *m a. fig* **2.** Fuchspelz *m* **II.** *tr* täuschen, hereinlegen; verblüffen;

fox•glove ['fɒksglʌv] *s* (BOT) Fingerhut *m;* **fox hunt** ['fɒkshʌnt] **I.** *s* Fuchsjagd *f* **II.** *itr* auf die Fuchsjagd gehen; **fox terrier** *s* Foxterrier *m;* **fox•trot** ['fɒkstrɒt] *s* Foxtrott *m;* **foxy** ['fɒksɪ] *adj* schlau, listig

foyer ['fɔɪeɪ] *s* (THEAT) Foyer *n;* Empfangshalle *f*

fra•cas ['frækɑː, *pl* 'frækɑːz] <*pl* fracas> *s* Aufruhr, Tumult *m*

frac•tal ['fræktl] *s* (MATH) Fraktal *n*

frac•tion ['frækʃn] *s* **1.** (*fig*) Bruchteil *m* **2.** (MATH) Bruch *m;* **frac•tional** ['frækʃənl] *adj* **1.** (*fig*) geringfügig **2.** (MATH) Bruch-

frac•tious ['frækʃəs] *adj* mürrisch, verdrießlich

frac•ture ['fræktʃə(r)] **I.** *s* **1.** Bruch *m* **2.** (MED) Bruch *m,* Fraktur *f;* ~ **of the skull** Schädelbruch *m* **II.** *tr, itr* brechen

frag•ile ['frædʒaɪl] *adj* **1.** zerbrechlich, empfindlich **2.** (TECH) brüchig **3.** (MED) anfällig, schwach; **fra•gil•ity** [frə'dʒɪlətɪ] *s* Zerbrechlichkeit *f*

frag•ment ['frægmənt] **I.** *s* Bruchstück *n,* -teil *m;* Scherbe *f* **II.** [fræg'ment] *itr* zersplittern, zerbrechen, in Stücke brechen **III.** [fræg'ment] *tr* in Teile zerlegen; in Stücke schlagen; **frag•men•tary** ['frægməntrɪ] *adj* bruchstückhaft, fragmentarisch

fra•grance ['freɪgrəns] *s* Duft *m;* **fra•grant** ['freɪgrənt] *adj* wohlriechend

frail [freɪl] *adj* **1.** zart; zerbrechlich **2.** (*fig*) gering; schwach; **frailty** ['freɪltɪ] *s* Zartheit *f;* Zerbrechlichkeit *f;* Schwäche *f*

frame [freɪm] **I.** *tr* **1.** (*Bild*) rahmen **2.** entwerfen, ausarbeiten, formulieren **3.** (*Gesicht*) ein-, umrahmen **4.** (*Wort*) bilden, formen **5.** (*sl*) fälschlich bezichtigen **II.** *itr* sich entwickeln **III.** *s* **1.** Gerüst *n;* Gestell *n;* Rahmen *m* **2.** Fassung *f* **3.** Körperbau *m,* Figur, Gestalt *f* **4.** (Auf)Bau *m,* Konstruktion *f,* Anordnung, Gestaltung *f* **5.** (~ *of mind*) Veranlagung *f;* Temperament *n* **6.** (*Gärtnerei*) Frühbeet *n* **7.** (PHOT FILM) (Einzel)Aufnahme *f* **8.** (MOT) Rahmen *m* **9.** (*Statistik*) Erhebungsgrundlage *f;* **frame-up** ['freɪmʌp] *s* (*fam*) Komplott *n,* Machenschaften *fpl;* **frame•work** ['freɪmwɜːk] *s* **1.** Gerüst, Gerippe *n* **2.** (*fig*) Gefüge *n,* Struktur *f,* Rahmen *m;* **within the** ~ **of** im Rahmen von

France [frɑːns] *s* Frankreich *n*

fran•chise ['fræntʃaɪz] *s* **1.** Wahlrecht *n* **2.** (COM) Konzession *f*

Fran•cis•can [fræn'sɪskən] *s* (REL) Franziskaner(in) *m(f)*

Franco- ['fræŋkəʊ] *prefix* Französisch-; ~-**German** deutsch-französisch

frank¹ [fræŋk] *adj* **1.** frei(mütig), offen **2.** (*Meinung*) ehrlich, aufrichtig; **to be** ~ aufrichtig gesagt, offen gestanden

frank² [fræŋk] *tr* frankieren

frank•furter ['fræŋkfɜːtə(r)] *s* Frankfurter (Würstchen *n*) *f*

frank•in•cense ['fræŋkɪnsens] *s* Weihrauch *m*

frank•ing-ma•chine ['fræŋkɪŋmə'ʃiːn] *s* Frankiermaschine *f*

fran•tic ['fræntɪk] *adj* **1.** verzweifelt; rasend **2.** (*Person*) außer Fassung; **go** ~ außer sich geraten; **be** ~ **with pain** vor Schmerz fast wahnsinnig sein; **drive s.o.** ~ jdn zur Verzweiflung treiben

fra•ter•nal [frə'tɜːnl] *adj* brüderlich; **fra•ter•nity** [frə'tɜːnətɪ] *s* **1.** Brüderlichkeit *f* **2.** (REL) Bruderschaft *f* **3.** (*Am*) (studentische) Verbindung *f;* **frat•er•niz•ation** [ˌfrætənaɪ'zeɪʃn] *s* Verbrüderung *f;* **frat•er•nize** ['frætənaɪz] *itr* sich verbrüdern; **frat•ri•cide** ['frætrɪsaɪd] *s* **1.** Brudermord *m* **2.** Brudermörder(in) *m(f)*

fraud [frɔːd] *s* **1.** Betrug *m;* Schwindel *m* **2.** Betrüger(in) *m(f);* **fraudu•lence** ['frɔːdjʊləns] *s* Betrügerei *f;* **fraudu•lent** ['frɔːdjʊlənt] *adj* betrügerisch

fraught [frɔːt] *adj* geladen (*with* mit); ~ **with danger** gefahrvoll

fray¹ [freɪ] *s* Schlägerei *f;* Kampf *m;* **eager for the** ~ kampflustig

fray² [freɪ] **I.** *tr* ausfransen **II.** *itr* **1.** ausfransen; sich durchscheuern **2.** (*fig*) sich erregen

freak [friːk] **I.** *s* **1.** Laune *f,* Einfall *m* **2.** Missbildung *f,* Monstrum *n* **3.** (*fam*) verrückter Kerl **II.** *adj* ungewöhnlich; abnorm; verrückt **III.** *itr:* ~ **out** (*sl*) ausflippen

freckle ['frekl] *s* Sommersprosse *f;* **freckled** ['frekld] *adj* sommersprossig

free [friː] **I.** *adj* **1.** frei (*from, of* von) **2.** unabhängig **3.** frei beweglich, lose, locker **4.** ungehindert, zwanglos, ungebunden **5.** (*Platz, Zimmer*) frei, nicht besetzt **6.** (*Bewegung*) ungezwungen, leicht, anmutig **7.** freigebig, großzügig (*with* mit) **8.** gratis, kostenlos, umsonst; ~ **from pain** schmerzfrei; ~ **of s.th.** frei von etw; ~ **of chemical weapons** chemiewaffenfrei; **get s.th.** ~ etw umsonst bekommen; **give s.o. a** ~ **hand** jdm freie Hand lassen; **you're** ~ **to choose** die Wahl steht Ihnen frei; **set** ~ freilassen; **admission** ~ Eintritt frei; ~ **delivery** freier Versand; (**nuclear**) **weapon-**~ **zone** (atom)waffenfreie Zone; ~ **sample** Gratisprobe *f;* ~ **and easy** ungezwungen; ~ **on board** frei an Bord; **have one's hands** ~ (*fig*) freie Hand haben; **be** ~ **with one's money** großzügig mit seinem Geld umgehen **II.** *tr* **1.** freilassen, befreien **2.** (*Straße*) (wieder) freimachen **3.** (*Knoten*) lösen; **free•bie** ['friːbiː] *s* (*fam*) kostenloser Gegenstand; Werbegeschenk *n;* **free-**

booter ['fri:bu:tə(r)] *s* Freibeuter *m;* **free collective bargaining** *s* Tarifautonomie *f*

free·dom ['fri:dəm] *s* **1.** Freiheit *f* **2.** Unabhängigkeit, Ungebundenheit *f* **3.** Offenheit, Aufrichtigkeit *f;* **give s.o. the ~ of one's house** jdm sein Haus zur freien Verfügung stellen; ~ **of action** Handlungsfreiheit *f;* ~ **of assembly** Versammlungsfreiheit; ~ **of opinion** Meinungsfreiheit *f;* ~ **of the press** Pressefreiheit *f;* ~ **of religion** Religionsfreiheit *f;* **the ~ of the city** die Ehrenbürgerrechte *npl*

free en·ter·prise [ˌfrɪ:'entəpraɪz] *s* freie Marktwirtschaft; **free fall** *s* freier Fall; **free-for-all** ['fri:fərˌɔ:l] *s* Gerangel *n;* **free·hold** ['fri:həʊld] *s* (freier) Grundbesitz; **free·holder** ['fri:həʊldə(r)] *s* Grundeigentümer(in) *m(f);* **free kick** *s* (SPORT) Freistoß *m;* **free labour** *s* nicht organisierte Arbeiter *mpl*

free·lance ['fri:lɑ:ns] **I.** *s* Freiberufler(in) *m(f),* Freischaffende(r) *f m* **II.** *itr* freiberuflich tätig sein **III.** *adv, adj* freiberuflich

free·load ['fri:ləʊd] *itr (fam)* schmarotzen; **free·loader** *s* Schmarotzer(in) *m(f)*

free·ly ['fri:lɪ] *adv* **1.** reichlich, großzügig **2.** frei; ungehindert

free·man ['fri:mən] <*pl* -men> *s* (Ehren)Bürger *m;* **free market economy** *s* freie Marktwirtschaft; **Free·mason** ['fri:meɪsn] *s* Freimaurer *m;* **free port** *s* Freihafen *m;* **free-range** *adj* **1.** *(Huhn)* freilaufend **2.** *(Ei)* aus Bodenhaltung *f;* ~ **egg** Freilandei *n;* **free speech** *s* Redefreiheit *f;* **free-spoken** [ˌfri:'spəʊkən] *adj* freimütig; **free-standing** [ˌfri:'stændɪŋ] *adj* frei stehend; **free-style** ['fri:staɪl] *s* (SPORT) Freistil *m;* **free-thinker** *s* Freidenker, -geist *m;* **free-thinking** *adj* freidenkerisch; **free trade** *s* Freihandel *m;* **free·way** ['fri:weɪ] *s* *(Am)* (gebührenfreie) Autobahn *f;* **free-wheel I.** *itr (Fahrrad)* im Freilauf fahren **II.** *s (Fahrrad)* Freilauf *m;* **free will** *s* freier Wille; **of one's own ~** aus freien Stücken

freeze [fri:z] <*irr:* froze, frozen> **I.** *itr* **1.** (ge)frieren **2.** anfrieren *(to* an) **3.** *(Wasserleitung)* einfrieren **4.** *(Blut)* erstarren **5.** *(fig)* starr werden *(with* vor) **6.** *(Flüssigkeit)* dick, steif werden; **it is freezing hard** es herrscht starker Frost; ~ **onto** *(fam)* sich anklammern an; ~ **over** überfrieren; ~ **up** zufrieren; **make s.o.'s blood ~** jdm das Blut in den Adern erstarren lassen; **I'm freezing** ich friere, mich friert **II.** *tr* **1.** gefrieren lassen; einfrieren **2.** *(Lohn)* einfrieren, stoppen **3.** *(Wunde)* vereisen; ~ **s.o. with a look** jdm e-n eisigen Blick zuwerfen; ~ **out** *(Am)* herausekeln **III.** *s* **1.** (METE) Frost(periode *f) m* **2.** Lohn-, Preisstopp *m;* **freezer** ['fri:zə(r)] *s* Tiefkühltruhe *f;* Gefrierschrank *m;* **freeze-up** ['fri:zʌp] *s* Dauerfrost *m;* **freez·ing** ['fri:zɪŋ] **I.** *adj* eisig, eiskalt **II.** *s* Einfrieren *n;* **below ~** unter dem Gefrierpunkt; **~-point** Gefrierpunkt *m*

freight [freɪt] **I.** *s* **1.** (MAR AERO) Frachtgut *n* **2.** Frachtkosten *pl;* ~ **charges** Frachtkosten *pl* **II.** *tr* **1.** *(Waren)* verfrachten **2.** *(Boot)* beladen; **freight car** *s* Güterwagen *m;* **freighter** ['freɪtə(r)] *s* **1.** Frachtschiff *n,* Frachter *m* **2.** Transportflugzeug *n;* **freight train** *s* Güterzug *m*

French [frentʃ] **I.** *adj* französisch **II.** *s* (das) Französisch(e); **the ~** die Franzosen *mpl;* **French bean** *s* grüne Bohne; **French chalk** *s* Schneiderkreide *f;* **French dressing** *s* Salatdressing *n,* Vinaigrette *f;* **French fried potatoes, French fries** *s pl* Pommes frites *pl;* **French horn** *s* (MUS) Waldhorn *n;* **French leave** *s:* **take ~** sich auf französisch empfehlen; **French letter** *s* Kondom *n;* **French·man** ['frentʃmən] <*pl* -men> *s* Franzose *m;* **French window** *s* Verandas-, Balkontür *f;* **French·woman** ['frentʃwʊmən, *pl* -wɪmɪn] <*pl* -women> *s* Französin *f*

fren·etic [frə'netɪk] *adj* frenetisch, rasend

fren·zied ['frenzɪd] *adj* wahnsinnig; rasend; **frenzy** ['frenzɪ] *s* Raserei *f;* Wahnsinn *m;* **in a ~ of despair** in wilder Verzweiflung; **rouse to ~** in Raserei versetzen

fre·quency ['fri:kwənsɪ] *s* **1.** Häufigkeit *f* **2.** (EL) Frequenz *f;* **frequency band** *s* Frequenzband *n;* **frequency modulation** *s* Frequenzmodulation *f;* **frequent** ['fri:kwənt] **I.** *adj* häufig; landläufig **II.** [frɪ'kwent] *tr* häufig besuchen

fresco ['freskəʊ] <*pl* fresco(e)s> *s* Freskomalerei *f,* -gemälde *n*

fresh [freʃ] **I.** *adj* **1.** frisch **2.** neu **3.** *(Am fam)* frech **4.** kühl, erfrischend; ~ **water** Süßwasser *n;* **in the ~ air** an der frischen Luft; **make a ~ start** neu anfangen; **a ~ arrival** ein Neuankömmling *m* **II.** *adv* frisch; ~ **from the oven** ofenfrisch; **freshen** ['freʃn] *itr (Wind)* auffrischen; ~ **up** sich auffrischen; **fresh·man** ['freʃmən] <*pl* -men> *s* Student *m* im ersten Studienjahr; **fresh·ness** ['freʃnɪs] *s* Frische *f*

fret[1] [fret] **I.** *tr* nagen an **II.** *itr* sich Sorgen machen; unruhig sein **III.** *s:* **be in a ~** beunruhigt, besorgt sein

fret[2] [fret] *tr* laubsägen

fret[3] [fret] *s* (MUS) Griffleiste *f*

fret·ful ['fretfl] *adj* in Sorge; unruhig

fret·saw ['fretsɔ:] *s* Laubsäge *f;* **fret·work**

['fretwɜːk] *s* Laubsägearbeit *f*

friar ['fraɪə(r)] *s* Mönch *m*

frica·tive ['frɪkətɪv] *s* Reibelaut *m*

fric·tion ['frɪkʃn] *s* **1.** (*a.* TECH) Reibung *f* **2.** (*fig*) Reibungen, Spannungen *fpl*

Fri·day ['fraɪdɪ] *s* Freitag *m;* **on ~s** freitags; **Good ~** Karfreitag *m*

fridge [frɪdʒ] *s* (*Br fam*) Kühlschrank *m*

fried [fraɪd] *adj* gebraten; **fried chicken** *s* gebratenes Hühnchen; **fried egg** *s* Spiegelei *n*

friend [frend] *s* **1.** Freund(in) *m(f)* **2.** Bekannte(r) *f m;* **F~** (REL) Quäker(in) *m(f);* **be ~s with** befreundet sein mit; **be great ~s** eng miteinander befreundet sein; **make ~s with** sich anfreunden mit; **make ~s again** sich wieder vertragen, sich (wieder) versöhnen; **friend·less** [-lɪs] *adj* ohne Freunde; **friend·ly** ['frendlɪ] *adj* **1.** freundschaftlich **2.** freundlich; angenehm; **be on ~ terms with s.o.** mit jdm auf freundschaftlichem Fuß stehen; **~ society** Versicherungsverein *m;* **friend·ship** ['frendʃɪp] *s* Freundschaft *f*

frieze [friːz] *s* **1.** Zierstreifen *m* **2.** (ARCH) Fries *m* **3.** (*schwerer Wollstoff*) Fries *m*

frig·ate ['frɪgət] *s* (MAR) Fregatte *f*

fright [fraɪt] *s* **1.** Schreck(en) *m* **2.** (*Person*) Vogelscheuche *f;* **get off with a bad ~** mit dem Schrecken davonkommen; **give s.o. a ~** jdn erschrecken; **take ~** erschrecken; **frighten** ['fraɪtn] **I.** *tr* erschrecken; Angst machen (*s.o.* jdm), ängstigen; **~ away** abschrecken; **~ s.o. into doing s.th.** jdn dazu treiben, dass er etw tut; **be ~ed of s.th.** vor etw Angst haben; **be ~ed by s.th.** vor etw erschrecken; **in a ~ed voice** mit angsterfüllter Stimme **II.** *itr:* **she doesn't ~ easily** so leicht fürchtet sie sich nicht; **fright·ful** ['fraɪtfl] *adj* schrecklich, fürchterlich

frigid ['frɪdʒɪd] *adj* **1.** (eis)kalt; frostig **2.** (*fig*) frostig, kühl **3.** (PHYSIOL) frigid(e); **frigid·ity** [frɪ'dʒɪdətɪ] *s* **1.** Kühle *f* **2.** (PHYSIOL) Frigidität *f*

frill [frɪl] *s* **1.** Manschette *f;* Rüsche *f* **2.** (ZOO) Kragen *m;* **with all the ~s** mit allem Drum und Dran

fringe [frɪndʒ] **I.** *s* **1.** Franse *f* **2.** (*fig*) Rand *m* **3. ~s** Ponyfrisur *f,* Pony *m* **II.** *tr* mit Fransen besetzen; **fringe benefits** *s pl* zusätzliche Nebenleistungen *fpl;* **fringe group** *s* Randgruppe *f;* **fringe theatre** *s* unkonventionelles Theater

frip·pery ['frɪpərɪ] *s* Tand *m,* Kinkerlitzchen *pl*

frisk [frɪsk] **I.** *itr* herumtollen **II.** *tr* (*fam*) abtasten, durchsuchen; **frisky** ['frɪskɪ] *adj* verspielt

frit·ter¹ ['frɪtə(r)] *s* Beignet *m*

frit·ter² ['frɪtə(r)] *tr* (*~ away*) vergeuden; verschwenden

friv·ol·ity [frɪ'vɒlətɪ] *s* Frivolität *f;* **friv·ol·ous** ['frɪvələs] *adj* **1.** frivol **2.** (*Mensch*) leichtfertig, -sinnig

frizzy ['frɪzɪ] *adj* kraus, gekräuselt

fro [frəʊ] *adv:* **to and ~** hin und her, auf und ab

frock [frɒk] *s* **1.** (Mönchs)Kutte *f* **2.** Kleid *n*

frog [frɒg] *s* **1.** Frosch *m* **2.** Schnürverschluss *m;* **have a ~ in one's throat** e-n Frosch im Hals haben; **frog·man** ['frɒgmən] <*pl* -men> *s* Froschmann *m;* **frog·march** ['frɒgmɑːtʃ] *tr* abschleppen; wegschleifen; **frog·spawn** *s* Froschlaich *m*

frolic ['frɒlɪk] <frolicking, frolicked> **I.** *s* Herumtollen *n;* Ausgelassenheit *f* **II.** *itr* umhertoben; **frolic·some** ['frɒlɪksəm] *adj* lustig, ausgelassen

from [frɒm] *prep* **1.** (*Ausgangspunkt*) von; aus **2.** (*zeitlich*) seit; ab, von … an **3.** (*Entfernung*) von … weg; von … entfernt **4.** (*wegnehmen*) von; aus **5.** (*Quellenangabe*) von; aus **6.** (*Modell*) nach **7.** (*unterste Grenze angebend*) ab **8.** (*Grund*) wegen; infolge; **~ house to house** von Haus zu Haus; **where are you ~ ?** wo sind Sie her?; **~ his childhood** von Kindheit an; **~ time to time** von Zeit zu Zeit; **go away ~ home** von zu Hause weggehen; **steal s.th. ~ s.o.** jdm etw stehlen; **quotations ~ Shakespeare** Zitate nach Shakespeare; **judge ~ appearances** nach dem Äußeren urteilen; **drink ~ a glass** aus e-m Glas trinken; **translated ~ the English** aus dem Englischen übersetzt; **painted ~ life** nach dem Leben gemalt; **~ the age of 18 upwards** von 18 Jahren aufwärts; **escape ~ prison** aus dem Gefängnis entkommen; **go ~ bad to worse** immer schlimmer werden; **weak ~ hunger** schwach vor Hunger; **~ experience** aus Erfahrung; **~ what I heard** nach dem, was ich gehört habe; **prevent s.o. ~ doing s.th.** jdn daran hindern etw zu tun; **~ inside** von innen; **~ beneath s.th.** unter etw hervor; **~ among the trees** zwischen den Bäumen hervor

front [frʌnt] **I.** *s* **1.** (*a.* ARCH) Stirn-, Vorderseite, Vorderfront *f* **2.** (MIL POL METE) Front *f* **3.** Uferpromenade *f* **4.** Fassade *f a. fig* **5.** Hemdbrust *f* **6.** (THEAT) Zuschauerraum *m* **7.** Strohmann *m* **8.** (*lit*) Stirn *f;* **in ~ of s.o.** vor jdm; **in ~** vorne; **at the ~ of** vorn; an der Spitze von; **be in ~** vorne sein; **be sent to the ~** an die Front geschickt werden; **cold ~** (METE) Kaltluftfront *f;* **come to the ~** (*fig*) hervortreten, bekannt werden; **put on a bold ~** e-e tapfere Miene zur Schau stellen **II.** *itr:* **the windows ~ onto the street** die Fenster gehen auf die Straße hinaus **III.** *tr* der Frontmann sein **IV.** *adj* vorderste(r, s); erste(r, s); ~ **brake** Vorderbremse *f;* ~ **garden** Vorgarten *m* **V.** *adv:* **up** ~ vorne (*upon, towards* nach)

front·age ['frʌntɪdʒ] *s* (ARCH) Vorderfront, Frontseite *f*

frontal ['frʌntl] *adj* Frontal-; Stirn-

front bench [ˌfrʌnt'bentʃ] *s* (PARL) Regierungsbank *f;* **front door** *s* Haustür *f*

fron·tier ['frʌntɪə(r)] *s* Grenze, Landesgrenze *f;* Grenzgebiet *n;* **frontier district** *s* Grenzgebiet *n,* -bezirk *m;* **frontier police** *s* Grenzpolizei *f;* **fron·tiers·man** ['frʌntɪəzmən] <*pl* -men> *s* Grenzbewohner *m;* **frontier station** *s* Grenzbahnhof *m*

front·is·piece ['frʌntɪspi:s] *s* (*Buch*) Titelbild *n*

front line [ˌfrʌnt'laɪn] *s* (MIL) Front *f a. fig;* **front·list** ['frʌntlɪst] *s* (*Verlagswesen*) Neuerscheinungen *fpl;* **front page I.** *s* (*Zeitung*) Titel-, Vorderseite *f* **II.** *adj:* **front-page** auf der ersten Seite **III.** *tr* (*Am: in der Zeitung*) groß herausstellen; **front rank** *s:* **be in the** ~ (*fig*) zur Spitze zählen; **front runner** *s* Läufer(in) *m(f),* an der Spitze; (*fig*) Spitzenreiter(in) *m(f);* **front spoiler** [ˌfrʌnt'spɔɪlə(r)] *s* (MOT) Frontspoiler *m;* **front-wheel drive** *s* Vorderradantrieb *m*

frost [frɒst] **I.** *s* **1.** Frost, Raureif *m* **2.** (*fig*) Kühle, Kälte *f* **3.** (*fam*) Reinfall *m,* Versager *m* **II.** *tr* **1.** (*Glas*) mattieren **2.** mit Reif überziehen **3.** (*Kuchen*) glasieren; **frost·bite** *s* Frostbeulen *fpl;* **frost-bitten** ['frɒstbɪtn] *adj* erfroren; **frost-bound** ['frɒstbaʊnd] *adj* festgefroren; **frosted** ['frɒstɪd] *adj* **1.** mit Zuckerguss überzogen **2.** (*Essen*) tiefgekühlt **3.** (*Pflanzen*) erfroren; ~ **glass** Milchglas *n;* **frost·ing** ['frɒstɪŋ] *s* Zuckerguss *m;* Glasur *f;* **frosty** ['frɒstɪ] *adj* kalt; frostig, eisig *a. fig*

froth [frɒθ] **I.** *s* **1.** Schaum *m* **2.** (*fig*) leeres Gerede; **the dog has** ~ **at the mouth** der Hund hat Schaum vor dem Maul **II.** *itr* schäumen; **frothy** ['frɒθɪ] *adj* **1.** schaumig, schäumend **2.** (*Gerede*) hohl, albern

frown [fraʊn] **I.** *itr* die Stirn runzeln (*at* über); ~ **on** missbilligen **II.** *s* Stirnrunzeln *n*

frowzy ['fraʊzɪ] *adj* schmutzig, schlampig

froze [frəʊz] *s.* **freeze; frozen** ['frəʊzn] **I.** *pp of* **freeze II.** *adj* **1.** (zu)gefroren, vereist **2.** (*Körper*) erfroren **3.** eisig, sehr kalt **4.** (*fig*) eiskalt **5.** (*Löhne*) eingefroren, blockiert, gesperrt; **I'm** ~ mir ist eiskalt; ~ **foods** Tiefkühlkost *f;* ~ **meat** Gefrierfleisch *n;* ~ **assets** (FIN) festliegendes Kapital; eingefrorenes Guthaben

fru·gal ['fru:gl] *adj* **1.** sparsam, genügsam **2.** (*Essen*) einfach, schlicht, frugal; **fru·gal·ity** [fru:'gælətɪ] *s* Sparsamkeit *f;* Einfachheit *f*

fruit [fru:t] **I.** *s* **1.** Frucht *f;* Obst *n* **2.** (*fig*) Ergebnis *n,* Folge *f;* **the ~s of the earth** Früchte *f pl* des Feldes; **bear** ~ Früchte tragen **II.** *itr* Früchte tragen; **fruit·cake** *s* englischer Kuchen; **nutty as a** ~ (*sl*) total bekloppt; **fruit·erer** ['fru:tərə(r)] *s* Obsthändler(in) *m(f);* **fruit·ful** ['fru:tfl] *adj* fruchtbar, ertragreich

fru·ition [fru:'ɪʃn] *s* Verwirklichung, Erfüllung *f;* **bring to** ~ verwirklichen; **his hopes came to** ~ seine Hoffnungen erfüllten sich

fruit knife ['fru:tnaɪf] <*pl* -**knives**> *s* Obstmesser *n;* **fruit·less** ['fru:tlɪs] *adj* **1.** unfruchtbar **2.** (*fig*) fruchtlos, ergebnislos; **fruit salad** *s* Obstsalat *m*

fruity ['fru:tɪ] *adj* **1.** fruchtartig; fruchtig **2.** (*fam: Geschichte*) gesalzen **3.** (*Stimme*) rauchig

frump [frʌmp] *s* (*fig*) Vogelscheuche *f*

frus·trate [frʌ'streɪt] *tr* **1.** (*Hoffnung*) zunichte machen **2.** (*Plan*) durchkreuzen **3.** (PSYCH) frustieren; **frus·trated** [frʌ'streɪtɪd] *adj* frustriert; **frus·tra·tion** [frʌ'streɪʃn] *s* **1.** Zerschlagung *f* **2.** (PSYCH) Frustration *f*

fry[1] [fraɪ] **I.** *tr* in der Pfanne braten, backen; **fried eggs** Spiegeleier *npl;* **fried potatoes** Bratkartoffeln *fpl* **II.** *itr* braten

fry[2] [fraɪ] *s* kleine Fische *mpl*

fry·ing-pan ['fraɪŋpæn] *s* Bratpfanne *f;* **out of the** ~ **into the fire** vom Regen in die Traufe

fuchsia ['fju:ʃə] *s* (BOT) Fuchsie *f*

fuck [fʌk] **I.** *tr, itr* (*vulg*) ficken; ~ **about** verarschen; ~ **off** sich verpissen **II.** *s* (*vulg*): **not to care a** ~ sich e-n Dreck kümmern um **III.** *interj* (*vulg*) verdammte Scheiße!; **fucker** ['fʌkə(r)] *s* (*vulg*) Arschloch *n*

fuddled ['fʌdld] *adj* verwirrt; beschwipst

fuddy-duddy ['fʌdɪdʌdɪ] *s* (*fam*) altmodischer Kauz

fudge [fʌdʒ] **I.** *s* **1.** Fondant *m* **2.** (*Zeitung*) Spalte *f* für letzte Meldungen **II.** *tr* sich aus den Fingern saugen

fuel ['fju:əl] **I.** *s* **1.** Heiz-, Brennmaterial *n;* Brennstoff *m* **2.** Kraftstoff *m;* Benzin *n* **3.** (*fig*) Nahrung *f;* **add** ~ **to the flames** (*fig*) Öl ins Feuer gießen **II.** *tr* mit Brenn-, Kraftstoff versorgen **III.** *itr* tanken; **fuel capacity** *s* Tankfassungsvermögen *n;* **fuel consumption** *s* Benzinverbrauch *m;* **fuel element** *s* Brennelement *n;* **fuel gauge** *s* Benzinuhr *f;* **fuel-injection engine** *s* (MOT) Einspritzmotor *m;* **fuel oil** *s* Heizöl *n;* **fuel pump** *s* Benzinpumpe *f;* **fuel rod** *s* Brennstab *m*

fug [fʌg] *s* Mief *m;* **fuggy** ['fʌgɪ] *adj* muffig

fu•git•ive ['fju:dʒətɪv] I. *adj* 1. flüchtig, entflohen 2. (*fig*) vergänglich II. *s* Flüchtling *m*
fugue [fju:g] *s* (MUS) Fuge *f*
ful•fil [fʊl'fɪl], **ful•fill** *tr* 1. (*Wunsch*) erfüllen 2. (*Aufgabe*) ausführen 3. (*Versprechen*) einlösen 4. (*Verpflichtung*) einhalten; ~ **o.s.** sich selbst verwirklichen; **ful•fill•ment** (*Am*), **ful•fil•ment** [-mənt] *s* Erfüllung *f*
full [fʊl] I. *adj* 1. voll, (voll)gefüllt 2. (*Bericht*) vollständig 3. (*Sympathie*) vollste(r, s) 4. wimmelnd (*of* von) 5. (*Figur*) füllig 6. (*Segel*) gebläht; **be ~ of ...** voller, voll von ... sein; ~ **house** (THEAT) ausverkauft; ~ **up** vollbesetzt; **I'm ~ up** ich bin satt; **at ~ speed** in voller Fahrt; **fall ~ length** der Länge nach hinfallen; **in ~ bloom** in voller Blüte; ~ **sail** mit vollen Segeln *a. fig;* ~ **steam ahead** Volldampf voraus; ~ **to overflowing** bis zum Überlaufen voll; **be in ~ swing** in vollem Gange sein; **come to a ~ stop** plötzlich stehen bleiben; **pay in ~** voll bezahlen II. *adv:* **I know it ~ well** ich weiß es sehr wohl; **look s.o. ~ in the face** jdm voll in die Augen sehen III. *s:* **in ~** ganz, vollständig; **write one's name in ~** seinen Namen ausschreiben; **to the ~** vollständig; **full-back** ['fʊlbæk] *s* (SPORT) Verteidiger(in) *m(f);* **full-blooded** [ˌfʊl'blʌdɪd] *adj* 1. kräftig 2. Vollblut-; **full-blown** [ˌfʊl'bləʊn] *adj* 1. (BOT) voll aufgeblüht 2. (*fig*) ausgewachsen; **full-bodied** [ˌfʊl'bɒdɪd] *adj* (*Wein*) würzig, schwer; **full-cream milk** [ˌfʊl'kri:m] *s* Vollmilch *f;* **full-dress** *adj* 1. Gala- 2. (*fig*) wichtig; **full-faced** [ˌfʊl'feɪst] *adj* rundgesichtig; **full(y)-fledged** [ˌfʊl'fledʒd] *adj* 1. flügge 2. (*fig*) voll entwickelt; **full-frontal** [ˌfʊl'frʌntl] *adj* oben und unten ohne; **full-grown** [ˌfʊl'grəʊn] *adj* voll ausgewachsen; **full-length** *adj* 1. (*Portrait*) lebensgroß 2. (*Film*) abendfüllend; **full moon** *s* Vollmond *m*
full•ness ['fʊlnɪs] *s* Vollständigheit *f;* Sattheit *f;* **in the ~ of time** zu gegebener Zeit
full-page [ˌfʊl'peɪdʒ] *adj* ganzseitig; **full-scale** *adj* in Lebensgröße; **full score** *s* (MUS) Gesamtpartitur *f;* **full stop** *s* Punkt *m;* **full time** *s* (SPORT) Abpfiff *m;* **full-time** *adj* ganztägig; vollberuflich
fully ['fʊlɪ] *adv* 1. völlig, ganz 2. (*bei Zahlangabe*) mindestens, mehr als; ~ **fashioned** mit Passform; ~ **qualified** voll qualifiziert
ful•mi•nate ['fʌlmɪneɪt] *itr* (*fig*) donnern, wettern (*against* gegen)
ful•some ['fʊlsəm] *adj* (*Lob, Schmeichelei*) übertrieben
fumble ['fʌmbl] I. *itr* (~ *about*) umhertasten, -tappen II. *tr* vermasseln; **fumbler** ['fʌmblə(r)] *s* Stümper(in) *m(f)*
fume [fju:m] I. *s meist pl* Rauch, Dampf *m;* Abgase *npl* II. *itr* 1. rauchen, dampfen 2. (*fig*) aufgebracht, wütend sein (*about, over* über)
fu•mi•gate ['fju:mɪgeɪt] *tr* ausräuchern
fun [fʌn] *s* Spaß *m;* Vergnügen *n,* Belustigung *f;* **for ~** zum Spaß; **he is great ~** man hat mit ihm viel zu lachen; **make ~ of s.o., poke ~ at s.o.** sich über jdn lustig machen; **he's ~** er ist ein lustiger Kerl; **have ~!** viel Spaß!
func•tion ['fʌŋkʃn] I. *s* 1. Funktion, Tätigkeit *f* 2. Aufgaben, Pflichten *fpl* 3. Veranstaltung *f;* Feier *f* 4. (MATH) Funktion *f* II. *itr* funktionieren, laufen; arbeiten; ~ **as** fungieren als; **func•tional** ['fʌŋkʃənl] *adj* 1. (PHYSIOL) funktionsfähig 2. funktionell; zweckmäßig; **func•tion•ary** ['fʌŋkʃənərɪ] *s* Funktionär(in) *m(f);* **function key** *s* (EDV) Funktionstaste *f*
fund [fʌnd] I. *s* 1. Vorrat, Schatz *m* 2. (FIN) Fonds *m* 3. **~s** Gelder, Geldmittel *npl* 4. **~s** Staatspapiere *npl;* **the public ~s** öffentliche Mittel *npl;* **no ~s** ohne Deckung; **be in ~s** zahlungsfähig sein; **raise ~s** Mittel aufbringen II. *tr* 1. (*Geld*) anlegen, investieren 2. (*Schuld*) ausgleichen, bezahlen
fun•da•men•tal [ˌfʌndə'mentl] I. *adj* 1. grundlegend, fundamental 2. wesentlich (*to* für) 3. hauptsächlich; elementar; ~ **tone** (MUS) Grundton *m;* ~ **research** Grundlagenforschung *f* II. *s meist pl* Grundlage, Basis *f;* **fun•da•men•tal•ism** [ˌfʌndə'mentəlɪzəm] *s* Fundamentalismus *m;* **fun•da•men•tal•ist** [ˌfʌndə'mentəlɪst] I. *adj* fundamentalistisch II. *s* 1. Fundamentalist(in) *m(f)* 2. (*fam*) Fundi; **fun•da•men•tal•ly** [ˌfʌndə'mentəlɪ] *adv* grundlegend; im Grunde genommen, im Wesentlichen
fu•neral ['fju:nərəl] *s* Beerdigung *f,* Begräbnis *n,* Beisetzung *f;* **that's his ~** (*fig*) das ist sein Problem; **funeral director** *s* Beerdigungsunternehmer(in) *m(f);* **funeral march** *s* Trauermarsch *m;* **funeral parlour** *s* Leichenhalle *f;* **funeral pyre** *s* Scheiterhaufen *m*
fu•ner•eal [fju:'nɪərɪəl] *adj* traurig, trübselig
fun•fair ['fʌnfeə(r)] *s* Rummelplatz *m*
fun•gi•cide ['fʌŋgɪsaɪd] *s* Pilzvernichtungsmittel *n;* **fun•gus** ['fʌŋgəs, *pl* 'fʌŋgaɪ] <*pl* fungi> *s* Pilz *m*
fu•nicu•lar [fju:'nɪkjʊlə(r)] (~ *railway*) Seilbahn *f*
funk [fʌŋk] I. *s* 1. (*fam*) Schiss *m,* Mordsangst *f* (*of* vor) 2. (MUS) Funk *m;* **he is in a ~** ihm schlottern die Knie II. *tr* (*fam*) sich

drücken vor; **funky** ['fʌŋkɪ] *adj* **1.** (*fam*) feige **2.** (*sl: Musik*) irre
fun-lov·ing ['fʌnˌlʌvɪŋ] *adj* lebenslustig
funnel ['fʌnl] **I.** *s* **1.** Trichter *m* **2.** (MAR RAIL) Schornstein *m* **II.** *tr* (*Flüssigkeit*) leiten; schleusen
funnies ['fʌnɪz] *s pl* (*fam*) Witze *mpl,* Witzseite *f;* **funny** ['fʌnɪ] *adj* **1.** lustig, komisch **2.** seltsam, komisch **3.** unwohl; **funny-bone** *s* (ANAT) Musikantenknochen *m*
fur [fɜː(r)] **I.** *s* **1.** Fell *n;* Pelz *m* **2.** (MED) Belag *m* **3.** Kesselstein *m* **4.** **~s** Pelzwaren *fpl;* **make the ~ fly** (*fig*) e-n Streit vom Zaun brechen **II.** *itr:* **~ up** Kesselstein ansetzen; pelzig werden
fur·bish ['fɜːbɪʃ] *tr* **1.** blank putzen, polieren **2.** aufpolieren *a. fig*
furi·ous ['fjʊərɪəs] *adj* **1.** wütend **2.** (*See*) stürmisch, wild **3.** (*Geschwindigkeit*) rasant; **fast and ~** wild, toll, ausgelassen
furl [fɜːl] *tr* **1.** (*Flagge*) aufrollen **2.** (*Schirm*) zusammenrollen
fur·long ['fɜːlɒŋ] *s* Achtelmeile *f* (*201 m*)
fur·lough ['fɜːləʊ] *s* (MIL) Urlaub *m;* **on ~** auf Urlaub
fur·nace ['fɜːnɪs] *s* Hochofen *m;* Schmelzofen *m*
fur·nish ['fɜːnɪʃ] *tr* **1.** (*Haus*) einrichten **2.** (*Informationen*) liefern, geben; **~ s.o. with s.th.** jdn mit etw versorgen, jdm etw liefern; **~ed room** möbliertes Zimmer; **fur·nish·ings** ['fɜːnɪʃɪŋz] *s pl* Einrichtung *f;* Mobiliar *n*
fur·ni·ture ['fɜːnɪtʃə(r)] *s* Möbel *pl;* **a piece of ~** ein Möbelstück *n;* **furniture van** *s* (*Br*) Möbelwagen *m*
fur·rier ['fʌrɪə(r)] *s* Kürschner(in) *m(f)*
fur·row ['fʌrəʊ] **I.** *s* **1.** (Acker)Furche *f* **2.** Furche, Runzel *f* **II.** *tr* **1.** (zer)furchen; pflügen **2.** runzeln
furry ['fɜːrɪ] *adj* Pelz-; belegt, pelzig
fur·ther ['fɜːðə(r)] <*Komparativ von* far> **I.** *adj* weiter (entfernt), hintere(r, s); **till ~ notice** bis auf weiteres; **~ particulars** weitere Einzelheiten; **~ education** Weiter-, Fortbildung *f* **II.** *adv* **1.** weiter, ferner **2.** darüber hinaus; überdies; **~ on** weiter; **~ back** weiter zurück; früher; **get ~ and ~ away** sich immer weiter entfernen; **and ~ ...** und darüber hinaus; **until you hear ~** bis auf weiteres **III.** *tr* fördern, unterstützen; **fur·ther·ance** ['fɜːðərəns] *s* Förderung, Unterstützung *f;* **fur·ther·more** [ˌfɜːðə'mɔː(r)] *adv* überdies; ferner; **fur·ther·most** ['fɜːðəməʊst] *adj* äußerste(r, s)
fur·thest ['fɜːðɪst] <*Superlativ von* far> **I.** *adj:* **the ~ way round** den längsten Weg **II.** *adv* am weitesten weg; **he went the ~** er ging am weitesten
fur·tive ['fɜːtɪv] *adj* verstohlen, heimlich; **fur·tive·ness** [-nɪs] *s* Heimlichkeit *f*
fury ['fjʊərɪ] *s* **1.** Wut, Raserei *f;* Heftigkeit *f* **2.** Wutanfall, -ausbruch *m;* **be in a ~** wütend sein; **fly into a ~** in Wut geraten; **like ~** wie verrückt
fuse [fjuːz] **I.** *tr* **1.** verschmelzen **2.** (*fig*) vereinigen, verbinden; **~ the lights** die Sicherung durchbrennen lassen **II.** *itr* **1.** sich verbinden **2.** (EL) durchbrennen **III.** *s* **1.** (EL) Sicherung *f* **2.** Zündschnur *f;* **blow the ~** die Sicherung durchbrennen lassen; **fuse box** *s* Sicherungskasten *m*
fu·sel·age ['fjuːzəlɑːʒ] *s* (AERO) Rumpf *m*
fusion ['fjuːʒn] *s* **1.** Verschmelzung *f a. fig,* Fusion *f* **2.** (PHYS) Kernfusion *f;* **fusion bomb** *s* Wasserstoffbombe *f;* **fusion reactor** *s* (TECH) Fusionsreaktor *m*
fuss [fʌs] **I.** *s* Umstände *pl,* Wirbel *m;* Getue *n;* **make** [*o* **kick up**] **a ~** ein wahres Theater aufführen; **make a ~ about s.th.** viel Aufhebens um etw machen; **don't make so much ~** mach kein Theater!; **be in a ~** Zustände haben **II.** *itr* **1.** sich aufregen (*about, over* über) **2.** Umstände machen; **~ over s.o.** jdn bemuttern; **~ around** herumfuhrwerken; **~ with s.th.** nervös an etw herummachen **III.** *tr* (*fam*) nervös, verrückt machen; **fuss·pot** ['fʌspɒt] *s* Umstandskrämer *m;* **fussy** ['fʌsɪ] *adj* **1.** kleinlich, pingelig **2.** (*Kleid*) verspielt; **be ~ about s.th.** mit etw heikel, wählerisch sein
fusty ['fʌstɪ] *adj* muffig *a. fig*
fu·tile ['fjuːtaɪl] *adj* **1.** sinnlos, nutzlos, vergeblich **2.** unerheblich, nebensächlich; **fu·til·ity** [fjuː'tɪlətɪ] *s* **1.** Sinnlosigkeit, Nutzlosigkeit *f* **2.** Vergeblichkeit *f*
fu·ture ['fjuːtʃə(r)] **I.** *adj* (zu)künftig, kommend, bevorstehend **II.** *s* **1.** Zukunft *f;* Aussichten *fpl* **2.** (GRAM) Zukunft *f,* Futur *n;* **in ~** in Zukunft; **in the near ~** in naher Zukunft; **~ prospects** Zukunftsperspektive *fsing;* **futures market** *s* (FIN) Terminbörse *f;* **fu·tur·ism** ['fjuːtʃərɪzəm] *s* Futurismus *m;* **fu·tur·istic** [ˌfjuːtʃə'rɪstɪk] *adj* futuristisch
fuze [fjuːz] (*Am*) *s.* **fuse**
fuzz [fʌz] *s* **1.** Flaum *m* **2.** Wuschelkopf *m* **3.** (*sl: Polizei*) Bulle *m;* **fuzzy** ['fʌzɪ] *adj* **1.** (*Bild*) unklar **2.** (*Haar*) kraus
f-word ['efˌwɜːd] *s verhüllende Umschreibung für das Wort fuck*

G

G, g [dʒiː] <*pl* -'s> *s* (*a.* MUS) G, g *n*
gab [gæb] *s* Gequassel *n;* **have the gift of the ~** (*fam*) ein gutes Mundwerk haben
gab•ar•dine [ˌgæbəˈdiːn] *s* Gabardine *m*
gabble [ˈgæbl] *itr* **1.** plappern **2.** (*Gänse*) schnattern
gable [ˈgeɪbl] *s* Giebel *m*
Ga•bon [gæˈbɒn] *s* Gabun *n*
gad•about [ˈgædəbaʊt] *s* (*fam*) Herumtreiber(in) *m(f);* **gad about, gad around** [gæd əˈbaʊt, gæd əˈraʊnd] *itr* umherschweifen
gad•fly [ˈgædflaɪ] *s* Viehbremse *f*
gadget [ˈgædʒɪt] *s* (*fam*) **1.** Gerät *n,* Apparat *m;* Vorrichtung *f* **2.** Dingsda *n;* **gadgetry** [ˈgædʒɪtrɪ] *s* Apparate *mpl,* technische Spielereien *fpl*
Gaelic [ˈgeɪlɪk] **I.** *adj* gälisch; **~ coffee** Irishcoffee *m* **II.** *s* (das) Gälisch(e)
gaff [gæf] *s* Fischhaken *m;* **blow the ~** (*sl*) nicht dichthalten
gaffe [gæf] *s* Fauxpas *m;* Taktlosigkeit *f*
gaffer [ˈgæfə(r)] *s* **1.** (*fam*) Chef *m;* Vorarbeiter *m* **2.** alter Mann
gag [gæg] **I.** *s* **1.** Knebel *m* **2.** (*fig*) Maulkorb *m* **3.** witziger Einfall; Gag *m* **II.** *tr* **1.** knebeln **2.** (*fig*) mundtot machen **III.** *itr* **1.** e-n Witz, Spaß machen **2.** würgen (*on s.th.* an etw)
gaga [ˈgɑːgɑː] *adj* (*fam*) plemplem, meschugge; **go ~** senil werden; **go ~ over s.o.** in jdn vernarrt sein
gage (*Am*) *s.* **gauge**
gaggle [ˈgægl] **I.** *s* Gänseschar *f a. fig* **II.** *itr* (*Gans*) schnattern
gai•ety [ˈgeɪətɪ] *s* **1.** Heiterkeit *f* **2.** *meist pl* Festlichkeiten *fpl;* **gaily** [ˈgeɪlɪ] *adv s.* **gay**
gain [geɪn] **I.** *s* **1.** Gewinn *m;* Vorteil *m* **2.** Steigerung, Zunahme *f* **3. ~s** Gewinn *m;* Verdienst *m;* **for ~** aus Berechnung; des Geldes wegen; **~ in weight** (Gewichts)Zunahme *f* **II.** *tr* gewinnen; (sich) erwerben; erlangen; erreichen; **~ a footing** festen Fuß fassen; **~ ground** (*fig*) Fortschritte machen; sich durchsetzen; **~ the upper hand** die Oberhand gewinnen; **~ speed** schneller werden **III.** *itr* **1.** (*an Gewicht*) zunehmen **2.** vorankommen, Fortschritte machen **3.** näherkommen (*on, upon* an) **4.** e-n Vorteil erlangen (*on* über) **5.** Vorsprung gewinnen (*on, upon* vor) **6.** (*Uhr*) vorgehen **7.** (MOT) aufholen; **gain•ful** [ˈgeɪnfl] *adj* einträglich, gewinnbringend; **~ employment** Erwerbstätigkeit *f;* **gain•ings** [ˈgeɪnɪŋz] *s pl* Gewinn(e *pl*) *m*
gait [geɪt] *s* Gang *m;* Haltung *f*
gai•ter [ˈgeɪtə(r)] *s* Gamasche *f*
gala [ˈgɑːlə] *s* Fest(lichkeit *f*) *n,* Feier *f;* Galaveranstaltung *f*
ga•lac•tic [gəˈlæktɪk] *adj* (ASTR) galaktisch
gal•axy [ˈgæləksɪ] *s* **1.** (ASTR) Sternsystem *n* **2.** (*fig*) Schar *f*
gale [geɪl] *s* Sturm *m;* **it is blowing a ~** es stürmt; **~-force wind** stürmischer Wind; **~s of laughter** schallendes Gelächter; **gale warning** *s* Sturmwarnung *f*
gall [gɔːl] **I.** *s* **1.** Galle *f* **2.** (*fig*) Bitterkeit *f,* Groll *m* **3.** Wunde, wundgeriebene Stelle *f* **4.** Gallapfel *m* **5.** (*fam*) Frechheit *f* **II.** *tr* **1.** wund reiben **2.** (*fig*) ärgern
gal•lant [ˈgælənt] *adj* **1.** prächtig; stattlich; tapfer **2.** galant; **gal•lantry** [ˈgæləntrɪ] *s* **1.** Tapferkeit *f* **2.** Ritterlichkeit *f*
gall blad•der [ˈgɔːlblædə(r)] *s* Gallenblase *f*
gal•leon [ˈgælɪən] *s* (MAR HIST) Galeone *f*
gal•lery [ˈgælərɪ] *s* **1.** (*Kunst*) Galerie *f* **2.** (THEAT) oberster Rang, Galerie *f* **3.** Tribüne *f;* Empore *f;* Galerie *f* **4.** Säulenhalle *f;* Korridor, Gang *m* **5.** (MIL) Schießstand *m* **6.** Stollen *m;* **play to the ~** Effekthascherei treiben
gal•ley [ˈgælɪ] *s* **1.** (HIST) Galeere *f* **2.** Kombüse *f* **3.** (TYP) Setzschiff *n;* **gal•ley proof** [ˈgælɪpruːf] *s* (TYP) Fahnenabzug *m,* Fahne *f*
gal•li•vant [ˌgælɪˈvænt] *itr* sich herumtreiben
gal•lon [ˈgælən] *s* Gallone *f* (*4,55 l, Am 3,79 l*)
gal•lop [ˈgæləp] **I.** *s* (*Pferd*) Galopp *m;* **at a ~** im Galopp **II.** *itr:* **ride at a ~** galoppieren; **~ing inflation** galoppierende Inflation
gal•lows [ˈgæləʊz] *s pl meist mit sing* Galgen *m*
gall•stone [ˈgɔːlstəʊn] *s* Gallenstein *m*
Gal•lup poll [ˈgæləp pəʊl] *s* Meinungsumfrage *f*
ga•lore [gəˈlɔː(r)] *adv* in Hülle und Fülle
ga•loshes [gəˈlɒʃɪz] *s pl* Gummi-, Überschuhe *mpl*
ga•lumph [gəˈlʌmf] *itr* (*fam*) trapsen
gal•van•ize [ˈgælvənaɪz] *tr* **1.** galvanisieren **2.** (*fig*) aufschrecken
Gambia [ˈgæmbɪə] *s* Gambia *n;* **Gamb-**

ian ['gæmbɪən] I. *adj* gambisch II. *s* Gambier(in) *m(f)*
gam•bit ['gæmbɪt] *s* 1. (*Schach*) Gambit *n* 2. (*fig*) Schachzug *m*
gamble ['gæmbl] I. *itr* 1. (um Geld) spielen; zocken *fam* 2. (*fig*) etw riskieren, wagen; spekulieren (*on* auf); ~ **with s.th** etw aufs Spiel setzen II. *tr* (~ *away*) verspielen III. *s* gewagtes Spiel, Risiko *n;* **gam•bler** ['gæmblə(r)] *s* Spieler(in) *m(f),* Spekulant(in) *m(f),* Spielernatur *f;* Zocker(in) *m(f) fam;* **gamb•ling** [-ɪŋ] *s* 1. Spielen *n* 2. gewagtes Spiel 3. Spekulieren *n;* **gambling debts** *s pl* Spielschulden *pl;* **gambling den** *s* Spielhölle *f*
gam•bol ['gæmbl] I. *s* Luftsprung *m* II. *itr* umherspringen, -tollen
game¹ [geɪm] *s* 1. Spiel *n* 2. (SPORT) Sportart *f;* Spiel *n;* Runde, Partie *fpl;* (*Schule*) Sport *m* 3. (*fig*) Vorhaben *n,* Plan *m* 4. Wild(bret) *n;* **be on/off one's game** in Form/nicht in Form sein; **give the ~ away** (*fam*) alles verraten; **play the ~** fair spielen; **the ~ is up** (*fig*) das Spiel ist aus; **two can play at that** ~ wie du mir, so ich dir; **big ~** Großwild *n;* **the Olympic G~s** die Olympischen Spiele *npl;* ~ **of chance/of skill** Glücks-/Geschicklichkeitsspiel *n;* **a ~ of chess** e-e Partie Schach
game² [geɪm] *adj* mutig; **be ~** mitmachen; **be ~ for anything** für alles zu haben sein; **be ~ to do s.th.** bereit sein etw zu tun
game³ [geɪm] *adj* lahm
game-cock ['geɪmkɒk] *s* Kampfhahn *m;* **game•keeper** ['geɪmˌki:pə(r)] *s* Wildhüter(in) *m(f);* **game war•den** *s* Jagdaufseher(in) *m(f)*
gaming ['geɪmɪŋ] *s* (Glücks)Spiel *n* (*um Geld*); **gaming table** *s* Spieltisch *m*
gamma rays ['gæmə'reɪz] *s pl* Gammastrahlen *mpl*
gam•mon ['gæmən] *s* gesalzener, geräucherter Schinken, Speckseite *f*
gammy ['gæmɪ] *adj* (*fam*) lahm
gamut ['gæmət] *s* 1. Tonleiter *f* 2. (*fig*) Skala *f*
gan•der ['gændə(r)] *s* 1. Gänserich *m* 2. (*sl*) Blick *m*
gang [gæŋ] I. *s* 1. (*Menschen*) Gruppe *f* 2. (*Arbeiter*) Rotte, Kolonne *f* 3. (*Gefangene*) Trupp *m* 4. (*Verbrecher*) Bande *f* II. *itr* (~ *up*) sich zusammentun; ~ **up on s.o.** auf jdn losgehen; sich gegen jdn verschwören; **ganger** ['gæŋə(r)] *s* Vorarbeiter *m*
gan•gling ['gæŋglɪŋ] *adj* schlacksig
gan•glion ['gæŋglɪən, *pl* -lɪə] <*pl* -glia> *s* 1. (MED) Ganglion *n* 2. (*fig*) Kräftezentrum *n*
gang•plank ['gæŋplæŋk] *s* Laufplanke *f*
gan•grene ['gæŋgri:n] *s* (MED) Brand *m;* **gan•gren•ous** ['gæŋgrɪnəs] *adj* (MED) brandig
gang•ster ['gæŋstə(r)] *s* Gangster *m,* Verbrecher(in) *m(f);* **gang war•fare** *s* Bandenkrieg *m*
gang•way ['gæŋweɪ] *s* 1. Gang *m* (*zwischen Sitzreihen*), Korridor *m* 2. Landungsbrücke *f* 3. (AERO MAR) Gangway *f;* **clear the ~** Platz machen
gan•try ['gæntrɪ] *s* (TECH) Gerüst *n,* Bock *m;* Abschussrampe *f;* Schilderbrücke *f*
gaol [dʒeɪl] *s.* **jail**
gap [gæp] *s* 1. Lücke *f,* Spalt(e *f*) *m,* Loch *n* 2. Abstand *m* 3. (Gebirgs)Schlucht *f* 4. Lücke, Unterbrechung *f* 5. (*Ansichten*) Auseinandergehen, -klaffen *n;* **bridge** [*o* **fill**] [*o* **stop**] **a ~** e-e Lücke schließen
gape [geɪp] I. *itr* anstarren (*at s.o.* jdn); ~ **open** aufklaffen; auseinander gehen II. *s* 1. Loch *n;* geplatzte Stelle 2. Starren *n;* **gaping** *adj* (*Wunde*) klaffend; (*Loch*) gähnend
gar•age ['gærɑ:ʒ, *Am* gə'rɑ:ʒ] I. *s* 1. Garage *f* 2. Autoreparaturwerkstatt *f;* Tankstelle *f* II. *tr* in die Garage stellen
garb [gɑ:b] I. *s* Tracht, Kleidung *f* II. *tr* kleiden (*in* in)
gar•bage ['gɑ:bɪdʒ] *s* 1. Abfälle *mpl,* Müll *m* 2. (*fig*) Schund *m;* Unsinn *m;* **garbage can** *s* (*Am*) Mülleimer *m,* -tonne *f;* **garbage chute, garbage disposer** *s* Müllschlucker *m;* **garbage collector** *s* (*Am*) Müllkutscher *m;* **garbage dump** *s* Mülldeponie *f;* **garbage truck** *s* (*Am*) Müllauto *n*
garble ['gɑ:bl] *tr* (*Bericht*) durcheinander bringen, entstellen
gar•den ['gɑ:dn] I. *s* 1. Garten *m a. fig* 2. ~**s** Anlagen *fpl,* Park *m;* **lead s.o. up the ~ path** (*fam*) jdn an der Nase herumführen; **market ~** Handelsgärtnerei *f;* **vegetable ~** Gemüsegarten *m* II. *itr* im Garten arbeiten; **garden city** *s* Gartenstadt *f;* **gar•dener** ['gɑ:dnə(r)] *s* Gärtner(in) *m(f)*
gar•denia [gɑ:'di:nɪə] *s* (BOT) Gardenie *f*
gar•den•ing ['gɑ:dnɪŋ] *s* Gartenarbeit *f;* **garden party** *s* Gartenfest *n,* -party *f*
gar•gan•tuan [gɑ:'gæntjʊən] *adj* riesig, gewaltig
gargle ['gɑ:gl] I. *itr* gurgeln (*with* mit) II. *s* Mundwasser *n*
gar•goyle ['gɑ:gɔɪl] *s* (ARCH) Wasserspeier *m*
gar•ish ['geərɪʃ] *adj* (*Farbe*) grell, schreiend
gar•land ['gɑ:lənd] I. *s* Kranz *m;* Girlande *f* II. *tr* bekränzen
gar•lic ['gɑ:lɪk] *s* (BOT) Knoblauch *m;* **garlic press** *s* Knoblauchpresse *f*
gar•ment ['gɑ:mənt] *s* Kleidungsstück *n*
gar•net ['gɑ:nɪt] *s* (MIN) Granat *m*
gar•nish ['gɑ:nɪʃ] I. *tr* (*Küche*) garnieren II.

s (*Küche*) Garnierung *f*
gar•ret ['gærət] *s* Dachkammer *f*
gar•ri•son ['gærɪsn] **I.** *s* (MIL) **1.** Garnison *f,* Standort *m* **2.** (~ *town*) Garnison(sstadt) *f* **II.** *tr* mit e-r Garnison belegen; (*Soldaten*) in Garnison legen
gar•ru•lous ['gærələs] *adj* schwatzhaft
gar•ter ['gɑːtə(r)] *s* **1.** Strumpfband *n* **2.** (*Am*) Strumpf-, Sockenhalter *m;* (**the Order of**) **the G**~ der Hosenbandorden; **garter stitch** *s* Rippenmuster *n*
gas [gæs] **I.** *s* **1.** Gas *n* **2.** (*Am*) Benzin *n* **3.** (*fig sl*) leeres Gerede; tolle Geschichte; **cook by** ~ auf Gas kochen; **step on the** ~ (*Am fam:* MOT) Gas geben *a. fig;* **turn on/off the** ~ den Gashahn auf-/zudrehen **II.** *tr* vergasen **III.** *itr* (*sl*) faseln; **gas•bag** *s* (*fig pej*) Schwätzer *m;* **gas chamber** *s* Gaskammer *f;* **gas cooker** *s* Gaskocher *m;* **gas•eous** ['gæsɪəs] *adj* gasförmig; **gas field** *s* Erdgasfeld *n;* **gas fire** *s* Gasofen *m;* **gas-fitter** *s* Installateur(in) *m(f),* Rohrleger(in) *m(f)*
gash [gæʃ] **I.** *s* klaffende Wunde; tiefe Kerbe; Schlitz *m* **II.** *tr* aufschlitzen; e-e tiefe Wunde beibringen (*s.o.* jdm)
gas heat•ing ['gæshiːtɪŋ] *s* Gasheizung *f;* **gas-holder** *s* Gasometer *m*
gas•ket ['gæskɪt] *s* **1.** (TECH) Dichtung *f* **2.** (MAR) Zeising *n*
gas lamp ['gæslæmp] *s* Gaslampe *f;* Gaslaterne *f;* **gas lighter** *s* Gasfeuerzeug *n;* **gas•man** ['gæsmən] <*pl* -men> *s* Gasmann *m;* **gas•mask** *s* Gasmaske *f;* **gas meter** *s* Gaszähler *m,* Gasuhr *f*
gaso•line, **gaso•lene** ['gæsəliːn] *s* (*Am*) Benzin *n;* **gasoline gauge** *s* Benzinuhr *f;* **gasoline tank** *s* Benzintank *m*
gas•ometer [gə'sɒmɪtə(r)] *s* (*Br*) Gasometer *m*
gasp [gɑːsp] **I.** *itr* keuchen; nach Luft schnappen; ~ **for breath** nach Luft schnappen; **I ~ed in surprise** mir stockte der Atem vor Überraschung (*at* über) **II.** *tr* (*Worte:* ~ *out*) mühsam hervorbringen **III.** *s* Keuchen, schweres Atmen *n;* **at one's last** ~ in den letzten Zügen
gas pipe ['gæspaɪp] *s* Gasrohr *n,* -leitung *f;* **gas pump** ['gæspʌmp] *s* (*Am*) Zapfsäule *f;* **gas ring** ['gæsrɪŋ] *s* Gasbrenner *m;* **gas station** ['gæssteɪʃn] *s* (*Am*) Tankstelle *f;* **gas station operator** *s* Tankwart *m;* **gas stove** *s* Gasherd *m;* **gassy** ['gæsɪ] *adj* **1.** (*fam*) geschwätzig **2.** kohlensäurehaltig
gas•tric ['gæstrɪk] *adj:* ~ **acid** Magensäure *f;* ~ **juice** (PHYSIOL) Magensaft *m;* ~ **ulcer** Magengeschwür *n;* **gas•tri•tis** [gæ'straɪtɪs] *s* Gastritis *f;* **gas•tro•en•ter•itis** [ˌgæstrəʊˌentə'raɪtɪs] *s* Magen-Darm-Katarrh *m*
gas•tron•omic [ˌgæstrə'nɒmɪk] *adj* gastronomisch; **gas•tron•omy** [gæ'strɒnəmɪ] *s* Gastronomie *f*
gas•tro•sco•py [ˌgæs'trəʊskɒpɪ] *s* Magenspiegelung *f*
gas•works ['gæswɜːks] *s pl mit sing* Gaswerk *n*
gate [geɪt] **I.** *s* **1.** (*fig*) Tor *n,* Zugang *m* (*to* zu) **2.** (enge) Durchfahrt *f,* Durchlass *m* **3.** Sperre *f;* (Bahn)Schranke *f* **4.** (AERO) Flugsteig *m* **5.** Schleusentor *n* **6.** (*Fußball*) Besucherzahl *f* **7.** (*Eintrittsgeld*) Gesamteinnahme *f* **II.** *tr:* **be ~d** Ausgangsverbot erhalten; **gate•crash** ['geɪtkræʃ] *itr, tr* ungebeten erscheinen (*in* bei); **gate•crasher** ['geɪtkræʃə(r)] *s* ungebetener Gast; **gatehouse** *s* Tor-, Pförtnerhaus *n;* **gatekeeper** *s* **1.** Torwärter(in) *m(f),* Pförtner(in) *m(f)* **2.** (*Am*) Bahnwärter(in) *m(f);* **gate-legged table** [ˌgeɪtlegd'teɪbl] *s* Klapptisch *m;* **gate money** *s* Eintrittsgeld *n;* **gate•post** *s* Torpfosten *m;* **between you, me and the** ~ in strengstem Vertrauen, unter uns gesagt; **gateway** ['geɪtweɪ] *s* **1.** Torweg *m,* Einfahrt *f* **2.** (*fig*) Weg *m* (*to* zu)
gather ['gæðə(r)] **I.** *tr* **1.** versammeln **2.** zusammenbringen, anhäufen **3.** (*Ernte*) einbringen **4.** (*Geld*) einziehen, kassieren **5.** (*Eindruck*) gewinnen **6.** schließen (*from* aus), den Schluss ziehen (*that* dass) **7.** zunehmen an (*Kraft, Umfang*) **8.** fälteln, kräuseln; ~ **information** Erkundigungen einziehen; ~ **speed** an Geschwindigkeit zunehmen **II.** *itr* **1.** sich versammeln, zusammenkommen **2.** (*Wolken*) sich zusammenziehen **3.** (*Wunde*) eitern **4.** (*Stirn*) sich in Falten legen **III.** *s* Falte *f;* **gather•ing** [-ɪŋ] *s* Versammlung *f*
GATT *s abbr of* **General Agreement on Tariffs and Trade** GATT *n*
gauche [gəʊʃ] *adj* unbeholfen, ungeschickt; linkisch
gaudy ['gɔːdɪ] *adj* geschmacklos, protzig
gauge [geɪdʒ] **I.** *s* **1.** Messgerät *n;* Eichmaß *n* **2.** (TECH) Lehre *f;* (*für Ring*) Ringmaß *n;* (*für Wasser*) Pegel *m* **3.** (*Draht, Blech*) Dicke, Stärke *f* **4.** (RAIL) Spurweite *f* **5.** (*fig*) Maß(stab *m*) *n;* **narrow** ~ Schmalspur *f;* **standard** ~ Normalspur *f;* **pressure** ~ Druckmesser *m;* **petrol** ~ Benzinuhr *f;* **temperature** ~ Temperaturanzeiger *m* **II.** *tr* **1.** messen **2.** beurteilen, (ab)schätzen
gaunt [gɔːnt] *adj* **1.** hager; hohlwangig **2.** finster, trostlos
gaunt•let ['gɔːntlɪt] *s* **1.** (HIST) Fehdehandschuh *m* **2.** Stulpenhandschuh *m;* **throw down the** ~ herausfordern (*to s.o.* jdn); **pick** [*o* **take**] **up the** ~ die Herausforde-

rung annehmen; **run the** ~ Spießruten laufen *a. fig*
gauze [gɔːz] *s* **1.** Gaze *f;* ~ **bandage** Verband(s)mull *m* **2.** feines Drahtgeflecht; **gauzy** ['gɔːzɪ] *adj* hauchdünn, -zart, durchscheinend
gave [geɪv] *s.* **give**
gavel ['gævl] *s* (kleiner) Hammer *m*
gawk [gɔːk] *itr* blöde starren; **gawky** ['gɔːkɪ] *adj* ungeschickt, linkisch
gay [geɪ] **I.** *adj* **1.** lustig, vergnügt, fröhlich **2.** lebenslustig **3.** farbenfroh, bunt **4.** schwul **II.** *s* Schwule(r) *m*
gaze [geɪz] **I.** *itr* starren, glotzen (*at, on, upon* auf) **II.** *s* starrer Blick
ga•zelle [gə'zel] *s* (ZOO) Gazelle *f*
ga•zette [gə'zet] **I.** *s* Amtsblatt *n;* Zeitung *f* **II.** *tr* amtlich bekannt geben; **ga•zet•teer** [ˌgæzə'tɪə(r)] *s* alphabetisches Ortsverzeichnis
ga•zump [gə'zʌmp] *tr* (*Hauskauf*) *den Preis nachträglich heraufsetzen und an jdn anderen verkaufen*
GB [dʒiː'biː] *s abbr of* **Great Britain** GB
GDP [ˌdʒiːdiː'piː] *s abbr of* **gross domestic product** Bruttoinlandsprodukt *n*
GDR [ˌdʒiːdiː'ɑː(r)] *s abbr of* **German Democratic Republic** (HIST) DDR *f*
gear [gɪə(r)] **I.** *s* **1.** Gerät *n;* Ausrüstung *f;* (*fam*) Sachen *fpl,* Zeug *n* **2.** (TECH) Getriebe *n* **3.** (MOT) Gang *m* **4.** (*Fahrrad*) Übersetzung *f;* **landing** ~ Fahrgestell *n;* **go** [*o* **shift**] **into low** ~ (MOT) den ersten Gang einlegen; **shift** [*o* **change**] ~ (MOT) schalten; **low/second/top/reverse** ~ (MOT) erster/zweiter/vierter Gang/Rückwärtsgang *m* **5.** (*fam: Kleidung*) Sachen *fpl* **II.** *tr* **1.** (TECH) mit e-m Getriebe versehen; einkuppeln **2.** (*fig*) ausrichten (*to* auf) **III.** *itr* (TECH) ineinander greifen, eingreifen (*into* in); **gear-box, gear•case** ['gɪəbɒks, 'gɪəkeɪs] *s* (MOT) Getriebe *n;* **geared** ['gɪəd] *adj* **1.** eingestellt (*to* auf) **2.** gerüstet (*to* für); **I was all** ~ **up** ich war ganz gespannt; **gearing** ['gɪərɪŋ] *s* (*Gänge*) Auslegung *f;* **gear lever** *s* (*Am*), **gear•shift, gear stick** *s* Schaltknüppel *m;* Schalthebel *m;* **gear•wheel** *s* Zahnrad *n*
gee ['dʒiː] *interj* **1.** (*fam*) Mensch, Mann! **2.** (*zu Pferd*) hü!; ~ **whizz!** Mensch Meier!
geezer ['giːzə(r)] *s* (*sl*) Typ, Kerl *m;* **old** ~ Mummelgreis *m*
geisha ['geɪʃə] *s* Geisha *f*
gela•tine [ˌdʒelə'tiːn] *s* Gelatine *f;* **gel•ati•nous** [dʒɪ'lætɪnəs] *adj* gallert(art)ig
geld [geld] *tr* kastrieren; **geld•ing** [-ɪŋ] *s* Wallach *m*
gem [dʒem] *s* **1.** (geschliffener) Edelstein *m* **2.** (*fig*) Perle *f,* Prachtstück *n*
Gem•ini ['dʒemɪnɪ] *s* (ASTR) Zwillinge *mpl*
gen [dʒen] *s* (*Br fam*) Information *f;* **gen up** *tr* informieren
gen•der ['dʒendə(r)] *s* (GRAM) Geschlecht *n*
gene [dʒiːn] *s* (BIOL) Gen *n;* **gene bank** *s* Genbank *f*
ge•nea•logi•cal [ˌdʒiːnɪə'lɒdʒɪkl] *adj* genealogisch; ~ **tree** Stammbaum *m;* **ge•nealo•gist** [ˌdʒiːnɪ'ælədʒɪst] *s* Genealoge *m,* Genealogin *f,* Stammbaumforscher(in) *m(f);* **ge•neal•ogy** [ˌdʒiːnɪ'ælədʒɪ] *s* Genealogie *f*
gen•eral ['dʒenrəl] **I.** *adj* **1.** allgemein **2.** üblich, gewöhnlich, normal **3.** unbestimmt, allgemein gehalten; **as a** ~ **rule, in** ~ im Allgemeinen; **consul**(**ate**) ~ Generalkonsul(at *n*) *m;* **secretary** ~ Generalsekretär(in) *m(f)* **II.** *s* (MIL) General *m;* **general agency** *s* Generalvertretung *f;* **general agent** *s* **1.** Generalagent *m* **2.** Generalbevollmächtigte(r) *f m;* **general anaesthetic** *s* Vollnarkose *f;* **general assembly** *s* Voll-, Generalversammlung *f;* **general delivery** *adj* (*Am*) postlagernd; **general director, general manager** *s* Generaldirektor(in) *m(f);* **general editor** *s* Hauptschriftleiter(in) *m(f);* **general election** *s* Parlamentswahlen *fpl;* **general endorsement** *s* Blankoindossament *n;* **general headquarters** *s pl oft mit sing* (MIL) großes Hauptquartier
gen•er•al•ity [ˌdʒenə'rælətɪ] *s* Allgemeingültigkeit *f;* **the** ~ **of** die Masse, Mehrheit, Mehrzahl *+gen*
gen•er•al•iz•ation [ˌdʒenərəlaiz'eɪʃn] *s* Verallgemeinerung *f;* **gen•er•al•ize** ['dʒenərəlaɪz] *tr* verallgemeinern; allgemein verbreiten
gen•eral•ly ['dʒenrəlɪ] *adv* im Allgemeinen, allgemein, gemeinhin, gewöhnlich; ganz allgemein
gen•eral man•age•ment ['dʒenrəl 'mænɪdʒmənt] *s* Geschäftsleitung *f;* **general partnership** *s* offene Handelsgesellschaft; **General Post Office** *s* Hauptpost *f;* **general practitioner** *s* praktischer Arzt, praktische Ärztin, Arzt *m,* Ärztin *f* für Allgemeinmedizin; **general staff** *s* (MIL) Generalstab *m;* **general store** *s* Gemischtwarengeschäft *n;* **general strike** *s* Generalstreik *m;* **general view** *s* Gesamtbild *n,* -ansicht *f,* Überblick *m*
gen•er•ate ['dʒenəreɪt] *tr* **1.** (BIOL) (er)zeugen **2.** hervorbringen, -rufen **3.** (TECH) erzeugen **4.** (*fig*) verursachen; **generating station** ['dʒenəreɪtɪŋ ˌsteɪʃn] *s* Kraftwerk *n;* **gen•er•ation** [ˌdʒenə'reɪʃn] *s* **1.** Generation *f* **2.** (BIOL) Zeugung *f* **3.** (TECH) Erzeugung *f;* **gen•er•at•ive**

['dʒenərətɪv] *adj* **1.** (GRAM) generativ **2.** (BIOL) Zeugungs- **3.** (EL) Erzeugungs-; **gen•er•ator** ['dʒenəreɪtə(r)] *s* Generator *m*

gen•eric [dʒɪ'nerɪk] **I.** *adj:* ~ **term** Gattungsbegriff *m* **II.** *s* (MED: ~ *drug*) Generikum *n*

gen•er•os•ity [ˌdʒenə'rɒsətɪ] *s* **1.** Großmut *f* **2.** Großzügigkeit *f;* **gen•er•ous** ['dʒenərəs] *adj* **1.** großmütig (*to* gegenüber) **2.** großzügig, freigebig (*of, with* mit) **3.** (*Boden*) fruchtbar **4.** reichlich

gen•esis ['dʒenəsɪs, *pl* 'dʒenɪsiːz] <*pl* geneses> *s* Entstehung *f*

gene ther•apy [ˌdʒiːn'θerəpɪ] *s* Gentherapie *f*

gen•etic [dʒɪ'netɪk] **I.** *adj* genetisch; ~ **code** genetischer Code; ~ **engineering** Gentechnologie *f;* ~ **heritage** Erbanlage *f;* ~ **information** Erbinformation *f;* ~ **manipulation** Genmanipulation *f;* ~ **research** Genforschung *f;* ~ **transfer** Gentransfer *m* **II.** *s pl mit sing* Genetik *f;* **gen•eti•cist** [dʒɪ'netɪsɪst] *s* Genetiker(in) *m(f)*

ge•nial ['dʒiːnɪəl] *adj* **1.** angenehm, heiter, froh **2.** (*Mensch*) freundlich, leutselig **3.** (*Klima*) mild, warm; **ge•nial•ity** [ˌdʒiːnɪ'ælətɪ] *s* **1.** Heiterkeit *f,* Frohsinn *m* **2.** Freundlichkeit, Herzlichkeit *f* **3.** (*Wetter*) Milde *f*

genie ['dʒiːnɪ] *s* dienstbarer Geist

geni•tals ['dʒenɪtlz] *s pl* Genitalien *pl*

geni•tive ['dʒenətɪv] *s* (GRAM) Genitiv *m*

gen•ius ['dʒiːnɪəs, *pl* 'dʒiːnɪaɪ] <*pl* geniuses, genii> *s* **1.** Schutzgeist *m* **2.** Genius *m,* Anlage *f;* Fähigkeit *f* (*for, to* zu) **3.** Genie *n,* genialer Mensch

genned-up [ˌdʒend'ʌp] *adj* (*fam*) gut informiert (*about* über)

geno•cide ['dʒenəsaɪd] *s* Völkermord *m*

genre ['ʒɑːnrə] *s* (*Kunst*) Gattung *f;* **genre painting** *s* Genremalerei *f*

gent [dʒent] *s* (*fam*) Gentleman *m;* **the Gents** die Herrentoilette

gen•teel [dʒen'tiːl] *adj* vornehm; affektiert

gen•tian ['dʒenʃn] *s* (BOT) Enzian *m*

Gen•tile ['dʒentaɪl] **I.** *adj* nicht jüdisch **II.** *s* Nichtjude *m,* -jüdin *f*

gentle ['dʒentl] *adj* **1.** sanft; mild **2.** wohlerzogen; gebildet; **gentle•folk** ['dʒentlfəʊk] *s pl* feine Leute *pl;* **gentle•man** ['dʒentlmən] <*pl* -men> *s* Herr *m;* Ehrenmann *m;* (**Ladies and**) **Gentlemen!** meine (Damen und) Herren!; **gentlemen's agreement** stillschweigendes Abkommen; ~**-farmer** Gutsbesitzer *m;* **gentle•man•ly** ['dʒentlmənlɪ] *adj* höflich, zuvorkommend; **gentle•ness** ['dʒentlnɪs] *s* Sanftheit *f;* Zartheit *f;* Freundlichkeit *f;* **gentle•woman** ['dʒentlwʊmən, *pl* -wɪmɪn] <*pl* -women> *s* Dame *f;* Hofdame *f;* Zofe *f*

gen•try ['dʒentrɪ] *s* niederer Adel

genu•ine ['dʒenjʊɪn] *adj* **1.** echt; unverfälscht **2.** aufrichtig, ehrlich

ge•nus ['dʒiːnəs, *pl* 'dʒenərə] <*pl* genera> *s* (ZOO BOT) Gattung *f*

geo•cen•tric [ˌdʒiːəʊ'sentrɪk] *adj* geozentrisch

geo•des•ic [ˌdʒɪːəʊ'desɪk] *adj* geodätisch; ~ **dome** Traglufthalle *f*

ge•ogra•pher [dʒɪ'ɒgrəfə(r)] *s* Geograph(in) *m(f);* **geo•graphic**(**al**) [ˌdʒɪə'græfɪk(l)] *adj* geographisch; **ge•ogra•phy** [dʒɪ'ɒgrəfɪ] *s* Erdkunde, Geographie *f;* **economic** ~ Wirtschaftsgeographie *f*

geo•logi•cal [ˌdʒɪə'lɒdʒɪkl] *adj* geologisch; **ge•ol•ogist** [dʒɪ'ɒlədʒɪst] *s* Geologe *m,* Geologin *f;* **ge•ol•ogy** [dʒɪ'ɒlədʒɪ] *s* Geologie *f*

geo•met•ric(**al**) [ˌdzɪə'metrɪk(l)] *adj* geometrisch; **ge•ometry** [dʒɪ'ɒmətrɪ] *s* Geometrie *f*

geo•physi•cal [ˌdʒɪə'fɪzɪkl] *adj* geophysikalisch; **geo•phys•ics** [ˌdʒiːəʊ'fɪzɪks] *s pl mit sing* Geophysik *f*

geo•ther•mal [ˌdʒiːəʊ'θɜːməl] *adj* geothermal

ger•anium [dʒə'reɪnɪəm] *s* (BOT) Geranie *f*

geria•tri•cian [ˌdʒerɪə'trɪʃn] *s* Facharzt *m,* -ärztin *f* für Geriatrie; **geri•atrics** [ˌdʒerɪ'ætrɪks] *s pl mit sing* Geriatrie *f*

germ [dʒɜːm] **I.** *s* **1.** (*a. fig*) Keim *m* **2.** Bakterie *f;* **in** ~ (*fig*) im Keim; **free from ~s** keimfrei **II.** *itr* (*fig*) keimen

Ger•man ['dʒɜːmən] **I.** *adj* deutsch **II.** *s* **1.** (das) Deutsch(e) **2.** Deutsche(r) *f m;* **do you speak ~?** sprechen Sie Deutsch?; **translated into** ~ ins Deutsche übersetzt; ~ **Democratic Republic** (HIST) Deutsche Demokratische Republik

ger•mane [dʒə'meɪn] *adj* von Belang (*to* für)

Ger•manic [dʒə'mænɪk] *adj* germanisch; **German measles** *s pl* (MED) Röteln *pl;* **German shepherd** *s* (*Am*) deutscher Schäferhund; **Ger•ma•ny** ['dʒɜːmənɪ] *s* Deutschland *n;* **Federal Republic of** ~ Bundesrepublik Deutschland; **the two Germanies** (HIST) die zwei, beide deutschen Staaten

germ•free ['dʒɜːmfriː] *adj* keimfrei; **ger•mi•cid•al** [ˌdʒɜːmɪ'saɪdəl] *adj* keimtötend; **ger•mi•cide** ['dʒɜːmɪsaɪd] *s* Desinfektionsmittel *n;* **ger•mi•nal** ['dʒɜːmɪnəl] *adj* (*fig*) im Anfangsstadium (befindlich); **ger•mi•nate** ['dʒɜːmɪneɪt] **I.** *itr* keimen **II.** *tr* keimen lassen; **ger•mi•na•tion** [ˌdʒɜːmɪ'neɪʃn] *s* Keimen *n;* **germ warfare** *s* bakteriologische Kriegsführung

ger•on•tol•ogist [ˌdʒerɒnˈtɒlədʒɪst] *s* Gerontologe *m,* Gerontologin *f;* **ger•on•tol•ogy** [ˌdʒerɒnˈtɒlədʒɪ] *s* Gerontologie *f*
gerry•man•der [ˈdʒerɪmændə(r)] **I.** *tr* (POL: *Wahlkreis*) willkürlich neu einteilen **II.** *itr* Wahlkreisschiebungen vornehmen
ger•und [ˈdʒerənd] *s* (GRAM) Gerundium *n*
ges•ta•tion [dʒeˈsteɪʃn] *s* **1.** Trächtigkeit *f* **2.** Schwangerschaft *f*
ges•ticu•late [dʒeˈstɪkjʊleɪt] *itr* gestikulieren; **ges•ticu•la•tion** [dʒeˌstɪkjʊˈleɪʃn] *s* Gestikulieren *n*
ges•ture [ˈdʒestʃə(r)] *s* Gebärde *f;* Geste *f*
get [get] <got, got, gotten *Am*> **I.** *tr* **1.** bekommen, erhalten, empfangen **2.** verdienen, gewinnen, erwerben **3.** besorgen, beschaffen **4.** (zu) fassen (kriegen), schnappen **5.** verstehen, begreifen **6.** veranlassen, überreden, (dazu) bewegen; bringen (*to* zu) **7.** (*Essen*) (fertig) machen **8.** (*fam*) drankriegen; fertig machen; totschlagen **9.** (*fam*) nicht aus dem Sinn gehen (*s.o.* jdm) **10.** (*Junge*) werfen; **have got** (*fam*) haben, besitzen; (*fam*) müssen (*to do* tun) **II.** *itr* **1.** kommen (*from* von, *at* zu, *to* nach) **2.** gelangen (*to* nach) **3.** erreichen (*to acc*) **4.** herankönnen (*at* an) **5.** (*in e-e Lage*) kommen, versetzt werden, gelangen, geraten **III.** (*Wendungen*): ~ **s.o.'s back up** jdn auf die Palme bringen; ~ **the better of s.o.** jdn kleinkriegen; ~ **the boot** (*fam*) entlassen werden; ~ **to the bottom of s.th.** e-r S auf den Grund gehen; ~ **done with** fertig werden mit; ~ **even with s.o.** mit jdm abrechnen; ~ **going** in Gang setzen; ~ **one's hair cut** sich die Haare schneiden lassen; ~ **hold of** zu fassen kriegen; ~ **home** heimkommen, nach Hause kommen; (*fig*) zum springenden Punkt kommen; ~ **to know** in Erfahrung bringen; ~ **married** sich verheiraten; ~ **there** (*fam*) sein Ziel erreichen; ~ **one's own way** seinen Kopf durchsetzen; ~ **the worst of it** am schlechtesten wegkommen; **it's ~ting warmer** es wird wärmer; **I ~ it** ich begreife schon; **I've got it!** ich hab's!; **I'll ~ him for that!** dem werde ich es besorgen!; **get about** *itr* **1.** (viel) herumkommen **2.** (*Nachricht*) sich verbreiten; **get across I.** *tr* **1.** hinüberbringen; hinüberkommen über **2.** (*fig*) verständlich machen; (*Witz*) ankommen mit **II.** *itr* **1.** hinüberkommen **2.** (*fig*) sich verständlich machen; (*Witz*) ankommen; **get ahead** *itr* vorwärts kommen, vorankommen; überholen, -treffen, -runden (*of s.o.* jdn); **get along** *itr* **1.** weiter-, vorankommen, vorwärts kommen (*with* mit) **2.** auskommen, fertig werden, sich vertragen (*with s.o.* mit jdm); **how are you ~ting along?** wie kommen Sie zurecht?; ~ **along with you!** (*fam*) ach, erzähl mir doch nichts!; **get around I.** *tr* herumkriegen, gewinnen **II.** *itr s.* **get about**: ~ **around s.o.** um jdn herumkommen; ~ **around to doing s.th.** dazu kommen, etw zu tun; **get at s.o.** *itr* (*sl*) jdn erreichen; jdn beeinflussen, auf seine Seite ziehen; auf jdm herumhacken; **get at s.th.** *itr* **1.** an etw herankommen; etw herausfinden **2.** (*fig*) auf etw hinauswollen; **stop ~ting at me!** lass mich endlich in Ruhe!; **what are you ~ting at?** worauf willst du hinaus?; **get away I.** *tr* entfernen; wegbringen **II.** *itr* sich aus dem Staube machen; ~ **away from s.o.** von jdm loskommen; ~ **away with s.th.** sich etw erlauben können; ~ **away!** (*fam*) sag bloß!; **get back I.** *tr* zurückbekommen **II.** *itr* zurückkehren, -kommen; ~ **back at s.o.** (*fam*) es jdm heimzahlen; **get behind** *itr* **1.** unterstützen **2.** (*in der Arbeit*) zurückfallen; **get by** *itr* **1.** vorbeigehen **2.** (*fam*) durchkommen **3.** (*mit Geld*) auskommen **4.** noch den Anforderungen entsprechen; **get down I.** *tr* **1.** hinunterbringen; schlucken **2.** (*fig*) entmutigen **II.** *itr* hinuntersteigen (*from* von); ~ **down to** sich konzentrieren auf; ~ **s.o. down** jdn deprimieren; **get in I.** *tr* hineinbringen; hereinbekommen; (*Ernte*) einbringen **II.** *itr* **1.** hineinkommen, -gelangen **2.** (*Zug, Flug*) ankommen; (*Zug*) einfahren **3.** sich einlassen (*with* mit) **4.** (PARL) gewählt werden (*for* in); ~ **in on s.th.** (*fig*) bei etw einsteigen; **he doesn't let you ~ a word in edgeways** er lässt einen überhaupt nicht zu Wort kommen; **get into** *itr* **1.** (*Gewohnheit*) annehmen **2.** (*Schule*) zugelassen werden zu **3.** (*Auto*) einsteigen in; ~ **into a temper** wütend werden; **I'll ~ into the way of things** ich werde mich schon daran gewöhnen; **what's got into him?** was ist mit ihm los?; **get off I.** *tr* (*Brief*) abschicken **II.** *itr* **1.** herunter-, ab-, aussteigen **2.** weggehen **3.** davonkommen **4.** (~ *off work*) mit der Arbeit aufhören; **tell s.o. where to ~ off** jdm die Meinung sagen; ~ **off with s.o.** mit jdm anbändeln; **get on I.** *tr* (*Kleidung*) anziehen **II.** *itr* **1.** aufsitzen **2.** auf-, einsteigen **3.** weiterführen (*with s.th.* etw) **4.** weiterkommen, Erfolg haben **5.** es gut verstehen (*with* mit), auskommen (*with* mit); ~ **on for eighty** auf die Achtzig zugehen; **they don't ~ on** sie verstehen sich nicht; **get out I.** *tr* **1.** herausbringen, -bekommen **2.** vorbereiten, ausarbeiten **3.** veröffentlichen **4.** herausbekommen (*out of s.th.* aus etw) **II.** *itr* **1.** aussteigen **2.** weggehen **3.** entkommen (*of s.th.* e-r S) **4.** (*Geheimnis*) herauskommen; ~ **that out of**

your head! schlagen Sie sich das aus dem Kopf!; **get over I.** *tr* hinwegkommen über; fertig werden mit **II.** *itr* durchkommen; **get round** *tr* (*Sache*) umgehen; (*Person*) umstimmen; **get straight** *tr* in Ordnung bringen; sich im Klaren sein über; **get through I.** *tr* **1.** durchkriegen, -bringen **2.** (*Geld*) ausgeben **II.** *itr* **1.** durchkommen **2.** (TELE) Anschluss bekommen; **get together I.** *tr* zusammenbringen **II.** *itr* **1.** zusammenkommen, sich treffen **2.** einig werden (*on* über); **get up I.** *tr* **1.** zu Wege bringen **2.** zurechtmachen, aufputzen; inszenieren **3.** verstärken, erhöhen (*speed* die Geschwindigkeit) **4.** durcharbeiten **II.** *itr* **1.** aufstehen **2.** Fortschritte machen **3.** (*Wind*) auffrischen **4.** (*bei der Lektüre*) kommen (*to* bis); ~ **o.s. up** sich kostümieren; **get up to** *itr* **1.** gelangen bis **2.** anstellen; **what have you been ~ting up to?** was hast du getrieben?

get-at-able [ˌget'ætəbl] *adj* (*fam*) (leicht) erreichbar, zugänglich; **get•away** ['getəweɪ] *s* Entkommen *n;* **get•away car** *s* Fluchtwagen *m;* **get-to•gether** ['gettə'geðə(r)] *s* (zwangloses) Treffen *n,* Zusammenkunft *f;* **get-up** ['getʌp] *s* **1.** Aufmachung, Ausstattung *f* **2.** (*Kleidung*) Aufzug *m*

gey•ser ['giːzə(r)] *s* **1.** Geysir *m* **2.** (*Br*) Durchlauferhitzer, Boiler *m*

Gha•na ['gɑːnə] *s* Ghana *n;* **Gha•na•ian** [gɑː'neɪən] **I.** *adj* ghanaisch **II.** *s* Ghanaer(in) *m(f)*

ghast•ly ['gɑːstlɪ] *adj* **1.** gespenstisch **2.** entsetzlich, schrecklich; grässlich

gher•kin ['gɜːkɪn] *s* Essig-, Gewürzgurke *f*

ghetto ['getəʊ] <*pl* ghettos> *s* G(h)etto *n a. fig;* **ghetto blaster** ['getəʊblɑːstə(r)] *s* tragbares Stereogerät *n,* Ghettoblaster *m*

ghost [gəʊst] **I.** *s* **1.** Geist *m* (*e-s Verstorbenen*), Gespenst *n a. fig* **2.** Schatten *m,* Spur *f;* **give up the ~** den Geist aufgeben; **not a ~ of a chance** nicht die geringsten Aussichten *fpl* (*with s.o.* bei jdm) **II.** *itr* (*fam*) für e-n anderen Reden aufsetzen, Artikel schreiben **III.** *tr* (*Buch, Rede*) für e-n anderen schreiben; **ghost•ly** ['gəʊstlɪ] *adj* geisterhaft; **ghost•writer** *s* Ghostwriter *m*

ghoul [guːl] *s* **1.** Ghul *m* **2.** (*fig*) Mensch mit schaurigen Gelüsten

G.I. [ˌdʒiː'aɪ] *s* (*fam*) amerikanischer Soldat

gi•ant ['dʒaɪənt] **I.** *s* Riese *m* **II.** *adj* riesig; **a ~ packet** ein Riesenpaket *n;* **gi•ant•ess** ['dʒaɪəntes] *s* Riesin *f*

gib•ber ['dʒɪbə(r)] *itr* schnattern; brabbeln; **gib•ber•ish** ['dʒɪbərɪʃ] *s* Quatsch *m;* Kauderwelsch *n*

gib•bet ['dʒɪbɪt] *s* Galgen *m*

gib•bon ['gɪbən] *s* Gibbon *m* (*Affe*)

gibe [dʒaɪb] **I.** *itr* verspotten (*at s.o.* jdn) **II.** *s* Spott *m;* Stichelei *f*

gib•lets ['dʒɪblɪts] *s pl* Geflügelinnereien *fpl*

Gi•bral•tar [dʒɪ'brɔːltə(r)] *s* Gibraltar *n*

giddy ['gɪdɪ] *adj* **1.** schwind(e)lig (*with* von, vor) **2.** (*Höhe*) schwindelerregend **3.** leichtfertig, leichtsinnig

gift [gɪft] *s* **1.** Geschenk *n;* Gabe *f;* Spende *f* **2.** (*fig*) Gabe, Veranlagung, Anlage *f,* Talent *n* (*for* zu) **3.** (JUR) Schenkung *f* **4.** (COM: *free ~*) Werbegeschenk *n;* **I wouldn't take that as a ~** das möchte ich nicht geschenkt haben; **it's a ~!** es ist geschenkt!; **the ~ of the gab** ein gutes Mundwerk; **gifted** ['gɪftɪd] *adj* begabt, talentiert; **gift-horse** ['gɪfthɔːs] *s:* **don't look a ~ in the mouth** (*prov*) einem geschenkten Gaul schaut man nicht ins Maul; **gift shop** *s* Geschenkartikelladen *m;* **gift token, gift voucher** *s* Geschenkgutschein *m*

gig [gɪg] *s* (*fam*) Gig *m,* Konzert *n*

gi•gan•tic [dʒaɪ'gæntɪk] *adj* riesig; ungeheuer, gewaltig

giggle ['gɪgl] **I.** *itr* kichern **II.** *s* Kichern, Gekicher *n;* **do s.th. for a ~** etw zum Spaß tun

gild [gɪld] <*pp* gilded (gilt)> *tr* vergolden *a. fig*

gill[1] [dʒɪl] *s* Viertelpint *n* (*0,14 l, Am 0,12 l*)

gill[2] [gɪl] *s* **1.** (ZOO) Kieme *f* **2. ~s** (*Pilz*) Lamellen *fpl;* **go green about the ~s** sehr schlecht aussehen

gilt [gɪlt] **I.** *pp of* **gild II.** *s* Vergoldung *f;* **take the ~ off the gingerbread** der Sache den Reiz nehmen; **gilt-edged** [ˌgɪlt'edʒd] *adj:* **~ securities** mündelsichere Wertpapiere *npl*

gim•crack ['dʒɪmkræk] *adj* (*fam*) billig, minderwertig

gim•let ['gɪmlɪt] *s* (Hand)Bohrer *m;* **gimlet-eyed** [ˌgɪmlɪt'aɪd] *adj* mit stechenden Augen

gim•mick ['gɪmɪk] *s* Trick, Knüller *m;* Spielerei *f;* effekthaschender Gag; **gimmicky** ['gɪmɪkɪ] *adj* werbewirksam

gin[1] [dʒɪn] *s* Wacholderschnaps, Gin *m;* **~ and tonic** Gin Tonic *m*

gin[2] [dʒɪn] *s* **1.** Schlinge *f,* Netz *n,* Falle *f* **2.** (*cotton ~*) Entkörnmaschine *f*

gin•ger ['dʒɪndʒə(r)] **I.** *s* **1.** Ingwer *m* **2.** Schwung, Schneid *m* **II.** *tr* (*~ up*) aufmöbeln, in Schwung bringen **III.** *adj* rötlich; **ginger ale** *s* Gingerale *n;* **ginger beer** *s* Gingerbeer *n,* Ingwerlimonade *f;* **gin•ger-bread** ['dʒɪndʒəbred] *s* Pfefferkuchen *m;* **ginger group** *s* (POL) Aktionsgruppe *f;* **ginger-haired** ['dʒɪndʒə(r)heə(r)d] *adj* rothaarig; **gin•ger•ly** ['dʒɪndʒəlɪ] *adj, adv*

vorsichtig, behutsam; **ginger-nut, ginger-snap** *s* Ingwerkeks *m*
gin•gi•vi•tis [ˌdʒɪndʒɪ'vaɪtɪs] *s* Zahnfleischentzündung *f*
gin•seng ['dʒɪnseŋ] *s* Ginseng *m*
gipsy, gypsy ['dʒɪpsɪ] *s* Zigeuner(in) *m(f)*
gi•raffe [dʒɪ'rɑːf] *s* (ZOO) Giraffe *f*
girder ['gɜːdə(r)] *s* Träger, Binder *m*
girdle ['gɜːdl] **I.** *s* **1.** Gurt, Gürtel *m a. fig* **2.** Hüftgürtel *m* **II.** *tr* (~ *about, in, round*) umgürten; umgeben, einfassen
girl [gɜːl] *s* **1.** Mädchen *n* **2.** Tochter *f* **3.** (junge) Frau *f* **4.** Angestellte, Arbeiterin, Verkäuferin *f* **5.** Hausgehilfin *f*; **girl Friday** *s* Allround-Sektretärin *f*; **girl-friend** ['gɜːlfrend] *s* Freundin *f*; **Girl Guide** *s* (*Br*) Pfadfinderin *f*; **girl•hood** ['gɜːlhʊd] *s* Mädchenzeit *f*, -jahre *npl*; **girlie** ['gɜːlɪ] *s* Mädchen; **girlie magazine** *s* (*fam*) Zeitschrift *f* mit Fotos von nackten Mädchen; **girl•ish** ['gɜːlɪʃ] *adj* mädchenhaft; **Girl Scout** *s* (*Am*) Pfadfinderin *f*
giro ['dʒaɪrəʊ] *s* Giro-, Postgiroverkehr *m*; **giro account** *s* Giro-, Postgirokonto *n*; **giro system** *s* Giro-, Postgiroverkehr *m*; **giro transfer** *s* Giro-, Postüberweisung *f*
girth [gɜːθ] *s* **1.** Sattelgurt *m* **2.** Umfang *m*
gist [dʒɪst] *s* (JUR) Haupt-, Kernpunkt *m*; (das) Wesentliche; **the ~ of the matter** der Kern der Sache
give [gɪv] <*irr:* gave, given> **I.** *tr* **1.** (ab-, über)geben; übermitteln **2.** schenken; übertragen **3.** bewilligen **4.** spenden **5.** hervorbringen, liefern **6.** veranlassen, verursachen **7.** einräumen, ein-, zugestehen **8.** vorbringen **9.** (*Grund*) angeben **10.** (THEAT MUS) aufführen; ~ **o.s. airs** sich aufspielen; ~ **birth to** entbinden; das Leben schenken *dat*; ~ **credit** Glauben schenken (*to* + *dat*), zugute halten (*for s.th.* etw); ~ **an example to s.o.** jdm ein Beispiel geben; ~ **ground** (*a.* MIL) sich zurückziehen; ~ **s.o. a hand** jdm helfen; ~ **it to s.o.** jdm gehörig die Meinung sagen; ~ **s.o. a lift** (MOT) jdn mitnehmen; ~ **notice** ankündigen; ~ **place** Platz machen (*to* für), das Feld überlassen (*to* an), Ursache sein (*to* für); ~ **a report** e-n Bericht erstatten; ~ **rise to** veranlassen; erzeugen, hervorbringen; ~ **s.o. trouble** jdm Unannehmlichkeiten bereiten; ~ **to understand** zu verstehen geben; ~ **voice** Ausdruck verleihen (*to* + *dat*); ~ **way** weichen; nachgeben; (*Preis*) fallen; ~ **her my regards** bestellen Sie ihr Grüße von mir; **I don't ~ a damn** ich scher' mich den Teufel darum; **nobody's going to ~ a hoot about that** kein Hahn wird danach krähen **II.** *itr* **1.** (gern) geben **2.** elastisch sein; sich dehnen **3.** nachgeben; (*Schnur*) reißen; (*Kraft, Stimme*) versagen **4.** (*fam*): **what ~s?** was gibt's? **III.** *s* Elastizität *f*; **give away** *tr* **1.** weggeben, verschenken **2.** (*Gelegenheit*) verpassen **3.** preisgeben, verraten; ~ **o.s. away** sich verraten; ~ **away one's daughter** die Hand seiner Tochter geben (*to s.o.* jdm); **give back** *tr* **1.** zurückgeben **2.** widerhallen; **give in I.** *tr* **1.** einreichen **2.** (*Name*) eintragen **II.** *itr* nachgeben; **give off** *tr* **1.** von sich geben **2.** (*Licht*) ausstrahlen **3.** (*Geruch*) ausströmen; **give out I.** *tr* **1.** ausgeben, verteilen **2.** veröffentlichen **3.** ausströmen **II.** *itr* **1.** zu Ende gehen **2.** sich erschöpfen, nachlassen, ermatten **3.** müde, erschöpft sein; ~ **o.s. out as** [*o* **for**] [*o* **to be**] sich ausgeben für/als; **give over I.** *tr* **1.** übergeben, aushändigen, abliefern **2.** aufgeben **II.** *itr* aufhören; es aufgeben (*doing s.th.* etw zu tun); **do ~ over!** hör endlich auf!; **be given over** gänzlich verfallen sein (*to s.th.* e-r S); **give up I.** *tr* aufgeben **II.** *itr* **1.** aufgeben; aufhören **2.** sich abgewöhnen (*doing s.th.* etw zu tun) **3.** verzichten (auf); ~ **o.s. up** sich stellen; **I don't ~ up that easily** so leicht werfe ich die Flinte nicht ins Korn; **I ~ up on you** Sie sind ein hoffnungsloser Fall
give-and-take [ˌgɪvən'teɪk] *s* gegenseitiges Entgegenkommen, Kompromiss(bereitschaft *f*) *m*
give-away ['gɪvəweɪ] *s* **1.** unbeabsichtigte Preisgabe, Verplappern *n* **2.** (COM) Gratisprobe *f*; ~ **articles** Werbegeschenke *npl*; ~ **price** Schleuderpreis *m*; ~ **show** (*Am:* RADIO TV) Preisrätselsendung *f*; **be a real ~** sich verraten
given ['gɪvn] **I.** *pp of* **give II.** *adj* **1.** gegeben, ausgefertigt (*at* zu) **2.** festgesetzt, bestimmt; **be ~ to doing s.th.** die Gewohnheit haben etw zu tun; ~ **that** vorausgesetzt, angenommen, dass; (**if**) ~ **the chance** sofern sich die Möglichkeit ergibt; ~ **name** (*Am*) Vorname *m*
giver ['gɪvə(r)] *s* Geber(in) *m(f)*
glacé ['glæseɪ] *adj* **1.** glasiert; kandiert **2.** (*Leder*) Glacé-
gla•cial ['gleɪsɪəl] *adj* **1.** eiszeitlich **2.** eisig *a. fig*; ~ **epoch** [*o* **era**] Eiszeit *f*; **gla•cier** ['glæsɪə(r)] *s* Gletscher *m*
glad [glæd] *adj* **1.** froh, glücklich (*about, at, of* über, *that* dass) **2.** erfreulich, angenehm **3.** gern bereit (*to do* zu tun); **be ~** sich freuen; dankbar sein (*of* für); **give s.o. the ~ eye** jdm verliebte Blicke zuwerfen; **I am so ~** das freut mich; ~ **to meet you!** sehr angenehm!; **glad•den** ['glædn] *tr* erfreuen
glade [gleɪd] *s* **1.** Lichtung *f* **2.** (*Am*) Sumpfland *n*, -niederung *f*
gladi•ator ['glædɪeɪtə(r)] *s* (HIST) Gla-

diator *m*

gladi•olus [ˌglædɪ'əʊləs, *pl* -'əʊlaɪ] <*pl* -oluses, -oli> *s* Gladiole *f*

glad•ly ['glædlɪ] *adv* gern(e); **glad•ness** ['glædnɪs] *s* Freude *f;* frohe, freudige Stimmung, Fröhlichkeit *f;* **glad rags** *s pl* (*fam*) Sonntagsstaat *m*

glam•or *s* (*Am*) *s.* **glamour**; **glamor•ize** ['glæməraɪz] *tr* idealisieren; besonders reizvoll erscheinen lassen; **glamor•ous** ['glæmərəs] *adj* zauberhaft, blendend; **glam•our** ['glæmə(r)] *s* Glamour, Zauber, Reiz *m;* **glamour boy** *s* Schönling *m;* **glamour girl** *s* Glamourgirl *n*

glance [glɑːns] **I.** *s* (flüchtiger) Blick *m;* **at a** ~ auf e-n Blick; **give s.o. an angry** ~ jdm e-n wütenden Blick zuwerfen **II.** *itr* sehen, blicken; ~ **at s.o./s.th.** jdn/etw kurz ansehen; ~ **over s.th.** etw überfliegen; ~ **round** sich umsehen; ~ **at a problem** ein Problem (nur) streifen; **glance off** *itr* abprallen; abgleiten; (*Licht*) reflektiert werden

gland [glænd] *s* (ANAT) Drüse *f;* **glandu•lar** ['glændjʊlə(r)] *adj* Drüsen-; ~ **fever** Drüsenfieber *n;* ~ **secretion** Drüsensekretion *f*

glare [gleə(r)] **I.** *itr* **1.** hell glänzen **2.** (an)starren (*at s.o.* jdn) **3.** wütend, böse anblicken (*at s.o.* jdn) **4.** (*fig*) ins Auge springen (*at s.o.* jdm) **II.** *s* **1.** blendender Glanz; grelles Licht **2.** wütender, starrer Blick; **glar•ing** [-ɪŋ] *adj* **1.** blendend hell, grell **2.** glänzend, strahlend **3.** auffällig, auffallend; eklatant; **a** ~ **error** ein grober Fehler

glass [glɑːs] *s* **1.** Glas *n* **2.** Glaswaren *fpl* **3.** (Trink)Glas *n* **4.** (*pane of* ~) (Fenster)Scheibe *f* **5.** (*looking*-~) Spiegel *m* **6.** (Vergrößerungs-, Fern)Glas *n* **7.** Wetterglas *n* **8.** ~**es** (*eye*-~*es*) Brille *f;* **glass-blower** *s* Glasbläser(in) *m(f);* **glass-cutter** *s* Glasschneider(in) *m(f),* Glasschleifer(in) *m(f);* **glass fibre** *s* Glasfaser *f;* **glass•ful** ['glɑːsfʊl] *s* Glasvoll *n;* **glass•house** ['glɑːshaʊs] *s* Treib-, Gewächshaus *n;* **sit in a** ~ (*fig*) im Glashaus sitzen; **glass•ware** ['glɑːsweə(r)] *s* Glaswaren *fpl;* **glass•works** ['glɑsw3ːks] *s pl* Glashütte *f;* **glassy** ['glɑːsɪ] *adj* **1.** gläsern **2.** (*Augen*) glasig **3.** (*Wasser*) klar

glau•coma [glɔː'kəʊmə] *s* (MED) grüner Star, Glaukom *n;* **glau•cous** ['glɔːkəs] *adj* **1.** blaugrün **2.** (BOT) bereift

glaze [gleɪz] **I.** *tr* **1.** verglasen **2.** glasieren **3.** mit Zuckerguss bestreichen; ~**d paper** Glanzpapier *n;* ~**d tile** Kachel, Fliese *f* **II.** *itr* glasig, trübe werden **III.** *s* **1.** Glasur *f* **2.** Politur *f* **3.** Satinierung *f;* **glaz(i)er** ['gleɪzə(r)] *s* Glaser(in) *m(f);* ~**'s putty** Glaserkitt *m*

gleam [gliːm] **I.** *s* **1.** Lichtschein, Schimmer *m a. fig* **2.** (*fig:* ~ *of hope*) Hoffnungsschimmer *m* **II.** *itr* **1.** strahlen, leuchten, schimmern **2.** blinken, aufleuchten

glean [gliːn] **I.** *itr* Ähren lesen **II.** *tr* **1.** (*Ähren*) lesen **2.** sammeln **3.** (*fig*) erfahren (*from* von); **glean•ings** [-ɪŋz] *s pl* Nachlese *f;* (das) Gesammelte, Ausbeute *f*

glee [gliː] *s* **1.** Freude *f* **2.** (*pej*) Schadenfreude *f* **3.** (MUS) mehrstimmiges Lied; **glee club** *s* (*Am*) Chor *m;* **glee•ful** ['gliːfəl] *adj* **1.** fröhlich **2.** (*pej*) schadenfroh, hämisch

glen [glen] *s* enges Tal

glib [glɪb] *adj* **1.** glatt; (rede)gewandt **2.** oberflächlich, wenig überzeugend

glide [glaɪd] **I.** *itr* **1.** gleiten; schweben **2.** (AERO) im Gleitflug niedergehen; segeln **II.** *s* Gleiten *n;* Schweben *n;* Gleitflug *m;* **glider** ['glaɪdə(r)] *s* Segelflugzeug *n;* **glider pilot** *s* Segelflieger(in) *m(f);* **glid•ing** ['glaɪdɪŋ] *s* Segelfliegen *n;* **gliding club** *s* Segelflugverein *m*

glim•mer ['glɪmə(r)] **I.** *itr* flimmern; schimmern **II.** *s* Flimmern *n;* Schimmer *m a. fig;* **a** ~ **of interest** e-e Spur von Interesse

glimpse [glɪmps] **I.** *s* **1.** flüchtiger Einblick **2.** kurzer Blick; **catch a** ~ **of s.th.** etw flüchtig zu sehen bekommen **II.** *tr* im Vorübergehen sehen **III.** *itr:* ~ **at s.o./s.th.** e-n Blick auf jdn/etw werfen

glint [glɪnt] **I.** *itr* glitzern, funkeln **II.** *s* Schimmer *m;* Glanz *m*

glis•ten ['glɪsn] *itr* glänzen, schimmern, funkeln

glit•ter ['glɪtə(r)] **I.** *itr* glitzern, funkeln **II.** *s* **1.** Schimmer, Glanz *m,* Funkeln *n* **2.** (*fig*) Pracht *f;* **glit•ter•ing** [-ɪŋ] *adj* **1.** glitzernd **2.** (*fig*) glänzend

glitz [glɪts] *s* Pomp *m,* Glitzerwelt *f;* **glitzy** [glɪtsɪ] *adj* glamourös

gloat [gləʊt] *itr* **1.** sich hämisch freuen, sich weiden (*on, upon, over* an) **2.** sich großtun; sich brüsten (*over* mit)

glo•bal ['gləʊbl] *adj* **1.** weltweit **2.** umfassend, global; ~ **sum** Gesamtsumme *f;* ~ **warming** globaler Temperaturanstieg; **globe** [gləʊb] *s* **1.** Kugel *f* **2.** Erdball *m;* Globus *m* **3.** Kugelglas *n;* Glaskugel *f* **4.** (runder) Lampenschirm *m;* **globe-trotter** *s* Weltenbummler(in) *m(f)*

glob•ule ['glɒbjuːl] *s* Kügelchen *n;* Tröpfchen *n*

gloom [gluːm] *s* **1.** Dunkel(heit *f*) *n* **2.** (*fig*) Traurigkeit, Schwermut *f;* **an atmosphere of** ~ eine düstere, gedrückte Stimmung; **cast a** ~ **over** e-n Schatten werfen auf; **gloomi•ness** ['gluːmɪnəs] *s* Düsterkeit *f;* **gloomy** ['gluːmɪ] *adj* **1.** dunkel, düster,

trüb(e) **2.** verdrießlich, trübselig; melancholisch **3.** hoffnungslos
glori•fi•ca•tion [ˌglɔːrɪfɪ'keɪʃn] *s* **1.** Verherrlichung *f* **2.** (REL) Lobpreisung *f;* **glorify** ['glɔːrɪfaɪ] *tr* **1.** rühmen, preisen **2.** verherrlichen **3.** herausstreichen; **a glorified hut** e-e bessere Hütte; **glori•ous** ['glɔːrɪəs] *adj* **1.** ruhmreich **2.** prächtig, majestätisch **3.** (*fam*) großartig, pfundig;
glory ['glɔːrɪ] **I.** *s* **1.** Ruhm *m* **2.** (*a.* REL) Ehre *f* **3.** Herrlichkeit *f,* Glanz *m* **4.** (*fig*) Stolz *m* **II.** *itr* **1.** sehr stolz sein **2.** frohlocken (*in* über); ~ **in one's ability** auf sein Können stolz sein; ~ **in s.o.'s success** sich in jds Erfolg sonnen; **glory-hole** *s* (*fam*) Rumpelkammer *f*
gloss[1] [glɒs] **I.** *s* **1.** Glanz *m* **2.** (*fig*) äußerer Schein **II.** *tr* (*fig:* ~ *over*) beschönigen, bemänteln
gloss[2] [glɒs] *s* Glosse, Fußnote *f;* **glossary** ['glɒsərɪ] *s* Glossar *n*
gloss paint *s* Glanzlack *m*
glossy ['glɒsɪ] *adj* **1.** glänzend **2.** (*Papier*) Glanz-; **be** ~ glänzen; ~ (**magazine**) (Hochglanz)Magazin *n*
glot•tal stop ['glɒtl'stɒp] *s* Knacklaut *m;* **glot•tis** ['glɒtɪs] *s* (ANAT) Stimmritze *f*
glove [glʌv] *s* Handschuh *m;* **fit like a** ~ wie angegossen sitzen; **with the ~s off** schonungslos; **handle with** (**kid**) **~s** (*fig*) mit Glacéhandschuhen, seidenen Handschuhen anfassen; **throw down the ~ to s.o.** jdm den Fehdehandschuh hinwerfen; **he is hand in ~ with her** er und sie sind ein Herz und eine Seele; **boxing** ~ Boxhandschuh *m;* **rubber** ~ Gummihandschuh *m;* **glove-compartment** *s* Handschuhfach *n;* **glover** ['glʌvə(r)] *s* Handschuhmacher(in) *m(f)*
glow [gləʊ] **I.** *itr* **1.** glühen **2.** leuchten (*with* vor) *a. fig* **3.** rot werden, erröten **II.** *s* **1.** Glut *f;* helles Licht **2.** (*Farben*) Lebhaftigkeit, Frische *f* **3.** (*fig*) Glut, Heftigkeit *f* (*des Gefühls*)
glower ['glaʊə(r)] *itr* böse anstarren, wütend anblicken (*at s.o.* jdn)
glow•light ['gləʊlaɪt] *s* Nachtlicht *n*
glow-worm ['gləʊwɜːm] *s* Glühwürmchen *n*
glu•cose ['gluːkəʊs] *s* Traubenzucker *m*
glue [gluː] **I.** *s* Klebstoff *m;* Leim *m* **II.** *tr* **1.** leimen; kleben (*on* auf, *to* an) **2.** (*fig*) heften (*to* auf); **be ~d to s.o.** jdm nicht von der Seite weichen; **his eyes were ~d to the screen** er sah wie gebannt auf die Leinwand; **as if ~d to the spot** wie angewurzelt; **glue-sniffing** *s* (*fam*) Schnüffeln, Sniefen *n;* **glue stick** *s* Klebestift *m*
glum [glʌm] *adj* **1.** verdrießlich, mürrisch **2.** niedergedrückt
glut [glʌt] **I.** *tr* (*fig: den Markt*) überschwemmen; ~ **o.s. with** [*o* **on**] sich vollstopfen mit **II.** *s* (COM) Schwemme *f,* Überangebot *n*
glu•ten ['gluːtən] *s* Gluten *n,* Kleber *m;* **glu•ti•nous** ['gluːtɪnəs] *adj* klebrig
glut•ton [glʌtn] *s* **1.** Vielfraß *m* **2.** unersättlicher Mensch **3.** (ZOO) Vielfraß *m;* **be a ~ for work** von der Arbeit nicht genug kriegen können; **a ~ for punishment** ein Masochist; **glut•ton•ous** ['glʌtənəs] *adj* **1.** gefräßig **2.** gierig (*of* nach); **glut•tony** ['glʌtənɪ] *s* Gefräßigkeit *f*
gly•cer•in(e) ['glɪsəriːn] *s* Glyzerin *n*
gly•col ['glaɪkɒl] *s* (CHEM) Glykol *n*
gnarled [nɑːld] *adj* knorrig, knotig
gnash [næʃ] *tr* knirschen (*one's teeth* mit den Zähnen)
gnat [næt] *s* (*Br*) (Stech)Mücke *f;* **strain at a ~** über Kleinigkeiten nicht hinwegkommen
gnaw [nɔː] **I.** *tr* (zer)nagen; (zer)fressen **II.** *itr* nagen, fressen (*at, on* an); **gnaw•ing** [-ɪŋ] *adj* (*Schmerz*) nagend; (*fig*) quälend
gneiss [naɪs] *s* (MIN) Gneis *m*
gnome [nəʊm] *s* Gnom, Zwerg *m*
GNP [ˌdʒiːen'piː] *s abbr of* **gross national product** Bruttosozialprodukt *n*
gnu [nuː] *s* (ZOO) Gnu *n*
go [gəʊ] <*irr:* goes, went, gone> **I.** *itr* **1.** gehen **2.** (~ *on horseback*) reiten **3.** fahren (*by train* mit dem Zug) **4.** (~ *by air*) fliegen; reisen **5.** (*Maschine*) in Betrieb sein; funktionieren **6.** sich erstrecken, reichen (*to* bis zu) **7.** (*Weg*) führen (*to* nach) **8.** darauf hinausgehen, -laufen (*to* zu) **9.** übergehen (*to* auf) **10.** zuteil werden (*to s.o.* jdm); (*Preis*) zufallen, gehen (*to* an) **11.** verlaufen **12.** (*Zeit*) verstreichen **13.** (um)laufen, kursieren **14.** (*örtlich*) kommen, gehören (*into* in) **15.** sich befinden; leben (*in fear* in dauernder Furcht) **16.** sich richten (*by, upon* nach) **17.** weggehen, aufbrechen, abreisen **18.** verschwinden **19.** (*Ware*) weggehen, verkauft werden **20.** (*Material, Maschine*) kaputtgehen; (*Augen, Gesundheit*) schlechter werden; (*Bremsen*) versagen **21.** (*blind, verrückt*) werden **22.** (*Bewegung, Geräusch*) machen; **there you ~!** bitte schön! **II.** *aux* (*zur Futurbildung*) werden, wollen; **I am ~ing to write soon** ich werde bald schreiben; **he was ~ing to do it** er wollte es machen **III.** *tr* (*Weg, Strecke*) gehen; fahren; ~ **it alone** selbstständig vorgehen; ~ **it strong** energisch auftreten **IV.** *s* **1.** Schwung, Schneid *m,* Tatkraft, Energie *f* **2.** Versuch *m;* **all systems ~** (AERO) wir sind startklar; **on the ~** immer auf Trab; **from the word ~** (*fam*) von Anfang an; **have a ~ at s.th.** (*fam*) etw

versuchen; **it's all ~** (*fam*) es ist immer was los; **it's no ~** (*fam*) da ist nichts zu machen; **is it a ~?** (*fam*) abgemacht?; **let me have a ~** (*fam*) lass mich mal! **V.** (*Wendungen*): **let ~** laufen lassen; aufgeben; **let o.s. ~** sich gehen lassen; **let s.o. ~** jdn laufen lassen; **~ on the air** (RADIO) senden; **~ bad** schlecht werden, verderben; **~ from bad to worse** immer schlechter werden; **~ for a drive** ausfahren; **~ into effect** in Kraft treten; **~ halves** [*o* **shares**] ehrlich teilen; **~ off one's head** den Verstand verlieren; **~ to law** den Rechtsweg beschreiten; **~ mad** verrückt werden; **~ to pieces** in Stücke gehen, zerbrechen; durchdrehen; (SPORT) abbauen; **~ to see** besuchen; **~ shopping** einkaufen gehen; **~ to sleep** einschlafen; **~ for a song** für ein Butterbrot weggehen; **~ for a swim** schwimmen gehen; **~ with the tide** mit der Zeit gehen; **~ unnoticed** unbemerkt bleiben; **~ on a visit** e-n Besuch machen; **~ for a walk** spazieren gehen; ausgehen; **~ to waste** in den Abfall kommen; **~ wrong** schief gehen; sich irren; **as things ~** wie die Dinge nun einmal liegen; **we'll let it ~ at that** wir wollen es dabei belassen; **just ~ and try!** versuchen Sie es nur!; **let ~!** (*fam*) los!; **~ easy!** übernimm dich nicht!; **where do you want it to ~?** wo soll es hin(gestellt werden)?; **here ~es!** nun los!; **who ~es there?** wer da?; **one, two, three ~!** (SPORT) Achtung – fertig – los!; **go about** *itr* **1.** (umher)gehen **2.** sich umwenden **3.** (*Gerücht*) im Umlauf sein **4.** sich befassen mit **5.** anfassen, behandeln **6.** herangehen an; **go abroad** *itr* **1.** (*Gerücht*) sich verbreiten **2.** ins Ausland gehen; **go after** *itr* (*fam*) nachsteigen (*s.o.* jdm); **go against** *itr* widerstreben; ungünstig sein für; **the case went against him** es wurde gegen ihn entschieden; **go ahead** *itr* **1.** anfangen **2.** vorangehen **3.** Fortschritte machen **4.** weitermachen; **~ ahead!** vorwärts! los!; **go along** *itr* **1.** weitermachen **2.** Fortschritte machen **3.** begleiten (*with s.o.* jdn), unterstützen (*with s.o.* jdn); **go around** *itr* **1.** herumgehen **2.** (aus)reichen; **there's enough bread to ~ around** es ist genug Brot für alle da; **go at** *itr* **1.** losgehen (*s.o.* auf jdn) **2.** anpacken (*s.th.* etw) **3.** verkauft werden zu; **go away** *itr* weggehen; abreisen; **go back** *itr* **1.** zurückkehren; zurückgehen **2.** nachlassen, schwächer werden **3.** (*zeitlich*) sich zurückführen lassen (*to* auf); **~ back on one's word** sein Wort brechen; **~ back on s.o.** jdn im Stich lassen; **go between** *itr* vermitteln; **go beyond** *itr* hinausgehen über; **go by** *itr* **1.** vorüber-, vorbeigehen (*a. Zeit*) **2.** (*Zeit*) vergehen **3.** sich richten nach **4.** (*Namen*) führen; **go down** *itr* **1.** hinab-, hinuntergehen **2.** (MED) sich hinlegen (*with flu* mit Grippe) **3.** (*Schiff, Sonne*) untergehen **4.** unterliegen (*before s.o.* jdm) **5.** an Qualität verlieren **6.** (*Wind, Preise*) nachlassen **7.** (*Universität*) abgehen **8.** Beifall finden (*with* bei) **9.** zurückgehen (*to* bis auf); **~ down in history** in die Geschichte eingehen; **that won't ~ down with me** das lasse ich mir nicht gefallen; **that didn't ~ down too well** das kam nicht so gut an; **go far** *itr* **1.** es zu etwas bringen **2.** viel beitragen (*towards s.th.* zu etw); **not to ~ far** nicht weit reichen; **go for** *itr* **1.** holen (*s.th.* etw) **2.** (*sl*) sich interessieren für **3.** gelten als **4.** hinauslaufen auf **5.** (*sl*) losgehen (*s.o.* auf jdn); **~ for a drive** ausfahren; **~ for nothing** umsonst sein; **how much did it ~ for?** für wie viel wurde es verkauft?; **go in** *itr* **1.** hineingehen **2.** sich interessieren (*for* für), Spaß haben (*for* an) **3.** studieren (*for s.th.* etw) **4.** teilnehmen (*in an exam* an e-r Prüfung); **go into** *itr* **1.** untersuchen (*s.th.* etw) **2.** eingehen auf **3.** einsteigen in **4.** gehen, fahren zu; **go off** *itr* **1.** weg-, hinausgehen **2.** stattfinden, sich ereignen, verlaufen **3.** einschlafen; das Bewusstsein verlieren **4.** (*Veranstaltung*) zu Ende gehen **5.** (*Licht, Heizung*) ausgehen **6.** (*Ware*) weg-, abgehen, Absatz finden **7.** (*Zug*) (ab)gehen **8.** losgehen, sich entladen; explodieren **9.** nachlassen, schlechter werden **10.** (*Lebensmittel*) schlecht werden; **~ well/badly** auf Zustimmung/Ablehnung stoßen; **~ off into a fit of laughter** laut loslachen; **~es off** (THEAT) ab; **go on** *itr* **1.** weitermachen, fortfahren (*with* mit) **2.** (*Zeit*) vorrücken, weitergehen; fortfahren (*talking* zu reden) **3.** vor sich gehen, geschehen, stattfinden, sich ereignen **4.** (*fam*) meckern **5.** sich aufführen, sich benehmen **6.** sich stützen auf; **~ on to do** als Nächstes tun; **~ on the road** (COM) auf die Reise gehen; (THEAT) auf Tournee gehen; **be ~ing on (for) fifty** auf die Fünfzig zugehen; **this can't ~ on any longer** das kann nicht mehr so weitergehen; **~ on, do it** tu's doch; **what's ~ing on?** was ist los?; **he went on and on about it** er hat unentwegt davon geredet; **go out** *itr* **1.** hinausgehen **2.** auswandern (*to* nach) **3.** (*zum Vergnügen*) ausgehen **4.** (POL: *~ out of office*) zurücktreten **5.** (*on strike*) streiken **6.** (*Feuer, Licht*) ausgehen **7.** (*~ out of fashion*) aus der Mode kommen **8.** (*Jahr*) zu Ende gehen, ausgehen **9.** (*Am*) zusammenbrechen **10.** (*Herz*) sich hängen (*to* an) **11.** sich bemühen (*for* um), wollen (*for s.th.* etw); **~ out of one's way** sich besonders anstrengen; ~ **out to work** arbeiten gehen; **my heart went out to him** ich habe mit ihm mitgefühlt; **go over** *itr* **1.** durchgehen, -sehen, (über)prüfen, untersuchen **2.** wiederholen **3.** übergehen (*to the other party* zur anderen Partei), hinübergehen (*to* zu) **4.** (*fam*) Erfolg haben; (*Rede*) gut ankommen; (*Theaterstück*) einschlagen; ~ **over the figures** nachrechnen; **go through** *itr* **1.** durchgehen, -sehen **2.** durchführen **3.** (*Gesuch, Gesetz*) durchgehen, angenommen werden **4.** durchmachen, erleiden **5.** zu Ende führen, vollenden (*with s.th.* etw); ~ **through ten editions** (*Buch*) zehn Auflagen erleben; **go to** *itr* zufallen (*s.o.* jdm); ~ **to the country** Neuwahlen ausschreiben; ~ **to court** vor Gericht gehen; ~ **to expense** sich in Unkosten stürzen; **go together** *itr* **1.** zusammenpassen; sich (gut) vertragen **2.** (*fam: Verliebte*) zusammen gehen; **go under I.** *itr* **1.** untergehen, sinken **2.** zugrunde gehen, eingehen **II.** *tr* (*Namen*) führen; **go up** *itr* **1.** hinaufgehen; hinaufsteigen **2.** (*im Preis*) steigen **3.** in die Luft fliegen **4.** die Universität beziehen; ~ **up in the air** (*fig*) wütend werden; ~ **up in flames/in smoke** in Flammen/in Rauch aufgehen; **go with** *itr* **1.** gehen mit; Hand in Hand gehen mit **2.** gehören zu **3.** passen zu; **go without** *itr* **1.** nicht haben **2.** sich behelfen müssen ohne, entbehren müssen; **that goes without saying** das versteht sich von selbst; ~ **without food** nichts essen; **I'll have to ~ without it** darauf werde ich verzichten müssen

goad [gəʊd] **I.** *s* **1.** (*fig*) Stachel, Ansporn, Antrieb *m* **2.** (*für Tiere*) Stachelstock *m* **II.** *tr* (*fig*) aufreizen; ~ **on** (*fig*) antreiben, anstacheln

go-ahead ['gəʊəhed] **I.** *s* freie Bahn; **give s.o. the ~** jdm grünes Licht geben **II.** *adj* **1.** unternehmungslustig **2.** fortschrittlich

goal [gəʊl] *s* **1.** (SPORT) Tor *n* **2.** (*fig*) Ziel *n;* **score a ~** ein Tor schießen; **win by three ~s to one** 3 : 1 gewinnen; **keep** [*o* **play in**] **~** Torwart sein; ~ **area** Torraum *m;* **goalie** ['gəʊlɪ] *s* (*fam*) Torwart(in) *m(f);* **goal·keeper** *s* Torwart(in) *m(f),* -hüter(in) *m(f);* **goal line** *s* Torlinie *f;* **goal post** *s* Torpfosten *m*

goat [gəʊt] *s* **1.** Ziege *f* **2.** (*he-~*) (Ziegen)Bock *m* **3.** (*fig*) geiler Bock; **the G~** (ASTR) der Steinbock; **get s.o.'s ~** (*sl*) jdn auf die Palme bringen; **play the giddy ~** (*fam*) sich albern benehmen; **goat·ee** [gəʊ'tiː] *s* Spitzbart *m*

gobble ['gɒbl] **I.** *itr* (*Puter*) kollern **II.** *tr* (*~ down*) hinunter-, verschlingen; **gobble·dy·gook** ['gɒbldɪguːk] *s* (*fam*) Kauderwelsch *n*

go-be·tween ['gəʊbɪtwiːn] *s* Vermittler(in) *m(f)*

gob·let ['gɒblɪt] *s* Pokal *m;* Kelch(glas *n*) *m*

gob·lin ['gɒblɪn] *s* Kobold *m*

go-cart *s* **1.** Seifenkiste *f;* Go-kart *m* **2.** (*Am*) Laufstuhl *m;* (Kinder)Sportwagen *m*

god [gɒd] *s* **1.** (heidnischer) Gott *m,* Gottheit *f* **2.** (*fig*) Abgott, Götze *m;* **G~** Gott *m;* **make a ~ of s.o./s.th.** jdn/etw zu seinem (Ab)Gott machen, vergötzen; **G~ willing** so Gott will; **G~ forbid** Gott bewahre; **G~ knows who** weiß der Himmel, wer; **for G~'s sake!** um Gottes, Himmels willen!; **shut up, for G~'s sake!** sei doch endlich mal still!; **god·aw·ful** ['gɒd'ɔːfl] *adj* (*Am*) fürchterlich, beschissen; **god·child** ['gɒdtʃaɪld] <*pl* -children> *s* Patenkind *n;* **god·dam(ned)** ['gɒd'dæm(d)] *adj* (*Am sl*) Scheiß-, beschissen; **god·daughter** ['gɒdˌdɔːtə(r)] *s* Patentochter *f;* **god·dess** ['gɒdɪs] *s* Göttin *f;* **god·father** ['gɒdˌfɑːðə(r)] *s* Pate *m;* **god-fear·ing** ['gɒdfɪərɪŋ] *adj* gottesfürchtig; **god·for·saken** ['gɒdfəˌseɪkən] *adj* (*fam*) gottverlassen; **god·head** ['gɒdhed] *s* Gottheit *f;* **god·less** ['gɒdlɪs] *adj* gottlos; **god·like** ['gɒdlaɪk] *adj* göttlich; erhaben; **god·ly** ['gɒdlɪ] *adj* fromm; **god·mother** ['gɒdˌmʌðə(r)] *s* Patin *f;* **god·parent** ['gɒdˌpeərənt] *s* Pate *m,* Patin *f;* **god·send** ['gɒdsend] *s* **1.** Retter *m* in der Not **2.** unerwartetes Glück; **god·son** ['gɒdsʌn] *s* Patensohn *m*

goer ['gəʊə(r)] *s* **1.** Geher *m* **2.** unternehmender Mensch; **my car is a nice ~** mein Wagen läuft gut; **goes** [gəʊz] *3. Person Singular Präsens* **go**

go-get·ter [ˌgəʊ'getə(r)] *s* Tatmensch *m;* (*pej*) Ellbogentyp *m*

go-gett·ing [ˌgəʊ'getɪŋ] *adj* dynamisch

goggle ['gɒgl] *itr* glotzen, starren (*at* auf); **goggle-box** *s* (*sl*) Glotze *f;* **goggle-eyed** ['gɒglaɪd] *adj* glotzäugig; **goggles** ['gɒglz] *s pl* Schutzbrille *f*

go-go dancer ['gəʊgəʊ'dɑːnsə(r)] *s* Go-go-Girl *n,* Go-go-Tänzerin *f;* **go-go danc·ing** *s* Go-Go *n*

go·ing ['gəʊɪŋ] **I.** *adj* **1.** in Gang; funktionierend **2.** in Tätigkeit, in Betrieb **3.** vorhanden, erhältlich **4.** gängig **5.** (*Unternehmen*) florierend **6.** (*Leben*) üblich; **get ~** (*fam*) in Gang kommen; **set (a-)~** in Gang bringen; **~! ~! gone!** (*Versteigerung*) zum Ersten! zum Zweiten! zum Dritten! **II.** *s* **1.** Ab-, Weggang *m;* Aufbruch *m* **2.** Abreise, -fahrt *f* **3.** Gang(art *f*) *m,* Geschwindigkeit *f* **4.** Fortbewegung *f,* Weiterkommen *n;* **going price** *s* **1.** Marktpreis *m* **2.** Tageskurs *m;* **go·ings-on** [ˌgəʊɪŋz'ɒn] *s pl:*

such ~ derartige Betätigungen, Zustände
goi•ter (*Am*) *s.* **goitre**
goitre ['gɔɪtə(r)] *s* (MED) Kropf *m*
go-kart ['gəʊkɑːt] *s* Gokart *m*
gold [gəʊld] I. *s* Gold *n a. fig;* **be as good as** ~ sehr brav sein II. *adj* 1. golden 2. gold(farb)en; **gold•brick** *s* (*Am fam*) Schwindel *m;* **gold bullion** *s* Goldbarren *m;* **gold coin** *s* Goldmünze *f;* **gold content** *s* Goldgehalt *m;* **gold-digger** *s* 1. Goldsucher(in) *m(f)* 2. (*fig pej: Frau*) eine, die aufs Geld aus ist; **gold dust** *s* Goldstaub *m;* **golden** ['gəʊldən] *adj* 1. golden 2. gold(farb)en 3. (*Gelegenheit*) günstig; **the** ~ **age** das goldene Zeitalter; **the** ~ **calf** das goldene Kalb; ~ **handshake,** *Am* ~ **parachute** großzügige Abfindung bei Entlassung; ~ **hello** Einstellungsprämie *f;* **the** ~ **mean** die goldene Mitte; ~ **ratio** goldener Schnitt; **G~ Triangle** goldenes Dreieck; ~ **wedding** goldene Hochzeit; **gold•finch** ['gəʊldfɪntʃ] *s* Distelfink *m;* **gold•fish** ['gəʊldfɪʃ] *s* Goldfisch *m;* **gold foil** *s* Goldfolie *f;* **gold leaf** *s* Blattgold *n;* **gold medal** *s* Goldmedaille *f;* **gold mine** ['gəʊldmaɪn] *s* Goldgrube *f;* **gold nugget** *s* Goldklumpen *m;* **gold plating** *s* Vergoldung *f;* **gold reserves** *s pl* Goldreserven *fpl;* **gold•smith** ['gəʊldsmɪθ] *s* Goldschmied *m;* **gold standard** *s* Goldwährung *f*
golf [gɒlf] I. *s* Golf(spiel) *n* II. *itr* (*go ~ing*) Golf spielen; **golf ball** *s* (SPORT) Golfball *m;* (*Schreibmaschine*) Kugelkopf *m;* **golf-ball typewriter** *s* Kugelkopfschreibmaschine *f;* **golf club** *s* 1. Golfschläger *m* 2. Golfklub *m;* **golf course** *s pl* Golfplatz *m;* **golfer** ['gɒlfə(r)] *s* Golfspieler(in) *m(f),* Golfer(in) *m(f);* **golf links** *s pl* Küstengolfplatz *m*
Gol•iath [gə'laɪəθ] *s* (*fig*) Riese, Goliath *m*
gol•li•wog ['gɒlɪwɒg] *s* Negerpuppe *f*
golly ['gɒlɪ] *interj* Donnerwetter!
go•loshes [gə'lɒʃɪz] *s.* **galoshes**
gon•dola ['gɒndələ] *s* 1. (*a.* AERO) Gondel *f* 2. (*Am*) flacher Lastkahn 3. (*Am:* RAIL) Niederbordwagen *m;* **gon•do•lier** [ˌgɒndə'lɪə(r)] *s* Gondoliere *m*
gone [gɒn] I. *pp of* **go** II. *adj* 1. vergangen; vorbei 2. tot; **be** ~ **on s.o.** (*sl*) in jdn verknallt sein; **it's** ~ **six o'clock** es ist sechs Uhr vorbei; **he is** ~ er ist fort; **goner** ['gɒnə(r)] *s* (*sl*) hoffnungsloser Fall
gong [gɒŋ] *s* 1. Gong *m* 2. (*sl*) Blech *n,* Orden *m*
gon•or•rh(o)ea [ˌgɒnə'rɪə] *s* (MED) Tripper *m,* Gonorrhö(e) *f*
goo [guː] *s* (*fam*) 1. Papp *m* 2. (*fig*) Schmalz *m*
good [gʊd] <better, best> I. *adj* 1. gut 2. ausgezeichnet, vorteilhaft; günstig 3. geeignet, passend (*for* für) 4. ausreichend, genügend 5. (*Nahrungsmittel*) frisch; bekömmlich 6. kräftig, stark 7. tüchtig, geschickt, gewandt 8. brauchbar, zuverlässig; pflichtbewusst 9. artig, wohlerzogen 10. wohlwollend, freundlich 11. erfreulich, angenehm, glücklich 12. (*Kaufmann*) kredit-, zahlungsfähig; **a** ~ **deal** ziemlich viel, eine Menge *fam;* **a** ~ **many** ziemlich viele, eine Menge *fam;* **all in** ~ **time** alles zu seiner Zeit; **as** ~ **as** so gut wie; **for** ~ für immer; endgültig; **for** ~ **and all** ein für allemal; **in** ~ **faith** in gutem Glauben, gutgläubig, *adv;* **no** ~ nichts wert, unbrauchbar; ~ **and ...** (*fam*) mächtig, sehr; recht, (voll und) ganz; **be** ~ gelten, gültig sein; **be** ~ **enough to** so gut sein und; **be** ~ **at figures** gut im Rechnen sein; **have** ~ **looks** gut aussehen; **have a** ~ **time** sich gut unterhalten; **make** ~ es schaffen; bewerkstelligen; wiedergutmachen; bestätigen; (*Versprechen*) erfüllen; Erfolg haben; sich durchsetzen; aufkommen für, gutmachen; ~ **for you!** gut so! bravo!; ~ **gracious!** ach du meine Güte!; **is it any** ~ **trying? what** ~ **is it?** hat es Sinn, Zweck?; **a** ~ **half** gut die Hälfte; **a** ~ **hour** e-e gute Stunde; **too much of a** ~ **thing** zuviel des Guten; **that's a** ~ **one** das ist ein guter Witz; wer's glaubt, wird selig; ~ **fortune** Glück *n;* ~ **nature** Gutmütigkeit *f;* **feel** ~ sich wohl fühlen; **that's not** ~ **enough** so geht das nicht; **be a** ~ **boy!** sei brav, artig!; ~ **morning/evening!** guten Morgen/Abend!; ~ **to see you** schön, dich zu sehen II. *s* 1. (das) Gute 2. Wohl *n;* **the** ~ die Guten *pl;* **the common** ~ das allgemeine Wohl; **that's all to the** ~ um so besser
good•by (*Am*) *s.* **goodbye**
good•bye [ˌgʊd'baɪ] I. *s* Lebewohl *n;* **bid** [*o* **say**] ~ **to s.o.** jdm Lebewohl sagen II. *interj* auf Wiedersehen!; **good-for-nothing** ['gʊd fəˌnʌθɪŋ] *s* Taugenichts *m;* **Good Friday** *s* Karfreitag *m;* **good-humored** *adj* (*Am*), **good-hu•moured** [ˌgʊd'hjuːməd] *adj* gutgelaunt, gutmütig; **good-look•ing** [ˌgʊd'lʊkɪŋ] *adj* gutaussehend; **good looks** *s pl* gutes Aussehen; **good•ly** ['gʊdlɪ] *adj* ziemlich, beträchtlich; **a** ~ **number** viele; **good-na•tured** [ˌgʊd'neɪtʃəd] *adj* gutmütig; freundlich, entgegenkommend; **good•ness** ['gʊdnɪs] *s* 1. Güte *f;* Gütigkeit *f* 2. (*von Nahrungsmitteln*) Nährgehalt *m;* **would you have the** ~ **to do that** hätten Sie die Güte das zu tun; ~ **gracious,** ~ **me!** (ach) du meine Güte!; **for** ~ **sake** um Gottes, um Himmels willen!
goods [gʊdz] *s pl* 1. Güter *pl,* Waren *fpl;*

(RAIL) Fracht *f* **2.** Sachen *fpl,* (bewegliche) Habe *f;* ~ **and chattels** bewegliche Habe; **leather/knitted** ~ Leder-/Strickwaren *fpl;* **goods station** *s* (*Br*) Güterbahnhof *m;* **goods traffic** *s* Güter-, Frachtverkehr *m;* **goods train** *s* (*Br*) Güterzug *m*

good-sized [ˌgʊd'saɪzd] *adj* ziemlich groß; **good-tem•pered** [ˌgʊd'tempəd] *adj* umgänglich; freundlich; **good•will** [ˌgʊd'wɪl] *s* **1.** guter Wille, Verständigungsbereitschaft *f* **2.** (POL COM) Goodwill *m;* **goody** ['gʊdɪ] **I.** *s* **1.** Tugendbold *m* **2. goodies** Süßigkeiten, Leckereien *fpl* **II.** *interj* prima!

gooey ['gu:ɪ] *adj* **1.** klebrig; pappig **2.** (*fig*) sentimental, schmalzig

goof [gu:f] **I.** *s* (*fam*) **1.** Depp *m* **2.** Dummheit *f,* Schnitzer *m* **II.** *itr* (*fam*) Mist machen; **goof up** *tr* (*fam*) vermurksen

goofy ['gu:fɪ] *adj* **1.** doof, dämlich **2.** (*Zähne*) vorstehend

goolies ['gu:li:z] *s pl* (*sl*) Eier *npl*

goon [gu:n] *s* (*fam*) **1.** komischer Kauz **2.** (*Am sl*) Schläger *m*

goose [gu:s, *pl* gi:s] <*pl* geese> *s* **1.** Gans *f* **2.** dumme Person; **be unable to say boo to a** ~ ein Angsthase sein; **cook s.o.'s** ~ (*fam*) jds Pläne durchkreuzen; **all his geese are swans** bei ihm ist alles so viel besser; **goose•berry** ['gʊzbərɪ] *s* Stachelbeere *f;* **play** ~ den Anstandswauwau spielen; **goose-flesh**, **goose-pimples** *s pl* Gänsehaut *f;* **goose-step** *s* Stechschritt *m;* **goos•ey**, **goosy** ['gu:sɪ] *adj* dumm, blöd(e)

gore¹ [gɔ:(r)] *s* Blut *n*

gore² [gɔ:(r)] *s* Zwickel *m*

gore³ [gɔ:(r)] *tr* (*mit den Hörnern*) durchbohren, aufspießen

gorge [gɔ:dʒ] **I.** *s* Schlucht, Klamm *f;* **my** ~ **rises** mir wird übel (*at* bei) **II.** *refl* schlingen, gierig essen; schlemmen **III.** *tr* vollstopfen; hinunter-, verschlingen; **be ~d** satt sein; vollgefressen sein

gorg•eous ['gɔ:dʒəs] *adj* **1.** prächtig, prachtvoll **2.** (*fam*) fabelhaft, großartig

gor•illa [gə'rɪlə] *s* (ZOO) Gorilla *m*

gorm•less ['gɔ:mlɪs] *adj* (*fam*) stupid

gorse [gɔ:s] *s* (BOT) (Stech)Ginster *m*

gory ['gɔ:rɪ] *adj* blutig; blutrünstig

gosh [gɒʃ] *interj* Donnerwetter!

gos•ling ['gɒzlɪŋ] *s* Gänschen *n a. fig*

go-slow ['gəʊsləʊ] *s* Bummelstreik *m*

gos•pel ['gɒspl] *s* **1.** Evangelium *n a. fig* **2.** (MUS) Gospel *m;* **the G~ according to St Luke** das Evangelium nach Lukas; **St Luke's G~** das Lukasevangelium; **it's the ~ truth** das ist die reine Wahrheit; ~ **singer** Gospelsänger(in) *m(f)*

gos•sa•mer ['gɒsəmə(r)] *s* **1.** feine Gaze **2.** Altweibersommer *m,* Marienfäden *mpl*

gos•sip ['gɒsɪp] **I.** *s* **1.** Klatschbase *f* **2.** Klatsch *m* **II.** *itr* klatschen; **gossip column** *s* Klatschspalte *f;* **gos•sipy** ['gɒsɪpɪ] *adj* geschwätzig, klatschhaft

got [gɒt] *s.* **get**

Gothic ['gɒθɪk] **I.** *adj* gotisch; ~ **arch** Spitzbogen *m;* ~ **novel** Schauerroman *m* **II.** *s* **1.** Gotik *f* **2.** (TYP) Fraktur *f*

gotten ['gɒtən] (*Am*) *pp* **get**

gouge [gaʊdʒ] **I.** *tr* bohren; ~ **s.o.'s eyes out** jdm die Augen ausstechen **II.** *s* Hohlmeißel *m*

gou•lash ['gu:læʃ] *s* Gulasch *n*

gourd [gʊəd] *s* Kürbis *m;* Kürbisflasche *f*

gour•mand ['gʊəmənd] *s* Schlemmer(in) *m(f);* **gour•met** ['gʊəmeɪ] *s* Feinschmecker(in) *m(f)*

gout [gaʊt] *s* Gicht *f*

gov•ern ['gʌvn] *tr* **1.** (*a.* GRAM) regieren **2.** leiten, lenken **3.** bestimmen **4.** (*fig*) beherrschen, zügeln; **be ~ed by** sich leiten lassen von; geregelt werden durch; **gov•er•ness** ['gʌvənɪs] *s* Gouvernante *f;* **gov•ern•ing** [-ɪŋ] *adj* regierend; führend, leitend; ~ **body** Direktion *f,* Vorstand *m;* Führungsgremium *n;* ~ **idea** Leitgedanke *m;* **gov•ern•ment** ['gʌvənmənt] *s* **1.** Regierung *f* **2.** Regierungsform *f* **3.** Staat *m* **4.** Führung, Leitung *f;* **form a** ~ e-e Regierung bilden; **overthrow a** ~ e-e Regierung stürzen; **the ~ has resigned** die Regierung ist zurückgetreten; **coalition** ~ Koalitionsregierung *f;* **local** ~ Gemeindeverwaltung *f;* ~ **bond** Staatsanleihe *f;* Bürgschaft *f* der Regierung; ~ **borrowing** Kreditaufnahme *f* der öffentlichen Hand; ~ **expenditure** Staatsausgaben *fpl;* ~ **monopoly** Staatsmonopol *n;* ~ **revenue** Staatseinnahmen *fpl;* ~ **securities** (*Br*) Wertpapiere *n pl* der öffentlichen Hand; ~ **spending** öffentliche Ausgaben *fpl;* ~ **spokesman** Regierungssprecher(in) *m(f);* **gov•ern•mental** [ˌgʌvn'mentl] *adj* Regierungs-, behördlich; ~ **budget** öffentlicher Haushalt; **gov•ernor** ['gʌvənə(r)] *s* **1.** Gouverneur *m* **2.** Leiter, Direktor *m* **3.** (*fam*) Chef *m* **4.** (TECH) Regler *m*

gown [gaʊn] *s* **1.** Kleid *n;* Robe *f;* Talar *m* **2.** (*dressing-~*) Morgenrock *m* **3.** (*night-~*) Nachthemd *n*

GP [dʒi:'pi:] *s abbr of* **General Practitioner** praktischer Arzt, praktische Ärztin

GPO [ˌdzi:pi:'əʊ] *s abbr of* **General Post Office** (*Br*) Hauptpostamt *n*

grab [græb] **I.** *tr* **1.** packen, schnappen **2.** an sich reißen; **how does that music ~ you?** wie gefällt Ihnen diese Musik? **II.** *itr* die Hand legen (*at* auf), greifen (*at* nach); **the brakes are ~bing** die Bremsen greifen

III. *s* (TECH) Greifer *m;* **be up for ~s** zu haben sein; **make a ~ at s.th.** nach etw greifen

grace [greɪs] **I.** *s* **1.** Anmut, Grazie *f,* Charme *m* **2.** Anstand *m* **3.** Gefälligkeit *f,* Entgegenkommen *n* **4.** (REL) Gnade *f;* Tischgebet *n* **5.** (FIN) Aufschub *m,* Nachfrist *f;* **give s.o. a day's ~** jdm e-n Tag Aufschub gewähren; **say ~** das Tischgebet sprechen; **do s.th. with good/bad ~** etw anstandslos/widerwillig tun; **Your G~** Euer Gnaden **II.** *tr:* **be ~d with** geehrt sein durch; **grace•ful** ['greɪsfl] *adj* anmutig; reizend; **grace•less** ['greɪslɪs] *adj* **1.** schwerfällig, ungeschickt **2.** unpassend, unangebracht

gra•cious ['greɪʃəs] *adj* **1.** gütig; gefällig **2.** gnädig; (**good**) ~ [*o* **me**] ach du liebe Güte!

gra•da•tion [grə'deɪʃn] *s* **1.** Stufenfolge *f;* Abstufung *f* **2.** Übergang *m;* Schattierung, Tönung *f;* **grade** [greɪd] **I.** *s* **1.** Stufe *f,* Schritt *m* **2.** Grad *m;* Rang *m* **3.** (Güte)Klasse, Sorte, Qualität *f* **4.** (*Am*) (Schul)Klasse *f;* Zensur *f* **5.** (*Am: Straße*) Steigung, Neigung *f,* Gefälle *n;* **at ~** (*Am*) auf gleicher Höhe; **on the upgrade/downgrade** steigend/fallend; **up to ~** (*fig*) dem Standard entsprechend; **make the ~** (*fig*) die Schwierigkeiten überwinden; es schaffen; **~ crossing** (*Am*) schienengleicher Bahnübergang; **~ school** (*Am*) Grundschule *f* **II.** *tr* **1.** ab-, einstufen, sortieren **2.** bewerten **3.** staffeln; einteilen, klassifizieren **4.** (*Am: Schule*) zensieren **5.** (*Am*) abflachen, (ein)ebnen; **~ up** verbessern; in e-e höhere Gruppe einstufen; **gradi•ent** ['greɪdɪənt] *s* Steigung, Neigung *f,* Gefälle *n;* **grad•ing** ['greɪdɪŋ] *s* **1.** Einstufung, Eingruppierung, Staffelung, Klassi(fizi)erung *f* **2.** (COM) Güteklasseneinteilung *f*

grad•ual ['grædʒʊəl] *adj* **1.** graduell, stufen-, schrittweise **2.** allmählich; **grad•ual•ly** ['grædʒʊlɪ] *adv* stufen-, schrittweise; allmählich

grad•uate[1] ['grædʒʊət] *s* **1.** Universitätsabsolvent(in) *m(f)* **2.** (*Am*) Schulabsolvent(in) *m(f)* **3.** Graduierte(r) *f m*

grad•uate[2] ['grædʒʊeɪt] **I.** *itr* **1.** e-n Grad erlangen; promovieren **2.** absolvieren (*from high school* die höhere Schule) **II.** *tr* **1.** graduieren, promovieren, e-n Grad verleihen (*s.o.* jdm) **2.** (*Messgerät*) einteilen; **gradu•ated** ['grædʒʊeɪtɪd] *adj* Mess-; mit Messeinteilung; abgestuft; **~ price** Staffelpreis *m;* **~ tariff** Staffeltarif *m;* **gradu•ation** [ˌgrædʒʊ'eɪʃn] *s* **1.** Erlangung *f* eines akademischen Grades **2.** Universitäts-, *Am* Schul-, Lehrgangsabschluss *m* **3.** (Grad)Einteilung *f*

graf•fiti [grə'fi:tɪ] *s pl* Kritzeleien *f* an den Wänden *pl,* Graffiti *pl*

graft [grɑ:ft] **I.** *s* **1.** Pfropfreis *n* **2.** (MED) Transplantat *n* **3.** (*Am*) Bestechung *f;* Schmiergelder *npl* **4.** (*fam*) Schufterei *f;* **hard ~** Knochenarbeit *f* **II.** *tr* **1.** (auf)pfropfen (*in* in, *on* auf), okulieren **2.** (MED) verpflanzen **3.** (*Bestechungsgelder*) erhalten, annehmen **III.** *itr* (*fam*) schuften; **grafter** ['grɑ:ftə(r)] *s* **1.** (*Am*) bestechlicher Beamte(r) *m* **2.** (*fam*) Arbeitstier *n,* Malocher *m*

grail [greɪl] *s:* **the Holy G~** der Heilige Gral

grain [greɪn] *s* **1.** (Samen-, Getreide)Korn *n* **2.** Getreide, Korn *n* **3.** (Sand-, Salz)Korn *n* **4.** Gran *n* (*0,065 g*) **5.** (*Holz*) Struktur, Maserung *f* **6.** (*Fleisch*) Faser *f* **7.** (*Leder*) Narbe *f;* **a ~ of** ein (kleines) bisschen; **against the ~** gegen den Strich; **be without a ~ of sense** nicht ein Fünkchen Vernunft haben; **it goes against the ~ with me** das geht mir gegen den Strich; **a ~ of truth** ein Körnchen Wahrheit; **grain elevator** *s* (*Am*) Getreidesilo *m;* **grain export** *s* Getreideausfuhr *f;* **grain market** *s* Getreidemarkt *m*

gram•mar ['græmə(r)] *s* Grammatik *f;* **his ~ is awful** er drückt sich grammat(ikal)isch völlig falsch aus; **grammar book** *s* Grammatik *f,* Sprachlehrbuch *n;* **gram•mar•ian** [grə'meərɪən] *s* Grammatiker(in) *m(f);* **grammar school** *s* Gymnasium *n;* **gram•mati•cal** [grə'mætɪkl] *adj* grammat(ikal)isch

gram(me) [græm] *s* (*Masse*) Gramm *n*

gramo•phone ['græməfəʊn] *s* Plattenspieler *m*

gram•pus ['græmpəs] *s* (ZOO) Schwertwal *m;* **wheeze like a ~** (*fam*) wie ein Walross schnauben

gran [græn] *s* (*fam*) Oma *f*

gran•ary ['grænərɪ] *s* **1.** Getreide-, Kornspeicher *m* **2.** (*fig*) Kornkammer *f;* **granary loaf** *s* Mehrkornbrot *n*

grand [grænd] **I.** *adj* **1.** groß; bedeutend; berühmt **2.** prächtig, prachtvoll **3.** (*fam*) großartig, fantastisch **4.** vollständig, endgültig **II.** *s* **1.** (*~ piano*) Flügel *m* **2.** (*sl*) tausend Dollar *mpl,* tausend Pfund *npl*

grand•child ['græntʃaɪld] <*pl* -children> *s* Enkelkind *n;* **gran•dad, grand•dad** ['grændæd] *s* Opa, Opi *m;* **grand•daughter** ['grænˌdɔ:tə(r)] *s* Enkelin *f*

gran•dee [græn'di:] *s* Grande *m*

gran•deur ['grændʒə(r)] *s* **1.** Größe, Erhabenheit *f* **2.** Würde *f;* **delusions of ~** Größenwahn *m*

grand•father ['grændˌfɑ:ðə(r)] *s* Großvater *m;* **~('s) clock** Standuhr *f*

gran•dilo•quent [græn'dɪləkwənt] *adj* hochtrabend, prahlerisch

gran·di·ose ['grændɪəʊs] *adj* bombastisch, hochtrabend

grand jury [ˌgrænd 'dʒʊərɪ] *s* (*Am*) Großes Geschworenengericht; **grand larceny** *s* (JUR) schwerer Diebstahl; **grandma** ['grænmɑː] *s* Oma *f;* **grand master** *s* Großmeister *m;* **grand·mother** ['grænˌmʌðə(r)] *s* Großmutter *f;* **grandpa** ['grænpɑː] *s* Opa *m;* **grand·parents** ['grænˌpeərənts] *s pl* Großeltern *pl;* **grand piano** *s* (MUS) Flügel *m;* **grandson** ['grænsʌn] *s* Enkel *m;* **grand·stand** *s* Haupttribüne *f;* **grand total** *s* Gesamt-, Endsumme *f*

grange [greɪndʒ] *s* Bauernhof *m,* -haus *n*

gran·ite ['grænɪt] *s* (MIN) Granit *m*

granny, gran·nie ['grænɪ] *s* (*fam*) Oma *f*

grant [grɑːnt] **I.** *tr* **1.** bewilligen, gewähren **2.** (*Bescheinigung*) ausstellen **3.** (*Eigentum*) übertragen **4.** (*e-m Gesuch*) entsprechen **5.** zugeben, einräumen; **take for ~ed** (fest) annehmen; als selbstverständlich voraussetzen; **~ed** (**that**) angenommen, zugegeben (dass) **II.** *s* **1.** Bewilligung, Gewährung, Erteilung *f* **2.** Verleihung *f;* Übertragung *f* **3.** Konzession *f* **4.** bewilligte Gelder *npl,* Stipendium *n;* **~-aided** gefördert, subventioniert; **~-in-aid** staatliche Beihilfe, Zuschuss *m*

granu·lar ['grænjʊlə(r)] *adj* körnig, granulös; **granu·lated** ['grænjʊleɪtɪd] *adj* gekörnt, granuliert; **~ sugar** Kristallzucker *m;* **gran·ule** ['grænjuːl] *s* Körnchen *n*

grape [greɪp] *s* **1.** Weinbeere *f* **2. ~s** Weintrauben *fpl;* **grape·fruit** ['greɪpfruːt] *s* Grapefruit, Pampelmuse *f;* **grape juice** *s* Traubensaft *m;* **grape-vine** *s* Weinstock *m,* Weinrebe *f;* **hear s.th. on the ~** etw gerüchteweise hören

graph [grɑːf] **I.** *s* grafische Darstellung, Schaubild *n;* Graph *m;* **~ paper** Millimeterpapier *n* **II.** *tr* grafisch darstellen; **graphic** ['græfɪk] *adj* **1.** grafisch **2.** anschaulich; **~ art**(**s**) Grafik *f;* **~ artist** Grafiker(in) *m(f);* **~orient**(**at**)**ed** grafikorientiert; **graphics** ['græfɪks] *s pl* Grafik *f;* **graphics card** *s* (EDV) Grafikkarte *f;* **graphics screen** *s* (EDV) Grafikbildschirm *m*

graph·ite ['græfaɪt] *s* (MIN) Grafit *m*

graph·ol·ogist [græ'fɒlədʒɪst] *s* Grafologe *m;* Grafologin *f;* **graph·ol·ogy** [græ'fɒlədʒɪ] *s* Grafologie *f*

grapple ['græpl] *itr* **1.** raufen, ringen **2.** (*fig*) sich herumschlagen (*with* mit); **grappling** [-ɪŋ] *s:* **~-iron** [*o* **-hook**] Enterhaken *m*

grasp [grɑːsp] **I.** *tr* **1.** (er)greifen, fassen, packen **2.** (*fig*) begreifen, verstehen **II.** *itr* **1.** greifen, trachten **2.** streben (*at* nach) **3.** schnappen (*at* nach) **III.** *s* **1.** (Zu)Griff *m* **2.** (*fig*) Reichweite, Gewalt *f* **3.** Verständnis *n;* **within s.o.'s ~** in jds Gewalt; greifbar nahe; **have a good ~ of s.th.** etw sehr gut beherrschen; **lose one's ~** loslassen; **grasp·ing** [-ɪŋ] *adj* habgierig

grass [grɑːs] **I.** *s* **1.** Gras *n* **2.** Rasen *m;* Weide(land *n*) *f* **3.** (*sl*) Spitzel *m* **4.** (*sl: Marihuana*) Gras *n;* **out at ~** auf der Weide; **go to ~** weiden (gehen); (*fig*) sich ausruhen; **put out to ~** auf die Weide treiben; (*altem Pferd*) das Gnadenbrot geben; (*fig: Menschen*) aufs Abstellgleis schieben; **the ~ is always greener on the other side** (*prov*) man will immer das haben, was man nicht hat; **let the ~ grow under one's feet** sich Zeit lassen; **keep off the ~** Betreten des Rasens verboten! **II.** *tr* mit Gras einsäen **III.** *itr* (*sl*) singen; **~ on s.o.** jdn verpfeifen; **grass·hop·per** ['grɑːshɒpə(r)] *s* Heuschrecke *f;* **grass-roots** [ˌgrɑːs'ruːts] **I.** *s pl* gewöhnliches Volk *n;* (POL) Basis *f;* **get down to ~** zum Kern der Sache kommen **II.** *adj* volksnah; **at ~ level** an der Basis; **~ democracy** Basisdemokratie *f;* **grass-snake** *s* Ringelnatter *f;* **grass widow** *s* Strohwitwe *f;* **grass widower** *s* Strohwitwer *m;* **grassy** ['grɑːsɪ] *adj* grasbewachsen

grate¹ [greɪt] **I.** *tr* **1.** kratzen, reiben, schaben **2.** (*Küche*) reiben; raspeln **3.** knirschen (*one's teeth* mit den Zähnen) **4.** reizen, ärgern **II.** *itr* **1.** kratzen; knirschen; quietschen; streifen **2.** reizen, aufregen (*on s.o.* jdn); **~ on s.o.'s nerves** an jds Nerven zerren

grate² [greɪt] *s* **1.** (Fenster-, Tür)Gitter *n* **2.** (Feuer)Rost *m*

grate·ful ['greɪtfl] *adj* dankbar (*to s.o.* jdm)

grater ['greɪtə(r)] *s* Reibeisen *n;* Raspel *f*

grati·fi·ca·tion [ˌgrætɪfɪ'keɪʃn] *s* Genugtuung, Befriedigung *f* (*at* über); **grat·ify** ['grætɪfaɪ] *tr* **1.** erfreuen, befriedigen **2.** (*Wunsch*) erfüllen; **be gratified** sich freuen; **grat·ify·ing** [-ɪŋ] *adj* erfreulich, angenehm (*to* für)

grat·ing ['greɪtɪŋ] *s* Gitter *n*

gra·tis ['greɪtɪs] *adv, adj* gratis, umsonst; kostenlos, unentgeltlich

grati·tude ['grætɪtjuːd] *s* Dankbarkeit *f* (*to* gegenüber, *for* für); **in ~ for** aus Dankbarkeit für

gra·tu·itous [grə'tjuːɪtəs] *adj* **1.** überflüssig, unnötig **2.** unerwünscht

gra·tu·ity [grə'tjuːətɪ] *s* **1.** Trinkgeld *n* **2.** Gratifikation *f;* **no gratuities!** kein Trinkgeld!

grave¹ [greɪv] *adj* **1.** ernst(haft); besorgniserregend **2.** wichtig, schwerwiegend

grave² [greɪv] *s* Grab *n a. fig;* **from the cradle to the ~** von der Wiege bis zur

Bahre; **dig one's own** ~ sein eigenes Grab schaufeln; **have one foot in the** ~ (*fig*) mit e-m Fuß im Grabe stehen; **silent as the** ~ totenstill; **turn in one's** ~ sich im Grabe umdrehen; **s.o. is walking over my** ~ mich [*o* mir] schaudert; **grave-digger** *s* Totengräber *m*

gravel ['grævl] I. *s* 1. Kies *m* 2. (MED) Harngrieß *m* II. *tr* mit Kies bestreuen; **gravel-pit** *s* Kiesgrube *f;* **gravel-stone** *s* Kieselstein *m*

grave mound ['greɪvmaʊnd] *s* Grabhügel *m;* **grave robber** *s* Grabschänder *m;* **grave•stone** ['greɪvstəʊn] *s* Grabstein *m;* **grave•yard** ['greɪvjɑːd] *s* Friedhof *m*

grav•ing dock ['greɪvɪŋˌdɒk] *s* Trockendock *n*

gravi•tate ['grævɪteɪt] *itr* 1. angezogen werden (*to*(*wards*) von) 2. (*fig*) tendieren, streben (*to, towards* zu) 3. (CHEM) sich setzen; **gravi•ta•tion** [ˌgrævɪ'teɪʃn] *s* Schwerkraft, Gravitation *f;* **gravi•ta•tional** [ˌgrævɪ'teɪʃənl] *adj* Gravitations-; ~ **field** Schwerefeld *n;* ~ **force** Schwerkraft *f;* ~ **pull** Anziehungskraft *f;* **grav•ity** ['grævətɪ] *s* 1. Ernst *m* 2. (PHYS) Anziehungs-, Schwerkraft *f;* **specific** ~ spezifisches Gewicht

gra•vure [grə'vjʊə(r)] *s* Gravüre *f*

gravy ['greɪvɪ] *s* 1. Fleischsaft *m* 2. (Braten)Soße *f* 3. (*Am sl*) Spesen *pl,* Schmiergelder *npl;* **get on the** ~ **train** auch ein Stück vom Kuchen abbekommen; **gravy boat** *s* Soßenschüssel *f*

gray (*Am*) *s.* **grey**

graze[1] [greɪz] I. *tr* 1. (*Vieh*) weiden lassen 2. (*Gras, Weide*) abweiden lassen II. *itr* grasen, weiden

graze[2] [greɪz] I. *tr* 1. streifen 2. (MED) (ab)schürfen II. *s* Schramme, Schürfwunde *f*

grease [griːs] I. *s* 1. Fett *n* 2. Schmierfett *n* II. *tr* 1. (ein)fetten 2. (TECH) schmieren; **like ~d lightning** wie ein geölter Blitz; ~ **s.o.'s palm** jdm Schmiergelder zahlen; **grease-gun** *s* Fettpresse *f;* **grease mark** *s* Fettfleck *m;* **grease-paint** *s* (THEAT) Schminke *f;* **grease•proof paper** *s* Butterbrotpapier *n;* **grease spot** *s* Fettfleck *m;* **greasy** ['griːsɪ] *adj* 1. fettig, ölig; schmierig 2. glitschig, schlüpfrig 3. (*fig*) aalglatt

great [greɪt] I. *adj* 1. groß 2. beträchtlich, ausgedehnt 3. (*Zeit*) lange, lange dauernd 4. mächtig, gewaltig 5. hervorragend, bedeutend 6. eindrucksvoll 7. (*Freund*) eng, intim 8. (*fam*) (ganz) groß (*in* in), geschickt (*at* bei, in), beschlagen (*at* in), interessiert (*on* an) 9. (*fam*) großartig, prima; gewaltig, herrlich, mächtig; **a** ~ **deal** e-e (ganze) Menge, viel; **a** ~ **many** sehr viele; **no** ~ **matter** nichts von Bedeutung; **that's ~!** das ist (ja) prima! II. *s* (*fam*): **the** ~ die Großen *pl;* **great-aunt** *s* Großtante *f;* **the Great Bear** *s* (ASTR) der Große Bär; **Great Britain** *s* Großbritannien *n;* **great•coat** ['greɪtkəʊt] *s* (Winter)Mantel *m;* **Great Depression** *s* Weltwirtschaftskrise *f;* **Greater Lon•don** ['greɪtə 'lʌndən] *s* Groß-London *n;* **great-grandchild** <*pl* -children> *s* Urenkel(in) *m(f);* **great-grandparents** *s pl* Urgroßeltern *pl;* **great-great-grandparents** *s pl* Ururgroßeltern *pl;* **great•ly** ['greɪtlɪ] *adv* sehr, in hohem Grade; **great-nephew** *s* Großneffe *m;* **great•ness** ['greɪtnɪs] *s* Größe, Bedeutung *f;* **great-niece** *s* Großnichte *f;* **great-uncle** *s* Großonkel *m*

Gre•cian ['griːʃn] *adj,* **Greece** [griːs] *s* Griechenland *n*

greed, **greedi•ness** [griːd, 'griːdɪnɪs] *s* 1. Gier *f* (*for* nach) 2. Habgier *f* 3. Gefräßigkeit *f;* **greedy** ['griːdɪ] *adj* 1. gierig (*for* nach) 2. gefräßig; **be** ~ **for s.th.** auf etw begierig sein, nach etw gieren

Greek [griːk] I. *adj* griechisch II. *s* 1. Grieche *m,* Griechin *f* 2. (das) Griechisch(e); **it's all** ~ **to me** das sind für mich böhmische Dörfer

green [griːn] I. *adj* 1. grün (*with* vor) 2. unreif 3. unerfahren (*at* in); **give s.o. the** ~ **light** jdm freie Fahrt geben *a. fig;* **he was** ~ **with envy** er platzte vor Neid II. *s* 1. Grün *n,* grüne Farbe 2. Grünfläche *f,* Rasen *m* 3. ~**s** grünes Gemüse; **green•back** ['griːnbæk] *s* (*Am sl*) Geldschein *m;* **green belt** *s* Grüngürtel *m;* **green card** *s* 1. (MOT) grüne Versicherungskarte *f* 2. (*Am*) Aufenthalts- und Arbeitserlaubnis *f;* **greenery** ['griːnərɪ] *s* (das) Grün (*in der Natur*); **green-eyed** [ˌgriːn'aɪd] *adj* (*fig*) eifersüchtig; **the** ~ **monster** der Neid; **green fingers** *s pl* gärtnerisches Geschick; **green•fly** ['griːnflaɪ] *s* grüne Blattlaus; **green•gage** ['griːngeɪdʒ] *s* Reineclaude *f;* **green•grocer** ['griːnˌgrəʊsə(r)] *s* (Obst- u.) Gemüsehändler(in) *m(f);* **green•horn** ['griːnhɔːn] *s* Grünschnabel *m;* Anfänger(in) *m(f);* **green•house** ['griːnhaʊs] *s* Gewächs-, Treibhaus *n;* **greenhouse effect** *s* (METE) Treibhauseffekt *m;* **green•ish** ['griːnɪʃ] *adj* grünlich; **green issue** *s* Umweltfrage *f*

Green•land ['griːnlənd] *s* Grönland *n;* **Green•lander** ['griːnləndə(r)] *s* Grönländer(in) *m(f)*

green•ness ['griːnnɪs] *s* (*fam*) Umweltfreundlichkeit *f*

green pep•per [ˌgriːn'pepə(r)] *s* (grüne)

Paprikaschote *f;* **green policy** *s* grüne Politik; **green politics** *s* Umweltpolitik *f;* **green thumb** *s* (*Am*) *s.* **green fingers**
Green·wich ['grɪnɪtʃ] *s Vorort von London;* **Greenwich mean time, G.M.T** *s* westeuropäische Zeit
green·wood ['gri:nwʊd] *s* Laubwald *m*
greet [gri:t] *tr* **1.** (be)grüßen (*on behalf of* im Namen von) **2.** empfangen, entgegenkommen (*s.o.* jdm) **3.** sich darbieten (*her eyes* ihren Augen); **greet·ing** [-ɪŋ] *s* Begrüßung *f;* Gruß *m;* (*Am: Brief*) Anrede *f;* **~s-card** Glückwunschkarte *f*
greg·ari·ous [grɪ'geərɪəs] *adj* **1.** (ZOO) in Herden lebend **2.** (*Mensch*) gesellig
gre·nade [grɪ'neɪd] *s* (Hand)Granate *f;* **grena·dier** [ˌgrenə'dɪə(r)] *s* Grenadier *m*
grew [gru:] *s.* **grow**
grey [greɪ] **I.** *adj* **1.** grau **2.** trüb(e), düster *a. fig* **3.** grauhaarig; **turn** ~ grau werden **II.** *s* Grau *n;* (*Pferd*) Grauschimmel *m;* **grey·beard** ['greɪˌbɪəd] *s* Graubart *m;* **grey·hound** ['greɪhaʊnd] *s* Windhund *m;* **grey·ish** ['greɪɪʃ] *adj* gräulich; **grey matter** *s* **1.** (ANAT) graue Hirnsubstanz **2.** (*fam*) graue Zellen *fpl*
grid [grɪd] *s* **1.** (*a.* RADIO) Gitter *n* **2.** (EL) Stromnetz *n;* Leitungsnetz *n* **3.** (*Karte*) Gitter *n* **4.** (MOT) Start(platz) *m* **5.** (THEAT) Schnürboden *m* **6.** (TECH) Netz *n*
griddle ['grɪdl] *s* (rundes) Kuchenblech *n;* **griddle-cake** *s* Pfannkuchen *m*
grid·iron ['grɪdaɪən] *s* **1.** (Brat)Rost, Grill *m* **2.** (*Am: Fußball*) Spielfeld *n;* **grid square** *s* Planquadrat *n*
grief [gri:f] *s* Kummer, Gram *m,* Leid *n;* **come to** ~ zu Schaden kommen; (*Plan*) scheitern
griev·ance ['gri:vns] *s* **1.** Beschwerde(grund *m*) *f* **2.** Missstand *m;* **nurse a ~ against s.o.** gegen jdn e-n Groll haben; **grieve** [gri:v] **I.** *tr* **1.** bekümmern, betrüben **2.** traurig stimmen; **it ~s me** es stimmt mich traurig **II.** *itr* **1.** bekümmert sein **2.** trauern (*at, for, over* um); **griev·ous** ['gri:vəs] *adj* **1.** schmerzlich **2.** bedauerlich **3.** (*Fehler*) schwer; ~ **bodily harm, GBH** (JUR) schwere Körperverletzung
grif·fin, grif·fon, gry·phon ['grɪfɪn, 'grɪfən] *s* Greif *m* (*Fabeltier*); **grif·fon** ['grɪfən] *s* **1.** Gänsegeier *m* **2.** Affenpinscher *m*
grill [grɪl] **I.** *s* **1.** Grill *m* **2.** gegrilltes Fleisch **3.** (*~room*) Grillroom *m* **II.** *tr* **1.** grillen **2.** (*fam fig*) streng verhören **III.** *itr* **1.** (*Fleisch*) grillen **2.** (*von der Sonne*) sich braun brennen lassen
grille [grɪl] *s* Gitter *n*
grilling ['grɪlɪŋ] *s* strenges Verhör; **give s.o. a** ~ jdn in die Zange nehmen
grim [grɪm] *adj* **1.** grimmig, erbarmungslos **2.** hart, streng **3.** abschreckend, abstoßend; **hold on like ~ death** nicht lockerlassen
gri·mace [grɪ'meɪs] **I.** *s* Grimasse *f* **II.** *itr* Grimassen schneiden
grime [graɪm] **I.** *s* Ruß *m;* Schmutz *m* **II.** *tr* verschmutzen; **grimy** ['graɪmɪ] *adj* schmutzig, verschmutzt
grin [grɪn] **I.** *itr* grinsen (*with pleasure* vor Vergnügen); ~ **from ear to ear** über das ganze Gesicht grinsen; **I had to ~ and bear it** ich musste gute Miene zum bösen Spiel machen **II.** *s* **1.** Grinsen *n* **2.** gezwungenes Lächeln; **wipe that ~ off your face!** lach mich nicht aus!
grind [graɪnd] <*irr:* ground, ground> **I.** *tr* **1.** (zer)mahlen, zerstoßen, zerreiben **2.** schleifen, wetzen **3.** (*Absatz*) bohren (*into the earth* in die Erde) **4.** (*Kaffeemühle, Leierkasten*) drehen **5.** (*fig*) quälen, bedrücken, plagen; ~ **one's teeth** mit den Zähnen knirschen (*in anger* vor Wut) **II.** *itr* **1.** sich mahlen lassen **2.** (*fam*) pauken, büffeln, ochsen; sich abplagen **III.** *s* **1.** (*fam*) Schinderei, Plackerei *f* **2.** Paukerei, Büffelei *f* **3.** (*Am fam*) Büffler *m;* **grind down** *tr* unterdrücken; **grind out** *tr* mühsam hervorbringen; fabrizieren; **grinder** ['graɪndə(r)] *s* **1.** Schleifer *m;* Schleifmaschine *f;* Schleifstein *m* **2.** Mühle *f;* Fleischwolf *m* **3.** Backenzahn *m;* **grind·stone** ['graɪndstəʊn] *s* Schleifstein *m;* **keep** [*o* **put**] **one's nose to the** ~ schuften; büffeln
grin·go ['grɪŋgəʊ] <*pl* -gos> *s* (Nord)Amerikaner, Gringo *m*
grip [grɪp] **I.** *s* **1.** (fester, Zu)Griff *m* **2.** Greifen, Packen *n* **3.** (*fig*) Fassungskraft *f;* Verständnis *n* **4.** Herrschaft *f* (*of, on* über) **5.** (TECH) Greifer *m* **6.** Handgriff *m* **7.** Haarklemmchen *n* **8.** (MOT) Griffigkeit *f* **9.** Reisetasche *f;* **come to ~s** handgemein werden; aneinander geraten; **come to ~s with** (*fig*) in den Griff bekommen; **get a ~ on o.s.** sich wieder beherrschen; **lose one's** ~ den Halt verlieren; (*fig*) nachlassen; **lose one's ~ on the situation** die Situation nicht mehr unter Kontrolle haben **II.** *tr* **1.** (er)greifen, packen, fassen, festhalten **2.** (*die Aufmerksamkeit*) fesseln
gripe [graɪp] **I.** *tr* (*Am fam*) ärgern **II.** *itr* **1.** Magenschmerzen haben **2.** (*fam*) meckern **III.** *s* **1.** (*fam*) Beschwerde *f* **2.** **~s** (*fam*) Magenschmerzen *mpl,* Kolik *f*
grip·ping ['grɪpɪŋ] *adj* (*Buch*) spannend, fesselnd
gris·ly ['grɪzlɪ] *adj* grässlich, schrecklich
grist [grɪst] *s:* **it's all ~ to his mill** er kann alles brauchen; das ist Wasser auf seine Mühle

gristle ['grɪsl] *s* Knorpel *m*
grit [grɪt] **I.** *s* **1.** Staub *m;* (feiner) Kies *m;* Streusand *m* **2.** (*fam*) Mut, Schneid *m,* Entschlossenheit *f* **3.** ~**s** (*Am*) Hafergrütze *f* **II.** *tr* mit Sand, Kies bestreuen; ~ **one's teeth** die Zähne zusammenbeißen
grizzle ['grɪzl] **I.** *s* graues Haar; Grau *n* **II.** *itr* (*fam: Kind*) flennen, quengeln; **grizzled** ['grɪzld] *adj* grau(meliert); **griz•zly** ['grɪzlɪ] **I.** *adj* **1.** grau, gräulich **2.** (*fam*) quengelig **II.** *s* (~ *bear*) Grisly-, Graubär *m*
groan [grəʊn] **I.** *itr* **1.** seufzen, stöhnen, ächzen (*with* vor) **2.** brummen, murren **3.** (zu) leiden (haben), seufzen (*under* unter) **II.** *tr* (~ *out*) stöhnend hervorbringen, erzählen **III.** *s* **1.** Seufzen *n* **2.** Ächzen *n*
groats [grəʊts] *s pl* (Hafer)Grütze *f;* Schrot *m*
grocer ['grəʊsə(r)] *s* Lebensmittelhändler(in) *m(f);* **grocery** ['grəʊsərɪ] *s* **1.** Lebensmittelgeschäft *n* **2. groceries** Lebensmittel *npl*
grog [grɒg] *s* Grog *m*
groggy ['grɒgɪ] *adj* **1.** benommen, schwindlig **2.** wack(e)lig **3.** (SPORT: *fam*) groggy
groin¹ [grɔɪn] *s* **1.** (ANAT) Leiste(ngegend) *f* **2.** (ARCH) Grat *m;* Gewölberippe *f*
groin² [grɔɪn] *s* (MAR) Buhne *f*
groom [gru:m] **I.** *s* **1.** Stallbursche *m* **2.** Bräutigam *m* **II.** *tr* **1.** (*Pferd*) pflegen **2.** (*Menschen, Frisur, Kleidung*) pflegen **3.** vorbereiten (*for* für); **well ~ed** gepflegt
groove [gru:v] **I.** *s* **1.** Furche, Rille, Nut, Rinne *f* **2.** Tonspur *f* **3.** (*fig*) Routine, Gewohnheit *f* **II.** *tr* auskehlen, riefeln, nuten
groovy ['gru:vɪ] *adj* (*sl*) toll, klasse; modisch
grope [grəʊp] **I.** *tr* (*fam*) befummeln **II.** *itr* **1.** (~ *about*) (herum)tappen **2.** (*a. fig*) suchen (*for* nach); ~ **in the dark** im Dunkeln tappen; ~ **one's way** tastend den Weg suchen; **grop•ing•ly** ['grəʊpɪŋlɪ] *adj* **1.** tastend **2.** (*fig*) unsicher
gross¹ [grəʊs] *s* Gros *n,* 12 Dutzend *pl*
gross² [grəʊs] **I.** *adj* **1.** dick, fett, korpulent **2.** schwer(fällig), plump **3.** grob, rau, roh, unfein **4.** vulgär, unanständig **5.** (*Fehler*) schwer, grob; (*Ungerechtigkeit*) krass, ungeheuer(lich); (*Fehler, Nachlässigkeit*) grob **6.** (*Vegetation*) üppig **7.** (*Essen*) unappetitlich **8.** (COM) brutto **II.** *tr* e-n Bruttogewinn haben von; **gross amount** *s* Bruttobetrag *m;* **gross cash flow** *s* Bruttocashflow *m* (*einschließlich Abschreibung*); **gross domestic product, GDP** *s* Bruttoinlandsprodukt *n;* **gross income, gross receipts** *s pl* Bruttoverdienst *m,* -einkommen *n,* -gewinn *m;* **gross•ly** ['grəʊslɪ] *adv* **1.** sehr stark, stark, schwer **2.** (*sich benehmen*) derb; **eat** ~ (*sl*) essen wie ein Schwein; **gross national product, GNP** *s* Bruttosozialprodukt *n;* **gross negligence** *s* grobe Fahrlässigkeit; **gross pay** *s* Bruttolohn *m;* **gross profit** *s* Bruttogewinn, Rohgewinn *m;* **gross ton** *s* Bruttoregistertonne *f* (= *2240 pounds*)
grot ['grɒt] *s* (*sl*) Schrott *m*
gro•tesque [grəʊ'tesk] **I.** *adj* **1.** grotesk, bizarr, fantastisch **2.** komisch, lächerlich **II.** *s* **1.** Groteske *f* **2.** (TYP) Grotesk *f*
grotto ['grɒtəʊ] <*pl* grotto(e)s> *s* Grotte *f*
grot•ty ['grɒtɪ] *adj* (*sl*) mies
grouch [graʊtʃ] **I.** *itr* (*fam*) meckern; nörgeln **II.** *s* **1.** Meckerer *m,* Nörgler(in) *m(f)* **2.** Grund *m* zur Klage; **grouchy** ['graʊtʃɪ] *adj* (*fam*) meckerig, brummig, mürrisch
ground¹ [graʊnd] *pp of* **grind**
ground² [graʊnd] **I.** *s* **1.** Grund *m;* Boden *m* **2.** Meeresboden *m* **3.** (Erd)Boden *m,* Erde *f;* Land *n* **4.** Grund und Boden *m* **5.** Gebiet *n a. fig* **6.** (*Kunst*) Untergrund *m,* Grundierung *f* **7.** (*fig*) Grundlage, Basis *f* **8.** (Beweg)Grund *m* (*for* für, zu), Motiv *n,* Ursache *f,* Anlass *m* **9.** ~**s** Grundstück *n;* Gelände *n* **10.** ~**s** Anlagen *fpl,* Gärten *mpl* **11.** ~**s** (Boden)Satz *m;* (Kaffee)Satz *m* **12.** (Rechts)Grund *m;* Begründung *f;* **above** ~ über der Erde; über Tage; am Leben; **below** ~ unter der Erde; unter Tage; tot; **down to the** ~ (*fam*) voll und ganz; **on the ~s of** auf Grund +*gen,* wegen; **on one's own** ~ zu Hause *a. fig;* **on firm** ~ (*fig*) auf festem Boden; **be on common** ~ (*fig*) auf gleichem Boden stehen; **be forbidden** ~ (*fig*) tabu sein; **break fresh** ~ (*fig*) in Neuland vorstoßen; **cover** (**much**) ~ e-e (große) Strecke zurücklegen; (gute) Fortschritte machen; viel umfassen; **cut the** ~ **from under s.o.'s feet** (*fig*) jdm den Boden unter den Füßen wegziehen; **fall to the** ~ (*fig: Plan*) scheitern; **gain** ~ (*fig*) um sich greifen; an Boden gewinnen; **get off the** ~ (*fig*) e-n guten Anfang machen; **give** ~ nachgeben, weichen; **hold** [*o* **keep**] [*o* **stand**] **one's** ~ seinen Platz behaupten; seinen Mann stehen; **keep one's feet on the** ~ mit den Füßen auf festem Boden bleiben; **lose** ~ an Boden verlieren; **that suits me down to the** ~ genau das wollte ich; das passt mir ausgezeichnet; **coffee-~s** Kaffeesatz *m;* **fishing-~s** Fischgründe *mpl;* ~ **for divorce** Scheidungsgrund *m;* ~ **for suspicion** Verdachtsmoment *n* **II.** *tr* **1.** (*Schiff*) auf Grund auflaufen lassen **2.** (AERO) nicht starten lassen **3.** (EL) erden **4.** (*fig*) begründen; basieren (*on* auf) **5.** die Grundlagen beibringen (*s.o.* jdm, *in* in) **6.** (*Am fam*) ans Haus fesseln; **be ~ed** nicht ausgehen dürfen, Stubenarrest haben; **be**

well ~ed in gute Vorkenntnisse haben in **III.** *itr* (*Schiff*) auflaufen; **ground bass** *s* (MUS) Grundbass *m;* **ground control** *s* Bodenkontrolle *f;* **ground crew** *s* Bodenpersonal *n;* **ground floor** *s* Erdgeschoss *n;* **get in on the ~** (*fig fam*) gleich zu Beginn einsteigen; **ground fog** *s* Bodennebel *m;* **ground frost** *s* Bodenfrost *m;* **ground•ing** ['graʊndɪŋ] *s* **1.** Grundkenntnisse *fpl* **2.** (AERO) Startverbot *n;* Hinderung *f* am Start; (*Pilot*) Sperren *n;* **give s.o. a ~ in German** jdm die Grundlagen des Deutschen beibringen; **ground keeper** *s* (SPORT) Platzwart *m;* **ground-less** ['graʊndlɪs] *adj* grundlos, unbegründet, ungerechtfertigt; **ground•nut** *s* Erdnuss *f;* **ground personnel** *s* Bodenpersonal *n;* **ground•sheet** ['graʊndʃi:t] *s* Zeltboden *m;* **grounds•man** ['graʊndzmən] <*pl* -men> *s* Platzwart *m;* **ground staff** *s* (AERO) Bodenpersonal *n;* **ground-station** *s* (AERO) Bodenstation *f;* **ground-swell** ['graʊndswel] *s* Dünung *f;* (*fig*) Anschwellen *n,* Zunahme *f;* **ground temperature** *s* Bodentemperatur *f;* **ground-to-air missile** *s* Boden-Luft-Rakete *f;* **ground-to-ground missile** *s* Boden-Boden-Flugkörper *m;* **ground troup** *s* Bodentruppe *f;* **ground water** *s* Grundwasser *n;* **ground•work** ['graʊndwɜ:k] *s* (*fig*) Grundlage, Basis *f*

group [gru:p] **I.** *s* **1.** Gruppe *f* **2.** (*Br*) Geschwader *n;* (*Am*) Gruppe *f* **3.** (COM) Konsortium *n;* Unternehmensgruppe *f;* Konzern *m* **4.** (THEAT) Ensemble *n* **II.** *tr* gruppieren; anordnen; **group booking** *s* Gruppenbuchung *f;* **group captain** *s* (MIL: *Luftwaffe*) Oberst *m;* **group dynamics** *s pl* Gruppendynamik *f*

groupie ['gru:pɪ] *s* (weiblicher) Fan *m;* Groupie *n*

group•ing ['gru:pɪŋ] *s* (Ein)Gruppierung, (An)Ordnung *f*

group prac•tice ['gru:p,præktɪs] *s* (MED) Gemeinschaftspraxis *f;* **group therapy** *s* (MED) Gruppentherapie *f;* **group ticket** *s* Sammelfahrschein *m*

grouse¹ [graʊs] <*pl* grouse> *s* Moorhuhn *n*

grouse² [graʊs] **I.** *s* Klage *f;* **have a ~** sich beklagen **II.** *itr* meckern, nörgeln, murren (*about* über)

grove [grəʊv] *s* Wäldchen *n;* **olive ~** Olivenhain *m*

grovel ['grɒvl] *itr* **1.** liegen (*at s.o.'s feet* jdm zu Füßen, *before s.o.* vor jdm) **2.** (*a. fig*) kriechen (*in the dirt, dust* im Staube)

grow [grəʊ] <*irr:* grew, grown> **I.** *itr* **1.** wachsen *a. fig* **2.** (*fig*) zunehmen, sich entwickeln **3.** sich ausdehnen; sich vergrößern; sich vermehren **4.** werden (*into* zu), erwachsen (*from* aus); **~ into fashion** Mode werden; **~ into a habit** zur Gewohnheit werden; **~ on s.o.** jdm ans Herz wachsen; **~ out of fashion/use** aus der Mode/aus dem Gebrauch kommen **II.** *tr* **1.** züchten **2.** (an)bauen **3.** (*Bart*) sich wachsen lassen; **grow away from** *itr* sich entfremden von; **grow down** *itr* zurückgehen, abnehmen; **grow into** *itr* **1.** heranwachsen zu **2.** hineinwachsen in; **grow out of** *itr* **1.** herauswachsen aus *a. fig* **2.** (*e-e Gewohnheit*) verlieren **3.** (*fig*) entstehen aus; herrühren von; **grow up** *itr* **1.** auf-, heranwachsen **2.** (*fig*) sich entwickeln; **~ up!** sei nicht kindisch; **grow worse** *itr* sich verschlimmern

grower ['grəʊə(r)] *s* Züchter(in) *m(f),* Erzeuger(in) *m(f);* **grow•ing** ['grəʊɪŋ] *adj* wachsend; steigend; **growing pains** *s pl* Wachstumsschwierigkeiten *fpl;* (*fig*) Kinderkrankheiten *fpl*

growl [graʊl] **I.** *s* **1.** Brummen *n* **2.** (*Hund*) Knurren *n* **3.** (*Donner*) Rollen *n* **II.** *itr* **1.** knurren; brummen, murren **2.** (*Donner*) grollen; **~ at s.o.** (*Hund*) jdn anknurren **III.** *tr* (*~ out*) hervorstoßen

grown [grəʊn] **I.** *pp of* **grow II.** *adj* **1.** herangewachsen **2.** bewachsen (*with* mit); **grown-up** ['grəʊnʌp] **I.** *adj* erwachsen **II.** *s* Erwachsene(r) *f m*

growth [grəʊθ] *s* **1.** Wachstum *n* **2.** Heranwachsen *n;* Entwicklung *f a. fig* **3.** Züchtung, Erzeugung *f;* Ernte *f* **4.** (*fig*) Zunahme *f,* Zuwachs *m* (*in* an) **5.** (MED) Tumor *m,* Gewächs *n;* **growth industries** *s pl* Wachstumsindustrien, -branchen *fpl;* **growth rate** *s* Wachstumsrate *f;* **growth stock** *s* (FIN) Wachstumsaktie *f*

groyne [grɔɪn] *s* (MAR) Buhne *f*

grub [grʌb] **I.** *itr* **1.** graben **2.** (herum)wühlen, stöbern **II.** *tr* ausgraben, -roden; **~ out** [*o* **up**] ausgraben **III.** *s* **1.** Larve, Made *f* **2.** (*sl*) Fraß *m,* Futter *n;* **grubby** ['grʌbɪ] *adj* schmutzig, unsauber

grudge [grʌdʒ] **I.** *tr* nicht gönnen (*s.o. s.th.* jdm etw); **not ~ s.o. s.th.** jdm etw gönnen; **~ doing s.th.** etw ungern, widerwillig tun; **I ~ the time** es ist mir leid um die Zeit **II.** *s* **1.** Groll *m* **2.** Neid *m;* **bear s.o. a ~** jdm etw nachtragen; **grudg•ing•ly** ['grʌdʒɪŋlɪ] *adv* (nur) ungern, widerwillig

gruel ['gru:əl] *s* Haferschleim *m*

gruel•ling ['gru:əlɪŋ] *adj* zermürbend, aufreibend

grue•some ['gru:səm] *adj* grausig, schauerlich, schaurig

gruff [grʌf] *adj* **1.** bärbeißig, schroff **2.** grob, barsch **3.** (*Stimme*) rau

grumble ['grʌmbl] **I.** *itr* **1.** brummen; nörgeln, murren (*at, about, over* über) **2.** (*Donner*) (g)rollen; **mustn't ~!** (FAM) ich kann mich nicht beschweren! **II.** *tr* murrend sagen **III.** *s* **1.** Murren *n;* Nörgeln *n* **2.** Grollen *n*

grumpy ['grʌmpɪ] *adj* verdrießlich, mürrisch, reizbar

grunt [grʌnt] **I.** *itr* **1.** grunzen **2.** (*Mensch*) stöhnen **II.** *tr* (~ *out*) brummend sagen **III.** *s* **1.** Grunzen *n* **2.** Stöhnen *n*

gry•phon ['grɪfən] *s.* **griffin**

G-string ['dʒi:strɪŋ] *s* **1.** (MUS) G-Saite *f* **2.** Minislip *m*

guar•an•tee [ˌgærən'ti:] **I.** *s* **1.** Garantie *f;* Bürgschaft *f;* Gewähr(leistung) *f;* Kaution *f* **2.** Beweis *m,* Sicherheit *f* **3.** Garant(in) *m(f),* Bürge *m,* Bürgin *f;* Gewährsmann *m;* **conditional ~** Ausfallbürgschaft *f;* **joint ~** Mitgarant, -bürge *m;* **~ of a bill of exchange** Wechselbürgschaft *f,* -bürge *m;* **~ deposit** Kaution *f* **II.** *tr* garantieren, gewährleisten, bürgen für; Garantie leisten für; **he can't ~ that** dafür kann er nicht garantieren; **guar•an•teed** [ˌgærən'ti:d] *adj* garantiert; gesichert; **~ annual wages** garantierter Jahreslohn; **~ mortgage** Hypothekenpfandbrief *m;* **guar•an•tor** [ˌgærən'tɔ:(r)] *s* Garant(in) *m(f),* Bürge *m,* Bürgin *f;* **stand as ~ for s.o.** für jdn Bürgschaft leisten; **guar•an•ty** ['gærəntɪ] *s* (JUR) Garantie *f,* Kaution, Bürgschaft *f;* **~ of collection** Ausfallbürgschaft *f*

guard [gɑ:d] **I.** *tr* **1.** wachen über; bewachen **2.** behüten, beschützen (*from, against* vor) **3.** (*Gefangene*) bewachen **4.** beaufsichtigen **II.** *s* **1.** Wache *f* **2.** Wachsamkeit, Vorsicht *f* **3.** Wache, Wachmannschaft *f;* Wachmann, Posten *m* **4.** (Gefangenen)Wärter(in) *m(f)* **5.** (RAIL) Schaffner(in) *m(f),* Zugführer(in) *m(f);* (*Am*) Bahnwärter(in) *m(f);* **be on/off one's ~** auf/nicht auf der Hut sein; **stand** [*o* **keep**] **~** Wache stehen; **his ~ was up** (**down**) er war (nicht) auf der Hut; **guard against** *itr* **1.** sich in Acht nehmen vor; sich hüten vor **2.** (*Krankheit, Missverständnis*) vorbeugen (*s.th.* e-r S) **3.** (*Unfall*) verhüten; **guard dog** *s* Wachhund *m;* **guard duty** *s* Wachdienst *m;* **be on ~** Wache haben, auf Wache sein; **guarded** ['gɑ:dɪd] *adj* **1.** zurückhaltend **2.** (*Antwort*) vorsichtig; **guard•house** *s* Wache *f*

guard•ian ['gɑ:dɪən] *s* **1.** Wächter(in) *m(f),* Wärter(in) *m(f)* **2.** Vormund *m,* Pfleger(in) *m(f);* **guardian angel** *s* Schutzengel *m;* **guard•ian•ship** [-ʃɪp] *s* Vormundschaft *f;* Pflegschaft *f;* **place under ~** unter Vormundschaft stellen

guard•rail ['gɑ:dreɪl] *s* Geländer *n;* **guard•room** *s* Wachraum *m,* -stube *f;* **guards•man** ['gɑ:dsmən] <*pl* -men> *s* Gardist *m*

Gua•te•ma•la [ˌgwɑ:tɪ'mɑ:lə] *s* Guatemala *n;* **Gua•te•ma•lan** [ˌgwɑ:tɪ'mɑ:lən] **I.** *adj* guatemaltekisch **II.** *s* Guatemalteke *m,* Guatemaltekin *f*

guer•(r)illa [gə'rɪlə] *s* Guerilla *f;* Guerillakämpfer(in) *m(f),* Freischärler(in) *m(f);* **guerilla warfare** *s* Guerillakrieg *m*

guess [ges] **I.** *tr* **1.** (er)raten; schätzen; vermuten, ahnen **2.** (*Am fam*) annehmen, glauben, meinen **II.** *itr* **1.** raten **2.** schätzen (*at s.th.* etw); **I ~** (*Am fam*) ich glaube; **I ~ so** vermutlich! **III.** *s* Vermutung, Annahme *f;* Schätzung *f;* **at a** [*o* **by**] **~** aufs Geratewohl; schätzungsweise; **make a ~ at s.th.** etw raten; über etw Vermutungen äußern; **have a ~!** rate mal!; **I'll give you three ~es** dreimal darfst du raten; **it's anybody's ~** niemand weiß etwas Genaues; **your ~ is as good as mine** ich weiß so wenig wie Sie; **gues•sing game** ['gesɪŋˌgeɪm] *s* Ratespiel *n;* (*fig*) Raterei *f;* **guess•ti•mate** ['gestɪmɪt] *s* grobe Schätzung; **guess-work** *s* Vermutung, Mutmaßung *f*

guest [gest] **I.** *s* Gast *m;* **paying ~** Pensionsgast *m;* **be my ~!** bitte sehr! **II.** *itr* als Gast mitwirken; **guest-house** *s* (Privat)Pension *f,* Gästehaus *n;* **guest-room** *s* Gäste-, Fremdenzimmer *n;* **guest worker** *s* Gastarbeiter(in) *m(f)*

guf•faw [gə'fɔ:] **I.** *s* schallendes Gelächter *n* **II.** *itr* schallend lachen

guid•ance ['gaɪdns] *s* **1.** Anleitung *f;* Beratung *f* **2.** Studienberatung *f;* **for s.o.'s ~** zu jds Orientierung; **under s.o.'s ~** unter jds Leitung; **spiritual ~** geistiger Rat; **pray for ~** um Erleuchtung beten; **~ system** Steuerungssystem *n* (*an Rakete*); **vocational ~** Berufsberatung *f*

guide [gaɪd] **I.** *s* **1.** (Fremden)Führer(in) *m(f)* **2.** Vorbild *n* **3.** (*~-book*) Reiseführer *m* (*Buch*) **4.** Leitfaden *m* (*Buch*) **5.** Anhaltspunkt, Hinweis *m* **6.** (*Br: girl ~*) Pfadfinderin *f* **II.** *tr* **1.** führen, leiten, lenken **2.** beraten **3.** Anweisungen geben (*s.o.* jdm) **4.** (TECH) (fern)steuern; **guided** ['gaɪdɪd] *adj* (TECH) (fern)gelenkt, gesteuert; **be ~ by** sich leiten lassen von; **~ missile** ferngelenktes Geschoss; **~ tour** Führung *f;* **guide-dog** *s* Blindenhund *m;* **guide-line** *s* Richtlinie *f;* Richtwert *m;* **guide-posts** *s pl* Wegweiser *mpl;* **guide-rope** *s* Schlepptau *n;* **guid•ing hand** ['gaɪdɪŋ 'hænd] *s* leitende Hand; **guid•ing prin-ciple** ['gaɪdɪŋ 'prɪnsəpl] *s* Leitmotiv *n*

guild [gɪld] *s* **1.** Gilde, Zunft, Innung *f* **2.** Vereinigung *f*

guilder ['gɪldə(r)] *s* (holländischer) Gulden

m

guile [gaɪl] *s* Hinterlist *f;* **guile•ful** ['gaɪlfl] *adj* arg-, hinterlistig; **guile•less** ['gaɪllɪs] *adj* arglos, (frei und) offen

guillo•tine ['gɪləti:n] **I.** *s* **1.** Fallbeil *n,* Guillotine *f* **2.** Papierschneidemaschine *f* **3.** (PARL) Befristung *f* der Debatten **II.** *tr* **1.** mit dem Fallbeil hinrichten **2.** (PARL: *Debatten*) abkürzen

guilt [gɪlt] *s* Schuld *f;* **admit one's ~** sich schuldig bekennen; **guilt•less** [-lɪs] *adj* schuldlos, unschuldig (*of* an); **guilty** ['gɪltɪ] *adj* schuldig; (*Blick*) schuldbewusst; **feel ~** ein schlechtes Gewissen haben; **plead ~** sich schuldig bekennen; **guilty conscience** *s* schlechtes Gewissen; **guilty secret** *s* dunkles Geschäft

Guinea ['gɪnɪ] *s* Guinea *n*

guinea ['gɪnɪ] *s* Guinee *f* (*21 Shilling*); **guinea-fowl** *s* Perlhuhn *n;* **guinea-pig** *s* **1.** Meerschweinchen *n* **2.** (*fig*) Versuchskaninchen *n*

guise [gaɪz] *s:* **in a new ~** (*fig*) in neuem Gewand(e); **in the ~ of** in der Maske *+gen,* in Gestalt von

guitar [gɪ'tɑ:(r)] *s* Gitarre *f;* **guitar•ist** [gɪ'tɑ:rɪst] *s* Gitarrist(in) *m(f),* Gitarrenspieler(in) *m(f)*

gulch [gʌltʃ] *s* (*Am*) Schlucht, Klamm *f*

gulf [gʌlf] *s* **1.** Meerbusen, Golf *m* **2.** Kluft *f,* Abgrund *m a. fig;* **the G~ Stream** der Golfstrom; **the Persian G~** der Persische Golf; **the G~ War** der Golfkrieg

gull [gʌl] **I.** *s* **1.** (*sea~*) Möwe *f* **2.** (*fig*) Gimpel *m* **II.** *tr* **1.** hereinlegen, betrügen **2.** verleiten (*into* zu)

gul•let ['gʌlɪt] *s* Speiseröhre *f*

gull•ible ['gʌləbl] *adj* leichtgläubig

gully ['gʌlɪ] *s* **1.** (tiefe) (Wasser)Rinne *f* **2.** Schlucht *f* **3.** Abzugsgraben *m;* (Abzugs)Kanal *m*

gulp [gʌlp] **I.** *tr* **1.** (*~ down*) hinunter-, verschlingen **2.** (*Seufzer: ~ back*) unterdrücken **3.** (*Getränk*) hinunterstürzen **II.** *itr* würgen **III.** *s* (großer) Schluck *m;* **empty at one ~** in einem Zug leeren

gum[1] [gʌm] **I.** *s* **1.** Kautschuk *m* **2.** Gummi(lösung *f*), Klebstoff *m* **3.** (*Am*) Radiergummi *m* **4.** (*Am*) Kaugummi *m* **5.** **~s** (*Am*) Gummi-, Überschuhe *mpl* **II.** *tr* **1.** gummieren **2.** ankleben (*to* an); **gum up** *tr* verkleben; **~ up the works** alles verkleben; (*fig*) alles durcheinander bringen; **be ~med up** (*Pläne*) undurchführbar sein

gum[2] [gʌm] *s* Zahnfleisch *n;* **gum•boil** ['gʌmbɔɪl] *s* Zahngeschwür *n*

gum•drop ['gʌmdrɒp] *s* Geleebonbon *m od n;* **gummy** ['gʌmɪ] *adj* klebrig

gump•tion ['gʌmpʃn] *s* (*fam*) **1.** Pfiffigkeit *f,* Grips *m* **2.** Unternehmungsgeist *m*

gum•shield ['gʌmʃi:ld] *s* Zahnschutz *m*

gum•shoe ['gʌmʃu:] *s* **1.** Gummi-, Überschuh *m* **2.** Turnschuh *m* **3.** (*fam*) Detektiv(in) *m(f),* Schnüffler(in) *m(f);* **gum-tree** ['gʌmtri:] *s* Gummibaum *m;* **be up a ~** (*sl*) in der Patsche sitzen, in der Klemme sein

gun [gʌn] **I.** *s* **1.** Kanone *f,* Geschütz *n;* Gewehr *n* **2.** (*fam*) Pistole *f,* Revolver *m* **3.** (TECH) Spritzpistole *f;* Fettpresse *f* **4.** Schütze *m;* Pistolenheld *m;* **jump the ~** voreilig sein; **spike s.o.'s ~s** (*fig*) jdn matt setzen; **stick to one's ~s** (*fig*) durchhalten; bei der Stange bleiben; **carry a ~** bewaffnet sein; **draw a ~ on s.o.** jdn mit der Waffe bedrohen; **big ~** (*fig*) hohes Tier; **be going great ~s** gut in Schuss sein **II.** *tr* (*~ down*) erschießen; abschießen **III.** *itr* (*sl*) sausen, schießen; **he's ~ning for you** (*fig*) er hat dich auf dem Korn; **gun barrel** *s* Kanonenrohr *n;* Gewehrlauf *m;* Pistolenlauf *m;* **gun-fight** *s* Schießerei *f;* Schusswechsel *m;* **gun•fire** *s* Schüsse *mpl,* Geschützfeuer *n;* **gun-licence** *s* Waffenschein *m;* **gun-man** ['gʌnmən] <*pl* -men> *s* Bewaffnete(r) *m;* **gun•ner** ['gʌnə(r)] *s* **1.** Kanonier *m* **2.** (AERO) Bordschütze *m;* **gun-powder** ['gʌnˌpaʊdə(r)] *s* Schießpulver *n;* **gun-runner** *s* Waffenschmuggler *m;* **gun-running** *s* Waffenschmuggel *m;* **gun•shot** ['gʌnʃɒt] *s* **1.** Schuss *m* **2.** (*Entfernung*) Schussweite *f;* **gunshot wound** *s* Schusswunde *f;* **gun•slinger** ['gʌnˌslɪŋə(r)] *s* Revolverheld *m*

gurgle ['gɜ:gl] **I.** *itr* glucksen; gurgeln **II.** *s* Gluckern *n;* Gurgeln *n*

guru ['gʊru] *s* Guru *m*

gush [gʌʃ] **I.** *itr* **1.** herausspritzen, -sprudeln **2.** sich ergießen (*from* aus) **3.** überfließen (*with* von) **4.** (*fig*) schwärmen (*over* von) **II.** *s* **1.** Guss *m* **2.** (*fig*) Erguss *m,* Schwärmerei *f;* **gusher** ['gʌʃə(r)] *s* **1.** (sprudelnde) Ölquelle *f* **2.** (*fig*) Schwärmer(in) *m(f);* **gush•ing** [-ɪŋ] *adj* **1.** sprudelnd **2.** (*fig*) schwärmerisch; überspannt, überschwenglich; **gushy** ['gʌʃɪ] *adj* schwärmerisch

gus•set ['gʌsɪt] *s* **1.** Zwickel *m* **2.** Eckblech *n*

gust [gʌst] *s* **1.** Windstoß *m,* Bö *f* **2.** Ausbruch *m*

gusto ['gʌstəʊ] *s* **1.** Genuss *m;* Vorliebe *f* (*for* für) **2.** Vergnügen *n;* **do s.th. with ~** etw mit Begeisterung tun

gusty ['gʌstɪ] *adj* stürmisch

gut [gʌt] **I.** *s* **1.** Darm *m* **2.** Darmsaite *f* **3.** **~s** (*fam*) Eingeweide *npl* **4.** **~s** Mut *m* **5.** **~s** (MOT) Bestandteile *mpl,* e-s Motors; **hate s.o.'s ~s** (*fam*) jdn nicht ausstehen können; **have the ~s to do something**

den Mut haben etw zu tun; **work one's ~s out** *(fam)* wie verrückt schuften; ~ **reaction** gefühlsmäßige Reaktion **II.** *tr* **1.** ausweiden, -nehmen **2.** im Innern völlig zerstören; **be ~ted by fire** ausgebrannt sein; **gut·less** [-lɪs] *adj* feige; **gutsy** ['gʌtsɪ] *adj* **1.** *(fam)* mutig **2.** *(fam)* verfressen

gut·ter ['gʌtə(r)] **I.** *s* **1.** Dachrinne *f* **2.** Rinnstein *m,* Gosse *f a. fig* **II.** *itr (Kerze)* tropfen; *(Flamme)* flackern; **gutter journalism** *s* Kloakenjournalismus *m;* **gutter press** *s* Skandalpresse *f*

gut·tural ['gʌtərəl] *adj* guttural

guy¹ [gaɪ] *s* **1.** (MAR) Backstag *m;* Geitau *n* **2.** *(~-rope)* Haltetau *n;* Halterung *f;* Zeltleine *f*

guy² [gaɪ] **I.** *s* **1.** *(fam)* Kerl, Typ, Bursche *m* **2.** Guy-Fawkes-Puppe *f; (fig)* Schießbudenfigur *f* **II.** *tr* lächerlich machen

guzzle ['gʌzl] *itr, tr* saufen; fressen

gym [dʒɪm] *s* **1.** *(fam)* Turnhalle *f* **2.** Turnen *n,* Turnstunde *f* **3.** Fitnessraum *m*

gym·khana [dʒɪm'kɑːnə] *s* Reiterfest *n*

gym·nasium [dʒɪm'neɪzɪəm] *s* Turnhalle *f;* **gym·nast** ['dʒɪmnæst] *s* Turner(in) *m(f),* (Leicht)Athlet(in) *m(f);* **gym·nastic** [dʒɪm'næstɪk] *adj* turnerisch, (leicht)athletisch, gymnastisch; **gym·nastics** [dʒɪm'næstɪks] *s pl meist mit sing* Turnen *n;* Leibesübungen *fpl;* **gym shoes** *s pl* Turnschuhe *mpl;* **gym shorts** *s pl* Turnhose *f*

gyn(a)e·co·logi·cal [ˌgaɪnɪkə'lɒdʒɪkl] *adj* gynäkologisch; **gyn(a)e·colo·gist** [ˌgaɪnɪ'kɒlədʒɪst] *s* Frauenarzt *m,* -ärztin *f,* Gynäkologe *m,* Gynäkologin *f;* **gyn(a)e·col·ogy** [ˌgaɪnɪ'kɒlədʒɪ] *s* Gynäkologie *f*

gyp [dʒɪp] **I.** *s (sl)* Schwindel *m,* Gaunerei *f;* **give s.o. ~** *(fam)* jdn fertig machen **II.** *tr (sl)* beschwindeln, begaunern

gyp·sum ['dʒɪpsəm] *s* Gips *m*

gypsy ['dʒɪpsɪ] *s.* **gipsy**

gy·rate [ˌdʒaɪ'reɪt] *itr* **1.** rotieren **2.** sich drehen, wirbeln *(round* um); **gy·ra·tion** [ˌdʒaɪ'reɪʃn] *s* **1.** Rotation, Kreisbewegung *f* **2.** Wirbel *m;* **gy·ro·com·pass** ['dʒaɪrəʊ'kɒmpəs] *s* Kreiselkompass *m;* **gyroscope** ['dʒaɪrəskəʊp] *s* Gyroskop *n*

H

H, h [eɪtʃ] <*pl* -'s> *s* H, h *n*

ha [hɑː] *interj* ha! ah!

ha•beas cor•pus [ˌheɪbɪəs'kɔːpəs] *s* (JUR: *writ of* ~) Vorführungsbefehl *m*

hab•er•dasher ['hæbədæʃə(r)] *s* **1.** (*Br*) Kurzwarenhändler(in) *m(f)* **2.** (*Am*) Inhaber *m* e-s Herrenartikelgeschäfts; **hab•er•dashery** [ˌhæbə'dæʃərɪ] *s* **1.** (*Br*) Kurzwaren(handlung *f*) *fpl* **2.** (*Am*) Herrenartikel(geschäft *n*) *mpl*

habit ['hæbɪt] *s* **1.** Angewohnheit, Gewohnheit(ssache) *f* **2.** Gewand *n;* (kirchliche) Tracht *f;* **from** [*o* **out of**] ~ aus Gewohnheit; **be in the** ~ die Angewohnheit haben (*of doing s.th.* etw zu tun); ~**s of consumption** Verbraucher-, Konsumgewohnheiten; **get into the** ~ **of doing s.th.** sich etw angewöhnen; **get out of the** ~ **of doing s.th.** sich etw abgewöhnen

hab•it•able ['hæbɪtəbl] *adj* (*Haus*) bewohnbar

habi•tat ['hæbɪtæt] *s* (BIOL) Habitat *n,* Standort *m;* Verbreitungsgebiet *n*

habi•ta•tion [ˌhæbɪ'teɪʃn] *s* (Be)Wohnen *n;* **fit for** ~ bewohnbar

ha•bit•ual [hə'bɪtʃʊəl] *adj* **1.** gewohnt, üblich **2.** gewohnheitsmäßig; ~ **criminal** Gewohnheitsverbrecher(in) *m(f);* ~ **drunkard** Gewohnheitstrinker(in) *m(f);* **ha•bitu•ate** [hə'bɪtʃʊeɪt] *tr* gewöhnen (*to* an, *to do, doing* daran, zu tun)

hack[1] [hæk] **I.** *tr* **1.** (zer)hacken (*to pieces* in Stücke) **2.** (*Fußball*) vors Schienbein treten (*s.o.* jdm) **II.** *itr* trocken husten; ~**ing cough** trockener Husten **III.** *s* **1.** Hieb *m* **2.** Tritt *m* vors Schienbein

hack[2] [hæk] **I.** *s* **1.** Schindmähre *f* **2.** (*pej*) Schreiberling *m* **3.** (*Am*) Taxi *n* **II.** *itr* **1.** über Land reiten **2.** (*Am*) ein Taxi fahren

hack[3] [hæk] *tr* (EDV) hacken; ~ **into a programme** ein Programm knacken; ~ **into a programme** in ein System eindringen; **hacker** [-ə(r)] *s* (EDV) Hacker(in) *m(f);* (*Enthusiast*) Computerfreak *m*

hackie ['hækɪ] *s* (*Am fam*) Taxifahrer *m*

hackles ['hæklz] *s pl* Nackenfedern *fpl;* **with his** ~ **up** mit gesträubten Federn; (*fig*) kampfbereit; **get s.o.'s** ~ **up** jdn verärgern

hack•ney ['hæknɪ] *s* Reit-/Kutschpferd *n;* **hackney carriage** *s* (Pferde)Droschke *f;* Taxi *n;* **hack•neyed** ['hæknɪd] *adj* abgedroschen

hack•saw ['hæksɔː] *s* Metallsäge *f*

had [həd, *betont* hæd] *s.* **have**

had•dock ['hædək] <*pl* -> *s* Schellfisch *m*

hadn't ['hædnt] = **had not**

hae•ma•tite ['hemətaɪt] *s* (MIN) Roteisenstein *m;* Roteisenerz *n;* **hae•mo•glo•bin** [ˌhiːmə'gləʊbɪn] *s* Hämoglobin *n,* roter Blutfarbstoff; **hae•mo•philia** [ˌhiːmə'fɪlɪə] *s* Bluterkrankheit *f;* **hae•mo•phil•iac** [ˌhiːməʊ'fɪlɪæk] *s* Bluter *m;* **hae•mor•rhage** ['hemərɪdʒ] **I.** *s* (schwere) Blutung *f;* Blutsturz *m* **II.** *itr* stark bluten; **hae•mor•rhoids** ['hemərɔɪdz] *s pl* (MED) Hämorrhoiden *fpl*

haft [hɑːft] *s* Griff *m,* Heft *n,* Stiel *m*

hag [hæg] *s* Hexe *f*

hag•gard ['hægəd] *adj* hohläugig, -wangig; abgespannt; verhärmt

hag•gis ['hægɪs] *s mit Schafsinnereien und Haferschrot gefüllter Schafsmagen*

haggle ['hægl] *itr* **1.** sich auseinander setzen, streiten **2.** feilschen (*about, over, with* über, um)

haha ['hɑːhɑː] **I.** *interj* ha-ha! **II.** *s* versenkter Grenzzaun

hail[1] [heɪl] **I.** *s* Hagel *m* **II.** *itr* hageln **III.** *tr* (*fig:* ~ *down*) hageln, niederprasseln, -gehen lassen (*on, upon* auf)

hail[2] [heɪl] **I.** *tr* **1.** zujubeln (*s.o.* jdm) **2.** begrüßen (*as winner* als Sieger) **3.** zurufen (*s.o.* jdm); ~ **a taxi** ein Taxi rufen **II.** *itr* **1.** (MAR) ein Signal geben **2.** (*Schiff*) (her)stammen (*from* aus, von); **hail-fel•low-well-met** *adj* sich anbiedernd, plumpvertraulich; **be** ~ mit allen gut Freund sein

hair [heə(r)] *s* **1.** (*a.* BOT) Haar *n* **2.** (die) Haare *pl* **3.** Behaarung *f;* **by a** ~**'s breadth** um Haaresbreite; **do one's** ~ sich frisieren; **get s.o. by the short** ~**s** (*fam*) jdn kleinkriegen; **get in s.o.'s** ~ jdn ärgern; **have one's** ~ **cut** sich die Haare schneiden lassen; **let one's** ~ **down** (*fig*) aus sich herausgehen; **split** ~**s** Haarspalterei treiben; **his** ~ **stood on end** die Haare standen ihm zu Berge; **it turned on a** ~ es hing an e-m Faden; **hair•brush** ['heəbrʌʃ] *s* Haarbürste *f;* **hair conditioner** *s* Pflegespülung *f;* **hair curler** *s* Lockenwickler *m;* **hair•cut** ['heəkʌt] *s* Haarschnitt *m;* **have a** ~ sich die Haare schneiden lassen; **hair-do** ['heəduː] <*pl* -dos> *s* Frisur *f;* **hair-**

dresser ['heəˌdresə(r)] *s* Friseur *m;* Friseurin, Friseuse *f;* **hair•dress•ing** ['heədresɪŋ] *s* Frisieren *n;* **hairdressing salon** *s* Frisiersalon *m;* **hair-dryer** ['heədraɪə(r)] *s* Föhn *m;* **hair•grip** *s* Haarklammer *f;* **hair•less** ['heəlɪs] *adj* kahl; **hair•line** *s* **1.** Haaransatz *m* **2.** haarfeine Linie; senkrechter Strich *pl,* Fadenkreuz *n;* **hairline crack** *s* Haarriss *m;* **hair•net** ['heənet] *s* Haarnetz *n;* **hair•piece** ['heəpi:s] *s* Haarteil *n;* Toupet *n;* **hair•pin** ['heəpɪn] *s* Haarnadel *f;* **hairpin bend** *s* Haarnadelkurve *f;* **hair-rais•ing** ['heəreɪzɪŋ] *adj* haarsträubend; **hair re•mover** ['heərɪˌmu:və(r)] *s* Haarentfernungsmittel *n;* **hair re•storer** ['heərɪˌstɔ:rə(r)] *s* Haarwuchsmittel *n;* **hair roller** *s* Lockenwickler *m;* **hair slide** *s* Haarspange *f;* **hair-split•ting** ['heəsplɪtɪŋ] *s* Haarspalterei, Wortklauberei *f;* **hair•spray** ['heəspreɪ] *s* Haarspray *m od n;* **hair-style** ['heəstaɪl] *s* Frisur *f;* **hairy** ['heərɪ] *adj* **1.** behaart; haarig **2.** (*fig*) haarsträubend **3.** riskant

Hai•ti ['heɪtɪ] *s* Haiti *n;* **Hai•tian** ['heɪʃən] **I.** *adj* hait(ian)isch **II.** *s* **1.** Haitianer(in) *m(f)* **2.** (das) Haitisch(e)

hake [heɪk] <*pl* -> *s* Hechtdorsch *m*

hale [heɪl] *adj:* ~ **and hearty** gesund und munter

half [hɑ:f, *pl* 'hɑ:vz] <*pl* halves> **I.** *s* **1.** Hälfte *f* **2.** (SPORT) Halbzeit *f* **3.** (~-*back*) Läufer *m* **4.** (RAIL) Abschnitt *m* der Fahrkarte; Fahrkarte *f* zum halben Preis **II.** *adj* halb; die Hälfte *+gen;* (*in Zusammensetzungen*) Halb- **III.** *adv* halb; zur Hälfte **IV.** (*Wendungen*): ~ **an hour** e-e halbe Stunde; **at** [*o* **for**] ~ **the price** zum halben Preis; **too good by** ~ viel zu gut; **in** ~, **into halves** in zwei gleiche Teile; **not** ~ sehr; **not** ~ **bad** (*fam*) gar nicht (mal) so schlecht; ~ **as much again** noch mal so viel; ~ **asleep** halb im Schlaf; ~ **past three** halb vier; **cut in** ~, **cut in(to) halves** halbieren; **go halves** halbe-halbe machen (*with s.o. in s.th.* mit jdm in e-r S); **not do things by halves** keine halben Sachen machen; **half-back** *s* (*Fußball*) Läufer *m;* **half-baked** [ˌhɑ:f'beɪkt] *adj* unfertig; unreif, unerfahren; **half-breed**, **half-caste** *s* Halbblut *n,* Mischling *m;* **half-brother** *s* Halbbruder *m;* **half-cock** *s:* **go off at** ~ eine Pleite sein; **half-crown** [ˌhɑ:f'kraʊn] *s* (*obs*) Zweieinhalbschillingstück *n;* **half-dozen** *s* halbes Dutzend; **half-empty** *adj* halb leer; **half fare** *s* halber Fahrpreis; **half-full** *adj* halb voll; **half-hearted** [ˌhɑ:f'hɑ:tɪd] *adj* wenig interessiert; ohne Schwung; **half-mast** *s:* **at** ~ (auf) halbmast; **half-moon** *s* Halbmond *m;* **half-note** *s* (*Am:* MUS) halbe Note; **half-penny** ['heɪpnɪ] *s* (*obs*) halber Penny; **half-price** *s* halber Preis; **at** ~ zum halben Preis; **half rest** *s* (*Am:* MUS) halbe Pause; **half-sister** *s* Halbschwester *f;* **half-timbered** [ˌhɑ:f'tɪmbəd] *adj* Fachwerk-; **half-time** [ˌhɑ:f'taɪm] *s* **1.** (SPORT) Halbzeit *f* **2.** (*Industrie*) Kurzarbeit *f;* **at** ~ (SPORT) bei Halbzeit; **half-title** [ˌhɑ:f'taɪtl] *s* (TYP) Schmutztitel *m;* **half-tone** *s* Halbton *m;* **half•way** **I.** *adj* **1.** auf halbem Wege liegend **2.** (*fig*) unvollständig, halb **II.** *adv* **1.** halbwegs *a. fig* **2.** (*fig*) (nur) halb, *fam* (auch nur) einigermaßen; **meet s.o.** ~ (*fig*) jdm entgegenkommen; **half-wit** *s* (*pej*) Einfaltspinsel *m;* **half-yearly** *adj, adv* halbjährlich

hali•but ['hælɪbət] <*pl* -> *s* Heilbutt *m*

hali•tosis [ˌhælɪ'təʊsɪs] *s* übler Mundgeruch

hall [hɔ:l] *s* **1.** Halle *f,* Saal *m* **2.** (*in e-m College*) Speisesaal *m* **3.** (Eingangs)Halle *f,* Flur, Korridor *m* **4.** Herrensitz *m* **5.** Gutshaus *n* **6.** Versammlungs-/Sitzungssaal *m;* **booking** ~ Schalterhalle *f;* **city** ~ Rathaus *n;* **music** ~ Varietee *n;* (*Am*) Konzertsaal *m;* ~ **of residence** (Studenten)Wohnheim *n*

hal•le•lu•jah [ˌhælɪ'lu:jə] **I.** *interj* halleluja! **II.** *s* Halleluja *n*

hall•mark ['hɔ:lmɑ:k] **I.** *s* **1.** (*Edelmetall*) (Feingehalts)Stempel *m* **2.** (*fig*) (untrügliches) Kennzeichen *n* **II.** *tr* stempeln; kennzeichnen

hallo [hə'ləʊ] *interj* hallo!

hal•low ['hæləʊ] *tr* heiligen; weihen; **Hal-low•e'en** [ˌhæləʊ'i:n] *s* Abend *m* vor Allerheiligen (*31. Okt.*)

hal•luci•nate [hə'lu:sɪneɪt] *itr* halluzinieren; **hal•luci•na•tion** [həˌlu:sɪ'neɪʃn] *s* Halluzination, Wahnvorstellung *f;* **hal-luci•no•genic** [həˌlu:sɪnə'dʒenɪk] *adj* Halluzinationen hervorrufend, halluzinogen

halo ['heɪləʊ] <*pl* halo(e)s> *s* **1.** (ASTR) Hof *m* **2.** Heiligenschein *m a. fig*

halo•gen ['heɪləʊdʒɪn] *s* Halogen *n;* **halogen bulb** *s* (EL) Halogenbirne *f;* **halogen lamp** *s* (EL) Halogenlampe *f;* (MOT) Halogenscheinwerfer *m*

halt [hɔ:lt] **I.** *s* **1.** kurze Rast **2.** (Bus)Haltestelle *f;* (RAIL) Haltepunkt *m;* **come to a** ~ (an)halten, stehen bleiben, zum Stillstand kommen **II.** *itr* (an)halten **III.** *tr* halten lassen, stoppen; ~ **sign** Stoppschild *n*

hal•ter ['hɔ:ltə(r)] *s* **1.** Halfter *m od n* **2.** Schlinge *f;* **halter-neck** *adj* rückenfrei und zum Binden im Nacken

halt•ing ['hɔ:ltɪŋ] *adj* (*fig*) unsicher; zögernd

halve [hɑːv] *tr* **1.** halbieren **2.** (*Zeit*) um die Hälfte verkürzen **3.** teilen (*with* mit)

hal•yard ['hæljəd] *s* (MAR) **1.** Fall *n* **2.** Flaggleine *f*

ham [hæm] **I.** *s* **1.** Schinken *m* **2.** (*sl*) übertreibend spielende(r) Schauspieler(in) *m(f)* **3.** (*sl*) Funkamateur(in) *m(f);* ~ **and eggs** Schinken *m* mit Ei **II.** *tr* (*sl: Rolle*) übertreibend spielen; ~ **up** (*fig*) übertreiben; dick auftragen

ham•burger ['hæmbɜːgə(r)] *s* Hamburger *m;* Frikadelle *f*

ham-fisted, ham-handed [ˌhæm'fɪstɪd, ˌhæm'hændɪd] *adj* täppisch, ungeschickt

ham•let ['hæmlɪt] *s* Weiler *m*

ham•mer ['hæmə(r)] **I.** *s* Hammer *m;* ~ **and tongs** mit aller Kraft; **bring under the** ~ unter den Hammer bringen; **throwing the** ~ (SPORT) Hammerwerfen *n;* ~ **and sickle** (POL HIST) Hammer und Sichel **II.** *tr* **1.** hämmern (auf), schlagen **2.** (*fig*) einhämmern, einbleuen (*s.th. into s.o.* jdm etw) **3.** (*fig*) besiegen, schlagen **III.** *itr* **1.** hämmern (*at the door* gegen die Tür) **2.** (~ *away*) angestrengt, unermüdlich arbeiten (*at* an) **3.** ununterbrochen reden (*at* über); **hammer in** *tr* (*Nagel*) einschlagen; (*fig*) einhämmern; **hammer out** *tr* herausschlagen; (*fig*) (her)ausarbeiten, klarstellen; **ham•mer•drill** ['hæmədrɪl] *s* Schlagbohrmaschine *f;* **ham•mer•head (shark)** ['hæməhed(ʃɑːk)] *s* Hammerhai *m*

ham•mock ['hæmək] *s* Hängematte *f*

ham•per¹ ['hæmpə(r)] *s* (großer) Deckelkorb *m;* Geschenkkorb *m*

ham•per² ['hæmpə(r)] *tr* **1.** hindern **2.** (*fig*) behindern; hinderlich sein (*s.o.* jdm)

ham•ster ['hæmstə(r)] *s* (ZOO) Hamster *m*

ham•string ['hæmstrɪŋ] <*irr:* hamstrung, hamstrung> **I.** *s* (ANAT) Kniesehne *f;* (*Tier*) Achillessehne *f* **II.** *tr* **1.** verkrüppeln **2.** (*fig*) lähmen, hemmen

hand [hænd] **I.** *s* **1.** Hand *f* **2.** Seite *f;* Richtung *f* **3.** Hilfeleistung *f* **4.** Handfertigkeit *f,* Geschick *n* **5.** Einfluss *m;* Macht *f* **6.** Arbeiter *m;* Mann *m;* (*Schiff*) Besatzungsmitglied *n* **7.** Experte, Kenner *m;* (*fam*) Kapazität *f* **8.** Handschrift *f* **9.** (THEAT: *fam*) Beifall, Applaus *m* **10.** (*Kartenspiel*) Hand *f,* Karten *fpl* (*e-s Spielers*), Spieler *m* **11.** (Uhr)Zeiger *m;* **at** ~ zur Hand, greifbar, in Reichweite; (*zeitlich*) in greifbarer Nähe; **at one's right/left** ~ rechter/linker Hand, rechts/links; linker Hand, links; **at first/second** ~ aus erster/zweiter Hand; **in** ~ zur Verfügung; in Arbeit; unter Kontrolle; **on** ~ in Reichweite; (COM) auf Lager, vorrätig; **on either** ~ auf beiden Seiten; **on all** ~**s** auf allen Seiten; **out of** ~ außer Kontrolle; **lend s.o. a** ~ jdm helfen (*in, with* bei); **change** ~**s** in andere Hände übergehen; **force s.o.'s** ~ (*fig*) jdn zwingen mit offenen Karten zu spielen; **get the upper** ~ **of** die Oberhand gewinnen über; **give s.o. a** ~ jdm Beifall spenden, jdm behilflich sein (*with* bei); **have s.th. on one's** ~**s** (*fig*) etw am Hals haben; **lay** ~**s on s.o.** jdn schlagen; jdn zu fassen kriegen; (REL) jdm die Hand auflegen, jdn segnen; **play a good** ~ ein guter Spieler sein; **play into s.o.'s** ~**s** (*fig*) jdm in die Hände spielen; **shake s.o.'s** ~**, shake** ~**s with s.o.** jdm die Hand drücken; jdm die Hand geben; **show one's** ~ (*fig*) seine Karten aufdecken; **take a** ~ **in** mitarbeiten, -wirken an, bei; **take in** ~ in die Hand, in Angriff nehmen; **win** ~**s down** leichtes Spiel haben; **he can turn his** ~ **to anything** er ist in allen Sätteln gerecht; er kennt sich in allen Gebieten aus; **the matter is out of his** ~**s** er kann in der Sache nichts mehr tun; **keep your** ~**s off that!** lass die Finger davon!; ~**s off!** Hände weg!; ~**s up!** Hände hoch!; **all** ~**s** die ganze Mannschaft; **minute** ~ Minutenzeiger *m* **II.** *tr* **1.** aus-,einhändigen, übergeben **2.** ausliefern; ~ **it to s.o.** jdm etw zugestehen, *sl* zutrauen; **hand around** *tr* herumreichen; **hand back** *tr* zurückgeben; **hand down** *tr* **1.** hinunterreichen, -geben **2.** (*fig*) überliefern; vererben **3.** (*Am*) öffentlich bekannt geben; **hand in** *tr* abliefern, abgeben; (*Gesuch*) einreichen; **hand on** *tr* weitergeben; übergeben; **hand out** *tr* **1.** ausgeben, verteilen **2.** (*Rat*) geben **3.** (*Strafe*) verhängen; **hand over I.** *tr* weitergeben; abgeben; aushändigen; übergeben **II.** *itr* die Regierung, das Amt übergeben; (TV) übergeben; **hand round** *tr* herumreichen; austeilen

hand•bag ['hændbæg] *s* Handtasche *f;* **hand•ball** ['hændbɔːl] *s* Handball(spiel *n*) *m;* **hand-bar•row** ['hændˌbærəʊ] *s* Schubkarre, Handkarre *f;* **hand•bill** ['hændbɪl] *s* Reklamezettel *m;* Handzettel *m;* Flugblatt *n;* **hand•book** ['hændbʊk] *s* Handbuch *n;* Reiseführer *m* (*to* für); **hand-brake** ['hændbreɪk] *s* Handbremse *f;* **hand•cart** ['hændkɑːt] *s* Handwagen *m;* **hand•cuff** ['hændkʌf] **I.** *s meist pl* Handschellen *fpl* **II.** *tr* Handschellen anlegen (*s.o.* jdm); **hand-eye coordination** *s* visuell-motorische Koordination; **hand•ful** ['hændfʊl] *s* Handvoll *f;* (*Leute*) ein paar; **they're a real** ~ sie halten einen ganz schön in Trab; **hand-grenade** *s* Handgranate *f*

handi•cap ['hændɪkæp] **I.** *s* **1.** (SPORT) Handikap *n;* Vorgabe *f;* Vorgaberennen *n* **2.** Behinderung *f;* (*fig*) Benachteiligung *f,* Handikap *n* (*to* für) **II.** *tr* **1.** behindern **2.**

(*fig*) benachteiligen; ~**ped people** Behinderte *pl;* **mentally/physically ~ped** geistig/körperlich behindert

handi•craft ['hændɪkrɑːft] *s* **1.** Handfertigkeit *f* **2.** (Kunst)Handwerk *n*

handi•work ['hændɪwɜːk] *s* **1.** Handarbeit *f;* eigene Arbeit **2.** (*fig*) Werk *n*

hand•ker•chief ['hæŋkətʃɪf] *s* Taschentuch *n*

handle ['hændl] **I.** *s* **1.** Griff *m;* (Tür)Klinke *f* **2.** (*Besen, Kamm, Topf*) Stiel *m* **3.** (*Korb, Tasse*) Henkel *m* **4.** (Pumpen)Schwengel *m* **5.** (MOT) Kurbel *f* **6.** (*fig*) Handhabe *f* (*against* gegen) **7.** (gute) Gelegenheit *f* **8.** Vorwand *m* **9.** (*fam:* ~ *to one's name*) Titel *m;* **fly off the ~** (*fam*) aufbrausen, wütend werden **II.** *tr* **1.** anfassen; handhaben *a. fig* **2.** manipulieren **3.** (*fig*) in die Hand nehmen, erledigen **4.** (*Sache*) behandeln, sich befassen mit **5.** (*Geschäft*) erledigen **6.** (*Thema*) abhandeln; handeln von **7.** (*Verkehr*) abwickeln **8.** (COM) handeln mit; (*Waren*) führen **9.** (*Menschen*) behandeln, umgehen mit; **glass! ~ with care!** Vorsicht, Glas!; **handle•bar(s)** ['hændlbɑː(z)] *s pl* (*Fahrrad*) Lenkstange *f;* **~ moustache** Schnauzbart *m;* **han•dling** ['hændlɪŋ] *s* **1.** Handhabung, Manipulation *f;* Behandlung *f* **2.** Bearbeitung *f* **3.** (Waren)Umschlag *m;* **handling charge, handling fee** *s* Bearbeitungsgebühr *f;* **hand luggage** *s* Handgepäck *n*

hand•made [ˌhænd'meɪd] *adj* handgearbeitet; **hand-me-down** ['hændmɪdaʊn] *s* (*fam*) abgelegtes Kleidungsstück; **hand-operated** *adj* handbedient; **hand•out** ['hændaʊt] *s* **1.** Almosen *n;* Geldzuwendung *f* **2.** Handzettel *m;* Flugblatt *n;* Zusammenfassung *f;* **hand-picked** [ˌhænd'pɪkt] *adj* erlesen, ausgesucht; **hand•rail** ['hændreɪl] *s* Geländer *n;* **hand saw** *s* Fuchsschwanz *m;* **hand•shake** ['hændʃeɪk] *s* Händedruck *m*

hand•some ['hænsəm] *adj* **1.** stattlich, gut aussehend **2.** großzügig **3.** ansehnlich, beträchtlich, bedeutend; **hands-on** [ˌhændz'ɒn] *adj* praxisorientiert; **hand-spring** ['hændsprɪŋ] *s* (Handstand)Überschlag *m*

hand•stand ['hændstænd] *s* Handstand *m;* **hand-to-mouth** *adj* von der Hand in den Mund (lebend); **hand•work** ['hændwɜːk] *s* Handarbeit *f;* **hand-writing** ['hændˌraɪtɪŋ] *s* Handschrift *f;* **hand•writ•ten** [ˌhænd'rɪtn] *adj* handgeschrieben

handy ['hændɪ] *adj* **1.** geschickt, praktisch **2.** günstig gelegen; in nächster Nähe **3.** praktisch; handlich; **come in ~** sich als nützlich erweisen; **handy•man** ['hændɪmæn] <*pl* -men> *s* Faktotum *n,* Mädchen *n* für alles; Bastler *m*

hang¹ [hæŋ] <hanged, hanged> *tr* (*mit einem Strick*) hängen, aufhängen; **~ o.s.** sich erhängen

hang² [hæŋ] <*irr:* hung, hung> **I.** *tr* **1.** (auf)hängen (*by* an) **2.** (*Tür*) einhängen (*on* in) **3.** (*frisch geschlachtetes Tier*) abhängen lassen **4.** (*Wand*) behängen (*with* mit) **5.** (~ *with paper*) tapezieren **6.** (*Tapete*) ankleben; **~ s.th. from s.th.** etw an etw aufhängen; **~ one's head** den Kopf hängen lassen; **~ fire** das Feuer einstellen; (*fig*) zögern, abwarten; **~ it!** verdammt noch mal! **II.** *itr* **1.** hängen; aufgehängt sein **2.** (*Kleidungsstück*) fallen **3.** (*Verbrecher*) gehenkt, gehängt werden; **~ a left** (*sl*) links abbiegen; **~ by a thread** (*fig*) an e-m (seidenen) Faden hängen; **~ in there!** bleib am Ball! **III.** *s* Sitz *m* (*e-s Kleidungsstückes*); **get the ~ of s.th.** (*fam*) etw herauskriegen; **I don't give a ~** das ist mir ganz egal; **hang about, hang around** *itr* **1.** sich herumtreiben; sich herumdrücken **2.** warten; **he doesn't ~ about** er ist ganz schön schnell; **hang back** *itr* zögern; sich zurückhalten; **hang behind** *itr* zurückbleiben, bummeln; **hang on** *itr* **1.** sich (fest)halten (*to* an) **2.** warten; durchhalten **3.** (TELE) am Apparat bleiben; **~ on s.o.'s lips** (*fig*) an jds Lippen hängen; **~ on to s.th.** etw halten; etw behalten; **hang out** *itr* **1.** heraushängen **2.** hinauslehnen **3.** (*fam*) wohnen; zu finden sein **4.** nicht aufgeben; **let it all ~ out** (*sl*) die Sau rauslassen; **hang over** *itr* **1.** übrig geblieben sein (*from the old days* aus früheren Zeiten) **2.** drohen, bevorstehen (*s.o.* jdm); **hang together** *itr* **1.** zusammenhängen, ein Ganzes bilden, zusammenpassen **2.** (*Menschen*) zusammenhalten; **hang up** *tr, itr* **1.** aufhängen **2.** (TELE) (den Hörer) auflegen; **be hung up on** [*o* **about**] (*sl*) e-n Komplex haben wegen; **he hung up on me** er legte einfach auf

hang•ar ['hæŋə(r)] *s* (Flugzeug)Halle *f,* Hangar *m*

hang•dog ['hæŋdɒg] *adj* trübsinnig; beschämt

hang•er ['hæŋə(r)] *s* **1.** Aufhänger *m* **2.** Kleiderbügel *m;* **hangers-on** [ˌhæŋərs'ɒn] *s pl* Gefolge *n*

hang-glider ['hæŋglaɪdə(r)] *s* (SPORT) Drachen *m;* Drachenflieger(in) *m(f);* **hang-glid•ing** ['hæŋglaɪdɪŋ] *s* (SPORT) Drachenfliegen *n*

hang•ing ['hæŋɪŋ] *s* **1.** Erhängen *n,* Hinrichtung *f* **2.** **~s** Vorhänge *m pl* und Tapeten *f pl*

hang•man ['hæŋmən] <*pl* -men> *s*

Henker *m;* **hang•nail** ['hæŋneɪl] *s* Niednagel *m;* **hang•out** ['hæŋaʊt] *s* (*sl*) **1.** Stammkneipe *f,* -lokal *n* **2.** Wohnung *f;* **hang•over** ['hæŋˌəʊvə(r)] *s* **1.** Überbleibsel *n,* Rest *m* **2.** (*sl*) Katzenjammer, Kater *m;* **hang•up** ['hæŋʌp] *s* (*fam*) Komplex *m;* Fimmel *m*

hank [hæŋk] *s* (*Garn*) Strähne *f*

han•ker ['hæŋkə(r)] *itr* sich sehnen (*after, for* nach); **han•ker•ing** [-ɪŋ] *s* Sehnsucht *f,* Verlangen *n* (*after, for* nach)

hankie, hanky ['hæŋkɪ] *s* (*fam*) Taschentuch *n*

hanky-panky [ˌhæŋkɪ'pæŋkɪ] *s* (*fam*) **1.** Hokuspokus *m* **2.** Schwindel *m* **3.** Techtelmechtel *n* **4.** Fummelei *f,* Geknutsche *n*

hap•haz•ard [hæp'hæzəd] *adj* ganz zufällig; planlos, aufs Geratewohl

hap•pen ['hæpən] *itr* sich ereignen, geschehen; ~ **to s.o.** jdm zustoßen; ~ **to do** zufällig tun; ~ (**up**)**on s.o./s.th.** zufällig auf jdn, etw stoßen; **how does it ~ that ...?** wie kommt es, dass ...?; **he ~ed to be there** er war zufällig(erweise) dort; **it never ~ed** es geschah nie; (*Spiel, Party*) es fand nie statt; **hap•pen•ing** ['hæpənɪŋ] *s* **1.** Ereignis *n,* Vorfall *m* **2.** Happening *n*

hap•pily ['hæpɪlɪ] *adv* **1.** glücklicherweise **2.** glücklich; **hap•pi•ness** ['hæpɪnɪs] *s* Glück *n;* **happy** ['hæpɪ] *adj* **1.** glücklich **2.** zufrieden (*about* mit) **3.** gelungen, glücklich (gewählt), passend, treffend, geschickt; **feel ~ about s.th.** über etw erfreut sein; ~ **medium** goldener Mittelweg; ~ **birthday!** herzlichen Glückwunsch zum Geburtstag!; ~ **Christmas!** frohe Weihnachten!; **happy-go-lucky** *adj* sorglos, unbekümmert

har•ass ['hærəs] *tr* beunruhigen, aufreiben, quälen; nicht zur Ruhe kommen lassen; **har•assed** ['hærəst] *adj* abgespannt; von Sorgen gequält; geplagt; **har•ass•ment** ['hærəsmənt] *s* **1.** Belästigung *f* **2.** Schikane *f* **3.** Kleinkrieg *m*

har•bin•ger ['hɑːbɪndʒə(r)] *s* **1.** Herold *m* **2.** (*fig*) Vorbote *m*

har•bor (*Am*), **harbour**,

har•bour ['hɑːbə(r)] **I.** *s* **1.** Hafen *m* **2.** (*fig*) Unterschlupf *m* **II.** *tr* **1.** Unterschlupf gewähren (*s.o.* jdm) **2.** (*fig: Groll*) hegen

hard [hɑːd] **I.** *adj* **1.** hart **2.** fest, starr, widerstandsfähig, unnachgiebig **3.** kräftig, stark, robust **4.** (*Schlag, Stoß*) stark, heftig, kraftvoll **5.** anstrengend, mühsam **6.** schwierig, verzwickt **7.** hart, schwer (zu ertragen); (*Winter*) streng; (*Zeiten*) schlecht **8.** hart(herzig), gefühllos, streng, unerbittlich **9.** energisch, tüchtig, fleißig **10.** (*Wasser*) hart **11.** (*alkoholisches Getränk*) stark, berauschend **12.** (COM) fest, beständig; **be ~ to sell** schwer verkäuflich sein; **be ~ (up)on s.o.** mit jdm streng sein; **be ~ on s.th.** etw strapazieren; **do s.th. the ~ way** nicht den einfachen Weg wählen; **drive a ~ bargain** viel verlangen; hart verhandeln; **he is ~ to deal with** mit ihm ist schlecht Kirschen essen; ~ **to believe** kaum zu glauben; **a ~ drinker** ein Säufer *m;* **the ~ facts** die harten Tatsachen *fpl;* ~ **and fast** (*Brauch*) streng; (*Regel*) starr, unumstößlich; **a ~ fight** ein schwerer Kampf; ~ **luck!** ~ **lines!** Pech gehabt!; Pech *n;* **a ~ nut to crack** (*fig*) e-e harte Nuss, ein schweres Problem; ~ **to please** schwer zu befriedigen, zufrieden zu stellen **II.** *adv* **1.** heftig, kräftig **2.** unverdrossen, unermüdlich, zäh; ~ **by** dicht dabei; ~ **up** in arger Bedrängnis, in großer Not; ~ **upon** dicht auf den Fersen; kurz danach; **be ~ put to s.th.** mit etw seine Schwierigkeiten haben; **be ~ up** sehr knapp sein (*for* an); **die ~** ein zähes Leben haben; **run s.o. ~** jdm dicht auf den Fersen sein; **try ~** sich große Mühe geben; **work ~** schwer, tüchtig arbeiten; **it will go ~** es wird Schwierigkeiten geben; **it comes ~ to ...** es ist schwierig zu ...; **it goes ~ with him** es fällt ihm schwer zu; **she's taking it ~** sie trägt es schwer; ~ **of hearing** schwerhörig; **~-hit** schwer be-, getroffen

hard•back ['hɑːdbæk] *s* (TYP) gebundene Ausgabe; **hard-bit•ten** [ˌhɑːd'bɪtn] *adj* abgebrüht; **hard•board** ['hɑːdbɔːd] *s* Pressspanplatte *f;* **hard-boiled** [ˌhɑːd'bɔɪld] *adj* **1.** (*Ei*) hart gekocht **2.** (*fig fam*) hartgesotten, kalt berechnend; nüchtern; **hard cash** *s* Bargeld *n;* **hard copy** *s* Computerausdruck *m;* **hard core** *s* **1.** Schotter *m* **2.** (*fig*) harter Kern **3.** harter Porno; **hard court** *s* Hartplatz *m;* **hard currency** *s* harte Währung; **hard disk** *s* (EDV) Festplatte *f;* **hard drink, liquor** *s* scharfes Getränk; **hard drinker** *s* starke(r) Trinker(in); **hard drug** *s* harte Droge; **hard-earned** [ˌhɑːd'ɜːnd] *adj* (*Lohn*) sauer verdient; (*Sieg*) hart erkämpft

harden ['hɑːdn] **I.** *tr* **1.** härten **2.** (*Zement*) abbinden **3.** abhärten, stählen **4.** (*fig*) stärken, festigen **5.** hart, streng, unerbittlich machen; **become ~ed** abgehärtet werden (*to* gegen); **~ed criminal** Gewohnheitsverbrecher(in) *m(f)* **II.** *itr* **1.** hart werden *a. fig* **2.** (*fig*) streng, unerbittlich werden **3.** (*Preise*) anziehen

hard feel•ings [ˌhɑːd'fiːlɪŋz] *s pl:* **no ~** nichts für ungut; **hard-fought** [ˌhɑːd'fɔːt] *adj* erbittert; hart; **hard-hearted** [ˌhɑːd'hɑːtɪd] *adj* hartherzig; **hard labour** *s* Zwangsarbeit *f;* **hard line** *s* unnachgiebige, harte Haltung; **take a ~** e-n

harten Kurs einschlagen; **hardliner** [ˌhɑːdˈlaɪnə(r)] *s* Hardliner *m*
hard•ly [ˈhɑːdlɪ] *adv* **1.** (nur) mit Mühe **2.** kaum, fast nicht; ~ **any** fast kein; ~ **ever** kaum je(mals), fast nie
hard•ness [ˈhɑːdnɪs] *s* **1.** Härte *f* **2.** Strenge *f* **3.** Schwierigkeit *f*
hard sell [ˈhɑːdˌsel] *s* aggressive Verkaufstaktik, Hardsell *m*
hard•ship [ˈhɑːdʃɪp] *s* **1.** Mühsal, Plage, Härte *f* **2.** Not(lage), Bedrängnis, schwierige Lage *f* **3.** ~**s** schwierige Umstände *mpl*
hard shoul•der [ˌhɑːdˈʃəʊldə(r)] *s* (*Br: Autobahn*) Rand-/Seitenstreifen *m;* **hard-top** [ˈhɑːdtɒp] *s* (MOT) Hardtop *n od m;* **hard•ware** [ˈhɑːdweə(r)] *s* **1.** Eisen-/Stahlwaren *fpl* **2.** (EDV) Hardware *f;* **hard-wear•ing** [ˌhɑːdˈweərɪŋ] *adj* strapazierfähig; **hard•wood** [ˈhɑːdwʊd] *s* Hartholz *n;* **hard-work•ing** [ˌhɑːdˈwɜːkɪŋ] *adj* arbeitsam, emsig, fleißig
hardy [ˈhɑːdɪ] *adj* **1.** ausdauernd, zäh, unempfindlich, abgehärtet; mutig **2.** (BOT) winterfest
hare [heə(r)] *s* Hase *m;* **be mad as a** (**March**) ~ (*fam*) total verrückt sein; **run with the** ~ **and hunt with the hounds** (*prov*) auf beiden Schultern Wasser tragen; **hare-brained** [ˈheəbreɪnd] *adj* verrückt; **hare•lip** [ˈheəlɪp] *s* (MED) Hasenscharte *f*
harem [ˈhɑːriːm] *s* Harem *m*
hark [hɑːk] *itr* lauschen; ~**!** horch!; ~ **at s.o.** jdn anhören; ~ **back to** (*fig*) zurückdenken, -gehen auf
harm [hɑːm] **I.** *s* **1.** Schaden *m;* Verletzung *f* **2.** Nachteil *m;* **do** ~ Schaden anrichten; **do** ~ **to s.o.** jdn verletzen; jdm schaden; **mean no** ~ es nicht böse meinen; **there's no** ~ **in trying** es kann nichts schaden, wenn man's mal versucht **II.** *tr* **1.** verletzen **2.** Schaden zufügen (*s.o.* jdm); **harm•ful** [ˈhɑːmfl] *adj* schädlich, nachteilig; **harm-less** [-lɪs] *adj* harmlos, unschädlich
har•monic [hɑːˈmɒnɪk] **I.** *adj* (*a.* MUS) harmonisch **II.** *s* (MUS) Oberton *m;* **har•mon-ica** [hɑːˈmɒnɪkə] *s* Mundharmonika *f;* **har•moni•ous** [hɑːˈməʊnɪəs] *adj* harmonisch; **har•mo•nium** [hɑːˈməʊnɪəm] *s* Harmonium *n;* **har•mo•ni•za•tion** [ˌhɑːmənɪˈzeɪʃn] *s* Harmonisierung *f;* **har-mon•ize** [ˈhɑːmənaɪz] **I.** *tr* **1.** harmonisieren **2.** in Einklang, *fig* auf einen Nenner bringen **II.** *itr* in Einklang sein; harmonisieren; übereinstimmen; **har•mony** [ˈhɑːmənɪ] *s* (*a.* MUS) Harmonie *f,* Einklang *m;* **be in** ~ in Einklang stehen; auskommen (*with* mit)
har•ness [ˈhɑːnɪs] **I.** *s* **1.** (Pferde)Geschirr *n* **2.** Gurtwerk *n;* Laufgurt *m;* **be back in** ~ wieder bei der Arbeit sein **II.** *tr* **1.** (*Pferd*) anschirren **2.** (*Naturkraft*) nutzbar machen
harp [hɑːp] **I.** *s* Harfe *f* **II.** *itr* (*fig*) herumreiten (*on, upon* auf), jammern, lamentieren
har•poon [hɑːˈpuːn] **I.** *s* Harpune *f* **II.** *tr* harpunieren
harp•si•chord [ˈhɑːpsɪkɔːd] *s* Cembalo *n*
har•row [ˈhærəʊ] *s* Egge *f;* **har•row•ing** [-ɪŋ] *adj* erschütternd, grauenhaft
harsh [hɑːʃ] *adj* **1.** rau **2.** grell **3.** schrill **4.** roh; hart
hart [hɑːt] *s* Hirsch *m*
harum-scarum [ˌheərəmˈskeərəm] *adj, adv* eilig; Hals über Kopf
har•vest [ˈhɑːvɪst] **I.** *s* **1.** Ernte(zeit) *f* **2.** Ernte *f,* (Ernte)Ertrag *m;* **bad** ~ Missernte *f* **II.** *tr* ernten, einbringen **III.** *itr* ernten *a. fig;* **har•vester** [ˈhɑːvɪstə(r)] *s* **1.** Mähmaschine *f;* (*combine* ~) Mähdrescher *m* **2.** Erntearbeiter(in) *m(f);* **harvest festival** *s* Erntedankfest *n;* **harvest moon** *s* Vollmond *m* (*im September*)
has [həz, *betont* hæz] *3. Person Singular Präsens* **have;** **has-been** [ˈhæzbiːn] *s* (*fam*) Größe *f* von gestern
hash [hæʃ] **I.** *tr* (*Fleisch*) hacken; ~ **up** durcheinander bringen **II.** *s* **1.** Haschee *n* **2.** (*fam fig*) aufgewärmte Geschichte **3.** Durcheinander *n;* **make** (**a**) ~ **of** vermasseln; **hash browns** *s pl* (*Am*) Rösti *n*
hash•ish [ˈhæʃiːʃ] *s* Haschisch *n*
hasn't [ˈhæznt] = **has not**
has•sle [ˈhæsl] **I.** *tr* ärgern, belästigen **II.** *s* **1.** Auseinandersetzung *f* **2.** (*fam*) Mühe *f;* **it's such a** ~ das ist so mühsam
has•sock [ˈhæsək] *s* **1.** Kniekissen *n* **2.** Grasbüschel *n*
haste [heɪst] *s* Hast, Eile *f;* **make** ~ sich beeilen; **more** ~ **less speed** (*prov*) eile mit Weile; **hasten** [ˈheɪsn] **I.** *tr* beschleunigen; **he** ~**ed to say** er sagte schnell **II.** *itr* (sich be)eilen; **hasty** [ˈheɪstɪ] *adj* **1.** eilig, schnell **2.** hastig, überhastet, voreilig **3.** hitzig
hat [hæt] *s* Hut *m;* **keep s.th. under one's** ~ etw für sich behalten; **pass round the** ~ Geld (ein)sammeln (*for* für); **take one's** ~ **off** den Hut abnehmen (*to* vor); **talk through one's** ~ (*fam*) Unsinn reden; **I'll eat my** ~ **if ...** ich fresse einen Besen, wenn ...; **my** ~**!** glaubste!
hatch[1] [hætʃ] **I.** *tr* **1.** ausbrüten *a. fig* **2.** (*fig*) ausdenken, *pej* aushecken **II.** *itr* **1.** brüten **2.** (*aus dem Ei*) ausschlüpfen **III.** *s* **1.** Brüten *n* **2.** Brut *f*
hatch[2] [hætʃ] *s* **1.** (*a.* MAR) Klapp-/Falltür *f* **2.** (*Flugzeug*) Einstieg *m;* Luke *f* **3.** Durchreiche *f;* **down the** ~**!** (*fam*) hoch die Tassen!
hatch[3] [hætʃ] *tr* schraffieren
hatch•back [ˈhætʃbæk] *s* (MOT) Fließheck-,

Schrägheckmodell *n;* Hecktür *f*

hatchet ['hætʃɪt] *s* Beil *n;* **bury the ~** (*fig*) das Kriegsbeil begraben; **hatchet-face** *s* scharfgeschnittenes Gesicht; **hatchet man** <*pl* -men> *s* gedungener Mörder; (*fig*) Vollstreckungsbeamte(r) *m*

hatch•ing ['hætʃɪŋ] *s* Schraffur, Schraffierung *f*

hate [heɪt] **I.** *tr* **1.** hassen, verabscheuen **2.** nicht mögen; **~ to do** [*o* **doing**] **s.th.** etw nicht gern, ungern tun; etw mit Bedauern tun; jdm sehr peinlich sein etw zu tun **II.** *s* Hass *m;* **he is my pet ~** ich kann ihn auf den Tod nicht ausstehen; **hate•ful** ['heɪtfl] *adj* ekelhaft; **hatred** ['heɪtrɪd] *s* **1.** Hass *m* **2.** Abscheu, Ekel *m* (*of* vor)

hat stand ['hætstænd] *s* Garderobenständer *m*

hat•ter ['hætə(r)] *s* Hutmacher(in) *m(f);* **as mad as a ~** total verrückt

hat-trick ['hættrɪk] *s* (SPORT) Hattrick *m*

haughty ['hɔːtɪ] *adj* stolz, hochmütig, anmaßend

haul [hɔːl] **I.** *tr* **1.** ziehen, zerren (*at, upon* an) **2.** (be)fördern, transportieren **3.** (MIN) fördern **4.** (MAR) den Kurs ändern (*a ship* e-s Schiffes); **~ s.o. over the coals** jdn abkanzeln **II.** *s* **1.** Ziehen, Zerren *n* **2.** Fisch-/ Beutezug *m* **3.** Fang *m,* Beute *f* **4.** Transportweg *m;* **make a good ~** reiche Beute machen; **short/long ~** kurzer/weiter Weg (*to* nach); **short/long/medium ~ aircraft** Kurz-/Lang-/Mittelstreckenflugzeug *n;* **haul away** *itr* kräftig ziehen (*at* an); **~ away!** hau ruck!; **haul down** *tr* **1.** (*Flagge*) einziehen, niederholen **2.** herunterziehen; **haul off** *itr* (MAR) abdrehen; **haul up** *tr* **1.** hochziehen; (*Segel*) hissen **2.** (*fig*) schleppen (*before* vor)

haul•age ['hɔːlɪdʒ] *s* **1.** Beförderung *f,* Transport *m* **2.** (MIN) Förderung *f* **3.** Beförderungs-, Transportkosten *pl,* Rollgeld *n;* **haulage business**, **haulage firm** *s* Transportunternehmen *n,* Speditionsfirma *f;* **haulage contractor** *s* Transportunternehmer *m*

hauler, **haul•ier** ['hɔːlə(r), 'hɔːlɪə(r)] *s* Spediteur *m*

haunch [hɔːntʃ] *s* **1.** Hüftpartie *f;* Gesäß *n* **2.** Lendenstück *n,* Keule *f*

haunt [hɔːnt] **I.** *tr* **1.** häufig besuchen **2.** (dauernd) verfolgen **3.** (*Erinnerung*) haften an **4.** (*Gespenst*) umgehen in **II.** *s* häufig besuchter Ort; gewöhnlicher Aufenthalt(sort); **haunt•ed** [-əd] *adj:* **a ~ house** Spukhaus *n,* Haus *n,* in dem es spukt; **a ~ look** ein gequälter Blick; **haunt•ing** [-ɪŋ] *adj* quälend; (*Melodie, Dichtung*) eindrucksvoll

have [həv, *betont* hæv] <*irr:* has, had, had> **I.** *tr* **1.** haben (*about one* bei sich, *on one* bei, an sich) **2.** haben, wissen (*from* von) **3.** haben, besitzen **4.** wissen, können, verstehen **5.** versichern, behaupten **6.** bekommen, erhalten, *fam* kriegen **7.** lassen, zulassen, erlauben, gestatten **8.** betrügen, reinlegen; **~ a bath** ein Bad nehmen; **~ a cold** erkältet sein; **~ had it with s.o. (s.th.)** (*fam*) die Nase von jdm (etw) voll haben; **~ to do with s.o./s.th.** mit jdm/e-r S zu tun haben; **~ no doubt** nicht (be)zweifeln; **~ a game** ein Spiel machen; **~ it** (beim Spiel) gewonnen haben; sich erinnern; **~ it in for s.o.** jdn auf dem Kieker haben; **~ a look** mal sehen, schauen, gucken; **~ a swim** schwimmen, baden; **~ tea** Tee trinken; **~ a walk** spazieren gehen; **you ~ it** so ist's; **you've been had!** (*fam*) da hat man dich über's Ohr gehauen!; **let him ~ it!** (*fam*) gib's ihm!; **he's had it** er ist erledigt; **thank you for having me** vielen Dank für Ihre Gastfreundschaft **II.** *aux* **1.** (*zur Bildung der Vergangenheit*) haben; (*bei Verben der Bewegung*) sein **2.** (*modal, mit Infinitiv*) müssen; **he has seen/gone** er hat gesehen/er ist gegangen; **~ been** gewesen sein; **he has been living there** er hat da gewohnt; **~ done** fertig sein; **~ got** haben; **you ~ taken it, haven't you?** du hast das doch genommen, oder?; **you haven't taken it, ~ you?** du hast es doch nicht genommen, oder?; **you ~ to do it** du musst das machen; **I don't ~ to if I don't want to** wenn ich nicht will, muss ich es nicht machen; **you had better go** du gehst jetzt besser; **what would you ~ me do?** was soll(te) ich denn machen?; **have around** *tr* zu Besuch haben; einladen; **you are a good person to ~ around** es ist praktisch, wenn du da bist; **have back** *tr* zurückbekommen; **have in** *tr* **1.** hereinholen **2.** hineintun **3.** im Haus haben; **~ it in for s.o.** jdn auf dem Kieker haben; **have off** *tr* **1.** wegbringen, -schaffen **2.** auswendig gelernt haben; **~ it off with s.o.** (*sl*) mit jdm schlafen; **have on** *tr* **1.** (*Kleidung*) anhaben **2.** (*Radio*) anhaben **3.** vorhaben **4.** (*sl*) beschummeln; auf den Arm nehmen; **~ s.th. on s.o.** gegen jdn eine Handhabe haben; **have out** *tr* herausnehmen lassen, hinausschaffen; **~ it out with s.o.** sich mit jdm aussprechen; **have over** *itr* zu Besuch haben; einladen; **have up** *itr:* **be had up** vor den Richter kommen (*for* wegen)

ha•ven ['heɪvn] *s* (*fig*) Zufluchtsort *m,* Oase *f*

have-not ['hævnɒt] *s* (*fam*) Habenichts *m*

haven't ['hævnt] = **have not**

haves [hævz] *s pl* (*fam*) Betuchte, reiche Leute *pl*

havoc ['hævək] *s* Chaos *n;* **wreak ~ on, make ~ of, play ~ with** verheerend wirken auf; durcheinander bringen

haw [hɔː] *s.* **hum**

Ha•waii [hə'waɪiː] *s* Hawaii *n;* **Ha•wai•ian** [hə'waɪjən] **I.** *adj* hawaiisch, Hawaii- **II.** *s* **1.** Hawaiianer(in) *m(f)* **2.** (das) Hawaiisch(e)

hawk¹ [hɔːk] *s* **1.** Habicht *m;* Sperber *m;* Falke *m* **2.** (POL) Falke *m*

hawk² [hɔːk] *tr* hausieren mit; feilbieten; ausschreien; ~ **about** verbreiten, ausposaunen

hawker ['hɔːkə(r)] *s* Straßenhändler(in) *m(f),* Hausierer(in) *m(f),* Marktschreier(in) *m(f)*

hawk-eyed [,hɔːk'aɪd] *adj* mit scharfen Augen; scharfsichtig

hawk moth ['hɔːkmɒθ] *s* Schwärmer *m*

haw•ser ['hɔːzə(r)] *s* (MAR) Tau, Kabel *n,* Trosse *f*

haw•thorn ['hɔːθɔːn] *s* (BOT) Weiß-/Hagedorn *m*

hay [heɪ] *s* Heu *n;* **make ~** Heu machen; **hit the ~** (*fam*) schlafen gehen; **make ~ while the sun shines** (*prov*) das Eisen schmieden, solange es heiß ist; **hay•cock, hay•rick, hay•stack** ['heɪkɒk, 'heɪrɪk, 'heɪstæk] *s* Heuhaufen *m;* **hay fever** *s* Heuschnupfen *m;* **hay•wire** ['heɪwaɪə(r)] *adj:* **be ~** durcheinander sein; **go ~** durcheinander geraten; (*Mensch*) durchdrehen, wahnsinnig werden; (*Maschine*) verrückt spielen

haz•ard ['hæzəd] **I.** *s* **1.** Risiko *n,* Gefahr *f* **2.** (SPORT) Hindernis *n;* **at all ~s** unter allen Umständen; **by ~** durch Zufall; **occupational ~** Berufsrisiko *n* **II.** *tr* aufs Spiel setzen (*s.th. on* etw für), wagen, riskieren; **~ a guess** wagen, eine Vermutung anstellen; **haz•ard•ous** ['hæzədəs] *adj* gewagt, gefährlich, riskant; **hazard (warning) lights** *s pl* (MOT) Warnlichtanlage *f*

haze [heɪz] *s* **1.** Dunst, leichter Nebel *m* **2.** (*fig*) Verwirrtheit *f;* Unklarheit *f*

hazel ['heɪzl] **I.** *s* Haselnuss(strauch *m*) *f* **II.** *adj* nussbraun; **hazel•nut** ['heɪzlnʌt] *s* Haselnuss *f*

hazy ['heɪzɪ] *adj* **1.** dunstig, diesig **2.** verschwommen, vage, unklar (*about* über)

HDTV [,eɪtʃdiːtiː'viː] *s abbr of* **high definition television** hochauflösendes Fernsehen

he [hiː] **I.** *prn* er; **~ who** derjenige, welcher **II.** *s* Männchen *n;* **the baby is a ~** das Baby ist ein Junge; **he'll** [hiːl] = **he shall; he will; he's** [hiːz] = **he is; he has**

head [hed] **I.** *s* **1.** Kopf *m* **2.** (*fig*) Vernunft *f,* Verstand, Kopf *m* **3.** **~s** (*Vieh*) Stück *n* **4.** Haupt *n,* (An)Führer(in) *m(f),* Chef(in) *m(f),* Direktor(in) *m(f)* **5.** Führung, Leitung, führende Stellung, Spitze *f* (*e-r Organisation*) **6.** ober(st)er Teil, oberes Ende, Spitze *f,* Gipfel *m* **7.** (Baum)Wipfel *m,* Krone *f* **8.** Schaum(krone *f*) *m* (*auf dem Bier*) **9.** (Kohl-, Salat)Kopf *m* **10.** (Stecknadel)Kopf *m;* (*Nagel*) Kopf *m* **11.** vorderes Ende, Spitze *f;* (*Schiff*) Bug *m;* (*Bett*) Kopfende *n* **12.** Landspitze *f,* Kap, Vorgebirge *n* **13.** Quelle *f;* Mühlteich *m;* Wasserstand *m* **14.** Schlagzeile *f;* (Kapitel)Überschrift *f* **15.** Rubrik, Kategorie *f* **16.** Abschnitt *m,* Kapitel *n,* Hauptteil *m* **17.** Thema *n,* (Haupt)Punkt *m* **18.** (*fig*) Höhe-, Wendepunkt *m,* Krisis *f* **19.** (*sl*) Junkie *m sl;* **a** [*o* **per**] ~ pro Kopf; **at the ~ of** an der Spitze *+gen,* oben, am oberen Ende *+gen;* **by a short ~** um e-e Kopflänge; **~ first** kopfüber; **~ over heels** kopfüber; (*fig*) bis über beide Ohren, Hals über Kopf; **be off** [*o* **out of**] **one's ~** aus dem Häuschen sein; den Verstand verloren haben; **be ~ and shoulders above s.o.** (*fig*) weit über jdm stehen; **bring to a ~** zur Entscheidung bringen; **come to a ~** (*Geschwür*) reif werden; (*fig*) sich zuspitzen; zum Krach kommen; **go to one's ~** (*Getränk*) zu Kopf steigen *a. fig;* **go over s.o.'s ~** über jds Kopf hinweg handeln; **have a ~ for business** einen guten Geschäftssinn haben; **have a ~ for figures** mathematisch begabt sein; **have a ~ for heights** schwindelfrei sein; **have a poor ~ for** keine Begabung haben für; **keep one's ~ above water** sich über Wasser halten; **put one's ~s together** (*fig*) die Köpfe zusammenstecken; **lose one's ~** (*fig*) den Kopf verlieren; **be unable to make ~ or tail of** nicht schlau werden aus; **put s.th. into s.o.'s ~** jdm etw in den Kopf setzen; **put s.th. out of one's/s.o.'s ~** sich etw aus dem Kopf schlagen; jdn von etw abbringen; **shake one's ~** den Kopf schütteln (*at* zu); **take the ~** die Führung übernehmen; **take it into one's ~** sich etw in den Kopf setzen; **laugh one's ~ off** sich fast totlachen; **talk one's ~ off** sich dumm u. dämlich reden; **turn s.o.'s ~** (*fig*) jdm den Kopf verdrehen; **my ~ is spinning** mir dreht sich alles; **~s or tails?** Kopf oder Zahl (*e-r Münze*); **top of the ~** Scheitel *m;* **~ of the department** Abteilungsleiter(in) *m(f);* **~ of the government** Regierungschef(in) *m(f);* **~ of hair** (Haar)Schopf *m;* **~ of a letter** Briefkopf *m* **II.** *adj* hauptsächlich; Haupt-, Ober-; Spitzen- **III.** *tr* **1.** anführen; vorstehen (*s.th.* e-r S) **2.** als Erster stehen (*a list* auf e-r Liste), der Erste sein (*a class* in e-r Klasse) **3.** steuern, lenken **4.** mit e-r Überschrift versehen **5.** (SPORT: *Ball*) köpfen **IV.** *itr* sich bewegen, fahren (*for* in Richtung auf); **where are you ~ed?** wo wollen Sie hin?; **head back** *itr* zurückgehen, -fahren; **head for** *itr* **1.** (*Schiff*) Kurs halten auf **2.** (*a. fig*) auf dem Weg sein zu, zusteuern auf; **head off** *tr* abfangen; (*fig*) abwenden; ablenken; **head up** *tr* leiten, führen

head•ache ['hedeɪk] *s* **1.** Kopfweh *n,* Kopfschmerzen *mpl* **2.** (*fam*) Sorgen *fpl,* Schwierigkeit *f;* **have a bad ~** schlimme Kopfschmerzen haben; **head•band** ['hedbænd] *s* Stirnband *n;* **head•banger** ['hed,bæŋə(r)] *s* **1.** Bekloppte(r) *f m* **2.** Heavymetalfan *m;* **head•butt** ['hedbʌt] *s* Kopfstoß *m;* **head cold** *s* Kopfgrippe *f;* **head•dress** ['heddres] *s* Kopfputz *m;* **header** ['hedə(r)] *s* **1.** (*Fußball*) Kopfball *m* **2.** Kopfsprung *m* **3.** (EDV) Kopfzeile *f;* **head•first** ['hed'fɜ:st] *adv* **1.** mit dem Kopf voraus **2.** (*fig*) geradewegs; **head-hunt** ['hedhʌnt] *tr* abwerben; **head-hunter** *s* Kopfjäger *m*

head•ing ['hedɪŋ] *s* **1.** (TYP) Titel *m,* Überschrift *f,* Kopf *m* **2.** (COM) Posten *m,* Position *f* **3.** (SPORT) Köpfen *n;* **head•land** [,hedlænd] *s* Landspitze *f;* **head•less** ['hedlɪs] *adj* kopflos; **head•light, head-lamp** ['hedlaɪt, 'hedlæmp] *s* Scheinwerfer *m;* **head•line** ['hedlaɪn] *s* **1.** (TYP) Schlagzeile *f* **2. ~s** (das) Wichtigste in Schlagzeilen; **hit** [*o* **make**] **the ~s** Schlagzeilen machen; **headline inflation** *s* (*Br*) *System der Inflationsratenbestimmung;* **head•long** ['hedlɒŋ] *adj, adv* **1.** kopfüber **2.** überstürzt, übereilt; **head-mas•ter** [,hed'mɑ:stə(r)] *s* (*Schule*) (Di)Rektor, Schulleiter *m;* **head•mis-tress** [,hed'mɪstrɪs] *s* (*Schule*) (Di)Rektorin, Schulleiterin *f;* **head-office** *s* Hauptbüro *n,* Zentrale *f;* **head-of-state** [,hedəf'steɪt] *s* Staatsoberhaupt *n;* **head-on** [,hed'ɒn] *adj, adv* **1.** (*Zusammenstoß*) frontal, Frontal- **2.** (*Konfrontation*) direkt; **~ collision** Frontalzusammenstoß *m;* **head-phones** ['hedfəʊnz] *s pl* Kopfhörer *mpl;* **head•quar•ters** [,hed'kwɔ:təz] *s pl oft mit sing* **1.** Hauptquartier *n* **2.** Zentrale *f,* Stammhaus *n;* Hauptgeschäftsstelle *f* **3.** Parteizentrale *f;* **police ~** Polizeidirektion *f;* **head•rest** ['hedrest] *s,* **head•re•straint** ['hedrɪ,streɪnt] *s* Kopfstütze *f;* **head-room** ['hedrʊm] *s* lichte Höhe; (MOT) Kopfraum *f;* **head•scarf** [,hedskɑ:f, *pl* -skɑ:vz] <*pl* -scarves> *s* Kopftuch *n;* **head•set** ['hedset] *s* Kopfhörer *mpl;* **head•ship** [,hedʃɪp] *s* Schulleiterstelle *f;* **head•shrinker** ['hed,ʃrɪŋkə(r)] *s* (*sl*) Psychiater *m;* **head start** *s* (*fig*) Vorsprung *m;* **head•stone** ['hedstəʊn] *s* Grabstein *m;* **head•strong** ['hedstrɒŋ] *adj* eigenwillig; **head waiter** *s* Oberkellner *m;* **head•water** [,hed'wɔ:tə(r)] *s* Quellfluss *m;* **head•way** ['hedweɪ] *s:* **make ~** vorwärts kommen, vorankommen *a. fig;* (*fig*) Fortschritte machen; **head-wind** ['hedwɪnd] *s* Gegenwind *m;* **head-word** ['hedwɜ:d] *s* (*Wörterbuch*) Stichwort *n*

heady ['hedɪ] *adj* **1.** eigenwillig, impulsiv **2.** (*Getränk*) berauschend *a. fig*

heal [hi:l] **I.** *tr* **1.** heilen; befreien (*von Kummer, Ärger*) **2.** (*Streit*) beilegen **II.** *itr* (*~ over*) (zu)heilen

health [helθ] *s* Gesundheit(szustand *m*) *f;* **~ and safety regulations** Arbeitsschutzvorschriften *fpl;* **~ and safety standards** Arbeitsschutz *m;* **be in poor ~** kränklich sein; **drink (to) s.o.'s ~** auf jds Wohl trinken; **your ~! good ~!** zum Wohl!; **health care** *s* Gesundheitsfürsorge *f;* **health centre** *s* Ärztezentrum *n;* **health certificate** *s* ärztliches Attest; **health club** *s* Fitnesscenter *n;* **health farm** *s* Gesundheitsfarm *f;* **health food** *s* Natur-/Reformkost *f;* **health food shop** *s* Naturkostladen *m;* **health hazard** *s* Gefahr *f* für die Gesundheit; **health insurance** *s* Krankenversicherung *f;* **health resort** *s* Kurort *m;* **Health Service** *s* (*Br*) (das) Gesundheitswesen; **health visitor** *s* Sozialarbeiter(in) *m(f);* **healthy** ['helθɪ] *adj* **1.** gesund **2.** zuträglich **3.** natürlich

heap [hi:p] **I.** *s* Haufen *m;* **~s of** (*fam*) ein(en) Haufen, massig; **in ~s** in Haufen, haufenweise; **be struck** [*o* **knocked**] **all of a ~** (*fam*) (völlig) platt, ganz verblüfft sein **II.** *tr* **1.** (*~ up, together*) an-, aufhäufen **2.** (*fig*) überhäufen (*with praise* mit Lob)

hear [hɪə(r)] <*irr:* heard, heard> **I.** *tr* **1.** hören (*of* von, *doing, do* tun) **2.** anhören **3.** zuhören (*s.th.* e-r S) **4.** Acht geben auf; zur Notiz, zur Kenntnis nehmen **5.** erfahren **6.** (JUR) verhandeln; (*Zeugen*) vernehmen; verhören; **~ out** bis zu Ende anhören **II.** *itr* **1.** (zu)hören **2.** erfahren (*of, about* von) **3.** Bescheid bekommen (*from* von); **~! ~!** (PARL) hört! hört! ausgezeichnet! bravo!; **he won't ~ of it** er will davon nichts wissen; **let me ~ from you** lassen Sie von sich hören

heard [hɜ:d] *pt, pp of* **hear**

hear•ing ['hɪərɪŋ] *s* **1.** Gehör(sinn *m*) *n* **2.** (An)Hören *n;* Anhörung *f* **3.** (JUR) Verhör *n,* Vernehmung *f;* Verhandlung *f* **4.** Hörweite *f;* **within/out of ~** in/außer Hörweite; **hard of ~** schwerhörig; **gain** [*o* **get**] **a ~** sich Gehör verschaffen; **his ~ is poor** er hört schlecht; **hearing-aid** *s* Hörgerät *n*

hear•say ['hɪəseɪ] *s* Gerede, Gerücht *n;* **by**

[*o* **from**] ~ vom Hörensagen

hearse [hɜːs] *s* Leichenwagen *m*

heart [hɑːt] *s* **1.** Herz *n a. fig* **2.** (*fig*) Brust *f,* Busen *m* **3.** (das) Innere, tiefste Gefühle *npl,* Gedanken *mpl* **4.** Mut *m,* Energie, Kraft *f* **5.** Liebling, Schatz *m* **6.** Mittelpunkt *m;* Hauptsache *f;* (das) Wesentliche, (der) Kern **7.** **~s** (*Kartenspiel*) Herz *n;* **after one's own** ~ nach Herzenslust; **at** ~ im Innersten; im Grunde genommen; **by** ~ auswendig; **to one's ~'s content** nach Herzenslust; **with all one's** ~ von ganzem Herzen; **be near to s.o.'s** ~ jdm am Herzen liegen; **eat one's** ~ **out** vor Kummer vergehen; **get to the** ~ **of s.th.** e-r S auf den Grund kommen; **have a** ~ (*fig*) ein Herz haben; Verständnis haben; **not to have the** ~ **to** es nicht übers Herz bringen zu; **set one's** ~ **on** sein Herz hängen an; **take to** ~ sich zu Herzen nehmen; **wear one's** ~ **on one's sleeve** das Herz auf der Zunge tragen; **he had his** ~ **in his boots** das Herz rutschte ihm in die Hose; **don't lose** ~**!** verlier den Mut nicht!; **heart-ache** [ˈhɑːteɪk] *s* Kummer *m;* **heart attack** *s* (MED) Herzanfall *m;* Herzinfarkt *m;* **heart•beat** [ˈhɑːtbiːt] *s* (PHYSIOL) Puls-, Herzschlag *m;* **heart•break** [ˈhɑːtbreɪk] *s* großer Kummer, Leid *n;* **heart•break•ing** [ˈhɑːtbreɪkɪŋ] *adj* herzzerreißend; **heart-broken** [ˈhɑːtˌbrəʊkən] *adj* untröstlich; **heart•burn** [ˈhɑːtbɜːn] *s* Sodbrennen *n;* **heart disease** *s* Herzleiden *n,* -krankheit *f;* **heart•en•ing** [ˈhɑːtnɪŋ] *adj* ermutigend; **heart failure** *s* (MED) Herzversagen *n;* **heart•felt** [ˈhɑːtfelt] *adj* aufrichtig; tief empfunden

hearth [hɑːθ] *s* **1.** Feuerstelle *f;* Kamin *m* **2.** (*fig*) (häuslicher) Herd *m;* ~ **and home** Haus und Herd; **hearth-rug** *s* Kaminvorleger *m*

heart•ily [ˈhɑːtɪlɪ] *adv* herzhaft, tüchtig; sehr; **heart•less** [ˈhɑːtlɪs] *adj* herzlos

heart murmur *s* Herzgeräusch *n;* **heart-rend•ing** [ˈhɑːtˌrendɪŋ] *adj* herzzerreißend; **heart-search•ing** [ˈhɑːtˌsɜːtʃɪŋ] *s* Selbstprüfung *f;* **heart•strings** [ˈhɑːtstrɪŋz] *s pl:* **tug at s.o.'s** ~ jdn zutiefst bewegen, jdn rühren; **heart-throb** *s* (*fam*) Schwarm *m;* **heart-to-heart** **I.** *adj* offenherzig **II.** *s* freimütiges Gespräch; **heart transplant** *s* (MED) Herztransplantation *f;* **heart-warm•ing** [ˈhɑːtˌwɔːmɪŋ] *adj* tröstlich; erfreulich; **hearty** [ˈhɑːtɪ] *adj* **1.** herzlich **2.** tüchtig, gesund **3.** (*Essen*) reichlich **4.** (*fam*) lärmend, lustig

heat [hiːt] **I.** *s* **1.** Hitze *f;* (PHYS) Wärme *f;* (*von Speise*) Schärfe *f* **2.** (*fig*) Erregung *f,* Eifer *m,* Leidenschaft *f* **3.** (*fam*) Druck *m;* Gefahr *f* **4.** Brunst, Brunft *f* **5.** (Vor)Runde, Vorentscheidung *f;* **in** [*o* **on**] ~ brünstig, läufig; **in the** ~ **of the debate** in der Hitze, im Eifer des Gefechts; **dead** ~ unentschiedenes Rennen; **final** ~ (SPORT) Ausscheidungskampf *m* **II.** *tr* erhitzen *a. fig,* heiß, warm machen; heizen; beheizen; **heat up** **I.** *tr* erwärmen; warm machen; (*fig*) anheizen **II.** *itr* warm werden; (*Motor*) heißlaufen; **heat•ed** [ˈhiːtɪd] *adj* **1.** geheizt; beheizt **2.** (*fig*) hitzig, erregt; **get** ~ sich erhitzen; **heat•ed•ly** [ˈhiːtɪdlɪ] *adv* in Erregung, hitzig; **heater** [ˈhiːtə(r)] *s* Ofen *m;* Heizkörper *m;* (*Auto*) Heizung *f;* **heat exchanger** [ˈhiːtəksˌtʃeɪndʒə(r)] *s* (TECH) Wärmetauscher *m*

heath [hiːθ] *s* Heide *f*

hea•then [ˈhiːðn] *s* **1.** Heide *m,* Heidin *f* **2.** (*fam*) Barbar *m;* **hea•then•ish** [ˈhiːðənɪʃ] *adj* heidnisch

heather [ˈheðə(r)] *s* Heide(kraut *n*), Erika *f*

heat•ing [ˈhiːtɪŋ] *s* **1.** Heizung *f* **2.** (Be)Heizen *n;* (*Materien*) Erwärmung *f;* **heating engineer** *s* Heizungsinstallateur(in) *m(f);* **heating system** *s* **1.** Heizungssystem *n* **2.** Heizungsanlage *f;* **heat pump** *s* Wärmepumpe *f;* **heat rash** *s* Hitzebläschen *n*

heat-re•sis•tant, heat-re•sisting [ˈhiːtrɪˌzɪstənt] *adj* hitzebeständig; **heat-seek•ing** [ˈhiːtsiːkɪŋ] *adj* wärmesuchend; **heat shield** *s* Hitzeschild *m;* **heat-stroke** [ˈhiːtstrəʊk] *s* Hitzschlag *m;* **heat treatment** *s* (TECH MED) Wärmebehandlung *f;* **heat•wave** [ˈhiːtweɪv] *s* Hitzewelle *f*

heave [hiːv] <*irr:* hove, hove> **I.** *tr* **1.** heben, an-, hochheben; schleppen **2.** (MAR) hieven **3.** (*Schiff*) den Anker lichten **4.** (*Brust*) dehnen, weiten **5.** (*Seufzer*) ausstoßen **6.** (*Stein*) werfen **II.** *itr* **1.** ziehen **2.** sich heben und senken, wogen **3.** hieven (*at* an) **4.** (*Magen*) sich umdrehen **5.** (*Körper*) sich krümmen **6.** (MAR: ~ *alongside*) längsseit gehen **III.** *s* **1.** Heben *n* **2.** Wogen, Anschwellen *n* **3.** (GEOL) Verschiebung *f;* **heave to** *tr* (MAR) beidrehen; abstoppen; **heave up** **I.** *itr* sich übergeben **II.** *tr* **1.** hochhieven; hochstemmen **2.** (PHYSIOL) von sich geben

heaven [ˈhevn] *s* **1.** (REL) Himmel *m* **2.** **~s** Firmament *n;* **H~** der Himmel, Gott *m;* **in** ~ im Himmel; **in** (**one's seventh**) ~ im siebten Himmel; **move** ~ **and earth** Himmel und Hölle in Bewegung setzen; **for ~'s sake!** um Himmels [*o* Gottes] Willen!; **good ~s!** du meine Güte!; **thank ~!** Gott sei Dank!; **heav•en•ly** [ˈhevnlɪ] *adj* **1.** (REL) himmlisch *a. fig* **2.** (*fig*) wunderbar; ~ **bodies** Himmelskörper *mpl;* **heav•en-sent** [ˈhevnˌsent] *adj* ideal, wie gerufen,

ein Geschenk des Himmels
heavy ['hevɪ] **I.** *adj* **1.** schwer **2.** gewichtig, stark, fest **3.** heftig; stark **4.** grob, dick, massiv **5.** schwer (zu ertragen), drückend, lästig, unangenehm, unerfreulich **6.** schwer (zu tun), anstrengend **7.** niedergedrückt, (tief) bekümmert **8.** (*Schlaf*) tief **9.** (*Speise*) schwer **10.** (*Geruch*) durchdringend **11.** (*Himmel*) bedeckt **12.** (*Regen*) heftig **13.** (*Boden*) schwer **14.** (*Straße*) schlammig, schwer passierbar **15.** (*Verkehr*) stark **16.** schwerfällig **17.** (COM: *Absatz*) lebhaft **18.** (*Geldstrafe, Verluste, Steuern*) hoch **19.** (*Am sl*) prima; **with a ~ heart** schweren Herzens; **be ~ on oil** (MOT TECH) viel Öl verbrauchen; **make ~ weather of s.th.** etw unnötig erschweren; **a ~ sea** e-e schwere See **II.** *adv* schwer; **lie ~** (*fig*) schwer liegen, lasten (*on* auf); **time hangs ~ on his hands** die Zeit schleicht für ihn dahin **III.** *s* **1.** (THEAT) Bösewicht *m* **2.** (*fam*) Schläger *m;* **heavy-duty** *adj* strapazierfähig; Hochleistungs-; **heavy-going** *adj* **1.** mühsam **2.** nicht gesprächig; **heavy goods vehicle** *s* Lastkraftwagen *m;* **heavy-handed** [ˌhevɪ'hændɪd] *adj* unbeholfen, ungeschickt; **heavy-hearted** [ˌhevɪ'hɑːtɪd] *adj* traurig, (nieder)gedrückt; **heavy industry** *s* Schwerindustrie *f;* **heavy metal** *s* **1.** Schwermetall *n* **2.** Heavy Metal *n;* **heavy water** *s* schweres Wasser; **heavy•weight** ['hevɪweɪt] **I.** *s* **1.** (SPORT) Schwergewichtler *m* **2.** (*fig fam*) hohes Tier **II.** *adj* **1.** (SPORT) Schwergewichts- **2.** (*fig*) einflussreich
He•brew [hiː'bruː] **I.** *adj* hebräisch **II.** *s* **1.** Hebräer(in) *m(f)* **2.** (das) Hebräisch(e)
Heb•ri•des ['hebrɪdiːz] *s pl* Hebriden *pl*
heck [hek] *interj* (*fam*) verflixt!
heckle ['hekl] *tr* durch Zwischenrufe stören; **heck•ler** ['heklə(r)] *s* Zwischenrufer(in) *m(f)*
hec•tare ['hekteə(r)] *s* Hektar *n od m*
hec•tic ['hektɪk] *adj* hektisch; **have a ~ time** keinen Augenblick Ruhe haben
hecto•liter (*Am*) *s.* **hectolitre**
hecto•litre ['hektəʊˌliːtə(r)] *s* Hektoliter *m*
he'd [hiːd] = **he had; he would**
hedge [hedʒ] **I.** *s* **1.** Hecke *f* **2.** (*fig*) Schutz *m* **II.** *tr* **1.** mit e-r Hecke umgeben **2.** (*fig*) absichern **III.** *itr* ausweichen; **hedge about**, **hedge around** *tr* **1.** mit einer Hecke umgeben **2.** (*fig*) erschweren; einengen; **hedge in** *tr* **1.** mit e-r Hecke umgeben **2.** (*fig*) behindern; in seiner Freiheit einengen; **hedge•hog** ['hedʒhɒg] *s* Igel *m;* **hedge•row** ['hedʒrəʊ] *s* Hecke *f*
hedg•ing ['hedʒɪŋ] *s* (FIN) Hedgegeschäft, Hedging *n*
heebie-jeebies ['hiːbɪ'dʒiːbɪz] *s pl* (*fam*) Angst *f;* **give s.o. the ~** jdm Angst und Bange machen
heed [hiːd] **I.** *tr* (*give, pay ~ to, take ~ of*) beachten; hören auf **II.** *s* Beachtung *f;* **heed•ful** ['hiːdfl] *adj* aufmerksam, behutsam; **be ~ of s.th.** auf etw achten, hören; **heed•less** [-lɪs] *adj* sorglos, leichtsinnig
hee•haw ['hiːhɔː] **I.** *s* Iah *n* (*des Esels*) **II.** *itr* iahen
heel [hiːl] **I.** *s* **1.** Ferse *f* **2.** (*Schuh*) Absatz *m;* unterster Teil **3.** (*sl*) Schuft *m;* **at** [*o* **(up)on**] **s.o.'s ~s** jdm auf den Fersen; **down at ~** schäbig, heruntergekommen; **bring to ~** zum Gehorsam zwingen, *fam* kleinkriegen; **come to ~** klein beigeben; **cool** [*o* **kick**] **one's ~s** (*fam*) sich die Beine in den Leib [*o* Bauch] stehen; warten müssen; Däumchen drehen; **~!** (bei) Fuß!; **kick up one's ~s** vor Freude tanzen; **show a clean pair of ~s** Fersengeld geben; **turn on one's ~(s)** sich plötzlich umdrehen **II.** *tr* **1.** mit Absätzen versehen **2.** auf den Fersen folgen (*s.o.* jdm); **heel bar** *s* Absatzbar *f*
hef•ty ['heftɪ] *adj* **1.** schwer **2.** stämmig
heifer ['hefə(r)] *s* Färse *f*
height [haɪt] *s* **1.** (*a.* GEOG ASTR) Höhe *f fig* **2.** (Körper)Größe *f* **3.** (*fig*) Höhepunkt *m* **4.** (An)Höhe, Erhebung *f;* **at its ~** auf seinem/ihrem Höhepunkt; **he is six feet in ~** er ist 6 Fuß groß; **~ of fashion** neueste Mode; **the ~ of folly** der Gipfel der Torheit; **heighten** ['haɪtn] *tr* (*meist fig*) erhöhen; verstärken
hei•nous ['heɪnəs] *adj* abscheulich; schändlich
heir [eə(r)] *s* Erbe *m* (*to, of s.o.* jds) *a. fig;* **appoint s.o. one's ~** jdn als Erben einsetzen; **become s.o.'s ~** jdn beerben; **~ apparent** gesetzlicher Erbe, gesetzliche Erbin; **~ apparent to the throne** Thronfolger(in) *m(f);* **sole** [*o* **universal**] **~** Alleinerbe *m,* -erbin *f;* **heir•ess** ['eərɪs] *s* Erbin *f;* **heir•loom** ['eəluːm] *s* Erbstück *n*
heist [haɪst] *s* (*Am sl*) Raubüberfall *m*
held [held] *s.* **hold**
heli•cop•ter ['helɪkɒptə(r)] *s* Hubschrauber, Helikopter *m*
Heli•go•land ['helɪgəʊlænd] *s* Helgoland *n*
heli•pad ['helɪpæd] *s* Hubschrauberlandeplatz *m*
heli•port ['helɪpɔːt] *s* Hubschrauber-Flugplatz, Heliport *m*
he•lium ['hiːlɪəm] *s* (CHEM) Helium *n*
hell [hel] **I.** *s* Hölle *f a. fig;* **go to ~!** scher dich zum Teufel!; **what the ~ are you doing here?** was zum Teufel machen Sie denn hier?; **a ~ of a noise** ein Höllenlärm; **for the ~ of it** (*fam*) nur zum Spaß; **like ~**

verdammt, sehr; nicht im mindesten; ~ **for leather** wie ein Wilder; **give s.o.** ~ jdm die Hölle heiß machen; **play** ~ **with s.o.** (*sl*) jdm übel mitspielen; auf jdn wütend sein; **he suffers** ~ **on earth** ihm ist das Leben zur Hölle geworden **II.** *interj* verdammt (noch mal)!; **oh,** ~! verdammte Schweinerei!

he'll [hiːl] = **he will; he shall**

hell-bent [ˌhel'bent] *adj* (*sl*) **1.** versessen, erpicht (*on, for* auf) **2.** verrückt (*on, for* nach); **hell-fire** *s* Höllenfeuer *n;* (*Strafe*) Höllenqualen *fpl;* **hell•ish** ['helɪʃ] *adj* **1.** höllisch, teuflisch **2.** (*fam*) entsetzlich; **hell•ish•ly** [-lɪ] *adv* (*fam*) verteufelt, verdammt

hello [hə'ləʊ] *interj* hallo!; **say** ~ **to your mother** grüße deine Mutter von mir

helm [helm] *s* **1.** Steuer(rad, -ruder) *n* **2.** (*fig*) Ruder *n*

hel•met ['helmɪt] *s* **1.** Helm *m a. fig* **2.** (*beim Fechten*) Maske *f;* **crash** ~ Sturzhelm *m*

helms•man ['helmzmən] <*pl* -men> *s* Steuermann *m*

help [help] **I.** *tr* **1.** helfen, behilflich sein (*s.o.* jdm) **2.** förderlich sein (*s.th.* e-r S), fördern; ~ **s.o. to food** (*bei Tisch*) jdn bedienen; **I can't** ~ **it** ich kann nichts dafür; ich kann nichts daran ändern; **can I** ~ **you?** womit kann ich Ihnen dienen? kann ich Ihnen behilflich sein?; **I can't** ~ **smiling** ich muss lächeln; **that can't be** ~**ed** das lässt sich nicht ändern; **so** ~ **me God!** so wahr mir Gott helfe! **II.** *refl* sich selbst helfen; sich bedienen; wegnehmen; ~ **yourself!** bedienen Sie sich! **III.** *itr* helfen; behilflich sein; nützlich sein **IV.** *s* **1.** Hilfe, Unterstützung *f* **2.** Bedienung *f* **3.** Hilfe *f* im Haushalt **4.** Personal *n;* **help out I.** *itr* aushelfen (*with* bei) **II.** *tr* helfen (*s.o.* jdm, *with* mit); **helper** ['helpə(r)] *s* Helfer(in) *m(f);* **help•ful** ['helpfl] *adj* **1.** behilflich **2.** nützlich; **help•ing** ['helpɪŋ] **I.** *s* Portion *f;* **take a second** ~ sich noch einmal nehmen **II.** *adj* helfend, hilfreich; **give s.o. a** ~ **hand** jdm helfen; **help•less** ['helplɪs] *adj* hilflos; **help•line** ['helplaɪn] *s* **1.** Notruf *m* **2.** Informationsdienst *m*

hel•ter-skel•ter [ˌheltə'skeltə(r)] **I.** *adv* Hals über Kopf **II.** *s* **1.** Durcheinander *n* **2.** (*Br*) Rutschbahn *f*

hem [hem] **I.** *s* Saum *m;* **take the** ~ **up** (*Kleid*) kürzer machen **II.** *tr* säumen; **hem about, hem in** *tr* einschließen, einkesseln; (*fig*) einengen

he-man ['hiːmæn] <*pl* -men> *s* echter Mann, männlicher Typ

hemi•sphere ['hemɪsfɪə(r)] *s* Hemisphäre *f*

hem•line ['hemlaɪn] *s* Rocklänge *f*

hem•lock ['hemlɒk] *s* (BOT) Schierling *m*

hemo- (*Am*) *s.* **haemo-**

hemp [hemp] *s* **1.** Hanf *m* **2.** Cannabis *m*

hen [hen] *s* **1.** Henne *f,* Huhn *n* **2.** (Vogel)Weibchen *n;* **hen battery** *s* Legebatterie *f*

hence [hens] *adv* also; folglich, deshalb; **two years** ~ in zwei Jahren; **hence•forth, hence•for•ward** [ˌhens'fɔːθ, ˌhens'fɔːwəd] *adv* nunmehr, in Zukunft

hench•man ['hentʃmən] <*pl* -men> *s* (*pej*) Kumpan *m*

hen•coop, hen•house ['henkuːp, 'henhaʊs] *s* Hühnerstall *m*

henna ['henə] **I.** *s* **1.** (BOT) Hennastrauch *m* **2.** (*Haarfärbemittel*) Henna *f* **II.** *tr* mit Henna färben

hen night ['hennaɪt] *s Frauenparty für die Braut vor der Hochzeit*

hen party ['henpɑːtɪ] *s* (*fam*) Damenkränzchen *n;* (*pej*) Kaffeeklatsch *m;* **hen•peck** ['henpek] *tr* unter dem Pantoffel haben; **be** ~**ed** unter dem Pantoffel stehen; **a** ~**ed husband** ein Pantoffelheld *m*

hepa•ti•tis [ˌhepə'taɪtɪs] *s* Hepatitis *f*

hep•tath•lon [hep'tæθlɒn] *s* Siebenkampf *m*

her [hɜː(r)] *pron* **1.** sie *acc,* ihr *dat* **2.** (*adjektivisch*) ihr; **with** ~ **children around** ~ mit ihren Kindern um sich; **it's** ~ sie ist es

her•ald ['herəld] **I.** *s* **1.** Herold *m* **2.** (*fig*) (Vor)Bote *m* **II.** *tr* ankündigen

her•al•dic [he'rældɪk] *adj* heraldisch; **her•aldry** ['herəldrɪ] *s* Wappenkunde *f*

herb [hɜːb] *s* (Heil)Kraut *n;* **her•ba•ceous** [hɜː'beɪʃəs] *adj* krautig; ~ **border** Staudenrabatte *f;* **her•ba•lism** ['hɜːbəlɪzəm] *s* Naturheilkunde *f;* **herb•al•ist** ['hɜːbəlɪst] *s* Kräuterhändler(in) *m(f),* Naturheilkundige(r) *f m;* **herbi•cide** ['hɜːbɪsaɪd] *s* Herbizid *n;* **her•bi•vor•ous** [hɜː'bɪvərəs] *adj* pflanzenfressend

her•cu•lean [ˌhɜːkjʊ'liːən] *adj* herkulisch; **a** ~ **task** eine Herkulesarbeit

herd [hɜːd] **I.** *s* **1.** Herde *f,* Rudel *n* **2.** (*fig pej*) breite Masse, Menge *f* **II.** *tr* **1.** (*Vieh*) hüten, weiden **2.** (hinein)treiben (*into* in); **herd together I.** *itr* sich zusammendrängen **II.** *tr* zusammentreiben; **herd instinct** *s* Herdentrieb *m;* **herds•man** ['hɜːdzmən] <*pl* -men> *s* Hirt *m*

here [hɪə(r)] **I.** *adv* **1.** hier(her); her **2.** (*zeitlich*) an dieser Stelle, jetzt, nun; ~ **and there** hier(hin) und dort(hin); hier u. da; ~, **there and everywhere** vielerorts; ~ **we go again!** es geht (schon) wieder los!; **neither** ~ **nor there** unwichtig, unbedeutend; **come** ~! komm her!; **look** ~! sieh [*o* schau] mal (her)!; ~ **he comes!** da kommt er (ja)!; ~ **you are!** bitte schön! da sind Sie ja!, da haben Sie es!; ~ **goes!** auf!; ~**'s to Peter!** auf Peters Wohl! **II.** *interj* hier!; **here•abouts** [ˌhɪərə'baʊts] *adv* hier herum; **here•after** [hɪər'ɑːftə(r)] *adv* von jetzt an; später; in Zukunft; **the** ~ das Diesseits; **here•by** [hɪə'baɪ] *adv* hiermit

her•ed•itary [hɪ'redɪtrɪ] *adj* **1.** (ver)erblich **2.** (*fig*) überkommen; ~ **disease** Erbkrankheit *f;* ~ **peer** Peer *m* mit ererbtem Adelstitel; **her•ed•ity** [hɪ'redətɪ] *s* (*a.* BIOL) Erblichkeit *f,* Vererbung *f*

here•in [ˌhɪər'ɪn] *adv* hierin; **here•of** [hɪər'ɒv] *adv* hiervon

her•esy ['herəsɪ] *s* (REL) Ketzerei *f;* **heretic** ['herətɪk] *s* Ketzer(in) *m(f);* **her•etical** [hɪ'retɪkl] *adj* ketzerisch

here•upon [ˌhɪərə'pɒn] *adv* hierauf; **herewith** [ˌhɪə'wɪð] *adv* hiermit

heri•tage ['herɪtɪdʒ] *s* Erbschaft *f;* Erbgut, Erbe *n;* Erbrecht *n*

her•maph•ro•dite [hɜː'mæfrədaɪt] **I.** *s* (*a.* BOT) Zwitter *m* **II.** *adj* zwittrig

her•metic [hɜː'metɪk] *adj* hermetisch (abgeschlossen); luftdicht; ~**ally sealed** hermetisch abgeschlossen

her•mit ['hɜːmɪt] *s* Einsiedler, Eremit *m;* **her•mit•age** [-ɪdʒ] *s* Einsiedelei *f;* **hermit crab** *s* Einsiedlerkrebs *m*

her•nia ['hɜːnɪə] *s* (MED) Bruch *m,* Hernie *f*

hero ['hɪərəʊ] <*pl* heroes> *s* Held *m;* **heroic** [hɪ'rəʊɪk] *adj* **1.** heroisch; heldenhaft; heldenmütig **2.** hochtrabend

her•oin ['herəʊɪn] *s* Heroin *n;* **heroin addict** *s* Heroinsüchtige(r) *f m*

hero•ine ['herəʊɪn] *s* Heldin *f*

hero•ism ['herəʊɪzəm] *s* Heldenhaftigkeit *f,* -mut *m*

heron ['herən] *s* Reiher *m*

her•pes ['hɜːpiːz] *s* (MED) Herpes *m*

her•ring ['herɪŋ] <*pl* -ring(s)> *s* Hering *m;* **red** ~ (*fig*) Ablenkungsmanöver *n;* **that's a red** ~ das führt vom Thema ab; **her•ringbone** ['herɪŋbəʊn] *s* **1.** Fischgrätenmuster *n* **2.** (ARCH) Zickzackband *n;* **herring gull** *s* Silbermöwe *f*

hers [hɜːz] *pron* ihre(r, s); der, die, das Ihre/Ihrige; **a friend of** ~ e-r ihrer Freunde, ein Freund von ihr; **the book is** ~ das Buch gehört ihr

her•self [hɜː'self] *pron* **1.** sich *acc/dat* **2.** (*betont*) (sie) selbst; (**all**) **by** ~ (ganz) allein; ohne Hilfe; **she's not** ~ **today** sie ist heute nicht wie sonst; **she'll do it** ~ sie macht das selbst; **she** ~ **said it** sie hat es selbst gesagt

he's [hiːz] = **he is; he has**

hesi•tant ['hezɪtənt] *adj* zögerlich; **hesitant•ly** [-lɪ] *adv* zögerlich; **hesi•tate** ['hezɪteɪt] *itr* **1.** stocken; zaudern, zögern (*about doing, to do* zu tun) **2.** unsicher, unentschlossen, unschlüssig sein (*about, over* wegen); **hesi•ta•tion** [ˌhezɪ'teɪʃn] *s* **1.** Unschlüssigkeit, Unentschlossenheit *f* **2.** Zögern *n;* **without a moment's** ~ ohne e-n Augenblick zu zögern; **have no** ~ keine Bedenken tragen (*in doing s.th.* etw zu tun)

hes•sian ['hesɪən, *Am* 'heʃn] *s* Rupfen *m,* Sackleinwand *f*

het•ero•gen•eous [ˌhetərə'dʒiːnɪəs] *adj* verschiedenartig; heterogen

het•ero•sex•ual [ˌhetərə'sekʃʊəl] **I.** *adj* heterosexuell **II.** *s* Heterosexuelle(r) *f m*

het-up [ˌhet'ʌp] *adj* (*fam*) aufgeregt, erregt

hew [hjuː] <*irr:* hewed, hewn (hewed)> *tr* **1.** hauen, schlagen **2.** (*Baum:* ~ *down*) fällen; ~ **to pieces** in Stücke schlagen; ~ **one's way** sich e-n Weg bahnen; **hewer** ['hjuːə(r)] *s* **1.** (Holz)Hauer *m* **2.** (MIN) Häuer *m;* **hewn** ['hjuːn] *s.* **hew**

hex [heks] **I.** *s* (*Am sl*) Zauber, Fluch *m;* **put a** ~ **on s.th.** etw verhexen **II.** *tr* verhexen

hexa•gon ['heksəgən] *s* Sechseck *n;* **hexag•onal** [heks'ægənl] *adj* sechseckig; **hex•am•eter** [heks'æmɪtə(r)] *s* Hexameter *m*

hey [heɪ] *interj* he! hei! hallo!

hey•day ['heɪdeɪ] *s* Höhepunkt *m,* Glanzzeit *f;* **in his** ~ in der Blüte seines Lebens

hey presto ['heɪ'prestəʊ] *adv* plötzlich; sofort

hi [haɪ] *interj* (*fam*) hallo!

hi•ber•nate ['haɪbəneɪt] *itr* Winterschlaf halten; **hi•ber•na•tion** [ˌhaɪbə'neɪʃn] *s* Winterschlaf *m*

hi•bis•cus [hɪ'bɪskəs] *s* (BOT) Hibiskus, Eibisch *m*

hic•cup, **hic•cough** ['hɪkʌp] **I.** *itr* den Schluckauf haben **II.** *s* Schluckauf *m*

hick [hɪk] *s* (*Am sl: pej*) Tölpel, Simpel *m*

hid [hɪd] *tr, itr s.* **hide¹**

hidden ['hɪdn] *adj* verborgen; versteckt; verdeckt; ~ **assets** stille Rücklagen *fpl*

hide¹ [haɪd] <*irr:* hid, hidden> **I.** *tr* **1.** verstecken, verbergen (*from* vor) **2.** verheimlichen (*from* vor) **II.** *itr* sich verbergen, sich verstecken **III.** *s* Versteck *n* (*des Jägers*); **hide away I.** *itr* sich verstecken **II.** *tr* verstecken; **hide out**, **hide up** *itr* sich verstecken; sich versteckt halten

hide² [haɪd] *s* Haut *f,* Fell *n;* **save one's own** ~ die eigene Haut retten

hide-and-seek [ˌhaɪdn'siːk] *s* Versteckspiel *n;* **play** (**at**) ~ Versteck spielen; **hideaway** ['haɪdəweɪ] *s* Unterschlupf *m*

hid•eous ['hɪdɪəs] *adj* scheußlich, gräßlich; abscheulich, widerlich

hide-out ['haɪdaʊt] *s* Versteck *n,* Schlupfwinkel, Unterschlupf *m*

hid•ing¹ ['haɪdɪŋ]: **go into** ~ sich verstecken; **be in** ~ sich versteckt halten

hid•ing[2] ['haɪdɪŋ] *s* (*fam*) Tracht *f* Prügel

hi•er•archic(**al**) [ˌhaɪə'rɑːkɪk(l)] *adj* hierarchisch; **hi•er•archy** ['haɪərɑːkɪ] *s* Hierarchie *f*

hi•ero•glyph ['haɪərəglɪf] *s* Hieroglyphe *f*

hi-fi [ˌhaɪ'faɪ] **I.** *adj* Hi-Fi- **II.** *s* Hi-Fi-Gerät *n;* Hi-Fi-Anlage *f*

hig•gledy-pig•gledy [ˌhɪgldɪ'pɪgldɪ] *adv, adj* drunter und drüber, durcheinander

high [haɪ] **I.** *adj* **1.** hoch **2.** (*fig*) hoch, erhaben (*above* über) **3.** (*Ton*) hoch, schrill, scharf **4.** (*fig*) hochgestellt; überragend **5.** vornehm **6.** mächtig, gewaltig **7.** intensiv **8.** (*Fleisch*) leicht angegangen **9.** kostspielig, teuer **10.** (*sl*) angeheitert, im Drogenrausch, high; **in ~ favo**(**u**)**r** in hoher Gunst; **in ~ spirits** in guter Laune; **~ and dry** (MAR) gestrandet; (*fig*) hilflos, sich selbst überlassen; **be on one's ~ horse** (*fig*) auf dem hohen Ross sitzen; **it is ~ time** es ist höchste Zeit; **~ and mighty** (*fam*) hochnäsig, übermütig **II.** *adv* **1.** hoch, stark, sehr **2.** in hohem Maße; **~ and low** überall; **feelings ran ~** es herrschte eine gereizte Stimmung **III.** *s* **1.** Höchststand *m;* Rekord(höhe *f*) *m;* **on ~** im Himmel **2.** (METE) Hoch(druckgebiet) *n* **3.** (*sl: Drogen*): **have** [*o* **be on**] **a ~** high sein

high•ball ['haɪbɔːl] *s* Whisky *m* (mit) Soda; **high beam** *s* (MOT) Fernlicht *n;* **high•boy** ['haɪbɔɪ] *s* (*Am*) Kommode *f;* **high•brow** ['haɪbraʊ] **I.** *adj* intellektuell, hochgestochen **II.** *s* Intellektuelle(r) *f m;* **high•chair** ['haɪtʃeə(r)] *s* Hochstuhl *m* (*für Kinder*); **High Church** *s* (anglikanische) Hochkirche *f;* **high court** *s* oberster Gerichtshof; **high definition television, HDTV** *s* hochauflösendes Fernsehen; **high density** *adj* (EDV) mit hoher Schreibdichte; **high diving** *s* Turmspringen *n;* **higher-up** ['haɪərʌp] *s* (*fam*) Höhergestellte(r) *f m;* **high-falu•tin** [ˌhaɪfə'luːtn] *adj* (*fam*) geschwollen, hochtrabend; **high-fibre** [ˌhaɪ'faɪbə(r)] *adj* ballaststoffreich; **high-fidelity** *s* High-Fidelity, Tontreue *f;* **high-flier** [ˌhaɪ'flaɪə(r)] *s* (*fig*) Senkrechtstarter *m,* Hochbegabte(r) *f m;* **high-flown** ['haɪfləʊn] *adj* hochfliegend; hochgesteckt; hochtrabend; **high frequency I.** *s* (EL) Hochfrequenz *f* **II.** *adj* Hochfrequenz-; **High German** *s* (das) Hochdeutsch(e); **high-handed** [ˌhaɪ'hændɪd] *adj* anmaßend; willkürlich; **high-hand•ed•ness** [ˌhai'hændɪdnɪs] *s* Anmaßung *f;* **high heels** *s pl* hohe Absätze *mpl;* **high•jack** ['haɪdʒæk] *tr s.* **hijack**; **high jump** *s* (SPORT) Hochsprung *m;* **high•lands** ['haɪləndz] *s pl* Hochland *n;* **high level** *adj* (*Gespräche*) auf höchster Ebene; (*Straße, Bahn*) Hoch-; **high life** *s* Leben *n* in großem Stil; Highlife *n;* **high•light** ['haɪlaɪt] **I.** *s* **1.** Glanzlicht *n* **2.** (*im Haar*) Strähne *f* **3.** (*fig*) Glanz-/Höhepunkt *m* **II.** *tr* (stark) hervorheben, herausstellen; **high•light•er** [-ə(r)] *s* Leucht-/Markierstift *m*

high•ly ['haɪlɪ] *adv* in hohem Maße, stark, sehr, äußerst; **speak ~ of s.o.** von jdm in den höchsten Tönen reden; **think ~ of s.o.** große Stücke auf jdn halten; **~ strung** überreizt, nervös

High Mass [ˌhaɪ'mæs] *s* Hochamt *n*

high•ness ['haɪnɪs] *s* **1.** Höhe *f* **2.** (*a. Anrede*) Hoheit *f;* **high-performance** *adj* Hochleistungs-; **high-pitched** [haɪ'pɪtʃt] *adj* (*Stimme*) hoch, schrill, hell; **high point** *s* Höhepunkt *m;* **high-powered** [ˌhaɪ'paʊəd] *adj* **1.** (*Auto*) mit starkem Motor **2.** (*fig*) Spitzen-; sehr anspruchsvoll, hochintellektuell; **high-pressure** *adj* Hochdruck-; **~ area** Hochdruckgebiet *n;* **~ sales talk** aggressives Verkaufsgespräch; **high priest** *s* Hohepriester *m a. fig;* **high protein** *adj* eiweißreich; **high-rank•ing** ['haɪˌræŋkɪŋ] *adj* von hohem Rang; **high-res•ol•ution** [ˌhaɪrezə'luːʃən] *adj* (*Bildschirm*) hochauflösend; **high-rise build-ing, high-rise flats** *s pl* Hochhaus *n;* **high-risk** [ˌhaɪ'rɪsk] *adj* riskoreich; **high school** *s* (*Am*) weiterführende Schule; **high seas** *s pl* hohe See; **high season** *s* Hochsaison *f;* **high-security wing** *s* (*in Gefängnis*) Hochsicherheitstrakt *m;* **high society** *s* bessere Gesellschaft, High-Society *f;* **high-sound•ing** ['haɪˌsaʊndɪŋ] *adj* klangvoll; **high-speed train** *s* Hochgeschwindigkeitszug *m;* **high-spirited** [ˌhaɪ'spɪrɪtɪd] *adj* **1.** temperamentvoll **2.** (*Pferd*) feurig; **high spirits** *s pl* gehobene Stimmung; **high spot** *s* Höhepunkt *m;* **hit the ~s** sich gründlich amüsieren; **high street** *s* Hauptstraße *f;* **high-strung** [ˌhaɪ'strʌŋ] *adj* (*Am*) nervös; **high summer** *s* Hochsommer *m;* **high•tail** ['haɪteɪl] *itr* (*Am sl*) abhauen; **high tea** *s* (Fünfuhr)Tee *m* mit Imbiss; **high-tech** [ˌhaɪ'tek] **I.** *adj* Hightech- **II.** *s* Hightech *n;* **high technology** *s* Spitzentechnologie *f;* **high-tension** *s* (EL) Hochspannung *f;* **high tide** *s* Flut *f;* **high treason** *s* Hochverrat *m;* **high-up** ['haɪʌp] **I.** *s* hochgestellte Persönlichkeit **II.** *adj* hochgestellt; **high water** *s* Hochwasser *n;* **come hell or ~** komme, was da wolle; **high-water mark** *s* Hochwasserstand *m;* (*fig*) Höchststand *m;* **high•way** ['haɪweɪ] *s* Landstraße *f;* Haupt(durchgangs)straße *f;* **high-way code** *s* Straßenverkehrsordnung *f;* **high•way•man** ['haɪweɪmən] <*pl*

-men> *s* (HIST) Straßenräuber, Wegelagerer *m;* **highway robbery** *s* Straßenraub *m;* (*fig*) Wucher, Nepp *m*

hi•jack ['haɪdʒæk] **I.** *tr* **1.** (AERO) entführen **2.** überfallen; berauben **II.** *s* **1.** (Flug-zeug)Entführung *f* **2.** Überfall *m;* **hi-jacker** ['haɪdʒækə(r)] *s* **1.** Luftpirat(in) *m(f),* Flugzeugentführer(in) *m(f)* **2.** Räuber(in) *m(f);* **hi•jack•ing** [-ɪŋ] *s* Entführung *f*

hike [haɪk] **I.** *s* Wanderung *f* **II.** *itr* **1.** wandern **2.** (*Am: Preise*) steigen; **hiker** ['haɪkə(r)] *s* Wanderer *m,* Wanderin *f;* **hik-ing** ['haɪkɪŋ] *s* Wandern *n*

hil•ari•ous [hɪ'leərɪəs] *adj* fröhlich, lustig, vergnügt, heiter; **hil•ar•ity** [hɪ'lærətɪ] *s* Lustigkeit, Fröhlichkeit *f*

hill [hɪl] *s* Hügel, Berg *m;* (An)Höhe *f;* **as old as the ~s** steinalt; **be over the ~** seine beste Zeit hinter sich haben

hill•billy ['hɪlbɪlɪ] *s* (*Am fam*) Hinterwäldler(in) *m(f)*

hill•ock ['hɪlək] *s* (kleiner) Hügel *m*

hill•side ['hɪlsaɪd] *s* Hang, Berghang *m;* **hill•top** ['hɪltɒp] *s* Berggipfel *m;* **hill-walk•ing** ['hɪlwɔːkɪŋ] *s* Bergwandern *n;* **hilly** ['hɪlɪ] *adj* hüg(e)lig, bergig

hilt [hɪlt] *s* Griff *m,* Heft *n;* (**up**) **to the ~** bis an den Hals; völlig, gänzlich

him [hɪm] *pron* ihn *acc,* ihm *dat;* **it's ~** er ist es; **with his pupils around ~** mit seinen Schülern um sich

Hi•ma•la•yas [ˌhɪmə'leɪəz] *s pl* Himalaya *m*

him•self [hɪm'self] *pron* **1.** sich *acc/dat* **2.** (*betont*) (er) selbst; (**all**) **by ~** (ganz) allein; ohne (fremde) Hilfe; **he is quite beside ~** er ist ganz außer sich; **he's not ~ today** er ist heute nicht wie sonst; **he'll do it ~** er macht es selbst; **he ~ said it** er hat es selbst gesagt

hind¹ [haɪnd] *s* Hindin, Hirschkuh *f*

hind² [haɪnd] *adj* hinter, Hinter-

hin•der ['hɪndə(r)] *tr* **1.** verhindern; verhüten **2.** hindern (*from* an)

Hindi ['hɪndiː] *s* Hindi *n* (*Sprache*)

hind legs [ˌhaɪnd'legz] *s pl* Hinterbeine *npl;* **get up on one's ~** den Mund aufmachen; **talk the ~ off a donkey** reden wie ein Buch; **hind•most** ['haɪndməʊst] *adj* hinterste(r, s); **hind•quar•ters** [ˌhaɪnd'kwɔːtəz] *s pl* (*Pferd*) Hinterhand *f*

hin•drance ['hɪndrəns] *s* **1.** Behinderung *f* **2.** Hemmnis, Hindernis *n* (*to* für)

hind•sight ['haɪndsaɪt] *s:* **with ~** im Nachhinein

Hin•du ['hɪnduː] **I.** *adj* hinduistisch **II.** *s* Hindu *m;* **Hin•duism** ['hɪnduːɪzəm] *s* (REL) Hinduismus *m*

hinge [hɪndʒ] **I.** *s* **1.** (Tür)Angel *f;* Scharnier *n;* Gelenk *n* **2.** (*fig*) Angelpunkt *m* **II.** *tr* **1.** drehbar aufhängen **2.** (*fig*) abhängig machen (*upon* von) **III.** *itr* **1.** (*fig*) abhängen (*on, upon* von) **2.** sich drehen (*on, upon* um)

hint [hɪnt] **I.** *s* **1.** Hinweis, Wink, Fingerzeig *m* **2.** Andeutung, Anspielung *f* (*at* auf); **drop a ~** e-e Bemerkung fallenlassen; **take a ~** es sich gesagt sein lassen; **a broad ~** ein Wink mit dem Zaunpfahl **II.** *tr* andeuten; anspielen auf **III.** *itr* Andeutungen, Anspielungen machen (*at* auf)

hip¹ [hɪp] *s* (ANAT) Hüfte *f;* **~ pocket** Gesäßtasche *f*

hip² [hɪp] *s* Hagebutte *f*

hip³ [hɪp] *interj:* **~, ~, hooray!** hipp, hipp, hurra!

hip⁴ [hɪp] *adj* (*fam*) auf dem Laufenden; modern

hip•bone ['hɪpˌbəʊn] *s* Hüftbein *n,* Hüftknochen *m;* **hip-flask** *s* Taschenflasche *f;* (*fam*) Flachmann *m*

hip•pie ['hɪpɪ] *s.* **hippy**

hip•po ['hɪpəʊ] <*pl* -pos> *s* (*fam*) Nilpferd *n*

hip•po•pota•mus [ˌhɪpə'pɒtəməs, *pl* -'pɒtəmaɪ] <*pl* -muses, -mi> *s* Fluss-, Nilpferd *n*

hip•py, hip•pie ['hɪpɪ] *s* Hippie *m*

hire ['haɪə(r)] **I.** *s* **1.** Mieten *n;* Leihen *n* **2.** Mietpreis *m* **3.** Einstellen *n* **4.** (Arbeits)Lohn *m;* (MAR) Heuer *f;* **for ~** zu vermieten; (*Taxi*) frei; **let** (**out**) **on ~** vermieten; **take** (**out**) **on ~** mieten **II.** *tr* **1.** mieten; (*Auto, Anzug*) leihen **2.** engagieren, einstellen; **~d car** Mietwagen *n;* **~d assassin** gedungener Mörder; **~d hand** Lohnarbeiter *m;* **hire out I.** *tr* vermieten; verleihen **II.** *itr* (*Am*) sich verdingen; **hire purchase** *s* Ratenkauf, Teilzahlungskauf *m;* **on ~** auf Raten, auf Abzahlung; **hire purchase agreement** *s* Teilzahlungs(kauf)vertrag *m*

his [hɪz] *pron* **1.** sein(e, r); der, die, das Seine, Seinige **2.** (*adjektivisch*) sein; **a friend of ~** e-r seiner Freunde, ein Freund von ihm; **the book is ~** das Buch gehört ihm

His•pan•ic [hɪs'pænɪk] **I.** *adj* hispanisch **II.** *s* Hispano-Amerikaner(in) *m(f)*

hiss [hɪs] **I.** *itr* zischen; (*Katze*) fauchen **II.** *tr* (**~** *at, off*) auszischen **III.** *s* Zischen *n;* Fauchen *n*

his•ta•mine ['hɪstəmiːn] *s* (MED) Histamin *n*

his•tor•ian [hɪ'stɔːrɪən] *s* Historiker(in) *m(f),* Geschichtsschreiber(in) *m(f);* **his-toric** [hɪ'stɒrɪk] *adj* (*a.* GRAM) historisch; **his•tori•cal** [hɪ'stɒrɪkl] *adj* historisch, geschichtlich; **~ novel** historischer Roman;

his•tory ['hɪstrɪ] *s* 1. Geschichte *f* 2. (*life* ~) Lebensgeschichte *f*, Werdegang *m* 3. (MED PSYCH) Vorgeschichte *f;* **ancient/medi(a)eval/modern** ~ alte/mittlere/neuere Geschichte; ~ **of art** Kunstgeschichte *f;* ~ **of literature** Literaturgeschichte *f;* **make** ~ Geschichte machen

his•tri•on•ic [ˌhɪstrɪ'ɒnɪk] *adj* theatralisch

hit [hɪt] <*irr:* hit, hit> I. *tr* 1. schlagen 2. aufschlagen auf 3. treffen 4. (*fig: Ziel*) erreichen 5. (*in e-r Stadt*) ankommen 6. (*Schicksalsschlag*) treffen; in Mitleidenschaft ziehen 7. (*jds Geschmack*) treffen; (*e-m Wunsch*) genau entsprechen 8. (*s.o.*) (jdm) auffallen; (jdm) aufgehen 9. (*sl*) töten, umlegen 10. (*Am fam*) anpumpen (*for* um); **be hard** ~ schwer in Mitleidenschaft gezogen werden; ~ **s.o. where it hurts** jdn an der schwachen Stelle angreifen; ~ **s.o. below the belt** (*Boxen*) jdm e-n Tiefschlag versetzen *a. fig;* ~ **the bottle** (*fam*) zur Flasche greifen; ~ **one's head against s.th.** mit dem Kopf gegen etw schlagen [*o* stoßen]; mit dem Kopf auf etw aufschlagen; ~ **the ceiling** (*fig*) aus der Haut fahren; **it ~s you in the eye** das springt einem ins Auge; ~ **the road** sich auf den Weg machen; auf die Reise gehen; **you've ~ it!** du hast es getroffen; **he ~ the nail on the head** er hat den Nagel auf den Kopf getroffen; ~ **the papers** Schlagzeilen machen II. *itr* 1. schlagen 2. zusammenstoßen 3. (*fig*) losschlagen III. *s* 1. Schlag *m* 2. Treffer *m* 3. (*fig*) Erfolg *m;* (MUS) Schlager, Hit *m* 4. (*sl*) Mord *m;* **that's a ~ at me** das galt mir, das war auf mich gemünzt; **make** [*o* **be**] **a ~ with s.o.** bei jdm gut ankommen; **hit back** *itr* zurückschlagen; **hit off** *tr:* ~ **it off** sich gut verstehen (*with* mit); **hit out** *itr* losschlagen (*at s.o.* auf jdn); (*fig*) angreifen (*at s.o.* jdn); **hit (up)on** *itr* stoßen auf

hit-and-run [ˌhɪtən'rʌn] *adj* (*Fahrer*) unfallflüchtig, fahrerflüchtig; ~ **accident** Unfall *m* mit Fahrerflucht; ~ **raid** Blitzüberfall *m*

hitch [hɪtʃ] I. *itr* 1. hängenbleiben, sich (ver)fangen (*to* an) 2. per Anhalter fahren (*across Europe* durch Europa) II. *tr* an-, festhaken, befestigen (*to* an, *round* um); **get ~ed** (*fam*) heiraten; ~ **a lift** [*o Am* **ride**] per Anhalter fahren III. *s* 1. Ruck, Stoß *m*, Ziehen *n* 2. Hindernis *n* 3. Schwierigkeit *f;* Haken *m* 4. Knoten *m;* **without a** ~ ohne Störung, reibungslos, glatt; **technical** ~ technisches Versagen; **hitch up** *tr* 1. (*Pferde*) anspannen 2. (*Hose*) hochziehen; **hitcher** ['hɪtʃər] *s* (*fam*) Anhalter(in) *m(f)*, Tramper(in) *m(f);* **hitch•hike** ['hɪtʃhaɪk] *itr* per Anhalter fahren; Autostopp machen; trampen; **hitch•hiker** ['hɪtʃhaɪkə(r)] *s* Anhalter(in) *m(f)*, Tramper(in) *m(f);* **hitch-hik•ing** [-ɪŋ] *s* Autostopp *m*, Trampen *n*

hi(gh) tech [ˌhaɪ'tek] *s* Hightech *n*

hither ['hɪðə(r)] *adv* hierher/-hin; ~ **and thither** hierhin und dorthin; **hither to** [ˌhɪðə'tuː] *adv* bisher, bis jetzt

hit•man ['hɪtmæn] <*pl* -men> *s* (*sl*) Killer *m;* **hit-or-miss** *adj* aufs Geratewohl; (*pej: Planung*) schlampig; **hit parade** *s* Schlagerparade, Hitparade *f*

HIV [ˌeɪtʃaɪ'viː] *s abbr of* **human immunodeficiency virus** HIV *n*

hive [haɪv] *s* 1. (*bee~*) Bienenstock, -korb *m;* Bienenvolk *n*, -schwarm *m* 2. (*fig*) (Menschen)Menge *f;* belebte Gegend; **hive off** I. *itr* weggehen, verschwinden II. *tr* (COM) absondern, ausgliedern; verselbstständigen

hives [haɪvz] *s pl* Nesselsucht *f*, -fieber *n*

ho [həʊ] *interj* oh! oha! he! holla! heda!; **westward ~!** auf nach Westen!

hoar [hɔː(r)] *s* Reif *m*

hoard [hɔːd] I. *s* (stille) Reserve *f*, Vorrat *m;* Schatz *m* II. *tr, itr* hamstern, horten

hoard•ing[1] ['hɔːdɪŋ] *s* Hamstern, Horten *n*

hoard•ing[2] ['hɔːdɪŋ] *s* (*Br*) 1. Bau, Bretterzaun *m* 2. Reklametafel/-fläche *f*

hoar•frost [ˌhɔː'frɒst] *s* (Rau)Reif *m*

hoarse [hɔːs] *adj* rau; heiser; **hoarseness** [-nɪs] *s* Rauheit *f;* Heiserkeit *f*

hoary ['hɔːrɪ] *adj* 1. grau-, weißhaarig; altersgrau 2. (*fig*) uralt

hoax [həʊks] I. *s* Scherz, Ulk *m;* Streich *m;* blinder Alarm II. *tr* e-n Streich spielen (*s.o.* jdm); **hoaxer** [-ə(r)] *s jemand, der einen blinden Alarm auslöst*

hob [hɒb] *s* Kochfeld *n*

hobble ['hɒbl] I. *itr* humpeln II. *tr* e-e Fußfessel anlegen (*a horse* e-m Pferd)

hobby ['hɒbɪ] *s* Hobby, Steckenpferd *n;* **hobby-horse** ['hɒbɪhɔːs] *s* 1. Steckenpferd *n a. fig*, Schaukelpferd *n* 2. (*fig*) Lieblingsthema *n*

hob•gob•lin [ˌhɒb'gɒblɪn] *s* Kobold *m*

hob•nailed ['hɒbneɪld] *adj* genagelt

hob•nob ['hɒbnɒb] *itr* 1. zusammensitzen (*with* mit) 2. auf du und du stehen (*with* mit)

hobo ['həʊbəʊ] <*pl* hobo(e)s> *s* (*Am*) 1. Wanderarbeiter(in) *m(f)* 2. (*pej*) Penner(in) *m(f)*

Hob•son's choice [ˌhɒbsnz'tʃɔɪs] *s:* **take** ~ keine Wahl haben

hock[1] [hɒk] *s* (*Pferd*) Sprunggelenk *n*

hock[2] [hɒk] *s* (weißer) Rheinwein *m*

hock[3] [hɒk] I. *s* (*sl*) Pfand *n;* **in** ~ verpfändet II. *tr* verpfänden, versetzen

hockey ['hɒkɪ] *s* (SPORT) Hockey *n;* **ice** ~

Eishockey *n;* **hockey stick** *s* Hockeyschläger *m*

ho•cus-po•cus [ˌhəʊkəs'pəʊkəs] *s* Hokuspokus, Schwindel *m,* Gaunerei *f;* fauler Zauber

hodge•podge ['hɒdʒpɒdʒ] *s s.* **hotchpotch**

hoe [həʊ] **I.** *s* (AGR) Hacke *f* **II.** *tr, itr* hacken

hog [hɒg] **I.** *s* **1.** (Mast)Schwein *n* **2.** (*fig pej fam*) Schwein *n;* schmutziger Kerl; Saukerl *m;* **go the whole ~** (*sl*) aufs Ganze gehen; **road ~** rücksichtslose(r) Fahrer(in) **II.** *tr* (*fam*) an sich reißen; **~ the road** in der Mitte der Straße fahren

Hog•ma•nay ['hɒgməneɪ] *s* (*schottisch*) Silvester(abend *m*) *n*

hogs•head ['hɒgzhed] *s* großes Fass (*238 oder 245 l*); **hog•wash** ['hɒgwɒʃ] *s* **1.** Schweinefutter *n* **2.** (*fam*) Gewäsch, (dummes) Gerede *n*

hoi pol•loi [ˌhɔɪpə'lɔɪ] *s* Pöbel, Plebs *m*

hoist [hɔɪst] **I.** *tr* **1.** auf-, hochziehen **2.** (MAR) hissen **II.** *s* **1.** Auf-, Hochziehen *n* **2.** Aufzug *m,* Winde *f,* Flaschenzug *m;* (Lade)Kran *m*

hoity-toity [ˌhɔɪtɪ'tɔɪtɪ] *adj* anmaßend, arrogant

ho•kum ['həʊkəm] *s* (*Am fam*) Unterhaltungssendung *f*

hold [həʊld] *<irr:* **held, held***>* **I.** *tr* **1.** (fest)halten; (*a.* ARCH) nicht fallen lassen, tragen **2.** besitzen, innehaben, einnehmen, bekleiden **3.** (*Funktion, Amt*) ausüben, innehaben **4.** (*Versammlung*) abhalten **5.** (*Gespräch*) führen **6.** (*Stellung*) halten, behaupten **7.** enthalten; (*Raum, Gefäß*) fassen **8.** (*fig*) im Sinne haben; betrachten als, halten für **9.** der Ansicht sein; meinen, glauben (*that* dass) **10.** (*Ansicht, Meinung*) vertreten **11.** (JUR) entscheiden; vertraglich verpflichten **12.** (COM: *Waren*) zurücklegen; **~ s.o.'s attention** jds Aufmerksamkeit fesseln; **be left ~ing the baby** [*o* **bag**] (*Am*) für den Schaden einstehen müssen; **~ one's breath** den Atem anhalten; **~ cheap** gering achten; keinen Wert legen auf; **~ dear** wertschätzen; **~ one's ground** [*o* **one's own**] sich behaupten; **~ hands** sich an der Hand halten; Händchen halten; **~ the line** (TELE) am Apparat bleiben; **~ office** (*Partei*) an der Macht, im Amt sein; **~ the record** den Rekord halten (*for the high jump* im Hochsprung); **~ the road well** (MOT) e-e gute Straßenlage haben; **~ water** wasserdicht sein; (*fig*) stichhaltig sein; **there's no ~ing him** er ist nicht zu halten; **~ it!** halt!; **he can't ~ his liquor** er verträgt nichts **II.** *itr* **1.** festhalten, sich halten (*by, to* an) **2.** halten, nicht reißen, nicht brechen **3.** (*Preise, Wetter*) sich halten **4.** (*Recht*) Geltung haben, in Kraft sein **5.** übereinstimmen (*with* mit) **6.** billigen (*with s.th.* etw); **~ true** zutreffen, gelten **III.** *s* **1.** Griff *m* **2.** Halt *m* **3.** (*fig*) Gewalt, Macht *f,* starker Einfluss (*on* auf) **4.** (MAR) Laderaum *m;* **catch/get/lay/take ~ of s.th.** etw fassen/packen/ergreifen, etw in seine Gewalt bringen; **get a ~ of o.s.** sich in den Griff bekommen; **keep ~ of s.th.** etw festhalten; **let go one's ~, lose ~ of s.th.** etw loslassen; **miss one's ~** fehlgreifen; **hold against** *tr* verübeln (*s.o.* jdm); **hold back I.** *tr* **1.** zurückhalten; unter Kontrolle halten **2.** geheimhalten **3.** hindern (*from* an) **II.** *itr* **1.** sich zurückhalten (*from* von) **2.** zögern; **hold down** *tr* **1.** niederhalten, unter Kontrolle halten; unterdrücken **2.** (*Preise*) niedrig halten **3.** (*Stelle*) halten; behalten; **hold forth** *itr* reden (*on* über); **hold in** *tr* (*Bauch*) einziehen; (*Gefühle*) unterdrücken, beherrschen; **hold off I.** *tr* **1.** ab-, fernhalten; abwehren **2.** (*Entscheidung*) verschieben **II.** *itr* **1.** sich abseits halten, sich fernhalten **2.** warten; nicht angreifen **3.** (*Regen*) nicht anfangen, ausbleiben; **hold on** *itr* **1.** (sich) festhalten (*to* an) **2.** durchhalten, ausdauern **3.** warten **4.** (TELE) am Apparat bleiben; **hold out I.** *itr* **1.** Bestand haben, sich halten, ausdauern, bleiben **2.** standhalten, aushalten; sich behaupten (*against* gegen) **3.** (*Vorräte*) reichen **4.** abwarten (*for s.th.* etw) **II.** *tr* **1.** (*Hand*) ausstrecken **2.** an-/darbieten **3.** (*Angebot, Hoffnung*) machen; **~ out on s.o.** (*fam*) jdm etw verschweigen; **hold over** *tr* **1.** auf-, verschieben **2.** reservieren **3.** (*Film*) verlängern **4.** (*Waren*) zurücklegen **5.** (*Wechsel*) prolongieren; **hold to** *itr* festhalten an; **hold together** *tr, itr* zusammenhalten; **hold under** *tr* (*Volk*) unterdrücken; **hold up I.** *tr* **1.** hoch, aufrecht halten, stützen **2.** hochhalten, hochheben **3.** zeigen, preisgeben (*to ridicule* der Lächerlichkeit) **4.** (*Am*) als Kandidaten aufstellen **5.** anhalten; aufhalten; verzögern **6.** überfallen (und ausrauben) **II.** *itr* **1.** stehen bleiben; halten **2.** (*fig*) standhalten; sich halten lassen; **be held up** aufgehalten werden; **hold with** *itr* übereinstimmen mit, billigen

hold•all ['həʊldɔːl] *s* Reisetasche *f*

holder ['həʊldə(r)] *s* **1.** Inhaber(in) *m(f),* Besitzer(in) *m(f),* Pächter(in) *m(f)* **2.** (*Gegenstand*) Halter *m;* (Zigaretten)Spitze *f;* Übertopf *m;* **~ of shares** Aktionär(in) *m(f)*

hold•ing ['həʊldɪŋ] *s* **1.** Pachtgut *n* **2.** *meist pl* (Grund)Besitz *m,* Grundstück *n* **3.** Guthaben *n,* (Kapital)Einlage, (Aktien)Beteiligung *f* **4.** (*Boxen*) Festhalten *n;* **~ capacity** Fassungsvermögen *n;* **~ company**

Holdinggesellschaft *f;* ~ **of stocks** Lagerhaltung *f;* Wertpapierbesitz *m;* ~ **spray** Fixierspray *m*
hold•over ['həʊldəʊvə(r)] *s* (*Am*) **1.** (*fam*) Überbleibsel *n* **2.** (*Schule*) Wiederholer *m;* **hold-up** ['həʊldʌp] *s* **1.** Verzögerung *f* **2.** (*traffic* ~) Stau *m* **3.** (bewaffneter) Raubüberfall *m*
hole [həʊl] **I.** *s* **1.** (*a.* GOLF) Loch *n,* Lücke *f;* Öffnung *f* **2.** Höhle *f;* Bau *m* **3.** Elendsquartier *n;* (*fam*) Loch *n* **4.** (*Ort*) Kaff *n* **5.** (*fam*) Patsche, Klemme, schwierige Situation *f;* **make a ~ in s.th.** (*fig*) ein (großes) Loch in etw reißen; **pick ~s in s.th.** (*fig*) an etw herumkritisieren **II.** *tr* **1.** durchlöchern **2.** (aus)höhlen **3.** durchbohren **4.** (*Ball*) in ein Loch spielen; **hole up** *itr* sich verkriechen; sich verstecken; sich verschanzen
holi•day ['hɒlədeɪ] **I.** *s* **1.** Feiertag *m* **2.** arbeitsfreier Tag, Ruhetag *m* **3.** **~s** Ferien *pl,* Urlaub *m;* **on** ~ in Urlaub; in den Ferien; **be on** ~ in Urlaub sein; Ferien haben; **take a** ~ Urlaub nehmen; **bank** ~ Bankfeiertag *m;* **public** ~ gesetzlicher Feiertag; **~s with pay** bezahlter Urlaub **II.** *itr* die Ferien verbringen; **holiday address** *s* Ferienanschrift *f;* **holiday camp** *s* Ferienlager *n;* **holiday course** *s* Ferienkurs *m;* **holiday destination** *s* Reiseziel *n;* **holiday entitlement** *s* Urlaubsanspruch *m;* **holiday flat** *s* Ferienwohnung *f;* **holiday house** *s* Ferienhaus *n;* **holiday-maker** *s* Feriengast *m,* Urlauber(in) *m(f);* **holiday mood** *s* Ferienstimmung *f;* **holiday resort** *s* Ferienort *m*
holi•ness ['həʊlɪnɪs] *s* Heiligkeit *f*
ho•lism ['həʊlɪzəm] *s* Holismus *m;* **ho•lis•tic** [həʊ'lɪstɪk] *adj* holistisch, ganzheitlich
Holland ['hɒlənd] *s* Holland *n*
hol•ler ['hɒlə(r)] **I.** *s* (*fam*) Schrei *m* **II.** *itr, tr* (*fam*) schreien, brüllen
hol•low ['hɒləʊ] **I.** *adj* **1.** hohl **2.** (*Wangen*) eingefallen **3.** (*fig*) leer, hohl, falsch, unaufrichtig; **beat** ~ (*fam*) völlig besiegen **II.** *s* Höhlung, Vertiefung *f;* Loch *n,* Grube *f* **III.** *tr* (~ *out*) aushöhlen; vertiefen
holly ['hɒlɪ] *s* (BOT) Stechpalme *f*
holly•hock ['hɒlɪhɒk] *s* (BOT) Rosenmalve *f*
holm oak ['həʊm,əʊk] *s* Steineiche *f*
holo•caust ['hɒləkɔːst] *s* **1.** Brandkatastrophe *f,* Inferno *n* **2.** Massenvernichtung *f,* -mord *m* **3.** (HIST) Holocaust *m*
holo•gram ['hɒləgræm] *s* Hologramm *n*
hol•ster ['həʊlstə(r)] *s* (Pistolen)Halfter *n*
holy ['həʊlɪ] *adj* **1.** heilig; geweiht **2.** gottgefällig; **a ~ terror** entsetzlicher Mensch; **Holy Communion** *s* heilige Kommunion; **Holy See** *s* (der) Heilige Stuhl; **Holy Week** *s* (die) Karwoche
hom•age ['hɒmɪdʒ] *s* Huldigung *f;* Ehrerbietung *f;* **do** [*o* **pay**] ~ **to s.o.** jdm huldigen
home [həʊm] **I.** *s* **1.** Heim *n,* Wohnung *f* **2.** Heimat *f* **3.** Haus *n;* Familie *f;* Haushalt *m* **4.** Anstalt *f;* Heim *n* **5.** (ZOO BOT) Standort *m;* **at** ~ daheim, zu Hause; **not at** ~ nicht zu Hause (*to* für); **at ~ and abroad** im In- u. Ausland; **be/feel at** ~ (*fig*) zu Hause sein/sich zu Hause fühlen; **make o.s. at** ~ es sich bequem machen; **his ~ is in Vienna** er ist in Wien zu Hause; **away from** ~ von zu Hause weg **II.** *adj* **1.** einheimisch, inländisch **2.** häuslich **III.** *adv* heim, nach Hause; zu Hause, daheim; **bring** [*o* **get**] **s.th. ~ to s.o.** jdm etw klarmachen; **drive** ~ (*Nagel*) einschlagen; **drive s.o. home** jdn (mit dem Auto) nach Hause bringen; **drive s.th. ~ to s.o.** jdm etw beibringen; **go** ~ nach Hause, heimgehen; **see s.o.** ~ jdn nach Hause begleiten; **it has come ~ to me** ich bin mir darüber im Klaren; **nothing to write ~ about** nichts Besonderes **IV.** *itr* heimfinden **V.** *tr* (*Rakete*) automatisch ins Ziel steuern; **home in** *itr* (MIL) sich ausrichten (*on* auf); ~ **in on a target** ein Ziel ansteuern; ~ **in on a point** (*fig*) einen Punkt herausgreifen; **home address** *s* Heimatanschrift *f;* Privatanschrift *f;* **home affairs** *s pl* (*Br:* POL) innere Angelegenheiten *fpl;* **home-baked** [,həʊm'beɪkt] *adj* selbst gebacken; **home banking** *s* Homebanking *n;* **home birth** *s* Hausgeburt *f;* **home-brew** [,həʊm'bruː] *s* selbst gebrautes Bier; **home•com•ing** ['həʊm,kʌmɪŋ] *s* Heimkehr *f;* **home computer** *s* Heimcomputer *m;* **home cooking** *s* Hausmannskost *f;* **Home Countries** *s pl* (*Br*) *an London angrenzende Grafschaften;* **home economics** *s* Hauswirtschaft(slehre) *f;* **home exercise machine** *s* Heimtrainer *m;* **home-grown** [,həʊm'grəʊn] *adj* selbst gezogen; ~ **produce** einheimisches Erzeugnis; **home help** *s* Haushaltshilfe *f;* **home•land** ['həʊmlænd] *s* Heimat(land *n*) *f;* **home•less** ['həʊmlɪs] *adj* obdachlos; heimatlos; **home•like** ['həʊmlaɪk] *adj* heimelig, behaglich; **home loan** *s* Hypothek *f;* **home•ly** ['həʊmlɪ] *adj* **1.** häuslich, heimisch **2.** einfach, schlicht **3.** (*Am*) unansehnlich; ~ **fare** bürgerliche Küche; **home-made** [,həʊm'meɪd] *adj* selbst gemacht; **home-maker** ['həʊm,meɪkə(r)] *s* (*Am*) Hausfrau *f;* **home market** *s* (*Br*) Inlandsmarkt *m*
ho•meo- ['həʊmɪə] (*Am*) *s.* **homoeo-**
Home Of•fice ['həʊm'ɒfɪs] *s* (*Br*) Innenministerium *n*
ho•meo•path (*Am*) *s.* **homoeopath; ho•me•opathy** (*Am*) *s.* **homoeopathy**
home plate *s* (*Baseball*) Schlagmal *n;*

Home Rule *s* (POL) Selbstverwaltung *f;* **home run** *s* (*Baseball*) Vier-Mal-Lauf *m;* **Home Secretary** *s* (*Br*) Innenminister(in) *m(f);* **home•sick** ['həʊmsɪk] *adj:* **be** ~ Heimweh haben; **home•sick•ness** ['həʊmsɪknɪs] *s* Heimweh *n;* **home-spun** ['həʊmspʌn] *adj* **1.** handgesponnen **2.** (*fig*) einfach; (*pej*) hausbacken; **home-stead** ['həʊmsted] *s* **1.** Heimstätte *f* **2.** (*Am*) zugewiesenes Freiland (*160 acres*); **home straight**, **home stretch** *s* (SPORT) Zielgerade *f;* **we are on the** ~ (*fig*) wir haben's bald geschafft; **home team** *s* Heimmannschaft *f;* **home town** *s* Heimatstadt *f;* **home truth** *s* bittere Wahrheit; **home•ward** ['həʊmwəd] *adj* Heim-, Nachhause-, Rück-; **home•wards** ['həʊmwədz] *adv* heim, nach Hause, zurück; **home•work** ['həʊmwɜ:k] *s* **1.** Heimarbeit *f* **2.** (*Schule*) Hausaufgaben *fpl;* **do one's** ~ seine Hausaufgaben machen; (*fig*) sich mit der Materie vertraut machen; **home•worker** ['həʊmwɜ:kə(r)] *s* Heimarbeiter(in) *m(f)*

homey ['həʊmɪ] *adj* (*Am fam*) behaglich, heimelig

homi•cidal [ˌhɒmɪ'saɪdl] *adj* gemeingefährlich; **in a** ~ **mood** in Mordstimmung; **a** ~ **maniac** gemeingefährlicher Verbrecher; **homi•cide** ['hɒmɪsaɪd] *s* **1.** Totschlag *m;* Mord *m* **2.** Mörder *m*

hom•ing ['həʊmɪŋ] *adj* **1.** heimkehrend **2.** (MIL) zielsuchend; **homing pigeon** *s* Brieftaube *f*

ho•moeo•path ['həʊmɪəpæθ] *s* Homöopath(in) *m(f);* **ho•moeo•pathic** [ˌhəʊmɪə'pæθɪk] *adj* homöopathisch; **ho-moe•opathy** [ˌhəʊmɪ'ɒpəθɪ] *s* Homöopathie *f*

ho•mo•gene•ous [ˌhɒmə'dʒi:nɪəs] *adj* gleichartig, homogen; **hom•ogen•ize** [hə'mɒdʒɪnaɪz] *tr* (*Milch*) homogenisieren

homo•graph ['hɒməgrɑ:f] *s* Homograph *n;* **homo•nym** ['hɒmənɪm] *s* Homonym *n;* **homo•phone** ['hɒməfəʊn] *s* Homophon *n*

homo•sex•ual [ˌhɒmə'sekʃʊəl] **I.** *adj* homosexuell **II.** *s* Homosexuelle(r) *f m;* **homo•sex•ual•ity** [ˌhɒməsekʃʊ'ælətɪ] *s* Homosexualität *f*

Hon•du•ran [hɒnʊdjʊərən] **I.** *adj* honduranisch **II.** *s* Honduraner(in) *m(f)*

Hon•du•ras [hɒn'djʊərəs] *s* Honduras *n*

hone [həʊn] **I.** *tr* (*Messerklinge*) (fein)schleifen; (*fig*) schärfen **II.** *s* Schleifstein *m*

hon•est ['ɒnɪst] *adj* **1.** ehrlich, aufrichtig **2.** zuverlässig, vertrauenswürdig **3.** anständig; ehrenhaft; **hon•est•ly** [-lɪ] *adv* **1.** auf ehrliche Weise **2.** wirklich, tatsächlich; **to tell you** ~ offen gestanden; **hon•est-to-good•ness** ['ɒnɪsttə'gʊdnɪs] *adj* (*fam*) echt, natürlich; unvermischt; **hon•esty** ['ɒnɪstɪ] *s* **1.** Ehrlichkeit, Aufrichtigkeit *f* **2.** Zuverlässigkeit *f*

honey ['hʌnɪ] *s* **1.** Honig *m* **2.** (*fig*) Schätzchen *n* **3.** (*Am*) Pfundssache *f;* **honey-bee** ['hʌnɪbi:] *s* Honigbiene *f;* **honey•comb** ['hʌnɪkəʊm] *s* Honigwabe *f;* **honey•dew melon** ['hʌnɪdju:'melən] *s* Honigmelone *f;* **honey•moon** ['hʌnɪmu:n] **I.** *s* Flitterwochen *fpl* **II.** *itr* die Flitterwochen verbringen; **honey•suckle** ['hʌnɪsʌkl] *s* (BOT) Geißblatt *n*

honk [hɒŋk] **I.** *s* **1.** Schrei *m* der Wildgans **2.** (MOT) Hupen *n* **II.** *itr* **1.** (*Wildgans*) schreien **2.** (MOT) hupen

honor (*Am*) *s.* **honour**

hon•or•ary ['ɒnərərɪ] *adj* ehrenamtlich; Ehren-; ~ **member** Ehrenmitglied *n*

hon•our ['ɒnə(r)] **I.** *s* **1.** Ehre *f;* Auszeichnung *f* **2.** Unbescholtenheit *f* **3.** ~**s** öffentliche Ehrungen *fpl* **4.** ~**s** (*Schule*) Auszeichnung *f;* (*Universität*) *dem Staatsexamen vergleichbarer Abschluss;* **Your H**~ Euer Gnaden (*Anrede für e-n Richter*); **do s.o. the** ~ **of coming** jdm die Ehre erweisen zu kommen; **do the** ~**s** die Honneurs machen; **take** ~**s in** (*Universität*) sich spezialisieren in; **in** ~ **bound** moralisch verpflichtet; **guest of** ~ Ehrengast *m;* **man of** ~ Ehrenmann *m;* **word of** ~ Ehrenwort *n;* ~ **where** ~ **is due** (*prov*) Ehre, wem Ehre gebührt **II.** *tr* **1.** ehren; (hoch)achten, hochschätzen **2.** e-e Ehrung zuteil werden lassen (*s.o.* jdm) **3.** (FIN) honorieren, einlösen; **hon•o(u)r•able** ['ɒnərəbl] *adj* ehrenhaft, -voll, -wert; **my H**~ **friend the member for ...** (*Br:* PARL) der Abgeordnete für ...; **honours degree** *s* ≈ Staatsexamen *n;* **honours list** *s* **1.** (*Br:* POL) Liste *f* der verliehenen Titel **2.** (*Universität*) *Liste der Kandidaten, die das "honours degree" erworben haben*

hood [hʊd] *s* **1.** Kapuze *f* **2.** (TECH) Haube, Kappe *f,* Aufsatz *m* **3.** (MOT) Verdeck *n* **4.** (*Am:* MOT) Motorhaube *f* **5.** (ORN) Kamm *m,* Haube *f* **6.** (*sl*) Gangster *m* **7.** (*sl*) Rowdy *m*

hood•lum ['hu:dləm] *s* (*sl*) **1.** Rowdy *m* **2.** Gangster *m*

hood•wink ['hʊdwɪŋk] *tr* (*fig*) Sand in die Augen streuen (*s.o.* jdm), täuschen; betrügen

hooey ['hu:ɪ] *s* (*Am sl*) Quatsch *m*

hoof [hu:f] <*pl* hoofs, hooves> **I.** *s* Huf *m;* **on the** ~ (*Vieh*) lebend **II.** *tr, itr* (*fam:* ~ *it*) latschen

hoo-ha ['hu:hɑ:] *s* (*Br fam*) Krach *m*

hook [hʊk] **I.** *s* **1.** Haken *m,* Kleiderhaken

m; (*fish~*) Angelhaken *m* **2.** Sichel *f* **3.** gekrümmte Landspitze/-zunge **4.** (*Boxen*) Haken *m;* **by ~ or by crook** ganz gleich, gleichgültig, wie; mit allen Mitteln; **off the ~** (*sl*) aus den Schwierigkeiten heraus; **leave the phone off the ~** nicht auflegen; **~, line, and sinker** (*fam*) vollkommen, vollständig, *adv;* **~ and eye** Haken *m* u. Öse *f* **II.** *tr* **1.** an-, fest-, zuhaken **2.** fangen; angeln *a. fig* **3.** (*Wagen*) anhängen (*on to* an) **4.** hakenförmig biegen **5.** (SPORT: *Ball*) e-n Haken schlagen lassen **6.** (*Boxen*) e-n Haken versetzen (*s.o.* jdm); **get/be ~ed** (*sl*) abhängig werden/sein; toll finden (*on s.th.* etw); **be ~ed on an idea** von e-r Idee besessen sein; **~ it** (*sl*) abhauen **III.** *itr* **1.** (hakenförmig) gekrümmt sein **2.** mit (e-m) Haken befestigt sein; **hook on I.** *itr* angehängt, angehakt werden; sich festhaken **II.** *tr* anhaken; anhängen; mit e-m Haken befestigen; **hook up I.** *itr* **1.** mit e-m Haken zugemacht werden **2.** (RADIO TV) gemeinsam ausstrahlen **II.** *tr* **1.** zuhaken **2.** (*Anhänger*) ankoppeln, anhängen **3.** (RADIO TV) anschließen (*with* an)

hooked [hʊkt] *adj* **1.** hakenförmig, krumm **2.** mit Haken versehen **3.** süchtig; **hooker** ['hʊkə(r)] *s* (*Am sl*) Prostituierte *f;* **hook-up** ['hʊkʌp] *s* (RADIO) Sendergruppe, Ringsendung *f;* **hooky** ['hʊkɪ]: **play ~** (*Am fam*) die Schule schwänzen

hoo•li•gan ['huːlɪgən] *s* Rowdy *m;* **hoo•li•gan•ism** [-ɪzm] *s* Rowdytum *n*

hoop [huːp] **I.** *s* **1.** Reif(en) *m;* Bügel, Ring *m* **2.** (SPORT) (Krocket)Tor *n;* **go through the ~s** (*fam*) e-e schwere Zeit durchmachen **II.** *tr* die Reifen auftreiben (*a barrel* auf ein Fass); **hoop earing** *s* Kreole *f*

hoo•poe ['huːpuː] *s* Wiedehopf *m*

hoot [huːt] **I.** *itr* **1.** schreien **2.** hupen **3.** johlen; sich kaputtlachen **II.** *tr* ausbuhen **III.** *s* **1.** Ruf, Schrei *m* **2.** **~s** Gejohle *n* **3.** (TECH) Hupen *n;* **I don't care a ~** das ist mir völlig egal; **he's a ~** er ist zum Schreien komisch; **hoot down** *tr* niederschreien; **hooter** ['huːtə(r)] *s* **1.** (TECH) Sirene *f* **2.** (MOT) Hupe *f* **3.** (*sl*) Nase *f*

hoov•er® ['huːvə(r)] **I.** *tr* staubsaugen **II.** *s* Staubsauger *m*

hop¹ [hɒp] **I.** *itr* **1.** hüpfen **2.** e-e kurze Reise machen **II.** *tr* springen über; **~ it!** hau ab! **III.** *s* **1.** Sprung *m* **2.** (*fam*) Tänzchen *n* **3.** (AERO: *fam*) kurzer Flug; **catch s.o. on the ~** (*fam*) jdn unvorbereitet erwischen, treffen; **on the ~** fleißig; in Bewegung; **~, step, and jump** (SPORT) Dreisprung *m;* **hop about**, **hop around** *itr* umherhüpfen; **hop in** *itr* hineinhüpfen; (*fam*) einsteigen; **hop out** *itr* heraushüpfen; (*fam*) aussteigen

hop² [hɒp] *s* **1.** Hopfen *m* (*Pflanze*) **2.** **~s** Hopfen *m* (*Bierzusatz*)

hope [həʊp] **I.** *s* **1.** Hoffnung *f* (*of* auf) **2.** Vertrauen *n* (*in* zu), Zuversicht *f;* **past** [*o* **beyond**] **~** hoffnungslos; **hold out a ~** Hoffnung haben; **live in ~ of s.th.** auf etw hoffen; **there's no ~ of that** da braucht man sich keine Hoffnungen zu machen; **what a ~!** schön wär's! **II.** *tr* hoffen auf; erhoffen; ersehnen **III.** *itr* **1.** hoffen (*for* auf), erhoffen (*for s.th.* etw) **2.** vertrauen (*in* auf); **I ~ so** hoffentlich!; **I ~ not** hoffentlich nicht!; **~ against ~** trotz allem die Hoffnung nicht aufgeben; **hope•ful** ['həʊpfl] **I.** *adj* hoffnungsvoll; viel versprechend; **be ~** sich Hoffnungen machen, hoffen **II.** *s:* **a young ~** hoffnungsvoller junger Mensch; viel versprechendes Talent; **hope•ful•ly** ['həʊpfəlɪ] *adv* **1.** hoffnungsvoll **2.** hoffentlich; **hope•less** ['həʊplɪs] *adj* **1.** hoffnungslos **2.** aussichtslos **3.** nutzlos **4.** unverbesserlich; **hope•less•ly** [-lɪ] *adv* hoffnungslos

hopper ['hɒpə(r)] *s* (TECH) Einfüll-, Speisetrichter *m*

hop-picker ['hɒpˌpɪkə(r)] *s* Hopfenpflücker(in) *m(f)*

hop•ping mad ['hɒpɪŋ 'mæd] *adj* (*fam*) fuchsteufelswild

hop•pole ['hɒpˌpəʊl] *s* Hopfenstange *f*

hop•scotch ['hɒpskɒtʃ] *s* Himmel u. Hölle-Spiel *n*

horde [hɔːd] *s* Horde *f;* Menge *f*

hor•izon [hə'raɪzn] *s* Horizont *m a. fig;* **hori•zon•tal** [ˌhɒrɪ'zɒntl] *adj* horizontal, waagerecht; **~ bar** (SPORT) Reck *n;* **~ hold** (TV) Zeilenfang *m*

hor•mone ['hɔːməʊn] *s* Hormon *n*

horn [hɔːn] *s* **1.** Horn *n* **2.** (*Schnecke*) Fühler *m* **3.** (Trink)Horn *n* **4.** Füllhorn *n* **5.** (MUS) Horn *n* **6.** (MOT) Hupe *f;* (MAR) Signalhorn *n* **7.** (*Mondsichel*) Spitze *f;* **~s** Hörner *npl a. fig*, Geweih *n;* **be caught on the ~s of a dilemma** in e-r Zwickmühle sitzen; **blow** [*o* **sound**] **the ~** (MOT) hupen; **~ of plenty** Füllhorn *n;* **horn in** *itr* mitmachen; sich einmischen; **~ in on a conversation** sich in e-e Unterhaltung einmischen

hor•net ['hɔːnɪt] *s* Hornisse *f;* **stir up a ~'s nest** (*fig*) in ein Wespennest stechen

horn•less ['hɔːnlɪs] *adj* hornlos; **horn-rimmed** ['hɔːnrɪmt] *adj:* **~ spectacles** Hornbrille *f;* **horny** ['hɔːnɪ] *adj* **1.** horn(art)ig **2.** schwielig **3.** (*sl*) scharf, spitz, geil

horo•scope ['hɒrəskəʊp] *s* Horoskop *n;* **cast a ~** ein Horoskop stellen

hor•ren•dous [hɒ'rendəs] *adj* **1.** (*Verbrechen*) entsetzlich **2.** (*Preise, Lüge*) horrend

hor•rible ['hɒrəbl] *adj* **1.** schrecklich, furchtbar, entsetzlich **2.** ekelhaft, unfreundlich; **hor•rid** ['hɒrɪd] *adj* abscheulich, ekelhaft; abstoßend; **hor•rific** [hə'rɪfɪk] *adj* schrecklich; **hor•rify** ['hɒrɪfaɪ] *tr* **1.** entsetzen, Schrecken einjagen (*s.o.* jdm) **2.** (*fam*) schockieren (*at, by* von); **hor•ror** ['hɒrə(r)] *s* **1.** Schrecken *m,* Entsetzen, Grauen *n* **2.** Abscheu, Ekel *m* (*of* vor) **3.** (*Person*) Ekel *n* **4.** **~s** Grausen *n;* **~ film** Horrorfilm *m;* **it gives me the ~s** es läuft mir kalt über den Rücken; **hor•ror-stricken**, **hor•ror-struck** ['hɒrəstrɪkn, 'hɒrəstrʌk] *adj* von Entsetzen gepackt

hors d'œuvre [ɔː'dɜːv(r)] *s* Hors d'œuvre *n,* Vorspeise *f*

horse [hɔːs] *s* **1.** (*a.* SPORT) Pferd *n* **2.** Ständer *m,* Gestell *n;* **straight from the ~'s mouth** (*fig*) direkt von der Quelle; **wild ~s would not drag me there** dahin würden mich keine zehn Pferde bringen; **back the wrong ~** (*fig*) aufs falsche Pferd setzen; **eat like a ~** fressen wie ein Scheunendrescher; **flog a dead ~** (*fig*) seine Zeit verlieren; **put the cart before the ~** (*fig*) das Pferd beim Schwanz aufzäumen; **work like a ~** arbeiten wie ein Pferd; **a dark ~** (*fig*) unbeschriebenes Blatt; (SPORT) Außenseiter *m;* **horse about**, **horse around** *itr* herumalbern; **horse•back** ['hɔːsbæk] *s:* **on ~** zu Pferde; **go on ~** reiten; **get on ~** aufsitzen; **horse•box** ['hɔːsbɒks] *s* (RAIL) Pferdetransportwagen *m;* **horse-chestnut** *s* Rosskastanie *f;* **horse-drawn** ['hɔːsdrɔːn] *adj* von Pferden gezogen; **horse•fly** ['hɔːsflaɪ] *s* Pferdebremse *f;* **horse•hair** ['hɔːsheə(r)] *s* Rosshaar *n;* **horse-laugh** ['hɔːslɑːf] *s* wieherndes Gelächter; **horse•man** ['hɔːsmən] <*pl* -men> *s* Reiter *m;* **horse•man•ship** ['hɔːsmənʃɪp] *s* Reitkunst *f;* **horse play** *s* grober Unfug; **horse•pow•er** ['hɔːspaʊə(r)] *s* Pferdestärke *f;* **horse-race** *s* Pferderennen *n;* **horse racing** *s* **1.** Pferderennsport *m* **2.** Pferderennen *n;* **horse•rad•ish** *s* Meerrettich *m;* **horse-sense** *s* (*fam*) gesunder Menschenverstand; **horse•shoe** ['hɔːsʃuː] *s* Hufeisen *n;* **horse trading** *s* (*fig*) Kuhhandel *m;* **horsewhip** ['hɔːswɪp] *s* Reitpeitsche *f;* **horse woman** ['hɔːsˌwʊmən, *pl* -wɪmɪn] <*pl* -women> *s* Reiterin *f*

hors(e)y ['hɔːsɪ] *adj* **1.** pferdeartig **2.** pferdeliebend

hor•ti•cul•tural [ˌhɔːtɪ'kʌltʃərəl] *adj:* **~ exhibition** Gartenschau *f;* **hor•ti•cul•ture** ['hɔːtɪkʌltʃə(r)] *s* Gartenbau *m*

ho•sanna [həʊ'zænə] **I.** *s* Hosianna *n* **II.** *interj* hosianna!

hose¹ [həʊz] **I.** *tr* abspritzen **II.** *s* (Gummi)Schlauch *m*

hose² [həʊz] *s* **1.** (*Sammelbegriff*) Strumpfwaren *fpl* **2.** (*historisch*) Kniehose *f;* **ho•sier** ['həʊzɪə(r)] *s* Strumpfwarenhändler(in) *m(f);* **ho•siery** ['həʊzɪərɪ] *s* Strumpf-, Wirkwaren *fpl*

hos•pice ['hɒspɪs] *s* Pflegeheim *n* für unheilbar Kranke

hos•pit•able [hɒ'spɪtəbl] *adj* gastlich, gastfreundlich

hos•pi•tal ['hɒspɪtl] *s* Klinik *f,* Krankenhaus *n;* **be in ~** im Krankenhaus sein; **hospital ship** *s* Lazarettschiff *n;* **hospital train** *s* Lazarettzug *m*

hos•pi•tal•ity [ˌhɒspɪ'tælətɪ] *s* Gastlichkeit *f;* Gastfreundschaft *f*

hos•pi•tal•iz•ation [ˌhɒspɪtəlaɪz'eɪʃn] *s* **1.** Einlieferung *f* in ein Krankenhaus **2.** Krankenhausaufenthalt *m;* **hos•pi•tal•ize** ['hɒspɪtlaɪz] *tr* in ein Krankenhaus einliefern

host¹ [həʊst] **I.** *s* **1.** Gastgeber *m* (*to* für) **2.** (BIOL) Wirt(stier *n*) *m* **3.** (TV) Showmaster *m* **II.** *tr* Gastgeber sein bei

host² [həʊst] *s:* **a ~ of, ~s of ...** e-e Unzahl ...; sehr viel ...

Host [həʊst] *s* (REL) Hostie *f*

hos•tage ['hɒstɪdʒ] *s* Geisel *f;* **take s.o. ~** jdn als Geisel nehmen

host country ['həʊstˌkʌntrɪ] *s* Gastland *n*

hos•tel ['hɒstl] *s* Wohnheim *n;* **youth~** Jugendherberge *f;* **hos•tel•ler** ['hɒstələ(r)] *s* Heimbewohner(in) *m(f),* (Jugend)Herbergsgast *m*

host•ess ['həʊstɪs] *s* **1.** Gastgeberin *f;* Dame *f* des Hauses **2.** Empfangsdame *f;* Hostess *f* **3.** (AERO) Stewardess *f*

hos•tile ['hɒstaɪl] *adj* **1.** feindlich **2.** feindselig (*to* gegen); **hos•til•ity** [hɒ'stɪlətɪ] *s* **1.** Feindschaft *f* (*to, towards, against* gegen) **2. hostilities** Feindseligkeiten *fpl*

hot [hɒt] *adj* **1.** heiß; (*Wasserhahn, Mahlzeit*) warm **2.** brennend, beißend **3.** stark gewürzt, scharf **4.** (*fig*) heiß(blütig), feurig, leicht erregbar **5.** (hell) begeistert; leidenschaftlich **6.** (*fam*) erpicht, scharf (*on* auf) **7.** (*sl*) lüstern; sexuell erregend **8.** (*Kampf*) heiß, heftig **9.** (*Motor*) heißgelaufen **10.** radioaktiv **11.** (MUS) heiß **12.** (SPORT) geschickt, gewandt **13.** (*Spur*) heiß **14.** (*fam: Mensch*) fähig, gut; (*Sache*) toll **15.** (*sl*) gestohlen, heiß; **not so ~** (*fam*) ergebnislos; wirkungslos; nicht gerade umwerfend; **~ and bothered** beunruhigt; **blow ~ and cold** nicht wissen, was man will; **get ~ under the collar** verärgert werden; **get into ~ water** (*fig*) in Teufels Küche kommen; **make a place** [*o* **things**] **~ for s.o.** jdm die Hölle heiß machen; **I'm ~ on his trail** ich bin ihm dicht auf den

Fersen; **it's too ~ to handle** das ist ein heißes Eisen; **hot up** *itr* an Intensität zunehmen; gefährlich werden

hot air [ˌhɒt'eə(r)] *s* **1.** Heißluft *f* **2.** (*fam*) leeres Gerede, Angeberei *f;* **hot·bed** ['hɒtbed] *s* **1.** Mistbeet *n* **2.** (*fig*) Brutstätte *f;* **hot-blooded** [ˌhɒt'blʌdɪd] *adj* heißblütig, feurig

hotch·potch ['hɒtʃpɒtʃ] *s* **1.** Eintopf *m* **2.** (*fig*) Mischmasch *m*

hot dog [ˌhɒt'dɒg] *s* heißes Würstchen, Hotdog *m;* **hot-dogging** ['hɒtˌdɒgɪŋ] *s* (*Ski*) Freestyle *m*

ho·tel [həʊ'tel] *s* Hotel *n;* **hotel accommodation** *s* Unterbringung *f* im Hotel; **hotel bill** *s* Hotelrechnung *f;* **ho·tel·ier** [hɒ'teljeɪ] *s* Hotelier *m;* **hotel industry** *s* Hotelgewerbe *n;* **hotel keeper** *s* Hotelbesitzer(in) *m(f);* **hotel register** *s* Hotelverzeichnis *n;* **hotel staff** *s* Hotelpersonal *n*

hot·foot ['hɒtfʊt] **I.** *adv* in aller Eile **II.** *tr, itr* (~ *it*) schnell gehen, sich beeilen; **hot-head** ['hɒthed] *s* Hitzkopf *m;* **hot-headed** [ˌhɒt'hedɪd] *adj* hitzköpfig; **hot-house** ['hɒthaʊs] *s* Treibhaus *n;* **hot jazz** *s* Hot Jazz *m;* **hot line** *s* (POL) heißer Draht; **hot·ly** ['hɒtlɪ] *adv:* ~ **contested** heiß umkämpft; ~ **debated** heiß umstritten; ~ **denied** heftig bestritten; **hot metal** *s* (TYP) Blei *n;* Bleisatz *m;* **hot-plate** ['hɒtpleɪt] *s* Heiz-, Kochplatte *f;* Warmhalteplatte *f;* **hot potato** *s* (*fig fam*) heißes Eisen; **hot·rod** ['hɒtrɒd] *s* (MOT) Auto *n* mit frisiertem Motor; **hot seat** *s* **1.** (*fig*) Schleudersitz *m;* schwierige Position **2.** (*Am sl*) elektrischer Stuhl; **hot·shot** ['hɒtʃɒt] *s* (*sl*) Kanone *f,* As *n;* **hot spot** *s* (*sl*) **1.** Nachtlokal *n* **2.** (POL) Krisenherd *m;* **hot stuff** *s* (*sl*) **1.** tolles Ding; tolle Frau **2.** Zündstoff *m;* **hot-tempered** [ˌhɒt'tempə(r)d] *adj* jähzornig; **hot-water bottle** *s* Bett-, Wärmflasche *f*

hound [haʊnd] **I.** *s* **1.** Jagdhund *m* **2.** (*fig*) Schurke, Hund *m;* **ride to ~s** mit der Meute jagen **II.** *tr* (beständig) hetzen; **hound down** *tr* Jagd machen auf; erjagen; erwischen

hour ['aʊə(r)] *s* **1.** Stunde *f* **2.** Zeit *f;* Zeitpunkt *m* **3.** Uhr(zeit) *f;* **after ~s** nach Geschäftsschluss; (*Kneipe*) nach der Polizeistunde; (*Arzt*) außerhalb der Sprechstunde; **at all ~s** zu jeder Stunde; **at the eleventh ~** in letzter Minute; **by the ~** stundenweise; **for ~s** stundenlang; **every ~ on the ~** jeweils zur vollen Stunde; **keep late ~s** spät zu Bett gehen; **the rush ~** die Hauptgeschäfts-, Hauptverkehrs-, Stoßzeit *f;* **opening ~s** Geschäftszeiten *fpl,* Öffnungszeiten *fpl,* Schalterstunden *fpl,* Sprechstunde *f;* **the small ~s** die frühen Morgenstunden *fpl;* **working ~s** Arbeitszeit *f;* Dienststunden *fpl;* **his ~ has come** seine Stunde ist gekommen; sein letztes Stündchen hat geschlagen; **hour hand** *s* Stundenzeiger *m;* **hour·ly** ['aʊəlɪ] *adj, adv* stündlich; ~ **wage** Stundenlohn *m*

house [haʊs, *pl* 'haʊzɪz] <*pl* houses> **I.** *s* **1.** Haus *n* **2.** Dynastie *f* **3.** Geschäft(shaus) *n,* Firma *f* **4.** (THEAT) Vorstellung *f,* Publikum, Theater *n* **5.** (*Universität*) College *n;* Wohngebäude *n* (*e-s Internats*) **6.** (Abgeordneten)Haus, Parlament *n;* **on the ~** auf Kosten des Hauses; **like a ~ on fire** (*fam*) bestens; **bring the ~ down** (THEAT) großen Beifall ernten; **keep ~** haushalten (*for s.o.* jdm); **set one's ~ in order** reinen Tisch machen; **apartment-~** Mietshaus *n;* **boarding-~** Pension *f;* ~ **of cards** (*fig*) Kartenhaus *n;* **the H~ of Commons** (*Br:* PARL) das Unterhaus; **the H~ of Lords** (*Br:* PARL) das Oberhaus; **the H~s of Parliament** (*Br*) das Parlamentsgebäude; **Lower/Upper H~** Unter-/Oberhaus *n;* **the H~ of Representatives** (*Am*) das Repräsentantenhaus **II.** *tr* unterbringen; verstauen; **house-boat** ['haʊsbəʊt] *s* Hausboot *n;* **house-breaker** ['haʊsˌbreɪkə(r)] *s* Einbrecher(in) *m(f);* **house·break·ing** ['haʊsˌbreɪkɪŋ] *s* Einbruch *m;* **house-coat** ['haʊskəʊt] *s* Morgenrock *m;* Hauskleid *n;* **house·fly** ['haʊsflaɪ] *s* Stubenfliege *f*

house·hold ['haʊshəʊld] *s* Haushalt *m;* ~ **articles** Haushaltsgegenstände *mpl;* **it's a ~ name** [*o* **word**] das ist ein Begriff; **house-holder** ['haʊshəʊldə(r)] *s* Haus-, Wohnungsinhaber(in) *m(f)*

house-hunt ['haʊshʌnt] *itr* auf Wohnungssuche sein; **house-husband** ['haʊshʌzbənd] *s* Hausmann *m;* **house-keeper** ['haʊsˌkiːpə(r)] *s* Haushälterin *f;* (*Institution*) Wirtschaftsleiterin *f;* **house-keep·ing** ['haʊsˌkiːpɪŋ] *s* Führung *f* e-s Haushalts, Haushalten *n;* ~ **money** Haushaltsgeld *n;* **house·maid** ['haʊsmeɪd] *s* Hausgehilfin *f;* **~'s knee** (MED) Schleimbeutelentzündung *f;* **houseman** ['haʊsmən] *s* (*Br*) Medizinalassistent *m;* **house martin** *s* Mehlschwalbe *f;* **house physician** *s* Anstaltsarzt *m,* -ärztin *f;* **house plant** *s* Zimmerpflanze *f;* **house·proud** ['haʊspraʊd] *adj* auf (die) Ordnung im Haus bedacht; **house·room** ['haʊsrʊm] *s* (*Br*): **I would not give it ~** das möchte ich nicht geschenkt haben; **house rules** *s pl* Hausordnung *f;* **house running** *s* (SPORT) House Running *n;* **house starts** *s pl* Neubauten *pl;* **house surgeon** *s* Krankenhauschirurg(in) *m(f);* **house-to-house** *adj:* ~ **collection** Haussammlung *f;*

~ **search** Suche *f* von Haus zu Haus; ~ **selling** Direktverkauf *m* an der Haustür, Haustürgeschäft *n;* **house•top** ['haʊstɒp] *s* (Haus)Dach *n;* **shout s.th. from the ~s** etw ausposaunen; **house•trained** ['haʊstreɪnd] *adj* (*Tier*) stubenrein; **house•warm•ing** ['haʊs,wɔːmɪŋ] *s* Einzugsfest *n*

house•wife¹ ['haʊswaɪf] <*pl* -wives> *s* Hausfrau *f;* Haushälterin, Wirtschafterin *f*

house•wife² ['hʌsɪf, *pl* 'hʌsɪvz] <*pl* -wives> *s* Nähzeug *n*

house•work ['haʊswɜːk] *s* Hausarbeit *f*

hous•ing ['haʊzɪŋ] *s* **1.** Unterbringung, Unterkunft, Wohnung *f* **2.** Wohnungsbeschaffung *f* **3.** (*Waren*) (Ein)Lagerung *f* **4.** (TECH) Gehäuse *n;* **housing association** *s* Wohnungsbaugesellschaft *f;* **housing benefit** *s* Wohnbeihilfe *f,* Wohngeld *n;* **housing conditions** *s pl* Wohnverhältnisse *npl;* **housing development** *s* (*Am*), **housing estate** *s* (*Br*) (Wohn)Siedlung *f;* **housing problem** *s* Wohnungsproblem *n;* **housing programme** *s* Wohnungsbeschaffungsprogramm *n;* **housing scheme** *s* **1.** (Wohn)Siedlung *f* **2.** Siedlungsbauvorhaben *n;* **housing shortage** *s* Wohnraummangel *m*

hove [həʊv] *tr, itr* (MAR) *s.* **heave**

hovel ['hɒvl] *s* (*pej*) Bruchbude *f,* Loch *n*

hover ['hɒvə(r)] *itr* **1.** schweben (*about, over* über) **2.** herumlungern, sich herumtreiben (*about, near* in der Nähe +*gen*) **3.** (*fig*) schwanken (*between* zwischen) **4.** (*fig*) schweben (*between life and death* zwischen Leben und Tod); **hover•craft** ['hɒvəkrɑːft] *s* Luftkissenfahrzeug, Hovercraft *n;* **hover•port** ['hɒvəpɔːt] *s* Hafen *m* für Luftkissenfahrzeuge; **hover•train** ['hɒvətreɪn] *s* Schwebebahn *f*

how [haʊ] *adv* **1.** wie; wieso **2.** (*fam*) was? warum?; **and ~!** (*sl*) und wie!; ~ **about ...?** wie wäre es mit ...?; ~ **come ...?** (*sl*) wie kommt es ...?; ~ **is it ...?** wie kommt es ...?; ~ **many?** wie viele?; ~ **much?** wie viel?; ~ **are you?** wie geht's?, guten Tag!; (*bei e-r Vorstellung*) sehr erfreut!; **how-d'ye-do** ['haʊdjəduː] *s* (*fam*) Theater *n,* Krach *m*

how•ever [haʊ'evə(r)] **I.** *adv* wie auch immer; ~ **big/intelligent** wie groß/intelligent auch immer **II.** *conj* indessen; jedoch, aber; trotzdem

howl [haʊl] **I.** *itr* **1.** heulen **2.** brüllen, schreien **II.** *s* Geheul *n;* **howl down** *tr* niederbrüllen, -schreien; **howler** ['haʊlə(r)] *s* (*fam*) Schnitzer, dummer Fehler *m;* **howl•ing** [-ɪŋ] **I.** *s* Gebrüll, Geschrei *n;* Heulen *n* **II.** *adj* **1.** heulend **2.** (*fam*) gewaltig; (*Ungerechtigkeit*) schreiend; (*Erfolg*) toll

HP, hp [,eɪtʃ'piː] *s* **1.** *abbr of* **hire purchase 2.** *abbr of* **horse power**

hub [hʌb] *s* **1.** (*Rad*) Nabe *f* **2.** (*fig*) Mittelpunkt *m*

hub•bub ['hʌbʌb] *s* Stimmengewirr *n;* Tumult *m*

hub•cap ['hʌbkæp] *s* (MOT) Radkappe *m*

huckle•berry ['hʌklbərɪ] *s* amerikanische Heidelbeere

huck•ster ['hʌkstə(r)] *s* **1.** (Straßen)Händler(in) *m(f)* **2.** (*Am fam: pej*) Reklamefritze *m*

huddle ['hʌdl] **I.** *itr* **1.** sich drängen, sich drücken **2.** sich schmiegen (*to* an) **II.** *s* Durcheinander *n;* **huddle down** *itr* sich hinkuscheln; **huddle together** *itr* sich aneinander schmiegen; **huddle up** *itr* sich zusammenkauern; ~ **up against** sich kauern an

hue [hjuː] *s* **1.** Farbe *f;* Färbung *f* **2.** Farbton *m;* Schattierung *f;* ~ **and cry** lautes Geschrei; **raise a ~ and cry against s.o.** gegen jdn heftig protestieren

huff [hʌf] **I.** *itr* blasen, pusten **II.** *s* Groll *m;* **go into a ~** schmollen, beleidigt sein; **huffy** ['hʌfɪ] *adj* leicht beleidigt, leicht eingeschnappt, empfindlich *fam*

hug [hʌg] **I.** *tr* **1.** umarmen **2.** sich dicht halten (*the shore* am Ufer) **3.** (*fig*) hängen an, festhalten an **II.** *refl* stolz sein (*over* auf) **III.** *s* **1.** Umarmung *f* **2.** (SPORT) Griff *m*

huge [hjuːdʒ] *adj* riesig, gewaltig; ungeheuer; **huge•ly** [-lɪ] *adv* ungeheuer; **huge•ness** [-nɪs] *s* gewaltige Größe

hulk [hʌlk] *s* **1.** (Schiffs)Rumpf *m* **2.** schwerfälliger Mensch, Klotz, Trampel *m;* **hulk•ing** [-ɪŋ] *adj* unförmig; plump

hull¹ [hʌl] **I.** *s* (BOT) Hülse, Schale *f;* Schote *f* **II.** *tr* enthülsen, schälen

hull² [hʌl] *s* Schiffskörper *m;* Flugzeugrumpf *m*

hul•la•ba•loo [,hʌləbə'luː] *s* Lärm, Tumult *m*

hullo [hə'ləʊ] *interj* hallo! nanu!

hum [hʌm] **I.** *itr* **1.** summen **2.** (er)dröhnen (*with* von) **3.** (*fam*) geschäftig sein **4.** (*sl*) stinken; **make things ~** (*fam*) den Laden in Schwung bringen; ~ **and haw** herumdrucksen; **things are always ~ming** es ist immer Betrieb **II.** *tr* (*Melodie*) summen (*to o.s.* vor sich hin) **III.** *s* Summen, Brummen *n*

hu•man ['hjuːmən] **I.** *adj* menschlich; **to err is ~** (*prov*) Irren ist menschlich; **I'm only ~** ich bin auch nur ein Mensch; ~ **chain** Menschenkette *f;* ~ **error** menschliches Versagen; ~ **rights** Menschenrechte *npl* **II.** *s* (~ *being*) Mensch *m;* **hu•mane**

[hjuː'meɪn] *adj* menschlich, human; **hu•man•ism** ['hjuːmənɪzəm] *s* Humanismus *m;* **hu•man•istic** [ˌhjuːmə'nɪstɪk] *adj* humanistisch; **hu•mani•tar•ian** [hjuːˌmænɪ'teərɪən] *adj* menschenfreundlich; humanitär; **hu•man•ity** [hjuː'mænətɪ] *s* **1.** die Menschheit **2.** Menschlichkeit *f;* **the humanities** die Geisteswissenschaften *pl;* **hu•man•ize** ['hjuːmənaɪz] *tr* humanisieren; **hu•man•ly** ['hjuːmənlɪ] *adv:* ~ **possible** menschenmöglich

humble ['hʌmbl] **I.** *adj* **1.** demütig **2.** bescheiden **3.** unbedeutend; **eat ~ pie** zurückstecken, klein beigeben **II.** *tr* demütigen; **humble•ness** [-nɪs] *s* Bescheidenheit *f;* Einfachheit *f;* Demut *f*

hum•bug ['hʌmbʌg] *s* **1.** Schwindel, Humbug *m* **2.** Quatsch *m* **3.** Schwindler(in) *m(f),* Hochstapler(in) *m(f)* **4.** (*Br*) Pfefferminzbonbon *m od n*

hum•drum ['hʌmdrʌm] *adj* eintönig, monoton, langweilig

hu•mid ['hjuːmɪd] *adj* feucht; **hu•mid•ifier** [hjuːmɪdɪfaɪə(r)] *s* Verdunster *m;* Luftbefeuchtungsanlage *f;* **hu•mid•ify** [hjuː'mɪdɪfaɪ] *tr* an-, befeuchten; **hu•mid•ity** [hjuː'mɪdətɪ] *s* Feuchtigkeit *f*

hu•mili•ate [hjuː'mɪlɪeɪt] *tr* demütigen; **hu•mili•ation** [hjuːˌmɪlɪ'eɪʃn] *s* Demütigung *f;* **hu•mil•ity** [hjuː'mɪlətɪ] *s* Demut *f;* Bescheidenheit *f*

hum•ming•bird ['hʌmɪŋbɜːd] *s* (ZOO) Kolibri *m*

hum•mock ['hʌmək] *s* (kleiner) Hügel *m*

hu•mor (*Am*) *s.* **humour**

hu•mor•ist ['hjuːmərɪst] *s* Humorist(in) *m(f);* **hu•mor•ous** ['hjuːmərəs] *adj* humorvoll, amüsant, komisch; **hu•mour** ['hjuːmə(r)] **I.** *s* **1.** (*sense of* ~) Humor *m* **2.** Stimmung, Laune *f;* **be out of** ~ nicht in Stimmung sein **II.** *tr* nachgeben (*s.o.* jdm gegenüber), den Willen lassen (*s.o.* jdm); **hu•mour•less** [-lɪs] *adj* humorlos, trocken

hump [hʌmp] **I.** *s* **1.** (*Kamel*) Höcker *m* **2.** (*Mensch*) Buckel *m* **3.** Hügel *m* **4.** schlechte Laune, Ärger, Verdruss *m;* **be over the** ~ (*fig*) über den Berg sein **II.** *tr* **1.** krümmen **2.** schleppen; auf die Schulter nehmen; **hump•back** ['hʌmpbæk] *s* **1.** Buckel *m* **2.** Bucklige(r) *f m;* ~ (**whale**) Buckelwal *m;* **hump•backed** ['hʌmpbækt] *adj* bucklig; ~ **bridge** gewölbte Brücke

humph [hʌmpf, mm] *interj* hm!

Hun [hʌn] *s* **1.** (HIST) Hunne *m,* Hunnin *f* **2.** (*pej*) Deutsche(r) *f m*

hunch [hʌntʃ] **I.** *tr* wölben, krümmen; ~ **one's back** e-n Buckel machen **II.** *s* (*fam*) (Vor)Ahnung *f;* **have a** ~ e-e Ahnung haben; **play one's** ~ einer Intuition folgen; **hunch•back** ['hʌntʃbæk] *s* **1.** Buckel *m* **2.** Bucklige(r) *f m;* **be a** ~ bucklig sein, e-n Buckel haben

hun•dred ['hʌndrəd] **I.** *adj* hundert **II.** *s* (das) Hundert; **a** ~ hundert; **one** ~ einhundert; ~**s of ...** Hunderte von ...; **hun•dred•fold** ['hʌndrədfəʊld] *adj, adv* hundertfach; hundertfältig; **hun•dredth** ['hʌndrədθ] **I.** *adj* hundertste(r, s) **II.** *s* Hundertstel *n;* Hundertste(r, s); **hun•dred•weight** ['hʌndrədweɪt] *s* Zentner *m* (*= 112 Pfund bzw. 50,8 kg, Am = 100 Pfund bzw. 45,36 kg*)

hung [hʌŋ] *s.* **hang**

Hung•ari•an [hʌŋ'geərɪən] **I.** *adj* ungarisch **II.** *s* **1.** (*Mensch*) Ungar(in) *m(f)* **2.** (*Sprache*) (das) Ungarisch(e); **Hungary** ['hʌŋgərɪ] *s* Ungarn *n*

hun•ger ['hʌŋgə(r)] **I.** *s* **1.** Hunger *m* **2.** (*fig*) Verlangen *n* (*for, after* nach); **die of** ~ verhungern; **feel** ~ hungrig sein; ~ **strike** Hungerstreik *m* **II.** *itr* sich sehnen, (heftig) verlangen (*for, after* nach)

hung par•lia•ment [ˌhʌŋ'pɑːləmənt] *s* *Parlament ohne klare Mehrheitsverhältnisse*

hun•gry ['hʌŋgrɪ] *adj* **1.** hungrig **2.** verlangend, (be)gierig (*for* nach) **3.** (*Boden*) mager; **be** ~ Hunger haben, hungrig sein

hunk [hʌŋk] *s* **1.** dickes Stück, Ranken *m* (*bes. Brot*) **2.** (*sl*) geiler Typ

hunky-dory ['hʌŋkɪˌdɔːrɪ] *adj* (*fam*): **everything's** ~ alles ist in Butter

hunt [hʌnt] **I.** *tr* **1.** jagen; hetzen **2.** verfolgen **3.** eifrig suchen **4.** durchjagen, -streifen **II.** *itr* **1.** auf die Jagd gehen, jagen **2.** suchen, forschen (*for* nach); **go ~ing** auf die Jagd gehen **III.** *s* **1.** Jagd *f;* Fuchsjagd *f* **2.** (*fig*) Jagd, Suche *f* (*for* nach); **hunt down** *tr* zur Strecke bringen; **hunt out** *tr* ausfindig machen; **hunt up** *tr* aufstöbern; **hunter** ['hʌntə(r)] *s* **1.** Jäger *m* **2.** Jagdpferd *n;* **hunt•ing** [-ɪŋ] *s* **1.** Jagen *n,* Jagd *f* **2.** Suche *f;* **hunt•ing-ground** *s* Jagdgründe *mpl;* **hunt•ing-licence** *s* Jagdschein *m;* **hunt•ing-season** *s* Jagdzeit *f;* **hunt•ress** ['hʌntrɪs] *s* Jägerin *f;* **hunts•man** ['hʌntsmən] <*pl* -men> *s* **1.** Jäger *m* **2.** Aufseher *m* der Jagdhunde

hurdle ['hɜːdl] *s* **1.** (AGR SPORT) Hürde *f* **2.** (*fig*) Hindernis *n,* Hürde *f;* ~**s** (SPORT) Hürdenlauf *m;* **hundred meters~s** 100-m-Hürden(lauf); **hur•dler** ['hɜːdlə(r)] *s* Hürdenläufer(in) *m(f);* **hurdle-race** *s* Hürdenlauf *m,* Hindernisrennen *n*

hurdy-gurdy ['hɜːdɪgɜːdɪ] *s* Leierkasten *m;* Drehorgel *f*

hurl [hɜːl] **I.** *tr* **1.** schleudern **2.** hinausbrüllen, -schreien **3.** (*Worte*) ausstoßen (*at* gegen) **II.** *s* Schleudern, Stoßen *n*

hurly-burly ['hɜːlɪbɜːlɪ] *s* Lärm, Tumult *m*

hur•rah, hur•ray [hʊ'rɑː, hʊ'reɪ] **I.** *interj* hurra! **II.** *s* Hurra(ruf *m*) *n*

hur•ri•cane ['hʌrɪkən] *s* Wirbelsturm, Orkan *m a. fig;* **hurricane lamp** *s* Sturmlaterne *f;* **hurricane warning** *s* Sturmwarnung *f*

hur•ried ['hʌrɪd] *adj* **1.** hastig; eilig **2.** übereilt

hurry ['hʌrɪ] **I.** *s* **1.** Eile, Hast *f* **2.** Übereilung, Überstürzung *f* **3.** Drängen *n,* Ungeduld *f;* **in a** ~ in (großer) Eile, überstürzt; **in no** ~ (*fam*) nicht von sich aus, nicht ohne Not, nicht freiwillig; **be in a** ~ es sehr eilig haben (*to do s.th.* etw zu tun); **there is no** ~ damit hat's keine Eile; **why (all) this** ~? warum diese Eile? **II.** *itr* sich beeilen; **don't** ~ immer mit der Ruhe! **III.** *tr* **1.** (~ *up*) beschleunigen; antreiben **2.** (*Person*) rasch schicken (*to* zu); **hurry along I.** *itr* sich beeilen **II.** *tr* drängen; zur Eile antreiben; vorantreiben; **hurry away, hurry off I.** *itr* forteilen **II.** *tr* schnell wegbringen; **hurry on I.** *itr* schnell weitergehen, weiterreden, weiterlesen **II.** *tr* antreiben; **hurry up I.** *itr* sich beeilen **II.** *tr* zur Eile antreiben; vorantreiben

hurt [hɜːt] <*irr:* hurt, hurt> **I.** *tr* **1.** weh tun (*s.o.* jdm) **2.** verletzen, verwunden **3.** schaden, Schaden zufügen (*s.o.* jdm) **4.** (*fig*) verletzen, kränken, wehtun (*s.o.* jdm); **feel** ~ sich gekränkt [*o* verletzt] fühlen; ~ **s.o.'s feelings** jdn kränken [*o* verletzen] **II.** *itr* wehtun; **that won't** ~ das schadet nichts **III.** *s* **1.** Schmerz *m* **2.** Verletzung, Verwundung *f* **3.** (*fig*) Kummer *m,* Leid *n* **4.** Schaden, Nachteil *m* (*to* für); **hurt•ful** ['hɜːtfl] *adj* **1.** verletzend **2.** schädlich, nachteilig (*to* für)

hurtle ['hɜːtl] *itr* rasen

hus•band ['hʌzbənd] **I.** *s* (Ehe)Mann, Gatte *m;* ~ **and wife** Eheleute *pl* **II.** *tr* sparsam umgehen mit

hus•bandry ['hʌzbəndrɪ] *s* Landwirtschaft *f;* **animal** ~ Viehzucht *f*

hush [hʌʃ] **I.** *tr* zum Schweigen bringen **II.** *itr* verstummen **III.** *s* Stille *f* **IV.** *interj* still! Ruhe (da)!; **hush up** *tr* vertuschen, verheimlichen; **hush-hush** [ˌhʌʃ'hʌʃ] *adj* streng (vertraulich und) geheim; **hush-money** ['hʌʃmʌnɪ] *s* Schweigegeld *n*

husk [hʌsk] **I.** *s* **1.** (BOT) Hülse, Schote *f* **2.** (*fig*) Schale *f* **II.** *tr* enthülsen, schälen

husky[1] ['hʌskɪ] *adj* **1.** (*Stimme*) belegt **2.** (*fam*) kräftig, stämmig

husky[2] ['hʌskɪ] *s* Eskimohund *m*

hussy ['hʌsɪ] *s* **1.** (*pej*) Flittchen *n* **2.** (*brazen* ~) freches Ding

hust•ings ['hʌstɪŋz] *s pl* (POL) Wahlkampf *m*

hustle ['hʌsl] **I.** *tr* **1.** drängen (*into* zu) **2.** (*Am: Kunden*) fangen **II.** *itr* **1.** sich beeilen, eilen **2.** sich e-n Weg bahnen (*through* durch) **3.** (*Am fam*) wie toll schuften **4.** (*Am sl*) betteln, stehlen **III.** *s* Gedränge *n;* Hetze *f;* ~ **and bustle** reges Treiben, Betriebsamkeit *f;* **hus•tler** ['hʌslə(r)] *s* **1.** Strichmädchen *n;* Strichjunge *m* **2.** (*Am fam*) Arbeitstier *n* **3.** (*Am fam*) Gauner *m;* **hustling** ['hʌslɪŋ] *s* Prostitution *f;* (*fam*) Strich *m*

hut [hʌt] *s* Hütte *f;* Baracke *f*

hutch [hʌtʃ] *s* Käfig *m;* (Kaninchen)Stall *m*

hya•cinth ['haɪəsɪnθ] *s* (BOT) Hyazinthe *f*

hy•aena [haɪ'iːnə] *s s.* **hyena**

hy•brid ['haɪbrɪd] *s* **1.** (BOT) Hybride, Kreuzung *f* **2.** (ZOO) Kreuzung *f* **3.** (*fig*) Mischung *f*

hy•drangea [haɪ'dreɪndʒə] *s* (BOT) Hortensie *f*

hy•drant ['haɪdrənt] *s* Hydrant *m*

hy•drate ['haɪdreɪt] *s* (CHEM) Hydrat *n*

hy•drau•lic [haɪ'drɒlɪk] *adj* hydraulisch; **hy•drau•lics** [-] *s pl a. mit sing* Hydraulik *f*

hy•dro•car•bon [ˌhaɪdrə'kɑːbən] *s* Kohlenwasserstoff *m;* **hy•dro•chloric** [ˌhaɪdrə'klɒrɪk] *adj:* ~ **acid** Salzsäure *f;* **hy•dro•elec•tric** [ˌhaɪdrəʊɪ'lektrɪk] *adj* hydroelektrisch; ~ **power-station** Wasserkraftwerk *n;* **hy•dro•foil** ['haɪdrəfɔɪl] *s* Tragflächen-, Tragflügelboot *n*

hy•dro•gen ['haɪdrədʒən] *s* Wasserstoff *m;* **hydrogen bomb** *s* Wasserstoffbombe *f;* **hydrogen peroxide** *s* Wasserstoffperoxyd *n;* **hydrogen sulphide** *s* Schwefelwasserstoff *m*

hy•dro•pho•bia [ˌhaɪdrə'fəʊbɪə] *s* **1.** Wasserscheu *f* **2.** (MED) Tollwut *f*

hy•dro•pon•ics [ˌhaɪdrə'pɒnɪks] *s* Hydrokultur *f*

hy•ena [haɪ'iːnə] *s* Hyäne *f*

hy•giene ['haɪdʒiːn] *s* Gesundheitspflege, Hygiene *f;* **personal** ~ Körperpflege *f;* **hygienic** [haɪ'dʒiːnɪk] *adj* hygienisch

hy•gro•meter [haɪ'grɒmɪtə(r)] *s* Feuchtigkeitsmesser *m;* **hy•gro•scope** ['haɪgrəskəʊp] *s* Hygroskop *n*

hymn [hɪm] *s* Hymne *f;* Loblied *n;* **hymnal, hymn•book** ['hɪmnəl, 'hɪmbʊk] *s* Gesangbuch *n*

hype [haɪp] *s* (reißerische) Publicity *f,* Reklamerummel *m*

hy•per•ac•tive [ˌhaɪpə'æktɪv] *adj* sehr aktiv; hyperaktiv

hy•per•bola [haɪ'pɜːbələ] *s* (MATH) Hyperbel *f;* **hy•per•bole** [haɪ'pɜːbəlɪ] *s* (*stilistische*) Übertreibung, Hyperbel *f;* **hy•per-**

bolic [haɪpə'bɒlɪk] *adj* **1.** (*Stil*) übertreibend **2.** (MATH) Hyperbel-

hy•per•criti•cal [ˌhaɪpə'krɪtɪkl] *adj* überstreng urteilend; schwer zu befriedigen(d)

hy•per•market ['haɪpəmɑːkɪt] *s* (*Br*) Groß-, Verbrauchermarkt *m*

hy•per•sen•si•tive [ˌhaɪpə'sensətɪv] *adj* überempfindlich

hy•phen ['haɪfn] *s* **1.** Bindestrich *m* **2.** Trennstrich *m;* (TYP) Divis *n;* **hy•phen•ate** ['haɪfəneɪt] *tr* mit e-m Bindestrich schreiben

hyp•no•sis [hɪp'nəʊsɪs, *pl* -siːz] <*pl* -ses> *s* Hypnose *f;* **hyp•no•ther•apy** [ˌhɪpnə'θerəpɪ] *s* Hypnotherapie *f;* **hyp•notic** [hɪp'nɒtɪk] *adj* hypnotisch; **hyp•not•ist** ['hɪpnətɪst] *s* Hypnotiseur(in) *m(f);* **hyp•not•ize** ['hɪpnətaɪz] *tr* hypnotisieren

hy•po•chon•dria [ˌhaɪpə'kɒndrɪə] *s* Hypochondrie *f,* Einbildung *f* krank zu sein; **hy•po•chon•driac** [ˌhaɪpə'kɒn drɪæk] **I.** *adj* hypochondrisch **II.** *s* Hypochonder *m*

hy•poc•risy [hɪ'pɒkrəsɪ] *s* Heuchelei *f;* **hyp•ocrite** ['hɪpəkrɪt] *s* Heuchler(in) *m(f),* Scheinheilige(r) *f m;* **hy•po•criti•cal** [ˌhɪpə'krɪtɪkl] *adj* heuchlerisch

hy•po•der•mic [ˌhaɪpə'dɜːmɪk] *adj* subkutan; ~ **syringe** (Subkutan)Spritze *f*

hy•pot•en•use [ˌhaɪ'pɒtənjuːz] *s* (MATH) Hypotenuse *f*

hy•po•ther•mia [ˌhaɪpə'θɜːmɪə] *s* Unterkühlung *f;* Kältetod *m*

hy•poth•esis [haɪ'pɒθəsɪs, *pl* -əsiːz] <*pl* -eses> *s* Hypothese *f;* **hy•po•theti•cal** [ˌhaɪpə'θetɪkl] *adj* hypothetisch

hys•ter•ec•to•my [ˌhɪstə'rektəmɪ] *s* Totaloperation, Hysterektomie *f*

hys•teria [hɪ'stɪərɪə] *s* Hysterie *f;* **hys•ter•ic** [hɪ'sterɪk] **I.** *adj* hysterisch **II.** *s* Hysteriker(in) *m(f);* **go into ~s** e-n hysterischen Anfall bekommen; **have a fit of ~s** e-n hysterischen Anfall haben; (*fig fam*) sich totlachen; **hys•teri•cal** [hɪ'sterɪkl] *adj* **1.** hysterisch **2.** (*fam*) irrsinnig komisch

I

I, i [aɪ] <*pl* -'s> *s* I, i *n*

I [aɪ] *pron* ich

ibex ['aɪbeks] *s* (ZOO) Steinbock *m*

ice [aɪs] **I.** *s* **1.** Eis *n* **2.** Speiseeis *n;* **be skating on thin** ~ (*fig*) sich aufs Glatteis begeben; **break the** ~ (*fig*) das Eis brechen; **cut no** ~ keine Wirkung haben; **put on** ~ (*fig*) auf Eis legen, aufschieben **II.** *tr* **1.** tiefkühlen **2.** mit Eis kühlen **3.** (*Kuchen*) glasieren **III.** *itr* (~ *up,* ~ *over, a.* AERO) zufrieren, vereisen; **Ice Age** *s* Eiszeit *f;* **ice axe** *s* Eispickel *m;* **ice•berg** ['aɪsbɜ:g] *s* Eisberg *m a. fig;* **ice•bound** ['aɪsbaʊnd] *adj* (ein-, zu)gefroren; **ice•box** ['aɪsbɒks] *s* **1.** (*Am*) Kühlschrank *m* **2.** (*Br*) Eisfach *n;* **ice•breaker** ['aɪsˌbreɪkə(r)] *s* Eisbrecher *m;* **ice•cap** ['aɪskæp] *s* (GEOG) Eiskappe *f;* **ice-cold** *adj* eiskalt; **ice-cream** *s* Eis *n,* Eiscreme *f;* **ice-cream parlour** *s* Eisdiele *f,* Eiscafé *n;* **ice cube** ['aɪskju:b] *s* Eiswürfel *m;* **iced** [aɪst] *adj* **1.** eisgekühlt **2.** glasiert; ~ **coffee** Eiskaffee *m;* **ice floe** ['aɪsfləʊ] *s* Treibeisscholle *f;* **ice hockey** *s* Eishockey *n*

Ice•land ['aɪslənd] *s* Island *n;* **Ice•lander** ['aɪsləndə(r)] *s* Isländer(in) *m(f);* **Icelandic** [aɪs'lændɪk] **I.** *adj* isländisch **II.** *s* (das) Isländisch(e)

ice lolly [ˌaɪs'lɒlɪ] *s* (*Br*) Eis *n* am Stil; **ice pack** ['aɪspæk] *s* **1.** (GEOG) Packeis *n* **2.** (MED) Eisbeutel *m;* **ice rink** ['aɪsrɪŋk] *s* Eis-, Schlittschuhbahn *f;* **ice-skate I.** *itr* Schlittschuh laufen **II.** *s* Schlittschuh *m;* **ice-skat•ing** ['aɪskeɪtɪŋ] *s* Eislauf *m,* Schlittschuhlaufen *n*

icicle ['aɪsɪkl] *s* Eiszapfen *m*

icing ['aɪsɪŋ] *s* **1.** Zuckerguss *m,* Glasur *f* **2.** (AERO RAIL) Eisbildung, Vereisung *f;* **icing sugar** *s* Puderzucker *m*

icon ['aɪkɒn] *s* **1.** (REL) Ikone *f* **2.** (EDV) Ikon *n*

icono•clast [aɪ'kɒnəklæst] *s* Bilderstürmer *m a. fig;* **icono•clast•ic** [aɪˌkɒnə'klæstɪk] *adj* (*fig*) bilderstürmerisch

icy ['aɪsɪ] *adj* **1.** (*Straße*) vereist; gefroren **2.** (*fig*) eisig

I'd [aɪd] = **I had; I would**

ID card [aɪ'di:ˌka:d] *s* Personalausweis *m*

idea [aɪ'dɪə] *s* **1.** Gedanke *m,* Idee *f* **2.** Begriff *m* **3.** Auffassung, Meinung *f;* Vorstellung *f* **4.** Ahnung *f;* **form an** ~ sich e-e Vorstellung machen (*of* von); **get ~s into one's head** sich trügerischen Hoffnungen hingeben; **I have an ~ that** mir ist (so), als ob; **I have no** ~ ich habe keine Ahnung; **I haven't the faintest** [*o* **slightest**] ~ ich habe nicht die leiseste [*o* geringste] Ahnung; **that's the** ~ darum dreht es sich; **what an ~!** was für e-e Idee!; **according to his** ~ seiner Meinung nach; **a man of ~s** ein Denker *m*

ideal [aɪ'dɪəl] **I.** *adj* ideal, vorbildlich **II.** *s* Ideal *n;* **ideal•ism** [aɪ'dɪəlɪzəm] *s* Idealismus *m;* **ideal•ist** [aɪ'dɪəlɪst] *s* Idealist(in) *m(f);* **ideal•ist•ic** [ˌaɪdɪə'lɪstɪk] *adj* idealistisch; **ideal•ize** [aɪ'dɪəlaɪz] *tr* idealisieren

ident•ical [aɪ'dentɪkl] *adj* identisch, völlig gleich; ~ **twins** eineiige Zwillinge *mpl*

identi•fi•able [aɪ'dentɪˌfaɪəbl] *adj* erkennbar; identifizierbar; **identi•fi•ca•tion** [aɪˌdentɪfɪ'keɪʃn] *s* **1.** Identifizierung *f* **2.** Ausweispapiere *npl,* Legitimation *f* **3.** Identifikation *f;* **identification papers** *s pl* Ausweispapiere *npl;* **identification parade** *s* Gegenüberstellung *f;* **identifier** [aɪ'dentɪfaɪə(r)] *s* (EDV) Kennzeichen *n*

ident•ify [aɪ'dentɪfaɪ] *tr* **1.** identifizieren **2.** (*Gegenstand*) wiedererkennen **3.** (*Pflanzen*) kennzeichnen **4.** gleichsetzen (*with* mit); ~ **o.s.** sich ausweisen; ~ **o.s. with s.o.** sich mit jdm identifizieren; **identi•kit®** [aɪ'dentɪkɪt] *s* (~ *picture*) Phantombild *n;* **ident•ity** [aɪ'dentətɪ] *s* **1.** Identität *f* **2.** Gleichheit, Übereinstimmung *f;* **prove one's** ~ sich ausweisen; **identity card** *s* (Personal)Ausweis *m*

ideo•logi•cal [ˌaɪdɪə'lɒdʒɪkl] *adj* ideologisch; **ideolo•gist** [ˌaɪdɪ'ɒlədʒɪst] *s* Ideologe *m,* Ideologin *f;* **ideol•ogy** [ˌaɪdɪ'ɒlədʒɪ] *s* Ideologie, Weltanschauung *f*

idi•ocy ['ɪdɪəsɪ] *s* **1.** (MED) Schwachsinn *m* **2.** Dummheit *f,* Unsinn *m*

id•iom ['ɪdɪəm] *s* **1.** idiomatische Redewendung **2.** Sprache *f;* Sprech-, Ausdrucksweise *f;* **idio•matic** [ˌɪdɪə'mætɪk] *adj* idiomatisch

idio•syn•crasy [ˌɪdɪəʊ'sɪŋkrəsɪ] *s* Eigenart, Eigenheit *f;* **idio•syn•crat•ic** [ˌɪdɪəʊsɪŋ'krætɪk] *adj* eigenartig

id•iot ['ɪdɪət] *s* **1.** (MED) Schwachsinnige(r) *f m* **2.** Idiot, Dummkopf *m;* **idi•otic**

[ˌɪdɪˈɒtɪk] *adj* blöd(sinnig), idiotisch
idle [ˈaɪdl] **I.** *adj* **1.** müßig, untätig **2.** faul, träge **3.** unbeschäftigt; stillstehend **4.** (TECH) nicht in Betrieb **5.** (*Worte*) leer; nutzlos, vergeblich; **lie ~** (*Geld*) nicht arbeiten; **stand ~** stillstehen, außer Betrieb sein; **~ fear** unbegründete Angst; **~ wish** Wunschtraum *m* **II.** *itr* **1.** (*~ about*) müßig gehen, faulenzen; untätig sein **2.** (TECH) leer laufen **III.** *tr* (*Zeit: ~ away*) vertun, vertrödeln; **idle·ness** [ˈaɪdlnɪs] *s* **1.** Muße *f* **2.** Faul-, Trägheit *f;* **idler** [ˈaɪdlə(r)] *s* Müßiggänger(in) *m(f)*
idol [ˈaɪdl] *s* **1.** Götter-, Götzenbild *n* **2.** Idol *n a. fig;* **idol·atrous** [aɪˈdɒlətrəs] *adj* **1.** Götzen verehrend **2.** (*fig*) leidenschaftlich ergeben; **idolatry** [aɪˈdɒlətrɪ] *s* **1.** Götzendienst *m* **2.** (*fig*) Vergötterung *f;* **idolize** [ˈaɪdəlaɪz] *tr* (*fig*) vergöttern
idyll [ˈɪdɪl] *s* **1.** (*lit*) Idylle *f* **2.** (*fig*) Idyll *n;* **idyl·lic** [ɪˈdɪlɪk] *adj* idyllisch
if [ɪf] **I.** *conj* wenn, falls; für den Fall, dass ...; ob; **I wonder ~ he'll come** ich bin gespannt, ob er kommt; **as ~** als ob, als wenn; **as ~ by chance** wie zufällig; **~ so** wenn ja; **~ not** falls nicht; **and ~ ...!** und ob ...!; **even ~** auch wenn; **~ only** wenn doch nur **II.** *s* Wenn *n;* **~s and buts** Wenn und Aber; **iffy** [ˈɪfɪ] *adj* (*fam*) **1.** (*Sache*) fraglich, zweifelhaft **2.** (*Person*) skeptisch (*about* gegenüber)
ig·loo [ˈɪgluː] *s* Iglu *m od n*
ig·neous [ˈɪgnɪəs] *adj* (GEOL) vulkanisch; **~ rocks** Eruptivgestein *n*
ig·nite [ɪgˈnaɪt] **I.** *tr* entzünden **II.** *itr* sich entzünden; **ig·ni·tion** [ɪgˈnɪʃn] *s* **1.** Entzünden *n* **2.** (MOT) Zündung *f;* **ignition coil** *s* (MOT) Zündspule *f;* **ignition key** *s* Zündschlüssel *m;* **ignition switch** *s* Zündschalter *m*
ig·noble [ɪgˈnəʊbl] *adj* gemein, schändlich
ig·nom·ini·ous [ˌɪgnəˈmɪnɪəs] *adj* schändlich, schmachvoll; **ig·nom·iny** [ˈɪgnəmɪnɪ] *s* Schmach, Schande *f*
ig·nor·amus [ˌɪgnəˈreɪməs] *s* Ignorant(in) *m(f);* **ig·nor·ance** [ˈɪgnərəns] *s* Unwissenheit *f;* Mangel *m* an Bildung, Ignoranz *f;* Unkenntnis *f;* **~ (of the law) is no excuse** Unkenntnis schützt vor Strafe nicht; **ig·nor·ant** [ˈɪgnərənt] *adj* **1.** unwissend, ungebildet **2.** nicht informiert (*in* über); **be ~ of** nicht wissen, nicht kennen; **ig·nore** [ɪgˈnɔː(r)] *tr* ignorieren; hinwegsehen über; nicht beachten
iguana [ɪˈgwɑːnə] *s* (ZOO) Leguan *m*
ilk [ɪlk] *s:* **of that ~** von der Art; solche(r, s)
ill [ɪl] **I.** *adj* **1.** krank **2.** schlecht, schlimm, übel; **fall** [*o* **be taken**] **~** erkranken (*with s.th.* an etw), krank werden; **feel ~** sich unwohl fühlen; **~ feeling** böses Blut; **~ humo(u)r** schlechte Laune; **~ nature** Übellaunigkeit *f* **II.** *adv* schlecht **III.** *s* **1.** Übel *n,* (das) Böse **2.** **~s** Missstände, Übel *pl;* **speak/think ~ of s.o.** Schlechtes über jdn sagen/denken
I'll [aɪl] = **I will; I shall**
ill-ad·vised [ˌɪlədˈvaɪzd] *adj* unklug, unvernünftig; **ill-as·sorted** [ˌɪləˈsɔːtɪd] *adj* nicht zusammenpassend; **ill-at-ease** [ˌɪlətˈiːz] *adj* unbehaglich; **ill-bred** [ˌɪlˈbred] *adj* ungezogen, schlecht erzogen; **ill-breed·ing** [ˌɪlˈbriːdɪŋ] *s* schlechte Erziehung *f*
il·legal [ɪˈliːgl] *adj* unerlaubt; ungesetzlich, illegal; **il·legal·ity** [ˌɪlɪˈgælətɪ] *s* Gesetzwidrigkeit *f;* Illegalität *f*
il·leg·ible [ɪˈledʒəbl] *adj* unleserlich
il·legit·imate [ˌɪlɪˈdʒɪtɪmət] *adj* **1.** (*Kind*) unehelich **2.** (JUR) unrechtmäßig, ungesetzlich **3.** (*Argument*) unzulässig
ill-fated [ˌɪlˈfeɪtɪd] *adj* unglücklich; unglückselig; **ill-fa·vored** (*Am*) *s.* **illfavoured;** **ill-fa·voured** [ˌɪlˈfeɪvəd] *adj* unschön; **ill-gotten gains** *s pl* unrechtmäßiger Gewinn
il·lib·eral [ɪˈlɪbərəl] *adj* **1.** unduldsam, intolerant **2.** geizig, knauserig
il·licit [ɪˈlɪsɪt] *adj* unerlaubt, verboten; **~ trade** Schwarzhandel *m*
il·limit·able [ɪˈlɪmɪtəbl] *adj* grenzenlos, unbeschränkt; unermesslich
ill-in·formed [ˈɪlɪnˌfɔːmd] *adj* schlecht informiert; wenig sachkundig
il·lit·er·acy [ɪˈlɪtərəsɪ] *s* Analphabetentum *n;* **illiteracy rate** *s* Analphabetismus *m;* **il·lit·er·ate** [ɪˈlɪtərət] **I.** *adj* des Schreibens und Lesens unkundig **II.** *s* Analphabet(in) *m(f)*
ill-man·nered [ˌɪlˈmænəd] *adj* schlecht erzogen; **ill-na·tured** [ˌɪlˈneɪtʃəd] *adj* (*Mensch*) launisch
ill·ness [ˈɪlnɪs] *s* Krankheit *f*
il·logi·cal [ɪˈlɒdʒɪkl] *adj* unlogisch; **il·logi·cal·ity** [ɪˌlɒdʒɪˈkælɪtɪ] *s* mangelnde Logik, Unlogik *f*
ill-omened [ˌɪlˈəʊmend] *adj* von schlechten Vorzeichen begleitet; **ill-starred** [ˌɪlˈstɑːd] *adj* unter e-m ungünstigen Stern geboren; **ill-tem·pered** [ˌɪlˈtempəd] *adj* launisch, launenhaft; **ill-timed** [ˌɪlˈtaɪmd] *adj* ungelegen, unpassend, unangebracht; **ill-treat** [ˌɪlˈtriːt] *tr* misshandeln; **ill-treat·ment** [ˌɪlˈtriːtmənt] *s* Misshandlung *f*
il·lumi·nate [ɪˈluːmɪneɪt] *tr* **1.** be-, erleuchten, erhellen **2.** (*fig*) erklären, erläutern **3.** illuminieren, festlich beleuchten; **~d display** Leuchtanzeige *f;* **il·lumi·nat·ing** [ɪˈluːmɪneɪtɪŋ] *adj* (*fig*) aufschlussreich; **il·lumi·na·tion** [ɪˌluːmɪˈneɪʃn] *s* **1.** Aus-,

Beleuchtung *f* **2.** (*fig*) Erläuterung, Erklärung *f* **3.** Festbeleuchtung *f*
il·lu·sion [ɪ'lu:ʒn] *s* **1.** Illusion *f;* trügerische Hoffnung **2.** (Sinnes)Täuschung *f;* **have no ~s about** keine falschen Vorstellungen haben von; **be under the ~ that ...** sich einbilden, dass ...; **il·lu·sion·ist** [ɪ'lu:ʒənɪst] *s* Illusionist(in) *m(f);* **il·lu·sive, il·lu·sory** [ɪ'lu:sɪv, ɪ'lu:sərɪ] *adj* illusorisch, trügerisch
il·lus·trate ['ɪləstreɪt] *tr* **1.** (*fig*) erklären, erläutern, veranschaulichen **2.** (*Buch*) illustrieren, bebildern; **il·lus·tra·tion** [ˌɪlə'streɪʃn] *s* **1.** Erklärung *f* **2.** Abbildung, Illustration *f;* **by way of ~** als Beispiel; **il·lus·tra·tive** ['ɪləstrətɪv] *adj* erklärend, erläuternd; anschaulich; **il·lus·tra·tor** ['ɪləstreɪtə(r)] *s* Illustrator(in) *m(f)*
il·lus·tri·ous [ɪ'lʌstrɪəs] *adj* berühmt, gefeiert
I'm [aɪm] = **I am**
im·age ['ɪmɪdʒ] *s* **1.** Bild *n* **2.** Bildwerk, Standbild *n* **3.** Ebenbild, Abbild *n* **4.** Vorstellung, Auffassung, Idee *f* **5.** Verkörperung, Versinnbildlichung *f,* Sinnbild *n* **6.** Inbegriff *m;* **be the spitting ~ of s.o.** jdm wie aus dem Gesicht geschnitten sein; **speak in ~s** in Bildern sprechen; **im·agery** ['ɪmɪdʒərɪ] *s* Metaphorik *f*
im·agin·able [ɪ'mædʒɪnəbl] *adj* vorstellbar; **everything ~** alles Erdenkliche
im·agin·ary [ɪ'mædʒɪnərɪ] *adj* (*a.* MATH) unwirklich, imaginär
im·agin·ation [ɪˌmædʒɪ'neɪʃn] *s* Einbildung, Fantasie *f;* **im·agin·ative** [ɪ'mædʒɪnətɪv] *adj* fantasievoll, schöpferisch, einfallsreich
im·ag·ine [ɪ'mædʒɪn] *tr* **1.** sich vorstellen, sich ausdenken **2.** sich denken, annehmen, glauben; **just ~!** denken Sie nur (mal)!; **I ~ so** ich glaube schon
im·bal·ance [ˌɪm'bæləns] *s* Ungleichgewicht *n;* Unausgeglichenheit *f*
im·be·cile ['ɪmbəsi:l] **I.** *adj* schwachsinnig **II.** *s* Schwachsinnige(r) *f m;* **im·be·cil·ity** [ˌɪmbə'sɪlətɪ] *s* Schwachsinn *m*
im·bibe [ɪm'baɪb] *tr* **1.** auf-, einsaugen **2.** (*fig: geistig*) aufnehmen
im·bro·glio [ɪm'brəʊlɪəʊ] *s* <*pl* -glios> Verwirrung *f;* verwickelte Lage
im·bue [ɪm'bju:] *tr* durchdringen, erfüllen; **be ~d** erfüllt sein (*with* mit)
IMF [ˌaɪem'ef] *s abbr of* **International Monetary Fund** IWF *m*
imi·tate ['ɪmɪtaɪt] *tr* **1.** nachahmen, -machen; imitieren **2.** kopieren; fälschen; **imi·ta·tion** [ˌɪmɪ'teɪʃn] **I.** *s* Nachahmung, Imitation *f;* **in ~ of** nach dem Vorbild *+gen* **II.** *adj* unecht, künstlich, falsch; **~ leather** Kunstleder *n;* **imi·tat·ive** ['ɪmɪtətɪv] *adj* nachgeahmt, imitierend; **imi·ta·tor** ['ɪmɪtətə(r)] *s* Imitator(in) *m(f),* Nachahmer(in) *m(f)*
im·macu·late [ɪ'mækjʊlət] *adj* **1.** fleckenlos, rein **2.** fehlerlos, untadelig
im·ma·nence ['ɪmənəns] *s* (PHILOS) Immanenz *f;* **im·ma·nent** ['ɪmənənt] *adj* immanent
im·ma·terial [ˌɪmə'tɪərɪəl] *adj* **1.** (PHILOS) immateriell **2.** (*Fragen*) unwesentlich, unerheblich, unwichtig
im·ma·ture [ˌɪmə'tjʊə(r)] *adj* **1.** unreif; unentwickelt **2.** (*Ideen*) unausgegoren; **im·ma·tur·ity** [ˌɪmə'tjʊərətɪ] *s* Unreife *f*
im·measur·able [ɪ'meʒərəbl] *adj* unermesslich; unmessbar
im·medi·acy [ɪ'mi:dɪəsɪ] *s* Unmittelbarkeit, Unvermitteltheit *f;* **im·medi·ate** [ɪ'mi:dɪət] *adj* **1.** unmittelbar, unvermittelt, direkt **2.** (*Nachbarn*) nächste(r, s) **3.** (*Antwort*) umgehend, prompt; **im·medi·ate·ly** [-lɪ] **I.** *adv* direkt, unmittelbar; unverzüglich, sofort; **~ after** unmittelbar danach **II.** *conj* sobald, sowie
im·mem·or·ial [ˌɪmə'mɔ:rɪəl] *adj* unvordenklich; **from time ~** seit undenklichen Zeiten
im·mense [ɪ'mens] *adj* ungeheuer (groß), gewaltig; immens; **im·men·sity** [ɪ'mensətɪ] *s* Unermesslichkeit *f*
im·merse [ɪ'mɜ:s] *tr* **1.** ein-, untertauchen **2.** (*fig*) sich stürzen (*in* in); **be ~d in one's work** in seine Arbeit vertieft sein; **be ~d in water** unter Wasser sein; **im·mer·sion** [ɪ'mɜ:ʃn] *s* **1.** Ein-, Untertauchen *n* **2.** (*fig*) Versunkenheit *f;* **immersion heater** *s* **1.** (*Br*) Boiler, Heißwasserspeicher *m* **2.** Tauchsieder *m*
im·mi·grant ['ɪmɪgrənt] **I.** *adj attr:* **~ worker** ausländische(r) Arbeitnehmer(in) *m(f),* Gastarbeiter(in) *m(f)* **II.** *s* Einwanderer *m,* Einwanderin *f;* **im·mi·grate** ['ɪmɪgreɪt] *itr* einwandern (*into* in, nach); **im·mi·gra·tion** [ˌɪmɪ'greɪʃn] *s* Einwanderung *f;* **immigration country** *s* Einwanderungsland *n*
im·mi·nence ['ɪmɪnəns] *s* nahes Bevorstehen; **im·mi·nent** ['ɪmɪnənt] *adj* nahe bevorstehend; **be ~** nahe bevorstehen
im·mo·bile [ɪ'məʊbaɪl] *adj* unbeweglich; reglos, immobil; **im·mo·bil·ity** [ˌɪmə'bɪlətɪ] *s* Unbeweglichkeit *f;* **im·mo·bi·lize** [ɪ'məʊbəlaɪz] *tr* **1.** (*Verkehr*) lahm legen **2.** (*Geld*) festlegen **3.** (*Armee*) bewegungsunfähig machen **4.** (*Auto, Arm*) stilllegen
im·mod·er·ate [ɪ'mɒdərət] *adj* unmäßig, maßlos, übertrieben, unvernünftig
im·mod·est [ɪ'mɒdɪst] *adj* **1.** unbescheiden **2.** unverschämt **3.** unanständig

im•mo•late ['ɪməleɪt] *tr* (REL) opfern
im•moral [ɪ'mɒrəl] *adj* 1. unmoralisch 2. (*Person a.*) sittenlos 3. (*Benehmen a.*) unsittlich
im•mor•tal [ɪ'mɔːtl] *adj* 1. unsterblich 2. (*Ruhm*) unvergänglich; **im•mor•tal•ity** [ˌɪmɔː'tælətɪ] *s* 1. Unsterblichkeit *f* 2. Unvergänglichkeit *f;* **im•mor•tal•ize** [ɪ'mɔːtəlaɪz] *tr* unsterblich machen *bes. fig*
im•mov•able [ɪ'muːvəbl] *adj* 1. unbeweglich; unüberwindlich 2. (*Mensch*) fest, beharrlich
im•mune [ɪ'mjuːn] *adj* 1. (MED) immun (*against, to* gegen) 2. (*fig*) unempfindlich; sicher (*from* vor); ~ **defence** (MED) Immunabwehr *f;* ~ **system** Immunsystem *n;* **im•mun•ity** [ɪ'mjuːnətɪ] *s* 1. (MED) Immunität *f* 2. (JUR) Immunität, Straffreiheit *f* 3. (*fig*) Unempfindlichkeit *f;* Sicherheit *f;* **im•mu•nize** ['ɪmjʊnaɪz] *tr* immunisieren (*against* gegen); **im•mu•no-** ['ɪmjʊnəʊ] *adj* (MED) Immun-; ~**deficiency** Immunschwäche *f;* ~ **deficiency syndrome** Immunschwächekrankheit *f;* **im•mu•no•logi•cal** [ˌɪmjʊnəʊ'lɒdʒɪkl] *adj* immunologisch; **im•mu•no•logist** [ˌɪmjʊ'nɒlədʒɪst] *s* Immunologe *m,* Immunologin *f*
im•mure [ɪ'mjʊə(r)] *tr* einkerkern; ~ **o.s.** sich vergraben (*in* in)
im•mut•able [ɪ'mjuːtəbl] *adj* unveränderlich, unwandelbar
imp [ɪmp] *s* Kobold *m;* kleiner Schelm
im•pact ['ɪmpækt] *s* 1. Stoß *m;* Aufschlag, -prall *m* 2. (*fig*) (Aus)Wirkung *f,* Eindruck, Einfluss *m* 3. Einschlag *m;* **im•pact•ed** [ɪm'pæktɪd] *adj* eingekeilt, eingeklemmt
im•pair [ɪm'peə(r)] *tr* 1. (*Gehör*) verschlechtern, verschlimmern 2. beeinträchtigen
im•pale [ɪm'peɪl] *tr* durchbohren
im•pal•pable [ɪm'pælpəbl] *adj* 1. unfühlbar 2. (*fig*) unbegreiflich, unfassbar
im•part [ɪm'pɑːt] *tr* 1. verleihen (*s.o. s.th.* jdm etw) 2. (*Information*) mitteilen 3. (*Geheimnis*) preisgeben
im•par•tial [ɪm'pɑːʃl] *adj* unparteiisch; vorurteilslos; **im•par•tial•ity** [ˌɪmˌpɑːʃɪ'ælətɪ] *s* Unparteilichkeit, Unvoreingenommenheit *f*
im•pass•able [ɪm'pɑːsəbl] *adj* unpassierbar
im•passe ['æmpɑːs, *Am* 'ɪmpæs] *s* Sackgasse *f bes. fig*
im•pas•sioned [ɪm'pæʃnd] *adj* leidenschaftlich
im•pass•ive [ɪm'pæsɪv] *adj* gelassen
im•pa•tience [ɪm'peɪʃns] *s* 1. Ungeduld *f* 2. Unduldsamkeit *f* (*of* gegen); **im•pa•tient** [ɪm'peɪʃnt] *adj* 1. ungeduldig 2. unduldsam (*of* gegen)
im•peach [ɪm'piːtʃ] *tr* 1. (JUR) anklagen 2. (*Motiv*) in Zweifel ziehen; **im•peach•ment** [-mənt] *s* Anklage *f* (*wegen e-s Amtsvergehens*)
im•pec•cable [ɪm'pekəbl] *adj* untadelig
im•pe•cuni•ous [ˌɪmpɪ'kjuːnɪəs] *adj* mittellos, unbemittelt
im•pede [ɪm'piːd] *tr* 1. verhindern 2. (*Erfolg*) behindern, erschweren; **im•pedi•ment** [ɪm'pedɪmənt] *s* 1. Hindernis *n* 2. (MED) Behinderung *f*
im•pel [ɪm'pel] *tr* zwingen, veranlassen
im•pend [ɪm'pend] *itr* bevorstehen
im•pen•etrable [ɪm'penɪtrəbl] *adj* 1. undurchdringlich; undurchlässig 2. (*fig*) unerforschlich, unverständlich
im•peni•tent [ɪm'penɪtənt] *adj* reuelos, ohne Reue
im•pera•tive [ɪm'perətɪv] I. *adj* 1. gebieterisch 2. (*Wunsch*) dringend, unerlässlich II. *s* (GRAM) Imperativ *m*
im•per•cep•tible [ˌɪmpə'septəbl] *adj* nicht wahrnehmbar, unmerklich
im•per•fect [ɪm'pɜːfɪkt] I. *adj* 1. unvollständig, unvollkommen 2. (*Fehler*) mangelhaft 3. (*Wettbewerb*) ungleich II. *s* (GRAM) Imperfekt *n;* **im•per•fec•tion** [ˌɪmpə'fekʃn] *s* Mangel, Fehler *m;* Unvollkommenheit *f*
im•perial [ɪm'pɪərɪəl] *adj* 1. Reichs-; kaiserlich 2. (*des British Empire*) Empire- 3. (*Gewichte, Maße*) englisch; **im•peri•al•ism** [ɪm'pɪərɪəlɪzəm] *s* Imperialismus *m;* **im•per•ial•is•t(ic)** [ɪm'pɪərɪəlɪst, ɪmˌpɪərɪə'lɪstɪk] *adj* imperialistisch
im•peril [ɪm'perəl] *tr* gefährden
im•peri•ous [ɪm'pɪərɪəs] *adj* gebieterisch
im•per•ish•able [ɪm'perɪʃəbl] *adj* (*fig*) unvergänglich
im•per•ma•nent [ɪm'pɜːmənənt] *adj* unbeständig
im•per•me•able [ɪm'pɜːmɪəbl] *adj* undurchlässig (*to* für)
im•per•sonal [ˌɪm'pɜːsənl] *adj* unpersönlich; sachlich
im•per•son•ate [ɪm'pɜːsəneɪt] *tr* 1. (THEAT) darstellen 2. nachahmen, -machen; **im•per•son•ator** [-ə(r)] *s* Imitator(in) *m(f),* Nachahmer(in) *m(f)*
im•per•ti•nent [ɪm'pɜːtɪnənt] *adj* 1. ungehörig, unverschämt 2. irrelevant
im•per•turb•able [ˌɪmpə'tɜːbəbl] *adj* unerschütterlich
im•per•vi•ous [ɪm'pɜːvɪəs] *adj* 1. undurchdringlich, undurchlässig (*to* für) 2. (*fig: Mensch*) unzugänglich (*to* für)
im•petu•ous [ɪm'petʃʊəs] *adj* 1. ungestüm, heftig 2. (*Entscheidung*) übereilt, impulsiv
im•pe•tus ['ɪmpɪtəs] *s* 1. Wucht *f;*

Schwung *m* **2.** (*fig*) Impuls *m;* **give an ~ to s.th.** e-r S Impulse geben
im•pi•ety [ɪm'paɪətɪ] *s* **1.** Gottlosigkeit *f* **2.** Respektlosigkeit *f*
im•pinge [ɪm'pɪndʒ] *itr* sich auswirken (*on, upon* auf)
im•pi•ous ['ɪmpɪəs] *adj* **1.** gottlos **2.** respektlos
imp•ish ['ɪmpɪʃ] *adj* **1.** koboldhaft **2.** (*Lächeln*) spitzbübisch
im•plac•able [ɪm'plækəbl] *adj* unversöhnlich; **im•plac•ably** [-ɪ] *adv:* **he was ~ opposed to the idea** er war ein erbitterter Gegner der Idee
im•plant [ɪm'plɑ:nt] **I.** *tr* **1.** (MED) einpflanzen, übertragen **2.** (*fig*) einprägen **II.** ['ɪmplɑ:nt] *s* Implantat *n*
im•plaus•ible [ɪm'plɔ:zɪbl] *adj* unglaubhaft, unglaubwürdig
im•ple•ment ['ɪmplɪmənt] **I.** *s* Gerät, Werkzeug *n* **II.** [ɪmplɪ'ment] *tr* **1.** aus-, durchführen **2.** (*Vertrag*) erfüllen **3.** (*Gesetz*) vollziehen; **im•ple•men•ta•tion** [ˌɪmplɪmen'teɪʃn] *s* Aus-, Durchführung *f;* Erfüllung *f;* Vollzug *m*
im•pli•cate ['ɪmplɪkeɪt] *tr:* **~ s.o. in s.th.** jdn in etw verwickeln; **im•pli•ca•tion** [ˌɪmplɪ'keɪʃn] *s* **1.** Verwicklung *f* **2.** Bedeutung *f* **3.** (*von Gesetzen*) Auswirkung *f;* **by ~** implizit
im•pli•cit [ɪm'plɪsɪt] *adj* **1.** stillschweigend, implizit **2.** (*Drohung*) indirekt, unausgesprochen **3.** (*Gehorsam*) unbedingt
im•plied [ɪm'plaɪd] *adj* **1.** stillschweigend **2.** indirekt
im•plode [ɪm'pləʊd] *itr* implodieren
im•plore [ɪm'plɔ:(r)] *tr* anflehen; dringend bitten (*for* um); **im•plor•ing** [ɪm'plɔ:rɪŋ] *adj* flehend, flehentlich
im•plo•sion [ɪm'pləʊʒn] *s* Implosion *f*
im•ply [ɪm'plaɪ] *tr* **1.** andeuten, implizieren **2.** schließen lassen auf **3.** bedeuten
im•po•lite [ˌɪmpə'laɪt] *adj* unhöflich; **im•po•lite•ness** [-nɪs] *s* Unhöflichkeit *f*
im•poli•tic [ɪm'pɒlətɪk] *adj* unklug
im•pon•der•able [ɪm'pɒndərəbl] **I.** *adj* (*fig*) unwägbar **II.** *s* unberechenbare Größe; **~s** Imponderabilien *pl*
im•port [ɪm'pɔ:t] **I.** *tr* **1.** (COM) einführen, importieren (*into, in* nach) **2.** (*fig*) bedeuten **II.** ['ɪmpɔ:t] *s* **1.** (COM) Einfuhr *f,* Import *m* **2. ~s** Einfuhr-, Importartikel *mpl* **3.** (*fig*) Bedeutung *f,* Sinn *m*
im•port•ance [ɪm'pɔ:tns] *s* **1.** Wichtigkeit *f* **2.** Grund *m,* Bedeutung *f;* **of no ~** bedeutungs-, belanglos; **attach ~ to s.th.** e-r S Bedeutung beimessen; **im•port•ant** [ɪm'pɔ:tnt] *adj* **1.** wichtig (*to* für) **2.** einflussreich; **im•port•ant•ly** [-lɪ] *adv* **1.** (*pej*) wichtigtuerisch **2.** entscheidend
im•port•ation [ˌɪmpɔ:'teɪʃn] *s* (COM) Einfuhr *f,* Import *m;* **import duty** *s* Einfuhrzoll *m*
im•por•tu•nate [ɪm'pɔ:tʃʊnət] *adj* auf-, zudringlich; **im•por•tune** [ˌɪmpə'tju:n] *tr* mit Bitten belästigen; bestürmen
im•pose [ɪm'pəʊz] **I.** *tr* **1.** (*Steuer*) erheben (*on* auf) **2.** (*Bedingungen*) auferlegen, aufzwingen (*on s.o.* jdm) **3.** aufzwingen, aufdrängen (*on, upon s.o.* jdm) **II.** *itr* ausnützen; zur Last fallen (*on s.o.* jdm); **im•pos•ing** [-ɪŋ] *adj* eindrucksvoll, imponierend, imposant; **im•po•si•tion** [ˌɪmpə'zɪʃn] *s* **1.** Steuer *f* **2.** Auferlegung *f;* Aufzwingen *n* **3.** Zumutung *f*
im•possi•bil•ity [ɪmˌpɒsə'bɪlətɪ] *s* Unmöglichkeit *f;* **im•poss•ible** [ɪm'pɒsəbl] *adj* **1.** unmöglich **2.** (*fam*) unausstehlich, unerträglich
im•pos•tor [ɪm'pɒstə(r)] *s* Betrüger(in) *m(f),* Hochstapler(in) *m(f);* **im•pos•ture** [ɪm'pɒstʃə(r)] *s* Betrug, Schwindel *m*
im•po•tence ['ɪmpətəns] *s* **1.** Schwäche, Machtlosigkeit *f* **2.** (MED) Impotenz *f;* **im•po•tent** ['ɪmpətənt] *adj* **1.** schwach, unfähig **2.** (MED) impotent
im•pound [ɪm'paʊnd] *tr* **1.** (*Vieh*) einsperren, -schließen **2.** (*Waren*) beschlagnahmen; in Verwahrung nehmen
im•pov•er•ish [ɪm'pɒvərɪʃ] *tr* **1.** arm machen **2.** (*Kultur*) verkümmern lassen **3.** (*Boden*) erschöpfen; **be ~ed** verarmen
im•prac•ti•cable [ɪm'præktɪkəbl] *adj* **1.** impraktikabel; nicht anwendbar; praxisfern, praxisfremd **2.** (*Straße*) ungangbar, unwegsam
im•prac•ti•cal [ɪm'præktɪkl] *adj* unpraktisch
im•pre•ca•tion [ˌɪmprɪ'keɪʃn] *s* Verwünschung *f,* Fluch *m;* **hurl ~s at s.o.** jdn verwünschen, verfluchen
im•pre•cise [ˌɪmprɪ'saɪs] *adj* ungenau
im•preg•nable [ɪm'pregnəbl] *adj* uneinnehmbar
im•preg•nate ['ɪmpregneɪt] *tr* **1.** (*Ei*) befruchten **2.** (*fig*) durchdringen, erfüllen **3.** tränken
im•pre•sario [ˌɪmprɪ'sɑ:rɪəʊ] *s* <*pl* -sarios> Impresario *m*
im•press [ɪm'pres] **I.** *tr* **1.** (ein)drücken, (ein)prägen (*on* auf) **2.** imponieren (*s.o.* jdm), beeindrucken **3.** einschärfen (*on s.o.* jdm) **4.** (*Meinung*) aufzwingen (*on s.o.* jdm) **II.** ['ɪmpres] *s* Abdruck *m;* **im•pres•sion** [ɪm'preʃn] *s* **1.** Prägung, Abdruck *m* **2.** (*fig*) Eindruck *m* **3.** Ahnung *f,* unbestimmtes Gefühl **4.** (*e-s Buches*) Nachdruck *m;* **give the ~** den Eindruck erwecken; **be under the ~** den Eindruck haben; **im•pres•sion•able** [ɪm'preʃənəbl] *adj*

leicht zu beeindrucken
im•pres•sion•ism [ɪm'preʃnɪzəm] *s* Impressionismus *m;* **im•pres•sion•ist** [ɪm'preʃnɪst] *s* Impressionist(in) *m(f);* **im-pres•sion•is•tic** [ɪm,preʃə'nɪstɪk] *adj* impressionistisch
im•pres•sive [ɪm'presɪv] *adj* eindrucksvoll
im•print [ɪm'prɪnt] **I.** *tr* **1.** (auf)drücken (*on* auf), prägen; bedrucken **2.** einprägen (*on s.o.'s memory* in jds Gedächtnis) **II.** ['ɪmprɪnt] *s* **1.** Abdruck *m;* Aufdruck *m* **2.** (TYP) Impressum *n,* Druckvermerk *m*
im•prison [ɪm'prɪzn] *tr* einsperren; gefangen halten; inhaftieren; **im•prison-ment** [-mənt] *s* Inhaftierung *f;* Gefangenschaft *f;* **sentence s.o. to one year's** ~ jdn zu e-m Jahr Gefängnis verurteilen; **life** ~ lebenslängliche Freiheitsstrafe
im•prob•abil•ity [ɪm,prɒbə'bɪlətɪ] *s* Unwahrscheinlichkeit *f;* **im•prob•able** [ɪm'prɒbəbl] *adj* unwahrscheinlich
im•promptu [ɪm'prɒmptju:] **I.** *adj, adv* aus dem Stegreif; improvisiert **II.** *s* (MUS) Impromptu *n*
im•proper [ɪm'prɒpə(r)] *adj* **1.** unpassend, unangebracht (*to* für) **2.** unrichtig, unzutreffend **3.** unanständig; **im•pro •pri-ety** [,ɪmprə'praɪətɪ] *s* **1.** Unangebrachtheit *f* **2.** Ungehörigkeit *f* **3.** Unanständigkeit *f*
im•prove [ɪm'pru:v] **I.** *tr* **1.** (ver)bessern, (an)heben **2.** (COM) veredeln **3.** (*Beziehungen*) ausbauen **4.** (*Essen*) verfeinern **II.** *itr* sich bessern; schöner werden; sich erhöhen; ~ (**up**)**on** übertreffen, überbieten; besser machen; ~ **on acquaintance** bei näherer Bekanntschaft gewinnen; **im•prove-ment** [-mənt] *s* **1.** Verbesserung *f* **2.** (COM) Vered(e)lung *f* **3.** Steigerung, Anhebung, Vervollkommnung *f* **4.** (*Gehalt*) Aufbesserung *f* **5.** (*Preise*) Anziehen *n* **6.** Fortschritt *m* (*on, over* gegenüber); **an** ~ **in pay** e-e Gehaltsaufbesserung; **make** ~**s** Verbesserungen erzielen; **carry out** ~**s** Ausbesserungsarbeiten vornehmen
im•provi•dent [ɪm'prɒvɪdənt] *adj* leichtsinnig, sorglos
im•pro•vis•ation [,ɪmprəvaɪ'zeɪʃn] *s* Improvisation *f,* Improvisieren *n;* **im•pro-vise** ['ɪmprəvaɪz] *tr, itr* improvisieren
im•prud•ent [ɪm'pru:dnt] *adj* unklug, unüberlegt
im•pu•dence ['ɪmpjʊdəns] *s* Unverschämtheit, Frechheit *f;* **im•pu•dent** ['ɪmpjʊdənt] *adj* unverschämt, frech
im•pugn [ɪm'pju:n] *tr* bestreiten, anfechten; angreifen
im•pulse ['ɪmpʌls] *s* **1.** Anstoß, Antrieb, Impuls *m* **2.** (PSYCH) Trieb, Drang *m;* **act on** ~ impulsiv handeln; ~ **buy**(**ing**) Impulskauf *m;* **im•pul•sion** [ɪm'pʌlʃn] *s* Antrieb, Drang *m;* Antriebskraft *f;* **im•pul•sive** [ɪm'pʌlsɪv] *adj* impulsiv, spontan
im•pun•ity [ɪm'pju:nətɪ] *s* Straflosigkeit *f;* **with** ~ straflos
im•pure [ɪm'pjʊə(r)] *adj* **1.** (*a.* REL) unrein **2.** (*Motiv*) unsauber **3.** (*Essen*) verunreinigt; **im•pur•ity** [ɪm'pjʊərətɪ] *s* **1.** Unreinheit *f* **2.** (TECH) Verunreinigung *f*
im•pu•ta•tion [,ɪmpjʊ'teɪʃn] *s* **1.** Unterstellung *f* **2.** Be-, Anschuldigung *f* (*on* gegen); **im•pute** [ɪm'pju:t] *tr* zuschreiben, zur Last legen (*to dat*)
in [ɪn] **I.** *prep* **1.** (*räumlich*) in; ~ **the house** im Hause; ~ **the street** auf der Straße; **sitting** ~ **the window** am Fenster sitzend; ~ **bed** im Bett **2.** (*zeitlich*) in; während; ~ **1981** 1981; ~ **July** im Juli; ~ **the morning/afternoon/evening** morgens/nachmittags/abends; ~ **the beginning** am Anfang **3.** (*Zukunft*) in; innerhalb von; ~ **a week** in e-r Woche **4.** (*Art, Zustand*): **speak** ~ **a loud voice** laut, mit lauter Stimme sprechen; **speak** ~ **German** Deutsch reden; ~ **this way** so; ~ **anger** im Zorn; ~ **black** in Schwarz gekleidet; **write** ~ **ink** mit Tinte schreiben **5.** (*Ausmaß*): ~ **some measure** in gewisser Weise; ~ **part** teilweise **6.** (*betreffend*): **a rise** ~ **prices** ein Preisanstieg **II.** *adv* daheim, zu Hause; **the train is** ~ der Zug ist angekommen; **strawberries are** ~ **now** es ist Erdbeerzeit; **the Liberal candidate is** ~ der liberale Kandidat ist gewählt; **the fire is still** ~ das Feuer brennt noch; **green is** ~ Grün ist in; **be** ~ **for s.th.** etw zu erwarten, zu befürchten haben; **be** ~ **on s.th.** an einer Sache beteiligt sein; über etw Bescheid wissen; **be** ~ **with s.o.** mit jdm auf gutem Fuße stehen; **now you are** ~ **for it!** jetzt geht's dir aber schlecht!; **are you** ~ **on it, too?** sind Sie auch dabei? **III.** *adj* innen befindlich; (*Tür*) nach innen gehend **IV.** *s:* **know the** ~**s and outs of a matter** in, bei e-r S genau Bescheid wissen
in•abil•ity [,ɪnə'bɪlətɪ] *s* Unfähigkeit *f,* Unvermögen *n;* ~ **to pay** Zahlungsunfähigkeit *f*
in•ac•cess•ible [,ɪnæk'sesəbl] *adj* unzugänglich (*to* für) *a. fig*
in•ac•cur•acy [ɪn'ækjʊrəsɪ] *s* Unrichtigkeit, Ungenauigkeit *f;* **in•ac•cur•ate** [ɪn'ækjərət] *adj* unrichtig, ungenau
in•ac•tion [ɪn'ækʃn] *s* Untätigkeit *f,* Nichtstun *n;* **in•ac•tive** [ɪn'æktɪv] *adj* **1.** untätig **2.** (*Mensch*) müßig **3.** (*Kapital*) brachliegend **4.** (*Vulkan*) erloschen; **in•ac•tiv•ity** [,ɪnæk'tɪvətɪ] *s* **1.** Untätigkeit *f* **2.** (COM) Flaute *f*
in•ad•equacy [ɪn'ædɪkwəsɪ] *s* **1.** Unange-

messenheit *f* **2.** Unzulänglichkeit *f;* **in•ad•equate** [ɪn'ædɪkwət] *adj* **1.** unangemessen **2.** unzulänglich **3.** unzureichend, ungenügend **4.** nicht geeignet; **feel ~** sich nicht gewachsen fühlen (*for s.th, to do s.th.* e-r S)

in•ad•miss•ible [ˌɪnəd'mɪsəbl] *adj* unzulässig

in•ad•ver•tent [ˌɪnəd'vɜːtənt] *adj* unbeabsichtigt, ungewollt

in•ad•vis•able [ˌɪnəd'vaɪzəbl] *adj* unratsam, nicht zu empfehlen

in•alien•able [ɪn'eɪlɪənəbl] *adj* unveräußerlich

in•ane [ɪ'neɪn] *adj* **1.** dumm **2.** (*fam: Vorschlag*) hirnverbrannt

in•ani•mate [ɪn'ænɪmət] *adj* **1.** leblos **2.** (*Natur*) unbelebt

in•an•ity [ɪ'nænətɪ] *s* **1.** Dummheit *f* **2.** Hirnverbranntheit *f*

in•ap•pli•cable [ɪn'æplɪkəbl] *adj* unzutreffend; nicht anwendbar (*to* auf)

in•ap•pro•pri•ate [ˌɪnə'prəʊprɪət] *adj* **1.** unangemessen, unangebracht **2.** (*Zeit*) unpassend, ungelegen

in•apt [ɪn'æpt] *adj* **1.** unpassend **2.** ungeschickt; **in•ap•ti•tude** [ɪn'æptɪtjuːd] *s* **1.** Unfähigkeit *f* **2.** Untauglichkeit *f* **3.** Ungeschicktheit *f*

in•ar•ticu•late [ˌɪnɑː'tɪkjʊlət] *adj* **1.** undeutlich; schlecht ausgedrückt **2.** (ZOO) nicht gegliedert; **he is very ~** er kann sich nur schlecht ausdrücken

in•ar•tis•tic [ˌɪnɑː'tɪstɪk] *adj* unkünstlerisch

in•as•much [ˌɪnəz'mʌtʃ] *adv:* **~ as** da, weil

in•at•ten•tion [ˌɪnə'tenʃn] *s* Unaufmerksamkeit *f* (*to* gegenüber); **in•at•ten tive** [ˌɪnə'tentɪv] *adj* unaufmerksam (*to* gegenüber)

in•aud•ible [ɪn'ɔːdəbl] *adj* unhörbar

in•aug•ural [ɪ'nɔːgjʊrəl] **I.** *adj* Antritts-, Eröffnungs- **II.** *s* (*~ address, lecture*) Antrittsrede, -vorlesung *f;* **in•au•gur•ate** [ɪ'nɔːgjʊreɪt] *tr* **1.** (ins Amt) einsetzen **2.** (*Gebäude*) eröffnen, einweihen **3.** (*Ära*) einleiten; **in•aug•ur•ation** [ɪˌnɔːgjʊ'reɪʃn] *s* **1.** Amtseinführung *f* **2.** Einweihung *f;* Eröffnung *f* **3.** Beginn, Anfang *m*

in•aus•pi•cious [ˌɪnɔː'spɪʃəs] *adj* unheil verheißend

in•board ['ɪnbɔːd] **I.** *adj* Innenbord- **II.** *s* Innenbordmotor *m*

in•born [ˌɪn'bɔːn] *adj* angeboren

in•bred [ˌɪn'bred] *adj* **1.** angeboren **2.** aus Inzucht hervorgegangen; **inbreed•ing** [ˌɪn'briːdɪŋ] *s* Inzucht *f*

in-built ['ɪnbɪlt] *adj* **1.** eingebaut, integriert **2.** instinktiv, angeboren

in•cal•cu•lable [ɪn'kælkjʊləbl] *adj* **1.** (*Charakter*) unberechenbar **2.** (*Betrag*) unschätzbar; unabsehbar **3.** (MATH) nicht berechenbar

in•can•descent [ˌɪnkæn'desnt] *adj* **1.** weißglühend **2.** (*fig*) leuchtend; **~ bulb** Glühbirne *f*

in•can•ta•tion [ˌɪnkæn'teɪʃn] *s* **1.** Beschwörung *f* **2.** Zauberspruch *m*

in•capa•bil•ity [ɪnˌkeɪpə'bɪlətɪ] *s* Unfähigkeit *f;* Unvermögen *n;* **in•capable** [ɪn'keɪpəbl] *adj* **1.** unfähig, nicht im Stande, nicht in der Lage (*of doing* zu tun) **2.** untauglich, ungeeignet (*of* für); **~ of working** arbeitsunfähig; **drunk and ~** volltrunken

in•ca•paci•tate [ˌɪnkə'pæsɪteɪt] *tr* **1.** unfähig machen (*for* für, *from doing* zu tun) **2.** disqualifizieren; **physically ~d** körperlich behindert; **in•ca•pac•ity** [ˌɪnkə'pæsətɪ] *s* **1.** Unfähigkeit *f* **2.** (JUR) mangelnde Berechtigung

in•car•cer•ate [ɪn'kɑːsəreɪt] *tr* einkerkern

in•car•nate [ɪn'kɑːneɪt] **I.** *adj* verkörpert, personifiziert, leibhaftig **II.** *tr* verkörpern; Gestalt geben; **in•car•na•tion** [ˌɪnkɑː'neɪʃn] *s* **1.** (REL) Fleisch-, Menschwerdung *f* **2.** (*fig*) Verkörperung *f,* Inbegriff *m;* Inkarnation *f*

in•cau•tious [ɪn'kɔːʃəs] *adj* unvorsichtig; unbedacht

in•cen•di•ary [ɪn'sendɪərɪ] **I.** *adj* **1.** aufrührerisch **2.** Brand-; **~ bomb** Brandbombe *f* **II.** *s* **1.** Brandstifter(in) *m(f)* **2.** (*fig*) Aufwiegler(in) *m(f)*

in•cense¹ ['ɪnsens] *s* Weihrauch *m*

in•cense² [ɪn'sens] *tr* wütend machen, erbosen

in•cen•tive [ɪn'sentɪv] *s* Anreiz *m* (*to* zu); **incentive scheme** *s* (*Industrie*) leistungsabhängiges Schema

in•cep•tion [ɪn'sepʃn] *s* Anfang, Beginn *m*

in•cer•ti•tude [ɪn'sɜːtɪtjuːd] *s* Unsicherheit *f*

in•cess•ant [ɪn'sesnt] *adj* unablässig, unaufhörlich

in•cest ['ɪnsest] *s* Blutschande *f;* **in•ces tuous** [ɪn'sestjʊəs] *adj* blutschänderisch, inzestuös

inch [ɪntʃ] **I.** *s* **1.** Zoll *m* (*= 2,54 cm*) **2.** ein bisschen, (ein) wenig; **~ by ~** Zentimeter um Zentimeter; **the car missed me by ~es** das Auto hat mich um Haaresbreite verfehlt; **he is every ~ a soldier** er ist jeder Zoll ein Soldat; **within an ~ of** um ein Haar, beinahe **II.** *tr* (langsam) schieben **III.** *itr* sich (langsam) bewegen

in•ci•dence ['ɪnsɪdəns] *s* **1.** Vorkommen *n,* Verbreitung, Häufigkeit *f* **2.** (OPT) Einfall *m;* **in•ci•dent** ['ɪnsɪdənt] **I.** *adj* **1.** verbunden

(*to* mit) **2.** (OPT) einfallend **II.** *s* **1.** Vorfall *m,* Ereignis, Geschehen *n* **2.** Zwischenfall *m*
in•ci•den•tal [ˌɪnsɪˈdentl] **I.** *adj* **1.** zufällig, beiläufig **2.** nebensächlich **3.** verbunden (*to* mit); ~ **music** Begleitmusik *f;* ~ **expenses** Nebenkosten *pl* **II.** *s pl* Nebenausgaben *fpl;* **in•ci•den•tally** [ˌɪnsɪˈdentlɪ] *adv* übrigens, nebenbei gesagt
in•cin•er•ate [ɪnˈsɪnəreɪt] *tr* einäschern, verbrennen; **in•cin•er•ator** [ɪnˈsɪnəreɪtə(r)] *s* Verbrennungsofen *m;* (*Müll*) Verbrennungsanlage *f*
in•cipi•ent [ɪnˈsɪpɪənt] *adj* anfangend, beginnend; (*Probleme*) einsetzend
in•cise [ɪnˈsaɪz] *tr* **1.** (ein)schneiden (*into* in) **2.** einritzen; einschnitzen; **in•ci•sion** [ɪnˈsɪʒn] *s* (*a.* MED) Einschnitt *m*
in•cis•ive [ɪnˈsaɪsɪv] *adj* **1.** (*Verstand*) scharf; ausgeprägt **2.** (*Bemerkung*) beißend; scharfsinnig
in•cisor [ɪnˈsaɪzə(r)] *s* (ANAT) Schneidezahn *m*
in•cite [ɪnˈsaɪt] *tr* aufwiegeln, aufhetzen (*to* zu); **in•cite•ment** [-mənt] *s* Aufwiegelung, Aufhetzung *f* (*to* zu)
in•civ•il•ity [ˌɪnsɪˈvɪlətɪ] *s* Unhöflichkeit *f*
in•clem•ent [ɪnˈklemənt] *adj* (*Wetter*) rau, streng
in•cli•na•tion [ˌɪnklɪˈneɪʃn] *s* **1.** Neigung *f,* Hang *m a. fig* **2.** (*fig*) Vorliebe *f* (*for* für) **3.** Gefälle *n;* **she follows her ~s** sie tut das, wozu sie Lust hat; **in•cline** [ˈɪnklaɪn] **I.** *s* (Ab)Hang *m,* Gefälle *n* **II.** [ɪnˈklaɪn] *itr* **1.** (*Fläche*) sich neigen; abfallen **2.** neigen; **he ~s to leanness** er neigt zu Magerkeit **III.** [ɪnˈklaɪn] *tr* **1.** (*Dach*) neigen **2.** (*fig*) veranlassen, bewegen; **in•clined** [ɪnˈklaɪnd] *adj* geneigt *a. fig;* **be ~ to do s.th.** Lust haben etw zu tun; dazu neigen etw zu tun; **I am ~ to think that ...** ich neige zu der Ansicht, dass ...; **be well ~ to wards s.o.** jdm gewogen sein
in•close [ɪnˈkləʊz] *s.* **enclose**
in•clude [ɪnˈkluːd] *tr* einschließen, umfassen, enthalten; einbeziehen (*in* in); **the children ~d** einschließlich der Kinder; **in•clud•ing** [ɪnˈkluːdɪŋ] *prep* einschließlich, inklusive, inbegriffen; **in•clu•sion** [ɪnˈkluːʒn] *s* Aufnahme *f;* Einbeziehung *f;* **in•clus•ive** [ɪnˈkluːsɪv] *adj* eingerechnet, einschließlich, inklusive; **be ~ of** einschließen; **Monday to Friday ~** von Montag bis einschließlich Freitag; ~ **terms** Pauschalpreis *m*
in•cog•nito [ˌɪnkɒgˈniːtəʊ] **I.** *adv* inkognito **II.** *s* Inkognito *n*
in•co•her•ent [ˌɪnkəʊˈhɪərənt] *adj* **1.** zusammenhanglos; unzusammenhängend **2.** (*Rede*) wirr
in•come [ˈɪŋkʌm] *s* Einkommen *n,* Einkünfte *pl* (*from* aus); **live within one's ~** seinen Verhältnissen entsprechend leben; **income group** *s* Einkommensklasse *f;* **income support** *s* Sozialhilfe *f;* **income tax** *s* Lohnsteuer *f;* Einkommensteuer *f;* ~ **return** Einkommenssteuererklärung *f*
in•com•ing [ˈɪnˌkʌmɪŋ] *adj* **1.** hereinkommend **2.** (*Zug*) einfahrend; (*Schiff*) einlaufend **3.** nachfolgend; ~ **tide** Flut *f*
in•com•ings [ˈɪnˌkʌmɪŋz] *s pl* Einkünfte, Einnahmen *pl*
in•com•men•sur•ate [ˌɪnkəˈmenʃərət] *adj* unzureichend; **be ~ with s.th.** in keinem Verhältnis zu etw stehen
in•com•muni•cado [ˌɪnkəˌmjuːnɪˈkɑːdəʊ] *adj* ohne Verbindung zur Außenwelt; nicht zu sprechen
in•com•par•able [ɪnˈkɒmprəbl] *adj* nicht vergleichbar (*to, with* mit), unvergleichlich
in•com•pati•bil•ity [ˌɪnkəmˌpætəˈbɪlɪtɪ] *s* Unvereinbarkeit *f;* Unverträglichkeit *f;* **in•com•pat•ible** [ˌɪnkəmˈpætəbl] *adj* **1.** unvereinbar (*with* mit), nicht zueinander passend **2.** (*Farben*) unverträglich
in•com•pe•tence, in•com•pe•tency [ɪnˈkɒmpɪtəns(ɪ)] *s* **1.** Unfähigkeit *f;* Untauglichkeit *f* **2.** (JUR) Unzuständigkeit *f;* **in•com•pe•tent** [ɪnˈkɒmpɪtənt] *adj* **1.** unfähig; untauglich **2.** (JUR) unzuständig (*to* für)
in•com•plete [ˌɪnkəmˈpliːt] *adj* unvollständig, unvollkommen
in•com•pre•hen•sible [ˌɪnˌkɒmprɪˈhensəbl] *adj* unverständlich, unbegreiflich
in•con•ceiv•able [ˌɪnkənˈsiːvəbl] *adj* **1.** unvorstellbar, undenkbar **2.** unfassbar
in•con•clus•ive [ˌɪnkənˈkluːsɪv] *adj* nicht überzeugend, nicht schlüssig; unbestimmt; ergebnislos
in•con•gru•ity [ˌɪnkɒŋˈgruːətɪ] *s* **1.** Unvereinbarkeit *f* **2.** Missverhältnis *n* **3.** Unstimmigkeit *f;* **in•con•gru•ous** [ɪnˈkɒŋgrʊəs] *adj* **1.** nicht zusammenpassend, unvereinbar **2.** fehl am Platz
in•con•sequent [ɪnˈkɒnsɪkwənt] *adj* **1.** inkonsequent, unlogisch **2.** (*Bemerkung*) nicht zur Sache gehörend; **in con•sequen•tial** [ɪnˌkɒnsɪˈkwenʃl] *adj* beziehunglos; belanglos, unwichtig
in•con•sider•able [ˌɪnkənˈsɪdrəbl] *adj* unbedeutend, belanglos
in•con•sider•ate [ˌɪnkənˈsɪdərət] *adj* **1.** unaufmerksam **2.** rücksichtslos
in•con•sist•ency [ˌɪnkənˈsɪstənsɪ] *s* **1.** Widersprüchlichkeit *f* **2.** Unbeständigkeit *f;* **in•con•sist•ent** [ˌɪnkənˈsɪstənt] *adj* **1.** widersprüchlich **2.** (*Arbeit*) unbeständig, ungleich; **be ~ with s.th.** mit etw nicht

übereinstimmen

in•con•sol•able [ˌɪnkən'səʊləbl] *adj* untröstlich

in•con•spicu•ous [ˌɪnkən'spɪkjʊəs] *adj* unauffällig; unscheinbar

in•con•stant [ɪn'kɒnstənt] *adj* **1.** unbeständig **2.** schwankend **3.** (*Wetter*) wechselhaft

in•con•test•able [ˌɪnkən'testəbl] *adj* unbestreitbar, unanfechtbar

in•con•ti•nent [ɪn'kɒntɪnənt] *adj* **1.** (*Wünsche*) zügellos **2.** (MED) inkontinent

in•con•tro•vert•ible [ɪnˌkɒntrə'vɜːtəbl] *adj* unbestreitbar, unleugbar

in•con•ven•ience [ˌɪnkən'viːnɪəns] **I.** *s* Unannehmlichkeit *f;* **put s.o. to great ~** jdm große Umstände bereiten **II.** *tr* Umstände bereiten (*s.o.* jdm); **in•con•ven•ient** [ˌɪnkən'viːnɪənt] *adj* **1.** ungelegen, ungünstig **2.** unbequem, unpraktisch

in•cor•por•ate [ɪn'kɔːpəreɪt] *tr* **1.** aufnehmen, einbauen, integrieren **2.** vereinigen, enthalten **3.** (JUR) gesellschaftlich organisieren; **~ a company** (*Am*) als Aktiengesellschaft eintragen; **~d company** (*Am*) Aktiengesellschaft *f;* **in•cor por•ation** [ɪnˌkɔːpə'reɪʃn] *s* **1.** Aufnahme, Integration *f* **2.** Verbindung, Vereinigung *f* **3.** (JUR) Gründung *f*

in•cor•por•eal [ˌɪnkɔː'pɔːrɪəl] *adj* unkörperlich, immateriell

in•cor•rect [ˌɪnkə'rekt] *adj* **1.** falsch; fehlerhaft; unzutreffend **2.** inkorrekt

in•cor•ri•gible [ɪŋ'kɒrɪdʒəbl] *adj* unverbesserlich

in•cor•rupt•ible [ˌɪnkə'rʌptəbl] *adj* **1.** unbestechlich **2.** (*Substanz*) unzerstörbar

in•crease [ɪn'kriːs] **I.** *itr* **1.** (an)wachsen, (an)steigen, zunehmen **2.** sich vergrößern; sich vermehren, sich erhöhen (*to* auf); **~ in volume** umfangreicher werden; **~ in height** höher werden **II.** *tr* **1.** vergrößern, erhöhen **2.** (*Freude*) vermehren **3.** (*Bemühung*) verstärken **4.** (*Firma*) erweitern **5.** (*Preis*) erhöhen; **~d demand** verstärkte Nachfrage; **~d standard of living** höherer Lebensstandard **III.** ['ɪŋkriːs] *s* **1.** Wachstum *n,* Vergrößerung *f* **2.** Erhöhung, Steigerung *f* (*on* gegenüber) **3.** Zunahme *f;* Zuwachs *m* **4.** Anwachsen *n;* **be on the ~** ständig zunehmen; **~ in population** Bevölkerungszunahme *f;* **~ in value** Wertsteigerung *f,* -zuwachs *m;* **in•creas•ing** [-ɪŋ] *adj* zunehmend, steigend

in•cred•ible [ɪn'kredəbl] *adj* **1.** unglaubhaft **2.** unglaublich

in•cred•ul•ity [ˌɪnkrɪ'djuːlətɪ] *s* Ungläubigkeit *f;* **in•credu•lous** [ɪn'kredjʊləs] *adj* ungläubig, skeptisch

in•crement ['ɪŋkrəmənt] *s* **1.** Zuwachs *m,* Zunahme *f* (*of* an) **2.** Gehaltserhöhung *f*

in•crimi•nate [ɪn'krɪmɪneɪt] *tr* belasten

in•cu•bate ['ɪnkjʊbeɪt] **I.** *tr* **1.** ausbrüten **2.** (*fig*) ausreifen lassen **II.** *itr* **1.** ausgebrütet werden **2.** (*fig*) reifen; **in•cu•ba•tion** [ˌɪnkjʊ'beɪʃn] *s* **1.** Ausbrüten *n* **2.** (*fig*) Ausreifen *n;* **incubation period** *s* (MED) Inkubationszeit *f;* **in•cu•ba•tor** ['ɪŋkjʊbeɪtə(r)] *s* Brutapparat, -kasten *m*

in•cul•cate ['ɪnkʌlkeɪt] *tr* einschärfen (*in s.o.* jdm)

in•cum•bent [ɪŋ'kʌmbənt] **I.** *adj* obliegen **II.** *s* Amtsinhaber(in) *m(f)*

in•cur [ɪn'kɜː(r)] *tr* sich zuziehen, auf sich laden; **~ debts** Schulden machen; **~ heavy expenses** sich in große Unkosten stürzen; **~ a loss** e-n Verlust erleiden; **~ a risk** ein Risiko eingehen; **heavy costs can be ~red** hohe Kosten können entstehen

in•cur•able [ɪn'kjʊərəbl] **I.** *adj* unheilbar; (*fig*) unverbesserlich **II.** *s* unheilbar Kranke(r) *f m*

in•cur•sion [ɪn'kɜːʃn] *s* plötzlicher Angriff; Einfall *m*

in•debted [ɪn'detɪd] *adj* **1.** (COM) verschuldet (*to* bei) **2.** (*fig*) verpflichtet; **be ~ to s.o. for s.th.** jdm für etw zu Dank verpflichtet sein; **in•debtedness** [-nɪs] *s* **1.** Verpflichtung *f* **2.** (COM) Verschuldung *f*

in•de•cen•cy [ɪn'diːsənsɪ] *s* Unanständigkeit *f;* **in•de•cent** [ɪn'diːsnt] *adj* **1.** (JUR) unsittlich **2.** anstößig, unanständig; **~ assault** Notzucht *f;* **with ~ haste** mit ungebührlicher Eile

in•de•cipher•able [ˌɪndɪ'saɪfrəbl] *adj* nicht zu entziffern

in•de•ci•sion [ˌɪndɪ'sɪʒn] *s* Unentschlossenheit *f;* **in•de•cis•ive** [ˌɪndɪ'saɪsɪv] *adj* **1.** unentschlossen, unschlüssig **2.** (*Entscheidung*) ergebnislos

in•de•clin•able [ɪndɪ'klaɪnəbl] *adj* indeklinabel

in•dec•or•ous [ɪn'dekərəs] *adj* unschicklich

in•deed [ɪn'diːd] *adv* in der Tat, tatsächlich, wirklich; **thank you very much ~** vielen herzlichen Dank; **who is she, ~?** wer mag sie wohl sein?; **what ~!** was wohl!; **~?** ach so?; **if ~ ...** falls ... wirklich; **are you pleased? – yes, ~!** bist du zufrieden? – oh ja, natürlich sehr!

in•de•fati•gable [ˌɪndɪ'fætɪgəbl] *adj* unermüdlich

in•de•fens•ible [ˌɪndɪ'fensəbl] *adj* **1.** unhaltbar *a. fig* **2.** (*fig: Benehmen*) unentschuldbar

in•defin•able [ˌɪndɪ'faɪnəbl] *adj* unbestimmbar, undefinierbar

in•defi•nite [ɪn'defɪnət] *adj* **1.** (*Zeit*) unbegrenzt; unbestimmt **2.** (*fig*) unklar

in•del•ible [ɪn'deləbl] *adj* **1.** (*Schrift, Farbe*) nicht zu entfernen, dauerhaft **2.** (*fig*) unauslöschlich; ~ **ink** Wäschetinte *f;* ~ **pencil** Tintenstift *m*

in•dem•nify [ɪn'demnɪfaɪ] *tr* **1.** entschädigen, Schaden(s)ersatz leisten (*for* für); (*Kosten*) erstatten **2.** versichern (*against, from* gegen); **in•dem•nity** [ɪn'demnətɪ] *s* **1.** Schaden(s)ersatz *m,* Entschädigung *f;* Abfindung *f* **2.** Versicherung *f;* **pay full ~ to s.o.** jdm den Schaden in voller Höhe ersetzen

in•dent [ɪn'dent] *s* **1.** (ein)kerben, auszacken **2.** (*Zeile*) einrücken **3.** (COM) bestellen; **in•den•ta tion** [ˌɪnden'teɪʃn] *s* **1.** Einkerbung, Auszackung *f* **2.** Ausbuchtung *f* **3.** (TYP) Einrückung *f;* Absatz *m*

in•den•ture [ɪn'dentʃə(r)] *s* Ausbildungs-, Lehrvertrag *m*

in•de•pen•dence [ˌɪndɪ'pendəns] *s* Unabhängigkeit *f* (*from* von); **I~ Day** (*Am*) Unabhängigkeitstag *m* (*4. Juli 1776*); **in•de•pen•dent** [ˌɪndɪ'pendənt] **I.** *adj* **1.** unabhängig (*of* von), selbständig; autonom; **I~ Television, ITV** *kommerzielle britische Fernsehanstalt* **2.** (POL) parteilos; ~ **suspension** (MOT) Einzelradaufhängung *f* **II.** *s* (POL) Parteilose(r) *f m,* Autonome(r) *f m,* Unabhängige(r) *f m*

in-depth ['ɪndepθ] *adj* eingehend, gründlich

in•de•scrib•able [ˌɪndɪ'skraɪbəbl] *adj* unbeschreiblich

in•de•struct•ible [ˌɪndɪ'strʌktəbl] *adj* unzerstörbar

in•de•ter•min•able [ˌɪndɪ'tɜːmɪnəbl] *adj* unbestimmbar; **in•de•ter•mi•nate** [ˌɪndɪ'tɜːmɪnət] *adj* **1.** unbestimmt **2.** (*Konzept*) unklar, vage

in•dex ['ɪndeks] <*pl* indexes (indices)> **I.** *s* **1.** (*pl: indexes*) Register *n,* Index *m;* Quellenverzeichnis *n;* Katalog *m* **2.** (*pl: indices*) Hinweiszeichen *n;* Anzeiger *m* **3.** Index *m,* Messzahl *f* **4.** (MATH: *pl: indices*) Exponent *m;* **be an ~ of s.th.** ein Gradmesser für etw sein; **cost-of-living ~** Lebenshaltungsindex *m* **II.** *tr* mit e-m Register versehen; registrieren, katalogisieren; **in•dex•ation** [ˌindek'seɪʃn] *s* Indexbindung, Indexierung *f;* **index card** *s* Karteikarte *f;* **in•dex•er** ['indeksə(r)] *s* Indexverfasser *m;* **index finger** *s* Zeigefinger *m;* **index-linked** *adj* (*Rente*) dynamisch; der Inflationsrate angeglichen

In•dia ['ɪndɪə] *s* Indien *n;* **In•dian** ['ɪndɪən] **I.** *adj* **1.** indisch **2.** indianisch **II.** *s* **1.** Inder(in) *m(f)* **2.** Indianer(in) *m(f);* **Indian club** *s* (SPORT) Keule *f;* **Indian corn** *s* (*Am*) Mais *m;* **Indian file** *s:* **in ~** im Gänsemarsch; **Indian ink** *s* Tusche *f;* **Indian Ocean** *s* Indischer Ozean; **Indian summer** *s* Altweiber-, Nachsommer *m;* **India paper** *s* Dünndruckpapier *n;* **India rubber** *s* **1.** Kautschuk *m* **2.** Radiergummi *m*

in•di•cate ['ɪndɪkeɪt] *tr* **1.** hinweisen, zeigen, deuten auf **2.** (*Gefühle*) andeuten; zum Ausdruck bringen **3.** (TECH) anzeigen; (MOT) blinken **4.** angezeigt, ratsam, nützlich erscheinen lassen **5.** (MED) indizieren; **in•di•ca•tion** [ˌɪndɪ'keɪʃn] *s* **1.** Hinweis *m,* Andeutung *f,* Anzeichen *n* **2.** Anzeigen, Erkennenlassen *n* **3.** Kennzeichen, Merkmal *n* **4.** (MED) Indikation, Anzeige *f* (*of* für); **in•dica•tive** [ɪn'dɪkətɪv] *adj* hinweisend (*of* auf), bezeichnend (*of s.th.* für etw); **be ~ of** ein Hinweis sein für; **in•di•cator** ['ɪndɪkeɪtə(r)] *s* **1.** Anzeiger *m* **2.** (COM, CHEM) Indikator *m* **3.** (MOT) Fahrtrichtungsanzeiger, Blinker *m* **4.** (*fig*) Anzeichen *n*

in•di•ces ['ɪndɪsiːz] *s pl* **index**

in•dict [ɪn'daɪt] *tr* (JUR) anklagen (*for* wegen); **in•dict•able** [ɪn'daɪtəbl] *adj* (*Person*) strafrechtlich verfolgbar; (*Vergehen*) strafbar; **in•dict•ment** [-mənt] *s* (JUR) Anklageschrift *f*

in•dif•fer•ence [ɪn'dɪfrəns] *s* Gleichgültigkeit *f* (*to, towards* gegen), Interesselosigkeit *f;* **in•dif•fer•ent** [ɪn'dɪfrənt] *adj* **1.** gleichgültig (*to, towards* gegenüber) **2.** desinteressiert, interesselos **3.** mittelmäßig, durchschnittlich

in•digen•ous [ɪn'dɪdʒɪnəs] *adj* **1.** (BOT ZOO) eingeboren **2.** einheimisch (*to* in) **3.** Landes-

in•di•gest•ible [ˌɪndɪ'dʒəstəbl] *adj* unverdaulich *a. fig;* **in•di•ges•tion** [ˌɪndɪ'dʒəstʃən] *s* Magenverstimmung *f*

indig•nant [ɪn'dɪgnənt] *adj* aufgebracht, entrüstet, empört (*at, over, about* über etw); **in•dig•na•tion** [ˌɪndɪg'neɪʃn] *s* Entrüstung, Empörung *f* (*at/over/about* über); **in•dig•ni•ty** [ɪn'dɪgnɪtɪ] *s* Demütigung *f*

in•direct [ˌɪndɪ'rekt] *adj* **1.** indirekt, mittelbar **2.** (GRAM) indirekt; **by ~ means** auf Umwegen; **~ speech** (GRAM) indirekte Rede; **indirect taxes** *s pl* indirekte Steuern *fpl*

in•dis•cern•ible [ˌɪndɪ'sɜːnəbl] *adj* nicht wahrnehmbar, unmerklich

in•dis•ci•pline [ɪn'dɪsɪplɪn] *s* Mangel *m* an Disziplin

in•dis•creet [ˌɪndɪ'skriːt] *adj* indiskret; taktlos; **in•dis•cre•tion** [ˌɪndɪ'skreʃn] *s* Indiskretion *f;* Taktlosigkeit *f*

in•dis•crimi•nate [ˌɪndɪ'skrɪmɪnət] *adj* unterschiedslos; wahllos; kritiklos; willkürlich

in•dis•pens•able [ˌɪndɪ'spensəbl] *adj* un-

bedingt notwendig; unentbehrlich
in•dis•posed [ˌɪndɪ'spəʊzd] *adj* 1. unpässlich, unwohl 2. abgeneigt (*to dat*); **in•dis•po•sition** [ˌɪndɪspə'zɪʃn] *s* 1. Unpässlichkeit *f* 2. Abneigung *f* (*to, towards* gegen)
in•dis•put•able [ˌɪndɪ'spju:təbl] *adj* unbestreitbar, unstreitig
in•dis•tinct [ˌɪndɪ'stɪŋkt] *adj* 1. undeutlich, unscharf, verschwommen 2. (*Geräusch*) schwach
in•dis•tin•guish•able [ˌɪndɪ'stɪŋgwɪʃəbl] *adj* nicht zu unterscheiden; nicht erkennbar
in•di•vid•ual [ˌɪndɪ'vɪdʒʊəl] I. *adj* 1. einzeln, getrennt 2. persönlich, individuell, eigen; **give ~ help** jedem Einzeln helfen II. *s* Individuum *n;* Einzelne(r) *f m,* Person *f;* **individual case** *s* Einzelfall *m*
in•di•vid•ual•ism [ˌɪndɪ'vɪdʒʊəlɪzəm] *s* Individualismus *m;* **in•di•vid•ual•ist** [ˌɪndɪ'vɪdʒʊəlɪst] *s* Individualist(in) *m(f);* **in•di•vid•ual•is•tic** [ˌɪndɪˌvɪdʒʊə'lɪstɪk] *adj* individualistisch
in•di•vidu•al•ity [ˌɪndɪˌvɪdʒʊ'ælətɪ] *s* Individualität *f;* **in•di•vid•ual•ize** [ˌɪndɪ'vɪdʒʊəlaɪz] *tr* 1. individualisieren 2. einzeln, gesondert betrachten 3. e-e persönliche Note verleihen (*s.th.* e-r S)
in•di•vis•ible [ˌɪndɪ'vɪzəbl] *adj* unteilbar
Indo- ['ɪndəʊ-] *prefix* Indo-; **~-China** Indochina *n*
in•doc•tri•nate [ɪn'dɒktrɪneɪt] *tr* indoktrinieren; **in•doc•tri•nat•ion** [ɪnˌdɒktrɪ'neɪʃn] *s* Indoktrination *f*
in•do•lent ['ɪndələnt] *adj* träge, arbeitsscheu, faul
in•domi•table [ɪn'dɒmɪtəbl] *adj* unbezähmbar, unbezwingbar
Indo•nesia [ˌɪndəʊ'ni:zɪə] *s* Indonesien *n;* **Indo•nesian** [-n] I. *adj* indonesisch II. *s* 1. Indonesier(in) *m(f)* 2. (*Sprache*) (das) Indonesisch(e)
in•door ['ɪndɔ:(r)] *adj* Innen-, Haus-; **~ aerial** Zimmerantenne *f;* **~ games** (SPORT) Hallenspiele *npl;* **~ swimming- pool** Hallenbad *n;* **in•doors** [ˌɪn'dɔ:z] *adv* im, zu Hause; drinnen; **stay ~** zu Hause bleiben
in•dubi•table [ɪn'dju:bɪtəbl] *adj* unzweifelhaft; **in•dubi•tab•ly** [ɪn'dju:bɪtəblɪ] *adv* zweifellos, zweifelsohne
in•duce [ɪn'dju:s] *tr* 1. veranlassen, überreden 2. (*Reaktion*) herbeiführen, bewirken, hervorrufen, verursachen 3. die Folgerung ziehen (*from* von, aus) 4. (PHYS EL) induzieren 5. (MED: *Geburt*) einleiten; **~ed sleep** künstlicher Schlaf; **in•duce•ment** [-mənt] *s* 1. Veranlassung *f;* Überredung *f* 2. (*Motiv*) Anreiz, Ansporn *m*
in•duc•tion [ɪn'dʌkʃn] *s* 1. (Amts)Einsetzung *f* 2. (*Am:* MIL) Einberufung *f* 3. (PHILOS) Induktion *f* 4. Veranlassung, Herbeiführung *f;* **induction coil** *s* (EL) Induktionsspule *f;* **induction course** *s* Einführungskurs *m;* **in•duc•tive** [ɪn'dʌktɪv] *adj* induktiv
in•dulge [ɪn'dʌldʒ] I. *tr* 1. nachgeben (*a desire* e-m Verlangen) 2. nachsichtig sein mit; verwöhnen 3. (FIN) Zahlungsaufschub gewähren II. *itr:* **~ in s.th.** sich etw gönnen; sich e-r S hingeben; sich (den Luxus) erlauben (*in* zu); **in•dul•gence** [ɪn'dʌldʒəns] *s* 1. Nachsicht *f;* Nachgiebigkeit *f* 2. Verwöhnung *f* 3. Genuss *m;* Luxus *m* 4. Einwilligung *f* 5. (REL) Ablass *m;* **in•dul•gent** [ɪn'dʌldʒənt] *adj* 1. nachsichtig; nachgiebig (*to* gegen) 2. gutmütig
in•dus•trial [ɪn'dʌstrɪəl] *adj* gewerblich, industriell; Industrie-; Arbeits-; Betriebs-; **~ action** Streikmaßnahmen *fpl;* **~ democracy** Demokratie *f* im Betrieb; **~ dispute** Arbeitskonflikt, -kampf *m;* **~ estate** Industriegelände *n,* -park *m;* **~ fair** Industriemesse *f;* **~ injury** Berufsschaden *m;* **~ insurance** Unfallversicherung *f;* **~ relations** Arbeitgeber-Arbeitnehmer-Beziehungen *fpl;* **I~ Revolution** industrielle Revolution; **~ robot** Industrieroboter *m;* **~ tribunal** Arbeitsgericht *n;* **~ union** Industriegewerkschaft *f;* **~ waste** Industriemüll *m;* **indus•trial•ism** [ɪn'dʌstrɪəlɪzəm] *s* Industrie *f;* **in•dus•trial•ist** [-ɪst] *s* Industrielle(r) *f m;* **in•dus•triali•zation** [ɪnˌdʌstrɪəlaɪ'zeɪʃn] *s* Industrialisierung *f;* **in•dus•trial•ize** [ɪn'dʌstrɪəlaɪz] *tr* industrialisieren; **~d country** Industrieland *n,* -nation *f*
in•dus•tri•ous [ɪn'dʌstrɪəs] *adj* arbeitsam, betriebsam, fleißig
in•dus•try ['ɪndəstrɪ] *s* 1. Industrie *f;* gewerbliche Wirtschaft 2. Industrie-, Wirtschaftszweig *m;* Branche *f* 3. Fleiß *m;* **automobile ~** Auto-, Kraftfahrzeugindustrie *f;* **heavy ~** Schwerindustrie *f;* **hotel ~** Hotelgewerbe *n;* **light ~** Leichtindustrie *f;* **tourist ~** Tourismusbranche, Touristik *f*
in•ebri•ate [ɪ'ni:brɪeɪt] I. *tr* betrunken machen, berauschen *a. fig* II. [ɪ'ni:brɪət] *adj* betrunken
in•ed•ible [ɪn'edəbl] *adj* ungenießbar
in•ed•uc•able [ɪn'edʒʊkəbl] *adj* bildungsunfähig
in•ef•fable [ɪn'efəbl] *adj* unaussprechlich
in•ef•fec•tive [ˌɪnɪ'fektɪv] *adj* 1. unwirksam, wirkungslos 2. (*Person*) untauglich, unfähig
in•ef•fec•tual [ˌɪnɪ'fektʃʊəl] *adj* ineffektiv
in•ef•fi•cien•cy [ˌɪnɪ'fɪʃənsɪ] *s* Unfähigkeit, Ineffizienz *f;* **in•ef•fic•ient** [ˌɪnɪ'fɪʃnt] *adj* 1. (*Person*) unfähig; inkompetent 2. (*Maschine*) unrentabel, unwirtschaftlich 3. (*Betrieb*) unrationell

in•el•egant [ˌɪn'elɪgənt] *adj* **1.** unelegant **2.** (*Stil*) schwerfällig, ungeschliffen
in•eli•gible [ɪn'elɪdʒəbl] *adj* **1.** nicht wählbar **2.** (*für ein Amt*) ungeeignet; nicht qualifiziert **3.** (*für Leistungen*) nicht berechtigt
in•ept [ɪ'nept] *adj* **1.** untauglich, unfähig (*at s.th.* für etw) **2.** (*Bemerkung*) unangebracht, unpassend
in•equal•ity [ˌɪnɪ'kwɒlətɪ] *s* (*a.* MATH) Ungleichheit *f,* Unterschied *m*
in•equi•table [ɪn'ekwɪtəbl] *adj* ungerecht; **in•equity** [ɪn'ekwətɪ] *s* Ungerechtigkeit *f*
in•eradi•cable [ˌɪnɪ'rædɪkəbl] *adj* unausrottbar
in•ert [ɪ'nɜ:t] *adj* **1.** (*a.* PHYS) träge, unbeweglich **2.** (CHEM) inaktiv; ~ **gas** Edelgas *n;* **in•er•tia** [ɪ'nɜ:ʃə] *s* Trägheit *f a. fig;* **inertia (reel) seat belt** *s* (MOT) Automatikgurt *m*
in•es•cap•able [ˌɪnɪ'skeɪpəbl] *adj* unentrinnbar, unvermeidbar
in•es•sen•tial [ˌɪnɪ'senʃl] *adj* unwesentlich, unwichtig
in•es•ti•mable [ɪn'estɪməbl] *adj* unschätzbar
in•evi•table [ɪn'evɪtəbl] *adj* unvermeidbar; zwangsläufig
in•ex•act [ˌɪnɪg'zækt] *adj* ungenau
in•ex•cus•able [ˌɪnɪk'skju:zəbl] *adj* unentschuldbar, unverzeihlich
in•ex•haust•ible [ˌɪnɪg'zɔ:stəbl] *adj* unerschöpflich
in•exor•able [ˌɪn'eksərəbl] *adj* unerbittlich
in•ex•pedi•ency [ˌɪnɪk'spi:dɪənsɪ] *s* Unzweckmäßigkeit *f;* **in•ex•pedi•ent** [ˌɪnɪk'spi:dɪənt] *adj* unzweckmäßig
in•ex•pen•sive [ˌɪnɪk'spensɪv] *adj* billig, preiswert
in•ex•pe•ri•enced [ˌɪnɪk'spɪərɪənst] *adj* unerfahren
in•ex•pert [ɪn'ekspɜ:t] *adj* **1.** (*Behandlung*) unsachgemäß **2.** unfachmännisch, laienhaft
in•ex•plic•able [ˌɪnɪk'splɪkəbl] *adj* unerklärlich, unfasslich
in•ex•tri•cable [ˌɪnɪk'strɪkəbl] *adj* **1.** unentwirrbar **2.** (*Schwierigkeiten*) unlösbar
in•fal•lible [ɪn'fæləbl] *adj* **1.** unfehlbar **2.** (*Methoden*) zuverlässig
in•fa•mous ['ɪnfəməs] *adj* **1.** berüchtigt **2.** schändlich; niederträchtig; **in•famy** ['ɪnfəmɪ] *s* **1.** Verrufenheit *f* **2.** Niedertracht *f*
in•fancy ['ɪnfənsɪ] *s* **1.** frühe Kindheit **2.** (JUR) Minderjährigkeit *f* **3.** (*fig*) Anfänge *mpl;* **flying was still in its** ~ die Fliegerei steckte noch in den Kinderschuhen
in•fant ['ɪnfənt] *s* **1.** Kleinkind *n;* Säugling *m* **2.** (JUR) Minderjährige(r) *f m;* ~ **mortality** Säuglingssterblichkeit *f*
in•fan•ti•cide [ɪn'fæntɪsaɪd] *s* **1.** Kindesmord *m* **2.** Kindesmörder(in) *m(f)*
in•fan•tile ['ɪnfəntaɪl] *adj* **1.** kindisch, infantil **2.** (MED) Kinder-
in•fan•try ['ɪnfəntrɪ] *s* Infanterie *f;* **in fantry•man** [-mən] *s* <*pl* -men> Infant(e)rist *m*
in•fatu•ated [ɪn'fætʃʊeɪtɪd] *adj* verblendet, vernarrt, verknallt (*with* in); **become ~ with s.o.** sich in jdn unsterblich verlieben
in•fect [ɪn'fekt] *tr* **1.** (MED) infizieren; anstecken (*with* mit) **2.** (*Wasser*) verseuchen, verunreinigen **3.** (*Essen*) verderben **4.** (*fig*) anstecken; **become** [*o* **get**] **~ed** angesteckt werden (*by, with* von); **in•fec•tion** [ɪn'fekʃn] *s* **1.** Ansteckung, Infektion *f* **2.** Verseuchung *f;* Verunreinigung *f;* **spread of** ~ Durchseuchung *f;* **in•fec•tious** [ɪn'fekʃəs] *adj* ansteckend *a. fig,* infektiös; ~ **disease** Infektionskrankheit *f*
in•fe•lici•tous [ˌɪnfɪ'lɪsɪtəs] *adj* unglücklich, unpassend
in•fer [ɪn'fɜ:(r)] *tr* **1.** folgern, ableiten, entnehmen (*from* aus) **2.** darauf schließen lassen; andeuten; **in•fer•ence** ['ɪnfərəns] *s* Folgerung *f,* Schluss *m*
in•ferior [ɪn'fɪərɪə(r)] **I.** *adj* **1.** (rang)niedriger, untergeordnet (*to dat*) **2.** gering(wertig)er, weniger wert (*to* als) **3.** (*Qualität*) minderwertig; **be ~ to s.o.** jdm unterlegen sein; jdm untergeordnet sein **II.** *s* Untergebene(r) *f m;* **in•ferior•ity** [ɪnˌfɪərɪ'ɒrətɪ] *s* Minderwertigkeit *f;* Unterlegenheit *f;* **inferiority complex** *s* Minderwertigkeitskomplex *m*
in•fer•nal [ɪn'fɜ:nl] *adj* **1.** höllisch; Höllen- **2.** (*fig*) infernalisch; **in•ferno** [ɪn'fɜ:nəʊ] *s* <*pl* -fernos> Hölle *f,* Inferno *n*
in•fer•tile [ɪn'fɜ:taɪl] *adj* unfruchtbar; **in•fer•til•ity** [ˌɪnfə'tɪlətɪ] *s* Unfruchtbarkeit *f*
in•fest [ɪn'fest] *tr* herfallen über; befallen; heimsuchen; (*fig*) überschwemmen; **be ~ed with rats** mit Ratten verseucht sein; **be ~ed** mit Ungeziefer verseucht sein; **in•fes•ta•tion** [ˌɪnfes'teɪʃn] *s* Verseuchung *f*
in•fi•del ['ɪnfɪdəl] *s* Ungläubige(r) *f m*
in•fi•del•ity [ˌɪnfɪ'delətɪ] *s* Untreue *f*
in-fight•ing ['ɪnfaɪtɪŋ] *s* interner Machtkampf
in•fil•trate ['ɪnfɪltreɪt] *tr* **1.** einsickern in, durchdringen **2.** (POL) unterwandern; sich einschleusen (*into* in); **in•fil•tra•tion** [ˌɪnfɪl'treɪʃn] *s* **1.** Infiltration *f* **2.** Eindringen *n;* **in•fil•tra•tor** [-ə(r)] *s* Eindringling *m,* Unterwanderer *m*
in•fi•nite ['ɪnfɪnət] *adj* **1.** (*a.* MATH) unendlich, unbegrenzt **2.** (*Vergnügen*) grenzenlos
in•fini•tesi•mal [ˌɪnfɪnɪ'tesɪml] *adj* unendlich klein; ~ **calculus** Infinitesimalrechnung *f*

in•fini•tive [ɪn'fɪnətɪv] *s* (GRAM) Infinitiv *m*

in•fin•ity [ɪn'fɪnətɪ] *s* **1.** Unendlichkeit *f* **2.** (MATH) das Unendliche

in•firm [ɪn'fɜːm] *adj* schwach, gebrechlich; **in•firm•ary** [ɪn'fɜːmərɪ] *s* **1.** Krankenhaus *n* **2.** (*in Schulen*) Krankenstube *f;* **in•firm•ity** [ɪn'fɜːmətɪ] *s* **1.** Schwäche, Gebrechlichkeit *f* **2.** Gebrechen *n*

in•flame [ɪn'fleɪm] *tr* **1.** (MED) entzünden **2.** (*Person*) erzürnen, aufbringen **3.** (*Ärger*) erregen; ~**d with passion** von glühender Leidenschaft erfasst

in•flam•mable [ɪn'flæməbl] *adj* **1.** leicht entzündbar, feuergefährlich **2.** (*fig*) leicht erregbar, reizbar

in•flam•ma•tion [ˌɪnflə'meɪʃn] *s* (MED) Entzündung *f*

in•flam•ma•tory [ɪn'flæmətrɪ] *adj* (*fig*) aufreizend, aufrührerisch

in•flat•able [ɪn'fleitəbl] *adj* aufblasbar; (*Boot*) Schlauch-; **in•flate** [ɪn'fleɪt] *tr* **1.** aufblasen, -blähen **2.** aufpumpen **3.** (*Geldumlauf*) steigern **4.** (*Preise*) überhöhen; **in•flated** [ɪn'fleɪtɪd] *adj* **1.** aufgebläht **2.** inflationär **3.** (*fig*) geschwollen, bombastisch; **in•fla•tion** [ɪn'fleɪʃn] *s* **1.** Aufblähung *f* **2.** (FIN) Inflation *f;* ~ **rate** Inflationsrate *f;* **in•fla•tion•ary** [ɪn'fleɪʃnrɪ] *adj* inflationär, inflationistisch

in•flect [ɪn'flekt] *tr* **1.** (*Stimme*) modulieren **2.** (GRAM) flektieren, beugen; **in•flec•tion** [ɪn'flekʃn] *s* (MUS) Tonfall *m*

in•flexi•bil•ity [ɪnˌfleksə'bɪlətɪ] *s* **1.** Steifheit, Starre *f* **2.** (*fig*) Unbeugsamkeit *f;* **in•flex•ible** [ɪn'fleksəbl] *adj* **1.** steif, starr **2.** (*fig*) halsstarrig, unnachgiebig, starr

in•flict [ɪn'flɪkt] *tr* **1.** (*Schmerz*) zufügen **2.** (*Strafe*) auferlegen (*on, upon s.o.* jdm); ~ **s.th. on s.o.** jdm etw aufdrängen; **in•flic•tion** [ɪn'flɪkʃn] *s* **1.** Zufügen *n* **2.** (*Strafe*) Auferlegung, Verhängung *f* **3.** Plage *f,* Kreuz *n*

in•flu•ence ['ɪnflʊəns] **I.** *s* Einfluss *m* (*over* auf); **be a good** ~ e-n guten Einfluss haben; **bring one's** ~ **to bear on s.o.** seinen Einfluss bei jdm geltend machen; **under the** ~ (**of alcohol**) unter Alkoholeinfluss **II.** *tr* beeinflussen; **in•flu•ential** [ˌɪnflʊ'enʃl] *adj* einflussreich

in•flu•enza [ˌɪnflʊ'enzə] *s* Grippe *f*

in•flux ['ɪnflʌks] *s* Einfluss, Zustrom *m;* Zufuhr *f;* ~ **of visitors** Besucherstrom *m*

in•form [ɪn'fɔːm] **I.** *tr* **1.** informieren, unterrichten (*about* über), in Kenntnis setzen (*of* von) **2.** Nachricht, Bescheid geben, Mitteilung machen (*s.o. of s.th.* jdm von e-r S); **be better** ~**ed** einen Informationsvorsprung haben; **keep s.o.** ~**ed** jdn auf dem Laufenden halten **II.** *itr* anzeigen, denunzieren (*against s.o., s.th.* jdn, etw)

in•for•mal [ɪn'fɔːml] *adj* **1.** informell; inoffiziell **2.** (*Party*) form-, zwanglos; **in•for•mal•ity** [ˌɪnfɔː'mælətɪ] *s* Form-, Zwanglosigkeit, Ungezwungenheit *f;* inoffizieller Charakter

in•form•ant [ɪn'fɔːmənt] *s* Gewährsmann *m;* Informant(in) *m(f)*

in•for•ma•tion [ˌɪnfə'meɪʃn] *s* Nachricht, Auskunft *f;* Information *f;* **a piece of** ~ e-e Auskunft; **for s.o.'s** ~ zur Kenntnisnahme; **get** ~ **about s.o.** sich über jdn informieren; **lack of** ~ Informationsdefizit *n;* **so far as my** ~ **goes** soviel ich weiß; **information content** *s* Informationsgehalt *m;* **information retrieval** *s* (EDV) Datenabruf *m;* **information science(s)** *s* (*a. pl*) Informatik *f;* **information storage** *s* Datenspeicherung *f;* **information superhighway** *s* (EDV) Datenautobahn *f;* **information technology** *s* Informationstechnologie *f;* **in•forma•tive** [ɪn'fɔːmətɪv] *adj* belehrend, informativ; aufschlussreich; **in•former** [ɪn'fɔːmə(r)] *s* Denunziant(in) *m(f),* Spitzel *m*

infra dig [ˌɪnfrə'dɪg] *adj* (*fam*) unter meiner/seiner/ihrer Würde

in•fra-red ['ɪnfrə'red] *adj* (PHYS) infrarot

in•fra•struc•ture ['ɪnfrəˌstrʌktʃə(r)] *s* Infrastruktur *f*

in•fre•quent [ɪn'friːkwənt] *adj* gelegentlich

in•fringe [ɪn'frɪndʒ] **I.** *tr* (*Gesetz*) verstoßen gegen; verletzen, übertreten **II.** *itr* ein-, übergreifen (*upon s.o.'s rights* in jds Rechte); **in•fringe•ment** [-mənt] *s* Übertretung, Verletzung *f;* Verstoß *m* (*of* gegen); ~ **of a contract** Vertragsbruch *m*

in•furi•ate [ɪn'fjʊərɪeɪt] *tr* wütend, rasend machen

in•fuse [ɪn'fjuːz] **I.** *tr* **1.** (*Tee*) aufgießen, -brühen **2.** (*fig*) einflößen (*into s.o.* jdm) **II.** *itr* (*Tee*) ziehen; **in•fu•sion** [ɪn'fjuːʒn] *s* **1.** Aufguss *m* **2.** Einflößung *f* **3.** (MED) Infusion *f*

in•geni•ous [ɪn'dʒiːnɪəs] *adj* **1.** scharfsinnig, genial **2.** erfinderisch **3.** (*Sache*) sinnreich, originell; **in•ge•nuity** [ˌɪndʒɪ'njuːətɪ] *s* **1.** Scharfsinn *m,* Genialität *f* **2.** Erfindungsgabe *f*

in•genu•ous [ɪn'dʒenjʊəs] *adj* **1.** aufrichtig, gerade **2.** naiv

ingle•nook ['ɪŋglnʊk] *s* Kaminecke *f*

in•glori•ous [ɪn'glɔːrɪəs] *adj* schimpflich, unehrenhaft

in•going ['ɪngəʊɪŋ] *adj* (*Post*) eingehend, einlaufend

in•got ['ɪŋgət] *s* Barren *m*

in•grained [ˌɪn'greɪnd] *adj* **1.** (*fig*) (fest) eingewurzelt; eingefleischt **2.** (*Schmutz*) tiefsitzend

in•grati•ate [ɪn'greɪʃɪeɪt] *refl* sich einschmeicheln (*with s.o.* bei jdm)

in•grati•tude [ɪn'grætɪtjuːd] *s* Undank(barkeit *f*) *m*

in•gredi•ent [ɪn'griːdɪənt] *s* **1.** Bestandteil *m;* Ingredienz *f* **2.** (*Küche*) Zutat *f*

in-group ['ɪngruːp] *s* maßgebliche Leute *pl,* Spitze *f*

in•grow•ing ['ɪngrəʊɪŋ] *adj:* ~ **toenail** eingewachsener Zehennagel

in•habit [ɪn'hæbɪt] *tr* bewohnen; leben in; **in•hab•it•able** [-əbl] *adj* bewohnbar; **in•habit•ant** [ɪn'hæbɪtənt] *s* Be-, Einwohner(in) *m(f)*

in•hale [ɪn'heɪl] **I.** *tr* einatmen, inhalieren **II.** *itr* e-n Lungenzug machen; **in•haler** [ɪn'heɪlə(r)] *s* (MED) Inhalator *m*

in•har•moni•ous [ˌɪnhɑː'məʊnɪəs] *adj* unharmonisch

in•here [ɪn'hɪə(r)] *itr:* ~ **in s.th.** e-r S innewohnen; **in•herent** [ɪn'hɪərənt] *adj* innewohnend, inhärent

in•herit [ɪn'herɪt] *tr, itr* erben (*s.th. from s.o.* etw von jdm); **in•her•it•able** [-əbl] *adj* (JUR BIOL) erblich, vererbbar; **in•herit•ance** [ɪn'herɪtəns] *s* Erbschaft *f,* Erbe *n;* **come into an** ~ e-e Erbschaft machen

in•hibit [ɪn'hɪbɪt] *tr* **1.** unterdrücken, verhindern **2.** (PSYCH) hemmen; ~ **s.o. from doing s.th.** jdn daran hindern, etw zu tun; **in•hi•bi•tion** [ˌɪnɪ'bɪʃn] *s* (PSYCH) Hemmung *f*

in•hos•pi•table [ˌɪnhɒ'spɪtəbl] *adj* **1.** ungastlich **2.** (*Gegend*) unwirtlich

in-house ['ɪnhaʊs] *adj* (betriebs)intern, innerbetrieblich

in•hu•man [ɪn'hjuːmən] *adj* unmenschlich, gefühllos; menschenverachtend; **in•hu•mane** [ˌɪnhjuː'meɪn] *adj* inhuman; menschenunwürdig; **in•hu•man•ity** [ˌɪnhjuː'mænətɪ] *s* Unmenschlichkeit *f*

in•imi•cal [ɪ'nɪmɪkl] *adj* **1.** feindselig **2.** nachteilig (*to* für)

in•imi•table [ɪ'nɪmɪtəbl] *adj* unnachahmlich

in•iqui•tous [ɪ'nɪkwɪtəs] *adj* ungeheuerlich; **in•iquity** [ɪ'nɪkwətɪ] *s* Ungeheuerlichkeit *f*

in•itial [ɪ'nɪʃl] **I.** *adj* anfänglich; ~ **letter** Anfangsbuchstabe *m* **II.** *s* Initiale *f;* Anfangsbuchstabe *m* **III.** *tr* abzeichnen; (*Vertrag*) paraphieren; **ini•tial•ize** [ɪ'nɪʃəlaɪz] *tr* (EDV) initialisieren; **in•itial•ly** [ɪ'nɪʃəlɪ] *adv* anfangs, am Anfang; **in•iti•ate** [ɪ'nɪʃɪeɪt] **I.** *tr* **1.** einweihen, -führen (*into* in) **2.** (feierlich) aufnehmen **3.** den Anstoß geben zu, initiieren **II.** *s* Eingeweihte(r) *f m,* Neuaufgenommene(r) *f m;* **in•iti•ation** [ɪˌnɪʃɪ'eɪʃn] *s* **1.** Einführung, Einweihung *f* (*into* in) **2.** Aufnahme *f* **3.** Einleitung *f;* **in•iti•at•ive** [ɪ'nɪʃətɪv] *s* Initiative *f;* **on one's own** ~ aus eigenem Antrieb; **take the** ~ die Initiative ergreifen

in•ject [ɪn'dʒekt] *tr* **1.** (MED) einspritzen (*into* in) **2.** (*Bemerkung*) ein-, dazwischenwerfen; ~ **s.o. with s.th.** jdm etw injizieren; **in•jec•tion** [ɪn'dʒekʃn] *s* Einspritzung, Injektion, Spritze *f;* **fuel** ~ (MOT) (Benzin)Einspritzung *f;* **engine with fuel** ~ Einspritzmotor *m;* ~ **of money** Finanzspritze *f;* **injection moulding** *s* (TECH) Spritzguss *m*

in•ju•di•cious [ˌɪndʒuː'dɪʃəs] *adj* unklug

in•junc•tion [ɪn'dʒʌŋkʃn] *s* Anordnung *f;* gerichtliche Verfügung

in•jure ['ɪndʒə(r)] *tr* **1.** verletzen **2.** (*fig*) kränken, Unrecht tun (*s.o.* jdm); **the ~d party** (JUR) der, die Geschädigte; **injury** ['ɪndʒərɪ] *s* **1.** Verletzung *f* (*to* an) **2.** Kränkung *f,* Unrecht *n;* **do s.o. an** ~ jdn verletzen

in•jus•tice [ɪn'dʒʌstɪs] *s* **1.** Ungerechtigkeit *f* **2.** Unrecht *n;* **do s.o. an** ~ jdm Unrecht tun

ink [ɪŋk] *s* **1.** Tinte *f* **2.** Tusche *f* **3.** Stempelfarbe *f* **4.** (*printer's* ~) Druckerschwärze *f;* **in** ~ mit Tinte; **ink bottle** *s* Tintenfass *n;* **ink-jet** ['ɪŋkdʒet] *s* Tintenstrahl *m;* **ink-jet printer** *s* Tintenstrahldrucker *m*

ink•ling ['ɪŋklɪŋ] *s* Wink *m,* dunkle Ahnung; **have no** ~ **of s.th.** von etw keine Ahnung haben

ink-pad ['ɪŋkpæd] *s* Stempelkissen *n;* **ink-stain** ['ɪŋksteɪn] *s* Tintenfleck *m;* **inky** ['ɪŋkɪ] *adj* **1.** (tief)schwarz **2.** tintenbeschmiert

in•laid [ˌɪn'leɪd] **I.** *pt, pp of* **inlay** **II.** *adj* eingelegt; ~ **work** Einlegearbeit *f*

in•land ['ɪnlənd] **I.** *adj* **1.** Binnen- **2.** inländisch; einheimisch; Inland(s)- **II.** *adv* landeinwärts; **Inland Revenue** *s* (*Br*) Finanzamt *n;* **inland trade** *s* Binnenhandel *m*

in-laws ['ɪnlɔːz] *s pl* (*fam*) angeheiratete Verwandte *pl,* Schwiegereltern *pl*

in•lay [ˌɪn'leɪ] <*irr:* inlaid, inlaid> **I.** *tr* einlegen **II.** *s* **1.** Einlegearbeit *f* **2.** Plombe *f* (*im Zahn*)

in•let ['ɪnlet] *s* **1.** Meeres-, Flussarm *m* **2.** Öffnung *f* **3.** (TECH) Zuleitung *f*

in•mate ['ɪnmeɪt] *s* Insasse *m,* Insassin *f*

inn [ɪn] *s* Gast-, Wirtshaus *n;* Herberge *f*

in•nards ['ɪnədz] *s pl* Innereien *pl,* Eingeweide *pl*

in•nate [ɪ'neɪt] *adj* angeboren

in•ner ['ɪnə(r)] *adj* **1.** innere(r, s); Innen- **2.** (*fig*) innere(r, s); verborgen; Seelen-; ~ **circle of friends** engster Freundeskreis; **the** ~ **man** das Innere; **in•ner•most** ['ɪnəməʊst] *adj* innerste(r, s) geheimste(r, s); **inner tube** *s* (MOT) Schlauch *m*

in•nings ['ɪnɪŋz] *s sing od pl* (SPORT) Durchgang *m;* **have one's ~** (*fig*) an der Reihe sein; **have a good ~** (*fig*) ein langes, ausgefülltes Leben haben

in•no•cence ['ɪnəsns] *s* Unschuld *f;* **in•no•cent** ['ɪnəsnt] **I.** *adj* **1.** unschuldig; unabsichtlich **2.** naiv, ahnungslos; **as ~ as a new-born babe** unschuldig wie ein Lamm **II.** *s* Unschuld *f*

in•nocu•ous [ɪ'nɒkjʊəs] *adj* harmlos

in•no•vate ['ɪnəveɪt] *itr* Neuerungen einführen; **in•no•va•tion** [ˌɪnə'veɪʃn] *s* Innovation *f;* Neuerung *f;* **in•no•va•tive** ['ɪnəvətɪv] *adj* innovativ

in•nu•endo [ˌɪnjuː'endəʊ] *s* <*pl* -endoes> versteckte Andeutung

in•numer•able [ɪ'njuːmərəbl] *adj* unzählig; **in•numer•ate** [ɪ'njuːmərət] *adj:* **be ~** nicht rechnen können

in•ocu•late [ɪ'nɒkjʊleɪt] *tr* (MED: *Menschen*) impfen (*against* gegen); **inocu•la•tion** [ɪˌnɒkjʊ'leɪʃn] *s* (MED) Impfung *f*

in•of•fen•sive [ˌɪnə'fensɪv] *adj* harmlos

in•op•er•able [ˌɪn'ɒpərəbl] *adj* **1.** (MED) nicht operierbar **2.** (*Plan*) nicht durchführbar

in•op•er•at•ive [ˌɪn'ɒpərətɪv] *adj* **1.** außer Kraft, ungültig **2.** (*Maschine*) außer Betrieb

in•op•por•tune [ˌɪn'ɒpətjuːn] *adj* ungelegen; inopportun; unpassend

in•or•di•nate [ɪ'nɔːdɪnət] *adj* unmäßig, maßlos

in•or•ganic [ˌɪnɔː'gænɪk] *adj* (CHEM) anorganisch

in•pa•tient ['ɪnpeɪʃnt] *s* stationär behandelter Patient

in•put ['ɪnpʊt] *s* **1.** (TECH) Energiezufuhr *f* **2.** (EDV) Input *m* **3.** (COM) Investition *f* **4.** Arbeitsaufwand *m;* **input data** *s pl* (EDV) Eingabedaten *pl;* **input device** *s* (EDV) Eingabegerät *n*

in•quest ['ɪnkwest] *s* gerichtliche Untersuchung

in•quire, **en•quire** [ɪn'kwaɪə(r)] **I.** *itr* sich erkundigen (*about, after* nach), fragen (*about* nach); **~ for** fragen nach; **~ into** untersuchen **II.** *tr* sich erkundigen nach, fragen nach; **~ s.th. of s.o.** sich bei jdm nach etw erkundigen; **in•quiry, enquiry** [ɪn'kwaɪərɪ] *s* **1.** Anfrage *f* (*about* über) **2.** Erkundigung *f* (*about* über) **3.** Untersuchung *f;* **on ~** auf Anfrage; **make inquiries** Erkundigungen einziehen; Nachforschungen anstellen (*about s.o.* über jdn); **court of ~** Untersuchungskommission *f;* **hold an ~ into s.th.** e-e Untersuchung über etw durchführen

in•qui•si•tion [ˌɪnkwɪ'zɪʃn] *s* (*a.* JUR) Untersuchung *f,* Inquisition *f*

in•quisi•tive [ɪn'kwɪzətɪv] *adj* wissbegierig; neugierig

in•road ['ɪnrəʊd] *s* **1.** Ein-, Überfall *m* (*into* in) **2.** (*fig*) Eingriff *m* (*on* in); **make ~s on the market** in den Markt eindringen; **make ~s upon s.o.'s savings** ein Loch in jds Ersparnisse reißen

in•rush ['ɪnrʌʃ] *s* Zustrom *m*

in•sa•lubri•ous [ˌɪnsə'luːbrɪəs] *adj* (*Klima*) unzuträglich

in•sane [ɪn'seɪn] *adj* geisteskrank, wahnsinnig

in•sani•tary [ɪn'sænɪtrɪ] *adj* unhygienisch

in•san•ity [ɪn'sænətɪ] *s* **1.** Geisteskrankheit *f* **2.** (*fig*) Wahnsinn *m*

in•sa•tiable [ɪn'seɪʃəbl] *adj* unersättlich

in•scrip•tion [ɪn'skrɪpʃn] *s* **1.** Aufschrift *f;* Inschrift *f* **2.** Widmung *f*

in•scru•table [ɪn'skruːtəbl] *adj* unergründlich, unerklärlich

in•sect ['ɪnsekt] *s* Insekt *n;* **~ bite** Insektenstich *m;* **~ repellent** Insektenschutzmittel *n;* **in•sec•ticide** [ɪn'sektɪsaɪd] *s* Insektenbekämpfungsmittel, Insektengift *n*

in•se•cure [ˌɪnsɪ'kjʊə(r)] *adj* **1.** unsicher **2.** (*Gebäude*) nicht sicher; **in•se•cur ity** [ˌɪnsɪ'kjʊərətɪ] *s* Unsicherheit *f*

in•semi•nate [ɪn'semɪneɪt] *tr* befruchten; besamen; **in•semi•na•tion** [ɪnˌsemɪ'neɪʃn] *s* Befruchtung *f;* Besamung *f*

in•sen•sible [ɪn'sensəbl] *adj* **1.** bewusstlos; unempfindlich **2.** unempfänglich (*of, to* für) **3.** unmerklich

in•sen•si•tive [ɪn'sensətɪv] *adj* **1.** unempfindlich, gefühllos (*to* gegen) **2.** unempfänglich

in•sep•ar•able [ɪn'seprəbl] *adj* unzertrennlich; untrennbar

in•sert [ɪn'sɜːt] **I.** *tr* **1.** einsetzen, -fügen, -schalten **2.** hineinstecken **3.** (*Münze*) einwerfen; **~ an advertisement in a paper** e-e Anzeige in e-e Zeitung setzen **II.** ['ɪnsɜːt] *s* Beilage *f;* Inserat *n;* Einlage *f;* **in•ser•tion** [ɪn'sɜːʃn] *s* **1.** Einfügung, -schaltung *f* **2.** (*in e-m Kleid*) Einsatz *m* **3.** Inserat *n,* Anzeige *f* **4.** (*Münze*) Einwurf *m* **5.** Hineinstecken *n*

in-service ['ɪnsɜvɪs] *adj attr:* **~ training** innerbetriebliche Fortbildung

in•shore [ˌɪn'ʃɔː(r)] **I.** *adj* Küsten- **II.** *adv* in Küstennähe

in•side [ɪn'saɪd] **I.** *s* **1.** (das) Innere; Innenseite *f* **2.** (*fam*) Eingeweide *pl;* **the wind blew her umbrella ~ out** der Wind hat ihren Schirm umgestülpt; **turn s.th. ~ out** (*fig*) etw auf den Kopf stellen; **know s.th. ~ out** etw in- und auswendig kennen **II.** ['ɪnsaɪd] *adj* innere(r, s); Innen-; **an ~ job** (*fig*) ein Werk von Insidern; **~ lane** [*o* **track**] (SPORT) Innenbahn *f;* **~ left** (SPORT) Halblinke(r) *m* **III.** *adv* innen, im Innern;

drin(nen); **come ~!** kommen Sie herein!; **be ~** (*sl*) (im Gefängnis) sitzen **IV.** *prep* **1.** innen in; in **2.** (*zeitlich*) innerhalb +*gen;* **go ~ the house** ins Haus gehen; **in•sider** [ɪn'saɪdə(r)] *s* Insider *m,* Eingeweihte(r) *f m;* **~ dealing** [*o* **trading**] Insiderhandel *m*

in•sidi•ous [ɪn'sɪdɪəs] *adj* hinterhältig, heimtückisch

in•sight ['ɪnsaɪt] *s* **1.** Verständnis *n* **2.** Einsicht *f,* Einblick *m* (*into* in)

in•sig•nia [ɪn'sɪgnɪə] *s pl* Insignien *pl*

in•sig•nifi•cance [ˌɪnsɪg'nɪfɪkəns] *s* Bedeutungslosigkeit *f;* **in•sig•nifi•cant** [ˌɪnsɪg'nɪfɪkənt] *adj* **1.** bedeutungslos **2.** (*Summe*) unerheblich, geringfügig

in•sin•cere [ˌɪnsɪn'sɪə(r)] *adj* unaufrichtig, falsch

in•sinu•ate [ɪn'sɪnjʊeɪt] *tr* andeuten, anspielen auf; **what is he insinuating?** was will er damit sagen?; **~ o.s. into s.o.'s favo(u)r** jds Gunst erschleichen; **in•sinu•ation** [ɪnˌsɪnjʊ'eɪʃn] *s* Anspielung *f*

in•sipid [ɪn'sɪpɪd] *adj* **1.** fade **2.** (*fig*) geistlos

in•sist [ɪn'sɪst] *tr, itr* bestehen, beharren, großen Wert legen (*on, upon* auf); **~ on one's innocence** auf seiner Unschuld bestehen; **if you ~** wenn Sie darauf bestehen; **~ on a point** auf e-m Punkt beharren; **~ on doing s.th.** darauf bestehen etw zu tun; **in•sist•ence** [ɪn'sɪstəns] *s* Bestehen *n* (*on* auf); **I did it at her ~** ich tat es auf ihr Drängen; **in•sist•ent** [ɪn'sɪstənt] *adj* **1.** beharrlich, hartnäckig **2.** eindringlich, eindrucksvoll; **be ~** darauf bestehen (*that* dass); **he was most ~** er hat nicht lockergelassen

in•so•far [ˌɪnsə'fɑ:(r)] *adv:* **~ as** soweit

in•sole ['ɪnsəʊl] *s* Brand-, Einlegesohle *f*

in•so•lence ['ɪnsələns] *s* Unverschämtheit, Frechheit *f;* **in•so•lent** ['ɪnsələnt] *adj* unverschämt, frech

in•sol•uble [ɪn'sɒljʊbl] *adj* **1.** un(auf)löslich **2.** (*Problem*) unlösbar

in•sol•vency [ɪn'sɒlvənsɪ] *s* Zahlungsunfähigkeit, Insolvenz *f;* **in•sol•vent** [ɪn'sɒlvənt] *adj* zahlungsunfähig, insolvent

in•som•nia [ɪn'sɒmnɪə] *s* Schlaflosigkeit *f;* **in•som•niac** [ɪn'sɒmnɪæk] *s jem, der an Schlaflosigkeit leidet*

in•so•much [ˌɪnsəʊ'mʌtʃ] *adv:* **~ as** (in)sofern, soweit

in•spect [ɪn'spekt] *tr* **1.** kontrollieren, prüfen **2.** (MIL) inspizieren; **in•spec•tion** [ɪn'spekʃn] *s* **1.** Prüfung, Kontrolle *f* **2.** (MIL) Inspektion *f;* **on ~** bei näherer Betrachtung; **for your ~** zur Einsicht; **customs ~** Zollkontrolle *f;* **~ copy** Ansichtsexemplar *n;* **in•spec•tor** [ɪn'spektə(r)] *s* **1.** Kontrolleur(in) *m(f),* Prüfungs-, Aufsichtsbeamte(r) *m* **2.** Inspektor(in) *m(f);* **customs ~** Zollinspektor(in) *m(f);* **police ~** Polizeikommissar(in) *m(f);* **~ (of police)** Polizeikommisar(in) *m(f)*

in•spi•ra•tion [ˌɪnspə'reɪʃn] *s* (*a.* REL) Eingebung, Inspiration *f;* **have a sudden ~** e-e plötzliche Erleuchtung haben; **in•spire** [ɪn'spaɪə(r)] *tr* **1.** (*a.* REL) inspirieren **2.** (*Gefühl*) wecken; hervorrufen; einflößen (*into s.o.* jdm); **~ s.o. with hope** jdn mit Hoffnung erfüllen

in•sta•bil•ity [ˌɪnstə'bɪlətɪ] *s* Instabilität *f;* Unbeständigkeit *f;* Labilität *f*

in•stall [ɪn'stɔ:l] *tr* **1.** (*in ein Amt*) einsetzen **2.** (TECH) installieren, einbauen; anschließen; **~ o.s.** sich einrichten, sich niederlassen; **in•stal•la•tion** [ˌɪnstə'leɪʃn] *s* **1.** Amtseinsetzung *f* **2.** Einrichtung, Installation *f* **3.** Anlage *f* **4.** Auf-, Einbau *m*

in•stall•ment *s* (*Am*) *s.* **instalment**; **installment plan** *s* (*Am*) Teilzahlungsgeschäft *n;* **in•stal•ment** [ɪn'stɔ:lmənt] *s* **1.** Raten-, Teilzahlung *f* **2.** (*Veröffentlichung*) Fortsetzung *f;* Sendefolge *f;* **by** [*o* **in**] **~s** auf Raten; **appear in ~s** in Fortsetzungen erscheinen; **monthly ~** Monatsrate *f*

in•stance ['ɪnstəns] **I.** *s* **1.** Beispiel *n;* Fall *m* **2.** Ersuchen *n* **3.** (JUR) Instanz *f;* **at s.o.'s ~** auf jds Veranlassung; **for ~** zum Beispiel; **in the first ~** in erster Linie, vor allem, zunächst **II.** *tr* (als Beispiel) anführen

in•stant ['ɪnstənt] **I.** *adj* **1.** unmittelbar **2.** (*Essen*) Instant- **3.** (COM) dieses Monats; **~ coffee** Pulver-, Instantkaffee *m;* **~ food** Fertiggerichte *npl;* **an ~ success** ein sofortiger Erfolg **II.** *s* Augenblick, Moment *m;* **at this ~** in diesem Augenblick; **in an ~** im Augenblick; im Nu

in•stan•ta•neous [ˌɪnstən'teɪnɪəs] *adj* augenblicklich, sofortig, unmittelbar; **death was ~** der Tod trat sofort ein; **in•stan•ta•neous•ly** [-lɪ] *adv* unverzüglich, sofort

in•stant•ly ['ɪnstəntlɪ] *adv* sofort, augenblicklich

in•stead [ɪn'sted] **I.** *adv* stattdessen, dafür **II.** *prep:* **~ of** statt, anstelle von; **~ of doing ...** statt ... zu tun

in•step ['ɪnstep] *s* (ANAT) Spann, Rist *m*

in•sti•gate ['ɪnstɪgeɪt] *tr* **1.** anspornen, aufhetzen (*to* zu) **2.** anstiften (*to a crime* zu e-m Verbrechen) **3.** veranlassen; **in•sti•ga•tion** [ˌɪnstɪ'geɪʃn] *s* Anstiftung *f;* **at his ~** auf sein Betreiben

in•stil [ɪn'stɪl], **in•still** *tr* (*fig*) nahe bringen, beibringen

in•stinct ['ɪnstɪŋkt] *s* Instinkt *m;* **by** [*o* **from**] **~** instinktiv; **have an ~ for** e-n Instinkt haben für; **in•stinc•tive** [ɪn'stɪŋktɪv] *adj* instinktiv

in•sti•tute ['ɪnstɪtju:t] **I.** *tr* **1.** aufstellen, einrichten, (be)gründen **2.** (JUR) einleiten, in die Wege leiten; ~ **divorce proceedings** die Scheidung einreichen **II.** *s* Einrichtung *f;* Institut *n*

in•sti•tu•tion [ˌɪnstɪ'tjuːʃn] *s* **1.** Einrichtung, Institution *f* **2.** Errichtung, Gründung *f* **3.** Institut *n,* Anstalt *f* **4.** (*fam*) altbekannte Person; **in•sti•tu•tional** [ˌɪnstɪ'tjuːʃənl] *adj* institutionell; ~ **advertising** (*Am*) Prestigewerbung *f;* **in•sti•tu•tional•ize** [ˌɪnstɪ'tjuːʃənəlaɪz] *tr* institutionalisieren

in•struct [ɪn'strʌkt] *tr* **1.** unterrichten, belehren **2.** anleiten, unterweisen **3.** die Anweisung geben (*s.o.* jdm) **4.** unterrichten, informieren (*of s.th.* von e-r S); **in•struc•tion** [ɪn'strʌkʃn] *s* **1.** Unterricht *m,* Schulung *f* **2.** Belehrung, Instruktion *f* **3.** Anordnung, Anweisung, Vorschrift *f;* ~**s for use** Gebrauchsanweisung, -anleitung *f;* **according to** ~**s** auftrags-, weisungsgemäß; **instruction book** *s* Bedienungs-, Gebrauchsanweisung *f;* **instruction leaflet** *s* Beipackzettel *n;* **in•struc•tive** [ɪn'strʌktɪv] *adj* instruktiv; **in•struc•tor** [ɪn'strʌktə(r)] *s* **1.** Lehrer(in) *m(f)* **2.** (*Am*) Dozent(in) *m(f);* **driving** ~ Fahrlehrer(in) *m(f);* **in•struc•tress** [ɪn'strʌktrɪs] *s* **1.** Lehrerin *f* **2.** (*Am*) Dozentin *f*

in•stru•ment ['ɪnstrʊmənt] *s* **1.** Werkzeug, Instrument *n;* Gerät *n* **2.** (Musik)Instrument *n* **3.** (*fig*) Mittel, Werkzeug *n* **4.** (JUR) Urkunde *f,* Dokument *n*

in•stru•men•tal [ˌɪnstrʊ'mentl] *adj* **1.** brauchbar, förderlich; behilflich **2.** (MUS) instrumental; Instrumental-; **be** ~ **in s.th.** bei e-r S behilflich sein; zu e-r S beitragen; ~ **music** Instrumentalmusik *f*

in•stru•men•ta•tion [ˌɪnstrʊmen'teɪʃn] *s* (MUS) Instrumentation *f*

instrument board, **panel** *s* Armaturenbrett *n*

in•sub•or•di•nate [ˌɪnsə'bɔːdɪnət] *adj* ungehorsam; widersetzlich

in•sub•stan•tial [ˌɪnsəb'stænʃl] *adj* **1.** unwirklich, imaginär; wenig substanziell **2.** (*Anklage*) gegenstandslos

in•suf•fer•able [ɪn'sʌfrəbl] *adj* unerträglich

in•suf•fi•ciency [ˌɪnsə'fɪʃnsɪ] *s* **1.** Mangel *m* (*of* an) **2.** Unzulänglichkeit *f;* **in suf•fi•cient** [ˌɪnsə'fɪʃnt] *adj* **1.** ungenügend **2.** unzulänglich

in•su•lar ['ɪnsjʊlə(r)] *adj* **1.** insular; Insel- **2.** (*fig*) engstirnig; **in•su•lar•ity** [ˌɪnsjʊ'lærətɪ] *s* **1.** insulare Lage, Insellage *f* **2.** (*fig*) Engstirnigkeit *f*

in•su•late ['ɪnsjʊleɪt] *tr* **1.** isolieren, absondern (*from* von) **2.** (EL) isolieren (*from, against* gegen); **in•su•lat•ing** ['ɪnsjʊleɪtɪŋ] *adj* (EL) isolierend; nichtleitend; ~ **tape** Isolierband *n;* **in•su•la•tion** [ˌɪnsjʊ'leɪʃn] *s* **1.** (EL) Isolation, Isolierung *f;* Isoliermaterial *n* **2.** (*fig*) Geschütztheit *f* (*from* gegen)

in•su•lin ['ɪnsjʊlɪn] *s* Insulin *n*

in•sult ['ɪnsʌlt] **I.** *s* **1.** Beleidigung *f* **2.** Verunglimpfung *f* (*to s.o.* jds) **II.** [ɪn'sʌlt] *tr* **1.** beleidigen **2.** verunglimpfen

in•sup•er•able [ɪn'sjuːprəbl] *adj* unüberwindlich

in•sup•port•able [ˌɪnsə'pɔːtəbl] *adj* unerträglich

in•sur•ance [ɪn'ʃʊərəns] *s* **1.** Versicherung *f* **2.** Versicherungssumme *f;* **take out an** ~ e-e Versicherung abschließen; **insurance agent** *s* Versicherungsvertreter(in) *m(f);* **insurance broker** *s* Versicherungsmakler(in) *m(f);* **insurance company** *s* Versicherungsgesellschaft *f;* **insurance cover** *s* Versicherungsschutz *m;* **insurance policy** *s* Versicherungspolice, -schein *m,* Police *f;* **insurance premium** *s* Versicherungsbeitrag *m,* -prämie *f;* **insure** [ɪn'ʃʊə(r)] *tr* versichern (*against fire* gegen Feuer); **in•sured** [ɪn'ʃʊəd] **I.** *adj* versichert **II.** *s* Versicherte(r) *f m,* Versicherungsnehmer(in) *m(f);* **in•surer** [ɪn'ʃʊərə(r)] *s* Versicherer *m*

in•sur•mount•able [ˌɪnsə'maʊntəbl] *adj* unüberwindlich

in•sur•rec•tion [ˌɪnsə'rekʃn] *s* Aufstand *m,* Revolte *f*

in•tact [ɪn'tækt] *adj* unbeschädigt; unversehrt, intakt

in•take ['ɪnteɪk] *s* **1.** (*von Wasser*) Aufnahme *f;* aufgenommene Menge **2.** Zuflussrohr *n* **3.** (MIL) Rekrutierung *f;* Aufnahme *f;* **air** ~ Luftzufuhr *f;* **food** ~ Nahrungsaufnahme *f*

in•tan•gible [ɪn'tændʒəbl] *adj* **1.** nicht greifbar **2.** (*Gefühle*) unbestimmbar; ~ **assets** immaterielle Werte *mpl*

in•te•ger ['ɪntɪdʒə(r)] *s* (MATH) ganze Zahl

in•te•gral ['ɪntɪgrəl] *adj* wesentlich; vollständig, ganz; ~ **calculus** Integralrechnung *f*

in•te•grate ['ɪntɪgreɪt] **I.** *tr* integrieren, eingliedern **II.** *itr* (*Am*) auch für Schwarze zugänglich werden; **in•te•grated** ['ɪntɪgreɪtɪd] *adj* **1.** einheitlich; ein Ganzes bildend **2.** ohne Rassentrennung; ~ **circuit** integrierter Schaltkreis; ~ **system** Verbundsystem *n;* **in•te•gra•tion** [ˌɪntɪ'greɪʃn] *s* **1.** Integration *f a. fig;* (MATH) Einbindung *f;* Eingliederung *f* **2.** (*Am*) Aufhebung *f* der Rassenschranken

in•teg•rity [ɪn'tegrətɪ] *s* **1.** Integrität *f* **2.** Einheit *f*

in•tel•lect ['ɪntəlekt] *s* **1.** Verstand, Intellekt *m* **2.** (*Mensch*) großer Geist; **in tel•lec•tual** [ˌɪntə'lektʃʊəl] **I.** *adj* intellektuell; ~ **property** geistiges Eigentum **II.** *s* Intellektuelle(r) *f m*

in•tel•li•gence [ɪn'telɪdʒəns] *s* **1.** Intelligenz, Auffassungsgabe *f* **2.** Nachricht, Information, Auskunft *f* **3.** Nachrichten-, Geheimdienst *m;* **intelligence quotient, IQ** *s* Intelligenzquotient *m;* **intelligence service** *s* Nachrichten-, Geheimdienst *m;* **intelligence test** *s* Intelligenztest *m;* **in•tel•li•gent** [ɪn'telɪdʒənt] *adj* intelligent, klug; **in•tel•li•gent•sia** [ɪnˌtelɪ'dʒentsɪə] *s* die Intellektuellen *pl,* Intelligenz *f*

in•tel•li•gible [ɪn'telɪdʒəbl] *adj* verständlich, klar (*to s.o.* jdm)

in•tend [ɪn'tend] *tr* **1.** beabsichtigen wollen **2.** fest vorhaben, beabsichtigen (*to do* zu tun); **we ~ him to go with us** wir haben vor ihn mitzunehmen; er soll mit uns mitkommen; **what do you ~ doing today?** was haben Sie heute vor?; **he is ~ed for the medical profession** er soll einmal den Arztberuf ergreifen; **this book is ~ed for you** dieses Buch ist für dich bestimmt; **he ~s to win** er hat fest vor zu gewinnen; **in•tended** [ɪn'tendɪd] *adj* **1.** beabsichtigt, geplant **2.** (*Ehemann, -frau*) zukünftig

in•tense [ɪn'tens] *adj* **1.** intensiv; (*Angst, Freude etc*) äußerst groß **2.** ernsthaft; **in•ten•sify** [ɪn'tensɪfaɪ] **I.** *tr* **1.** verstärken, intensivieren **2.** (*Beziehungen*) vertiefen **II.** *itr* sich steigern, zunehmen; **in•ten•sity** [ɪn'tensətɪ] *s* Intensität *f;* **in•ten•sive** [ɪn'tensɪv] *adj* intensiv; ~ **care** Intensivpflege *f;* ~ **care unit** Intensivstation *f;* ~ **course** Intensivkurs *m;* ~ **livestock farming** Massentierhaltung *f*

in•tent [ɪn'tent] **I.** *adj* **1.** (*Blick*) durchdringend **2.** fest entschlossen (*on* zu) **II.** *s* Absicht *f;* Vorsatz, Zweck *m;* **to this ~** in dieser Absicht; **to the ~ that** in der Absicht, dass; **to all ~s and purposes** in jeder Hinsicht; **with ~** absichtlich; mit der Absicht (*to* zu); **in•ten•tion** [ɪn'tenʃn] *s* Absicht *f,* Vorhaben *n;* **with the best of ~s** in der besten Absicht; **in•ten•tional** [ɪn'tenʃənl] *adj* absichtlich, vorsätzlich

in•ter•act [ˌɪntər'ækt] *itr* aufeinander wirken; **in•ter•ac•tion** [ˌɪntər'ækʃn] *s* gegenseitige Beeinflussung, Wechselwirkung *f;* (PSYCH) Interaktion *f;* **in•ter•ac•tive TV** [ˌɪntəræktɪvti:'vi:] *s* interaktives Fernsehen

in•ter•breed [ˌɪntə'bri:d] **I.** *tr* kreuzen **II.** *itr* sich kreuzen

in•ter•cede [ˌɪntə'si:d] *itr* sich einsetzen (*with, for* für)

in•ter•cept [ˌɪntə'sept] *tr* abfangen; **in ter•cep•tion** [ˌɪntə'sepʃn] *s* Abfangen *n;* **in•ter•cep•tor** [ˌɪntə'septə(r)] *s* (AERO) Abfangjäger *m*

in•ter•ces•sion [ˌɪntə'seʃn] *s* Fürsprache *f*

in•ter•change [ˌɪntə'tʃeɪndʒ] **I.** *tr* austauschen; vertauschen **II.** ['ɪntətʃeɪndʒ] *s* **1.** Austausch *m* **2.** (*von Straßen*) Kreuzung *f;* **motorway ~** Autobahnkreuz *n;* **in•ter•change•able** [ˌɪntə'tʃeɪndʒəbl] *adj* austauschbar, auswechselbar

inter•city [ˌɪntə'sɪtɪ] *adj:* ~ **train** Intercityzug, IC *m;* ~ **supplement** IC-Zuschlag *m*

in•ter•com ['ɪntəkɒm] *s* Gegensprechanlage *f;* **in•ter•com•mu•ni•cate** [ˌɪntəkə'mju:nɪkeɪt] *itr* miteinander in Verbindung stehen

in•ter•con•ti•nen•tal [ˌɪntəˌkɒntɪ'nentl] *adj* interkontinental; ~ **ballistic missile, ICB** Interkontinentalrakete *f*

in•ter•course ['ɪntəkɔ:s] *s* Verkehr, Umgang *m* (*with* mit); **commercial ~** Handelsbeziehungen *fpl;* **sexual ~** Geschlechtsverkehr *m*

in•ter•de•nomi•na•tional [ˌɪntədɪˌnɒmɪ'neɪʃənl] *adj* interkonfessionell

in•ter•de•part•mental ['ɪntəˌdi:pɑ:t'mentl] *adj* mehrere Abteilungen betreffend

in•ter•de•pen•dence [ˌɪntədɪ'pendəns] *s* Interdependenz *f,* wechselseitige Abhängigkeit; **in•ter•de•pen•dent** [ˌɪntədɪ'pendənt] *adj* gegenseitig, voneinander abhängig

in•ter•dict [ˌɪntə'dɪkt] **I.** *tr* **1.** verbieten, untersagen (*from doing* zu tun) **2.** (REL) suspendieren **II.** ['ɪntədɪkt] *s* **1.** Verbot *n* **2.** (REL) Interdikt *n*

in•ter•est ['ɪntrəst] **I.** *s* **1.** Interesse *n* (*in* für) **2.** (COM) Anrecht *n,* Anteil *m* **3.** Bedeutung, Wichtigkeit *f* **4.** (FIN) Zinsen *mpl;* **take an ~ in s.o.** sich für jdn interessieren; **in the ~ of** im Interesse *+gen;* **of public ~** von öffentlichem Interesse; **rate of ~** Zinssatz *m;* **bear** [*o* **bring**] [*o* **carry**] **~** Zinsen tragen; **have an ~ in** beteiligt sein, Anteil haben an; **pay ~ on s.th.** etw verzinsen; **this is of no ~ to me** das interessiert mich nicht; **sphere of ~** Interessengebiet *n,* -sphäre *f;* **~-bearing** verzinslich, zinstragend; **~-free** zinslos **II.** *tr* interessieren (*in* für, an); **in•ter•ested** ['ɪntrəstɪd] *adj* **1.** interessiert (*in* an) **2.** beteiligt; **in•ter•esting** [-ɪŋ] *adj* interessant, fesselnd

inter•face ['ɪntəfeɪs] *s* (EDV) Schnittstelle *f,* Interface *n*

in•ter•fere [ˌɪntə'fɪə(r)] *itr* **1.** sich einmischen (*in* in), sich zu schaffen machen **2.** stören, beeinträchtigen (*with s.th.* etw); **in•ter•fer•ence** [ˌɪntə'fɪərəns] *s* **1.** Einmischung, Intervention *f* **2.** (*a.* RADIO) Störung; Beeinträchtigung *f* (*with +gen*)

in•terim ['ɪntərɪm] **I.** *s* Zwischenzeit *f* **II.** *adj* vorläufig, einstweilig; Interims-; ~ **dividend** Abschlags-, Zwischendividende *f;* ~ **payment** Abschlags-, Interimszahlung *f;* ~

report Zwischenbericht *m*

in•terior [ɪn'tɪərɪə(r)] **I.** *adj* Innen-; Binnen- **II.** *s* **1.** (das) Innere **2.** (*Kunst*) Interieur *n* **3.** (PHOT) Innenaufnahme *f;* **the Department of the I~** (*Am*) das Innenministerium; **I~ Minister** Innenminister(in) *m(f);* **interior decoration** *s* Raumausstattung *f;* **interior designer** *s* Innenarchitekt(in) *m(f)*

in•ter•ject [ˌɪntə'dʒekt] *tr* (*Frage*) ein-, dazwischenwerfen; **in•ter•jec•tion** [ˌɪntə'dʒekʃn] *s* (GRAM) Interjektion *f*

in•ter•lace [ˌɪntə'leɪs] **I.** *tr* verflechten; verbinden **II.** *itr* sich miteinander verflechten

inter-li•brary loan [ɪntə'laɪbrərɪˌləʊn] *s* Fernleihe *f*

in•ter•locu•tor [ˌɪntə'lɒkjʊtə(r)] *s* Gesprächspartner(in) *m(f)*

in•ter•lo•per ['ɪntələʊpə(r)] *s* Eindringling *m*

in•ter•lude ['ɪntəlu:d] *s* **1.** (THEAT MUS) Zwischenspiel *n;* Intermezzo *n* **2.** Pause *f* **3.** Unterbrechung *f* (*of* durch)

in•ter•marry [ˌɪntə'mærɪ] *itr* **1.** untereinander heiraten **2.** (*nahe Verwandte*) sich heiraten

in•ter•medi•ary [ˌɪntə'mi:dɪərɪ] **I.** *adj* vermittelnd **II.** *s* Vermittler(in) *m(f),* Mittelsmann *m;* Makler(in) *m(f)*

in•ter•medi•ate [ˌɪntə'mi:dɪət] *adj* dazwischenliegend; Zwischen-; **~-range missile** Mittelstreckenrakete *f;* **~ stage** Zwischenstadium *n;* **~ waste** mittelradioaktiver Abfall

in•ter•mezzo [ˌɪntə'metsəʊ] *s* <*pl* -mezzos> (MUS) Intermezzo *n*

in•ter•mi•nable [ɪn'tɜ:mɪnəbl] *adj* endlos

in•ter•mis•sion [ˌɪntə'mɪʃn] *s* Unterbrechung, Pause *f;* **without ~** pausenlos, ununterbrochen

in•ter•mit•tent [ˌɪntə'mɪtnt] *adj* periodisch auftretend; **~ fever** Wechselfieber *n*

in•tern¹ [ɪn'tɜ:n] *tr* internieren

in•tern² ['ɪntɜ:n] *s* (*Am*) Medizinalassistent(in) *m(f)*

in•ter•nal [ɪn'tɜ:nl] *adj* **1.** innere(r, s); innerlich; intern **2.** (*Handel*) inländisch, (ein)heimisch; **~ affairs** (POL) innere Angelegenheiten *fpl;* **~-combustion engine** Verbrennungsmotor *m;* **~ flight** Inlandflug *m;* **~ medicine** innere Medizin; **I~ Revenue Service, IRS** (*Am*) Finanzamt *n,* -behörde *f;* **~ telephone** Haustelefon *n;* **~ trade** Binnenhandel *m*

in•ter•na•tional [ˌɪntə'næʃnəl] **I.** *adj* international **II.** *s* (SPORT) Länderspiel *n;* Nationalspieler(in) *m(f);* **~ call** Auslandsgespräch *n;* **I~ Court of Justice** Internationaler Gerichtshof; **~ date line** Datumsgrenze *f;* **~ dialling code** internationale Vorwahl; **~ law** Völkerrecht *n;* **~ Monetary Fund, IMF** Weltwährungsfonds *m;* **I~ Olympic Committee, IOC** Internationales Olympisches Komitee; **~ reply coupon** internationaler Postantwortschein;

in•ter•na•tional•ize [ˌɪntə'næʃnəlaɪz] *tr* internationalisieren

in•ter•ne•cine war [ɪntə'ni:saɪnˌwɔ:(r)] *s* gegenseitiger Vernichtungskrieg

in•ternee [ˌɪntɜ:'ni:] *s* Internierte(r) *f m*

in•ter•net ['ɪntənet] *s* (EDV) Internet *n*

in•tern•ist [ɪn'tɜ:nɪst] *s* (*Am*) Internist(in) *m(f)*

in•tern•ment [ɪn'tɜ:nmənt] *s* Internierung *f;* **internment camp** *s* Internierungslager *n*

in•ter•pel•la•tion [ɪnˌtɜ:pə'leɪʃn] *s* (PARL) Interpellation *f*

in•ter•phone ['ɪntəfəʊn] *s* (*Am*) *s.* **intercom**

in•ter•plan•etary [ˌɪntə'plænɪtrɪ] *adj* interplanetarisch

in•ter•play ['ɪntəpleɪ] *s* Wechselspiel *n*

In•ter•pol ['ɪntəpɒl] *s* Interpol *f*

in•ter•po•late [ɪn'tɜ:pəleɪt] *tr* (*Text*) einschieben, -schalten; **in•ter•po•la•tion** [ɪnˌtɜ:pə'leɪʃn] *s* Einschaltung, -schiebung *f*

in•ter•pret [ɪn'tɜ:prɪt] *tr* **1.** erklären, darlegen, interpretieren **2.** dolmetschen; **in•ter•pre•ta•tion** [ɪnˌtɜ:prɪ'teɪʃn] *s* **1.** Interpretation, Deutung, Auslegung *f* **2.** Dolmetschen *n;* **consecutiv/simultaneous ~** Konsekutiv-/Simultandolmetschen *n;* **in•ter•preter** [ɪn'tɜ:prɪtə(r)] *s* Dolmetscher(in) *m(f);* **in•ter•pret•ing** [ɪn'tɜ:prɪtɪŋ] *s s.* **interpretation 2**

inter-rail ['ɪntəreɪl] *adj:* **~ ticket** Interrailkarte *f*

in•ter•re•late [ˌɪntərɪ'leɪt] *tr* zueinander in Beziehung bringen, setzen; **~d facts** zusammenhängende Tatsachen *fpl*

in•ter•ro•gate [ɪn'terəgeɪt] *tr* verhören, vernehmen; **in•ter•ro•ga•tion** [ɪnˌterə'geɪʃn] *s* Verhör *n,* Vernehmung *f;* **interrogation mark** *s* Fragezeichen *n;* **in•ter•roga•tive** [ˌɪntə'rɒgətɪv] **I.** *adj* fragend **II.** *s* (GRAM) Frage(für)wort *n;* **in•ter•ro•ga•tor** [ɪn'terəgeɪtə(r)] *s* Vernehmungsbeamte(r) *m;* **in•ter•roga•tory** [ˌɪntə'rɒgətrɪ] *adj* fragend

in•ter•rupt [ˌɪntə'rʌpt] *tr* **1.** unterbrechen **2.** ins Wort fallen (*s.o.* jdm) **3.** (*Arbeit*) stören; hindern; **in•terrupter** [ˌɪntə'rʌptə(r)] *s* (EL) Unterbrecher *m;* **in•ter•rup•tion** [ˌɪntə'rʌpʃn] *s* **1.** Unterbrechung *f* **2.** (Betriebs)Störung *f;* **without ~** ununterbrochen

in•ter•sect [ˌɪntə'sekt] **I.** *tr* **1.** durchschneiden **2.** (MATH) schneiden **II.** *itr* sich (über)schneiden, sich kreuzen; **in•tersection** [ˌɪntəˈsekʃn] *s* **1.** (MATH) Schnittpunkt *m* **2.** (*Straße, Bahn*) Kreuzung *f;* (*Autobahn*) Kreuz *n*

in•ter•sperse [ˌɪntəˈspɜːs] *tr* einstreuen (*between, among* unter); **~d with s.th.** mit etw dazwischen

in•ter•state [ˌɪntəˈsteɪt] *adj* (*Am*) zwischenstaatlich; **~ highway** *Autobahn, die mehrere Bundesstaaten verbindet*

in•ter•stel•lar [ˌɪntəˈstelə(r)] *adj* interstellar

in•ter•stice [ɪnˈtɜːstɪs] *s* **1.** Zwischenraum *m* **2.** Lücke *f,* Spalt(e *f*) *m*

in•ter•twine [ˌɪntəˈtwaɪn] *tr* verflechten; verknoten (*with* mit)

inter•ur•ban [ˌɪntəˈɜːbən] *adj* städteverbindend

in•ter•val [ˈɪntəvl] *s* **1.** Zwischenraum, Abstand *m* **2.** (*a.* THEAT) Pause *f* **3.** (MUS) Intervall *n;* **after a week's ~** eine Woche später; **at ~s** in Abständen; **sunny ~s** (METE) Aufheiterungen *pl;* **in•ter•val switch** *s* Intervallschalter *m,* -schaltung *f*

in•ter•vene [ˌɪntəˈviːn] *itr* **1.** eingreifen, einschreiten, intervenieren **2.** (*Ereignis*) eintreten, sich ereignen; **in•ter•ven•ing** [-ɪŋ] *adj* dazwischenliegend; **in•ter•vention** [ˌɪntəˈvenʃn] *s* **1.** Eingreifen *n* **2.** (POL) Einmischung, Intervention *f;* **in•ter•vention•ist** [-ɪst] **I.** *s* (POL) Interventionist(in) *m(f)* **II.** *adj* interventionistisch

in•ter•view [ˈɪntəvjuː] **I.** *s* **1.** Unterredung *f;* Vorstellungsgespräch *n* **2.** Interview *n,* Befragung *f;* **give an ~** ein Interview geben **II.** *tr* **1.** ein Vorstellungsgespräch führen mit **2.** interviewen; **in•ter•viewee** [ˌɪntəvjuːˈiː] *s* (*Bewerbung*) Kandidat(in) *m(f);* (TV RADIO) Interviewte(r) *f m;* **in•terviewer** [ˈɪntəvjuːə(r)] *s* Interviewer(in) *m(f)*

in•ter•weave [ˌɪntəˈwiːv] *irr tr* **1.** verweben **2.** ineinander schlingen

in•tes•tate [ɪnˈtesteɪt] *adj:* **die ~** ohne Testament sterben

in•tes•tine [ɪnˈtestɪn] *s meist pl* Darm *m;* **large/small ~** Dick-/Dünndarm *m*

in•ti•macy [ˈɪntɪməsɪ] *s* Vertraulichkeit *f;* Intimität *f*

in•ti•mate[1] [ˈɪntɪmət] **I.** *adj* **1.** vertraut, intim, innig **2.** persönlich, privat **3.** (*Wissen*) gründlich **II.** *s* Vertraute(r) *f m*

in•ti•mate[2] [ˈɪntɪmeɪt] *tr* ankündigen, andeuten, zu verstehen geben, nahe legen; **in•ti•ma•tion** [ˌɪntɪˈmeɪʃn] *s* Andeutung *f,* Wink *m*

in•timi•date [ɪnˈtɪmɪdeɪt] *tr* einschüchtern (*into doing s.th.* etw zu tun); **in•timida•tion** [ɪnˌtɪmɪˈdeɪʃn] *s* Einschüchterung *f*

into [ˈɪntʊ] *prep* in; gegen; **he's ~ jazz** (*sl*) er steht auf Jazz; **three ~ six goes twice** sechs durch drei gibt zwei; **work late ~ the night** bis tief in die Nacht arbeiten

in•tol•er•able [ɪnˈtɒlərəbl] *adj* unerträglich; **in•tol•er•ance** [ɪnˈtɒlərəns] *s* (*a.* MED) Unduldsamkeit, Intoleranz *f* (*of* gegenüber); **in•tol•er•ant** [ɪnˈtɒlərənt] *adj* intolerant (*of* gegenüber)

in•ton•ation [ˌɪntəˈneɪʃn] *s* Intonation *f;* Tonfall *m;* Stimmlage *f;* **in•tone** [ɪnˈtəʊn] *tr* anstimmen

in•toxi•cant [ɪnˈtɒksɪkənt] *s* Rauschmittel *n;* **in•toxi•cate** [ɪnˈtɒksɪkeɪt] *tr* berauschen *a. fig;* **in•toxi•cat•ing** [ɪnˈtɒksɪkeɪtɪŋ] *adj* berauschend; **in•toxi•cation** [ɪnˌtɒksɪˈkeɪʃn] *s* Trunkenheit *f;* Rausch *m a. fig*

in•trac•table [ˌɪnˈtræktəbl] *adj* (*Mensch*) eigenwillig, halsstarrig; (*Problem*) hartnäckig

in•tracu•tan•eous [ɪntrækjuːˈteɪnəs] *adj* intrakutan

in•tra•mural [ˌɪntrəˈmjʊərəl] *adj* innerhalb der Universität

in•tran•si•gence [ɪnˈtrænsɪdʒəns] *s* Unnachgiebigkeit *f;* **in•tran•si•gent** [ɪnˈtrænsɪdʒənt] *adj* unnachgiebig

in•tran•si•tive [ɪnˈtrænsətɪv] *adj* (GRAM) intransitiv

intra•uter•ine [ˌɪntrəˈjuːtəraɪn] *adj:* **~ device, IUD** Intrauterinpessar *n*

in•tra•venous [ˌɪntrəˈviːnəs] *adj* (MED) intravenös

in-tray [ˈɪntreɪ] *s* Eingänge *mpl*

in•trepid [ɪnˈtrepɪd] *adj* unerschrocken

in•tri•cacy [ˈɪntrɪkəsɪ] *s* Kompliziertheit, Schwierigkeit *f;* **in•tri•cate** [ˈɪntrɪkət] *adj* kompliziert, schwierig

in•trigue [ɪnˈtriːg] **I.** *itr* intrigieren **II.** *tr* neugierig machen; fesseln **III.** [ˈɪntriːg] *s* Intrige *f;* **in•trigu•ing** [ɪnˈtriːgɪŋ] *adj* sehr spannend; höchst interessant

in•trin•sic [ɪnˈtrɪnsɪk] *adj* wesentlich, eigentlich, wirklich

in•tro•duce [ˌɪntrəˈdjuːs] *tr* **1.** einführen **2.** (*Menschen*) vorstellen (*to s.o.* jdm) **3.** vertraut machen mit **4.** zur Sprache bringen; (*Thema*) anschneiden **5.** einleiten, beginnen, eröffnen **6.** (PARL: *Vorlage*) einbringen (*into* in) **7.** (TECH) einführen, hineinstecken; **~ into the market** auf den Markt bringen; **in•tro•duc•tion** [ˌɪntrəˈdʌkʃn] *s* **1.** Einführung, Einleitung *f* (*a. e-s Buches*) **2.** (MUS) Introduktion *f* **3.** Vorstellung *f* (*e-s Menschen*) **4.** (PARL) Einbringung *f;* **in•tro•duc•tory** [ˌɪntrəˈdʌktərɪ] *adj* einführend, -leitend; **~ offer** Einführungsangebot *n*

in•tro•spec•tion [ˌɪntrəˈspekʃn] *s* Selbstbeobachtung *f;* **in•tro•spec•tive** [ˌɪntrə'spektɪv] *adj* selbstbeobachtend

in•tro•vert [ˌɪntrə'vɜ:t] **I.** *tr* nach innen richten, einwärts kehren **II.** ['ɪntrəvɜ:t] *s* Introvertierte(r) *f m;* **in•tro•vert•ed** [-əd] *adj* introvertiert

in•trude [ɪn'tru:d] **I.** *itr* sich eindrängen (*into* in) **II.** *tr* (*Bemerkung*) einwerfen; ~ **on s.o.** jdn stören; ~ **on a conversation** sich in eine Unterhaltung einmischen; ~ **s.th. upon s.o.** jdm etw aufdrängen; **in•truder** [ɪn'tru:də(r)] *s* Eindringling *m;* **in•tru•sion** [ɪn'tru:ʒn] *s* **1.** Aufdrängen *n* **2.** Störung *f;* Verletzung *f;* **in•tru•sive** [ɪn'tru:sɪv] *adj* aufdringlich

in•tu•ition [ˌɪntju:'ɪʃn] *s* **1.** Intuition *f* **2.** Ahnung *f;* **in•tu•itive** [ɪn'tju:ɪtɪv] *adj* intuitiv

in•un•date ['ɪnʌndeɪt] *tr* überschwemmen, -fluten *a. fig;* **in•un•da•tion** [ˌɪnʌn'deɪʃn] *s* Überschwemmung, -flutung *f a. fig*

in•ure [ɪ'njʊə(r)] *tr* gewöhnen (*to* an)

in•vade [ɪn'veɪd] *tr* **1.** (MIL) einmarschieren in **2.** (*fig*) überfallen, heimsuchen **3.** eindringen in; **in•vader** [ɪn'veɪdə(r)] *s* Eindringling *m*

in•valid¹ ['ɪnvəlɪd] **I.** *s* Invalide *m;* Körperbehinderte(r) *f m* **II.** *adj* krank; invalide **III.** *tr:* ~ **out** dienstuntauglich erklären

in•valid² [ɪn'vælɪd] *adj* (JUR) ungültig; nicht zulässig

in•vali•date [ɪn'vælɪdeɪt] *tr* für ungültig, nichtig erklären, annullieren; **in•val•idity** [ˌɪnvə'lɪdətɪ] *s* (JUR) Ungültigkeit, Nichtigkeit *f*

in•valu•able [ɪn'væljʊəbl] *adj* unschätzbar

in•vari•able [ɪn'veərɪəbl] *adj* unveränderlich, ständig

in•vasion [ɪn'veɪʒn] *s* **1.** Invasion *f* (*of* in), Einmarsch *m* (*of* in) **2.** (JUR) Eingriff *m* (*of* in)

in•vec•tive [ɪn'vektɪv] *s* Schmähung, Beschimpfung *f*

in•veigle [ɪn'veɪgl] *tr* verführen, -leiten, -locken (*into doing s.th.* etw zu tun)

in•vent [ɪn'vent] *tr* **1.** erfinden **2.** erdichten; **in•ven•tion** [ɪn'venʃn] *s* Erfindung *f;* **in•ven•tive** [ɪn'ventɪv] *adj* erfinderisch, einfallsreich; **in•ven•tive•ness** [ɪn'ventɪvnɪs] *s* Erfindungsgabe *f,* -reichtum *n;* **in•ven•tor** [ɪn'ventə(r)] *s* Erfinder(in) *m(f)*

in•ven•tory ['ɪnvəntrɪ] **I.** *s* Inventar *n,* Bestandsaufnahme *f;* **make an** ~ Inventar aufnehmen **II.** *tr* (COM) inventarisieren

in•verse [ɪn'vɜ:s] **I.** *adj* (*a.* MATH) umgekehrt, entgegengesetzt **II.** ['ɪnvɜ:s] *s* Gegenteil *n;* **in•ver•sion** [ɪn'vɜ:ʃn] *s* Umkehrung, Inversion *f*

in•vert [ɪn'vɜ:t] *tr* auf den Kopf stellen; umkehren; ~**ed commas** Anführungszeichen *npl*

in•vert•ebrate [ɪn'vɜ:tɪbrət] **I.** *adj* (ZOO) wirbellos **II.** *s* wirbelloses Tier, Invertebrat *m*

in•vest [ɪn'vest] **I.** *tr* **1.** (*feierlich*) in ein Amt einführen, einsetzen **2.** (*Geld*) anlegen, investieren **II.** *itr* investieren, Geld anlegen; ~ **s.o. with s.th.** jdm etw verleihen

in•ves•ti•gate [ɪn'vestɪgeɪt] **I.** *tr* **1.** erforschen, untersuchen **2.** (*Forderung*) überprüfen **II.** *itr* Ermittlungen anstellen; ermitteln; **in•ves•ti•ga•tion** [ɪnˌvestɪ'geɪʃn] *s* **1.** Erforschung, Untersuchung *f* **2.** (JUR) Ermittlung *f* **3.** Forschung *f;* **make** ~**s** Nachforschungen, Erhebungen anstellen; **preliminary** ~ Voruntersuchung *f;* **be under** ~ überprüft werden; **in•ves•ti•ga•tive** [ɪn'vestɪgətɪv] *adj:* ~ **journalism** Enthüllungsjournalismus *m;* **in•ves•ti•ga•tor** [ɪn'vestɪgeɪtə(r)] *s* Ermittlungsbeamte(r) *m;* Ermittler(in) *m(f)*

in•vest•ment [ɪn'vestmənt] *s* **1.** (Amts)Einführung *f* **2.** (COM) Anlage, Investition *f;* **make an** ~ investieren; **investment fund** *s* Investmentfonds *m;* **investment trust** *s* Investmentgesellschaft *f;* **in•vest•or** [ɪn'vestə(r)] *s* Investor(in) *m(f),* Kapitalanleger(in) *m(f)*

in•vet•er•ate [ɪn'vetərət] *adj* **1.** eingewurzelt **2.** (*Feind*) unversöhnlich **3.** (*Raucher*) Gewohnheits-; unverbesserlich

in•vidi•ous [ɪn'vɪdɪəs] *adj* **1.** (*Bemerkung*) gehässig **2.** (*Benehmen*) gemein; ungerecht

in•vigi•late [ɪn'vɪdʒɪleɪt] **I.** *tr* Aufsicht führen (bei) **II.** *itr* Aufsicht führen

in•vigi•la•tor [ɪn'vɪdʒɪleɪtə(r)] *s* Aufsicht(sperson) *f*

in•vig•or•ate [ɪn'vɪgəreɪt] *tr* stärken, kräftigen; **in•vig•or•at•ing** [ɪn'vɪgəreɪtɪŋ] *adj* erfrischend

in•vin•cible [ɪn'vɪnsəbl] *adj* unbesiegbar, unüberwindlich

in•vis•ible [ɪn'vɪzəbl] *adj* unsichtbar, nicht wahrnehmbar (*to* für); ~ **assets** unsichtbare Vermögenswerte *mpl;* ~ **earnings** unsichtbare Einkünfte *pl;* ~ **ink** Geheimtinte *f;* ~ **exports/imports** (COM) unsichtbare Aus-/Einfuhren *fpl*

in•vi•ta•tion [ˌɪnvɪ'teɪʃn] *s* Einladung *f;* **invite** [ɪn'vaɪt] *tr* **1.** einladen **2.** bitten, ersuchen um **3.** auffordern, ermuntern zu **4.** (*Kritik*) herausfordern; ~ **s.o. to do s.th** jdn auffordern etw zu tun; **in•vit•ing** [ɪn'vaɪtɪŋ] *adj* (ver)lockend; einladend

in vitro [ɪn'vi:trəʊ] *adj* (MED): ~ **fertilisation** In-vitro-Fertilisation *f*

in•vo•ca•tion [ˌɪnvə'keɪʃn] *s* Beschwörung *f*

in•voice ['ɪnvɔɪs] **I.** *s* (Waren)Rechnung, Faktura *f* **II.** *tr* fakturieren, in Rechnung stellen
in•vol•un•tary [ɪn'vɒləntrɪ] *adj* **1.** unbeabsichtigt, ungewollt **2.** (PHYSIOL) unwillkürlich
in•volve [ɪn'vɒlv] *tr* **1.** einbeziehen; verwickeln **2.** mit sich bringen, bedingen, zur Folge haben, nach sich ziehen **3.** bedeuten; **~ s.o. in a quarrel** jdn in e-n Streit verwickeln; **~ much expense** große Kosten verursachen; **be ~d in s.th.** in etw verwickelt sein; **get ~d in s.th.** in etw verwickelt werden, sich in e-r S engagieren; **in•volved** [ɪn'vɒlvd] *adj* **1.** verwickelt, engagiert **2.** kompliziert, schwierig
in•vul•ner•able [ɪn'vʌlnərəbl] *adj* **1.** unverwundbar **2.** (*fig*) unantastbar, unanfechtbar
in•ward ['ɪnwəd] *adj* **1.** innere(r, s), innerlich **2.** (*Kurve*) nach innen gehend; **in•ward•ly** [-lɪ] *adv* innerlich; im Herzen; **in•ward•ness** [-nɪs] *s* Innerlichkeit *f;* **in•wards** ['ɪnwədz] *adv* nach innen
in-word ['ɪnwɜːd] *s* Modewort *n*
iod•ine ['aɪədiːn] *s* Jod *n*
ion ['aɪən] *s* (PHYS) Ion *n*
Ionic [aɪ'ɒnɪk] *adj* ionisch
iota [aɪ'əʊtə] *s* Jota *n;* **not an ~** nicht das Geringste
IOU [ˌaɪəʊ'juː] *abbr of* **I owe you** Schuldschein *m*
IQ [ˌaɪ'kjuː] *s abbr of* **intelligence quotient** IQ *m*
IRA [ˌaɪər'eɪ] *s abbr of* **Irish Republican Army** IRA *f*
Iran [ɪ'rɑːn] *s* Iran *m;* **Ira•nian** [ɪ'reɪnjən] **I.** *adj* iranisch **II.** *s* **1.** Iraner(in) *m(f)* **2.** (das) Iranisch(e)
Iraq [ɪ'rɑːk] *s* Irak *m;* **Ira•qi** [ɪ'rɑːkɪ] **I.** *adj* irakisch **II.** *s* **1.** Iraker(in) *m(f)* **2.** (das) Irakisch(e)
iras•cible [ɪ'ræsəbl] *adj* jähzornig
irate [aɪ'reɪt] *adj* wütend, erzürnt, zornig
Ire•land ['aɪələnd] *s* Irland *n;* **Northern ~** Nordirland *n;* **Republic of ~** Republik *f* Irland
iri•des•cent [ˌɪrɪ'desnt] *adj* schillernd, irisierend
iris ['aɪərɪs] *s* **1.** (ANAT) Regenbogenhaut, Iris *f* **2.** (BOT) Schwertlilie *f*
Irish ['aɪərɪʃ] **I.** *adj* irisch **II.** *s* (*Sprache*) (das) Irisch(e); **the ~** die Iren *mpl;* **Irish•man** ['aɪərɪʃmən] *s* <*pl* -men> Ire *m;* **Irish•woman** ['aɪərɪʃwʊmən, *pl* -wɪmɪn] <*pl* -women> *s* Irin *f*
irk [ɜːk] *tr* ärgern, verdrießen; **irk•some** ['ɜːksəm] *adj* lästig
iron ['aɪən] **I.** *s* **1.** Eisen *n* **2.** (*flat ~*) Bügeleisen *n* **3.** **~s** Ketten, Fesseln *f* **4.** (*Golf*) Eisen *npl;* **have too many ~s in the fire** (*fig*) zu viele Eisen im Feuer haben; **rule with a rod of ~** (*fig*) mit eiserner Faust regieren; **a man of ~** ein stahlharter Mann; **strike while the ~ is hot** (*prov*) das Eisen schmieden, solange es heiß ist; **cast ~** Gusseisen *n;* **wrought ~** Schmiedeeisen *n* **II.** *adj* **1.** (CHEM) eisern **2.** (*fig*) eisern; unbarmherzig, streng **III.** *tr* bügeln, plätten; **~ out** (*fig*) ausbügeln; ins Reine, in Ordnung bringen; **Iron Age** *s* (HIST) Eisenzeit *f;* **Iron Curtain** *s* (HIST) Eiserner Vorhang
ironic(al) [aɪ'rɒnɪk(el)] *adj* **1.** ironisch, spöttisch **2.** (*fig*) paradox, verrückt
iron•ing ['aɪənɪŋ] *s* Bügeln, Plätten *n;* **ironing board** *s* Bügelbrett *n*
iron lung [ˌaɪən'lʌŋ] *s* (MED) eiserne Lunge; **iron•monger** ['aɪənmʌŋgə(r)] *s* (*Br*) Eisenhändler(in) *m(f);* **iron•mongery** ['aɪənmʌŋgərɪ] *s* Eisenhandel *m,* -handlung *f,* -waren *fpl;* **iron ore** *s* Eisenerz *n;* **iron rations** *s pl* eiserne Ration; **iron work** ['aɪənwɜːk] *s* Eisen *n;* Eisenbeschläge *mpl;* **iron•works** ['aɪənwɜːks] *s pl mit sing* Eisenhütte *f*
irony ['aɪərənɪ] *s* Ironie *f*
ir•ra•di•ate [ɪ'reɪdɪeɪt] *tr* **1.** ausstrahlen **2.** bestrahlen
ir•ra•tional [ɪ'ræʃənl] *adj* **1.** unvernünftig, irrational *a. fig* **2.** unsinnig, absurd; **irrational number** *s* (MATH) irrationale Zahl
ir•rec•on•cil•able [ɪˌrekən'saɪləbl] *adj* **1.** unversöhnlich **2.** (*Glaube*) unvereinbar (*to, with* mit)
ir•re•cover•able [ˌɪrɪ'kʌvərəbl] *adj* **1.** nicht wiederzuerlangen **2.** unwiderruflich verloren **3.** (JUR) uneinbringlich
ir•re•deem•able [ˌɪrɪ'diːməbl] *adj* **1.** (*Währung*) nicht einlösbar; (*Wertpapiere*) untilgbar **2.** (*Verlust*) uneinbringlich **3.** (*Fehler*) unverbesserlich
ir•re•fut•able [ˌɪrɪ'fjuːtəbl] *adj* unwiderlegbar
ir•regu•lar [ɪ'regjʊlə(r)] *adj* **1.** unregelmäßig; ungleichmäßig **2.** unvorschriftsmäßig **3.** (MIL) irregulär **4.** (GRAM) unregelmäßig; **ir•regu•lar•ity** [ɪˌregjʊ'lærətɪ] *s* **1.** Unregelmäßigkeit *f;* Ungleichmäßigkeit *f;* Uneinheitlichkeit *f* **2.** Unvorschriftsmäßigkeit *f*
ir•rel•evance, **ir•rel•evancy** [ɪ'reləvəns, ɪ'reləvənsɪ] *s* Belanglosigkeit *f;* Nebensächlichkeit *f;* Irrelevanz *f;* **irrelevant** [ɪ'reləvənt] *adj* unerheblich, belanglos; nebensächlich; irrelevant
ir•re•medi•able [ˌɪrɪ'miːdɪəbl] *adj* (*Fehler*) nicht wieder gutzumachen(d)
ir•rep•ar•able [ɪ'repərəbl] *adj* nicht wieder gutzumachen(d); irreparabel
ir•re•place•able [ˌɪrɪ'pleɪsəbl] *adj* uner-

setzlich
ir•re•press•ible [ˌɪrɪ'presəbl] *adj* nicht zurückzuhalten(d); unbezähmbar; unerschütterlich
ir•re•proach•able [ˌɪrɪ'prəʊtʃəbl] *adj* untadelig, einwandfrei
ir•re•sist•ible [ˌɪrɪ'zɪstəbl] *adj* unwiderstehlich
ir•res•ol•ute [ɪ'rezəluːt] *adj* unentschlossen, unschlüssig
ir•re•spec•tive [ˌɪrɪ'spektɪv] *adj:* ~ **of** ohne Rücksicht auf; unabhängig von; ungeachtet +*gen*
ir•re•spon•sible [ˌɪrɪ'spɒnsəbl] *adj* unverantwortlich; verantwortungslos
ir•re•triev•able [ˌɪrɪ'triːvəbl] *adj* nicht wiederzuerlangen(d), unwiederbringlich; unersetzlich
ir•rev•er•ence [ɪ'revərəns] *s* Respektlosigkeit *f;* **ir•rev•er•ent** [ɪ'revərənt] *adj* respektlos
ir•re•vers•ible [ˌɪrɪ'vɜːsəbl] *adj* **1.** (*Entscheidung*) unumstößlich **2.** unabänderlich, unwiderruflich
ir•revo•cable [ɪ'revəkəbl] *adj* unwiderruflich
ir•ri•gate ['ɪrɪgeɪt] *tr* **1.** bewässern **2.** (MED) ausspülen; **ir•ri•ga•tion** [ˌɪrɪ'geɪʃn] *s* **1.** Bewässerung *f* **2.** (MED) Spülung *f;* **irrigation plant** *s* Bewässerungsanlage *f*
ir•ri•table ['ɪrɪtəbl] *adj* reizbar; gereizt; **ir•ri•tant** ['ɪrɪtənt] **I.** *adj* Reiz- **II.** *s* Reizstoff *m;* **ir•ri•tate** ['ɪrɪteɪt] *tr* **1.** reizen, ärgern **2.** irritieren, nervös machen **3.** (MED) reizen; **ir•ri•ta•tion** [ˌɪrɪ'teɪʃn] *s* **1.** Ärger *m;* Verärgerung *f* (*at, against* über) **2.** (MED) Reizung *f*
is [ɪz] *3. Person Singular Präsens* **be**
Is•lam [ɪz'lɑːm] *s* Islam *m;* **Is•lamic** [ɪz'læmɪk] *adj* islamisch
is•land ['aɪlənd] *s* Insel *f a. fig;* **is•lander** ['aɪləndə(r)] *s* Inselbewohner(in) *m(f);* **isle** [aɪl] *s* (*poet*) Eiland *n;* **is•let** ['aɪlɪt] *s* Inselchen *n*
isn't ['ɪznt] = **is not**
iso•bar ['aɪsəbɑː(r)] *s* (METE) Isobare *f*
iso•late ['aɪsəleɪt] *tr* **1.** aus-, absondern, trennen (*from* von) **2.** (*a.* TECH) isolieren **3.** (*Problem*) herauskristallisieren; **iso•lated** ['aɪsəleɪtɪd] *adj* **1.** isoliert; abgesondert; abgeschnitten **2.** einzeln; ~ **case** Einzelfall *m;* **iso•la•tion** [ˌaɪsə'leɪʃn] *s* **1.** Absonderung, Isolierung *f* **2.** Isoliertheit, Abgeschnittenheit *f;* **isolation hospital** *s* Isolierspital *n;* **iso•la•tion•ism** [ˌaɪsə'leɪʃnɪzəm] *s* Isolationismus *m;* **isolation ward** *s* Isolierstation *f*
isos•ce•les tri•angle [aɪ'sɒsliːzˌtraɪæŋgl] *s* (MATH) gleichschenkliges Dreieck
iso•therm ['aɪsəθɜːm] *s* (METE) Isotherme *f*
iso•tope ['aɪsətəʊp] *s* (CHEM) Isotop *n*
Is•ra•el ['ɪzreɪl] *s* Israel *n;* **Is•rae•li** [ɪz'reɪlɪ] **I.** *adj* israelisch **II.** *s* Israeli *m f;* **Is•rael•ite** ['ɪzrɪəlaɪt] *s* Israelit(in) *m(f)*
issue ['ɪʃuː] **I.** *s* **1.** Frage *f;* Problem *n,* Angelegenheit *f* **2.** Ergebnis *n* **3.** (*von Banknoten*) Ausgabe, Emission *f* **4.** Ausgabe *f;* Lieferung *f* **5.** (*Zeitschrift*) Ausgabe, Nummer, Auflage *f* **6.** (JUR) Nachkommenschaft *f;* **at** ~ zur Debatte stehend; strittig; **be the** ~ sich handeln um; **die without** ~ kinderlos sterben; **force an** ~ e-e Entscheidung erzwingen; **bring s.th. to an** ~ e-e Entscheidung in etw herbeiführen; **take** ~ **with s.o. over s.th.** jdm in etw widersprechen; **make an** ~ **of s.th.** etw aufbauschen; **date of** ~ Ausgabetag *m;* **place of** ~ Ausstellungsort *m* **II.** *itr* hervorkommen, -dringen, (her)ausfließen, -strömen (*from* aus) **III.** *tr* **1.** (COM) ausgeben **2.** (*Dokument*) ausfertigen; ausstellen **3.** (*Bücher*) herausgeben, in Umlauf setzen, veröffentlichen **4.** (*Anleihe*) auflegen, begeben; emittieren; **the issuing authorities** die ausstellende Behörde; ~ **s.o. with a visa** jdm ein Visum ausstellen; ~ **s.th. to s.o.** etw an jdn ausgeben
isth•mus ['ɪsməs] *s* Landenge *f,* Isthmus *m*
it [ɪt] **I.** *pron* **1.** er, sie, es *acc,* ihn, sie, es *dat,* ihm, ihr, ihm **2.** es *acc,* es *dat,* ihm; **of** ~ davon; **who is ~? – ~'s me** wer ist da? – ich bin's; **what is ~?** was ist das?; **~'s raining** es regnet; ~ **was him who asked her** er hat sie gefragt; **that's ~!** ja, genau! **II.** *s:* **you're ~!** du bist's!; **this is really ~!** das ist genau das Richtige; **the cat's an** ~ die Katze ist kastriert
IT [ˌaɪ'tiː] *s abbr of* **information technology** IT *f*
Ital•ian [ɪ'tæljən] **I.** *adj* italienisch **II.** *s* **1.** Italiener(in) *m(f)* **2.** (das) Italienisch(e)
ital•ic [ɪ'tælɪk] **I.** *adj* kursiv **II.** *s pl* Kursivschrift *f;* **itali•cize** [ɪ'tælɪsaɪz] *tr* kursiv drucken
Italy ['ɪtəlɪ] *s* Italien *n*
itch [ɪtʃ] **I.** *itr* **1.** jucken **2.** (*fig*) darauf brennen (*to do s.th.* etw zu tun); **my back ~es** mein Rücken juckt mich **II.** *s* **1.** Jucken *n,* Juckreiz *m* **2.** Lust *f* (*for* auf); **I have an ~ to do s.th.** es reizt mich etw zu tun; **itchy** ['ɪtʃɪ] *adj* juckend; **have ~ feet** von der Reiselust gepackt sein
item ['aɪtəm] *s* **1.** Gegenstand, Artikel *m;* Punkt *m* **2.** (COM) Buchung *f,* Posten *m* **3.** (*einzelne*) Nachricht, Mitteilung, Information *f;* **a short news** ~ e-e Kurzmeldung; **are those two an ~?** (*fam*) haben die beiden etwas miteinander?; **item•ize** ['aɪtəmaɪz] *tr* einzeln aufführen, aufgliedern, spezifizieren

i•tin•er•ant [aɪ'tɪnərənt] *adj* wandernd, umherziehend; **i•tin•er•ary** [aɪ'tɪnərərɪ] *s* **1.** Reiseroute *f* **2.** Wanderweg *m* **3.** Straßenkarte *f*

it'll ['ɪtl] = **it will; it shall**

ITN ['aɪti:'en] *s abbr of* **Independent Television News** *Nachrichtendienst der ITV*

its [ɪts] *pron* seine(r, s); ihre(r, s); seine(r, s); der, die, das Seine

it's [ɪts] = **it is**

it•self [ɪt'self] *pron* **1.** (*reflexiv*) sich *acc/dat* **2.** (*betont*) selbst; **by ~** allein; von selbst; selbsttätig

ITV ['aɪti:'vi:] *s abbr of* **Independent Television** *kommerzielle britische Fernsehanstalt*

IUD [ˌaɪju:'di:] *s* (MED) *abbr of* **intra-uterine device** Intrauterinpessar *n*

I've [aɪv] = **I have**

IVF [ˌaɪvi:'ef] *s abbr of* **in vitro fertilization** IVF, In-vitro-Fertilisation *f*

ivory ['aɪvərɪ] *s* **1.** Elfenbein *n* **2. ivories** Würfel *mpl* **3.** (*Am*) Billardkugeln *fpl* **4.** (Klavier)Tasten *fpl;* **Ivory Coast** *s* Elfenbeinküste *f;* **ivory tower** *s* (*fig*) Elfenbeinturm *m*

ivy ['aɪvɪ] *s* Efeu *m*

J

J, j [dʒeɪ] <*pl* -'s> *s* J, j *n*

jab [dʒæb] **I.** *tr* (hinein)stechen, stecken, stoßen (*into* in) **II.** *itr* stoßen (*with* mit) **III.** *s* **1.** Stich, (kurzer) Stoß *m* **2.** (*Boxen*) (kurze) Gerade **3.** (*fam*) Spritze *f*

jabber ['dʒæbə(r)] **I.** *itr, tr* **1.** daherreden, faseln **2.** schwätzen, quasseln **II.** *s* Gefasel *n;* Geplapper *n;* **jabber·ing** [-ɪŋ] *s s.* **jabber II**

jack [dʒæk] *s* **1.** Hebevorrichtung *f;* (MOT) Wagenheber *m* **2.** (*Kartenspiel*) Bube *m* **3.** (MAR) Gösch *f* **4.** (*Bowling*) Zielkugel *f;* **jack in** *tr* (*sl*) aufgeben; Schluss machen mit; **jack up** *tr* (MOT) aufbocken; (*fam: Preise, Löhne*) in die Höhe treiben

Jack [dʒæk] *s* (*fam*) Hans; **I'm all right** ~ (*fam*) das kann mich überhaupt nicht jucken; **the Union** ~ die britische Nationalflagge; ~ **Frost** der Winter; **every man** ~ jeder Einzelne; **before you could say** ~ **Robinson** im Handumdrehen; ~ **of all trades** Alleskönner *m;* Hansdampf *m* in allen Gassen *fam*

jackal ['dʒækɔːl] *s* (ZOO) Schakal *m*

jack·ass ['dʒækæs] *s* **1.** Eselhengst *m* **2.** (*fig*) blöder Kerl

jack·boot ['dʒækbuːt] *s* Schaftstiefel *m*

jack·daw ['dʒækdɔː] *s* Dohle *f*

jacket ['dʒækɪt] *s* **1.** Jacke *f;* Jackett *n;* Schwimmweste *f* **2.** (*Kartoffel*) Pelle, Schale *f* **3.** (TECH) Mantel *m* **4.** (*Buch*) Schutzumschlag, Hülle *f;* **jacket potato** *s* (in der Schale) gebackene Kartoffel *m;* **potatoes in their** ~**s** *s.* **jacket potato**

jack-in-the-box ['dʒækɪnðəbɒks] *s* (*Spielzeug*) Springteufel *m;* **jack·knife** ['dʒæknaɪf] <*pl* -knives> **I.** *s* **1.** (großes) Taschenmesser *n* **2.** (*obs:* ~ *dive*) Hechtsprung *m* **II.** *itr* (*Lastwagen*) sich quer über die Straße stellen; **jack-o'-lantern** ['dʒækəʊˌlæntən] *s* Kürbislaterne *f;* Irrlicht *n a. fig*

jack plug ['dʒækplʌg] *s* Bananenstecker *m*

jack·pot ['dʒækpɒt] *s* (*Spiel*) (Haupt)Treffer *m;* **hit the** ~ den Hauptgewinn bekommen; (*fig*) das große Los ziehen

ja·cuz·zi [dʒə'kuːzɪ] *s* Whirlpool *m*

jade [dʒeɪd] *s* (MIN) Jade *m;* Nephrit *m*

jaded ['dʒeɪdɪd] *adj* abgehetzt; erschöpft; stumpfsinnig; übersättigt; verlebt

jag [dʒæg] *s* Zacke *f;* **jag·ged**, **jaggy** ['dʒægɪd, 'dʒægɪ] *adj* **1.** zackig, gezahnt, gekerbt **2.** eingerissen **3.** zerklüftet; schartig

jag·uar ['dʒægjʊə(r)] *s* (ZOO) Jaguar *m*

jail, **gaol** [dʒeɪl] *s* Gefängnis *n;* **in** ~ im Gefängnis; **jail·bird** *s* (*fam obs*) Zuchthäusler *m;* **jail·break** *s* Ausbruch *m* aus dem Gefängnis; **jail·breaker** *s* Ausbrecher(in) *m(f);* **jailer**, **jailor**, **gaoler** ['dʒeɪlə(r)] *s* Gefangenenaufseher(in) *m(f),* -wärter(in) *m(f);* **jail·house** *s* (*Am*) Gefängnis *n*

ja·lopy [dʒə'lɒpɪ] *s* (MOT: *sl*) Kiste *f,* Klapperkasten *m;* (AERO) alte Mühle

jam¹ [dʒæm] **I.** *tr* **1.** ein-, festklemmen, einkeilen **2.** hinein-, durchzwängen **3.** quetschen, drücken, pressen (*against* gegen) **4.** stoßen, schieben, drängen **5.** (*Straße*) versperren, verstopfen **6.** (TECH: *Maschine*) blockieren **7.** (RADIO: *durch Störsender*) stören; **be** ~**med** gestopft voll sein; ~ **on the brakes** mit aller Kraft bremsen **II.** *itr* **1.** klemmen; sich festfressen **2.** nicht mehr funktionieren **3.** (*sl: Jazz*) improvisieren **III.** *s* **1.** Gewühl, Gedränge *n* **2.** Verstopfung *f;* Verkehrsstockung *f* **3.** (TECH) Verklemmung *f* **4.** (*fam*) Klemme, Patsche, schwierige Lage *f*

jam² [dʒæm] *s* Marmelade, Konfitüre *f*

Ja·maica [dʒə'meɪkə] *s* Jamaika *n;* **Jamaican** [-n] **I.** *adj* jamaikanisch, jamaikisch **II.** *s* Jamaik(an)er(in) *m(f)*

jamb [dʒæm] *s* (*Tür*) Pfosten *m*

jam·boree [ˌdʒæmbə'riː] *s* **1.** Pfadfindertreffen *n* **2.** Fest *n* (im Freien)

jam-jar ['dʒæmdʒɑː(r)] *s* Marmelade(n)glas *n*

jam·mer ['dʒæmə(r)] *s* *Dieb, der aus im Stau steckenden Autos Wertgegenstände stiehlt*

jam·my ['dʒæmɪ] *adj* (*Br sl: Examen*) leicht; ~ **fellow** Glückspilz *m*

jam-packed [ˌdʒæm'pækt] *adj* (*fam*) gestopft voll; **jam session** *s* (*Jazzimprovisation*) Jamsession *f*

jangle ['dʒæŋgl] **I.** *itr* **1.** klimpern; klirren **2.** (*Glocken*) bimmeln **II.** *tr* **1.** klimpern mit; klirren mit **2.** bimmeln lassen

jani·tor ['dʒænɪtə(r)] *s* Hausmeister(in) *m(f),* Hauswart(in) *m(f)*

Jan·uary ['dʒænjʊərɪ] *s* Januar *m;* **in** ~ im Januar

Jap [dʒæp] *s* (*fam*) Japaner *m*

ja•pan [dʒə'pæn] I. *s* Japanlack *m* II. *tr* lackieren

Ja•pan [dʒə'pæn] *s* Japan *n;* **Japa•nese** [ˌdʒæpə'ni:z] I. *adj* japanisch II. *s* 1. (das) Japanisch(e) 2. Japaner(in) *m(f);* **the** ~ die Japaner *mpl*

jar¹ [dʒɑ:(r)] I. *itr* 1. knarren, quietschen 2. (*fig*) unangenehm berühren (*on s.o.* jdn), auf die Nerven gehen (*on s.o.* jdm) 3. in Missklang stehen (*against, with* zu), nicht harmonieren II. *tr* 1. rütteln an, erschüttern 2. (*fig*) aufrütteln, einen Schock versetzen (*s.o.* jdm) III. *s* 1. Erschütterung *f;* Ruck *m* 2. (*fig*) Schock *m*

jar² [dʒɑ:(r)] *s* 1. Krug *m;* Steintopf *m* 2. Einmachglas *n* 3. (*fam*) Glas *n* Bier

jar•gon ['dʒɑ:gən] *s* Jargon *m;* Fachsprache *f*

jas•mine ['dʒæsmɪn] *s* (BOT) Jasmin *m*

jas•per ['dʒæspə(r)] *s* (MIN) Jaspis *m*

jaun•dice ['dʒɔ:ndɪs] *s* Gelbsucht *f;* **jaun•diced** ['dʒɔ:ndɪst] *adj* 1. gelbsüchtig 2. (*fig*) verbittert, gehässig; neidisch

jaunt [dʒɔ:nt] *s* Wanderung *f,* Ausflug *m;* Spritztour *f*

jaunty ['dʒɔ:ntɪ] *adj* 1. flott 2. munter; übermütig; sorgenfrei

javelin ['dʒævlɪn] *s* (SPORT) Speer *m;* (*Sportdisziplin*) Speerwerfen *n;* **throwing the** ~ Speerwerfen *n*

jaw [dʒɔ:] I. *s* 1. (ANAT) Kiefer *m* 2. (*fig fam*) Geschwätz *n;* Moralpredigt(en *pl*) *f* 3. (TECH) (Klemm)Backe, Klaue *f;* ~**s** Kiefer *m;* Rachen *m,* Maul *n;* (*fig*) Öffnung *f;* (*des Todes*) Klauen *fpl* II. *itr* (*sl*) tratschen, schwatzen; **jaw•bone** *s* Kieferknochen *m;* **jaw•breaker** *s* (*Wort*) Zungenbrecher *m*

jay [dʒeɪ] *s* Eichelhäher *m*

jay•walk ['dʒeɪwɔ:k] *itr* verkehrswidrig, unachtsam die Straße überqueren; **jay-walker** ['dʒeɪwɔ:kə(r)] *s* unachtsamer Fußgänger; **jay•walk•ing** ['dʒeɪ wɔ:kɪŋ] *s* unachtsames Überqueren der Straße

jazz [dʒæz] I. *s* 1. Jazz *m* 2. (*fam*) Unsinn *m;* **all that** ~ (*fam*) und der ganze Kram II. *itr* Jazz spielen; **jazz up** *tr* modernisieren, in Schwung bringen; aufpeppen *fam;* **jazzy** ['dʒæzɪ] *adj* 1. jazzartig 2. (*fig*) toll 3. (*Kleid*) in die Augen fallend

JCB® [ˌdʒeɪsi:'bi:] *s* Erdräummaschine *f*

jeal•ous ['dʒeləs] *adj* 1. eifersüchtig (*of* auf) 2. neidisch 3. eifrig bedacht (*of* auf); **jeal-ousy** ['dʒeləsɪ] *s* 1. Eifersucht *f* (*of* auf) 2. Neid *m* (*of* auf)

jeans [dʒi:nz] *s pl* Jeans *pl*

jeep [dʒi:p] *s* Jeep *m*

jeer [dʒɪə(r)] I. *tr* verhöhnen II. *itr* sich lustig machen (*at* über) III. *s* 1. Spott, Hohn *m* 2. höhnische Bemerkung

Je•ho•vah [dʒɪ'həʊvə] *s* Jehova *m;* ~**'s Witnesses** die Zeugen *m pl* Jehovas

jell [dʒel] *itr* 1. (*Küche*) gelieren 2. (*fig fam*) feste Form annehmen; sich herauskristallisieren; klappen; **jel•lied** ['dʒelɪd] *adj* (*Küche*) in Gelee; **jelly** ['dʒelɪ] I. *s* Gallerte, Sülze *f;* Gelee *n* II. *tr* gelieren lassen III. *itr* gelieren; **jelly•baby** ['dʒelɪbeɪbɪ] *s* (*Br*) Gummibärchen *n;* **jelly•bean** ['dʒelɪbi:n] *s* Geleebonbon *m od n;* **jelly•fish** *s* Qualle *f*

jemmy ['dʒemɪ] *s* Brech-, Stemmeisen *n*

jenny ['dʒenɪ] *s* 1. (*spinning*-~) Spinnmaschine *f* 2. Eselin *f;* ~ **wren** Zaunkönigweibchen *n*

jeop•ard•ize ['dʒepədaɪz] *tr* gefährden; aufs Spiel setzen; **jeop•ardy** ['dʒepədɪ] *s* Gefahr *f;* **put s.th. in** ~ etw gefährden

jerk [dʒɜ:k] I. *tr* (heftig) ziehen (an), reißen, stoßen II. *itr* ruckweise fahren III. *s* 1. Ruck *m* 2. Zusammenfahren, -zucken *n* 3. (MED) Zuckung *f* 4. (*sl*) Trottel *m;* **by** ~**s** ruck-, stoßweise; **with a** ~ mit e-m Ruck; **physical** ~**s** (*fam*) Leibesübungen *fpl,* Sport *m;* **jerk off** *itr* (*vulg*) sich einen runterholen; **jerk out** *tr* (*Worte*) hervorstoßen, -sprudeln

jer•kin ['dʒɜ:kɪn] *s* Wams *n*

jerk•water town ['dʒɜ:kˌwɔ:tə 'taʊn] *s* (*Am sl*) Kaff, (Provinz)Nest *n*

jerky ['dʒɜ:kɪ] *adj* sprunghaft; ruckartig

jerry-built ['dʒerɪˌbɪlt] *adj* billig gebaut; **jerry can** ['dʒerɪkæn] *s* großer Kanister

jer•sey ['dʒɜ:zɪ] *s* 1. Pullover *m* 2. (SPORT) Trikot *n* 3. (*Stoff*) Jersey *m*

jest [dʒest] I. *s* Witz, Spaß *m;* **in** ~ im, zum Spaß II. *itr* Witze, Spaß machen (*about* über); **don't** ~ **with me!** treiben Sie mit mir keinen Spaß!; **jest•er** ['dʒestə(r)] *s* Witzbold *m;* Hofnarr *m;* **jest•ing** [-ɪŋ] *adj* scherzhaft

Jesuit ['dʒezjʊɪt] *s* (REL) Jesuit *m;* **Jesuitical** [ˌdʒezjʊ'ɪtɪkl] *adj* jesuitisch, Jesuiten-

Jesus ['dʒi:zəs] I. *s* Jesus *m;* **the Society of** ~ der Jesuitenorden II. *interj* Menschenskind!

jet¹ [dʒet] I. *itr* 1. hervor-, heraussprudeln, aus-, entströmen (*from, out of* aus) 2. (AERO: *fam*) jetten II. *s* 1. (*Flüssigkeit*) Strahl *m* 2. Öffnung *f;* Düse *f* 3. (AERO) Düsenflugzeug *n*

jet² [dʒet] I. *s* Gagat *m,* Pechkohle *f* II. *adj* glänzend schwarz

jet en•gine ['dʒetˌendʒɪn] *s* Düsenmotor *m,* Düsentriebwerk *n;* **jet fighter** *s* Düsenjäger *m;* **jet•foil** ['dʒetfɔɪl] *s* Tragflügelboot *n;* **jet lag** ['dʒetlæg] *s* Jetlag *n* (*Anpassungsschwierigkeiten bei weiten Flugreisen*); **jet plane** *s* Düsenflugzeug *n;* **jet-pro•pelled** [ˌdʒetprə'peld] *adj* mit Düsenantrieb; **jet propulsion** *s* Düsenantrieb *m*

jet•sam ['dʒetsəm] *s:* **flotsam and ~** Strandgut *n a. fig*

jet set ['dʒetset] *s* Jetset *m*

jet•ti•son ['dʒetɪsn] *tr* (MAR AERO) über Bord werfen *a. fig*

jetty ['dʒetɪ] *s* **1.** Hafendamm *m,* Mole *f* **2.** Landungsbrücke *f,* Landesteg *m*

Jew [dʒuː] *s* Jude *m,* Jüdin *f*

jewel ['dʒuːəl] **I.** *s* Edelstein *m,* Juwel *n a. fig,* Schmuckstück *n;* (*in Uhr*) Stein *m* **II.** *tr* mit Edelsteinen besetzen; **jeweler** *s* (*Am*), **jewel•ler** ['dʒuːələ(r)] *s* Juwelier *m;* **jewel•lery** *s,* **jewelry** ['dʒuːəlrɪ] *s* (*Am*) Juwelen *npl,* Schmuck *m;* **jewelry case** *s* Schmuckkästchen *n*

Jew•ess ['dʒuːes] *s* Jüdin *f*

Jew•ish ['dʒuːɪʃ] *adj* jüdisch; **Jew•ry** ['dʒuːrɪ] *s* die Juden *pl,* das jüdische Volk, Judentum *n;* **Jew's harp** *s* (MUS) Brummeisen *n,* Maultrommel *f*

jib[1] [dʒɪb] *s* **1.** Kranbalken, Ladebaum, Ausleger *m* **2.** (MAR) Klüver *m;* **the cut of s.o.'s ~** (*fam*) die äußere Erscheinung

jib[2] [dʒɪb] *itr* **1.** störrisch sein, bocken, scheuen (*at* vor) **2.** (*fig*) abgeneigt sein (*at dat*)

jibe [dʒaɪb] *s s.* **gibe**

jiffy ['dʒɪfɪ] *s* (*fam*): **in a ~** im Nu; **just a ~** einen Augenblick bitte; **Jiffy bag®** *s* gepolsterte Versandtasche

jig [dʒɪg] **I.** *s* **1.** Gigue *f* (*Tanz*) **2.** (TECH) Montagegestell *n;* Spannvorrichtung *f* **II.** *itr* **1.** Gigue tanzen **2.** hin u. her hüpfen

jig•ger ['dʒɪgə(r)] *s* **1.** (TECH) Schüttelsieb *n* **2.** (*Am*) Messbecher *m* **3.** (ZOO) Sandfloh *m;* **jig•gered** ['dʒɪgəd] *adj* (*fam*) todmüde; **I'll be ~** mich laust der Affe; **jig•gery-po•kery** [ˌdʒɪgərɪ'pəʊkərɪ] *s* (*Br fam*) Tricks *mpl,* Schwindel *m*

jig•gle ['dʒɪgl] *tr* rütteln, schütteln; wackeln mit

jig•saw ['dʒɪgsɔː] *s* **1.** Tischlerbandsäge *f* **2.** (*~ puzzle*) Puzzle *n*

jilt [dʒɪlt] *tr* (*den Liebhaber*) sitzen lassen

Jim Crow [ˌdʒɪm'krəʊ] *s* (*Am*) **1.** (*pej: Schwarze(r)*) Nigger *m pej* **2.** (*fam*) Rassendiskriminierung *f*

jim-jams ['dʒɪmdʒæmz] *s* (*sl*) **1.** Säuferwahn *m* **2.** Angstzustände *mpl*

jimmy ['dʒɪmɪ] *s* (*Am*) *s.* **jemmy**

jingle ['dʒɪŋgl] **I.** *itr* klingeln; klirren; klimpern; bimmeln **II.** *tr* klirren lassen; klimpern mit **III.** *s* **1.** Klirren, Geklirr *n* **2.** Werbespruch *m;* Merkvers *m*

jingo•ism ['dʒɪŋgəʊɪzəm] *s* Chauvinismus *m;* **jingo•is•tic** [ˌdʒɪŋgəʊ'ɪstɪk] *adj* chauvinistisch

jinks [dʒɪŋks] *s* (*fam*): **it's only high ~** sie sind bloß übermütig

jinx [dʒɪŋks] *s:* **put a ~ on s.th.** etw verhexen

JIT [ˌdʒeɪaɪ'tiː] *s abbr of* **just-in-time: ~ production** JIT-Fertigung *f*

jit•ter•bug ['dʒɪtəbʌg] *s* **1.** (*Tanz*) Jitterbug *m* **2.** (*fig*) Nervenbündel *n*

jit•ters ['dʒɪtəz] *s pl* (*sl*) Nervosität *f;* Angst *f;* **give s.o. the ~** jdn nervös machen; **have the ~** (*fam*) die Hosen voll haben; **jit•tery** ['dʒɪtərɪ] *adj* (*sl*) **1.** nervös, durchgedreht; hibbelig *fam* **2.** verdattert, ängstlich

jiu•jit•su [ˌdʒuː'dʒɪtsuː] *s s.* **ju-jitsu**

jive [dʒaɪv] **I.** *s* (*Tanz*) Swing *m* **II.** *itr* swingen, Swing tanzen

job [dʒɒb] **I.** *s* **1.** Arbeit *f;* Beschäftigung, Tätigkeit *f* **2.** Arbeitsaufgabe *f;* (EDV) Job *m* **3.** Arbeitsplatz *m,* Stellung *f,* Posten *m* **4.** Arbeitsvorgang *m,* Operation *f* **5.** Aufgabe, Pflicht *f* **6.** (*fam*) schwierige Sache **7.** (*sl: Straftat*) Ding *n;* **on the ~** (*fam*) bei der Arbeit; (*sl*) am Ball; **out of a ~** arbeitslos; **just the ~** genau das Richtige; **do a good/bad ~** seine Sache gut/schlecht machen; **do a ~ of work** gute Arbeit leisten; **do odd ~s** Gelegenheitsarbeiten verrichten; **it's quite a ~** das ist ganz schön viel Arbeit; **know one's ~** sein Handwerk verstehen; **that should do the ~** das müsste hinhauen; **I had a ~ doing it** es war nicht leicht; **make the best of a bad ~** das Beste aus e-r schlechten Sache machen; **pull a ~** (*sl*) ein Ding drehen; **that's a good/bad ~** das ist gut/dumm; **put-up ~** abgekartete Sache **II.** *itr* **1.** Gelegenheitsarbeiten verrichten **2.** als Makler tätig sein **3.** schieben, spekulieren **III.** *tr* vermitteln; (*Arbeit*) vergeben; **job advertisement** *s* Stellenausschreibung *f;* **job analysis** *s* Arbeitsanalyse, Arbeitsplatzbewertung *f;* **job application** *s* Stellenbewerbung *f,* Stellengesuch *n;* **job•ber** ['dʒɒbə(r)] *s* **1.** Gelegenheitsarbeiter(in) *m(f)* **2.** (*obs*) Börsenmakler(in) *m(f)* **3.** (*fam*) Schieber *m;* **job centre** *s* Arbeitsvermittlung(sstelle) *f;* **job•club** ['dʒɒbklʌb] *s* Arbeitsloseninitiative *f,* -verein *m;* **job counsellor** *s* (*Am*) Berufsberater(in) *m(f);* **job creation** *s* Arbeitsplatzbeschaffung *f;* **job creation scheme** *s* Arbeitsbeschaffungsmaßnahme *f,* Beschäftigungsprogramm *n;* **job cuts** *s pl* Arbeitsplatzabbau *m;* **job description** *s* Arbeitsplatz-, Stellenbeschreibung *f;* **job evaluation** *s* Arbeitsplatzbewertung *f;* **job hunt** *s* Stellensuche *f;* **job interview** *s* Bewerbungs-, Vorstellungsgespräch *n;* **job•less** ['dʒɒblɪs] **I.** *adj* arbeitslos **II.** *s pl* Arbeitslose *pl;* **jobless figures** *s pl* Arbeitslosenzahlen *pl,* -ziffer *f;* **job lot** *s* (COM) **1.** Partieware *f* **2.** Warenposten *m;* **job market** *s* Arbeitsmarkt *m;* **job-**

orien•ted ['dʒɒbˌɔːrɪəntɪd] *adj* projektorientiert; **job printer** *s* Akzidenzdrucker *m;* **job production** *s* Einzelfertigung *f;* **job rating** *s* Arbeitsplatzbewertung *f;* **job•seeker** ['dʒɒbˌsiːkə(r)] *s* Arbeitssuchende(r) *f m;* **job sharing** *s* Arbeitsplatzteilung *f,* Jobsharing *n;* **job title** *s* Berufsbezeichnung *f*

Jock [dʒɒk] *s* (*fam*) Schotte *m,* Schottin *f*

jockey ['dʒɒkɪ] **I.** *s* Jockei, Jockey *m,* Rennreiter(in) *m(f)* **II.** *tr* **1.** zu Wege bringen, fertigbringen, dazu bringen (*into doing* zu tun) **2.** davon abhalten (*out of doing* zu tun) **III.** *itr:* ~ **for position** um eine gute Position rangeln

jo•cose [dʒəʊ'kəʊs] *adj* scherzhaft, spaßig

jocu•lar ['dʒɒkjʊlə(r)] *adj* scherzhaft, spaßig, witzig

joc•und ['dʒɒkənd] *adj* fröhlich, heiter

jodh•purs ['dʒɒdpəz] *s pl* Reithose *f*

Joe Bloggs [ˌdʒəʊ'blɒgz] *s* (*Br*) Otto Normalverbraucher *m*

jog [dʒɒg] **I.** *tr* **1.** anstoßen, antippen **2.** (*das Gedächtnis*) auffrischen **II.** *itr* dahinschlendern, -trotten; aufbrechen; (SPORT) Dauerlauf machen, joggen **III.** *s* **1.** leichtes Schütteln, Rütteln **2.** Stoß *m,* Antippen *n* **3.** (*~-trot*) Trotten *n;* (SPORT) Dauerlauf *m;* **jog along, jog on** *itr* sich fortschleppen; (*fig*) fort-, weiterwursteln; **jog•ger** ['dʒɒgə(r)] *s* Dauerläufer(in) *m(f),* Jogger(in) *m(f);* **jogging** ['dʒɒgɪŋ] *s* Dauerlauf *m,* Joggen, Jogging *n*

joggle ['dʒɒgl] **I.** *tr, itr* **1.** leicht, etwas schütteln; rütteln **2.** verschränken, verzahnen **II.** *s* **1.** leichtes Schütteln, Rütteln **2.** Verschränkung, Verzahnung *f*

john [dʒɒn] *s* (*Am fam*) Klo *n*

John [dʒɒn] *s:* ~ **the Baptist** Johannes der Täufer; ~ **Bull** England *n;* Engländer *m;* ~ **Doe** (*Am*) Otto Normalverbraucher, der einfache Mann

john•ny, john•nie ['dʒɒnɪ] *s* **1.** Kerl, Bursche *m* **2.** (*sl: Kondom*) Pariser *m*

join [dʒɔɪn] **I.** *tr* **1.** (*a.* MATH) verbinden, vereinigen (*to, onto* mit) **2.** sich gesellen (*s.o.* zu jdm), sich anschließen (*s.o.* jdm), eintreten in (*e-n Verein*) **3.** sich vereinigen, sich verbinden mit, aufgehen in, verschmelzen mit **4.** münden in; ~ **company with s.o.** sich an jdn anschließen; ~ **forces with s.o.** sich mit jdm zusammenschließen; mit jdm zusammenarbeiten; ~ **hands with s.o.** jdm die Hand geben; (*fig*) mit jdm gemeinsame Sache machen **II.** *itr* **1.** sich begegnen, sich treffen, zusammenkommen **2.** angrenzen (*to* an) **3.** (*Wege*) zusammenlaufen **4.** sich verbinden, sich vereinigen (*with, to* mit) **5.** sich beteiligen, teilnehmen (*in* an) **6.** einstimmen (*in* in); **everybody ~ in the chorus!** alle im Chor! **III.** *s* Verbindungsstelle, Fuge, Naht *f*

joiner ['dʒɔɪnə(r)] *s* (Bau)Tischler(in) *m(f),* Schreiner(in) *m(f);* **~'s bench** Hobelbank *f;* **joinery** ['dʒɔɪnərɪ] *s* **1.** Tischlerei, Schreinerei *f* **2.** Tischler-, Schreinerarbeit *f*

joint [dʒɔɪnt] **I.** *s* **1.** Berührungspunkt *m,* Verbindungsstelle *f* **2.** Naht, Fuge *f* **3.** Scharnier *n* **4.** (ANAT) Gelenk *n* **5.** (*Küche*) Stück Fleisch *n,* Keule *f* **6.** (BOT) Gelenkknoten *m* **7.** (*sl*) Kneipe *f,* Spielhölle *f* **8.** (*sl: Marihuana*) Joint *m;* **out of** ~ ausgerenkt; (*fig*) aus den Fugen; **put** [*o* **throw**] **out of** ~ ausrenken; **put s.o.'s nose out of** ~ (*fig*) jdn ausstechen **II.** *adj* gemeinschaftlich, gemeinsam; Gemeinschafts-; Mit-; **during their** ~ **lives** zu ihren Lebzeiten; **take** ~ **action** gemeinsam vorgehen **III.** *tr* **1.** durch ein Gelenk miteinander verbinden **2.** (TECH) (ver)fugen; **joint account** *s* gemeinschaftliches (Bank)Konto *n;* **joint committee** *s* gemeinsamer Ausschuss; **joint debtor** *s* Mitschuldner(in) *m(f);* **joint•ed** ['dʒɔɪntəd] *adj* gegliedert; **joint effort** *s* Gemeinschaftsarbeit *f;* **joint•ly** ['dʒɔɪntlɪ] *adv* gemeinsam, zusammen; **joint owner** *s* Miteigentümer(in) *m(f);* **joint ownership** *s* Miteigentum *n;* **joint property** *s* Miteigentum *n;* gemeinsames Vermögen; **joint stock** *s* Aktienkapital *n;* **joint stock company** *s* Aktiengesellschaft *f;* (*Am: etwa*) Kommanditgesellschaft *f* auf Aktien; **joint venture** *s* (COM) Jointventure *n;* Gemeinschaftsunternehmen *n*

joist [dʒɔɪst] *s* Träger, Querbalken *m*

jo•jo•ba oil [həʊ'həʊbəˌɔɪl] *s* Jojobaöl *n*

joke [dʒəʊk] **I.** *s* Spaß, Scherz *m;* **in** ~ (nur) zum Spaß, im Scherz; **carry the** ~ **too far** den Scherz zu weit treiben; **make a** ~ **of s.th.** etw ins Lächerliche ziehen; **play a** ~ **on s.o.** jdm e-n Streich spielen; **he cannot take a** ~ er versteht keinen Spaß; **I don't see the** ~ was soll daran lustig sein?; **the ~'s on s.o.** da lacht sich jemand ins Fäustchen; **it is no** ~ das ist kein Spaß; **a practical** ~ ein Streich **II.** *itr* Spaß, Witze machen; **you must be joking** das kann doch wohl nicht dein Ernst sein; **I was only joking** ich habe das nicht ernst gemeint; **joker** ['dʒəʊkə(r)] *s* **1.** Witzbold *m* **2.** (*sl*) Kerl, Bursche *m* **3.** (*Kartenspiel*) Joker *m;* **jok•ing** ['dʒəʊkɪŋ] **I.** *adj* scherzhaft; **he is not in a** ~ **mood** ihm ist nicht nach Scherzen zu Mute **II.** *s* Scherze, Witze *mpl;* ~ **apart!** Scherz beiseite!; **jok•ing•ly** [-lɪ] *adv* im Spaß

jol•li•fi•ca•tion [ˌdʒɒlɪfɪ'keɪʃn] *s* (*fam*) Festivität *f*

jol•lity ['dʒɒlətɪ] *s* Ausgelassenheit,

fröhliche Stimmung *f;* **jolly** ['dʒɒlɪ] **I.** *adj* **1.** fröhlich, lustig, heiter **2.** angeheitert **3.** (*fam*) prächtig, prachtvoll **II.** *adv* (*fam*) mächtig, sehr; **it was a ~ good evening** es war ein prima Abend; **a ~ good fellow** ein Pfundskerl; **J~ Roger** Piratenflagge *f;* **~ well** aber todsicher **III.** *tr* (*fam: ~ along*) gut zureden (*s.o.* jdm), aufmuntern, aufheitern; **~ s.o. into doing s.th.** jdn dazu bringen etw zu tun

jolt [dʒəʊlt] **I.** *tr* **1.** (auf-, durch)rütteln **2.** (*fig*) erschüttern **II.** *itr* holpern **III.** *s* plötzlicher Stoß; Schock *m*

Jor•dan ['dʒɔːdn] *s* Jordanien *n;* **Jor•dan•ian** [dʒɔː'deɪnɪən] **I.** *adj* jordanisch **II.** *s* Jordanier(in) *m(f)*

josh [dʒɒʃ] *tr* (*Am sl*) verulken

joss stick ['dʒɒsstɪk] *s* Räucherstäbchen *n*

jostle ['dʒɒsl] **I.** *tr* schubsen, anrempeln **II.** *itr* drängeln **III.** *s* Gedränge *n*

jot [dʒɒt] **I.** *s:* **not a ~** nicht das Geringste, nicht im Geringsten; kein Fünkchen **II.** *tr* (*~ down*) (sich) (kurz) notieren; **jot•ter** ['dʒɒtə(r)] *s* Notizbuch *n;* **jot•tings** ['dʒɒtɪŋz] *s pl* Notizen *fpl*

joule [dʒuːl] *s* Joule *n*

jour•nal ['dʒɜːnl] *s* **1.** Tagebuch *n* **2.** (COM) Journal *n* **3.** (MAR) Logbuch *n* **4.** (Tages)Zeitung *f;* Zeitschrift *f,* Magazin *n* **5.** (EDV) Bericht *m* **6.** (EDV) Protokoll *n;* **jour•nal•ese** [ˌdʒɜːnə'liːz] *s* Zeitungsstil, Pressejargon *m;* **jour•nal•ism** ['dʒɜːnlɪzəm] *s* Journalismus *m;* **jour•nal•ist** ['dʒɜːnlɪst] *s* Journalist(in) *m(f);* **jour•nal•is•tic** [ˌdʒɜːnə'lɪstɪk] *adj* journalistisch

jour•ney ['dʒɜːnɪ] **I.** *s* Reise *f;* **break one's ~** die Reise unterbrechen; **go on a ~** verreisen; **a day's ~** e-e Tagesreise **II.** *itr* reisen

jour•ney•man ['dʒɜːnɪmən] <*pl* -men> *s* Geselle *m;* **journeyman baker** *s* Bäckergeselle *m*

joust [dʒaʊst] *s* (HIST) Turnier *n*

jov•ial ['dʒəʊvɪəl] *adj* heiter, fröhlich, jovial; **jov•ial•ity** [ˌdʒəʊvɪ'ælətɪ] *s* Heiterkeit *f;* Fröhlichkeit *f,* Frohsinn *m*

jowl [dʒaʊl] *s* Kinnbacken *m;* **cheek by ~** (ganz) dicht beieinander

joy [dʒɔɪ] *s* Freude *f* (*in, of* an, *at* über), Vergnügen *n* (*at* an); **for** [*o* **with**] **~** vor Freude; **to the ~ of s.o.** zu jds Freude, Vergnügen; **with ~** mit Vergnügen, mit Freude; **I didn't have any ~** (*fam*) ich hatte keinen Erfolg; **joy•ful** ['dʒɔɪfl] *adj* **1.** voller Freude **2.** freudig, froh, glücklich; **joy•less** [-lɪs] *adj* freudlos, traurig, trüb; **joy•ous** ['dʒɔɪəs] *adj* freudig, froh, glücklich; **joy•ride** *s* *Fahrt in einem gestohlenen Auto;* **joy•stick** *s* **1.** (AERO) Steuerknüppel *m* **2.** (EDV) Steuerknüppel, Joystick *m*

JP [ˌdʒeɪ'piː] *s abbr of* **Justice of the Peace** Friedensrichter(in) *m(f)*

ju•bi•lant ['dʒuːbɪlənt] *adj* frohlockend, triumphierend; überglücklich; **ju•bi•la•tion** [ˌdʒuːbɪ'leɪʃn] *s* Jubel *m;* **ju•bi•lee** ['dʒuːbɪliː] *s* Jubiläum *n;* **silver/diamond ~** 25-/60-jähriges Jubiläum

Ju•da•ism ['dʒuːdeɪɪzəm] *s* Judaismus *m*

jud•der ['dʒʌdə(r)] *itr* heftig schütteln; vibrieren; zucken

judge [dʒʌdʒ] **I.** *s* **1.** Richter(in) *m(f)* (*of* über) **2.** Schieds-, Preisrichter(in) *m(f)* **3.** Kenner(in) *m(f),* Sachverständige(r) *f m* (*of* in); **be a (no) ~ of s.th.** sich in etw (nicht) auskennen; **as God is my ~!** so wahr mir Gott helfe! **II.** *tr* **1.** die Verhandlung führen über; (*Fall*) verhandeln; (REL) richten **2.** (*Wettbewerb*) die Entscheidung treffen in **3.** beurteilen, urteilen über **4.** halten für, ansehen als; (ab)schätzen **III.** *itr* **1.** Recht sprechen, richten; das Urteil fällen **2.** entscheiden urteilen (*of* über, *by, from* nach) **3.** vermuten, annehmen; **as far as I can ~** soweit ich das beurteilen kann

judg(e)•ment ['dʒʌdʒmənt] *s* **1.** Urteil *n* (*on* über) **2.** Urteils-, Richterspruch *m* **3.** (*fig*) Meinung, Ansicht *f,* Urteil *n* **4.** Urteilsvermögen *n,* gesunder Menschenverstand; **according to my ~** meiner Meinung nach; **against one's better ~** gegen die eigene Überzeugung; **in my ~** meines Erachtens; meiner Ansicht nach; **to the best of my ~** soweit ich das beurteilen kann; **pass ~** ein Urteil fällen (*on* über); **sit in ~** zu Gericht sitzen (*on* über); **the Day of J~** das Jüngste Gericht

ju•di•ca•ture ['dʒuːdɪkətʃə(r)] *s* **1.** Rechtspflege *f* **2.** Rechtsprechung *f* **3.** Richter *mpl*

ju•di•cial [dʒuː'dɪʃl] *adj* rechtlich, richterlich; gerichtlich; **take ~ proceedings** gerichtliche Schritte unternehmen; **~ decision** Gerichtsentscheid *m;* **~ error** Justizirrtum *m;* **~ inquiry** gerichtliche Untersuchung; **~ power** richterliche Gewalt; **~ process** Rechtsweg *m;* **~ (sale)** (*Am*) Zwangsversteigerung *f;* **ju•dici•ary** [dʒuː'dɪʃərɪ] *s* **1.** Rechtswesen *n* **2.** Richter *mpl*

ju•di•cious [dʒuː'dɪʃəs] *adj* urteilsfähig, verständig, einsichtig

judo ['dʒuːdəʊ] *s* Judo *n*

jug [dʒʌg] **I.** *s* **1.** Krug *m;* Kanne *f* **2.** (*sl*) Knast *m* **II.** *tr* schmoren, dämpfen

jug•ger•naut ['dʒʌgənɔːt] *s* **1.** Moloch *m* **2.** (*Br*) Schwerlaster *m*

juggle ['dʒʌgl] **I.** *tr* **1.** manipulieren; (*Bilanz*) frisieren; (*Tatsachen*) fälschen **2.** (*mit Bällen etc*) jonglieren **II.** *itr* jonglieren; **jug•gler** ['dʒʌglə(r)] *s* **1.** Jongleur(in) *m(f)* **2.** (*fig*) Schwindler(in) *m(f)*

Ju•go•slav ['juːgəʊˌslɑːv] **I.** *adj* (HIST) jugoslawisch **II.** *s* (HIST) Jugoslawe *m,* Jugoslawin *f;* **Ju•go•sla•via** [ˌju:gəʊl'slɑ:vɪə] *s* Jugoslawien *n*

jugu•lar ['dʒʌgjʊlə(r)] *adj:* ~ **vein** (ANAT) Hals-, Drosselvene *f*

juice [dʒu:s] *s* **1.** Saft *m* **2.** (*fig*) Gehalt *m,* Wesen *n* **3.** (*sl*) Benzin *n* **4.** (EL: *sl*) Strom *m;* **gastric** ~ (PHYSIOL) Magensaft *m;* ~ **extractor** Entsafter *m;* **juicy** ['dʒu:sɪ] *adj* **1.** saftig **2.** interessant, pikant **3.** Gewinn bringend

ju-jit•su [ˌdʒu:'dʒɪtsu:] *s* (SPORT) Jiu-Jitsu *n*

juke•box ['dʒu:kbɒks] *s* Musikautomat *m*

ju•lep ['dʒu:lɪp] *s* (*mint* ~) Pfefferminzlikör *m*

July [dʒu:'laɪ] *s* Juli *m;* **in** ~ im Juli

jumble ['dʒʌmbl] **I.** *tr* **1.** (ver)mischen **2.** (*fig*) durcheinander bringen **II.** *s* Mischmasch *m;* Durcheinander *n;* **jumble sale** *s* Flohmarkt *m;* Wohltätigkeitsbasar *m*

jumbo ['dʒʌmbəʊ] **I.** *adj* riesig **II.** *s* (AERO: ~ *jet*) Jumbo (Jet) *m*

jump [dʒʌmp] **I.** *itr* **1.** springen **2.** auf-, hochfahren; zusammenzucken **3.** (RAIL) entgleisen **4.** (*fig: Preise*) in die Höhe schnellen **5.** sich stürzen (*at* auf) **6.** eifrig ergreifen (*at s.th.* etw) **7.** anfahren, angreifen (*on, upon s.o.* jdn); ~ **to it** (*fam*) sich beeilen; ~ **to conclusions** voreilige Schlüsse ziehen **II.** *tr* **1.** (hinweg)springen über **2.** (*Buchseite*) überspringen **3.** (*fam*) sich stürzen auf; ~ **bail** seine Kaution verfallen lassen; ~ **ship** ohne Erlaubnis abheuern; ~ **the gun** (SPORT) Frühstart machen; (*fig*) vorher anfangen; ~ **the queue** sich vordrängeln; ~ **the rails** [*o* **track**] entgleisen **III.** *s* **1.** (*a.* SPORT) Sprung *m* **2.** Auffahren *n,* Zuckung *f* **3.** (*Preise*) plötzliches Ansteigen **4.** (Gedanken)Sprung *m;* **the ~s** (*sl*) höchste Nervosität, das große Flattern *fam;* **on the** ~ (*fam*) eifrig im Gange, sehr beschäftigt, zerfahren, nervös; **get** [*o* **have**] **the** ~ **on s.o.** (*sl*) jdm gegenüber im Vorteil sein; **long/high/triple** ~ (SPORT) Weit-/Hoch-/Dreisprung *m;* **jump about** *itr* herumhüpfen; **jump at** *tr* sich stürzen auf; (*Gelegenheit*) ergreifen; **jump down** *itr* hinab-, hinunter-, herunterspringen (*from* von); ~ **down s.o.'s throat** (*fam*) jdn anfahren, anschnauzen; **jump in** *itr* hineinspringen; **jump off** *itr* herabspringen; **jump on** *itr* **1.** aufspringen (*to* auf) **2.** anschnauzen; **jump out** *itr* hinausspringen; **jump up** *itr* auf-, hochspringen

jumped-up ['dʒʌmptʌp] *adj* (*fam*) eingebildet; hochnäsig

jumper ['dʒʌmpə(r)] *s* **1.** Springer *m* **2.** (*Br*) Pullover *m* **3.** (*Am*) Trägerkleid *n;* **high** ~ Hochspringer(in) *m(f)*

jump•ing jack ['dʒʌmpɪŋ'dʒæk] *s* **1.** Hampelmann *m* **2.** Knallfrosch *m;* **jumping-off place** [ˌdʒʌmpɪŋ'ɒfpleɪs] *s* (*fig*) Ausgangspunkt *m;* (*Beruf*) Sprungbrett *n;* (*Am*) abgelegener Ort

jump jet ['dʒʌmpdʒet] *s* (MIL) Senkrechtstarter *m;* **jump leads** ['dʒʌmpˌli:dz] *s pl* (MOT) Starthilfekabel *n;* **jump-off** [ˌdʒʌmp'ɒf] *s* (SPORT) Stechen *n;* **jump seat** *s* Notsitz *m;* **jump-start** ['dʒʌmpstɑ:t] *tr* (*Auto*) kurzschließen; **jump suit** *s* Overall *m*

jumpy ['dʒʌmpɪ] *adj* (*fam*) nervös; schreckhaft

junc•tion ['dʒʌŋkʃn] *s* **1.** Verbindung, Vereinigung *f* **2.** Schnittpunkt *m* **3.** (*road* ~) (Straßen)Kreuzung *f,* (Verkehrs)Knotenpunkt *m;* Treffpunkt *m* **4.** (RAIL) Eisenbahnknoten(punkt) *m* **5.** (EL) Anschlussstelle *f;* **junction box** *s* (EL) Verteiler-, Kabelkasten *m*

junc•ture ['dʒʌŋktʃə(r)] *s:* **at this** ~ bei dieser Lage der Dinge; in diesem Augenblick

June [dʒu:n] *s* Juni *m;* **in** ~ im Juni

jungle ['dʒʌŋgl] *s* Dschungel, Urwald *m*

jun•ior ['dʒu:nɪə(r)] **I.** *adj* **1.** jünger **2.** von geringerem Dienstalter; von niedrigerem Rang (*to* als) **3.** (*nach e-m Namen*) junior **4.** (COM: *Hypothek*) nachrangig **II.** *s* **1.** Jüngere(r) *f m* **2.** Rangniedrigere(r) *f m* **3.** (*Am*) *Schüler(in), Student(in) im 3. Schul- bzw Studienjahr;* **be s.o.'s** ~ jünger als jem sein (*by two years* zwei Jahre); **junior college** *s* (*Am*) *College für die beiden ersten Studienjahre;* **junior high school** *s* (*Am*) *Schule, die das 8. und 9. Schuljahr umfasst;* **junior school** *s* (*Br*) Grundschule *f*

ju•ni•per ['dʒu:nɪpə(r)] *s* (BOT) Wacholder *m*

junk¹ [dʒʌŋk] **I.** *s* **1.** Abfall *m,* Gerümpel *n* **2.** Ramsch, Schund *m* **3.** (*sl*) Rauschgift *n,* Stoff *m;* Heroin *n;* ~ **mail** (unerwünschte) Reklamesendnung *f* **II.** *tr* (*fam*) ausrangieren, wegwerfen

junk² [dʒʌŋk] *s* Dschunke *f*

junket ['dʒʌŋkɪt] *s* **1.** Sahnequark *m;* Dickmilch *f* **2.** (~*ing*) Bankett, Fest *n* **3.** Exkursion *f* (*auf Staatskosten*)

junk fax [ˌdʒʌŋk'fæks] *s* Müllfax *n;* **junk food** [ˌdʒʌŋk'fu:d] *s* minderwertige Kost

junkie ['dʒʌŋkɪ] *s* (*sl*) Rauschgiftsüchtige(r) *f m,* Junkie *m*

junk•pile, junk•yard ['dʒʌŋkpaɪl, 'dʒʌŋkjɑ:d] *s* **1.** Schrottplatz *m* **2.** Autofriedhof *m;* **junk room** *s* Rumpelkammer *f;* **junk shop** *s* Trödelladen *m*

junta ['dʒʌntə, *Am* 'hʊntə] *s* (POL) (Militär)Junta *f*

ju•ridi•cal [dʒʊə'rɪdɪkl] *adj* gerichtlich; ju-

ristisch
ju•ris•dic•tion [ˌdʒʊərɪsˈdɪkʃn] *s* **1.** Gerichtsbarkeit *f*, -bezirk *m* **2.** Zuständigkeit *f*; Gerichtsstand *m*; **come under the** ~ unter die Zuständigkeit fallen (*of* von); **have ~ over** zuständig sein für
ju•ris•pru•dence [ˌdʒʊərɪsˈpruːdns] *s* Rechtswissenschaft, Jurisprudenz *f*; **medical** ~ Gerichtsmedizin *f*
jur•ist [ˈdʒʊərɪst] *s* **1.** Jurist(in) *m(f)*, Rechtswissenschaftler(in) *m(f)* **2.** (*Am*) Anwalt *m*, Anwältin *f*
juror [ˈdʒʊərə(r)] *s* **1.** Geschworene(r) *f m*, Schöffe *m*, Schöffin *f* **2.** Preisrichter(in) *m(f)*, Jurymitglied *n*
jury [ˈdʒʊərɪ] *s* **1.** Schwurgericht *n* **2.** (die) Geschworenen, (die) Schöffen *mpl* **3.** Jury *f*; **trial by** ~ Schwurgerichtsverhandlung *f*; **do ~ service** Schöffe *m*, Schöffin *f* sein; **jury•man** [-mən] <*pl* -men> *s* Geschworene(r) *m*
just¹ [dʒʌst] *adj* **1.** gerecht; redlich **2.** angemessen **3.** rechtmäßig; verdient **4.** berechtigt, begründet
just² [dʒʌst] *adv* **1.** genau, gerade **2.** gerade noch, mit knapper Not; gerade (so) eben **3.** nur (so), bloß **4.** mal **5.** (*fam*) ganz, recht, einfach, wirklich, eigentlich; **but ~,** ~ **now** eben erst, im Augenblick; gerade eben; **only** ~ gerade noch; ~ **about** beinahe; ungefähr; ~ **as** ebenso, geradeso; ~ **as well** auch gut; ~ **then** gerade in diesem Augenblick; **that's ~ it!** das ist ja das Problem; ganz recht (so)!; ~ **the same** (*fam*) macht nichts!; ~ **a moment!** einen Augenblick bitte!; ~ **in case** für alle Fälle; für den Fall, dass; ~ **let me see!** lass doch bitte mal sehen!; ~ **so** ganz richtig; genauso; ~ **shut the door!** mach doch bitte die Tür zu!; ~ **tell me!** sag doch mal!; ~ **for that** nun gerade
jus•tice [ˈdʒʌstɪs] *s* **1.** Gerechtigkeit *f* **2.** Recht(swesen *n*, -pflege *f*) *n*, Gerichtsbarkeit *f* **3.** Richter(in) *m(f)*; **administer** [*o* **dispense**] ~ Recht sprechen; **do s.o.** ~ jdm Gerechtigkeit widerfahren lassen; **court of** ~ Gericht(shof *m*) *n*; **J~ of the Peace** Friedensrichter(in) *m(f)*
jus•ti•fi•able [ˌdʒʌstɪˈfaɪəbl] *adj* zu rechtfertigen(d); vertretbar; ~ **defence** Notwehr *f*; **jus•ti•fi•ca•tion** [ˌdʒʌstɪfɪˈkeɪʃn] *s* Rechtfertigung *f*; **in** ~ zur Rechtfertigung (*of* von); **jus•tify** [ˈdʒʌstɪfaɪ] *tr* **1.** (*a.* REL) begründen; rechtfertigen (*to* vor) **2.** (TYP) justieren; **be justified** Recht haben (*in doing s.th.* etw zu tun)
just•ly [ˈdʒʌstlɪ] *adv* verdientermaßen; gerechterweise
jut [dʒʌt] *itr* (~ *out, forth*) vorspringen, hervorstehen, -ragen
jute [dʒuːt] *s* Jute *f*
ju•ven•ile [ˈdʒuːvənaɪl] **I.** *adj* **1.** jugendlich, jung **2.** unreif **II.** *s* **1.** Jugendliche(r) *f m* **2.** (~ *book*) Jugendbuch *n*; **juvenile court** *s* Jugendgericht *n*; **juvenile delinquency** *s* Jugendkriminalität *f*
jux•ta•pose [ˌdʒʌkstəˈpəʊz] *tr* nebeneinander stellen; **jux•ta•po•si•tion** [ˌdʒʌkstəpəˈzɪʃn] *s* **1.** Nebeneinanderstellung *f* **2.** (MUS) Gegenüberstellung *f*

K

K, k [keɪ] <*pl* 's> *s* K, k *n*

ka•jal (eye•liner) pen•cil [kəˌjel('aɪlaɪnəˌpensl)] *s* Kajalstift *m*

kale, kail [keɪl] *s* Grün-, Krauskohl *m*

ka•leido•scope [kə'laɪdəskəʊp] *s* Kaleidoskop *n a. fig*

ka•mi•ka•ze [ˌkæmɪ'kɑːzɪ] *s* (HIST) Kamikaze(flieger) *m;* **kamikaze attack** *s* Kamikazeangriff *m*

Kam•puchea [ˌkæmpʊ'tʃɪə] *s* Kambodscha, Kamputschea *n;* **Kam•puchean I.** *adj* kambodschanisch **II.** *s* **1.** (das) Kambodschanisch(e) **2.** Kambodschaner(in) *m(f)*

kan•ga•roo [ˌkæŋgə'ruː] <*pl* -roos> *s* **1.** Känguru *n* **2.** (PARL: ~ *closure*) Schluss *m* der Debatte (*durch Überspringen von Anträgen*); **kangaroo court** *s* Femegericht *n*

kao•lin ['keɪəlɪn] *s* Porzellanerde *f,* Kaolin *n od m*

Ka•posi's sar•coma [kæ'pəʊzɪz sɑː'kəʊmə] *s* (MED) Kaposisarkom *n*

ka•rate [kə'rɑːtɪ] *s* Karate *n;* **karate chop** *s* Karateschlag *m*

kayak ['kaɪæk] *s* Kajak *m od n;* **kayak•ing** [-ɪŋ] *s* Kajak fahren *n*

KB [ˌkeɪ'biː] *s abbr of* **kilobyte** KB, kByte *n*

ke•bab [kə'bæb] *s* Kebab, Schaschlik *m*

keel [kiːl] *s* (MAR) Kiel *m;* **on an even ~** ohne zu schwanken; (*fig*) gleichmäßig, ruhig, *adv;* **keel over** *itr* kentern; (*fig*) umkippen; **keel•haul** ['kiːlˌhɔːl] *tr* (MAR) kielholen

keen [kiːn] *adj* **1.** (*Messer, Verstand*) scharf **2.** (*Wind*) schneidend **3.** (*Kälte*) durchdringend, streng **4.** (*Ton*) schrill **5.** (*Schmerz*) stechend, heftig **6.** (*Appetit*) stark, groß **7.** (*Interesse*) lebhaft, stark **8.** (*Wettstreit*) heftig **9.** (*Mensch*) stark interessiert (*on* an), erpicht (*on* auf) **10.** (*Am sl*) toll **11.** (*Preis*) günstig; **she is ~ on riding** sie ist e-e leidenschaftliche Reiterin; **I am not very ~ on meeting him** ich bin nicht besonders scharf darauf, ihn kennenzulernen

keep [kiːp] <*irr:* kept, kept> **I.** *tr* **1.** (be)halten **2.** (*Gesetz, Regeln*) einhalten, befolgen **3.** aufbewahren; für sich behalten **4.** unterhalten, versorgen **5.** (be)hüten **6.** (*Vieh*) halten **7.** (*Personal*) beschäftigen **8.** (*Waren, Tagebuch*) führen **9.** (*Fest*) feiern **10.** (*Hotel*) betreiben **11.** (*Zeitung*) halten **12.** (~ *waiting*) warten lassen **13.** (COM) vorrätig haben **14.** auf-, zurück-, festhalten; hindern, abhalten (*from* von) **15.** (*Versammlung*) abhalten, veranstalten **16.** verheimlichen, verschweigen (*from s.o.* jdm); **~ one's bed** das Bett hüten; **~ a close check on s.th.** etw scharf überwachen; **~ s.o. company** jdm Gesellschaft leisten; **~ under control** in Schranken halten; **~ cool** kühl aufbewahren; **~ (your) cool!** reg' dich nicht auf!; **~ goal** (SPORT) Torwart sein; **~ going** (*fig*) nicht einschlafen lassen; **~ one's head** die Ruhe bewahren; **~ hold of s.th.** etw festhalten; **~ early hours** früh (zu Bett) gehen; **~ house** haushalten; **~ in mind** im Auge behalten; sich merken; **~ a promise** ein Versprechen halten; **~ in (good) repair** in gutem Zustand (er)halten; **~ one's seat** sitzen bleiben; **~ a shop** e-n Laden führen; **~ silence** Stillschweigen bewahren; **~ in suspense** in der Schwebe, im Ungewissen lassen; **~ one's temper** ruhig bleiben; **~ time** (*Uhr*) richtiggehen; Takt, Schritt halten; pünktlich sein; **~ track of s.th.** sich etw merken; **~ in view** (*fig*) im Auge behalten; **~ watch** aufpassen; **~ your hands off!** nehmen Sie Ihre Hände weg!; **~ your seat** bleiben Sie doch sitzen **II.** *itr* **1.** bleiben; fortfahren, weitermachen **2.** (*Lebensmittel*) sich halten **3.** sich befinden; (*Am fam*) sich aufhalten, wohnen; **~ doing s.th.** immer wieder etw tun; **~ talking!** reden Sie weiter!; **~ (to the) left** sich links halten; (MOT) links fahren; **~ calm** [*o* **cool**] [*o* **quiet**] ruhig bleiben, still sein; **how is he ~ing?** wie geht es ihm?; **~ fit** fit bleiben; **that can ~** das kann warten; **~ smiling!** Kopf hoch! **III.** *s* **1.** (Lebens)Unterhalt *m;* Unterhaltskosten *pl* **2.** (HIST) Bergfried *m;* Burgverlies *n;* **earn one's ~** den Lebensunterhalt verdienen; **for ~s** (*fam*) für immer; **keep ahead** *itr* vorne bleiben; **~ ahead of the others** in Führung, an der Spitze bleiben; **keep at** *itr* festhalten an; weitermachen mit; herumnörgeln an; **~ at it!** nicht aufgeben!; **keep away I.** *itr* wegbleiben **II.** *tr* fernhalten; **he can't ~ away from it** er kann die Finger nicht davon lassen; **keep back I.** *itr* zurückbleiben **II.** *tr* **1.** zurückhalten **2.** (*Geld*) zurückbehalten **3.** verschweigen **4.** aufhalten; behindern; **keep down I.** *tr* **1.** unten lassen;

(*Kopf*) einziehen **2.** (*Ausgaben*) einschränken; (*Steuern, Preise*) niedrig halten **3.** (*fig*) unterdrücken; bezähmen **4.** (*Essen*) bei sich behalten **II.** *itr* sich nicht aufrichten; **keep from I.** *tr* **1.** abhalten von; bewahren vor **2.** verschweigen **II.** *itr* sich fernhalten von; ~ **from doing s.th.** etw unterlassen, etw vermeiden; **keep in I.** *tr* **1.** zurückhalten, am Ausgehen hindern **2.** (*Feuer*) nicht ausgehen lassen **3.** (*Schüler*) nachsitzen lassen **4.** (*Kunden*) pflegen **5.** (*Gefühle*) zügeln **6.** (*Bauch*) einziehen **II.** *itr* **1.** nicht aus-, weggehen **2.** (*Feuer*) nicht ausgehen **3.** (*fam*) auf gutem Fuß stehen (*with* mit); **keep off I.** *itr* weg-, fernbleiben **II.** *tr* **1.** ab-, fernhalten **2.** (*Jacke*) auslassen; (*Hut*) abbehalten; ~ **off (the grass)**! Betreten (des Rasens) verboten!; **keep on I.** *tr* **1.** (*Hut*) aufbehalten **2.** (*Personen*) weiterbeschäftigen **3.** behalten **II.** *itr* **1.** fortfahren (*doing* zu tun) **2.** weitergehen, -fahren; ~ **on at s.o.** jdn nicht in Ruhe lassen; ~ **on about s.th.** dauernd von etw reden; ~ **on talking** weiterreden (*about* über); **keep out I.** *tr* **1.** nicht hereinlassen; abhalten **2.** fernhalten (*of* von) **II.** *itr* draußen bleiben; nicht betreten, sich fernhalten (*of* von); ~ **out!** Eintritt verboten!; **keep to I.** *itr* **1.** verbleiben bei **2.** sich halten an **3.** bleiben in **II.** *tr* sorgen für; ~ **o.s. to o.s.** für sich bleiben; **keep together I.** *tr* zusammenhalten; zusammenlassen **II.** *itr* zusammenbleiben; zusammenhalten; **keep under** *tr* **1.** unter Kontrolle behalten **2.** unterdrücken **3.** (MED) unter Narkose halten; **keep up I.** *tr* **1.** aufrecht halten; über Wasser halten **2.** fortfahren mit, weitermachen **3.** aufrechterhalten **4.** (*Geschäft*) fortführen **5.** (*Haus*) unterhalten; (*Straße*) in Stand halten **6.** nicht schlafen lassen **7.** auf dem Laufenden halten **II.** *itr* **1.** stehen bleiben; aufbleiben **2.** andauern; (*Wetter*) schön bleiben **3.** (*Preise*) sich behaupten **4.** ausharren; ~ **up with** Schritt halten mit; ~ **up appearances** den Schein wahren; ~ **up with the Jones's** hinter den Nachbarn nicht zurückbleiben; ~ **it up** so weitermachen; ~ **it up!** nur so weiter! nicht nachgeben!

keeper ['kiːpə(r)] *s* (Park)Wächter(in) *m(f);* (Gefangenen-, Tier)Wärter(in) *m(f);* Pfleger(in) *m(f);* (*goal~*) Torwart *m;* (*shop~*) Ladeninhaber(in) *m(f)*

keep•ing ['kiːpɪŋ] *s* **1.** Einhalten, Befolgen *n* **2.** Aufbewahrung *f;* Verwahrung *f* **3.** (COM: *Bücher*) Führung *f* **4.** (~ *of a motor vehicle*) Halten *n* (e-s Kraftfahrzeugs); **in ~ with** in Übereinstimmung, in Einklang mit; **for safe ~** zur sicheren Aufbewahrung; ~ **house** Haushaltsführung *f*

keep•sake ['kiːpseɪk] *s* Andenken *n,* Erinnerung *f* (*an den Geber*); **as** [*o* **for**] **a ~** als Andenken

keg [keg] *s* Fässchen *n;* **keg beer** *s* (*Br*) Bier vom Fass, Fassbier *n*

kelp [kelp] *s* (See)Tang *m*

ken [ken] *s:* **beyond** [*o* **outside**] **our ~** außerhalb unserer Kenntnis *f*

ken•nel ['kenl] **I.** *s* **1.** Hundehütte *f* **2. ~s** Hundezwinger *m;* Hundezucht *f;* Hundeheim *n* **II.** *tr* in Pflege geben, in ein Hundeheim bringen

Ken•ya ['kenjə] *s* Kenia *n;* **Ken•yan** ['kenjən] **I.** *adj* kenianisch **II.** *s* Kenianer(in) *m(f)*

kept [kept] **I.** *pt, pp of* keep **II.** *adj:* ~ **woman** Mätresse *f;* **she's a ~ woman** (*fam*) sie lässt sich aushalten

kerb [kɜːb] *s* Bordkante *f;* **kerb drill** *s* (*Br*) Verkehrserziehung *f;* **kerb•stone** ['kɜːbstəʊn] *s* Bordstein *m*

ker•chief ['kɜːtʃɪf] *s* Hals-, Kopftuch *n*

ker•fuf•fle [kə'fʌfl] *s* (*Br fam*) Durcheinander *n;* Aufruhr *f;* Unruhe *f*

ker•nel ['kɜːnl] *s* Kern *m a. fig;* (*fig*) Kernpunkt *m,* Hauptsache *f*

kero•sene ['kerəsiːn] *s* Kerosin *n*

kes•trel ['kestrəl] *s* Turmfalke *m*

ketch [ketʃ] *s* (MAR) Ketsch *f*

ketch•up ['ketʃəp] *s* Ketschup *m od n*

kettle ['ketl] *s* Kessel *m;* **put the ~ on** Wasser aufstellen, -setzen; **a pretty ~ of fish!** e-e schöne Bescherung!; **kettle-drum** ['ketldrʌm] *s* (MUS) Kesselpauke *f*

key [kiː] **I.** *s* **1.** Schlüssel *m a. fig* **2.** (*fig*) Lösung *f* (*of* für) **3.** (MUS: *a. Schreibmaschine*) Taste *f* **4.** (*Blasinstrument*) Klappe *f* **5.** (MUS) Tonart *f* **6.** Ausdrucksweise *f* **7.** Zeichenerklärung *f;* **the ~ to the mystery** des Rätsels Lösung; **sing off ~** falsch singen **II.** *adj attr* Schlüssel-, wichtigste(r, s); ~ **man** Schlüsselfigur *f;* ~ **industry** Schlüsselindustrie *f;* ~ **point** springender Punkt; ~ **position** Schlüsselposition, -stellung *f* **III.** *tr* **1.** (*fig*) abstimmen **2.** (TYP) eintasten; **key in** *tr* (TYP EDV) eingeben, eintasten; **key up** *tr* aufregen; **be ~ed up** aufgedreht sein; ~ **s.o. up for s.th.** jdn auf etw einstimmen

key•board ['kiːbɔːd] **I.** *s* Klaviatur *f;* Manual *n;* Tastatur *f* **II.** *tr* (EDV: *Information*) eingeben; (TYP) setzen; **key•board•ing** [-ɪŋ] *s* Texteingabe *f;* **keyboard instrument** *s* Tasteninstrument *n;* **keyboard operator** *s* Texterfasser(in) *m(f),* Datentypist(in) *m(f);* **key factor** *s* Schlüsselfaktor *m;* **key•hole** ['kiːhəʊl] *s* Schlüsselloch *n;* **keyhole surgery** *s* (MED) Minimalinvasive Chirurgie (MIC) *f;* **key industry** *s* Schlüsselindustrie *f;* **key money** *s* Kaution *f;* **key•note** ['kiːnəʊt] **I.** *s* **1.** (MUS)

Grundton *m* **2.** (*fig*) Grundgedanke *m* **II.** *tr* das Programm festlegen für; nachdrücklich betonen; in den Mittelpunkt stellen; **key·note address**, **keynote speech** *s* (POL) programmatische Rede; Grundsatzreferat *n;* **key·noter** ['ki:nəʊtə(r)] *s* (POL) Programmatiker *m;* **key·pad** ['ki:pæd] *s* Tastenfeld *n;* **key personnel**, **key staff** *s* leitende Angestellte *mpl;* **key post** *s* Schlüsselstellung, -position *f;* **key punch** *s* Tastenlocher *m;* **key ring** *s* Schlüsselring, -bund *m;* **key signature** *s* (MUS) Tonartbezeichnung *f;* **key·stone** ['ki:stəʊn] *s* **1.** (ARCH) Schlussstein *m* **2.** (*fig*) Grundlage *f,* -gedanke *m;* **key stroke** *s* Anschlag *m;* **key word** *s* Schlüsselwort *n*

khaki ['kɑ:kɪ] *adj* khakifarben

kib·butz [kɪ'bʊts, *pl* kɪbʊ'tsi:m] <*pl* -butzim> *s* Kibbuz *m*

kick [kɪk] **I.** *tr* **1.** treten, mit dem Fuß stoßen **2.** (*Fußball*) kicken; (*Tor*) schießen; **I could have ~ed myself** (*fam*) ich hätte mich selber in den Hintern treten können; **~ a habit** (*sl*) es aufgeben; **~ heroin** (*sl*) vom Heroin runterkommen **II.** *itr* **1.** (*mit den Füßen*) strampeln; treten **2.** (*Pferd*) ausschlagen **3.** (*Feuerwaffe*) zurückschlagen **4.** (*Ball*) hochfliegen **III.** *s* **1.** (Fuß)Tritt, Stoß *m* **2.** (*Fußball*) Schuss *m* **3.** (*Feuerwaffe*) Rückstoß *m* **4.** (*fam*) Schwung *m* **5.** (*fam*) Spaß, Jux *m;* **get a big ~ out of s.th.** viel Spaß an etw haben; **do s.th. for ~s** etw zum Spaß tun; **live for ~s** nur zu seinem Vergnügen leben; **kick about**, **kick around I.** *tr* (*fam*) **1.** schlecht behandeln **2.** (*Ball*) herumkicken **II.** *itr* herumbummeln; herumliegen; **kick against** *itr* treten gegen; sich wehren gegen; **kick at** *itr* treten gegen; **kick away** *tr* wegstoßen; **kick back I.** *itr* (*fam*) **1.** zurückschlagen **2.** zurückprallen **II.** *tr* wegstrampeln; zurückschießen; **kick downstairs** *tr* die Treppe hinunterwerfen; **kick in** *tr* einstoßen, -treten; **~ s.o.'s teeth in** jdm die Zähne einschlagen; **kick off I.** *tr* wegschleudern **II.** *itr* **1.** (*Fußball*) anspielen **2.** (*fam*) beginnen; **kick out I.** *tr* (*fam*) **1.** rauswerfen, -schmeißen **2.** (*Fußball*) ins Aus schießen **II.** *itr* ausschlagen; um sich treten; **kick over** *itr:* **~ over the traces** über die Stränge schlagen; **kick up** *tr* hochschleudern; **~ up a fuss** [*o* **row**] [*o* **shindy**] [*o* **stink**] (*fig*) Krach schlagen; **kick upstairs** *tr* (durch Beförderung) kaltstellen

kick·back ['kɪkbæk] *s* (*fam*) Schmiergelder *npl,* Nebeneinnahme *f;* Auswirkung *f;* **kick·down** ['kɪkdaʊn] *s* (MOT) Kickdown *m;* **kick·er** ['kɪkə(r)] *s* **1.** Fußballspieler, Kicker *m* **2.** Schläger *m* (*Pferd*); **kick-off** ['kɪkɒf] *s* **1.** (*Fußball*) Anstoß *m a. fig,* Anspiel *n* **2.** (*fig*) Anlass *m* **3.** (*fam*) Anfang *m;* **for a ~** zunächst (einmal); **kick-starter** *s* (MOT) Kickstarter *m;* **kick·turn** ['kɪktɜ:n] *s* (*Skilaufen*) Kehre *f*

kid [kɪd] **I.** *s* **1.** Zicklein, Kitz *n;* (**~***skin*) Ziegenleder *n* **2.** (*fam*) Kind *n;* **when you were a ~** als du klein warst; **that's ~'s stuff** das ist etwas für kleine Kinder; das ist kinderleicht; **listen ~** hör mal zu, Kleiner; **you are some ~** du bist toll **II.** *itr* (*fam*) Spaß machen **III.** *tr* (*fam:* **~** *on*) verulken; **don't ~ yourself** mach dir doch nichts vor **IV.** *adj attr* jünger, kleiner; **~ sister/brother** jüngere Schwester/jüngerer Bruder; **kiddy** ['kɪdɪ] *s* (*fam*) Kind *n;* Kleine(r) *f m*

kid glove ['kɪdglʌv] *s* Glacéhandschuh *m;* **handle with ~s** (*fig*) mit Glacéhandschuhen anfassen

kid·nap ['kɪdnæp] *tr* entführen; **kid·nap·per** ['kɪdnæpə(r)] *s* Kidnapper(in) *m(f),* Entführer(in) *m(f);* **kid·nap·ping** [-ɪŋ] *s* Entführung *f*

kid·ney ['kɪdnɪ] *s* **1.** (ANAT) Niere *f* **2.** (*fig*) Veranlagung *f;* **of the right ~** vom rechten Schlag; **kidney bean** *s* weiße Bohne; **kidney dish** *s* Nierenschale *f;* **kidney donor** *s* Nierenspender(in) *m(f);* **kidney failure** *s* Nierenversagen *n;* **kidney machine** *s* künstliche Niere; **kid·ney-shaped** ['kɪdnɪʃeɪpt] *adj* nierenförmig; **kidney stone** *s* (MED) Nierenstein *m*

kid·ol·ody [kɪ'dɒlədʒɪ] *s* (*fam*) Bluff *m,* Bluffen *n*

kill [kɪl] **I.** *tr* **1.** töten; totschlagen, umbringen, erschlagen **2.** schlachten; erlegen **3.** vernichten, zerstören, ruinieren **4.** vereiteln **5.** widerrufen, für ungültig erklären; (*fam*) unter den Tisch fallen lassen **6.** (*Gesetzesvorlage*) zu Fall bringen **7.** (*Motor*) abwürgen; (*Maschine*) anhalten, zum Stehen bringen; (EL) ausschalten **8.** (*Fußball*) stoppen **9.** erdrücken; um seine Wirkung bringen; **be ~ed in action** (MIL) im Kampf fallen; **~ two birds with one stone** (*fig*) zwei Fliegen mit einer Klappe schlagen; **~ with kindness** vor Liebe umbringen (wollen); **~ time** die Zeit totschlagen; **my feet are ~ing me** meine Füße tun mir (wahnsinnig) weh **II.** *itr* **1.** töten; den Tod herbeiführen **2.** (*fam*) e-n tollen Eindruck machen; **be dressed to ~** toll gekleidet sein; **thou shalt not ~** du sollst nicht töten **III.** *s* **1.** Tötung *f* **2.** (Jagd)Beute *f* **3.** (MIL: *Schiff*) Versenkung *f;* (*Flugzeug, Rakete*) Abschuss *m;* **be in at the ~** (*fig*) am Schluss dabei sein; **kill off** *tr* vernichten; ausrotten; abschlachten; **killer** ['kɪlə(r)] *s* **1.** Mörder(in) *m(f)* **2.** (*sl*)

Frauenheld *m;* **it's a real ~** (*fam*) das ist der glatte Mord; **killer cell** *s* (PHYSIOL) Killerzelle *f;* **killer disease** *s* mörderische Krankheit *f;* **killer fog** *s* lebensgefährlicher Nebel; **killer instinct** *s* Tötungsinstinkt *m;* **killer whale** *s* Schwertwal *m;* **kill•ing** ['kɪlɪŋ] **I.** *adj* **1.** tödlich **2.** mörderisch; ermüdend **3.** (*fam*) wahnsinnig komisch **II.** *s* **1.** Töten *n;* Mord *m* **2.** (*Tiere*) Abschlachten *n;* Erlegen *n;* **make a ~** (*fam*) auf einmal viel verdienen; e-n Reibach machen; **kill•joy** ['kɪldʒɔɪ] *s* Spielverderber(in) *m(f)*

kiln ['kɪln] *s* (TECH) (Brenn)Ofen *m;* Röstofen *m;* Trockenofen *m;* Darre *f*

kilo ['ki:ləʊ] <*pl* kilos> *s* Kilo(gramm) *n;* **kilo•byte** ['kɪləbaɪt] *s* Kilobyte *n;* **kilo•cycle** ['kɪləsaɪkl] *s* Kilohertz *n;* **kilo•gram** *s* (*Am*), **kilo•gramme** ['kɪləgræm] *s* Kilogramm *n;* **kilo•joule** ['kɪlədʒu:l] *s* Kilojoule *n;* **kilo•meter** *s* (*Am*), **kilo•metre** ['kɪləmi:tə(r)] *s* Kilometer *m;* **kilo•watt** ['kɪləwɒt] *s* Kilowatt *n;* **kilowatt hour** *s* Kilowattstunde *f*

kilt [kɪlt] *s* Kilt, Schottenrock *m*

ki•mo•no [kɪ'məʊnəʊ] *s* Kimono *m*

kin [kɪn] *s* Verwandtschaft *f;* **the next of ~** die nächsten Angehörigen *pl*

kind¹ [kaɪnd] *s* **1.** Art, Gattung *f* **2.** Sorte, Klasse *f;* **a ~ of** e-e Art (von); **~ of** (*fam*) irgendwie; gewissermaßen, sozusagen; **the same ~** von derselben Sorte; **in ~** in gleicher, auf gleiche Weise; (COM) in natura; **payment in ~** Natural-, Sachleistung *f;* **what ~ of ...?** was für ein(e) ...?; **I am not that ~ of person** so bin ich nicht; **they are two of a ~** sie sind vom gleichen Schlag; **this ~ of thing** so etwas; **something of the ~** so etwas Ähnliches; **it was ~ of funny** es war irgendwie witzig

kind² [kaɪnd] *adj* freundlich, nett, entgegenkommend (*to s.o.* jdm gegenüber); **with ~ regards** mit freundlichen Grüßen; **would you be so ~ as to ...?** wären Sie so freundlich und würden ...?

kin•der•gar•ten ['kɪndəgɑ:tn] *s* Kindergarten *m*

kind-hearted [ˌkaɪnd'hɑ:tɪd] *adj* gutmütig, gütig

kindle ['kɪndl] **I.** *tr* **1.** anstecken, anzünden **2.** (*fig*) erwecken, erregen **II.** *itr* Feuer fangen, sich entzünden; aufleuchten (*with* vor); **kind•ling** ['kɪndlɪŋ] *s* Anmachholz *n*

kind•ly ['kaɪndlɪ] **I.** *adj* **1.** gütig, freundlich **2.** gefällig, entgegenkommend, nett, liebenswürdig **II.** *adv* liebenswürdigerweise; gefälligst; **~ put it back** bitte seien Sie so freundlich und stellen Sie es zurück; **take ~ to s.o.** sich mit jdm befreunden; jdn lieb gewinnen; **kind•ness** ['kaɪndnɪs] *s* **1.** Güte, Freundlichkeit, Liebenswürdigkeit *f* **2.** Gefälligkeit *f*

kin•dred ['kɪndrɪd] **I.** *s* (Bluts)Verwandtschaft *f;* Verwandte *pl* **II.** *adj* verwandt, ähnlich; **~ spirit** Gleichgesinnte(r) *f m*

kin•etic [kɪ'netɪk] **I.** *adj* kinetisch **II.** *s pl mit sing* Kinetik *f*

kin•folk ['kɪnfəʊk] *s pl* Verwandte *pl*

king [kɪŋ] *s* **1.** König *m* **2.** (*Damespiel*) Dame *f;* **king•cup** ['kɪŋkʌp] *s* (BOT) **1.** Hahnenfuß *m* **2.** (Sumpf)Dotterblume *f;* **king•dom** ['kɪŋdəm] *s* (König)Reich *n a. fig;* **the animal/vegetable/mineral ~** das Tier-/das Pflanzen-/das Mineralreich; **~ of heaven** Himmelreich *n;* **the United K~** das Vereinigte Königreich; **king•fisher** ['kɪŋˌfɪʃə(r)] *s* Eisvogel *m;* **king•ly** ['kɪŋlɪ] *adj, adv* königlich; **king•pin** ['kɪŋpɪn] *s* **1.** (TECH) Drehzapfen *m;* (MOT) Achsschenkelbolzen *m* **2.** (*fig*) Hauptperson, -sache *f;* **King's Bench** *s* (JUR) Erste Kammer *f* des High Court; **king-size** ['kɪŋsaɪz] *adj* (*fam*) besonders groß; (*Zigarette*) Kingsize-

kink [kɪŋk] *s* **1.** Knoten *m,* Schleife *f* **2.** Kräuselung *f;* (*Haar*) Welle *f* **3.** (*fig*) Schrulle *f,* Spleen *m;* **kinky** ['kɪŋkɪ] *adj* **1.** (*Haar*) wellig **2.** (*sl*) verrückt **3.** abartig, pervers

kins•folk ['kɪnzfəʊk] *s pl* Verwandte *pl;* **kin•ship** ['kɪnʃɪp] *s* Verwandtschaft *f a. fig;* **kins•man** ['kɪnzmən] <*pl* -men> *s* Verwandte(r) *m;* **kins•woman** ['kɪnzwʊmən, *pl* -wɪmɪn] <*pl* -women> *s* Verwandte *f*

kiosk ['ki:ɒsk] *s* Kiosk *m,* Bude *f;* **telephone ~** (*Br*) Telefonzelle *f*

kip [kɪp] **I.** *s* (*fam*) Schläfchen *n;* **get some ~** (*fam*) eine Runde pennen **II.** *itr* (*~ down*) schlafen

kip•per ['kɪpə(r)] *s* Räucherhering *m*

kirk [kɜ:k] *s* (*schottisch*) Kirche *f*

kiss [kɪs] **I.** *itr* (sich) küssen **II.** *tr* **1.** küssen **2.** leicht berühren **III.** *s* Kuss *m;* **~ of death** Todesstoß *m;* **~ of life** Mund-zu-Mund-Beatmung *f;* **kisser** ['kɪsə(r)] *s* (*vulg*) Fresse *f;* **kiss-off** ['kɪsɒf] *s* (*Am sl*) Abfuhr *f;* **kiss-proof** *adj* kussecht

kit [kɪt] **I.** *s* **1.** Ausrüstung *f* **2.** Handwerkszeug *n* **3.** (*fam*) Satz *m,* Kollektion *f* **4.** Gepäck *n* **II.** *tr* (*~ up, out*) ausrüsten, ausstaffieren; **kit•bag** *s* (MIL MAR) (See)Sack *m*

kit•chen ['kɪtʃɪn] *s* Küche *f;* **kit•chen•ette** [ˌkɪtʃɪ'net] *s* Kochnische *f;* **kitchen foil** *s* Haushalts-, Alufolie *f;* **kitchen-garden** *s* Gemüsegarten *m;* **kitchen knife** *s* Küchenmesser *n;* **kit•chen•maid** ['kɪtʃɪnmeɪd] *s* Küchenmädchen *n;* **kitchen range** *s* Küchen-, Kochherd *m;* **kitchen scissors** *s pl* Küchenschere *f;* **kitchen sink** *s* Spüle *f,* Ausguss *m;* **he ar-**

rived here with everything but the ~ er kam mit Sack und Pack an; **kitchen table** *s* Küchentisch *m;* **kitchen towel** *s* Küchentuch *n;* **kitchen unit** *s* Küchenschrank

kite [kaɪt] *s* **1.** (*Vogel*) Milan *m* **2.** (Papier)Drachen *m* **3.** (FIN) Kellerwechsel *m;* **fly a ~** e-n Drachen, *fig* e-n Versuchsballon steigen lassen, e-n Gefälligkeitswechsel ziehen; **kite mark** *s* (*Br*) (*dreieckiges*) *Gütezeichen*

kith [kɪθ] *s:* **~ and kin** Blutsverwandte *pl;* **with ~ and kin** mit Kind und Kegel

kitsch [kɪtʃ] *s* Kitsch *m;* **kitsch(y)** [-ɪ] *adj* kitschig

kit•ten ['kɪtn] *s* Kätzchen *n a. fig;* **have ~s** (*fig fam*) Junge, Zustände kriegen; **kit•ten•ish** [-ɪʃ] *adj* verspielt

kitty ['kɪtɪ] *s* **1.** Kätzchen *n* **2.** gemeinsame Kasse

kiwi ['ki:wi:] *s* **1.** (*Vogel*) Kiwi *m* **2.** (BOT) Kiwi *f*

KKK [ˌkeɪkeɪ'keɪ] *s abbr of* **Ku Klux Klan** Ku-Klux-Klan *m*

klaxon ['klæksn] *s* Hupe *f*

Kleen•ex® ['kli:neks] *s* Tempotaschentuch® *n*

klep•to•mania [ˌkleptə'meɪnɪə] *s* Kleptomanie *f;* **klep•to•maniac** [ˌkleptə'meɪnɪæk] **I.** *s* Kleptomane *m*, Kleptomanin *f* **II.** *adj* kleptomanisch

knack [næk] *s* **1.** Kniff, Trick, Kunstgriff *m* **2.** Geschicklichkeit, Fertigkeit *f* (*at, of* in); **have the ~ of it** (*fam*) den Bogen raushaben; **there's a ~ in it** man muss den Dreh kennen

knacker ['nækə(r)] *s* (*Br*) **1.** Abdecker *m* **2.** Abbruchunternehmen *n*

knackered ['nækəd] *adj* (*sl*) geschafft, todmüde

knap•sack ['næpsæk] *s* Rucksack *m;* (MIL) Tornister *m*

knead [ni:d] *tr* **1.** kneten **2.** massieren

knee [ni:] **I.** *s* **1.** Knie *n* **2.** (TECH) Kniestück, -rohr *n;* **bring s.o. to his ~s** jdn in die Knie zwingen; **go on one's ~s** kniefällig bitten; **on one's ~s** auf den Knien; (*fig*) kniefällig; **~ jerk (reflex)** (MED) Kniesehnenreflex *m;* **~-jerk reaction** (*fig pej*) spontane (Abwehr)Reaktion **II.** *tr* mit dem Knie stoßen; **knee breeches** *s pl* Kniehose *f;* **knee-cap** ['ni:ˌkæp] *s* **1.** (ANAT) Kniescheibe *f* **2.** Knieschützer *m;* **knee-cap•ping** [-ɪŋ] *s* Knieschuss *m;* **knee-deep**, **knee-high** [ˌni:'di:p, ˌni:'haɪ] *adj* knietief; **knee-joint** *s* Kniegelenk *n*

kneel [ni:l] <*irr:* knelt, knelt> *itr* (*~ down*) (nieder)knien (*to* vor)

knees-up ['ni:zʌp] *s* (*fam*) Tanzparty *f*

knell [nel] *s* Totenglocke *f*

knelt [nelt] *s.* **kneel**

knew [nju:] *s.* **know**

knicker•bock•ers ['nɪkəbɒkəz] *s pl* Knickerbocker *pl*

knickers ['nɪkəz] **I.** *s pl* (Damen)Schlüpfer *m;* **get one's ~ in a twist** verärgert, aufgeregt werden **II.** *interj* (*sl*) verflixt! Quatsch!

knick-knack ['nɪknæk] *s* **1.** Kleinigkeit *f* **2.** Nippsache *f*

knife [naɪf, *pl* naɪvz] <*pl* knives> **I.** *s* (*a.* TECH) Messer *n;* **knives and forks** Besteck *n;* **get one's ~ into s.o.** (*fig*) jdn nicht ausstehen können; **go under the ~** unters Messer kommen **II.** *tr* stechen; erdolchen; **knife-edge** *s* (*a.* TECH) (Messer)Schneide *f;* **on a ~** (*fig*) auf Messers Schneide; **knife sharpener** *s* Messerschärfer *m;* **knif•ing** ['naɪfɪŋ] *s* Messerstecherei *f*

knight [naɪt] **I.** *s* **1.** Ritter *m a. fig* **2.** (*Schach*) Springer *m* **II.** *tr* zum Ritter schlagen; **knight-errant** [ˌnaɪt'erənt] <*pl* knights-errant> *s* fahrender Ritter; **knight•hood** ['naɪthʊd] *s* **1.** Ritterwürde *f*, -stand *m* **2.** Rittertum *n;* **knight•ly** ['naɪtlɪ] *adj* ritterlich

knit [nɪt] <*irr:* knit (knitted), knit (knitted)> **I.** *tr* **1.** stricken **2.** (*fig*) (miteinander) verknüpfen, verbinden, zusammenfügen; **~ one, purl one** eins rechts, eins links; **~ one's brow** die Stirn runzeln **II.** *itr* **1.** stricken **2.** zusammenwachsen; **knit together** *tr* zusammenstricken; (miteinander) verbinden; **knit up I.** *tr* stricken; (*fig*) eng verbinden **II.** *itr* (*Knochen*) zusammenwachsen; **knit•ter** ['nɪtə(r)] *s* **1.** Stricker(in) *m(f)* **2.** Strickmaschine *f;* **knit•ting** [-ɪŋ] *s* Strickarbeit *f*, -zeug *n;* Stricken *n;* **knitting-needle** *s* Stricknadel *f;* **knitting yarn** *s* Strickgarn *n;* **knit-wear** ['nɪtweə(r)] *s* Strickwaren *fpl*, Strickkleidung *f*

knob [nɒb] *s* **1.** Schwellung, Beule *f* **2.** (Griff)Knopf *m;* Knauf *m* **3.** rundes Stück **4.** (*sl*) Kopf *m;* **with ~s on** (*sl*) allerdings!; **knob•bly** ['nɒblɪ] *adj* **1.** knorrig **2.** knopfartig, rund; **knob•by** ['nɒbɪ] *adj* knorrig

knock [nɒk] **I.** *itr* **1.** schlagen, stoßen, prallen (*on, against* gegen) **2.** klopfen, pochen (*at* an) **3.** (MOT) klopfen **II.** *tr* **1.** schlagen, stoßen, treffen **2.** umstoßen **3.** überraschen; stark beeindrucken **4.** (*fam*) meckern über, heruntermachen; **that ~s you sideways** (*fam*) das haut dich um **III.** *s* **1.** Schlag, Stoß *m* **2.** (An)Klopfen, Pochen *n* (*at the door* an der Tür) **3.** (MOT) Klopfen *n* **4.** (*fam*) Tiefschlag *m;* Kritik *f;* **take a ~** (*fam*) einen Tiefschlag erleben; erschüttert werden; e-n schweren finanziellen Verlust erleiden; **knock about**, **knock around I.** *itr* sich herumtreiben, -reisen (*with s.o.*

mit jdm), herumliegen **II.** *tr* herumstoßen, misshandeln; verprügeln; ramponieren; **knock back** *tr* (*fam*) **1.** (*Getränk*) hinunterstürzen **2.** kosten **3.** überraschen, erschüttern **4.** zurückweisen; **knock down** *tr* **1.** umstoßen, -werfen **2.** zu Boden werfen; umfahren **3.** (*Gebäude*) abbrechen **4.** (*Auktion*) zuschlagen (*to s.o.* jdm) **5.** (*im Preis*) herabsetzen; (*Person*) herunterhandeln **6.** (*Möbel, Maschine*) zerlegen; **knock into** *tr* **1.** einbläuen (*s.o.* jdm) **2.** unerwartet treffen; ~ **into shape** in Form bringen; **knock off I.** *itr* (*fam*) Schluss, Feierabend machen (*with one's work* mit der Arbeit) **II.** *tr* **1.** weg-, abschlagen **2.** (*Arbeit*) einstellen **3.** (*fam*) hinhauen, rasch erledigen **4.** (*von e-m Preis*) ablassen; herunterhandeln; abziehen **5.** (*sl*) stehlen **6.** (*sl: Menschen*) erledigen; **knock out** *tr* **1.** (*Pfeife*) ausklopfen **2.** (*Boxen*) k.o.-schlagen **3.** (*fam*) fertig machen **4.** (*fam*) verblüffen; schocken **5.** eliminieren; **knock over** *tr* **1.** umwerfen **2.** umfahren; überfahren; **knock together I.** *itr* aneinander stoßen **II.** *tr* **1.** aneinander schlagen **2.** (*fam: Arbeit*) schnell hinhauen; ~ **people's heads together** die Leute zur Vernunft bringen; **knock up I.** *itr* **1.** (*Br:* SPORT) sich einspielen **2.** (*Am sl*) bumsen **II.** *tr* **1.** hochschlagen **2.** rasch bauen; zusammenzimmern **3.** (*Essen*) rasch zubereiten **4.** (*Br*) wecken **5.** (*Br sl*) fertig machen **6.** (*sl*) ein Kind anhängen (*a woman* e-r Frau)

knock-about ['nɒkəbaʊt] *adj* **1.** (*Kleidung*) strapazierfähig **2.** lärmend; derb, rau; ~ **comedy** Klamaukstück *n;* **knock-down** ['nɒkdaʊn] **I.** *adj* **1.** (*fig*) niederschmetternd **2.** (*Preis*) Schleuder-, äußerst niedrig **II.** *s* (*Boxen*) Niederschlag *m;* **knocker** ['nɒkə(r)] *s* **1.** Türklopfer *m* **2.** (*fam*) Meckerer, Nörgler, Miesmacher *m;* **knock•ing copy** [ˌnɒkɪŋ'kɒpɪ] *s herabsetzender Werbetext;* **knocking-off time** *s* Feierabend *m;* **knock-kneed** [ˌnɒk'niːd] *adj* x-beinig; **knock-on effect** *s* Folge-, Anstoßwirkung *f;* **knock-out** ['nɒkaʊt] **I.** *adj* (*Schlag*) K.o.- **II.** *s* **1.** (~ *blow*) K.o.-Schlag *m* **2.** (*fig*) vernichtende Niederlage **3.** (*sl*) Pfundskerl *m,* -weib *n* **4.** Ausscheidung(srunde) *f;* **knock-up** ['nɒkʌp] *s* (*Br:* SPORT) Trainingsspiel *n*

knoll [nəʊl] *s* Hügel *m*

knot [nɒt] **I.** *s* **1.** Knoten *m;* Schleife *f* **2.** Gruppe *f* **3.** (*fig*) einigendes Band **4.** Knorren, Ast *m* (*im Holz*) **5.** (MAR) Knoten *m* (*1,853 km/h*); **cut the** ~ (*fig*) den Knoten durchhauen; **stand about in ~s** in Gruppen herumstehen; **tie the** ~ den Bund der Ehe eingehen; **tie o.s. (up) in** [*o* **get into**] **~s** in Schwierigkeiten geraten **II.** *tr* **1.** (e-n) Knoten machen in; verknoten, verschnüren **2.** miteinander verknüpfen; **get ~ted!** lass mich in Ruh(e)! **III.** *itr* sich verknoten; sich verwirren; **knotty** ['nɒtɪ] *adj* **1.** knotig, knorrig **2.** (*fig*) verwickelt, schwierig

know [nəʊ] *<irr:* knew, known> **I.** *tr* **1.** wissen, kennen **2.** sich auskennen in, vertraut sein mit; verstehen (*how to do* zu tun), können **3.** erkennen; erfahren **4.** kennenlernen; unterscheiden (*from* von); **be known** bekannt sein (*to s.o.* jdm, *as* als); **come to** ~ in Erfahrung bringen; **come to be known** bekannt werden; **let s.o.** ~ jdn wissen lassen, jdm Bescheid geben; **make o.s. known** sich bekannt machen; ~ **one's own business** [*o* **onions**] (*fam*) Bescheid wissen; ~ **how to do s.th.** etw können **II.** *itr* **1.** wissen (*about, of s.th.* über, von etw) **2.** verstehen (*about* von); ~ **better** es besser wissen; **not that I** ~ **of** nicht, dass ich wüßte; **he wouldn't** ~ er ist dafür nicht zuständig **III.** *s:* **be in the** ~ im Bilde sein

know-all ['nəʊɔːl] *s* Besserwisser(in) *m(f);* **know-how** ['nəʊhaʊ] *s* Erfahrung *f,* (Fach)Wissen, Können, Know-how *n;* **know•ing** ['nəʊɪŋ] *adj* **1.** informiert, unterrichtet **2.** wissend; klug, einsichtig **3.** schlau; verständnisvoll; **there's no** ~ man kann nie wissen; **know•ing•ly** [-lɪ] *adv* **1.** mit Bewusstsein, bewusst; absichtlich; wissentlich **2.** (*Lächeln*) wissend; **know-it-all** ['nəʊɪtɔːl] *s* (*Am*) Besserwisser(in) *m(f)*

knowl•edge ['nɒlɪdʒ] *s* **1.** Kenntnis *f* (*of* von) **2.** Wissen *n;* Kenntnisse *fpl* **3.** Bekanntschaft, Vertrautheit *f* (*of* mit) **4.** Verständnis *n;* **to (the best of) my** ~ soviel ich weiß; **to the best of my** ~ **and belief** nach bestem Wissen und Gewissen; **without my** ~ ohne mein Wissen; **working** ~ praktisch verwertbare Grundkenntnisse *fpl;* **knowl•edge•able** [-əbl] *adj* kenntnisreich, bewandert (*about* in), intelligent

known [nəʊn] **I.** *pp of* **know II.** *adj* bekannt; anerkannt

knuckle ['nʌkl] *s* **1.** Knöchel *m* **2.** (*Schlachtvieh*) Haxe *f;* **rap s.o.'s ~s, give s.o. a rap on** [*o* **over**] **the ~s** jdm auf die Finger klopfen; **near the** ~ an der Grenze des Anständigen; **knuckle down** *itr* sich dahinterklemmen; ~ **down to work** sich eifrig an die Arbeit machen; **knuckle under** *itr* sich fügen; **knuckle-duster** *s* Schlagring *m*

KO [ˌkeɪ'əʊ] **I.** *s* K.o.-Schlag *m* **II.** *tr* k.o.-schlagen

ko•ala [kəʊ'ɑːlə] *s* Koala(bär) *m*

kooky ['kuːkɪ] *adj* (*Am fam*) exzentrisch, verrückt

Ko•ran [kəˈrɑːn] *s* Koran *m*
Ko•rea [kəˈrɪə] *s* Korea *n;* **Ko•rean** [kəˈrɪən] **I.** *s* **1.** Koreaner(in) *m(f)* **2.** (das) Koreanisch(e) **II.** *adj* koreanisch
ko•sher [ˈkəʊʃə(r)] *adj* **1.** (REL) koscher **2.** (*sl*) in Ordnung; **there's something not quite ~ about it** da ist etwas faul dran
kow•tow [ˌkaʊˈtaʊ] *itr* (*fig*) kriechen (*to s.o.* vor jdm)
Krem•lin [ˈkremlɪn] *s* Kreml *m*
ku•dos [ˈkjuːdɒs] *s* Ansehen *n*
Ku Klux Klan [ˈkuːˈklʌksˈklæn] *s* (*Am*) Ku-Klux-Klan *m*
Kurd [kɜːd] *s* Kurde *m,* Kurdin *f;* **Kur•dish** [-ɪʃ] **I.** *adj* kurdisch **II.** *s* (das) Kurdisch(e)
Ku•wait [kʊˈwəɪt] *s* Kuwait *n;* **Kuwaiti** [-ɪ] **I.** *adj* kuwaitisch **II.** *s* Kuwaiter(in) *m(f)*

L

L, l [el] <*pl* -'s> *s* L, l *n*

lab [læb] *s* (*fam*) Labor *n*

label ['leɪbl] I. *s* 1. Etikett(e *f*), Schildchen, Label *n;* (Anhänge)Zettel *m* 2. Beschriftung, Aufschrift *f;* Kennzeichnung *f* 3. (*fig*) Bezeichnung, Klassifikation *f* II. *tr* 1. etikettieren 2. beschriften, kennzeichnen; markieren 3. (*fig*) bezeichnen, benennen, klassifizieren; **label·ing** *s* (*Am*), **label·ling** ['leɪblɪŋ] *s* 1. Etikettierung *f* 2. Markierung *f* 3. (Preis)Auszeichnung *f*

la·bor (*Am*) *s.* **labour**

lab·ora·tory [lə'bɒrətrɪ, *Am* 'læbrə,tɔ:rɪ] *s* Labor(atorium) *n;* **laboratory assistant** *s* Laborant(in) *m(f);* **laboratory findings** *s pl* Laborbefund *m;* **laboratory results** *s pl* Laborwerte *pl;* **laboratory stage** *s* Versuchsstadium *n;* **laboratory test** *s* Laborversuch *m*

la·bori·ous [lə'bɔ:rɪəs] *adj* 1. (*Arbeit*) anstrengend, mühsam 2. (*Mensch*) arbeitsam, fleißig 3. (*Stil*) schwerfällig

la·bour ['leɪbə(r)] I. *s* 1. Arbeit *f* 2. Anstrengung, Mühe, Mühsal *f* 3. Aufgabe *f* 4. Arbeiter(schaft *f*) *mpl,* Arbeitskräfte *fpl,* Arbeitnehmer *mpl* 5. (MED) Wehen *fpl;* **L~** (*Br:* POL) die Labour Party; **casual** ~ Gelegenheitsarbeit *f;* **hard** ~ Zwangsarbeit *f;* **manual** ~ Handarbeit *f;* **skilled** ~ Facharbeit *f;* Facharbeiter *mpl;* **unskilled** ~ ungelernte Arbeiter *mpl;* **be in** ~ (MED) Wehen haben II. *itr* 1. arbeiten (*at* an) 2. sich anstrengen, sich (ab)mühen (*for* um) 3. (~ *along*) sich mühsam (vorwärts) bewegen 4. (*Schiff*) stampfen, schlingern; ~ **up a hill** sich mühsam den Berg hinaufkämpfen III. *tr* ausführlich eingehen auf; breitwalzen; **labo(u)r camp** *s* Arbeitslager *n;* **labo(u)r cost** *s* Arbeitskosten *pl;* **Labo(u)r Day** *s* Tag *m* der Arbeit (*Br 1. Mai, Am 1. Montag im September*); **labo(u)r disputes** *s pl* Arbeitskämpfe *mpl;* **la·bo(u)rer** ['leɪbərə(r)] *s* Arbeiter(in) *m(f);* **casual** ~ Gelegenheitsarbeiter(in) *m(f);* **farm** ~ Landarbeiter(in) *m(f);* **industrial** ~ Industriearbeiter(in) *m(f);* **(un)skilled** ~ (un)gelernte(r) Arbeiter(in) *m(f);* **Labour Exchange** *s* (*Br:* HIST) Arbeitsamt *n;* **labo(u)r force** *s* 1. Belegschaft *f* 2. Beschäftigte *pl;* **labour-inten·sive** [,leɪbərɪn'tensɪv] *adj* arbeitsintensiv; **Labour·ite** ['leɪbəraɪt] *s* (*Br*) Anhänger *m* der Labour Party; **labo(u)r market** *s* Arbeitsmarkt *m;* **labo(u)r movement** *s* Arbeiterbewegung *f;* **labo(u)r pains** *s pl* (MED) Wehen *fpl;* **Labour Party** *s* (*Br*) Labour Party *f;* **labo(u)r relations** *s pl* Arbeitgeber-Arbeitnehmer-Beziehungen *fpl;* **la·bo(u)r-sav·ing** ['leɪbə,seɪvɪŋ] *adj* arbeitssparend; **labo(u)r shortage** *s* Arbeitskräftemangel *m;* **labo(u)r troubles** *s pl* Arbeiterunruhen *fpl;* **labo(u)r ward** *s* (MED) Kreißsaal *m*

lab·ra·dor ['læbrədɔ:r] *s* Labradorhund *m*

la·bur·num [lə'bɜ:nəm] *s* (BOT) Goldregen *m*

lab·y·rinth ['læbərɪnθ] *s* Labyrinth *n*

lace [leɪs] I. *s* 1. Schnur *f;* (Schnür-, Schuh)Senkel *m* 2. Tresse, Litze, Borte *f* 3. (*Textil*) Spitze *f* II. *tr* 1. (~ *up*) (zu)schnüren 2. (ver)flechten 3. e-n Schuss (Alkohol) zugeben (*e-m Getränk*); **lace into s.o.** *tr* über jdn herfallen; jdm e-e Standpauke halten; **lace up** *tr* schnüren

lac·er·ate ['læsəreɪt] *tr* 1. zerreißen; zerfleischen 2. (*fig: Gefühle*) verletzen; **lac·er·ation** [,læsə'reɪʃn] *s* 1. Riss *m* 2. (MED) Fleischwunde *f*

lace-ups ['leɪsʌps] *s pl* Schnürschuhe *mpl*

lach·ry·mal ['lækrɪml] *adj:* ~ **duct** Tränengang *m;* ~ **gland** Tränendrüse *f;* ~ **sac** Tränensack *m;* **lach·ry·mose** ['lækrɪməʊs] *adj* weinerlich; tränenreich

lack [læk] I. *s* Mangel *m* (*of* an); ~ **of capital** Kapitalmangel *m;* **for** ~ **of** aus Mangel an II. *itr* 1. fehlen 2. Mangel haben (*of, in* an); **they** ~ **for nothing** es fehlt ihnen an nichts III. *tr* nicht genug haben; brauchen, benötigen; **he ~s talent** ihm fehlt es an Talent; **you** ~ **confidence** Ihnen fehlt das Selbstvertrauen

lacka·daisi·cal [,lækə'deɪzɪkl] *adj* interesselos, lustlos; nachlässig

lackey ['lækɪ] *s* Lakai *m a. fig*

lack·ing ['lækɪŋ] *adj* 1. fehlend 2. (*fam*) dumm; **be** ~ fehlen; **lack·lustre** ['læk,lʌstə(r)] *adj* glanzlos, trübe

la·conic [lə'kɒnɪk] *adj* 1. (*Worte*) lakonisch 2. (*Mensch*) wortkarg 3. (*Stil*) knapp

lac·quer ['lækə(r)] I. *s* 1. (Farb)Lack, Firnis *m* 2. Haarspray *m od n* 3. Nagellack *m* II. *tr* lackieren

la·crosse [lə'krɒs] *s* (SPORT) Lacrosse *n*

la•cuna [lə'kjuːnə, *pl* lə'kjuːniː] <*pl* lacunae> *s* Lücke *f,* Zwischenraum *m*
lad [læd] *s* Junge *m;* Bursche *m;* **a bit of a ~** ein toller Kerl
lad•der ['lædə(r)] **I.** *s* **1.** Leiter *f* **2.** (*Br*) Laufmasche *f* **3.** (*fig*) Stufenleiter *f;* Weg *m* **II.** *itr* (*Br*) Laufmaschen bekommen
lad•die ['lædɪ] *s* (*schottisch*) Junge, Bub *m*
laden ['leɪdn] *adj* **1.** beladen (*with* mit) **2.** (*fig*) bedrückt (*with sorrows* von Sorgen)
la-di-da [ˌlɑːdɪ'dɑː] *adj* (*fam*) affektiert, geziert
lad•ing ['leɪdɪŋ] *s* Verladen *n;* Fracht *f;* **bill of ~** Seefrachtbrief *m,* Konnossement *n*
ladle ['leɪdl] **I.** *s* **1.** Schöpflöffel *m* **2.** Kelle *f* **3.** Baggerschaufel *f* **II.** *tr* (*fig:* ~ *out*) großzügig verteilen
lady ['leɪdɪ] *s* Dame *f;* Frau *f;* **L~** Lady *f* (*Adelsprädikat*); **Ladies and Gentlemen** meine Damen und Herren; **Ladies (room)** Damentoilette *f;* **the ~ of the house** die Dame des Hauses; **lady•bird** ['leɪdɪbɜːd] *s* Marienkäfer *m;* **lady•bug** ['leɪdɪbʌg] *s* (*Am*) *s.* **ladybird; lady-in-waiting** [ˌleɪdɪɪn'weɪtɪŋ] *s* Hofdame *f;* **lady-killer** ['leɪdɪˌkɪlə(r)] *s* (*fam*) Schürzenjäger *m;* **lady•like** ['leɪdɪlaɪk] *adj* damenhaft; **lady•ship** ['leɪdɪʃɪp] *s* (*Br*): **your ~** Ihre Ladyschaft; **lady's man** *s* Frauenheld *m*
lag¹ [læg] **I.** *itr* **1.** bummeln **2.** (*Zeit*) langsam vergehen **3.** (~ *behind*) zurückbleiben **II.** *s* (*time ~*) Verzögerung *f;* Zeitabstand *m*
lag² [læg] *tr* (TECH) isolieren
la•ger ['lɑːgə(r)] *s* helles (Lager)Bier; **lager lout** *s* jugendlicher (alkoholisierter) Randalierer
lag•ging ['lægɪŋ] *s* (TECH) (Wärme)Isolierung *f*
la•goon [lə'guːn] *s* Lagune *f*
laid [leɪd] *s.* **lay¹**; **laid-off** [ˌleɪd'ɒf] *adj* (vorübergehend) arbeitslos
lain [leɪn] *s.* **lie¹**
lair [leə(r)] *s* **1.** Lager *n* (*e-s wilden Tieres*) **2.** Höhle *f;* Bau *m*
laird [leəd] *s* (*schottisch*) Gutsbesitzer *m*
laissez-faire ['leɪseɪ'feə(r)] *s* Laisser-faire *n*
laity ['leɪətɪ] *s* Laien *mpl*
lake [leɪk] *s* See *m;* **lake dwellings** *s pl* Pfahlbauten *mpl*
lam¹ [læm] **I.** *tr* (*sl*) verdreschen, verprügeln **II.** *itr* (*sl*): **~ into s.o.** jdn fertig machen
lam² [læm] *s* (*Am sl*) eilige Flucht; **take it on the ~** (*fam*) türmen, stiften gehen; **on the ~** auf der Flucht
lama ['lɑːmə] *s* (REL) Lama *m*
lamb [læm] **I.** *s* **1.** Lamm *n* **2.** Lammfleisch *n* **3.** (*fig*) Unschuldslamm *n;* lieber Mensch **II.** *itr* (*Schaf*) lammen
lam•bast [læm'bæst] *tr,* **lam•baste** [læm'beɪst] *tr* **1.** vermöbeln, verdreschen, verprügeln **2.** den Kopf waschen (*s.o.* jdm), runterputzen
lamb chop *s* Lammkotelett *n;* **lamb•like** ['læmlaɪk] *adj* **1.** (lamm)fromm **2.** unschuldig, sanft; **lamb•skin** ['læmskɪn] *s* Lammfell *n;* **lamb's lettuce** *s* Feldsalat *m;* **lambs•wool** ['læmzwʊl] *s* Lammwolle *f*
lame [leɪm] **I.** *adj* **1.** lahm (*of, in* auf) *a. fig* **2.** (*fig*) schwach, nicht überzeugend **3.** (*Ausrede*) faul; **~ duck** Niete *f;* Versager *m;* (*Am*) nicht wiedergewählte(r) Politiker(in) **II.** *tr* lähmen; **lame•ness** [-nɪs] *s* **1.** Lahmheit *f a. fig* **2.** (*fig*) Schwäche *f*
la•ment [lə'ment] **I.** *itr* **1.** trauern, klagen (*for s.o.* um jdn) **2.** beklagen (*over s.o.'s death* jds Tod) **II.** *tr* betrauern, beklagen **III.** *s* **1.** Wehklage *f* **2.** Klagelied *n;* **lam•en•table** ['læməntəbl] *adj* **1.** beklagens-, bejammerns-, bedauernswert **2.** erbärmlich; **lam•en•ta•tion** [ˌlæmen'teɪʃn] *s* Klagen *n;* Wehklage *f*
lami•nate ['læmɪnət] *s* Schichtstoff *m;* **lami•nated** ['læmɪneɪtɪd] *adj* beschichtet; laminiert; **~ glass** Verbundglas *n;* **~ plastic** Resopal® *n;* **~ sheet** Schichtstoffplatte *f*
lamp [læmp] *s* **1.** Lampe *f;* Laterne *f* **2.** (*fig: Mensch*) Leuchte *f;* **rear ~** (MOT) Rücklicht *n;* **sun ~** Höhensonne *f*
lam•poon [læm'puːn] **I.** *s* Schmähschrift *f* **II.** *tr* verunglimpfen, verspotten
lamp•post ['læmppəʊst] *s* Laternenpfahl *m*
lam•prey ['læmprɪ] *s* (ZOO) Lamprete *f*
lamp•shade ['læmpʃeɪd] *s* Lampenschirm *m*
LAN [læn] *s abbr of* **local area network** (EDV) LAN *n*
lance [lɑːns, *Am* læns] **I.** *s* Lanze *f;* Speer *m* **II.** *tr* (MED) aufschneiden
lan•cet ['lɑːnsɪt, *Am* 'lænsɪt] *s* (MED) Lanzette *f;* **lancet arch** *s* (ARCH) Spitzbogen *m;* **lancet window** *s* Spitzbogenfenster *n*
land [lænd] **I.** *s* **1.** (Fest)Land *n* **2.** Land *n,* Staat *m* **3.** Bereich *m,* Gebiet *n* **4.** Landschaft *f;* Gelände *n* **5.** (*Acker-, Wald-*) Land *n;* Grund u. Boden *m* **6.** Ländereien *fpl,* Land-, Grundbesitz *m;* **by ~** zu Land(e); auf dem Landweg(e); **on the ~** auf dem Land; **over ~ and sea** über Land und Meer; **see how the ~ lies** sehen, wie die Dinge liegen; **pasture ~** Weideland *n* **II.** *tr* **1.** an(s) Land bringen; ausladen, löschen **2.** (*Fische*) fangen **3.** (*Flugzeug*) landen **4.** (*fig*) bringen (*in, at* nach, in, zu), absetzen (*in, on* in, auf) **5.** (*fam*) einheimsen, einstecken; (*Preis*) erringen; (*Stelle*) bekommen **6.** (*fam*) erreichen **7.** (*fam:*

Schlag) verpassen, versetzen; ~ **o.s. in** hineingeraten in **III.** *itr* **1.** (*Schiff*) landen, anlegen; an Land gehen **2.** (AERO) landen **3.** ankommen, ans Ziel gelangen; **land-based** ['lændbeɪst] *adj* (MIL) landgestützt; **landed** ['lændɪd] *adj* grundbesitzend; ~ **gentry** Landadel *m;* ~ **property** Grundbesitz *m;* ~ **proprietor** Grundbesitzer(in) *m(f);* **land•fall** ['lændfɔːl] *s* Sichten *n* von Land; **make** ~ Land sichten; **landfill site** *s* Mülldeponie *f;* **land forces** *s pl* Landstreitkräfte *pl;* **land-holder** ['lændˌhəʊldə(r)] *s* Gutsbesitzer(in) *m(f),* Grundpächter(in) *m(f);* **land•hold•ing** ['lændˌhəʊldɪŋ] *s* Grundbesitz *m*

land•ing ['lændɪŋ] *s* **1.** (MAR AERO) Landen *n,* Landung *f* **2.** (*Fracht*) Löschen *n* **3.** Treppenabsatz *m* **4.** Flur, Korridor *m;* **make a safe** ~ glücklich landen; **emergency** [*o* **forced**] ~ Notlandung *f;* **landing card** *s* Einreisekarte *f;* **landing craft** *s* Landungsboot *n;* **landing field** *s* Landeplatz *m;* **landing gear** *s* (AERO) Fahrgestell *n;* **landing net** *s* Ke(t)scher *m;* **landing stage** *s* (MAR) Landungssteg *m,* -brücke *f;* **landing strip** *s* Landebahn *f*

land•lady ['lænˌleɪdɪ] *s* (Haus-, Gast)Wirtin *f;* **land•less** ['lændlɪs] *adj* unbegütert; **land•locked** ['lændlɒkt] *adj* (*Land*) ohne Zugang zum Meer, landumschlossen; **land•lord** ['lænlɔːd] *s* Grundbesitzer *m;* Hauseigentümer *m;* Gastwirt *m;* **land-lubber** ['lændˌlʌbə(r)] *s* (*pej*) Landratte *f;* **land•mark** ['lændmɑːk] *s* **1.** Grenzstein *m* **2.** (MAR) Seezeichen *n* **3.** (*fig*) Markstein *m,* Wahrzeichen *n;* Wendepunkt *m;* **land office** *s* (*Am*) Grundbuchamt *n;* **land-owner** ['lændˌəʊnə(r)] *s* Grund-, Gutsbesitzer(in) *m(f);* **land reform** *s* Bodenreform *f*

land•scape ['lændskeɪp] **I.** *s* Landschaft *f* **II.** *tr* landschaftlich, gärtnerisch gestalten; **landscape architect** *s* Landschaftsarchitekt(in) *m(f);* **landscape architecture** *s* Landschaftsgestaltung *f;* **landscape format** *s* (TYP) Querformat *n;* **landscape gardener** *s* Landschaftsgärtner(in) *m(f);* **landscape gardening** *s* Landschaftsgärtnerei *f;* **landscape painter** *s* Landschaftsmaler(in) *m(f)*

land•slide ['lændslaɪd] *s* **1.** Erdrutsch *m* **2.** (POL) überwältigender (Wahl)Sieg, Erdrutschsieg *m* **3.** Umschwung *m;* **land•slip** ['lændslɪp] *s* Erdrutsch *m;* **land tax** *s* Grundsteuer *f;* **land•ward** ['lændwəd] *adj* land(ein)wärts gerichtet; **land-ward(s)** ['lændwəd(z)] *adv* land(ein)wärts

lane [leɪn] *s* **1.** Gasse *f;* Pfad *m;* schmale Landstraße **2.** (SPORT) (Renn)Bahn *f* **3.** Schneise *f* **4.** (MAR) Fahrrinne *f* **5.** (MOT) Spur *f;* **shipping** ~**s** Schifffahrtswege *mpl;* ~ **of approach** (AERO) Einflugschneise *f;* **get in** ~! (MOT) bitte einordnen!

lan•guage ['læŋgwɪdʒ] *s* **1.** Sprache *f a. fig* **2.** Ausdrucks-, Redeweise *f;* **bad** ~ unanständige Ausdrücke *mpl;* **foreign** ~ Fremdsprache *f;* **language acquisition** *s* Spracherwerb *m;* **language laboratory** *s* Sprachlabor *n;* **language learning** *s* Erlernen *n* einer Sprache

lan•guid ['læŋgwɪd] *adj* **1.** kraftlos, matt, schwach **2.** (*fig*) lust-, interesselos

lan•guish ['læŋgwɪʃ] *itr* **1.** ermatten, schwach werden **2.** dahinsiechen **3.** sich sehnen (*for* nach); **lan•guish•ing** [-ɪŋ] *adj* sehnsüchtig

lan•guor ['læŋgə(r)] *s* **1.** Kraftlosigkeit, Mattigkeit *f* **2.** Interesselosigkeit, Gleichgültigkeit *f* **3.** Sehnsucht *f* **4.** Schwüle *f;* **lan-guor•ous** ['læŋgərəs] *adj* **1.** kraftlos, matt **2.** gleichgültig, stumpf **3.** schwül, drückend

lank [læŋk] *adj* **1.** schlank, mager **2.** (*Haar*) glatt; **lanky** ['læŋkɪ] *adj* schlacksig

lano•lin ['lænəlɪn] *s* Lanolin *n*

lan•tern ['læntən] *s* (*a.* ARCH) Laterne *f*

lan•yard ['lænjəd] *s* (MAR) **1.** Schnur *f* **2.** kurzes Tau, Taljereep *n*

Laos [laʊs] *s* Laos *n*

lap[1] [læp] *s* Schoß *m;* **in the** ~ **of luxury** im Luxus; ~ **and diagonal seat belt** Dreipunktgurt *m*

lap[2] [læp] **I.** *s* **1.** (TECH) Überlappung *f* **2.** (*Buchbinderei*) Falz *m* **II.** *tr* **1.** falten (*on* auf, *over* über) **2.** übereinander legen; überlappen **III.** *itr* sich überlappen

lap[3] [læp] **I.** *s* (SPORT) Runde *f;* (*fig*) Etappe *f;* Abschnitt *m;* ~ **of honour** Ehrenrunde *f* **II.** *tr* überrunden **III.** *itr* seine Runden drehen

lap[4] [læp] **I.** *tr, itr* **1.** (*Hund*) saufen; schlecken **2.** plätschern (*at, against* an, *on* gegen, auf) **II.** *s* **1.** Saufen *n;* Lecken *n* **2.** Plätschern *n;* **lap up** *tr* auflecken, -schlecken; (*fig*) eifrig zuhören; gedankenlos akzeptieren

lap-dog ['læpˌdɒg] *s* Schoßhund *m*

la•pel [lə'pel] *s* (*Jackett*) Aufschlag *m*

lap•is la•zuli [ˌlæpɪs'læzjʊlɪ] *s* Lapislazuli *m*

Lap•land ['læplænd] *s* Lappland *n;* **Lap-lander**, **Lapp** ['læplændə(r), læp] *s* Lappländer(in) *m(f),* Lappe *m,* Lappin *f*

lapse [læps] **I.** *s* **1.** Versehen *n,* Irrtum, Fehler *m* **2.** Entgleisung *f;* Versäumnis *n* **3.** (*Zeit*) Vergehen, Verstreichen *n* **4.** (~ *of time*) Zeitspanne *f,* -raum *m* **5.** (JUR) Erlöschen *n;* Verfall *m;* Heimfall *m* **II.** *itr* **1.** (*Zeit*) vergehen, verstreichen **2.** (JUR) verfallen, erlöschen, hinfällig werden **3.** einen Fehler machen **4.** verfallen; **lapsed**

[læpst] *adj* **1.** (JUR) verfallen **2.** (REL) vom Glauben abgefallen
lap·top ['æptɒp] *s* Laptop *m*
lap·wing ['læpwɪŋ] *s* Kiebitz *m*
lar·ceny ['lɑ:sənɪ] *s* Diebstahl *m;* **petty ~** Bagatelldiebstahl *m*
larch [lɑ:tʃ] *s* (BOT) Lärche *f*
lard [lɑ:d] **I.** *s* (Schweine)Schmalz *n* **II.** *tr* **1.** einfetten, schmieren **2.** (*fig*) ausschmücken (*with* mit)
lar·der ['lɑ:də(r)] *s* Speisekammer *f;* Vorratsschrank *m*
large [lɑ:dʒ] *adj* **1.** groß **2.** weit, geräumig, umfangreich **3.** ausgedehnt, umfassend, weitreichend; **at ~** auf freiem Fuß; in der Gesamtheit; planlos, ziellos; **as ~ as life** wie er leibt und lebt; in voller Größe; **by and ~** im Großen und Ganzen; **talk ~** großspurig reden; **large-hearted** [ˌlɑ:dʒ'hɑ:tɪd] *adj* (*Br*) großzügig, gutmütig; **large·ly** ['lɑ:dʒlɪ] *adv* allgemein; größtenteils; **large-minded** [ˌlɑ:dʒ'maɪndɪd] *adj* tolerant; **large·ness** [-nɪs] *s* **1.** Größe, Weite *f* **2.** Bedeutung *f;* Umfang *m* **3.** Großzügigkeit *f;* **large-scale** ['lɑ:dʒskeɪl] *adj* in großem Maßstab; groß angelegt; Groß-; **~ advertising** Massenwerbung *f;* **~ order** Großauftrag *m;* **~ production** Massenproduktion *f*
lar·gess *s* (*Am*), **lar·gesse** [lɑ:'dʒes] *s* Freigebigkeit *f*
lar·iat ['lærɪət] *s* Strick *m;* Lasso *n od m*
lark¹ [lɑ:k] *s* (*Vogel*) Lerche *f*
lark² [lɑ:k] **I.** *s* Spaß, Ulk, Scherz *m;* **for a ~** zum Spaß; **what a ~!** zum Schießen! **II.** *itr* **1.** sich vergnügen, lustig sein **2.** (**~** *about*) herumalbern
lark·spur ['lɑ:kspɜ:(r)] *s* (BOT) Rittersporn *m*
larva ['lɑ:və, *pl* 'lɑ:vi:] <*pl* larvae> *s* Larve *f*
lar·yn·gi·tis [ˌlærɪn'dʒaɪtɪs] *s* Kehlkopfentzündung *f;* **lar·ynx** ['lærɪŋks] *s* Kehlkopf *m*
las·civ·ious [lə'sɪvɪəs] *adj* wollüstig
laser ['leɪzə(r)] *s* Laser *m;* **laser beam** *s* Laserstrahl *m;* **laser printer** *s* (TYP) Laserdrucker *m;* **laser probe** *s* Lasersonde *f;* **laser show** *s* Lasershow *f;* **laser surgery** *s* Laserchirgurgie *f;* **laser weapon** *s* Laserwaffe *f*
lash¹ [læʃ] *s* (Augen)Wimper *f*
lash² [læʃ] **I.** *s* **1.** Peitsche(nschnur) *f* **2.** Peitschenhieb *m* **3.** Peitschen *n* (*of the waves* der Wellen) **II.** *tr* **1.** (aus)peitschen **2.** (heftig) schlagen (*the rocks* an die Felsen) **3.** (*fig*) heftig angreifen **4.** binden (*on, to* an); (MAR) (fest)zurren **III.** *itr* schlagen, peitschen, prasseln (*at* gegen); **lash about, lash around** *itr* um sich schlagen; **lash back** *tr* festbinden; **lash down I.** *tr* festbinden **II.** *itr* (*Regen*) niederprasseln; **lash into s.o.** *itr* jdn abkanzeln; auf jdn einschlagen; **lash out** *itr* **1.** (*Pferd*) ausschlagen **2.** (*fig*) ausfallend werden (*at* gegen) **3.** viel Geld ausgeben (*on a new car* für e-n neuen Wagen); **lash·ing** ['læʃɪŋ] *s* **1.** Schlagen, Peitschen *n;* Prügel *pl* **2.** (MAR) Laschung *f;* Verschnürung *f;* Fesseln *fpl* **3.** **~s** (*fam*) e-e Menge
lass, las·sie [læs, 'læsɪ] *s* **1.** Mädchen *n* **2.** Freundin *f*
lassi·tude ['læsɪtju:d] *s* Abgespanntheit, Mattigkeit, Schlaffheit *f*
lasso [læ'su:] <*pl* lassos> **I.** *s* Lasso *n od m* **II.** *tr* mit dem Lasso (ein)fangen
last¹ [lɑ:st, *Am* læst] **I.** *adj* **1.** letzte(r, s) **2.** späteste(r, s); jüngste(r, s); neueste(r, s) **3.** vorig, vergangen **4.** äußerste(r, s), höchste(r, s) **5.** geringste(r, s), niedrigste(r, s); **for the ~ time** zum letzten Mal; **~ night** gestern Abend; heute Nacht; **~ week** in der letzten, vorigen Woche; **~ but one** vorletzte(r, s); **the week before ~** vorletzte Woche; **I've said my ~ word on the matter** ich habe dem nichts mehr hinzuzufügen; **that's the ~ thing I should do** das wäre das Letzte, was ich täte; **the L~ Judg(e)ment** (REL) das Jüngste Gericht; **~ quarter** (*Mond*) letztes Viertel; **the L~ Supper** (REL) das Abendmahl; **the ~ word** (*fam*) der letzte Schrei; **~ but not least** nicht zuletzt; last, not least **II.** *adv* zuletzt, zum Schluss, am Ende; zum letzten Mal; **~ of all** zuallerletzt **III.** *s* **1.** (der, die, das) Letzte, Jüngste, Neueste, Modernste **2.** Schluss *m;* Ende *n;* **at ~** schließlich, endlich, zuletzt; **at long ~** zu guter Letzt, schließlich; **to the ~** bis zum Letzten [*o* äußersten]; **breathe one's ~** den letzten Atemzug tun
last² [lɑ:st, *Am* læst] **I.** *itr* **1.** andauern, (an)halten **2.** (**~** *out*) ausdauern, aushalten **3.** sich (gut) halten **4.** (aus)reichen (*for* für) **II.** *tr* reichen (*s.o.* jdm); **the coat has ~ed me five years** ich habe den Mantel schon fünf Jahre
last³ [lɑ:st, *Am* læst] *s* (Schuh)Leisten *m*
last-ditch [ˌlɑ:st'dɪtʃ] *adj* allerletzte(r, s); **~ effort** letzte Anstrengung
last·ing ['lɑ:stɪŋ] *adj* dauernd, bleibend; beständig
last·ly ['lɑ:stlɪ] *adv* zuletzt, schließlich
last-minute [ˌlɑ:st'mɪnɪt] *adj* allerletzte(r,s); **we've had a ~ change of plan** wir haben unsere Pläne in letzter Minute geändert
latch [lætʃ] **I.** *s* **1.** (Tür)Drücker *m;* Sperrklinke *f* **2.** Schnappschloss *n* **3.** (Fenster)Riegel *m;* **on the ~** nur angelehnt

II. *tr* verriegeln; **latch on** *itr* **1.** sich festhalten (*to s.th.* an e-r S) **2.** sich anschließen (*to s.o.* jdm) **3.** (*fam*) kapieren (*to s.th.* etw); **latch•key** ['lætʃkiː] *s* Hausschlüssel *m;* **latchkey child** *s* Schlüsselkind *n*

late [leɪt] *adj, adv* **1.** spät **2.** verspätet, zu spät **3.** jüngste(r, s), bisherig **4.** (jüngst) verstorben; **as ~ as** erst, noch; **at a ~ hour** zu später Stunde; **of ~** (erst) kürzlich; **be ~ for s.th.** zu etw zu spät kommen; **make s.o. ~** jdn aufhalten; jdn zu spät kommen lassen; **~ potatoes** Spätkartoffeln *fpl;* **~ programme** Spätprogramm *n;* **~ shift** Spätschicht *f;* **keep ~ hours** lange aufbleiben; **~ show** Spätvorstellung *f;* **~ starter** (*fig fam*) Spätzünder *m;* **late•comer** ['leɪtˌkʌmə(r)] *s* Spätkommende(r) *f m,* Nachzügler(in) *m(f);* **late•ly** ['leɪtlɪ] *adv* neulich, kürzlich; **late•ness** ['leɪtnɪs] *s* Zuspätkommen *n;* Verspätung *f;* **the ~ of the hour** die späte Stunde

latent ['leɪtnt] *adj* latent; **~ defect** versteckter Mangel; **~ reserves** stille Reserven *fpl*

later ['leɪtə(r)] *adj, adv* später; **one day ~** einen Tag darauf; **~ on** später, *adv;* **sooner or ~** früher oder später; **see you ~** bis später! auf Wiedersehen!

lat•eral ['lætərəl] *adj* seitlich; **~ thinking** laterales Denken; **~ view** Seitenansicht *f;* **~ wind** Seitenwind *m*

lat•est ['leɪtɪst] <*Superlativ von* late> **I.** *adj* späteste(r, s); neueste(r, s), letzte(r, s) **II.** *adv* zuletzt **III.** *s:* **the ~** das Allerneueste; **at the ~** spätestens

lath [lɑːθ] *s* **1.** Latte *f;* Leiste *f* **2.** **~s** Lattenwerk *n*

lathe [leɪð] *s* Drehbank *f;* **lathe operator** *s* Dreher(in) *m(f)*

lather ['lɑːðə(r)] **I.** *s* **1.** Schaum *m* **2.** (*Pferd*) Schweiß *m;* **in a ~** außer Atem; erregt (*about s.th.* über etw) **II.** *tr* einseifen **III.** *itr* schäumen

Latin ['lætɪn] **I.** *adj* **1.** lateinisch; römisch **2.** romanisch; südländisch **II.** *s* **1.** (das) Latein(ische) **2.** Südländer(in) *m(f);* **Latin America** *s* Lateinamerika *n;* **Latin American I.** *adj* lateinamerikanisch **II.** *s* Lateinamerikaner(in) *m(f)*

lat•ish ['leɪtɪʃ] *adj, adv* etwas spät

lati•tude ['lætɪtjuːd] *s* **1.** (*fig*) Spielraum *m* **2.** (GEOG) Breite *f* **3.** **~s** Breiten, Gegenden, Regionen *fpl*

la•trine [lə'triːn] *s* Latrine *f*

lat•ter ['lætə(r)] *adj* spätere(r, s), neuere(r, s); letztere(r, s); **in these ~ days** in der jüngsten Zeit; **lat•ter•ly** [-lɪ] *adv* in der letzten Zeit

lat•tice ['lætɪs] *s* Gitter(werk) *n*

Latvia ['lætvɪə] *s* Lettland *n;* **Latvian** [-n] **I.** *adj* lettisch **II.** *s* **1.** (das) Lettisch(e) **2.** Lette *m,* Lettin *f*

laud•able ['lɔːdəbl] *adj* lobenswert

lauda•num ['lɔːdənəm] *s* Opiumpräparat *n*

lauda•tory ['lɔːdətərɪ] *adj* lobend

laugh [lɑːf, *Am* læf] **I.** *itr* **1.** lachen (*at* über, *over* bei) **2.** auslachen (*at s.o.* jdn); **~ in s.o.'s face** jdm ins Gesicht lachen; **~ on the wrong side of one's face** enttäuscht sein; **~ up one's sleeve** sich ins Fäustchen lachen **II.** *tr* lachend sagen **III.** *s* **1.** Lachen, Gelächter *n* **2.** Spaß *m;* **have the last ~** schließlich doch gewinnen; **laugh away, laugh off** *tr* sich lachend hinwegsetzen über; **laugh•able** [-əbl] *adj* lächerlich, lachhaft; **laugh•ing** [-ɪŋ] **I.** *adj* lachend; **it's no ~ matter** das ist nicht zum Lachen; **make a ~ stock of s.o.** jdn lächerlich machen **II.** *s* Lachen *n;* **laugh•ter** ['lɑːftə(r), *Am* 'læftə(r)] *s* Gelächter *n;* **shake with ~** sich vor Lachen schütteln

launch [lɔːntʃ] **I.** *tr* **1.** schleudern, werfen (*at, against* gegen) **2.** (*Schiff*) vom Stapel lassen **3.** (*Boot*) aussetzen **4.** (*Rakete*) abschießen **5.** gründen; beginnen, starten; in die Wege leiten **6.** (*Menschen, Film*) lancieren; (*Buch*) herausbringen **7.** (*Produkt*) einführen, auf den Markt bringen **8.** (*Angriff*) unternehmen, starten; **~ an attack** zum Angriff übergehen **II.** *s* **1.** Stapellauf *m;* Abschuss *m* **2.** Gründung *f;* Einführung *f;* Start *m* **3.** Barkasse *f;* **launch into** *tr* sich stürzen auf; angreifen; anpacken; **launch out** *itr* **1.** sich aufmachen, starten **2.** sich verlegen (*in* auf) **3.** sich in Unkosten stürzen **4.** anfangen (*into* mit); **launch•ing** ['lɔːntʃɪŋ] *s* **1.** (*Anleihe*) Emission *f* **2.** (*Produkt*) Einführung *f* **3.** (MAR) Stapellauf *m* **4.** (*Rakete*) Abschuss *m;* **launching pad** *s* Start-, Abschussrampe *f;* (*fig*) Sprungbrett *n;* **launching site** *s* Abschussbasis *f*

launder ['lɔːndə(r)] **I.** *tr* waschen (u. bügeln) **II.** *itr* sich waschen lassen; **~ money** Geld waschen; **laun•der•ette** [lɔːn'dret] *s* Waschsalon *m;* **laun•dry** ['lɔːndrɪ] *s* **1.** Waschen *n* **2.** Wäsche *f* **3.** Waschküche *f* **4.** Wäscherei *f;* **laundry basket** *s* Wäschekorb *m;* **laundry service** *s* Waschservice *m*

laur•eate ['lɒrɪət] *s* (*poet ~*) Hofdichter(in) *m(f)*

laurel ['lɒrəl, *Am* 'lɔːrəl] *s* **1.** Lorbeer *m* **2.** Lorbeerkranz *m;* **rest on one's ~s** auf seinen Lorbeeren ausruhen

lava ['lɑːvə] *s* (GEOL) Lava *f*

lava•tory ['lævətrɪ] *s* Toilette *f;* Klosett *n;* **lavatory seat** *s* Toilettensitz *m,* Brille *f*

lav•en•der ['lævəndə(r)] *s* (BOT) Lavendel *m*

lav•ish ['lævɪʃ] **I.** *adj* **1.** verschwenderisch (*of* mit, *in doing s.th.* bei etw) **2.** reich, üppig; großzügig **II.** *tr* verschwenden (*on* für); ~ **s.th. on s.o.** jdn mit etw überschütten

law [lɔː] *s* **1.** Gesetz *n;* Recht *n* **2.** Jura, Rechtswissenschaft *f* **3.** Gericht *n* **4.** Juristenberuf *m* **5.** (MATH GRAM) (Spiel)Regel *f* **6.** (*fam*) Polizei *f;* **according to** ~ nach dem Gesetz, gesetzmäßig; **at** ~ vor Gericht; **by** ~ von Rechts wegen; **contrary to** ~ rechtswidrig; **under the** ~ nach dem Gesetz; **become** ~ Gesetzeskraft erlangen; **go to** ~ den Rechtsweg beschreiten; **lay down the** ~ gebieterisch auftreten; **lay down the** ~ **to s.o.** jdm Vorschriften machen; **practice** ~ e-e Rechtsanwaltspraxis haben; **read** ~ Rechtswissenschaft studieren; **industrial** ~ Arbeitsrecht *n;* **international** ~ Völkerrecht *n;* **private** ~ Privatrecht *n;* **public** ~ öffentliches Recht; **maintenance of** ~ **and order** Aufrechterhaltung *f* der öffentlichen Sicherheit; ~ **of inheritance** [*o* **descent**] [*o* **succession**] (*Am*) Erbrecht *n;* ~ **of nations** Völkerrecht *n;* ~ **of supply and demand** Gesetz *n* von Angebot und Nachfrage

law-abid•ing ['lɔːəˌbaɪdɪŋ] *adj* gesetzestreu; ordnungsliebend; **law-breaker** *s* Rechtsbrecher(in) *m(f);* **law court** *s* Gerichtshof *m;* **law enforcement** *s* Gesetzesvollzug *m;* **law•ful** ['lɔːfl] *adj* **1.** gesetz-, rechtmäßig **2.** legitim; **law•ful•ness** [-nɪs] *s* Recht-, Gesetzmäßigkeit *f;* **lawgiver** ['lɔːˌgɪvə(r)] *s* Gesetzgeber *m;* **lawless** ['lɔːlɪs] *adj* **1.** gesetzlos, -widrig **2.** zügellos; **Law Lord** *s* (*Br*) *Mitglied des obersten Berufungsgerichts*

lawn¹ [lɔːn] *s* Rasen *m*

lawn² [lɔːn] *s* Batist *m*

lawn•mower ['lɔːnˌməʊə(r)] *s* Rasenmäher *m;* **lawn tennis** *s* (Rasen)Tennis *n*

law school ['lɔːˌskuːl] *s* (*Am*) juristische Fakultät; **law student** *s* Jurastudent(in) *m(f);* **law•suit** ['lɔːˌs(j)uːt] *s* **1.** Rechtsstreit, (Zivil)Prozess *m* **2.** Klage *f;* **be involved** [*o* **entangled**] **in a** ~ in e-n Prozess verwickelt sein; **law•yer** ['lɔːjə(r)] *s* **1.** Jurist(in) *m(f)* **2.** Rechtsanwalt *m,* -anwältin *f*

lax [læks] *adj* **1.** lose, locker, schlaff **2.** (*fig*) (nach)lässig, lax, ungenau; ~ **bowels** Durchfall *m;* **laxa•tive** ['læksətɪv] *s* Abführmittel *n;* **lax•ity, lax•ness** ['læksətɪ, 'læksnɪs] *s* **1.** Lockerheit, Schlaffheit *f* **2.** (Nach)Lässigkeit, Ungenauigkeit, Laxheit *f*

lay¹ [leɪ] <*irr:* laid, laid> **I.** *s* Lage, Situation *f;* **the** ~ **of the land** Beschaffenheit *f* des Geländes; (*fig*) Lage *f* **II.** *itr* (*Henne*) (Eier) legen **III.** *tr* **1.** (hin-, nieder-, um)legen (*on* auf, *in* in) **2.** setzen, stellen **3.** (*Linoleum, Eier*) legen **4.** (*fig: Wert, Nachdruck*) legen (*on* auf) **5.** (*Wette*) abschließen **6.** (*den Schauplatz*) (ver)legen (*in* nach) **7.** (*fig*) mäßigen, beruhigen, befriedigen **8.** (*Furcht*) beseitigen **9.** beilegen, -messen, zuschreiben (*s.th. to s.o.* jdm etw) **10.** belasten (*s.o. with s.th.* jdn mit e-r S) **11.** festlegen, festsetzen (*at* auf) **12.** (*Feuer*) herrichten **13.** (*den Tisch*) decken **14.** (*sl*) aufs Kreuz legen; ~ **bare** bloßlegen, enthüllen, zeigen; ~ **the blame on s.o.** jdm die Schuld zuschieben; ~ **claim to** Anspruch erheben auf; ~ **s.th. at s.o.'s door** jdm etw zur Last legen, in die Schuhe schieben; ~ **eyes on** erblicken, sehen; ~ **hands on** in seinen Besitz bringen; (REL) die Hände auflegen (*s.o.* jdm); ~ **hold of** ergreifen; bekommen; ~ **great/little store upon** großen/wenig Wert legen auf; ~ **stress** [*o* **emphasis**] **on** betonen, herausstellen; ~ **the table** den Tisch decken; **lay about** *itr* um sich schlagen; **lay aside, lay away** *tr* **1.** auf die Seite legen; sparen **2.** ab-, weglegen; **lay back** *tr* **1.** zurücklegen **2.** (*Ohren*) anlegen; **lay before** *tr* **1.** (*Plan*) unterbreiten (*s.o.* jdm) **2.** (*Klage*) vorbringen (*s.o.* bei jdm); **lay by** *tr* beiseite legen; **lay down** *tr* **1.** hin-, niederlegen **2.** (ein)lagern, einkellern **3.** (*Bedingung*) festlegen **4.** (*Preise*) festsetzen **5.** (*Kaution*) hinterlegen; **lay in** *tr* e-n Vorrat anlegen von, einkellern, stapeln; **lay into** *tr* (*fam*) verdreschen; fertig machen; **lay off I.** *tr* **1.** (vorübergehend) entlassen, abbauen **2.** (*Arbeit*) einstellen **II.** *itr* (*fam*) aufhören; **lay on** *tr* **1.** (*Farbe*) auftragen **2.** (*fig*) sorgen für; veranstalten; (*Busse*) einsetzen; (*Wasser, Elektrizität*) anschließen; ~ **it on thick** [*o* **with a trowel**] (*fam*) übertreiben, aufschneiden; **lay open** *tr* **1.** bloß-, freilegen **2.** (*fig*) aufdecken; ~ **o.s. open** sich bloßstellen; ~ **one's heart open to s.o.** jdm sein Herz ausschütten; ~ **one's head open** sich den Kopf aufschlagen; **lay out** *tr* **1.** zurechtlegen; auslegen, ausbreiten, zur Schau stellen **2.** aufbahren **3.** entwerfen, planen; (*Gärten*) anlegen, gestalten; (*Gebäude*) aufteilen; (*Buch*) gestalten **4.** (*Geld*) ausgeben **5.** (*sl: Menschen*) erledigen; ~ **o.s. out** sich Mühe geben, sich bemühen; **lay over** *itr* (*Am*) zwischenlanden; **lay to** *itr* (*Schiff*) beidrehen; **lay up** *tr* **1.** aufheben, aufbewahren; lagern; ansammeln **2.** (*Schiff*) auflegen **3.** (*Auto*) einmotten; **be laid up** das Bett hüten (müssen) (*with* wegen)

lay² [leɪ] *adj* weltlich; Laien-; ~ **opinion** öffentliche Meinung; **a** ~ **opinion** Meinung *f* eines Laien

lay[3] [leɪ] *s.* **lie**[1]

lay•about ['leɪəˌbaʊt] *s* (*Br*) Faulenzer(in) *m(f)*

lay-by ['leɪbaɪ] *s* (*Br:* MOT) Parkbucht *f*

layer ['leɪə(r)] *s* **1.** Schicht *f;* Lage *f* **2.** (BOT) Ableger *m;* (AGR) Setzling *m* **3.** Legehenne *f;* **arrange in ~s** schichtweise anordnen; **layered** [-d] *adj:* **~ cut** (*Haare*) Stufenschnitt *m*

lay•ette [leɪ'et] *s* Babyausstattung *f*

lay•man ['leɪmən] <*pl* -men> *s* Laie *m;* Laien(welt *f*) *mpl*

lay-off ['leɪɒf] *s* **1.** Arbeitsunterbrechung, -pause *f* **2.** Entlassung *f;* **~ notice** Entlassungsschreiben *n;* **lay•out** ['leɪaʊt] *s* **1.** Anlage *f;* Plan *m;* Anordnung, Ausgestaltung *f* **2.** Grundriss *m* **3.** (TYP) Layout *n;* **~ of rooms** Raumverteilung *f;* **lay•over** ['leɪəʊvə(r)] *s* (*Am*) Fahrtunterbrechung *f;* **lay•woman** ['leɪwʊmən] *s* Laie *m*

laze [leɪz] **I.** *itr* faulenzen, bummeln **II.** *tr* (**~** *away*) verbummeln, vertrödeln **III.** *s* erholsame Pause; **have a ~** faulenzen; **laziness** ['leɪzɪnɪs] *s* Faulheit, Trägheit *f;* **lazy** ['leɪzɪ] *adj* **1.** faul, träge **2.** langsam, schwerfällig

L/C [ˌel'siː] *s abbr of* **letter of credit** Akkreditiv *n*

LCD [ˌelsiː'diː] *s abbr of* **liquid crystal display** Flüssigkristallanzeige, LCD *f*

lead[1] [liːd] <*irr:* led, led> **I.** *tr* **1.** führen, leiten **2.** vorangehen (*s.o.* jdm); (*den Weg*) zeigen **3.** veranlassen (*to* zu) **4.** anführen; an der Spitze stehen (*s.th. +gen*) **5.** (MUS) dirigieren **6.** (*ein Leben*) führen **7.** (*Kartenspiel*) ausspielen; **~ the way** vorangehen; (*fig*) führend sein; **~ a party** Parteivorsitzende(r) sein; **~ s.o. to do s.th.** jdn dazu bringen etw zu tun; **~ s.o. astray** jdn auf Abwege bringen; **~ s.o. up the garden path** jdn an der Nase herumführen, jdn betrügen; **it ~s me to think** es lässt mich meinen **II.** *itr* **1.** vorangehen, (an)führen **2.** (hin)führen (*to* zu) **3.** herbeiführen (*to s.th.* etw) **4.** führend sein, an der Spitze stehen **5.** (SPORT) in Führung sein **6.** (*Kartenspiel*) ausspielen; **~ nowhere** zu nichts führen, keinen Sinn, Zweck haben; **~ to trouble** zu Schwierigkeiten führen; **what will it ~ to?** wohin soll das führen? **III.** *s* **1.** Führung, Leitung *f* **2.** Beispiel *n* **3.** Hinweis, Fingerzeig *m* **4.** erste Stelle **5.** leitende Idee, Leitbild *n* **6.** (THEAT) Hauptrolle *f;* Hauptdarsteller(in) *m(f)* **7.** (SPORT) Vorsprung *m* **8.** (Hunde)Leine *f* **9.** (EL) Leitung(sdraht *m*) *f;* Kabel *n;* **be in the ~** führend sein; an der Spitze sein; e-n Vorsprung haben (*by* von); **have the ~** die Führung haben; den Ton angeben; **the police have a ~** die Polizei hat eine Spur; **take the ~** die Führung übernehmen; **it's my ~** (*Kartenspiel*) ich spiele aus; **lead along** *tr* führen; **lead aside** *tr* beiseite nehmen; **lead away I.** *tr* wegführen; abführen **II.** *itr* wegführen; (vom Thema) abführen; **lead off I.** *tr* abführen **II.** *itr* **1.** den Anfang machen **2.** (SPORT) anspielen **3.** (*Straße*) abgehen; **lead on** *tr* **1.** weiterführen **2.** aufziehen, necken **3.** täuschen; **lead to** *itr* zur Folge haben; **lead up** *itr* **1.** hinführen, lenken (*to* auf) **2.** hinauswollen (*to* auf)

lead[2] [led] *s* **1.** Blei *n* **2.** Lot *n* **3.** (*Bleistift*) Blei(mine *f*) *n* **4.** **~s** Bleifassung *f;* **leaded** ['ledəd] *s* (*Kraftstoff*) verbleit; **leaden** ['ledn] *adj* **1.** bleiern; bleifarben **2.** drückend, schwül **3.** (*fig*) schwerfällig

leader ['liːdə(r)] *s* **1.** Führer(in) *m(f),* Leiter(in) *m(f),* Vorsitzende(r) *f m,* Anführer(in) *m(f)* **2.** (*Zeitung*) Leitartikel *m* **3.** (MUS) Konzertmeister(in) *m(f),* erste(r) Geiger(in) *m(f)* **4.** (COM) Schlager, Lockvogel *m* **5.** **~s** (*Börse*) Spitzenwerte *mpl;* **industrial ~** Wirtschaftsführer(in) *m(f);* **labo(u)r ~** Arbeiterführer(in) *m(f);* **party ~** Parteivorsitzende(r) *f m;* **leader•ship** [-ʃɪp] *s* Führung, Leitung *f*

lead-free ['ledfriː] *adj* (*Kraftstoff*) unverbleit, bleifrei

lead guitar ['liːdgɪˌtɑː(r)] *s* Leadgitarre *f*

lead•ing ['liːdɪŋ] *adj* **1.** führend, leitend **2.** erste(r, s), vorderste(r, s); **in a ~ position** in führender Position; **leading article** *s* Leitartikel *m;* **lead•ing-edge** [ˌliːdɪŋ'edʒ] *adj* Spitzen-, Hi-Tech-; **leading lady** *s* (THEAT) Hauptdarstellerin *f;* **leading light** *s* (*fig*) einflussreiche Persönlichkeit; **leading man** *s* (THEAT) Hauptdarsteller *m;* **leading question** *s* Suggestivfrage *f*

lead pencil ['ledˌpensl] *s* Bleistift *m;* **lead poisoning** *s* Bleivergiftung *f*

lead singer ['liːdˌsɪŋə(r)] *s* Leadsänger(in) *m(f);* **lead story** ['liːdˌstɔːrɪ] *s* Hauptartikel *m;* **lead time** *s* **1.** Vorlauf-, Entwicklungszeit *f* **2.** Beschaffungszeit *f* **3.** Lieferzeit *f*

lead-up ['liːdʌp] *s* Vorbereitungsphase *f*

leaf [liːf, *pl* liːvz] <*pl* leaves> **I.** *s* **1.** (BOT) Blatt *n* **2.** (*Buch*) Blatt *n* **3.** (Metall)Blättchen *n;* Metallfolie *f* **4.** Tischklappe *f;* Türflügel *m;* **come into ~** (BOT) grün werden, ausschlagen; **take a ~ out of s.o.'s book** jds Beispiel folgen; sich ein Beispiel an jdm nehmen; **turn over a new ~** e-n neuen Anfang machen **II.** *itr* (**~** *through*) durchblättern; **leaf•less** [-lɪs] *adj* blattlos

leaf•let ['liːflɪt] *s* **1.** Blättchen *n* **2.** Prospekt *m;* Flug-, Merk-, Faltblatt *n*

leafy ['liːfɪ] *adj* belaubt; grün

league¹ [liːg] *s* **1.** Bund *m,* Bündnis *n* **2.** Vereinigung, Union *f* **3.** (SPORT) Liga, Tabelle *f;* **in ~** verbündet (*with* mit); **they are not in the same ~** sie sind nicht gleichwertig

league² [liːg] *s* (*obs*) Wegstunde *f* (= *4,8 km*)

leak [liːk] **I.** *itr* **1.** leck, undicht sein **2.** (*Wasserhahn*) tropfen **3.** (*~ out*) durchsickern *a. fig,* auslaufen **4.** (*fig: ~ out*) bekannt werden **II.** *tr* **1.** durchlassen **2.** (*fig: Informationen*) weitergeben (*to* an); **~ to the press** an die Presse durchsickern lassen **III.** *s* Leck *n;* undichte Stelle *a. fig;* **a ~ to the press** Indiskretion *f* der Presse gegenüber; **spring a ~** ein Leck bekommen, undicht werden; **leak·age** [ˈliːkɪdʒ] *s* **1.** Leck(-sein) *n;* Auslaufen *n* **2.** durchsickernde Flüssigkeit **3.** (COM) Leckage *f* **4.** (*fig*) Durchsickern *n;* **leaky** [ˈliːkɪ] *adj* leck, undicht

lean¹ [liːn] <*irr:* leant (leaned), leant (leaned)> **I.** *itr* **1.** sich neigen **2.** sich (an)lehnen (*against* gegen, an, *on* auf) **3.** (*fig*) sich stützen (*on, upon* auf) **4.** e-e Vorliebe haben (*to* für); **~ over backward(s)** (*fig fam*) sich mächtig anstrengen; **~ towards s.th.** (*fig*) zu etw hinneigen **II.** *tr* **1.** (*~ over*) schräg stellen **2.** lehnen (*against* an) **3.** (auf)stützen **III.** *s* Neigung *f* (*to* nach), Schrägstellung *f;* **lean back** *itr* sich zurücklehnen; **lean forward** *itr* sich vorbeugen; **lean on s.o.** *itr* **1.** sich auf jdn verlassen **2.** (*fam*) auf jdn Druck ausüben; **lean out** *itr* sich hinauslehnen; **lean over** *itr* **1.** sich neigen **2.** sich vorbeugen

lean² [liːn] **I.** *adj* **1.** mager (*a. Fleisch*) **2.** hager, dürr **II.** *s* mageres Fleisch

lean-burn en·gine [ˈliːnbɜːnˌendʒɪn] *s* Magermotor *m*

lean·ing [ˈliːnɪŋ] *s* Neigung *f a. fig;* (*fig*) Hang *m* (*towards* zu); **lean management** *s* Lean Management *n;* **leant** [lent] *s.* **lean¹**; **lean-to** [ˈliːntuː] *s* (ARCH: *~ roof*) Pultdach *n;* Anbau *m*

leap [liːp] <*irr:* leapt (leaped), leapt (leaped)> **I.** *itr* **1.** springen, hüpfen **2.** (*fig*) sich stürzen (*at* auf); **~ for joy** Freudensprünge machen **II.** *tr* springen über; überspringen **III.** *s* **1.** Sprung(weite *f*) *m* **2.** (*fig*) Sprung *m;* **a ~ in the dark** (*fig*) Sprung *m* ins Ungewisse; **by ~s and bounds** sprunghaft, *adv;* **leap at** *tr* sich stürzen auf; **~ at an opportunity** e-e Gelegenheit (beim Schopf) ergreifen; **leap out** *itr* **1.** hinausspringen **2.** (*fig*) ins Auge springen; **leap up** *itr* **1.** hochspringen **2.** (*Preise*) in die Höhe schnellen; **leap·frog** **I.** *s* Bockspringen *n* **II.** *itr* bockspringen; **~ one's way to success** e-e Blitzkarriere machen;

leapt [lept] *s.* **leap**; **leap·year** *s* Schaltjahr *n*

learn [lɜːn] <*irr:* learnt (learned), learnt (learned)> **I.** *tr* **1.** (er)lernen **2.** erfahren, hören (*from* von) **3.** entnehmen (*from* aus); **~ by heart** auswendig lernen **II.** *itr* lernen, erfahren (*of* von); **learned** [ˈlɜːnɪd] *adj* gelehrt; wissenschaftlich; akademisch; **learner** [ˈlɜːnə(r)] *s* **1.** Anfänger(in) *m(f),* Lernende(r) *f m,* Lerner(in) *m(f)* **2.** (MOT: *~ driver*) Fahrschüler(in) *m(f);* **be a slow ~** schwer lernen; **learn·ing** [ˈlɜːnɪŋ] *s* **1.** Bildung *f* **2.** Wissen *n;* Gelehrsamkeit *f;* **learning disability** *s* Lernbehinderung *f;* **learning disabled** *adj* lernbehindert; **learnt** [lɜːnt] *s.* **learn**

lease [liːs] **I.** *s* **1.** Pacht *f;* Miete *f* **2.** Verpachtung *f;* Vermietung *f* (*to* an) **3.** Pacht-, Mietvertrag *m;* **by way of ~** pacht-, mietweise; **give** [*o* **let** (**out**)] **on ~** verpachten, in Pacht geben; vermieten; **take on ~, take a ~ of** in Pacht nehmen, pachten; mieten; **a new ~ of life** neuer Auftrieb, Schwung **II.** *tr* **1.** (*~ out*) verpachten; vermieten (*to* an) **2.** pachten; mieten; **lease·hold** [ˈliːshəʊld] *s* **1.** gemietete Sache **2.** (*~ property*) Pachtgrundstück *n;* **lease·holder** [ˈliːshəʊldə(r)] *s* Pächter(in) *m(f)*

leash [liːʃ] *s* (Hunde)Leine *f;* **keep on the ~** an der Leine führen

leasing [ˈliːsɪŋ] *s* Leasing *n;* **leasing company** *s* Leasinggesellschaft *f*

least [liːst] **I.** *adj* kleinste(r, s), geringste(r, s), wenigste(r, s) **II.** *adv* am wenigsten; **~ of all** am allerwenigsten **III.** *s* **1.** (der, die, das) Kleinste, Geringste **2.** (das) wenigste, mindeste; **at** (**the**) **~** wenigstens, mindestens; **last but not ~** last, not least; **not in the ~** nicht im Geringsten; **to say the ~** gelinde gesagt

leather [ˈleðə(r)] **I.** *s* Leder *n* **II.** *adj* Leder-, ledern **III.** *tr* **1.** mit Leder polieren **2.** (*fam*) verdreschen; **leather·ing** [-ɪŋ] *s* Tracht *f* Prügel; **leather·neck** [ˈleðənek] *s* (*Am fam*) Marineinfanterist *m;* **leathery** [ˈleðərɪ] *adj* ledern; zäh

leave¹ [liːv] <*irr:* left, left> **I.** *tr* **1.** verlassen; abreisen, abfahren, abfliegen von **2.** lassen; hinterlassen **3.** (*in einem Zustand*) lassen **4.** liegenlassen, stehenlassen **5.** (*Erbe*) hinterlassen **6.** übrig lassen (*s.o.* jdm) **7.** überlassen (*up to s.o.* jdm); **~ home** von zu Hause weggehen; **~ one's job** seine Stelle aufgeben; **left until called for** wird abgeholt; (*Brief*) postlagernd; **~ open** offen lassen; **~ s.o. alone** jdn in Ruhe lassen; **~ it at that** es dabei bewenden lassen; **~ s.o. in the lurch** jdn im Ungewissen lassen; **it ~s much to be desired** es lässt viel zu wünschen übrig; **how much is**

left? wie viel ist übrig?; **all he has left** alles, was er noch hat; **nothing was left for him but to go** da konnte er nur noch gehen; **let's ~ this for now** lassen wir das jetzt **II.** *itr* **1.** fort-, weggehen, -fahren **2.** abfahren, -reisen (*for* nach) **3.** kündigen, (die Stelle) aufgeben **4.** abgehen (*school* von der Schule); **leave behind** *tr* zurücklassen; hinter sich lassen; **leave off I.** *itr* aufhören; Schluss, ein Ende machen **II.** *tr* **1.** (*Tätigkeit*) aufgeben **2.** (*Kleidungsstück*) nicht anziehen; **leave on** *tr* **1.** (*Mantel*) anbehalten **2.** (*Radio, Licht*) anlassen; **leave out** *tr* **1.** auslassen; übersehen **2.** (dr)außen lassen; **~ s.o. out of the picture** (*fig*) jdn ausschalten; **leave over** *tr* **1.** übriglassen **2.** verschieben

leave² [liːv] *s* **1.** Erlaubnis *f* **2.** (MIL) Urlaub *m* **3.** Abschied *m;* **on ~** auf Urlaub; **beg ~** um Erlaubnis bitten; **go on ~** in Urlaub gehen; **take one's ~** Abschied nehmen

leaven [ˈlevn] **I.** *s* **1.** Treibmittel *n;* Sauerteig *m* **2.** (*fig*) Auflockerung *f* **II.** *tr* **1.** treiben **2.** (*fig*) durchsetzen (*with* mit)

leave-tak•ing [ˈliːvteɪkɪŋ] *s* Abschied *m;* **leav•ing** [ˈliːvɪŋ] *s* Weggang *m;* **leaving certificate** *s* Abschlusszeugnis *n;* **leaving party** *s* Abschiedsparty *f;* **leav•ings** [ˈliːvɪŋz] *s pl* (Über)Reste *pl*

Leba•nese [ˌlebəˈniːz] **I.** *adj* libanesisch **II.** *s* Libanese *m,* Libanesin *f;* **Leba•non** [ˈlebənən] *s* Libanon *n*

lecher [ˈletʃə(r)] *s* Lüstling, Wüstling *m;* **lech•er•ous** [ˈletʃərəs] *adj* geil; wollüstig; **lech•ery** [ˈletʃərɪ] *s* Geilheit *f*

lec•tern [ˈlektən] *s* Lesepult *n*

lec•ture [ˈlektʃə(r)] **I.** *s* **1.** Vorlesung *f;* Vortrag *m* (*on* über, *to* vor) **2.** Strafpredigt *f;* **give a ~** e-n Vortrag halten **II.** *itr* e-e Vorlesung halten; e-n Vortrag halten (*on* über, *to s.o.* vor jdm) **III.** *tr* **1.** e-n Vortrag halten (*s.o.* jdm) **2.** abkanzeln; **lecture note** *s* Vorlesungsnotiz *f;* **lecture room, lecture theatre** *s* Vortrags-, Hörsaal *m;* **lecture tour** *s* Vortragsreise *f;* **lec•turer** [ˈlektʃərə(r)] *s* **1.** Vortragende(r) *f m,* Redner(in) *m(f)* **2.** (*Universität*) Lehrbeauftragte(r) *f m,* Dozent(in) *m(f)*

led [led] *s.* **lead¹**

LED [ˌeliːˈdiː] *s abbr of* **light-emitting diode** Leuchtdiode *f;* **LED-display** *s* Leuchtdiodenanzeige *f*

ledge [ledʒ] *s* **1.** Leiste *f;* vorspringende Kante, Sims *m od n* **2.** (Felsen)Riff *n*

ledger [ˈledʒə(r)] *s* (COM: *general ~*) Hauptbuch *n;* **ledger line** *s* (MUS) Hilfslinie *f*

lee [liː] *s* **1.** (Wind)Schutz *m* **2.** (MAR) Lee(seite) *f*

leech [liːtʃ] *s* **1.** (ZOO) Blutegel *m* **2.** (*fig*) Schmarotzer(in) *m(f)*

leek [liːk] *s* Lauch, Porree *m*

leer [lɪə(r)] **I.** *s* anzüglicher Blick **II.** *itr* **1.** lüstern blicken (*at* auf) **2.** schielen (*at* nach)

lee•ward [ˈliːwəd] *s* Leeseite *f*

lee•way [ˈliːweɪ] *s* **1.** (MAR AERO) Abdrift *f* **2.** (*fig*) Zeitverlust, Rückstand *m* **3.** (*fig*) Spielraum *m;* **make up ~** den Rückstand aufholen

left¹ [left] **I.** *adj* (*a.* POL) linke(r, s) **II.** *s* **1.** linke Seite **2.** (*Boxen*) Linke *f;* **the ~** (POL) die Linke; **on the ~** links; **to the ~** nach links; links (*of* von); **keep to the ~** links fahren, gehen **III.** *adv* (nach) links; **turn ~** links abbiegen

left² [left] *s.* **leave¹**

left-hand [ˈlefthænd] *adj* linke(r, s); **~ drive** Linkssteuerung *f;* **take the ~ turn** links abbiegen; **left-handed** [ˌleftˈhændɪd] *adj* **1.** linkshändig **2.** für Linkshänder **3.** unaufrichtig, zweifelhaft; **be ~** Linkshänder(in) sein; **left-hander** *s* Linkshänder(in) *m(f);* **left•ist** [ˈleftɪst] **I.** *s* (POL) Anhänger *m* der Linken **II.** *adj* (POL) linksgerichtet

left-lug•gage [ˌleftˈlʌgɪdʒ] *adj:* **~ office** (RAIL) Gepäckaufbewahrung *f;* **~ locker** Gepäckschließfach *n;* **~ ticket** Gepäckschein *m;* **left•overs** [ˈleftˌəʊvəz] *s pl* Reste, Überbleibsel *pl*

left wing [ˌleftˈwɪŋ] *s* (POL SPORT) linker Flügel; **left-wing** [ˈleftwɪŋ] *adj* links stehend; **left-winger** [-ə(r)] *s* Anhänger *m* der Linken

leg [leg] **I.** *s* **1.** Bein *n* **2.** (*Küche*) Keule *f* **3.** Strumpf-, Hosenbein *n* **4.** (Stiefel)Schaft *m* **5.** Tisch-, Stuhlbein *n* **6.** Stütze *f* **7.** (*Zirkel, a.* MATH) Schenkel *m* **8.** (AERO) Strecke, Etappe *f;* **on one's ~s** auf den Beinen; stehend; **be all ~s** (*Mensch*) hoch aufgeschossen sein; **be on one's last ~s** (*fam*) aus dem letzten Loch pfeifen; **give s.o. a ~ up** (*fig*) jdm unter die Arme greifen; **not to have a ~ to stand on** etw nicht belegen können; keine Ausrede haben; **pull s.o.'s ~** (*fam*) jdn auf den Arm nehmen; **shake a ~** (*fam*) sich sputen; **stand on one's own ~s** auf eigenen Füßen stehen; **stretch one's ~s** sich die Beine vertreten **II.** *tr* (*fam*): **~ it** laufen, zu Fuß gehen

leg•acy [ˈlegəsɪ] *s* Erbe *n a. fig*

legal [ˈliːgl] *adj* **1.** gesetz-, rechtmäßig **2.** rechtlich; juristisch; **take ~ action** den Rechtsweg beschreiten, prozessieren; **take ~ steps against s.o.** gerichtlich gegen jdn vorgehen; **~ advice** Rechtsberatung *f;* **~ adviser** Rechtsberater(in) *m(f),* -beistand *m;* **~ aid** Rechtshilfe *f;* **~ charges** Anwaltsgebühren *fpl,* Gerichtskosten *pl;* **~ claim** Rechtsanspruch *m;* **~ costs** Rechtskosten *pl;* **~ currency** gesetzliches Zahlungsmittel; ~ **department** Rechtsabteilung *f;* ~ **entity** [*o* **person**] juristische Person; ~ **force** Rechts-, Gesetzeskraft *f;* ~ **expenses** Anwaltskosten *pl;* ~ **holiday** gesetzlicher Feiertag; ~ **proceedings** Gerichtsverfahren *n,* Prozess *m;* ~ **protection** Rechtsschutz *m;* ~ **representative** gesetzlicher Vertreter; ~ **tender** gesetzliches Zahlungsmittel; ~ **validity** Rechtsgültigkeit *f;* **legal•ity** [liː'gæləti] *s* Gesetz-, Rechtmäßigkeit *f;* **legal•iz•ation** [ˌliːgəlaɪ'zeɪʃn] *s* Legalisierung *f;* **legal•ize** ['liːgəlaɪz] *tr* legalisieren; **legal•ly** ['liːgəlɪ] *adv* **1.** legal **2.** (*verheiratet*) rechtmäßig **3.** (*verankert*) gesetzlich **4.** (*beraten*) juristisch; ~ **speaking** vom rechtlichen Standpunkt aus; ~ **valid** rechtsgültig

leg•ate ['legɪt] *s* (REL) Legat *m*

leg•ation [lɪ'geɪʃn] *s* Gesandtschaft *f*

leg•end ['ledʒənd] *s* **1.** Legende *f* **2.** (*Münze*) Aufschrift *f* **3.** Bilderklärung *f,* Bildtext *m;* Legende *f;* **leg•end•ary** ['ledʒəndrɪ] *adj* legendär

leger•de•main [ˌledʒədə'meɪn] *s* (Taschenspieler)Kunststück *n;* Trick *m*

leg•gings ['legɪŋz] *s pl* (lange) Gamaschen *fpl,* Leggings *pl;* **leggy** ['legɪ] *adj* langbeinig

leg•ible ['ledʒəbl] *adj* lesbar; leserlich

legion ['liːdʒən] *s* Legion *f a. fig;* **the Foreign L~** die Fremdenlegion; **legion•ary** ['liːdʒənərɪ] *s* Legionär *m;* **leg•ion•naire's dis•ease** [liːdʒən'eəzˌdɪ'ziːz] *s* Legionärskrankheit *f*

legis•late ['ledʒɪsleɪt] *itr* Gesetze erlassen; ~ **for s.th.** etw berücksichtigen; **legis•la•tion** [ˌledʒɪs'leɪʃn] *s* Gesetzgebung *f;* **legis•lat•ive** ['ledʒɪslətɪv] *adj* gesetzgebend; ~ **reform** Gesetzesreform *f;* **legis•la•tor** ['ledʒɪsleɪtə(r)] *s* Gesetzgeber *m;* **legis•la•ture** ['ledʒɪsleɪtʃə(r)] *s* Legislative *f*

le•git•imacy [lɪ'dʒɪtɪməsɪ] *s* **1.** Gesetzmäßigkeit, Legitimität *f* **2.** Ehelichkeit *f;* **le•git•imate** [lɪ'dʒɪtɪmət] *adj* **1.** recht-, gesetzmäßig **2.** legitim **3.** ehelich; **le•git•imize** [lɪ'dʒɪtɪˌmaɪz] *tr* **1.** legitimieren **2.** für ehelich erklären

leg•less ['legləs] *adj* (*fam*) sternhagelvoll

leg•room ['legrʊm] *s* Beinfreiheit *f,* Platz *m* für die Beine

leg•ume ['legjuːm] *s* **1.** Hülse(nfrucht) *f* **2.** ~**s** Gemüse *n;* **leg•umin•ous** [lɪ'gjuːmɪnəs] *adj* Hülsen-

lei•sure ['leʒə(r)] *s* Muße, Freizeit *f* (*for* zu); **at** ~ unbeschäftigt, frei; in (aller) Ruhe; **at one's** ~ wenn man Zeit hat; wenn es einem passt; **gentleman of** ~ Privatier *m;* **lady of** ~ nicht berufstätige Frau; **leisure activities** *s pl* Freizeitgestaltung *f;* **lei•sured** ['leʒəd] *adj:* **the** ~ **classes** die feinen Leute; **leisure hours** *s pl* Mußestunden *fpl;* **leisure•ly** ['leʒəlɪ] **I.** *adj* gemächlich, ruhig **II.** *adv* ohne Eile; in (aller) Ruhe; **leisure time** *s* Freizeit *f;* **leisure wear** *s* Freizeitkleidung *f*

lem•ming ['lemɪŋ] *s* Lemming *m*

lemon ['lemən] **I.** *s* **1.** Zitrone *f* **2.** (~ *tree*) Zitronenbaum *m* **3.** (*fig*) Niete *f* **II.** *adj* zitronengelb; **lemon•ade** [ˌlemə'neɪd] *s* Limonade *f;* **lemon cheese, lemon curd** *s* (*Br*) Zitronencreme *f;* **lemon juice** *s* Zitronensaft *m;* **lemon peel, lemon rind** *s* Zitronenschale *f;* **lemon squash** *s* (*Br*) Sodawasser *n* mit Zitrone; Zitronensirup *m;* **lemon squeezer** *s* Zitronenpresse *f*

lend [lend] <*irr:* lent, lent> *tr* **1.** (aus-, ver)leihen (*at interest* auf Zinsen) **2.** zur Verfügung stellen **3.** (*Eigenschaft*) geben, verleihen; ~ **o.s. to s.th** sich zu etw hergeben, etw mitmachen; ~ **itself to** sich eignen zu, für; ~ **a** (**helping**) **hand** behilflich sein; **lender** ['lendə(r)] *s* Aus-, Verleiher *m;* **lend•ing** ['lendɪŋ] *s* **1.** (Aus-, Ver)Leihen *n* **2.** Darlehens-, Kreditgewährung *f;* Darlehen *n;* ~ **business** Kreditgeschäft *n;* ~**-library** Leihbibliothek, -bücherei *f*

length [leŋθ] *s* **1.** Länge *f;* Strecke *f* **2.** Dauer *f* **3.** (*Stoff*) Stück *n;* (*Tapete*) Bahn *f* **4.** (SPORT) (Pferde-, Boots)Länge *f;* **at** ~ schließlich, endlich; ausführlich; ungekürzt; **by a** ~ (SPORT) um e-e Länge; **full** ~ der Länge nach; **three feet in** ~ drei Fuß lang; **go to any** ~ vor nichts zurückschrecken; **go to great** ~**s** (*fig*) sehr weit gehen; alles Erdenkliche tun; **keep s.o. at arm's** ~ Abstand zu jdm wahren, jdn auf Distanz halten; **lengthen** ['leŋθən] **I.** *tr* verlängern **II.** *itr* länger werden; **length•ways, length•wise** ['leŋθweɪz, 'leŋθwaɪz] *adv* der Länge nach; **lengthy** ['leŋθɪ] *adj* weitschweifig, langatmig, langweilig; ziemlich lang

leni•ence, leni•ency ['liːnɪəns(ɪ)] *s* Milde, Nachsicht *f;* **leni•ent** ['liːnɪənt] *adj* mild(e), nachsichtig (*towards* gegen)

lens [lenz] *s* **1.** Linse *f* **2.** (Brille) Glas *n* **3.** (PHOT) Objektiv *n*

lent [lent] *s.* **lend**

Lent [lent] *s* Fastenzeit *f*

len•til ['lentl] *s* (BOT) Linse *f*

Leo ['liːəʊ] *s* (ASTR) Löwe *m;* **leo•nine** ['lɪənaɪn] *adj* Löwen-

leop•ard ['lepəd] *s* (ZOO) Leopard *m*

leo•tard ['liːətɑːd] *s* Trikot *n;* Gymnastikanzug *m*

leper ['lepə(r)] *s* Leprakranke(r), Aussätzige(r) *f m;* **lep•rosy** ['leprəsɪ] *s* Lepra *f,* Aussatz *m;* **lep•rous** ['leprəs] *adj* leprakrank, aussätzig

les•bian ['lezbɪən] **I.** *adj* lesbisch **II.** *s* Lesbierin *f*

lese-maj•esty [ˌleɪz'mædʒɪstɪ] *s* Majestätsbeleidigung *f;* Hochverrat *m*

lesion ['li:ʒn] *s* **1.** (MED) Verletzung *f* **2.** (JUR) Schädigung *f*

less [les] **I.** *adj* kleiner, geringer, weniger **II.** *adv* weniger, in geringerem Maße **III.** *s* (der, die das) Kleinere, Geringere, Wenigere; kleinerer Betrag **IV.** *prep* abzüglich *+gen,* weniger **V.** (*Wendungen*): **for** ~ für weniger; **no** [*o* **nothing**] ~ nicht wenig (*than* als); **no** ~ **than** ebensogut wie; **none the** ~ nichtsdestoweniger

les•sen ['lesn] **I.** *tr* **1.** vermindern **2.** herabsetzen, verkleinern **II.** *itr* **1.** weniger werden **2.** abnehmen, nachlassen

les•ser ['lesə(r)] *adj attr* kleiner, geringer; **to a** ~ **extent** in geringerem Maße; **the** ~ **crime** das weniger schlimme Verbrechen

les•son ['lesn] *s* **1.** (*Schule*) Übung, Aufgabe, Lektion *f* **2.** Schularbeit *f* **3.** Lehr-, Unterrichtsstunde *f* **4.** Lehre *f;* Denkzettel *m* **5.** ~**s** Kurs(us) *m;* Unterricht *m;* **give s.o. a** ~ jdm e-e Lehre erteilen; **give** ~**s** Unterricht geben; **let this be a** ~ **to you!** lass dir das e-e Lehre sein!

lest [lest] *conj* **1.** aus Furcht, dass **2.** damit, dass nicht **3.** im Fall, dass; falls **4.** dass

let¹ [let] <*irr:* let, let> *tr* **1.** lassen **2.** zulassen, dass; erlauben, dass **3.** einweihen (*into a secret* in ein Geheimnis); ~ **s.o. do s.th.** jdn etw tun lassen; **we cannot** ~ **that happen** wir dürfen nicht zulassen, dass das passiert; ~ **me help you** kann ich Ihnen helfen?; ~ **s.o. know** jdm Bescheid sagen; ~ **s.o. alone** jdn in Ruhe lassen; ~ **alone** geschweige denn, gar nicht zu reden von; ~ **be** in Ruhe lassen; ~ **blood** e-n Aderlass machen; ~ **drop** fallen lassen; ~ **fly** werfen, feuern; schleudern; (*fig*) vom Stapel lassen; loswettern; ~ **go** gehen lassen; loslassen; bleiben lassen; vernachlässigen; ~ **o.s. go** sich gehen lassen; ~ **it go at that** es dabei bewenden lassen; ~ **pass** übersehen, nicht beachten; durchlassen; ~ **slip** loslassen; (*Gelegenheit*) sich entgehen lassen, verpassen; (*Tatsache*) ausplaudern; ~**'s go!** gehen wir!; ~**'s talk it over** lass uns darüber reden; ~ **us pray** lasset uns beten; ~ **us suppose ...** nehmen wir an ...; ~ **me know** lass es mich wissen!; ~ **me think ...** warte mal ...; **let by** *tr* vorbeilassen; **let down** *tr* **1.** herunterlassen **2.** im Stich lassen; enttäuschen **3.** (*Reifen*) die Luft herauslassen (aus); ~ **one's hair down** (*fig*) aus sich herausgehen; **let in** *tr* **1.** hinein-, hereinlassen **2.** (*Wasser*) durchlassen **3.** einweihen (*on* in) **4.** (*Nähen*) einsetzen; ~ **o.s. into the house** die Haustür aufschließen; ~ **o.s. in for s.th.** sich etw einbrocken; ~ **s.o. in on s.th.** jdn in etw einweihen; **let off** *tr* **1.** (*Dampf*) ablassen **2.** (*Gewehr*) abfeuern; (*Pfeil*) abschießen; (*Bombe*) hochgehen lassen **3.** aus-, absteigen lassen, absetzen (*s.o.* jdn) **4.** entwischen lassen; ~ **s.o. off s.th.** jdm etw erlassen; **let on** *tr* (*fam*) durchblicken lassen; **not to** ~ **on** sich nichts anmerken lassen; **let out** *tr* **1.** heraus-, hinauslassen **2.** (*Flüssigkeit*) auslaufen lassen **3.** (*Kleidungsstück, Saum*) auslassen **4.** aussteigen lassen; absetzen **5.** (*Gefangenen*) entlassen **6.** ausplaudern, verraten **7.** (*Schrei*) ausstoßen; ~ **the cat out of the bag** die Katze aus dem Sack lassen; **that** ~**s him out of it** da kommt er schon mal nicht in Frage; **let up** *itr* nachlassen; aufhören; ~ **up on s.o.** jdm etw nachsehen

let² [let] **I.** *s* Vermietung *f;* **look for a** ~ eine Wohnung suchen; **have a house on a** ~ ein Haus gemietet haben **II.** *tr* (~ *out*) vermieten; **to** ~**!** zu vermieten!

let³ [let] *s* **1.** (*Tennis*) Netzball *m* **2.** **without** ~ **or hindrance** (JUR) ungehindert

let-down ['letdaʊn] *s* (*fam*) Enttäuschung *f*

lethal ['li:θl] *adj* tödlich

leth•argic [lɪ'θɑ:dʒɪk] *adj* träge; energielos; interesselos; lethargisch; **leth•argy** ['leθədʒɪ] *s* Energielosigkeit *f;* Interesselosigkeit *f;* Lethargie *f*

let•ter ['letə(r)] **I.** *s* **1.** Buchstabe *m* **2.** (TYP) Letter, Type *f* **3.** Brief *m;* Schreiben *n* (*to* an) **4.** ~**s** Literatur *f;* Schrifttum *n;* **by** ~ brieflich; **to the** ~ ganz genau; **capital** ~ Großbuchstabe *m;* **man of** ~**s** Literat, Schriftsteller *m;* ~ **of application** Bewerbungsschreiben *n;* ~ **of credit, L/C** Akkreditiv *n;* ~ **of thanks** Dankschreiben *n;* ~ **to the editor** Leserbrief *m* **II.** *tr* beschriften; **letter bomb** *s* Briefbombe *f;* **letter-box** *s* (*Br*) Briefkasten *m;* **letter-card** *s* Briefkarte *f;* **let•ter•head** ['letəhed] *s* Briefkopf *m;* **let•ter•ing** ['letərɪŋ] *s* Beschriftung *f;* **let•ter•press** ['letəpres] *s* Buch-, Hochdruck *m;* **letter quality** *s* (EDV) Briefqualität *f;* **letter quality printer** *s* Schönschreibdrucker *m*

let•tuce ['letɪs] *s* (BOT) Lattich *m;* Kopfsalat *m*

let-up ['letʌp] *s* **1.** Nachlassen *n* **2.** Pause *f*

leu•co•cyte, **leu•ko•cyte** ['lu:kəsaɪt] *s* weißes Blutkörperchen, Leukozyt *m;* **leuk(a)e•mia** [lu:'ki:mɪə] *s* (MED) Leukämie *f*

level ['levl] **I.** *s* **1.** Ebene *f a. fig* **2.** gleiche Höhe **3.** Pegel *m;* (Meeres)Höhe *f* **4.** Niveau *n a. fig,* Stand *m* **5.** (*Gebäude*) Geschoss *n* **6.** Libelle, Wasserwaage *f* **7.** Anteil *m;* Alkoholspiegel *m* **8.** (*fig*) Platz, Stand *m;*

Stufe *f;* (**on a**) ~ **with** auf gleicher Höhe, *fig* Stufe mit; **on the** ~ (*fam*) offen und ehrlich, gerade; **on a high/low** ~ auf hohem/niedrigem Niveau; **peak** ~ Höhepunkt *m;* Preisspitze *f;* **price** ~ Preisniveau *n;* **salary** ~ Gehaltsstufe *f;* **sea** ~ Meeresspiegel *m;* **above/below sea** ~ über/unter dem Meeresspiegel; **subsistence** ~ Existenzminimum *n;* **wage** ~ Lohnniveau *n;* ~ **of activity** Beschäftigungsgrad *m;* ~ **of employment** Beschäftigungsgrad *m;* ~ **of performance** Leistungsniveau *n;* ~ **of production** Produktionsniveau *n* **II.** *adj* **1.** eben, flach; waagerecht **2.** gleich hoch **3.** (*fig*) von gleicher Bedeutung; gleich(wertig); gleich gut **4.** ruhig, vernünftig, ausgeglichen; **be** ~ **with s.th.** so hoch sein wie etw; **do one's** ~ **best** sein Möglichstes tun; **have a** ~ **head** ausgeglichen sein; **he keeps a** ~ **head** er behält e-n klaren Kopf **III.** *adv* auf gleicher Ebene (*with* wie) **IV.** *tr* **1.** planieren, ebnen **2.** (~ *off*) einebnen, nivellieren **3.** (*Gebäude*) einreißen **4.** (*Stadt*) dem Erdboden gleichmachen **5.** (*Schlag*) versetzen (*at s.o.* jdm) **6.** (*Gewehr*) anlegen, in Anschlag bringen (*at* auf) **7.** (*fig: Anklage, Blick*) richten (*at, against* gegen); **level down** *tr* **1.** einebnen **2.** (*fig*) erniedrigen **3.** (*Preis*) senken; herabsetzen **4.** nach unten ausgleichen; **level off, level out I.** *tr* **1.** einebnen, planieren **2.** (*fig*) ausgleichen **II.** *itr* **1.** (*Gelände*) eben, flach werden **2.** (*fig*) sich einpendeln **3.** (AERO) das Flugzeug abfangen; (*Flugzeug*) sich fangen; horizontal fliegen; **level up** *tr* erhöhen; nach oben ausgleichen; **level with** *tr* (*sl*) offen reden mit

level cross•ing [ˌlevl'krɒsɪŋ] *s* (*Br*) schienengleicher Bahnübergang; **level-headed** [ˌlevl'hedɪd] *adj* ausgeglichen; vernünftig, überlegt; **level•ing** *s* (*Am*), **level•ling** ['levlɪŋ] *s* **1.** Planieren *n* **2.** (~ *of incomes*) Einkommensnivellierung *f* **3.** Ausgleich *m;* **level peg•ging** [ˌlevl'pegɪŋ] *adj* **1.** (SPORT) punktgleich **2.** (*fig*) gleichgestellt

lever ['li:və(r), *Am* 'levə(r)] **I.** *s* **1.** Hebel *m* **2.** Brechstange *f* **3.** (*fig*) Druckmittel *n* **II.** *tr* mit e-r Brechstange, e-m Hebel heben; **lever out** *tr* **1.** herausstemmen **2.** (*aus einer Stellung*) verdrängen; **lever•age** [-ɪdʒ] *s* **1.** Hebelansatz *m,* -wirkung *f* **2.** (*fig*) Macht *f,* Einfluss *m*

lev•eret ['levərɪt] *s* Häschen *n*

lev•ia•than [lɪ'vaɪəθən] *s* Monstrum *n*

levi•tate ['levɪteɪt] **I.** *itr* (frei) schweben **II.** *tr* zum Schweben bringen

lev•ity ['levətɪ] *s* Leichtfertigkeit *f*

levy ['levɪ] **I.** *s* **1.** Abgabe, Steuer *f* **2.** Steuereintreibung *f* **3.** (~ *of execution*) Zwangsvollstreckung *f* **4.** (FIN COM) Abschöpfung *f* **5.** (MIL) Aushebung, Rekrutierung *f* **II.** *tr* **1.** (*Steuer*) erheben **2.** (*Geldstrafe*) auferlegen (*on s.o.* jdm) **3.** (*Pfändung*) betreiben, vornehmen **4.** (MIL) ausheben, rekrutieren **5.** (*Güter*) einziehen **6.** (*Krieg*) beginnen (*on* gegen)

lewd [lju:d] *adj* geil; anzüglich; unanständig; **lewd•ness** [-nɪs] *s* Lüsternheit *f;* Anzüglichkeit *f;* Unanständigkeit *f*

lexi•cal ['leksɪkl] *adj* lexikalisch; **lexi•cogra•pher** [ˌleksɪ'kɒgrəfə(r)] *s* Lexikograph(in) *m(f);* **lexi•cogra•phy** [ˌleksɪ'kɒgrəfɪ] *s* Lexikographie *f;* **lexi•col•ogy** [ˌleksɪ'kɒlədʒɪ] *s* Lexikologie *f;* **lexi•con** ['leksɪkən] *s* **1.** Wörterbuch, Lexikon *n* **2.** Fachwörterbuch *n* **3.** Morpheme *npl,* e-r Sprache; **lexis** ['leksɪs] *s* Gesamtwortschatz *m*

lia•bil•ity [ˌlaɪə'bɪlətɪ] *s* **1.** Haftung *f* **2.** Belastung *f* **3.** Pflicht *f* **4.** Anfälligkeit *f* (*to* für) **5. liabilities** Verbindlichkeiten *fpl,* Passiva *npl;* **without** ~ unverbindlich; ~ **for tax** Steuerpflicht *f;* **assets and liabilities** Aktiva u. Passiva *pl;* ~ **for damages** (Schaden)Ersatzpflicht *f;* ~ **for defects** Mängelhaftung *f;* ~ **insurance** Haftpflichtversicherung *f;* **li•able** ['laɪəbl] *adj* **1.** verpflichtet (*for* zu), haftbar (*for* für) **2.** ausgesetzt, unterworfen (*to s.th.* e-r S) **3.** neigend (*to* zu); **be** ~ **for s.th.** für etw haften; e-r S unterliegen; ~ **for damages/tax** schadenersatzpflichtig/steuerpflichtig; **he is** ~ **to change his mind** es kann durchaus sein, dass er es sich anders überlegt; **the car is** ~ **to break down** man muss mit einer Autopanne rechnen; **it's** ~ **to happen** das ist durchaus möglich

li•aise [lɪ'eɪz] *itr* Verbindung aufnehmen (*with* mit), Verbindungsmann sein (*with* zu); **li•aison** [lɪ'eɪzn] *s* **1.** Verbindung *f* **2.** Verbindungsmann *m* **3.** (Liebes)Verhältnis *n,* Liaison *f* **4.** (GRAM) Bindung *f;* **liaison officer** *s* Verbindungsperson *f*

li•ana, li•ane [lɪ'ɑ:nə] *s* (BOT) Liane *f*

liar ['laɪə(r)] *s* Lügner(in) *m(f)*

lib [lɪb] *s:* **women's** ~ (*fam*) Frauenbewegung *f*

li•bel ['laɪbl] **I.** *s* (schriftliche) Verleumdung *f;* Beleidigung *f* (*upon +gen*); **be a** ~ **on s.o.** für jdn beleidigend sein; **action for** ~ Verleumdungsklage *f* **II.** *tr* (schriftlich) verleumden; **li•bel•lous** ['laɪbələs] *adj* verleumderisch, beleidigend; **li•bel•ous** *adj* (*Am*) *s.* **libellous**

lib•eral ['lɪbərəl] **I.** *adj* **1.** freigebig, großzügig (*of* mit) **2.** aufgeschlossen, tolerant **3.** (*a.* POL) liberal **II.** *s* Liberale(r) *f m;* **liberal arts** *s pl* Geisteswissenschaften *fpl;* **liberal education** *s* Unterricht *m* in den allgemein bildenden Fächern; **lib•eral•ism**

[-ɪzəm] *s* Liberalismus *m;* **lib•er•al•ity** [ˌlɪbəˈrælətɪ] *s* **1.** Freigebigkeit, Großzügigkeit *f* **2.** Aufgeschlossenheit *f;* **lib•eral•iz•ation** [ˌlɪbrəlaɪˈzeɪʃn] *s* Liberalisierung *f;* **lib•eral•ize** [ˈlɪbrəlaɪz] *tr* liberalisieren

lib•er•ate [ˈlɪbəreɪt] *tr* **1.** freilassen, befreien (*from* von) **2.** emanzipieren **3.** (CHEM) freimachen; **lib•er•ation** [ˌlɪbəˈreɪʃn] *s* Befreiung, Freilassung *f;* **women's ~ movement** Frauenbewegung *f;* **liberation organization** *s* Befreiungsorganisation *f;* **lib•er•ator** [ˈlɪbəreɪtə(r)] *s* Befreier(in) *m(f)*

lib•er•tine [ˈlɪbətiːn] *s* Wüstling *m*

liberty [ˈlɪbətɪ] *s* **1.** Freiheit *f* **2.** *oft pl* (Vor)Recht(e *pl*) *n;* Freiheiten *fpl;* **at ~** frei; unbenützt; **be at ~** frei sein; **be at ~ to do** freie Hand haben zu tun; **set at ~** freilassen; **take the ~ of doing** [*o* **to do**] **s.th.** sich die Freiheit herausnehmen etw zu tun; **take liberties** sich Freiheiten herausnehmen (*with s.o.* gegen jdn); **I take the ~** ich erlaube mir; **you are at ~ to leave** Sie können gehen; **civil liberties** bürgerliche (Ehren)Rechte *npl;* **~ of action** Handlungsfreiheit *f;* **~ of conscience** Gewissensfreiheit *f;* **~ of trade** Gewerbefreiheit *f*

li•bid•in•ous [lɪˈbɪdɪnəs] *adj* wollüstig; unzüchtig, obszön; **li•bido** [lɪˈbiːdəʊ] *s* Geschlechtstrieb *m,* Libido *f*

Libra [ˈliːbrə] *s* (ASTR) Waage *f;* **Lib•ran** [ˈliːbrən] *s* (ASTR) Waage(mensch *m*) *f*

li•brar•ian [laɪˈbreərɪən] *s* Bibliothekar(in) *m(f);* **li•brary** [ˈlaɪbrərɪ] *s* Bibliothek, Bücherei *f;* Sammlung *f;* **reference ~** Präsenzbibliothek *f*

li•bretto [lɪˈbretəʊ] <*pl* -brettos> *s* (MUS) Libretto *n*

Lib•ya [ˈlɪbɪə] *s* Libyen *n;* **Lib•yan** [ˈlɪbɪən] **I.** *adj* libysch **II.** *s* Libyer(in) *m(f)*

li•cence [ˈlaɪsns] *s* **1.** Erlaubnis, Bewilligung, Genehmigung *f* **2.** Lizenz *f* **3.** Konzession *f;* Gewerbeschein *m* **4.** Führerschein *m;* Jagdschein *m;* Waffenschein *m* **5.** Rundfunk-, Fernsehgenehmigung *f* **6.** Hundemarke *f* **7.** Freiheit *f* **8.** Zügellosigkeit *f;* **under ~ from** mit Erlaubnis, Genehmigung *+gen;* **give** [*o* **grant**] **a ~** e-e Lizenz, e-e Konzession erteilen; **requiring** [*o* **subject to**] **a ~** genehmigungs-, konzessionspflichtig; **driver's ~** (*Am*) Führerschein *m;* **driving ~** (*Br*) Führerschein *m;* **licence number** *s* (MOT) (Kraftfahrzeug)Kennzeichen *n;* Zulassungsnummer *f;* **licence plate** *s* (MOT) Nummernschild *n;* **li•cense** [ˈlaɪsəns] **I.** *s* (*Am*) *s.* **licence II.** *tr* **1.** erlauben, gestatten, genehmigen **2.** e-e Lizenz, e-e Konzession erteilen (*s.o.* jdm); **~ a car** Kraftfahrzeugsteuer bezahlen; **be ~d to do s.th** die Genehmigung haben etw zu tun; **li•censed** [ˈlaɪsnst] *adj* konzessioniert; **fully ~** mit voller Schankerlaubnis; **~ victualler** Inhaber *m* e-r Konzession zum Verkauf von Alkohol; **li•cen•see** [ˌlaɪsənˈsiː] *s* Lizenznehmer(in) *m(f),* Konzessionsinhaber(in) *m(f);* **license fee** *s* (TV) Fernsehgebühr *f;* **li•cens•er** [ˈlaɪsnsə(r)] *s* Lizenz-, Konzessionsgeber(in) *m(f);* **li•cens•ing** [ˈlaɪsənsɪŋ] *adj* Konzessions-; Lizenz-; **licensing hours** *s pl* Ausschankzeiten *fpl;* **licensing laws** *s pl* Schankgesetze *npl*

li•cen•tiate [laɪˈsenʃɪət] *s* Lizentiat *m*

li•cen•tious [laɪˈsenʃəs] *adj* ausschweifend

li•chen [ˈlaɪkən] *s* (BOT) Flechte *f*

lick [lɪk] **I.** *tr* **1.** (auf-, ab-, be)lecken **2.** (*fam*) verdreschen **3.** (*fam: Menschen*) fertig machen; besiegen; **~ one's lips** (*fig*) sich die Lippen lecken; **~ into shape** (*fam*) auf Hochglanz, in Form bringen; **~ s.o.'s boots** (*fig*) vor jdm kriechen **II.** *itr* (*Flamme*) züngeln; **~ at s.th.** an etw lecken **III.** *s* **1.** Lecken *n* **2.** ein bisschen; Schuss, Spritzer *m* **3.** (*salt-~*) Salzlecke *f* **4.** (*fam*) tolles Tempo; **at full ~** (*sl*) mit Höchstgeschwindigkeit; **a ~ and a promise** Katzenwäsche *f;* **lick•ing** [-ɪŋ] *s* **1.** (Ab)Lecken *n* **2.** (*fam*) Niederlage *f* **3.** (*fam*) Dresche *f*

licor•ice [ˈlɪkərɪs] *s s.* **liquorice**

lid [lɪd] *s* **1.** Deckel *m* **2.** (Augen)Lid *n* **3.** (*sl*) Deckel, Hut *m;* **take the ~ off** (*fig*) enthüllen; **with the ~ off** unverhüllt, ohne Beschönigung; **put a ~ on it!** halt die Klappe!

lido [ˈliːdəʊ] <*pl* lidos> *s* Strand-, Freibad *n*

lie[1] [laɪ] <*irr:* lay, lain> **I.** *itr* **1.** liegen *a. fig* **2.** (*Straße*) führen, verlaufen **3.** (begraben) liegen, ruhen **4.** obliegen (*on s.o.* jdm) **5.** (*fig*) beruhen (*in* auf) **6.** bestehen (*in* in); **~ in ambush** auf der Lauer liegen; **~ at anchor** vor Anker liegen; **~ in bed** im Bett liegen; **~ idle** müßig sein, nichts tun; stillliegen, nicht benützt werden; **~ low** am Boden liegen; (*sl*) nichts verlauten lassen; **~ open to s.th.** e-r S ausgesetzt sein; **take s.th. lying down** (*Beleidigung*) etw wortlos schlucken; **everything that ~s in my power** alles, was in meiner Macht steht **II.** *s* Lage *f;* **the ~ of the land** Beschaffenheit *f* des Geländes; (*fig*) Lage *f;* **lie about** *itr* herumliegen; **lie back** *itr* **1.** sich zurücklegen; sich zurücklehnen **2.** (*fig*) nichts tun; sich ausruhen; **lie behind** *itr* (*fig*) dahinterliegen; **lie down** *itr* sich hinlegen; **~ down under s.th.** etw widerspruchslos hinnehmen; **~ down on the job** (*Am fam*) e-e ruhige Kugel schieben; **lie in** *itr* bis spät in den Morgen hinein im Bett bleiben; **lie off** *itr* (MAR) in geringer Entfernung liegen; **lie over** *itr* (*Am*) aufgeschoben sein; **let ~**

over aufschieben, liegenlassen; **lie to** *itr* (MAR) beiliegen; **lie under** *itr* unterstehen; ~ **under an obligation** e-e Verpflichtung haben; **lie up** *itr* sich zurückziehen; verschwinden; das Zimmer hüten (müssen); unbenutzt sein

lie² [laɪ] I. *itr* **1.** lügen **2.** e-n falschen Eindruck erwecken, täuschen; ~ **to s.o.** jdn anlügen; ~ **through one's teeth** lügen wie gedruckt **II.** *tr:* ~ **o.s.** [*o* **one's way**] **out of** sich herauslügen aus **III.** *s* Lüge, Unwahrheit *f;* **act a** ~ **to s.o.** falsche Vorstellungen in jdm erwecken; **give s.o. the** ~ jdn Lügen strafen; **give s.th. the** ~ etw widerlegen; **tell a** ~ lügen; **lie-detector** *s* Lügendetektor *m*

lie-down [ˌlaɪˈdaʊn] *s* (*Br*) kurze (Bett)Ruhe *f;* **lie-in** [ˌlaɪˈɪn] *s* Bettruhe *f* bis tief in den Morgen hinein; **have a** ~ ausschlafen

lieu [luː] *s:* **in** ~ **of** anstatt, an Stelle +*gen*

lieu•ten•ant [lefˈtenənt, *Am* luːˈtenənt] *s* **1.** Leutnant *m;* (*Br*) Oberleutnant; (*Br*) Kapitänleutnant *m* **2.** Statthalter *m;* **flight** ~ (*Br:* AERO) Hauptmann *m*

life [laɪf, *pl* laɪvz] <*pl* lives> *s* **1.** Leben *n* **2.** Lebenszeit *f* **3.** Lebensgeschichte, Biografie *f* **4.** Lebensweise, -führung *f* **5.** (*a.* TECH) Lebensdauer *f* **6.** Schwung *m,* Lebenskraft *f* **7.** (JUR) Geltungsdauer *f;* Laufzeit *f;* **as large as** ~ in Lebensgröße; (*fam*) in Person; **for** ~ auf Lebenszeit; lebenslänglich; **for dear** ~ um sein Leben (*laufen*); **not on your** ~! todsicher nicht!; **late in** ~ in vorgerücktem Alter; **in the prime of one's** ~ im besten Alter, in den besten Jahren; **to the** ~ lebenswahr, -echt, *adv;* **bring to** ~ ins Leben rufen; beleben; (*fam*) in Schwung bringen; **bring back to** ~ wiederbeleben; **come to** ~ in Schwung kommen; wieder zu sich kommen; **take s.o.'s/one's own** ~ jdm/sich das Leben nehmen; **he had the time of his** ~ er amüsierte sich bestens; **danger to** ~ Lebensgefahr *f;* (**mean**) **duration of** ~ (mittlere) Lebensdauer *f;* **economic** ~ Nutzungsdauer *f;* **expectation of** ~ Lebenserwartung *f;* **experience in** ~ Lebenserfahrung *f;* **family** ~ Familienleben *n;* **this is a matter of** ~ **and death** hier geht es um Leben und Tod; **life annuity** *s* Leibrente *f;* **life•belt** [ˈlaɪfbelt] *s* Rettungsring *m;* **life•boat** [ˈlaɪfbəʊt] *s* Rettungsboot *n;* **life•buoy** [ˈlaɪfbɔɪ] *s* Rettungsboje *f;* **life expectancy** *s* **1.** Lebenserwartung *f* **2.** geschätzte Nutzungsdauer; **life form** *s* Lebewesen *n;* **life•guard** [ˈlaɪfgɑːd] *s* **1.** Leibwache *f* **2.** Rettungsschwimmer *m* **3.** Bademeister *m;* **life history** *s* Lebensgeschichte *f;* **life imprisonment** *s* lebenslängliche Freiheitsstrafe; **life insurance**, **life assurance** *s* Lebensversicherung *f;* **life jacket** *s* Schwimmweste *f;* **life•less** [ˈlaɪflɪs] *adj* **1.** leblos; unbelebt **2.** (*fig*) matt, flau, trüb; **life•like** [ˈlaɪflaɪk] *adj* echt; naturgetreu; **life•line** [ˈlaɪflaɪn] *s* (MAR) **1.** Rettungsleine *f* **2.** Lebenslinie *f* (*in der Hand*) **3.** lebenswichtige Versorgungs-, Verbindungslinie; **life•long** [ˈlaɪflɒŋ] *adj* auf Lebenszeit; **life peer** *s* Peer *m* auf Lebenszeit; **life preserver** *s* **1.** (*Am*) Rettungsring, Schwimmgürtel *m,* -weste *f* **2.** (*Br*) Totschläger *m;* **lifer** [ˈlaɪfə(r)] *s* (*sl*) Lebenslängliche(r) *f m;* **life raft** *s* Rettungsfloß *n;* **life-saver** *s* Lebensretter(in) *m(f),* Rettungsschwimmer(in) *m(f);* (*fig*) rettender Engel; **life sentence** *s* lebenslängliche Freiheitsstrafe; **life-size(d)** [ˈlaɪfsaɪz(d)] *adj* lebensgroß, in Lebensgröße; **life-span** *s* **1.** (COM) Lebensdauer *f* **2.** (*Mensch*) Lebenserwartung *f* **3.** Laufzeit *f;* **life support system** *s* (MED) Lebenserhaltungssystem *n;* **life•time** [ˈlaɪftaɪm] *s* Lebenszeit *f;* **the chance of a** ~ einmalige Chance; **in** [*o* **during**] **s.o.'s** ~ zu jds Lebzeiten; **once in a** ~ einmal im Leben; einmalig; **life•work** [ˌlaɪfˈwɜːk] *s* Lebenswerk *n*

lift [lɪft] **I.** *tr* **1.** (auf-, in die Höhe) heben **2.** (*Augen*) aufschlagen; nach oben erheben **3.** hochhalten, in die Höhe halten **4.** (*Hut*) ziehen **5.** (*fig*) befördern, erhöhen (*a. Preis*) **6.** (*Stimme*) erheben **7.** (*Stimmung*) heben **8.** (*Gesicht, Busen*) liften **9.** (*Kartoffeln*) ernten, roden **10.** (*Sperre*) aufheben **11.** (*fam*) abschreiben, plagiieren; klauen **12.** (*sl*) verhaften; **not to** ~ **a finger** (*fig*) keinen Finger rühren, krümmen; ~ **one's hand** die Hand (zum Schwur) erheben; ~ **one's hand against s.o.** die Hand gegen jdn erheben **II.** *itr* **1.** sich erheben, steigen **2.** (*Rakete, Flugzeug*) abheben **3.** (*Nebel*) sich auflösen, sich heben **III.** *s* **1.** Hochheben *n* **2.** (AERO) Auftrieb *m a. fig* **3.** (TECH) Hub *m* **4.** (*Br*) Aufzug, Fahrstuhl *m* **5.** Mitnahme *f* (*im Auto*), Mitfahrgelegenheit *f;* **give s.o. a** ~ jdn mitnehmen, mitfahren lassen; **lift down** *tr* herunterheben; **lift off** *itr* abheben; **lift up** *tr* hochheben; **lift•off** [ˈlɪftɒf] *s* **1.** (*Rakete*) Start *m* **2.** (AERO) Abheben *n;* **have** ~ abheben

liga•ment [ˈlɪgəmənt] *s* (ANAT) Band *n*

liga•ture [ˈlɪgətʃə(r)] *s* **1.** Binden *n;* Band *n* **2.** (MED) Binde *f* **3.** (TYP MUS) Ligatur *f*

light¹ [laɪt] <*irr:* lit (lighted), lit (lighted)> **I.** *s* **1.** Licht *n a. fig* **2.** Beleuchtung, Helligkeit *f* **3.** Lichtquelle *f,* -schein *m* **4.** (*für Zigarette*) Feuer *n* **5.** Tag(eslicht *n*) *m* **6.** (*fig*) Licht *n,* Beleuchtung *f* **7.** Aspekt, Gesichtspunkt *m* **8.** ~**s** Geistesgaben, Fähigkeiten *fpl* **9. ~s** Erkenntnisse *fpl,* Einsicht *f;* **according to his ~s** seinen Fähigkeiten entsprechend; **in the ~ of** im Licht *+gen,* angesichts *+gen,* im Hinblick auf; **in a favo(u)rable ~** in günstigem Licht; **in a new ~** mit anderen Augen; **bring to ~** an den Tag, ans Licht bringen; **come to ~** an den Tag kommen; **see the ~** (**of day**) das Licht (der Welt) erblicken; bekanntwerden; verstehen, begreifen; **shed** [*o* **throw**] **~ on s.th.** (*fig*) Licht in etw bringen; **may I trouble you for a ~?** darf ich Sie um Feuer bitten?; **that throws a different ~ on the matter** die Sache bekommt dadurch ein anderes Gesicht, erscheint dadurch in e-m anderen Licht; **green ~** grünes Licht *a. fig,* freie Fahrt; (*fig*) freie Hand; **~ and shade** (*fig*) Licht u. Schatten **II.** *adj* **1.** licht, hell, leuchtend **2.** hell(häutig, -haarig), blond **III.** *tr* **1.** (*Feuer, Licht*) anzünden, -machen **2.** (*mit Scheinwerfern*) anstrahlen; be-, erleuchten; (*Flugplatz*) befeuern **3.** leuchten (*s.o.* jdm); **light up I.** *itr* **1.** aufleuchten **2.** Pfeife, Zigarette anzünden **II.** *tr* **1.** beleuchten **2.** (*Lampe*) anmachen **3.** (*Zigarette*) anzünden; **light** (**up**)**on** *itr* entdecken

light² [laɪt] **I.** *adj* **1.** leicht **2.** zu leicht **3.** leichtfüßig, flink **4.** leicht(lebig, -sinnig) **5.** leicht(verdaulich) **6.** (*Erde*) locker **7.** (*Wein, Musik*) leicht; **~ opera** Operette *f;* **~ reading** Unterhaltungslektüre *f;* **make ~ of s.th.** etw nicht ernst nehmen; **~ water reactor** (EL) Leichtwasserreaktor *m* **II.** *adv* leicht

light bulb ['laɪtbʌlb] *s* elektrische Birne

lighten¹ ['laɪtn] **I.** *tr* **1.** erleuchten, erhellen **2.** (*fig*) aufhellen **II.** *itr* **1.** sich erhellen, aufleuchten **2.** blitzen

lighten² ['laɪtn] **I.** *tr* **1.** entlasten, erleichtern **2.** (*fig*) erleichtern **3.** (MAR) löschen, leichtern **II.** *itr* leichter werden

lighter ['laɪtə(r)] *s* **1.** Anzünder *m* **2.** Feuerzeug *n* **3.** (MAR) Leichter *m*

light-fin·gered [ˌlaɪt'fɪŋgəd] *adj* **1.** diebisch **2.** fingerfertig; **light-footed** [ˌlaɪt'fʊtɪd] *adj* leichtfüßig; **light-headed** [ˌlaɪt'hedɪd] *adj* **1.** schwindelig, benommen **2.** gedankenlos; **light·hearted** [ˌlaɪt'hɑːtɪd] *adj* sorglos, unbeschwert; **light heavyweight** *s* (*Boxen*) Halbschwergewicht(ler *m*) *n*

light·house ['laɪthaʊs] *s* Leuchtturm *m;* **light·ing** ['laɪtɪŋ] *s* Beleuchtung *f;* **emergency ~** Notbeleuchtung *f;* **~-equipment** Beleuchtungsanlage *f;* **~ up** (MOT) Einschalten *n* der Beleuchtung

light·ly ['laɪtlɪ] *adv* **1.** leicht **2.** unbesonnen **3.** geringschätzig

light meter ['laɪtmiːtə(r)] *s* (PHOT) Belichtungsmesser *m*

light·ness¹ ['laɪtnɪs] *s* Helligkeit *f*

light·ness² ['laɪtnɪs] *s* **1.** Leichtigkeit *f* **2.** Heiterkeit *f,* Frohsinn *m* **3.** Leichtsinn *m,* Leichtfertigkeit *f*

light·ning ['laɪtnɪŋ] *s* Blitz *m;* **flash of ~** Blitz, Blitzschlag *m;* **with ~ speed** wie der Blitz; **struck by ~** vom Blitz getroffen; **lightning attack** *s* Überraschungs-, Blitzangriff *m;* **lightning conductor** *s* (*Am*), **lightning rod** *s* Blitzableiter *m;* **lightning strike** *s* spontaner Streik

light pen ['laɪtpen] *s* (EDV) Lichtgriffel, Lichtstift *m*

lights [laɪts] *s pl* Tierlunge *f*

light·ship ['laɪtʃɪp] *s* Feuerschiff *n*

light·weight ['laɪtweɪt] **I.** *s* **1.** (*Boxen*) Leichtgewicht(ler *m*) *n* **2.** (*fig*) Leichtgewicht *n* **II.** *adj* **1.** (SPORT) Leichtgewichts- **2.** leicht; (*fig*) schwach

light year ['laɪtjɜː(r), -jɪə(r)] *s* Lichtjahr *n*

lig·neous ['lɪgnɪəs] *adj* holzig; **lig·nite** ['lɪgnaɪt] *s* Braunkohle *f;* Lignit *m*

lik·able ['laɪkəbl] *adj* liebenswert, gefällig; anziehend

like¹ [laɪk] **I.** *adj* ähnlich, gleich **II.** *prep* ähnlich *+dat,* wie **III.** *adv* dergleichen; wie **IV.** *conj* (*fam*) wie; als ob **V.** *s* Gleiche(r) *f m* **VI.** (*Wendungen*): **be ~ s.o.** wie jem sein, jdm ähnlich sein; **what is he ~?** was ist er für ein Mensch?; **what is it ~?** wie ist es? wie sieht es aus?; **it was ~ him to do that** das sieht ihm ähnlich; **that's not ~ her** das ist nicht ihre Art; **they are very ~ each other** sie sehen sich sehr ähnlich; **they are as ~ as two peas** sie gleichen sich wie ein Ei dem anderen; **something ~ that** so etwas Ähnliches; **there is nothing ~ ...** es geht nichts über ...; **I don't feel ~ work(ing) today** ich bin heute nicht zum Arbeiten aufgelegt; **it looks ~ rain(ing)** es sieht nach Regen aus; **as ~ as not, ~ enough** (*fam*) wahrscheinlich; **~ mad** wie verrückt; **the ~s of him** seinesgleichen; **the ~s of you** (*fam*) Leute wie Sie, Ihresgleichen

like² [laɪk] **I.** *tr* **1.** mögen, gern haben **2.** wollen, gerne mögen; **I ~ it** das gefällt mir, das mag ich; **he ~s classical music** er mag klassische Musik; **how do you ~ Stuttgart?** wie gefällt Ihnen Stuttgart?; **would you ~ a cup of tea?** hätten Sie gerne eine Tasse Tee?; **well how do you ~ that?** wie findest du denn das?; **I should ~ a little bit more time** ich hätte gerne etwas mehr Zeit; **I should ~ to know** ich wüsste gern **II.** *itr* wollen **III.** *s* Geschmack *m;* Vorliebe *f;* **she knows his ~s and dislikes** sie weiß, was er mag und was er nicht mag;

like·able ['laɪkəbl] *adj s.* **likable**

like•li•hood ['laɪklɪhʊd] *s* Wahrscheinlichkeit *f;* **in all** ~ höchstwahrscheinlich
like•ly ['laɪklɪ] **I.** *adj* **1.** wahrscheinlich **2.** aussichtsreich, (viel) versprechend **3.** passend, geeignet; **he is** ~ **to come** es ist wahrscheinlich, dass er kommt; **it's** ~ **to cause problems** das wird wahrscheinlich Probleme mit sich bringen; **a** ~ **story!** das soll mal einer glauben! **II.** *adv:* **as** ~ **as not** höchstwahrscheinlich; **not** ~ schwerlich, kaum; **very** [*o* **most**] ~ höchstwahrscheinlich, sehr wahrscheinlich; **that's more** ~ das ist eher möglich
like-minded [ˌlaɪk'maɪndɪd] *adj* gleichgesinnt
liken ['laɪkən] *tr* vergleichen (*to* mit)
like•ness ['laɪknɪs] *s* Ähnlichkeit *f;* Bild *n;* **in the** ~ **of** in Gestalt *+gen*
like•wise ['laɪkwaɪz] *adv* ebenso; ebenfalls, auch
lik•ing ['laɪkɪŋ] *s* Zuneigung *f;* Vorliebe *f;* **have a** ~ **for** mögen; **to s.o.'s** ~ nach jds Geschmack
li•lac ['laɪlək] *s* **1.** Flieder *m* **2.** Lila *n*
Lil•li•pu•tian [ˌlɪlɪ'pju:ʃn] *adj* winzig; sehr klein
li•lo® ['laɪləʊ] <*pl* lilos> *s* (*Br*) Luftmatratze *f*
lilt [lɪlt] **I.** *tr, itr* trällern **II.** *s* beschwingte Melodie; singender Tonfall
lily ['lɪlɪ] *s* Lilie *f;* **water** ~ Seerose *f;* ~ **of the valley** Maiglöckchen *n;* **lilylivered** ['lɪlɪˌlɪvəd] *adj* feige
limb [lɪm] *s* **1.** (Körper)Glied *n* **2.** Ast *m* **3.** ~**s** Gliedmaßen *pl;* **out on a** ~ isoliert; in einer prekären Lage
lim•ber ['lɪmbə(r)] *adj* geschmeidig; beweglich; **limber up** *itr* **1.** (SPORT) Lockerungsübungen machen **2.** (*fig*) sich vorbereiten
limbo ['lɪmbəʊ] <*pl* limbos> *s* Vorhölle *f;* (*fig*) Übergangsstadium *n;* **be in** ~ in der Schwebe sein
lime¹ [laɪm] **I.** *s* **1.** (*burnt, caustic* ~) (gebrannter) Kalk *m* **2.** (*bird*~) Vogelleim *m* **II.** *tr* mit Kalk düngen
lime² [laɪm] *s* (BOT) Limonelle, Limone *f*
lime³ [laɪm] *s* (BOT) Linde *f*
lime•light ['laɪmlaɪt] *s* Rampen-, Scheinwerferlicht *n;* **in the** ~ (*fig*) im Mittelpunkt des Interesses; **bring into the** ~ (*fig*) ans Licht der Öffentlichkeit bringen
lim•er•ick ['lɪmərɪk] *s* Limerick *m*
lime•stone ['laɪmstəʊn] *s* Kalkstein *m*
limit ['lɪmɪt] **I.** *s* **1.** Grenze, Beschränkung *f* **2.** Endpunkt *m;* Höchstgrenze, -zahl *f* **3.** (MATH) Grenzwert *m* **4.** (COM) Limit *n;* Preisgrenze *f* **5.** Frist *f;* Termin *m;* **within** ~**s** in Grenzen; **without** ~ unbegrenzt, unbeschränkt; **speed** ~ Geschwindigkeitsbegrenzung *f;* **exceed the** ~ (*fig*) die Grenze überschreiten; **that's the** ~ **!** (*fam*) das ist doch die Höhe!; **you're the** ~**!** das ist unerhört (von Ihnen)!; **off** ~**s!** Zutritt verboten! (*to* für) **II.** *tr* **1.** begrenzen; be-, einschränken (*to* für) **2.** (*Preis*) limitieren;
limi•ta•tion [ˌlɪmɪ'teɪʃn] *s* **1.** Begrenzung *f;* Beschränkung *f;* Einschränkung *f* **2.** (JUR) Verjährung *f* **3.** (COM) Kontingentierung *f;* **know one's** ~**s** seine Grenzen kennen; ~ **of liability** Haftungsbeschränkung *f;* ~ **period** Verjährungsfrist *f;* **limited** ['lɪmɪtɪd] *adj* **1.** begrenzt **2.** (COM) beschränkt (*to* auf), limitiert; mit beschränkter Haftung; **in a** ~ **sense** in gewissem Sinne; ~ (**liability**) **company** (**Ltd**) Gesellschaft *f* mit beschränkter Haftung (GmbH); ~ **partnership** Kommanditgesellschaft (KG) *f;* (*Am*) Gesellschaft *f* mit beschränkter Haftung;
limit•less ['lɪmɪtlɪs] *adj* grenzenlos
limou•sine ['lɪməzi:n] *s* (MOT) Limousine *f*
limp¹ [lɪmp] **I.** *itr* hinken **II.** *s* Hinken *n;* **walk with a** ~ hinken, humpeln
limp² [lɪmp] *adj* **1.** schlaff; weich **2.** (*fig*) schwach; matt
lim•pet ['lɪmpɪt] *s* Napfschnecke *f;* **hold on** [*o* **cling**] **like a** ~ (*fig*) wie e-e Klette hängen (*to* an)
lim•pid ['lɪmpɪd] *adj* hell, klar, durchsichtig
limy ['laɪmɪ] *adj* kalkig
linac ['lɪnæk] *s abbr of* **linear accelerator** Linearbeschleuniger *m*
linch•pin ['lɪntʃpɪn] *s* **1.** Splint *m;* Achsnagel *m* **2.** (*fig*) lebenswichtiger Teil, Angelpunkt *m*
lin•den ['lɪndən] *s* (~-*tree*) Linde *f*
line¹ [laɪn] **I.** *s* **1.** Leine *f* **2.** (Angel)Schnur *f* **3.** Telefon-, Telegrafenleitung *f* **4.** (*a.* SPORT) Linie *f,* Strich *m* **5.** Handlinie *f;* Falte, Runzel *f* **6.** Grenzlinie *f* **7.** Verkehrslinie *f;* Bahn-, Flugstrecke *f* **8.** Fahrbahn *f* **9.** (*Am*) (Menschen)Schlange *f* **10.** Reihe *f;* Häuserzeile *f* **11.** Zeile *f;* Vers *m* **12.** kurze Nachricht, Brief *m* **13.** Ahnenreihe *f;* Familie *f,* Geschlecht *n* **14.** Richtung *f;* Verlauf *m;* (Gedanken)Gang *m* **15.** Vorgehen *n;* Handlungsweise *f* **16.** Beschäftigung *f,* Beruf *m,* Fach *n;* Geschäft(szweig *m*) *n,* Branche *f* **17.** (Fach-, Interessen)Gebiet *n,* Fachrichtung *f* **18.** (COM) Artikel *m,* Ware *f,* Posten *m;* Kollektion *f;* Marke *f* **19.** (GEOG) Meridian, Breitenkreis *m* **20.** (MIL) Linie *f;* Front *f* **21.** ~**s** Zeilen *fpl,* (kurzes) Schreiben *n* **22.** ~**s** (THEAT) (Text *m* e-r) Rolle *f* **23.** ~**s** Richtlinien *fpl,* Grundsätze *mpl;* **all along the** ~ auf der ganzen Linie; **in** ~ in Reih und Glied; in Linie; (*fig*) in Einklang (*with* mit); **a bad** ~ (TELE) schlechte Verbindung; **be in** ~ **for a job** e-e Stelle wahrscheinlich bekommen; **bring into** ~ (*Menschen*) auf

Linie bringen; zum Mitmachen bewegen; **come into** [*o* **fall in**] ~ sich anschließen, sich einfügen (*with* in); (*fam*) mitmachen (*with* mit); (*fam*) nicht aus der Reihe tanzen; **draw the** ~ (*fig*) e-e Grenze ziehen (*at* bei); **drop s.o. a** ~ jdm ein paar Zeilen schreiben; **get a** ~ **on s.th.** (*fam*) etw herausfinden; **hold the** ~ (TELE) am Apparat bleiben; **keep in** ~ in Reih und Glied bleiben; **step out of** ~ aus der Reihe tanzen; **reach the end of the** ~ (*fig*) das bittere Ende erreicht haben; **read between the ~s** zwischen den Zeilen lesen; **shoot a** ~ angeben, sich wichtig tun; **stand in** ~ (*Am*) sich anstellen, Schlange stehen (*for* um); **take a strong** ~ entschlossen vorgehen; **toe the** ~ sich einfügen, sich nach den Anderen richten; **hard ~s!** Pech für Sie!; **that's not in my** ~ das schlägt nicht in mein Fach; ~ **engaged!** (*Am*): ~ **busy!** (TELE) besetzt!; **bus** ~ Buslinie *f;* **catch** ~ Schlagzeile *f;* **main** ~ Hauptverkehrslinie *f;* (TELE) Hauptanschluss *m;* **marriage ~s** Trauschein *m;* **party** ~ (POL) Programm *n;* (TELE) gemeinsamer Anschluss; **shipping** ~ Schifffahrtslinie *f;* ~ **drawing** Zeichnung *f;* ~ **editor** (EDV) Zeileneditor *m;* ~ **feed** Zeilenvorschub *m;* ~ **judge** Linienrichter(in) *m(f);* ~ **management** Linienmanagement *n;* ~ **of action** Handlungsweise *f,* Vorgehen *n;* ~ **of argument** Beweisführung *f;* ~ **of business** Geschäftszweig *m;* ~ **of production** Produktionszweig *m;* ~ **of vision** Blickrichtung *f;* **~-out** (*Rugby*) Gasse *f;* ~ **spacing** Zeilenabstand *m* **II.** *tr* **1.** liniieren, linieren **2.** entlang stehen an, säumen; **a face ~d from worries** ein Sorgen gezeichnetes Gesicht; **~d with trees** Baum bestanden; **line up I.** *tr* **1.** aufstellen **2.** planen; sorgen für; vorhaben **II.** *itr* **1.** sich aufstellen **2.** (*Am*) Schlange stehen **3.** Stellung beziehen (*against* gegen), sich zusammentun (*with* mit); **be ~d up** anstehen (*in front of* vor)

line² [laɪn] *tr* **1.** (*Kleidungsstück*) füttern **2.** das Futter bilden (*s.th.* e-r S) **3.** (TECH) auskleiden; ~ **one's purse** [*o* **pocket**] (*fam*) Geld scheffeln

lin·eage ['lɪnɪɪdʒ] *s* Abstammung *f;* Geschlecht *n;* **lin·eal** ['lɪnɪəl] *adj* (*Nachkomme*) in direkter Linie

lin·ea·ment ['lɪnɪəmənt] *s* Gesichtszug *m*

lin·ear ['lɪnɪə(r)] *adj* linear; ~ **accelerator** Linearbeschleuniger *m;* ~ **B** Linear B *f;* ~ **measure** Längenmaß *n*

linen ['lɪnɪn] *s* **1.** Leinen *n* **2.** Wäsche *f;* Bett-, Tischwäsche *f;* **wash one's dirty** ~ **in public** (*fig*) seine schmutzige Wäsche in der Öffentlichkeit waschen; **linen basket** *s* Wäschekorb *m*

liner ['laɪnə(r)] *s* **1.** (MAR) Personen-, Passagierdampfer *m* **2.** (*air~*) Verkehrsflugzeug *n*

lines·man ['laɪnzmən] <*pl* -men> *s* **1.** Telefon-, Telegrafenarbeiter *m* **2.** (RAIL) Streckenwärter *m* **3.** (SPORT) Linienrichter *m;* **line-up** ['laɪnʌp] *s* **1.** (*a.* SPORT) Aufstellung *f* **2.** (THEAT) Besetzung *f* **3.** (*fig*) Gruppierung *f* **4.** (*Am*) (Warte)Schlange *f*

lin·ger ['lɪŋgə(r)] *itr* **1.** zögern **2.** sich nicht trennen können **3.** (~ *about*) bleiben; sich (noch) herumdrücken **4.** (~ *on*) sich lange halten; sich hinschleppen; verweilen (*on, upon, over* an, bei)

linge·rie ['lænʒəri:] *s* Damenunterwäsche *f*

lin·ger·ing ['lɪŋgərɪŋ] *adj* **1.** schleppend; langwierig **2.** (*Krankheit*) schleichend **3.** (*Ton*) nachklingend

lingo ['lɪŋgəʊ] <*pl* lingoes> *s* (*hum pej*) Sprache *f*

lin·guist ['lɪŋgwɪst] *s* Linguist(in) *m(f),* Sprachwissenschaftler(in) *m(f);* **be a good** ~ sprachbegabt sein; **lin·guis·tic** [lɪŋ'gwɪstɪk] **I.** *adj* linguistisch **II.** *s pl mit sing* Sprachwissenschaft, Linguistik *f*

lin·iment ['lɪnɪmənt] *s* Einreibemittel *n*

lin·ing ['laɪnɪŋ] *s* **1.** Futter *n;* Futterstoff *m* **2.** Auskleidung *f* **3.** (Brems)Belag *m*

link [lɪŋk] **I.** *s* **1.** (Ketten)Glied *n;* Ring *m* **2.** Lasche *f;* Verbindungsstück *n* **3.** (*fig*) (Binde)Glied *n;* Verbindung *f* **II.** *tr* (~ *together*) verbinden; anschließen (*to* an); (EDV) vernetzen; ~ **hands** einander die Hände geben **III.** *itr* **1.** (~ *up*) verbunden sein **2.** sich anschließen (*to, with* an)

link·man ['lɪŋkmæn] *s* **1.** Verbindungsmann *m* **2.** (RADIO, TV) Moderator *m*

links [lɪŋks] *s pl* **1.** (*Ufer*) sandiges Gelände, Dünen *fpl* **2.** Golfplatz *m* an der Küste

link-up ['lɪŋkʌp] *s* Verbindung *f;* Zusammenschluss *m;* (*Raumschiff*) Koppelung(smanöver *n*) *f*

link·woman ['lɪŋk,wʊmən] *s* **1.** Verbindungsfrau *f* **2.** (RADIO, TV) Moderatorin *f*

lin·net ['lɪnɪt] *s* (ZOO) Hänfling *m*

lin·oleum [lɪ'nəʊlɪəm] *s* Linoleum *n*

lino·type® ['laɪnəʊtaɪp] *s* Linotype *f*

lin·seed ['lɪnsi:d] *s* Leinsamen *m;* **linseed oil** *s* Leinöl *n*

lint [lɪnt] *s* **1.** Scharpie *f,* Mull *m* **2.** (*Am*) Fluse *f*

lin·tel ['lɪntl] *s* (ARCH) **1.** Sturz *m* **2.** Oberschwelle *f*

lion ['laɪən] *s* **1.** (ZOO) Löwe *m* **2.** (*fig*) Held *m* des Tages; Prominenz *f;* **lion·ess** [laɪə'nes] *s* Löwin *f;* **lion-hearted** ['laɪən'hɑ:tɪd] *adj* heldenhaft; **lion·ize** ['laɪənaɪz] *tr* (als Helden des Tages) feiern; **lion's share** *s* Löwenanteil *m*

lip [lɪp] *s* **1.** (*a.* BOT) Lippe *f* **2.** Rand *m,*

Schnauze *f* (*e-s Gefäßes*) **3.** (*fam*) Unverschämtheit *f;* **hang on s.o.'s ~s** an jds Lippen hängen; **keep a stiff upper ~** die Ohren steifhalten; **none of your ~!** sei nicht unverschämt!; **lip gloss** *s* Lipgloss *n,* Lippenglanzstift *m;* **lip•liner** ['lɪpˌlaɪnə(r)] *s* Lippenkonturenstift *m*

lipo•suc•tion ['laɪpəʊˌsʌkʃn] *s* Liposuktion, Fettabsaugung *f*

lip•read ['lɪpri:d] *tr, itr* vom Mund, von den Lippen ablesen; **lip salve** *s* Lippenpomade *f;* **lip service** *s* Lippenbekenntnis *n;* **pay ~** ein Lippenbekenntnis ablegen (*to* zu); **lip•stick** ['lɪpstɪk] *s* Lippenstift *m*

liquefy ['lɪkwəfaɪ] *tr:* **liquefied petroleum gas, LPG** Autogas *n*

li•queur [lɪ'kjʊə(r)] *s* Likör *m*

liquid ['lɪkwɪd] **I.** *adj* **1.** (*a.* FIN) flüssig **2.** (*Töne*) perlend **3.** (*Augen*) hell u. glänzend **4.** (FIN) liquid; **~ crystal display, LCD** Flüssigkristallanzeige *f* **II.** *s* Flüssigkeit *f*

liqui•date ['lɪkwɪdeɪt] *tr* **1.** (FIN) liquidieren **2.** (*Geschäft*) auflösen **3.** (*Schuld*) ablösen, tilgen, begleichen **4.** (*Wertpapiere*) flüssig machen **5.** (POL: *Menschen*) liquidieren, beseitigen; **liqui•da•tion** [ˌlɪkwɪ'deɪʃn] *s* **1.** Liquidation, Abwicklung *f* **2.** Abrechnung *f* **3.** Flüssigmachen n von Vermögenswerten *n* **4.** (*Schulden*) Tilgung, Begleichung, Bezahlung *f* **5.** (POL) Liquidierung *f;* **go into ~** Konkurs machen, anmelden

liq•uid•ity [lɪ'kwɪdətɪ] *s* (FIN) Liquidität *f;* flüssige Mittel *npl*

liquid•ize ['lɪkwɪdaɪz] *tr* im Mixer pürieren; **liquid•izer** ['lɪkwɪdaɪzə(r)] *s* Mixer *m*

liquor ['lɪkə(r)] *s* **1.** Saft *m;* Flüssigkeit *f* **2.** Spirituosen *pl,* Alkohol *m*

liquor•ice, licor•ice ['lɪkərɪs, *Am* 'lɪkərɪʃ] *s* Lakritze *f*

lisp [lɪsp] *itr, tr* (*speak with a ~*) lispeln

lis•som(e) ['lɪsəm] *adj* geschmeidig, gelenk(ig); gewandt, flink

list¹ [lɪst] **I.** *s* **1.** Liste *f,* Verzeichnis *n;* Aufstellung *f* **2.** (*Börse*) Kursblatt *n* **3.** (*shopping ~*) Einkaufszettel *m;* **be on a ~** auf e-r Liste stehen; **draw up** [*o* **make out**] **a ~** e-e Liste aufstellen; **enter in a ~** in e-e Liste eintragen; **put on a ~** auf e-e Liste setzen; **strike off (from) a ~** von e-r Liste streichen; **attendance ~** Anwesenheitsliste *f;* **price ~** Preisliste *f;* **wine ~** Weinkarte *f;* **~ of applicants** Bewerberliste *f;* **~ of members** Mitgliederverzeichnis *n;* **~ price** Listenpreis *m* **II.** *tr* **1.** (*in e-e Liste*) eintragen, -schreiben; verzeichnen **2.** registrieren; katalogisieren **3.** (*Posten*) aufführen **4.** (*Börse*) einführen **5.** aufführen; aufschreiben; aufzählen; **~ed building** (*Br*) Gebäude *n* unter Denkmalschutz

list² [lɪst] **I.** *s* (MAR) Schlagseite *f* **II.** *itr* Schlagseite haben

lis•ten ['lɪsn] *itr* **1.** horchen, hören (*to* auf) **2.** aufpassen (*for* auf) **3.** zuhören (*to s.o.* jdm); **~ to s.o.** jdm zuhören; **don't ~ to him** hören Sie nicht auf ihn!; **~ to the radio** Radio hören; **~ for s.th.** auf etw horchen; **listen in** *itr* (TELE) mithören (*to a conversation* ein Gespräch), Radio hören; **~ in to a program(me)/to a speech/to London** ein Programm/e-e Rede/London hören; **lis•tener** ['lɪsnə(r)] *s* **1.** Zuhörer(in) *m(f)* **2.** (RADIO) Hörer(in) *m(f);* **not to be a good ~** nicht zuhören können; **lis•ten•ing** [-ɪŋ] *s* Radiohören *n;* **good ~!** gute Unterhaltung!; **~ post** Horchposten *m;* **~ skills** Fähigkeit *f* zum Zuhören

lis•te•ria [lɪ'stɪərɪə] *s* Listeria *f*

list•ing ['lɪstɪŋ] *s* **1.** Anfertigung *f* e-r Liste, Aufstellung *f* e-s Verzeichnisses **2.** Katalogisierung *f* **3.** (*Börse*) Zulassung, Notierung *f*

list•less ['lɪstlɪs] *adj* lustlos; teilnahmslos

lists [lɪsts] *s pl* Turnier-, *fig* Kampfplatz *m;* **enter the ~** in die Schranken treten (*against* gegen)

lit [lɪt] *s.* **light¹**

lit•any ['lɪtənɪ] *s* Litanei *f*

li•tchi ['laɪtʃi:] *s* Litschi *f*

liter ['li:tə(r)] *s* (*Am*) Liter *m*

lit•er•acy ['lɪtərəsɪ] *s* Lese- und Schreibfertigkeit *f*

lit•eral ['lɪtərəl] **I.** *adj* **1.** wörtlich, wortgetreu **2.** (*Sinn*) eigentlich **II.** *s* Schreib-, Druck-, Tippfehler *m;* **lit•erally** ['lɪtərəlɪ] *adv* **1.** wörtlich, wortgetreu, Wort für Wort **2.** buchstäblich

lit•er•ary ['lɪtərərɪ] *adj* literarisch; **~ criticism** Literaturkritik *f;* **~ editor** Feuilletonredakteur(in) *m(f);* **~ supplement** Literaturbeilage *f*

lit•er•ate ['lɪtərət] *adj* **1.** des Lesens u. Schreibens kundig **2.** gebildet

lit•er•ature ['lɪtrətʃə(r)] *s* **1.** Literatur *f* **2.** Schrifttum *n*

lithe [laɪð] *adj* geschmeidig, gelenkig

lith•ium ['lɪθɪəm] *s* Lithium *n*

litho•graph ['lɪθəgrɑ:f] **I.** *s* Lithographie *f;* Steindruck *m,* -zeichnung *f* **II.** *tr* lithographieren; **lith•ogra•phy** [lɪ'θɒgrəfɪ] *s* (Kunst der) Lithographie *f*

Lithuania [ˌlɪθju'eɪnɪə] *s* Litauen *n;* **Lithuanian** [-n] **I.** *adj* litauisch **II.** *s* **1.** (das) Litauisch(e) **2.** Litauer(in) *m(f)*

liti•gant ['lɪtɪgənt] *s* prozessführende Partei; **liti•gate** ['lɪtɪgeɪt] *itr* prozessieren; **liti•ga•tion** [ˌlɪtɪ'geɪʃn] *s* Prozess, Rechtsstreit *m;* **lit•igious** [lɪ'tɪdʒəs] *adj* prozesssüchtig

lit•mus ['lɪtməs] *s* (CHEM) Lackmus *m od n;*

litmus paper *s* Lackmuspapier *n*
litre ['li:tə(r)] *s* (*Br*) Liter *m*
lit•ter¹ ['lɪtə(r)] *s* Sänfte *f;* Tragbahre, Trage *f*
lit•ter² ['lɪtə(r)] I. *s* 1. Abfall *m* 2. (*Hunde*) Wurf *m* 3. Streu *f;* Stroh *n* II. *tr* 1. verstreuen, umherwerfen, in Unordnung bringen 2. (*Junge*) werfen; **be ~ed** übersät sein (*with* von); **litter-bug** *s* (*Am*), **litter-lout** *s* Mensch *m,* der Papier auf der Straße wegwirft
little ['lɪtl] I. *adj* 1. klein 2. niedrig, gering 3. kurz 4. wenig 5. gemein; **in a ~ while** in kurzer Zeit II. *adv, s* 1. wenig, nicht viel; kaum 2. schwerlich; **I go there very ~** ich gehe sehr selten dorthin III. *s:* **a ~** ein (klein) wenig, ein bisschen, e-e Kleinigkeit; **after a ~** nach einer Weile; **~ by ~** nach u. nach, allmählich; **for a ~** für ein Weilchen; **not a ~** nicht wenig; **make ~ of** wenig halten von; **I think ~ of it** davon halte ich nicht viel; **little•ness** [-nɪs] *s* 1. Kleinheit *f* 2. Geringfügigkeit *f;* **~ of mind** Beschränktheit *f*
li•turgi•cal [lɪ'tɜ:dʒɪkl] *adj* (REL) liturgisch; **lit•urgy** ['lɪtədʒɪ] *s* Liturgie *f*
liv•able, live•able ['lɪvəbl] *adj* 1. (*Leben*) lebenswert 2. auszuhalten(d); zu ertragen(d) 3. (*Raum*) wohnlich
live¹ [lɪv] I. *itr* 1. leben 2. am Leben bleiben, über-, weiterleben 3. dauern, bestehen, aushalten 4. sein Leben führen 5. sein Auskommen haben, leben (*on* von) 6. auskommen (*on* mit) 7. wohnen (*with* bei, *at* in); **~ to see** erleben; **~ beyond one's means** über seine Verhältnisse leben; **have barely enough to ~ (on)** kaum genug zum Leben haben II. *tr* 1. (*ein Leben*) leben, führen 2. vorleben, in die Tat umsetzen; **live apart** *itr* getrennt leben; **live down** *tr* wieder gutmachen; vergessen lassen; **I'll never ~ that down** das werde ich noch lange zu hören kriegen; **live for s.th.** *tr* für etw leben; **~ for the day when ...** den Tag nicht erwarten können, wenn ...; **live in** *itr* im Hause schlafen; **live off** *itr* seinen Lebensunterhalt beziehen von; sich ernähren von; **live on** *itr* weiterleben; leben von; **live out** I. *itr* außerhalb des Hauses schlafen II. *tr* (das Ende *+gen*) erleben; **live through** *tr* überleben; **live together** *itr* zusammenleben; **live up to** *tr* in Einklang leben mit; gemäß e-r S leben; (*Erwartungen*) erfüllen
live² [laɪv] I. *adj* 1. lebend(ig) 2. lebhaft, lebensprühend 3. (*Thema*) aktuell 4. (*Kohlen*) glühend *a. fig* 5. (*Diskussion*) lebhaft 6. (*Geschoss*) scharf 7. (EL) stromführend 8. (RADIO) live; direkt übertragen; **a real ~ dog** ein echter Hund; **~ broadcast** Originalübertragung, Live-Sendung *f* II. *adv* (RADIO) live, direkt
live•able ['lɪvəbl] *adj s.* **livable**
live•li•hood ['laɪvlɪhʊd] *s* Lebensunterhalt *m;* **earn** [*o* **gain**] [*o* **make**] **a ~** seinen Lebensunterhalt verdienen
live•li•ness ['laɪvlɪnɪs] *s* Lebendigkeit, Lebhaftigkeit *f;* **live•ly** ['laɪvlɪ] *adj* 1. lebendig, lebhaft 2. (*Beschreibung*) lebendig, lebensecht 3. energisch, kraftvoll 4. aufregend 5. (*Interesse*) stark
liven up ['laɪvn 'ʌp] I. *tr* 1. aufmuntern, beleben 2. in Stimmung bringen II. *itr* 1. lebhaft, munter werden 2. in Stimmung kommen
liver¹ ['lɪvə(r)] *s:* **fast ~** Lebemann *m;* **loose ~** liederlicher Mensch; **plain ~** einfacher Mensch
liver² ['lɪvə(r)] *s* Leber *f;* **liver complaint** *s* Leberleiden *n;* **liver•ish** ['lɪvərɪʃ] *adj* (*fam*) leberkrank; **liver sausage** *s* (*Am*), **liver•wurst** ['lɪvəwɜ:st] *s* Leberwurst *f*
liv•ery ['lɪvrɪ] *s* Livree *f*
live•stock ['laɪvstɒk] *s* Vieh *n;* Viehbestand *m*
livid ['lɪvɪd] *adj* 1. bleifarben 2. aschgrau, leichenblass 3. (*fam*) wütend
liv•ing ['lɪvɪŋ] I. *adj* 1. lebend, lebendig *a. fig* 2. leibhaftig 3. (*Fels*) gewachsen; **within ~ memory** seit Menschengedenken; **knock the ~ daylights out of s.o.** jdn windelweich schlagen; **scare the ~ daylights out of s.o.** jdn zu Tode erschrecken II. *s* 1. (Lebens)Unterhalt *m;* Auskommen *n;* Existenz *f* 2. Leben *n;* **the ~** die Lebenden *pl;* **make a ~** sein Auskommen haben (*as* als, *out of* durch); **art of ~** Lebenskunst *f;* **standard of ~** Lebensstandard *m;* **loose ~** lockerer Lebenswandel; **living conditions** *s pl* Lebensbedingungen *fpl,* Wohnverhältnisse *npl;* **living creature** *s* Lebewesen *n;* **living quarters** *s pl* Wohnbereich *m;* **living room** *s* Wohnzimmer *n;* **living space** *s* 1. Lebensraum *m* 2. Wohnfläche *f;* **living wage** *s* Existenzminimum *n*
liz•ard ['lɪzəd] *s* Eidechse *f;* Echse *f*
llama ['lɑ:mə] *s* (ZOO) Lama *n*
load [ləʊd] I. *s* 1. (Trag)Last, Ladung, Fuhre *f* 2. Fracht *f* 3. Belastung, Last *f a. fig* 4. (EL) Leistung *f;* Spannung *f* 5. (*fig*) Bürde *f;* **a ~ of nonsense** [*o* **rubbish**]**!** (*fam*) Quatsch! Blödsinn!; **get a ~ of s.th.** (*fam*) etw mitkriegen; etw kapieren; sich etw anhören; **that's a ~ off my mind** mir fällt ein Stein vom Herzen ...; **~s of** e-e Menge ...; **peak ~** Spitzenbelastung *f;* **safe ~** zulässige Belastung II. *itr* 1. laden; Ladung übernehmen 2. (*Gewehr*) laden 3. (*Kamera*) einen Film einlegen 4. (*Börse*) stark kaufen

III. *tr* **1.** (*Transportmittel*) (be)laden; (*Ladung*) verladen **2.** überladen, überlasten *a. fig* **3.** (*fig*) überhäufen **4.** (*Feuerwaffe*) laden **5.** (*Fotoapparat*) e-n Film einlegen in **6.** (*Würfel*) fälschen **7.** (*Ofen*) beschicken **8.** (EDV) laden; **load down** *tr* **1.** schwer beladen **2.** (*fig*) überlasten; **load up** **I.** *itr* aufladen **II.** *tr* beladen; aufladen; **loaded** ['ləʊdɪd] *adj* **1.** beladen; belastet **2.** (*Gewehr*) geladen **3.** (*Würfel*) präpariert; **he's ~** er hat Geld wie Heu; er ist besoffen; **~ to capacity** voll beladen; **~ question** Fangfrage *f;* **load line** *s* (MAR) Ladekennlinie *f;* (TECH) Belastungskennlinie *f*

load•star ['ləʊdstɑ:] *s s.* **lodestar**; **load•stone** ['ləʊdstəʊn] *s* (MIN) Magneteisenstein *m*

loaf[1] [ləʊf, *pl* 'ləʊvz] <*pl* loaves> *s* **1.** Laib *m;* Brot *n* **2.** (*meat ~*) Hackbraten *m* **3.** (*sugar-~*) (Zucker)Hut *m;* **use your ~!** (*sl*) streng deinen Grips an!

loaf[2] [ləʊf] *itr* herumbummeln, faulenzen; **~ about the house** im Haus herumgammeln; **loafer** ['ləʊfə(r)] *s* **1.** (*Br*) Faulenzer *m* **2.** (*Am*) Halbschuh *m*

loam [ləʊm] *s* Lehm(boden) *m;* **loamy** ['ləʊmɪ] *adj* lehmig

loan [ləʊn] **I.** *s* **1.** Anleihe *f;* Darlehen *n* **2.** Leihgabe *f;* **as a ~** als Leihgabe; **on ~** leihweise; ausgeliehen; **ask for the ~ of s.th** bitten etw ausleihen zu dürfen; **give s.o. the ~ of s.th** jdm etw (aus)leihen; **have s.th. on ~** etw geliehen haben; **contract a ~** e-e Anleihe aufnehmen; **grant a ~** ein Darlehen gewähren (*to s.o.* jdm) **II.** *tr* (aus-, ver)leihen; als Darlehen geben (*to* an); **loan•word** ['ləʊnwɜ:d] *s* Lehnwort *n*

loath, loth [ləʊθ] *adj:* **be ~ to do s.th.** etw nur mit Widerwillen tun

loathe [ləʊð] *tr* verabscheuen, hassen; **loath•ing** [-ɪŋ] *s* Ekel *m* (*at* vor), Hass *m;* **loath•some** [-səm] *adj* ekelhaft, abscheulich

lob [lɒb] **I.** *itr, tr* (SPORT) lobben **II.** *s* (SPORT) Hochball, Lob *m*

lobby ['lɒbɪ] **I.** *s* **1.** (Vor)Halle *f;* Wandelhalle *f;* Foyer *n* **2.** (POL) Lobby, Interessengruppe *f* **II.** *tr* (POL: *Abgeordnete*) beeinflussen; **~ through** (*Gesetzesantrag*) mit Hilfe e-r Lobby durchzubringen versuchen; **lobby•ist** [-ɪst] *s* Lobbyist *m*

lobe [ləʊb] *s* (ANAT) Ohrläppchen *n;* (*von Lunge, Gehirn*) Lappen *m*

lob•ster ['lɒbstə(r)] *s* Hummer *m*

lo•cal ['ləʊkl] **I.** *adj* **1.** örtlich **2.** ortsansässig; hiesig; **~ anaesthetic** örtliche Betäubung, Lokalanästhesie *f;* **~ people** Ortsansässige *pl;* **~ opinion** Meinung *f* vor Ort **II.** *s* **1.** Ortsansässige(r) *f m* **2.** (*fam*) Lokal *n* in der Nachbarschaft; Stammlokal *n;* **local authorities** *s pl* Ortsbehörden *fpl;* **local branch** *s* Zweigstelle, Filiale *f;* **local call** *s* (TELE) Ortsgespräch *n;* **local charge** *s* (TELE) Ortstarif *m;* **local colo(u)r** *s* Lokalkolorit *n*

lo•cale [ləʊ'kɑ:l] *s* Örtlichkeit *f;* Schauplatz *m*

lo•cal elec•tions [ˌləʊkl ɪ'lekʃnz] *s pl* Kommunalwahlen *fpl;* **local government** *s* Gemeinde-, Kommunalverwaltung *f*

lo•cal•ity [ləʊ'kælətɪ] *s* Örtlichkeit, Lokalität *f;* Lage *f*

lo•cal•iz•ation [ˌləʊkəlaɪ'zeɪʃn] *s* Lokalisierung *f;* **lo•cal•ize** ['ləʊkəlaɪz] *tr* lokalisieren (*to* auf)

lo•cal news [ˌləʊkl 'nju:z] *s pl mit sing* Lokalnachrichten *fpl;* **local paper** *s* Lokalzeitung *f;* **local time** *s* Ortszeit *f;* **local traffic** *s* Ortsverkehr *m;* **local train** *s* Zug *m* im Nahverkehr

lo•cate [ləʊ'keɪt, *Am* 'ləʊkeɪt] **I.** *tr* **1.** (örtlich) festlegen, abstecken, abgrenzen **2.** ausfindig machen, feststellen **3.** (*Firma, Gebäude*) errichten; einrichten; **be ~d** liegen, sich befinden **II.** *itr* (*Am fam*) sich niederlassen, sich ansiedeln; **lo•ca•tion** [ləʊ'keɪʃn] *s* **1.** Absteckung, Abgrenzung *f* **2.** Lage *f;* Standort *m* **3.** Orts-, Lagebestimmung *f;* Ortsangabe *f* **4.** Platz *m* (*for* für) **5.** Ansiedlung *f* **6.** (*Am:* JUR) Vermietung *f* **7.** (FILM) Drehort *m;* Außenaufnahmen *fpl*

loch [lɒx] *s* (*schottisch*) See *m;* Meeresarm *m*

lock[1] [lɒk] *s* (Haar)Locke *f*

lock[2] [lɒk] **I.** *s* **1.** (Tür)Schloss *n* **2.** Verschluss *m* (*a. e-r Feuerwaffe*), Sperre *f* **3.** (*Ringen*) Fesselung *f* **4.** (MAR) Schleuse *f;* Staustufe *f* **5.** (MOT) Wendekreis *m;* **under ~ and key** hinter Schloss und Riegel; **~, stock, and barrel** alles zusammen, der ganze Kram *fam* **II.** *tr* **1.** (*~ up*) ver-, zuschließen, -sperren **2.** einschließen, ein-, absperren (*in, into* in) **3.** (*die Arme*) verschränken **4.** fest umschlingen, -fassen, -spannen **5.** bremsen; versperren, abriegeln, blockieren **III.** *itr* **1.** (*Schloss*) zuschnappen **2.** verschließbar sein; ineinander greifen; **lock away** *tr* wegschließen; einsperren; **lock in** *tr* einschließen, -sperren; **lock on** *itr* gekoppelt werden; sich einstellen (*to* auf); **the missile ~s on to its target** die Rakete richtet sich auf das Ziel; **lock out** *tr* aussperren (*a. bei Streik*); **lock up** *tr* **1.** zu-, verschließen, -sperren **2.** einschließen, -sperren **3.** (*Geld*) wegschließen **4.** (*Kapital*) fest anlegen

locker ['lɒkə(r)] *s* Schließfach *n;* Spind *m;* **go to Davy Jones's ~** im Meer ertrinken; **~ room** Raum *m* mit Schließfächern; (SPORT)

Umkleideraum *m*

locket ['lɒkɪt] *s* Medaillon *n*

lock·jaw ['lɒkdʒɔː] *s* (MED) Wundstarrkrampf *m*

lock-keeper ['lɒk,kiːpə(r)] *s* Schleusenwärter(in) *m(f)*

lock·out ['lɒkaʊt] *s* Aussperrung *f* (*bei Streik*); **lock·smith** ['lɒksmɪθ] *s* Schlosser(in) *m(f);* **lock·up** ['lɒkʌp] *s* **1.** Gefängnis *n* **2.** (COM) Laden *m,* Geschäft *n* **3.** (MOT) Einzelgarage *f*

loco·mo·tion [,ləʊkə'məʊʃn] *s* Bewegung *f;* **loco·mo·tive** [,ləʊkə'məʊtɪv] **I.** *adj* Fortbewegungs- **II.** *s* Lokomotive *f*

locum tenens [,ləʊkəm'tiːnenz] *s* (Stell)Vertreter(in) *m(f)*

lo·cus ['ləʊkəs, *pl* 'ləʊsaɪ] <*pl* loci> *s* (MATH) geometrischer Ort

lo·cust ['ləʊkəst] *s* **1.** (Wander)Heuschrecke *f* **2.** (*~-tree*) Robinie *f*

loc·ution [lə'kjuːʃn] *s* **1.** Rede-, Sprechweise *f* **2.** Redensart *f,* Ausdruck *m*

lode [ləʊd] *s* (MIN) Erzader *f;* **lode·star** ['ləʊdstɑː(r)] *s* **1.** Leit-, Polarstern *m* **2.** (*fig*) Leitstern *m,* Vorbild *n;* **lode·stone** ['ləʊdstəʊn] *s s.* **loadstone**

lodge [lɒdʒ] **I.** *s* **1.** Häuschen *n* **2.** (Pförtner-, Jagd)Haus *n* **3.** Pförtner-, Portiersloge *f* **4.** (Freimaurer)Loge *f* **5.** Lager *n* (*e-s wilden Tieres*), Biberbau *m* **6.** Wigwam *m* **II.** *tr* **1.** unterbringen, einquartieren; beherbergen **2.** (*Wertsachen*) hinterlegen, deponieren (*with s.o.* bei jdm) **3.** (JUR: *Forderung*) erheben, anmelden; (*Anspruch*) geltend machen **4.** (*Berufung, Beschwerde*) einlegen, einreichen **5.** (*Einwand, Klage*) erheben **6.** (*Kugel*) jagen (*in* in) **7.** (*Schlag*) versetzen **III.** *itr* **1.** wohnen (*with* bei) **2.** (*Kugel*) stecken bleiben (*in* in); **lodger** ['lɒdʒə(r)] *s* Untermieter(in) *m(f);* **lodging** ['lɒdʒɪŋ] *s* **1.** Unterbringung, Beherbergung *f* **2.** Wohnung, Unterkunft *f* **3.** (JUR: *Berufung*) Einlegen *n* **4. ~s** möbliertes Zimmer, möblierte Wohnung; **board and ~** Kost und Logis; **live in ~s** möbliert wohnen; **lodging house** *s* (*Br*) Pension *f*

lo·ess ['ləʊes] *s* (GEOL) Löß *m*

loft [lɒft] **I.** *s* **1.** (Dach-, Heu)Boden, Speicher *m* **2.** (Orgel)Chor *m* **3.** (ARCH) Empore, Galerie *f* **II.** *tr* hochschlagen

lofty ['lɒftɪ] *adj* **1.** hoch(ragend) **2.** edel, vornehm **3.** eingebildet, arrogant

log¹ [lɒg] *s* (Holz)Klotz, Block *m;* Holzscheit *n;* **sleep like a ~** wie ein Murmeltier schlafen; **log fire** *s* Holzfeuer *n*

log² [lɒg] **I.** *s* **1.** (MAR) Log *n* **2.** (*~-book*) Log-, Schiffstagebuch *n* **3.** (MOT) Fahrtenbuch *n* **4.** (AERO) Bordbuch *n* **5.** (TECH: *~ sheet*) (Zustands)Bericht *m;* Betriebsprotokoll *n* **II.** *tr* **1.** Buch führen über **2.** (MAR) ins Logbuch eintragen **3.** (*Entfernung*) zurücklegen

log³ [lɒg] *s* (MATH) Logarithmus *m*

lo·gan·berry ['ləʊgənberɪ] *s* Loganbeere *f*

log·ar·ithm ['lɒgərɪðəm] *s* (MATH) Logarithmus *m;* **take ~s** logarithmieren; **loga·rith·mic** [,lɒgə'rɪðmɪk] *adj* logarithmisch

log book ['lɒgbʊk] *s s.* **log²**

log-cabin [,lɒg'kæbɪn] *s* Blockhaus *n;* **log·ger** ['lɒgə(r)] *s* Holzfäller *m*

log·ger·heads ['lɒgəhedz] *s:* **I was at ~s with him** wir lagen uns in den Haaren; **be at ~ with s.th.** mit etw auf dem Kriegsfuß stehen

logic ['lɒdʒɪk] *s* Logik *f;* **logi·cal** ['lɒdʒɪkl] *adj* logisch; **lo·gis·tics** [lə'dʒɪstɪks] *s pl* Logistik *f*

log jam ['lɒgdʒæm] *s* (*Am*) unüberwindliche Schwierigkeit

logo ['lɒgəʊ] *s* (Firmen)Logo *n*

log·rol·ling ['lɒgrəʊlɪŋ] *s* **1.** (PARL) gegenseitige Unterstützung (*der Parteien*) **2.** (*pej*) politischer Kuhhandel

loin [lɔɪn] *s* Lende *f;* **loin·cloth** ['lɔɪnklɒθ] *s* Lendenschurz *m*

loi·ter ['lɔɪtə(r)] **I.** *itr* (*~ about*) herumbummeln; herumlungern **II.** *tr* (*Zeit: ~ away*) vertrödeln; **loi·terer** ['lɔɪtərə(r)] *s* (*fam*) Herumlungerer *m;* Bummelant(in) *m(f)*

loll [lɒl] *itr* **1.** sich (bequem) ausstrecken, sich rekeln **2.** sich zurück-, sich anlehnen; **~ out** (*Zunge*) heraushängen

lol·li·pop ['lɒlɪpɒp] *s* Lutscher *m;* Eis *n* am Stiel; **lollipop man**, **lollipop lady** <*pl* -men, -ladies> *s* (*Br*) *Mann, Frau zur Verkehrsregelung für Schulkinder*

lol·lop ['lɒləp] *itr* (*Br fam*) hin u. her schlenkern, watscheln, torkeln

lolly ['lɒlɪ] *s* **1.** (*fam*) Lutscher *m* **2.** (*sl*) Geld *n;* **ice**(**d**) **~** Eis *n* am Stiel

lone [ləʊn] *adj* einsam; **play a ~ hand** etw im Alleingang tun; **~ wolf** Einzelgänger(in) *m(f);* **lone·li·ness** ['ləʊnlɪnɪs] *s* Einsamkeit *f;* **lone·ly** ['ləʊnlɪ] *adj* **1.** einsam; vereinsamt **2.** sich einsam fühlend; **lon·er** ['ləʊnə(r)] *s* Einzelgänger(in) *m(f);* **lone·some** ['ləʊnsəm] *adj* **1.** einsam **2.** verlassen, öde

long¹ [lɒŋ] **I.** *adj* **1.** lang **2.** (*Weg*) weit **3.** (FIN) langfristig; mit langer Laufzeit; **in the ~ run** auf die Dauer; **be ~ (in) doing s.th.** viel Zeit zu etw brauchen; **not to be ~ for ...** nicht lange dauern, bis ...; **take a ~ time** viel Zeit brauchen; **take the ~ view** auf lange Sicht planen; **don't be ~!** beeil dich! **II.** *adv* lange; **as** [*o* **so**] **~ as** solange; vorausgesetzt, dass; wenn nur; **at (the) ~est** höchstens; längstens; **before ~** in kurzem; **no ~er** nicht mehr; **~ after** lange nachher, viel später; **~ before** lange vorher, viel früher; ~ **ago** vor langer Zeit; **so ~!** (*fam*) bis später! **III.** *s* **1.** lange Zeit **2.** (*Phonetik, Prosodie*) Länge *f;* **the ~ and the short of it** langer Rede kurzer Sinn; kurz (gesagt)

long² [lɒŋ] *itr* sich sehnen (*for* nach)

long·boat ['lɒŋbəʊt] *s* (MAR) großes Beiboot, Pinasse *f;* Wikingerboot *n;* **long-distance** *adj:* ~ **call** Ferngespräch *n;* ~ **express train** Fernexpress *m;* ~ **lorry driver** Fernfahrer(in) *m(f);* ~ **flight** Langstreckenflug *m;* ~ **traffic** Fernverkehr *m;* **long drink** *s* Longdrink *m,* verdünntes alkoholisches Getränk

lon·gev·ity [lɒn'dʒevətɪ] *s* Langlebigkeit *f*

long-haired [ˌlɒŋ'heəd] *adj* langhaarig; **long·hand** ['lɒŋhænd] *s* Langschrift *f;* **long haul** *s* (*Am*) **1.** (AERO) Langstrecken-, Nonstopflug *m* **2.** (*fig*) schwieriger Lebensabschnitt

long·ing ['lɒŋɪŋ] **I.** *adj* sehnsüchtig; sich sehnend (*for* nach) **II.** *s* Sehnsucht *f,* Verlangen *n* (*for* nach)

long·ish ['lɒŋgɪʃ] *adj* ziemlich lang

longi·tude ['lɒŋgɪtju:d] *s* (geographische) Länge *f;* **longi·tudi·nal** [ˌlɒŋgɪ'tju:dɪnl] *adj* längslaufend, Längs-

long johns ['lɒŋdʒɒnz] *s pl* lange Unterhosen *fpl;* **long jump** *s* (SPORT) Weitsprung *m;* **long-life milk** ['lɒŋlaɪf] *s* H-Milch *f;* **long-lived** [ˌlɒŋ'lɪvd] *adj* langlebig; dauerhaft; **long-lost** ['lɒŋlɒst] *adj* längst verloren geglaubt; **long odds** *s pl* geringe Gewinnchancen *fpl;* **long-playing record** *s* Langspielplatte *f;* **long-range** *adj* **1.** weit reichend **2.** (*Rakete, Flugzeug*) Langstrecken- **3.** weit vorausschauend; ~ **forecast** Langzeitprognose *f;* ~ **planning** langfristige Planung; **long shot** *s* riskantes Unternehmen; **not by a ~** nicht im Traum; **long-sighted** [ˌlɒŋ'saɪtɪd] *adj* weitsichtig; **long-stand·ing** [ˌlɒŋ'stændɪŋ] *adj* langdauernd, anhaltend; **long-suffering** *adj* schwer geprüft; **long-term** *adj* langfristig; ~ **damage** Spätschaden *m;* ~ **effect** Langzeitwirkung *f;* ~ **planning** langfristige Planung *f;* ~ **test** Dauertest *m;* ~ **unemployed (person)** Langzeit-, Dauerarbeitslose(r) *f m;* **long vac** *s* (*fam*), **long vacation** *s* große Ferien *pl,* Sommersemesterferien *pl;* **long wave** *s* (RADIO) Langwelle *f;* **long-wave** *adj:* ~ **band** Langwellenbereich *m;* **long·ways, long·wise** ['lɒŋweɪz, -waɪz] *adv* der Länge nach; **long-winded** [ˌlɒŋ'wɪndɪd] *adj* langatmig

loo [lu:] *s* (*Br fam*) Klo *n*

loo·fa(h) ['lu:fə] *s* Luffa *f*

look [lʊk] **I.** *itr* **1.** sehen, schauen, blicken (*at, on, upon* auf, nach) **2.** ansehen, -schauen (*at, on s.o., s.th.* jdn, etw) **3.** Acht geben, aufpassen (*to* auf) **4.** seinen Blick richten (*towards* auf) **5.** suchen, nachsehen **6.** (*Fenster*) gehen nach **7.** aussehen, scheinen; **it ~s like rain** es sieht nach Regen aus; ~ **sharp!** dalli, dalli!; ~ **here!** sieh her!; hör mal gut zu!; ~ **and see** nachsehen **II.** *tr* **1.** sehen (*s.o. in the face* jdm ins Gesicht) **2.** zum Ausdruck bringen, Ausdruck geben (*s.th.* e-r S); **he ~s his age** man sieht ihm sein Alter an **III.** *s* **1.** Blick *m* (*at* auf, nach) **2. ~s** Aussehen *n;* Anblick *m;* Erscheinung *f;* **cast** [*o* **throw**] **a ~** e-n Blick werfen (*at* auf); **give s.o. a dirty ~** jdm e-n vernichtenden Blick zuwerfen; **have a ~ at s.th.** etw angucken; **I don't like the ~ of it** es gefällt mir nicht; **look about** *itr* sich umsehen, sich umschauen (*for* nach); **look after** *tr* **1.** sich kümmern um; aufpassen auf **2.** überwachen, aufpassen auf; sehen nach **3.** nachsehen *dat;* **look ahead** *itr* **1.** nach vorne sehen **2.** die Zukunft planen, vorausschauen; **look around** *itr* sich umsehen (*for* nach); **look at** *tr* **1.** ansehen; sich ansehen, überprüfen; betrachten; überlegen **2.** (*fam*) rechnen mit; **look away** *itr* wegsehen; **look back** *itr* **1.** zurückschauen, -blicken (*on, upon* auf) **2.** unsicher werden; **look down** *itr* hochmütig herabsehen (*on* auf); **look for** *tr* **1.** suchen **2.** erwarten; **look forward** *itr* sich freuen (*to* auf); **look in** *itr* e-n kurzen Besuch abstatten (*on s.o.* jdm); **look into** *tr* untersuchen, nachgehen (*s.th.* e-r S); **look on, upon** *itr* **1.** ansehen, betrachten (*as* als) **2.** zusehen; **look onto** *itr* hinausschauen auf; **look out I.** *itr* **1.** aufpassen, Acht geben (*for* auf) **2.** hinaussehen, -gehen (*on* auf) **II.** *tr* sich aussuchen; ~ **out!** aufpassen! Achtung! Vorsicht!; **look over** *tr* mustern; prüfen; **look round** *itr* sich umsehen; **look through** *tr* **1.** durchsehen **2.** prüfen **3.** (*fig*) durchschauen; **look to** *itr* **1.** sich kümmern um **2.** sich verlassen auf, vertrauen auf; ~ **to it that** sehen Sie zu, dass; **look up I.** *itr* **1.** aufblicken, -schauen, -sehen (*at* auf) **2.** (*Lage*) sich bessern **3.** (*Preise*) steigen **II.** *tr* **1.** (*Wort*) nachschlagen **2.** (*fam*) besuchen; ~ **up to s.o.** zu jdm aufsehen; **things are ~ing up** es geht besser, bergauf; **look up and down** *tr* genau untersuchen

look·alike ['lʊkəˌlaɪk] *s* Doppelgänger(in) *m(f)*

looker ['lʊkə(r)] *s:* **she's a real ~** sie sieht fantastisch aus; **looker-on** ['lʊkərɒn] <*pl* lookers-on> *s* Zuschauer(in) *m(f)* (*at* bei); **look-in** ['lʊkɪn] *s* **1.** flüchtiger Blick **2.** kurzer Besuch; **have a ~** (SPORT: *fam*) Aussichten, Chancen haben; **look·ing glass**

['lʊkɪŋ'glɑːs] *s* Spiegel *m;* **look•out** ['lʊkˌaʊt] *s* **1.** Ausblick *m* **2.** Ausguck *m;* (MAR) Mastkorb *m;* **be on the ~** Ausschau halten (*for* nach); **that is his ~** (*fam*) das ist seine Sache; **that's not my ~** das geht mich nichts an; **look-over** ['lʊkəʊvə(r)] *s* Überprüfung *f;* **give s.th. a ~** sich etw ansehen

loom¹ [luːm] *s* Webstuhl *m*

loom² [luːm] *itr* **1.** (~ *up*) allmählich, undeutlich sichtbar werden **2.** drohend aufragen; ~ **large** sehr wichtig sein

loony ['luːnɪ] *adj* (*sl*) verrückt

loop [luːp] **I.** *s* **1.** Schlinge, Schleife *f* **2.** Windung *f;* Öse *f* **3.** (MED) Spirale *f* **4.** (AERO) Looping *m* **5.** (RADIO) Rahmenantenne *f* **6.** (EDV) Schleife *f* **II.** *tr* **1.** in Schleifen legen **2.** winden (*around* um); ~ **the ~** (AERO) e-n Looping machen **III.** *itr* **1.** Schleifen bilden **2.** sich schlingen

loop•hole ['luːphəʊl] *s* **1.** Schießscharte *f* **2.** (*fig*) Ausweg *m;* **a ~ in the law** e-e Gesetzeslücke

loose [luːs] **I.** *adj* **1.** lose, frei, ungebunden **2.** (COM) lose, unverpackt **3.** lose, locker **4.** (*Kleidung*) weit **5.** locker, aufgelockert **6.** (*Bedeutung*) ungenau **7.** (*Übersetzung*) frei **8.** (*Lebenswandel*) locker; **at a ~ end** ohne Beschäftigung; ~ **change** Kleingeld *n;* **have a ~ tongue** ein loses Mundwerk haben **II.** *adv* **1.** frei, ungebunden, ungezwungen **2.** lose, locker; **break ~** ausbrechen; **come ~** (*Band, Knoten*) aufgehen; (*Knopf*) abgehen; **cut ~** (sich) losreißen; (*fig*) außer Rand u. Band geraten; **work ~** (*Schraube*) sich lockern **III.** *tr* **1.** los-, freilassen; lockern **2.** befreien **IV.** *s:* **on the ~** frei, ungebunden; übermütig; **be on the ~** sich amüsieren; **loose connection** *s* (EL) Wackelkontakt *m;* **loose-leaf book** *s* Ringbuch *n;* **loosely** ['luːslɪ] *adv* locker, lose; ~ **speaking** grob gesagt; **loosen** ['luːsn] **I.** *tr* **1.** befreien **2.** (*Zunge*) lösen **3.** losmachen **4.** lockern **II.** *itr* **1.** frei werden, sich lösen **2.** sich lockern; ~ **up** (SPORT) Lockerungsübungen machen; (*fig*) lockerer werden

loot [luːt] **I.** *s* Beute *f* **II.** *tr* plündern; **looting** [-ɪŋ] *s* Plünderung *f*

lop [lɒp] *tr* **1.** (*Baum*) beschneiden, stutzen **2.** (~ *off*) abhacken

lope [ləʊp] **I.** *itr* **1.** galoppieren, traben **2.** (in leichten Sprüngen) rennen **II.** *s:* **at a ~** im Galopp

lop-sided [ˌlɒp'saɪdɪd] *adj* **1.** einseitig, unsymmetrisch; schief **2.** (MAR) mit Schlagseite

lo•qua•cious [lə'kweɪʃəs] *adj* redselig

lord [lɔːd] **I.** *s* **1.** Herr *m;* Herrscher *m* (*of* über) **2.** (*Br*) Lord *m;* (**Our**) **L~** der Herr (Jesus); **as drunk as a ~** volltrunken; **the House of L~s** das (brit.) Oberhaus; **the L~'s Prayer** das Vaterunser; **the L~'s Supper** das heilige Abendmahl; **L~ only knows** weiß der Himmel (*where* wo) **II.** *tr:* ~ **it** den Herrn spielen; **Lord Chancellor** *s* (*Br*) Lordkanzler *m;* **lord•ly** ['lɔːdlɪ] *adj* **1.** würdig, hoheitsvoll **2.** hochmütig **3.** stolz, gebieterisch; **Lord Mayor** *s* Oberbürgermeister *m;* **lord•ship** ['lɔːdʃɪp] *s:* **Your/His L~** Eure/Seine Lordschaft; **Lords Spiritual** *s pl* geistliche Herren *mpl* (*im brit. Oberhaus*); **Lords Temporal** *s pl* weltliche Herren *mpl* (*im brit. Oberhaus*)

lore [lɔː(r)] *s* Lehre, Kunde *f*

lorry ['lɒrɪ] *s* (*Br*) Last(kraft)wagen, Lkw, Laster *m;* **lorry driver** *s* Last(kraft)wagenfahrer(in) *m(f),* Lkw-Fahrer(in) *m(f)*

lose [luːz] <*irr:* lost, lost> **I.** *tr* **1.** verlieren; einbüßen **2.** sich entgehen lassen, nicht mitbekommen **3.** (*Gelegenheit*) versäumen **4.** (*Verfolger*) abschütteln **5.** (*Gelerntes*) vergessen **6.** (*Uhr*) nachgehen **7.** verschwenden, vergeuden **8.** bringen (*s.o. s.th.* jdn um etw), kosten (*s.o. s.th.* jdn etw); **be lost** verloren sein; verschwunden sein; **I'm lost** ich verstehe nichts mehr; **the child got lost** das Kind hatte sich verirrt; **get lost!** verschwinde! hau ab!; ~ **o.s.** sich verirren; sich verlieren (*in* in); ~ **ground** den Boden unter den Füßen, den Halt verlieren; ~ **one's head** (*fig*) den Kopf verlieren; ~ **one's life** ums Leben kommen; ~ **one's temper** die Geduld verlieren; heftig werden; ~ **track of ...** jede Spur +*gen* aus den Augen verlieren; ~ **one's way** sich verirren, sich verlaufen **II.** *itr* **1.** verlieren **2.** (~ *out*) verlieren, unterliegen; (COM) große Verluste erleiden (*on a deal* bei einem Geschäft) **3.** (*Uhr*) nachgehen; **loser** ['luːzə(r)] *s* Verlierer(in) *m(f);* **come off a** [*o* **the**] ~ den Kürzeren ziehen; **los•ing** ['luːzɪŋ] *adj* **1.** (COM) unrentabel; Verlust bringend **2.** (*Mannschaft*) Verlierer- **3.** (*fig*) aussichtslos; ~ **business** Verlustgeschäft *n;* ~ **game** aussichtsloses Spiel

loss [lɒs] *s* **1.** Verlust *m* **2.** Einbuße *f,* Nachteil, Schaden, Ausfall *m* (*in* an), Schadensfall *m;* **at a ~** in Verlegenheit (*for* um); (COM) mit Verlust; **be at a ~ how to do s.th.** nicht wissen, wie man etw anfangen soll; **be at a ~ for s.th.** um etw verlegen sein; **be a dead ~** nutzlos, unbrauchbar sein; **sell at a ~** mit Verlust verkaufen; **suffer heavy ~es** schwere Verluste erleiden; **he is no great ~** an ihm ist nicht viel verloren; ~ **of appetite** Appetitlosigkeit *f;* ~ **of blood** Blutverlust *m;* ~ **of confidence** Vertrauensschwund *m;* ~ **of earn-**

ings Ertragsausfall *m;* ~ **on exchange** Wechselkursverlust *m;* ~ **by fire** Brandschaden *m;* ~ **of life** Verluste *m pl* an Menschenleben; ~ **of civil rights** Aberkennung *f* der bürgerlichen Ehrenrechte; ~ **of time** Zeitverlust *m;* ~ **of wages** Lohnausfall *m;* ~ **in weight** Gewichtsverlust *m;* **loss-leader** *s* Lockartikel *m;* **loss-making** ['lɒsmeɪkɪŋ] *adj* (*Transaktion*) Verlust bringend; (*Firma*) in den roten Zahlen stehend

lost [lɒst] **I.** *pt, pp of* lose **II.** *adj* **1.** verloren; (*Gewinn*) entgangen **2.** vergessen **3.** verirrt **4.** abhanden gekommen; in Verlust geraten; **be ~ upon s.o.** auf jdn keinen Eindruck machen; **be ~ in thought** in Gedanken versunken sein; **a ~ cause** e-e aussichtslose Sache; **lost property** *s* Fundsachen *pl;* **lost-property office** *s* Fundbüro *n*

lot [lɒt] *s* **1.** Los *n a. fig,* Schicksal, Geschick *n* **2.** (Gewinn)Anteil *m* **3.** Parzelle *f* **4.** Gruppe *f;* Leute *pl* **5.** (COM) Partie *f,* Posten *m;* **a ~ of, ~s of** viele, eine Menge; **the ~** alles; alle; **you ~** ihr (alle); **by ~** durch das Los; **cast** [*o* **throw**] **in one's ~ with s.o.** jds Schicksal teilen; **a bad ~** (*fam*) e-e miese Person; **building ~** Bauplatz *m;* **parking ~** Parkplatz *m*

loth [ləʊθ] *adj s.* **loath**

lo•tion ['ləʊʃn] *s* Lotion *f;* **shaving ~** Rasierwasser *n*

lot•tery ['lɒtərɪ] *s* **1.** Lotterie, Verlosung *f* **2.** (*fig*) Glücksspiel *n;* **lottery number** *s* Losnummer *f*

lo•tus ['ləʊtəs] *s* Lotos(blume *f*) *m;* **lo•tus-eater** ['ləʊtəsˌiːtə(r)] *s* Lotosesser(in) *m(f);* (*fig*) Müßiggänger(in) *m(f);* **lotus position** *s* Lotossitz *m*

loud [laʊd] **I.** *adj* **1.** laut **2.** geräuschvoll **3.** (*fig*) auffallend; auffällig **II.** *adv* laut; **loud-hailer** [ˌlaʊd'heɪlə(r)] *s* Megafon *n;* **loud mouth** *s* (*fam*) Großmaul *n;* **loud•ness** [-nɪs] *s* Lautstärke *f;* Auffälligkeit *f;* Aufdringlichkeit *f;* **loud•speaker** [ˌlaʊd'spiːkə(r)] *s* Lautsprecher *m,* Box *f*

lounge [laʊndʒ] **I.** *itr* **1.** herumsitzen, -stehen **2.** faulenzen **II.** *s* (*Hotel*) Gesellschaftsraum *m;* (*Flughafen*) Warteraum *m;* (*Haus*) Wohnzimmer *n;* vornehmer Teil einer Gaststätte; **lounge bar** *s* (vornehme) Bar *f;* **lounge chair** *s* Klubsessel *m;* **lounge lizard** *s* Salonlöwe *m;* **lounge suit** *s* (*Br*) Straßenanzug *m*

lour, lower ['laʊə(r)] *itr* **1.** finster, drohend blicken (*on, upon, at* auf) **2.** (*Himmel*) finster, schwarz, drohend aussehen; sich verfinstern; (*Wolken*) sich türmen

louse [laʊs, *pl* laɪs] <*pl* lice> **I.** *s* **1.** Laus *f* **2.** (*sl*) gemeiner Kerl **II.** *tr:* ~ **up** (*sl*) versauen; ruinieren; **lousy** ['laʊzɪ] *adj* **1.** verlaust **2.** (*sl*) lausig, gemein, ekelhaft; miserabel; ~ **with** (*sl*) voll von, übersät mit; ~ **with money** (*fam*) stinkreich

lout [laʊt] *s* Lümmel, Flegel *m;* **lout•ish** ['laʊtɪʃ] *adj* flegelhaft

louvre, lou•ver ['luːvə(r)] *s* **1.** Jalousie *f* **2.** Belüftungsklappe *f;* ~ **door** Lamellen-, Louvretür *f*

lov•able ['lʌvəbl] *adj* liebenswert

lovage ['lʌvɪdʒ] *s* Liebstöckel *m*

love [lʌv] **I.** *s* **1.** Liebe, Zuneigung *f* (*of, for, to, towards s.o.* zu jdm) **2.** Vorliebe *f* (*of, for s.th.* für etw) **3.** Geliebte(r), Liebste(r) *f m* **4.** (*fam*) etw Reizendes **5.** (*Anrede*) meine Liebe, mein Lieber, mein Liebes; Schätzchen *n* **6.** Grüße *mpl* **7.** (SPORT: *Tennis*) null; **for ~** zum Spaß, zum Vergnügen; **for the ~ of** aus Liebe zu, *dat* zuliebe; **not for ~ nor money** nicht für Geld und gute Worte; **be in ~ with s.o.** in jdn verliebt sein; **fall in ~** sich verlieben; **make ~** sich lieben; **make ~ to s.o.** mit jdm schlafen; **send one's ~ to s.o.** jdn grüßen lassen; **give him my ~** grüßen Sie ihn von mir; **there's no ~ lost between them** sie können sich nicht ausstehen **II.** *tr* **1.** lieben; lieb haben, gern haben **2.** (gern) mögen (*a. Speisen*); ~ **to do** gern tun; **I'd ~ to go** ich würde (liebend) gern gehen **III.** *itr* lieben; verliebt sein; **love affair** *s* Liebschaft *f,* Verhältnis *n;* **love•bird** ['lʌvbɜːd] *s* (ZOO) Unzertrennliche(r), Sperlingspapagei *m;* (*fig*) Turteltaube *f;* **love game** *s* (*Tennis*) Zu-Null-Spiel *n;* **love-hate relationship** *s* Hassliebe *f;* **love•less** [lʌvlɪs] *adj* ohne Liebe; lieblos; **love letter** *s* Liebesbrief *m;* **love life** *s* Liebesleben *n*

love•li•ness ['lʌvlɪnɪs] *s* Liebreiz *m;* **love-ly** ['lʌvlɪ] *adj* **1.** lieblich; schön, hübsch **2.** (*fam*) herrlich, großartig

love-mak•ing ['lʌvˌmeɪkɪŋ] *s* **1.** Zärtlichkeiten *fpl* **2.** Geschlechtsverkehr *m*

lover ['lʌvə(r)] *s* Liebhaber *m,* Freund(in) *m(f),* Geliebte(r) *f m;* ~ **of horses** Pferdeliebhaber *m;* **a ~ of good music** Freund *m* guter Musik; **be a ~ of good wine** e-n guten Tropfen lieben; **they are ~s** sie sind ein Liebespaar

love•sick ['lʌvsɪk] *adj* liebeskrank; **be ~** Liebeskummer haben; **love song** *s* Liebeslied *n;* **love story** *s* Liebesgeschichte *f;* **lov•ey** [lʌvɪ] *s* (*sl*) Schätzchen *n;* **lov•ing** ['lʌvɪŋ] *adj* liebend; liebevoll, zärtlich

low¹ [ləʊ] **I.** *itr* muhen **II.** *s* Muhen *n*

low² [ləʊ] **I.** *adj* **1.** niedrig **2.** tief, tief(er)liegend **3.** (*Gewässer*) flach, seicht **4.** (*Kleid, Bluse:* ~*-necked*) tief ausgeschnitten **5.** (*Verbeugung*) tief **6.** (*fig*) schwach, kraft-, energielos **7.** (*Stimmung*) gedrückt; niedergedrückt, -geschlagen **8.** klein, gering(fügig, -wertig) **9.** einfach, niedrig, nieder (*a. Herkunft, Stand, Rang*) **10.** niedrig, niederträchtig, gemein **11.** (*Meinung*) gering, schlecht **12.** (*Preis, Kosten, Kurs, Lohn, Gehalt, Temperatur*) niedrig **13.** (*Puls*) schwach **14.** (*Vorrat*) erschöpft, zusammengeschmolzen **15.** (*fam*) knapp bei Kasse **16.** (*Verpflegung*) dürftig **17.** (*Kost*) schmal **18.** (*Gesundheit*) schwach, schlecht **19.** (*Kultur*) primitiv, unentwickelt **20.** (*Stimme, Laut*) schwach, leise; tief **21.** (MOT: *Gang*) niedrig; **as ~ as** so niedrig, so tief wie; hinunter bis zu; **in ~ water** (*fam*) knapp bei Kasse; **be ~** (*Preise etc*) niedrig stehen; **be** [*o* **feel**] **~** sich elend fühlen; **have a ~ opinion of s.o.** nicht viel von jdm halten; **lay ~** umstoßen, -werfen; umlegen, -bringen; **be laid ~** ans Bett gefesselt sein; **lie ~** flach, lang ausgestreckt liegen; (*fig*) sich nicht sehen lassen; **run ~** (*Vorrat*) zu Ende gehen **II.** *adv* **1.** niedrig, tief; nach unten **2.** leise (*sprechen*) **3.** tief (*singen*) **4.** billig (*kaufen, verkaufen*) **III.** *s* **1.** (das) Niedrige **2.** (MOT) niedriger Gang **3.** (*fam*) Tiefstand *m* **4.** (METE) Tief(druckgebiet) *n*

low•born [ˌləʊ'bɔːn] *adj* von niederer Herkunft; **low•bred** [ˌləʊ'bred] *adj* ungebildet, roh; **low•brow** ['ləʊbraʊ] *s* kulturell Unbedarfte(r) *f m;* **low-calorie** *adj* kalorienarm; **low comedy** *s* Schwank *m,* Posse *f;* **low-cut** [ləʊ'kʌt] *adj* (*Kleid*) tief ausgeschnitten; **low demand** *s* geringe Nachfrage; **low-down** ['ləʊdaʊn] **I.** *s* (*sl*) Information *f* **II.** *adj* (*Am*) gemein

lower¹ ['ləʊə(r)] *adj* **1.** tiefer, niedriger **2.** tiefer gelegen

lower² ['ləʊə(r)] **I.** *tr* **1.** hinunter-, herunterlassen, senken **2.** (*die Augen*) niederschlagen **3.** (*die Stimme*) senken **4.** (*Preis*) herabsetzen, ermäßigen **5.** (*Stellung, Rang*) herabsetzen; erniedrigen, demütigen **6.** (AERO: *Fahrgestell*) ausfahren **II.** *itr* **1.** sich senken **2.** (*Preise*) sinken, fallen **3.** abnehmen, nachlassen; sich vermindern **III.** *refl* sich erniedrigen; sich herablassen

lower³ [laʊə(r)] *itr s.* **lour**

low-key [ˌləʊ'kiː] *adj* **1.** maßvoll; nicht übertrieben **2.** unwillig; schwach; **low-land** ['ləʊlənd] *s meist pl* Tief-, Unterland *n;* **low level** *s* Tiefpunkt *m;* **on a ~** auf niedriger Stufe; **low-level radiation** *s* Niedrigstrahlung *f*

low•ly ['ləʊlɪ] *adj, adv* schlicht; bescheiden

Low Mass [ˌləʊ 'mæs] *s* (REL) einfache Messe; **low-minded** [ˌləʊ'maɪndɪd] *adj* niedrig gesinnt, gemein; **low-necked** [ˌləʊ'nekt] *adj* (*Kleid*) (tief) ausgeschnitten

low•ness ['ləʊnɪs] *s* **1.** Niedrigkeit *f a. fig* **2.** Tiefe *f* (*a. Stimme*); **~ of spirits** Niedergeschlagenheit *f*

low-noise [ˌləʊ'nɔɪz] *adj* rauschfrei; (MOT) laufruhig; **low-pitched** [ˌləʊ'pɪtʃt] *adj* **1.** (*Stimme*) tief **2.** (*Dach*) mit geringer Neigung; **low-pollution** [ˌləʊpəl'uːʃn] *adj* (MOT) schadstoffarm; **low pressure** *s* (METE) Tiefdruck *m;* **low-pressure area** *s* Tiefdruckgebiet *n;* **low profile** *s:* **keep a ~** (*fig*) sich im Hintergrund halten; **low season** *s* Neben-, Zwischensaison *f;* **low-spirited** [ˌləʊ'spɪrɪtɪd] *adj* niedergeschlagen, (nieder)gedrückt; **Low Sunday** *s* der Weiße Sonntag; **low tide** *s* **1.** Ebbe *f* **2.** (*fig*) Tiefstand *m;* **low water** *s* Niedrigwasser *n;* Ebbe *f*

loyal ['lɔɪəl] *adj* treu; loyal; zuverlässig; **loyal•ist** [-ɪst] *s* Regierungstreue(r) *f m;* **loyalty** ['lɔɪəltɪ] *s* **1.** Treue *f;* Loyalität *f* (*to* zu, gegen) **2.** Zuverlässigkeit *f*

loz•enge ['lɒzɪndʒ] *s* **1.** (MATH) Rhombus *m,* Raute *f* **2.** (*Arznei*) Pastille *f*

LP [el'piː] *s abbr of* **long playing (record)** LP *f*

LSD [eles'diː] *s abbr of* **lysergic acid diethylamide** LSD *n*

lu•bri•cant ['luːbrɪkənt] *s* Schmiermittel *n;* **lu•bri•cate** ['luːbrɪkeɪt] *tr* **1.** (ein-, ab)schmieren, (ein)ölen **2.** (*fig*) schmieren; **lu•bri•ca•tion** [ˌluːbrɪ'keɪʃn] *s* (Ab-, Ein)Schmieren *n;* (Ein)Ölen *n;* **lu•bri•ca•tor** ['luːbrɪˌkeɪtə] *s* Schmierbüchse *f,* -nippel *m*

lu•cerne [luː'sɜːn] *s* (BOT) Luzerne *f*

lu•cid ['luːsɪd] *adj* **1.** klar, verständlich **2.** (geistig) normal; **~ moments** lichte Momente *mpl*

luck [lʌk] *s* **1.** Glück(sfall *m*) *n* **2.** Zufall *m,* Schicksal *n;* **for ~** als Glückbringer; **in ~** glücklich; **out of ~** unglücklich; **worse ~** unglücklicherweise, leider; **be down on one's ~** (*fam*) Pech haben; **try one's ~** sein Glück versuchen; **just my ~! tough ~!** (*fam*) so ein Pech!; **good/bad ~** Glück/ Unglück *n;* **~ of the devil** (*fam*) wahnsinniges Glück; **luck•less** [-lɪs] *adj* glücklos; erfolglos; **lucky** ['lʌkɪ] *adj* **1.** glücklich **2.** Glück bringend, günstig; **be ~** Glück haben; **that's ~** das ist ein Glück; **~ shot** Glückstreffer *m;* **~ dip** Glückstopf *m;* **I should be so ~** das möchte ich mal erleben; **~ you!** du Glückliche(r)!

lu•cra•tive ['luːkrətɪv] *adj* einträglich, Gewinn bringend

lucre ['luːkə(r)] *s* (*hum*) Mammon *m*

lu•di•crous ['luːdɪkrəs] *adj* fürchterlich; grotesk; lächerlich; absurd

ludo ['luːdəʊ] *s* (*Spiel*) Mensch ärgere dich nicht *n*

lug [lʌg] *tr* schleppen, (hinter sich her)ziehen, zerren (*at* an)

lug•gage ['lʌgɪdʒ] *s* (*Br*) (Reise)Gepäck *n;*

have one's ~ registered sein Gepäck aufgeben; **hand ~** Handgepäck *n;* **luggage rack** *s* (*Zug*) Gepäckablage *f;* (*Auto*) Dachgepäckträger *m;* **luggage van** *s* (*Br:* RAIL) Packwagen *m*

lug·ger ['lʌgə(r)] *s* (MAR) Logger, Lugger *m*

lug(-hole) ['lʌghəʊl] *s* (*Br sl*) Ohr *n*

lu·gu·bri·ous [lə'gu:brɪəs] *adj* tieftraurig, schmerzlich

luke·warm [ˌlu:k'wɔ:m] *adj* **1.** (*Flüssigkeit*) lauwarm **2.** (*fig*) lau, gleichgültig

lull [lʌl] **I.** *tr* **1.** einlullen, beruhigen **2.** beschwichtigen, besänftigen; **~ to sleep** in den Schlaf wiegen **II.** *itr* **1.** sich beruhigen (*a. die See*) **2.** (*Sturm*) sich legen **III.** *s* **1.** Windstille *f* **2.** (kurze) Ruhe(pause) *f;* (kurze) Unterbrechung *f;* Stillstand *m* **3.** (COM) Flaute *f;* **lull·aby** ['lʌləbaɪ] *s* Wiegenlied *n*

lum·bago [lʌm'beɪgəʊ] *s* (MED) Hexenschuss *m*

lum·bar punc·ture [ˌlʌmbə'pʌŋktʃə(r)] *s* Lumbalpunktion *f*

lum·ber[1] ['lʌmbə(r)] **I.** *s* **1.** Gerümpel *n* **2.** Bau-, Nutzholz *n* **II.** *tr* **1.** (*mit Gerümpel*) vollstopfen, -pfropfen **2.** (*Bäume*) fällen, schlagen, zu Nutzholz sägen; **~ s.o. with s.th.** jdm etw aufhängen; **~ o.s. with s.th.** sich etw aufhalsen

lum·ber[2] ['lʌmbə(r)] *itr* schwerfällig gehen; rumpeln; trampeln; **~ along** dahinrumpeln

lum·ber·jack ['lʌmbədʒæk] *s* **1.** Holzfäller *m* **2.** (*a. lumberjacket*) Lumberjack *m;* **lum·ber·man** ['lʌmbəmæn] <*pl* -men> *s* Holzfäller *m;* **lum·ber·room** ['lʌmbərʊm] *s* Rumpelkammer *f;* **lumber-trade** *s* Holzhandel *m;* **lum·ber·yard** ['lʌmbəjɑ:d] *s* (*Am*) Holzlager *n*

lu·min·ary ['lu:mɪnərɪ] *s* (*fig*) Leuchte *f;* **lu·min·os·ity** [ˌlu:mɪ'nɒsətɪ] *s* Helligkeit *f;* **lu·mi·nous** ['lu:mɪnəs] *adj* **1.** leuchtend, Leucht- **2.** (*fig*) verständlich; **~ paint** Leuchtfarbe *f*

lump [lʌmp] **I.** *s* **1.** Klumpen *m* **2.** Stück *n* (*Zucker*) **3.** (*fig*) Haufen *m,* Masse, Menge *f* **4.** (MED) Beule *f;* Knoten *m* **5.** (*fam*) Klotz *m;* **have a ~ in one's throat** e-n Kloß im Hals haben **II.** *tr* **1.** (*~ together*) fassen (*under a title* unter e-r Überschrift) **2.** (*~ in*) in e-n Topf werfen (*with* mit); **~ it** (*fam fig*) etw schlucken; sich damit abfinden; **~ together** zusammenfassen; **if he doesn't like it he can ~ it** wenn's ihm nicht passt, kann er's ja bleiben lassen **III.** *itr* klumpen; **lump payment** *s* Pauschalbezahlung *f;* **lump sugar** *s* Würfelzucker *m;* **lump sum** *s* **1.** Pauschalbetrag *m* **2.** Kapitalabfindung *f;* **lumpy** ['lʌmpɪ] *adj* **1.** klumpig **2.** (*Figur*) pummelig

lu·nacy ['lu:nəsɪ] *s* Wahnsinn *m*

lu·nar ['lu:nə(r)] *adj:* **~ vehicle** Mondfahrzeug *n;* **~ module** Mondfähre *f*

lu·na·tic ['lu:nətɪk] **I.** *adj* blödsinnig, verrückt; **~ fringe** (POL) Extremisten *pl* **II.** *s* Wahnsinnige(r) *f m;* **lunatic asylum** *s* (*fam pej*) Irrenhaus *n*

lunch [lʌntʃ] **I.** *s* Mittagessen *n;* Mittagspause *f* **II.** *itr* (zu) Mittag essen; **~ out** auswärts zu Mittag essen; **lunch break** *s* Mittagspause *f;* **luncheon** ['lʌntʃən] *s* Mittagessen *n;* **luncheon meat** *s* Dosenfleisch *n;* **luncheon voucher** *s* Essensbon *m,* -marke *f;* **lunch hour** *s* Mittagspause *f;* **lunch·time** ['lʌntʃtaɪm] *s* Mittag(szeit *f*) *m*

lung [lʌŋ] *s a. pl* Lunge *f;* **his right ~** sein rechter Lungenflügel; **~ power** Stimmkraft *f;* **at the top of his ~s** aus vollem Halse; **iron ~** (MED) eiserne Lunge; **lung cancer** *s* Lungenkrebs *m*

lunge [lʌndʒ] **I.** *s* **1.** (*Fechten*) Ausfall *m* **2.** plötzlicher Satz (*nach vorn*) **II.** *itr* **1.** sich stürzen (*at* auf) **2.** (*Fechten*) einen Ausfall machen

lu·pin ['lu:pɪn] *s* (BOT) Lupine *f;* **lu·pine** *s* (*Am*) *s.* **lupin**

lurch [lɜ:tʃ] **I.** *s* **1.** Ruck *m* **2.** (MAR) Schlingern *n;* **leave in the ~** im Stich lassen; **give a ~** rucken; schlingern; torkeln **II.** *itr* **1.** rucken; taumeln **2.** (MAR) schlingern

lure [lʊə(r)] **I.** *s* **1.** Köder *m a. fig* **2.** (*fig*) Zauber, Reiz *m* **II.** *tr* **1.** (*~ on*) ködern *a. fig* **2.** (*fig*) anlocken, -ziehen **3.** verlocken (*into* zu)

lu·rid ['lʊərɪd] *adj* **1.** grell; schreiend **2.** reißerisch; grausig; sensationslüstern

lurk [lɜ:k] *itr* lauern

luscious ['lʌʃəs] *adj* **1.** wohlschmeckend **2.** köstlich *a. fig* **3.** (*Obst*) saftig **4.** (*fig*) sinnlich anziehend

lush [lʌʃ] **I.** *adj* **1.** saftig; üppig **2.** luxuriös **II.** *s* (*Am sl*) Säufer(in) *m(f)*

lust [lʌst] **I.** *s* **1.** Verlangen *n,* Drang *m,* Gier *f* **2.** (*geschlechtliche*) Begierde *f* (*for* nach) **3.** Wollust *f* **II.** *itr* verlangen, gierig sein (*after, for* nach); **lus·ter** *s* (*Am*) *s.* **lustre;** **lust·ful** ['lʌstfl] *adj* begehrlich; lüstern; **lustre** ['lʌstə] *s* **1.** Glanz, Schimmer *m* **2.** Ruhm *m;* **add ~ to s.th.** (*fig*) e-r S Glanz verleihen; **lustre·less** [-lɪs] *adj* glanzlos, matt, stumpf

lusty ['lʌstɪ] *adj* **1.** kraftvoll, kräftig, stark **2.** jugendfrisch; vital

lute [lu:t] *s* Laute *f*

Lu·theran ['lu:θərən] **I.** *adj* lutherisch **II.** *s* Lutheraner(in) *m(f)*

Lux·em·bourg ['lʌksəmbɜ:g] *s* Luxemburg *n;* **Lux·em·bourg(ian)** [-ɪən] *adj* luxemburgisch

lux•ur•iant [lʌg'ʒʊərɪənt] *adj* **1.** üppig; wuchernd **2.** (*fig*) überschwenglich; **lux•ur•iate** [lʌg'ʒʊərɪeɪt] *itr* schwelgen (*in* in); **lux•ur•ious** [lʌg'ʒʊərɪəs] *adj* luxuriös; feudal; üppig; **lux•ury** ['lʌkʃərɪ] *s* **1.** Luxus *m* **2.** Luxus(gegenstand) *m* **3.** Extravaganz *f;* ~ **flat** Luxuswohnung *f;* ~ **goods** Luxusgüter *npl;* **lead a life of** ~ ein Luxusleben führen

ly•chee ['laɪtʃi:] *s* Litschi *f*

lye [laɪ] *s* (CHEM) Lauge *f*

ly•ing ['laɪɪŋ] **I.** *adj* lügnerisch, unaufrichtig **II.** *s* Lügen *n;* **that would be** ~ das wäre gelogen

lymph [lɪmf] *s* (ANAT) Lymphe *f;* **lym•phatic** [lɪm'fætɪk] **I.** *adj* (ANAT) lymphatisch, Lymph- **II.** *s* (ANAT) Lymphgefäß *n;* **lymph gland** *s* Lymphdrüse *f;* **lymph node** *s* Lymphknoten *m*

lynch [lɪntʃ] *tr* lynchen

lynx [lɪŋks] *s* Luchs *m;* **lynx-eyed** [ˌlɪŋks'aɪd] *adj:* **be** ~ Luchsaugen haben

lyre ['laɪə(r)] *s* Leier, Lyra *f*

lyric ['lɪrɪk] **I.** *adj* (*a.* MUS) lyrisch **II.** *s* **1.** lyrisches Gedicht **2.** ~**s** Lyrik *f* **3.** Text *m* (*e-s Liedes*); **lyri•cal** ['lɪrɪkl] *adj* **1.** lyrisch **2.** (*fam*) begeistert; **become** ~ **over s.th.** in Begeisterung für etw geraten; **lyri•cism** ['lɪrɪˌsɪzəm] *s* **1.** Lyrik *f* **2.** Gefühlsüberschwang *m;* **lyri•cist** ['lɪrɪsɪst] *s* (MUS) Texter(in) *m(f)*

M

M, m [em] <*pl* -'s> *s* M, m *n*
ma [mɑː] *s* (*fam*) Mama, Mutti *f*
ma'am [mæm] *s* gnädige Frau
mac [mæk] *s* (*fam*) *s.* **mackintosh**
ma•cabre [mə'kɑːbrə] *adj* makaber
ma•cadam [mə'kædəm] *s* Schotter, Makadam *m;* **macadam road** *s* Schotterstraße *f*
maca•roni [ˌmækə'rəʊnɪ] *s* Makkaroni *pl*
mace[1] [meɪs] *s* (Amts)Stab *m;* Keule *f*
mace[2] [meɪs] *s* Muskatblüte *f*
Mace® [meɪs] *s* Tränengas *n*
Mach [mɑːk] *s* (PHYS) Mach *n;* **Mach number** *s* Machzahl *f*
machete [mə'ʃetɪ] *s* Machete *f*
ma•chine [mə'ʃiːn] **I.** *s* **1.** Maschine *f a. fig* **2.** (*vending* ~) Automat *m* **3.** Apparat, Automat *m* **4.** (POL) Parteiapparat *m;* **operate a** ~ e-e Maschine bedienen; **calculating** ~ Rechenmaschine *f;* **duplicating** ~ Vervielfältigungsmaschine *f* **II.** *tr* maschinell herstellen [*o* bearbeiten]; **machine-gun** *s* Maschinengewehr, MG *n;* **machine language** *s* (EDV) Maschinensprache *f;* **machine-made** *adj* maschinell hergestellt; **machine-readable** [mə'ʃiːn'riːdəbl] *adj* (EDV) computerlesbar, maschinenlesbar; **ma•chin•ery** [mə'ʃiːnərɪ] *s* **1.** Maschinerie *f;* Maschinen *fpl* **2.** (*fig*) Apparat *m;* **machine tool** *s* Werkzeugmaschine *f;* **ma•chin•ist** [mə'ʃiːnɪst] *s* **1.** Maschinist(in) *m(f)* **2.** Maschinenschlosser(in) *m(f)*
macho ['mætʃəʊ] **I.** *adj* (*pej*) Macho- **II.** *s* (*pej*) Macho *m*
mack•erel ['mækrəl] *s* (ZOO) Makrele *f*
mack•in•tosh ['mækɪntɒʃ] *s* Regenmantel *m*
mac•ro- ['mækrəʊ] *prefix* Makro-, makro-; **mac•ro•bi•otic** [ˌmækrəʊbaɪ'ɒtɪk] *adj* makrobiotisch
mac•ro•cosm ['mækrəʊkɒzəm] *s* Makrokosmos *m;* **mac•ro•econ•omics** [ˌmækrəʊiːkə'nɒmɪks] *s* Makroökonomie *f*
mad [mæd] **I.** *adj* **1.** wahnsinnig, verrückt **2.** böse, sauer **3.** sinnlos, unvernünftig **4.** wahnsinnig **5.** tollwütig; **go** ~ verrückt werden; **drive s.o.** ~ jdn wahnsinnig machen; **as** ~ **as a March hare** [*o* **a hatter**] total meschugge; **be** ~ **about s.th.** über etw wütend sein; **be** ~ **on s.th.** auf etw versessen sein **II.** *adv:* **like** ~ wie verrückt
Mada•gas•car [ˌmædə'gæskə(r)] *s* Madagaskar *n*
madam ['mædəm] *s* gnädige Frau
mad•den ['mædn] *tr* verrückt machen; ärgern; **mad•den•ing** [-ɪŋ] *adj* höchst ärgerlich; unerträglich; **it is** ~ es ist zum Verrücktwerden
made [meɪd] *s.* **make**; **made-to-measure** [meɪdtə'meʒə(r)] *adj* maßgeschneidert; ~ **suit** Maßanzug *m;* **made-up** ['meɪdʌp] *adj* **1.** (*Geschichte*) erfunden **2.** (*Gesicht*) geschminkt
mad•house ['mædhaʊs] *s* (*fam*) Irrenhaus *n;* **mad•ly** ['mædlɪ] *adv* **1.** wie verrückt; wild **2.** (*fam*) wahnsinnig; **it's** ~ **exciting** es ist unglaublich aufregend; **mad•man** ['mædmən] <*pl* -men> *s* Irre(r), Verrückte(r) *m;* **mad•ness** ['mædnɪs] *s* Wahnsinn *m;* **mad•woman** ['mædˌwʊmən] <*pl* -women> *s* Irre, Verrückte *f*
mael•strom ['meɪlstrəm] *s* **1.** Strudel *m* **2.** (*fig*) Wirbel, Sog *m*
Mafia ['mæfiə] *s* Mafia *f*
mag [mæg] *s* Zeitschrift *f;* Magazin *n;* **maga•zine** [ˌmægə'ziːn, *Am* 'mægəziːn] *s* **1.** (MIL) Magazin *n* **2.** (*im Gewehr*) Magazin *n* **3.** Zeitschrift *f,* Magazin *n*
mag•got ['mægət] *s* (ZOO) Made *f;* **maggoty** ['mægətɪ] *adj* madig
Magi ['meɪdʒaɪ] *s:* **the** ~ die Weisen aus dem Morgenland, die Heiligen Drei Könige *mpl*
magic ['mædʒɪk] **I.** *s* **1.** Magie, Zauberei, Zauberkunst *f* **2.** (*fig*) Zauber *m;* **as if by** ~ wie durch ein Wunder **II.** *adj* Zauber-; magisch; **the** ~ **word** das Stichwort; das Zauberwort; **magi•cal** ['mædʒɪkl] *adj* magisch; **magi•cal•ly** ['mædʒɪklɪ] *adv* wunderbar; **magic carpet** *s* fliegender Teppich; **magic eye** *s* magisches Auge; **ma•gician** [mə'dʒɪʃn] *s* Magier(in) *m(f),* Zauberer *m,* Zauberin *f*
magis•terial [ˌmædʒɪ'stɪərɪəl] *adj* **1.** (*Macht*) e-s Friedensrichters **2.** gebieterisch; **magis•trate** ['mædʒɪstreɪt] *s* Friedensrichter(in) *m(f)*
mag•lev ['mæglev] *s* Magnetschwebebahn *f*
mag•na•nim•ity [ˌmægnə'nɪmətɪ] *s* Großmut *f;* **mag•nani•mous** [mæg'nænɪməs] *adj* großmütig
mag•nate ['mægneɪt] *s* Magnat *m*

mag•nesia [mæg'ni:ʃə] *s* (CHEM) Magnesia *f;* **mag•nesium** [mæg'ni:zɪəm] *s* (CHEM) Magnesium *n*

mag•net ['mægnɪt] *s* Magnet *m a. fig;* **mag•net•ic** [mæg'netɪk] *adj* **1.** magnetisch **2.** (*fig*) faszinierend; ~ **card** Magnetkarte *f;* ~ **disc** (EDV) Magnetplatte *f;* ~ **field** Magnetfeld *n;* ~ **memory** Magnetspeicher *m;* ~ **needle** Magnetnadel *f;* ~ **pole** Magnetpol *m;* ~ **railway** Magnetbahn *f;* ~ **strip** Magnetstreifen *m;* ~ **tape** Magnetband *n;* **mag•net•ism** ['mægnɪtɪzəm] *s* **1.** Magnetismus *m* **2.** (*fig*) Faszination *f;* **mag•net•ize** ['mægnɪtaɪz] *tr* **1.** magnetisieren **2.** (*fig*) faszinieren; **mag•neto** [mæg'ni:təʊ] <*pl* -netos> *s* (MOT) Magnetzünder *m*

mag•ni•fi•ca•tion [ˌmægnɪfɪ'keɪʃn] *s* (OPT PHOT) Vergrößerung *f*

mag•nifi•cence [mæg'nɪfɪsəns] *s* **1.** Pracht *f,* Glanz *m* **2.** Großartigkeit *f;* **mag•nifi•cent** [mæg'nɪfɪsnt] *adj* **1.** prächtig, prunkvoll **2.** großartig, glänzend *a. fig*

mag•nify ['mægnɪfaɪ] *tr* (OPT PHOT) vergrößern; ~**ing glass** Vergrößerungsglas *n*

mag•ni•tude ['mægnɪtju:d] *s* **1.** Ausmaß *n,* Größe *f* **2.** Bedeutung, Wichtigkeit *f* **3.** (ASTR) Größenklasse *f*

mag•no•lia [mæg'nəʊlɪə] *s* (BOT) Magnolie *f*

mag•num opus [ˌmægnəm'əʊpəs] *s* Hauptwerk *n*

mag•pie ['mægpaɪ] *s* Elster *f*

Ma•ha•ra•ja(h) [ˌmɑ:hə'rɑ:dʒə] *s* Maharadscha *m;* **Ma•ha•ra•nee** [ˌmɑ:hə'rɑ:ni:] *s* Maharani *f*

ma•hog•any [mə'hɒgənɪ] *s* Mahagoni *n*

maid [meɪd] *s* **1.** Dienstmädchen *n,* Hausangestellte *f* **2.** (*obs*) Jungfer *f;* ~ **of hono(u)r** Brautjungfer *f*

maiden ['meɪdn] **I.** *s* (*lit*) Mädchen *n* **II.** *adj* Jungfern-; **maiden•hair** ['meɪdnheə(r)] *s* (BOT) Frauenhaar *n;* **maiden name** *s* Mädchenname *m;* **maiden speech** *s* Jungfernrede *f*

mail[1] [meɪl] **I.** *s* Post *f;* **send by** [*o* **via**] **air** ~ mit Luftpost verschicken **II.** *tr* mit der Post (ver)senden; abschicken, aufgeben

mail[2] [meɪl] *s* (HIST) (Ketten)Panzer *m*

mail•bag ['meɪlbæg] *s* Postsack *m;* **mail•box** ['meɪlbɒks] *s* **1.** (*Am*) Briefkasten *m* **2.** (EDV) Mailbox *f;* **mailer** ['meɪlə(r)] *s* Briefwerbematerial *n;* **mailing list** *s* Anschriftenliste *f;* **mailing piece** *s* Postwurfsendung *f;* **mail(ing) shot** *s* Briefwerbeaktion *f;* **mailing tube** *s* Versandrolle *f;* **mail•man** ['meɪlmæn] <*pl* -men> *s* (*Am*) Briefträger *m;* **mail-order catalogue** *s* Versandhauskatalog *m;* **mail-order house** *s* Versandhaus *n*

maim [meɪm] *tr* verstümmeln *a. fig,* zum Krüppel machen

main [meɪn] **I.** *adj attr* Haupt-; ~ **idea** Hauptgedanke *m;* ~ **thing** Hauptsache *f* **II.** *s* **1.** Hauptleitung *f;* Haupthahn *m;* Hauptschalter *m* **2.** ~**s** Versorgungsnetz *n;* Stromnetz *n;* **in the** ~ im Großen und Ganzen; ~**s operated** für Netzbetrieb; **main•frame** ['meɪnfreɪm] *s* (~ *computer*) Groß-, Zentralrechner *m;* **main•land** ['meɪnlænd] *s* Festland *n;* **main•line** ['meɪnlaɪn] **I.** *s* Hauptstrecke *f* **II.** *itr* (*sl*) fixen; **main•lining** [-ɪŋ] *s* (*sl*) Fixen *n;* **main•ly** ['meɪnlɪ] *adv* hauptsächlich, in erster Linie; **main office** *s* Hauptgeschäftsstelle, Zentrale *f;* **main road** *s* Haupt(verkehrs)straße *f;* **main•sail** ['meɪnseɪl] *s* Großsegel *n;* **main•spring** *s* Triebfeder *f a. fig;* **main•stay** ['meɪnsteɪ] *s* (MAR) Großstag *n;* (*fig*) Hauptstütze *f;* **main•stream** ['meɪnstri:m] *s* Hauptrichtung *f*

main•tain [meɪn'teɪn] *tr* **1.** aufrechterhalten; beibehalten; erhalten **2.** (*Maschine*) in gutem Zustand (er)halten, in Stand halten, pflegen, warten **3.** (*Straße, Familie, Beziehungen*) unterhalten **4.** (*Stellung*) halten, behaupten **5.** (*mit Worten*) behaupten, stützen, verteidigen

main•ten•ance ['meɪntənəns] *s* **1.** Aufrechterhaltung *f;* Beibehaltung *f;* Erhaltung *f* **2.** Instandhaltung, Wartung *f* **3.** Unterhalt *m;* ~ **contract** Wartungsvertrag *m;* ~ **costs** Unterhaltskosten *pl;* ~ **service** Wartungsdienst *m*

mai•son•nette [ˌmeɪzə'net] *s* Apartment *n,* Maisonette(-Wohnung) *f*

maize [meɪz] *s* Mais *m*

ma•jes•tic [mə'dʒestɪk] *adj* **1.** majestätisch **2.** (*Proportionen*) stattlich; **maj•esty** ['mædʒəstɪ] *s* Majestät *f a. fig;* **His/Her M** ~ Seine/Ihre Majestät

ma•jor ['meɪdʒə(r)] **I.** *adj* **1.** größer; Haupt-; bedeutend(er) **2.** (MUS: *nachgestellt*) Dur; ~ **road** Hauptverkehrsstraße *f;* **a** ~ **operation** e-e größere Operation; ~ **third** (MUS) große Terz; **A flat** ~ As-Dur; **Smith** ~ Smith der Ältere **II.** *s* **1.** (MIL) Major *m* **2.** (MUS) Dur *n* **3.** (*Am*) Hauptfach *n;* **become a** ~ volljährig werden **III.** *itr* (*Am*) im Hauptfach studieren (*in s.th.* etw); **ma•jor-gen•eral** [ˌmeɪdʒə 'dʒenərəl] *s* Generalmajor *m*

ma•jor•ity [mə'dʒɒrətɪ] *s* **1.** Mehrheit *f* **2.** (JUR) Volljährigkeit, Mündigkeit *f;* **attain one's** [*o* **reach the age of**] ~ volljährig, mündig werden; **the** ~ **of cases** die Mehrzahl der Fälle; **be in a** ~ in der Mehrzahl sein; **a two-thirds** ~ e-e Zweidrittelmehrheit; (**by**) ~ **of votes** (mit) Stimmenmehrheit *f;* ~ **deci sion** Mehrheitsbeschluss *m;* ~ **interest** Mehrheitsbeteiligung *f;* ~ (**share**)**holding** Mehrheitsbeteiligung *f*

make <*irr:* made, made> **I.** *tr* **1.** machen (*from, of* aus, *into* zu), herstellen, anfertigen **2.** (zu)bereiten, fertig machen, ausführen **3.** hervorbringen, (er)schaffen, bilden **4.** konstruieren, zusammenstellen **5.** ausdenken, formulieren **6.** (*Urkunde*) ausfertigen **7.** herbeiführen, bewirken, veranlassen, bewerkstelligen, zu Stande bringen **8.** ernennen zu **9.** machen, erscheinen lassen **10.** berühmt machen **11.** sich belaufen auf **12.** (*Distanz*) schätzen auf **13.** erwerben, verdienen **14.** (*Gewinn*) einstreichen, einstecken **15.** (*Verlust*) erleiden **16.** (*Zug*) noch erreichen **17.** (*Arbeit*) erledigen **18.** (*Entfernung*) zurücklegen **19.** (*Geschwindigkeit*) fahren **20.** (*Spiel*) gewinnen; ~ **bread** Brot backen; **made in Germany** in Deutschland hergestellt; ~ **s.o. a present of s.th.** jdm etw schenken; ~ **s.o. happy** jdn glücklich machen; **it ~s no difference to me** es ist mir gleich; ~ **s.o. laugh** jdn zum Lachen bringen; ~ **s.o. do s.th.** jdn dazu bringen etw zu tun; ~ **s.o. understand** jdm etw verständlich machen; ~ **port** in den Hafen einlaufen; ~ **it with s.o.** (*fam*) mit jdm schlafen; **we've made it!** wir haben es geschafft!; **he's a made man** er ist ein gemachter Mann; **1 plus 1 ~s 2** 1 und 1 ist 2; **she made him a good wife** sie war ihm e-e gute Frau; **what time do you ~ it?** wie spät hast du es? **II.** *itr:* ~ **towards a place** auf e-n Ort zuhalten; ~ **as if to do s.th.** Anstalten machen etw zu tun; ~ **on a deal** bei e-m Geschäft verdienen **III.** *refl:* ~ **o.s. useful** sich nützlich machen; ~ **o.s. comfortable** es sich bequem machen; ~ **o.s. do s.th.** sich dazu zwingen etw zu tun **IV.** *s* Marke *f,* Fabrikat *n;* **on the** ~ (*sl*) profitgierig; mit Zukunft; **make away** *itr* sich davonmachen; **make for** *itr* **1.** zuhalten auf; zuströmen auf; losgehen auf **2.** führen zu; den Grund legen für; **make of** *itr* halten von; **make off** *itr* sich aus dem Staub machen (*with* mit); **make out I.** *tr* **1.** ausfindig machen, herausbekommen, entziffern **2.** (*Liste*) aufstellen **3.** (*Formular*) ausfüllen **4.** (*Rechnung, Scheck*) ausstellen **5.** behaupten **II.** *itr* **1.** weiter-, vorwärtskommen *a. fig,* Erfolg haben **2.** auskommen; zurechtkommen (*with* mit); ~ **out that ...** es so hinstellen, als ob ...; ~ **s.o. out to be clever** jdn als klug hinstellen; ~ **out a case for s.th.** für etw argumentieren; **make over** *tr* **1.** (*Haus*) umbauen **2.** um-, überarbeiten **3.** (*Eigentum*) übertragen, vermachen; **make up I.** *tr* **1.** zusammenstellen, -legen, -setzen, -nähen **2.** erfinden, ausdenken **3.** vollenden, vervollständigen **4.** schminken **5.** (*Streit*) beilegen **6.** (*Schaden*) ersetzen **7.** (*Schulden*) bezahlen **8.** (*Rechnung*) begleichen **9.** (*Liste*) zusammenstellen **II.** *itr* **1.** (*Stoff*) sich verarbeiten lassen **2.** sich wieder aus-, versöhnen (*with* mit) **3.** wieder gutmachen, ersetzen **4.** (*verlorene Zeit*) wieder aufholen; ~ **up one's mind** sich entschließen; **it was all made up** alles war nur erfunden; ~ **it up to s.o.** jdn entschädigen; ~ **up for lost time** verlorene Zeit aufholen; ~ **up for s.th.** etw ausgleichen; **make up to** *itr* sich heranmachen an; **make with** *itr* loslegen, anfangen mit

make-be•lieve ['meɪkbɪˌliːv] **I.** *s* Phantasie *f* **II.** *adj attr* imaginär; Schein- **III.** *tr* sich vorstellen; **maker** ['meɪkə(r)] *s* Hersteller(in) *m(f);* **our M~** unser Schöpfer; **make-ready time** *s* Rüstzeit *f;* **make-shift** ['meɪkʃɪft] **I.** *s* Notbehelf *m,* Übergangslösung *f* **II.** *adj* behelfsmäßig; improvisiert; **make-up** ['meɪkʌp] *s* **1.** Make-up *n;* Schminke *f;* Maske *f* **2.** Zusammenstellung *f;* Veranlagung *f* **3.** (TYP) Umbruch *m;* **make-up artist** *s* Visagist(in) *m(f)*

mak•ing ['meɪkɪŋ] *s* **1.** Herstellung, Fertigung, Fabrikation, Produktion *f* **2.** *oft pl* Fähigkeiten *fpl,* Talent *n,* Anlage(n *pl*) *f;* **be in the** ~ in der Entwicklung, in der Herstellung sein; **have the ~s of** das Zeug haben zu

mal•adjusted [ˌmælə'dʒʌstɪd] *adj* (PSYCH) milieugestört; verhaltensgestört

mal•ad•min•is•tra•tion ['mæləd,mɪnɪ'streɪʃn] *s* schlechte Verwaltung

mal•adroit ['mælədrɔɪt] *adj* ungeschickt, unbeholfen, linkisch

mal•aise [mæ'leɪz] *s* **1.** (*fig*) Unbehagen *n* **2.** Unwohlsein *n*

mala•prop•ism ['mæləprɒpɪzəm] *s* (komische) Wortverwechs(e)lung *f,* Malapropismus *m*

ma•laria [mə'leərɪə] *s* Malaria *f*

Ma•lay•sia [mə'leɪzɪə] *s* Malaysia *n;* **Ma•lay•sian** [mə'leɪzɪən] **I.** *adj* malaysisisch **II.** *s* Malaysier(in) *m(f)*

mal•con•tent ['mælkəntənt] **I.** *adj* unzufrieden **II.** *s* Unzufriedene(r) *f m*

male [meɪl] **I.** *adj* **1.** männlich **2.** Mann-; ~ **chauvinism** Chauvinismus *m;* ~ **chauvinist pig** (*fam*) Chauvi, Chauvinist *m;* ~ **child** Junge *m;* ~**-dominated** von Männern dominiert; ~ **screw** Schraube *f;* ~ **plug** Stecker *m* **II.** *s* **1.** Mann *m* **2.** (ZOO) Männchen *n*

mal•edic•tion [ˌmælɪ'dɪkʃn] *s* Verwünschung *f*

ma•levo•lent [mə'levəlnt] *adj* boshaft (*to*

gegen)

mal•for•ma•tion [ˌmælfɔːˈmeɪʃn] *s* Missbildung *f;* **mal•func•tion** [ˌmælˈfʌŋkʃn] **I.** *s* Funktionsstörung *f;* Defekt *m;* Störfall *m* **II.** *itr* nicht richtig funktionieren

mal•ice [ˈmælɪs] *s* Bosheit *f;* Böswilligkeit *f;* **with ~ afore•thought** in böswilliger Absicht, vorsätzlich; **bear s.o. no ~** jdm nicht grollen; **ma•licious** [məˈlɪʃəs] *adj* böswillig; arglistig; gehässig

ma•lign [məˈlaɪn] **I.** *tr* verleumden; schlechtmachen **II.** *adj* **1.** (*Worte*) boshaft, böswillig **2.** (*Einfluss*) unheilvoll; **ma•lig•nancy** [məˈlɪgnənsɪ] *s* (*a.* MED) Bösartigkeit *f;* **ma•lig•nant** [məˈlɪgnənt] *adj* (*a.* MED) böswillig, bösartig

ma•linger [məˈlɪŋgə(r)] *itr* sich krank stellen, simulieren; **ma•lingerer** [məˈlɪŋgərə(r)] *s* Drückeberger(in) *m(f)*

mall [mɔːl] *s* Einkaufszentrum *n*

mal•lard [ˈmælɑːd] *s* Stockente *f*

mal•leable [ˈmælɪəbl] *adj* **1.** (*Metall*) formbar **2.** (*fig*) nachgiebig, anpassungsfähig, geschmeidig

mal•let [ˈmælɪt] *s* **1.** Holzhammer *m* **2.** (Krocket-, Polo)Schläger *m*

mal•low [ˈmæləʊ] *s* Malve *f*

mal•nu•tri•tion [ˌmælnjuːˈtrɪʃn] *s* Fehl-, Unterernährung *f*

mal•odor•ous [ˌmælˈəʊdərəs] *adj* übelriechend

mal•practice [ˌmælˈpræktɪs] *s* (JUR) Berufsvergehen *n;* Amtsvergehen *n*

malt [mɔːlt] **I.** *s* Malz *n* **II.** *tr* mälzen

Mal•ta [ˈmɔːltə] *s* Malta *n;* **Mal•tese** [ˌmɔːlˈtiːz] **I.** *adj* maltesisch **II.** *s* Malteser(in) *m(f)*

mal•treat [ˌmælˈtriːt] *tr* misshandeln; **mal•treat•ment** [-mənt] *s* Misshandlung *f*

mam•mal [ˈmæml] *s* Säugetier *n*

mam•mary gland [ˈmæmərɪˌglænd] *s* Brustdrüse *f*

mam•mog•raphy [mæˈmɒgrəfi] *s* (MED) Mammographie *f*

mam•mon [ˈmæmən] *s* Mammon *m*

mam•moth [ˈmæməθ] **I.** *s* (ZOO) Mammut *n* **II.** *adj* (*fig*) gewaltig, kolossal

man [mæn, *pl* men] <*pl* men> **I.** *s* **1.** Mann *m* **2.** (*ohne Artikel*) der Mensch **3.** man **4.** (MIL) Mann *m* **5.** (*Schach*) Figur *f;* (*Damespiel*) Stein *m;* **a ~ of the world** ein Mann von Welt; **~ and boy** von Kindheit an; **make a ~ out of s.o.** e-n Mann aus jdm machen; **no ~** niemand; **any ~** jeder; **to a ~** bis auf den letzten Mann; **he is not a ~ to ...** er ist nicht der Typ, der ...; **the ~ in the street** der Mann auf der Straße; **he's a ~ about town** er kennt sich aus; **hey wow, ~!** (*sl*) Mensch, das ist ja geil! **II.** *tr* (*Schiff*) bemannen; (*Festung*) besetzen; (*Telefon*) bedienen

man•acle [ˈmænəkl] *s* Handfesseln *fpl*

man•age [ˈmænɪdʒ] **I.** *tr* **1.** (*Betrieb*) leiten; verwalten; in Ordnung halten **2.** zurechtkommen mit **3.** (*Aufgabe*) bewältigen; schaffen; (*fam*) managen; **he ~d it very well** er hat das sehr gut gemacht; **~ to do s.th.** es schaffen, etw zu tun; **can you ~ another slice of cake?** kannst du noch ein Stück Kuchen vertragen? **II.** *itr* es schaffen, zurechtkommen; **~ without s.th.** ohne etw auskommen; **man•age•able** [-əbl] *adj* **1.** (*Kind*) folgsam **2.** (*Arbeit*) zu bewältigen **3.** (*Haar*) leicht frisierbar **4.** (*Auto*) leicht zu handhaben

man•age•ment [ˈmænɪdʒmənt] *s* **1.** Leitung *f;* Führung *f;* Verwaltung *f* **2.** Management *n;* Unternehmensleitung *f;* Betriebsleitung *f;* **management buyout**, **MBO** *s* Management-Buy-out *n;* **management by objectives** *s* Management *n* nach Zielvorgaben; **crisis ~** Krisenmanagement *n;* **management consultant** *s* Unternehmensberater(in) *m(f);* **management studies** *s* Betriebswirtschaft *f;* **management trainee** *s* Führungsnachwuchs *m;* **man•ager** [ˈmænɪdʒə(r)] *s* **1.** (COM) Geschäftsführer(in) *m(f),* Manager(in) *m(f)* **2.** Abteilungsleiter(in) *m(f)* **3.** (THEAT) Intendant(in) *m(f);* **business ~** Verwaltungsdirektor(in) *m(f);* **department ~** Abteilungsleiter(in) *m(f);* **sales ~** Verkaufsleiter(in) *m(f);* **man•ager•ess** [ˌmænɪdʒəˈres] *s* Geschäftsführerin, Managerin *f;* **managerial** [ˌmænɪˈdʒɪərɪəl] *adj* führend, leitend; (*Probleme etc*) Management-; **in a ~ capacity** in leitender Stellung; **managing di•rec•tor**, **MD** [ˈmænɪdʒɪŋdɪˈrektə(r)] *s* Geschäftsführer(in) *m(f)*

man-at-arms [ˌmænətˈɑːmz] <*pl* men-at-arms> *s* Soldat *m*

man•da•rin [ˈmændərɪn] *s* **1.** (*in China*) Mandarin *m* **2.** (*fig*) Bonze *m* **3.** (*Sprache*) (das) Hochchinesisch(e) **4.** (BOT) Mandarine *f*

man•date [ˈmændeɪt] **I.** *s* **1.** Auftrag *m* **2.** (POL) Mandat *n* **II.** *tr:* **~ a territory to s.o.** ein Gebiet als Mandat an jdn vergeben; **man•da•tory** [ˈmændətrɪ] *adj* zwingend, verbindlich, obligatorisch; (POL) mandatorisch

man•dible [ˈmændɪbl] *s* **1.** (ANAT) Unterkiefer *m* **2.** (*von Insekten*) Mundwerkzeuge *npl*

man•do•lin(e) [ˈmændəlɪn] *s* Mandoline *f*

mane [meɪn] *s* Mähne *f*

man-eater [ˈmæniːtə(r)] *s* Menschenfresser *m*

ma•neu•ver *s* (*Am*) *s.* **manoeuvre**

ma•neu•ver•able *adj* (*Am*) *s.* **ma-**

noeuvrable
man•ga•nese ['mæŋgəni:z] *s* (CHEM) Mangan *n*
mange [meɪndʒ] *s* Räude *f*
man•gel(-wur•zel) ['mæŋgl(wɜ:zl)] *s* (BOT) Futterrübe *f*
manger ['meɪndʒə(r)] *s* Krippe *f*
mange•tout [mɑ̃:ʒ'tu:] *s* Zuckererbse *f*
mangle[1] ['mæŋəl] *tr* übel zurichten
mangle[2] ['mæŋgl] **I.** *tr* (*Wäsche*) mangeln **II.** *s* (Wäsche)Mangel *f*
mango ['mæŋgəʊ] <*pl* mango(e)s> *s* **1.** Mangobaum *m* **2.** (*Frucht*) Mango *f*
man•grove ['mæŋgrəʊv] *s* (BOT) Mangrove(n)baum *m*
mangy ['meɪndʒɪ] *adj* **1.** räudig **2.** (*fig*) schmutzig, schäbig
man•handle ['mænhændl] *tr* rau, derb anpacken; **man•hole** ['mænhəʊl] *s* Einsteigloch *n;* Kanalschacht *m;* **man•hood** ['mænhʊd] *s* **1.** Mannesalter *n* **2.** Männlichkeit *f;* **man-hour** ['mænaʊə(r)] *s* Arbeitsstunde *f;* **man•hunt** ['mænhʌnt] *s* Fahndung *f*
mania ['meɪnɪə] *s* **1.** (PSYCH) Manie *f* **2.** (*fig*) Manie, Sucht, Besessenheit *f* (*for* nach); **have a ~ for** verrückt sein auf; **maniac** ['meɪnɪæk] **I.** *s* **1.** Geisteskranke(r) *f m* **2.** (*fig*) Verrückte(r) *f m* **II.** *adj* wahnsinnig; **ma•nia•cal** [mə'naɪəkl] *adj* wahnsinnig, verrückt; **manic-de•press•ive** [ˌmænɪkdɪ'presɪv] *adj* (PSYCH) manisch-depressiv
mani•cure ['mænɪkjʊə(r)] **I.** *s* Maniküre *f* **II.** *tr* maniküren; **mani•cur•ist** ['mænɪkjʊərɪst] *s* Maniküre *f*
mani•fest ['mænɪfest] **I.** *adj* (offen)sichtlich, offenbar, -kundig **II.** *tr* offenbaren, kundtun **III.** *refl* sich zeigen, sich manifestieren **IV.** *s* (MAR) Manifest *n;* **mani•fes•ta•tion** [ˌmænɪfe'steɪʃn] *s* **1.** Ausdruck *m,* Manifestierung *f* **2.** Anzeichen *n* **3.** (*Geist*) Erscheinen *n;* **mani•festly** ['mænɪfestlɪ] *adv* offenkundig
mani•festo [ˌmænɪ'festəʊ] <*pl* -festo(e)s> *s* Manifest *n*
mani•fold ['mænɪfəʊld] **I.** *adj* mannigfaltig, verschiedenartig **II.** *s* **1.** (MOT) Auspuffrohr *n* **2.** (MATH) Mannigfaltigkeit *f* **III.** *tr* vervielfältigen
ma•nil•la en•vel•ope [ˌmænɪlə'envələʊp] *s* brauner Umschlag
ma•nipu•late [mə'nɪpjʊleɪt] *tr* **1.** (*Maschine*) handhaben, bedienen **2.** (*fig*) beeinflussen, manipulieren; (*Bücher*) schönen **3.** (*Daten*) bearbeiten; **ma•nipu•la•tion** [məˌnɪpjʊ'leɪʃn] *s* Manipulation, Beeinflussung *f;* **ma•nipu•la•tor** [mə'nɪpjʊleɪtə(r)] *s* Manipulator *m*
man•kind [ˌmæn'kaɪnd] *s* die Menschheit; **man•ly** ['mænlɪ] *adj* männlich; **man-made** ['mænmeɪd] *adj* künstlich (hergestellt), Kunst-
manned [mænd] *adj* (*Satellit*) bemannt; (*Telefonzentrale*) besetzt
man•ne•quin ['mænɪkɪn] *s* **1.** Mannequin *n* **2.** Glieder-, Schneiderpuppe *f*
man•ner ['mænə(r)] *s* **1.** Art, Weise, Art und Weise *f* **2.** Benehmen *n* **3.** **~s** Manieren *fpl,* Umgangsformen *fpl,* Sitten *fpl;* **all ~ of** jede Art +*gen;* **after this ~** auf diese Art und Weise; **no ~ of** nicht der (die, das) Geringste ..., gar kein ...; **a teacher as to the ~ born** der geborene Lehrer; **by all ~ of means** selbstverständlich, auf jeden Fall; **not by any ~ of means** auf keinen Fall; **in a ~** gewissermaßen; **in a ~ of speaking** sozusagen; **he has no ~s** er weiß sich nicht zu benehmen; **it's bad ~s** es schickt sich nicht
man•ner•ism ['mænərɪzəm] *s* **1.** Angewohnheit, Eigenheit *f* **2.** (*Stil*) Manieriertheit *f;* **ma•noeuvr•able** [mə'nu:vrəbl] *adj* manövrierfähig; **ma•noeuvre** [mə'nu:və(r)] **I.** *s* **1.** **~s** (MIL) Manöver *n,* Truppenübung *f* **2.** (*fig*) Schachzug *m,* List *f* **II.** *tr* manövrieren; **~ s.o. into doing s.th.** jdn dazu bringen etw zu tun **III.** *itr* **1.** manövrieren; ein Manöver durchführen **2.** (*fig*) es geschickt einfädeln
manor ['mænə(r)] *s* Landgut *n;* **lord of the ~** Gutsherr *m;* **~house** Herrenhaus *n*
man•power ['mænpaʊə(r)] *s* Leistungs-, Arbeitspotential *n;* Arbeitskräfte *pl;* **manpower forecasting** *s* Personalbestandsprognose *f;* **manpower planning** *s* Personalplanung *f;* **manpower shortage** *s* Arbeitskräftemangel *m*
manse [mæns] *s* (*schottisch*) Pfarrhaus *n*
man•ser•vant ['mænsɜ:vənt] <*pl* menservants> *s* Diener *m*
man•sion ['mænʃn] *s* Villa *f;* Herren-, Landhaus *n*
man•slaughter ['mænslɔ:tə(r)] *s* Totschlag *m*
man•tel•piece ['mæntlpi:s] *s* Kaminsims *m*
man•ual ['mænjʊəl] **I.** *adj* manuell; körperlich; **~ labourer** Schwerarbeiter(in) *m(f);* **~ skill** Handwerk *n;* **~ transmission** (MOT) Schaltgetriebe *n;* **~ work** manuelle Tätigkeit; **~ worker** (Hand)Arbeiter(in) *m(f)* **II.** *s* Handbuch *n*
manu•fac•ture [ˌmænjʊ'fæktʃə(r)] **I.** *s* **1.** Herstellung, Fabrikation, Fertigung, Produktion *f* **2.** Erzeugnis, Produkt, Fabrikat *n* **II.** *tr* **1.** herstellen, fabrizieren, produzieren **2.** (*fig*) erfinden; **manufactured goods** *s pl* Industriegüter, Fabrik-, Fertigwaren *pl;* **manu•fac•turer** [ˌmænjʊ'fækʃərə(r)] *s*

Hersteller, Produzent, Fabrikant *m;* **manufacturer's recommended price, MRP** *s* unverbindliche Preisempfehlung; **manu•fac•tur•ing** [ˌmænjʊˈfæktʃərɪŋ] **I.** *adj* Herstellungs-; ~ **capacity** Produktionskapazität *f;* ~ **costs** Herstellungskosten *pl;* ~ **industry** verarbeitende Industrie **II.** *s* Fertigung, Fabrikation *f*

ma•nure [məˈnjʊə(r)] **I.** *s* Dünger *m* **II.** *tr* düngen

manu•script [ˈmænjʊskrɪpt] *s* **1.** (*alte*) Handschrift *f* **2.** (TYP) Manuskript *n;* **in** ~ handschriftlich

many [ˈmenɪ] <more, most> **I.** *adj* viele; ~ **a** manche(r, s), manch ein(e, r); ~ **a man** manch einer; ~ **a time** manchesmal; **as** ~ ebenso viele; **as** ~ **again** noch mal so viele; **as** ~ **as 100** sage und schreibe 100; **a good** [*o* **great**] ~ sehr viele; **there's one too** ~ einer ist zuviel **II.** *s* e-e ganze Menge; **the** ~ die große Masse; **many-sided** [ˌmenɪˈsaɪdɪd] *adj* vielseitig

map [mæp] **I.** *s* **1.** (Land)Karte *f* **2.** Stadtplan *m;* **be off the** ~ (*fam*) hinter dem Mond liegen; **put on the** ~ Bedeutung verleihen, herausstreichen; **road** ~ Straßenkarte *f* **II.** *tr* **1.** vermessen; e-e Karte anfertigen von **2.** (~ *out*) entwerfen, kartieren; (*fig*) ausarbeiten

maple [ˈmeɪpl] *s* (BOT) Ahorn *m;* **maple leaf** <*pl* -leaves> *s* Ahornblatt *n;* **maple sugar** *s* Ahornzucker *m*

mar [mɑː(r)] *tr* **1.** trüben; mindern **2.** verderben

mara•thon [ˈmærəθən] *s* **1.** (SPORT) Marathonlauf *m* **2.** (*fig*) Marathon *n*

ma•raud [məˈrɔːd] *itr, tr* marodieren, plündern; **ma•rauder** [-ə(r)] *s* Plünderer *m,* Plünderin *f*

marble [ˈmɑːbl] **I.** *s* **1.** Marmor *m* **2.** Murmel *f* **II.** *adj* marmorartig

March [mɑːtʃ] *s* März *m*

march [mɑːtʃ] **I.** *itr* marschieren; ~ **in** einmarschieren; **time** ~**es on** die Zeit bleibt nicht stehen; ~ **out** abmarschieren; ~ **past s.o.** an jdm vorbeimarschieren **II.** *tr* marschieren lassen; ~ **s.o. off** jdn abführen **III.** *s* **1.** (MIL MUS) Marsch *m* **2.** Weg *m* **3.** (Ver)Lauf, Gang *m* (*der Ereignisse*); **on the** ~ auf dem Marsch; **steal a** ~ **on s.o.** jdm zuvorkommen; **forced** ~ Gewaltmarsch *m;* **march•ing or•ders** [ˈmɑːtʃɪŋˌɔːdəz] *s pl* **1.** (MIL) Marschbefehl *m* **2.** Entlassung *f*

mare [ˈmeə(r)] *s* (ZOO) Stute *f;* **mare's nest** *s* Schwindel *m;* (Zeitungs)Ente *f;* Reinfall *m*

mar•gar•ine *s* (*fam*), **marge** [ˌmɑːdʒəˈriːn, mɑːdʒ] *s* Margarine *f*

mar•gin [ˈmɑːdʒɪn] *s* **1.** Rand *m* **2.** (*fig*) Spielraum *m,* Spanne *f* **3.** (COM) Gewinnspanne, Marge *f;* Verdienstspanne *f;* **in the** ~ am Rande; **allow** [*o* **reserve**] **a** ~ Spielraum lassen; **by a narrow** ~ knapp; ~ **of error** Fehlerspielraum *m;* **it's within the safety** ~ das ist noch sicher; **mar•ginal** [ˈmɑːdʒɪnl] *adj* (*fig*) **1.** Rand- **2.** geringfügig, unwesentlich; ~ **land** marginaler Boden; **mar•gin•al•ize** [-aɪz] *tr* **1.** (*fig*) an den Rand drängen **2.** (*Sachverhalt*) eine niedrigere Priorität verleihen

mar•guer•ite [ˌmɑːgəˈriːt] *s* (BOT) Margerite *f*

mari•gold [ˈmærɪgəʊld] *s* Tagetes *f*

mari•juana, mari•huana [ˌmærɪˈwɑːnə] *s* Marihuana *n*

ma•rina [məˈriːnə] *s* Jachthafen *m*

mari•nade [ˌmærɪˈneɪd] *s* Marinade *f;* **mari•nate** [ˈmærɪneɪt] *tr* marinieren

mar•ine [məˈriːn] **I.** *adj* See-, Meer(es)- **II.** *s* **1.** Marine *f* **2.** Marineinfanterist *m;* ~ **biologist** Meeresbiologe *m,* -biologin *f;* ~ **biology** Meeresbiologie *f;* ~ **life** Meeresfauna und -flora *f;* **tell that to the** ~**s** das mach anderen weis!; **mari•ner** [ˈmærɪnə(r)] *s* Seemann, Matrose *m*

mari•on•ette [ˌmærɪəˈnet] *s* Marionette *f a. fig*

mari•tal [ˈmærɪtl] *adj* ehelich; **marital status** *s* Familienstand *m*

mari•time [ˈmærɪtaɪm] *adj* seemännisch; See-

mar•joram [ˈmɑːdʒərəm] *s* Majoran *m*

mark[1] [mɑːk] *s* (FIN) Mark *f*

mark[2] [mɑːk] **I.** *s* **1.** Spur *f,* Mal *n;* Fleck *m* **2.** (Kenn)Zeichen *n* **3.** Stempel *m,* Siegel *n;* Etikett *n,* Auszeichnung *f* **4.** Schutz-, Handelsmarke *f* **5.** (*fig*) Merkmal *n* **6.** Note, Zensur *f* **7.** Abzeichen *n* **8.** Auszeichnung *f* **9.** Eindruck, Einfluss *m* **10.** Markierung *f;* **make a** ~ **on s.th.** e-n Fleck auf etw machen; **good** ~**s** gute Noten *fpl;* **he gets full** ~**s for geography** in Geographie verdient er e-e Eins; **be quick off the** ~ (SPORT) e-n guten Start haben; (*fig*) blitzschnell handeln; **be up to the** ~ den Erwartungen entsprechen; **hit the** ~ ins Schwarze treffen; **leave one's** ~ e-r S seinen Stempel aufdrücken; **make one's** ~ sich e-n Namen machen; es zu etwas bringen; **be wide of the** ~ danebentreffen; sich verhauen; **punctuation** ~ Satzzeichen *n* **II.** *tr* **1.** bezeichnen, kennzeichnen, (aus)zeichnen, markieren **2.** notieren, anstreichen **3.** (auf)zeigen, herausstellen **4.** charakterisieren; heraus-, hervorheben, auszeichnen **5.** bewerten, zensieren **6.** (*Ware mit Preis*) auszeichnen **7.** auf-, verzeichnen **8.** beachten; achten, Acht geben, aufpassen auf; **his death** ~**ed the end of an era** mit seinem Tod ging e-e Ära zu Ende; ~**ed with**

grief von Schmerz gezeichnet; ~ **a candidate** e-m Kandidaten e-e Note geben; ~ **my words** eins kann ich dir sagen; ~ **time** auf der Stelle treten **III.** *itr* schmutzig werden; **mark down** *tr* **1.** notieren **2.** (*Preise*) herabsetzen; **mark off** *tr* kennzeichnen, markieren; abgrenzen; **mark out** *tr* **1.** abstecken **2.** (*Note*) bestimmen; vorsehen (*for* für); **mark up** *tr* (*Preise*) heraufsetzen

marked [ma:kt] *adj* (*Unterschied*) merklich, auffällig; spürbar; deutlich; **markedly** ['ma:kədlɪ] *adv* merklich

marker ['ma:kə(r)] *s* **1.** Marke *f;* Wendepunkt *m* **2.** Schild *n,* Wegweiser *m* **3.** Lesezeichen *n* **4.** (Prüfung) Korrektor(in) *m(f);* **marker pen** *s* Markierstift, Textmarker *m*

mar•ket ['ma:kɪt] **I.** *s* **1.** Markt *m* **2.** Marktplatz *m,* -halle *f* **3.** Absatzgebiet *n;* Absatzmarkt *m* **4.** Börse *f;* **at the** ~ auf dem Markt; **go to** ~ zum Markt gehen; **be on the** ~ auf dem Markt sein; **find a ready** ~ guten Absatz finden; **play the** ~ spekulieren; **put on the** ~ auf den Markt bringen **II.** *tr* vertreiben **III.** *itr* sich verkaufen, Absatz finden; **mar•ket•able** ['ma:kɪtəbl] *adj* marktfähig, gängig, absatzfähig; **market economy** *s* Marktwirtschaft *f;* **market garden** *s* Gärtnerei *f;* **mar•ket•ing** ['ma:kɪtɪŋ] *s* Marketing *n;* Vertrieb, Absatz *m;* ~ **agreement** Marktabsprache *f;* **market leader** *s* Markt-, Branchenführer *m;* **market niche** *s* Marktnische *f;* **market place** *s* Markt(platz) *m;* **market rate** *s* Marktpreis *m;* **market research** *s* Marktforschung *f;* **market share** *s* Marktanteil *m;* **market town** *s* Markt(flecken) *m;* **market value** *s* Marktwert *m*

mark•ing ['ma:kɪŋ] *s* **1.** Be-, Kennzeichnung, Markierung *f* **2.** (ZOO) Zeichnung, Färbung *f* **3.** Korrektur *f*

marks•man ['ma:ksmən] <*pl* -men> *s* Scharfschütze *m;* **marks•man•ship** ['ma:ksməʃɪp] *s* Treffsicherheit *f*

mark-up ['ma:kʌp] *s* Preiserhöhung *f;* **mark-up price** *s* Verkaufspreis *m*

mar•ma•lade ['ma:məleɪd] *s* Marmelade *f* aus Zitrusfrüchten

mar•mot ['ma:mət] *s* (ZOO) Murmeltier *n*

ma•roon[1] [mə'ru:n] *tr* aussetzen

ma•roon[2] [mə'ru:n] **I.** *adj* kastanienbraun **II.** *s* **1.** Kastanienbraun *n* **2.** Leuchtkugel *f*

mar•quee [ma:'ki:] *s* Festzelt *n*

mar•riage ['mærɪdʒ] *s* **1.** Ehe *f* **2.** Heirat, Hochzeit, Eheschließung *f* (*to* mit); **give s.o. in** ~ **to s.o.** jdn jdm zur Frau geben; **civil** ~ standesamtliche Trauung; **mar•riage•able** [-əbl] *adj* heiratsfähig; **of** ~ **age** im heiratsfähigen Alter; **marriage bureau** *s* Eheanbahnungsinstitut *n;* **marriage ceremony** *s* Trauung *f;* **marriage certificate** *s* Heiratsurkunde *f;* **marriage guidance** *s* Eheberatung *f;* **marriage lines** *s pl* Heiratsurkunde *f*

mar•ried ['mærɪd] *adj* verheiratet (*to* mit); **get** ~ (sich ver)heiraten; ~ **couple** Ehepaar *n*

mar•row ['mærəʊ] *s* **1.** (Knochen)Mark *n* **2.** (*fig*) (das) Innerste, Kern *m* **3.** (BOT) Gemeiner Kürbis; **chilled to the** ~ völlig durchgefroren; **mar•row•bone** ['mærəʊbəʊn] *s* Markknochen *m*

marry ['mærɪ] **I.** *tr* **1.** trauen, vermählen (*to s.o.* mit jdm) **2.** heiraten (*s.o.* jdn) **3.** (~ *off*) verheiraten (*to* an, mit) **II.** *itr* heiraten, sich verheiraten; ~ **into money** reich heiraten

marsh [ma:ʃ] *s* Marsch(land *n*) *f,* Sumpf *m*

mar•shal ['ma:ʃl] **I.** *s* **1.** (MIL) Marschall *m* **2.** (*Am*) Bezirkspolizeichef *m* **II.** *tr* **1.** (*Feier*) leiten **2.** (*fig*) (an)ordnen, arrangieren, disponieren; **mar•shal•ling yard** ['ma:ʃlɪŋja:d] *s* Verschiebebahnhof *m*

marsh•land ['ma:ʃlænd] *s* Feuchtgebiet, Marschland *n;* **marshy** ['ma:ʃɪ] *adj* sumpfig, morastig

mar•su•pial [ma:'su:pɪəl] *s* Beuteltier *n*

mar•ten ['ma:tɪn] *s* Marder(fell *n*) *m*

mar•tial ['ma:ʃl] *adj* kriegerisch; tapfer; ~ **arts** Kampfsportarten *pl;* **court** ~ Kriegs-, Militärgericht *n;* **martial law** *s* Kriegsrecht *n;* **be under** ~ unter dem Kriegsrecht stehen

Mar•tian ['ma:ʃn] *s* Marsbewohner(in) *m(f)*

mar•tin ['ma:tɪn] *s* Schwalbe *f*

mar•ti•net [ˌma:tɪ'net] *s* Zuchtmeister *m*

mar•tyr ['ma:tə(r)] **I.** *s* Märtyrer(in) *m(f) a. fig;* **make a** ~ **of o.s.** sich opfern **II.** *tr* martern; foltern; **mar•tyr•dom** [-dəm] *s* Martyrium *n a. fig*

mar•vel ['ma:vl] **I.** *s* Wunder *n;* **she's a** ~ **of patience** sie ist ein Wunder an Geduld **II.** *itr* staunen (*at* über); **mar•vel•lous** ['ma:vələs] *adj* wunderbar; fantastisch; **mar•vel•ous** *adj* (*Am*) *s.* **marvellous**

Marx•ism ['ma:ksizm] *s* Marxismus *m;* **Marx•ist** ['ma:ksɪst:] **I.** *adj* marxistisch **II.** *s* Marxist(in) *m(f)*

mar•zi•pan ['ma:zɪpæn] *s* Marzipan *n*

mas•cara [mæ'ska:rə] *s* Wimperntusche *f*

mas•cot ['mæskət] *s* Maskottchen *n,* Talisman *m*

mas•cu•line ['mæskjʊlɪn] **I.** *adj* (*a.* GRAM) männlich **II.** *s* (GRAM) Maskulinum *n*

mash [mæʃ] **I.** *s* **1.** (*Brauerei*) Maische *f* **2.** (AGR) Futterbrei *m* **3.** Püree *n* **II.** *tr* zerstampfen; ~**ed potatoes** Kartoffelbrei *m*

mask [ma:sk] **I.** *s* Maske *f a. fig;* **throw off one's** ~ (*fig*) sein wahres Gesicht zeigen; **death-/gas-/oxygen** ~ Toten-/Gas-/Sauerstoffmaske *f* **II.** *tr* **1.** maskieren; verdecken **2.** (*fig*) verhüllen, verschleiern

maso•chism ['mæsəkɪzəm] *s* Masochismus *m;* **maso•chist** ['mæsəkɪst] *s* Masochist(in) *m(f)*

ma•son ['meɪsn] *s* **1.** Steinmetz *m* **2.** (*free~*) Freimaurer *m;* **ma•sonic** [mə'sɒnɪk] *adj* freimaurerisch; **ma•sonry** ['meɪsnrɪ] *s* **1.** Mauerwerk *n* **2.** Freimaurerei *f*

mas•quer•ade [ˌmɑːskə'reɪd] **I.** *s* Maskerade *f* **II.** *itr* sich ausgeben (*as* als)

mass[1] [mæs] *s* (REL) Messe *f;* **go to** ~ zur Messe gehen; **hear** ~ die Messe feiern; **say** ~ die Messe lesen; **high** ~ Hochamt *n*

mass[2] [mæs] **I.** *s* **1.** (*a.* PHYS) Masse *f* **2.** (*von Menschen*) Menge *f;* **in the** ~ im ganzen; **the ~es** die Masse; **we have ~es of time** (*fam*) wir haben jede Menge Zeit **II.** *tr* massieren, anhäufen, konzentrieren **III.** *itr* **1.** sich ansammeln, sich anhäufen **2.** (*Wolken*) sich zusammenballen

mass•acre ['mæsəkə(r)] **I.** *s* Blutbad *n* **II.** *tr* niedermetzeln, massakrieren

mass•age ['mæsɑːʒ] **I.** *s* Massage *f* **II.** *tr* massieren; **massage parlour** *s* Massagesalon *m;* (*euph*) Bordell *n*

mass cir•cu•la•tion [ˌmæssɜːkjʊ'leɪʃn] *s* Massenauflage *f*

mass•eur [mæ'sɜː(r)] *s* Masseur *m;* **mass•euse** [mæ'sɜːz] *s* **1.** Masseurin *f* **2.** (*euph: Prostituierte*) Masseuse *f*

mass•ive ['mæsɪv] *adj* **1.** massiv, massig, solide, fest **2.** (*Stirn*) wuchtig, breit **3.** (*Aufgabe*) gewichtig

mass mar•ket•ing [ˌmæs'mɑːkɪtɪŋ] *s* Massenabsatzstrategie *f*

mass me•dia [ˌmæs'miːdɪə] *s pl* Massenmedien *pl;* **mass meeting** *s* Massenversammlung *f;* **mass murderer** *s* Massenmörder(in) *m(f);* **mass-produce** ['mæsprəˌdjuːs] *tr* serienmäßig herstellen; **mass production** *s* Massenproduktion, -fertigung *f;* **mass psychology** *s* Massenpsychologie *f;* **mass unemployment** *s* Massenarbeitslosigkeit *f*

mast[1] [mɑːst] *s* **1.** (MAR) Mast *m* **2.** Sendeturm *m*

mast[2] [mɑːst] *s* (AGR) Mast *f*

mas•tec•to•my [ˌmæs'tekəmɪ] *s* Brustamputation *f*

mas•ter ['mɑːstə(r)] **I.** *s* **1.** Herr *m;* Meister *m* **2.** Hausherr *m* **3.** Kapitän *m* **4.** (Handwerks)Meister *m* **5.** Lehrer *m* **6.** Leiter, Rektor *m* **7.** Original *n;* **be one's own** ~ sein eigener Herr sein; **be** ~ **in one's own house** Herr im Hause sein; **~'s certificate** Kapitänspatent *n;* **be** ~ **of s.th.** etw beherrschen; **be** ~ **of the situation** Herr der Lage sein, die Situation im Griff haben; **dancing** ~ Tanzlehrer *m* **II.** *tr* **1.** unter Kontrolle bringen **2.** (*Aufgabe*) bewältigen **3.** (*Fähigkeit*) beherrschen; **master-at-arms** [ˌmɑːstəræt'ɑːmz] *s* (MAR) Bootsmann *m* mit Polizeibefugnis; **master bedroom** *s* großes Schlafzimmer; **master builder** *s* Baumeister *m;* **master copy** *s* Original *n;* **master data** *s pl* Stammdaten *pl;* **master disk** *s* (EDV) Hauptplatte *f;* **master file** *s* (EDV) Stammdatei *f;* **mas•ter•ful** ['mɑːstəfl] *adj* meisterhaft; gebieterisch; **master key** *s* Hauptschlüssel *m;* **mas•ter•ly** ['mɑːstəlɪ] *adj* meisterhaft; ausgezeichnet; **mastermind** ['mɑːstəmaɪnd] **I.** *s* führender Kopf, Kapazität *f* **II.** *tr* geschickt lenken; **Master of Arts** *s* Magister *m* der philosophischen Fakultät; **master of ceremonies** *s* Zeremonienmeister *m;* Conférencier *m;* **Master of Science** *s* Magister *m* der naturwissenschaftlichen Fakultät; **master•piece** ['mɑːstəpiːs] *s* Meisterstück, -werk *n;* **mas•ter•stroke** ['mɑːstəstrəʊk] *s* Glanzstück *n;* **master tape** *s* (EDV) Originalband *n*

mas•tery ['mɑːstərɪ] *s* **1.** (Vor)Herrschaft, Vormacht(stellung) *f* (*of, over* über) **2.** (*e-s Instruments*) Beherrschung *f* (*of +gen*); **gain the** ~ die Oberhand gewinnen

mas•ti•cate ['mæstɪkeɪt] *tr* (zer)kauen; **mas•ti•ca•tion** [ˌmæstɪ'keɪʃn] *s* Kauen *n*

mas•tiff ['mæstɪf] *s* Dogge *f*

ma•sti•tis [mæ'staɪtɪs] *s* (MED) Brust(drüsen)entzündung *f*

mas•tur•bate ['mæstəbeɪt] *itr* masturbieren, onanieren; **mas•tur•ba•tion** [ˌmæstə'beɪʃn] *s* Masturbation, Onanie, Selbstbefriedigung *f*

mat[1] [mæt] **I.** *s* **1.** (*a.* SPORT) Matte *f* **2.** (*door ~*) Türvorleger *m* **3.** Untersetzer *m,* Unterlage *f* **4.** (*von Haaren*) Gewirr *n* **II.** *itr* verfilzen

mat[2] [mæt] *adj s.* **matt**

match[1] [mætʃ] **I.** *s* **1.** dazu Passendes **2.** Gegenstück, Pendant *n* **3.** Heirat *f* **4.** Wettkampf *m;* Match *n;* **be a good** ~ gut zusammenpassen; **be a** ~ **for s.o.** sich mit jdm messen können; jdm gewachsen sein; **meet one's** ~ seinen Meister finden; **he's a good** ~ er ist e-e gute Partie; **a boxing** ~ ein Boxkampf *m* **II.** *tr* **1.** gleichkommen, gleich(wertig), ebenbürtig sein (*s.th.* e-r S) **2.** passen zu, entsprechen (*s.o.* jdm) **3.** vergleichen; (*im Wettstreit*) messen (*with, against* mit); **the two boxers were well ~ed** die beiden Boxer waren einander ebenbürtig; **no one can** ~ **him in geography** niemand kann ihm in Geographie das Wasser reichen; **be ~ed against s.o.** gegen jdn antreten; ~ **one's strength against s.o.** seine Kräfte mit jdm messen;

the carpets should ~ the curtains die Teppiche sollten zu den Vorhängen passen **III.** *itr* zusammenpassen (*with* zu); **it doesn't** ~ das passt nicht zusammen

match² [mætʃ] *s* Streich-, Zündholz *n;* **match•box** *s* Streich-, Zündholzschachtel *f*

match•ing ['mætʃɪŋ] *adj* passend; **match-less** ['mætʃlɪs] *adj* unerreicht, unübertroffen; **match•maker** ['mætʃmeɪkə(r)] *s* Ehestifter(in) *m(f); (pej)* Kuppler(in) *m(f);* **she tried to play the ~ between the two** sie versuchte die beiden zu verkuppeln; **match point** *s* Matchball *m;* **match•stick** ['mætʃˌstɪk] *s* Streichholz *n;* **match•wood** ['mætʃwʊd] *s* (*fig*) Kleinholz *n*

mate¹ [meɪt] **I.** *s* **1.** Arbeitskollege, Kumpel *m* **2.** Freund(in) *m(f),* Kamerad(in) *m(f)* **3.** (*Tiere*) Männchen, Weibchen *n* **4.** (MAR) Maat *m* **II.** *tr* paaren **III.** *itr* sich paaren

mate² [meɪt] **I.** *s* (*Schach*) Matt *n* **II.** *tr* matt setzen

ma•terial [mə'tɪərɪəl] **I.** *adj* **1.** materiell **2.** wesentlich, grundlegend **3.** (JUR) erheblich **II.** *s* **1.** Material *n,* Stoff *m* (*for* für) **2.** Baustoff *m* **3.** Stoff *m,* Gewebe *n;* **raw ~s** Rohstoffe *mpl;* **building ~s** Baustoffe *mpl;* **writing ~s** Schreibzeug *n;* ~ **damage** Sachschaden *m*

ma•teri•al•ism [mə'tɪərɪəlɪzəm] *s* Materialismus *m;* **ma•teri•al•ist** [mə'tɪərɪəlɪst] *s* Materialist(in) *m(f);* **ma•teri•al•is•tic** [məˌtɪərɪə'lɪstɪk] *adj* materialistisch

ma•teri•al•ize [mə'tɪərɪəlaɪz] *itr* **1.** (*Idee*) sich verwirklichen; wahr werden **2.** (*Geist*) erscheinen; auftauchen

ma•ternal [mə'tɜːnl] *adj* mütterlich; ~ **grandfather** Großvater mütterlicherseits; ~ **instincts** Mutterinstinkte *mpl;* **ma-tern•ity** [mə'tɜːnətɪ] *s* Mutterschaft *f;* **maternity benefit** *s* Mutterschaftshilfe *f;* **maternity clinic** *s* Entbindungsklinik *f;* **maternity dress** *s* Umstandskleid *n;* **maternity hospital, maternity home** *s* Entbindungsheim *n;* **maternity leave** *s* Mutterschaftsurlaub *m;* **matern-ity ward** *s* Entbindungsstation *f*

matey ['meɪtɪ] *adj* freundlich; kameradschaftlich (*with* mit)

math•emat•ical [ˌmæθə'mætɪkl] *adj* mathematisch; **math•ema•tician** [ˌmæθəmə'tɪʃn] *s* Mathematiker(in) *m(f);* **mathe•mat•ics** [ˌmæθə'mætɪks] *s pl mit sing* Mathematik *f;* **maths** [mæθs] *s pl mit sing* (*Br fam*) Mathe *f*

mati•née ['mætɪneɪ] *s* Matinee; (*nachmittags a.*) Frühvorstellung *f*

mat•ing ['meɪtɪŋ] *s* (ZOO) Paarung *f*

ma•tri•archy ['meɪtrɪɑːkɪ] *s* Matriarchat *n*

ma•tricu•late [mə'trɪkjʊleɪt] **I.** *itr* sich immatrikulieren **II.** *tr* immatrikulieren; **ma-tricu•la•tion** [məˌtrɪkjʊ'leɪʃn] *s* Immatrikulation *f*

mat•ri•mo•nial [ˌmætrɪ'məʊnɪəl] *adj* ehelich; **mat•ri•mony** ['mætrɪmənɪ] *s* Ehe *f,* Ehestand *m*

ma•trix ['meɪtrɪks, *pl* 'meɪtrɪsiːz] <*pl* -trices, -trixes> *s* **1.** Matrize *f;* Mater *f* **2.** (GEOL) Matrix *f*

ma•tron ['meɪtrən] *s* **1.** Matrone *f* **2.** (*im Krankenhaus*) Oberin *f;* **ma•tronly** ['meɪtrənlɪ] *adj* matronenhaft

matt [mæt] *adj* matt, mattiert

mat•ted ['mætɪd] *adj* (*Haar*) verfilzt

mat•ter ['mætə(r)] **I.** *s* **1.** (PHYS) Materie, Substanz *f,* Stoff *m* **2.** Stoff *m* **3.** (MED) Eiter *m* **4.** (TYP) Manuskript *n* **5.** Inhalt *m* **6.** Sache, Angelegenheit *f;* Thema *n,* Stoff *m* **7.** ~s Angelegenheiten *fpl;* **for that** ~ eigentlich; **in the ~ of ...** was ... anbelangt; **that's quite another** ~ das ist etwas ganz anderes; **no ~ what he does** ganz gleich, einerlei, was er tut; **the ~ in hand** die vorliegende Angelegenheit; **as ~s stand** wie die Dinge liegen; **to make ~s worse** zu allem Unglück; **no ~!** macht nichts!; **what's the ~?** was ist (denn) los?; **it's no laughing** ~ das ist nicht zum Lachen; **it's a ~ of life and death** es geht um Leben und Tod; **business ~s** geschäftliche Angelegenheiten *fpl;* **printed** ~ Drucksache *f;* **s.th. is the ~ with s.o.** etw ist mit jdm los **II.** *itr* von Belang, von Bedeutung, von Wichtigkeit sein (*to* für); **it doesn't** ~ es macht nichts; **it doesn't ~ to me what you do** es ist mir egal, was du machst; **what does it ~?** was macht das (schon)?; **matter-of-fact** [ˌmætərəv'fækt] *adj* sachlich, nüchtern

mat•ting ['mætɪŋ] *s* Mattenbelag *m;* Matten *fpl*

mat•tock ['mætək] *s* Hacke, Haue *f*

mat•tress ['mætrɪs] *s* Matratze *f*

ma•ture [mə'tjʊə(r)] **I.** *adj* **1.** reif *a. fig* **2.** (*fig*) ausgereift; durchdacht **3.** (FIN) fällig **II.** *itr* **1.** reifen; reif werden **2.** (FIN) fällig werden **III.** *tr* reifen lassen; **mature economy** *s* entwickelte Volkswirtschaft; **ma•tur•ity** [mə'tjʊərətɪ] *s* **1.** Reife *f a. fig* **2.** (FIN) Fälligkeit(stermin *m*) *f;* **reach** ~ erwachsen werden

maud•lin ['mɔːdlɪn] *adj* rührselig, weinerlich

maul [mɔːl] **I.** *tr* übel zurichten **II.** *s* (*Rugby*) offenes Gedränge

mau•so•leum [ˌmɔːsə'liːəm] *s* Mausoleum *n*

mauve [məʊv] *adj* malvenfarben

mav•er•ick ['mævərɪk] *s* **1.** (*fig*) Einzelgänger(in) *m(f)* **2.** Abtrünnige(r) *f m*

mawk•ish ['mɔːkɪʃ] *adj* **1.** kitschig, rührselig **2.** (*Geschmack*) süßlich

maxi- ['mæksɪ] *prefix* Maxi-

maxim ['mæksɪm] *s* Grundsatz *m,* Maxime *f*

maxim•al ['mæksɪml] *adj* maximal; **maxi-mize** ['mæksɪmaɪz] *tr* maximieren; **maxi•mum** ['mæksɪməm, *pl* 'mæksɪmə] <*pl* -mums, -ma> **I.** *s* Maximum *n* **II.** *adj* Höchst-; maximal; ~ **load** Höchstbelastung *f;* ~ **sentence** Höchststrafe *f;* ~ **speed** Höchstgeschwindigkeit *f;* **maxi-racer** ['mæksɪˌreɪsə(r)] *s* Maxiracer *m*

may [meɪ] <*irr:* might> *itr* **1.** können **2.** dürfen; **it** ~ [*o* **might**] **rain** es könnte regnen; **it** ~ **be that ...** vielleicht ...; **you** ~ **be right** Sie könnten Recht haben; ~ **I go now?** darf ich jetzt gehen?; ~ **I have the pleasure of the next dance?** darf ich Sie zum nächsten Tanz auffordern?; **I hope he** ~ **succeed** ich hoffe, dass es ihm gelingt; **we** ~ [*o* **might**] **as well go** ich glaube, wir können gehen; ~ **you both be happy!** ich wünsche euch beiden viel Glück

May [meɪ] *s* Mai *m;* **in** ~ im Mai; ~ **Day** der 1. Mai, Maifeiertag *m*

may•be ['meɪbiː] *adv* vielleicht

may•day ['meɪdeɪ] *s* (MAR AERO) Maydaysignal *n* (*internationaler Notruf*)

may•fly ['meɪflaɪ] *s* Eintagsfliege *f*

may•hem ['meɪhem] *s* **1.** (*Am:* JUR) schwere Körperverletzung **2.** Chaos *n*

may•on•naise [ˌmeɪə'neɪz] *s* Mayonnaise *f*

mayor [meə(r)] *s* Bürgermeister(in) *m(f);* **mayor•ess** [meə'res] *s* **1.** Bürgermeistersfrau *f* **2.** Bürgermeisterin *f*

may•pole ['meɪpəʊl] *s* Maibaum *m*

maze [meɪz] *s* **1.** Irrgarten *m,* Labyrinth *n* **2.** (*fig*) Wirrwarr *m,* Gewirr *n;* **be in a** ~ bestürzt, ratlos, verlegen sein

MB [ˌem'biː] *s abbr of* **megabyte** MB *n*

MBA [ˌembiː'eɪ] *s abbr of* **Master of Business Administration** Betriebswirt *m*

MCP [ˌemsiː'piː] *s abbr of* **male chauvinist pig** (*pej*) Chauvi *m*

MD [ˌem'diː] *s abbr of* **managing director** geschäftsführende(r) Direktor(in)

me [miː] *pron* **1.** mich *acc,* mir *dat* **2.** (*fam*) ich; **its** ~ ich bin's

meadow ['medəʊ] *s* Wiese *f*

mea•ger *adj* (*Am*), **meagre** ['miːgə(r)] *adj* **1.** mager, dünn, dürr **2.** (*fig*) spärlich, dürftig

meal[1] [miːl] *s* Mahl(zeit *f*) *n;* Essen *n;* **go for a** ~ essen gehen

meal[2] [miːl] *s* Schrot(mehl *n*) *m*

meal•time ['miːltaɪm] *s* Essenszeit *f*

mealy ['miːlɪ] *adj* mehlig; **mealy-mouthed** ['miːlɪmaʊðd] *adj* **1.** unaufrichtig **2.** schönfärberisch; **be** ~ drum herumreden *fam*

mean[1] [miːn] <*irr:* meant, meant> *tr* **1.** meinen, denken **2.** vorhaben, beabsichtigen (*to do* zu tun) **3.** ernst meinen **4.** sagen wollen (*by* mit) **5.** (*Wort*) bedeuten; **what do you** ~ **by that?** was willst du damit sagen?; ~ **to do s.th.** etw tun wollen; **be meant for s.o.** für jdn bestimmt sein; **I meant it as a joke** das sollte ein Witz sein; **this picture is meant for me** dieses Bild ist für mich bestimmt; **he ~s no harm** er meint es nicht böse; ~ **well by s.o.** es gut mit jdm meinen

mean[2] [miːn] *adj* **1.** geizig, knauserig **2.** gemein **3.** (*Motive*) niedrig **4.** schäbig, armselig **5.** bösartig; gehässig; **feel** ~ (*fam*) sich genieren, sich schämen; (*Am*) sich nicht wohl fühlen

mean[3] [miːn] **I.** *adj* mittlere(r, s) **II.** *s* (*a.* MATH) Durchschnitt *m,* Mittelwert *m,* -maß *n*

me•ander [mɪ'ændə(r)] *itr* **1.** (*Fluss*) sich dahinwinden **2.** (*fig*) wirr sein; vom Thema abschweifen; **me•ander•ings** [mɪ'ændərɪŋz] *s pl* Windungen *fpl,* Abschweifungen *fpl*

meanie [miːnɪ] *s* (*fam*) Geizhals *m*

mean•ing ['miːnɪŋ] **I.** *s* Sinn *m,* Bedeutung *f;* **what's the** ~ **of ... ?** was ... heißt?; **mistake s.o.'s** ~ jdn missverstehen; **do you get my** ~**?** haben Sie mich verstanden? **II.** *adj* vielsagend, bedeutsam; **mean•ing•ful** ['miːnɪŋfl] *adj* bedeutungs-, sinnvoll; **mean•ing•less** [-lɪs] *adj* bedeutungs-, sinnlos

mean•ness ['miːnnɪs] *s* **1.** Geiz *m* **2.** Gemeinheit *f* **3.** niedrige Gesinnung **4.** Bösartigkeit *f* **5.** Schäbigkeit *f*

means [miːnz] *s* **1.** (*im sing*) Möglichkeit *f;* Mittel *n* **2.** (*im pl*) Mittel *npl,* Gelder *npl;* **there is no** ~ **of doing it** es ist unmöglich das zu tun; **by** ~ **of s.th** durch etw, mittels e-r S; **by this** ~ dadurch; **by some** ~ **or other** auf irgendeine Art und Weise; **by no** ~ keineswegs; **a man of** ~ ein vermögender Mann; **live beyond one's** ~ über seine Verhältnisse leben

meant [ment] *tr s.* **mean[1]**

mean•time ['miːntaɪm] **I.** *adv* inzwischen **II.** *s* Zwischenzeit *f;* **in the** ~ in der Zwischenzeit

mean•while ['miːnwaɪl] *adv* inzwischen, unterdessen

measles ['miːzlz] *s pl mit sing* (MED) Masern *pl*

measly ['miːzlɪ] *adj* (*fam*) lumpig, kümmerlich, schäbig

measur•able ['meʒərəbl] *adj* messbar; erkennbar

measure ['meʒə(r)] **I.** *s* **1.** Maß *n* **2.** Maßeinheit *f*, -system *n* **3.** (*fig*) Maßstab *m* (*of* für) **4.** Menge *f* **5.** Ausmaß *n*, Grad, Umfang *m* **6.** Maßnahme, -regel *f*, Schritt(e *pl*) *m* **7.** Versmaß *n* **8.** (MUS) Takt *m;* **a ~ of length** ein Längenmaß; **give s.o. full ~** richtig ausschenken; **in some ~** in gewisser Hinsicht; **to a large ~** in hohem Maße; **take ~s to do s.th.** Maßnahmen ergreifen, um etw zu tun **II.** *tr* **1.** messen **2.** (*~ off, ~ out*) ab-, aus-, vermessen **3.** Maß nehmen (*s.o.* jdm) **4.** (*fig*) abwägen, beurteilen; **~ one's length** der Länge nach hinfallen **III.** *itr* messen; **measured** ['meʒəd] *adj* (*fig*) gemessen, bedächtig, wohlüberlegt; **measure•ment** ['meʒəmənt] *s* **1.** (Ver)Messung *f* **2.** Maß *n* **3.** (*fig*) Maßstab *m;* **take s.o.'s ~s** bei jdm Maß nehmen; **measur•ing tape** ['meʒərɪŋˌteɪp] *s* Maßband, Bandmaß *n*

meat [mi:t] *s* **1.** Fleisch *n* **2.** (*fig*) Inhalt *m;* Substanz *f;* **cold ~** kalter Braten; **meat•ball** ['mi:tbɔ:l] *s* Fleischklößchen *n;* **meat•loaf** ['mi:tləʊf] *s* Hackbraten *m;* **meat products** *s pl* Fleisch- und Wurstwaren *fpl*

mech•anic [mɪ'kænɪk] *s* Mechaniker(in) *m(f);* **mech•an•ical** [mɪ'kænɪkl] *adj* **1.** mechanisch **2.** (*fig*) automatisch; **~ engineering** Maschinenbau *m*

mech•an•ism ['mekənɪzəm] *s* Mechanismus *m a. fig;* **mech•an•ize** ['mekənaɪz] *tr* mechanisieren

medal ['medl] *s* **1.** Medaille *f* **2.** Orden *m;* **medal•ist** ['medəlɪst] *s* Medaillengewinner(in) *m(f);* **me•dal•lion** [mɪ'dælɪən] *s* Medaillon *n;* **medal•list** *s* (*Am*),

meddle ['medl] *itr* sich einmischen (*with, in* in); **meddle•some** [-səm] *adj* aufdringlich; neugierig

media ['mi:dɪə] *s pl* Medien *pl;* **media coverage** *s* Berichterstattung *f* durch die Medien

medi•aeval *adj s.* **medieval**

media event *s* Medienereignis *n;* **media magnate** *s* Medienmagnat *m*

me•dian ['mi:dɪən] *s* Zentralwert, Median *m*

me•diate ['mi:dɪeɪt] **I.** *itr* vermitteln (*between* zwischen) **II.** *tr* aushandeln; **me•di•ation** [ˌmi:dɪ'eɪʃn] *s* Vermittlung *f;* **me•di•ator** ['mi:dɪeɪtə(r)] *s* (Ver)Mittler(in) *m(f)*, Schlichter(in) *m(f)*

medic ['medɪk] *s* (*fam*) Mediziner(in) *m(f);* **Medic•aid** ['medɪkeɪd] *s* (*Am*) *staatliche Gesundheitsfürsorge für Einkommensschwache*

medi•cal ['medɪkl] **I.** *adj* medizinisch; ärztlich; Medizin-; Gesundheits-; **~ card** Krankenversicherungskarte *f;* **~ certificate** ärztliches Attest; **~ examination** ärztliche Untersuchung; **~ history** Krankengeschichte *f;* **~ insurance** Krankenversicherung *f;* **~ ward** innere Abteilung (*e-r Klinik*) **II.** *s* ärztliche Untersuchung; **medic•ament** [mɪ'dɪkəmənt] *s* Medikament *n;* **Medi•care** ['medɪkeə(r)] *s* (*Am*) *staatliche Krankenversicherung für Rentner;* **medi•cate** ['medɪkeɪt] *tr* medizinisch behandeln; **medi•ca•tion** [ˌmedɪ'keɪʃn] *s* **1.** medizinische Behandlung **2.** Arznei *f;* **med•ici•nal** [mɪ'dɪsɪnl] *adj* heilkräftig, heilend; **for ~ purposes** zu Heilzwecken; **medi•cine** ['medsn, *Am* 'medɪsn] *s* **1.** Medizin, Heilkunde *f* **2.** Arznei *f;* **practice ~** den Arztberuf ausüben; **give s.o. a taste of his own ~** (*fig*) es jdm mit gleicher Münze heimzahlen; **medicine ball** ['medsnˌbɔ:l] *s* Medizinball *m;* **medicine chest** ['medsnˌtʃest] *s* Hausapotheke *f;* **medicine man** ['medsnˌmæn] *s* Medizinmann *m*

medi•eval [ˌmedɪ'i:vl] *adj* mittelalterlich

me•di•ocre [ˌmi:dɪ'əʊkə(r)] *adj* mittelmäßig, durchschnittlich; **me•di•oc•rity** [ˌmi:dɪ'ɒkrətɪ] *s* **1.** Mittelmäßigkeit *f* **2.** Durchschnittsmensch *m*

medi•tate ['medɪteɪt] **I.** *itr* nachdenken (*on, upon* über), meditieren **II.** *tr:* **~ revenge** auf Rache sinnen; **medi•ta•tion** [ˌmedɪ'teɪʃn] *s* Nachdenken *n;* Meditation *f*

Medi•ter•ra•nean [ˌmedɪtə'reɪnɪən] **I.** *adj* mediterran; südländisch **II.** *s* Mittelmeer *n*

me•dium ['mi:dɪəm, *pl* 'mi:dɪə] <*pl* -diums, -dia> **I.** *s* **1.** Mittel, Werkzeug *n* **2.** Ausdrucksmittel *n* **3.** (*Spiritismus*) Medium *n* **4.** (PHYS) Träger *m;* Element *n* **5.** Mitte *f;* **the happy ~** der goldene Mittelweg; **advertising ~** Werbeträger *m* **II.** *adj* mittlere(r, s); durchschnittlich; mittel-; **of ~ height** mittelgroß; **me•dium-dry** [ˌmi:dɪəm'draɪ] *adj* halbtrocken; **me•dium-rare** [ˌmi:dɪəm'reə(r)] *adj* rosa, englisch; **me•dium-sized** [ˌmi:dɪəm 'saɪzd] *adj* mittelgroß; **~ businesses** Mittelstand *m;* **~ company** mittelständischer Betrieb; **medium term** *adj* mittelfristig; **medium wave** *s* (RADIO) Mittelwelle *f*

med•ley ['medlɪ] *s* **1.** Gemisch, Durcheinander *n* **2.** (MUS) Potpourri *n*

meek [mi:k] *adj* **1.** sanft(mütig), lammfromm **2.** duldsam, geduldig; **as ~ as a lamb** sanft wie ein Lamm

meet [mi:t] <*irr:* met, met> **I.** *tr* **1.** treffen, begegnen; stoßen auf **2.** bekannt werden mit, kennenlernen; sich treffen mit **3.** abholen **4.** treffen auf; sich vereinigen mit **5.** (*Fluss*) münden in **6.** (*Erwartung*) erfüllen;

entsprechen (*s.th.* e-r S); (*e-r Verpflichtung*) nachkommen; (*Schuld*) bezahlen; (*Defizit*) decken; (*Wunsch*) erfüllen; ~ **the deadline** den Termin einhalten; ~ **demands** Ansprüche befriedigen; ~ **expenses** Ausgaben bestreiten; ~ **s.o.'s eye** jdm zu Gesicht kommen; mit jdm e-n Blick tauschen; **arrange to** ~ **s.o.** sich mit jdm verabreden; **pleased to** ~ **you!** sehr angenehm!; **I'll** ~ **your train** ich hole dich vom Zug ab **II.** *itr* **1.** sich begegnen, sich treffen **2.** sich kennenlernen; bekannt gemacht werden **3.** (*Gesellschaft*) sich versammeln; sich vereinigen **4.** (SPORT) aufeinander treffen **5.** (*fig*) sich vereinigen; aufeinander stoßen **6.** (*Blicke*) sich treffen; ~ **half-way** e-n Kompromiss schließen; **our eyes met** unsere Blicke trafen sich **III.** *s* **1.** (*Am:* SPORT) Sportfest *n* **2.** (*Br*) Jagdgesellschaft *f;* **meet with** *tr* **1.** stoßen auf; (*Unfall*) erleiden; (*Tod*) finden **2.** (*Mensch*) zusammenkommen mit

meet•ing ['mi:tɪŋ] *s* **1.** Zusammentreffen *n;* Begegnung *f;* Besprechung *f* **2.** Versammlung, Sitzung, Tagung *f* **3.** (SPORT) Veranstaltung *f* **4.** (*Fluss*) Zusammenfluss *m;* **at a** ~ auf e-r Versammlung; ~ **place** Treffpunkt *m;* ~ **point** Schnittpunkt *m;* Zusammenfluss *m*

mega•byte ['megəbaɪt] *s* (EDV) Megabyte *n;* **mega•hertz** *s* (EL) Megahertz *n*

mega•lo•ma•nia [ˌmegələ'meɪnɪə] *s* Größenwahn *m;* **mega•lo•ma•niac** [ˌmegələ'meɪnɪæk] *adj* größenwahnsinnig

mega•phone ['megəfəʊn] *s* Megafon *n;* **mega•store** ['megəstɔ:(r)] *s* Megastore *m,* großes Geschäft

mel•an•cholia [ˌmelən'kəʊlɪə] *s* Melancholie *f;* **mel•an•cholic** [ˌmeləŋ'kɒlɪk] *adj* melancholisch; **mel•an•choly** ['meləŋkɒlɪ] **I.** *s* Melancholie, Schwermut *f,* Trübsinn *m* **II.** *adj* **1.** melancholisch, schwermütig **2.** düster, traurig

mel•low ['meləʊ] **I.** *adj* **1.** (*Frucht*) reif, weich, saftig, süß **2.** (*Wein*) vollmundig, ausgereift **3.** (*Farbe*) warm **4.** (*Licht*) wohltuend **5.** (*Ton*) voll **6.** (*Mensch*) abgeklärt **7.** (*fig*) angeheitert **II.** *tr* **1.** zur Reife bringen **2.** weich, süß machen **3.** (*fig*) mildern **III.** *itr* **1.** reifen; reif, weich, süß werden **2.** (*fig*) sich abklären

mel•odi•ous [mɪ'ləʊdɪəs] *adj* wohlklingend, melodiös

melo•drama ['melədrɑ:mə] *s* Melodrama *n;* **melo•dram•atic** [ˌmelədrə'mætɪk] *adj* melodramatisch

mel•ody ['melədɪ] *s* Melodie *f*

melon ['melən] *s* Melone *f*

melt [melt] **I.** *tr* **1.** schmelzen, auftauen; zerlassen **2.** (*Zucker*) auflösen **3.** (*fig*) erweichen; ~ **down** einschmelzen **II.** *itr* **1.** schmelzen, zergehen **2.** sich lösen **3.** (*fig*) dahinschmelzen; ~ **away** wegschmelzen; verfliegen; sich auflösen; **meltdown** ['meltdaʊn] *s* (*Atomkraftwerk*) Kernschmelze *f;* **melting point** *s* Schmelzpunkt *m;* **melting pot** ['meltiŋpɒt] *s* Schmelztiegel *m*

mem•ber ['membə(r)] *s* **1.** Mitglied *n;* Angehörige(r) *f m* **2.** (POL) Abgeordnete(r) *f m* **3.** (TECH) Glied *n;* **M~ of Parliament, M.P.** (*Br*) Abgeordnete(r) *f m* des Unterhauses; ~ **of the family** Familienmitglied *n;* **the** ~ **countries** die Mitgliedsstaaten; ~ **state** Mitgliedsstaat *m;* **mem•ber•ship** [-ʃɪp] *s* **1.** Mitgliedschaft *f* **2.** Mitgliederzahl *f;* **membership card** *s* Mitgliedskarte *f;* **membership qualification** *s* Beitrittsvoraussetzung *f*

mem•brane ['membreɪn] *s* (PHYS ANAT ZOO) Membran(e) *f*

mem•ento [mɪ'mentəʊ] <*pl* -ento(e)s> *s* Andenken *n* (*of* an)

memo ['meməʊ] <*pl* memos> *s* Notiz, Mitteilung *f*

mem•oir ['memwɑ:(r)] *s* **1.** Kurzbiografie *f* **2.** ~**s** Memoiren *pl*

memo pad *s* Notizblock *m*

mem•or•able ['memərəbl] *adj* **1.** denkwürdig **2.** unvergesslich

mem•or•an•dum [ˌmemə'rændəm, *pl* -də] <*pl* -da> *s* **1.** Notiz *f,* Vermerk *m;* kurze Mitteilung **2.** (POL) Memorandum *n*

mem•or•ial [mɪ'mɔ:rɪəl] **I.** *s* **1.** Denkmal *n,* Gedenkstätte *f* **2.** (POL) Denkschrift *f* **II.** *adj* Gedenk-; **Memorial Day** *s* (*Am*) Heldengedenktag *m* (*30. Mai*)

mem•or•ize ['meməraɪz] *tr* sich einprägen

mem•ory ['memərɪ] *s* **1.** Gedächtnis *n;* Erinnerungsvermögen *n* **2.** Andenken *n,* Erinnerung *f* (*of* an) **3.** (EDV) Speicher *m;* **from** [*o* **by**] ~ auswendig; **in** ~ **of** zur Erinnerung an; **to the best of my** ~ soweit ich mich erinnern kann; **within living** ~ seit Menschengedenken; **call to** ~ sich ins Gedächtnis zurückrufen; **commit to** ~ auswendig lernen; **memory bank** *s* Datenbank *f;* **memory capacity** *s* (EDV) Speicherkapazität *f;* **memory chip** *s* (EDV) Speicherchip *m;* **memory dump** *s* (EDV) Speicherauszug *m;* **memory expansion card** *s* (EDV) Speichererweiterungskarte *f;* **memory management** *s* (EDV) Speicherverwaltung *f;* **memory protection** *s* (EDV) Speicherschutz *n*

men [men] *s pl von* **man**

men•ace ['menəs] **I.** *s* (Be)Drohung *f* (*to* +*gen*), drohende Gefahr **II.** *tr* bedrohen; **men•acing** [-ɪŋ] *adj,* **men•acing•ly** [-ɪŋlɪ] *adv* bedrohlich; drohend

mend [mend] I. *tr* 1. ausbessern, reparieren, flicken 2. (*Strümpfe*) stopfen 3. verbessern, berichtigen; ~ **one's ways** sich bessern II. *itr* wieder gesund werden III. *s* ausgebesserte Stelle; Flickstelle *f;* **on the** ~ auf dem Wege der Besserung

men•da•cious [men'deɪʃəs] *adj* lügnerisch, verlogen; **men•dac•ity** [men'dæsətɪ] *s* Verlogenheit, Falschheit *f*

mend•ing ['mendɪŋ] *s* Flickarbeit *f*

me•nial ['mi:nɪəl] I. *adj* untergeordnet, niedrig II. *s* (*pej*) Dienstbote *m*

men•in•gi•tis [ˌmenɪn'dʒaɪtɪs] *s* Hirnhautentzündung, Meningitis *f*

meno•pause ['menəpɔ:z] *s* (PHYSIOL) Wechseljahre *pl,* Menopause *f*

men's room ['menzˌru:m] *s* (*Am*) Herrentoilette *f*

men•strual ['menstrʊəl] *adj* Menstruations-; **men•stru•ate** ['menstrʊeɪt] *itr* s-e Regel haben; **men•stru•ation** [ˌmenstrʊ'eɪʃn] *s* Menstruation *f*

men•tal ['mentl] *adj* geistig; seelisch; ~ **age** geistiger Entwicklungsstand; ~ **arithmetic** Kopfrechnen *n;* ~ **blackout** Bewusstseinsstörung *f;* ~ **breakdown** Nervenzusammenbruch *m;* ~ **deficiency** Schwachsinn *m;* ~ **health** Geisteszustand *m;* ~ **home** Nervenheilanstalt *f;* ~ **hospital** Nervenklinik *f;* ~ **illness** Geisteskrankheit *f*

men•tal•ity [men'tælətɪ] *s* Geistesverfassung, Mentalität *f*

men•tal•ly ['mentəlɪ] *adv* geistig; ~ **handicapped** geistig behindert

men•thol ['menθɒl] *s* Menthol *n*

men•tion ['menʃn] I. *s* Erwähnung *f;* **get a** ~ erwähnt werden; **it's not worth a** ~ es ist nicht erwähnenswert II. *tr* erwähnen; **not to** ~, **without** ~**ing** abgesehen von, ganz zu schweigen von; **don't** ~ **it!** keine Ursache! gern geschehen!; **that's not worth** ~**ing** das ist nicht der Rede wert

menu ['menju:] *s* Speisekarte *f;* (*a.* EDV) Menü *n;* **menu-driven** ['menju:ˌdrɪvn] *adj* (EDV) menügesteuert

mer•cen•ary ['mɜ:sɪnərɪ] I. *adj* gewinnsüchtig; geldgierig II. *s* Söldner *m*

mer•chan•dise ['mɜ:tʃəndaɪz] *s* Ware(n *pl*) *f*

mer•chant ['mɜ:tʃənt] *s* 1. (Groß)Kaufmann *m* 2. (*sl*) auf etw versessener Kerl; **wine** ~ Weinhändler(in) *m(f);* **merchant bank** *s* Handelsbank *f;* **mer•chant•man** ['mɜ:tʃəntmən] <*pl* -men> *s* Handelsschiff *n;* **merchant navy** *s* Handelsmarine *f;* **merchant ship** *s* Handelsschiff *n*

mer•ci•ful ['mɜ:sɪfl] *adj* gnädig; **mer•ci•less** ['mɜ:sɪlɪs] *adj* unbarmherzig, erbarmungs-, mitleidlos (*to* gegen)

mer•cur•ial [mɜ:'kjʊərɪəl] *adj* 1. quecksilberhaltig 2. (*fig*) lebhaft, lebendig, sprunghaft; **mer•cury** ['mɜ:kjʊrɪ] *s* Quecksilber *n*

Mer•cury ['mɜ:kjʊrɪ] *s* Merkur *m*

mercy ['mɜ:sɪ] *s* 1. Gnade *f,* Erbarmen *n;* Barmherzigkeit *f* 2. Wohltat *f,* Segen *m,* Glück *n;* **be at the** ~ **of s.o.** jdm ausgeliefert sein; **at the** ~ **of the elements** dem Spiel der Elemente preisgegeben; **beg for** ~ um Gnade bitten; **show s.o.** ~ Erbarmen mit jdm haben; **without** ~ erbarmungs-, mitleidlos

mere [mɪə(r)] *adj* bloß, nichts als; rein; **she's a** ~ **child** sie ist bloß ein Kind; **a** ~ **trifle** bloß e-e Lappalie; **mere•ly** ['mɪəlɪ] *adv* bloß, nur, lediglich

merge [mɜ:dʒ] I. *itr* 1. ineinander übergehen; verschmelzen (*in* mit) 2. (*Straßen*) ineinander einmünden 3. (COM) fusionieren; ~ **into s.th.** in etw übergehen II. *tr* 1. miteinander verbinden; ineinander übergehen lassen (*into* mit) 2. (COM) zusammenschließen, fusionieren; **they were** ~**d with ...** sie haben mit ... fusioniert; **merger** ['mɜ:dʒə(r)] *s* (COM) Fusion *f*

mer•id•ian [mə'rɪdɪən] *s* 1. (GEOG ASTR) Meridian *m* 2. (*fig*) Höhepunkt *m*

me•ringue [mə'ræŋ] *s* Meringe *f,* Baiser *n*

merit ['merɪt] I. *s* 1. Verdienst *n,* Leistung *f* 2. Vorzug *m;* **judged on** ~ nach Leistung beurteilt; **on the** ~**s of the case** nach Lage der Dinge; **inquire into the** ~**s of s.th.** etw auf seine Vorzüge untersuchen II. *tr* verdienen, wert sein; **meri•toc•racy** [ˌmerɪ'tɒkrəsɪ] *s* Leistungsgesellschaft *f*

mer•maid ['mɜ:meɪd] *s* Nixe, Meerjungfrau *f;* **mer•man** ['mɜ:mən] <*pl* -men> *s* Wassermann, Triton *m*

mer•ri•ment ['merɪmənt] *s* Fröhlichkeit, Ausgelassenheit, Heiterkeit *f;* **merry** ['merɪ] *adj* 1. lustig, ausgelassen, fröhlich 2. vergnügt, heiter, in Stimmung 3. (*fam*) beschwipst; **make** ~ ausgelassen, lustig, vergnügt sein; **M**~ **England** das gute alte England; **M**~ **Christmas!** Fröhliche Weihnachten; **merry-go-round** ['merɪgəʊˌraʊnd] *s* Karussell *n*

mesh [meʃ] I. *s* 1. Masche *f* 2. ~**es** Netz(werk) *n;* Maschendraht *m* 3. ~**es** (*fig*) Schlingen *fpl,* Falle *f* 4. (TECH) Ineinandergreifen *n* der Zahnräder; **in** ~ (TECH) im Eingriff; **entangle s.o. in one's** ~**es** jdn umgarnen II. *itr* 1. (TECH) eingreifen 2. (*fig*) sich vereinen lassen

mes•meric [mez'merɪk] *adj* hypnotisch; **mes•mer•ism** ['mezmərɪzəm] *s* hypnotische Wirkung; **mes•mer•ize** ['mezməraɪz] *tr* hypnotisieren; faszinieren

me•son ['mi:sən] *s* (PHYS) Meson *n*

mess[1] [mes] I. *s* 1. Unordnung *f,* Durcheinander *n* 2. Schmutz, Dreck *m fam* 3.

schwierige Lage, Schlamassel *m;* **be in a** ~ unordentlich sein; ein Durcheinander sein; **make a** ~ **of** verpfuschen; durcheinander bringen; **that's a fine** ~ das ist e-e schöne Bescherung! **II.** *tr* **1.** (~ *about*) herumpfuschen an; durcheinander bringen; an der Nase herumführen **2.** (~ *up*) durcheinander, in Unordnung bringen; kaputtmachen; verpfuschen **III.** *itr* (~ *about, around*) herumalbern, -gammeln, -pfuschen, -basteln, -hantieren

mess² [mes] **I.** *s* (MIL) Kasino *n* **II.** *itr* das Essen einnehmen

mess•age ['mesɪdʒ] *s* **1.** Mitteilung, Nachricht, Benachrichtigung *f;* Funkspruch *m* **2.** (*moralisch*) Botschaft *f;* **take a** ~ **to s.o.** jdm e-e Nachricht überbringen; **send a** ~ **to s.o.** jdn benachrichtigen; **get the** ~ (*sl*) kapieren

mess•en•ger ['mesɪndʒə(r)] *s* **1.** Bote *m,* Botin *f* **2.** (MIL) Kurier *m;* ~ **boy** Laufbursche *m*

Mess•iah [mɪ'saɪə] *s* (der) Messias

mess-up ['mesʌp] *s* Durcheinander *n;*

messy ['mesɪ] *adj* **1.** unordentlich **2.** schmutzig, dreckig

met [met] *s.* **meet**

meta•bolic [ˌmetə'bɒlɪk] *adj* (BIOL) Stoffwechsel-; metabolisch; **me•tab•olism** [mɪ'tæbəlɪzəm] *s* (BIOL) Stoffwechsel, Metabolismus *m*

metal ['metl] **I.** *s* **1.** Metall *n* **2.** Asphalt *m* **3.** ~**s** Schienen *fpl* **II.** *tr* asphaltieren; **me•tal•lic** [mɪ'tælɪk] *adj* metallisch; **me•tal•lurgy** [mɪ'tælədʒɪ] *s* Metallurgie *f;* **metal•work** *s* Metall *n;* **metal•worker** *s* Metallarbeiter(in) *m(f)*

meta•mor•pho•sis [ˌmetə'mɔːfəsɪs, *pl* -siːz] <*pl* -ses> *s* Metamorphose *f*

meta•phor ['metəfə(r)] *s* Metapher *f;* **meta•phori•cal** [ˌmetə'fɒrɪkl] *adj* metaphorisch

meta•phys•ical [ˌmetə'fɪzɪkl] *adj* metaphysisch; **meta•phys•ics** [ˌmetə'fɪzɪks] *s pl mit sing* Metaphysik *f*

me•tas•ta•sis [mɪ'tæstəsɪs, *pl* mɪ'tæstəsiːz] <*pl* -ses> *s* Metastasenbildung *f*

mete [miːt] *tr:* ~ **out** zuteil werden lassen (*to s.o.* jdm)

me•teor ['miːtɪə(r)] *s* Meteor *m;* **me•teoric** [ˌmiːtɪ'ɒrɪk] *adj* **1.** meteorisch **2.** (*fig*) kometenhaft; **me•teor•ite** ['miːtɪəraɪt] *s* Meteorit *m*

me•teoro•logi•cal [ˌmiːtɪərə'lɒdʒɪkl] *adj* meteorologisch; ~ **office** Wetteramt *n;* **me•teor•ol•ogist** [ˌmiːtɪə'rɒlədʒɪst] *s* Meteorologe *m,* Meteorologin *f;* **me•teor•ol•ogy** [ˌmiːtɪə'rɒlədʒɪ] *s* Meteorologie *f*

me•ter¹ ['miːtə(r)] **I.** *s* Zähler *m;* **gas-**~ Gasuhr *f;* **parking-**~ Parkuhr *f;* **exposure-**~ Belichtungsmesser *m* **II.** *tr* messen

me•ter² ['miːtə(r)] *s* (*Am*) *s.* **metre**

metha•done ['meθədəʊn] *s* (*Arznei*) Methadon *n*

meth•ane ['miːθeɪn] *s* (CHEM) Methan *n*

method ['meθəd] *s* **1.** Methode *f,* Verfahren(sweise *f*) *n,* Prozess *m* **2.** (*Essen*) Zubereitung *f;* ~ **of calculation** Berechnungsart *f;* **there's** ~ **in his madness** sein Wahnsinn hat Methode; **methodi•cal** [mɪ'θɒdɪkl] *adj* methodisch; **method•ol•ogy** [ˌmeθə'dɒlədʒɪ] *s* Methodik *f*

Me•thuse•lah [mɪ'θjuːzələ] *s* Methusalem *m;* **as old as** ~ so alt wie Methusalem

methyl al•co•hol ['meθɪl'ælkəhɒl] *s* (CHEM) Methylalkohol *m;* **methyl•ated spirits** ['meθɪleɪtɪdˌspɪrɪts] *s pl mit sing* Brennspiritus *m*

me•ticu•lous [mɪ'tɪkjʊləs] *adj* peinlich genau, (äußerst) gewissenhaft

metre ['miːtə(r)] *s* **1.** Meter *m* **2.** (*poet*) Versmaß *n;* **met•ric** ['metrɪk] *adj* metrisch; **the** ~ **system** das metrische Maßsystem; das Dezimalsystem; **metri•cal** ['metrɪkl] *adj* (*poet*) metrisch

met•ro•nome ['metrənəʊm] *s* Metronom *n*

me•trop•olis [mə'trɒpəlɪs] *s* Metropole *f;* Hauptstadt *f;* **metro•poli•tan** [ˌmetrə'pɒlɪtən] **I.** *adj* **1.** weltstädtisch, weltoffen **2.** der Hauptstadt **3.** erzbischöflich **II.** *s* **1.** Weltbürger(in) *m(f),* Großstädter(in) *m(f)* **2.** (*orthodoxe Kirche*) Metropolit *m*

mettle ['metl] *s* **1.** Courage *f,* Stehvermögen *n* **2.** (*Temperament*) Feuer *n;* **put s.o. on his** ~ jdn fordern; **a man of** ~ ein Mann von echtem Schrot und Korn; **be on one's** ~ auf dem Posten sein; **mettle•some** [-səm] *adj* couragiert; feurig

mew [mjuː] *itr* miauen

Mexi•can ['meksɪkən] **I.** *adj* mexikanisch **II.** *s* Mexikaner(in) *m(f);* **Mexi•co** ['meksɪkəʊ] *s* Mexiko *n*

mi•aow [miː'aʊ] *itr s.* **mew**

mica ['maɪkə] *s* (MIN) Glimmer *m*

mice [maɪs] *s pl von* **mouse**

Michael•mas ['mɪklməs] *s* (~ *Day*) Michaelis(tag *m*) *n* (*29. Sept.*)

mickey ['mɪkɪ] *s:* **take the** ~ **out of s.o.** (*sl*) jdn auf den Arm nehmen

microbe ['maɪkrəʊb] *s* Mikrobe *f*

micro•bi•ol•ogy [ˌmaɪkrəʊbaɪ'ɒlədʒɪ] *s* Mikrobiologie *f;* **micro•chip** ['maɪkrəʊˌtʃɪp] *s* Mikrochip *m;* **micro climate** *s* (METE) Mikroklima *n;* **micro•computer** ['maɪkrəʊkəm'pjuːtə(r)] *s* Mikrocomputer; **micro•cosm** ['maɪkrəʊkɒzəm] *s* Mikrokosmos *m a. fig;* **mic•ro•elec-**

tron•ics [ˌmaɪkrəʊɪlek'trɒnɪks] *s pl mit sing* Mikroelektronik *f;* **micro•fiche** ['maɪkrəʊfiːʃ] *s* Mikrofilmblatt *n,* -fiche *m;* **micro•film** ['maɪkrəʊfɪlm] **I.** *s* Mikrofilm *m* **II.** *tr* auf Mikrofilm aufnehmen; **mi-crom•eter** [maɪ'krɒmɪtə(r)] *s* Mikrometer *n*

mi•cron ['maɪkrɒn] *s* Mikron, My *n*

micro•or•gan•ism [ˌmaɪkrəʊ'ɔːgənɪzəm] *s* Mikroorganismus *m*

micro•phone ['maɪkrəfəʊn] *s* Mikrofon *n;* **micro•pro•cess•or** [ˌmaɪkrə'prəʊsesə(r)] *s* Mikroprozessor *m*

micro•scope ['maɪkrəskəʊp] *s* Mikroskop *n;* **micro•scopic** [ˌmaɪkrə'skɒpɪk] *adj* mikroskopisch

micro•wave ['maɪkrəʊweɪv] *s* (EL) Mikrowelle *f;* **microwave oven** *s* Mikrowellenherd *m*

mid [mɪd] *adj* Mittel-; **in ~ morning** am Vormittag; **from ~ May to ~ June** von Mitte Mai bis Mitte Juni; **in ~ air** in der Luft; **in ~ course** mittendrin

mid•day [ˌmɪd'deɪ] **I.** *s* Mittag *m* **II.** *adj attr* mittäglich; ~ **meal** Mittagsmahlzeit *f*

middle **I.** *s* **1.** Mitte *f;* mittlerer Teil; (das) Innere **2.** Taille *f;* **in the ~ of the night** mitten in der Nacht; **in the ~ of reading** gerade beim Lesen; **down the ~** in der Mitte **II.** *adj* mittlere(r, s); Mittel-; **middle age** *s* mittleres Lebensalter; **middle-aged** [ˌmɪdl'eɪdʒd] *adj* in den mittleren Jahren, mittleren Alters; **Middle Ages** *s pl* Mittelalter *n;* **middle•brow** ['mɪdlbraʊ] **I.** *adj* Durchschnitts- **II.** *s* (geistiger) Normalverbraucher; **middle-class** [ˌmɪdl'klɑːs] *adj* bürgerlich, spießig; **middle class** *s pl* Mittelstand *m;* **middle ear** *s* Mittelohr *n;* **Middle East** *s* Naher Osten; **middle•man** ['mɪdlmæn] <*pl* -men> *s* **1.** Mittelsmann *m* **2.** (COM) Zwischenhändler *m;* **middle name** *s* zweiter Vorname; **middle-of-the road** *adj* gemäßigt; **middle•weight** ['mɪdlweɪt] *s* (SPORT) Mittelgewicht *n*

mid•dling ['mɪdlɪŋ] **I.** *adj* **1.** mittlere(r, s) **2.** (mittel)mäßig, leidlich **II.** *adv* (*fam*) einigermaßen, leidlich

midge [mɪdʒ] *s* Mücke *f*

midget ['mɪdʒɪt] **I.** *s* kleiner Mensch, Liliputaner *m* **II.** *adj* winzig

mid•night ['mɪdnaɪt] *s* Mitternacht *f;* **at ~** um Mitternacht; **burn the ~ oil** bis tief in die Nacht arbeiten; ~ **sun** Mitternachtssonne *f*

mid•point ['mɪdpɔɪnt] *s* (MATH) Mittelpunkt *m*

mid•riff ['mɪdrɪf] *s* (ANAT) Taille *f*

mid•ship•man ['mɪdʃɪpmən] <*pl* -men> *s* Fähnrich *m* zur See; **mid•ships** ['mɪdʃɪps] *adv* mittschiffs

midst [mɪdst] *s* Mitte *f;* **in the ~ of** mitten in

mid•sum•mer [ˌmɪd'sʌmə(r)] *s* Hochsommer *m;* **M~ day** Sommersonnenwende *f;* ~ **madness** heller Wahnsinn; (*fam*) Sommerkoller *m;* **mid-term** *adj* mitten im Trimester, mitten im Schulhalbjahr; ~ **elections** Zwischenwahlen *pl;* **mid•way** [ˌmɪd'weɪ] *adv* auf halbem Weg(e) (*between* zwischen)

mid•wife ['mɪdwaɪf, *pl* -waɪvz] <*pl* -wives> *s* Hebamme *f;* **mid•wifery** ['mɪdwɪfrɪ] *s* Geburtshilfe *f*

mid•winter [ˌmɪd'wɪntə(r)] *s* tiefster Winter

might¹ [maɪt]: **how old ~ she be?** wie alt sie wohl ist?; ~ **I open the window?** dürfte ich wohl das Fenster öffnen?

might² [maɪt] *s* Macht, Stärke, Kraft *f;* **with ~ and main** mit aller Macht; **with all one's ~** mit aller Kraft; **might•ily** ['maɪtɪlɪ] *adv* gewaltig, kräftig; mit aller Macht; **mighty** ['maɪtɪ] **I.** *adj* mächtig, gewaltig **II.** *adv* sehr, riesig, gewaltig

mi•graine ['miːgreɪn] *s* Migräne *f*

mi•grant ['maɪgrənt] *s* **1.** (ZOO) Zugvogel *m* **2.** Wanderarbeiter(in) *m(f),* Gastarbeiter(in) *m(f),* Saisonarbeiter(in) *m(f);* **mi-grate** [maɪ'greɪt] *itr* **1.** abwandern **2.** (*Vögel*) nach Süden ziehen; **mi•gra•tion** [maɪ'greɪʃn] *s* **1.** (Aus-, Ab)Wanderung *f* **2.** (Vogel)Zug *m;* **mi•gra•tory** ['maɪgrətrɪ] *adj* umherziehend, nomadisch; ~ **bird** Zugvogel *m;* ~ **worker** Wanderarbeiter(in) *m(f)*

mike [maɪk] *s* (*fam*) Mikrofon *n*

mild [maɪld] *adj* **1.** (*Charakter*) mild, sanft **2.** (*Geschmack*) leicht, schwach **3.** (*Klima*) mild **4.** (*Tadel*) leicht; ~ **(ale)** leichtes dunkles Bier

mil•dew ['mɪldjuː] **I.** *s* **1.** (BOT) Mehltau *m* **2.** Schimmel *m* **II.** *itr* verschimmeln

mild•ly ['maɪdlɪ] *adv* leicht; milde; **to put it ~** gelinde gesagt; **mild•ness** ['maɪldnɪs] *s* Milde *f;* Sanftmut *f*

mile [maɪl] *s* Meile *f* (*1,61 km*); **nautical ~** Seemeile *f* (*1,852 km*); **~s and ~s** meilenweit; **a 30 ~ journey** e-e Fahrt von 30 Meilen; **feel ~s better** sich erheblich besser fühlen; **walk for ~s** meilenweit gehen; **mile•age** ['maɪlɪdʒ] *s* **1.** Entfernung *f,* zurückgelegte Strecke **2.** (~ *allowance*) Kilometergeld *n;* **mile•om•eter** [maɪ'lɒmɪtə(r)] *s* Meilen-, Kilometerzähler *m;* **mile•post** ['maɪlpəʊst] *s* Wegweiser *m* mit Entfernungsangabe; **mile•stone** ['maɪlstəʊn] *s* Meilenstein *m a. fig*

mili•tant ['mɪlɪtənt] **I.** *adj* militant **II.** *s* militantes Mitglied

mili•tar•ism ['mɪlɪtərɪzəm] *s* Militarismus *m;* **mili•tar•ist** ['mɪlɪtərɪst] *s* Militarist(in) *m(f);* **mili•tar•istic** [ˌmɪlɪtə'rɪstɪk] *adj* militaristisch; **mili•tar•ize** ['mɪlɪtəraɪz] *tr* militarisieren; **mili•tary** ['mɪlɪtrɪ] **I.** *adj* militärisch; ~ **academy** Militärakademie *f;* ~ **police** Militärpolizei *f;* ~ **service** Militär-, Wehrdienst *m* **II.** *s:* **the** ~ das Militär

mil•itia [mɪ'lɪʃə] *s* Miliz, Bürgerwehr *f*

milk [mɪlk] **I.** *s* (*a.* BOT) Milch *f;* **no use crying over spilt** ~ man soll Verlorenem nicht nachtrauern **II.** *tr* melken *a. fig* **III.** *itr* Milch geben; **milk•bar** ['mɪlkbɑː(r)] *s* Milchbar *f;* **milk chocolate** *s* Milchschokolade *f;* **milk float** *s* Milchwagen *m;* **milk•ing ma•chine** ['mɪlkɪŋməʃiːn] *s* Melkmaschine *f;* **milk•maid** ['mɪlkmeɪd] *s* Milchmädchen *n;* **milk•man** ['mɪlkmən] <*pl* -men> *s* Milchmann *m;* **milk powder** *s* Milchpulver *n;* **milk-shake** ['mɪlkʃeɪk] *s* Milchshake *m;* **milk-sop** ['mɪlksɒp] *s* Milchgesicht *n;* Muttersöhnchen *n;* **milk tooth** ['mɪlktuːθ] <*pl* -teeth> *s* Milchzahn *m;* **milky** ['mɪlkɪ] *adj* (*a.* BOT) milchig; **the M~ Way** (ASTR) die Milchstraße

mill [mɪl] **I.** *s* **1.** Mühle *f* **2.** (*Textil*) Fabrik *f* **3.** (*spinning* ~) Spinnerei *f;* Weberei *f* **4.** (*rolling* ~) Walzwerk *n;* **go through the** ~ e-e harte Schule durchmachen; **put s.o. through the** ~ jdn durch e-e harte Schule schicken; **coffee-**~ Kaffeemühle *f;* **paper-**~ Papierfabrik *f;* **pepper-**~ Pfeffermühle *f;* **saw-**~ Sägemühle *f,* -werk *n;* **water-/wind-**~ Wasser-/Windmühle *f* **II.** *tr* **1.** (*Korn, Kaffee*) mahlen **2.** (TECH) walzen; fräsen **III.** *itr* (~ *about, around*) ziellos herumlaufen

mil•len•nium [mɪ'lenɪəm, *pl* mɪ'lenɪə] <*pl* -nia> *s* **1.** Jahrtausend *n* **2.** Tausendjähriges Reich; **mil•le•pede** ['mɪlɪpiːd] *s* (ZOO) Tausendfüßler *m*

mil•ler ['mɪlə(r)] *s* Müller *m*

mil•let ['mɪlət] *s* Hirse *f*

mil•li•ard ['mɪlɪɑːd] *s* (*Br obs*) Milliarde *f*

mil•li•bar ['mɪlɪbɑː(r)] *s* (METE) Millibar *n;* **mil•li•gram(me)** ['mɪlɪgræm] *s* Milligramm *n*

mil•liner ['mɪlɪnə(r)] *s* Hut-, Putzmacherin, Modistin *f;* **mil•linery** [-ɪ] *s* Modewaren *pl*

mil•lion ['mɪlɪən] *s* Million *f;* **two** ~ **people** zwei Millionen Menschen; **mil•lion•aire** [ˌmɪlɪə'neə(r)] *s* Millionär(in) *m(f)*

mill•pond ['mɪlpɒnd] *s* Mühlteich *m;* **mill•race** *s* Mühlbach *m;* **mill•stone** ['mɪlstəʊn] *s* Mühlstein *m;* **be a** ~ **round s.o.'s neck** für jdn ein Klotz am Bein sein; **mill•wheel** ['mɪlwiːl] *s* Mühlrad *n*

milt [mɪlt] *s* (*Fisch*) Milch *f*

mime [maɪm] **I.** *s* **1.** (THEAT) Pantomime *f* **2.** Pantomime *m* **II.** *tr* pantomimisch darstellen

mimic ['mɪmɪk] **I.** *s* Imitator *m* **II.** *tr* nachahmen, -machen; kopieren; **mimicry** ['mɪmɪkrɪ] *s* Nachahmung *f;* (BIOL) Mimikry *f*

mim•osa [mɪ'məʊzə] *s* (BOT) Mimose *f*

min•aret [ˌmɪnə'ret] *s* Minarett *n*

mince [mɪns] **I.** *tr* (*Fleisch*) (zer)hacken, zerkleinern; **not to** ~ **matters** [*o* **one's words**] kein Blatt vor den Mund nehmen **II.** *itr* (*fig*) affektiert sprechen **III.** *s* (*Br*) Hackfleisch *n;* ~**meat** Pasteten-, Gebäckfüllung *f;* **make** ~**meat of s.o.** jdn zur Schnecke machen; **make** ~**meat of s.th.** keinen guten Faden an etw lassen; **mince pie** *s* gefüllte (süße) Pastete; **mincer** ['mɪnsə(r)] *s* Fleischwolf *m;* **minc•ing** ['mɪnsɪŋ] *adj* geziert, affektiert

mind [maɪnd] **I.** *s* **1.** Geist, Verstand *m* **2.** (*Mensch*) Geist, Kopf *m* **3.** Denkweise *f* **4.** Gedanken *mpl* **5.** Gedächtnis *n* **6.** Absicht *f,* Wille, Wunsch *m,* Neigung *f* **7.** Meinung, Ansicht *f;* **in my** ~**'s eye** vor meinem geistigen Auge; **it's all in the** ~ das ist alles Einbildung; **have a good** ~ ein heller Kopf sein; **to my** ~ nach meiner Meinung; **be in two** ~**s** nicht wissen, was man will; **be of one** ~ ein Herz und e-e Seele sein; **be of s.o.'s** ~ jds Ansicht sein; **be of the same** ~ derselben Meinung sein; **be out of one's** ~ den Verstand verloren haben; von Sinnen sein; **bear** [*o* **keep**] **in** ~ nicht, vergessen; **change one's** ~ seine Meinung ändern; **give s.o. a piece** [*o* **a bit**] **of one's** ~ jdm (gründlich) die Meinung sagen; **go** [*o* **pass**] **out of s.o.'s** ~ bei jdm in Vergessenheit geraten; **have in** ~ **to do s.th.** vorhaben etw zu tun; **have half a** ~ **to do s.th.** Lust haben etw zu tun; **keep one's** ~ **on** achten, aufpassen auf; **know one's own** ~ wissen, was man will; **make up one's** ~ zu e-m Entschluss kommen; **put s.o. in** ~ **of s.th.** jdn an etw erinnern; **set one's** ~ **on s.th.** sich etw in den Kopf setzen; **speak one's** ~ offen seine Meinung sagen; **take one's** ~ **off** nicht mehr denken an, sich nicht mehr kümmern um; **that'll take your** ~ **off things** das wird Sie auf andere Gedanken bringen **II.** *tr* **1.** achten, aufpassen auf **2.** sich kümmern um; etw haben gegen; ~ **what you're doing!** pass doch auf!; ~ **your temper** nimm dich zusammen; ~ **the step!** Vorsicht Stufe!; ~ **the dog!** Warnung vor dem Hund!; ~ **your own business!** kümmern Sie sich um Ihre (eigenen) Angelegenheiten!; **... if you don't** ~ **my asking** ... wenn ich fragen darf; **I don't ~ the cold** die Kälte macht mir nichts aus; **do you ~ my smoking?** macht es Ihnen etwas aus, wenn ich rauche?; **~ one's P's and Q's** (*fam*) sich anständig benehmen; **would you ~ opening the window?** würden Sie bitte das Fenster öffnen?; **I wouldn't ~ a glass of beer now** ich hätte jetzt Lust auf ein Glas Bier **III.** *itr* **1.** aufpassen, bei der Sache sein, sich Mühe geben **2.** sich kümmern um **3.** etwas dagegen haben; **~ you** allerdings; **do you ~?** macht es Ihnen etwas aus?; **never ~** macht nichts, ist doch egal, mach dir nichts draus; **never ~ about that now!** lass das doch jetzt

mind-bend•ing ['maɪndbendɪŋ] *adj* (*fam*) irre; **mind-blow•ing** ['maɪndbləʊɪŋ] *adj* (*fam*) irre; **mind-bogg•ling** ['maɪndbɒglɪŋ] *adj* (*fam*) irrsinnig

minded ['maɪndɪd] *adj* gesonnen, gewillt, geneigt (*to do* zu tun); **bloody-~** (*fam*) stur; **politically ~** politisch gesinnt

mind•ful ['maɪndfl] *adj:* **be ~ of s.th.** etw berücksichtigen, bedenken; **mind•less** ['maɪndlɪs] *adj* **1.** unverständig, hirnlos **2.** (*Verbrechen*) sinnlos **3.** geistlos, unbeseelt; **mind-reader** *s* Gedankenleser *m*

mine¹ [maɪn] *pron* meine(r, s); der, die, das Meine, Meinige; **~ is better** meine(r, s) ist besser; **this is ~** das gehört mir; **a friend of ~** e-r meiner Freunde, ein Freund von mir

mine² [maɪn] **I.** *s* **1.** Bergwerk *n,* Grube, Zeche *f* **2.** (*fig*) Quelle, Fundgrube *f* (*of* an) **3.** (MIL MAR) Mine *f;* **~ of information** Informationsquelle *f* **II.** *itr* Bergbau treiben; graben (*for* nach) **III.** *tr* **1.** (*Bodenschätze*) abbauen, schürfen; (*Kohle*) fördern **2.** (MIL) verminen; e-e Mine befestigen an; **mine detector** *s* Minensuchgerät *n;* **minefield** ['maɪnfi:ld] *s* (*a. fig*) Minenfeld *n;* **mine•layer** *s* Minenleger *m;* **miner** ['maɪnə(r)] *s* Bergmann, Kumpel *m;* **~'s lamp** Grubenlampe *f*

min•eral ['mɪnərəl] **I.** *s* Mineral *n* **II.** *adj* mineralisch; **~ ores** Erze *npl;* **min•er•alog•ical** [ˌmɪnərə'lɒdʒɪkl] *adj* mineralogisch; **min•er•al•ogist** [ˌmɪnə'rælədʒɪst] *s* Mineraloge *m,* Mineralogin *f;* **min•er•al•ogy** [ˌmɪnə'rælədʒɪ] *s* Mineralogie *f;* **mineral oil** *s* Mineralöl *n;* **mineral water** *s* Mineralwasser *n*

mine•sweeper ['maɪnˌswi:pə(r)] *s* Minensuchboot *n*

mingle ['mɪŋgl] **I.** *tr* (ver)mischen, mengen **II.** *itr* **1.** sich (ver)mischen **2.** (*fig*) sich mischen (*among, with* unter)

mini- ['mɪnɪ] *prefix* Mini-

minia•ture ['mɪnɪtʃə(r)] *s* **1.** Miniatur(bild, -gemälde *n*) *f* **2.** Miniaturausgabe *f;* **in ~** en miniature; im Kleinen, in kleinem Maßstab; **miniature camera** *s* Kleinbildkamera *f;* **miniature railway** *s* Modelleisenbahn *f*

mini•bus ['mɪnɪbʌs] *s* Klein-, Minibus *m;* **mini•cab** ['mɪnɪkæb] *s* Kleintaxi *n*

minim ['mɪnɪm] *s* (MUS) halbe Note

mini•mal ['mɪnɪml] *adj* minimal, kleinste(r, s); **mini•mize** ['mɪnɪmaɪz] *tr* **1.** auf ein Minimum herabsetzen, reduzieren **2.** (*fig*) schlecht machen, herabsetzen; **minimum** ['mɪnɪməm] **I.** *s* Minimum *n;* **reduce to a ~** auf ein Minimum reduzieren **II.** *adj attr* Mindest-; **~ lending rate** (FIN) Eckzins, Mindestzinssatz *m;* **~ temperature** Tiefsttemperatur *f;* **~ wage** Mindestlohn *m*

min•ing ['maɪnɪŋ] *s* Bergbau *m;* **open-cast ~** Tagebau *m;* **mining disaster** *s* Grubenunglück *n;* **mining engineer** *s* Bergbauingenieur(in) *m(f);* **mining industry** *s* Bergbau *m*

min•ion ['mɪnɪən] *s* Speichellecker(in) *m(f)*

mini•skirt ['mɪnɪskɜ:t] *s* Minirock *m*

min•ister ['mɪnɪstə(r)] **I.** *s* **1.** (POL) Minister(in) *m(f)* **2.** (REL) Pfarrer, Pastor *m* **II.** *itr:* **~ to s.o.** sich um jdn kümmern; **~ to s.o.'s needs** jds Bedürfnisse befriedigen

min•is•ter•ial [ˌmɪnɪ'stɪərɪəl] *adj* ministeriell; **~ crisis** Regierungskrise *f;* **~ post** Ministerposten *m*

min•is•tra•tion [ˌmɪnɪ'streɪʃn] *s* Pflege, Fürsorge *f*

min•is•try ['mɪnɪstrɪ] *s* **1.** (POL) Ministerium *n* **2.** Sendungsbewusstsein *n* **3.** (REL) geistliches Amt; **enter the ~** Geistlicher werden; **M~ of Commerce** Handelsministerium *n;* **M~ of the Environment** Umweltministerium *n;* **M~ of Finance** Finanzministerium *n;* **M~ of Foreign/of Home Affairs** Außen-/Innenministerium *n*

mink [mɪŋk] *s* (ZOO) Nerz *m*

mi•nor ['maɪnə(r)] **I.** *adj* **1.** kleiner, gering(fügig)er; unbedeutend, unwichtig **2.** (*Zahl, Betrag*) niedriger **3.** (*Verletzung*) leicht **4.** (*Planet*) klein **5.** (*hinter Familiennamen*) der Jüngere **6.** (MUS) Moll; **a ~ role** e-e Nebenrolle; **~ third** kleine Terz **II.** *s* **1.** (JUR) Minderjährige(r) *f m* **2.** (*Am*) Nebenfach *n* **3.** (MUS) Moll *n* **III.** *itr* (*Am*) im Nebenfach studieren (*in s.th.* etw); **mi•nor•ity** [maɪ'nɒrətɪ] **I.** *s* **1.** Minderheit *f* **2.** (JUR) Minderjährigkeit, Unmündigkeit *f;* **be in a ~** in der Minderheit sein **II.** *adj attr* Minderheits-; **~ group** Minderheit *f*

min•strel ['mɪnstrəl] *s* (HIST) Spielmann, Minnesänger *m*

mint¹ [mɪnt] **I.** *s* Münzanstalt *f;* **in ~ condition** in tadellosem Zustand; **earn a ~ of money** (*fam*) ein Heidengeld verdienen **II.** *tr* (*Geld*) prägen, münzen

mint² [mɪnt] *s* **1.** (BOT) Minze *f* **2.** (*fam*) Pfefferminzbonbon *n od m*
minus ['maɪnəs] **I.** *prep* **1.** weniger, minus **2.** (*fam*) ohne **II.** *adj* negativ; Minus- **III.** *s* (~ *sign*) Minuszeichen *n*
min•us•cule ['mɪnəskju:l] *adj* winzig
min•ute¹ ['mɪnɪt] **I.** *s* **1.** Minute *f* **2.** Augenblick *m* **3.** Note, Denkschrift *f* **4.** ~**s** Protokoll *n*, Niederschrift *f*; **at this very** ~ gerade jetzt; **in a** ~ sofort; **any** ~ jeden Augenblick; **at the last** ~ in letzter Minute; **to the** ~ genau, pünktlich; **take the** ~**s** das Protokoll führen **II.** *tr* protokollieren
mi•nute² [maɪ'nju:t] *adj* **1.** winzig **2.** minuziös, ganz genau
min•ute hand ['mɪnɪthænd] *s* Minutenzeiger *m*
mi•nute•ly [maɪ'nju:tlɪ] *adv* **1.** ganz geringfügig **2.** genauestens
mi•nu•tiae [maɪ'nju:ʃɪi:] *s pl* genaue Einzelheiten *fpl*
minx [mɪŋks] *s* freches Ding
mir•acle ['mɪrəkl] *s* Wunder *n a. fig;* **work** ~**s** Wunder wirken; **by a** ~ wie durch ein Wunder; **miracle play** *s* Mirakelspiel *n*, geistliches Drama; **mir•acu•lous** [mɪ'rækjʊləs] *adj* wunderbar, übernatürlich
mi•rage ['mɪrɑ:ʒ] *s* **1.** Luftspiegelung, Fata Morgana *f* **2.** (*fig*) Illusion *f*
mire ['maɪə(r)] *s* Schlamm, Morast *m;* **drag s.o. through the** ~ (*fig fam*) jdn durch den Dreck ziehen
mir•ror ['mɪrə(r)] **I.** *s* **1.** Spiegel *m a. fig* **2.** (*fig*) Spiegelbild *n* **II.** *tr* (wider)spiegeln *a. fig;* **mirror image** *s* Spiegelbild *n*
mirth [mɜ:θ] *s* Freude *f;* Heiterkeit *f;* **mirth•ful** ['mɜ:θfl] *adj* fröhlich, heiter; **mirth•less** [-lɪs] *adj* freudlos
mis•ad•ven•ture [ˌmɪsəd'ventʃə(r)] *s* Missgeschick *n*, Unfall *m;* **death by** ~ Tod *m* durch Unfall
mis•al•liance [ˌmɪsə'laɪəns] *s* Missheirat *f*
mis•an•thrope ['mɪsnθrəʊp] *s* Misanthrop, Menschenfeind *m;* **misan•thropic** [ˌmɪsn'θrɒpɪk] *adj* menschenfeindlich; **mis•an•thropy** [mɪs'ænθrəpɪ] *s* Menschenfeindlichkeit *f*
mis•apply [ˌmɪsə'plaɪ] *tr* **1.** falsch anwenden **2.** (*Gelder*) missbrauchen
mis•ap•pre•hend [ˌmɪsæprɪ'hend] *tr* missverstehen; **mis•ap•pre•hen•sion** [ˌmɪsæprɪ'henʃn] *s* Missverständnis *n;* **be under the** ~ **that ...** irrtümlich annehmen, dass ...
mis•ap•pro•pri•ate [ˌmɪsə'prəʊprɪeɪt] *tr* **1.** entwenden **2.** (*Geld*) veruntreuen, unterschlagen; **mis•ap•pro•pri•ation** [ˌmɪsəˌprəʊprɪ'eɪʃn] *s* **1.** Entwendung *f* **2.** (*Geld*) Veruntreuung, Unterschlagung *f*
mis•be•have [ˌmɪsbɪ'heɪv] *itr* sich schlecht, [*o* ungebührlich] benehmen; **mis•be•hav•ior** *s* (*Am*), **mis•be•hav•iour** [ˌmɪsbɪ'heɪvɪə(r)] *s* schlechtes Benehmen
mis•cal•cu•late [ˌmɪs'kælkjʊleɪt] **I.** *tr* falsch (be)rechnen **II.** *itr* sich verrechnen; **mis•cal•cu•la•tion** [ˌmɪsˌkælkjʊ'leɪʃn] *s* Rechen-, Kalkulationsfehler *m*
mis•car•riage [ˌmɪs'kærɪdʒ] *s* **1.** Irrtum *m* **2.** (*Post*) Fehlleitung *f* **3.** (MED) Fehlgeburt *f;* ~ **of justice** Justizirrtum *m;* **mis•carry** [ˌmɪs'kærɪ] *itr* **1.** fehlschlagen, misslingen **2.** (*Post*) fehlgeleitet werden **3.** (MED) e-e Fehlgeburt haben
mis•cel•lan•eous [ˌmɪsə'leɪnɪəs] *adj* **1.** ge-, vermischt; verschiedenerlei **2.** (*Menge*) bunt; ~ Verschiedenes; **mis•cel•lany** [mɪ'selənɪ] *s* **1.** Gemisch *n;* Vielfalt *f* **2.** *oft pl* vermischte Schriften *fpl*
mis•chance [ˌmɪs'tʃɑ:ns] *s* unglücklicher Zufall; **by** ~ unglücklicherweise
mis•chief ['mɪstʃɪf] *s* **1.** Unheil *n*, Schaden, Nachteil *m* **2.** Bosheit, Ungezogenheit *f*, Übermut *m* **3.** Schlawiner *m* **4.** Schalk *m*, Verschmitztheit *f;* **do s.o. a** ~ jdm schaden; **make** ~ Unfrieden stiften; **make** ~ **for s.o.** jdm Unannehmlichkeiten bereiten; **he's up to some** ~ er führt etwas im Schilde; ~**-maker** Unruhestifter(in) *m(f);* ~**-making** Unruhestiftung *f;* **mis•chiev•ous** ['mɪstʃɪvəs] *adj* **1.** bösartig; boshaft; schädlich **2.** schelmisch, verschmitzt
mis•con•ceive [ˌmɪskən'si:v] *tr* falsch auffassen, missverstehen; **mis•con•cep•tion** [ˌmɪskən'sepʃn] *s* falsche Annahme, Missverständnis *n*
mis•con•duct [ˌmɪskən'dʌkt] **I.** *tr* schlecht führen **II.** *refl* sich schlecht benehmen **III.** [ˌmɪs'kɒndʌkt] *s* **1.** schlechtes Benehmen; Berufsvergehen *n* **2.** Fehltritt *m* **3.** schlechte Verwaltung
mis•con•struc•tion [ˌmɪskən'strʌkʃn] *s* falsche Auslegung; Missdeutung *f;* **mis•con•strue** [ˌmɪskən'stru:] *tr* falsch auslegen; missdeuten; missverstehen
mis•count [ˌmɪs'kaʊnt] **I.** *tr* falsch zählen **II.** *itr* sich verrechnen, sich verzählen **III.** *s* Rechenfehler *m*
mis•deal [ˌmɪs'di:l] **I.** *tr* (*Karten*) falsch geben **II.** *itr* sich vergeben
mis•deed [ˌmɪs'di:d] *s* Missetat *f*
mis•de•meanor *s* (*Am*), **mis•de•mean•our** [ˌmɪsdɪ'mi:nə(r)] *s* Übertretung *f*, Vergehen *n*
mis•di•rect [ˌmɪsdɪ'rekt] *tr* **1.** (*Brief*) falsch adressieren **2.** (*Energie*) falsch einsetzen, vergeuden **3.** (*Person*) irreleiten, -führen
miser ['maɪzə(r)] *s* Geizhals *m*
mis•er•able ['mɪzrəbl] *adj* **1.** trist; unglücklich **2.** (*Schmerzen*) fürchterlich **3.** (*Existenz*) erbärmlich, schauderhaft, mise-

rabel **4.** jämmerlich; **make life ~ for s.o.** jdm das Leben sauer machen; **mis•er•ably** ['mɪzrəblɪ] *adv* **1.** unglücklich **2.** grässlich, fürchterlich; erbärmlich **3.** miserabel

miser•ly ['maɪzəlɪ] *adj* geizig, knickerig, filzig

mis•ery ['mɪzərɪ] *s* **1.** Kummer *m,* Trauer *f* **2.** Qualen *fpl,* Elend *n* **3.** (*fam*) Jammerlappen *m;* **put an animal out of its ~** ein Tier von seinen Qualen erlösen; **a life of ~** ein erbärmliches Leben

mis•fire [ˌmɪs'faɪə(r)] *itr* **1.** (*Feuerwaffe*) versagen **2.** (*fig*) fehlschlagen; danebengehen **3.** (MOT) fehlzünden

mis•fit ['mɪsfɪt] *s* **1.** schlecht sitzendes Kleidungsstück **2.** Außenseiter(in) *m(f),* Nichtangepasste(r) *f m*

mis•for•tune [ˌmɪs'fɔːtʃuːn] *s* **1.** schweres Schicksal; Missgeschick *n* **2.** Unglück, Pech *n;* **companion in ~** Leidensgenosse *m,* -genossin *f;* **financial ~s** finanzielle Fehlschläge *mpl*

mis•giv•ing [ˌmɪs'gɪvɪŋ] *s* Befürchtung *f,* Bedenken *pl*

mis•gov•ern [ˌmɪs'gʌvn] *tr* schlecht regieren [*o* verwalten]; **mis•gov•ern•ment** [-mənt] *s* Misswirtschaft *f*

mis•guided [ˌmɪs'gaɪdɪd] *adj* **1.** töricht **2.** (*Meinung*) irrig **3.** (*Freude*) unangebracht

mis•handle [ˌmis'hændl] *tr* falsch handhaben

mis•hap ['mɪshæp] *s* Missgeschick *n;* **a slight ~** eine (kleine) Panne; **without ~** ohne Zwischenfälle

mis•hear [ˌmɪs'hɪə(r)] **I.** *tr* falsch hören **II.** *itr* sich verhören

mish•mash ['mɪʃmæʃ] *s* Mischmasch *m*

mis•in•form [ˌmɪsɪn'fɔːm] *tr* falsch informieren; falsche Auskunft geben (*s.o.* jdm)

mis•in•ter•pret [ˌmɪsɪn'tɜːprɪt] *tr* falsch auslegen; missdeuten; **mis•in•ter•pre•ta•tion** [ˌmɪsɪntɜːprɪ'teɪʃn] *s* falsche Auslegung, Missdeutung *f*

mis•judge [ˌmɪs'dʒʌdʒ] *tr* falsch beurteilen, falsch einschätzen, sich verschätzen in

mis•lay [ˌmɪs'leɪ] *irr tr s.* **lay** verlegen

mis•lead [ˌmɪs'liːd] *irr tr* **1.** irreführen **2.** verleiten (*into doing s.th.* etw zu tun); **don't be misled by appearances** lassen Sie sich nicht durch Äußerlichkeiten täuschen; **mis•lead•ing** [-ɪŋ] *adj* irreführend

mis•man•age [ˌmɪs'mænɪdʒ] *tr* schlecht verwalten; **mis•man•age•ment** [-mənt] *s* Misswirtschaft *f*

mis•name [ˌmɪs'neɪm] *tr* falsch benennen; **mis•nomer** [ˌmɪs'nəʊmə(r)] *s* unzutreffender Name, Fehlbezeichnung *f*

mis•ogyn•ist [mɪ'sɒdʒɪnɪst] *s* Frauenfeind *m*

mis•place [ˌmɪs'pleɪs] *tr* an e-n falschen Platz legen; verlegen; **be ~d** fehlplatziert, fehl am Platz(e) sein

mis•print [ˌmɪs'prɪnt] **I.** *tr* verdrucken **II.** ['mɪsprɪnt] *s* Druckfehler *m*

mis•pro•nounce [ˌmɪsprə'naʊns] *tr* falsch aussprechen; **mis•pro•nun•ci•ation** [ˌmɪsprəˌnʌnsɪ'eɪʃn] *s* falsche Aussprache

mis•read [ˌmɪs'riːd] *irr tr* **1.** falsch lesen **2.** missverstehen, -deuten

mis•rep•re•sent [ˌmɪsˌreprɪ'zent] *tr* **1.** falsch darstellen, ein falsches Bild geben von **2.** (*Tatsachen*) verdrehen; verfälschen; **mis•rep•re•sen•ta•tion** [ˌmɪsˌreprɪzen'teɪʃn] *s* **1.** falsche Darstellung **2.** Verdrehung *f;* Verfälschung *f;* **~ of facts** Vorspiegelung falscher Tatsachen

miss¹ [mɪs] *s* (junges) Mädchen; **M~** (*Anrede*) Fräulein *n;* (*zur Bedienung*) Fräulein!; **M~ England** die Schönheitskönigin von England

miss² [mɪs] **I.** *tr* **1.** (*Ziel*) verfehlen **2.** (*Gelegenheit, Zug*) verpassen; versäumen **3.** übersehen, -hören **4.** nicht verstehen **5.** vermeiden; ausweichen, aus dem Wege gehen (*s.th.* e-r S) **6.** vermissen, (sehr) entbehren **7.** (*Hindernis*) noch ausweichen können **8.** (*Preis*) nicht bekommen; **~ the boat** [*o* **bus**] (*fig*) den Anschluss verpassen; **I ~ed that** das ist mir entgangen; **I ~ you** du fehlst mir; **~ doing s.th.** fast etw tun; **we narrowly ~ed having an accident** wir hätten um ein Haar e-n Unfall gehabt; **we ~ him** wir vermissen ihn **II.** *itr* **1.** das Ziel verfehlen; fehlgehen **2.** keinen Erfolg haben, erfolg-, ergebnislos sein, missglücken; **you can't ~** da kann nichts schief gehen **III.** *s* **1.** Fehlschuss, -schlag *m;* Misserfolg *m,* Pleite *f,* Reinfall *m* **2.** Verlust *m;* **give s.th. a ~** sich etw schenken; **miss out I.** *tr* auslassen; übersehen **II.** *itr* zu kurz kommen; **~ out on s.th.** etw verpassen

mis•shapen [ˌmɪs'ʃeɪpən] *adj* missgebildet; (*Baum, Pflanze a.*) verwachsen; (*Kuchen etc*) missraten

mis•sile ['mɪsaɪl, *Am* 'mɪsl] *s* **1.** (Wurf)Geschoss *n* **2.** Rakete *f;* **guided ~** ferngesteuerte Rakete; **intercontinental ballistic ~** Interkontinentalrakete *f;* **missile defence system** *s* Raketenabwehrsystem *n*

miss•ing ['mɪsɪŋ] *adj* **1.** fehlend, vermisst **2.** (*Gegenstand*) verschwunden; fehlend; **be ~** fehlen; vermisst werden; **~ person** Vermisste(r) *f m;* **~ link** fehlendes Glied

mission ['mɪʃn] *s* **1.** Sendung, Mission *f;* Beruf *m,* Aufgabe *f* **2.** (REL) Mission *f* **3.** (POL) Mission *f;* Delegation *f;* **on a secret ~**

in geheimem Auftrag; **commercial** [*o* **trade**] ~ Handelsmission *f;* **mission•ary** ['mɪʃənrɪ] *s* Missionar(in) *m(f);* **mission control** *s* (*Raumfahrt*) Kontrollzentrum *n*

mis•spell [ˌmɪs'spel] *irr tr s.* **spell** falsch schreiben; **mis•spell•ing** [-ɪŋ] *s* falsche Schreibung

mis•spent [ˌmɪs'spent] *adj* vergeudet, verschwendet

mis•state [ˌmɪs'steɪt] *tr* falsch angeben

mis•sus, mis•sis ['mɪsɪz] *s* (*fam*) bessere Hälfte; **how's the ~?** wie geht es Ihrer Frau?

mist [mɪst] **I.** *s* **1.** Nebel *m;* Dunst *m* **2.** (*fig*) Nebel, Schleier *m* **3.** (*Glas*) Beschlag *m;* **it is lost in the ~s of time** das liegt im Dunkel der Vergangenheit **II.** *tr* (~ *over*) beschlagen **III.** *itr* (~ *up, over*) sich trüben; sich beschlagen

mis•tak•able [mɪ'steɪkəbl] *adj* leicht zu verwechseln; **mis•take** [mɪ'steɪk] <*irr:* mistook, mistaken> **I.** *tr* **1.** missverstehen, verkennen; falsch auffassen **2.** verwechseln (*for* mit); ~ **s.o.'s meaning** jdn falsch verstehen; **there's no mistaking her writing** ihre Schrift ist unverkennbar; **be ~n** sich irren **II.** *s* **1.** Fehler *m;* Versehen *n;* Missgriff *m* **2.** Irrtum *m,* Missverständnis *n;* **by** ~ irrtümlich, versehentlich, aus Versehen; **make a** ~ e-n Fehler machen; sich irren; **and no ~!** (*fam*) da kannst du Gift drauf nehmen!; **there's no ~ about it!** Irrtum ausgeschlossen!; **mis•taken** [mɪ'steɪkən] **I.** *tr s.* **mistake II.** *adj* irrig, irrtümlich, versehentlich; falsch; **be ~ about** [*o* **in**] **s.th.** sich in e-r S täuschen; ~ **idea** falsche Vorstellung; **a case of ~ identity** e-e Verwechslung

mis•ter ['mɪstə(r)] *s* **1.** Herr *m* **2.** (*nicht übersetzt*): **listen to me,** ~ hören Sie mal zu

mis•time [ˌmɪs'taɪm] *tr* **1.** e-n ungünstigen Zeitpunkt wählen für **2.** (*Rennen*) falsch stoppen; (*Ball*) schlecht timen

mistle•toe ['mɪsltəʊ] *s* (BOT) Mistel *f;* Mistelzweig *m*

mis•took [mɪ'stʊk] *tr s.* **mistake**

mis•trans•late [ˌmɪstrænz'leɪt] *tr* falsch übersetzen

mis•treat [ˌmɪs'triːt] *tr* schlecht behandeln

mis•tress ['mɪstrɪs] *s* **1.** Herrin *f a. fig,* Hausherrin *f* **2.** Lehrerin *f* **3.** Geliebte *f*

mis•trial [ˌmɪs'traɪəl] *s* (JUR) fehlerhaftes (Gerichts)Verfahren

mis•trust [ˌmɪs'trʌst] **I.** *tr* misstrauen (*s.o., s.th.* jdm, e-r S) **II.** *s* Misstrauen *n* (*of* gegen); **mis•trust•ful** [ˌmɪs'trʌstfl] *adj* misstrauisch (*of* gegen)

misty ['mɪstɪ] *adj* **1.** neblig; dunstig **2.** (*fig*) verschwommen; unklar **3.** (*Glas*) beschlagen; trübe

mis•un•der•stand [ˌmɪsˌʌndə'stænd] *irr tr s.* **understand** missverstehen, falsch verstehen; **mis•un•der•stand•ing** [-ɪŋ] *s* **1.** Missverständnis *n* **2.** Meinungsverschiedenheit *f*

mis•use [ˌmɪs'juːz] **I.** *tr* **1.** falsch anwenden; missbrauchen **2.** zweckentfremden **II.** [ˌmɪs'juːs] *s* **1.** Missbrauch *m;* missbräuchliche Verwendung **2.** Zweckentfremdung *f;* ~ **of authority** Amtsmissbrauch *m*

mite¹ [maɪt] *s* **1.** Scherflein *n a. fig* **2.** (*fig*) bisschen *n* **3.** Würmchen *n;* **contribute one's ~ to s.th.** sein Scherflein zu etw beitragen

mite² [maɪt] *s* (ZOO) Milbe *f*

miti•gate ['mɪtɪgeɪt] *tr* **1.** mildern **2.** (*Schmerzen*) lindern; **mitigating circumstances** mildernde Umstände *mpl;* **miti•ga•tion** [ˌmɪtɪ'geɪʃn] *s* Milderung *f;* Linderung *f*

mit•ten ['mɪtn] *s* **1.** Fausthandschuh *m* **2.** Handschuh *m* ohne Finger **3. ~s** Boxhandschuhe *mpl*

mix [mɪks] **I.** *s* Mischung *f;* **cake** ~ Backmischung *f* **II.** *tr* **1.** (ver)mischen, (ver)mengen (*with* mit) **2.** (*Kuchen*) verrühren; (*Teig*) zubereiten **3.** durcheinander bringen **III.** *itr* **1.** sich mischen lassen; sich vermischen **2.** (*fig*) zusammenpassen **3.** miteinander auskommen; ~ **with s.o.** mit jdm auskommen; ~ **well** kontaktfreudig sein; **mix in** *tr* unterrühren; **mix up** *tr* **1.** vermischen; verrühren **2.** durcheinander bringen; verwechseln; ~ **s.o. up in s.th.** jdn in etw hineinziehen; ~ **s.o. up with s.o.** (**else**) jdn mit jdm verwechseln; **be ~ed up in s.th.** in etw verwickelt sein

mixed [mɪkst] *adj* **1.** gemischt *a. fig* **2.** unterschiedlich; ~ **biscuits** Keksmischung *f;* **have ~ feelings about s.o.** jdm gegenüber gemischte Gefühle haben; ~ **blessing** (*fig*) ein zweischneidiges Schwert; ~ **doubles** (*Tennis*) gemischtes Doppel; ~ **fibres** Mischgewebe *n;* ~ **marriage** Mischehe *f;* ~ **pickles** Mixpickles *pl;* **~-up** durcheinander; konfus

mixer ['mɪksə(r)] *s* **1.** Mixer *m* **2.** (Beton)Mischmaschine *f* **3.** (RADIO) Toningenieur *m;* Mischpult *n;* **be a good** ~ kontaktfreudig sein; **mix•ture** ['mɪkstʃə(r)] *s* Mischung *f,* Gemisch *n;* Mixtur *f;* **mix-up** ['mɪksʌp] **I.** *s* Durcheinander *n* **II.** *adj* durcheinander; konfus

mne•monic [nɪ'mɒnɪk] **I.** *adj* mnemotechnisch; ~ **rhyme** Merkvers *m* **II.** *s* Gedächtnisstütze *f*

mo [məʊ] *s* (*fam*) Moment *m*

moan [məʊn] **I.** *s* **1.** Stöhnen, Ächzen *n;*

Raunen *n* **2.** Gestöhn *n* **II.** *itr* **1.** stöhnen, ächzen; raunen **2.** (*fam*) meckern **III.** *tr:* **she ~ed a sigh of relief** sie stöhnte erleichtert auf

moat [məʊt] *s* Burg-, Wassergraben *m*

mob [mɒb] **I.** *s* **1.** Pöbel, Mob *m;* Horde *f* **2.** (*sl*) Bande *f;* Haufen *m;* **the ~** die Massen *pl* **II.** *tr* sich stürzen auf; anpöbeln

mo•bile ['məʊbaɪl] **I.** *s* **1.** Mobile *n* **2.** (*fam*) Mobiltelefon, Handy *n* **II.** *adj* **1.** beweglich, mobil **2.** (*Gesinnung*) wendig, beweglich **3.** (*Ausdruck*) lebhaft **4.** (TECH) fahrbar; **~ library** Bücherbus *m,* Fahrbücherei *f;* **~ home** Wohnwagen *m;* **mo•bil•ity** [məʊ'bɪlətɪ] *s* **1.** Beweglichkeit, Mobilität *f* **2.** Wendigkeit *f* **3.** Lebhaftigkeit *f*

mo•bi•liz•ation [ˌməʊbɪlaɪ'zeɪʃn] *s* Mobilmachung *f;* **mo•bi•lize** ['məʊbɪlaɪz] **I.** *tr* mobilisieren **II.** *itr* (MIL) mobil machen

moc•ca•sin ['mɒkəsɪn] *s* Mokassin *m*

mo•cha ['mɒkə] *s* Mokka *m*

mock [mɒk] **I.** *tr* **1.** verspotten, sich lustig machen über **2.** nachmachen, -äffen **3.** standhalten, trotzen (*s.o.* jdm) **II.** *itr:* **~ at s.th.** sich über etw lustig machen **III.** *adj* nachgemacht, imitiert; falsch; gespielt **IV.** *s:* **make a ~ of s.th.** etw vereiteln, zunichte machen; **mock battle** *s* Scheingefecht *n;* **mocker** ['mɒkə(r)] *s* Spötter(in) *m(f);* **mock•ery** ['mɒkərɪ] *s* **1.** Spott, Hohn *m* **2.** Gespött *n* **3.** (*fig*) Farce *f;* **hold s.o./s.th. to ~** jdn lächerlich machen/etw ins Lächerliche ziehen; **make a ~ of s.th.** etw zunichte machen; etw als lächerlich erscheinen lassen; **mock•ing** ['mɒkɪŋ] **I.** *adj* spöttisch **II.** *s* Spott *m;* **mock•ing-bird** *s* Spottdrossel *f;* **mock-up** ['mɒkʌp] *s* Modell *n;* Attrappe *f*

mo•dal ['məʊdl] *adj* (GRAM) modal; **mo•dal•ity** [məʊ'dælətɪ] *s* Modalität *f*

mod cons [ˌmɒd'kɒnz] *s abbr of* **modern conveniences: with all ~** mit allem Komfort

mode ['məʊd] *s* **1.** Art, Methode *f,* Verfahren *n* **2.** Mode *f* **3.** (GRAM) Modus *m* **4.** (MUS) Tonart *f;* **~ of life** Lebensweise *f;* **~ of transport** Transportmittel *n;* **be the ~** Mode sein

model ['mɒdl] **I.** *s* **1.** Modell, Muster *n* (*for* für) **2.** Model(l), Mannequin *n,* Dressman *m* **3.** (MOT) Typ *m,* Modell *n* **4.** Vorlage *f,* Vorbild, Beispiel *n* **II.** *adj* Modell-; Muster-, muster-, beispielhaft, vorbildlich **III.** *tr* **1.** als Vorlage nehmen **2.** modellieren, formen **3.** (*Kleid*) vorführen; **~ o.s. on s.o.** sich jdn zum Vorbild nehmen **IV.** *itr* **1.** modellieren **2.** als Model(l), Mannequin, Dressman arbeiten; Modell stehen; **model husband** *s* (*fam*) Mustergatte *m*

mo•dem ['məʊdem] *s* (TELE) Modem *n*

mod•er•ate ['mɒdərət] **I.** *adj* **1.** gemäßigt; mäßig **2.** (*Preis*) vernünftig, angemessen **3.** (*Trinken*) maßvoll **4.** (*Erfolg*) (mittel)mäßig, bescheiden **5.** (*Strafe*) mild; **~-sized** mittelgroß **II.** *s* (POL) Gemäßigte(r) *f m* **III.** ['mɒdəreɪt] *tr* mäßigen, mildern, abschwächen **IV.** ['mɒdəreɪt] *itr* nachlassen, schwächer werden, sich legen; **mod•er•ation** [ˌmɒdə'reɪʃn] *s* Mäßigung *f;* Milderung *f;* Abschwächung *f;* **in ~** in Maßen

mod•ern ['mɒdn] **I.** *adj* modern; neuzeitlich; heutig; **~ languages** moderne Fremdsprachen *fpl* **II.** *s* Anhänger(in) *m(f),* der Moderne; **mod•ern•ize** ['mɒdənaɪz] *tr* **1.** modernisieren **2.** (MIL: *Waffensysteme*) nachrüsten

mod•est ['mɒdɪst] *adj* **1.** bescheiden, anspruchslos **2.** (*Lebensweise*) genügsam **3.** (*Preis*) mäßig **4.** anständig, sittsam; **mod•esty** ['mɒdɪstɪ] *s* **1.** Bescheidenheit *f* **2.** Genügsamkeit *f* **3.** Mäßigkeit *f* **4.** Anstand *m,* Sittsamkeit *f;* **in all ~** bei aller Bescheidenheit

modi•cum ['mɒdɪkəm] *s* ein bisschen, ein wenig; **a ~ of hope** ein Funke Hoffnung

mod•ifi•able ['mɒdɪfaɪəbl] *adj* modifizierbar; **modi•fi•ca•tion** [ˌmɒdɪfɪ'keɪʃn] *s* Abänderung, Abwandlung *f;* Modifikation *f;* **modi•fier** ['mɒdɪfaɪə(r)] *s* (GRAM) Bestimmungswort *n;* **mod•ify** ['mɒdɪfaɪ] *tr* **1.** abändern, modifizieren **2.** mäßigen **3.** (GRAM) näher bestimmen

mod•ish ['məʊdɪʃ] *adj* modisch, modern

modu•lar ['mɒdjʊlə(r)] *adj* **1.** (TECH) aus Elementen zusammengesetzt **2.** (EDV) modular, nach dem Baukastenprinzip

modu•late ['mɒdjʊleɪt] *tr, itr* (RADIO) modulieren; **modu•la•tion** [ˌmɒdjʊ'leɪʃn] *s* (RADIO EDV) Modulation *f*

mod•ule ['mɒdjuːl] *s* **1.** (ARCH) Bauelement *n* **2.** (*Raumfahrt*) Raumkapsel *f* **3.** (EDV) Modul *n;* **lunar ~** Mondlandefähre *f;* **command ~** Kommandokapsel *f*

mo•hair ['məʊheə(r)] *s* Mohair *m*

Mo•ham•medan [mə'hæmɪdən] **I.** *adj* mohammedanisch **II.** *s* Mohammedaner(in) *m(f)*

moist [mɔɪst] *adj* feucht, nass (*from, with* vor); **moisten** ['mɔɪsn] **I.** *tr* anfeuchten **II.** *itr* feucht werden; **moist•ure** ['mɔɪstʃə(r)] *s* Feuchtigkeit *f;* **moist•urize** ['mɔɪstʃəraɪz] *tr* (*Haut*) mit e-r Feuchtigkeitscreme behandeln; **moist•uriz•er** [-ə(r)] *s* Feuchtigkeitscreme *f*

mo•lar ['məʊlə(r)] *s* (*~ tooth*) Backenzahn *m*

mo•las•ses [mə'læsɪz] *s pl mit sing* Melasse *f,* Sirup *m*

mold [məʊld] *s* (*Am*) *s.* **mould**

molder *itr* (*Am*) *s.* **moulder**

mold·ing *s* (*Am*) *s.* **moulding**
moldy *adj* (*Am*) *s.* **mouldy**
mole[1] [məʊl] *s* Muttermal *n,* Leberfleck *m*
mole[2] [məʊl] *s* (ZOO) Maulwurf *m;* **blind as a ~** stockblind
mole[3] [məʊl] *s* (MAR) Mole *f,* Hafendamm *m*
mol·ecu·lar [mə'lekjʊlə(r)] *adj* (CHEM) molekular; **~ biology** Molekularbiologie *f;* **~ weight** Molekulargewicht *n;* **mol·ecule** ['mɒlɪkju:l] *s* Molekül *n*
mole·hill ['məʊlhɪl] *s* Maulwurfshügel, -haufen *m;* **make a mountain out of a ~** aus e-r Mücke e-n Elefanten machen; **mole·skin** *s* **1.** Maulwurfsfell *n* **2.** (*Stoff*) Moleskin *m od n*
mo·lest [mə'lest] *tr* belästigen; **mol·es·ta·tion** [ˌməʊlə'steɪʃn] *s* Belästigung *f*
moll [mɒl] *s* (*sl*) Gangsterbraut *f*
mol·lify ['mɒlɪfaɪ] *tr* besänftigen, beschwichtigen
mol·lusc *s* (*Am*), **mol·lusk** ['mɒləsk] *s* Weichtier *n,* Molluske *f*
molly·coddle ['mɒlɪkɒdl] **I.** *s* Weichling *m* **II.** *tr* verhätscheln, verzärteln, verwöhnen
molt (*Am*) *s.* **moult**
mol·ten ['məʊltən] *adj* geschmolzen
mo·ment ['məʊmənt] *s* **1.** Augenblick, Moment *m* **2.** (*fig*) Tragweite, Bedeutung, Wichtigkeit *f* (*to* für) **3.** (PHYS PHILOS) Moment *n;* **at the ~** im Augenblick, momentan; **at any ~** jederzeit, jeden Augenblick; **at this ~** in diesem Augenblick; **at the last ~** im letzten Augenblick; **in a ~** gleich, sofort, auf der Stelle; **in a few ~s** in wenigen Augenblicken, im Nu; **not for a ~** keinen Augenblick; nie; **please wait a ~** warten Sie bitte e-n Augenblick!; **(just) a ~, please!** e-n Augenblick, bitte!; **the man of the ~** der rechte Mann zur rechten Zeit; **~ of inertia/of resistance** (PHYS) Trägheits-/Widerstandsmoment *n;* **~ of truth** Augenblick *m* der Wahrheit; **of little ~** bedeutungslos; **mo·men·tar·ily** ['məʊməntrəlɪ] *adv* **1.** e-n Augenblick **2.** jeden Moment; **mo·men·tary** ['məʊməntrɪ] *adj* flüchtig, von kurzer Dauer
mo·men·tous [mə'mentəs] *adj* sehr wichtig, bedeutsam, folgenschwer; von großer Tragweite
mo·men·tum [mə'mentəm] *s* **1.** (PHYS) Impuls *m* **2.** (*fig*) Schwung *m,* Wucht *f;* **gain ~** sich beschleunigen, in Fahrt kommen
mon·arch ['mɒnək] *s* Monarch(in) *m(f),* Herrscher(in) *m(f);* **mon·ar·chic(al)** [mə'nɑ:kɪk(l)] *adj* monarchisch; **mon·ar·chism** ['mɒnəkɪzəm] *s* Monarchismus *m;* **mon·ar·chist** ['mɒnəkɪst] *s* Monarchist(in) *m(f);* **mon·archy** ['mɒnəkɪ] *s* Monarchie *f*
mon·as·tery ['mɒnəstrɪ] *s* (Männer) Kloster *n;* **mon·as·tic** [mə'næstɪk] *adj* klösterlich, mönchisch; Ordens-, Kloster-
Mon·day ['mʌndɪ] *s* Montag *m;* **on ~** am Montag
mon·et·ary ['mʌnɪtrɪ] *adj* **1.** währungspolitisch, monetär **2.** Geld-, geldlich; **~ crisis** Währungskrise *f;* **~ policy** Währungspolitik *f;* **~ reform** Währungsreform *f;* **~ stability** Währungsstabilität *f;* **~ system** Währungssystem *n*
money ['mʌnɪ] *s* Geld *n;* Zahlungsmittel *n;* **make ~** Geld verdienen; **lose ~** Geld verlieren; Verluste machen; **there's ~ in it** das ist sehr lukrativ; **be in the ~** (*sl*) Geld wie Heu haben; **get one's ~'s worth** etwas für sein Geld bekommen; **keep s.o. in ~** jdn finanziell unterstützen; **put ~ into** Geld stecken in; **foreign ~** ausländische Zahlungsmittel *npl;* **ready ~** Bargeld *n;* **money·bags** *s pl mit sing* (*fam*) Geldsack *m a. fig;* **money·box** *s* Sparbüchse *f;* **money·changer** ['mʌnɪˌtʃeɪndʒə(r)] *s* (Geld)Wechsler *m;* **moneyed** ['mʌnɪd] *adj* vermögend; **money-grubber** ['mʌnɪˌgrʌbə(r)] *s* geldgieriger Mensch; **money-maker** ['mʌnɪˌmeɪkə(r)] *s* einträgliche Sache; Verkaufserfolg *m;* **money-mak·ing** ['mʌnɪˌmeɪkɪŋ] **I.** *s* Gelderwerb *m,* -verdienen *n* **II.** *adj* einträglich, Gewinn bringend; **money market** *s* Geld-, Kapitalmarkt *m;* **money order** *s* Postanweisung *f;* **money prize** *s* Geldpreis *m;* **money-spinner** ['mʌnɪˌspɪnə(r)] *s* (*fam*) Goldgrube *f*
mon·ger ['mʌŋgə(r)] *s:* **fish-/iron-~** Fisch-/Eisenhändler *m*
Mon·gol ['mɒŋgl] **I.** *adj* **1.** mongolisch **2.** (MED): **m~** mongoloid **II.** *s:* **he's a m~** er ist mongoloid; **Mon·golia** [mɒŋ'gəʊlɪə] *s* Mongolei *f;* **Mon·gol·ian** [mɒŋ'gəʊlɪən] **I.** *adj* mongolisch **II.** *s* **1.** Mongole *m,* Mongolin *f* **2.** (*Sprache*) (das) Mongolisch(e); **mon·gol·ism** ['mɒŋgəlɪzəm] *s* (MED) Mongolismus *m*
mon·grel ['mʌŋgrəl] *s* **1.** (ZOO) Bastard *m* **2.** (ZOO BOT) Kreuzung *f* **3.** (*fam*) Promenadenmischung *f*
moni·tor ['mɒnɪtə(r)] **I.** *s* **1.** (*Schule*) Klassensprecher(in) *m(f)* **2.** (ZOO) Waran *m* **3.** (RADIO TV) Kontrollempfänger, -lautsprecher *m;* Abhörgerät *n;* Monitor *m* **II.** *tr* **1.** abhören **2.** überwachen, steuern, kontrollieren
monk [mʌŋk] *s* Mönch *m*
mon·key ['mʌŋkɪ] **I.** *s* **1.** Affe *m a. fig* **2.** (*Kind*) Strolch, Schlingel *m;* **make a ~ out**

of s.o. jdn verulken **II.** *itr:* ~ **about** herumalbern; **monkey business** *s:* **be up to** ~ (*fam*) etw anstellen; **monkey nut** *s* Erdnuss *f;* **monkey tricks** *s pl* Unfug *m,* dummer Streich; **monkey wrench** *s* Engländer, Universalschraubenschlüssel *m*

mono- ['mɒnəʊ] **I.** *prefix* mono- **II.** *s* (~ *record*) Mono(schall)platte *f*

mono•chrome *adj* monochrom, einfarbig; (*Bildschirm a.*) schwarz-weiß

mon•ocle ['mɒnəkl] *s* Monokel *n*

mon•og•amous [mə'nɒgəməs] *adj* monogam; **mon•og•amy** [mə'nɒgəmɪ] *s* Einehe, Monogamie *f*

mono•gram ['mɒnəgræm] *s* Monogramm *n*

mono•lith ['mɒnəlɪθ] *s* Monolith *m;* **mono•lithic** [ˌmɒnə'lɪθɪk] *adj* **1.** monolithisch **2.** (*fig*) alles beherrschend

mono•logue ['mɒnəlɒg] *s* Selbstgespräch *n,* Monolog *m*

mon•op•ol•ize [mə'nɒpəlaɪz] *tr* **1.** monopolisieren *a. fig,* beherrschen **2.** (*fig*) an sich reißen, in Beschlag nehmen; **mon•op•oly** [mə'nɒpəlɪ] *s* Monopol *n a. fig;* **have the ~ on s.th.** etw für sich gepachtet haben; **monopoly position** *s* Monopolstellung *f*

mono•rail ['mɒnəʊreɪl] *s* Einschienenbahn *f*

mono•syl•labic [ˌmɒnəsɪ'læbɪk] *adj* einsilbig

mono•tone ['mɒnətəʊn] *s* monotoner Klang; **mon•ot•onous** [mə'nɒtənəs] *adj* eintönig, -förmig, monoton; **mon•ot•ony** [mə'nɒtənɪ] *s* Eintönigkeit, Einförmigkeit, Monotonie *f*

mono•type® ['mɒnətaɪp] *s* Monotype® *f*

mon•ox•ide [mɒ'nɒksaɪd] *s* (CHEM) Monoxyd *n*

mon•soon [mɒn'suːn] *s* Monsun *m*

mon•ster ['mɒnstə(r)] **I.** *s* Ungeheuer, Monstrum, Scheusal *n* **II.** *adj attr* Riesen-; Monster-; **monster film** *s* Monsterfilm *m*

mon•stros•ity [mɒn'strɒsətɪ] *s* **1.** Gräueltat *f* **2.** Ungeheuerlichkeit, Monstrosität *f;* **mon•strous** ['mɒnstrəs] *adj* **1.** ungeheuer (groß), gewaltig, riesenhaft **2.** scheußlich; schrecklich, furchtbar, abscheulich

mon•tage [mɒnt'ɑːʒ] *s* Montage *f*

month [mʌnθ] *s* Monat *m;* **at the end of the** ~ am Monatsende; **by the** ~ monatlich; **every two ~s** alle zwei Monate; **every three ~s** jedes Vierteljahr; **once/twice a** ~ einmal/zweimal im Monat; **one ~'s salary** ein Monatsgehalt; **month•ly** ['mʌnθlɪ] **I.** *adj* monatlich **II.** *adv* monatlich; einmal im Monat; jeden Monat; **twice** ~ zweimal pro Monat **III.** *s* Monats(zeit)schrift *f*

monu•ment ['mɒnjʊmənt] *s* **1.** (Bau)Denkmal, Monument *n* **2.** (*fig*) Denkmal *n* (*to* für); **monu•men•tal** [ˌmɒnjʊ'mentl] *adj* (*fig*) riesig, gewaltig; enorm; ~ **inscription** Grabinschrift *f;* ~ **mason** Steinmetz *m*

moo [muː] **I.** *s* **1.** Muh(en) *n* **2.** (*pej: Frau*) Kuh *f* **II.** *itr* muhen

mood¹ [muːd] *s* **1.** Stimmung *f;* Laune *f* **2.** (*bad* ~) schlechte Laune; **be in the** ~ aufgelegt sein (*for* zu); **be in no** ~ nicht aufgelegt sein; **be in a good** ~ gut gelaunt sein; **he is a man of ~s** er ist sehr starken Gemütsschwankungen unterworfen

mood² [muːd] *s* (GRAM) Modus *m*

moodi•ness ['muːdɪnəs] *s* Launenhaftigkeit *f;* **moody** ['muːdɪ] *adj* **1.** launisch, launenhaft **2.** schlecht gelaunt, mürrisch; niedergedrückt

moon [muːn] **I.** *s* Mond *m;* **promise s.o. the** ~ jdm das Blaue vom Himmel versprechen; **be over the** ~ überglücklich sein; **cry for the** ~ (*fig*) nach den Sternen greifen; **full /half-**~ Voll-/Halbmond *m;* **new** ~ Neumond *m* **II.** *itr* (~ *about, around*) herumtrödeln **III.** *tr* (*Zeit:* ~ *away*) vertrödeln; **moon•beam** ['muːnbiːm] *s* Mondstrahl *m;* **moon•boots** ['muːnbuːts] *s pl* Moonboots *pl;* **moon•calf** <*pl* -calves> *s* Schwachsinnige(r) *f m;* **moon•light** ['muːnlaɪt] **I.** *s* Mondschein *m,* -licht *n* **II.** *itr* (*fam*) schwarzarbeiten; **moon•lit** ['muːnlɪt] *adj* mondbeschienen, -hell; **moon•shine** ['muːnʃaɪn] *s* **1.** Mondschein *m* **2.** (*fig*) Unsinn *m* **3.** (*Am sl*) schwarz gebrannter Alkohol; **moon•stone** ['muːnstəʊn] *s* (MIN) Mondstein *m;* **moon•struck** ['muːnstrʌk] *adj* mondsüchtig; **moony** ['muːnɪ] *adj* träumerisch, verträumt

moor¹ [mʊə(r)] *s* (~*land*) Heide(land *n*) *f,* Hochmoor *n*

moor² [mʊə(r)] *tr* (*Schiff*) vertäuen, festmachen; **moor•ings** ['mʊərɪŋz] *s pl* **1.** (MAR) Verankerung *f* **2.** Ankerplatz *m*

moose [muːs] *s* (ZOO) Elch *m*

moot [muːt] **I.** *adj:* **a** ~ **point** ein strittiger Punkt **II.** *tr* erörtern, diskutieren

mop [mɒp] **I.** *s* **1.** Mop *m* **2.** (*fig*) Wuschelkopf *m* **II.** *tr* **1.** (~ *up*) (feucht) aufwischen **2.** (MIL) säubern, durchkämmen; ~ **one's face** sich den Schweiß vom Gesicht wischen

mope [məʊp] *itr* **1.** Trübsal blasen **2.** (~ *about*) mit e-r Jammermiene herumlaufen

mo•ped ['məʊped] *s* Moped *n*

mo•raine [mɒ'reɪn] *s* (GEOL) Moräne *f*

moral ['mɒrəl] **I.** *adj* **1.** sittlich, moralisch **2.** integer, moralisch einwandfrei; tugendhaft **3.** geistig; ~ **values** sittliche Werte *mpl;* ~ **standards** Moral *f;* ~ **sense** moralisches Bewusstsein; ~ **courage** Charakter *m;* **have a** ~ **right to s.th.** jedes Recht auf etw haben **II.** *s* **1.** Moral *f* **2.** ~**s** Moral *f;* **draw a** ~ **from s.th.** e-e Lehre aus etw ziehen

mo•rale [mə'rɑːl] *s* Moral, Stimmung *f;* **destroy s.o.'s** ~ jdn entmutigen

mor•al•ist ['mɒrəlɪst] *s* Moralist *m;* **mor•al•ity** [mə'ræləti] *s* **1.** Moralität *f* **2.** Moral, Ethik *f;* **mor•al•ize** ['mɒrəlaɪz] *itr* moralisieren (*on* über); ~ **about s.o.** sich über jdn moralisch entrüsten

mo•rass [mə'ræs] *s* Morast, Sumpf *m a. fig*

mora•torium [ˌmɒrə'tɔːrɪəm] *s* Moratorium *n;* Zahlungsaufschub *m*

mor•bid ['mɔːbɪd] *adj* **1.** krank(haft) **2.** (*Haltung*) unnatürlich **3.** (*Humor*) makaber **4.** (*Gedanken*) düster; trübsinnig **5.** (MED) morbid **6.** (*fig*) gräulich, grauenhaft; **mor•bid•ity** [mɔː'bɪdəti] *s* **1.** Krankhaftigkeit *f* **2.** Unnatürlichkeit *f* **3.** Düsterkeit *f* **4.** (MED) Morbidität *f*

more [mɔː(r)] <*Komparativ von* many> **I.** *adj* mehr; noch (mehr); **one day** ~ noch ein Tag; **a few** ~ **friends** noch ein paar Freunde; **no** ~ **money** kein Geld mehr **II.** *adv* mehr, in höherem Maße; ~ **and** ~ immer mehr; **like s.th.** ~ etw lieber mögen; ~ **than** mehr als; **no** ~ **than** nicht mehr als; **once** ~ noch einmal; **never** ~ nie mehr; **not any** ~ nicht mehr; ~ **beautiful** schöner; ~ **or less** mehr oder weniger **III.** *s* mehr; noch mehr; **a little** ~ etwas mehr; **no** ~ nichts mehr; **some** ~ noch etwas; **even** ~ noch mehr; **what** ~ **do you want?** was willst du denn noch?; **all the** ~ um so mehr; **all the** ~ **so because ...** um so mehr, weil ...

mo•rello [mə'reləʊ] <*pl* -rellos> *s* Sauerkirsche, Morelle *f*

more•over [mɔː'rəʊvə(r)] *adv* überdies, zudem, außerdem

morgue [mɔːg] *s* **1.** Leichenschauhaus *n* **2.** (*e-r Redaktion*) Archiv *n*

mori•bund ['mɒrɪbʌnd] *adj* **1.** aussterbend, moribund **2.** (*fig*) zum Aussterben verurteilt

Mor•mon ['mɔːmən] *s* (REL) Mormone *m,* Mormonin *f*

morn•ing ['mɔːnɪŋ] **I.** *s* **1.** Morgen *m;* Vormittag *m* **2.** (*fig*) Anfang *m,* erste Zeit; **from** ~ **till night** von früh bis spät; **in the** ~ am Morgen, morgens; vormittags; **early in the** ~ in der Frühe; **at 8 in the** ~ um 8 Uhr morgens; **this** ~ heute morgen; **Friday** ~ Freitag früh; **the** ~ **after** am nächsten Tag **II.** *adj attr* Morgen-; morgendlich; Früh-; **morning-after pill** [ˌmɔːnɪŋ'ɑftə(r)] *s* die Pille danach; **morning coat** *s* Cut(away) *m;* **morning paper** *s* Morgenzeitung *f;* **Morning Prayer** *s* Morgenandacht *f;* **morning sickness** *s* (Schwangerschafts)Erbrechen *n;* **morning star** *s* Morgenstern *m*

Mo•roccan [mə'rɒkən] **I.** *adj* marokkanisch **II.** *s* Marokkaner(in) *m(f)*

mo•rocco [mə'rɒkəʊ] *s* Maroquin *n*

Mo•rocco [mə'rɒkəʊ] *s* Marokko *n*

mo•ron ['mɔːrɒn] *s* **1.** Schwachsinnige(r) *f m* **2.** (*fam*) Trottel *m;* **mo•ronic** [mə'rɒnɪk] *adj* **1.** (MED) schwachsinnig **2.** (*fig*) idiotisch

mo•rose [mə'rəʊs] *adj* mürrisch, verdrießlich, griesgrämig

mor•pheme ['mɔːfiːm] *s* (LING) Morphem *n*

mor•phia, **mor•phine** ['mɔːfɪə, 'mɔːfiːn] *s* Morphium *n*

mor•phol•ogi•cal [ˌmɔːfə'lɒdʒɪkl] *adj* morphologisch; **mor•phol•ogy** [mɔː'fɒlədʒɪ] *s* Morphologie *f*

Morse [mɔːs] *s* (~ *code*) Morsezeichen *n*

mor•sel ['mɔːsl] *s* **1.** Bissen, Happen *m,* Stückchen *n* **2.** bisschen *n*

mor•tal ['mɔːtl] **I.** *adj* **1.** sterblich **2.** (*Angst*) tödlich **3.** (*Langeweile*) endlos (lang); entsetzlich langweilig; **no** ~ **use** überhaupt kein Nutzen; ~ **sin** Todsünde *f* **II.** *s* Sterbliche(r) *f m;* **mortal agony** *s* Todeskampf *m;* **mortal enemy** *s* Todfeind *m;* **mor•tal•ity** [mɔː'tæləti] *s* **1.** Sterblichkeit *f* **2.** Todesfälle *mpl,* Sterblichkeit(sziffer) *f;* **rate of** ~ Sterbeziffer *f*

mor•tar[1] ['mɔːtə(r)] *s* **1.** Mörser *m* **2.** (MIL) Mörser, Granatwerfer *m*

mor•tar[2] ['mɔːtə(r)] **I.** *s* Mörtel *m* **II.** *tr* mörteln; **mortar•board** *s* **1.** Doktorhut *m* **2.** Mörtelbrett *n*

mort•gage ['mɔːgɪdʒ] **I.** *s* Hypothek *f* (*on* auf); **raise a** ~ e-e Hypothek aufnehmen (*on* auf) **II.** *tr* (*mit e-r Hypothek*) belasten

mor•tice *s s.* **mortise**

mor•ti•cian [mɔː'tɪʃn] *s* (*Am*) Bestattungsunternehmer *m*

mor•ti•fi•ca•tion [ˌmɔːtɪfɪ'keɪʃn] *s* **1.** Beschämung *f;* äußerste Verlegenheit **2.** (REL) Kasteiung *f* **3.** (MED) Brand *m;* **mor•tify** ['mɔːtɪfaɪ] **I.** *tr* **1.** beschämen; äußerst peinlich sein (*s.o.* jdm) **2.** (REL) kasteien **3.** (MED) absterben lassen **II.** *itr* (MED) absterben

mor•tise, **mor•tice** ['mɔːtɪs] **I.** *s* Zapfenloch *n* **II.** *tr* verzapfen (*into* mit); **mortice lock** *s* Steckschloss *n*

mor•tu•ary ['mɔːtʃərɪ] *s* Leichenhalle *f*

mo•saic [məʊ'zeɪɪk] *s* Mosaik(arbeit *f*) *n*

Mos•lem ['mɒzləm] **I.** *s* Moslem *m* **II.** *adj* mohammedanisch, muslimisch

mosque [mɒsk] *s* Moschee *f*

mos•quito [mə'ski:təʊ] <*pl* -quitoes> *s* Stechmücke *f,* Moskito *m;* **mos•quito net** *s* Moskitonetz *n*

moss [mɒs] *s* Moos *n;* **mossy** ['mɒsɪ] *adj* **1.** moosig **2.** moosbedeckt, bemoost

most [məʊst] <*Superlativ von* many> **I.** *adj* meiste(r, s); größte(r, s); höchste(r, s); **for the ~ part** größtenteils; **~ people** die meisten Leute **II.** *s* das meiste, die meisten; **~ of his friends** die meisten seiner Freunde; **~ of the time** die meiste Zeit; **make the ~ of s.th.** etw nach Kräften genießen; **make the ~ of o.s.** das Beste aus sich machen **III.** *adv* **1.** am meisten **2.** äußerst; **~ likely** höchstwahrscheinlich; **the ~ beautiful** der, die, das schönste; **~ of all** am allermeisten; **most•ly** ['məʊstlɪ] *adv* meist(ens); hauptsächlich; zum größten Teil

MOT [ˌeməʊ'ti:] *s* **1.** Verkehrsministerium **2.** (*Test*) TÜV *m*

mo•tel [məʊ'tel] *s* (*Am*) Motel *n*

moth [mɒθ] *s* Motte *f;* **moth•ball** *s* Mottenkugel *f;* **put in ~s** einmotten; **moth-eaten** ['mɒθˌi:tn] *adj* **1.** mottenzerfressen **2.** (*fig*) abgenutzt, veraltet; **moth•proof** ['mɒθˌpru:f] *adj* mottenfest

mother ['mʌðə(r)] **I.** *s* **1.** Mutter *f a. fig* **2.** (REL: *~ superior*) Oberin, Äbtissin *f;* **M~'s Day** Muttertag *m* **II.** *tr* **1.** auf-, großziehen **2.** zur Welt bringen **3.** bemuttern; **mother country** *s* **1.** Vaterland *n,* Heimat *f* **2.** Mutterland *n;* **mother•hood** ['mʌðəhʊd] *s* Mutterschaft *f;* **mother-in-law** ['mʌðərɪnlɔ:] <*pl* mothers-in-law> *s* Schwiegermutter *f;* **mother•ly** ['mʌðəlɪ] *adj* mütterlich; **mother-of-pearl** [ˌmʌðərəv'pɜ:l] *s* Perlmutter *f;* **mother tongue** *s* Muttersprache *f*

mo•tif [məʊ'ti:f] *s* **1.** (*Kunst*) Motiv *n* **2.** (*fig*) Leitmotiv *n,* -gedanke *m*

mo•tion ['məʊʃn] **I.** *s* **1.** Bewegung *f* **2.** Wink *m,* Zeichen *n* **3.** (PSYCH) Antrieb *m* **4.** (PARL) Antrag *m* **5.** (PHYSIOL) Stuhlgang *m;* **be in ~** sich bewegen; laufen; **put** [*o* **set**] **s.th. in ~** etw in Gang bringen, setzen; **go through the ~s** den Anschein erwecken; etw mechanisch tun; **propose a ~** e-n Antrag stellen; **have a ~** Stuhlgang haben **II.** *itr, tr:* **~ to s.o. to do s.th.** jdm bedeuten etw zu tun; **~ s.o. in** jdn hereinwinken; **mo•tion•less** [-lɪs] *adj* bewegungs-, reglos; **motion picture** *s* Film *m*

mo•ti•vate ['məʊtɪveɪt] *tr* motivieren; **mo•tiv•ation** [ˌməʊtɪ'veɪʃn] *s* Motivation *f*

mo•tive ['məʊtɪv] **I.** *s* Motiv *n,* Beweggrund *m* (*for* zu) **II.** *adj* Antriebs-; Trieb-; **~ power** Triebkraft *f a. fig*

mot•ley ['mɒtlɪ] **I.** *adj* scheckig, bunt **II.** *s* Narrenkostüm *n*

mo•tor ['məʊtə(r)] **I.** *s* Motor *m a. fig* **II.** *adj* **1.** Motor- **2.** (PHYSIOL) motorisch **III.** *itr* Auto fahren; (*fam*) schnell vorankommen; **motor•bike** *s* Motorrad *n;* **motor•boat** *s* Motorboot *n;* **motor•car** *s* Auto(mobil) *n,* Kraftwagen *m;* **motor•cycle** *s* Motor-, Kraftrad *n;* **motor•cycling** *s* Motorradfahren *n;* **motor•cyclist** *s* Motorradfahrer(in) *m(f);* **motor-driven** *adj* mit Motorantrieb; **mo•tor•ing** ['məʊtərɪŋ] **I.** *adj attr* Verkehrs-; Auto-; **~ offence** Verkehrsverstoß *m* **II.** *s* Autofahren *n;* **mo•tor•ist** ['məʊtərɪst] *s* Autofahrer(in) *m(f);* **mo•tor•iza•tion** [ˌməʊtəraɪ'zeɪʃn] *s* Motorisierung *f;* **mo•tor•ize** ['məʊtəraɪz] *tr* motorisieren; **motor racing** *s* Autorennen *n;* **motor-road** *s* Auto-, Fahrstraße *f;* **motor scooter** *s* Motorroller *m;* **motor truck** *s* (*Am*) Last(kraft)wagen *m;* **motor vehicle** *s* Kraftfahrzeug, Kfz *n;* **motor vehicle licensing centre** *s* Kraftfahrzeug-Zulassungsstelle *f;* **mo•tor•way** ['məʊtəweɪ] *s* (*Br*) Autobahn *f*

mottled ['mɒtld] *adj* gesprenkelt; fleckig

motto ['mɒtəʊ] <*pl* motto(e)s> *s* Motto *n;* Wahlspruch *m*

mould[1] [məʊld] **I.** *s* **1.** (Guss)Form *f* **2.** (TYP) Matrize, Mater *f* **3.** Pudding *m;* **be cast in the same ~** vom gleichen Schlag sein, aus dem gleichen Holz geschnitzt sein **II.** *tr* **1.** formen (*into* zu), gießen **2.** (*fig*) formen; **~ s.o. into s.th.** etw aus jdm machen; **~ o.s. on s.o.** sich jdn zum Vorbild nehmen

mould[2] [məʊld] *s* Schimmel, Schimmelpilz *m*

moulder ['məʊldə(r)] *itr* vermodern, verfallen; verwesen; verderben

mould•ing ['məʊldɪŋ] *s* **1.** Formen, Gießen *n* **2.** Abdruck *m;* Abguss *m* **3.** Deckenfries *m*

mouldy ['məʊldɪ] *adj* **1.** mod(e)rig, schimm(e)lig, verschimmelt **2.** miserabel **3.** (*Mensch*) schäbig **4.** (*fam: Summe*) lumpig

moult [məʊlt] **I.** *itr* sich mausern; sich häuten; Haare verlieren **II.** *tr* **1.** (*Haare*) verlieren **2.** (*die Haut*) abwerfen **III.** *s* Mauser *f;* Häutung *f*

mound [maʊnd] *s* **1.** Erdhügel, -wall *m* **2.** (*fig*) Haufen *m,* Masse *f*

mount[1] [maʊnt] *s* (*poet*) Berg *m;* **M~ Etna** der Ätna

mount[2] [maʊnt] **I.** *s* **1.** Reittier *n* **2.** Sockel *m;* Rahmen *m,* Fassung *f,* Gestell *n;* Unterlage *f* **II.** *tr* **1.** besteigen, steigen auf **2.** montieren; rahmen **3.** (*Stück*) inszenieren, organisieren **4.** (*Wache*) aufstellen **5.** (*Tiere*) bespringen **III.** *itr* **1.** aufsteigen; aufsitzen **2.** (*~ up*) sich häufen

moun•tain ['maʊntɪn] *s* **1.** Berg *m* **2.** (*fig*) (großer) Haufen, Berg *m* **3. ~s** Gebirge *n;* **make a ~ out of a molehill** aus e-r Mücke e-n Elefanten machen; **in the ~s** im Gebirge; **mountain ash** *s* Eberesche *f;* **mountain chain** *s* Bergkette *f;* **moun•tain•eer** [ˌmaʊntɪ'nɪə(r)] *s* Bergsteiger(in) *m(f);* **moun•tain•eer•ing** [-ɪŋ] *s* Bergsteigen *n;* **moun•tain•ous** ['maʊntɪnəs] *adj* **1.** bergig, gebirgig **2.** (*fig*) riesenhaft, ungeheuer; **mountain range** *s* Gebirgszug *m*

mounted ['maʊntɪd] *adj* beritten

mourn [mɔːn] **I.** *itr* trauern; Trauer tragen; **~ for** [*o* **over**] **s.o.** um jdn trauern **II.** *tr* trauern um, betrauern; beklagen; nachtrauern; **mourner** ['mɔːnə(r)] *s* Trauernde(r) *f m;* **mourn•ful** ['mɔːnfl] *adj* **1.** traurig **2.** (*Stimme*) weinerlich; jammervoll **3.** (*Seufzer*) kläglich; **mourn•ing** ['mɔːnɪŋ] *s* Trauer(kleidung, -zeit) *f;* Trauern *n;* Wehklage *f;* **be in ~ for s.o.** um jdn trauern

mouse [maʊs] <*pl* mice> **I.** *s* **1.** (*a.* EDV) Maus *f* **2.** (*fig*) Angsthase *m* **II.** *itr* Mäuse fangen; **mouse•hole** *s* Mauseloch *n;* **mouse•trap** *s* Mausefalle *f*

mousse [muːs] *s* **1.** Creme(speise) *f* **2.** (*Kosmetik*) Schaumfestiger *m*

mous•tache [mə'stɑːʃ] *s* Schnurrbart *m*

mousy ['maʊsɪ] *adj* **1.** schüchtern **2.** (*Farbe*) mausgrau **3.** (*fig*) unansehnlich; farblos

mouth [maʊθ] **I.** *s* **1.** Mund *m a. fig;* (*Tier*) Maul *n* **2.** Öffnung *f* **3.** (*Fluss*) Mündung *f* **4.** (*Hafen*) Einfahrt *f;* **by word of ~** mündlich; **down in the ~** niedergeschlagen, betrübt; **keep one's ~ shut** den Mund halten; **put s.th. into s.o.'s ~** (*fig*) jdm etw in den Mund legen; **take the words out of s.o.'s ~** (*fig*) jdm das Wort aus dem Mund nehmen; **shut your ~!** halten Sie den Mund! **II.** [maʊð] *tr* überdeutlich artikulieren; **mouth•ful** ['maʊθfʊl] *s* **1.** Mundvoll, Bissen, Happen *m* **2.** (*fam*) Zungenbrecher *m;* **mouth organ** *s* Mundharmonika *f;* **mouth•piece** ['maʊθpiːs] *s* **1.** (*Blasinstrument*) Mundstück *n* **2.** (*fig*) Sprachrohr *n;* **mouth-to-mouth resuscitation** *s* Mund-zu-Mund-Beatmung *f;* **mouth•wash** *s* Mundwasser *n;* **mouth-watering** *adj* lecker, appetitlich

mov•able ['muːvəbl] **I.** *adj* (*a.* JUR) beweglich, transportierbar **II.** *s pl* Mobiliar *n,* bewegliche Habe

move [muːv] **I.** *s* **1.** Zug *m;* Schritt *m;* Maßnahme *f* **2.** Bewegung *f* **3.** Umzug *m;* Wechsel *m;* **it's my ~** ich bin am Zug, dran; **be on the ~** in Bewegung sein; auf Achse sein; **make a ~ to do s.th.** Anstalten machen etw zu tun; **get a ~ on** sich beeilen **II.** *tr* **1.** bewegen; antreiben; umstellen; rücken; wegschaffen; aus dem Weg räumen; von der Stelle bewegen **2.** (*Hand*) wegziehen **3.** (*Produktion*) verlegen **4.** transportieren; vertreiben **5.** rühren, bewegen; erschüttern **6.** (*Antrag*) stellen; **~ s.th. to a different place** etw an e-n anderen Platz stellen; **~ house** umziehen; **~ s.o. from an opinion** jdn von e-r Meinung abbringen; **~ s.o. to do s.th.** jdn veranlassen etw zu tun; **be ~d** gerührt sein; **~ s.o. to tears** jdn zu Tränen rühren **III.** *itr* **1.** sich bewegen **2.** (*Auto*) fahren; vorankommen **3.** umziehen (*to* nach) **4.** gehen; fahren **5.** (*fam*) ein Tempo draufhaben **6.** (*Brettspiel*) e-n Zug machen **7.** (*fig*) Maßnahmen ergreifen; **keep moving** nicht stehenbleiben; **~ closer to s.th.** sich e-r S nähern; **move about I.** *tr* umstellen, umräumen **II.** *itr* sich hin und her bewegen; **move along I.** *tr* vorfahren **II.** *itr* weitergehen; aufrücken; **move away I.** *tr* wegräumen; wegfahren **II.** *itr* **1.** aus dem Weg gehen **2.** wegziehen **3.** abkommen (*from* von); **move back I.** *tr* zurückstellen; zurückgehen **II.** *itr* zurückweichen; sich zurückziehen; **move down I.** *tr* nach unten stellen **II.** *itr* nach hinten aufrücken; **move forward I.** *tr* vorgehen lassen; vorziehen **II.** *itr* vorrücken; sich vorwärts bewegen; **move in I.** *tr* einsetzen; hineinstellen **II.** *itr* **1.** einziehen **2.** sich nähern; näher herangehen; anrücken; **move off I.** *tr* wegschicken **II.** *itr* sich in Bewegung setzen; abfahren; **move on I.** *tr* vorstellen **II.** *itr* weitergehen; **move out I.** *tr* herausfahren; abziehen **II.** *itr* ausziehen; **move over I.** *tr* herüberschieben **II.** *itr* zur Seite rücken; **move up I.** *tr* **1.** nach oben stellen; befördern **2.** (MIL) aufmarschieren lassen **II.** *itr* aufsteigen; steigen; befördert werden

move•ment ['muːvmənt] *s* **1.** Bewegung *f* **2.** Trend *m;* Entwicklung *f* **3.** (MIL) Truppenbewegung *f* **4.** (POL REL) (Massen)Bewegung *f* **5.** Preis-, Kursbewegung *f* **6.** (TECH) Mechanismus *m,* (Uhr)Werk *n* **7.** (MUS) Satz *m* **8.** Stuhlgang *m* **9.** (*Waren*) Beförderung *f;* **downward/upward ~** Aufwärts-/Abwärtsbewegung *f;* **underground ~** (POL) Untergrundbewegung *f*

movie ['muːvɪ] *s* (*Am fam*) Film *m;* **the ~s** der Film; **go to the ~s** ins Kino gehen; **movie camera** *s* Filmkamera *f;* **movie-goer** ['muːvɪgəʊə(r)] *s* (*Am fam*) Kinogänger(in) *m(f);* **movie star** *s* Filmstar *m*

mov•ing ['muːvɪŋ] *adj* **1.** beweglich **2.** (TECH) Antriebs- **3.** (*fig*) rührend; bewegend

mow [məʊ] <*irr:* mowed, mown (mowed)> *tr, itr* mähen; **~ down** (*fig*) nie-

dermähen; **mower** ['məʊə(r)] *s* **1.** Mäher *m* **2.** Mähmaschine *f;* Rasenmäher *m;*
mown [məʊn] *tr, itr s.* **mow**
MP [ˌem'piː] *s abbr of* **Member of Parliament** (Parlaments)Abgeordnete(r) *f m*
mph [ˌempiː'eɪtʃ] *s abbr of* **miles per hour** Meilen pro Stunde
Mr ['mɪstə(r)] *s abbr of* **Mister** Herr
Mrs ['mɪsɪz] *s abbr of* **Mistress** Frau
Ms [məz] *s* (*Anredeform für alle Frauen*) Frau
much [mʌtʃ] **I.** *adj, s* viel; **how** ~ wie viel; **that** ~ so viel; **too** ~ zu viel; **be too** ~ **for s.o.** zu viel für jdn sein; jdm zu teuer sein; **as** ~ ebensoviel; **three times as** ~ dreimal so viel; **as** ~ **as you want** so viel du willst; **as** ~ **again** noch einmal so viel; **so** ~ soviel; **make** ~ **of s.th.** viel Wind um etw machen **II.** *adv* **1.** sehr; viel; oft **2.** weitaus; bei weitem **3.** beinahe; ~ **to my astonishment** zu meinem großen Erstaunen; **as** ~ **I should like to** so gern ich möchte; **I don't care** ~ es ist mir ziemlich egal; **too** ~ so viel; so sehr; **thank you very** ~ vielen Dank; **much•ness** [-nɪs] *s* (*fam*): **much of a** ~ so ziemlich dasselbe, ungefähr das Gleiche
muck [mʌk] *s* **1.** Dung *m,* Jauche *f* **2.** Dreck, Schmutz, Unrat, Kot *m* **3.** (*fig*) Schund *m;* **muck about I.** *itr* (*sl*) herumalbern, -blödeln **II.** *tr* (*jdn*) hinhalten; (*vulg*) verarschen; **muck out** *tr* ausmisten; **muck up** *tr* **1.** dreckig machen **2.** (*fig*) vermasseln; **muck•heap** *s* Misthaufen *m;* **muck•raker** ['mʌkreɪkə(r)] *s* Sensationshai *m;* **muck-up** ['mʌkʌp] *s* Durcheinander *n;* Katastrophe *f;* **mucky** ['mʌkɪ] *adj* **1.** schmutzig, dreckig **2.** (*Boden*) matschig
mu•cous ['mjuːkəs] *adj* (PHYSIOL) schleimig; ~ **membrane** Schleimhaut *f;* **mu•cus** ['mjuːkəs] *s* (PHYSIOL) Schleim *m*
mud [mʌd] *s* **1.** Schlamm *m;* Matsch *m* **2.** (*fig*) üble Nachrede; **drag s.o.'s name through the** ~ jds guten Namen in den Schmutz ziehen; **sling** [*o* **throw**] ~ **at** (*fig*) mit Dreck bewerfen, verleumden; **here's** ~ **in your eye** zum Wohl!
muddle ['mʌdl] **I.** *tr* **1.** durcheinander bringen **2.** (*fig*) verwirrt, konfus machen; ~ **along** vor sich hin wursteln; ~ **through** sich durchwursteln **II.** *s* **1.** Durcheinander *n* **2.** (*fig*) Verwirrung *f;* **be in a** ~ ganz verwirrt sein; **make a** ~ **of s.th.** etw völlig durcheinander bringen; **muddle-headed** ['mʌdlˌhedɪd] *adj* zerstreut; konfus
muddy ['mʌdɪ] **I.** *adj* **1.** schmutzig, schlammig **2.** (*Flüssigkeit*) trübe; dunkel **3.** (*fig*) verworren **II.** *tr* schmutzig machen; **mud•guard** ['mʌdgɑːd] *s* (*Auto*) Kotflügel *m;* (*Fahrrad*) Schutzblech *n;* **mud•pack** *s* Schlammpackung *f;* **mud•slinger** ['mʌdslɪŋə(r)] *s* (*fam*) Verleumder(in) *m(f);* **mud•sling•ing** ['mʌdslɪŋɪŋ] *s* (*fam*) Schlechtmacherei *f*
muff [mʌf] *s* Muff *m*
muf•fin ['mʌfɪn] *s* (*Br*) *meist warm gegessenes, weiches Milchbrötchen*
muffle ['mʌfl] *tr* **1.** (~ *up*) einmumme(l)n; verhüllen **2.** (*Schall*) dämpfen; abschwächen; **muf•fler** ['mʌflə(r)] *s* **1.** dicker Schal **2.** (*Am*) Auspufftopf *m*
mufti ['mʌftɪ] *s* Zivilkleidung *f;* **in** ~ in Zivil
mug [mʌg] **I.** *s* **1.** Krug *m,* Kanne *f* **2.** Becher *m* **3.** (*sl*) Trottel *m* **4.** (*sl*) Visage *f;* **that's a** ~**'s game** das ist doch schwachsinnig **II.** *tr* überfallen; ~ **s.th. up** [*o* **up on s.th.**] (*fam*) etw pauken; **mug•ger** ['mʌgə(r)] *s* Straßenräuber(in) *m(f);* **mug•ging** ['mʌgɪŋ] *s* Raubüberfall *m;* **mug•gins** ['mʌgɪnz] *s pl mit sing* (*fam*) Tölpel *m;* **and** ~ **would have to do it** und ich bin dann der Blöde, der es machen muss
muggy ['mʌgɪ] *adj* schwül; drückend
mug•wump ['mʌgwʌmp] *s* (*Am:* POL) Unabhängige(r) *f m*
mul•atto [mjuː'lætəʊ] *s* Mulatte *m,* Mulattin *f*
mul•berry ['mʌlbrɪ] *s* Maulbeere *f;* Maulbeerbaum *m*
mule[1] [mjuːl] *s* **1.** Maulesel *m,* Maultier *n* **2.** (*Spinnerei*) Selfaktor *m;* **as stubborn as a** ~ so störrisch wie ein Maulesel
mule[2] [mjuːl] *s* Pantoffel *m*
mul•ish ['mjuːlɪʃ] *adj* (*fig*) starrköpfig, bockig, eigensinnig
mull [mʌl] *tr* **1.** (~ *over*) sich durch den Kopf gehen lassen **2.** (*alkoholisches Getränk*) erhitzen, süßen u. würzen; ~**ed wine** Glühwein *m*
mul•lion ['mʌlɪən] *s* Fensterpfosten *m*
multi•colo(u)red [ˌmʌlti'kʌləd] *adj* mehrfarbig; **multi•cul•tural** [ˌmʌltɪ'kʌltʃərəl] *adj* multikulturell; ~ **society** multikulturelle Gesellschaft; **mul•ti•far•ious** [ˌmʌltɪ'feərɪəs] *adj* vielfältig, mannigfaltig, -fach; **mul•ti form** ['mʌltɪfɔːm] *adj* vielgestaltig; **multi•func•tional** [ˌmʌltɪ'fʌnkʃənəl] *adj* multifunktional; **multi•grade oil** ['mʌltɪˌgreɪd'ɔɪl] *s* Mehrbereichsöl *n;* **mul•ti•lat•eral** [ˌmʌltɪ'lætərəl] *adj* (POL) multilateral; **multi•lingual** [ˌmʌltɪ'lɪŋgwəl] *adj* mehrsprachig; **multi•mil•lion•aire** [ˌmʌltɪmɪljə'neə(r)] *s* Multimillionär(in) *m(f);* **multi•na•tion•al** [ˌmʌltɪ'næʃnəl] **I.** *adj* multinational **II.** *s* multinationaler Konzern, Multi *m fam*
multiple ['mʌltɪpl] **I.** *adj* **1.** viel-, mehrfach **2.** mehrere; ~ **choice** Multiple-Choice-Verfahren *n;* ~ **sclerosis** (MED) multiple Skle-

rose **II.** *s* (MATH) (das) Vielfache; **multi•pli•ca•tion** [ˌmʌltɪplɪˈkeɪʃn] *s* **1.** Vervielfachung, Vermehrung *f* **2.** (MATH) Multiplikation *f;* **multi•plic•ity** [ˌmʌltɪˈplɪsətɪ] *s* Vielfalt, -fältigkeit, Vielzahl *f;* **multi•plier** [ˈmʌltiplaɪə(r)] *s* Multiplikator *m;* **multi•ply** [ˈmʌltɪplaɪ] **I.** *tr* **1.** vervielfältigen, vermehren **2.** (MATH) multiplizieren **II.** *itr* **1.** zunehmen; sich vermehren **2.** (MATH) multiplizieren

multi•pur•pose [ˌmʌltɪˈpɜːpəs] *adj attr* Mehrzweck-; **multi•racial** [ˌmʌltɪˈreɪʃl] *adj s.* **multicultural**; **multi•stage** *adj* mehrstufig; **multi•stor(e)y** *adj* mehrgeschossig; ~ **flats** Hochhäuser *npl;* ~ **car park** Parkhaus *n*

multi•tude [ˈmʌltɪtjuːd] *s* Menge *f;* **a ~ of** e-e Vielzahl von, e-e Menge; **the ~** die große Masse, der große Haufen; **multi•tud•in•ous** [ˌmuːltɪˈtjuːdɪnəs] *adj* zahlreich; **multi-user system** [ˌmʌltɪˈuːzə(r)] *s* (EDV) Mehrplatzrechner *m*

mum¹ [mʌm] *adj, s:* **~'s the word!** nichts verraten!; **keep ~** den Mund halten

mum² [mʌm] *s* (*fam*) Mutti *f*

mumble [ˈmʌmbl] **I.** *tr* murmeln **II.** *itr* vor sich hin murmeln

mumbo jumbo [ˌmʌmbəʊˈdʒʌmbəʊ] *s* Mumpitz *m;* Kauderwelsch *n*

mum•mi•fi•ca•tion [ˌmʌmɪfɪˈkeɪʃn] *s* Mumifizierung, Einbalsamierung *f;* **mummify** [ˈmʌmɪfaɪ] *tr* mumifizieren, einbalsamieren

mummy¹ [ˈmʌmɪ] *s* Mumie *f*

mummy² [ˈmʌmɪ] *s* (*fam*) Mutti *f*

mumps [mʌmps] *s pl mit sing* (MED) Ziegenpeter, Mumps *m*

munch [mʌntʃ] *itr, tr* mampfen

mun•dane [mʌnˈdeɪn] *adj* **1.** irdisch, weltlich **2.** schlicht und einfach

Munich [ˈmjuːnik] *s* München *n*

mu•nici•pal [mjuːˈnɪsɪpl] *adj* städtisch, kommunal; ~ **administration** Stadtverwaltung *f;* **mu•nici•pal•ity** [mjuːˌnɪsɪˈpælətɪ] *s* Stadt, Gemeinde *f*

mu•ni•tions [mjuːˈnɪʃənz] *s pl* Munition *f*

mural [ˈmjʊərəl] **I.** *adj* Wand- **II.** *s* Wandgemälde *n,* -malerei *f*

mur•der [ˈmɜːdə(r)] **I.** *s* **1.** Mord *m* (*of* an) **2.** Ermordung *f;* **commit (a) ~** e-n Mord begehen; **be accused of ~** unter Mordanklage stehen; **cry blue ~** (*fam*) Zeter und Mordio schreien; **get away with ~** sich alles erlauben können **II.** *tr* **1.** (er)morden, umbringen **2.** (*fig*) verhunzen, verderben; **mur•derer** [ˈmɜːdərə(r)] *s* Mörder *m;* **mur•der•ess** [ˈmɜːdərɪs] *s* Mörderin *f;* **mur•der•ous** [ˈmɜːdərəs] *adj* **1.** mörderisch *a. fig* **2.** blutdürstig

murky [ˈmɜːkɪ] *adj* **1.** trübe; dunkel **2.** (*Foto*) unscharf **3.** (*Charakter*) finster

mur•mur [ˈmɜːmə(r)] **I.** *s* **1.** Murmeln *n* **2.** Murren *n* **3.** (*Wasser*) Rauschen *n;* **without a ~** ohne zu murren **II.** *itr* **1.** murmeln **2.** murren (*about, against* gegen) **III.** *tr* (vor sich hin) murmeln

muscle [ˈmʌsl] *s* Muskel *m;* **move a ~** sich rühren; **muscle in** *itr* (*sl*) mitmischen (*on* bei); **muscle-bound** [ˈmʌslbaʊnd] *adj* (über)muskulös; **muscle•man** [ˈmʌslmæn] <*pl* -men> *s* Muskelprotz *m;* **mus•cu•lar** [ˈmʌskjʊlə(r)] *adj* muskulös, kräftig, stark

muse [mjuːz] *itr, tr* (nach)denken, -sinnen, -grübeln (*on, over* über)

mu•seum [mjuːˈzɪəm] *s* Museum *n;* **museum piece** *s* Museumsstück *n a. fig*

mush [mʌʃ] *s* **1.** (*Am*) (Mais)Mehlbrei *m* **2.** Brei *m;* Mus *n*

mush•room [ˈmʌʃrʊm] **I.** *s* **1.** (essbarer) Pilz *m;* Champignon *m* **2.** (*Atom*) Pilz *m* **II.** *adj* **1.** pilzartig, -förmig **2.** (*fig*) wie Pilze aus dem Boden geschossen; schlagartig **III.** *itr* **1.** Pilze sammeln **2.** (*fig*) wie Pilze aus dem Boden schießen; emporschießen **3.** (*Feuer*) sich ausbreiten

mushy [ˈmʌʃɪ] *adj* **1.** breiig; matschig **2.** (*fig*) rührselig, schmalzig

mu•sic [ˈmjuːzɪk] *s* **1.** Musik *f* **2.** Musikstück *n;* Noten *fpl* **3.** (*Stimme*) Musikalität *f;* **face the ~** (*fam*) dafür geradestehen; **set to ~** vertonen; **background ~** musikalische Untermalung; **mu•si•cal** [ˈmjuːzɪkl] **I.** *adj* **1.** musikalisch **2.** wohlklingend, melodisch; ~ **box** Spieluhr *f;* **play ~ chairs** die Reise nach Jerusalem spielen; ~ **instrument** Musikinstrument *n* **II.** *s* Musical *n;* **music box** *s* (*Am*) Spieldose *f;* **music cas•sette** *s* Musikkassette *f;* **music hall** *s* (*Br*) Varietee(theater) *n*

mu•si•cian [mjuːˈzɪʃn] *s* Musiker(in) *m(f)*

mu•sic stand [ˈmjuːzɪkˌstænd] *s* Notenständer *m*

musk [mʌsk] *s* Moschus *m*

mus•ket [ˈmʌskɪt] *s* (HIST MIL) Muskete *f*

mus•ket•eer [ˌmʌskɪˈtɪə(r)] *s* Musketier *m*

musk•rat [ˈmʌskræt] *s* Bisamratte *f*

mus•lin [ˈmʌzlɪn] *s* Musselin *m*

mus•quash [ˈmʌskwɒʃ] *s* Bisamratte *f*

muss [mʌs] **I.** *s* (*Am*) Durcheinander *n,* Unordnung *f* **II.** *tr* (*Am:* ~ *up*) durcheinander bringen, in Unordnung bringen

mus•sel [ˈmʌsl] *s* (Mies)Muschel *f*

must [mʌst] **I.** *aux* **1.** müssen **2.** (*in verneinten Sätzen*) dürfen; **you ~ go** Sie müssen gehen; ~ **I?** ja, wirklich?; muss das sein?; **you ~n't do that** Sie dürfen das nicht tun; **I ~ have lost it** ich muss es wohl verloren haben; **you ~ be hungry** Sie haben doch bestimmt Hunger; **he ~ come just now** natürlich muss er gerade jetzt kommen **II.** *s* Notwendigkeit *f,* Muss *n;* **this book is a ~** dieses Buch muss man gelesen haben

mus•tache ['mʌstæʃ] *s* (*Am*) *s.* **moustache; mus•tachio** [mə'stɑːʃɪəʊ] <*pl*-tachios> *s* Schnauzbart *m*

mus•tang ['mʌstæŋ] *s* Mustang *m*

mus•tard ['mʌstəd] **I.** *s* Senf *m;* Senfgelb *n;* **be as keen as ~** Feuer und Flamme sein **II.** *adj* senffarben

mus•ter ['mʌstə(r)] **I.** *tr* **1.** (MIL) antreten lassen; zusammentreiben **2.** (~ *up*) zusammenbekommen; aufbringen; aufbieten; ~ (**up**) **courage/strength** allen Mut/seine ganze Kraft zusammennehmen **II.** *itr* sich versammeln **III.** *s* (MIL) Antreten *n,* Appell *m;* **pass ~** (*fig*) den Anforderungen genügen

mustn't ['mʌsnt] = **must not**

musty ['mʌstɪ] *adj* **1.** dumpfig, muffig **2.** (*Bücher*) moderig

mu•table ['mjuːtəbl] *adj* **1.** veränderlich, variabel **2.** (BIOL) mutationsfähig; **mu•tation** [mjuː'teɪʃn] *s* **1.** (Ver)Änderung *f;* Wandel *m* **2.** (BIOL) Mutation *f*

mute [mjuːt] **I.** *adj* **1.** (*a.* LING) stumm **2.** (*Wut*) sprachlos **II.** *s* **1.** Stumme(r) *f m* **2.** (GRAM) stummer Buchstabe **3.** (MUS) (Schall)Dämpfer *m* **III.** *tr* (MUS) dämpfen

mu•ti•late ['mjuːtɪleɪt] *tr* verstümmeln *a. fig;* **mu•ti•la•tion** [ˌmjuːtɪ'leɪʃn] *s* Verstümmelung *f*

mu•tin•eer [ˌmjuːtɪ'nɪə(r)] *s* Meuterer *m;* **mu•ti•nous** ['mjuːtɪnəs] *adj* **1.** meuternd **2.** meuterisch, aufrührerisch; **mu•tiny** ['mjuːtɪnɪ] **I.** *s* Meuterei *f* **II.** *itr* meutern

mut•ter ['mʌtə(r)] **I.** *itr* **1.** murmeln **2.** murren **II.** *tr* murmeln, brummen **III.** *s* Gemurmel *n*

mut•ton ['mʌtn] *s* Hammelfleisch *n;* **be as dead as ~** mausetot sein; **she's ~ dressed as lamb** sie macht auf jung; **mutton-chops** *s pl* (*Bart*) Koteletten *pl*

mu•tual ['mjuːtʃʊəl] *adj* gegen-, wechselseitig; gemeinsam; beiderseitig; **by ~ consent** in gegenseitigem Einverständnis; **for ~ benefit** zu beiderseitigem Nutzen; **the feeling is ~** das beruht auf Gegenseitigkeit; **mutual insurance** *s* Versicherung *f* auf Gegenseitigkeit; **mu•tual•ly** ['mjuːtʃʊəlɪ] *adv* gegenseitig

muzak ['mjuːzæk] *s* (*pej*) Berieselungsmusik *f*

muzzle ['mʌzl] **I.** *s* **1.** Maul *n* **2.** Maulkorb *m* **3.** (*Gewehr*) Mündung *f;* **~-loader** Vorderlader *m* **II.** *tr* **1.** e-n Maulkorb anlegen (*s.o.* jdm) **2.** (*fig: Presse*) mundtot machen; ersticken

muzzy ['mʌzɪ] *adj* **1.** benommen, benebelt **2.** (*Erinnerung*) verschwommen

my [maɪ] **I.** *pron* mein; **this car is ~ own** das ist mein Auto **II.** *interj* ach du Schreck!

my•opia [maɪ'əʊpɪə] *s* Kurzsichtigkeit *f;* **my•opic** [maɪ'ɒpɪk] *adj* kurzsichtig

myr•iad ['mɪrɪəd] **I.** *s* Myriade *f;* **a ~ of** Myriaden von **II.** *adj* unzählige

myrrh [mɜː(r)] *s* Myrrhe *f*

myrtle ['mɜːtl] *s* Myrte *f*

my•self [maɪ'self] *pron* **1.** mich *acc,* mir *dat* **2.** (*betont*) (ich) selbst; **I said to ~** ich sagte mir; **I hurt ~** ich habe mir weh getan; **I said so ~** das habe ich auch gesagt; **I'm not ~ today** ich bin heute nicht ganz auf der Höhe; (**all**) **by ~** (ganz) allein; ohne Hilfe; **I'll do it ~** das mache ich selbst

mys•teri•ous [mɪ'stɪərɪəs] *adj* geheimnisvoll; rätselhaft, mysteriös; **mys•tery** ['mɪstərɪ] *s* **1.** Geheimnis, Rätsel *n* (*to* für) **2.** (*a.* REL) Mysterium *n;* **~ play** Mysterienspiel *n;* **~ story** Kriminalgeschichte *f*

mys•tic ['mɪstɪk] **I.** *adj* **1.** mystisch **2.** (*Worte*) rätselhaft, mysteriös **II.** *s* Mystiker(in) *m(f);* **mys•ti•cal** ['mɪstɪkl] *adj* mystisch; **mys•ti•cism** ['mɪstɪsɪzəm] *s* Mystizismus *m;* Mystik *f*

mys•ti•fi•ca•tion [ˌmɪstɪfɪ'keɪʃn] *s* **1.** Verwirrung *f* **2.** Verwunderung, Verblüffung *f;* **mys•tify** ['mɪstɪfaɪ] *tr* vor ein Rätsel stellen; **mys•tique** [mɪs'tiːk] *s* geheimnisvolle Ausstrahlung, Aura *f*

myth [mɪθ] *s* **1.** Mythos, Mythus *m* **2.** (*fig*) Fabel, Fiktion *f;* **mythi•cal** ['mɪθɪkl] *adj* **1.** mythisch **2.** (*fig*) fiktiv, erfunden

mytho•logi•cal [ˌmɪθə'lɒdʒɪkl] *adj* mythologisch; **myth•ol•ogy** [mɪ'θɒlədʒɪ] *s* Mythologie *f*

N

N, n [en] <*pl* -'s> *s* N, n *n*
nab [næb] *tr* (*fam*) **1.** schnappen; erwischen **2.** klauen
na·dir ['neɪdɪə(r)] *s* **1.** (ASTR) Nadir *m* **2.** (*fig*) Tiefpunkt *m;* **at the ~** (*fig*) auf dem Nullpunkt
naff [næf] *adj* (*sl*) ätzend; **~ off!** verschwinde!
nag[1] [næg] **I.** *tr* (dauernd) herumnörgeln an; **~ s.o. to do s.th.** jdm die Hölle heiß machen, damit er etw tut **II.** *itr* schimpfen, meckern, keifen (*at* mit) **III.** *s* Nörgler(in) *m(f)*
nag[2] [næg] *s* Klepper *m,* Mähre *f*
nag·ger ['nægə(r)] *s* Nörgler(in) *m(f);* **nag·ging** ['nægɪŋ] *adj* **1.** nörgelnd **2.** (*Schmerz*) bohrend
nail [neɪl] **I.** *s* (ANAT TECH) Nagel *m;* **as hard as ~s** (*fig*) knallhart; zäh wie Leder; **on the ~** (*fig*) auf der Stelle; **hit the ~ on the head** (*fig*) den Nagel auf den Kopf treffen **II.** *tr* **1.** nageln **2.** (*fig*) festnageln; **~ s.th. to the wall** etw an die Wand nageln; **be ~ed to the ground** wie festgenagelt sein; **~ s.o. down** jdn festnageln (*to* auf); **~ up** an-, zunageln; **nail-bit·ing** ['neɪlbaɪtɪŋ] **I.** *s* Nägelkauen *n* **II.** *adj* **1.** atemberaubend **2.** spannungsgeladen; **nail brush** ['neɪlbrʌʃ] *s* Nagelbürste *f;* **nail clippers** *s pl* Nagelknipser *m;* **nail enamel remover** *s* Nagellackentferner *m;* **nail file** *s* Nagelfeile *f;* **nail polish** *s* (*Am*) Nagellack *m;* **nail scissors** *s pl* Nagelschere *f;* **nail varnish** *s* (*Br*) Nagellack *m*
naïve, naive [naɪ'i:v] *adj* naiv; **naïveté, naïvety** [naɪ'i:vteɪ, naɪ'i:vətɪ] *s* Naivität *f*
naked ['neɪkɪd] *adj* **1.** nackt, bloß, unverhüllt **2.** kahl, dürr; leer; **go ~** nackt gehen; **~ as the day he was born** splitterfasernackt; **the ~ eye** das bloße Auge; **the ~ fact** nackte Tatsache; **the ~ truth** die reine Wahrheit; **naked·ness** [-nɪs] *s* Nacktheit *f;* (*fig*) Blöße *f*
namby-pamby [ˌnæmbɪ'pæmbɪ] **I.** *adj* (*pej*) **1.** verweichlicht **2.** unentschlossen **II.** *s* (*pej*) Mutterkind *n;* (*Junge*) Muttersöhnchen *n*
name [neɪm] **I.** *s* **1.** Name *m* **2.** Ruf *m;* **know s.o. by ~** jdn dem Namen nach kennen; **what's your ~?** wie heißen Sie?; **in ~ only** nur dem Namen nach; **in the ~ of** im Namen *+gen;* **under the ~ of ...** unter dem Namen ...; **not to have a penny to one's ~** keinen Pfennig besitzen; **call s.o. ~s** jdn beschimpfen; **have a good ~** e-n guten Ruf haben; **have a ~ for** bekannt sein für; **make a ~ for o.s.** sich e-n Namen machen; **put one's ~ down for** kandidieren für; sich anmelden zu; **get a bad ~** in Verruf kommen; **big ~** bedeutende Persönlichkeit; **the ~ of the game** der Zweck, das Wesentliche der Sache **II.** *tr* **1.** (be)nennen, e-n Namen geben (*s.o.* jdm), taufen **2.** bezeichnen **3.** nennen **4.** ernennen (*for, to* für, zu); **a person ~d X** jem mit Namen X; **~ a child after s.o.** ein Kind nach jdm nennen; **~ s.o. director** jdn zum Direktor ernennen; **~ s.o. as s.th.** jdn als etw bezeichnen; **~ your price** nennen Sie Ihren Preis; **name-day** *s* Namenstag *m;* **name-drop** ['neɪmdrɒp] *itr Namen von Prominenten, die man angeblich kennt, erwähnen;* **name-drop·ping** ['neɪmdrɒpɪŋ] *s* Name-dropping *n;* **name·less** ['neɪmlɪs] *adj* **1.** namenlos; unbekannt **2.** unbenannt, ungenannt **3.** (*Verbrechen*) unaussprechlich **4.** (*Gefühl*) unsagbar, unbeschreiblich; **in ~ fear** in namenloser Angst; **name·ly** ['neɪmlɪ] *adv* nämlich; **name·plate** ['neɪmpleɪt] *s* Namensschild *n;* **name·sake** ['neɪmseɪk] *s* Namensvetter *m*
Nami·bia [næ'mɪbɪə] *s* Namibia *n;* **Namibian** [næ'mɪbɪən] **I.** *adj* namibisch **II.** *s* Namibier(in) *m(f)*
nanny ['nænɪ] *s* **1.** Kindermädchen *n* **2.** (*Kindersprache*) Omi *f;* **nanny goat** ['nænɪgəʊt] *s* Ziege, Geiß *f*
nano·second ['nɑ:nəʊ'sekənd] *s* Nanosekunde *f*
nap[1] [næp] **I.** *itr:* **catch s.o. ~ping** jdn überrumpeln **II.** *s* Schläfchen, Nickerchen *n;* **take a ~** ein Nickerchen machen
nap[2] [næp] *s* (*Textil*) Flor *m*
na·palm ['neɪpɑ:m] **I.** *tr* (MIL) mit Napalm bombardieren **II.** *s* Napalm *n;* **napalm bomb** *s* Napalmbombe *f*
nape [neɪp] *s* (*~ of the neck*) Nacken *m*
nap·kin ['næpkɪn] *s* **1.** Serviette *f* **2.** Windel *f* **3.** (*Am: sanitary ~*) Monatsbinde *f*
nappy ['næpɪ] *s* (*Br*) Windel *f;* **nappy liner** *s* Windeleinlage *f*
nar·cissus [nɑ:'sɪsəs, *pl* -'sɪsaɪ] <*pl*

-cissi> *s* (BOT) Narzisse *f*

nar•co•sis [nɑː'kəʊsɪs] *s* Narkose *f;* **narcotic** [nɑː'kɒtɪk] **I.** *adj* narkotisch, betäubend **II.** *s* Rauschgift *n;* ~**s squad** Rauschgiftdezernat *n;* **traffic in** ~**s** Rauschgifthandel *m*

nark [nɑːk] **I.** *s* (*sl*) Spitzel *m* **II.** *tr* (*sl*) ärgern

nar•rate [nə'reɪt] *tr* erzählen; berichten; **nar•ra•tion** [nə'reɪʃn] *s* **1.** Erzählung *f;* Bericht *m* **2.** Schilderung *f;* **nar•ra•tive** ['nærətɪv] **I.** *adj* erzählend; mitteilsam **II.** *s* **1.** Erzählung *f;* Text *m* **2.** Erzählen *n;* Schilderung *f;* **nar•rator** [nə'reɪtə(r)] *s* Erzähler(in) *m(f)*

nar•row ['nærəʊ] **I.** *adj* **1.** eng, schmal **2.** (*Ideen*) engstirnig, beschränkt **3.** (*Verhältnisse*) dürftig, eng **4.** (*Sieg*) knapp **5.** genau, gründlich, sorgfältig; **by a** ~ **margin** knapp; **have a** ~ **mind** engstirnig sein; **in the** ~**est sense** im engsten Sinne (des Wortes); **with a** ~ **majority** mit knapper Mehrheit; **have a** ~ **escape** mit knapper Not davonkommen; **that was a** ~ **squeak** (*fam*) das war knapp **II.** *itr* sich verengen; enger, schmäler werden; ~ **down to** hinauslaufen auf **III.** *tr* (~ *down*) einengen; begrenzen *a. fig;* ~ **one's eyes** die Augen zusammenkneifen **IV.** *s pl* enge Stelle; **narrow boat** *s* Kanalboot *n;* **narrow-gauge** *adj* Schmalspur-, schmalspurig; **nar•row•ly** [-lɪ] *adv* **1.** beinahe, fast, mit knapper Not **2.** (*untersuchen*) sehr genau; **he** ~ **escaped drowning** er wäre fast ertrunken; **nar•row-minded** [ˌnærəʊ'maɪndɪd] *adj* engstirnig

na•sal ['neɪzl] **I.** *adj* **1.** (LING) nasal **2.** (*Stimme*) näselnd **II.** *s* (LING) Nasallaut *m*

nasti•ness ['nɑːstɪnəs] *s* Ekelhaftigkeit, Bösartigkeit, Abscheulichkeit *f*

nas•tur•tium [nə'stɜːʃəm] *s* (BOT) Kapuzinerkresse *f*

nasty ['nɑːstɪ] *adj* **1.** scheußlich; ekelhaft **2.** (*Überraschung*) böse, unangenehm **3.** (*Wetter*) abscheulich **4.** (*Verbrechen*) abscheulich **5.** (*fig*) gemein, garstig **6.** (*Bemerkung*) gehässig, übel **7.** (*Krankheit*) schwer **8.** (*Film*) anstößig; ekelhaft; **he turned** ~ er wurde unangenehm; **he has a** ~ **temper** mit ihm ist nicht gut Kirschen essen

na•tal ['neɪtl] *adj* Geburts-; **na•tal•ity** [nə'tælɪtɪ] *s* (*Am*) Geburtenziffer *f*

na•tion ['neɪʃn] *s* Volk *n,* Nation *f;* **address the** ~ zum Volk sprechen; **member** ~ Mitgliedsstaat *m;* **na•tion•al** ['næʃnəl] **I.** *adj* national; staatlich; ~ **anthem** Nationalhymne *f;* ~ **assembly** Nationalversammlung *f;* ~ **costume** Volkstracht *f;* ~ **currency** Landeswährung *f;* ~ **debt** Staatsschuld *f;* ~ **defence** Landesverteidigung *f;* **N**~ **Front, NF** (*Br*) *rechtsradikale Partei;* **N**~ **Guard** (*Am*) Nationalgarde *f;* **N**~ **Health Service, NHS** (*Br*) Staatlicher Gesundheitsdienst; ~ **income** Volkseinkommen *n;* ~ **insurance** Sozialversicherung *f;* ~ **park** Nationalpark *m;* ~ **product** Sozialprodukt *n;* ~ **security** Staatssicherheit *f;* ~ **service** Wehr-, Militärdienst *m;* ~ **status** Staatsangehörigkeit *f;* ~ **wealth** Volksvermögen *n* **II.** *s* **1.** Staatsangehörige(r) *f m* **2.** überregionale Zeitung; **na•tion•al•ism** ['næʃnəlɪzəm] *s* Nationalismus *m;* **na•tion•al•ist** ['næʃnəlɪst] **I.** *s* Nationalist(in) *m(f)* **II.** *adj* nationalistisch; **na•tion•al•istic** [ˌnæʃnə'lɪstɪk] *adj* nationalistisch; **na•tion•al•ity** [ˌnæʃə'nælətɪ] *s* Staatsangehörigkeit, Nationalität *f;* **na•tion•al•iz•ation** [ˌnæʃnəlaɪ'zeɪʃn] *s* Verstaatlichung, Nationalisierung *f;* **na•tion•al•ize** ['næʃnəlaɪz] *tr* verstaatlichen, nationalisieren; **na•tion•wide** [ˌneɪʃn'waɪd] *adv, adj* landesweit

na•tive ['neɪtɪv] **I.** *adj* **1.** Heimat-; Mutter- **2.** gebürtig (*of* aus) **3.** (*Produkt*) einheimisch, inländisch **4.** angeboren; ~ **country** Vaterland *n;* ~ **language** Muttersprache *f;* ~ **port** Heimathafen *m;* **the** ~ **inhabitants** die Einheimischen; **go** ~ wie die Eingeborenen leben; ~ **speaker** Muttersprachler(in) *m(f)* **II.** *s* Einheimische(r), Eingeborene(r) *f m,* Ureinwohner(in) *m(f);* **a** ~ **of Germany** ein gebürtiger Deutscher, e-e gebürtige Deutsche; **be a** ~ **of ...** in ... beheimatet sein

na•tiv•ity [nə'tɪvətɪ] *s* Geburt *f;* **the N**~ die Geburt Christi; ~ **play** Krippenspiel *n*

NATO ['neɪtəʊ] *s abbr of* **North Atlantic Treaty Organization** NATO *f;* **NATO Alliance** *s* Nordatlanisches Verteidigungsbündnis

nat•ter ['nætə(r)] **I.** *itr* (*fam*) schwätzen **II.** *s* (*fam*) Schwatz *m*

natty ['nætɪ] *adj* **1.** schick, adrett **2.** handlich

natu•ral ['nætʃrəl] **I.** *adj* **1.** (*a.* MATH) natürlich **2.** (*Rechte*) naturgegeben **3.** (*Fähigkeit*) angeboren **4.** (*Art*) natürlich **5.** (*Abbildung*) naturgetreu **6.** (*Eltern*) leiblich **7.** (MUS) ohne Vorzeichen; **die a** ~ **death** e-s natürlichen Todes sterben; **in it's** ~ **state** im Naturzustand; **he's a** ~ **orator** er ist ein geborener Redner **II.** *s* **1.** (*Mensch*) Naturtalent *n* **2.** (MUS) ganze Note; Auflösungszeichen *n;* **natural childbirth** *s* natürliche Geburt; **natural cosmetics** *s* Naturkosmetik *f;* **natural gas** *s* Erdgas *n;* **natural history** *s* Naturkunde *f;* **natu•ral•ism** ['nætʃrəlɪzəm] *s* Naturalismus *m;* **natu•ral•ist** ['nætʃrəlɪst] *s* **1.** Naturforscher(in) *m(f)* **2.** (*Kunst, Literatur*) Naturalist(in) *m(f);* **natu•ral•ize** ['nætʃrəlaɪz] *tr* **1.** einbürgern *a. fig* **2.** (*Tier, Pflanze*) akklimatisieren; heimisch machen; **become ~d** eingebürgert werden; heimisch werden; **natu•ral•ly** ['nætʃrəlɪ] *adv* **1.** von Natur aus **2.** natürlich, instinktiv **3.** natürlich; **s.th. comes ~ to s.o.** etw fällt jdm leicht; **natural resources** *s pl* Naturschätze *mpl;* **natural science** *s* Naturwissenschaft *f;* **natural selection** *s* natürliche Auslese; **natural sign** *s* (MUS) Auflösungszeichen *n;* **natural wastage** *s* natürlicher Arbeitskräfteabgang

na•ture ['neɪtʃə(r)] *s* **1.** Natur *f* **2.** (*e-s Menschen*) Wesen *n,* Natur *f* **3.** (*Material*) Beschaffenheit *f;* **against ~** gegen die Natur; **by ~** von Natur aus; **from ~** nach der Natur; **it's not in my ~** es entspricht nicht meiner Art; **~ of the ground** Bodenbeschaffenheit *f;* **human ~** die menschliche Natur; **things of this ~** derartiges; **it's in the ~ of things** das liegt in der Natur der Sache; **nature conservancy** *s* Naturschutz *m;* **nature lover** *s* Naturfreund *m;* **nature reserve** *s* Naturschutzgebiet *n;* **nature study** *s* Naturkunde *f;* **nature trail** *s* Naturlehrpfad *m;* **nature worship** *s* Naturreligion *f;* **na•tur•ist** ['neɪtʃərɪst] *s* Anhänger *m* der Freikörperkultur

naughty ['nɔːtɪ] *adj* **1.** unartig, ungezogen, frech **2.** (*Wort*) unanständig

nausea ['nɔːsɪə] *s* **1.** (MED) Übelkeit *f;* Brechreiz *m* **2.** (*fig*) Widerwille *m;* **a feeling of ~** ein Gefühl des Ekels; **naus•eate** ['nɔːsɪeɪt] *tr* Übelkeit erregen (*s.o.* jdm); **naus•eat•ing** ['nɔːsɪeɪtɪŋ] *adj* Ekel erregend; widerlich; **naus•eous** ['nɔːsɪəs] *adj* **1.** (MED) Übelkeit erregend **2.** (*fig*) widerlich

nauti•cal ['nɔːtɪkl] *adj* seemännisch; nautisch; See-; **a ~ nation** e-e Seefahrernation; **nautical mile** *s* Seemeile *f* (*1,852 km*)

na•val ['neɪvl] *adj* Flotten-, Marine-; **naval academy** *s* Marineakademie *f;* **naval base** *s* Flottenstützpunkt *m;* **naval power** *s* Seemacht *f;* **naval warfare** *s* Seekrieg *m*

nave [neɪv] *s* (*in der Kirche*) Haupt-, Mittel-, Längsschiff *n*

na•vel ['neɪvl] *s* **1.** (ANAT) Nabel *m* **2.** (*~ orange*) Navelorange *f*

navi•gable ['nævɪgəbl] *adj* **1.** schiffbar **2.** (*Ballon*) lenkbar; **navi•gate** ['nævɪgeɪt] **I.** *itr* navigieren **II.** *tr* **1.** (*Strecke*) befahren, befliegen **2.** (*Schiff, Flugzeug*) navigieren; **navi•ga•tion** [ˌnævɪ'geɪʃn] *s* **1.** Schiffsverkehr *m* **2.** (AERO) Navigation *f;* **coastal/high-sea/inland/river ~** Küsten-/Hochsee-/Binnen-/Flussschiffahrt *f;* **~ chart** Navigationskarte *f;* **~ route** Schiffahrtsstraße *f;* **navi•gator** ['nævɪgeɪtə(r)] *s* **1.** (MAR) Navigationsoffizier *m* **2.** (AERO) Navigator(in) *m(f)* **3.** (MOT) Beifahrer(in) *m(f)*

navvy ['nævɪ] *s* (*Br*) Bauarbeiter *m;* Straßenarbeiter *m*

navy ['neɪvɪ] *s* **1.** (Kriegs)Marine *f* **2.** (*~ blue*) Marineblau *n*

nay [neɪ] *s* Neinstimme *f*

Nazi ['nɑːtsɪ] **I.** *s* Nazi *m* **II.** *adj* Nazi-; **Naz•ism** ['nɑːtsɪzəm] *s* Nazismus *m*

NB [en'biː] *s abbr of* **nota bene** NB

NCO [ˌensiː'əʊ] *s abbr of* **non-commissioned officer** Uffz., Unteroffizier *m*

neap [niːp] *adj:* **~ tide** Nippflut *f*

near [nɪə(r)] **I.** *adj* **1.** (*räumlich, zeitlich*) nahe **2.** (*verwandt*) nah; vertraut **3.** (*Ähnlichkeit*) groß; **a ~ and dear friend** ein lieber und teurer Freund; **a ~ accident** beinahe ein Unfall; **have a ~ escape** mit knapper Not davonkommen; **that was a ~ miss** [*o* **thing**] das war knapp **II.** *adv* **1.** (*räumlich, zeitlich*) nahe **2.** genau; exakt **3.** beinahe, fast; **be ~** in der Nähe sein; (*Ereignis*) bevorstehen; (*Ende, Hilfe*) nahe sein; **~ at hand** zur Hand; (*Ereignis*) kurz bevorstehend; **~ to tears** den Tränen nahe; **come ~er** näherkommen; **as ~ as I can guess** soweit ich es erraten kann; **they're the same height or as ~ as makes no difference** sie sind so gut wie gleich groß; **it's nowhere ~ enough** das ist bei weitem nicht genug **III.** *prep* **1.** nahe an; in der Nähe von **2.** (*zeitlich*) gegen **3.** ähnlich; **be ~ the house** in der Nähe des Hauses sein; **~ there** dort in der Nähe; **be ~est to s.th.** e-r S am nächsten sein; **~ to death** dem Tode nahe; **be ~ doing s.th.** nahe daran sein etw zu tun **IV.** *tr* sich nähern, näherkommen (*s.th.* e-r S); **it is ~ing completion** es ist beinahe fertig gestellt; **near•by** ['nɪəbaɪ] **I.** *adv* in der Nähe **II.** *adj* nahe gelegen; **Near East** *s* Naher Osten; **near•ly** ['nɪəlɪ] *adv* fast, beinahe; **not ~** (auch) nicht annähernd; **near miss** *s* Beinahezusammenstoß *m;* **near•side** ['nɪəsaɪd] *adj* auf der Beifahrerseite, linke(r, s); **near-sight•ed** [ˌnɪə'saɪtɪd] *adj* kurzsichtig; **near-sighted•ness** [ˌnɪə'saɪtɪdnɪs] *s* Kurzsichtigkeit *f*

neat [niːt] *adj* **1.** ordentlich, sauber; gepflegt **2.** gefällig, angenehm, nett **3.** (*Mensch*) hübsch **4.** (*Äußerung*) kurz und bündig, treffend **5.** (*Arbeit*) gelungen; (*Stil*) gewandt **6.** (*alkoholisches Getränk*) pur, unverdünnt **7.** (*Am*) prima; tadellos; **neat•ness** ['niːtnəs] *s* **1.** Ordentlichkeit *f;* Sauberkeit *f* **2.** nettes Aussehen **3.** Gewandtheit, Eleganz *f*

nebu•lous ['nebjʊləs] *adj* **1.** (ASTR) neblig

2. (*fig*) vag(e), unbestimmt, unklar
ne•ces•sari•ly ['nesəsərɪlɪ, ˌnesə'serɪlɪ] *adv* notwendigerweise, unbedingt; **ne•ces•sary** ['nesəsərɪ] I. *adj* 1. notwendig, nötig, erforderlich, unerlässlich (*to, for* für) 2. (*Ergebnis*) unausweichlich; **it's ~ to ...** man muss ...; **become ~ to s.o.** jdm unentbehrlich werden; **if ~** wenn nötig II. *s:* **the ~** das Notwendige; **ne•cessi•tate** [nɪ'sesɪteɪt] *tr* notwendig, erforderlich machen
necess•ity [nɪ'sesətɪ] *s* 1. Notwendigkeit, Unerlässlich-, Unumgänglichkeit *f* 2. dringendes Bedürfnis 3. Not, Armut *f;* **in case of ~** im Notfall; **of** [*o* **by**] **~** notwendigerweise; **bow to ~** sich der Gewalt beugen; **make a virtue of ~** aus der Not e-e Tugend machen; **the bare necessities of life** das Notwendigste zum Leben
neck [nek] I. *s* 1. Hals *m;* Genick *n* 2. (*Kleidung*) Ausschnitt *m* 3. (*e-r Flasche*) Hals *m* 4. Landenge *f;* **break one's ~** sich das Genick brechen; **risk one's ~** Kopf und Kragen riskieren; **save one's ~** seinen Hals aus der Schlinge ziehen; **win by a ~** um e-e Kopflänge gewinnen; **be up to one's ~ in work** bis über die Ohren in Arbeit stecken; **get it in the ~** (*sl*) eins aufs Dach kriegen; **stick one's ~ out** Kopf und Kragen riskieren; **it's ~ or nothing** alles oder nichts; **~ and ~** Kopf an Kopf II. *itr* (*sl*) knutschen; **neck•lace** ['neklɪs] *s* Halskette *f;* **neck•let** ['neklɪt] *s* Halskettchen *n;* **neck•line** ['neklaɪn] *s* (*Kleid*) Ausschnitt *m;* **with a low ~** tief ausgeschnitten; **neck•roll** ['nekrəʊl] *s* Nackenrolle *f;* **neck•tie** ['nektaɪ] *s* Krawatte *f,* Schlips *m*
nec•tar ['nektə(r)] *s* (BOT) Nektar *m a. fig*
nec•tar•ine ['nektərɪn] *s* (BOT) Nektarine *f*
née [neɪ] *adj* (*vor dem Mädchennamen*) geborene
need [ni:d] I. *s* 1. Notwendigkeit *f* 2. Bedürfnis *n* 3. Not(lage), Bedürftigkeit, Armut *f* 4. Mangel *m* (*of* an); **if ~ be** nötigenfalls; **in case of ~** notfalls; **there is no ~ for s.th.** etw ist nicht nötig; **there is no ~ to do s.th.** etw braucht nicht getan zu werden; **have no ~ of s.th.** etw nicht brauchen; **in times of ~** in Zeiten der Not; **be in great ~** große Not leiden; **my ~s are few** ich stelle nur geringe Ansprüche II. *tr* 1. nötig haben, brauchen 2. bedürfen, bedürftig sein (*s.th.* e-r S) 3. müssen (*do, to do* tun); **~ no introduction** keine spezielle Einführung benötigen; **s.th. ~s doing** [*o* **to be done**] etw muss gemacht werden; **not to ~ to do s.th.** etw nicht zu tun brauchen III. *aux* brauchen, müssen, nötig sein; **~ he go?** muss er gehen?; **you ~n't wait** du brauchst nicht zu warten; **it ~ not follow that ...** daraus folgt nicht unbedingt, dass ...
needle ['ni:dl] I. *s* Nadel *f;* **look for a ~ in a haystack** e-e Stecknadel im Heuhaufen suchen; **give s.o. the ~** (*fam*) jdn reizen II. *tr* (*fam*) ärgern, sticheln
needle match ['ni:dlmætʃ] *s* spannendes Spiel
need•less ['ni:dlɪs] *adj* unnötig; überflüssig; **~ to say** natürlich
needle•work ['ni:dlwɜ:k] *s* Handarbeit *f*
needs [ni:dz] *adv:* **if you ~ must do it** wenn du es durchaus tun willst
needy ['ni:dɪ] *adj* bedürftig, notleidend
ne'er-do-well ['neədu:wel] *s* Tunichtgut *m*
nef•arious [nɪ'feərɪəs] *adj* ruchlos
ne•gate [nɪ'geɪt] *tr* 1. verneinen, (ab-, ver)leugnen 2. zunichte machen; **ne•ga•tion** [nɪ'geɪʃn] *s* 1. Verneinung *f* 2. Negation *f*
nega•tive ['negətɪv] I. *adj* 1. negativ 2. (*Antwort*) verneinend 3. (GRAM) verneint; **~ sign** Minuszeichen *n* II. *s* 1. (*a.* GRAM) Verneinung *f* 2. (MATH) negative Größe 3. (PHOT) Negativ *n* 4. (GRAM) Negation *f;* **in the ~** negativ; **answer in the ~** e-e verneinende Antwort geben; mit Nein antworten
ne•glect [nɪ'glekt] I. *tr* 1. vernachlässigen 2. (*Gelegenheit*) versäumen, unterlassen (*to do, doing* zu tun) 3. (*Versprechen*) nicht einhalten 4. (*Rat*) nicht befolgen II. *s* Vernachlässigung *f;* Nachlässigkeit *f;* Versäumnis *n;* **~ of one's duties** Pflichtvergessenheit *f;* **ne•glect•ful** [nɪ'glektfl] *adj* nachlässig (*of* gegenüber)
neg•li•gence ['neglɪdʒəns] *s* 1. Nachlässigkeit, Unachtsamkeit *f* 2. (JUR) Fahrlässigkeit *f;* **gross ~** grobe Fahrlässigkeit; **neg•li•gent** ['neglɪdʒənt] *adj* 1. nachlässig, unachtsam (*of* gegen) 2. (JUR) fahrlässig; **be ~ of s.o.** jdn vernachlässigen; **neg•li•gible** ['neglɪdʒəbl] *adj* 1. (*Summe*) geringfügig, unerheblich 2. unwesentlich, nebensächlich
ne•go•ti•able [nɪ'gəʊʃɪəbl] *adj* 1. (COM) übertragbar; verkäuflich 2. (*Weg*) passierbar; befahrbar; **not ~** nicht übertragbar; **ne•go•ti•ate** [nɪ'gəʊʃɪeɪt] I. *tr* 1. verhandeln (über), aus-, unterhandeln 2. (COM) handeln mit; tätigen 3. (*fam: Hindernis, Kurve*) nehmen, überwinden, bewältigen II. *itr* ver-, unterhandeln (*for, about* um, wegen); **ne•go•ti•at•ing com•mit•tee** [nəˌgəʊʃɪeɪtɪŋˌkə'mɪtɪ] *s* Verhandlungsausschuss *m;* **ne•go•ti•ation** [nɪˌgəʊʃɪ'eɪʃn] *s* 1. Verhandlung *f;* Aushandlung *f* 2. (*fam*) Nehmen, Überwinden *n;* **by way of ~s** auf dem Verhandlungswege; **it's a matter for ~** darüber muss verhandelt werden; **be in ~s with** in Verhand-

lungen stehen mit; **enter into ~s with** in Verhandlungen (ein)treten mit; **ne•go•ti•ator** [nɪ'gəʊʃɪeɪtə(r)] *s* Unterhändler(in) *m(f)*

Ne•gress ['ni:gres] *s* Negerin *f;* **Ne•gro** ['ni:grəʊ] <*pl* -groes> *s* Neger *m*

neigh [neɪ] **I.** *itr* wiehern **II.** *s* Wiehern *n*

neigh•bor (*Am*) *s.* **neighbour**; **neigh•bor•hood** (*Am*) *s.* **neighbourhood**; **neigh•bor•ing** (*Am*) *s.* **neighbouring**; **neigh•bor•ly** (*Am*) *s.* **neighbourly**

neigh•bour ['neɪbə(r)] **I.** *s* Nachbar(in) *m(f)* **II.** *tr, itr* (~ *on*) angrenzen an; **neigh•bour•hood** [-hʊd] *s* **1.** Nachbarschaft *f* **2.** Viertel *n,* Gegend *f;* **in the ~ of** in der Nähe von; **neigh•bour•ing** [-ɪŋ] *adj* benachbart, angrenzend; umliegend; ~ **community** Nachbargemeinde *f;* **neigh•bour•li•ness** ['neɪbəlɪnɪs] *s* gutnachbarliches Verhalten; **neigh•bour•ly** [-lɪ] *adj* (gut)nachbarlich, freundschaftlich

nei•ther ['naɪðə(r), *Am* 'ni:ðə(r)] **I.** *pron* keine(r, s); ~ **of them** keiner von beiden **II.** *adv:* ~ **... nor** weder ... noch **III.** *conj* auch nicht **IV.** *adj* keine(r, s) der beiden; **in ~ case** in keinem Fall

nem•esis ['neməsɪs] *s* Nemesis *f a. fig*

neo- ['ni:əʊ] *prefix* neo-, Neo-

neo•lithic [ˌni:ə'lɪθɪk] *adj* jungsteinzeitlich, neolithisch

neol•ogism [ni:'ɒlədʒɪzəm] *s* (LING) Neologismus *m*

neon ['ni:ɒn] *s* (CHEM) Neon *n*

neo-Nazi [ˌnɪ:əʊ'nɑ:tsɪ] **I.** *adj* neonazistisch **II.** *s* Neonazi *m;* **neo-Nazi(i)sm** *s* Neonazismus *m*

neon lamp *s* Neonröhre *f;* **neon light** *s* Neonlicht *n*

Ne•pal [nɪ'pɔ:l] *s* Nepal *n;* **Ne•pa•lese** [ˌnepə'li:z] **I.** *adj* nepalesisch **II.** *s* Nepalese *m,* Nepalesin *f;* **Ne•pa•li** [nɪ'pɔ:lɪ] **I.** *adj* nepalesisch **II.** *s* Nepalese *m,* Nepalesin *f*

nephew ['nevju:] *s* Neffe *m*

neph•ri•tis [nɪ'fraɪtɪs] *s* Nierenentzündung *f*

nep•ot•ism ['nepətɪzəm] *s* Vetternwirtschaft *f,* Nepotismus *m*

nerd [nɜ:d] *s* (*sl*) Schwachkopf *m*

nerve [nɜ:v] **I.** *s* **1.** (ANAT) Nerv *m* **2.** Mut *m* **3.** Frechheit, Unverschämtheit *f* **4.** (BOT) Ader *f,* Nerv *m;* **get on s.o.'s ~s** (*fam*) jdm auf die Nerven gehen; **have the ~ to do s.th.** sich trauen etw zu tun; **lose one's ~** die Nerven, den Mut verlieren; **strain every ~** alle Kraft anspannen; **be all** [*o* **a bundle of**] **~s** ein Nervenbündel sein; **suffer from ~s** nervös sein; **fit of ~s** Nervenkrise *f;* ~ **cell** Nervenzelle *f;* ~ **centre** [*o Am* **center**] (*Am*) Nervenknoten *m;* ~ **gas** Nervengas *n* **II.** *tr* stärken, kräftigen; ermutigen; ~ **o.s. for s.th.** sich darauf vorbereiten etw zu tun; **nerve•less** ['nɜ:vlɪs] *adj* **1.** ohne Nerven **2.** (*Mensch*) seelenruhig; **nerve-rack•ing** ['nɜ:vrækɪŋ] *adj* nervenaufreibend

nerv•ous ['nɜ:vəs] *adj* **1.** (ANAT) Nerven-, nervös **2.** nervös, aufgeregt; **feel ~** nervös sein; **I am ~ about him** mir ist bange um ihn; ~ **breakdown** Nervenzusammenbruch *m;* ~ **energy** Vitalität *f;* ~ **system** Nervensystem *n;* **be** [*o* **feel**] **a ~ wreck** völlig mit den Nerven fertig sein; **ner•vous•ness** [-nɪs] *s* Nervosität *f;* Aufgeregtheit *f*

nervy ['nɜ:vɪ] *adj* **1.** (*fam*) nervös, aufgeregt **2.** (*Am fam*) frech, unverschämt

nest [nest] **I.** *s* **1.** (Vogel)Nest *n* **2.** (*fig*) Schlupfwinkel *m* **3.** (*von Gegenständen*) Satz *m;* **feather one's ~** sein Schäfchen ins Trockene bringen; ~ **of tables** Satztisch *m* **II.** *itr* nisten; **nest egg** ['nesteg] *s* (*fig*) Notpfennig, -groschen *m;* **nest•ing box** ['nestɪŋbɒks] *s* Nistkasten *m*

nestle ['nesl] *itr:* ~ **down in bed** sich ins Bett kuscheln; ~ **up to s.o.** sich an jdn schmiegen

nest•ling ['nestlɪŋ] *s* Nestling *m*

net [net] **I.** *s* **1.** Netz *n* **2.** (*Textil*) Netzgewebe *n* **3.** (SPORT) Netzball *m;* **fall into the ~** ins Garn gehen; **hair-~** Haarnetz *n;* **mosquito-~** Moskitonetz *n;* **the ~** (EDV: *fam*) das Netz **II.** *tr* **1.** mit e-m Netz bedecken **2.** mit dem Netz fangen **3.** (*Tennisball*) ins Netz schlagen

net(t) [net] **I.** *adj* netto, rein; ~ **profit** Reingewinn, Nettoertrag *m* **II.** *tr* netto einnehmen; netto verdienen

net•ball ['netbɔ:l] *s* Korbball *m;* **net curtain** *s* Tüllgardine *f*

Nether•lands ['neðələndz] *s pl:* **the ~** die Niederlande *pl*

net•ting ['netɪŋ] *s* Netzwerk, Geflecht *n;* **wire ~** Maschendraht *m*

nettle ['netl] **I.** *s* (BOT) Nessel *f;* **grasp the ~** (*fig*) in den sauren Apfel beißen; **stinging ~** Brennnessel *f* **II.** *tr* (*fig*) ärgern, wurmen *fam;* **nettle rash** ['netlræʃ] *s* (MED) Nesselausschlag *m*

net•work ['netwɜ:k] **I.** *s* **1.** (EL) Netzwerk *n* **2.** Netz *n* **3.** (TV) Sendenetz *n* **II.** *tr* (EDV) vernetzen; (TV) im ganzen Netzbereich senden; **net•worked sys•tem** [ˌnetwɜ:kt'sɪstəm] *s* Mehrplatzsystem *n,* Rechnerverbund *m;* **net•work•ing** [-ɪŋ] *s* **1.** (EDV) Vernetzung *f* **2.** Netzwerkbetrieb *m,* -verlegung *f*

neu•ral ['njʊərəl] *adj* Nerven-; **neu•ral•gia** [njʊə'rældʒə] *s* Neuralgie *f;* **neu•ral•gic** [nju:'rældʒɪk] *adj* neuralgisch

neur•as•thenia [ˌnjʊərəs'θi:nɪə] *s* Neurasthenie, Nervenschwäche *f*

neur·itis [njʊəˈraɪtɪs] *s* Neuritis, Nervenentzündung *f*

neur·ol·ogist [njʊəˈrɒlədʒɪst] *s* Neurologe *m*, -login *f*, Nervenarzt *m*, -ärztin *f*; **neur·ol·ogy** [njʊəˈrɒlədʒɪ] *s* Neurologie *f*

neu·ron [ˈnjʊərɒn] *s* Neuron *n*

neur·osis [njʊəˈrəʊsɪs, *pl* njʊəˈrəʊsiːz] <*pl* -oses> *s* Neurose *f*; **neu·ro·sur·geon** [ˌnjʊəˈsɜːdʒən] *s* Neurochirurg(in) *m(f)*; **neu·ro·sur·gery** [ˌnjʊəˈsɜːdʒərɪ] *s* Neurochirurgie *f*; **neur·otic** [njʊəˈrɒtɪk] **I.** *adj* neurotisch **II.** *s* Neurotiker(in) *m(f)*

neu·ter [ˈnjuːtə(r)] **I.** *adj* **1.** (BIOL) geschlechtslos **2.** (GRAM) sächlich **II.** *s* **1.** (GRAM) Neutrum *n* **2.** geschlechtsloses Wesen **III.** *tr* kastrieren

neu·tral [ˈnjuːtrəl] **I.** *adj* neutral **II.** *s* **1.** Neutrale(r) *f m* **2.** (MOT) Leerlauf *m*; **be in ~** im Leerlauf sein; **neu·tral·ity** [njuːˈtrælətɪ] *s* Neutralität *f*; **neu·tral·iz·ation** [ˌnjuːtrəlaɪˈzeɪʃn] *s* Neutralisierung *f*; **neu·tral·ize** [ˈnjuːtrəlaɪz] *tr* **1.** (*a.* CHEM) neutralisieren **2.** (*fig*) kompensieren, aufheben; unwirksam machen

neu·tron [ˈnjuːtrɒn] *s* (PHYS) Neutron *n*; **neutron bomb** *s* Neutronenbombe *f*

never [ˈnevə(r)] *adv* **1.** nie, niemals **2.** durchaus nicht, ganz und gar nicht; **I have ~ seen him before** ich habe ihn noch nie gesehen; **~ before** noch nie; **~ even** nicht einmal; **that will ~ do!** das geht ganz und gar nicht; **well I ~ (did)!** nein, so was!; **~ mind!** macht nichts!; **on the ~-~** (*Br fam*) auf Pump; **never-end·ing** [ˌnevərˈendɪŋ] *adj* endlos, unaufhörlich; **never-fail·ing** [ˌnevəˈfeɪlɪŋ] *adj* unfehlbar; **never·more** [ˌnevəˈmɔː(r)] *adv* nimmermehr

never·the·less [ˌnevəðəˈles] *adv* nichtsdestoweniger, trotzdem

new [njuː] *adj* **1.** neu (*from* aus) **2.** (*Mode*) modern, neu **3.** ungewohnt, fremd(artig) **4.** (*Brot*) frisch; **that's nothing ~** das ist nichts Neues; **as ~** wie neu; **~ potatoes** neue Kartoffeln *fpl*; **the ~ rich** die Neureichen *pl*; **~ moon** Neumond *m*; **new·born** *adj* neugeboren; **new·comer** [ˈnjuːˌkʌmə(r)] *s* Neuankömmling *m*; Neuling *m*

newel [ˈnjuːəl] *s* (Treppen)Spindel *f*; Treppen-, Geländerpfosten *m*

new·fangled [ˌnjuːˈfæŋgld] *adj* neumodisch; **new-fashioned** [ˌnjuːˈfæʃnd] *adj* modisch, modern; **new·ish** [ˈnjuːɪʃ] *adj* ziemlich neu; **new-laid** *adj* frisch; **new·ly** [ˈnjuːlɪ] *adv* frisch; **~ made** ganz neu; ganz frisch; **~ married** frisch verheiratet; **newly-wed** [ˈnjuːlɪwed] *s* Neu-, Frischvermählte(r) *f mpl*, jungverheiratetes Paar;

New Man *s* Neuer Mann

news [njuːz] *s pl mit sing* **1.** Nachricht *f*; Neuigkeit(en *pl*) *f* **2.** (TV RADIO) Nachrichten *fpl*; **break the ~ to s.o.** jdm die schlimme Nachricht überbringen; **what's the ~?** was gibt's Neues?; **that's ~ to me** das ist mir neu; **that's no ~ to me** das wusste ich schon; **I've had no ~ from him for a long time** ich habe lange nichts von ihm gehört; **a piece of ~** e-e Neuigkeit, Nachricht; **~ in brief** Kurznachrichten *fpl*; **news agency** *s* Nachrichtenagentur *f*; **news·agent** [ˈnjuːzˌeɪdʒənt] *s* (*Br*) Zeitungshändler(in) *m(f)*; **news·boy** *s* (*Am*) Zeitungsjunge *m*; **news·cast** [ˈnjuːzˌkɑːst] *s* (RADIO) Nachrichten(sendung *f*) *pl*; **news·caster** [ˈnjuːzˌkɑːstə(r)] *s* (RADIO) Nachrichten sprecher(in) *m(f)*; **news·dealer** [ˈnjuːzdiːlə(r)] *s* (*Am*) Zeitungshändler(in) *m(f)*; **news·flash** [ˈnjuːzflæʃ] *s* Kurzmeldung *f*; **news item** *s* Nachricht *f*; **news·let·ter** [ˈnjuːzˌletə(r)] *s* Rundschreiben *n*; **news magazine** *s* Nachrichtenmagazin *n*; **news·monger** [ˈnjuːzˌmʌŋgə(r)] *s* Klatschmaul *n*; (*in Zeitung*) Klatschspaltenschreiber(in) *m(f)*

news·paper [ˈnjuːspeɪpə(r)] *s* Zeitung *f*; **daily ~** Tageszeitung *f*; **~ cutting** Zeitungsausschnitt *m*; **~man** Zeitungsmann *m*; Journalist *m*; **~ reader** Zeitungsleser(in) *m(f)*; **~ report** Zeitungsbericht *m*

news·print [ˈnjuːzprɪnt] *s* Zeitungspapier *n*; **news·reader** [ˈnjuːzriːdə(r)] *s* Nachrichtensprecher(in) *m(f)*; **news·reel** [ˈnjuːzriːl] *s* Wochenschau *f*; **news release** *s* Pressemitteilung *f*; **news·room** [ˈnjuːzrʊm] *s* **1.** Zeitschriftenzimmer *n* (*e-r Bibliothek*) **2.** (*Zeitung, Sendeanstalt*) Nachrichtenredaktion *f*; **news-stand** *s* Zeitungsstand, -kiosk *m*; **news·worthy** [ˈnjuːzˌwɜːðɪ] *adj* berichtenswert; **newsy** [ˈnjuːzɪ] *adj* (*fam*) voller Neuigkeiten

newt [njuːt] *s* (ZOO) Molch *m*; **as pissed as a ~** (*vulg*) sturzbesoffen

New Year [ˌnjuːˈjɜː(r), -ˈjɪə(r)] *s* neues Jahr; **~'s Day** Neujahr(stag *m*) *n*; **a happy ~!** glückliches neues Jahr!; **~'s Eve** Silvesterabend *m*

New Zea·land [ˌnjuːˈziːlənd] **I.** *s* Neuseeland *n* **II.** *adj* neuseeländisch; **New Zea·lander** [ˌnjuːˈziːləndə(r)] *s* Neuseeländer(in) *m(f)*

next [nekst] **I.** *adj* (*zeitlich, räumlich*) nächste(r, s); **~ time I see him** wenn ich ihn das nächste Mal sehe; **this time ~ week** nächste Woche um diese Zeit; **the year after ~** übernächstes Jahr; **who's ~?** wer ist der Nächste?; **~ please!** der Nächste bitte!; **the ~ best** der, die, das Nächstbeste **II.** *s* nächste(r) III. *adv* 1. dann, darauf, nachher 2. das nächste Mal; **what shall we do ~?** was sollen wir als nächstes machen?; ~ **to s.o.** neben jdm; ~ **to the skin** direkt auf der Haut; ~ **to impossible** nahezu unmöglich; **next door** [ˌneks'dɔ:(r)] *adv* nebenan; **they live ~ to us** sie wohnen direkt neben uns; **it's ~ to madness** das grenzt an Wahnsinn; **next-door** *adj:* **the ~ house** das Nebenhaus; **they are our ~ neighbours** sie wohnen direkt neben uns; **next of kin** *s* nächste Verwandte *pl*

nexus ['neksəs] *s* Verknüpfung, Verkettung *f*

NF [ˌen'ef] *s abbr of* **National Front** (*Br*) *rechtsradikale Partei*

NHS [ˌenəɪtʃ'es] *s abbr of* **National Health Service** (*Br*) *staatlicher Gesundheitsdienst*

nib [nɪb] *s* Feder(spitze) *f*

nibble ['nɪbl] I. *tr* knabbern; nur anessen, herumnagen an II. *itr* 1. knabbern (*at* an), herumnagen 2. (*fig*) sich interessiert zeigen III. *s pl* (*fam*) Knabbersachen *pl*

Ni•ca•ragua [ˌnɪkə'rægjʊə] *s* Nicaragua *n;* **Ni•ca•raguan** [-n] I. *adj* nicaraguanisch II. *s* Nicaraguaner(in) *m(f)*

nice [naɪs] *adj* 1. nett; sympathisch; hübsch 2. (*Essen*) gut, lecker 3. (*Manieren*) fein (*to* gegen) 4. (*iro*) nett, schön, sauber 5. (*Unterschied*) fein, genau 6. (*Mensch*) wählerisch, schwierig, schwer zu befriedigen(d); **it's ~ and warm** es ist angenehm warm; **take it ~ and easy** überanstrengen Sie sich nicht; **come ~ and early!** komm schön früh!; **did you have a ~ time?** haben Sie sich gut unterhalten?; **how ~ to see you!** reizend, schön Sie zu sehen!; **this is a ~ state of affairs!** das ist e-e schöne Geschichte!; **~-looking** gut aussehend; **nice•ly** ['naɪslɪ] *adv* 1. angenehm, nett, liebenswürdig(erweise) 2. (*unterscheiden*) genau, fein; **go ~** wie geschmiert laufen; **that will do ~** das reicht vollauf; **nicety** ['naɪsətɪ] *s* 1. Genauigkeit, Sorgfalt *f* 2. Feinheit *f* 3. **niceties** Feinheiten, Details *pl;* **to a ~** haargenau; **a point of some ~** ein feiner Punkt

niche [nɪtʃ, ni:ʃ] *s* 1. (ARCH) Nische *f* 2. (*fig*) Plätzchen *n* (*for* für)

nick[1] [nɪk] I. *s* Kerbe *f;* **in the ~ of time** gerade noch rechtzeitig II. *tr* 1. (ein)kerben 2. (*Kugel*) streifen; **~ one's chin** sich am Kinn schneiden

nick[2] [nɪk] I. *tr* (*sl*) 1. einsperren, einlochen 2. klauen, stehlen II. *s* (*sl*) Knast *m,* Kittchen *n*

nickel ['nɪkl] *s* 1. (CHEM) Nickel *n* 2. (*Amerika, Kanada*) Fünfcentstück *n*

nick•name ['nɪkneɪm] I. *s* Spitzname *m* II. *tr* e-n Spitznamen geben (*s.o.* jdm)

nic•otine ['nɪkəti:n] *s* Nikotin *n*

niece [ni:s] *s* Nichte *f*

nifty ['nɪftɪ] *adj* (*sl*) 1. schick, fesch, smart 2. (*Werkzeug*) geschickt gemacht; raffiniert

Ni•ger ['naɪdʒə(r)] *s* Niger *m*

Ni•ger•ia [naɪ'dʒɪərɪə] *s* Nigeria *n;* **Ni•ger•ian** [naɪ'dʒɪərɪən] I. *adj* nigerianisch II. *s* Nigerianer(in) *m(f)*

Ni•ger•ien [naɪ'dʒɪərɪɑn] I. *adj* nigrisch II. *s* Nigrer(in) *m(f)*

nig•gard•ly ['nɪgədlɪ] *adj* 1. knauserig, geizig (*of* mit) 2. (*Betrag*) armselig, schäbig

nig•ger ['nɪgə(r)] *s* (*pej*) Neger(in) *m(f);* **that's the ~ in the woodpile** das ist der Haken an der Sache

niggle ['nɪgl] I. *itr* herumkritisieren (*about* an) II. *tr* plagen, quälen; **niggling** ['nɪglɪŋ] *adj* 1. überkritisch; pingelig 2. (*Zweifel*) nagend, bohrend

night [naɪt] *s* 1. Nacht *f a. fig* 2. (später) Abend *m* 3. Dunkelheit, Finsternis *f* 4. (THEAT) Vorstellung, Aufführung *f;* **all ~ (long)** die ganze Nacht (über); **at ~** abends; bei Nacht, nachts; **far into the ~** bis spät in die Nacht; **during the ~** während der Nacht; **late at ~** spät am Abend, spät abends; **by ~** bei Nacht, in der Nacht, nachts; **on the ~ of June 3rd** am Abend des 3. Juni; **last ~** gestern Abend; **the ~ before last** vorgestern Abend; **~ and day** Tag und Nacht; ununterbrochen; **~ after ~** Nacht für Nacht, jede Nacht; **be on ~s** Nachtschicht haben; **have a good/bad ~** gut/schlecht schlafen; **have a ~ out** ausgehen; e-n freien Abend haben; **make a ~ of it** durchfeiern, -zechen; **stay the ~** die Nacht verbringen (*at* in, *with* bei); **~ is falling** die Nacht bricht herein; **first ~** Erstaufführung, Premiere, Eröffnungsvorstellung *f;* **the Arabian N~s** Tausendundeine Nacht; **night-bird** *s* 1. Nachtvogel *m* 2. (*fig*) Nachtschwärmer *m;* **night blindness** *s* Nachtblindheit *f;* **night•cap** ['naɪtkæp] *s* 1. Nachtmütze *f* 2. (*fam*) Schlummertrunk *m;* **night-clothes** *s pl* Nachtzeug *n;* **night•club** ['naɪtklʌb] *s* Nachtlokal *n,* Nachtklub *m;* **night•dress** ['naɪtdres] *s* Nachthemd *n;* **night•fall** ['naɪtfɔ:l] *s* Einbruch *m* der Dunkelheit; **at ~** beim Dunkelwerden; **nightie** ['naɪtɪ] *s* (*fam*) Nachthemd *n*

night•in•gale ['naɪtɪŋgeɪl] *s* Nachtigall *f*

night life ['naɪtlaɪf] *s* Nachtleben *n;* **night•long** ['naɪtlɒŋ] *adj* die Nacht hindurch; nächtelang; **night•ly** ['naɪtlɪ] I. *adj* (all)nächtlich; abendlich II. *adv* jeden Abend, jede Nacht; **night•mare** ['naɪtmeə(r)] *s* Alptraum *m a. fig;* **nightmarish** ['naɪtmeərɪʃ] *adj* beklemmend, alptraumhaft; **night-nurse** *s* Nachtschwester *f;* **night-porter** *s* Nachtportier *m;* **night safe** *s* Nachtsafe *m;* **night school** *s* Abendschule *f;* **night shift** *s* Nachtschicht *f;* **be on ~** Nachtschicht haben; **night•shirt** ['naɪtʃɜ:t] *s* (Herren)Nachthemd *n;* **night•spot** ['naɪtspɒt] *s* Nachtlokal *n;* **night stick** *s* (*Am*) Schlagstock *m;* **night storage heater** *s* Nachtspeicherofen *m;* **night-time** *s* Nachtzeit *f;* **in the ~** bei Nacht, nachts; **at ~** nachts; **night-watch** *s* Nachtwache *f;* **night-watchman** <*pl* -men> *s* Nachtwächter *m*

ni•hil•ism ['naɪɪlɪzəm] *s* Nihilismus *m;* **nihil•ist** ['naɪɪlɪst] *s* Nihilist *m;* **ni•hil•is•tic** [ˌnaɪɪ'lɪstɪk] *adj* nihilistisch

nil [nɪl] *s* Nichts *n;* Null *f;* **two (to) ~** (SPORT) zwei zu null

nimble ['nɪmbl] *adj* **1.** (geistig) gewandt **2.** wendig, behände, flink (*at, in* bei); **~-footed** leichtfüßig; **~-witted** schlagfertig

NIMBY ['nɪmbɪ] *abbr of* **not in my back yard** nicht vor meiner Tür (*St.-Florians-Prinzip*)

nin•com•poop ['nɪŋkəmpu:p] *s* Einfaltspinsel *m*

nine [naɪn] **I.** *adj* neun; **~ days' wonder** Eintagsfliege *f;* **~ months** Dreivierteljahr *n* **II.** *s* Neun *f;* **dressed up to the ~s** (*fam*) geschniegelt und gebügelt

nine•pins ['naɪnpɪnz] *s pl mit sing* Kegelspiel, Kegeln *n;* **play at ~** kegeln

nine•teen [ˌnaɪn'ti:n] *adj* neunzehn; **talk ~ to the dozen** wie ein Wasserfall reden; **nine•teenth** [ˌnaɪn'ti:nθ] **I.** *adj* neunzehnte(r, s) **II.** *s* **1.** Neunzehntel *n* **2.** Neunzehnte(r, s)

nine•ti•eth ['naɪntɪəθ] **I.** *adj* neunzigste(r, s) **II.** *s* **1.** Neunzigstel *n* **2.** Neunzigste(r, s); **ninety** ['naɪntɪ] *adj* neunzig

ninny ['nɪnɪ] *s* Dummkopf *m*

ninth [naɪnθ] **I.** *adj* neunte(r, s) **II.** *s* **1.** Neuntel *n* **2.** Neunte(r, s) **3.** (MUS) None *f*

nip[1] [nɪp] **I.** *tr* **1.** kneifen; zwicken; klemmen **2.** (*Frost, Kälte*) vernichten; angreifen; schneiden; **~ o.s.** sich in den Finger klemmen; **~ s.th. in the bud** (*fig*) etw im Keim ersticken **II.** *itr* (*fam*) rasch flitzen **III.** *s* **1.** Kniff *m,* Biss *m* **2.** schneidende Kälte; **it was ~ and tuck** (*Am*) das war e-e knappe Sache; **nip along** *itr* (*fam*) dahinsausen; sich beeilen; **nip in** *itr* (*fam*) auf e-n Sprung vorbeikommen; **nip off** *tr* abkneifen, abzwicken, abschneiden; **nip out** *itr* hinaussausen

nip[2] [nɪp] *s* Schlückchen *n*

nipple ['nɪpl] *s* **1.** (ANAT) Brustwarze *f* **2.** Schnuller *m* **3.** (TECH) Nippel *m*

nippy ['nɪpɪ] *adj* **1.** (*Kälte*) schneidend **2.** (*fam*) fix, flink

Nis•sen hut ['nɪsnhʌt] *s* Wellblechbaracke *f*

nit [nɪt] *s* **1.** (ZOO) Nisse *f* **2.** (*fam*) Blödmann *m*

ni•ter (*Am*) *s.* **nitre**

nit-pick•ing ['nɪtpɪkɪŋ] *adj* kleinlich, pingelig

ni•trate ['naɪtreɪt] *s* (CHEM) Nitrat *n*

nitre ['naɪtə(r)] *s* Salpeter *m od n*

ni•tric ['naɪtrɪk] *adj* salpetersauer; **~ acid** Salpetersäure *f;* **~ oxide** Stickoxyd *n;* **ni•trite** ['naɪtraɪt] *s* Nitrit *n*

ni•tro•gen ['naɪtrədʒən] *s* Stickstoff *m;* **ni•trogen oxide** *s* Stick(stoff)oxid *n*

ni•tro•glycer•in(e) [ˌnaɪtrəʊ'glɪsəri:n] *s* Nitroglyzerin *n*

ni•trous ['naɪtrəs] *adj:* **~ acid** salpet(e)rige Säure; **~ oxide** Lachgas *n*

nitty-gritty [ˌnɪtɪ'grɪtɪ] *s:* **get down to the ~** zur Sache kommen

nit•wit ['nɪtwɪt] *s* (*fam*) Dummkopf *m*

no [nəʊ] **I.** *adv* **1.** nein **2.** nicht; **answer ~** mit Nein antworten; **whether he comes or ~** ob er kommt oder nicht; **I have ~ more money** ich habe kein Geld mehr; **~ longer ago than last week** erst letzte Woche **II.** *adj* kein; **a person of ~ intelligence** ein Mensch ohne jede Intelligenz; **it's ~ use** das hat keinen Zweck; **~ smoking** Rauchen verboten; **there's ~ saying** man kann nie wissen; **there's ~ denying it** es lässt sich nicht leugnen; **in ~ time** im Nu; **there is ~ such thing** so etwas gibt es nicht; **I'll do ~ such thing** ich werde mich hüten **III.** *s* Nein *n;* Neinstimme *f;* **the ~es have it** die Mehrheit ist dagegen

no. *s abbr of* **number** Nr. *f*

nobble ['nɒbl] *tr* (*fam*) **1.** lahmlegen **2.** sich schnappen **3.** (sich) kaufen, bestechen

Nobel prize [nəʊˌbel'praɪz] *s* Nobelpreis *m;* **Nobel prize winner** *s* Nobelpreisträger(in) *m(f)*

no•bil•ity [nəʊ'bɪlətɪ] *s* **1.** Hochadel *m* **2.** (*Eigenschaft*) Adel *m,* (das) Edle

noble ['nəʊbl] **I.** *adj* **1.** adlig **2.** (*fig*) edel, hochherzig **3.** gütig **4.** (*Erscheinung*) vornehm, würdig, würdevoll **5.** (*Monument*) stattlich, prächtig, prachtvoll **6.** (*Metall*) edel **II.** *s* Adlige(r) *f m;* **noble•man** ['nəʊblmən] <*pl* -men> *s* Adlige(r) *m;* **noble-minded** [ˌnəʊbl'maɪndɪd] *adj* edel, vornehm; **nobly** ['nəʊblɪ] *adv* **1.** vornehm **2.** nobel, edelmütig

no•body ['nəʊbədɪ] **I.** *pron* niemand, keiner; **we saw ~ we knew** wir sahen niemanden, den wir kannten; **~ else could have done it** es kann niemand anders gewesen sein **II.** *s* (*fam*) Niemand *m,* Null *f*

no-claims bonus [ˌnəʊ'klaɪmz'bəʊnəs] *s* (MOT) Schadenfreiheitsrabatt *m*

noc•tur•nal [nɒk'tɜ:nl] *adj* nächtlich
nod [nɒd] **I.** *itr* **1.** nicken; wippen **2.** einnicken (*over* über); ~ **in agreement** zustimmend nicken; **even Homer sometimes ~s** Irren ist menschlich **II.** *tr* nicken (*one's head* mit dem Kopf); ~ **one's agreement** zustimmend nicken **III.** *s* Nicken, Zunicken *n;* **the land of N~** das Land der Träume; **give s.o. a ~** jdm zunicken; **nod•ding** ['nɒdɪŋ] *adj:* **have a ~ acquaintance with s.o.** jdn flüchtig kennen
node [nəʊd] *s* Knoten *m*
nod•ule ['nɒdju:l] *s* **1.** (MED BOT) Knötchen *n* **2.** (GEOL) Klümpchen *n*
nog•gin ['nɒgɪn] *s* (*fam*) **1.** Gläschen *n* **2.** (*Kopf*) Birne *f fam*
no-go area [nəʊgəʊ'eərɪə] *s* Sperrgebiet *n*
no-hoper [ˌnəʊ'həʊpə(r)] *s* (*fam*) Niete *f*
no•how ['nəʊhaʊ] *adv* (*fam*) nicht im Geringsten
noise [nɔɪz] **I.** *s* **1.** Geräusch *n* **2.** Lärm *m,* Geschrei *n* **3.** (TELE) Rauschen *n;* (RADIO) Nebengeräusch *n,* Störung *f;* **make a ~** Krach machen; **make a ~ in the world** Aufsehen erregen, von sich reden machen; **make a lot of ~ about s.th.** viel Geschrei um etw machen; **a big ~** (*sl*) ein großes Tier **II.** *tr* (*Gerücht:* ~ *abroad, about*) verbreiten; **noise barrier** *s* Lärmschutzwand *f;* **noise•less** ['nɔɪzlɪs] *adj* **1.** geräuschlos **2.** (*Schritt*) lautlos; **noise pollution** *s* Lärmbelästigung *f;* **noise prevention** *s* Lärmschutz *m*
noi•some ['nɔɪsəm] *adj* **1.** widerlich, eklig **2.** giftig, schädlich
noisy ['nɔɪzɪ] *adj* **1.** geräuschvoll, laut, lärmend **2.** (*Debatte*) lebhaft, turbulent
no-jump [ˌnəʊ'dʒʌmp] *s* (SPORT) Fehlsprung *m*
no•mad ['nəʊmæd] *s* Nomade *m a. fig;* **no•madic** [nəʊ'mædɪk] *adj* nomadisch; wandernd, unstet
no-man's-land ['nəʊmænzlænd] *s* Niemandsland *n*
no•men•cla•ture [nə'menklətʃə(r)] *s* Nomenklatur *f;* Terminologie *f*
nom•inal ['nɒmɪnl] *adj* **1.** nominell **2.** (*Betrag*) nominell, symbolisch **3.** (GRAM) nominal; ~ **amount** Nennbetrag *m;* ~ **income** Nominaleinkommen *n;* ~ **interest rate** (FIN) Nominalzins *m;* ~ **ledger** Hauptbuch *n;* ~ **value** Nennwert *m;* ~ **wages** Nominallohn *m;* **nom•inal•ly** ['nɒmɪnəlɪ] *adv* nominell
nomi•nate ['nɒmɪneɪt] *tr* **1.** ernennen **2.** nominieren, als Kandidaten aufstellen (*for* für); **nomi•na•tion** [ˌnɒmɪ'neɪʃn] *s* **1.** Ernennung *f* (*to* zu) **2.** Nominierung *f,* Kandidatenvorschlag *m*
nomi•na•tive ['nɒmɪnətɪv] **I.** *s* (GRAM) Nominativ *m* **II.** *adj:* ~ **case** der Nominativ
nom•inee [ˌnɒmɪ'ni:] *s* Kandidat(in) *m(f)*
non- [ˌnɒn] *prefix* nicht-; **non-acceptance** *s* (COM) Nichtannahme, Annahmeverweigerung *f*
nona•gen•ar•ian [ˌnɒnədʒɪ'neərɪən] *s* Neunzigjährige(r) *f m*
non-ag•gression [ˌnɒnə'greʃn] *s* (POL) Nichtangriff *m;* **non-aggression pact** *s* Nichtangriffspakt *m;* **non-alcoholic** *adj* alkoholfrei; **non-aligned** [ˌnɒnə'laɪnd] *adj* (POL) blockfrei; **non-alignment** [ˌnɒnə'laɪnmənt] *s* (POL) Blockfreiheit *f;* **non-appearance** *s* Nichterscheinen, Ausbleiben *n;* **non-attendance** *s* Nichtteilnahme *f;* **non-belligerent** *adj* nicht kriegführend
nonce word ['nɒnswɜ:d] *s* Ad-hoc-Bildung *f*
non•cha•lant ['nɒnʃələnt] *adj* lässig, nonchalant
non-com ['nɒnkɒm] *s* (MIL: *sl*) Uffz *m;* **non-combatant I.** *s* (MIL) Nichtkämpfer *m* **II.** *adj* nicht am Kampf beteiligt; **non-combustible** *adj* nicht brennbar; **non-commissioned officer** *s* Unteroffizier *m;* **non-committal** [ˌnɒnkə'mɪtəl] *adj* zurückhaltend, unverbindlich; **non-compliance** *s* Nichtbefolgung, Nichteinhaltung *f* (*with s.th.* e-r S); **non compos mentis** *adj* (JUR) unzurechnungsfähig
non•con•form•ist [ˌnɒnkən'fɔ:mɪst] **I.** *s* Nonkonformist(in) *m(f)* **II.** *adj* non konformistisch; **non•con•form•ity** [ˌnɒnkən'fɔ:mətɪ] *s* Nichteinhaltung *f,* Nichtkonformgehen *n* (*with* mit); **non-con•tri•but•ory** [ˌnɒnkən'trɪbjʊtrɪ] *adj* beitragsfrei; **non•co•op•er•ation** [ˌnɒnkəʊɒpə'reɪʃn] *s* unkooperative Haltung
non-de•posit bottle [ˌnɒndɪ'pɒzɪtˌbɒtl] *s* Einwegflasche *f*
non•de•script ['nɒndɪskrɪpt] *adj* **1.** (*Geschmack*) unbestimmbar **2.** (*Erscheinung*) unauffällig; **non-dur•ables** [ˌnɒn'djʊərəblz] *s pl* kurzlebige Konsumgüter *pl*
none [nʌn] **I.** *pron* keine(r, s); keine; ~ **at all** kein Einziger; ~ **but** niemand, nichts außer; nur; **the new arrival was ~ other than …** der Neuankömmling war kein anderer als …; ~ **but the best** nur das Beste; ~ **of that!** lass das! Schluß damit!; ~ **other** kein anderer; **that's ~ of your business** das geht dich nichts an **II.** *adv:* **be ~ the wiser** auch nicht schlauer sein; ~ **the less** nichtsdestoweniger, trotzdem; ~ **too soon** gerade noch zur rechten Zeit; ~ **too sure** durchaus nicht sicher; **it's ~ too warm** es ist keineswegs zu warm
non•en•tity [nɒ'nentətɪ] *s* (*Mensch*) Nul-

lität *f,* unbedeutende Figur

non-es•sen•tial [nɒnɪ'senʃl] **I.** *adj* unwesentlich; unnötig; nicht lebenswichtig **II.** *s pl* nicht lebensnotwendige Dinge *npl;* **non-event** *s* (*fam*) Reinfall *m,* Pleite *f;* **non-existence** *s* Nichtvorhandensein *n;* **non-existent** *adj* nicht existierend; **non•fic•tion** [ˌnɒn'fɪkʃn] **I.** *s* Sachbücher *npl* **II.** *adj* Sachbuch-; **non-flammable** *adj* nicht brennbar; nicht entflammbar; **non-infectious** *adj* nicht ansteckend; **non-iron** *adj* bügelfrei; **non-member country** *s* (EU) Drittland *n;* **non-negotiable** *adj* (COM) nicht übertragbar

non-pareil [ˌnɒnpə'reɪl] **I.** *adj* unerreicht **II.** *s* **1.** Nonplusultra *n;* unerreichter Meister **2.** (TYP) Nonpareille *f*

non•plus [ˌnɒn'plʌs] *tr* verblüffen; **be ~sed** verdutzt sein

non-pol•lut•ing [ˌnɒnpə'lu:tɪŋ] *adj* umweltfreundlich; **non-productive** *adj* unproduktiv; ~ **industries** Dienstleistungssektor *m;* **non-profit-making** *adj* nicht auf Gewinn gerichtet; gemeinnützig; **non-proliferation** *s* Nichtweitergabe *f* von Atomwaffen; **non-proliferation treaty** *s* Atomsperrvertrag *m;* **non-re•fund•able** [ˌnɒnrɪ'fʌndəbl] *adj* nicht erstattungsfähig; **non-resident I.** *adj* nicht (orts)ansässig **II.** *s* **1.** Nichtortsansässige(r) *f m* **2.** (*im Hotel*) nicht im Haus wohnender Gast; **non-re•turn•able** [ˌnɒnrɪ'tɜ:nəbl] *adj* Einweg-; **non-scheduled** *adj* außerplanmäßig

non•sense ['nɒnsns] *s* Unsinn, Quatsch *m;* dummes Zeug; **make (a)** ~ **of s.th.** etw sinnlos machen; **stand no** ~ keine Dummheiten dulden; **and no ~!** und keine Dummheiten!; **no more of your ~!** Schluss mit dem Unsinn!; **non•sen•si•cal** [nɒn'sensɪkl] *adj* un-, blödsinnig

non-shrink [ˌnɒn'ʃrɪŋk] *adj* nicht einlaufend; **non-skid** *adj* rutschsicher; **non-smoker** *s* Nichtraucher(in) *m(f);* **non-starter** *s* **1.** (*Rennen*) nicht startendes Pferd **2.** (*Mensch, Idee*) Blindgänger *m;* **non-stick** [ˌnɒn'stɪk] *adj* antihaftbeschichtet; **non-stop I.** *adj* durchgehend; ohne Unterbrechung; Nonstop-; ~ **flight** Nonstopflug *m;* ~ **train** durchgehender Zug **II.** *adv* (*Flug*) nonstop; ohne Unterbrechung; **non-swim•mer** [ˌnɒn'swɪmə(r)] *s* Nichtschwimmer(in) *m(f);* **non-taxable** [ˌnɒn'tæksəble] *adj* steuerfrei, nicht steuerpflichtig; **non-toxic** [ˌnɒn'tɒksɪk] *adj* ungiftig; **non-verbal** [ˌnɒn'vɜ:bl] *adj* nonverbal; **non-vi•ol•ent** [ˌnɒn'vaɪələnt] *adj* gewaltlos; **non-vot•ing** [ˌnɒn'vəʊtɪŋ] *adj* stimmrechtslos

noodle ['nu:dl] *s* Nudel *f*

nook [nʊk] *s* **1.** (Zimmer)Ecke *f* **2.** (*fig*) (Schlupf)Winkel *m;* **in every ~ and cranny** in jedem Winkel

noon [nu:n] *s* Mittag *m;* **at** ~ um zwölf Uhr mittags

no-one ['nəʊwʌn] *pron s.* **nobody**

noose [nu:s] *s* Schlaufe, Schlinge *f a. fig;* **put one's head in the** ~ (*fig*) den Kopf in die Schlinge stecken

nope [nəʊp] *adv* (*sl*) nein

nor [nɔ:(r)] *conj* **1.** noch **2.** und ... auch nicht; **neither ...** ~ weder ... noch; ~ **I** ich auch nicht

Nor•dic ['nɔ:dɪk] *adj* nordisch; **the ~ Council** der Nordische Rat

norm [nɔ:m] *s* Richtschnur, Norm *f*

nor•mal ['nɔ:ml] **I.** *adj* **1.** normal; üblich **2.** (MATH) senkrecht **3.** (CHEM) Normal-; ~ **consumption** Normalverbrauch *m;* ~ **output** Normalleistung *f;* ~ **size** Normalgröße *f* **II.** *s* **1.** Normalwert, Durchschnitt *m* **2.** (MATH) Senkrechte *f;* **nor•mal•ity** [nɔ:'mælətɪ] *s* Normalität *f;* **return to** ~ sich wieder normalisieren; **nor•mal•ize** ['nɔ:məlaɪz] *tr* normalisieren; wiederherstellen; **nor•mally** ['nɔ:məlɪ] *adv* normalerweise, gewöhnlich

north [nɔ:θ] **I.** *s* Norden *m;* **in the** ~ im Norden; **to the ~ of** im Norden von; **face** ~ nach Norden liegen **II.** *adj* nördlich **III.** *adv* in nördlicher Richtung, nach Norden; ~ **of** nördlich von; **North Africa** *s* Nordafrika *n;* **North African I.** *adj* nordafrikanisch **II.** *s* Nordafrikaner(in) *m(f);* **North America** *s* Nordamerika *n;* **North American I.** *adj* nordamerikanisch **II.** *s* Nordamerikaner(in) *m(f)*

north-east [ˌnɔ:θ'i:st] **I.** *s* Nordost(en) *m* **II.** *adj* nordöstlich; **north-eastern** [ˌnɔ:θ'i:stən] *adj* nordöstlich

north•er•ly ['nɔ:ðəlɪ] **I.** *adj* nördlich **II.** *adv* nach, von Norden

north•ern ['nɔ:ðən] *adj* nördlich; **N~ Ireland** Nordirland *n;* **the ~ lights** das Nordlicht; **north•erner** ['nɔ:ðənə(r)] *s* **1.** Nordländer(in) *m(f)* **2.** (*Am*) Nordstaatler(in) *m(f);* **northern•most** ['nɔ:ðənməʊst] *adj* nördlichste(r, s)

North Pole ['nɔ:θpəʊl] *s* Nordpol *m;* **North Sea** *s* Nordsee *f;* **North-South divide** *s* Nord-Süd-Gefälle *n*

north•west [ˌnɔ:θ'west] **I.** *s* Nordwest(en) *m* **II.** *adj* nordwestlich; **north•west•erly** [ˌnɔ:θ'westəlɪ] *adj* nordwestlich

Nor•way ['nɔ:weɪ] *s* Norwegen *n;* **Norwegian** [nɔ:'wi:dʒən] **I.** *adj* norwegisch **II.** *s* **1.** Norweger(in) *m(f)* **2.** (*Sprache*) (das) Norwegisch(e)

nose [nəʊz] **I.** *s* **1.** Nase *f* **2.** Geruch(ssinn) *m,* Nase *f* (*for* für) **3.** (*Wein*) Blume *f* **4.**

(TECH) Vorderteil *n* **5.** (MAR) Bug *m* **6.** (AERO) Nase *f* **7.** (*Rohr*) Mündung *f;* **get up s.o.'s** ~ (*sl*) jdm auf den Keks gehen; **hold one's** ~ sich die Nase zuhalten; **the tip of one's** ~ die Nasenspitze; **bleed at** [*o* **from**] **the** ~ aus der Nase bluten; **follow your** ~ immer der Nase nach; **do s.th. under s.o.'s very** ~ etw vor jds Augen tun; **by a** ~ (*Pferderennen*) um e-e Nasenlänge; **pay on the** ~ sofort bezahlen; **look down one's** ~ **at s.o.** auf jdn herabblicken; **with one's** ~ **in the air** hochnäsig; **blow one's** ~ sich die Nase putzen; **cut off one's** ~ **to spite one's face** (*fig*) sich ins eigene Fleisch schneiden; **lead s.o. by the** ~ (*fig*) jdn an der Nase herumführen; **stick one's** ~ **into s.th.** (*fig*) seine Nase in etw stecken; **pay through the** ~ e-n zu hohen Preis bezahlen; **put s.o.'s** ~ **out of joint** (*fig*) jdn ausstehen; **turn up one's** ~ **at** die Nase rümpfen über **II.** *tr, itr:* **the ship ~d its way through the ice** das Schiff pflügte sich durch das Eis; ~ **into s.o.'s affairs** seine Nase in jds Angelegenheiten stecken; **nose about** *itr* herumschnüffeln; **nose out I.** *tr* aufspüren; ausschnüffeln **II.** *itr* (*Auto*) sich vorschieben; **nose•bag** ['nəʊzbæg] *s* Futtersack *m;* **nose•bleed** ['nəʊzbli:d] *s* Nasenbluten *n;* **nose•cone** ['nəʊzkəʊn] *s* Raketenspitze *f;* **nose•dive** ['nəʊzdaɪv] **I.** *s* (AERO) Sturzflug *m* **II.** *itr* e-n Sturzflug machen; ~ **off s.th.** vornüber von etw stürzen

nose•gay ['nəʊzgeɪ] *s* Blumenstrauß *m*

nose job ['nəʊzdʒɒb] *s* (*sl*) Nasenkorrektur *f;* **nose ring** *s* Nasenring *m;* **nose•wheel** ['nəʊzwi:l] *s* (AERO) Bugrad *n;* **nosey** ['nəʊzɪ] *adj s.* **nosy**

nosh [nɒʃ] **I.** *itr* (*sl*) futtern **II.** *s* (*sl*) Futter *n;* **let's have a quick** ~ lass uns schnell einen Happen essen; **nosh-up** ['nɒʃʌp] *s* (*sl*) Fressgelage *n*

nos•tal•gia [nɒ'stældʒə] *s* Nostalgie *f;* **nos•tal•gic** [nɒ'stældʒɪk] *adj* nostalgisch

no-strike agree•ment [ˌnəʊstraɪkə'gri:mənt] *s* Streikverbotsabkommen *n*

nos•tril ['nɒstrəl] *s* Nasenloch *n,* Nüster *f*

nosy ['nəʊzɪ] *adj* (*fam*) neugierig; **nosy parker** *s* (*fam*) Schnüffler(in) *m(f)*

not [nɒt] *adv* nicht; **he warned me ~ to be late** er warnte mich, nicht zu spät zu kommen; **you were wrong in ~ making a protest** es war falsch von dir nicht zu protestieren; ~ **a bit** kein bisschen; ~ **any more** nicht mehr; ~ **yet** noch nicht; ~ **at all** durchaus, überhaupt, gar nicht; keineswegs; ~ **any more** nicht mehr; ~ **a few** nicht wenige; ~ **in the least** nicht im Geringsten; ~ **to say** um nicht zu sagen; ~ **so** nein; ~ **to speak of** ganz zu schweigen von; **you are coming, are you ~?** Sie kommen doch, oder?; **are you tired? – ~ at all** sind Sie müde? – überhaupt nicht; **certainly** ~ gewiss nicht; **as likely as** ~ vielleicht; vielleicht auch nicht; ~ **that I care, but ...** es ist mir zwar egal, aber ...; **it's ~ to be thought of** das kommt nicht in Frage

no•table ['nəʊtəbl] **I.** *adj* **1.** (*Erfolg*) bemerkenswert **2.** (*Mensch*) bedeutend **3.** (*Unterschied*) beträchtlich, beachtlich **II.** *s* bekannte Persönlichkeit; **notably** ['nəʊtəblɪ] *adv* **1.** auffallend; beträchtlich **2.** insbesondere, hauptsächlich

no•tary ['nəʊtərɪ] *adj* (~ *public*) Notar(in) *m(f)*

no•ta•tion [nəʊ'teɪʃn] *s* **1.** Zeichensystem *n,* Zeichen *npl* **2.** (MUS) Notenschrift *f* **3.** Vermerk *m,* Aufzeichnung *f*

notch [nɒtʃ] **I.** *s* **1.** Kerbe *f,* Einschnitt *m;* Scharte *f* **2.** (*Am*) Schlucht *f,* Engpass *m* **II.** *tr* (ein)kerben, einschneiden; ~ **up** (*Punkte*) erzielen; erringen; (*Erfolg*) verzeichnen können

note [nəʊt] **I.** *s* **1.** Notiz, Anmerkung *f;* Fußnote *f;* Vermerk *m* **2.** (MUS) Note *f;* Ton *m* **3.** Brief *m,* kurze Mitteilung **4.** (diplomatische) Note *f,* Memorandum *n* **5.** (FIN) Banknote *f,* Schein *m;* **make a ~ of s.th.** sich etw aufschreiben; **speak without ~s** frei sprechen; **send s.o. a** ~ jdm ein paar Zeilen schicken; **strike the right/wrong** ~ (*fig*) den richtigen/falschen Ton treffen; **take ~ of s.th.** etw zur Kenntnis nehmen; **take ~s** sich Notizen machen (*of* über); **there was a ~ of self-satisfaction in his speech** in seiner Rede war ein selbstzufriedener Ton; **bank** ~ Banknote *f* **II.** *tr* **1.** bemerken, beachten; zur Kenntnis nehmen **2.** (~ *down*) notieren, aufschreiben; **note•book** ['nəʊtbʊk] *s* **1.** Notizbuch *n* **2.** (EDV) Notebook *n;* **noted** ['nəʊtɪd] *adj* berühmt (*for* wegen); **note•pad** ['nəʊtpæd] *s* Notizblock *m;* **note•paper** ['nəʊtˌpeɪpə(r)] *s* Schreib-, Briefpapier *n;* **note•worthy** ['nəʊtˌwɜ:ðɪ] *adj* bemerkens-, beachtenswert

no•thing ['nʌθɪŋ] **I.** *s* **1.** Nichts *n* **2.** (MATH) Null *f* **II.** *pron, adv* nichts; **eat** ~ nichts essen; **five feet** ~ genau 5 Fuß; **for** ~ umsonst; **say ~ of** ganz zu schweigen von; ~ **but** nur; ~ **else** sonst nichts; ~ **more** sonst nichts; ~ **much** nicht viel; ~ **less than** nur; ~ **if not** äußerst, im höchsten Grade; ~ **new** nichts Neues; **come to** ~ zunichte werden, sich zerschlagen; **have ~ to do with** nichts zu tun haben mit; **make ~ of** sich nichts machen aus; nichts anfangen können mit; **that's ~!** das ist gar nichts!;

think ~ of nichts halten von; **there is ~ like that** da kommt nichts mit; **~ came of it!** daraus wurde nichts!; **~ doing!** nichts zu machen!; **there is ~ for it but** es gibt keine andere Möglichkeit als; **little or ~** wenig oder (gar) nichts; **next to ~** fast nichts; **no•thing•ness** ['nʌθɪŋnɪs] *s* Nichts *n*

no-throw [ˌnəʊ'θrəʊ] *s* Fehlwurf *m*

no•tice ['nəʊtɪs] **I.** *s* **1.** Bescheid *m,* Benachrichtigung *f;* Mitteilung *f* **2.** Bekanntmachung *f,* Anschlag *m* (*on the bulletin board* am schwarzen Brett), Plakat *n;* Schild *n* **3.** Kündigung *f* **4.** Frist *f* **5.** Kritik, Rezension *f;* **at a moment's ~** sofort, jederzeit; **at short ~** kurzfristig; **at a week's ~** innerhalb e-r Woche; **until further ~** bis auf weiteres; **without ~** ohne Ankündigung; fristlos; **attract ~** Aufmerksamkeit erregen; **bring s.th. to s.o.'s ~** jdm etw zur Kenntnis bringen; **give s.o. ~** jdm kündigen; **give s.o. ~ of s.th.** jdn von etw benachrichtigen; **hand in one's ~** kündigen; **post a ~** e-n Anschlag machen; **serve ~ on s.o.** (JUR) jdn vorladen; **take ~** be(ob)achten; aufpassen; **take ~ of s.th.** etw beachten, zur Kenntnis, von etw Notiz nehmen; **take no ~ of s.o.** jdn ignorieren; **make s.o. sit up and take ~** jdn aufhorchen lassen; **she gave us ~ to move** sie hat uns(ere Wohnung) gekündigt; **that's beneath my ~** das nehme ich nicht zur Kenntnis; **a month's ~** monatliche Kündigung; **official ~** amtliche Bekanntmachung; **public ~** öffentliche Bekanntmachung; **~ of receipt** Empfangsbestätigung *f;* **~ to pay** Zahlungsaufforderung *f;* **~ to quit** Kündigung *f* **II.** *tr* bemerken; wahrnehmen; zur Kenntnis nehmen; merken; **no•tice•able** ['nəʊtɪsəbl] *adj* **1.** erkennbar, wahrnehmbar; sichtbar; deutlich **2.** (*Vergnügen*) sichtlich, merklich; **notice-board** *s* Anschlagbrett *n;* schwarzes Brett

no•ti•fi•able ['nəʊtɪfaɪəbl] *adj* melde-, anzeigepflichtig; **no•ti•fi•ca•tion** [ˌnəʊtɪfɪ'keɪʃn] *s* **1.** Benachrichtigung, Mitteilung *f* **2.** (*e-s Verlustes*) Meldung, Anzeige *f;* **notify** ['nəʊtɪfaɪ] *tr* **1.** benachrichtigen, unterrichten **2.** (*Verlust*) melden; **~ s.o. of s.th.** jdn von etw benachrichtigen, jdm etw mitteilen; **be notified of s.th.** über etw informiert werden, von etw benachrichtigt werden

no•tion ['nəʊʃn] *s* **1.** Idee *f;* Vorstellung *f;* Ahnung *f* **2.** Ansicht, Meinung *f* **3.** **~s** (*Am*) Kurzwaren *fpl;* **have no ~ of s.th.** von etw keine Ahnung haben; **give s.o. ~s** jdn auf Ideen bringen; **I have a ~ that ...** ich habe den Verdacht, dass ...; **get a ~ to do s.th.** Lust bekommen etw zu tun; **no•tional** ['nəʊʃənl] *adj* **1.** fiktiv, angenommen; symbolisch **2.** (PHILOS) spekulativ

no•tor•iety [ˌnəʊtə'raɪətɪ] *s* traurige Berühmtheit; **no•tori•ous** [nəʊ'tɔːrɪəs] *adj* **1.** (*Tatsache*) berühmt-berüchtigt **2.** (*Platz*) verrufen, verschri(e)en **3.** (*Lügner*) notorisch; **be ~ for s.th.** für etw berüchtigt sein

not•with•stand•ing [ˌnɒtwɪθ'stændɪŋ] **I.** *prep* trotz, ungeachtet *+gen* **II.** *adv* trotzdem, dennoch **III.** *conj:* **~ that** obgleich, obwohl

nou•gat ['nuːgɑː] *s* Nugat *m od n*

nought [nɔːt] *s* **1.** Null *f* **2.** (*lit*) Nichts *n;* **come to ~** sich zerschlagen; **bring to ~** zunichte machen; **she thinks ~ of it** sie macht das bedenkenlos

noun [naʊn] *s* (GRAM) Hauptwort, Substantiv *n*

nour•ish ['nʌrɪʃ] **I.** *tr* **1.** (er)nähren (*on, with* von) **2.** (*fig*) nähren, hegen **II.** *itr* nahrhaft sein; **nour•ish•ing** [-ɪŋ] *adj* nahrhaft; **~ cream** Nährcreme *f;* **nour•ish•ment** [-mənt] *s* Nahrung *f*

nous [naʊs] *s* (*fam*) Grips *m fam*

novel[1] ['nɒvl] *adj* neu(artig)

novel[2] ['nɒvl] *s* Roman *m;* **novel•ette** [ˌnɒvə'let] *s* Kitschroman *m;* **novel•ist** ['nɒvəlɪst] *s* Romanschriftsteller(in) *m(f)*

nov•elty ['nɒvltɪ] *s* **1.** Neuheit *f* **2.** Novum *n* **3.** *meist pl* (COM) Neuheiten *fpl* **4.** Krimskrams *m*

No•vem•ber [nəʊ'vembə(r)] *s* November *m;* **in ~** im November

nov•ice ['nɒvɪs] *s* **1.** (REL) Novize *m* **2.** (*fig*) Anfänger(in) *m(f),* Neuling *m*

now [naʊ] **I.** *adv* **1.** jetzt, nun; gleich, sofort; (so)eben **2.** heute, heutzutage; **just ~** gerade; gleich, sofort; **I'll do it just ~** ich mache es jetzt gleich; **it's ~ or never** jetzt oder nie; **by ~** inzwischen, mittlerweile; **before ~** bis jetzt; schon früher; **for ~** im Moment, vorläufig; **from ~ on** von nun an; **from ~ until then** bis dahin; **up to** [*o* **till**] [*o* **until**] **~** bis jetzt; **~ ... ~** bald ... bald; **~ and then** [*o* **again**] ab und zu, von Zeit zu Zeit, gelegentlich **II.** *conj* jetzt, wo; nun, da **III.** *interj* also; **well ~** also; **~ then** also jetzt

now•adays ['naʊədeɪz] *adv* heute, heutzutage

no•where ['nəʊweə(r)] *adv* nirgends, nirgendwo, -wohin; **get ~** zu nichts, auf keinen grünen Zweig kommen; **come ~** (SPORT) unter ferner liefen kommen; **come from ~ and win** (SPORT) überraschend siegen; **appear from ~** ganz plötzlich auftauchen

nowt [naʊt] *pron, adv* (*fam*) nix, nichts

noxious ['nɒkʃəs] *adj* **1.** schädlich **2.** (*Einfluss*) übel, verderblich

nozzle ['nɒzl] *s* (TECH) **1.** Düse *f* **2.** (*e-r*

Spritze) Kanüle *f*

nuance ['nju:ɑ:ns] *s* Nuance, Schattierung *f*

nub [nʌb] *s* **1.** Stückchen, Klümpchen *n* **2.** (*fam*) Pointe *f*, Kern(punkt) *m*

nu•bile ['nju:baɪl] *adj* (*Mädchen*) heiratsfähig; gut entwickelt

nu•clear ['nju:klɪə(r)] *adj* (PHYS) Kern-; Atom-; kerntechnisch; nuklear, atomar; ~ **deterrence** nukleare Abschreckung; ~ **deterrent** nukleares Abschreckungsmittel; ~ **energy** Atom-, Kernenergie *f;* ~ **fission** Kernspaltung *f;* ~ **free zone** atomwaffenfreie Zone; ~ **fuel** Kernbrennstoff *m;* ~ **fusion** Kernverschmelzung *f;* ~ **industry** Atomindustrie *f;* ~ **medicine** Nuklearmedizin *f;* ~ **nonproliferation treaty** Atomsperrvertrag *m;* ~ **physicist** Kernphysiker(in) *m(f);* ~ **physics** *mit sing* Kernphysik *f;* ~ **pile** Atommeiler *m;* ~ **power** Kernkraft *f;* **a** ~ **power** (POL) eine Atommacht; ~ **power station** Kernkraftwerk *n;* ~ **propulsion** Atomantrieb *m;* ~ **reaction** Kernreaktion *f;* ~ **reactor** Kernreaktor *m;* ~ **research** Kernforschung *f;* ~ **submarine** Atom-U-Boot *n;* ~ **technology** Kerntechnik *f;* ~ **test** Atom(waffen)test *m;* ~ **test ban** Atomteststopp *m;* ~ **test ban treaty** Atomteststoppabkommen *n;* ~ **warfare** Atom-, Nuklearkrieg *m;* ~ **warhead** Atomsprengkopf *m;* ~ **waste** Atommüll *m;* ~ **weapon** Atom-, Nuklearwaffe *f;* ~ **winter** nuklearer Winter

nu•cle•ic acid [nju:'kleɪɪd'æsɪd] *s* Nukleinsäure *f*

nu•cleus ['nju:klɪəs, *pl* 'nju:klɪaɪ] <*pl* nuclei> *s* **1.** (PHYS) Kern *m* **2.** (BIOL) Zellkern *m;* **atomic** ~ Atomkern *m*

nude [nju:d] **I.** *adj* nackt, unbekleidet **II.** *s* **1.** (*Kunst*) Aktmodell *n;* Akt *m* **2.** (*Mensch*) Nackte(r) *f m;* **paint from the** ~ e-n Akt malen; **in the** ~ nackt

nudge [nʌdʒ] **I.** *tr* anstoßen; ~ **s.o.'s memory** jds Gedächtnis nachhelfen **II.** *s* Stups *m*, kleiner Stoß

nu•dism ['nju:dɪzəm] *s* Nackt-, Freikörperkultur *f;* **nu•dist** ['nju:dɪst] *s* Anhänger(in) *m(f)*, der Nackt-, Freikörperkultur; **nudist beach** *s* FKK-Strand *m;* **nudist camp** *s* FKK-Platz *m;* **nu•dity** ['nju:dətɪ] *s* Nacktheit *f*

nu•ga•tory ['nju:gətərɪ] *adj* belanglos, nichtig

nug•get ['nʌgɪt] *s* (Gold)Klumpen *m*

nui•sance ['nju:sns] *s* **1.** Plage *f;* Nervensäge *f;* Quälgeist *m* **2.** Ärgernis *n;* peinliche Situation; Missstand *m;* **make a** ~ **of o.s.** lästig werden; **what a** ~ wie ärgerlich; **public** ~ öffentliches Ärgernis

nuke [nu:k, nju:k] *tr* (*fam*) eine Atombombe (ab)werfen (auf)

null [nʌl] *adj* (JUR) ungültig, nichtig; ~ **and void** null und nichtig; **nul•li•fi•ca•tion** [ˌnʌlɪfɪ'keɪʃn] *s* Annullierung *f;* **nul•lify** ['nʌlɪfaɪ] *tr* ungültig machen, annullieren; **nul•lity** ['nʌlətɪ] *adj* Nichtigkeit, Ungültigkeit *f*

numb [nʌm] **I.** *adj* **1.** taub, empfindungslos, gefühllos **2.** (*fig*) betäubt; **fingers** ~ **with cold** Finger, die vor Kälte taub sind **II.** *tr* unempfindlich, gefühllos machen; betäuben

num•ber ['nʌmbə(r)] **I.** *s* **1.** (MATH) Zahl *f;* Ziffer *f* **2.** Anzahl *f* **3.** Nummer *f;* Seitenzahl *f;* Autonummer *f*, Autokennzeichen *n* **4.** (GRAM) Numerus *m*, Zahl *f* **5.** (*Lied*) Nummer *f;* Ausgabe *f*, Heft *n* **6.** ~**s** Rechnen *n;* **a** ~ **of problems** e-e Anzahl von Problemen; **on a** ~ **of occasions** des öfteren; **in equal** ~**s** ebenso viel; **in a small** ~ **of cases** in wenigen Fällen; **ten in** ~ zehn an der Zahl; **they were few in** ~ es waren nur wenige; **many in** ~ zahlreich; **a fair** ~ **of times** ziemlich oft; **win by force of** ~**s** auf Grund zahlenmäßiger Überlegenheit gewinnen; **dial a** ~ e-e Nummer wählen; **get s.o.'s** ~ (*Am*) jdn durchschauen; **look after** [*o* **take care of**] ~ **one** (*fam*) an sich selbst denken; **my** ~**'s up** (*fam*) ich bin dran; **the May** ~ das Maiheft, die Maiausgabe; **one of our** ~ eine(r) aus unseren Reihen **II.** *tr* **1.** zählen (*among* zu) **2.** nummerieren; einordnen, klassifizieren **3.** zählen, rechnen; **a** ~**d account** (FIN) ein Nummernkonto *n;* **his days are** ~**ed** seine Tage sind gezählt; **be** ~**ed** begrenzt sein **III.** *itr* (MIL: ~ *off*) abzählen; **num•ber•ing** [-ɪŋ] *s* Nummerierung *f;* **num•ber•less** [-lɪs] *adj* zahllos; **number•plate** *s* (MOT) Nummernschild *n*

numb•ness ['nʌmnɪs] *s* Taubheit, Starre *f;* Benommenheit *f*

nu•mer•acy ['nju:mərəsɪ] *s* Rechnen *n*

nu•meral ['nju:mərəl] *s* Ziffer *f;* **Arabic/Roman** ~**s** arabische/römische Ziffern *fpl*

nu•mer•ate ['nju:mərət] *adj* rechenkundig

nu•mer•ation [ˌnju:mə'reɪʃn] *s* Nummerierung *f*

nu•meri•cal [nju:'merɪkl] *adj* numerisch, zahlenmäßig; ~ **order** Reihen-, Zahlenfolge *f;* ~ **value** Zahlenwert *m*

nu•mer•ic key•pad [ˌnju:merɪk'ki:pæd] *s* Zehnertastatur *f*, numerische Tastatur

nu•mer•ous ['nju:mərəs] *adj* zahlreich

nu•mis•mat•ics [ˌnju:mɪz'mætɪks] *s pl mit sing* Numismatik *f*

num•skull ['nʌmskʌl] *s* Dummkopf *m*

nun [nʌn] *s* (REL) Nonne *f*

nun•cio ['nʌnsɪəʊ] <*pl* -cios> *s* Nuntius *m*

nun•nery ['nʌnərɪ] *s* Nonnenkloster *n*

nup•tial ['nʌpʃl] **I.** *adj* ehelich; hochzeitlich

II. *s:* **the ~s** die Hochzeit

nurse [nɜːs] **I.** *s* **1.** Schwester *f;* Krankenschwester *f* **2.** Kindermädchen *n,* Kinderfrau *f* **3.** (*wet-~*) Amme *f;* **male ~** Krankenpfleger *m* **II.** *tr* **1.** säugen, stillen, die Brust geben (*s.o.* jdm) **2.** pflegen **3.** (*Krankheit*) behandeln, kurieren **4.** (*Gefühl*) hegen **5.** schonend umgehen mit; **~ s.o. back to health** jdn gesundpflegen; **~ a cold** an e-r Erkältung herumlaborieren; **~ a business** ein Geschäft sorgsam verwalten; **nurs•ery** ['nɜːsərɪ] *s* **1.** Kinderzimmer *n;* Säuglingssaal *m* **2.** Kindergarten *m;* Hort *m* **3.** (AGR) Baumschule *f;* Gärtnerei *f* **4.** (*fig*) Zuchtstätte *f;* **nursery rhyme** *s* Kindervers *m;* **nursery school** *s* Kindergarten *m;* **~ teacher** Erzieher(in) *m(f);* **nursery slope** *s* (*fam: Ski*) Idiotenhügel *m;* **nursing** ['nɜːsɪŋ] **I.** *s* **1.** Pflege *f;* Pflegen *n* **2.** Krankenpflege *f* **3.** Stillen *n* **II.** *adj* Pflege-; pflegerisch; **~ home** Privatklinik *f;* **~ mother** stillende Mutter; **~ staff** Pflegepersonal *n*

nur•ture ['nɜːtʃə(r)] **I.** *s* **1.** Nahrung, Ernährung *f* **2.** Erziehung; Aufzucht *f* **II.** *tr* **1.** aufziehen **2.** hegen, fördern; **~ s.o. on s.th.** jdn mit etw aufziehen

nut [nʌt] *s* **1.** Nuss *f* **2.** (*fig: hard ~*) harte Nuss, schweres Problem **3.** (TECH) (Schrauben)Mutter *f* **4.** (*sl*) Birne *f,* Kopf *m* **5.** (*sl*) Spinner(in) *m(f)* **6. ~s** (*sl*) Hoden *fpl;* **a hard** [*o* **tough**] **~ to crack** e-e harte Nuss; **be off one's ~** (*sl*) nicht ganz bei Trost sein; **go off one's ~** (*sl*) durchdrehen; **nut•cracker** *s* (*a. pl*) Nussknacker *m;* **nut•hatch** ['nʌtˌhætʃ] *s* (ORN) Kleiber *m;* **nut•house** *s* (*sl*) Klapsmühle *f;* **nut•meg** ['nʌtmeg] *s* Muskatnuss *f*

nu•tri•ent ['njuːtrɪənt] **I.** *adj* nahrhaft **II.** *s* Nährstoff *m;* **nu•tri•tion** [njuː'trɪʃn] *s* Ernährung *f;* **nu•tri•tion•ist** [njuː'trɪʃənɪst] *s* Ernährungswissenschaftler(in) *m(f);* **nu•tri•tious** [njuː'trɪʃəs] *adj* nahrhaft

nuts [nʌts] *adj* (*sl*): **be ~** spinnen; **go ~** durchdrehen; **be ~ about s.o.** von jdm ganz weg sein

nut•shell ['nʌtʃel] *s* Nussschale *f;* **in a ~** kurz, mit wenigen Worten; **to put it** [*o* **the matter**] **in a ~** um es kurz zu sagen

nutty ['nʌtɪ] *adj* **1.** mit Nüssen **2.** (*sl*) bekloppt, plemplem

nuzzle ['nʌzl] **I.** *tr* **1.** (*Hund*) beschnüffeln **2.** (*Schwein*) aufwühlen **II.** *itr:* **~ up against** [*o* **up to s.o.**] sich an jdn schmiegen

ny•lon ['naɪlɒn] *s* **1.** (*Textil*) Nylon *n* **2. ~s** Nylonstrümpfe *mpl*

nymph [nɪmf] *s* (*Mythologie*) Nymphe *f*

nym•pho•mania [ˌnɪmfə'meɪnɪə] *s* Nymphomanie, Mannstollheit *f;* **nym•pho•maniac** [ˌnɪmfə'meɪnɪæk] *s* Nymphomanin *f*

O

O, o [əʊ] <*pl* -'s> *s* **1.** O, o *n* **2.** (TELE) Null *f*

o [əʊ] *interj* oh! ach!; ~ **my God!** ach du lieber Gott!; ~ **dear!** o je!

oaf [əʊf, *pl* əuvz] <*pl* oafs, oaves> *s* Flegel, Lümmel *m;* **oaf•ish** ['əʊfɪʃ] *adj* flegelhaft; tölpelhaft

oak [əʊk] *s* Eiche(nholz *n*) *f*

OAP [ˌəʊeɪ'piː] *s abbr of* **old-age pensioner** Rentner(in) *m(f)*

oar [ɔː(r)] *s* **1.** Ruder *n,* Riemen *m* **2.** Ruderer *m,* Ruderin *f;* **put one's ~ in** (*fig*) sich einmischen; **rest on one's ~s** (*fig*) langsamer treten; **oars•man** ['ɔːzmən] <*pl* -men> *s* Ruderer *m;* **oars•woman** ['ɔːzwʊmən, *pl* -wɪmɪn] <*pl* -women> *s* Ruderin *f*

oasis [əʊ'eɪsɪs, *pl* əʊ'eɪsiːz] <*pl* oases> *s* Oase *f a. fig*

oat [əʊt] *s meist pl* Hafer *m;* Haferflocken *fpl;* **sow one's wild ~s** sich die Hörner abstoßen; **he feels his ~s** (*Am fam*) ihn sticht der Hafer; **oat•cake** ['əʊtkeɪk] *s* salziger Haferkeks

oath [əʊθ] *s* **1.** Schwur, Eid *m* **2.** Fluch *m;* **make** [*o* **swear**] [*o* **take**] **an** ~ (e-n Eid) schwören; **be under** ~ unter Eid stehen; **put s.o. on** ~ jdn vereidigen

oat•meal ['əʊtmiːl] *s* Hafermehl *n,* Haferschrot *m*

OAU [ˌəʊeɪ'juː] *s abbr of* **Organization of African Unity** OAU *f,* Organisation *f* für afrikanische Einheit

ob•du•racy ['ɒbdjʊərəsɪ] *s* Hartnäckigkeit *f;* Verstocktheit, Halsstarrigkeit *f;* **ob•durate** ['ɒbdjʊərət] *adj* hartnäckig; verstockt, halsstarrig

OBE [ˌəʊbiː'iː] *s abbr of* **Officer of the Order of the British Empire** *britischer Verdienstorden*

obedi•ence [ə'biːdɪəns] *s* Gehorsam *m;* **in ~ to the law** dem Gesetz entsprechend; **obedi•ent** [ə'biːdɪənt] *adj* gehorsam, folgsam; **be** ~ gehorchen; folgen

ob•elisk ['ɒbəlɪsk] *s* Obelisk *m*

obese [əʊ'biːs] *adj* fettleibig; **obes•ity** [əʊ'biːsətɪ] *s* Korpulenz, Fettleibigkeit *f*

obey [ə'beɪ] **I.** *tr* **1.** gehorchen (*s.o.* jdm), folgen **2.** (*Regeln*) sich halten an, befolgen **3.** (*Maschine*) reagieren auf **II.** *itr* gehorchen; folgen

obitu•ary [ə'bɪtʃʊərɪ] *s* Nachruf *m;* **obituary notice** *s* Todesanzeige *f*

ob•ject¹ ['ɒbdʒɪkt] *s* **1.** Gegenstand *m;* Ding *n* **2.** Ziel *n,* Zweck *m* **3.** (GRAM) Objekt *n* **4.** Hinderungsgrund *m;* **with this ~ in view** mit diesem Ziel vor Augen; **what's the ~ of staying here?** wozu bleiben wir hier?; **succeed in one's** ~ sein Ziel erreichen

ob•ject² [əb'dʒekt] **I.** *itr* **1.** dagegen sein; protestieren; Einwände haben **2.** Anstoß nehmen (*to* an); ~ **to s.th.** etw ablehnen; **do you ~ to my smoking?** stört es Sie, wenn ich rauche? **II.** *tr* einwenden; **objec•tion** [əb'dʒekʃn] *s* **1.** Einwand *m* (*to* gegen) **2.** (JUR) Einspruch *m* **3.** Abneigung *f;* Einspruch *m;* **I have no ~ to his going away** ich habe nichts dagegen, dass er weggeht; **raise** [*o* **make**] **an** ~ e-n Einwand erheben; **if he has no** ~ wenn er nichts dagegen hat; **there is no ~ to it** dagegen ist nichts einzuwenden; **are there any ~s?** erhebt jemand Einspruch?; **ob•jec•tion•able** [-əbl] *adj* **1.** störend **2.** (*Verhalten*) anstößig **3.** (*Geruch*) unangenehm, übel

ob•jec•tive [əb'dʒektɪv] **I.** *adj* **1.** objektiv, sachlich **2.** wirklich, real; ~ **fact** Tatsache *f* **II.** *s* **1.** Ziel *n;* Zielsetzung, -vorstellung *f* **2.** (OPT PHOT) Objektiv *n;* **ob•jec•tiv•ity** [ˌɒbdʒek'tɪvətɪ] *s* Objektivität *f*

ob•ject les•son ['ɒbdʒɪktˌlesn] *s* **1.** Anschauungsunterricht *m* **2.** Paradebeispiel *n*

ob•jec•tor [əb'dʒektə(r)] *s* Gegner(in) *m(f);* **conscientious** ~ Wehrdienstverweigerer *m*

ob•li•gate ['ɒblɪgeɪt] *tr* verpflichten (*s.o. to do s.th.* jdn, etw zu tun); **ob•li•ga•tion** [ˌɒblɪ'geɪʃn] *s* Verpflichtung, Pflicht *f;* **be under an ~ to do s.th.** verpflichtet sein etw zu tun; **without** ~ (COM) unverbindlich; ~ **to buy** Kaufzwang *m;* **ob•li•ga•tory** [ə'blɪgətrɪ] *adj* verbindlich, verpflichtend, obligatorisch (*on, upon* für); **attendance is** ~ Anwesenheit ist vorgeschrieben; es besteht Anwesenheitspflicht; **make it ~ to do s.th.** vorschreiben, dass etw getan wird

ob•lige [ə'blaɪdʒ] **I.** *tr* **1.** zwingen; verpflichten (*s.o. to do s.th.* jdn, etw zu tun) **2.** gefällig sein, entgegenkommen (*s.o.* jdm); **feel ~d to do s.th.** sich zu etw verpflichtet fühlen; **you are not ~d to do it** Sie sind nicht dazu verpflichtet; **please ~ me by closing the door** würden Sie mir bitte den

Gefallen tun und die Tür schließen?; **much ~d!** herzlichen Dank!; **I am much ~d to you for this!** ich bin Ihnen dafür sehr verbunden **II.** *itr:* **she is always ready to ~** sie ist immer sehr gefällig; **oblig·ing** [ə'blaɪdʒɪŋ] *adj* entgegenkommend, gefällig; zuvorkommend

ob·lique [ə'bli:k] **I.** *adj* **1.** schräg, schief; geneigt **2.** (*fig: Blick*) schräg; (*Methode*) indirekt **3.** (*Winkel*) schief **II.** *s* Schrägstrich *m*

ob·lit·er·ate [ə'blɪtəreɪt] *tr* **1.** auslöschen; tilgen **2.** (*Team*) vernichten **3.** (*Sonne*) verdecken; **ob·lit·er·ation** [əˌblɪtə'reɪʃn] *s* **1.** Auslöschung *f* **2.** Vernichtung *f* **3.** Verdeckung *f*

ob·liv·ion [ə'blɪvɪən] *s* Vergessenheit *f,* Vergessen *n;* **fall** [*o* **sink**] **into ~** in Vergessenheit geraten; **ob·livi·ous** [ə'blɪvɪəs] *adj:* **be ~ of** [*o* **to**] **s.th.** sich e-r S nicht bewusst sein; **~ of** [*o* **to**] **his surroundings** ohne Notiz von seiner Umgebung zu nehmen; **~ of** [*o* **to**] **the world** weltvergessen

ob·long ['ɒblɒŋ] **I.** *adj* rechteckig **II.** *s* Rechteck *n*

ob·nox·ious [əb'nɒkʃəs] *adj* **1.** widerlich, widerwärtig **2.** (*Benehmen*) unausstehlich

oboe ['əʊbəʊ] *s* (MUS) Oboe *f;* **obo·ist** [-ɪst] *s* Oboist(in) *m(f)*

ob·scene [əb'si:n] *adj* unanständig, obszön, unzüchtig; **ob·scen·ity** [əb'senətɪ] *s* Unanständigkeit, Obszönität *f*

ob·scure [əb'skjʊə(r)] **I.** *adj* **1.** (*Gefühl*) trüb(e), unklar, undeutlich **2.** (*fig*) schwer verständlich, dunkel **3.** unbekannt, obskur; **is the meaning still ~ to you?** ist Ihnen die Bedeutung immer noch unklar? **II.** *tr* **1.** verdecken, verbergen **2.** (*Geist*) verwirren; **ob·scur·ity** [əb'skjʊərətɪ] *s* **1.** Dunkelheit, Finsternis *f* **2.** (*fig*) Unklarheit, Unverständlichkeit *f;* **live in ~** zurückgezogen leben

ob·sequi·ous [əb'si:kwɪəs] *adj* servil, unterwürfig (*to* gegen)

ob·serv·able [əb'zɜ:vəbl] *adj* sichtbar, wahrnehmbar; **ob·serv·ance** [əb'zɜ:vəns] *s* **1.** Befolgung, Einhaltung, Beachtung *f* **2.** (REL) Einhalten *n;* Observanz *f;* **ob·serv·ant** [əb'zɜ:vənt] *adj* aufmerksam, wachsam; **~ of the rules** die Regeln einhaltend; **ob·ser·va·tion** [ˌɒbzə'veɪʃn] *s* **1.** Beobachtung *f;* Beobachten *n* **2.** (*Regeln*) Einhalten *n* **3.** Bemerkung, Äußerung *f;* **keep s.o. under ~** jdn unter Beobachtung halten; **powers of ~** Beobachtungsgabe *f;* **observation car** *s* (RAIL) Panoramawagen *m;* **observation post** *s* Beobachtungsposten *m;* **observation tower** *s* Aussichtsturm *m;* **observation ward** *s* Beobachtungsstation *f*

ob·serv·atory [əb'zɜ:vətrɪ] *s* Sternwarte *f,* Observatorium *n;* **meteorological ~** Wetterwarte *f*

ob·serve [əb'zɜ:v] **I.** *tr* **1.** be(ob)achten, bemerken, wahrnehmen **2.** (*Feiertag*) halten; feiern **3.** feststellen, äußern **4.** (*Geburtstag*) begehen, feiern; **the thief was ~d to ...** der Dieb wurde dabei beobachtet, wie er ... **II.** *itr* **1.** zusehen; beobachten **2.** bemerken, feststellen; **ob·server** [əb'zɜ:və(r)] *s* **1.** Zuschauer(in) *m(f)* **2.** (MIL POL) Beobachter(in) *m(f)*

ob·sess [əb'ses] *tr:* **be ~ed by** [*o* **with**] **s.o.** von jdm besessen sein; **s.th. ~es s.o.** jem ist von etw besessen; **ob·sess·ion** [əb'seʃn] *s* **1.** fixe Idee, Manie *f* **2.** (MED) Zwangsvorstellung *f* **3.** Besessenheit *f* (*with* von); **ob·sess·ive** [əb'sesɪv] *adj* zwanghaft; **become ~** zum Zwang werden

ob·sol·escence [ˌɒbsə'lesns] *s* Verschleiß *m;* Veralten *n;* **ob·sol·escent** [ˌɒbsə'lesnt] *adj* veraltend, außer Gebrauch kommend; **ob·sol·ete** ['ɒbsəli:t] *adj* veraltet, überholt

ob·stacle ['ɒbstəkl] *s* Hindernis *n* (*to* für) *a. fig;* **be an ~ to s.th.** e-r S entgegenstehen; **put ~s in s.o.'s way** jdm Hindernisse in den Weg legen; **ob·stacle race** *s* (SPORT) Hindernisrennen *n*

ob·ste·tri·cian [ˌɒbstɪ'trɪʃn] *s* (MED) Geburtshelfer(in) *m(f);* **ob·stet·rics** [ɒb'stetrɪks] *s pl mit sing* Geburtshilfe *f*

ob·sti·nacy ['ɒbstɪnəsɪ] *s* Hartnäckigkeit *f,* Starrsinn *m,* Widerspenstigkeit *f;* **ob·sti·nate** ['ɒbstɪnət] *adj* **1.** (*Person*) hartnäckig, starrsinnig **2.** (*Krankheit*) hartnäckig; **remain ~** stur bleiben

ob·strep·er·ous [əb'strepərəs] *adj* aufmüpfig; aufsässig

ob·struct [əb'strʌkt] **I.** *tr* **1.** (ver)sperren, blockieren; verstopfen **2.** (be)hindern, hemmen, sperren; **trees ~ed the road** Bäume versperrten die Straße **II.** *itr* obstruieren; **ob·struc·tion** [əb'strʌkʃn] *s* **1.** (*Straße*) Versperren *n,* Blockierung *f;* Verstopfung *f* **2.** Behinderung *f;* Hemmung *f;* Hindernis *n* (*to* für) **3.** (PARL) Obstruktion *f;* **ob·struc·tion·ism** [-ɪzəm] *s* (PARL) Obstruktionspolitik *f;* **ob·struc·tive** [əb'strʌktɪv] *adj* obstruktiv, behindernd

ob·tain [əb'teɪn] **I.** *tr* **1.** erhalten, erlangen, bekommen **2.** (*Preis*) erzielen **3.** (*Wissen*) erwerben; **~ s.th. for s.o.** jdm etw verschaffen **II.** *itr* (*Regeln*) in Kraft sein; **ob·tain·able** [-əbl] *adj* erhältlich

ob·trude [əb'tru:d] **I.** *tr* hervorstehen; **~ o.s. (up)on others** sich anderen aufdrängen; **~ one's opinion (up)on s.o.** jdm seine Meinung aufzwingen **II.** *itr* **1.** sich aufdrängen **2.** hervorstehen; **ob·trus·ive**

[əb'truːsɪv] *adj* aufdringlich; penetrant
ob•tuse [əb'tjuːs] *adj* **1.** (*Winkel*) stumpf **2.** (*Mensch*) begriffsstutzig
ob•vi•ate ['ɒbvɪeɪt] *tr* **1.** vermeiden, umgehen **2.** (*Einwand*) vorbeugen
ob•vi•ous ['ɒbvɪəs] *adj* **1.** offenbar, -sichtlich; augenfällig **2.** (*Unterschied*) offenkundig **3.** (*Lösung*) einleuchtend, nahe liegend; **an ~ truth** e-e offenkundige Tatsache; **it's ~** das liegt auf der Hand; **make s.th. more ~** etw deutlicher machen
oc•ca•sion [ə'keɪʒn] **I.** *s* **1.** Gelegenheit *f,* Anlass *m* **2.** Ereignis *n* **3.** Gelegenheit, Möglichkeit *f* **4.** Grund *m,* Veranlassung *f;* **on ~** gelegentlich; wenn nötig; **on the ~ of** bei Gelegenheit, aus Anlass, anlässlich +*gen;* **on that ~** damals; **on several ~s** mehrmals; **give ~ to** Anlass geben zu; **have ~ to** Gelegenheit haben zu; **rise to the ~** sich der Lage gewachsen zeigen; **take this ~ to ...** diese Gelegenheit ergreifen, um ...; **should the ~ arise** nötigenfalls **II.** *tr* Anlass, Veranlassung sein zu; **oc•ca•sional** [ə'keɪʒənl] *adj* gelegentlich, hin und wieder; **~ purchase** Gelegenheitskauf *m;* **~ table** Beistelltisch *m;* **oc•ca•sional•ly** [ə'keɪʒənəlɪ] *adv* gelegentlich, ab und zu
Oc•ci•dent ['ɒksɪdənt] *s:* **the ~** der Westen, das Abendland; **oc•ci•den•tal** [ˌɒksɪ'dentl] *adj* westlich, abendländisch
oc•cult [ɒ'kʌlt] *adj* okkult; geheimnisvoll; **oc•cult•ism** ['ɒkʌltɪzəm] *s* Okkultismus *m*
oc•cu•pan•cy ['ɒkjʊpənsɪ] *s* **1.** Bewohnen *n* **2.** Belegung *f;* **with immediate ~** sofort beziehbar; **occupancy rate** *s* Zimmerbelegung *f*
oc•cu•pant ['ɒkjʊpənt] *s* **1.** Bewohner(in) *m(f)* **2.** (*e-r Stelle*) Inhaber(in) *m(f);* **occu•pa•tion** [ˌɒkjʊ'peɪʃn] **I.** *s* **1.** Beruf *m,* Tätigkeit *f* **2.** Beschäftigung *f* **3.** (MIL) Besetzung *f;* Besatzung *f* **4.** (*e-s Hauses*) Besetzung *f;* **by ~** von Beruf; **army of ~** Besatzungsheer *n;* **be in ~ of a house** ein Haus bewohnen **II.** *adj attr* (MIL) Besatzungs-; **oc•cu•pa•tional** [ˌɒkjʊ'peɪʃənl] *adj* beruflich; **~ disease** Berufskrankheit *f;* **~ hazard** Berufsrisiko *n;* **~ pension scheme** betriebliche Altersversorgung; **~ therapy** Beschäftigungstherapie *f;* **oc•cu•pier** ['ɒkjʊpaɪə(r)] *s* **1.** Bewohner(in) *m(f)* **2.** (*e-r Stelle*) Inhaber(in) *m(f)* **3.** Besetzer(in) *m(f);* **oc•cupy** ['ɒkjʊpaɪ] *tr* **1.** bewohnen; belegen **2.** besetzen **3.** (*Zeit*) in Anspruch nehmen **4.** (*Stellung*) innehaben **5.** (*Raum*) einnehmen **6.** beschäftigen; **be occupied with** beschäftigt sein mit; **~ o.s.** sich beschäftigen; **keep s.o. occupied** jdn beschäftigen
oc•cur [ə'kɜː(r)] *itr* **1.** vorkommen; sich ereignen, geschehen; stattfinden **2.** einfallen, in den Sinn kommen (*to s.o.* jdm); **don't let it ~ again** lassen Sie das nicht wieder vorkommen; **it ~s to me that ...** ich habe den Eindruck, dass ...; **the idea just ~red to me** es ist mir gerade eingefallen; **did it ever ~ to you that ...?** hast du eigentlich je daran gedacht, dass ...?; **oc•cur•rence** [ə'kʌrəns] *s* **1.** Ereignis, Vorkommnis *n,* Begebenheit *f* **2.** Auftreten *n;* Vorkommen *n;* **an everyday ~** ein alltägliches Ereignis; **be of frequent/rare ~** häufig/selten vorkommen
ocean ['əʊʃn] *s* Ozean *m,* Meer *n;* **~s of** (*fam*) jede Menge, massenhaft; **ocean climate** *s* Meeresklima *n;* **ocean-going** ['əʊʃngəʊɪŋ] *adj* hochseetauglich; **~ tug** Hochseeschlepper *m;* **Oce•an•ia** [ˌəʊʃɪ'ænɪə] *s* (GEOG) Ozeanien *n;* **ocean liner** *s* Ozeandampfer *m;* **ocean•og•raphy** [ˌəʊʃə'nɒgrəfɪ] *s* Meereskunde *f*
oce•lot ['əʊsɪlɒt] *s* (ZOO) Ozelot *m*
ocher (*Am*) *s.* **ochre**
ochre ['əʊkə(r)] **I.** *s* Ocker *m od n* **II.** *adj* ockerfarben
o'clock [ə'klɒk] *adv:* **it's 2 ~** es ist 2 Uhr
OCR *s abbr of* **optical character recognition, reader** (EDV) optische Zeichenerkennung; (*~ reader*) OCR-Lesegerät *n*
oc•ta•gon ['ɒktəgən] *s* Achteck *n*
oc•tane ['ɒkteɪn] *s* (CHEM) Oktan *n;* **octane number, octane rating** *s* Oktanzahl *f*
oc•tave ['ɒktɪv] *s* (MUS) Oktave *f;* **oc•tet** [ɒk'tet] *s* (MUS) Oktett *n*
Oc•to•ber [ɒk'təʊbə(r)] *s* Oktober *m;* **in ~** im Oktober
oc•to•gen•arian [ˌɒktədʒɪ'neərɪən] **I.** *adj* achtzigjährig **II.** *s* Achtziger(in) *m(f)*
oc•to•pus ['ɒktəpəs] *s* Tintenfisch *m,* Krake *f*
ocu•list ['ɒkjʊlɪst] *s* Augenarzt *m,* -ärztin *f*
odd [ɒd] *adj* **1.** (*Zahl*) ung(e)rade **2.** (*Schuh*) einzeln **3.** überzählig, -schüssig, übrig **4.** gelegentlich, zeitweilig **5.** (*Mensch*) merkwürdig, eigenartig, absonderlich; **thirty-~ years** so um die dreißig (Jahre); **the ~ one left over** der, die, das Überzählige; **at ~ times** hin und wieder, dann und wann; **~ job man** Mädchen *n* für alles; **~ man out** das fünfte Rad am Wagen; Außenseiter *m;* **odd•ball** ['ɒdbɔːl] *s* Sonderling *m;* **odd•ity** ['ɒdətɪ] *s* **1.** Ungewöhnlichkeit, Absonderlichkeit, Eigenartigkeit *f* **2.** komischer Kauz; **odd•ly** ['ɒdlɪ] *adv* eigenartig, sonderbar, merkwürdig; **~ enough** seltsamerweise; **odd•ment** ['ɒdmənt] *s* **1.** Rest *m;* Restposten *m* **2.** **~s** Rest-, Einzelstücke *npl*

odds [ɒdz] *s pl* **1.** (*beim Wetten*) Gewinnquote *f;* Kurse *mpl* **2.** Gewinnchancen *fpl;* **the ~ are against us** alles spricht gegen uns; **what are the ~ on ...?** wie stehen die Chancen, dass ...?; **pay over the ~** einiges mehr bezahlen; **what's the ~?** was macht das schon?; **it makes no ~** es spielt keine Rolle; **the ~ are 2 to 1** die Chancen stehen 2 zu 1; **be at ~ with s.o. over s.th.** mit jdm in etw nicht einig gehen; **the ~ are in his favour** der Vorteil ist auf seiner Seite; **~ and ends** Überbleibsel *npl,* Reste *mpl,* Krimskrams, Kram *m;* **odds-on** [ˌɒdz'ɒn] *adv:* **it's ~ that** es ist sehr wahrscheinlich, dass

ode [əʊd] *s* Ode *f*

odi•ous ['əʊdɪəs] *adj* **1.** (*Tat*) abscheulich **2.** (*Person*) abstoßend, ekelhaft

odom•eter [ɒ'dɒmɪtə(r)] *s* (*Am*) Kilometerzähler *m*

odor (*Am*) *s.* **odour; odor•less** *adj* (*Am*) *s.* **odourless; odour** ['əʊdə(r)] *s* Geruch *m a. fig,* Wohlgeruch *m;* **be in good/bad ~ with s.o.** gut/schlecht bei jdm angeschrieben sein; **odour•less** [-lɪs] *adj* geruchlos

od•ys•sey ['ɒdɪsɪ] *s* Odyssee *f a. fig*

OECD [ˌəʊiːsiː'diː] *s abbr of* **Organization for Economic Cooperation and Development** OECD *f,* Organisation *f* für wirtschaftliche Zusammenarbeit und Entwicklung

oecu•meni•cal [ˌiːkjuː'menɪkl] *adj* ökumenisch

oesoph•agus [iː'sɒfəgəs] *s* (ANAT) Speiseröhre *f*

of [əv, *betont* ɒv] *prep* **1.** (*Besitzverhältnis*) von; **a friend ~ mine** ein Freund von mir; **the works ~ Shakespeare** Shakespeares Werke **2.** (*zeitlich, örtlich*): **north ~ London** nördlich von London; **a quarter ~ six** (*Am*) Viertel vor sechs **3.** (*Angabe des Grundes*): **die ~ hunger** verhungern; **be proud ~ s.th.** stolz auf etw sein **4.** (*Angabe e-r Entbehrung*): **cure s.o. ~ a disease** jdn von e-r Krankheit heilen; **trees bare ~ leaves** Bäume ohne Blätter **5.** (*Angabe des Materials*): **table ~ wood** Holztisch *m* **6.** (*Angabe der Qualität*): **man ~ courage** mutiger Mensch; **~ no importance** bedeutungslos **7.** (*Angabe des Genitivs*): **love ~ money** Liebe zum Geld; **many ~ them came** viele kamen; **one ~ the best** e-r der Besten; **today ~ all days** ausgerechnet heute; **you ~ all people ought to know** gerade Sie sollten das wissen; **what has become ~ him?** was ist aus ihm geworden?; **doctor ~ medicine** Doktor *m* der Medizin; **what do you do ~ a Sunday?** was machst du sonntags?; **~ late** seit neuestem; **~ old** einst, ehemals

off [ɒf] **I.** *adv* **1.** (*Entfernung*): **the town is five miles ~** die Stadt ist fünf Meilen entfernt; **the holidays are not far ~** es ist nicht mehr lang bis zu den Ferien **2.** (*Weggang*): **go ~** gehen; **~ with him!** fort mit ihm!; **it's time I was ~** es ist Zeit, dass ich gehe; **they're ~** (SPORT) sie sind gestartet **3.** (*Wegnehmen*): **there are two buttons ~** es fehlen zwei Knöpfe; **the lid is ~** der Deckel ist nicht drauf **4.** (*Abzug*): **1 % ~** 1 % Nachlass **5. get a day ~** e-n Tag freibekommen; **~ and on, on and ~** ab und zu; **it rained ~ and on** es regnete mit Unterbrechungen **II.** *prep* **1.** (*Angabe e-r Bewegung*): **fall ~ a ladder** von e-r Leiter fallen; **jump ~ the roof** vom Dach springen; **she borrowed money ~ her father** (*sl*) sie lieh sich von ihrem Vater Geld **2.** (*Entfernung*) abgelegen von; **the narrow lane was ~ the main road** die enge Straße lag von der Hauptstraße ab **3.** (*fam*): **he's ~ drugs now** er ist nicht mehr rauschgiftsüchtig **III.** *adj* **1.** (*Tag*) schlecht **2.** (*Speisen*) verdorben, schlecht; (*Milch*) sauer **3.** (*Spiel, Streik*) abgesagt **4.** (*Licht*) ausgeschaltet **5.** (*Vertrag*) nicht mehr geltend; **I'm afraid veal is ~ now** das Kalbfleisch ist leider ausgegangen; **they are badly ~** sie sind nicht gut gestellt; **you're ~ there** da irrst du gewaltig; **that's a bit ~!** das ist ein dicker Hund!; **how are we ~ for time?** wie viel Zeit haben wir noch?

of•fal ['ɒfl] *s* **1.** Innereien *pl* **2.** (*fig*) Abfall *m*

off-beat [ˌɒf'biːt] *adj* (*fam*) ungewöhnlich, unkonventionell; **off-center** (*Am*) *s.* **off-centre; off-centre** [ˌɒf'sentə(r)] *adj* nicht in der Mitte; asymmetrisch; **off-chance** ['ɒftʃɑːns] *s:* **do s.th. on the ~** etw auf den Verdacht hin tun; **I came on the ~ of seeing him** ich kam in der Hoffnung ihn (vielleicht) zu sehen; **off-color** (*Am*) *s.* **off-colour; off-col•our** [ˌɒf'kʌlə(r)] *adj* **1.** unwohl **2.** (*Witz*) zweideutig; **off-day** ['ɒfdeɪ] *s* (*fam*) Tag *m,* an dem man sich wohlfühlt

of•fence [ə'fens] *s* **1.** (JUR) Straftat *f;* Vergehen *n* (*against* gegen) **2.** Kränkung, Beleidigung *f;* Anstoß *m* **3.** (REL) Sünde *f* **4.** Angriff *m;* **commit an ~** sich strafbar machen; **first ~** erste Straftat; **it is an ~ to the eye** das beleidigt das Auge; **cause** [*o* **give**] **~ to s.o.** jdn kränken; **take ~ at s.th.** wegen etw gekränkt sein; an etw Anstoß nehmen; **~ is the best defence** (*prov*) Angriff ist die beste Verteidigung; **of•fend** [ə'fend] **I.** *itr* **1.** beleidigend sein **2.** Unrecht tun; **~ against** verstoßen gegen **II.** *tr* **1.** beleidigen, verletzen **2.** Anstoß erregen bei; **of•fender** [ə'fendə(r)] *s* Täter(in) *m(f)*, Verkehrssünder(in) *m(f)*; **first** ~ Ersttäter(in), noch nicht Vorbestrafte(r) *f m*; **of•fense** (*Am*) *s.* **offence**; **of•fen•sive** [ə'fensɪv] **I.** *adj* **1.** angreifend, offensiv **2.** (*Geruch*) unangenehm, widerlich **3.** (*Film*) anstößig **4.** (*Benehmen*) beleidigend, kränkend **II.** *s* Angriff *m*, Offensive *f*; **take the** ~ in die Offensive gehen; **on the** ~ in der Offensive; ~ **weapon** Offensivwaffe *f*

of•fer ['ɒfə(r)] **I.** *tr* **1.** anbieten **2.** (*Preis*) aussetzen **3.** (*Rat*) (an)bieten **4.** (*Plan*) vorschlagen **5.** (*Trost*) spenden **6.** (*Opfer*) darbringen **7.** (*Widerstand*) bieten; ~ **to do s.th.** anbieten etw zu tun; ~ **an opinion** sich äußern; ~ **an explanation** e-e Erklärung geben; ~ **a price** ein Preisangebot machen; ~ **resistance** Widerstand leisten; ~ **a reward** e-e Belohnung aussetzen **II.** *itr:* **whenever the opportunity ~s** immer wenn sich die Gelegenheit bietet **III.** *s* **1.** Angebot *n* **2.** (~ *of marriage*) (Heirats)Antrag *m*; **on** ~ (COM) (zum Verkauf) angeboten; verkäuflich; im Sonderangebot; **make an** ~ **of s.th. to s.o.** jdm etw anbieten; **open to ~s** Angebote werden entgegengenommen; **the house is under** ~ für das Haus liegt ein Kaufangebot vor; **of•fer•ing** ['ɒfərɪŋ] *s* **1.** Gabe *f* **2.** (REL) Opfer *n*; Opfergabe *f*

off-hand [ˌɒf'hænd] **I.** *adv* so ohne weiteres, auf Anhieb **II.** *adj a. off-handed* **1.** lässig **2.** (*Benehmen*) gleichgültig

of•fice ['ɒfɪs] *s* **1.** Büro *n*; Kanzlei *f*; Abteilung *f* **2.** Amt *n* **3.** Aufgabe, Pflicht *f* **4.** ~**s** Dienste *mpl* **5.** (REL) Gottesdienst *m*; **at the** ~ im Büro; **take** ~ das Amt antreten; die Regierung übernehmen; **through the ~s of** durch Vermittlung von; **hold** ~ im Amt sein; an der Regierung sein; **be out of** ~ nicht im Amt sein; nicht mehr an der Regierung sein; **office automation** *s* (EDV) Büroautomation *f*; **office block** *s* Bürohaus *n*; Bürokomplex *m*; **office boy** *s* Laufbursche *m*; **office building** *s* Bürogebäude *n*; **office equipment** *s* Büroausstattung *f*; **office hours** *s pl* Dienstzeit *f*; Geschäfts-, Öffnungszeiten *fpl*; **Office of Fair Trading**, **OFT** *s* Amt *n* für Verbraucherschutz

of•fi•cer ['ɒfɪsə(r)] *s* **1.** (MIL AERO) Offizier *m* **2.** Beamte(r) *m*, Beamtin *f* **3.** (*Verein*) Vorstandsmitglied *n*; **medical** ~ Amtsarzt *m*, -ärztin *f*; **police** ~ Polizeibeamte(r) *m*, -beamtin *f*

of•fice space ['ɒfɪsˌspeɪs] *s* Büroräume *mpl*; **office staff** *s* Büropersonal *n*; **office supplies** *s pl* Bürobedarf *m*; **office worker** *s* Büroangestellte(r) *f m*

of•fi•cial [ə'fɪʃl] **I.** *adj* amtlich; dienstlich; offiziell; **through** ~ **channels** auf dem Dienstweg; **O~ Secrets Act** Gesetz *n* über die Wahrung von Staatsgeheimnissen; ~ **statement** amtliche Verlautbarung; ~ **style** förmlicher Stil **II.** *s* **1.** Beamte(r) *m*, Beamtin *f* **2.** (*Verein*) Funktionär(in) *m(f)*; **of•fi•cial•dom** [-dəm] *s* Beamtentum *n*, Bürokratie *f*; **of•fi•cialese** [əˌfɪʃə'li:z] *s* Beamten-, Amtsjargon *m*; **of•fi•cial•ly** [ə'fɪʃəlɪ] *adv* offiziell; **of•fi•ci•ate** [ə'fɪʃɪeɪt] *itr* amtieren, fungieren

of•fi•cious [ə'fɪʃəs] *adj* übereifrig, dienstbeflissen

off•ing ['ɒfɪŋ] *s:* **in the** ~ in Sicht

off-key [ˌɒf'ki:] *adj* (MUS) falsch; **off-licence** ['ɒflaɪsns] *s* (*Br*) **1.** Konzession *f* für den Verkauf von Alkohol **2.** Wein und Spirituosenhandlung *f*; **off-line** [ˌɒf'laɪn] **I.** *adj* (EDV) Offline-; ~ **mode** (EDV) Offlinebetrieb *m* **II.** *adv* offline; **off•load** [ˌɒf'ləʊd] *tr* **1.** ausladen, entladen **2.** abstoßen, abschieben; **off-peak** ['ɒfpi:k] *adj:* ~ **charges** verbilligter Tarif; **during** ~ **hours** außerhalb der Stoßzeiten; ~ **heating** Speicherheizung *f*; **off-put•ting** [ˌɒf'pʊtɪŋ] *adj* (*fam*) entmutigend; wenig einladend; unsympathisch; **off-sea•son** ['ɒfsi:zn] *s* Nebensaison *f*

off•set ['ɒfset] **I.** *s* **1.** (TYP) Offsetdruck *m* **2.** (BOT) Ableger *m* **3.** (*fig*) Ausgleich *m* **II.** *tr* **1.** ausgleichen; wettmachen, aufwiegen **2.** versetzen

off•shore [ˌɒf'ʃɔ:(r)] **I.** *adv* von der Küste weg; **anchor** ~ vor der Küste ankern **II.** *adj* küstennah; Küsten-; im Meer; ~ **wind** Landwind *m*; **off•side** [ˌɒf'saɪd] **I.** *adj* **1.** (SPORT) im Abseits **2.** (MOT) auf der Fahrerseite **II.** *s* (MOT) Fahrerseite *f*; **offside rule** *s* (*sport*) Abseitsregel *f*

off•spring ['ɒfsprɪŋ] *s* **1.** (*sing*) Sprößling, Abkömmling *m* **2.** (*pl*) Nachwuchs *m*; (die) Jungen *pl*

off•stage [ˌɒf'steɪdʒ] *adv* hinter den Kulissen; **off-street parking** *s Parkgelegenheiten abseits der Straße;* **off-the-cuff** [ˌɒfðə'kʌf] *adj, adv* aus dem Stegreif; **off-the-job training** *s* außerbetriebliche Ausbildung; **off-the-peg** [ˌɒfðə'peg] *adj* (*Br*) von der Stange, Konfektions-; **off-white** [ˌɒf'waɪt] *adj* gebrochen weiß

OFT [ˌəʊef'ti:] *s abbr of* **Office of Fair Trading** Amt *n* für Verbraucherschutz

of•ten ['ɒfn] *adv* oft, häufig; **we** ~ **go there** wir gehen häufig dahin; **as** ~ **as** sooft wie; **not as** ~ **as twice a month** weniger als zweimal im Monat; **as** ~ **as not** meistens; **more** ~ **than not** meistens; **every so** ~ öfters, von Zeit zu Zeit; **once too** ~ einmal zu oft; **how ~?** wie oft?

ogle ['əʊgl] *tr* liebäugeln mit; kein Auge lassen von
ogre ['əʊgə(r)] *s* Menschenfresser *m* (*im Märchen*); **ogress** ['əʊgres] *s* Menschenfresserin *f*
oh [əʊ] *interj* oh! ach!; ~ **well** na ja!; ~ **dear!** o je!; ~ **yes?** ach ja?
oik [ɔɪk] *s* (*pej sl*) Prolet *m*
oil [ɔɪl] **I.** *s* **1.** Öl *n* **2.** Erdöl, Petroleum *n* **3.** Ölfarbe *f*, -gemälde *n* **4.** (*sl*) Schmeichelei *f*; **burn the midnight** ~ bis spät in die Nacht (hinein) arbeiten; **pour** ~ **on troubled waters** die Wogen glätten; **strike** ~ (*fig*) e-n guten Fund machen; **paint in** ~**s** in Öl malen **II.** *tr* (ein)ölen, schmieren; ~ **s.o.'s palm** jdn bestechen; ~ **the wheels** (*fig*) die Dinge erleichtern; **oil-based paint** *s* Ölfarbe *f*; **oil cake** *s* Ölkuchen *m*; **oil-can** *s* Ölkanne *f*; **oil change** *s* (MOT) Ölwechsel *m*; **oil•cloth** ['ɔɪlklɒθ] *s* Wachstuch *n*; **oil company** *s* Ölkonzern *m*; **oil consumption** *s* Ölverbrauch *m*; **oil crisis** *s* Ölkrise *f*; **oil-exporting** [ˌɔɪlɪk'spɔːtɪŋ] *adj* Erdöl exportierend; ~ **country** Ölexportland *n*; **oil•field** *s* Ölfeld *n*; **oil-fired** ['ɔɪlˌfaɪrd] *adj* mit Öl befeuert; **oili•ness** ['ɔɪlɪnɪs] *s* **1.** ölige Beschaffenheit **2.** (*fig*) aalglattes Wesen; **oil lamp** *s* Öllampe *f*; **oil level** *s* (TECH) Ölstand *m*; **oil painting** *s* Ölgemälde *n*, -malerei *f*; **oil pipeline** *s* Erdölleitung *f*; **oil-producing** *adj* ölfördernd; ~ **country** Ölförderland *n*; **oil production** *s* Ölförderung *f*; **oil rig** *s* Bohrturm *m*; -insel *f*; **oil sheik** *s* Ölscheich *m*; **oil•skin** *s* **1.** Öltuch *n* **2.** ~**s** Ölzeug *n*; **oil slick** *s* Ölteppich *m*; Öllache *f*; **oil tanker** *s* Öltanker *m*, Tankschiff *n*; **oil well** *s* Ölquelle *f*; **oily** ['ɔɪlɪ] *adj* **1.** ölig; ölhaltig **2.** (*Finger*) voller Öl **3.** (*fig*) aalglatt
oint•ment ['ɔɪntmənt] *s* Salbe *f*
OK, okay [ˌəʊ'keɪ] **I.** *interj* okay! einverstanden! in Ordnung! **II.** *adj* in Ordnung, okay; **that's** ~ **with me** das ist mir recht; **be** ~ **for money** genug Geld haben **III.** *adv* gut; einigermaßen **IV.** *tr* (*Plan*) gutheißen, billigen **V.** *s* Zustimmung *f*
ok•ra ['əʊkrə] *s* Okra *n*
old [əʊld] **I.** *adj* **1.** alt **2.** bejahrt, betagt **3.** verbraucht, abgenutzt **4.** früher, ehemalig **5.** erfahren, erprobt **6.** altertümlich; weit zurückliegend, -reichend; ~ **people** alte Leute; **he's forty years** ~ er ist 40; **seven-year-**~ Siebenjährige(r) *f m*; **any** ~ **thing** irgendwas; **his** ~ **school** seine ehemalige Schule; **we had a great** ~ **time** wir haben uns prächtig amüsiert; **the O**~ **World** die alte Welt **II.** *s*: **in days of** ~ in alten Zeiten; **the men of** ~ die Menschen früherer Zeiten; **old age** *s* das Alter; **reach** ~ ein hohes Alter erreichen; **old-age pension** Altersrente *f*; ~ **pensioner, OAP** Rentner(in) *m(f)*; **Old Bill** *s* (*Br sl*) die Polizei; **old boy** *s* (*Br*) ehemaliger Schüler; ~ **network** *Seilschaft von Männern;* **old-es•tab-lished** [ˌəʊldɪ'stæblɪʃt] *adj* alteingesessen; **old-fashioned** [ˌəʊld'fæʃnd] *adj* altmodisch; **old girl** *s* (*Br*) ehemalige Schülerin; **old•ish** ['əʊldɪʃ] *adj* ältlich; **old lady** *s* (*fam*): **my** ~ meine Alte; **old-maidish** [ˌəʊld'meɪdɪʃ] *adj* altjüngferlich; **old man** *s* (*fam*): **my** ~ mein Alter; **old master** *s* alter Meister; **old people's home** *s* Altersheim *n*; **old school** *s* (*fig*) alte Schule; **old stager** [ˌəʊld'steɪdʒə(r)] *s* alter Hase; **old-style** *adj* im alten Stil; **old-timer** ['əʊldtaɪmə(r)] *s* (*fam*) e-(r) von der alten Garde, Veteran(in) *m(f)*; **old wives' tale** *s* Ammenmärchen *n*
ole•an•der [ˌəʊlɪ'ændə(r)] *s* (BOT) Oleander *m*
ol•fac•tory [ɒl'fæktərɪ] *adj* Geruchs-
ol•ive ['ɒlɪv] **I.** *s* **1.** Olive *f* **2.** (~ *tree*) Olivenbaum *m* **3.** (*Farbe*) Olivgrün *n* **II.** *adj* olivgrün; **olive branch** *s* Ölzweig *m*; **olive grove** *s* Olivenhain *m*; **olive oil** ['ɒlɪvˌɔɪl] *s* Olivenöl *n*
Olym•piad [ə'lɪmpɪæd] *s* Olympiade *f*; **Olym•pian** [ə'lɪmpɪən] **I.** *s* Olympier *m* **II.** *adj* olympisch; **Olym•pic** [ə'lɪmpɪk] **I.** *adj* olympisch **II.** *s*: **the** ~ **Games, the** ~**s** die Olympischen Spiele
Oman [əʊ'mɑːn] *s* Oman *m*; **Omani** [əʊ'mɑːnɪ] **I.** *adj* omanisch **II.** *s* Omaner(in) *m(f)*
om•buds•man ['ɒmbʊdzmən] <*pl* -men> *s* (POL) Ombudsmann *m*
om•elet (*Am*) *s*. **omelette**
om•elette ['ɒmlɪt] *s* Omelett(e) *n*, Eierkuchen *m*
omen ['əʊmen] *s* Omen, Vorzeichen *n* (*for* für); **om•in•ous** ['ɒmɪnəs] *adj* bedrohlich, drohend; unheilverkündend
omission [ə'mɪʃn] *s* **1.** Auslassung *f* **2.** Unterlassung, Nichtbeachtung *f*; **sin of** ~ Unterlassungssünde *f a. fig*
omit [ə'mɪt] *tr* **1.** auslassen (*from* aus) **2.** unterlassen, versäumen (*doing, to do* zu tun)
om•ni•bus ['ɒmnɪbəs] **I.** *s* **1.** Omnibus, Autobus, Bus *m* **2.** (*Buch*) Sammelband *m* **II.** *adj* allgemein, umfassend; ~ **agreement** Globalabkommen *n*
om•nip•otence [ɒm'nɪpətəns] *s* Allmacht, Omnipotenz *f*; **om•nip•otent** [ɒm'nɪpətənt] *adj* allmächtig
om•ni•pres•ent [ˌɒmnɪ'preznt] *adj* allgegenwärtig
om•nis•cient [ɒm'nɪʃnt] *adj* allwissend
om•ni•vo•rous [ɒm'nɪvərəs] *adj* allesfressend

on [ɒn] **I.** *prep* **1.** (*Platz, Lage*) auf; an; ~ **the table** auf dem Tisch; **pictures ~ the wall** Bilder an der Wand; **flies ~ the ceiling** Fliegen an der Decke; ~ **the right** rechts; ~ **the radio** im Radio; **he has no money ~ him** er hat kein Geld bei sich; **a house ~ the coast** ein Haus am Meer **2.** (*Transportmittel*): **go ~ the train** mit dem Zug fahren; ~ **foot** zu Fuß; ~ **a bicycle** mit dem Fahrrad **3.** (*Mittel*): **live ~ one's income** von seinem Einkommen leben; **live ~ bread** sich von Brot ernähren **4.** über; **a lecture ~ Shakespeare** ein Vortrag über Shakespeare **5.** (*zeitlich*) an; ~ **Sunday** am Sonntag; ~ **the evening of May the first** am Abend des ersten Mai; ~ **the minute** auf die Minute genau **6.** bei; ~ **my arrival** bei meiner Ankunft; ~ **request** auf Wunsch; ~ **receiving his letter** auf seinen Brief hin **7.** (*Zugehörigkeit*) in; **he is ~ the committee** er gehört dem Ausschuss an **8.** (*beschäftigt mit*): **work ~ a project** an e-m Projekt arbeiten **9.** im Vergleich zu **10.** (MUS): **play ~ the violin** auf der Geige spielen **11.** nach; ~ **his theory** seiner Theorie nach; **this is ~ me** das geht auf meine Kosten **II.** *adv* (*s. a. Verb mit on*): **have nothing ~** nichts anhaben, nackt sein; **I put a hat ~** ich setzte e-n Hut auf; **from that day ~** von diesem Tag an; **well ~ in the morning** später am Morgen; **keep ~ talking** immer weiterreden; ~ **and ~** ununterbrochen, andauernd; **be ~ at s.o.** (*fam*) auf jdm dauernd herumhacken; **what's he ~ about?** wovon redet er nun schon wieder? **III.** *adj* (*Licht*) an; **be ~** gegeben werden; gezeigt werden; **who's ~ tonight?** wer spielt heute Abend?; **I have nothing ~ tonight** ich habe heute Abend nichts vor; **it's just not ~** das gibt es einfach nicht; **what's ~ in town?** was läuft in der Stadt?

once [wʌns] **I.** *adv* einmal; früher einmal; einst; ~ **a week** einmal in der Woche; ~ **more** noch einmal; ~ **and for all** ein für allemal; ~ **or twice** ein- oder zweimal; ~ **upon a time there was ...** es war einmal ...; **at ~** sofort; auf einmal; **all at ~** ganz plötzlich; ~ **in a blue moon** alle Jubeljahre einmal; ~ **bitten twice shy** (*prov*) ein gebranntes Kind scheut das Feuer **II.** *conj* wenn; als; **once-over** ['wʌnsˌəʊvə(r)] *s* kurze Untersuchung; **give s.o. the ~** (*fam*) jdn kurz prüfend ansehen

on•com•ing ['ɒnkʌmɪŋ] **I.** *adj* **1.** entgegenkommend **2.** (*Gefahr*) nahend, drohend; **the ~ traffic** der Gegenverkehr **II.** *s* Nahen, Kommen *n*

on•costs ['ɒnˌkɒsts] *s pl* Fixkosten *pl*

one [wʌn] **I.** *adj* **1.** ein, eine, ein; **the baby is ~ (year old)** das Kind ist ein Jahr (alt); **it is ~ o'clock** es ist ein Uhr; ~ **hundred pounds** hundert Pfund **2.** (*unbestimmt*): ~ **morning** e-s Morgens; ~ **day next week** nächste Woche einmal; ~ **Mr Smith** ein gewisser Herr Smith **3.** (*einzig*): **my ~ hope** meine einzige Hoffnung; **my ~ thought was ...** mein einziger Gedanke war ... **4.** (*ohne Unterschied*): **they are ~ and the same person** das ist ein und dieselbe Person; **it is all ~** das ist einerlei; **we are ~ on the subject** wir sind uns über das Thema einig **II.** *pron* **1.** eine(r, s); **the ~ who ...** derjenige, der ...; **a bigger ~** ein größerer; **no ~ of these people** keiner dieser Leute; **any ~** irgendeine(r, s); **every ~** jede(r, s); **this ~** diese(r, s); **the little ~s** die Kleinen *pl;* **I'm not ~ to go out often** ich bin nicht der Typ, der oft ausgeht; **I was never ~ to say no** ich sage eigentlich nie Nein; **I, for ~, think otherwise** ich, zum Beispiel, denke anders; **they came ~ and all** sie kamen alle; ~ **by ~** einzeln; ~ **after the other** einer nach dem anderen; **she is ~ of us** sie ist e-e von uns **2.** man; einen *acc,* einem *dat;* **wash ~'s face** sich das Gesicht waschen; ~ **can't always find time for reading** man hat nicht immer Zeit zum Lesen **III.** *s* Eins *f;* **in ~s and twos** in kleinen Gruppen; **they became ~** sie wurden eins; **be at ~** sich einig sein; **the goods are sold in ~s** die Waren werden einzeln verkauft; **be ~ up on s.o.** jdm etw voraushaben

one-armed [ˌwʌn'ɑːmd] *adj* einarmig; ~ **bandit** einarmiger Bandit (*Spielautomat*); **one-eyed** [ˌwʌn'aɪd] *adj* einäugig; **one-handed** [ˌwʌn'hændɪd] *adj* einhändig; **one-horse** [ˌwʌn'hɔːs] *adj* einspännig; **a ~ town** (*fam*) ein Kuhdorf; **one-legged** [ˌwʌn'legd] *adj* einbeinig; **one-liner** ['wʌnˌlaɪnə(r)] *s* (*fam*) *witzige Bemerkung;* **one-man** [ˌwʌn'mæn] *adj* Einmann-; ~ **band** Einmannband *f;* ~ **job** Arbeit *f* für e-n einzelnen; **one-night stand** *s* **1.** (THEAT) einmalige Aufführung **2. it was only a ~** es war nur ein Abenteuer für eine Nacht; **one-off** ['wʌnɒf] **I.** *adj* (*Br*) einmalig **II.** *s* etwas Einmaliges; **one-piece** [ˌwʌn'piːs] *adj* einteilig; ~ **swimsuit** Einteiler *m*

on•er•ous ['ɒnərəs] *adj* beschwerlich, drückend; schwer

one•self [wʌn'self] *pron* **1.** sich **2.** (*betont*) (man) selbst; **wash ~** sich waschen; **for ~** ganz allein; ohne Hilfe; **if one doesn't do everything ~** wenn man nicht alles selbst macht; **be ~** sich so geben, wie man ist; **come to ~** wieder zu sich kommen; sich fassen

one-sided [ˌwʌn'saɪdɪd] *adj* **1.** einseitig *a.*

fig **2.** (*fig*) parteiisch; **one-time** ['wʌntaɪm] *adj* ehemalig, früher; **one-track** ['wʌntræk] *adj:* **he's got a ~ mind** der hat immer nur das eine im Kopf; **one-up•man•ship** [ˌwʌn'ʌpmənʃɪp] *s:* **the art of ~** die Kunst, allen anderen um e-e Nasenlänge voraus zu sein; **one-way** ['wʌnweɪ] *adj* Einbahn-; **~ street** Einbahnstraße *f;* **~ ticket** einfache Fahrkarte

on•go•ing ['ɒngəʊɪŋ] *adj* im Gang befindlich, laufend; andauernd

onion ['ʌnɪən] *s* Zwiebel *f;* **know one's ~s** (*sl*) sein Geschäft verstehen

on-line [ˌɒn'laɪn] **I.** *adj* (EDV) Online-; **~ mode** (EDV) Onlinebetrieb *m* **II.** *adv* online

on•looker ['ɒnlʊkə(r)] *s* Zuschauer(in) *m(f)*

only ['əʊnlɪ] **I.** *adj* einzige(r, s); **he's an ~ child** er ist ein Einzelkind; **the ~ thing** das einzige; **her ~ answer was a shrug** ihre Antwort bestand nur aus e-m Achselzucken; **my one and ~ hope** meine einzige Hoffnung **II.** *adv* nur; **~ last week** erst letzte Woche; **I ~ wanted ...** ich wollte weiter nichts, als ...; **~ too true** nur zu wahr; **if ~** wenn doch nur; **not ~ ... but also** nicht nur ... sondern auch; **if ~ that hadn't happened** wenn das bloß nicht passiert wäre; **~ just** eben erst **III.** *conj* bloß, nur

o.n.o. [ˌəʊen'əʊ] *abbr of* **or near(est) offer 1.** oder gegen Höchstgebot **2.** Verhandlungsbasis, VB *f*

on•rush ['ɒnrʌʃ] *s* Ansturm *m a. fig;* **on-set** ['ɒnset] *s* **1.** Anfang, Beginn *m* **2.** (MED) Ausbruch *m;* **at the first ~** bei Beginn; **on•shore** ['ɒnʃɔ:(r)] **I.** *adj* Land- **II.** *adv* an Land; **on•side** *adv* (SPORT) nicht im Abseits; **on-site** [ˌɒn'sait] **I.** *adj* Vor-Ort-; **~ supervision** Vor-Ort-Kontrolle *f* **II.** *adv* vor Ort; **on•slaught** ['ɒnslɔ:t] *s* heftiger Angriff (*on* auf)

on-the-job training [ˌɒnðə'jɒbˌtreɪnɪŋ] *s* betriebliche Ausbildung

onto ['ɒntʊ, *vor Konsonanten* 'ɒntə] *prep* auf; **come ~ a subject** auf ein Thema zu sprechen kommen; **be ~ s.o.** jdm auf die Schliche kommen

on•ward ['ɒnwəd] **I.** *adv* (*a.* **~s**) voran, vorwärts, weiter; **from today ~** von heute an **II.** *adj* nach vorn (gerichtet); **the ~ course of events** die fortschreitende Entwicklung der Dinge

onyx ['ɒnɪks] *s* (MIN) Onyx *m*

oodles ['u:dlz] *s pl* (*sl*) jede Menge; **~ of money** Geld wie Heu

oomph [ʊmf] *s* (*sl*) Schwung *m*

ooze [u:z] **I.** *s* Schlick, Schlamm *m* **II.** *itr* triefen; sickern; herausquellen; **~ away** versickern; versiegen; **~ out** herausquellen **III.** *tr* **1.** ausschwitzen **2.** (*fig*) triefen von; strotzen von

opac•ity [əʊ'pæsətɪ] *s* Undurchsichtigkeit *f a. fig,* Lichtundurchlässigkeit *f*

opal ['əʊpl] *s* (MIN) Opal *m;* **opal•escent** [ˌəʊpə'lesnt] *adj* opalisierend, schillernd

opaque [əʊ'peɪk] *adj* **1.** undurchsichtig, milchig, trüb **2.** (*fig*) undurchsichtig

open ['əʊpən] **I.** *adj* **1.** offen; geöffnet; frei **2.** (*Geschäft*) geöffnet **3.** (*Blick*) frei; offen **4.** (*Gebäude*) eingeweiht; freigegeben; eröffnet; (*Treffen*) öffentlich **5.** (*Feindschaft*) unverhohlen **6.** (*Frage*) offen, ungeklärt **7.** (*Küste*) ungeschützt **8.** (*Muster*) durchbrochen **9.** (*Charakter*) offen, aufrichtig; **keep the door ~** die Tür offenlassen; **a shirt ~ at the neck** ein am Hals offenes Hemd; **~ door policy** Politik *f* der offenen Tür; **in the ~ air** im Freien; **~ note** (MUS) Grundton *m;* **road ~ to traffic** Durchfahrt frei; **declare s.th. ~** etw einweihen, eröffnen; **in ~ court** (JUR) in öffentlicher Verhandlung; **be ~ to s.o.** jdm offen stehen; jdm zur Verfügung stehen; **~ to the public** der Öffentlichkeit zugänglich; **be ~ to advice** Ratschlägen zugänglich sein; **be ~ to attack** Angriffen ausgesetzt sein; **leave ~** (*fig*) offen lassen; **have an ~ mind on s.th.** e-r S aufgeschlossen gegenüberstehen **II.** *tr* **1.** (*Mund*) öffnen, aufmachen; (*Zeitung*) aufschlagen **2.** (*Ausstellung*) eröffnen; einweihen **3.** (*Gebiet*) erschließen **4.** (*fig*) öffnen **5.** (*Diskussion*) eröffnen, beginnen; **~ one's heart to s.o.** sich jdm eröffnen; **~ fire** das Feuer eröffnen **III.** *itr* **1.** sich öffnen; aufgehen **2.** (*Laden*) öffnen, aufmachen **3.** (*Tür*) führen (*into* in) **4.** beginnen (*with* mit) **IV.** *s:* **in the ~** im Freien; **come out into the ~** (*fig*) Farbe bekennen; **force s.o. out into the ~** jdn zwingen, sich zu stellen; **force s.th. out into the ~** etw zur Sprache bringen; **open on to** *itr* (*Tür*) führen auf; **open out I.** *itr* **1.** sich verbreitern; sich weiten; sich ausfalten lassen **2.** (*fig*) aus sich herausgehen **II.** *tr* **1.** auseinander falten; vergrößern **2.** (*fig*) aus der Reserve locken; **open up I.** *itr* **1.** sich öffnen, aufgehen; sich erschließen **2.** (*fig*) gesprächiger werden **3.** (*Tür*) aufgehen **4.** (MIL) das Feuer eröffnen **II.** *tr* **1.** (*Gebiet*) erschließen; freimachen **2.** bauen; schaffen **3.** (*Tür*) aufschließen **4.** (*Geschäft*) eröffnen

open-air [ˌəʊpn'eə(r)] *adj* im Freien; **~ swimming pool** Freibad *n;* **~ theatre** Freilichttheater *n;* **open-cast mining** *s* (MIN) Tagebau *m;* **open cheque** *s* Barscheck *m;* **open court** *s* offene Verhandlung; **open credit** *s* Blankokredit *m;* **open-ended**

[ˌəʊpn'endɪd] *adj* (*fig*) offen, zeitlich nicht begrenzt; alles offen lassend; **opener** ['əʊpənə(r)] *s* (TECH) Öffner *m;* **bottle-~** Flaschenöffner *m;* **tin-~** [*o Am* **can-**] Büchsenöffner *m;* **for ~s** für den Anfang; **open-eyed** [ˌəʊpn'aɪd] *adj* mit offenen Augen; **open-heart surgery** *s* Operation *f* am offenen Herzen

open•ing ['əʊpənɪŋ] **I.** *s* **1.** Öffnung *f;* Loch *n;* Spalt *m* **2.** Lücke *f* **3.** (*Am*) Lichtung *f* **4.** Eröffnung *f;* Beginn, Anfang *m* **5.** Öffnen *n;* Aufmachen *n* **6.** Möglichkeit, Chance *f* **7.** freie Stelle; **O~ of Parliament** Parlamentseröffnung *f;* **hours of ~** Öffnungszeiten *fpl* **II.** *adj* erste(r, s); Eröffnungs-; **opening balance** *s* Eröffnungsbilanz *f;* **opening bid** *s* Eröffnungsgebot *n;* **opening hours** *s pl* Öffnungszeiten *fpl;* **opening night** *s* Eröffnungsvorstellung *f;* **opening time** *s* Öffnungszeit *f*

open•ly ['əʊpənlɪ] *adv* offen; freiheraus; öffentlich

open market [ˌəʊpən'mɑːkɪt] *s* freier Markt

open-minded [ˌəʊpn'maɪndɪd] *adj* aufgeschlossen; **open-mouthed** [ˌəʊpn'maʊðd] *adj* mit offenem Mund

open-necked [ˌəʊpən'nekt] *adj* mit offenem Kragen

open•ness ['əʊpənnɪs] *s* **1.** Offenheit, Aufrichtigkeit *f;* Öffentlichkeit *f* **2.** (*fig*) Aufgeschlossenheit *f* **3.** Lockerheit *f*

open-plan [ˌəʊpn'plæn] *adj* Großraum-; offen angelegt; **open prison** *s* offene Strafvollzugsanstalt; **open sandwich** *s* belegtes Brot; **open ticket** *s* offenes Ticket; **Open University, OU** *s* (*Br*) Fernuniversität *f;* **open verdict** *s richterliche Feststellung auf unbekannte Todesursache*

op•era ['ɒprə] *s* Oper *f;* **go to the ~** in die Oper gehen

op•er•able ['ɒpərəbl] *adj* **1.** (MED) operierbar **2.** durchführbar, praktikabel

op•era glasses ['ɒprəglɑːsɪz] *s pl* Opernglas *n;* **opera house** *s* Opernhaus *n,* Oper *f*

op•er•ate ['ɒpəreɪt] **I.** *itr* **1.** in Betrieb, in Gang sein; funktionieren; laufen **2.** (*Plan*) sich auswirken **3.** operieren; Geschäfte tätigen **4.** (MIL) operieren **5.** (MED) operieren (*on s.o.* jdn); **~ against s.o.** gegen jdn wirken; **be ~d on** operiert werden **II.** *tr* **1.** (*Maschine*) bedienen; betätigen; auslösen; betreiben **2.** (*Geschäft*) betreiben, führen **3.** (*Gesetz*) anwenden **4.** (*Route*) bedienen; unterhalten; **op•er•at•ing** ['ɒpəreɪtɪŋ] *adj* **1.** Betriebs- **2.** (MED) Operations-; **~ loss** Betriebsverlust *m,* operativer Verlust; **~ manual** Benutzerhandbuch *n;* Bedienungsanleitung *f;* **~ profit** Betriebsgewinn *m,* operativer Gewinn; **~ system** (EDV) Betriebssystem *n;* **~ table** (MED) Operationstisch *m;* **~ theatre** (MED) Operationssaal *m*

op•er•ation [ˌɒpə'reɪʃn] *s* **1.** (*Maschine*) Funktionieren *n;* Gang, Lauf *m;* Arbeitsweise *f;* Funktionsweise *f* **2.** Bedienung, Handhabung *f;* Betätigung *f* **3.** (MED) Operation *f* **4.** Unternehmen *n,* Unternehmung *f* **5.** (MIL) Operation *f;* **be in ~** in Betrieb sein; (JUR) in Kraft sein; **be out of ~** außer Betrieb sein; **come into ~** in Gang kommen; (JUR) in Kraft treten; **have an ~** operiert werden (*for* wegen); **business ~s** Geschäfte *npl;* **mental ~s** Denkvorgänge *mpl;* **~s review** Betriebsanalyse *f;* **~s room** Hauptquartier *n;* **~s research** Unternehmensforschung *f;* **op•er•ation•al** [ˌɒpə'reɪʃənl] *adj* **1.** betriebsbereit; einsatzfähig; in Betrieb **2.** (TECH) Betriebs- **3.** (MIL) Einsatz-; **~ costs** Betriebskosten *pl*

op•er•at•ive ['ɒpərətɪv] **I.** *adj* **1.** (*Gesetze*) wirksam; maßgeblich, entscheidend **2.** (MED) operativ; **become ~** in Kraft treten **II.** *s* Maschinenarbeiter(in) *m(f)*

op•er•ator ['ɒpəreɪtə(r)] *s* **1.** (TELE) Vermittlung *f* **2.** Maschinenarbeiter(in) *m(f),* Operator(in) *m(f);* **a call through the ~** ein handvermitteltes Gespräch; **a clever** [*o* **slick**] **~** (*fam*) ein raffinierter Kerl *m;* **private ~** Privatunternehmer(in) *m(f)*

op•er•etta [ˌɒpə'retə] *s* Operette *f*

oph•thal•mic [ɒf'θælmɪk] *adj* Augen-; **oph•thal•mo•scope** [ɒf'θælməskəʊp] *s* Augenspiegel *m*

opi•ate ['əʊpɪət] *s* **1.** Opiat *n* **2.** (*fig*) Beruhigungsmittel *n*

opin•ion [ə'pɪnɪən] *s* **1.** Meinung, Ansicht *f* (*about, on* zu), Anschauung *f* **2.** Stellungnahme *f;* Gutachten *n;* Befund *m;* **in my ~** meiner Ansicht nach; **in the ~ of most people** nach Ansicht der meisten Menschen; **be of the ~ that ...** der Meinung sein, dass ...; **it's a matter of ~** das ist Ansichtssache; **have a good ~ of** e-e gute Meinung haben von; **have a low ~ of** nichts halten von; **opin•ion•ated** [ə'pɪnɪəneɪtɪd] *adj* selbstherrlich, rechthaberisch; **opinion poll** *s* Meinungsumfrage *f*

opium ['əʊpɪəm] *s* Opium *n;* **opium den** *s* Opiumhöhle *f*

opos•sum [ə'pɒsəm] *s* (ZOO) Opossum *n*

op•po•nent [ə'pəʊnənt] *s* Gegner(in) *m(f),* Gegenspieler(in) *m(f)*

op•por•tune ['ɒpətjuːn] *adj* **1.** (*Zeit*) gelegen, günstig **2.** (*Ereignis*) rechtzeitig; **an ~ remark** e-e Bemerkung an passender

Stelle

op•por•tun•ism [ˌɒpə'tjuːnɪzəm] *s* Opportunismus *m;* **op•por•tun•ist** [ˌɒpə'tjuːnɪst] *s* Opportunist(in) *m(f)*

op•por•tun•ity [ˌɒpə'tjuːnətɪ] *s* **1.** Gelegenheit *f* **2.** Chance, Möglichkeit *f;* **at the first** ~ bei der erstbesten Gelegenheit; **take/seize the** ~ **to do** [*o* **of doing**] **s.th.** die Gelegenheit nutzen/ergreifen etw zu tun; **equality of** ~ Chancengleichheit *f*

op•pose [ə'pəʊz] *tr* **1.** ablehnen; sich entgegenstellen (*s.th.* e-r S), sich widersetzen (*s.th.* e-r S) **2.** kandidieren gegen **3.** entgegensetzen; gegenüberstellen; **he ~es our coming** er ist absolut dagegen, dass wir kommen; **op•posed** [ə'pəʊzd] *adj* **1.** dagegen **2.** entgegengesetzt; **be** ~ **to s.th.** gegen etw sein; **I'm** ~ **to your going away** ich bin dagegen, dass Sie gehen; **as** ~ **to** im Gegensatz zu; **op•pos•ing** [-ɪŋ] *adj* gegnerisch; entgegengesetzt; ~ **team** Gegenmannschaft *f*

op•po•site ['ɒpəzɪt] **I.** *adj* **1.** entgegengesetzt; gegenüberliegend **2.** gegenüber (*to* von); **be** ~ gegenüberliegen, -stehen; ~ **number** Pendant *n;* ~ **poles** entgegengesetzte Pole; **the** ~ **sex** das andere Geschlecht **II.** *s* Gegenteil *n,* -satz *m;* **quite the** ~**!** ganz im Gegenteil! **III.** *adv* gegenüber; **they sat** ~ sie saßen uns, sich gegenüber **IV.** *prep* gegenüber *+dat;* ~ **one another** einander, sich gegenüber

op•po•si•tion [ˌɒpə'zɪʃn] *s* **1.** Gegensatz *m* (*to* zu) **2.** Widerstand *m,* Opposition *f* **3.** (POL ASTR) Opposition *f;* **offer** ~ **to s.o.** jdm Widerstand entgegensetzen; **without** ~ widerstandslos; **be in** ~ **to s.o.** im Gegensatz zu jdm stehen; **Her Majesty's O~** (*Br*) die Opposition

op•press [ə'pres] *tr* **1.** bedrücken; lasten auf **2.** unterdrücken; **I feel ~ed by the heat** die Hitze lastet schwer auf mir; **op•pres•sion** [ə'preʃn] *s* **1.** Bedrängnis, Bedrücktheit *f* **2.** Unterdrückung *f;* **feeling of** ~ Gefühl *n* der Beklemmung; **op•press•ive** [ə'presɪv] *adj* **1.** tyrannisch; erdrückend **2.** (*fig*) bedrückend **3.** (*Hitze*) drückend; **op•pressor** [ə'presə(r)] *s* Unterdrücker(in) *m(f)*

opt [ɒpt] *itr:* ~ **for s.th.** sich für etw entscheiden; ~ **to do s.th.** sich entscheiden etw zu tun; ~ **out** sich anders entscheiden; abspringen; ablehnen; aussteigen; **~-out clause** (EU) Ausstiegsklausel *f*

opthal•mic op•ti•cian [ɒpˌθælmɪkɒp'tɪʃn] *s* Augenoptiker(in) *m(f)*

optha•mo•lo•gist [ɒpθə'mɒlədʒɪst] *s* Augenarzt *m,* -ärztin *f*

op•tic ['ɒptɪk] *adj* Seh-; **op•ti•cal** ['ɒptɪkl] *adj* optisch; ~ **bar reader** Balkencodeleser *m;* ~ **character reader, OCR** optischer Zeichenleser; ~ **character recognition, OCR** optische Zeichenerkennung; ~ **fibre** Glasfaser *f;* ~ **illusion** optische Täuschung; **op•ti•cian** [ɒp'tɪʃn] *s* Optiker(in) *m(f);* **op•tics** ['ɒptɪks] *s pl mit sing* Optik *f*

op•ti•mal ['ɒptɪml] *adj* optimal

op•ti•mism ['ɒptɪmɪzəm] *s* Optimismus *m;* **op•ti•mist** ['ɒptɪmɪst] *s* Optimist(in) *m(f);* **op•ti•mis•tic** [ˌɒptɪ'mɪstɪk] *adj* optimistisch

op•ti•mize ['ɒptɪmaɪz] *tr* optimieren; **op•ti•mum** ['ɒptɪməm] **I.** *adj* optimal **II.** *s* Optimum *n*

op•tion ['ɒpʃn] *s* **1.** Wahl *f;* Möglichkeit *f* **2.** (COM) Option *f,* Vorkaufsrecht *n* **3.** (*Schule*) Wahlfach *n;* **I have little/no** ~ mir bleibt kaum e-e/keine andere Wahl; **she had no** ~ **but to leave** ihr blieb nichts anderes übrig als zu gehen; **leave one's ~s open** sich alle Möglichkeiten offen lassen; **with an** ~ **to buy** mit e-r Kaufoption; **op•tional** ['ɒpʃənl] *adj* freiwillig; wahlfrei, fakultativ; ~ **extras** Extras *npl*

opu•lence ['ɒpjʊləns] *s* Reichtum *m;* Wohlhabenheit *f;* Überfluss *m;* **opu•lent** ['ɒpjʊlənt] *adj* **1.** reich; wohlhabend **2.** (*Kleider*) prunkvoll, stattlich **3.** (*Vegetation*) üppig **4.** (*Mahl*) opulent

or [ɔː(r)] *conj* oder; **he could not read** ~ **write** er konnte weder lesen noch schreiben; **either ...** ~ entweder ... oder; **whether ...** ~ ob ... oder; ~ **else** sonst, andernfalls; ~ **even** oder sogar; ~ **rather** oder vielmehr; **a minute** ~ **two** ein paar Minuten

or•acle ['ɒrəkl] *s* **1.** (HIST) Orakel *n a. fig* **2.** Seher(in) *m(f);* **oracu•lar** [ə'rækjʊlə(r)] *adj* orakelhaft; seherisch

oral ['ɔːrəl] **I.** *adj* **1.** mündlich **2.** (MED) oral **II.** *s* (*fam*) mündliche Prüfung

or•ange ['ɒrɪndʒ] **I.** *s* **1.** Apfelsine, Orange *f* **2.** (*Farbe*) Orange *n* **II.** *adj* orange(farben); **or•ange•ade** [ˌɒrɪndʒ'eɪd] *s* Orangeade *f;* **orange juice** *s* Orangensaft *m;* **orange peel** *s* Orangenschale *f*

orang-outang, orang-utan [ɔːˌræŋuː'tæŋ] *s* (ZOO) Orang-Utan *m*

ora•tion [ɔː'reɪʃn] *s* Ansprache *f;* **funeral** ~ Grabrede *f;* **ora•tor** ['ɒrətə(r)] *s* Redner(in) *m(f);* **ora•tori•cal** [ˌɒrə'tɒrɪkl] *adj* rednerisch

ora•torio [ˌɒrə'tɔːrɪəʊ] <*pl* -torios> *s* (MUS) Oratorium *n*

orb [ɔːb] *s* **1.** Kugel *f;* Himmelskörper *m* **2.** (HIST) Reichsapfel *m*

or•bit ['ɔːbɪt] **I.** *s* **1.** (PHYS ASTR) Kreis-, Umlauf-, Planetenbahn *f;* Orbit *m* **2.** (*fig*) Kreis *m;* Machtbereich *m,* Einflusssphäre *f;* **be in** ~ in der Erdumlaufbahn sein; **put a satel-**

lite into ~ e-n Satelliten in die Umlaufbahn schießen **II.** *tr* umkreisen **III.** *itr* kreisen; **or•bital** ['ɔ:bɪtl] *adj* orbital; ~ **velocity** Umlaufgeschwindigkeit *f;* **or•bit•er** ['ɔ:bɪtə(r)] *s* Orbiter *m*

or•chard ['ɔ:tʃəd] *s* Obstgarten *m;* Obstplantage *f*

or•ches•tra ['ɔ:kɪstrə] *s* Orchester *n;* **or•ches•tral** [ɔ:'kestrəl] *adj* Orchester-; orchestral; **orchestra pit** *s* Orchestergraben *m;* **orchestra stalls** *s pl* Orchestersitze *mpl;* **or•ches•trate** ['ɔ:kɪstreɪt] *tr* (MUS) orchestrieren; **or•ches•tra•tion** [ˌɔ:kɪ'streɪʃn] *s* Orchestrierung *f*

or•chid ['ɔ:kɪd] *s* Orchidee *f*

or•dain [ɔ:'deɪn] *tr* **1.** (REL) zum Priester weihen; ordinieren **2.** (*Schicksal*) wollen, bestimmen **3.** (*Gesetz*) bestimmen

or•deal [ɔ:'di:l] *s* **1.** Tortur *f;* Martyrium *n* **2.** (HIST) Gottesurteil *n*

or•der ['ɔ:də(r)] **I.** *s* **1.** (An)Ordnung, (Reihen)Folge *f* **2.** Ordnung *f* **3.** Disziplin *f* **4.** Zustand *m* **5.** (MIL) Kommando *n,* Befehl *m* **6.** (*im Restaurant*) Bestellung *f* **7.** (COM) Auftrag *m,* Bestellung, Order *f* **8.** (JUR) Verfügung *f;* Verfahrensregel *f* **9.** (ARCH) (Säulen)Ordnung *f* **10.** (ZOO BOT) Ordnung *f* **11.** (REL) Orden *m;* **word** ~ Wortstellung *f;* **in** ~ **of preference** in der bevorzugten Reihenfolge; **put s.th. in** ~ etw ordnen; **be out of** ~ durcheinander sein; nicht funktionieren; außer Betrieb sein; **the** ~ **of the world** die Weltordnung; **her passport is in** ~ ihr Pass ist in Ordnung; **put one's affairs in** ~ Ordnung in seine Angelegenheiten bringen; **keep** ~ Ordnung wahren; **~, ~!** Ruhe!; **be in good** ~ in gutem Zustand sein; **~s are ~s** Befehl ist Befehl; **by** ~ **of the minister** auf Anordnung des Ministers; **be under ~s to do s.th.** Instruktionen haben etw zu tun; **until further ~s** bis auf weiteren Befehl; **made to** ~ auf Bestellung gemacht; **put s.th. on** ~ etw in Auftrag geben; **cheque to** ~ Namensscheck *m;* **in** ~ **to do s.th.** um etw zu tun; **in** ~ **that** damit; **a point of** ~ e-e Verfahrensfrage; **call s.o. to** ~ jdn zur Ordnung rufen; **be the** ~ **of the day** auf der Tagesordnung stehen; **of the first** ~ erstklassig; **holy ~s** Weihe *f;* **take** (**holy**) **~s** die Weihen empfangen **II.** *tr* **1.** befehlen, anordnen; verordnen (*for s.o.* jdm) **2.** (*Leben*) ordnen **3.** (COM) in Auftrag geben; bestellen; ordern; ~ **about** herumkommandieren; **the doctor ~ed me to stay in bed** der Arzt verordnete mir Bettruhe; **he was ~ed to be quiet** man befahl ihm still zu sein **III.** *itr* bestellen; **order book** *s* (COM) Auftragsbuch *n;* **order form** *s* Bestellformular *n*

or•der•ly ['ɔ:dəlɪ] **I.** *adj* **1.** ordentlich, geordnet, systematisch **2.** (*Leben*) geregelt **3.** (*Gruppe*) gesittet, friedlich **II.** *s:* **medical** ~ Pfleger(in) *m(f),* Sanitäter(in) *m(f)*

or•der pick•ing ['ɔ:dəpɪkɪŋ] *s* Zusammenstellung *f* einer Bestellung; **order processing** *s* Auftragsabwicklung *f*

or•di•nal ['ɔ:dɪnl] **I.** *adj* Ordnungs- **II.** *s* Ordnungszahl *f*

or•di•nance ['ɔ:dənəns] *s* Bestimmung, Verordnung, Verfügung *f*

or•di•nary ['ɔ:dɪnrɪ] **I.** *adj* **1.** gewöhnlich, normal **2.** durchschnittlich; alltäglich; **in the** ~ **way** unter gewöhnlichen Umständen; ~ **use** normaler Gebrauch; **a very** ~ **kind of person** ein ganz gewöhnlicher Mensch **II.** *s:* **out of the** ~ außergewöhnlich; **nothing out of the** ~ nichts Außergewöhnliches; **ordinary seaman, OS** <*pl* -men> *s* Leichtmatrose *m;* **ordinary share** *s* (COM) Stammaktie *f*

ord•nance ['ɔ:dnəns] *s* **1.** (MIL) Kriegsmaterial *n;* Munition *f* **2.** Material *n;* Nachschub *m;* ~ **factory** Munitionsfabrik *f;* **O~ Survey, OS** ≈Landesvermessungsamt *n;* **O~ survey map** amtliche topographische Karte

or•dure ['ɔ:djʊə(r)] *s* Schmutz, Kot *m*

ore [ɔ:(r)] *s* (MIN) Erz *n*

oreg•ano [ˌɒrɪ'gɑ:nəʊ] *s* Oregano *m*

or•gan ['ɔ:gən] *s* **1.** (BIOL) Organ *n a. fig* **2.** (*fig*) Werkzeug, Mittel *n;* Sprachrohr *n* **3.** (MUS) Orgel *f;* ~ **of speech** Sprechorgan *n;* **organ donor** *s* Organspender(in) *m(f);* **organ-grinder** ['ɔ:gəngraɪndə(r)] *s* Leierkastenmann *m*

or•ganic [ɔ:'gænɪk] *adj* organisch *a. fig;* ~ **chemistry** organische Chemie; ~ **disease** organisches Leiden; ~ **farming** biologisch-dynamische Landwirtschaft; **an** ~ **unity** e-e organische Einheit; ~ **waste** organischer Abfall, Biomüll *m;* **or•gan•ism** ['ɔ:gənɪzəm] *s* Organismus *m*

or•gan•ist ['ɔ:gənɪst] *s* (MUS) Organist(in) *m(f)*

or•gan•iz•ation [ˌɔ:gənaɪ'zeɪʃn] *s* **1.** Organisation *f;* Einteilung *f* **2.** (Auf)Bau *m,* Struktur *f;* Bildung, Gliederung *f;* Planung *f* **3.** Organisation *f;* Unternehmen *n* **4.** (MUS) Strukturierung *f;* **or•gan•iz•ational** [-əl] *adj* organisatorisch; **organization chart** *s* Organisationsplan *m,* Organigramm *n;* **Organization for Economic Cooperation and Development, OECD** *s* Organisation *f* für wirtschaftliche Zusammenarbeit und Entwicklung, OECD; **Organization of African Unity, OAU** *s* Organisation *f* für afrikanische Einheit, OAU; **Organization of Petroleum Exporting Countries, OPEC** *s* Organisation *f* der Erdöl exportierenden Länder, OPEC *f;* **or•gan•ize** ['ɔ:gənaɪz] **I.** *tr* **1.** organisieren; einrichten; aufbauen; gestalten; einteilen; planen **2.** (*Treffen*) organisieren; sorgen für **3.** (POL) organisieren **II.** *itr* (POL) sich organisieren; **or•gan•ized** ['ɔ:gənaɪzd] *adj* **1.** organisiert, geregelt **2.** (POL) organisiert; **he isn't very** ~ bei ihm geht alles drunter und drüber; **or•gan•izer** ['ɔ:gənaɪzə(r)] *s* Organisator(in) *m(f),* Veranstalter(in) *m(f)*

or•gasm ['ɔ:gæzəm] *s* (PHYSIOL) Höhepunkt, Orgasmus *m;* **or•gas•mic** [ɔ:'gæsmɪk] *adj* orgasmisch

orgy ['ɔ:dʒɪ] *s* Orgie *f;* **drunken** ~ (*sl*) Sauforgie *f*

oriel ['ɔ:rɪəl] *s* (~ *window*) Erker(fenster *n*) *m*

orient ['ɔ:rɪənt] **I.** *s* (GEOG) Orient *m* **II.** *adj* (*Sonne*) aufgehend **III.** *tr s.* **orientate**; **orien•tal** [ˌɔ:rɪ'entl] **I.** *adj* orientalisch; östlich **II.** *s* Orientale *m,* Orientalin *f;* ~ **studies** Orientalistik *f*

orien•tate ['ɔ:rɪənteɪt] **I.** *tr* ausrichten (*towards* auf), einführen **II.** *refl* sich orientieren (*by* an), sich zurechtfinden; **orien•ta•tion** [ˌɔ:rɪən'teɪʃn] *s* Orientierung *f a. fig,* Kurs *m;* Ausrichtung *f*

orien•teer•ing [ˌɔ:rɪən'tɪərɪŋ] *s* Orientierungslauf *m*

ori•fice ['ɒrɪfɪs] *s* Öffnung *f*

ori•gin ['ɒrɪdʒɪn] *s* **1.** Ursprung *m,* Herkunft *f* **2.** Herkunft, Abstammung *f* **3.** (*der Welt*) Entstehung *f;* **have its** ~ **in s.th.** auf etw zurückgehen; in etw entspringen; **country of** ~ Ursprungs-, Herkunftsland *n;* **place of** ~ Ursprungsort *m;* **proof of** ~ Herkunftsnachweis *m*

orig•inal [ə'rɪdʒənl] **I.** *adj* **1.** ursprünglich, anfänglich **2.** (*Gemälde*) original **3.** (*Idee*) originell; ~ **sin** Erbsünde *f;* ~ **inhabitants** Ureinwohner *pl;* ~ **edition** Originalausgabe *f;* ~ **document** Originaldokument *n;* ~ **soundtrack** (FILM) Originalton *m* **II.** *s* **1.** Original *n;* Vorlage *f* **2.** (*Mensch*) Original *n;* **orig•inal•ity** [əˌrɪdʒə'nælətɪ] *s* Originalität *f;* **orig•inal•ly** [ə'rɪdʒənəlɪ] *adv* **1.** ursprünglich, anfänglich **2.** originell

orig•inate [ə'rɪdʒɪneɪt] **I.** *tr* hervorbringen, erfinden; ins Leben rufen **II.** *itr* **1.** entstehen, entspringen **2.** (*Bus*) ausgehen (*in* von); ~ **from a country** aus e-m Land stammen; ~ **from s.o.** von jdm stammen

Ork•ney Is•lands ['ɔ:knɪ'aɪləndz] *s pl,* **Ork•neys** ['ɔ:knɪz] *s* Orkneyinseln *fpl*

or•na•ment ['ɔ:nəmənt] **I.** *s* **1.** Schmuck *m,* Verzierung *f,* Dekor(ation *f*) *n* **2.** (*fig*) Zierde *f;* **altar ~s** Altarschmuck *m;* **for** ~ zur Verzierung **II.** [ɔ:nə'mənt] *tr* ausschmücken, verzieren, dekorieren; **or•na•men•tal** [ˌɔ:nə'mentl] *adj* dekorativ; Zier-; schmückend; ~ **object** Ziergegenstand *m;* **or•na•men•ta•tion** [ˌɔ:nəmen'teɪʃn] *s* Verzieren *n,* Verzierung *f;* Ausschmückung *f;* Schmuck, Zierrat *m*

or•nate [ɔ:'neɪt] *adj* **1.** kunstvoll; ornamentreich; prunkvoll; ausgeschmückt **2.** (*Stil*) gekünstelt; **or•nate•ness** [-nɪs] *s* Verzierungsreichtum *m;* Prunk *m,* Prachtentfaltung *f;* Reichtum *m*

or•ni•thol•ogist [ˌɔ:nɪ'θɒlədʒɪst] *s* Ornithologe *m,* Ornithologin *f;* **or•ni•thol•ogy** [ˌɔ:nɪ'θɒlədʒɪ] *s* Vogelkunde, Ornithologie *f*

or•phan ['ɔ:fn] **I.** *s* Waise *f,* Waisenkind *n* **II.** *adj* Waisen- **III.** *tr* zur Waise machen; **be ~ed** zur Waise werden; **or•phan•age** ['ɔ:fnɪdʒ] *s* Waisenhaus *n*

or•tho•don•tist [ˌɔ:θəʊ'dɒntɪst] *s* Kieferorthopäde *m,* -orthopädin *f*

or•tho•dox ['ɔ:θədɒks] *adj* **1.** (REL) orthodox **2.** (*fig*) konventionell; orthodox; **or•tho•doxy** ['ɔ:θədɒksɪ] *s* **1.** Orthodoxie *f* **2.** (*fig*) Konventionalität *f*

or•thog•onal [ɔ:'θɒgənl] *adj* (MATH) rechtwinklig

or•tho•graphic(al) [ˌɔ:θə'græfɪk(l)] *adj* orthographisch; **or•tho•gra•phy** [ɔ:'θɒgrəfɪ] *s* Rechtschreibung, Orthographie *f*

or•tho•paedic [ˌɔ:θə'pi:dɪk] *adj* orthopädisch; **or•tho•paed•ics** [ˌɔ:θə'pi:dɪks] *s pl mit sing* Orthopädie *f;* **or•tho•paed•ist** [ˌɔ:θə'pi:dɪst] *s* Orthopäde *m,* -pädin *f*

or•tho•pedic (*Am*) *s.* **orthopaedic**; **or•tho•ped•ics** (*Am*) *s.* **orthopaedics**; **or•tho•ped•ist** (*Am*) *s.* **orthopaedist**

OS[1] [ˌəʊ'es] *s abbr of* **Ordnance Survey** ≈Landesvermessungsamt *n*

OS[2] [ˌəʊ'es] *s abbr of* **outsize** Übergröße *f*

os•cil•late ['ɒsɪleɪt] *itr* **1.** (PHYS) schwingen, oszillieren **2.** (*fig*) schwanken; **os•cil•la•tion** [ˌɒsɪ'leɪʃn] *s* **1.** (PHYS) Schwingung, Oszillation *f* **2.** (*fig*) Schwankung *f*

os•cil•lo•scope [ə'sɪləskəʊp] *s* Oszilloskop *n*

osier ['əʊzɪə(r)] *s* Korbweide *f*

os•mo•sis [ɒz'məʊsɪs] *s* (BIOL) Osmose *f;* **os•mo•tic** [ɒz'mɒtɪk] *adj* osmotisch

os•prey ['ɒsprɪ] *s* Fischadler *m*

oss•ify ['ɒsɪfaɪ] **I.** *tr* **1.** verknöchern lassen **2.** (*fig*) erstarren lassen **II.** *itr* verknöchern; erstarren

os•ten•sible [ɒ'stensəbl] *adj* angeblich, scheinbar

os•ten•ta•tion [ˌɒsten'teɪʃn] *s* **1.** Pomp *m;* Großtuerei *f* **2.** aufdringliche Deutlichkeit; **with** ~ demonstrativ; **os•ten•ta•tious** [ˌɒsten'teɪʃəs] *adj* **1.** pompös; protzig **2.** ostentativ, betont auffällig

os•teo•ar•thri•tis [ˌɒstɪəʊɑː'θraɪtɪs] *s* Osteoarthrose *f;* **os•teo•path** ['ɒstɪəʊpɑːθ] *s* Osteopath(in) *m(f);* **os•teo•po•ro•sis** [ˌɒstɪəʊpə'rəʊsɪs] *s* Osteoporose *f*

os•tra•cism ['ɒstrəsɪzəm] *s* Ächtung *f;* **os•tra•cize** ['ɒstrəsaɪz] *tr* (*fig*) ächten

os•trich ['ɒstrɪtʃ] *s* (ZOO) Strauß *m*

other ['ʌðə(r)] **I.** *adj* andere(r, s); ~ **people** andere Leute; **do you have any ~ questions?** haben Sie sonst noch Fragen?; **the ~ day** neulich; **the ~ world** das Jenseits; **some ~ time** ein andermal, ein anderes Mal; **every ~** jede(r, s) zweite; ~ **than** außer; **some time or ~** irgendwann einmal **II.** *pron* andere(r, s); **are there any ~s there?** sind sonst noch welche da?; **someone or ~** irgendjemand; **each ~** einander, sich **III.** *adv* anders; **somehow or ~** irgendwie; **somewhere or ~** irgendwo; **otherwise** ['ʌðəwaɪz] **I.** *adv* **1.** anders **2.** sonst, ansonsten; **he was ~ engaged** er war anderweitig beschäftigt **II.** *conj* sonst, ansonsten, im Übrigen

OTT [ˌəʊtiː'tiː] *adj abbr of* **over the top** übertrieben

ot•ter ['ɒtə(r)] *s* (ZOO) Otter *m*

OU [ˌəʊ'juː] *s abbr of* **Open University** (*Br*) Fernuniversität *f*

ouch [aʊtʃ] *interj* au! autsch!

ought [ɔːt] *aux:* **I ~ to do it** ich sollte es tun; **he ~ to have come** er hätte kommen sollen; ~ **I to go, too? – yes you ~ (to)** sollte ich auch hingehen? – ja doch; **I told him he ~ to have done it** ich sagte ihm, er hätte es tun sollen; **you ~ to see that film** den Film sollten Sie sehen; **he ~ to win the race** er müsste (eigentlich) das Rennen gewinnen; **one ~ to think** man sollte meinen; **he ~ to be here soon** er müsste bald hier sein

ounce [aʊns] *s* (*Gewicht*) Unze *f* (*=28,35 g*); **there's not an ~ of truth in it** daran ist aber auch überhaupt nichts Wahres

our ['aʊə(r)] *pron* (*adjektivisch*) unser; **O~ Father** Vaterunser; **ours** ['aʊəz] *pron* unsere(r, s); der, die, das Unsere; **this house is ~** das ist unser Haus; **that is ~** das gehört uns; **a friend of ~** ein Freund von uns, e-r unserer Freunde; **our•selves** [aʊə'selvz] *pron* **1.** uns *acc/dat* **2.** (*betont*) (wir) selbst; (**all**) **by ~** (ganz) allein; ohne Hilfe; **we did it ~** wir haben es selbst gemacht; **we ~ said so** wir haben es selbst gesagt

oust [aʊst] *tr* **1.** herausbekommen; freibekommen **2.** (*Regierung*) absetzen, ausbooten; ~ **s.o. from office** jdn aus seinem Amt entfernen; ~ **s.o. from the market** jdn vom Markt verdrängen

out [aʊt] **I.** *adv* **1.** außen; hinaus, heraus **2.** draußen; aus dem Hause, nicht zu Hause, nicht daheim **3.** (*Licht*) aus **4.** aus der Mode **5.** (*Ball*) aus **6.** (*Gerät*) abgestellt **7.** ausgeschlossen; **they are ~ playing** sie spielen draußen; **he is ~ in his car** er ist mit dem Auto unterwegs; **~!** raus!; ~ **with him!** hinaus mit ihm!; **he likes to be ~ and about** er ist gern unterwegs; **the journey ~** die Hinreise; **the workers are ~** die Arbeiter streiken; **he lives ~ in the country** er lebt draußen auf dem Land; **be ~** (*Sonne*) scheinen; **the best car ~** das beste Auto überhaupt; **the secret is ~** das Geheimnis ist bekannt geworden; ~ **with it!** heraus mit der Sprache!; **before the day is ~** vor Ende des Tages; **have it ~ with s.o.** (*fam*) etw mit jdm ausdiskutieren; **I am ~ in my calculations** ich liege mit meinen Berechnungen daneben; **you're not far ~** Sie haben es fast getroffen; **my watch is five minutes ~** meine Uhr geht fünf Minuten falsch; **speak ~ loud!** sprechen Sie laut!; **be ~ for s.th.** auf etw aus sein; **be ~ for trouble** Streit suchen; ~ **and away** weitaus, mit Abstand; **run ~** hinauslaufen; **go ~** hinausgehen; **throw s.o. ~** jdn hinauswerfen **II.** *s:* **the ins and ~s** alle Einzelheiten **III.** *prep* **1.** aus; **go ~ the door** zur Tür hinausgehen **2.** ~ **of** nicht in; außerhalb *+gen,* aus; außer; **be ~ of town this week** die ganze Woche nicht in der Stadt sein; **go ~ of the country** außer Landes gehen; **he went ~ of the door** er ging zur Tür hinaus; **look ~ of the window** aus dem Fenster sehen; ~ **of sight** außer Sicht; **he feels ~ of it** er kommt sich ausgeschlossen vor; ~ **of curiosity** aus Neugier; **drink ~ of a glass** aus e-m Glas trinken; **made ~ of wood** aus Holz gemacht; **in nine cases ~ of ten** in neun von zehn Fällen; ~ **of breath** außer Atem; **be ~ of money** kein Geld haben; ~ **of date** überholt, veraltet; altmodisch

out-and-out [ˌaʊtənd'aʊt] *adj* **1.** vollkommen **2.** völlig **3.** durch und durch

out•back ['aʊtbæk] **I.** *s* (*in Australien*): **the ~** das Hinterland **II.** *adj* (*in Australien*): **an ~ farm** e-e Farm im Hinterland; **outbid** [ˌaʊt'bɪd] *tr* überbieten; **out•board** ['aʊtbɔːd] *adj:* ~ **motor** Außenbordmotor *m;* **out•break** ['aʊtbreɪk] *s* Ausbruch *m;* **an ~ of anger** ein Zornesausbruch *m;* **out•build•ing** ['aʊtbɪldɪŋ] *s* Nebengebäude *n;* **out•burst** ['aʊtbɜːst] *s* Ausbruch *m;* ~ **of temper** Wut-, Gefühlsausbruch *m;* **out•cast** ['aʊtkɑːst] **I.** *s* Ausgestoßene(r), Geächtete(r) *f m* **II.** *adj* ausgestoßen, verbannt; **out•class** [ˌaʊt'klɑːs] *tr* überlegen sein (*s.o.* jdm), in den Schatten stellen; **out•come** ['aʊtkʌm] *s* Ergebnis, Resultat *n;* **out•crop** ['aʊtkrɒp] *s* Felsnase *f;* **out•cry** ['aʊtkraɪ] *s* Aufschrei *m;* Protestwelle *f* (*against* gegen)

out•dated [aʊt'deɪtɪd] *adj* veraltet, überholt; **out•dis•tance** [aʊt'dɪstəns] *tr* (weit) hinter sich lassen, überholen; **out•do** [aʊt'du:] *tr* übertreffen, überragen, überbieten (*s.o. in s.th.* jdn an etw); **out•door** ['aʊtdɔ:(r)] *adj:* ~ **games** Spiele *n pl* im Freien; ~ **clothes** wärmere Kleidung; **lead an** ~ **life** viel im Freien sein; ~ (**swimming**) **pool** Freibad *n;* **out•doors** [ˌaʊt'dɔ:z] *adv* draußen, im Freien; **go** ~ nach draußen gehen

outer ['aʊtə(r)] *adj* äußere(r, s); Außen-; ~ **garments** Oberbekleidung *f;* ~ **man** äußere Erscheinung; ~ **space** der äußere Weltraum; **outer•most** ['aʊtəməʊst] *adj* äußerste(r, s)

out•fall ['aʊtfɔ:l] *s* **1.** Ausfluss *m* **2.** Abwasser *n;* **out•field** ['aʊtfi:ld] *s* Außenfeld *n;* **out•fit** ['aʊtfɪt] *s* **1.** Kleidung *f,* Kleider *npl,* Kostüm *n* **2.** (TECH) Ausrüstung *f* **3.** (*fam*) Laden, Verein *m;* **camping** ~ Campingausrüstung *f;* **out•fitter** ['aʊtfɪtə(r)] *s* Ausrüster *m;* **gentle man's** ~**'s** Herrenausstatter *m,* Herrenbekleidungsgeschäft *n*

out•flow ['aʊtfləʊ] *s* **1.** Ausfluss, Abfluss *m;* Abfließen *n* **2.** (*Gas*) Ausströmen *n* **3.** (*Geld*) Abfließen *n*

out•go•ing ['aʊtgəʊɪŋ] **I.** *adj* **1.** ausziehend **2.** (*Boot*) hinausfahrend **3.** (*Beamter*) scheidend **4.** (RAIL) abfahrend **5.** (*fig*) gesellig, kontaktfreudig; ~ **tide** Ebbe *f;* ~ **mail** Postausgang *m* **II.** *s pl* Ausgaben *fpl*

out•grow [ˌaʊt'grəʊ] *tr* **1.** (*Kleider*) herauswachsen aus **2.** (*Gewohnheit*) entwachsen (*s.th.* e-r S), hinauswachsen über **3.** (*fig*) über den Kopf wachsen (*s.o.* jdm); **out•growth** ['aʊtgrəʊθ] *s* **1.** Auswuchs *m* **2.** (*fig*) Folge *f*

out•house ['aʊthaʊs] *s* Nebengebäude *n;* **out-house** *adj* extern

out•ing ['aʊtɪŋ] *s* Ausflug *m;* **go for an** ~ e-n Ausflug machen

out•land•ish [aʊt'lændɪʃ] *adj* **1.** sonderbar **2.** (*Benehmen*) befremdend, befremdlich **3.** (*Name*) ausgefallen, extravagant; **out•last** [ˌaʊt'lɑ:st] *tr* überdauern, überleben; **out•law** ['aʊtlɔ:] **I.** *s* Vogelfreie(r) *f m* **II.** *tr* **1.** ächten; für vogelfrei erklären **2.** (*Zeitung*) für ungesetzlich erklären; **out•lay** ['aʊtleɪ] *s* (COM) Ausgaben, Aufwendungen *fpl,* Kosten *pl;* **out•let** ['aʊtlet] *s* **1.** Abfluss *m;* Abzug *m;* Ausfluss *m* **2.** (COM) Absatzmöglichkeit *f,* -markt *m;* Verkaufsstelle *f* **3.** (*fig*) Ventil *n;* Betätigungsmöglichkeit *f*

out•line ['aʊtlaɪn] **I.** *s* **1.** Umriss *m;* Silhouette *f* **2.** (*fig*) Grundriss, Abriss *m;* **in** ~ in groben Zügen; **draw s.th. in** ~ etw im Umriss zeichnen **II.** *tr* **1.** umreißen **2.** (*fig*) skizzieren, umreißen; **outline planning permission** *s* vorläufige Baugenehmigung

out•live [ˌaʊt'lɪv] *tr* **1.** überleben, -dauern **2.** (*Sturm*) überstehen

out•look ['aʊtlʊk] *s* **1.** Ausblick *m,* -sicht *f* (*over, on to* auf) **2.** (*fig*) Ansicht, Auffassung *f,* Standpunkt *m* **3.** (*fig*) Aussicht, Erwartung *f;* **his** ~ (**up**)**on life** seine Einstellung zum Leben; **narrow** ~ beschränkter Horizont

out•lying ['aʊtˌlaɪɪŋ] *adj* abgelegen, Außen-

out•ma•neu•ver (*Am*) *s.* **outmanoevre**

out•man•oevre [ˌaʊtmə'nu:və(r)] *tr* ausmanövrieren; **out•moded** [ˌaʊt'məʊdɪd] *adj* altmodisch, unmodern; überholt; **out•most** ['aʊtməʊst] *adj* äußerste(r, s); **out•num•ber** [ˌaʊt'nʌmbə(r)] *tr* zahlenmäßig überlegen sein (*s.o.* jdm), in der Mehrheit sein (*s.o.* jdm gegenüber)

out-of-court [ˌaʊtəv'kɔ:t] *adj* außergerichtlich; **out-of-date** [ˌaʊtəv'deɪt] *adj* veraltet; unmodern, altmodisch; **out-of-the-way** [ˌaʊtəvðə'weɪ] *adj* **1.** abgelegen, einsam **2.** (*Fakten*) ungewöhnlich; wenig bekannt; **out-of-work** [ˌaʊtəv'wɜ:k] *adj* arbeitslos

out•patient ['aʊtpeɪʃnt] *s* Kranke(r) *f m* in ambulanter Behandlung; ~**s'** (**department**) Ambulanz *f;* **out•play** [ˌaʊt'pleɪ] *tr* (SPORT) besser spielen als, überlegen sein (*s.o.* jdm); **out•post** ['aʊtpəʊst] *s* (MIL) Vorposten *m;* **out•pour•ing** ['aʊtpɔ:rɪŋ] *s* Erguss *m* *bes. fig*

out•put ['aʊtpʊt] **I.** *s* **1.** (*e-r Maschine*) Ausstoß, Ertrag *m,* Leistung *f* **2.** (Jahres)Produktion *f* **3.** Produktionsmenge, -ziffer *f,* Output *m* **4.** (MIN) Förderung *f;* Fördermenge *f* **5.** (EDV: *Daten*) Ausgabe *f,* Output *m* **6.** (RADIO) Sendeleistung *f;* **annual** ~ Jahresertrag *m,* -produktion *f;* **daily** ~ Tagesproduktion *f;* **effective** ~ Nutzleistung *f;* **maximum** ~ Produktionsoptimum *n* **II.** *tr* (EDV) ausgeben; **output data** *s pl* (EDV) Ausgabedaten *pl;* **output device** *s* (EDV) Ausgabegerät *n*

out•rage ['aʊtreɪdʒ] **I.** *s* **1.** Gewalttat *f;* Ausschreitung *f* **2.** Skandal *m* **3.** Empörung, Entrüstung *f;* **bomb** ~ verbrecherischer Bombenanschlag; **an** ~ **against good taste** e-e unerhörte Geschmacklosigkeit **II.** [ˌaʊt'reɪdʒ] *tr* beleidigen; empören, entrüsten; **public opinion was** ~**d by this cruelty** die öffentliche Meinung war über diese Grausamkeit empört; **out•rage•ous** [aʊt'reɪdʒəs] *adj* **1.** abscheulich, verabscheuungswürdig **2.** empörend, unerhört; unverschämt; ungeheuerlich **3.** (*Kleider*) ausgefallen, unmöglich

out•range [ˌaʊtˈreɪndʒ] *tr* e-e größere Reichweite haben als
outré [ˈuːtreɪ] *adj* überspannt, extravagant
out•rig•ger [ˈaʊtrɪgə(r)] *s* (MAR) Ausleger *m*
out•right [ˈaʊtraɪt] **I.** *adj* **1.** ausgemacht **2.** (*Unsinn*) total, absolut, glatt, vollkommen; **that's ~ arrogance** das ist die reine Arroganz **II.** *adv* **1.** ganz, vollständig **2.** sofort, auf der Stelle **3.** (*fig*) geradeheraus, ohne Umschweife
out•run [ˌaʊtˈrʌn] *tr* **1.** schneller laufen als **2.** (*fig*) übersteigen
out•set [ˈaʊtset] *s* Beginn, Anfang *m;* **at the ~** am Anfang; **from the ~** von Anfang an
out•shine [ˌaʊtˈʃaɪn] *tr* übertreffen, in den Schatten stellen *a. fig*
out•side [ˌaʊtˈsaɪd] **I.** *s* Außenseite *f;* **judging from the ~** (*fig*) wenn man es als Außenstehender beurteilt; **at the** (**very**) **~** im äußersten Falle **II.** [ˈaʊtsaɪd] *adj* **1.** Außen-, äußere(r, s) **2.** (*Preis*) äußerste(r, s) **3.** extern; **at an ~ estimate** allerhöchstens; **an ~ chance** e-e kleine Chance; **~ world** Außenwelt *f* **III.** *adv* außen; draußen; außer Haus; **go ~** nach draußen gehen **IV.** *prep* **1.** außerhalb **2.** außer, abgesehen von; **the car ~ the house** das Auto vor dem Haus; **it is ~ our agreement** das geht über unsere Vereinbarung hinaus; **outside broadcast** *s* (RADIO) nicht im Studio produzierte Sendung; **outside influences** *s pl* äußere Einflüsse *mpl;* **outside left** *s* (*Fußball*) Linksaußen *m;* **outside line** *s* Amtsleitung *f;* **out•sider** [ˌaʊtˈsaɪdə(r)] *s* Außenseiter(in) *m(f);* **outside right** *s* (*Fußball*) Rechtsaußen *m*
out•size [ˈaʊtsaɪz] **I.** *adj* übergroß; riesig **II.** *s* Übergröße *f;* **out•skirts** [ˈaʊtskɜːts] *s pl* **1.** Stadtrand *m;* Außengebiete *npl* **2.** (Wald)Rand *m;* **on the ~** am Stadtrand; **out•sourc•ing** [ˈaʊtˌsɔːsɪŋ] *s* Outsourcing *n* (*Benutzung von externen Dienstleistungen aus Kostengründen*); **out•spoken** [ˌaʊtˈspəʊkən] *adj* **1.** freimütig **2.** (*Antwort*) unverblümt; direkt; **he is ~** er nimmt kein Blatt vor den Mund; **out•stand•ing** [ˌaʊtˈstændɪŋ] *adj* **1.** hervorragend; außerordentlich, überragend **2.** (*Schulden*) (noch) ausstehend, rückständig **3.** (*Merkmal*) hervorstechend, auffallend; **of ~ ability** außerordentlich begabt; **of ~ importance** von höchster Bedeutung; **a lot of work is still ~** viel Arbeit ist noch unerledigt; **~ debts** Außenstände *pl;* **out•sta•tion** [ˈaʊtˌsteɪʃn] *s* Vorposten *m;* **out•stay** [ˌaʊtˈsteɪ] *tr* länger bleiben als; **~ one's welcome** länger bleiben als erwünscht; **out•stretched** [ˌaʊtˈstretʃt] *adj* ausgestreckt; **out•strip** [ˌaʊtˈstrɪp] *tr* **1.** überholen **2.** (*fig*) übertreffen (*in* an); **out tray** *s* Ausgänge *mpl;* **out•turn** [ˈaʊtɜːn] *s* Produktionsleistung *f;* **out•vote** [ˌaʊtˈvəʊt] *tr* überstimmen
out•ward [ˈaʊtwəd] **I.** *adj* **1.** äußere(r, s); äußerlich **2.** nach außen führend **3.** (*Fracht*) ausgehend **4.** (*Reise*) Hin- **II.** *adv* nach außen; **~ bound** (*Schiff*) auslaufend; **out•ward•ly** [ˈaʊtwədlɪ] *adv* nach außen hin; **out•wards** [ˈaʊtwədz] *adv* nach außen
out•weigh [ˌaʊtˈweɪ] *tr* überwiegen; **out•wit** [ˌaʊtˈwɪt] *tr* überlisten; **out•work** [ˌaʊtˈwɜːk] *s* Heimarbeit *f;* **out•worker** [ˈaʊtwɜːkə(r)] *s* Heimarbeiter(in) *m(f)*
oval [ˈəʊvl] **I.** *adj* oval **II.** *s* Oval *n*
ovary [ˈəʊvərɪ] *s* **1.** (ANAT) Eierstock *m* **2.** (BOT) Fruchtknoten *m*
ova•tion [əʊˈveɪʃn] *s* Ovation *f,* stürmischer Beifall
oven [ˈʌvn] *s* **1.** Backofen *m* **2.** (TECH) Trocken-, Brennofen *m;* **put s.th. in the ~** etw in den Ofen tun; **in a slow ~** mit kleiner Flamme; **it's like an ~ in here** hier ist e-e Hitze wie im Backofen; **oven•cloth** [ˈʌvnklɒθ] *s* Topflappen *m;* **oven•proof** [ˈʌvnpruːf] *adj* hitzebeständig, feuerfest; **oven-ready** [ˈʌvnredɪ] *adj* bratfertig
over [ˈəʊvə(r)] **I.** *adv* **1.** hin-, herüber; drüben **2.** vorüber, vorbei, zu Ende **3.** übermäßig, allzu **4.** übrig; **they swam ~ to us** sie schwammen zu uns herüber; **come ~ tonight** kommen Sie heute Abend vorbei; **she is ~ here** sie ist hier; **he has gone ~ to France** er ist nach Frankreich gefahren; **he went ~ to the enemy** er lief zum Feind über; **famous the world ~** in der ganzen Welt berühmt; **I am aching all ~** mir tut alles weh; **that's Smith all ~** das ist typisch Smith; **it happens all ~** das gibt es überall; **turn ~ the page** die Seite umblättern; **the rain is ~** der Regen hat aufgehört; **it's all ~ with him** es ist Schluss mit ihm; **she counts them ~ again** sie zählt sie noch einmal; **~ and ~ again** immer und immer wieder; **he hasn't done it ~ well** er hat es nicht gerade übermäßig gut gemacht; **there is a lot of meat** (**left**) **~** es ist viel Fleisch übrig; **7 into 30 goes 4 and 2 ~** 30 durch 7 ist 4 Rest 2; **children of 14 and ~** Kinder über 14 **II.** *prep* **1.** über **2.** in **3.** (*zeitlich*) während, in; **spread a cloth ~ the table** ein Tischtuch auf den Tisch legen; **hit s.o. ~ the head** jdm auf den Kopf schlagen; **hang the picture ~ the desk** das Bild über dem Schreibtisch aufhängen; **look ~ the wall** über die Mauer schauen; **look ~ a house** sich ein Haus ansehen; **it's ~ the page** es ist auf der nächsten Seite; **the house ~ the way** das Haus gegenüber; **the**

bridge ~ the river die Brücke über den Fluss; **he is famous all ~ the world** er ist in der ganzen Welt berühmt; **it was raining ~ England** es regnete in ganz England; **have command ~ s.o.** Befehlsgewalt über jdn haben; **~ and above that** darüber hinaus; **he spoke for ~ an hour** er sprach über e-e Stunde; **stay ~ the weekend** über das Wochenende bleiben; **~ the summer** den Sommer über; **they talked ~ a cup of tea** sie unterhielten sich bei e-r Tasse Tee; **they'll be a long time ~ it** sie werden dazu lange brauchen; **I heard it ~ the radio** ich habe es im Radio gehört

over•abun•dant [ˌəʊvərə'bʌndənt] *adj* überreichlich, sehr reichlich

over•act [ˌəʊvər'ækt] *tr, itr* übertreiben

over•age ['əʊvərɪdʒ] **I.** *adj* zu alt **II.** *s* (*Am*) Überschuss *m*

over•all[1] [ˌəʊvər'ɔːl] **I.** *adj* **1.** gesamt **2.** allgemein; **~ majority** absolute Mehrheit; **~ situation** Gesamtlage *f* **II.** *adv* **1.** insgesamt **2.** im Großen und Ganzen

over•all[2] ['əʊvərɔːl] *s* **1.** (*Br*) Kittel *m* **2. ~s** Overall, Arbeitsanzug *m*

over•anxious [ˌəʊvər'æŋkʃəs] *adj* übertrieben besorgt; übermäßig aufgeregt; **over•awe** [ˌəʊvər'ɔː] *tr* einschüchtern; **over•bal•ance** [ˌəʊvə'bæləns] **I.** *itr* aus dem Gleichgewicht kommen **II.** *tr* aus dem Gleichgewicht bringen; **over•bear•ing** [ˌəʊvə'beərɪŋ] *adj* anmaßend; herrisch; **over•bid** [ˌəʊvə'bɪd] **I.** *tr* überbieten; überreizen **II.** *itr* mehr bieten; **over•board** ['əʊvəbɔːd] *adv* über Bord; **go ~ for s.o.** von jdm ganz hingerissen sein; **throw s.th. ~** etw über Bord werfen *a. fig;* **over•bold** [ˌəʊvə'bəʊld] *adj* verwegen; **over•book** [ˌəʊvə'bʊk] *tr* überbuchen, überbelegen; **over•bor•rowed** [ˌəʊvə'bɒrəʊd] *adj* überschuldet; **over•bur•den** [ˌəʊvə'bɜːdn] *tr* (*fig*) überlasten; überbeanspruchen; **over•ca•pac•ity** [ˌəʊvɜkɜ'pæsətɪ] *s* Überkapazität *f;* **over•cast** [ˌəʊvə'kɑːst] *adj* bedeckt; bewölkt; **over•cau•tious** [ˌəʊvə'kɔːʃəs] *adj* übervorsichtig; **over•charge** [ˌəʊvə'tʃɑːdʒ] **I.** *tr* **1.** überladen, -lasten **2.** (*fig*) zu viel berechnen (*s.o.* jdm) **3.** (EL) überlasten **4.** (*fig*) überladen **II.** *itr* zu viel verlangen (*for* für) **III.** *s* zu viel berechneter Betrag

over•coat ['əʊvəkəʊt] *s* Überzieher, Mantel *m*

over•come [ˌəʊvə'kʌm] **I.** *tr* **1.** (*Feind*) überwältigen, bezwingen **2.** (*Angewohnheit*) sich abgewöhnen; überwinden, meistern **3.** (*Enttäuschung*) hinwegkommen über; **he was ~ by grief** der Schmerz übermannte ihn **II.** *itr* siegen, siegreich sein

over•con•fi•dent [ˌəʊvə'kɒnfɪdənt] *adj* **1.** übertrieben selbstsicher **2.** zu optimistisch **3.** blind vertrauend (*in* auf); **he was ~ of success** er war sich seines Erfolges zu sicher; **over•crowded** [ˌəʊvə'kraʊdɪd] *adj* **1.** (*mit Menschen*) überfüllt; übervölkert **2.** (*mit Sachen*) überladen; **over•de•vel•oped** [ˌəʊvədɪ'veləpt] *adj* überentwickelt

over•do [ˌəʊvə'duː] *tr* **1.** übertreiben **2.** (*Essen*) verbraten; verkochen; **don't ~ the sympathy** übertreibe es nicht mit dem Mitleid; **over•done** [ˌəʊvə'dʌn] *adj* **1.** übertrieben **2.** (*Essen*) verbraten; verkocht

over•dose ['əʊvədəʊs] *s* Überdosis *f;* **over•draft** ['əʊvədrɑːft] *s* (FIN) Kontoüberziehung *f;* **~ facility** Überziehungskredit *m;* **have an ~ of £ 100** sein Konto um £ 100 überzogen haben; **arrange an ~** einen Kreditrahmen einrichten lassen; **over•draw** [ˌəʊvə'drɔː] *tr* (*Konto*) überziehen; **over•dress** [ˌəʊvə'dres] **I.** *tr, itr* (sich) übertrieben kleiden **II.** ['əʊvədres] *s* Überkleid *n;* **over•drive** ['əʊvədraɪv] *s* (MOT) Schnell-, Schongang *m;* **go into ~** (*fig*) sich in fieberhafte Aktivität stürzen; **over•due** [ˌəʊvə'djuː] *adj* (*a.* COM) überfällig; **over easy** *s* (*Am*) *beidseitg gebratenes Spiegelei;* **over•eat** [ˌəʊvər'iːt] *itr* sich überessen; **over•em•pha•size** [ˌəʊvər'emfəsaɪz] *tr* überbewerten, überbetonen; **over•es•ti•mate** [ˌəʊvər'estɪmeɪt] *tr* überschätzen; zu hoch bewerten; **over•ex•cit•ed** [ˌəʊvəɪk'saɪtɪd] *adj* **1.** überreizt **2.** aufgedreht; **over•exert** [ˌəʊvəɪg'zɜːt] **I.** *tr* überanstrengen **II.** *refl* sich überanstrengen; **over•ex•pose** [ˌəʊvərɪk'spəʊz] *tr* (PHOT) überbelichten; **over•ex•po•sure** [ˌəʊvərɪk'spəʊʒə(r)] *s* (PHOT) Überbelichtung *f;* **over•extend** [ˌəʊvəɪk'stend] *itr* (FIN) sich (finanziell) übernehmen

over•flow [ˌəʊvə'fləʊ] **I.** *tr* überschwemmen; überlaufen lassen **II.** *itr* **1.** überlaufen, überfließen **2.** (*fig*) überfließen (*with* vor); **his heart was ~ing with love** sein Herz floss über vor Liebe; **full to ~ing** zum Überlaufen voll **III.** ['əʊvəfləʊ] *s* **1.** Überlaufen *n* **2.** (TECH) Überlauf *m* **3.** (*fig*) Überschuss *m* (*of* an); **~ meeting** Parallelversammlung *f;* **over•fly** [ˌəʊvɜ'flaɪ] *tr* (AERO) überfliegen

over•grown [ˌəʊvə'grəʊn] *adj* **1.** überwachsen (*with* von) **2.** (*Kind*) aufgeschossen; **over•hang** [ˌəʊvə'hæŋ] **I.** *tr* **1.** hängen über **2.** hinausragen über **II.** *s* Überhang *m;* **over•haul** [ˌəʊvə'hɔːl] **I.** *tr* **1.** durchsehen, genau überprüfen **2.** (TECH) überholen; in Stand setzen **3.** (MAR) ein-, überholen **II.** ['əʊvəhɔːl] *s* (TECH) Überholung *f*

over•head [ˌəʊvə'hed] **I.** *adv* oben; am

Himmel, in der Luft **II.** [ˈəʊvəhed] *adj* Frei-; ~ **cable** Überlandleitung *f;* Hochspannungsleitung *f;* Oberleitung *f;* ~ **lighting** Deckenbeleuchtung *f;* ~ **projector** Overhead-, Tageslichtprojektor *m;* ~ **railway** Hochbahn *f;* ~ **volley** Hochball *m* **III.** [ˈəʊvəhed] *s* (COM) Gemeinkosten *pl,* allgemeine Unkosten *pl*

over•hear [ˌəʊvəˈhɪə(r)] *tr* zufällig (mit)hören, zufällig mitbekommen; **over•heat** [ˌəʊvəˈhiːt] **I.** *tr* überhitzen **II.** *itr* (TECH) heißlaufen; **over•in•dulge** [ˌəʊvərɪnˈdʌldʒ] **I.** *tr* **1.** zu nachsichtig sein mit **2.** (*Fantasie*) allzu freien Lauf lassen (*s.th.* e-r S) **II.** *itr* zu viel genießen; **over•joyed** [ˌəʊvəˈdʒɔɪd] *adj* überglücklich; **over•kill** [ˈəʊvəkɪl] *s* Overkill *m,* Übermaß *n* an Atomwaffen

over•land [ˈəʊvəlænd] **I.** *adj* auf dem Landweg **II.** [ˌəʊvəˈlænd] *adv* über Land

over•lap [ˌəʊvəˈlæp] **I.** *tr* **1.** hinüber-, hinausragen über; überlappen **2.** (*Ferien*) sich überschneiden mit **II.** *itr* **1.** einander überdecken, überlappen **2.** (*fig*) sich überschneiden **III.** [ˈəʊvəlæp] *s* Überschneidung, Überlappung *f*

over•leaf [ˌəʊvəˈliːf] *adv* umseitig; **over•load** [ˌəʊvəˈləʊd] **I.** *tr* **1.** überladen, -belasten **2.** (EL) überlasten **II.** [ˈəʊvələʊd] *s* Übergewicht *n;* Überbelastung *f;* **over•look** [ˌəʊvəˈlʊk] *tr* **1.** überblicken **2.** (*Fehler*) übersehen; nicht beachten **3.** (*absichtlich*) hinwegsehen über, durchgehen lassen

over•ly [ˈəʊvəlɪ] *adv* übermäßig, allzu

over•man•ning [ˌəʊvəˈmænɪŋ] *s* Überbesetzung *f*

over•much [ˌəʊvəˈmʌtʃ] **I.** *adv* zu viel, übermäßig **II.** *adj* zu viel

over•night [ˌəʊvəˈnaɪt] **I.** *adv* **1.** über Nacht **2.** (*fig*) von heute auf morgen, über Nacht; **stay ~ with s.o.** bei jdm übernachten **II.** [ˈəʊvənaɪt] *adj* **1.** Nacht- **2.** (*fig*) ganz plötzlich; ~ **bag** Reisetasche *f*

over•pass [ˈəʊvəpɑːs] *s* Überführung *f;* **over•pay** [ˌəʊvəˈpeɪ] *tr* zu viel bezahlen (*s.o.* jdm), überbezahlen; **over•populated** [ˌəʊvəˌpɒpjʊleɪtɪd] *adj* übervölkert; **over•popu•la•tion** [ˌəʊvəˌpɒpjʊˈleɪʃn] *s* Überbevölkerung *f;* **over•power** [ˌəʊvəˈpaʊə(r)] *tr* überwältigen, übermannen *a. fig;* **over•powering** [ˌəʊvəˈpaʊərɪŋ] *adj* **1.** überwältigend **2.** (*Parfüm*) aufdringlich; **over•produce** [ˌəʊvəprəˈdjuːs] *tr* überproduzieren; **over•rate** [ˌəʊvəˈreɪt] *tr* **1.** überschätzen; zu hoch einschätzen **2.** (*fig*) überbewerten; **over•reach** [ˌəʊvəˈriːtʃ] *refl* sich übernehmen; **over•re•act** [ˌəʊvərɪˈækt] *itr* überreagieren; **over•re•ac•tion** [ˌəʊvərɪˈækʃən] *s* Überreaktion *f;* **over•ride** [ˌəʊvəˈraɪd] *tr* **1.** sich hinwegsetzen über; nicht berücksichtigen **2.** (*Beschluss*) außer Kraft setzen; **over•rid•ing** [ˌəʊvəˈraɪdɪŋ] *adj* vorrangig; vordringlich; dringendste(r, s); ~ **importance** ausschlaggebende Bedeutung; **over•rule** [ˌəʊvəˈruːl] *tr* **1.** ablehnen **2.** (*Urteil*) verwerfen **3.** (*Anspruch*) nicht anerkennen **4.** (*Einwand*) zurückweisen; **over•run** [ˌəʊvəˈrʌn] **I.** *tr* **1.** überwuchern, überwachsen **2.** (*Truppen*) herfallen über; einfallen in **3.** (RAIL: *Signal*) überfahren **4.** (*Zeit*) überziehen, überschreiten **5.** (*Ufer*) überfluten; **be ~ with** wimmeln von; überwuchert sein von **II.** *itr* (*Zeit*) überziehen

over•seas [ˌəʊvəˈsiːz] **I.** *adj* überseeisch, in Übersee; ~ **aid** Entwicklungshilfe *f;* ~ **call** Auslandsgespräch *n;* ~ **trade** Überseehandel *m* **II.** *adv:* **be** ~ in Übersee sein; **go** ~ nach Übersee gehen

over•see [ˌəʊvəˈsiː] *tr* überwachen, beaufsichtigen; **over•seer** [ˈəʊvəsɪə(r)] *s* **1.** Aufseher(in) *m(f)* **2.** Vorarbeiter(in) *m(f)*

over•sell [ˌəʊvəˈsel] *tr* über den Bestand verkaufen; **over•shadow** [ˌəʊvəˈʃædəʊ] *tr* überschatten *a. fig;* **over•shoe** [ˈəʊvəʃuː] *s* Überschuh *m;* **over•shoot** [ˌəʊvəˈʃuːt] **I.** *tr* hinausgehen über, überschreiten; ~ **the mark** übers Ziel (hinaus)schießen, zu weit gehen **II.** *itr* (AERO) durchstarten

over•sight [ˈəʊvəsaɪt] *s* **1.** Versehen *n* **2.** Aufsicht, Beaufsichtigung *f;* **through an** ~ aus Versehen

over•sim•plify [ˌəʊvəˈsɪmplɪfaɪ] *tr* zu sehr vereinfachen; **over•sized** [ˈəʊvəsaɪzd] *adj* übergroß; **over•sleep** [ˌəʊvəˈsliːp] *itr* verschlafen; **over•spend** [ˌəʊvəˈspend] **I.** *itr* zu viel ausgeben **II.** *tr* überschreiten; **over•spill** [ˈəʊvəspɪl] *s* Bevölkerungsüberschuss *m;* **over•staffed** [ˌəʊvəˈstɑːft] *adj* überbesetzt; **be** ~ zu viel Personal haben; **over•state** [ˌəʊvəˈsteɪt] *tr* übertreiben, übertrieben darstellen; **over•stay** [ˌəʊvəˈsteɪ] *tr* überschreiten; ~ **one's welcome** zu lange auf Besuch bleiben; **over•step** [ˌəʊvəˈstep] *tr* überschreiten; **over•sub•scribe** [ˌəʊvəsəbˈskraɪb] *tr* (*Aktienemission*) überzeichnen; **oversupply** [ˌəʊvəsəˈplaɪ] **I.** *tr* überbeliefern **II.** [ˈəʊvəsəˌplaɪ] *s* Überangebot *n*

overt [ˈəʊvɜːt] *adj* offen, unverhohlen

over•take [ˌəʊvəˈteɪk] **I.** *tr* **1.** einholen; überholen **2.** (*fig*) überraschen; **~n by fear** von Furcht befallen **II.** *itr* (*Br*) überholen; **over•tax** [ˌəʊvəˈtæks] *tr* **1.** zu hoch besteuern **2.** (*fig*) zu sehr in Anspruch nehmen; ~ **one's strength** sich übernehmen; **over-the-counter** [ˌəʊvəðə'kaʊntə(r)] *adj* **1.** (*Medikamente*) nicht rezeptpflichtig **2.** (FIN) im Freiverkehr erhältlich; **over•throw** [ˌəʊvə'θrəʊ] **I.** *tr* **1.** besiegen; stürzen, zu Fall bringen **2.** (*Pläne*) umstoßen **II.** ['əʊvəθrəʊ] *s* Niederlage *f;* Sturz *m;* Sieg *m;* **over•time** ['əʊvətaɪm] **I.** *s* **1.** Überstunden *fpl* **2.** (SPORT) Verlängerung *f;* **be on** [*o* **do**] ~ Überstunden machen; ~ **pay** Überstundenvergütung *f* **II.** *adv:* **work** ~ Überstunden machen; **over•tired** [ˌəʊvə'taɪəd] *adj* übermüdet

over•tone ['əʊvətəʊn] *s* **1.** (MUS) Oberton *m* **2.** (*fig*) Unterton *m*

over•ture ['əʊvətjʊə(r)] *s* **1.** (MUS) Ouvertüre *f* **2.** ~**s** Annäherungsversuch *m;* **make ~s to s.o.** Annäherungsversuche bei jdm machen; **peace ~s** Friedensannäherungen *fpl*

over•turn [ˌəʊvə'tɜːn] **I.** *tr* **1.** umwerfen, -stoßen, -stürzen **2.** (*Regierung*) stürzen **II.** *itr* umkippen; kentern **III.** ['əʊvətɜːn] *s* Sturz, Umsturz *m;* **over•value** [ˌəʊvə'væljuː] *tr* zu hoch einschätzen, überbewerten; **over•view** ['əʊvəvjuː] *s* Überblick *m;* **over•ween•ing** [ˌəʊvə'wiːnɪŋ] *adj* überheblich; **over•weight** [ˌəʊvə'weɪt] **I.** *adj* zu schwer; übergewichtig; **you're** ~ Sie haben Übergewicht **II.** ['əʊvəweɪt] *s* Übergewicht *n a. fig;* **over•whelm** [ˌəʊvə'welm] *tr* **1.** überschütten, überfluten **2.** (*Feind*) überwältigen; besiegen **3.** (*fig*) überschütten, überhäufen; **over•whelm•ing** [ˌəʊvə'welmɪŋ] *adj* erschütternd; überwältigend; **an ~ majority** e-e erdrückende Mehrheit; **over•work** [ˌəʊvə'wɜːk] **I.** *tr* **1.** überanstrengen **2.** (*Wort*) zu häufig verwenden; ~ **o.s.** sich überarbeiten **II.** *itr* sich überarbeiten **III.** *s* Überarbeitung *f;* **overwrought** [ˌəʊvə'rɔːt] *adj* überreizt, nervös

ovi•duct ['əʊvɪdʌkt] *s* (ANAT) Eileiter *m;* **ovip•ar•ous** [əʊ'vɪpərəs] *adj* (ZOO) Eier legend; **ovu•la•tion** [ˌɒvjʊ'leɪʃn] *s* (PHYSIOL) Follikelsprung *m,* Ovulation *f*

ovum ['əʊvəm] <*pl* ova> *s* Ovum *n,* Eizelle *f*

owe [əʊ] **I.** *tr* **1.** (*Geld*) schulden, schuldig sein (*s.o.* jdm) *a. fig* **2.** (*fig*) verpflichtet sein zu; verdanken (*s.o. s.th.* jdm etw); **how much do I ~ you?** was bin ich schuldig?; **I ~ my life to him** ich verdanke ihm mein Leben; **we ~ nothing to him** wir sind ihm nichts schuldig **II.** *itr:* ~ **s.o. for s.th.** jdm Geld für etw schulden; **ow•ing** ['əʊɪŋ] **I.** *adj* unbezahlt; **how much is still ~?** wie viel steht noch aus?; **pay what is ~** den ausstehenden Betrag zahlen **II.** *prep:* ~ **to** wegen, infolge *+gen;* ~ **to the circumstances** umständehalber

owl [aʊl] *s* Eule *f;* **owl•ish** ['aʊlɪʃ] *adj* eulenartig

own[1] [əʊn] **I.** *tr* **1.** besitzen, haben **2.** zugeben, zugestehen; anerkennen; **who ~s that?** wem gehört das?; **he ~ed that the claim was justified** er erkannte die Forderung als gerechtfertigt an; **he ~ed himself defeated** er gab sich geschlagen **II.** *itr:* ~ **to s.th.** etw eingestehen; etw anerkennen; ~ **up** es zugeben; ~ **up to s.th.** etw zugeben

own[2] [əʊn] **I.** *adj attr* eigen; **his ~ car** sein eigenes Auto; **he's his ~ man** er geht seinen eigenen Weg; ~ **brand goods** Eigenmarkenwaren *fpl;* ~ **goal** Eigentor *n* **II.** *pron:* **that's my ~** das ist mein eigenes; **my time is my ~** ich kann mit meiner Zeit machen, was ich will; **these ideas were his ~** die Ideen stammten von ihm selbst; **I have money of my ~** ich habe selbst Geld; **get one's ~ back on s.o.** es jdm heimzahlen; **all on one's ~** ganz allein; selbst; **on its ~** von selbst, von allein

owner ['əʊnə(r)] *s* **1.** Besitzer(in) *m(f),* Eigentümer(in) *m(f)* **2.** (*e-r Firma, e-s Kontos*) Inhaber(in) *m(f)* **3.** (*e-s Hauses, Fahrzeugs a.*) Eigner(in) *m(f);* **at ~'s risk** auf eigene Gefahr; **~-occupied** vom Besitzer bewohnt; **~-occupier** Hauseigentümer *m,* der selbst im Haus wohnt; **owner•less** [-lɪs] *adj* herrenlos; **owner•ship** [-ʃɪp] *s* Besitz *m;* **under new ~** unter neuer Leitung

own label goods *s pl* Eigenmarkenwaren *fpl*

ox [ɒks, *pl* 'ɒksn] <*pl* oxen> *s* Ochse *m*

Ox•bridge ['ɒksbrɪdʒ] *s die Universitäten von Oxford und Cambridge*

ox cart *s* Ochsenkarren *m*

Ox•ford ['ɒksfəd] *s:* ~ **English** Oxford-Englisch *n*

ox•ida•tion [ˌɒksɪ'deɪʃn] *s* (CHEM) Oxydation *f;* **ox•ide** ['ɒksaɪd] *s* (CHEM) Oxyd *n;* **oxi•dize** ['ɒksɪdaɪz] *tr, itr* (CHEM) oxydieren

ox•tail ['ɒksteɪl] *s* Ochsenschwanz *m;* **oxtail soup** *s* Ochsenschwanzsuppe *f*

oxy•acety•lene [ˌɒksɪə'setəliːn] *s* Azetylensauerstoff *m;* **oxyacetylene welding** *s* Autogenschweißen *n*

oxy•gen ['ɒksɪdʒən] *s* Sauerstoff *m;* **oxygen cylinder** *s* Sauerstoffflasche *f;* **oxygen mask** *s* Sauerstoffmaske *f;* **oxygen tent** *s* (MED) Sauerstoffzelt *n*

oy•ster ['ɔɪstə(r)] *s* Auster *f;* **the world's my ~** die ganze Welt liegt mir zu Füßen; **oyster-bank**, **oyster-bed** *s* Austernbank *f;* **oy•ster-catcher** ['ɔɪstəˌkætʃ-

ə(r)] *s* (ZOO) Austernfischer *m*
ozone ['əʊzəʊn] *s* (CHEM) Ozon *n;* **ozone layer** *s* Ozonschicht *f;* **depletion of the ~** Zerstörung *f* der Ozonschicht; **hole in the ~** Ozonloch *n*

P

P, p [piː] <*pl* -'s> *s* P, p *n;* **mind one's P's and Q's** sich ordentlich benehmen

PA [ˌpiː'eɪ] *s* **1.** *abbr of* **personal assistant** persönliche(r) Assistent(in) *m(f);* Chefsekretär(in) *m(f)* **2.** *abbr of* **public address (system)** Lautsprecheranlage *f*

pa [pɑː] *s* (*fam*) Papa *m*

p.a. [ˌpiː'eɪ] *abbr of* **per annum** pro Jahr

pace [peɪs] **I.** *s* **1.** Schritt *m* **2.** Gang(art *f*) *m* **3.** Tempo *n* **4.** (*Pferd*) Passgang *m;* **at a quick ~** raschen Schrittes; **at a slow ~** langsam; **keep ~ with** Schritt halten mit; **put s.o. through his ~s** jdn auf Herz u. Nieren prüfen; **set the ~** das Tempo angeben; (*fig*) den Ton angeben **II.** *tr* **1.** durchschreiten **2.** (~ *out*) abschreiten, (ab)messen **3.** das Tempo angeben für **III.** *itr* im Schritt gehen; ~ **up and down** auf- und abgehen; **pace•maker** ['peɪsˌmeɪkə(r)] *s* (SPORT MED) Schrittmacher *m;* **pace-setter** ['peɪsˌsetə(r)] *s* (SPORT) Schrittmacher *m*

pachy•derm ['pækɪdɜːm] *s* (ZOO) Dickhäuter *m*

pa•ci•fic [pə'sɪfɪk] *adj* friedlich, friedfertig, friedliebend; **Pa•ci•fic** [pə'sɪfɪk] *s* (der) Pazifik; **a ~ island** eine Insel im Pazifik; **paci•fi•ca•tion** [ˌpæsɪfɪ'keɪʃn] *s* Versöhnung *f;* Befriedung *f;* **paci•fier** ['pæsɪfaɪə(r)] *s* **1.** Friedensstifter(in) *m(f)* **2.** (*Am*) Schnuller *m;* **paci•fism** ['pæsɪfɪzəm] *s* Pazifismus *m;* **paci•fist** ['pæsɪfɪst] **I.** *adj* pazifistisch **II.** *s* Pazifist(in) *m(f);* **pac•ify** ['pæsɪfaɪ] *tr* **1.** beruhigen; besänftigen **2.** (*Völker*) miteinander aussöhnen; (*Gegend*) befrieden

pack [pæk] **I.** *s* **1.** Packen, Ballen *m,* Bündel *n* **2.** Paket *n;* (*Am: Zigaretten*) Schachtel *f* **3.** (*Tiere*) Rudel *n;* Meute *f* **4.** (*pej*) Bande, Meute *f* **5.** (*Karten*) Spiel *n* **6.** (MED: *Kosmetik*) Packung *f* **7.** (Eis)Scholle *f* **8.** (*Rugby*) Sturm *m* **9.** (*back~*) Rucksack *m;* **a ~ of lies** lauter Lügen **II.** *tr* **1.** be-, ver-, einpacken **2.** (*Koffer*) packen **3.** (*Menschen*) zusammendrängen, einpferchen **4.** (*Erde*) festdrücken **5.** (TECH) abdichten **6.** (*Am*) tragen, (bei sich) haben **7.** (JUR POL) parteiisch zusammensetzen **III.** *itr* **1.** (seine Sachen) packen **2.** (~ *easily*) sich (gut) (ver)packen lassen **3.** (*Menschen*) sich drängen; sich zwängen **4.** (*Erde, Schnee*) fest werden; **that won't ~ into one case** das passt nicht in einen Koffer; **send s.o. ~ing** jdn davonjagen; **be ~ed out** gerammelt voll sein; **pack away** *tr* wegpacken, wegräumen; **pack in** *tr* **1.** einpacken **2.** (*Menschen*) hineinpferchen **3.** (*fig*) in großen Mengen anlocken **4.** (*Br fam*) aufgeben; hinschmeißen; (*Motor*) stehen bleiben; ~ **it in!** hör auf!; **pack off** *tr* (weg)schicken; **pack up I.** *tr* (*Sachen*) zusammenpacken **II.** *itr* **1.** packen **2.** (*fam*) aufhören; (*Motor*) stehen bleiben

pack•age ['pækɪdʒ] **I.** *s* **1.** Paket *n;* Packung *f;* Päckchen *n* **2.** Karton *m,* Schachtel *f;* **postal ~** (*Am*) Postpaket *n* **II.** *tr* **1.** verpacken **2.** präsentieren; **package deal** *s* Pauschalangebot *n;* **package holiday** *s* Pauschalreise *f;* **package store** *s* (*Am*) Spirituosenhandlung *f;* **package tour** *s* Pauschalreise *f;* **packag•ing** [-ɪŋ] *s* **1.** Verpackung *f* **2.** Präsentation, Aufmachung *f*

packer ['pækə(r)] *s* Packer(in) *m(f)*

packet ['pækɪt] *s* **1.** (Post)Paket *n;* Päckchen *n* **2.** (*Zigaretten*) Packung *f* **3.** (*Briefe*) Stoß *m* **4.** (~-*boat*) Passagier-, Postdampfer *m;* **make a ~** (*Br fam*) eine Stange Geld verdienen; **cost a ~** (*fam*) ein Heidengeld kosten

pack•ing ['pækɪŋ] *s* **1.** (~ *and packaging*) Verpackung *f* **2.** Packmaterial *n* **3.** (TECH) (Ab)Dichtung *f;* **do one's ~** (*fam*) packen; **packing case** *s* Kiste *f;* Umzugskarton *m;* **packing costs** *s pl* Verpackungskosten *pl;* **packing list** *s* Versandliste *f*

pact [pækt] *s* Vertrag *m,* Abkommen *n,* Pakt *m;* **make a ~** e-n Vertrag schließen

pad¹ [pæd] *itr* trotten; ~ **about** herumtapsen

pad² [pæd] **I.** *s* **1.** Kissen, Polster *n* **2.** Polsterung, Wattierung *f* **3.** Füllung, Einlage *f;* Unterlage *f* **4.** (ZOO) (Fuß)Ballen *m* **5.** (*writing~*) Schreibblock *m* **6.** (*stamp ~*) Stempelkissen *n* **7.** (SPORT) Beinschützer *m* **8.** (*Rakete*) Abschussrampe *f* **9.** (*sl*) Wohnung, Bude *f* **II.** *tr* **1.** (aus)polstern, wattieren **2.** ausstopfen **3.** (*Rede*) aufblähen; **pad out** *tr* (*fig*) auffüllen; ausdehnen; **padded** ['pædɪd] *adj* wattiert; gepolstert; ~ **cell** Gummizelle *f;* **pad•ding** ['pædɪŋ] *s* **1.** Polsterung, Wattierung *f* **2.** Polstermaterial *n* **3.** (*fig*) Füller *m*

paddle ['pædl] **I.** *s* **1.** Paddel *n* **2.** Rührschaufel *f,* -holz *n* **3.** Schaufel *f;* Schaufelrad *n;* **go for a ~** im Wasser planschen gehen **II.** *itr* **1.** paddeln **2.** waten; im Wasser planschen **III.** *tr* **1.** (*Boot*) paddeln **2.** (*Am*) schlagen, (ver)prügeln; **paddle boat** *s* Raddampfer *m;* Paddelboot *n;* **paddle steamer** *s* Raddampfer *m;* **pad•dling pool** ['pædlɪŋˌpu:l] *s* Planschbecken *n*

pad•dock ['pædək] *s* **1.** Pferdekoppel *f* **2.** (*Pferderennen*) Sattelplatz *m;* (*Motorsport*) Fahrerlager *n*

Paddy ['pædɪ] *s* (*fam: Spitzname*) Ire *m*

paddy¹ ['pædɪ] *s* **1.** ungeschälter Reis **2.** (*~-field*) Reisfeld *n*

paddy² ['pædɪ] *s* Wut *f;* **be in a ~** e-n Wutanfall haben; **paddy•wagon** *s* (*Am fam*) grüne Minna

pad•lock ['pædlɒk] **I.** *s* Vorhängeschloss *n* **II.** *tr* mit e-m Vorhängeschloss verschließen

paed- *prefix s.* **ped-**

paedia•tric [ˌpi:dɪ'ætrik] **I.** *adj* pädiatrisch **II.** *adj attr* Kinder-; **paedia•tric•ian** [ˌpi:dɪə'trɪʃn] *s* Kinderarzt *m,* -ärztin *f;* **paedi•at•rics** [ˌpi:dɪ'ætrɪks] *s pl mit sing* Kinderheilkunde, Pädiatrie *f*

pa•gan ['peɪgən] **I.** *s* Heide *m,* Heidin *f* **II.** *adj* heidnisch; **pa•gan•ism** [-ɪzəm] *s* Heidentum *n*

page¹ [peɪdʒ] **I.** *s* (*Buch*) Seite *f,* Blatt *n* **II.** *tr* paginieren

page² [peɪdʒ] **I.** *s* **1.** (Hotel)Page, Boy *m* **2.** (HIST) Edelknabe, Page *m* **II.** *tr* durch e-n Pagen holen lassen; über den Lautsprecher rufen lassen

pag•eant ['pædʒənt] *s* **1.** historische Aufführung **2.** Festzug *m;* **pag•eantry** ['pædʒəntrɪ] *s* Prunk *m,* Pracht *f*

page•boy ['peɪdʒbɔɪ] *s* **1.** Page *m* **2.** (*Frisur*) Pagenkopf *m;* **page proof** *s* umbrochene Korrekturfahne

pa•ger ['peɪdʒə(r)] *s* (TELE) Personenrufgerät *n,* Piepser *m*

pagi•na•tion [ˌpædʒɪ'neɪʃn] *s* (*Buch*) Paginierung *f*

pa•goda [pə'gəʊdə] *s* Pagode *f*

paid [peɪd] **I.** *pt, pp of* **pay II.** *adj* bezahlt; **~ holidays** bezahlter Urlaub; **put ~ to s.th.** etw zunichte machen; e-r S einen Riegel vorschieben; **paid-up** ['peɪd'ʌp] *adj* (*Aktie*) eingezahlt; (*Mitglieder*) zahlend; **fully ~ member** Mitglied, das alle Beiträge bezahlt hat

pail [peɪl] *s* Eimer, Kübel *m;* **pail•ful** [-fʊl] *s* Eimervoll *m*

pain [peɪn] **I.** *s* **1.** Schmerz(en *pl*) *m* **2.** Leid(en) *n,* Qual *f* **3.** Kummer *m,* Angst, Sorge *f* **4.** **~s** Mühe *f;* **under** [*o* (**up**)**on**] **~ of** bei Strafe *+gen;* **be at ~s to do s.th.** sehr darauf bedacht sein etw zu tun; sich große Mühe geben etw zu tun; **be in ~** Schmerzen haben; **feel ~** Schmerzen empfinden; **take ~s over s.th.** sich mit etw (große) Mühe geben; **be a ~ (in the neck)** (*fam*) jdm auf den Geist, Wecker gehen, jdn aufregen **II.** *tr* (*fig*) schmerzen, weh tun (*s.o.* jdm); **pain barrier** *s* (*a. fig*) Schmerzgrenze *f;* **pained** [peɪnd] *adj* (*Stimme, Miene*) gequält; schmerzerfüllt; **pain•ful** ['peɪnfl] *adj* **1.** schmerzhaft, schmerzend **2.** (*fig*) peinlich; unangenehm **3.** mühsam; **be ~** weh tun; **pain•killer** *s* schmerzstillendes Mittel; **pain•less** ['peɪnlɪs] *adj* **1.** schmerzlos **2.** mühelos; **pains•taking** ['peɪnzˌteɪkɪŋ] *adj* gewissenhaft, gründlich, sorgfältig

paint [peɪnt] **I.** *tr* **1.** (be)malen; anstreichen; lackieren **2.** schminken **3.** (*fig*) schildern, beschreiben; **~ the town red** (*fig*) auf den Putz hauen; **he is not as black as he is ~ed** er ist besser als sein Ruf **II.** *itr* malen **III.** *s* **1.** Farbe *f;* Anstrich *m* **2.** (MOT) Lack *m* **3.** Schminke *f;* **wet ~!** frisch gestrichen; **oil ~s** Ölfarben *fpl;* **paint•box** *s* Malkasten *m;* **paint•brush** ['peɪntbrʌʃ] *s* Pinsel *m;* **painted** ['peɪntɪd] *adj* **1.** ge-, bemalt **2.** (*Am: Tier*) bunt, scheckig; **~ woman** Flittchen *n;* **painter** ['peɪntə(r)] *s* **1.** Maler(in) *m(f)* **2.** (MOT) Lackierer(in) *m(f)* **3.** (*house ~*) Anstreicher(in) *m(f)* **4.** (MAR) Vor-, Fangleine *f;* **paint•ing** ['peɪntɪŋ] *s* **1.** Malen *n;* Anstreichen *n* **2.** Spritzlackieren *n* **3.** Malerei *f* **4.** Bild, Gemälde *n;* **paint pot** *s* Farbtopf *m;* **paint roller** *s* Rolle *f;* **paint stripper** *s* Abbeizmittel *n;* **paint•work** ['peɪnt wɜ:k] *s* Lack *m;* Anstrich *m,* Farbe *f*

pair [peə(r)] **I.** *s* **1.** Paar *n* **2.** (*Tiere, Spielkarten*) Pärchen *n;* **in ~s** paarweise; **a ~ of gloves/shoes** ein Paar *n* Handschuhe/Schuhe; **a ~ of scissors/tongs/trousers** e-e Schere/Zange/Hose; **that's another ~ of shoes** (*fig*) das ist e-e andere Sache; **they're a fine ~!** sie sind ein sauberes Pärchen! **II.** *tr* paarweise anordnen; **pair off I.** *tr* **1.** in Zweiergruppen anordnen **2.** (*Menschen*) verkuppeln **II.** *itr* Paare bilden; **pair•ing** [-ɪŋ] *s* Paarung *f;* **pair-skating** *s* Paarlaufen *n,* Paarlauf *m*

pa•ja•mas [pə'dʒɑ:məz] *s* (*Am*) *s.* **pyjamas**

Pa•ki•stan [ˌpɑ:kɪ'stɑ:n] *s* Pakistan *n;* **Pa•ki•stani** [ˌpɑ:kɪ'stɑ:nɪ] **I.** *adj* pakistanisch **II.** *s* Pakistani *m f,* Pakistaner(in) *m(f)*

pal [pæl] *s* (*sl*) Kumpel *m;* **be a ~!** sei so lieb!; **pal up** *itr* (*fam*) sich anfreunden (*with* mit)

pal•ace ['pælɪs] *s* Palast *m*

pal(a)eo•gra•phy [ˌpælɪ'ɒgrəfɪ] *s* Paläographie *f;* **pal(a)eo•lithic** [ˌpælɪəʊ'lɪθɪk] *adj* paläolithisch, altsteinzeitlich; **pal(a)e•on•tol•og•ist** [ˌpælɪɒn'tɒlədʒɪst] *s* Paläontologe *m;* -login *f;* **pal(a)e•on•tol•ogy** [ˌpælɪɒn'tɒlədʒɪ] *s* Paläontologie *f*

pal•at•able ['pælətəbl] *adj* **1.** schmackhaft **2.** (*fig*) angenehm; **pala•tal** ['pælətl] *s* Gaumenlaut *m;* **pal•ate** ['pælət] *s* Gaumen *m;* **have no ~ for s.th.** keinen Sinn für etw haben

pa•la•tial [pə'leɪʃl] *adj* palastartig; stattlich, prächtig

pal•aver [pə'lɑːvə(r)] *s* (*fam*) (endloses) Gerede, Geschwätz *n;* Theater *n*

pale¹ [peɪl] **I.** *adj* **1.** bleich; blass **2.** (*Licht*) schwach **3.** (*fig*) schwach, matt, farblos; **turn ~** blass, bleich werden, erbleichen; **~ blue** blassblau; **~ face** Bleichgesicht *n* **II.** *itr* **1.** erbleichen, erblassen, die Farbe verlieren **2.** (*fig*) verblassen (*before, beside* neben)

pale² [peɪl] *s* Pfahl *m;* **beyond the ~** indiskutabel; (*Verhalten*) unmöglich

pale•ness ['peɪlnɪs] *s* Blässe *f*

paleo- *s.* **pal(a)eo-**

Pal•est•ine ['pælɪstaɪn] *s* Palästina *n;* **~ Liberation Organisation, PLO** Palästinensische Befreiungsorganisation; **Pal•es•tin•ian** [ˌpælə'stɪnɪən] **I.** *adj* palästinensisch *f* **II.** *s* Palästinenser(in) *m(f)*

pal•ette ['pælɪt] *s* **1.** Palette *f a. fig* **2.** (*fig*) Farbskala *f*

pali•sade [ˌpælɪ'seɪd] **I.** *s* **1.** Palisade *f* **2.** **~s** (*Am*) Flussklippen *fpl* **II.** *tr* einzäunen

pall¹ [pɔːl] *itr* langweilig werden (*on, upon s.o.* jdm), überdrüssig werden (*with s.th.* e-r S), reizlos sein (*on* für); **his charm is beginning to ~** seine Fassade bröckelt ab; **it never ~s on you** man bekommt es nie satt

pall² [pɔːl] *s* **1.** Leichentuch *n* **2.** (*Rauch*) Schleier *m;* **pall•bearer** ['pɔːlˌbeərə(r)] *s* Sargträger(in) *m(f)*

pal•let ['pælɪt] *s* **1.** (TECH) Palette *f* **2.** Strohsack *m*

pal•li•ative ['pælɪətɪv] *adj* **1.** lindernd **2.** (*fig*) beschönigend

pal•lid ['pælɪd] *adj* blass, bleich; **pal•lor** ['pælə(r)] *s* Blässe *f*

pally ['pælɪ] *adj* (*fam*) eng befreundet

palm¹ [pɑːm] *s* (BOT) Palme *f;* Palmzweig *m;* **carry off the ~** den Sieg davontragen

palm² [pɑːm] *s* (ANAT) Handteller *m,* Handfläche *f;* (*Handschuh*) Innenfläche *f;* **grease s.o.'s ~** jdn bestechen; **read s.o.'s ~** jdm aus der Hand lesen; **palm off** *tr* abspeisen; **~ s.th. off on(to) s.o.** jdm etw andrehen; **palm•ist** ['pɑːmɪst] *s* Handleser(in) *m(f),* Handliniendeuter(in) *m(f)*

palm leaf ['pɑːmˌliːf] <*pl* -leaves> *s* Palmwedel *m;* **Palm Sunday** *s* Palmsonntag *m;* **palm tree** *s* Palme *f*

pal•pable ['pælpəbl] *adj* **1.** greifbar; (MED) tastbar **2.** (*fig: Lüge*) offensichtlich

pal•pi•tate ['pælpɪteɪt] *itr* zittern; (*Herz*) klopfen; **pal•pi•ta•tion** [ˌpælpi'teɪʃn] *s oft pl* Herzrhythmusstörung *f*

palsy ['pɔːlzɪ] *s* Lähmung *f;* **cerebral ~** zerebrale Lähmung

palsy-walsy ['pælzɪ'wælzɪ] *adj* (*sl*) scheißfreundlich

pal•try ['pɔːltrɪ] *adj* schäbig; (*Grund*) unbedeutend

pam•pas ['pæmpəs] *s pl* Pampas *pl*

pam•per ['pæmpə(r)] *tr* verwöhnen, verhätscheln

pamph•let ['pæmflɪt] *s* Broschüre *f;* Flugblatt *n*

pan¹ [pæn] **I.** *s* **1.** Pfanne *f;* Kochtopf *m* **2.** Waagschale *f;* Goldpfanne *f* **3.** (*Toilette*) Becken *n* **II.** *tr* **1.** (*Gold*) waschen **2.** (*fam: Aufführung*) verreißen; **pan out** *itr* sich entwickeln; **~ out well** klappen

pan² [pæn] **I.** *s* Kameraschwenk *m* **II.** *tr* schwenken

pana•cea [ˌpænə'sɪə] *s* Allheilmittel *n*

pa•nache [pə'næʃ] *s* Schwung *m*

Pana•ma [ˌpænə'mɑː] *s* Panama *n;* **~ Canal** Panamakanal *m;* **Pana•manian** [ˌpænə'meɪnɪən] **I.** *adj* panamaisch **II.** *s* Panamaer(in) *m(f),* Panamese *m,* Panamesin *f*

Pan-Ameri•can ['pænə'merɪkən] *adj* panamerikanisch

pana•tel•la [ˌpænə'telə] *s* dünne Zigarre

pan•cake ['pænkeɪk] **I.** *s* Pfannkuchen *m;* **P~ Day** Fastnachtsdienstag *m* **II.** *itr* (*Flugzeug*) eine Bauchlandung machen

pan•creas ['pæŋkrɪəs] *s* (ANAT) Bauchspeicheldrüse *f;* **pan•cre•atic** [ˌpæŋkrɪ'ætɪk] *adj* Bauchspeicheldrüsen-, pankreatisch

panda ['pændə] *s* (ZOO) Panda *m;* **panda car** *s* (*Br*) Streifenwagen *m*

pan•de•mo•nium [ˌpændɪ'məʊnɪəm] *s* (*fig*) Chaos *n;* Tumult, Höllenlärm *m*

pan•der ['pændə(r)] **I.** *s* (*obs*) Kuppler *m* **II.** *itr* nachgeben (*to s.o., s.th.* jdm, e-r S); **~ to s.o.'s ego** jdm um den Bart gehen

p and p [ˌpiːən'piː] *s abbr of* **postage and packing** Porto und Verpackung

pane [peɪn] *s* Fensterscheibe *f*

panel ['pænl] **I.** *s* **1.** (ARCH) (Holz)Platte, Tafel *f* **2.** (*Wand, Tür*) Füllung *f* **3.** (*Kleid*) Bahn *f* **4.** (*Kunst*) Tafel *f;* Tafelbild *n* **5.** (*Flugzeug*) Verschalungsteil *n;* (*Auto*) Karosserieteil *n* **6.** (*instrument ~*) Schalttafel *f;* (MOT) Armaturenbrett *n* **7.** Ausschuss *m,* Kommission *f* **8.** (JUR) Geschworenenliste *f;* Geschworene, Schöffen *mpl* **9.** (HIST) Liste *f* der Kassenärzte **10.** Diskussionsgruppe *f,* Forum *n* **11.** (*Meinungsforschung*) Befragtengruppe *f;* **advisory ~** beratender Ausschuss; **consumer** ~ Verbraucherpanel *n,* Verbrauchertestgruppe *f;* ~ **of experts** Sachverständigenausschuss *m* **II.** *tr* täfeln (*with* mit); **panel beater** *s* Autoschlosser(in) *m(f);* **panel discussion** *s* Podiumsdiskussion *f;* **panel game** *s* Ratespiel *n;* **panel•ing** *s* (*Am*) *s.* **panelling; panel•ist** *s* (*Am*) *s.* **panellist; panelling** [-ɪŋ] *s* Täfeln *n;* Täfelung *f;* Verschalung *f;* **panel•list** [-ɪst] *s* Diskussionsteilnehmer(in) *m(f)*

pang [pæŋ] *s* **1.** stechender, heftiger Schmerz **2.** (*fig*) plötzliche Angst, Beklemmung *f;* ~**s of conscience** Gewissensbisse *mpl*

pan•handle ['pænhændl] **I.** *s* **1.** Pfannenstiel *m* **2.** (*Am*) Landzipfel *m* **II.** *itr* (*Am fam*) schnorren; **pan•handler** ['pænhændlə(r)] *s* Schnorrer(in) *m(f)*

panic ['pænɪk] <panicking, panicked> **I.** *s* Panik *f;* panischer Schreck(en); **get into ~ about s.th.** wegen etw in panische Angst geraten **II.** *tr* **1.** e-n Schreck einjagen (*s.o.* jdm) **2.** (*Am sl*) zum Lachen bringen **III.** *itr* in Panik geraten; **don't ~!** keine Panik!; **pan•icky** ['pænɪkɪ] *adj* (*fam*) äußerst ängstlich; (*Reaktion, Maßnahme*) Kurzschluss-; **get** ~ in Panik geraten; **panic-stricken** ['pænɪkˌstrɪkən] *adj* in panischem Schrecken

pan•nier ['pænɪə(r)] *s* großer Korb; (*an Fahrrad*) Satteltasche *f;* (*für Maultier*) Tragkorb *m*

pan•or•ama [ˌpænə'rɑːmə] *s* **1.** Panorama *n,* Rundblick *m* **2.** (*fig*) Panorama *n,* (gute) Übersicht *f* (*of* über); **pan•or•amic** [ˌpænə'ræmɪk] *adj* panoramaartig; (MOT) Rundsicht-; ~ **shot** (PHOT) Panoramaaufnahme *f*

pan•pipes ['pænpaɪps] *s pl* Panflöte *f*

pansy ['pænzɪ] *s* **1.** (BOT) Stiefmütterchen *n* **2.** (*sl pej*) Schwule(r), Süße(r) *m*

pant [pænt] **I.** *itr* **1.** keuchen **2.** (~ *for breath*) nach Luft schnappen; **be ~ing to do s.th.** darauf brennen etw zu tun **II.** *tr* (keuchend) hervorstoßen **III.** *s* Keuchen *n*

pan•tech•ni•con [pæn'teknɪkən] *s* (großer) Möbelwagen *m*

pan•the•ism ['pænθɪɪzəm] *s* Pantheismus *m;* **pan•the•ist** ['pænθɪɪst] *s* Pantheist(in) *m(f);* **pan•the•istic** [ˌpənθɪ'ɪstɪk] *adj* pantheistisch

pan•ther ['pænθə(r)] *s* Panther *m*

pan•ties ['pæntɪz] *s pl* **1.** (Damen)Schlüpfer *m* **2.** Kinderhöschen *n*

pan•to•mime ['pæntəmaɪm] *s* **1.** (*Am: Theaterstück*) Pantomime *f* **2.** (*in England*) Weihnachtsmärchen *n*

pan•try ['pæntrɪ] *s* Vorrats-, Speisekammer *f*

pants [pænts] *s pl* (*Am*) **1.** Hose *f* **2.** (*Br*) Unterhose *f;* **wear the** ~ (*Am*) die Hosen anhaben; **pant•suit** ['pæntsuːt] *s* (*Am*) Hosenanzug *m*

panty girdle ['pæntɪˌgɜːdl] *s* Miederhöschen *n;* **panty•hose** *s* (*Am*) Strumpfhose *f;* **panty liner** *s* Slipeinlage *f;* **panty set** *s* Garnitur *f* Unterwäsche

pap [pæp] *s* Brei *m*

pa•pacy ['peɪpəsɪ] *s* Papsttum *n;* **pa•pal** ['peɪpl] *adj* päpstlich

pa•pa•ya [pə'paɪə] *s* Papaya *f*

pa•per ['peɪpə(r)] **I.** *s* **1.** Papier *n* **2.** Zeitung *f* **3.** Aufsatz *m,* Abhandlung *f,* Vortrag *m* (*on* über) **4.** (*examination* ~) Prüfungsarbeit *f* **5.** (*wall* ~) Tapete *f* **6.** ~**s** (Ausweis-, Legitimations)Papiere *npl* **7.** ~**s** Akten *fpl,* Papiere *npl;* **on** ~ auf dem Papier; (*fig*) in der Theorie; **commit to** ~ zu Papier bringen, schriftlich niederlegen; **do a ~ round** Zeitungen austragen; **ballot** [*o* **voting**] ~ Stimm-, Wahlzettel *m;* **blotting** ~ Löschblatt *n;* **brown** ~ Packpapier *n;* **daily/evening/sports** ~ Tages-/Abend-/Sportzeitung *f;* **sheet of** ~ Blatt *n* Papier; **Sunday** ~ Sonntagsblatt *n;* **waste** ~ Altpapier *n;* **weekly** ~ Wochenblatt *n;* **white** ~ (POL) Weißbuch *n;* **wrapping** ~ Packpapier *n;* **writing** ~ Schreibpapier *n* **II.** *tr* tapezieren; ~ **over** überkleben; ~ **over the cracks of s.th.** (*fig*) etw übertünchen; **pa•per•back** ['peɪpəbæk] *s* Taschenbuch *n;* **paper bag** *s* Tüte *f;* **paper•boy** *s* Zeitungsjunge *m;* **paper chain** *s* Girlande *f;* **paper chase** *s* Schnitzeljagd *f;* **paper-clip** *s* Büroklammer *f;* **paper cup** *s* Pappbecher *m;* **paper feed** *s* (*Drucker*) Papiereinzug *m;* **paper jam** *s* (*Drucker*) Papierstau *m;* **paper•knife** <*pl* -knives> *s* Brieföffner *m;* **paper-mill** *s* Papierfabrik *f;* **paper millionaire** *s* Aktienmillionär(in) *m(f);* **paper money** *s* Papiergeld *n;* **paper plate** *s* Pappteller *m;* **paper profit** *s* Buchgewinn *m,* rechnerischer Gewinn; **paper tape** *s* Lochstreifen *m;* **paper-thin** *adj* hauchdünn; **paper tiger** *s* Papiertiger *m;* **paper tissue** *s* Kosmetiktuch *n;* **paper tray** *s* (EDV) Papierschacht *m;* **paper•weight** ['peɪpəweɪt] *s* Briefbeschwerer *m;* **paper•work** ['peɪpəwɜːk] *s* Schreibarbeit *f*

papier-mâché [ˌpæpɪeɪ'mæʃeɪ, ˌpeɪpəmə'ʃeɪ] *s* Papier-, Pappmachee *n*

pa•pist ['peɪpɪst] *s* (*pej*) Papist(in) *m(f)*

pa•poose [pə'puːs] *s* **1.** Indianerkind *n* **2.** Rückentrage *f* für ein Kleinkind

pap•rika ['pæprɪkə, pə'priːkə] *s* Paprika *m*

pa•py•rus [pə'paɪərəs, *pl* -rəsɪz, -raɪ] <*pl* -ruses, -ri> *s* **1.** Papyrus *m* **2.** Papyrusstaude *f*

par [pɑː(r)] *s* **1.** (FIN) Nennwert *m* **2.** (*Golf*)

Par *m;* **above** ~ über pari; (*fig*) überdurchschnittlich, überragend; **at** ~ al pari; zum Nennwert; **below** ~ unter pari; (*fig*) unter Niveau; **on a** ~ **with** auf gleicher Stufe mit; ebenbürtig; **up to** ~ (*fig*) auf der Höhe; **I don't feel up to** ~**, I feel below** ~ ich fühle mich nicht wohl

par•able ['pærəbl] *s* Gleichnis *n,* Parabel *f*

par•ab•ola [pə'ræbələ] *s* (MATH) Parabel *f*

para•bolic [ˌpærə'bɒlɪk] *adj* gleichnishaft, allegorisch; ~ **mirror** Parabolspiegel *m*

para•chute ['pærəʃu:t] **I.** *s* Fallschirm *m;* **golden** ~ großzügige Entlassungsabfindung **II.** *tr* (mit dem Fallschirm) abwerfen, absetzen **III.** *itr* abspringen; **parachute drop** *s* Fallschirmabwurf *m;* **parachute jump** *s* Fallschirmabsprung *m;* **parachute jumper** *s* Fallschirmspringer(in) *m(f);* **parachute regiment** *s* Fallschirmjägertruppe *f;* **para•chut•ist** ['pærəʃu:tɪst] *s* Fallschirmspringer(in) *m(f)*

par•ade [pə'reɪd] **I.** *s* **1.** (Truppen)Parade *f* **2.** (~*-ground*) Exerzier-, Paradeplatz *m* **3.** Auf-, Festzug *m;* Demonstration *f;* Prozession *f* **4.** (*fashion* ~) Modenschau *f* **5.** Promenade *f* (*am Meer*) **6.** (*fig*) Zurschaustellung *f* **II.** *tr* **1.** aufmarschieren lassen **2.** (*fig*) zur Schau stellen **III.** *itr* **1.** eine Demonstration veranstalten **2.** (MIL) aufmarschieren **3.** herumstolzieren

para•digm ['pærədaɪm] *s* (Muster)Beispiel *n;* **para•dig•matic** [ˌpærə dɪg'mætɪk] *adj* exemplarisch

para•dise ['pærədaɪs] *s* (das) Paradies; **live in a fool's** ~ sich etw vormachen; **paradisiac(al)** [ˌpærə'dɪsɪæk, ˌpærədɪ'zaɪəkl] *adj* paradiesisch

para•dox ['pærədɒks] *s* Paradox(on) *n;* **para•doxi•cal** [ˌpærə'dɒksɪkl] *adj* paradox, widersinnig; **para•doxi•cal•ly** [-ɪ] *adv* paradoxerweise

par•af•fin ['pærəfɪn] *s* **1.** (*Am:* ~ *wax*) Paraffin *n* **2.** (*Br:* ~ *oil*) Paraffinöl *n*

para•glid•ing ['pærəˌglaɪdɪŋ] *s* Paragliding *n*

para•gon ['pærəgən, *Am* 'pærəgɒn] *s* Vorbild, Muster *n;* ~ **of virtue** Musterknabe *m*

para•graph ['pærəgrɑ:f, *Am* 'pærə græf] **I.** *s* **1.** Absatz, Abschnitt *m* **2.** (kurzer) Zeitungsartikel *m* **II.** *tr* in Absätze, Paragraphen einteilen

Pa•ra•guay ['pærəgwaɪ] *s* Paraguay *n;* **Pa•ra•gua•yan** [ˌpærə'gwaɪən] **I.** *adj* paraguayisch **II.** *s* Paraguayer(in) *m(f)*

para•keet ['pærəki:t] *s* Sittich *m*

par•al•lel ['pærəlel] **I.** *adj* **1.** (MATH) parallel (*with, to* mit) **2.** (*fig*) gleichlaufend (*to, with* zu, mit), entsprechend (*to s.th.* e-r S); ~ **connection** (EL) Parallelschaltung *f;* **a** ~ **case** ein Parallelfall *m* **II.** *s* **1.** (*a. fig*) Parallele *f* (*to* zu) **2.** (*fig*) Entsprechung *f* **3.** (GEOG: ~ *of latitude*) Breitenkreis *m;* **without** ~ unvergleichlich; **be without** (**a**) ~ einzig dastehen, keine Parallele haben; **draw a** ~ **between** e-e Parallele ziehen zwischen **III.** *tr* gleichen (*s.th.* e-r S); **parallel bars** *s pl* (SPORT) Barren *m;* **par•al•lel•ism** [-ɪzəm] *s* Parallelität *f;* (*fig*) Ähnlichkeit *f;* **par•al•lelo•gram** [ˌpærə'leləgræm] *s* Parallelogramm *n*

Para•lym•pic Games, **Para•lym•pics** [ˌpærəlɪmpɪk'geɪmz, ˌpærə'lɪmpɪks] *s* Behinderten-Wettspiele *f*

para•lyse ['pærəlaɪz] *tr* **1.** lähmen *a. fig* **2.** (*Verkehr*) lahmlegen **3.** (*fig*) zum Erliegen bringen; unwirksam machen; **~d with fear** starr vor Schrecken; **par•al•ysis** [pə'ræləsɪs] *s* Lähmung *f a. fig;* **para•lytic** [ˌpærə'lɪtɪk] **I.** *adj* **1.** paralytisch; gelähmt **2.** (*fam*) volltrunken **II.** *s* Gelähmte(r) *f m,* Paralytiker(in) *m(f);* **paralyze** (*Am*) *s.* **paralyse**

para•med•ic [ˌpærə'medɪk] *s* Sanitäter(in) *m(f)*

par•ameter [pə'ræmɪtə(r)] *s* **1.** (MATH) Parameter *m* **2.** **~s** (*fig*) Rahmen *m;* **parametric programming** *s* parametrische Programmierung

para•mili•tary [ˌpærə'mɪlɪtrɪ] *adj* paramilitärisch

para•mount ['pærəmaʊnt] *adj* wichtigste(r, s), höchste(r, s), größte(r, s); **of** ~ **importance** von größter Wichtigkeit

para•noia [ˌpærə'nɔɪə] *s* Verfolgungswahn *m;* **para•noiac** [ˌpærə'nɔɪæk] **I.** *adj* paranoisch **II.** *s* Paranoiker(in) *m(f);* **paranoid** ['pærənɔɪd] *adj* paranoid

para•pet ['pærəpɪt] *s* (Brücken-, Balkon)Geländer *n*

para•pher•nalia [ˌpærəfə'neɪlɪə] *s pl* Kinkerlitzchen *npl,* Brimborium, Drum und Dran *n*

para•phrase ['pærəfreɪz] **I.** *s* Umschreibung *f* **II.** *tr* umschreiben

para•plegia [ˌpærə'pli:dʒə] *s* Querschnittslähmung *f;* **para•plegic** [ˌpærə'pli:dʒɪk] **I.** *adj* querschnittsgelähmt **II.** *s* Querschnittsgelähmte(r) *f m*

para•psy•chol•ogy [ˌpærəsaɪ'kɒlədʒɪ] *s* Parapsychologie *f*

paras ['pærəz] *s pl* (*fam*) Fallschirmtruppen *fpl*

para•site ['pærəsaɪt] *s* (BIOL) Schmarotzer, Parasit *m a. fig;* **para•sitic(al)** [ˌpærə'sɪtɪk(l)] *adj* **1.** (BIOL) parasitisch **2.** (MED TECH) parasitär

para•ski•ing [ˌpærə'ski:ɪŋ] *s* Paraskifahren *n*

para•sol ['pærəsɒl] *s* Sonnenschirm *m*

para•trooper ['pærətru:pə(r)] *s* Fallschirmjäger *m;* **para•troops** ['pærətru:ps] *s pl* Fallschirm-, Luftlandetruppen *fpl*

para•typhoid [ˌpærə'taɪfɔɪd] *s* (MED: ~ *fever*) Paratyphus *m*

par•boil ['pɑ:bɔɪl] *tr* ankochen, halbgar kochen

par•cel ['pɑ:sl] *s* **1.** Paket, Päckchen *n* **2.** (*Land*) Parzelle *f;* **part and** ~ ein wesentlicher Bestandteil; ~ **of land** Landparzelle *f;* ~ **of shares** Aktienpaket *n;* **parcel out** *tr* aufteilen; **parcel up** *tr* als Paket verpacken; **parcel delivery** *s* Paketzustellung *f;* **parcel office** *s* Paketschalter *m;* **parcel post** *s* Paketpost *f;* **send by** ~ als Postpaket schicken

parch [pɑ:tʃ] *tr* austrocknen; **be ~ed (with thirst)** vor Durst verschmachten

parch•ment ['pɑ:tʃmənt] *s* Pergament *n*

pard [pɑ:(r)d] *s* (*Am sl*) Partner, Kumpel *m*

par•don ['pɑ:dn] **I.** *tr* **1.** (JUR) begnadigen **2.** vergeben, verzeihen (*s.o.* jdm); ~ **me!** Entschuldigung!; ~ **me?** wie bitte? **II.** *s* **1.** Verzeihung, Vergebung *f* **2.** (JUR) Begnadigung *f;* **I beg your ~!** Entschuldigung!; **I beg your ~?** wie bitte?; **par•don•able** ['pɑ:dnəbl] *adj* verzeihlich, entschuldbar

pare [peə(r)] *tr* **1.** (*Obst*) schälen **2.** (*Nägel*) schneiden **3.** (~ *down*) kürzen, reduzieren

par•ent ['peərənt] *s* **1.** Elternteil *m* **2.** (*fig*) Vorläufer *m* **3.** **~s** Eltern *pl;* **~s-in-law** Schwiegereltern *pl;* **par•ent•age** ['peərəntɪdʒ] *s* Abstammung, Herkunft *f;* **par•ental** [pə'rentl] **I.** *adj* elterlich **II.** *adj attr, adj* Eltern-; **parent company** *s* Muttergesellschaft *f*

par•enth•esis [pə'renθəsɪs, *pl* -əsi:z] <*pl* -eses> *s* **1.** Einschaltung (*im Text*), Parenthese *f;* Zwischenbemerkung *f* **2. parentheses** runde Klammern *fpl*

par•ent•hood ['peərənthʊd] *s* Elternschaft *f;* **par•ent•less** ['peərəntlɪs] *adj* elternlos; **parent ship** *s* Mutterschiff *n*

pa•riah [pə'raɪə, 'pærɪə] *s* **1.** (REL) Paria *m a. fig* **2.** (*fig*) Ausgestoßene(r) *f m*

par•ing ['peərɪŋ] *s* **1.** Schälen *n* **2.** **~s** Abfall *m,* Schnitzel *mpl*

par•ish ['pærɪʃ] *s* **1.** (Pfarr-, Kirchen)Gemeinde *f* **2.** (*civil* ~) (Land)Gemeinde *f;* **par•ishioner** [pə'rɪʃənə(r)] *s* Gemeindemitglied *n;* **parish(-pump) politics** *s pl* Kirchturmpolitik *f;* **parish register** *s* Kirchenbuch *n*

par•ity ['pærətɪ] *s* **1.** Gleichheit, Gleichberechtigung *f* **2.** Gleichwertigkeit *f* **3.** (FIN) (Währungs)Parität *f;* ~ **of treatment** Gleichstellung *f;* ~ **of pay** Lohngleichheit *f;* **parity change** *s* (FIN) Wechselkursänderung *f;* **parity re•alignment** *s* (FIN) Neuordnung *f* der Wechselkursparitäten

park [pɑ:k] **I.** *s* **1.** Park *m* **2.** Naturpark *m,* -schutzgebiet *n* **3.** Sportplatz *m* **4.** (*Am: für Autos*) Parkplatz *m* **5.** (*Automatikwagen*) Parkstellung *f* **6.** (MIL) Arsenal *n;* **national** ~ Nationalpark *m* **II.** *tr* **1.** parken; abstellen; (*Fahrrad*) abstellen **2.** (*fig fam*) abstellen; ~ **o.s.** (*fam*) sich plazieren; **I'm ~ed over there** ich habe da drüben geparkt **III.** *itr* parken; ~ **and ride system** Park-and-ride-System *n*

parka ['pɑ:kə] *s* Parka *m*

park•ing ['pɑ:kɪŋ] *s* **1.** Parken *n* **2.** Parkraum *m;* **no** ~ Parken verboten; **parking area, parking place** *s* Abstell-, Parkplatz *m;* **parking bay** *s* Parkbucht *f;* **parking disc** *s* Parkscheibe *f;* **parking level** *s* Parkdeck *n;* **parking lights** *s pl* (MOT) Standlicht *n;* **parking lot, parking space** *s* Park-, Stellplatz *m;* **parking meter** *s* Parkuhr *f;* **parking offender** *s* Falschparker *m;* **parking ticket** *s* Strafzettel *m* (*für falsches Parken*); **park-keeper** ['pɑ:kki:pə(r)] *s* Parkwächter(in) *m(f);* **park•way** ['pɑ:kweɪ] *s* (*Am*) Allee *f*

parky ['pɑ:kɪ] *adj* (*Br fam*) kühl

par•lance ['pɑ:ləns] *s* Rede-, Sprechweise *f;* **in legal** ~ in der Rechtssprache

par•ley ['pɑ:lɪ] **I.** *itr* unter-, verhandeln **II.** *s* Verhandlung *f;* **peace ~s** Friedensverhandlungen *fpl*

par•lia•ment ['pɑ:ləmənt] *s* Parlament *n;* **enter** [*o* **go into**] **P~** ins Parlament gewählt werden; **stand for P~** für das Unterhaus kandidieren; **Member of P~** Parlamentsmitglied *n;* **par•lia•men•tarian** [ˌpɑ:ləmən'teərɪən] *s* Parlamentarier(in) *m(f);* **par•lia•men•tary** [ˌpɑ:lə'mentrɪ] *adj* parlamentarisch; ~ **elections** Parlamentswahl *f;* ~ **party** Fraktion *f*

par•lor (*Am*) *s.* **parlour**

par•lour ['pɑ:lə(r)] *s* Salon *m,* Wohnzimmer *n;* **beauty** ~ (*Am*) Schönheitssalon *m;* **ice-cream** ~ Eisdiele *f;* **parlo(u)r game** *s* Gesellschaftsspiel *n;* **parlo(u)r-maid** *s* (*Br*) Dienstmädchen *n*

par•ochial [pə'rəʊkɪəl] *adj* **1.** Gemeinde-, Pfarr- **2.** (*fig*) beschränkt, engstirnig; **parochial•ism** [-ɪzəm] *s* (*fig*) Engstirnigkeit *f;* **parochial school** *s* (*Am*) Konfessionsschule *f*

par•odist ['pærədɪst] *s* Parodist(in) *m(f);* **par•ody** ['pærədɪ] **I.** *s* **1.** Parodie *f* (*of* auf) **2.** schwache Nachahmung, Abklatsch *m* **II.** *tr* parodieren

pa•role [pə'rəʊl] **I.** *s* (JUR) bedingte Entlassung (*aus der Strafhaft*), Bewährung *f;* **on** ~ auf Bewährung **II.** *tr* (JUR) bedingt entlassen; auf Bewährung entlassen

par•ox•ysm ['pærəksɪzəm] *s* Anfall *m;* **~s**

of laughter ein Lachkrampf *m*

par•quet ['pɑːkeɪ, *Am* pɑːr'keɪ] *s* (*a.* THEAT) Parkett *n Am*

par•ri•cide ['pærɪsaɪd] *s* **1.** Vater-, Muttermörder(in) *m(f)* **2.** Vater-, Muttermord *m*

par•rot ['pærət] **I.** *s* Papagei *m* **II.** *tr* nachplappern; **repeat s.th. ~ fashion** etw wie ein Papagei wiederholen; **parrot fever** *s* Papageienkrankheit *f*

parry ['pærɪ] **I.** *tr* **1.** abwehren, parieren **2.** (*Frage*) ausweichen (*s.th.* e-r S) *a. fig* **II.** *s* **1.** Abwehr *f* **2.** Parade *f*

parse [pɑːz] *tr* (GRAM: *Satz*) zerlegen, analysieren, (zer)gliedern; (*Wort*) grammatisch definieren

par•si•moni•ous [ˌpɑːsɪ'məʊnɪəs] *adj* geizig, knauserig (*of* mit); **par•si•mony** ['pɑːsɪmənɪ, *Am* 'pɑːsɪməʊnɪ] *s* Geiz *m*, Knauserigkeit *f*

pars•ley ['pɑːslɪ] *s* Petersilie *f*

pars•nip ['pɑːsnɪp] *s* Pastinake *f*

par•son ['pɑːsn] *s* Pfarrer *m*; **par•son•age** ['pɑːsnɪdʒ] *s* Pfarrhaus *n*; **parson's nose** *s* Bürzel *m*

part [pɑːt] **I.** *s* **1.** Teil *m* **2.** Stück *n* (*e-s Ganzen*) **3.** Anteil *m*; Abschnitt, Teil *m* **4.** (TECH) Teil, Bauteil *n* **5.** (*Serie*) Folge, Fortsetzung *f* **6.** (*Buch*) Lieferung *f* **7.** (THEAT) Rolle *f* **8.** (MUS) Stimme, Partie *f* **9.** Seite, Partei *f* **10. ~s** Gegend *f*, Gebiet *n*, Bezirk *m* **11.** (*Am*) Scheitel *m* **12. ~s** Geschlechtsteile *npl*; **the greater ~** der größte Teil, die Mehrheit; **the nice ~ of it is** das Nette daran ist; **I lost ~ of it** ich habe einen Teil davon verloren; **for the most ~** meist(ens), größten-, meistenteils; **for my ~** meinerseits, was mich betrifft; **in ~ s** teilweise, teils, zum Teil; teil-; **in equal ~s** zu gleichen Teilen; **in these ~s** in dieser Gegend; **on the ~ of** vonseiten, seitens; **be ~ and parcel of s.th.** von etw ein wesentlicher Bestandteil sein; **play** [*o* **take**] **a ~** e-e Rolle spielen; **take ~** teilnehmen; sich beteiligen (*in* an); **take s.o.'s ~** für jdn, jds Partei ergreifen; **take s.th. in good ~** etw nicht übelnehmen; **take in ~ exchange** in Zahlung nehmen; **constituent ~s** Bestandteile *mpl*; **leading ~** Hauptrolle *f*; **a man of (many) ~s** ein begabter, vielseitiger Mensch; **spare ~** Ersatzteil *n*; **~ of the body** Körperteil *m*; **~ of the country** Gegend *f*; **~ of speech** (GRAM) Wortart *f* **II.** *adv* teils, teilweise; **she's ~ English ~ German** sie ist teils Engländerin, teils Deutsche; **~ eaten** halb aufgegessen; **offer (take) s.th. in ~ exchange** etw in Zahlung geben (nehmen) **III.** *tr* **1.** teilen; (*Haar*) scheiteln **2.** trennen (*from* von); **~ company** sich trennen (*with* von); **till death us do ~** bis dass der Tod uns scheidet **IV.** *itr* **1.** sich teilen; (*Lippen, Vorhang*) sich öffnen **2.** (*Menschen*) sich trennen; auseinandergehen; (*Dinge*) sich lösen; **~ from s.o.** sich von jdm trennen; **~ with s.th.** sich von etw trennen

par•the•no•gen•esis ['pɑːθɪnəʊ'dʒenɪsɪs] *s* Parthenogenese *f*

par•tial ['pɑːʃl] *adj* **1.** parteiisch, voreingenommen **2.** teilweise, partiell; **be ~ to s.th.** für etw e-e Vorliebe haben; **~ payment** Teilzahlung *f*; **~ success** Teilerfolg *m*; **par•tial•ity** [ˌpɑːʃɪ'ælətɪ] *s* **1.** Voreingenommenheit, Parteilichkeit *f* **2.** Vorliebe *f* (*for, to* für); **par•tial•ly** ['pɑːʃəlɪ] *adv* teilweise

par•tici•pant [pɑː'tɪsɪpənt] *s* Teilnehmer(in) *m(f)*; **par•tici•pate** [pɑː'tɪsɪpeɪt] *itr* **1.** teilnehmen, -haben, sich beteiligen (*in* an) **2.** beteiligt sein (*in* an); **par•tici•pa•tion** [pɑːˌtɪsɪ'peɪʃn] *s* **1.** Mitwirkung, Teilnahme *f* (*in* an) **2.** (COM) Beteiligung *f*; **worker ~** Mitbestimmung *f*; **~ in profits** Gewinnbeteiligung *f*; **par•tici•pa•tor** [pɑː'tɪsɪpeɪtə(r)] *s* **1.** Teilnehmer(in) *m(f)*, -haber(in) *m(f)* **2.** Gesellschafter(in) *m(f)*, Aktionär(in) *m(f)*

par•ti•ciple ['pɑːtɪsɪpl] *s* (GRAM) Partizip *n*

par•ticle ['pɑːtɪkl] *s* **1.** (*a.* PHYS) Teilchen *n* **2.** (*fig*) Spur *f* **3.** (GRAM) Partikel *f*; **not a ~ of sense** kein Fünkchen Verstand; **particle accelerator** *s* (PHYS) Teilchenbeschleuniger *m*

par•ticu•lar [pə'tɪkjʊlə(r)] **I.** *adj* **1.** besondere(r, s); (*Grund*) bestimmt **2.** (*im Gegensatz zu anderen*) bestimmt **3.** (*Mensch*) eigen; wählerisch; (über)genau; **be ~ about s.th.** in Bezug auf etw sehr eigen sein; es mit etw sehr genau nehmen; **in ~** insbesondere; **nothing (in) ~** nichts Besonderes; **take ~ pains** sich besonders bemühen; **~ case** besonderer Fall; Sonder-, Einzelfall *m* **II.** *s* **1. ~s** nähere Angaben *fpl*, Näheres *n*; Details *npl*, Einzelheiten *fpl* (*about, of* über) **2. ~s** Personalangaben *fpl*, Personalien *pl*; **with full ~s** mit allen Einzelheiten; **without giving ~s, without entering ~s, without going into ~s** ohne nähere Angaben (zu machen), ohne auf Einzelheiten einzugehen; **enter** [*o* **go into**] **~s** auf Einzelheiten eingehen; ins Einzelne gehen; **furnish ~s** Einzelheiten angeben; Auskunft erteilen; **for ~s apply to ...** (nähere) Auskünfte (erhalten Sie) bei ...; **par•ticu•lar•ize** [pə'tɪkjʊləraɪz] *tr* einzeln angeben, aufführen; spezifizieren; **par•ticu•lar•ly** [pə'tɪkjʊləlɪ] *adv* im Besonderen; insbesondere

part•ing ['pɑːtɪŋ] **I.** *adj* scheidend **II.** *s* **1.** Abschied *m* **2.** (*Br*) Scheitel *m*; **at ~** beim Abschied; **~ of the ways** Weggabelung *f*; (*fig*) Scheideweg *m*; **parting shot** *s* **1.**

letzter Blick **2.** letzte Bemerkung

par•ti•san [ˌpɑːtɪˈzæn, *Am* ˈpɑːtɪzn] **I.** *adj* **1.** parteiisch, parteilich **2.** Partisanen- **II.** *s* **1.** Parteigänger(in) *m(f)*, Anhänger(in) *m(f)* **2.** (MIL) Partisan(in) *m(f)*, Widerstandskämpfer(in) *m(f)*

par•ti•tion [pɑːˈtɪʃn] **I.** *s* **1.** Teilung *f* **2.** Aufteilung *f* **3.** (*Grundstück*) Parzellierung *f* **4.** Trenn-, Zwischen-, Scheide-, Stellwand *f* **II.** *tr* **1.** (auf)teilen, verteilen **2.** (*Land*) parzellieren; ~ **off** abtrennen, -teilen

part•ly [ˈpɑːtlɪ] *adv* teilweise, zum Teil, teils

part•ner [ˈpɑːtnə(r)] **I.** *s* **1.** (COM) Partner(in) *m(f)*, Teilhaber(in) *m(f)* (*in* an), Gesellschafter(in) *m(f)* **2.** (Ehe-, Tanz-, Spiel)Partner(in) *m(f)* **II.** *tr:* ~ **s.o.** jds Partner sein; **part•ner•ship** [ˈpɑːtnəʃɪp] *s* **1.** Partnerschaft *f* **2.** (COM) Personengesellschaft *f* **3.** Mitbeteiligung *f* (*in* an); **enter ~ with s.o.** sich mit jdm geschäftlich verbinden; **general** ~ offene Handelsgesellschaft; **limited** ~ Kommanditgesellschaft *f*; **partnership agreement** *s* Gesellschaftsvertrag *m*

part owner [ˌpɑːtˈəʊnə(r)] *s* Miteigentümer(in) *m(f)*; **part ownership** *s* Miteigentum *n*; **part payment** *s* Teilzahlung *f*

par•tridge [ˈpɑːtrɪdʒ] *s* Rebhuhn *n*

part-time [ˌpɑːtˈtaɪm] *adj* Teilzeit-; ~ **job** Teilzeitbeschäftigung *f*; ~ **work** Teilzeit-, Kurz-, Halbtagsarbeit *f*; **do ~ work** e-r Halbtagsarbeit nachgehen; ~ **worker** Teilzeitkraft *f*; Kurzarbeiter(in) *m(f)*; **he is only** ~ er arbeitet nur Teilzeit

party [ˈpɑːtɪ] *s* **1.** (politische) Partei *f* **2.** (Arbeits-, Interessen)Gruppe *f* **3.** Einladung, Gesellschaft, Party, Veranstaltung *f* **4.** Teilnehmer(in) *m(f)*; Beteiligte(r) *f m* (*to* an) **5.** (JUR) Partei *f* **6.** (COM) (Vertrags)Partei *f*, Beteiligte(r) *f m* **7.** (*fam hum*) Person *f*; **be a ~ to s.th.** an e-r S beteiligt sein; bei etw mitmachen; **become a member of a** ~ Parteimitglied werden; **become a ~ to s.th.** sich in e-e S einlassen; **give a** ~ e-e Einladung geben, Gäste haben; **go to a** ~ e-r Einladung folgen, eingeladen sein; **adverse** ~ Prozessgegner *m*; **dinner** ~ Einladung *f* zum Essen; **parliamentary** ~ Fraktion *f*; **the surviving** ~ (JUR) der überlebende Teil; **third** ~ Dritte(r), Unbeteiligte(r), Unparteiische(r) *m*; **third ~ insurance** (MOT) Haftpflichtversicherung *f*; **the ~ concerned** der Beteiligte, der Betroffene; **party-badge** *s* Parteiabzeichen *n*; **party-conference**, **party-congress**, **party-meeting** *s* Parteiversammlung *f*, -kongress, -tag *m*; **party donation** *s* Parteispende *f*; **party•goer** [ˈpɑːtɪˌgəʊə(r)] *s* Partygänger(in) *m(f)*; **party headquarters** *s pl* Parteizentrale *f*; **party insured** *s* Versicherte(r) *m*; **party leader** *s* Parteiführer(in) *m(f)*; **party line** *s* **1.** (TELE) Gemeinschaftsanschluss *m* **2.** (POL) Parteilinie *f*; **follow the** ~ linientreu sein; **party-liner** *s* (POL) Linientreue(r) *f m*; **party list** *s* (POL) Parteiliste *f*; **party machinery** *s* Parteiapparat *m*; **party political broadcast** *s* parteipolitische Sendung; **party politics** *s pl* Parteipolitik *f*; **party pooper** [-ˈpuːpə(r)] *s* (*Am fam*) Partymuffel *m*

par•venu [ˈpɑːvənjuː] *s* Emporkömmling *m*

pass [pɑːs, *Am* pæs] **I.** *itr* **1.** vorbei-, vorüber-, weitergehen, -ziehen, -fahren, -fliegen (*by* an) **2.** übergehen, -wechseln (*from … to* von … zu) **3.** (*Worte*) gesprochen, gewechselt werden **4.** übergehen (*into* in, *to* auf) **5.** hinausgehen (*beyond* über) **6.** überschreiten (*beyond s.th.* etw) **7.** vorbei-, vorübergehen, aufhören, ein Ende haben **8.** (*Zeit*) vergehen, verfließen, verstreichen **9.** (PARL) angenommen werden **10.** (die Prüfung) bestehen **11.** gelten, gehalten werden (*for* für) **12.** (*Kartenspiel*) passen **13.** (SPORT) den Ball weitergeben; **let s.th.** ~ etw durchgehen lassen; ~ **for s.th.** als etw gelten; ~ **to s.o.** (SPORT) jdm zuspielen; ~ **unnoticed** nicht bemerkt werden; **don't worry, it'll** ~ keine Angst, das geht vorbei; **what has ~ed between them** was sich zwischen ihnen abgespielt hat **II.** *tr* **1.** vorbeigehen, -fahren an; hinausgehen über **2.** hindurchgehen durch, passieren **3.** (MOT SPORT) überholen **4.** übergehen, -sehen; auslassen **5.** sich unterziehen (*s.th.* e-r S); (*Lehrgang*) mitmachen, absolvieren **6.** (*Prüfung*) bestehen **7.** genehmigen **8.** (*bei e-r Prüfung*) bestehen lassen **9.** (*Zeit*) vergehen lassen; verbringen **10.** reichen, herumreichen **11.** weiterleiten, befördern **12.** abwälzen (*on* auf) **13.** (JUR: *Urteil*) sprechen (*on* über) **14.** (PARL: *Entschließung, Antrag*) annehmen; (*Gesetz*) verabschieden; **could you ~ me the sugar, please** könnten Sie mir bitte den Zucker geben [*o* reichen]; **it ~es belief** es ist kaum zu glauben; ~ **one's hand over s.th.** mit der Hand über etw fahren **III.** *s* **1.** Ausweis *m*; (MIL) Passierschein *m* **2.** Bestehen *n* (*e-r Prüfung*) **3.** (SPORT) Pass *m*; (*Fechten*) Ausfall *m* **4.** (GEOG) Pass *m* **5.** (*Taschenspieler, Hypnotiseur*) Bewegung *f* **6.** (*fam*) Annäherungsversuch *m* **7.** üble Lage, Situation, Umstände *mpl*, Verhältnisse *npl*; **things have come to a pretty** ~ es ist schon schlimm; **this is a fine** [*o* **pretty**] ~ das ist ja eine schöne Bescherung; **make a ~ at s.o.** bei jdm Annäherungsversuche machen, jdn anmachen; **pass away** I. *itr* 1. zu Ende gehen 2. (*euph*) entschlafen, hinscheiden II. *tr* (*Zeit*) verbringen; **pass by** I. *itr* 1. vorbeigehen, -fahren, -fließen 2. (*Zeit*) vergehen II. *tr* (stillschweigend) übergehen, unbeachtet lassen; übersehen, auslassen; **he ~ed by the shops** er ging an den Läden vorbei; **pass down** I. *tr* weitergeben II. *itr* gelten als; **pass off** *itr* 1. (*Ereignis*) stattfinden, vonstatten gehen 2. vorüber-, vorbeigehen; **she could ~ off as an English girl** man könnte sie gut für eine Engländerin halten; **~ o.s. off as** sich ausgeben als; **pass on** I. *itr* 1. weitergehen 2. übergehen (*to* zu) 3. (*euph*) entschlafen II. *tr* 1. weitergeben, -reichen, -sagen (*to s.o.* jdm) 2. (*Krankheit*) übertragen; **pass out** I. *itr* 1. das Bewusstsein verlieren 2. (*Offizier*) sein Patent bekommen II. *tr* aus-, verteilen; **pass over** I. *tr* übergehen II. *itr* sterben; **pass through** I. *tr* 1. durchgehen, -ziehen, -reisen, -stecken 2. (*fig*) erleben, durchmachen II. *itr* auf der Durchreise sein; **~ through the regular channel** den Dienstweg gehen; **you'll ~ through London** Sie werden durch London fahren; **pass up** *tr* sich entgehen lassen

pass•able ['pɑ:səbl] *adj* 1. passierbar, begehbar, befahrbar 2. leidlich, passabel

pas•sage ['pæsɪdʒ] *s* 1. Durchfahrt, Durchreise *f* 2. (*mit Schiff*) Überfahrt, Seefahrt, Passage *f* 3. Durchgangs-, Durchfahrtsrecht *n* 4. (Durch)Gang, Korridor *m;* Gasse *f,* Weg *m* 5. (Text)Stelle *f;* (MUS) Passage *f,* Stück *n* 6. Verabschiedung, Annahme *f* (*e-s Gesetzes*); **book one's ~** e-n Schiffsplatz belegen (*for* nach); **secure the ~ of a bill** ein Gesetz durchbringen; **pas•sage•way** ['pæsɪdʒweɪ] *s* Durchgang *m;* Passage *f*

pass•book ['pɑ:sbʊk] *s* Sparbuch *n*

pas•sen•ger ['pæsɪndʒə(r)] *s* 1. Reisende(r) *f m;* (*Bus, Taxi*) Fahrgast *m;* (*Schiff*) Passagier *m;* (*Flugzeug*) Fluggast, Passagier *m;* (*Auto*) Mitfahrer(in) *m(f),* Beifahrer(in) *m(f)* 2. (*fam*) Drückeberger(in) *m(f);* **passenger accident insurance** *s* Insassenunfallversicherung *f;* **passenger aircraft** *s* Passagierflugzeug *n;* **passenger cabin** *s* (AERO) Fluggastraum *m,* -kabine *f;* **passenger car** *s* (RAIL) Personenwagen *m;* **passenger coach** *s* (RAIL) Personenwagen *m;* **passenger flight** *s* Passagierflug *m;* **passenger list** *s* Passagierliste *f;* **passenger mile** *s* (AERO) Flugkilometer *m* je Fluggast; **passenger service** *s* Personenverkehr *m;* **passenger space** *s* Fahrgastraum *m;* **passenger train** *s* Personenzug *m*

passer-by [,pɑ:sə'baɪ] <*pl* passers-by> *s* Passant(in) *m(f),* Vorübergehende(r) *f m*

pas•sing ['pɑ:sɪŋ] I. *adj* 1. vorübergehend *a. fig;* (*Fahrzeug*) vorbeifahrend; (*Wolken*) vorüberziehend 2. (*fig*) flüchtig, kurz, beiläufig; (*Jahre*) vergehend; **~ remark** flüchtige Bemerkung II. *s* 1. Vorübergehen *n* 2. (MOT) Überholen *n* 3. (*Prüfung*) Bestehen *n* 4. (*Gesetz*) Annahme, Verabschiedung *f* 5. Hinscheiden, Ableben *n;* **in ~** beiläufig; nebenbei; **pass•ing-out (ceremony)** [,pɑ:sɪŋ'aʊt] *s* (MIL) Abschlussfeier *f;* **passing place** *s* Ausweichstelle *f*

pas•sion ['pæʃn] *s* 1. Leidenschaft *f;* Leidenschaftlichkeit *f* 2. Erregung *f* 3. Begeisterung, Vorliebe *f* (*for* für) 4. heftige, starke Liebe, Zuneigung *f;* heftiges Verlangen (*for* nach) 5. (REL: *Kunst*) Passion *f;* **conceive a ~ for** sich verlieben in; **be in a ~** erregt sein; **fly into a ~** aufbrausen; e-n Wutanfall bekommen; **fit of ~** Wutanfall *m;* **passion•ate** ['pæʃənət] *adj* leidenschaftlich; **passion flower** *s* (BOT) Passionsblume *f;* **passion fruit** *s* Passionsfrucht, Maracuja *f;* **passion•less** ['pæʃnlɪs] *adj* leidenschaftslos; **passion play** *s* (THEAT) Passionsspiel *n;* **Passion Week** *s* Karwoche *f*

pass•ive ['pæsɪv] I. *adj* passiv II. *s* (GRAM: *~ voice*) Passiv *n;* **~ smoking** Passivrauchen *n;* **pass•ive•ness, pass•iv•ity** ['pæsɪvnɪs, pæ'sɪvətɪ] *s* Passivität *f*

pass-key ['pɑ:ski:] *s* Hauptschlüssel *m;* **pass-mark** *s* (*Prüfungsresultat*) Ausreichend *n*

Pass•over ['pɑ:səʊvə(r)] *s* (REL) Passah(fest) *n*

pass•port ['pɑ:spɔ:t, *Am* 'pæspɔ:t] *s* 1. (Reise)Pass *m* 2. (*fig*) Weg, Schlüssel *m* (*to* zu); **passport control, passport inspection** *s* Passkontrolle *f;* **passport holder** *s* Passinhaber(in) *m(f)*

pass•word ['pɑ:swɜ:d] *s* (MIL) Kennwort *n,* Parole, Losung(swort *n*) *f*

past [pɑ:st] I. *adj* 1. beendet, vorüber, vorbei 2. vergangen 3. einstig, ehemalig, früher; **~ week** letzte, vergangene Woche; **in times ~, in ~ times** in früheren Zeiten; **that's ~ history** das ist längst vorbei; **what's ~ is ~** was vorbei ist, ist vorbei; **~ tense** Vergangenheit *f;* **~ participle** Partizip *n* Perfekt; **~ perfect** Plusquamperfekt *n* II. *s* (*a.* GRAM) Vergangenheit *f;* **in the ~** früher, in der Vergangenheit; **be a thing of the ~** der Vergangenheit angehören; **a woman with a ~** eine Frau mit Vergangenheit III. *prep* 1. (*zeitlich*) nach, später als 2. (*räumlich mit Bewegung*) an vorbei; (*ohne Bewegung*) hinter +*dat,* nach +*dat;* (*Steigerung, Vergleich*) über +*acc;* **~ bearing** [*o* **endurance**] unerträglich; **~ belief** unglaublich; **~ cure** unheilbar; **~ due** (FIN) überfällig; ~ **hope** hoffnungslos; **I'm ~ caring** das ist mir jetzt egal; ~ **forty** über vierzig; **be ~ s.th.** für etw zu alt sein; **I'm ~ that** ich bin darüber weg; **he is (getting) ~ it** er bringt es nicht mehr; **this machine is getting ~ it** die Maschine taugt langsam nichts mehr; **I wouldn't put it ~ him** (*fam*) das würde ich ihm zutrauen; **half ~ three** halb vier **IV.** *adv* vorbei, vorüber; **go** ~ vorübergehen; **run** ~ vorbeilaufen

pas·ta ['pæstə] *s* Teigwaren, Nudeln *pl*

paste [peɪst] **I.** *s* **1.** (Kuchen)Teig *m* **2.** Paste *f*, Brei *m* **3.** Brotaufstrich *m;* (*tomato* ~) Mark *n* **4.** Kleister *m* **5.** (TECH) (Ton-, Glas)Masse *f* **6.** (*Schmuck*) Strass *m;* **anchovy** ~ Sardellenpaste *f;* **tooth**~ Zahnpasta *f* **II.** *tr* **1.** zukleben, -kleistern (*with* mit) **2.** kleben (*on* auf) **3.** (*sl*) verdreschen; ~ **down** aufkleben; ~ **up** [*o* **over**] zu-, ver-, aufkleben; **paste·board** ['peɪstbɔːd] *s* Pappe *f*, Karton *m*

pas·tel ['pæstl, *Am* pæ'stel] **I.** *s* **1.** Pastellkreide *f* **2.** Pastell(zeichnung *f*) *n* **3.** Pastellton *m* **II.** *adj* pastell(farben); ~ **shades** Pastelltöne *mpl;* ~ **drawing** Pastell(zeichnung *f*) *n*

paste-up ['peɪstʌp] *s* (TYP) Klebeumbruch *m*

pas·teur·iz·ation [ˌpæstʃəraɪ'zeɪʃn] *s* Pasteurisierung *f;* **pas·teur·ize** ['pæstʃəraɪz] *tr* pasteurisieren, keimfrei machen

pas·time ['pɑːstaɪm] *s* Zeitvertreib *m;* **as a** ~ zum Zeitvertreib

pas·tor ['pɑːstə(r)] *s* Pastor, Pfarrer *m;* **pas·toral** ['pɑːstərəl] **I.** *adj* **1.** (*Kunst, Literatur, Musik*) pastoral **2.** (REL) seelsorgerisch; ~ **letter** Hirtenbrief *m* **II.** *s* **1.** Hirtengedicht *n;* Schäferspiel *n;* Schäferpoesie *f* **2.** (REL) Hirtenbrief *m*

pas·try ['peɪstrɪ] *s* **1.** Pasteten-, Kuchenteig *m* **2.** Backwerk, Gebäck *n;* **pastry-cook** *s* Konditor(in) *m(f)*

pas·ture ['pɑːstʃə(r)] **I.** *s* **1.** Weide *f* **2.** Grünfutter *n* **II.** *tr* weiden lassen **III.** *itr* grasen, weiden; **pasture land** *s* Weideland *n*

pasty ['peɪstɪ] **I.** *adj* **1.** zähflüssig; klebrig **2.** (*fig*) bleich, blass, käsig **II.** ['pæstɪ] *s* Pastete *f*

pat¹ [pæt] **I.** *adj* (*Antwort, Erklärung*) glatt **II.** *adv:* **know** [*o* **have**] **s.th. off** ~ etw in- und auswendig kennen; **have an answer** ~ mit einer Antwort gleich bei der Hand sein; **stand** ~ stur bleiben

pat² [pæt] **I.** *s* leichter Schlag, Klaps *m;* **a ~ of butter** eine Portion Butter **II.** *tr* tätscheln; (*Ball*) leicht schlagen; (*Erde*) festklopfen; (*Gesicht*) abtupfen; ~ **s.o. on the back** jdm auf die Schulter klopfen; **she ~ted her hair down** sie drückte sich die Haare zurecht

patch [pætʃ] **I.** *s* **1.** Flicken *m;* Flecken *m* **2.** (Augen)Klappe *f* **3.** Fleck *m;* (*Land*) Stück *n;* (*Garten*) Beet *n* **4.** Stelle *f* **5.** (*zeitlich*) Phase *f* **6.** (*fam: von Polizist, Prostituierter*) Revier *n;* **not to be a ~ on** (*fam*) nicht herankommen an; **hit** [*o* **strike**] **a bad** ~ e-e Pechsträhne haben **II.** *tr* flicken; **patch up** *tr* zusammenflicken; (*Streit*) beilegen; ~ **up a relationship** eine Beziehung kitten; **I don't want to ~ things up again** ich möchte das nicht wieder so hinbiegen; **patchi·ness** ['pætʃɪnɪs] *s* unterschiedliche Qualität; (*Wissen*) Lückenhaftigkeit *f;* **patch·work** ['pætʃwɜːk] *s* **1.** Patchwork *n* **2.** (*fig*) Stückwerk *n;* **patchy** ['pætʃɪ] *adj* **1.** (*Qualität, Arbeit*) unregelmäßig, ungleichmäßig; (*Kenntnisse*) lückenhaft **2.** (*Stoff*) gefleckt

pâté ['pæteɪ] *s* Pastete *f*

pa·tel·la [pə'telə] *s* (ANAT) Kniescheibe *f*

pat·ent¹ ['peɪtənt] **I.** *s* Patent *n;* **take out a ~ on s.th.** ein Patent auf etw erhalten; ~ **infringement** Patentverletzung *f* **II.** *tr* patentieren lassen

pat·ent² ['peɪtənt] *adj* offenkundig, offensichtlich

pat·ented ['peɪtəntɪd] *adj* patentiert, durch Patent geschützt; **pat·entee** [ˌpeɪtn'tiː] *s* Patentinhaber(in) *m(f);* **patent leather** *s* Lackleder *n;* **patent medicine** *s* patentrechtlich geschütztes Arzneimittel; (*fig*) Patentrezept *n;* **Patent Office** *s* Patentamt *n*

pa·ter·nal [pə'tɜːnl] *adj* väterlich; **on the ~ side** väterlicherseits; **my ~ aunt** meine Tante väterlicherseits; **pa·ter·nal·ism** [pə'tɜːnəlɪsm] *s* Bevormundung *f;* **pa·ter·na·li·stic** [pəˌtɜːnə'lɪstɪk] *adj* patriarchalisch; **pa·ter·nity** [pə'tɜːnətɪ] *s* Vaterschaft *f;* **paternity leave** *s* Vaterschaftsurlaub *m;* **paternity suit** *s* (JUR) Vaterschaftsklage *f*

path [pɑːθ] *s* **1.** Pfad *m;* (*foot*~) (Fuß)Weg *m* **2.** (ASTR) Bahn *f* **3.** (*fig*) Weg *m;* **cross s.o.'s** ~ jdn zufällig treffen; **stand in s.o.'s** ~ (*fig*) jdm im Wege sein

pa·thetic [pə'θetɪk] *adj* **1.** mitleiderweckend, ergreifend, erschütternd **2.** armselig, jämmerlich; unzureichend; **that's really ~!** das ist ja zum Heulen!

path·finder ['pɑːθfaɪndə(r)] *s* **1.** Führer *m* **2.** (*fig*) Pionier *m;* **path·less** ['pɑːθlɪs] *adj* unwegsam

path·o·logi·cal [ˌpæθə'lɒdʒɪkl] *adj* pathologisch, krankhaft; **path·ol·ogist** [pə'θɒlədʒɪst] *s* Pathologe *m*, -login *f;* **pa·thol·ogy** [pə'θɒlədʒɪ] *s* Pathologie *f*

pa·thos ['peɪθɒs] *s* Pathos *n*

path·way ['pɑːθweɪ] *s* Pfad, Weg *m*

pa•tience ['peɪʃns] *s* **1.** Geduld *f* **2.** Patience(spiel *n*) *f;* **have no ~ with** nicht vertragen (können), nicht (länger) aushalten (*s.o.* jdn); **lose one's ~** die Geduld verlieren; **play ~** eine Patience legen; **pa•tient** ['peɪʃnt] **I.** *adj* **1.** geduldig **2.** beharrlich, ausdauernd **II.** *s* Patient(in) *m(f),* Kranke(r) *f m*

pat•ina ['pætɪnə] *s* Patina *f*

patio ['pætɪəʊ] <*pl* patios> *s* **1.** Innenhof *m* **2.** (*Haus*) Terrasse *f*

patri•arch ['peɪtrɪɑ:k] *s* Patriarch *m a. fig;* **patri•archal** [ˌpeɪtrɪ'ɑ:kl] *adj* patriarchalisch; **patri•archy** ['peɪtrɪɑ:kɪ] *s* Patriarchat *n*

pa•tri•cian [pə'trɪʃn] **I.** *adj* **1.** patrizisch **2.** vornehm, aristokratisch **II.** *s* **1.** (HIST) Patrizier(in) *m(f)* **2.** (*fig*) Aristokrat(in) *m(f)*

pat•ri•cide ['pætrɪsaɪd] *s* **1.** Vatermord *m* **2.** Vatermörder(in) *m(f)*

pa•triot ['pætrɪət, 'peɪtrɪət] *s* Patriot(in) *m(f);* **pa•triotic** [ˌpætrɪ'ɒtɪk, ˌpeɪtrɪ'ɒtɪk] *adj* patriotisch; **pa•triot•ism** ['pætrɪətɪzəm, 'peɪtrɪətɪzəm] *s* Patriotismus *m*

pa•trol [pə'trəʊl] **I.** *s* **1.** (Polizei)Streife *f;* Runde *f* **2.** (MIL) Patrouille *f;* **on ~** (MIL) auf Patrouille; (*Polizei*) auf Streife **II.** *tr* (ab)patrouillieren; die Runde machen in; **patrol car** *s* Streifenwagen *m;* **patrol duty** *s* Streifendienst *m;* **pa•trol•man** [-mæn] <*pl* -men> *s* **1.** (*Am*) Streifenpolizist *m* **2.** (MOT) Straßenwacht *f;* Pannenhilfe *f;* **patrol wagon** *s* (*Am*) Gefangenentransportwagen *m*

pa•tron ['peɪtrən] *s* **1.** Kunde *m;* Gast *m* **2.** Schirmherr *m;* Förderer *m,* Förderin *f* **3.** (~ *saint*) Schutzheilige(r) *f m;* **pa•tron•age** ['pætrənɪdʒ] *s* **1.** Schirmherrschaft, Förderung, Unterstützung *f* **2.** Kundschaft *f* **3.** Ämterpatronage *f;* **pa•tron•ess** ['peɪtrənɪs] *s* Schirmherrin *f;* **pa•tron•ize** ['pætrənaɪz] *tr* **1.** unterstützen **2.** (*pej*) gönnerhaft behandeln **3.** Stammgast, Kunde sein (*a shop* e-s Geschäftes); **pat•ron•iz•ing** ['pætrənaɪzɪŋ] *adj* gönnerhaft, herablassend

pat•ter ['pætə(r)] **I.** *itr* **1.** klatschen, prasseln **2.** (*Füße*) trappeln, trippeln **II.** *s* **1.** Geprassel *n* **2.** Getrappel *n* **3.** (*Regen*) Plätschern *n* **4.** Gerede *n,* Sprüche *mpl;* **I know his ~** ich kenne seine Sprüche; **patter-merchant** *s* (*fam*) Sprücheklopfer *m*

pat•tern ['pætn] **I.** *s* **1.** Muster *n;* Modell *n,* Schablone, Vorlage *f* **2.** (*paper* ~) Schnittmuster *n* **3.** (*fig*) Vorbild, Muster *n* **4.** Schema *n* **5.** (GRAM) Struktur *f;* **behavio(u)r ~** Verhaltensweise *f;* **on the ~ of America** nach amerikanischem Vorbild [*o* Muster]; **~ of consumption** Verbrauchsstruktur *f;* **~ of leadership** Führungsstil *m* **II.** *tr* **1.** bilden, formen, gestalten (*on, upon, after* nach) **2.** mustern, mit e-m Muster versehen; **~ o.s. on** sich richten nach; **pattern book** *s* Musterbuch *n;* **pat•terned** ['pætənd] *adj* gemustert; **pattern matching** *s* Mustervergleich *m,* Patternmatching *n*

paunch [pɔ:ntʃ] *s* Bauch, (Fett)Wanst *m;* **paunchy** ['pɔ:ntʃɪ] *adj* fettleibig

pau•per ['pɔ:pə(r)] *s* Arme(r) *f m,* Unterstützungsempfänger(in) *m(f)*

pause [pɔ:z] **I.** *s* **1.** Pause *f* **2.** Schweigen *n* **3.** (MUS) Fermate *f;* **without a ~** ununterbrochen **II.** *itr* **1.** stehen bleiben, anhalten; e-e Pause machen **2.** innehalten, zögern, verweilen (*on, upon* bei); **~ for breath** eine Atempause machen; **~ for thought** eine Denkpause einlegen; **make s.o. ~** jdn zur Überlegung veranlassen

pave [peɪv] *tr* pflastern; **~ the way for s.o./s.th.** (*fig*) jdm/e-r S den Weg ebnen; **~d with good intentions** mit guten Vorsätzen gepflastert; **pave•ment** ['peɪvmənt] *s* **1.** (*Am*) Fahrbahn *f* **2.** (*Br*) Bürgersteig *m,* Gehweg *m,* Trottoir *n;* **pavement artist** *s* Pflastermaler(in) *m(f)*

pa•vil•ion [pə'vɪlɪən] *s* **1.** (*Ausstellungs-, Park-*) Pavillon *m* **2.** (SPORT) Klubhaus *n* **3.** großes Zelt

pav•ing ['peɪvɪŋ] *s* Belag *m;* (Straßen)Pflaster *n;* **paving stone** *s* Platte *f*

paw [pɔ:] **I.** *s* **1.** Pfote, Tatze *f* **2.** (*fam*) Pfote, Hand *f* **II.** *tr* **1.** berühren; tätscheln **2.** (*fam*) betatschen; **~ the ground** scharren; (*fig*) ungeduldig werden

pawn¹ [pɔ:n] *s* **1.** (*Schach*) Bauer *m* **2.** (*fig*) Schachfigur *f,* Werkzeug *n*

pawn² [pɔ:n] **I.** *s* Pfand(stück) *n;* **in ~** verpfändet; **put in ~** verpfänden **II.** *tr* verpfänden, versetzen; **pawn•broker** ['pɔ:nˌbrəʊkə(r)] *s* Pfandleiher(in) *m(f);* **pawnbroker's shop, pawn•shop** ['pɔ:nʃɒp] *s* Leihhaus *n;* **pawn•brok•ing** ['pɔ:nbrəʊkɪŋ] *s* Pfandleihe *f;* **pawn-ticket** *s* Pfandschein *m*

pay [peɪ] <*irr:* paid, paid> **I.** *tr* **1.** (be)zahlen **2.** (*Rechnung, Schulden*) begleichen **3.** (*Kosten*) tragen, erstatten **4.** (*fig*) sich lohnen für; sich auszahlen für; **~ s.o. a visit** [*o* **call**] jdn besuchen, jdm e-n Besuch abstatten; **~ attention** aufpassen; **it doesn't ~ him to work** es lohnt sich nicht für ihn zu arbeiten; **~ one's way** alles bezahlen **II.** *itr* **1.** (be)zahlen **2.** Gewinn abwerfen; sich lohnen **3.** büßen (*for* für); **~ on account** auf Rechnung bezahlen; **~ as you go** immer gleich bezahlen; **~ through the**

nose Wucherpreise bezahlen; **that doesn't** ~ das lohnt sich nicht **III.** *s* **1.** (Be)Zahlung *f* **2.** Lohn *m,* Gehalt *n;* **without** ~ unbezahlt; ehrenamtlich; **be in s.o.'s** ~ in jds Dienst sein; **get less** ~ sich (gehaltlich, im Lohn) verschlechtern; **basic** ~ Grundgehalt *n;* **take-home** ~ Nettogehalt *n;* **weekly** ~ Wochenlohn *m;* **pay back** *tr* **1.** zurückzahlen **2.** (*fig: Kompliment, Besuch*) erwidern; (*Beleidigung*) sich revanchieren für; ~ **s.o. back** (*fig*) es jdm heimzahlen; **pay down** *tr* anzahlen; **pay in** *tr* ein(be)zahlen; **pay off I.** *tr* **1.** (*Schulden*) abbezahlen, tilgen **2.** (*Darlehen*) zurückzahlen **3.** (*Gläubiger*) befriedigen **4.** (*Arbeiter*) auszahlen **II.** *itr* sich rentieren; Erfolg haben; **pay out** *tr* **1.** (*Geld*) ausgeben; aus(be)zahlen **2.** abfinden **3.** (MAR: *Tau*) abrollen (lassen); **pay over** *tr* (*Gewinn*) abführen; **pay up I.** *tr* voll bezahlen; (*Schulden*) zurückzahlen; (*Aktie*) vollständig einzahlen **II.** *itr* bezahlen

pay·able ['peɪəbl] *adj* zahlbar; fällig; ~ **at sight** [*o* **on demand**] zahlbar bei Sicht; ~ **in advance** im voraus zahlbar; ~ **to bearer** zahlbar an Überbringer; ~ **to order** zahlbar an Order; **make a cheque** ~ **to s.o.** einen Scheck auf jdn ausstellen; **pay-as-you-earn, PAYE** *s* (*Br*) Quellenbesteuerung *f;* **pay award** *s* Lohn-, Gehaltserhöhung *f;* **pay·back clause** [ˌpeɪbæk'klɔːz] *s* Rückzahlungsklausel *f;* **payback period** *s* Amortisationszeit, -dauer *f;* **pay check, pay cheque** *s* Gehalts-, Lohnscheck *m;* **pay claim** *s* Gehaltsforderung *f;* **payday** *s* Zahltag *m;* **pay deal** *s* Tarifabschluss *m;* **pay desk** *s* Kasse *f;* **pay differential** *s* Lohngefälle *n;* **PAYE** [ˌpiːeɪwaɪ'iː] *s abbr of* **pay-as-you-earn** Quellenbesteuerung *f;* **payee** [peɪ'iː] *s* Zahlungsempfänger(in) *m(f);* **payer** ['peɪə(r)] *s* **1.** (Be-, Ein)Zahler(in) *m(f)* **2.** Auftraggeber(in) *m(f);* **tax-**~ Steuerzahler(in) *m(f);* **pay freeze** *s* Lohnstopp *m;* **pay hike** *s* (*Am*) Gehalts-, Lohnaufbesserung *f*

pay·ing ['peɪɪŋ] *adj* **1.** rentabel **2.** (*Gast*) zahlend **3.** (*Patient*) Privat-; ~**-back** Rückzahlung *f;* ~**-in** Einzahlung *f;* ~**-in slip** Einzahlungsbeleg *m*

pay·load ['peɪləʊd] *s* Nutzlast *f;* **payload capacity** *s* Ladefähigkeit *f;* **pay·master** ['peɪmɑːstə(r)] *s* Zahlmeister *m;* ~**'s office** Zahlmeisterei, Kasse *f*

pay·ment ['peɪmənt] *s* **1.** (Be)Zahlung *f* **2.** (*Wechsel*) Einlösung *f* **3.** (*Schulden*) Rückzahlung *f* **4.** Entlohnung *f,* Lohn *m,* Gehalt *n* **5.** Belohnung *f;* **in** ~ **of** als Bezahlung für; **on** ~ **of** bei Bezahlung von; **demand** ~ Zahlung verlangen; **effect** [*o* **make**] **a** ~ e-e Zahlung leisten; **keep up one's** ~**s** seine Zahlungsverpflichtungen einhalten; **stop** [*o* **suspend**] ~**s** die Zahlungen einstellen; ~ **received** Betrag erhalten; **advance** ~ Vorauszahlung *f;* **date** [*o* **day**] **of** ~ Zahlungstermin *m;* **dividend-**~ Dividendenausschüttung *f;* **easy** ~ Zahlungserleichterungen *fpl;* ~ **by** [*o* **in**] **instal(l)ments** Ratenzahlung *f;* ~ **in kind** Sach-, Naturalleistung *f;* ~ **terms** Zahlungsbedingungen *fpl*

pay ne·go·ti·ations ['peɪnɪgəʊʃɪˌeɪʃnz] *s pl* Tarifverhandlungen *fpl;* **pay-off** ['peɪɒf] *s* **1.** Bestechungsgeld *n* **2.** (*fig*) Ergebnis *n,* Erfolg, Misserfolg *m* **3.** (*fig*) Abrechnung, Quittung *f;* **pay-office** *s* **1.** Zahlstelle *f* **2.** Kasse(nschalter *m*) *f* **3.** Lohnbüro *n,* -stelle *f;* **pay·ola** [peɪ'əʊlə] *s* (*Am*) Bestechungsgeld *n;* **pay-out** ['peɪaʊt] *s* Dividendenzahlung *f;* Subvention *f;* **pay packet** *s* Lohntüte *f;* **pay·phone** *s* Münzfernsprecher *m;* **pay rise** *s* Gehalts-, Lohnerhöhung *f;* **pay·roll** *s* **1.** Lohn-, Gehaltsliste *f* **2.** Lohnsumme *f;* **be on the** ~ angestellt, beschäftigt sein; ~ **clerk** Lohnbuchhalter *m;* ~ **deductions** Lohn-, Gehaltsabzüge *mpl;* **pay round** *s* Lohn-, Tarifrunde *f;* **pay settlement** *s* Lohnabkommen *n;* **pay·slip** *s* Gehalts-, Lohnstreifen *m;* **pay station** *s* (*Am*) öffentlicher Fernsprecher; **pay talks** *s pl* Tarifverhandlungen *fpl;* **pay TV** *s* **1.** Münzfernseher *m* **2.** Pay-TV *n* (*kodierte Fernsehprogramme*)

PC [piː'siː] *s* **1.** *abbr of* **personal computer** PC *m* **2.** *abbr of* **police constable** Polizeibeamte(r) *m,* -beamtin *f*

PCB [ˌpiːsiː'biː] *s abbr of* **polychlorinated biphenyl** PCB *n,* polychloriertes Biphenyl

PE [ˌpiː'iː] *s abbr of* **physical education** (PÄD) Sport *m*

pea [piː] *s* Erbse *f;* **as like as two** ~**s** gleich wie ein Ei dem anderen

peace [piːs] *s* **1.** Friede(n) *m* **2.** (JUR) Ruhe (u. Ordnung) *f* **3.** (*fig*) Ruhe, Stille *f;* **be at** ~ in Frieden leben (*with* mit); **give s.o. no** ~ jdn nicht in Ruhe lassen; **hold** [*o* **keep**] **one's** ~ sich ruhig verhalten, still sein; **keep the** ~ die öffentliche Sicherheit und Ordnung wahren; **leave s.o. in** ~ jdn in Ruhe lassen; **make** ~ Frieden schließen; **make one's** ~ **with** sich versöhnen, sich vertragen mit; **breach of the** ~ Ruhestörung *f;* ~ **and quiet** Ruhe und Frieden; **industrial** ~ Arbeitsfrieden *m;* **peace·able** ['piːsəbl] *adj* friedlich; **peace activist** *s* Friedensbewegte(r) *f m;* **peace conference** *s* Friedenskonferenz *f;* **peace enforcement** *s* Durchführung *f* friedensstiftender Maßnahmen; **peace·ful** ['piːsfəl] *adj* **1.** friedlich **2.** friedliebend **3.** (*fig: Zeit, Schlaf*) ruhig; (*Tod*) sanft; **peace initi-**

ative *s* Friedensinitiative *f;* **peace-keeping** ['pi:ski:pɪŋ] **I.** *adj attr* Friedens-; ~ **force** Friedenstruppe *f* **II.** *s* Friedenserhaltung *f;* **peace-lov•ing** ['pi:sˌlʌvɪŋ] *adj* friedliebend; **peace•maker** ['pi:sˌmeɪkə(r)] *s* Friedensstifter *m;* **peace•mak•ing** ['pi:sˌmeɪkɪŋ] *s* Friedensstiftung *f;* **peace march** *s* Friedensmarsch *m;* **peace movement** *s* Friedensbewegung *f;* **peace negotiations** *s pl* Friedensverhandlungen *fpl;* **peace offer** *s* Friedensangebot *n;* **peace-offering** *s* (REL) Sühneopfer *n;* (*fig*) Geschenk *n* zur Versöhnung; **peace-pipe** *s* Friedenspfeife *f;* **peace settlement** *s* Friedensregelung *f;* **peace•time** *s* Friedenszeit *f;* **in** ~ im Frieden, in Friedenszeiten; **peace treaty** *s* Friedensvertrag *m*

peach [pi:tʃ] *s* **1.** Pfirsich *m;* Pfirsichbaum *m* **2.** (*Farbe*) Pfirsichton *m* **3.** (*fam*) Pfundssache *f,* prima Sache; klasse Mensch; **a** ~ **of a hat** ein todschicker Hut

pea-chick ['pi:tʃɪk] *s* junger Pfau; **peacock** ['pi:kɒk] *s* Pfau *m;* ~**-blue** pfauenblau; **pea•hen** *s* Pfauenhenne *f*

peak [pi:k] **I.** *s* **1.** Spitze *f;* (Berg)Gipfel *m;* (*Dach*) First *m* **2.** Mützenschirm *m* **3.** Scheitelpunkt *m* **4.** (*fig*) Gipfel *m;* (*a.* EL) Spitze *f,* höchster Stand; (konjunktureller) Höhepunkt; (~ *value*) Höchstwert *m;* **be at the** ~ **of one's power** den Gipfel seiner Macht erreicht haben; **reach the** ~ den höchsten Stand erreichen; ~ **of production** Produktionsspitze *f* **II.** *itr* e-n Höchststand erreichen **III.** *adj* Spitzen-; Höchst-; **peak capacity** *s* Höchstleistungsgrenze *f;* **peak demand** *s* Spitzenbedarf *m;* **peaked** [pi:kt] *adj* **1.** spitz **2.** (*Mensch, Gesicht*) verhärmt; **peak hours** *s pl* Hauptbelastungszeit *f;* Hauptverkehrszeit *f;* **peak level** *s* Höhepunkt, Höchststand *m;* **peak load** *s* Spitzenbelastung *f;* **peak power** *s* (TECH) Leistungsspitze *f;* **peak season** *s* Hochsaison *f;* **peak-traffic hours** *s pl* Hauptverkehrszeit *f;* **peaky** ['pi:kɪ] *adj* (*Br*) blass; abgehärmt; kränklich

peal [pi:l] **I.** *s* **1.** (Glocken)Läuten, Geläute *n* **2.** Glockenspiel *n* **3.** Dröhnen *n;* Getöse *n;* ~**s of laughter** schallendes Gelächter; ~ **of thunder** Donnergrollen *n* **II.** *itr* **1.** läuten **2.** (*Donner*) dröhnen

pea•nut ['pi:nʌt] *s* **1.** Erdnuss *f* **2.** ~**s** (*fam*) lächerliche Kleinigkeit; **the pay is** ~**s** die Bezahlung ist miserabel; **peanut butter** *s* Erdnussbutter *f*

pear [peə(r)] *s* **1.** Birne *f* **2.** (~*-tree*) Birnbaum *m*

pearl [pɜ:l] **I.** *s* Perle *f a. fig;* **cast** ~**s before swine** Perlen vor die Säue werfen; **mother-of-**~ Perlmutt *n* **II.** *itr* (*go* ~*ing*) Perlen fischen; **pearl-barley** *s* Perlgraupen *fpl;* **pearl-button** *s* Perlmuttknopf *m;* **pearl-diver**, **pearl-fisher** *s* Perlenfischer(in) *m(f);* **pearl-fishing** *s* Perlenfischerei *f;* **pearly** ['pɜ:lɪ] *adj* perlmutterartig

peas•ant ['peznt] *s* **1.** Bauer *m* **2.** (*fig pej*) Banause *m;* Bauer *m;* Prolet *m;* **peasantry** ['pezntrɪ] *s* Landvolk *n*

pea-souper [pi:'su:pə(r)] *s* (*fam*) Waschküche *f* (*Nebel*)

peat [pi:t] *s* Torf *m;* **cut** ~ Torf stechen; **peat-bog** *s* Torfmoor *n*

pebble ['pebl] *s* **1.** Kiesel(stein) *m* **2.** Linse *f* aus Bergkristall; **you are not the only** ~ **on the beach** man kann auch ohne dich auskommen; **peb•bly** ['peblɪ] *adj* kiesig

pe•can [pɪ'kæn, *Am* pɪ'kɑ:n] *s* Pekannuss *f;* Pekanbaum *m*

pec•ca•dillo [ˌpekə'dɪləʊ] <*pl* -dillo(e)s> *s* kleine Sünde; Jugendsünde *f*

peck [pek] **I.** *tr* **1.** (*Loch*) picken, hacken **2.** (*Futter*) aufpicken **3.** (*fam*) flüchtig küssen **II.** *itr* **1.** picken (*at* nach) **2.** (*fam*) herumnaschen (*at* an) **III.** *s* **1.** (Schnabel)Hieb *m* **2.** flüchtiger Kuss; **pecker** ['pekə(r)] *s:* **keep one's** ~ **up** (*Br fam*) den Kopf oben behalten; **peck•ing** ['pekɪŋ] *adj:* ~ **order** Hackordnung *f;* **peck•ish** ['pekɪʃ] *adj* (*Br fam*) hungrig

pec•tin ['pektɪn] *s* (CHEM) Pektin *n*

pec•toral ['pektərəl] *adj* (~ *muscle*) Brustmuskel *m*

pe•cu•liar [pɪ'kju:lɪə(r)] *adj* **1.** sonderbar, eigenartig, seltsam **2.** eigen, eigentümlich (*to* für) **3.** einzigartig, charakteristisch (*to* für); **pe•cu•liar•ity** [pɪˌkju:lɪ'ærətɪ] *s* **1.** Eigenartigkeit, Seltsamkeit *f* **2.** Eigenart, Eigentümlichkeit, Besonderheit *f;* **special peculiarities** besondere Kennzeichen *npl;* **pe•cu•liar•ly** [pɪ'kju:lɪəlɪ] *adv* **1.** besonders **2.** seltsam

pe•cuni•ary [pɪ'kju:nɪərɪ] *adj* pekuniär, finanziell; ~ **circumstances** Vermögensverhältnisse *npl;* ~ **embarrassments** Geldverlegenheit *f;* Zahlungsschwierigkeiten *fpl;* ~ **resources** Geldmittel *npl*

peda•gogic(al) [ˌpedə'gɒdʒɪk(l)] *adj* pädagogisch; **peda•gogue** ['pedəgɒg] *s* Pädagoge *m,* Pädagogin *f;* **peda•gogy** ['pedəgɒdʒɪ] *s* Pädagogik *f*

pedal ['pedl] **I.** *s* **1.** Pedal *n* **2.** (MUS) Pedalton *m;* **put the** ~ **to the metal** (*fam*) Vollgas geben **II.** *itr* **1.** das Pedal bedienen **2.** Rad fahren **III.** *tr:* ~ **a bicycle** Rad fahren (*up the hill* den Berg hinauf); **pedal-bin** *s* Treteimer *m;* **pedal-boat**, **peda•lo** ['pedələʊ] <*pl* -lo(e)s> *s* Tretboot *n*

ped•ant ['pednt] *s* Pedant(in) *m(f),* Kleinigkeitskrämer(in) *m(f);* **pe•dan•tic**

[pɪ'dæntɪk] *adj* pedantisch; **ped•antry** ['pedntrɪ] *s* Pedanterie *f*
peddle ['pedl] *tr* hausieren mit *a. fig;* ~ **drugs** mit Drogen handeln; **peddler** ['pedlə(r)] *s s.* **pedlar**
ped•er•ast ['pedəræst] *s* Päderast *m;* **ped•er•asty** ['pedəræstɪ] *s* Päderastie *f*
ped•estal ['pedɪstl] *s* Sockel *m;* **knock s.o. off his** ~ (*fig*) jdn von seinem Podest stürzen; **put s.o. on a** ~ (*fig*) jdn in den Himmel heben
pe•des•trian [pɪ'destrɪən] **I.** *adj* **1.** Fußgänger- **2.** (*fig: Stil*) prosaisch, langweilig; ~ **crossing** (Fußgänger)Überweg *m;* ~ **lights** Fußgängerampel *f;* ~ **precinct** Fußgängerzone *f* **II.** *s* Fußgänger(in) *m(f);* **pe•des•tria•nize** [pɪ'destrɪənaɪz] *tr* in eine Fußgängerzone umwandeln
pedia•tric•ian [ˌpi:dɪə'trɪʃn] *s* (*Am*) *s.* **paediatrician;** **pedi•at•rics** [ˌpi:dɪ'ætrɪks] *s* (*Am*) *s.* **paediatrics**
pedi•cure ['pedɪkjʊə(r)] *s* Fußpflege, Pediküre *f;* **pedi•cur•ist** ['pedɪkjʊərɪst] *s* Fußpfleger(in) *m(f)*
pedi•gree ['pedɪgri:] *s* **1.** (*a.* ZOO) Stammbaum *m* **2.** Herkunft, Abstammung *f;* **pedigree dog** *s* Rassehund *m*
ped•lar ['pedlə(r)] *s* Hausierer(in) *m(f)* (*of* mit); (*drug~*) Drogenhändler(in) *m(f)*
ped•ometer [pɪ'dɒmɪtə(r)] *s* Schrittzähler *m*
pee [pi:] *itr* (*fam: go for, have a ~*) pinkeln
peek [pi:k] **I.** *itr* gucken (*at* nach), spähen **II.** *s* kurzer Blick
peel [pi:l] **I.** *tr* **1.** schälen; die Haut abziehen (*s.th.* e-r S) **2.** (*Kleider*) abstreifen; **keep one's eyes ~ed** (*fam*) ein wachsames Auge haben **II.** *itr* sich häuten; sich abschälen; abgehen, abblättern, abbröckeln **III.** *s* Schale *f;* **peel away** **I.** *tr* (*Tapete*) abziehen; (*Rinde*) abschälen; (*Einband*) abstreifen **II.** *itr* sich lösen; **peel back** *tr* abziehen; **peel off** **I.** *tr* abziehen; abschälen; abstreifen **II.** *itr* (*aus Kolonne*) ausscheren; (AERO) abdrehen; **peeler** ['pi:lə(r)] *s* Schäler *m;* **peel•ings** ['pi:lɪŋz] *s pl* Schalen *fpl*
peep¹ [pi:p] **I.** *itr* **1.** (verstohlen) gucken (*at* nach) **2.** allmählich sichtbar werden; zum Vorschein kommen **II.** *s* flüchtiger, heimlicher Blick; **take a ~ at s.th.** verstohlen nach etw blicken
peep² [pi:p] **I.** *itr* piepen; piepsen **II.** *s* **1.** Piepen *n* **2.** (*sl*) Piepser, Ton *m,* Wort *n*
peep•hole ['pi:phəʊl] *s* Guckloch *n;* (*Haustür*) Spion *m;* **peep•ing Tom** [ˌpi:pɪŋ'tɒm] *s* Voyeur *m;* **peep show** *s* Peepshow *f*
peer¹ [pɪə(r)] *itr* starren; angestrengt schauen, blicken (*at* auf, *into* in, *for* nach); ~ **through** durchschauen
peer² [pɪə(r)] *s* **1.** Peer *m* **2.** (*fig*) Gleichgestellte(r) *f m;* (*Kind*) Gleichaltrige(r) *f m;* **his ~s** seinesgleichen
peer•age ['pɪərɪdʒ] *s* Peerswürde *f,* -stand *m;* **peer•ess** ['pɪəres] *s* Frau *f* e-s Peers; weiblicher Peer; **peer group** *s* (*Soziologie*) Peergroup *f;* **peer•less** ['pɪəlɪs] *adj* unvergleichlich
peeve [pi:v] *tr* (*fam*) ärgern; **peeved** [pi:vd] *adj* (*fam*) ärgerlich, verärgert, *fam* eingeschnappt (*about, at* über, wegen);
pee•vish ['pi:vɪʃ] *adj* reizbar, launisch
pee•wit ['pi:wɪt] *s* Kiebitz *m*
peg [peg] **I.** *s* **1.** Pflock, Dübel, Bolzen *m;* Keil *m;* (*Zelt*) Hering *m;* (*Bergsteigen*) Haken *m;* (*Holz*) Stift *m* **2.** Wirbel *m* (*e-s Saiteninstruments*) **3.** (*clothes~*) Wäscheklammer *f* **4.** (*fig*) Vorwand *m,* Gelegenheit *f;* Aufhänger *m* **5.** (*fam*) Stelze *f,* Bein *n* **6.** (COM) Kurs-, Marktstützung *f;* **off the** ~ (*Kleidung*) von der Stange; **be a square ~ in a round hole** am verkehrten Platz sein; **come down a ~ or two** (*fig*) gelindere Saiten aufziehen; **take s.o. down a ~ or two** jdn demütigen; **a good ~ on which to hang a sermon** ein Grund *m* zum Reden **II.** *tr* **1.** festpflocken, -stecken; anklammern **2.** abgrenzen, markieren **3.** (COM) festsetzen; **peg away** *itr* drauflos-, weiterarbeiten (*at* an), sich anstrengen; **peg down** *tr* festpflocken; **peg out** **I.** *tr* **1.** abgrenzen, abstecken **2.** (*Wäsche*) aufhängen **II.** *itr* **1.** (*fam*) abkratzen **2.** (*fam: Maschine*) den Geist aufgeben; **peg-leg** *s* Stelzfuß *m*
pe•jor•at•ive [pɪ'dʒɒrətɪv] *adj* (*Wort*) abschätzig, abwertend, pejorativ
peke, pe•kin(g)•ese [pi:k, ˌpi:kɪ'ni:z] *s* (ZOO) Pekinese *m*
peli•can ['pelɪkən] *s* Pelikan *m*
pel•let ['pelɪt] *s* **1.** Kügelchen *n* **2.** Pille *f* **3.** Schrotkorn *n*
pell-mell [ˌpel'mel] *adv* **1.** durcheinander **2.** Hals über Kopf
pelt¹ [pelt] **I.** *tr* **1.** werfen (*s.o. with s.th.* etw nach jdm) **2.** verprügeln **II.** *itr* **1.** (nieder)prasseln, trommeln (*against the roof* auf das Dach) **2.** rennen, stürmen; ~ **down** nieder-, herunterprasseln; **it was ~ing with rain** es hat geschüttet; **~ing rain** Platzregen *m* **III.** *s* Schlag *m;* **at full** ~ in voller Geschwindigkeit
pelt² [pelt] *s* Fell *n,* Pelz *m*
pel•vic ['pelvɪk] *adj* Becken-; **pelvic floor** *s* Beckenboden *m*
pel•vis ['pelvɪs] *s* (ANAT) Becken *n*
pen¹ [pen] **I.** *s* (Schreib)Feder *f a. fig,* Füllfederhalter, Füller *m;* Kugelschreiber *m;* **ball(-point)** ~ Kugelschreiber *m;* **fountain-~**

Füllfederhalter, Füller *m;* **stroke of the ~** Federstrich *m* **II.** *tr* schreiben; ver-, abfassen

pen² [pen] **I.** *s* **1.** Pferch *m* **2.** (*play-~*) Laufstall *m* **3.** (U-Boot)Bunker *m* **II.** *tr* (*~ up, in*) einsperren

penal ['pi:nl] *adj* strafbar; strafrechtlich; **~ act** strafbare Handlung; **~ code** Strafgesetzbuch *n;* **~ establishment** Strafanstalt *f;* **~ law** Strafgesetz *n;* **~ legislation** Strafgesetzgebung *f;* **~ reform** Strafrechtsreform *m;* **~ servitude** Zwangsarbeit *f;* **~ system** Strafrecht *n;* Strafvollzug *m;* **pe•nal•iz•ation** [ˌpi:nəlaɪ'zeɪʃn] *s* **1.** Bestrafung *f* **2.** Benachteiligung *f;* **pe•nal•ize** ['pi:nəlaɪz] *tr* **1.** mit Strafe belegen; bestrafen **2.** benachteiligen **3.** (SPORT) einen Strafstoß verhängen gegen

pen•alty ['penltɪ] *s* **1.** Strafe *f* **2.** Geldbuße, -strafe *f* **3.** (*fig*) Nachteil *m* **4.** (SPORT) Strafpunkt *m;* Strafstoß *m;* Elfmeter *m;* **on** [*o* **under**] **~ of** bei Androhung e-r Strafe von; **pay the ~** die Folgen tragen (*of s.th.* e-r S); **death ~** Todesstrafe *f;* **mitigation of ~** Strafmilderung *f;* **remission of the ~** Straferlass *m;* **penalty area** *s* (*Fußball*) Strafraum *m;* **penalty box** *s* (*Eishockey*) Strafbank *f;* **penalty clause** *s* Strafklausel *f;* **penalty kick** *s* (*Fußball*) Strafstoß *m;* Elfmeter *m*

pen•ance ['penəns] *s* (REL) Buße *f* (*for* für); **do ~** Buße tun

pence [pens] *s* **1.** (*Br*) Pence *m* **2.** *pl von* **penny**

pen•chant ['pɑ:nʃɑ:n, *Am* 'pentʃənt] *s* Vorliebe, Neigung *f* (*for* zu), Geschmack *m* (*for* an)

pen•cil ['pensl] **I.** *s* **1.** Bleistift *m* **2.** (*eyebrow ~*) Augenbrauenstift *m* **3.** (*~ of rays*) Strahlenbündel *n;* **write in ~** mit Bleistift schreiben; **colo(u)red ~** Buntstift *m* **II.** *tr* **1.** (*~ in*) mit e-m (Blei)Stift markieren/schreiben/zeichnen **2.** (*Augenbrauen*) (nach)ziehen; **pencil box** *s* Federkasten *m;* **pencil case** *s* Federmäppchen *n;* **pencil sharpener** *s* Bleistiftspitzer *m*

pen•dant ['pendənt] *s* Anhänger *m*

pen•dent ['pendənt] *adj* hängend, Hänge-

pend•ing ['pendɪŋ] **I.** *adj* **1.** (*fig*) schwebend, unentschieden, unerledigt **2.** (JUR) anhängig; **be ~** anhängig sein; schweben; **still ~** noch in der Schwebe **II.** *prep* bis zu; **~ further instructions** [*o* **notice**] bis auf weiteres; **pending tray** *s* Ablage *f* für Unerledigtes

pen•du•lous ['pendjʊləs] **I.** *adj* herabhängend **II.** *adj attr* Hänge-

pen•du•lum ['pendjʊləm] *s* Pendel *n;* **the swing of the ~** (*fig*) das Schwanken der öffentlichen Meinung

pen•etrate ['penɪtreɪt] **I.** *tr* **1.** (*~ through, into*) dringen durch; vor-, eindringen in; (*fig*) durchdringen (*with* mit) **2.** durchstoßen **3.** (*fig*) (geistig) durchdringen, durchschauen, erkennen **II.** *itr* eindringen (*into* in), vordringen (*to* bis), durchdringen (*through* durch), durchstoßen; **pen•etrat•ing** [-ɪŋ] *adj* **1.** (*Kälte*) durchdringend **2.** (*Auge*) scharf **3.** (*fig*) scharfsinnig, verständig, einsichtig; **pen•etra•tion** [ˌpenɪ'treɪʃn] *s* **1.** Ein-, Durchbruch *m* **2.** (*fig*) Durchdringung *f* **3.** (*fig*) Scharfsinn, Verstand *m* **4.** (MED) Penetration *f*

pen•friend ['penfrend] *s* Brieffreund(in) *m(f)*

pen•guin ['peŋgwɪn] *s* Pinguin *m*

pen•holder ['penˌhəʊldə(r)] *s* Federhalter *m*

peni•cil•lin [ˌpenɪ'sɪlɪn] *s* Penizillin *n*

pen•in•sula [pə'nɪnsjʊlə] *s* Halbinsel *f;* **pen•in•su•lar** [pə'nɪnsjʊlə(r)] *adj* halbinselförmig

pe•nis ['pi:nɪs] *s* (ANAT) Penis *m*

peni•tence ['penɪtəns] *s* Reue, Bußfertigkeit *f;* **peni•tent** ['penɪtənt] *adj* reu(müt)ig, bußfertig; **peni•ten•tial** [ˌpenɪ'tenʃl] *adj* bußfertig; **peni•ten•tiary** [ˌpenɪ'tenʃərɪ] *s* (*Am*) Staatsgefängnis *n*

pen•knife ['pennaɪf, *pl* -naɪvz] <*pl* -knives> *s* Taschenmesser *n*

pen name ['penneɪm] *s* Schriftstellername *m*

pen•nant ['penənt] *s* Stander, Wimpel *m*

pen•ni•less ['penɪlɪs] *adj* völlig mittellos

pen•non ['penən] *s* Stander, Wimpel *m*

penny ['penɪ, *pl* 'peni:z, pens] <*pl* pennies, pence> *s* Penny *m;* (*Am*) Cent *m;* **earn an honest ~** sein Geld redlich verdienen; **the ~ dropped** der Groschen ist gefallen; **a pretty ~** e-e schöne Stange Geld; **in for a ~ in for a pound** wer A sagt, muss auch B sagen; mitgefangen mitgehangen; **a ~ for your thoughts** woran denkst du?; **spend a ~** (*fam*) mal verschwinden; **penny-pinch•ing** ['penɪˌpɪntʃɪŋ] *adj* geizig; **penny share** *s* Klein-, Billigaktie *f;* **penny-wise** *adj:* **~ and pound foolish** sparsam im Kleinen und verschwenderisch im Großen

pen•pal ['penpæl] *s* (*fam*) Brieffreund(in) *m(f);* **pen•pusher** ['penˌpʊʃə(r)] *s* (*fam*) Schreiberling *m*

pen•sion ['penʃn] *s* Altersrente *f,* Altersruhegeld *n;* Pension *f;* **be entitled to a ~** rentenberechtigt, pensionsberechtigt sein; **draw a ~** e-e Rente beziehen; **pension off** *tr* vorzeitig pensionieren; **pen•sion•able** [-əbl] *adj* ruhegehalts-, pensionsberechtigt; **~ age** Rentenalter *n;* **pension contribution** *s* Rentenversicherungsbeitrag *m;* **pension entitlement** *s* Rentenanspruch *m;* **pen•sioner** ['penʃənə(r)] *s* Pensionär(in) *m(f),* Rentenempfänger(in) *m(f),* Rentner(in) *m(f);* **pension fund** *s* (FIN) Rentenfonds *m;* **pension reserves** *s pl* Pensionsrückstellungen *fpl;* **pension scheme** *s* Rentenversicherung *f*

pen•sive ['pensɪv] *adj* nachdenklich, gedankenvoll

pen•ta•gon ['pentəgən, *Am* 'pentəgɒn] *s* Fünfeck, Pentagon *n;* **the P~** das Pentagon; **pen•tam•eter** [pen'tæmɪtə(r)] *s* Pentameter *m;* **pen•tath•lete** [pen'tæθli:t] *s* (SPORT) Fünfkämpfer(in) *m(f);* **pen•tath•lon** [pen'tæθlən] *s* (SPORT) Fünfkampf *m*

Pen•te•cost ['pentəkɒst] *s* Pfingsten *n*

pent•house ['penthaʊs] *s* Penthouse *n,* Dachterrassenwohnung *f*

pent-up [ˌpent'ʌp] *adj* **1.** (*Mensch*) geladen; innerlich angespannt **2.** (*Gefühl*) unterdrückt, angestaut; (*Atmosphäre*) geladen

pen•ul•ti•mate [pen'ʌltɪmət] *adj* vorletzte(r, s)

pen•uri•ous [pɪ'njʊərɪəs] *adj* dürftig, ärmlich; **pen•ury** ['penjʊərɪ] *s* (völlige) Armut *f*

peony ['pi:ənɪ] *s* Pfingstrose *f*

people ['pi:pl] **I.** *s pl* **1.** Leute *pl* **2.** Be-, Einwohner *pl* **3.** (*the common ~*) gemeine Volk **4.** (*mit Possessivpronomen*) Familie *f,* Leute *pl* **5.** (*pl: ~s*) Volk *n;* Nation *f;* **go to the ~** Neuwahlen abhalten; **English ~** Engländer *pl;* **~ say** man sagt; **many ~** viele Leute **II.** *tr* bevölkern (*with* mit)

PEP [ˌpi:i:'pi:] *s abbr of* **personal equity plan** *auf Aktien basierendes, steuerbegünstigtes Vermögensbildungsprogramm*

pep [pep] *s* (*fam*) Schwung *m,* Kraft, Energie *f;* **pep up** *tr* in Schwung bringen, aufmöbeln; **be ~ped up** mächtig in Fahrt sein

pep•per ['pepə(r)] **I.** *s* **1.** Pfeffer *m* **2.** Paprika *m* **II.** *tr* **1.** pfeffern **2.** (*fig*) vollstopfen, spicken (*with* mit); **pepper-and-salt** *adj attr* Pfeffer-u.-Salz- (*Muster*); **pep•per•corn** ['pepəkɔ:n] *s* Pfefferkorn *n;* **~ rent** nominelle Miete; **pepper mill** *s* Pfeffermühle *f;* **pep•per•mint** ['pepəmɪnt] *s* **1.** (BOT) Pfefferminze *f* **2.** (*Bonbon*) Pfefferminz *n;* **pepper pot** *s* Pfefferstreuer *m;* **pep•pery** ['pepərɪ] *adj* **1.** gepfeffert **2.** (*fig*) hitzig

pep pill ['peppɪl] *s* (*fam*) Aufmunterungspille *f;* **pep talk** *s* (*fam*) aufmunternde Rede

pep•tic ['peptɪk] *adj:* **~ ulcer** Magengeschwür *n*

per [pɜ:(r)] *prep* pro, je, für; **(as) ~ account** laut Rechnung; **~ annum** pro Jahr; **~ capita** pro Kopf; **~ capita income** Pro-Kopf-Einkommen *n;* **~ hour** in der Stunde; **50 km ~ hour** 50 Stundenkilometer; **as ~ sample** gemäß dem Muster; **as ~ usual** (*fam*) wie gewöhnlich

per•am•bu•lator [pə'ræmbjʊleɪtə(r)] *s* (*Br*) Kinderwagen *m*

per•ceiv•able [pə'si:vəbl] *adj* wahrnehmbar; erkennbar; **per•ceive** [pə'si:v] *tr* **1.** wahrnehmen **2.** spüren, (be)merken, verstehen

per cent, **per•cent** [pə'sent] *s* Prozent *n;* **(at) what ~?** (zu) wieviel Prozent?; **per•cen•tage** [pə'sentɪdʒ] *s* **1.** Prozentsatz *m* **2.** Anteil *m* (*of* an) **3.** (*~ of profits*) Tantieme *f* **4.** (COM) Provision *f;* **percentage discount** *s* prozentualer Rabatt; **percentage increase** *s* prozentualer Anstieg; **percentage point** *s* Prozentpunkt *m*

per•cep•tible [pə'septəbl] *adj* wahrnehmbar; spürbar, deutlich; **per•cep•tion** [pə'sepʃn] *s* **1.** Wahrnehmung *f* **2.** Einsicht *f* **3.** Auffassung *f;* **per•cep•tive** [pə'septɪv] *adj* **1.** wahrnehmend; Wahrnehmungs- **2.** scharfsichtig

perch¹ [pɜ:tʃ] **I.** *s* **1.** Vogel-, Hühnerstange *f;* (*Baum*) Ast *m* **2.** (*fam*) hochgelegener Sitzplatz **3.** Rute *f* (*Längenmaß 5,029 m*) **II.** *itr* **1.** sich niederlassen, sich setzen (*on* auf) **2.** (hoch) sitzen, stehen **III.** *tr* (hoch hinauf)stellen; **~ s.th. on s.th.** etw auf etw stellen; **be ~ed on** sitzen, hocken auf

perch² [pɜ:tʃ] *s* (*Fisch*) Barsch *m*

per•co•late ['pɜ:kəleɪt] **I.** *tr* **1.** durchseihen, filtern **2.** (*Kaffee*) in e-m Filter zubereiten **II.** *itr* (*~ through*) durchsickern *a. fig;* **per•co•la•tor** ['pɜ:kə lɘɪtə(r)] *s* Kaffeemaschine *f*

per•cus•sion [pə'kʌʃn] *s* **1.** Stoß, Schlag *m* **2.** Erschütterung *f* **3.** (MUS: *~ instruments*) Schlaginstrumente *npl;* **per•cus•sion•ist** [-ɪst] *s* Schlagzeuger(in) *m(f)*

per•di•tion [pə'dɪʃn] *s* **1.** Ruin *m* **2.** (REL) Verdammnis *f*

per•egrine ['perɪgrɪn] *s* (ORN) Wanderfalke *m*

per•emp•tori•ly [pə'remptrəlɪ] *adv* unweigerlich; ein für allemal; **per•emp•tory** [pə'remptərɪ] *adj* **1.** endgültig, definitiv **2.** zwingend

per•en•nial [pə'renɪəl] **I.** *adj* **1.** beständig, immerwährend **2.** (BOT) mehrjährig **II.** *s* mehrjährige Pflanze

per•fect ['pɜ:fɪkt] **I.** *adj* **1.** vollendet, vollkommen **2.** tadellos, fehlerlos **3.** vollständig, völlig, gänzlich **4.** genau, exakt; **he is a ~ stranger to me** er ist mir völlig unbekannt **II.** [pə'fekt] *tr* vervollkommnen; **per•fect•ible** [pə'fektəbl] *adj* vervollkommnungsfähig; **per•fec•tion** [pə'fekʃn] *s* **1.** Vervollkommnung *f* **2.** Vollkommenheit *f;* **bring to ~** vollenden; vervollkommnen; **per•fec•tion•ist** [-ɪst] *s* Perfektionist(in) *m(f);* **per•fect•ly** ['pɜ:fɪktlɪ] *adv* 1. vollkommen 2. völlig, durchaus, absolut 3. tadellos; **perfect pitch** *s* absolutes Gehör

per•fidi•ous [pə'fɪdɪəs] *adj* verräterisch, treulos

per•for•ate ['pɜ:fəreɪt] I. *tr* 1. durchbohren, -löchern 2. perforieren, lochen II. *itr* (MED) durchbrechen; **per•for•ation** [ˌpɜ:fə'reɪʃn] *s* 1. Durchbohrung, -löcherung *f* 2. Perforieren *n;* Perforation, Lochung *f* 3. (MED) Perforation *f*

per•form [pə'fɔ:m] I. *tr* 1. (*Aufgabe*) ausführen, verrichten 2. (*Operation*) durchführen 3. (*Zermonie*) vollziehen 4. (*Stück, Konzert*) aufführen, spielen; (*Solo, Duett*) vortragen; (*Rolle*) spielen; (*Kunststück*) vorführen; (*Wunder*) vollbringen 5. (*Handlung*) vornehmen 6. (*Pflicht, Versprechen*) erfüllen 7. (*Verpflichtung*) nachkommen (*s.th.* e-r S) 8. (*Aufgaben*) wahrnehmen II. *itr* 1. (*öffentlich*) auftreten, spielen 2. (TECH) funktionieren; **this car ~s well** dieses Auto leistet viel; **how did he ~?** wie war er?; **per•form•ance** [pə'fɔ:məns] *s* 1. Aus-, Durchführung *f* 2. (*Pflicht*) Erfüllung *f* 3. (TECH) Funktionieren *n* 4. (TECH) Leistung *f;* Effizienz *f* 5. (THEAT) Aufführung, Vorstellung *f;* (*Kino*) Vorstellung *f* 6. (*Rolle*) Darstellung *f* 7. (*fam*) Umstand *m;* Theater *n;* schlechtes Benehmen; **afternoon/evening ~** Nachmittags-/Abendvorstellung *f;* **performance level** *s* Leistungsgrad *m;* **performance report, performance review** *s* Leistungsbericht *m;* **per•former** [pə'fɔ:mə(r)] *s* Künstler(in) *m(f),* Ausführende(r) *f m*

per•fume ['pɜ:fju:m] I. *s* Duft *m;* Parfüm *n* II. [pə'fju:m] *tr* parfümieren

per•func•tory [pə'fʌŋktərɪ] *adj* 1. routinemäßig, teilnahmslos 2. oberflächlich, flüchtig 3. gleichgültig, (nach)lässig

per•gola ['pɜ:gələ] *s* Pergola *f*

per•haps [pə'hæps] *adv* vielleicht, eventuell

peril ['perəl] *s* Gefahr *f;* **at s.o.'s ~** auf jds Gefahr, Risiko, Verantwortung; **in ~ of one's life** in Lebensgefahr; **peril•ous** ['perələs] *adj* gefährlich

peri•meter [pə'rɪmɪtə(r)] *s* 1. (MATH) Umfang *m* 2. (*e-s Grundstücks*) Grenze *f;* **perimeter fence** *s* Umzäunung *f*

period ['pɪərɪəd] I. *s* 1. (*a.* GEOL CHEM) Periode *f,* Zeit(raum, -abschnitt *m*) *f,* Abschnitt *m;* Epoche *f* 2. Dauer *f;* Frist *f* 3. (*menstrual ~*) Periode *f* 4. (GRAM) (vollständiger) Satz *m;* Satzgefüge *n* 5. (*Satzzeichen*) Punkt *m* 6. (Unterrichts-, Schul)Stunde *f;* **for a ~ of** für die Dauer von; **I've got my ~** ich habe meine Tage; **within a ~ of** innerhalb e-r Frist von; **bright ~** Aufklärung *f;* **~ of office** Amtszeit *f;* **~ under review** Berichtszeitraum *m* II. *adj* (*Kunst*) zeitgenössisch III. *interj* (*sl*) Schluss! (und damit) basta!; **period furniture** *s* Stilmöbel *npl;* **peri•od•ic(al)** [ˌpɪərɪ'ɒdɪk(l)] I. *adj* periodisch, regelmäßig auftretend II. *s* Zeitschrift *f,* Magazin *n*

pe•riph•eral [pə'rɪfərəl] I. *adj* (*a.* ANAT) peripher(isch), nebensächlich; **~ area** Randgebiet *n* II. *s* (EDV) Peripheriegerät *n;* **pe•riph•ery** [pə'rɪfərɪ] *s* Peripherie *f;* Rand *m;* **~ of the town** Stadtrand *m,* Außenbezirke *mpl*

peri•scope ['perɪskəʊp] *s* (MAR) Periskop, Sehrohr *n*

per•ish ['perɪʃ] I. *itr* 1. zu Grunde gehen, umkommen (*by* durch, *of, with* an) 2. (*Waren*) verderben; **~ with cold** (*fam*) erfrieren; **~ from starvation** verhungern II. *tr* zerstören; **~ the thought!** daran darf man gar nicht denken; **per•ish•able** [-əbl] I. *adj* (*Ware*) (leicht) verderblich, nicht haltbar II. *s pl* verderbliche Waren *fpl;* **perisher** ['perɪʃə(r)] *s* (*Br fam*) Lümmel *m;* **per•ish•ing** ['perɪʃɪŋ] *adj* 1. sehr kalt 2. verflixt, verdammt; **~ cold** widerliche Kälte

peri•style ['perɪstaɪl] *s* (ARCH) Säulenumgang *m,* -reihe *f*

per•ito•ni•tis [ˌperɪtə'naɪtɪs] *s* (MED) Bauchfellentzündung *f*

per•jure ['pɜ:dʒə(r)] *refl* e-n Meineid leisten, meineidig werden; **per•jured** ['pɜ:dʒəd] *adj* meineidig; **per•jurer** ['pɜ:dʒərə(r)] *s* Meineidige(r) *f m;* **perjury** ['pɜ:dʒərɪ] *s* Meineid *m;* **commit ~** e-n Meineid leisten

perk [pɜ:k] *s* (*Br*) Vergünstigung *f*

perk up [pɜ:k ʌp] I. *tr* 1. (*den Kopf*) heben 2. (*Ohren*) spitzen 3. (*Menschen*) aufmuntern; (*Zimmer*) verschönern; (*Fest*) in Schwung bringen II. *itr* 1. aufleben; lebhaft, munter werden 2. (*Börse*) fester tendieren

perky ['pɜ:kɪ] *adj* 1. unternehmungslustig 2. keck, frech; übermütig; munter

perm[1] [pɜ:m] I. *s* (*Toto*) Kombination *f* II. *tr, itr* kombinieren

perm[2] [pɜ:m] I. *s* (*fam*) Dauerwelle *f* II. *tr:* **have one's hair ~ed** sich Dauerwellen machen lassen

per•ma•frost ['pɜ:məfrɒst] *s* Dauerfrostboden *m*

per•ma•nence, per•ma•nency ['pɜ:mənəns, 'pɜ:mənənsɪ] *s* Dauerhaftigkeit *f;* Beständigkeit *f;* **per•ma•nent** ['pɜ:mənənt] I. *adj* 1. (fort)dauernd, bleibend 2. ständig; beständig, dauerhaft 3. auf Lebenszeit 4. (TECH) ortsfest; **~ abode** [*o*

residence] fester Wohnsitz; ~ **appointment** feste Anstellung; ~ **committee** ständiger Ausschuss; ~ **disability** dauernde Erwerbsunfähigkeit; dauerhafte Behinderung; ~ **establishment** ständige Einrichtung; ~ **investment** (FIN) Daueranlage *fpl,* langfristige Anlagen *fpl;* ~ **layoff** Entlassung *f;* ~ **position,** ~ **post,** ~ **situation** Lebens-, Dauerstellung *f;* ~ **staff** Stammpersonal *m;* ~ **tenure** Anstellung *f* auf Lebenszeit; ~ **wave** Dauerwelle *f* **II.** *s* (*Am*) Dauerwelle *f*

per•manga•nate [pəˈmæŋgəneɪt] *s* (CHEM) Permanganat *n*

per•meable [ˈpɜːmɪəbl] *adj* durchlässig (*to* für); **per•meate** [ˈpɜːmɪeɪt] **I.** *tr* durchdringen *a. fig* **II.** *itr* **1.** dringen (*through* durch) **2.** (*fig*) sich verbreiten (*throughout* in)

per•mis•sible [pəˈmɪsəbl] *adj* zulässig; erlaubt; ~ **load** Höchstbelastung *f;* **permission** [pəˈmɪʃn] *s* Zustimmung, Genehmigung, Erlaubnis *f;* **by special** ~ mit besonderer Genehmigung; **without** ~ unbefugt; **ask s.o.'s** [*o* **s.o. for**] ~ jdn um Erlaubnis bitten; **give** ~ e-e Erlaubnis erteilen; **grant s.o.** ~ **to speak** jdm das Wort erteilen; ~ **by the authorities** behördliche Genehmigung; **per•miss•ive** [pəˈmɪsɪv] *adj* nachgiebig; sexuell freizügig; **the** ~ **society** die permissive Gesellschaft; **per•miss•ive•ness** [-nəs] *s* Permissivität *f;* sexuelle Freizügigkeit

per•mit [pəˈmɪt] **I.** *tr* erlauben, gestatten; zulassen, dulden; ~ **s.o. to do s.th.** jdm erlauben etw zu tun; **am I ~ted to go?** darf ich gehen? **II.** *itr* erlauben; **if you** (**will**) ~ wenn Sie gestatten; **weather ~ting** wenn das Wetter mitmacht; **time doesn't** ~ es ist zeitlich nicht möglich; ~ **of s.th.** etw zulassen **III.** [ˈpɜːmɪt] *s* **1.** Erlaubnis *f* **2.** Genehmigung, Bewilligung, Konzession *f* (*to* für) **3.** Durchlass-, Passierschein, Ausweis *m* **4.** Freigabe-, Zollabfertigungsschein *m;* **building** ~ Baugenehmigung *f;* **entry** ~ Einreisebewilligung *f;* **exit** ~ Ausreisebewilligung *f;* **hunting/fishing** ~ Jagd-/Angelschein *m;* **labo(u)r** ~ Arbeitserlaubnis *f;* **special** ~ Sondergenehmigung *f;* ~ **of residence, residence** ~ Aufenthaltsgenehmigung, -erlaubnis *f;* **per•mit•ted** [pəˈmɪtɪd] *adj* **1.** erlaubt, gestattet, genehmigt **2.** zulässig

per•mu•ta•tion [ˌpɜːmjuːˈteɪʃn] *s* **1.** Vertauschung *f* **2.** Veränderung *f* **3.** (MATH) Permutation *f;* **per•mute** [pəˈmjuːt] *tr* (ver)ändern; vertauschen

per•ni•cious [pəˈnɪʃəs] *adj* **1.** schädlich, verderblich (*to* für) **2.** (MED) bösartig

per•nick•ety [pəˈnɪkətɪ] *adj* (*fam*) kleinlich, genau

per•ox•ide [pəˈrɒksaɪd] *s* (*hydrogen* ~) Peroxyd *n;* **peroxide blonde** *s* Wasserstoffblondine *f*

per•pen•dicu•lar [ˌpɜːpənˈdɪkjʊlə(r)] **I.** *adj* **1.** senk-, lotrecht (*to* zu); (*Klippe*) senkrecht abfallend **2.** (ARCH) perpendikular **II.** *s* (MATH) Senkrechte *f,* Lot *n;* **out of the** ~ schief, schräg, aus dem Lot

per•pe•trate [ˈpɜːpɪtreɪt] *tr* **1.** (*Fehler*) machen, begehen **2.** (*Verbrechen*) verüben **3.** (*hum: Film, Roman*) verbrechen; **per•pe•tra•tion** [ˌpɜːpɪˈtreɪʃn] *s* Begehung, Verübung *f;* **per•pe•tra•tor** [ˈpɜːpɪtreɪtə(r)] *s* Übeltäter(in) *m(f);* (JUR) Täter(in) *m(f)*

per•pet•ual [pəˈpetʃʊəl] *adj* **1.** dauernd, (be)ständig, ewig **2.** fortwährend, unaufhörlich; ~ **motion** (**machine**) Perpetuum mobile *n;* ~ **snow** ewiger Schnee; **perpetu•ate** [pəˈpetʃʊeɪt] *tr* aufrechterhalten; (*Angedenken*) bewahren; **perpetu•ity** [ˌpɜːpɪˈtjuːətɪ] *s* Ewigkeit *f;* **in** ~ auf ewig; (JUR) lebenslänglich

per•plex [pəˈpleks] *tr* (*Menschen*) verblüffen; **per•plexed** [pəˈplekst] *adj* verdutzt, perplex; **per•plex•ity** [pəˈpleksətɪ] *s* Verblüffung *f*

per•qui•sites [ˈpɜːkwɪzɪts] *s pl* Vergünstigungen *fpl*

per•se•cute [ˈpɜːsɪkjuːt] *tr* **1.** verfolgen **2.** belästigen, plagen, quälen (*with* mit); **be ~ed** Verfolgungen ausgesetzt sein; **per•se•cu•tion** [ˌpɜːsɪˈkjuːʃn] *s* Verfolgung *f;* Belästigung *f;* **persecution complex** *s* Verfolgungswahn *m;* **per•se•cu•tor** [ˈpɜːsɪkjuːtə(r)] *s* Verfolger(in) *m(f)*

per•se•ver•ance [ˌpɜːsɪˈvɪərəns] *s* Ausdauer, Beharrlichkeit *f;* **per•se•vere** [ˌpɜːsɪˈvɪə(r)] *itr* durchhalten, nicht aufgeben (*in, at, with s.th.* etw); **per•se•ver•ing** [-ɪŋ] *adj* beharrlich, ausdauernd

Per•sia [ˈpɜːʃə] *s* Persien *n;* **Per•sian** [ˈpɜːʃn, *Am* ˈpɜːrʒn] **I.** *adj* persisch; ~ **cat** Perser-, Angorakatze *f;* **the** ~ **Gulf** der Persische Golf; ~ **lamb** (*Pelz*) Persianer *m;* ~ **carpet** Perserteppich *m* **II.** *s* **1.** Perser(in) *m(f)* **2.** (das) Persisch(e)

per•sist [pəˈsɪst] *itr* **1.** beharren (*in* auf, bei), bestehen (*in* auf) **2.** nicht nachgeben; nicht aufhören (*in doing* zu tun) **3.** fortdauern, sich hartnäckig halten; **per•sist•ence** [pəˈsɪstəns] *s* **1.** (hartnäckiges) Beharren *n* (*in* auf) **2.** Beharrlichkeit *f* **3.** Fortdauer *f;* **per•sist•ent** [pəˈsɪstənt] *adj* **1.** beharrlich, unnachgiebig **2.** unentwegt, (an)dauernd, beständig

per•son [ˈpɜːsn] *s* **1.** (*pl: people, ~s*) Mensch *m;* Person *f* **2.** (GRAM JUR: *pl: ~s*) Person *f* **3.** (*pl: ~s*) (das) Äußere **4.** (THEAT) Rolle *f;* **in** ~ in Person, persönlich; **no** ~

kein Mensch, niemand; **there is no such ~** so jemanden gibt es nicht; **any ~** jeder; **on** [*o* **about**] **one's ~** bei sich; **per ~** pro Person; **unauthorized ~** Unbefugte(r) *f m;* **against ~ or ~s unknown** (JUR) gegen Unbekannt; **per•son•able** ['pɜːsənəbl] *adj* **1.** stattlich, gutaussehend **2.** sympathisch; **per•son•age** ['pɜːsənɪdʒ] *s* Persönlichkeit *f*

per•sonal ['pɜːs(ə)nl] *adj* persönlich; (*auf Brief*) privat; (*Daten*) personenbezogen; **~ affair** [*o* **business**] Privatangelegenheit *f;* **~ allowance** Grundfreibetrag *m;* **~ assets** bewegliches Privatvermögen; **~ assistant, PA** persönliche(r) Assistent(in) *m(f),* Chefsekretär(in) *m(f);* **~ background** [*o* **history**] Lebensgeschichte *f,* Lebenslauf *m;* **~ call** (TELE) Gespräch *n* mit Voranmeldung; Privatgespräch *n;* **~ column** (*Zeitung*) Familienanzeigen *fpl;* **~ computer, PC** Personalcomputer, PC *m;* **~ data** Personalien *pl,* personenbezogene Daten *pl;* **~ exemption** (*Am: Steuer*) Freibetrag *m;* **~ files** Personalakten *fpl;* **~ hygiene** Körperpflege *f;* **~ identification number, PIN** persönliche Geheimzahl; **~ injury** (JUR) Personenschaden *m;* **~ organizer** Terminplaner *m;* **~ pronoun** Personalpronomen *n,* persönliches Fürwort; **~ property** Privateigentum *n;* **~ stereo** Walkman® *m;* **~ stationary** Briefpapier *n* mit persönlichem Briefkopf; **~ status** Personen-, Familienstand *m;* **articles for ~ use** Gegenstände *m pl* des persönlichen Gebrauchs; **get** [*o* **become**] **~** persönlich werden

per•son•al•ity [ˌpɜːsə'nælətɪ] *s* **1.** Persönlichkeit *f* **2. personalities** persönliche Angelegenheiten *fpl;* **~ cult** Personenkult *m;* **per•son•al•ly** ['pɜːsənəlɪ] *adv* persönlich; **per•son•alty** ['pɜːsənltɪ] *s* (JUR) bewegliches Privatvermögen; **per•son•if•ic•ation** [pəˌsɒnɪfɪ'keɪʃn] *s* Verkörperung *f;* **per•son•ify** [pə'sɒnɪfaɪ] *tr* verkörpern, personifizieren

per•son•nel [ˌpɜːsə'nel] *s* Personal *n;* Belegschaft *f;* (*Flugzeug, Schiff*) Besatzung *f;* **personnel department** *s* Personalabteilung *f;* **personnel director, personnel manager** *s* Personalchef(in) *m(f),* -leiter(in) *m(f);* **personnel management** *s* Personalführung *f;* **personnel turnover** *s* Fluktuation *f*

per•spec•tive [pə'spektɪv] *s* **1.** (*Kunst*) Perspektive *f a. fig* **2.** (*fig*) Standpunkt, Blick *m;* **get s.th. out of ~** etwas verzerrt sehen; **see** [*o* **look at**] **s.th. in its right ~** etw vom richtigen Gesichtswinkel aus betrachten; **view in ~** (*fig*) mit Abstand betrachten

per•spi•ca•cious [ˌpɜːspɪ'keɪʃəs] *adj* scharfsinnig, -blickend; **per•spi•cac•ity** [ˌpɜːspɪ'kæsətɪ] *s* Scharfsinn, -blick *m*

per•spi•cu•ity [ˌpɜːspɪ'kjuːətɪ] *s* Klarheit, Verständlichkeit *f;* **per•spicu•ous** [pə'spɪkjʊəs] *adj* klar, verständlich

per•spir•ation [ˌpɜːspə'reɪʃn] *s* **1.** Schwitzen *n;* Transpiration *f* **2.** Schweiß *m;* **per•spire** [pə'spaɪə(r)] *itr* schwitzen

per•suade [pə'sweɪd] *tr* **1.** überreden (*of s.th.* zu etw) **2.** verleiten, dazu bringen (*to do, into doing* zu tun) **3.** überzeugen (*of s.th.* von e-r S); **be ~d of** überzeugt sein von; **per•sua•sion** [pə'sweɪʒn] *s* **1.** Überredung *f* **2.** Überzeugung *f,* Glaube *m* **3.** Überzeugungskraft *f;* **I am not of that ~** (*Argument*) davon bin ich nicht überzeugt; (REL) ich gehöre nicht diesem Glauben an; **be of** [*o* **have**] **communist ~s** kommunistische Ansichten vertreten; **per•sua•sive** [pə'sweɪsɪv] *adj* überzeugend

pert [pɜːt] *adj* **1.** vorlaut, keck **2.** lebhaft, munter, lustig

per•tain [pə'teɪn] *itr* **1.** gehören (*to* zu) **2.** in Verbindung stehen (*to* mit) **3.** betreffen (*to* acc) **4.** sich beziehen (*to* auf)

per•ti•na•cious [ˌpɜːtɪ'neɪʃəs] *adj* **1.** beharrlich **2.** hartnäckig, zäh

per•ti•nent ['pɜːtɪnənt] *adj* sachdienlich, zur Sache (gehörig); einschlägig; relevant; **be ~ to s.th.** auf etw Bezug haben

pert•ness ['pɜːtnɪs] *s* Keckheit *f;* Kessheit *f*

per•turb [pə'tɜːb] *tr* **1.** verwirren **2.** beunruhigen; **per•tur•ba•tion** [ˌpɜːtə'beɪʃn] *s* **1.** Verwirrung, Aufregung, Unruhe *f* **2.** Störung *f*

Peru [pə'ruː] *s* Peru *n*

pe•rusal [pə'ruːzl] *s* **1.** Durchlesen *n* **2.** (genaue) Durchsicht, Prüfung *f;* **for ~** zur Einsichtnahme; **pe•ruse** [pə'ruːz] *tr* (sorgfältig) durchlesen

Peru•vian [pə'ruːvɪən] **I.** *adj* peruanisch **II.** *s* Peruaner(in) *m(f)*

per•vade [pə'veɪd] *tr* erfüllen; sich ausbreiten in; **per•va•sive** [pə'veɪsɪv] *adj* **1.** durchdringend **2.** (*fig: Einfluss*) beherrschend

per•verse [pə'vɜːs] *adj* **1.** pervers, widernatürlich **2.** eigensinnig; störrisch; verstockt; **per•verse•ness** [pə'vɜːsnɪs] *s* **1.** Perversität, Widernatürlichkeit *f* **2.** Verstocktheit *f;* **per•ver•sion** [pə'vɜːʃn] *s* **1.** Perversion *f* **2.** Abkehr *f* (*vom Glauben*) **3.** (*der Wahrheit*) Verzerrung, Verdrehung *f;* **~ of justice** Rechtsbeugung *f;* **per•ver•sity** [pə'vɜːsətɪ] *s* **1.** Widersetzlichkeit *f,* Eigensinn *m* **2.** Perversität, Widernatürlichkeit *f;* **per•vert** [pə'vɜːt] **I.** *tr* **1.** (*Tatsachen*) verdrehen **2.** (*Menschen*) verderben, pervertieren **3.** (REL) irreführen **4.** (*Sinn*) entstellen; **~ the course of justice** das Recht

beugen **II.** ['pɜːvɜːt] *s* perverser Mensch
pesky ['peskɪ] *adj* (*Am fam*) ärgerlich; vertrackt
pes•sary ['pesərɪ] *s* (MED) Pessar *n;* Zäpfchen *n*
pessi•mism ['pesɪmɪzəm] *s* Pessimismus *m;* **pes•si•mist** ['pesɪmɪst] *s* Pessimist(in) *m(f);* **pessi•mis•tic** [ˌpesɪ'mɪstɪk] *adj* pessimistisch
pest [pest] *s* **1.** (*fam: Mensch*) Nervensäge *f;* Plage *f* **2.** Schädling *m;* **pest control** *s* Schädlingsbekämpfung *f*
pes•ter ['pestə(r)] *tr* belästigen, plagen (*with* mit)
pes•ti•cide ['pestɪsaɪd] *s* Schädlingsbekämpfungsmittel *n;* **pes•tif•er•ous** [pe'stɪfərəs] *adj* (*fam*) ärgerlich; **pes•ti•lent, pes•ti•len•tial** ['pestɪlənt, ˌpestɪ'lenʃl] *adj* **1.** pestartig **2.** (*fig*) verderblich **3.** (*fam*) ärgerlich
pestle ['pesl] *s* Stößel *m*
pet¹ [pet] **I.** *s* **1.** Haustier *n* **2.** Liebling *m;* **he's a real ~!** er ist ein Schatz!; **teacher's ~** Lehrers Liebling *m* **II.** *tr* streicheln, verwöhnen **III.** *itr* (*fam*) fummeln, Petting machen **IV.** *adj attr* Lieblings-; **~ name** Kosename *m;* **that's my ~ hate** das ist mir ein Gräuel; **~ shop** Tierhandlung *f;* **~ subject** Lieblingsthema *n*
pet² [pet] *s* schlechte Laune; **be in a ~** schlechte Laune haben
petal ['petl] *s* (BOT) Blütenblatt *n*
petard [pe'tɑːd] *s:* **be hoist with one's own ~** sich in der eigenen Schlinge gefangen haben
peter ['piːtə(r)] *itr:* **~ out** nachlassen, allmählich zu Ende gehen
Peter ['piːtə(r)] *s:* **rob ~ to pay Paul** ein Loch aufreißen, um ein anderes zu stopfen
petite [pə'tiːt] *adj* (*Frau*) zierlich
pe•ti•tion [pɪ'tɪʃn] **I.** *s* **1.** Bittschrift, Eingabe *f,* Gesuch *n,* Petition *f* **2.** Unterschriftenliste *f* **3.** (JUR) Antrag *m* (*for* auf); **file a ~** e-n Antrag einreichen; **~ for divorce** Scheidung(sklage) *f;* **~ for mercy** [*o* **pardon**] Gnadengesuch *n* **II.** *tr* **1.** bitten, ersuchen (*s.o.* jdn) **2.** e-e Bittschrift richten (*s.o.* an jdn) **III.** *itr* eine Unterschriftenliste einreichen (*for* um); **~ for divorce** die Scheidung einreichen; **pe•ti•tioner** [pɪ'tɪʃənə(r)] *s* **1.** Bittsteller(in) *m(f)* **2.** (JUR) Antragsteller(in) *m(f)* **3.** (*in Scheidungssachen*) Kläger(in) *m(f)*
pet•rel ['petrəl] *s* (ZOO) Sturmvogel *m*
pet•ri•fac•tion [ˌpetrɪ'fækʃn] *s* **1.** Versteinerung *f* **2.** (*fig*) lähmender Schreck; **pet•rify** ['petrɪfaɪ] **I.** *tr* **1.** versteinern *a. fig* **2.** (*fig*) erstarren lassen; **he was petrified** (**with fear**) er war starr vor Schrecken; **I am petrified of the dark** ich habe panische Angst vor der Dunkelheit **II.** *itr* versteinern; erstarren
petro•chemi•cal [ˌpetrəʊ'kemɪkl] *adj* petrochemisch; **petro•cur•rency** [ˌpetrəʊ'kʌrənsɪ] *s* Petrowährung *f;* **petro•dollar** *s* Petrodollar *m;* **pet•rol** ['petrəl] *s* (*Br*) Benzin *n;* **fill up with ~** auftanken; **petrol can** *s* Benzinkanister *m;* **petrol consumption** *s* Benzinverbrauch *m;* **petrol dump** *s* Benzinlager *n;* **petrol engine** *s* Benzinmotor *m;* **pe•tro•leum** [pɪ'trəʊlɪəm] *s* Erd-, Mineralöl *n;* **~-exporting countries** erdölexportierende Länder; **~ jelly** Vaseline *f;* **petrol ga(u)ge** *s* Benzinuhr, -anzeige *f;* **petrol lorry** *s* Tankwagen *m;* **petrol pipe** *s* Benzinleitung *f;* **petrol pump** *s* **1.** (*Auto*) Benzinpumpe *f* **2.** (*Tankstelle*) Tank-, Zapfsäule *f;* **petrol station** *s* Tankstelle *f;* **petrol tank** *s* Benzintank *m*
pet•ti•coat ['petɪkəʊt] *s* Unterrock *m;* **~ government** (*pej*) Weiberregiment *n,* -herrschaft *f*
pet•ti•fog•ging ['petɪfɒgɪŋ] *adj* kleinlich; (*Einzelheit*) unwesentlich; (*Mensch*) pedantisch
pet•ti•ness ['petɪnəs] *s* Geringfügigkeit *f;* Kleinlichkeit *f*
pet•ting ['petɪŋ] *s* Petting *n*
pet•tish ['petɪʃ] *adj* verdrießlich
petty ['petɪ] *adj* **1.** klein, geringfügig, unbedeutend, nebensächlich **2.** kleinlich, engstirnig **3.** zweitrangig; **~ cash** (Porto)Kasse, Handkasse *f;* **~ jury** Urteilsjury *f;* **~ larceny** Bagatelldiebstahl *m;* **~ officer** (MAR) Maat *m*
petu•lant ['petjʊlənt] *adj* empfindlich; launisch, verdrießlich
pe•tu•nia [pɪ'tjuːnɪə] *s* (BOT) Petunie *f*
pew [pjuː] *s* **1.** Kirchenstuhl *m* **2.** (*fam*) Sitzgelegenheit *f,* Stuhl *m;* **take a ~!** (*fam*) pflanz' dich!
pe•wit ['piːwɪt] *s* Kiebitz *m*
pew•ter ['pjuːtə(r)] *s* Zinn(geschirr, -gerät) *n*
phal•anx ['fælæŋks, *pl* fə'lændʒiːz] <*pl* -anxes, -anges> *s* **1.** (HIST) Phalanx *f* **2.** (*fig*) geschlossene Front
phal•lic ['fælɪk] *adj* phallisch; **phal•lus** ['fæləs, *pl* 'fælaɪ] <*pl* -li> *s* Phallus *m*
phan•tas•ma•goria [ˌfæntæzmə'gɒrɪə, -'gɔːrɪə] *s* Blendwerk *n;* **phan•tas•mal** [fæn'tæzməl] *adj* imaginär
phan•tom ['fæntəm] *s* **1.** Phantom, Gespenst *n,* Geist *m* **2.** Hirngespinst, Trugbild *n;* **~s of the mind** Hirngespinste *npl;* **~ limb pains** (MED) Phantomschmerzen *mpl;* **~ pregnancy** Scheinschwangerschaft *f*
phari•saic(al) [ˌfærɪ'seɪɪk(l)] *adj* pharisäisch; scheinheilig; **Phari•see** ['færɪsiː] *s*

Pharisäer *m;* Heuchler *m*

phar•ma•ceutic(**al**) [ˌfɑːmə'sjuːtɪk(l)] *adj* pharmazeutisch; **phar•ma•ceutics** [ˌfɑːmə'sjuːtɪks] *s pl mit sing* Arzneimittel *npl,* Arzneimittelkunde *f;* **pharmaceutics industry** *s* Pharmaindustrie *f;* **phar•ma•cist** ['fɑːməsɪst] *s* Apotheker(in) *m(f);* **phar•ma•col•ogy** [ˌfɑːmə'kɒlədʒɪ] *s* Pharmakologie *f;* **phar•ma•co•poeia** [ˌfɑːməkə'piːə] *s* amtliches Arzneibuch; **phar•macy** ['fɑːməsɪ] *s* **1.** Pharmazie *f* **2.** Apotheke *f*

phar•yn•gi•tis [ˌfærɪn'dʒaɪtɪs] *s* Rachenkatarrh *m;* **phar•ynx** ['færɪŋks] *s* (ANAT) Rachen *m*

phase [feɪz] **I.** *s* **1.** Phase *f;* Stadium *n;* Abschnitt *m* **2.** (TECH EL) Phase *f;* **in** ~ phasengleich (*with* mit); **she's just going through a** ~ das geht wieder vorbei **II.** *tr* **1.** zeitlich staffeln **2.** stufenweise durchführen **3.** aufeinander abstimmen; **~d traffic lights** grüne Welle; **phase in** *tr* stufenweise einführen; **phase out** *tr* allmählich abbauen; (*Produktion*) auslaufen lassen

PhD ['piːeɪtʃ'diː] *s abbr of* **Doctor of Philosophy 1.** (*Titel*) Dr. phil **2.** Doktorarbeit *f;* **do one's** ~ seinen Doktor machen, promovieren

pheas•ant ['feznt] *s* Fasan *m*

phe•nom•enal [fɪ'nɒmɪnl] *adj* außergewöhnlich, außerordentlich, phänomenal; **phe•nom•enon** [fɪ'nɒmɪnən, *pl* -ɪnə] <*pl* -ena> *s* Phänomen *n*

phew [fjuː] *interj* puh! pfui! ach!

phial ['faɪəl] *s* Ampulle *f;* Fläschchen *n*

phil•an•der [fɪ'lændə(r)] *itr* (*Mann*) (herum)poussieren, flirten; **phil•an•derer** [fɪ'lændərə(r)] *s* Schürzenjäger *m*

phil•an•thropic(**al**) [ˌfɪlən'θrɒpɪk(l)] *adj* philanthropisch; **phil•an•throp•ist** [fɪ'lænθrəpɪst] *s* Philanthrop, Menschenfreund *m;* **phil•an•thropy** [fɪ'lænθrəpɪ] *s* Philanthropie, Menschenliebe *f*

phil•at•elic [fɪlə'telɪk] *adj* philatelistisch; **phil•at•el•ist** [fɪ'lætəlɪst] *s* Philatelist(in) *m(f),* Briefmarkensammler(in) *m(f);* **phil•at•ely** [fɪ'lætəlɪ] *s* Philatelie *f,* Briefmarkensammeln *n*

phil•har•monic [ˌfɪlɑː'mɒnɪk] *adj* philharmonisch; ~ **society** Philharmonie *f*

phi•lip•pic [fɪ'lɪpɪk] *s* Standpauke *f*

Phi•lip•pines ['fɪlɪpiːnz] *s pl* Philippinen *pl*

phi•lis•tine ['fɪlɪstaɪn, *Am* 'fɪlɪstiːn] **I.** *s* Philister *m;* (*fig*) Banause *m* **II.** *adj* (*fig*) kulturlos

philo•logi•cal [ˌfɪlə'lɒdʒɪkl] *adj* philologisch; **phil•ol•ogist** [fɪ'lɒlədʒɪst] *s* Philologe *m,* -login *f;* **phil•ol•ogy** [fɪ'lɒlədʒɪ] *s* Philologie *f*

phil•os•opher [fɪ'lɒsəfə(r)] *s* Philosoph(in) *m(f);* ~**'s stone** Stein *m* der Weisen; **philo•sophic**(**al**) [ˌfɪlə'sɒfɪk(l)] *adj* philosophisch; **phil•os•ophize** [fɪ'lɒsəfaɪz] *itr* philosophieren; **phil•os•ophy** [fɪ'lɒsəfɪ] *s* **1.** Philosophie *f* **2.** (~ *of life*) Lebens-, Weltanschauung *f;* **natural** ~ Naturwissenschaft *f;* ~ **of history** Geschichtsphilosophie *f*

phil•ter (*Am*) *s.* **philtre**

philtre ['fɪltə(r)] *s* Liebestrank *m*

phle•bi•tis [flɪ'baɪtɪs] *s* Venenentzündung *f*

phlegm [flem] *s* **1.** (MED) Schleim *m* **2.** Ruhe *f,* Gleichmut *m;* Phlegma *n;* **phlegmatic** [fleg'mætɪk] *adj* phlegmatisch; gleichmütig, unerschütterlich

pho•bia ['fəʊbɪə] *s* Phobie *f*

phoe•nix ['fiːnɪks] *s* Phönix *m*

phon [fɒn] *s* Phon *n*

phone [fəʊn] **I.** *s* Telefon *n* **II.** *itr* telefonieren **III.** *tr* anrufen; **phone back** *tr* zurückrufen; **phone call** *s* **1.** Telefongespräch *n* **2.** Anruf *m;* **phone•card** ['fɜʊnkɑːd] *s* Telefonkarte *f;* **phone-in** ['fəʊnɪn] *s* (RADIO) Hörersendung *f*

pho•neme ['fəʊniːm] *s* Phonem *n;* **phonetic** [fə'netɪk] **I.** *adj* phonetisch **II.** *s pl mit sing* Phonetik *f;* **pho•neti•cian** [ˌfəʊnɪ'tɪʃn] *s* Phonetiker(in) *m(f)*

phon•ey, phony ['fəʊnɪ] *adj* (*fam*) unecht; faul; falsch; gefälscht; ~ **company** Schwindelfirma *f*

pho•nic ['fɒnɪk] *adj* lautlich; **pho•no•graph** ['fəʊnəgrɑːf] *s* (*Am*) Plattenspieler *m;* **pho•nol•ogy** [fə'nɒlədʒɪ] *s* Phonologie *f,* Lautsystem *n*

phooey ['fuːɪ] *interj* (*fam*) unmöglich!

phos•phate ['fɒsfeɪt] *s* (CHEM) Phosphat *n;* **~-free** phosphatfrei; **containing ~s** phosphathaltig; **phos•pho•res•cence** [ˌfɒsfə'resns] *s* Phosphoreszenz *f;* **phos•pho•res•cent** [ˌfɒsfə'resnt] *adj* phosphoreszierend; **phos•phoric** [fɒs'fɒrɪk] *adj:* ~ **acid** Phosphorsäure *f;* **phos•phorus** ['fɒsfərəs] *s* Phosphor *m*

photo ['fəʊtəʊ] <*pl* photos> *s* Foto *n,* Fotografie *f;* **photo call** *s* Fototermim *m;* **photo•cell** ['fəʊtəʊsel] *s* Fotozelle *f;* **photo•copier** ['fəʊtəʊˌkɒpɪə(r)] *s* Fotokopierapparat, Fotokopierer *m;* **photocopy** ['fəʊtəʊˌkɒpɪ] **I.** *s* Fotokopie *f* **II.** *tr, itr* fotokopieren; **photocopying bureau** *s* Copyshop *m,* Kopierzentrum *n;* **photo•elec•tric** [ˌfəʊtəʊɪ'lektrɪk] *adj* fotoelektrisch; ~ **cell** Fotozelle *f;* **photo finish** *s* (SPORT) Fotofinish *n;* **photo•flash** ['fəʊtəʊˌflæʃ] *s* Blitzlicht *n;* **photo•genic** [ˌfəʊtəʊ'dʒenɪk] *adj* fotogen; **photograph** ['fəʊtəgrɑːf, *Am* 'fəʊtəgræf] **I.** *s* Fotografie *f;* **take a** ~ e-e Aufnahme machen **II.** *tr* fotografieren **III.** *itr* **1.** fotografieren **2.** sich fotografieren lassen; **photograph album** *s* Fotoalbum *n;* **photo•grapher** [fə'tɒgrəfə(r)] *s* Fotograf(in) *m(f);* **photo•graphic** [ˌfəʊtə'græfɪk] *adj* fotografisch; ~ **equipment** Fotoausrüstung *f;* **photo•gra•phy** [fə'tɒgrəfɪ] *s* Fotografie *f;* **photo•jour•nal•ism** [ˌfəʊtəʊ'dʒɜːnlɪzəm] *s* Fotojournalismus *m;* **photo•meter** [fəʊ'tɒmɪtə(r)] *s* Belichtungsmesser *m;* **photo•mon•tage** ['fəʊtəʊmɒn'tɑːʒ] *s* Fotomontage *f*

photon ['fəʊtɒn] *s* Photon *n*

photo op•por•tun•ity [ˌfəʊtəʊɒpə'tjuːnətɪ] *s* Fototermin *m*

photo re•porter ['fəʊtəʊrɪˌpɔːtə(r)] *s* Bildberichterstatter(in) *m(f);* **photo•sen•si•tive** [ˌfəʊtəʊ'sensɪtɪv] *adj* lichtempfindlich; **photo•sen•si•tize** [ˌfəʊtəʊ'sensɪtaɪz] *tr* lichtempfindlich machen; **photo•set•ting** ['fəʊtəʊˌsetɪŋ] *s* Filmsatz, Lichtsatz *m;* **photo•stat** ['fəʊtəstæt] *s.* **photocopy;** **photo•syn•thesis** [ˌfəʊtəʊ'sɪnθɪsɪs] *s* Photosynthese *f*

phrasal verb [ˌfreɪzl'vɜːb] *s* Phrasal Verb *n, Verb mit Präposition*

phrase [freɪz] **I.** *s* **1.** Ausdruck *m;* Redewendung *f* **2.** (GRAM) Satzteil *m;* Wortgruppe *f* **3.** (MUS) Phrase *f;* **coin a** ~ e-n Ausdruck prägen; **turn a** ~ e-n klugen Gedanken geschickt ausdrücken **II.** *tr* **1.** in Worte kleiden; zum Ausdruck bringen **2.** (MUS) phrasieren; **phrase•book** ['freɪzbʊk] *s* Sprachführer *m;* **phras•eol•ogy** [ˌfreɪzɪ'ɒlədʒɪ] *s* Ausdrucksweise *f*

phren•etic [frə'netɪk] *adj* wild, tobend, rasend; fanatisch

phut [fʌt] *interj* fft!; **go** ~ *(fam)* futsch-, draufgehen, dran glauben müssen

pH-value [piː'eɪtʃ'væljuː] *s* pH-Wert *m*

physi•cal ['fɪzɪkl] **I.** *adj* **1.** physisch **2.** körperlich **3.** *(Untersuchung)* ärztlich **4.** physikalisch; ~ **appearance** äußere Erscheinung; ~ **condition** Gesundheitszustand *m;* ~ **education, PE** Sport(unterricht) *m;* ~ **fitness** Tauglichkeit *f;* ~ **resources** Sachmittel *npl;* ~ **science(s)** Naturwissenschaften *fpl;* ~ **training, PT** Leibesübungen *fpl* **II.** *s* ärztliche Untersuchung; **physi•cian** [fɪ'zɪʃn] *s* Arzt *m,* Ärztin *f;* **physi•cist** ['fɪzɪsɪst] *s* Physiker(in) *m(f);* **phys•ics** ['fɪzɪks] *s pl mit sing* Physik *f*

physi•og•nomy [ˌfɪzɪ'ɒnəmɪ, *Am* ˌfɪzɪ'ɒgnəʊmɪ] *s* Physiognomie *f;* Gesichtszüge *mpl,* -ausdruck *m;* **physi•ol•ogist** [ˌfɪzɪ'ɒlədʒɪst] *s* Physiologe *m,* -login *f;* **physi•ol•ogy** [ˌfɪzɪ'ɒlədʒɪ] *s* Physiologie *f;* **physio•ther•apist** [ˌfɪzɪəʊ'θerəpɪst] *s* Krankengymnast(in) *m(f),* Physiotherapeut(in) *m(f);* **physio•ther•apy** [ˌfɪzɪəʊ'θerəpɪ] *s* Krankengymnastik, Physiotherapie *f;* **phy•sique** [fɪ'ziːk] *s* Körperbau *m,* Konstitution *f*

pia•nist ['pɪənɪst] *s* Pianist(in) *m(f),* Klavierspieler(in) *m(f);* **pi•ano** ['pjɑːnəʊ] <*pl* -anos> *s* Klavier *n;* **play (on) the** ~ Klavier spielen; **grand** ~ Flügel *m;* ~ **lesson** Klavierstunde *f;* ~ **teacher** Klavierlehrer(in) *m(f)*

pi•azza [pɪ'ætsə] *s* **1.** (großer, viereckiger) Platz *m* **2.** *(Am)* Veranda *f*

pic•ar•esque [ˌpɪkə'resk] *adj (lit):* ~ **novel** Schelmenroman *m*

pic•ca•lilli [ˌpɪkə'lɪlɪ] *s mit scharfen Gewürzen eingemachtes Mischgemüse*

pic•ca•ninny [ˌpɪkə'nɪnɪ] *s (pej)* (Neger)Kind *n*

pic•colo ['pɪkələʊ] <*pl* -coloes> *s* Pikkoloflöte *f*

pick [pɪk] **I.** *tr* **1.** auswählen; *(Mannschaft)* aufstellen **2.** zupfen an; kratzen an; *(Loch)* bohren; *(mit Schnabel)* (auf)hacken **3.** *(Naht)* auftrennen **4.** *(Obst, Blumen)* pflücken **5.** *(Vogel)* (auf)picken **6.** *(Schloss)* knacken, mit e-m Dietrich öffnen **7.** *(Streit)* vom Zaun brechen; **have a bone to** ~ **with s.o.** mit jdm ein Hühnchen zu rupfen haben; ~ **s.o.'s brains** jdn um Ideen bitten; ~ **holes in s.th.** an etw herumkritteln; *(Theorie)* widerlegen; ~ **one's nose** sich in der Nase bohren; ~ **s.th. to pieces** an etw keinen guten Faden lassen; ~ **pockets** Taschendieb sein; ~ **s.o.'s pockets** jdn bestehlen; ~ **one's teeth** sich in den Zähnen stochern; ~ **one's way** [*o* **steps**] vorsichtig gehen, sich durchschlängeln; ~ **one's words** die Worte mit Bedacht wählen; **you do** ~ **them!** *(iro)* du gerätst auch immer an den Falschen! **II.** *itr* **1.** wählen **2.** *(Gitarre)* zupfen; ~ **and choose** wählerisch sein **III.** *s* **1.** Picken, Hacken *n* **2.** Auswahl, Auslese *f* **3. the** ~ **(of the bunch)** das Beste (von allem) **4.** Spitzhacke, Haue *f* **5.** Zahnstocher *m* **6.** (MUS) Plektrum *n;* **have** [*o* **take**] **one's** ~ seine Wahl treffen; **have first** ~ die erste Wahl haben; **he was our** ~ wir haben ihn gewählt; **pick at** *itr* herummeckern an; ~ **at one's food** im Essen herumstochern; **pick off** *tr* **1.** abpflücken; wegzupfen **2.** wegnehmen **3.** abschießen; **pick on** *tr* **1.** aussuchen, auswählen **2.** herumhacken auf; **why** ~ **on me?** warum gerade ich?; **pick out** *tr* **1.** heraussuchen, (aus)wählen **2.** *(Schlechtes)* auslesen **3.** ausmachen; entdecken; ausfindig machen **4.** *(Farbe)* zur Geltung bringen, absetzen *(with* gegen) **5.** *(Ton)* angeben, -schlagen; **pick over** *tr* (genau) überprüfen; durchsehen; **pick up**

I. *tr* 1. aufpicken, -heben, -lesen; auf-, mitnehmen (*a. Fahrgäste*) 2. finden, sammeln, zusammenbringen 3. (*billig, teuer*) erstehen 4. herausfinden, -bringen, in Erfahrung bringen; verstehen, erfassen 5. (*Kenntnisse*) sich aneignen 6. (*fam*) zufällig kennenlernen; (*s.o*) jds Bekanntschaft machen 7. (*Rundfunksendung*) aufnehmen 8. bergen, retten II. *itr* 1. sich erholen, wieder zu Kräften kommen 2. (*Börse*) anziehen; sich befestigen 3. (~ *efficiency*) aufholen 4. (MOT) auf Touren kommen; ~ **up with s.o.** (*fam*) mit jdm Freundschaft schließen; ~ **up the bill** die Rechnung bezahlen; ~ **up courage** Mut fassen; ~ **up speed** an Geschwindigkeit gewinnen; **where on earth did you ~ her up?** wo hast du denn die aufgelesen?; **she ~ed me up for using the wrong word** sie korrigierte meinen Wortfehler; ~ **up on s.th.** auf etw Bezug nehmen

picka•back ['pɪkəbæk] *adv* huckepack; **pick•ax(e)** *s* Spitzhacke *f;* **picker** ['pɪkə(r)] *s* Pflücker(in) *m(f)*

picket ['pɪkɪt] I. *s* 1. Streikposten *m* 2. Pflock, (Zaun)Pfahl, Pfosten *m* 3. (MIL) (Wacht)Posten *m* II. *tr* durch Streikposten absperren III. *itr* Streikposten aufstellen; als Streikposten stehen; **picket•ing** [-ɪŋ] *s* Streikwache *f;* **picket line** *s* Streikpostenkette *f*

pick•ing ['pɪkɪŋ] *s* (TYP) Rupfen *m;* **picking list** *s* (COM) Entnahmeliste *f;* **picking resistance** *s* (TYP) Rupffestigkeit *f*

pick•ings ['pɪkɪŋz] *s pl* 1. Abfälle, Reste *mpl,* Überbleibsel *npl* 2. Diebesgut *n* 3. Profit, Gewinn *m*

pickle ['pɪkl] I. *s* 1. Pökel *m,* (Salz)Lake *f;* Essigsoße *f* 2. (*fam*) unangenehme, peinliche Lage, Verlegenheit *f;* schöne Bescherung 3. ~**s** eingelegtes Gemüse, Pickles *pl;* **be in a nice** ~ (*fam*) ganz schön in der Patsche sitzen; **mixed ~s** Mixed Pickles *pl* II. *tr* (ein)pökeln, einmachen; in Essig einlegen; **pickled** [pɪkld] *adj* 1. gepökelt, eingemacht 2. (*sl*) besoffen

pick•lock ['pɪklɒk] *s* 1. Einbrecher *m* 2. Dietrich *m;* **pick-me-up** ['pɪkmɪʌp] *s* (*fam*) 1. Schnäpschen *n* 2. Stärkung *f;* **pick-off** ['pɪkɒf] I. *adj* (*Am*) abmontierbar II. *s* (TECH) Abgriff *m;* Geber *m;* Fühler *m;* **pick•pocket** ['pɪkpɒkɪt] *s* Taschendieb(in) *m(f);* **beware of ~s!** vor Taschendieben wird gewarnt!; **pick-up** ['pɪkʌp] *s* 1. (*Plattenspieler*) Tonabnehmer *m* 2. offener Kleintransporter 3. Beschleunigung(svermögen *n*) *f* 4. (*fam: Vorgang*) Anmache *f;* (*Person*) Gelegenheitsbekanntschaft *f* 5. Verbesserung *f* 6. (*Am sl*) Verhaftung *f* 7. Abholen *n;* Treffpunkt *m;* ~ **point** Treffpunkt *m;* Haltestelle *f;* **picky** ['pɪkɪ] *adj* wählerisch

pic•nic ['pɪknɪk] <-nicking, -nicked> I. *s* Picknick *n;* **it's no ~ to do that** (*fig*) es ist keine Kleinigkeit, das zu tun II. *itr* ein Picknick veranstalten; picknicken; **pic•nicker** ['pɪknɪkə(r)] *s* Teilnehmer(in) *m(f)* an einem Picknick

picto•gram ['pɪktəgræm] *s* Piktogramm *n*

pic•tor•ial [pɪk'tɔ:rɪəl] I. *adj* 1. bildlich, illustriert 2. bildhaft II. *s* Illustrierte *f*

pic•ture ['pɪktʃə(r)] I. *s* 1. Bild *n;* Gemälde *n* 2. Abbildung *f* 3. (PHOT) Aufnahme *f* 4. Film *m* 5. (*fig*) Ab-, Ebenbild *n,* Verkörperung *f* 6. Vorstellung *f;* Darstellung, Beschreibung, Schilderung *f;* Wiedergabe *f* 7. (*fam: a* ~) etw Bildschönes 8. ~**s** (*Br*) Kino *n;* **as pretty as a** ~ bildschön; **be in the** ~ im Bilde sein; **be out of the** ~ nicht mehr auf dem Laufenden sein; **not to come into the** ~ außer Betracht bleiben; **go to the ~s** (*Br*) ins Kino gehen; **look the ~ of health** wie das blühende Leben aussehen; **put s.o. in the** ~ jdn ins Bild setzen; **take a ~ of** fotografieren, aufnehmen; **get the ~?** (haben Sie) verstanden? II. *tr* 1. abbilden, malen, zeichnen 2. (*fig*) schildern, beschreiben 3. sich vorstellen, sich e-n Begriff machen von; **picture book** *s* Bilderbuch *n;* Bildband *m;* **picture frame** *s* Bilderrahmen *m;* **picture gallery** *s* Gemäldegalerie *f;* **picture-goer** ['pɪktʃə,gəʊə(r)] *s* Kinobesucher(in) *m(f);* **picture library** *s* Bildstelle *f,* -archiv *n;* **picture postcard** *s* Ansichtskarte *f;* **picture puzzle** *s* Bilderrätsel *n;* **picture researcher** *s* Bildredakteur(in) *m(f);* **picture show** *s* Film(vorführung *f*) *m;* Kino *n*

pic•tur•esque [,pɪktʃə'resk] *adj* malerisch

pic•ture tube ['pɪktʃə,tju:b] *s* (TV) Bildröhre *f;* **picture window** *s* Panoramafenster *n*

piddle ['pɪdl] *itr* (*fam*) pinkeln; ~ **around** herumhängen, herummachen; **pid•dling** ['pɪdlɪŋ] *adj* (*fam*) unbedeutend

pidgin Eng•lish ['pɪdʒɪn 'ɪŋglɪʃ] *s* Pidginenglis(c)h *n*

pie [paɪ] *s* 1. Pastete *f* 2. Obstkuchen *m* 3. (*Am*) Protektion *f;* **as easy as** ~ (*fam*) kinderleicht; **as sweet as** ~ unheimlich freundlich; **eat humble** ~ klein beigeben; **have a finger in the** ~ (*fig*) die Hand im Spiel haben; **apple** ~ Apfelkuchen *m;* **meat** ~ Fleischpastete *f;* ~ **in the sky** Luftschlösser *npl;* ~ **chart** Kreisdiagramm *n*

pie•bald ['paɪbɔ:ld] *adj* bunt, (bunt)scheckig, gescheckt

piece [pi:s] *s* 1. Stück *n* 2. Bruchstück *n;* Abschnitt *m;* Stelle *f* (*in e-m Buch*) 3. Einzelteil, -stück *n* (*e-s Services, Satzes*) 4. (~

of money) Geldstück *n*, Münze *f* **5.** (*Brettspiel*) Stein *m;* (*Schach*) Figur *f* **6.** (Musik-, Theater)Stück *n* **7.** (~ *in the paper*) Zeitungsartikel *m;* **a nasty ~ of work** (*fam*) eine üble Person; **a nice ~** (*sl*) ein tolles Weib; **by the ~** stückweise; im Akkord; **~ by ~** Stück für Stück; **in ~s** entzwei, *fam* kaputt; **in one ~** (*fam*) unbeschädigt; (*Person*) unverletzt; **of 20 ~s** (*Service*) 20-teilig; **of a** [*o* **one**] **~** aus e-m Stück, einheitlich, übereinstimmend (*with* mit); **to ~s** in Stücke; kaputt; **be all of a ~** (*fam*) vom selben Kaliber sein; **fall to ~s** auseinander fallen; **give s.o. a ~ of one's mind** (*fam*) jdm gehörig die Meinung sagen; **go to ~s** zerbrechen; (*fig fam*) vor die Hunde gehen; durchdrehen; **pull to ~s** (*Argument*) zerpflücken; (*Person*) bekritteln; **say one's ~** seine Meinung sagen; **take to ~s** zerlegen, auseinander nehmen; (*Kleid*) auftrennen; **tear to ~s** zerreißen, zerpflücken *a. fig;* **a ~ of advice** ein Rat *m;* **a ~ of cake** (*fam*) ein Kinderspiel *n;* **~ of evidence** Beweisstück *n;* Beleg *m;* **a ~ of land** ein Grundstück *n;* **a ~ of music** ein Musikstück *n;* **a ~ of news** e-e Neuigkeit; **a fine ~ of work** e-e saubere Arbeit; **piece together** *tr* zusammenstückeln; (*fig*) sich zusammenreimen; (*Beweise*) zusammenfügen; **piece cost** *s* Stückkosten *pl;* **piece•meal** ['pi:smi:l] **I.** *adv* **1.** stückweise; Stück für Stück, nach u. nach **2.** kunterbunt durcheinander **II.** *adj* **1.** nach u. nach erfolgend **2.** stückweise **3.** planlos, ohne Methode; **piece number** *s* Stückzahl *f;* **piece price** *s* Stückpreis *m;* **piece rate** *s* Akkordsatz *m;* **piece•work** *s* Stück-, Akkordarbeit *f;* **do ~** im Akkord arbeiten; **piece•worker** *s* Akkordarbeiter(in) *m(f)*

pied [paɪd] *adj* gescheckt, fleckig; **the P~ Piper (of Hamelin)** der Rattenfänger von Hameln

pie-eyed ['paɪ'aɪd] *adj* (*sl*) besoffen

pier [pɪə(r)] *s* **1.** Brückenpfeiler *m* **2.** Landungsbrücke *f*, Landesteg *m;* Pier *m*

pierce [pɪəs] *tr* **1.** eindringen in **2.** durchbohren **3.** (*Schall, Licht*) durchdringen **4.** brechen durch, dringen durch **5.** (*fig*) durchdringen; **pierc•ing** [-ɪŋ] *adj* **1.** durchdringend, schneidend, scharf **2.** (*Schrei*) gellend

pietà [ˌpi:e'tɑ:] *s* (*Kunst*) Pietà, Schmerzensmutter *f*

piety ['paɪətɪ] *s* **1.** Frömmigkeit *f* **2.** Ehrfurcht *f* (*to* vor)

piffle ['pɪfl] *s* (*fam*) Quatsch *m;* **pif•fling** ['pɪflɪŋ] *adj* (*fam*) lächerlich

pig [pɪg] *s* **1.** Schwein *n* **2.** (*fam pej*) (Dreck)Schwein *n* **3.** (TECH) Massel *f*, Roheisen(barren *m*) *n* **4.** (*sl*) Polizist, Bulle *m;* **buy a ~ in a poke** (*fig*) die Katze im Sack kaufen; **make a ~ of o.s.** zu viel essen; **make a ~'s ear of s.th.** etw vermasseln; **~s might fly** es geschehen noch Wunder; **sucking ~** Spanferkel *n;* **pig out** [ˌpɪg'aʊt] *itr* (*sl*) sich den Bauch vollschlagen

pigeon ['pɪdʒɪn] *s* (ZOO: *Vogel*) Taube *f;* **that's your ~** (*fam*) das ist Ihre Angelegenheit; **set** [*o* **put**] **the cat among the ~s** (*fig*) Aufregung verursachen; **carrier** [*o* **homing**] **~** Brieftaube *f;* **pigeon fancier** *s* Taubenzüchter(in) *m(f);* **pigeon•hole** ['pɪdʒɪnhəʊl] **I.** *s* (Ablege)Fach *n* **II.** *tr* **1.** (*Papiere*) ablegen, einordnen **2.** klassifizieren **3.** zurückstellen, auf Eis legen; **pigeon principle** *s* (MATH) Schubfachprinzip *n;* **pigeon-toed** ['pɪdʒɪntəʊd] *adj* mit einwärtsgekehrten Zehen

pig•gery ['pɪgərɪ] *s* **1.** Schweinezüchterei *f* **2.** (*fam*) Völlerei *f;* **pig•gish** ['pɪgɪʃ] *adj* **1.** schweinisch, säuisch **2.** gierig; **piggy** ['pɪgɪ] **I.** *s* Schweinchen *n* **II.** *adj* (*fam*) gierig; gefräßig; **piggy•back** ['pɪgɪ bæk] *adv* huckepack; **piggy bank** *s* Sparschweinchen *n;* **pig-headed** [ˌpɪg'hedɪd] *adj* verbohrt, halsstarrig; **pig iron** *s* Roheisen *n;* **pig•let** ['pɪglɪt] *s* Ferkel, Schweinchen *n*

pig•ment ['pɪgmənt] *s* Pigment *n;* **pig•men•ta•tion** [ˌpɪgmen'teɪʃn] *s* (BIOL MED) Pigmentierung *f*

pigmy ['pɪgmɪ] *s s.* **pygmy**

pig•skin ['pɪgskɪn] *s* Schweinsleder *n;* **pig•sty** ['pɪgstaɪ] *s* **1.** Schweinestall *m* **2.** (*fig pej*) Schweine-, Saustall *m;* **pig•swill** ['pɪgswɪl] *s* **1.** Schweinefutter *n* **2.** (*Suppe, Kaffee*) Spülwasser *n;* (*Essen*) Schweinefraß *m;* **pig•tail** ['pɪgteɪl] *s* Zopf *m*

pike¹ [paɪk] *s* Spieß *m*

pike² [paɪk] *s* (ZOO) Hecht *m*

pike³ [paɪk] *s* (*turn~*) Zollschranke *f*, Schlagbaum *m;* Mautstraße *f*

pike•staff ['paɪkstɑ:f] *s:* **as plain as a ~** sonnenklar

pi•las•ter [pɪ'læstə(r)] *s* (ARCH) Pilaster *m*

pil•chard ['pɪltʃəd] *s* (ZOO) Pilchard *m*, Sardine *f*

pile¹ [paɪl] *s* Pfosten, Pfahl *m*

pile² [paɪl] **I.** *s* **1.** Haufen, Stoß, Stapel *m* **2.** (*funeral ~*) Scheiterhaufen *m* **3.** (*fam*) (großer) Haufen *m*, Menge, Masse *f* **4.** (*sl: ~ of money*) Haufen *m* Geld; Riesenvermögen *n* **5.** (*atomic ~*) Kernreaktor *m;* **put in a ~** stapeln; auf einen Haufen legen; **~s of food** eine Menge Essen; **make a ~** ein Vermögen machen **II.** *tr* stapeln; **pile in** *itr* (*Menschen*) hereinströmen; hineindrängen; **pile off** *itr* hinausdrängen; **pile on** *tr* aufhäufen; **~ it on** dick auftragen;

pile up I. *itr* 1. sich anhäufen; sich stapeln; (*Verkehr*) sich stauen; (*Schnee, Arbeit*) sich türmen; (*Wolken*) sich zusammenballen 2. (*Autos*) aufeinander auffahren II. *tr* 1. aufhäufen; stapeln; (*Geld*) horten; (*Schulden*) anhäufen; (*Beweise*) zusammensammeln 2. (*fam: Auto*) kaputt fahren

pile³ [paɪl] *s* 1. Noppe(nfläche) *f* 2. Flor *m*

pile-driver ['paɪl,draɪvə(r)] *s* Pfahlramme *f*

piles [paɪlz] *s pl* (MED) Hämorrhoiden *fpl*

pile-up ['paɪlʌp] *s* Massensturz *m*, -karambolage *f*

pil•fer ['pɪlfə(r)] *tr, itr* stehlen, stibitzen *fam;* **pil•ferer** ['pɪlfərə(r)] *s* (kleiner) Dieb *m;* **pil•fer•ing** ['pɪlfərɪŋ] *s* Bagatelldiebstahl *m*

pil•grim ['pɪlgrɪm] *s* Pilger(in) *m(f);* **the P~ Fathers** (HIST) die Pilgerväter *mpl;* **pil-grim•age** ['pɪlgrɪmɪdʒ] *s* Pilger-, Wallfahrt *f* (*to* nach); **go on a ~** auf Pilgerfahrt gehen

pill [pɪl] *s* 1. Pille, Tablette *f* 2. (*sl*) Ball *m;* **be on the ~** (*fam*) die Pille nehmen

pil•lage ['pɪlɪdʒ] I. *s* Plünderung *f* II. *tr, itr* plündern

pil•lar ['pɪlə(r)] *s* Säule *f a. fig;* **from ~ to post** (*fig*) von Pontius zu Pilatus; **pillar-box** *s* (*Br*) Briefkasten *m*

pill•box ['pɪlbɒks] *s* 1. Pillenschachtel *f* 2. Pagenkäppi *n;* (*für Damen*) Pillbox *f*

pil•lion ['pɪlɪən] *s* (MOT) Soziussitz *m;* **ride ~** auf dem Sozius mitfahren; **pillion passenger** *s* (*Motorrad*) Beifahrer(in) *m(f)*

pil•lory ['pɪlərɪ] I. *s* Pranger *m* II. *tr* an den Pranger stellen; (*fig*) anprangern

pil•low ['pɪləʊ] I. *s* Kopfkissen *n* II. *tr* betten; **pillow-case, pillow-slip** *s* Kopfkissenbezug, -überzug *m*

pi•lot ['paɪlət] I. *s* 1. (MAR) Lotse *m* 2. (AERO) Pilot(in) *m(f)*, Flugzeugführer(in) *m(f)* 3. (TECH) Steuergerät *n;* (*~ light*) Zündflamme *f* 4. (RADIO) Probesendung *f* 5. (*Am*) Schienenräumer *m* II. *tr* 1. (*Schiff*) lotsen 2. (*Flugzeug*) fliegen 3. (*fig*) führen, lenken; durchbringen; **pilot boat** *s* Lotsenboot *n;* **pilot fish** *s* Lotsen-, Pilotfisch *m;* **pilot instructor** *s* Fluglehrer(in) *m(f);* **pilot lamp** *s* Kontroll-, Signal-, Warnlampe *f;* **pi•lot•less** [-lɪs] *adj* führerlos, unbemannt; **pilot light** *s* Zündflamme *f;* Sparflamme *f;* **pilot plant** *s* Versuchsanlage *f;* **pilot scheme** *s* Pilotprojekt *n;* **pilot's licence** *s* Flugschein *m;* **pilot study** *s* Pilotstudie *f;* **pilot survey** *s* Probeerhebung *f*

pi•mento [pɪ'mentəʊ] <*pl* -mentos> *s* 1. Piment *n*, Nelkenpfeffer *m;* Pimentbaum *m* 2. Paprikaschote *f*

pimp [pɪmp] I. *s* Zuhälter *m* II. *itr* Zuhälter sein

pimple ['pɪmpl] *s* Pickel *m*, Pustel *f;* **pim-ply** ['pɪmplɪ] *adj* (*Haut*) pick(e)lig, unrein

PIN [pɪn] *s abbr of* **personal identification number** persönliche Geheimzahl

pin [pɪn] I. *s* 1. (Steck)Nadel *f* 2. Anstecknadel, Brosche *f* 3. (TECH) Stift, Dorn, Bolzen *m;* (Reiß)Zwecke *f* 4. (*Gitarre*) Wirbel *m* 5. (EL) Pol *m* 6. **~s** (*fam*) Beine *npl* 7. (*Golf*) Flaggenstock *m;* **for two ~s** beinahe; es hat wenig gefehlt (und); **I have (got) ~s and needles in my feet** mir sind die Füße eingeschlafen; **I don't care a ~** das ist mir (ganz) egal; **neat as a new ~** blitzsauber; **clothes-~** (*Am*) Wäscheklammer *f;* **drawing ~** Reißnagel *m;* **hair-~** Haarnadel *f;* **hat-~** Hutnadel *f;* **nine~s** Kegelspiel *n;* **safety ~** Sicherheitsnadel *f;* **scarf-** [*o* **tie-**]**~** Krawattennadel *f;* **~ money** Taschengeld *n* II. *tr* 1. (*Kleid*) stecken 2. festmachen, anstecken, (an)heften (*to* an) 3. (*fig*) drücken; klemmen (*to, against* gegen) 4. (*fam: Schuld, Mord*) anhängen (*on s.o.* jdm); **get ~ned** (*Am fam*) sich verloben; **~ one's hopes on** seine Hoffnung setzen auf; **~ back one's ears** die Ohren spitzen; **pin down** *tr* 1. anheften, festheften 2. beschweren 3. einklemmen, festklemmen 4. (*fig*) festnageln, festlegen (*s.o. to s.th.* jdn auf etw); **pin together** *tr* zusammenheften; **pin up** *tr* anheften; (*Haare*) hochstecken; (*Rock, Kleid*) stecken

pina•fore ['pɪnəfɔː(r)] *s* Kinder-, Kittelschürze *f;* Schürzenkleid *n*

pin•ball ma•chine ['pɪnbɔːlmə'ʃiːn] *s* Flipper *m*

pin•cers ['pɪnsəz] *s pl* 1. (Kneif-, Beiß)Zange *f* 2. (ZOO) (Krebs)Schere *f*

pinch [pɪntʃ] I. *tr* 1. kneifen, zwicken 2. (*Schuh, Kleidung*) zu eng sein (*s.o.* jdm), drücken 3. (*fig*) bedrücken, beklemmen 4. darben lassen, kurz halten 5. (*sl*) klauen, stibitzen 6. (*sl*) einsperren II. *itr* 1. drücken, kneifen 2. sich einschränken III. *s* 1. Kneifen *n* 2. Prise *f* 3. (*fig*) Klemme, Schwierigkeit *f;* **at** [*o* **in**] **a ~** (*Am*) zur Not; **feel the ~** Not leiden; **if it comes to the ~** notfalls; **a ~ of salt** e-e Prise Salz

pinch•beck ['pɪntʃbek] I. *adj* unecht; billig, minderwertig II. *s* 1. Tombak *m* 2. (*fig*) Talmi *n;* Plunder *m*

pinched [pɪntʃt] *adj* 1. verhärmt 2. verfroren 3. erschöpft; **be ~ for money** knapp bei Kasse sein; **we're rather ~ for space** wir haben wenig Platz; **pinch-hit** *itr* (*Am*) einspringen (*for s.o.* für jdn); **pinch-hitter** *s* (*Am*) Ersatz(mann) *m*

pin•cushion ['pɪn,kʊʃn] *s* Nadelkissen *n*

pine¹ [paɪn] *s* 1. Kiefer, Föhre *f* 2. (*stone ~*)

Pinie *f*

pine² [paɪn] *itr* (~ *away*) umkommen (*with hunger* vor Hunger), vergehen (*with grief* vor Kummer), schmachten, vergehen vor Sehnsucht, sich sehnen (*for, after* nach)

pin·eal ['paɪnɪəl] *adj:* ~ **gland** (ANAT) Zirbeldrüse *f*

pine·apple ['paɪnæpl] *s* Ananas *f*

pine cone ['paɪnkəʊn] *s* Kiefern-, Fichtenzapfen *m;* **pine grove** *s* Pinien-, Fichtenwäldchen *n;* **pine needle** *s* Kiefern-, Fichtennadel *f;* **pine wood** *s* Kiefernwald *m;* Kiefernholz *n*

ping [pɪŋ] **I.** *s* **1.** Schwirren, Pfeifen *n* (*e-r Kugel*) **2.** (*Glocke*) Klingeln *n* **II.** *itr* **1.** (*Kugel*) pfeifen; sausen, schwirren **2.** (*Glocke*) klingeln

ping·pong ['pɪŋpɒŋ] *s* (*fam*) Tischtennis *n*

pin·head ['pɪnhed] *s* **1.** Stecknadelkopf *m* **2.** (*fam*) Dummkopf *m*

pin·ion¹ ['pɪnɪən] **I.** *s* **1.** (ZOO) Flügelspitze *f* **2.** (*poetisch*) Flügel *m,* Schwinge *f* **II.** *tr* fesseln, drücken (*to* an)

pin·ion² ['pɪnɪən] *s* (TECH MOT) Ritzel *n*

pink¹ [pɪŋk] **I.** *s* **1.** (BOT) Nelke *f* **2.** (*Farbe*) Rosa *n* **3.** (*fig*) (das) Beste, (die) Spitze, (der) Gipfel; **be in the** ~ (*fam*) in bester Verfassung, in Form sein **II.** *adj* **1.** rosa; rosig **2.** (POL) rot angehaucht

pink² [pɪŋk] *tr* **1.** mit der Zickzackschere schneiden **2.** streifen

pink³ *itr* (MOT) klopfen

pinkie, pinky ['pɪŋkɪ] *s* (*schottisch*) kleiner Finger

pink·ing shears ['pɪŋkɪŋʃɪəz] *s pl* Zickzackschere *f*

pinko ['pɪŋkəʊ] <*pl* pinkos> *s* (*fam*) rosarot Angehauchte(r) *f m*

pin·nace ['pɪnɪs] *s* (MAR) Pinasse *f*

pin·nacle ['pɪnəkl] *s* **1.** (ARCH) Fiale *f* **2.** Bergspitze *f* **3.** (*fig*) Gipfel, Höhepunkt *m*

pin·point ['pɪnpɔɪnt] **I.** *s* Punkt *m;* **a** ~ **of light** ein Lichtpunkt *m* **II.** *tr* **1.** (*Ziel*) markieren; genau treffen **2.** (*fig*) genau festlegen; **pin·prick** *s* **1.** Nadelstich *m* **2.** (*fig*) Kleinigkeit *f;* **pin·stripe** *s* (*Textil*) Nadelstreifen *m;* Nadelstreifenanzug *m*

pint [paɪnt] *s* Pint *n* (*Br 0,568 l, Am 0,473 l*); **pinta** ['paɪntə] *s* (*fam*) (ein) halber Liter Milch; **pint-sized** ['paɪntsaɪzd] *adj* klein, unbedeutend

pin-up ['pɪnʌp] *s* **1.** Pin-up-Foto *n* **2.** Pin-up-Girl *n;* **pin·wheel** *s* **1.** (*Am: Spielzeug*) Windrädchen *n* **2.** Feuerrad *n*

pion·eer [ˌpaɪə'nɪə(r)] **I.** *s* **1.** (MIL) Pionier *m a. fig* **2.** (*fig*) Vorkämpfer(in) *m(f),* Bahnbrecher(in) *m(f)* **II.** *itr* (*fig*) Pionierarbeit leisten; den Weg bahnen **III.** *tr* **1.** (*e-n Weg*) vorbereiten **2.** (*fig*) Pionierarbeit leisten für; **pioneer work** *s* Pionierarbeit *f*

pious ['paɪəs] *adj* fromm, gottesfürchtig; ~ **hope** frommer Wunsch; ~ **words** fromme Sprüche

pip¹ [pɪp] *s* **1.** (Obst)Kern *m* **2.** (*Spielkarten, Würfel, Dominosteine*) Auge *n* **3.** (MIL: *sl*) Stern *m* (*Rangabzeichen*)

pip² [pɪp] *s* (*Tierkrankheit*) Pips *m;* **that gives me the** ~ das macht mich verrückt

pip³ [pɪp] **I.** *s* **1.** Piepen *n,* Piepton *m* **2.** (RADIO) Kurzton *m* **3.** (*Radar*) Echoanzeige *f;* **the ~s** das Zeitzeichen; (*Telefon*) das Tuten **II.** *tr* schlagen, besiegen; **be ~ped at the post** kurz vor Schluss besiegt werden

pipe [paɪp] **I.** *s* **1.** Pfeife *f* **2.** Flöte *f;* Orgel-, Signalpfeife *f* **3.** Rohr *n;* Röhre *f;* Leitung *f;* **~s** (MUS) Dudelsack *m;* **~s of Pan** Panflöte *f;* **wind-~** Luftröhre *f;* ~ **of peace** Friedenspfeife *f;* **put that in your ~ and smoke it** das kannst du dir hinter den Spiegel stecken **II.** *itr* **1.** flöten; pfeifen **2.** piepsen **III.** *tr* **1.** (*Lied*) flöten; pfeifen; piepsen **2.** (MAR) pfeifen **3.** mit Röhren versehen **4.** durch ein Rohr leiten; (RADIO) ausstrahlen **5.** (*Nähen*) paspelieren **6.** (*Torte*) spritzen; **pipe down I.** *tr* (MAR) das Schlusssignal geben für **II.** *itr* (*sl*) das Maul halten; kleinlaut werden; **pipe up** *itr* loslegen, anfangen zu sprechen; sich bemerkbar machen

pipe cleaner ['paɪpkliːnə(r)] *s* Pfeifenreiniger *m;* **pipe dream** *s* (*fam*) Wunschtraum *m;* Luftschloss *n;* **pipe·fitter** ['paɪpfɪtə(r)] *s* Klempner(in) *m(f);* **pipe-line** ['paɪplaɪn] *s* Pipeline, Rohrleitung *f;* **in the** ~ in Vorbereitung; **piper** ['paɪpə(r)] *s* Flötenspieler(in) *m(f),* Pfeifer(in) *m(f),* Dudelsackbläser(in) *m(f);* **pay the** ~ (*fig*) bezahlen

pip·ing ['paɪpɪŋ] **I.** *adj* schrill, piepsend; ~ **hot** siedend heiß **II.** *s* **1.** Pfeifen *n;* Flötenspiel *n;* Dudelsackpfeifen *n* **2.** Rohrnetz *n,* -leitung *f* **3.** (*Konditorei*) Zuckerguss(verzierung *f*) *m* **4.** (*Schneiderei*) Biese, Paspelierung *f*

pip·squeak ['pɪpskwiːk] *s* eingebildeter Lackel; Knirps *m*

pi·quant ['piːkənt] *adj* pikant *a. fig*

pique [piːk] **I.** *s* (heimlicher) Groll *m;* **in a fit of** ~ in e-m Anfall von Ärger **II.** *tr* kränken; **be ~d at s.o.** über jdn pikiert sein; ~ **o.s. on s.th.** sich viel auf etw einbilden

pi·racy ['paɪərəsɪ] *s* **1.** Piraterie, Seeräuberei *f* **2.** (*fig*) Raubdruck *m;* Raubpressung *f,* Plagiat *n;* **pi·rate** ['paɪərət] **I.** *s* **1.** Seeräuber, Pirat *m* **2.** Piratenschiff *n* **3.** (~ *cab*) nicht konzessioniertes Taxi **4.** (~ *radio*) Piratensender *m* **5.** (COM) Plagiator *m* **II.** *tr* **1.** (unberechtigt) nachdrucken **2.** (*Idee*) stehlen; **~d version of a record** Raubpres-

sung *f;* ~ **radio** Piratensender *m*
pir•ou•ette [ˌpɪrʊ'et] *s* Pirouette *f*
Pis•ces ['paɪsiːz] *s pl* (ASTR) Fische *mpl*
piss [pɪs] **I.** *itr; tr* (*vulg*) **1.** pissen **2.** (*sl: rain*) in Strömen regnen; ~ **off!** hau ab!; **be ~ed off** die Schnauze voll haben **II.** *s* (*vulg*) Pisse *f,* Urin *m;* **take the ~ out of s.o.** jdn verarschen; ~ **artist** (*sl*) Säufer(in) *m(f);* **piss about** *itr,* **piss around** *itr* (*sl*) herummachen; **pissed** [pɪst] *adj* **1.** (*sl*) besoffen, blau, voll **2.** (*Am sl*) stinksauer; **piss-up** ['pɪsʌp] *s* (*sl*) Besäufnis *n*
pis•ta•chio [pɪ'stɑːʃɪəʊ] <*pl* -chios> *s* Pistazie(nnuss) *f*
pis•til ['pɪstl] *s* (BOT) Stempel *m*
pis•tol ['pɪstl] *s* Pistole *f* (*Waffe*); **pistol shot** *s* Pistolenschuss *m*
pis•ton ['pɪstən] *s* (TECH) Kolben *m;* **piston engine** *s* Kolbenmotor *m;* **piston ring** *s* Kolbenring *m;* **piston stroke** *s* Kolbenhub *m*
pit¹ [pɪt] **I.** *s* **1.** Grube *f,* (Erd)Loch *n,* Mulde *f* **2.** (Kohlen)Grube, Zeche *f;* Steinbruch *m* **3.** Fallgrube *f* **4.** (*working* ~) Arbeitsgrube *f* **5.** (*Autorennen*) Box *f* **6.** (*Leichtathletik*) Sprunggrube *f* **7.** (*fig*) Abgrund *m,* Tiefe *f* **8.** (Bären)Zwinger *m* **9.** (*Br: im Theater*) Parkett *n;* Orchesterraum, -graben *m* **10.** (*Am*) Maklerstand *m* (*Börse*) **11.** (MED: ~ *of one's stomach*) (Magen)Grube *f* **12.** (Pocken)Narbe *f* **II.** *tr* **1.** (TECH) anfressen, angreifen **2.** ausspielen (*against* gegen) **3.** einander gegenüberstellen; ~ **o.s. against** sich messen mit; **be ~ted** mit Vertiefungen, Narben versehen sein
pit² [pɪt] **I.** *s* (*Am*) Stein *m* (*e-r Steinfrucht*) **II.** *tr* (*Am: Frucht*) entsteinen
pit-a-pat [ˌpɪtə'pæt] **I.** *adv* (*Schritte*) klippklapp; (*Herz*) poch, poch; **go** ~ schnell schlagen; trappeln **II.** *s* Ticktack, Klippklapp *n*
pitch¹ [pɪtʃ] **I.** *tr* **1.** (*Lager*) errichten, aufstellen; (*Zelt*) aufschlagen **2.** werfen, schleudern; (*Heu*) aufladen **3.** (MUS: *Ton*) angeben; (*Instrument*) stimmen; (*Lied*) anstimmen **4.** (*fig: Erwartungen*) hochschrauben **II.** *itr* **1.** der Länge nach hinfallen, hinschlagen **2.** (*Schiff*) stampfen **3.** (AERO) absacken; sich neigen **III.** *s* **1.** Wurf, Stoß *m* **2.** (MUS) Tonhöhe *f* **3.** (*fig*) Höhe *f,* Grad *m* **4.** Neigung(swinkel *m*) *f;* (Dach)Schräge *f* **5.** (TECH) Steigung, Ganghöhe *f* **6.** (*Schiff*) Stampfen *n* **7.** Stand(platz) *m* (*e-s Straßenhändlers*) **8.** (*Kricket*) (Mittel)Feld *n* **9.** (*fam*) Gerede *n;* Verkaufsmasche *f;* **be at a high ~ of excitement** sehr erregt sein; **have a clever sales ~** die Ware gut anpreisen können; **queer s.o.'s ~** jdm ins Gehege kommen; **perfect ~** absolutes Gehör; **at its highest ~** (*fig*) auf dem Höhepunkt; ~ **of excitement** Grad *m* der Erregung; **what's the ~?** (*Am sl*) was läuft?; **caravan ~** Stellplatz *m* für einen Wohnwagen; **tent ~** Zeltplatz *m;* **pitch in I.** *tr* hineinwerfen **II.** *itr* (*fam*) einspringen; ~ **in together** zusammenhelfen; **pitch into** *tr* herfallen über; **pitch on** *tr* auswählen; **pitch out** *tr* hinauswerfen; wegwerfen
pitch² [pɪtʃ] *s* Pech *n;* **as black as ~** pechschwarz; **pitch-black** *adj* pechschwarz; **pitch•blende** ['pɪtʃblend] *s* Pechblende *f;* **pitch-dark** *adj* stockfinster
pitched [pɪtʃt] *adj:* ~ **battle** offener Kampf
pitcher¹ ['pɪtʃə(r)] *s* Werfer *m*
pitcher² ['pɪtʃə(r)] *s* Kanne *f,* Krug *m*
pitch•fork ['pɪtʃfɔːk] **I.** *s* Heu-, Mistgabel *f* **II.** *tr* **1.** mit der Heugabel wenden **2.** (*fig: Menschen*) plötzlich versetzen (*into a position* in e-e Lage), hineinlancieren (*into a job* in e-e Stellung)
pitch pine ['pɪtʃpaɪn] *s* (BOT) Pitchpine, Pechkiefer *f*
pit•eous ['pɪtɪəs] *adj* kläglich, jämmerlich
pit•fall ['pɪtfɔːl] *s* Falle *f*
pith [pɪθ] *s* **1.** (BOT ZOO) Mark *n a. fig* **2.** (*Orange*) weiße Haut **3.** (*fig*) Kern *m,* Substanz, Quintessenz *f* **4.** Bedeutung *f*
pit•head ['pɪtˌhed] *s* (MIN) **1.** Schachteingang *m* **2.** Grubenhalde *f*
pith hel•met ['pɪθˌhelmɪt] *s* Tropenhelm *m*
pithy ['pɪθɪ] *adj* **1.** markig **2.** (*fig: Stil*) gedrängt; inhaltsreich, gehaltvoll
piti•able ['pɪtɪəbl] *adj* **1.** bemitleidenswert **2.** erbärmlich, jämmerlich; **piti•ful** ['pɪtɪfl] *adj* **1.** bemitleidens-, bejammernswert **2.** erbärmlich, jämmerlich; **piti•less** ['pɪtɪlɪs] *adj* **1.** mitleids-, erbarmungslos **2.** unbarmherzig
pi•ton ['piːtɒn] *s* Felshaken *m*
pit•ta bread ['pɪtəˌbred] *s* Pitta-, Fladenbrot *n*
pit•tance ['pɪtns] *s* kleiner Betrag, Hungerlohn *m*
pi•tu•itary [pɪ'tjuːɪtərɪ] *adj* (ANAT): ~ **gland** Hypophyse *f*
pity ['pɪtɪ] **I.** *s* Mitleid *n;* **in ~ of, out of ~** aus Mitleid; **have** [*o* **take**] ~ **on** Mitleid haben mit; **what a ~!** wie schade!; **it's a ~ that ...** es ist schade, dass ...; **the ~ is that** es ist ein Jammer, dass; **for ~'s sake!** um Himmels willen!; **more's the ~** (*fam*) leider **II.** *tr* bemitleiden, bedauern; **I ~ you** Sie tun mir Leid; **pity•ing** [-ɪŋ] *adj* mitleidig; verächtlich
pivot ['pɪvət] **I.** *s* **1.** Drehpunkt *m* **2.** (TECH) Drehzapfen *m* **3.** (MIL) Flügelmann *m* **4.** (*fig*) Angelpunkt *m;* Schlüsselfigur *f* **II.** *tr* drehbar lagern; schwenken **III.** *itr* **1.**

drehbar gelagert sein (*on* auf) **2.** sich drehen (*on, upon* um) *a. fig*

pix [pɪks] *s pl* (*fam*) Bilder *npl*

pixel [pɪksl] *s* (EDV) Pixel *n,* Bildpunkt *m*

pixie, **pixy** ['pɪksɪ] *s* Elf(e *f*) *m*

pixi•lated ['pɪksɪleɪtɪd] *adj* (*Am*) **1.** (*fam*) durchgedreht, durcheinander **2.** (*sl*) besoffen, blau

pizza ['pi:tsə] *s* Pizza *f*

plac•ard ['plækɑ:d] **I.** *s* Plakat *n,* Anschlag(zettel) *m;* Transparent *n* **II.** *tr* **1.** mit Plakaten bekleben **2.** anschlagen, plakatieren **3.** durch Anschlag Bekannt machen (*on* auf)

pla•cate [plə'keɪt, *Am* 'pleɪkeɪt] *tr* besänftigen, beruhigen, beschwichtigen; **pla•ca•tory** [plə'keɪtərɪ] *adj* besänftigend

place [pleɪs] **I.** *s* **1.** Platz, Ort *m,* Stelle *f* **2.** (GEOG) Ort *m* **3.** Stätte *f,* Ort *m* **4.** (Sitz-, Theater)Platz *m* **5.** (Buch)Stelle *f* **6.** (*fig*) Stelle *f,* Platz *m* (*in e-r Ordnung, Reihenfolge*) **7.** Stelle, (An)Stellung *f* (*im Beruf*) **8.** Stand, Rang *m;* Amt *n;* (*fig*) Aufgabe *f;* Pflicht *f* **9.** Gegend *f;* Land *n;* Gebäude *n;* Ort *m* **10.** Haus *n;* Wohnung *f* **11.** (MATH) Stelle *f* **12.** (SPORT) Platz *m;* **all over the ~** überall, an allen Orten; **any ~** (*Am fam*) irgendwo; **at my ~** bei mir; **at this ~** hier; (COM) am hiesigen Platz; **every ~** (*Am fam*) überall; **from ~ to ~** von Ort zu Ort; **from this ~** ab hier; **go ~s** (*beruflich*) seinen/ihren Weg machen; **in ~** an Ort u. Stelle; in Ordnung, angebracht, angemessen; **in ~ of s.o.** an jds Stelle; (stellvertretend) für jdn; **in all ~s** überall; **in my ~** an meiner Stelle, in meiner Lage; **in the first ~** in erster Linie; **no ~** (*Am fam*) nirgendwo; **out of ~** nicht am (rechten) Platz, fehl am Platz; unangebracht; außer Dienst; stellenlos; **some ~** (*fam*) irgendwo; **be s.o.'s ~ to do s.th.** jds Sache, Aufgabe sein etw zu tun; **make ~** Platz machen (*to* für); **hold a ~** e-e Stellung bekleiden; **keep one's ~** seine Stellung behaupten; die Stelle nicht verlieren; **know one's ~** (*fig*) wissen, was sich für einen ziemt; **lay** [*o* **set**] **a ~ for s.o.** für jdn decken; **put s.o. in his ~** jdn in seine Schranken verweisen; **take ~** stattfinden; **take s.o.'s ~** jds Stelle einnehmen; an jds Stelle treten; **she felt out of ~** sie fühlte sich fehl am Platz; **there is no ~ for doubt** es besteht kein Anlass zum Zweifeln; **put yourself in my ~** versetzen Sie sich in meine Lage; **meeting ~** Treffpunkt *m;* **permanent ~** Dauerstellung *f;* **~ of amusement** Vergnügungsstätte *f;* **~ of arrival** Ankunftsort *m;* **~ of origin** Ursprungs-, Herkunfts-, Heimatort *m;* **~ of work** Arbeitsplatz *m* **II.** *tr* **1.** setzen, stellen, legen; (*Wachen*) aufstellen; (*Ball*) plazieren; (*in Zeitung*) inserieren; aufgeben; (*Angelegenheit*) übergeben; (*Vertrauen*) setzen (*in* auf) **2.** (*Auftrag*) erteilen (*with s.o.* jdm); (*Vertrag*) abschließen **3.** (*Gespräch*) anmelden **4.** (*Geld*) deponieren; anlegen **5.** (COM: *Waren*) absetzen **6.** (*in Stelle*) unterbringen **7.** (*fig*) einordnen; **be ~d** liegen; **he was ~ second** er wurde Zweiter; **how are you ~d for money?** wie sieht es mit Geld aus?; **we were well ~d to see the match** wir hatten einen guten Platz, von dem wir das Spiel sehen konnten; **we are better ~d now** wir stehen jetzt besser da; **~ emphasis on s.th.** etw betonen; **~ a strain on s.o.** jdn belasten; **I can't ~ him** ich weiß nicht, woher ich ihn kenne; ich kann ihn nicht einordnen

pla•cebo [plə'si:bəʊ] <*pl* -cebos> *s* (MED) Placebo *n*

place card ['pleɪsˌkɑ:d] *s* Tischkarte *f;* **place kick** *s* (*Fußball*) Abschlag *m* (*vom Tor*); (*Rugby*) Platztritt *m;* **place mat** *s* Set *n*

place•ment ['pleɪsmənt] *s* **1.** (*Arbeitskräfte*) Unterbringung *f* **2.** Stellenbesetzung *f* **3.** (*Anleihe*) Plazierung *f;* Anlage, Investition *f* **4.** Praktikantenstelle *f*

place name ['pleɪsˌneɪm] *s* Ortsname *m*

pla•centa [plə'sentə] *s* Plazenta *f*

pla•cid ['plæsɪd] *adj* **1.** ruhig **2.** gelassen, gesetzt **3.** sanft

pla•giar•ism ['pleɪdʒərɪzəm] *s* Plagiat *n;* **pla•giar•ist** ['pleɪdʒərɪst] *s* Plagiator *m;* **pla•giar•ize** ['pleɪdʒəraɪz] *tr* plagiieren

plague [pleɪg] **I.** *s* **1.** Seuche *f;* Pest *f* **2.** (*fig*) Quälgeist *m;* (*fam*) Plage *f* **II.** *tr* plagen

plaice [pleɪs] <*pl* -> *s* (ZOO) Scholle *f*

plaid [plæd] *s* Plaid *n;* **~ skirt** karierter Rock

plain [pleɪn] **I.** *adj* **1.** klar; offensichtlich; deutlich **2.** einfach; (*Kleidung*) einfach, schlicht **3.** (*Wasser*) klar **4.** (*Schokolade*) bitter **5.** (*Farbe*) uni, einfarbig **6.** (*Frage, Antwort*) klar; (*Wahrheit*) rein **7.** (*Freude, Neid, Unsinn*) rein **8.** (*Frau, Aussehen*) nicht überwältigend, alltäglich; **in ~ clothes** in Zivil; **in ~ English** geradeheraus; **be ~, use ~ language with s.o.** jdm offen seine Meinung sagen; **make ~** deutlich, verständlich machen; zu verstehen geben; **tell the ~ truth** die volle Wahrheit sagen; **that's as ~ as a pikestaff, as ~ as the nose on your face** das ist sonnenklar **II.** *s* **1.** Ebene *f* **2.** rechte Masche; **the ~s** (*Am*) die Prärie

plain•clothes ['pleɪnˌkləʊðz] *adj:* **~ policeman** Polizist *m* in Zivil, Zivilfahnder *m;* **plain country** *s* Flachland *n;* **plain language** *s* Klartext *m;* **in ~** unmissverständlich; **plain•ly** ['pleɪnlɪ] *adv* **1.** einfach, klar

2. offensichtlich; **to put it** ~ um es klar auszudrücken; **plain•ness** ['pleɪnnɪs] *s* **1.** Offenheit *f* **2.** Einfachheit *f* **3.** Unansehnlichkeit *f;* **plain sailing** **I.** *s* e-e einfache Sache **II.** *adj* (ganz) leicht, ganz einfach; **plain-spoken** [ˌpleɪn'spəʊkən] *adj* freimütig, offen

plain•tiff ['pleɪntɪf] *s* (JUR) Kläger(in) *m(f),* klagende Partei

plain•tive ['pleɪntɪv] *adj* traurig, schmerzlich, kläglich

plait [plæt] **I.** *s* Flechte *f,* Zopf *m* **II.** *tr* flechten

plan [plæn] **I.** *s* **1.** Plan, Entwurf *m* **2.** (~ *view*) Grundriss, (Lage)Plan *m;* Stadtplan *m* **3.** (*fig*) Vorhaben *n;* Projekt *n* **4.** (BES. POL COM) Programm *n* **5.** Verfahren(sweise *f*) *n,* Methode *f;* **in** ~ im Grundriss; **go according to** ~ planmäßig verlaufen; **five-year** ~ Fünfjahresplan *m* **II.** *itr* planen; ~ **for s.th.** etw einplanen; ~ **on s.th.** mit etw rechnen; etw vorhaben **III.** *tr* **1.** entwerfen, skizzieren **2.** (~ *out*) ausarbeiten, vorplanen **3.** planen, vorhaben, beabsichtigen; **~ned economy** Planwirtschaft *f*

plane¹ [pleɪn] **I.** *adj* (*a.* MATH) flach, eben **II.** *s* **1.** Ebene *f* **2.** (*fig*) Niveau *n,* Ebene, Stufe *f;* **on the same** ~ auf der gleichen Ebene (*as* wie); **inclined** ~ (PHYS) schiefe Ebene

plane² [pleɪn] **I.** *s* Hobel *m* **II.** *tr* hobeln, glätten; planieren; ~ **off,** ~ **away,** ~ **down** ab-, weghobeln

plane³ [pleɪn] (BOT: ~-*tree*) Platane *f*

plane⁴ [pleɪn] *s* Flugzeug *n;* **go by** ~ fliegen; **plane crash** *s* Flugzeugabsturz *m*

planet ['plænɪt] *s* (ASTR) Planet *m;* **plan•et•ar•ium** [ˌplænɪ'teərɪəm] *s* Planetarium *n;* **plan•et•ary** ['plænɪtərɪ] *adj* planetarisch

plank [plæŋk] *s* **1.** Planke, Bohle *f;* Brett *n* **2.** (POL) (Partei)Programmpunkt *m;* **plank•ing** [-ɪŋ] *s* **1.** Dielenlegen *n* **2.** Verschalung *f* **3.** Planken *fpl*

plank•ton ['plæŋktən] *s* (BIOL) Plankton *n*

plan•ner ['plænə(r)] *s* Planer(in) *m(f);* **plan•ning** ['plænɪŋ] *s* **1.** Planung *f* **2.** Ausarbeitung *f;* **family** ~ Geburtenkontrolle *f;* **town** [*o* **city**] ~ Städteplanung *f;* ~ **permission** Baugenehmigung *f*

plant [plɑ:nt] **I.** *s* **1.** (BOT) Pflanze *f* **2.** (TECH) Fabrik *f,* Werk(sanlage *f*) *n* **3.** Betrieb(seinrichtung *f*) *m* **4.** Apparatur, Anlage *f,* Maschinenpark *m* **5.** (Betriebs)Gebäude *npl* **6.** (*sl*) Betrug(smanöver *n*), Schwindel *m;* Irreführung *f* **7.** (*sl*) Spitzel *m;* **power** ~ Kraftwerk *n* **II.** *tr* **1.** pflanzen **2.** (*Gelände*) bepflanzen **3.** (~ *out*) umpflanzen **4.** fest (auf)stellen; (*Fahne*) aufpflanzen; (*fig*) einprägen, -pflanzen, -impfen **5.** (*Anschauungen, Gewohnheiten*) einbürgern **6.** (*junge Fische, Austern*) setzen **7.** (*sl: Schlag*) verpassen, versetzen **8.** (*sl: Diebesgut*) verstecken **9.** unterschieben (*on s.o.* jdm); ~ **o.s. in a chair** sich in e-n Stuhl fallen lassen

plan•tain ['plæntɪn] *s* **1.** (BOT) Wegerich *m* **2.** (BOT) Pisang *m;* (Mehl)Banane *f*

plan•ta•tion [plæn'teɪʃn] *s* **1.** (An)Pflanzung, Plantage *f* **2.** (Wald)Schonung *f*

planter ['plɑ:ntə(r)] *s* **1.** Pflanzer(in) *m(f),* Plantagenbesitzer(in) *m(f)* **2.** Pflanz-, Setzmaschine *f* **3.** Übertopf *m*

plaque [plɑ:k, plæk] *s* **1.** (Gedenk)Tafel *f* **2.** (MED) Belag *m;* Zahnbelag *m*

plash [plæʃ] **I.** *s* Plätschern, Spritzen *n* **II.** *itr* platschen; plätschern; planschen

plasm, plasma ['plæzm, 'plæzmə] *s* Plasma *n*

plas•ter ['plɑ:stə(r), *Am* 'plæstə(r)] **I.** *s* **1.** (ARCH) (Ver)Putz, Bewurf *m* **2.** (~ *of Paris*) Gips *m* **3.** (*Br*) Pflaster *n* **II.** *tr* **1.** verputzen; gipsen **2.** bepflastern, bekleben; **plas•ter•board** ['plɑ:stəbɔ:d] *s* Gipsplatte *f;* **plaster cast** *s* **1.** (*Kunst*) Gipsabguss *m* **2.** (MED) Gipsverband *m;* **plas•tered** ['plɑ:stəd] *adj* (*sl*) besoffen; **plas•terer** ['plɑ:stərə(r)] *s* Gipser, Stukkateur *m*

plas•tic ['plæstɪk] **I.** *adj* **1.** Plastik-, aus Plastik **2.** formbar, knetbar, plastisch **3.** (MED) plastisch; ~ **arts** gestaltende Künste *fpl* **II.** *s* Plastik *n,* Kunststoff *m;* **plastic bag** *s* Plastikbeutel *m,* Plastiktüte *f;* **plastic bomb** *s* Plastikbombe *f;* **plastic bullet** *s* Plastikgeschoss *n;* **plastic explosive** *s* Plastiksprengstoff *m;* **plas•ti•cine®** ['plæstɪsi:n] *s* Plastilin *n,* Knetmasse *f;* **plas•tic•ity** [plæ'stɪsətɪ] *s* Formbarkeit *f;* **plastic money** *s* Plastikgeld *n;* **plastics industry** *s* Kunststoffindustrie *f;* **plastic surgery** *s* plastische Chirurgie

plate [pleɪt] **I.** *s* **1.** Teller *m;* Platte *f* **2.** (TECH PHOT TYP) Platte *f* **3.** Bildseite, -tafel *f* **4.** Tafel-, Silbergeschirr *n* **5.** vergoldetes, versilbertes Metall **6.** (SPORT) Pokal *m;* (Pokal)Rennen *n* **7.** (MED: *dental* ~) Zahn-, Gaumenplatte *f;* **door** [*o* **name**] ~ Türschild *n;* **hot** ~ Heizplatte *f;* **number** [*o* **licence**] ~ (MOT) Nummernschild *n;* **soup** [*o* **dinner**] ~ Suppenteller *m* **II.** *tr* **1.** vergolden, versilbern **2.** (*Schiff*) beplanken; panzern

pla•teau ['plætəʊ, *Am* plæ'təʊ] <*pl* -teaus, -teaux> *s* Hochebene *f,* Plateau *n;* **reach a** ~ (*Preise*) sich einpendeln

plated ['pleɪtɪd] *adj* **1.** gepanzert **2.** plattiert; **chromium-**~ verchromt; **gold-**~ vergoldet; **plate•ful** ['pleɪtfʊl] *s* **1.** Tellervoll *m* **2.** (*fam*) viel Arbeit *f;* **plate glass** *s* Tafelglas *n;* **plate•layer** ['pleɪtleɪə(r)] *s* (*Br*)

Schienenleger, Streckenarbeiter *m;* **platelet** ['pleɪlət] *s* (MED) Plättchen *n;* **plate rack** *s* Geschirrständer *m;* **plate shears** *s pl* Blechschere *f;* **plate warmer** ['pleɪt-wɔːmə(r)] *s* Tellerwärmer *m*

plat•form ['plætfɔːm] *s* **1.** Podium *n,* (Redner)Tribüne *f;* Plattform *f* **2.** (RAIL) Bahnsteig *m;* Gleis *n* **3.** (POL) Plattform *f* **4.** (*fig*) Ebene *f;* **arrival/departure** ~ Ankunfts-/Abgangsbahnsteig *m;* **lifting** ~ Hebebühne *f;* ~ **shoe** Plateauschuh *m*

plat•ing ['pleɪtɪŋ] *s* **1.** Panzerung *f* **2.** Plattierung *f*

plati•num ['plætɪnəm] *s* Platin *n*

plati•tude ['plætɪtjuːd] *s* Gemeinplatz *m,* Platitüde *f;* **plati•tudi•nous** [ˌplætɪ'tjuːdɪnəs] *adj* banal, seicht

pla•tonic [plə'tɒnɪk] *adj* platonisch

pla•toon [plə'tuːn] *s* (MIL) Zug *m*

plat•ter ['plætə(r)] *s* **1.** Teller *m;* Brett *n,* (Braten)Platte *f* **2.** (*sl*) (Schall)Platte *f*

platy•pus ['plætɪpəs] *s* Schnabeltier *n*

plaus•ib•il•ity [ˌplɔːzə'bɪlɪtɪ] *s* Plausibilität *f;* **plaus•ible** ['plɔːzəbl] *adj* plausibel, überzeugend, glaubhaft

play [pleɪ] **I.** *itr* **1.** spielen (*at a game* ein Spiel, *with s.o.* mit jdm) *a. fig* **2.** (THEAT) spielen; gespielt werden **3.** (*fig*) mitmachen, mitspielen **4.** (TECH) Spielraum haben; **what are you ~ing at?** was soll das?; ~ **for money** um Geld spielen; ~ **for time** Zeit rausschinden wollen; **the pitch ~s badly** das Spielfeld ist schlecht bespielbar; ~ **to s.o.** jdm vorspielen; ~ **with the idea** mit dem Gedanken spielen; **he won't** ~ er spielt nicht mit **II.** *tr* **1.** (*ein Spiel*) spielen; spielen gegen **2.** (*e-n Spieler*) einsetzen, verwenden (*as* als) **3.** (THEAT MUS) spielen **4.** sich benehmen, auftreten als **5.** (*Karte*) ausspielen **6.** (*Licht-, Wasserstrahl*) spielen lassen (*on, over* über) **7.** (*Fisch an der Angel*) drillen **8.** leicht, gewandt umgehen mit, handhaben; **~refuse to ~ ball** (*fig*) nicht mitspielen; ~ **a joke on s.o.** jdm einen Streich spielen; ~ **a (dirty) trick on s.o.** jdn hereinlegen; ~ **the fool** herumalbern; ~ **the piano** Klavier spielen **III.** *s* **1.** Spiel *n* **2.** (Theater)Spiel, Stück *n* **3.** Spielen *n* (*des Lichtes*) **4.** Bewegungsfreiheit *f;* (*a.* TECH) Spielraum *m;* **abandon** ~ das Spiel abbrechen; **at** ~ beim Spiel; **in** ~ im Spaß, Scherz; (SPORT) im Spiel; **in full** ~ in vollem Gange; **out of** ~ (*Ball*) im Aus; **allow full** ~ **to s.th.** e-r S freien Lauf lassen; **bring into** ~ ins Spiel bringen; **come into** ~ seine Tätigkeit entfalten; in Tätigkeit treten; **give free ~ to s.th.** e-r S freien Spielraum lassen, e-r S freien Lauf geben; **go to the** ~ ins Theater gehen; **make a ~ for** (*Am sl*) allen Charme aufbieten; **play about, play around** *itr* spielen (*with s.th.* mit etw); **play against** *tr* ausspielen gegen; **play along I.** *itr* mitspielen **II.** *tr* **1.** warten lassen **2.** hinters Licht führen; **play down** *tr* herunterspielen; **play in** *tr* mit Musik hereinbegleiten; ~ **o.s. in** sich warm spielen; **play off** *tr* (SPORT: *Spiel*) um die Entscheidung spielen; ~ **s.o. off against s.o. else** jdn gegen jdn anderen ausspielen; **play on** *itr* **1.** weiterspielen **2.** ausnutzen; hervorheben; **play out** *tr* **1.** (THEAT) darstellen; zu Ende spielen **2.** ausbeuten **3.** mit Musik hinausbegleiten; **~ed out** ausgespielt, erledigt; überholt, veraltet; **play through** *itr* durchspielen; **play up** *itr* **1.** lauter spielen **2.** loslegen **3.** (*fam*) Ärger machen; ~ **up to s.o.** jdm schöntun; ~ **s.th. up** etw hochspielen

play•able ['pleɪəbl] *adj* (*Platz*) zum Spielen geeignet, bespielbar; (*Ball*) spielbar; (*Stück*) bühnenreif; **play-act** *itr* schauspielern; **play•back** ['pleɪbæk] *s* **1.** Abspielen *n* **2.** Wiedergabe *f,* Playback *n;* **play•bill** *s* Theaterprogramm *n;* **play•boy** *s* Playboy *m;* **player** ['pleɪə(r)] *s* Spieler(in) *m(f),* Schauspieler(in) *m(f);* **chess-/football-/piano-~** Schach-/Fußball-/Klavierspieler(in) *m(f);* **record** ~ Plattenspieler *m;* **play•fellow, play•mate** ['pleɪfeləʊ, 'pleɪmeɪt] *s* Spielkamerad(in) *m(f);* **play•ful** ['pleɪfl] *adj* **1.** spielerisch **2.** verspielt **3.** spaßig, spaßhaft; **play•goer** ['pleɪgəʊə(r)] *s* Theaterbesucher(in) *m(f);* **play•ground** ['pleɪgraʊnd] *s* **1.** Spielplatz *m* **2.** Schulhof *m* **3.** (*fig*) Tummelplatz *m;* **play•group** ['pleɪgruːp] *s* Spielgruppe *f;* **play•house** ['pleɪhaʊs] *s* **1.** Theater *n* **2.** Spielhaus für Kinder; (*Am*) Puppenstube *f;* **play•ing card** ['pleɪɪŋ'kɑːd] *s* Spielkarte *f;* **play•ing field** ['pleɪɪŋ'fiːld] *s* Sportplatz *m;* **play-off** ['pleɪɒf] *s* Entscheidungsspiel *n;* Verlängerung *f;* **play-pen** *s* Laufstall *m;* **play•room** ['pleɪrʊm] *s* Spielzimmer *n;* **play•school** ['pleɪskuːl] *s* Kindergarten *m;* **play•suit** ['pleɪsuːt] *s* Spielanzug *m;* **play•thing** ['pleɪθɪŋ] *s* **1.** Spielzeug *n a. fig* **2. ~s** Spielsachen *pl;* **play•time** ['pleɪtaɪm] *s* (*Schule*) Pause *f;* **play•wright** ['pleɪraɪt] *s* Bühnenschriftsteller(in) *m(f),* Dramatiker(in) *m(f)*

pla•za ['plɑːzə] *s* (*Am*) **1.** Einkaufszentrum *n* **2.** Raststätte *f*

plc [ˌpiːel'sɪː] *s abbr of* **public limited company** (*etwa*) AG *f*

plea [pliː] *s* **1.** Bitte *f;* Appell *m* **2.** Entschuldigung, Begründung *f* **3.** (JUR) Plädoyer *n* **4.** dringende Bitte, Gesuch *n* (*for* um); **make a ~ for s.th.** zu etw aufrufen; **make a ~ for mercy** um Gnade bitten; **make a ~ of self-defence** Notwehr geltend machen;

enter a ~ of not guilty seine Unschuld erklären; **enter a ~ of guilty** ein Geständnis ablegen; **on the ~ of illness** aus gesundheitlichen Gründen

plead [pli:d] **I.** *itr* **1.** bitten (*for* um) **2.** (JUR) das Plädoyer halten; ~ **with s.o. to do s.th.** jdn (inständig) bitten etw zu tun; ~ **guilty** sich schuldig bekennen; ~ **not guilty** seine Schuld bestreiten; ~ **for s.th.** (*fig*) für etw plädieren **II.** *tr* **1.** vertreten **2.** (*Unwissenheit, Unzurechnungsfähigkeit*) sich berufen auf, geltend machen; ~ **s.o.'s case** [*o* **the case for s.o.**] jdn vertreten; ~ **the case for the defence** die Verteidigung vertreten; ~ **the case for s.th.** (*fig*) sich für etw einsetzen; **plead•ing** [-ɪŋ] **I.** *s* **1.** Bitten *n* **2.** (JUR) Plädoyer *n* **II.** *adj* flehend

pleas•ant ['pleznt] *adj* **1.** angenehm; erfreulich **2.** (*Mensch*) umgänglich, liebenswürdig

pleas•ant•ry ['plezntrɪ] *s* **1.** Scherz, Spaß *m* **2.** Höflichkeit *f*

please [pli:z] **I.** *tr* **1.** gefallen, angenehm sein (*s.o.* jdm) **2.** zufriedenstellen **3.** eine Freude machen (*s.o.* jdm) **4.** (*iro*) belieben (*s.o.* jdm); **it ~s me** es gefällt mir; **to ~ you** dir zuliebe; **it ~s the senses** es ist angenehm; **you can't ~ everybody** man kann es nicht allen recht machen; **he is hard to ~** man kann es ihm schwer recht machen; **I'm ~d to help** ich helfe gern **II.** *itr* gefallen; **if you ~** bitte; **as you ~** wie du willst; **do as one ~s** tun, was man will; **we aim to ~** wir möchten, dass Sie zufrieden sind **III.** *refl* tun, was einem gefällt; ~ **yourself!** wie du willst! **IV.** *interj* bitte!; ~ **do!** bitte sehr! **V.** *s* Bitte *n;* **pleased** ['pli:zd] *adj* **1.** erfreut **2.** zufrieden; **be ~ about s.th.** sich über etw freuen; ~ **to meet you!** angenehm! freut mich!; **be ~ with s.th.** mit etw zufrieden sein; **be ~ with o.s.** (*pej*) selbstgefällig sein; **pleas•ing** [-ɪŋ] *adj* angenehm

pleas•ur•able ['pleʒərəbl] *adj* angenehm, erfreulich; **pleas•ure** ['pleʒə(r)] *s* **1.** Vergnügen *n,* Freude *f* **2.** Vergnügen *n,* Vergnügung *f* **3.** Wunsch *m;* **at ~** nach Belieben; **for ~** zum Vergnügen; **with ~** mit Vergnügen; **give great ~** großes Vergnügen machen; **have the ~ of doing** das Vergnügen haben zu tun; **take ~ in** Gefallen finden an; **it gives me no ~** es ist für mich kein Vergnügen; **may I have the ~ of the next dance with you?** darf ich Sie um den nächsten Tanz bitten?; **pleasure boat** *s* Vergnügungsdampfer *m;* **pleasure ground** *s* Fest-, Spiel-, Sportplatz *m;* **pleasure principle** *s* Lustprinzip *n;* **pleasure trip** *s* Vergnüngungsreise *f*

pleat [pli:t] **I.** *s* Falte *f* **II.** *tr* fälteln; **~ed skirt** Faltenrock *m*

pleb [pleb] *s* Prolet(in) *m(f);* **pleb•eian** [plɪ'bi:ən] **I.** *s* Plebejer(in) *m(f)* **II.** *adj* plebejisch

plebi•scite ['plebɪsɪt, *Am* 'plebɪsaɪt] *s* Volksentscheid *m,* -abstimmung *f*

pledge [pledʒ] **I.** *s* **1.** Pfand *n* **2.** Versprechen *n* **3.** Trinkspruch *m;* **under the ~ of secrecy** unter dem Siegel der Verschwiegenheit; **I give you my ~** ich gebe dir mein Wort; **as a ~ of** zum Zeichen *+gen;* **election ~** Wahlversprechen *n;* **take the ~** dem Alkohol abschwören **II.** *tr* **1.** verpfänden *a. fig,* als Pfand geben, versetzen **2.** versprechen, geloben **3.** e-n Trinkspruch ausbringen (*s.o.* auf jdn), zutrinken (*s.o.* jdm); ~ **o.s.** sich verbürgen, sich verpflichten (*to do* zu tun); ~ **one's word** sein (Ehren)Wort geben

ple•nary ['pli:nərɪ] *adj* Plenar-, Voll-; ~ **assembly** [*o* **meeting**] Vollversammlung *f;* ~ **powers** (unbeschränkte) Vollmacht *f;* ~ **session** Plenarsitzung *f*

pleni•po•ten•tiary [ˌplenɪpə'tenʃərɪ] **I.** *adj* bevollmächtigt **II.** *s* Bevollmächtigte(r) *f m*

plen•ti•ful ['plentɪf(ʊ)l] *adj* reichlich, im Überfluss

plenty ['plentɪ] **I.** *s* Reichtum *m,* Fülle *f;* ~ **of** e-e Menge ...; reichlich ...; sehr viel ...; ~ **more** viel mehr; **in ~** in Hülle u. Fülle, *fam* in rauhen Mengen; **horn of ~** Füllhorn *n;* **land of ~** Schlaraffenland *n* **II.** *adj* (*Am*) reichlich, im Überfluss **III.** *adv* (*fam*) reichlich; **it's ~ big enough** es ist wirklich groß genug

plenum ['pli:nəm] *s* Vollversammlung *f,* Plenum *n*

pleo•nasm ['plɪənæzəm] *s* Pleonasmus *m;* **pleo•nastic** [plɪə'næstɪk] *adj* pleonastisch

pleur•isy ['plʊərəsɪ] *s* Brustfell-, Rippenfellentzündung *f*

plexus ['pleksəs] *s* (ANAT) (Gefäß-, Nerven)Geflecht *n;* **solar ~** Solarplexus *m,* Magengrube *f*

pli•able ['plaɪəbl] *adj* **1.** biegsam **2.** (*fig*) leicht beeinflussbar; fügsam

pli•ers ['plaɪəz] *s pl* (Flach)Zange *f*

plight [plaɪt] *s* schwierige Lage, Not *f;* (*Währung*) Verfall *m*

plim•soll ['plɪmsəl] *s* Turnschuh *m;* **P~ line** Ladelinie *f*

PLO [ˌpi:el'əʊ] *s abbr of* **Palestine Liberation Organisation** PLO *f*

plod [plɒd] **I.** *s* Trott *m* **II.** *itr* **1.** sta(m)pfen; mühsam vorwärts schreiten **2.** (~ *away at the work*) sich (ab)placken, schuften; ~ **on** mühsam weitermachen; **plod•der** ['plɒdə(r)] *s* (*fam*) Arbeitstier *n;* **plod-**

ding ['plɒdiŋ] *adj* schwerfällig
plonk¹ [plɒŋk] *s* (*Br fam*) billiger Wein
plonk² [plɒŋk] **I.** *s* Plumps *m* **II.** *adv* plumps; ~ **in the middle** genau in der Mitte **III.** *tr* (~ *down*) hinwerfen; ~ **o.s.** (**down**) sich hinschmeißen; ~ **o.s. down in a chair** sich in einen Sessel fallen lassen
plonk•er ['plɒŋkə(r)] *s* (*sl*) Depp *m*
plop [plɒp] **I.** *itr* plumpsen; platschen; ~ **into a chair** sich in einen Sessel plumpsen lassen **II.** *itr* fallen lassen; hinwerfen **III.** *s* **1.** Plumps(en *n*) *m;* Platschen *n* **2.** (*Kork*) Knallen *n* **IV.** *adv* mit e-m Plumps
plot [plɒt] **I.** *s* **1.** Stück *n* Land; Gartenbeet *n;* (*building* ~) Grundstück *n;* Parzelle *f* **2.** (*Am*) Grundriss, Plan *m* **3.** Verschwörung *f* **4.** (*lit*) Handlung *f* **II.** *tr* **1.** planen **2.** (*Position, Kurs*) feststellen **3.** (MATH MED: *Kurve*) aufzeichnen; (*in Karte*) einzeichnen **III.** *itr* sich verschwören (*against* gegen); **plotter** ['plɒtə(r)] *s* **1.** Verschwörer(in) *m(f)* **2.** (EDV) Plotter *m*
plough [plaʊ] **I.** *s* Pflug *m;* **the P~** (ASTR) der Wagen; **put one's hand to the ~** sich anstrengen **II.** *tr* **1.** pflügen; (*Furche*) ziehen **2.** (*Weg*) bahnen **3.** (*Br sl*) durchfallen lassen **III.** *itr* **1.** pflügen **2.** (*Br*) durchfallen; **plough back** *tr* unterpflügen; (*Gewinne*) reinvestieren; **plough in** *tr* unterpflügen; **plough through** *tr, itr* (*Meer*) durchpflügen; (*Schnee*) sich kämpfen durch; ~ (**one's way**) **through a book** sich durch ein Buch durchkämpfen; **plough up** *tr* umpflügen; **ploughman's lunch** [ˌplaʊmənz'lʌntʃ] *s Käse mit Pickle und Brot;* **plough•share** ['plaʊʃeə(r)] *s* Pflugschar *f*
plow (*Am*) *s.* **plough**
ploy [plɔɪ] *s* List *f,* Dreh *m*
pluck [plʌk] **I.** *tr* **1.** ab-, ausreißen **2.** (*Geflügel*) rupfen **3.** (*Augenbrauen*) zupfen **4.** (*Blume*) pflücken, abreißen; ~ **up courage** Mut fassen **II.** *itr* zerren, zupfen, ziehen (*at* an) **III.** *s* **1.** Mut *m,* Tapferkeit *f* **2.** (*Tier*) Innereien *pl;* **plucky** ['plʌkɪ] *adj* mutig, kühn
plug [plʌg] **I.** *s* **1.** Stöpsel *m;* Pfropfen *m;* (*Fass*) Spund *m* **2.** (~ *of cotton*) Wattebausch *m* **3.** (EL) Stecker *m;* (*fam*) Steckdose *f* **4.** (MOT: *spark-~*) Zündkerze *f* **5.** (*Am: fire-~*) Hydrant *m* **6.** (*fam*) Reklame, Schleichwerbung *f;* **give s.th. a ~** für etw Schleichwerbung machen; **pull the ~** (das Klo) spülen; **pull the ~ on s.th.** (*fam*) etw stornieren **II.** *tr* **1.** (~ *up*) zustopfen; (*Zahn*) plombieren, füllen; (*Ohren*) zuhalten; zustopfen **2.** stecken (*into* in) **3.** (*sl*) e-e verpassen (*s.o.* jdm), mit der Faust bearbeiten **4.** (*fam*) Reklame machen für (*on the radio* im Rundfunk) **5.** (*Idee*) allen anbieten; ~ **s.o. full of lead** (*fam*) jdn voll Blei pumpen; **plug away at** *itr* (*fam*) schuften an; **plug in** *tr* (EL) einstecken, anschließen; **plug•hole** ['plʌghəʊl] *s* Abfluss *m;* **plug-light** ['plʌglaɪt] *s* Nachtlicht *n;* **plug-ugly** **I.** *s* (*fam*) Rowdy, Schläger *m* **II.** *adj* (*fam*) potthässlich
plum [plʌm] **I.** *s* **1.** Pflaume *f;* Zwetsch(g)e *f* **2.** Pflaumenblau *n* **II.** *adj* (*fam*) toll, hervorragend; **he got a ~ job** er hat e-e tolle Stelle
plum•age ['plu:mɪdʒ] *s* Gefieder *n*
plumb [plʌm] **I.** *s* (~*-line, -bob*) Lot, Senkblei *n;* **out of ~, off ~** (*Am*) aus dem Lot, schief **II.** *adv* **1.** lotrecht, senkrecht **2.** (*fam*) vollkommen, total; ~ **in the middle** genau in der Mitte **III.** *tr* **1.** (aus)loten, sondieren *a. fig* **2.** (*fig*) erforschen, herausbekommen
plum•bago [plʌm'beɪgəʊ] *s* (MIN) Graphit *m*
plumber ['plʌmə(r)] *s* Klempner(in) *m(f),* Spengler(in) *m(f),* Installateur(in) *m(f);* **~'s (workshop)** Installationsgeschäft *n;*
plumb•ing ['plʌmɪŋ] *s* **1.** Klempner-, Spenglerarbeit *f* **2.** Leitungen *fpl* **3.** sanitäre Anlagen *fpl*
plumb•line ['plʌmlaɪn] *s* Senkblei *n*
plume [plu:m] **I.** *s* **1.** Feder *f* **2.** Federbusch *m* **3.** (~ *of smoke*) Rauchfahne *f* **II.** *refl* sich putzen; ~ **o.s. on s.th.** sich mit etw brüsten
plum•met ['plʌmɪt] **I.** *s* **1.** Senkblei *n* **2.** (*Preis*) Sturz *m* **3.** (*Vogel, Flugzeug*) Sturzflug *m* **II.** *itr* senkrecht hinunterfallen, (ab)stürzen (*down to earth* auf die Erde); **prices have ~ed** die Preise sind stark gefallen
plummy ['plʌmɪ] *adj* **1.** (*Stimme*) vornehm, geziert **2.** (*fam*) prima, ausgezeichnet
plump [plʌmp] **I.** *adj* **1.** rundlich, mollig **2.** (*Tier*) gut gefüttert **3.** (*Antwort*) unverblümt **II.** *adv* **1.** mit einem Plumps **2.** offen, unverblümt **III.** *itr* (~ *down*) plumpsen **IV.** *tr* **1.** (~ *down*) plumpsen, fallen lassen **2.** schmeißen, knallen; ~ **o.s. down into a chair** sich auf einen Stuhl fallen lassen; **plump for** *itr* sich entscheiden für; **plump up** *tr* **1.** (*Kissen*) aufschütteln **2.** (*Hühner*) mästen; **plump•ness** ['plʌmpnəs] *s* Rundlichkeit *f*
plum pudding ['plʌmpʊdɪŋ] *s* Plumpudding *m*
plun•der ['plʌndə(r)] **I.** *tr* (aus)plündern **II.** *itr* plündern **III.** *s* Plünderung *f;* Beute *f;* **plun•derer** ['plʌndərə(r)] *s* Plünderer *m*
plunge [plʌndʒ] **I.** *tr* **1.** tauchen, tunken **2.** stoßen **3.** stürzen (*in, into* in); **the room was ~d into darkness** das Zimmer lag plötzlich im Dunkeln **II.** *itr* **1.** tauchen **2.**

sich werfen **3.** stürzen (*into* in) **4.** (*Hang*) steil abfallen; (*Straße*) steil hinabführen **5.** (*Preise*) fallen **6.** (*Ausschnitt am Kleid*) tiefer gehen **7.** leichtsinnig spielen **8.** wild spekulieren **II.** *s* **1.** Kopfsprung *m* **2.** Kurssturz *m;* **take a** ~ e-n Kopfsprung machen; **take the** ~ sich zu e-m Entschluss durchringen; **plunger** ['plʌndʒə(r)] *s* **1.** (*fam*) Spekulant(in) *m(f)* **2.** (TECH) Gummisauger *m;* Tauchkolben *m*

plunk [plʌŋk] *tr* **1.** (*Am: Banjo*) zupfen **2.** *s.* **plonk²**

plu•per•fect ['plu:ˌpɜ:fɪkt] *s* (GRAM) Plusquamperfekt *n*

plu•ral ['plʊərəl] **I.** *adj* (GRAM) pluralisch **II.** *s* Plural *m,* Mehrzahl *f;* **plu•ral•ism** ['plʊərəlɪzəm] *s* (PHILOS) Pluralismus *m;* **plu•ral•istic** [ˌplʊərə'lɪstɪk] *adj* (PHILOS) pluralistisch; **plu•ral•ity** [plʊə'rælətɪ] *s* **1.** Vielfalt *f;* (*Gesellschaft*) Pluralität *f* **2.** (~ *of votes*) Stimmenmehrheit *f*

plus [plʌs] **I.** *prep* plus; und; zuzüglich +*gen* **II.** *adj* extra; plus **III.** *s* **1.** Plus, Mehr *n;* Pluspunkt *m* **2.** (~-*sign*) Pluszeichen *n;* **plus fours** [ˌplʌs'fɔ:z] *s pl* Knickerbocker *pl*

plush [plʌʃ] **I.** *s* Plüsch *m* **II.** *adj* (*fam*) luxuriös, schick, elegant; plüschig

plu•toc•racy [plu:'tɒkrəsɪ] *s* Plutokratie, Geldherrschaft *f;* **plu•to•crat** ['plu:təkræt] *s* Plutokrat *m;* **plu•to•cratic** [ˌplu:tə'krætɪk] *adj* plutokratisch

plu•to•nium [plu:'təʊnɪəm] *s* (CHEM) Plutonium *n*

ply¹ [plaɪ] *s* **1.** Schicht, Lage *f* **2.** (Garn)Strähne *f*

ply² [plaɪ] **I.** *tr* **1.** (*fig*) bestürmen (*with questions* mit Fragen) **2.** (regelmäßig) versorgen (*with* mit) **II.** *itr* regelmäßig verkehren (*between* zwischen)

ply•wood ['plaɪwʊd] *s* Sperrholz *n*

pm [pi:'em] *abbr of* **post meridiem** nachmittags

PM [pi:'em] *s abbr of* **Prime Minister** Premierminister(in) *m(f),* Ministerpräsident(in) *m(f)*

pneu•matic [nju:'mætɪk] *adj* Luft-; ~ **brake** Druckluftbremse *f;* ~ **drill** Pressluftbohrer *m;* ~ **hammer** Presslufthammer *m;* ~ **tyre,** ~ **tire** (*Am*) Luftreifen *m*

pneu•monia [nju:'məʊnɪə] *s* Lungenentzündung *f*

poach¹ [pəʊtʃ] **I.** *tr* **1.** (*Wild*) unberechtigt jagen; wildern **2.** (COM) wegstehlen **II.** *itr* wildern; ~ **on s.o.'s preserves** sich gegenüber jdm Übergriffe leisten

poach² [pəʊtʃ] *tr* (*Ei*) pochieren; ~**ed eggs** verlorene Eier *npl*

poacher ['pəʊtʃə(r)] *s* Wilderer, Wilddieb *m;* **poach•ing** ['pəʊtʃɪŋ] *s* Wildern *n,* Wilderei *f*

PO Box [ˌpi:'əʊbɒks] *s abbr of* **Post Office Box** Postfach *n*

pock [pɒk] *s* **1.** (Eiter)Pustel *f* **2.** (~-*mark*) Pocken-, Blatternarbe *f*

pocket ['pɒkɪt] **I.** *s* **1.** Tasche *f* **2.** (*Billard*) Loch *n* **3.** (*air*~) Luftloch *n* **4.** (*fig*) Geld *n* **5.** (*fig*) Nest *n,* Gruppe *f;* kleiner Bereich; **have s.th. in one's** ~ (*fig*) etw in der Tasche haben; **be in** ~ reicher sein; **be out of** ~ ärmer sein **II.** *tr* **1.** in die Tasche stecken; einstecken **2.** sich aneignen, einsacken *fam* **3.** (*Beleidigung*) einstecken **4.** (*Am: Gesetz*) hinauszögern; **pocket•book** *s* **1.** Notizbuch *n* **2.** Brieftasche *f* **3.** Handtäschchen *n;* **pocket calculator** *s* Taschenrechner *m;* **pocket camera** *s* Pocketkamera *f;* **pocket•ful** ['pɒkɪtfʊl] *s* Taschevoll *f;* **pocket handkerchief** *s* Taschentuch *n;* **pocket•knife** <*pl* -knives> *s* Taschenmesser *n;* **pocket money** *s* Taschengeld *n;* **pocket-size**(**d**) *adj* im Taschenformat

pod [pɒd] **I.** *s* **1.** (BOT) Schote, Hülse *f* **2.** (AERO) Gehäuse *n* **3.** (*Raumfahrt*) Kapsel *f* **II.** *tr* enthülsen

podgy ['pɒdʒɪ] *adj* (*fam*) pummelig

po•dium ['pəʊdɪəm] *s* Podest *n*

poem ['pəʊɪm] *s* Gedicht *n;* **poet** ['pəʊɪt] *s* Dichter(in) *m(f),* Poet(in) *m(f);* **po•etic**(**al**) [pəʊ'etɪk(l)] *adj* **1.** poetisch; dichterisch **2.** fantasie-, stimmungsvoll; ~ **licence** dichterische Freiheit; **poet laureate** [ˌpəʊɪt 'lɒrɪət] <*pl* poets laureate> *s* Hofdichter(in) *m(f);* **po•etry** ['pəʊɪtrɪ] *s* **1.** Dichtung, Poesie *f* **2.** Gedichte *npl* **3.** (*fig*) Grazie, Schönheit *f,* Gefühl *n*

po-faced ['pəʊfeɪst] *adj* (*fam*) grimmig

po•grom ['pɒgrəm, *Am* pə'grɒm] *s* Pogrom *n*

poign•ant ['pɔɪn(j)ənt] *adj* schmerzlich, ergreifend; wehmütig

poin•settia [pɔɪn'setɪə] *s* Weihnachtsstern *m*

point [pɔɪnt] **I.** *s* **1.** Punkt *m* **2.** (genaue) Stelle *f;* Platz *m* **3.** (Zeit)Punkt, Moment, Augenblick *m* **4.** (einzelner) Punkt *m* (*e-s Programms*), Einzelheit *f,* Detail *n* **5. the** ~ der Hauptpunkt, das Wesentliche, der springende Punkt **6.** (*Witz*) Pointe *f* **7.** Punkt *m* (*e-r Einteilung*) **8.** (*Kompass*) Strich, Grad *m* **9.** besondere Eigenschaft, Vorzug *m* **10.** (*fig*) Sinn *m,* Absicht *f,* Zweck *m* **11.** Spitze *f,* spitzes Ende **12.** Steckdose *f;* Anschluss *m* **13.** ~**s** (MOT) Unterbrecherkontakte *mpl* **14.** ~**s** (RAIL) Weiche *f* **15.** ~**s** (*Tanz*) (Zehen)Spitzen *fpl;* **at this** ~ an dieser Stelle; **beside the** ~ nebensächlich, irrelevant, unerheblich, belanglos; **in** ~ **of** in Hinsicht, mit Hinblick auf; **in** ~ **of fact** tatsächlich, in Wirklichkeit; **on ~s** (SPORT) nach Punkten; **up to a certain** ~ bis zu e-m gewissen Grade; **to the** ~ zur Sache gehörig, relevant; ~ **by** ~ Punkt für Punkt; **be on the ~ of doing s.th.** im Begriff sein, etw zu tun; **be on the ~ of death** am Rande des Todes stehen; **carry** [*o* **gain**] **one's** ~ sein Ziel erreichen; **come** [*o* **get**] **to the** ~ zur Sache kommen; **get the** ~ (*fam*) verstehen; **get away from the** ~ vom Thema abschweifen; **give ~ to s.th.** e-r S Nachdruck verleihen; **he's got a** ~ er hat nicht so unrecht; **keep to the** ~ bei der Sache bleiben; **make one's** ~ seine Auffassung überzeugend darlegen; **make a ~ of s.th.** auf etw bestehen, Wert legen; **make a ~ of doing s.th.** darauf achten etw zu tun; **make** [*o* **score**] **a** ~ (*fig*) e-n Punkt für sich buchen; **miss the** ~ nicht verstehen, worum es wirklich geht; die Pointe nicht kapieren; **speak to the** ~ zur Sache sprechen; **stretch** [*o* **strain**] **a** ~ ein Zugeständnis machen, fünf gerade sein lassen; **I don't see your** ~ ich weiß nicht, worauf Sie hinauswollen; **I see no ~ in** (**doing**) ich halte es für sinnlos zu (tun); **it has come to the ~ that ...** es ist soweit, dass ...; **there is no ~ in that** das hat keinen Sinn; **that's the ~!** genau!; **that's beside the** ~ das gehört nicht zur Sache; **not to put too fine a ~ on it** rundheraus gesagt; **a case in** ~ ein treffendes Beispiel; **saturation** ~ Sättigungsgrad *m;* **sore** ~ wunder Punkt; **starting** ~ Ausgangspunkt *m;* **strong** ~ starke Seite, Stärke *f;* **win on ~s** nach Punkten gewinnen; ~ **of departure** Ausgangspunkt *m;* ~ **of intersection** Schnittpunkt *m;* ~ **of order** (PARL) Frage *f* zur Geschäftsordnung; ~ **of sale, POS** Verkaufsstelle *f,* -ort *m;* ~ **of time** Zeitpunkt *m;* ~ **of view** Gesichtswinkel, Standpunkt *m* **II.** *tr* **1.** richten (*at* auf) **2.** zeigen **3.** (*Bleistift*) spitzen **4.** (TYP) interpunktieren; ~ **the way** den Weg zeigen; (*fig*) den Weg weisen **III.** *itr* **1.** zeigen (*at* auf) **2.** hinweisen (*to* auf) **3.** (*Gebäude*) liegen; (*Waffe*) gerichtet sein; **point out** *tr* zeigen auf; (*fig*) hinweisen auf; **point up** *tr* betonen; verdeutlichen

point-blank [ˌpɔɪntˈblæŋk] **I.** *adj* **1.** direkt **2.** (*fig*) offen, direkt **II.** *adv* (*fig*) geradeheraus, unverblümt; **point duty** *s* (*Polizei*) Verkehrsdienst *m;* **constable on** ~ Verkehrsschutzmann *m;* **pointed** [ˈpɔɪntɪd] *adj* **1.** spitz **2.** (*fig*) scharf, beißend, treffend **3.** (*Bemerkung*) anzüglich; ~ **arch** Spitzbogen *m;* **pointer** [ˈpɔɪntə(r)] *s* **1.** Zeiger *m;* Zeigestock *m* **2.** Vorstehhund *m* **3.** (*fam*) Tip, Wink *m;* **point•less** [ˈpɔɪntlɪs] *adj* bedeutungs-, sinn-, witz-, zwecklos; **points•man** [ˈpɔɪntsmən] <*pl* -men> *s* (*Br*) Weichensteller *m;* **point system** *s* Punktsystem *n;* **point-to-point** (**race**) *s* Geländejagdrennen *n*

poise [pɔɪz] **I.** *s* **1.** Ausgeglichenheit, Gelassenheit *f* **2.** (Körper-, Kopf)Haltung *f* **3.** sicheres Auftreten **II.** *tr* balancieren; **be ~d** im Gleichgewicht sein; in der Schwebe sein; **poised** [-d] *adj* (*Mensch*) beherrscht, ausgeglichen

poi•son [ˈpɔɪzn] **I.** *s* (*a. fig*) Gift *n* (*to* für); **what's your ~?** (*fam*) was trinken Sie gern? **II.** *tr* **1.** Gift geben (*s.o.* jdm), vergiften *a. fig* **2.** (MED) infizieren **3.** (*fig*) verderben; ~ **the air** die Luft verschmutzen; ~ **s.o.'s mind against** jdn aufhetzen gegen; **poison gas** *s* Giftgas *n;* **poi•son•ing** [ˈpɔɪzənɪŋ] *s* Vergiftung *f;* **poi•son•ous** [ˈpɔɪzənəs] **I.** *adj* **1.** giftig **2.** (*fig*) zersetzend, verderblich **II.** *adj attr* Gift-

poke[1] [pəʊk] *s* (*Amerika, Schottland*) Beutel *m;* Tüte *f;* **a pig in a** ~ (*fig*) die Katze im Sack

poke[2] [pəʊk] **I.** *tr* **1.** (an)stoßen, schubsen, knuffen **2.** (*ein Loch*) bohren **3.** stochern mit (*at* in) **4.** (*Feuer:* ~ *up*) schüren; ~ **fun at s.o.** sich über jdn lustig machen; ~ **one's nose into** seine Nase stecken in; ~ **s.o. in the ribs** jdm e-n Rippenstoß geben **II.** *itr* **1.** herausstehen **2.** (herum)bohren (*at* in) **3.** (~ *about, around*) herumstöbern **III.** *s* **1.** Stoß, Schubs, Knuff *m* **2.** (*Am*) Faustschlag *m;* **take a ~ at s.o.** jdm e-n Schlag versetzen; **poker** [ˈpəʊkə(r)] *s* **1.** Feuerhaken *m* **2.** (*Spiel*) Poker *n;* ~ **face** unbewegliche Miene; **~work** Brandmalerei *f;* **pok(e)y** [ˈpəʊkɪ] *adj* eng

Po•land [ˈpəʊlənd] *s* Polen *n*

po•lar [ˈpəʊlə(r)] *adj* **1.** (ASTR PHYS) polar **2.** (*fig*) einander entgegengesetzt, gegensätzlich; **polar air** *s* Polarluft *f;* **polar bear** *s* Eisbär *m;* **polar circle** *s* Polarkreis *m;* **polar front** *s* (METE) Polar-, Kaltluftfront *f;* **polar ice** *s* Polareis *n*

po•lar•ity [pəˈlærətɪ] *s* **1.** (PHYS EL) Polarität *f a. fig* **2.** (*fig*) Gegensätzlichkeit *f;* **po•lar•iz•ation** [ˌpəʊləraɪˈzeɪʃn] *s* (PHYS EL) Polarisation *f;* **po•lar•ize** [ˈpəʊləraɪz] *tr* polarisieren

polar lights [ˌpəʊləˈlaɪts] *s pl* Nordlicht *n;* **polar star** *s* Polarstern *m;* **polar zone** *s* Polargebiet *n*

Pole [pəʊl] *s* Pole *m,* Polin *f*

pole[1] [pəʊl] **I.** *s* **1.** Pfahl, Pfosten, Mast *m* **2.** Deichsel *f* **3.** (SPORT) Stab *m;* (Ski)Stock *m;* (Balancier)Stange *f* **II.** *tr* (*Boot, Floß*) staken

pole[2] [pəʊl] *s* (GEOG EL) Pol *m;* **they are ~s apart** zwischen ihnen liegen Welten

pole•axe [ˈpəʊlæks] *tr* (*fig*) umwerfen

pole•cat [ˈpəʊlkæt] *s* (ZOO) **1.** Iltis *m* **2.** (*Am*) Skunk *m,* Stinktier *n*

pol•emic [pə'lemɪk] I. *adj* polemisch II. *s* Polemik *f*

pole po•si•tion [ˌpəʊlpə'zɪʃn] *s* (SPORT) Innenbahn *f*

pole star ['pəʊlˌstɑː(r)] *s* Polarstern *n*

pole-vault ['pəʊlvɔːlt] *s* Stabhochsprung *m;* **pole-vaulter** ['pəʊlvɔːltə(r)] *s* Stabhochspringer(in) *m(f)*

po•lice [pə'liːs] I. *s* Polizei *f* II. *tr* polizeilich überwachen; **police car** *s* Polizei-, Streifenwagen *m;* **police court** *s* Polizeigericht *n;* **police dog** *s* Polizeihund *m;* **police escort** *s* Polizeibegleitung *f;* **police force** *s* Polizei *f;* **police intervention** *s* polizeiliches Einschreiten; **police-magistrate** *s* (*Am*) Polizeirichter *m;* **po•lice•man** [-mən] <*pl* -men> *s* Polizist *m;* **police officer** *s* Polizeibeamte(r) *m,* -beamtin *f;* **police patrol** *s* Polizeistreife *f;* **police presence** *s* Polizeiaufgebot *n;* **police raid** *s* Razzia *f;* **police record** *s* Vorstrafen *fpl;* **police state** *s* Polizeistaat *m;* **police station** *s* Polizeirevier *n,* -wache *f;* **po•lice•woman** <*pl* -women> *s* Polizistin *f*

pol•icy¹ ['pɒləsɪ] *s* 1. Politik *f;* politische Richtung, politischer Kurs 2. umsichtiges Verhalten 3. **policies** politische Maßnahmen *fpl* 4. (*fig*) Grundsatz *m;* Ziel *n,* Plan *m;* **he makes it a ~ to ...** er hat es sich zum Grundsatz gemacht, es ist sein Prinzip zu ...; **economic/financial ~** Wirtschafts-/Finanzpolitik *f;* **population ~** Bevölkerungspolitik *f;* **wage ~** Lohnpolitik *f*

pol•icy² ['pɒləsɪ] *s* (Versicherungs)Police *f;* **take out a ~** e-e Versicherung abschließen; **fire (insurance) ~** Feuerversicherungspolice *f;* **life (insurance) ~** Lebensversicherungspolice *f;* **policy-holder, policy-owner** *s* Versicherungsnehmer(in) *m(f);* **policy maker** *s* politische(r) Vordenker(in) *m f,* Parteiideologe *m;* -login *f;* **policy number** *s* Policennummer *f;* **policy statement** *s* (POL) Grundsatzerklärung *f*

polio(•my•eli•tis) [ˌpəʊlɪəʊ (ˌmaɪə'laɪtɪs)] *s* (spinale) Kinderlähmung *f*

Polish ['pəʊlɪʃ] I. *adj* polnisch II. *s* (das) Polnisch(e)

polish ['pɒlɪʃ] I. *tr* 1. polieren; blank reiben 2. verfeinern, *fam* aufpolieren 3. glätten, (ab)schleifen 4. bohnern, schmirgeln 5. (*Schuhe*) putzen, wichsen 6. vervollkommnen II. *s* 1. Politur *f,* (Hoch)Glanz *m* 2. Politur *f,* Putzmittel *n;* Schuhcreme, -wichse *f;* Bohnerwachs *n* 3. Eleganz, Verfeinerung *f;* (*fam*) Schliff *m;* **polish off** *tr* (*fam*) schnell erledigen; (*Essen*) verputzen; (*Getränk*) hinunterschütten; **polish up** *tr* (*fam*) aufpolieren, aufmöbeln; (*Kenntnisse*) auffrischen; **polished** ['pɒlɪʃt] *adj* 1. poliert; glatt, glänzend 2. (*fig*) fein, elegant 3. makel-, tadellos, fehlerfrei; **polisher** ['pɒlɪʃə(r)] *s* 1. Polierer(in) *m(f),* Schleifer(in) *m(f)* 2. Schleif-, Polier-, Bohnermaschine *f*

pol•ite [pə'laɪt] *adj* 1. höflich 2. (*Gesellschaft*) fein; **pol•ite•ness** [-nɪs] *s* Höflichkeit *f*

poli•tic ['pɒlɪtɪk] *adj* klug; diplomatisch; **body ~** Staat *m;* **pol•iti•cal** [pə'lɪtɪkl] *adj* politisch; **~ asylum** politisches Asyl; **~ economy** Volkswirtschaft *f;* **~ offence** politische Straftat; **party ~** parteipolitisch; **~ party** politische Partei; **~ prisoner** politischer Häftling; **~ science** Politologie *f;* **poli•ti•cian** [ˌpɒlɪ'tɪʃn] *s* Politiker(in) *m(f);* **poli•tics** ['pɒlɪtɪks] *s* 1. *mit sing* Politik *f* 2. *mit pl* politische Ansichten *pl,* Politik *f;* (*Am*) Taktik *f;* **talk ~** politisieren; **engaged in ~** politisch tätig; **party ~** Parteipolitik *f*

polka ['pɒlkə, *Am* 'pəʊlkə] *s* Polka *f* (*Tanz*)

poll [pəʊl] I. *s* 1. (*politische*) Wahl, Abstimmung *f* 2. Wahlbeteiligung *f* 3. Stimmenzahl *f* 4. Umfrage, Erhebung *f;* **be defeated at the ~s** e-e Wahlniederlage erleiden; **conduct a public opinion ~** e-e öffentliche Meinungsumfrage durchführen; **go to the ~s** zur Wahl gehen; **heavy/light ~** hohe/niedrige Wahlbeteiligung II. *tr* 1. (*Stimmen*) erhalten, auf sich vereinigen 2. (*bei Umfrage*) befragen 3. kurz schneiden, stutzen III. *itr* bei der Wahl abschneiden

pol•lard ['pɒləd] I. *s* gekappter Baum II. *tr* (*Baum*) kappen

pol•len ['pɒlən] *s* Blütenstaub, Pollen *m;* **pollen count** *s* Pollenkonzentration, -zahl *f;* **pol•lin•ate** ['pɒlɪneɪt] *tr* (BOT) bestäuben

poll•ing ['pəʊlɪŋ] *s* Wahl, Stimmabgabe *f;* **polling booth** *s* Wahlzelle, -kabine *f;* **polling card** *s* Wahlausweis *m;* **polling day** *s* Wahltag *m;* **polling station** *s* Wahllokal *n;* **poll•ster** ['pəʊlstə(r)] *s* Meinungsforscher(in) *m(f)*

pol•lut•ant [pəl'uːtənt] *s* Schadstoff *m;* **pol•lute** [pə'luːt] *tr* 1. verunreinigen, verschmutzen 2. (*sittlich*) verderben; **polluter** [pə'luːtə(r)] *s* Umweltverschmutzer *m;* **~ pays principle** Verursacherprinzip *n;* **pol•lu•tion** [pə'luːʃn] *s* Verschmutzung, Verunreinigung *f;* Schadstoffbelastung *f;* (*environmental ~*) Umweltverschmutzung *f;* **~ prevention** Verhinderung *f* der Umweltverschmutzung

polo ['pəʊləʊ] *s* Polo(spiel) *n;* **polo neck** *s* Rollkragenpullover *m;* **polo player** *s* Polospieler(in) *m(f)*

poly ['pɒlɪ] *s abbr of* **polytechnic** Polytechnikum *n;* Fachhochschule *f;* **poly•am•ide** ['pɒljə,maɪd] *s* Polyamid *n;* **poly•an•dry** ['pɒlɪændrɪ] *s* Vielmännerei *f;* **poly-chlor•in•ated** [,pɒlɪ'klɔ:rɪneɪtəd] *adj* polychloriert; ~ **biphenyl, PCB** polychloriertes Biphenyl, PCB *n;* **poly•chrome** [,pɒlɪ'krəʊm] *adj* bunt, farbig; (*Kunst*) polychrom; **poly•cli•nic** ['pɒlɪklɪnɪk] *s* Poliklinik *f;* **poly•ester** [,pɒlɪ'estə(r)] *s* (CHEM) Polyester *m;* **poly•ga•mist** [pə'lɪgəmɪst] *s* Polygamist *m;* **poly•ga-mous** [pə'lɪgəməs] *adj* polygam; **poly-gamy** [pə'lɪgəmɪ] *s* Polygamie, Viel-, Mehrehe *f;* **poly•glot** ['pɒlɪglɒt] *adj* mehrsprachig, polyglott; **poly•gon** ['pɒlɪgən] *s* (MATH) Vieleck, Polygon *n;* **poly-gonal** [pə'lɪgənl] *adj* vieleckig; **poly-meric** [,pɒlɪ'merɪk] *adj* (CHEM) polymer; **poly•mor•phic** [,pɒlɪ'mɔ:fɪk] *adj* vielgestaltig, polymorph

Poly•nesia [,pɒlɪ'ni:zɪə] *s* Polynesien *n*

polyp ['pɒlɪp] *s* Polyp *m*

poly•phonic [,pɒlɪ'fɒnɪk] *adj* (MUS) polyphon, mehr-, vielstimmig; **poly•ph•ony** [pə'lɪfənɪ] *s* Polyphonie *f*

poly•pus ['pɒlɪpəs, *pl* -pəsɪz, -paɪ] <*pl* -puses, -pi> *s* Polyp *m*

poly•styrene [,pɒlɪ'staɪri:n] *s* (CHEM) Styropor *n;* **poly•syl•labic** [,pɒlɪsɪ'læbɪk] *adj* mehrsilbig; **poly•tech•nic** [,pɒlɪ'teknɪk] *s* Polytechnikum *n,* Fachhochschule *f;* **poly•theism** ['pɒlɪθi:ɪzəm] *s* Polytheismus *m,* Vielgötterei *f;* **poly•theis•tic** [,pɒlɪθi:'ɪstɪk] *adj* polytheistisch; **poly-thene** ['pɒlɪθi:n] *s* (CHEM) Polyäthylen *n;* **polythene bag** *s* Plastiktüte *f;* **poly•un-satur•ates** [,pɒlɪʌn'sætʃəreɪts] *s pl* mehrfach ungesättigte Fettsäuren; **poly-ure•thane** [,pɒlɪ'jʊərɪθeɪn] *s* (CHEM) Polyurethan *n;* **poly•val•ent** [pə'lɪvələnt] *adj* (CHEM) mehrwertig

po•made [pə'mɑ:d, *Am* pəʊ'meɪd] *s* Pomade *f*

po•man•der [pə'mændə(r)] *s* Duftkugel *f*

pom•egran•ate ['pɒmɪgrænɪt] *s* Granatapfel *m*

Pom•era•nia [,pɒmə'reɪnɪə] *s* Pommern *n;* **Pom•era•nian** [,pɒmə'reɪnɪən] **I.** *adj* pommer(i)sch **II.** *s* **1.** Pommer(in) *m(f)* **2.** (~ *dog*) Spitz *m*

pom•mel ['pɒml] **I.** *s* (Degen-, Sattel)Knopf *m* **II.** *tr* puffen, knuffen

pomp [pɒmp] *s* Pracht *f;* **pom•posity** [pɒm'pɒsətɪ] *s* **1.** Pomp, Prunk *m;* Schwulst *m* **2.** Prahlerei *f;* **pom•pous** ['pɒmpəs] *adj* wichtigtuerisch, aufgeblasen

ponce [pɒns] **I.** *s* (*sl*) **1.** Zuhälter *m* **2.** (*pej sl*) Schwule(r) *m* **II.** *itr* Zuhälter sein

pon•cho ['pɒntʃəʊ] <*pl* -chos> *s* Poncho *m*

poncy ['pɒnsɪ] *adj* (*sl*) schwul; tuntig

pond [pɒnd] *s* Teich, Weiher *m*

pon•der ['pɒndə(r)] **I.** *tr* erwägen, nachdenken über, sich überlegen **II.** *itr* nachsinnen (*on* über)

pon•der•ous ['pɒndərəs] *adj* **1.** schwer, massig; unhandlich **2.** (*fig*) schwerfällig; langweilig **3.** (*fig*) unbeholfen, umständlich

pone [pəʊn] *s* (*Am*) Maisbrot *n*

pong [pɒŋ] **I.** *s* (*Br fam*) unangenehmer Geruch **II.** *itr* (*Br fam*) stinken

pon•tiff ['pɒntɪf] *s* (REL) Bischof *m;* Papst *m;* **pon•tifi•cal** [pɒn'tɪfɪkl] *adj* **1.** bischöflich; päpstlich *a. fig* **2.** überheblich, übermäßig von sich eingenommen; **pon•tifi-cate** [pɒn'tɪfɪkət] **I.** *s* Pontifikat *n* **II.** [pɒn'tɪfɪkeɪt] *itr* hochtrabend reden

pon•toon [pɒn'tu:n] *s* Ponton *m;* **pon-toon-bridge** *s* Pontonbrücke *f*

pony ['pəʊnɪ] *s* **1.** Pony *n* **2.** (*sl*) £ 25 **3.** (*Am fam*) Klatsche, Eselsbrücke *f;* **pony-tail** *s* (*Frisur*) Pferdeschwanz *m;* **pony-trek•king** ['pəʊnɪ,trekɪŋ] *s* Ponytrekking, Ponyreiten *n*

poodle ['pu:dl] *s* Pudel *m*

poof(**ter**) [pu:f(tə)] *s* (*pej sl*) Homosexuelle(r) *m*

pooh [pu:] *interj* pah! bah!; **pooh-pooh** [,pu:'pu:] *tr* (mit e-r Handbewegung) abtun; die Nase rümpfen (über)

pool[1] [pu:l] *s* **1.** kleiner Teich **2.** Pfütze, Lache *f* **3.** (*swimming-*~) Schwimmbecken *n* **4.** (*im Fluss*) Wasserloch *n*

pool[2] [pu:l] **I.** *s* **1.** gemeinsame Kasse **2.** Poolbillard *n* **3.** ~**s** Toto *n od m* **4.** (COM) Kartell *n,* Pool *m;* Interessengemeinschaft *f* **5.** (Wagen)Park *m;* Fahrgemeinschaft *f* **6.** Mitarbeiterstab *m;* Schreibzentrale *f* **II.** *tr* **1.** zusammenlegen; vereinen **2.** (*Gewinn*) teilen; ~ **expenses** sich an Unkosten anteil(s)mäßig beteiligen; **pool•room** *s* Billardzimmer *n;* **pool selling** *s* Absatz *m* durch ein Kartell

poop[1] [pu:p] *s* **1.** (MAR) Heck *n* **2.** (~ *deck*) Achterdeck *n*

poop[2] [pu:p] *tr* (*Am sl*) schlauchen; **be ~ed** (**out**) geschafft sein

poop•er-scoop•er [,pu:pə'sku:pə(r)] *s* *eine Schaufel um Hundekot von Gehwegen zu entfernen*

poor [pʊə(r)] **I.** *adj* **1.** arm **2.** schlecht **3.** (*Ernte*) mager **4.** (*Boden*) dürftig **5.** (*Gestein*) taub **6.** bedauernswert, arm; **be ~ in arithmetic** schwach im Rechnen sein; **have a ~ opinion of s.o.** nicht viel von jdm halten; **that is** (**a**) **~ consolation** das ist ein schwacher Trost; ~ **me!** ich Ärmster! **II.** *s pl:* **the** ~ die Armen *pl;* **poor•box** *s* Opferstock *m;* **poor law** *s* Armenrecht *n,* -gesetzgebung *f;* **poor•ly** ['pʊəlɪ] **I.** *adv* **1.**

arm; ärmlich **2.** schlecht, mangelhaft, dürftig; **think ~ of s.o.** nicht viel von jdm halten; **they did ~ in the examination** sie haben im Examen schlecht abgeschnitten; **be ~ off** übel dran sein **II.** *adj* (*fam*) kränklich; **feel ~** sich nicht wohl fühlen; **poor·ness** ['pʊənɪs] *s* **1.** Armut *f* **2.** Mangel *m,* Dürftigkeit *f;* (*Boden*) Unfruchtbarkeit *f;* **poor relation** *s* schlechter Ersatz; **poor-spirited** [ˌpʊər'spɪrɪtɪd] *adj* ängstlich

pop¹ [pɒp] **I.** *s* **1.** Knall(en *n*) *m* **2.** Schuss *m* **3.** (*fam*) Brause *f,* Sprudel *m* **II.** *itr* **1.** knallen **2.** (zer)springen, platzen **3.** (*Augen: ~ open, out*) groß werden **4.** (mit e-m Gewehr) knallen (*at* auf); **go ~** losgehen, platzen; **his eyes ~ped out of his head** er riss die Augen weit auf **III.** *tr* **1.** zum Platzen bringen **2.** (*fam*) stecken; **~ one's head round the corner** den Kopf um die Ecke stecken; **~ a hat on** einen Hut aufsetzen; **~ the question** (*fam*) e-n Heiratsantrag machen; **pop in I.** *itr* hereinplatzen **II.** *tr* (*Kopf*) hereinstrecken; **pop off** *itr* abhauen; (*sl*) abkratzen, sterben; **pop up** *itr* in die Höhe fahren, hoch-, auffahren; plötzlich auftauchen

pop² [pɒp] *s* (*Am sl*) Papa *m;* (*fam hum*) Alte *m*

pop³ [pɒp] *s* Popmusik *f;* **pop art** ['pɒpɑːt] *s* Pop-art *f;* **pop concert** ['pɒpˌkɒnsət] *s* Popkonzert *n*

popcorn ['pɒpkɔːn] *s* Popcorn *n*

Pope [pəʊp] *s* Papst *m;* **pop·ery** ['pəʊpərɪ] *s* (*pej*) Pfaffentum *n*

pop-eyed [ˌpɒp'aɪd] *adj* glotzäugig

pop group ['pɒpgruːp] *s* Popgruppe *f*

pop·gun *s* Spielzeugpistole *f*

pop·in·jay ['pɒpɪndʒeɪ] *s* Fatzke *m*

pop·lar ['pɒplə(r)] *s* (BOT) Pappel *f*

pop·lin ['pɒplɪn] *s* Popelin(e *f*) *m* (*Stoff*)

pop music ['pɒp'mjuːzik] *s* Popmusik *f*

pop·per ['pɒpə(r)] *s* (*Br fam*) Druckknopf *m*

pop·pet ['pɒpɪt] *s* Schätzchen *n*

poppy ['pɒpɪ] *s* Mohn(blume *f*) *m;* **poppy·cock** ['pɒpɪkɒk] *s* (*fam*) Quatsch *m;* **Poppy Day** *s* ≈Volkstrauertag *m;* **poppy seeds** *s pl* Mohn(samen) *m*

pop singer ['pɒpsɪŋə(r)] *s* Popsänger(in) *m(f);* **pop song** *s* Popsong, Schlager *m;* **pop·star** *s* Popstar *m*

popu·lace ['pɒpjʊləs] *s* **1.** Volk *n* **2.** (große) Masse *f*

popu·lar ['pɒpjʊlə(r)] *adj* **1.** beliebt; populär (*with* bei) **2.** (*Preis*) niedrig, erschwinglich **3.** (*Wissenschaft*) Populär-; populärwissenschaftlich **4.** weit verbreitet **5.** des Volkes; **be very ~** sehr gefragt sein; **make o.s. ~** sich beliebt machen (*with* bei); **~ edition** (*Buch*) Volksausgabe *f;* **~ front** Volksfront *f;* **by ~ consent** mit allgemeiner Zustimmung; **by ~ request** auf allgemeinen Wunsch; **popu·lar·ity** [ˌpɒpjʊ'lærətɪ] *s* Popularität, Beliebtheit *f* (*with* bei); **popu·lar·ize** ['pɒpjʊləraɪz] *tr* **1.** populär machen **2.** (*Wissenschaft*) popularisieren; **popu·lar·ly** ['pɒpjʊləlɪ] *adj* allgemein

popu·late ['pɒpjʊleɪt] *tr* bevölkern, besiedeln; **popu·la·tion** [ˌpɒpjʊ'leɪʃn] *s* **1.** Bevölkerung *f* **2.** Einwohnerschaft *f;* Einwohnerzahl *f* **3.** (BIOL) Population *f;* Bestand *m,* Zahl *f;* **civil(ian) ~** Zivilbevölkerung *f;* **fall/increase in ~** Bevölkerungsabnahme/-zunahme *f;* **rural/urban ~** Land-/Stadtbevölkerung *f;* **surplus ~** Bevölkerungsüberschuss *m;* **population density** *s* Bevölkerungsdichte *f;* **population policy** *s* Bevölkerungspolitik *f;* **popu·lous** ['pɒpjʊləs] *adj* dichtbesiedelt

por·ce·lain ['pɔːsəlɪn] *s* Porzellan *n*

porch [pɔːtʃ] *s* Vorbau *m;* Veranda *f;* Vorhalle *f*

por·cu·pine ['pɔːkjʊpaɪn] *s* Stachelschwein *n*

pore [pɔː(r)] *s* Pore *f*

pore over ['pɔː(r)] *tr* **1.** (nach)sinnen über, grübeln über **2.** eifrig studieren (*a book* ein Buch)

pork [pɔːk] *s* Schweinefleisch *n;* **pork chop** *s* Schweinskotelett *n;* **porker** ['pɔːkə(r)] *s* Mastschwein *n;* **pork pie** *s* (Schweine)Fleischpastete *f;* **porky** ['pɔːkɪ] **I.** *adj* (*fam*) dick, korpulent **II.** *s* (*sl*) Lüge *f*

por·no·graph·ic [pɔːnə'græfɪk] *adj* pornografisch; **por·n(ogra·phy)** [pɔːn, pɔː'nɒgrəfɪ] *s* Pornografie *f*

po·rous ['pɔːrəs] *adj* durchlässig, porös

por·poise ['pɔːpəs] *s* (ZOO) Tümmler *m*

por·ridge ['pɒrɪdʒ] *s* Hafer(flocken)brei *m;* **porridge oats** *s pl* Haferflocken *fpl;* **por·rin·ger** ['pɒrɪndʒə(r)] *s* Suppennapf *m*

port¹ [pɔːt] *s* Haltung *f;* **at the ~** (MIL: *Gewehr*) zum Appell vorgezeigt

port² [pɔːt] *s* (See)Hafen *m;* Hafenstadt *f,* -platz *m;* **any ~ in a storm** in der Not frisst der Teufel Fliegen; **come into** [*o* **reach**] **~** in den Hafen einlaufen; **leave ~** auslaufen; **port authority** *s* Hafenamt *n;* **port dues** *s pl* Hafengebühren *fpl*

port³ [pɔːt] *s* **1.** (MAR: *~hole*) Bullauge *n* **2.** Ladepforte, Pfortluke *f* **3.** (MAR) Backbord *n* **4.** (TECH) Durchlass *m* **5.** (EDV) Port, Anschluss, Steckplatz *m*

port⁴ [pɔːt] *s* Portwein *m*

port·able ['pɔːtəbl] **I.** *adj* tragbar; **~ typewriter** Reiseschreibmaschine *f;* **~ radio** Kofferradio *n;* **~ television (set)** tragbares Fernsehgerät **II.** *s* (EDV) Portable *n;* **porta·cab·in, Porta·kab·in®** ['pɔːtəˌkæbin] *s*

Wohncontainer *m;* **port•age** ['pɔːtɪdʒ] *s* Transport *m;* Transportkosten *pl*

port•cul•lis [ˌpɔːt'kʌlɪs] *s* Fallgitter *n*

por•ten•tous [pɔː'tentəs] *adj* **1.** verhängnis-, unheilvoll **2.** ungewöhnlich; unglaublich

por•ter ['pɔːtə(r)] *s* **1.** (Gepäck)Träger, Dienstmann *m* **2.** (*Am*) Schlafwagenschaffner *m* **3.** Pförtner, Portier *m* **4.** (MED) Pfleger *m* **5.** (*Am: ~-house steak*) (Rinder)Filet *n;* **~'s lodge** Pförtnerloge *f*

port•folio [pɔːt'fəʊlɪəʊ] <*pl* -folios> *s* **1.** (Akten)Mappe *f* **2.** (Effekten)Portefeuille *n,* Bestand *m* an Wertpapieren **3.** (POL) Geschäftsbereich *m* (*e-s Ministers*)

port•ico ['pɔːtɪkəʊ] <*pl* -icos> *s* Säulenhalle *f,* -gang *m*

por•tion ['pɔːʃn] **I.** *s* **1.** Teil *m* (*of* an) **2.** (*Karte*) Abschnitt *m* **3.** (Essens)Portion *f* **4.** Schicksal, Los *n* **II.** *tr* (*~ out*) ein-, zu-, austeilen

port•ly ['pɔːtlɪ] *adj* korpulent

por•trait ['pɔːtrɪt] *s* Porträt *n;* **have one's ~ painted** sich malen lassen; **portrait format** *s* (TYP) Hochformat *n;* **portraitist, portrait painter** ['pɔːtrɪtɪst] *s* Porträtmaler(in) *m(f);* **por•trait•ure** ['pɔːtrɪtʃə(r)] *s* Porträtmalerei *f;* **por•tray** [pɔː'treɪ] *tr* **1.** malen **2.** (*fig*) schildern, beschreiben **3.** (THEAT) darstellen; **portrayal** [pɔː'treɪəl] *s* **1.** (*fig*) Schilderung, Beschreibung *f* **2.** (THEAT) Darstellung *f*

Por•tu•gal ['pɔːtjʊgəl] *s* Portugal *n;* **Por•tu•guese** [ˌpɔːtjʊ'giːz] **I.** *adj* portugiesisch **II.** *s* **1.** Portugiese *m,* Portugiesin *f* **2.** (das) Portugiesisch(e)

POS [ˌpiːəʊ'es] *s abbr of* **point of sale** Verkaufsstelle *f,* -ort *m*

pose [pəʊz] **I.** *s* **1.** Haltung *f* **2.** (*fig pej*) Pose *f* **II.** *tr* **1.** aufstellen **2.** (*Problem*) vortragen **3.** (*Schwierigkeiten*) machen **4.** (*Frage*) formulieren **5.** (*Bedrohung*) darstellen **III.** *itr* **1.** Modell stehen (*for a photo* e-m Fotografen) **2.** sich in Positur werfen **3.** e-e bestimmte Haltung einnehmen **4.** sich ausgeben (*as* als), angeben; **poser** ['pəʊzə(r)] *s* **1.** schwierige Frage; schwieriges Problem **2.** affektierter Mensch, Angeber(in) *m(f)*

posh [pɒʃ] *adj* (*fam*) piekfein, vornehmen; **what a ~ car!** (was für) ein toller Wagen!

posit ['pɒzɪt] *tr* voraussetzen; postulieren

po•si•tion [pə'zɪʃn] **I.** *s* **1.** Platz *m;* Stelle *f;* Standort *m;* Lage *f* **2.** Haltung *f;* Stellung *f;* Position *f* **3.** Standpunkt *m* **4.** (SPORT) Platz *m* **5.** gesellschaftliche Stellung **6.** (feste) Stelle, Stellung *f* (*with* bei) **7.** (MUS) Umkehrung *f;* **in/out of ~** am rechten/falschen Platz; **in my ~** in meiner Lage; **in a difficult/an awkward ~** in e-r schwierigen/unbequemen Lage; **be in a ~ to do** in der Lage sein zu tun; **hold** [*o* **occupy**] **a ~** e-e Stelle haben; **place in a difficult ~** in e-e schwierige Lage bringen; **take up a ~** (*fig*) Stellung beziehen; **permanent ~** feste Stelle; **legal ~** Rechtslage *f;* **~ for life** Lebensstellung *f* **II.** *tr* aufstellen; **he ~ed himself where he could see** er stellte sich so, dass er gut sehen konnte

posi•tive ['pɒzətɪv] **I.** *adj* **1.** positiv **2.** (*Einstellung*) positiv, bejahend; (*Kritik*) konstruktiv **3.** (*Mensch, Auftreten, Ton*) bestimmt; streng; (*Antwort*) definitiv; **be ~** ganz sicher sein (*that* dass); **~ thinking** positive Einstellung; **it's a ~ miracle** es ist ein wahres Wunder **II.** *s* (PHOT) Positiv *n;* **posi•tive•ly** [-lɪ] *adv* absolut; ohne jeden Zweifel; ganz sicher; **state ~ that ...** eindeutig erklären, dass ...

posse ['pɒsɪ] *s* (*Am*) Aufgebot *n*

pos•sess [pə'zes] *tr* **1.** besitzen **2.** (*Sprache*) beherrschen **3.** (*e-n Menschen*) beherrschen, Besitz ergriffen haben von; **~ o.s. of s.th.** von e-r S Besitz ergreifen; **be ~ed by** ergriffen, (ganz) eingenommen sein von; besessen sein von; **what ~ed you to do that?** was ist in Sie gefahren, so etwas zu tun?; **pos•sessed** [pə'zest] *adj* **1.** besessen (*by* von), erfüllt (*with* von) **2.** begabt (*of* mit); **pos•session** [pə'zeʃn] *s* **1.** Besitz *m* **2.** Eigentum *n* **3. ~s** Besitz *m,* Habe *f;* **be in ~ of s.th.** im Besitz e-r S sein; **have s.th. in one's ~** etw in Besitz haben; **come into ~ of s.th.** in den Besitz, Genuss e-r S kommen; **take ~ of** Besitz ergreifen von, in Besitz nehmen; **pos•sess•ive** [pə'zesɪv] *adj:* **be ~** sein Besitzrecht stark betonen; **~ pronoun** Possessivpronomen *n,* besitzanzeigendes Fürwort; **pos•sessor** [pə'zesə(r)] *s* Besitzer(in) *m(f),* Inhaber(in) *m(f)*

pos•si•bil•ity [ˌpɒsə'bɪlətɪ] *s* **1.** Möglichkeit *f* (*of doing* zu tun, *of* zu, für) **2.** (*fam*) in Frage kommende Person; **poss•ible** ['pɒsəbl] **I.** *adj* **1.** möglich (*for* für, *with* bei) **2.** denkbar, geeignet **3.** (*fam*) annehmbar; **as early/as soon as ~** so früh/so bald wie möglich; **if (it is) ~** wenn möglich **II.** *s* **1.** (SPORT) höchste Punkt-, Ringzahl **2.** in Frage kommende Person/Sache; **poss•ib•ly** ['pɒsəblɪ] *adv* **1.** möglicherweise, eventuell **2.** vielleicht; **if I ~ can** wenn ich irgend kann; **I cannot ~ come** ich kann unmöglich kommen

pos•sum ['pɒsəm] *s* Opossum *n,* Beutelratte *f;* **play ~** (*fam*) sich schlafend stellen

post[1] [pəʊst] **I.** *s* Pfosten, Pfahl, Mast *m;* **first-past-the-~ system** (POL) Mehrheitswahlrecht *n* **II.** *tr* (*~ up*) **1.** ankleben, -schlagen **2.** durch Anschlag bekannt machen; ~ **no bills** Plakate ankleben verboten!

post² [pəʊst] **I.** *s* **1.** (Arbeits)Stelle *f*, Posten *m* **2.** (MIL) Posten *m* **3.** (*trading* ~) Handelsplatz *m;* **first** ~ Wecksignal *n;* **last** ~ Zapfenstreich *m* **II.** *tr* **1.** (MIL) als Posten aufstellen; (ab)kommandieren **2.** versetzen

post³ [pəʊst] **I.** *s* (*Br*) Post *f;* **by** ~ mit der Post; **by return of** ~ postwendend; **by the same** ~ mit gleicher Post; **by today's** ~ mit der heutigen Post; **by separate** ~ mit getrennter Post; **is there any** ~ **for me?** ist Post für mich da?; **evening/letter/morning/parcel** ~ Abend-/Brief-/Morgen-/Paketpost *f* **II.** *tr* **1.** in den Briefkasten werfen; auf die Post geben **2.** aufgeben, abschicken, -senden **3.** (~ *up*) eintragen

post·age ['pəʊstɪdʒ] *s* Porto *n*, (Post)Gebühr *f;* **what is the** ~ **to Italy?** wieviel kostet ein Brief nach Italien?; ~ **and package** Porto und Verpackung; **postage meter** *s* (*Am*) Frankiermaschine *f;* **postage paid I.** *adj* portofrei; ~ **envelope** Freiumschlag *m* **II.** *adv* portofrei; **postage rate** *s* Postgebühr *f;* **postage stamp** *s* Briefmarke *f*, Postwertzeichen *n*

postal ['pəʊstl] *adj* Post-, postalisch; ~ **address** Postanschrift *f;* ~ **card** (*Am*) Postkarte *f;* ~ **charge** Postgebühr *f;* ~ **code** Postleitzahl *f;* ~ **district** Postbezirk *m;* ~ **order** (*Br*) Postanweisung *f;* ~ **rate** Postgebühr *f;* ~ **vote** Briefwahl *f*

post·bag ['pəʊstbæg] *s* (*Br*) Postsack *m;* **post·box** *s* (*Br*) Briefkasten *m;* **post·card** ['pəʊstkɑ:d] *s* Postkarte *f;* **picture** ~ Ansichtskarte *f;* **post-code** *s* (*Br*) Postleitzahl *f*

post·date [ˌpəʊst'deɪt] *tr* (*Scheck*) vordatieren

posted ['pəʊstɪd] *adj:* **keep s.o.** ~ jdn auf dem Laufenden halten; **well-**~ gut informiert; ~ **price** (COM) Listenpreis *m;* ~ **rate** (*Bank*) Devisenankaufkurs *m*

poster ['pəʊstə(r)] *s* Plakat *n;* Poster *n*

poste restante ['pəʊst'restɑ:nt] **I.** *adv* postlagernd **II.** *s* Abteilung *f* für postlagernde Sendungen

pos·terior [pɒ'stɪərɪə(r)] **I.** *adj* **1.** später (*to* als) **2.** hinter **II.** *s* (*fam*) Hintern *m*

pos·ter·ity [pɒ'sterətɪ] *s* **1.** Nachkommen *mpl* **2.** Nachwelt *f*

pos·tern ['pɒstən] *s* (*obs*) Hintertür *f*

post-free [ˌpəʊst'fri:] *adj* portofrei; frankiert

post·gradu·ate [ˌpəʊst'grædʒʊət] **I.** *adj* (*Studium*) nach dem Examen **II.** *s* Doktorand *m;* Graduierte(r) *f m*

post haste [ˌpɜʊst'heɪst] *adv* schnellstens

post·hum·ous ['pɒstjʊməs] *adj* **1.** nachgeboren **2.** post(h)um; ~ **fame** Nachruhm *m*

post·ing ['pəʊstɪŋ] *s* **1.** (*Postsendung*) Aufgabe, Einlieferung *f* **2.** (*Plakat*) Anschlagen *n* **3.** (*beruflich*) Versetzung *f*

post·lude ['pəʊstlu:d] *s* (MUS) Nachspiel *n*

post·man ['pəʊstmən] <*pl* -men> *s* Briefträger *m;* **post·mark** ['pəʊstmɑ:k] **I.** *s* Poststempel *m;* **date as** ~ Datum *n* des Poststempels **II.** *tr* stempeln; **post·mas·ter** ['pəʊstˌmɑ:stə(r)] *s* Postamtsvorsteher *m;* **P**~ **General** Postminister *m*

post meri·diem, pm [ˌpəʊst mə'rɪdɪəm] *adv* nachmittags; **post·mod·ern** [ˌpəʊst'mɒdən] *adj* postmodern; **post·mod·ern·ism** [-ɪzm] *s* Postmoderne *f;* **post-mor·tem** [ˌpəʊst'mɔ:təm] **1.** (~ *examination*) Autopsie, Leichenöffnung *f* **2.** (*fig*) Überprüfung *f;* **post-natal** *adj* nach der Geburt (stattfindend); (MED) postnatal

post of·fice, PO ['pəʊstˌɒfɪs, ˌpi:'əʊ] *s* Postamt *n;* **the P**~ die Post; ~ **box, PO Box** Postfach *n;* **post-paid** [ˌpəʊst'peɪd] *adj* frankiert; ~ **reply card** Werbeantwort(karte) *f*

post·pone [pə'spəʊn] *tr* **1.** auf-, verschieben, zurückstellen **2.** (*Termin*) verlegen, vertagen; **post·pone·ment** [-mənt] *s* Verschiebung *f;* Vertagung *f;* **post-room** ['pəʊstru:m] *s* Poststelle *f;* **post-script, PS** ['pəʊsskrɪp, ˌpi:'es] *s* Nachschrift *f*

pos·tu·late ['pɒstjʊleɪt] **I.** *tr* voraussetzen, postulieren **II.** ['pɒstjʊlət] *s* (Grund)Voraussetzung *f*, Postulat *n*

pos·ture ['pɒstʃə(r)] **I.** *s* Haltung *f* **II.** *itr* e-e bestimmte Stellung, *fig* Haltung einnehmen

post·war ['pəʊstwɔ:] *adj attr* Nachkriegs-; ~ **Germany** Nachkriegsdeutschland *n;* **the** ~ **years** die Nachkriegsjahre

posy ['pəʊzɪ] *s* Blumenstrauß *m*

pot [pɒt] **I.** *s* **1.** Topf *m;* Kanne *f;* Krug *m* **2.** (*chimney* ~) Kaminaufsatz *m* **3.** (SPORT: *sl*) Preis, (Silber)Pokal *m* **4.** (*fam*) Menge *f*, Haufen *m* **5.** (*fam: big* ~) hohes Tier **6.** (*fam*) Dickbauch *m* **7.** (*sl: marijuana*) Gras *n* **8.** (~*-shot*) Schuss *m;* **go to** ~ (*sl*) in die Brüche gehen; auf den Hund kommen; **keep the** ~ **boiling** sein Auskommen haben; die Sache in Gang halten; **coffee-**~ Kaffeekanne *f;* **flower-**~ Blumentopf *m;* **tea-**~ Teekanne *f* **II.** *tr* **1.** (*Fleisch*) einmachen **2.** (*Pflanzen*) eintopfen **3.** (*Wild*) (ab)schießen **4.** (*fam: Kind*) auf den Topf setzen **III.** *itr* **1.** (~ *away*) herumknallen **2.** (*Billard*) ins Loch spielen

pot·able ['pəʊtəbl] *adj* trinkbar

pot·ash ['pɒtæʃ] *s* (CHEM) Pottasche *f;* **caustic** ~ Ätzkali *n*

po·tass·ium [pə'tæsɪəm] *s* (CHEM) Kalium

n; **potassium chloride** *s* Kaliumchlorid *n;* **potassium cyanide** *s* Zyankali *n;* **potassium (per)manganate** *s* Kalium(per)manganat *n*

po·tato [pə'teɪtəʊ] <*pl* -tatoes> *s* Kartoffel *f;* **boiled ~es** Salzkartoffeln *fpl;* **fried ~es** Brat-, Röstkartoffeln *fpl;* **mashed ~** Kartoffelbrei *m;* **sweet** [*o* **Spanish**] **~** Batate *f;* **~es in their jackets** (in der Schale) gebackene Kartoffeln *fpl;* **potato beetle, potato bug** *s* Kartoffelkäfer *m;* **potato chips** *s* (*Br*), **potato crisps** *s pl* Kartoffelchips *pl;* **potato masher** *s* Kartoffelstampfer *m;* **potato peeler** *s* Kartoffelschäler *m*

pot·bellied ['pɒt,belɪd] *adj* dickbäuchig; **pot·belly** *s* Dickbauch, Wanst *m;* **pot·boiler** ['pɒt,bɔɪlə(r)] *s* (*pej*) Fließbandprodukt *n*

po·teen [pɒ'tiːn, pɒ'tʃiːn] *s* (*Irland*) heimlich gebrannter Whiskey

po·tency ['pəʊtənsɪ] *s* **1.** Macht, Kraft, Stärke *f* **2.** (PHYSIOL) Potenz *f;* **po·tent** ['pəʊtnt] *adj* **1.** mächtig, einflussreich **2.** wirksam **3.** überzeugend, zwingend **4.** (PHYSIOL) potent

po·ten·tate ['pəʊtnteɪt] *s* Potentat *m*

po·ten·tial [pə'tenʃl] **I.** *adj* (*a.* PHYS) potenziell, möglich **II.** *s* (*a.* PHYS) Potenzial *n;* **show ~** gute Anlagen haben (*as* zu); **po·ten·tial·ity** [pə,tenʃɪ'ælətɪ] *s* Möglichkeit *f;* **po·ten·tially** [pə'tenʃəlɪ] *adv* möglicherweise; potenziell

pother ['pɒðə(r)] *s* Aufregung *f*

pot·herb ['pɒthɜːb] *s* Küchenkraut *n;* **pot·holder** ['pɒt,həʊldə(r)] *s* (*Am*) Topflappen *m;* **pot·hole** *s* **1.** Schlagloch *n* **2.** Höhle *f;* **pot·holer** ['pɒt,həʊlə(r)] *s* Höhlenforscher(in) *m(f);* **pot·hook** *s* **1.** Kesselhaken *m* **2.** (*fam*) Krakelfuß *m;* **pot·hunter** *s* Jäger *m* der jedes Wild abknallt

po·tion ['pəʊʃn] *s* Trank *m*

pot·luck [pɒt'lʌk]: **take ~** mit dem vorlieb nehmen, was es gerade gibt

pot·pourri [,pəʊ'pʊəriː] *s* (MUS) Potpourri *n*

pot roast ['pɒtrəʊst] *s* Schmorbraten *m;* **pot·shot** *s* Schuss *m* aufs Geratewohl; **pot·ted** ['pɒtɪd] *adj* **1.** (*Küche*) eingemacht **2.** (*Pflanze*) Topf- **3.** (*fig*) zusammengefasst; **~ meat** Pökelfleisch *n*

pot·ter¹ ['pɒtə(r)] *s* Töpfer(in) *m(f);* **~'s wheel** Töpferscheibe *f*

pot·ter² ['pɒtə(r)] *itr* **1.** (*~ about*) herumtrödeln, -bummeln **2.** herumpfuschen (*at* an)

pot·tery ['pɒtərɪ] *s* **1.** Töpferei *f* **2.** Töpferwaren *fpl*

potty¹ ['pɒtɪ] *adj* (*Br fam*) verrückt; **be ~ about s.th.** ganz verrückt sein auf etw; **you're driving me ~** Sie bringen mich um den Verstand

potty² ['pɒtɪ] *s* (*fam: chamber ~*) Töpfchen *n*

pouch [paʊtʃ] *s* **1.** (*a.* ZOO) Beutel *m;* (*a.* BOT) Tasche *f* **2.** (*tobacco ~*) Tabaksbeutel *m* **3.** (MED) Tränensack *m*

pouf [puːf] *s s.* **poof**

pouffe [puːf] *s* Sitzkissen *n*

poul·terer ['pəʊltərə(r)] *s* Geflügelhändler(in) *m(f)*

poul·tice ['pəʊltɪs] *s* (MED) (feuchte) Packung *f*

poul·try ['pəʊltrɪ] *s* Geflügel *n;* **poultry farm** *s* Geflügelfarm *f;* **poultry farming** *s* Hühnerzucht *f*

pounce [paʊns] **I.** *s* **1.** Herabstoßen *n* (*e-s Raubvogels*) **2.** Sprung *m* (*e-s Raubtiers*) (*at* auf) **II.** *itr* **1.** herabstoßen, sich stürzen (*on, upon, at* auf) **2.** anspringen (*on, upon, at* acc) **3.** herfallen (*on, upon, at* über)

pound¹ [paʊnd] *s* **1.** Pfund *n* (*16 Unzen = 453,592 g*) **2.** (*~ sterling*) Pfund *n;* **by the ~** pfundweise

pound² [paʊnd] *s* **1.** Tierasyl *n* **2.** (*für abgeschleppte Autos*) Abstellplatz *m*

pound³ [paʊnd] **I.** *tr* **1.** (zer)stoßen, (zer)stampfen **2.** schlagen, trommeln auf [*o* gegen] **II.** *itr* **1.** schlagen, stoßen, trommeln, hämmern (*at, on* auf, gegen) **2.** (*Maschine*) stampfen **3.** (*Herz*) heftig schlagen; **~ about** herumstapfen; **~ along** mühsam gehen; **~ out** darauf hämmern

pounder ['paʊndə(r)] *s* (*in Zusammensetzungen*) -pfünder *m*

pound·ing ['paʊndɪŋ] *s* Stoßen *n;* Hämmern *n;* Stampfen *n;* Dröhnen *n;* **the team took a real ~** (SPORT) die Mannschaft bezog e-e schwere Niederlage (*from* von)

pound note ['paʊndnəʊt] *s* Pfundnote *f*

pour [pɔː(r)] **I.** *tr* **1.** gießen, schütten (*out of, from* aus, *into* in, *on* auf, *over* über) **2.** (*Getränk*) eingießen, -schenken; **~ oil on troubled waters** die erhitzten Gemüter beruhigen; **~ cold water on s.o.** (*fig*) jdn ernüchtern **II.** *itr* **1.** fließen, strömen, sich ergießen; **~ing rain** strömender Regen **2.** (*Menschen*) sich (in Massen) stürzen; **it's ~ing** es gießt in Strömen; **pour in I.** *itr* **1.** hereinströmen **2.** (*Aufträge*) zahlreich eingehen **II.** *tr* eingießen, -schenken; **pour out I.** *itr* herausströmen **II.** *tr* **1.** ausgießen **2.** (*sein Herz*) ausschütten; **he ~ed his troubles out to me** er hat mir sein Leid geklagt

pout [paʊt] **I.** *itr* schmollen **II.** *s* Schmollen *n;* Schmollmund *m*

pov·erty ['pɒvətɪ] *s* **1.** Armut *f* **2.** Mangel *m* (*of, in* an), Mangelhaftigkeit *f;* **be reduced to ~** verarmt sein; **poverty line** *s*

Armutsgrenze *f,* Existenzminimum *n;* **poverty-stricken** ['pɒvətɪˌstrɪkən] *adj* verarmt

pow•der ['paʊdə(r)] **I.** *s* **1.** Puder *m* **2.** Pulver *n* **II.** *tr* **1.** (ein)pudern **2.** bestreuen (*with* mit) **3.** pulverisieren; ~ **one's nose** sich die Nase pudern; (*fig*) zur Toilette gehen; **powder compact** *s* Puderdose *f;* **pow•dered** ['paʊdəd] *adj:* ~ **egg** Eipulver *n;* ~ **milk** Milchpulver *n;* ~ **sugar** (*Am*) Puder-, Staubzucker *m;* **powder keg** *s* (*fig*) Pulverfass *n;* **powder magazine** *s* Pulvermagazin *n;* **powder puff** *s* Puderquaste *f;* **powder room** *s* Damentoilette *f;* **powder snow** *s* Pulverschnee *m;* **pow•dery** ['paʊdərɪ] *adj* **1.** pulvrig **2.** bröckelig, morsch **3.** gepudert; ~ **snow** Pulverschnee *m*

power ['paʊə(r)] *s* **1.** Kraft *f;* Stärke, Wucht *f;* (*fig*) Überzeugungskraft *f* **2.** Macht *f* **3.** Herrschaft *f* (*over* über) **4.** Einfluss *m* (*with* auf) **5.** Vollmacht, Berechtigung, Befugnis *f* **6.** (POL) Macht *f* **7.** (PHYS TECH EL) Kraft, Energie *f;* Leistung *f;* Strom *m* **8.** (MATH) Potenz *f* **9.** (*fam*) Menge, Masse *f* (*of money* Geld); **be in** ~ an der Macht sein; **be in s.o.'s** ~ in jds Gewalt sein; **be within** (**beyond**) **s.o.'s** ~ (nicht) in jds Macht liegen; **come into** ~ an die Macht gelangen; **do all in one's** ~ alles in seiner Macht Stehende tun; **it did me a** ~ **of good** es hat mir sehr gut getan; **give s.o. full** ~**s** jdm Vollmacht erteilen; jdm freie Hand lassen; **have full** ~**s** Vollmacht haben; **he is losing his** ~**s** seine Kräfte lassen nach; **accession to** ~**, coming to** ~**, assumption of** ~ Machtübernahme *f;* **atomic** ~ Atomkraft *f;* **balance of** ~ Gleichgewicht *n* der Kräfte; **the** ~ **of love** die Macht der Liebe; **his** ~**s of hearing** sein Hörvermögen; **buying** ~ Kaufkraft *f;* **display of** ~ Machtentfaltung *f;* **earning** ~ Ertrags-, Erwerbsfähigkeit *f;* **economic** ~ Wirtschaftspotential *n;* **electric** ~ elektrische Energie; **nuclear** ~ Kernkraft *f;* (POL) Atommacht *f;* **parental** ~ elterliche Gewalt; **source of** ~ Kraft-, Energiequelle *f;* **sphere of** ~ Machtsphäre *f,* Einflussbereich *m;* **water** ~ Wasserkraft *f;* **world** ~ Weltmacht *f;* **the** ~**s above** die himmlischen Mächte *fpl,* die Obrigkeit; ~ **of attorney** (Handlungs-, Prozess)Vollmacht *f;* ~ **of life and death** Gewalt über Leben u. Tod; **the** ~**s that be** die Machthaber *mpl,* die Obrigkeit; **power-assisted steering** *s* (MOT) Servolenkung *f;* **power•boat** *s* Rennboot *n;* **power brakes** *s pl* Servobremsen *fpl;* **power cable** *s* Starkstromkabel *n;* **power cut** *s* **1.** Stromsperre *f* **2.** Stromausfall *m;* **power-driven** ['paʊədrɪvn] *adj* mit Motorantrieb

power•ful ['paʊəfl] *adj* **1.** mächtig, stark, einflussreich **2.** leistungsfähig, -stark; **power•ful•ly** ['paʊəfəlɪ] *adv* (*fam*) mächtig, gewaltig; ~ **built** kräftig gebaut

power•house ['paʊəˌhaʊs] *s* **1.** Kraftwerk *n* **2.** (*fig*) treibende Kraft; dynamischer Mensch; **power•less** ['paʊəlɪs] *adj* kraft-, machtlos; **power line** *s* Starkstrom-, Hochspannungsleitung *f;* **power mower** *s* Motorrasenmäher *m;* **power output** *s* Ausgangsleistung *f;* **power pack** *s* (EL) Netzteil *n;* **power plant** *s* Kraftwerk *n;* **power-point** *s* (EL) Energiequelle *f;* Steckdose *f;* **power politics** *s pl* Machtpolitik *f;* **power saw** *s* Motorsäge *f;* **power set** *s* (MATH) Potenzmenge *f;* **power station** *s* Kraftwerk *n;* **nuclear** ~ Kernkraftwerk *n;* **power steering** *s* (MOT) Servolenkung *f;* **power tool** *s* Elektrowerkzeug *n;* **power transmission** *s* (TECH) Kraftübertragung *f;* **power worker** *s* Elektrizitätsarbeiter(in) *m(f)*

pow•wow ['paʊwaʊ] *s* (*fam*) Konferenz *f*

pox [pɒks] *s* **1.** Syphilis *f* **2.** (*small~*) Pocken *pl;* **poxy** ['pɒksɪ] *adj* (*sl*) lausig

PR [piː'ɑː(r)] *s abbr of* **public relations** PR *f*

prac•ti•cable ['præktɪkəbl] *adj* **1.** aus-, durchführbar **2.** befahr-, begehbar

prac•ti•cal ['præktɪkl] *adj* praktisch; (*Mensch*) praktisch (veranlagt); (*Lösung, Idee*) praxisnah, -orientiert; ~ **joke** Streich *m;* ~ **knowledge** Erfahrungswissen *n;* **prac•ti•cal•ity** [ˌpræktɪ'kælətɪ] *s* **1.** brauchbare Lösung **2.** Brauchbarkeit, Sachlichkeit *f;* **prac•ti•cal•ly** ['præktɪk(ə)lɪ] *adv* **1.** in der Praxis **2.** praktisch, so gut wie, nahezu; **it's** ~ **the same** es ist fast dasselbe

prac•tice ['præktɪs] **I.** *s* **1.** Gewohnheit *f;* Brauch *m,* Sitte *f* **2.** (COM) Verfahrensweise, Praxis *f* **3.** (*Arzt, Anwalt*) Praxis *f* **4.** (*nicht Theorie*) Praxis *f* **5.** Übung *f;* (SPORT) Training *n* **6.** Probe *f;* **in** ~ in der Praxis; **out of** ~ aus der Übung; **be in** ~ (*Arzt, Anwalt*) praktizieren; **make it a** ~ **to do, make a** ~ **of doing** es sich zur Gewohnheit machen zu tun; **put in**(**to**) ~ in die Tat umsetzen; **business** ~**s** Geschäftspraktiken *fpl;* **it is** ~ es ist handelsüblich; ~ **makes perfect** Übung macht den Meister **II.** *tr, itr* (*Am*) *s.* **practise**; **prac•ticed** *adj* (*Am*) *s.* **practised**; **prac•tise** ['præktɪs] **I.** *tr* **1.** üben; (*Lied, Stück*) proben **2.** (*Beruf*) ausüben; ~ **law** als Anwalt tätig sein; ~ **medicine** e-e ärztliche Praxis haben; ~ **what one preaches** das tun, was man immer predigt **II.** *itr* **1.** üben (*on* an, auf) **2.** praktisch tätig sein, praktizieren **3.** (SPORT) trainieren; **prac•tised** ['præktɪst] *adj* erfahren, routiniert; **prac•tis•ing** ['præktɪsɪŋ] *adj* (*Arzt*) praktizierend; (*Kommunist, Christ*) aktiv; **prac•ti•tioner** [præk'tɪʃənə(r)] *s* **1.** Praktiker(in) *m(f)*, Mensch *m* der Praxis **2.** (*general* ~) praktischer Arzt, praktische Ärztin; **legal** ~ (praktizierende(r)), Rechtsanwalt *m*, -anwältin *f*

prag•matic [præg'mætɪk] *adj* pragmatisch

prairie ['preərɪ] *s* Prärie *f*

praise [preɪz] **I.** *tr* loben (*for* wegen); ~ **to the skies** (*fam*) in den Himmel heben **II.** *s* **1.** Lob *n* **2.** Anerkennung *f*; **sing one's own ~s** sich selbst loben; ~ **be** Gott sei Dank!; **praise•worthy** ['preɪz,wɜ:ðɪ] *adj* lobenswert

pram [præm] *s* (*Br*) Kinderwagen *m*; **pram•suit** ['præmsu:t] *s* Ausfahrgarnitur *f*

prance [prɑ:ns] *itr* **1.** (*Pferd*) tänzeln **2.** (*fig*) einherstolzieren

prang [præŋ] **I.** *s* (*Br*) Unfall *m*; (*von Flugzeug*) Absturz *m* **II.** *tr* (*Br: Fahrzeug*) zu Bruch fahren; (*Flugzeug*) bruchlanden mit

prank [præŋk] *s* (übler) Streich *m*; **play ~s on s.o.** jdm e-n Streich spielen

prat [præt] *s* (*Br sl*) dummer Kerl

prate [preɪt] *itr* schwafeln

prattle ['prætl] **I.** *itr* (~ *on*) (daher)schwatzen; plappern **II.** *s* Geschwätz, Geplapper *n*

prawn [prɔ:n] *s* (ZOO) (Stein)Garnele *f*; **go ~ing** Garnelen fangen; **prawn cocktail** *s* Krabbencocktail *m*

pray [preɪ] **I.** *tr* bitten; (**I**) ~ (**you**) (ich) bitte (Sie) **II.** *itr* **1.** beten (*to* zu, *for* um) **2.** flehen(tlich bitten) (*for* um); **past ~ing for** in e-m hoffnungslosen Zustand; **prayer** [preə(r)] *s* **1.** Gebet *n* **2.** Andacht *f*; **say one's ~s** sein Gebet verrichten; **the Lord's P~** das Vaterunser; **morning-/evening-~** Morgen-/Abendgebet *n*; **prayer book** *s* Gebetbuch *n*; **prayer meeting** *s* Betstunde *f*; **prayer rug** *s* Gebetsteppich *m*; **prayer wheel** *s* Gebetsmühle *f*; **praying man•tis** ['preɪɪŋ'mæntɪs] *s* Gottesanbeterin *f*

preach [pri:tʃ] **I.** *itr* predigen (*on, about* über) *a. pej*; ~ **to s.o.** (*fig*) jdm e-e Predigt halten **II.** *tr* **1.** predigen **2.** verfechten, sich einsetzen für **3.** (*Predigt*) halten; ~ **caution** zur Vorsicht raten; **preacher** ['pri:tʃə(r)] *s* Prediger *m*; **preach•ify** ['pri:tʃɪfaɪ] *itr* (*fam*) Moralpredigten halten

pre•amble [pri:'æmbl] *s* (JUR POL) Präambel *f*; Einleitung, Vorrede *f*

pre•amp(li•fier) [pri:'æmp(lɪ,faɪə(r))] *s* Vorverstärker *m*

pre•ar•range [,pri:ə'reɪndʒ] *tr* vorher festlegen, bestimmen

preb•end ['prebənd] *s* (REL) Pfründe *f*; **preb•en•dary** ['prebəndrɪ] *s* Inhaber *m* e-r Pfründe

pre•cari•ous [prɪ'keərɪəs] *adj* **1.** unsicher, ungewiss **2.** prekär, gefährlich **3.** (*Theorie*) anfechtbar

pre•cast [,pri:'kɑ:st] *adj* vorgefertigt

pre•caution [prɪ'kɔ:ʃn] *s* Vorsicht(smaßnahme, -maßregel) *f*; **take the ~ of doing s.th** etw vorsichtshalber tun; **take ~s** Vorsichtsmaßnahmen treffen; empfängnisverhütende Mittel nehmen; **pre•caution•ary** [,prɪ'kɔ:ʃ(ə)nərɪ] *adj* Vorsichts-, vorbeugend

pre•cede [prɪ'si:d] *tr* **1.** voraus-, vorangehen (*s.o., s.th.* jdm, e-r S) **2.** (*im Rang*) stehen über **3.** (*in Bedeutung*) den Vorrang haben vor; **pre•ced•ence** ['presɪdəns] *s* **1.** Vorrang, -tritt *m* **2.** höherer Rang, höheres Dienstalter; **give s.o. ~, yield ~ to s.o.** jdm den Vortritt lassen; **have** [*o* **take**] **~ over** den Vorrang haben vor; rangieren vor; **in order of ~** der Rangordnung nach; **pre•ced•ent** ['presɪdent] *s* **1.** Präzedenzfall *m* **2. ~s** frühere Fälle *mpl*; **pre•ced•ing** [prɪ'sɪ:dɪŋ] *adj* vorhergehend

pre•cept ['pri:sept] *s* Grundsatz *m*, Maxime *f*

pre•cinct ['pri:sɪŋkt] *s* **1.** (*shopping* ~) Einkaufsviertel *n* **2.** (*pedestrian* ~) Fußgängerzone *f* **3.** (*Am: police* ~) Revier *n* **4.** Bezirk *m*; **~s** Gelände *n*; Umgebung *f*

pre•cious ['preʃəs] *adj* wertvoll (*to* für), kostbar *a. fig*, preziös; ~ **few** (*fam*) ganz wenige; ~ **metal** Edelmetall *n*; ~ **stone** Edelstein *m*

preci•pice ['presɪpɪs] *s* Abgrund *m a. fig*; **stand on the edge of a ~** (*fig*) vor e-m Abgrund stehen

pre•cipi•tate [prɪ'sɪpɪteɪt] **I.** *tr* **1.** hinabstürzen **2.** stürzen (*into ruin* ins Verderben) **3.** (*fig*) überstürzen; beschleunigen **4.** (CHEM METE) niederschlagen, kondensieren, fällen **II.** *itr* **1.** sich stürzen (*into* in) **2.** (CHEM METE) sich niederschlagen **III.** [prə'sɪpɪtɪt] *adj* (*fig*) überstürzt **IV.** *s* (CHEM METE) Niederschlag *m*; **pre•cipi•ta•tion** [prɪ,sɪpɪ'teɪʃn] *s* **1.** Überstürzung *f* **2.** (CHEM) Fällung *f* **3.** (METE) Niederschlag *m*, Niederschlagsmenge *f*; **pre•cipi•tous** [prɪ'sɪpɪtəs] *adj* **1.** abschüssig, steil (abfallend), jäh **2.** überstürzt

pré•cis ['preɪsi:, *Am* preɪ'si:, *pl* 'preɪsi:z] <*pl* -cis> *s* Zusammenfassung *f*; Inhaltsangabe *f*

pre•cise [prɪ'saɪs] *adj* **1.** genau, exakt **2.** gewissenhaft; pünktlich **3.** pedantisch, umständlich; **at the ~ moment that ...** in dem Augenblick als ...; **pre•cise•ly** [-lɪ] *adv* genau; ~! stimmt! so ist es!; **pre•ci•sion** [prɪ'sɪʒn] *s* **1.** Genauigkeit, Exaktheit *f* **2.** (TECH) Präzision *f*; ~ **balance** Präzisionswaage *f;* ~ **bombing** gezielter Bombenabwurf; ~ **instrument** Präzisionsinstrument *n;* ~ **tools** Präzisionswerkzeuge *npl*

pré•cis-writ•ing ['preɪsiːˌraɪtɪŋ] *s* (*Schule*) Inhaltsangabe *f*

pre•clude [prɪ'kluːd] *tr* **1.** ausschließen **2.** hindern (*from doing* etw zu tun)

pre•co•cious [prɪ'kəʊʃəs] *adj* frühreif; **pre•coc•ious•ness, pre•coc•ity** [prɪ'kəʊʃəsnɪs, prɪ'kɒsətɪ] *s* Frühreife *f*

pre•con•ceived ['priːkɒnsiːvd] *adj* vorgefasst; **pre•con•cep•tion** [ˌpriːkən 'sepʃn] *s* Vorurteil *n*

pre•con•di•tion [ˌpriːkən'dɪʃn] *s* Bedingung, Voraussetzung *f*

pre•cook ['priːkʊk] *tr* vorkochen

pre•cur•sor [ˌpriː'kɜːsə(r)] *s* **1.** Vorläufer *m* **2.** Vorgänger(in) *m(f)*

pre•date [priː'deɪt] *tr* zeitlich vorangehen

preda•tor ['predətə(r)] *s* Raubtier *n*

preda•tory ['predətrɪ] *adj* räuberisch, Raub-

pre•de•cessor ['priːdɪsesə(r)] *s* Vorgänger(in) *m(f)*

pre•des•ti•nate [ˌpriː'destɪneɪt] *tr* vorherbestimmen (*to* für); **pre•des•ti•na•tion** [ˌpriːdestɪ'neɪʃn] *s* Vorherbestimmung, Prädestination *f;* **pre•des•tine** [ˌpriː'destɪn] *tr* prädestinieren

pre•de•ter•mine [ˌpriːdɪ'tɜːmɪn] *tr* vorher festlegen

pre•dica•ment [prɪ'dɪkəmənt] *s* missliche Lage; **be in a** ~ in der Klemme sitzen

predi•cate ['predɪkeɪt] **I.** *tr* **1.** aussagen (*of* über) **2.** (be)gründen (*on, upon* auf) **3.** abhängig machen (*on a condition* von e-r Bedingung) **4.** stützen **II.** ['predɪkət] *s* (GRAM) Prädikat *n*

pre•dict [prɪ'dɪkt] *tr* vorhersagen, prophezeien; **pre•dict•able** [-əbl] *adj* vorhersehbar; **pre•dic•tion** [prɪ'dɪkʃn] *s* Vorhersage, Prognose, Prophezeiung *f*

pre•di•lec•tion [ˌpriːdɪ'lekʃn] *s* Vorliebe *f* (*for* für)

pre•dis•pose [ˌpriːdɪ'spəʊz] *tr* **1.** geneigt, empfänglich machen (*to* zu, für) **2.** günstig stimmen (*in s.o.'s favour* für jdn) **3.** (MED) prädisponieren (*to* für); **pre•dis•posi•tion** [ˌpriːdɪspə'zɪʃn] *s* **1.** (*a.* MED) Empfänglichkeit *f* **2.** (MED) Prädisposition *f* (*to* für)

pre•domi•nance [prɪ'dɒmɪnəns] *s* **1.** Überlegenheit *f,* Übergewicht *n* (*over* über) **2.** Vorherrschaft *f* (*over* über, *in* in); **pre•domi•nant** [prɪ'dɒmɪnənt] *adj* vorherrschend, überwiegend; **pre•domi•nate** [prɪ'dɒmɪneɪt] *itr* überlegen sein, die Oberhand haben (*over* über), vorherrschen (*over* vor)

pre-emi•nence [ˌpriː'emɪnəns] *s* Vorrang(stellung *f*) *m;* Überlegenheit *f* (*over* über); **pre-emi•nent** [ˌpriː'emɪ nənt] *adj* hervor-, überragend

pre-empt [ˌpriː'empt] *tr* zuvorkommen (*s.o.* jdm); **pre-emp•tion** [ˌpriː'empʃn] *s* Zuvorkommen *n;* **pre-emp•tive** [priː'emptɪv] *adj* **1.** präventiv **2.** (COM) Vorkaufs-; Bezugs-

preen [priːn] *tr* (*Gefieder*) putzen, glätten; ~ **o.s.** sich fein machen; ~ **o.s. on s.th.** sich etwas auf etw einbilden

pre•fab ['priːfæb] *s* Fertigbau *m;* **pre•fab•ri•cate** [ˌpriː'fæbrɪkeɪt] *tr* vorfabrizieren; ~**d** vorgefertigt; in Fertigbauweise erstellt; ~**d building** Fertighaus *n;* ~**d section** Fertigteil *n*

pref•ace ['prefɪs] **I.** *s* Vorwort *n* **II.** *tr* **1.** mit e-r Einleitung versehen **2.** einleiten (*with* mit); **prefa•tory** ['prefətrɪ] *adj* einleitend

pre•fect ['priːfekt] *s* Präfekt *m;* (*Br*) Vertrauensschüler(in) *m(f)*

pre•fer [prɪ'fɜː(r)] *tr* **1.** vorziehen, bevorzugen **2.** lieber tun, lieber haben (*s.th. to s.th. else* etw als e-e andere S, *rather than* als) **3.** (*im Amt*) befördern (*to* zu) **4.** (*Klage*) erheben (*against* gegen, *to* bei); **pre•fer•able** ['prefrəbl] *adj* vorzuziehen (*to dat*), wünschenswerter (*to* als); **pre•fer•ably** ['prefrəblɪ] *adv* am liebsten; **pref•er•ence** ['prefrəns] *s* **1.** Vorzug *m;* Bevorzugung *f* (*over* vor) **2.** Vorliebe *f* (*for* für) **3.** Vorrecht *n;* Präferenz *f* **4.** Meistbegünstigung *f,* Vorzugstarif *m* **5.** ~**s** Präferenzen *fpl,* Vorzugsaktien *fpl;* **by** ~, **for** ~, **from** ~ vorzugsweise; **in** ~ **to** lieber als; **of your** ~ gewünscht; **give** ~ **to s.o.** jdm den Vorzug geben; **have a** ~ **for** e-e Vorliebe haben für; **what are your** ~**s?** worauf legen Sie Wert?; was ziehen Sie vor?; **I have no** ~ das ist mir einerlei; ~ **share** Vorzugsaktie *f;* **pref•er•en•tial** [ˌprefə'renʃl] *adj* bevorzugt, bevorrechtigt; ~ **creditor** bevorrechtigter Konkursgläubiger; ~ **duty** Vorzugszoll *m;* ~ **terms** Vorzugsbedingungen *fpl;* ~ **treatment** bevorzugte Behandlung, Bevorzugung *f;* **pre•ferred** [prɪ'fɜːd] *adj* **1.** bevorzugt **2.** bevorrechtigt; ~ (**capital**) **stock** (*Am*) Vorzugsaktien *fpl*

pre•fig•ure [ˌpriː'fɪgə(r)] *tr* **1.** andeuten **2.** sich vorher ausmalen

pre•fix ['priːfɪks] **I.** *s* **1.** (GRAM) Vorsilbe *f,* Präfix *n* **2.** (*Am*) (Telefon-)Vorwahl *f* **II.** [priː'fɪks] *tr* **1.** als Vorsilbe setzen vor **2.** (*fig*) voranstellen, voransetzen

preg•nancy ['pregnənsɪ] *s* **1.** (*Frau*) Schwangerschaft *f* **2.** (*Tier*) Trächtigkeit *f* **3.** (*fig: Ereignis*) Tragweite, Bedeutung *f;* **termination of** ~ Schwangerschaftsabbruch *m;* **pregnancy test** *s* Schwangerschaftstest *m;* **preg•nant** ['pregnənt] *adj* **1.**

(*Frau*) schwanger **2.** (*Tier*) trächtig **3.** (*fig*) bedeutungsvoll, gewichtig

pre•hen•sile [prɪ'hensaɪl] *adj* Greif-

pre•his•toric [ˌpriːhɪ'stɒrɪk] *adj* prähistorisch; **pre•his•tory** [ˌpriː'hɪstrɪ] *s* Vor-, Urgeschichte *f*

pre•judge [ˌpriː'dʒʌdʒ] *tr* vorschnell verurteilen

preju•dice ['predʒʊdɪs] **I.** *s* **1.** Vorurteil *n,* vorgefasste Meinung (*against* gegen), Voreingenommenheit *f* (*in favo(u)r of* für) **2.** Beeinträchtigung *f,* Schaden, Nachteil *m* **II.** *tr* **1.** ungünstig beeinflussen, einnehmen (*s.o. against* jdn gegen) **2.** sich nachteilig auswirken auf, Abbruch tun (*s.th.* e-r S); **preju•diced** ['predʒʊdɪst] *adj* voreingenommen; **preju•di•cial** [ˌpredʒʊ'dɪʃl] *adj* nachteilig, schädlich (*to* für); **be ~ to** sich nachteilig auswirken auf

pre•limi•nary [prɪ'lɪmɪnərɪ] **I.** *adj* **1.** einleitend **2.** vorbereitend **3.** vorläufig, einstweilig; **~ advice, ~ announcement, ~ notice** Voranzeige *f;* **~ agreement** [*o* **contract**] Vorvertrag *m;* **~ discussion** Vorbesprechung *f;* **~ draft** Vorentwurf *m;* **~ examination** Aufnahme-, Vorprüfung *f;* **~ investigation** (JUR) Voruntersuchung *f;* **~ round** (SPORT) Vorrunde(nspiel *n*) *f;* **~ talks** Vorbesprechungen *fpl;* **~ works** Vorarbeiten *fpl* **II.** *s* **1.** Einleitung *f,* Vorbereitung *f* (*to* zu) **2.** (SPORT) Vorrunde *f* **3. preliminaries** (POL) Vorverhandlungen *fpl,* Präliminarien *pl;* **pre•lims** ['priːlɪmz] *s* **1.** (*Schule*) Vorprüfung *f* **2.** (TYP) Vorspann *m*

prel•ude ['preljuːd] **I.** *s* **1.** Vorspiel *n;* Präludium *n* **2.** (*fig*) Auftakt *m* **II.** *itr* einleiten, eröffnen

pre•mari•tal [ˌpriː'mærɪtl] *adj* vorehelich

pre•ma•ture [premə'tjʊə(r), *Am* ˌpriːmə'tʊər] *adj* **1.** vorzeitig, zu früh **2.** (*fig*) voreilig; **~ baby** Frühgeburt *f*

pre•medi•ta•ted [ˌpriː'medɪteɪtɪd] *adj* vorsätzlich, vorbedacht; **~ murder** vorsätzlicher Mord; **pre•medi•ta•tion** [ˌpriːmedɪ'teɪʃn] *s* Vorsatz *m*

pre•mier ['premɪə(r), *Am* 'priːmɪə(r)] **I.** *adj* führend; (*Wichtigkeit*) äußerste(r, s) **II.** *s* Premierminister(in) *m(f)*

pre•mière ['premɪeə(r), *Am* prɪ'mɪər] *s* (THEAT FILM) Premiere *f*

prem•ise ['premɪs] *s* Prämisse, Voraussetzung *f;* **~s** Gelände *n;* Gebäude *n;* Anwesen *n;* **on the ~s** vor Ort, an Ort und Stelle; **escort s.o. off the ~s** jdn hinausbegleiten; **bank/factory ~s** Bank-/Fabrikgebäude *n;* **business ~s** Geschäftsräume *mpl*

pre•mium ['priːmɪəm] *s* **1.** (COM) Prämie *f* **2.** Zuschlag *m;* Bonus *m* **3.** (FIN) Aufgeld, Agio *n* **4.** (Versicherungs)Prämie *f* **5.** Preis *m,* Belohnung *f* (*on* auf); **be at a ~** (FIN) über pari stehen; (*fig*) sehr geschätzt, sehr gesucht sein; **put a ~ on** (*fig*) hoch bewerten; **sell at a ~** mit Gewinn verkaufen; **~ on exports** Ausfuhr-, Exportprämie *f;* **premium bond** *s* Prämienanleihe *f;* **premium offer** *s* Werbegeschenk *n;* **premium quality** *s* erstklassige Qualität

pre•mon•ition [ˌpriːmə'nɪʃn] *s* Vorahnung *f* (*about* von)

pre•natal [ˌpriː'neɪtl] *adj* vor der Geburt; pränatal

pre•oc•cu•pa•tion [ˌpriːɒkjʊ'peɪʃn] *s* **1.** Inanspruchnahme *f* **2.** Vertieftsein *n* (*with* in); **her ~ with the children** ihre ständige Sorge um die Kinder; **pre•oc•cu•pied** [prɪː'ɒkjʊpaɪd] *adj* gedankenverloren, geistesabwesend; **be ~ with s.th.** nur an etw denken, mit etw ganz beschäftigt sein; **pre•oc•cupy** [priː'ɒkjʊpaɪ] *tr* ausschließlich beschäftigen, ganz beherrschen

pre•or•dain [ˌpriːɔː'deɪn] *tr* vorherbestimmen

prep [prep] *s* (*Br fam*) Hausaufgabe *f*

pre•pack(age) [priː'pæk(ɪdʒ)] *tr* abpacken, fertig packen

pre•paid [ˌpriː'peɪd] *adj* (voraus)bezahlt; **postage ~** vorfrankiert, freigemacht; **prepaid reply** *s* bezahlte Rückantwort

prep•ara•tion [ˌprepə'reɪʃn] *s* **1.** Vorbereitung *f* **2.** (*Br: Schule*) Schularbeit *f* **3.** (MED) Präparat *n;* **make ~s** Anstalten, Vorbereitungen treffen (*for* für); **in ~ for** als Vorbereitung für; **pre•para•tory** [prɪ'pærətrɪ] *adj* vorbereitend; einführend; **~ to** vor (zeitlich); **~ course** Vorbereitungslehrgang *m;* **~ period** Vorbereitungszeit *f;* (*Versicherung*) Wartezeit *f;* **~ work** Vorarbeit *f*

pre•pare [prɪ'peə(r)] **I.** *tr* **1.** vorbereiten (*for s.th.* auf etw, *to do* zu tun) **2.** Vorbereitungen, Vorkehrungen treffen für **3.** (*Essen*) zubereiten **4.** abfassen, ausarbeiten **5.** (*Rechnung*) aufstellen **6.** (*Vertrag*) aufsetzen, entwerfen **7.** (*Daten*) aufbereiten; **~ yourself for a shock** mach dich auf einen Schock gefasst **II.** *itr* sich vorbereiten (*for* auf); **~ to do s.th.** Anstalten machen, etw zu tun; **pre•pared** [prɪ'peəd] *adj* **1.** bereit, fertig (*for* für) **2.** vorbereitet, gefasst (*for* auf, *to do* zu tun); **be ~ to acknowledge/to admit/to supply** bereit sein anzuerkennen/zuzugeben/zu liefern; **be ~ for the worst** auf das Schlimmste gefasst sein; **I'm not ~ to lend him money** ich denke nicht daran ihm Geld zu leihen; **be~!** allzeit bereit!; **pre•pared•ness** [prɪ'peərɪdnɪs] *s* Bereitschaft *f* (*for* zu)

pre•pay [ˌpriː'peɪ] *tr* **1.** im voraus bezahlen, vorauszahlen **2.** (*Postsendung*) freimachen, frankieren; **pre•pay•ment**

[-mənt] *s* 1. An-, Vorauszahlung *f* 2. Zahlung *f* vor Fälligkeit 3. (*Postsendung*) Freimachung *f,* Frankieren *n*

pre•pon•der•ance [prɪ'pɒndərəns] *s* Überlegenheit *f* (*over* über); **pre•pon•der•ant** [prɪ'pɒndərənt] *adj* überwiegend; **be ~** überwiegen

pre•pos•it•ion [prepə'zɪʃn] *s* (GRAM) Präposition *f*

pre•pos•sess•ing [ˌpriːpə'zesɪŋ] *adj* einnehmend, anziehend; sympathisch

pre•pos•ter•ous [prɪ'pɒstərəs] *adj* unsinnig; albern, lächerlich

preppie ['prepɪ] I. *adj* (*Am*) popperhaft II. *s* (*Am*) Popper *m*

pre•puce ['priːpjuːs] *s* (ANAT) Vorhaut *f*

pre•requi•site [ˌpriː'rekwɪzɪt] I. *adj* erforderlich, notwendig (*to* für) II. *s* Vorbedingung, Voraussetzung *f* (*to, for* für)

pre•roga•tive [prɪ'rɒgətɪv] *s* Vorrecht *n*

pre•sage ['presɪdʒ] I. *s* Vorzeichen *n;* Vorahnung *f* II. *tr* 1. ein Vorzeichen sein für 2. vorhersagen, prophezeien

Pres•by•terian [ˌprezbɪ'tɪərɪən] I. *adj* presbyterianisch II. *s* Presbyterianer(in) *m(f);* **pres•by•tery** ['prezbɪtrɪ] *s* 1. Kirchenrat *m* 2. (*römisch-katholische Kirche*) Pfarrhaus *n*

pre•school ['priːskuːl] *adj* vorschulisch, Vorschul-

pre•scribe [prɪ'skraɪb] I. *tr* 1. vorschreiben (*to s.o.* jdm) 2. (MED) verschreiben, verordnen (*s.th. for s.o.* jdm etw) II. *itr* Vorschriften machen; **pre•scribed** [prɪ'skraɪbd] *adj* vorgeschrieben; **as ~, in the ~ form** vorschriftsmäßig; **in the ~ time** fristgerecht; **pre•scrip•tion** [prɪ'skrɪpʃn] *s* 1. Vorschrift, Anordnung *f* 2. (MED) Verordnung *f;* Rezept *n;* **only available on ~** rezeptpflichtig; **~ charge** Rezeptgebühr *f;* **pre•scrip•tive** [prɪ'skrɪptɪv] *adj* normativ

pres•ence ['prezns] *s* 1. Gegenwart, Anwesenheit *f* 2. Auftreten, Benehmen *n;* **in the ~ of** in Anwesenheit *+gen;* **your ~ is requested** Sie werden gebeten sich einzufinden; **~ of mind** Geistesgegenwart *f;* **a military ~** Militärpräsenz *f*

pres•ent¹ ['preznt] I. *adj* 1. (*räumlich*) anwesend, zugegen; vorhanden 2. (*räumlich u. zeitlich*) gegenwärtig 3. (*zeitlich*) augenblicklich, momentan 4. vorliegend; laufend; **at the ~ time** gegenwärtig; **in the ~ case** im vorliegenden Fall; **up to the ~ time** bis zum heutigen Tage, bis heute; **be ~ at s.th.** bei e-r S anwesend, zugegen sein, e-r S beiwohnen; **all ~** alle Anwesenden *pl;* **be ~ at s.th.** bei etw (anwesend) sein; **~ company excepted** Anwesende ausgenommen; **poisonous substances ~ in the atmosphere** in der Atmosphäre vorhandene Giftstoffe; **in the ~ circumstances** unter den gegenwärtigen [*o* gegebenen] Umständen; **~ tense** Präsens *n,* Gegenwart *f;* **~ participle** Partizip *n* Präsens; **~ perfect (tense)** Perfekt *n,* zweite Vergangenheit II. *s* 1. Gegenwart *f* 2. (GRAM) Gegenwart *f,* Präsens *n;* **at ~** zur Zeit, im Augenblick; **for the ~** vorerst, vorläufig

pre•sent² [prɪ'zent] I. *tr* 1. übergeben, überreichen 2. schenken (*s.o. with s.th.* jdm etw) 3. vorlegen, (vor)zeigen; aufzeigen; (*Vorschlag*) unterbreiten 4. (*Sicht, Möglichkeit, Angriffsziel*) bieten 5. (*Menschen*) vorstellen 6. (RADIO TV) präsentieren; moderieren; (THEAT) zeigen 7. (*Gewehr*) zielen (*at* auf); **~ one's apologies** sich entschuldigen; **~ one's compliments to s.o.** jdm Grüße, ein Kompliment ausrichten lassen; **that ~s us with a problem** das stellt uns vor ein Problem; **~ arms!** präsentiert das Gewehr! II. *refl* erscheinen; (*Gelegenheit, Problem*) sich ergeben; **~ o.s. for an exam** zur Prüfung erscheinen III. ['preznt] *s* Geschenk *n;* **make s.o. a ~ of s.th.** jdm etw schenken; **birthday/ Christmas ~** Geburtstags-/Weihnachtsgeschenk *n*

pre•sent•able [prɪ'zentəbl] *adj* gesellschaftsfähig; ansehnlich, respektabel; **be ~** sich sehen lassen können

pres•en•ta•tion [ˌprezn'teɪʃn, *Am* ˌpriːzen'teɪʃn] *s* 1. (THEAT) Aufführung *f;* Darstellung *f* 2. Überreichung *f;* Schenkung *f* 3. Eingabe, Einreichung, Präsentation, Vorlage *f* 4. (COM) Aufmachung, Ausstattung, Präsentation *f;* **on ~** gegen Vorzeigung; **~ of a claim** Anspruchserhebung *f;* **~ copy** (*Buch*) Frei-, Widmungsexemplar *n;* **~ of proof** Beweisantritt *m*

pre•sent-day [ˌprezənt'deɪ] *adj* gegenwärtig, heutig, zeitgenössisch; zeitgemäß, modern

pre•sen•ti•ment [prɪ'zentɪmənt] *s* Vorgefühl *n,* (böse) (Vor)Ahnung *f*

pres•ent•ly ['prezntlɪ] *adv* 1. bald, in kurzem, in Kürze 2. gegenwärtig

pres•er•va•tion [ˌprezə'veɪʃn] *s* 1. Erhaltung *f* 2. Konservierung *f;* Einmachen, Einkochen *n* 3. Beibehaltung, Aufbewahrung *f;* **in a good state of ~** gut erhalten; **~ of evidence** Beweissicherung *f;* **pre•serv•ative** [prɪ'zɜːvətɪv] I. *adj* konservierend II. *s* Konservierungsstoff *m* (*against, from* gegen); **pre•serve** [prɪ'zɜːv] I. *tr* 1. bewahren, schützen (*from* vor) 2. erhalten; in Stand halten 3. (*Nahrungsmittel*) konservieren; einmachen, einkochen 4. beibehalten, aufrechterhalten 5. (*Wild*) schützen II. *s* 1. Ressort *n,* Zuständigkeitsbereich *m*

2. (*Br: game* ~) Jagdrevier *n* **3.** **~s** (das) Eingemachte **4.** Konfitüre *f;* **pre•served** [prɪ'zɜ:vd] *adj* konserviert; **well-~** noch gut aussehend

pre•shrunk [ˌpri:'ʃrʌŋk] *adj* (*Textil*) nicht einlaufend, schrumpffest

pre•side [prɪ'zaɪd] *itr* vorsitzen (*over s.th.* e-r S), den Vorsitz führen (*over, at* bei); **presi•dency** ['prezɪdənsɪ] *s* **1.** Vorsitz *m* **2.** Amt *n* e-s Präsidenten **3.** (*Am*) Präsidentschaft *f;* Rektorat *n;* **under the ~ of** unter dem Vorsitz von; **presi•dent** ['prezɪdənt] *s* **1.** Vorsitzende(r) *f m* **2.** (POL) Präsident(in) *m(f)* **3.** (*Am*) Rektor(in) *m(f);* **presi•den•tial** [ˌprezɪ'denʃl] *adj:* ~ **address** Ansprache *f* des Präsidenten; ~ **candidate** Präsidentschaftskandidat(in) *m(f);* ~ **election** Präsidentenwahl *f;* ~ **year** (*Am*) Jahr *n* der Präsidentenwahl

press [pres] **I.** *tr* **1.** drücken (*the button* auf den Knopf) **2.** pressen; (*Obst oder Saft*) auspressen **3.** zusammendrücken, -pressen **4.** plätten, bügeln **5.** fest drücken (*to* an) **6.** dringend ersuchen, bestürmen, bitten (*to do* zu tun) **7.** nachdrücklich vorbringen **8.** aufdrängen, -nötigen (*s.th. on s.o.* jdm etw) **9.** (*Auffassung*) durchsetzen; Nachdruck legen auf, hervorheben, betonen **10.** drängen auf; energisch durchführen **11.** (~ *hard*) bedrängen; **be ~ed for** nicht genug haben von; sehr knapp sein an; **be hard ~ed** in großer Verlegenheit sein; ~ **one's advantage** hinter seinem Vorteil her sein; ~ **home** mit Nachdruck vertreten; energisch durchführen; ~ **one's point** seine Auffassung durchsetzen; **I won't ~ the matter** ich möchte in dieser Sache nicht weiter drängen **II.** *itr* **1.** drücken (*on, upon* auf) **2.** drängen (*for s.th.* auf etw) **3.** bestehen (*for* auf); **time ~es** die Zeit drängt, es eilt **III.** *s* **1.** Druck *m* **2.** Andrang *m,* Gedränge *n* **3.** (Frucht-, Öl)Presse *f;* (SPORT) Spanner *m* **4.** (*printing* ~) Druckpresse *f* **5.** Presse *f,* Zeitungen *fpl,* Zeitungs-, Pressewesen *n* **6.** (*Am*) Schrank *m;* **in the ~** im Druck; **have a good (bad) ~** e-e gute (schlechte) Presse haben, gut (schlecht) aufgenommen, beurteilt werden; **press back** *tr* zurückdrängen, -drücken; **press down** *tr* niederdrücken; **press in** *tr* eindrücken; **press on, press ahead, press forward** *itr* vorwärts-, weiterdrängen; sich beeilen; vorpreschen; **press upon** *itr* lasten auf; aufdrängen; **press agency** *s* Nachrichtenbüro *n,* Presseagentur *f;* **press-button** *s* (EL) (Druck)Knopf *m;* ~ **control** Druckknopfsteuerung *f;* **press campaign** *s* Pressefeldzug *m,* -kampagne *f;* **press card** *s* Presseausweis *m;* **press clipping, press cutting** *s* (*Br*) Zeitungsausschnitt *m;* **press conference** *s* Pressekonferenz *f;* **press coverage** *s* Presseberichterstattung *f;* **press gallery** *s* Pressetribüne *f;* **press-gang** *tr* (*fam*) zwingen; drängen

press•ing ['presɪŋ] **I.** *adj* **1.** dringend, dringlich, eilig **2.** nachdrücklich **II.** *s* (*Schallplatte*) Auflage *f;* Pressung *f*

press•man ['presmən] <*pl* -men> *s* Journalist *m;* **press office** *s* Pressestelle *f;* **press officer** *s* Pressereferent(in) *m(f);* **press photographer** *s* Fotoreporter(in) *m(f),* Pressefotograf(in) *m(f);* **press release** *s* Pressemitteilung *f;* **press report** *s* Presse-, Zeitungsbericht *m;* **press stud** *s* (*Br*) Druckknopf *m*

press-up ['presˌʌp] *s* (SPORT) Liegestütz *m*

press•ure ['preʃə(r)] *s* **1.** (*a.* PHYS TECH) Druck *m* **2.** (*fig*) Druck, Zwang *m* **3.** Bedrückung, drückende Lage, Bedrängnis, Not *f;* **under ~** unter Druck; **under the ~ of necessity** notgedrungen; **under ~ of time** unter Zeitdruck; **put ~ on s.o.** jdn unter Druck setzen; **~ to succeed** Erfolgsdruck *m;* **work at high ~** mit Hochdruck arbeiten; **atmospheric ~** Luftdruck *m;* **blood ~** Blutdruck *m;* **high/low ~** (METE) Hoch-/Tiefdruck *m;* **tyre ~** Reifendruck *m;* **pressure cabin** *s* (AERO) Überdruckkabine *f;* **pressure cooker** *s* Schnellkochtopf *m;* **pressure ga(u)ge** *s* Druckmesser *m,* Manometer *n;* **pressure group** *s* Interessengruppe, Pressure-group *f;* **pressure vessel** *s* (TECH) Druckbehälter *m;* **pressure wave** *s* Druckwelle *f;* **press•ur•ize** ['preʃəraɪz] *tr* **1.** unter Druck setzen, zwingen (*s.o.* jdn) **2.** (AERO) mit Druckausgleich ausstatten; **~d cabin** (Über)Druckkabine *f;* **~d water reactor** Druckwasserreaktor *m*

pres•tige [pre'sti:ʒ] *s* Prestige *n;* **pres•tig•ious** [pre'stɪdʒəs] *adj* vornehm; **be ~** einen großen Prestigewert haben

pre•stressed ['pri:strest] *adj:* ~ **concrete** Spannbeton *m*

pre•sum•able [prɪ'zju:məbl] *adj* vermutlich; **pre•sume** [prɪ'zju:m] **I.** *tr* **1.** annehmen, vermuten **2.** schließen (*from* aus) **3.** sich herausnehmen, sich anmaßen **II.** *itr* **1.** vermuten **2.** sich zu viel herausnehmen; **~ on s.th.** etw ausnutzen; **pre•sum•ed•ly** [prɪ'zju:mədlɪ] *adv* vermutlich; **pre•sum•ing** [prɪ'zju:mɪŋ] *adj* anmaßend; **pre•sump•tion** [prɪ'zʌmpʃn] *s* **1.** (*a.* JUR) Vermutung *f* **2.** Anmaßung *f;* Unverschämtheit *f;* **on the ~ that ...** in der Annahme, dass ...; **pre•sump•tive** [prɪ'zʌmptɪv] *adj* mutmaßlich; **~ evidence** Indizienbeweis *m;* **pre•sump•tu•ous** [prɪ'zʌmptjʊəs] *adj* überheblich, anmaßend, unverschämt

pre•sup•pose [ˌpriːsəˈpəʊz] *tr* voraussetzen; **pre•sup•po•si•tion** [ˌpriːsʌpəˈzɪʃn] *s* Voraussetzung *f*
pre-tax [ˌpriːˈtæks] *adj:* ~ **income** [*o* **profit**] Gewinn *m* vor Steuern
pre•tence [prɪˈtens] *s* **1.** Anspruch *m* (*to* auf) **2.** Anschein *m,* Vorspiegelung *f,* Vorwand *m;* Ausrede, -flucht *f* **3.** Geziertheit *f;* **on** [*o* **under**] **the** ~ **of** unter dem Vorwand *+gen;* **under false** ~**s** unter Vorspiegelung falscher Tatsachen; **it's just a** ~ es ist nur gespielt; **make a** ~ **of s.th.** etw vorschützen, -täuschen; **devoid of all** ~ offen, aufrichtig; **pre•tend** [prɪˈtend] *tr* **1.** vorgeben, -schützen; vortäuschen **2.** sich ausgeben als **3.** sich verstellen **4.** (nur) so tun (*that* als ob); **he's just ~ing** er tut nur so; **pre•tended** [prɪˈtendɪd] *adj* gespielt, geheuchelt; **pre•tender** [prɪˈtendə(r)] *s* (~ *to the throne*) (Kron)Prätendent *m;* **pretense** *s* (*Am*) *s.* **pretence; pre•ten•sion** [prɪˈtenʃn] *s* **1.** Anspruch *m* (*to* auf) **2.** Prahlerei *f;* Anmaßung, Überheblichkeit *f;* **pre•ten•tious** [prɪˈtenʃəs] *adj* **1.** anmaßend, überheblich **2.** prahlerisch, prunkend **3.** bombastisch; **pre•ten•tious•ness** [-nɪs] *s* **1.** Anmaßung *f* **2.** Protzigkeit *f* **3.** Bombast *m*
pret•er•ite [ˈpretərɪt] (GRAM: ~ *tense*) Präteritum *n,* erste Vergangenheit
pre•ter•natu•ral [ˌpriːtəˈnætʃrəl] *adj* **1.** ungewöhnlich, abnorm **2.** übernatürlich
pre•text [ˈpriːtekst] *s* Vorwand *m,* Ausrede *f;* **under** [*o* **on**] **the** ~ **of** unter dem Vorwand *+gen*
pret•ti•fy [ˈprɪtɪfaɪ] *tr* verschönern
pretty [ˈprɪtɪ] **I.** *adj* nett, hübsch; **be sitting** ~ sein Schäfchen im Trockenen haben; **a** ~ **penny** e-e schöne Stange Geld; ~-~ ganz entzückend, süß **II.** *adv* ziemlich, (ganz) ordentlich; ganz schön, beachtlich; ~ **bad** recht mies; ~ **good** (gar) nicht (so) übel; ganz gut; ~ **much** so ziemlich; ~ **near finished** beinah(e), fast fertig; **I'm** ~ **well** es geht mir ganz gut; **I've** ~ **well finished** ich bin beinahe fertig; **that's** ~ **much the same** (**thing**) das läuft auf eins hinaus
pret•zel [ˈpretsl] *s* Brezel *f*
pre•vail [prɪˈveɪl] *itr* **1.** die Oberhand gewinnen, siegen (*over, against* über) **2.** sich durchsetzen, sich behaupten (*against* gegen) **3.** Erfolg haben, erfolgreich sein **4.** maßgebend sein, vorherrschen, überwiegen (*in* bei) **5.** dazu bewegen, überreden (*on, upon, with s.o.* jdn); **pre•vail•ing** [-ɪŋ] *adj* **1.** (vor)herrschend, maßgebend, überwiegend **2.** (COM) geltend; **under the** ~ **circumstances** unter den obwaltenden Umständen; ~ **wind** vorherrschender Wind
preva•lence [ˈprevələns] *s* weite Verbreitung; Geltung *f;* Beliebtheit *f;* **preva•lent** [ˈprevələnt] *adj* **1.** weit verbreitet **2.** vorherrschend **3.** (*Mode*) beliebt
pre•vari•cate [prɪˈværɪkeɪt] *itr* Ausflüchte machen; **pre•vari•ca•tion** [prɪˌværɪˈkeɪʃn] *s* Ausflucht *f;* Ausflüchte *fpl*
pre•vent [prɪˈvent] *tr* **1.** verhindern **2.** verhüten, vermeiden **3.** ab-, zurückhalten (*from doing s.th.* etw zu tun); **pre•ven•tion** [prɪˈvenʃn] *s* Verhinderung, Vermeidung *f;* Vorbeugung, Verhütung *f;* **in case of** ~ im Fall der Verhinderung; ~ **is better than cure** Vorbeugen ist besser als Heilen; **crime** ~ Verbrechensverhütung, -bekämpfung *f;* ~ **of accidents** Unfallverhütung *f;* (**society for the**) ~ **of cruelty to animals** Tierschutz(verein) *m;* **pre•ven•tive** [prɪˈventɪv] *adj* **1.** verhütend **2.** (MED) vorbeugend, prophylaktisch; ~ **detention** Schutzhaft, Sicherungsverwahrung *f;* ~ **medicine** Gesundheitspflege *f;* vorbeugende Medizin, Präventivmedizin *f;* ~ **treatment** Präventivbehandlung *f;* ~ **war** Präventivkrieg *m*
pre•view [ˈpriːvjuː] *s* (*Theaterstück*) Probeaufführung *f;* (*Ausstellung*) Vorbesichtigung *f;* (*Film*) Vorschau *f*
pre•vi•ous [ˈpriːvɪəs] *adj* **1.** (*zeitlich*) voraus-, vorhergehend, früher **2.** (*too* ~) voreilig, -schnell; ~ **to** vor; **without** ~ **notice** ohne Vorankündigung; **previous conviction** *s* Vorstrafe *f;* **have** (**no**) ~**s** (nicht) vorbestraft sein; **previous experience** *s* Vorkenntnisse *fpl,* Vorbildung *f;* **previous holder** *s* Vorbesitzer(in) *m(f);* **pre•vi•ous•ly** [-lɪ] *adv* früher; vorher; **previous month** *s* Vormonat *m;* **previous notice** *s* Vorankündigung *f;* **previous speaker** *s* Vorredner(in) *m(f);* **previous year** *s* Vorjahr *n*
pre-war [ˈpriːwɔː] *adj* Vorkriegs-; ~ **England** Vorkriegsengland *n;* **the** ~ **years** die Vorkriegsjahre
prey [preɪ] **I.** *s* Beute(tier *n*) *f;* **fall an easy** ~ **to** e-e leichte Beute sein für; **beast of** ~ Raubtier *n;* **bird of** ~ Raubvogel *m* **II.** *itr* **1.** herfallen (*on* über) **2.** nachstellen (*on, upon other animals* anderen Tieren), fangen (*on, upon* acc) **3.** (*fig*) lasten (*on, upon* auf) **4.** beeinträchtigen (*on, upon s.th.* etw), nagen, zehren (*on* an); **it is ~ing on my mind** es lastet mir auf der Seele
price [praɪs] **I.** *s* **1.** Preis *m* **2.** (*Börse*) Kurs *m,* Notierung *f* **3.** Wert *m* **4.** (*Wetten*) Quote *f;* **at all** ~**s** in jeder Preislage; **at any** ~ (*fig*) um jeden Preis; **at half-**~ zum halben Preis; **at a low** ~ billig; **at the** ~ **of** zum Preis von; **beyond** [*o* **without**] ~ unbezahlbar; **under** ~ unter Preis; **fetch a** ~

e-n Preis erzielen **II.** *tr* **1.** e-n Preis festsetzen für; bewerten **2.** mit e-m Preis versehen, auszeichnen **3.** nach dem Preis fragen, sich nach dem Preis erkundigen (*s.th.* e-r S) **4.** (*fig*) schätzen; **price bracket** *s s.* price range; **price calculation** *s* Preisgestaltung, Kalkulation *f;* **price ceiling** *s* Preisobergrenze *f;* Höchstpreis *m;* **price control** *s* Preiskontrolle *f;* **price-con•trolled** ['praɪskən'trəʊld] *adj* preisgebunden; **price cut(ting)** *s* Preissenkung *f;* **price decline** *s* Preis-, Kursrückgang *m;* **price differential** *s* Preisgefälle *n;* **price fixing** *s* Preisabsprache *f;* **price fluctuations** *s pl* Preis-, Kursschwankungen *fpl;* **price freeze** *s* Preisstopp *m;* **price index** *s* Preisindex *m;* **price-index number** *s* Preisindexzahl *f;* **price label** *s* Preisschild *n*

price•less ['praɪslɪs] *adj* **1.** unbezahlbar, unschätzbar, unvergleichlich **2.** (*Br fam*) amüsant

price level ['praɪslevl] *s* Kurs-, Preisniveau *n;* **price limit** *s* Kurs-, Preisgrenze *f;* **price list** *s* **1.** Preisliste *f* **2.** (*Börse*) Kurszettel *m;* **price range** *s* Preisspanne, Preisklasse *f;* (*Börse*) Kursbildung *f;* **price ring** *s* Preiskartell *m;* **price rise** *s* Preiserhöhung *f;* **price tag, price ticket** *s* Preisschild *n;* **price war** *s* Preiskrieg *m;* **pricey** ['praɪsɪ] *adj* (*fam*) teuer; **pric•ing** ['praɪsɪŋ] *s* Preisfestsetzung, -kalkulation *f;* ~ **policy** Preispolitik *f*

prick [prɪk] **I.** *s* **1.** (Nadel)Stich *m* **2.** stechender Schmerz **3.** (*vulg*) Penis, Schwanz *m* **4.** (*vulg: Mensch*) Arschloch *n;* **~s of conscience** Gewissensbisse *mpl* **II.** *tr* **1.** stechen **2.** (*Loch*) bohren **3.** sich stechen (*one's hand* in die Hand) **4.** (*Blase*) aufstechen **III.** *itr* **1.** stechen **2.** (*Augen*) brennen; **prick out** *tr* (*Pflanzen*) versetzen; (*Muster*) punktieren; ausrädeln; **prick up one's ears** die Ohren spitzen

prickle ['prɪkl] **I.** *s* **1.** Stachel, Dorn *m* **2.** Prickeln *n* **II.** *itr* **1.** stechen **2.** prickeln; **prick•ly** ['prɪklɪ] *adj* stach(e)lig; prick(e)lig; ~ **heat** Hitzebläschen; ~ **pear** Feigenkaktus *m*

pride [praɪd] **I.** *s* **1.** Stolz *m* **2.** Hochmut *m,* Überheblichkeit *f* **3.** (ZOO) Rudel *n;* ~ **of place** der erste Platz **II.** *refl:* ~ **o.s. (up)on, take (a)** ~ **in** stolz sein auf, sich viel einbilden auf

priest [pri:st] *s* Priester, Geistliche(r) *m;* **priest•ess** ['pri:stes] *s* Priesterin *f;* **priest•hood** ['pri:sthʊd] *s* **1.** Priesteramt *n* **2.** Geistlichkeit *f;* **priest•ly** ['pri:stlɪ] *adj* priesterlich

prig [prɪg] *s* Tugendbold *m;* (*pej*) Schnösel *m;* **prig•gish** ['prɪgɪʃ] *adj* tugendhaft; dünkelhaft

prim [prɪm] *adj* **1.** steif, (über)korrekt, förmlich **2.** sittsam; prüde

pri•macy ['praɪməsɪ] *s* **1.** Vorrang(stellung *f*) *m* **2.** Primat *m od n*

prima donna [pri:mə'dɒnə] *s* Primadonna *f*

pri•mae•val [praɪ'mi:vl] *adj s.* **primeval**

pri•mal ['praɪml] *adj* ursprünglich

pri•mar•ily ['praɪmərɪlɪ] *adv* hauptsächlich

pri•mary ['praɪmərɪ] **I.** *adj* **1.** Haupt-, hauptsächlich, wesentlich **2.** Primär-, primär **3.** (*Bedarf*) vordringlich; **of** ~ **importance** von größter Wichtigkeit; ~ **accent** (GRAM) Hauptton *m;* ~ **colour** Grundfarbe *f;* ~ **commodities** Grundstoffe *mpl;* ~ **concern** Hauptsorge *f;* ~ **education** Grundschulunterricht *m;* ~ **energy** Primärenergie *f;* ~ **industry** Grundstoffindustrie *f;* ~ **meaning** Grundbedeutung *f* (*e-s Wortes*); ~ **products** Grundstoffe *mpl;* ~ **rock** Urgestein *n;* ~ **school** Grund-, Elementarschule *f;* ~ **target** Hauptziel *n* **II.** *s* **1.** Grundfarbe *f* **2.** (*Am: bei Wahlen*) Vorwahl *f*

pri•mate ['praɪmeɪt] *s* **1.** Primas, Erzbischof *m* **2. ~s** (ZOO) Primaten *mpl*

prime [praɪm] **I.** *adj* **1.** wesentlich, Haupt- **2.** erstklassig; erster, bester Qualität **3.** (MATH) Prim-; **the matter is of** ~ **importance** die Sache ist von höchster Wichtigkeit; ~ **costs** Selbstkosten *pl,* Fertigungseinzelkosten *pl;* ~ **mourner** Hauptleidtragende(r) *m;* ~ **mover** Antriebskraft *f;* (TECH) Energie *f;* Motor *m;* Zugmaschine *f,* Schlepper *m;* (*fig*) treibende Kraft **II.** *s* **1.** Blüte(zeit) *f* **2.** (das) Beste, (die) Auslese, Spitze **3.** (MATH) Primzahl *f* **4.** (REL) Prim *f;* **in one's** ~ in der Blüte des Lebens; **be in one's** ~ in voller Blüte stehen **III.** *tr* **1.** vorbereiten; betriebsfertig machen; (*Malfläche*) grundieren **2.** (*Geschütz*) schussbereit machen; (*Bombe*) scharf machen; (*Pumpe*) vorpumpen; (*Vergaser*) Anlassmittel einspritzen in **3.** (vorher) informieren; **prime mer•idian** *s* Nullmeridian *m;* **prime minister** *s* Premierminister(in) *m(f),* Ministerpräsident(in) *m(f);* **prime number** *s* Primzahl *f;* **primer** ['praɪmə(r)] *s* **1.** Fibel *f;* Elementarbuch *n* **2.** Zünddrahthütchen *n;* Sprengkapsel *f* **3.** (TECH) Grundanstrich *m;* Grundierfarbe *f;* **prime time** *s* Hauptsendezeit *f*

pri•meval [praɪ'mi:vl] *adj* urzeitlich; ~ **forest** Urwald *m;* ~ **slime** [*o* **soup**] Urschlamm *m*

primi•tive ['prɪmɪtɪv] **I.** *adj* primitiv; (*Kunst*) naiv **II.** *s* (*Kunst*) Naive(r) *f m;* (*Werk*) naives Kunstwerk

pri•mo•geni•ture [ˌpraɪməʊ'dʒenɪtʃə(r)]

s Erstgeburt(srecht *n*) *f*, Primogenitur *f*

pri•mor•dial [praɪ'mɔːdɪəl] *adj* ursprünglich; fundamental

prim•rose ['prɪmrəʊz] **I.** *s* **1.** Primel, Schlüsselblume *f* **2.** Blassgelb *n* **II.** *adj* blassgelb; **prim•ula** ['prɪmjʊlə] *s* Primel *f*

pri•mus® ['praɪməs] *s* Campingkocher *m* (*mit Paraffin betrieben*)

prince [prɪns] *s* **1.** Fürst *m* **2.** Monarch, Herrscher *m* **3.** Prinz *m*; **P~ of Wales** (*Titel des englischen Thronfolgers*); **P~ Charming** (*fig*) Märchenprinz *m*; **P~ of Darkness** Fürst der Finsternis; **prince consort** *s* Prinzgemahl *m*; **prince•ly** ['prɪnslɪ] *adj* fürstlich; **prin•cess** [prɪn'ses] *s* **1.** Fürstin *f* **2.** Prinzessin *f*

prin•ci•pal ['prɪnsəpl] **I.** *adj* **1.** erste(r, s), oberste(r, s) **2.** wichtigste(r, s), bedeutendste(r, s) **3.** hauptsächlich, größte(r, s) **II.** *s* **1.** Rektor(in) *m(f)* **2.** (THEAT) Hauptdarsteller(in) *m(f)* **3.** Kapital *n*; Kreditsumme *f* **4.** (JUR) Klient(in) *m(f)* **5.** (*Orgel*) Prinzipal *n*

prin•ci•pal•ity [ˌprɪnsɪ'pælətɪ] *s* Fürstentum *n*; **prin•ci•pal•ly** ['prɪnsəplɪ] *adv* hauptsächlich, besonders, vor allem

prin•ciple ['prɪnsəpl] *s* **1.** Grundsatz *m*, Prinzip *n*, (Grund-, Lebens)Regeln *fpl*, Prinzipien *npl* **2.** (CHEM) Element *n*; **in ~** im Prinzip; grundsätzlich; **on ~** aus Prinzip, grundsätzlich; **make it a ~** es sich zum Grundsatz machen (*to* zu); **as a matter of ~** grundsätzlich, prinzipiell

print [prɪnt] **I.** *s* **1.** Druck *m* **2.** (TYP) Schrift *f*; (das) Gedruckte **3.** (*Foto*) Abzug *m* **4.** (*Textil*) bedruckter Stoff; Muster *n*; Kattun *m* **5.** (*von Hand, Fuß*) Abdruck *m*; Fingerabdruck *m*; **out of ~** vergriffen; **in ~** gedruckt; **in big ~** groß gedruckt **II.** *tr* **1.** drucken; (*Stoff, Papier*) bedrucken **2.** (*Roman, Artikel*) veröffentlichen **3.** in Druckschrift schreiben **4.** (*Foto*) abziehen **III.** *itr* **1.** drucken **2.** in Druckschrift schreiben; **ready to ~** druckfertig; druckbereit; **print•able** [-əbl] *adj* druckfähig; **printed** ['prɪntɪd] *adj* gedruckt; **~ form** Vordruck *m*, Formular *n*; **~ matter** Drucksache *f*; **printer** ['prɪntə(r)] *s* Drucker *m*; (*Werk*) Druckerei *f*; **~'s error** Druckfehler *m*; **~'s flower** Vignette *f*; **~'s ink** Druckerschwärze *f*; **~'s pie** (TYP) Zwiebelfische *mpl*

print•ing ['prɪntɪŋ] *s* **1.** Drucken *n* **2.** Auflage *f* **3.** Druckschrift *f*; Schrift *f* **4.** (*Fotos*) Abziehen *n*; **printing block** *s* Klischee *n*; **printing ink** *s* Druckerschwärze *f*; **printing press** *s* Druckpresse *f*; **printing works** *s pl* Druckerei *f*

print-out ['prɪntˌaʊt] *s* (EDV) Ausdruck *m*; **print run** *s* Auflage *f*; **print shop** *s* **1.** Graphikhandlung *f* **2.** Druckmaschinensaal *m*

prior¹ ['praɪə(r)] *s* (REL) Prior *m*

prior² ['praɪə(r)] **I.** *adj* voraus-, voraufgehend, früher, älter (*to* als); **~ claim** früherer Anspruch **II.** *prep:* **~ to** vor; **~ to my arrival** vor meiner Ankunft; **~ to my buying the car** ehe, bevor ich den Wagen kaufte

pri•or•ity [praɪ'ɒrətɪ] *s* Priorität *f*, Vorrang *m*, Vorrecht *n* (*over, to* vor); **a top ~** eine äußerst wichtige [*o* dringliche] Angelegenheit; **that's my top ~** das ist mir am wichtigsten; **of first ~** von größter Dringlichkeit; **give ~ to s.th.** e-r S den Vorrang geben; e-e S dringlich behandeln; **have** [*o* **take**] **~** den Vorrang haben; **priority list** *s* Dringlichkeitsliste *f*

priory ['praɪərɪ] *s* Priorat *n*; Münster *n*

prise [praɪz] *tr* (**~** *open*) aufbrechen; **~ a secret out of s.o.** jdm ein Geheimnis entlocken

prism [prɪzəm] *s* (MATH PHYS OPT) Prisma *n*; **pris•matic** [prɪz'mætɪk] *adj* **1.** prismatisch **2.** (*fig*) glänzend; **~ colo(u)rs** Regenbogenfarben *fpl*

prison ['prɪzn] *s* Gefängnis *n*; **be in ~** e-e Freiheitsstrafe verbüßen; **be sentenced to go to ~** zu Gefängnis verurteilt werden; **go** [*o* **be sent**] **to ~** mit Gefängnis bestraft werden; **prison camp** *s* Gefangenenlager *n*; **prison cell** *s* Gefängniszelle *f*; **prisoner** ['prɪznə(r)] *s* **1.** Gefangene(r) *f m*, Häftling *m* **2.** (**~** *at the bar, awaiting, before trial, on remand, on suspicion*) Angeklagte(r) *f m*, Untersuchungsgefangene(r) *f m*; **hold** [*o* **keep**] **~** gefangen halten; **take ~** gefangen nehmen; **~ of war, POW** Kriegsgefangene(r) *f m*; **~-of-war camp** Kriegsgefangenenlager *n*; **prison inmate** *s* Gefängnisinsasse *m*; **prison riot** *s* Gefangenenaufstand *m*; **prison yard** *s* Gefängnishof *m*

pris•tine ['prɪstiːn] *adj* ursprünglich; vormalig, früher; (*Schönheit*) makellos, unberührt

priv•acy ['prɪvəsɪ, *Am* 'praɪvəsɪ] *s* **1.** Individual-, Intimsphäre *f*; Privatleben *n* **2.** Stille, Zurückgezogenheit *f*; **there is no ~ here** man kann hier nichts unbeobachtet tun; **invade s.o.'s ~** in jds Intimsphäre eindringen; **live in the ~ of one's own home** ein ungestörtes Privatleben führen; **infringement** [*o* **invasion**] **of ~** Eingriff *m* in die Intimsphäre; **in the strictest ~** unter äußerster Geheimhaltung; **tell s.o. in the strictest ~** jdm unter dem Siegel der Verschwiegenheit sagen

pri•vate ['praɪvɪt] **I.** *adj* **1.** privat **2.** persönlich, individuell **3.** privat, nicht öffentlich; **~ and confidential** streng vertraulich; **for**

s.o.'s ~ ear (ganz) im Vertrauen; vertraulich; **for ~ use** für den eigenen Gebrauch; **in one's ~ capacity** als Privatmann; **in ~ hands** in Privathand; **keep ~** geheimhalten; **~ affair, ~ business, ~ concern, ~ matter** Privatsache, Privatangelegenheit *f;* **~ arrangement** [*o* **settlement**] private Vereinbarung; gütliche Einigung; Privatvergleich *m;* **~ capital** Privatvermögen *n;* **~ citizen** Privatperson *f;* **~ company** offene Handelsgesellschaft (*OHG*), Gesellschaft *f* mit beschränkter Haftung (*GmbH*); **~ conversation** Privatgespräch *n;* **~ detective** [*o* **eye**] Privatdetektiv(in) *m(f);* **~ enterprise** freie Marktwirtschaft, freies Unternehmertum; **~ house** Privathaus *n;* **~ information** vertrauliche Mitteilung; **~ lessons** Privatstunden *fpl,* -unterricht *m;* **~ letter** Privatbrief *m;* **~ life** Privatleben *n;* **~ means** eigene Mittel *npl;* **~ practice** Privatpraxis *f;* **~ property** Privateigentum *n;* **~ road** Privatweg *m;* **~ school** Privatschule *f;* **~ secretary** Privatsekretär(in) *m(f);* **~ sector** Privatbereich *m,* privater Sektor; **~ transport** (MOT) Individualverkehr *m;* **~ tuition** Privatunterricht *m;* **~ view** Vorabbesichtigung *f* **II.** *s* **1.** (einfacher) Soldat *m* **2. ~s** (~ *parts*) Geschlechtsteile *npl;* **in ~** privat(im); unter vier Augen; **~ first class** (*Am*) Gefreite(r) *m*

pri•va•teer [ˌpraɪvəˈtɪə(r)] *s* Freibeuter *m;* Kaperschiff *n*

pri•vate•ly [ˈpraɪvɪtlɪ] *adv* **1.** privat; vertraulich **2.** persönlich; **~ owned** in Privathand; **~, I think ...** meine persönliche Meinung ist ...; **speak to s.o. ~** mit jdm unter vier Augen sprechen

pri•va•tion [praɪˈveɪʃn] *s* **1.** Not *f,* Mangel *m* (*of* an) **2. ~s** Entbehrungen *fpl*

pri•vat•iz•ation [ˌpraɪvɪtaɪˈzeɪʃn] *s* Privatisierung *f;* **pri•vat•ize** [ˈpraɪvɪtaɪz] *tr* privatisieren

privet [ˈprɪvɪt] *s* (BOT) Liguster *m*

pri•vi•lege [ˈprɪvəlɪdʒ] **I.** *s* **1.** Privileg, Vorrecht *n,* Vorrang *m* **2.** (PARL) Immunität *f* **3.** Ehre *f* **II.** *tr* privilegieren, bevorzugen, bevorrechten; **pri•vi•leged** [ˈprɪvəlɪdʒd] *adj* privilegiert, bevorrechtet; **be ~** das Vorrecht genießen (*to do s.th.* etw zu tun)

privy [ˈprɪvɪ] **I.** *adj* **1.** (JUR) vertraut (*to* mit) **2.** beteiligt (*to* an); **be ~ to s.th.** in e-e S eingeweiht sein; **~ council** Geheimer Staatsrat **II.** *s* **1.** (JUR) Beteiligte(r) *f m* (*to* an) **2.** Abort *m*

prize¹ [praɪz] **I.** *s* **1.** Preis *m* **2.** (Lotterie)Gewinn *m* **3.** (*fig*) Preis, Lohn *m;* **carry off** [*o* **take**] **the ~** den Preis davontragen; **consolation ~** Trostpreis *m;* **distribution of ~s** Preisverteilung *f* **II.** *adj* **1.** preisgekrönt **2.** (*fam*) ausgemacht **3.** (*fam*) hervorragend, erstklassig **III.** *tr* (hoch)schätzen

prize² [praɪz] **I.** *s* (MAR) Prise *f* **II.** *tr* (*Schiff*) aufbringen

prize³ [praɪz] (*Am*) *s.* **prise**

prize-fight [ˈpraɪzfaɪt] *s* (*Am*) (Berufs)Boxkampf *m;* **prize-fighter** *s* Berufsboxer *m;* **prize-fighting** *s* Berufsboxen *n;* **prize-giving** [ˈpraizˌgɪvɪŋ] *s* Preisverteilung *f;* **prize list** *s* (*Lotterie*) Gewinnliste *f;* **prize money** *s* Geldpreis *m;* (SPORT) Siegesprämie *f;* **prize ring** *s* (Box)Ring *m;* **prize•winner** *s* Preisträger(in) *m(f),* Gewinner(in) *m(f);* **prize•winning** *adj* preisgekrönt; **~ ticket** Gewinnlos *n*

pro¹ [prəʊ] *s* <*pl* pros> **1.** (*fam*) Profi *m* **2.** (*sl*) Nutte *f*

pro² [prəʊ] **I.** *prep* für **II.** *s* Für *n;* **the ~s and cons** das Für und Wider

pro•ac•tive [ˌprəʊˈæktɪv] *adj* eigenständig

prob•abil•ity [ˌprɒbəˈbɪlətɪ] *s* Wahrscheinlichkeit *f;* **in all ~** aller Wahrscheinlichkeit nach; **what are the probabilities?** welche Aussichten bestehen da?; **the ~ is that he will come** er wird wahrscheinlich kommen; **theory of ~** Wahrscheinlichkeitsrechnung *f;* **prob•able** [ˈprɒbəbl] **I.** *adj* wahrscheinlich; mutmaßlich **II.** *s* aussichtsreichste(r) Kandidat(in)

pro•bate [ˈprəʊbeɪt] *s* **1.** (*gerichtliche*) Testamentseröffnung (u. -bestätigung) *f;* Erblegitimation *f* **2.** (*~ court, department, division*) Nachlassgericht *n*

pro•ba•tion [prəˈbeɪʃn] *s* **1.** Probe(zeit) *f* **2.** (JUR) Bewährung *f;* **on ~** auf Probe; (JUR) mit Bewährung; **~ officer** Bewährungshelfer(in) *m(f);* **pro•ba•tion•ary** [prəˈbeɪʃnrɪ] *adj* **1.** Probe- **2.** (JUR) Bewährungs-; **~ period** Probezeit *f;* **pro•ba•tioner** [prəˈbeɪʃnə(r)] *s* **1.** (Probe)Kandidat(in), auf Probe Angestellte(r) *f m,* Lernschwester *f* **2.** (JUR) Strafentlassene(r) *f m* mit Bewährungsfrist

probe [prəʊb] **I.** *s* **1.** (TECH MED) Sonde *f* **2.** (JUR) Untersuchung *f* **II.** *tr* sondieren; (*All, Gewissen, Geheimnis*) erforschen **III.** *itr* **1.** suchen (*for* nach) **2.** (MED) untersuchen **3.** (*fig*) forschen (*for* nach)

prob•ity [ˈprəʊbətɪ] *s* Rechtschaffenheit, Redlichkeit *f*

prob•lem [ˈprɒbləm] *s* **1.** Problem *n* **2.** Problematik *f* **3.** (MATH) Aufgabe *f;* **set a ~ to s.o.** jdn vor e-e schwierige Aufgabe stellen; **what's the ~?** (*fam*) wo fehlt's denn?; **prob•lem•atic(al)** [ˌprɒbləˈmætɪk(l)] *adj* problematisch; **problem child** *s* schwieriges Kind

pro•bos•cis [prəˈbɒsɪs, *pl* -siːz] <*pl* -ces> *s* Rüssel *m*

pro•cedur•al [prəˈsiːdʒərəl] *adj* verfahrensmäßig; (JUR) verfahrensrechtlich; **pro-**

cedure [prə'siːdʒə(r)] *s* Verfahren, Verhalten, Vorgehen *n;* (**code of**) **civil** ~ Zivilprozess(ordnung *f*) *m;* (**code of**) **criminal** ~ Strafprozess(ordnung *f*) *m;* **electoral** ~ Wahlmodus *m;* **question of** ~ Verfahrensfrage *f*

pro•ceed [prə'siːd] *itr* **1.** vorwärts gehen, vorschreiten, vorrücken **2.** fortsetzen (*on a journey* e-e Reise) **3.** weitergehen, -fahren, -reisen **4.** weitergehen, seinen Fortgang nehmen **5.** weitermachen, fortfahren (*with, in* mit) **6.** schreiten (*to* zu) **7.** anfangen, beginnen (*to s.th.* mit etw) **8.** übergehen (*to* zu) **9.** vorgehen, verfahren, handeln (*on a principle* nach e-m Grundsatz) **10.** hervorgehen (*from* aus) **11.** gerichtlich vorgehen, e-n Prozess anstrengen (*against s.o.* gegen jdn) **12.** verklagen, gerichtlich belangen (*against s.o.* jdn); ~ **to the order of the day** zur Tagesordnung übergehen; ~ **with a case** einen Prozess anstrengen; **please** ~ bitte reden, machen Sie weiter

pro•ceed•ing [prə'siːdɪŋ] *s* **1.** Vorgehen, Verfahren *n,* Maßnahme *f* **2.** ~**s** Prozess *m* **3.** ~**s** Sitzungs-, Verhandlungsberichte *mpl,* Prozessakten *fpl* **4.** ~**s** Veranstaltung *f;* **take legal** ~**s** den Rechtsweg beschreiten, Klage erheben (*against s.o.* gegen jdn); **stop** ~**s** das Verfahren einstellen; **there were some peculiar** ~**s** es ereigneten sich merkwürdige Dinge

pro•ceeds ['prəʊsiːdz] *s pl* Ertrag, Erlös *m,* Einnahmen *fpl* (*from* aus); **annual** ~ Jahresertrag *m;* **cash** ~ Barerlös, -ertrag *m*

pro•cess ['prəʊses] **I.** *s* **1.** Prozess *m* **2.** (Arbeits)Verfahren *n* **3.** (JUR) Verfahren *n;* gerichtliche Verfügung; **in** ~ im Gange; **in** (**the**) ~ **of** im Verlauf *+gen;* **in** ~ **of completion** in Arbeit; **in** ~ **of construction** im Bau; **in** ~ **of time** im Lauf der Zeit; **serve a** ~ **on s.o.** jdn gerichtlich vorladen; **finishing** ~ Veredelungsverfahren *n;* **manufacturing** ~ Produktionsprozess *m* **II.** *tr* **1.** verarbeiten; (*Nahrungsmittel*) konservieren; (*Milch*) sterilisieren; (*Film*) entwickeln **2.** (*Akte, Antrag*) bearbeiten; (*Menschen*) abfertigen **III.** [prə'ses] *itr* ziehen, schreiten; ~**ed cheese,** ~ **cheese** (*Am*) Schmelzkäse *m;* **process chart** *s* Arbeitsablaufdiagramm *n;* **process computer** *s* Prozessrechner *m;* **process costing** *s* Kostenrechnung *f* für Massenfertigung; **process engineering** *s* Verfahrenstechnik *f;* **pro•ces•sing** ['prəʊsesɪŋ] *s* **1.** (AGR TECH) Vered(e)lung *f* **2.** Verarbeitung, Behandlung *f* **3.** (TECH) Aufbereitung *f* **4.** (*fig*) Bearbeitung *f;* ~ **cost** Fertigungskosten *pl;* ~ **industry** Veredelungsindustrie *f;* **word** ~ (EDV) Textverarbeitung *f*

pro•cession [prə'seʃn] *s* **1.** Prozession *f* **2.** (feierlicher) Umzug *m;* (Fest)Zug *m;* **funeral** ~ Leichenzug *m*

pro•claim [prə'kleɪm] *tr* **1.** erklären; ausrufen (*s.o. king* jdn zum König) **2.** zeigen, erweisen (*o.s. master* sich als Meister); **proc•la•ma•tion** [ˌprɒklə'meɪʃn] *s* **1.** Proklamation, Ausrufung *f* **2.** Bekanntmachung *f* (*to* an)

pro•cliv•ity [prə'klɪvətɪ] *s* Neigung *f,* Hang, Trieb *m* (*to, towards* zu)

pro•cras•ti•nate [prəʊ'kræstɪneɪt] *itr* zögern, zaudern; **pro•cras•ti•na•tion** [prəʊˌkræstɪ'neɪʃn] *s* Aufschub *m;* Verzögerung *f*

pro•create ['prəʊkrɪeɪt] **I.** *tr* (er)zeugen; hervorbringen; ins Leben rufen **II.** *itr* sich fortpflanzen; **pro•cre•ation** [ˌprəʊkrɪ'eɪʃn] *s* Fortpflanzung, Zeugung *f*

proc•tor ['prɒktə(r)] *s* **1.** Prokurator *m* **2.** (*Universität*) Proktor *m;* (*Am*) (Prüfungs)Aufsicht *f*

pro•cur•able [prə'kjʊərəbl] *adj* **1.** erhältlich **2.** beschaffbar

procu•ra•tor ['prɒkjʊreɪtə(r)] *s* (JUR) (in Vertretung) Bevollmächtigte(r) *m;* **procurator fiscal** *s* (*Schottland*) Oberstaatsanwalt *m*

pro•cure [prə'kjʊə(r)] **I.** *tr* **1.** ver-, beschaffen, besorgen **2.** bewirken **3.** verkuppeln (*for s.o.* mit jdm) **II.** *itr* Kuppelei betreiben; **pro•cure•ment** [-mənt] *s* Beschaffung, Besorgung *f;* Vermittlung *f;* ~ **cost** Beschaffungskosten *pl;* ~ **division** (*Am*) Beschaffungsamt *n;* **pro•curer** [prə'kjʊərə(r)] *s* Kuppler *m;* **pro•cur•ess** [prə'kjʊərɪs] *s* Kupplerin *f*

prod [prɒd] **I.** *tr* **1.** stoßen, knuffen **2.** (*fig*) antreiben, anspornen (*s.o. into doing s.th.* jdn zu etw); ~ **s.th. with s.th.** mit etw in etw stechen; ~ **s.o. into action** jdm einen Stoß geben, versetzen **II.** *itr* stoßen **III.** *s* **1.** Stoß *m* **2.** (*fig*) Anstoß *m;* Stoß *m*

prodi•gal ['prɒdɪgl] **I.** *adj* verschwenderisch (*of* mit); **be** ~ **of** [*o* **with**] verschwenden; nicht sparen mit; **the** ~ **son** der verlorene Sohn **II.** *s* Verschwender(in) *m(f)*

pro•di•gious [prə'dɪdʒəs] *adj* **1.** wunderbar, -voll **2.** gewaltig; ungeheuer; **prod•igy** ['prɒdɪdʒɪ] *s* Wunder(ding, -werk) *n* (*of* an); **child** ~ Wunderkind *n*

pro•duce [prə'djuːs] **I.** *tr* **1.** produzieren; herstellen; erzeugen; (*Kohle, Öl*) fördern; (*Buch, Artikel*) schreiben; (*Kunstwerk*) schaffen; (*Zinsen, Kapital, Ertrag*) abwerfen **2.** (*Papiere*) hervorholen, vorzeigen, -weisen, -legen; (*Zeugen*) beibringen; (*Nachweis*) erbringen, führen; (*Gründe*) anführen **3.** (AGR) tragen, liefern, hervorbringen **4.** (*fig*) bewirken, zur Folge haben; hervorrufen **5.** (THEAT) inszenieren; (FILM) drehen, produzieren; (*Aufnahme*) leiten **6.** (MATH: *Strecke*) verlängern (*to* bis); (*Fläche*) erweitern **II.** ['prɒdju:s] *s nur sing* Erzeugnis, Produkt *n;* **pro•ducer** [prə'dju:sə(r)] *s* **1.** Erzeuger, Hersteller, Produzent, Fabrikant *m* **2.** (THEAT) Regisseur *m;* (FILM) Produzent *m;* (RADIO) Sendeleiter(in) *m(f);* ~ **goods** Produktionsgüter *npl;* ~ **price** Erzeugerpreis *m*

prod•uct ['prɒdʌkt] *s* **1.** Erzeugnis, Produkt *n* **2.** (*fig*) Ergebnis, Resultat *n* **3.** (COM) Fabrikat *n,* Ware *f* **4.** (CHEM MATH) Produkt *n;* **food ~s** Nahrungsmittel *pl;* **manufactured ~s** Industrieerzeugnisse *npl;* (**gross**) **national** ~ (Brutto)Sozialprodukt *n;* ~ **costing** Stückkalkulation *f;* ~ **engineering** *ganzheitliches Produktmanagement, das Technik und Marketing umfasst;* ~ **liability** Produkthaftung *f;* ~ **line** Produktgruppe *f;* ~ **manager** Produktmanager(in) *m(f);* ~ **mix** Produktmix *m,* -palette *f;* ~ **range** Sortiment *n*

pro•duc•tion [prə'dʌkʃn] *s* **1.** Erzeugung, Herstellung, Produktion, Fabrikation, Fertigung *f* **2.** (MIN) Förderung *f* **3.** (*geistige*) Produktion *f,* Werk *n* **4.** (THEAT) Aufführung, Inszenierung *f* **5.** (FILM) Produktion *f* **6.** (*Dokument*) Vorlage, Beibringung *f;* **go into** ~ die Produktion aufnehmen; **annual** ~ Jahresproduktion *f;* **production capacity** *s* Produktionskapazität *f;* **production costs** *s pl* Fertigungs-, Herstellungskosten *pl;* **production director** *s* (RADIO) Sendeleiter(in) *m(f);* **production engineering** *s* technische Produktionsplanung und -steuerung; **production line** *s* Fließband *n,* Fertigungsstraße *f;* **production manager** *s* Betriebs-, Produktionsleiter(in) *m(f);* **production model** *s* (MOT) Serienmodell *n;* **production platform** *s* Förderplattform *f;* **production target** *s* Produktionsziel *n;* **production time** *s* Produktionszeit *f;* **production volume** *s* Produktionsvolumen *n*

pro•duc•tive [prə'dʌktɪv] *adj* **1.** produktiv; (AGR MIN) ergiebig **2.** (*fig*) produktiv, schöpferisch **3.** (COM) gewinnbringend, rentabel; **be ~ of** hervorrufen, zur Folge haben, die Ursache sein *+gen,* erzeugen; ~ **capacity,** ~ **power** Produktionskapazität, Leistungsfähigkeit *f;* **it wouldn't be ~ to do that** es würde sich nicht lohnen das zu tun; **pro•duc•tiv•ity** [ˌprɒdʌk'tɪvətɪ] *s* **1.** Produktivität *f;* Ertragfähigkeit, Ergiebigkeit *f,* Rentabilität *f* **2.** (*fig*) Produktivität *f;* **productivity agreement** *s* Produktivitätsvereinbarung *f;* **productivity bonus** *s* Leistungszulage *f*

profa•na•tion [ˌprɒfə'neɪʃn] *s* Entweihung, Schändung, Profanation *f;* **pro•fane** [prə'feɪn] **I.** *adj* **1.** profan, weltlich **2.** ruchlos, gottlos **II.** *tr* (*Heiligtum*) entweihen, schänden, profanieren; **pro•fan•ity** [prə'fænətɪ] *s* **1.** Weltlichkeit *f* **2.** Lästerung *f* **3. profanities** Flüche *mpl*

pro•fess [prə'fes] *tr* **1.** gestehen, bekennen **2.** versichern, erklären; **pro•fessed** [prə'fest] *adj* **1.** erklärt, ausgesprochen, offen **2.** angeblich; **pro•fess•ed•ly** [prə'fesɪdlɪ] *adv* **1.** zugegebenermaßen **2.** angeblich

pro•fes•sion [prə'feʃn] *s* **1.** Beruf *m;* Berufsstand *m* **2.** Bekenntnis *n;* (~ *of faith*) Glaubensbekenntnis *n;* **by** ~ von Beruf; **carry on** [*o* **exercise**] **a** ~ e-n Beruf ausüben; **take up a** ~ e-n Beruf ergreifen; **the learned ~s** die akademischen Berufe *mpl;* **the oldest** ~ das älteste Gewerbe

pro•fes•sional [prə'feʃnəl] **I.** *adj* **1.** beruflich; berufsmäßig; (*Sportler, Soldat*) Berufs- **2.** fachlich; fachmännisch; professionell **3.** (*fam*) notorisch; **take ~ advice on s.th.** e-en Fachmann um etw befragen; **the ~ classes** die gehobenen Berufe; **he does it on a ~ basis** er macht das (haupt)beruflich; **turn** ~ Profi werden; ~ **disease** Berufskrankheit *f;* ~ **experience** Berufserfahrung *f;* ~ **journal** [*o* **magazine**] Fachzeitschrift *f;* ~ **organization** Berufsorganisation *f;* ~ **player** Berufsspieler(in) *m(f);* ~ **secret** Berufsgeheimnis *n;* ~ **training** Berufsausbildung *f* **II.** *s* **1.** Profi *m* **2.** Berufssportler(in) *m(f);* **pro•fes•sional•ism** [prə'feʃnəlɪzəm] *s* **1.** fachliche Qualifikation; Professionalismus *m* **2.** (*von Arbeit*) Professionalität *f* **3.** (SPORT) Berufssportlertum, Profitum *n*

pro•fes•sor [prə'fesə(r)] *s* Professor(in) *m(f),* (Hochschul)Lehrer(in) *m(f)* (*at the university* an der Universität); **assistant** ~ Dozent(in) *m(f);* **full** ~ (*Am*) ordentlicher Professor, Ordinarius *m;* **prof•es•sorial** [ˌprɒfɪ'sɔ:rɪəl] *adj:* ~ **chair** Lehrstuhl *m,* -kanzel *f;* **pro•fes•sor•ship** [prə'fesəʃɪp] *s* Professur *f,* Lehrstuhl *m;* **be appointed to a** ~ e-e Professur erhalten, einen Lehrstuhl bekommen

prof•fer ['prɒfə(r)] *tr* anbieten; (*Dank*) aussprechen; (*Bemerkung*) machen

pro•fi•ciency [prə'fɪʃnsɪ] *s* Tüchtigkeit, Leistung *f;* **certificate of** ~ Befähigungsnachweis *m;* **pro•fi•cient** [prə'fɪʃnt] *adj* **1.** geübt, erfahren, fähig, tüchtig **2.** (*fam*) bewandert (*in* in)

pro•file ['prəʊfaɪl] **I.** *s* **1.** Profil *n;* Seitenansicht *f* **2.** Kurzbiografie *f* **3.** (TECH) Längsschnitt *m;* Querschnitt *m* **4.** (COM) Kurzbeschreibung *f,* Profil *n;* **in** ~ im Profil; **keep a low** ~ sich zurückhalten **II.** *tr* im

Profil darstellen; ~ **s.o.** jds Lebensbild entwerfen

prof•it ['prɒfɪt] **I.** *s* **1.** Gewinn, Ertrag, Profit *m* **2.** ~**s** Erträge *mpl,* Nutzung *f;* Einkünfte *pl* **3.** (*fig*) Nutzen, Gewinn *m;* **at a ~** mit Gewinn; vorteilhaft; **bring a ~, show a ~, yield a ~** e-n Gewinn abwerfen; **realize large ~s** große Gewinne erzielen; **sell at a ~** mit Gewinn verkaufen; **make a ~ on s.th.** bei etw e-n Gewinn erzielen; **turn to one's ~** sich zu Nutze machen; **calculation of ~s** Rentabilitätsberechnung *f;* **clear** [*o* **net**] **~** Reingewinn *m;* **margin of ~** Gewinnspanne *f;* **participation in ~s** Gewinnbeteiligung *f;* **share in the ~s** Gewinnanteil *m;* **~ and loss** Gewinne u. Verluste *pl* **II.** *itr* profitieren (*by, from* von), Nutzen ziehen (*from, by* aus); **prof•it•abil•ity** [ˌprɒfɪtə'bɪlətɪ] *s* Rentabilität *f;* **prof•it•able** ['prɒfɪtəbl] *adj* **1.** gewinn-, nutzbringend, vorteilhaft **2.** günstig, einträglich, lohnend, rentabel (*to* für); **be ~** sich rentieren; **profit carried forward** *s* Gewinnvortrag *m;* **profit-earn•ing** ['prɒfɪtˌɜːnɪŋ] *adj* rentabel; **profi•teer** [ˌprɒfɪ'tɪə(r)] *s* Profitmacher(in) *m(f);* **war ~** Kriegsgewinnler *m;* **profi•teer•ing** [-ɪŋ] *s* Wucher *m,* Preistreiberei *f;* **profit margin** *s* Gewinnspanne *f;* **profit maximation** *s* Gewinnmaximierung *f;* **prof•it-re•lat•ed** ['prɒfɪtˌrɪ'leɪtəd] *adj* erfolgsabhängig; **profit-seek•ing, profit-mak•ing, profit-oriented** ['prɒfɪtˌsiːkɪŋ, -ˌmeɪkɪŋ, -'ɔːrɪəntəd] *adj* auf Gewinn ausgerichtet, gewinnorientiert; **profit-shar•ing** ['prɒfɪtʃeərɪŋ] *s* Gewinnbeteiligung *f* (*der Arbeitnehmer*); **prof•it-tak•ing** ['prɒfɪtˌteɪkɪŋ] *s* Gewinnmitnahme *f*

prof•li•gate ['prɒflɪgət] *adj* **1.** verkommen, lasterhaft **2.** verschwenderisch; ausschweifend, liederlich

pro•forma [ˌprəʊ'fɔːmə] *s* Pro-Forma-Rechnung *f*

pro•found [prə'faʊnd] *adj* **1.** (*Schmerz, Schlaf, Schweigen*) tief **2.** (*Bemerkung, Gedanken*) tiefgründig, -schürfend **3.** (*Veränderung*) tiefgreifend; **pro•fun•dity** [prə'fʌndətɪ] *s* (*fig*) Tiefgründigkeit *f*

pro•fuse [prə'fjuːs] *adj* **1.** überreichlich, verschwenderisch (*of* an) **2.** sehr großzügig (*in, of* mit); **pro•fu•sion** [prə'fjuːʒn] *s* Überfluss *m,* -fülle *f,* verschwenderische Fülle (*of* an); **in ~** im Überfluss

pro•geni•tor [prəʊ'dʒenɪtə(r)] *s* **1.** Vorfahr, Ahn(herr) *m* **2.** (*fig*) Vorläufer *m*

pro•geny ['prɒdʒənɪ] *s* Nachkommen *pl*

prog•no•sis [prɒg'nəʊsɪs, *pl* -siːz] <*pl* -ses> *s* Prognose *f;* **prog•nos•ti•cate** [prɒg'nɒstɪkeɪt] *tr* **1.** voraus-, vorhersagen, prophezeien **2.** (MED) prognostizieren

pro•gram ['prəʊgræm] **I.** *s* **1.** (EDV) Programm *n* **2.** (*Am*) *s.* **programme II.** *tr* (EDV) programmieren; **pro•gram•mable** [-əbl] *adj* (EDV) programmierbar; **programme** ['prəʊgræm] **I.** *s* **1.** Programm *n* **2.** (RADIO TV *a.*) Sendung *f;* **what's on your ~?** was haben Sie vor?; **change of ~** Programmänderung *f;* **party ~** Parteiprogramm *n* **II.** *tr* **1.** programmieren **2.** (*fig*) vorprogrammieren; **~d course** programmierter Unterricht; **what's ~d for today?** was steht für heute auf dem Programm?; **pro•gram•mer** ['prəʊgræmə(r)] *s* Programmierer(in) *m(f);* **pro•gram•ming** ['prəʊgræmɪŋ] *s* Programmierung *f;* **programming language** *s* Programmiersprache *f*

prog•ress ['prəʊgres, *Am* 'prɒgres] **I.** *s nur sing* **1.** Fortschritt *m* **2.** (*eines Menschen, von Arbeit*) Fortschritte *mpl* **3.** Fortschreiten *n;* (MIL) Vorrücken *n;* **in ~** im Gange; **make ~** Fortschritte machen; vorankommen; **~ chaser** Terminjäger *m;* **~ control** Terminüberwachung *f;* **~ payment** Abschlagszahlung *f;* **~ report** Lagebericht *m* **II.** [prə'gres] *itr* **1.** vorrücken (*towards* gegen) **2.** Fortschritte machen **3.** (*Zeit, Arbeit*) voranschreiten **III.** *tr:* **~ a project** ein Projekt weiterverfolgen; **pro•gression** [prə'greʃn] *s* **1.** Folge *f* **2.** (MATH: *Steuern*) Progression *f* **3.** (MUS) Sequenz *f* **4.** Entwicklung *f* **5.** Steigerung, Progression *f* **6.** (MUS) Fortführung *f;* **pro•gress•ive** [prə'gresɪv] *adj* **1.** fortschreitend, zunehmend **2.** fortschrittlich, progressiv **3.** (MED: *Steuer*) progressiv; **by ~ stages** stufenweise; **~ form** (GRAM) Verlaufsform *f*

pro•hibit [prə'hɪbɪt] *tr* **1.** verbieten (*s.o. from doing s.th.* jdm etw zu tun) **2.** verhindern, unterbinden; **pro•hib•ition** [ˌprəʊɪ'bɪʃn] *s* **1.** Verbot *n* **2.** (HIST) Prohibition *f;* **pro•hibi•tive** [prə'hɪbətɪv] *adj* **1.** verhindernd, ausschließend **2.** (*fam: Preis*) unerschwinglich; **~ duty** Prohibitivzoll *m;* **~ laws** Verbotsgesetze *npl;* **~ signs** Verbotsschilder *npl*

pro•ject ['prɒdʒekt] **I.** *s* **1.** Projekt, Vorhaben, Unternehmen *n* **2.** (*Schule*) Referat *n;* **engage in a ~** ein Vorhaben in Angriff nehmen; **~ manager** Projektmanager(in) *m(f);* **~ scheduling** Projektplanung *f;* **~ work** Referat *n* **II.** [prə'dʒekt] *tr* **1.** (*auf Leinwand*) projizieren **2.** (voraus)planen; (*Kosten*) überschlagen **3.** (MATH: *Linie*) verlängern; (*Körper*) projizieren **4.** (*Flugkörper*) abschießen **5.** (ARCH) vorspringen lassen; **~ o.s.** seine Persönlichkeit herausstellen; **~ one's problems onto s.o.** seine Probleme in jdn hineinprojizieren; **~ one's voice** seine Stimme zum Tragen bringen

III. *itr* **1.** vorstehen **2.** planen **3.** (PSYCH) von sich auf andere schließen **4.** vernehmlich sprechen

pro•jec•tile [prə'dʒektaɪl] *s* Geschoss, Projektil *n*

pro•jec•tion [prə'dʒekʃn] *s* **1.** Vorsprung, vorspringender Teil *m* **2.** (ARCH) Auskragung *f* **3.** Entwurf, Plan *m* **4.** (OPT FILM) Projektion *f* **5.** (FILM) Vorführung *f* **6.** Vorhersage, Prognose *f;* ~ **room,** ~ **booth** (*Am*) Vorführraum *m;* **pro•jec•tion•ist** [prə'dʒekʃnɪst] *s* (FILM) Vorführer(in) *m(f);* **pro•jec•tor** [prə'dʒektə(r)] *s* Projektor *m,* Vorführgerät *n*

pro•lapse ['prəʊlæps] *s* (MED) Vorfall *m*

prole [prəʊl] *s* Prolet *m;* **pro•let•arian** [prəʊlɪ'teərɪən] **I.** *adj* proletarisch **II.** *s* Proletarier(in) *m(f);* **pro•let•ariat** [ˌprəʊlɪ'teərɪət] *s* Proletariat *n*

pro•lif•er•ate [prə'lɪfəreɪt] *itr* **1.** (BIOL) sich vermehren **2.** (*Unkraut, Zellen*) wuchern **3.** sich zahlenmäßig stark erhöhen **4.** (*Ideen*) um sich greifen; **pro•lif•er•ation** [prəˌlɪfə'reɪʃn] *s* **1.** starke Vermehrung **2.** Wucherung *f* **3.** starke Erhöhung **4.** (*von Ideen*) Ausbreitung *f* **5.** (*von Atomwaffen*) Weitergabe *f;* **pro•lific** [prə'lɪfɪk] *adj* **1.** (BIOL) fruchtbar *a. fig* **2.** (*fig*) produktiv

pro•lix ['prəʊlɪks] *adj* weitschweifig, langatmig, wortreich

pro•log ['prəʊlɔːg] (*Am*) *s.* **prologue**

pro•logue ['prəʊlɒg] *s* **1.** Prolog *m* (*to* zu) **2.** (*fig*) Auftakt *m;* **be the ~ to s.th.** zu etw den Auftakt bilden

pro•long [prə'lɒŋ] *tr* **1.** verlängern **2.** aufschieben, hinauszögern **3.** (*Wechsel*) prolongieren; **pro•lon•ga•tion** [ˌprəʊlɒŋ'geɪʃn] *s* **1.** Verlängerung *f* **2.** Hinauszögern *n* **3.** (*Wechsel*) Prolongierung *f*

prom [prɒm] *s* **1.** Konzert *n* in lockerem Rahmen **2.** (*Br*) Promenade *f* **3.** (*Am*) Schüler-, Klassenball *m*

prom•en•ade [ˌprɒmə'nɑːd, *Am* ˌprɒmə'neɪd] **I.** *s* **1.** Spaziergang *m* **2.** (*Am*) Schülerball *m* **3.** (*Br*) (Ufer)Promenade *f* **II.** *itr* spazieren(gehen), promenieren; **promenade concert** *s* Konzert *n* in lockerem Rahmen; **promenade deck** *s* (MAR) Promenadendeck *n*

promi•nence ['prɒmɪnəns] *s* **1.** Vorsprung *m;* Anhöhe *f* **2.** (*fig*) Beliebtheit *f;* Bekanntheit *f;* Bedeutung *f;* **achieve** ~ Bedeutung erlangen (*as* als); **bring s.th. into** ~ etw herausstellen; **come into** ~ (*fig*) in den Vordergrund treten; **promi•nent** ['prɒmɪnənt] *adj* **1.** vorstehend, -springend **2.** (*fig*) hervorragend, bedeutend **3.** auffällig **4.** (wohl)bekannt, prominent

prom•is•cu•ity [ˌprɒmɪ'skjuːətɪ] *s* sexuelle Freizügigkeit, Promiskuität *f,* häufiger Partnerwechsel; **pro•mis•cu•ous** [prə'mɪskjʊəs] *adj* sexuell freizügig; **be** ~ häufig den Partner wechseln

prom•ise ['prɒmɪs] **I.** *s* **1.** Versprechen *n;* (feste) Zusage, Zusicherung *f* **2.** (feste) Aussicht, Hoffnung *f* (*of* auf); **break one's** ~ sein Wort brechen; **give** [*o* **make**] **a** ~ ein Versprechen geben; **keep one's** ~ sein Versprechen, sein Wort halten; **show great** ~ zu großen Hoffnungen berechtigen, vielversprechend sein; **breach of** ~ Wortbruch *m;* **empty ~s** leere Versprechungen *fpl;* **~s, ~s!** nichts als Versprechen! **II.** *tr* **1.** versprechen **2.** andeuten, hindeuten auf; ~ **s.o. s.th.,** ~ **s.th. to s.o** jdm etw versprechen; **the sky ~s rain** es sieht nach Regen aus; **the P~d Land** das Gelobte Land **III.** *itr* versprechen; ~ **well** vielversprechend sein **IV.** *refl:* ~ **o.s. s.th** sich etw versprechen; sich etw geloben; **prom•is•ing** [-ɪŋ] *adj* **1.** vielversprechend, verheißungs-, hoffnungsvoll **2.** erfolgversprechend; **prom•iss•ory** ['prɒmɪsərɪ] *adj:* ~ **note** Schuldschein *m*

prom•on•tory ['prɒməntrɪ] *s* Kap, Vorgebirge *n*

pro•mote [prə'məʊt] *tr* **1.** fördern, vorantreiben, unterstützen **2.** sich einsetzen für; befürworten **3.** (*Geschäft*) gründen **4.** (*Gesetzentwurf*) einbringen **5.** (*im Rang*) befördern **6.** (COM) werben für (*e-n Artikel*) **7.** (*Verkauf*) steigern; **pro•mo•ter** [prə'məʊtə(r)] *s* **1.** Förderer *m,* Förderin *f,* Befürworter(in) *m(f)* **2.** (Geschäfts)Gründer(in) *m(f)* (*e-r AG*) **3.** (SPORT) Veranstalter(in) *m(f);* **pro•mo•tion** [prə'məʊʃn] *s* **1.** Förderung, Unterstützung, Befürwortung *f* **2.** (COM) Gründung *f* **3.** (*beruflich*) Beförderung *f* **4.** Verkaufsförderung *f* **5.** Werbung, Reklame *f;* **get one's** ~ befördert werden; **sales** ~ Verkaufsförderung, Absatzsteigerung *f;* ~ **budget** Werbeetat *m;* ~ **chances** [*o* **prospects**] *pl* Aufstiegschancen *fpl;* ~ **manager** Werbeleiter(in) *m(f);* **promotional material** *s* Werbematerial *n*

prompt [prɒmpt] **I.** *adj* **1.** umgehend, sofortig, unverzüglich **2.** (*Mensch*) (sofort) bereit; pünktlich **II.** *s* **1.** (THEAT) Soufflieren *n* **2.** (EDV) Befehlszeile *f* **3.** (EDV) Eingabeaufforderung *f;* **give s.o. a** ~ jdm soufflieren; (*fig*) jdn erinnern **III.** *tr* **1.** anspornen; auffordern **2.** veranlassen (*to* zu) **3.** auf die Sprünge helfen (*s.o.* jdm) **4.** (THEAT) soufflieren (*s.o.* jdm) **IV.** *adv* pünktlich; **prompt box** *s* Souffleurkasten *m;* **prompter** ['prɒmptə(r)] *s* Souffleur *m,* Souffleuse *f;* **promp•ti•tude, prompt•ness** ['prɒmptɪtjuːd, 'prɒmptnɪs] *s* **1.** Bereitwilligkeit, Schnelligkeit *f* **2.**

Promptheit *f;* Pünktlichkeit *f;* **prompt·ly** ['prɒmptlɪ] *adv* pünktlich; **attend to s.th.** ~ etw umgehend erledigen; **start** ~ **at eight** Punkt 8 Uhr anfangen; **prompt note** *s* Mahnschreiben *n*

prom·ul·gate ['prɒmlgeɪt] *tr* verbreiten; (*Gesetz*) verkünden; **prom·ul·ga·tion** [ˌprɒml'geɪʃn] *s* Verbreitung *f;* Verkündung *f*

prone [prəʊn] *adj* **1.** liegend **2.** (*fig*) geneigt (*to* zu); **be** ~ **to do s.th.** zu etw neigen; **prone·ness** [-nɪs] *s* Neigung *f* (*to* zu)

prong [prɒŋ] *s* **1.** (*Gabel*) Zinke *f* **2.** Spitze, Zacke *f* **3.** (*Geweih*) Sprosse *f*

pro·nomi·nal [prəʊ'nɒmɪnl] *adj* pronominal; **pro·noun** ['prəʊnaʊn] *s* (GRAM) Pronomen, Fürwort *n*

pro·nounce [prə'naʊns] **I.** *tr* **1.** verkünden; (*feierlich*) erklären **2.** (*Urteil*) fällen **3.** erklären (für) **4.** (*Wort*) aussprechen; ~ **o.s. for s.th.** sich für etw aussprechen **II.** *itr* Stellung nehmen; sich aussprechen (*on* über, *for, in favo(u)r of* für, *against* gegen); **she ~s badly** sie hat eine schlechte Aussprache; **pro·nounce·able** [-əbl] *adj* aussprechbar; **pro·nounced** [prə'naʊnst] *adj* **1.** ausgesprochen **2.** (*Becken, Knochen*) ausgeprägt **3.** (*Verbesserung*) deutlich; **have a** ~ **limp** stark hinken; **pro·nounce·ment** [prə'naʊnsmənt] *s* Erklärung *f;* (JUR) Verkündigung *f*

pronto ['prɒntəʊ] *adv* (*fam*) fix, schnell, dalli

pro·nun·ci·ation [prəˌnʌnsɪ'eɪʃn] *s* Aussprache *f*

proof [pruːf] **I.** *s* **1.** (JUR) Beweis *m* (*of* für) **2.** Nachweis, Beleg *m* **3.** Probe, Erprobung *f* **4.** (*Getränk*) Alkoholgehalt *m* **5.** (*Grafik, Fotografie*) Probeabzug *m;* (Korrektur)Fahne *f;* **by way of** ~ als Beweis; **furnish** [*o* **produce**] ~ den Beweis erbringen; **give** ~ **of s.th.** etw unter Beweis stellen; **put to** (**the**) ~ auf die Probe stellen; **read** (**the**) **~s** Korrektur lesen; **burden** [*o* **onus**] **of** ~ Beweislast *f* **II.** *adj* **1.** fest, sicher (*against* gegen) **2.** wasserdicht, undurchlässig (*to, against* für) **3.** (*fig*) unempfindlich (*against* für) **4.** (*Alkohol*) probehaltig; **burglar~** einbruchsicher; **crisis~** krisenfest; **fire~** feuerfest; **fool~** narrensicher; **water~** wasserdicht; **weather~** wetterfest; ~ **against corruption** unbestechlich **III.** *tr* imprägnieren, wasserdicht machen; **proof·read** ['pruːfˌriːd] *itr* Korrektur lesen; **proof·reader** ['pruːfˌriːdə(r)] *s* (TYP) Korrektor(in) *m(f);* **~'s marks** Korrekturzeichen *npl;* **proof·read·ing** [-ɪŋ] *s* Korrekturlesen *n;* **at the** ~ **stage** im Korrekturstadium

prop¹ [prɒp] **I.** *s* **1.** Pfosten *m,* Stütze *f* **2.** (*fig*) Stütze, Säule *f* **3.** **~s** (THEAT) Requisiten *npl* **II.** *tr* **1.** (~ *up*) (mit e-m Pfosten) stützen; verstreben **2.** (an)lehnen (*against* an) **3.** (MOT) aufbocken **4.** (*fig*) (unter)stützen; ~ **o.s. against** sich lehnen gegen

prop² [prɒp] *s abbr of* **propeller**

propa·ganda [ˌprɒpə'gændə] *s* Propaganda *f;* **propa·gan·dist** [ˌprɒpə'gændɪst] *s* Propagandist(in) *m(f),* Verfechter(in) *m(f)*

propa·gate ['prɒpəgeɪt] **I.** *tr* **1.** fortpflanzen **2.** (PHYS OPT) ausbreiten **3.** (*Sitten, Ideen*) verbreiten **II.** *itr* sich fortpflanzen, sich vermehren; (*Ideen*) sich verbreiten; **propa·ga·tion** [ˌprɒpə'geɪʃn] *s* Fortpflanzung *f;* Vermehrung *f;* Aus-, Verbreitung *f*

pro·pane ['prəʊpeɪn] *s* Propan(gas) *n*

pro·pel [prə'pel] *tr* antreiben; **pro·pel·lant** [prə'pelənt] *s* Treibstoff *m,* -mittel *n;* Treibgas *n;* **pro·pel·ler** [prə'pelə(r)] *s* Propeller *m;* **propeller shaft** *s* Antriebswelle *f;* (MOT) Kardanwelle *f;* (MAR) Schraubenwelle *f;* **pro·pel·ling** [prə'pelɪŋ] *adj* treibend; ~ **force** Triebkraft *f;* ~ **pencil** Drehbleistift *m*

pro·pen·sity [prə'pensətɪ] *s* Neigung *f,* Hang *m* (*to, toward s.th.* zu etw, *for doing* zu tun); ~ **to invest** Investitionsneigung *f*

proper ['prɒpə(r)] *adj* **1.** passend, geeignet (*for* für) **2.** richtig, ordnungsgemäß **3.** ordentlich, bescheiden, höflich **4.** eigentümlich, charakteristisch (*to* für) **5.** (*oft nachgestellt*) eigentlich, im engeren Sinn **6.** (*fam*) recht, richtig, wahr, gehörig; **in** ~ **condition** in gutem Zustand; **at the** ~ **time** zur rechten Zeit; **through the** ~ **channels** auf dem Dienstweg; **in the** ~ **form** in ordnungsmäßiger Form; ~ **fraction** echter Bruch; **deem** ~ **to** es für richtig halten zu; **that's not** ~ das gehört sich nicht; **everything at the** ~ **time** alles zu seiner Zeit; **proper·ly** [-lɪ] *adv* **1.** korrekt, richtig **2.** anständig, ordentlich **3.** durch u. durch; gründlich; ~ **speaking** genaugenommen, eigentlich, in Wirklichkeit; **proper meaning** *s* eigentliche Bedeutung; **proper name, proper noun** *s* Eigenname *m*

prop·er·tied ['prɒpətɪd] *adj:* **the** ~ **classes** das Besitzbürgertum; **prop·erty** ['prɒpətɪ] *s* **1.** Eigentum *n;* Besitz *m* **2.** (*landed* ~) Landbesitz *m,* Ländereien *fpl,* Immobilien *pl,* Liegenschaften *fpl,* Haus, Gebäude *n;* Grundstück *n;* Landbesitz *m* **3.** Eigenschaft, Eigentümlichkeit, Besonderheit *f;* Merkmal *n* **4.** **properties** (THEAT) Requisiten *npl;* **public** ~ Eigentum *n* der öffentlichen Hand; **property developer** *s*

Bauträger *m;* **property development** *s* Grundstückserschließung *f;* **property increment tax** *s* Wertzuwachssteuer *f;* **property insurance** *s* Sachversicherung *f;* **property man, propman** *s* (THEAT) Requisiteur *m;* **property market** *s* Immobilienmarkt *m;* **property owner** *s* Grundstücks-, Hauseigentümer(in) *m(f);* **property room** *s* Requisitenkammer *f;* **property speculation** *s* Immobilienspekulation *f;* **property tax** *s* Grundsteuer *f*

proph•ecy ['prɒfəsɪ] *s* Prophezeiung *f;* **proph•esy** ['prɒfɪsaɪ] *tr* prophezeien (*s.th. for s.o.* jdm etw), vorhersagen; **prophet** ['prɒfɪt] *s* Prophet *m;* **prophet•ess** ['prɒfɪtes] *s* Prophetin *f;* **pro•phetic** [prə'fetɪk] *adj* prophetisch

pro•phy•lac•tic [ˌprɒfɪ'læktɪk] **I.** *adj* (MED) vorbeugend, prophylaktisch **II.** *s* vorbeugendes Mittel; **pro•phy•lax•is** [prɒfɪ'læksɪs] *s* (MED) Prophylaxe *f*

pro•pin•quity [prə'pɪŋkwətɪ] *s* **1.** Nähe *f* **2.** (nahe) Verwandtschaft *f*

pro•pi•tious [prə'pɪʃəs] *adj* günstig (*to, towards* für)

prop•jet ['prɒpdʒet] *s* Turboprop *m*

pro•pon•ent [prə'pəʊnənt] *s* Befürworter(in) *m(f)*

pro•por•tion [prə'pɔːʃn] **I.** *s* **1.** (An)Teil *m,* Quote *f* **2.** Verhältnis *n;* (*a.* MATH) Proportion *f* **3.** Ausgeglichenheit, Ausgewogenheit *f* **4.** **~s** Dimensionen, Proportionen *fpl;* **in ~** verhältnismäßig, anteilig, im Verhältnis (*to* zu), in dem Maße (*as* wie); **out of ~** unverhältnismäßig; **out of all ~** in gar keinem Verhältnis (*to* zu); **~ of costs/profit** Kosten-/Gewinnanteil *m* **II.** *tr* **1.** in das richtige Verhältnis bringen (*to* zu), abstimmen (*to* auf), anpassen (*to* an) **2.** verhältnismäßig verteilen; **pro•por•tional** [prə'pɔːʃənl] *adj* (*a.* MATH) proportional, im (richtigen) Verhältnis (*to* zu), entsprechend; verhältnismäßig, relativ; **~ representation** Verhältniswahlrecht *n;* **~ share** Quote *f;* **~ voting** Verhältniswahl *f;* **pro•por•tion•al•ity** [prəˌpɔːʃənælɪtɪ] *s* (JUR) Verhältnismäßigkeit *f;* **pro•por•tion•ate** [prə'pɔːʃənət] *adj* proportional; **be ~ to s.th.** im Verhältnis zu etw stehen; **pro•por•tioned** [prə'pɔːʃnd] *adj:* **well-~** wohlproportioniert

pro•po•sal [prə'pəʊzl] *s* **1.** Vorschlag *m,* Anregung *f* **2.** Antrag *m;* **upon the ~ of** auf Vorschlag *+gen;* **place ~s before s.o.** jdm Vorschläge unterbreiten; **pro•pose** [prə'pəʊz] **I.** *tr* **1.** vorschlagen (*s.th. to s.o.* jdm etw, *doing s.th.* etw zu tun) **2.** anregen **3.** (*e-n Antrag*) einbringen, stellen **4.** (*~ s.o.'s health*) e-n Toast ausbringen auf; **~ marriage to s.o.** jdm einen Heiratsantrag machen **II.** *itr* e-n Heiratsantrag machen (*to s.o.* jdm); **~ to do s.th.** etw vorhaben; **man ~s, God disposes** der Mensch denkt, Gott lenkt; **pro•poser** [prə'pəʊzə(r)] *s* Antragsteller(in) *m(f);* **prop•osi•tion** [ˌprɒpə'zɪʃn] *s* **1.** Vorschlag *m,* Anregung *f* **2.** Antrag *m* **3.** Unternehmen, Vorhaben *n* **4.** Aussage *f;* (MATH) Lehrsatz *m;* (PHILOS) Satz *m* **5.** Aussicht *n;* **that's an expensive ~** das ist ein teures Vergnügen; **a paying ~** ein lohnendes Geschäft

pro•pound [prə'paʊnd] *tr* darlegen

pro•pri•etary [prə'praɪətrɪ] *adj* (*Klasse*) besitzend; (*Rechte*) Besitz-; (*Gebaren*) besitzergreifend; (COM) gesetzlich geschützt, Marken-; **~ article** Markenartikel *m;* **~ capital** (*Am*) Eigenkapital *n;* **~ company** (*Am*) Dach-, Holdinggesellschaft *f;* **~ drug** (*Am*) *patentrechtlich geschützes Arzneimittel;* **~ goods** Markenartikel *mpl;* **pro•pri•etor** [prə'praɪətə(r)] *s* **1.** Eigentümer(in) *m(f),* Besitzer(in) *m(f),* (Geschäfts)Inhaber(in) *m(f)* **2.** Einzelunternehmer(in) *m(f);* **sole ~** Alleininhaber(in) *m(f);* **pro•pri•etor•ship** [-ʃɪp] *s* Eigentum *n,* Besitz *m;* **during his ~** während er Inhaber, Besitzer war; **pro•pri•e•tress** [prə'praɪətrɪs] *s* Eigentümerin, Besitzerin, Inhaberin *f*

pro•pri•ety [prə'praɪətɪ] *s* **1.** Richtigkeit *f* **2.** Schicklichkeit *f,* Anstand *m;* **the proprieties** die Anstandsformen *fpl,* das gute Benehmen

props [prɒps] *s pl* (*sl: Theater*) Requisiten *npl*

pro•pul•sion [prə'pʌlʃn] *s* (TECH) Antrieb *m;* **jet ~** Strahl-, Düsenantrieb *m*

pro rata [ˌprəʊ'rɑːtə] *adj, adv* anteilmäßig; **pro•rate** [prəʊ'reɪt] *tr* (*Am*) anteilmäßig auf-, verteilen

pro•ro•ga•tion [ˌprəʊrə'geɪʃn] *s* (PARL) Vertagung *f;* **pro•rogue** [prəʊ'rəʊg] *tr* vertagen

pro•saic [prə'zeɪɪk] *adj* (*fig*) prosaisch, nüchtern, trocken

pro•scenium [prə'siːnɪəm] *s* (THEAT: *~ arch*) Proszenium *n*

pro•scribe [prə'skraɪb] *tr* **1.** verbieten **2.** ächten; verbannen; **pro•scrip•tion** [prə'skrɪpʃn] *s* Verbot *n;* Ächtung *f;* Verbannung *f*

prose [prəʊz] *s* Prosa *f*

pros•ecut•able [ˌprɒsɪ'kjuːtəbl] *adj* (*Handlung, Delikt*) strafbar; **pros•ecute** ['prɒsɪkjuːt] **I.** *tr* **1.** (JUR) strafrechtlich verfolgen **2.** (*Untersuchung*) durchführen; **trespassers will be ~d** unbefugtes Betreten bei Strafe verboten **II.** *itr* Klage erheben; **pros•ecut•ing** [-ɪŋ] *adj:* **~ coun-**

sel, ~ **attorney** (*Am*) Anklagevertreter(in) *m(f),* Staatsanwalt *m,* -anwältin *f;* **pros·ecu·tion** [ˌprɒsɪ'kju:ʃn] *s* **1.** Strafverfolgung *f* **2.** Durchführung *f;* **the** ~ die Anklage(behörde); die Staatsanwaltschaft; **liable to** ~ strafbar; ~ **witness, witness for the** ~ Belastungszeuge *m,* -zeugin *f;* **pros·ecu·tor** ['prɒsɪkju:tə(r)] *s* **1.** (An)Kläger(in) *m(f)* **2.** (*public* ~) Anklagevertreter(in) *m(f),* Staatsanwalt *m,* -anwältin *f*

pros·elyte ['prɒsəlaɪt] *s* Neubekehrte(r) *f m,* Proselyt(in) *m(f);* **pros·elyt·ize** ['prɒsəlɪtaɪz] **I.** *itr* Proselyten machen **II.** *tr* bekehren

pros·ody ['prɒsədɪ] *s* Prosodie *f*

pros·pect ['prɒspekt] **I.** *s* **1.** Aussicht *f a. fig,* Ausblick *m* **2.** (*Am*) möglicher Käufer, Interessent, Kunde *m* **3.** Anwärter, Kandidat *m* **4.** (MIN) Schürfstelle *f* **5.** ~**s** Aussichten *fpl;* **in** ~ in Aussicht; **have no** ~**s** keine Zukunft haben; **he is not much of a** ~ **for her** er hat ihr nicht viel zu bieten; **that would be a good** ~ das wäre aussichtsreich; **hold out the** ~ **of s.th.** etw in Aussicht stellen; **what are your** ~**s?** welche Aussichten haben Sie? **II.** [prə'spekt, *Am* 'prɒspekt] *itr, tr* (*Am: nach Gold*) schürfen (*for* nach); (*Öl*) bohren; **pros·pec·tive** [prə'spektɪv] *adj* voraussichtlich; in Aussicht stehend; zukünftig; ~ **buyer** [*o* **customer**] Interessent(in) *m(f);* **pros·pec·tor** [prɒ'spektə(r)] *s* (MIN) Prospektor, Schürfer *m;* **pro·spec·tus** [prə'spektəs] *s* Verzeichnis *n;* Prospekt *m*

pros·per ['prɒspə(r)] *itr* **1.** gedeihen, blühen **2.** Erfolg, Glück haben **3.** (*Geschäft*) gut gehen; **he is** ~**ing** es geht ihm gut; **pros·per·ity** [prɒ'sperətɪ] *s* Wohlstand *m;* (*Geschäft*) Erfolg *m;* **pros·per·ous** ['prɒspərəs] *adj* **1.** erfolgreich; (*Geschäft, Wirtschaft*) florierend **2.** wohlhabend

pros·tate (**gland**) ['prɒsteɪt (ˌglænd)] *s* (ANAT) Vorsteherdrüse, Prostata *f*

pros·ti·tute ['prɒstɪtju:t] **I.** *tr* prostituieren **II.** *refl* sich prostituieren **III.** *s* Prostituierte, Dirne *f;* **male** ~ Strichjunge *m;* **pros·ti·tu·tion** [ˌprɒstɪ'tju:ʃn] *s* Prostitution *f*

pros·trate ['prɒstreɪt] **I.** *adj* **1.** hingestreckt **2.** (*fig*) machtlos **3.** (*fig*) kraftlos (*with* vor) **II.** [prɒ'streɪt] *tr* **1.** niederwerfen **2.** (*fig*) entkräften, niederschmettern; ~ **o.s.** sich niederwerfen (*at a shrine* an e-m Altar, *before s.o.* vor jdm); **pros·tra·tion** [prɒ'streɪʃn] *s* **1.** Fußfall *m* **2.** Entkräftung, (völlige) Erschöpfung *f*

prosy ['prəʊzɪ] *adj* prosaisch, trocken, langweilig

pro·tag·on·ist [prə'tægənɪst] *s* **1.** (*in der Literatur*) Held(in) *m(f),* Protagonist(in) *m(f)* **2.** Hauptperson *f,* führender Kopf **3.** (*fig*) Vorkämpfer *m*

pro·tect [prə'tekt] *tr* **1.** schützen, bewahren (*from* vor) **2.** beschützen, verteidigen (*against* gegen) **3.** (*Interessen, Rechte*) wahren; ~ **o.s.** sich sichern (*against* gegen); ~ **s.o.'s interests** jds Interessen wahren; **pro·tec·tion** [prə'tekʃn] *s* **1.** Schutz *m* (*from* vor) **2.** (*von Interessen, Rechten*) Wahrung *f* **3.** Versicherungsschutz *m* **4.** (~ *money*) Schutzgeld *n;* ~ **of consumers** Verbraucherschutz *m;* ~ **of the environment** Umweltschutz *m;* ~ **of interests** Wahrung *f* der Interessen; **protection factor** *s* (*Sonnenöl*) Licht-, Sonnenschutzfaktor *m;* **pro·tec·tion·ism** [-ɪzəm] *s* Protektionismus *m;* **pro·tec·tion·ist** [-ɪst] **I.** *adj* protektionistisch **II.** *s* Protektionist(in) *m(f);* **protection racket** *s organisierte Erpressung von Geschäftsinhabern;* **pro·tec·tive** [prə'tektɪv] *adj* schützend; Schutz-; (*Eltern*) fürsorglich, besorgt; ~ **clause** Schutzklausel *f;* ~ **clothing** Schutzkleidung *f;* ~ **coating** Schutzanstrich *m;* ~ **colo(u)ring** [*o* **coloration**] (BIOL) Tarnfarbe *f;* ~ **custody** Schutzhaft *f;* ~ **instinct** Beschützerinstinkt *m;* ~ **measure** Schutzmaßnahme *f;* ~ **tariff** Schutzzoll *m;* **over-**~ übermäßig besorgt; **pro·tec·tor** [prə'tektə(r)] *s* **1.** Beschützer(in) *m(f)* **2.** (*Gegenstand*) Schutz *m;* **pro·tec·tor·ate** [prə'tektərət] *s* Protektorat *n*

pro·tégé, **pro·tégée** ['prɒtɪʒeɪ, *Am* prəʊtɪ'ʒeɪ] *s* Schützling *m*

pro·tein ['prəʊti:n] *s* (CHEM) **1.** Protein *n* **2.** ~**s** Eiweißstoffe *mpl*

pro·test [prə'test] **I.** *tr* **1.** beteuern **2.** protestieren gegen **3.** (FIN: *Wechsel*) protestieren, zu Protest gehen lassen **II.** *itr* protestieren, Einspruch, Protest erheben (*to s.o.* bei jdm), sich verwahren (*against* gegen) **III.** ['prəʊtest] *s* **1.** Einspruch, Protest *m* (*against* gegen) **2.** (COM) (Wechsel)Protest *m;* **as a** ~, **in** ~ **against** als Protest gegen; **under** ~ unter Protest; **without** ~ widerspruchs-, vorbehaltlos

Prot·es·tant ['prɒtɪstənt] **I.** *s* Protestant(in) *m(f)* **II.** *adj* protestantisch; **Prot·es·tant·ism** [-ɪzəm] *s* Protestantismus *m*

prot·esta·tion [ˌprɒte'steɪʃn] *s* **1.** Beteuerung *f* **2.** Einspruch, Protest *m;* **pro·tester** [prə'testə(r)] *s* Protestierende(r) *f m,* Demonstrant(in) *m(f)*

pro·test march *s* Protestmarsch *m;* **protest vote** *s* Proteststimme *f*

pro·to·col ['prəʊtəkɒl] *s* Protokoll *n*

pro·ton ['prəʊtɒn] *s* (PHYS) Proton *n*

pro·to·plasm ['prəʊtəplæzəm] *s* (BIOL) Protoplasma *n*

pro•to•type ['prəʊtətaɪp] *s* Prototyp *m*
pro•to•zoan [ˌprəʊtə'zəʊən, *pl* -'zəʊə] <*pl* -zoa> *s* Protozoon, Urtierchen *n*
pro•tract [prə'trækt] *tr* **1.** (*zeitlich*) in die Länge ziehen, verlängern, ausdehnen **2.** hinauszögern, aufschieben, verschleppen; **pro•tracted** [prə'træktɪd] *adj* langwierig, langatmig, weitschweifig; **pro•trac•tion** [prə'trækʃn] *s* (*a.* JUR) Ausdehnung, Verzögerung, Verschleppung *f;* **pro•trac•tor** [prə'træktə(r)] *s* Winkelmesser *m*
pro•trude [prə'tru:d] **I.** *tr* heraus-, hervorstoßen, -strecken **II.** *itr* vorstehen; herausragen, -treten; **pro•trud•ing, pro•trus•ive** [prə'tru:dɪŋ, prə'tru:sɪv] *adj* herausragend, vorspringend, vorstehend; **pro•tru•sion** [prə'tru:ʒn] *s* **1.** Vorsprung *m* **2.** Vorstehen *n;* Herausragen *n*
pro•tu•ber•ance [prə'tju:bərəns] *s* **1.** Ausbauchung, (An)Schwellung *f;* Beule *f* **2.** (ASTR) Protuberanz *f;* **pro•tu•ber•ant** [prə'tju:bərənt] *adj* vorstehend; ~ **eyes** Glotzaugen *npl*
proud [praʊd] *adj* **1.** stolz (*of* auf) **2.** hochmütig, eingebildet **3.** stolz, stattlich; prächtig; **do s.o.** ~ jdn verwöhnen; **proud flesh** *s* wildes Fleisch
prov•able ['pru:vəbl] *adj* beweisbar, nachweisbar
prove [pru:v] <*irr:* **proved, proved (proven)**> **I.** *tr* **1.** beweisen, nachweisen; unter Beweis stellen **2.** bestätigen **3.** beglaubigen, beurkunden **4.** (*Flugzeug*) erproben **5.** (*Teig*) gehen lassen; ~ **one's identity** sich ausweisen; ~ (**to be**) **false** (**true**) sich (nicht) bestätigen, sich als falsch (richtig) herausstellen **II.** *itr* **1.** sich erweisen, sich herausstellen als; (*gut, schlecht*) ausfallen **2.** (*Teig*) gehen **III.** *refl* sich erweisen (*innocent* als unschuldig)
proven ['pru:vn] *pp of* **prove**
prov•enance ['prɒvənəns] *s* Herkunft *f,* Ursprung *m*
prov•en•der ['prɒvɪndə(r)] *s* Futter *n*
prov•erb ['prɒvɜ:b] *s* Sprichwort *n;* **prov•erb•ial** [prə'vɜ:bɪəl] *adj* sprichwörtlich *a. fig*
pro•vide [prə'vaɪd] **I.** *tr* **1.** beschaffen, besorgen; heranschaffen, liefern **2.** zur Verfügung stellen, bereitstellen **3.** versorgen, ausstatten, beliefern (*with* mit); ~ **o.s.** sich versorgen **II.** *itr* **1.** sorgen; Vorsorge, Vorbereitungen treffen (*for* für, *against* gegen) **2.** (JUR) bestimmen, festsetzen, vorsehen; ~ **for s.o.** jdn versorgen; ~ **for s.th.** (JUR) etw vorsehen; **the Lord will** ~ der Herr wird schon für uns sorgen; **pro•vided** [prə'vaɪdɪd] *conj:* ~ (**that**) vorausgesetzt (, dass)
provi•dence ['prɒvɪdəns] *s* (REL) Vorsehung *f;* **provi•den•tial** [ˌprɒvɪ'denʃl] *adj* schicksalhaft; glücklich
pro•vider [prə'vaɪdə(r)] *s* **1.** Lieferant(in) *m(f)* **2.** (*Familie*) Ernährer(in) *m(f);* **pro•vid•ing** [prə'vaɪdɪŋ] *adj:* ~ (**that**) vorausgesetzt, (dass)
prov•ince ['prɒvɪns] *s* **1.** Provinz *f* **2.** (*fig*) Aufgabenkreis *m,* (Tätigkeits)Gebiet *n;* Fach *n;* **that question is outside my** ~ dafür bin ich nicht zuständig; **prov•in•cial** [prə'vɪnʃl] **I.** *adj* **1.** provinziell **2.** engstirnig; ~ **town** Provinzstadt *f* **II.** *s* Provinzbewohner(in) *m(f);* (*pej*) Provinzler(in) *m(f)*
prov•ing ['pru:vɪŋ] *s* Erprobung *f;* **be under the obligation of** ~ beweispflichtig sein; **proving flight** *s* Testflug *m;* **proving ground** *s* Versuchsgelände *n;* Versuchsfeld *n;* (*fig*) Bewährungsprobe *f*
pro•vi•sion [prə'vɪʒn] **I.** *s* **1.** Vorkehrung, Vorsorge *f* **2.** Beschaffung, Bereitstellung *f* **3.** Versorgung *f* (*of* mit) **4.** Vorrat *m* **5.** ~**s** Lebensmittel *pl,* Verpflegung *f* **6.** Vorschrift, Bestimmung *f* **7.** (*Bilanz*) Rückstellung *f;* **make** ~ **for** Vorsorge treffen für; ~ **of capital** Bereitstellung *f* von Kapital; ~ **of electricity** Versorgung *f* mit Elektrizität; ~ **for the future** Vorsorge *f* für die Zukunft; ~ **for retirement** Altersversorgung *f;* ~ **store** Lebensmittelgeschäft *n* **II.** *tr* (*mit Lebensmitteln*) versorgen
pro•vi•sional [prə'vɪʒənl] *adj* **1.** vorläufig, einstweilig **2.** provisorisch; ~ **cover** vorläufige Deckung(szusage); ~ **driving licence** vorläufiger Führerschein für Fahrschüler; ~ **government** provisorische Regierung; **the** ~ **IRA** die provisorische Irisch-Republikanische Armee
pro•viso [prə'vaɪzəʊ] <**-visos, -visoes** *Am*> *s* Klausel *f;* **with the** ~ **that ...** unter der Bedingung, dass ...; **with the usual** ~ unter dem üblichen Vorbehalt; **make it a** ~ zur Bedingung machen; sich vorbehalten
provo•ca•tion [ˌprɒvə'keɪʃn] *s* Herausforderung, Provokation *f;* **he did it under** ~ man hat ihn dazu provoziert; **pro•voca•tive** [prə'vɒkətɪv] *adj* herausfordernd; provokativ; **look** ~ aufreizend aussehen
pro•voke [prə'vəʊk] *tr* **1.** provozieren, reizen, herausfordern **2.** aufstacheln, aufreizen **3.** (*Ärger, Kritik, Lächeln*) hervorrufen **4.** (*Diskussion etc*) bewirken; ~ **s.o. to do** [*o* **into doing**] **s.th.** jdn veranlassen etw zu tun; **pro•vok•ing** [-ɪŋ] *adj* provozierend; ärgerlich
pro•vost ['prɒvəst] *s* **1.** (*Oxford*) Leiter *m* e-s College **2.** (*Schottland*) Bürgermeister *m*
prow [praʊ] *s* (MAR) Bug *m*
prow•ess ['praʊɪs] *s* **1.** Tapferkeit, Kühnheit *f* **2.** große Geschicklichkeit, überra-

gendes Können; **sexual** ~ Potenz *f*

prowl [praʊl] **I.** *itr* herumschleichen, -streichen **II.** *tr* durchstreifen **III.** *s:* **be on the** ~ herumstreichen; ~ **car** (*Am*) Streifenwagen *m;* **prowler** ['praʊlə(r)] *s* Herumstreicher *m;* **prowl•ing** [-ɪŋ] *s* Herumlungern *n*

prox•im•ity [prɒk'sɪmətɪ] *s* Nähe *f;* **in close** ~ in unmittelbarer Nähe (*to, with s.o.* jds); **prox•imo** ['prɒksɪməʊ] *adv* nächsten Monats

proxy ['prɒksɪ] *s* **1.** (*schriftliche*) Vollmacht *f* **2.** Vertreter(in) *m(f),* Bevollmächtigte(r) *f m;* **by** ~ in Vertretung; **stand** ~ **for s.o.** für jdn als Vertreter fungieren; **vote by** ~ sich bei e-r Wahl vertreten lassen; **voting by** ~ Wahl *f* durch Stellvertreter

prude [pru:d] *s* prüde Frau, prüder Mann

pru•dence ['prudns] *s* **1.** Umsicht, Vorsicht *f* **2.** Klugheit *f;* **pru•dent** ['pru:dnt] *adj* **1.** umsichtig; vorsichtig **2.** vernünftig, einsichtig

pru•dery ['pru:dərɪ] *s* Prüderie *f;* **prud•ish** ['pru:dɪʃ] *adj* prüde, zimperlich

prune[1] [pru:n] *tr* **1.** (*Baum, Strauch*) beschneiden, ausputzen **2.** (*fig*) kürzen; reduzieren; (*Buch*) zusammenstreichen

prune[2] [pru:n] *s* **1.** Backpflaume *f* **2.** (*fig*) Muffel *m*

prun•ing ['pru:nɪŋ] *s* **1.** Beschneiden, Stutzen *n* **2.** (*fig*) Kürzung *f;* Zusammenstreichen *n;* **pruning hook** *s* Rebmesser *n;* **pruning knife** <*pl* -knives> *s* Gartenmesser *n;* **pruning saw** *s* Baumsäge *f;* **pruning shears** *s pl* Gartenschere, Rebschere *f*

pru•ri•ence ['prʊərɪəns] *s* Lüsternheit *f;* **pru•ri•ent** ['prʊərɪənt] *adj* lüstern

Prussia ['prʌʃə] *s* Preußen *n;* **Prus•sian** ['prʌʃn] **I.** *s* Preuße *m,* Preußin *f* **II.** *adj* preußisch

prus•sic ['prʌsɪk] *adj:* ~ **acid** Blausäure *f*

pry[1] [praɪ] *itr* **1.** (~ *about*) herumspionieren, -schnüffeln, -horchen **2.** neugierig sein

pry[2] [praɪ] *tr* (*Am*) **1.** (~ *open*) aufbrechen **2.** (*fig: Geheimnis*) herauspressen (*out of s.o.* aus jdm)

pry•ing ['praɪɪŋ] *adj* neugierig

PS [ˌpi:'es] *s abbr of* **post scriptum** PS *n*

psalm [sɑ:m] *s* Psalm *m;* **psalm•ist** ['sɑ:mɪst] *s* Psalmist *m;* **psalm•ody** ['sɑ:mədɪ] *s* Psalmodie *f,* Psalmengesang *m*

pse•phol•ogy [se'fɒlədʒɪ] *s* Wahlforschung *f*

pseud [sju:d] **I.** *s* (*fam*) Angeber(in) *m(f)* **II.** *adj* hochtrabend, hochgestochen; (*Buch, Film, Mensch*) pseudointellektuell; **pseu•do** ['sju:dəʊ] *adj* unecht; affektiert; **a ~-intellectual** ein(e) Pseudointellektuelle(r)

pseu•do•nym ['sju:dənɪm] *s* Pseudonym *n;* **pseud•ony•mous** [sju:'dɒnɪməs] *adj* pseudonym

psit•ta•co•sis [ˌsɪtə'kəʊsɪs] *s* Papageienkrankheit *f*

psych(**e**) [saɪk] **I.** *tr* (*sl*) **1.** analysieren **2.** (~ *out*) durchschauen; ~ **o.s. up, get ~ed up** sich hochschaukeln **II.** *itr* (*sl*): ~ **out** ausflippen

psyche ['saɪkɪ] *s* Psyche *f*

psyche•delic [ˌsaɪkɪ'delɪk] **I.** *adj* psychedelisch **II.** *s* psychedelische, bewusstseinserweiternde Droge

psy•chi•atric [ˌsaɪkɪ'ætrɪk] *adj* psychiatrisch; **psy•chia•trist** [saɪ'kaɪətrɪst] *s* Psychiater(in) *m(f);* **psy•chia•try** [saɪ'kaɪətrɪ] *s* Psychiatrie *f;* **psy•chi•c**(**al**) ['saɪkɪk(l)] **I.** *adj* **1.** psychisch, seelisch **2.** telepathisch **II.** *s* **1.** (*Spiritismus*) (gutes) Medium *n* **2.** ~**s** *mit sing* Parapsychologie *f*

psy•cho•ana•lyse [ˌsaɪkəʊ'ænəlaɪz] *tr* psychoanalytisch behandeln; **psy•cho•an•aly•sis** [ˌsaɪkəʊə'næləsɪs] *s* Psychoanalyse *f;* **psy•cho•ana•lyst** [ˌsaɪkəʊ'ænəlɪst] *s* Psychoanalytiker(in) *m(f);* **psy•cho•ana•lytic**(**al**) [ˌsaɪkəʊˌænə'lɪtɪk(l)] *adj* psychoanalytisch

psy•cho•logi•cal [ˌsaɪkə'lɒdʒɪkl] *adj* psychologisch; ~ **make-up** Psyche *f;* ~ **moment** psychologisch günstiger Zeitpunkt; ~ **terror** Psychoterror *m;* ~ **warfare** psychologische Kriegsführung; **it's all** ~ das ist alles Einbildung; **psy•chol•ogist** [saɪ'kɒlədʒɪst] *s* Psychologe *m,* Psychologin *f;* **psy•chol•ogy** [saɪ'kɒlədʒɪ] *s* Psychologie *f;* **child** ~ Kinderpsychologie *f;* **experimental/individual/social** ~ Experimental-/Individual-/Sozialpsychologie *f;* ~ **of the adolescent** Jugendpsychologie *f*

psy•cho•path ['saɪkəʊpæθ] *s* Psychopath(in) *m(f);* **psy•cho•pathic** [ˌsaɪkəʊ'pæθɪk] *adj* psychopathisch; **psy•cho•pathy** [ˌsaɪ'kɒpəθɪ] *s* Geisteskrankheit *f;* **psy•cho•sis** [saɪ'kəʊsɪs, *pl* -si:z] <*pl* -ses> *s* Psychose *f;* **psy•cho•so•matic** [ˌsaɪkəʊsə'mætɪk] *adj* psychosomatisch; **psycho•thera•pist** [ˌsaɪkə'θerəpɪst] *s* Psychotherapeut(in) *m(f);* **psy•cho•ther•apy** [ˌsaɪkəʊ'θerəpɪ] *s* Psychotherapie *f;* **psy•chotic** [saɪ'kɒtɪk] **I.** *adj* psychotisch **II.** *s* Geisteskranke(r) *f m,* Psychotiker(in) *m(f)*

PT [ˌpi:'ti:] *s abbr of* **physical training** (PÄD) Sport *m*

pt *s abbr of* **pint** Pint *n*

ptar•mi•gan ['tɑ:mɪgən] *s* Schneehuhn *n*

pto [ˌpi:ti:'əʊ] *abbr of* **please turn over** bitte wenden

pto•maine poi•son•ing ['təʊmeɪn 'pɔɪzənɪŋ] *s* (HIST) Lebensmittelvergiftung *f*

pub [pʌb] *s* (*fam*) Kneipe *f*, Wirtshaus *n*; **pub-crawl** *s* Kneipenbummel *m*

pu•berty ['pju:bətɪ] *s* Pubertät *f*; **pu•bic** ['pju:bɪk] *adj*: ~ **hair** Schamhaare *npl*; **pu•bis** ['pju:bɪs, *pl* -bi:z] <*pl* -bes> *s* (ANAT) Schambein *n*

pub•lic ['pʌblɪk] **I.** *adj* **1.** öffentlich **2.** staatlich; städtisch **3.** allgemein bekannt; **be in the ~ eye** im Brennpunkt des öffentlichen Lebens stehen; **become ~** bekannt werden **II.** *s mit sing od pl* Öffentlichkeit *f*; **in ~** öffentlich, *adv*, in der Öffentlichkeit; **the cinema-going/the theatre-going ~** das Film-/das Theaterpublikum; **the reading ~** die Leserschaft; **public accountant** *s* (*Am*) Wirtschaftsprüfer(in) *m(f)*; **public address system** *s* Lautsprecheranlage *f*; **public affairs** *s pl* öffentliche Angelegenheiten *fpl*

pub•li•can ['pʌblɪkən] *s* Gastwirt(in) *m(f)*

pub•lic ap•pear•ance [ˌpʌblɪk ə'pɪərəns] *s* Auftreten *n* in der Öffentlichkeit; **public appointment** *s* Staatsstellung *f*; **public assistance** *s* (*Am*) Sozialhilfe *f*

pub•li•ca•tion [ˌpʌblɪ'keɪʃn] *s* Publikation, Veröffentlichung *f*; Druckschrift *f*; **in course of ~** im Erscheinen begriffen, im Druck; **list of ~s** Verlagskatalog *m*; **monthly/weekly ~** Monats-/Wochenschrift *f*; **new ~** Neuerscheinung *f*; (*Werbung*) soeben erschienen; **~ date** Erscheinungsdatum *n*

pub•lic auth•or•ity [ˌpʌblɪk ɔː'θɒrətɪ] *s* **1.** Staatsgewalt *f* **2.** Behörde *f*; **public bar** *s* Stehausschank *m*; **public company** *s* Aktiengesellschaft *f*; **public convenience** *s* öffentliche Bedürfnisanstalt; **public conveyance** *s* öffentliches Verkehrsmittel; **public debt** *s* Staatsverschuldung *f*; **public domain** *s* (*Am*) Staatseigentum *n*, staatlicher Grund u. Boden; **in the ~** (*geistiges Eigentum*) frei (geworden); **public enemy** *s* Staatsfeind *m*; **public expenditure**, **public expense** *s* Staatsausgaben *fpl*; **public funds** *s pl* Staatsgelder, öffentliche Gelder *npl*; **public health** *s* Volksgesundheit *f*; **public health service** *s* staatlicher Gesundheitsdienst; **public holiday** *s* gesetzlicher Feiertag; **public house** *s* (*Br*) Wirts-, Gasthaus *n*, Gaststätte *f*; **public information officer** *s* Presseoffizier *m*; **public interest** *s* öffentliches Interesse, Staatsinteresse *n*

pub•li•cist ['pʌblɪsɪst] *s* Publizist(in) *m(f)*

pub•lic•ity [pʌb'lɪsətɪ] *s* **1.** Publizität, Publicity *f* **2.** Werbung, Reklame *f*; **give ~ to s.th.** etw groß herausbringen; **give s.o. ~** für jdn Reklame machen; **broadcast ~** Rundfunkwerbung *f*; **publicity agent** *s* Werbeagent(in) *m(f)*; **publicity campaign** *s* Werbefeldzug *m*, -aktion *f*; **publicity department** *s* Werbeabteilung *f*; **publicity expenses**, **publicity costs** *s pl* Werbekosten *pl*; **publicity material** *s* Werbematerial *n*

pub•lic•ize ['pʌblɪsaɪz] *tr* **1.** bekannt machen **2.** werben für, Reklame machen für

pub•lic law [ˌpʌblɪk 'lɔː] *s* öffentliches Recht; **under ~** öffentlich-rechtlich; **public library** *s* Volksbücherei *f*; **public limited company**, **plc** *s* (*etwa*) Aktiengesellschaft, AG *f*; **public loan** *s* Staatsanleihe *f*; **pub•lic•ly** ['pʌblɪklɪ] *adv* öffentlich; **~ owned** Gemeineigentum *n*; **public nuisance** *s* öffentliches Ärgernis; **public opinion** *s* die öffentliche Meinung; **public opinion poll** *s* Meinungsumfrage *f*; **public property** *s* Staatseigentum *n*; **public prosecution** *s* öffentliche Anklage; **public prosecutor** *s* Staatsanwalt *m*, -anwältin *f*; **public records** *s pl* Staatsarchiv *n*; **public relations**, **PR** *s pl* Öffentlichkeitsarbeit *f*; Public Relations *pl*, PR *f*; **public-relations officer** *s* Pressesprecher(in) *m(f)*, PR-Referent(in) *m(f)*; **public school** *s* **1.** (*Br*) höhere Privatschule **2.** (*Am*) öffentliche, staatliche Schule; **public sector** *s* öffentlicher Sektor; **public servant** *s* Angestellte(r) *f m* im öffentlichen Dienst; **public service** *s* öffentlicher Dienst; öffentlicher Dienstleistungsbetrieb; **pub•lic-spirited**, **pub•lic-minded** [ˌpʌblɪk'spɪrɪtɪd, ˌpʌblɪk'maɪndɪd] *adj* sozial gesinnt; **public telephone** *s* Münzfernsprecher *m*; **public transport** *s* öffentliche Verkehrsmittel *npl*; **public trial** *s* (JUR) öffentliche Verhandlung; **public utility** *s* (öffentlicher) Versorgungsbetrieb *m*, Stadtwerke *npl*, Wasser-, Gas-, Elektrizitätswerk *n*; **public wants** *s pl* öffentliche Bedürfnisse *npl*; **public weal** *s* Allgemeinwohl *n*; **public works** *s pl* öffentliche Bauvorhaben *npl*, öffentliche Einrichtungen *fpl*

pub•lish ['pʌblɪʃ] *tr* **1.** (öffentlich) bekanntgeben, -machen **2.** (*Buch*) veröffentlichen; publizieren; herausgeben, -bringen, erscheinen lassen, verlegen; **be ~ed in instal(l)ments** in Lieferungen herauskommen; **about to be ~ed** im Erscheinen begriffen, im Druck; **just ~ed** soeben erschienen; **to be ~ed shortly** erscheint in Kürze; **pub•lisher** ['pʌblɪʃə(r)] *s* **1.** Verleger(in) *m(f)* **2.** (*a.* ~*s*) Verlag *m*; **pub•lish•ing** ['pʌblɪʃɪŋ] *s* Verlagswesen *n*; **~ business** [*o* **trade**] Verlagsgeschäft *n*; **~ company** [*o* **house**] Verlag(shaus *n*) *m*

puck [pʌk] *s* Eishockeyscheibe *f*, Puck *m*

pucker ['pʌkə(r)] I. *tr* 1. (*Mund*) verziehen; (zum Küssen) spitzen; (*Stirn*) runzeln 2. (*Stoff*) in Falten legen II. *itr* 1. sich verziehen; sich spitzen; sich runzeln 2. Falten werfen III. *s* Falte *f*

pud•ding ['pʊdɪŋ] *s* 1. Süßspeise *f*, Pudding *m* 2. Fleischpastete *f* 3. (*fig fam*) Dummkopf *m;* Dickerchen *n;* **black** ~ Blutwurst *f;* **pudding-head** *s* (*fam*) Dummkopf *m*

puddle ['pʌdl] *s* Pfütze *f*

pu•denda [pju:'dendə] *s pl* äußere Schamteile *pl*

pudgy [ɪ] *adj* untersetzt, plump

puer•ile ['pjʊəraɪl] *adj* kindisch; **puer•il•ity** [ˌpjʊə'rɪlətɪ] *s* 1. kindisches Wesen 2. Kinderei, Albernheit *f*

Puer•to Ri•can ['pwɜ:təʊ'ri:kən] I. *adj* puertorikanisch II. *s* Puertorikaner(in) *m(f);* **Puer•to Ri•co** ['pwɜ:təʊ'ri:kəʊ] *s* Puerto Rico *n*

puff [pʌf] I. *s* 1. Atem-, Windstoß *m* 2. Zug *m* (*an e-r Zigarette*) 3. Atem *m* 4. (*powder*-~) Puderquaste *f* 5. Windbeutel *m* (*Gebäck*); **be out of** ~ außer Puste sein II. *itr* 1. (*Wind*) blasen 2. (*Rauch, Dampf*) ausstoßen 3. schnaufen, keuchen; (*Pferd*) schnauben 4. (*Raucher*) paffen (*at* an) III. *tr* 1. ausstoßen, -puffen; außer Atem bringen 2. (*Zigarette*) paffen 3. (über Gebühr) herausstreichen 4. (*Haar, Kleid*) bauschen; **puff out** *tr* 1. (*Flamme*) ausblasen 2. (*Luft*) ausstoßen; (*Worte*) hervorstoßen 3. außer Atem bringen; (*Backen*) aufblasen 4. (*Brust*) herausstrecken; **puff up** I. *itr* (*Augen, Gesicht*) anschwellen II. *tr* (*Federn*) aufplustern; ~**ed up** (*fig*) aufgeblasen, hochmütig; **puff adder** *s* (ZOO) Puffotter *f;* **puff•ball** *s* (BOT) Bovist *m*

puffin ['pʌfɪn] *s* (ORN) Papageientaucher *m*

puff pastry *s* Blätterteig *m;* **puffy** ['pʌfɪ] *adj* 1. (*fig*) aufgeblasen, geschwollen 2. (*Gesicht*) aufgedunsen 3. (*Ärmel*) bauschig

pug [pʌg] (~-*dog*) Mops *m*

pu•gil•ism ['pju:dʒɪlɪzəm] *s* Boxen *n;* **pu•gil•ist** ['pju:dʒɪlɪst] *s* Boxer *m*

pug•na•cious [pʌg'neɪʃəs] *adj* kampflustig; **pug•nac•ity** [pʌg'næsətɪ] *s* Kampf(es)lust *f*

pug nose ['pʌgnəʊz] *s* Stumpfnase *f*

puke [pju:k] *itr* (*sl*) kotzen

puk•ka ['pʌkə] *adj* 1. vornehm 2. zuverlässig 3. wahr; echt; ursprünglich

pull [pʊl] I. *tr* 1. ziehen, zerren, reißen (*by the hair* an den Haaren); (*Glocke, Seil*) ziehen an 2. (*Zahn*) ziehen; (*Korken, Unkraut*) herausziehen 3. (*Bier*) zapfen 4. (*Geflügel*) ausnehmen 5. (*Muskel*) zerren 6. (*Ruder*) anziehen 7. (*Boot*) rudern 8. (*Menschen*) anziehen 9. (*fam*) abhalten, durchführen, veranstalten 10. (*sl: Ding*) drehen; ~ **a face** das Gesicht verziehen; ~ **a fast one on s.o.** (*sl*) jdn hereinlegen; ~ **s.o.'s leg** jdn auf den Arm nehmen; ~ **to pieces** in Stücke reißen, zerreißen; (*fig*) kein gutes Haar lassen an; ~ **a pistol on s.o.** jdn mit der Pistole bedrohen; ~ **one's punches** (*fig*) sich zurückhalten; ~ **rank on s.o.** jdm gegenüber den Vorgesetzten herauskehren; ~ **the strings** (*fig*) die Fäden in der Hand haben; ~ **strings** (*fig*) Beziehungen spielen lassen; ~ **a dirty trick on s.o.** jdm e-n bösen Streich spielen; ~ **one's weight** sich ins Ruder legen; (*fig*) sich Mühe geben, sich anstrengen; ~ **the wool over s.o.'s eyes** (*fig*) jdn hereinlegen; **don't** ~ **any funny stuff!** machen Sie keine Geschichten! II. *itr* 1. ziehen, zerren, reißen (*at* an) 2. (*Trinken, Rauchen*) e-n Zug machen 3. sich bewegen, fahren; **the car is** ~**ing to the left** das Auto zieht nach links; ~ **for s.o.** (*Am*) jdn unterstützen; **the train** ~**ed into the station** der Zug fuhr in den Bahnhof ein III. *s* 1. Zug, Ruck *m* 2. (Zug)Kraft, Stärke, Gewalt *f* 3. (*Trinken, Rauchen*) Zug *m* 4. (*fig*) Anziehungskraft *f* 5. (*Wasser, Luft*) Sog *m* 6. (Klingel)Zug *m;* Handgriff *m* 7. (TYP) (Probe)Abzug *m*, Fahne *f* 8. Werbe-, Zugkraft *f* 9. Einfluss *m* (*with* auf), Beziehungen *fpl* 10. Anstieg *m;* **give a** ~ ziehen; rudern; **have the** ~ e-n Vorteil haben (*of, on, over* vor); **pull about** *tr* hin u. her zerren, reißen, stoßen; **pull ahead of** *tr* überholen; **pull apart** *tr* auseinander ziehen; trennen; auseinander nehmen; (*fig*) kein gutes Haar lassen an; **pull away** *itr* sich losreißen; abfahren, hinter sich lassen; **pull back** I. *tr* zurückreißen, -stoßen II. *itr* einen Rückzieher machen; **pull down** *tr* 1. nieder-, einreißen, demolieren 2. (*Jalousie*) herunterlassen 3. (*Person*) mitnehmen 4. (*Gewinn*) drücken 5. (*Am: Geld*) verdienen; ~ **menu** Pulldownmenü *n;* **pull in** I. *tr* 1. (*Pferd*) zügeln 2. (*Krallen*) einziehen 3. (*fig*) anziehen 4. (*fam*) kassieren 5. (*fam*) verhaften II. *itr* 1. einfahren, ankommen 2. (MOT) anhalten; **pull off** *tr* 1. wegziehen, -reißen, -zerren 2. (*Hut*) abnehmen 3. (*Handel*) abschließen 4. (*fam*) Glück haben mit 5. (*sl: Sache*) schmeißen; **pull out** I. *tr* 1. (her)ausziehen, -reißen 2. (*Tisch*) ausziehen 3. (*fig*) zurückziehen II. *itr* 1. (*Zug*) abfahren 2. (*Mensch*) weggehen, abhauen *fam;* **pull over** *itr* (*fam: Wagen*) heranfahren (*to the side* auf die Seite); **pull round** I. *tr* 1. (*Kranken*) durchbringen 2. herumdrehen II. *itr* durchkommen, die Krankheit überstehen; **pull through** I. *tr*

1. (hin) durchziehen 2. (*Sache*) durchbringen; durchhelfen (*s.o.* jdm) II. *itr* 1. sich durchschlagen 2. (*Kranker*) durchkommen; **pull together** I. *itr* (*fig*) am gleichen Strang ziehen, (gut) zusammenarbeiten II. *tr* (*fig*) zusammenbringen; ~ **o.s. together** sich zusammennehmen, sich zusammenreißen; **pull up** I. *tr* 1. hochziehen; nach oben ziehen 2. anhalten, zum Stehen bringen, stoppen 3. (*fig*) zurechtweisen; korrigieren 4. (*Pflanze*) herausreißen 5. verbessern II. *itr* 1. anhalten, stehenbleiben (*at* an, bei, vor) 2. einholen (*with s.o.* jdn); (SPORT) aufholen 3. (MOT) vorfahren; ~ **up short** plötzlich bremsen; (*fig*) plötzlich unterbrechen; ~ **up stakes** (*Am*) alles hinter sich lassen

pul•let ['pʊlɪt] *s* Hühnchen *n*

pul•ley ['pʊlɪ] *s* 1. (TECH) Flaschenzug *m* 2. (MAR) Talje *f* 3. (MED) Streckapparat *m*

pull-in ['pʊlɪn] *s* (*Br*) Rastplatz *m*

Pull•man® ['pʊlmən] *s* Pullmannwagen *m*

pull-out ['pʊlaʊt] *s* 1. (Zeitschriften)Beilage *f* 2. Abzug *m*

pull•over ['pʊləʊvə(r)] *s* Pullover *m*

pull-up ['pʊlʌp] *s* Klimmzug *m*

pul•mon•ary ['pʌlmənərɪ] *adj:* **disease** Lungenkrankheit *f*

pulp [pʌlp] I. *s* 1. breiige Masse, Brei *m* 2. (BOT) Fruchtfleisch, Mark *n* 3. (ANAT) Zahnmark *n*, Pulpa *f* 4. (*paper~*) Papierbrei *m*, Pulpe *f* 5. (*fam:* ~ *magazine*) Groschenheft *n;* **beat s.o. to a** ~ jdn windelweich prügeln; **reduce s.o. to a** ~ jdn bewegungsunfähig machen II. *tr* zu Brei machen

pul•pit ['pʊlpɪt] *s* Kanzel *f;* **in the** ~ auf der Kanzel

pul•sar ['pʌlsɑ:(r)] *s* Pulsar *m*

pul•sate [pʌl'seɪt] *itr* vibrieren, pulsieren (*with* von); **pul•sa•tion** [pʌl'seɪʃn] *s* Klopfen, Schlagen *n;* Vibrieren *n*

pulse[1] I. *s* 1. Spitze *f;* (Berg)Gipfel *m;* (*Dach*) First *m* 2. Mützenschirm *m* 3. Scheitelpunkt *m* 4. (*fig*) Gipfel *m;* höchster Stand; (konjunktureller) Höhepunkt; (~ *value*) Höchstwert *m;* **be at the** ~ **of one's power** den Gipfel seiner Macht erreicht haben; **reach the** ~ den höchsten Stand erreichen; ~ **of production** Produktionsspitze *f* II. *itr* e-n Höchststand erreichen III. *adj* Spitzen-; Höchst-

pump[1] [pʌmp] I. *s* Pumpe *f;* ~ **priming** Initialzündung *f* II. *tr* 1. pumpen 2. (~ *out*) aus-, leer pumpen *a. fig;* (*fig*) erschöpfen 3. ausfragen; ~ **up** aufpumpen; hochpumpen, heraufpumpen; ~ **dry** leer pumpen

pump[2] [pʌmp] *s* 1. leichter Schuh 2. ~**s** Pumps *mpl;* **a pair of dancing** ~**s** ein Paar Tanzschuhe

pum•per•nickel ['pʌmpənɪkl] *s* Pumpernickel *m*

pump•ing ['pʌmpɪŋ] *s* 1. Pumpen *n* 2. (*fig*) Kunst *f* des Ausfragens; ~ **plant** [*o* **station**] Wasserwerk *n*, Pumpstation *f*

pump•kin ['pʌmpkɪn] *s* (BOT) Kürbis *m*

pump-room ['pʌmprʊm] *s* (*Kurort*) Trinkhalle *f*

pun [pʌn] I. *s* Wortspiel *n* II. *itr* ein Wortspiel machen (*on, upon* auf)

Punch [pʌntʃ] *s* Hanswurst, dummer August *m;* Kasperle *n;* **pleased as** ~ hocherfreut

punch[1] [pʌntʃ] I. *s* Locheisen *n;* Locher *m;* Lochzange *f;* Prägestempel *m;* Punze *f* II. *tr* lochen; stempeln; stanzen; prägen

punch[2] [pʌntʃ] I. *tr* mit der Faust stoßen, schlagen, knuffen II. *s* 1. Faustschlag, Stoß, Knuff, Puff *m* 2. (*fig*) Durchschlagskraft *f* 3. (*fam*) Schmiss, Schwung *m*, Energie, Tatkraft *f;* **pull one's** ~**es** (*fig*) sich zurückhalten

punch[3] [pʌntʃ] *s* Punsch *m*

Punch-and-Judy show [ˌpʌntʃənd 'dʒu:dɪʃəʊ] *s* Kasperle-, Puppentheater *n*

punch bag ['pʌntʃbæg] *s* Sandsack *m*

punch•bowl ['pʌntʃbəʊl] *s* Punschbowle *f* (*Gefäß*)

punch-card ['pʌntʃkɑ:d] *s* Lochkarte *f;* Stempelkarte *f;* **punch-clock** *s* Stechuhr *f*

punch-drunk ['pʌntʃdrʌŋk] *adj* (*Boxen*) angeschlagen, (wie) benommen (*von Schlägen*); (*fig*) durcheinander; **punching bag** ['pʌntʃɪŋbæg] *s* (*Am: Boxen*) Punchingball, Sandsack *m;* **punch-line** *s* Pointe *f;* **punch-tape** *s* Lochstreifen *m;* **punch-up** ['pʌntʃʌp] *s* (*fam*) Schlägerei *f;* **punc•tili•ous** [pʌŋk'tɪlɪəs] *adj* peinlich genau; pedantisch

punc•tual ['pʌŋktʃʊəl] *adj* pünktlich (*in* bei); **punc•tual•ity** [ˌpʌŋktʃʊ'ælətɪ] *s* Pünktlichkeit *f*

punc•tu•ate ['pʌŋktʃʊeɪt] *tr* 1. mit Satzzeichen versehen 2. (*fig*) zeitweise unterbrechen 3. (*fig*) betonen; **punc•tu•ation** [ˌpʌŋktʃʊ'eɪʃn] *s* 1. Interpunktion, Zeichensetzung *f* 2. Satzzeichen *npl;* ~ **mark** Satzzeichen *n*

punc•ture ['pʌŋktʃə(r)] I. *s* 1. (Ein)Stich *m* 2. Loch *n* 3. (MOT) (Reifen)Panne *f* II. *tr* 1. auf-, durchstechen 2. perforieren, durchlöchern 3. (*fig*) zum Platzen bringen; (*Hoffnungen*) vernichten

pun•dit ['pʌndɪt] *s* Pandit *m;* (*fig*) Experte *m*, Expertin *f*

pun•gent ['pʌndʒənt] *adj* 1. (*Geruch*) scharf, beißend *a. fig* (*Worte*) 2. stechend, schmerzhaft 3. (*Sorgen*) quälend

pun•ish ['pʌnɪʃ] *tr* (be)strafen (*for* für, *with* mit); **pun•ish•able** [-əbl] *adj* strafbar; **make** ~ unter Strafe stellen; ~ **act** strafbare

Handlung; **pun•ish•ing** [-ɪŋ] I. *adj* 1. mühsam 2. (SPORT) hart schlagend II. *s* Schaden *m;* (SPORT) schwere Niederlage; **give a team a** ~ e-r Mannschaft e-e schwere Niederlage zufügen; **take a** ~ schwer mitgenommen werden; (SPORT) eine Niederlage erleben; **pun•ish•ment** [-mənt] *s* 1. Bestrafung, Strafe *f* 2. (*fam*) schlechte Behandlung; **as a** ~ zur Strafe; **impose** [*o* **inflict**] **a** ~ (**up**)**on s.o.** gegen jdn e-e Strafe verhängen; **take a lot of** ~ viel aushalten; stark beschädigt werden; **capital** ~ Todesstrafe *f;* **corporal** ~ körperliche Züchtigung; **disciplinary** ~ Disziplinarstrafe *f;* **exemption from** ~ Straffreiheit *f;* **maximum** ~ Höchststrafe *f*

pu•ni•tive ['pju:nɪtɪv] *adj* strafend; ~ **damages** Strafe *f* einschließlich Schadenersatz; ~ **measures** Strafmaßnahmen *fpl;* ~ **power** Strafgewalt *f*

punk [pʌŋk] I. *s* 1. Punker(in) *m(f),* Punkrocker(in) *m(f);* (*Musik*) Punk(rock) *m* 2. (*Am sl*) Ganove *m* 3. (*fam*) Quatsch *m* II. *adj* (MUS) Punk-

pun•net ['pʌnɪt] *s* (Früchte)Körbchen *n*

pun•ster ['pʌnstə(r)] *s* Witzbold *m*

punt¹ [pʌnt] I. *s* (*Fußball*) Fallstoß *m* II. *tr* e-n Fallstoß geben (*the ball* dem Ball), im Flug zurückschlagen III. *itr* e-n Fallstoß machen

punt² [pʌnt] I. *s* Flachboot *n,* Stechkahn *m* II. *tr* (*Boot*) staken III. *itr* stochern; Stechkahn fahren

punt³ [pʌnt] I. *itr* (*auf ein Pferd*) wetten II. *s* Wette *f;* **punter** ['pʌntə(r)] *s* 1. Wetter *m;* Spieler *m* 2. (*sl*) Typ *m;* (*von Prostituierter*) Freier *m;* **average** ~ Otto Normalverbraucher

puny ['pju:nɪ] *adj* klein, schwach, kümmerlich

pup [pʌp] I. *s* junger Hund/Otter/Seehund; **in** ~ trächtig; **sell s.o. a** ~ (*fam*) jdm etw andrehen II. *itr* (*Hündin*) (Junge) werfen

pupa ['pju:pə, *pl* 'pju:pi:] <*pl* **pupae**> *s* (ZOO) Puppe *f;* **pu•pate** ['pju:peɪt] *itr* sich verpuppen

pu•pil¹ ['pju:pl] *s* Schüler(in) *m(f)*

pu•pil² ['pju:pl] *s* (ANAT) Pupille *f*

pup•pet ['pʌpɪt] *s* Puppe *f;* Handpuppe *f;* Marionette *f a. fig;* **pup•pet•eer** [pʌpɪ'tɪə(r)] *s* Puppenspieler(in) *m(f);* **puppet government** *s* Marionettenregierung *f;* **puppet player** *s* Puppenspieler(in) *m(f);* **puppet-show** *s* Puppenspiel *n*

puppy ['pʌpɪ] *s* junger Hund; ~ **fat** Babyspeck *m;* ~ **love** Jugendliebe *f*

pur•chas•able ['pɜ:tʃəsəbl] *adj* käuflich; **pur•chase** ['pɜ:tʃəs] I. *tr* 1. (an-, auf-, ein)kaufen; (käuflich) erwerben 2. (*fig*) erkaufen II. *s* 1. Kauf *m;* Anschaffung *f* 2. Halt *m;* **by** (**way of**) ~ durch Kauf, käuflich; **conclude a** ~, **effect a** ~, **make a** ~ e-n Kauf tätigen; ~ **book** Wareneingangsbuch *n;* ~ **edger** Einkaufsbuch *n;* ~ **money** Kaufgeld *n;* ~ **order** Bestellung *f;* ~ **order number** Auftragsnummer *f;* ~ **price** Kaufpreis *m;* ~ **tax** Verbrauchssteuer *f;* **purchaser** ['pɜ:tʃəsə(r)] *s* 1. (Ein)Käufer(in) *m(f),* Abnehmer(in) *m(f)* 2. (*Auktion*) Ersteigerer *m;* **pur•chas•ing** [-ɪŋ] *s* 1. Kauf, Erwerb *m,* Anschaffung *f* 2. Beschaffung *f;* **purchasing agent** *s* Leiter(in) *m(f)* der Einkaufsabteilung, Einkäufer(in) *m(f);* **purchasing department** *s* Einkaufsabteilung *f;* **purchasing manager** *s* Einkaufsleiter(in) *m(f);* **purchasing order** *s* Kaufauftrag *m;* Bestellschein *m;* **purchasing power** *s* Kaufkraft *f;* **purchasing value** *s* Anschaffungswert *m*

pure [pjʊə(r)] *adj* 1. rein; (*Motiv*) ehrlich 2. (*fig: Unsinn, Wahnsinn*) hell, reinste(r, s); **pure blood** *s* Vollblut *n;* **pure•bred** ['pjʊəbred] I. *adj* reinrassig, rasserein II. *s* reinrassiges Tier

purée ['pjʊəreɪ] I. *s* Püree *n;* **tomato** ~ Tomatenmark *n* II. *tr* pürieren

pure•ly ['pjʊəlɪ] *adv* rein; ausschließlich

pur•ga•tion [pɜ:'geɪʃn] *s* 1. (*fig*) Reinigung *f* 2. (MED) Abführen *n;* **pur•ga•tive** ['pɜ:gətɪv] I. *adj* (MED) abführend II. *s* Abführmittel *n;* **pur•ga•tory** ['pɜ:gətrɪ] *s* Fegefeuer *n;* **purge** ['pɜ:dʒ] I. *tr* 1. reinigen, säubern 2. (*fig*) befreien, frei machen (*of, from* von) 3. (POL) säubern 4. (*Verbrechen*) sühnen 5. (*Körper*) entschlacken II. *s* 1. (POL) Säuberung(saktion) *f* 2. (MED) Abführmittel *n*

pu•ri•fi•ca•tion [ˌpjʊərɪfɪ'keɪʃn] *s* (REL) Reinigung *f* (*from* von); **pu•rify** ['pjʊərɪfaɪ] *tr* reinigen (*of, from* von)

pur•ism ['pjʊərɪzəm] *s* Purismus *m;* **purist** ['pjʊərɪst] *s* Purist(in) *m(f)*

Puri•tan ['pjʊərɪtən] I. *s* Puritaner(in) *m(f)* II. *adj* puritanisch; **puri•tani•cal** [ˌpjʊərɪ'tænɪkl] *adj* (*fig*) puritanisch, sittenstreng; **Puri•tan•ism** ['pjʊərɪtənɪzəm] *s* Puritanismus *m*

pu•rity ['pjʊərətɪ] *s* Reinheit *f a. fig;* ~ **of motives** ehrliche, lautere Motive

purl [pɜ:l] I. *tr, itr* links stricken II. *s* linke Masche; ~ **two** zwei links

pur•loin [pɜ:'lɔɪn] *tr* stehlen, entwenden

purple ['pɜ:pl] I. *adj* violett, lila; (*Gesicht*) hochrot; (*pej: Prosa*) hochgestochen; ~ **heart** (*Br*) Amphetamintablette *f;* **Purple Heart** (*Am*) Verwundetenabzeichen *n* II. *s* Violett, Lila *n;* **the** ~ der Adel; der Kardinalstand

pur•port ['pɜ:pət] I. *s* 1. Bedeutung *f,* Sinn,

Inhalt *m* **2.** Zweck *m,* Absicht *f* **II.** [pɜːˈpɔːt] *tr* den Eindruck machen, den Anschein erwecken; vorgeben

pur•pose [ˈpɜːpəs] *s* **1.** Absicht *f,* Ziel *n;* Zweck *m* **2.** Entschlossenheit *f;* **for that ~** zu diesem Zweck; deswegen, deshalb; **for the ~ of** zum Zweck *+gen;* (JUR) im Sinne *+gen;* **for what ~?** weshalb?; **on ~** absichtlich, mit Absicht; (JUR) vorsätzlich; **for advertising ~s** zu Werbezwecken; **to ~** nach Wunsch; **to all intents and ~s** in jeder Hinsicht [*o* Beziehung]; **to good ~** mit guter Wirkung, wirkungsvoll; **to little ~** mit geringer Wirkung; mit wenig Erfolg; **to no ~** ohne Erfolg, wirkungslos; vergeblich; **to some ~** mit einigem Erfolg; zweckentsprechend; **to the ~** im beabsichtigten Sinne; zweckdienlich; zur Sache; **answer** [*o* **serve**] **the ~** dem Zweck entsprechen; **serve no ~** zwecklos sein; **turn to good ~** gut ausnützen; **business ~** Geschäftszweck *m;* **pur•pose-built** [ˈpɜːpəsˌbɪlt] *adj* speziell angefertigt, speziell gebaut; **pur•pose•ful** [ˈpɜːpəsfl] *adj* entschlossen; **pur•pose•less** [ˈpɜːpəslɪs] *adj* ziel-, zweck-, planlos; **pur•pose•ly** [-lɪ] *adv* absichtlich, (wohl)überlegt

purr [pɜː(r)] **I.** *itr* **1.** (*Katze*) schnurren *a. fig* **2.** (TECH) surren **II.** *s* **1.** Schnurren *n* **2.** Surren *n*

purse [pɜːs] **I.** *s* **1.** Geldbeutel *m;* (*a.* SPORT) Börse *f* **2.** Geldmittel *npl,* Finanzen *fpl* **3.** Betrag *m,* Summe *f* **4.** (*Am*) Handtasche *f;* **hold the ~ strings** die Finanzen in der Hand haben; **tighten the ~ strings** (*fam*) den Geldhahn zudrehen **II.** *tr* **1.** (*~ up*) in Falten legen **2.** (*Lippen*) schürzen; **~ up one's mouth** den Mund verziehen; **purser** [ˈpɜːsə(r)] *s* (MAR) Zahlmeister *m*

pur•su•ance [pəˈsjuːəns] *s:* **in ~ of** gemäß *+dat,* auf Grund *+gen;* **pur•su•ant** [pəˈsjuːənt] *adj:* **~ to** zufolge, entsprechend, gemäß *+dat,* in Übereinstimmung mit; **pur•sue** [pəˈsjuː] *tr* **1.** verfolgen, jagen **2.** (*Weg*) einschlagen **3.** (*Plan*) verfolgen **4.** (*Tätigkeit, Beruf*) ausüben, nachgehen **5.** betreiben (*one's studies* ein Studium) **6.** fortsetzen, -führen; **~ the subject** beim Thema bleiben; **pur•suer** [pəˈsjuːə(r)] *s* Verfolger(in) *m(f);* **pur•suit** [pəˈsjuːt] *s* **1.** Verfolgung, Jagd *f* (*of* auf) **2.** Streben *n* (*of* nach) **3. ~s** Beschäftigung, Tätigkeit, Arbeit *f,* Geschäfte *npl,* Studien *fpl;* **in ~ of** auf der Jagd nach

puru•lent [ˈpjʊərələnt] *adj* eit(e)rig

pur•vey [pəˈveɪ] *tr* verkaufen; **~ s.th. to s.o.** jdm etw liefern; **pur•vey•ance** [-əns] *s* Lieferung *f;* Verkauf *m;* **pur•veyor** [pəˈveɪə(r)] *s* Händler(in) *m(f),* Lieferant(in) *m(f)*

pus [pʌs] *s* Eiter *m*

push [pʊʃ] **I.** *tr* **1.** stoßen; drücken (auf); schieben **2.** drängen, (an)treiben **3.** eifrig, energisch betreiben **4.** sich verwenden für; sich einsetzen für **5.** intensiv werben für; propagieren; **be ~ed for time/money** in (Zeit)Schwierigkeiten/in (Geld)Verlegenheit sein; **~ for s.th.** auf etw drängen; **don't ~ your luck!** treib's nicht zu weit!; **he's ~ing forty** er geht auf die vierzig zu; **~ one's advantage** seinen Vorteil wahrnehmen; **they ~ed themselves to their limit** sie taten ihr Äußerstes **II.** *itr* **1.** drücken; schieben; stoßen (*at* an) **2.** sich (sehr) anstrengen; kämpfen **3.** sich vorwärtsschieben, sich vordrängen; **stop ~ing!** hören Sie auf zu drängeln! **III.** *s* **1.** Stoß, Druck, Schub *m* **2.** (*a.* MIL) Vorstoß *m* (*for* auf), Schubs *m* **3.** (TECH) Drücker *m* **4.** (*Werbung*) Aktion *f* **5.** Tatkraft *f;* Anstrengung *f* **6.** (*fam*) Unternehmungsgeist *m,* Angriffslust *f* **7.** Protektion *f;* **at a ~** im Notfall; **at one ~** mit e-m Ruck; auf einmal; **get the ~** (*sl*) entlassen werden; den Laufpass bekommen; **give s.o. the ~** jdn auf die Straße setzen; jdm den Laufpass geben; **when it comes to the ~** im entscheidenden Augenblick; **push along** *itr* **1.** weiter-, vorwärtskommen **2.** (*fam*) (nach Hause) gehen; **push around** *tr* herumkommandieren; schlecht behandeln; **push away** *tr* wegstoßen, -schieben; **push back** *tr* zurückstoßen, -schlagen, -drängen; **push down** *tr* hinab-, hinunter-, niederstoßen; herunterdrücken; **push forward** *tr* weiterschieben; vorantreiben, beschleunigen; **~ o.s. forward** sich vordrängen; sich emporarbeiten; **push in I.** *tr* hineinstoßen, -drücken, -schieben; unterbrechen **II.** *itr* sich hineindrängeln; **push off I.** *tr* **1.** hinunterschieben, -stoßen **2.** (*Deckel*) wegdrücken **3.** (*Boot*) abstoßen **II.** *itr* (*fam*) abhauen; **~ off!** hau ab!; **push on I.** *tr* **1.** darauf drücken **2.** (*fig*) antreiben; anstacheln **II.** *itr* weitergehen; weiterfahren; weitermachen; **push out** *tr* **1.** hinausschieben, -stoßen **2.** (*fig*) verdrängen **3.** (BOT) treiben; **let's ~ out the boat and order champagne!** lass uns richtig zuschlagen und Champagner bestellen!; **push over** *tr* umstoßen; **push through** *tr* **1.** durchschieben, -stoßen **2.** durchsetzen **3.** (*Gesetz*) durchbringen **4.** (*fig*) zu e-m guten Ende bringen; **push up** *tr* **1.** hinaufschieben **2.** drücken (*against* gegen) **3.** (*Preise*) hochtreiben, hinaufschrauben

push•bar [ˈpʊʃbɑː(r)] *s* Riegel *m;* **push-bike** *s* (*Br*) Fahrrad *n;* **push-button** *s* **1.** (EL) Drücker, Knopf *m* **2.** (Druck)Taste *f;* **push-button switch** *s* Druckknopfschalter *m;* **push-button telephone** *s* Tastentelefon *n;* **push•cart** *s* Schubkarren *m;* **push•chair** ['pʊʃtʃeə(r)] *s* (Kinder)Sportwagen *m;* **pusher** ['pʊʃə(r)] *s* **1.** (*fig*) Streber(in) *m(f)* **2.** (*sl*) Drogenhändler(in) *m(f);* **push•ing** ['pʊʃɪŋ] *adj* unternehmend; **be ~ forty** (*fam*) um die vierzig sein; **push•over** ['pʊʃəʊvə(r)] *s* (*fam*) Kinderspiel *n,* Kleinigkeit *f;* **be a ~** hereinfallen (*for s.o.* auf jdn); **push•pin** ['pʊʃpɪn] *s* (*Am*) Reißzwecke *f;* **push-start** *s* (MOT) Start *m* durch Anschieben; **push-up** ['pʊʃʌp] *s* (SPORT) Liegestütz *m;* **pushy** ['pʊʃɪ] *adj* aufdringlich, penetrant

puss [pʊs] *s* (Mieze)Katze *f;* **P~ in Boots** der Gestiefelte Kater; **pussy** ['pʊsɪ] (*~-cat*) Mieze(katze) *f;* Muschi *f a. sl;* **pussy•foot** ['pʊsɪfʊt] *itr* (*fam*) **1.** sich (herum)drücken **2.** (POL) keine klare Stellung beziehen; **pussy willow** *s* (BOT) Salweide *f*

pus•tule ['pʌstju:l] *s* Pustel *f,* Eiterbläschen *n,* -pickel *m*

put [pʊt] <*irr:* put, put> **I.** *tr* **1.** setzen, stellen, legen **2.** stecken (*into* in, *at* an) **3.** anbringen (*to* an) **4.** (*fig*) (in e-e Lage) bringen, versetzen **5.** einfügen, hineinlegen (*into* in) *a. fig* **6.** tun, geben **7.** ausdrücken, sagen; kleiden (*into words* in Worte) **8.** übersetzen (*into French* ins Französische) **9.** (*Frage*) stellen; vorlegen, unterbreiten **10.** (*Steuer*) legen (*on* auf), auferlegen (*on s.o.* jdm), festsetzen (*on* für) **11.** ansetzen, berechnen (*at* mit, zu) **12.** zur Last legen (*on s.o.* jdm) **13.** tun, hinzufügen (*to* zu) **14.** (*Unterschrift*) setzen (*to* unter, *on* auf) **15.** niederschreiben; (*Komma*) machen **16.** bestimmen (*to* für) **17.** schätzen (*at* auf); **~ out of action** außer Betrieb setzen; **~ on airs** sich aufs hohe Ross setzen; **~ to bed** zu Bett bringen; **~ the blame on s.o.** jdm die Schuld zuschieben; **~ money into a business** Geld in ein Geschäft stecken; **~ in two cents** (*Am fam*) seinen Senf dazu beisteuern; **~ the date on s.th.** etw datieren; **~ to death** umbringen; hinrichten; **~ an end to s.th.** e-r S ein Ende machen; **~ an end to o.s.** [*o* **one's life**] sich das Leben nehmen; **~ s.o. to expense** jdm Unkosten verursachen; **~ to flight** in die Flucht schlagen; **~ one's foot down** (*fig*) energisch auftreten; **~ s.th. in(to) s.o's hands** jdm etw überlassen; **~ s.th. out of one's head** sich etw aus dem Kopf schlagen; **~ it differently** es anders formulieren; **~ it to s.o.** jdm vorschlagen; **~ s.o. to it** jdm schwer zusetzen; **~ s.th. on a list** etw auf e-e Liste setzen; **~ on the market** auf den Markt bringen; **~ s.o. in mind of** jdn erinnern an; **~ in motion** in Bewegung setzen; **~ in order** in Ordnung bringen; **~ into practice** in die Praxis umsetzen; **~ pressure on s.o.** auf jdn Druck ausüben; **~ the question** die Frage stellen; **~ in writing** schriftlich machen; **~ right** verbessern; in Ordnung bringen; **~ a stop to** Schluss, ein Ende machen mit; **~ to trial** vor Gericht bringen; **~ to a good use** gut verwenden; **~ to the vote** zur Abstimmung stellen; **~ the weight** [*o* **shot**] (SPORT) die Kugel stoßen; **~ wise** enttäuschen; aufklären; informieren; **she ~ her head round the door** sie streckte den Kopf zur Tür herein; **~ time into s.th.** Zeit in etw stecken; **~ s.o. in a bad mood** jdm schlechte Laune verursachen; **to ~ it mildly** gelinde gesagt; **I wouldn't ~ it past him** ich traue es ihm zu **II.** *itr:* **~ to sea** in See stechen **III.** *adj:* **stay ~** sich nicht von der Stelle rühren; **be (hard) ~ to it** in e-r schwierigen Lage sein; **feel ~ upon** [*o* **out**] sich ausgenutzt fühlen; **put about** *tr* (*Nachricht*) verbreiten; **~ a ship about, ~ about** den Kurs ändern; **put across** *tr* verständlich machen (*to s.o.* jdm); (*Ware*) an den Mann bringen; **~ it** [*o* **one**] **across s.o.** jdm einen Streich spielen, jdn anführen; **put aside** *tr* **1.** zurücklegen, aufheben **2.** (*Geld*) auf die Seite legen; **put away** *tr* **1.** weglegen, an seinen Platz legen **2.** zurücklegen, sparen **3.** (*Auto*) einstellen **4.** (*fam*) einsperren **5.** (*fam: Essen*) verdrücken **6.** (*Tier*) einschläfern; **put back I.** *tr* **1.** (*an seinen Platz*) zurücklegen **2.** (*Uhr*) zurückstellen **3.** verzögern, verschieben **II.** *itr* (*Schiff*) zurückkehren; **put by** *tr* (*Geld*) zurücklegen; beiseitelegen; **put down** *tr* **1.** niedersetzen, -stellen, -legen **2.** (*Antenne*) einschieben **3.** (*Lider*) zumachen **4.** (*Aufstand*) niederschlagen; unterdrücken **5.** zum Schweigen bringen **6.** tadeln; demütigen **7.** (*Ungeziefer*) vernichten; (*Haustier*) einschläfern **8.** (*in writing*) aufschreiben, eintragen **9.** vormerken (*s.o. for s.th.* jdn für etw) **10.** in Rechnung stellen (*to s.o., to s.o.'s account* jdm) **11.** zuschreiben (*s.th. to s.o.* jdm etw) **12.** halten (*as, for* für), ansehen, betrachten (*as, for* als) **13.** (*Lager, Vorrat*) anlegen **14.** (*Fahrgäste*) absetzen **15.** (*Geld*) anzahlen; **put forward I.** *tr* **1.** vorschlagen; unterbreiten, vorlegen **2.** (*Bitte*) vorbringen **3.** (*Uhr*) vorstellen **II.** *refl:* **~ o.s. forward** sich bemerkbar machen; **put in I.** *tr* **1.** hineinbringen, einführen **2.** installieren **3.** (*Glasscheibe*) einsetzen **4.** (*Antrag*) vorlegen, unterbreiten, einreichen **5.** (*Zeit*) verwenden **6.** (*Extrastunde*) einlegen **7.** (*Bemerkung*) einwerfen **8.** (*Anzeige in die Zeitung; Geld*) setzen **9.** (*fam: Zeit*) verbringen **10.** (*Schlag*) anbringen, versetzen **II.** *itr* **1.** (MAR) anlaufen (*at* acc) **2.** sich bewerben (*for* um); ~ **in an appearance** in Erscheinung treten; ~ **in at** kurz anhalten in, bei; ~ **in a word** ein (gutes) Wort einlegen (*for* für); ~ **in a claim** Anspruch erheben; ~ **in for a job** sich um e-e Stelle bewerben; **put into** *tr* **1.** (*Anstrengung*) hineinstecken **2.** (*Geld*) stecken (*into a business* in ein Geschäft) **3.** übersetzen; ~ **one's heart into s.th.** mit aller Kraft an etw arbeiten; ~ **words into s.o.'s mouth** jdm e-e Äußerung in den Mund legen; ~ **money into a bank** Geld auf e-e Bank legen; **put off I.** *tr* **1.** (*Licht*) abschalten **2.** auf-, hinaus-, verschieben; zurückstellen **3.** (*jdn*) vertrösten (*with fine words* mit schönen Worten) **4.** (*jdn*) abhalten, -bringen, davon zurückhalten **5.** ablegen, beiseite lassen **6.** (*Kleidungsstück*) ausziehen **II.** *itr* (MAR) auslaufen, abfahren; ~ **s.o. off** jdm den Appetit verderben; jdn abschrecken; jdm die Lust verderben; **put on** *tr* **1.** (*Licht*) anmachen **2.** (*Kleidung*) anziehen; (*Hut*) aufsetzen **3.** (*Summe*) aufschlagen (*to the price* auf den Preis) **4.** (*Zug*) zusätzlich fahren lassen **5.** (THEAT) heraus-, auf die Bühne bringen **6.** (*Darbietung*) bringen **7.** heucheln, vorgeben **8.** (*an Geschwindigkeit*) zunehmen; ~ **on weight** zunehmen; **put out I.** *tr* **1.** (*Hand*) ausstrecken **2.** (*Schulter*) ausrenken **3.** (*Licht, Feuer*) ausmachen, löschen **4.** (*Hilferuf*) aussenden **5.** herstellen, produzieren **6.** (*Geld*) verleihen **7.** verärgern, verstimmen; in Verlegenheit, in Verwirrung bringen **8.** (*Arbeit*) vergeben, außer Haus geben **II.** *itr* (MAR) auslaufen, in See stechen **III.** *refl:* ~ **o.s. out** sich Umstände machen; **put over** *tr* **1.** (*Am*) verschieben **2.** *s.* **put across, put through** *tr* **1.** (glücklich) durchführen, vollenden **2.** durchmachen lassen **3.** durchgeben, mitteilen **4.** (TELE) verbinden (*with* mit); **put together** *tr* **1.** zusammensetzen; zusammenlegen **2.** aufbauen, montieren; **better than all the others ~ together** besser als alle anderen zusammen; **put up I.** *tr* **1.** hochheben, -halten **2.** (*Flagge*) hissen **3.** (*Vorhang*) hochziehen **4.** errichten, (auf)bauen **5.** aufstellen, montieren, einrichten, installieren **6.** (*Preis*) erhöhen **7.** (*Waren*) anbieten (*for sale* zum Verkauf) **8.** (*Geld*) aufbringen **9.** (*Person*) unterbringen, beherbergen **10.** (*als Kandidaten*) vorschlagen; aufstellen **11.** (THEAT) zur Aufführung, auf die Bühne bringen **12.** vortäuschen **II.** *itr* **1.** einkehren, absteigen (*at* in), wohnen (*with* bei) **2.** sich bewerben (*for* um) **3.** sich abfinden (*with s.th.* mit e-r S); ~ **s.o. up to s.th.** jdn zu etw anstiften; ~ **upon s.o.** jdn ausnützen

pu·ta·tive ['pju:tətɪv] *adj* mutmaßlich

put-off ['pʊtɒf] *s* Ausrede, -flucht *f,* Vorwand *m;* **put-on** ['pʊtɒn] **I.** *adj* angeblich, vorgetäuscht **II.** *s* **1.** Kniff *m,* Täuschungsmanöver *n* **2.** (*Am*) Spaß *m;* **put option** *s* (COM) Verkaufsoption *f*

pu·tre·fac·tion [ˌpju:trɪ'fækʃn] *s* Verwesung *f;* **pu·trefy** ['pju:trɪfaɪ] *itr* verwesen; **pu·trid** ['pju:trɪd] *adj* **1.** faul(ig); verwest **2.** (*fig: sittlich*) verdorben, verkommen **3.** (*fam*) scheußlich, miserabel

putsch [pʊtʃ] *s* Putsch *m*

putt [pʌt] **I.** *tr, itr* (*Golfball*) putten **II.** *s* Putt *m*

put·tee ['pʌtɪ] *s* (Reit-, Leder-, Wickel)Gamasche *f*

put·ter[1] ['pʌtə(r)] *s* **1.** (*Golf*) Putter *m* **2.** Kugelstoßer(in) *m(f)*

put·ter[2] ['pʌtə(r)] *itr* (*Am*) **1.** (~ *around*) geschäftig tun **2.** (herum)trödeln (*over* mit)

put·ting ['pʊtɪŋ] *s* **1.** (*Golf*) Putten *n* **2.** Stoß, Wurf *m;* ~ **the weight** [*o* **shot**] Kugelstoßen *n*

putty ['pʌtɪ] **I.** *s* Kitt *m;* **be ~ in s.o.'s hands** (*fig*) Wachs in jds Händen sein **II.** *tr* (~ *up*) (ver)kitten; **putty knife** <*pl* -knives> *s* Spa(ch)tel *m*

put-up ['pʊtʌp] *adj* (*fam*) abgemacht, abgekartet; ~ **job** abgekartete Sache; **put-upon** ['pʊtəpɒn] *adj:* **feel** ~ sich ausgenützt fühlen

puzzle ['pʌzl] **I.** *tr* **1.** verblüffen **2.** (~ *out*) austüfteln; **be ~d about** nicht verstehen **II.** *itr* sich den Kopf zerbrechen (*about, over* über), knobeln (*over* an) **III.** *s* Rätsel *n;* Geduldspiel *n;* Puzzle *n;* **puzzled** ['pʌzld] *adj* verdutzt, verblüfft; **be** ~ vor einem Rätsel stehen; **puzz·ler** ['pʌzlə(r)] *s* schwieriges Problem; **puzz·ling** ['pʌzlɪŋ] *adj* rätselhaft, verwirrend

PVC [ˌpi:vi:'si:] *s abbr of* **polyvinyl chloride** PVC, Polyvinylchlorid *n*

pygmy ['pɪgmɪ] *s* Pygmäe *m;* Zwerg *m a. fig*

py·ja·mas [pə'dʒɑ:məz] *s pl* Schlafanzug, Pyjama *m*

py·lon ['paɪlɒn] *s* **1.** (Licht-, Leitungs)Mast *m* **2.** (AERO) Turm *m*

py·or·rh(o)ea [ˌpaɪə'rɪə] *s* **1.** Eiterfluss *m* **2.** Parodontose *f*

pyra·mid ['pɪrəmɪd] *s* Pyramide *f;* **pyramid selling** *s* Vertrieb *m* nach dem Schneeballsystem

pyre ['paɪə(r)] *s* Scheiterhaufen *m*

Pyr·enees [pɪrə'ni:z] *s pl* Pyrenäen *pl*

Pyrex® ['paɪreks] *s* Jenaer Glas® *n*

py·rites [ˌpaɪə'raɪti:z] *s* (MIN) Pyrit, Schwefel-, Eisenkies *m*

pyro·mania [ˌpaɪrəʊ'meɪnɪə] *s* Pyromanie *f;* **py·ro·tech·nic** [ˌpaɪrəʊ'teknɪk] **I.** *adj* pyrotechnisch **II.** *s pl mit sing* **1.** Feuerwerkerei *f* **2.** (~ *display*) Feuerwerk *n a. fig*

py·thon ['paɪθən] *s* Pythonschlange *f*

Q

Q, q [kjuː] <pl -'s> *s* Q, q *n*
Qa·tar [kəˈtɑː(r)] *s* Katar *n;* **Qa·tari** [kəˈtɑːrɪ] **I.** *adj* katarisch **II.** *s* Katarer(in) *m(f)*
QC [ˌkjuːˈsiː] *s abbr of* **Queen's Counsel** Anwalt *m,* Anwältin *f* der Krone
qua [kwɑː] *adv* (JUR) als
quack¹ [kwæk] **I.** *itr* (*Ente*) schnattern, quaken *a. fig* **II.** *s* Gequake *n a. fig*
quack² [kwæk] *s* Quacksalber, Kurpfuscher *m*
quad [kwɒd] *s* **1.** *abbr of* **quadrangle** Hof *m* **2.** *abbr of* **quadruplet** Vierling *m* **3.** *abbr of* **quadrat** Quadrat *n*
quad·rangle [ˈkwɒdræŋgl] *s* **1.** (MATH) Viereck *n* **2.** (ARCH) viereckiger Innenhof; **quad·ran·gu·lar** [kwɒˈdræŋgjʊlə(r)] *adj* viereckig
quad·rant [ˈkwɒdrənt] *s* Quadrant *m*
quad·ra·phonic [ˌkwɒdrəˈfɒnɪk] **I.** *adj* quadrophon **II.** *s pl mit sing* Quadrophonie *f*
quad·ratic [kwɒˈdrætɪk] *adj* (MATH) quadratisch
quad·ri·lat·eral [ˌkwɒdrɪˈlætərəl] **I.** *adj* (MATH) vierseitig **II.** *s* Viereck *n*
quad·ri·par·tite [ˈkwɒdrɪˈpɑːtaɪt] *adj* (POL) Vierer-; ~ **agreement** (HIST) Viermächteabkommen *n*
quad·ru·ped [ˈkwɒdrʊped] *s* (ZOO) Vierfüß(l)er *m*
quad·ru·ple [ˈkwɒdruːpl] **I.** *adj* vierfach **II.** *s* (das) Vierfache **III.** [kwɒˈdruːpl] *itr, tr* (sich) vervierfachen
quad·ru·plet [ˈkwɒdruːplət] *s* Vierling *m*
quaff [kwɒf] **I.** *tr* (*obs*) trinken, schlürfen **II.** *itr* (*obs*) zechen
quag·mire [ˈkwægmaɪə(r)] *s* Sumpf, Morast *m a. fig*
quail¹ [kweɪl] *itr* (vor Angst) zittern (*before* vor)
quail² [kweɪl] *s* (*Vogel*) Wachtel *f*
quaint [kweɪnt] *adj* **1.** (*Dorf*) malerisch, idyllisch; reizend **2.** (*Idee*) kurios; originell; drollig; **how ~!** wie putzig!; **quaint·ness** [ˈkweɪntnɪs] *s* **1.** idyllischer Anblick **2.** Kuriosität *f;* Originalität *f;* Drolligkeit *f*
quake [kweɪk] **I.** *itr* **1.** (*Erde*) beben, schwanken **2.** zittern (*with* vor) **II.** *s* **1.** Zittern, Beben *n* **2.** (*earth~*) Erdbeben *n*
Quaker [ˈkweɪkə(r)] *s* (REL) Quäker(in) *m(f)*
quali·fi·ca·tion [ˌkwɒlɪfɪˈkeɪʃn] *s* **1.** Qualifikation *f;* Zeugnis *n;* Voraussetzung *f* **2.** Abschluss *m* **3.** (SPORT) Qualifikation *f* **4.** Voraussetzung *f* **5.** Einschränkung *f,* Vorbehalt *m;* **without** ~ vorbehaltlos; **prior to his** ~ vor Abschluss seines Studiums; **quali·fied** [ˈkwɒlɪfaɪd] *adj* **1.** ausgebildet; graduiert; qualifiziert; Diplom- **2.** berechtigt **3.** bedingt, nicht uneingeschränkt; **be ~ to do s.th.** qualifiziert sein etw zu tun; **~ to practice** (*Arzt*) zugelassen; **be ~ to vote** wahlberechtigt sein; **in a ~ sense** mit Einschränkungen; **a ~ success** kein voller Erfolg; **qual·ify** [ˈkwɒlɪfaɪ] **I.** *tr* **1.** qualifizieren; berechtigen **2.** (*Kritik*) modifizieren, be-, einschränken **3.** bezeichnen, klassifizieren **4.** (GRAM) näher bestimmen; **~ s.o. to do s.th.** jdn berechtigen etw zu tun **II.** *itr* **1.** seine Ausbildung abschließen; sich qualifizieren **2.** (SPORT) sich qualifizieren **3.** in Frage kommen (*for* für); **~ as a teacher** die Lehrbefähigung erhalten; **qual·ify·ing** [ˈkwɒlɪfaɪɪŋ] *adj* erläuternd; **~ examination** Auswahlprüfung *f;* **~ period** Karenzzeit *f;* **~ share** Pflichtaktie *f*
qual·it·at·ive [ˈkwɒlɪtətɪv] *adj* qualitativ; **qual·ity** [ˈkwɒlətɪ] **I.** *s* **1.** Qualität *f;* Güteklasse *f* **2.** (*von Personen*) Charakter *m,* Wesen *n,* Natur *f* **3.** Art *f* **4.** (*der Stimme*) Klangfarbe *f;* **of the best** ~ von bester Qualität; **of bad** ~ von schlechter Qualität; **they vary in** ~ sie sind qualitativ verschieden; **the ~ of patience** Geduld *f* **II.** *adj attr* Qualitäts-; **~ control** Qualitätskontrolle *f;* **~ time** *Zeit, die benutzt wird, um die Beziehungen innerhalb der eigenen Familie zu intensivieren*
qualm [kwɑːm] *s* Skrupel *m,* Bedenken *n;* **without the slightest** ~ ohne die geringsten Skrupel; **~s of conscience** Gewissensbisse *mpl*
quan·dary [ˈkwɒndərɪ] *s* Dilemma *n,* Verlegenheit *f;* **I was in a ~ about what to do** ich wusste nicht, was ich tun sollte
quango [ˈkwæŋgəʊ] *s* (*Br*) *abbr of* **quasi autonomous non-governmental organization** halböffentliches Gremium
quan·ti·fi·able [ˈkwɒntɪfaɪəbl] *adj* quantifizierbar
quan·ti·fi·ca·tion [ˌkwɒntɪfɪˈkeɪʃn] *s* Quantifizierung *f;* **quan·ti·tat·ive** [ˈkwɒntɪtətɪv] *adj* quantitativ; **quan·tity**

['kwɒntətɪ] *s* **1.** Quantität, Menge *f;* Anteil *m* **2.** (MATH) Größe *f* **3.** *meist pl* Unmenge *f;* **prefer ~ to quality** Quantität der Qualität vorziehen; **in ~, in large quantities** in großen Mengen; **quantities of books** Unmengen von Büchern; **quantity discount** *s* Mengenrabatt *m;* **quantity surveyor** *s* Baukostenkalkulator *m*

quan•tum ['kwɒntəm, *pl* 'kwɒntə] <*pl* -ta> *s* (PHYS) Quant(um) *n;* **the ~ of satisfaction** das Ausmaß an Befriedigung; **a ~ leap** ein Quantensprung *m;* **~ mechanics** *mit sing* Quantenmechanik *f;* **~ number** Quantenzahl *f;* **~ theory** Quantentheorie *f*

quar•an•tine ['kwɒrəntiːn] **I.** *s* (MED) Quarantäne *f;* **put s.o. in ~** jdn unter Quarantäne stellen **II.** *tr* unter Quarantäne stellen

quark [kwɑːk] *s* (*Atom*) Quark *n*

quar•rel ['kwɒrəl] **I.** *s* **1.** Streit *m;* Auseinandersetzung *f* **2.** Einwand *m* (*with* gegen); **they have had a ~** sie haben sich gestritten; **start** [*o* **pick**] **a ~** e-n Streit anfangen; **I have no ~ with him** ich habe nichts gegen ihn **II.** *itr* **1.** sich streiten (*with* mit, *about, over* über) **2.** etwas auszusetzen haben (*with* an); **I wouldn't ~ with that** das würde ich nicht bestreiten; **quar•rel•some** ['kwɒrəlsəm] *adj* streitsüchtig

quarry¹ ['kwɒrɪ] **I.** *s* **1.** Steinbruch *m* **2.** (*fig*) Fundgrube *f* **II.** *tr* brechen, hauen **III.** *itr* Steine brechen; **~ for s.th.** (*fig*) nach etw suchen

quarry² ['kwɒrɪ] *s* **1.** Beute *f* **2.** (*fig*) Ziel *n*

quart [kwɔːt] *s* (*Maßeinheit*) Quart *n* (*Br 1,14 l, Am 0,95 l*); (**try to**) **put a ~ into a pint pot** Unmögliches versuchen

quar•ter ['kwɔːtə(r)] **I.** *s* **1.** Viertel *n* **2.** Vierteljahr, Quartal *n* **3.** (*Uhr*) Viertel *n* **4.** (*Am: ~ dollar*) Vierteldollar *m,* 25-Cent-Stück *n* **5.** Himmelsrichtung *f* **6.** Seite *f;* Stelle *f* **7.** **~s** Quartier *n,* Unterkunft *f* **8.** Gnade, Schonung *f* **9.** (*Mond*) Viertel *n;* **divide s.th. into ~s** etw in vier Teile teilen; **a ~ of a mile** e-e Viertelmeile; **a ~ of an hour** e-e Viertelstunde; **a ~ to seven** (*Br*): **a ~ of seven** (*Am*) Viertel vor sieben; **a ~ past seven** (*Br*): **a ~ after seven** (*Am*) Viertel nach sieben; **paid by the ~** vierteljährlich bezahlt; **the Arab ~** das arabische Viertel; **they came from all ~s** sie kamen aus allen Richtungen; **in these ~s** in dieser Gegend; **in various ~s** an verschiedenen Stellen; **take up one's ~** (MIL) sein Quartier beziehen; **give no ~** keine Schonung gewähren; **ask for ~** um Schonung bitten **II.** *tr* **1.** vierteln; in vier Teile teilen **2.** unterbringen, einquartieren; **quarter day** *s* Quartalstag *m;* **quarter•deck** *s* (MAR) Quarter-, Achterdeck *n;* **quarter•final** ['kwɔːtə(r),faɪnəl] *s* (SPORT) Viertelfinale *n;* **quar•ter•ing** ['kwɔːtərɪŋ] *s* **1.** Vierteln *n;* Teilung *f* in vier Teile **2.** (MIL) Einquartierung *f;* **quar•ter•ly** ['kwɔːtəlɪ] **I.** *adj, adv* vierteljährlich **II.** *s* Vierteljahresschrift *f;* **quar•ter•mas•ter** ['kwɔːtə,mɑːstər] *s* **1.** (MIL) Quartiermeister *m* **2.** (MAR) Steuermannsmaat *m;* **quarter tone** *s* (MUS) Viertelnote *f*

quar•tet(**te**) [kwɔː'tet] *s* (MUS) Quartett *n*

quartz [kwɔːts] *s* (MIN) Quarz *m;* **quartz clock** *s* Quarzuhr *f;* **quartz** (**iodine**) **lamp** *s* Quarzlampe *f*

quasar ['kweɪzɑː(r)] *s* (ASTR) Quasar *m*

quash [kwɒʃ] *tr* **1.** (JUR) aufheben, annullieren **2.** (*Aufstand*) niederwerfen

quasi- ['kwɑːsɪ] *prefix* quasi-

quat•rain ['kwɒtreɪn] *s* Vierzeiler *m*

qua•ver ['kweɪvə(r)] **I.** *itr* **1.** (*Stimme*) zittern **2.** (MUS) trillern **II.** *tr* mit bebender Stimme sagen **III.** *s* **1.** (MUS) Achtelnote *f* **2.** (*Stimme*) Beben, Zittern *n*

quay [kiː] *s* Kai *m*

queasy ['kwiːzɪ] *adj:* **I feel ~** mir ist übel; **a ~ feeling** ein Gefühl der Übelkeit

queen [kwiːn] **I.** *s* **1.** Königin *f* **2.** (*Bienen*) Königin *f* **3.** (*Schach, Kartenspiel*) Dame *f* **4.** (*sl*) Schwule(r) *m;* **~ of the May** Maikönigin *f;* **~ of spades** Pikdame *f;* **turn Q~'s evidence** als Kron-, Belastungszeuge aussagen **II.** *tr:* **~ it** die große Dame spielen; **~ it over s.o.** jdn herumkommandieren; **queen bee** *s* Bienenkönigin *f;* **queen dowager** *s* Königinwitwe *f;* **queen•ly** ['kwiːnlɪ] *adj* königlich; **queen mother** *s* Königinmutter *f;* **Queen's Counsel, QC** *s* Anwalt *m,* Anwältin *f* der Krone; **Queen's English** *s* englische Hochsprache; **Queen's speech** *s* Thronrede *f*

queer [kwɪə(r)] **I.** *adj* **1.** ungewöhnlich, sonderbar, eigenartig **2.** verdächtig **3.** (*fam*) unwohl **4.** (*sl pej*) schwul; **a ~-sounding name** ein komischer Name; **I feel ~** mir ist nicht gut **II.** *s* (*sl pej*) Schwule(r) *m* **III.** *tr* (*sl*) versauen, vermasseln; vermiesen; **~ s.o.'s pitch** jdm e-n Strich durch die Rechnung machen

quell [kwel] *tr* bezwingen; bändigen; unterdrücken

quench [kwentʃ] *tr* **1.** (*Feuer*) löschen **2.** (*Durst*) stillen **3.** (*Enthusiasmus*) dämpfen

queru•lous ['kwerʊləs] *adj* nörglerisch, missmutig

query ['kwɪərɪ] **I.** *s* **1.** Frage *f* **2.** Fragezeichen *n;* **raise a ~** e-e Frage aufwerfen **II.** *tr* **1.** in Frage stellen; bezweifeln **2.** mit e-m Fragezeichen versehen; **I ~ whether ...** ich bezweifle, ob ...; **I'd ~ that** das würde ich bezweifeln; **~ s.th. with s.o.** etw mit jdm abklären

quest [kwest] **I.** *s* Suche *f* (*for* nach), Streben *n* **II.** *itr* suchen (*for* nach)

ques·tion ['kwestʃən] **I.** *s* **1.** Frage *f* **2.** Zweifel *m* **3.** (Streit)Frage *f*, Problem *n*, Streitpunkt *m* **4.** (PARL) Anfrage *f*; **ask s.o. a ~** jdm e-e Frage stellen; **what a ~!** was für e-e Frage!; **beyond (all)** [*o* **without**] **~** ohne Frage, ohne (jeden) Zweifel; **call s.th. into ~** etw in Frage stellen; **that's another ~ altogether** das ist etw völlig anderes; **that's not the ~** darum geht es nicht; **there's no ~ of a strike** von e-m Streik kann keine Rede sein; **that's out of the ~** das kommt nicht in Frage; **the matter in ~** die fragliche Angelegenheit **II.** *tr* **1.** fragen (*about* nach) **2.** vernehmen, verhören; prüfen **3.** bezweifeln, zweifeln an; in Frage stellen; **I ~ whether it's worth it** ich bezweifle, dass es der Mühe wert ist; **I don't ~ your good intentions** ich zweifle nicht an Ihrer guten Absicht; **ques·tion·able** [-əbl] *adj* **1.** fragwürdig **2.** fraglich, zweifelhaft; **of ~ honesty** von zweifelhaftem Ruf; **in ~ taste** geschmacklos; **ques·tioner** ['kwestʃənə(r)] *s* Fragesteller(in) *m(f)*; **ques·tion·ing** [-ɪŋ] **I.** *adj* fragend **II.** *s* Verhör *n*; Vernehmung *f*; **question mark** *s* Fragezeichen *n*; **question master** *s* Quizmaster *m*; **ques·tion·naire** [ˌk(w)estʃə'neə(r)] *s* Fragebogen *m*; **question time** *s* (PARL) Fragestunde *f*

queue [kju:] **I.** *s* (*von Menschen*) Schlange *f*; **form a ~** e-e Schlange bilden; **stand in a ~** Schlange stehen, anstehen; **join the ~** sich hinten anstellen; **jump the ~** sich vordrängeln **II.** *itr* (*~ up*) sich anstellen; e-e Schlange bilden; **we ~d for an hour** wir haben e-e Stunde angestanden

quibble ['kwɪbl] **I.** *s* Spitzfindigkeit, Haarspalterei *f* **II.** *itr* kleinlich sein (*over, about* wegen); **~ with s.o. about** [*o* **over**] **s.th.** mit jdm über etw herumstreiten; **quib·bler** ['kwɪblə(r)] *s* Wortklauber, Haarspalter *m*; **quib·bling** ['kwɪblɪŋ] **I.** *adj* spitzfindig; kleinlich **II.** *s* Haarspalterei *f*

quiche [ki:ʃ] *s* Quiche *f*

quick [kwɪk] **I.** *adj* **1.** schnell, prompt **2.** (*Kuss*) flüchtig **3.** (*Rede*) kurz **4.** gewandt, geschickt **5.** (*Kind*) aufgeweckt, schlagfertig **6.** (*Verstand*) wach **7.** (*Auge*) scharf **8.** (*Ohr*) fein; **be ~!** schnell!; **be ~ about it** aber ein bisschen dalli; **be ~ to do s.th.** etw ganz schnell tun; **he is ~ to anger** er wird leicht zornig; **what's the ~est way to the station?** wie komme ich am schnellsten zum Bahnhof?; **we had a ~ meal** wir haben schnell etwas gegessen; **he is ~ at figures** er kann schnell rechnen; **she's very ~** sie kapiert schnell **II.** *adv* schnell **III.** *s* **1.** empfindliches Fleisch **2. ~s** (*lit*): **the ~ and the dead** die Lebenden und die Toten; **be cut to the ~** tief getroffen sein; **bite one's nails to the ~** die Nägel bis zum Fleisch abkauen; **quick-acting** [ˌkwɪk'æktɪŋ] *adj* (*Medikament*) schnell wirkend; **quick-change artist** *s* Verwandlungskünstler(in) *m(f)*; **quicken** ['kwɪkən] **I.** *tr* **1.** beschleunigen **2.** (*fig*) erhöhen; anregen **II.** *itr* **1.** (*~ up*) schneller werden, beschleunigen **2.** (*Interesse*) wachsen; **quick-freeze** ['kwɪkfri:z] *tr* **1.** einfrieren **2.** schockgefrieren; **quick-frozen** ['kwɪkfrəʊzn] *adj* tiefgekühlt; **quick·ie** ['kwɪkɪ] *s* (*fam*) eine(r, s) auf die Schnelle; **quick·ly** ['kwɪklɪ] *adv* schnell, rasch; **quick·ness** ['kwɪknɪs] *s* **1.** Schnelligkeit *f* **2.** (*fig*) schnelle Auffassungsgabe; **quick·sand** ['kwɪksænd] *s* Treibsand *m*; **quick·sil·ver** ['kwɪksɪlvə(r)] *s* Quecksilber *n*; **quick·step** ['kwɪkstep] *s* Quickstep *m*; **quick-tem·pered** [ˌkwɪk'tempəd] *adj* leicht erregbar, reizbar; **quick-witted** [ˌkwɪk'wɪtɪd] *adj* geistesgegenwärtig; schlagfertig

quid[1] [kwɪd] *s* (*Tabak*) Priem *m*

quid[2] [kwɪd] *s* (*Br sl*) Pfund *n*

quid pro quo ['kwɪdprəʊ'kwəʊ] *s* Gegenleistung *f*

qui·esc·ent [kwɪ'esnt] *adj* ruhig, still

quiet ['kwaɪət] **I.** *adj* **1.** ruhig, still; leise **2.** (*Abend*) geruhsam **3.** (*Charakter*) sanft **4.** (*Kleidung*) unauffällig; (*Mensch*) zurückhaltend **5.** (COM) lustlos, flau; **be ~** Ruhe!; **keep ~** still sein; leise sein; **keep ~ about s.th.** nichts über etw sagen; **go ~** still werden; **business is ~** das Geschäft ist ruhig; **have a ~ mind** beruhigt sein; **he kept the matter ~** er behielt die Sache für sich **II.** *s* Ruhe, Stille *f*; **in the ~ of the night** in der Stille der Nacht; **on the ~** heimlich; **quieten** ['kwaɪətn] *tr* **1.** zum Schweigen bringen; zur Ruhe bringen **2.** (*Gewissen*) beruhigen; (*Verdacht*) zerstreuen; **quieten down** *itr* leiser werden; sich beruhigen; **quiet·ly** ['kwaɪətlɪ] *adv* leise; ruhig; **quiet·ness** ['kwaɪətnɪs] *s* **1.** Stille *f*; Geräuschlosigkeit *f* **2.** Ruhe *f*; **quiet·ude** ['kwaɪɪtju:d] *s* (*lit*) Seelenruhe, Ausgeglichenheit *f*

quiff [kwɪf] *s* (*Br*) Stirnlocke *f*

quill [kwɪl] *s* **1.** Feder *f*, Federkiel *m* **2.** (*e-s Stachelschweins*) Stachel *m*

quilt [kwɪlt] **I.** *s* Steppdecke *f*; Federbett *n* **II.** *tr* wattieren; absteppen

quin [kwɪn] *s s.* **quintuplet**

quince [kwɪns] *s* (BOT) Quitte *f*

quin·ine [kwɪ'ni:n, *Am* 'kwaɪnaɪn] *s* Chinin *n*

quint·es·sence [kwɪn'tesns] *s* Quintessenz *f a. fig*, Inbegriff *m*; **quint·es·sen-**

tial [ˌkwɪntə'senʃəl] *adj* fundamental; **he is the ~ artist** er ist der Inbegriff eines Künstlers
quin•tet(te) [kwɪn'tet] *s* (MUS) Quintett *n*
quin•tuple ['kwɪntjʊpl] **I.** *adj* fünffach **II.** *tr, itr* (sich) verfünffachen; **quin•tu•plet** ['kwɪntju:plet] *s* Fünfling *m*
quip [kwɪp] **I.** *s* geistreiche Bemerkung **II.** *itr* witzeln
quirk [kwɜ:k] *s* Schrulle, Marotte *f;* Laune *f;* **a ~ of fate** eine Laune des Schicksals
quit [kwɪt] <*irr:* quit/quitted, quit/quitted> **I.** *tr* **1.** (*Stadt, Menschen*) verlassen **2.** (*Stelle*) kündigen; aufgeben **3.** aufhören mit; **~ doing s.th.** aufhören etw zu tun **II.** *itr* **1.** aufhören **2.** (*bei Stelle*) kündigen **3.** fortgehen; **notice to ~** Kündigung *f;* **I've given her notice to ~** ich habe ihr gekündigt **III.** *adj:* **be ~ of s.th.** frei von etw sein; etw los sein
quite [kwaɪt] *adv* **1.** ganz, völlig, vollständig **2.** ziemlich **3.** wirklich; **~ wrong** völlig falsch; **you're being ~ impossible** du bist völlig unmöglich; **I ~ agree with you** ich stimme völlig mit Ihnen überein; **that's ~ another matter** das ist doch etwas ganz anderes; **not ~** nicht ganz; **~ so!** genau!; **~ the thing** ganz große Mode; **~ likely** sehr wahrscheinlich; **she's ~ a beauty** sie ist wirklich e-e Schönheit; **it was ~ a shock** es war ein ziemlicher Schock; **~ a few people** ziemlich viele Leute
quits [kwɪts] *adj* quitt; **be ~ with s.o.** mit jdm quitt sein; **cry ~** aufgeben
quit•tance ['kwɪtns] *s* (COM) Schuldenerlass *m*
quiver¹ ['kwɪvə(r)] **I.** *itr* **1.** zittern, beben (*with* vor) **2.** (*Augenlider*) flattern **II.** *s* Zittern *n;* Flattern *n*
quiver² ['kwɪvə(r)] *s* Köcher *m*
quix•otic [kwɪk'sɒtɪk] *adj* edelmütig; schwärmerisch
quiz [kwɪz] <*pl* quizzes> **I.** *s* **1.** Quiz *n* **2.** (*Am: Schule*) Prüfung *f* **II.** *tr* **1.** ausfragen (*about* über), prüfen **2.** (*Am: Schule*) abfragen, prüfen; **quiz•mas•ter** ['kwɪzma:stə(r)] *s* Quizmaster *m;* **quiz show** *s* Quiz *n;* **quiz•zi•cal** ['kwɪzɪkl] *adj* **1.** (*Blick*) fragend; zweifelnd **2.** eigenartig
quoit [kɔɪt, *Am* kwɔɪt] *s* **1.** (SPORT) Wurfring *m* **2.** **~s** *mit sing* Wurfringspiel *n*
quo•rate ['kwɔ:rət] *adj* beschlussfähig; **quo•rum** ['kwɔ:rəm] *s* Quorum *n*
quota ['kwəʊtə] *s* **1.** Pensum *n* **2.** Quantum *n;* Anteil *m;* Kontingent *n;* **immigration ~** Einwanderungsquote *f;* **import ~** Einfuhrkontingent *n*
quot•able ['kwəʊtəbl] *adj* zitierbar; **quo•ta•tion** [kwəʊ'teɪʃn] *s* **1.** Zitat *n* **2.** (FIN) Kurs-, Preisnotierung *f* **3.** (COM) Kostenanschlag *m;* **a ~ from Shakespeare** ein Shakespeare-Zitat; **quotation marks** *s pl* Anführungszeichen *npl;* **quote** [kwəʊt] **I.** *tr* **1.** anführen, zitieren (*from* aus) **2.** (COM) notieren (*at* mit) **3.** (*Preis*) nennen, veranschlagen; **don't ~ me on that** bitte wiederholen Sie das nicht; **you can ~ me on that** Sie können das ruhig wörtlich wiedergeben; **he was ~d as saying that ...** er soll gesagt haben, dass ...; **~ s.o. as an example** jdn als Beispiel anführen; **the shares are ~d at ...** die Aktien werden mit ... notiert **II.** *itr* zitieren; **~ from an author** e-n Schriftsteller zitieren **III.** *s* **1.** Zitat *n* **2.** **~s** (*fam*) Anführungszeichen *npl* **3.** (*fam*) (Preis)Angebot *n*
quo•tid•ian [kwəʊ'tɪdɪən] *adj* täglich
quo•tient ['kwəʊʃnt] *s* (MATH) Quotient *m*
qwer•ty key•boardfile [ˌkwɜ:tɪ'ki:bɔ:d] *s englische Tastatur*

R

R, r [ɑː(r)] <*pl* -'s> *s* R, r *n;* **the three R's** Lesen, Schreiben und Rechnen

rabbi ['ræbaɪ] *s* Rabbi(ner) *m*

rab•bit ['ræbɪt] **I.** *s* Kaninchen *n* **II.** *itr:* **go ~ing** Kaninchen jagen; **~ on** quasseln, schwätzen; **rabbit burrow, rabbit hole** *s* Kaninchenbau *m;* **rabbit hutch** *s* Kaninchenstall *m;* **rabbit punch** *s* Nackenschlag *m;* **rabbit skin** *s* Kaninchenfell *n*

rabble ['ræbl] *s* lärmender Haufen; **the ~** der Mob; **rabble-rouser** *s* Aufwiegler, Agitator *m;* **rabble-rousing** *adj* aufhetzerisch; **~ speech** Hetzrede *f*

ra•bid ['ræbɪd] *adj* **1.** (*Hund*) tollwütig **2.** fanatisch **3.** (*Hass*) rasend, wild; **ra•bies** ['reɪbiːz] *s* Tollwut *f*

RAC [ˌɑːreɪ'siː] *s abbr of* **Royal Automobile Club** *britischer Automobilklub*

rac•coon *s s.* **racoon**

race¹ [reɪs] **I.** *s* **1.** (Wett)Rennen *n,* Wettlauf *m a. fig* **2.** (*Wasser*) Strömung *f* **3.** (*lit*) Lauf *m;* **horse-~** Pferderennen *n;* **run a ~ with s.o.** mit jdm um die Wette laufen; **a ~ against time** ein Wettlauf mit der Zeit; **his ~ is run** (*fig*) er ist erledigt **II.** *tr* **1.** um die Wette laufen mit **2.** (*Maschine*) hochjagen **3.** (*Auto*) ins Rennen schicken; **he ~d me off to the station** er raste mit mir zum Bahnhof **III.** *itr* **1.** laufen **2.** rasen, jagen, rennen **3.** (*Maschine*) durchdrehen; **~ with** [*o* **against**] **s.o.** gegen jdn laufen; **~ against time** gegen die Uhr laufen; **~ about** herumrasen; **~ after s.o.** hinter jdm herjagen

race² [reɪs] *s* **1.** Rasse *f* **2.** (*fig*) Kaste *f;* **the human ~** das Menschengeschlecht; **of mixed ~** gemischtrassig

race card *s* Rennprogramm *n;* **race conflict** *s* Rassenkonflikt *m;* **race•course** *s* Rennbahn *f;* **race hatred** *s* Rassenhass *m;* **race•horse** *s* Rennpferd *n;* **race meeting** *s* Rennveranstaltung *f*

racer ['reɪsə(r)] *s* Rennfahrer(in) *m(f),* Rennwagen *m;* Rennpferd *n*

race relations ['reɪs rə'leɪʃns] *s pl* Beziehungen *pl* zwischen den Rassen; **race riot** *s* Rassenkrawall *m*

racial ['reɪʃl] *adj* rassisch; **~ conflict** Rassenkonflikt *m;* **~ discrimination** Rassendiskriminierung *f;* **~ disturbances** Rassenunruhen *pl;* **~ equality** *Gleichberechtigung verschiedener ethnischer Gruppen in einer Gesellschaft;* **~ segregation** Rassentrennung *f;* **~ slur** rassistische Bemerkung; **~ tension** *Spannungen zwischen den einzelnen ethnischen Gruppen einer Gesellschaft;* **racial•ism** ['reɪʃəlɪzəm] *s* Rassismus *m;* **racial•ist** ['reɪʃəlɪst] **I.** *s* Rassist(in) *m(f)* **II.** *adj* rassistisch

raci•ness ['reɪsɪnɪs] *s* **1.** Schwung *m,* Feuer *n;* Gewagtheit *f* **2.** Rassigkeit, Feurigkeit *f*

rac•ing ['reɪsɪŋ] *s* (Pferde-, Motor)Rennen *n;* **racing bicycle** *s* Rennrad *n;* **racing car** *s* Rennwagen *m;* **racing driver** *s* Rennfahrer(in) *m(f);* **racing pigeon** *s* Brieftaube *f;* **racing stable** *s* Rennstall *m;* **racing yacht** *s* Rennyacht *f*

rac•ism ['reɪsɪzəm] *s s.* **racialism; rac•ist** ['reɪsɪst] *s s.* **racialist**

rack¹ [ræk] **I.** *s* **1.** Ständer *m;* Gestell *n;* Regal *n* **2.** (*luggage ~*) Gepäcknetz *n* **3.** (*auf Fahrrädern*) Gepäckträger *m* **4.** (*für Futter*) Raufe *f* **5.** (TECH) Zahnstange *f* **6.** (HIST) Folterbank *f;* **put s.o. on the ~** (*fig*) jdn auf die Folter spannen; **be on the ~** auf der Folterbank sein; (*fig*) Folterqualen leiden **II.** *tr* **1.** quälen, plagen **2.** (HIST) auf die Folter spannen; **~ed with pain** von Schmerz gequält; **~ one's brains** sich den Kopf zerbrechen

rack² [ræk] *s:* **go to ~ and ruin** verkommen, vor die Hunde gehen; abwirtschaften; verfallen

rack³ [ræk] *tr* (*Wein*) abfüllen

racket¹ ['rækɪt] *s* **1.** Lärm, Spektakel, Radau *m* **2.** (*fam*) Schiebung, Gaunerei *f;* Wucher *m* **3.** (*sl*) Geschäft *n,* Job *m;* **be in on a ~** bei e-r Gaunerei mitmischen; **make a ~** Krach schlagen; **what's his ~?** was macht er?

racket² ['rækɪt] *s* (SPORT) Schläger *m*

rack•et•eer [ˌrækɪ'tɪə(r)] *s* Betrüger(in) *m(f),* Gauner(in) *m(f)*

rack•ing ['rækɪŋ] *adj* (*Schmerz*) rasend, quälend

rack-rent ['rækˌrent] *s* Wuchermiete *f*

rac•oon, rac•coon [rə'kuːn] *s* Waschbär *m*

racy ['reɪsɪ] *adj* **1.** (*Rede*) lebhaft, lebendig; schwungvoll **2.** (*fig*) gewagt **3.** (*Wein*) feurig

ra•dar ['reɪdɑː(r)] *s* Radar *m od n;* **radar**

scanner *s* Rundsuchradargerät *n;* **radar station** *s* Radarstation *f;* **radar trap** *s* Radarfalle *f*

ra•dial ['reɪdɪəl] **I.** *adj* radial; strahlenförmig; ~ **tyre** Gürtelreifen *m* **II.** *s* Gürtelreifen *m*

ra•di•ant ['reɪdɪənt] **I.** *adj* **1.** (*Sonne*) strahlend **2.** (*Farben*) (hell) scheinend, leuchtend, glühend **3.** (*Lachen*) strahlend (*with* vor) **4.** (PHYS) Strahlungs-; **be ~ with joy** vor Freude strahlen; ~ **heat** Strahlungswärme *f* **II.** *s* Heizfläche *f*

ra•di•ate ['reɪdɪeɪt] **I.** *itr* **1.** Strahlen aussenden; ausgestrahlt werden **2.** (*Linien*) strahlenförmig ausgehen **II.** *tr* (*Licht, Wärme*) ausstrahlen *a. fig;* **ra•di•ation** [ˌreɪdɪ'eɪʃn] *s* **1.** Ausstrahlung *f* **2.** radioaktive Strahlung **3.** Strahlenbelastung, Verstrahlung *f;* **dose of ~** Strahlendosis *f;* **expose to ~** verstrahlen; **contaminated with ~** strahlenverseucht; **radiation burn** *s* Strahlenverbrennung *f;* **radiation sickness** *s* Strahlenkrankheit *f;* **radiation therapy** *s* Strahlenbehandlung *f;* **ra•di•ator** ['reɪdɪeɪtə(r)] *s* **1.** Heizkörper *m* **2.** (MOT) Kühler *m;* **radiator cap** *s* Kühlerverschluss *m;* **radiator grille** *s* Kühlergrill *m*

rad•ical ['rædɪkl] **I.** *adj* **1.** wesentlich, grundlegend; fundamental **2.** (POL) radikal **3.** (MATH) Wurzel-; **effect a ~ cure** e-e Radikalkur machen; ~ **sign** (MATH) Wurzelzeichen *n* **II.** *s* **1.** (POL) Radikale(r) *f m* **2.** (MATH) Wurzel *f* **3.** (CHEM) Radikal *n;* **rad•ical•ism** ['rædɪkəlɪzəm] *s* (POL) Radikalismus *m*

rad•icle ['rædɪkl] *s* **1.** (BOT) Keimwurzel *f* **2.** (CHEM) Radikal *n*

radio ['reɪdɪəʊ] <*pl* radios> **I.** *s* **1.** Rundfunk *m;* Radio(apparat *m*) *n* **2.** Funkspruch *m;* **listen to the ~** Radio hören; **hear s.th. on the ~** etw im Radio hören; **over the** [*o* **by**] ~ über Funk; **talk over the ~** über Funk sprechen **II.** *tr* funken; über Funk verständigen **III.** *itr:* ~ **for help** per Funk e-n Hilferuf durchgeben

radio•ac•tive [ˌreɪdɪəʊ'æktɪv] *adj* radioaktiv; ~ **contamination** radioaktive Verseuchung; ~ **material** Strahlenmaterial *n;* ~ **waste** radioaktiver Müll; **make ~** verstrahlen; **radio•ac•tiv•ity** [ˌreɪdɪəʊək'tɪvətɪ] *s* Radioaktivität *f*

radio alarm ['reɪdɪəʊ ə'lɑːm] *s* Radiowecker *m;* **radio announcer** ['reɪdɪəʊ ə'naʊnsə(r)] *s* Rundfunkansager(in) *m(f);* **radio beacon** *s* (AERO MAR) Funkbake *f,* -feuer *n;* **radio broadcast** *s* Rundfunksendung *f;* **radio•car•bon dat•ing** [ˌreɪdɪəʊkɑːbən'deɪtɪŋ] *s* Radiokohlenstoffdatierung *f;* **radio cassette recorder** *s* Radiorecorder *m;* **radio communication** *s* Funkverbindung *f;* **radio contact** *s* Funkkontakt *m;* **radio•gram** ['reɪdɪəʊgræm] *s* **1.** Funkspruch *m* **2.** Musiktruhe *f;* **radio•graph** ['reɪdɪəʊgrɑːf] *s* Radiogramm *n;* Röntgenaufnahme *f;* **radi•ogra•pher** [ˌreɪdɪ'ɒgrəfə(r)] *s* Röntgenassistent(in) *m(f);* **radi•ogra•phy** [ˌreɪdɪ'ɒgrəfɪ] *s* Radiographie, Röntgenaufnahme *f;* **radio ham** *s* (*fam*) Amateurfunker(in) *m(f);* **radi•olo•gist** [ˌreɪdɪ'ɒlədʒɪst] *s* Radiologe *m,* -login *f,* Röntgenologe *m,* -login *f;* **radi•olo•gy** [ˌreɪdɪ'ɒlədʒɪ] *s* Radiologie *f;* Röntgenologie *f;* **radio operator** *s* Funker(in) *m(f);* (AERO) Bordfunker(in) *m(f);* **radio•pager** ['reɪdɪəʊˌpeɪdʒə(r)] *s* Personenrufgerät *n,* Piepser *m;* **radio play** *s* Hörspiel *n;* **radio programme** *s* Radioprogramm *n;* **radio•sco•py** [ˌreɪdɪ'ɒskəpɪ] *s* Radioskopie, Röntgenuntersuchung *f;* **radio set** *s* Rundfunkgerät *n;* **radio station** *s* Rundfunkstation *f;* **radio•tele•phone** [ˌreɪdɪəʊ'telɪfəʊn] *s* Funksprechgerät *n;* **radio•tel•eph•ony** [ˌreɪdɪəʊtɪ'lefənɪ] *s* Sprechfunk *m;* **radio telescope** *s* Radioteleskop *n;* **radio•ther•apy** [ˌreɪdɪəʊ'θerəpɪ] *s* Röntgentherapie *f;* **radio wave** *s* Radiowelle *f*

rad•ish ['rædɪʃ] *s* Rettich *m*

ra•dium ['reɪdɪəm] *s* (CHEM) Radium *n;* **radium treatment** *s* (MED) Radiumtherapie *f*

ra•dius ['reɪdɪəs, *pl* 'reɪdɪaɪ] <*pl* radii> *s* **1.** (MATH) Halbmesser, Radius *m* **2.** Aktionsradius, Wirkungsbereich *m* **3.** (ANAT) Speiche *f;* **within a ... ~** in e-m Umkreis von ...

RAF[1] [ˈɑː(r)eɪ'ef] *s abbr of* **Royal Air Force** britische Luftwaffe

RAF[2] [ˌɑː(r)eɪ'ef] *s abbr of* **Red Army Faction** RAF *f*

raf•fia ['ræfɪə] *s* Raphiabast *m*

raff•ish ['ræfɪʃ] *adj* flott, verwegen

raffle ['ræfl] **I.** *s* Lotterie, Tombola *f* **II.** *tr* (~ *off*) verlosen

raft [rɑːft] *s* Floß *n*

rafter ['rɑːftə(r)] *s* (ARCH) (Dach)Sparren *m*

raft•ing ['rɑːftɪŋ] *s* Rafting *n*

rag[1] [ræg] *s* **1.** Lumpen, Lappen, Fetzen *m* **2.** (*Zeitung*) Schundblatt *n;* **in ~s and tatters** zerlumpt und abgerissen; **put one's glad ~s on** sich in Schale werfen; **like a red ~ to a bull** (*fig*) wie ein rotes Tuch; **feel like a wet ~** (*fam*) total ausgelaugt sein

rag[2] [ræg] **I.** *tr* (*fam*) aufziehen, foppen; ~ **s.o.** jdm e-n Streich spielen **II.** *s* Jux *m;* (Studenten)Ulk *m*

raga•muf•fin ['rægəmʌfɪn] *s* Lausejunge

m, Göre *f*
rag•bag ['rægbæg] *s* **1.** Lumpensack *m* **2.** (*fig*) Sammelsurium *n* **3.** (*pej: Frau*) Schlampe *f*
rage [reɪdʒ] **I.** *s* **1.** Wut *f,* Zorn *m* **2.** (*Sturm*) Toben, Rasen *n;* **fly into a ~** e-n Wutanfall bekommen; **be in a ~** wütend sein; **be (all) the ~** der letzte Schrei sein **II.** *itr* wüten, toben, rasen; **~ against s.o.** gegen jdn wettern
ragged ['rægɪd] *adj* **1.** abgerissen; zerlumpt **2.** (*Haare*) zottig, strähnig **3.** (*Ränder*) ausgefranst **4.** (*Felsen*) zerklüftet **5.** (*Arbeit*) stümperhaft
rag•ing ['reɪdʒɪŋ] *adj* **1.** wütend **2.** (*Fieber*) heftig **3.** (*Schmerzen*) rasend **4.** (*Sturm*) tobend
ra•gout ['ræguː] *s* (*Küche*) Ragout *n*
rag rug ['rægrʌg] *s* Flickenteppich *m*
rag•tag ['rægtæg] *s:* **~ and bobtail** Hinz und Kunz; **rag•time** ['rægtaɪm] *s* (MUS) Ragtime *m;* **rag trade** *s* (*fam*) Kleiderbranche *f*
raid [reɪd] **I.** *s* **1.** Überfall *m* **2.** (MIL) Angriff *m;* (*air ~*) Luftangriff *m* **3.** Razzia *f* **4.** Einbruch *m;* **dawn ~** Überraschungsangriff *m;* (FIN) *plötzlicher Aufkauf von Aktien* **II.** *tr* **1.** überfallen **2.** e-e Razzia durchführen in **3.** einbrechen in **4.** (*fig*) plündern
rail¹ [reɪl] **I.** *s* **1.** Geländer *n* **2.** (MAR) Reling *f* **3.** Umzäunung *f* **4.** (RAIL) Gleis *n,* Schiene *f* **5.** (*curtain ~*) Schiene *f* **6.** (*towel ~*) Handtuchhalter *m* **7.** Bahn *f;* **travel by ~** mit der Bahn fahren; **go off the ~s** entgleisen; (*fig*) auf die schiefe Bahn geraten; zu spinnen anfangen **II.** *tr* mit der Bahn verschicken; **rail in** *tr* einzäunen; **rail off** *tr* abzäunen
rail² [reɪl] *itr:* **~ at** [*o* **against**] **s.o.** jdn beschimpfen; **~ at fate** mit dem Schicksal hadern; **rail•head** ['reɪlhed] *s* Endbahnhof *m*
rail•ing ['reɪlɪŋ] *s meist pl* **1.** Geländer *n* **2.** (MAR) Reling *f* **3.** Zaun *m*
rail•road ['reɪlrəʊd] **I.** *s* (*Am*) Eisenbahn *f* **II.** *tr* (*Am*): **~ a bill** e-e Gesetzesvorlage durchpeitschen; **rail strike** *s* Bahnstreik *m;* **rail•way** ['reɪlweɪ] *s* **1.** (*Br*) Eisenbahn *f* **2.** Gleis *n;* **railway bridge** *s* Eisenbahnbrücke *f;* **railway carriage** *s* Eisenbahnwagen *m;* **railway crossing** *s* Bahnübergang *m;* **railway engine** *s* Lokomotive *f;* **railway guide** *s* Kursbuch *n;* **railway line** *s* **1.** Eisenbahnlinie *f* **2.** (Eisenbahn)Gleise *pl;* **rail•way•man** ['reɪlweɪmæn] <*pl* -men> *s* Eisenbahner *m;* **railway network** *s* Eisenbahnnetz *n;* **railway station** *s* Bahnhof *m;* **railway timetable** *s* Zugfahrplan *m*
rain [reɪn] **I.** *s* **1.** Regen *m a. fig* **2.** (*Pfeile*) Hagel *m;* **it looks like ~** es sieht nach Regen aus; **~ or shine** ob es regnet oder schneit; **take a ~ check** (*Am*) die Sache verschieben; **the ~s** die Regenzeit; **she's as right as ~** sie ist kerngesund; **~ of ashes** Aschenregen *m* **II.** *itr, tr* regnen *a. fig;* **it is ~ing** es regnet; **it never ~s but it pours** (*prov*) ein Unglück kommt selten allein; **it's ~ing cats and dogs** es gießt wie aus Kübeln; **~ blows on s.o.** e-n Hagel von Schlägen auf jdn niedergehen lassen; **rain off** *itr* **1.** wegen Regens nicht stattfinden **2.** wegen Regens abgebrochen werden; **rain•bow** ['reɪnbəʊ] *s* Regenbogen *m;* **rain cloud** *s* Regenwolke *f;* **rain•coat** ['reɪnkəʊt] *s* Regenmantel *m;* **rain•drop** ['reɪndrɒp] *s* Regentropfen *m;* **rain•fall** ['reɪnfɔːl] *s* Niederschlag *m;* **rain forest** *s* Regenwald *m;* **rain gauge** *s* Regenmesser *m;* **raini•ness** ['reɪnɪnɪs] *s* Regenwetter *n;* **rain•proof** ['reɪnpruːf] **I.** *adj* wasserdicht **II.** *tr* imprägnieren; **rain•water** ['reɪnwɔːtə(r)] *s* Regenwasser *n;* **rainy** ['reɪnɪ] *adj* regnerisch; verregnet; regenreich; **keep s.th. for a ~ day** etw für Notzeiten zurücklegen; **~ season** Regenzeit *f*
raise [reɪz] **I.** *tr* **1.** (auf-, hoch)heben; hochziehen **2.** (*Anker*) lichten **3.** (*Mauer*) errichten; erhöhen **4.** (*Gehalt*) erhöhen, anheben; heraufsetzen **5.** (*Gebäude*) errichten **6.** (*Problem*) schaffen, aufwerfen; erheben **7.** (*Kinder*) aufziehen, großziehen **8.** (*Steuern*) erheben **9.** (*Geld*) aufbringen, auftreiben **10.** (*Darlehen*) aufnehmen **11.** (*Embargo*) aufheben, beenden **12.** (*Karten*) erhöhen **13.** (TELE) Funkverbindung aufnehmen mit; **~ one's glass to s.o.** jdm zutrinken; **~ one's hand against s.o.** die Hand gegen jdn erheben; **~ s.o. from the dead** jdn von den Toten erwecken; **~ one's voice** lauter sprechen; **~ s.o.'s hopes** jdm Hoffnung(en) machen; **~ the roof** das Haus zum Beben bringen; **~ a laugh** ein Lächeln hervorrufen; **~ a protest** protestieren; **~ crops** Getreide anbauen **II.** *s* (*Am*) Gehaltserhöhung *f,* Lohnerhöhung *f*
raisin ['reɪzn] *s* Rosine *f*
rake¹ [reɪk] **I.** *s* Rechen *m,* Harke *f* **II.** *tr* harken, rechen **III.** *itr:* **~ about** [*o* **around**] herumwühlen, herumstöbern; **rake in** *tr* (*Geld*) kassieren; **rake out** *tr* auskundschaften, herausfinden; **rake up** *tr* **1.** zusammenharken **2.** (*fig*) auftreiben; zusammenkratzen **3.** (*Feuer*) schüren; **~ up the past** in der Vergangenheit wühlen
rake² [reɪk] *s* Lebemann *m*
rake-off ['reɪkɒf] *s* (*sl*) Gewinnanteil *m*
rak•ish¹ ['reɪkɪʃ] *adj* (*Erscheinung*) flott, verwegen
rak•ish² *adj* (*Schiff*) schnittig
rally ['rælɪ] **I.** *tr* (*Truppen*) versammeln, zu-

sammenrufen; ~ **one's strength** seine Kräfte sammeln **II.** *itr* **1.** sich wieder sammeln, sich versammeln **2.** (*Kranker*) Fortschritte machen **3.** (FIN) anziehen, sich erholen; **go ~ing** e-e Rallye fahren; ~ **round** sich scharen um **III.** *s* **1.** Versammlung *f,* Treffen *n* **2.** (*Gesundheit*) Erholung *f* **3.** (*Tennis*) Ballwechsel *m* **4.** (MOT) Rallye *f* **5.** (FIN) Aufschwung *m,* Erholung *f;* **rally driver** *s* Rallyefahrer(in) *m(f)*

RAM [ræm] *s abbr of* **random access memory** (EDV) RAM *n*

ram [ræm] **I.** *s* **1.** (ZOO) Widder *m* **2.** (TECH) Ramme *f;* Rammbock *m;* **the R~** (ASTR) der Widder; ~ **raiding** *Ladendiebstahl, bei dem ein gestohlenes Auto als Rammbock dient* **II.** *tr* **1.** rammen; stoßen (*against* gegen) **2.** (*Auto*) rammen; ~ **a charge home** (MIL) laden; ~ **home an argument** ein Argument durchsetzen; ~ **s.th. down s.o.'s throat** jdm etw eintrichtern

ramble ['ræmbl] **I.** *itr* **1.** umherschweifen, (umher)streifen **2.** (*fig:* ~ *on*) schwafeln; vom Hundertsten ins Tausendste kommen **3.** (*Pflanze*) ranken **II.** *s* Streifzug *m;* Wanderung *f;* **go for a** ~ e-n Streifzug machen; **ram•bler** ['ræmblə(r)] *s* **1.** Wanderer(in) *m(f)* **2.** (BOT) Kletterrose *f;* **ram•bling** ['ræmblɪŋ] **I.** *adj* **1.** (*Rede*) weitschweifig, umständlich; schwafelnd **2.** (*Pflanze*) rankend **3.** (*Gebäude*) weitläufig; ~ **club** Wanderverein *m* **II.** *s* (*fig*) Geschwafel *n*

rame•kin ['reɪmkɪn] *s* Auflaufförmchen *n*

rami•fi•ca•tion [,ræmɪfɪ'keɪʃn] *s* Verzweigung, Verästelung *f a. fig;* **ram•ify** ['ræmɪfaɪ] *itr* sich verzweigen *a. fig*

ramp [ræmp] *s* **1.** Rampe *f* **2.** (AERO) Gangway *f*

ram•page [ræm'peɪdʒ] **I.** *itr* herumwüten **II.** *s:* **go on the** ~ e-n Tobsuchtsanfall bekommen

ram•pant ['ræmpənt] *adj* **1.** (*Pflanze*) üppig, wuchernd **2.** (*Ungerechtigkeit*) wild wuchernd; **be** ~ wuchern

ram•part ['ræmpɑːt] *s* Wall *m a. fig*

ram•rod ['ræmrɒd] *s* Ladestock *m;* **as stiff as a** ~ steif wie ein Besenstiel

ram•shackle ['ræmʃækl] *adj* wack(e)lig, altersschwach, baufällig

ran [ræn] *itr s.* **run**

ranch [rɑːntʃ] **I.** *s* Ranch *f;* ~ **house** Farmhaus *n* **II.** *itr* Viehwirtschaft betreiben; **rancher** ['rɑːntʃə(r)] *s* Rancher *m*

ran•cid ['rænsɪd] *adj* ranzig

ran•cor *s* (*Am*) *s.* **rancour;** **ran•cor•ous** ['ræŋkərəs] *adj* bitter; bösartig; **ran•cour** ['ræŋkə(r)] *s* Bitterkeit *f;* Boshaftigkeit *f*

ran•dom ['rændəm] **I.** *adj* willkürlich, Zufalls-; ~ **access memory, RAM** RAM *n;* ~ **error** Zufallsfehler *m;* **make a** ~ **guess** auf gut Glück raten; ~ **sample** Stichprobe *f;* ~ **sampling** Stichproben *fpl* **II.** *s:* **at** ~ aufs Geratewohl; ziellos; planlos; **hit out at** ~ ziellos um sich schlagen; **talk at** ~ ins Blaue hineinreden

randy ['rændɪ] *adj* (*fam*) scharf, geil

rang [ræŋ] *s.* **ring[1]**

range [reɪndʒ] **I.** *tr* **1.** aufstellen; anordnen **2.** (*Person*) zählen (*among, with* zu) **3.** durchstreifen, durchziehen **4.** (*Gewehr*) ausrichten (*on* auf); ~ **o.s. with s.o.** sich auf jds Seite stellen; ~ **the seas** die Meere befahren **II.** *itr* **1.** gehen (*from ... to* von ... bis) **2.** streifen; **the conversation ~d over ...** die Unterhaltung kreiste um ...; **the search ~d over the whole area** die Suche erstreckte sich auf das ganze Gebiet; ~ **over the country** im Land umherstreifen; ~ **over** verbreitet sein in; (*Gewehr*) e-e Reichweite haben von **III.** *s* **1.** Aktionsradius *m;* Reichweite *f a. fig* **2.** Reihe *f;* Skala *f;* Angebot *n;* Spektrum *n* **3.** (MUS) Ton-, Stimmumfang *m* **4.** (*fig*) Kompetenz *f;* Einflussbereich *m* **5.** (*rifle* ~) Schießstand *m* **6.** Koch-, Küchenherd *m* **7.** (*mountain* ~) Kette *f* **8.** (*Am*) Weideland *n;* **at a** ~ **of** in e-r Entfernung von; **at close/wide** ~ auf kurze/weite Entfernung; **out of** ~ außer Hör-, Reich-, Schussweite; **within shouting** ~ in Hörweite; ~ **of vision** Gesichtsfeld *n;* **a wide** ~ e-e große Auswahl; ein breites Spektrum; **in this price** ~ in dieser Preislage; **a** ~ **of temperatures** unterschiedliche Temperaturen *fpl;* **temperature** ~ Temperaturbereich *m;* **a whole** ~ **of sizes** e-e ganze Reihe verschiedener Größen; **this is outside the** ~ **of ...** das liegt außerhalb der Kompetenz von ...; **short-/medium-/long-~** Kurz-/Mittel-/Langstrecken-; **range-finder** ['reɪndʒ,faɪndə(r)] *s* Entfernungsmesser *m*

ranger ['reɪndʒə(r)] *s* **1.** Förster(in) *m(f)* **2.** (*Am*) Ranger *m;* Überfallkommando *n;* ~ **scout** (*Br*) Ranger *m*

rangy ['reɪndʒɪ] *adj* langgliedrig

rank[1] [ræŋk] **I.** *s* **1.** (MIL) Rang *m* **2.** Stand *m,* Schicht *f* **3.** Reihe *f* **4.** (MIL) Glied *n* **5.** (MUS) Register *n;* **officer of high** ~ hoher Offizier; **people of all ~s** Leute *pl* aller Stände; **a person of** ~ e-e hochgestellte Persönlichkeit; **a second-~ painter** ein zweitklassiger Maler; **keep** ~ in Reih und Glied stehen; **the** ~ **and file** (MIL) die Mannschaft; (*Partei*) die Basis; **reduce s.o. to the ~s** jdn degradieren; **taxi** ~ Taxistand *m* **II.** *tr* einreihen, -ordnen, klassifizieren; ~ **s.o. among the great** jdn zu den Großen zählen **III.** *itr:* ~ **among** zählen zu; ~ **above s.o.** bedeutender als jem sein; rangmäßig über jdm liegen

rank² [ræŋk] *adj* **1.** (*Pflanzenwuchs*) wuchernd, üppig; (*Boden*) überwuchert (*with* von) **2.** (*Geruch*) übel **3.** (*Fett*) stinkend, übelriechend, ranzig **4.** (*Gift*) rein; ausgesprochen **5.** (*Verräter*) übel

rank·ing of·fi·cer ['ræŋkɪŋ ˌɒfɪsə(r)] *s* (MIL) ranghöchster Offizier

rankle ['ræŋkl] *itr* (*fig fam*): ~ **with s.o.** jdn wurmen

rank·ness ['ræŋknɪs] *s* **1.** Üppigkeit *f* **2.** (*fig*) Übelkeit *f;* Gestank *m;* Derbheit *f*

ran·sack ['rænsæk] *tr* **1.** durchsuchen, -wühlen (*for* nach) **2.** (*Haus*) plündern **3.** (*Stadt*) herfallen über

ran·som ['rænsəm] **I.** *s* **1.** Lösegeld *n* **2.** Freilassung *f* **3.** (REL) Erlösung *f;* **hold s.o. to** ~ jdn als Geisel (fest)halten; jdn erpressen **II.** *tr* **1.** auslösen, Lösegeld bezahlen für **2.** gegen ein Lösegeld freilassen **3.** (REL) erlösen

rant [rænt] *itr* Tiraden loslassen; irres Zeug reden; ~ **and rave at s.o.** mit jdm schimpfen

rap¹ [ræp] **I.** *tr* klopfen auf; klopfen an; ~ **s.o.'s knuckles** jdm auf die Finger klopfen; ~ **out** hervor-, ausstoßen **II.** *itr* klopfen; ~ **at the door** kurz an die Tür klopfen **III.** *s* Klopfen *n;* **give s.o. a** ~ **on the knuckles** jdm auf die Finger klopfen; **take the** ~ die Schuld zugeschoben kriegen; **there was a** ~ **at the door** es hat (an der Tür) geklopft; **I don't care a** ~ das ist mir völlig egal

rap² [ræp] *s* (MUS) Rap *m*

ra·pa·cious [rə'peɪʃəs] *adj* habgierig; **ra·pac·ity** [rə'pæsətɪ] *s* Habgier *f*

rape¹ [reɪp] **I.** *s* Vergewaltigung, Notzucht *f* **II.** *tr* vergewaltigen

rape² [reɪp] *s* (BOT) Raps *m*

rapid ['ræpɪd] **I.** *adj* **1.** rasch; rapide; flink **2.** (*Abhang*) steil; ~ **eye movement (REM) sleep** REM-Schlaf *m;* ~ **fire of questions** Feuerwerk *n*, von Fragen; ~ **fire weapon** Schnellfeuerwaffe *f;* **R~ Reaction Force** (NATO) Schnelleingreiftruppe *f* **II.** *s pl* Stromschnellen *fpl;* **rap·id·ity** [rə'pɪdətɪ] *s* Schnelligkeit *f;* Raschheit *f;* Steilheit *f*

rapier ['reɪpɪə(r)] *s* Rapier *n*

rap·ist ['reɪpɪst] *s* Vergewaltiger *m*

rap·port [ræ'pɔː(r)] *s* enge Beziehung, enges Verhältnis; **in** ~ **with** in Harmonie mit

rap·proche·ment [ræ'prɒʃmɒŋ] *s* (POL) Annäherung *f*

rapt [ræpt] *adj* **1.** gespannt; atemlos **2.** (*Lächeln*) verzückt; **rap·ture** ['ræptʃə(r)] *s* Entzücken *n;* Verzückung *f;* **be in ~s** entzückt sein (*over* über); **go into ~s** in Entzücken geraten; **rap·tur·ous** ['ræptʃərəs] *adj* **1.** ver-, entzückt, hingerissen **2.** (*Beifall*) stürmisch

rare [reə(r)] *adj* **1.** selten, rar **2.** (*Luft*) dünn **3.** (*Fleisch*) blutig, nicht durchgebraten **4.** (*fig*) irrsinnig

rare·bit ['reəbɪt] *s:* **Welsh** ~ überbackene Käseschnitte

rarefy ['reərɪfaɪ] **I.** *tr* **1.** (*Luft*) verdünnen **2.** (*fig*) exklusiv machen **II.** *itr* (*Luft*) dünn werden; **rare·ly** ['reəlɪ] *adv* selten; **rar·ity** ['reərətɪ] *s* Seltenheit, Rarität *f*

ras·cal ['rɑːskl] *s* (*fam hum*) Schelm, Schlingel *m*

rash¹ [ræʃ] *adj* unbesonnen; voreilig, überstürzt

rash² [ræʃ] *s* (MED) Ausschlag *m;* **rash cream** *s* Wundcreme *f*

rasher ['ræʃə(r)] *s:* ~ **of bacon** Speckstreifen *m*

rash·ness ['ræʃnɪs] *s* Unbesonnenheit *f;* Voreiligkeit, Überstürztheit *f*

rasp [rɑːsp] **I.** *tr* **1.** (TECH) raspeln **2.** (~ *out*) krächzen **II.** *itr* kratzen **III.** *s* **1.** (TECH) Raspel *f*, Reibeisen *n* **2.** Kratzen *n*

rasp·berry ['rɑːzbrɪ] **I.** *s* **1.** Himbeere *f* **2.** (~ *bush*) Himbeerstrauch *m;* **blow a** ~ verächtlich schnauben; **get a** ~ (*sl*) nur ein verächtliches Schnauben ernten **II.** *adj* himbeerrot

rasp·ing ['rɑːspɪŋ] *adj* **1.** kratzend, rauh **2.** (*Atem*) keuchend, röchelnd

Ras·ta·fa·rian [ˌræstə'feərɪən] *s* Rastafari *m*

ras·ter ['ræstə(r)] *s* Raster *m od n*

rat [ræt] **I.** *s* **1.** (ZOO) Ratte *f* **2.** (*fig*) Verräter *m;* **smell a** ~ Lunte riechen **II.** *itr* Ratten fangen; ~ **on s.o.** (*fam*) jdn sitzenlassen; jdn verpfeifen

rat·able, **rate·able** ['reɪtəbl] *adj* steuerpflichtig; ~ **value** steuerbarer Wert

ratch·et ['rætʃɪt] (~ *wheel*) Sperrad *n*

rate [reɪt] **I.** *s* **1.** Rate *f;* Tempo *n* **2.** (COM) Satz *m;* Kurs *m* **3.** **~s** (*Br hist*) Gemeindesteuern *fpl;* **failure** ~ Durchfallquote *f;* **at a** ~ **of ...** in e-m Tempo von ...; ~ **of absenteeism** Abwesenheitsquote *f;* ~ **of consumption** Verbrauch *m;* **pulse** ~ Puls *m;* ~ **of return** Rendite, Rentabilität *f;* ~ **of sales** Absatzrate *f;* **at this** ~ **of working** bei diesem Arbeitstempo; **at any** ~ auf jeden Fall; ~ **of exchange** Wechselkurs *m;* ~ **of inflation** Inflationsrate *f;* ~ **of interest** Zinssatz *m;* **insurance ~s** Versicherungsgebühren *fpl;* **unemployment** ~ Arbeitslosenquote *f* **II.** *tr* **1.** einschätzen **2.** (*Br: Steuer*) veranlagen **3.** verdienen; ~ **s.o. among ...** jdn zu ... zählen; ~ **s.o. as s.th.** jdn für etw halten; ~ **s.o. highly** jdn hoch einschätzen **III.** *itr:* ~ **as** gelten als; ~ **among** zählen zu

rather ['rɑːðə(r)] *adv* **1.** lieber; eher **2.** im

Gegenteil, vielmehr **3.** ziemlich, nicht wenig; ~ **than wait, he went away** er ging lieber, als dass er wartete; **I'd ~ not** lieber nicht; **I would ~ you came yourself** mir wäre es lieber, Sie kämen selbst; **it's ~ too difficult for me** es ist etwas zu schwierig für mich; **I ~ think he's wrong** ich glaube fast, er hat Unrecht

rati•fi•ca•tion [ˌrætɪfɪ'keɪʃn] *s* **1.** (POL) Ratifizierung *f* **2.** (COM) Bestätigung *f;* **rat•ify** ['rætɪfaɪ] *tr* **1.** ratifizieren **2.** bestätigen

rat•ing ['reɪtɪŋ] *s* **1.** Einschätzung *f;* Veranlagung *f* **2.** Klasse *f* **3.** (FIN) Kreditfähigkeit *f* **4.** (EL) Leistung *f* **5.** (MAR) Rang *m* **6.** Matrose *m;* **octane ~** Oktanzahl *f;* **the popularity ~ of a TV programme** die Zuschauerzahlen e-s Fernsehprogramms

ra•tio ['reɪʃɪəʊ] <*pl* -tios> *s* Verhältnis *n;* **in the ~ of 2 to 3** im Verhältnis 2 zu 3; **in inverse ~** umgekehrt proportional; **inverse** [*o* **indirect**] ~ umgekehrtes Verhältnis

ra•tion ['ræʃn] **I.** *s* **1.** Ration *f;* Quantum *n* **2. ~s** (MIL) Verpflegung *f;* **put s.o. on short ~s** jdn auf halbe Ration setzen; **~ card** Bezugschein *m* **II.** *tr* (*Lebensmittel*) rationieren; bewirtschaften; **~ out** zuteilen

ra•tional ['ræʃnəl] *adj* **1.** (*Person*) vernunftbegabt, rational **2.** (*Denken*) vernünftig, rational **3.** (MATH) rational

ra•tion•ale [ˌræʃə'nɑːl] *s* Gründe *mpl,* Gedankengänge *mpl*

ra•tion•al•ism ['ræʃnəlɪzəm] *s* Rationalismus *m;* **ra•tion•al•ist** ['ræʃnəlɪst] *s* Rationalist(in) *m(f);* **ra•tion•al•is•tic** [ˌræʃnə'lɪstɪk] *adj* rationalistisch; **ra•tional•ity** [ˌræʃə'nælətɪ] *s* **1.** Vernünf tigkeit, Rationalität *f* **2.** (MED) klarer Verstand; **ra•tion•al•iz•ation** [ˌræʃnəlaɪ'zeɪʃn] *s* Rationalisierung *f;* **ra•tion•al•ize** ['ræʃnəlaɪz] *tr* **1.** vernünftig betrachten **2.** (COM) rationalisieren; **ra•tion•ing** ['ræʃnɪŋ] *s* Rationierung *f;* Bewirtschaftung *f*

rat poi•son ['rætpɔɪzn] *s* Rattengift *n;* **rat race** *s* ständiger Konkurrenzkampf

rattle ['rætl] **I.** *itr* **1.** klappern **2.** (*Ketten*) rasseln, klirren; **~ at the door** an der Tür rütteln; **~ along** entlangrattern; **~ down** herunterprasseln; **~ on** quasseln **II.** *tr* **1.** klappern, rasseln mit; schütteln **2.** (*Mensch*) durcheinander bringen; **the news ~d her** die Nachricht hat ihr e-n Schock versetzt; **~ off** herunterrasseln **III.** *s* **1.** Geklapper, Gerassel, Gepolter *n* **2.** (Kinder)Klapper *f;* **rattle•brain** ['rætlbreɪn] *s* (*sl*) Spatzenhirn *n;* **rattle-snake** ['rætlsneɪk] *s* Klapperschlange *f;* **rattle•trap** ['rætltræp] *s* Klapperkiste *f;* **rat•tling** ['rætlɪŋ] **I.** *adj* **1.** klappernd, ratternd; klirrend **2.** (*fam: Tempo*) flott, rasend, toll **II.** *adv:* **~ good** (*sl*) verdammt gut

rat•ty ['rætɪ] *adj* (*fam*) gereizt

rau•cous ['rɔːkəs] *adj* rau, heiser

raunchy ['rɔːntʃɪ] *adj* (*sl*) geil

rav•age ['rævɪdʒ] **I.** *s* Verwüstung, Verheerung, Zerstörung *f a. fig;* **the ~s of time** die Spuren *f pl* der Zeit **II.** *tr* **1.** verwüsten, verheeren, zerstören **2.** plündern

rave [reɪv] **I.** *itr* **1.** (MED) im Fieberwahn reden, fantasieren **2.** (*fig*) schwärmen (*about, over* von) **3.** wüten, toben **4.** (*Meer*) tosen; **~ against s.o.** gegen jdn wettern **II.** *s* **1.** Rave *f* **2.** (*sl*) Fete *f* **3.** (*sl*) Schwärmerei *f;* **have a ~ about s.th.** von etw schwärmen; **~ review** fantastische Kritik

ravel ['rævl] **I.** *tr* (**~** *out*) ausfransen; (*Faden*) entwirren **II.** *itr* sich verwirren

raven ['reɪvn] *s* Rabe *m;* **~-black** rabenschwarz; **~-haired** schwarzhaarig

rav•en•ous ['rævənəs] *adj* **1.** ausgehungert **2.** heißhungrig

ra•vine [rə'viːn] *s* Schlucht, Klamm *f*

rav•ing ['reɪvɪŋ] **I.** *adj* fantasierend; wahnsinnig; **a ~ lunatic** ein kompletter Idiot **II.** *adv:* **~ mad** vollkommen übergeschnappt **III.** *s oft pl* Gefasel *n*

rav•ish ['rævɪʃ] *tr* **1.** (*fig*) hinreißen, entzücken **2.** (*obs*) vergewaltigen; rauben; **ravish•ing** [-ɪŋ] *adj* hinreißend, bezaubernd, entzückend

raw [rɔː] **I.** *adj* **1.** (*Nahrung*) roh **2.** (*Alkohol*) rein, unvermischt **3.** (*Material*) roh, unver-, unbearbeitet **4.** (*fig*) unausgebildet, unerfahren, ungeschult **5.** (*Haut*) wund, entzündet **6.** (*Wetter*) rau, unwirtlich, nasskalt; **it's a ~ deal** das ist e-e Gemeinheit; **give s.o. a ~ deal** jdn benachteiligen; **~ material** Rohstoff *m* **II.** *s:* **touch s.o. on the ~** bei jdm e-n wunden Punkt berühren; **in the ~** im Naturzustand; **raw-boned** [ˌrɔː'bəʊnd] *adj* mager, knochig; **raw-hide** ['rɔːhaɪd] *s* ungegerbtes Leder; **Rawl•plug®** ['rɔːlplʌg] *s* Dübel *m;* **raw-ness** ['rɔːnɪs] *s* **1.** Rohheit *f* **2.** Unerfahrenheit *f* **3.** Wundheit *f* **4.** (*Wetter*) Rauheit *f*

ray¹ [reɪ] *s* **1.** (Licht)Strahl *m a. fig* **2.** (*fig*) Spur *f,* Schimmer *m;* **X-~s** Röntgenstrahlen *mpl;* **a ~ of hope** ein Hoffnungsschimmer *m*

ray² [reɪ] *s* (ZOO) Rochen *m*

rayon ['reɪɒn] *s* Kunstseide *f*

raze [reɪz] *tr* völlig zerstören, dem Erdboden gleichmachen

razor ['reɪzə(r)] *s* Rasiermesser *n,* Rasierapparat *m;* **razor•back** ['reɪzəbæk] *s* **1.** Finnwal *m* **2.** (*Am*) Wildschwein *n;* **razor-bill** ['reɪzəbɪl] *s* (ORN) Tordalk *m;* **razor blade** *s* Rasierklinge *f;* **razor-edge** *s* (*Berg*) Grat *m;* **be on a ~** (*fig*) auf Messers

Schneide stehen; **razor-sharp** *adj* messerscharf *a. fig;* **razor wire** *s* Bandstacheldraht *m*

razzle ['ræzl] *s:* **go on the** ~ auf die Pauke hauen

RC [ˌɑː(r)'siː] *adj abbr of* **Roman Catholic** r.-k., römisch-katholisch

RDF [ˌɑː(r)diː'ef] *s abbr of* **refuse-derived fuel** BRAM *m,* Brennstoff *m* aus Müll

RE [ˌɑːr'iː] *s abbr of* **religious education** Religionsunterricht *m*

re- [ˌriː] *prefix* wieder-

re¹ [reɪ] (MUS) re *n*

re² [riː] *prep* **1.** mit Bezug auf, betreffend **2.** (JUR) in Sachen gegen

reach [riːtʃ] **I.** *tr* **1.** erreichen; ankommen an **2.** (*Perfektion*) erlangen **3.** (*Einigung*) erzielen, gelangen zu **4.** herankommen an **5.** reichen, gehen bis zu; ~ **page 100** bis Seite 100 kommen; **be able to ~ s.th.** an etw heranreichen können; ~ **me (over) that book** reiche mir das Buch (herüber) **II.** *itr* (*Gebiet*) sich erstrecken, gehen, reichen; ~ **for s.th.** nach etw greifen **III.** *s* **1.** (*fig*) Reichweite *f* **2.** (*Fluss*) Strecke *f;* **make a ~ for s.th.** nach etw greifen; **within s.o.'s ~** in jds Reichweite; **within arm's ~** in greifbarer Nähe; **within easy ~ of the sea** in unmittelbarer Nähe des Meers; **beyond the ~ of the law** außerhalb des Gesetzes; **reach down** *tr* hinunterreichen; **reach out** *itr* die Hände ausstrecken; **reach over** *itr* hinübergreifen; **reach up** *tr* hinaufgreifen

re•act [rɪ'ækt] *itr* **1.** reagieren (*to* auf) **2.** wirken (*on, upon* auf); ~ **against** negativ reagieren auf; **re•ac•tion** [rɪ'ækʃn] *s* **1.** Reaktion *f* (*to* auf, *against* gegen) **2.** (POL) Reaktion *f* **3.** (MIL) Gegenschlag *m* **4.** (COM) Umschwung, Rückgang *m;* **action and ~** Wirkung und Gegenwirkung; **forces of ~** reaktionäre Kräfte; **re•ac•tion•ary** [rɪ'ækʃənrɪ] *adj* reaktionär

re•ac•ti•vate [riː'æktɪveɪt] *tr* reaktivieren; **re•ac•tive** [riː'æktɪv] *adj* reaktiv

re•ac•tor [rɪ'æktə(r)] *s* Reaktor *m;* **nuclear ~** Kernreaktor *m;* **reactor core** *s* Reaktorkern *m;* **reactor safety** *s* Reaktorsicherheit *f*

read [riːd, red, red] <*irr:* read, read> **I.** *tr* **1.** lesen **2.** vorlesen (*to s.o.* jdm) **3.** (*Buch*) aus-, durchlesen **4.** (*Traum*) deuten **5.** (*Universität*) studieren **6.** (*Thermometer*) ablesen **7.** (*Messgerät*) anzeigen; ~ **s.o. a lesson** jdm e-e Strafpredigt halten; **take s.th. as ~** etw als selbstverständlich voraussetzen; ~ **s.o.'s thoughts** jds Gedanken lesen; ~ **s.o.'s hand** jdm aus der Hand lesen; ~ **s.th. into a text** etw in e-n Text hineinlesen, hineininterpretieren **II.** *itr* **1.** lesen; vorlesen **2.** (*Buch*) sich lesen (lassen) **3.** (*Text*) lauten; **he ~s well** er liest gut; ~ **aloud** laut lesen; ~ **to o.s.** für sich lesen; **this book ~s well** das Buch liest sich gut; ~ **for an examination** sich auf e-e Prüfung vorbereiten **III.** *s:* **have a quiet ~** ungestört lesen; **read off** *tr* ablesen; **read on** *itr* weiterlesen; **read out** *tr* vorlesen; **read over** *tr* durchlesen; **read through** *tr* durchlesen; **read up** *itr* sich informieren (*on* über)

reada•bil•ity [ˌriːdə'bɪlɪtɪ] *s* Lesbarkeit *f*

read•able ['riːdəbl] *adj* lesbar; lesenswert; **reader** ['riːdə(r)] *s* **1.** Leser(in) *m(f)* **2.** (*Br*) Dozent(in) *m(f)* **3.** Lesebuch *n;* Fibel *f;* Text *m,* Lektüre *f* **4.** (EDV) Lesegerät *n;* **publisher's ~** Lektor(in) *m(f);* **readership** [-ʃɪp] *s* **1.** Leserkreis *m,* Leserschaft *f* **2.** (*Br*) Dozentur *f;* **read head** *s* (EDV) Lesekopf *m*

read•ies ['redɪz] *s pl* (*fam*) das Bare

read•ily ['redɪlɪ] *adv* **1.** bereitwillig **2.** gleich, sofort; ~ **to hand** griffbereit; **readiness** ['redɪnɪs] *s* **1.** Bereitschaft *f* **2.** Leichtigkeit *f;* **be (kept) in ~** bereitgehalten werden; **her ~ to help** ihre Hilfsbereitschaft; ~ **of speech** Redegewandtheit *f*

read•ing ['riːdɪŋ] *s* **1.** Lesen *n* **2.** Lektüre *f* **3.** Lesung *f* **4.** Interpretation *f,* Verständnis *n* **5.** Version *f* **6.** (TECH) Ablesen *n* **7.** (*Messgerät, Zähler*) Stand *m* **8.** (PARL) Lesung *f* **9.** Belesenheit *f;* **the ~ is ...** das Thermometer steht auf ...; **a man of wide ~** ein sehr belesener Mann; **reading book** *s* Lesebuch *n;* **reading glasses** *s pl* Lesebrille *f;* **reading lamp** *s* Leselampe *f;* **reading list** *s* Leseliste *f;* **reading room** *s* Lesesaal *m*

re•ad•just [ˌriːə'dʒʌst] **I.** *tr* **1.** neu einstellen; nachstellen **2.** (*Preise*) anpassen, neu regeln **3.** (*Meinung*) korrigieren **II.** *itr* sich neu anpassen (*to* an); **I have to ~ to it** ich muss mich erst wieder daran gewöhnen; **re•ad•just•ment** [-mənt] *s* **1.** Neuordnung *f;* Neueinstellung *f* **2.** Anpassung *f* **3.** Korrektur *f*

read only memory *s* (EDV) Festwertspeicher *m*

ready ['redɪ] **I.** *adj* **1.** bereit, fertig **2.** prompt; schlagfertig **3.** (*Geld*) verfügbar, flüssig **4.** bereit, willens, geneigt (*to* zu) **5.** (*Sprecher*) gewandt; ~ **to leave** abfahrtbereit; ~ **for anything** zu allem bereit; **are you ~ to go?** sind Sie soweit?; **be ~ with an excuse** e-e Entschuldigung parat haben; **get ~ to do s.th.** sich bereitmachen etw zu tun; **get ~ for s.th.** sich auf etw vorbereiten; ~ **to do s.th.** bereit etw zu tun; **he was ~ to cry** er war den Tränen nahe; **she's ~ with an answer** sie ist mit e-r Antwort schnell bei der Hand; **have a ~ tongue** schlagfertig sein; ~ **money** jederzeit verfügbares Geld; ~ **when you are!** sind Sie auch soweit?; ~**, steady, go!** Achtung (auf die Plätze), fertig, los! **II.** *s:* **at the ~** (MIL) mit dem Gewehr im Anschlag; (*fig*) marsch-, fahrbereit; **ready cash** *s* Bargeld *n;* **ready- made** [ˌredɪˈmeɪd] *adj* **1.** (*Kleider*) Konfektions- **2.** (*Antwort*) fertig **3.** (*Lösung*) Patent-; **ready sale** *s* schneller Absatz; **ready-to-wear** [ˌredɪtə ˈweə(r)] *adj* Konfektions-, von der Stange

re•af•firm [ˌriːəˈfɜːm] *tr* erneut bestätigen

re•af•forest [ˌriːəˈfɒrɪst] *tr* wieder aufforsten

real [rɪəl] **I.** *adj* **1.** echt; wirklich; richtig; eigentlich **2.** echt, authentisch; **in ~ life** im wirklichen Leben; **her grief is very ~** ihr Schmerz ist echt; **it's not the ~ thing** das ist nicht das Wahre; ~ **time** (EDV) Echtzeit *f;* **it's a ~ miracle** das ist ein wahres Wunder; ~ **estate** Immobilien *pl;* ~ **income** Realeinkommen *n;* ~ **number** (MATH) reelle Zahl; ~ **tennis** Ballhaustennis *n;* ~ **wages** Reallohn *m;* ~ **property** Grundbesitz *m* **II.** *adv* (*Am*) echt, wirklich; **get ~!** (*fam*) machen wir uns doch nichts vor! **III.** *s:* **for ~** wirklich, echt

re•align•ment [ˌriːəˈlaɪnmənt] *s* (FIN) Neufestsetzung *f*

real•ism [ˈrɪəlɪzəm] *s* Realismus *m;* **real•ist** [ˈrɪəlɪst] *s* Realist *m;* **real•istic** [ˌrɪəˈlɪstɪk] *adj* **1.** realistisch **2.** (*Gemälde*) naturgetreu

re•al•ity [rɪˈæləti] *s* **1.** Wirklichkeit, Realität *f* **2.** Naturtreue *f;* **in ~** in Wirklichkeit; **bring s.o. back to ~** jdn auf den Boden der Tatsachen zurückbringen; **become ~** sich verwirklichen

real•iz•able [ˈrɪəlaɪzəbl] *adj* **1.** (*Pläne*) aus-, durchführbar, realisierbar **2.** (FIN) realisierbar, zu verflüssigen; **real•iz•ation** [ˌrɪəlaɪˈzeɪʃn] *s* **1.** Erkenntnis *f* **2.** (FIN) Realisierung, Verflüssigung *f* **3.** (*Pläne*) Realisierung *f;* **real•ize** [ˈrɪəlaɪz] **I.** *tr* **1.** erkennen, sich klar werden *+gen,* sich bewusst werden *+gen,* begreifen; bemerken **2.** (*Plan*) verwirklichen, realisieren **3.** (FIN) realisieren, flüssig machen, veräußern **4.** (*Gewinn*) erzielen; **I ~d what he meant** mir ist klar geworden, was er meinte; **I hadn't ~d how late it was** ich habe gar nicht gemerkt, wie spät es war **II.** *itr:* **I've just ~d** das ist mir eben klar geworden; **he'll never ~** das wird er nie merken

really [ˈrɪəlɪ] **I.** *adv* **1.** wirklich, tatsächlich **2.** richtig; **I ~ don't know what to think** ich weiß wirklich nicht, was ich davon halten soll; **I don't ~ think so** das glaube ich eigentlich nicht; ~ **and truly** wirklich; **I ~ must say ...** ich muss schon sagen ... **II.** *interj* wirklich, tatsächlich; **not ~!** ach wirklich?; ~**, Peter!** also wirklich, Peter!

realm [relm] *s* **1.** Königreich *n* **2.** (*fig*) Bereich *m,* Gebiet *n*

re•al•tor [ˈrɪəltə(r)] *s* (*Am*) Grundstücksmakler(in) *m(f);* **re•alty** [ˈrɪəltɪ] *s* (JUR) Immobilien *pl*

re•ani•mate [riːˈænɪmeɪt] *tr* **1.** wieder beleben **2.** (*fig*) in Gang bringen

reap [riːp] **I.** *tr* **1.** (*Getreide*) schneiden, mähen; ernten **2.** (*fig*) ernten; bekommen; ~ **what one has sown** ernten, was man gesät hat **II.** *itr* schneiden, mähen; **reaper** [ˈriːpə(r)] *s* **1.** Mähmaschine *f* **2.** Schnitter(in) *m(f);* **reap•ing hook** [ˈriːpɪŋˌhʊk] *s* Sichel *f*

re•ap•pear [ˌriːəˈpɪə(r)] *itr* wieder erscheinen, wieder auftauchen

re•ap•ply [ˌriːəˈplaɪ] *itr* erneut bewerben

re•ap•point [ˌriːəˈpɔɪnt] *tr* wieder ernennen, -einstellen

re•ap•prais•al [ˌriːəˈpreɪzl] *s* Neueinschätzung, -beurteilung *f;* (*Lage*) Neubewertung *f*

rear[1] [rɪə(r)] **I.** *s* **1.** hinterer Teil **2.** (*fam*) Hinterteil *n* **3.** (MIL) Ende *n* der Truppe; **at** [*o* **in**] **the ~** hinten; **at** [*o* **to**] **the ~ of the house** hinter dem Haus; **from the ~** von hinten; **bring up the ~** die Nachhut bilden **II.** *adj* hintere(r, s); Heck-; ~ **door** hintere Tür; ~ **admiral** Konteradmiral *m;* ~ **engine** (MOT) Heckmotor *m;* ~ **lights** Rücklichter *npl;* ~ **spoiler** (MOT) Heckspoiler *m;* ~ **wheel** Hinterrad *n;* ~ **window** (MOT) Heckscheibe *f*

rear[2] [rɪə(r)] **I.** *tr* (*Tier*) groß-, aufziehen; ~ **its head** den Kopf zurückwerfen **II.** *itr* (*Pferd:* ~ *up*) sich aufbäumen

rear-en•gined [ˌrɪərˈendʒɪnd] *adj* (MOT) mit Heckmotor, mit Heckantrieb; **rear-guard** [ˈrɪəgɑːd] *s* (MIL) Nachhut *f*

re•arm [ˌriːˈɑːm] **I.** *tr* wieder bewaffnen **II.** *itr* (wieder) aufrüsten; **re•arma•ment** [riːˈɑːməmənt] *s* **1.** Wiederbewaffnung *f* **2.** (Wieder)Aufrüstung *f;* **Moral R~** Moralische Aufrüstung

rear•most [ˈrɪəməʊst] *adj* hinterste(r, s), letzte(r, s)

re•ar•range [ˌriːəˈreɪndʒ] *tr* **1.** neu ordnen; umgruppieren **2.** (*Treffen*) erneut vereinbaren

rear-view mir•ror [ˈrɪəˌvjuːˈmɪrə(r)] *s* (MOT) Rückspiegel *m;* **rear•ward** [ˈrɪəwəd] **I.** *adj* hintere(r, s); rückwärtig **II.** *adv* (*a.* ~*s*) rückwärts; **rear-wheel drive** *s* Heckantrieb *m*

rea•son [ˈriːzn] **I.** *s* **1.** Grund *m* (*for* für) **2.** Verstand *m* **3.** Vernunft *f;* **the ~ for my going** weshalb ich gehe; **the ~ why** weswegen; **there is ~ to believe that ...** es gibt Grund zu der Annahme, dass ...; **for that very ~** eben deswegen; **with good ~** mit gutem Grund; **without rhyme or ~** ohne Sinn und Verstand; **without any ~** grundlos; **for no ~ at all** ohne ersichtlichen Grund; **for no particular ~** ohne e-n bestimmten Grund; **by ~ of** wegen; **listen to ~** Vernunft annehmen; **lose one's ~** den Verstand verlieren; **that stands to ~** das ist logisch; **for what ~?** aus welchem Grund? **II.** *itr* **1.** logisch denken **2.** vernünftig reden (*with s.o.* mit jdm) **III.** *tr* **1.** durchdenken, überlegen **2.** folgern, schließen; **~ s.o. out of s.th.** jdm etw ausreden; **~ why ...** sich klarmachen, warum ...

rea•son•able ['ri:znəbl] *adj* **1.** vernünftig **2.** (*Preis*) reell; angemessen **3.** (*Zweifel*) berechtigt **4.** ordentlich, ganz gut; **with a ~ amount of luck** mit einigem, einer Portion Glück; **rea•son•ably** ['ri:znəblɪ] *adv* **1.** vernünftig **2.** einigermaßen; ziemlich

rea•son•ing ['ri:znɪŋ] *s* **1.** Schlussfolgerungen *fpl* **2.** Argumentation, Beweisführung *f;* **this ~ is faulty** das Argument ist falsch

re•as•semble [ˌri:ə'sembl] **I.** *tr* **1.** wieder versammeln **2.** (TECH) wieder zusammensetzen **II.** *itr* sich wieder versammeln

re•as•sess [ˌri:ə'ses] *tr* neu überdenken; neu abwägen; neu veranlagen

re•as•sur•ance [ˌri:ə'ʃʊərəns] *s* **1.** Beruhigung *f* **2.** Bestätigung *f* **3.** Rückversicherung *f;* **re•as•sure** [ˌri:ə'ʃʊə(r)] *tr* **1.** beruhigen; das Gefühl der Sicherheit geben (*s.o.* jdm) **2.** versichern, beteuern **3.** rückversichern; **~ s.o. of s.th.** jdm etw versichern; **re•as•sur•ing** [ˌri:ə'ʃʊərɪŋ] *adj* beruhigend

re•bate ['ri:beɪt] *s* **1.** (Preis)Nachlass, Rabatt *m* **2.** Rückerstattung, -vergütung, -zahlung *f*

rebel ['rebl] **I.** *s* Rebell(in) *m(f),* Aufrührer(in) *m(f)* **II.** *adj* aufrührerisch, aufständisch **III.** [rɪ'bel] *itr* rebellieren, sich erheben; **re•bel•lion** [rɪ'belɪən] *s* Rebellion *f,* Aufstand *m;* **rise in ~** e-n Aufstand machen; **re•bel•li•ous** [rɪ'belɪəs] *adj* **1.** aufrührerisch, rebellisch **2.** (*Kind*) rebellisch, widerspenstig

re•birth [ˌri:'bɜ:θ] *s* Wiedergeburt *f a. fig;* (*fig*) Wiederaufleben *n*

re•boot [ˌri:'bu:t] *tr* (EDV) erneut laden

re•bound [rɪ'baʊnd] **I.** *itr* **1.** (*Ball*) ab-, zurückprallen **2.** (*fig*) zurückfallen (*on, upon s.o.* auf jdn) **3.** (*Börse*) wieder ansteigen **II.** ['ri:baʊnd] *s* **1.** Rückprall *m* **2.** (*fig*) Rückschlag, Umschwung *m;* **be on the ~** sich über e-e Enttäuschung hinwegtrösten

re•buff [rɪ'bʌf] **I.** *s* Zurückweisung *f;* Abfuhr *f;* **meet with a ~** e-e Zurückweisung erfahren, zurückgewiesen werden (*from* von) **II.** *tr* abweisen, zurückweisen

re•build [ˌri:'bɪld] *tr* wieder aufbauen; wiederherstellen

re•buke [rɪ'bju:k] **I.** *tr* zurechtweisen, tadeln (*s.o. for s.th.* jdn wegen etw) **II.** *s* Zurechtweisung *f,* Tadel *m*

re•but [rɪ'bʌt] *tr* widerlegen; **re•but•tal** [rɪ'bʌtl] *s* Widerlegung *f*

re•cal•ci•trant [rɪ'kælsɪtrənt] *adj* aufsässig

re•call [rɪ'kɔ:l] **I.** *tr* **1.** zurückrufen **2.** (*Buch*) zurückfordern **3.** sich erinnern an **4.** (COM) einziehen; **~ s.o. to life** jdn ins Leben zurückrufen **II.** *s* **1.** Rückruf *m* **2.** Rückforderung *f* **3.** Erinnerung *f* **4.** (COM) Einzug *m;* **beyond** [*o* **past**] **~** für immer vorbei

re•cant [rɪ'kænt] *itr, tr* widerrufen

re•cap¹ ['ri:kæp] **I.** *s* kurze Zusammenfassung **II.** *tr, itr* kurz zusammenfassen

re•cap² [ˌri:'kæp] **I.** *s* (*Am*) laufflächenerneuerter Reifen **II.** *tr* die Laufflächen erneuern von

re•cap•itu•late [ˌri:kə'pɪtʃʊleɪt] *tr, itr* rekapitulieren, kurz zusammenfassen; **re•cap•itu•la•tion** [ˌri:kəˌpɪtʃʊ'leɪʃn] *s* **1.** Wiederholung *f,* kurze Zusammenfassung **2.** (MUS) Reprise *f*

re•cap•ture [ˌri:'kæptʃə(r)] **I.** *tr* **1.** wieder einfangen; wiedererobern **2.** (*fig*) wieder wach werden lassen **II.** *s* **1.** Wiedereinfangen *n;* Wiedereroberung *f* **2.** (*fig*) Heraufbeschwörung *f*

re•cast [ˌri:'kɑ:st] *tr* **1.** umschmelzen, -gießen **2.** (*fig*) umformen, neu formulieren **3.** (THEAT) neu besetzen

re•cede [rɪ'si:d] *itr* **1.** zurückweichen, -treten **2.** (*fig*) sich entfernen **3.** (*Preis, Wasser*) zurückgehen **4.** (*Meinung*) abgehen; **re•ced•ing** [-ɪŋ] *adj* (*Stirn*) fliehend; **~ hairline** Stirnglatze *f*

re•ceipt [rɪ'si:t] **I.** *s* **1.** Empfang *m;* Annahme *f,* Erhalt *m* **2.** Quittung, Empfangsbestätigung *f;* Beleg *m* **3.** **~s** Einnahmen *fpl,* Eingänge *mpl;* **on ~ of the goods** nach Empfang der Waren **II.** *tr* quittieren, den Empfang bestätigen; **receipt book** *s* Quittungsbuch *n;* **receipt stamp** *s* Empfangsstempel *m*

re•ceiv•able [rɪ'si:vəbl] **I.** *adj* (FIN) offen, ausstehend **II.** *s pl* (FIN) Außenstände *mpl,* Forderungen *fpl,* Debitoren *mpl*

re•ceive [rɪ'si:v] **I.** *tr* **1.** erhalten, bekommen; empfangen **2.** (*Besucher*) empfangen; aufnehmen **3.** (TELE) empfangen **4.** (*Ablehnung*) erfahren **5.** (*Eindruck*) gewinnen, bekommen **6.** (*Schock*) erleiden **7.** (JUR) hehlen **II.** *itr* **1.** Besuch empfangen **2.** (JUR) Hehlerei treiben **3.** (TELE) empfangen **4.** (SPORT) rückschlagen; **re•ceived**

[rɪ'siːvd] *adj:* ~ **opinion** [*o* **wisdom**] die allgemeine Meinung; ~ **pronunciation, RP** hochsprachliche Aussprache (*nach Daniel Jones*); **re•ceiver** [rɪ'siːvə(r)] *s* **1.** Empfänger(in) *m(f)* **2.** (JUR) Hehler(in) *m(f)* **3.** (TELE) Hörer *m* **4.** (RADIO) Empfänger *m* **5.** (SPORT) Rückschläger(in) *m(f)*; **official** ~ (FIN) Konkursverwalter(in) *m(f)*; **re•ceiving** [rɪ'siːvɪŋ] *s* (JUR) Hehlerei *f;* **be on the** ~ **end** etw abkriegen; **receiving department**, **receiving office** *s* Warenannahme *f;* **receiving order** *s* Konkurseröffnungsbeschluss *m;* **receiving set** *s* Empfangsgerät *n*

re•cent ['riːsnt] *adj* **1.** kürzlich **2.** (*Nachrichten*) neueste(r,s), letzte(r,s) **3.** (*Erfindung*) neu; **most** ~ neueste(r, s); **ours is a** ~ **acquaintance** wir kennen uns erst seit kurzem; **in the** ~ **past** in jüngerer Zeit; **in** ~ **years** in den letzten Jahren; **of** ~ **date** neueren Datums; **re•cent•ly** [-lɪ] *adv* neulich, kürzlich, vor kurzem, unlängst; **until quite** ~ bis vor kurzem; **as** ~ **as** erst

re•cep•tacle [rɪ'septəkl] *s* Behälter *m*

re•cep•tion [rɪ'sepʃn] *s* **1.** Aufnahme *f;* Empfang *m* **2.** (*offizieller*) Empfang *m* **3.** (RADIO) Empfang *m* **4.** (*Hotel*) Rezeption *f,* Empfang *m;* **give s.o. a warm** ~ jdm e-n warmen Empfang bereiten; **meet with a favourable** ~ günstig aufgenommen werden; **reception area** *s* Empfangsbereich *m;* **reception camp** *s* Aufnahmelager *n;* **reception centre** *s* Durchgangslager *n;* **reception class** *s* (PÄD) erste Grundschulklasse; **reception desk** *s* Empfang *m,* Rezeption *f;* **re•ception•ist** [-ɪst] *s* **1.** Empfangschef *m,* -dame *f* **2.** (*Büro*) Empfangssekretär(in) *m(f)* **3.** (MED) Sprechstundenhilfe *f*

re•cep•tive [rɪ'septɪv] *adj* **1.** aufnahmefähig **2.** empfänglich (*to* für); **re•cep•tiv•ity** [ˌriːsep'tɪvətɪ] *s* **1.** Aufnahmefähigkeit *f* **2.** Empfänglichkeit *f*

re•cess [rɪ'ses] **I.** *s* **1.** (PARL) Sitzungspause *f;* Ferien *pl* **2.** (ARCH) Nische *f* **3.** (*fig*) Winkel *m;* **in the** ~**es of my heart** in den Tiefen meines Herzens **II.** *tr* **1.** in die Nische stellen **2.** (*Schrank*) einbauen; vertiefen

re•ces•sion [rɪ'seʃn] *s* **1.** Zurückweichen *n,* Rückgang *m* **2.** (COM) Rezession *f,* Rückgang *m*

re•ces•sive [rɪ'sesɪv] *adj* (BIOL) rezessiv

re•charge [ˌriː'tʃɑːdʒ] *tr* aufladen; **re•charge•able** [ˌriː'tʃɑːdʒəbl] *adj* aufladbar

re•christen [ˌriː'krɪsən] *tr* umtaufen

re•cidi•vism [rɪ'sɪdɪvɪzəm] *s* (JUR) Rückfälligkeit *f;* **re•cidi•vist** [rɪ'sɪdɪvɪst] **I.** *s* Rückfällige(r) *f m* **II.** *adj* rückfällig

recipe ['resəpɪ] *s* **1.** Rezept *n a. fig* **2.** (*fig*) Geheimnis *n;* ~ **for success** Erfolgsrezept *n;* **that's a** ~ **for disaster** das Unglück ist vorprogrammiert

re•cipi•ent [rɪ'sɪpɪənt] *s* Empfänger(in) *m(f)*

re•cip•ro•cal [rɪ'sɪprəkl] **I.** *adj* **1.** gegenseitig **2.** (MATH) reziprok; ~ **trade** Handel untereinander **II.** *s* (MATH) reziproker Wert, Kehrwert *m;* **re•cip•ro•cate** [rɪ'sɪprəkeɪt] **I.** *tr* **1.** erwidern; sich revanchieren für **2.** (TECH) hin- und herbewegen **II.** *itr* **1.** sich revanchieren **2.** (TECH) hin- und hergehen; **reci•proc•ity** [ˌresɪ'prɒsətɪ] *s* Gegenseitigkeit *f a. fig,* Austausch *m*

re•cital [rɪ'saɪtl] *s* **1.** Vortrag *m;* Konzert *n* **2.** Aufzählung, Schilderung *f;* **song** ~ Liederabend *m;* **reci•ta•tion** [ˌresɪ'teɪʃn] *s* Deklamation *f,* Vortrag *m;* **reci•ta•tive** [ˌresɪtə'tiːv] *s* (MUS) Rezitativ *n;* **re•cite** [rɪ'saɪt] **I.** *tr* **1.** vortragen, rezitieren **2.** (*fig*) hersagen; aufzählen **II.** *itr* vortragen

reck•less ['reklɪs] *adj* **1.** leichtsinnig **2.** (*Fahrer*) rücksichtslos, unverantwortlich **3.** (*Versuch*) gewagt; ~ **of** ohne Rücksicht auf; **reck•less•ness** [-nɪs] *s* **1.** Leichtsinn *m* **2.** Leichtfertigkeit, Rücksichtslosigkeit *f* **3.** Gewagtheit *f*

reckon ['rekən] **I.** *tr* **1.** aus-, berechnen **2.** rechnen, zählen (*among* zu) **3.** glauben; schätzen; **be** ~**ed** gelten; **what do you** ~**?** was meinen Sie? **II.** *itr* rechnen; ~**ing from tomorrow** ab morgen gerechnet; **reckon in** *tr* einbeziehen, mitrechnen; **reckon on** *tr* rechnen, zählen auf; **reckon up I.** *tr* zusammenrechnen **II.** *itr* abrechnen (*with* mit); **reckon with** *tr* rechnen mit; **reckon without** *tr* nicht rechnen mit; **reckoner** ['rekənə(r)] *s* Rechner *m;* **reckon•ing** ['rekənɪŋ] *s* (Be)Rechnung *f;* **by my** ~ nach meiner Rechnung; **to the best of my** ~ nach meiner Schätzung; **be out in one's** ~ sich verrechnet haben *a. fig;* **the day of** ~ der Tag der Abrechnung

re•claim [rɪ'kleɪm] *tr* **1.** (*Land*) kultivieren; gewinnen **2.** (*Mensch*) abbringen (*from* von) **3.** wiedergewinnen **4.** (*Rechte*) zurückfordern, zurückverlangen **5.** (*Gepäck*) abholen; **rec•la•ma•tion** [ˌreklə'meɪʃn] *s* **1.** (*Land*) Kultivierung *f;* Gewinnung *f* **2.** Abbringung *f* **3.** Wiedergewinnung *f* **4.** Rückgewinnung *f*

re•cline [rɪ'klaɪn] **I.** *tr* zurücklegen; zurücklehnen (*on* an) **II.** *itr* zurückliegen; sich zurücklegen, -lehnen; ~ **on a sofa** auf e-m Sofa ruhen; **recliner**, **reclining seat** *s* Ruhe-, Schlafsessel *m;* **re•cliner** [-ə(r)] *s* Klappsportwagen *m*

re•cluse [rɪ'kluːs] *s* Einsiedler(in) *m(f)*

rec•og•ni•tion [ˌrekəg'nɪʃn] *s* **1.** Anerkennung *f* **2.** Erkennen *n;* **in** ~ **of** in Anerkennung *+gen;* **change beyond ~, out of all ~** nicht wieder zu erkennen sein

rec•og•niz•able ['rekəgnaɪzəbl] *adj* erkennbar

re•cog•ni•zance [rɪ'kɒgnɪzns] *s* **1.** (JUR) Verpflichtung *f;* Anerkenntnis *f* **2.** (*Summe*) Sicherheitsleistung *f;* **enter into ~** Kaution stellen

rec•og•nize ['rekəgnaɪz] *tr* **1.** wieder erkennen; erkennen (*by* an) **2.** (POL) anerkennen (*as, to be* als), zugeben, eingestehen **3.** (*Am*) das Wort erteilen (*s.o.* jdm); **rec•og•nized** ['rekəgnaɪzd] *adj* anerkannt

re•coil [rɪ'kɔɪl] **I.** *itr* **1.** zurückweichen; zurückschrecken (*from* von) **2.** (*Gewehr*) zurückstoßen **3.** (*fig*) zurückfallen (*on, upon* auf) **II.** ['ri:kɔɪl] *s* **1.** (*Gewehr*) Rückstoß *m* **2.** (*fig*) Zurückschnellen *n*

rec•ol•lect [ˌrekə'lekt] **I.** *tr* sich erinnern an **II.** *itr* sich erinnern; **rec•ol•lec•tion** [ˌrekə'lekʃn] *s* Erinnerung *f* (*of* an); **to the best of my ~** soweit ich mich erinnern kann

rec•om•mend [ˌrekə'mend] *tr* **1.** empfehlen (*as* als) **2.** sprechen für; **~ s.o. s.th.** jdm etw empfehlen; **it is not to be ~ed** es ist nicht zu empfehlen; **~ed price** empfohlener Richtpreis; **~ed retail price, RRP** empfohlener Abgabepreis; **he has much to ~ him** es spricht sehr viel für ihn; **re•com•mend•able** [-əbl] *adj* empfehlenswert; **rec•om•men•da•tion** [ˌrekəmen'deɪʃn] *s* Empfehlung *f;* **on the ~ of** auf Empfehlung von; **letter of ~** Empfehlungsschreiben *n*

rec•om•pense ['rekəmpens] **I.** *tr* **1.** belohnen **2.** (JUR) entschädigen; wieder gutmachen **II.** *s* **1.** Belohnung *f* **2.** (JUR) Entschädigung, Wiedergutmachung *f;* **as a ~** als Belohnung; **in ~ for** als Belohnung für

rec•on•cile ['rekənsaɪl] *tr* **1.** versöhnen, aussöhnen (*to s.th., with s.o.* mit etw, mit jdm) **2.** (*Streit*) beilegen, schlichten **3.** (*Ideen*) in Einklang, in Übereinstimmung bringen **4.** (*Konten*) abstimmmen; **~ s.th. with s.th.** etw mit etw in Einklang bringen; **~ s.o. to s.th.** jdn mit etw versöhnen; **~ o.s. to s.th.** sich mit etw abfinden; **rec•on•cili•ation** [ˌrekənˌsɪlɪ'eɪʃn] *s* **1.** Ver-, Aussöhnung *f* (*between, with* mit) **2.** (*Streit*) Beilegung *f* **3.** (*fig*) Vereinbarung *f* **4.** (*Konten*) Abstimmung *f*

re•con•di•tion [ˌri:kən'dɪʃn] *tr* (*Motor*) generalüberholen; **~ed engine** Austauschmotor *m*

re•con•nais•sance [rɪ'kɒnɪsns] *s* (MIL MAR AERO) Aufklärung, Erkundung *f;* **reconnaissance flight** *s* Aufklärungsflug *m;* **reconnaissance patrol** *s* Spähtrupp *m;* **reconnaissance plane** *s* Aufklärungsflugzeug *n*

reconnoiter (*Am*) *s.* **reconnoitre**

re•con•noitre [ˌrekə'nɔɪtə(r)] **I.** *tr* (MIL) erkunden, auskundschaften **II.** *itr* das Gelände erkunden

re•con•sider [ˌri:kən'sɪdə(r)] *tr* **1.** wieder in Betracht ziehen, nochmals erwägen; nachprüfen **2.** (*erledigte Sache*) wiederaufnehmen

re•con•struct [ˌri:kən'strʌkt] *tr* rekonstruieren; wiederaufbauen; **re•con•struction** [ˌri:kən'strʌkʃn] *s* Rekonstruktion *f;* Wiederaufbau *m a. fig*

re•cord¹ [rɪ'kɔ:d] **I.** *tr* **1.** auf-, verzeichnen; dokumentieren; eintragen **2.** protokollieren; niederschreiben **3.** (*Protest*) zum Ausdruck bringen **4.** (*Thermometer*) verzeichnen, registrieren **5.** (*auf Tonband*) aufnehmen; aufzeichnen; **it's not ~ed anywhere** das ist nirgends dokumentiert; **a ~ed programme** e-e Aufzeichnung **II.** *itr* Tonbandaufnahmen machen

rec•ord² ['rekɔ:d] *s* **1.** Aufzeichnung *f;* Liste *f;* Protokoll *n;* Unterlage *f* **2.** (*police ~*) Vorstrafen *fpl* **3.** Vorgeschichte *f;* Leistungen *fpl* **4.** (MUS) Schallplatte *f;* Aufnahme *f;* Aufzeichnung *f* **5.** (EDV) Datensatz *m* **6.** (SPORT) Rekord *m;* **photographic ~** Bilddokumentation *f;* **keep a ~ of s.th.** über etw Buch führen; **it is on ~ that ...** es gibt Belege dafür, dass ...; **he's on ~ as having said ...** es ist belegt, dass er gesagt hat ...; **put s.th. on ~** etw schriftlich festhalten; **for the ~** der Ordnung halber; **off the ~** ganz im Vertrauen; **he's got a ~** er ist vorbestraft; **have an excellent ~** ausgezeichnete Leistungen vorweisen; **have a good ~ at school** ein guter Schüler sein; **make a ~** e-e Schallplatte machen; **beat** [*o* **break**] **the ~** den Rekord brechen; **hold the ~** den Rekord halten; **record breaker** ['rekɔ:dˌbreɪkə(r)] *s* (SPORT) Rekordbrecher(in) *m(f);* **record-break•ing** ['rekɔ:dˌbreɪkɪŋ] *adj* rekordbrechend; **record changer** *s* Plattenwechsler *m*

re•corded [rɪ'kɔ:dɪd] *adj* **1.** aufgezeichnet **2.** (*Geschehen*) schriftlich belegt; **~ delivery** Einschreiben *n;* **by ~ delivery** per Einschreiben

re•corder [rɪ'kɔ:də(r)] *s* **1.** Registriergerät *n* **2.** (JUR) Berichterstatter(in) *m(f)* **3.** (MUS) Blockflöte *f;* **cassette ~** Kassettenrecorder *m;* **tape ~** Tonbandgerät *n*

rec•ord holder ['rekɔ:dˌhəʊldə(r)] *s* (SPORT) Rekordhalter(in *f*) *m*

re•cord•ing [rɪ'kɔ:dɪŋ] *s* **1.** (*Film*) Aufzeichnung *f* **2.** (Ton)Aufnahme *f;* **recording session** *s* Aufnahme *f;* **recording studio** *s* Aufnahme-, Tonstudio *n*

rec•ord la•bel ['rekɔːdˌleɪbl] *s* Plattenlabel *n;* **record library** ['rekɔːdˌlaɪbrərɪ] *s* Schallplattenarchiv *n;* Plattenverleih *m;* **record losses** *s pl* Rekordverluste *mpl;* **record player** *s* Plattenspieler *m;* **record profits** *s pl* Höchstgewinne *mpl;* **record sales** *s pl* Spitzenumsätze *mpl;* **record token** *s* Plattengutschein *m*

re•count [rɪ'kaʊnt] *tr* erzählen, wiedergeben

re-count [ˌriː'kaʊnt] **I.** *tr* nachzählen **II.** ['riːkaʊnt] *s* Nachzählung *f*

re•coup [rɪ'kuːp] *tr* **1.** (*Verlust*) wieder einbringen, decken **2.** entschädigen; ~ **o.s.** sich entschädigen

re•course [rɪ'kɔːs] *s* Zuflucht *f;* **have ~ to s.o.** sich an jdn wenden; **without ~** (JUR) ohne Regress

re•cover [rɪ'kʌvə(r)] **I.** *tr* **1.** wieder finden; wiedergewinnen **2.** (*Gesundheit*) wiedererlangen **3.** (*das Bewusstsein*) wiedererlangen **4.** (*Vermögen*) wiederbekommen **5.** (*Verlust*) wieder gutmachen **6.** (*Wrack*) bergen **7.** (*Ausgaben*) decken, wieder einholen **8.** (*verlorene Zeit*) wieder aufholen; ~ **one's breath** wieder zu Atem kommen; ~ **consciousness** wieder zu Bewusstsein gelangen; ~ **one's sight** wieder sehen können; ~ **one's composure** sich wieder fassen; ~ **lost ground** (*fig*) aufholen **II.** *itr* **1.** sich erholen; wieder zu sich kommen **2.** (COM: *Markt*) sich wieder beleben **3.** (JUR) den Prozess gewinnen

re-cover [ˌriː'kʌvə(r)] *tr* (*Stuhl*) neu beziehen

re•cover•able [rɪ'kʌvərəbl] *adj* **1.** (*Schulden*) eintreibbar **2.** (*Verluste*) ersetzbar; **re•cov•ery** [rɪ'kʌvərɪ] *s* **1.** Wiederfinden *n;* Wiedergewinnung *f* **2.** Wiedererlangung *f* **3.** Zurückbekommen *n* **4.** Genesung, Erholung *f* **5.** (COM) konjunktureller Aufschwung; **past ~** nicht mehr zu retten; **be on the road to ~** auf dem Wege der Besserung sein; **make a good ~** sich gut erholen; **recovery service** *s* (MOT) Abschleppdienst *m;* **recovery ship** *s* Bergungsschiff *n;* **recovery vehicle** *s* Abschleppwagen *m*

rec•re•ation [ˌrekrɪ'eɪʃn] *s* **1.** Erholung, Entspannung *f;* Hobby *n* **2.** (*Schule*) Pause *f;* **rec•re•ational** [ˌrekrɪ'eɪʃnl] *adj* Freizeit-; ~ **value** Erholungswert *m;* **recreation centre** *s* Freizeitzentrum *n;* **recreation ground** *s* Freizeitgelände *n;* **recreation room** *s* Freizeitraum *m;* **recreation vehicle, RV** *s* (*Am*) Wohnmobil *n;* **rec•re•ative** ['rekrɪˌeɪtɪv] *adj* erholsam, entspannend

re•crimi•nate [rɪ'krɪmɪneɪt] *itr* Gegenbeschuldigungen vorbringen; **re•crimi•na•tion** [rɪˌkrɪmɪ'neɪʃn] *s* Gegenbeschuldigung *f*

re•cruit [rɪ'kruːt] **I.** *tr* **1.** rekrutieren **2.** (*Mitglieder*) werben **3.** (*Arbeitskräfte*) einstellen **II.** *s* **1.** (MIL) Rekrut *m* **2.** (*fig*) neues Mitglied; **re•cruit•ing** [-ɪŋ] *s* **1.** (MIL) Rekrutierung *f* **2.** Einstellung *f;* **re•cruit•ment** [-mənt] *s* **1.** (MIL) Rekrutierung *f* **2.** (*Arbeitskräfte*) Einstellung *f*

rec•tangle ['rektæŋgl] *s* Rechteck *n;* **rec•tangu•lar** [rek'tæŋgjʊlə(r)] *adj* rechtwinklig

rec•tifi•ca•tion [ˌrektɪfɪ'keɪʃn] *s* Korrektur, Verbesserung *f;* Richtigstellung *f;* Berichtigung *f;* **rec•tify** ['rektɪfaɪ] *tr* **1.** berichtigen; richtig stellen; korrigieren, verbessern **2.** (EL) gleichrichten

rec•ti•lin•ear [ˌrektɪ'lɪnɪə(r)] *adj* geradlinig

rec•ti•tude ['rektɪtjuːd] *s* Rechtschaffenheit *f*

rec•tor ['rektə(r)] *s* **1.** (REL) Pfarrer, Pastor *m* **2.** (*Schule, College*) Direktor(in) *m(f)* **3.** (*Universität*) Rektor(in) *m(f);* **rec•tory** ['rektərɪ] *s* Pfarrhaus *n*

rec•tum ['rektəm] *s* (ANAT) Mastdarm *m*

re•cum•bent [rɪ'kʌmbənt] *adj* liegend, ruhend

re•cu•per•ate [rɪ'kuːpəreɪt] **I.** *tr* (*Verluste*) wettmachen, wieder gutmachen **II.** *itr* sich (wieder) erholen, wieder zu Kräften kommen; **re•cu•per•ation** [rɪˌkuːpə'reɪʃn] *s* **1.** (MED) Erholung, Genesung *f* **2.** Wiedergutmachung *f*

re•cur [rɪ'kɜː(r)] *itr* **1.** wiederkehren; sich wiederholen (*to* zu) **2.** (*Problem*) wieder auftreten **3.** (*Frage*) sich wieder stellen **4.** (*Idee*) wieder auftauchen **5.** wieder einfallen (*to s.o.* jdm); **re•cur•rence** [rɪ'kʌrəns] *s* Wiederkehr *f;* Wiederholung *f;* Wiederauftauchen *n;* **re•cur•rent** [rɪ'kʌrənt] *adj* periodisch wiederkehrend, sich wiederholend; **re•cur•ring** [rɪ'kɜːrɪŋ] *adj* regelmäßig wiederkehrend; ~ **decimal** periodische Dezimalzahl

re•cycle [rɪ'saɪkl] *tr* wieder verwerten, recyceln; **~d paper** Umwelt-, Recyclingpapier *n;* **re•cy•cling** [-ɪŋ] *s* Wiederverwertung *f,* Recycling *n*

red [red] **I.** *adj* rot *a. fig;* ~ **with anger** rot vor Zorn; **see ~** rot sehen **II.** *s* **1.** Rot *n* **2.** (POL) Rote(r) *f m;* **be in the ~** in den roten Zahlen sein; **get out of the ~** aus den roten Zahlen herauskommen; **Red Army Faction, RAF** *s* Rote Armee-Fraktion *f;* **red-blooded** [red'blʌdɪd] *adj* heißblütig; **red•cap** ['redkæp] *s* **1.** (*Br fam*) Militärpolizist *m* **2.** (*Am*) Gepäckträger *m;* **red carpet** *s* (*fig*) roter Teppich; **a ~ reception** ein großer Bahnhof; **roll out the ~** den roten Teppich ausrollen; **red cent** *s*

(*Am fam*) roter Heller; **Red China** *s* Rotchina *n;* **Red Crescent** *s* Roter Halbmond; **Red Cross** *s* Rotes Kreuz; **red currant** *s* (rote) Johannisbeere *f;* **red deer** *s* Rothirsch *mpl,* Rotwild *n;* **red•den** ['redn] **I.** *tr* röten, rot färben **II.** *itr* rot werden, sich röten; **red•dish** ['redɪʃ] *adj* rötlich

re•dec•or•ate [ˌriː'dekəreɪt] *tr* neu tapezieren; neu streichen; **re•dec•or•ation** [ˌriːdekə'reɪʃn] *s* **1.** Neutapezieren *n;* Neustreichen *n* **2.** neue Tapeten *pl,* neuer Anstrich

re•deem [rɪ'diːm] *tr* **1.** (*Marken*) einlösen (*for* gegen) **2.** (*Versprechen*) einhalten, erfüllen **3.** (*Schulden*) tilgen, abtragen **4.** (*Aktien*) verkaufen **5.** (*Situation*) retten **6.** (REL) erlösen **7.** (*Fehler*) wettmachen; **re•deem•able** [-əbl] *adj* **1.** (*Schulden*) tilgbar, kündbar **2.** (*Rechnung*) einlösbar **3.** (REL) erlösbar; **Re•deemer** [rɪ'diːmə(r)] *s* (REL) Erlöser, Heiland *m;* **redeem•ing** [rɪ'diːmɪŋ] *adj* ausgleichend, aussöhnend; **re•demp•tion** [rɪ'dempʃn] *s* **1.** Einlösung *f* **2.** (*Versprechen*) Einhaltung *f* **3.** (*Schulden*) Tilgung *f* **4.** (*Aktien*) Verkauf *m* **5.** (*fig*) Rettung *f* **6.** (REL) Erlösung *f;* **beyond** [*o* **past**] ~ nicht mehr zu retten; rettungslos; ~ **date** Tilgungstermin *m;* ~ **value** Rückzahlungswert *m;* ~ **yield** Effektivverzinsung *f*

re•de•ploy [ˌriːdɪ'plɔɪ] *tr* (MIL) verlegen, umgruppieren; **re•de•ploy•ment** [-mənt] *s* (MIL) Umverlegung *f*

re•de•vel•op [ˌriːdɪ'veləp] *tr* sanieren; **re•de•vel•op•ment** [ˌriːdɪ'veləpmənt] *s* Sanierung *f*

red-haired [ˌred'heə(r)d] *adj* rothaarig; **red-handed** [ˌred'hændɪd] *adv:* **catch s.o.** ~ jdn auf frischer Tat ertappen; **red-head** ['redhed] *s* Rothaarige(r) *f m;* **red-headed** ['redhedɪd] *adj* rothaarig; **red herring** *s* **1.** Räucherhering *m* **2.** (*fig*) Ablenkungsmanöver *n;* **that's a** ~ das führt vom Thema ab; **red-hot** [ˌred'hɒt] *adj* **1.** rotglühend; glühend heiß **2.** (*fig*) Feuer und Flamme **3.** (*Nachrichten*) brandaktuell; **Red Indian** *s* Indianer(in) *m(f)*

re•di•rect [ˌriːdɪ'rekt] *tr* (*Brief etc.*) umadressieren, nachsenden; (*Verkehr*) umleiten

re•dis•trib•ute [ˌriːdɪ'strɪbjuːt] *tr* neu verteilen; **re•dis•tribu•tion** [ˌriːdɪstrɪ'bjuːʃn] *s* Um-, Neuverteilung *f*

red-let•ter day [ˌred'letədeɪ] *s* (*fig*) Glückstag *m,* besonderer Tag; **red light** *s* **1.** (*Verkehr*) Rotlicht *n* **2.** (*fig*) rotes Licht; **see the** ~ (*fig*) die Gefahr erkennen; **red light district** *s* Bordell-, Rotlichtviertel *n;* **red meat** *s* Rind-, Hammelfleisch *n;* **red-neck** ['rednek] *s* (*Am*) *armer weißer Südstaatler vom Land;* **red•ness** ['rednɪs] *s* Röte *f*

re•do [ˌriː'duː] *tr* neu machen

redo•lent ['redələnt] *adj* duftend (*of, with* nach); **be** ~ **of s.th.** (*fig*) an etw erinnern

re•double [rɪ'dʌbl] *tr, itr* (sich) verdoppeln

re•doubt•able [rɪ'daʊtəbl] *adj* **1.** (*Aufgabe*) furchtbar, schrecklich **2.** (*Person*) respektgebietend

re•dound [rɪ'daʊnd] *itr:* ~ **to s.o.'s honour** jdm zur Ehre gereichen; ~ **to s.o.'s credit** jdm hoch angerechnet werden

red pep•per [ˌred'pepə(r)] *s* roter Paprika

re•draft [ˌriː'drɑːft] **I.** *s* Neuentwurf *m,* Neufassung *f* **II.** *tr* neu entwerfen, neu abfassen

red rag [ˌred'ræg] *s* rotes Tuch; **it's like a** ~ **to a bull** das ist wie ein rotes Tuch für ihn, sie

re•dress [rɪ'dres] **I.** *tr* **1.** wieder gutmachen, Abhilfe schaffen für **2.** (*Situation*) bereinigen **3.** (*Gleichgewicht*) wiederherstellen **II.** *s* Wiedergutmachung, Abhilfe *f;* **seek** ~ **for** Wiedergutmachung verlangen für; **gain** ~ zu seinem Recht kommen; **legal** ~ Rechtsschutz *m*

Red Sea [red'siː] *s* Rotes Meer

red•skin ['redskɪn] *s* Rothaut *f;* **red tape** *s* (*fam*) Papierkrieg *m;* Behördenkram *m*

re•duce [rɪ'djuːs] **I.** *tr* **1.** verringern, vermindern, abbauen, herunter-, herabsetzen **2.** (*Geschwindigkeit*) verlangsamen **3.** (*Preis*) senken, ermäßigen **4.** (*Produktion*) drosseln, reduzieren **5.** (MIL) degradieren **6.** (*Lohn*) kürzen **7.** (CHEM) reduzieren **8.** (MATH) zerlegen **9.** (*Sauce*) einkochen lassen; ~ **one's weight** abnehmen; ~ **speed** langsamer fahren; ~ **an argument to its simplest form** ein Argument auf die einfachste Form bringen; ~ **s.o. to poverty** jdn an den Bettelstab bringen; ~ **to silence** zum Schweigen bringen; ~ **to tears** zum Weinen bringen **II.** *itr* abnehmen; **re•duced** [rɪ'djuːst] *adj* ermäßigt; herabgesetzt; **re•ducer** [rɪ'djuːsə(r)] *s* (PHOT) Abschwächer *m*

re•duc•tion [rɪ'dʌkʃn] *s* **1.** Verringerung, Verminderung, Kürzung *f;* Reduzierung *f* **2.** (*Personal*) Abbau *m* **3.** (*Preise*) Herabsetzung, (Preis)Ermäßigung, Senkung *f,* Nachlass, Abbau, Rabatt *m* **4.** (Lohn-, Gehalts)Kürzung *f* **5.** (*Produktion*) Drosselung *f* **6.** (CHEM) Reduktion *f* **7.** (MATH) Zerlegung *f* **8.** (*Geschwindigkeit*) Verlangsamung *f* **9.** (*Kopie*) Verkleinerung *f;* **make a** ~ e-e Ermäßigung einräumen; ~ **of taxes** Steuersenkung *f;* ~ **in rank** Degradierung *f;* ~ **of fare** Fahrpreisermäßigung *f;* ~ **in** [*o* **of**] **numbers** zahlenmäßige Verringerung; ~ **in prices** Preisabbau *m;* ~ **of strength** Nachlassen *n* der Kräfte

re•dun•dancy [rɪ'dʌndənsɪ] *s* **1.** Überflüssigkeit *f* **2.** (*des Stiles*) Weitschweifigkeit *f* **3.** Arbeitslosigkeit *f* **4. redundancies** Entlassungen *fpl;* **redundancy payment** *s* Abfindung *f;* **re•dun•dant** [rɪ'dʌndənt] *adj* **1.** überflüssig, unnötig **2.** (*Stil*) weitschweifig **3.** (COM) arbeitslos; **become** ~ den Arbeitsplatz verlieren

re•dupli•cate [rɪ'dju:plɪkeɪt] *tr* wiederholen; **re•dupli•ca•tion** [rɪˌdju:plɪ'keɪʃn] *s* Wiederholung *f*

reed [ri:d] *s* **1.** Schilf, Riedgras *n* **2.** (MUS) Zungenpfeife *f;* **a broken** ~ (*fig*) ein schwankendes Rohr; **reed instrument** *s* Rohrblattinstrument *n*

re-edu•cate [ˌri:'edʒʊkeɪt] *tr* umerziehen, umschulen

reedy ['ri:dɪ] *adj* **1.** schilfig **2.** (*Ton*) näselnd

reef [ri:f] *s* (Felsen)Riff *n*

reefer ['ri:fə(r)] *s* **1.** (*~-jacket*) Seemannsjacke *f* **2.** (*sl*) Marihuanazigarette *f,* Reefer *m;* **reef knot** *s* Reff-, Kreuzknoten *m*

reek [ri:k] **I.** *s* Gestank *m* **II.** *itr* stinken (*of* nach)

reel [ri:l] **I.** *s* Rolle, Spule *f* **II.** *tr* (TECH) aufspulen; ~ **in** einrollen; ~ **off** (*fig*) herunterleiern **III.** *itr* (sch)wanken; taumeln; **my head is ~ing** mir dreht sich der Kopf; **my brain was ~ing with all the information** mein Kopf schwirrte von den vielen Informationen

re-elect [ˌri:ɪ'lekt] *tr* wiederwählen; **re-elec•tion** [ˌri:ɪ'lekʃn] *s* Wiederwahl *f*

re-em•ploy [ˌri:ɪm'plɔɪ] *tr* wieder einstellen; **re-en•gage** [ˌri:ɪn'geɪdʒ] *tr* wieder einstellen

re-en•ter [ˌri:'entə(r)] **I.** *itr* wieder hereinkommen; wieder eintreten; wieder einreisen **II.** *tr* wieder hereinkommen in, hineingehen in; wieder eintreten in; **re-en•try** [ˌri:'entrɪ] *s* Wiedereintritt *m,* Wiedereinreise *f*

ref¹ [ref] *s abbr of* **reference**: **your/our** ~ Ihr/unser Zeichen *n*

ref² [ref] *s abbr of* **referee** Schiri *m*

re•fec•tory [rɪ'fektərɪ] *s* Mensa *f;* Refektorium *n*

re•fer [rɪ'fɜ:(r)] **I.** *tr* **1.** weiterleiten (*to* an), übergeben (*to s.th.* e-r S) **2.** verweisen (*to s.o.* an jdn) **3.** (*Scheck*) zurückschicken; **the reader is ~red to ...** der Leser wird auf ... verwiesen; ~ **back to** zurückgehen zu; zurückgeben an **II.** *itr* **1.** sich berufen, sich beziehen, Bezug nehmen (*to* auf) **2.** (*Regeln*) gelten **3.** (*Buch*) nachschauen, konsultieren; **the letter ~s to you all** der Brief gilt euch allen; **he ~ red to his notes** er hielt sich an seine Notizen; ~ **back to** sich beziehen auf

ref•eree [ˌrefə'ri:] **I.** *s* **1.** (JUR) Schiedsrichter(in) *m(f)* **2.** (SPORT) Schieds-, Ringrichter(in) *m(f)* **3.** (*Bewerbung*) Referenz *f* **II.** *tr, itr* Schiedsrichter sein (bei)

ref•er•ence ['refrəns] *s* **1.** Erwähnung *f;* Bemerkung *f;* Anspielung *f* (*to* auf) **2.** Weiterleitung *f;* Übergabe *f* **3.** Referenz *f,* Zeugnis *n* **4.** (*im Buch*) Verweis *m* **5.** Zuständigkeitsbereich *m* **6.** Zeichen *n;* **in** [*o* **with**] ~ **to** in bezug auf, was ... anbetrifft; **without** ~ **to** ohne Bezug auf, unabhängig von; **give s.o. as a** ~ jdn als Referenz angeben; **have** ~ **to** in Beziehung stehen mit; **make** ~ **to** erwähnen; anspielen auf; **cross-**~ Querverweis *m;* **reference book** *s* Nachschlagewerk *n;* **reference library** *s* Präsenzbibliothek *f;* **reference mark** *s* Verweiszeichen *n;* **reference number** *s* Aktenzeichen *n*

ref•er•en•dum [ˌrefə'rendəm] *s* Volksentscheid *m,* Referendum *n*

re•fill [ˌri:'fɪl] **I.** *tr* wieder füllen, nachfüllen **II.** ['ri:fɪl] *s* Nachfüllpatrone *f;* ~ (**pack**) Nachfüllpackung *f*

re•fine [rɪ'faɪn] **I.** *tr* **1.** (*Zucker, Öl*) raffinieren **2.** (*fig*) verfeinern, kultivieren **II.** *itr:* ~ **upon** verfeinern, verbessern; **re•fined** [rɪ'faɪnd] *adj* **1.** (TECH) raffiniert **2.** (*fig*) kultiviert, fein; ~ **sugar** Raffinade *f;* **re•fine•ment** [rɪ'faɪnmənt] *s* **1.** (TECH) Raffinierung *f* **2.** (*Stil*) Vornehmheit *f* **3.** Verfeinerung, Verbesserung *f;* **re•finery** [rɪ'faɪnərɪ] *s* Raffinerie *f*

re•fit [ˌri:'fɪt] **I.** *tr* neu ausrüsten; neu ausstatten **II.** *itr* neu ausgerüstet werden **III.** ['ri:fɪt] *s* Neuausrüstung *f*

re•flate [ri:'fleɪt] *tr* (*Wirtschaft*) ankurbeln; **re•fla•tion** [ˌri:'fleɪʃn] *s* Reflation *f*

re•flect [rɪ'flekt] **I.** *tr* **1.** zurückwerfen, -strahlen, widerspiegeln *a. fig,* reflektieren **2.** (*fig*) zeigen, ausdrücken; **the moon was ~ed in the lake** der Mond spiegelte sich im See; ~ **credit** (**up**)**on s.o.** ein gutes Licht auf jdn werfen; **do you ever** ~ **that ...?** denken Sie je darüber nach, dass ...? **II.** *itr* nachdenken (*on, upon* über); ~ (**up**)**on** etw aussagen über; ein gutes Licht werfen auf; sich auswirken auf; schaden (*s.th.* e-r S); **re•flect•ing** [-ɪŋ] *adj* reflektierend, widerspiegelnd; **re•flec•tion**, **re•fle•xion** [rɪ'flekʃn] *s* **1.** Reflexion *f;* (Wider)Spiegelung *f* **2.** (*fig*) Nachdenken *n;* Betrachtung, Überlegung *f* (*on* über) **3.** Spiegelbild *n* **4.** Vorwurf, Tadel *m;* **see one's** ~ **in a mirror** sich im Spiegel sehen; **on** ~ wenn man sich das recht überlegt; **a** ~ **on her honour** ein Schatten auf ihrer Ehre; **cast ~s on s.o.** jdn in ein schlechtes Licht setzen

re•flec•tive [rɪ'flektɪv] *adj* **1.** reflektierend **2.** (*fig*) nachdenklich, gedankenvoll

re•flec•tor [rɪ'flektə(r)] *s* (MOT) Rückstrahler *m*
re•flex ['ri:fleks] *s* (PHYSIOL) Reflex *m;* **reflex action** *s* Reflexhandlung *f;* **reflex camera** *s* Spiegelreflexkamera *f*
re•flex•ion [rɪ'flekʃn] *s s.* **reflection**
re•flex•ive [rɪ'fleksɪv] *adj* (GRAM) rückbezüglich, reflexiv; **reflex zone therapy** *s* Reflexzonentherapie *f*
re•float [ˌri:'fləʊt] *tr* wieder flottmachen
re•flux [ˌri:'flʌks] *s* Rückfluss *m*
re•forest [ˌri:'fɒrɪst] *tr* wieder aufforsten
re•form [rɪ'fɔ:m] **I.** *tr* **1.** reformieren; verbessern **2.** (*Menschen*) bessern **II.** *itr* sich bessern **III.** *s* Reform *f;* **reform measures** *s pl* Reformmaßnahmen *fpl;* **reform school** *s* Besserungsanstalt *f*
re-form [ˌri:'fɔ:m] *tr, itr* (MIL) neu formieren
ref•or•ma•tion [ˌrefə'meɪʃn] *s* Reformierung, Besserung *f;* **the R** ~ (HIST) die Reformation
re•forma•tory [rɪ'fɔ:mətrɪ] *s* Besserungsanstalt *f*
re•former [rɪ'fɔ:mə(r)] *s* Reformer(in) *m(f)*
re•fract [rɪ'frækt] *tr* (*Strahlen*) brechen; **re•frac•tion** [rɪ'frækʃn] *s* Lichtbrechung *f*
re•frac•tory [rɪ'fræktərɪ] *adj* **1.** eigensinnig, störrisch **2.** (MED) hartnäckig **3.** (CHEM) hitzebeständig
re•frain¹ [rɪ'freɪn] *itr:* **she ~ed from comment** sie enthielt sich e-s Kommentars; **please ~ from smoking** bitte unterlassen Sie das Rauchen
refrain² [rɪ'freɪn] *s* (MUS) Kehrreim, Refrain *m*
re•fresh [rɪ'freʃ] *tr* erfrischen, stärken; ~ **o.s** e-e Erfrischung zu sich nehmen; ~ **one's memory** sein Gedächtnis auffrischen; **re•fresher** [rɪ'freʃə(r)] *s* **1.** (JUR) zusätzliches Anwaltshonorar **2.** (~ *course*) Auffrischungskurs *m* **3.** Erfrischung *f;* **re•fresh•ing** [rɪ'freʃɪŋ] *adj* erfrischend *a. fig;* **re•fresh•ment** [-mənt] *s* **1.** Erfrischung *f;* Stärkung *f* **2.** ~**s** Erfrischungen *fpl*
re•fri•ger•ant [rɪ'frɪdʒərənt] *s* Kälte-, Kühlmittel *n*
re•frig•er•ate [rɪ'frɪdʒəreɪt] *tr* kühlen; tiefkühlen; **"~ after opening"** „nach dem Öffnen kühl aufbewahren"; **re•frig•er•ation** [rɪˌfrɪdʒə'reɪʃn] *s* Kühlung *f;* Tiefkühlung *f;* **re•frig•er•ator** [rɪ'frɪdʒəreɪtə(r)] *s* Kühlschrank *m;* Eisschrank *m*
re•fuel [ˌri:'fju:əl] *tr, itr* auftanken
ref•uge ['refju:dʒ] *s* **1.** Zuflucht *f* (*from* vor) **2.** Unterstand *m;* **seek** ~ Zuflucht suchen; **take** ~ Zuflucht nehmen (*in* in); **place of** ~ Zufluchtsort *m;* **refu•gee** [ˌrefjʊ'dʒi:] *s* Flüchtling *m;* **refugee camp** *s* Flüchtlingslager *n*
re•fund [rɪ'fʌnd] **I.** *tr* zurückzahlen, -erstatten; rückvergüten **II.** ['ri:fʌnd] *s* Rückvergütung, (Rück)Erstattung *f*
re•fur•bish [ˌri:'fɜ:bɪʃ] *tr* (wieder)aufpolieren *a. fig;* (*Wohnung*) renovieren
re•fusal [rɪ'fju:zl] *s* **1.** Ablehnung *f;* Zurückweisung *f* **2.** Verweigerung *f;* **give s.o. first ~ of s.th.** jdm etw als Erstem anbieten; **meet with** ~ e-e Absage erhalten; **give s.o. a flat** ~ jdm e-e glatte Absage erteilen
re•fuse¹ [re'fju:z] **I.** *tr* **1.** ablehnen; abweisen; abschlagen **2.** (*Antrag*) verweigern **3.** (*Angebot*) ausschlagen; **be ~d s.th.** etw nicht bekommen; ~ **food** die Nahrung verweigern; ~ **to do s.th.** sich weigern etw zu tun **II.** *itr* ablehnen
ref•use² ['refju:s] *s* Müll *m;* Abfall *m;* **garden** ~ Gartenabfälle *mpl;* **household** ~ Hausmüll *m;* **refuse bin** *s* Mülleimer *m;* **refuse collection** *s* Müllabfuhr *f;* **refuse collector** *s* Müllwerker *m;* (*fam*) Müllmann *m;* **refuse-derived fuel, RDF** *s* Brennstoff *m* aus Müll, BRAM *m;* **refuse disposal** *s* Müllbeseitigung *f;* **refuse dump** *s* Müllabladeplatz *m;* **refuse incineration** *s* Müllverbrennung *f;* **refuse incineration plant** *s* Müllverbrennungsanlage *f*
ref•use•nik [re'fju:znɪk] *s* Verweigerer *m*
re•fut•able [rɪ'fju:təbl] *adj* widerlegbar; **refu•ta•tion** [ˌrefju:'teɪʃn] *s* Widerlegung *f;* **re•fute** [rɪ'fju:t] *tr* widerlegen
re•gain [rɪ'geɪn] *tr* **1.** zurück-, wiederbekommen, -erhalten, -erlangen **2.** (*Zeit*) aufholen **3.** (*Ort*) wieder gelangen zu; ~ **one's health** wieder gesund werden; ~ **one's footing** wieder auf die Beine kommen
re•gal ['ri:gl] *adj* königlich
re•gale [rɪ'geɪl] *tr* **1.** verwöhnen (*with, on* mit) **2.** unterhalten, erfreuen (*with* mit)
re•galia [rɪ'geɪlɪə] *s pl* Insignien *pl*
re•gard [rɪ'gɑ:d] **I.** *tr* **1.** betrachten **2.** angehen, betreffen **3.** berücksichtigen; ~ **s.o. as s.th.** jdn für etw halten; ~ **s.o. with favour** jdn wohlwollend betrachten; **be ~ed as ...** als ... angesehen werden; ~ **s.o. highly** jdn hochschätzen **II.** *s* **1.** Rücksicht *f* (*for* auf) **2.** (Hoch)Achtung, Wertschätzung *f* **3.** Bezug *m,* Beziehung *f* (*to* auf) **4.** ~**s** Gruß *m;* **have some ~ for s.o.** auf jdn Rücksicht nehmen; **show little ~ for s.o.** wenig Rücksichtnahme für jdn zeigen; **in this** ~ in diesem Zusammenhang; **in** [*o* **with**] ~ **to** in Bezug auf; **hold s.o. in high** ~ jdn achten; **send s.o. one's ~s** jdn grüßen lassen; **give him my ~s** grüßen Sie ihn von mir; **re•gard•ful** [rɪ'gɑ:dfl] *adj:* **be ~ of s.o.'s feelings** jds Gefühle achten; **re•gard•ing** [-ɪŋ] *prep* in Bezug auf, bezüglich *+gen;* **re•gard•less** [-lɪs] **I.** *adj:* ~

of ohne Rücksicht auf, ungeachtet **II.** *adv* trotzdem
re•gatta [rɪ'gætə] *s* Regatta *f*
re•gency ['riːdʒənsɪ] *s* Regentschaft *f*
re•gen•er•ate [rɪ'dʒenəreɪt] **I.** *tr* **1.** erneuern; neu bilden, regenerieren **2.** (EL) rückkoppeln **II.** *itr* sich regenerieren; sich neu bilden; **re•gen•er•ation** [rɪˌdʒenə'reɪʃn] *s* **1.** Erneuerung *f;* Neubildung *f* **2.** (BIOL) Regeneration *f;* **re•gen•er•at•ive cream** [riːˌdʒenərətɪv'kriːm] *s* Aufbaucreme *f*
re•gent ['riːdʒənt] *s* Regent *m;* **prince ~** Prinzregent *m*
reg•gae ['regeɪ] *s* Reggae *m*
regi•cide ['redʒɪsaɪd] *s* **1.** Königsmord *m* **2.** Königsmörder(in) *m(f)*
régime, re•gime [reɪ'ʒiːm] *s* (POL) Regime *n*
regi•men ['redʒɪmen] *s* (MED) Kur *f*
regi•ment ['redʒɪmənt] **I.** *s* **1.** (MIL) Regiment *n* **2.** (*fig*) Kompanie *f* **II.** *tr* reglementieren; **regi•men•ta•tion** [ˌredʒɪmen'teɪʃn] *s* Reglementierung *f*
re•gion ['riːdʒən] *s* **1.** Gebiet *n a. fig,* Region *f* **2.** (*fig*) Bereich *m;* **the lower ~s** die Unterwelt; **in the ~ of** um, etwa; **re•gional** ['riːdʒənl] *adj* regional, Regional-; **re•gion•al•ism** ['riːdʒənəˌlɪzəm] *s* **1.** (*Politik*) Regionalismus *m* **2.** (*Sprache*) regional verwendeter Ausdruck
reg•is•ter ['redʒɪstə(r)] **I.** *s* **1.** Register *n;* Gästebuch *n;* Mitgliedsbuch *n* **2.** (TECH) Registriergerät *n* **3.** (MUS) Register *n* **4.** (LING) Sprachebene *f;* **take the ~** die Namen aufrufen; **electoral ~** Wählerverzeichnis *n;* **~ of births, deaths and marriages** Personenstandsbuch *n* **II.** *tr* **1.** eintragen; registrieren **2.** (*Heirat*) anmelden; eintragen lassen **3.** (*Menge*) registrieren **4.** (*Glück*) zum Ausdruck bringen **5.** (*Brief*) einschreiben **6.** (*fig*) registrieren **III.** *itr* **1.** sich eintragen; sich einschreiben; (*Hotel*) einchecken **2.** (TECH) passen (*with* zu); **~ with the police** sich polizeilich melden; **~ for a course** e-n Kurs belegen; **reg•is•tered** ['redʒɪstəd] *adj* **1.** (*amtlich*) eingetragen; amtlich zugelassen **2.** (*Brief*) eingeschrieben; **~ trademark** eingetragenes Warenzeichen; **R~ General Nurse, RGN** (*Br*) staatlich geprüfte Krankenschwester; **~ letter** Einschreibebrief *m*
reg•is•trar [ˌredʒɪ'strɑː(r)] *s* **1.** Standesbeamte(r) *m,* -beamtin *f* **2.** (*Universität*) Kanzler(in) *m(f)* **3.** (MED) Krankenhausarzt *m,* -ärztin *f;* **~'s office** (*Br*) Standesamt *n*
reg•is•tra•tion [ˌredʒɪ'streɪʃn] *s* **1.** Einschreibung, Registrierung *f* **2.** Anmeldung *f;* Eintrag(ung *f*) *m* **3.** Registrierung *f* **4.** (*Gepäck*) Aufgeben *n* **5.** (*Brief*) Einschreiben *n;* **registration document** *s* (MOT) Kraftfahrzeugbrief *m;* **registration fee** *s* Anmeldegebühr *f;* **registration number** *s* (MOT) polizeiliches Kennzeichen
reg•is•try ['redʒɪstrɪ] *s* **1.** Sekretariat *n* **2.** (REL) Sakristei *f* **3.** (~ *office, Br*) Standesamt *n;* **port of ~** Heimathafen *m*
re•gress [rɪ'gres] *itr* sich zurückentwickeln; **re•gres•sion** [rɪ'greʃn] *s* rückläufige Entwicklung; **re•gres•sive** [rɪ'gresɪv] *adj* (*a.* BIOL) regressiv
re•gret [rɪ'gret] **I.** *tr* bedauern; nachtrauern (*s.th.* e-r S); **I ~ to say that ...** ich muss Ihnen leider mitteilen, dass ...; **it is to be ~ted that ...** es ist bedauerlich, dass ... **II.** *s* Bedauern *n* (*at* über); **much to my ~** sehr zu meinem Bedauern; **have no ~s** nichts bereuen; **re•gret•ful** [rɪ'gretfl] *adj* bedauernd; **re•gret•ful•ly** [-fəlɪ] *adv* bedauerlicherweise; mit Bedauern; **re•gret•table** [-əbl] *adj* bedauerlich
re•group [ˌriː'gruːp] *tr* umgruppieren
regu•lar ['regjʊlə(r)] **I.** *adj* **1.** regelmäßig; gleichmäßig **2.** (*Anstellung*) fest, regulär; geregelt **3.** (*Preis*) normal **4.** (*Kunde*) Stamm- **5.** (RAIL) fahrplanmäßig **6.** (*Bewegung*) gleichförmig, -mäßig **7.** (MIL) Berufs- **8.** (GRAM) regelmäßig **9.** (*fam*) regelrecht **10.** (*Am fam*) pfundig, patent; **keep ~ hours** feste Zeiten haben; **~ procedure demands that ...** der Ordnung halber muss man ...; **~ customer** Stammkunde *m,* -kundin *f;* **~ income** festes Einkommen; **~ size** Standardgröße *f;* **~ staff** festangestelltes Personal **II.** *s* **1.** (MIL) Berufssoldat *m* **2.** Stammkunde *m,* -kundin *f;* **regu•lar•ity** [ˌregjʊ'lærətɪ] *s* **1.** Regelmäßigkeit *f;* Gleichmäßigkeit *f* **2.** Geregeltheit *f;* **regu•lar•ize** ['regjʊləraɪz] *tr* **1.** regulieren **2.** (*Situation*) normalisieren
regu•late ['regjʊleɪt] *tr* **1.** steuern, regeln; (*a.* TECH) regulieren **2.** (*Uhr*) nach-, einstellen; **regu•la•tion** [ˌregjʊ'leɪʃn] **I.** *s* **1.** Regelung, Regulierung *f* **2.** Vorschrift *f;* **according to ~s** laut Vorschrift; **be contrary to ~s** gegen die Vorschrift verstoßen; **safety ~s** Sicherheitsvorschriften *fpl* **II.** *adj attr* vorgeschrieben; **regu•la•tor** ['regjʊleɪtə(r)] *s* **1.** (TECH) Regler *m* **2.** aufsichtsführende Person; **regu•lat•ory** [ˌregjʊ'leɪtrɪ] *adv* regulatorisch; **~ power** Aufsichts- und Kontrollbefugnis *f*
re•gur•gi•tate [riː'gɜːdʒɪteɪt] *tr* **1.** wieder von sich geben **2.** (*fig*) wiederkäuen
re•ha•bili•tate [ˌriːə'bɪlɪteɪt] *tr* **1.** rehabilitieren **2.** (*Flüchtling*) eingliedern; **re•ha•bili•ta•tion** [ˌriːəˌbɪlɪ'teɪʃn] *s* **1.** Rehabilitation *f* **2.** Eingliederung *f* in die Gesellschaft; **rehabilitation centre** *s* Rehabilitationszentrum *n*

re•hash [ˌriːˈhæʃ] I. *tr* (*fig*) aufbereiten II. [ˈriːhæʃ] *s* Aufbereitung *f*

re•hearsal [rɪˈhɜːsl] *s* 1. (THEAT MUS) Probe *f* 2. (*fig*) Aufzählung *f;* **re•hearse** [rɪˈhɜːs] *tr* 1. (THEAT) proben 2. (*fig*) aufzählen

reign [reɪn] I. *s* Regentschaft *f;* Herrschaft *f a. fig;* **in the ~ of** während der Regierungszeit *+gen* II. *itr* regieren, herrschen (*over* über)

re•im•burse [ˌriːɪmˈbɜːs] *tr* 1. entschädigen 2. (*Verlust*) ersetzen 3. (*Kosten*) zurückerstatten, ersetzen; **~ s.o. for his expenses** jdm s-e Auslagen zurückerstatten; **re•im•burse•ment** [-mənt] *s* 1. Entschädigung *f* 2. Ersatz *m* 3. Rückerstattung *f*

rein [reɪn] I. *s* Zügel *m a. fig;* **hold the ~s** (*fig*) die Zügel in der Hand haben; **keep a tight ~ on s.o.** bei jdm die Zügel kurz halten; **give free ~ to s.o./s.th.** jdm/e-r S freien Lauf lassen II. *tr* (*~ back, in, up*) zügeln; (*fig*) im Zaum halten

re•in•car•na•tion [ˌriːɪnkɑːˈneɪʃn] *s* (REL) Wiedergeburt, Reinkarnation *f*

rein•deer [ˈreɪndɪə(r)] *s* Ren(tier) *n*

re•in•force [ˌriːɪnˈfɔːs] *tr* 1. (*a.* PSYCH MIL) verstärken 2. (*Beton*) armieren 3. (*Aussage*) stützen, bestätigen; **~d concrete** Stahlbeton *m;* **re•in•force•ment** [-mənt] *s* (*a.* MIL) Verstärkung *f*

re•in•state [ˌriːɪnˈsteɪt] *tr* 1. wieder einstellen (*in* in) 2. (*Ordnung*) wiederherstellen

re•in•sure [ˌriːɪnˈʃʊə(r)] *tr* weiter versichern; (COM) rückversichern

re•in•te•grate [ˌriːˈɪntəgreɪt] *tr* wieder eingliedern; **re•in•te•gra•tion** [ˈriːˌɪntəˈgreɪʃn] *s* Wiedereingliederung, Reintegration *f*

re•in•tro•duce [ˌriːɪntrəˈdjuːs] *tr* wieder einführen

re•is•sue [ˌriːˈɪʃuː] I. *s* 1. Neuausgabe, -auflage *f* 2. (*Aktien*) Neuemission *f* II. *tr* neu (her)ausgeben

re•iter•ate [riːˈɪtəreɪt] *tr* wiederholen; **re•iter•ation** [riːˌɪtəˈreɪʃn] *s* Wiederholung *f*

re•ject [rɪˈdʒekt] I. *tr* 1. ablehnen, zurückweisen 2. (*Plan*) verwerfen; ausschlagen 3. (*Kandidaten*) durchfallen lassen 4. (MED) nicht vertragen; abstoßen II. [ˈriːdʒekt] *s* (COM) Ausschuss *m;* **~ shop** Laden *m* für Ausschussware; **re•jec•tion** [rɪˈdʒekʃn] *s* 1. Ablehnung, Zurückweisung *f* 2. Abweisung *f;* Verwerfen *n* 3. (MED) Abstoßung *f*

re•joice [rɪˈdʒɔɪs] I. *tr* erfreuen II. *itr* sich freuen (*at, over* über, an); **re•joic•ing** [-ɪŋ] *s* Jubel *m*

re•join¹ [ˌriːˈdʒɔɪn] *tr* sich wieder anschließen an

re•join² [rɪˈdʒɔɪn] *tr* erwidern; **re•join•der** [-də(r)] *s* Erwiderung *f*

re•ju•ven•ate [riːˈdʒuːvəneɪt] *tr* verjüngen

re•kindle [rɪːˈkɪndl] *tr* 1. (*Feuer*) wieder anzünden 2. (*fig*) wieder entzünden

re•lapse [rɪˈlæps] I. *itr* 1. (MED) e-n Rückfall haben 2. (COM) e-n Rückschlag erleiden; **~ into crime** rückfällig werden II. *s* 1. (MED) Rückfall *m* 2. (COM) Rückschlag *m* 3. (JUR) Rückfall *m* (*into* in)

re•late [rɪˈleɪt] I. *tr* 1. erzählen; aufzählen 2. in Verbindung bringen (*to, with* mit); **strange to ~** so unglaublich es klingt II. *itr* 1. zusammenhängen (*to* mit) 2. e-e Beziehung finden (*to* zu); **re•lated** [rɪˈleɪtɪd] *adj* 1. verwandt (*to* mit) 2. zusammenhängend; **be ~ to s.th.** mit etw zusammenhängen, verwandt sein; **re•lat•ing** [-ɪŋ] *adj:* **~ to** zusammenhängend mit, bezüglich

re•la•tion [rɪˈleɪʃn] *s* 1. Beziehung *f;* Verhältnis *n* 2. Verwandte(r) *f m* 3. **~s** Beziehungen *fpl;* **in ~ to** in bezug auf; im Verhältnis zu; **bear no ~ to** keinerlei Beziehung haben zu; **have business ~s with** Geschäftsverbindungen unterhalten, pflegen mit; **she's a ~ of mine** sie ist mit mir verwandt; **re•la•tion•ship** [-ʃɪp] *s* 1. Verbindung, Beziehung *f,* Verhältnis *n* 2. Verwandtschaft *f* (*to* zu); **have a ~ with** ein Verhältnis haben mit; **friendly ~** freundschaftliches Verhältnis

rela•tive [ˈrelətɪv] I. *adj* 1. relativ; respektiv 2. (GRAM) Relativ-; **~ to** sich beziehend auf; **live in ~ luxury** relativ luxuriös leben II. *s* 1. Verwandte(r) *f m* 2. (GRAM) Relativsatz *m;* **rela•tive•ly** [-lɪ] *adv* verhältnismäßig; **rela•tiv•ity** [ˌreləˈtɪvətɪ] *s* (PHYS) Relativität *f;* **theory of ~** Relativitätstheorie *f*

re-launch [ˈriːˌlɔːntʃ] *s* Wiedereinführung *f*

re•lax [rɪˈlæks] I. *tr* 1. lockern 2. (*Muskeln, Geist*) entspannen 3. (*Aufmerksamkeit*) nachlassen in; **~ one's grip, ~ hold on s.th.** den Griff bei etw lockern II. *itr* 1. sich lockern 2. sich erholen, sich entspannen; **re•lax•ation** [ˌriːlækˈseɪʃn] *s* 1. Lockerung *f;* Entspannung *f* 2. Erholung *f*

re•lay [ˈriːleɪ] I. *s* 1. Ablösung *f* 2. (SPORT) Staffel(lauf *m*) *f* 3. (RADIO) Relais *n;* **work in ~** sich ablösen II. *tr* 1. (RADIO) übertragen 2. (*Nachricht*) ausrichten (*to s.o.* jdm)

re-lay [ˌriːˈleɪ] *tr* (*Teppich*) neu verlegen

re•lease [rɪˈliːs] I. *tr* 1. frei-, entlassen; freigeben; befreien 2. (*von Versprechen*) entbinden 3. (*von Schmerz*) erlösen 4. (*Bremse*) lösen 5. (*Bombe*) abwerfen 6. (*Film*) herausbringen 7. (*Nachricht*) veröffentlichen 8. (*Gas*) freisetzen; ausströmen 9. (*Titel*) aufgeben; **~ s.o. on bail** jdn gegen Kaution freilassen; **~ one's hold on s.th.** etw loslassen II. *s* 1. Entlassung, Freilassung *f;* Freigabe *f* 2. Entlastung, Befreiung, Entbindung *f* (*from* von) **3.** (TECH) Lösen *n;* Auslösen *n* **4.** (*Film*) Herausbringen *n* **5.** Veröffentlichung *f* **6.** (*Gas*) Freisetzung *f* **7.** (*fig*) Verzicht *m,* Aufgabe *f*

rel•egate ['relɪgeɪt] *tr* **1.** degradieren **2.** (SPORT) absteigen lassen **3.** (*Anliegen*) weiterleiten (*to* an)

re•lent [rɪ'lent] *itr* nachgeben; nachlassen; **re•lent•less** [-lɪs] *adj* erbarmungslos; unerbittlich

rel•evance ['reləvəns] *s* Relevanz *f;* **rel•evan•cy** ['reləvənsɪ] *s* Relevanz *f*

rel•evant ['reləvənt] *adj* **1.** relevant (*to* für) **2.** (*Behörde*) zuständig **3.** (*Untersuchung*) sachbezogen

re•lia•bil•ity [rɪ,laɪə'bɪlətɪ] *s* **1.** Zuverlässigkeit *f;* Verlässlichkeit *f* **2.** (*Firma*) Seriosität *f;* **re•liable** [rɪ'laɪəbl] *adj* **1.** zuverlässig; verlässlich **2.** (*Firma*) seriös, vertrauenswürdig; **re•li•ance** [rɪ'laɪəns] *s* Vertrauen *n* (*on* auf); **place ~ on s.th.** sich auf etw verlassen; **re•li•ant** [rɪ'laɪənt] *adj* angewiesen (*on, upon* auf)

relic ['relɪk] *s* **1.** Überbleibsel, Relikt *n* **2.** (REL) Reliquie *f*

re•lief [rɪ'li:f] *s* **1.** Erleichterung *f* (*from* von) **2.** Abwechslung *f* **3.** Hilfe *f;* Entlastung *f* **4.** (MIL) Ablösung *f* **5.** (*Kunst*) Relief *n* **6.** (JUR) Rechtshilfe *f* (*of* bei); **bring s.o. ~** jdm Erleichterung verschaffen; **go to s.o.'s ~** jdm zu Hilfe eilen; **~ of the poor** Armenfürsorge *f;* **stand out in ~ against s.th.** sich von etw abheben; **throw s.th. into ~** etw hervortreten lassen; **relief driver** *s* Ablösung *f;* **relief train** *s* Entlastungszug *m;* **relief worker** *s* Katastrophenhelfer(in) *m(f)*

re•lieve [rɪ'li:v] *tr* **1.** erleichtern; helfen (*s.o.* jdm) **2.** (*Last*) befreien; abnehmen **3.** (*Schmerz*) mildern, schwächen; lindern **4.** (*Spannung*) abbauen **5.** (*Armut*) erleichtern **6.** (MIL) ablösen **7.** (*Stadt*) befreien; **he was ~d to learn that** er war erleichtert, als er das hörte; **~ s.o.'s mind** jdn beruhigen; **~ one's feelings** seinen Gefühlen Luft machen; **~ o.s.** (*euph*) sich erleichtern

re•lig•ion [rɪ'lɪdʒən] *s* Religion *f;* Glaube(n) *m;* **freedom of ~** Religionsfreiheit *f;* **war of ~** Religionskrieg *m;* **re•lig•ious** [rɪ'lɪdʒəs] **I.** *adj* **1.** religiös **2.** gläubig, fromm **3.** gewissenhaft; **~ instruction** Religionsunterricht *m;* **~ leader** Religionsführer(in) *m(f);* **~ education, RE** (PÄD) Religionsunterricht *m* **II.** *s* Ordensmann *m,* -frau *f*

re•lin•quish [rɪ'lɪŋkwɪʃ] *tr* aufgeben, verzichten auf; **~ one's hold on s.o.** jdn loslassen; **~ s.th. to s.o.** jdm etw abtreten

reli•quary ['relɪkwərɪ] *s* (REL) Reliquienschrein *m*

rel•ish ['relɪʃ] **I.** *s* **1.** Geschmack, Gefallen *m* (*for* an) **2.** Soße *f;* Würze *f* **3.** (*fig*) Charme *m;* **do s.th. with ~** etw mit Genuss tun; **it has lost all ~ (for me)** das hat für mich jeglichen Reiz verloren **II.** *tr* genießen; sich schmecken lassen; **I don't ~ doing that** das ist gar nicht nach meinem Geschmack

re•load [,ri:'ləʊd] *tr* (*Gewehr*) nachladen

re•lo•cate [,ri:ləʊ'keɪt] *tr* umsiedeln, verlegen; **re•lo•ca•tion** [,ri:ləʊ'keɪʃn] *s* Umzug *m;* Umsiedlung *f*

re•luc•tance [rɪ'lʌktəns] *s* Abneigung *f,* Widerwillen *m;* **do s.th. with ~** etw widerwillig tun; **re•luc•tant** [rɪ'lʌktənt] *adj* unwillig, widerwillig; **he was ~ to leave** er ging ungern

rely [rɪ'laɪ] *itr* sich verlassen, angewiesen sein (*on, upon* auf); **he can be relied on** man kann sich auf ihn verlassen

REM [,ɑ:ri:'em] *s abbr of* **rapid eye movement** REM *n*

re•main [rɪ'meɪn] *itr* **1.** bleiben; übrigbleiben **2.** fortdauern, bestehen bleiben; **much ~s to be done** es bleibt noch viel zu tun; **nothing ~s to be said** es bleibt nichts mehr zu sagen; **that ~s to be seen** das wird sich zeigen; **~ silent** weiterhin schweigen; **it ~s the same** das bleibt sich gleich; **re•main•der** [rɪ'meɪndə(r)] *s* **1.** (*a.* MATH) Rest *m,* Rückstand *m* **2. ~s** Restauflagen, Remittenden *fpl;* **~ merchant** Ramschhändler *m;* **re•main•ing** [rɪ'meɪnɪŋ] *adj* übrig, restlich; **re•mains** [rɪ'meɪnz] *s pl* Reste *mpl,* Überreste *mpl,* Ruinen *fpl*

re•make [,ri:'meɪk] **I.** *tr* noch einmal, neu machen **II.** ['ri:meɪk] *s* Neuverfilmung *f*

re•mand [rɪ'mɑ:nd] **I.** *tr* (JUR) vertagen; **~ s.o. in custody** jdn in Untersuchungshaft behalten; **~ s.o. on bail** jdn gegen Kaution aus der Untersuchungshaft entlassen **II.** *s:* **be on ~** in Untersuchungshaft sein; **remand centre** *s* (*Br*) Untersuchungsgefängnis *n* für Jugendliche

re•mark [rɪ'mɑ:k] **I.** *tr* bemerken; wahrnehmen **II.** *itr* e-e Bemerkung machen (*on, upon* über); **nobody ~ed on it** niemand hat etwas dazu gesagt **III.** *s* Bemerkung *f;* **have a few ~s on that subject** einiges zum Thema zu sagen haben; **worthy of ~** bemerkenswert; **re•mark•able** [-əbl] *adj* bemerkenswert; beachtlich; außergewöhnlich

re•mar•riage [,ri:'mærɪdʒ] *s* Wiederverheiratung *f;* **re•marry** [,ri:'mærɪ] *itr* wieder heiraten

re•medi•able [rɪ'mi:dɪəbl] *adj* (*Fehler*) behebbar; **re•medial** [rɪ'mi:dɪəl] *adj* heilend; Hilfs-; **~ class** Förderklasse *f;* **~ exercises** Heilgymnastik *f;* **~ measure** Hilfsmaßnahme *f;* **~ teaching** Förderunterricht *m*

re•medi•al ac•tion [rɪˌmiːdɪəlˈækʃn] *s* Heilwirkung *f*

rem•edy [ˈremədɪ] **I.** *s* **1.** Heilmittel *n* (*for* gegen) **2.** (*fig*) Mittel *n* **3.** (JUR) Rechtsmittel *n;* **the situation is beyond** ~ die Lage ist hoffnungslos; **unless we can find a** ~ wenn wir keinen Ausweg finden **II.** *tr* **1.** (MED) heilen **2.** (*fig*) beheben; bessern; abhelfen (*s.th.* e-r S)

re•mem•ber [rɪˈmembə(r)] **I.** *tr* **1.** sich erinnern an; denken an; merken **2.** grüßen; ~ **to do s.th.** daran denken etw zu tun; **I** ~ **doing it** ich erinnere mich daran, dass ich es getan habe; ~ **me to your father** grüßen Sie Ihren Vater von mir **II.** *itr* sich erinnern; **if I** ~ **right** wenn ich mich recht erinnere; **re•mem•brance** [rɪˈmembrəns] *s* **1.** Erinnerung *f* (*of* an) **2.** Andenken *n* (*of* an) **3.** ~**s** Grüße *mpl;* **in** ~ **of** zur Erinnerung an; **to the best of my** ~ soweit ich mich erinnern kann; **Remembrance Day** *s* ≈Volkstrauertag *m;* **remembrance service** *s* Gedenkgottesdienst *m*

re•mind [rɪˈmaɪnd] *tr* erinnern (*of* an); ~ **s.o. to do s.th.** jdn daran erinnern etw zu tun; **that** ~**s me!** dabei fällt mir etwas ein!; **re•minder** [rɪˈmaɪndə(r)] *s* **1.** Gedächtnisstütze *f* **2.** (COM) Mahnung *f;* Mahnbescheid *m*

remi•nisce [ˌremɪˈnɪs] *itr* in Erinnerungen schwelgen (*about* an); **remi•nis•cence** [ˌremɪˈnɪsns] *s* **1.** Erinnerung *f* (*of* an) **2.** ~**s** (Lebens)Erinnerungen *fpl;* **remi•nis•cent** [ˌremɪˈnɪsnt] *adj* sich erinnernd (*of* an); **be** ~ **of s.th.** an etw erinnern; **be feeling** ~ in nostalgischer Stimmung sein

re•miss [rɪˈmɪs] *adj* nachlässig (*in s.th.* bei etw)

re•mission [rɪˈmɪʃn] *s* **1.** (JUR) Straferlass *m* **2.** (REL) Nachlass *m* **3.** (COM) Überweisung *f* **4.** (MED) Nachlassen *n*

re•mit [rɪˈmɪt] **I.** *tr* **1.** (*Sünde*) erlassen **2.** (*Geld*) überweisen **3.** verschieben, vertagen **4.** (JUR) verweisen (*to* an) **II.** *itr* nachlassen **III.** *s* Aufgabenbereich *m;* **re•mit•tance** [rɪˈmɪtns] *s* (*Geld*) Überweisung *f* (*to* an); **remittance slip** *s* Einzahlungsschein *m*

re•mit•tent [rɪˈmɪtnt] *adj* vorübergehend nachlassend

re•mix [ˈriːmiks] *s* Remix *m*

rem•nant [ˈremnənt] *s* Rest, Überrest *m;* **remnant sale** *s* Resteverkauf *m*

re•model [ˌriːˈmɒdl] *tr* umbilden, -gestalten, -formen

re•mon•strance [rɪˈmɒnstrəns] *s* Protest *m* (*with* bei, *against* gegen); **re•mon•strate** [ˈremənstreɪt] *itr* protestieren (*against* gegen); ~ **with s.o.** jdm Vorhaltungen machen

re•morse [rɪˈmɔːs] *s* Reue *f* (*at, over* über); **without** ~ erbarmungslos; **re•morse•ful** [rɪˈmɔːsfl] *adj* reumütig; **re•morse•less** [-lɪs] *adj* mitleids-, erbarmungslos

re•mote [rɪˈməʊt] *adj* **1.** entfernt, entlegen, abgelegen (*from* von) **2.** (*Vergangenheit, Zukunft*) fern **3.** (*fig*) entfernt **4.** unnahbar, unzulänglich **5.** (*Chance*) gering, winzig **6.** (*Ähnlichkeit, Aussichten*) schwach; **in a** ~ **spot** an e-r abgelegenen Stelle; **I haven't the** ~**st idea** ich habe nicht die leiseste Ahnung; ~ **control** (TECH) Fernsteuerung *f;* (RADIO TV) Fernbedienung *f;* **remote-controlled** *adj* ferngelenkt, -gesteuert; **re•mote•ness** [-nɪs] *s* Abgelegenheit *f;* Entferntheit *f;* (*fig*) Unnahbarkeit *f*

re•mould [ˈriːməʊld] **I.** *tr* (*Reifen*) runderneuern **II.** *s* runderneuerter Reifen

re•mount [ˌriːˈmaʊnt] **I.** *tr* **1.** (*Pferd*) wieder besteigen **2.** (*Bild, Karte*) neu aufziehen **II.** *itr* wieder aufsitzen

re•mov•able [rɪˈmuːvəbl] *adj* **1.** heraus-, abnehmbar **2.** (*Knopf*) abtrennbar **3.** (*Flecken*) zu entfernen; **re•moval** [rɪˈmuːvl] *s* **1.** Entfernung *f;* Abnahme *f;* Beseitigung *f* **2.** Herausnehmen *n* **3.** Aufhebung *f;* Zerstreuung *f* **4.** Umzug *m* **5.** (TECH) Ausbau *m* **6.** (*Zollschranken*) Abbau *m* **7.** Entlassung, Absetzung *f;* **removal expenses** *s pl* Umzugskosten *pl;* **removal firm** *s* Möbelspedition *f;* **removal van** *s* Möbelwagen *m;* **re•move** [rɪˈmuːv] **I.** *tr* **1.** entfernen, beseitigen, wegschaffen, -nehmen **2.** forträumen, woanders hinbringen, -schaffen **3.** (TECH) ausbauen **4.** (*Steuern*) aufheben **5.** (*Zweifel*) zerstreuen **6.** (*Kleidung*) ausziehen, ablegen **7.** (*Schwierigkeiten*) beseitigen **8.** (*Missbrauch*) abstellen, beheben **9.** (*Namen*) streichen **10.** (*Beamte*) entlassen, absetzen **11.** transportieren; ~ **s.th. from s.o.** jdm etw wegnehmen; ~ **s.o. to hospital** jdn ins Krankenhaus einliefern; **be far** ~**d from ...** weit entfernt sein von ...; **a cousin once** ~**d** ein Cousin ersten Grades **II.** *itr* umziehen (*to* nach) **III.** *s:* **be only a few** ~**s from ...** nicht weit entfernt sein von ...; **re•mover** [rɪˈmuːvə(r)] *s* **1.** Möbelpacker *m* **2.** (*Flecken, Nagellack*) Entferner *m*

re•mun•er•ate [rɪˈmjuːnəreɪt] *tr* belohnen; bezahlen, vergüten; **re•mun•er•ation** [rɪˌmjuːnəˈreɪʃn] *s* Belohnung *f;* Bezahlung, Vergütung *f;* **re•mun•er•ative** [rɪˈmjuːnərətɪv] *adj* lohnend, einträglich

Re•nais•sance [rɪˈneɪsns, *Am* ˈrenəsɑːns] *s* Renaissance *f*

re•nal [ˈriːnl] *adj* Nieren-

re•name [ˌriːˈneɪm] *tr* umbenennen, umtaufen

re•nas•cent [rɪˈnæsnt] *adj* wiedererwachend

re•na•tion•al•iz•ation [ˌriːnæʃnəlaɪˈzeɪʃn] *s* erneute Verstaatlichung

rend [rend] <*irr:* rent, rent> *tr* zerreißen; ~ **s.th. from s.o.** jdm etw entreißen

ren•der [ˈrendə(r)] *tr* **1.** (*Hilfe*) leisten **2.** (*Erklärung*) abgeben **3.** (*Rechenschaft*) ablegen (*of* über) **4.** wiedergeben; übertragen **5.** (*e-n Dienst*) erweisen **6.** (*Hilfe*) leisten **7.** machen **8.** (*Gedicht*) vortragen **9.** (*Fett*) auslassen **10.** (*Gebäude*) verputzen; ~ **assistance** Hilfe leisten; ~ **account** Rechnung vorlegen; **his accident ~ed him helpless** der Unfall hat ihn hilflos gemacht; ~ **up** (*Gefangene*) übergeben; **ren•der•ing** [ˈrendərɪŋ] *s* **1.** Übertragung, Übersetzung *f* (*into* in) **2.** (MUS) Wiedergabe *f* **3.** (ARCH) Putz *m*

ren•dez•vous [ˈrɒndɪvuː, *pl* ˈrɒndɪvuːz] <*pl* -> **I.** *s* **1.** Treffpunkt *m* **2.** Rendezvous *n* **II.** *itr* sich treffen (*with* mit)

ren•di•tion [renˈdɪʃn] *s* (MUS) Wiedergabe *f;* Interpretation *f*

ren•egade [ˈrenɪgeɪd] *s* Abtrünnige(r) *f m*

re•nege [rɪˈneɪg] *itr* brechen, nicht halten

re•new [rɪˈnjuː] *tr* **1.** erneuern **2.** (*Verhandlung*) wieder aufnehmen **3.** (*Gesundheit*) wiederherstellen **4.** (*Vorräte*) erneuern, auffrischen **5.** (*Vertrag*) verlängern **6.** (*Wechsel*) prolongieren; ~ **a library book** ein Buch verlängern lassen; **with ~ed energy** mit frischer, neuer Energie; **re•new•able** [rɪˈnjuːəbl] *adj* **1.** erneuerbar **2.** rückführbar **3.** verlängerbar; **re•newal** [rɪˈnjuːəl] *s* **1.** Erneuerung *f* **2.** Wiederaufnahme *f* **3.** Wiederherstellung *f* **4.** Auffrischung *f* **5.** (*Vertrag*) Verlängerung *f* **6.** (*Wechsel*) Prolongation *f;* ~ **premium** Folgeprämie *f;* **re•newed** [rɪˈnjuːd] *adj* neu; erneut

ren•net [ˈrenɪt] *s* (Kälber)Lab *n*

re•nounce [rɪˈnaʊns] **I.** *tr* **1.** verzichten auf, aufgeben; entsagen (*s.th.* e-r S) **2.** (*Erbschaft*) ausschlagen, ablehnen **3.** (*Meinung*) abschwören, leugnen **II.** *itr* (auf sein Recht) verzichten

reno•vate [ˈrenəveɪt] *tr* renovieren; restaurieren; **reno•va•tion** [ˌrenəˈveɪʃn] *s* Renovierung, Renovation *f;* Restaurierung *f*

re•nown [rɪˈnaʊn] *s* guter Ruf; Ansehen *n;* **re•nowned** [rɪˈnaʊnd] *adj* berühmt (*for* für)

rent¹ [rent] **I.** *pt, pp of* **rend II.** *s* Riss *m;* Spalte *f*

rent² [rent] **I.** *s* Miete *f;* Pacht *f;* **for** ~ (*Am*) zu vermieten; zu verpachten **II.** *tr* **1.** mieten; pachten (*from* von) **2.** (~ *out*) vermieten; verpachten; **rental** [ˈrentl] *s* **1.** Miete *f;* Leihgebühr *f;* Pacht *f* **2.** ~**s** Miet- und Pachteinnahmen *fpl;* ~ **library** (*Am*) Leihbücherei *f;* **rent ar•rears** *s pl* Mietrückstände *pl;* **rent boy** *s* (*fam*) Strichjunge *m;* **rent control** *s* Mietpreisbindung *f;* **rent-free** *adj* miet-, pachtfrei; **rent rebate** *s* Mietrückzahlung *f;* **rent review** *s* Neufestsetzung *f* der Miete; **rent subsidy** *s* Mietzuschuss *m;* **rent tribunal** *s* Mieterschiedsgericht *n*

re•nunci•ation [rɪˌnʌnsɪˈeɪʃn] *s* **1.** Verzicht *m* (*of* auf), Aufgabe *f;* Entsagung *f* **2.** Verleugnung *f*

re•open [riːˈəʊpən] *tr, itr* wieder (er)öffnen; wieder beginnen

re•order [ˌriːˈɔːdə(r)] **I.** *s* Nachbestellung *f* **II.** *tr* nachbestellen

re•or•gan•iza•tion [ˌriːɔːgənaɪˈzeɪʃn] *s* Neuorganisation *f,* Umstrukturierung *f,* Neueinteilung *f;* **re•or•gan•ize** [riːˈɔːgənaɪz] *tr* neu organisieren; umstrukturieren; neu einteilen

rep [rep] *s s.* **representative; repertory**

re•paint [riːˈpeɪnt] *tr* neu streichen

re•pair¹ [riːˈpeə(r)] **I.** *tr* **1.** ausbessern, reparieren, flicken **2.** (*Unrecht*) wieder gutmachen **II.** *s* **1.** Ausbesserung, Reparatur *f* **2.** (*fig*) Wiedergutmachung *f* **3.** ~**s** Instandsetzungsarbeiten *fpl;* **be under** ~ in Reparatur sein; **put s.th. in for** ~ etw zur Reparatur bringen; **beyond** ~ nicht mehr zu reparieren; **be in good** ~ in gutem Zustand sein; **closed for ~s** wegen Reparaturarbeiten geschlossen; **road ~s** Straßenbauarbeiten *fpl*

re•pair² [rɪˈpeə(r)] *itr* sich begeben (*to* nach)

re•pair•able [rɪˈpeərəbl] *adj* zu reparieren, reparabel; **repair kit** *s* Flickzeug *n;* **repair•man** [-mən] <*pl* -men> *s* Handwerker *m;* **repair shop** *s* Reparaturwerkstatt *f*

re•pa•per [riːˈpeɪpə(r)] *tr* neu tapezieren

rep•ar•able [ˈrepərəbl] *adj* wieder gutzumachen, reparabel; ersetzbar; **rep•ar•ation** [ˌrepəˈreɪʃn] *s* **1.** Wiedergutmachung *f;* Entschädigung *f* **2.** *meist pl* Reparationen *fpl*

rep•ar•tee [ˌrepɑːˈtiː] *s* schlagfertige Antwort; **be good at** ~ schlagfertig sein

re•pat•ri•ate [riːˈpætrɪeɪt] *tr* repatriieren; **re•pat•ri•ation** [ˌriːpætrɪˈeɪʃn] *s* Repatriierung *f*

re•pay [rɪˈpeɪ] *tr* **1.** zurückzahlen **2.** (*Ausgaben*) entschädigen (*for* für) **3.** (*Schuld*) abzahlen **4.** (*Gefälligkeit, Besuch*) erwidern **5.** (*Unrecht*) vergelten **6.** (*Mühe*) belohnen; **re•pay•able** [-əbl] *adj* rückzahlbar; **re•pay•ment** [-mənt] *s* **1.** Rückzahlung, Vergütung *f* **2.** (*fig*) Lohn *m;* **in** ~ als Rückzahlung

re•peal [rɪ'pi:l] **I.** *tr* (*Gesetz*) aufheben **II.** *s* Aufhebung *f*

re•peat [rɪ'pi:t] **I.** *tr* wiederholen; weitersagen **II.** *itr* **1.** (*a.* MUS) wiederholen **2.** (MATH) periodisch sein; ~ **after** nachsprechen **III.** *s* **1.** (TV) Wiederholung *f* **2.** (MUS) Wiederholungszeichen *n;* **re•peat•ed** [rɪ'pi:tɪd] *adj* wiederholt; **re•peater** [-ə(r)] *s* Repetiergewehr *n,* Mehrlader *m;* **repeat mark** *s* (MUS) Wiederholungszeichen *n;* **repeat order** *s* (COM) Nachbestellung *f;* **repeat performance** *s* Wiederholungsvorstellung *f*

re•pech•age [ˌrɛpɪ'ʃɑ:ʒ] *s* (SPORT) Hoffnungslauf *m*

re•pel [rɪ'pel] *tr* **1.** zurückschlagen, -stoßen, -treiben **2.** (*Insekt*) abwehren **3.** (*Flüssigkeit*) abstoßen *a. fig* **4.** (*fig*) anwidern; **re•pel•lent** [rɪ'pelənt] **I.** *adj* (*fig*) widerwärtig; ~ **to water** wasserabstoßend **II.** *s:* **insect** ~ Insektenschutzmittel *n*

re•pent [rɪ'pent] **I.** *tr* bereuen **II.** *itr* Reue empfinden; **re•pent•ance** [-əns] *s* Reue *f;* **re•pent•ant** [-ənt] *adj* reuig, reuevoll

re•per•cussion [ˌri:pə'kʌʃn] *s* **1.** (*fig*) Auswirkung *f* (*on* auf) **2.** Erschütterung *f;* ~**s** Nachspiel *n;* **have ~s on s.th.** sich auf etw auswirken

rep•er•toire ['repətwɑ:(r)] *s* (THEAT) Repertoire *n*

rep•er•tory ['repətrɪ] *s* **1.** (*fig*) Fundgrube, Schatzkammer *f* **2.** (THEAT) Repertoire *n;* **repertory company** *s* Repertoire-Ensemble *n;* **repertory theatre** *s* Repertoire-Theater *n*

rep•eti•tion [ˌrepɪ'tɪʃn] *s* Wiederholung *f;* **re•peti•tive** [rɪ'petətɪv] *adj* sich wiederholend; ~ **strain injury, RSI** (MED) *Muskelzerrung verursacht durch andauernde Überanstrengung*

re•place [rɪ'pleɪs] *tr* **1.** zurückstellen, -legen, -setzen **2.** (*Sache*) ersetzen; die Stelle einnehmen von **3.** (*Teile*) austauschen; ~ **the receiver** den Hörer auflegen; **re•place•able** [-əbl] *adj* ersetzbar; auswechselbar; **re•place•ment** [-mənt] *s* **1.** Zurücksetzen, -stellen, -legen *n* **2.** Ersatz *m;* Vertretung *f;* ~ **costs** Wiederbeschaffungskosten *pl;* ~ **engine** Austauschmotor *m;* ~ **part** Ersatzteil *n;* ~ **value** Wiederbeschaffungswert *m*

re•play [ˌri:'pleɪ] **I.** *tr* (SPORT) wiederholen **II.** ['ri:pleɪ] *s* **1.** (SPORT) Wiederholungsspiel *n* **2.** (TV) Wiederholung *f*

re•plen•ish [rɪ'plenɪʃ] *tr* **1.** ergänzen **2.** (*Glas*) auffüllen

re•plen•ish•ing cream [rɪˌplenɪʃɪŋ'kri:m] *s* Nährcreme *f*

re•plete [rɪ'pli:t] *adj* **1.** reichlich versehen (*with* mit) **2.** gesättigt; **re•ple•tion** [rɪ'pli:ʃn] *s* Sättigung *f;* **eat to** ~ sich satt essen

rep•lica ['replɪkə] *s* Kopie *f;* Nachbildung *f*

re•ply [rɪ'plaɪ] **I.** *itr* antworten, entgegnen (*to* auf) **II.** *tr* beantworten, erwidern, entgegnen **III.** *s* Antwort *f;* Erwiderung *f;* **in ~ to your letter** in Beantwortung Ihres Briefes; **reply coupon** *s* Antwortschein *m;* **reply-paid envelope** *s* Freiumschlag *m*

re•point [ri:'pɔɪnt] *tr* (ARCH) neu verfugen

re•port [rɪ'pɔ:t] **I.** *tr* **1.** berichten über; melden **2.** (*Verbrechen*) melden; anzeigen; ~ **that ...** berichten, dass ...; **he is ~ed as having said ...** er soll gesagt haben ...; ~ **s.o. for s.th.** jdn wegen etw melden; ~ **s.o. sick** jdn krank melden **II.** *itr* **1.** sich melden **2.** berichten, Bericht erstatten (*on* über); ~ **for duty** sich zum Dienst melden; ~ **sick** sich krank melden; ~ **back** Bericht erstatten (*to s.o.* jdm); ~ **to s.o.** jdm unterstehen **III.** *s* **1.** Bericht *m;* Gutachten *n* (*on* über) **2.** Reportage *f* **3.** Gerücht *n* **4.** guter Ruf **5.** Knall *m;* **give a ~ on s.th.** Bericht über etw erstatten; **chairman's** ~ Bericht *m* des Vorsitzenden; **there is a ~ that ...** es wird gesagt, dass ...; **of good** ~ von gutem Ruf; **report card** *s* (Schul)Zeugnis *n;* **re•ported** [rɪ'pɔ:tɪd] *adj* gemeldet; ~ **speech** (GRAM) indirekte Rede; **re•porter** [rɪ'pɔ:tə(r)] *s* Reporter(in) *m(f),* Berichterstatter(in) *m(f);* ~**s' gallery** Pressetribüne *f*

re•pose [rɪ'pəʊz] **I.** *tr* (*Vertrauen*) setzen (*in* in) **II.** *refl* sich ausruhen **III.** *itr* **1.** ruhen **2.** (*fig*) beruhen (*upon* auf) **IV.** *s* Ruhe *f;* Gelassenheit *f*

re•posi•tory [rɪ'pɒzɪtrɪ] *s* **1.** Lager, Magazin *n* **2.** (*fig*) Quelle *f;* Fundgrube *f* **3.** Endlager *n* (*für radioaktive Abfälle*)

re•pos•sess [ˌri:pə'zes] *tr* wieder in Besitz nehmen; **re•pos•session** [ˌri:pə'zeʃn] *s* Wiederinbesitznahme *f*

rep•re•hen•sible [ˌreprɪ'hensəbl] *adj* tadelnswert

rep•re•sent [ˌreprɪ'zent] *tr* **1.** darstellen; stehen für; symbolisieren **2.** (JUR) vertreten **3.** (*Bild*) darstellen, wiedergeben **4.** (*Zeichen*) bedeuten **5.** (*Risiko*) darstellen **6.** vor Augen führen **7.** (THEAT) darstellen, spielen; ~ **a firm** e-e Firma vertreten; **he ~ed me as a fool** er stellte mich als Narren hin; **rep•re•sen•ta•tion** [ˌreprɪzen'teɪʃn] *s* **1.** Darstellung, Symbolisierung *f;* Hinstellung *f* **2.** (THEAT) Darstellung *f* **3.** (JUR) Vertretung *f* **4.** ~**s** Vorstellungen, Vorhaltungen *fpl,* Proteste *mpl;* **rep•re•sen•ta•tive** [ˌreprɪ'zentətɪv] **I.** *adj* **1.** repräsentativ; typisch **2.** stellvertretend **3.** (PARL) repräsentativ **II.** *s* **1.** (COM) Vertreter(in) *m(f)* **2.** (JUR) Bevollmächtigte(r), Beauftragte(r) *f m* **3.**

(POL) Abgeordnete(r) *f m*

re•press [rɪ'pres] *tr* **1.** unterdrücken; zügeln **2.** (PSYCH) verdrängen **3.** (*Lachen*) zurückhalten; **re•pressed** [rɪ'prest] *adj* verdrängt; **re•pres•sion** [rɪ'preʃn] *s* **1.** Unterdrückung *f* **2.** (PSYCH) Verdrängung *f;* **re•pres•sive** [rɪ'presɪv] *adj* repressiv

re•prieve [rɪ'pri:v] **I.** *tr* (JUR) begnadigen **II.** *s* **1.** Begnadigung *f;* Strafaufschub *m* **2.** (*fig*) Gnadenfrist *f*

re•pri•mand ['reprɪmɑ:nd] **I.** *s* Tadel *m;* Verweis *m* **II.** *tr* tadeln

re•print [ˌri:'prɪnt] **I.** *tr* nachdrucken; neu auflegen **II.** ['ri:prɪnt] *s* Neuauflage *f;* Nachdruck *m*

re•prisal [rɪ'praɪzl] *s* Repressalie *f;* Vergeltungsmaßnahme *f;* **as a ~ for** als Vergeltung für; **by way of ~** als Vergeltungsmaßnahme

re•proach [rɪ'prəʊtʃ] **I.** *tr* Vorwürfe machen (*s.o.* jdm); **~ s.o. for his mistake** jdm e-n Fehler vorwerfen; **~ s.o. for being late** jdm Vorwürfe machen, weil er,sie zu spät gekommen ist **II.** *s* **1.** Vorwurf *m,* Vorhaltung *f* **2.** Schande *f;* **above** [*o* **beyond**] **~** über jeden Vorwurf erhaben; **be a ~ to s.o.** e-e Schande für jdn sein; **re•proach•ful** [rɪ'prəʊtʃfl] *adj* vorwurfsvoll

rep•ro•bate ['reprəbeɪt] **I.** *adj* verkommen; ruchlos **II.** *s* verkommenes Subjekt **III.** *tr* verdammen

re•pro•cess [ˌri:'prəʊses] *tr* wieder verwerten; (*Atommüll*) wieder aufbereiten; **re•pro•cess•ing** [-ɪŋ] *s* Wiederaufbereitung *f;* **reprocessing plant** *s* Wiederaufbereitungsanlage *f*

re•pro•duce [ˌri:prə'dju:s] **I.** *tr* **1.** wiedergeben; reproduzieren **2.** (TYP) abdrucken **3.** (THEAT) neu inszenieren; **~ its kind** (BIOL) sich fortpflanzen **II.** *itr* (BIOL) sich fortpflanzen; **re•pro•duc•tion** [ˌri:prə'dʌkʃn] *s* **1.** Reproduktion, Vervielfältigung *f* **2.** (BIOL) Fortpflanzung *f* **3.** (PHOT) Kopie *f;* **re•pro•duc•tive** [ˌri:prə'dʌktɪv] *adj* Fortpflanzungs-

re•proof [rɪ'pru:f] *s* Tadel *m,* Rüge *f*

re-proof [ri:'pru:f] *tr* neu imprägnieren

re•prove [rɪ'pru:v] *tr* tadeln, rügen; **re•prov•ing** [rɪ'pru:vɪŋ] *adj* tadelnd

rep•tile ['reptaɪl] *s* Reptil *n;* **rep•til•ian** [rep'tɪlɪən] *adj* **1.** reptilartig **2.** (*fig*) kriecherisch

re•pub•lic [rɪ'pʌblɪk] *s* Republik *f;* **re•pub•lican** [rɪ'pʌblɪkən] **I.** *adj* republikanisch **II.** *s* Republikaner(in) *m(f)*

re•pub•li•ca•tion [ˌri:ˌpʌblɪ'keɪʃn] *s* Wieder-, Neuveröffentlichung *f*

re•pudi•ate [rɪ'pju:dɪeɪt] *tr* **1.** (*Freund*) verstoßen **2.** (*Schuld*) nicht anerkennen **3.** (*Anklage*) zurückweisen

re•pug•nance [rɪ'pʌgnəns] *s* Widerwille *m,* Abneigung *f* (*towards, for* gegen); **re•pug•nant** [rɪ'pʌgnənt] *adj* widerlich, abstoßend

re•pulse [rɪ'pʌls] **I.** *tr* **1.** (*Angriff*) zurückschlagen **2.** (*fig*) zurück-, abweisen; ablehnen **II.** *s* **1.** (MIL) Abwehr *f* **2.** (*fig*) Abweisung *f;* **meet with a ~** abgewiesen werden; **re•pul•sion** [rɪ'pʌlʃn] *s* **1.** Widerwille *m* (*for* gegen) **2.** (PHYS) Abstoßung *f;* **re•pul•sive** [rɪ'pʌlsɪv] *adj* **1.** abstoßend, widerwärtig **2.** (PHYS) abstoßend

re•pur•chase [ˌri:'pɜ:tʃəs] **I.** *tr* zurückkaufen, wiedererwerben **II.** *s* Rückkauf, Wiedererwerb *m;* **repurchase price** *s* Rücknahmepreis *m*

repu•table ['repjʊtəbl] *adj* ordentlich, anständig; seriös; **repu•ta•tion** [ˌrepjʊ'teɪʃn] *s* Ruf, Name *m;* Ansehen *n;* **of good** [*o* **high**] **~** von gutem Ruf; **have a ~ for beauty** wegen seiner Schönheit bekannt sein; **live up to one's ~** seinem Ruf alle Ehre machen; **re•pute** [rɪ'pju:t] **I.** *s* Ruf *m,* Ansehen *n;* **be held in high ~** in hohem Ansehen stehen; **know s.o. by ~** von jdm viel gehört haben; **a house of ill ~** ein Haus von zweifelhaftem Ruf **II.** *tr:* **she is ~d to be ...** man sagt, dass sie ... sei; **be ~d (to be) rich** als reich gelten; **re•puted** [rɪ'pju:tɪd] *adj* vermeintlich; angeblich

re•quest [rɪ'kwest] **I.** *s* Bitte *f,* Wunsch *m,* Ersuchen *n;* **at s.o.'s ~** auf jds Bitte(n); **on** [*o* **by**] **~** auf Wunsch; **make a ~ for s.th.** um etw bitten; **record ~s** Plattenwünsche *mpl* **II.** *tr* bitten, ersuchen; **~ silence** um Ruhe bitten; **~ s.th. from s.o.** etw von jdm erbitten; **you are ~ed not to smoke** bitte nicht rauchen; **request programme** *s* Wunschsendung *f;* **request stop** *s* Bedarfshaltestelle *f*

requiem ['rekwɪəm] *s* Requiem *n*

re•quire [rɪ'kwaɪə(r)] *tr* **1.** brauchen, benötigen; nötig haben **2.** (*Arbeit*) erfordern **3.** wünschen, mögen **4.** verlangen; **the journey will ~ ...** man braucht ... für die Reise; **it ~s great care** das erfordert große Sorgfalt; **be ~d to do s.th.** etw tun müssen; **if ~d** falls notwendig; **~d reading** Pflichtlektüre *f;* **when ~d** auf Wunsch; **~ s.o. to do s.th.** von jdm verlangen, dass er etw tut; **as ~d** nach Bedarf; **as ~d by law** den gesetzlichen Bestimmungen gemäß; **re•quire•ment** [-mənt] *s* **1.** Bedürfnis *n,* Bedarf *m* **2.** Wunsch, Anspruch *m* **3.** Erfordernis *n;* **meet s.o.'s ~s** jds Bedürfnisse erfüllen; jds Wünschen entsprechen; **fit the ~s** den Erfordernissen entsprechen

requi•site ['rekwɪzɪt] **I.** *adj* erforderlich, notwendig **II.** *s* **1.** Erfordernis *n* (*for* für) **2.** (COM) Artikel *m;* **travel ~s** Reiseartikel *mpl*

requi•si•tion [ˌrekwɪˈzɪʃn] I. *s* Anforderung *f;* **make a ~ for s.th.** etw anfordern II. *tr* anfordern; (MIL) requirieren
re•route [ˌriːˈruːt] *tr* umleiten
re•run [ˌrɪːˈrʌn] I. *tr* (*Film*) wieder aufführen II. [ˈriːrʌn] *s* Wiederaufführung *f*
re•sale [ˈriːseɪl] *s* Weiterverkauf *m;* **not for ~** nicht zum Weiterverkauf bestimmt; **resale price maintenance, RPM** *s* Preisbindung *f* der zweiten Hand, vertikale Preisbindung; **resale value** *s* Wiederverkaufswert *m*
re•sched•ule [ˌriːˈʃedjuːl] *tr* 1. umplanen, verlegen 2. (FIN) umschulden, umfinanzieren
re•scind [rɪˈsɪnd] *tr* 1. (*Urteil*) annullieren, aufheben 2. (*Entscheidung*) rückgängig machen; **re•scis•sion** [rɪˈsɪʃn] *s* 1. Annullierung, Aufhebung *f* 2. Widerruf *m*
res•cue [ˈreskjuː] I. *tr* 1. retten *a. fig* 2. (*fig*) befreien; **~ s.o. from drowning** jdn vor dem Ertrinken retten II. *s* 1. Rettung, Hilfe *f* 2. (*fig*) Befreiung *f;* **come to the ~ of s.o.** jdm zu Hilfe kommen; **rescue attempt** *s* Rettungsversuch *m;* **rescue helicopter** *s* Rettungshubschrauber *m;* **rescue operation** *s* 1. Rettungsaktion *f* 2. (COM) Sanierung *f;* **rescue party** *s* Rettungsmannschaft *f;* **res•cuer** [ˈreskjʊə(r)] *s* Retter(in) *m(f)*
re•search [rɪˈsɜːtʃ] I. *s* Forschung *f* (*into, on* über); **do ~** forschen; **a piece of ~** e-e Forschungsarbeit II. *itr* forschen, Forschung betreiben (*into* über) III. *tr* erforschen, untersuchen; **re•searcher** [rɪˈsɜːtʃə(r)] *s* Forscher(in) *m(f);* **research fellowship** *s* Forschungsstipendium *n;* **research work** *s* Forschungsarbeit *f;* **research worker** *s* Forscher(in) *m(f)*
re•sem•blance [rɪˈzembləns] *s* Ähnlichkeit *f* (*between* zwischen); **bear a strong ~ to s.o.** starke Ähnlichkeit mit jdm haben; **re•semble** [rɪˈzembl] *tr* ähneln, ähnlich sehen, gleichen (*s.o.* jdm)
re•sent [rɪˈzent] *tr* übelnehmen, sich ärgern über; **he ~s my being here** er nimmt es mir übel, dass ich hier bin; **re•sent•ful** [rɪˈzentfl] *adj* ärgerlich (*of s.o.* auf jdn); **resent•ment** [-mənt] *s* Ärger, Groll *m* (*of* über); **bear no ~ against s.o.** jdm nicht böse sein
res•er•va•tion [ˌrezəˈveɪʃn] *s* 1. Vorbehalt *m* 2. Reservat *n* 3. Reservierung *f;* **central ~** (*Br: Autobahn*) Mittelstreifen *m;* **with ~s** unter Vorbehalt; **without ~** vorbehaltlos, ohne Vorbehalt; **make a ~ at the hotel** ein Zimmer im Hotel reservieren; **re•serve** [rɪˈzɜːv] I. *tr* 1. aufsparen, aufheben 2. (*Buch*) reservieren lassen; **~ one's strength** seine Kräfte sparen; **~ judgement** mit seinem Urteil zurückhalten; **~ o.s. for s.th.** sich für etw schonen II. *s* 1. Rücklage, Reserve *f;* (*a.* COM) Vorrat *m* 2. Vorbehalt *m* 3. Reservat *n* 4. (*fig*) Reserve, Zurückhaltung *f* 5. (MIL) Reserve *f* 6. (SPORT) Ersatz-, Reservespieler(in) *m(f);* **have** [*o* **keep**] **in ~** in Reserve haben, halten; **~s of energy** Kraftreserven *pl;* **without ~** ohne Vorbehalt; **with certain ~s** mit gewissen Vorbehalten; **cash ~** Barbestand *m;* **gold ~** Goldreserve *f,* -bestand *m;* **reserve currency** *s* (FIN) Leitwährung *f;* **re•served** [rɪˈzɜːvd] *adj* 1. zurückhaltend, reserviert 2. (*Zimmer*) reserviert, belegt; **all rights ~** alle Rechte vorbehalten; **reserve price** *s* Mindestpreis *m;* **res•er•vist** [rɪˈzɜːvɪst] *s* (MIL) Reservist(in) *m(f)*
res•er•voir [ˈrezəvwɑː(r)] *s* 1. Reservoir *n* 2. (*Gas*) Speicher *m* 3. (*fig*) Fundgrube *f*
re•set [ˌriːˈset] *tr* 1. (*Knochen*) wieder einrenken 2. (*Edelstein*) neu fassen 3. (TYP) neu setzen 4. (*Uhr*) neu stellen; **reset button** *s* (EDV) Rückstelltaste *f*
re•settle [ˌriːˈsetl] *tr* umsiedeln, neu ansiedeln
re•shuffle [ˌriːˈʃʌfl] I. *tr* 1. (*Spielkarten*) neu mischen 2. (*Regierung*) umbilden II. *s* Umstellung, -gruppierung, -bildung *f;* **Cabinet ~** Kabinettsumbildung *f*
re•side [rɪˈzaɪd] *itr* 1. seinen Wohnsitz haben, wohnen 2. (*fig: Eigenschaft*) innewohnen; **~ in s.th.** in etw liegen
resi•dence [ˈrezɪdəns] *s* 1. Wohnhaus *n;* Wohnheim *n* 2. Aufenthaltsort *m;* **place of ~** Wohnort *m;* **be in ~** anwesend sein; **the students are now in ~** das Semester hat angefangen; **residence permit** *s* Aufenthaltsgenehmigung *f;* **resi•dent** [ˈrezɪdənt] I. *adj* wohnhaft; ansässig (*in* in); **the ~ population** die (orts)ansässige Bevölkerung II. *s* Bewohner(in) *m(f);* (*e-r Stadt*) Einwohner(in) *m(f),* Hotelgast *m;* **~s only** Anlieger frei
resi•den•tial [ˌrezɪˈdenʃl] *adj* Wohn-; im Haus; **~ course** mehrtägiger Kurs (mit Unterkunft); **~ requirements for voting** Meldevoraussetzungen zur Ausübung des Wahlrechts; **~ area** Wohngegend *f*
re•sid•ual [rɪˈzɪdjʊəl] *adj* übrig bleibend; restlich; rückständig, Rest-; **~ risk** Restrisiko *n*
re•sidu•ary [rɪˈzɪdjʊərɪ] *adj* übrig, restlich; **resi•due** [ˈrezɪdjuː] *s* Rest *m;* Rückstand *m*
re•sign [rɪˈzaɪn] I. *tr* 1. zurücktreten von, abgeben 2. (*Recht*) aufgeben, verzichten auf; **~ power** abtreten; **~ o.s. to s.th.** sich mit etw abfinden II. *itr* 1. zurücktreten (*from* von) 2. sein Amt niederlegen 3. kün-

digen; ~ **from office** sein Amt niederlegen; **res·ig·na·tion** [ˌrezɪgˈneɪʃn] *s* **1.** Rücktritt *m* **2.** Amtsniederlegung *f* **3.** Kündigung *f* **4.** (*fig*) Resignation *f;* **hand in one's** ~ seinen Rücktritt einreichen; **re·signed** [rɪˈzaɪnd] *adj* ergeben, resigniert; **become** ~ **to s.th.** sich mit etw abfinden

re·sil·ience [rɪˈzɪlɪəns] *s* **1.** Federn *n* **2.** (*fig*) Unverwüstlichkeit *f* **3.** Spannkraft, Elastizität *f;* **re·sil·ient** [rɪˈzɪlɪənt] *adj* **1.** elastisch, federnd **2.** (*fig*) unverwüstlich

resin [ˈrezɪn] *s* (BOT) Harz *n;* **re·sin·ous** [ˈrezɪnəs] *adj* harzig

re·sist [rɪˈzɪst] *tr, itr* **1.** sich widersetzen; Widerstand leisten **2.** (*fig*) widerstehen **3.** (*Tür*) standhalten; ~ **temptation** der Versuchung widerstehen; **re·sis·tance** [rɪˈzɪstəns] *s* **1.** (*a.* EL PHYS) Widerstand *m* (*to* gegen) **2.** (MED) Widerstandsfähigkeit *f;* **offer no** ~ **to s.o.** jdm keinen Widerstand leisten; **meet with** ~ auf Widerstand stoßen; ~ **to heat** Hitzebeständigkeit *f;* **resistance fighter** *s* Widerstandskämpfer(in) *m(f);* **re·sis·tant** [rɪˈzɪstənt] *adj* resistent; widerstandsfähig (*to* gegen); **heat-/water-**~ hitze-/wasserbeständig; **re·sis·tor** [rɪˈzɪstə(r)] *s* (EL) Widerstand *m*

re·sit [ˈriːsɪt] *tr* wiederholen

res·ol·ute [ˈrezəluːt] *adj* entschlossen, energisch; **res·ol·ution** [ˌrezəˈluːʃn] *s* **1.** Beschluss *m* **2.** (*fig*) Entschlossenheit, Bestimmtheit *f* **3.** (POL) Resolution *f* **4.** (*e-r Frage*) Lösung *f* **5.** (MUS) Auflösung *f* **6.** (CHEM) Auflösung *f* **7.** (TV EDV) Bildauflösung *f;* **good** ~**s** gute Vorsätze *mpl;* **high-**~ (TECH) hochauflösend

re·solv·able [rɪˈzɒlvəbl] *adj* (auf)lösbar (*into* in); **re·solve** [rɪˈzɒlv] **I.** *tr* **1.** beschließen (*on, upon s.th.* etw) **2.** (*Problem*) lösen **3.** (PHYS) zerlegen (*into* in) **4.** (MUS) auflösen; ~ **that ...** beschließen, dass ... **II.** *itr* sich auflösen (*into, to* in); ~ **on s.th.** etw beschließen **III.** *refl* sich zerlegen lassen **IV.** *s* **1.** Beschluss *m* **2.** Entschlossenheit *f;* **do s.th. with** ~ etw fest entschlossen tun; **resolved** [rɪˈzɒlvd] *adj* entschlossen

res·on·ance [ˈrezənəns] *s* Resonanz *f;* **res·on·ant** [ˈrezənənt] *adj* **1.** (*Ton*) voll **2.** (*Stimme*) volltönend **3.** (*Raum*) voller Resonanz

re·sort [rɪˈzɔːt] **I.** *itr* **1.** (regelmäßig) gehen (*to* in, zu, nach) **2.** (*fig*) greifen, seine Zuflucht nehmen (*to* zu); ~ **to violence** Gewalt anwenden **II.** *s* **1.** Ausweg *m;* Rettung *f* **2.** Urlaubsort *m;* **in the last** ~ im schlimmsten Fall; **as a last** ~ als letztes; **health** ~ (Luft)Kurort *m;* **holiday** ~ Ferien-, Urlaubsort *m;* **mountain** ~ Höhenkurort *m;* **seaside** ~ Seebad *n;* **summer** ~ Sommerurlaubsort *m;* **winter** ~ Winterkurort *m*

re·sound [rɪˈzaʊnd] *itr* widerhallen (*with* von); **re·sound·ing** [-ɪŋ] *adj* **1.** (*Lärm*) widerhallend **2.** (*Lachen*) schallend **3.** (*fig: Sieg*) gewaltig; durchschlagend

re·source [rɪˈsɔːs] *s* **1.** ~**s** Mittel, Ressourcen *pl* **2.** (*fig*) Ausweg *m,* Mittel *n;* **financial** ~**s** Geldmittel *npl;* **mineral** ~**s** Bodenschätze *mpl;* ~**s in men and materials** Reserven *f pl* an Menschen und Material; **left to his own** ~**s** sich selbst überlassen; **a man of** ~**s** ein Mensch, der sich (immer) zu helfen weiß; **as a last** ~ als letzter Ausweg; **re·source·ful** [rɪˈsɔːsfl] *adj* einfallsreich, findig

re·spect [rɪˈspekt] **I.** *tr* **1.** achten, respektieren **2.** (*Fähigkeit*) anerkennen; **as** ~**s ...** was ... anbelangt **II.** *s* **1.** Achtung *f,* Respekt *m* (*for* vor) **2.** Rücksicht *f* (*for* auf) **3.** Hinsicht, Beziehung *f* **4.** ~**s** Empfehlungen *fpl,* Grüße *mpl;* **command** ~ Respekt abnötigen; **show** ~ **for** Respekt zeigen vor; **hold s.o. in** ~ jdn achten; **treat with** ~ rücksichtsvoll behandeln; **out of** ~ **for** aus Rücksicht auf; **with** ~ **to ...** was ... anbetrifft; **in some** ~**s** in gewisser Hinsicht; **in many** ~**s** in vieler Hinsicht; **in this** ~ in dieser Hinsicht; **give my** ~**s to your wife** meine Empfehlung an Ihre Frau; **respect·able** [rɪˈspektəbl] *adj* **1.** ehrbar; anständig **2.** (*Mensch*) angesehen, geachtet **3.** (*Summe*) beachtlich, ansehnlich **4.** (*Vorteil*) beträchtlich; **in** ~ **society** in guter Gesellschaft; **that's not** ~ das schickt sich nicht; **re·spect·ed** [rɪˈspektəd] *adj* angesehen; **re·specter** [rɪˈspektə(r)] *s:* **death is no** ~ **of persons** (*prov*) der Tod nimmt auf niemanden Rücksicht

re·spect·ful [rɪˈspektfl] *adj* respektvoll (*towards* gegen); **re·spect·fully** [rɪˈspektfəlɪ] *adv:* **yours** ~ (*obs*) hochachtungsvoll

re·spect·ing [rɪˈspektɪŋ] *prep* bezüglich +*gen*

re·spect·ive [rɪˈspektɪv] *adj* jeweilig; **we took our** ~ **glasses** jeder nahm sein Glas; **re·spect·ive·ly** [-lɪ] *adv* beziehungsweise

res·pir·ation [ˌrespəˈreɪʃn] *s* Atmung *f;* **res·pir·ator** [ˈrespəreɪtə(r)] *s* Atemgerät *n;* **re·spir·atory** [rɪˈspaɪərətrɪ] *adj* Atmungs-; ~ **disorder** (MED) respiratorische Erkrankung; ~ **system** Atmungssystem *n;* ~ **tract** Atemwege *pl*

res·pite [ˈrespaɪt] *s* **1.** (JUR) Aufschub *m* **2.** Ruhepause *f* (*from* von) **3.** Nachlassen *n;* **without** (**a**) ~ ohne Unterbrechung

re·splen·dent [rɪˈsplendənt] *adj* **1.** strahlend, glänzend **2.** (*fig*) prächtig

re·spond [rɪˈspɒnd] *itr* **1.** antworten (*to* auf) **2.** reagieren, ansprechen (*to* auf); ~ **to a call** e-m Ruf folgen; **the illness** ~**ed to**

treatment die Behandlung schlug an
re•spon•dent [rɪ'spɒndənt] *s* (JUR) Scheidungsbeklagte(r) *f m*
re•sponse [rɪ'spɒns] *s* **1.** Antwort, Erwiderung *f* **2.** Reaktion *f;* **in ~ to** als Antwort auf; **meet with a ~** beantwortet werden; **meet with little ~** wenig Anklang finden
re•spon•si•bil•ity [rɪˌspɒnsə'bɪlətɪ] *s* **1.** Verantwortung *f* (*for, of* für) **2.** Verpflichtung *f* (*to* für); **lay the ~ for s.th. on s.o.** jdm die Verantwortung für etw übertragen; **on one's own ~** auf eigene Verantwortung; **without ~** ohne Gewähr; **accept** [*o* **assume**] **the ~ for s.th.** die Verantwortung für etw übernehmen; (JUR) für etwas haften; **sense of ~** Verantwortungsgefühl *n*
re•spon•sible [rɪ'spɒnsəbl] *adj* **1.** verantwortlich (*for* für) **2.** (*Haltung*) verantwortungsvoll, -bewusst **3.** (*Firma*) seriös, zuverlässig; **be ~ for s.th.** für etw verantwortlich sein; **be ~ to s.o. for s.th.** jdm gegenüber für etw verantwortlich sein; **hold s.o. ~ for s.th.** jdn für etw verantwortlich machen
re•spon•sive [rɪ'spɒnsɪv] *adj* **1.** (*Publikum*) interessiert, mitgehend **2.** (*Bremsen*) leicht reagierend; **be ~ to s.th.** auf etw reagieren
rest[1] [rest] **I.** *s* **1.** Ruhe *f;* Pause, Unterbrechung *f* **2.** Erholung *f* **3.** Rast *f,* Ausruhen *n* **4.** (TECH) Auflage *f* **5.** (*Telefon*) Gabel *f* **6.** (*Brille*) Steg *m* **7.** (MUS) Pause *f* **8.** (*Vers*) Zäsur *f;* **need ~** Ruhe brauchen; **have** [*o* **take**] **a ~** sich ausruhen; **be at ~** ruhig sein; **set at ~** beschwichtigen; **put s.o.'s mind at ~** jdn beruhigen; **come to ~** zum Stillstand kommen; sich niederlassen **II.** *itr* **1.** ruhen, (sich) ausruhen, sich erholen; Pause machen **2.** (sich aus)schlafen **3.** (*Verantwortung*) liegen (*with* bei) **4.** (*Leiter*) lehnen (*on* an) **5.** (*Augen, Blick*) ruhen (*on* auf) **6.** (*Argument*) sich stützen (*on* auf) **7.** (*Ruf*) beruhen (*on* auf); **he never ~s** er arbeitet ununterbrochen; **be ~ing** ruhen; **let a matter ~** e-e S auf sich beruhen lassen; **you may ~ assured that ...** Sie können versichert sein, dass ... **III.** *tr* **1.** (*Augen*) ausruhen **2.** (*Stimme*) schonen **3.** (*Leiter*) lehnen (*against* gegen) **4.** (*Ellbogen*) stützen (*on* auf); **~ o.s.** sich ausruhen; **be ~ed** ausgeruht sein; **~ one's head on the table** den Kopf auf den Tisch legen
rest[2] [rest] *s:* **the ~** der Rest; **the ~ of the money** der Rest des Geldes, das übrige Geld; **and all the ~ of it** und so weiter und so fort; **for the ~** im Übrigen
re•state [ˌriː'steɪt] *tr* neu formulieren
res•taur•ant ['restrɒnt] *s* Restaurant *n,* Gaststätte *f;* **restaurant car** *s* (RAIL) Speisewagen *m;* **res•tau•ra•teur** [ˌrestərə'tɜː(r)] *s* Gastwirt, Gastronom *m*
rest-cure ['restkjʊə(r)] *s* Liegekur *f;* **rest-day** *s* Ruhetag *m;* **rest•ful** ['restfl] *adj* **1.** (*Platz*) ruhig, friedlich **2.** (*Beschäftigung*) erholsam; **rest-home** *s* Altersheim *n;* **rest•ing place** ['restɪŋˌpleɪs] *s* Rastplatz *m*
res•ti•tu•tion [ˌrestɪ'tjuːʃn] *s* **1.** Rückerstattung *f;* Rückgabe *f* **2.** Schadenersatz *m,* Entschädigung *f;* **make ~ of s.th.** etw zurückgeben
res•tive ['restɪv] *adj* **1.** (*Pferd*) störrisch, bockig **2.** unruhig, nervös **3.** (*Art*) rastlos
rest•less ['restlɪs] *adj* **1.** unruhig **2.** rastlos
re•stock [ˌriː'stɒk] *tr* (*Lager*) wieder auffüllen
res•to•ra•tion [ˌrestə'reɪʃn] *s* **1.** (Rück)Erstattung *f;* Rückgabe *f* (*to* an) **2.** Wiederherstellung, -einsetzung *f* (*to* in) **3.** (*Bauwerk*) Restaurierung *f*
re•stora•tive [rɪ'stɔːrətɪv] **I.** *adj* heilend, stärkend, kräftigend **II.** *s* Stärkungsmittel *n*
re•store [rɪ'stɔː(r)] *tr* **1.** zurückgeben, -erstatten **2.** (*Vertrauen*) wiederherstellen **3.** wieder einsetzen (*to an office* in ein Amt) **4.** (*Gebäude*) restaurieren; **~ s.o.'s health** jds Gesundheit wiederherstellen; **~d to health** wiederhergestellt; **~ s.o. to life** jdn ins Leben zurückrufen; **~ s.th. to its former condition** den früheren Zustand e-r S wiederherstellen; **~ to power** wieder an die Macht bringen; **re•storer** [rɪ'stɔːrə(r)] *s* **1.** Restaurator(in) *m(f)* **2.** (*hair-~*) Haarwuchsmittel *n*
re•strain [rɪ'streɪn] *tr* **1.** ab-, zurückhalten (*from doing s.th.* etw zu tun) **2.** (*Tier*) bändigen **3.** (*Gefühl*) unterdrücken **4.** (*fig*) in Schranken halten; **~ o.s.** sich beherrschen; **re•strained** [rɪ'streɪnd] *adj* **1.** (*Gefühle*) unterdrückt **2.** (*Worte*) beherrscht **3.** (*Ton*) verhalten **4.** (*Kritik*) maßvoll; **re•straint** [rɪ'streɪnt] *s* **1.** Be-, Einschränkung *f* **2.** Beherrschung *f;* **without ~** unbeschränkt; ungehemmt; **~ of trade** Wettbewerbsbeschränkung *f;* **place under ~** (JUR) in Haft nehmen
re•strict [rɪ'strɪkt] *tr* **1.** (*Freiheit*) be-, einschränken **2.** (*Zeit*) begrenzen (*to* auf); **re•strict•ed** [rɪ'strɪktɪd] *adj* **1.** eingeschränkt, begrenzt **2.** (*Dokument*) geheim; **locally ~** örtlich begrenzt; **~ area** (MOT) Gebiet *n* mit Geschwindigkeitsbegrenzung; (MIL) Sperrgebiet *n;* **re•stric•tion** [rɪ'strɪkʃn] *s* Be-, Einschränkung *f;* Begrenzung *f;* **place ~s on s.th.** etw beschränken; **without ~s** uneingeschränkt; **price ~** Preisbeschränkung *f;* **speed ~** Geschwindigkeitsbegrenzung, -beschränkung *f;* **re•strict•ive** [rɪ'strɪktɪv] *adj* restriktiv; einschränkend; **~ practices** Wettbe-

werbsbeschränkungen *fpl*

re•string [ˌriːˈstrɪŋ] *tr* **1.** (MUS) neu besaiten **2.** (SPORT) neu bespannen

rest•room [ˈrestruːm] *s* (*Am*) Toilette *f*

re•struc•tur•ing [ˌriːˈstrʌktʃərɪŋ] *s* Umstrukturierung *f*

re•sult [rɪˈzʌlt] **I.** *itr* sich ergeben, resultieren (*from* aus); ~ **in** führen zu **II.** *s* **1.** Ergebnis *n,* Ausgang *m;* (*a.* MATH) Resultat *n* **2.** Wirkung, Folge *f;* **as a ~ of this** folglich; **be the ~ of** resultieren aus; **get ~s** Erfolge erzielen; **as a ~ of my inquiry** auf meine Anfrage hin; **without ~** ergebnislos; **re•sult•ant** [rɪˈzʌltənt] *adj* sich ergebend, resultierend (*from* aus)

re•sume [rɪˈzjuːm] **I.** *tr* **1.** wieder aufnehmen, weitermachen mit **2.** (*Erzählung*) fortfahren in **3.** (*Reise*) fortsetzen **4.** (*Name*) wieder annehmen **5.** (*Inhalt*) zusammenfassen; ~ **one's seat** seinen Platz wieder einnehmen **II.** *itr* wieder beginnen; **ré•su•mé** [ˈrezjuːmeɪ] *s* **1.** Resümee *n;* Zusammenfassung *f* **2.** (*Am*) Lebenslauf *m;* **re•sump•tion** [rɪˈzʌmpʃn] *s* **1.** Wiederaufnahme *f,* -beginn *m* **2.** (*Reise*) Fortsetzung *f* **3.** (*Schule*) Wiederbeginn *m*

re•sur•face [ˌriːˈsɜːfɪs] **I.** *tr:* ~ **a road** den Belag einer Straße erneuern **II.** *itr* wieder auftauchen

re•sur•gence [rɪˈsɜːdʒəns] *s* Wiederaufleben *n;* **re•sur•gent** [rɪˈsɜːdʒənt] *adj* wieder auflebend

res•ur•rect [ˌrezəˈrekt] *tr* (*fig*) zu neuem Leben erwecken; wieder aufleben lassen, wieder beleben; **res•ur•rec•tion** [ˌrezəˈrekʃn] *s* **1.** Wiederbelebung *f;* (*a.* REL) Auferstehung *f* **2.** Wiederaufleben *n*

re•sus•ci•tate [rɪˈsʌsɪteɪt] *tr* **1.** (MED) wieder beleben **2.** (*fig*) wieder beleben, wieder erwecken

re•tail [ˈriːteɪl] **I.** *s* Einzel-, Kleinhandel *m* **II.** *itr:* ~ **at ...** im Einzelhandel ... kosten **III.** *tr* im Einzelhandel verkaufen **IV.** *adv* im Einzelhandel; **retail business** *s* Einzelhandelsgeschäft *n;* **retail dealer** *s* Einzelhändler(in) *m(f);* **re•tailer** [ˈriːteɪlə(r)] *s* Einzelhändler(in) *m(f);* **retail price** *s* Einzelhandelspreis *m;* ~ **index, RPI** Index *m* der Einzelhandelspreise

re•tain [rɪˈteɪn] *tr* **1.** (ein-, zurück)behalten **2.** (*Platz*) belegen **3.** (im Gedächtnis) behalten **4.** (*Gebräuche*) beibehalten **5.** (*Anwalt*) beauftragen; ~ **water** Wasser speichern; ~ **control of s.th.** etw weiterhin in der Gewalt, unter Kontrolle haben; **~ed income** Gewinnrücklagen *fpl;* **re•tainer** [rɪˈteɪnə(r)] *s* **1.** Faktotum *n* **2.** Vorschuss *m* **3.** Honorarpauschale *f;* **retaining wall** *s* Stützmauer *f*

re•take [ˌriːˈteɪk] **I.** *tr* **1.** (MIL) zurückerobern **2.** (PHOT) noch einmal aufnehmen **3.** (SPORT: *Freistoß*) wiederholen **4.** (*Prüfung*) wiederholen **II.** [ˈriːteɪk] *s* **1.** Neuaufnahme *f* **2.** Wiederholung(sprüfung) *f*

re•tali•ate [rɪˈtælɪeɪt] *itr* Vergeltung üben; sich revanchieren; sich rächen (*on* an); **he ~d by pointing out that ...** er konterte, indem er darauf hinwies, dass ...; **re•tali•ation** [rɪˌtælɪˈeɪʃn] *s* Vergeltung *f;* Vergeltungsschlag *m;* **in ~ for** als Vergeltung für; **re•tali•at•ory** [rɪˈtælɪətrɪ] *adj:* ~ **measures** Vergeltungsmaßnahmen *fpl*

re•tard [rɪˈtɑːd] *tr* **1.** verzögern, verlangsamen **2.** (BIOL PHYS) retardieren; **mentally ~ed** geistig zurückgeblieben; **re•tar•da•tion** [ˌriːtɑːˈdeɪʃn] *s* (MUS) Tempoverringerung *f;* **re•tard•er** [-ə(r)] *s* (MOT) Retarder *m*

retch [retʃ] *itr* würgen

re•ten•tion [rɪˈtenʃn] *s* **1.** Einbehalten, Zurückhalten *n* **2.** Beibehaltung *f* **3.** (*von Wasser*) Speicherung *f* **4.** (*Anwalt*) Beauftragung *f* **5.** Gedächtnis *n;* **re•ten•tive** [rɪˈtentɪv] *adj* (*Gedächtnis*) aufnahmefähig

re•think [ˌriːˈθɪŋk] **I.** *tr* überdenken **II.** *s:* **have a ~** etw noch einmal überdenken

reti•cent [ˈretɪsnt] *adj* zurückhaltend; **be ~ about s.th.** in Bezug auf etw nicht sehr gesprächig sein

ret•ina [ˈretɪnə, *pl* ˈretɪniː] <*pl* -inas, -inae> *s* (ANAT) Netzhaut *f;* **detached ~** (MED) Netzhautablösung *f*

reti•nue [ˈretɪnjuː] *s* Gefolge *n*

re•tire [rɪˈtaɪə(r)] **I.** *itr* **1.** aufhören zu arbeiten; in Pension gehen **2.** (*von Truppen, a. fig*) sich zurückziehen (*from* von) **3.** zu Bett, schlafen gehen **4.** ausscheiden, zurücktreten; ~ **into o.s.** sich in sich selbst zurückziehen **II.** *tr* **1.** in den Ruhestand versetzen, pensionieren **2.** (*Aktien*) aus dem Verkehr ziehen; **re•tired** [rɪˈtaɪəd] *adj* **1.** im Ruhestand, pensioniert **2.** (*Leben*) zurückgezogen; **a ~ teacher** ein pensionierter Lehrer; **re•tire•ment** [rɪˈtaɪəmənt] *s* **1.** Ausscheiden *n;* Pensionierung *f;* Verrentung *f* **2.** Ruhestand *m* **3.** Zurückgezogenheit, Einsamkeit *f* **4.** (MIL) Rückzug *m;* **come out of ~** wieder zurückkommen; **live in ~** zurückgezogen leben; **retirement age** *s* Pensions-, Rentenalter *n;* Altersgrenze *f;* **retirement pay, retirement pension** *s* Altersrente *f;* **re•tir•ing** [rɪˈtaɪərɪŋ] **I.** *adj* zurückhaltend, reserviert **II.** *s:* ~ **age** Altersgrenze *f*

re•tort [rɪˈtɔːt] **I.** *tr* scharf erwidern, zurückgeben **II.** *itr* scharf erwidern **III.** *s* **1.** scharfe Erwiderung **2.** (CHEM) Retorte *f*

re•touch [ˌriːˈtʌtʃ] *tr* (PHOT) retuschieren

re•trace [riːˈtreɪs] *tr* **1.** zurückverfolgen; nachgehen (*s.th.* e-r S) **2.** (*Entwicklung*) nachvollziehen; ~ **one's steps** den gleichen Weg zurückgehen

re•tract [rɪ'trækt] I. *tr* 1. zurückziehen 2. (*Äußerung*) zurücknehmen 3. (*Fahrgestell*) einziehen, einfahren II. *itr* 1. e-n Rückzieher machen 2. eingezogen werden; **re•tract•able** [-əbl] *adj* 1. zurück-, einziehbar 2. (AERO) einfahrbar; **re•trac•tion** [rɪ'trækʃn] *s* 1. Zurücknahme *f;* Rückzug *m;* Rückzieher *m* 2. Einziehen *n*

re•train [ri:'treɪn] *tr* umschulen

re•tread [ˌri:'tred] I. *tr* (*Autoreifen*) runderneuern II. ['ri:tred] *s* runderneuerter Reifen

re•treat [rɪ'tri:t] I. *s* 1. (MIL) Rückzug *m* 2. (*fig*) Zuflucht(sort *m*) *f;* **beat a** ~ den Rückzug antreten; **sound the** ~ zum Rückzug blasen II. *itr* 1. (MIL) den Rückzug antreten 2. (*fig*) zurückweichen

re•trench [rɪ'trentʃ] *tr* 1. (*Ausgaben*) einschränken, kürzen 2. (*Personal*) abbauen; **re•trench•ment** [-mənt] *s* 1. Einschränkung, Kürzung *f* 2. (Personal)Abbau *m*

re•trial [ˌri:'traɪəl] *s* (JUR) Wiederaufnahmeverfahren *n*

ret•ri•bu•tion [ˌretrɪ'bju:ʃn] *s* Vergeltung *f;* **re•tri•bu•tive** [rɪ'trɪbjʊtɪv] *adj* vergeltend; ~ **action** Vergeltungsmaßnahme *f*

re•trieval [rɪ'tri:vl] *s* 1. Wiedererlangung *f;* Zurückholen *n* 2. (EDV) Abruf *m* 3. Rettung *f* 4. Bergung *f* 5. Wiedergutmachung *f* 6. Apportieren *n;* **beyond** [*o* **past**] ~ hoffnungslos; **re•trieve** [rɪ'tri:v] I. *tr* 1. wiedererlangen, zurückerhalten, -bekommen 2. (EDV) abfragen, abrufen, aufrufen 3. retten (*from* aus) 4. bergen 5. (*Glück*) wieder finden 6. (*Schaden*) wieder gutmachen 7. (*Situation*) retten 8. (*Hund*) apportieren II. *itr* (*Hund*) apportieren; **re•triever** [rɪ'tri:və(r)] *s* Apportierhund *m*

retro•ac•tive [ˌretrəʊ'æktɪv] *adj* rückwirkend (*on* auf); **a** ~ **effect** e-e Rückwirkung

retro•grade ['retrəgreɪd] I. *adj* 1. rückläufig; rückschrittlich; **a** ~ **step** ein Rückschritt *m* 2. (BIOL) retrograd II. *itr* (BIOL) sich zurückentwickeln

retro•gress [ˌretrə'gres] *itr* sich rückwärts bewegen; **retro•gres•sive** [ˌretrə'gresɪv] *adj* rückläufig; rückschrittlich

retro•rocket [ˌretrəʊ'rɒkɪt] *s* Bremsrakete *f*

retro•spect ['retrəspekt]: **in** ~ rückblickend, im Nachhinein; **retro•spec•tive** [ˌretrə'spektɪv] I. *adj* 1. rückblickend 2. (JUR) rückwirkend II. *s* (*Film*) Retrospektive *f*

re•turn [rɪ'tɜ:n] I. *itr* 1. zurückkehren, zurückkommen 2. (*fig*) wiederkehren; wiederkommen 3. (*Fahrzeug*) zurückfahren; ~ **to school** wieder in die Schule gehen; ~ **to the town** in die Stadt zurückkehren II. *tr* 1. zurückgeben, -bringen, -schicken, -senden (*to s.o.* jdm) 2. zurückerstatten, -zahlen; rückvergüten 3. erwidern, zurückgeben 4. (*Gruß, Besuch*) erwidern 5. (*Licht*) zurückwerfen 6. (*Gewinn*) einbringen, abwerfen 7. (POL) wählen; ~ **a blow** zurückschlagen; ~**ed empties** Leergut *n;* ~ **thanks to s.o.** jdm Dank sagen; **he was ~ed guilty** (JUR) er wurde schuldig gesprochen III. *s* 1. Rückkehr, -fahrt *f* 2. (*fig*) Wiederkehr *f* 3. Rückgabe *f;* Zurückschicken, -senden *n* 4. (~ *ticket*) Rückfahrkarte *f* 5. (COM) Einkommen *n;* Ertrag, Gewinn *m* 6. Verkündung *f;* Bericht *m* 7. (POL) Wahl *f* 8. (SPORT) Rückschlag *m* 9. ~**s** Einkünfte *pl* 10. ~**s** Rücksendungen, Remittenden *fpl;* **on my** ~ bei meiner Rückkehr; ~ **home** Heimkehr *f;* ~ **on investment, ROI** Kapitalrendite *f,* Ertrag *m* aus Kapitalanlage; ~ **to school** Schulbeginn *m;* **by** ~ (**of post**) postwendend; ~ **to health** Genesung *f;* ~ **on capital** Kapitalertrag *m;* **in** ~ dafür; **in** ~ **for** für; **many happy ~s** (**of the day**) herzlichen Glückwunsch zum Geburtstag; **the election ~s** das Wahlergebnis; **tax** ~ Steuererklärung *f;* **re•turn•able** [rɪ'tɜ:nəbl] *adj* 1. rückgabepflichtig 2. mit Flaschenpfand; ~ **bottle** Mehrweg-, Pfandflasche *f;* **non-~ bottle** Einwegflasche *f;* **return address** *s* Absender *m;* **return fare** *s* Preis *m* für Hin- und Rückfahrt; **return flight** *s* Rückflug *m;* **re•turn•ing of•fi•cer** [rɪ'tɜ:nɪŋ'ɒfɪsə(r)] *s* (PARL) Wahlleiter(in) *m(f);* **return journey** *s* Rückreise *f;* **return match** *s* (SPORT) Rückspiel *n;* **return ticket** *s* Rückfahr-, -flugkarte *f*

re•uni•fica•tion [ri:ˌju:nɪfɪ'keɪʃn] *s* (POL) Wiedervereinigung *f*

re•un•ion [ˌri:'ju:nɪən] *s* Zusammenkunft *f,* Treffen *n;* **re•unite** [ˌri:ju:'naɪt] I. *tr* wieder zusammenbringen; (POL) wiedervereinigen II. *itr* wieder zusammenkommen; (POL) sich wiedervereinigen

re•us•able [ˌri:'ju:zəbl] *adj* wiederverwendbar; mehrfach verwendbar; Mehrweg-; **re•use** [ˌri:'ju:z] *tr* wieder verwenden

rev [rev] I. *s* (TECH) Drehzahl, Umdrehung *f* II. *tr, itr* (*fam*): ~ **up** (MOT) den Motor auf Touren bringen

re•valu•ation [ri:ˌvæljʊ'eɪʃn] *s* (FIN) Aufwertung *f;* **re•value** [ri:'vælju:] *tr* aufwerten

re•vamp [ˌri:'væmp] *tr* aufpolieren; aufmöbeln

rev counter ['revˌkaʊntə(r)] *s* (MOT) Drehzahlmesser, Tourenzähler *m*

re•veal [rɪ'vi:l] *tr* 1. zum Vorschein bringen 2. (*Tatsachen*) enthüllen, aufdecken; zu erkennen geben 3. (REL) offenbaren (*to s.o.*

jdm)
re•veille [rɪ'vælɪ] *s* (MIL) Wecken *n*
revel ['revl] *itr* feiern; ~ **in one's freedom** seine Freiheit von ganzem Herzen genießen
rev•el•ation [ˌrevə'leɪʃn] *s* **1.** Enthüllung *f* **2.** (REL) Offenbarung *f*
revel•ler ['revələ(r)] *s* Feiernde(r) *f m;* **rev•elry** ['revlrɪ] *s* Festlichkeit *f*
re•venge [rɪ'vendʒ] **I.** *tr* rächen; ~ **o.s., be ~d for s.th.** sich für etw rächen; ~ **o.s. on s.o.** sich an jdm rächen **II.** *s* **1.** Rache *f* **2.** (SPORT) Revanche *f;* **out of** ~ aus Rache; **in ~ for** als Rache für; **take ~ on s.o. for s.th.** sich an jdm wegen etw rächen; **get one's** ~ sich rächen; **re•venge•ful** [rɪ'vendʒfl] *adj* rachsüchtig
rev•enue ['revənju:] *s* **1.** Einkünfte *pl,* Einnahmen *fpl,* Ertrag *m* **2.** Staatseinkünfte, öffentliche Einnahmen *pl* **3.** Finanzbehörde *f,* Fiskus *m;* **Inland R~** (*Br*) Finanzamt *n;* **tax** ~ Steueraufkommen *n;* **revenue officer** *s* Finanzbeamte(r) *m,* -beamtin *f;* **revenue stamp** *s* Steuer-, Stempelmarke, Banderole *f*
re•ver•ber•ate [rɪ'vɜ:bəreɪt] **I.** *tr* (*Schall*) zurückwerfen, reflektieren **II.** *itr* **1.** (*Schall*) widerhallen **2.** (*Licht*) zurückstrahlen, reflektieren; **re•ver•ber•ation** [rɪˌvɜ:bə'reɪʃn] *s* Widerhall *m;* Zurückstrahlen *n*
re•vere [rɪ'vɪə(r)] *tr* verehren, achten, hochschätzen; **rev•er•ence** ['revərəns] **I.** *s* Verehrung *f* (*for* für), Ehrfurcht *f;* **hold s.o. in** ~ jdn hochachten; **treat s.th. with** ~ etw ehrfürchtig behandeln **II.** *tr* verehren
rev•er•end ['revərənd] **I.** *adj:* **the Most R~** der Erzbischof; **the Right R~** der Bischof **II.** *s* Pastor, Pfarrer *m*
rev•er•ent ['revərənt] *adj* ehrfürchtig
rev•er•en•tial [ˌrevə'renʃl] *adj* ehrerbietig, ehrfurchtsvoll
rev•erie ['revərɪ] *s* (*a.* MUS) Träumerei *f*
re•ver•sal [rɪ'vɜ:sl] *s* **1.** Umkehren *n;* Umstellen *n;* Umdrehen *n* **2.** Zurückstellen *n* **3.** (JUR) Aufhebung *f;* **suffer a** ~ e-n Rückschlag erleiden; **the ~s of fortune** Schicksalsschläge *mpl*
re•verse [rɪ'vɜ:s] **I.** *adj* umgekehrt, entgegengesetzt (*to* zu); **in** ~ **order** in umgekehrter Reihenfolge; ~ **charge call** (TELE) R-Gespräch *n;* ~ **gear** Rückwärtsgang *m;* ~ **takeover** (COM) gegenläufige Fusion **II.** *s* **1.** Gegenteil *n* **2.** Rück-, Kehrseite *f* **3.** Rückschlag, Schicksalsschlag *m;* Niederlage *f* **4.** (MOT) Rückwärtsgang *m;* **he is the ~ of polite** er ist alles andere als höflich; **go into** ~ in den Rückwärtsgang schalten **III.** *tr* **1.** umkehren, umdrehen **2.** umstellen **3.** (*Kleid*) wenden **4.** (MOT) zurückstoßen, rückwärts fahren **5.** (JUR) aufheben, annullieren; ~ **the order of s.th.** etw herumdrehen; ~ **one's car into the garage** rückwärts in die Garage fahren; ~ **the charges** (TEL) ein R-Gespräch führen **IV.** *itr* **1.** sich umwenden, sich rückwärts bewegen **2.** (MOT) rückwärts fahren; **re•vers•ible** [-əbl] *adj* **1.** (*Entscheidung*) umstoßbar **2.** (CHEM) umkehrbar **3.** (*Kleidung*) Wende-;
re•ver•sion [rɪ'vɜ:ʃn] *s* **1.** Umkehrung *f* (*to* zu), Rückfall *m* **2.** (JUR) Zurückfallen *n*
re•vert [rɪ'vɜ:t] *itr* **1.** zurückkehren (*to* zu) **2.** zurückkommen, -greifen (*to* auf) **3.** (JUR) zurückfallen (*to* an)
re•view [rɪ'vju:] **I.** *s* **1.** Rückblick *m* (*of* auf), Überblick *m* **2.** nochmalige (Über)Prüfung **3.** (MIL) Inspektion *f* **4.** (*Buch*) Kritik, Rezension *f* **5.** Zeitschrift *f;* **come under** ~ überprüft werden; **hold a** ~ e-e Inspektion vornehmen; ~ **copy** Rezensionsexemplar *n* **II.** *tr* **1.** zurückblicken auf, überdenken **2.** (*Fall*) erneut überprüfen **3.** (MIL) inspizieren, mustern **4.** (*Buch*) besprechen, rezensieren; **re•viewer** [rɪ'vju:ə(r)] *s* Rezensent(in) *m(f),* Kritiker(in) *m(f)*
re•vise [rɪ'vaɪz] *tr* **1.** (*Text*) überprüfen, revidieren **2.** (*Meinung*) überholen, revidieren **3.** (*Lernstoff*) wiederholen; **~d edition** überarbeitete Ausgabe; **re•vi•sion** [rɪ'vɪʒn] *s* **1.** Überarbeitung, Revision *f* **2.** (*Meinung*) Überholen *n,* Revision *f* **3.** überarbeitete Ausgabe **4.** (*Lernstoff*) Wiederholung *f*
re•vital•ize [ri:'vaɪtəlaɪz] *tr* neu beleben
re•vival [rɪ'vaɪvl] *s* **1.** Wiedererwecken, Wiederauflebenlassen *n* **2.** (*Idee*) Wiederaufleben, -blühen *n;* Wiederbelebung *f* **3.** (REL) Erweckung *f* **4.** (JUR) Wiederinkrafttreten *n* **5.** (COM) Aufschwung *m;* ~ **of trade** Konjunkturaufschwung *m,* Konjunkturbelebung *f;* **re•vive** [rɪ'vaɪv] **I.** *itr* **1.** wieder zu sich kommen **2.** (*fig*) wieder aufleben, wieder aufblühen **3.** (COM) wieder aufblühen **II.** *tr* **1.** wieder beleben; munter machen **2.** (*fig*) zu neuem Leben erwecken, wieder erwecken, -beleben **3.** (*Brauch*) wieder aufleben lassen; wieder in Erinnerung bringen **4.** (*Worte*) wieder aufgreifen **5.** (THEAT) wieder aufnehmen
revo•ca•tion [ˌrevə'keɪʃn] *s* **1.** Aufhebung *f;* Zurückziehen *n* **2.** Widerruf *m;* Entzug *m;* **re•voke** [rɪ'vəʊk] **I.** *tr* **1.** (*Gesetz*) aufheben **2.** (*Entscheidung*) widerrufen, rückgängig machen **3.** (*Lizenz*) entziehen **II.** *itr* (*Karten*) nicht Farbe bekennen
re•volt [rɪ'vəʊlt] **I.** *s* Revolte *f,* Aufruhr, Aufstand *m* (*against* gegen); **rise in ~, break out in** ~ sich erheben, e-n Aufstand machen; **be in ~ against** rebellieren gegen **II.** *itr* **1.** revoltieren, rebellieren (*against* gegen) **2.** (*Gefühle*) sich empören (*at,*

against bei, gegen) **III.** *tr* (*fig*) anwidern, -ekeln, abstoßen; **re•volt•ing** [rɪ'vəʊltɪŋ] *adj* (*fig*) abstoßend, widerlich, ekelhaft
rev•ol•ution [ˌrevə'luːʃn] *s* **1.** (*a. fig*) Revolution *f;* Umwälzung *f* **2.** (PHYS) Umdrehung, Rotation *f;* **rev•ol•ution•ary** [ˌrevə'luːʃənrɪ] **I.** *s* Revolutionär(in) *m(f)* **II.** *adj* revolutionär, umstürzlerisch *a. fig;* **rev•ol•ution•ize** [ˌrevə'luːʃnaɪz] *tr* revolutionieren
re•volve [rɪ'vɒlv] **I.** *tr* drehen **II.** *itr* sich drehen; ~ **on an axis/around the sun** sich um e-e Achse/um die Sonne drehen
re•volver [rɪ'vɒlvə(r)] *s* Revolver *m*
re•volv•ing [rɪ'vɒlvɪŋ] *adj* Dreh-; ~ **chair** Drehstuhl *m;* ~ **credit** (FIN) Revolvingkredit *m;* ~ **door** Drehtür *f;* ~ **stage** Drehbühne *f*
re•vue [rɪ'vjuː] *s* (THEAT) Revue *f;* Kabarett *n*
re•vul•sion [rɪ'vʌlʃn] *s* **1.** Abscheu, Ekel *m* (*at* vor) **2.** (*fig*) Umschwung *m;* Empörung *f*
re•ward [rɪ'wɔːd] **I.** *s* Belohnung *f;* Entgelt *n;* **as a ~ for** als Belohnung für; ~ **offered for the return of ...** Finderlohn für ... **II.** *tr* belohnen; **re•ward•ing** [-ɪŋ] *adj* lohnend, einträglich *a. fig*
re•wind [ˌriː'waɪnd] *tr* wieder aufwickeln; (*Uhr*) wieder aufziehen; (*Film, Tonband*) zurückspulen; **re•wire** [ˌriː'waɪə(r)] **I.** *tr* neu verkabeln **II.** *s* Neuverkabelung *f*
re•word [ˌriː'wɜːd] *tr* neu formulieren, anders ausdrücken
re•work [ˌriː'wɜːk] *tr* wieder verarbeiten; neu fassen
re•write [ˌriː'raɪt] **I.** *tr* neu schreiben; umschreiben **II.** ['riːraɪt] *s* (*fig*) Neuaufguss *m*
RGN [ˌɑː(r)dʒiː'en] *s abbr of* **Registered General Nurse** (*Br*) staatlich geprüfte Krankenschwester
rhap•sody ['ræpsədɪ] *s* (MUS) Rhapsodie *f*
Rhe•sus fac•tor ['riːsəsˌfæktə(r)] *s* (MED) Rh-Faktor, Rhesusfaktor *m*
rhet•oric ['retərɪk] *s* Rhetorik *f;* **rhe•tori•cal** [rɪ'tɒrɪkl] *adj* rhetorisch
rheu•matic [ruː'mætɪk] **I.** *adj* rheumatisch **II.** *s* Rheumatiker(in) *m(f);* **rheu•matics** [ruː'mætɪks] *s pl mit sing* Rheuma(tismus *m*) *n;* **rheu•ma•tism** ['ruːmətɪzəm] *s* Rheuma(tismus *m*) *n;* **rheu•ma•toid ar•thri•tis** [ˌruːmətɔɪdˌɑː'θraɪtɪs] *s* (MED) rheumatoide Arthritis, chronische Polyarthritis
rhi•noc•eros, rhino [raɪ'nɒsərəs, 'raɪnəʊ] *s* Nashorn, Rhinozeros *n*
Rhodes [rəʊdz] *s* Rhodos *n*
Rho•de•sia [rəʊ'diːʒə] *s* (HIST) Rhodesien *n;* **Rho•de•sian** [rəʊ'diːʒən] **I.** *adj* rhodesisch **II.** *s* Rhodesier(in) *m(f)*
rho•do•den•dron [ˌrəʊdə'dendrən] *s* (BOT) Rhododendron *m*
rhom•bus ['rɒmbəs] *s* Rhombus *m*
rhu•barb ['ruːbɑːb] *s* (BOT) Rhabarber *m*
rhyme [raɪm] **I.** *s* **1.** Reim *m* **2.** Gedicht *n;* **without ~ or reason** ohne Sinn und Verstand; **nursery ~** Kinderreim *m;* **put into ~** in Reime bringen **II.** *itr* **1.** sich reimen **2.** reimen, dichten **III.** *tr* reimen; **rhym•ing coup•let** [ˌraɪmɪŋ'kʌplɪt] *s* Reimpaar *n*
rhythm ['rɪðəm] *s* Rhythmus *m;* ~ **and blues** Rhythm-and-Blues *m;* **rhyth•mic(al)** ['rɪðmɪk(l)] *adj* rhythmisch
rib [rɪb] **I.** *s* **1.** (ANAT) Rippe *f* **2.** (*Schirm*) Speiche *f* **3.** (ARCH) (Gewölbe)Rippe *f;* **dig** [*o* **poke**] **s.o. in the ~s** jdn in die Rippen stoßen; ~ **cage** Brustkorb *m* **II.** *tr* (*fam*) necken, foppen
rib•ald ['rɪbld] *adj* zotig, obszön
rib•bon ['rɪbən] *s* **1.** Band *n* **2.** (*Schreibmaschine*) Farbband *n* **3.** ~**s** Fetzen *mpl;* **tear s.th. to ~s** etw zerfetzen; (*fig*) etw verreißen
ri•bo•nu•cleic acid, RNA [ˌraɪbəʊnjuːkleɪɪk'æsɪd] *s* Ribonukleinsäure, RNS *f*
rice [raɪs] *s* Reis *m;* **rice•field** *s* Reisfeld *n;* **rice grow•ing** *s* Reisanbau *m;* **rice pud•ding** *s* Milchreis *m*
rich [rɪtʃ] **I.** *adj* **1.** reich, wohlhabend **2.** (*Stil*) prächtig; großartig **3.** (*Essen, Wein*) schwer **4.** (*Erde*) fett; fruchtbar **5.** (*Farben*) satt **6.** (*Stimme*) voll, klangreich **7.** (*fig*) köstlich; **a ~ diet** e-e reichhaltige Kost; ~ **in minerals** reich an Bodenschätzen **II.** *s:* **the ~** die Reichen *pl;* ~**es** Reichtümer *mpl;* **rich•ness** [-nɪs] *s* **1.** Reichtum *m* **2.** Pracht *f;* Üppigkeit *f;* Luxus *m* **3.** Kraft, Fülle, Sattheit *f* **4.** Fruchtbarkeit *f* **5.** Schwere *f* **6.** Fettheit *f*
rick [rɪk] **I.** *s* Schober *m* **II.** *tr* ausrenken
rick•ets ['rɪkɪts] *s pl* (MED) Rachitis *f*
rick•ety ['rɪkətɪ] *adj* (*Möbel*) wackelig
rick•shaw ['rɪkʃɔː] *s* Rikscha *f*
ri•co•chet ['rɪkəʃeɪ] *s* Abprall *m*
rid [rɪd] <*irr:* rid, rid> *tr:* ~ **of** befreien von; säubern von; ~ **o.s. of s.o./s.th.** sich jdn/etw vom Halse schaffen; **be ~ of s.o./s.th.** jdn/etw los sein; **get ~ of s.o./s.th.** jdn/etw loswerden; **rid•dance** ['rɪdns] *s:* **good ~** ein Glück, dass wir das, ihn los sind
rid•den ['rɪdn] **I.** *pp of* **ride II.** *adj:* ~ **by fears, fear-~** angsterfüllt; **disease-~** von Krankheiten befallen, geplagt; **doubt-~** von Zweifeln geplagt
riddle[1] ['rɪdl] *s* Rätsel *n a. fig;* **speak in ~s** in Rätseln sprechen
riddle[2] ['rɪdl] **I.** *s* (Schüttel)Sieb *n* **II.** *tr* **1.** sieben **2.** durchlöchern, -bohren (*with bullets* mit Kugeln); ~**d with mistakes** voller Fehler
ride [raɪd] <*irr:* rode, ridden> **I.** *itr* **1.** reiten (*on* auf) **2.** (*Fahrrad*) fahren **3.** sich be-

wegen (*on, upon* auf) **4.** (*Wolken*) schweben, dahinziehen; ~ **on a bus/in a train** in e-m Bus/Zug fahren; ~ **away** weg-, davonfahren; **the moon was riding high in the sky** der Mond zog hoch am Himmel dahin; ~ **at anchor** vor Anker liegen **II.** *tr* **1.** reiten **2.** (*Fahrrad*) fahren; fahren mit **3.** (*Am fig*) tyrannisieren, plagen; **he rode his horse away** er ritt mit seinem Pferd weg; ~ **a race** bei e-m Rennen reiten; **the ship rode the waves** das Schiff trieb auf den Wellen **III.** *s* **1.** Ritt *m* **2.** Fahrt *f;* Radfahrt *f* **3.** Reitweg *m;* **go for a** ~ ausreiten; e-e Fahrt machen; **go for a** ~ **in the car** mit dem Auto wegfahren; **have a rough** ~ viel durchmachen müssen; **take s.o. for a** ~ (*fig*) jdn anschmieren; **we had a** ~ **in a taxi** wir sind in e-m Taxi gefahren; **ride down** *tr* niederreiten; einholen; **ride out I.** *tr* überstehen **II.** *itr* ausreiten; ~ **out the storm** den Sturm überstehen; **ride up** *itr* (*Kleid*) hochrutschen

rider ['raɪdə(r)] *s* **1.** Reiter(in) *m(f),* Fahrer(in) *m(f)* **2.** (JUR) Zusatz, Nachtrag *m;* Zusatzklausel *f*

ridge [rɪdʒ] **I.** *s* **1.** (*Stoff*) Rippe *f;* (*Blech*) Welle *f* **2.** Bergrücken, Kamm *m;* Grat *m* **3.** (Dach)First *m* **4.** (*Nase*) Rücken *m* **5.** Ackerfurche *f* **II.** *tr* zerfurchen; **ridge•pole** ['rɪdʒpəʊl] *s* **1.** (*Dach*) Firstbalken *m* **2.** (*Zelt*) Firststange *f;* **ridge•way** ['rɪdʒweɪ] *s* Gratweg *m*

ridi•cule ['rɪdɪkju:l] **I.** *s* Spott *m;* **lay o.s. open to** ~ sich lächerlich machen; **hold s.o. up to** ~ jdn lächerlich machen **II.** *tr* verspotten; **rid•icu•lous** [rɪ'dɪkjʊləs] *adj* lächerlich

rid•ing ['raɪdɪŋ] *s* Reiten *n;* **riding breeches** *s pl* Reithose *f;* **riding crop** *s* Reitgerte *f;* **riding habit** *s* Reitkostüm *n;* **riding light** *s* (MAR) Ankerlicht *n;* **riding school** *s* Reitschule *f*

rife [raɪf] *adj* weit verbreitet; ~ **with** voll von, voller; **be** ~ umgehen; grassieren

riffle ['rɪfl] *tr* **1.** (~ *through*) durchblättern **2.** (*Karten*) mischen

riff-raff ['rɪfræf] *s* Pöbel *m,* Gesindel *n*

rifle[1] ['raɪfl] *s* Gewehr *n*

rifle[2] ['raɪfl] *tr* plündern; durchwühlen

rifle butt ['raɪflbʌt] *s* Gewehrkolben *m;* **rifle•man** [-mən] <*pl* -men> *s* Schütze *m;* **rifle range** *s* Schießstand *m;* **within/out of** ~ in/außer Schussweite; **rifle shot** *s* Gewehrschuss *m*

rift [rɪft] *s* **1.** Spalt *m* **2.** (*fig*) Spalt *m;* Riss *m;* **rift valley** *s* (GEOL) Grabenbruch *m*

rig [rɪg] **I.** *tr* **1.** (MAR) auftakeln **2.** (*fig: Wahlen*) manipulieren; ~ **out** ausstaffieren; ~ **up** improvisieren; arrangieren **II.** *s* **1.** (MAR) Takelage *f* **2.** (*oil-*~) Förderturm *m;* Ölbohrinsel *f* **3.** Auf-, Ausrüstung *f* **4.** (*Am fam*) Sattelschlepper *m;* **in full** ~ in großer Aufmachung; **rig•ger** ['rɪgə(r)] *s* (MAR) Takler *m;* **rig•ging** ['rɪgɪŋ] *s* **1.** (MAR) Auftakeln *n;* Tauwerk *n* **2.** (*fig*) Manipulation *f;* Schiebung *f*

right [raɪt] **I.** *adj* **1.** recht, richtig **2.** (*Antwort, Zeit*) richtig **3.** (*Kleider*) richtig **4.** richtig, korrekt; in Ordnung **5.** rechte(r, s); **it's only** ~ es ist nur recht und billig; **do the** ~ **thing by s.o.** sich jdm gegenüber anständig benehmen; **be** ~ Recht haben; richtig sein, stimmen, zutreffen; **you're quite** ~ Sie haben ganz recht; **on the** ~ **track** auf dem rechten, richtigen Weg; **put** [*o* **set**] ~ korrigieren; richtig stellen; **put s.o.** ~ jdn berichtigen; **come at the** ~ **time** zur rechten Zeit kommen; **do s.th. the** ~ **way** etw richtig machen; **the** ~ **man for the job** der rechte Mann für die Stelle; **feel** ~ sich wohl fühlen; **be as** ~ **as rain** kerngesund sein; **be in one's** ~ **mind** bei klarem Verstand sein; ~**!** ~**-oh!** gut, schön, okay; ~ **enough!** das stimmt!; ~ **hand** rechte Hand **II.** *adv* **1.** direkt; genau **2.** ganz **3.** richtig **4.** rechts; ~ **in front of you** direkt vor Ihnen; ~ **away** [*o* **off**] sofort, schnurstracks; ~ **off** auf Anhieb; ~ **now** in diesem Augenblick; ~ **here** genau hier; **rotten** ~ **through** durch und durch verfault; **answer** ~ richtig antworten; **if I remember** ~ wenn ich mich recht erinnere; **turn** ~ biegen Sie rechts ab; ~**, left and centre** überall; **if I get you** ~ wenn ich Sie richtig verstehe **III.** *s* **1.** Recht *n* **2.** Anrecht *n,* Anspruch *m* **3.** rechte Seite; **be in the** ~ im Recht sein; **have a** ~ **to s.th.** einen Anspruch auf etw haben; ~ **to strike** Streikrecht *n;* **by what** ~**?** mit welchem Recht?; **by** ~**s** rechtmäßig, von Rechts wegen; **in one's own** ~ selber, selbst; **put s.th. to** ~ etw in Ordnung bringen; **drive on the** ~ rechts fahren; **keep to the** ~ sich rechts halten; **the R**~ (POL) die Rechte; ~**s issue** (COM) Bezugsrechtsemission *f* **IV.** *tr* **1.** aufrichten **2.** wieder gutmachen; **the problem should** ~ **itself** das Problem müsste sich von selbst lösen; **right angle** *s* rechter Winkel; **at** ~**s** rechtwinklig (*to* zu); **right-angled** ['raɪtæŋgld] *adj* rechtwinklig

right•eous ['raɪtʃəs] *adj* **1.** rechtschaffen **2.** (*Wut*) gerecht, heilig

right•ful ['raɪtfl] *adj* **1.** rechtmäßig **2.** (*Bestrafung*) gerecht; **rightful claimant** *s* Anspruchsberechtigte(r) *f m*

right-hand ['raɪthænd] *adj* rechte(r, s); **he's my** ~ **man** er ist meine rechte Hand; **right-hand drive** *adj* rechtsgesteuert; **this car has** ~ dieser Wagen hat das Steuer rechts; **right-handed** [ˌraɪt'hændɪd] *adj*

1. rechtshändig 2. (*Schlag*) mit der rechten Hand; **right-hander** [ˌraɪtˈhændə(r)] *s* 1. Rechtshänder(in) *m(f)* 2. (*Schlag*) Rechte *f;* **right·ist** [ˈraɪtɪst] *s* (POL) Rechte(r) *f m*

right·ly [ˈraɪtlɪ] *adv* 1. richtig 2. mit Recht; **I don't ~ know** ich weiß nicht genau; **~ or wrongly** ob das nun richtig ist oder nicht; **and ~ so** und zwar mit Recht

right-minded [ˌraɪtˈmaɪndɪd] *adj* vernünftig; **right of way** *s* (MOT) Vorfahrt *f;* Durchgangsrecht *n;* **right-wing** I. *adj* (POL) rechtsgerichtet; **~ extremism** Rechtsextremismus *m* II. *s* (POL SPORT) rechter Flügel

ri·gid [ˈrɪdʒɪd] *adj* 1. starr, steif 2. (*fig*) unbeugsam, unnachgiebig 3. (*Disziplin*) streng 4. (*System*) starr; **~ with fear** starr vor Angst; **ri·gid·ity** [rɪˈdʒɪdətɪ] *s* 1. Starrheit, Steifheit *f* 2. (*fig*) Härte, Strenge *f* 3. (*fig*) Unnachgiebigkeit *f*

rig·ma·role [ˈrɪgmərəʊl] *s* 1. Gerede, Geschwätz *n* 2. (*fig*) umständliche Prozedur

rigor *s* (*Am*) *s.* **rigour**; **ri·gor mor·tis** [ˈrɪgəˈmɔːtɪs] *s* Toten-, Leichenstarre *f;* **rig·or·ous** [ˈrɪgərəs] *adj* 1. (*Maßnahmen*) rigoros 2. (*Disziplin*) streng, strikt 3. (*Test*) gründlich 4. (*Klima*) streng; **rig·our** [ˈrɪgə(r)] *s* 1. Strenge, Striktheit *f* 2. **~s** Unbilden *pl*

rig·out [ˈrɪgaʊt] *s* (*fam*) Toilette *f;* Aufmachung *f;* Ausrüstung *f*

rile [raɪl] *tr* ärgern, reizen

rim [rɪm] *s* 1. Rand *m,* Kante *f* 2. Hutkrempe *f* 3. (*Brille*) Fassung *f*

rime¹ [raɪm] *s* (Rau)Reif *m*

rime² [raɪm] *s* (*Am*) *s.* **rhyme**

rim·less [ˈrɪmlɪs] *adj* randlos; **rimmed** [rɪmd] *adj* mit Rand

rind [raɪnd] *s* 1. (Käse)Rinde *f* 2. (*Schinken*) Schwarte *f* 3. (*Frucht*) Schale *f*

ring¹ [rɪŋ] *<irr: rang, rung>* I. *itr* 1. (*Glocke*) läuten; klingen; schallen 2. (*Worte*) tönen, schallen; erklingen; **the doorbell rang** es hat geläutet; **~ for s.o.** nach jdm läuten; **~ at the door** an der Tür klingeln, läuten; **~ false/true** falsch/wahr klingen; **my ears are ~ing** mir klingen die Ohren II. *tr* 1. läuten 2. (~ *up*) anrufen; **~ the doorbell** an der Tür läuten; **that ~s a bell** das kommt mir bekannt vor; **~ the changes** (*fig*) etwas in allen Variationen durchspielen III. *s* 1. Klang *m;* Läuten *n;* Klingeln *n* 2. (TELE) Anruf *m* 3. (*fig*) Klang *m;* **there was a ~ at the door** es hat geläutet; **give s.o. a ~** jdn anrufen; **ring back** *tr, itr* (TELE) zurückrufen; **ring down** *tr* (*Vorhang*) herunterlassen; **~ down the curtain on s.th.** (*fig*) e-n Schlussstrich unter etw ziehen; **ring in** *tr* einläuten; **ring off** *itr* (TELE) aufhängen, den Hörer auflegen; **ring out** I. *itr* ertönen; laut erklingen II. *tr* (*Jahr*) ausläuten; **ring up** *tr* (TELE) anrufen; **~ up the curtain** den Vorhang hochgehen lassen; (*fig*) anfangen

ring² [rɪŋ] I. *s* 1. Ring *m;* Schwimmring *m* 2. (*Baum*) Jahresring *m* 3. (POL) Ring *m* 4. (*Zirkus*) Manege *f,* Ring *m* 5. (*Mond*) Hof *m* 6. (Box)Ring *m;* **have ~s round one's eyes** Ringe unter den Augen haben; **stand in a ~** im Kreis stehen; **run ~s round s.o.** jdn in die Tasche stecken II. *tr* 1. umringen 2. (*Spiel*) e-n Ring werfen über 3. einkreisen 4. (*Vogel*) beringen

ring binder [ˈrɪŋbaɪndə(r)] *s* Ringbuch *n;* Ringordner *m*

ringer [ˈrɪŋə(r)] *s* Glöckner *m;* **be a dead ~ for s.o.** (*sl*) jdm aufs Haar gleichen

ring-fin·ger [ˈrɪŋfɪŋgə(r)] *s* Ringfinger *m*

ring·ing [ˈrɪŋɪŋ] *adj* schallend; läutend; **ringing tone** *s* (TELE) Frei-, Rufzeichen *n*

ring·leader [ˈrɪŋliːdə(r)] *s* Rädelsführer(in) *m(f)*

ring·let [ˈrɪŋlɪt] *s* Ringellocke *f*

ring road [ˈrɪŋrəʊd] *s* Ringstraße *f;* **ring·side** [ˈrɪŋsaɪd] *s:* **at the ~** am Ring; **have a ~ seat** e-n Logenplatz haben

rink [rɪŋk] *s* Eis-, Rollschuhbahn *f*

rinse [rɪns] I. *tr* 1. (ab-, aus)spülen 2. (*Haar*) tönen; **~ one's hands** sich die Hände abspülen; **~ down** abspülen; **~ out** ausspülen, auswaschen II. *s* 1. Spülung *f* 2. (*Haarfarbe*) Tönung *f*

riot [ˈraɪət] I. *s* 1. Aufstand, Aufruhr *m;* Krawall *m* 2. Orgie *f a. fig;* **run ~** randalieren; (BOT) wuchern; **read s.o. the ~ act** jdm die Leviten lesen; **~ squad** Überfallkommando *n;* **a ~ of flowers** ein wildes Blumenmeer; **be a ~** zum Schreien sein II. *itr* randalieren; **rioter** [ˈraɪətə(r)] *s* Aufrührer(in) *m(f),* Unruhestifter(in) *m(f);* **riot gear** *s* Schutzausrüstung *f;* **riot·ing** [ˈraɪətɪŋ] *s* Krawalle *mpl;* **~ in the streets** Straßenkrawalle *mpl;* **riot·ous** [ˈraɪətəs] *adj* 1. randalierend; wild 2. (*fig*) urkomisch; **a ~ success** ein Riesenerfolg

rip [rɪp] I. *tr* e-n Riss machen in; zerreißen; **~ open** aufreißen II. *itr* reißen; **the car ~s along** der Wagen rast dahin; **let ~** loslegen III. *s* Riss, Schlitz *m;* **rip down** *tr* herunterreißen; abreißen; **rip off** *tr* 1. abreißen 2. (*sl*) mitgehen lassen, klauen; **rip out** *tr* herausreißen; **rip up** *tr* zer-, aufreißen

ri·par·ian [raɪˈpeərɪən] *adj* Ufer-

rip·cord [ˈrɪpkɔːd] *s* (AERO) Reißleine *f*

ripe [raɪp] *adj* 1. (*Frucht, Käse*) reif 2. (*Lippen*) voll 3. (*fig*) reif; **live to a ~ old age** ein hohes Alter erreichen; **be ~ for**

s.th. für etw reif sein; **ripen** ['raɪpən] **I.** *itr* reifen **II.** *tr* reifen lassen; **ripe•ness** ['raɪpnɪs] *s* Reife *f a. fig*

rip-off ['rɪpɒf] *s* Wucher, Nepp *m;* Schwindel *m*

ri•poste [rɪ'pɒst] **I.** *s* schlagfertige Antwort **II.** *itr* scharf erwidern

ripple ['rɪpl] **I.** *itr* **1.** sich (leicht) kräuseln **2.** (*Wasser*) plätschern **II.** *tr* kräuseln; wogen lassen **III.** *s* **1.** Kräuseln *n;* kleine Welle **2.** Geplätscher, Gemurmel *n;* ~ **of laughter** kurzes Lachen; perlendes Gelächter; **ripple bed** *s* (MED) Dekubitusbett *n*

rip-roar•ing ['rɪprɔːrɪŋ] *adj* (*fam*) sagenhaft

rip•tide ['rɪptaɪd] *s* Stromkabbelung *f*

rise [raɪz] <*irr:* rose, risen> **I.** *itr* **1.** aufstehen, sich erheben **2.** steigen **3.** (*Preis*) ansteigen **4.** (*Lift*) hochfahren, nach oben fahren **5.** (*Vorhang*) sich heben **6.** (*Mond*) aufgehen **7.** (*Sturm*) aufkommen **8.** (*Stimme*) höher werden **9.** (*Gebäude*) entstehen **10.** (*Hoffnung*) steigen; wachsen, zunehmen **11.** (*Berg*) sich erheben **12.** (*Tagung*) auseinander gehen, beendet sein **13.** (*Fluss*) entspringen **14.** (~ *up*) sich erheben; sich empören; ~ **from the table** vom Tisch aufstehen; ~ **on tiptoe** sich auf die Zehenspitzen stellen; ~ **from the dead** von den Toten auferstehen; ~ **to the surface** an die Oberfläche kommen; ~ **in price** im Preis steigen; ~ **in society** es zu etwas bringen; ~ **up in revolt** rebellieren; ~ **above** erhaben sein über; ~ **up** aufstehen, sich erheben **II.** *s* **1.** Anstieg *m,* Steigen *n;* Zunahme *f;* Steigerung *f* **2.** (COM) Aufschwung *m* **3.** (*Vorhang*) Hochgehen, Heben *n* **4.** (MUS) Erhöhung *f* **5.** (*fig*) Aufstieg *m* **6.** (*Hügel*) Erhebung *f;* Steigung *f* **7.** (*Fluss*) Ursprung *m* **8.** Gehaltserhöhung *f;* **be on the** ~ im Steigen begriffen sein; **a** ~ **in the population** ein Bevölkerungszuwachs *m;* **get a** ~ **out of s.o.** jdn zur Reaktion bringen; **the river has its** ~ **in** der Fluss entspringt in; **give** ~ **to s.th.** etw verursachen; Anlass zu etw geben; **risen** ['rɪzn] *s.* **rise**

riser ['raɪzə(r)] *s* **1.** (*Treppenstufe*) Setzstufe *f* **2.** (*Gas, Wasser*) Steigleitung *f;* **early/late** ~ Früh-/Spätaufsteher(in) *m(f)*

ri•sible ['rɪzəbl] *adj* lächerlich

ris•ing ['raɪzɪŋ] **I.** *adj* **1.** (auf-, an)steigend **2.** (*Gestirn*) aufgehend **3.** (*Wind*) aufkommend **4.** (*Wut*) wachsend **5.** (*fig*) aufstrebend; **the** ~ **generation** die kommende Generation; **a** ~ **tide** Flut *f* **II.** *s* **1.** (Auf-, An)Steigen *n* **2.** (*Sonne*) Aufgang *m* **3.** (REL) Auferstehung *f* **4.** (*Vorhang*) Hochgehen *n* **5.** Erhebung *f,* Aufstand *m* **III.** *adv:* **she's** ~ **twelve** sie ist fast zwölf

risk [rɪsk] **I.** *s* **1.** Gefahr *f,* Wagnis, Risiko *n* **2.** (*Versicherung*) Risiko *n;* **take** [*o* **run**] **a** ~ ein Risiko eingehen (*doing s.th.* etw zu tun); **at one's own** ~ auf eigene Gefahr; **at the** ~ **of his life** unter Einsatz seines Lebens; **children at** ~ gefährdete Kinder; **put s.o. at** ~ jdn gefährden; **fire** ~ Feuerrisiko *n* **II.** *tr* **1.** riskieren, aufs Spiel setzen **2.** (*Streit*) riskieren, wagen; **risk capital** *s* Risikokapital *n;* **risk factor** *s* Risikofaktor *m;* **risk-free** ['rɪskfriː] *adj* risikolos; **riskless** ['rɪsklɪs] *adj* (*Am*) risikolos; **risk liability** *s* (JUR) Gefährdungshaftung *f;* **risky** ['rɪskɪ] *adj* riskant, gewagt

ris•qué ['riːskeɪ] *adj* pikant, gewagt

ris•sole ['rɪsəʊl] *s* Frikadelle *f*

rite [raɪt] *s* Ritus *m;* **rit•ual** ['rɪtʃʊəl] **I.** *adj* rituell **II.** *s* Ritual, Zeremoniell *n;* **he went through the same old** ~ er durchlief dasselbe alte Ritual

ritzy ['rɪtsɪ] *adj* (*sl*) piekfein

ri•val ['raɪvl] **I.** *s* Rivale *m,* Rivalin *f;* Konkurrent(in) *m(f)* **II.** *adj* konkurrierend **III.** *tr* **1.** rivalisieren mit **2.** (COM) konkurrieren mit; **rival brand** *s* (COM) Konkurrenzmarke *f;* **ri•valry** ['raɪvlrɪ] *s* Rivalität *f;* Konkurrenz *f*

river ['rɪvə(r)] *s* Fluss *m;* Strom *m;* **down** ~ flussabwärts; **up** ~ flussaufwärts; ~**s of blood** Blutströme *mpl;* **sell s.o. down the** ~ (*sl*) jdn hereinlegen; **river basin** *s* Flussbecken *n;* **river bed** *s* Flussbett *n;* **river fish** *s* Flussfisch *m;* **river navigation** *s* Flussschifffahrt *f;* **river police** *s* Wasserpolizei *f;* **river•side** ['rɪvəsaɪd] *s* Flussufer *n;* **on the** ~ am Fluss

rivet ['rɪvɪt] **I.** *s* (TECH) Niete *f* **II.** *tr* **1.** (ver)nieten **2.** (*Aufmerksamkeit*) fesseln; **it** ~**ed our attention** das fesselte unsere Aufmerksamkeit; **riv•et•ing** ['rɪvətɪŋ] **I.** *s* Nieten **II.** *adj* (*fig*) fesselnd

rivu•let ['rɪvjʊlɪt] *s* Flüsschen *n,* Bach *m*

RN [ˌɑːr'en] *s abbr of* **Royal Navy** (*Br*) Königliche Marine

RNA [ˌɑːren'eɪ] *s abbr of* **ribonucleic acid** RNS, Ribonukleinsäure *f*

RNLI [ˌɑːrenel'aɪ] *s abbr of* **Royal National Lifeboat Institution** ≈DLRG *f*

roach [rəʊtʃ] *s* **1.** (*Fisch*) Plötze *f* **2.** (*cock~*) Schabe *f*

road [rəʊd] *s* **1.** (Land)Straße *f* **2.** (*fig*) Weg *m* **3.** ~**s** (MAR) Reede *f;* **by** ~ (*Güter*) per Spedition; (*Menschen*) mit dem Auto/Bus; **just across the** ~ gerade gegenüber; **the car is off the** ~ das Auto wird nicht benutzt; **take a car off the** ~ ein Auto stillegen, (bei der Zulassungsstelle) abmelden; **take to the** ~ sich auf den Weg machen; **be on the** ~ unterwegs sein; auf Tournee sein; **be on the right** ~ auf dem richtigen Weg sein; **on the** ~ **to success** auf dem

Weg zum Erfolg; **live across the** ~ über die, auf der anderen Seite der Straße wohnen; **is this the** ~ **to ...?** geht es hier nach ...?; **road accident** *s* Verkehrsunfall *m;* **road•block** *s* Straßensperre *f;* **road construction** *s* Straßenbau *m;* **road fund licence** *s* ≈Verkehrssteuer *f;* **road haulage** *s* Spedition *f;* **road•hog** *s* (*fam*) Verkehrsrowdy *m;* **road•house** *s* Rasthaus *n;* **road•man** [-mæn] <*pl* -men> *s* Straßenarbeiter *m;* **road map** *s* Straßen-, Autokarte *f;* **road metal** *s* Straßenschotter *m;* **road rage** *s* aggressive Fahrweise; **road safety** *s* Verkehrssicherheit *f;* **road sense** *s* Verkehrssinn *m;* **road-side** ['rəʊdsaɪd] *s* Straßenrand *m;* **along the** ~ am Straßenrand; **road sign** *s* (Straßen)Verkehrszeichen, -schild *n;* **road-stead** ['rəʊdsted] *s* (MAR) Reede *f;* **road surface** *s* Fahrbahn *f;* Fahrbahnbelag *m;* **road sweeper** *s* Straßenkehrer(in) *m(f);* **road-test** I. *tr* (*ein Fahrzeug*) testfahren II. *s* (MOT) Testfahrt *f,* Straßentest *m;* **road traffic** *s* Straßenverkehr *m;* **road transport** *s* Straßengüterverkehr *m;* **road-up** ['rəʊdʌp] *s* 1. Baustelle *f* 2. Straßensperre *f;* **road user** *s* Verkehrsteilnehmer(in) *m(f);* **road•way** ['rəʊdweɪ] *s* Fahrbahn *f;* **road•works** ['rəʊdwɜːks] *s pl* Straßenbauarbeiten *fpl*

roam [rəʊm] I. *itr* (~ *about*) umherschweifen; herumwandern II. *tr* wandern, ziehen durch; ~ **the streets** herumstreunen; **roamer** ['rəʊmə(r)] *s* Herumtreiber(in) *m(f)*

roan [rəʊn] I. *adj* (*Pferd, Kuh*) rötlich- grau II. *s* (*Pferd*) Rotschimmel *m*

roar [rɔː(r)] I. *itr* 1. brüllen (*with* vor) 2. (*Feuer*) prasseln 3. (*Wind*) heulen 4. (*Wasser*) tosen 5. (*Donner*) toben 6. (*Gewehr*) donnern; ~ **at s.o.** jdn anbrüllen II. *tr* 1. (~ *out*) (hinaus)brüllen, schreien 2. (*Auto*) aufheulen lassen III. *s* 1. Gebrüll *n* 2. Prasseln *n* 3. Heulen *n* 4. Tosen *n* 5. (*Sturm*) Toben, Heulen *n;* ~**s of laughter** brüllendes Gelächter; **roar•ing** [-ɪŋ] I. *adj* 1. brüllend (*with* vor) 2. donnernd, tosend 3. prasselnd; tobend; **be in** ~ **health** vor Gesundheit strotzen; **a** ~ **success** ein durchschlagender Erfolg; **the** ~ **Twenties** die wilden Zwanzigerjahre; ~ **drunk** volltrunken; **a** ~ **trade** ein Riesengeschäft II. *s.* **roar**

roast [rəʊst] I. *tr* 1. braten 2. (*Kaffee*) rösten; ~ **o.s. by the fire** (*fam*) sich am Feuer braten lassen II. *itr* 1. braten 2. (*fig*) irrsinnig schwitzen; in der Sonne braten III. *s* Braten *m;* **pork** ~ Schweinebraten *m* IV. *adj* gebraten; **roast beef** *s* Roastbeef *n;* **roast chicken** *s* Brathuhn *n;* **roaster** ['rəʊstə(r)] *s* 1. Bratofen *m* 2. (*für Kaffee*) Röstapparat *m* 3. Brathähnchen *n;* Spanferkel *n;* **roast•ing** ['rəʊstɪŋ] I. *s* 1. Braten *n* 2. (*fig*) Verriss *m;* Standpauke *f;* **give s.o. a** ~ jdn verreißen II. *adj* glühend heiß

rob [rɒb] *tr* 1. (*Sache*) rauben 2. (*Person*) berauben; ausrauben; ~ **s.o. of s.th.** jdn e-r S berauben; jdm etw ab-, wegnehmen; **rob•ber** ['rɒbə(r)] *s* Räuber(in) *m(f);* **rob•bery** ['rɒbərɪ] *s* Raub *m;* Einbruch *m;* ~ **with violence** Raubüberfall *m;* **the bank** ~ der Überfall auf die Bank

robe [rəʊb] I. *s* 1. Robe *f,* Talar *m* 2. (*Am*) Morgen-, Bademantel *m* II. *tr* ankleiden, die Amtsrobe anlegen (*s.o.* jdm)

robin ['rɒbɪn] *s* (ORN) Rotkehlchen *n*

ro•bot ['rəʊbɒt] *s* Roboter *m a. fig;* **industrial** ~ Industrieroboter *m;* **ro•botics** [rəʊ'bɒtɪks] *s* (TECH) Robotik *f*

ro•bust [rəʊ'bʌst] *adj* 1. stark, kräftig, robust 2. (*Humor*) gesund, unverwüstlich 3. (*Widerstand*) stark 4. (*Struktur*) massiv, stabil; **ro•bust•ness** [-nɪs] *s* Kräftigkeit, Robustheit *f;* Unverwüstlichkeit *f;* Massivität, Stabilität *f*

rock[1] [rɒk] *s* 1. Gestein *n;* Fels(en) *m* 2. Felsbrocken *m;* großer Stein 3. Lutschstange *f,* Kandis *m;* **on the** ~**s** blank, ohne Geld; (*Getränk*) mit Eiswürfeln; (*Heirat*) kaputt; **built on** ~ auf Fels gebaut; **falling** ~**s** Steinschlag *m;* **the ship went on the** ~**s** das Schiff lief auf; **as solid as a** ~ massiv wie ein Fels; unerschütterlich

rock[2] [rɒk] I. *tr* 1. schaukeln, wiegen 2. (*fig*) einlullen 3. rütteln, erschüttern *a. fig,* ins Wanken bringen; ~ **the boat** (*fig*) für Unruhe sorgen; ~ **s.o. to sleep** jdn in den Schlaf wiegen II. *itr* 1. schaukeln 2. schwanken; beben 3. (MUS) rocken 4. (*Schiff*) schlingern; ~ **with laughter** sich schütteln vor Lachen III. *s* (~ *music*) Rock *m,* Rock 'n' Roll *m;* **rock-and-roll, rock'n roll** [ˌrɒk ən'rəʊl] *s* Rock 'n' Roll *m;* **rock band** *s* Rockband *f*

rock-bot•tom [ˌrɒk'bɒtəm] I. *s* der Tiefpunkt, Nullpunkt II. *adj* (*Preise*) niedrigste(r, s); **rock cake** *s Hefeteilchen mit Rosinen;* **rock climber** *s* Kletterer *m,* Kletterin *f;* **rock climbing** *s* Klettern *n,* Klettersport *m;* **rock crystal** *s* Bergkristall *m*

rocker ['rɒkə(r)] *s* 1. Kufe *f* 2. (*sl*) Rocker *m;* **be** [*o* **go**] **off one's** ~ (*sl*) übergeschnappt sein, überschnappen

rock•ery ['rɒkrɪ] *s* Steingarten *m*

rocket ['rɒkɪt] I. *s* Rakete *f;* **give s.o. a** ~ (*fig*) jdm e-n Anschiss geben; **intercontinental** ~ Interkontinentalrakete *f* II. *itr* (*Preise*) rasch steigen, hochschnellen; ~ **to fame** über Nacht berühmt werden;

rocket launcher *s* Raketenabschussrampe *f*, -gerät *n;* **rocket-launching site** *s* Raketenabschussbasis *f;* **rocket propulsion** *s* Raketenantrieb *m*

rock face ['rɒkfeɪs] *s* Felsenwand *f*

rock fes·ti·val ['rɒk'festɪvl] *s* Rockfestival *n*

rock gar·den ['rɒkgɑ:dn] *s* Steingarten *m*

rock·ing ['rɒkɪŋ] *adj* schaukelnd; **rocking chair** *s* Schaukelstuhl *m;* **rocking horse** *s* Schaukelpferd *n*

rock mu·sic ['rɒk'mju:zɪk] *s* Rockmusik *f*

rock plant ['rɒkplɑ:nt] *s* Steinpflanze *f*

rock salt *s* Steinsalz *n*

rock star ['rɒksta:(r)] *s* Rockstar *m*

rocky[1] ['rɒkɪ] *adj* felsig; steinig

rocky[2] ['rɒkɪ] *adj* (*fam*) schwankend, wackelig

ro·coco [rə'kəʊkəʊ] *s* Rokoko *n*

rod [rɒd] *s* **1.** Rute, Gerte *f* **2.** Stab *m,* Stange *f* **3.** (*divining* ~) Wünschelrute *f* **4.** (*fishing* ~) Angelrute *f;* **make a ~ for one's own back** sich das Leben (unnötig) schwer machen; sich etw selbst einbrocken; **rod bacterium** *s* Stäbchenbakterie *f*

rode [rəʊd] *s.* **ride**

ro·dent ['rəʊdnt] *s* Nagetier *n*

ro·deo ['rəʊdɪəʊ] <*pl* -deos> *s* Rodeo *n*

roe[1] [rəʊ] *s* (Fisch)Rogen *m*

roe[2] [rəʊ] *s* (~ *deer*) Reh *n;* **roe·buck** *s* Rehbock *m*

roger ['rɒdʒə(r)] *interj* verstanden

rogue [rəʊg] *s* **1.** Schuft, Schurke, Strolch *m;* Schlingel *m* **2.** (ZOO) Einzelgänger *m;* **~s' gallery** Verbrecheralbum *n;* **ro·guery** ['rəʊgərɪ] *s* Gaunerei, Schurkerei *f;* **rogue satellite** *s* defekter, unkontrollierbarer Satellit; **ro·guish** ['rəʊgɪʃ] *adj* schelmisch

ROI [ˌɑ:rəʊ'aɪ] *s abbr of* **return on investment** Kapitalrendite *f,* Ertrag *m* aus Kapitalanlage

role, rôle [rəʊl] *s* (*a. fig*) Rolle *f;* **play a ~** e-e Rolle spielen; **leading ~** Hauptrolle *f;* **title ~** Titelrolle *f;* **role model** *s* Rollenbild *n;* **role play** *s* Rollenspiel *n;* **role reversal** *s* Rollentausch *m*

roll [rəʊl] **I.** *itr* **1.** (*a. Augen, Wogen, Donner*) rollen **2.** (*Trommel*) wirbeln **3.** (*Schiff*) schlingern **4.** (*Donner*) grollen; **~ down the hill** den Berg hinunterkugeln, -rugeln; **keep the show ~ing** die Show in Gang halten; **~ in money** in Geld schwimmen **II.** *tr* **1.** rollen, wälzen **2.** (*Metall*) walzen **3.** (*Zigarette*) drehen **4.** (*Teig*) ausrollen; **~ed oats** Haferflocken *pl;* **~ one's eyes** die Augen rollen; **~ s.th. between one's fingers** etw zwischen den Fingern drehen; **~ one's r's** das R rollen **III.** *s* **1.** (*Papier*) Rolle *f* **2.** (*Stoff*) Ballen *m* **3.** (*Banknoten*) Bündel *n* **4.** (*Fett*) Wulst *m* **5.** (*bread* ~) Brötchen *n* **6.** Rollen *n;* Schlingern *n;* Schaukeln *n* **7.** (*Donner*) Rollen *n;* Brausen *n* **8.** (JUR) Liste *f,* Register *n;* Anwaltsliste *f;* **a ~ of film** e-e Rolle Film; **be on a ~** eine Glückssträhne haben; **do a ~** e-e Rolle machen; **call the ~** die Namensliste verlesen, die Namen aufrufen; **~ of honour** Ehrenliste *f;* **strike s.o.'s name off the ~s** jds Namen von der Liste streichen; **roll back** *tr* (*Teppich*) zurückrollen; **~ back the years** die Uhr zurückdrehen; **roll by** *itr* **1.** (*Auto*) vorbeirollen **2.** (*Wolken*) vorbeiziehen **3.** (*Jahre*) dahinziehen; **roll in** *itr* (*Briefe, Geld, Ideen*) hereinströmen; **roll on** *itr* **1.** weiterrollen **2.** (*Zeit*) verfliegen; **roll out** *tr* **1.** (*Teig*) ausrollen **2.** (*Verse*) in Mengen produzieren; **~ out the red carpet for s.o.** (*fig*) jdn mit e-m großen Bahnhof empfangen; **roll over I.** *itr* **1.** herumtollen **2.** (*Fahrzeug*) umkippen **3.** (*Person*) sich umdrehen **II.** *tr* umdrehen; **~ a debt** umschulden; **roll up I.** *tr* **1.** auf-, zusammenrollen **2.** (*Ärmel*) hochkrempeln **II.** *itr* kommen, erscheinen **III.** *s* Selbstgedrehte *f*

roll bar *s* (MOT) Überrollbügel *m;* **roll call** ['rəʊlkɔ:l] *s* Namensaufruf *m;* **roll collar** *s* Rollkragen *m*

roller ['rəʊlə(r)] *s* **1.** Rolle *f* **2.** (*pastry* ~) Nudelholz *n* **3.** (*hair* ~) Lockenwickler *m* **4.** (TECH) Rollklotz *m* **5.** (*Welle*) Brecher *m;* **put one's hair in ~s** sich die Haare aufdrehen; **roller bearing** *s* (TECH) Rollenlager *n;* **roller blind** *s* Springrollo *n;* **roller coaster** *s* Achterbahn, Berg-und-Tal-Bahn *f;* **roller-skate I.** *s* Rollschuh *m* **II.** *itr* Rollschuh laufen; **roller towel** *s* Rollhandtuch *n*

rol·lick·ing ['rɒlɪkɪŋ] **I.** *adj* fröhlich, lustig, ausgelassen **II.** *s* (*fam*) kräftige Standpauke

roll·ing ['rəʊlɪŋ] *adj* **1.** (*a. Ton, Donner*) rollend **2.** (MAR) schlingernd **3.** (*Wellen*) wogend **4.** (*Gelände*) wellig **5.** (*See*) rollend; **he's a ~ stone** er ist ein unsteter Bursche; **rolling mill** *s* Walzwerk *n;* **rolling pin** *s* Nudelholz *n,* Teigrolle *f;* **rolling stock** *s* (RAIL) rollendes Material

roll·neck ['rəʊlnek] *s* Rollkragen *m;* **roll-on** ['rəʊlɒn] *s* **1.** Elastikschlüpfer *m* **2.** (Deo)Roller *m;* **roll-on-roll-off** *adj* (*Fährschiff*) Roll-on-roll-off-

roly-poly [ˌrəʊlɪ'pəʊlɪ] **I.** *adj* kugelrund, pummelig **II.** *s* **1.** Marmeladepudding *m* **2.** (*fam*) Pummel *m*

ROM [rɒm] *s abbr of* **read-only memory** (EDV) ROM *n*

Ro·man ['rəʊmən] **I.** *adj* **1.** römisch **2.** (~ *Catholic*) römisch-katholisch; **~ numerals** römische Ziffern *fpl;* **R~ nose** Römernase *f* **II.** *s* (HIST) Römer(in) *m(f);* **Roman Cath-**

olic I. *adj* römisch-katholisch II. *s* Katholik(in) *m(f)*; **Roman Catholic Church** *s* römisch-katholische Kirche

ro•mance [rəʊ'mæns] I. *s* 1. Ritter-, Abenteuer-, Liebesroman *m;* Liebesgeschichte *f* 2. (*fig*) Romantik *f* 3. (*a.* MUS) Romanze *f* II. *adj:* **R~ languages** romanische Sprachen *fpl*

Ro•man•esque [ˌrəʊmə'nesk] *adj* romanisch

Ro•ma•nia [rə'meɪnɪə] *s* Rumänien *n;* **Ro•ma•nian** [rə'meɪnɪən] I. *adj* rumänisch II. *s* 1. Rumäne *m*, Rumänin *f* 2. (*Sprache*) (das) Rumänisch(e)

ro•man•tic [rəʊ'mæntɪk] I. *adj* 1. romantisch 2. (*fig*) romantisch veranlagt II. *s* Romantiker(in) *m(f);* **ro•man•ti•cism** [rəʊ'mæntɪsɪzəm] *s* (MUS) Romantik *f;* **ro•man•ti•cist** [rəʊ'mæntɪsɪst] *s* (MUS) Romantiker(in) *m(f)*

Rom•any ['rɒmənɪ] *s* 1. Zigeuner(in) *m(f)* 2. (*Sprache*) Zigeunersprache *f*

Rome ['rəʊm] *s* Rom *n;* **when in ~ do as the Romans** (**do**) (*prov*) man muss sich den Gegebenheiten anpassen; **~ wasn't built in a day** (*prov*) Rom ist auch nicht an einem Tag erbaut worden; **the Church of ~** die römische Kirche

romp [rɒmp] I. *itr* herumtollen, sich austoben, ausgelassen sein; **~ home** mühelos gewinnen; **~ through s.th.** mit etw spielend fertig werden II. *s* Tollerei *f*, Klamauk *m;* **rompers** ['rɒmpə(r)z] *s* Strampelhöschen *n*, Spielanzug *m*

Roneo® ['rəʊnɪəʊ] I. *s* Kopie *f* II. *tr* (mit Matrize) kopieren

roof [ru:f] I. *s* 1. Dach *n* 2. (*Tunnel*) Gewölbe *n* 3. (MOT) Verdeck *n;* **the ~ of the mouth** der Gaumen; **the ~ of the world** das Dach der Welt; **without a ~ over one's head** ohne Dach über dem Kopf; **raise the ~** das Haus zum Beben bringen II. *tr* mit e-m Dach versehen; **~ over** überdachen; **roof garden** *s* Dachgarten *m;* **roof•ing** ['ru:fɪŋ] *s* Material *n* zum Dachdecken; **roof rack** *s* (MOT) Dachgepäckträger *m*

rook [rʊk] I. *s* 1. Saatkrähe *f* 2. (*Schach*) Turm *m* 3. Betrüger *m* II. *tr* betrügen; übers Ohr hauen; **rook•ery** [-ərɪ] *s* (Saatkrähen)Kolonie *f*

rookie ['rʊkɪ] *s* (*Am sl*) Neuling *m;* (MIL) Grünschnabel *m*

room [ru:m] I. *s* 1. Zimmer *n*, Raum *m;* Saal *m* 2. Büro *n* 3. Platz *m* 4. (*fig*) Spielraum *m;* **~s to let** Zimmer *n pl* zu vermieten; **~ and board** Unterkunft mit Verpflegung; **there is ~ for two** es ist genügend Platz für zwei; **make ~ for s.o.** jdm Platz machen; **there is no ~ for doubt** es kann keinen Zweifel geben; **there is ~ for improvement** es ließe sich noch manches verbessern II. *itr* (*Am*) zur Untermiete wohnen (*at* bei); **roomer** ['ru:mə(r)] *s* (*Am*) Untermieter(in) *m(f);* **room•ful** [-fʊl]: **a ~ of people** ein Zimmer voll(er) Leute; **rooming house** ['ru:mɪŋˌhaʊs] *s* (*Am*) Mietshaus *n* mit möblierten Wohnungen; **room•mate** *s* Zimmergenosse *m*, -genossin *f;* **room service** *s* Zimmerservice *m;* **roomy** ['ru:mɪ] *adj* geräumig

roost [ru:st] I. *s* (Hühner)Stange *f*, Hühnerstall *m;* **at ~** auf der Stange; **come home to ~** (*fig*) auf den Urheber zurückfallen; **rule the ~** das Regiment führen II. *itr* (*Vogel*) sich auf die Stange setzen

rooster ['ru:stə(r)] *s* (ZOO) Hahn *m*

root [ru:t] I. *s* 1. (*Pflanze, Haar, Zahn*) Wurzel *f* 2. (*fig*) Grundlage *f;* Kern *m;* Ursache *f* 3. (MATH) Wurzel *f* 4. (LING) Wurzel *f*, Stamm *m* 5. (MUS) Grundton *m;* **~s** Wurzeln *fpl;* **by the ~s** mit der Wurzel; **take ~** Wurzeln schlagen; **have no ~s** nirgends zu Hause sein; **put down ~s in a country** in e-m Land Fuß fassen; **~ and branch** mit Stumpf und Stiel; **get to the ~ of the problem** dem Problem auf den Grund gehen, das Problem bei den Wurzeln packen; **the ~ of the matter** der Kern der Sache; **square/cube ~** (MATH) Quadrat-/Kubikwurzel *f* II. *itr* Wurzeln schlagen; **~ for** anfeuern III. *tr* Wurzeln schlagen lassen bei; **deeply ~ed** (*fig*) tief verwurzelt; **~ out** mit der Wurzel ausreißen; (*fig*) aufspüren; **~ up** ausgraben; **root beer** *s* (*Am*) leichtes nichtalkoholisches Getränk; **root cause** *s* (*fig*) (eigentlicher) Grund; **root•less** ['ru:tlɪs] *adj* wurzellos; **root position** *s* (MUS) Grundstellung *f;* **root sign** *s* (MATH) Wurzelzeichen *n;* **root vegetable** *s* Wurzelgemüse *n*

rope [rəʊp] I. *s* 1. Seil, Tau *n* 2. Strick, Strang *m* 3. (*Glocke*) Glockenstrang *m;* **on the ~** angeseilt; **be on the ~s** (*Boxen*) in den Seilen hängen; **give s.o. plenty of ~** jdm viel Freiheit lassen; **a ~ of climbers** e-e Seilschaft; **know the ~s** sich auskennen; **show s.o. the ~s** jdn in alles einweihen; **~ of pearls** Perlenschnur *f* II. *tr* 1. verschnüren 2. mit dem Lasso fangen; **~ in** einschließen; **~ s.o. in** jdn (ein)fangen; **~ off** mit e-m Seil abgrenzen; **rope•dancer, rope•walker** *s* Seiltänzer(in) *m(f);* **rope ladder** *s* Strickleiter *f;* **rope-way** ['rəʊpweɪ] *s* (Draht)Seilbahn *f;* **rop(e)y** ['rəʊpɪ] *adj* (*sl*) miserabel; mitgenommen; **I feel a bit ~** mir geht's nicht so gut, nicht besonders

ro-ro ['rəʊrəʊ] *adj s.* **roll-on-roll-off**

ro•sary ['rəʊzərɪ] *s* (REL) Rosenkranz *m*

rose¹ [rəʊz] *s.* **rise**

rose² [rəʊz] **I.** *s* **1.** (BOT) Rose *f* **2.** (*Farbe*) Rosa *n* **3.** (*Gießkanne*) Brause *f* **4.** (ARCH) Rosette *f;* **under the ~** unter dem Siegel der Verschwiegenheit; **my life isn't all** (**a bed of**) **~s** ich bin auch nicht auf Rosen gebettet; **no ~ without a thorn** (*prov*) keine Rose ohne Dornen; **the Wars of the R~s** (HIST) die Rosenkriege *pl* **II.** *adj* rosa(rot); **rose•bud** *s* Rosenknospe *f;* **rose•bush** *s* Rosenstrauch *m;* **rose garden** *s* Rosengarten *m;* **rose•hip** *s* Hagebutte *f*

rose•mary ['rəʊzmərɪ] *s* (BOT) Rosmarin *m*

ro•sette [rəʊ'zet] *s* (*a.* ARCH) Rosette *f*

rose-water ['rəʊzwɔːtə(r)] *s* Rosenwasser *n;* **rose window** *s* (Fenster)Rosette *f*

rosin ['rɒzɪn] **I.** *s* (*Geige*) Harz, Kolophonium *n* **II.** *tr* mit Kolophonium einreiben

ros•ter ['rɒstə(r)] *s* Dienstplan *m*

ros•trum ['rɒstrəm, *pl* 'rɒstrə] <*pl* -trums, -tra> *s* Tribüne *f;* Dirigenten-, Rednerpult *n*

rosy ['rəʊzɪ] *adj* **1.** rosarot, rosig **2.** (*fig*) rosig

rot [rɒt] **I.** *itr* **1.** (ver)faulen, verrotten **2.** (*fig*) verkommen, verderben; **~ away** verfaulen, vermodern **II.** *tr* verfaulen lassen **III.** *s* **1.** Fäulnis *f;* Moder *m* **2.** (*sl*) Un-, Blödsinn, Quatsch *m;* **dry ~** Trockenfäule *f;* **stop the ~** den Fäulnisprozess aufhalten; **talk ~** (*sl*) Unsinn, Kohl reden

rota ['rəʊtə] *s* (*Br*) Dienstplan *m*

ro•tary ['rəʊtərɪ] **I.** *adj* rotierend, sich drehend; Rotations-; **~ engine** (MOT) Drehkolben-, Wankelmotor *m;* **~ motion** Kreis-, Drehbewegung *f;* **~ press** (TYP) Rotationsdruckmaschine *f* **II.** *s* (*Am*) Kreisverkehr *m*

rota system *s* Rotationsprinzip *n*

ro•tate [rəʊ'teɪt] **I.** *itr* **1.** rotieren, sich drehen **2.** (*fig*) (sich) turnusmäßig (ab)wechseln **II.** *tr* **1.** rotieren lassen **2.** (*fig*) turnusmäßig erledigen; **~ crops** im Fruchtwechsel anbauen; **ro•ta•tion** [rəʊ'teɪʃn] *s* **1.** Umdrehung, Rotation *f* **2.** (*fig*) turnusmäßiger Wechsel; **by** [*o* **in**] **~** abwechselnd, im Turnus; **~ of crops** (AGR) Fruchtwechsel *m;* **ro•ta•tory** ['rəʊtətərɪ] *adj* **1.** rotierend **2.** (*fig*) turnusmäßig wechselnd, abwechselnd

rote [rəʊt] *s:* **learn s.th. by ~** etw auswendig lernen

ro•tor ['rəʊtə(r)] *s* (MOT) Rotor *m*

rot•ten ['rɒtn] *adj* **1.** (*Zahn, Ei*) faul **2.** (*Holz*) morsch **3.** (*Früchte*) verdorben **4.** (*fig*) korrupt, verdorben **5.** (*Wetter, Zustand*) mies **6.** (*fig*) gemein, eklig; **~ to the core** (*fig*) durch und durch verdorben; **what ~ luck!** so ein Pech!

ro•tund [rəʊ'tʌnd] *adj* **1.** rundlich **2.** (*Stimme*) voll, wohltönend **3.** (*Rede*) bombastisch

ro•tunda [rəʊ'tʌndə] *s* Rundbau *m,* Rotunde *f*

rouge [ruːʒ] **I.** *s* Rouge *n* **II.** *tr:* **~ one's cheeks** Rouge auflegen

rough [rʌf] **I.** *adj* **1.** rau, uneben **2.** (*Straße*) holprig **3.** (*Ton*) hart **4.** (*Wein*) sauer **5.** (*Worte*) grob, hart **6.** (*Benehmen*) ungehobelt; roh **7.** (*Behandlung*) grob, hart **8.** (SPORT) hart **9.** (*See*) rau, stürmisch **10.** (*Rechnung*) grob, ungefähr; **have a ~ tongue** e-e scharfe Zunge haben; **be ~ with s.o.** grob mit jdm umgehen; **he had a ~ time** (*fam*) es ging ihm ziemlich dreckig; **be ~ on s.o.** grob mit jdm umspringen; **~ book** (PÄD) Schmierheft *n;* **~ copy** Konzept *n;* **~ paper** Konzeptpapier *n;* **feel ~** sich mies fühlen **II.** *adv* wüst, wild; **sleep ~** im Freien übernachten **III.** *s* **1.** unwegsames Gelände; (*Golf*) Rauh *n* **2.** Rohentwurf *m* **3.** (*fig*) Grobian, Rowdy *m;* **in the ~** im Rohzustand; **take the ~ with the smooth** die Dinge nehmen, wie sie kommen **IV.** *tr:* **~ it** primitiv leben; **~ out** grob entwerfen; **~ up** (*Haar*) zerzausen; **~ s.o. up** jdn zusammenschlagen

rough•age ['rʌfɪdʒ] *s* Ballaststoffe *mpl*

rough-and-ready [ˌrʌfənd'redɪ] *adj* **1.** (*Methode*) provisorisch **2.** (*Arbeit*) zusammengepfuscht **3.** (*Mensch*) raubeinig; **rough-and-tumble** *s* Balgerei, Schlägerei *f;* **rough-cast I.** *s* (ARCH) Rauputz *m* **II.** *tr* rauverputzen; **rough diamond** *s* Rohdiamant *m;* (*fig*) rauer Mensch mit gutem Kern

roughen ['rʌfn] **I.** *tr* uneben machen; rau machen **II.** *itr* **1.** (*Haut*) rau werden **2.** (*Ton*) hart werden

rough-hew ['rʌfhjuː] *tr* (*Stein*) grob behauen; **rough-hewn** [-n] *adj* (*fig*) ungehobelt; **rough•house I.** *s* (*fam*) Schlägerei *f* **II.** *tr* (*fam*) herumstoßen

rough•ly ['rʌflɪ] *adv* **1.** rau, grob; barsch **2.** ungefähr **3.** (*Stich*) grob

rough•neck ['rʌfnek] *s* (*Am sl*) Rowdy *m*

rough•ness ['rʌfnɪs] *s* Rauheit, Unebenheit *f;* Grobheit *f;* Rohheit *f;* Härte *f*

rough•shod ['rʌfʃɒd] *adv:* **ride ~ over s.o.** rücksichtslos über jdn hinweggehen; **rough-spoken** [ˌrʌf'spəʊkən] *adj:* **be ~** sich ungehobelt ausdrücken

rou•lette [ruː'let] *s* Roulett *n*

round [raʊnd] **I.** *adj* **1.** rund **2.** (*Vokal*) gerundet **3.** (*Summe*) rund **4.** (*Gang*) flott; **~ figure** [*o* **number**] runde Zahl; **a ~ dozen** ein rundes Dutzend **II.** *s* **1.** (*Brot*) Scheibe *f* **2.** Kreis, Ring *m* **3.** (*Polizei*) Runde *f* **4.** (SPORT) Runde *f;* Durchgang *m* **5.** (MUS) Kanon *m;* **a ~ of toast** e-e Scheibe Toast; **do** [*o* **make**] **one's ~s** seine Runden machen;

make the ~s die Runde machen; **pay for a ~** (**of drinks**) eine Runde bezahlen; **the daily ~** die tägliche Arbeit; **go the ~s** reihum gehen; ~ **of ammunition** Ladung *f;* **a ~ of applause** Applaus *m;* **in the ~** insgesamt; **theatre in the ~** Arenatheater *n* **III.** *tr* **1.** runden, rund machen **2.** (*Kurve*) herumgehen, -fahren um **IV.** *adv* (rings)herum; rund(her)um; **all** [*o* **right**] ~ ganz herum; **the long way ~** der längere Weg; ~ **and ~** rundherum; **be ~ at 2 o'clock** um 2 Uhr da sein; **for the second time ~** zum zweiten Mal; **all (the) year ~** das ganze Jahr über; **taking things all ~, taken all ~** insgesamt gesehen, wenn man alles zusammennimmt **V.** *prep* **1.** um ... herum **2.** ungefähr; ~ **the table** um den Tisch; **all ~ the house** im ganzen Haus; **go ~ a corner** um e-e Kurve, Ecke gehen; **look ~ a house** sich ein Haus ansehen; **show s.o. ~ a town** jdm e-e Stadt zeigen; ~ (**about**) **2 o'clock** ungefähr um 2 Uhr; **round down** *tr* (*Preis*) abrunden; **round off** *tr* **1.** abrunden **2.** (*Serie*) voll machen; abschließen; **round on** *tr* (*fig*) anfahren; **round out** *tr* runden; **round up** *tr* **1.** zusammentrommeln **2.** (*Vieh*) zusammentreiben **3.** (*Verbrecher*) hochnehmen **4.** (*Preis*) aufrunden

round·about ['raʊndəbaʊt] **I.** *adj:* ~ **route** Umweg *m;* **what a ~ way of doing things!** wie kann man nur so umständlich sein!; **by ~ means** auf Umwegen **II.** *s* **1.** Karussell *n* **2.** (*Br*) Kreisverkehr, Kreisel *m*

roun·de·lay ['raʊndɪleɪ] *s* (MUS) Lied *n* mit Refrain

roun·ders ['raʊndəz] *s pl mit sing* (*Br*) Schlagball *m*

round·ly ['raʊndlɪ] *adv* (*fig*) ohne Umschweife

round robin [ˌraʊnd'rɒbɪn] *s* **1.** (PARL) gemeinsamer Antrag **2.** (*Am*) *Wettkampf, in dem jeder gegen jeden spielt;* **round-shoul·dered** [ˌraʊnd'ʃəʊldəd] *adj* mit runden Schultern; **rounds·man** ['raʊndzmən] <*pl* -men> *s* Austräger *m;* **round-table discussion** *s* Diskussion *f* am runden Tisch; **round-the-clock** *adj* rund um die Uhr; **round trip** *s* Rundreise *f;* (*Am*) Hin-und-Rückfahrt *f;* **round-trip ticket** *s* (*Am*) Rückfahrkarte *f;* **round-up** ['raʊndʌp] *s* **1.** (*Vieh*) Zusammentreiben *n;* Auftrieb *m* **2.** (*Menschen*) Zusammentrommeln *n;* Versammlung *f* **3.** (*Verbrecher*) Hochnehmen *n;* ausgehobene Bande; **a ~ of the news** eine Zusammenfassung der Nachrichten

rouse [raʊz] **I.** *tr* **1.** wecken **2.** (*Gefühl*) erwecken, wachrufen **3.** (*Hass*) erregen; ~ **s.o.** jdn reizen; ~ **s.o. to hatred** jds Hass anstacheln; ~ **s.o. to action** jdn zum Handeln bewegen **II.** *itr* wach werden; **rous·ing** ['raʊzɪŋ] *adj* **1.** (*Applaus*) stürmisch **2.** (*Rede*) zündend, mitreißend **3.** (*Musik*) schwungvoll

roust·about ['raʊstəbaʊt] *s* (*Am*) Handlanger *m*

rout¹ [raʊt] **I.** *s* **1.** Schlappe *f* **2.** (JUR) Bande, Rotte *f;* **put to ~** in die Flucht schlagen **II.** *tr* in die Flucht schlagen

rout² [raʊt] *tr* (~ *out*) aufstöbern; herausjagen (*of* aus)

route [ru:t, *Am* raʊt] **I.** *s* **1.** Strecke, Linie, Route *f* **2.** (MIL) Marschbefehl *m* **3.** (*Am*) Runde *f;* **shipping ~, air ~** Schifffahrtsweg *m,* Flugweg *m;* ~ **march** Geländemarsch *m;* **he has a paper ~** (*Am*) er trägt Zeitungen aus **II.** *tr* (*Bus, Zug*) legen; (*Gepäck*) schicken; **the train is ~d through ...** der Zug wird durch ... geführt

rou·tine [ru:'ti:n] **I.** *s* Routine *f;* **as a matter of ~** routinemäßig **II.** *adj* routine-, gewohnheitsmäßig; **be ~ procedure** Routine sein; ~ **duties** tägliche Pflichten *fpl;* ~ **search** Routinedurchsuchung *f*

roux [ru:] *s* Mehlschwitze *f*

rove [rəʊv] **I.** *itr* umherschweifen, -streifen **II.** *tr* durchwandern, -ziehen; **rover** ['rəʊvə(r)] *s* Vagabund *m;* **rov·ing** ['rəʊvɪŋ] *adj* wandernd; ~ **commission** Reisetätigkeit *f;* **have a ~ eye** ein Auge riskieren; ~ **reporter** rasender Reporter

row¹ [rəʊ] *s* Reihe *f;* **in ~s** reihenweise; **in a ~** hintereinander

row² [rəʊ] **I.** *itr, tr* rudern; ~ **s.o. across** jdn hinüberrudern; ~ **away** wegrudern **II.** *s* Ruderfahrt, -strecke *f;* **go for a ~** rudern gehen

row³ [raʊ] **I.** *s* **1.** Lärm, Krach *m* **2.** Streit *m;* **have a ~ with s.o.** mit jdm Krach haben; **kick up a ~** Krach schlagen **II.** *itr* sich streiten

rowan ['rəʊən] *s* (*~-tree*) Eberesche *f,* Vogelbeerbaum *m;* **rowan·berry** *s* Vogelbeere *f*

row·boat ['rəʊbəʊt] *s* (*Am*) Ruderboot *n*

rowdy ['raʊdɪ] **I.** *s* Rowdy, Krawallmacher *m* **II.** *adj* laut; randalierend; **rowdy·ism** [-ɪzəm] *s* Rowdytum *n*

rower ['rəʊə(r)] *s* Ruderer *m,* Ruderin *f*

row·ing ['rəʊɪŋ] *s* Rudern *n,* Rudersport *m;* **row·ing boat** ['rəʊɪŋbəʊt] *s* (*Br*) Ruderboot *n;* **rowing club** *s* Ruderklub *m;* **row·lock** ['rɒlək] *s* (Ruder)Dolle *f*

royal ['rɔɪəl] **I.** *adj* **1.** königlich **2.** (*fig*) fürstlich, prächtig, prunkvoll **II.** *s* Mitglied *n* der königlichen Familie; **Royal Highness** *s:* **Your/His ~** Eure/Seine Königliche Hoheit; **royal·ist** ['rɔɪəlɪst] *s* Royalist(in) *m(f);* **royal jelly** *s* Gelee Royale *f;* **roy-**

alty ['rɔɪəltɪ] *s* 1. Königtum *n;* Königshaus *n* 2. **royalties** Tantiemen *fpl,* Patent-, Lizenzgebühren *fpl;* **symbols of** ~ Wahrzeichen *pl* der Königswürde

RP [ˌɑː(r)'piː] *s abbr of* **received pronunciation** hochsprachliche Aussprache

RPI [ˌɑː(r)piː'aɪ] *s abbr of* **retail price index** Index *m* der Einzelhandelspreise

rpm¹ [ˌaː(r)piː'em] *s abbr of* **revolutions per minute** Umdrehungen *f pl* pro Minute

rpm² [ˌɑː(r)piː'em] *s abbr of* **resale price maintenance** Preisbindung *f* der zweiten Hand, vertikale Preisbindung

RRP [ˌɑːrɑː'piː] *s abbr of* **recommended retail price** empfohlener Abgabepreis, unverbindliche Preisempfehlung

RSI [ˌɑːres'aɪ] *s abbr of* **repetitive strain injury** (MED) *Muskelzerrung verursacht durch andauernde Überanstrengung*

RSPCA [ˌɑːrespiːsiː'eɪ] *s abbr of* **Royal Society for the Prevention of Cruelty to Animals** ≈Tierschutzverein *m*

RSVP [ˌɑːresviː'piː] *s abbr of* **répondez s'il vous plaît** u.A.w.g.

rub [rʌb] I. *tr* 1. (ab-, ein)reiben 2. frottieren 3. polieren; ~ **one's hands (together)** sich die Hände reiben; ~ **shoulders with s.o.** mit jdm in Berührung kommen; ~ **o.s. with a lotion** sich mit e-r Lotion einreiben; ~ **s.th. dry** etw trockenreiben II. *itr* 1. reiben (*against* an) 2. (*Schuhe*) scheuern III. *s* Reiben, Scheuern *n;* **give s.th. a** ~ etw reiben; etw polieren; **there's the** ~ (*fam*) da liegt der Hase im Pfeffer; **rub along** *itr* (*fam*) sich durchschlagen; ~ **along together** recht und schlecht miteinander auskommen; **rub down** *tr* 1. abreiben, frottieren 2. (*Pferd*) striegeln 3. abschmirgeln; **rub in** *tr* 1. (*Salbe*) einreiben 2. (*fig*) herumreiten auf; **rub off** I. *tr* 1. wegreiben, ausradieren; ~ **off on someone** (*fig*) auf jdn abfärben 2. (*Farbe*) abreiben II. *itr* 1. sich abnutzen 2. (*Schmutz*) abgehen; **rub out** *tr* 1. ausradieren; herausreiben 2. (*AmSTIL...: sl*) abmurksen, killen; **rub up** *tr* blank reiben; (auf)polieren; ~ **s.o. up the wrong way** bei jdm anecken; ~ **up against s.o.** (*fam*) mit jdm verkehren

rub•ber ['rʌbə(r)] *s* 1. Gummi *m;* Kautschuk *m* 2. (*Br*) Radiergummi *m* 3. (*fam*) Präservativ *n* 4. **~s** Gummi-, Überschuhe *mpl;* **rubber band** *s* Gummiband *n;* **rubber boots** *s pl* Gummistiefel *mpl;* **rubber bullet** *s* Gummigeschoss *n;* **rubber check** *s* (*Am*) ungedeckter Scheck; **rubber glove** *s* Gummihandschuh *m;* **rubber hose** *s* Gummischlauch *m;* **rub•ber•neck** ['rʌbənek] I. *s* (*Am fam*) Gaffer *m* II. *itr* gaffen; **rubber plant** *s* Gummibaum *m;* **rubber stamp** *s* Stempel *m;* **rubber-stamp** *tr* 1. stempeln 2. (*fig*) (vorbehaltlos) genehmigen; **rubber tree** *s* Kautschukbaum *m;* **rubber truncheon** *s* Gummiknüppel *m;* **rub•bery** ['rʌbərɪ] *adj* gummiartig; zäh

rub•bing ['rʌbɪŋ] *s* 1. Reiben, Frottieren, Scheuern *n* 2. Polieren *n;* Schmirgeln *n*

rub•bish ['rʌbɪʃ] I. *s* 1. Abfall *m,* Abfälle *mpl,* Müll *m;* Schutt *m* 2. (*fig*) Blödsinn, Quatsch *m;* **garden** ~ Gartenabfälle *pl;* **household** ~ Hausmüll *m;* **don't talk** ~ red keinen Quatsch! II. *tr* (*fam*) verreißen; **rubbish bin** *s* Abfall-, Mülleimer *m;* **rubbish chute** *s* Müllschlucker *m;* **rubbish collection** *s* Müllabfuhr *f;* **rubbish container** *s* (*Br*) Müllcontainer *m;* **rubbish dump**, **rubbish tip** *s* Müllkippe *f;* **rub•bishy** ['rʌbɪʃɪ] *adj* 1. minderwertig; wertlos 2. (*fam*) blödsinnig

rubble ['rʌbl] *s* Trümmer *pl,* Schutt *m*

rub•down ['rʌbdaʊn] *s* Abreiben, Frottieren *n*

ru•bel•la [ruː'belə] *s* Röteln *pl*

ru•bi•cund ['ruːbɪkənd] *adj* rötlich

ru•bric ['ruːbrɪk] *s* 1. Rubrik, Überschrift *f,* Titel *m* 2. (REL) liturgische, gottesdienstliche Regel

ruby ['ruːbɪ] I. *s* Rubin *m* II. *adj* rubinrot

RUC [ˌɑː(r)juː'siː] *s abbr of* **Royal Ulster Constabulary** nordirische Polizeibehörde

ruck¹ [rʌk] *s* (*Rennen*) Pulk *m;* (*Rugby*) offenes Gedränge; **the common** ~ die breite Masse; **get out of the** ~ sich von der breiten Masse absetzen

ruck² [rʌk] I. *s* Falte *f* II. *tr* (~ *up*) zusammenziehen; verschieben III. *itr* sich zusammenziehen; sich hochschieben

ruck•sack ['rʌksæk] *s* Rucksack *m*

ruckus ['rʌkəs] *s* (*fam*) Krawall, Tumult *m*

ruc•tion ['rʌkʃn] *s meist pl* (*fam*) Krawall *m;* Krach *m;* **there'll be ~s** es gibt Krach

rud•der ['rʌdə(r)] *s* (MAR AERO) Ruder *n;* **rud•der•less** [-ləs] *adj* ohne Ruder; (*fig*) führungslos

ruddi•ness ['rʌdɪnɪs] *s* Röte *f;* gesunde Gesichtsfarbe; **ruddy** ['rʌdɪ] *adj* 1. (*Gesichtsfarbe*) rot, gesund 2. (*Himmel*) rötlich 3. (*sl*) verdammt, verflixt

rude [ruːd] *adj* 1. unhöflich; unverschämt; grob 2. unanständig, unflätig 3. (*Wetter*) wüst, rau 4. primitiv; einfach 5. (*Kraft*) gewaltig; **it's** ~ **to stare** man starrt andere Leute nicht an; **a** ~ **awakening** ein böses Erwachen; **be in** ~ **health** vor Gesundheit strotzen

ru•di•ment ['ruːdɪmənt] *s meist pl* 1. Anfangsgründe *mpl* 2. (BIOL) Rudiment *n;* **ru•di•men•tary** [ˌruːdɪ'mentrɪ] *adj* 1. (BIOL) rudimentär 2. (*fig*) elementar

rue ['ruː] *tr* (*lit*) bereuen; **rue•ful** ['ruːfl] *adj* reuig, reuevoll

ruff [rʌf] *s* 1. (HIST) Halskrause *f* 2. (ZOO) Halsgefieder *n,* Kragen *m* 3. (ORN) Kampfläufer *m*

ruf•fian ['rʌfɪən] *s* Rüpel, Grobian *m*

ruffle ['rʌfl] I. *tr* 1. (*Wasser*) kräuseln 2. (*Haare*) zerzausen 3. (*fig*) aufregen, aufwühlen; aus der Ruhe bringen; **the bird ~d up its feathers** der Vogel plusterte sich auf II. *s* 1. Kräuseln *n* 2. (*Kleid*) Rüsche *f*

rug [rʌg] *s* 1. Läufer *m;* Teppich *m* 2. Wolldecke *f* 3. (*bedside* ~) Bettvorleger *m*

rugby ['rʌgbɪ] *s* Rugby *n*

rug•ged ['rʌgɪd] *adj* 1. uneben, rau 2. (*Fels*) zerklüftet 3. (*Grund*) felsig 4. (*Gesicht*) markig 5. (*Widerstand*) verbissen

ruin ['ru:ɪn] I. *s* 1. Untergang *m;* Ende *n;* Ruin *m* 2. Ruine *f* 3. (*fig*) Wrack *n* 4. **~s** Ruinen *fpl,* Trümmer *pl;* **go to ~** verfallen II. *tr* 1. verwüsten, zerstören 2. (*Ruf*) ruinieren 3. (*finanziell*) ruinieren, zu Grunde richten 4. (*Kind*) verderben; **be ~d** e-e Ruine sein; zerstört sein; **ruin•ation** [ˌru:ɪ'neɪʃn] *s* Zerstörung *f;* Ruinierung *f;* **ruin•ous** ['ru:ɪnəs] *adj* 1. ruinös 2. (*Preis*) extrem

rule [ru:l] I. *s* 1. Regel *f;* Spielregel *f* 2. (*Verwaltung*) Vorschrift, Bestimmung *f* 3. Herrschaft *f;* Regierungszeit *f* 4. Metermaß *n,* Maßstab *m;* **play by the ~s** die Spielregeln einhalten; **against the ~s** regelwidrig; **it's a ~ that ...** es ist Vorschrift, dass ...; **~ of thumb** Faustregel *f;* **as a ~** in der Regel; **the ~ of law** die Rechtsstaatlichkeit; **make it a ~** es sich zur Regel machen (*to do s.th.* etw zu tun); **~ of the road** Verkehrsvorschrift *f* II. *tr* 1. beherrschen, regieren; herrschen über 2. (JUR) entscheiden 3. (*Papier*) linieren; **be ~d by jealousy** von Eifersucht beherrscht werden III. *itr* 1. herrschen, regieren (*over* über) 2. (COM: *Preise*) notieren 3. (JUR) entscheiden (*against* gegen); **rule off** *tr* e-n Schlussstrich ziehen unter; **rule out** *tr* (durch)streichen; ausschließen

rule•book ['ru:lbʊk] *s* Regelheft *n;* Vorschriftenbuch *n;* **ruler** ['ru:lə(r)] *s* 1. Herrscher *m* (*of* über) 2. Lineal *n;* **rul•ing** ['ru:lɪŋ] I. *adj* 1. (vor)herrschend 2. (*Faktor*) ausschlaggebend 3. (*Preise*) notiert; **the ~ class** die herrschende Klasse; **the ~ party** die Regierungspartei II. *s* (JUR) Entscheidung *f*

rum¹ [rʌm] *s* Rum *m*

rum² [rʌm] *adj* (*fam*) komisch, kauzig

rumba ['rʌmbə] *s* Rumba *f od m*

rumble ['rʌmbl] I. *itr* 1. (*Donner*) grollen; donnern 2. (*Magen*) knurren II. *tr* (*fig*) durchschauen III. *s* 1. Grollen *n;* Donnern *n;* Rumpeln *n* 2. (*sl*) Schlägerei *f;* **rumbl•ing** [-ɪŋ] *s* Grollen *n;* Donnern *n;* Rumpeln *n*

rum•bus•tious [rʌm'bʌstɪəs] *adj* derb

ru•mi•nant ['ru:mɪnənt] I. *s* Wiederkäuer *m* II. *adj* wiederkäuend; **ru•mi•nate** ['ru:mɪneɪt] *itr, tr* 1. wiederkäuen 2. (*fig*) grübeln (*about, upon, over* über); **ru•mi•na•tive** ['ru:mɪnətɪv] *adj* (*fig*) nachdenklich, grüblerisch

rum•mage ['rʌmɪdʒ] I. *s* 1. Trödel(kram), Ausschuss, Ramsch *m* 2. Durchstöbern, -suchen *n;* **~ sale** Ramschverkauf *m* II. *itr* (*~ about, ~ around*) herumstöbern, herumwühlen (*among, in* in)

rummy ['rʌmɪ] *s* (*Kartenspiel*) Rommee *n*

ru•mor (*Am*) *s.* **rumour**

ru•mour ['ru:mə(r)] I. *s* Gerücht *n* (*of* über); **there is a ~ of war** es gehen Kriegsgerüchte um II. *tr:* **it is ~ed that ...** es geht das Gerücht, dass ...; man munkelt, dass ...

rump [rʌmp] *s* 1. (*Vieh*) Hinterbacken *fpl* 2. (*Vogel*) Bürzel *m* 3. (*Mensch*) Hinterteil *n;* **~ steak** Rumpsteak *n*

rumple ['rʌmpl] *tr* 1. zerknittern, zerknüllen 2. (*Haar*) zerzausen

rum•pus ['rʌmpəs] *s* (*fam*) Krawall, Krach *m;* **kick up a ~** e-n Spektakel machen; **~ room** (*Am*) Spielzimmer *n*

run [rʌn] <*irr:* ran, run> I. *itr* 1. laufen, rennen, eilen 2. davonlaufen, weglaufen, wegrennen 3. (*Neuigkeit*) umgehen 4. (*Worte*) lauten 5. kandidieren, sich aufstellen lassen 6. (*Fahrzeug*) rollen; gleiten 7. (*Wasser*) laufen 8. (*Strom*) fließen 9. (*Augen*) tränen 10. (*Farbe*) zerfließen, ineinander fließen 11. (*Zinsen, Wechsel*) laufen 12. (*Verkehrsmittel*) fahren, verkehren 13. (*Fabrik*) arbeiten 14. (*Geschäft, Maschine*) gehen, laufen, in Betrieb sein, arbeiten; funktionieren 15. (*Straße*) führen, gehen 16. (*Berge*) sich ziehen, sich erstrecken 17. (*Strümpfe*) e-e Laufmasche bekommen 18. (*Gewässer*) fließen, strömen; **he came ~ning out** er kam herausgelaufen; **~ for the bus** zum Bus laufen; **she ran to help him** sie kam ihm schnell zur Hilfe; **~ for one's life** um sein Leben rennen; **~ (in) the 100 metres** die 100 Meter laufen; **~ to earth** sich verkriechen; **a rumour ran through the school** ein Gerücht ging in der Schule um; **~ down the list** die Liste durchgehen; **a shiver ran down her spine** ein Schauder lief ihr über den Rücken; **the idea ran through my head** der Gedanke ging mir durch den Kopf; **so the story ~s** die Geschichte geht so; **the wording ran as follows** es lautete folgendermaßen; **~ for President** für die Präsidentschaft kandidieren; **~ dry** austrocknen; **I've ~ dry of ideas** mir sind die Ideen ausgegangen; ~

short knapp werden; **it ~s on wheels** es fährt auf Rädern; **my skirt has** ~ mein Rock hat gefärbt; **the river ~s into the sea** der Fluss mündet ins Meer; **inflation is ~ning at ...** die Inflationsrate beträgt ...; **the tide was ~ning strongly** die Gezeiten waren stark; **the floor was ~ning with water** der Fußboden schwamm vor Wasser; **his blood ran cold** das Blut gefror ihm in den Adern; **the book has ~ into two editions** das Buch hat schon zwei Auflagen erreicht; ~ **to a new car** sich ein neues Auto leisten; ~ **into (a) port** in den Hafen einlaufen; **the buses ~ once an hour** die Busse fahren stündlich; **the car is ~ning smoothly** der Wagen läuft ohne Schwierigkeiten; **the radio ~s off the mains** das Radio läuft auf Netz; **all planes are ~ning late** alle Flugzeuge haben Verspätung; **a wall ~s round the garden** um den Garten führt e-e Mauer; ~ **in the family** in der Familie liegen; ~ **to seed** (*Blume*) schießen; (*Mensch*) herunterkommen; ~ **with sweat** schweißüberströmt sein **II.** *tr* **1.** laufen, rennen **2.** (*Fuchs*) treiben, jagen **3.** (*Kandidaten*) aufstellen **4.** (*Pferd*) laufen lassen **5.** (*Personen*) fahren, bringen **6.** (*Züge*) unterhalten; einsetzen **7.** (*Maschine*) betreiben; bedienen **8.** (*Test*) durchführen **9.** (*Hotel*) führen, leiten **10.** (*Wettbewerb*) veranstalten, durchführen **11.** schmuggeln **12.** (*Straße*) führen **13.** (*Kabel*) verlegen **14.** (*Film*) zeigen **15.** (COM) verkaufen **16.** (*Waffen*) schmuggeln; ~ **2 km** 2 km laufen; ~ **errands** Botengänge machen; ~ **the streets** sich auf der Straße herumtreiben; ~ **s.o. close** nur knapp von jdm geschlagen werden; ~ **its course** seinen Lauf nehmen; ~ **a fever** Fieber haben; ~ **s.o. off his feet** jdn ständig in Trab halten; ~ **o.s. out of breath** außer Atem kommen; ~ **s.o. into debt** jdn in Schulden stürzen; ~ (**water into**) **a bath** Wasser in die Badewanne einlaufen lassen; **he ran her home** er brachte sie nach Hause; **he ~s a car** er fährt, unterhält ein Auto; **a well-~ hotel** ein gutgeführtes Hotel; ~ **a house** e-n Haushalt führen; ~ **one's own life** sein eigenes Leben führen; ~ **one's fingers through one's hair** sich mit den Fingern durch die Haare fahren; ~ **one's eye over a page** e-e Seite überfliegen; ~ **a rope round a tree** ein Seil um e-n Baum legen; ~ **a sword into s.o.'s side** ein Schwert in jds Seite stoßen **III.** *s* **1.** (SPORT) Lauf *m* **2.** Fahrt *f;* Ausflug *m* **3.** Flug *m;* Strecke *f* **4.** Dauer *f* **5.** Reihe, Serie *f* **6.** (THEAT) Spielzeit *f* **7.** (FILM) Laufzeit *f* **8.** (COM) Ansturm, Run *m* **9.** (*fig*) Tendenz *f* **10.** (*Ski*) Bahn *f* **11.** (*für Tiere*) Gehege *n;* Hühnerhof *m* **12.** (*Strümpfe*) Laufmasche *f* **13.** (MUS) Lauf *m* **14.** (TYP) Auflage *f;* **he came in at a** ~ er kam hereingelaufen; **he took the fence at a** ~ er nahm die Hürde im Lauf; **break into a** ~ zu laufen anfangen; **make a** ~ **for it** weglaufen; **on the** ~ auf der Flucht; **I've been on the** ~ **ever since I got up** seit ich aufgestanden bin, war ich ganz schön auf Trab; **he has had a good** ~ **for his money** er hat was für sein Geld bekommen; er hat e-n ordentlichen Kampf bekommen; **go for a** ~ **in the car** e-e Fahrt im Auto machen; **take a** ~ **up to ...** e-e Fahrt nach ... machen; **on the outward/inward** ~ auf der Hin-/Rückfahrt; **approach** ~ Anflug *m;* **give s.o. the** ~ **of one's house** jdm sein Haus überlassen; **in the short** ~ fürs Nächste; **a** ~ **of luck** e-e Glückssträhne; ~ **on** Ansturm *m* auf; **the common** ~ **of mankind** der Durchschnittsmensch; **the ordinary** ~ **of things** der normale Gang der Dinge; **run about** *itr* herum-, umherlaufen; ~ **about with s.o.** sich mit jdm herumtreiben; **run across I.** *itr* hinüberlaufen **II.** *tr* zufällig treffen; **run after** *tr* hinterherlaufen; **run against** *tr* (POL) jds Gegenkandidat sein; **run along** *itr* (*fam*) laufen, rennen; **run away** *itr* **1.** weglaufen, wegrennen **2.** (*Wasser*) auslaufen; **run away with** *tr* **1.** (*Geld*) verschlucken, verbrauchen; durchgehen mit **2.** (SPORT) spielend gewinnen; ~ **away with the idea** auf den Gedanken kommen; **run back** *itr* zurücklaufen; ~ **back over the procedure** das Verfahren nochmals durchgehen; **run down I.** *itr* **1.** hinunterlaufen **2.** (*Uhr*) ablaufen **3.** (*Batterie*) leer werden **II.** *tr* **1.** überfahren **2.** (MAR) rammen; versenken **3.** (*Lager*) abbauen, auflösen **4.** (*fig*) schlecht machen **5.** (*Verbrecher*) zur Strecke bringen, fassen; **run in I.** *itr* hineinlaufen **II.** *tr* **1.** (*Auto*) einfahren **2.** (*fam*) sich schnappen; **run into** *tr* **1.** zufällig treffen **2.** (*Auto*) fahren gegen; ~ **into difficulties** Schwierigkeiten bekommen; ~ **into danger** in Gefahr geraten; **run off I.** *itr* weglaufen, -rennen **II.** *tr* **1.** (*Wasser*) ablassen **2.** (*Brief*) herunterschreiben **3.** (TYP) abziehen, Abzüge machen von **4.** (SPORT) entscheiden **5.** (*Kleid*) schnell machen; **run on** *itr* **1.** weiterlaufen, -rennen **2.** (*Gespräch*) sich hinziehen **3.** (*Worte*) laufend geschrieben sein; ohne Absatz gedruckt sein; **run out I.** *itr* **1.** hinausgehen, herauslaufen **2.** (*Ware*) ausgehen, zu Ende gehen **3.** (*Bescheinigung*) ablaufen **II.** *tr* (*Kette*) abwickeln; **run out of** *itr:* **I've ~ out of money** mir ist das Geld ausgegangen, ich habe kein Geld mehr; (*Vorräte*) ausgehen; **run over**

I. *itr* 1. kurz hinüberlaufen 2. (*Flüssigkeit*) überlaufen 3. (*Buch*) durchgehen; durchsehen II. *tr* überfahren; **run through** I. *itr* 1. durchlaufen 2. (*Geld*) durchbringen 3. (*Stück*) durchgehen; durchspielen II. *tr* durchbohren; **run up** I. *itr* hinauflaufen, -eilen II. *tr* 1. (*Flagge*) hissen 2. machen 3. schnell zusammennähen; ~ **up against difficulties** auf Schwierigkeiten stoßen; ~ **up a debt** Schulden machen

run•about ['rʌnəbaʊt] *s* kleiner Stadt-, Sportwagen; kleines Motorboot; kleines Flugzeug; **run-around** ['rʌnə'raʊnd] *s* (*sl*): **get the** ~ an der Nase herumgeführt werden; **give s.o. the** ~ jdn an der Nase herumführen; **run•away** ['rʌnəweɪ] I. *s* Ausreißer(in) *m(f)* II. *adj* 1. durchgebrannt, entlaufen 2. (*Inflation*) unkontrollierbar; **have a** ~ **victory** e-n leichten Sieg haben; **run-down** [ˌrʌn'daʊn] I. *adj* 1. (TECH) abgelaufen 2. heruntergekommen, elend 3. abgespannt II. ['rʌndaʊn] *s* 1. Zusammenfassung *f,* Bericht *m* 2. (*Lager*) Abbau *m;* Auflösung *f*

rune [ru:n] *s* Rune *f a. fig*

rung¹ [rʌŋ] *s.* **ring¹**

rung² [rʌŋ] *s* Sprosse *f*

run-in ['rʌnˌɪn] *s* (*fam*) Streit *m*

run•ner ['rʌnə(r)] *s* 1. Läufer(in) *m(f),* Rennpferd *n* 2. Bote, Laufbursche *m* 3. Schmuggler *m* 4. (Schlitten)Kufe *f* 5. (Tisch)Läufer *m* 6. (BOT) Ausläufer *m;* **do a** ~ (*sl*) eine Fliege machen; **runner bean** *s* Stangenbohne *f;* **runner-up** [ˌrʌnər'ʌp] *s* (SPORT) zweiter Sieger

run•ning ['rʌnɪŋ] I. *s* 1. Laufen, Rennen *n* 2. (*a.* TECH) Leitung, Führung *f* 3. (JUR) Schmuggel *m* 4. (COM) Laufzeit, Gültigkeitsdauer *f;* ~ **style** Laufstil *m;* **make the** ~ das Rennen machen; **be in the** ~ im Rennen liegen; **be out of the** ~ aus dem Rennen sein; **take up the** ~ sich an die Spitze setzen; ~ **shoe** Laufschuh *m* II. *adj* 1. (*Wasser*) fließend 2. (COM) laufend; ~ **jump** Sprung *m* mit Anlauf; **go and take a** ~ **jump** (**at yourself**)! du kannst mich mal!; ~ **commentary** fortlaufender Kommentar; ~ **account** laufendes Konto; **4 days** ~ 4 Tage hintereinander; **a** ~ **cold** ein schwerer Schnupfen; **a** ~ **tap** ein aufgedrehter Wasserhahn; **up and** ~ in Betrieb; ~ **water** fließendes Wasser; **running costs** *s pl* Betriebskosten *pl;* **running order** *s:* **in** ~ betriebsbereit

runny ['rʌnɪ] *adj* 1. flüssig 2. (*Nase*) laufend 3. (*Augen*) wässrig

run-off ['rʌnɒf] *s* (SPORT) Entscheidungslauf *m,* -spiel *n;* **run-of-the-mill** [ˌrʌnəvðə'mɪl] *adj* durchschnittlich, gewöhnlich

runt [rʌnt] *s* 1. kleines Ferkel 2. (*pej*) kleiner Teufel; **run-through** ['rʌnθru:] *s* Durchgehen *n;* **run-up** ['rʌnʌp] *s* 1. (SPORT) Anlauf *m* 2. (*fig*) Vorbereitungszeit *f;* **run•way** ['rʌnweɪ] *s* Start- und Landebahn, Runway *f*

rup•ture ['rʌptʃə(r)] I. *s* 1. Bruch *m* 2. (POL) Abbruch *m* II. *tr, itr* brechen; ~ **o.s.** sich e-n Bruch heben

ru•ral ['rʊərəl] *adj* ländlich; Land-; ~ **depopulation** Landflucht *f*

ruse [ru:z] *s* List *f*

rush¹ [rʌʃ] I. *itr* 1. eilen, laufen, rennen; hetzen; stürmen 2. (*Wasser*) schießen, stürzen; ~ **to help** zu Hilfe eilen; ~ **to the attack** auf etw losgehen; **the blood ~ed to his face** das Blut schoss ihm ins Gesicht II. *tr* 1. (schnell, heftig) drängen, stoßen, jagen 2. schnell befördern, transportieren, schaffen (*to the hospital* ins Krankenhaus) 3. (*Arbeit*) hastig machen 4. (*sl*) schröpfen; **be ~ed off one's feet** dauernd auf Trab sein; ~ **s.o. into a decision** jdn zu e-r hastigen Entscheidung treiben; ~ **s.o. into doing s.th.** jdn dazu treiben, etw überstürzt zu tun; ~ **one's fences** die Sache überstürzen III. *s* 1. Andrang *m,* Gedränge *n* 2. (MIL) Stoß *m;* Sturm *m* 3. Eile, Hetze, Hast *f* 4. **~es** (FILM) erste Kopie; **the Christmas** ~ der Weihnachtsbetrieb; **a** ~ **job** ein eiliger Auftrag; **a** ~ **of orders** e-e Flut von Aufträgen; **be in a** ~ in Eile sein; **rush at** *tr* losstürzen auf; **rush out** *itr* hinauseilen, -stürzen; **rush through** *tr* (*Gesetz*) durchpeitschen; **rush up** *itr* hinaufeilen

rush² [rʌʃ] *s* (BOT) Binse *f,* Rohr *n;* **not worth a** ~ keinen Pfifferling wert

rush hour ['rʌʃaʊə] *s* Hauptgeschäfts-, Hauptverkehrs-, Stoßzeit *f;* **rush order** *s* (COM) Eilauftrag *m*

rusk [rʌsk] *s* Zwieback *m*

rus•set ['rʌsɪt] I. *adj* gelblich rotbraun II. *s* Boskopapfel *m*

Rus•sia ['rʌʃə] *s* Russland *n;* **Rus•sian** ['rʌʃn] I. *s* 1. Russe *m,* Russin *f* 2. (*Sprache*) (das) Russisch(e) II. *adj* russisch; ~ **roulette** russisches Roulett

rust [rʌst] I. *s* 1. Rost *m* 2. (BOT) Brand *m;* **~-proof** rostfrei; **~-resistant** nicht rostend II. *tr* rosten lassen III. *itr* rosten; einrosten; ~ **over** verrosten; ~ **through** durchrosten; ~ **up** festrosten; **rust-coloured** *adj* rostfarben

rus•tic ['rʌstɪk] I. *adj* 1. bäuerlich 2. (*Stil*) rustikal 3. (*Manieren*) bäurisch II. *s* Bauer *m*

rusti•ness ['rʌstɪnɪs] *s* Rostigkeit *f*

rustle ['rʌsl] I. *itr* 1. rascheln 2. (*Seide*) knistern II. *tr* 1. rascheln mit 2. (*Am fam:*

Vieh) stehlen; ~ **up** improvisieren **III.** *s* Geraschel, Knistern *n;* **rust•ler** ['rʌslə(r)] *s* (*Am fam*) Viehdieb *m*

rusty ['rʌstɪ] *adj* **1.** rostig; verrostet **2.** (*fig*) eingerostet, aus der Übung; **I'm a bit** ~ ich bin etwas aus der Übung

rut¹ [rʌt] *s* **1.** Spur, Furche *f* **2.** (*fig*) Trott *m;* **be in a** ~ im Trott sein; **get into a** ~ in e-n Trott geraten

rut² [rʌt] **I.** *itr* (ZOO) brunften, brunsten **II.** *s* (*von Tier*) Brunst, Brunft *f;* ~**ting season** Brunft-, Brunstzeit *f*

ruta•baga [ˌru:tə'beɪgə] *s* (*Am*) Steckrübe *f*

ruth•less ['ru:θlɪs] *adj* **1.** rücksichtslos **2.** (*iro*) schonungslos, unbarmherzig; **ruth-less•ness** [-nɪs] *s* **1.** Rücksichtslosigkeit *f* **2.** Unbarmherzigkeit, Schonungslosigkeit *f*

RV [ˌɑ:(r)'vi:] *s abbr of* **recreation vehicle** (*Am*) Wohnmobil *n*

Rwan•da [rʊ'ændə] *s* Ruanda *n;* **Rwan-dan** [rʊ'ændən] **I.** *s* ruandisch **II.** *s* Ruander(in) *m(f)*

rye [raɪ] *s* **1.** Roggen *m* **2.** (*Am*) (Roggen)Whiskey *m* **3.** (~ *bread*) Roggenbrot *n*

S

S, s [es] <*pl* -'s> *s* S, s *n*
Sab•bath ['sæbəθ] *s* (REL) Sabbat *m;* **witches'** ~ Hexensabbat *m;* **sab•bati•cal** [sə'bætɪkl] *adj* **1.** Sabbat-; sonntäglich **2.** (*Universität*) Forschungs-; **he is on ~ leave** er hat akademischen Urlaub, Forschungsurlaub; **~ year** Forschungsjahr *n*
sa•ber ['seɪbə(r)] (*Am*) *s.* **sabre**
sable ['seɪbl] *s* (ZOO) Zobel(pelz) *m*
sab•otage ['sæbətɑːʒ] **I.** *s* Sabotage *f* **II.** *tr* sabotieren; **sab•oteur** [ˌsæbə'tɜː(r)] *s* Saboteur *m*
sabre ['seɪbə(r)] *s* Säbel *m;* **sabre-rattling** ['seibəˌrætlɪŋ] *s* Säbelrasseln *n*
sac [sæk] *s* **1.** (ANAT) Sack *m* **2.** (BOT) Staubbeutel *m*
sac•char•in ['sækərɪn] *s* Süßstoff *m,* Saccharin *n;* **sac•char•ine** ['sækəriːn] *adj* Saccharin-; (*fig*) zuckersüß
sachet ['sæʃeɪ] *s* **1.** Duftkissen *n* **2.** Beutel *m* **3.** (*Puder*) Päckchen *n* **4.** (*Shampoo*) Briefchen *n*
sack¹ [sæk] **I.** *s* **1.** Sack *m* **2.** (*fam*) Entlassung *f;* **get the ~** entlassen werden; **give s.o. the ~** jdn an die Luft setzen, entlassen, hinauswerfen; **hit the ~** (*sl*) sich in die Falle hauen **II.** *tr* **1.** einsacken **2.** (*fam*) entlassen
sack² [sæk] **I.** *s* Plünderung *f* **II.** *tr* plündern
sack•cloth ['sækklɒːθ] *s* Sackleinwand *f;* **in ~ and ashes** (*fig*) in Sack und Asche; **sack•ful** ['sækfʊl] *s* Sackvoll *m;* **sacking** ['sækɪŋ] *s* **1.** Sackleinen *n* **2.** (*fam*) Entlassung *f;* **sack race** *s* Sackhüpfen *n*
sac•ra•ment ['sækrəmənt] *s* (REL) Sakrament *n;* **the Blessed (Holy) S~** das heilige Sakrament; **sac•ra•men•tal** [ˌsækrə'mentl] *adj* sakramental
sacred ['seɪkrɪd] *adj* **1.** heilig **2.** (*Musik*) geistlich **3.** (*Gebäude*) sakral; **nothing is ~ to him** ihm ist nichts heilig; **~ to the memory of ...** zum Gedenken an ...; **~ cow** heilige Kuh
sac•ri•fice ['sækrɪfaɪs] **I.** *s* **1.** Opfer *n a. fig* **2.** Opfergabe *f;* **make a ~ of s.o.** jdn opfern; **make ~s** Opfer bringen; **sell s.th. at a ~** etw mit Verlust verkaufen **II.** *tr* opfern (*s.th. to s.o.* jdm etw)
sac•ri•lege ['sækrɪlɪdʒ] *s* Sakrileg *n;* Frevel *m;* **sac•ri•legious** [ˌsækrɪ'lɪdʒəs] *adj* frevlerisch; gotteslästerlich
sac•ri•sty ['sækrɪstɪ] *s* Sakristei *f*
sac•ro•sanct ['sækrəʊsæŋkt] *adj* sakrosankt
SAD [ˌeseɪ'diː] *s abbr of* **seasonal affective disorder** SAD-Syndrom *n*
sad [sæd] *adj* **1.** traurig, betrübt (*about* über) **2.** (*Verlust*) schmerzlich **3.** (*Fehler*) bedauerlich **4.** (*Farbe*) trist **5.** (*Ort*) düster; **feel ~** traurig sein; **the ~ death of ...** der schmerzliche Verlust von ...; **sad•den** ['sædn] *tr* betrüben
saddle ['sædl] **I.** *s* **1.** Sattel *m* **2.** (*Tier*) Rücken *m,* Kreuz *n* **3.** Bergsattel *m;* **be in the ~** (*fig*) im Sattel sitzen **II.** *tr* **1.** (*Pferd*) satteln **2.** (*fig*) aufhalsen (*s.o. with s.th.* jdm etw); **~ o.s. with s.o.** sich jdn aufhalsen; **~ up** aufsatteln; **be ~d with s.th.** etw am Hals haben; **sad•dle•bag** ['sædlbæg] *s* Sattel-, Packtasche *f;* **sad•dler** ['sædlə(r)] *s* Sattler *m;* **sad•dle soap** ['sædlsəʊp] *s* Sattelseife *f;* **sad•dle-sore** ['sædlsɔː(r)] *adj* wund geritten; wund gescheuert
sa•dism ['seɪdɪzəm] *s* Sadismus *m;* **sa•dist** ['seɪdɪst] *s* Sadist(in) *m(f);* **sa•dis•tic** [sə'dɪstɪk] *adj* sadistisch
sad•ness ['sædnəs] *s* Traurigkeit *f*
s.a.e. [ˌeseɪ'iː] *s abbr of* **stamped addressed envelope** frankierter Rückumschlag
sa•fari [sə'fɑːrɪ] *s* Safari, Großwildjagd *f;* **be on ~** e-e Safari machen; **safari park** *s* Safaripark *m*
safe¹ [seɪf] *s* Safe, Tresor, Panzerschrank *m*
safe² [seɪf] **I.** *adj* **1.** sicher; in Sicherheit; unverletzt **2.** ungefährlich; sicher **3.** (*Fahrer, Methode*) sicher; zuverlässig **4.** (*Politik*) vorsichtig, risikolos, realistisch; **better ~ than sorry** (*prov*) Vorsicht ist besser als Nachsicht; **be ~ from s.o.** vor jdm sicher sein; **keep s.th. ~** etw sicher aufbewahren; **~ and sound** gesund und wohlbehalten; **the secret is ~ with her** bei ihr ist das Geheimnis sicher; **the beach is ~ for bathing** an dem Strand kann man gefahrlos baden; **it is ~ to tell him** man kann es ihm ohne weiteres erzählen; **it is a ~ guess** es ist so gut wie sicher; **it is ~ to say** man kann ruhig sagen; **just to be ~** [*o* **on the ~ side**] um ganz sicher zu gehen **II.** *adv:* **play (it) ~** auf Nummer sicher gehen
safe-blower, safe-breaker ['seɪf bləʊə(r), -breɪkə(r)] *s* Geldschrankknacker *m;* **safe-de•posit** [ˌseɪf dɪ'pɒzɪt] *s* Tresorraum *m;* **safe-deposit box** *s* Bank-

safe *m*, Bankschließfach *n;* **safe•guard** ['seɪfgɑːd] **I.** *s* Schutz *m;* **as a ~ against** zum Schutz gegen **II.** *tr* schützen, sichern (*against* vor); **~ interests** Interessen wahrnehmen **III.** *itr:* **~ against s.th.** sich gegen etw absichern; **safe-keeping** [ˌseɪf'kiːpɪŋ] *s* sichere Ver-, Aufbewahrung; **safe sex** [seɪf'seks] *s* geschützter Geschlechtsverkehr

safety ['seɪftɪ] *s* Sicherheit *f;* **in a place of ~** an e-m sicheren Ort; **for ~'s sake** aus Sicherheitsgründen; **leap to ~** sich in Sicherheit bringen; **play for ~** sichergehen, kein Risiko eingehen wollen; **~ first** Sicherheit ist das Wichtigste; **~ first campaign** Unfallverhütungskampagne *f;* **there's ~ in numbers** zu mehreren ist man sicherer; **safety belt** *s* Sicherheitsgurt *m;* **safety binding** *s* Sicherheitsbindung *f;* **safety catch** *s* Abzugssicherung *f;* **safety curtain** *s* (THEAT) eiserner Vorhang; **safety gate** *s* Sicherheitstürgitter *n;* **safety glass** *s* Sicherheitsglas *n;* **safety lamp** *s* Grubenlampe *f;* **safety lock** *s* Sicherheitsschloss *n;* **safety margin** *s* Sicherheitsspielraum *m;* **safety measure** *s* Sicherheitsmaßnahme *f;* **safety net** *s* Sicherheitsnetz *n;* **safety pin** *s* Sicherheitsnadel *f;* **safety razor** *s* Rasierapparat *m;* **safety regulation** *s* Sicherheitsvorschrift *f;* **safety socket cover** *s* Steckdosenschutz *m;* **safety valve** *s* Sicherheitsventil *n*

saf•fron ['sæfrən] *s* (BOT) Safran *m*

sag [sæg] **I.** *itr* **1.** durchhängen, -sacken **2.** (*Schultern*) herabhängen **3.** (*Preis*) nachgeben, sinken **4.** (*Produktion*) zurückgehen **5.** (*fig*) abflauen **II.** *s* Durchhang *m;* **the ~ of his shoulders** seine herabhängenden Schultern

saga ['sɑːgə] *s* **1.** Saga *f* **2.** (~ *novel*) Familiengeschichte *f* **3.** (*fam*) Geschichte, Story *f*

sa•gacious [sə'geɪʃəs] *adj* weise, klug; **sa•gac•ity** [sə'gæsətɪ] *s* Weisheit, Klugheit *f*

sage¹ [seɪdʒ] **I.** *adj* weise, klug **II.** *s* Weise(r) *f m*

sage² [seɪdʒ] *s* (BOT) Salbei *m*

Sag•it•ta•rius [ˌsædʒɪ'teərɪəs] *s* (ASTR) Schütze *m*

said [sed] **I.** *pt, pp of* **say II.** *adj* besagt

sail [seɪl] **I.** *s* **1.** Segel *n* **2.** Segelschiff *n* **3.** Schiff-, Seefahrt *f* **4.** Törn *m* **5.** (Windmühlen)Flügel *m;* **in full ~** mit vollen Segeln; **make** [*o* **set**] **~** abfahren, absegeln; **go for a ~** segeln gehen **II.** *itr* **1.** (MAR) segeln, fahren **2.** abfahren, auslaufen (*for* nach) **3.** (*Schwan*) gleiten **4.** (*Wolken*) ziehen; **go ~ing** segeln gehen; **~ round the world** um die Welt segeln; **~ into the room** ins Zimmer rauschen; **~ in** (*fig*) sich einschalten; **~ into** (*fig*) anfahren **III.** *tr* (*Schiff*) segeln mit; **~ the seas** die Meere befahren; **sail•board** ['seɪlbɔːd] *s* Windsurfbrett *n;* **sail•board•ing** [-ɪŋ] *s* Windsurfen *n;* **sail•boat** *s* (*Am*) Segelboot *n;* **sail•ing** ['seɪlɪŋ] *s* **1.** Segeln *n;* Segelsport *m* **2.** Abfahrt *f;* **sailing boat** *s* (*Br*) Segelboot *n;* **sailing ship**, **sailing vessel** *s* Segelschiff *n*

sailor ['seɪlə(r)] *s* Seemann, Matrose *m;* **be a good** (**bad**) **~** (nicht) seefest sein; **sailor suit** *s* Matrosenanzug *m*

sail•plane ['seɪlpleɪn] *s* Segelflugzeug *n*

saint [seɪnt, *vor Namen* snt] *s* Heilige(r) *f m;* **S~ Luke** der heilige Lukas; **S~ Luke's** (**Church**) Sankt Lukas, die Lukaskirche; **sainted** ['seɪntɪd] *adj* heilig gesprochen; **saint•li•ness** [-lɪnɪs] *s* Heiligkeit *f;* **saint•ly** ['seɪntlɪ] *adj* heilig

sake [seɪk] *s:* **for the ~ of s.th.** um e-r S willen; **for the ~ of peace and quiet** um des lieben Friedens willen; **for my ~** meinetwegen; **and all for the ~ of ...** und alles wegen ...; **for goodness** [*o* **heaven's**] **~** um Himmels willen

sal•able ['seɪləbl] (*Am*) *s.* **saleable**

sa•lacious [sə'leɪʃəs] *adj* obszön; anzüglich

salad ['sæləd] *s* Salat *m;* **fruit-~** Obstsalat *m;* **salad bowl** *s* Salatschüssel *f;* **salad cream** *s* Salatmayonnaise *f;* **salad days** *s pl* unschuldige Jugendtage *mpl;* **salad dressing** *s* Salatsoße *f*, -dressing *n*

sa•la•mi [sə'lɑːmɪ] *s* Salami *f*

sal am•mo•ni•ac [ˌsælə'məʊnɪæk] *s* Salmiak *m*

sal•ar•ied ['sælərɪd] *adj* besoldet, bezahlt; fest angestellt; **~ post** Angestelltenposten *m;* **~ employee** Gehaltsempfänger(in) *m(f);* **sal•ary** ['sælərɪ] *s* Gehalt *n;* **earn a good ~** ein gutes Gehalt haben; **salary cut** *s* Gehaltskürzung *f;* **salary deduction** *s* Gehaltsabzug *mpl;* **salary earner** *s* Gehaltsempfänger(in) *m(f);* **salary increase** *s* Gehaltserhöhung *f;* **salary review** *s* Gehaltsaufbesserung *f;* **salary scale** *s* Gehaltstabelle *f*

sale [seɪl] *s* **1.** Verkauf *m* **2.** Geschäft *n;* Abschluss *m* **3.** Ausverkauf, Schlussverkauf *m* **4. ~s** Verkaufsabteilung *f* **5. ~s** Absatz *m* **6.** Auktion *f;* **for ~** zu verkaufen; **point of ~ system** (COM) POS-System *n* (*bargeldloses Zahlen an elektronischen Kassen*); **put s.th. up for ~** etw zum Verkauf anbieten; **not for ~** nicht verkäuflich; **be on ~** verkauft werden; **~ or return** Kauf mit Rückgaberecht; **buy in** [*o* **at**] **the ~s** im Ausverkauf kaufen; **~ of work** Basar *m;* **sale•able** ['seɪləbl] *adj* verkäuflich; absatzfähig; **sale price** *s* (Aus)Verkaufspreis *m;* **sale-**

room ['seɪlru:m] *s* Auktionsraum *m*

sales analysis [ˌseɪlzə'næləsɪs] *s* Umsatzanalyse *f;* **sales ap•peal** [ˌseɪlzə'pi:l] *s* Kaufanreiz *m;* **sales book** *s* Warenausgangsbuch *n;* **sales campaign** *s* Verkaufskampagne *f;* **sales clerk** ['seɪlzklɜ:rk] *s* (*Am*) Verkäufer(in) *m(f);* **sales conference** *s* Verkaufskonferenz *f;* **sales department** *s* Verkaufsabteilung *f;* **sales director** *s* Verkaufsdirektor(in) *m(f);* **sales drive** *s* Verkaufsaktion *f;* **sales executive** *s* Verkaufsleiter(in) *m(f);* **sales figures** *s pl* Verkaufsziffern, Absatzzahlen *fpl;* **sales force** *s* Verkäuferstab *m;* **sales forecast** *s* Absatzprognose *f;* **sales•girl, sales•lady** ['seɪlzgɜ:l, 'seɪlzˌleɪdɪ] *s* Verkäuferin *f;* **sales invoice** *s* Verkaufsrechnung *f;* **sales ledger** *s* Warenausgangs-, Debitorenbuch *n;* **sales literature** *s* Werbematerial *n,* Verkaufsprospekte *mpl;* **sales•man** ['seɪlzmən, *pl* -men] <*pl* -men> *s* **1.** Verkäufer *m* **2.** (COM) Vertreter *m;* **sales manager** *s* Verkaufsleiter(in) *m(f);* **sales•man•ship** ['seɪlzmənʃɪp] *s* Verkaufstechnik *f;* **sales meeting** *s* Verkaufskonferenz *f;* **sales pitch** *s* **1.** Verkaufstechnik *f* **2.** Verkaufsgespräch *n;* **sales receipt** *s* Kassenbeleg *m;* **sales representative** *s* Vertreter(in) *m(f);* **sales resistance** *s* Kaufunlust *f;* **sales revenue** *s* Verkaufserlös *m;* **sales•room** ['seɪlzrʊm] *s* Auktionsraum *m;* **sales talk** *s* Verkaufsgespräch *n;* **sales tax** *s* Warenumsatzsteuer *f;* **sales•woman** ['seɪlzwʊmən, *pl* -wɪmɪn] <*pl* -women> *s* Verkäuferin *f*

sa•li•ent ['seɪlɪənt] *adj* (*fig*) in die Augen springend, hervorstechend, auffällig; ~ **points** Hauptpunkte *pl*

sa•line ['seɪlaɪn] *adj* salz(halt)ig

sal•iva [sə'laɪvə] *s* Speichel *m;* **sali•vary** ['sælɪvərɪ] *adj* Speichel-; ~ **gland** Speicheldrüse *f;* **sali•vate** ['sælɪveɪt] *itr* Speichel absondern

sal•low ['sæləʊ] *adj* fahl, gelb, blässlich

sally ['sælɪ] **I.** *s* **1.** (MIL) Ausfall *m* **2.** Ausbruch *m;* **make a** ~ (MIL) e-n Ausfall machen; (*fig*) e-e Tirade loslassen **II.** *itr:* ~ **forth** (MIL) e-n Ausfall machen; (*fig*) sich aufmachen

salmon ['sæmən] <*pl* -> *s* **1.** (ZOO) Lachs *m* **2.** (*Farbe*) Lachs(rosa) *n*

sal•mo•nel•la poi•son•ing [ˌsælmə'nelə'pɔɪzənɪŋ] *s* Salmonellenvergiftung *f*

salmon farm(ing) *s* Lachszucht *f;* **salmon trout** *s* Lachsforelle *f*

salon ['sælɒn] *s* Salon *m*

sa•loon [sə'lu:n] *s* **1.** Saal *m* **2.** (*Am*) Wirtschaft *f,* Saloon *m* **3.** (*Br*) Limousine *f;* ~ **car** (*Br*) Limousine *f*

sal•sify ['sælsɪfaɪ] *s* (BOT) Schwarzwurzel *f*

salt [sɔ:lt] **I.** *s* **1.** (*a.* CHEM) Salz **2.** (*fig*) Würze *f* **3.** ~**s** Riechsalz *n;* **be worth one's** ~ etw taugen; **take s.th. with a pinch of** ~ etw nicht ganz wörtlich nehmen **II.** *adj* Salz-; gesalzen **III.** *tr* salzen; einsalzen; ~ **away** (*fam*) auf die hohe Kante legen; **salt•cellar** *s* Salzfässchen *n;* **salt lake** *s* Salzsee *m;* **salt mine** *s* Salzbergwerk *n,* Salzstock *m;* **salt•pe•ter** *s* (*Am*), **saltpetre** [sɔ:lt'pi:tə(r)] *s* Salpeter *m;* **salt-shaker** *s* Salzstreuer *m;* **salt water** *s* Salzwasser *n;* **salt-water** *adj* Meeres-; Salz-; **salty** ['sɔ:ltɪ] *adj* salzig

sa•lu•bri•ous [sə'lu:brɪəs] *adj* (*Klima*) gesund, zuträglich

salu•tary ['sæljʊtrɪ] *adj* **1.** gesund **2.** (*Erfahrung*) heilsam **3.** (*Rat*) nützlich

salu•ta•tion [ˌsælju:'teɪʃn] *s* **1.** Begrüßung *f* **2.** (*Brief*) Anrede *f;* **in** ~ zur Begrüßung;

sa•lute [sə'lu:t] **I.** *tr* **1.** (be)grüßen **2.** (MIL) grüßen, salutieren (*s.o.* vor jdm) **3.** (*Mut*) bewundern; ~ **the arrival of s.o.** jdn begrüßen **II.** *itr* (MIL) salutieren, grüßen **III.** *s* **1.** Gruß *m,* Begrüßung *f* **2.** (MIL) Salut(schuss) *m;* **in** ~ zum Gruß; **stand at the** ~ salutieren; **take the** ~ die Parade abnehmen

Sal•va•do•ri•an [ˌsælvə'dɔ:rɪən] **I.** *adj* salvadorianisch **II.** *s* Salvadorianer(in) *m(f)*

sal•vage ['sælvɪdʒ] **I.** *s* **1.** (MAR) Bergung *f;* Bergungsgut *n* **2.** (~ *money*) Bergelohn *m* **II.** *tr* **1.** (MAR) bergen (*from* aus) **2.** (*fig*) retten (*from* aus); ~ **s.th. from the fire** etw aus den Flammen retten; **salvage operation** *s* Bergungsaktion *f;* **salvage value** *s* Schrottwert *m;* **salvage vessel** *s* Bergungsschiff *n*

sal•va•tion [sæl'veɪʃn] *s* **1.** Rettung *f* **2.** (REL) Heil *n;* **work out one's own** ~ für sein eigenes Heil sorgen; **Salvation Army** *s* Heilsarmee *f*

salve [sælv, *Am* sæv] **I.** *s* **1.** Salbe *f* **2.** (*fig*) Balsam *m* **II.** *tr* **1.** einsalben **2.** (*fig*) beschwichtigen

sal•ver ['sælvə(r)] *s* Tablett *n*

sal•vo ['sælvəʊ] *s* Salve *f*

sal vol•atile [ˌsælvə'lætəlɪ] *s* Riechsalz *n*

same [seɪm] **I.** *adj:* **the** ~ der, die, das Gleiche; der-, die-, dasselbe; **they are all the** ~ sie sind alle gleich; **it's the** ~ **thing** das ist das Gleiche; **at the** ~ **time** zur selben Zeit; **this** ~ **person** eben dieser Mensch; **in the** ~ **way** genau gleich; ebenso **II.** *pron* **1.** (*substantivisch*): **the** ~ der, die, das Gleiche; der-, die-, dasselbe; **she's much the** ~ sie hat sich kaum verändert; **it's always the** ~ es ist immer das Gleiche

2. (*adverbial*): **the** ~ gleich; **it's not the ~ as before** es ist nicht wie früher; **it's all the ~ to me** es ist mir egal; **it comes to the** ~ das kommt aufs Gleiche heraus; **all** [*o* **just**] **the** ~ trotzdem; ~ **to you** eben-, gleichfalls; **same•ness** [-nɪs] *s* Eintönigkeit *f*

sample ['sɑ:mpl] **I.** *s* **1.** Beispiel *n;* Kostprobe *f* **2.** (*Statistik*) Stichprobe, Auswahl *f* **3.** (*fig*) Beispiel *n,* Probe *f* **4.** (COM) Muster *n;* **up to** ~ dem Muster entsprechend; **give us a ~ of your playing** spielen Sie uns etwas vor; **a representative ~ of the population** e-e repräsentative Auswahl aus der Bevölkerung **II.** *tr* **1.** (*Wein*) probieren, kosten **2.** (*fig*) kosten; **sample book** *s* Mustermappe *f;* **sam•pler** ['sɑ:mplə(r)] *s* **1.** Probierer(in) *m(f)* **2.** Stickmustertuch *n* **3.** (*Schallplatte*) Auswahlplatte *f;* **sam•pling** ['sɑ:mplɪŋ] *s* **1.** Kostprobe *f* **2.** Weinprobe *f* **3.** (*Statistik*) Stichprobenverfahren *n*

sana•tor•ium [ˌsænə'tɔ:rɪəm] *s* Sanatorium *n*

sanc•tify ['sæŋktɪfaɪ] *tr* **1.** heiligen; weihen; sanktionieren **2.** (*Gelübde*) annehmen

sanc•ti•moni•ous [ˌsæŋktɪ'məʊnɪəs] *adj* scheinheilig, frömmlerisch

sanc•tion ['sæŋkʃn] **I.** *s* **1.** Zustimmung *f* **2.** Sanktion *f;* **economic ~s** wirtschaftliche Sanktionen; **give one's ~ to s.th.** etw sanktionieren **II.** *tr* sanktionieren; dulden

sanc•tity ['sæŋktətɪ] *s* Heiligkeit *f;* Unantastbarkeit *f*

sanc•tu•ary ['sæŋktʃʊərɪ] *s* **1.** Heiligtum *n* **2.** (*fig*) Zuflucht *f* **3.** (*für Tiere*) Schutzgebiet *n;* **seek ~ with** Zuflucht suchen bei

sand [sænd] **I.** *s* **1.** Sand *m* **2. ~s** Sandstrand *m;* **the ~s are running out** (*fig*) die Zeit läuft ab **II.** *tr* schmirgeln; ~ **down** abschmirgeln

san•dal ['sændl] *s* Sandale *f*

san•dal•wood ['sændlwʊd] *s* Sandelholz *n*

sand•bag ['sændbæg] *s* Sandsack *m;* **sand•bank, sand•bar** ['sændbæŋk, 'sændbɑ:(r)] *s* Sandbank *f;* **sand•blast** ['sændblɑ:st] *tr* sandstrahlen; **sand•blast•ing** ['sændˌblɑ:stɪŋ] *s* Sandstrahlen *n;* **sand•boy** ['sændbɔɪ] *s:* **as happy as a** ~ quietschvergnügt; **sand castle** *s* Sandburg *f;* **sand dune** *s* Sanddüne *f;* **sand flea** *s* Sandfloh *m;* **sand•glass** *s* Sanduhr *f;* **sand•man** ['sændmən] <*pl* -men> *s* Sandmännchen *n;* **sand martin** *s* Uferschwalbe *f;* **sand•paper** ['sændpeɪpə(r)] *s* Sand-, Schmirgelpapier *n;* **sand•piper** ['sændˌpaɪpə(r)] *s* Strandläufer *m;* **sand•pit** *s* Sandkasten *m;* **sand•shoe** *s* Strandschuh *m;* **sand•stone** ['sændstəʊn] *s* Sandstein *m;* **sand•storm** ['sændstɔ:m] *s* Sandsturm *m*

sand•wich ['sænwɪdʒ] **I.** *s* Sandwich *n* **II.** *tr* einklemmen; einzwängen (*between* zwischen); **sandwich board** *s* Reklametafel *f;* **sandwich counter** *s* (*Am*) Imbisshalle *f;* **sandwich course** *s Ausbildungsgang, der Theorie und Praxis verbindet;* **sandwich man** ['sænwɪdʒmæn] <*pl* -men> *s* Plakatträger *m*

sandy ['sændɪ] *adj* **1.** sandig **2.** (*Farbe*) rötlich, rotblond

sand yacht ['sændjɒt] *s* Strandsegler *m*

sane [seɪn] *adj* **1.** geistig normal **2.** (JUR) zurechnungsfähig **3.** (*fig*) vernünftig, sinnvoll, gesund

sang [sæŋ] *s.* **sing**

san•guine ['sæŋgwɪn] *adj* **1.** optimistisch **2.** (*Gesichtsfarbe*) rot; ~ **that we shall succeed** zuversichtlich, dass wir Erfolg haben werden

sani•tarium [ˌsænɪ'teərɪəm] (*Am*) *s.* **sanatorium**

sani•tary ['sænɪtrɪ] *adj* **1.** hygienisch **2.** (*Installation*) sanitär **3.** (*Kommission*) Gesundheits- **4.** (*Fragen*) der Hygiene; ~ **towel** [*o* **napkin**] (*Am*) Damen-, Monatsbinde *f*

sani•ta•tion [ˌsænɪ'teɪʃn] *s* sanitäre Anlagen *fpl*

san•ity ['sænətɪ] *s* **1.** geistige Gesundheit; gesunder Menschenverstand **2.** (JUR) Zurechnungsfähigkeit *f* **3.** (*fig*) Vernünftigkeit *f;* ~ **of judgement** ein gesundes Urteilsvermögen

sank [sæŋk] *s.* **sink**[2]

Santa Claus [ˌsæntə'klɔ:z] *s* Nikolaus, Weihnachtsmann *m*

sap[1] [sæp] *s* **1.** (BOT) Saft *m* **2.** (*fig*) Lebenskraft *f*

sap[2] [sæp] **I.** *s* (MIL) Sappe *f* **II.** *tr* **1.** (MIL) unterminieren, untergraben **2.** (*fig*) untergraben; schwächen; ~ **s.o.'s strength** jdn entkräften

sap•ling ['sæplɪŋ] *s* junger Baum

sap•per ['sæpə(r)] *s* (MIL) Pionier *m*

sap•phire ['sæfaɪə(r)] *s* (MIN) Saphir *m*

sar•casm ['sɑ:kæzəm] *s* Sarkasmus *m;* **sar•cas•tic** [sɑ:'kæstɪk] *adj* sarkastisch

sar•copha•gus [sɑ:'kɒfəgəs, *pl* -gaɪ] <*pl* -gi> *s* Sarkophag *m*

sar•dine [sɑ:'di:n] *s* Sardine *f;* **packed (in) like ~s** wie die Sardinen

sar•donic [sɑ:'dɒnɪk] *adj* süffisant, sardonisch

sari ['sɑ:rɪ] *s* Sari *m*

sar•tor•ial [sɑ:'tɔ:rɪəl] *adj:* ~ **elegance** Eleganz *f* der Kleidung

SAS [ˌeseɪ'es] *s abbr of* **Special Air Service**

britisches Sonderkommando
sash[1] [sæʃ] *s* Schärpe *f*
sash[2] [sæʃ] (~ *window*) Schiebefenster *n*
sat [sæt] *s.* **sit**
Satan ['seɪtən] *s* Satan *m;* **sa•tan•ic** [sə'tænɪk] *adj* satanisch, teuflisch
satchel ['sætʃəl] *s* Schulranzen *m,* -tasche *f*
sate [seɪt] *tr* (*Appetit*) stillen, befriedigen
sat•el•lite ['sætəlaɪt] *s* **1.** (ASTR) Satellit *m* **2.** (*fig*) Trabant *m;* **satellite broadcasting** *s* Satellitenfernsehen *n;* **satellite country, satellite state** *s* Satellitenstaat *m;* **satellite dish** *s* (TV) Parabolantenne *f,* -spiegel *m;* **satellite picture** *s* (TV) Satellitenbild *n;* **satellite television** *s* Satellitenfernsehen *n;* **satellite town** *s* Trabantenstadt *f*
sati•ate ['seɪʃɪeɪt] *tr* **1.** (*Appetit*) stillen **2.** (*Tier*) sättigen **3.** (*fig*) übersättigen; **be ~d with food** gesättigt, übersättigt sein; **satiety** [sə'taɪətɪ] *s* Sättigung *f;* **do s.th. to ~** etw bis zum Überdruss tun
satin ['sætɪn] **I.** *s* Satin *m* **II.** *adj* Satin-; samtig
sat•ire ['sætaɪə(r)] *s* Satire *f* (*on* auf); **sa•tiri•cal** [sə'tɪrɪkl] *adj* satirisch, spöttisch; **sat•ir•ist** ['sætərɪst] *s* Satiriker(in) *m(f);* **sat•ir•ize** ['sætəraɪz] *tr* satirisch darstellen
sat•is•fac•tion [ˌsætɪs'fækʃn] *s* **1.** Befriedigung *f* **2.** (*Schulden*) Begleichung *f* **3.** (*Kunde*) Zufriedenstellung *f* **4.** (*Ehrgeiz*) Verwirklichung *f* **5.** (*Vertrag*) Erfüllung *f* **6.** (*Zustand*) Zufriedenheit *f* (*at* mit) **7.** Genugtuung *f;* **feel a sense of ~ at s.th.** Genugtuung über etw empfinden; **get ~ out of s.th.** Befriedigung in etw finden; **he proved to my ~ that ...** er hat überzeugend bewiesen, dass ...; **it is no ~ to me to know that ...** es ist kein Trost zu wissen, dass ...; **demand/obtain ~ from s.o.** Genugtuung von jdm verlangen/erhalten; **sat•is•fac•tory** [ˌsætɪs'fæktərɪ] *adj* **1.** zufriedenstellend, befriedigend (*to* für) **2.** ausreichend, hinlänglich **3.** (*Grund*) triftig, einleuchtend **4.** (*Entschuldigung*) annehmbar **5.** (*Schulnote*) ausreichend; befriedigend; **your attitude is not ~** Ihre Einstellung lässt zu wünschen übrig
sat•isfy ['sætɪsfaɪ] **I.** *tr* **1.** zufriedenstellen, befriedigen **2.** (*Hunger*) stillen **3.** (*Mahl*) sättigen **4.** (*Bedingungen, Verpflichtungen*) erfüllen, nachkommen *dat* **5.** (*Regeln*) entsprechen *dat* **6.** (*Anforderungen*) genügen *dat* **7.** (*Ehrgeiz*) verwirklichen **8.** überzeugen **9.** (*Schuld*) begleichen; **be satisfied with s.th.** mit etw zufrieden sein; **nothing satisfies him** ihn kann nichts befriedigen; **if you can ~ him that ...** wenn Sie ihn davon überzeugen können, dass ... **II.** *refl:* **~ o.s. about s.th.** sich von etw überzeugen **III.** *itr* (*Mahl*) sättigen; **sat•is•fy•ing** [-ɪŋ] *adj* **1.** befriedigend **2.** sättigend
sat•su•ma [sæt'su:mə] *s* Satsuma *f*
satu•rate ['sætʃəreɪt] *tr* **1.** durchtränken; durchnässen **2.** (CHEM) sättigen **3.** (*fig*) sättigen; **satu•rat•ion** [ˌsætʃə'reɪʃn] *s* Sättigung *f;* **saturation point** *s* Sättigungspunkt *m;* Sättigungsgrad *m;* **have reached ~ point** seinen Sättigungsgrad erreicht haben
Sat•ur•day ['sætədɪ] *s* Sonnabend, Samstag *m;* **on ~** am Sonnabend
Sat•urn ['sætən] *s* (ASTR) Saturn *m*
satyr ['sætə(r)] *s* (REL HIST) Satyr *m*
sauce [sɔ:s] *s* **1.** Soße, Sauce *f* **2.** (*fam*) Frechheit *f;* **none of your ~!** werd' bloß nicht frech!; **sauce-boat** *s* Sauciere *f*
sauce•pan ['sɔ:spən] *s* Kochtopf *m*
sau•cer ['sɔ:sə(r)] *s* Untertasse *f;* **flying ~** fliegende Untertasse
saucily ['sɔ:sɪlɪ] *adv* frech; **sauci•ness** ['sɔ:sɪnəs] *s* Frechheit *f;* **saucy** ['sɔ:sɪ] *adj* **1.** frech **2.** (*fam*) schick, kess
Sau•di A•ra•bia [ˌsaʊdɪə'reɪbɪə] *s* Saudi-Arabien *n;* **Sau•di** (**A•ra•bi•an**) [ˌsaʊdɪ (ə'reɪbɪən)] **I.** *s* Saudi(araber) *m,* Saudiaraberin *f* **II.** *adj* saudisch, saudiarabisch
sauer•kraut ['saʊəkraʊt] *s* Sauerkraut *n*
sauna ['sɔ:nə] *s* Sauna *f*
saun•ter ['sɔ:ntə(r)] **I.** *itr* umherschlendern, -bummeln **II.** *s* Bummel *m;* **they had** [*o* **went for**] **a ~ in the park** sie gingen im Park spazieren
saus•age ['sɒsɪdʒ] *s* Wurst *f;* **not a ~** (*fam*) überhaupt nichts; **sausage dog** *s* (*fam*) Dackel *m;* **sausage meat** *s* (Wurst)Brät *n;* **sausage roll** *s* Würstchen *n* im Schlafrock
sav•age ['sævɪdʒ] **I.** *adj* **1.** wild **2.** (*Kampf*) brutal **3.** (*Tier*) gefährlich **4.** (*Sitte*) grausam **5.** (*Maßnahmen*) rigoros, drastisch, brutal; **make a ~ attack on s.o.** brutal über jdn herfallen; **~ criticism** schonungslose Kritik **II.** *s* Wilde(r) *f m* **III.** *tr* (*Tier*) anfallen; zerfleischen; **sav•age•ness** [-nɪs] *s* **1.** Wildheit *f* **2.** Brutalität *f;* Grausamkeit *f* **3.** Gefährlichkeit *f;* **sav•agery** ['sævɪdʒrɪ] *s* **1.** Wildheit *f* **2.** Brutalität, Grausamkeit *f*
sa•van•na(**h**) [sə'vænə] *s* (GEOG) Savanne *f*
save[1] [seɪv] **I.** *tr* **1.** retten **2.** aufheben, aufbewahren, aufsparen **3.** (*Geld*) sparen **4.** (*Briefmarken*) sammeln **5.** (*Kraft*) schonen; aufsparen **6.** (*Ärger*) ersparen **7.** (EDV) sichern, abspeichern; **~ s.o. from s.th.** jdn vor etw retten; **~ the day** jds Rettung sein; **~ up** aufheben, aufbewahren; **~ s.o.'s bacon** (*fam*) jds Rettung sein; **~ the shot** (SPORT) den Ball abfangen; **~ s.o.'s life** jdm

das Leben retten; ~ **the situation** die Situation retten; ~ **one's skin** (*fig*) mit heiler Haut davonkommen; ~ **o.s. the trouble** sich die Mühe sparen; **it ~s me time** dabei spare ich Zeit **II.** *itr* **1.** (*Geld*) sparen **2.** (*Essen*) sich halten; ~ **for s.th.** auf etw sparen; ~ **up** sparen **III.** *s* (SPORT) Ballabwehr *f*

save² [seɪv] **I.** *prep* außer +*dat* **II.** *conj* es sei denn, dass; ~ **that** nur dass

save•loy ['sævəlɔɪ] *s* Zervelatwurst *f*

saver ['seɪvə(r)] *s* **1.** Retter(in) *m(f)* **2.** Sparer(in) *m(f)*; **it is a money-~** es spart Geld

sav•ing ['seɪvɪŋ] **I.** *adj* **1.** sparsam **2.** rettend; **the book's ~ sense of humour** der Humor in dem Buch, der manches wettmacht; **his ~ grace** was e-n mit ihm versöhnt **II.** *s* **1.** Rettung *f* **2.** Sparen *n* **3.** Einsparung *f*; Ersparnis *f* **4. ~s** Salz *npl*, Ersparnisse *fpl*, Spareinlagen *fpl* **III.** *prep, conj s.* **save²**

sav•ings ac•count ['seɪvɪŋzəˌkaʊnt] *s* Sparkonto *n*; **savings bank** *s* Sparkasse *f*; **savings bonus** *s* Sparzulage *f*; **savings book** *s* Sparbuch *n*; **savings certificate** *s* Sparbrief *m*; **savings deposits** *s pl* Spareinlagen *fpl*

sa•vior (*Am*) *s.* **saviour**

sav•iour ['seɪvɪə(r)] *s* **1.** Retter(in) *m(f)* **2.** (REL) Erlöser, Heiland *m*

sa•vor (*Am*) *s.* **savour**; **sa•vori•ness** (*Am*) *s.* **savouriness**; **sa•vory** (*Am*) *s.* **savoury**

sa•vour ['seɪvə(r)] **I.** *s* **1.** Geschmack *m* **2.** (*fig*) Spur *f* **3.** Reiz *m*; **a ~ of garlic** ein Knoblauchgeschmack **II.** *tr* **1.** kosten; riechen **2.** (*fig*) genießen, auskosten **III.** *itr:* ~ **of s.th.** etw ahnen lassen; **sa•vouri•ness** ['seɪvərɪnɪs] *s* Schmackhaftigkeit *f*; **sa•voury** ['seɪvərɪ] **I.** *adj* **1.** wohlschmeckend, schmackhaft **2.** (*fig*) angenehm, ersprießlich **3.** pikant; ~ **biscuits** Salzgebäck *n* **II.** *s* Appetithappen *m*

sa•voy (cabbage) [sə'vɔɪ] *s* Wirsing *m*

savvy ['sævɪ] **I.** *tr* (*sl*) kapieren, begreifen; **no ~** keine Ahnung **II.** *s* Grips *m*, Köpfchen *n*; **he hasn't got much ~** er hat keine Ahnung

saw¹ [sɔː] <*irr:* sawed, sawed (sawn)> **I.** *s* Säge *f* **II.** *tr* sägen; ~ **s.th. in two** etw entzweisägen; **~n timber** Schnittholz *n*; **he ~ed the air** er schlug wild um sich; ~ **down** umsägen; ~ **off** absägen; ~ **up** zersägen (*into* in) **III.** *itr* sägen; ~ **at the violin** auf der Geige herumkratzen

saw² [sɔː] *s.* **see**

saw³ [sɔː] *s* Spruch *m*

saw•dust ['sɔːdʌst] *s* Sägemehl *n*; **sawmill** *s* Sägemühle *f*

sawn [sɔːn] *s.* **saw¹**

Saxon [sæksn] **I.** *adj* sächsisch **II.** *s* **1.** (*Mensch*) Sachse *m*, Sächsin *f* **2.** (*Sprache*) (das) Sächsisch(e); **Saxony** ['sæksənɪ] *s* Sachsen *n*

saxo•phone ['sæksəfəʊn] *s* (MUS) Saxophon *n*; **sax•ophon•ist** [sæk'sɒfənɪst] *s* Saxophonist(in) *m(f)*

say [seɪ] <*irr:* said, said> **I.** *tr, itr* **1.** sagen **2.** (*Gedicht*) aufsagen **3.** (*Text*) sprechen; aussprechen **4.** (*Thermometer*) anzeigen; ~ **goodby(e) to** sich verabschieden von; ~ **mass** die Messe lesen; **it ~s in the papers that ...** in den Zeitungen steht, dass ...; **the weather forecast said that ...** es hieß im Wetterbericht, daß ...; laut Wetterbericht ...; **that ~s a lot for him** das spricht für ihn; **what would you ~ to a holiday?** wie wär's mit Urlaub?; **what do you ~?** was meinen Sie?; **well, I must ~!** na, ich muss schon sagen!; **I ~!** na so was!; **it's easier said than done** das ist leichter gesagt als getan; **no sooner said than done** gesagt, getan; **she is said to be clever** sie soll klug sein; **it goes without ~ing that ...** es ist selbstverständlich, dass ..., es versteht sich von selbst, dass ...; **I should ~** ich möchte annehmen; **he had nothing to ~ for himself** er hatte keine Entschuldigung; **there's much to be said for his suggestion** sein Vorschlag hat viel für sich; **that is to ~** das heißt, mit anderen Worten; **to ~ nothing of** ganz zu schweigen von; ~ **you need more time** angenommen, Sie brauchen mehr Zeit; ~ **the word** sagen Sie es nur; **you can ~ that again** Sie haben völlig recht! **II.** *s* Rede *f*, Wort *n*; **let him have his ~** lass ihn mal reden; **have a ~ in s.th.** bei etw etwas zu sagen haben; **have the last ~** letztlich entscheiden; das letzte Wort haben; **say•ing** ['seɪɪŋ] *s* Redensart *f*, Sprichwort *n*; **as the ~ goes** wie man zu sagen pflegt; **say-so** ['seɪsəʊ] *s* (*sl*) Wort *n*; **on whose ~?** wer sagt das?

scab [skæb] *s* **1.** Schorf, Grind *m* **2.** Grätze *f* **3.** (*fig*) Streikbrecher(in) *m(f)*

scab•bard ['skæbəd] *s* (Schwert)Scheide *f*

scabby ['skæbɪ] *adj* (MED) schorfig; räudig

sca•bies ['skeɪbiːz] *s sing* Krätze *f*

scab•rous ['skeɪbrəs] *adj* **1.** rau, uneben **2.** (*fig*) geschmacklos

scaf•fold ['skæfə(ʊ)ld] *s* **1.** (Bau)Gerüst *n* **2.** Schafott *n*; **scaf•fold•ing** ['skæfəldɪŋ] *s* (Bau)Gerüst *n*

scal•awag ['skæləwæg] (*Am*) *s.* **scallywag**

scald [skɔːld] **I.** *tr* **1.** verbrühen **2.** (*Gemüse, Milch*) abbrühen; abkochen **II.** *s* Verbrühung *f*; **scald•ing** ['skɔːldɪŋ] *adj* siedend; siedend heiß

scale¹ [skeɪl] *s* **1.** Skala, Gradeinteilung *f* **2.** Tabelle *f* **3.** (*fig: social ~*) Stufenleiter *f* **4.** Messgerät *n* **5.** (MUS) Tonleiter *f* **6.** Maßstab *m* **7.** (*fig*) Umfang *m,* Ausmaß *n;* **on the ~ of ... to ...** im Maßstab ... zu ...; **on a large/small ~** in großem/kleinem Maßstab; **the ~ of F** die F-Dur-Tonleiter; **to ~** maßstabgerecht; **on a national ~** auf nationaler Ebene; **~ of charges** Gebührentabelle *f;* **~ drawing** maßstabgerechte Zeichnung; **~ model** maßstabgetreues Modell; **scale down** *tr* verkleinern; verringern; **scale up** *tr* vergrößern; erhöhen

scale² [skeɪl] **I.** *s* **1.** (ZOO MED) Schuppe *f* **2.** Kessel-, Zahnstein *m;* **take the ~s from s.o.'s eyes** jdm die Augen öffnen **II.** *tr* abschuppen **III.** *itr* (~ *off*) sich schuppen

scale³ [skeɪl] *s pl* Waage *f;* **the S~s** (ASTR) Waage; **a pair of ~s** e-e Waage; **~- pan** Waagschale *f;* **turn** [*o* **tip**] **the ~s at 60 kilos** 60 Kilo auf die Waage bringen; **turn the ~s** den Ausschlag geben

scale⁴ [skeɪl] *tr* erklettern

scal·lop ['skɒləp] **I.** *s* **1.** (ZOO) Kammuschel *f* **2.** **~s** bogenförmige Verzierung **II.** *tr* mit Bögen versehen, langettieren

scally·wag ['skælɪwæg] *s* Lausbube, Schlingel *m*

scalp [skælp] **I.** *s* **1.** Kopfhaut *f* **2.** Skalp *m;* **be out for s.o.'s ~** jdn fertig machen wollen **II.** *tr* **1.** skalpieren **2.** (*Haare*) kahlscheren

scal·pel ['skælpəl] *s* (MED) Skalpell *n*

scaly ['skeɪlɪ] *adj* schuppig

scam [skæm] *s* (*sl*) Betrug *m*

scamp¹ [skæmp] *tr* pfuschen bei

scamp² [skæmp] *s* Frechdachs *m*

scam·per ['skæmpə(r)] **I.** *itr* **1.** (*Kind*) trippeln, trappeln **2.** (*Maus*) huschen **II.** *s:* **take the dog out for a ~** dem Hund Auslauf verschaffen

scan [skæn] **I.** *tr* **1.** schwenken über; seine Augen wandern lassen über **2.** (*Buch*) überfliegen **3.** (*Radar*) absuchen, abtasten **4.** (TV) rastern **5.** (*Vers*) in Versfüße zerlegen **6.** (MED) scannen, abtasten **II.** *itr* (*Vers*) das richtige Versmaß haben, sich reimen **III.** *s* (MED) Scan *m,* Ultraschalluntersuchung *f;* Ultraschallaufnahme *f*

scan·dal ['skændl] *s* **1.** Skandal *m* **2.** Skandalgeschichten *fpl;* **create a ~** e-n Skandal verursachen; **the latest ~** der neueste Klatsch; **scan·dal·ize** ['skændəlaɪz] *tr* schockieren; **be ~d** empört sein (*by* über); **scan·dal·monger** ['skændlmʌŋgə(r)] *s* Lästermaul, Klatschmaul *n;* **scan·dal·ous** ['skændələs] *adj* skandalös, anstößig

Scan·di·na·via [ˌskændɪ'neɪvɪə] *s* Skandinavien *n;* **Scan·di·na·vian** [ˌskændɪ'neɪvɪən] **I.** *adj* skandinavisch **II.** *s* Skandinavier(in) *m(f)*

scan·ner ['skænə(r)] *s* **1.** (TECH) Scanner, Abtaster *m* **2.** (*optical ~*) Lesegerät *n*

scant [skænt] *adj* **1.** wenig **2.** (*Erfolg*) mager **3.** (*Pflanzenwuchs*) dürftig **4.** (*Chance*) gering; **do ~ justice to s.th.** e-r S kaum gerecht werden; **scan·tily** ['skæntɪlɪ] *adv* knapp; spärlich; **scanty** ['skæntɪ] *adj* **1.** knapp, dürftig, mager **2.** (*Mahl*) kärglich **3.** (*Haar*) schütter

scape·goat ['skeɪpgəʊt] *s* (*fig*) Sündenbock *m*

scap·ula ['skæpjʊlə] *s* (MED) Schulterblatt *n*

scar [skɑː(r)] **I.** *s* **1.** Narbe *f* **2.** (*fig*) Wunde *f;* Makel *m* **II.** *tr* Narben hinterlassen auf, verunstalten; **he was ~red for life** (*fig*) er war fürs Leben gezeichnet; **his ~red face** sein narbiges Gesicht **III.** *itr* e-e Narbe hinterlassen

sca·rab ['skærəb] *s* Skarabäus *m*

scarce [skeəs] *adj* **1.** selten, spärlich **2.** knapp, nicht ausreichend vorhanden; **scarce·ly** ['skeəslɪ] *adv* **1.** kaum **2.** wohl kaum; **~ anybody** kaum jemand; **~ anything** fast nichts; **~ ever** kaum jemals; **scarc·ity** ['skeəsətɪ] *s* **1.** Verknappung, Knappheit *f,* Mangel *m* (*of* an) **2.** Seltenheit *f;* **~ of labour** Mangel *m* an Arbeitskräften; **in years of ~** in schlechten Jahren; **~ value** Seltenheitswert *m*

scare [skeə(r)] **I.** *tr* **1.** e-n Schrecken einjagen; Angst machen (*s.o.* jdm) **2.** er-, aufschrecken; **be easily ~d** sehr schreckhaft sein; sehr scheu sein; **be ~d out of one's wits** Todesängste ausstehen; **I'm ~d at the thought** ich habe Angst davor; **~ away** verscheuchen; verjagen **II.** *itr:* **I don't ~ easily** ich bekomme nicht so schnell Angst **III.** *s* Schreck(en) *m;* Panikstimmung *f;* **give s.o. a ~** jdm e-n Schrecken einjagen; **create a ~** Panik auslösen; **scare·crow** ['skeəkrəʊ] *s* Vogelscheuche *f;* **scare·monger** ['skeəˌmʌŋgə(r)] *s* Panik-, Bangemacher(in) *m(f)*

scarf [skɑːf, *pl* skɑːvz] <*pl* **scarves**> *s* Hals-, Kopftuch *n,* Schal *m*

scar·ify·ing ['skærɪfaɪɪŋ] *adj* beängstigend; gruselig

scar·let ['skɑːlət] **I.** *s* Scharlach *m,* Scharlachrot *n* **II.** *adj* scharlachfarben, -rot; **scarlet fever** *s* (MED) Scharlach *m*

scarp [skɑːp] (*~ edge*) Steilhang *m*

scar·per ['skɑːpə(r)] *itr* (*Br fam*) abhauen

scary ['skeərɪ] *adj* (*fam*) unheimlich; gruselig

scat [skæt] *interj* (*sl*) verschwinde!

scath·ing ['skeɪðɪŋ] *adj* **1.** bissig **2.** (*Bemerkung*) schneidend **3.** (*Kritik*) beißend, scharf

sca·tol·ogy [skæ'tɒlədʒɪ] *s* Fäkalsprache *f*

scat•ter ['skætə(r)] I. *tr* 1. auseinander treiben; zerstreuen 2. (*Nachrichten*) verbreiten 3. (PHYS) streuen (*on* auf) 4. (*Geld*) verschleudern 5. (*Stimmen*) verteilen; ~ **s.th. around** etw überall umherstreuen II. *itr* sich zerstreuen, sich verteilen, sich auflösen; **scat•ter•brain** ['skætəbreɪn] *s* Schussel *m;* **scatter-brained** ['skætəbreɪnd] *adj* flatterhaft, fahrig; **scatter cushion** *s* (kleines) Kissen *n;* **scat•tered** ['skætəd] *adj* 1. ver-, zerstreut 2. (*Wolken, Regenschauer*) vereinzelt; **scat•ter•ing** ['skætərɪŋ] *s* 1. vereinzeltes Häufchen 2. (PHYS) Streuung *f;* **a ~ of snow** ein bisschen Schnee

scav•enge ['skævɪndʒ] *itr* Nahrung suchen; ~ **in the bins** die Abfalleimer plündern; **scav•en•ger** ['skævɪndʒə(r)] *s* 1. (ZOO) Aasfresser *m* 2. (*fig*) Aasgeier *m*

scen•ario [sɪ'nɑːrɪəʊ] <*pl* -arios> *s* 1. Szenarium *n* 2. (*fig*) Szenario *n*

scene [siːn] *s* 1. Schauplatz *m* 2. (THEAT) Szene *f;* (Bühnen)Bild *n;* Auftritt *m* 3. (*fig*) Szene *f* 4. Anblick *m;* Landschaft *f;* **behind the ~s** hinter den Kulissen; **the ~ of the crime** der Tatort; **set the ~** den richtigen Rahmen geben; **come on the ~** auftauchen, auf der Bildfläche erscheinen; **drug ~** Drogenszene *f;* **make a ~** eine Szene machen; **make the ~** groß herauskommen; **that's not my ~** (*sl*) das interessiert mich nicht; **scene change** *s* Szenenwechsel *m;* **scene painter** *s* Bühnen-, Kulissenmaler(in) *m(f);* **scen•ery** ['siːnərɪ] *s* 1. (THEAT) Bühnenbild *n,* Dekoration *f* 2. Landschaft *f;* **scene shifter** *s* Kulissenschieber(in) *m(f);* **scenic** ['siːnɪk] *adj* 1. landschaftlich 2. malerisch 3. (THEAT) bühnentechnisch; ~ **effects** Bühneneffekte *mpl;* ~ **flight** Touristenrundflug *m;* ~ **highway** [*o* **route**] landschaftlich reizvolle Straße; ~ **railway** Berg-und-Tal-Bahn *f*

scent [sent] I. *tr* 1. wittern 2. (*Tee, Seife*) parfümieren; ~ **out** (*fig*) aufspüren II. *s* 1. Geruch, Duft *m* 2. Parfüm *n* 3. (*Tier*) Witterung, Fährte, Spur *f* 4. (*fig*) Spürsinn *m,* gute Nase; **be on the ~** auf der Fährte sein; **put** [*o* **throw**] **s.o. off the ~** (*fig*) jdn von der richtigen Fährte ablenken; **scent bottle** *s* Riech-, Parfümflasche *f;* **scent-less** [-lɪs] *adj* geruchlos

scep•ter ['septə(r)] (*Am*) *s.* **sceptre**

scep•tic ['skeptɪk] *s* Skeptiker(in) *m(f);* **scep•ti•cal** ['skeptɪkl] *adj* skeptisch, zweifelnd; **scep•ti•cism** ['skeptɪsɪzəm] *s* Skepsis *f*

sceptre ['septə(r)] *s* Zepter *n*

sched•ule ['ʃedjuːl, *Am* 'skedʒʊl] I. *s* 1. Programm *n,* Zeitplan *m* 2. (*Schule*) Stundenplan *m* 3. Fahr-, Flugplan *m* 4. (*Am*) Verzeichnis *n* 5. (JUR) Urkunde *f;* **what's on the ~ for today?** was steht für heute auf dem Programm?; **according to ~** planmäßig; nach Plan; **the train is behind ~** der Zug hat Verspätung; **be on ~** pünktlich sein; **be up to ~** nach Zeitplan verlaufen II. *tr* 1. planen 2. (*Zeitplan*) ansetzen 3. (*Am: Liste*) aufführen; **this is not ~d for this year** das steht für dieses Jahr nicht auf dem Programm; **the plane is ~d for ...** planmäßige Ankunft, planmäßiger Abflug ist ...; **sched•uled** ['ʃedjuːld, *Am* 'skedʒʊld] *adj* 1. vorgesehen, geplant 2. (*Abflug*) planmäßig; ~ **flight** Linienflug *m*

sche•matic [skɪ'mætɪk] *adj* schematisch

scheme [skiːm] I. *s* 1. Plan *m,* Programm *n;* Projekt *n* 2. (*pension ~*) Pensionsprogramm *n* 3. raffinierter Plan; Intrige *f;* Komplott *n* 4. (*Stadt*) Anlage *f;* Einrichtung *f;* **a ~ of work** ein Arbeitsprogramm; **housing ~** Siedlung *f;* **rhyme ~** Reimschema *n* II. *itr* Pläne schmieden; intrigieren; ~ **for s.th.** auf etw hinarbeiten; **schemer** ['skiːmə(r)] *s* Intrigant(in) *m(f);* **schem-ing** ['skiːmɪŋ] *adj* raffiniert, durchtrieben; intrigant

schism ['sɪzəm] *s* (REL) Schisma *n;* **schis-matic** [sɪz'mætɪk] *adj* schismatisch

schist [ʃɪst] *s* (GEOL) Schiefer *m*

schizo•phrenia [ˌskɪtsəʊ'friːnɪə] *s* Schizophrenie *f;* **schizo•phrenic** [ˌskɪtsəʊ'frenɪk] I. *adj* schizophren II. *s* Schizophrene(r) *f m*

schnor•kel ['snɔːkl] *s.* **snorkel**

scholar ['skɒlə(r)] *s* 1. Gelehrte(r) *f m* 2. (*Universität*) Stipendiat(in) *m(f)* 3. Student(in) *m(f);* **schol•ar•ly** [-lɪ] *adj* gelehrt, wissenschaftlich; **schol•ar•ship** ['skɒləʃɪp] *s* 1. Gelehrsamkeit *f* 2. Stipendium *n;* **win a ~ to ...** ein Stipendium für ... bekommen; **on a ~** mit e-m Stipendium; **scholarship holder** *s* Stipendiat(in) *m(f)*

schol•as•tic [skə'læstɪk] *adj* 1. schulisch; Schul-; Studien- 2. (REL HIST) scholastisch; ~ **profession** Lehrberuf *m;* **schol•as•ti-cism** [skə'læstɪsɪzəm] *s* Scholastik *f*

school¹ [skuːl] I. *s* 1. Schule *f a. fig* 2. (*Am*) College *n,* Universität *f* 3. (*Universität*) Fachbereich *m,* Fakultät *f* 4. (PHILOS) Schule *f;* **at ~** in der Schule; im College; an der Universität; **go to ~** in die Schule, ins College, zur Universität gehen; **there is no ~ tomorrow** morgen ist schulfrei; ~ **of art** Kunstschule *f;* ~ **of dancing** Tanzschule *f* II. *tr* 1. lehren 2. (*Tier*) dressieren 3. (*fig*) zügeln

school² [skuːl] *s* (*Fische*) Schwarm *m*

school age ['skuːleɪdʒ] *s* schulpflichtiges Alter; **of ~** schulpflichtig; **school attend-**

ance *s* Schulbesuch *m;* **school bag** *s* Schultasche *f;* **school board** *s* (*Am*) Schulbehörde, -aufsichtsbehörde *f;* **school•book** *s* Schulbuch *n;* **school•boy** ['sku:lbɔɪ] *s* Schuljunge, Schüler *m;* **school•child** ['sku:ltʃaɪld, *pl* -tʃɪldrən] <*pl* -children> *s* Schulkind *n;* **school•days** *s pl* Schulzeit *f;* **school fees** *s pl* Schulgeld *n;* **school•girl** ['sku:lgɜ:l] *s* Schulmädchen *n;* Schülerin *f;* **school hall** *s* Aula *f;* **school•house** ['sku:lhaʊs] *s* Schulhaus, -gebäude *n*

school•ing ['sku:lɪŋ] *s* Ausbildung, Schulung *f;* **compulsory** ~ Schulpflicht *f*

school leaver ['sku:lli:və(r)] *s* Schulabgänger(in) *m(f);* **school-leav•ing cer•ti•fi•cate** [ˌsku:lli:vɪŋsə'tɪfɪkət] *s* Abgangszeugnis *n;* **school magazine** *s* Schulzeitung, Schülerzeitung *f;* **school•mas•ter** ['sku:lˌmɑ:stə(r)] *s* Lehrer *m;* **school•mate** *s* Schulkamerad(in) *m(f);* **school•mis•tress** ['sku:lˌmɪstrɪs] *s* Lehrerin *f;* **school report** *s* Zeugnis *n;* **school•room** ['sku:lrʊm] *s* Klassenzimmer *n;* **school•teacher** *s* Lehrer(in) *m(f)*

schoo•ner ['sku:nə(r)] *s* **1.** (MAR) Schoner *m* **2.** Sherryglas *n*

sci•atic [saɪ'ætɪk] *adj* (MED) Ischias-; **sci•atica** [saɪ'ætɪkə] *s* (MED) Ischias *m od n*

science ['saɪəns] *s* **1.** (Natur)Wissenschaft *f* **2.** Technik *f;* **study** ~ Naturwissenschaften studieren; **the ~ of cooking** die Kochkunst; **social** ~ Soziologie *f;* Sozialwissenschaft *f;* **science fiction** *s* Science-fiction *f;* **scien•tific** [ˌsaɪən'tɪfɪk] *adj* **1.** (natur)wissenschaftlich **2.** (*Methode*) wissenschaftlich; **scien•tist** ['saɪəntɪst] *s* (Natur)Wissenschaftler(in) *m(f)*

scin•til•lat•ing ['sɪntɪleɪtɪŋ] *adj* **1.** (*fig*) glänzend, funkelnd **2.** (*Humor*) sprühend; **be** ~ funkeln

scion ['saɪən] *s* **1.** (BOT) Schössling *m* **2.** Nachkomme, Sprössling *m*

scis•sors ['sɪzəz] *s pl* Schere *f;* **a pair of** ~ e-e Schere; ~ **kick** (SPORT) Scherenschlag *m*

scler•osis [sklə'rəʊsɪs] *s* Sklerose *f;* **multiple** ~ multiple Sklerose

scoff[1] [skɒf] **I.** *s* verächtliche Bemerkung **II.** *itr* spotten; ~ **at s.o.** jdn verachten

scoff[2] [skɒf] **I.** *s* (*sl*) Fressalien *fpl,* Fresserei *f* **II.** *tr* futtern

scold [skəʊld] **I.** *tr* ausschimpfen (*for* wegen) **II.** *itr* schelten, zanken, schimpfen; **scold•ing** ['skəʊldɪŋ] *s* Schelte *f;* Schimpferei *f;* **give s.o. a** ~ jdn ausschimpfen

scone [skɒn] *s brötchenartiges Buttergebäck*

scoop [sku:p] **I.** *s* **1.** Schaufel *f* **2.** (*Eis*) Kugel *f* **3.** (*fam*) Fang *m* **4.** (*Zeitung*) Knüller *m;* **at one** ~ auf einmal **II.** *tr* **1.** schaufeln, schöpfen **2.** (*fig*) mit e-r Nachricht zuvorkommen (*s.o.* jdm), übertrumpfen; ~ **out** herausschaufeln, -schöpfen; aushöhlen; ~ **up** aufschaufeln; (*fig: Geld*) scheffeln

scoot [sku:t] *itr* (*fam*) abhauen; laufen, rennen

scooter ['sku:tə(r)] *s* **1.** (Tret)Roller *m* **2.** (*motor* ~) (Motor)Roller *m*

scope [skəʊp] *s* **1.** Ausmaß, Umfang *m;* Reichweite *f* **2.** Kompetenzbereich *m* **3.** Fassungsvermögen *n* **4.** Entfaltungsmöglichkeit *f;* Spielraum *m;* **s.th. is within the ~ of s.th.** etw bleibt im Rahmen e-r S; **s.th. is within the ~ of a department** etw fällt in den Kompetenzbereich e-r Abteilung; **that is beyond my** ~ das übersteigt mein Fassungsvermögen; **there is ~ for improvement** es könnte noch verbessert werden; **give s.o. ~ to do s.th.** jdm den nötigen Spielraum geben etw zu tun

scorch [skɔ:tʃ] **I.** *tr* versengen; **~ed earth policy** (MIL) Politik *f* der verbrannten Erde; **the sun ~ed our faces** die Sonne brannte auf unsere Gesichter **II.** *itr* (*sl*) rasen; **the sun ~ed down** die Sonne brannte herunter **III.** *s* verbrannte Stelle; **scorcher** ['skɔ:tʃə(r)] *s* (*fam*): **yesterday was a** ~ gestern war e-e Knallhitze; **scorch•ing** ['skɔ:tʃɪŋ] *adj* **1.** sengend; glühend heiß **2.** (*fig*) rasend; rasant

score [skɔ:(r)] **I.** *s* **1.** Punktestand *m;* Spielstand *m* **2.** (MUS) Noten *fpl,* Partitur *f* **3.** (*fig*) Zeche, Rechnung *f* **4.** Rille, Kerbe *f;* Kratzer *m* **5.** (*fig*) zwanzig **6.** Grund *m;* **there was no ~ at half-time** zur Halbzeit stand es 0 : 0; **keep (the)** ~ Punkte zählen; **know the** ~ (*fig*) wissen, was gespielt wird; **make a ~ off s.o.** jdm eins auswischen; **what's the ~?** was bin ich schuldig?; (SPORT) wie steht's?; (*fig*) wie sieht's aus?; **pay off old ~s** alte Schulden begleichen; **~s of ...** Hunderte von ...; **by the** ~ massenweise; **on that** ~ was das betrifft **II.** *tr* **1.** (*Punkte*) erzielen; bekommen; schießen **2.** (*Rillen*) einkerben; Kratzer machen in **3.** (MUS) schreiben; ~ **an advantage** im Vorteil sein; ~ **a point off s.o.** auf jds Kosten glänzen; ~ **a hit with s.o.** jdn stark beeindrucken; ~ **off** ausstreichen; ~ **out** durchstreichen; ~ **up** anschreiben **III.** *itr* **1.** e-n Punkt erzielen; ein Tor schießen **2.** mitzählen **3.** (*sl*): ~ **with a woman** eine Frau aufs Kreuz legen **4.** (*fam*) sich Drogen beschaffen; ~ **well/badly** gut/schlecht abschneiden; ~ **off s.o.** jdn als dumm hinstellen; **score•board** *s* Anzeigetafel *f;* **score•card** *s* Spielprotokoll *n;* **scorer** ['skɔ:rə(r)] *s* (SPORT) **1.** Torschütze *m* **2.** Punktrichter *m;* **scor•ing** ['skɔ:rɪŋ] *s* Erzielen *n* e-s Punktes; Torschuss *m*

scorn [skɔːn] I. *s* Verachtung *f;* Hohn *m;* **laugh s.o. to ~** jdn höhnisch verlachen; **pour ~ on s.th.** etw verächtlich abtun II. *tr* 1. verachten, geringschätzen 2. (*Geschenk*) verschmähen, als unwürdig ablehnen; **~ to do s.th.** es für unwürdig halten etw zu tun; **scorn•ful** ['-fʊl] *adj* verächtlich, spöttisch

Scor•pio ['skɔːpɪəʊ] *s* (ASTR) Skorpion *m*

scor•pion ['skɔːpɪən] *s* (ZOO) Skorpion *m*

Scot [skɒt] *s* Schotte *m,* Schottin *f*

scotch [skɒtʃ] *tr* 1. aus der Welt schaffen 2. (*Idee*) unterbinden

Scotch [skɒtʃ] I. *adj* schottisch; **~ Whisky** schottischer Whisky II. *s* schottischer Whisky; **Scotch broth** *s* Gemüsesuppe *f* mit Hammelfleisch

scot-free [ˌskɒt'friː] *adv* ungeschoren; **get off ~** ungestraft, unverletzt davonkommen

Scot•land ['skɒtlənd] *s* Schottland *n*

Scots [skɒts] *s:* **the ~** die Schotten *pl;* **Scots•man** [-mən] <*pl* -men> *s* Schotte *m;* **Scots•woman** [-wʊmən, *pl* -wɪmɪn] <*pl* -women> *s* Schottin *f;* **Scot•tish** ['skɒtɪʃ] I. *adj* schottisch II. *s* (*Sprache*) (das) Schottisch(e); **the ~** die Schotten *pl*

scoun•drel ['skaʊndrəl] *s* Schurke, Schuft *m*

scour[1] ['skaʊə(r)] I. *tr* scheuern; **~ away** [*o* **off**] abscheuern II. *s* Scheuern, Schrubben *n*

scour[2] ['skaʊə(r)] *tr* durchsuchen, durchstöbern (*for* nach)

scour•er ['skaʊrə(r)] *s* Topfkratzer *m*

scourge [skɜːdʒ] I. *s* Geißel *f a. fig* II. *tr* 1. geißeln 2. (*fig*) peinigen, bestrafen

scout [skaʊt] I. *s* 1. Späher, Kundschafter *m* 2. (AERO) Aufklärer *m* 3. (*boy ~*) Pfadfinder *m* 4. (MOT) Pannenhelfer *m;* **on the ~** auf Erkundung; **have a ~ about** [*o* **around**] **for s.th.** sich nach etw umsehen; **talent ~** Talentsucher *m* II. *itr* erkunden, auskundschaften; **~ for s.th.** nach etw Ausschau halten; **~ about** [*o* **around**] sich umsehen (*for* nach) III. *tr:* **~ out** auskundschaften; **scout•mas•ter** ['skaʊtmɑːstə(r)] *s* Pfadfinderführer *m*

scowl [skaʊl] I. *itr* finster blicken; ein böses Gesicht machen; **~ at s.o.** jdn böse ansehen II. *s* finsterer Blick

scrabble ['skræbl] *itr* (*~ about*) herumsuchen, herumtasten

scrag [skræg] I. *s* Hals *m* II. *tr* (*sl*) den Hals umdrehen (*s.o.* jdm); **scraggy** ['skrægɪ] *adj* mager, hager, knochig

scram [skræm] *itr* abhauen; **~!** hau ab!

scramble ['skræmbl] I. *itr* 1. klettern, krabbeln 2. sich balgen, sich reißen (*for* um); **~ out** hinausklettern II. *tr* 1. durcheinander werfen 2. (*Eier*) verrühren 3. (TELE) chiffrieren, verschlüsseln; **~d eggs** Rührei(er *pl*) *n* III. *s* 1. Klettern *n* 2. Gedrängel *n,* Balgerei *f* (*for* um) 3. (MOT) Moto-Cross *n;* **scram•bler** ['skræmblə(r)] *s* (TELE) Verschlüsselungs-, Chiffriergerät *n*

scrap[1] [skræp] I. *s* 1. Stück(chen) *n;* bisschen 2. (*~ of paper*) (Papier)Fetzen *m* 3. (*fig*) Fünkchen *n,* Spur *f* 4. **~s** Reste *mpl* 5. Altmaterial *n;* Altpapier *n;* Schrott *m;* **not a ~** kein bisschen; **a few ~s of German** ein paar Brocken Deutsch; **not a ~ of evidence** nicht der geringste Beweis; **these bits are ~** diese Sachen werden nicht mehr gebraucht II. *tr* 1. verschrotten; ausrangieren 2. (*fig: Plan*) fallen lassen

scrap[2] [skræp] I. *s* (*fam*) Rauferei *f* II. *itr* (*fam*) sich raufen, sich prügeln, sich streiten, sich balgen (*with* mit)

scrap•book ['skræpbʊk] *s* Sammelalbum *n;* **scrap dealer** *s* Schrotthändler(in) *m(f)*

scrape [skreɪp] I. *tr* 1. (ab)kratzen, -bürsten 2. (*Auto*) schrammen; streifen 3. (*Knie*) (wund) scheuern, aufschürfen 4. (*Loch*) scharren; **~ a living** gerade so sein Auskommen haben; **~ the bottom of the barrel** (*fig*) den letzten Rest zusammenkratzen; **~ together** zusammenharken; zusammenkratzen; **~ up** zusammenkratzen II. *itr* 1. kratzen, scheuern (*on, against* an) 2. (*fam*) knausern; **~ along** sich schlecht und recht durchschlagen; **~ away** herumkratzen (*at* an); **~ off** sich abkratzen lassen; **~ through** gerade noch durchkommen III. *s* 1. Kratzen, Scharren *n* 2. Kratzer *m;* Schramme *f* 3. (*fig*) Klemme, Patsche *f;* **get into a ~** (*fig*) sich in die Nesseln setzen; **scraper** ['skreɪpə(r)] *s* 1. Spachtel *f* 2. (*an der Tür*) Kratzeisen *n*

scrap-heap ['skræphiːp] *s* Schrotthaufen *m*

scrap•ings ['skreɪpɪŋz] *s pl* 1. Reste *mpl,* Schalen *fpl* 2. (*Metall*) Späne *mpl*

scrap iron ['skræpaɪən] *s* Alteisen *n;* **scrap merchant** *s* Schrotthändler *m*

scrappy ['skræpɪ] *adj* 1. zusammengestückelt 2. (*Wissen*) lückenhaft

scratch [skrætʃ] I. *tr* 1. (zer)kratzen, ritzen, verschrammen 2. (SPORT) streichen; **~ s.th. away** etw abkratzen; **~ s.th. in the wood** etw ins Holz ritzen; **~ a living** sich e-n kümmerlichen Lebensunterhalt verdienen; **~ one's head** sich am Kopf kratzen; **~ the surface of s.th.** etw oberflächlich berühren; **~ s.th. through** etw durchstreichen II. *itr* 1. kratzen 2. (SPORT) nicht antreten III. *s* 1. Kratzer *m* 2. Kratzen, Scharren *n;* **~ file** (EDV) Hilfsdatei *f;* **give**

s.o. a ~ jdn kratzen; **have a** ~ sich kratzen; **start from** ~ ganz von vorne anfangen; **be** [*o* **come**] **up to** ~ die Erwartungen erfüllen; **bring s.th. up to** ~ etw auf Vordermann bringen **IV.** *adj* **1.** improvisiert **2.** (SPORT) ohne Vorgabe; **scratch about** *itr* herumscharren; sich umsehen; **scratch out** *tr* auskratzen; **scratch up** *tr* (*Geld*) zusammenkratzen

scratch card ['skrætʃkɑ:d] *s* Rubbelkarte *f;* **scratch pad** ['skrætʃpæd] *s* (*Am*) Notizblock *m;* **scratch paper** *s* Konzept-, Schmierpapier *n*

scratchy ['skrætʃɪ] *adj* **1.** (*Stoff, Geräusch*) kratzend **2.** (*Platte*) zerkratzt **3.** (*Pullover*) kratzig

scrawl [skrɔ:l] **I.** *tr, itr* schmieren, kritzeln **II.** *s* Gekritzel *n,* Kritzelei *f*

scrawny ['skrɔ:nɪ] *adj* dürr

scream [skri:m] **I.** *itr* **1.** schreien; kreischen **2.** (*Sirene*) heulen; ~ **at s.o.** jdn anschreien; ~ **with pain** vor Schmerzen schreien; ~ **with laughter** vor Lachen kreischen; ~ **out for s.th.** nach etw schreien **II.** *tr* **1.** schreien **2.** (*fig*) herausschreien; ~ **one's head off** sich die Lunge aus dem Leib schreien; ~ **o.s. hoarse** sich heiser brüllen **III.** *s* **1.** Schrei *m* **2.** Heulen *n* **3.** (*Bremsen*) Kreischen *n* **4.** (*fam*) ulkiger Kerl; **be a** ~ zum Schreien sein; **screaming** ['-ɪŋ] *adj* **1.** schreiend, kreischend **2.** (*Wind*) heulend **3.** (*fig*) himmelschreiend

scree [skri:] *s* (GEOL) Geröll *n*

screech [skri:tʃ] **I.** *tr* schreien **II.** *itr* **1.** kreischen **2.** (*Fahrzeug*) quietschen; ~ **with laughter** vor Lachen kreischen **III.** *s* **1.** Schrei *m* **2.** (*Bremse*) Kreischen *n;* **give a** ~ aufkreischen, -schreien; kreischen; **screech owl** *s* (ZOO) Schleiereule *f*

screed [skri:d] *s:* **write ~s (and ~s)** (*fam*) ganze Romane schreiben

screen [skri:n] **I.** *s* **1.** Licht-, Wand-, Bildschirm *m* **2.** Trennwand *f* **3.** (*fig*) Schutz *m* **4.** (*Bäume*) Wand *f* **5.** (MIL) Verdunklungsschutz *m* **6.** Fliegenfenster *n* **7.** (*Kirche*) Lettner *m* **8.** (FILM) Leinwand *f* **9.** (Gitter)Sieb *n;* **stars of the** ~ Filmstars *mpl;* **a** ~ **of indifference** e-e Mauer der Gleichgültigkeit **II.** *tr* **1.** abschirmen, abdecken; verdecken, verhüllen, verschleiern; geheim halten (*from* vor) **2.** (TV) senden **3.** (*Film*) vorführen **4.** sieben **5.** (*Risiko*) überprüfen; ~ **the windows** die Fenster verhängen; Fliegenfenster an den Fenstern anbringen; ~ **s.th. from the enemy** etw vor dem Feind tarnen; **screen off** *tr* durch e-n Schirm, eine Trennwand abtrennen; **screen•ing** ['-ɪŋ] *s* **1.** (*fig*) Überprüfung *f* **2.** (FILM) Vorführung *f;* **screen•play** *s* Drehbuch *n;* **screen test** *s* Probeaufnahmen *fpl;* **screen•writer** ['skri:nˌraɪtə(r)] *s* Drehbuchautor(in) *m(f)*

screw [skru:] **I.** *s* **1.** (TECH) Schraube *f* **2.** (AERO) Propeller *m* **3.** Drehung *f* **4.** (*obs*) Tabaksbeutelchen *n* **5.** (*sl*) Zaster *m* **6.** (*sl*) Gefängniswärter *m;* **he's got a ~ loose** (*fam*) bei dem ist eine Schraube locker *fam;* **put the ~s on s.o.** (*fam*) jdm die Daumenschrauben anlegen; **give s.th. a** ~ an etw drehen **II.** *tr* **1.** schrauben (*to* an, *onto* auf) **2.** (*fam*) in die Mangel nehmen **3.** (*sl*) bescheißen **4.** (*sl*) bumsen; ~ **one's head round** seinen Kopf herumdrehen **III.** *itr* **1.** sich schrauben lassen **2.** (*sl*) bumsen; **screw down** *tr* an-, festschrauben; **screw off** *tr* abschrauben; **screw on** *tr* anschrauben; **have one's head ~ed on the right way** ein vernünftiger Mensch sein; **screw out** *tr* herausschrauben; ~ **s.th. out of s.o.** etw aus jdm herausquetschen; **screw together** *tr* zusammenschrauben; **screw up** *tr* **1.** anziehen **2.** (*Papier*) zusammenknüllen **3.** (*Augen*) zusammenkneifen **4.** (*sl*) vermasseln **5.** (*sl*) neurotisch machen; ~ **up one's courage** seinen ganzen Mut zusammennehmen

screw•ball ['skru:bɔ:l] *s* (*sl*) komischer Kauz; **screw•driver** *s* Schraubenzieher, -dreher *m;* **Phillips** ~® Kreuzschlitzschraubenzieher *m;* **screwed** [skru:d] *adj* (*sl*) voll; ~ **up** neurotisch; **get ~ up about s.th.** sich in etw hineinsteigern; **screw top** *s* Schraubverschluss *m;* **screwy** ['skru:ɪ] *adj* (*sl*) verrückt, bekloppt; schrullig

scribble ['skrɪbl] **I.** *tr* hinkritzeln; ~ **s.th. on s.th.** etw auf etw kritzeln **II.** *itr* kritzeln; schreiben **III.** *s* Gekritzel *n;* **scrib•bler** ['skrɪblə(r)] *s* (*pej*) Schreiberling *m;* **scribbling block, scrib•bling pad** *s* Schreib-, Notizblock *m*

scrim•mage ['skrɪmɪdʒ] *s* **1.** Handgemenge *n* **2.** (*Am: Fußball*) Gedränge *n*

scrimp [skrɪmp] *itr* sparen; knausern; ~ **and save** geizen und sparen

scrip issue [ˌskrɪp'ɪʃu:] *s* (FIN) *Ausgabe von Gratisaktien*

script [skrɪpt] *s* **1.** Schrift *f;* Schreibschrift *f* **2.** (*Schule*) schriftliche Arbeit **3.** (*Dokument*) Text *m* **4.** (THEAT FILM) Textbuch, Drehbuch *n;* **script girl** *s* (FILM) Skriptgirl *n*

scrip•tural ['skrɪptʃərəl] *adj* biblisch; **scrip•ture** ['skrɪptʃə(r)] *s:* **S~, the S~s** die Heilige Schrift; ~ **lesson** Religionsstunde *f*

script•writer ['skrɪptraɪtə(r)] *s* (FILM) Drehbuchautor(in) *m(f),* Textautor(in) *m(f)*

scroll [skrəʊl] **I.** *itr* (EDV) blättern **II.** *s* **1.** (HIST) Schriftrolle *f* **2.** (ARCH) Spirale, Schnecke, Volute *f*

Scrooge [skruːdʒ] *s* Geizhals *m*

scro•tum ['skrəʊtəm] *s* (ANAT) Hodensack *m*

scrounge [skraʊndʒ] *tr, itr* (*fam*) schnorren, abstauben; ~ **around for s.th.** nach etw herumsuchen; **scrounger** ['skrəʊndʒə(r)] *s* (*fam*) Schnorrer(in) *m(f)*

scrub¹ [skrʌb] *s* Buschwerk, Gestrüpp *n*

scrub² [skrʌb] **I.** *tr* **1.** (ab)schrubben, scheuern **2.** (*Gemüse*) putzen **3.** (*fam*) annullieren, streichen **4.** (*Gase*) waschen **II.** *s* Schrubben *n;* **give s.th. a good** ~ etw sorgfältig scheuern; **scrub•ber** ['skrʌbə(r)] *s* (*sl pej*) Flittchen *n;* **scrub•bing-brush** ['skrʌbɪŋbrʌʃ] *s* Scheuerbürste *f*

scruff [skrʌf] *s:* **by the ~ of the neck** am Genick

scruffy ['skrʌfɪ] *adj* (*fam*) vergammelt; verlottert

scrum(•mage) ['skrʌm(ɪdʒ)] *s* (*Rugby*) Gedränge *n*

scrump•tious ['skrʌmpʃəs] *adj* (*fam*) prima, klasse; lecker; **scrumpy** ['skrʌmpɪ] *s* ≈Most *m*

scrunch [skrʌntʃ] **I.** *s* Knirschen *n* **II.** *itr* knirschen

scruple ['skruːpl] *s* Skrupel *m;* **~s** Bedenken *pl;* **have no ~s** keine Skrupel haben; **scru•pu•lous** ['skruːpjʊləs] *adj* gewissenhaft; genau; **he is not ~ in his business dealings** er hat keine Skrupel bei seinen Geschäften

scru•ti•neer [ˌskruːtɪ'nɪə(r)] *s* (POL) Wahlprüfer(in) *m(f);* **scru•ti•nize** ['skruːtɪnaɪz] *tr* **1.** genau prüfen **2.** (*Wahlstimmen*) prüfen; **scru•tiny** ['skruːtɪnɪ] *s* **1.** genaue Prüfung; Untersuchung *f;* Musterung *f* **2.** (POL) Wahlprüfung *f;* **subject s.th./s.o. to (close) ~** etw/jdn (genau) mustern

scuba ['skuːbə] *s* Schwimmtauchgerät *n;* **scuba diving** *s* Sporttauchen *n*

scud [skʌd] *itr* **1.** flitzen **2.** (*Wolken*) jagen

scuff [skʌf] **I.** *tr* abwetzen **II.** *itr* schlurfen **III.** *s* (~ *mark*) abgewetzte Stelle

scuffle ['skʌfl] **I.** *itr* sich raufen; poltern; ~ **with the police** ein Handgemenge mit der Polizei haben **II.** *s* Balgerei *f;* Handgemenge *n*

scull [skʌl] **I.** *s* **1.** (MAR) Skull *n* **2.** (*Boot*) Skullboot *n* **II.** *itr, tr* rudern

scul•lery ['skʌlərɪ] *s* Spülküche *f*

sculp•tor ['skʌlptə(r)] *s* Bildhauer(in) *m(f);* **sculp•tress** ['skʌlptrɪs] *s* Bildhauerin *f;* **sculp•tural** ['skʌlptʃərəl] *adj* plastisch; bildhauerisch; **sculp•ture** ['skʌlptʃə(r)] **I.** *s* **1.** Bildhauerei *f* **2.** Skulptur *f* **II.** *tr* **1.** formen, arbeiten **2.** (*in Stein*) hauen, meißeln **3.** (*in Ton*) modellieren

scum [skʌm] *s* **1.** Schaum *m;* Rand *m* **2.** (*fig*) Abschaum *m;* **the ~ of the earth** der Abschaum der Menschheit

scup•per ['skʌpə(r)] *tr* **1.** (MAR) versenken **2.** (*fam*) zerschlagen

scurf [skɜːf] *s* (Kopf)Schuppen *fpl*

scur•ri•lous ['skʌrɪləs] *adj* **1.** verleumderisch **2.** unflätig, zotig

scurry ['skʌrɪ] **I.** *itr* hasten; eilig trippeln; huschen; ~ **along** entlanghasten; ~ **through one's work** seine Arbeit hastig erledigen **II.** *s* Hasten *n;* Trippeln *n*

scurvy ['skɜːvɪ] **I.** *s* (MED) Skorbut *m* **II.** *adj* (*sl*) niederträchtig

scut [skʌt] *s* Stummelschwanz *m*

scuttle¹ ['skʌtl] *s* Kohleneimer, -kasten *m*

scuttle² ['skʌtl] **I.** *s* (MAR) Luke *f* **II.** *tr* (*Schiff*) versenken

scuttle³ ['skʌtl] *itr* **1.** schnell laufen, rennen **2.** (*Tier*) hoppeln; krabbeln; ~ **off in a hurry** (*fam*) davonflitzen

scythe [saɪð] **I.** *s* Sense *f* **II.** *tr* (mit der Sense) mähen

SDR [ˌesdiː'ɑː(r)] *s abbr of* **special drawing rights** (FIN) SZR *f,* Sonderziehungsrechte *npl*

sea [siː] *s* **1.** See *f,* Meer *n* **2.** (*fig*) große Menge; **beyond the ~s** in Übersee; **at ~** auf (hoher) See; **by ~** auf dem Seeweg; **travel by ~** mit dem Schiff fahren; **be all at ~** (*fig*) nicht durchblicken; **go to ~** zur See gehen; sich einschiffen; **put to ~** in See stechen; **heavy ~s** schwere See; **a ~ of faces** ein Meer von Gesichtern; **sea air** *s* Seeluft *f;* **sea anemone** *s* Seeanemone *f;* **sea animal** *s* Meerestier *n;* **sea-based** ['siːˌbeɪst] *adj* (MIL) seegestützt; **sea bathing** *s* Baden *n* im Meer; **sea•bed** ['siːbed] *s* Meeresgrund *m;* **sea bird** *s* Seevogel *m;* **sea•board** ['siːbɔːd] *s* Küste *f;* **sea-borne** ['siːbɔːn] *adj* auf dem Seeweg befördert; ~ **goods** Seefrachtgüter *npl;* **sea breeze** *s* Seewind *m;* **sea calf** ['siːkɑːf, *pl* -kɑːvz] <*pl* -calves> *s* Seehund *m;* **sea-coast** *s* (Meeres)Küste *f;* **sea cow** *s* Seekuh *f;* **sea dog** *s* (*fam: Matrose*) Seebär *m;* **sea•farer** ['siːˌfeərə(r)] *s* Seefahrer *m;* **sea•faring** ['siːˌfeərɪŋ] **I.** *adj* seefahrend **II.** *s* Seefahrt *f;* **sea•fish** *s* Seefisch *m;* **sea•food** ['siːfuːd] *s* Meeresfrüchte *fpl;* **sea•front** ['siːfrʌnt] *s* Strandpromenade *f;* **sea•go•ing** ['siːˌgəʊɪŋ] *adj* seefahrend; seetüchtig; **sea•gull** ['siːgʌl] *s* Seemöwe *f;* **sea-horse** *s* Seepferdchen *n*

seal¹ [siːl] **I.** *s* **1.** Siegel *n a. fig* **2.** Plombe *f,* Verschluss *m* **3.** Siegelring *m* **4.** (*fig*) Bekräftigung, Bestätigung *f* **5.** (TECH) Dichtung *f;* **under the ~ of secrecy** unter dem Siegel der Verschwiegenheit; **set one's ~ to s.th.** unter etw sein Siegel setzen; **give s.th. one's ~ of approval** seine Zustimmung zu etwas geben; **give s.o. one's ~ of approval** jdm seine Zustimmung geben; **~ of quality** Gütesiegel *n* **II.** *tr* **1.** (be-, ver)siegeln **2.** plombieren **3.** (*Brief*) verschließen, zukleben **4.** (*fig*) bekräftigen, bestätigen **5.** (TECH) luftdicht verschließen; **~ed envelope** verschlossener Briefumschlag; **~ off** hermetisch abriegeln; **~ up** versiegeln; fest verschließen; abdichten; **~ s.o.'s fate** jds Schicksal besiegeln

seal² [siːl] *s* (ZOO) Seehund *m;* Seal *m*

sea legs ['siːlegs] *s pl:* **get** [*o* **find**] **one's ~** standfest werden; **sea level** *s* Meeresspiegel *m;* **above/below ~** über/unter dem Meeresspiegel

seal·ing ['siːlɪŋ] *s* Versiegeln, Plombieren *n;* **sealing wax** *s* Siegelwachs *n*

sea lion ['siːˌlaɪən] *s* Seelöwe *m*

seal ring ['siːlrɪŋ] *s* Siegelring *m*

seal·skin ['siːlskɪn] *s* Seehundfell *n,* Seal *m*

seam [siːm] **I.** *s* **1.** Saum *m,* Naht *f* **2.** (MAR) Fuge *f* **3.** Narbe *f* **4.** (GEOL) Flöz *n* **II.** *tr* **1.** säumen **2.** (*fig*) durchziehen; **~ed with ...** zerfurcht von ...

sea·man ['siːmən] <*pl* -men> *s* Seemann, Matrose *m;* **sea mile** *s* Seemeile *f* (*intern. = 1852 m*)

seam·less ['siːmlɪs] *s* nahtlos; **seam·stress** ['siːmstrɪs] *s* Näherin *f*

seamy ['siːmɪ] *adj* düster; **the ~ side of life** die Schattenseite des Lebens

sea·plane ['siːpleɪn] *s* Wasserflugzeug *n;* **sea·port** ['siːpɔːt] *s* Seehafen *m;* **sea power** *s* Seemacht *f*

sear [sɪə(r)] *tr* **1.** versengen, verbrennen **2.** (*Schmerz*) durchzucken **3.** (*Fleisch*) rasch anbraten **4.** (MED) ätzen **5.** (*Sonne*) ausdörren

search [sɜːtʃ] **I.** *tr* **1.** durchsuchen, -forschen, -stöbern **2.** (*Gewissen*) erforschen; **~ me!** was weiß ich! **II.** *itr* suchen (*for* nach) **III.** *s* **1.** Suche *f* (*for* nach) **2.** Durchsuchung *f* **3.** Nachforschung *f;* **go in ~ of s.o.** auf die Suche nach jdm gehen; **make a ~ in a house** e-e Hausdurchsuchung machen; **make a ~ for s.o.** nach jdm suchen; **search out** *tr* ausfindig machen, aufspüren; **search through** *tr* durchsuchen; **searcher** ['sɜːtʃə(r)] *s* Durchsuchungsbeamte(r) *m,* -beamtin *f;* **the ~s** die Suchmannschaft; **search function** *s* (EDV) Suchfunktion *f;* **search·ing** ['-ɪŋ] *adj* **1.** prüfend, forschend **2.** (*Frage*) durchdringend; **search·light** ['sɜːtʃlaɪt] *s* Suchscheinwerfer *m;* **search operation** *s* **1.** Suchaktion *f* **2.** (EDV) Suchlauf *m;* **search party** *s* Rettungs-, Bergungs-, Suchmannschaft *f;* **search warrant** *s* Durchsuchungsbefehl *m*

sear·ing ['sɪərɪŋ] *adj* **1.** glühend **2.** (*Schmerz*) scharf **3.** (*fig*) quälend

sea·scape ['siːskeɪp] *s* (*Malerei*) Seestück *n;* **sea shanty** *s* Seemannslied *n;* **sea·shell** *s* Muschel(schale) *f;* **sea·shore** ['siːʃɔː(r)] *s* Strand *m;* **on the ~** am Strand; **sea·sick** ['siːsɪk] *adj* seekrank; **sea·sick·ness** ['siːsɪknɪs] *s* Seekrankheit *f;* **sea·side** ['siːsaɪd] *s:* **at the ~** am Meer; **go to the ~** ans Meer fahren; **~ holidays** Ferien am Meer

sea·son ['siːzn] **I.** *s* **1.** Jahreszeit *f* **2.** (SPORT THEAT) Saison *f;* **at the height of the ~** in der Hochsaison; **for a ~** e-e Spielzeit lang; **in ~** in der Saison; (ZOO) in der Brunstzeit; (*Hündin*) läufig; **in and out of ~** andauernd, jahrein jahraus; **in due ~** zu gegebener Zeit; **in good ~** rechtzeitig; **nesting/hunting ~** Brut-/Jagdzeit *f;* **holiday ~** Ferienzeit *f* **II.** *tr* **1.** (*fig*) durchsetzen **2.** (*Speise*) würzen **3.** (*Holz*) ablagern **4.** (*Truppen*) stählen; **sea·son·able** ['siːznəbl] *adj* **1.** der Jahreszeit angemessen; zeitgemäß **2.** (*Rat*) zur rechten Zeit; **sea·sonal** ['siːzənl] *adj* jahreszeitlich; saisonbedingt; **~ adjustment** Saisonbereinigung *f;* **~ trade** Saisongeschäft *n;* **~ unemployment** saisonbedingte Arbeitslosigkeit; **sea·soned** ['siːznd] *adj* **1.** (*Essen*) gewürzt **2.** (*Holz*) abgelagert **3.** (*fig*) erfahren; **sea·son·ing** ['siːznɪŋ] *s* Würze *f* *a. fig,* Gewürz *n;* **season ticket** *s* (*Br*) Zeit-, Dauerkarte *f;* **season ticket holder** *s* Inhaber(in) *m(f)* e-r Zeit-, Dauerkarte

seat [siːt] **I.** *s* **1.** Sitz *m;* Sitzgelegenheit *f* **2.** (THEAT) (Theater)Platz *m* **3.** (PARL) Sitz *m* **4.** Sitzfläche *f;* Hinterteil, Gesäß *n* **5.** (*fig*) Schauplatz *m* **6.** (REL) Sitz *m;* **have a front ~ at the opera** in der Oper in den vorderen Reihen sitzen; **driver's ~** Fahrersitz *m;* **keep one's ~** (*Reiten, Radfahren*) im Sattel bleiben; **lose one's ~** seinen Platz verlieren; (*Reiten, Radfahren*) aus dem Sattel fallen; (POL) sein Mandat verlieren; **a ~ in Parliament** ein Sitz im Parlament; **win a ~** ein Mandat gewinnen; **~ of learning** Stätte *f* der Gelehrsamkeit **II.** *tr* **1.** setzen **2.** (*Raum*) Sitzgelegenheit bieten für, Platz haben für, fassen **3.** (TECH) einpassen; **~ o.s.** sich (hin)setzen; **be ~ed** sitzen; **remain ~ed** sitzen bleiben; **~ 40 passengers** 40 Sitzplätze haben; **seat belt** *s* **1.** (AERO) Anschnallgurt *m* **2.** (MOT) Sicherheitsgurt *m;* **fasten one's ~** sich anschnallen; **-seater** ['sɪːtə(r)] (*in Zusammensetzungen*) -sitzer *m;* **four-~** Viersitzer *m;* **seat·ing** ['-ɪŋ] *s* Sitzplätze *mpl;* **seating arrangements** *s pl* Sitzordnung *f;* **seating plan** *s* Sitz-, Bestuhlungsplan *m;* **seating room** *s* Sitzplätze *mpl*

SEATO ['si:təʊ] *s abbr of* South-East Asia Treaty Organization SEATO *f*
sea town ['si:taʊn] *s* Hafenstadt *f;* **sea urchin** *s* Seeigel *m;* **sea•ward** ['si:wəd] **I.** *adj* aufs Meer hinaus; ~ **wind** Seewind *m* **II.** *adv* (*a. seawards*) see-, meerwärts; **sea water** *s* Seewasser *n;* **sea•way** ['si:weɪ] *s* Seestraße *f;* Wasserweg *m;* **sea•weed** ['si:wi:d] *s* Seetang *m;* **sea•worthy** ['si:ˌwɜ:ðɪ] *adj* seetüchtig
se•ba•ceous gland [sɪ'beɪʃəsˌglænd] *s* Talgdrüse *f*
sec [sek] *s* (*sl*) Sekunde *f*
seca•teurs [ˌsekə'tɜ:z] *s pl* Gartenschere *f*
se•cede [sɪ'si:d] *itr* sich abspalten; **se•cession** [sɪ'seʃn] *s* Abspaltung *f;* Sezession *f*
se•clude [sɪ'klu:d] *tr* absondern (*from* von); **se•clud•ed** [sɪ'klu:dɪd] *adj* **1.** (*Leben*) zurückgezogen **2.** (*Haus*) abgelegen; einsam; **se•clu•sion** [sɪ'klu:ʒn] *s* Absondern *n;* Zurückgezogenheit *f;* Abgelegenheit *f;* **live in** ~ zurückgezogen, einsam leben
sec•ond¹ ['sekənd] **I.** *adj* zweite(r, s); **every** ~ **house** jedes zweite Haus; **be** ~ Zweite(r, s) sein; **in** ~ **place** an zweiter Stelle; **in the** ~ **place** zweitens; **be** ~ **to none** unübertroffen sein; **for the** ~ **time** zum zweiten Mal; **have** ~ **thoughts about s.th.** sich etw anders überlegen **II.** *adv* zweit-; an zweiter Stelle; **come/lie** ~ an zweiter Stelle kommen/liegen; **go** [*o* **travel**] ~ zweiter Klasse fahren **III.** *tr* (*Antrag*) unterstützen
sec•ond² ['sekənd] *s* **1.** Sekunde *f;* Augenblick *m* **2.** (MOT) der zweite Gang **3.** (MUS) Sekunde *f* **4.** (SPORT) Sekundant *m* **5.** (COM) zweite Wahl **6.** **~s** (COM) Waren *f pl* zweiter Wahl **7.** (*Universität*) *mittlere Note bei der Abschlussprüfung;* **just a ~!** einen Augenblick!; **at that very** ~ genau in dem Augenblick; **come a good** ~ e-n guten zweiten Platz belegen; **drive in** ~ im zweiten Gang fahren; **can I have ~s?** kann ich noch etwas nachbekommen?
se•cond³ [sɪ'kɒnd] *tr* abordnen, abstellen
sec•ond•ary ['sekəndrɪ] *adj* **1.** zweitrangig, untergeordnet, geringer; sekundär **2.** (*Schule*) höher, Sekundar-; **of** ~ **importance** von sekundärer Bedeutung; **secondary industry** *s* verarbeitende Industrie; **secondary picketing** *s Bestreikung eines nur indirekt beteiligten Betriebes;* **secondary school** *s* (*Br*) höhere Schule (*für Schüler vom 11. bis zum 15./18. Lebensjahr*)
sec•ond-best [ˌsekənd'best] **I.** *adj* zweitbeste(r, s) **II.** *adv:* **come off** ~ den Kürzeren ziehen **III.** *s* Zweitbeste(r, s); **second chamber** *s* (PARL) zweite Kammer; **second class** *s* (RAIL) zweite Klasse; **second-class** *adj, adv* zweiter Klasse; **second cousin** *s* Cousin *m,* Cousine *f* zweiten Grades; **second-degree burn** *s* Verbrennung *f* zweiten Grades; **seconder** ['sekəndə(r)] *s* Befürworter(in) *m(f);* **second floor** *s* zweiter, *Am* erster Stock; **on the** ~ im zweiten, *Am* ersten Stock; **second-hand** *adj* **1.** (*Information*) aus zweiter Hand **2.** gebraucht; Gebraucht- **3.** (*Kleider*) getragen **4.** (*Buch*) antiquarisch; **have** ~ **knowledge of s.th.** etw vom Hörensagen wissen; **second hand** *s* Sekundenzeiger *m;* **second language** *s* erste Fremdsprache; **second lieutenant** *s* Leutnant *m*
sec•ond•ly ['sekəndlɪ] *adv* zweitens; an zweiter Stelle
sec•ond•ment [sɪ'kɒndmənt] *s* Abordnung *f*
second mortage *s* Zweithypothek *f;* **second na•ture** [ˌsekənd 'neɪtʃə(r)] *s* zweite Natur; **become** ~ in Fleisch und Blut übergehen; **second-rate** *adj* zweitrangig, -klassig; **second sight** *s* zweites Gesicht
se•crecy ['si:krəsɪ] *s* Geheimhaltung *f;* Verschwiegenheit *f;* **in** ~ im Geheimen; **in strict** ~ ganz im Geheimen; **se•cret** ['si:krɪt] **I.** *adj* **1.** geheim, heimlich **2.** verborgen, versteckt, abgelegen; **keep** ~ geheim halten; ~ **agent** Geheimagent(in) *m(f);* ~ **service** Geheim-, Nachrichtendienst *m* **II.** *s* Geheimnis *n;* **in** ~ im Geheimen; **keep s.o. a** ~ **from s.o.** jdn vor jdm geheim halten; **be in on the** ~ eingeweiht sein; **keep a** ~ ein Geheimnis bewahren; **make no** ~ **of s.th.** kein Geheimnis aus etw machen
sec•re•tar•ial [ˌsekrə'teərɪəl] *adj* Sekretärs-, Sekretärinnen-; ~ **staff** Schreibkräfte *pl;* ~ **work** Büroarbeit *f;* **sec•re•tariat** [ˌsekrə'teərɪət] *s* Sekretariat *n;* **sec•re•tary** ['sekrətrɪ] *s* **1.** Sekretär(in) *m(f)* **2.** Schriftführer(in) *m(f)* **3.** (*Am*) Minister(in) *m(f);* **~-general** Generalsekretär *m;* **S~ of State** (*Br*) Minister(in) *m(f);* (*Am*) Außenminister(in) *m(f)*
se•crete [sɪ'kri:t] *tr* **1.** verbergen **2.** (MED) absondern, ausscheiden; **se•cre•tion** [sɪ'kri:ʃn] *s* **1.** Verbergen *n* **2.** (MED) Absonderung *f;* Sekret *n*
se•cret•ive ['si:krətɪv] *adj* **1.** zurückhaltend, verschwiegen **2.** (*Lächeln*) geheimnisvoll
sect [sekt] *s* (REL) Sekte *f;* **sec•tarian** [sek'teərɪən] **I.** *adj* **1.** (*Schule*) konfessionell **2.** (*Politik*) konfessionsgebunden; Konfessions- **II.** *s* Sektierer(in) *m(f)*
sec•tion ['sekʃn] **I.** *s* **1.** Teil *m* **2.** (*Ge-*

bäude) Trakt *m* **3.** (*Buch*) Abschnitt *m* **4.** (*Gesetz*) Absatz, Paragraph *m* **5.** (RAIL) Streckenabschnitt *m* **6.** (MIL) Abteilung *f;* Sektion *f* **7.** (*Zeichnung*) Schnitt *m* **8.** (MED) Sektion *f* **9.** (MUS) Abschnitt *m,* Passage *f;* ~ **mark** Paragraphenzeichen *n;* **passports** ~ Passabteilung *f;* **in** ~ im Schnitt; **vertical** ~ Querschnitt *m* **II.** *tr* **1.** einen Schnitt machen durch **2.** teilen; **sec•tional** ['sekʃənl] *adj* **1.** abschnittsweise **2.** zerlegbar, zusammensetzbar **3.** (*Unterschiede*) zwischen den Gruppen; **sec•tion•al•ism** ['sekʃənlɪzəm] *s* Partikularismus *m*

sec•tor ['sektə(r)] *s* Sektor *m*

secu•lar ['sekjʊlə(r)] *adj* weltlich, säkular; profan; **secu•lar•ize** ['sekjʊləraɪz] *tr* säkularisieren

se•cure [sɪ'kjʊə(r)] **I.** *adj* **1.** sicher (*from, against* vor) **2.** (*Existenz*) gesichert **3.** (*Knoten*) fest; **be** ~ **against** [*o* **from**] **s.th.** vor etw sicher sein; **feel** ~ sich sicher fühlen; **make a door** ~ e-e Tür sichern **II.** *tr* **1.** festmachen; befestigen **2.** sichern (*from, against* gegen), schützen (*from, against* vor) **3.** (*Stimmen*) erhalten **4.** (*Preise*) erzielen **5.** sichern, garantieren; ~ **s.o.'s services** jdn verpflichten; **secured creditor** *s* Vorzugsgläubiger *m;* **secured cordon** *s* Sicherheitsabsperrung *f*

se•cur•ity [sɪ'kjʊərətɪ] *s* **1.** Sicherheit *f;* Schutz *m* (*against, from* vor) **2.** Geborgenheit *f* **3.** (COM) Sicherheit *f;* Bürge *m* **4. securities** Wertpapiere *npl,* Effekten *pl;* **for** ~ zur Sicherheit; **lend money on** ~ Geld gegen Sicherheit leihen; **stand** ~ **for s.o.** für jdn Bürge sein, bürgen; **Security Council** *s* Sicherheitsrat *m;* **security forces** *s pl* Streitmächte *fpl;* **Security Force** *s* Friedenstruppe *f;* **security guard** *s* Wache *f,* Wächter(in) *m(f),* Sicherheitsbeamte(r) *m,* -beamtin *f;* **security of employment** *s* Sicherheit *f* des Arbeitsplatzes; **security of tenure** *s* gesetzlicher Kündigungsschutz; **security risk** *s* Sicherheitsrisiko n

se•dan [sɪ'dæn] **1.** (~-*chair*) Sänfte *f* **2.** (*obs*) Limousine *f*

se•date [sɪ'deɪt] *adj* gesetzt, ruhig; geruhsam; gemächlich; **se•da•tion** [sɪ'deɪʃn] *s* Beruhigungsmittel *n;* **put s.o. under** ~ jdm Beruhigungsmittel geben; **seda•tive** ['sedətɪv] **I.** *adj* beruhigend, schmerzstillend **II.** *s* Beruhigungsmittel *n*

sed•en•tary ['sedntrɪ] *adj* **1.** (*Arbeit*) sitzend **2.** (*Stamm*) sesshaft, ortsgebunden; **lead a** ~ **life** sehr viel sitzen

sedge [sedʒ] *s* (BOT) Schilf-, Riedgras *n*

sedi•ment ['sedɪmənt] *s* **1.** Niederschlag, (Boden)Satz *m* **2.** (GEOL) Ablagerung *f,* Sediment *n;* **sedi•men•tary** [ˌsedɪ'mentrɪ] *adj:* ~ **rock** Sedimentgestein *n*

se•di•tion [sɪ'dɪʃn] *s* Aufwiegelung, Volksverhetzung *f*

se•duce [sɪ'dju:s] *tr* verführen; ~ **s.o. into doing s.th.** jdn zu etw verleiten; **seducer** [sɪ'dju:sə(r)] *s* Verführer(in) *m(f);* **se•duc•tion** [sɪ'dʌkʃn] *s* Verführung *f;* **se•duc•tive** [sɪ'dʌktɪv] *adj* verführerisch; verlockend

sedu•lous ['sedjʊləs] *adj* unermüdlich

see[1] [si:] <*irr:* saw, seen> **I.** *tr* **1.** sehen **2.** (*Zeitung*) lesen **3.** nachsehen **4.** besuchen **5.** sprechen; empfangen **6.** begleiten, bringen **7.** sich vorstellen **8.** erleben **9.** verstehen; erkennen; **worth** ~**ing** sehenswert; ~ **s.o. do s.th.** sehen, wie jem etw macht; **I saw it happen** ich habe gesehen, wie es passiert ist; ~ **page 10** siehe Seite 10; **be** ~**ing you!** ~ **you later!** bis später! bis nachher!; **I must be** ~**ing things** ich sehe wohl Gespenster!; **I can't** ~ **my way to doing that** ich sehe mich nicht in der Lage das zu tun; **go and** ~ **s.o.** jdn besuchen; ~ **the doctor** zum Arzt gehen; **she refused to** ~ **us** sie wollte uns nicht empfangen; ~ **s.o. to the door** jdn zur Tür bringen; **that remains to be** ~**n** das wird sich zeigen; **I can't** ~ **that working** ich kann mir kaum vorstellen, dass das klappt; **I can** ~ **it happening** ich sehe es kommen; **I don't** ~ **how it works** es ist mir nicht klar, wie das funktioniert; **I** ~ **what you mean** ich verstehe, was du meinst; **make s.o.** ~ **s.th.** jdm etw klar machen; **as I** ~ **it** so, wie ich es sehe **II.** *itr* **1.** sehen **2.** nachsehen **3.** verstehen; **let's** ~ lassen Sie mich mal sehen; **as far as the eye can** ~ so weit das Auge reicht; ~ **for yourself!** sieh doch selbst!; **as far as I can** ~ so wie ich das sehe; **it's too late, (you)** ~ weißt du, es ist zu spät; **see about** *itr* sich kümmern um; **he came to** ~ **about the rent** er ist wegen der Miete gekommen; **I'll** ~ **about it** ich will mal sehen; **see across** *tr* hinüberbegleiten; **see in I.** *itr* hineinsehen **II.** *tr* hineinbringen; ~ **the New Year in** das Neue Jahr begrüßen; **see into** *itr* **1.** hineinsehen in **2.** untersuchen, prüfen, nachgehen; **see off** *tr* **1.** verabschieden **2.** Beine machen (*s.o.* jdm); **are you coming to** ~ **me off?** kommt ihr mit mir?; **see out I.** *tr* **1.** hinausbegleiten; hinausbringen **2.** (*Winter*) überdauern; überleben **II.** *itr* hinaussehen; **see through** *tr* **1.** beistehen (*s.o.* jdm) **2.** (*Arbeit*) zu Ende bringen; durchbringen **3.** (*Trick*) durchschauen; ~ **s.o. through a bad time** jdm über e-e schwierige Zeit hinweghelfen; **see to** *itr* sich kümmern um; ~ **to it that ...** sieh zu, dass ...; **see up I.** *itr* hinaufsehen **II.** *tr* hinaufbegleiten

see² [siː] *s* Bistum *n;* Diözese *f*

seed [siːd] **I.** *s* **1.** Same(n) *m;* Samenkorn *n;* Saat *f,* Saatgut *n* **2.** (*fig*) Keim *m* (*of* zu) **3.** (SPORT) gesetzte(r) Spieler(in); **go** [*o* **run**] **to ~** schießen; (*fig*) herunterkommen; **sow the ~s of doubt** Zweifel säen **II.** *tr* **1.** säen **2.** (*Frucht*) entkernen **3.** (SPORT) setzen, plazieren **III.** *itr* Samen tragen; **seed bank** *s* Samenbank *f;* **seed bed** *s* Saatbeet *n;* **seed bulb** *s* Samenzwiebel *f;* **seed corn** *s* **1.** Samenkorn *n* **2.** (FIN) Startkapital *n;* **seed•ling** ['siːdlɪŋ] *s* (BOT) Sämling *m;* **seed potato** *s* Saatkartoffel *f;* **seed•time** ['siːdtaɪm] *s* Saatzeit *f*

seedy ['siːdɪ] *adj* **1.** (*Charakter*) zweifelhaft, zwielichtig **2.** (*Kleider*) schäbig, abgerissen **3.** (*fam*) unwohl; **look ~** schlecht aussehen

see•ing ['siːɪŋ] **I.** *conj:* **~ that** da **II.** *s* Sehen *n;* **~ is believing** ich glaube, was ich sehe

seek [siːk] <*irr:* **sought, sought**> **I.** *tr* **1.** suchen; erlangen wollen, streben nach **2.** versuchen; **~ s.o.'s advice** jdn um Rat fragen; **the reason is not far to ~** der Grund liegt auf der Hand; **they sought to kill him** sie trachteten ihm nach dem Leben; **~ out** ausfindig machen **II.** *itr:* **~ after** suchen; **~ for** suchen nach; **seeker** ['siːkə(r)] *s* Suchende(r) *f m;* **~ of** [*o* **after**] **truth** Wahrheitssucher(in) *m(f)*

seem [siːm] *itr* (er)scheinen, vorkommen; **he ~s (to be) honest** er scheint ein ehrlicher Mann zu sein; **he ~s younger than he is** er wirkt jünger, als er ist; **things aren't always what they ~** vieles ist anders, als es aussieht; **there ~s to be no need** das scheint nicht nötig zu sein; **so it ~s** es sieht ganz so aus; **if it ~s right to you** wenn Sie es für richtig halten; **it only ~s like it** das kommt einem nur so vor; **seem•ing** ['-ɪŋ] *adj* scheinbar; **seem•ing•ly** ['-ɪŋlɪ] *adv* allem Anschein nach; anscheinend

seem•ly ['siːmlɪ] *adj* schicklich, anständig; **it is not ~** es gehört sich nicht

seen [siːn] *s.* **see**

seep [siːp] *itr* versickern; **~ into s.th.** in etw hineinsickern; **~ through s.th.** durch etw durchsickern; **seep•age** ['siːpɪdʒ] *s* Durchsickern *n;* Hineinsickern *n;* **~ tank** Sickerwassertank *m*

seer [sɪə(r)] *s* Seher *m;* **seer•ess** ['sɪəres] *s* Seherin *f*

see-safe ['siːseɪf] *s Kauf mit Rückgaberecht*

see•saw ['siːsɔː] **I.** *s* **1.** Schaukelbrett *n,* Wippe *f* **2.** (*fig*) Hin und Her, Auf und Ab *n* **II.** *adj* schaukelnd **III.** *itr* **1.** wippen **2.** (*fig*) auf- und abgehen; schwanken

seethe [siːð] *itr* **1.** sieden; schäumen **2.** (*fig*) wimmeln (*with* von) **3.** (*fig*) kochen; **~ with anger** vor Wut schäumen

see-through ['siːθruː] *adj* durchsichtig

seg•ment ['segmənt] **I.** *s* **1.** Teil *m;* Glied *n;* Stück *n* **2.** (MATH) Segment *n* **II.** [seg'ment] *tr* zerlegen, segmentieren **III.** *itr* sich teilen; **seg•men•ta•tion** [ˌsegmən'teɪʃn] *s* Zerlegung, Segmentierung *f*

seg•re•gate ['segrɪgeɪt] *tr* isolieren, absondern; nach Rassen trennen; **~d** nur für Weiße, Schwarze; mit Rassentrennung; **seg•re•ga•tion** [ˌsegrɪ'geɪʃn] *s* Trennung *f;* **racial ~** Rassentrennung *f*

seis•mic ['saɪzmɪk] *adj* seismisch; **seis•mo•graph** ['saɪzməgrɑːf] *s* Seismograph *m;* **seis•mol•ogist** [saɪz'mɒlədʒɪst] *s* Seismologe *m,* Seismologin *f;* **seis•mol•ogy** [saɪz'mɒlədʒɪ] *s* Seismologie, Seismik, Erdbebenkunde *f*

seize [siːz] *tr* **1.** packen, ergreifen **2.** beschlagnahmen **3.** (*Pass*) einziehen **4.** (*Stadt*) einnehmen **5.** (*Gebäude*) besetzen **6.** (*Verbrecher*) fassen **7.** (*fig*) an sich reißen; ergreifen; **~ s.o.'s arm** jdn am Arm packen; **seize on** *tr* **1.** sich stürzen auf **2.** herausgreifen; **seize up** *itr* (*Bremsen*) sich festfressen; **seiz•ure** ['siːʒə(r)] *s* **1.** Beschlagnahme *f* **2.** Einzug *m* **3.** Einnahme *f* **4.** Besetzung *f* **5.** (MED) Anfall *m*

sel•dom ['seldəm] *adv* selten; **she ~ goes out** sie geht selten aus

se•lect [sɪ'lekt] **I.** *tr* aussuchen, auslesen, auswählen (*from* aus) **II.** *adj* **1.** exklusiv, ausgewählt, auserlesen **2.** (*Publikum*) geladen **3.** (*Tabak*) auserlesen; **~ committee** Sonderausschuss *m;* **se•lec•tion** [sɪ'lekʃn] *s* **1.** Auswahl, -lese *f* (*from* aus) **2.** Wahl *f;* **make one's ~** seine Wahl treffen; **natural ~** natürliche Auslese; **selection committee** *s* Auswahlkomitee *n*

se•lec•tive [sɪ'lektɪv] *adj* **1.** wählerisch; selektiv **2.** (*Leser*) kritisch, anspruchsvoll **3.** (*Schule*) Elite- **4.** (RADIO) trennscharf; **we have to be ~** wir müssen e-e Auswahl treffen; **~ weedkiller** Selektivherbizid *n;* **sel•ec•tiv•ity** [ˌsɪlek'tɪvətɪ] *s* **1.** (RADIO) Trennschärfe *f* **2.** Selektivität *f;* **show ~** anspruchsvoll sein; **se•lec•tor** [sɪ'lektə(r)] *s* (TECH) Wählschalter *m;* Programmtaste *f;* (MOT) Schalthebel *m*

self [self, *pl* selvz] <*pl* selves> **I.** *s* Ich *n;* **show one's worst ~** sich von der schlechtesten Seite zeigen; **one's other ~** sein anderes Ich; **be one's old ~** wieder der Alte sein; **with no thought of ~** ohne an sich selbst zu denken **II.** *adj* aus dem gleichen Material; **self abasement** *s* Selbsterniedrigung *f;* **self-abuse** [ˌselfə'bjuːs] *s* (*euph*) Selbstbefleckung *f;* **self-acting** *adj* selbsttätig; automatisch; **self-addressed** [ˌselfə'drest] *adj* (*Briefumschlag*) adressiert; **self-adhesive** [ˌselfəd'hiːsɪv] *adj* selbstklebend; **self-adhesive label** *s* Selbstklebeetikett *n;* **self-appointed** [ˌselfə'pɔɪntəd] *adj* selbst ernannt; **self-assertion** *s* Durchsetzungsvermögen *n;* Überheblichkeit *f;* **self-assertive** *adj* selbstbewusst; anmaßend; **self-assurance** *s* Selbstsicherheit *f;* **self-assured** [ˌselfə'ʃʊəd] *adj* selbstsicher; **self-aware** *adj* sich seiner selbst bewusst; **self-awareness** *s* Selbsterfahrung *f;* **self-catering** *adj* für Selbstversorger; **self-centered** *adj* (*Am*), **self-centred** [ˌself'sentəd] *adj* egozentrisch, ichbezogen; **self-colored** *adj* (*Am*), **self-coloured** *adj* einfarbig; **self-complacent** *adj* selbstgefällig; **self-composed** *adj* ruhig, gelassen; **self-conceited** *adj* überheblich, eingebildet; **self-confessed** [selfkən'fest] *adj* eingestanden, zugegeben; **self-confidence** *s* Selbstvertrauen *n;* **self-conscious** *adj* **1.** befangen, gehemmt **2.** (*Stil*) bewusst **3.** (PHILOS) selbstbewusst; **self-contained** [ˌselfkən'teɪnd] *adj* **1.** (*fig*) zurückhaltend, verschlossen **2.** (*Wohnung*) separat **3.** selbstgenügsam; **self-contradictory** [ˌself kəntrə'dɪktərɪ] *adj* sich selbst widersprechend; widersprüchlich; **self control** *s* Selbstbeherrschung *f;* **self-critical** [ˌself'krɪtɪkl] *adj* selbstkritisch; **self-criticism** [ˌself'krɪtɪsɪsm] *s* Selbstkritik *f;* **self-deception** [ˌselfdɪsepʃn] *s* Selbsttäuschung *f;* **self-defeating** [ˌselfdə'fiːtɪŋ] *adj* sinnlos, unsinnig; **self-defence** *s* Selbstverteidigung *f;* **in ~** in Notwehr; **self-denial** *s* Selbstverleugnung *f;* **self-de•struct** [ˌselfdɪ'strʌkt] *refl* sich selbst zerstören; **self-determination** *s* (*a.* POL) Selbstbestimmung *f;* **self-discipline** *s* Selbstdisziplin *f;* **self-drive** *adj* (*Auto*) für Selbstfahrer; **self-educated** *adj* autodidaktisch; **be ~** Autodidakt sein; **self-ef•fac•ing** [ˌselfɪ'feɪsɪŋ] *adj* zurückhaltend; **self-employed** *adj* selbständig; (*Künstler*) freischaffend; (*Journalist*) freiberuflich; **the ~** die Selbständigen, Freischaffenden, Freiberufler *pl;* **self esteem** *s* Selbstachtung *f;* **self-evident** *adj* offensichtlich; selbstverständlich; **it is ~** es versteht sich von selbst; **self-explanatory** *adj* unmittelbar verständlich; **self-expression** [ˌselfɪk'spreʃn] *s* Selbstdarstellung *f;* **self-fulfilling** [ˌselffʊl'fɪlɪŋ] *adj:* **a ~ prophecy** eine sich selbst bewahrheitende Voraussage; **self-governing** [ˌself'gʌvənɪŋ] *adj* selbst verwaltet; **self-government** *s* Selbstverwaltung *f;* **self-help** *s* Selbsthilfe *f;* **self-help group** *s* Selbsthilfegruppe *f;* **self-importance** *s* Einbildung *f;* **self-important** *adj* eingebildet; dünkelhaft; **self-imposed** [ˌselfɪm'pəʊzd] *adj* selbst auferlegt; **self-indulgence** *s* **1.** Nachgiebigkeit *f* gegen sich selbst **2.** Zügellosigkeit, Hemmungslosigkeit *f;* **self-indulgent** *adj* **1.** nachgiebig gegen sich selbst **2.** (*essen, trinken*) ungehemmt, zügellos; **self-in•flict•ed** [ˌselfɪn'flɪktɪd] *adj* **1.** (*Wunde*) selbst zugefügt **2.** (*Strafe*) selbst auferlegt; **self-interest** *s* Eigennutz *m;* eigenes Interesse

self•ish ['selfɪʃ] *adj* selbstsüchtig, egoistisch; **self•ish•ness** [-nɪs] *s* Selbstsucht *f,* Egoismus *m*

self-jus•ti•fi•ca•tion [ˌselfdʒʌstɪfɪ'keɪʃn] *s* Rechtfertigung *f*

self•less ['selflɪs] *adj* selbstlos

self-made [ˌself'meɪd] *adj* selbst gemacht; **~ man** Selfmademan *m;* **self-opinionated** *adj* rechthaberisch; **self-pity** *s* Selbstmitleid *n;* **self-portrait** *s* Selbstporträt *n;* **self-possessed** *adj* selbstbeherrscht; **self-preservation** *s* Selbsterhaltung *f;* **instinct of ~** Selbsterhaltungstrieb *m;* **self-rais•ing flour** [ˌselfraɪzɪŋ'flaʊə(r)] *s* Mehl *n* mit bereits beigemischtem Backpulver; **self-real•iz•ation** [ˌselfrɪəlaɪ'zeɪʃn] *s* Selbstverwirklichung *f;* **self-reliance** *s* Selbstständigkeit *f;* **self-re•li•ant** [ˌselfrɪ'laɪənt] *adj* selbstständig; **self-respect** *s* Selbstachtung *f;* **self-respecting** [ˌselfrɪ'spektɪŋ] *adj* anständig; **no ~ man** keiner, der etwas auf sich hält; **self-righteous** *adj* selbstgerecht; **self-sacrifice** *s* Selbstaufopferung *f;* **self-sacrificing** [ˌself'sækrɪfaɪsɪŋ] *adj* aufopfernd; **self-satisfaction** *s* Selbstzufriedenheit *f;* **self-satisfied** *adj* selbstzufrieden; **self-seeking** [ˌself'siːkɪŋ] **I.** *adj* selbstsüchtig **II.** *s* Selbstsucht *f;* **self-service I.** *adj* Selbstbedienungs-, SB- **II.** *s* Selbstbedienung *f;* **self-sufficiency** *s* **1.** Selbstständigkeit *f* **2.** Selbstgenügsamkeit *f* **3.** (*Land*) Autarkie *f;* **self-sufficient** *adj* **1.** selbstständig **2.** selbstgenügsam **3.** (*Land*) autark; **be ~ in oil** den Ölbedarf selbst decken; **~ economy** Autarkie *f;* **~ enterprise** kostendeckender Betrieb; **self-supporting** [ˌselfsə'pɔːtɪŋ] *adj* **1.** finanziell unabhängig **2.** (COM) sich selbst tragend **3.** (TECH) freistehend, -tragend; **self-tan•ner** [ˌself'tænə(r)] *s* Selbstbräunungsmittel *n;* **self-tap•ping screw** [ˌselftæpɪŋ'skruː] *s* selbstschneidene Schraube, Treibschraube *f;* **self-taught** ['selftɔːt] *adj* autodidaktisch erlernt; **self-willed** [ˌself'wɪld] *adj* eigenwillig, -sinnig; **self-wind•ing** [ˌself'waɪndɪŋ] *adj* Automatik-

sell [sel] <*irr:* sold, sold> **I.** *tr* **1.** verkaufen (*s.o. s.th., s.th. to s.o.* jdm etw, etw an jdn) **2.** (*Waren*) absetzen **3.** handeln, Handel treiben mit, vertreiben **4.** e-n guten Absatz verschaffen (*s.th.* e-r S) **5.** (*fig*) schmackhaft machen, gewinnen für **6.** (*fam*) an den Mann bringen, loswerden **7.** verraten; ~ **one's life dearly** sein Leben teuer verkaufen; ~ **one's soul to s.o.** jdm seine Seele verschreiben; ~ **o.s.** sich profilieren, sich verkaufen (*to* an); ~ **s.o. on s.th.** jdn von etw überzeugen; **be sold on s.o.** von jdm begeistert sein; ~ **s.o. down the river** jdn ganz schön verschaukeln **II.** *itr* **1.** verkaufen (*to s.o.* an jdn) **2.** sich verkaufen; **the book is ~ing well** das Buch verkauft sich gut; **what are they ~ing at?** wie viel kosten sie? **III.** *s* **1.** (*fam*) Zugkraft *f* **2.** (COM) Verkaufstaktik *f;* **sell forward** *tr* auf Termin verkaufen; **sell off** *tr* **1.** (*Ware*) abstoßen **2.** (*Auktion*) versteigern; **sell out I.** *tr* **1.** ausverkaufen **2.** (*Aktie*) abgeben **3.** verraten (*to* an) **II.** *itr* **1.** alles verkaufen **2.** sein Geschäft verkaufen **3.** (*fam*) sich verkaufen (*to* an); **sell up** *tr* zu Geld machen; zwangsverkaufen; **sell•able** ['seləbl] *adj* **1.** verkäuflich **2.** absetzbar; **sell-by date** ['selbaɪˌdeɪt] *s* Frischhalte-, Haltbarkeits-, Verfalldatum *n*

seller ['selə(r)] *s* **1.** Verkäufer(in) *m(f)* **2.** (*good* ~) (Verkaufs)Schlager *m;* **big** ~ Verkaufsschlager *m;* **bad** ~ Ladenhüter *m;* **sell•ing** ['selɪŋ] *s* Verkauf, Vertrieb, Absatz *m;* **selling point** *s* Verkaufsanreiz *m;* **selling price** *s* Verkaufspreis *m*

Sel•lo•tape® ['seləteɪp] *s* Tesafilm® *m*

sell•out ['selaʊt] *s* **1.** (SPORT) ausverkauftes Spiel **2.** (*fam*) fauler Kompromiss **3.** (COM) Verkaufsschlager *m*

selves [selvz] *s.* **self**

sem•an•tic [sɪ'mæntɪk] *adj* semantisch; **se•man•tics** [sɪ'mæntɪks] *s* Semantik *f*

sema•phore ['seməfɔ:(r)] **I.** *s* **1.** (RAIL) Semaphor *n* **2.** (*System*) Signalsprache *f;* Winken *n* **II.** *itr, tr* durch Winkzeichen signalisieren

sem•blance ['sembləns] *s* Anschein *m* (*of* von), Anflug *m* (*of* von); **put on a ~ of gaiety** e-e fröhliche Miene zur Schau tragen

se•men ['si:mən] *s* (PHYSIOL) Samen *m,* Samenflüssigkeit *f*

sem•es•ter [sɪ'mestə(r)] *s* (*bes. Am*) Semester *n*

semi- ['semɪ] *prefix* halb-; **semi** *s abbr of* **semidetached (house)** Doppelhaushälfte *f;* **semi•breve** ['semɪbri:v] *s* (*Br*) ganze Note; **semi•circle** ['semɪˌsɜ:kl] *s* Halbkreis *m;* **semi•cir•cu•lar** [ˌsemɪ'sɜ:kjʊlə(r)] *adj* halbkreisförmig; **semi•co•lon** [ˌsemɪ'kəʊ lən] *s* Semikolon *n,* Strichpunkt *m;* **semi•conductor** *s* (PHYS) Halbleiter *m;* **semi•conscious** *adj* halb bewusstlos; **semi•de•tached** [ˌsemɪdɪ'tætʃt] *adj:* ~ **house** Doppelhaushälfte *f;* **semi•final** *s* (SPORT) Halbfinale, Semifinalspiel *n;* **semi•finalist** *s* Teilnehmer(in) *m (f)* am Halbfinale; **semifinished product** *s* Halbfabrikat, -erzeugnis *n*

se•minal ['semɪnl] *adj* **1.** Samen- **2.** (*Idee*) ertragreich; **be present in a ~ state** im Keim vorhanden sein; ~ **fluid** (PHYSIOL) Samenflüssigkeit *f*

sem•inar ['semɪnɑ:(r)] *s* Seminar *n*

sem•inary ['semɪnərɪ] *s* Priesterseminar *n*

semi•of•fi•cial [ˌsemɪə'fɪʃl] *adj* halbamtlich, offiziös; **semi•precious** *adj:* ~ **stone** Halbedelstein *m;* **semi•qua•ver** ['semɪˌkweɪvə(r)] *s* (*Br*) Sechzehntelnote *f;* **semi•skilled** *adj* angelernt; ~ **labour** angelernte Arbeitskräfte *fpl*

Sem•ite ['si:maɪt] *s* Semit *m,* Semitin *f;* **Semitic** [sɪ'mɪtɪk] *adj* semitisch

semi•tone ['semɪtəʊn] *s* Halbton *m;* **semi•trailer** ['semɪtreɪlə(r)] *s* (*Am*) Sattelschlepper *m;* **semi•tropical** *adj* subtropisch; **semi•vowel** *s* Halbvokal *m*

semo•lina [ˌsemə'li:nə] *s* Grieß *m*

semp•stress ['sempstrɪs] *s* Näherin *f*

sen•ate ['senɪt] *s* Senat *m;* **sena•tor** ['senətə(r)] *s* Senator *m;* **sena•torial** [ˌsenə'tɔ:rɪəl] *adj* senatorisch

send [send] <*irr:* sent, sent> **I.** *tr* **1.** senden, schicken **2.** (*Radio*) ausstrahlen **3.** übersenden, versenden **4.** in Bewegung setzen, stoßen, treiben, befördern; veranlassen **5.** (*sl*) hinreißen; ~ **s.o. to prison** jdn ins Gefängnis schicken; ~ **s.o. to university** jdn studieren lassen; ~ **s.o. for s.th.** jdn nach etw schicken; ~ **him best wishes** grüßen Sie ihn von mir; ~ **by post** mit der Post schicken; ~ **by fax** (tele)faxen; **the blow sent him sprawling** der Schlag schleuderte ihn zu Boden; **that tune ~s me** (*sl*) ich bin ganz weg von der Melodie **II.** *itr:* **she sent to say that ...** sie ließ ausrichten, dass ...; **send across** *tr* hinüberschicken; **send after** *tr:* ~ **s.o. after s.o.** jdn jdm nachschicken; **send along** *tr* hinschicken; **send away I.** *tr* wegschicken, fortschicken, abschicken **II.** *itr* schreiben; ~ **away for s.th.** etw anfordern; **send back** *tr* zurückschicken; **send down** *tr* **1.** (*Preise*) fallen lassen, senken **2.** (*Universität*) relegieren **3.** (*Gefangene*) verurteilen (*for* zu); **send for** *itr* **1.** kommen lassen; rufen; herbeiordern; zu sich bestellen **2.** (*Katalog*) anfordern; **send forth** *tr* **1.** aussenden, ausstrahlen **2.** (*Duft*) verströmen; **send in** *tr* einschicken, einsenden, einreichen; ~ **one's name in** sich anmelden; **send off**

tr **1.** abschicken **2.** (*Kinder*) wegschicken **3.** (SPORT) vom Platz verweisen **4.** verabschieden; ~ **off for s.th.** etw bestellen, anfordern; **send on** *tr* **1.** (*Brief*) nachschicken **2.** (*Gepäck*) vorausschicken **3.** aufs Feld schicken, einsetzen; **send out** *tr* **1.** hinausschicken **2.** (*Strahlen*) aussenden, abgeben; ausstoßen **3.** (*Prospekte*) verschicken; **send out for** *itr* holen lassen; ~ **s.o. out for s.th.** jdn nach etw schicken; **send up** *tr* **1.** hochschießen; steigen lassen; in die Luft schießen **2.** (*Preise*) hochtreiben **3.** in die Luft gehen lassen **4.** (*fam*) verulken

sender ['sendə(r)] *s* Absender(in) *m(f);* **return to** ~ zurück an den Absender; **send-off** ['sendɒf] *s* Abschied *m,* Verabschiedung *f;* **give s.o. a good** ~ jdn ganz groß verabschieden; **send-up** ['sendʌp] *s* Verulkung *f*

Sene•gal [ˌsenɪ'gɔːl] *s* Senegal *m;* **Sene•gal•ese** [ˌsenɪgə'liːz] **I.** *adj* senegalisisch **II.** *s* Senegalese *m,* Senegalesin *f*

se•nes•cence [sɪ'nesns] *s* Altern *n,* Alterungsprozess *m;* **se•nes•cent** [sɪ'nesnt] *adj* alternd

se•nile ['siːnaɪl] *adj* senil; altersschwach; ~ **dementia** (MED) Altersschwachsinn *m;* **sen•il•ity** [sɪ'nɪlətɪ] *s* **1.** Senilität *f* **2.** Altersschwäche *f*

sen•ior ['siːnɪə(r)] **I.** *adj* **1.** älter (*to* als) **2.** dienstälter; ranghöher; übergeordnet **3.** (*Position*) höher, leitend **4.** (*Schüler*) der obersten Klasse **5.** (*Student*) im letzten Studienjahr **6.** (*nach e-m Namen*) der Ältere, senior; **he is** ~ **to me** er ist älter als ich; er ist mir übergeordnet; ~ **citizen** ältere(r) Mitbürger(in) *m f;* ~ **citizen rail pass** Seniorenpass *m;* ~ **debts** vorrangige Schulden *pl;* **the** ~ **management** die Geschäftsleitung; ~ **mortgage** Ersthypothek *f;* ~ **officer** höherer Beamter, Offizier; ~ **partner** Seniorpartner *m;* ~ **school,** ~ **high school** (*Am*) Oberstufe *f* **II.** *s* **1.** Senior(in) *m(f)* **2.** (*Am*) Student(in) *m(f)* des letzten Studienjahres **3.** (*Schule*) Oberstufenschüler(in) *m(f);* **he is my** ~ er ist älter als ich; (*Beruf*) er ist mir übergeordnet; **sen•ior•ity** [ˌsiːnɪ'ɒrətɪ] *s* **1.** höheres (Dienst)Alter **2.** höherer Rang; höherer Dienstgrad; **promotion on the basis of** ~ Beförderung *f* nach Länge der Betriebszugehörigkeit

sen•sa•tion [sen'seɪʃn] *s* **1.** Gefühl *n;* Empfindung *f;* Sinneseindruck *m* **2.** Sensation *f,* Aufsehen *n;* **a** ~ **of falling** das Gefühl zu fallen; **a** ~ **of hunger** ein Hungergefühl; **cause** [*o* **create**] **a** ~ Aufsehen erregen; **sen•sa•tional** [sen'seɪʃnl] *adj* sensationell, aufsehenerregend; reißerisch

sense [sens] **I.** *s* **1.** (PHYSIOL) Sinn *m* **2.** (*fig*) Sinn *m* (*of* für) **3.** ~**s** Verstand *m* **4.** Gefühl *n* **5.** (*Wort*) Bedeutung *f;* ~ **of hearing** Gehörsinn *m;* ~ **of sight** Sehvermögen *n;* ~ **of smell** Geruchssinn *m;* ~ **of taste** Geschmackssinn *m;* ~ **of touch** Tastsinn *m;* **be out of one's** ~**s** nicht ganz bei Trost sein; **frighten s.o. out of his** ~**s** jdn zu Tode erschrecken; **bring s.o. to his** ~**s** jdn zur Vernunft bringen; **come to one's** ~**s** zur Vernunft kommen; ~ **of duty** Pflichtbewusstsein *n;* **have a** ~ **of one's own importance** sich selbst wichtig nehmen; **common** ~ gesunder Menschenverstand; **have the** ~ **to ...** so vernünftig sein und ...; **what's the** ~ **of doing this?** welchen Sinn hat es denn das zu tun?; **there is no** ~ **in doing that** es ist zwecklos das zu tun; **talk** ~ vernünftig sein; **make s.o. see** ~ jdn zur Vernunft bringen; **make** ~ Sinn ergeben; sinnvoll sein; **make** ~ **of s.th.** etw verstehen; **in the full** ~ **of the word** im wahrsten Sinn des Wortes; **in a** ~ in gewisser Hinsicht; **in every** ~ in jeder Hinsicht; **in what** ~**?** inwiefern?, in welchem Sinn?; **in every** ~ **of the word** in der vollen Bedeutung des Wortes **II.** *tr* spüren, empfinden, fühlen; **sense•less** ['senslɪs] *adj* **1.** besinnungs-, bewusstlos **2.** unvernünftig, unsinnig **3.** (*Diskussion*) sinnlos; **sense organ** *s* Sinnesorgan *n*

sen•si•bil•ity [ˌsensə'bɪlətɪ] *s* **1.** Empfindsamkeit *f;* Sensibilität *f* **2.** Empfindlichkeit *f;* **sensibilities** Zartgefühl *n*

sen•sible ['sensəbl] *adj* **1.** vernünftig **2.** begreiflich **3.** (*obs*) spürbar, merklich; **be** ~ **of s.th.** sich e-r S bewusst sein; **be** ~ **about it** seien Sie vernünftig; **sen•sibly** ['sensəblɪ] *adv* vernünftig; vernünftigerweise

sen•si•tive ['sensətɪv] *adj* **1.** sensibel, empfindsam, empfindlich **2.** (*Verständnis*) einfühlsam **3.** (*Körperteil*) empfindlich **4.** (PHOT) lichtempfindlich **5.** (*fig*) heikel, prekär; **be** ~ **about s.th.** in Bezug auf etw empfindlich sein; ~ **to cold/heat** kälte-/wärmeempfindlich; **sen•si•tiv•ity** [ˌsensə'tɪvətɪ] *s* **1.** Sensibilität, Empfindsamkeit *f* **2.** Empfindlichkeit *f* **3.** Einfühlungsvermögen *n* **4.** Lichtempfindlichkeit *f;* **sen•si•tize** ['sensɪtaɪz] *tr* sensibilisieren

sen•sor ['sensə(r)] *s* Sensor, Fühler *m;* **sen•sory** ['sensərɪ] *adj* (PHYSIOL) sensorisch; Sinnes-

sen•sual ['senʃʊəl] *adj* **1.** sinnlich **2.** (*Leben*) sinnesfreudig, lustbetont; **sen•sual•ist** ['senʃʊəlɪst] *s* Genussmensch *m,* sinnlicher Mensch; **sen•sual•ity** [ˌsenʃʊ'ælətɪ] *s* Sinnlichkeit *f;* Sinnesfreudigkeit *f;* **sen•su•ous** ['senʃʊəs] *adj* sinnlich, sinnenhaft

sent [sent] *s.* **send**

sen•tence ['sentəns] **I.** *s* **1.** (JUR) Strafe *f* **2.** (GRAM) Satz *m;* **under ~ of death** zum Tode verurteilt; **pass ~ on s.o.** über jdn das Urteil verkünden **II.** *tr* (JUR) verurteilen (*to* zu)

sen•ten•tious [sen'tenʃəs] *adj* salbungsvoll

sen•ti•ent ['senʃnt] *adj* empfindungsfähig

sen•ti•ment ['sentɪmənt] *s* **1.** Gefühl, Empfinden *n* **2.** Meinung, Ansicht *f* (*on* über) **3.** Gedanke *m* **4.** Sentimentalität, Gefühlsduselei *f* **5.** (*Börse*) Stimmung *f,* Klima *n*

sen•ti•men•tal [ˌsentɪ'mentl] *adj* empfindsam; sentimental; gefühlsselig; **for ~ reasons** aus Sentimentalität; **sen•ti•men•tal•ism, sen•ti•men•tal•ity** [ˌsentɪ'mentəlɪzm, ˌsentɪmen'tæləti] *s* Sentimentalität *f;* **sen•ti•men•tal•ize** [ˌsentɪ'mentəlaɪz] **I.** *tr* gefühlsmäßig auffassen **II.** *itr* sentimental sein

sen•try ['sentrɪ] *s* (Wach)Posten *m,* Wache *f;* **be on ~ duty** auf Wache sein; **sentry box** *s* Wachhäuschen *n*

se•pal ['sepl] *s* (BOT) Kelchblatt *n*

sep•ar•able ['sepərəbl] *adj* trennbar; **sep•ar•ate** ['sepəreɪt] **I.** *tr* **1.** (ab)trennen **2.** aufteilen (*into* in) **3.** (CHEM) scheiden; **~ the good from the bad** die Guten von den Schlechten trennen; **~ out from** trennen von, absondern von **II.** *itr* **1.** sich trennen **2.** (CHEM) sich scheiden; **~ out** getrennt werden **III.** ['seprət] *adj* **1.** (ab)getrennt, gesondert (*from* von) **2.** (*Teil*) extra; einzeln; voneinander getrennt; verschieden **3.** (*Zimmer*) separat, getrennt **4.** (*Rechnung*) gesondert **5.** (*Wohnung*) separat; **that is a ~ question** das ist e-e andere Frage; **on a ~ occasion** bei e-r anderen Gelegenheit; **keep two things ~** zwei Dinge nicht zusammentun; **keep ~** auseinander halten; **send s.th. under ~ cover** etw mit getrennter Post schicken; **~ taxation** Splitting *n* **IV.** ['seprət] *s pl* Röcke, Blusen, Hosen; **sep•ar•ated** ['sepəreɪtɪd] *adj* getrennt; getrennt lebend; **sep•ar•ation** [ˌsepə'reɪʃn] *s* **1.** Trennung *f* **2.** (CHEM) Scheidung *f* **3.** Abtrennung *f* (*from* von) **4.** (*Am*) Entlassung *f;* **~ allowance** Trennungsentschädigung *f;* **sep•ar•at•ism** ['sepərətɪzm] *s* Separatismus *m;* **sep•ar•at•ist** ['sepərətɪst] **I.** *adj* separatistisch **II.** *s* Separatist(in) *m(f);* **sep•ar•ator** ['sepəreɪtə(r)] *s* (TECH) Separator *m*

se•pia ['si:pɪə] **I.** *s* Sepia *f* **II.** *adj* sepiabraun

sep•sis ['sepsɪs] *s* (MED) Vereiterung *f*

Sep•tem•ber [sep'tembə(r)] *s* September *m;* **in ~** im September

sep•tic ['septɪk] *adj* septisch; **~ tank** Klärbecken *n,* Klärbehälter *m;* **turn ~** (*Wunde*) eitern

sep•ti•cae•mia [ˌseptɪ'si:mɪə] *s* (MED) Septikämie, Blutvergiftung *f*

sep•tua•gen•ar•ian [ˌseptjʊədʒɪ'neərɪən] **I.** *adj* siebzigjährig **II.** *s* Siebzigjährige(r) *f m*

sep•ul•chral [sɪ'pʌlkrəl] *adj* (*fig*) düster; Grabes-; **~ voice** Grabesstimme *f;* **sep•ul•cher** *s* (*Am*), **sep•ul•chre** ['seplkə(r)] *s* Grabstätte *f*

se•quel ['si:kwəl] *s* Folge *f* (*to* von)

se•quence ['si:kwəns] *s* **1.** Folge, Reihenfolge *f* **2.** (MATH) Reihe *f* **3.** (*Kartenspiel, mus, rel*) Sequenz *f* **4.** (FILM) Szene, Episode *f;* **in ~** der Reihe nach; **~ of tenses** Zeitenfolge *f;* **se•quen•tial** [sɪ'kwenʃl] *adj* **1.** folgend **2.** der Reihe nach; **be ~ to s.th.** auf etw folgen

se•ques•ter [sɪ'kwestə(r)] *tr* **1.** abkapseln **2.** (JUR) *s.* **sequestrate; se•ques•tered** [sɪ'kwestəd] *adj* abgeschieden; abgelegen; zurückgezogen

se•ques•trate [sɪ'kwestreɪt] *tr* (JUR) sequestrieren; **se•ques•tra•tion** [ˌsi:kwe'streɪʃn] *s* (JUR) Sequestration *f*

se•quin ['si:kwɪn] *s* Paillette *f*

se•quoia [sɪ'kwɔɪə] *s* Mammutbaum *m*

se•ra•glio [se'rɑ:lɪəʊ] *s* Serail *n*

Serb [sɜ:b] *s* Serbe *m,* Serbin *f;* **Ser•bia** ['sɜ:bɪə] *s* Serbien *n;* **Ser•bi•an** ['sɜ:bɪən] *adj* serbisch

ser•en•ade [ˌserə'neɪd] **I.** *s* (MUS) Serenade *f* **II.** *tr:* **~ s.o.** jdm ein Ständchen bringen

ser•ene [sɪ'ri:n] *adj* **1.** gelassen **2.** (*Meer*) ruhig, still **3.** (*Himmel*) heiter, klar; **ser•en•ity** [sɪ'renəti] *s* Gelassenheit *f*

serf [sɜ:f] *s* Leibeigene(r) *f m;* **serf•dom** [-dəm] *s* Leibeigenschaft *f*

ser•geant ['sɑ:dʒənt] *s* **1.** (MIL) Feldwebel *m* **2.** (*Polizei*) Polizeimeister *m;* **~ major** Oberfeldwebel *m*

ser•ial ['sɪərɪəl] **I.** *adj* **1.** Serien-; Fortsetzungs- **2.** (*Programm*) in Fortsetzungen **3.** (EDV) seriell **4.** (MUS) seriell; **published in ~ form** in Fortsetzungen veröffentlicht; **~ killer** Serienmörder(in) *m(f);* **~ number** fortlaufende Nummer; Fabrikationsnummer *f;* **~ rights** Rechte *pl* für die Veröffentlichung in Fortsetzungen **II.** *s* **1.** Fortsetzungsroman *m* **2.** (RADIO) Sendefolge *f* **3.** periodisch erscheinende Zeitschrift; **ser•ial•ize** ['sɪərɪəlaɪz] *tr* **1.** in Fortsetzungen veröffentlichen **2.** (RADIO) in Fortsetzungen senden

series ['sɪəri:z] <*pl* -> *s* **1.** Serie *f* **2.** (MATH) Reihe *f* **3.** (RADIO) Sendereihe *f* **4.** (TV) Sendefolge *f;* **in ~** der Reihe nach; (EL) in Reihe; (COM) serienmäßig; **a ~ of articles** e-e Artikelserie; **series-wound** ['sɪəri:zˌwaʊnd] *adj* (EL) in Reihe geschaltet

serio•comic(al) [ˌsɪərɪəʊ'kɒmɪk(l)] *adj* halb ernst, halb heiter

seri•ous ['sɪərɪəs] *adj* **1.** ernst; ernsthaft **2.** (*Interesse*) seriös **3.** (*Zweifel*) ernstlich, ernsthaft **4.** (*Verlust*) schwer; schlimm **5.** (*Situation*) ernst, bedenklich; **be ~ about doing s.th.** etw im Ernst tun wollen; **I'm ~** (**about it**) ich meine das ernst; **it's getting ~** es wird ernst; **seri•ous•ly** [-lɪ] *adv* **1.** ernst; im Ernst **2.** (*verletzt*) schwer; ernstlich; bedenklich **3.** (*sl*) sehr; **take s.o. ~** jdn ernst nehmen; **~ now** jetzt mal ganz im Ernst; **seri•ous•ness** [-nɪs] *s* **1.** Ernst *m* **2.** Ernsthaftigkeit, Aufrichtigkeit *f* **3.** Schwere *f;* Bedenklichkeit *f*

ser•mon ['sɜːmən] *s* Predigt *f;* Strafpredigt *f*

ser•pent ['sɜːpənt] *s* Schlange *f a. fig*

ser•pen•tine ['sɜːpəntaɪn] *adj* **1.** (*Fluss*) gewunden **2.** (*Straße*) kurvenreich

ser•rated [sɪ'reɪtɪd] *adj* gezackt, gezähnt; **~ knife** Sägemesser *n*

ser•ried ['serɪd] *adj:* **~ ranks** eng geschlossene Reihen *fpl*

se•rum ['sɪərəm] *s* Serum *n*

ser•vant ['sɜːvənt] *s* Diener(in) *m(f),* Dienstmädchen *n,* Bedienstete(r) *f m;* **civil** [*o* **public**] **~** Beamte(r) *m,* Beamtin *f*

serve [sɜːv] **I.** *tr* **1.** dienen; dienlich sein, nützen (*s.o.* jdm) **2.** abdienen, ableisten **3.** (*Lehre*) durchmachen, -laufen **4.** (*Strafe*) verbüßen **5.** (*Material*) versorgen **6.** (*Kunden*) bedienen **7.** (*Restaurant*) servieren; auftragen **8.** (*Gast*) bedienen **9.** (*Wein*) einschenken **10.** (*Messe*) ministrieren bei **11.** (SPORT: *Ball*) aufschlagen **12.** (JUR) zustellen **13.** (*obs*) behandeln **14.** (*Tier*) decken; **if my memory ~s me right** wenn ich mich recht erinnere; **~ its purpose** seinen Zweck erfüllen; **he ~d his country** er hat sich um sein Land verdient gemacht; **~ s.o. as s.th.** jdm als etw dienen; **~ s.o. with s.th.** jdm etw bringen; **dinner is ~d** das Essen ist aufgetragen; **~ a summons on s.o.** jdn vor Gericht laden; **~ s.o. ill** jdm e-n schlechten Dienst erweisen; **it ~s him right** es geschieht ihm ganz recht **II.** *itr* **1.** (*a.* MIL) dienen **2.** brauchbar, dienlich sein, sich verwenden lassen **3.** (*Kellner*) bedienen **4.** (SPORT) aufschlagen; **~ in an office** ein Amt bekleiden; **~ as** [*o* **for**] dienen als; **it will ~** das tut's; **it ~s to show ...** das zeigt ... **III.** *s* (SPORT) Aufschlag *m;* **serve out** *tr* **1.** (*Essen*) ausgeben; verteilen **2.** (MIL) ableisten; absitzen; **serve up** *tr* **1.** servieren; verteilen **2.** (*fam*) auftischen

server ['sɜːvə(r)] *s* **1.** Servierbrett *n* **2.** Servierlöffel *m* **3.** (SPORT) Aufschläger(in) *m(f)* **4.** (REL) Ministrant(in) *m(f)* **5.** (*Am*) Bedienung *f;* **salad ~s** Salatbesteck *n*

ser•vice ['sɜːvɪs] **I.** *s* **1.** Dienst *m* **2.** Betrieb *m* **3.** (MIL) Militärdienst *m* **4.** (*Kunde*) Service *m;* Bedienung *f* **5.** (*Bus etc*) Busverbindung *f* **6.** Dienst *m;* Stellung *f* **7.** (REL) Gottesdienst *m* **8.** (*Maschinen*) Wartung *f;* Inspektion *f* **9.** (*Tee*) Service *n* **10.** (SPORT) Aufschlag *m* **11.** (JUR) Zustellung *f* **12.** **~s** Dienstleistungen *fpl,* Versorgungsnetz *n;* **~s to one's country** Dienst an seinem Vaterland; **do s.o. a ~** jdm e-n Dienst erweisen; **be of ~** nützlich sein; **be of ~ to s.o.** jdm nützen; **be at s.o.'s ~** jdm zur Verfügung stehen; **be out of ~** außer Betrieb sein; **come into ~** in Betrieb genommen werden; **see ~ as a soldier** beim Militär dienen; **telephone ~** Telefondienst *m;* **medical ~** ärztliche Versorgung; **be in ~ with s.o.** bei jdm in Stellung sein; **take s.o. into ~** jdn in Stellung nehmen **II.** *tr* **1.** (*Auto, Maschine*) warten **2.** (*Gegend*) bedienen, versorgen **3.** (*Betrieb, Ausschuss*) zuarbeiten (*s.o.* jdm) **4.** (ZOO) decken **5.** (FIN) bedienen; **ser•vice•able** [-əbl] *adj* **1.** strapazierfähig **2.** brauchbar, dienlich, nützlich **3.** praktisch, zweckmäßig; **service area** *s* Tankstelle *f* und Raststätte *f;* **service bus** *s* Linienbus *m;* **service centre** *s* Reparaturwerkstatt *f;* **service charge** *s* Bedienungsgeld *n;* Bearbeitungsgebühr *f;* **service contract** *s* Wartungsvertrag *m;* **service department** *s* Kundendienstabteilung *f;* **service elevator, service lift** *s* Lastenaufzug *m;* **service entrance** *s* Dienstboteneingang *m;* **service hatch** *s* Durchreiche *f;* **service industry** *s* Dienstleistungsindustrie *f,* -sektor *m;* **ser•vice•man** ['sɜːvɪsmən] *s* Militärangehörige(r) *m;* **service manual** *s* Wartungshandbuch *n;* **service road** *s* Zufahrtsstraße *f;* **service sector** *s* Dienstleistungssektor *m;* **service station** *s* Tankstelle *f* (mit Reparaturwerkstatt); **ser•vice•wo•man** ['sɜːvɪsˌwʊmən] <*pl* -women> *s* Militärangehörige *f*

ser•vi•ette [ˌsɜːvɪ'et] *s* Serviette *f*

ser•vile ['sɜːvaɪl] *adj* sklavisch; unterwürfig; **ser•vil•ity** [sɜː'vɪlətɪ] *s* Unterwürfigkeit *f*

serv•ing ['sɜːvɪŋ] *s* Portion *f;* **~ spoon** Vorlegelöffel *m*

ser•vi•tude ['sɜːvɪtjuːd] *s* Knechtschaft *f*

servo ['sɜːvəʊ] <*pl* servos> **I.** *s* Servomechanismus *m* **II.** *adj* Servo-; **~-assisted brakes** Servobremsen *fpl*

ses•ame ['sesəmɪ] *s* (BOT) Sesam *m;* **open ~!** Sesam, öffne dich!

ses•sion ['seʃn] *s* **1.** Sitzung, Besprechung *f* **2.** (JUR PARL) Sitzungsperiode *f;* Legislaturperiode *f* **3.** (*Zahnarzt*) Sitzung *f;* Behandlung *f* **4.** (*Schule, Universität*) Semester *n;* Studienjahr *n;* **go into secret ~** e-e Geheimsitzung abhalten; **recording** ~ Aufnahme *f;* **be in** ~ e-e Sitzung haben, tagen; **a** ~ **of talks** Gespräche *npl*

set [set] <*irr:* set, set> **I.** *tr* **1.** setzen; stellen; legen **2.** einstellen (*at* auf), aufstellen **3.** (*Uhr*) stellen (*by* nach, *to* auf) **4.** (*Ziel*) festsetzen, festlegen **5.** (*Frage*) stellen (*s.o.* jdm) **6.** (*Platz*) bestimmen **7.** (*Edelstein*) fassen; besetzen **8.** (*Glasscheibe*) einsetzen **9.** (MED) einrenken **10.** (*Tisch*) decken **11.** (RADIO) einstellen **12.** (TECH) justieren **13.** (*Datum, Preis, Strafe*) festsetzen (*at* auf) **14.** (*die Mode*) bestimmen, einführen **15.** (*den Ton*) angeben **16.** (TYP) setzen; **be** ~ **fair** (METE) beständig sein; ~ **an example** ein Beispiel geben; **Macbeth is** ~ **this year** Macbeth steht dieses Jahr auf dem Lehrplan; ~ **a value on s.th.** e-n Wert auf etw festsetzen; ~ **s.o. a problem** jdn vor ein Problem stellen; ~ **stones in concrete** Steine einzementieren; **be** ~ **in the valley** im Tal liegen; **the book is** ~ **in Paris** das Buch spielt in Paris; ~ **a guard on s.th.** etw bewachen lassen; ~ **a dog after s.o.** e-n Hund auf jdn ansetzen; ~ **s.th. to music** etw vertonen; ~ **s.th. going** etw in Gang bringen; ~ **s.o. doing s.th.** jdn dazu veranlassen etw zu tun; ~ **s.o. to doing s.th.** jdn etw tun lassen; ~ **s.o. free** jdn freilassen; ~ **s.th. right** etw in Ordnung bringen; ~ **s.o. right** jdn berichtigen **II.** *itr* **1.** (*Sonne*) untergehen **2.** (*Zement*) hart werden **3.** (*Hund*) vorstehen **III.** *adj* **1.** fertig, bereit **2.** (*Gesicht*) unbeweglich **3.** (*Sitten*) fest; vorgegeben **4.** (*Zeit*) festgesetzt, bestimmt **5.** entschlossen; **be all** ~ **for s.th.** für etw gerüstet sein; **be all** ~ **to do s.th.** fest entschlossen sein etw zu tun; ~ **book** Pflichtlektüre *f;* ~ **menu** Tageskarte *f;* ~ **phrase** feststehender Ausdruck; ~ **price** Fixpreis *m,* festgesetzter Preis; **be** ~ **in one's ways** in seinen Gewohnheiten festgefahren sein; **be dead** ~ **on s.th./on doing s.th.** etw auf Biegen und Brechen haben/tun wollen **IV.** *s* **1.** Satz *m;* Paar *n;* Garnitur *f;* Service *n* **2.** (*Nadeln*) Spiel *n* **3.** Malkasten *m;* Baukasten *m* **4.** (*Bücher*) Reihe, Serie *f,* gesammelte Ausgabe **5.** Reihe *f* **6.** (*Menschen*) Kreis *m* **7.** (SPORT) Satz *m;* Spiel *n* **8.** (MATH) Reihe *f;* Menge *f* **9.** (*Lied*) Programmnummer *f* **10.** (RADIO TV) Gerät *n,* Apparat *m* **11.** (*Kleidung*) Sitz *m;* Haltung *f* **12.** (*Haare*) Frisur, Form *f* **13.** (THEAT) Bühnenbild *n;* **a** ~ **of teeth** Gebiss *n;* **a** ~ **of tools** Werkzeug *n;* **a whole** ~ **of questions** e-e ganze Reihe Fragen; **that** ~ **of people** dieser Personenkreis; **make a dead** ~ **at s.o.** sich an jdn ranmachen; **set about** *tr* sich machen an, anfangen; anfassen, anpacken; herfallen über; ~ **about doing s.th.** sich dranmachen etw zu tun; **set against** *tr* **1.** einnehmen gegen **2.** gegenüberstellen **3.** (FIN) absetzen; ~ **o.s. against s.th.** sich e-r S entgegenstellen; **set apart** *tr* **1.** abheben, unterscheiden **2.** (*Geld*) beiseite legen; **set aside** *tr* **1.** beiseite legen **2.** (*Zeit*) einplanen **3.** (*Pläne*) aufschieben; begraben **4.** (JUR) aufheben, annullieren, außer Kraft setzen; **set back** *tr* **1.** zurücksetzen **2.** verzögern, behindern; zurückwerfen **3.** kosten; **set down** *tr* **1.** absetzen **2.** (*Passagier*) aussteigen lassen **3.** schriftlich niederlegen **4.** zuschreiben; ~ **s.o. down as s.th.** jdn für etw halten; **set forth I.** *tr* (*Plan*) darlegen **II.** *itr* aufbrechen, abreisen; **set in I.** *tr* einsetzen; einarbeiten **II.** *itr* **1.** einsetzen **2.** (*Dunkelheit*) anbrechen; **set off I.** *tr* **1.** (*Feuerwerk*) losgehen lassen **2.** führen zu; auslösen **3.** hervorheben **II.** *itr* sich auf den Weg machen, aufbrechen; losfahren; **that** ~ **us all off laughing** das brachte uns alle zum Lachen; ~ **s.th. off from s.th.** etw von etw abheben; ~ **off on a journey** e-e Reise antreten; **set on I.** *tr* hetzen, ansetzen auf **II.** *itr* überfallen; **set out I.** *tr* ausbreiten; aufstellen; anordnen; darlegen **II.** *itr* **1.** abfahren, aufbrechen, sich auf den Weg machen **2.** beabsichtigen; **set to** *itr* loslegen, reinhauen; ~ **to work** sich an die Arbeit machen; **set up I.** *tr* **1.** aufstellen; aufbauen; errichten **2.** (*fig*) arrangieren, vereinbaren **3.** (*Raub*) planen **4.** (*Schule*) einrichten **5.** (*Geschäft*) eröffnen, gründen **6.** (*Rekord*) aufstellen **7.** (*Gesundheit*) gut tun **8.** (*Protest*) anstimmen **9.** (*Infektion*) auslösen **II.** *itr* sich niederlassen; ~ **s.th. up for s.o.** etw für jdn vorbereiten; ~ **s.o. up** (*fam*) jdm etw anhängen; ~ **s.o. up as s.th.** jdm ermöglichen etw zu werden; ~ **o.s. up as s.th.** sich als etw aufspielen; **be** ~ **up for life** für sein ganzes Leben ausgesorgt haben; **be well** ~ **up** sich gut stehen; ~ **up as a doctor** sich als Arzt niederlassen; ~ **up for o.s.** sich selbstständig machen

set•back ['setbæk] *s* Rückschlag *m;* **set-in** [set'ɪn] *adj* (*Ärmel*) eingesetzt; eingearbeitet; **set square** *s* Zeichendreieck *n*

set•tee [se'ti:] *s* Sofa *n*

set•ter ['setə(r)] *s* **1.** (ZOO) Setter *m* **2.** (*type*~) Setzer(in) *m(f)*

set the•ory ['set,θɪərɪ] *s* (MATH) Mengenlehre *f*

set•ting ['setɪŋ] *s* **1.** (*Sonne*) Untergang *m* **2.** (*fig*) Rahmen *m,* Umgebung *f;* Schauplatz *m* **3.** (*Juwel*) Fassung *f* **4.** (*place* ~) Gedeck *n* **5.** (TECH) Einstellung *f* **6.** (MUS) Vertonung *f* **7.** (*Haare*) Legen *n;* **setting lotion** *s* Haarfestiger *m*

settle ['setl] I. *tr* 1. entscheiden; regeln 2. (*Problem*) klären 3. (*Streit*) beilegen, schlichten 4. (*Platz*) vereinbaren, festlegen, ausmachen 5. (*Vertrag*) abschließen 6. (*Preis*) sich einigen auf, aushandeln 7. (*Rechnung*) bezahlen, begleichen 8. (*Flüssigkeit*) sich setzen lassen; sich klären lassen 9. (*Kind*) versorgen; zurechtlegen 10. (*im Haus*) unterbringen; etablieren 11. (*Land*) besiedeln; ~ **one's affairs** seine Angelegenheiten in Ordnung bringen; **that ~s it** damit wäre der Fall erledigt; ~ **o.s. to doing s.th.** sich daran machen etw zu tun; ~ **s.o. into a house** jdm helfen sich häuslich einzurichten; ~ **money on s.o.** jdm Geld überschreiben; **I'll soon ~ him** dem werd' ich's geben II. *itr* 1. sesshaft werden; sich niederlassen, sich ansiedeln; sich einrichten 2. sich einleben; sich eingewöhnen (*into* in) 3. (*Wetter*) beständig werden 4. (*Kind*) sich beruhigen; zur Ruhe kommen, ruhiger werden 5. (*Vogel*) sich niederlassen; sich setzen 6. (*Gebäude*) sich senken 7. (JUR) sich vergleichen 8. bezahlen; ~ **into a habit** sich etw angewöhnen; ~ **comfortably in an armchair** es sich in e-m Sessel bequem machen; **settle down** I. *itr* 1. sesshaft werden 2. sich legen II. *tr* 1. beruhigen 2. (*Baby*) hinlegen; versorgen; **marry and ~ down** heiraten und häuslich werden; ~ **down at school** sich an e-r Schule eingewöhnen; ~ **down to watch TV** es sich vor dem Fernseher gemütlich machen; ~ **(o.s.) down to work** sich an die Arbeit machen; **settle for** *tr* sich zufriedengeben mit; **settle in** *itr* sich einleben, sich eingewöhnen; ~ **s.o. in** jdm helfen, sich einzuleben; **settle on, settle upon** *tr* sich entscheiden für; sich einigen auf; ~ **s.th. on s.o.** jdm etw vermachen; **settle up** *tr, itr* bezahlen; ~ **up with s.o.** mit jdm abrechnen; **settle with** *tr* abrechnen mit; ~ **one's account with s.o.** mit jdm abrechnen; ~ **s.th. with s.o.** sich mit jdm auf etw einigen

set•tled ['setld] *adj* 1. (*Wetter*) beständig 2. (*Leben*) geregelt 3. (*Meinung*) fest; (*Vorgang*) feststehend; **be ~** etabliert sein; festen Fuß gefasst haben; ruhiger sein; **feel ~** sich wohl fühlen

set•tle•ment ['setlmənt] *s* 1. Entscheidung *f;* Regelung *f;* Klärung *f* 2. (*Streit*) Beilegung, Schlichtung *f* 3. (*Rechnung*) Bezahlung *f* 4. (*Vertrag*) Übereinkunft *f,* Übereinkommen *n* 5. (*Geld*) Übertragung, Überschreibung *f* (*on* auf) 6. (*Gebäude*) Senkung *f;* Absetzen *n* 7. Siedlung, Niederlassung *f;* Ansiedlung *f* 8. Wohlfahrtseinrichtung *f;* Gemeindezentrum *n;* **reach a ~** sich einigen, e-n Vergleich schließen; **a ~ out of court** ein außergerichtlicher Vergleich; **settlement date** *s* Abrechnungstermin *m*

set•tler ['setlə(r)] *s* Siedler(in) *m(f)*

set-to [ˌset'tu:] *s* (*fam*) Krach *m,* Streiterei *f;* **have a ~** sich in die Haare geraten; **set-up** ['setʌp] *s* 1. Zustände, Umstände *mpl* 2. Organisation *f,* Arrangement *n* 3. Geräte *npl* 4. (*sl*) Komplott *n,* abgekartetes Spiel; **what's the ~ here?** wie läuft das hier?; ~ **costs** Anlaufkosten *pl*

seven ['sevn] *adj* sieben; **~-league boots** Siebenmeilenstiefel *mpl;* **get the ~-year itch** im verflixten siebenten Jahr sein; **seven•fold** ['sevnfəʊld] *adj* siebenfach; **seven•teen** [ˌsevn'ti:n] *adj* siebzehn; **seven•teenth** [ˌsevn'ti:nθ] I. *adj* siebzehnte(r, s) II. *s* Siebzehntel *n;* Siebzehnte(r, s); **sev•enth** ['sevnθ] I. *adj* sieb(en)te(r, s) II. *s* Siebtel *n;* Siebte(r, s); **sev•en•ty** ['sevntɪ] *adj* siebzig; **the seventies** die Siebzigerjahre; **he's in his seventies** er ist (so) um die siebzig; **seventy-eight** [ˌsevntɪ'eɪt] *s* (*Schallplatte*) Achtundsiebziger (Platte) *f*

sever ['sevə(r)] I. *tr* 1. durchtrennen; durchschlagen; abtrennen (*from* von) 2. (*Land*) teilen 3. (*Vertrag*) auflösen 4. (*Beziehungen*) abbrechen 5. (*Verbindungen*) lösen II. *itr* durchreißen

sev•eral ['sevrəl] I. *adj* einige, mehrere; verschiedene; ~ **times** mehrere Male; **they went their ~ ways** jeder ging seinen Weg II. *pron* einige; ~ **of us** einige von uns; **sev•eral•ly** ['sevrəlɪ] *adv* einzeln, getrennt, für sich

sever•ance ['sevərəns] *s* 1. Durchtrennen *n;* Durchschlagen *n;* Abtrennen *n* 2. Teilung *f* 3. (*Beziehungen*) Abbruch *m;* **severance pay** *s* Entlassungsabfindung *f*

se•vere [sɪ'vɪə(r)] *adj* 1. streng 2. (*Kritik*) hart; scharf 3. (*Test*) schwer 4. (*Ausdruck*) ernst 5. (*Krankheit*) schwer, schlimm 6. (*Sturm*) stark, heftig 7. (*Wetter*) rau; **be ~ with s.o.** streng mit jdm sein; **se•ver•ity** [sɪ'verətɪ] *s* 1. Strenge, Härte *f* (*on* gegen) 2. Ernst *m,* Schärfe *f* 3. Härte *f;* Schwere *f* 4. Heftigkeit *f;* **the ~ of the cold** die große Kälte

sew [səʊ] <*irr:* sewed, sewed (sewn)> *tr, itr* nähen; ~ **s.th. on** etw annähen; **sew up** *tr* 1. zunähen; nähen 2. (*fam*) unter Dach und Fach bringen; ~ **s.th. up in s.th.** etw in etw einnähen; **it's all ~n up** es ist unter Dach und Fach

sew•age ['sju:ɪdʒ] *s* Abwasser *n;* **sewage farm** ['sju:ɪdʒˌfa:m] *s* Rieselfeld *n;* **sewage (treatment) plant** *s* Kläranlage *f*

sewer[1] ['səʊə(r)] *s* Näher(in) *m(f)*

sewer[2] ['sju:ə(r)] *s* 1. Abwasserleitung *f;*

Abwasserkanal *m* **2.** (*fig*) Kloake *f;* **sewerage** ['sju:ərɪdʒ] *s* Kanalisation *f;* Abwässer *npl;* **sewer gas** *s* Faulschlammgas *n;* **sewer rat** *s* Wanderratte *f*

sew•ing ['səʊɪŋ] *s* **1.** Nähen *n* **2.** Näharbeit *f;* **sewing basket** *s* Nähkorb *m;* **sewing machine** *s* Nähmaschine *f*

sewn [səʊn] *s.* **sew**

sex [seks] **I.** *s* **1.** Geschlecht *n* **2.** Sexualität *f;* Sex *m;* **of both ~es** beiderlei Geschlechts; **have ~ with** (Geschlechts)Verkehr haben mit **II.** *adj* Geschlechts-; Sexual- **III.** *tr* das Geschlecht bestimmen von

sexa•gen•ar•ian [ˌseksədʒɪ'neərɪən] **I.** *adj* sechzigjährig **II.** *s* Sechzigjährige(r) *f m*

sex ap•peal ['seksəˌpi:l] *s* Sexappeal *m;* **sex discrimination** *s* Diskriminierung *f* auf Grund des Geschlechts; **sex education** *s* Sexualerziehung *f;* Aufklärungsunterricht *m;* **sex•ism** ['seksɪsm] *s* Sexismus *m;* **sex•ist** ['seksɪst] **I.** *s* Sexist(in) *m(f)* **II.** *adj* sexistisch; **sex•less** ['sekslɪs] *adj* geschlechtslos; **sex life** *s* Geschlechtsleben *n;* **sex symbol** *s* Sexsymbol *n*

sex•tant ['sekstənt] *s* Sextant *m*

sex•tet(te) [seks'tet] *s* (MUS) Sextett *n*

sex•ton ['sekstən] *s* Küster *m*

sex•ual ['sekʃʊəl] *adj* sexuell; geschlechtlich; ~ **characteristics** Geschlechtsmerkmale *npl;* ~ **crime** Sexualverbrechen *n;* ~ **harrassment** sexuelle Belästigung; ~ **intercourse** Geschlechtsverkehr *m;* ~ **partner** Intimpartner(in) *m(f);* **sex•uality** [ˌsekʃʊ'ælətɪ] *s* Sexualität *f;* **sex•ual•ly** ['sekʃʊəlɪ] *adv* sexuell; ~ **mature** geschlechtsreif; ~ **transmitted disease** durch Geschlechtsverkehr übertragene Krankheit; **sexy** ['seksɪ] *adj* (*fam*) sexy; aufreizend

shabby ['ʃæbɪ] *adj* schäbig *a. fig*

shack [ʃæk] **I.** *s* Hütte *f,* Schuppen *m* **II.** *itr:* ~ **up with s.o.** (*sl*) mit jdm zusammenziehen

shackle ['ʃækl] **I.** *s* **1.** (TECH) Bügel, Schäkel *m* **2.** *meist pl* Fessel *f a. fig* **II.** *tr* in Ketten legen; fesseln; **be ~d by s.th.** (*fig*) an etw gebunden sein

shade [ʃeɪd] **I.** *s* **1.** Schatten *m* **2.** (Lampen)Schirm *m;* Schild *n* **3.** Jalousie *f;* Markise *f;* Springrollo *n* **4.** Farbton *m;* Schattierung *f;* Nuance *f* **5.** (*fig*) Spur *f* **6.** (*lit*) Schatten *m;* **give ~** Schatten spenden; **put s.o. in the ~** (*fig*) jdn in den Schatten stellen; **~s** (*fam*) Sonnenbrille *f;* **of all ~s and hues** (*fig*) aller Schattierungen **II.** *tr* **1.** Schatten werfen auf **2.** abschirmen (*from* gegen), abdunkeln **3.** (*Kunst*) schattieren, abtönen **4.** (SPORT) äußerst knapp sein; ~ **s.th. in** etw ausmalen **III.** *itr* (*fig*) übergehen; ~ **off** allmählich blasser werden; **shad•ing** ['ʃeɪdɪŋ] *s* (*Kunst*) Schattierung, Schraffierung *f*

shadow ['ʃædəʊ] **I.** *s* **1.** Schatten *m a. fig* **2.** (*fig*) Bedrohung *f* **3.** (*fig*) Andeutung, Spur *f* **4.** (*fig*) Schatten *m,* ständiger Begleiter; **in the ~** im Schatten; **in the ~s** im Dunkel; **be in s.o.'s ~** (*fig*) in jds Schatten stehen; **be afraid of one's own ~** sich vor seinem eigenen Schatten fürchten; **be just a ~ of one's former self** nur noch ein Schatten seiner selbst sein; **catch at ~s** e-m Phantom nachjagen; **a ~ of hope** ein Hoffnungsschimmer *m;* **put a ~ on s.o.** jdn beschatten lassen **II.** *adj* (POL) Schatten- **III.** *tr* **1.** Schatten werfen auf; überschatten **2.** beschatten; **shadow-boxing** *s* Schattenboxen *n a. fig;* **shadow cabinet** *s* (POL) Schattenkabinett *n;* **Shadow Chancellor** *s* (*Br*) Finanzminister(in) *m (f)* des Schattenkabinetts; **shad•owy** ['ʃædəʊɪ] *adj* **1.** schattig **2.** (*fig*) unbestimmt, vage; verschwommen

shady ['ʃeɪdɪ] *adj* **1.** schattig; Schatten spendend **2.** (*fig*) zweifelhaft, anrüchig

shaft [ʃɑ:ft] *s* **1.** Schaft *m;* Stiel *m;* Deichsel *f* **2.** (Licht)Strahl *m* **3.** (*lit*) Pfeil *m* **4.** (TECH) Spindel, Welle, Achse *f* **5.** (MIN) Schacht *m* **6.** (ARCH) Säulenschaft *m* **7.** (*fig*) Spitze *f*

shag [ʃæg] **I.** *s* **1.** (*Teppich*) Flor *m* **2.** (ORN) Krähenscharbe *f* **II.** *itr, tr* (*sl*) bumsen; **shagged (out)** [ʃægd'aʊt] *adj* (*sl*) ausgelaugt

shaggy ['ʃægɪ] *adj* **1.** zottig, struppig **2.** (*Haare*) zottelig; **~-dog story** *langatmiger Witz mit schwacher Pointe*

shah [ʃɑ:] *s* Schah *m*

shake [ʃeɪk] <*irr:* **shook, shaken**> **I.** *tr* **1.** schütteln; erschüttern; durchschütteln **2.** (*Ruf*) erschüttern; ins Wanken bringen **3.** (*Schock*) erschüttern; ~ **one's fist at s.o.** jdm mit der Faust drohen; ~ **o.s. free** sich losmachen; ~ **hands** sich die Hand geben; ~ **hands with s.o.** jdm die Hand geben; ~ **a leg** (*fam*) Dampf machen; **they were badly ~n by the news** die Nachricht hatte sie sehr mitgenommen **II.** *itr* wackeln; zittern; beben; ~ **with cold** vor Kälte zittern; ~ **like a leaf** wie Espenlaub zittern; ~ **with laughter** sich vor Lachen schütteln **III.** *s* **1.** Schütteln, Zittern, Beben *n* **2.** (*fam*) Moment, Augenblick *m* **3.** (*milk ~*) Shake *m;* **give a rug a ~** e-n Läufer ausschütteln; **give s.o. a good ~** jdn kräftig schütteln; **in two ~s** (*fam*) in zwei Sekunden; **be no great ~s** (*sl*) nicht umwerfend sein; **shake down I.** *tr* **1.** herunterschütteln **2.** (*Am sl*) ausquetschen **II.** *itr* **1.** kampieren **2.** (*Maschine*) sich einlaufen; ~ **s.o. down for ...** (*Am sl*) jdn um ... erleichtern; **shake off** *tr* abschütteln; losbekommen; sich befreien von; ~ **the dust off one's**

feet den Staub von den Füßen schütteln; **shake out** *tr* **1.** herausschütteln **2.** (*Staubtuch, Teppich*) ausschütteln **3.** (*fig*) aufrütteln; **shake up** *tr* **1.** schütteln; aufschütteln **2.** (*fig*) erschüttern **3.** (*Führung*) auf Zack bringen; **she was badly ~n up by the accident** der Unfall hat ihr e-n schweren Schock versetzt

shake•down [ˈʃeɪkdaʊn] *s* **1.** Lager, Notbett *n* **2.** (*Am sl*) Razzia *f;* **shaken** [ˈʃeɪkn] *s.* shake; **shaker** [ˈʃeɪkə(r)] *s* **1.** (Salz)Streuer *m* **2.** (*cocktail ~*) Mixbecher *m;* **shake-out** [ˈʃeɪkaʊt] *s* Personalabbau *m;* **shake-up** [ˈʃeɪkʌp] *s* (*fam*) Umbesetzung *f,* Umstrukturierung *f;* **shak•ily** [ˈʃeɪkɪlɪ] *adv* wackelig; zitterig; **shak•ing** [ˈʃeɪkɪŋ] *s* Zittern *n;* **shaky** [ˈʃeɪkɪ] *adj* **1.** (*Position*) wackelig **2.** (*Beweis*) fragwürdig, unsicher **3.** (*Hand*) zitterig; **in rather ~ English** in ziemlich holprigem Englisch

shale [ʃeɪl] *s* (GEOG) Schiefer *m*

shall [ʃæl] *s* <*irr:* should> **1.** (*Futur*) werden **2.** sollen; **I ~ arrive tomorrow** ich werde morgen ankommen; **you ~ pay for this!** dafür sollst du büßen!; **what ~ we do?** was sollen wir machen? was machen wir?

shal•lot [ʃəˈlɒt] *s* Schalotte *f*

shal•low [ˈʃæləʊ] **I.** *adj* **1.** flach; seicht **2.** (*fig*) oberflächlich **II.** *s pl* seichte Stelle, Untiefe *f;* **shal•low•ness** [-nɪs] *s* Flachheit, Seichtheit *f a. fig*

sham [ʃæm] **I.** *s* **1.** Heuchelei *f* **2.** Scharlatan *m;* **her life seemed a ~** ihr Leben erschien ihr als Lug und Trug **II.** *adj* **1.** (*Diamant*) falsch, unecht **2.** (*fig*) vorgetäuscht, geheuchelt **III.** *tr* vortäuschen, -geben; simulieren **IV.** *itr* simulieren; so tun; **he's only ~ming** er tut nur so

shamble [ˈʃæmbl] *itr* trotten

shambles [ˈʃæmblz] *s pl meist mit sing* heilloses Durcheinander; Schlachtfeld *n;* Chaos *n*

sham•bolic [ʃæmˈbɒlɪk] *adj* chaotisch

shame [ʃeɪm] **I.** *s* **1.** Schande *f* **2.** Scham *f* **3.** Schandfleck *m;* **feel ~ at s.th.** sich für etw schämen; **bring ~ upon s.o.** jdm Schande machen; **without ~** schamlos; **put s.o. to ~** jdm Schande machen; **to my ~** zu meiner Schande; **cry ~ on s.o.** sich über jdn entrüsten; **the ~ of it all** die Schande; **~ on you!** du solltest dich schämen!; **what a ~!** schade! **II.** *tr* **1.** Schande machen (*s.o.* jdm) **2.** (*fig*) in den Schatten stellen; **shame•faced** [ʃeɪmˈfeɪst] *adj* betreten; **shame•ful** [ˈʃeɪmfl] *adj* schändlich; schamlos; schimpflich; **shame•less** [ˈʃeɪmlɪs] *adj* schamlos; unverschämt

shammy [ˈʃæmɪ] (*~-leather*) Fenster-, Autoleder *n*

sham•poo [ʃæmˈpuː] **I.** *tr* **1.** die Haare waschen (*s.o.* jdm) **2.** (*Haare*) waschen **3.** (*Teppich*) shampoonieren **II.** *s* Shampoo *n;* Haarwaschmittel *n;* **have a ~ and set** sich die Haare waschen und legen lassen

sham•rock [ˈʃæmrɒk] *s* Klee *m;* Kleeblatt *n*

shandy [ˈʃændɪ] *s* (*Br*) Bier u. Limonade gemischt

shang•hai [ʃæŋˈhaɪ] *tr* (*fig*) zwingen (*into doing s.th.* etw zu tun)

shank [ʃæŋk] *s* **1.** (*Vogel*) Schenkel *m* **2.** (*Schlachttier*) Haxe *f* **3.** (TECH) Griff, Stiel, Schaft *m* **4.** (ARCH) (Säulen)Schaft *m;* **on ~'s pony** (*obs*) auf Schusters Rappen

shanty [ˈʃæntɪ] *s* Schuppen *m,* Hütte *f;* **shanty town** *s* Slum(vor)stadt *f*

shanty[2] [ˈʃæntɪ] *s* Seemannslied *n*

shape [ʃeɪp] **I.** *s* **1.** Form *f;* Gestalt *f* **2.** (TECH) Form *f,* Modell, Muster *n* **3.** (*fig*) Gestalt, äußere Erscheinung *f* **4.** Zustand *m,* (gesundheitliche) Verfassung *f;* **in the ~ of** in Form, Gestalt *+gen;* **in any ~ or form** irgendwie; **in great ~** glänzend in Form; **be in bad ~** in schlechter Verfassung sein; **be out of ~** aus der Form, aus der Fasson sein; **take ~** Gestalt annehmen **II.** *tr* **1.** bearbeiten; formen, bilden, gestalten **2.** (*fig: Charakter*) formen, prägen; (*Leben*) gestalten; (*Lauf der Dinge*) bestimmen; (*Gesellschaft*) formen **III.** *itr* (*~ up*) sich entwickeln; **be shaping up well** sich gut anlassen, viel versprechend sein; **shape•less** [-lɪs] *adj* form-, gestaltlos; **shape•ly** [-lɪ] *adj* wohlgestaltet, gut proportioniert

shard [ʃɑːd] *s* (Ton)Scherbe *f*

share[1] [ʃeə(r)] **I.** *s* **1.** Anteil, Teil *m;* Beitrag *m* **2.** Aktie *f;* Geschäftsanteil, Anteilschein *m;* Beteiligung *f* (*in* an); **in equal ~s** zu gleichen Teilen; **come in for a ~ of s.th.** seinen Anteil an etw bekommen; **give s.o. a ~ in s.th.** jdn an e-r S beteiligen; **go ~s with s.o.** mit jdm teilen; **have a ~ in s.th.** an e-r S teilhaben, beteiligt sein, an etw teilnehmen; **hold ~s** Aktionär sein (*in a company* e-r Gesellschaft); **take a ~ in s.th.** sich an e-r S beteiligen; **~ in a business** Geschäftsanteil *m* **II.** *tr* (sich) teilen (*s.th.* etw); **~ the same name** den gleichen Namen haben **III.** *itr* teilen; **~ in s.th.** sich an etw beteiligen; an etw teilhaben; **~ out** verteilen; **~ and ~ alike** brüderlich teilen

share[2] [ʃeə(r)] *s* (AGR: *plough~*) Pflugschar *f*

share capi•tal [ʃeəˈkæpɪtl] *s* Aktienkapital *n;* **share cer•ti•fi•cate** [ʃeəsəˈtɪfɪkət] *s* Aktienzertifikat *n;* **share•holder** [ˈʃeəˌhəʊldə(r)] *s* Aktionär(in) *m(f);* **share•hold•ing** [ˈʃeəˌhəʊldɪŋ] *s* Beteiligung *f;* **share index** *s* Aktienindex *m;* **share issue** *s* Aktienemission *f;* **share option** *s* Aktienoption *f;* **share-out**

['ʃeəraʊt] *s* Verteilung *f;* (*Aktien*) Dividendenausschüttung *f;* **share price** *s* Aktienkurs *m;* **share price index** *s* Aktienkursindex *m;* **share•ware** ['ʃeəweə(r)] *s* (EDV) Shareware *f*

shark [ʃɑ:k] *s* **1.** Hai(fisch) *m* **2.** (*fig*) Schurke, Schuft, Wucherer *m;* **loan ~** Kredithai *m*

sharp [ʃɑ:p] **I.** *adj* **1.** scharf **2.** spitz **3.** unvermittelt, abrupt **4.** (*Kurve*) scharf **5.** (*Abhang*) steil, jäh abfallend **6.** klar, scharf umrissen, deutlich **7.** hart, streng **8.** scharfsinnig, schlau, verschlagen; (*fam*) gerissen **9.** scharf, heftig, hitzig **10.** schneidend, scharf, beißend, stechend, heftig **11.** durchdringend, schrill; **keep a ~ eye on s.o.** jdn scharf im Auge behalten; **that was pretty ~ of him** das war ziemlich clever von ihm; **be ~ about it!** mach ein bisschen schnell! **II.** *s* (MUS) Kreuz *n* **III.** *adv* **1.** plötzlich, unvermittelt **2.** (MUS) e-e halbe Note höher; zu hoch **3.** pünktlich, genau; **look ~** (*fam*) aufpassen; Acht geben; sich beeilen; **sharpen** ['ʃɑ:pən] **I.** *tr* **1.** schärfen, spitzen, schleifen, wetzen **2.** (*Appetit*) anregen **3.** (*fig: Geist*) schärfen; (*Spannung*) erhöhen **4.** (MUS) um e-e halbe Note erhöhen; höher singen, spielen **II.** *itr* **1.** schärfer werden *a. fig* **2.** höher singen, spielen; **sharp•ener** ['ʃɑ:pnə(r)] *s* Schleifgerät *n;* Wetzstahl *m;* (*pencil ~*) Bleistiftspitzer *m*

sharper ['ʃɑ:pə(r)] *s* Gauner(in) *m(f),* Schwindler(in) *m(f);* (*card ~*) Falschspieler(in) *m(f)*

sharp-eyed [ˌʃɑ:p'aɪd] *adj* scharfsichtig; **sharp-featured** [ˌʃɑ:p'fi:tʃəd] *adj* mit scharfen Gesichtszügen; **sharp•ness** [-nɪs] *s* Schärfe *f,* Spitzheit *f;* Gerissenheit *f;* **sharp practice** *s* **1.** unsaubere Geschäfte *npl* **2.** unlautere Geschäftspraktik *f;* **sharp-shooter** ['ʃɑ:pˌʃu:tə(r)] *s* Scharfschütze *m,* -schützin *f;* **sharp-sighted** [ˌʃɑ:p'saɪtɪd] *adj* scharfsichtig *a. fig;* **sharp-tempered** [ˌʃɑ:p'tempəd] *adj* jähzornig; **sharp-tongued** [ˌʃɑ:p'tʌŋd] *adj* scharfzüngig; **sharp-witted** [ˌʃɑ:p'wɪtɪd] *adj* klug; gewitzt

shat [ʃæt] *s.* **shit**[1]

shat•ter ['ʃætə(r)] **I.** *tr* **1.** zerschmettern, zerbrechen **2.** (*Knochen*) zersplittern **3.** (*fig*) zerstören, vernichten, zunichte machen; erschüttern **4.** ermüden **5.** (*Gesundheit*) untergraben **6.** (*Nerven*) zerrütten; **be absolutely ~ed** (*fam*) völlig erschöpft sein; am Boden zerstört sein; zutiefst erschüttert sein **II.** *itr* zerbrechen; **shat•tering** [-ɪŋ] *adj* **1.** (*Schlag, Explosion*) gewaltig; (*Niederlage*) vernichtend **2.** erschöpfend; niederschmetternd; (*fig: Schlag*) schwer **3.** (*fam: Neuigkeit, Unkenntnis, Offenheit*) erschütternd; (*Erlebnis, Wirkung*) umwerfend; **have a ~ effect on s.th.** sich verheerend auf etw auswirken; **it must have been ~ for you** es muss entsetzlich für Sie gewesen sein; **shat•ter•proof** ['ʃætəpru:f] *adj* splitterfrei

shave [ʃeɪv] <*irr:* **shaved, shaved (shaven)**> **I.** *tr* **1.** rasieren **2.** (*Holz*) hobeln **3.** (leicht) streifen, kaum berühren; **~ s.th. off** etw wegrasieren; (TECH) etw glätten **II.** *itr* sich rasieren **III.** *s* **1.** Rasieren *n,* Rasur *f* **2.** knappes Entkommen; **that was a close ~** das wäre um ein Haar schief gegangen; **get a ~** sich rasieren lassen; **give a clean** [*o* **close**] **~** gut [*o* sauber] rasieren; **shaven** ['ʃeɪvn] *adj* (*clean ~*) glatt rasiert; **shaver** ['ʃeɪvə(r)] *s* **1.** Rasierapparat *m* **2.** (*fam*) (junger) Bengel *m;* **shav•ing** ['ʃeɪvɪŋ] *s* **1.** Rasur *f* **2. ~s** Späne *mpl;* **shaving brush** *s* Rasierpinsel *m;* **shaving cream** *s* Rasiercreme *f;* **shaving foam** *s* Rasierschaum *m;* **shaving mirror** *s* Rasierspiegel *m;* **shaving point** *s* Steckdose *f* für Rasierapparate; **shaving soap, shaving stick** *s* Rasierseife *f*

shawl [ʃɔ:l] *s* Schultertuch *n;* Umhang *m;* Kopftuch *n*

she [ʃi:] **I.** *pron* sie (*Singular*) **II.** *s:* **a ~** e-e Sie, ein weibliches Wesen; **the baby is a ~** das Baby ist ein Mädchen

sheaf [ʃi:f, *pl* ʃi:vz] <*pl* **sheaves**> *s* **1.** Garbe *f* **2.** Bündel *n;* Bund *m*

shear [ʃɪə(r)] <*irr:* **sheared, sheared (shorn)**> **I.** *tr* scheren **II.** *itr* (*Messer*) schneiden; **the bird ~ed through the air** der Vogel segelte durch die Luft; **the boat ~ed through the water** das Boot durchpflügte das Wasser **III.** *s* (MATH) Scherung *f;* **shear off I.** *itr* abbrechen **II.** *tr* abscheren; (*fig*) abrasieren; **shearer** ['ʃɪərə(r)] *s* Schafscherer *m;* **shear•ing** ['ʃɪərɪŋ] *s* Schafschur *f;* **~s** Scherwolle *f;* **shears** [ʃɪəz] *s pl* Schere *f;* Metallschere *f;* Heckenschere *f*

sheath [ʃi:θ] *s* **1.** (*a.* BOT ZOO ANAT) Scheide *f* **2.** (*Kabel*) Armierung *f* **3.** Futteral-, Schlauchkleid *n* **4.** Kondom *n;* **sheathe** [ʃi:ð] *tr* **1.** in die Scheide stecken **2.** (*Krallen*) einziehen **3.** (TECH) umkleiden, umhüllen; (*Kabel*) armieren; **sheath•ing** ['ʃi:ðɪŋ] *s* **1.** Verkleidung, Ummantelung *f* **2.** (ARCH) Verschalung *f* **3.** (*Kabel*) Armierung *f;* **sheath knife** *s* Fahrtenmesser *n*

she•bang [ʃɪ'bæŋ] *s:* **the whole ~** der ganze Kram

shed[1] [ʃed] <*irr:* **shed, shed**> *tr* **1.** aus-, vergießen **2.** (*fig*) ausströmen, -strahlen, verbreiten **3.** (*Licht*) werfen (*on* auf) **4.** (*Blätter, Haut*) abwerfen; (*Haare*) verlieren

5. sich entledigen (*s.th.* e-r S); ~ **blood/tears** Blut/Tränen vergießen; ~ **skin** sich häuten

shed[2] [ʃed] *s* Schuppen *m;* Halle *f;* Stall *m;* Unterstand *m*

sheen [ʃiːn] *s* Glanz, Schimmer *m*

sheep [ʃiːp] <*pl* -> *s* Schaf *n a. fig;* **make ~'s eyes at s.o.** (*obs*) jdn anhimmeln; **separate the ~ from the goats** (*fig*) die Schafe von den Böcken trennen; **one may as well be hanged for a ~ as a lamb** wenn schon, denn schon; **a black/lost ~** (*fig*) ein schwarzes/verlorenes Schaf; **a wolf in ~'s clothing** (*fig*) ein Wolf im Schafspelz; **sheep-dip** *s* Desinfektionsbad *n* für Schafe; **sheep•dog** [ˈʃiːpdɒg] *s* Schäferhund *m;* **sheep•fold** *s* Pferch *m;* **sheep•ish** [ˈʃiːpɪʃ] *adj* verlegen; **sheep-skin** [ˈʃiːpskɪn] *s* Schaffell *n*

sheer[1] [ʃɪə(r)] **I.** *adj* **1.** unvermischt, rein **2.** (*fig*) bloß, rein **3.** (*Textil*) dünn, durchsichtig **4.** steil, senkrecht; ~ **madness** heller Wahnsinn; **by ~ chance** rein zufällig **II.** *adv* steil; senkrecht

sheer[2] [ʃɪə(r)] *itr* **1.** (MAR: ~ *off, away*) ausscheren **2.** (*fig:* ~ *away*) ausweichen (*from s.th.* e-r S) **3.** (*fig:* ~ *off*) abhauen

sheet[1] [ʃiːt] *s* **1.** Bettuch *n;* Tuch *n;* Gummidecke *f* **2.** (*fam: Zeitung*) Blatt *n;* (*Papier*) Bogen *m* **3.** (*Holz*) Platte *f;* (*Glas*) Scheibe *f;* (~ *of ice*) (Eis)Fläche *f* **4.** (~ *metal*) Blech *n* **5.** **~s** (große) Massen *fpl;* **(as) white as a ~** leichenblass; **rain fell in ~s** es regnete in Strömen; **attendance ~** Anwesenheitsliste *f;* ~ **of flame** Feuermeer *n*

sheet[2] [ʃiːt] *s* (MAR) Schot *f*

sheet anchor [ˈʃiːtˌæŋkə(r)] *s* Notanker *m;* **sheet feed** *s* (EDV) Einzelblatteinzug *m;* **sheet light•ning** [ˈʃiːtˌlaɪtnɪŋ] *s* Wetterleuchten *n;* **sheet metal** *s* Walzblech *n;* **sheet music** *s* Notenblätter *npl*

sheik(h) [ʃeɪk, *Am* ʃiːk] *s* Scheich *m;* **sheik(h)•dom** [ˈʃeɪkdəm, *Am* ˈʃiːkdəm] *s* Scheichtum *n*

shelf [ʃelf, *pl* ʃelvz] <*pl* shelves> *s* **1.** (Wand)Brett, Regal *n* **2.** Sims *m od n* **3.** Sandbank *f,* Riff *n;* **on the ~** (*fig*) ausrangiert, ausgedient; (*Mädchen*) eine alte Jungfer; **be left on the ~** (*Mädchen*) sitzen geblieben sein; **continental ~** Kontinentalsockel *m;* **shelf life** *s* Lagerfähigkeit *f;* **shelf space** *s* (COM) Regalfläche *f;* **shelf wobbler** *s* (COM) Regalschild *n*

shell [ʃel] **I.** *s* **1.** Schale *f;* (*Erbsen*) Hülse *f;* (*Weichtier*) Muschel *f;* Schneckenhaus *n;* Panzer *m* **2.** (*Küche*) Form *f* **3.** (*Gebäude*) Mauerwerk *n;* Rohbau *m;* Gemäuer *n,* Ruine *f* **4.** (*Auto*) Karosserie *f;* Wrack *n;* (*Schiff*) Gerippe *n,* Rumpf *m;* Wrack *n* **5.** (MIL) Granate *f;* (*Am*) Patrone *f* **6.** (SPORT) Rennruderboot *n;* **come out of one's ~** (*fig*) aus sich herausgehen; **retire into one's ~** (*fig*) sich in sein Schneckenhaus verkriechen **II.** *tr* **1.** schälen; (*Erbsen*) enthülsen **2.** (MIL) mit Granaten beschießen; **shell out** *tr* (*fam*) blechen, bezahlen

shel•lac [ʃəˈlæk] **I.** *s* Schellack *m* **II.** *tr* **1.** mit Schellack überziehen **2.** (*Am sl*) vernichtend schlagen

shell company *s* (COM) Firmenmantel *m*

shell•fish [ˈʃelfɪʃ] *s* Schaltier *n* (*Krebs, Muschel*); (*Küche*) Meeresfrüchte *fpl;* **shell hole** *s* Granattrichter *m;* **shel•ling** [ˈʃelɪŋ] *s* Granatbeschuss *m;* **shell•proof** *adj* bombensicher; **shell shock** *s* Kriegsneurose *f;* **shell-shocked** [ˈʃelʃɒkt] *adj* unter Kriegsneurose leidend; (*fig*) verstört

shel•ter [ˈʃeltə(r)] **I.** *s* **1.** Schuppen *m* **2.** Schutzdach *n,* -hütte *f;* (*bus* ~) Wartehäuschen *n* **3.** Schutz *m;* Unterschlupf *m,* Unterkunft *f,* Obdach *n* **4.** (*air-raid* ~) (Luft)Schutzraum *m* **5.** Anlaufstelle *f;* **under ~** geschützt; **take ~** Schutz suchen (*from* vor); **give s.o. ~** jdn beherbergen; **night ~** Nachtasyl *n* **II.** *tr* **1.** beherbergen, Unterschlupf, Obdach gewähren (*s.o.* jdm) **2.** (be)schützen, beschirmen, in Schutz nehmen (*from* vor) **III.** *itr* sich unterstellen, Schutz suchen (*under* unter); **shel•tered** [ˈʃeltəd] *adj* behütet, beschützt; (*Stelle*) geschützt; ~ **housing** Wohnungen für Senioren bzw. Behinderte; ~ **workshop** Behindertenwerkstatt *f*

shelve [ʃelv] **I.** *tr* **1.** auf ein Regal stellen **2.** mit Regalen versehen **3.** zu den Akten legen; zurückstellen; (*Problem*) aufschieben; auf Eis legen **II.** *itr* **1.** sich leicht neigen **2.** (~ *down*) leicht abfallen; **shelv•ing** [-ɪŋ] *s* **1.** Material *n* für Regale **2.** Regale *npl* **3.** Aufschub *m,* Zurückstellung *f*

she•nani•gans [ʃɪˈnænɪgənz] *s pl* (*fam*) **1.** Blödsinn, Quatsch *m* **2.** Tricks *mpl*

shep•herd [ˈʃepəd] **I.** *s* Schäfer *m* **II.** *tr* leiten, führen; **shep•herd•ess** [ˌʃepəˈdes, *Am* ˈʃepədəs] *s* Schäferin *f;* **shepherd's pie** *s mit Kartoffelbrei überbackenes Hackfleisch*

sher•bet [ˈʃɜːbət] *s* **1.** Scherbett, Sorbett *m od n* **2.** (Brause)Limonade *f*

sher•iff [ˈʃerɪf] *s* **1.** Sheriff *m* **2.** (*schottisch*) Friedensrichter *m*

sherry [ˈʃerɪ] *s* Sherry *m*

Shet•land Is•lands, Shet•lands [ˈʃetləndˈaɪləndz, ˈʃetləndz] *s pl* Shetlandinseln, Shetlands *fpl*

shield [ʃiːld] **I.** *s* **1.** (HIST) Schild *m* **2.** Wappenschild *m n* **3.** Schutzschild *m* **4.** (*fig*) Schutz *m* **II.** *tr* schützen (*from* vor), (ab)schirmen, decken; **shield-bearer** *s*

(HIST) Schildknappe *m*

shift [ʃɪft] **I.** *tr* **1.** wegschieben; umstellen; wegräumen **2.** (von sich) abwälzen (*on* auf) **3.** (TECH) umschalten **4.** (*Nagel etc*) entfernen **5.** (*an anderen Ort*) verlegen; (*Anlagen*) umgruppieren **6.** (*fam*) loswerden **7.** (*fam: Essen*) verdrücken; ~ **gears** e-n anderen Gang einlegen, schalten; ~ **one's ground** vom Thema abschweifen; seine Meinung ändern; ~ **the responsibility onto s.o.** jdm die Verantwortung zuschieben **II.** *itr* **1.** sich verschieben; sich verlagern; sich ändern **2.** (*Wind*) umspringen, sich drehen **3.** (*von Meinung*) abgehen **4.** (MOT) schalten **5.** (*fam*) sausen **6.** fertig werden, sich durchschlagen (*for o.s.* selbst) **III.** *s* **1.** Verschiebung *f,* Wechsel *m,* Veränderung, Verlagerung *f* **2.** (POL) Kursänderung *f* **3.** (Arbeits)Schicht *f* **4.** Ausweg, Kniff *m;* Ausflucht *f* **5.** (MOT: *gear~*) Schaltung *f* **6.** (*Schreibmaschine*) Umschalttaste *f;* **in ~s** umschichtig; **drop ~s** Feierschichten einlegen; **late** ~ Spätschicht *f;* **make** ~ sich behelfen; **night** ~ Nachtschicht *f;* ~ **in consumption** Konsumverlagerung *f;* ~ **in demand** Nachfrageänderung *f;* ~ **of production** Produktionsverlagerung *f;* **shift·ing** ['ʃɪftɪŋ] *adj:* **be** (**really**) ~ (*fam*) rasen; ~ **cultivation** (AGR) Wanderfeldbau *m;* **shift key** *s* (EDV) Umschalt-, Shifttaste *f;* **shiftless** [-lɪs] *adj* faul, träge; **shift·work** ['ʃɪftwɜ:k] *s* Schichtarbeit *f;* **shift·worker** [-ə(r)] *s* Schichtarbeiter(in) *m(f);* **shifty** ['ʃɪftɪ] *adj* durchtrieben, hinterhältig, falsch

shil·ling ['ʃɪlɪŋ] *s* Shilling *m;* (*Österreich*) Schilling *m*

shilly-shally ['ʃɪlɪʃælɪ] *itr* (*fam*) seine Zeit verplempern; unentschlossen sein

shim·mer ['ʃɪmə(r)] **I.** *itr* schimmern **II.** *s* Schimmer *m;* Lichtschein *m*

shin [ʃɪn] **I.** *s* (*~bone*) Schienbein *n* **II.** *itr* (*~ up*) hinaufklettern

shin·dig ['ʃɪndɪg] *s* (*fam*) **1.** Spektakel, Radau *m* **2.** Rauferei, Schlägerei *f* **3.** lautstarke Party; **kick up a** ~ Krach schlagen

shine [ʃaɪn] <*irr:* shone, shone> **I.** *itr* **1.** scheinen **2.** leuchten (*with joy* vor Freude) **3.** glänzen, funkeln **4.** (*fig*) glänzen, sich hervortun (*at* bei); ~ **on s.th.** etw anleuchten; **I didn't** ~ **at school** in der Schule war ich keine große Leuchte **II.** *tr* **1.** leuchten lassen; glänzend machen **2.** (*Schuhe*) putzen, wichsen; ~ **a torch on s.o.** jdn mit e-r Taschenlampe anleuchten **III.** *s* **1.** heller Schein, Glanz *m a. fig* **2.** Glanz *m,* Politur *f* **3.** (*Am*) Schuhputzen *n;* **take the** ~ **off s.th.** den Glanz von e-r S nehmen; **take a** ~ **to s.o.** (*sl*) sich in jdn vergaffen; **I'll come, rain or** ~ ich komme auf jeden Fall; **shine down** *itr* herunterscheinen; **shine out** *itr* **1.** hervorleuchten **2.** (*fig*) herausragen; **shiner** ['ʃaɪnə(r)] *s* (*sl*) blaues Auge

shingle[1] ['ʃɪŋgl] **I.** *s* **1.** (Dach)Schindel *f* **2.** (*Am fam*) Schild *n* (*e-s Arztes oder Rechtsanwalts*) **3.** (*Frisur*) Bubikopf *m;* **hang out one's** ~ (*Am fam: Arzt, Rechtsanwalt*) e-e Praxis eröffnen **II.** *tr* mit Schindeln decken

shingle[2] ['ʃɪŋgl] *s* grober Kies; Kiesel *m*

shingles ['ʃɪŋglz] *s pl mit sing* (MED) Gürtelrose *f*

shin·ing ['ʃaɪnɪŋ] *adj* **1.** glänzend, leuchtend **2.** (*Beispiel*) glänzend; **he's no** ~ **light** er ist kein großes Kirchenlicht; **shiny** ['ʃaɪnɪ] *adj* glänzend; (glatt)poliert; **be** ~ (*Stoff*) glänzen

ship [ʃɪp] **I.** *s* **1.** Schiff *n* **2.** (*Am*) Raumschiff *n;* Flugzeug *n;* **by** ~ mit dem Schiff; **on board** ~ an Bord; **his** ~ **comes home** [*o* **in**] (*fig*) er hat sein Glück gemacht **II.** *tr* **1.** an Bord nehmen, einschiffen **2.** (*Waren*) verschiffen; (*Am*) (ver)senden; befördern, verladen; ~ **oars** die Ruder einlegen; die Ruder einziehen; ~ **water** Wasser übernehmen **III.** *itr* sich (an)heuern lassen; **ship off** *tr* wegschicken; verschiffen; verschicken, abtransportieren; **ship out** *tr* versenden

ship·board ['ʃɪpbɔ:d] *s:* **on** ~ an Bord; **ship·builder** ['ʃɪpˌbɪldə(r)] *s* Schiffsbauer *m;* **ship·build·ing** ['ʃɪpˌbɪldɪŋ] *s* Schiffbau *m;* **ship chandler** *s* Schiffslieferant *m;* **ship·load** ['ʃɪpləʊd] *s* Schiffsladung *f;* **ship·mate** ['ʃɪpmeɪt] *s* Bordkamerad *m*

ship·ment ['ʃɪpmənt] *s* **1.** Verschiffung *f* (*for* nach) **2.** Verladung *f,* Versand, Transport *m* **3.** Schiffsladung *f* **4.** Ladung, Sendung *f*

ship·owner ['ʃɪpˌəʊnə(r)] *s* Schiffseigner *m;* Reeder *m*

ship·per ['ʃɪpə(r)] *s* **1.** Spediteur *m* **2.** Absender *m* **3.** Ablader, Befrachter *m;* **shipping** ['ʃɪpɪŋ] **I.** *s* **1.** Verschiffung *f;* Verfrachtung *f,* Verladung *f,* Versand, Transport *m* **2.** Schifffahrt *f;* Schiffe *npl* **II.** *adj* Schiffs-; Schifffahrts-; **shipping agency** *s* Schiffsagentur *f;* **shipping agent** *s* Schiffsmakler *m;* **shipping company** *s* Reederei *f;* **shipping department** *s* Versandabteilung *f;* **shipping expenses** *s pl* Transport-, Frachtkosten *pl;* **shipping lane** *s* Schifffahrtsstraße *f;* **shipping line** *s* Schifffahrtslinie *f;* **shipping note** *s* Frachtbrief *m,* Konnossement *n;* **shipping office** *s* Reederei *f;* Heuerbüro *n;* **shipping routes** *s pl* Schifffahrtswege *mpl*

ship·shape ['ʃɪpʃeɪp] *adj* aufgeräumt,

sauber, ordentlich; **ship•way** *s* **1.** Helling *f,* Stapel *m* **2.** Schifffahrtsweg *m;* **ship-wreck** ['ʃɪprek] **I.** *s* Schiffbruch *m a. fig* **II.** *tr* scheitern lassen *a. fig;* (*fig*) ruinieren; **ship•wright** ['ʃɪpraɪt] *s* Schiffszimmermann *m;* Schiffbauer *m;* **ship•yard** ['ʃɪpjɑːd] *s* (Schiffs)Werft *f*

shire horse ['ʃaɪəˌhɔːs] *s* Zugpferd *n*

shirk [ʃɜːk] **I.** *tr* sich drücken vor, aus dem Wege gehen (*s.th.* e-r S) **II.** *itr* sich drücken (*from* vor); **shirker** ['ʃɜːkə(r)] *s* Drückeberger(in) *m(f)*

shirt [ʃɜːt] *s* **1.** Hemd *n* **2.** (*von Frau*) Hemdbluse *f;* **keep one's ~ on** (*sl*) sich nicht aus der Fassung bringen lassen; **put one's ~ on** (*sl*) Hab u. Gut setzen auf; **he has lost his ~ off his back** (*sl*) er hat alles verloren; **shirt collar** *s* Hemdkragen *m;* **shirt-front** *s* Hemdbrust *f;* **shirt•ing** ['ʃɜːtɪŋ] *s* Hemdenstoff *m;* **shirt-sleeve** *s* Hemdsärmel *m;* **in one's ~s** in Hemdsärmeln; **shirt-waist** *s* (*Am*) Hemdbluse *f;* **shirty** ['ʃɜːtɪ] *adj* (*sl*) (leicht) beleidigt, eingeschnappt; wütend

shit[1] [ʃɪt] <*irr:* shit, shit (shat)> **I.** *itr* (*vulg*) scheißen **II.** *refl* (*vulg*) sich vor Angst in die Hose machen **III.** *s* (*vulg*) **1.** Scheiße *f a. fig* **2.** Angst *f,* Schiss *m*

shit[2] [ʃɪt] *s* (*sl: Drogen*) Shit *m*

shite [ʃaɪt] (*vulg*) *s.* **shit**[1]

shitty ['ʃɪtɪ] *adj* (*sl*) beschissen

shiver ['ʃɪvə(r)] **I.** *itr* zittern (*with cold, fear* vor Kälte, Angst); **I ~** mich schaudert **II.** *s* **1.** Zittern *n;* Schauder *m a. fig* **2. ~s** Schüttelfrost, Fieberschauer *m;* **I got** [*o* **had**] **the ~s** (*fam*) es lief mir eiskalt über den Rücken; **it gave me the ~s** (*fam*) das ließ mir das Blut in den Adern erstarren; **shiv•ery** ['ʃɪvərɪ] *adj* fröstelnd; **feel ~** frösteln

shoal[1] [ʃəʊl] *s* Untiefe *f;* Sandbank *f*

shoal[2] [ʃəʊl] *s* **1.** große Masse, Menge *f* **2.** (Fisch)Schwarm *m;* **in ~s** in Unmengen, haufenweise; in Scharen

shock[1] [ʃɒk] **I.** *s* **1.** Schock *m* **2.** (EL) (elektrischer) Schlag *m* **3.** (MED) Elektroschock *m* **4.** heftiger Stoß; Wucht *f* **5.** (*Erdbeben*) Erdstoß *m;* **get a ~** einen Schock [*o* Schlag] bekommen; **be in (a state of) ~** unter Schock stehen; **it comes as a ~** das ist bestürzend; **be a great ~ for s.o.** für jdn ein schwerer Schlag sein; **it gave him a nasty ~** das hat ihm einen bösen Schrecken eingejagt; **he'll be in for a ~** der wird sein blaues Wunder erleben **II.** *tr* **1.** erschüttern, bestürzen **2.** schockieren; **be ~ed** erschüttert sein; schockiert sein; **~ s.o. into doing s.th.** jdm einen solchen Schrecken einjagen, dass er etw tut **III.** *itr* schockieren

shock[2] [ʃɒk] *s* Garbenbündel *n*

shock[3] [ʃɒk] *s* Haarschopf *m*

shock ab•sorber ['ʃɒkæbˌzɔːbə(r)] *s* (MOT) Stoßdämpfer *m;* **shocker** ['ʃɒkə(r)] *s* Horrorgeschichte *f;* Schocker *m;* **you are a ~!** du bist ja schlimm!; **I have a ~ of a hangover** ich habe einen entsetzlichen Kater

shock•headed ['ʃɒkˌhedɪd] *adj* strubb(e)lig; **~ Peter** Struwwelpeter *m*

shock•ing ['ʃɒkɪŋ] *adj* **1.** erschütternd; Anstoß erregend, schockierend **2.** (*fam*) schlimm, schrecklich, entsetzlich; **shock-proof** *adj* stoßfest; **shock therapy, shock treatment** *s* (MED) Schockbehandlung *f;* **shock troops** *s pl* Stoßtruppen *fpl;* **shock wave** *s* Druckwelle *f;* (*fig*) Erschütterung *f*

shod [ʃɒd] *s.* **shoe**

shoddy ['ʃɒdɪ] **I.** *s* (*Stoff*) Shoddy *m od n* **II.** *adj* schäbig, minderwertig; (*fig: Arbeit*) gepfuscht

shoe [ʃuː] <*irr:* shod, shod> **I.** *s* **1.** Schuh *m* **2.** (*horse ~*) Hufeisen *n* **3.** Bremsbacke *f* **4.** (EL) Kontaktrolle *f,* Polschuh *m;* **be in s.o.'s ~s** in jds Haut stecken; **fill s.o.'s ~s** jds Platz, Stelle einnehmen; **know where the ~ pinches** wissen, wo der Schuh drückt; **put o.s. in s.o.'s ~s** sich in jds Lage versetzen **II.** *tr* (*Pferd*) beschlagen; **shoe-black** ['ʃuːblæk] *s* Schuhputzer *m;* **shoe-horn** ['ʃuːhɔːn] *s* Schuhlöffel *m;* **shoe-lace** ['ʃuːleɪs] *s* Schnürsenkel, Schuhriemen *m;* **shoe•maker** ['ʃuːmeɪkə(r)] *s* Schuhmacher(in) *m(f);* **shoe polish** *s* Schuhputzmittel *n,* Schuhwichse *f;* **shoe-repair shop** *s* Schuhreparaturwerkstatt *f,* Schuster *m;* **shoe•shine** ['ʃuːʃaɪn] *s* Schuhputzen *n;* **shoeshine boy** *s* Schuhputzer *m;* **shoe-shop** *s* Schuhladen *m;* **shoe size** *s* Schuhgröße *f;* **shoe-store** *s* (*Am*) *s.* shoe-shop; **shoe•string** *s* Schnürsenkel *m;* **start a business on a ~** ein Geschäft mit praktisch nichts anfangen; **shoe-string company** *s* finanzschwaches Unternehmen; **shoe-tree** *s* Schuhspanner *m*

shone [ʃɒn] *s.* **shine**

shoo [ʃuː] **I.** *interj* sch! fort! weg! **II.** *tr* (*~ away, off*) verscheuchen

shook [ʃʊk] *s.* **shake**

shoot [ʃuːt] <*irr:* shot, shot> **I.** *tr* **1.** schießen; (*Geschütz*) abfeuern **2.** (*Menschen*) anschießen; niederschießen; erschießen **3.** (*Gegenstände*) schleudern; (*Blick*) schleudern, werfen; (*Frage*) aufwerfen, richten (*at* an) **4.** (SPORT) schießen **5.** (FILM) drehen; (*Foto*) machen, schießen; (*Menschen, Gebäude etc*) aufnehmen **6.** (*sl: Drogen*) schießen, drücken; **~ one's bolt** (*fig*) sein Pulver verschießen; **~ s.o. dead** jdn erschießen; **~ a glance at s.o., ~**

s.o. a glance jdm einen Blick zuwerfen; ~ **a line** angeben, prahlen; ~ **the lights** bei Rot über die Ampel fahren; ~ **rapids** Stromschnellen durchfahren; **he shot himself** er hat sich erschossen; **he shot himself in the arm** er hat sich in den Arm geschossen; **he was shot in the arm** er wurde in den Arm getroffen; **you'll get me shot** (*fig fam*) du bringst mich in Schwierigkeiten **II.** *itr* **1.** schießen; (*Jäger*) jagen **2.** schießen, sausen **3.** (SPORT) schießen (*at goal* aufs Tor) **4.** (*Schmerz*) stechen **5.** (FILM) drehen **6.** (*Pflanzen*) treiben; ~! schieß los!; ~ **past** [*o* **by**] vorbeischießen, vorbeisausen **III.** *s* **1.** Jagd *f;* Jagdgesellschaft *f;* Jagdrevier *n;* Wettschießen *n* **2.** (BOT) Trieb *m;* Keim *m;* Schössling *m;* **shoot ahead** *itr* vorpreschen; sich an die Spitze setzen; **shoot at** *tr* schießen auf; **shoot away** **I.** *tr* wegschießen **II.** *itr* **1.** (anhaltend) schießen **2.** wegrasen, davonschießen; ~ **away at s.o.** jdn beschießen; ~ **away!** (*fig fam*) schieß los!; **shoot down** *tr* **1.** (*Flugzeug*) abschießen **2.** (*fig fam*) fertig machen; (*Argument*) entkräften; **shoot off** **I.** *tr* abschießen; abfeuern **II.** *itr* davonschießen; ~ (**one's mouth**) **off** groß reden; tratschen; ausplaudern; **shoot out** **I.** *itr* herausschießen (*of* aus) **II.** *tr* schnell herausstrecken; hinausschleudern; ~ **it out with s.o.** sich mit jdm schießen; **shoot past** *itr, tr* vorbeischießen (*s.o.* an jdm); **shoot up** **I.** *itr* **1.** in die Höhe schießen; schnell wachsen; (*Gebäude*) aus dem Boden schießen **2.** (*Flammen*) herausschlagen (*from* aus) **II.** *tr* **1.** (MIL) beschießen; (*Menschen*) zusammenschießen **2.** (*sl: Drogen*) drücken; ~ **up a town** in einer Stadt eine Schießerei veranstalten

shoot·ing ['ʃuːtɪŋ] *s* **1.** Schießen *n;* (MIL: *Artillerie*) Feuer *n* **2.** Jagen *n;* Jagdrecht *n;* Jagdrevier *n* **3.** Erschießung *f;* Schießerei *f* **4.** Filmen, Drehen *n;* **indoor/outdoor** ~ Innen-/Außenaufnahmen *fpl;* **there was a** ~ es wurde geschossen; es wurde jem erschossen; **they are investigating the** ~ sie untersuchen den Mord; **shooting box**, **shooting lodge** *s* Jagdhütte *f;* **shooting gallery**, **shooting range** *s* Schießstand *m;* **shooting jacket** *s* Jagdrock *m;* **shooting script** *s* Drehbuch *n;* **shooting season** *s* Jagdzeit *f;* **shooting star** *s* Sternschnuppe *f;* **shooting stick** *s* Jagdstuhl *m;* **shooting war** *s* heißer Krieg

shop [ʃɒp] **I.** *s* **1.** Laden *m,* Geschäft *n;* Verkaufsstelle *f* **2.** Werkstatt, -stätte *f,* Betrieb *m;* Arbeiterschaft *f;* **all over the** ~ (*fam*) überall; wild durcheinander; **come** [*o* **go**] **to the wrong** ~ (*fig*) an den Unrechten kommen; **keep a** ~ ein Geschäft, e-n Laden haben; **keep** ~ das Geschäft führen; **set up** ~ ein Geschäft eröffnen; **talk** ~ fachsimpeln; **baker's** ~ Bäckerladen *m,* Bäckerei *f;* **fruit** ~ Obstgeschäft *n;* **machine** ~ mechanische Werkstatt; **repair** ~ Reparaturwerkstatt *f* **II.** *itr* (*go ~ping*) einkaufen (gehen); Einkäufe, Besorgungen machen; ~ **around** sich in den Läden umsehen; ~ (**around**) **for s.th.** nach etw suchen **III.** *tr* (*sl*) verpfeifen; **shopa·ho·lic** [ˌʃɒpəˈhɒlɪk] *s* Kaufsüchtige(r) *f m;* **shop as·sist·ant** *s* Verkäufer(in) *m(f);* **shop-break·ing** [ˈʃɒpˌbreɪkɪŋ] *s* Ladeneinbruch *m;* **shop·fit·ter** [ˈʃɒpˌfɪtə(r)] *s* Geschäftsausstatter(in) *m(f);* **shop·fit·tings** [ˈʃɒpˌfɪtɪŋz] *s pl* Ladeneinrichtung *f;* **shop floor** *s* **1.** Produktionsstätte *f;* Werkstatt *f* **2.** Arbeitskräfte *fpl;* **at** ~ **level** unter den Arbeitern in der Fabrik; **shop front** *s* Ladenfront *f;* **shop·girl** *s* (*Br*) Verkäuferin *f;* **shop·keeper** [ˈʃɒpkiːpə(r)] *s* Ladenbesitzer(in) *m(f),* Geschäftsinhaber(in) *m(f),* Einzelhändler(in) *m(f);* **a nation of** ~**s** ein Volk von Krämern; **shop·keep·ing** [ˈʃɒpkiːpɪŋ] *s* Ladenbetrieb *m;* Kleinhandel *m;* **shop·lifter** [ˈʃɒplɪftə(r)] *s* Ladendieb(in) *m(f);* **shop·lift·ing** [ˈʃɒplɪftɪŋ] *s* Ladendiebstahl *m;* **shop·per** [ˈʃɒpə(r)] *s* Käufer(in) *m(f)*

shop·ping [ˈʃɒpɪŋ] *s* Einkauf(en *n*) *m;* Besorgungen *fpl;* **do one's** ~ Einkäufe, Besorgungen machen; **window-**~ Schaufensterbummel *m;* **shopping arcade** *s* Einkaufspassage *f;* **shopping bag** *s* Einkaufstasche *f;* **shopping cart** *s* (*Am*) Einkaufswagen *m;* **shopping centre** *s* Einkaufszentrum *n;* Geschäftsviertel *n;* **shopping list** *s* Einkaufszettel *m;* **shopping mall** *s* (*Am*) Einkaufspassage *f;* **shopping street** *s* Einkaufs-, Geschäftsstraße *f;* **shopping trolley** *s* Einkaufswagen *m;* **shop-soiled**, **shop-worn** [ˈʃɒpsɔɪld, ˈʃɒpwɔːn] *adj* (*Ware*) angestaubt; **shop steward** *s* gewerkschaftlicher Vertrauensmann *m;* **shop·talk** [ˈʃɒptɔːk] *s* Fachsimpelei *f;* **shop·walker** *s* (*Warenhaus*) Ladenaufsicht *f;* **shop win·dow** [ˌʃɒpˈwɪndəʊ] *s* (*a. fig*) Schaufenster *n*

shore[1] [ʃɔː(r)] *s* **1.** Küste(nstreifen *m,* -gebiet, -land *n*) *f* **2.** Ufer *n* (*e-s Flusses*) **3.** Strand *m* **4.** (MAR) Land *n;* **off** ~ auf See; **on** ~ an Land

shore[2] [ʃɔː(r)] **I.** *s* Strebe *f;* Schwertlatte *f* **II.** *tr* **1.** (~ *up*) (ab)stützen **2.** stärken

shore leave [ˈʃɔːˌliːv] *s* Landurlaub *m;* **shore·line** *s* Küstenlinie *f*

shorn [ʃɔːn] *adj* geschoren; kahlgeschoren; **be** ~ **of s.th.** e-r S beraubt sein

short [ʃɔːt] **I.** *adj* **1.** kurz (*a. zeitlich*) **2.**

kurzfristig **3.** knapp (*of* an), unzureichend, unzulänglich **4.** kurz angebunden; (*fig*) barsch (*with* gegen) **5.** (*Gebäck*) mürbe **6.** (*Getränk*) unverdünnt **7.** (COM) ungedeckt; **a ~ time ago** vor kurzem; **at ~ notice** kurzfristig; **for ~** kurz; **in a ~ time** in kurzer Zeit; **time is getting ~** es wird knapp; **in ~, the long and the ~ of it** kurz gesagt, in wenigen Worten; **in the ~ run** auf kurze Sicht; **in ~ order** schnell; **~ and sweet** schön kurz; **be ~** schlecht bei Kasse sein; **be five ~** fünf zu wenig haben; **be ~ of s.th.** von etw nicht genug, zu wenig haben; **be ~ with s.o.** mit jdm kurz angebunden sein; **be in ~ supply** (*Waren*) knapp sein; **be ~ on** zu wenig haben an; **have a ~ temper** unbeherrscht sein; **~ of breath** außer Atem; kurzatmig; **~ of cash** nicht bei Kasse; **~ of money** knapp bei Kasse **II.** *adv* **1.** (zu) kurz **2.** knapp **3.** plötzlich, unerwartet; **~ of** außer; beinahe; **little ~ of madness** fast Wahnsinn; **little** [*o* **nothing**] **~ of** nichts außer, nur noch, nichts weniger als; **come** [*o* **fall**] **~** nicht (aus)reichen, nicht genügen; (*die Erwartungen*) enttäuschen, zurückbleiben (*of s.th.* hinter etw); **come** [*o* **fall**] **~ of s.th.** etw nicht erreichen; **cut ~** unter-, (vorzeitig) abbrechen; (*fig*) das Wort abschneiden (*s.o.* jdm); **make it ~** sich kurz fassen; **run ~** knapp sein, nicht ausreichen; **run ~ of ...** nicht genug ... haben; **sell ~** ohne Deckung verkaufen; **stop ~** plötzlich stehen bleiben; **turn ~** plötzlich kehrtmachen; **she's a bit ~ on good looks** sie ist nicht gerade hübsch; **he mustn't go ~ (of food)** es soll ihm an nichts fehlen **III.** *s* **1.** Kurzfilm *m* **2.** (EL) Kurzschluss *m* **3.** Schnaps *m* **IV.** *tr* (EL) kurzschließen **V.** *itr* (EL) einen Kurzschluss haben, bekommen

short•age ['ʃɔːtɪdʒ] *s* Mangel *m*, Knappheit, Verknappung *f* (*of* an); **housing ~** Wohnungsknappheit *f;* **~ of labour** Mangel *m* an Arbeitskräften; **~ of capital** Kapitalmangel *m;* **there is always some kind of ~** irgend etwas ist immer knapp; **there is no ~ of money** es fehlt nicht am Geld

short•bread, **short•cake** ['ʃɔːtbred, 'ʃɔːtkeɪk] *s* Butterkeks *m;* Biskuittörtchen *n;* **short-change** [ˌʃɔːt'tʃeɪndʒ] *tr* zu wenig Wechselgeld herausgeben (*s.o.* jdm); (*fig*) betrügen; **short-circuit I.** *s* (EL) Kurzschluss *m* **II.** *tr* **1.** (EL) kurzschließen **2.** (*fig*) umgehen **III.** *itr* (EL) einen Kurzschluss haben, bekommen; **short•coming** ['ʃɔːtˌkʌmɪŋ] *s* **1.** Fehler, Mangel *m* **2.** **~s** Unzulänglichkeit *f;* (*Person*) Schwächen *fpl;* **short•crust pastry** *s* Mürbeteig *m;* **short cut** *s* **1.** Abkürzung *f;* Schleichweg *m* **2.** (*fig*) abgekürztes Verfahren; Patentlösung *f;* **short- dated** [ˌʃɔːt'deɪtɪd] *adj* (FIN) kurzfristig; **shorten** ['ʃɔːtn] **I.** *tr* **1.** (ab-, ver)kürzen **2.** vermindern, verringern **II.** *itr* kürzer werden; sich verringern; **shorten•ing** ['ʃɔːtnɪŋ] *s* Backfett *n;* **short•fall** ['ʃɔːtfɔːl] *s* Defizit *n,* Fehlbetrag *m;* **short•hand** ['ʃɔːthænd] *s* Kurzschrift, Stenografie *f;* **take down in ~** (mit)stenografieren; **write ~** stenografieren; **short-handed** [ˌʃɔːt'hændɪd] *adj:* **be ~** zuwenig Arbeitskräfte haben; **shorthand notebook** *s* Stenoblock *m;* **shorthand notes** *s pl* stenografierte Notizen *fpl;* **shorthand typist** *s* Stenotypist(in) *m(f);* **short haul** *s* Nahtransport *m;* **short-haul jet** *s* Kurzstreckenflugzeug *n;* **short-list I.** *tr* in die engere (Aus)Wahl ziehen **II.** *s* Auswahlliste *f;* **short-lived** ['ʃɔːtlɪvd] *adj* kurzlebig *a. fig;* **short•ly** ['ʃɔːtlɪ] *adv* **1.** in kurzem, bald **2.** kurz, in Kürze, in wenigen Worten **3.** scharf; barsch; **~ after** bald danach; **short•ness** ['ʃɔːtnɪs] *s* Kürze *f;* Knappheit *f;* Schroffheit *f;* **~ of sight** Kurzsichtigkeit *f;* **short order** *s* (*Am: Restaurant*) Schnellgericht *n;* **short-order dish** *s* Schnellgericht *n;* **short-order cook** *s* Koch *m* in einem Schnellimbiss; **short pastry** *s* Mürbeteig *m,* -gebäck *n;* **short-range** *adj* (MIL) Nahkampf-; Kurzstrecken-; (*fig*) kurzfristig; **~ missile** Kurzstreckenrakete *f;* **~ planning** Planung *f* auf kurze Sicht; **shorts** [ʃɔːts] *s pl* **1.** Shorts *pl,* kurze Hose **2.** (*Am*) Unterhose *f;* **short-sighted** [ˌʃɔːt'saɪtɪd] *adj* kurzsichtig *a. fig;* **short-sleeved** [ˌʃɔːt'sliːvd] *adj* kurzärmelig; **short-staffed** [ˌʃɔːt'stɑːft] *adj* unterbesetzt; **short-stay parking** *s* Kurzparken *n;* **short story** *s* Kurzgeschichte *f;* **short-tem•pered** [ˌʃɔːt'tempəd] *adj* reizbar, leicht aufgebracht; **short-term** *adj* kurzfristig; **~ memory** Kurzzeitgedächtnis *n;* (EDV) Kurzzeitspeicher *m;* **short time** *s* Kurzarbeit *f;* **be on ~** kurzarbeiten; **short wave** *s* (RADIO) Kurzwelle *f;* **short-winded** [ˌʃɔːt'wɪndɪd] *adj* außer Atem; kurzatmig

shot¹ [ʃɒt] *s.* **shoot,**

shot² [ʃɒt] *s* **1.** (*a.* SPORT) Schuss *m;* (*mit Ball*) Wurf *m;* (*Tennis, Golf*) Schlag *m;* (*~-putting*) Kugelstoßen *n;* Kugel *f* **2.** (*fig*) Versuch *m;* Vermutung *f* **3.** Geschoss *n,* Kugel *f;* Schrot *m* **4.** Schütze *m* **5.** (*space-~*) Raumflug *m;* Start *m* **6.** (PHOT FILM) Aufnahme *f* **7.** (*fam*) Spritze, Injektion *f;* Impfung *f* **8.** (*Alkohol*) Schuss *m;* **like a ~** sofort, wie der Blitz; **have a ~ at s.th.** etw probieren, versuchen; **make a bad ~** vorbeischießen; **need a ~ in the arm** (*fig*) e-e Spritze nötig haben; **put the ~** (SPORT) die

Kugel stoßen; **putting the** ~ Kugelstoßen *n;* **he's a good** ~ er ist ein guter Schütze; **good** ~! gut getroffen!; **his question is a** ~ **in the dark** er fragt aufs Geratewohl; **a big** ~ (*fam*) ein hohes Tier; **not by a long** ~ (*fam*) nicht im Allergeringsten; **small** ~ Schrot *m*

shot² [ʃɒt] *adj* **1.** durchschossen, -setzt **2.** (*Seide*) changierend; **get** ~ **of s.o./s.th.** jdn/etw loswerden

shot•gun [ˈʃɒtgʌn] *s* Schrotflinte *f;* ~ **wedding** Muss-Heirat *f;* **shot-put** *s* Kugelstoßen *n;* Wurf *m;* **shot-put•ter** [ˈʃɒtˌpʊtə(r)] *s* Kugelstoßer(in) *m(f)*

should [ʃʊd] *itr* **1.** (*Pflicht, Befehl*): **he/we** ~ **do that** er sollte/wir sollten das tun; **I** ~ **have** ich hätte sollen; **I** ~ **think so** das will ich meinen; **how** ~ **I know?** wie soll ich das wissen? **2.** (*Wahrscheinlichkeit, Vermutung*): **we** ~ **arrive soon** wir müssten bald da sein; **this** ~ **be enough for you** das müsste Ihnen eigentlich reichen **3.** (*Überraschung*): **who** ~ **be there but Manfred** und wer war da? Manfred!; **what** ~ **he do next but propose to me** und dann hat er mir doch tatsächlich einen Heiratsantrag gemacht **4.** (*Konjunktiv*): **if he** ~ **come** wenn er kommen sollte; **I** ~ **say yes** ich würde ja sagen; **we** ~ **have been happy** wir wären glücklich gewesen; **I don't know why it shouldn't work out** ich weiß nicht, warum das nicht klappen sollte; **I shouldn't be surprised if it did** es würde mich nicht überraschen, wenn das so käme; **I** ~ **do it if I were you** an Ihrer Stelle würde ich das tun; **I shouldn't worry about it** darüber würde ich mir keine Sorgen machen; **unless he** ~ **change his mind** falls er es sich nicht anders überlegt **5.** (*Einschränkung*): **I shouldn't like to say** dazu möchte ich mich nicht äußern; **I** ~ **think there were about 50 people there** ich würde sagen, es waren etwa 50 Leute da; **I** ~ **like to know** ich wüsste gern; **I** ~ **like to speak to Cindy** ich würde gern mit Cindy sprechen

shoul•der [ˈʃəʊldə(r)] **I.** *s* **1.** Schulter *f* **2.** (ZOO) Vorderviertel, Blatt *n;* (*Schlachttier*) Schulterstück *n* **3.** Vorsprung *m,* (kleine) Anhöhe *f* **4.** (*Straße: hard* ~) Seitenstreifen *m,* Bankett *n;* Standspur *f* **5.** (*Vase, Flasche*) Ausbuchtung *f;* **straight from the** ~ (*Worte*) offen, unverblümt; ~ **to** ~ Schulter an Schulter; **be head and** ~**s above s.o.** jdn beträchtlich überragen; viel tüchtiger sein als jem; **give s.o. the cold** ~, **cold-**~ **s.o.** (*fig*) jdm die kalte Schulter zeigen; **put one's** ~ **to the wheel** (*fig*) tüchtig zupacken, Hand anlegen; **rub** ~**s with** an einem Tisch sitzen, engen Umgang haben mit; **shrug one's** ~**s** mit den Schultern zucken; **weep** [*o* **cry**] **on s.o.'s** ~ sich bei jdm ausweinen **II.** *tr* **1.** auf die Schulter nehmen; (*Gewehr*) schultern; (*fig*) auf sich nehmen **2.** mit der Schulter stoßen; ~ **one's way through a crowd** seinen Weg durch e-e Menge bahnen; ~ **arms!** das Gewehr über!; ~ **blame** die Schuld auf sich nehmen; **shoulder bag** *s* Umhängetasche *f;* **shoulder blade** *s* Schulterblatt *n;* **shoulder pad** *s* Schulterpolster *n;* **shoulder strap** *s* **1.** (*Kleid*) Träger *m* **2.** (*Tasche*) Riemen *m* **3.** (MIL) Schulterklappe *f*

shout [ʃaʊt] **I.** *s* **1.** Schrei *m* **2.** Geschrei *n,* Lärm *m* **3.** Ruf *m* **4.** (*fam*) (zu zahlende) Runde *f;* **whose** ~ **is it?** wer zahlt die Runde? **II.** *tr* **1.** (hinaus)schreien; ausrufen; rufen; brüllen **2.** (*fam*) spendieren; ~ **s.th. from the housetops** etw öffentlich verkündigen **III.** *itr* rufen; schreien; brüllen; ~ **at s.o.** jdn anbrüllen; ~ **for s.o.** nach jdm rufen; ~ **for joy** vor Freude jauchzen; ~ **for help** um Hilfe rufen; ~ **to s.o.** jdm zurufen; ~ **with laughter** vor Lachen brüllen; **nothing to** ~ **about** nichts Besonderes; **don't** ~! schrei nicht so! **IV.** *refl:* ~ **o.s. hoarse** sich heiser brüllen; **shout down** *tr* niederbrüllen; **shout out I.** *itr* aufschreien; einen Schrei ausstoßen **II.** *tr* ausrufen; brüllen; **shout•ing** [ˈ-ɪŋ] *s* Geschrei *n;* Rufen *n;* **within** ~ **distance** in Rufweite; **it is all over bar the** ~ (*fig*) die Schlacht ist so gut wie geschlagen

shove [ʃʌv] **I.** *s* Stoß, Schubs *m;* **give s.o. a** ~ jdn schubsen, stoßen; **give s.th. a** ~ etw rücken; etw anstoßen; etw anschieben **II.** *tr* **1.** schieben; stoßen; schubsen; drängen **2.** (*fam*) stecken (*into* in) **III.** *itr* stoßen; schieben; drängeln; **shove about, shove around** *tr* herumschubsen; **shove away** *tr* wegschieben, wegstoßen; **shove back** *tr* zurückschieben; zurückstoßen; zurückstecken (*into* in); **shove off I.** *tr* (*Boot*) vom Ufer abstoßen **II.** *itr* **1.** (*Boot*) ablegen **2.** (*fam*) abhauen; **shove on** *tr* (*Kleidung*) anziehen; (*Hut*) aufstülpen; (*Schallplatte*) auflegen; **shove over I.** *tr* (*fam*) rübergeben **II.** *itr* (*fam: a.* ~ *up*) aufrücken, rutschen

shovel [ˈʃʌvl] **I.** *s* **1.** Schaufel, Schippe *f* **2.** (~*ful*) Schaufel(voll) *f* **3.** (*Bagger*) Löffel *m;* Löffelbagger *m* **II.** *tr* schaufeln, schippen

show [ʃəʊ] <*irr:* showed, shown> **I.** *tr* **1.** zeigen **2.** zur Schau stellen, ausstellen **3.** sehen, durchblicken, erkennen lassen **4.** aufweisen; an den Tag legen; darlegen, klarstellen, erklären; demonstrieren **5.** beweisen; den Nachweis erbringen (*that* dass) **6.** anzeigen, registrieren; ~ **one's cards** [*o*

hand] seine Karten aufdecken; ~ **o.s. in one's true colo(u)rs** sein wahres Gesicht zeigen; ~ **s.o. the door** jdm die Tür weisen, jdn hinauswerfen; ~ **one's face** sich blicken lassen; ~ **one's gratitude** sich dankbar zeigen; ~ **an improvement** e-n Fortschritt aufzuweisen haben; ~ **interest** Interesse zeigen [*o* bekunden] (*in* an); ~ **promise** viel versprechend sein; ~ **promise of s.th.** etw erwarten lassen; ~ **one's teeth** die Zähne zeigen; ~ **s.o. the way** jdm den Weg zeigen; **we had nothing to ~ for it** wir hatten nichts vorzuweisen; **that ~ed him!** dem habe ich's aber gezeigt!; **it all goes to ~ that** das zeigt [*o* beweist] ganz klar, dass **II.** *itr* **1.** sich zeigen, auftreten, erscheinen **2.** sichtbar sein; (*Unterrock*) (her)vorsehen; (*Film*) gezeigt werden; **go to ~** beweisen; ~ **in the balance sheet** in der Bilanz ausweisen; ~ **willing** guten Willen zeigen **III.** *refl* sich (in der Öffentlichkeit) zeigen, öffentlich auftreten; sich blicken lassen; ~ **o.s. to be competent** sich als fähig erweisen **IV.** *s* **1.** Schau, Darbietung *f* **2.** Auslage *f* **3.** Ausstellung, Messe *f* **4.** Schau, Angabe *f,* falscher Schein **5.** (THEAT) Aufführung *f;* Show *f* **6.** (RADIO TV) Sendung *f;* (FILM) Vorführung *f* **7.** (*Am*) Darlegung *f,* Nachweis *m* **8.** (*fam*) Laden *m;* **by ~ of hands** (PARL) durch Handzeichen; **for ~** zum Schein; nur fürs Auge; **on ~** zur Besichtigung; ausgestellt; **be on ~** gezeigt werden, ausgestellt sein; **get this ~ on the road** die Arbeit in Angriff nehmen; **give s.o. a fair ~** jdm e-e Chance geben; **give the** (**whole**) **~ away** (*fig*) alles verraten; **make a ~ of doing s.th.** Miene machen etw zu tun; **make a ~ of s.th.** etw herausstellen; **make a fine ~** gut aussehen, Eindruck machen; **manage** [*o* **run**] **the ~** (*fam*) den Laden schmeißen; **put on a ~** so tun als ob; heucheln; **agricultural/dog ~** Landwirtschafts-/Hundeausstellung *f;* **flower ~** Blumenschau *f;* **motor ~** Autoausstellung *f;* **show around** *tr* herumführen (*s.o.* jdn); **show in** *tr* (her)einführen; **show off I.** *itr* angeben (*in front of, to* vor) **II.** *tr* **1.** angeben mit; sich brüsten mit; protzen mit **2.** zur Geltung bringen, hervorheben; ~ **s.th. off to advantage** etw vorteilhaft wirken lassen; **show out** *tr* hinausführen, -geleiten; **show up I.** *tr* **1.** hinaufführen **2.** erkennen lassen; zum Vorschein bringen; deutlich zeigen **3.** (*Gauner*) entlarven; (*Gaunerei*) aufdecken; (*Menschen*) bloßstellen; blamieren **II.** *itr* **1.** zu sehen sein; hervorstechen **2.** erscheinen, sich blicken lassen

show•boat [ˈʃəʊbəʊt] *s* Theaterschiff *n;* **show business**, **show biz** *s* (*fam*) Showbusiness, Showgeschäft *n,* Vergnügungs-, Unterhaltungsindustrie *f;* **show card** *s* Werbeschild *n;* **show•case** *s* Schaukasten *m,* Vitrine *f;* **show•down** [ˈʃəʊdaʊn] *s* Kraftprobe *f,* endgültige Auseinandersetzung

shower [ˈʃaʊə(r)] **I.** *s* **1.** (Regen-, Schnee)Schauer *m* **2.** (Funken)Regen *m* **3.** (*Pfeile*) Hagel *m* **4.** (*fig*) Schwall *m,* Flut, Fülle *f* **5.** (~ *bath*) Dusche *f* **6.** (*Am*) *Party, bei der jeder Gast der Gastgeberin ein Geschenk mitbringt* **7.** (*fam*) Gruppe *f* blöder Typen; **take a ~** duschen **II.** *tr* **1.** übergießen; nass spritzen **2.** (*fig*) überschütten, überhäufen (*s.th. upon s.o., s.o. with s.th.* jdn mit etw) **III.** *itr* **1.** niederprasseln; (*fig*) hageln; herabregnen **2.** duschen; **shower bath** *s* Dusche *f;* **shower cabinet** *s* Duschkabine *f;* **shower cap** *s* Duschhaube *f;* **shower curtain** *s* Duschvorhang *m;* **shower gel** [ˈʃaʊə(r)ˌdʒel] *s* Duschgel *n;* **showery** [ˈʃaʊərɪ] *adj* mit einzelnen Regenschauern

show flat [ˈʃəʊflæt] *s* Musterwohnung *f;* **show•girl** *s* Varieteetänzerin *f;* **showground** *s* Ausstellungsgelände *n;* Zirkusgelände *n;* **show house** *s* Musterhaus *n*

showi•ness [ˈʃəʊɪnɪs] *s* Protzigkeit, Auffälligkeit, (äußere) Pracht *f*

show•ing [ˈʃəʊɪŋ] *s* **1.** Ausstellung *f* **2.** (THEAT) Aufführung *f;* (FILM) Vorführung *f* **3.** Leistung *f;* **make a good ~** gute Leistungen aufweisen; **on his own ~** nach eigenen Angaben; **show•ing-off** [ˌʃəʊɪŋˈɒf] *s* Angeberei *f*

show-jump•ing [ˈʃəʊˌdʒʌmpɪŋ] *s* Springreiten *n;* **show•man** [ˈʃəʊmən] <*pl* -men> *s* Showman *m;* (*fig*) Schauspieler *m;* **show•man•ship** [ˈʃəʊmənʃɪp] *s* **1.** Kunst *f* sich in Szene zu setzen **2.** effektvolle Attraktion; **shown** [ʃəʊn] *s.* show; **show-off** [ˈʃəʊɒf] *s* (*fam*) Angeber(in) *m(f);* **show•piece** [ˈʃəʊpiːs] *s* Schau-, Vorzeige-, Paradestück, Muster *n a. fig;* **show•room** *s* Ausstellungsraum *m;* **show trial** *s* Schauprozess *m;* **showy** [ˈʃəʊɪ] *adj* (*meist pej*) protzig; auffällig; (*Aufmachung, Zeremoniell*) bombastisch; (*Farbe*) grell, auffällig

shrank [ʃræŋk] *s.* **shrink**

shrap•nel [ˈʃræpn(ə)l] *s* (MIL) Schrapnell *n*

shred [ʃred] **I.** *s* **1.** Fetzen *m;* Lappen *m;* (Papier)Schnipsel *m* **2.** (*fig*) Spur *f,* Fünkchen *n,* ein (klein) bisschen *n;* **tear to ~s** (*fig*) keinen guten Faden lassen an **II.** *tr* **1.** zerfetzen **2.** zerteilen; zerschneiden; zerkleinern; **shred•der** [ˈʃredə(r)] *s* Reißwolf *m;* (*Küche*) Reibe *f;* Gemüseschneider *m*

shrew [ʃruː] *s* **1.** (*pej*) zänkisches Weib **2.**

(ZOO) Spitzmaus *f*

shrewd [ʃruːd] *adj* **1.** gewitzt, schlau **2.** klug, scharfsinnig; **make a ~ guess** der Wahrheit sehr nahe kommen

shrew·ish [ˈʃruːɪʃ] *adj* boshaft, zänkisch

shriek [ʃriːk] **I.** *itr* kreischen, schreien; **~ with laughter** schreien vor Lachen; **~ with pain** vor Schmerz aufschreien **II.** *tr* (**~** *out*) (hinaus)schreien **III.** *s* (gellender, durchdringender) Schrei *m*

shrift [ʃrɪft] *s:* **give s.o. short ~** mit jdm kurzen Prozess machen

shrill [ʃrɪl] *adj* schrill, gellend; (*Stimme*) durchdringend

shrimp [ʃrɪmp] *s* **1.** (ZOO) Garnele, Krabbe *f* **2.** (*fam*) Knirps *m;* **shrimp cocktail** *s* Krabbencocktail *m*

shrine [ʃraɪn] *s* **1.** (REL) (Reliquien)Schrein *m* **2.** Weihestätte *f*

shrink [ʃrɪŋk] <*irr:* shrank, shrunk> **I.** *itr* **1.** schrumpfen, einlaufen, eingehen; (*Holz*) schwinden **2.** (*fig*) abnehmen, nachlassen **3.** zurückschrecken (*from* vor); **~ from doing s.th.** etw höchst ungern tun **II.** *tr* schrumpfen lassen **III.** *s* (*sl*) Psychiater *m;* **shrink·age** [ˈ-ɪdʒ] *s* **1.** Schrumpfung *f,* Einlaufen *n* **2.** Schwund *m,* Abnahme *f* **3.** Nachlassen *n,* Rückgang *m,* Schrumpfung *f* **4.** (COM) Schwund *m,* Einbuße *f* **5.** (*fam*) Ladendiebstahl *m;* **~ of exports** Exportschrumpfung *f;* **~ in purchasing power** Kaufkraftschwund *m;* **~ in value** Wertminderung *f;* **shrink-wrap I.** *tr* (*Ware*) einschweißen **II.** *s* Einschweißfolie *f*

shrivel [ˈʃrɪvl] **I.** *itr* **1.** schrumpfen; zusammenschrumpfen; (*Pflanze*) verwelken; austrocknen; (*Obst, Haut*) runzlig werden **2.** (*fig: Sorgen*) verfliegen **II.** *tr* welk werden lassen; (*Haut, Obst*) runzlig werden lassen; **shrivel away** *itr* zusammenschrumpfen; (*Pflanzen*) verwelken; vertrocknen; (*fig*) sich verflüchtigen; **shrivel up** *itr* **1.** zusammenschrumpfen; verwelken **2.** (*fig*) sich verkriechen; kleinlaut werden

shroud [ʃraʊd] **I.** *s* **1.** Leichentuch *n* **2.** (*fig*) Schleier *m* **3.** (MAR) Want *f* **II.** *tr* **1.** (*Leiche*) einhüllen **2.** (*fig*) bedecken, verhüllen, verbergen

Shrove·tide [ˈʃrəʊvtaɪd] *s* Fastnachtstage *mpl;* **Shrove Tuesday** *s* Fastnacht(sdienstag *m*) *f*

shrub [ʃrʌb] *s* (BOT) Strauch, Busch *m;* Staude *f;* **shrub·bery** [ˈʃrʌbərɪ] *s* Gebüsch, Busch-, Strauchwerk *n*

shrug [ʃrʌg] **I.** *s* Achselzucken *n;* **give a ~** mit den Achseln zucken **II.** *tr* zucken mit; **~ o.s. out of one's coat** den Mantel abschütteln; **shrug off** *tr* **1.** mit einem Achselzucken abtun **2.** (*Mantel*) abschütteln

shrunk [ʃrʌŋk] *s.* **shrink; shrunken** [ˈʃrʌŋkən] *adj* eingeschrumpft; (*fig*) zusammengeschrumpft; **~ head** Schrumpfkopf *m*

shuck [ʃʌk] **I.** *s* (*Am*) Schale, Hülse, Schote *f* **II.** *tr* **1.** schälen, enthülsen, entkernen **2.** abstreifen **3.** (*Auster*) öffnen **4.** (*Gewohnheit*) ablegen; **~ one's clothes** (*hum*) sich entblättern; **shucks** [ʃʌks] *interj* (*Am*) Mist!; **~ to you!** (b)ätsch!

shud·der [ˈʃʌdə(r)] **I.** *itr* **1.** (er)schaudern (*at* bei) **2.** schlottern, zittern (*with cold, fear* vor Kälte, Angst); **I ~** mich schaudert (*at the thought* bei dem Gedanken) **II.** *s* Schauder *m*

shuffle [ˈʃʌfl] **I.** *s* **1.** Schlurfen *n* **2.** (*Tanz*) Shuffle *m* **3.** (*Karten*) Mischen *n* **4.** (*fig*) Umstellung *f;* Umbesetzung *f;* Umbildung *f* **II.** *tr* **1.** (*Füße*) schlurfen mit; scharren mit **2.** (*Karten*) mischen **3.** (*fig: Kabinett*) umbilden; (*Stellen*) umbesetzen **III.** *itr* **1.** schlurfen **2.** (*Karten*) mischen; **~ out of s.th.** sich vor etw drücken; **shuffle off** *tr* (*Kleidung*) abstreifen; (*Ängste*) ablegen; (*Verantwortung*) abwälzen (*onto* auf)

shun [ʃʌn] *tr* meiden; scheuen

shunt [ʃʌnt] **I.** *tr* **1.** schieben; abschieben **2.** (RAIL) rangieren, auf ein Nebengleis schieben **II.** *itr* rangiert werden; rangieren **III.** *s* Stoß *m;* **have a ~** (*sl*) einen Autounfall haben; **shunter** [ˈʃʌntə(r)] *s* Rangierer *m;* **shunt·ing** [ˈ-ɪŋ] *s* Rangieren *n;* **shunting engine** *s* Rangierlok(omotive) *f;* **shunting station, shunting yard** *s* Verschiebebahnhof *m;* **shunt-wound** [ˈʃʌntˌwaʊnd] *adj* (EL) parallel geschaltet

shush [ʃʊʃ] **I.** *interj* sch! pst! **II.** *tr* zum Schweigen bringen **III.** *itr* still sein

shut [ʃʌt] <*irr:* shut, shut> **I.** *tr* **1.** schließen, zumachen **2.** ver-, zuriegeln; versperren; **~ the door in s.o.'s face** jdm die Türe vor der Nase zuschlagen; **~ the door on s.o.** (*fig*) jdn abweisen; **~ one's ears to the truth** die Ohren vor der Wahrheit verschließen; **~ one's eyes** die Augen zumachen; **~ one's mouth** den Mund halten **II.** *itr* (*Fenster, Tür*) zugehen; (*Geschäft, Fabrik*) schließen; geschlossen werden; **when do the shops ~?** wann schließen die Geschäfte? **III.** *adj* geschlossen, zu; **we are ~** wir haben geschlossen; **his mind is ~ to anything unfamiliar** er verschließt sich allem Fremden; **shut away** *tr* wegschließen, einschließen; **~ o.s. away** sich einschließen; **~ s.o. away** jdn einsperren; jdn isolieren; **shut down I.** *tr* **1.** herunterlassen **2.** (*Fabrik*) (vorübergehend) schließen, stilllegen, den Betrieb einstellen **3.** (*Kraftwerk, Computer*) abschalten **II.** *itr* **1.** (*Fabrik*) schließen **2.** (RADIO TV) das Programm beenden; **shut in** *tr* **1.** einschließen, -sperren **2.** ans Zimmer fesseln

3. umgeben; einschließen; ~ **one's finger in the door** sich den Finger in der Tür klemmen; **shut off** I. *tr* 1. ausschließen (*from* von) 2. absperren, -schließen 3. (TECH) ausschalten, zu-, abdrehen; (*Motor*) abstellen II. *itr* abschalten; ~ **o.s. off** sich absondern; **shut out** *tr* 1. ausschließen, -sperren 2. (*fig*) ausschalten 3. (SPORT) schlagen; nicht zum Zuge kommen lassen; **shut to** *tr* zumachen; anlehnen; **shut up** I. *tr* 1. verschließen, zuschließen 2. einsperren 3. zum Schweigen bringen II. *itr* den Mund halten; ~ **up shop** (*fam*) den Laden dicht machen; **that'll ~ her up** da wird sie nichts mehr sagen; ~ **up!** halt die Klappe!

shut•down ['ʃʌtdaʊn] *s* Stilllegung (des Betriebes), Betriebseinstellung *f;* (RADIO TV) Sendeschluss *m;* (*Kraftwerk*) Abschaltung *f;* **shut•eye** *s* (*fam*) Schläfchen *n;* **shut-in** ['ʃʌtɪn] *s* (*Am*) ans Haus gefesselte(r) Kranke(r); **shut-off** ['ʃʌtɒf] *s* Abstellen *n;* **shut-off cock** ['ʃʌtɒf,kɒk] *s* Absperrhahn *m;* **shut-off switch** *s* Hauptschalter *m;* **shut•out** ['ʃʌt,aʊt] *s* 1. (*Am*) Aussperrung *f* 2. (SPORT) Sieg, bei dem die Gegner punktlos, torlos bleiben

shut•ter ['ʃʌtə(r)] I. *s* 1. Fensterladen *m* 2. (PHOT) Verschluss *m;* **put up the ~s** die Fensterläden zumachen; (*fig*) den Laden zumachen II. *tr* mit Fensterläden verschließen

shuttle ['ʃʌtl] I. *s* 1. Weberschiffchen *n* 2. (*~-traffic*) Pendelverkehr *m;* Pendelflugzeug *n;* Pendelzug *m* 3. (*space ~*) Raumtransporter *m* II. *itr* pendeln; hin- und hertransportiert werden; herumgereicht werden; **shuttle-bus** *s* Autobus im Pendelverkehr, Zubringer(bus) *m;* **shuttlecock** ['ʃʌtlkɒk] *s* Federball *m;* **shuttle-flight** *s* (AERO) Pendelflug *m;* **shuttle-service** *s* Pendelverkehr *m;* **shuttle-train** *s* Pendelzug *m*

shy¹ [ʃaɪ] I. *adj* schüchtern; scheu; **be ~ of** [*o* **with**] **s.o.** jdm gegenüber gehemmt sein; **be ~ of doing s.th.** Hemmungen haben etw zu tun; **make s.o. ~** jdn verschüchtern; **don't be ~!** nur keine Hemmungen!; **be 5 people ~** (*Am fam*) 5 Leute zuwenig haben II. *itr* (*Pferd*) scheuen (*at* vor); **shy away** *itr* (*Pferd*) zurückscheuen; (*Mensch*) zurückweichen; ~ **away from s.th.** vor etw zurückschrecken

shy² [ʃaɪ] I. *s* Wurf *m;* **have a ~ at s.th.** nach etw werfen; (*fig*) sich an etw versuchen II. *tr* werfen

shy•ness ['ʃaɪnɪs] *s* Scheu, Schüchternheit *f*

shy•ster ['ʃaɪstə(r)] *s* (*Am sl*) Gauner *m;* Winkeladvokat *m*

Sia•mese [,saɪə'mi:z] I. *adj* siamesisch; ~ **cat** Siamkatze *f;* ~ **twins** siamesische Zwillinge *pl* II. *s* 1. Siamese *m,* Siamesin *f* 2. (das) Siamesisch(e) 3. (*Katze*) siamesische Katze, Siamkatze *f*

sib•ling ['sɪblɪŋ] *s* Bruder *m*/Schwester *f;* **~s** Geschwister *pl*

sick [sɪk] I. *adj* 1. krank (*of* an, *with* vor) 2. (*~ and tired, ~ to death*) überdrüssig (*of +gen*) 3. (*fam*) geschmacklos; (*Witz*) makaber; (*Mensch*) abartig; **be ~** sich erbrechen; krank sein; **be ~ of s.th.** etw satt, leid haben; **fall** [*o* **be taken**] ~ krank werden; **get ~ and tired of s.th.** etw gründlich satt, überhaben; **it makes me ~** (*fig*) das macht mich ganz krank; **I am** [*o* **feel**] ~ mir ist übel; **I'm worried ~ about it** ich bin darüber höchst beunruhigt; **I'm getting ~ and tired of it** es hängt mir zum Hals heraus II. *s* (das) Erbrochene; **the ~** die Kranken *mpl;* **sick bag** *s* Spucktüte *f;* **sick bay** *s* Krankenrevier *n;* **sick•bed** ['sɪkbed] *s* Krankenbett *n;* **sick building syndrome** *s* (MED) Sick-Building-Syndrom *n;* **sicken** ['sɪkən] I. *itr* 1. krank werden, erkranken (*for* an) 2. sich ekeln (*at* vor); ~ **of s.th.** e-r S überdrüssig werden II. *tr* 1. anwidern, -ekeln 2. erschüttern; **it ~s me to see that waste** es macht mich krank, wenn ich diese Verschwendung sehe; **sicken•ing** ['sɪkənɪŋ] *adj* 1. Ekel erregend 2. (*fig*) entsetzlich; widerlich, ekelhaft; **sick headache** *s* Kopfschmerzen *mpl* (*mit Übelkeit*)

sickle ['sɪkl] *s* Sichel *f;* ~ **cell anaemia** (MED) Sichelzellenanämie *f*

sick leave ['sɪkli:v] *s* Krankheitsurlaub *m;* **be on ~** krank geschrieben sein; **sick list** *s* Krankenliste *f;* Verletztenliste *f;* **put on the ~** krank schreiben; **sick•ly** ['sɪklɪ] *adj* 1. kränklich, leidend, schwächlich 2. (*Gesichtsfarbe, Klima*) ungesund 3. (*fig*) widerlich; **sick•ness** ['sɪknɪs] *s* 1. Krankheit *f* 2. Übelkeit *f;* Erbrechen *n* 3. (*fig*) Geschmacklosigkeit *f;* **sickness benefit** *s* Krankengeld *n;* **sick•pay** *s* Lohn *m* im Krankheitsfall; **sick-room** *s* Krankenzimmer *n*

side [saɪd] I. *s* 1. Seite *f;* (Berg)Hang *m;* Wand *f* 2. Rand *m* 3. (*fig*) Seite *f,* Standpunkt *m,* Stellungnahme, Meinung *f* 4. Seite, Partei *f;* (SPORT) Mannschaft *f* 5. (väterliche, mütterliche) Seite *f* (*der Vorfahren*); (*der Familie*) Zweig *m;* **at** [*o* **by**] **my ~** an meiner Seite; ~ **by ~** Seite an Seite; **from/on all ~s** von/auf allen Seiten; **on the ~** (*fam*) nebenbei, nebenher; **on every ~** auf, von allen Seiten; **on his ~** seinerseits; **on the right/wrong ~ of 50** unter/über 50 Jahre alt; **have a bit on the ~** (*fam*) einen Seitensprung machen; **to be**

on the safe ~ um sicher zu gehen; **earn on the** ~ nebenbei verdienen; **put on** [*o* **to**] **one** ~ vorübergehend zurückstellen; **split one's ~s with laughter** vor Lachen (beinahe) platzen; **take ~s** parteiisch sein, Stellung nehmen, Partei ergreifen (*with* für), sich anschließen (*with s.o.* jdm); **this ~ up!** Vorsicht, nicht stürzen!; **I've got a pain in my** ~ ich habe Seitenstechen; **whose ~ are you on?** auf welcher Seite stehen Sie?; **at the ~ of the road** am Straßenrand; **on the ~ of one's plate** am Tellerrand; **this ~ of London** in diesem Teil Londons; **get on the wrong ~ of s.o.** es sich mit jdm verderben; **look on the bright** ~ die positive Seite sehen; **it's on the big** ~ es ist ziemlich groß **II.** *adj* Seiten-; Neben- **III.** *itr* Partei ergreifen (*with* für)

side•board ['saɪdbɔːd] *s* Büfett *n,* Anrichte *f;* **side•boards, side•burns** ['saɪdbɔːdz, 'saɪdbɜːnz] *s pl* Koteletten *pl,* Backenbart *m;* **side•car** *s* (MOT) Beiwagen *m;* **side dish** *s* Beilage *f;* **side effect** *s* Nebenwirkung *f;* **side issue** *s* Randproblem *n;* **side•kick** *s* (*Am sl*) Kumpel *m;* Gehilfe *m;* **side•light** ['saɪdlaɪt] *s* (MOT) Parkleuchte *f;* Standlicht *n;* **throw a ~ on** (*fig*) ein Streiflicht werfen auf; **side•line** *s* **1.** Nebenerwerb *m,* Nebenbeschäftigung *f* **2.** (RAIL) Nebenlinie *f* **3. ~s** (SPORT) Seitenlinien *fpl,* Spielfeldrand *m;* **keep to the ~s** (*fig*) sich im Hintergrund halten; **be on the ~s** (*fig*) ein Außenseiter sein; **side•long** ['saɪdlɒŋ] *adj, adv* seitlich; seitwärts; auf der Seite; **give s.o. a ~ glance** jdn aus den Augenwinkeln heraus ansehen; **side-road** *s* Nebenstraße *f;* **side-saddle** *s* Damensattel *m;* **ride ~** im Damensitz reiten; **side salad** *s* Salat *m* (als Beilage); **side•show** *s* Nebenvorstellung *f;* Sonderausstellung *f;* **side•slip I.** *itr* **1.** (MOT) schleudern **2.** (*Ski*) seitlich abrutschen **II.** *s* **1.** (MOT) Schleudern *n* **2.** (AERO) Seitenrutsch *m;* **side•step** ['saɪdstep] **I.** *s* Schritt *m* zur Seite; (*Tanzen*) Seitenschritt *m;* (SPORT) Ausfallschritt *m;* (*fig*) Ausweichmanöver *n* **II.** *tr* seitwärts ausweichen (*s.th.* e-r S); (*fig*) ausweichen (*s.o., s.th.* jdm, e-r S) **III.** *itr* ausweichen; **side street** *s* Nebenstraße *f;* **side table** *s* Beistelltisch *m;* **side•track** *tr* (*fig*) ablenken; **side view** *s* Seitenansicht *f;* **side•walk** ['saɪdwɔːk] *s* (*Am*) Gehweg *m;* **side•ward(s)** ['saɪdwəd(z)] **I.** *adj* seitlich **II.** *adv* seitwärts; **side•ways** ['saɪdweɪz] **I.** *adj* seitlich **II.** *adv* seitwärts; **side whiskers** *s pl* (*Br*) Koteletten *pl,* Backenbart *m;* **side wind** *s* Seitenwind *m;* **side•winder** ['saɪd,waɪndə(r)] *s* **1.** (*Am sl*) Schlag, Haken *m* **2.** (ZOO) Klapperschlange *f*

sid•ing ['saɪdɪŋ] *s* (RAIL) Nebengleis *n;* Abstellgleis *n*

sidle ['saɪdl] *itr* sich seitlich fortbewegen; ~ **away from s.o.** sich von jdm wegschleichen; ~ **up to s.o.** sich an jdn heranmachen

siege [siːdʒ] *s* Belagerung *f;* **lay ~ to** belagern

Si•er•ra Le•one [sɪ'erəlɪ'əʊn] *s* Sierra Leone *f;* **Si•er•ra Le•on•ean** [sɪ'erəlɪ'əʊnɪən] **I.** *adj* sierraleonisch **II.** *s* Sierraleoner(in) *m(f)*

sieve [sɪv] **I.** *s* Sieb *n;* **have a memory like a** ~ ein Gedächtnis haben wie ein Sieb **II.** *tr, itr* sieben

sift [sɪft] **I.** *tr* **1.** (durch)sieben **2.** (*fig*) sichten, prüfen **II.** *itr* sieben; ~ **out** aussieben, -sortieren (*from* aus); (*fig*) heraussuchen; absondern; aussieben; ~ **through s.th.** etw durchgehen; **sifter** ['sɪftə(r)] *s* Streudose *f*

sigh [saɪ] **I.** *itr* **1.** seufzen (*with* vor) **2.** ächzen *a. fig* **3.** sich sehnen (*for* nach) **II.** *s* Seufzer *m;* **heave a ~ of relief** e-n Seufzer der Erleichterung ausstoßen

sight [saɪt] **I.** *s* **1.** (An)Sicht *f,* (An)Blick *m* **2.** Schau(spiel *n*) *f* **3.** Sehvermögen *n,* Gesicht(ssinn *m*) *n* **4.** (*fig*) Augen *npl,* Blickfeld *n* **5.** (*Gewehr, Fernrohr*) Visier(einrichtung *f*) *n* **6.** (*fam*) seltsamer Anblick **7. ~s** Sehenswürdigkeiten *fpl;* **at** [*o* **on**] ~ sofort, ohne weiteres; auf den ersten Blick; (MUS) vom Blatt; (COM) bei Sicht; **at the ~ of** beim Anblick *+gen;* **at first** ~ auf den ersten Blick; **by** ~ vom Ansehen; **not by a long** ~ (*fam*) nicht im Entferntesten, nicht im Geringsten; **within** ~ in Sicht; **in the ~ of** (*fig*) im Lichte *+gen;* **in his** ~ in seinen Augen; **in the ~ of God** vor Gott; **out of** ~ außer Sicht; weit weg; (*fam*) unerschwinglich; (*sl*) wunderbar, fantastisch; **it was my first ~ of the mountains** das war das Erste, was ich von den Bergen gesehen habe; das war das erste Mal, dass ich die Berge gesehen habe; ~ **unseen** (COM) unbesehen; **be a** ~ (*fam*) fürchterlich, verheerend aussehen; **be unable to bear the ~ of s.o.** jdn nicht ausstehen können; **catch** [*o* **get**] (**a**) ~ **of s.th.** etw zu Gesicht bekommen; **know by** ~ vom Sehen (her) kennen; **lose ~ of s.th.** etw aus den Augen verlieren *a. fig;* **lower one's ~s** seine Ansprüche zurückschrauben; **see the ~s of a town** eine Stadt besichtigen; **set one's ~s too high** zu hohe Anforderungen stellen; **take ~ of s.th.** etw anvisieren; **the end is not yet in** ~ das Ende ist noch nicht abzusehen; **what a ~ you are!** wie siehst denn du aus!; **you're a ~ for sore eyes!** es ist ein Vergnügen dich zu sehen!; **long/near** ~ Weit-/

Kurzsichtigkeit *f;* **he has very good** ~ er sieht sehr gut; **second** ~ das Zweite Gesicht; **a** ~ **better** (*fam*) einiges besser; **out of** ~, **out of mind** (*prov*) aus den Augen, aus dem Sinn **II.** *tr* **1.** sichten **2.** (*Gewehr*) mit einem Visier versehen; (das Visier) richten **3.** (COM: *Wechsel*) vorlegen; **sight bill** *s* (FIN) Sichtwechsel *m;* **sighted** ['saɪtɪd] *adj:* **clear-** [*o* **far-**]~ weitblickend; **sight•less** ['saɪtlɪs] *adj* blind; **sightly** ['saɪtlɪ] *adj* ansehnlich, stattlich; **sight-read** *irr tr* vom Blatt spielen; **sight•see•ing** ['saɪtˌsiːɪŋ] *s* Besuch *m* von Sehenswürdigkeiten, Sightseeing *n;* **he goes** ~ er besichtigt Sehenswürdigkeiten; **sight-seeing tour** *s* Stadtrundfahrt *f;* **sight-seer** ['saɪtsiːə(r)] *s* Tourist(in) *m(f)*

sign [saɪn] **I.** *s* **1.** Zeichen *n* **2.** (An-, Vor)Zeichen, Symptom *n* **3.** (Tür-, Aushänge-, Verkehrs)Schild *n* **4.** (MATH MUS) Vorzeichen *n* **5.** (ASTR) Sternzeichen *n;* **at the** ~ **of the Red Lion** im Roten Löwen; **road** ~ Wegweiser *m;* **traffic** ~ Verkehrszeichen *n;* **the** ~ **of the cross** das Kreuzeszeichen; **a** ~ **of life** ein Lebenszeichen *n;* ~ **of the zodiac** (ASTR) Tierkreiszeichen *n;* **as a** ~ **of** zum Zeichen *+gen;* **show** ~**s of going** Anstalten machen zu gehen; **there was no** ~ **of it** es war keine Spur davon zu entdecken **II.** *tr* unterzeichnen, -schreiben; signieren; ~ **one's name** unterschreiben; ~ **the guest book** sich ins Gästebuch eintragen; ~ **the register** sich eintragen **III.** *itr* **1.** ein Zeichen geben, winken **2.** unterschreiben **3.** Zeichensprache benutzen; **sign away** *tr* aufgeben; (schriftlich) abtreten; **sign for** *itr* den Empfang durch Unterschrift bestätigen; **sign in I.** *itr* sich einschreiben, sich eintragen **II.** *tr* eintragen; **sign off** *itr* **1.** (RADIO TV) das Programm beenden **2.** (*Brief*) Schluss machen **3.** (EDV) sich abmelden; **sign on I.** *itr* **1.** sich verpflichten; sich melden; (*Arbeitnehmer*) den Arbeitsvertrag unterschreiben; (*Erwerbsloser*) sich arbeitslos melden; (*zu Kurs*) sich einschreiben **2.** (RADIO) sich melden **3.** (EDV) sich anmelden **4.** (*bei Amt*) sich melden; beantragen (*for s.th.* etw) **II.** *tr* verpflichten; einstellen; anheuern; **sign out I.** *itr* **1.** sich abmelden **2.** sich austragen **II.** *tr* austragen; **sign over** *tr* überschreiben; **sign up I.** *tr* anstellen (*s.o.* jdn), verpflichten, anwerben; unter Vertrag nehmen **II.** *itr* **1.** sich verpflichten; sich melden; sich einschreiben **2.** sich zur Abnahme verpflichten (*for s.th.* von etw), bestellen (*for s.th.* etw)

sig•nal ['sɪgnəl] **I.** *s* **1.** Zeichen *n* **2.** Wink *m* **3.** (MOT TELE RADIO RAIL) Signal *n* (*for* zu) **4.** Nachricht *f;* **give** [*o* **make**] **a** ~ ein Zeichen geben; **engaged** [*o* **busy**] ~ (*Am*) Besetztzeichen *n* **II.** *tr* **1.** (ein) Zeichen geben, winken (*s.o.* jdm) **2.** signalisieren; ankündigen; anzeigen **3.** (*fig*) ein Zeichen sein für **III.** *itr* (ein) Zeichen, ein Signal geben **IV.** *adj* beachtlich; bemerkenswert; **signal-box** *s* (RAIL) Stellwerk *n;* **sig•nal•ize**, **sig•nal•ise** ['sɪgnəlaɪz] *tr* kennzeichnen; **signal lamp** *s* Warn-, Blinklampe *f;* **sig•nal•ler** ['sɪgnələ(r)] *s* (MIL) Fernmelder, Funker *m;* **sig•nal•ly** ['sɪgnəlɪ] *adj* eindeutig; **sig•nal•man** ['sɪgnəlmən] <*pl* -men> *s* **1.** (RAIL) Bahnwärter *m* **2.** (MAR) Signalgast *m* **3.** (MIL) Funker, Fernmelder *m;* **sig•nal•ment** [-mənt] *s* (*Am*) Steckbrief *m*

sig•na•tory ['sɪgnətrɪ, *Am* 'sɪgnətɔːrɪ] **I.** *s* Unterzeichner *m* **II.** *adj* Signatar-; ~ **powers** [*o* **states**] *pl* Signatarmächte *fpl,* -staaten *mpl*

sig•na•ture ['sɪgnətʃə(r)] *s* **1.** Unterschrift *f* **2.** Unterzeichnung *f* **3.** (MUS) Vorzeichen *n* **4.** (RADIO: ~ *tune*) Erkennungsmelodie *f* **5.** (TYP) Signatur *f;* **put one's** ~ **to s.th.** seine Unterschrift unter etw setzen

sign•board ['saɪnbɔːd] *s* Schild *n,* Tafel *f*

sig•net ring ['sɪgnɪtˌrɪŋ] *s* Siegelring *m*

sig•nifi•cance [sɪg'nɪfɪkəns] *s* Bedeutung *f;* Wichtigkeit *f;* Tragweite *f;* **sig•nifi•cant** [sɪg'nɪfɪkənt] *adj* **1.** bezeichnend (*of* für) **2.** bedeutungsvoll, bedeutsam, wichtig (*for* für) **3.** (*Blick*) vielsagend; **sig•nifi•ca•tion** [ˌsɪgnɪfɪ'keɪʃn] *s* **1.** Sinn *m,* Bedeutung *f* **2.** Bezeichnung *f;* Andeutung *f;* **signify** ['sɪgnɪfaɪ] **I.** *tr* **1.** andeuten, anzeigen **2.** bedeuten **II.** *itr* wichtig sein; **it doesn't** ~ (**anything**) es hat nichts zu bedeuten

sign lan•guage ['saɪnˌlæŋgwɪdʒ] *s* Zeichensprache *f;* **sign painter** *s* Plakatmaler(in) *m(f);* **sign•post I.** *s* Wegweiser *m* **II.** *tr* beschildern; ausschildern

si•lage ['saɪlɪdʒ] *s* Silofutter *n*

si•lence ['saɪləns] **I.** *s* **1.** Schweigen *n* **2.** Stille, Ruhe *f* **3.** (Ver)Schweigen (*on s.th.* e-r S), Stillschweigen *n;* **in** ~ schweigend; **keep** ~ Stillschweigen bewahren (*on* über); **pass over in** ~ mit Stillschweigen übergehen; **reduce to** ~ zum Schweigen bringen **II.** *tr* zum Schweigen bringen; **si•lencer** ['saɪlənsə(r)] *s* **1.** (*Auto, Gewehr*) Schalldämpfer *m* **2.** (MOT) Auspufftopf *m;* **si•lent** ['saɪlənt] *adj* **1.** schweigend **2.** (*a.* GRAM) stumm **3.** schweigsam **4.** still, ruhig, geräuschlos; **be** ~ schweigen (*on* über); **become** ~ still werden; verstummen; **keep** ~ Stillschweigen bewahren, nichts sagen; ~ **movie** Stummfilm *m;* ~ **partner** (*Am*) stiller Gesellschafter; **the** ~ **majority** die schweigende Mehrheit; **be** ~**!** sei still; **si•lent•ly** [-lɪ] *adv* lautlos; leise; schweigend

sil•hou•ette [ˌsɪluː'et] **I.** *s* **1.** Silhouette *f* **2.**

Umriss *m* **3.** Scherenschnitt, Schattenriss *m* **II.** *tr:* **be ~d** sich abheben (*against, on, upon* gegen, von)

sil•ica ['sɪlɪkə] *s* (CHEM) Kieselerde *f;* Siliziumdioxyd *n;* **sili•cate** ['sɪlɪkeɪt] *s* (CHEM) Silikat *n;* **sili•con** ['sɪlɪkən] *s* (CHEM) Silizium *n;* **silicon chip** *s* Siliziumscheibe *f;* **sili•cone** ['sɪlɪkəʊn] *s* Silikon *n;* **sili•co•sis** [ˌsɪlɪ'kəʊsɪs] *s* (MED) Staublunge, Silikose *f*

silk [sɪlk] *s* **1.** Seide(nstoff *m*) *f;* Seidengewand *n* **2.** (*Br*) Kronanwalt *m,* -anwältin *f* **3.** **~s** (*Pferderennen*) (Renn)Farben *fpl;* **artificial ~** Kunstseide *f;* **silk dress** *s* Seidenkleid *n;* **silken** ['sɪlkən] *adj* **1.** (*lit*) seiden **2.** (*fig*) seidig; **silk hat** *s* Zylinder *m;* **silk moth** *s* Seidenspinner *m;* **silk-stocking** *adj* (*Am*) vornehm; **silk•worm** ['sɪlkwɜːm] *s* Seidenraupe *f;* **silky** ['sɪlkɪ] *adj* **1.** seiden **2.** (*Haar*) seidig; weich; glänzend; (*Stimme*) samtig; (*Benehmen*) glatt

sill [sɪl] *s* **1.** (Tür)Schwelle *f* **2.** Fensterbank *f;* Sims *m od n* **3.** (MOT) Türleiste *f* **4.** (GEOL) Lagergang *m*

silly ['sɪlɪ] **I.** *adj* **1.** dumm **2.** töricht, albern; **~ moo** (*pej: Frau*) blöde Ziege; **~ season** Sauregurkenzeit *f* **II.** *s* (*fam: ~-billy*) Dummerchen *n*

silo ['saɪləʊ] <*pl* silos> *s* Silo *n od m;* (*Raketen*) unterirdische Startrampe

silt [sɪlt] **I.** *s* Schwemmsand *m;* Schlick, Schlamm *m* **II.** *tr, itr* **1.** (**~** *up*) verschlammen **2.** (sich) verstopfen

sil•ver ['sɪlvə(r)] **I.** *s* **1.** Silber *n* **2.** Silbergeld *n* **3.** (Tafel)Silber, Silbergeschirr *n* **II.** *adj* **1.** silbern; silberhaltig; versilbert **2.** silb(e)rig, silberglänzend; **be born with a ~ spoon in one's mouth** Kind reicher Eltern, ein Glückskind sein **III.** *tr* versilbern; **silver birch** *s* Weißbirke *f;* **silver fir** *s* Weiß-, Edeltanne *f;* **sil•ver•fish** ['sɪlvəˌfɪʃ] <*pl* -, -fishes> *s* Silberfischchen *n;* **silver foil** *s* Alufolie *f;* **silver jubilee** *s* 25-jähriges Jubiläum; **silver lining** *s* (*fig*) Silberstreifen *m* am Horizont, Lichtblick *m;* **silver mine** *s* Silbermine *f;* **silver paper** *s* Silberpapier *n;* **silver plate** *s* Versilberung *f;* versilberte Sachen *fpl;* **silver-plate** *tr* versilbern; **silver screen** *s* Leinwand *f;* **sil•ver•side** ['sɪlvəsaɪd] *s* (*Rind*) Schwanzstück *n;* **sil•ver•smith** ['sɪlvəsmɪθ] *s* Silberschmied *m;* **silver standard** *s* Silberstandard *m;* **sil•ver•ware** ['sɪlvəweə(r)] *s* Silber(geschirr) *n;* **silver wedding** *s* silberne Hochzeit; **silvery** ['sɪlvərɪ] *adj* **1.** silb(e)rig, silberglänzend **2.** (*Ton*) silberhell

sim•ian ['sɪmɪən] **I.** *adj* affenartig **II.** *s* (Menschen)Affe *m*

simi•lar ['sɪmɪlə(r)] *adj* (*a.* MATH) ähnlich; **in a ~ way** ähnlich; genauso; **simi•lar•ity** [ˌsɪmə'lærətɪ] *s* Ähnlichkeit, Gleichartigkeit *f* (*to* mit); **sim•ile** ['sɪmɪlɪ] *s* Gleichnis *n;* **sim•ili•tude** [sɪ'mɪlɪtjuːd] *s* Ähnlichkeit *f*

sim•mer ['sɪmə(r)] **I.** *itr* simmern, sieden; (*fig: vor Zorn*) kochen (*with* vor); (*vor Aufregung*) fiebern **II.** *tr* sieden lassen **III.** *s:* **be on the ~** sieden, simmern; (*vor Wut*) kochen; (*vor Aufregung*) fiebern; **keep on the ~** sieden lassen; (*fig*) nicht zur Ruhe kommen lassen; **simmer down** *itr* sich beruhigen

sim•per ['sɪmpə(r)] **I.** *itr* einfältig, selbstgefällig lächeln **II.** *tr* säuseln **III.** *s* einfältiges, selbstgefälliges Lächeln; affektiertes Getue; **sim•per•ing** [-ɪŋ] *adj* albern, geziert, affektiert

simple ['sɪmpl] *adj* **1.** einfach **2.** unkompliziert, leicht **3.** einfach, schlicht **4.** ungekünstelt, natürlich **5.** (*Wahrheit*) rein, nackt **6.** bescheiden, gewöhnlich, unbedeutend **7.** einfältig, dumm; **pure and ~** ganz einfach; **~ equation** Gleichung *f* ersten Grades; **the ~ fact** die bloße Tatsache; **~ fraction** gemeiner Bruch; **simple-hearted** [ˌsɪmpl'hɑːtɪd] *adj* offen(herzig), aufrichtig, grundehrlich; **simple-minded** [ˌsɪmpl'maɪndɪd] *adj* einfältig; simpel; **simple•ton** ['sɪmpltən] *s* Einfaltspinsel *m;* **sim•plic•ity** [sɪm'plɪsətɪ] *s* **1.** Einfachheit *f* **2.** Unkompliziertheit *f* **3.** Schlichtheit, Anspruchslosigkeit, Natürlichkeit *f* **4.** Einfalt *f;* **for the sake of ~** der Einfachheit halber; **sim•pli•fi•ca•tion** [ˌsɪmplɪfɪ'keɪʃn] *s* Vereinfachung *f;* **sim•plify** ['sɪmplɪfaɪ] *tr* vereinfachen; erleichtern; **sim•plis•tic** [sɪm'plɪstɪk] *adj* simpel, simplistisch; **sim•ply** ['sɪmplɪ] *adv* **1.** (ganz) einfach **2.** bloß, nur, rundweg, glattweg **3.** geradezu **4.** (*fam*) völlig

simu•late ['sɪmjʊleɪt] *tr* **1.** vorgeben, -täuschen, -spiegeln; (*Krankheit*) simulieren **2.** (*Bedingungen*) simulieren; **simu•la•tion** [ˌsɪmjʊ'leɪʃn] *s* **1.** Verstellung, Heuchelei *f;* Vorspiegelung *f* **2.** Simulation *f;* **simu•la•tor** ['sɪmjʊleɪtə(r)] *s* Simulator *m*

sim•ul•ta•ne•ity, sim•ul•ta•neous•ness [ˌsɪmltə'niːətɪ, ˌsɪml'teɪnɪəsnɪs, *Am* ˌsaɪm-] *s* Gleichzeitigkeit *f;* **sim•ul•ta•neous** [ˌsɪml'teɪnɪəs, *Am* ˌsaɪm-] *adj* gleichzeitig (*with* mit); (*Gleichung, Dolmetschen*) Simultan-

sin [sɪn] **I.** *s* **1.** (REL) Sünde *f* **2.** (*fig*) Vergehen *n* (*against* gegen), Versündigung *f;* **deadly** [*o* **mortal**] **~** Todsünde *f;* **original ~** Erbsünde *f;* **live in ~** in wilder Ehe leben; **it's a ~** es ist jammerschade; **isn't it a ~?** ist es nicht eine Schande?; **for my ~s** (*hum*) das geschieht mir recht **II.** *itr* **1.** sündigen, verstoßen (*against* gegen) **2.** sich versündigen (*against* an)

Si•nai ['saɪn(ɪ)aɪ] *s* Sinai *m;* **Mount** ~ der Berg Sinai

since [sɪns] **I.** *adv* **1.** seitdem, seither **2.** vorher, zuvor, vordem; **ever** ~ seither; **long** ~ (seit) langem; **how long** ~ **?** wie lange schon?; ~ **when?** seit wann?; **have you seen him** ~**?** hast du ihn seither gesehen? **II.** *prep* seit **III.** *conj* **1.** seitdem **2.** da

sin•cere [sɪn'sɪə(r)] *adj* offen, ehrlich, aufrichtig; **be** ~ **about s.th.** es mit etw ehrlich meinen; **sin•cere•ly** [-lɪ] *adv* aufrichtig, ehrlich; **Yours** ~ mit freundlichen Grüßen; **sin•cer•ity** [sɪn'serətɪ] *s* Aufrichtigkeit *f*

sine [saɪn] *s* (MATH) Sinus *m*

sine die ['si:neɪ 'di:eɪ] *adv* auf unbestimmte Zeit

sine qua non [ˌsɪneɪ kwɑ: 'nəʊn] *s* unerlässliche Bedingung, Voraussetzung *f*

sinew ['sɪnju:] *s* **1.** Sehne *f* **2.** ~**s** (*fig*) Kräfte *fpl;* **sin•ewy** ['sɪnju:ɪ] *adj* **1.** sehnig **2.** (*Baum*) knorrig **3.** (*fig*) kraftvoll

sin•ful ['sɪnfl] *adj* sündig; sündhaft

sing [sɪŋ] <*irr:* sang, sung> **I.** *s* Singen *n;* **have a** ~ singen **II.** *itr* singen; (*Ohren*) klingen, dröhnen; (*Wasser, Kessel*) summen **III.** *tr* singen; ~ **s.o. to sleep** jdn in den Schlaf singen; ~ **s.o.'s praises** ein Loblied auf jdn singen; **sing along** *itr* mitsingen; **sing away I.** *itr* dauernd singen; vor sich hin singen; (*Wasser, Kessel*) summen **II.** *tr* (*Sorgen*) fortsingen; **sing of** *itr* besingen; **sing out I.** *itr* **1.** laut(er) singen; erklingen; summen **2.** (*fam*) schreien **II.** *tr* singen; ausrufen; **sing up** *itr* lauter singen

Singa•pore [sɪŋə'pɔ:(r)] *s* Singapur *n*

singe [sɪndʒ] *tr* ansengen; (ver)sengen

singer ['sɪŋə(r)] *s* Sänger(in) *m(f);* **singer-songwriter** *s* Liedermacher(in) *m(f);* **sing•ing** ['sɪŋɪŋ] *s* **1.** Singen *n,* Gesang *m* **2.** (*Ohren*) Dröhnen *n* **3.** (*Wasser, Kessel*) Summen *n;* **singing bird** *s* Singvogel *m;* **singing book** *s* Liederbuch *n;* **singing club**, **singing society** *s* Gesangsverein *m;* **singing lesson** *s* Sing-, Gesangstunde *f;* **singing teacher** *s* Gesangslehrer(in) *m(f);* **singing voice** *s* Singstimme *f*

single ['sɪŋgl] **I.** *adj* **1.** einzig, alleinig **2.** allein, für sich, einsam **3.** einzeln; unverheiratet, allein stehend **4.** einfach; **in** ~ **file** im Gänsemarsch; **not a** ~ **one** kein Einziger; **every** ~ **one** jeder (Einzelne); ~ **bed** Einzelbett *n;* ~ **bedroom** Einzelzimmer *n;* ~ **currency** (EU) einheitliche Währung; ~ **mother** allein erziehende Mutter; ~ **parent** Alleinerziehende(r) *f m;* ~ **people** Ledige, Unverheiratete, Singles *pl;* **S**~ **European Market** (EU) (europäische) Binnenmarkt *m* **II.** *s* **1.** (~ *ticket*) einfache Fahrkarte **2.** Einzelzimmer *n* **3.** (SPORT) Einzelspiel *n* **4.** (*fam*) eine Dollar-, Pfundnote *f* **5.** (*Schallplatte*) Single *f* **6.** (*Mensch*) Single *m;* **ladies'/men's** ~**(s)** (*Tennis*) Damen-/Herreneinzel *n;* ~**s club** Klub *m* der Singles; **single out** *tr* aussondern, -lesen, -wählen, herausgreifen (*from* aus), herausheben, hervorheben; den Vorzug geben (*s.o.* jdm); **single breasted** [ˌsɪŋgl'brestɪd] *adj* (*Jacke, Mantel*) einreihig; **single-decker** [ˌsɪŋl'dekə(r)] *s* einstöckiger Bus; **single entry bookkeeping** *s* einfache Buchführung; **single-figure** *adj* (*Zahl*) einstellig; **single-handed** [ˌsɪŋgl 'hændɪd] *adj* einhändig; ohne Hilfe; allein, selbstständig; ~ **sailor** Einhandsegler(in) *m(f);* **single•hander** [ˌsɪŋgl'hændə(r)] *s* Einhandsegler(in) *m(f);* **single-lens reflex** (**camera**), **SLR** *s* Spiegelreflexkamera *f;* **single-minded** [ˌsɪŋgl'maɪndɪd] *adj* zielstrebig; beharrlich; **single•ness** [-nɪs] *s* Alleinsein *n;* ~ **of purpose** Zielstrebigkeit *f;* **single-parent family** *s* Einelternfamilie *f;* **single-seater** [ˌsɪŋgl'si:tə(r)] *s* Einsitzer *m;* **single-sex school** *s* reine Jungen-/Mädchenschule; **single-stage** *adj* (*Rakete*) einstufig

sin•glet ['sɪŋglɪt] *s* ärmelloses Unterhemd; (SPORT) ärmelloses Trikot

single ticket ['sɪŋglˌtɪkɪt] *s* Einzelfahrschein *m,* einfache Fahrkarte; **single-track** ['sɪŋgltræk] *adj* eingleisig *a. fig;* **single traveller** *s* Einzelreisende(r) *f m*

sing•ly ['sɪŋglɪ] *adv* **1.** einzeln **2.** einzig, nur

sing•song ['sɪŋsɒŋ] *s* **1.** Gemeinschaftssingen *n* **2.** Singsang *m*

sin•gu•lar ['sɪŋgjʊlə(r)] **I.** *adj* **1.** einzig **2.** individuell, persönlich, privat **3.** ungewöhnlich, seltsam, sonderbar **4.** außergewöhnlich, außerordentlich, einzigartig **II.** *s* Singular *m,* Einzahl *f;* **sin•gu•lar•ity** [ˌsɪŋgjʊ'lærətɪ] *s* **1.** Eigenheit *f* **2.** Ungewöhnlichkeit, Seltenheit *f* **3.** Sonderbarkeit *f;* **sin•gu•lar•ly** ['sɪŋgjʊləlɪ] *adv* **1.** bemerkenswert **2.** seltsam, sonderbar

sin•is•ter ['sɪnɪstə(r)] *adj* unheimlich, finster; Unheil verkündend

sink¹ [sɪŋk] *s* Ausguss *m,* Spüle *f*

sink² [sɪŋk] <*irr:* sank, sunk> **I.** *itr* **1.** (ein-, ver)sinken **2.** sinken, (langsam) fallen *a. fig* **3.** (*Schiff*) sinken, untergehen **4.** (*fig*) niedriger, schwächer werden, nachlassen, zurückgehen (*a. Preise*) **5.** (*in e-n Lehnstuhl*) sich fallen lassen (*into* in) **6.** (*in Schlaf, Verzweiflung*) fallen **7.** (*Sonne*) untergehen **8.** (*sittlich, sozial, an Wert*) sinken, abfallen **9.** (*Gebäude*) sich senken; (*Boden*) nachgeben; (*Abhang*) abfallen; **be left to ~ or swim** ganz auf sich selbst gestellt sein; **~ to one's knees** auf die Knie sinken; **~ to the ground** zu Boden sinken; (*Schiff*) versinken; **my heart sank** ich wurde mutlos; **with ~ing heart** verzagt; **he is ~ing fast** ihm geht es zunehmend schlechter **II.** *tr* **1.** versenken, (ver)sinken lassen **2.** stoßen, drücken (*in, into* in) **3.** (*fam: Getränk*) hinunterstürzen **4.** (*Loch*) graben, aushöhlen, bohren; (MIN: *Schacht*) abteufen **5.** eingraben, (ein)ritzen, gravieren, stechen **6.** (*Preise, Stimme, Kopf*) senken **7.** (*Geld*) anlegen, investieren (*into* in) **8.** (*Geld durch schlechte Geschäfte*) verlieren **9.** (*Plan, Hoffnung*) ruinieren, zunichte machen; **we are sunk** wir sind ruiniert; **~ one's teeth/claws into s.th.** die Zähne/Klauen in etw schlagen; **we have to ~ our differences** wir müssen unsere Meinungsverschiedenheiten beilegen; **sunk in thought** in Gedanken versunken; **sunk in a book** in ein Buch vertieft; **sink away** *itr* (*Boden*) abfallen; **sink back** *itr* sich zurücklehnen; **sink down** *itr* sich fallen lassen (*on* auf); **sink in I.** *itr* **1.** einsinken **2.** (*fig fam*) kapiert werden **II.** *tr* (*Pfähle*) einlassen; **I hope it has finally sunk in** ich hoffe, der Groschen ist endlich gefallen

sink•able ['sɪŋkəbl] *adj* versenkbar; **sinker** ['sɪŋkə(r)] *s* (*Angel*) Senker *m;* (*Windsurfer*) Sinker *m;* **sink•ing** ['sɪŋkɪŋ] **I.** *s* **1.** (*Schiff*) Untergang *m;* Versenken *n* **2.** (*Schacht*) Senken, Abteufen *n;* (*Brunnen*) Bohren *n* **II.** *adj* (*Gefühl*) flau, ungut; **~ fund** (Schulden)Tilgungsfonds *m*

sink unit ['siŋk,ju:nɪt] *s* Spültisch *n*

sin•ner ['sɪnə(r)] *s* Sünder(in) *m(f)*

sinu•ous ['sɪnjʊəs] *adj* **1.** sich windend, sich schlängelnd **2.** (*fig*) gewunden **3.** (*Bewegung*) geschmeidig, schlangenartig

sinus ['saɪnəs] *s* Sinus *m;* Neben-, Stirnhöhle *f;* **sinus•itis** [,saɪnə'saɪtɪs] *s* Stirnhöhlenkatarrh *m,* Sinusitis *f*

Sioux [su:] **I.** *adj* der Sioux(indianer) **II.** *s* Sioux(indianer) *m,* Sioux(indianerin) *f*

sip [sɪp] **I.** *itr, tr* schlürfen, nippen **II.** *s* Schlückchen *n*

si•phon ['saɪfən] **I.** *s* **1.** Siphon *m* **2.** (TECH) Heber *m* **II.** *tr* (*a.* MED) ausheben, entleeren, umfüllen; **siphon off** *tr* **1.** absaugen; (*Benzin*) abzapfen; umfüllen **2.** (*fig*) abziehen; (*Gewinn*) abschöpfen

sir [sɜ:(r)] *s* Herr *m* (*Anrede ohne Namen*); **S~** Sir *m* (*Titel*); **yes, ~** jawohl (mein Herr)!

sire ['saɪə(r)] **I.** *s* (*Säugetiere*) Vatertier *n* **II.** *tr* (*Säugetier*) (er)zeugen

si•ren ['saɪərən] *s* Sirene *f*

sir•loin ['sɜ:lɔɪn] *s* (*Rind*) Lendenstück *n*

sir•occo [sɪ'rɒkəʊ] <*pl* -occos> *s* (METE) Schirokko *m*

sis [sɪs] *s* (*fam*) Schwester(chen *n*) *f*

si•sal ['saɪsl] *s* Sisal *m;* **sisal hemp** *s* Sisalhanf *m*

sissy ['sɪsɪ] **I.** *s* Weichling *m* **II.** *adj* weichlich, weibisch

sis•ter ['sɪstə(r)] *s* **1.** (*a.* REL) Schwester *f* **2.** (MED) (Ober)Schwester *f;* **brothers and ~s** Geschwister *pl;* **sister company** *s* Schwestergesellschaft *f;* **sis•ter•hood** [-hʊd] *s* Schwesternschaft *f;* **sis•ter-in-law** ['sɪstərɪnlɔ:] <*pl* sisters-in-law> *s* Schwägerin *f;* **sis•ter•ly** ['sɪstəlɪ] *adj* schwesterlich; **sister ship** *s* Schwesterschiff *n*

sit [sɪt] <*irr:* sat, sat> **I.** *itr* **1.** sitzen; sich setzen **2.** (*Vogel*) brüten; (*Henne*) sitzen **3.** (*Versammlung*) tagen **4.** (*Mitglied*) einen Sitz haben, Mitglied sein; (POL) Abgeordnete(r) sein **5.** sich befinden, stehen; (*im Magen*) liegen (*on* in) **6.** (TECH) aufliegen **7.** (*Kleidungsstück*) sitzen (*on s.o.* bei jdm) **8.** (*fig*) liegen, ruhen, lasten (*on* auf) **9.** (*baby-~*) auf ein Kind aufpassen; **~ on the bench** als Richter amtieren; **~ bolt upright** kerzengerade dasitzen; sich plötzlich aufrichten; **~ on a committee** e-m Ausschuss angehören; **~ for a constituency** e-n Wahlkreis vertreten; **~ an examination** eine Prüfung ablegen; **~ on the fence** (*fig fam*) unentschlossen sein; sich zurückhalten; neutral bleiben; **~ on one's hands** sich nicht rühren; nichts unternehmen; nicht applaudieren; **~ in judg(e)ment** (*fig*) zu Gericht sitzen (*on* über); **~ on a jury** Geschworene(r) sein; **~ for a painter** sich malen lassen; **~ pretty** (*fam*) gut dran sein; **~ tight** sich nicht (von der Stelle) rühren; **~ by s.o.** sich neben jdn setzen **II.** *tr* **1.** setzen; stellen **2.** (*Prüfung*) ablegen; **~ o.s. (down)** sich setzen, Platz nehmen (*on* auf); **sit about, sit around** *itr* herumsitzen u. nichts tun; **sit back** *itr* sich zurücklehnen; (*fig*) abwarten; ausruhen; **~ back and relax** sich ausruhen; **sit down** *itr* sich (hin)setzen; Platz nehmen; **take s.th. ~ting down** (*fig*) sich etw gefallen lassen; **sit in** *itr* **1.** ein Sit-in machen **2.** dabei sein (*on* bei) **3.** zu Hause sitzen; **~ in for s.o.** jdn vertreten; **sit on** *itr* **1.** sitzen bleiben **2.** (*Versammlung, Ausschuss*) sitzen in, Mitglied sein bei **3.** (*Entscheidung*) hinauszögern, sitzen auf **4.** (*Nachricht, Erfindung*) unterdrücken **5.** (*Menschen*) den Kopf zurechtrücken (*s.o.* jdm); **sit out I.** *itr* im Freien sitzen **II.** *tr* **1.** bis zum Ende bleiben von; das Ende abwarten von; aussitzen **2.** (*Tanz*) auslassen; **we'd better ~ it out** wir warten besser, bis es zu Ende ist; **sit through** *tr* bis zum Ende anhören, durchhalten (*s.th.* etw); **sit up I.** *itr* **1.** aufrecht sitzen; sich aufsetzen **2.** aufbleiben **II.** *tr* aufrichten; hinsetzen; ~ **up for s.o.** auf jdn abends warten; ~ **up with s.o.** bei jdm wachen; ~ **up and take notice** hellhörig werden; **make s.o. ~ up** jdn aufschrecken; jdn aufhorchen lassen; ~ **up to table** sich an den Tisch setzen

sit•com ['sɪtkɒm] *s* (*fam*) Situationskomödie *f*

sit-down strike [ˌsɪtdaʊn'straɪk] *s* Sitzstreik *m*

site [saɪt] **I.** *s* **1.** Lage *f,* Platz *m;* Gelände *n* **2.** Standort *m* (*e-r Industrie*), Sitz *m* (*e-r Firma*) **3.** (*building-~*) Bauplatz *m,* -grundstück *n* **4.** (*camping ~*) Campingplatz *m* **II.** *tr* legen; **be ~d** liegen; **badly ~d** ungünstig gelegen; **missile ~** Raketenbasis *f;* **site development** *s* Baulanderschließung *f;* **site engineer** *s* Bauleiter(in) *m(f);* **site office** *s* (Büro *n* der) Bauleitung *f;* **site owner** *s* Grundstückseigentümer *m;* **site plan** *s* Lageplan *m*

sit-in ['sɪtɪn] *s* Sit-in *n,* Sitzblockade *f*

si•ting ['saɪtɪŋ] *s* Legen *n;* Errichtung *f*

sit•ter ['sɪtə(r)] *s* **1.** Modell *n* (*e-s Malers*) **2.** (*baby-~*) Babysitter(in) *m(f)* **3.** brütender Vogel **4.** (SPORT) todsicherer Ball

sit•ting ['sɪtɪŋ] **I.** *s* **1.** Sitzung *f* **2.** (JUR) Sitzungsperiode *f* **3.** (*beim Essen*) Schicht *f;* **at one ~** (*fig*) auf einmal **II.** *adj* sitzend; (*Vogel*) brütend; (*Konferenz*) tagend; **sitting duck** *s* (*fig*) leichte Beute; **sitting member** *s* Abgeordnete(r) *f m;* **sitting-room** *s* Wohnzimmer *n;* Aufenthaltsraum *m;* **sitting target** *s* (*fig*) leichte Beute; **sitting tenant** *s durch Mieterschutz geschützte(r) Mieter(in)*

situ•ate ['sɪtʃʊeɪt] *tr* legen; **situ•ated** ['sɪtʃʊeɪtɪd] *adj* gelegen, befindlich; (*finanziell*) gestellt; **be ~** liegen, gelegen sein; sich befinden

situ•ation [ˌsɪtʃʊ'eɪʃn] *s* **1.** Lage *f;* Stelle *f,* Platz, Ort *m* **2.** Situation *f,* Umstände *mpl,* Verhältnisse *npl* **3.** Stelle, Stellung *f;* **be equal to the ~** der Situation gewachsen sein; **~s offered/wanted** Stellenangebote/-gesuche *npl;* ~ **comedy** Situationskomödie *f*

sit-up ['sɪtʌp] *s* (SPORT) Situp *n*

six [sɪks] **I.** *adj* sechs; **be ~ foot under** (*fig*) tot und begraben sein; **it's ~ of one and half a dozen of the other** das ist Jacke wie Hose **II.** *s* Sechs *f;* (*Bus*) Linie *f* Sechs; (SPORT) Sechs(ermannschaft) *f;* **sold in ~es** zu je sechs verkauft werden; **at ~es and sevens** durcheinander; **knock s.o. for ~** jdn verblüffen; **six-footer** [ˌsɪks'fʊtə(r)] *s* (*fam*) (langer) Lulatsch *m;* **six-pack** ['sɪkspæk] *s* Sechserpack *n;* **six•teen** [sɪk'stiːn] *adj* sechzehn; **six•teenth** [sɪk'stiːnθ] **I.** *adj* sechzehnte(r, s) **II.** *s* Sechzehntel *n;* Sechzehnte(r, s); **sixth** [sɪksθ] **I.** *adj* sechste(r, s); ~ **form** (PÄD) Abschlussklasse *f;* ~ **sense** sechster Sinn **II.** *s* Sechstel *n;* Sechste(r, s); **six•ti•eth** ['sɪkstɪəθ] **I.** *adj* sechzigste(r, s) **II.** *s* Sechzigstel *n;* Sechzigste(r, s); **sixty** ['sɪkstɪ] **I.** *adj* sechzig **II.** *s* Sechzig *f;* **the sixties** die Sechzigerjahre; **be in one's sixties** über sechzig sein

size¹ [saɪz] **I.** *s* **1.** Größe *f,* Umfang *m* **2.** (*Kleidung*) Größe, Nummer *f* **3.** (*fig*) Ausmaß *n,* Bedeutung *f* **4.** (*fam*) Format *n;* **next in ~** nächstgrößere Nummer; **of a ~** gleich groß; **arrange according to ~** der Größe nach ordnen; **be about the ~ of** ungefähr so groß sein wie; **take the ~ of** Maß nehmen von; **what ~ do you wear?** welche Größe tragen Sie?; **that's about the ~ of it** (*fam*) genau so war's; **cut s.o. down to ~** jdn runterputzen **II.** *tr* nach Größe ordnen; **size up** *tr* abschätzen; **I can't ~ her up** ich werde aus ihr nicht ganz schlau

size² [saɪz] **I.** *s* (TECH) (Auftrag-, Schlicht)Leim *m* **II.** *tr* **1.** appretieren, schlichten, leimen **2.** (*Gemälde*) grundieren

siz(e)•able ['saɪzəbl] *adj* umfangreich; beträchtlich; ansehnlich; **siz•ing** ['saɪzɪŋ] *s* **1.** Klassierung, Sortierung *f* **2.** Größeneinteilung *f* **3.** *s.* **size²**

sizzle ['sɪzl] *itr* zischen; brutzeln; **sizzler** ['sɪzlə(r)] *s* (*fam*) glühend heißer Tag

skate¹ [skeɪt] **I.** *s* **1.** (*ice-~*) Schlittschuh *m* **2.** (*roller-~*) Rollschuh *m* **3.** Kufe *f;* **get** [*o* **put**] **one's ~s on** (*fig*) sich beeilen **II.** *itr* Schlittschuh, Rollschuh laufen; (*fig*) gleiten; rutschen; ~ **on thin ice** sich aufs Glatteis begeben; ~ **over s.th.** (*fig*) über etw geschickt hinweggehen

skate² [skeɪt] *s* (*Fisch*) Rochen *m*

skate•board ['skeɪtbɔːd] *s* Skateboard *n;* **skate•board•er** [-ə(r)] *s* Skateboardfahrer(in) *m(f);* **skater** ['skeɪtə(r)] *s* Schlittschuh-, Rollschuhläufer(in) *m(f);* **skat•ing rink** ['skeɪtɪŋrɪŋk] *s* Eisbahn *f;* Rollschuhbahn *f*

ske•daddle [skɪ'dædl] *itr* (*fam*) abhauen, ausreißen

skein [skeɪn] *s* **1.** Docke, Strähne *f* (*Garn*) **2.** (*Vögel*) Zug, Schwarm, Flug *m* **3.** (*fig*) Geflecht *n*

skel•eton ['skelɪtn] **I.** *s* **1.** Skelett, Gerippe *n a. fig* **2.** Gestell *n,* Rahmen *m,* Gerüst *n* **3.** Umriss, Entwurf *m;* ~ **in the cupboard,** ~ **in the closet** (*Am*) Familiengeheimnis *n;* eine Leiche im Keller; **steel ~** (ARCH) Stahlskelett *n* **II.** *adj* provisorisch; (*Belegschaft, Dienst*) Not-; **skeleton key** *s* Dietrich, Haupt-, Nachschlüssel *m;* **skeleton staff** *s* Rumpfbelegschaft *f*

skep•tic [skeptɪk] *(Am)* *s.* sceptic; **skeptical** *(Am)* *s.* sceptical; **skepticism** *(Am)* *s.* **scepticism**

sketch [sketʃ] **I.** *s* **1.** Skizze *f* **2.** (THEAT) Sketch *m* **3.** Entwurf *m* **II.** *tr* skizzieren, umreißen, entwerfen **III.** *itr* Skizzen machen; **sketch in** *tr* einzeichnen; *(fig)* umreißen; **sketch out** *tr* grob skizzieren; **sketch•book** *s* Skizzenblock *m;* **sketchy** ['sketʃɪ] *adj* skizzenhaft; flüchtig; bruchstückhaft

skew [skjuː] **I.** *adj* schräg; schief **II.** *s:* **be on the ~** schief sein **III.** *tr* umdrehen; krümmen; verzerren **IV.** *itr* *(Auto)* abkommen; *(Straße)* abbiegen

skew•bald ['skjuːbɔːld] *adj* *(Pferd)* scheckig

skewer ['skjʊə(r)] **I.** *s* Fleischspieß *m* **II.** *tr* aufspießen

skew-whiff [ˌskjuː'wɪf] *adj* *(fam)* krumm, schief

ski [skiː] **I.** *s* **1.** Ski, Schi *m* **2.** (AERO) Schneekufe *f* **II.** *itr* Ski fahren; **ski binding** *s* Skibindung *f;* **ski•bob** ['skiːbɒb] *s* (SPORT) Skibob *m;* **ski boot** *s* Skistiefel *m*

skid [skɪd] **I.** *s* **1.** Rolle *f;* Gleitkufe, -schiene *f;* (AERO) Schneekufe *f* **2.** Schleudern *n;* **go into a ~** zu schleudern anfangen; **put the ~s under s.o.** jdm etw vermasseln; **hit the ~s** *(Am fam)* runterkommen **II.** *itr* (MOT) rutschen, schleudern; **skid•ding** ['skɪdɪŋ] *s* (MOT) Schleudern *n;* **skid•lid** ['skɪdlɪd] *s* *(sl)* Sturzhelm *m;* **skid mark** *s* Brems-, Reifenspur *f;* **skid row** *s* *(Am fam)* schlechte Gegend; **be on ~** heruntergekommen sein

skier ['skiːə(r)] *s* Skiläufer(in) *m(f),* -fahrer(in) *m(f)*

skiff [skɪf] *s* Skiff *n;* Renneiner *m*

ski fly•ing ['skiːˌflaɪɪŋ] *s* (SPORT) Skifliegen *n;* **ski goggles** *s pl* Skibrille *f;* **ski•ing** ['skiːɪŋ] *s* Skifahren *n;* **skiing holiday** *s* Skiurlaub *m,* Skiferien *pl;* **ski instructor** ['skiːɪnˌstrʌktə(r)] *s* Skilehrer *m;* **ski instructress** ['skiːɪnˌstrʌktrəs] *s* Skilehrerin *f;* **ski jump** *s* **1.** *(Sportart)* Skispringen *n* **2.** *(Bauwerk)* Sprungschanze *f*

skil•ful ['skɪlfl] *adj* geschickt, gewandt; tüchtig, erfahren *(at* in)

ski lift ['skiːlɪft] *s* Skilift *m*

skill [skɪl] *s* **1.** Geschick *n,* Geschicklichkeit *f;* Kunstfertigkeit *f* **2.** Fähigkeit, Fertigkeit *f* *(in, at* in); **skilled** [skɪld] *adj* **1.** geschickt, gewandt *(in doing s.th.* bei etw) **2.** geübt, erfahren, erprobt **3.** ausgebildet; geschult; gelernt; Fach-; **be ~ in s.th.** in etw fachlich ausgebildet sein; **~ labo(u)r** Fachkräfte, gelernte Arbeitskräfte *fpl;* **~ work** Facharbeit *f;* **~ worker** Facharbeiter(in) *m(f),* gelernte(r) Arbeiter(in) *m(f)*

skil•let ['skɪlɪt] *s* Bratpfanne *f*

skill•ful ['skɪlfl] *(Am)* *s.* **skilful**

skim [skɪm] **I.** *tr* **1.** *(Flüssigkeit)* abschäumen **2.** *(Milch)* entrahmen **3.** *(Schaum, Rahm)* abschöpfen *a. fig* **4.** *(fig)* leicht (hin)streifen, hinfahren über **5.** flüchtig berühren *a. fig,* flüchtig lesen, überfliegen; **~ the surface** *(fig)* an der Oberfläche bleiben *(of s.th.* e-r S) **II.** *itr* **1.** gleiten, fliegen *(through* durch, *over* über, *along* an ... entlang) **2.** hinwegfliegen, -sausen *(over* über) **3.** flüchtig lesen, durchblättern *(through a book* ein Buch); **skimmed milk** ['skɪmd'mɪlk] *s* Magermilch *f;* **skim•mer** ['skɪmə(r)] *s* Schaumlöffel, Abstreifer *m;* **skim-milk** [ˌskɪm'mɪlk] *(Am)* *s.* **skimmed milk**

skimp [skɪmp] **I.** *itr* knausern, geizen *(on* mit) **II.** *tr* **1.** sparen an **2.** *(Person)* knapp halten **3.** *(Arbeit)* nachlässig machen; **skimpy** ['skɪmpɪ] *adj* **1.** knapp **2.** knauserig, filzig, geizig **3.** *(Portion)* ungenügend; **be ~ with s.th.** mit etw geizig sein

skin [skɪn] **I.** *s* **1.** Haut *f* **2.** Fell *n,* Balg *m* **3.** Schale *f;* Haut *f;* Rinde *f* **4.** Schlauch *m;* **by the ~ of one's teeth** mit knapper Not; **get under s.o.'s ~** *(fam)* jdm auf den Wecker, auf die Nerven fallen; *(positiv)* jdm unter die Haut gehen, jdm gefallen; **have a thick ~** *(fig)* ein dickes Fell haben; **have a thin ~** feinfühlig sein; **jump out of one's ~** erschrecken; **it's no ~ off my nose** *(fam)* das geht mich nichts an; **wet to the ~** nass bis auf die Haut; **nothing but ~ and bones** nur noch Haut und Knochen **II.** *tr* **1.** häuten, abziehen **2.** schälen; enthäuten; entrinden; **keep one's eyes ~ned** *(fam)* ein wachsames Auge haben; **~ s.o. alive** *(fig)* jdn fertig machen; **skin cancer** *s* Hautkrebs *m;* **skin-deep** *adj* oberflächlich; **skin disease** *s* Hautkrankheit *f;* **skin diving** *s* Sporttauchen *n;* **skin eruption** *s* Hautausschlag *m;* **skin flick** *s* *(fam)* Sexfilm *m;* **skin•flint** ['skɪnflɪnt] *s* *(fam)* Geizhals *m;* **skin•ful** ['skɪnfl] *adj* *(fam)*: **he must have had a ~** er muss schwer einen getrunken haben; **skin game** *s* *(Am fam)* Gaunerei *f,* Schwindel *m;* **skin graft** *s* (MED) Hauttransplantation *f;* **skin•head** ['skɪnhed] *s* Skinhead *m;* **skinny** ['skɪnɪ] *adj* dünn, mager, knochig; **skinny-dip** *itr* *(fam)* nackt baden

skint [skɪnt] *adj* *(Br fam)* völlig abgebrannt

skin•tight [skɪn'taɪt] *adj* hauteng

skip[1] [skɪp] **I.** *s* Sprung, Hüpfer *m;* Hüpfschritt *m* **II.** *itr* **1.** hüpfen; springen **2.** seilspringen, seilhüpfen **3.** *(fig: Thema)* springen **4.** *(fam)* abhauen **III.** *tr* **1.** *(Schule)* schwänzen **2.** *(Abschnitt, Frage)* auslassen, überspringen; *(Mahlzeit)* ausfallen lassen; (*Herzschlag*) aussetzen; ~ **rope** (*Am*) seilspringen, seilhüpfen; ~ **town** (*A fam*) aus der Stadt verschwinden; ~ **it!** vergiss es!; **skip about** *itr* herumhüpfen; (*fig: Redner*) springen; **skip across** *itr* (*fam*) rübergehen; **skip off** *itr* (*fam*) abhauen; **skip over** *itr* rübergehen; ~ **over s.th.** etw überspringen; **skip through** *tr* überfliegen, durchblättern

skip² [skɪp] *s* Container *m;* (MIN) Förderkorb *m*

skip³ [skɪp] *s abbr of* **skipper** (SPORT) (Mannschafts)Kapitän, -führer *m*

ski pants ['ski:ˌpænts] *s pl* Skihose *f;* **ski pass** *s* Skipass *m;* **ski plane** *s* Flugzeug *n* mit Gleitkufen; **ski pole** *s* Skistock *m*

skip•per ['skɪpə(r)] **I.** *s* **1.** (MAR AERO) Kapitän *m* **2.** (SPORT) Mannschaftsführer(in) *m(f)* **II.** *tr* (*Team*) anführen

skip•ping-rope ['skɪpɪŋrəʊp] *s* Springseil *n*

ski rack ['ski:ræk] *s* (MOT) Skiträger *m;* **ski resort** *s* Wintersportort *m*

skir•mish ['skɜ:mɪʃ] **I.** *s* Gefecht *n,* Plänkelei *f,* Zusammenstoß *m* **II.** *itr* kämpfen; zusammenstoßen

skirt [skɜ:t] **I.** *s* **1.** Rock *m* **2.** (*Mantel, Jackett*) Schoß *m* **3.** (*sl: a bit of ~*) Weibsbild *n* **II.** *tr* **1.** sich am Rande hinziehen (*s.th.* e-r S), am Rand entlanggehen (*s.th.* e-r S) **2.** (*fig*) herumgehen um, umgehen; ~ **around** umfahren, umschiffen

skirt•ing board ['skɜ:tɪŋbɔ:d] *s* (*Br*) Scheuerleiste *f*

ski run ['ski:rʌn] *s* Piste *f;* **ski school** *s* Skischule *f;* **ski stick** *s* Skistock *m;* **ski suit** ['ski:su:t] *s* Skianzug *m*

skit [skɪt] *s satirischer Sketch*

ski touring *s* (SPORT) Skitouren *n;* **ski tow** *s* Schlepplift *m*

skit•ter ['skɪtə(r)] *itr* über das Wasser schlittern; rutschen

skit•tish ['skɪtɪʃ] *adj* **1.** lebhaft, lustig, ausgelassen **2.** ängstlich, scheu (*a. Pferd*)

skittle ['skɪtl] *s* **1.** (*Br*) Kegel *m* **2.** **~s** *mit sing* (*game of ~s*) Kegeln *n;* **play ~s** kegeln; **it is not all beer and ~s** das ist kein reines Vergnügen; **skittle alley** *s* Kegelbahn *f;* **skittle ball** *s* Kegelkugel *f*

skive [skaɪv] **I.** *itr* sich vor der Arbeit drücken; blaumachen; (*Schule*) schwänzen **II.** *s* Blaumachen *n;* Schwänzen *n;* **be on the ~** blaumachen; schwänzen; **skive off** *itr* (*sl*) sich verdrücken; **skiver** ['skaɪvə(r)] *s* Drückeberger(in) *m(f)*

skivvy ['skɪvɪ] *s* (*Br fam*) Dienstmädchen *n*

skul•dug•gery, **skull•dug•gery** [skʌl'dʌgərɪ] *s* (*fam*) Gaunerei *f*

skulk [skʌlk] *itr* umherschleichen; lauern; (*fam*) sich (herum)drücken

skull [skʌl] *s* Schädel *m;* **the ~ and crossbones** der Totenkopf (*Zeichen*); **skull bone** *s* Schädelknochen *m;* **skull-cap** *s* (Seiden)Käppchen *n*

skunk [skʌŋk] *s* (ZOO) Skunk *m,* Stinktier *n;* (*fam*) gemeiner Kerl

sky [skaɪ] *s* Himmel *m;* **in the ~** am Himmel; **out of a clear (blue) ~** (*fig*) aus heiterem Himmel; **under the open ~** unter freiem Himmel, im Freien; **praise to the skies** (*fig*) in den Himmel heben; **the ~'s the limit** (*fam fig*) e-e obere Grenze ist nicht gesetzt; **we expect sunny skies** wir erwarten sonniges Wetter; **sky-blue** *adj* himmelblau; **sky•div•ing** ['skaɪˌdaɪvɪŋ] *s* Fallschirmspringen *n* (mit e-r Strecke freien Falls); **sky-high** *adj* (*a. Preise*) himmelhoch; **blow s.th. ~** etw in die Luft jagen; (*fig: Theorie*) etw völlig zunichte machen; **sky•jack** ['skaɪdʒæk] **I.** *tr* entführen **II.** *s* Flugzeugentführung *f;* **sky•jacker** ['skaɪdʒækə(r)] *s* Luftpirat(in) *m(f),* Flugzeugentführer(in) *m(f);* **sky•lark** ['skaɪlɑ:k] **I.** *s* Feldlerche *f* **II.** *itr* dumme Streiche machen; **sky•light** ['skaɪlaɪt] *s* Dachluke *f,* Oberlicht *n;* **sky•line** ['skaɪlaɪn] *s* Horizont *m;* (Stadt)Silhouette *f;* **sky-rocket** *itr* (*Preise*) in die Höhe klettern, emporschnellen; **sky•scraper** ['skaɪskreɪpə(r)] *s* Wolkenkratzer *m;* **sky•writing** *s* Himmelsschrift *f*

slab [slæb] *s* **1.** Platte, Tafel, Scheibe *f* **2.** (*Brot*) Scheibe *f* **3.** Stück *n* (Kuchen, Schokolade, Käse)

slack¹ [slæk] **I.** *adj* **1.** langsam, träge, lässig (*at* bei) **2.** (*Zeit*) flau, ruhig, still; (COM) flau, lustlos; (*Geschäft*) stagnierend; ruhig **3.** (*Seil*) schlaff, locker, lose **4.** nachlässig, sorglos, gleichgültig; **be ~ about s.th.** etw nachlässig handhaben, tun; **keep a ~ rein on s.th.** bei etw die Zügel schleifen lassen **II.** *s* **1.** (MAR) (das) Lose **2.** (*a.* COM) Stillstand *m,* Flaute *f;* **take up the ~ on s.th.** etw straffen **III.** *itr* bummeln, trödeln; **slack off** *itr* (*Eifer*) nachlassen; (*Geschäft*) zurückgehen

slack² [slæk] *s* Kohlengrus *m,* Staubkohle *f*

slacken ['slækən] **I.** *itr* **1.** schwächer werden, nachlassen, abflauen **2.** sich verlangsamen **3.** schlaffer, lockerer werden **4.** (*Widerstand*) erlahmen **5.** (COM) abflauen, stagnieren; (*Kurse*) abbröckeln **II.** *tr* **1.** abschwächen, mäßigen, verringern, vermindern **2.** lockern; **slacken off** *itr* **1.** nachlassen; abflauen; abnehmen **2.** (*Mensch*) nachlassen; sich schonen; **slacken•ing** ['slækənɪŋ] *s* Abnahme *f;* Abflauen *n;* Verlangsamung *f;* ~ **in business/demand** Rückgang *m* der Umsätze/der Nachfrage;

slacker ['slækə(r)] *s* Bummelant *m;*

slack•ness ['slæknɪs] *s* **1.** Trägheit *f* **2.** Flaute *f* **3.** Schlaffheit *f;* ~ **in business** Konjunkturflaute *f*
slacks [slæks] *s pl* Hose *f*
slag [slæg] *s* **1.** Schlacke *f* **2.** (*sl*) Schlampe *f;* **slag heap** *s* Schlackenhalde *f*
slain [sleɪn] *s.* **slay**
sla•lom ['slɑ:ləm] *s* Slalom *m*
slam [slæm] **I.** *tr* **1.** (*Tür*) zuschlagen **2.** scharf kritisieren; ~ **on the brake** plötzlich heftig bremsen; ~ **down** auf die Erde schleudern; (*Telefonhörer*) aufknallen; ~ **the door in s.o.'s face** jdm die Tür vor der Nase zuschlagen; ~ **the door on s.th.** (*fig*) etw unterbinden, blockieren **II.** *itr* **1.** (*Tür*) zuschlagen **2.** (*Whist*) Schlemm werden **III.** *s* **1.** Schlag *m;* Knall *m* **2.** (*Whist, Bridge*) Schlemm *m;* **slammer** ['ʃlæmə(r)] *s* (*sl*) Knast *m*
slan•der ['slɑ:ndə(r)] **I.** *s* Verleumdung, üble Nachrede *f* **II.** *tr* verleumden; **slander action** *s* Verleumdungsklage *f;* **slan•derer** ['slɑ:ndərə(r)] *s* Verleumder(in) *m(f);* **slan•der•ous** ['slɑ:ndərəs] *adj* verleumderisch
slang [slæŋ] **I.** *s* Slang *m;* Jargon *m* **II.** *tr* (*Br fam*) anschreien, beschimpfen, beleidigen; **slanging match** *s* gegenseitige Beschimpfung; **slangy** ['slæŋɪ] *adj* salopp
slant [slɑ:nt] **I.** *tr* **1.** schräg stellen, kippen **2.** abschrägen; abböschen **3.** (*fam*) tendenziös färben **II.** *itr* schräg sein; sich neigen **III.** *s* **1.** Hang *m;* Schräge, Neigung *f* **2.** (*fam*) Blickwinkel *m;* Ansicht(ssache), Meinung, Einstellung *f;* **at** [*o* **on**] **a** ~ schräg, schief, geneigt; **slant•ing** ['-ɪŋ] *adj* schief, geneigt, schräg
slap [slæp] **I.** *s* Klaps, Schlag *m;* **a** ~ **on the back** anerkennendes Schulterklopfen; **a** ~ **in the face** eine Ohrfeige; (*fig*) ein Schlag *m* ins Gesicht; ~ **and tickle** (*fam*) Schmusen *n* **II.** *tr* **1.** schlagen, e-n Klaps geben (*s.o.* jdm, *in the face* ins Gesicht, *on the cheek* auf die Backe) **2.** klatschen, knallen; ~ **s.o. on the back** jdm auf den Rücken klopfen; ~ **s.o.'s face** jdn ohrfeigen **III.** *adv* direkt, genau; **slap down** *tr* **1.** hinknallen **2.** (*jdn*) zusammenstauchen; **slap on** *tr* (*fam*) draufklatschen; (*Steuern, Geld*) draufhauen
slap-bang [ˌslæp'bæŋ] *adv* spornstreichs; direkt, genau; **slap•dash** ['slæpdæʃ] *adj* flüchtig; (*Arbeit*) schlampig; **slap•head** ['slæphed] *s* (*sl*) Glatzkopf *m fam;* **slap-jack** ['slæpˌdʒæk] *s* (*Am*) Pfannkuchen *m;* **slap•stick** ['slæpstɪk] *s* Klamauk, Slapstick *m;* **slapstick comedy** *s* Klamaukstück *n;* **slap-up** ['slæpʌp] *adj* (*fam*) erstklassig, prima; **a** ~ **meal** (*fam*) ein Essen *n* mit allem Drum und Dran
slash [slæʃ] **I.** *tr* **1.** (auf)schlitzen; zerschneiden **2.** (*Büsche, Unterholz*) abhauen **3.** einschlagen auf **4.** (*fam*) scharf kritisieren **5.** (*Preise*) heruntersetzen; (*fig*) (drastisch) kürzen, zusammenstreichen **II.** *itr* hauen (*at* nach), losschlagen (*at* auf) **III.** *s* **1.** Schnitt-, Hiebwunde *f* **2.** (*Kleid*) Schlitz *m* **3.** Schrägstrich *m;* **have a** ~ (*sl*) schiffen; **~-and-burn** Brandrodung *f;* **slash•ing** [-ɪŋ] *adj* erbarmungslos; (*Kritik*) vernichtend
slat [slæt] *s* Latte, Leiste *f*
slate [sleɪt] **I.** *s* **1.** Schiefer *m* **2.** Schieferplatte, -tafel *f* **3.** (*Am*) Kandidatenliste *f;* **on the** ~ (*fam*) auf Kredit; **have a clean** ~ (*fig*) e-e reine Weste haben; **wipe the** ~ **clean** (*fig*) reinen Tisch machen **II.** *adj* **1.** (*~-coloured*) schiefergrau **2.** aus Schiefer, Schiefer- **III.** *tr* **1.** mit Schiefer decken **2.** (*Am*) auf die Kandidatenliste setzen, vormerken, ausersehen (*for s.th.* für etw) **3.** (*fam*) scharf kritisieren, verreißen (*s.o.* jdn); ~ **s.th. for a time/for a place** (*Am*) etw für e-n Zeitpunkt festsetzen/für e-n Ort planen
slat•tern ['slætən] *s* Schlampe *f;* **slat-tern•ly** ['slætənlɪ] *adj* liederlich
slaty ['sleɪtɪ] *adj* schieferartig, -haltig; schieferfarben
slaugh•ter ['slɔ:tə(r)] **I.** *s* **1.** Schlachten *n* (*von Vieh*) **2.** bestialischer Mord; Gemetzel, Blutbad *n* **II.** *tr* **1.** (*Vieh*) schlachten **2.** (*Menschen*) niedermetzeln **3.** (SPORT) haushoch schlagen; **slaughter•house** *s* Schlachthaus *n*
Slav [slɑ:v] **I.** *s* Slawe *m,* Slawin *f* **II.** *adj* slawisch
slave [sleɪv] **I.** *s* Sklave *m,* Sklavin *f;* **be a** ~ **to duty** nur seine Pflicht kennen; **white** ~ **trade** Mädchenhandel *m;* **~-driver** Sklavenaufseher *m;* (*fig*) Leuteschinder *m;* ~ **labo(u)r** Sklavenarbeit *f;* die Sklaven *mpl;* ~ **trade** Sklavenhandel *m* **II.** *itr* schuften, sich abplacken
slaver ['slævə(r)] **I.** *itr* sabbern **II.** *s* Geifer *m*
slav•ery ['sleɪvərɪ] *s* Sklaverei *f a. fig*
Slavic, Slav•onic ['slɑ:vɪk, slə'vɒnɪk] **I.** *adj* slawisch **II.** *s* (das) Slawisch(e)
slav•ish ['sleɪvɪʃ] *adj* sklavisch
slay [sleɪ] <*irr:* slew, slain> *tr* (*Am*) erschlagen
sleaze [sli:z] *s* Anstößiges
sleazy ['sli:zɪ] *adj* **1.** (*Gewebe*) dünn **2.** (*fam*) schäbig
sled, sledge [sled, sledʒ] **I.** *s* Schlitten *m* **II.** *itr* Schlitten fahren; **go sledging** Schlitten fahren
sledge•ham•mer ['sledʒˌhæmə(r)] *s* Schmiede-, Vorschlaghammer *m;* (*fig*) Holzhammer *m*

sleek [sliːk] **I.** *adj* **1.** (*Haar*) weich, glatt u. glänzend **2.** (*Tier*) gepflegt **3.** (*fig*) gutaussehend, elegant; (*pej*) aalglatt **II.** *tr* glätten; pflegen

sleep [sliːp] <*irr:* slept, slept> **I.** *s* Schlaf *m;* **go to ~** einschlafen; **get some ~** schlafen; **get** [*o* **have**] **a good night's ~** richtig gut schlafen; **put s.o. to ~** jdn zum Schlafen bringen; **put a dog to ~** einen Hund einschläfern (lassen); **walk in one's ~** schlafwandeln **II.** *itr* schlafen *a. fig;* **~ like a log** [*o* **top**] wie ein Murmeltier [*o* **Stein**] schlafen; **~ late** lange (aus)schlafen; **~ rough** draußen schlafen **III.** *tr* **1.** schlafen **2.** Unterkunft bieten für, unterbringen; **~ the clock round** rund um die Uhr schlafen; **he didn't ~ a wink** er hat kein Auge zugetan; **~ the ~ of the just** den Schlaf des Gerechten schlafen; **sleep around** *itr* (*fam*) mit jedem ins Bett gehen; **sleep away** *tr* verschlafen; **sleep in** *itr* **1.** ausschlafen; verschlafen **2.** im Haus wohnen; **sleep off** *tr* ausschlafen; **sleep on** *itr* **1.** weiterschlafen **2.** be-, überschlafen (*s.th.* etw); **sleep out** *itr* **1.** draußen schlafen **2.** nicht im Hause wohnen; **sleep through** *itr* durchschlafen; **~ through s.th.** bei etw weiterschlafen; **~ through the alarm** den Wecker nicht hören; **sleep together** *itr* miteinander schlafen; **sleep with** *itr* schlafen mit *a. fig*

sleeper ['sliːpə(r)] *s* **1.** Schläfer(in) *m(f)* **2.** (*railway ~*) Schwelle *f* **3.** Schlafwagen *m;* Platz *m* im Schlafwagen; **be a good/bad ~** gut/schlecht schlafen; **be a heavy/light/sound ~** e-n festen/leisen/gesunden Schlaf haben; **sleeper plane** *s* Flugzeug *n* mit Schlafkojen

sleepi·ness ['sliːpɪnɪs] *s* Schläfrigkeit *f;* Verschlafenheit *f*

sleep·ing ['sliːpɪŋ] **I.** *adj* schlafend; **S~ Beauty** Dornröschen *n;* **let ~ dogs lie** (*prov*) schlafende Hunde soll man nicht wecken *prov* **II.** *s* Schlafen *n;* **sleeping accomodation** *s* Schlafgelegenheit *f;* **sleeping bag** *s* Schlafsack *m;* **sleeping car** *s* (RAIL) Schlafwagen *m;* **sleeping partner** *s* (*Br*) stiller Gesellschafter; **sleeping pill, sleeping tablet** *s* Schlaftablette *f;* **sleeping policeman** *s* Bodenschwelle *f;* **sleeping sickness** *s* Schlafkrankheit *f*

sleep·less ['sliːplɪs] *adj* schlaflos; **sleep-walk** *itr* schlafwandeln; **sleep-walker** *s* Schlafwandler(in) *m(f);* **sleepy** ['sliːpɪ] *adj* **1.** schläfrig, müde **2.** verschlafen **3.** (*fig*) still, ruhig, tot; **sleepy·head** *s* (*fam*) Schlafmütze *f*

sleet [sliːt] **I.** *s* (METE) Schneeregen *m* **II.** *itr:* **it was ~ing** es gab Schneeregen

sleeve [sliːv] *s* **1.** Ärmel *m* **2.** (TECH) Muffe, Buchse, Hülse, Tülle *f* **3.** (AERO) Windsack *m* **4.** Schallplattenhülle *f;* **have s.th.** [*o* **a card**] **up one's ~** etw auf Lager [*o* in petto] haben; **laugh up one's ~** sich ins Fäustchen lachen; **roll up one's ~s** die Ärmel aufkrempeln; sich ernstlich an die Arbeit machen; **wear one's heart on one's ~** das Herz auf der Zunge haben; **sleeve·less** ['sliːvlɪs] *adj* ärmellos

sleigh [sleɪ] **I.** *s* (Pferde)Schlitten *m* **II.** *itr* Schlitten fahren; **sleigh·ing-party** ['sleɪɪŋpɑːtɪ] *s* Schlittenfahrt, -partie *f*

sleight of hand [ˌslaɪtəv'hænd] *s* (Zauber)Kunststück *n;* Trick *m a. fig*

slen·der ['slendə(r)] *adj* **1.** schlank; schmal **2.** (*fig*) mager, dürftig; (*Mittel*) unzureichend; (*Einkommen*) gering; **his chances of winning are extremely ~** seine Gewinnchancen sind minimal; **slen·der·ize** [-aɪz] **I.** *tr* schlank machen **II.** *itr* schlank(er) werden

slept [slept] *s.* **sleep**

slew [sluː] *s.* **slay**

slice [slaɪs] **I.** *s* **1.** Scheibe, Schnitte, Tranche *f* **2.** (*fig*) Stück *n,* (An)Teil *m* **3.** (Torten)Schaufel *f* **4.** (SPORT) geschnittener Ball; **put a ~ on a ball** einen Ball anschneiden; **a ~ of luck** ziemliches Glück **II.** *tr* **1.** durchschneiden; aufschneiden, in Scheiben schneiden **2.** (*Ball*) anschneiden **III.** *itr* (*a.* SPORT) schneiden; **~ through s.th.** etw durchschneiden; **slice off** *tr* abschneiden; **slice up** *tr* in Scheiben schneiden, aufschneiden; aufteilen; **sliced** [slaɪst] *adj* geschnitten; aufgeschnitten; **the best thing since ~ bread** (*fig fam*) eine Wucht, eine tolle Sache; **slicer** ['slaɪsə(r)] *s* (Brot-, Wurst)Schneidemaschine *f*

slick [slɪk] **I.** *adj* **1.** (*Am*) (spiegel)glatt; schlüpfrig **2.** (*Haare*) geschniegelt **3.** (*fam*) raffiniert **4.** (*sl*) großartig **II.** *s* **1.** (*oil ~*) Ölteppich *m* **2.** (*Am*) Zeitschrift *f* auf Kunstdruckpapier; **slick back** *tr* glätten; **slick up** *tr* (*Am*) aufpolieren; herausputzen; auf Hochglanz bringen

slicker ['slɪkə(r)] *s* (*Am*) **1.** Ölhaut *f* (*Regenmantel*) **2.** (*fam*) gerissener Kerl, Schwindler *m*

slide [slaɪd] **I.** *s* **1.** Rutschbahn *f;* Rutsche *f* **2.** (PHOT) Dia(positiv) *n;* (*Mikroskop*) Objektträger *m* **3.** (TECH) Schlitten, Schieber *m* **4.** (*Posaune*) Zug *m;* (*Noten*) Schleifer *m* **5.** (*Br*) Haarspange *f* **6.** (*fig*) Abfall *m* **7.** (*land~*) (Erd)Rutsch *m* **II.** *tr* schieben; gleiten lassen **III.** *itr* **1.** rutschen; schlittern **2.** sich schieben lassen **3.** (*fig: Mensch*) schleichen **4.** (FIN) absinken, nachgeben; **the day slid by** der Tag verging wie im Nu;

~ **into bad habits** schlechte Angewohnheiten annehmen; **let things** ~ alles schleifen lassen; **slide control** *s* Schieberegler *m;* **slide fastener** *s* (*Am*) Reißverschluss *m;* **slide projector** *s* Diaprojektor *m;* **slide rule** *s* Rechenschieber *m;* **slid·ing** [-ɪŋ] *adj* gleitend; (*Tür, Dach*) Schiebe-; **a** ~ **scale** eine gleitende Skala

slight [slaɪt] **I.** *adj* **1.** schlank, dünn, schmächtig **2.** (*Person*) zart, schwach **3.** (*Erkältung*) leicht **4.** klein, geringfügig, unbedeutend, unwesentlich, belanglos **5.** (*Eindruck*) oberflächlich **6.** (*Unterschied*) klein; **not in the ~est** nicht im Geringsten **II.** *tr* kränken; geringschätzig behandeln **III.** *s* Kränkung *f;* Missachtung *f* (*on his work* seiner Arbeit); **slight·ly** ['-lɪ] *adv* ein wenig, etwas, leicht

slim [slɪm] **I.** *adj* **1.** schlank; schmächtig **2.** gering(fügig), schwach **II.** *tr* schlank machen **III.** *itr* abnehmen

slime [slaɪm] *s* Schleim *m*

slim·mer ['slɪmə(r)] *s* Kalorienzähler(in) *m(f);* **slim·ming** ['slɪmɪŋ] **I.** *s* Abnehmen *n* **II.** *adj* schlank machend; **be** ~ schlank machen; **be on a** ~ **diet** e-e Abmagerungskur machen; **black is a** ~ **colour** schwarz macht schlank

slimy ['slaɪmɪ] *adj* **1.** schleimig *a. fig,* glitschig; schmierig **2.** (*fig*) widerlich, ekelhaft

sling [slɪŋ] <*irr:* slung, slung> **I.** *s* **1.** (Stein)Schleuder *f* **2.** (MED) Schlinge *f* **3.** (*zum Tragen*) Schlinge *f;* (Gewehr-, Trag)Riemen *m* **4.** Babytragetasche *f* **II.** *tr* **1.** schleudern, werfen **2.** hochziehen **3.** (*Gewehr*) um-, überhängen; ~ **one's hook** (*fam*) abhauen; ~ **mud at s.o.** (*fam*) jdn mit Schmutz bewerfen; ~ **s.o. out** (*fam*) jdn rausschmeißen; ~ **s.th. out** (*fam*) etw wegschmeißen; **sling·shot** *s* Schleuder *f*

slink [slɪŋk] <*irr:* slunk, slunk> *itr* schleichen; ~ **about** umherschleichen; ~ **away** [*o* **off**] wegschleichen; sich davonstehlen

slinky ['slɪŋkɪ] *adj* (*fam*) aufreizend; katzenhaft

slip [slɪp] **I.** *itr* **1.** schlüpfen (*into a coat* in e-n Mantel) **2.** schleichen **3.** gleiten (*through the water* durch das Wasser) **4.** ausgleiten, -rutschen (*on the ice* auf dem Eis) **5.** (*Geheimnis*) herausrutschen **6.** (*fig*) abgleiten, absinken, nachlassen; **let s.th.** ~ **through one's fingers** sich etw entgehen lassen; ~ **through s.o.'s fingers** jdm durch die Finger schlüpfen; jdm entgehen; **I let it** ~ das ist mir (so) entfahren; **don't let the chance** ~ lassen Sie sich die Gelegenheit nicht entgehen **II.** *tr* **1.** gleiten lassen; schieben **2.** hineinstecken (*into* in), schnell, unbemerkt stecken, drücken (*into* in) **3.** (*Geld*) zustecken (*s.o.* jdm) **4.** (*Maschen*) ungestrickt abheben **5.** (*Bemerkung*) nicht unterdrücken können **6.** übersehen, verpassen, sich entgehen lassen **7.** entschwinden, entfallen (*the mind, memory* dem Gedächtnis) **8.** sich losreißen von; losmachen; ~ **a disc** einen Bandscheibenschaden bekommen; ~ **the clutch** (MOT) die Kupplung schleifen lassen; ~ **s.o.'s mind** jdm entfallen; ~ **s.o.'s notice** jdm entgehen **III.** *s* **1.** Ausgleiten, -rutschen *n* **2.** Un(glücks)fall *m* **3.** Fehltritt *m;* Irrtum *m,* Versehen *n,* Schnitzer, Fehler *m;* Versprechen *n;* Verschreiben *n* **4.** (AERO) Schlipp *m* **5.** geschlämmter Ton **6.** Unterkleid *n,* -rock *m* **7.** (*pillow* ~) Kissenbezug *m* **8.** Spross, Trieb, Schössing *m,* Steckreis *n* **9.** Zettel *m;* (COM) Beleg, Abschnitt *m;* (*Versicherung*) Deckungszusage *f* **10.** **~s** (THEAT) Bühnenloge *f;* **give s.o. the** ~ jdm entwischen; **it was a** ~ **of the tongue** ich habe mich versprochen; (*fam*) es ist mir herausgerutscht; **a** (**mere**) ~ **of a boy/girl** ein schmächtiges Kerlchen/zartes Ding; ~ (**of paper**) Zettel *m;* ~ **of the pen** Schreibfehler *m;* **slip away** *itr* **1.** sich davonstehlen **2.** (*Zeit*) vergehen; (*Chancen*) schwinden; **slip back** *itr* sich zurückschleichen; (*Produktion*) zurückgehen; (*Patient*) einen Rückfall haben; ~ **back into old habits** in alte Gewohnheiten zurückfallen; **slip by, slip away, slip past** *itr* **1.** (*Zeit*) im Fluge, unmerklich vergehen **2.** sich vorbeischleichen (*s.o.* an jdm); **slip down** *itr* **1.** hinunterrutschen (*s.th.* über etw) **2.** sich hinunterstehlen (*s.th.* über etw); **slip from** *itr* gleiten aus (*one's hand* der Hand); **slip in** **I.** *tr* (*Wort*) einfließen lassen **II.** *itr* sich einschleichen; **slip into** *itr* **1.** abgleiten (*s.th.* in etw) **2.** sich einschleichen (*s.th.* in etw) **3.** (*Kleidung*) eilig schlüpfen (*s.th.* in etw) **4.** sich verwandeln (*s.th.* in etw) **5.** gleiten lassen (*s.th.* etw in etw); **slip off** **I.** *tr* **1.** hinausschlüpfen aus (*e-m Kleidungsstück*), ausziehen **2.** herunterrutschen (*s.th.* von etw) **II.** *itr* sich davonmachen; **slip on** *tr* hineinschlüpfen in (*ein Kleidungsstück*), anziehen, überziehen; **slip out** *itr* **1.** kurz weggehen **2.** (*Geheimnis*) herausrutschen; **slip over** *itr* gleiten, rutschen (*s.th.* über etw); ~ **one over on s.o.** jdn hereinlegen, übers Ohr hauen; **slip up** *itr* einen Fehler machen

slip car·riage, slip coach ['slɪpˌkærɪdʒ, 'slɪpkəʊtʃ] *s* (RAIL) abhängbarer Wagen; **slip·case** *s* Schuber *m;* **slip·cover** *s* (*Am*) Überzug *m;* **slip·knot** *s* Laufknoten *m;* **slip-on, slip·over** ['slɪpɒn, 'slɪpˌəʊvə(r)] *s* Pullunder *m*

slip·per ['slɪpə(r)] *s* Hausschuh *m;* Pantoffel *m*

slip•pery ['slɪpərɪ] *adj* **1.** schlüpfrig, glatt, glitschig **2.** (*fig*) unsicher, unzuverlässig; **the ~ slope** (*fig*) die schiefe Bahn

slip road ['slɪprəʊd] *s* **1.** Zufahrt **2.** (*Autobahn*) Auffahrt, Ausfahrt *f;* **slip•shod** ['slɪpʃɒd] *adj* (*fig*) schlampig, nachlässig, gleichgültig; **slip•stream** **I.** *s* (AERO) Luftschraubenstrahl *m;* (MOT) Windschatten *m* **II.** *itr* im Windschatten fahren; **slip-up** ['slɪpʌp] *s* (*fam*) Schnitzer *m;* Panne *f;* **slip•way** ['slɪpweɪ] *s* (MAR) Helling *f*

slit [slɪt] <*irr:* slit, slit> **I.** *tr* (auf)schlitzen, aufschneiden **II.** *s* Schlitz, Spalt *m;* Schießscharte *f;* **slit**(**ty**)**-eyed** ['slɪt(ɪ)aɪd] *adj* (*pej*) schlitzäugig

slither ['slɪðə(r)] *itr* **1.** rutschen **2.** (*Schlange*) kriechen; **slithery** ['slɪðərɪ] *adj* schlüpfrig, glatt

sliver ['slɪvə(r)] *s* Splitter, Span *m*

slob [slɒb] *s* (*fam*) Schmutzfink *m*

slob•ber ['slɒbə(r)] *itr* sabbeln; geifern; **slob•bery** ['slɒbərɪ] *adj* glitschig, nass

sloe [sləʊ] *s* Schlehe *f*

slog [slɒg] **I.** *itr* **1.** schwer arbeiten, schuften *fam* **2.** schlagen (*at* auf) **3.** (*~ on*) schwerfällig gehen; ~ **through s.th.** durch etw stapfen; ~ **away** sich abrackern (*at* mit) **II.** *tr* hart schlagen **III.** *s* **1.** (heftiger) Schlag *m* **2.** (*fam*) Schufterei *f*

slo•gan ['sləʊgən] *s* **1.** Slogan *m;* Wahlspruch *m;* Schlagwort *n* **2.** (COM) Werbespruch *m*

sloop [slu:p] *s* (MAR) Schaluppe *f;* Geleitboot *n*

slop [slɒp] **I.** *s* **1.** (*fam*) Schmalz *m* **2.** **~s** Spülwasser *a. fig,* Spülicht *n* **3.** (dünne) Brühe *f* **II.** *itr* **1.** (*~ over*) überlaufen, -fließen, -schwappen **2.** (*~ about*) herumschlurfen **III.** *tr* verschütten; vergießen; schütten; **slop basin** *s* Schale *f* für Kaffeesatz, Teeblätter

slope [sləʊp] **I.** *s* **1.** (Ab)Hang *m;* Böschung *f* **2.** Neigung *f;* Gefälle *n;* Schräge *f;* **ski ~** Piste *f;* **on a ~** am Hang **II.** *itr* **1.** (*~ down*) schräg abfallen **2.** sich neigen **3.** (*fam*) schlendern **III.** *tr* neigen, schräg legen; **slope away** *itr* **1.** abfallen **2.** (*fam*) abhauen; **slope down** *itr* sich neigen, abfallen; **slope off** *itr* (*fam*) abhauen; **slope up** *itr* **1.** (*Straße*) ansteigen **2.** heranschlendern; ~ **up to s.o.** auf jdn zuschlendern; **slop•ing** [-ɪŋ] *adj* ansteigend; abfallend; (*Decke, Boden*) schräg; (*Schultern*) hängend; (*Garten*) am Hang (gelegen)

slop•pi•ness ['slɒpɪnəs] *s* Schlampigkeit *f;* Nachlässigkeit *f;* **sloppy** ['slɒpɪ] *adj* **1.** matschig, nass **2.** (*fam*) schlampig, liederlich; nachlässig **3.** (*fam*) schmalzig, sentimental; **do ~ work** pfuschen

slosh [slɒʃ] **I.** *itr* (*fam*) **1.** herumpatschen; herumspritzen **2.** überschwappen **II.** *tr* (*fam*) schlagen; **sloshed** [slɒʃt] *adj* (*Br sl*) besoffen

slot [slɒt] *s* **1.** Kerbe *f,* Einschnitt *m* **2.** Schlitz, (Münz)Einwurf *m* **3.** (RADIO TV) (Sende)Zeit *f,* in der ein bestimmtes Programm gesendet wird; **put money in the ~** Geld einwerfen; **have a ~ for s.th.** etw einfügen können; **slot in** **I.** *tr* hineinstecken; einfügen; unterbringen **II.** *itr* sich einfügen lassen; ~ **s.o. into a company** jdn bei einer Firma unterbringen; ~ **s.o. into an image** jdn in ein bestimmtes Image einordnen; ~ **commercials in** Werbespots einbauen; **slot together** **I.** *itr* zusammenpassen **II.** *tr* zusammenfügen

sloth [sləʊθ] *s* **1.** Faulheit, Trägheit *f* **2.** (ZOO) Faultier, Ai *n;* **sloth•ful** ['sləʊθfl] *adj* faul, träge

slot ma•chine ['slɒtməʃi:n] *s* (Waren-, Spiel)Automat *m;* **slot meter** *s* Münzzähler *m*

slouch [slaʊtʃ] **I.** *itr* lässig, schlacksig herumsitzen, -stehen; sich hinflegeln; herumlungern **II.** *s* **1.** schlaffe, schlechte Haltung **2.** schwerfälliger Gang **3.** (*~ hat*) Schlapphut *m* **4.** (*fam*) Flasche, Niete *f;* **be no ~** (*fam*) was loshaben (*at* in)

slough[1] [slʌf] **I.** *s* (abgeworfene Schlangen)Haut *f* **II.** *tr* **1.** (*~ off*) abwerfen, -stoßen **2.** (*fig: Angewohnheit*) ablegen, loswerden **3.** (*fig*) aufgeben

slough[2] [slaʊ, *Am* slu:] *s* Sumpf, Morast *m;* **the S~ of Despond** Hoffnungs-, Mutlosigkeit *f*

Slo•vak ['sləʊvæk] **I.** *adj* slowakisch **II.** *s* **1.** Slowake *m,* Slowakin *f* **2.** (das) Slowakisch(e); **Slo•vak•ia** [sləʊ'vækɪə] *s* die Slowakei

sloven ['slʌvn] *s* Schlampe *f,* Schlamper *m;* **sloven•ly** [-lɪ] *adj* schlampig

Slo•vene ['sləʊvi:n], **Slo•ven•ian** [sləʊ'vi:nɪən] **I.** *adj* slowenisch **II.** *s* **1.** Slowene *m,* Slowenin *f* **2.** (das) Slowenisch(e); **Slo•ven•ia** [sləʊ'vi:nɪə] *s* Slowenien *n*

slow [sləʊ] **I.** *adj* **1.** langsam **2.** schleppend, träge **3.** (*Markt*) flau **4.** schwerfällig, schwer von Begriff *fam* **5.** (*Uhr*) nachgehend **6.** (*Fieber*) schleichend **7.** (*Feuer*) schwach **8.** (COM: *Zahler*) säumig, unpünktlich **9.** (*Film*) unempfindlich **10.** (MUS) breit, gedehnt; ~ **off the mark** [*o* **on the uptake**] schwer von Begriff; **be ~** (*Uhr*) nachgehen; **cook on a ~ fire** auf kleiner Flamme kochen; **he's ~ in catching on** er hat e-e lange Leitung; **it's ~ work** das geht langsam (voran); **he is a ~ worker/reader** er arbeitet/liest langsam;

be ~ **to do s.th.** sich bei etw Zeit lassen; **not to be ~ to do s.th.** etw schnell tun **II.** *adv* langsam; **go ~** langsam fahren; (*Arbeiter*) einen Bummelstreik machen **III.** *itr:* **~ to a stop** langsam anhalten **IV.** *tr* verlangsamen; **slow down I.** *itr* langsamer werden, sich verlangsamen; (*Inflation*) abnehmen **II.** *tr* verlangsamen; (*Motor*) drosseln; (*fig*) verzögern; **~ the car down** langsamer fahren

slow·coach ['sləʊkəʊtʃ] *s* Schlafmütze *f;* **slow·down** ['sləʊdaʊn] *s* **1.** Verlangsamung *f* **2.** Konjunkturrückgang *m;* **~ (strike)** (*Am*) Bummelstreik, Dienst *m* nach Vorschrift; **slow·ly** ['sləʊlɪ] *adv* langsam; **slow-motion I.** *adj* in Zeitlupe **II.** *s* Zeitlupe *f;* **slow-mov·ing** [ˌsləʊ'mu:vɪŋ] *adj* langsam vorankommend; (*Verkehr*) kriechend; (*Handlung*) langatmig; **slow·ness** ['sləʊnɪs] *s* **1.** Langsamkeit *f* **2.** Trägheit *f;* Schwerfälligkeit *f* **3.** Begriffsstutzigkeit *f;* **slow·poke** ['sləʊˌpəʊk] *s* (*Am fam*) Schlafmütze *f;* **slow train** *s* (*Br*) Bummelzug *m;* **slow-witted** [ˌsləʊ'wɪtɪd] *adj* begriffsstutzig; **slow-worm** *s* (ZOO) Blindschleiche *f*

SLR [ˌesel'ɑ:(r)] *s abbr of* **single-lens reflex (camera)** Spiegelreflexkamera *f*

sludge [slʌdʒ] *s* **1.** (Schnee)Matsch *m;* Schlamm *m* **2.** (TECH) (Klär)Schlamm *m;* **sludge digestion** *s* Schlammfaulung *f;* **sludge gas** *s* Faul-, Klärgas *n;* **sludge gulper** *s* Klärschlammabfuhrwagen *m*

slue¹ [slu:] **I.** *itr* sich drehen **II.** *tr* drehen

slue² [slu:] *s* (*Am fam*) (gewaltige) Menge, Masse *f*

slug¹ [slʌg] *s* Nacktschnecke *f*

slug² [slʌg] *s* **1.** (TYP) Zeilenguss *m,* Reglette *fpl,* Durchschuss *m* **2.** (*fam*) Schluck *m* **3.** Kugel *f*

slug³ [slʌg] **I.** *tr* (*fam*) hart schlagen **II.** *s* (*fam*) harter Schlag; **give s.o. a ~** jdm eine knallen

slug·gard ['slʌgəd] *s* Faulpelz *m;* **slug·gard·ly** [-lɪ] *adj* faul

slug·gish ['slʌgɪʃ] *adj* **1.** träge; langsam **2.** (COM) schleppend; stagnierend **3.** (TECH) zähflüssig

sluice [slu:s] **I.** *s* **1.** Schleuse *f* **2.** Rinne *f,* Graben *m* **II.** *itr* herausströmen **III.** *tr* **1.** (*~ out, down*) waschen; abspritzen; ab-, auswaschen, ausspülen **2.** (*Erz*) waschen; **sluice·gate** *s* Schleusentor *n;* **sluice-way** *s* Schleusenkanal *m*

slum [slʌm] **I.** *s* **1.** Elendsquartier *n* **2.** **~s** Elendsviertel *n* **3.** (*fig*) Saustall *m* **II.** *tr, itr:* **~ it** primitiv leben

slum·ber ['slʌmbə(r)] **I.** *itr* (*lit*) schlummern, schlafen *a. fig* **II.** *s oft pl* (*lit*) Schlummer *m*

slum child ['slʌmtʃaɪld] <*pl* -children> *s* Slumkind *n;* **slum clearance** *s* Beseitigung *f* der Slums, Stadtsanierung *f;* **slum dweller** *s* Slumbewohner(in) *m(f)*

slump [slʌmp] **I.** *itr* **1.** (*~ down*) zusammensinken, zusammensacken **2.** (*fig: Preise*) (plötzlich) fallen, sinken, nachlassen **3.** (*Absatz*) abnehmen, fallen **4.** sich fallen lassen (*into a chair* auf e-n Stuhl) **II.** *s* **1.** (plötzliches) Nachlassen, Absinken *n* **2.** (Preis-, Kurs)Sturz, Konjunktureinbruch *m;* **~ in prices** Preisverfall *m;* **~ in production** Produktionsrückgang *m*

slung [slʌŋ] *s.* **sling**

slunk [slʌŋk] *s.* **slink**

slur [slɜ:(r)] **I.** *tr* **1.** undeutlich, nachlässig aussprechen **2.** (MUS) binden, halten **3.** (*~ over*) oberflächlich behandeln, hinweggehen über (*s.th.* etw) **II.** *s* **1.** undeutliche Aussprache **2.** (*fig*) Makel *m;* Verunglimpfung *f* **3.** (MUS) Bindung *f;* Bindebogen *m*

slurp [slɜ:p] *itr, tr* (*fam*) schlürfen

slurry ['slʌrɪ] *s* Jauche, Gülle *f*

slush [slʌʃ] *s* Schneematsch *m;* Matsch, Morast, Schlamm *m;* (*fig*) Kitsch *m;* **slush fund** *s* Bestechungs-, Schmiergelder *npl;* **slushy** ['slʌʃɪ] *adj* matschig; (*fig*) sentimental

slut [slʌt] *s* **1.** Schlampe *f* **2.** Flittchen *n;* **slut·tish** ['-ɪʃ] *adj* liederlich

sly [slaɪ] *adj* **1.** schlau, verschlagen **2.** falsch, hinterhältig; **on the ~** heimlich

smack¹ [smæk] **I.** *s* **1.** (leichter) Geschmack, Beigeschmack *m a. fig* **2.** (*fig*) (schwache) Spur, Andeutung *f,* Anflug *m* **II.** *itr* **1.** schmecken, *fig* riechen (*of* nach) **2.** e-n Anflug haben (*of* von)

smack² [smæk] **I.** *s* **1.** (*~ on the lips*) Schmatz *m,* lauter Kuss **2.** Schmatzen *n* **3.** (*Peitsche*) Knallen *n* **4.** Klaps, Schlag *m* **5.** (*sl*) Heroin *n;* **have a ~ at s.th.** (*fam*) etw probieren; **a ~ in the eye** (*fam*) ein Schlag ins Kontor, ein Misserfolg *m* **II.** *tr* (klatschend) schlagen; **~ s.o.'s bottom** jdm den Hintern versohlen; **~ one's lips** schmatzen **III.** *adv* direkt; **smacker** ['smækə(r)] *s* **1.** (*fam: Kuss*) Schmatzer *m* **2.** Klaps *m* **3.** (*sl*) Dollar *m;* Pfund (Sterling) *n;* **smack·ing** ['smækɪŋ] *s* Tracht *f* Prügel

small [smɔ:l] **I.** *adj* **1.** klein **2.** gering **3.** (*Zahl*) niedrig **4.** (*Vermögen*) bescheiden **5.** (*Trost*) schwach, schlecht **6.** geringfügig, unbedeutend **7.** (*Mensch*) kleinlich **8.** (*Stimme*) schwach **9.** (*obs: Bier*) schwach, dünn; **in a ~ voice** kleinlaut; **in a ~ way** in bescheidenem Umfang; **on the ~ side** etwas zu klein; **feel ~** kleinlaut sein; **the ~est possible amount** so wenig wie möglich; **that was no ~ success** das war ein beachtlicher Erfolg **II.** *s pl* (*Br*) Unterwäsche *f;* **the ~ of the back** das Kreuz; **small ads** *s pl* Kleinanzeigen *fpl;* **small arms** *s pl* Handfeuerwaffen *fpl;* **small beer** *s* (*obs*) Dünnbier *n;* (*fig*) Kleinigkeit *f;* kleiner Wicht; **small business** *s* Kleinbetriebe *mpl;* **small businessman** *s* Kleinunternehmer *m;* **small change** *s* Klein-, Wechselgeld *n;* **small claims court** *s* (*Br*) ≈Amtsgericht *n;* **small fry** *s pl* kleine Fische *mpl a. fig;* **small•hold•er** ['smɔːlˌhəʊldə(r)] *s* Kleinbauer *m;* **small•hold•ing** ['smɔːlˌhəʊldɪŋ] *s* Kleinbesitz *m;* **small hours** *s pl* frühe Morgenstunden *fpl;* **small intestine** *s* Dünndarm *m;* **smallish** ['smɔːlɪʃ] *adj* ziemlich klein; **small loan** *s* Kleinkredit *m;* **small-minded** [ˌsmɔːl'maɪndɪd] *adj* kleinlich, engstirnig; **small•ness** ['smɔːlnɪs] *s* Kleinheit *f;* (*fig*) Bescheidenheit *f;* (*pej*) Kleinlichkeit *f;* **small•pox** ['smɔːlpɒks] *s* Pocken *pl;* **small print** *s* (das) Kleingedruckte; **small-scale** *adj* Klein-, in kleinem Maßstab; **small screen** *s* (*fam* TV) Bildschirm *m;* **small talk** *s* (höfliche), Konversation *f;* **small-time** *adj* (*fam*) klein; nebensächlich, belanglos, unbedeutend; ~ **crooks** kleine Gauner *mpl*

smarmy ['smɑːmɪ] *adj* (*fam*) glatt, kriecherisch

smart [smɑːt] **I.** *adj* **1.** schick; flott; gepflegt **2.** klug, gewitzt; raffiniert; (*pej*) besonders gescheit **3.** schnell, flink, fix; **get ~** (*Am fam*) sich zusammenreißen; **get ~ with s.o.** (*fam*) jdm frech kommen; **he thinks it's ~ to do that** er kommt sich dabei toll vor; **look ~!** beeil dich! **II.** *itr* brennen; ~ **under s.th.** (*fig*) unter etw leiden **III.** *s* Schmerz *m;* Brennen *n;* **smart alec(k)** ['smɑːt'ælɪk] *s* Besserwisser(in) *m(f);* **smart•arse** ['smɑːtˌɑːs] *s,* **smart•ass** ['smɑːtˌæs] *s* (*Am*) Klugscheißer *m;* **smart card** *s* Chipkarte, Smart Card *f;* **smarten** ['smɑːtn] **I.** *tr* (~ *up*) auffrischen, -polieren, herausputzen; ~ **o.s. up** sich schön machen **II.** *itr* **1.** frisch, sauber, schöner werden **2.** aufleben, in Schwung kommen; **smartness** ['smɑːtnɪs] *s* **1.** Schick *m;* Eleganz *f* **2.** Schlauheit, Gerissenheit *f* **3.** Gewandtheit, Tüchtigkeit *f;* **smart weapon** *s* computergesteuerte Waffe

smash [smæʃ] **I.** *tr* **1.** zerschmettern (*s.th. against the wall* etw an der Wand), zerschlagen **2.** (*Fenster*) einwerfen, -schlagen **3.** (vernichtend) schlagen, (schwer) treffen, ruinieren **4.** (*Tennis*) schmettern; ~ **to bits** in tausend Stücke zerbrechen, zerschlagen **II.** *itr* **1.** zerbrechen; zerschellen **2.** (~ *into s.th.*) prallen (*into s.th.* gegen etw) **3.** (*fig fam*) Bankrott machen, Pleite gehen **III.** *s* **1.** heftiger Schlag **2.** (*Tennis*) Schmetterball *m* **3.** Zerbrechen, Zerkrachen *n;* Knall *m* **4.** Zusammenstoß *m* **5.** Zusammenbruch, Bankrott *m;* **smash in** *tr* einschlagen; **smash up I.** *tr* zertrümmern; (*Gesicht*) übel zurichten; (*Auto*) zu Schrott fahren **II.** *itr* kaputt gehen; zerschellen; **smash-and-grab raid** [ˌsmæʃn'græbreɪd] *s* Schaufenstereinbruch *m;* **smashed** [smæʃt] *adj* (*sl: betrunken*) völlig zu; **smasher** ['smæʃə(r)] *s* **1.** Knüller *m,* Bomben-, Pfundssache *f* **2.** Pfundskerl *m,* Prachtmädel *n;* **smash hit** *s* Bombenerfolg *m;* **smash•ing** ['smæʃɪŋ] *adj* (*fam*) toll, fantastisch; **smash-up** ['smæʃʌp] *s* **1.** Unfall *m* **2.** (*Am*) Pleite *f;* **car ~** Autozusammenstoß *m*

smat•ter•ing ['smætərɪŋ] *s* oberflächliche Kenntnis (*in, of+gen*); **a ~ of German** ein paar Brocken Deutsch

smear [smɪə(r)] **I.** *tr* **1.** schmieren; verschmieren; beschmieren; einschmieren (*with* mit) **2.** verwischen **3.** (*fig*) verleumden **II.** *itr* verschmieren; (*Kugelschreiber*) schmieren; (*Tinte*) verlaufen **III.** *s* **1.** (Schmier-, Schmutz)Fleck *m* **2.** (MED) Abstrich *m* **3.** (*fig*) Verleumdung *f;* ~ **of blood/paint** Blut-/Farbfleck *m;* ~ **campaign** Schmutz-, Verleumdungskampagne *f;* ~ **test** (MED) Abstrich *m;* **smeary** ['smɪərɪ] *adj* **1.** schmierig, schmutzig **2.** schmierend

smell [smel] <*irr:* **smelt (smelled), smelt (smelled)**> **I.** *tr* **1.** riechen **2.** wittern *a. fig* **3.** beriechen, beschnuppern; ~ **a rat** (*fig*) Lunte riechen **II.** *itr* **1.** riechen (*at* an, *of* nach), duften; stinken *a. fig* **2.** (*fig*) hindeuten (*of* auf), erinnern (*of* an); ~ **to high heaven** zum Himmel stinken **III.** *s* **1.** Geruch(ssinn) *m* **2.** Geruch, Duft *m* **3.** Gestank *m;* **smell out** *tr* **1.** aufstöbern, aufspüren; (*Verschwörung*) aufdecken **2.** verpesten; **smell•ing bottle** ['smelɪŋˌbɒtl] *s* Riechfläschchen *n;* **smell•ing salts** ['smelɪŋsɔːlts] *s* Riechsalz *n;* **smelly** ['smelɪ] *adj* (*fam*) stinkend

smelt¹ [smelt] *tr* schmelzen, verhütten; ~ **down** einschmelzen

smelt² [smelt] *s.* **smell**

smile [smaɪl] **I.** *itr, tr* lächeln; ~ **at s.o.** jdn anlächeln, anlachen; ~ **at s.th.** über etw lächeln; ~ **on s.o.** (*fig*) jdm lachen; ~ **with joy/happiness** vor Freude/Glück strahlen; **keep smiling!** lass dich nicht unterkriegen!; ~ **one's thanks** dankbar lächeln; ~ **a friendly** ~ freundlich lächeln **II.** *s* Lächeln *n;* **give s.o. a ~** jdm zulächeln; **come on, give me a ~!** lach doch mal; **be all ~s** übers ganze Gesicht strahlen; **smiling** ['-ɪŋ] *adj* lächelnd

smirch [smɜːtʃ] **I.** *tr* (*fig*) Schande machen

(*s.o.* jdm) **II.** *s* (*fig*) Schandfleck *m*
smirk [smɜ:k] **I.** *itr* grinsen, hämisch lächeln **II.** *s* Grinsen *n*
smith [smɪθ] *s* Schmied *m*
smith•er•eens [ˌsmɪðəˈri:nz] *s:* **in ~** in tausend Stücken; **smash to ~** in Stücke schlagen
smithy [ˈsmɪðɪ] *s* Schmiede *f*
smit•ten [ˈsmɪtn] *adj* **1.** heimgesucht (*with* von) **2.** (*fam*) verknallt, verliebt (*with* in)
smock [smɒk] *s* **1.** (Arbeits)Kittel *m* **2.** Schürzenbluse *f;* **smock•ing** [ˈ-ɪŋ] *s* Smokarbeit *f*
smog [smɒg] *s* Smog *m;* **smog alert, smog warning** *s* Smogalarm *m*
smoke [sməʊk] **I.** *s* Rauch, Qualm *m;* **go up in ~** (*fig*) in Rauch aufgehen; ergebnislos verlaufen; wütend werden; **have a ~** (eine) rauchen; Haschisch rauchen; **have you got a ~?** hast du was zu rauchen? **II.** *itr* rauchen; qualmen; Haschisch rauchen **III.** *tr* **1.** rauchen **2.** (*Lebensmittel*) räuchern; **smoke out** *tr* **1.** ausräuchern **2.** (*fam*) verräuchern, einräuchern; **smoke bomb** *s* Rauchbombe *f;* **smoked** [sməʊkt] *adj* geräuchert; Räucher-; (*Glas*) Rauch-; **~ salmon** Räucherlachs *m;* **smoke detector** *s* Rauchmelder *m;* **smoke-dried** [ˈsməʊkdraɪd] *adj* geräuchert; **smoke•less** [ˈsməʊklɪs] *adj* rauchlos; (*Gebiet*) rauchfrei; **smoker** [ˈsməʊkə(r)] *s* **1.** Raucher(in) *m(f)* **2.** Raucherabteil *n;* **smoke room** *s* Rauchsalon *m;* **smoke-screen** *s* (MIL) Rauch-, Nebelwand *f;* (*fig*) Vernebelung *f;* **smoke shell** *s* Nebelgranate *f;* **smoke signal** *s* Rauchsignal *n;* **smoke•stack** *s* Schornstein *m;* Schlot *m;* **~ industry** Schornsteinindustrie *f;* **smoke-stained** [ˈsməʊksteɪnd] *adj* rauchgeschwärzt
smok•ing [ˈsməʊkɪŋ] *s* Rauchen *n;* **no ~!** Rauchen verboten!; **smoking car** *s* (*Am*), **smoking compartment** *s* (RAIL) Raucherabteil *n;* **smoking jacket** *s* Hausjacke *f*
smoky [ˈsməʊkɪ] *adj* **1.** (*Feuer*) qualmend **2.** rauchig; verräuchert **3.** rauchgeschwärzt; **smol•der** (*Am*) *s.* **smoulder**
smooch [smu:tʃ] *itr* (*fam*) schmusen, knutschen
smooth [smu:ð] **I.** *adj* **1.** glatt; (*Oberfläche*) eben; (*See*) ruhig **2.** (*Haare, Haut*) weich **3.** (*Paste, Teig*) sämig; (*Soße*) glatt **4.** (*Reise, Überfahrt, Flug*) ruhig; (*Start, Landung*) glatt, weich; (*Atmung*) gleichmäßig **5.** (*Ablauf*) reibungslos, glatt **6.** (*Getränk*) mild **7.** (*Stil*) flüssig, glatt; (*Ton*) sanft; (*Redeweise*) flüssig **8.** (*Benehmen, Verkäufer*) glatt, geschliffen, aalglatt; kühl *pej* **9.** (*fam*) gepflegt, fesch **10.** (*Tennis*) glatt, weich **11.** (*Motor, Getriebe*) leichtgängig; **have a ~ manner** [*o* **tongue**] aalglatt sein; **~ operator** Schlawiner *m,* Schlitzohr *n;* **make things ~ for s.o.** jdm die Schwierigkeiten aus dem Weg räumen **II.** *s:* **give s.th. a ~** etw glatt streichen; **take the rough with the ~** das Gute wie das Schlechte hinnehmen **III.** *tr* glätten; (*fig*) besänftigen; **smooth away** *tr* glätten; (*fig*) besänftigen; **smooth down** **I.** *tr* **1.** glatt streichen; zurechtmachen **2.** (*fig*) beruhigen, beschwichtigen **II.** *itr* sich glätten; sich beruhigen; **smooth over** *tr* gerade biegen
smoothie, smoothy [ˈsmu:ðɪ] *s* (*fam pej*) Lackaffe *m;* **smooth•ness** [ˈsmu:ðnɪs] *s* **1.** Glätte *f* **2.** Geschmeidigkeit *f* **3.** Sanftheit *f* **4.** (*fig*) Eleganz *f;* **smooth-shaven** *adj* glatt rasiert; **smooth-tongued** [ˈsmu:ðtʌŋd] *adj* katzenfreundlich; schmeichlerisch
smother [ˈsmʌðə(r)] **I.** *tr* **1.** ersticken **2.** überschütten, überhäufen (*in, with* mit) **II.** *itr* ersticken
smoul•der [ˈsməʊldə(r)] *itr* schwelen, glimmen *a. fig;* **~ing look** glühender Blick
smudge [smʌdʒ] **I.** *s* **1.** Schmutzfleck *m;* Klecks *m* **2.** (*Am*) qualmendes Feuer **II.** *tr, itr* verschmieren; **smudge-proof** *adj* (*lipstick*) nicht schmierend; **smudgy** [ˈsmʌdʒɪ] *adj* schmutzig, schmierig; verwischt
smug [smʌg] *adj* **1.** selbstzufrieden, -gefällig **2.** eingebildet; blasiert
smuggle [ˈsmʌgl] *tr, itr* schmuggeln (*s.th. into England* etw nach England); **smuggler** [ˈsmʌglə(r)] *s* Schmuggler(in) *m(f);* **smug•gling** [ˈsmʌglɪŋ] *s* Schmuggel *m*
smut [smʌt] *s* **1.** Ruß(flocke *f*) *m* **2.** Schmutzfleck *m* **3.** (*fig*) Zoten *fpl;* **smutty** [ˈsmʌtɪ] *adj* schmutzig *a. fig,* unanständig
snack [snæk] *s* Imbiss, Snack *m,* Kleinigkeit *f* zu essen; **snack bar, snack counter** *s* Imbissstube, Schnellgaststätte, Snackbar *f*
snaffle [ˈsnæfl] *tr* (*Br fam*) stibitzen, klauen; **~ s.th. up** etw wegschnappen
snag [snæg] **I.** *s* **1.** Baum-, Aststumpf *m* **2.** Riss *m* (*im Strumpf*) **3.** (*fig*) Schwierigkeit *f;* Haken *m;* **hit a ~** in Schwierigkeiten kommen; **there's a** [*o* **one**] **~** die Sache hat einen Haken **II.** *tr* (*an e-m hervorstehenden Gegenstand*) aufreißen; (*Faden*) herausziehen
snail [sneɪl] *s* Schnecke *f;* **at a ~'s pace** im Schneckentempo; **snail-shell** *s* Schneckenhaus *n*
snake [sneɪk] **I.** *s* Schlange *f a. fig;* **a ~ in the grass** (*fig*) ein hinterhältiger Mensch **II.** *itr* sich schlängeln, sich winden; **snake bite** *s* Schlangenbiss *m;* **snake charmer**

s Schlangenbeschwörer(in) *m(f)*; **snake poison**, **snake venom** *s* Schlangengift *n;* **snake ranch** *s* Schlangenfarm *f;* **snake•skin** *s* Schlangenhaut *f;* Schlangenleder *n;* **snaky** ['sneɪkɪ] *adj* sich schlängelnd

snap [snæp] I. *itr* 1. schnappen (*at* nach) 2. zuschnappen; rasch zupacken 3. (zer)springen, (zer)reißen 4. (*Tür, Schloss:* ~ *shut*) zuschlagen, zuschnappen; **his patience ~ped** er verlor die Geduld; ~ **at s.o.** jdn anfahren; ~ **to attention** Haltung annehmen; ~ **to it!** zack, zack!; **something ~ped in me** da habe ich durchgedreht II. *tr* 1. zerbrechen 2. zuklappen, zuknallen; knallen lassen 3. (~ *out*) herausfahren mit; (*Worte*) hervorstoßen 4. knipsen; ~ **one's fingers** mit den Fingern schnalzen; ~ **one's fingers at s.o./s.th.** (*fig*) auf jdn/etw pfeifen III. *s* 1. Schnappen *n;* Schnalzen *n;* Knacken *n;* Klicken *n;* Knallen *n* 2. (PHOT) Foto *n,* Schnappschuss *m* 3. (~ *fastener*) Druckknopf *m* 4. (*fig fam*) Schwung, Elan *m* 5. Keks *m;* **cold** ~ Kälteeinbruch *m* IV. *adj* plötzlich, spontan; ~ **decision** plötzlicher Entschluss; ~ **vote** Blitzabstimmung *f;* **go** ~ klick, schnapp, knack machen V. *interj* ich auch!; **snap away** *tr* 1. wegschnappen; entreißen 2. viel knipsen; **snap from** *tr* entreißen aus; wegreißen von; wegnehmen, stehlen von; **snap off** I. *tr* abreißen; abbrechen; abbeißen II. *itr* abbrechen; ~ **s.o.'s head off** (*fig*) jdn anfahren; **snap out** *tr* hervorstoßen (*his orders* seine Befehle); ~ **out of s.th.** mit etwas Schluss machen; ~ **out of it!** genug damit! Kopf hoch!; **snap up** *tr* wegschnappen

snap•dragon ['snæp,drægən] *s* (BOT) Löwenmaul *n;* **snap fastener** *s* Druckknopf *m;* **snap link** *s* Karabinerhaken *m;* **snap lock** *s* Schnappverschluss *m;* **snappish** [snæpɪʃ] *adj* bissig; **snappy** ['ʃnæpɪ] *adj* 1. (*fam*) schnell, zackig 2. bissig *a. fig* 3. kurz und treffend; **make it ~!** (*fam*) fix! los, los!; **snap shackle** *s* Schnappschäkel *m;* **snap•shot** ['snæpʃɒt] *s* Schnappschuss *m*

snare [sneə(r)] I. *s* 1. Schlinge, Falle *f a. fig* 2. (*fig*) Fallstrick *m* 3. (~ *drum*) kleine Trommel II. *tr* 1. in e-r Schlinge fangen 2. (*fig*) sich unter den Nagel reißen 3. (*fig*) e-e Falle stellen (*s.o.* jdm)

snarl[1] [snɑːl] I. *itr* knurren; (*Motor*) dröhnen; ~ **at s.o.** jdn anknurren II. *tr* (~ *out*) knurrend, brummend sagen III. *s* Knurren *n*

snarl[2] [snɑːl] I. *tr* verwirren II. *s* Knoten *m;* **snarl up** I. *tr* durcheinander bringen II. *itr* völlig durcheinander geraten; **traffic gets ~ed up** der Verkehr ist chaotisch; **get ~ed up in a traffic jam** in einem Stau stecken bleiben; **snarl-up** ['snɑːlʌp] *s* Durcheinander *n;* (*Verkehr*) Chaos *n*

snatch [snætʃ] I. *tr* 1. greifen 2. entreißen (*from s.o.* jdm); aus der Hand reißen 3. (*Kuss*) rauben 4. wegnehmen (*from* von) 5. (*Gelegenheit*) beim Schopf ergreifen, fassen 6. (*fam*) stehlen; kidnappen; ~ **a meal** schnell etwas essen II. *itr* schnappen, haschen, rasch zugreifen (*up* nach) III. *s* 1. schneller Griff 2. Stück(chen) *n,* Brocken *m;* (Gesprächs)Fetzen *m* 3. (SPORT) Reißen *n* 4. (*fam*) Raub *m;* Entführung *f;* **in ~es** stoß-, ruckweise, mit Unterbrechungen; **make a ~ at s.th.** nach etw greifen, schnappen; **snatch away** *tr* wegreißen (*s.th. from s.o.* jdm etw); (*Tod*) entreißen (*from s.o.* jdm); **snatch up** *tr* schnappen; an sich reißen; **snatchy** ['snætʃɪ] *adj* unzusammenhängend, unregelmäßig, unterbrochen

snaz•zy ['snæzɪ] *adj* (*fam*) schick, fesch, flott

sneak [sniːk] I. *itr* 1. schleichen 2. kriechen *a. fig* 3. (~ *away, off*) davonschleichen; sich davonmachen 4. (*sl*) petzen; ~ **on s.o.** (*sl*) jdn verpetzen II. *tr* mausen, stibitzen III. *s* 1. Schleicher *m* 2. (*sl*) Petzer *m,* Petzliese *f;* **sneak in** *itr* sich einschleichen; **sneak off**, **sneak past**, **sneak round** *itr* weg-, vorbei-, herumschleichen; **sneak out** *itr* sich herausschleichen (*of* aus); (*fig*) sich drücken (*of* vor), sich herausschwindeln (*out of* aus); **sneak up to s.o.** *itr* sich an jdn heranschleichen; **sneak•ers** ['sniːkəz] *s pl* (*Am*) Freizeitschuhe *mpl,* Turnschuhe *mpl;* **sneak•ing** ['-ɪŋ] *adj* geheim; (*Verdacht*) heimlich, leise; **sneak preview** *s* Vorpremiere *f;* **sneak thief** <*pl* thieves> *s* Gelegenheitsdieb *m;* **sneaky** ['sniːkɪ] *adj* heimtückisch; feige; raffiniert

sneer [snɪə(r)] I. *itr* 1. höhnisch lächeln 2. höhnen, spotten (*at* über) II. *s* Hohn(lachen, -gelächter *n*), Spott *m;* spöttisches Grinsen; spöttische Bemerkung; **sneer•ing** ['snɪərɪŋ] *adj* höhnisch, spöttisch

sneeze [sniːz] I. *itr* niesen; **it is not to be ~d at** das ist nicht ohne, das ist nicht zu verachten II. *s* Niesen *n*

snick [snɪk] I. *s* Kerbe *f,* Ritz *m* II. *tr* ritzen, einkerben; zupfen

snicker ['snɪkə(r)] *s.* **snigger**

snide [snaɪd] *adj* (*fam*) abfällig, höhnisch

sniff [snɪf] I. *itr* 1. schniefen 2. schnüffeln, schnuppern (*at* an) 3. (*fig*) die Nase rümpfen (*at* über); **not to be ~ed at** (*fig fam*) nicht zu verachten II. *tr* riechen, schnuppern an; (*Tabak*) schnupfen; (*fig*) wittern; ~ **glue** schnüffeln **III.** *s* Schnüffeln *n;* Schniefen *n;* (*fig*) Naserümpfen *n;* **have a ~ at s.th.** an etw riechen; **sniff out** *tr* aufspüren; (*Komplott*) aufdecken; **sniffer dog** *s* Spürhund *m*

sniffle ['snɪfl] **I.** *itr* schniefen; schnüffeln **II.** *s* **1.** Schniefen *n* **2.** ~**s** (*fam*) Schnupfen *m*

snif•ter ['snɪftə(r)] *s* (*fam*) Schnäpschen *n*

snig•ger ['snɪgə(r)] *itr* kichern (*at, about* über)

snip [snɪp] **I.** *tr* schnippen, (ab)schnippeln; schneiden; ~ **off** abschneiden; abzwicken **II.** *itr* schnippe(l)n **III.** *s* **1.** kleiner Schnitt, Einschnitt *m* **2.** Schnipsel, Schnippel *m od n* **3.** (*fam*) Schnäppchen *n;* **it's a ~ at only £ 100** für nur £ 100 ist es sehr günstig; **have the ~** (*fam*) sich einer Vasektomie unterziehen

snipe [snaɪp] **I.** *s* Schnepfe *f* **II.** *itr:* ~ **at s.o.** aus dem Hinterhalt auf jdn schießen; (*fig*) gegenüber jdm e-e spitze Bemerkung machen; **sniper** ['snaɪpə(r)] *s* Heckenschütze *m*

snip•pet ['snɪpɪt] *s* **1.** Schnipsel *m od n;* Stückchen *n* **2.** ~**s** Bruchstücke *npl*

snitch [snɪtʃ] **I.** *tr* (*sl*) stibitzen, mausen **II.** *itr* (*sl*) verpfeifen (*on s.o.* jdn)

snivel ['snɪvl] *itr* heulen; **snivel•ling** ['-ɪŋ] *adj* weinerlich; wehleidig

snob [snɒb] *s* Snob *m;* **snob•bery** ['snɒbərɪ] *s* Snobismus *m;* **snob•bish** ['snɒbɪʃ] *adj* großtuerisch, snobistisch, versnobt; **snob value** *s* Imagewert *m*

snog [snɒg] **I.** *s* (*sl*) Knutscherei *f* **II.** *itr* (*sl*) (rum)knutschen

snook [snu:k] *s:* **cock a ~ at s.o.** jdm e-e lange Nase machen

snooker ['snu:kə(r)] **I.** *s* Snooker *n* (*eine Art Billard*) **II.** *tr* **1.** (*fam*) in e-e schwierige Lage bringen **2.** (*Plan*) zum Scheitern bringen; **be ~ed** nicht mehr weiterkönnen

snoop [snu:p] **I.** *itr* (*fam:* ~ *around*) herumschnüffeln, -spionieren; ~ **into** herumschnüffeln in; ~ **on s.o.** jdn bespitzeln **II.** *s* **1.** Herumschnüffeln *n* **2.** *s.* **snooper**; **snooper** ['snu:pə(r)] *s* (*fam*) Schnüffler(in) *m(f)*

snoot [snu:t] *s* (*Am fam*) Nase *f;* **snooty** ['snu:tɪ] *adj* (*fam*) hochnäsig

snooze [snu:z] **I.** *s* (*fam*) Nickerchen *n* **II.** *itr* (*fam*) ein Nickerchen machen; **snooze button** *s* (*Radiowecker*) Schlummertaste *f*

snore [snɔ:(r)] **I.** *itr* schnarchen **II.** *s* Schnarchen, Geschnarche *n*

snor•kel ['snɔ:kl] **I.** *itr* schnorcheln **II.** *s* Schnorchel *m*

snort [snɔ:t] **I.** *itr* schnauben (*with rage* vor Wut) **II.** *tr* (*sl: Kokain*) schnupfen **III.** *s* Schnauben, Schnaufen *n*

snor•ter [snɔ:tə(r)] *s s.* **snifter**

snot [snɒt] *s* (*fam*) Rotz *m;* **snot-rag** ['snɒtræg] *s* (*sl*) Rotzfahne *f;* **snotty** ['snɒtɪ] *adj* (*fam*) **1.** rotzig **2.** frech; patzig

snout [snaʊt] *s* **1.** Schnauze *f a. fig,* Rüssel *m* **2.** (*sl*) Tabak *m* **3.** (*sl*) Spitzel *m*

snow [snəʊ] **I.** *s* **1.** Schnee *m a. fig,* Schneefall *m* **2.** ~**s** Schneemassen *fpl* **3.** (*sl: Kokain*) Koks, Schnee *m* **II.** *itr* schneien; **snow in** *tr* einschneien; **snow off** *tr:* **be ~ed off** wegen Schnee abgesagt werden; **snow under** *tr* (*fig*) überhäufen; eindecken; **snow•ball** ['snəʊbɔ:l] **I.** *s* Schneeball *m* **II.** *itr* (*fig*) lawinenartig anwachsen; **snowball effect** *s* Schneeballeffekt *m;* **snow bank** *s* Schneeverwehung *f;* **snow•blind** ['snəʊblaɪnd] *adj* schneeblind; **snow•blind•ness** ['snəʊblaɪndnɪs] *s* Schneeblindheit *f;* **snow•board** ['snəʊbɔ:d] *s* Snowboard *n;* **snow-bound** ['snəʊbaʊnd] *adj* eingeschneit; **snow cannon** *s* Schneekanone *f;* **snow-capped**, **snow-clad** ['snəʊkæpt, 'snəʊklæd] *adj* (*Berg*) schneebedeckt; **snow•cat** ['snəʊkæt] *s* Pistenraupe *f;* **snow-chains** *s pl* Schneeketten *pl;* **snow•drift** ['snəʊdrɪft] *s* Schneewehe *f;* **snow•drop** ['snəʊdrɒp] *s* (BOT) Schneeglöckchen *n;* **snow•fall** ['snəʊfɔ:l] *s* Schneefall *m,* -menge *f;* **there was a heavy ~** es schneite stark; **snow fence** *s* Schneezaun *m;* **snow•field** *s* Schneefläche *f,* -feld *n;* **snow•flake** ['snəʊfleɪk] *s* Schneeflocke *f;* **snow goggles** *s pl* Schneebrille *f;* **snow line** *s* Schneegrenze *f;* **snow•man** ['snəʊmæn] <*pl* -men> *s* Schneemann *m;* **snow•mobile** ['snəʊməˌbi:l] *s* Schneemobil *n;* **snow-plough** ['snəʊplaʊ] *s,* **snow•plow** (*Am*) Schneepflug *m;* **snow report** *s* Schneebericht *m;* **snow•shoe** *s* Schneeschuh *m;* **snow•storm** ['snəʊstɔ:m] *s* Schneesturm *m;* **snow suit** *s* Schneeanzug *m;* **snow tire** *s* (*Am*), **snow tyre** *s* Winterreifen *m;* **snow weasel** *s* (*Am*) Motorschlitten *m;* **snow-white** *adj* schneeweiß; **Snow White** *s* Schneewittchen *n;* **snowy** ['snəʊɪ] *adj* **1.** verschneit **2.** schneeweiß; **it was ~** es hat geschneit

snub [snʌb] **I.** *tr* **1.** anfahren, ausschimpfen **2.** von oben herab behandeln **3.** schneiden, ignorieren **II.** *s* Brüskierung *f;* **snub nose** *s* Stupsnase *f;* **snub-nosed** ['snʌbnəʊzd] *adj* stupsnasig

snuff [snʌf] **I.** *s* Schnupftabak *m;* **take ~** schnupfen **II.** *tr* (~ *out*) auslöschen; (*Docht*) putzen; (*fig*) zerschlagen; ~ **it** (*Br sl*) abkratzen, sterben; **snuff•box** *s* Schnupftabak(s)dose, Tabatiere *f*

snuffle ['snʌfl] *itr* schnauben, schnaufen; schniefen

snug [snʌg] **I.** *adj* **1.** geborgen, geschützt **2.** behaglich, gemütlich **3.** (*Kleidung*) eng (anliegend) **4.** (*Einkommen*) auskömmlich, reichlich **5.** (*Hafen*) geschützt; **it's a ~ fit** es passt gut **II.** *s* (*Br: Kneipe*) kleines Nebenzimmer

snuggle ['snʌgl] **I.** *itr* sich kuscheln, sich anschmiegen (*against* an); **~ down** es sich gemütlich machen (*into s.th.* in etw); **~ up** sich zusammenkuscheln; sich anschmiegen **II.** *tr* an sich drücken

so [səʊ] **I.** *adv* **1.** so **2.** (*ever ~, fam*) dermaßen, -art, so (sehr); **~ late/long/many (that)** so spät/so lange/so viele (, dass); **not ~ ... as** nicht so ... wie; **~ did I** ich auch; **~ I did** ja, das habe ich getan; **~ it was** ja, so war es; **~ they say** so heißt es; man sagt so; **and ~ on (and ~ forth)** und so weiter (und so fort); **is that ~?** wirklich?; **be ~ kind as to ...** sei so freundlich und ...; **or ~** (*nachgestellt*) oder so, etwa; **~ far** bis jetzt, bisher; soweit; **~ far from being** weit davon entfernt zu; **~ far, ~ good** so weit ganz gut; **~ long as** solange; **~ long!** (*fam*) tschüss!; **~ much nonsense** [*o* **rubbish**]**!** alles Unsinn [*o* Quatsch]!; **~ I hope, I hope ~** das hoffe ich, ich hoffe es; **~ I see** ich seh's, das sehe ich; **~ to speak** sozusagen; **you don't say ~!** wirklich?; **I told you ~** ich sagte es doch! sagte ich es nicht?; **just ~! quite ~!** ganz richtig!; **thanks ever ~ much** vielen Dank!; **~ help me God!** so wahr mir Gott helfe! **II.** *conj* **1.** damit **2.** also; **~ that** so dass, damit; **~ as** so dass; vorausgesetzt, dass; **~ as to** um zu; **~ that's that** (*fam*) so, das wär's! damit Schluss!; **~ what?** (*fam*) na und?

soak [səʊk] **I.** *tr* **1.** einweichen; tränken **2.** durchnässen **3.** (*fig fam*) schröpfen; **be ~ed** durch und durch nass sein; durchgeregnet sein; **~ o.s. in sunshine** in der Sonne braten; **~ o.s. in s.th.** (*fig*) sich in etw vertiefen **II.** *itr* **1.** einweichen; eingeweicht werden **2.** einziehen, eindringen **III.** *s* **1.** Einweichen *n* **2.** (*fam*) Säufer(in) *m(f)*; **soak in** *itr* einziehen; (*fig*) begriffen werden; **soak off I.** *tr* ablösen **II.** *itr* sich ablösen; **soak up** *tr* aufsaugen; (*Sonne*) genießen; (*fig*) in sich aufnehmen; (*Geräusch*) schlucken; **soak•away** [ˌsəʊkə'weɪ] *s* Sickerschacht *m*; **soak•ing** ['-ɪŋ] *adj* (*~ wet*) klatschnass

so-and-so ['səʊənsəʊ]: **Mr S~** Herr Soundso; **this old ~ !** dieser gemeine Kerl!

soap [səʊp] **I.** *s* Seife *f* **II.** *tr* einseifen; **soap•box** *s* **1.** Seifenkiste *f* **2.** Rednertribüne *f*; **~ race** Seifenkistenrennen *n*; **soap bubble** *s* Seifenblase *f*; **soap dish** *s* Seifenschale *f*; **soap dispenser** *s* Seifenspender *m*; **soap•flakes** *s pl* Seifenflocken *fpl*; **soap opera** *s* (TV) Seifenoper *f*; **soap powder** *s* Seifenpulver *n*; **soapy** ['səʊpɪ] *adj* seifig

soar [sɔː(r)] *itr* **1.** aufsteigen; sich in die Lüfte schwingen **2.** (*Gebäude*) hochragen **3.** (*Preise*) in die Höhe schnellen; (*Hoffnung, Ruf*) zunehmen; (*Stimmung*) sich heben; **soar•ing** [-ɪŋ] *adj* **1.** aufsteigend **2.** hochragend **3.** (*Fantasie*) blühend; (*Pläne*) hochfliegend; (*Bevölkerung*) ansteigend, schnell zunehmend **4.** (*Preise*) in die Höhe schnellend, sprunghaft steigend; (*Inflation*) unaufhaltsam

sob [sɒb] **I.** *itr* schluchzen **II.** *tr* (*~ out*) schluchzend erzählen; **~ one's heart out** herzergreifend schluchzen; **~ o.s. to sleep** sich in den Schlaf weinen **III.** *s* Schluchzen *n*

so•ber ['səʊbə(r)] *adj* **1.** nüchtern **2.** gesetzt, ruhig, besonnen; ernst **3.** einfach, schlicht **4.** (*Farbe*) ruhig; **in ~ earnest** in vollem Ernst; **sober down** *itr* ruhiger werden; **sober up I.** *tr* nüchtern machen; (*fig*) zur Vernunft bringen **II.** *itr* nüchtern werden; (*fig*) vernünftig werden; sich beruhigen; **so•ber•ness** [-nɪs] *s s.* **sobriety**

so•bri•ety [səʊ'braɪətɪ] *s* Nüchternheit *f*; Besonnenheit *f*

so•bri•quet, **sou•bri•quet** ['səʊbrɪkeɪ, 'suːbrɪkeɪ] *s* Spitzname *m*

sob story ['sɒbˌstɔːrɪ] *s* (*fam*) rührselige, sentimentale Geschichte

so-called [ˌsəʊ'kɔːld] *adj* sogenannt

soc•cer ['sɒkə(r)] *s* Fußballspiel *n*; **soccer player** *s* Fußballspieler(in) *m(f)*

so•cia•bil•ity [ˌsəʊʃə'bɪlətɪ] *s* Geselligkeit *f*; Umgänglichkeit *f*; **so•cia•ble** ['səʊʃəbl] *adj* **1.** gesellig **2.** umgänglich, freundlich, nett

so•cial ['səʊʃl] **I.** *adj* **1.** sozial; gesellschaftlich **2.** gesellig, umgänglich; **~ advancement** sozialer Aufstieg; **~ climber** soziale(r) Aufsteiger(in); **~ contract** (HIST) Gesellschaftsvertrag *m*; (POL) Tarifabkommen *n*; **~ costs** Sozialkosten *pl*; **~ democrat** Sozialdemokrat(in) *m(f)*; **~ democratic** sozialdemokratisch; **~ evening** geselliger Abend; **~ gathering** geselliges Beisammensein; **~ insurance** Sozialversicherung *f*; **~ legislation** Sozialgesetzgebung *f*; **~ order** [*o* **system**] Sozial-, Gesellschaftsordnung *f*; **~ policy** Sozialpolitik *f*; **~ position, ~ rank, ~ standing, ~ status** soziale [*o* gesellschaftliche] Stellung; **~ problem** soziale Frage; **~ reformer** Sozialreformer(in) *m(f)*; **~ science** Sozialwissenschaften *fpl*; **~ security** Sozialunterstützung *f*; Sozialamt *n*; **be on ~ security** Sozialhilfe bekommen; ~

services soziale Einrichtungen *fpl;* ~ **studies** Gemeinschaftskunde *f;* ~ **unrest** Unruhen *fpl;* ~ **wealth** Volksvermögen *n;* ~ **welfare** gesellschaftliche Wohlfahrt; ~ **work** Sozialarbeit *f;* ~ **worker** Sozialarbeiter(in) *m(f)* **II.** *s* geselliger Abend

so•cial•ism ['səʊʃəlɪzəm] *s* Sozialismus *m;* **so•cial•ist** ['səʊʃəlɪst] **I.** *s* Sozialist(in) *m(f)* **II.** *adj* sozialistisch; ~ **realism** (*Kunst*) sozialistischer Realismus; **so•cial•ite** ['səʊʃəlaɪt] *s* (*fam*) Angehörige(r) *f m* der oberen Gesellschaftsklasse; **so•ciali•zation** [ˌsəʊʃəlaɪ'zeɪʃn] *s* **1.** (POL) Sozialisierung, Verstaatlichung *f* **2.** (PSYCH) Sozialisation *f;* **so•cial•ize** ['səʊʃəlaɪz] **I.** *tr* sozialisieren **II.** *itr* verkehren (*with* mit), ein geselliges Leben führen

so•ci•etal [sə'saɪətəl] *adj* gesellschaftlich; **so•ciety** [sə'saɪətɪ] *s* **1.** die Gesellschaft **2.** Gesellschaft *f,* Verein(igung *f*) *m* **3.** (COM) Gesellschaft, Genossenschaft *f;* Verband *m;* **building** ~ Baugenossenschaft *f;* **co-operative** ~ Konsumverein *m;* ~ **column** (*Zeitung*) Klatschspalte *f;* **the S~ of Friends** die Quäker *mpl;* **the S~ of Jesus** die Gesellschaft Jesu, der Jesuitenorden; **enjoy s.o.'s** ~ gern in jds Gesellschaft sein; **go into** ~ in die Gesellschaft eingeführt werden; **he always wanted to get into** ~ er wollte schon immer in den besseren Kreisen verkehren

socio- [ˌsəʊsɪəʊ] *prefix* sozio-; ~**cultural** soziokulturell; ~**economic** sozioökonomisch; ~**political** sozialpolitisch; **so•cio•logi•cal** [ˌsəʊsɪə'lɒdʒɪkl] *adj* soziologisch; **so•ci•ol•ogist** [ˌsəʊsɪ'ɒlədʒɪst] *s* Soziologe *m,* Soziologin *f;* **so•ci•ol•ogy** [ˌsəʊsɪ'ɒlədʒɪ] *s* Soziologie *f*

sock[1] [sɒk] *s* **1.** Socke *f;* Kniestrumpf *m* **2.** Einlegesohle *f* **3.** (*wind* ~) Windsack *m;* **pull one's ~s up** (*fam*) sich ins Zeug legen; **put a ~ in it** (*Br*) still sein; sich ruhig verhalten

sock[2] [sɒk] **I.** *s* (*fam*) Schlag *m* **II.** *tr* (*fam*) schlagen, hauen; ~ **it to me!** (*sl*) leg los!

socket ['sɒkɪt] *s* **1.** (EL) Steckdose *f;* (*für Birne*) Fassung *f* **2.** (TECH) Sockel *m* **3.** (ANAT) (Augen)Höhle *f;* (Gelenk)Pfanne *f;* Zahnhöhle *f;* **socket wrench** *s* Steckschlüssel *m*

sod[1] [sɒd] *s* Rasen(stück *n*) *m*

sod[2] [sɒd] **I.** *s* (*vulg*) Saukerl *m;* **the poor** ~ das arme Schwein **II.** *tr* (*vulg*): ~ **it!** zum Teufel!; ~ **you!** leck mich am Arsch!; **sod off** *itr* (*sl*) abhauen

soda ['səʊdə] *s* **1.** (CHEM) Soda *n;* Natriumoxyd *n;* Ätznatron *n* **2.** (~ *water*) Soda-, Selterswasser *n;* **soda bread** *s mit Backpulver gebackenes Brot;* **soda fountain** *s* (*Am*) Erfrischungshalle *f;* **soda siphon** *s* Siphon *m;* **soda water** *s* Sodawasser *n;* Sprudel *m*

sod•den ['sɒdn] *adj* durchweicht, durchnässt; ~ **with drink** völlig betrunken

sod•ding ['sɒdɪŋ] *adj* (*sl*) Scheiß-

so•dium ['səʊdɪəm] *s* (CHEM) Natrium *n;* **sodium bicarbonate** *s* doppeltkohlensaures Natrium; **sodium carbonate** *s* Natriumkarbonat *n*

so•do•mite ['sɒdəmaɪt] *s* Päderast *m;* **so•do•my** ['sɒdəmɪ] *s* Analverkehr *m*

sod's law [ˌsɒdz'lɔː] *s* (*sl*) *Prinzip, nach dem alles, was nur schief gehen kann, auch schief gehen wird*

sofa ['səʊfə] *s* Sofa *n;* **sofa bed** *s* Bettcouch *f,* Schlafsofa *n*

soft [sɒft] *adj* **1.** weich, nachgebend, formbar **2.** zart, mild, sanft **3.** weichlich, schwächlich **4.** (*Arbeit*) leicht, angenehm, bequem **5.** (COM: *Markt*) nachgiebig **6.** sanft, nachgiebig, gutmütig; weichlich **7.** (~ *in the head*) einfältig, dumm **8.** (*Farbe*) matt, sanft **9.** (*Linie*) weich **10.** (*Licht*) matt **11.** (*Ton*) schwach, leise; (*Stimme*) weich **12.** (*Getränk*) alkoholfrei; **be ~ on s.o.** in jdn verliebt sein; **get** ~ weich werden; verweichlichen; sich erweichen lassen; **pretty ~ for him!** (*Am fam*) er hat es gut!; ~ **cheese** Weichkäse *m;* ~ **currency** weiche Währung; ~ **drug** weiche Droge; ~ **furnishings** Vorhänge, Teppiche; ~ **landing** weiche Landung; ~ **loan** zinsloser Kredit, zinsloses Darlehen; ~ **option** Weg *m* des geringsten Widerstandes; ~ **palate** weicher Gaumen; ~ **porn** Softporno *m;* ~ **sell** Softsell *m;* ~ **toy** Plüschtier *n;* **have a ~ spot for** eine Schwäche haben für; **soft•ball** ['sɒftbɔːl] *s* (*Am*) Hallenbaseball(spiel *n*), Softball *m;* **soft-boiled** [ˌsɒft'bɔɪld] *adj* (*Ei*) weichgekocht

sof•ten ['sɒfn, *Am* 'sɔːfn] **I.** *tr* **1.** weich machen; (*Wasser*) enthärten **2.** lindern, mildern; (*Licht*) dämpfen **3.** verweichlichen; ~ **the blow** (*fig*) den Schock mildern **II.** *itr* **1.** weich werden **2.** (*Stimme*) sanft werden **3.** nachlassen; **soften up I.** *itr* weich werden; (*Mensch*) nachgiebig werden (*on s.o.* jdm gegenüber) **II.** *tr* **1.** weich machen **2.** (*fig*) milde stimmen; (*durch Drohung*) einschüchtern, gefügig machen; (*Widerstand*) schwächen

sof•tener ['sɒfnə(r)] *s* Wasserenthärtungsmittel *n;* Weichmacher *m;* Weichspülmittel *n;* **sof•ten•ing** ['sɒfnɪŋ] *s:* ~ **of the brain** Gehirnerweichung *f;* **soft-headed** [ˌsɒft'hedɪd] *adj* (*fam*) doof; **soft-heart•ed** [ˌsɒft'hɑːtɪd] *adj* weichherzig, gutmütig; **softie** ['sɒftɪ] *s s.* **softy**

soft•ly ['sɒftlɪ] *adv* **1.** sanft **2.** leise; leicht **3.** nachsichtig

soft•ness ['sɒftnɪs] *s* **1.** Weichheit *f;* Zartheit *f* **2.** Sanftheit *f;* (*Licht*) Gedämpftheit *f* **3.** Nachgiebigkeit *f* **4.** Verweichlichung *f* **5.** Bequemlichkeit *f*

soft-pedal [,sɒft'pedl] **I.** *tr* **1.** (MUS) abschwächen, dämpfen **2.** (*fig*) herunterspielen **II.** *itr* zurückstecken; **soft-soap** *tr* (*fam*) **1.** schmeicheln (*s.o.* jdm) **2.** herumkriegen (*s.o.* jdn); **soft-spoken** [,sɒft'spəʊkən] *adj* gewinnend, einschmeichelnd; **soft•ware** ['sɒftweə(r)] *s* (EDV) Software *f;* **software package** *s* (EDV) Softwarepaket *n;* **software piracy** *s* (EDV) Softwarepiraterie *f;* **soft•wood** ['sɒftwʊd] *s* Nadel-, Weichholz *n;* **softy** ['sɒftɪ] *s* weichlicher Typ, Softi *m*

soggy ['sɒgɪ] *adj* durchweicht, durchnässt; sumpfig

soil[1] [sɔɪl] **I.** *tr* beschmieren, beschmutzen; ~ **one's hand with s.th.** sich die Hände bei e-r S schmutzig machen **II.** *itr* fleckig, schmutzig werden

soil[2] [sɔɪl] *s* Boden *m,* Erde *f;* **native** ~ heimatlicher Boden; **on German** ~ auf deutschem (Grund und) Boden; ~ **conservation** Bodenerhaltung *f,* -schutz *m;* ~ **creep** Bodenkriechen *n;* ~ **erosion** Bodenerosion *f;* ~ **exhaustion** Bodenerschöpfung, -ausschöpfung *f;* ~ **fertility** Bodenfruchtbarkeit *f;* **soilless gardening** *s* Hydrokultur *f*

soil pipe ['sɔɪlpaɪp] *s* Abflussrohr *n*

soi•rée ['swɑːreɪ] *s* Soirée *f*

sol•ace ['sɒlɪs] **I.** *s* Trost *m* **II.** *tr* trösten

so•lar ['səʊlə(r)] *adj* Sonnen-, Solar-; **solar battery** *s* Solar-, Sonnenbatterie *f;* **solar cell** *s* Solarzelle *f;* **solar eclipse** *s* Sonnenfinsternis *f;* **solar energy** *s* Sonnen-, Solarenergie *f;* **solar farm** *s* Solar-, Sonnenfarm *f;* **solar heat** *s* Sonnen-, Solarwärme *f;* **solar heating** *s* Solarheizung *f;* **so•lar•ium** [səʊ'leərɪəm, *pl* -ɪə] <*pl* -ia> *s* Solarium *n;* **solar panel** *s* Sonnenkollektor *m;* **solar plexus** [,səʊlə'pleksəs] *s* (ANAT) Sonnengeflecht *n,* Magengrube *f;* **solar power** *s* Sonnen-, Solarkraft *f;* **solar power station** *s* Sonnen-, Solarkraftwerk *n;* **solar radiation** *s* Sonnenstrahlung *f;* **solar system** *s* Sonnensystem *n;* **solar wind** *s* Solarwind *m*

sold [səʊld] *s.* **sell**

sol•der ['sɒldə(r)] **I.** *s* Lötmittel, -zinn *n* **II.** *tr* löten; **sol•der•ing iron** ['sɒldərɪŋaɪən] *s* Lötkolben *m*

sol•dier ['səʊldʒə(r)] **I.** *s* **1.** Soldat *m* **2.** (*fig*) Kämpfer *m;* ~ **of fortune** Glücksritter *m* **II.** *itr* (als Soldat) dienen; ~ **on** verbissen weitermachen

sold out [,səʊld'aʊt] *adj* ausverkauft

sole[1] [səʊl] **I.** *s* Sohle *f* **II.** *tr* (be)sohlen

sole[2] [səʊl] *s* (ZOO) Seezunge, Scholle *f*

sole[3] [səʊl] *adj* **1.** einzig, alleinig **2.** ledig; **for the** ~ **purpose of ...** einzig u. allein um zu ...; ~ **agency** Alleinvertretung *f;* ~ **agent** Alleinvertreter(in) *m(f);* ~ **heir** Alleinerbe *m;* ~ **owner** Alleineigentümer(in) *m(f)*

sol•ecism ['sɒlɪsɪzəm] *s* **1.** Sprachschnitzer *m* **2.** Fauxpas *m*

sole•ly ['səʊlɪ] *adv* **1.** allein, nur, bloß **2.** einzig u. allein

sol•emn ['sɒləm] *adj* **1.** feierlich, festlich **2.** formell **3.** (*Ausdruck*) ernst **4.** (*Tatsache*) schwerwiegend; **sol•em•nity** [sə'lemnətɪ] *s* **1.** feierliche Handlung; Feierlichkeit *f* **2. solemnities** (JUR) Formalitäten *fpl;* **sol•em•nize** ['sɒləmnaɪz] *tr* feiern, festlich begehen

so•lenoid ['səʊlənɔɪd] *s* (EL) Magnetspule *f;* **solenoid switch** *s* Magnetschalter *m*

sol-fa [,sɒl'fɑː] *s* Tonleiter *f*

sol•icit [sə'lɪsɪt] **I.** *tr* **1.** erbitten; (*jdn*) anflehen **2.** (*Stimmen, Kunden*) werben; (*Prostituierte*) ansprechen, anwerben; ~ **s.o. for s.th.** [*o* **s.th. of s.o.**] jdn um etw bitten **II.** *itr* Kunden werben; **sol•ic•it•ing** [-ɪŋ] *s* (JUR) Aufforderung *f* zur Unzucht

sol•ici•tor [sə'lɪsɪtə(r)] *s* **1.** (nicht plädierende(r) (Rechts)Anwalt *m,* Anwältin *f;* Rechtsbeistand *m* **2.** (*Am*) Antragsteller(in) *m(f),* Bewerber(in) *m(f)* **3.** (*Am*) Werber(in) *m(f),* Agent(in) *m(f),* Handelsvertreter(in) *m(f);* **S~ General** (*Br*) Zweiter Kronanwalt; (*Am*) stellvertretender Justizminister

sol•ici•tous [sə'lɪsɪtəs] *adj* **1.** (eifrig) besorgt (*about, for, of* um) **2.** (eifrig) bestrebt (*to do* zu tun); **sol•ici•tude** [sə,lɪsɪ'tjuːd] *s* Dienstbeflissenheit *f*

solid ['sɒlɪd] **I.** *adj* **1.** (*Körper*) fest **2.** massiv **3.** (*Nebel*) dick, dicht **4.** haltbar, dauerhaft **5.** (*fig*) zuverlässig, verlässlich **6.** (*Grund*) triftig, stichhaltig **7.** ununterbrochen, durchgehend **8.** (*Edelmetall*) rein, gediegen **9.** (*Fels*) gewachsen **10.** einmütig, -hellig **11.** räumlich, körperlich; **be frozen** ~ fest zugefroren sein; **be on** ~ **ground** festen Boden unter den Füßen haben **II.** *s* **1.** fester Stoff; (PHYS) Festkörper *m* **2.** (*Geometrie*) Körper *m* **3. ~s** feste Nahrung

soli•dar•ity [,sɒlɪ'dærətɪ] *s* Solidarität *f*

solid fuel ['sɒlɪd'fjuːəl] *s* fester Brennstoff; (*Raketen*) Feststoff *m;* **solid geometry** *s* Stereometrie *f*

sol•id•ify [sə'lɪdɪfaɪ] **I.** *itr* fest werden; (*Lava, Planet*) erstarren; (*Blut*) gerinnen; (*fig*) sich festigen **II.** *tr* fest werden lassen; erstarren lassen; gerinnen lassen; festigen

sol•id•ity [sə'lɪdətɪ] *s* **1.** Festigkeit *f;* Massivität *f;* Haltbarkeit *f* **2.** Stabilität *f;* Zuverlässigkeit *f* **3.** (COM) Kreditfähigkeit *f* **4.** (*Grund*) Stichhaltigkeit *f* **5.** Einstimmigkeit *f*

solid•ly ['sɒlɪdlɪ] *adv* **1.** fest **2.** stichhaltig **3.** ununterbrochen **4.** (*wählen*) einstimmig; (*unterstützen*) geschlossen; ~ **built** solide gebaut; (*Mensch*) kräftig gebaut; **solid-state** *adj* (PHYS) Festkörper-; (EL) Halbleiter-

sol•il•oquize [sə'lɪləkwaɪz] *itr* monologisieren; Selbstgespräche führen; **sol•il•oquy** [sə'lɪləkwɪ] *s* **1.** Selbstgespräch *n* **2.** (THEAT) Monolog *m*

soli•taire [ˌsɒlɪ'teə(r)] *s* **1.** Solitär *m* **2.** (*Spiel*) Solitär *n*

soli•tary ['sɒlɪtrɪ] **I.** *adj* **1.** allein stehend **2.** einsam **3.** einzeln **4.** einzig; ~ **confinement** Einzel-, Isolationshaft *f;* **not a ~ one** kein Einziges **II.** *s* (*fam*) Einzel-, Isolationshaft *f*

soli•tude ['sɒlɪtju:d] *s* Einsamkeit *f*

solo ['səʊləʊ] <*pl* solos> **I.** *s* **1.** (MUS) Solo *n* **2.** (AERO) Alleinflug *m* **II.** *adj* Solo- **III.** *adv* allein; **solo•ist** [-ɪst] *s* (MUS) Solist(in) *m(f)*

sol•stice ['sɒlstɪs] *s:* **summer/winter ~** Sommer-/Wintersonnenwende *f*

sol•uble ['sɒljʊbl] *adj* löslich; (*Problem*) lösbar

so•lus ['səʊləs] *s* (COM) Inselanzeige *f*

sol•ution [sə'lu:ʃn] *s* **1.** (*Rätsel*) (Auf)Lösung *f;* (*Problem, Aufgabe*) Lösung *f;* (*Frage*) Klärung *f* **2.** (CHEM) Lösung *f*

solve [sɒlv] *tr* **1.** (*Rätsel, Aufgabe*) lösen **2.** (*Mord*) aufklären **3.** (*Schwierigkeit*) beseitigen

sol•vency ['sɒlvənsɪ] *s* Zahlungsfähigkeit, Solvenz *f;* **sol•vent** ['sɒlvənt] **I.** *adj* zahlungsfähig, solvent, liquid **II.** *s* (CHEM) Lösungsmittel *n;* **solvent abuse** *s* Schnüffeln *n;* Lösungsmittelmissbrauch *m;* **solvent-free** ['sɒlvəntfri:] *adj* lösungsmittelfrei

So•ma•li [ˌsəʊ'ma:lɪ] **I.** *adj* somali(sch) **II.** *s* Somali *m f,* Somalier(in) *m(f);* **So•ma•lia** [ˌsəʊ'ma:lɪə] *s* Somalia *n*

som•ber (*Am*) *s.* **sombre**

sombre ['sɒmbə(r)] *adj* **1.** düster, dunkel *a. fig* **2.** (*fig*) ernst **3.** traurig, melancholisch

some [sʌm] **I.** *adj* **1.** einige; ein paar **2.** (*mit Singular*) etwas **3.** manche(r, s) **4.** (*unbestimmt*) irgendein **5.** (*verstärkend*) ziemlich; (*in Ausrufen, iro*) vielleicht (ein); **would you like ~ nuts?** möchten Sie gern (ein paar) Nüsse?; **~ more tea?** noch etwas Tee?; **do you have ~ money?** hast du Geld?; **~ people say** manche Leute sagen; **to ~ extent** in gewisser Weise; **~ woman phoned up** da hat irgendsoeine Frau angerufen; **in ~ way or another** irgendwie; (**at**) **~ time before lunch** irgendwann vor dem Mittagessen; **~ other time** ein andermal; **~ time or other** irgendwann einmal; **~ day** eines Tages; **quite ~ time** ganz schön lange; **that was ~ holiday!** das waren vielleicht Ferien!; **~ teacher you are!** du bist vielleicht ein Lehrer! **II.** *pron* **1.** einige; manche; welche **2.** (*mit Bezug auf Singular*) etwas; manches; welche(r, s); **~ ... others** manche ..., andere; **~ of them** einige; **try ~** probieren Sie doch mal; **would you like ~?** möchten Sie welche? **III.** *adv* **1.** ungefähr, etwa **2.** (*Am fam*) etwas; viel; **~ more** noch ein paar; noch etwas; **~ place** irgendwo; (**at**) **~ time** (**or other**) (irgendwann) einmal; **~ twenty of them** etwa zwanzig von ihnen; **for ~ time** (für) einige Zeit, eine Zeitlang; **~ time ago** vor einiger Zeit; **in ~ way or other** irgendwie

some•body ['sʌmbədɪ] *pron* (irgend)jemand, irgendwer; **~ else** jemand anders; **~ or other** irgendjemand; **be** (**a**) **~** jemand sein

some•how ['sʌmhaʊ] *adv* irgendwie; **~ or other** irgendwie

some•one ['sʌmwʌn] *pron* (irgend)jemand

some•place ['sʌmpleɪs] *adv* (*Am*) irgendwo; irgendwohin

som•er•sault ['sʌməsɔ:lt] **I.** *s* Purzelbaum *m;* Salto *m* **II.** *itr* (*turn a ~*) e-n Purzelbaum schlagen; einen Salto machen; sich überschlagen

some•thing ['sʌmθɪŋ] **I.** *pron* etwas; **~ nice** etwas Nettes; **~ or other** irgendetwas; **he has ~ to do with books** er hat etwas mit Büchern zu tun; **it was quite ~, it was ~ else** (*Am*) das war toll; **it's ~ to be a director at his age** das will schon etwas heißen, in seinem Alter Direktor zu sein; **or ~** (*fam*) oder so (was); **there is ~ in that** da ist schon etwas dran **II.** *s:* **a little ~** eine Kleinigkeit; **the certain ~** das gewisse Etwas **III.** *adv* **1.** etwas; ungefähr **2.** irgendwie; **~ like that** etwas Ähnliches; **~ of a surprise** eine ziemliche Überraschung

some•time ['sʌmtaɪm] **I.** *adv* irgendwann; gelegentlich; **at ~ or other** irgendwann (ein)mal **II.** *adj* früher, ehemalig

some•times ['sʌmtaɪmz] *adv* machmal, ab und zu, gelegentlich

some•way ['sʌmweɪ] *adv* (*Am*) irgendwie

some•what ['sʌmwɒt] *adv* etwas, ein wenig; **~ of a nuisance** ziemlich lästig; **be ~ of a connoisseur** ein ziemlicher Kenner sein; **more than ~** mehr als das

some•where ['sʌmweə(r)] *adv* irgendwo; irgendwohin; **~ else** anderswo, irgendwo anders; **~ or other** irgendwo; **get ~** zu positiven Ergebnissen gelangen; **or ~** oder sonstwo; **~ around forty** so um (die) vier-

zig
som•nam•bu•lism [sɒm'næmbjʊlɪzəm] *s* Schlafwandeln *n;* **som•nam•bu•list** [sɒm'næmbjʊlɪst] *s* Schlafwandler(in) *m(f);* **som•nol•ent** ['sɒmnələnt] *adj* **1.** schläfrig **2.** einschläfernd
son [sʌn] *s* Sohn *m a. fig;* ~ **of a bitch** (*Am sl*) gemeiner Kerl; gemeines Ding; ~ **of a gun** (*Am sl*) Schlitzohr *n*
so•nar ['səʊnɑː(r)] *s* Sonar(gerät) *n*
so•nata [sə'nɑːtə] *s* (MUS) Sonate *f*
song [sɒŋ] *s* **1.** Gesang *m* **2.** Lied *n* **3.** (kurzes) Gedicht *n;* **for a** ~ für e-n Spottpreis; spottbillig; **burst into** ~ zu singen beginnen; **make a** ~ **and dance about s.th.** ein Theater wegen e-r S machen; **song•bird** *s* Singvogel *m;* **song•book** *s* Liederbuch *n;* **song•ster** ['sɒŋstə(r)] *s* **1.** Sänger *m* **2.** (ZOO) Singvogel *m;* **song•stress** ['sɒŋstrɪs] *s* Sängerin *f*
sonic ['sɒnɪk] *adj:* ~ **bang** [*o* **boom**] Knall *m* beim Durchbrechen der Schallmauer; Überschallknall *m;* **sonic barrier** *s* Schallmauer *f;* **sonic speed** *s* Schallgeschwindigkeit *f*
son-in-law ['sʌnɪnlɔː] <*pl* sons-in-law> *s* Schwiegersohn *m*
son•net ['sɒnɪt] *s* Sonett *n*
son•ny ['sʌnɪ] *s* (*fam*) Kleine(r) *m*
son•or•ity [sə'nɒrətɪ] *s* Klang *m,* Klangfülle *f;* **son•or•ous** [sə'nɔːrəs] *adj* **1.** klangvoll, -reich **2.** wohltönend **3.** (*Ton*) voll
soon [suːn] *adv* bald; früh, zeitig; rasch; gern; **as** ~ **as** sobald, sowie; **as** ~ **as possible** so bald wie möglich; **just as** ~ genauso gern; ~ **after his arrival** kurz nach seiner Ankunft; ~ **afterwards** kurz danach; **how** ~ **can you be here?** wann kannst du da sein?; **too** ~ zu früh; **I would as** ~ **not** lieber nicht; **sooner** ['suːnə(r)] *adv* (*Komparativ*) eher, früher, zeitiger; lieber; ~ **or later** früher oder später, schließlich doch einmal; **the** ~ **the better** je eher, desto besser; **no** ~ **... than** kaum ..., als; **no** ~ **said than done** gesagt, getan; **I would** ~ **leave** ich möchte lieber gehen
soot [sʊt] *s* Ruß *m*
soothe [suːð] *tr* **1.** beruhigen, besänftigen **2.** (*Schmerz*) lindern; **sooth•ing** ['-ɪŋ] *adj* **1.** beruhigend **2.** lindernd
sooty ['sʊtɪ] *adj* **1.** rußig, verrußt **2.** schwarz
sop [sɒp] **I.** *s* **1.** eingetunktes Stück (*Brot*) **2.** (*fig*) Beruhigungspille *f* **II.** *tr* (~ *up*) auftunken; aufwischen; aufsaugen
soph•is•ti•cated [sə'fɪstɪkeɪtɪd] *adj* **1.** weltgewandt, kultiviert **2.** intellektuell **3.** gepflegt; elegant; edel **4.** (*Publikum*) anspruchsvoll **5.** (*Maschine*) kompliziert; hochentwickelt; technisch ausgereift **6.** (*System, Ansatz*) komplex; **soph•is•ti•ca•tion** [sə,fɪstɪ'keɪʃn] *s* **1.** Kultiviertheit; Eleganz *f;* hohes Niveau **2.** hoher Entwicklungsstand **3.** Komplexität, Differenziertheit *f*
sopho•more ['sɒfəmɔː(r)] *s* (*Am*) Student(in) *m(f)* im zweiten Studienjahr
sop•or•ific [,sɒpə'rɪfɪk] *adj* einschläfernd
sop•ping (**wet**) ['sɒpɪŋ] *adj* (*fam*) klitschnass
soppy ['sɒpɪ] *adj* (*fam*) rührselig, kitschig
so•prano [sə'prɑːnəʊ] <*pl* -pranos> *s* (MUS) Sopran *m;* Sopranistin *f*
sor•bet ['sɔːbeɪ] *s* Fruchteis *n,* Sorbet *m od n*
sor•cerer ['sɔːsərə(r)] *s* Zauberer, Hexenmeister *m;* **sor•cer•ess** ['sɔːsərɪs] *s* Zauberin, Hexe *f;* **sor•cery** ['sɔːsərɪ] *s* Zauberei, Hexerei *f*
sor•did ['sɔːdɪd] *adj* **1.** schmutzig **2.** elend, miserabel **3.** gemein, schmutzig
sore [sɔː(r)] **I.** *adj* **1.** schmerzhaft, schmerzend **2.** wund, entzündet **3.** (*fig fam*) beleidigt, verärgert **4.** schmerzlich, betrüblich; **a** ~ **point** ein wunder Punkt; **have a** ~ **throat** Halsweh haben; **touch a** ~ **spot** e-n wunden Punkt berühren; **be** ~ weh tun; **my knee is** ~ mir tut das Knie weh **II.** *s* wunde Stelle; Verletzung *f;* **open old** ~**s** alte Wunden aufreißen; **sore•head** ['sɔːhed] *s* (*Am fam*) Brummbär *m;* **sore•ly** ['sɔːlɪ] *adv* äußerst; sehr; **I was** ~ **tempted** ich kam stark in Versuchung
sor•or•ity [sə'rɒrətɪ] *s* (*Am*) Studentinnenverbindung *f,* -klub *m*
sor•rel ['sɒrəl] *s* großer Sauerampfer
sor•row ['sɒrəʊ] **I.** *s* Kummer *m,* Leid *n,* Jammer, Schmerz *m* (*at* über, *for* um); **to my** ~ zu meinem Bedauern; **drown one's** ~**s** seine Sorgen ertränken **II.** *itr* Kummer haben, sich grämen (*at, for, over* um), klagen, trauern (*at, over, for, after* um, wegen); **sor•row•ful** ['sɒrəʊfl] *adj* bekümmert, betrübt
sorry ['sɒrɪ] *adj* **1.** betrübt, bekümmert **2.** traurig, kläglich; armselig **3.** erbärmlich, jämmerlich, elend; **I am** ~ **to ...** es tut mir leid zu ..., dass ...; leider muss ich ...; **I'm really** ~ es tut mir wirklich leid; **I am** ~ **for you** Sie tun mir leid; **I am** ~ **for it** es tut mir leid; **I am so** ~ es tut mir so leid; entschuldigen Sie vielmals; ~**!** Verzeihung! leider nicht! schade!
sort [sɔːt] **I.** *s* **1.** Sorte, Art, Gattung, Klasse *f* **2.** Charakter *m,* Natur *f,* Typ *m* **3.** Güte, Qualität *f* **4.** (MOT) Marke *f;* **after** [*o* **in**] **a** ~ bis zu e-m gewissen Grade; **of** ~**s, of a** ~ so was wie ...; **of all** ~**s** aller Art; **out of** ~**s** (*fam: gesundheitlich*) nicht auf dem Post-

en; (*fam*) schlechter Laune; **all ~s of things** alles mögliche; **nothing of the ~** nichts Derartiges, nichts dergleichen; **such ~ of thing** etwas Derartiges, so (et)was; **what ~ of ...?** was für ein ...?; **not a bad ~** (gar) nicht so übel; **a decent ~** ein anständiger Kerl **II.** *adv:* **~ of** (*fam*) gewissermaßen, eigentlich, irgendwie; **I am ~ of glad** ich bin eigentlich, im Grunde froh; **I have ~ of a hunch** ich habe so eine Ahnung; **I ~ of knew that ...** ich habe es irgendwie gewusst, dass ...; **she is ~ of interesting** sie ist nicht uninteressant **III.** *tr* sortieren **IV.** *itr* (**~** *ill, well*) (gut, schlecht) passen (*with* zu); **~ through s.th.** etw durchsehen; **sort out** *tr* **1.** (aus)sortieren **2.** (*fig*) in Ordnung bringen; (*Problem*) lösen; (*Situation*) klären; **it'll ~ itself out** das wird sich schon geben; **~ o.s. out** zur Ruhe kommen; **~ s.o. out** (*fam*) jdm etwas erzählen; **sort code** *s* Bankleitzahl *f;* **sorter** ['sɔːtə(r)] *s* Sortierer(in) *m(f),* Sortiermaschine *f*

sor•tie ['sɔːtiː] *s* **1.** Ausflug *m* (*into town* in die Stadt) **2.** (MIL) Ausfall *m;* (AERO) Feindflug, Einsatz *m*

sorting office *s* Sortierstelle *f*

SOS [ˌesəʊ'es] *s* SOS *n*

so-so [ˌsəʊ'səʊ] *adv* so lala; so einigermaßen

sot [sɒt] *s* Trunkenbold *m;* **sot•tish** ['sɒtɪʃ] *adj* dem Trunk ergeben; benebelt

sou•bri•quet ['suːbrɪkeɪ] *s s.* **sobriquet**

sought [sɔːt] **I.** *pt, pp of* **seek II.** *adj* (~-*after,* ~-*for*) gesucht, gefragt, begehrt

soul [səʊl] *s* **1.** Seele *f a. fig* **2.** Herz; (*fig*) Gemüt *n* **3.** (das) Innerste, Wesen *n* **4.** (MUS) Soul *m* **5.** **~s** (*mit Zahlwort*) Seelen *fpl,* Menschen *mpl;* **not a ~** nicht eine lebende Seele; **with all my ~** von ganzem Herzen; **be the life and ~ of s.th.** (*fig*) von etw die Triebfeder sein; **keep body and ~ together** Leib u. Seele zusammenhalten; **she's in it heart and ~** sie ist mit Leib u. Seele dabei; **All S~s' Day** Allerseelen *n;* **poor ~** armer Teufel; **poor little ~** armes Ding; **she's a nice ~** sie ist ein netter Mensch; **soul brother, soul sister** *s* Bruder *m,* Schwester *f;* **soul-de-stroy•ing** ['səʊldɪˌstrɔɪɪŋ] *adj* geisttötend; nervtötend; **soul•ful** ['səʊlfl] *adj* seelenvoll; **soul•less** ['səʊllɪs] *adj* seelenlos; **soul mate** *s* Seelenverwandte(r) *f m;* **soul music** *s* Soul *m;* **soul-searching** *s* Gewissensprüfung *f;* **soul-stir•ring** ['səʊlstɜːrɪŋ] *adj* herzergreifend

sound¹ [saʊnd] *adj* **1.** gesund **2.** einwandfrei, fehlerfrei, -los **3.** unbeschädigt, unversehrt, in gutem Zustand, solide **4.** lebensfähig, kräftig, stark, widerstandsfähig **5.** (*Anspruch*) begründet; (*Grund*) stichhaltig, triftig **6.** zuverlässig, vernünftig, verständig **7.** (*Rat*) gut **8.** (*Schlaf*) tief, fest, gesund; **sleep ~ly** tief schlafen; **~ asleep** fest eingeschlafen

sound² [saʊnd] **I.** *s* Geräusch *n;* (LING) Laut *m;* (PHYS) Schall *m;* (MUS) Klang *m;* (*fam*) Sound *m;* (TECH RADIO TV) Ton *m;* **not to make a ~** still sein; **within ~ of** in Hörweite *+gen;* **not a ~ was heard** es war kein Ton zu hören; **~s of laughter** Gelächter *n;* **I don't like the ~ of it** das hört sich gar nicht gut an; **that has a familiar ~** das klingt vertraut **II.** *itr* **1.** ertönen, erschallen, erklingen **2.** sich anhören, klingen; **that ~s fishy to me** das klingt nicht ganz geheuer; **she ~s angry** sie hört sich verärgert an; **he ~s like a nice person** er scheint ein netter Mensch zu sein **III.** *tr* **1.** ertönen, erklingen lassen; (*Ton*) spielen; (*Buchstaben*) aussprechen **2.** (MED) abhorchen, abklopfen; **~ the alarm** Alarm schlagen; **~ the horn** hupen; **~ the retreat** zum Rückzug blasen; **~ a note of warning** warnen; **sound off** *itr* (*fam*) viel reden, sich wichtig machen

sound³ [saʊnd] *tr* (MAR) (aus)loten, sondieren *a. fig;* (METE) messen; **~ing line** Lot *n;* **~ing balloon** Versuchsballon *m;* **sound out** *tr* (*jdn*) ausfragen; (*Absichten*) herausfinden

sound⁴ [saʊnd] *s* Meerenge *f,* Meeresarm *m*

sound ar•chives ['saʊnd, ɑː(r)kaɪvz] *s pl* Tonarchiv *n;* **sound bar•rier** ['saʊndbærɪə(r)] *s* **1.** Schallmauer *f* **2.** Lärmschutzwall *m;* Lärmschutzwand *f;* **sound•board** *s s.* **sounding-board;** **sound•box** *s* Schallkörper *m;* **sound effects** *s pl* Toneffekte *mpl;* **sound engineer** *s* Tontechniker(in) *m(f);* **sound film** *s* Tonfilm *m*

sound•ing ['saʊndɪŋ] *s* (MAR) Loten *n,* Peilung *f;* **take ~s on s.th.** über etw Untersuchungen durchführen

sound•ing board ['saʊndɪŋˌbɔːd] *s* Resonanzboden *m a. fig;* **use s.o. as a ~** an jdm die Reaktion testen

sound•less ['saʊndlɪs] *adj* geräusch-, lautlos, still

sound•ness ['saʊndnɪs] *s* **1.** guter Zustand **2.** Solidität *f;* (*von Argument*) Stichhaltigkeit *f;* (*von Kenntnissen*) Gründlichkeit *f;* (*von Idee, Politik*) Vernünftigkeit *f* **3.** (COM FIN) Stabilität *f* **4.** (JUR) Rechtmäßigkeit *f* **5.** (*von Schlaf*) Tiefe *f*

sound•proof ['saʊndpruːf] **I.** *adj* schalldicht **II.** *tr* schalldicht machen, schalldämmen; **sound recording** *s* Tonaufnahme *f;* **sound reproduction** *s* Tonwiedergabe *f;* **sound shift** *s* (LING) Lautverschiebung *f;* **sound system** *s* (*einer Sprache*) Lautsystem *n;* **soundtrack** ['saʊndtræk] *s* **1.** Tonspur *f* **2.** Soundtrack *m,* Musik *f* zu einem Film; **sound velocity** *s* Schallgeschwindigkeit *f;* **sound wave** *s* Schallwelle *f*

soup [su:p] *s* Suppe *f;* **be in the ~** in der Tinte sitzen; **soup up** *tr* frisieren, hochzüchten

soup·çon ['su:psɒn, *Am* su:p'sɒn] *s* Spur *f;* Andeutung *f* (*of* von)

soup kit·chen ['su:pˌkɪtʃɪn] *s* **1.** Volksküche *f;* Feldküche *f* **2.** *Essensausgabe für Obdachlose;* **soup plate** *s* Suppenteller *m;* **soup spoon** *s* Suppenlöffel *m;* **soup tureen** *s* Suppenschüssel *f*

sour ['saʊə(r)] **I.** *adj* **1.** sauer; säuerlich **2.** (*Milch*) sauer **3.** (*fig*) verärgert; missmutig; **turn ~** sauer werden; **turn ~ on s.o.** jdm nicht mehr gefallen; (*Plan*) schief gehen; **it's ~ grapes!** die Trauben sind sauer **II.** *tr* **1.** sauer werden lassen **2.** (*fig*) verärgern, verstimmen, verbittern **III.** *itr* **1.** sauer werden **2.** (*fig*) ärgerlich, missmutig, verbittert werden

source [sɔ:s] *s* **1.** Quelle *f a. fig* **2.** (EL) Strom-, Energiequelle *f* **3.** (*fig*) Ursprung *m,* Wurzel *f;* **from official ~s** aus amtlichen Quellen; **have its ~** seinen Ursprung haben (*in* in); **take its ~** entspringen (*from* aus); **taxation at ~** direkte Besteuerung; **~ code** Ausgangscode *m;* **~ document** Originaldokument *n;* **~ file** (EDV) Ursprungsdatei *f;* **~ of energy** Energiequelle *f;* **~ of errors** Fehlerquelle *f;* **~ of income** Einkommensquelle *f;* **~ of light** Lichtquelle *f;* **~s of manpower** Arbeitskräftereserven *fpl;* **~ of supply** Bezugsquelle *f;* **sourc·ing** ['sɔ:sɪŋ] *s* (COM) Erwerb *m*

sour·puss ['saʊəpʊs] *s* (*fam*) Trauerkloß *m*

sou·sa·phone ['su:zəfəʊn] *s* (MUS) Sousaphon *n*

souse [saʊs] *tr* **1.** (ein)pökeln; in Salzlake legen **2.** ein-, untertauchen; ins Wasser werfen **3.** (völlig) durchnässen; **get ~d** (*sl*) sich besaufen

south [saʊθ] **I.** *s* **1.** Süd(en) *m* **2.** südliche Richtung **II.** *adj* südlich, Süd- **III.** *adv* im Süden; in südlicher Richtung; nach Süden; **~ of** südlich von; **the S~ of France** Südfrankreich; **South Africa** *s* Südafrika *n;* **South African I.** *adj* südafrikanisch **II.** *s* Südafrikaner(in) *m(f);* **South America** *s* Südamerika *n;* **South American I.** *adj* südamerikanisch **II.** *s* Südamerikaner(in) *m(f);* **south·bound** ['saʊθbaʊnd] *adj* nach Süden fahrend; **south·east** [ˌsaʊθ'i:st] **I.** *adj* südöstlich **II.** *s* Südosten *m;* **south·easter** [ˌsaʊθ'i:stə(r)] *s* (starker) Südostwind *m;* **south·easter·ly** [ˌsaʊθ'i:stəlɪ] **I.** *adj, adv* südöstlich; aus Südost **II.** *s* (starker) Südostwind *m;* **south·eastern** [ˌsaʊθ'i:stən] *adj* südöstlich; aus Südost; **south-east·wards** [ˌsaʊθ'i:stwədz] *adv* nach Südosten; südostwärts; **south·er·ly** ['sʌðəlɪ] **I.** *adj* südlich; nach Süden **II.** *adv* nach Süden **III.** *s* Südwind *m;* **south·ern** ['sʌðən] *adj* südlich; aus Süden; Süd-; südländisch; **~ hemisphere** Südhalbkugel *f;* **Southern Cross** *s* Kreuz *n* des Südens; **south·erner** ['sʌðənə(r)] *s* Bewohner(in) *m(f)* des Südens; Südländer(in) *m(f),* Südengländer(in) *m(f),* Südstaatler(in) *m(f),* Süddeutsche(r) *f m;* **southern lights** *s pl* Südlicht *n;* **South Ko·rea** *s* Südkorea *n;* **South Ko·re·an I.** *adj* südkoreanisch **II.** *s* Südkoreaner(in) *m(f);* **south·paw** ['saʊθpɔ:] *s* (SPORT) Linkshänder *m;* **South Pole** *s* Südpol *m;* **south·ward(s)** ['saʊθwəd(z)] **I.** *adj* südlich **II.** *adv* nach Süden, südwärts; **south·west** [ˌsaʊθ'west] **I.** *s* Südwesten *m* **II.** *adj* südwestlich **III.** *adv* nach Südwest; südwestwärts; **~ of** südwestlich von; **south·wester** [ˌsaʊθ'westə(r)] *s* (starker) Südwestwind *m;* **south·wester·ly** [ˌsaʊθ'westəlɪ] **I.** *adj* südwestlich; aus Südwest **II.** *s* (starker) Südwestwind *m;* **south·western** [ˌsaʊθ'westən] *adj* südwestlich; aus Südwest; **south·west·ward(s)** [ˌsaʊθ'westwəd(z)] *adv* nach Südwesten

sou·venir [ˌsu:və'nɪə(r)] *s* (Reise)Andenken, Souvenir *n* (*of* an)

sou'wester [ˌsaʊ'westə(r)] *s* Südwester *m*

sov·er·eign ['sɒvrɪn] **I.** *adj* **1.** höchste(r, s), oberste(r, s); (*Verachtung*) tiefste(r, s) **2.** unumschränkt; souverän; **~ cure** Allheilmittel *n* **II.** *s* **1.** Monarch(in) *m(f),* Herrscher(in) *m(f)* **2.** (HIST: *Großbritannien*) Zwanzigshillingstück *n;* (*Goldmünze*) Sovereign *m;* **sovereign rights** *s pl* Hoheitsrechte *npl;* **sovereign territory** *s* Hoheitsgebiet *n;* **sov·er·eignty** ['sɒvrəntɪ] *s* Staatshoheit, Herrschaft *f;* Souveränität *f*

so·viet ['səʊvɪət] **I.** *s* Sowjet *m* **II.** *adj* sowjetisch; **S~ citizen** Sowjetbürger(in) *m(f);* **Soviet Union** *s* (HIST) Sowjetunion *f*

sow[1] [səʊ] <*irr:* **sowed, sowed (sown)**> *tr* **1.** (*Saat*) (aus)säen **2.** (MIL: *Minen*) legen **3.** (*fig: Nachricht*) verbreiten; **~ one's wild oats** (*fig*) sich die Hörner abstoßen; sich ausleben; **~ discontent/hatred** Unzufriedenheit/Hass säen

sow[2] [saʊ] *s* **1.** (ZOO) Sau *f;* Dächsin *f* **2.** (TECH) Massel *f;* Masselgraben *m*

sow·ing ma·chine ['səʊɪŋmə'ʃi:n] *s* Sämaschine *f;* **sown** [səʊn] *s.* **sow**[1]

sox [sɔks] (*Am sl*) *s.* **socks**

soy [sɔɪ] (*Am*) *s.* **soya**

soya ['sɔɪə] *s* Soja *f;* **soya bean** *s* Sojabohne *f;* **soya flour** *s* Sojamehl *n;* **soya sauce** *s* Sojasoße *f;* **soy•bean** ['sɔɪbi:n] *s* (*Am*) Sojabohne *f*

soz•zled ['sɒzld] *adj* (*Br fam*) beschwipst

spa [spɑ:] *s* **1.** Mineral-, Heilquelle *f* **2.** (Heil)Bad *n;* Kurort *m;* **spa bath** *s* Heil-, Kurbad *n*

space [speɪs] **I.** *s* **1.** Raum, Platz *m* **2.** (*a.* MUS) Zwischenraum, Abstand *m* **3.** Zeit(raum *m*), Frist *f* **4.** (*outer* ~) der Weltraum; **take up** ~ Platz einnehmen; **stare into** ~ Löcher in die Luft starren; **a short** ~ ein Weilchen, eine kurze Zeit; **for a** ~ eine Zeit lang; **wide open ~s** weites, offenes Land; **within the** ~ **of three hours** innerhalb drei Stunden; **advertising** ~ Reklamefläche *f;* **air** ~ Luftraum *m;* **blank** ~ freie Stelle; **office** ~ Bürofläche *f;* **parking** ~ Platz *m* zum Parken **II.** *tr* **1.** mit Abstand, in Abständen, in Zwischenräumen anordnen **2.** (*räumlich*) verteilen **3.** (*sl*) high machen *sl;* ~ **out** (TYP) sperren; ~ **out evenly** gleichmäßig verteilen; **~d out** (*sl*) high *sl;* **space age** *s* Weltraumzeitalter *n;* **space agency** *s* Weltraumbehörde *f;* **space-bar** *s* (*Schreibmaschine*) Leertaste *f;* **space-based** ['speɪsbeɪst] *adj* weltraumgestützt; **space blanket** *s* Rettungsdecke, Alu-Isoliermatte *f;* **space capsule** *s* Raumkapsel *f;* **space centre** *s* Raumfahrtzentrum *n;* **space•craft** ['speɪsˌkrɑ:ft] *s* Raumfahrzeug *n;* Raumkörper *m;* **space defence** *s* Weltraumabwehr *f;* **space fiction** *s* Zukunftsromane *pl* über den Weltraum; **space-flight** *s* Raumfahrt *f;* **space heater** *s* Raumheizkörper *m;* **space lab(oratory)** *s* Weltraumlabor *n;* **space•man** ['speɪsmən] <*pl* -men> *s* Raumfahrer *m;* **space medicine** *s* Raumfahrtmedizin *f;* **space probe** *s* Raumsonde *f;* **spacer** ['speɪsə(r)] *s* **1.** Leertaste *f* **2.** (TECH) Abstandsstück *n;* **space research** *s* Raumforschung *f;* **space-saving** *adj* platz-, raumsparend; **space•ship** ['speɪsʃɪp] *s* Raumschiff *n;* **space shuttle** *s* Raumfähre *f,* Raumtransporter *m;* **space station** *s* Raumstation *f;* **space suit** *s* Raumanzug *m;* **space travel** *s* Raumfahrt *f;* **space traveller** *s* Raumfahrer(in) *m(f);* **space walk** *s* Spaziergang *m* im All; **space weapon** *s* Weltraumwaffe *f;* **space•woman** ['speɪsˌwʊmən] *s* Raumfahrerin *f;* **spac•ing** ['speɪsɪŋ] *s* Zwischenraum, Abstand *m;* Intervall *n;* **single-/double-~** (TYP) einzeiliger/zweizeiliger Abstand; **spa•cious** ['speɪʃəs] *adj* **1.** geräumig **2.** ausgedehnt, weit(läufig); **spa•cious•ness** [-nəs] *s* **1.** Geräumigkeit *f* **2.** Weitläufigkeit *f*

spade [speɪd] *s* **1.** Spaten *m* **2.** **~s** (*Kartenspiel*) Pik *n* **3.** (*pej sl*) Schwarze(r) *f m;* **call a ~ a ~** (*fig*) das Kind beim Namen nennen; **Queen of S~s** Pikdame *f;* **spade•work** *s* Vorarbeit(en *pl*) *f*

spa•ghetti [spə'getɪ] *s* Spaghetti *pl;* **spaghetti western** *s* (*fam*) Italowestern *m*

Spain [speɪn] *s* Spanien *n*

Spam® [spæm] *s* Frühstücksfleisch *n*

span [spæn] **I.** *s* **1.** Spanne *f;* Abstand *m* **2.** (~-*length*) Spannweite *f;* (ARCH) lichte Weite **3.** (~ *of time*) Zeitspanne *f;* ~ **of life** Lebensspanne *f* **II.** *tr* **1.** (über)spannen (*with* mit), überbrücken **2.** (*fig*) umfassen

spangle ['spæŋgl] **I.** *s* Flitter *m,* Paillette *f* **II.** *tr* **1.** mit Pailletten besetzen **2.** (*fig*) übersäen, schmücken (*with* mit); **spangled** ['spæŋgld] *adj:* **the star-~-banner** das Sternenbanner (*die Flagge der USA*)

Span•iard ['spænɪəd] *s* Spanier(in) *m(f)*

span•iel ['spænɪəl] *s* (ZOO) Spaniel *m*

Span•ish ['spænɪʃ] **I.** *adj* spanisch; ~ **America** spanischsprachiges Lateinamerika; **s~ chestnut** Edelkastanie *f* **II.** *s* (das) Spanisch(e); **the** ~ die Spanier *mpl*

spank [spæŋk] **I.** *tr* (das Hinterteil) versohlen (*s.o.* jdm), verprügeln **II.** *itr* (~ *along*) dahinflitzen **III.** *s* Klaps *m;* **give s.o. a ~ on the bottom** jdm das Hinterteil versohlen; **spank•ing** ['-ɪŋ] **I.** *adj* schnell; **at a ~ pace** mit großer Geschwindigkeit **II.** *s:* **give s.o. a good** ~ jdm das Hinterteil tüchtig versohlen

span•ner ['spænə(r)] *s* Schraubenschlüssel *m;* **a ~ in the works** Sand im Getriebe; **put a ~ in the works** jdm Knüppel zwischen die Beine werfen

spar[1] [spɑ:(r)] *s* (MAR) Spiere *f,* Rundholz *n*

spar[2] [spɑ:(r)] *s* (MIN) Spat *m*

spar[3] [spɑ:(r)] *itr* (*Boxen*) ein Sparring machen; (*fig*) sich zanken

spare [speə(r)] **I.** *adj* **1.** übrig, überzählig **2.** (*Teil, Reifen*) Ersatz- **3.** (*Bett, Zimmer*) Gäste- **4.** mager; dürftig **5.** (*fam*) wahnsinnig, verrückt; **do you have a ~ pen?** hast du einen Schreiber für mich?; **if you have a ~ minute** wenn du mal eine Minute Zeit hast; **there are two ~ seats** es sind zwei Plätze frei; **drive s.o.** ~ jdn wahnsinnig machen; **go** ~ wahnsinnig werden; ~ **battery** Reservebatterie *f;* ~ **capacity** freie Kapazität; ~ **parts** Ersatzteile *npl;* ~ **parts catalogue** Ersatzteilkatalog *m;* ~ **-part surgery** Ersatzteilchirurgie *f;* ~ **rib** Rippchen *n;* ~ **room** Gästezimmer *n;* ~ **time** Freizeit *f;* ~ **tyre** Ersatzreifen *m;* (*hum*) Rettungsring *m;* ~ **wheel** Ersatzrad *n* **II.** *s* Ersatzteil *n;* Ersatzreifen *m* **III.** *tr* **1.** übrig haben **2.**

verzichten auf **3.** sparsam umgehen mit; (*Mühe, Geld*) scheuen **4.** verschonen; (*Gefühle*) schonen; ~ **o.s. s.th.** sich etw ersparen; ~ **s.o. s.th** jdm etw übrig lassen; **have s.th. to** ~ etw übrig haben; **enough and to** ~ mehr als genug; **I can't** ~ **her/that** ich kann auf sie/das nicht verzichten; ich brauche sie/das unbedingt; **they ~d no expense** sie haben keine Kosten gescheut; **spar·ing** ['-ɪŋ] *adj* sparsam, haushälterisch (*of* mit); **be** ~ **of s.th.** mit etw sparen, mit etw geizen

spark [spɑːk] **I.** *s* **1.** (*a.* EL) Funke(n) *m* **2.** (*fig*) Fünkchen *n,* Spur *f;* **a** ~ **of interest/life** ein Fünkchen *n* Interesse/Leben; **the ~s fly** die Funken fliegen; **a bright** ~ (*fam*) ein Intelligenzbolzen **II.** *itr* **1.** Funken sprühen **2.** (MOT) zünden **III.** *tr* **1.** entzünden; (*Explosion*) auslösen, verursachen **2.** (*fig*) auslösen; (*Begeisterung*) wecken; **spark(ing) plug** ['spɑːkɪŋplʌg] *s* Zündkerze *f*

sparkle ['spɑːkl] **I.** *itr* **1.** funkeln, glitzern (*with* vor) **2.** (*Flüssigkeit*) sprudeln, perlen, schäumen **II.** *s* Funkeln, Glitzern *n;* **spark·ler** ['spɑːklə(r)] *s* **1.** Wunderkerze *f* **2.** (*sl*) Diamant *m;* **spark·ling** ['spɑːklɪŋ] *adj* **1.** funkelnd, glitzernd **2.** sprudelnd; (*Wein*) perlend **3.** (*Geist*) sprühend

spark plug ['spɑːkplʌg] *s* Zündkerze *f*

spar·ring ['spɑːrɪŋ] *s* (Trainings)Boxen, Sparring *n;* **sparring match** *s* (Freundschafts-, Trainings)Boxkampf *m;* **sparring partner** *s* Trainingspartner *m* (*beim Boxen*); (*fig*) Kontrahent(in) *m(f)*

spar·row ['spærəʊ] *s* Spatz, Sperling *m;* **spar·row·hawk** ['spærəʊhɔːk] *s* (ORN) Sperber *m*

sparse [spɑːs] *adj* **1.** dünn **2.** (weit) verstreut **3.** spärlich

Spar·tan ['spɑːtn] **I.** *s* Spartaner(in) *m(f)* **II.** *adj* (*fig: s~*) spartanisch

spasm ['spæzəm] *s* (MED) Krampf *m;* Anfall *m;* **cardiac** ~ Herzkrampf *m;* **spasmodic** [spæz'mɒdɪk] *adj* **1.** krampfartig **2.** (*fig*) sporadisch

spas·tic ['spæstɪk] **I.** *adj* **1.** (MED) spastisch **2.** (*sl*) schlecht **II.** *s* Spastiker(in) *m(f)*

spat[1] [spæt] *s.* **spit**[2]

spat[2] [spæt] **I.** *itr* zanken, streiten **II.** *s* Wortwechsel *m*

spat[3] [spæt] *s* Gamasche *f*

spat[4] [spæt] *s* Muschellaich *m*

spate [speɪt] *s:* **a river in (full)** ~ ein Hochwasser führender Fluss; **a** ~ **of** e-e Menge, ein Andrang *m* +*gen*

spa·tial ['speɪʃl] *adj* räumlich; ~ **distribution** Raumverteilung *f*

spat·ter ['spætə(r)] **I.** *tr* (be)spritzen (*with* mit) **II.** *itr* **1.** spritzen **2.** (*Regen*) (nieder)prasseln **III.** *s* Spritzer *m;* **a** ~ **of rain** ein paar Tropfen Regen

spat·ula ['spætjʊlə] *s* Spa(ch)tel *m*

spavin ['spævɪn] *s* (VET) Spat *m* (*bei Pferden*)

spawn [spɔːn] **I.** *itr* laichen **II.** *tr* (*fig*) produzieren **III.** *s* Laich, Rogen *m*

spay [speɪ] *tr* (*weibliches Tier*) verschneiden, sterilisieren

speak [spiːk] <*irr:* spoke, spoken> **I.** *itr* **1.** sprechen (*of* von, *on, about* über, *to* mit, zu, *for* für) **2.** reden (*of* von, über), sich äußern (*of* über) **3.** e-e Rede, e-n Vortrag halten (*to s.o.* vor jdm) **4.** zeugen (*of* von) **5.** (MUS) ertönen; **~ing!** (TELE) am Apparat!; ~ **down to s.o.** mit jdm herablassend sprechen; **not to** ~ **of** ganz zu schweigen von; **nothing to** ~ **of** nicht der Rede wert; **so to** ~ sozusagen, gewissermaßen; ~ **to the point** zur Sache sprechen; ~ **well for s.o.** zu jds Gunsten sprechen; ~ **well of s.o.** Gutes von jdm sagen **II.** *tr* **1.** (aus)sprechen, sagen, äußern, ausdrücken **2.** (*Sprache*) sprechen; ~ **one's mind** seine Meinung sagen; ~ **volumes** (*fig*) Bände sprechen (*for* für); **speak against** *tr* sprechen gegen; sich aussprechen gegen; kritisieren; **speak for** *tr* (*Vorschlag*) unterstützen; ~ **for s.o.** in jds Namen sprechen; sich für jdn einsetzen; ~ **for o.s.** für sich selbst sprechen; **~ing for myself** was mich betrifft; ~ **for yourself!** du vielleicht!; **that ~s well for him** das spricht für ihn; **I can** ~ **for his loyalty** ich kann mich für seine Loyalität verbürgen; **that ~s for itself** das sagt alles; **be spoken for** vergeben sein; **speak out** *itr* **1.** laut reden **2.** (*fig*) seine Meinung sagen; ~ **out in favour of** sich einsetzen für; ~ **out against** sich äußern gegen; **speak up** *itr* **1.** laut(er) reden **2.** (*fig*) seine Meinung sagen; ~ **up for s.o./s.th.** für jdn/etw eintreten

speaker ['spiːkə(r)] *s* **1.** Sprecher(in) *m(f),* Vorsitzende(r) *f m,* Redner(in) *m(f)* **2.** (*loud~*) Lautsprecher(box *f*) *m;* **Mr S~** (PARL) Herr Präsident; **speak·ing** ['spiːkɪŋ] **I.** *adj* **1.** sprechend **2.** sprechend ähnlich **3.** (*suffix*) -sprachig; **generally** ~ im Allgemeinen; im Großen u. Ganzen; **strictly** ~ genau genommen; **not to be on** ~ **terms with s.o.** mit jdm nicht (mehr) sprechen; jdn nicht näher kennen; ~ **clock** (*Br*) telefonische Zeitansage *f;* ~ **part** Sprechrolle *f;* ~ **tube** Sprachrohr *n* **II.** *s* Sprechen *n;* Reden *fpl;* ~ **voice** Sprechstimme *f*

spear [spɪə(r)] **I.** *s* **1.** Speer, Spieß *m,* Lanze *f* **2.** (BOT) Halm, Schaft *m;* (*von Spargel*) Stange *f;* (*von Brokkoli*) Spross *m* **II.** *tr* durchbohren; aufspießen; mit Speeren fangen; **spear•head** I. *s* 1. Speer-, Lanzenspitze *f* 2. (MIL) Angriffsspitze *f* 3. (*fig*) führender Kopf II. *tr* an der Spitze stehen von; **spear•mint** ['spɪəmɪnt] *s* (BOT) Grüne Minze

spec [spek] *s* 1. **on** ~ auf Verdacht 2. (*fam*) *s.* **specification 3., 4., 5.**

special ['speʃl] I. *adj* 1. besondere(r, s) 2. un-, außergewöhnlich, außerordentlich 3. speziell; **for ~ duty** zur besonderen Verwendung; ~ **agent** Agent(in) *m(f);* **S~ Air Service, SAS** *britisches Sonderkommando;* **S~ Branch** (*Br*) Sicherheitspolizei *f;* ~ **bonus** Sonderzulage, -dividende *f;* ~ **case** Sonder-, Spezialfall *m;* ~ **committee** Sonderausschuss *m;* ~ **constable** (*Br*) Hilfspolizist(in) *m(f);* ~ **correspondent** (*Presse*) Sonderberichterstatter(in) *m(f);* ~ **delivery** Eilzustellung *f;* ~ **desire** Sonderwunsch *m;* ~ **discount** Sonderrabatt *m;* ~ **drawing rights, SDR** (FIN) Sonderziehungsrechte *npl,* SZR *f;* ~ **edition** Sonderausgabe *f;* ~ **effects** (*Film*) Tricks *pl;* ~ **issue stamp** Sondermarke *f;* ~ **leave** Sonderurlaub *m;* ~ **meeting** außerordentliche Versammlung; ~ **mission** Sonderauftrag *m;* ~ **offer** (COM) Sonderangebot *n;* ~ **pleading** (JUR) Beibringung *f* neuen Beweismaterials; ~ **power** Sondervollmacht *f;* ~ **price** Sonder-, Vorzugspreis *m;* ~ **rates** Sonderkonditionen *fpl;* ~ **regulation** Sonderbestimmung *f;* ~ **right** Sonder-, Vorrecht *n;* ~ **subject** (*Schule*) Leistungsfach *n;* (*Universität*) Schwerpunktfach *n,* Spezialisierung *f;* ~ **(train)** Sonderzug *m;* ~ **waste** Sondermüll *m* II. *s* 1. Sonderdruck *m,* -ausgabe, -nummer *f* 2. Extrablatt *n* 3. Sonderzug *m* 4. (*television* ~) Extrasendung *f* 5. (*Am*) Sonderangebot *n* 6. (*Restaurant*) Tagesspezialität *f* 7. Hilfspolizist(in) *m (f);* ~ **of the day** Tagesgericht *n*

spe•cial•ism ['speʃəlɪzm] *s* Spezialisierung *f;* Spezialgebiet *n;* **spe•cial•ist** ['speʃəlɪst] I. *adj* Fach-; ~ **supplier** (COM) Fachhändler *m;* ~ **term** Fachwort *n;* ~ **text** Fachtext *m* II. *s* 1. Spezialist(in) *m(f),* Fachmann *m,* -frau *f* 2. Facharzt *m,* -ärztin *f;* **heart** ~ Facharzt *m* für Herzkrankheiten; **spe•ci•al•ity** [ˌspeʃɪ'ælətɪ] *s,* **spe•ci•al•ty** ['speʃəltɪ] (*Am*) Spezialität *f;* **spe•cial•iz•ation** [ˌspeʃəlaɪ'zeɪʃn] *s* Spezialisierung *f;* **spe•cial•ize** ['speʃəlaɪz] I. *tr* spezialisieren; besonders einrichten (*for* für) II. *itr* sich spezialisieren (*in* in, auf); **spe•cial•ly** ['speʃəlɪ] *adv* besonders; insbesondere

spe•cies ['spi:ʃi:z] <*pl* -> *s* (BES. ZOO BOT) Spezies, Art *f*

spe•ci•fic [spə'sɪfɪk] I. *adj* 1. genau festgelegt, begrenzt, bestimmt 2. genau 3. besondere(r, s), charakteristisch, typisch 4. spezifisch; **in each ~ case** in jedem Einzelfall; **be** ~ genau sein; ~ **gravity** (PHYS) spezifisches Gewicht II. *s* 1. (MED) Spezifikum *n* 2. ~**s** Einzelheiten *fpl;* **spe•cifi•cal•ly** [spə'sɪfɪklɪ] *adv* 1. besonders 2. genau, klar 3. insbesondere, nämlich

spec•ifi•ca•tion [ˌspesɪfɪ'keɪʃn] *s* 1. Spezifizierung, genaue Angabe *f* 2. Bedingung *f;* Bestimmung *f* 3. Patentbeschreibung *f* 4. (ARCH) Baubeschreibung *f* 5. ~**s** (TECH) technische Daten *pl;* **spec•ify** ['spesɪfaɪ] *tr* 1. einzeln, genau angeben 2. an-, aufführen, spezifizieren 3. vorschreiben; **for a specified purpose** für e-n bestimmten Zweck

speci•men ['spesɪmɪn] *s* 1. Exemplar *n;* Muster *n* 2. (*Blut, Harn*) Probe *f* 3. (*fam*) Typ, Kerl, Bursche *m;* **a beautiful** ~ ein Prachtexemplar; **a ~ of one's work** eine Probe seiner Arbeit; ~ **copy** Belegexemplar *n;* ~ **page** Probeseite *f;* ~ **signature** Unterschriftsprobe *f*

spe•cious ['spi:ʃəs] *adj* scheinbar; trügerisch, bestechend

speck [spek] *s* Fleck(chen *n*) *m;* **a ~ (of)** ein bisschen (...), ein (klein) wenig (...)

speckle ['spekl] *s* (Farb)Fleck *m,* Tüpfel *m od n;* **speckled** ['spekld] *adj* getüpfelt, gesprenkelt

specs [speks] *s pl* (*fam*) Brille *f*

spec•tacle ['spektəkl] *s* 1. Schauspiel *n* 2. ~**s** (*pair of ~s*) Brille *f;* **a sad** ~ ein trauriger Anblick; **spectacle case** *s* Brillenetui *n;* **spec•tacled** ['spektəkld] *adj* Brillen tragend

spec•tacu•lar [spek'tækjʊlə(r)] I. *adj* sensationell; spektakulär; atemberaubend II. *s* Show *f;* Fernsehschau *f*

spec•ta•tor [spek'teɪtə(r)] *s* Zuschauer(in) *m(f)*

spec•ter ['spektə(r)] (*Am*) *s.* **spectre;** **spec•tral** ['spektrəl] *adj* gespenstisch, geisterhaft; ~ **analysis** Spektralanalyse *f;* **spectre** ['spektə(r)] *s* Gespenst *n*

spec•tro•scope ['spektrəʊskəʊp] *s* Spektroskop *n;* **spec•tro•sco•pic analy•sis** [ˌspektrəʊskəʊpɪk ə'næləsɪs] *s* Spektralanalyse *f*

spec•trum ['spektrəm, *pl* -trə] <*pl* -tra> *s* 1. (OPT) Spektrum *n* 2. (*fig*) Skala *f*

specu•late ['spekjʊleɪt] *itr* 1. nachdenken, (nach)sinnen, sich Gedanken machen (*on, upon, about* über) 2. (COM) spekulieren (*in* mit, *on* an); **specu•la•tion** [ˌspekjʊ'leɪʃn] *s* 1. Vermutung, Spekulation *f* 2. (COM) Spekulation *f;* **specu•lat•ive** ['spekjʊlətɪv] *adj* 1. (PHILOS) spekulativ; theoretisch 2. (COM) Spekulations-; ~ **builder** Bauspekulant *m;* **specu•la•tor** ['spekjʊleɪtə(r)] *s* Spekulant(in) *m(f)*

sped [sped] *s.* **speed**

speech [spiːtʃ] *s* **1.** Sprache *f;* Sprechen *n;* Sprechweise *f* **2.** Ansprache *f;* Rede *f;* **deliver** [*o* **make**] **a** ~ e-e Rede halten (*on, about* über, *to* vor); **after-dinner** ~ Tischrede *f;* **freedom of** ~ Redefreiheit *f;* **power of** ~ Sprachvermögen *n;* **speech act** *s* (LING) Sprechakt *m;* **speech community** *s* Sprachgemeinschaft *f;* **speech day** *s* (Schul)Schlussfeier *f;* **speech defect** *s* Sprachfehler *m;* **speech•ify** ['spiːtʃɪfaɪ] *itr* (*hum*) große Reden schwingen; **speechless** ['spiːtʃlɪs] *adj* sprachlos (*with* vor); **speech recognition** *s* (EDV) Spracherkennung *f;* **speech therapist** *s* Sprachtherapeut(in) *m(f),* Logopäde *m,* Logopädin *f;* **speech therapy** *s* (MED) **1.** logopädische Behandlung, Sprachtherapie *f* **2.** Logopädie *f;* **speech•writer** ['spiːtʃraɪtə(r)] *s* Verfasser(in) *m(f)* von Reden; (POL) Redenschreiber(in) *m(f)*

speed [spiːd] <*irr:* speeded (sped), speeded (sped)> **I.** *s* **1.** Schnelligkeit *f* **2.** Geschwindigkeit *f;* Tempo *n* **3.** (TECH) Drehzahl *f* **4.** (MOT) Gang *m* **5.** (FILM) Empfindlichkeit *f* **6.** (*sl: Droge*) Speed *n;* **at a** ~ **of** mit e-r Geschwindigkeit von; **at full** [*o* **top**] ~ mit Höchstgeschwindigkeit; **cruising** ~ Reisegeschwindigkeit *f* **II.** *itr* **1.** (*nicht irr*) zu schnell fahren **2.** jagen, sausen; (*Zeit*) schnell vergehen; **speed along I.** *itr* entlangsausen; (*Arbeit*) gut vorangehen **II.** *tr* beschleunigen; **speed off** *itr* davonrasen; **speed up I.** *itr* (*nicht irr*) schneller werden; (MOT) beschleunigen **II.** *tr* beschleunigen; (*jdn*) antreiben

speed•boat ['spiːdbəʊt] *s* Rennboot *n;* **speed bump** *s* Bodenschwelle *f;* **speed check, speed control** *s* Geschwindigkeitskontrolle *f;* **speed cop** *s* (*sl*) Verkehrsstreife *f* (*Polizist*); **speed•ing** ['spiːdɪŋ] *s* (MOT) Tempoüberschreitung *f,* Überschreiten *n* der Geschwindigkeitsgrenze; **speed limit** *s* Geschwindigkeitsbegrenzung *f,* Tempolimit *n;* **speedo** ['spiːdəʊ] *s* (*Br fam*) Tacho *m;* **speedometer** [spiː'dɒmɪtə(r)] *s* Geschwindigkeitsmesser *m,* Tachometer *m od n;* **speed range** *s* Drehzahlbereich *m;* **speed skater** *s* Eisschnellläufer(in) *m(f);* **speed skating** *s* Eisschnelllauf *m;* **speed trap** *s* Radarfalle *f;* **speed-up** ['spiːdʌp] *s* **1.** Beschleunigung *f;* schnelleres Tempo **2.** Produktions-, Leistungssteigerung *f;* **speed•way** ['spiːdweɪ] *s* **1.** Speedwayrennen *n* **2.** (*Am*) Schnellstraße *f;* **speedy** ['spiːdɪ] *adj* **1.** schnell **2.** prompt

spe•le•ol•ogist [ˌspiːlɪ'ɒlədʒɪst] *s* Höhlenforscher(in) *m(f);* **spe•le•ol•ogy** [ˌspiːlɪ'ɒlədʒɪ] *s* Höhlenforschung *f*

spell¹ [spel] *s* Zauber *m a. fig,* Zauberwort *n,* -formel *f,* -spruch *m;* **be under s.o.'s** ~ von jdm verzaubert, gebannt sein; in jds Bann stehen; **cast a** ~ **on** verzaubern; ganz für sich einnehmen

spell² [spel] <*irr:* spelled (spelt), spelled (spelt)> **I.** *tr* **1.** buchstabieren **2.** (richtig) schreiben (*with* mit) **3.** bedeuten, gleichkommen (*s.th.* e-r S) **II.** *itr* richtig schreiben; buchstabieren; **he can't** ~ (*fam*) er kann keine Rechtschreibung; **spell out** *tr* buchstabieren; entziffern; (*fig*) klarmachen (*s.th. for s.o.* jdm etw)

spell³ [spel] **I.** *s* (kurze) Zeit, (Zeit)Dauer, Periode *f;* **by** ~**s** dann u. wann; **for a** ~ e-e Weile; **take** ~**s** sich ablösen; **cold/hot** ~ Kälte-/Hitzewelle *f* **II.** *tr* ablösen

spell•bind ['spelbaɪnd] <*irr:* -bound, -bound> *tr s.* **bind** ver-, bezaubern, faszinieren, fesseln; **spell•bound** ['spelbaʊnd] *adj* verzaubert, gebannt, fasziniert; mit-, hingerissen

speller ['spelə(r)] *s:* **be a bad** ~ viele Rechtschreibfehler machen; **spell•ing** ['spelɪŋ] *s* **1.** Buchstabieren *n* **2.** Rechtschreibung *f;* **spelling check** *s* (EDV) Rechtschreibprüfung *f*

spelt [spelt] *s.* **spell²**

spend [spend] <*irr:* spent, spent> **I.** *tr* **1.** verbrauchen, erschöpfen **2.** (*Geld*) ausgeben **3.** auf-, verwenden (*on, upon* für) **4.** (*Zeit*) ver-, zubringen **5.** verschwenden; (*Vermögen*) durchbringen; ~ **a lot of effort on s.th.** sich für etw sehr anstrengen **II.** *itr* **1.** (sein) Geld ausgeben **2.** (sich) verbrauchen, sich verzehren; **spend•ing** ['-ɪŋ] *s* Ausgaben *fpl;* **spending cut** *s* Ausgaben-, Etatkürzung *f;* **spending money** *s* Taschengeld *n;* **spending power** *s* Kaufkraft *f;* **spending spree** *s* Großeinkauf *m;* **on a** ~ im Kaufrausch; **spend•thrift** ['spendərɪft] **I.** *adj* verschwenderisch **II.** *s* Verschwender(in) *m(f)*

spent [spent] **I.** *pt, pp of* **spend II.** *adj* **1.** erschöpft, abgespannt, ermattet **2.** (TECH) verbraucht

sperm [spɜːm] *s* Sperma *n,* männlicher Samen

sper•ma•ceti [ˌspɜːmə'setɪ] *s* Walrat *m od n*

sperm donor *s* Samenspender *m;* **sper•mi•cide** ['spɜːmɪsaɪd] *s* Spermizid *n*

sperm whale ['spɜːmweɪl] *s* Pottwal *m*

spew [spjuː] **I.** *itr* **1.** (~ *forth, out*) sich ergießen; hervorsprudeln, hervorquellen **2.** (*sl*) brechen, kotzen **II.** *tr* **1.** (~ *up, sl*) ausspucken **2.** (~ *out*) speien; (*Wasser*) ablassen

sphere [sfɪə(r)] *s* **1.** (MATH) Kugel *f* **2.** (~ *of life*) Sphäre *f,* Lebensbereich *m;* Gebiet *n,*

Wirkungskreis *m;* Umwelt *f,* Milieu *n;* ~ **of influence** (POL) Einflussbereich *m;* ~ **of interest** Interessensphäre *f;* ~ **of operation** Wirkungsbereich *m;* **spheri•cal** ['sferɪkl] *adj* kugelförmig

spice [spaɪs] **I.** *s* **1.** Gewürz *n* **2.** (*fig*) Würze *f* **II.** *tr* würzen *a. fig*

spick and span [ˌspɪkən'spæn] *adj* (funkel)nagelneu; wie aus dem Ei gepellt

spicy ['spaɪsɪ] *adj* **1.** (stark) gewürzt **2.** (*fig*) pikant, anregend

spi•der ['spaɪdə(r)] *s* (*a.* TECH) Spinne *f;* **spider('s)-web** *s* Spinnwebe *f,* Spinnengewebe *n;* **spi•dery** ['spaɪdərɪ] *adj* krakelig; spinnwebartig; spinnenhaft

spiel [ʃpi:l] *s* (*sl*) Gequassel *n;* Geschichte *f*

spigot ['spɪgət] *s* Spund *m;* (*Am*) Hahn *m*

spike [spaɪk] **I.** *s* **1.** (Metall)Spitze *f* **2.** (~ *nail*) großer Nagel **3.** **~s** Rennschuhe, Spikes *mpl* **II.** *tr* **1.** aufspießen; durchbohren **2.** (*fig: Gerüchte*) verhindern **3.** (*Am*) versetzen; e-n Schuss Alkohol geben in **4.** (Abdruck) verweigern; ~ **s.o.'s guns** jdm e-n Strich durch die Rechnung machen; **spiky** ['spaɪkɪ] *adj* **1.** (lang u.) spitz, spitzig; stachelig **2.** (*fig*) empfindlich

spill[1] [spɪl] <*irr:* spilled (spilt), spilled (spilt)> **I.** *tr* **1.** aus-, verschütten, vergießen **2.** (~ *out*) ver-, ausstreuen **3.** kleckern (*on* auf) **4.** gießen (*on* über) **5.** (*fam*) unter die Leute bringen, verbreiten; ~ **the beans** (*fam*) das Geheimnis verraten; ~ **blood** Blut vergießen; **there is no use crying over spilt milk** es hat keinen Sinn, Vergangenem nachzuweinen **II.** *itr* **1.** (~ *out*) herausquellen **2.** (~ *over*) überlaufen, -fließen **III.** *s* Sturz *m* (*vom Pferd, Rad*); **take** [*o* **have**] **a** ~ herunter-, hinfallen

spill[2] [spɪl] *s* **1.** (Holz)Span *m* **2.** Fidibus *m*

spill•way ['spɪlweɪ] *s* Überlaufrinne *f*

spilt [spɪlt] *s.* **spill**[1]

spin [spɪn] <*irr:* spun, spun> **I.** *tr* **1.** (*a.* ZOO) spinnen **2.** (schnell) drehen; herumwirbeln **3.** (*Wäsche*) schleudern **II.** *itr* **1.** spinnen **2.** (~ *round*) sich schnell drehen, im Kreis herumwirbeln **3.** (*Wäsche*) schleudern; **my head is ~ning** mir dreht sich alles im Kopf **III.** *s* **1.** Drehung *f* **2.** Schleudern *n* **3.** (*Ball*) Drall *m* **4.** (AERO) Trudeln *n* **5.** kurze Fahrt; **go for a** ~ (*fam*) mit dem Auto spazierenfahren; **go into a** ~ sich um die eigene Achse drehen; trudeln; **in a flat** ~ (*fam*) in Panik; **spin along** *itr* sausen, rasen; **spin off** *tr* **1.** (SPORT) wegschleudern **2.** (FIN) ausgliedern; **spin out** *tr* strecken; (*Zeit, Versammlung*) in die Länge ziehen; (*Geschichte*) ausspinnen; **spin round** **I.** *itr* sich drehen; herumwirbeln; sich schnell umdrehen **II.** *tr* schnell drehen

spi•na bi•fi•da [ˌspaɪnə'bɪfɪdə] *s* offene Wirbelsäule

spin•ach ['spɪnɪdʒ, *Am* 'spɪnɪtʃ] *s* Spinat *m*

spi•nal ['spaɪnl] *adj:* ~ **column** Wirbelsäule *f;* ~ **cord,** ~ **marrow,** ~ **medulla** Rückenmark *n;* ~ **curvature** Rückgratkrümmung *f*

spindle ['spɪndl] *s* (TECH) Spindel *f;* Schaft *m;* **spin•dly** ['spɪndlɪ] *adj* spindeldürr

spin doc•tor ['spɪnˌdɒktə(r)] *s* (POL) Berater(in) *m(f)*

spin-drier [ˌspɪn'draɪə(r)] *s* Trockenschleuder *f* (*für Wäsche*); **spin•drift** ['spɪndrɪft] *s* Gischt *f;* **spin-dry** *tr, itr* schleudern

spine [spaɪn] *s* **1.** (BOT ZOO) Dorn *m* **2.** Rückgrat *n* **3.** (Buch)Rücken *m;* **spine-chilling** ['spaɪntʃɪlɪŋ] *adj* gruselig; unheimlich; **spine•less** ['-lɪs] *adj* rückgratlos *a. fig*

spin•na•ker ['spɪnəkə(r)] *s* (MAR) Spinnaker *m*

spin•ner ['spɪnə(r)] *s* **1.** Spinner(in) *m(f)* **2.** Schleuder *f* **3.** (*Angeln*) Spinnköder *m*

spin•ney ['spɪnɪ] *s* Gehölz, Dickicht *n*

spin•ning ['spɪnɪŋ] *s* Spinnen *n;* **spinning jenny** *s* Jennymaschine *f;* **spinning mill** *s* Spinnerei *f;* **spinning top** *s* Kreisel *m;* **spinning wheel** *s* Spinnrad *n*

spin-off ['spɪnɒf] *s* Nebenprodukt *n*

spin•ster ['spɪnstə(r)] *s* (JUR) unverheiratete Frau; **old** ~ (*pej*) alte Jungfer

spiny ['spaɪnɪ] *adj* stach(e)lig, dornig *a. fig*

spi•ral ['spaɪərəl] **I.** *adj* spiralig; gewunden; in Spiralen; ~ **nebula** (ASTR) Spiralnebel *m;* ~ **staircase** Wendeltreppe *f* **II.** *s* Spirale *f;* **the** ~ **of rising prices and wages** die Lohn-Preis-Spirale **III.** *itr* sich in e-r Spirale bewegen; ~ **up** sich in die Höhe schrauben

spire ['spaɪə(r)] *s* Turmspitze *f*

spirit ['spɪrɪt] **I.** *s* **1.** Geist *m* **2.** Mut *m;* Schwung *m;* Tatkraft *f* **3.** Geist *m;* Stimmung *f;* Einstellung *f* **4.** (CHEM) Spiritus *m* **5.** **~s** Spirituosen *pl,* geistige Getränke *npl;* **in high** [*o* **great**] **~s** in gehobener Stimmung; gut aufgelegt; **in poor** [*o* **low**] **~s** niedergeschlagen; schlecht aufgelegt; **be with s.o. in** ~ in Gedanken bei jdm sein; **enter into the** ~ **of s.th.** sich an etw anpassen; **keep up one's ~s** sich nicht niederdrücken lassen; **community** ~ Gemeinschaftssinn *m;* **leading** ~ führender Kopf; **public** ~ Gemeinsinn *m;* ~ **of enterprise** Unternehmungsgeist *m;* **that's the ~!** so ist's recht! **II.** *tr* (~ *away, off*) wegzaubern; **spirited** ['spɪrɪtɪd] *adj* **1.** lebhaft **2.** energisch, kraftvoll; mutig; **spir•it•ism** ['spɪrɪtɪzəm] *s* Spiritismus *m;* **spirit•less** ['spɪrɪtlɪs] *adj* **1.** träge, schläfrig, schlaff **2.** niedergedrückt; **spirit level** *s* Wasserwaage *f*

spiri•tual ['spɪrɪtʃʊəl] **I.** *adj* **1.** geistig, seelisch, innerlich **2.** geistlich, kirchlich, religiös; ~ **heritage** geistiges Erbe **II.** *s* (Neger)Spiritual *n;* **spiri·tu·al·ism** ['spɪrɪtʃʊəlɪzəm] *s* Spiritismus *m;* **spiri·tu·al·is·tic** [ˌspɪrɪtʃʊə'lɪstɪk] *adj* spiritistisch

spit[1] [spɪt] **I.** *s* **1.** Bratspieß *m* **2.** Landzunge *f;* Sandbank *f* **II.** *tr* aufspießen

spit[2] [spɪt] <*irr:* spat, spat> **I.** *tr* **1.** (~ *out*) ausspeien, -spucken **2.** ausstoßen **3.** (*Worte*) heraussprudeln; ~ **s.o. in the eye** (*fig*) auf jdn pfeifen **II.** *itr* **1.** speien, spucken (*at, on, upon* auf) *a. fig* **2.** (*Katze*) fauchen; **be s.o.'s ~ting image** (*fam*) jdm wie aus dem Gesicht geschnitten sein **III.** *s* **1.** Speichel *m* **2.** (*Insekt*) Schaum *m* **3.** (*fam: ~ting image*) Ebenbild *n;* ~ **and polish** sorgfältige Reinigung; **spit at** *tr* verächtlich abtun; **spit down** *itr* herabsprühen; **spit out** *tr* ausspucken; (*Worte*) hervorstoßen; ~ **it out!** nun sag's schon!; **spit upon** *tr* verächtlich zurückweisen

spite [spaɪt] **I.** *s* Bosheit *f,* böser Wille (*against* gegen); **from** [*o* **out of**] ~ aus Bosheit; **in** ~ **of** trotz *+gen;* **in** ~ **of the fact that ...** obgleich ..., obwohl ... **II.** *tr* ärgern; **cut one's nose off to** ~ **one's face** (*fig*) sich ins eigene Fleisch schneiden; **do s.th. to** ~ **s.o.** etw jdm zum Trotz tun; **spite·ful** ['spaɪtfl] *adj* boshaft; schadenfroh

spit·fire ['spɪtˌfaɪə(r)] *s* giftiger Mensch

spittle ['spɪtl] *s* Speichel *m*

spit·toon [spɪ'tu:n] *s* Spucknapf *m*

splash [splæʃ] **I.** *tr* **1.** (ver)spritzen; gießen **2.** bespritzen **3.** (*Presse*) groß rausbringen; ~ **s.th. over s.o.** jdn mit etw anspritzen **II.** *itr* **1.** spritzen (*in all directions* nach allen Richtungen) **2.** (*Regen*) klatschen **3.** (*Tränen*) tropfen **4.** (*Mensch*) platschen; planschen **III.** *s* **1.** Spritzen *n;* Platsch(en *n*) *m* **2.** (*Wellen*) Plätschern, Klatschen *n* **3.** Spritzer *m;* Klecks *m;* Farbfleck *m* **4.** (*fam*) Schuss *m* Sodawasser; **make a** ~ (*fig*) Furore machen, Aufsehen erregen; ~ **of mud** Dreckspritzer *m;* **with a** ~ mit e-m Plumps; **splash about I.** *tr* **1.** herumspritzen **2.** (*fam: Geld*) verschleudern **3.** (*Geschichte*) groß rausbringen **II.** *itr* herumspritzen; herumplatschen; herumplanschen; **splash down** *itr* **1.** (*Raumsonde*) wassern **2.** (*Regen*) herunterprasseln; **splash out** *itr* (*fam*) viel Geld ausgeben (*on* für); **splash·board** *s* Spritzblech *n;* **splash·down** ['splæʃdaʊn] *s* Wasserung *f*

splat [splæt] *s* Platschen *n;* **splat·ter** ['splætə(r)] **I.** *itr* spritzen **II.** *tr* bespritzen

splay [spleɪ] **I.** *s* (ARCH) Ausschrägung, Fensterlaibung *f* **II.** *tr* **1.** ausbreiten, -dehnen, erweitern; (ARCH) ausschrägen **2.** (*Finger*) spreizen **III.** *itr* (~ *out*) nach außen gehen; sich nach außen biegen; (ARCH) ausgeschrägt sein; **splay·foot** *s* nach außen gestellter Fuß

spleen [spli:n] *s* (ANAT) Milz *f;* **vent one's** ~ seinem Ärger Luft machen (*on* gegen)

splen·did ['splendɪd] *adj* **1.** prachtvoll, prächtig **2.** großartig; glanzvoll **3.** (*fam*) herrlich, ausgezeichnet, blendend; **splen·dif·er·ous** [splen'dɪfərəs] *adj* (*hum fam*) glänzend; **splen·dor** *s* (*Am*), **splen·dour** ['splendə(r)] *s* Glanz *m,* Pracht, Herrlichkeit *f*

splice [splaɪs] **I.** *tr* **1.** (MAR) spleißen, splissen **2.** verzahnen, verbinden **3.** (FILM) zusammenkleben; **get ~d** (*fam*) heiraten **II.** *s* **1.** Verbindung *f;* Splissung *f* **2.** (FILM) Klebestelle *f;* **splicer** ['splaɪsə(r)] *s* (Film)Klebegerät *n*

splint [splɪnt] **I.** *s* (MED) Schiene *f* **II.** *tr* (MED) schienen

splin·ter ['splɪntə(r)] **I.** *tr* zersplittern; zerhacken; (*fig*) spalten **II.** *itr* (zer)splittern; (*fig*) sich spalten **III.** *s* Splitter, Span *m;* **splinter group** *s* Splittergruppe *f;* **splinter party** *s* Splitterpartei *f;* **splinter·proof** *adj* (*Glas*) splittersicher

split [splɪt] <*irr:* split, split> **I.** *tr* **1.** spalten, aufsplittern **2.** (*fig*) trennen, (auf)spalten, entzweien **3.** (*Kosten*) aufteilen; verteilen **4.** (CHEM PHYS) spalten **5.** (*Aktien*) splitten; ~ **the difference** e-n Kompromiss schließen, auf halbem Weg entgegenkommen; ~ **hairs** Haarspalterei (be)treiben; ~ **one's sides** (**laughing**) platzen vor Lachen **II.** *itr* **1.** sich spalten, (zer)splittern (*into* in) **2.** (zer)brechen, (zer)reißen, bersten **3.** (*fig*) uneins werden, sich entzweien **4.** (*fam*) den Gewinn teilen, Halbpart machen; ~ **into s.th.** sich in etw teilen, aufsplittern; ~ **open** aufplatzen; bersten; ~ **with s.o.** mit jdm brechen; mit jdm teilen; **my head is ~ting** ich habe furchtbare Kopfschmerzen; **let's ~!** (*fam*) hauen wir ab! **III.** *s* **1.** (Zer)Splittern *n* **2.** Spalt, Riss, Sprung *m* **3.** (*fig*) Entzweiung, Spaltung *f* **4.** Aufteilung, Aufspaltung *f,* Split(ting *n*) *m* **5.** **~s** (SPORT) Spagat *m;* **banana** ~ Bananensplit *m* **IV.** *adj* gespalten; aufgeteilt; gesplittet; **in a** ~ **second** im Bruchteil e-r Sekunde; **a** ~ **decision** (*Boxkampf*) eine nicht einstimmige Entscheidung; ~ **ends** gespaltene Haarspitzen; ~ **infinitive** getrennter Infinitiv; ~ **payment** Teilzahlung *f;* ~ **pin** Splint *m;* ~ **screen** geteilter Bildschirm; **split off I.** *tr* abtrennen; abspalten; abbrechen **II.** *itr* abbrechen; sich lösen; (*fig*) sich trennen (*from* von); **split up I.** *tr* aufteilen; (*Partei*) spalten; (*Versammlung*) beenden; (*Leute*) trennen; (*Menge*) zerstreuen **II.** *itr* zerbrechen; sich teilen; (*Versammlung*) sich spalten; (*Menschen*) sich voneinander trennen

split-level [ˌsplɪt'levl] *adj:* ~ **flat** Wohnung über mehrere Ebenen; **split peas** *s pl* gespaltene, halbe Erbsen; **split personality** *s* gespaltene Persönlichkeit; **split·ting** ['splɪtɪŋ] **I.** *adj* (*Kopfschmerzen*) stark, heftig, rasend; **a ~ sound** ein Geräusch, als ob etw zerrisse, zerbräche; **ear-~** ohrenbetäubend **II.** *s* **1.** (Auf)Spaltung, Teilung *f* **2.** (*Steuer*) Splitting *n;* Aktiensplit *m;* **the ~ of the atom** die Kernspaltung; **split-up** ['splɪtʌp] *s* Bruch *m;* Trennung *f;* (*Partei*) Spaltung *f*

splodge, splotch [splɒdʒ, splɒtʃ] *s* Fleck, Klecks *m;* **splotchy** ['splɒtʃɪ] *adj* fleckig

splurge [splɜːdʒ] **I.** *s* (*fam*) Großeinkauf *m* **II.** *itr* (*fam*) groß einkaufen gehen; **~ out on s.th.** sich etw leisten

splut·ter ['splʌtə(r)] **I.** *itr* **1.** zischen; spritzen (*over* über) **2.** (*Mensch*) prusten; stottern **3.** (MOT) stottern **II.** *tr* (*~ out*) heraussprudeln; (*Drohung*) ausstoßen **III.** *s* **1.** Zischen *n;* Spritzen, Sprühen *n* **2.** Prusten *n;* Stottern *n* **3.** (MOT) Stottern *n*

spoil [spɔɪl] <*irr:* spoilt (spoiled), spoilt (spoiled)> **I.** *tr* **1.** vernichten, zerstören; beschädigen **2.** vereiteln **3.** verderben, (stark) beeinträchtigen **4.** verwöhnen, verziehen; **~ s.o.'s fun** jdm die Freude verderben; **be spoilt for choice** die Qual der Wahl haben **II.** *itr* verderben, verkommen, schlecht werden, (ver)faulen; **be ~ing for** (ganz) verrückt sein nach; abzielen auf **III.** *s* **1.** Beute *f* **2. ~s** Gewinn *m;* **spoiler** [-ə(r)] *s* (MOT) Spoiler *m;* **spoil·sport** *s* Spiel-, Spaßverderber(in) *m(f);* **spoilt** [spɔɪlt] *s.* **spoil**

spoke¹ [spəʊk] *s* **1.** Speiche *f* **2.** (*Leiter*) Sprosse *f;* **put a ~ in s.o.'s wheel** (*fig*) jdm Steine in den Weg legen

spoke² [spəʊk] *tr s.* **speak; spoken** ['spəʊkən] *tr s.* **speak; spokes·man** ['spəʊksmən] <*pl* -men> *s* Sprecher, Meinungs-, Wortführer *m;* **spokes·per·son** ['spəʊkspɜːsn] *s* Sprecher(in) *m(f),* Meinungs-, Wortführer(in) *m(f)*

spo·li·ation [ˌspəʊlɪ'eɪʃn] *s* Plünderung *f*

sponge [spʌndʒ] **I.** *s* **1.** Schwamm *m* **2.** (*~ cake*) Rührkuchen *m;* Biskuit *m;* **give s.th. a ~** etw aufwischen; etw abwaschen **II.** *tr* **1.** mit e-m Schwamm abwischen; abtupfen **2.** (*fam*) schnorren; **sponge down** *tr* (ab)waschen; **sponge off** *tr* abwischen; **sponge on** *itr:* **~ on s.o.** jdm auf der Tasche liegen; **sponge out** *tr* herausreiben; auswaschen; **sponge up** *tr* aufwischen; **sponge bag** *s* Wasch-, Kulturbeutel *m;* **sponge bath** *s* (MED) Ganzkörperwaschung *f;* **sponge cake** *s* Rührkuchen *m;* Biskuit *m;* **sponger** ['spʌndʒə(r)] *s* Schmarotzer *m;* **spongy** ['spʌndʒɪ] *adj* **1.** schwammig **2.** nachgiebig, weich **3.** (*Kuchen*) locker

spon·sor ['spɒnsə(r)] **I.** *s* **1.** Förderer *m,* Förderin *f;* Bürge *m,* Bürgin *f* **2.** (COM) Geldgeber(in) *m(f),* Sponsor(in) *m(f)* **3.** Pate *m,* Patin *f;* **stand ~ for s.o.** jdn fördern **II.** *tr* **1.** fördern, unterstützen **2.** garantieren; finanzieren; sponsern **3.** die Patenschaft übernehmen von; **spon·sor·ing group** ['spɒnsərɪŋˌɡruːp] *s* Projektträger *m;* **spon·sor·ship** ['spɒnsəʃɪp] *s* **1.** Sponsern *n* **2.** Förderung *f*

spon·ta·neity ['spɒntə'neɪətɪ] *s* Ungezwungenheit *f;* Spontaneität *f;* **spon·ta·neous** [spɒn'teɪnɪəs] *adj* spontan; impulsiv; von sich aus; **~ combustion** Selbstentzündung *f*

spoof [spuːf] *s* (*fam*) **1.** Parodie *f* **2.** Scherz *m*

spook [spuːk] *s* (*hum*) Gespenst *n;* **spooky** ['spuːkɪ] *adj* (*fam*) gespensterhaft

spool [spuːl] *s* Spule *f;* Rolle *f*

spoon [spuːn] **I.** *s* Löffel *m* **II.** *tr* löffeln; **~ out** ausschöpfen; **~ up** (aus)löffeln; **spoon·bill** ['spuːnbɪl] *s* (ORN) Löffler *m;* **spoon-feed** <*irr:* -fed, -fed> ['spuːnfiːd] *tr* **1.** (*Kind*) füttern **2.** (*fig*) gängeln; **spoon·ful** ['spuːnfʊl] *s* Löffel *m*

spor·adic [spə'rædɪk] *adj* sporadisch; gelegentlich

spore [spɔː(r)] *s* (BOT) Spore *f*

spor·ran ['spɒrən] *s* Felltasche *f* (*über dem Schottenrock getragen*)

sport [spɔːt] **I.** *s* **1.** Sport *m* **2. ~s** Sportveranstaltung *f* **3.** Zeitvertreib *m,* Vergnügen *n,* Spaß *m* **4.** (ZOO BOT) Spielart *f* **5.** (*fam*) prima Kerl; **do s.th. for** [*o* **in**] **~** etw zum Spaß tun; **say s.th. in ~** etw im Spaß sagen; **be good at ~(s)** gut im Sport sein; **be a (good) ~** alles mitmachen **II.** *itr* herumtollen; herumspielen **III.** *tr* **1.** (*Kleid*) anhaben **2.** (*fam*) protzen mit; **sport·ing** ['-ɪŋ] *adj* sportlich; Sports-; fair; **~ events** Wettkämpfe *mpl;* **a ~ man** ein Sportsmann; **give s.o. a ~ chance** jdm e-e faire Chance geben

sport·ive ['spɔːtɪv] *adj* lustig; verspielt

sports car ['spɔːtskɑː(r)] *s* Sport-, Rennwagen *m;* **sports·cast** ['spɔːtsˌkɑːst] *s* Sportübertragung *f;* **sports·caster** [-ə(r)] *s* Sportreporter(in) *m(f),* Kommentator(in) *m(f);* **sports day** *s* Schulsportfest *n;* **sports field** *s* Sportplatz *m;* **sports jacket** *s* Sportjackett *n,* Sakko *m;* **sports·man** ['spɔːtsmən] <*pl* -men> *s* **1.**

Sportler *m* **2.** anständiger Kerl; **sports·man·like** ['spɔ:tsmənlaɪk] *adj* **1.** sportlich **2.** fair; **sports·man·ship** ['spɔ:tsmənʃɪp] *s* Sportlichkeit *f,* sportliche Haltung; **sports page** *s* (*Zeitung*) Sportseite *f;* **sports·wear** ['spɔ:tsweə(r)] *s* Sportkleidung *f;* **sports·woman** ['spɔ:tswʊmən, *pl* -wɪmɪn] <*pl* -women> *s* Sportlerin *f;* **sport writer** ['spɔ:traɪtə(r)] *s* Sportjournalist(in) *m(f)*

sporty ['spɔ:tɪ] *adj* **1.** sportbegeistert; sportlich **2.** (*fig*) flott

spot [spɒt] **I.** *s* **1.** Tupfen, Punkt *m* **2.** (*fig*) Makel *m* **3.** (MED) Fleck *m;* Pickel *m* **4.** Punkt *m;* Stelle *f* **5.** (*fig*) Klemme *f* **6.** (TV) Spot, Werbekurzfilm *m* **7.** (THEAT) Scheinwerfer *m;* **~s of ink** Tintenkleckse *mpl;* **knock ~s off s.o.** jdn in den Schatten stellen; **break out in ~s** Pickel bekommen; **a pleasant ~** ein schönes Fleckchen; **on the ~** an Ort und Stelle; auf der Stelle; **an on-the-~ report** ein Bericht vom Ort des Geschehens; **a ~ of** ein bisschen; **be in a** (**tight**) **~** in der Klemme sein; **put s.o. in a ~** jdn in Verlegenheit bringen **II.** *tr* **1.** entdecken, sehen; erkennen; ausmachen **2.** bespritzen; **~ the winner** richtig tippen **III.** *itr* Flecken bekommen; **spot cash** *s* (COM) sofortige Bezahlung; **spot check** *s* Stichprobe *f;* **spot-check** *tr* Stichproben machen bei; **spot deal** *s* Kassageschäft *n;* **spot goods** *s pl* Lokowaren *fpl;* **spot height** *s* Höhenangabe *f;* **spot·less** ['spɒtlɪs] *adj* **1.** tadellos **2.** (*Ruf*) makellos, untadelig; **spot·light** ['spɒtlaɪt] **I.** *s* Scheinwerfer(licht *n*), Strahler *m;* **be in the ~** im Rampenlicht stehen; **turn the ~ on s.o.** (*fig*) die Aufmerksamkeit auf jdn lenken **II.** *tr* (*fig*) aufmerksam machen auf; **spot market** *s* Spot-, Kassamarkt *m;* **spot-on** [spɒt'ɒn] *adj* (*fam*) exakt, haarscharf richtig; **spot price** *s* (FIN) Lokopreis *m;* Kassakurs *m;* **spot remover** *s* Fleckentferner *m;* **spot·ted** ['spɒtɪd] *adj* gesprenkelt, gefleckt, getüpfelt; **spot·ter** ['spɒtə(r)] *s* **1.** (MIL) Aufklärer *m* **2.** (*Am*) Detektiv *m;* **spotty** ['spɒtɪ] *adj* fleckig; pickelig

spouse [spaʊz] *s* Gatte *m,* Gattin *f*

spout [spaʊt] **I.** *s* **1.** Ausguss *m,* Tülle *f;* Ausflussrohr *n* **2.** (*Kanne*) Schnauze *f* **3.** Fontäne *f* **4.** (*Wal*) Atemloch *n;* **up the ~** (*sl*) im Eimer; **water ~** Wasserhose *f* **II.** *tr* **1.** (*~ out*) herausspritzen; speien **2.** (*fig*) vom Stapel lassen; hervorsprudeln; von sich geben **III.** *itr* **1.** herausschießen, -spritzen, -sprudeln **2.** (*fig*) palavern; **~ out of s.th.** aus etw hervorspritzen

sprain [spreɪn] **I.** *tr* verrenken, verstauchen; **~ one's ankle** sich den Fuß verstauchen **II.** *s* Verrenkung, Verstauchung *f*

sprang [spræŋ] *s.* **spring**

sprat [spræt] *s* (ZOO) Sprotte *f*

sprawl [sprɔ:l] **I.** *itr* **1.** der Länge nach hinfallen; sich hinflegeln **2.** (BOT) wuchern **II.** *tr:* **be ~ed over s.th.** ausgestreckt auf etw liegen **III.** *s* Lümmeln, Flegeln *n;* **in the urban ~** in der riesigen Stadtlandschaft; **spraw·ling** [-ɪŋ] *adj* (*Stadt*) wild wuchernd; (*Körper*) ausgestreckt; (*Handschrift*) riesig

spray[1] [spreɪ] **I.** *s* **1.** Sprüh-, Staubregen *m;* Gischt, Sprühnebel *m* **2.** (*~ can*) Sprühdose *f;* (*~ bottle*) Zerstäuber *m* **3.** Spray *n od m* **4.** Besprühen *n* **II.** *tr* **1.** zerstäuben, spritzen **2.** (*Pflanzen*) besprühen **3.** (*Wasser*) sprühen **4.** spritzlackieren **III.** *itr* sprühen; spritzen

spray[2] [spreɪ] *s* **1.** Strauß *m;* Zweig *m* **2.** Brosche *f*

spread [spred] <*irr:* spread, spread> **I.** *s* **1.** Spannweite, Flügelspanne *f* **2.** (*Punkte*) Verteilung, Streuung *f* **3.** (*Ideen*) Spektrum *n* **4.** (*Größe*) Ausbreitung *f;* Ausdehnung *f* **5.** (*fam*) Festessen *n* **6.** Decke *f* **7.** Brotaufstrich *m* **8.** (TYP) Doppelseite *f* **9.** (*Börse*) Spanne, Differenz *f;* **middle-age ~** Altersspeck *m;* **cheese ~** Streichkäse *m* **II.** *tr* **1.** ausbreiten; ausstrecken; auslegen **2.** (*Brot*) bestreichen **3.** (*Tisch*) decken **4.** (*Sand, Zahlungen, Risiko*) verteilen; streuen **5.** (*Wissen*) verbreiten; **~ a cloth on s.th.** ein Tuch über etw breiten; **~ about** [*o* **around**] verbreiten **III.** *itr* **1.** sich erstrecken, sich ausdehnen (*over, across* über), sich aus-, verbreiten **2.** (*Butter*) sich streichen lassen; **~ to s.th.** etw erreichen; auf etw übergreifen; **~ into s.th.** sich in etw erstrecken **IV.** *refl* sich ausstrecken; sich verbreiten

spread-eagle [ˌspred'i:gl] *tr:* **be ~d** mit ausgestreckten Armen daliegen; alle viere von sich strecken; **spreader** ['spredə(r)] *s* **1.** Spachtel *f* **2.** (AGR) Streugerät *n,* Miststreuer *m* **3.** (MAR) Saling *f;* **spread·sheet** ['spredʃi:t] *s* Tabellenkalkulation *f*

spree [spri:] *s:* **buying** [*o* **shopping**] **~** Großeinkauf *m;* **be** [*o* **go out**] **on a ~** e-e Zechtour machen

sprig [sprɪg] *s* (dünner) Zweig *m*

spright·ly ['spraɪtlɪ] *adj* munter, lebendig, lebhaft

spring [sprɪŋ] <*irr:* sprang, sprung> **I.** *s* **1.** Quelle *f* **2.** Frühling *m* **3.** Sprung, Satz *m* **4.** (MECH) Feder *f* **5.** Federung *f;* Elastizität *f;* **~s** (*fig*) Ursprung *m;* **in ~** im Frühjahr; **in the ~ of his life** im Frühling seines Lebens; **in one ~** mit e-m Satz; **make a ~ at s.o.** sich auf jdn stürzen; **walk with a ~ in one's step** mit federnden Schritten gehen **II.** *adj* **1.** Frühlings- **2.** gefedert **III.** *tr* **1.**

überspringen **2.** federn **3.** (*Schock*) auslösen **4.** (*Mine*) explodieren lassen **5.** (*Schloss*) zuschnappen lassen **6.** (*sl*) rausholen; ~ **s.th. on s.o.** jdn mit etw konfrontieren; ~ **a leak** undicht werden; ein Leck bekommen; ~ **a surprise on s.o.** jdn völlig überraschen **IV.** *itr* **1.** springen; ausgelöst werden; zuschnappen **2.** (~ *forth*) hervorquellen; sprühen; hervorsprießen (*from* aus) **3.** (*Familie*) abstammen (*from* von) **4.** (*Idee*) enstehen (*from* aus) **5.** (*Interesse*) herrühren (*from* von); ~ **back** zurückspringen; zurückschnellen; ~ **up** hervorsprießen; aufspringen; erwachen, entstehen; auftauchen; ~ **at s.o.** jdn anspringen; ~ **out at s.o.** auf jdn losspringen; ~ **open** aufspringen; ~ **to one's feet** aufspringen; ~ **into action** aktiv werden; ~ **to arms** zu den Waffen eilen; ~ **to mind** einem einfallen; ~ **into existence** plötzlich entstehen; ~ **out of bed** aus dem Bett hüpfen; **spring balance** *s* Federwaage *f;* **spring binder** *s* Klemmhefter *m;* **spring·board** *s* (SPORT) Sprungbrett *n a. fig;* **spring-clean I.** *tr* gründlich putzen **II.** *itr* Frühjahrsputz machen; **spring-cleaning** *s* Frühjahrsputz *m;* **spring onion** *s* Lauch-, Frühlingszwiebel *f;* **spring roll** *s* Frühlingsrolle *f;* **spring tide** *s* Springflut *f;* **spring·time** ['sprɪŋtaɪm] *s* Frühlingszeit *f,* Frühjahr *n;* **spring water** *s* Quellwasser *n;* **spring wheat** *s* Sommerweizen *m*

springy ['sprɪŋɪ] *adj* elastisch; federnd

sprinkle ['sprɪŋkl] **I.** *tr* **1.** sprenkeln **2.** (*Rasen*) besprengen, bespritzen **3.** (*Kuchen*) bestreuen **4.** (*Salz*) streuen **II.** *s* ein paar Spritzer; Prise *f;* **a** ~ **of rain** ein paar Regentropfen; **sprink·ler** ['sprɪŋklə(r)] *s* **1.** Berieselungsapparat, Sprinkler *m* **2.** (*Garten*) Rasensprenger *m* **3.** Gießkannenkopf *m;* Brause *f* **4.** (REL) Weihwasserwedel *m;* **sprink·ling** ['sprɪŋklɪŋ] *s* **1.** ein paar Tropfen; Prise *f* **2.** (*fig*) Anflug *m,* Spur *f;* **a** ~ **of freckles** ein paar Sommersprossen

sprint [sprɪnt] **I.** *itr* sprinten; rennen **II.** *s* Lauf, Sprint *m;* **put on a** ~ e-n Sprint vorlegen; **sprinter** ['sprɪntə(r)] *s* Sprinter(in) *m(f),* Kurzstreckenläufer(in) *m(f)*

sprite [spraɪt] *s* Kobold *m*

sprocket ['sprɒkɪt] *s* (TECH) Kettenrad *n;* Kettenzahnrad *n*

sprog [sprɒg] *s* (*sl*) Kind *n;* Baby *n*

sprout [spraʊt] **I.** *itr* **1.** sprießen; keimen; Triebe bekommen **2.** (~ *up*) emporschießen, sprießen **II.** *tr* sprießen, wachsen, keimen lassen **III.** *s* **1.** (BOT) Trieb, Spross *m;* Keim *m* **2.** ~**s** (*Brussels* ~*s*) Rosenkohl *m*

spruce[1] [spruːs] **I.** *adj* sauber; gepflegt; adrett, schmuck; flott **II.** *tr:* ~ **up** herausputzen; auf Vordermann bringen; ~ **o.s. up** sich in Schale werfen; sich schön machen; **all** ~**d up** geschniegelt und gebügelt; zurechtgemacht

spruce[2] [spruːs] *s* (BOT) Fichte, Rottanne *f*

sprung [sprʌŋ] *s.* **spring**

spry [spraɪ] *adj* rüstig

spud [spʌd] *s* (*fam*) Kartoffel *f*

spume [spjuːm] *s* Schaum, Gischt *m*

spun [spʌn] **I.** *pt, pp of* **spin II.** *adj* gesponnen

spunk [spʌŋk] *s* (*fam*) Mumm *m*

spur [spɜː(r)] **I.** *s* **1.** (*a.* ZOO) Sporn *m* **2.** (*fig*) Ansporn, Antrieb *m* (*to* für) **3.** (*Gebirge*) Vorsprung *m* **4.** (RAIL) Nebengleis, Rangiergleis *n;* **on the** ~ **of the moment** ganz spontan; **win one's** ~**s** sich die Sporen verdienen **II.** *tr* **1.** die Sporen geben (*a horse* e-m Pferd) **2.** (*fig*) anspornen; ~**red** (**on**) **by ambition** vom Ehrgeiz getrieben **III.** *itr* galoppieren

spu·ri·ous ['spjʊərɪəs] *adj* **1.** (*Dokument*) falsch, unecht **2.** (*Forderung*) unberechtigt

spurn [spɜːn] *tr* verschmähen

spurt [spɜːt] **I.** *tr:* **the wound** ~**ed blood** aus der Wunde spritzte Blut **II.** *itr* **1.** hervorsprudeln (*from* aus) **2.** (SPORT) spurten **III.** *s* **1.** Strahl *m* **2.** (SPORT) Spurt *m;* **final** ~ Endspurt *m;* ~**s of flame** Stichflammen *fpl*

sput·ter ['spʌtə(r)] *s.* **splutter**

spu·tum ['spjuːtəm] *s* (MED) Auswurf *m*

spy [spaɪ] **I.** *tr* sehen, erspähen; ~ **out** ausfindig machen; ~ **out the land** (*fig*) die Lage peilen **II.** *itr* spionieren, Spionage treiben; ~ **into s.th.** in etw herumspionieren; ~ **on s.o.** jdn bespitzeln **III.** *s* Spion(in) *m(f),* Spitzel *m;* **spy·glass** *s* Fernglas *n;* **spy·hole** *s* Guckloch *n,* Spion *m;* **spy satellite** *s* Aufklärungs-, Spionagesatellit *m*

squabble ['skwɒbl] **I.** *itr* sich zanken, sich streiten **II.** *s* Zank, Streit *m*

squad [skwɒd] *s* **1.** (MIL) Korporalschaft *f* **2.** (*Polizei*) Kommando *n;* Dezernat *n* **3.** (SPORT) Mannschaft *f* **4.** (*Arbeiter*) Trupp *m;* **squad car** *s* (*Am*) Streifenwagen *m;* **squad·die** ['skwɔdɪ] *s* (*pej*) Gefreite(r) *m*

squad·ron ['skwɒdrən] *s* **1.** (MAR) Geschwader *n* **2.** (*Kavallerie*) Schwadron *f* **3.** (AERO) Staffel *f*

squalid ['skwɒlɪd] *adj* **1.** schmutzig und verwahrlost **2.** (*Dasein*) elend, erbärmlich **3.** (*Motiv*) gemein, niederträchtig

squall [skwɔːl] **I.** *s* **1.** Bö *f;* Gewitter *n,* Sturm *m* **2.** Schrei *m* **II.** *itr* schreien; **squally** ['skwɔːlɪ] *adj* böig; stürmisch

squalor ['skwɒlə(r)] *s* Schmutz *m;* Verkommenheit *f;* Verwahrlosung *f*

squan•der ['skwɒndə(r)] *tr* **1.** verschwenden, vergeuden **2.** (*Geld, fam*) durchbringen

square [skweə(r)] **I.** *s* **1.** (MATH) Quadrat *n* **2.** Quadratzahl *f* **3.** Viereck, Rechteck *n;* Kästchen, Karo *n* **4.** Platz *m* **5.** (*Am*) Block *m* **6.** Winkelmaß *n;* Zeichendreieck *n* **7.** (*Schachbrett*) Feld *n* **8.** (*sl*) Spießer *m;* **a 2 metre** ~ 2 Meter im Quadrat; **cut in ~s** in Quadrate zuschneiden; **go back to ~ one** noch einmal von vorne anfangen; **be out of ~** nicht rechtwinklig sein; **be on the ~** (*fig*) in Ordnung sein; **be a ~** (*sl*) von gestern sein **II.** *adj* **1.** quadratisch; viereckig; vierkantig **2.** (*Winkel*) recht; rechtwinklig **3.** (*Klammer*) eckig **4.** (MATH) Quadrat- **5.** (*Essen*) anständig, ordentlich **6.** (*Spiel*) fair; ehrlich **7.** (*sl*) spießig; überholt; **2 ~ metres** 2 Quadratmeter; **be a ~ peg in a round hole** am falschen Platz sein; **give s.o. a ~ deal** jdn gerecht behandeln; **be ~** in Ordnung sein; **get ~ with s.o.** mit jdm abrechnen; **we are (all) ~** (SPORT) wir stehen alle gleich **III.** *adv* **1.** rechtwinklig **2.** direkt, genau **3.** ehrlich, fair; **fair and ~** offen und ehrlich **IV.** *tr* **1.** quadratisch, rechtwinklig machen **2.** (MATH) quadrieren **3.** (*Schulden*) begleichen; abrechnen mit **4.** (*fam*) schmieren; **~ one's shoulders** sich aufrichten; **try to ~ the circle** die Quadratur des Kreises versuchen; **3 ~d is 9** 3 hoch 2 ist 9; **~ one's accounts** abrechnen (*with* mit); **~ off** in Quadrate einteilen **V.** *itr* übereinstimmen; **~ up** abrechnen; **~ up to s.o.** jdm die Stirn bieten; **~ up to s.th.** sich e-r S stellen; **square brackets** *s pl* eckige Klammern *fpl;* **square-built** [ˌskweə'bɪlt] *adj* breit gebaut, vierschrötig; stämmig; **square dance** *s* Squaredance *m;* **squared paper** *s* Millimeterpapier *n;* **square measure** *s* Flächenmaß *n;* **square mile** *s* Quadratmeile *f;* **square number** *s* Quadratzahl *f;* **square-rig•ger** ['skweəˌrɪgə(r)] *s* Rahsegler *m;* **square root** *s* (MATH) Quadratwurzel *f*

squash¹ [skwɒʃ] **I.** *tr* **1.** zerdrücken, zermalmen; aus-, zerquetschen **2.** (*fig*) zum Schweigen bringen **3.** quetschen; **be ~ed to a pulp** zu Brei zerquetscht werden; **~ s.o. in** jdn einquetschen; **be ~ed together** eng zusammengepresst sein **II.** *itr* **1.** zerdrückt werden **2.** sich quetschen; **~ in** sich einquetschen **III.** *s* **1.** Fruchtsaftgetränk *n;* Fruchtsaftkonzentrat *n* **2.** Menschenmenge *f,* Gedränge *n*

squash² [skwɒʃ] *s* Kürbis *m*

squash³ [skwɒʃ] *s* (SPORT) Squash *n;* **squash court** *s* Squashhalle *f;* **squash racket** *s* Squashschläger *m*

squashy ['skwɒʃɪ] *adj* weich; saftig; matschig

squat [skwɒt] **I.** *itr* **1.** hocken, kauern **2.** (*~ down*) sich hinhocken **3.** sich illegal ansiedeln; **~ in a house** ein Haus besetzt halten **II.** *adj* **1.** gedrungen, kompakt **2.** (*Stuhl*) niedrig **III.** *s* **1.** Unterschlupf *m* **2.** Hausbesetzung *f* **3.** besetztes Haus; **squat•ter** ['skwɒtə(r)] *s* Hausbesetzer(in) *m(f)*

squaw [skwɔː] *s* Squaw *f*

squawk [skwɔːk] **I.** *itr* **1.** schreien; kreischen **2.** (*fam*) protestieren **II.** *s* **1.** heiserer Schrei **2.** (*fam*) Protest *m*

squeak [skwiːk] **I.** *itr* **1.** quietschen, knarren **2.** (*Tier*) quieken **II.** *tr* quieksen **III.** *s* **1.** Quietschen, Kreischen *n* **2.** (*Maus*) Piepsen *n;* **have a narrow ~** mit knapper Not davonkommen; **squeaky** ['skwiːkɪ] *adj* quietschend, knarrend; **~ clean** blitzsauber

squeal [skwiːl] **I.** *itr* **1.** schreien, quieken; kreischen **2.** (*fam*) jammern **3.** (*fam*) verpfeifen, verraten (*on s.o.* jdn); **~ with pain** vor Schmerz aufheulen; **~ for s.o.** nach jdm schreien **II.** *tr* **1.** schreien, kreischen **2.** (*fam*) singen; petzen **III.** *s* Schrei *m;* Kreischen *n;* Quieken *n*

squeam•ish ['skwiːmɪʃ] *adj* **1.** (*Magen*) empfindlich; heikel **2.** (*fig*) überempfindlich, feinfühlig; **I felt a bit ~** mir war leicht übel; **I'm not ~** mir wird nicht so schnell übel; ich bin nicht so zimperlich

squee•gee [ˌskwiː'dʒiː] *s* Gummiwischer *m;* (PHOT) Rollenquetscher *m*

squeeze [skwiːz] **I.** *tr* **1.** drücken; ausdrücken **2.** (*Orange*) auspressen, ausquetschen **3.** (*Hand*) einquetschen; **~ out water** Wasser herauspressen; **~ s.th. dry** etw auswringen; **~ money out of s.o.** Geld aus jdm herausquetschen; **be ~d to death** erdrückt werden **II.** *itr:* **~ in/out** sich hinein-/hinausdrängen; **~ past s.o.** sich an jdm vorbeidrücken; **~ through a hole** sich durch ein Loch zwängen **III.** *s* **1.** Drücken, Pressen *n* **2.** Händedruck *m* **3.** Gedränge *n* **4.** (*fig*) Spritzer *m* **5.** (FIN: *credit ~*) Kreditbeschränkung *f;* **give s.th. a ~** etw drücken; **it was a tight ~** es war fürchterlich eng; **be in a tight ~** in der Klemme sein; **put the ~ on s.o.** (*fig*) jdm die Daumenschrauben anlegen; **squeezer** ['skwiːzə(r)] *s* Presse *f*

squelch [skweltʃ] **I.** *tr:* **~ one's way through s.th.** durch etw platschen **II.** *itr* platschen, quatschen **III.** *s* Platschen, Glucksen *n*

squib [skwɪb] *s* Knallfrosch *m;* **a damp ~** (*fig*) ein Reinfall

squid [skwɪd] *s* (ZOO) Tintenfisch *m*

squiggle ['skwɪgl] *s* Schnörkel *m*

squint [skwɪnt] **I.** *itr* **1.** schielen (*at* nach) **2.** blinzeln **II.** *s* **1.** Schielen *n* **2.** Seitenblick *m;* **have a ~ at s.th.** e-n Blick auf etw werfen **III.** *adj* schief; **squint- eyed** [ˌskwɪnt'aɪd] *adj* schielend

squire ['skwaɪə(r)] *s* **1.** (HIST) Knappe *m* **2.** (*früher*) Gutsbesitzer *m*

squirm [skwɜːm] *itr* sich winden, sich krümmen; schaudern

squir•rel ['skwɪrəl] *s* Eichhörnchen *n*

squirt [skwɜːt] **I.** *itr* spritzen **II.** *tr* an-, bespritzen; **~ water at s.o.** jdn mit Wasser bespritzen **III.** *s* **1.** Spritzer *m* **2.** Spritze *f* **3.** (*fam*) Pimpf *m*

Sri Lan•ka [ˌsriː'læŋkə] *s* Sri Lanka *n;* **Sri Lan•kan** [ˌsriː'læŋkən] **I.** *adj* srilankisch **II.** *s* Srilanker(in) *m(f)*

St *s abbr of* **Saint** St., Sankt

St.[1] *s abbr of* **Street** Str., Straße *f*

St.[2] *s s.* **Strait** Straße, Meerenge *f*

stab [stæb] **I.** *tr* **1.** e-n Stich versetzen (*s.o.* jdm), einstechen auf **2.** niederstechen; **~ s.o. to death** jdn erstechen; **~ s.o. with a knife** jdn mit e-m Messerstich verletzen; **~ s.o. in the back** (*fig*) jdm in den Rücken fallen **II.** *itr:* **~ at s.o.** nach jdm stechen; auf jdn zeigen **III.** *s* Stich *m;* **~ wound** Stichwunde *f;* **feel a ~ of conscience** ein schlechtes Gewissen haben; **a ~ in the back** (*fig*) ein Dolchstoß; **stab•bing** ['-ɪŋ] *adj* (*Schmerz*) stechend

sta•bil•ity [stə'bɪlətɪ] *s* **1.** Stabilität *f* **2.** (*fig*) Beständigkeit, Dauerhaftigkeit *f;* **sta•bil•iz•ation** [ˌsteɪbəlaɪ'zeɪʃn] *s* Stabilisierung *f;* **sta•bil•ize** ['steɪbəlaɪz] **I.** *tr* stabilisieren **II.** *itr* sich stabilisieren; **sta•bi•lizer** ['steɪbəlaɪzə(r)] *s* Stabilisator *m;* **sta•bil•iz•ing fin** [ˌsteɪbɪlaɪzɪŋ 'fɪn] *s* (MAR, AERO) Stabilisierungsflosse *f*

stable[1] ['steɪbl] *adj* **1.** fest, stabil; sicher **2.** (*fig*) beständig, dauerhaft **3.** (*Charakter*) gefestigt; **his condition is ~** sein Zustand ist stabil

stable[2] ['steɪbl] **I.** *s* Stall *m;* **be out of the same ~** (*fig*) aus dem gleichen Stall stammen **II.** *tr* in den Stall bringen; **stable-boy, stable-lad** *s* Stallknecht *m*

stack [stæk] **I.** *s* **1.** Stapel, Stoß, Haufen *m* **2.** (Heu)Schober *m* **3.** Gewehrpyramide *f* **4.** (*fam*) Haufen *m* **5. ~s** (*Bibliothek*) Magazin *n* **6.** (GEOL) Felssäule *f;* **be in the ~** (AERO) Warteschleifen ziehen; **have ~s of time** jede Menge Zeit haben **II.** *tr* **1.** stapeln **2.** (*Am: Karten*) packen; **~ up** aufstapeln; **the cards are ~ed against us** wir haben keine großen Chancen **III.** *itr* sich stapeln lassen

sta•dium ['steɪdɪəm] *s* Stadion *n*

staff [stɑːf] **I.** *s* **1.** Personal *n;* Lehrkörper *m;* Mitarbeiterstab *m* **2.** Stab *m;* Stock *m* **3.** (*fig*) Stütze *f* **4.** (MIL) Stab *m* **5.** (*pl: staves*) Notensystem *n;* **be on the ~** zum Personal gehören; **administrative ~** Verwaltungsstab *m;* **editorial ~** Redaktion *f;* **a large ~** viel Personal; **~ of office** Amtsstab *m;* **the ~ of life** das wichtigste Nahrungsmittel **II.** *tr* Personal einstellen für; **be well ~ed** gut besetzt sein; **staff agency** *s* Personalvermittlung *f;* **staff association** *s* Personalvertretung *f;* **staff costs** *s pl* Personalkosten *pl;* **staff•ing** ['stɑːfɪŋ] *s* Stellenbesetzung *f;* **~ levels** Personalbestand *m;* **staff nurse** *s* (*Br*) vollausgebildete Krankenschwester; Vollschwester *f fam;* **staff officer** *s* (MIL) Stabsoffizier *m;* (*Universität*) Personalbeauftragte(r) *f m;* **staff room** *s* Lehrerzimmer *n*

stag [stæg] **I.** *s* **1.** (ZOO) Hirsch *m* **2.** (COM) Neuemissionsspekulant(in) *m (f)* **II.** *adv:* **go ~** (*Am*) solo ausgehen **III.** *tr* (*mit einer Neuemission*) spekulieren; **stag beetle** *s* Hirschkäfer *m*

stage [steɪdʒ] **I.** *s* **1.** (THEAT) Bühne *f* **2.** Podium *n* **3.** Stadium *n;* Phase *f* **4.** (*Rennen*) Abschnitt *m,* Etappe *f* **5.** Teilstrecke, Zahlgrenze *f* **6.** (*~coach*) Postkutsche *f* **7.** (*Rakete*) Stufe *f;* **the ~** das Theater, die Bühne; **be on the ~** beim Theater sein; **go on ~** die Bühne betreten; **come off ~** von der Bühne abtreten; **hold the ~** die Szene beherrschen; **at this ~ in the game** zu diesem Zeitpunkt; **in the early ~s** im Anfangsstadium; **experimental ~** Versuchsstadium *n;* **in** [*o* **by**] **~s** etappenweise **II.** *tr* **1.** (*Stück*) auf die Bühne bringen, aufführen **2.** (*fig*) inszenieren; arrangieren, veranstalten; **~ a comeback** sein Comeback machen; **stage•coach** *s* Postkutsche *f;* **stage direction** *s* Bühnenanweisung *f;* **stage door** *s* Künstlereingang *m;* **stage effect** *s* Bühnenwirkung *f;* **stage fright** *s* Lampenfieber *n;* **suffer from ~** Lampenfieber haben; **stage•hand** *s* Bühnenarbeiter(in) *m(f);* **stage-manage** *tr* inszenieren *a. fig,* Inspizient sein bei; **stage manager** *s* Inspizient *m;* **stage name** *s* Künstlername *m;* **stager** ['steɪdʒə(r)] *s:* **be an old ~** ein alter Hase sein; **stage-struck** ['steɪdʒstrʌk] *adj* theaterbegeistert; **stage whisper** *s* Bühnengeflüster *n*

stag•fla•tion [ˌstæg'fleɪʃn] *s* (FIN) Stagflation *f*

stag•ger ['stægə(r)] **I.** *itr* (sch)wanken, taumeln; torkeln **II.** *tr* **1.** (*Nachrichten*) den Atem verschlagen (*s.o.* jdm) **2.** (*Ferien*) staffeln, stufen **III.** *s* Wanken, Schwanken, Taumeln *n;* **give a ~** taumeln, schwanken; **stag•gered** ['stægəd] *adj* **1.** gestaffelt **2.** (*fig*) überrascht, verblüfft; **stag•ger•ing** ['stægərɪŋ] *adj* **1.** (sch)wankend, torkelnd

2. (*fig*) atemberaubend, umwerfend; **give s.o. a ~ blow** jdm e-n Schlag versetzen *a. fig*

stag•ing ['steɪdʒɪŋ] *s* 1. Inszenierung *f* 2. Bühne *f*

stagn•ant ['stægnənt] *adj* 1. (*Wasser*) stehend, abgestanden 2. (*Luft*) verbraucht 3. (*fig*) träge, untätig 4. (COM) stagnierend; **stag•nate** [stæg'neɪt] *itr* 1. stagnieren *a. fig* 2. (*Wasser*) abstehen 3. (*Luft*) verbraucht werden 4. (*Handel*) stocken, stagnieren 5. (*Geist*) einrosten; **stag•na•tion** [stæg'neɪʃn] *s* 1. Stagnation, Stockung *f* 2. (COM) Flaute, Lustlosigkeit *f* 3. (*Geist*) Verlangsamung *f*

stag night, **stag party** ['stægnaɪt, -pɑːtɪ] *s* (*fam*) Herrengesellschaft *f*, -abend *m* (*besonders vor einer Hochzeit*)

stagy ['steɪdʒɪ] *adj* theatralisch

staid [steɪd] *adj* gesetzt, ruhig, gelassen

stain [steɪn] I. *tr* 1. beflecken 2. beizen; färben II. *itr* 1. Flecken hinterlassen 2. fleckig werden III. *s* 1. Fleck *m* 2. (*fig*) Schandfleck *m* 3. Farbe *f*, Farbstoff *m*; Beize *f*; **~ remover** Fleckenentferner *m*; **without a ~ on his character** ohne Makel; **stained** [steɪnd] *adj* 1. (*Glas*) bunt 2. (*Kleid*) fleckig, befleckt; **~- glass window** Buntglasfenster *n*; **stain•less** ['-lɪs] *adj* 1. flecken-, makellos *bes. fig* 2. (*Stahl*) rostfrei; **~ steel** rostfreier (Edel)Stahl; **"~ steel"** „rostfrei"

stair [steə(r)] *s* 1. (Treppen)Stufe *f* 2. **~s** Treppe *f*; **at the top of the ~s** oben an der Treppe; **stair carpet** *s* Treppenläufer *m*; **stair•case** *s* Treppe *f*; Treppenhaus *n*; **stair rail** *s* Treppengeländer *n*; **stair-way** ['steəweɪ] *s* Treppenhaus *n*; **stair-well** ['steəwel] *s* Teppenhaus *n*

stake [steɪk] I. *s* 1. Pfahl, Pfosten, Pflock *m* 2. Scheiterhaufen *m* 3. (*Spiel*) Einsatz *m* 4. (COM) Anteil *m* 5. **~s** Gewinn *m*; **die at** [*o* **go to**] **the ~** auf dem Scheiterhaufen sterben; **be at ~** auf dem Spiel stehen; **have a ~ in s.th.** e-n Anteil an etw haben II. *tr* 1. (*Tier*) anpflocken 2. (~ *up*) hochbinden 3. (*Wette*) setzen (*on* auf); **~ one's life on s.th.** seine Hand für etw ins Feuer legen; **~ a claim to s.th.** ein Anrecht auf etw sichern; **~ out** abstecken; (*sl*) überwachen; **stake-out** ['steɪkaʊt] *s* (*Am sl*) Überwachung *f*

stal•ac•tite ['stæləktaɪt] *s* (GEOL) Stalaktit *m*; **stal•ag•mite** ['stæləgmaɪt] *s* (GEOL) Stalagmit *m*

stale [steɪl] *adj* 1. (*Bier*) schal, abgestanden 2. (*Brot*) altbacken 3. (*Fleisch, Ei*) nicht mehr ganz frisch 4. (*Wasser, Luft*) verbraucht 5. (*fig*) abgegriffen, abgedroschen

stale•mate ['steɪlmeɪt] I. *s* 1. (*Schach*) Patt *n* 2. (*fig*) Sackgasse *f*, Patt *n*, Pattsituation *f* II. *tr* 1. (*Schach*) patt setzen 2. (*fig*) matt setzen

stalk¹ [stɔːk] I. *itr* 1. stolzieren 2. (*Jagd*) pirschen II. *tr* 1. (*Jagd*) sich heranpirschen an 2. (*fig*) sich anschleichen an

stalk² [stɔːk] *s* (BOT) Stengel, Halm *m*; Strunk *m*

stalking-horse ['stɔːkɪŋˌhɔːs] *s* (POL) Strohmann *m*

stall [stɔːl] I. *s* 1. Box, Bucht *f* 2. (Markt)Bude *f*, (Verkaufs)Stand *m* 3. (REL) Kirchenstuhl *m* 4. **~s** (*Br*) Theater-Parkett *n* 5. (AERO) überzogener Flug II. *tr* 1. (*Kuh*) einstellen 2. (*Flugzeug*) überziehen 3. (MOT) abwürgen 4. (*fig*) aufschieben, hinhalten, vertrösten III. *itr* 1. (MOT) absterben 2. (AERO) überziehen 3. (*fig*) Zeit schinden; **~ on a decision** e-e Entscheidung hinauszögern; **~ for time** versuchen, Zeit zu gewinnen; **stall•holder** ['stɔːlˌhəʊldə(r)] *s* Marktstandbesitzer(in) *m(f)*

stal•lion ['stælɪən] *s* (ZOO) (Zucht)Hengst *m*

stal•wart ['stɔːlwət] I. *adj* 1. kräftig, robust 2. (*Glaube*) unentwegt, unerschütterlich II. *s* treuer Anhänger

sta•men ['steɪmen] *s* (BOT) Staubfaden *m*

stam•ina ['stæmɪnə] *s* Stehvermögen, Durchhaltevermögen *n*

stam•mer ['stæmə(r)] I. *tr* stammeln II. *itr* stottern III. *s* Stottern *n*; **stam•merer** ['stæmərə(r)] *s* Stotterer *m*, Stotterin *f*

stamp [stæmp] I. *tr* 1. (zer)stampfen 2. (*Brief*) frankieren 3. (*Papier*) stempeln; prägen; aufprägen 4. (*fig*) ausweisen (*as* als); **~ one's foot** mit dem Fuß aufstampfen; **~ the ground** auf den Boden stampfen; **~ on** aufprägen; **be ~ed on s.o.'s memory** sich jdm eingeprägt haben; **~ out** austreten; ausrotten; unterdrücken; (TECH) ausstanzen; **~ed addressed envelope, s.a.e.** frankierter Rückumschlag II. *itr* stampfen, trampeln; (TECH) stanzen; **~ in** hineinstapfen III. *s* 1. Briefmarke *f* 2. (Stempel)Marke *f* 3. (Rabatt)Marke *f* 4. Aufkleber *m* 5. Stempel *m*; **collect ~s** Briefmarken sammeln; **a man of his ~** ein Mann seines Schlags; **bear the ~ of the expert** den Stempel des Experten tragen; **stamp album** *s* Briefmarkenalbum *n*; **stamp collector** *s* Briefmarkensammler(in) *m(f)*; **stamp dealer** *s* Briefmarkenhändler(in) *m(f)*; **stamp duty** *s* Stempelgebühr *f*

stam•pede [stæm'piːd] I. *s* wilde Flucht; Massenansturm *m* (*on* auf) II. *tr* in Panik versetzen; **~ s.o. into doing s.th.** jdn dazu drängen etw zu tun III. *itr* durchgehen; losstürmen (*for* auf)

stamp•ing ground ['stæmpɪŋˌgraʊnd] *s*

(*fam*) Lieblingsaufenthalt *m*
stamp pad *s* Stempelkissen *n*
stance [stɑːns] *s* **1.** Haltung *f*, Stand *m* **2.** Einstellung *f*
stand [stænd] <*irr:* **stood, stood**> **I.** *s* **1.** Platz, Standort *m* **2.** (*fig*) Standpunkt *m*, Einstellung *f* (*on* zu) **3.** (MIL) Widerstand *m* **4.** (*Taxi*) Stand *m* **5.** (THEAT) Gastspiel *n* **6.** Ständer *m* **7.** (*Markt*) Stand *m* **8.** Podium *n* **9.** (SPORT) Tribüne *f* **10.** (*Am: bei Gericht*) Zeugenstand *m;* **take a ~** e-e Einstellung vertreten **II.** *tr* **1.** stellen **2.** (*Druck*) standhalten; gewachsen sein (*s.th.* e-r S) **3.** (*Klima*) vertragen **4.** (*Lärm*) ertragen, aushalten **5.** (*Verlust*) verkraften; **I can't ~ him** ich kann ihn nicht ausstehen; **~ s.o. a drink** jdm e-n Drink spendieren; **~ a round** (*fam*) eine Runde schmeißen *fam* **III.** *itr* **1.** stehen; aufstehen **2.** (*Baum*) hoch, groß sein **3.** (*fig*) bestehen bleiben **4.** (*Versprechen*) gelten; gültig bleiben **5.** (*Rekord*) stehen **6.** (*Thermometer*) stehen (*at* auf); **~ still** still stehen; **~ as a candidate** kandidieren; **~ to lose a lot** Gefahr laufen e-e Menge zu verlieren; **how do we ~?** wie stehen wir?; **as things ~** nach Lage der Dinge; **as it ~s** so wie die Sache aussieht; **~ alone** unerreicht sein; **~-alone terminal** (EDV) autonome Datenstation; **~ in the way of s.th./s.o.** (*fig*) etw verhindern/ jdm im Wege stehen; **stand about** *itr* herumstehen; **stand apart** *itr* abseits stehen; sich fernhalten; **stand aside** *itr* auf die Seite treten, beiseite treten; abseits stehen; zurücktreten; **stand back** *itr* **1.** zurücktreten; zurückstehen **2.** (*fig*) Abstand nehmen; **stand by** *itr* **1.** danebenstehen; herumstehen **2.** sich bereithalten; **~ by and do nothing** tatenlos zusehen; **~ by for further news** auf weitere Nachrichten warten; **~ by a promise** ein Versprechen halten; **stand down** *itr* **1.** verzichten, zurücktreten **2.** (JUR) den Zeugenstand verlassen **3.** (MIL) aufgelöst werden; **stand for** *itr* **1.** kandidieren für, sich zur Wahl stellen für **2.** stehen für **3.** hinnehmen, sich gefallen lassen; **~ for election** kandidieren; **stand in** *itr* einspringen; **stand off** *itr* (MAR) seewärts anliegen; **stand out** *itr* **1.** (her)vorstehen, vorragen **2.** (*Kontrast*) hervorstechen, auffallen; **~ out against s.th.** sich von etw abheben; weiterhin gegen etw Widerstand leisten; **~ out for s.th.** auf etw bestehen; **stand over** *itr* **1.** liegen bleiben **2.** (*fig*) auf die Finger sehen (*s.o.* jdm); **stand up I.** *itr* **1.** aufstehen; stehen **2.** (*Argument*) überzeugen **II.** *tr* **1.** hinstellen **2.** (*fam*) versetzen; **~ up for s.o.** für jdn eintreten; **~ up to s.th.** e-r S standhalten; e-r S gewachsen sein; **~ up to s.o.** sich jdm gegenüber behaupten
stan•dard ['stændəd] **I.** *s* **1.** Norm *f;* Maßstab *m* **2.** **~s** sittliche Maßstäbe *mpl* **3.** Niveau *n* **4.** (COM) Maßeinheit *f*, Standard *m;* Münzfuß *m* **5.** Mast *m* **6.** Flagge, Fahne *f;* Stander *m;* **set a good ~** Maßstäbe setzen; **above/below ~** über/unter der Norm; **be up to ~** den Anforderungen genügen; **conform to society's ~s** den Wertvorstellungen der Gesellschaft entsprechen; **~ of living** Lebensstandard *m;* **of high/low ~** von hohem/niedrigem Niveau; **industry ~** Industrienorm *f;* **monetary ~** Währungsstandard *m* **II.** *adj* **1.** üblich; Standard-; Normal- **2.** (*Arbeit*) durchschnittlich **3.** (LING) gebräuchlich; **~ English** korrektes Englisch; **~ German** Hochdeutsch *n;* **~ agreement** [*o* **contract**] Mustervertrag *m;* **~ letter** Standard-, Formbrief *m;* (EDV) Serienbrief *m;* **~ time** Normalzeit *f;* **standard-bearer** ['stændəd͵beərə(r)] *s* Fahnenträger(in) *m(f);* **standard gauge** *s* (RAIL) Normalspur(weite) *f*
stan•dard•iz•ation [͵stændədaɪ'zeɪʃn] *s* **1.** Normung, Standardisierung *f* **2.** Vereinheitlichung *f;* **stan•dard•ize** ['stændədaɪz] *tr* **1.** normen **2.** vereinheitlichen
stan•dard lamp ['stændədlæmp] *s* Stehlampe *f;* **standard quality** *s* (COM) Standard *m;* **standard size** *s* Normalgröße *f*
stand•by ['stændbaɪ] **I.** *s* **1.** Ersatzmann, Ersatz *m* **2.** (SPORT) Ersatzspieler(in) *m(f)* **3.** (AERO) Entlastungsflugzeug *n* **4.** Standby-Ticket *n;* **on ~** in Bereitschaft; **be on 24-hour ~** 24 Stunden Bereitschaftsdienst haben **II.** *adj* Reserve-, Ersatz-; Standby-; **stand-in** ['stændɪn] *s* (FILM) Double *n;* Ersatzmann *m;* Ersatz *m*, Stellvertreter(in) *m(f)*
stand•ing ['stændɪŋ] **I.** *adj* **1.** ständig; bestehend **2.** (MIL) stehend **3.** aus dem Stand **4.** (*Ticket*) Stehplatz- **5.** (*Stein*) stehend; **it's a ~ joke** es ist schon ein Witz geworden; **~ order** (COM) Dauerauftrag *m;* **~ orders** (MIL) Vorschrift *f;* **~ room only** nur Stehplätze; **receive a ~ ovation** stürmischen Beifall ernten **II.** *s* **1.** Rang, Stand *m*, Stellung *f;* Position *f* **2.** Ruf *m*, Ansehen *n* **3.** Dauer *f;* **of high ~** von hohem Rang; von hohem Ansehen; **be in good ~ with s.o.** gute Beziehungen zu jdm haben; **of long ~** alt, langjährig; von langer Dauer
stand-of•fish [͵stænd'ɒfɪʃ] *adj* hochnäsig; reserviert; **stand•pipe** ['stændpaɪp] *s* Steigrohr *n;* **stand•point** ['stændpɔɪnt] *s* Standpunkt *m;* **stand•still** ['stændstɪl] *s* Stillstand *m;* **be at a ~** stocken; ruhen, stillstehen; **come to a ~** stehen bleiben; ins

Stocken geraten, zum Stillstand kommen; **stand trial** *itr* unter Anklage stehen; **stand-up** ['stænd,ʌp] *adj* **1.** Steh- **2.** (*Essen*) im Stehen; ~ **comedian** Alleinunterhalter(in) *m(f)*; ~ **fight** Schlägerei *f*

stank [stæŋk] *s.* **stink**

stan•za ['stænzə] *s* Stanze, Strophe *f*

staple¹ ['steɪpl] **I.** *s* **1.** Klammer *f* **2.** Heftklammer *f* **II.** *tr* heften

staple² ['steɪpl] **I.** *s* **1.** Haupterzeugnis *n;* Ausgangsmaterial *n* **2.** Hauptnahrungsmittel *n* **3.** Rohbaumwolle *f;* Rohwolle *f* **II.** *adj* Grund-; Haupt-; ~ **diet** Grundnahrung *f*

sta•pler ['steɪplə(r)] *s* Heftmaschine *f,* Hefter *m*

star [stɑː(r)] **I.** *s* **1.** Stern *m* **2.** (TYP) Sternchen *n* **3.** (*Person*) Star *m;* **the S~s and Stripes** das Sternenbanner; **be born under a lucky** ~ unter e-m glücklichen Stern geboren sein; **thank one's lucky ~s** von Glück sagen; **it's all in the ~s** es steht alles in den Sternen; **see ~s** Sterne sehen; **S~ Wars** Krieg *m* der Sterne **II.** *adj* Haupt-; Star- **III.** *tr* **1.** mit Sternen versehen **2.** (*fig*) übersäen; ~ **s.o.** jdn in der Hauptrolle zeigen; ~**ring ...** in der Hauptrolle ... **IV.** *itr* die Hauptrolle spielen; **star bil•ling** [,stɑː'bɪlɪŋ]: **get** ~ auf Plakaten groß herausgestellt werden

star•board ['stɑːbəd] **I.** *s* (MAR) Steuerbord *n* **II.** *adv* (nach) Steuerbord

starch [stɑːtʃ] **I.** *s* Stärke *f* **II.** *tr* (*Wäsche*) stärken; **starchy** ['stɑːtʃɪ] *adj* **1.** stärkehaltig **2.** (*fig*) steif, förmlich, formell

star•dom ['stɑːdəm] *s* (FILM) Berühmtheit *f*

stare [steə(r)] **I.** *itr* starren; große Augen machen, die Augen weit aufreißen; ~ **at s.o.** jdn anstarren; ~ **at s.o. in horror** jdn entsetzt anstarren **II.** *tr:* **the answer was staring us in the face** die Antwort lag klar auf der Hand; ~ **down** [*o* **out**] durch Anstarren aus der Fassung bringen **III.** *s* starrer Blick; **give s.o. a** ~ jdn anstarren

star•fish ['stɑːfɪʃ] <*pl* -> *s* (ZOO) Seestern *m;* **star•gazer** ['stɑː,geɪzə(r)] *s* (*hum*) Sterngucker(in) *m(f)*

star•ing ['steərɪŋ] *adj* starrend; ~ **eyes** starrer Blick

stark [stɑːk] **I.** *adj* **1.** (*Kontrast*) krass **2.** (*Armut, Wahrheit*) nackt **3.** (*Kleidung*) schlicht **4.** (*Verrücktheit*) schier, rein **5.** (*Klippen*) nackt, kahl **6.** (*Licht*) grell **7.** (*Farbe*) eintönig **II.** *adv* völlig, gänzlich; ~-**naked** splitter(faser)nackt; ~ **raving mad** (*fam*) total verrückt; **star•kers** ['stɑːkə(r)s] *adj* (*fam*) splitternackt

star•less ['stɑːlɪs] *adj* sternenlos; **star•let** ['stɑːlɪt] *s* (THEAT FILM) Filmsternchen, Starlet *n;* **star•light** ['stɑːlaɪt] *s* Sternenlicht *n*

star•ling ['stɑːlɪŋ] *s* (*Vogel*) Star *m*

star•lit ['stɑː,lɪt] *adj* sternhell, -klar; **starry** ['stɑːrɪ] *adj* **1.** sternenklar **2.** (*Augen*) strahlend, leuchtend; **starry-eyed** [,stɑːrɪ'aɪd] *adj* romantisch; arglos; **star-spangled** ['stɑː,spæŋgld] *adj* mit Sternen besät; **S~ Banner** (*Am*) Sternenbanner *m;* **star-stud•ded** [,stɑː'stʌdɪd] *adj* (FILM) mit zahlreichen Stars in den Hauptrollen

start¹ [stɑːt] **I.** *s* Zusammenfahren *n;* Aufschrecken *n;* **give s.o. a** ~ jdn erschrecken; **wake with a** ~ aus dem Schlaf hochschrecken **II.** *itr* auf-, hochschrecken; zusammenfahren; ~ **from one's chair** aus dem Stuhl hochfahren; **tears ~ed to her eyes** Tränen traten ihr in die Augen; ~ **up** auf-, hochschrecken **III.** *tr* aufscheuchen (*from* aus)

start² [stɑːt] **I.** *itr* **1.** beginnen, anfangen **2.** (*Maschine*) anspringen, starten **3.** anfahren **4.** (*Bus*) abfahren **5.** (*Boot*) ablegen **6.** (*Gerücht*) in Umlauf kommen; ~**ing from ...** ab ...; ~ **for home** sich auf den Heimweg machen, aufbrechen; ~ **for work** zur Arbeit gehen; **to** ~ **off with** erstens; zunächst; ~ **after s.o.** jdn verfolgen; **get ~ed** anfangen; ~ **on a journey** sich auf e-e Reise machen; ~ **talking** zu sprechen beginnen **II.** *tr* **1.** anfangen mit; beginnen; antreten **2.** (SPORT) starten **3.** (*Zug*) abfahren lassen **4.** (*Gerücht*) in Umlauf setzen **5.** (*Reaktion*) auslösen **6.** (*Feuer*) anzünden **7.** (*Firma*) gründen **8.** (*Motor*) anlassen; ~ **work** anfangen zu arbeiten; ~ **smoking** mit dem Rauchen anfangen; ~ **s.o. thinking** jdn nachdenklich machen; ~ **s.o. on a career** jdm zu e-r Karriere verhelfen **III.** *s* **1.** Beginn, Anfang *m* **2.** (SPORT) Start *m* **3.** (*Reise*) Aufbruch *m* **4.** (*Gerücht*) Ausgangspunkt *m* **5.** (SPORT) Vorsprung *m* (*over* vor); **at the** ~ am Anfang; **for a** ~ fürs Erste; zunächst einmal; **from the** ~ von Anfang an; **from** ~ **to finish** von Anfang bis Ende; **give s.o. a good** ~ **in life** jdm e-e gute Starthilfe geben; **a head** ~ ein Vorsprung, Vorteil *m;* **make a** ~ **on s.th.** mit etw anfangen; **make an early** ~ frühzeitig aufbrechen; **start back** *itr* sich auf den Rückweg machen; **start in** *itr* (*fam*) loslegen, anfangen; ~ **in on s.th.** sich an etw machen; **start off I.** *itr* **1.** anfangen; losgehen **2.** (*Reise*) aufbrechen **3.** (SPORT) starten **II.** *tr* anfangen; ~ **s.o. off talking** jdm das Stichwort geben; ~ **s.o. off on s.th.** jdn auf etw bringen; **start out** *itr* **1.** (*fam*) aufbrechen **2.** anfangen, beginnen; ~ **out on a journey** sich auf eine Reise machen, begeben; **start up I.** *itr* **1.** anspringen; in Gang kommen **2.** anfangen **II.** *tr* (MOT) anlassen; in Gang bringen, in Bewegung setzen, ankurbeln

starter ['stɑːtə(r)] *s* **1.** (*Rennen*) Teilnehmer(in) *m(f)* **2.** (SPORT) Starter(in) *m(f)* **3.** (MOT) Starter, Anlasser *m* **4.** (*Essen*) Vorspeise *f;* **be under ~'s orders** auf das Startkommando warten; **be a slow ~** langsam in Schwung kommen; **for ~s** (*sl*) für den Anfang

start·ing ['stɑːtɪŋ] *adj* Start-, Anfangs-; **~ block** Startblock *m;* **~ gate** (*Pferderennen*) Startmaschine *f;* **~ grid** (*Autorennen*) Start(platz) *m;* **~ gun** Startpistole *f;* **~ point** Ausgangspunkt *m;* **~ post** Startpflock *m;* **~ salary** Anfangsgehalt *n*

startle ['stɑːtl] **I.** *tr* erschrecken; aufschrecken **II.** *itr:* **he ~s easily** er ist sehr schreckhaft; **start·ling** ['stɑːtlɪŋ] *adj* erschreckend, überraschend; alarmierend; aufregend

start-up ['stɑːtʌp] *s* (*fam*) Anfang, Beginn *m;* **start-up capital** *s* Startkapital *n;* **start-up costs** *s pl* (COM) Anlaufkosten *pl*

star·va·tion [stɑː'veɪʃn] *s* Aushungern *n;* Hunger *m;* **die of ~** verhungern; **live on a ~ diet** Hunger leiden; **starvation diet** *s* Hungerkur, Nulldiät *f;* **starvation wages** *s pl* Hungerlohn *m;* **starve** [stɑːv] **I.** *itr* verhungern; hungern; **~ to death** verhungern; **I'm starving!** (*fam*) ich sterbe vor Hunger!; **~ for s.th.** nach etw hungern **II.** *tr* hungern lassen; aushungern; verhungern lassen; **~ o.s.** hungern; **~ s.o. of s.th.** jdm etw vorenthalten; **be ~d of affection** zu wenig Zuneigung erfahren; **~ out** aushungern

stash [stæʃ] *tr* (*~ away, sl*) verschwinden lassen; beiseite schaffen

state [steɪt] **I.** *s* **1.** Zustand *m* **2.** Stand, Rang *m* **3.** Pomp, Aufwand *m* **4.** (POL) Staat *m;* **~ of health** Gesundheitszustand *m;* **single ~** Ledigenstand *m;* **the ~ of the nation** die Lage der Nation; **in a liquid ~** im flüssigen Zustand; **in a good ~** in gutem Zustand; **what a ~ of affairs!** was sind das für Zustände!; **get into a ~ (about s.th.)** (wegen etw) durchdrehen; **travel in ~** pompös reisen; **lie in ~** aufgebahrt sein; **the States** die Vereinigten Staaten *mpl;* **affairs of ~** Staatsangelegenheiten *fpl* **II.** *tr* darlegen, vortragen; nennen; angeben; **~ that ...** feststellen, dass ...; **~ one's case** seine Sache vortragen; **unless otherwise ~d** wenn nicht ausdrücklich anders festgestellt **III.** *adj* staatlich, Staats-; bundesstaatlich; **~-aided** staatlich gefördert; **~ bank** Staatsbank *f;* **state-con·trolled** ['steɪtkənˌtrəʊld] *adj* unter staatlicher Aufsicht, staatlich gelenkt; **state·craft** ['steɪtkrɑːft] *s* die Staatskunst; **stated** ['steɪtɪd] *adj* **1.** (*Summe*) angegeben, genannt **2.** (*Betrag*) festgesetzt; **at the ~ intervals** in den festgelegten Abständen; **on the date ~** zum festgesetzten Termin; **State Department** *s* (*Am*) Außenministerium *n;* **state education** *s* staatliche Erziehung; (*System*) staatliches Erziehungswesen; **state·less** ['steɪtlɪs] *adj* staatenlos

state·li·ness ['steɪtlɪnɪs] *s* Stattlichkeit, Würde *f;* **state·ly** ['steɪtlɪ] *adj* **1.** stattlich, würdig, würdevoll **2.** (*Schritte*) gemessen **3.** (*Schloss*) prächtig

state·ment ['steɪtmənt] *s* **1.** Darstellung *f* **2.** Feststellung *f;* Behauptung *f;* Erklärung, Stellungnahme *f;* Aussage *f* **3.** (PHILOS) Behauptung, These *f* **4.** (FIN) Rechnung *f;* Auszug *m;* **a clear ~ of the facts** e-e klare Feststellung der Tatsachen; **make a ~ to the press** e-e Presseerklärung abgeben; **~ of account** Abrechnung *f;* **~ of expenses** Spesenaufstellung *f*

state-of-the-art ['steɪtəvðiːˌɑːt] *adj:* **~ technology** neueste Technik, Spitzentechnologie *f*

state-owned ['steɪtˌəʊnd] *adj* staatseigen; **state prison** *s* Staatsgefängnis *n;* **state-room** ['steɪtrʊm] *s* **1.** (MAR) Kabine *f* **2.** (*Am: in Zug*) Privatabteil *n;* **state school** *s* staatliche Schule; **State's evidence** *s* (*Am: vor Gericht*) Aussage *f* e-s Kronzeugen; **turn ~** als Kronzeuge auftreten; **state·side** ['steɪtsaɪd] *adj* (*Am*) in den Staaten; aus den Staaten; **states·man** ['steɪtsmən] <*pl* -men> *s* Staatsmann *n;* **states·man·ship** [-ʃɪp] *s* Staatskunst *f;* **state visit** *s* Staatsbesuch *m*

static ['stætɪk] *adj* **1.** (PHYS) statisch **2.** (*fig*) konstant; feststehend; **stat·ics** ['stætɪks] *s pl* **1.** (RADIO) atmosphärische Störungen *fpl* **2.** *mit sing* Statik *f*

sta·tion ['steɪʃn] **I.** *s* **1.** Station *f* **2.** (*Polizei*) Wache *f* **3.** (*space ~*) Raumstation *f* **4.** (*Am*) Tankstelle *f* **5.** (RAIL) Bahnhof *m,* Station *f* **6.** (MIL) Stellung *f,* Posten *m* **7.** (*Australien*) Farm *f* **8.** (TV) Sender *m,* Sendestation *f* **9.** Platz *m* **10.** Stand, Rang *m;* **at the ~** auf dem Bahnhof; **work ~** Arbeitsplatz *m;* **frontier ~** Grenzstellung *f;* **take up one's ~** sich aufstellen, seinen Platz einnehmen; **~ in life** Stellung *f,* Rang *m* **II.** *tr* aufstellen; stationieren

sta·tion·ary ['steɪʃənrɪ] *adj* parkend; haltend; feststehend; **be ~** stehen; **remain ~** sich nicht bewegen; stillstehen

sta·tioner ['steɪʃnə(r)] *s* Schreibwarenhändler(in) *m(f);* **~'s (shop)** (*Br*) Schreibwarenhandlung *f;* **sta·tion·ery** ['steɪʃənrɪ] *s* **1.** Briefpapier *n* **2.** Schreibwaren *pl*

sta·tion house ['steɪʃnˌhaʊs] *s* (*Am*) Polzeiwache, -dienststelle *f;* **station-master** *s* (RAIL) Bahnhofsvorsteher *m;* **station police** *s* Bahnpolizei *f;* **station selector** *s* (*Radio*) Sendereinstellung *f;* **station wagon** *s* (*Am*) Kombi(wagen) *m*

stat·is·ti·cal [stə'tɪstɪkl] *adj* statistisch; **stat·is·ti·cian** [ˌstætɪ'stɪʃn] *s* Statistiker(in) *m(f);* **stat·is·tics** [stə'tɪstɪks] *s pl* **1.** Statistiken *fpl* **2.** *mit sing* Statistik *f*

statu·ary ['stætʃʊərɪ] **I.** *adj* statuarisch **II.** *s* Bildhauerei *f*

statue ['stætʃu:] *s* Standbild *n,* Statue *f;* **statu·esque** [ˌstætʃʊ'esk] *adj* standbildhaft

stat·ure ['stætʃə(r)] *s* **1.** Statur *f;* Wuchs *m* **2.** (*fig*) Format *n*

sta·tus ['steɪtəs] *s* Stellung *f;* Status *m;* **equal ~** Gleichstellung *f;* **marital ~** Familienstand *m;* **desire ~** nach Prestige streben; **status inquiry** *s* Kreditauskunft *f;* **status line** *s* (EDV) Statuszeile *f;* **status poll** *s* (EDV) Statusabfrage *f;* **status quo** [ˌsteɪtəs'kwəʊ] *s* Status quo *m;* **status report** *s* Zwischenbericht *m;* **status symbol** *s* Statussymbol *n*

stat·ute ['stætʃu:t] *s* Gesetz *n;* Satzung *f,* Statut *n;* **by ~** gesetzlich; satzungsgemäß; **statute book** *s* Gesetzbuch *n;* **statute law** *s* Gesetzesrecht *n;* **statute of limitations** *s* Verjährungsfrist *f;* **statu·tory** ['stætʃʊtrɪ] *adj* **1.** gesetzlich; gesetzlich vorgeschrieben **2.** satzungs-, bestimmungsgemäß **3.** (*Recht*) verbrieft; **~ rape** Notzucht *f;* **~ holiday** gesetzlicher Feiertag; **~ sick pay** Lohnfortzahlung *f* bei Krankheit

staunch¹ [stɔ:ntʃ] *tr* (*Blut*) stillen

staunch² [stɔ:ntʃ] *adj* überzeugt; loyal; ergeben; zuverlässig

stave [steɪv] **I.** *s* **1.** (Fass)Daube *f* **2.** (*Leiter*) Sprosse *f* **3.** (MUS) (Noten)Linie *f* **4.** Strophe *f* **II.** *tr:* **~ in** eindrücken; einschlagen; **~ off** zurückschlagen; abwehren; hinhalten

staves [steɪvz] *s pl* (MUS) *s.* **staff**

stay¹ [steɪ] **I.** *itr* **1.** bleiben **2.** wohnen; übernachten **3.** stehen bleiben; **~ for supper** zum Abendessen bleiben; **if it ~s fine** wenn es schön bleibt; **~ at a hotel** im Hotel wohnen; **he came to ~** er ist zu Besuch gekommen; **~ put** an Ort und Stelle bleiben **II.** *tr* **1.** Einhalt gebieten (*s.th.* e-r S) **2.** (*Hunger*) stillen **3.** (JUR) aussetzen; **~ one's hand** sich zurückhalten; **~ the course** durchhalten **III.** *s* **1.** Aufenthalt *m* **2.** (JUR) Aussetzung *f;* **a short ~ in hospital** ein kurzer Krankenhausaufenthalt; **~ of execution** Vollstreckungsaufschub *m;* (*fig*) Galgenfrist *f;* **stay away** *itr* wegbleiben; sich fernhalten (*from* von); **stay behind** *itr* zurückbleiben;' **stay down** *itr* e-e Klasse wiederholen; **stay in** *itr* **1.** zu Hause, daheim bleiben **2.** (*Schule*) nachsitzen; **stay on** *itr* **1.** (*Licht*) anbleiben **2.** (*Besuch*) noch bleiben, noch nicht fortgehen **3.** (*Deckel*) haften, kleben bleiben; **stay out** *itr* **1.** draußen bleiben **2.** (*Streik*) weiterstreiken **3.** wegbleiben; **~ out of s.th.** sich aus etw heraushalten; **stay up** *itr* **1.** aufbleiben, nicht zu Bett gehen **2.** (*Zelt*) stehen bleiben **3.** (*Bild*) hängen bleiben **4.** an der Uni bleiben

stay² [steɪ] *s* **1.** Stütztau, Halteseil *n* **2.** (MAR) Stag *n;* **the ~ of one's old age** (*fig*) die Stütze seines Alters

stay-at-home ['steɪəthəʊm] *s* Stubenhocker(in) *m(f);* **stayer** ['steɪə(r)] *s* (SPORT) Steher *m;* **stay·ing-power** ['steɪɪŋ ˌpaʊə(r)] *s* Ausdauer *f;* Stehvermögen *n*

STD¹ [ˌesti:'di:] *s abbr of* **subscriber trunk dialling** (TELE) Selbstwählfernverkehr, Selbstwählferndienst *m;* **~ code** Vorwahl *f*

STD² [ˌesti:'di:] *s abbr of* **sexually transmitted disease** (MED) Geschlechtskrankheit *f*

stead [sted] *s:* **in s.o.'s ~** an jds Stelle; **stand s.o. in good ~** jdm zustatten kommen

stead·fast ['stedfɑ:st] *adj* **1.** fest **2.** (*Blick*) unverwandt **3.** (*Ablehnung*) standhaft **4.** (*Glaube*) unerschütterlich

steady ['stedɪ] **I.** *adj* **1.** ruhig; fest, unverwandt **2.** (*Wind*) ständig; ununterbrochen; beständig **3.** (*Personal*) verlässlich, zuverlässig **4.** (*Job*) fest; **~ on one's legs** sicher auf den Beinen; **hold s.th. ~** etw ruhig halten **II.** *adv:* **~!** vorsichtig! **III.** *s* (*sl*) fester Freund, feste Freundin **IV.** *tr* beruhigen; ausgleichen; **~ o.s.** festen Halt finden **V.** *itr* sich beruhigen; ruhiger werden; sich festigen, sich behaupten

steak [steɪk] *s* **1.** Steak *n* **2.** (Fisch)Filet *n*

steal [sti:l] <*irr:* **stole, stolen**> **I.** *tr* stehlen *a. fig;* **~ s.th. from s.o.** jdm etw stehlen; **~ a march on s.o.** jdm zuvorkommen; **~ a glance at s.o.** verstohlen zu jdm hinschauen; **~ the show** die Schau stehlen **II.** *itr* **1.** stehlen **2.** sich stehlen, sich schleichen; **~ away** sich wegstehlen; **~ about** herumschleichen; **~ up on s.o.** sich an jdn heranschleichen **III.** *s* (*Am fam*) Geschenk *n*

stealth [stelθ] *s* List *f;* **by ~** durch List; **stealthy** ['stelθɪ] *adj* heimlich, verstohlen

steam [sti:m] **I.** *s* **1.** Dampf *m* **2.** Dunst *m;* **~-covered windows** beschlagene Fenster; **driven by ~** dampfgetrieben; **full ~ ahead!** volle Kraft voraus!; **get up ~** (*fig*) in Schwung kommen; **let off ~** Dampf ablassen *a. fig;* **run out of ~** (*fig*) den Schwung verlieren; **under one's own ~**

(*fig*) allein, ohne Hilfe **II.** *tr* **1.** dämpfen **2.** (*Essen*) dünsten; **be all ~ed** (**up**) ganz beschlagen sein; (*fig*) sich aufregen **III.** *itr* **1.** dampfen **2.** (*Schiff*) fahren; **the ship ~ed into the harbour** das Schiff lief in den Hafen ein; **steam off** *itr* abfahren; **steam over** *itr* beschlagen; **steam up I.** *itr* beschlagen **II.** *tr* (*fam*) auf Touren bringen; **be ~ed up** (*fam*) vor Wut kochen (*about* wegen)

steam•boat ['stiːmbəʊt] *s* Dampfschiff *n,* Dampfer *m;* **steam engine** *s* Dampfmaschine *f;* **steamer** ['stiːmə(r)] *s* **1.** Dampfer *m* **2.** Dampfkochtopf *m;* **steam iron** *s* Dampfbügeleisen *n;* **steam-roller I.** *s* Dampfwalze *f a. fig* **II.** *tr* glatt walzen; ~ **a bill through parliament** ein Gesetz im Parlament durchpeitschen; **steam room** *s* Saunaraum *m;* **steam•ship** ['stiːmʃɪp] *s* Dampfschiff *n,* Dampfer *m;* **steam turbine** *s* Dampfturbine *f;* **steamy** ['stiːmɪ] *adj* **1.** dampfig, dunstig **2.** (*Glas*) beschlagen

steed [stiːd] *s* (*lit*) Ross *n*

steel [stiːl] **I.** *s* Stahl *m a. fig;* **a man of** ~ ein stahlharter Mann **II.** *adj* Stahl- **III.** *refl* sich wappnen (*for* gegen); ~ **o.s. to do s.th.** allen Mut zusammennehmen um etw zu tun; **steel band** *s* Steelband *f;* **steel-clad** ['stiːlklæd] *adj* stahlgepanzert; **steel grey** *s* Stahlgrau *n;* **steel guitar** *s* Hawaiigitarre *f;* **steel mill** *s* Stahlwalzwerk *n;* **steel wool** *s* Stahlwolle *f;* **steel worker** *s* Stahlarbeiter(in) *m(f);* **steel works** *s pl mit sing* Stahlwerk *n;* **steely** ['stiːlɪ] *adj* stählern *a. fig*

steep¹ [stiːp] *adj* **1.** steil; hoch; stark **2.** (*fam: Preis*) gesalzen, unverschämt; **it's a bit ~ that ...** es ist ein starkes Stück, dass ...

steep² [stiːp] *tr* **1.** eintauchen; ziehen lassen; einweichen **2.** sich vollsaugen lassen; **be ~ed in s.th.** von etw durchdrungen sein; **~ed in ignorance** durch und durch unwissend

steepen ['stiːpən] **I.** *tr* steiler machen **II.** *itr* steiler werden

steeple ['stiːpl] *s* Kirchturm *m;* **steeple-chase** [-tʃeɪs] *s* **1.** (*Pferde*) Hindernisrennen *n,* Steeplechase *f* **2.** (*Leichtathletik*) Hindernislauf *m;* **steeple•chaser** [-ə(r)] *s* **1.** (*Pferd*) Steepler *m;* (*Jockey*) Reiter(in) *m(f)* in einem Hindernisrennen **2.** (*Leichtathletik*) Hindernisläufer(in) *m(f);* **steeple•jack** ['stiːpldʒæk] *s* Turmarbeiter *m*

steer¹ [stɪə(r)] **I.** *tr* **1.** steuern *a. fig* **2.** (*fig*) lenken, leiten, führen; ~ **a course for s.th.** (*fig*) auf etw zusteuern **II.** *itr* lenken; steuern; ~ **due south** Kurs nach Süden halten; ~ **for s.th.** etw ansteuern; auf etw zusteuern; ~ **clear of s.o.** jdm aus dem Weg gehen; ~ **clear of s.th.** etw meiden

steer² [stɪə(r)] *s* junger Ochse

steer•age ['stɪərɪdʒ] *s* (MAR) **1.** Zwischendeck *n* **2.** Ruderwirkung *f*

steer•ing ['stɪərɪŋ] *s* Steuerung *f;* **steering committee** *s* Lenkungsausschuss *m;* **steering gear** *s* (*Flugzeug*) Leitwerk *n;* (MOT) Lenkung *f;* (MAR) Ruderanlage *f;* **steering lock** *s* Lenkradschloss *n;* **steering wheel** *s* Lenk-, Steuerrad *m;* **steers•man** ['stɪəzmən] <*pl* -men> *s* Steuermann *m*

stein [staɪn] *s* Maßkrug *m*

stel•lar ['stelə(r)] *adj* stellar

stem [stem] **I.** *s* **1.** (BOT) Stiel *m;* Stamm *m;* Halm *m* **2.** (*Glas*) Stiel *m* **3.** (*Pfeife*) Hals *m* **4.** (*Wort*) Stamm *m,* Wurzel *f* **5.** (MAR) Vordersteven *m* **6.** (*fig*) Hauptlinie *f,* Hauptzweig *m* **7.** (*Thermometer*) Röhre *f;* **from ~ to stern** von vorne bis achtern **II.** *tr* **1.** aufhalten **2.** (*Flut*) eindämmen **3.** (*Blut*) stillen **4.** (*fig*) Einhalt gebieten (*s.th.* e-r S) **III.** *itr:* ~ **from s.th.** von etw kommen, von etw herrühren; auf etw zurückgehen; **stem turn** *s* (*Skifahren*) Stemmbogen *m*

stench [stentʃ] *s* Gestank *m*

sten•cil ['stensl] **I.** *s* **1.** Schablone *f* **2.** (TYP) Matrize *f* **II.** *tr* mit Schablone zeichnen; auf Matrize schreiben

sten•ogra•pher [stə'nɒgrəfə(r)] *s* Stenograf(in) *m(f);* **sten•ogra•phy** [stə'nɒgrəfɪ] *s* Stenografie, Kurzschrift *f*

step [step] **I.** *s* **1.** Schritt *m;* Tritt *m* **2.** kurze Strecke **3.** Takt *m* **4.** Tanzschritt *m* **5.** Stufe *f* **6.** (*fig*) Stufe *f,* Abschnitt *m* **7.** (*fig*) Maßnahme *f;* **take a ~** e-n Schritt machen; **~ by ~** Schritt für Schritt; **follow in s.o.'s ~s** in jds Fußstapfen treten; **watch one's ~** Acht geben; sich vorsehen; **be in ~** im Gleichschritt sein; im Takt sein (*with* mit); **be out of ~** nicht im Tritt sein; nicht im Gleichklang sein (*with* mit); **get out of ~** aus dem Takt kommen; **break ~** aus dem Schritt kommen; **fall into ~** in den gleichen Takt kommen (*with* mit); **it's only a few ~s** es sind nur ein paar Schritte; **it's a great ~ forward** es ist ein großer Schritt nach vorn; **that would be a ~ back** das wäre ein Rückschritt; **take ~s to do s.th.** Maßnahmen ergreifen um etw zu tun; **take legal ~s** gerichtlich vorgehen; **mind the ~!** Vorsicht Stufe! **II.** *itr* gehen; ~ **into/out of s.th.** in etw/aus etw treten; ~ **on s.th.** in etw steigen; auf etw treten; ~ **on s.o.'s foot** jdm auf den Fuß treten; ~ **over s.o.** über jdn steigen; ~ **this way, please** hier entlang, bitte!; ~ **on board** an Bord gehen; ~ **inside** hineintreten; ~ **outside** hinaustreten; ~ **on it!** mach mal ein bisschen schneller; gib Gas! **III.** *tr* abstufen; **step aside** *itr* Platz machen; zur Seite treten; **step back** *itr* zurücktreten, zurückweichen; ~ **back from s.th.** von etw Abstand gewinnen; **step down** *itr* **1.** hinabsteigen **2.** (POL) zurücktreten; ~ **down in favour of s.o.** jdm Platz machen; **step in** *itr* **1.** eintreten **2.** (*fam*) eingreifen, einschreiten; **step off** *itr* **1.** aussteigen **2.** losmarschieren; **step out I.** *itr* **1.** hinausgehen **2.** schnell, zügig gehen **II.** *tr* abschreiten; **step up I.** *itr* **1.** vortreten **2.** (*fig*) ansteigen, zunehmen **II.** *tr* steigern; erhöhen; ~ **up to s.o.** auf jdn zugehen

step- [step] *prefix* Stief-; **step•brother** *s* Stiefbruder *m;* **step•daughter** *s* Stieftochter *f;* **step•father** *s* Stiefvater *m;* **step•mother** *s* Stiefmutter *f;* **step•son** *s* Stiefsohn *m*

step•lad•der ['stepˌlædə(r)] *s* Stufen-, Trittleiter *f*

steppe [step] *s* Steppe *f*

step•ping stone ['stepɪŋstəʊn] *s* **1.** Trittstein *m* **2.** (*fig*) Sprungbrett *n*

stereo ['sterɪəʊ] *s* **1.** Stereo *n* **2.** Stereoanlage *f;* **stereo•phonic** [ˌsterɪəʊ'fɒnɪk] *adj* stereophon; **stereo•phony** [ˌsterɪ'ɒfənɪ] *s* Stereophonie *f*

stereo•scope ['sterɪəskəʊp] *s* Stereoskop *n;* **stereo•scopic** [ˌsterɪə'skɒpɪk] *adj* stereoskopisch

stereo•type ['sterɪətaɪp] **I.** *s* **1.** (TYP) Druckplatte *f* **2.** (*fig*) Klischee, Stereotyp *n* **II.** *tr* **1.** (TYP) stereotypieren **2.** (*fig*) klischeehaft zeichnen, darstellen

ster•ile ['steraɪl] *adj* **1.** unfruchtbar *a. fig* **2.** (*Keim*) steril, keimfrei **3.** (*fig*) steril; ergebnislos, nutzlos; **ster•il•is•ing unit** [ˌsterəlaɪzɪŋ'juːnɪt] *s* Sterilisierbox *f;* **ste•ril•ity** [stə'rɪlətɪ] *s* **1.** Unfruchtbarkeit *f* **2.** Sterilität, Keimfreiheit *f* **3.** (*fig*) Ergebnislosigkeit *f;* **ster•il•iz•ation** [ˌsterəlaɪ'zeɪʃn] *s* Sterilisation, Sterilisierung *f;* **ster•il•ize** ['sterəlaɪz] *tr* sterilisieren

ster•ling ['stɜːlɪŋ] **I.** *adj* **1.** (COM) Sterling- **2.** (*fig*) gediegen **II.** *adj* aus Sterlingsilber; ~ **area** Sterlingblock *m,* Sterlingländer *npl;* **in pounds** ~ in Pfund Sterling **III.** *s* das Pfund Sterling, das englische Pfund

stern¹ [stɜːn] *adj* ernst, streng, hart; **with a ~ face** mit strenger Miene

stern² [stɜːn] *s* (MAR) Heck *n*

stern•ness ['stɜːnnɪs] *s* Ernst *m,* Strenge *f*

ster•num ['stɜːnəm] *s* (ANAT) Brustbein *n*

ste•roid ['stɪərɔɪd] *s* Steroid *m*

stetho•scope ['steθəskəʊp] *s* (MED) Stethoskop *n*

steve•dore ['stiːvədɔː(r)] *s* (MAR) Stauer *m*

stew [stjuː] **I.** *tr* schmoren; dünsten; **~ed apples** Apfelkompott *n* **II.** *itr* schmoren; (*Tee*) bitter werden; **let s.o. ~ in his own juice** (*fig fam*) jdn im eigenen Saft schmoren lassen **III.** *s* Eintopf *m;* **be in a ~** außer sich sein

stew•ard ['stjʊəd] *s* **1.** (MAR AERO) Steward *m* **2.** (*bei Veranstaltungen*) Ordner(in) *m (f)* **3.** (*Anwesen*) Verwalter(in) *m (f);* **shop ~** gewerkschaftlicher Vertrauensmann; **stew•ard•ess** [ˌstjʊə'des] *s* (AERO) Stewardess *f*

stick¹ [stɪk] **I.** *s* **1.** Stock *m;* Zweig *m* **2.** (MUS) Taktstock *m* **3.** (SPORT) Schläger *m* **4.** (*Schlagzeug*) Schlegel *m* **5.** Stange *f* **6.** (AERO) Steuerknüppel *m* **7.** (*Kreide*) Stück *n* **8.** (*Deo*) Stift *m* **9.** (*fam*) Kerl *m;* **give s.o. the ~, take the ~ to s.o.** jdm e-e Tracht Prügel geben; **give s.o. ~** jdn herunterputzen; **get hold of the wrong end of the ~** etw falsch verstehen; **in the ~s** in der hintersten Provinz; **take a lot of ~** viel einstecken müssen; ~ **insect** Stabheuschrecke *f* **II.** *tr* (*Pflanzen*) stützen

stick² [stɪk] <*irr:* **stuck, stuck**> **I.** *tr* **1.** kleben **2.** stecken **3.** (*Dolch*) stoßen **4.** (*Schwein*) abstechen **5.** (*fam*) tun; stecken **6.** (*Perlen*) besetzen **7.** (*fam*) aushalten; durchhalten; ~ **a stamp on s.th.** e-e Briefmarke auf etw kleben; ~ **the blame on s.o.** jdm die Schuld zuschieben; ~ **one's hat on** (sich) den Hut aufsetzen; **I can't ~ it any longer!** ich halte das nicht mehr aus!; ~ **s.o. with s.th.** jdm etw aufladen; jdm etw andrehen **II.** *itr* **1.** kleben (*to* an) **2.** stecken bleiben; klemmen **3.** stecken (*in* in) **4.** (*Karten*) halten **5.** bleiben; haften bleiben; **make a charge ~** genügend Beweismaterial haben; **it stuck in my foot** das ist mir im Fuß stecken geblieben; ~ **in s.o.'s mind** jdm im Gedächtnis bleiben; **make s.th. ~ in one's mind** sich etw einprägen; **stick around** *itr* (*sl*) in der Nähe bleiben; **stick at** *itr* **1.** bleiben an **2.** zurückschrecken vor; **stick by** *itr* (*fam*) halten zu; stehen zu; **stick down** *tr* **1.** ankleben; zukleben **2.** aufschreiben; **stick in I.** *tr* **1.** einkleben **2.** hineinstecken **II.** *itr* stecken bleiben; ~ **s.th. in s.th.** etw in etw stecken; **stick on I.** *itr* **1.** kleben, haften **2.** (*Pferd*) oben bleiben **II.** *tr* **1.** aufkleben **2.** (*Geld*) aufschlagen auf; **stick out I.** *itr* **1.** (*Nagel*) herausstehen **2.** (*Ohren*) abstehen **3.** (*fig*) auffallen **II.** *tr* hinausstrecken; **stick out for** *itr* **1.** sich stark machen für **2.** beharren auf; **stick to** *itr* **1.** bleiben bei; treu bleiben **2.** (*Aufgabe*) bleiben an; **stick together** *itr* zusammenkleben; zusammenhalten; **stick up I.** *itr* **1.** (*Kragen*) hochstehen **2.** (*Nagel*) herausstehen **II.** *tr* **1.** zukleben **2.** (*fam*) überfallen; ~ **'em up!** Hände hoch!; **stick up for** *itr* eintreten für; ~ **up for o.s.** sich behaupten; **stick with** *itr* bleiben bei; halten zu

sticker ['stɪkə(r)] **I.** *s* **1.** Aufkleber *m;* Klebeschildchen *n* **2.** (*fig*) zäher Kerl **II.** *tr* (COM) auszeichnen; **stick•ing plas•ter** ['stɪkɪŋˌplɑːstə(r)] *s* Heftpflaster *n;* **stick-in-the-mud** ['stɪkɪnðəmʌd] **I.** *s* Muffel *m* **II.** *adj* rückständig

stick•ler ['stɪklə(r)] *s:* **be a ~ for s.th.** es mit etw peinlich genau nehmen

stick-on ['stɪkɒn] *adj* Aufklebe-; **stick•pin** ['stɪkˌpɪn] *s* (*Am*) Krawattennadel *f;* **stick-up** ['stɪkʌp] *s* Überfall *m*

sticky ['stɪkɪ] *adj* **1.** klebrig **2.** (*Wetter*) schwül, drückend **3.** (*Farbe*) feucht **4.** (*Hände*) verschwitzt **5.** (*Problem*) schwierig **6.** (*Situation*) heikel; **come to a ~ end** ein böses Ende nehmen; **be on a ~ wicket** in der Klemme sein

stiff [stɪf] **I.** *adj* **1.** steif, starr **2.** (*Bürste*) hart **3.** (*Teig*) fest **4.** (*Kampf*) zäh, hart **5.** (*Grog*) steif **6.** (*Brise*) steif **7.** (*Examen*) schwer, schwierig **8.** (*Preis*) hoch; **that's a bit ~** (*fam*) das ist ganz schön happig; **the lock is ~** das Schloss klemmt **II.** *adv* steif **III.** *s* (*sl*) Leiche *f;* **stiffen** ['stɪfn] **I.** *tr* **1.** steif machen **2.** (*Hemd*) stärken **3.** (*Glied*) steif werden lassen **4.** (*fig*) verstärken **II.** *itr* **1.** steif, hart werden **2.** (*fig*) sich verhärten; **stiff•en•ing** ['stɪfnɪŋ] *s* Einlage *f;* **stiff-necked** [ˌstɪf'nekt] *adj* (*fig*) halsstarrig

stifle ['staɪfl] **I.** *tr* **1.** ersticken **2.** (*fig*) unterdrücken **II.** *itr* ersticken; **stifl•ing** ['staɪflɪŋ] *adj* **1.** (*Hitze*) erstickend; drückend **2.** (*fig*) beengend

stigma[1] ['stɪgmə] <*pl* -s> *s* **1.** Brandmal, Stigma *n* **2.** (BOT) Narbe *f*

stigma[2] ['stɪgmə, *pl* stɪg'mɑːtə] <*pl* -ta> *s* **1.** Wundmal *n* **2.** Stigmatisierung *f;* **stig•ma•tize** ['stɪgmətaɪz] *tr* brandmarken; stigmatisieren

stile [staɪl] *s* Zaunübertritt *m*

sti•letto [stɪ'letəʊ] <*pl* -letto(e)s> *s* Stilett *n;* **stiletto heel** *s* Pfennigabsatz *m*

still[1] [stɪl] **I.** *adj* **1.** still, ruhig **2.** bewegungs-, reglos; **keep ~** still halten; **hold s.th. ~** etw ruhig halten; **be ~** still stehen; **stand ~** still stehen; **a ~ small voice** ein leises Stimmchen **II.** *adj* ohne Kohlensäure **III.** *s* **1.** Stille *f* **2.** (FILM) Standfoto *n* **IV.** *tr* beruhigen; besänftigen; abklingen lassen

still[2] [stɪl] *adv* **1.** noch; immer noch; noch immer; nach wie vor **2.** trotzdem **3.** (*mit Komparativ*) noch; **he is ~ busy** er ist noch beschäftigt; **it ~ hasn't come** es ist immer noch nicht gekommen; **I will ~ be here** ich werde noch da sein; **~, she is my mother** sie ist trotz allem meine Mutter; **~ better** noch besser; **~ more because ...** und um so mehr, als ...

still[3] [stɪl] *s* Destillierapparat *m*

still•birth ['stɪlbɜːθ] *s* Totgeburt *f;* **still-born** ['stɪlˌbɔːn] *adj* totgeboren; **still life** <*pl* -lifes> *s* (*Kunst*) Stillleben *n;* **still•ness** ['stɪlnɪs] *s* **1.** Reglosigkeit *f* **2.** Stille, Ruhe *f*

stilt [stɪlt] *s* **1.** Stelze *f* **2.** (ARCH) Pfahl *m;* **walk on ~s** auf Stelzen laufen

stilted ['stɪltɪd] *adj* (*fig*) gespreizt, gestelzt

stimu•lant ['stɪmjʊlənt] **I.** *adj* anregend, stimulierend **II.** *s* **1.** Anregungsmittel *n* **2.** (*fig*) Ansporn *m;* **stimu•late** ['stɪmjʊleɪt] *tr* **1.** anregen; beleben **2.** (MED) stimulieren **3.** (*Nerven*) reizen **4.** (*fig*) animieren, anspornen **5.** (COM) ankurbeln; **stimu•lation** [ˌstɪmjʊ'leɪʃn] *s* **1.** Anregung *f* **2.** (MED) Stimulation *f* **3.** (*sexuell*) Erregung *f* **4.** (*fig*) Anreiz, Ansporn *m* **5.** (COM) Ankurbelung *f;* **stimu•lus** ['stɪmjʊləs, *pl* -laɪ] <*pl* -li> *s* **1.** Ansporn *m;* Aufmunterung *f* **2.** (PSYCH) Stimulus *m;* Reiz *m;* **under the ~ of ...** angespornt durch ...

sting [stɪŋ] <*irr:* stung, stung> **I.** *tr* **1.** stechen; verbrennen **2.** (*fig*) treffen, schmerzen; **~ s.o. into doing s.th.** jdn antreiben etw zu tun; **~ s.o. into action** jdn aktiv werden lassen; **~ s.o. for s.th.** (*fam*) jdn bei etw ausnehmen **II.** *itr* **1.** stechen; brennen **2.** wie mit Nadeln stechen **3.** (*fig*) schmerzen; **make a ~ing remark** e-e bissige Bemerkung machen **III.** *s* **1.** Stachel *m* **2.** Stich *m;* Brennen *n* **3.** stechender Schmerz **4.** (*fig*) Stachel *m;* **a ~ of remorse** Gewissensbisse *mpl;* **take the ~ out of s.th.** etw entschärfen

stin•gi•ness ['stɪndʒɪnɪs] *s* Knauserigkeit *f,* Geiz *m*

sting•ing nettle [ˌstɪŋɪŋ'netl] *s* Brennnessel *f;* **sting•ray** ['stɪŋreɪ] *s* Stachelrochen *m*

stingy ['stɪndʒɪ] *adj* **1.** geizig, knauserig, knickerig **2.** (*Portion*) schäbig

stink [stɪŋk] <*irr:* stank, stunk> **I.** *itr* **1.** stinken **2.** (*fam*) miserabel sein; **the idea ~s** das ist e-e miserable Idee **II.** *tr:* **~ out** verstänkern; ausräuchern; **~ up** verpesten **III.** *s* **1.** Gestank *m* (*of* nach) **2.** (*fam*) Stunk *m;* **kick up a ~** Stunk machen

stinker ['stɪŋkə(r)] *s* **1.** (*fam*) Ekel *n* **2.** (*sl*) gesalzener Brief **3.** (*fam*) harter Brocken

stint [stɪnt] **I.** *tr* sparen, knausern mit; **~ o.s.** sich einschränken; **~ s.o. of s.th.** jdm gegenüber mit etw knausern **II.** *itr:* **~ on s.th.** mit etw sparen **III.** *s* Arbeit, Aufgabe *f;* **do one's ~** seine Arbeit tun; **without ~** ohne Einschränkung

stipu•late ['stɪpjʊleɪt] *tr* **1.** zur Auflage machen, verlangen **2.** (*Preis*) festsetzen;

vorschreiben **3.** (*Bedingungen*) stellen; **stipu•la•tion** [ˌstɪpjʊ'leɪʃn] *s* **1.** Auflage *f* **2.** Festsetzung *f;* Stellen, Fordern *n*

stir [stɜː(r)] **I.** *tr* **1.** umrühren; rühren **2.** (*Glieder*) bewegen; rühren **3.** (*fig*) aufwühlen; anstacheln, erregen; ~ **one's tea** den Tee umrühren; ~ **s.o. to do s.th.** jdn bewegen etw zu tun; ~ **s.o. to pity** jds Mitleid erregen; ~ **one's stumps** (*fam*) die Beine unter den Arm nehmen; ~ **up** umrühren; (*fig*) anregen; wachrufen; schüren; ~ **up trouble** Unruhe stiften; ~ **s.o. up to do s.th.** jdn zu etw anstacheln **II.** *itr* sich regen; sich rühren; sich bewegen **III.** *s* **1.** Rühren *n* **2.** (*fig*) Aufruhr *m;* **give s.th. a** ~ etw umrühren; **cause a** ~, **create a** ~, **make a** ~ Aufsehen erregen; **stir-fry** ['stɜːfraɪ] *tr* unter Rühren kurz anbraten; **stir•ring** ['-ɪŋ] *adj* aufregend, bewegend, aufwühlend; bewegt

stir•rup ['stɪrəp] *s* Steigbügel *m*

stitch [stɪtʃ] **I.** *s* **1.** Stich *m;* Masche *f* **2.** (MED) Seitenstiche *mpl* **3.** (*Stricken*) Muster *n;* **put a few ~es in s.th.** etw mit ein paar Stichen nähen; **put ~es in a wound** e-e Wunde nähen; **have not a** ~ **on** (*fam*) splitternackt sein; **be in ~es** (*fam*) sich schieflachen **II.** *tr* **1.** (*a.* MED) nähen **2.** (*Buch*) zusammenheften **3.** sticken; ~ **on** annähen; ~ **up** nähen, zunähen; hochnähen; (*fam*) reinlegen **III.** *itr* nähen (*at* an)

stoat [stəʊt] *s* (ZOO) (großes) Wiesel *n*

stock [stɒk] **I.** *s* **1.** Vorrat *m;* Bestand *m* (*of* an) **2.** Viehbestand *m* **3.** (*Essen*) Brühe *f* **4.** (COM) Anleihe-, Grundkapital *n;* Anteil *m;* Staatsanleihe *f* **5.** (BOT) Stamm *m;* Stock *m;* Wildling *m* **6.** Stamm *m;* Abstammung *f* **7.** (LING) Sprachfamilie *f* **8.** Griff *m* **9.** Halsbinde *f* **10.** (RAIL) rollendes Material **11.** (THEAT: *Am*) Repertoire *n;* ~ **of knowledge** Wissensschatz *m;* **have s.th. in** ~ etw vorrätig haben; **be in/out of** ~ vorrätig/nicht vorrätig sein; **keep s.th. in** ~ etw auf Vorrat haben; **take** ~ Inventur machen; **take** ~ **of s.o.** jdn abschätzen; **take** ~ **of s.th.** sich über etw klar werden; **surplus** ~ Überschuss *m;* **~s and shares** Wertpapiere *npl;* **be of good** ~ guter Herkunft sein; **be on the ~s** (MAR) im Bau sein **II.** *adj* Standard-; Serien-; stereotyp **III.** *tr* **1.** (*Waren*) führen **2.** ausstatten; füllen **3.** (*Farm*) mit e-m Viehbestand versehen **IV.** *itr:* ~ **up** sich eindecken (*on* mit), e-n Vorrat, Reserven anlegen (von)

stock•ade [stɒ'keɪd] *s* Palisade *f;* Einfriedung *f*

stock•broker ['stɒkˌbrəʊkə(r)] *s* Börsenmakler(in) *m(f);* **stock•broking** ['stɒkˌbrəʊkɪŋ] *s* Börsen-, Effektenhandel *m;* **stock car** ['stɒkkɑː(r)] *s* **1.** (*Am: bei Eisenbahn*) Viehwagen *m* **2.** (MOT) Serienwagen *m;* ~ **racing** Stock-Car-Rennen *n;* **stock code** *s* Warencode *m;* **stock company** *s* **1.** (COM) Aktiengesellschaft *f* **2.** (THEAT: *Am*) Repertoiretheater *n;* **stock control** *s* Lagersteuerung *f;* **stock cube** *s* Suppenwürfel *m;* **stock exchange** *s* Börse *f;* Börsenplatz *m;* ~ **listing** Börsenzulassung *f;* **stock farmer** *s* Viehhalter *m;* **stock•fish** ['stɒkfɪʃ] <*pl* -> *s* Stockfisch *m;* **stock•holder** ['stɒkˌhəʊldə(r)] *s* Aktionär(in) *m(f)*

stock•ing ['stɒkɪŋ] *s* Strumpf *m;* **in one's ~(ed) feet** in Strümpfen

stock-in-trade [ˌstɒkɪn'treɪd] *s* Handwerkszeug *n a. fig;* **stock•ist** ['stɒkɪst] *s* **1.** Fachhändler *m* **2.** Fachgeschäft *n;* **stock level** *s* Lagerbestand *m;* **stock-list** *s* **1.** (COM) Warenliste *f* **2.** (FIN) Börsenzettel *m;* **stock-market** *s* Börse *f;* **stock•pile** ['stɒkpaɪl] **I.** *s* Vorrat *m* (*of* an), Lager *n;* **the nuclear** ~ das Kernwaffenarsenal **II.** *tr* Vorräte an ... anlegen; **stock price** *s* Aktienkurs *m;* **stock-room** *s* Lagerraum *m;* **stock size** *s* Standardgröße *f;* **stock-still** [ˌstɒk'stɪl] *adj, adv:* **stand** ~ stockstill stehen; **stock-tak-ing** ['stɒkteɪkɪŋ] *s* Bestandsaufnahme, Inventur *f a. fig*

stocky ['stɒkɪ] *adj* stämmig, untersetzt

stock•yard ['stɒkjɑːd] *s* Viehhof *m*

stodge [stɒdʒ] *s* (*sl*) Pampe *f;* **stodgy** ['stɒdʒɪ] *adj* **1.** (*Essen*) schwer, pampig **2.** (*Buch*) schwer verdaulich **3.** (*Stil*) schwerfällig **4.** (*Mensch*) langweilig, fad

stoic ['stəʊɪk] *s* Stoiker *m;* **sto•ic(al)** ['stəʊɪk(l)] *adj* stoisch; **sto•icism** ['stəʊɪsɪzəm] *s* (PHILOS) Stoizismus *m*

stoke [stəʊk] **I.** *tr* (*Feuer:* ~ *up*) beheizen; schüren **II.** *itr:* ~ **up** sich vollschlagen; **stoker** ['stəʊkə(r)] *s* Heizer *m*

stole¹ [stəʊl] *s* Stola *f*

stole² [stəʊl] *s.* **steal**; **stolen** ['stəʊlən] **I.** *pp of* **steal II.** *adj* gestohlen

stolid ['stɒlɪd] *adj* blöd(e), stupide, stumpf(sinnig), schwerfällig

stom•ach ['stʌmək] **I.** *s* **1.** Magen *m;* Bauch *m* **2.** (*fig*) Lust *f* (*for* auf), Interesse *n* (*for* an); **lie on one's** ~ auf dem Bauch liegen; **on an empty** ~ auf leeren, nüchternen Magen; **on a full** ~ mit vollem Magen; **I have no** ~ **for that** ich habe keine Lust dazu **II.** *tr* vertragen; ausstehen; **stomach•ache** *s* Magenschmerzen *mpl;* **stomach upset** *s* Magenverstimmung *f*

stomp [stɒmp] *itr* (*fam*) stapfen

stone [stəʊn] **I.** *s* **1.** Stein *m* **2.** (*Br*) *Gewichtseinheit = 6,35 kg;* **a heart of** ~ ein Herz aus Stein; **a ~'s throw from ...** nur einen Katzensprung von … entfernt; **within a ~'s throw of success** den Erfolg in greifbarer Nähe; **leave no ~ unturned** nichts unversucht lassen **II.** *adj* aus Stein **III.** *tr* **1.** mit Steinen bewerfen; steinigen **2.** (*Frucht*) entsteinen; **Stone Age** *s* Steinzeit *f;* **stone-blind** *adj* stockblind; **stone-broke** *adj* (*Am fam*) völlig abgebrannt; **stone-cold** *adj* eiskalt; ~ **sober** (*fam*) stocknüchtern; **stone-dead** *adj* mausetot; **stone-deaf** *adj* stocktaub; **stone fruit** *s* Steinobst *n;* **stone-mason** ['stəʊnˌmeɪsən] *s* Steinmetz *m;* **stone pit** *s* Steinbruch *m;* **stone•wall** [ˌstəʊn'wɔːl] *itr* **1.** (PARL) obstruieren **2.** (*Frage*) ausweichen **3.** (SPORT) mauern; **stone•ware** ['stəʊnweə(r)] *s* Steingut *n;* **stone•work** ['stəʊnwɜːk] *s* Mauerwerk *n;* **stony** ['stəʊnɪ] *adj* **1.** steinig **2.** (*Substanz*) steinartig **3.** (*fig*) steinern; kalt; **~-broke** (*Br fam*) völlig abgebrannt

stood [stʊd] *s.* **stand**

stooge [stuːdʒ] *s* **1.** (THEAT) Stichwortgeber *m* **2.** (*fam*) Handlanger *m*

stool [stuːl] *s* **1.** Hocker, Schemel *m* **2.** (MED) Stuhl(gang) *m;* **fall between two ~s** (*fig*) sich zwischen zwei Stühle setzen; **stool pigeon** *s* (*fam*) Spitzel *m*

stoop¹ [stuːp] **I.** *itr* sich bücken, sich beugen, sich neigen; **~ing shoulders** krumme Schultern *fpl;* ~ **to s.th.** sich zu etw herablassen **II.** *tr* beugen; einziehen **III.** *s* gebeugte Haltung, krummer Rücken; **have a ~** e-n Buckel haben

stoop² [stuːp] *s* (*Am*) **1.** kleine Veranda *f* **2.** Treppe *f*

stop [stɒp] **I.** *tr* **1.** anhalten; stoppen **2.** (*Maschine*) abstellen **3.** (*Verbrecher*) aufhalten; zum Stehen bringen **4.** (*Verbrechen*) ein Ende machen (*s.th.* e-r S) **5.** (*Arbeit*) beenden **6.** (*Blutung*) stillen, unterbinden **7.** (*Inflation*) aufhalten, hemmen **8.** (*Produktion*) zum Stillstand bringen **9.** aufhören mit; unterlassen **10.** (*Zahlung*) einstellen **11.** (*Scheck*) sperren **12.** (*Vertrag*) kündigen **13.** (*Zeitung*) abbestellen **14.** verhindern; unterbinden; abhalten **15.** verstopfen; zustopfen **16.** (*Zahn*) füllen **17.** (MUS: *Saite*) greifen; ~ **thief!** haltet den Dieb!; ~ **s.o. dead** jdn urplötzlich anhalten lassen; ~ **doing s.th.** aufhören etw zu tun; etw nicht mehr tun; ~ **smoking** mit dem Rauchen aufhören; ~ **o.s.** sich beherrschen, sich zurückhalten; ~ **s.o. (from) doing s.th.** jdn davon abhalten etw zu tun; ~ **o.s. from doing s.th.** sich zurückhalten und etw nicht tun; ~ **s.o.'s mouth** (*fam*) jdm den Mund stopfen; ~ **one's ears with one's fingers** sich die Finger in die Ohren stecken; **don't let me ~ you** ich will Sie nicht davon abhalten **II.** *itr* **1.** anhalten; stoppen; Halt machen **2.** (*Uhr*) stehen bleiben **3.** (*Maschine*) nicht mehr laufen **4.** aufhören **5.** (*Schmerzen*) vergehen **6.** (*Herz*) aufhören zu schlagen **7.** (*Lieferung*) eingestellt werden **8.** (*Film*) zu Ende sein **9.** (*fam*) bleiben (*at* in); ~ **at nothing** vor nichts Halt machen; ~ **dead** plötzlich stehen bleiben; ~ **doing s.th.** aufhören etw zu tun; ~ **for supper** zum Abendessen bleiben **III.** *s* **1.** Halt *m,* Stoppen *n* **2.** Aufenthalt *m* **3.** Pause *f* **4.** (AERO) Zwischenlandung *f* **5.** (RAIL) Station *f;* Haltestelle *f* **6.** (MAR) Anlegestelle *f* **7.** (GRAM) Punkt *m* **8.** (MUS) Griffloch *n;* Register *n* **9.** (TYP) Feststelltaste *f* **10.** (PHOT) Blende *f* **11.** (*Phonetik*) Verschlusslaut *m;* **be at a ~** still stehen; **bring s.th. to a ~** etw zum Stehen bringen; (*fig*) e-r S ein Ende machen; **come to a ~** anhalten; eingestellt werden; **come to a dead ~** abrupt anhalten; **glottal ~** (*Phonetik*) Knacklaut *n;* **put a ~ to s.th.** e-r S e-n Riegel vorschieben; **pull out all the ~s** (*fig*) alle Register ziehen; **stop away** *itr* (*fam*) wegbleiben; **stop behind** *itr* (*fam*) dableiben, länger bleiben; **stop by** *itr* kurz vorbeikommen; hereinschauen; **stop down** *itr* (PHOT) abblenden; **stop in** *itr* (*fam*) drinbleiben; **stop off** *itr* e-n kurzen Halt machen, (unterwegs) kurz anhalten; **stop out** *itr* (*fam*) wegbleiben; **stop over** *itr* kurz Halt machen; Zwischenstation machen (*in* in); (*Am a.*) übernachten; **stop up I.** *tr* zu-, verstopfen **II.** *itr* aufbleiben

stop•cock ['stɒpkɒk] *s* Absperr-, Abstellhahn *m;* **stop•gap** ['stɒpgæp] *s* Lückenbüßer *m;* (Not)Behelf, Ersatz *m;* **a ~ measure** e-e Überbrückungsmaßnahme, Verlegenheitslösung; ~ **aid** Soforthilfe *f;* **stop-go** [ˌstɒp'gəʊ] *adj:* ~ **policies** Politik *f* des ewigen Hin und Her; **stop light** *s* **1.** Bremslicht *n* **2.** (*Am*) rotes Licht; **stop-over** ['stɒpəʊvə(r)] *s* Zwischenstation *f;* Zwischenlandung *f*

stop•page ['stɒpɪdʒ] *s* **1.** Unterbrechung *f;* Stockung *f* **2.** Stopp *m;* Streik *m* **3.** (*Scheck*) Sperrung *f* **4.** Abzug *m* **5.** Verstopfung *f,* Stau *m*

stop•per ['stɒpə(r)] **I.** *s* Stöpsel *m;* Pfropfen *m* **II.** *tr* verstöpseln

stop•ping ['stɒpɪŋ] *s* Füllung, Plombe *f;* ~ **and starting** Stop-and-Go-Verkehr *m;* ~ **place** Haltestelle *f;* ~ **train** Personenzug *m*

stop press ['stɒppres] *s* (*Zeitung*) letzte Meldungen *fpl;* **stop sign** *s* Stoppschild *n;* **stop•watch** ['stɒpwɒtʃ] *s* Stoppuhr *f*

stor•age ['stɔːrɪdʒ] *s* **1.** Lagerung *f;* Aufbewahrung *f* **2.** (*Wasser*) Speicherung *f,* Speichern *n* **3.** Lagergeld *n,* Lagerkosten *pl* **4.**

(EDV) Speicher *m;* **put s.th. into** ~ etw einlagern; **storage battery** *s* Akku(mulator) *m;* **storage capacity** *s* (EDV) Speicherkapazität *f;* **storage charge** *s* Lagergeld *n;* **storage heater** *s* Nachtspeicherofen *m;* **storage space** *s* Lagerraum *m;* Stauraum *m;* (EDV) Speicherplatz *m;* **storage tank** *s* Vorratstank *m*

store [stɔ:(r)] **I.** *s* **1.** Vorrat *m* (*of* an) **2.** (*fig*) Fülle *f,* Reichtum *m* (*of* an) **3.** Lager *n;* Lagerhaus *n;* Lagerraum *m* **4.** Kaufhaus, Warenhaus *n* **5.** (*Am*) Laden *m* **6.** (EDV) Speicher *m;* ~**s** Vorräte *mpl;* **lay in a ~ of food** e-n Lebensmittelvorrat anlegen; **have** [*o* **keep**] **s.th. in** ~ etw lagern; **be in ~ for s.o.** jdm bevorstehen; **that's a treat in ~ for you** da habt ihr noch was Schönes vor euch; **set great ~ by s.th.** viel von etw halten; **a fine ~ of knowledge** ein großer Wissensschatz **II.** *adj* (*Am*) von der Stange **III.** *tr* **1.** lagern; aufbewahren **2.** (*Wärme*) speichern **3.** (EDV) abspeichern; ~ **s.th. away** etw verwahren; ~ **s.th. up** e-n Vorrat von etw anlegen; etw anstauen **IV.** *itr* sich lagern lassen; **store card** *s* Kundenkarte *f;* **store detective** *s* Kaufhausdetektiv(in) *m(f);* **store•house** ['stɒ(r)haʊs] *s* Lagerhaus *n;* (*fig*) Fundgrube *f;* **store•keeper** *s* Lagerverwalter(in) *m(f);* (*Am*) Ladenbesitzer(in) *m(f);* **store•room** *s* Lagerraum *m;* Vorratskammer *f*

sto•rey ['stɔ:rɪ] *s* Stockwerk *n,* Etage *f;* **on the second** ~ im zweiten Stock; (*Am*) im ersten Stock; **-storeyed** ['stɔ:rɪd] *adj,* **-stor•ied** (*Am: Suffix*) -stöckig; **three-~** dreistöckig; **multi-~** mehrstöckig

stork [stɔ:k] *s* (ZOO) Storch *m*

storm [stɔ:m] **I.** *s* **1.** Sturm *m;* Unwetter *n;* Gewitter *n* **2.** (*fig*) Flut *f* (*of* von), Sturm *m;* Hagel *m;* **there is a ~ brewing** da braut sich ein Sturm zusammen; **a ~ in a teacup** ein Sturm im Wasserglas; ~ **of protest** Proteststurm *m;* **a ~ of cheering** stürmischer Jubel **II.** *itr* **1.** toben, wüten (*at* gegen) **2.** stürmen **3.** (MIL) stürmen (*at* gegen) **III.** *tr* stürmen; **storm-beaten** ['stɔ:mbi:tn] *adj* sturmgepeitscht; **storm-bound** ['stɔ:mbaʊnd] *adj* durch Stürme festgehalten; **storm-center** *s* (*Am*), **storm-centre** *s* **1.** (METE) Sturmzentrum *n* **2.** (*fig*) Unruheherd, -stifter *m;* **storm cloud** *s* Sturm-, Wetterwolke *f;* **storm force** *s* Sturmstärke *f;* **storm-tossed** ['stɔ:mtɒst] *adj* vom Sturm umhergeworfen, -getrieben; **stormy** ['stɔ:mɪ] *adj* **1.** stürmisch *a. fig* **2.** (*Protest*) leidenschaftlich, heftig

story¹ ['stɔ:rɪ] *s* **1.** Geschichte *f;* Erzählung *f* **2.** Witz *m* **3.** (*Presse*) Artikel *m* **4.** Handlung *f* **5.** (*fam*) Märchen *n;* **the ~ goes that** ... man erzählt sich, dass ...; **according to your** ~ dir zufolge; **to cut a long ~ short** um es kurz zu machen; **tell stories** Märchen erzählen

story² ['stɔ:rɪ] (*Am*) *s.* **storey**

story•book ['stɔ:rɪbʊk] **I.** *adj* märchenhaft; Märchen- **II.** *s* Geschichten-, Märchenbuch *n;* **story line** *s* Handlung *f;* **story•teller** *s* **1.** Geschichtenerzähler(in) *m(f)* **2.** (*fig*) Lügenbold *m*

stout [staʊt] **I.** *adj* **1.** korpulent; füllig; untersetzt **2.** (*Pferd*) kräftig **3.** (*Mauer*) fest; stark **4.** mutig, tapfer; beherzt **5.** (*Ablehnung*) entschieden; **with ~ heart** tapferen Herzens **II.** *s* (dunkles) Starkbier *n;* **stout-hearted** [ˌstaʊt'hɑ:tɪd] *adj* beherzt, tapfer; **stout•ly** ['staʊtlɪ] *adv:* ~ **built** (*Mensch*) kräftig; (*Haus*) solide gebaut; **~-made** solide gebaut; ~ **believe** etw fest glauben; **defend s.th.** ~ etw tapfer verteidigen

stove [stəʊv] *s* Ofen *m;* Herd *m;* **stove-pipe** *s* Ofenrohr *n*

stow [stəʊ] *tr* **1.** (*Fracht*) verstauen, -packen, verladen **2.** verstauen (*in* in); ~ **away** verstauen; verstecken; sich als blinder Passagier verstecken; **stow•age** ['stəʊɪdʒ] *s* **1.** (MAR) Lade-, Stauraum *m* **2.** (MAR) Verstauen *n;* **stow•away** ['stəʊəweɪ] *s* blinder Passagier

straddle ['strædl] **I.** *tr* **1.** rittlings sitzen auf **2.** breitbeinig, mit gespreizten Beinen stehen, sitzen auf **3.** (*fig*) überbrücken; ~ **the border** sich über beide Seiten der Grenze erstrecken **II.** *s* (*Turnen*) Grätsche *f;* (*Hochsprung*) Straddle(sprung) *m*

straggle ['strægl] *itr* **1.** (*Häuser*) verstreut liegen **2.** (*Haare*) unordentlich hängen **3.** (*Pflanze*) wuchern; ~ **behind** zurückbleiben; ~ **in** vereinzelt kommen; **straggler** ['stræglə(r)] *s* Nachzügler(in) *m(f);* **stragg•ling** ['stræglɪŋ] *adj* **1.** weit verteilt; zurückgeblieben **2.** (*Häuser*) zerstreut liegend **3.** (*Haar*) unordentlich **4.** (*Pflanze*) hochgeschossen

straight [streɪt] **I.** *adj* **1.** gerade; direkt **2.** (*Haar*) glatt **3.** (*Hosen*) gerade geschnitten **4.** (*Denken*) klar **5.** (*Antwort*) offen, direkt, ehrlich **6.** (*Ablehnung*) ohne Umschweife **7.** (*Drink*) pur, unverdünnt **8.** (POL) direkt **9.** ununterbrochen **10.** (THEAT) konventionell; ernsthaft **11.** (*fam: Mensch*) etabliert; spießig *pej* **12.** (*fam: Mensch*) normal, hetero; **pull s.th.** ~ etw geradeziehen; **as ~ as a die** kerzengerade; **keep a ~ face** ernst bleiben, das Gesicht nicht verziehen; **be ~ with s.o.** offen und ehrlich zu jdm sein; **keep s.o.** ~ dafür sorgen, dass jem ehrlich bleibt; ~ **A's** (*Schule*) glatte Einsen; **a ~ play** ein reines Drama; **be all** ~ in Ordnung sein; **put s.o. ~ about s.th.** jdm etw klarmachen **II.** *adv* **1.** gerade; aufrecht **2.** (*Ziel*) direkt **3.** sofort **4.** (*Denken*) klar **5.** (*fig*) offen, rundheraus **6.** (THEAT) konventionell **7.** (*Drink*) pur; **~ through s.th.** glatt durch etw; **look ~ ahead** geradeaus sehen; **drive ~ on** geradeaus weiterfahren; **go ~** keine krummen Sachen machen; **look s.o. ~ in the eye** jdm direkt in die Augen sehen; **~ after this** sofort danach; **~ away** sofort; **come ~ to the point** sofort zur Sache kommen; **give s.o. s.th. ~ from the shoulder** jdm etw unverblümt sagen **III.** *s* **1.** (SPORT) Gerade *f* **2.** (*Linie*) Gerade *f;* **the final ~** die Zielgerade; **the ~ and narrow** der Pfad der Tugend; **keep s.o. on the ~ and narrow** dafür sorgen, dass jem ehrlich bleibt

straight•away [ˌstreɪtəˈweɪ] **I.** *adv* geradewegs; sofort **II.** *s* (*Am: im Sport*) Gerade *f*

straighten [ˈstreɪtn] **I.** *tr* **1.** gerade machen, begradigen **2.** (*Tuch*) glatt ziehen **3.** (TECH) gerade biegen *a. fig* **4.** (*fig*) in Ordnung bringen **5.** (*Schultern*) straffen **II.** *itr* gerade werden; glatt werden **III.** *refl* sich aufrichten; **straighten out** *tr* **1.** gerade machen; gerade biegen **2.** (*fig*) klären; in Ordnung bringen; **straighten up I.** *itr* sich aufrichten **II.** *tr* gerade machen; begradigen

straight•for•ward [ˌstreɪtˈfɔːwəd] *adj* **1.** aufrichtig **2.** (*Blick*) offen, freimütig **3.** (*Problem*) einfach **4.** offen, frei, ehrlich; **straight-line depreciation** *s* lineare Abschreibung; **straight-out** [ˌstreɪtˈaʊt] *adj* (*fam*) unverblümt, offen, glatt; **straight ticket** *s* (*Am*): **vote the ~** seine Stimme e-r einzigen Partei geben; **vote a ~** Kandidaten nur einer Partei wählen

strain¹ [streɪn] **I.** *tr* **1.** spannen **2.** (*Freundschaft*) belasten; strapazieren **3.** (*Wort*) dehnen **4.** (MED) zerren; verrenken **5.** überanstrengen; belasten **6.** durchsieben; **~ one's ears to ...** angestrengt lauschen um zu ...; **~ every nerve** jeden Nerv anspannen; **~ o.s.** sich anstrengen; **~ off water** Wasser abgießen **II.** *itr* **1.** sich anstrengen, sich abmühen **2.** (*fig*) sich bemühen, streben; **~ to do s.th.** sich anstrengen etw zu tun; **~ at s.th.** sich mit etw abmühen; **~ after s.th.** nach etw streben; **~ for effect** auf Wirkung aussein; **~ against s.o.** sich an jdn drücken **III.** *s* **1.** (TECH) Belastung, Beanspruchung *f;* Spannung *f;* Druck *m* **2.** (*fig*) Belastung *f;* Anstrengung *f;* Last *f* **3.** (MED) Zerrung *f;* **the ~ on a rope** die Seilspannung; **put a ~ on s.th.** etw belasten; **take the ~ off s.th.** etw entlasten; **suffer from ~** überlastet sein, im Stress sein; **show signs of ~** Zeichen von Überlastung zeigen; **to the ~s of** zu den Klängen von

strain² [streɪn] *s* **1.** Hang, Zug *m,* Veranlagung *f* **2.** (*Stil*) Anflug *m* **3.** Rasse *f;* Sorte *f;* Geschlecht *n;* **a ~ of weakness** ein Hang zur Schwäche

strained [streɪnd] *adj* **1.** durchgesiebt; abgegossen **2.** (*Muskel*) gezerrt; überanstrengt **3.** (*Stil*) unnatürlich, gekünstelt **4.** (*Lächeln*) gezwungen **5.** (*Beziehungen*) angespannt; **strainer** [ˈstreɪnə(r)] *s* Filter *m;* Sieb *n*

strait [streɪt] *s* **1.** (GEOG) Meerenge, Straße *f* **2.** **~s** (*fig*) Nöte, Schwierigkeiten *fpl;* **the S~s of Dover** die Straße von Dover; **be in dire ~s** in großen Nöten sein; **straitened** [ˈstreɪtnd] *adj* **1.** (*Mittel*) beschränkt **2.** (*Verhältnisse*) bescheiden, dürftig; **strait-jacket** *s* Zwangsjacke *f a. fig;* **strait-laced** [ˌstreɪtˈleɪst] *adj* prüde, puritanisch

strand¹ [strænd] **I.** *s* Strand *m* **II.** *tr* **1.** (*Schiff*) stranden lassen **2.** (*ohne Geld*) seinem Schicksal überlassen; **be (left) ~ed** auf dem Trockenen sitzen

strand² [strænd] *s* **1.** (Haar)Strähne *f* **2.** Strang *m* **3.** (*Wolle*) Faden *m* **4.** (*Draht*) Litze *f* **5.** (*Wein*) Ranke *f* **6.** (*fig*) Handlungsfaden *m* **7.** (*Perlen*) Schnur *f*

strange [streɪndʒ] *adj* **1.** seltsam, sonderbar, merkwürdig **2.** (*Umgebung*) fremd; ungewohnt; **by a ~ chance** komischerweise; **~ to say** so seltsam es klingen mag; **I am ~ to the work** die Arbeit ist mir fremd; **strange•ly** [-lɪ] *adv* seltsam, sonderbar, merkwürdig; **stran•ger** [ˈstreɪndʒə(r)] *s* Fremde(r) *f m;* **I'm a ~ here** ich bin hier fremd; **hallo ~!** (*fam*) hallo, lange nicht gesehen!; **she's a perfect ~ to me** ich kenne sie überhaupt nicht; **you're quite a ~ here** (*fam*) man kennt dich ja gar nicht mehr; **he is no ~ to misfortune** Leid ist ihm nicht fremd

strangle [ˈstræŋgl] *tr* **1.** erwürgen, erdrosseln **2.** (*fig*) abwürgen, ersticken; **the collar is strangling me** der Kragen schnürt mir den Hals zu; **strangle•hold** [ˈstræŋglhəʊld] *s* Würgegriff *m;* absolute Machtposition; **stran•gu•la•tion** [ˌstræŋgjʊˈleɪʃn] *s* Ersticken *n;* Erwürgen *n*

strap [stræp] **I.** *s* **1.** Riemen, Gurt *m* **2.** (*Schuh*) Riemchen *n* **3.** (*Bus*) Lasche *f* **4.** (*Kleid*) Träger *m* **II.** *tr* **1.** festschnallen (*to* an) **2.** (*Mensch*) verprügeln **3.** (*Bein*) bandagieren; **~ s.th. onto s.th.** etw auf etw schnallen; **~ s.o. down** jdn festschnallen; **~ on one's watch** sich die Uhr umbinden; **~ up a suitcase** e-n Koffer zuschnallen; **strap-hanger** *s* Pendler(in) *m(f);* **strap-less** [ˈstræplɪs] *adj* trägerlos; **strap•ping** [ˈstræpɪŋ] *adj* (*fam*) stramm, kräftig

strat·agem ['strætədʒəm] *s* (*a. fig*) Kriegslist *f*

stra·tegic [strə'ti:dʒɪk] *adj* strategisch; (*fig*) taktisch; **stra·teg·ist** ['strætədʒɪst] *s* Stratege *m a. fig,* Taktiker(in) *m(f);* **strat·egy** ['strætədʒɪ] *s* **1.** (MIL) Strategie *f* **2.** (*fig*) Taktik *f*

strat·ify ['strætɪfaɪ] **I.** *tr* schichten; **a highly stratified society** e-e vielschichtige Gesellschaft **II.** *itr* Schichten bilden; in Schichten zerfallen

strato·sphere ['strætəsfɪə(r)] *s* Stratosphäre *f*

stra·tum ['strɑ:təm, *pl* -tə] <*pl* -ta> *s* (GEOL) Schicht *f a. fig*

straw [strɔ:] **I.** *s* **1.** Stroh *n* **2.** Strohhalm *m* **3.** Trinkhalm *m;* **it's the last ~!** das ist der Gipfel!; **it's a ~ in the wind** das ist ein Vorzeichen; **clutch at ~s** sich an e-n Strohhalm klammern; **man of ~** Strohmann *m;* **not worth a ~** keinen Pfifferling wert **II.** *adj* Stroh-; aus Stroh

straw·berry ['strɔ:brɪ] *s* Erdbeere *f*

straw-col·oured ['strɔ:kʌləd] *adj* strohfarben; strohblond; **straw man** *s* Strohmann *m;* Scheingegner *m;* **straw poll, straw vote** *s* Probeabstimmung *f*

stray [streɪ] **I.** *itr* **1.** umherschweifen, -irren; sich verirren **2.** (*fig*) abschweifen; **~ (away) from s.th.** von etw abkommen; **~ from** [*o* **off**] **a path** von e-m Weg abkommen **II.** *s* streunendes Tier; herrenloses Tier **III.** *adj* **1.** verirrt, verlaufen, verloren **2.** (*Tier*) herrenlos, streunend **3.** (*Bemerkung*) einzeln **4.** gelegentlich, vereinzelt

streak [stri:k] **I.** *s* **1.** Streifen *m* **2.** (*Licht*) Strahl *m* **3.** (*Haar*) Strähne *f* **4.** (*Fett*) Schicht *f* **5.** (*fig*) Spur *f;* Zug *m;* Anflug *m;* **~ of lightning** Blitzstrahl *m;* **a winning ~** e-e Glückssträhne **II.** *tr* streifen; **be ~ed** gestreift sein; **~ed with dirt** schmutzverschmiert **III.** *itr* **1.** (*Blitz*) zucken **2.** blitzen, flitzen; **~ along** entlangflitzen; **streaker** [-ə(r)] *s* Blitzer(in) *m(f);* **streaky** ['stri:kɪ] *adj* **1.** (*Fenster*) streifig, verschmiert **2.** (*Fleisch, Speck*) durchwachsen

stream [stri:m] **I.** *s* **1.** Bach, Fluss *m* **2.** Strom *m,* Strömung *f* **3.** (*Licht*) Flut *f* **4.** (*Worte*) Schwall *m* **5.** (*Schule*) Leistungsgruppe *f;* **go with/against the ~** mit dem/gegen den Strom schwimmen; **~ of consciousness** Bewusstseinsstrom *m;* **be on ~** in Betrieb sein; **come on ~** in Betrieb genommen werden **II.** *itr* **1.** strömen, fließen, rinnen **2.** (*Augen*) tränen **3.** (*Licht*) fluten **4.** (*Fahne*) wehen; **his face was ~ing with sweat** sein Gesicht war in Schweiß gebadet; **~ down** herunterströmen; **~ in** hineinströmen; **streamer** ['stri:mə(r)] *s* **1.** Wimpel *m,* Banner *n* **2.** Band *n* **3.** (EDV) Magnetbandgerät *n,* Streamer *m;* **~ headline** (*Am*) Balkenüberschrift *f;* **stream·let** ['strɪ:mlɪt] *s* Bächlein *n*

stream·line ['stri:mlaɪn] *tr* (*fig*) rationalisieren; **stream·lined** ['stri:mlaɪnd] *adj* **1.** (*Auto*) stromlinienförmig **2.** (*fig*) rationell, modern, zeitgemäß

street [stri:t] *s* Straße *f;* **in the ~, on the ~** (*Am*) auf der Straße; **it's right up my ~** (*fam*) das ist genau mein Fall; **he's not in the same ~ as her** zwischen ihm und ihr ist ein himmelweiter Unterschied; **be ~s ahead of** [*o* **better than**] **s.o.** (*fam*) jdm haushoch überlegen sein; **go on the ~s** (*fam*) auf den Strich gehen; **street battle** *s* Straßenschlacht *f;* **street·car** ['stri:tkɑ:(r)] *s* (*Am*) Straßenbahn(wagen *m*) *f;* **street cred**(**ibility**) *s* (*fam*) Milieunähe *f;* Glaubwürdigkeit *f* (innerhalb e-r Gruppe); **street fighter** *s* Straßenkämpfer(in) *m(f);* **street directory** *s* **1.** Straßenadressbuch *n* **2.** Stadtplan *m;* **street door** *s* Haustür *f;* **street-level dealer** *s jem, der auf der Straße mit Drogen handelt;* **street party** *s* Straßenfest *n;* **street lamp** *s* Straßenlaterne *f;* **street lighting** *s* Straßenbeleuchtung *f;* **street value** *s* Marktwert *m* einer Droge; **street-walker** ['stri:twɔ:kə(r)] *s* Prostituierte *f;* **street·wise** ['stri:twaɪz] *adj* clever

strength [streŋθ] *s* **1.** Kraft, Stärke *f a. fig* **2.** (*Tisch etc.*) Stabilität *f* **3.** (*Schuhe*) Festigkeit *f* **4.** (*Meinung*) Überzeugtheit *f* **5.** (*fig*) Überzeugungskraft *f* **6.** (*Maßnahme*) Drastik *f* **7.** (*Gesundheit*) Robustheit *f;* Stärke *f* **8.** (*Farbe*) Intensität *f* **9.** (MIL) Stärke *f* **10.** (*Währung*) Stärke *f;* Stabilität *f;* **~ of will** Willensstärke *f;* **on the ~ of s.th.** auf Grund e-r S; **be beyond s.o.'s ~** über jds Kräfte gehen; **save one's ~** mit seinen Kräften haushalten; **be up to ~** die volle Stärke haben; **be at full ~** vollzählig sein; **strengthen** ['streŋθn] **I.** *tr* **1.** kräftigen, stärken **2.** (*fig*) bestärken **3.** (*Markt*) festigen; **~ s.o.'s hand** jdn bestärken **II.** *itr* stärker werden; sich verstärken

strenu·ous ['strenjʊəs] *adj* **1.** mühsam, anstrengend **2.** (*Versuch*) unermüdlich, energisch **3.** (*Ablehnung*) hartnäckig **4.** (*Protest*) heftig

strep·to·coc·cus [ˌstreptə'kɒkəs, *pl* -'kɒkaɪ] <*pl* -ci> *s* (MED) Streptokokkus *m*

stress [stres] **I.** *s* **1.** Stress *m;* Belastung *f* **2.** (MED) Überlastung *f* **3.** Betonung *f;* Akzent *m,* Hauptgewicht *n* **4.** (TECH) Belastung, Beanspruchung *f;* **times of ~** Krisenzeiten *fpl;* **put** [*o* **lay**] **~ on s.th.** großen Wert auf etw legen; **put s.o. under great ~** jdn großen Belastungen aussetzen **II.** *tr* **1.** betonen; großen Wert legen auf **2.** (TECH) belasten; **stressed out** *adj* (*fam*) total gestresst; **stress fracture** *s* (MED) Belastungsfraktur *f,* Überlastungsbruch *m;* **stress-free** ['stresfri:] *adj* stressfrei; **stress•ful** ['stresfʊl] *adj* anstrengend, stressig; **stress management** *s* Stressbewältigung *f*

stretch [stretʃ] **I.** *tr* **1.** strecken; dehnen; ausbreiten **2.** (*Seil*) spannen **3.** (*Reserven*) voll ausnutzen **4.** (*Arbeit*) fordern **5.** (*Bedeutung*) äußerst weit fassen **6.** (*Gesetz*) großzügig auslegen; **become ~ed** ausleiern; **~ s.th. tight** etw straffen; **~ o.s. out** sich auf den Boden legen; **~ one's legs** sich die Beine vertreten; **~ one's neck** den Hals recken; **be fully ~ed** (*fig*) voll ausgelastet sein; **~ a point** ein Auge zudrücken **II.** *itr* **1.** sich strecken, sich dehnen **2.** (*Zeit*) sich erstrecken (*to* bis) **3.** (*Geld*) reichen; **~ to reach s.th.** sich recken, um etw zu erreichen; **~ back to** zurückreichen bis; **~ out** sich hinlegen; sich ausbreiten; sich erstrecken **III.** *s* **1.** Strecken, Dehnen *n* **2.** Elastizität, Dehnbarkeit *f* **3.** Strecke *f,* Stück *n;* Abschnitt *m* **4.** (*zeitlich*) Zeitraum *m;* **give s.th. a ~** etw dehnen; **be at full ~** bis zum Äußersten gedehnt sein; mit aller Kraft arbeiten; **by no ~ of the imagination** beim besten Willen nicht; **for hours at a ~** stundenlang; **do a ~** (*sl*) im Knast sitzen

stretcher ['stretʃə(r)] *s* (MED) Tragbahre *f;* **stretcher-bearer** *s* Krankenträger *m*

stretch limo *s* (*fam*) Pullmanlimousine *f;* **stretch mark** *s* Schwangerschaftsstreifen *m*

strew [stru:] <*irr:* **strewed, strewed (strewn)**> *tr* verstreuen; streuen; bestreuen; **the floor was ~n with flowers** Blumen lagen überall auf dem Boden verstreut

stri•ated [straɪ'eɪtɪd] *adj* gestreift; gefurcht

stricken ['strɪkən] **I.** *pp of* **strike II.** *adj* verwundet; leidgeprüft; schmerzerfüllt, leidend; **~ with guilt** voller Schuldgefühle; **panic-~** von Panik ergriffen

strict [strɪkt] *adj* **1.** streng; strikt **2.** (REL) strenggläubig **3.** (*Neutralität*) absolut **4.** (*Übersetzung*) genau; **in ~ confidence** streng vertraulich; **strict•ly** ['strɪktlɪ] *adv* streng; genau; **~ speaking** genau genommen

stride [straɪd] <*irr:* **strode, stridden**> **I.** *itr* schreiten; **~ along** ausschreiten; **~ away** sich mit schnellen Schritten entfernen **II.** *s* Schritt *m;* Fortschritt *m;* **take s.th. in one's ~** mit etw spielend fertig werden; **put s.o. off his ~** jdn aus dem Konzept bringen

stri•dent ['straɪdnt] *adj* schrill, kreischend

strife [straɪf] *s* Unmut *m;* Zwietracht *f*

strike [straɪk] <*irr:* **struck, struck (stricken)**> **I.** *tr* **1.** schlagen; schlagen an **2.** (*Kugel*) treffen **3.** (*Metall*) hämmern **4.** (*Schmerz*) durchzucken **5.** (*Unglück*) treffen **6.** stoßen gegen, fahren gegen **7.** (*Auge*) treffen **8.** (*Blitz*) einschlagen in **9.** (*Instrument*) anschlagen **10.** (*Wurzeln*) schlagen **11.** (*fig*) in den Sinn kommen (*s.o.* jdm) **12.** beeindrucken **13.** (*Münze*) prägen **14.** (*Übereinkommen*) sich einigen auf, aushandeln **15.** (*Öl*) stoßen auf **16.** (*Zelt*) abbrechen **17.** (*Segel*) einholen, streichen; **~ one's fist on the table** mit der Faust auf den Tisch schlagen; **~ s.o. a blow** jdm e-n Schlag versetzen; **~ a blow for s.th.** (*fig*) e-e Lanze für etw brechen; **be struck by lightning** vom Blitz getroffen werden; **~ one's head against s.th.** mit dem Kopf gegen etw stoßen; **~ difficulties** in Schwierigkeiten geraten; **~ the hour** die volle Stunde schlagen; **~ s.o. as cold** jdm kalt vorkommen; **that ~s me as a good idea** das kommt mir sehr vernünftig vor; **it ~s me that ...** ich habe den Eindruck, dass ...; **a thought struck me** mir kam plötzlich ein Gedanke; **be struck by s.th.** von etw beeindruckt sein; **be struck with s.o.** von jdm begeistert sein; **be struck on s.o.** auf jdn versessen sein; **how does it ~ you?** wie finden Sie das?; **~ a light** Feuer machen; **be struck blind** blind werden; **~ fear into s.o.'s heart** jdn mit Angst erfüllen; **~ it rich** das große Geld machen; **be struck from a list** von e-r Liste gestrichen werden **II.** *itr* **1.** treffen **2.** (*Blitz*) einschlagen **3.** (MIL) zuschlagen, angreifen **4.** (*Panik*) ausbrechen **5.** (*Uhr*) schlagen **6.** (*Arbeiter*) streiken **7.** (*Streichholz*) zünden **8.** (MAR) auflaufen (*on* auf) **9.** (*Fisch*) anbeißen **10.** Wurzeln schlagen; **~ against s.th.** gegen etw stoßen; **~ at s.o.** nach jdm schlagen; **~ at the roots of s.th.** etw an der Wurzel treffen; **~ on a new idea** e-e neue Idee haben; **~ across country** querfeldein gehen; **~ right** sich nach rechts wenden **III.** *s* **1.** Streik, Ausstand *m* **2.** (*Gold*) Fund *m* **3.** (MIL) Angriff *m* **4.** Schlag *m;* **be on ~** streiken, im Ausstand sein; **go on ~** in den Streik treten; **make a ~** fündig werden; **a lucky ~** ein Glücksfall, Treffer *m;* **strike back** *itr* **1.** zurückschlagen **2.** (*fig*) sich wehren; **~ back at s.o.** sich gegen jdn zur Wehr setzen; **strike down** *tr* **1.** niederschlagen; vernichten **2.** (*fig*) zu Fall bringen; **be struck down** niedergeschlagen werden; getroffen werden; **strike in** *itr* sich einmischen, dazwischenplatzen; **strike off I.** *tr* **1.** abschlagen **2.** (*Geschriebenes*) (aus-, durch)streichen **3.** (*Doktor*) die Zulassung entziehen (*s.o.* jdm)

4. (*Preis*) abziehen 5. (TYP) drucken II. *itr* (*Straße*) abbiegen; **strike out** I. *itr* 1. schlagen 2. (*Richtung*) zuhalten (*for* auf), sich aufmachen, losziehen II. *tr* ausstreichen; ~ **out wildly** wild um sich schlagen; ~ **out for home** sich auf den Heimweg machen; ~ **out in a new direction** neue Wege gehen; **strike through** *tr* durchstreichen; **strike up** I. *tr* 1. (*Melodie*) anstimmen 2. (*Bekanntschaft*) machen, anknüpfen 3. (*Konversation*) anfangen II. *itr* (*Musik*) einsetzen

strike ac·tion ['straɪkækʃn] *s* Streikaktion *f;* **strike ballot** *s* Urabstimmung *f;* **strike·bound** ['straɪkbaʊnd] *adj* bestreikt; **strike·breaker** ['straɪk,breɪkə(r)] *s* Streikbrecher(in) *m(f);* **strike call** *s* Streikaufruf *m;* **strike committee** *s* Streikleitung *f;* **strike fund** *s* Streikkasse *f;* **strike leader** *s* Streikführer(in) *m(f);* **strike pay** *s* Streikgeld *n*

striker ['straɪkə(r)] *s* 1. Streikende(r) *f m* 2. (SPORT) Stürmer(in) *m (f)*

strik·ing ['straɪkɪŋ] *adj* 1. (*Ähnlichkeit*) auffallend 2. (*Unterschied*) verblüffend 3. (*Schönheit*) eindrucksvoll 4. (*Arbeiter*) streikend 5. (*Uhr*) mit Schlagwerk

string [strɪŋ] <*irr:* strung, strung> I. *s* 1. Schnur, Kordel *f,* Bindfaden *m* 2. Faden *m;* Draht *m* 3. (*Perlen*) Schnur *f* 4. (*Menschen*) Schlange *f* 5. (*fig*) Serie, Reihe *f* 6. (MUS, SPORT) Saite *f* 7. (BOT) Faden *m;* **have s.o. on a** ~ jdn am Gängelband haben; **pull ~s** (*fig*) Fäden ziehen; **without ~s** (*fig*) ohne Bedingungen; **the ~s** (MUS) die Streichinstrumente *pl,* die Streicher *pl;* **have two ~s to one's bow** zwei Eisen im Feuer haben II. *tr* 1. (*Instrument, Schläger*) besaiten, bespannen 2. (*Perlen*) aufziehen, aufreihen 3. (*Bohnen*) Fäden abziehen von 4. aufreihen; ~ **objects together** Gegenstände zusammenbinden; **string along** *itr* sich anschließen; ~ **s.o. along** jdn hinhalten; **string out** I. *itr* sich verteilen II. *tr* aufhängen; **string up** *tr* aufhängen; *fam* aufknüpfen; **be strung up** aufgeregt sein; ~ **o.s. up to do s.th.** sich seelisch und moralisch darauf vorbereiten etw zu tun

string bag ['strɪŋbæg] *s* Einkaufsnetz *n;* **string band** *s* Streichorchester *n;* **string bean** *s* (BOT) grüne Bohne; (*Person, fam*) Bohnenstange *f;* **stringed** [strɪŋd] *adj* (MUS) Saiten-; ~ **instrument** Saiteninstrument *n*

strin·gency ['strɪndʒənsɪ] *s* 1. Strenge, Härte *f* 2. (COM) Knappheit, Verknappung *f;* **strin·gent** ['strɪndʒənt] *adj* 1. streng 2. (*Training*) hart 3. (*Maßnahmen*) streng, energisch 4. (COM: *Markt*) angespannt; ~ **economies** schärfste Sparmaßnahmen *fpl*

stringer ['strɪŋə(r)] *s* Lokalreporter(in) *m(f)*

string player *s* (MUS) Streicher *m;* **string-puller** ['strɪŋpʊlə(r)] *s* Drahtzieher *m;* **string quartet** *s* Streichquartett *n;* **stringy** ['strɪŋɪ] *adj* 1. (*Fleisch*) sehnig, zäh, faserig 2. (*Wurzel*) lang und dünn

strip [strɪp] I. *tr* 1. ausziehen 2. (*Bett*) abziehen 3. (*Wand*) abkratzen; die Tapeten abziehen von; (*Holzoberfläche*) abbeizen 4. (*Schrank*) ausräumen 5. (*fig*) berauben (*of +gen*) 6. (TECH) demontieren; auseinander nehmen 7. (*Schraube*) überdrehen; ~ **s.o. naked/to the skin** jdn nackt/bis auf die Haut ausziehen; ~ **s.th. off s.th.** etw von etw entfernen; ~ **the bark from the trees** die Bäume schälen, entrinden; ~ **s.th. away** etw wegnehmen; **~ped of s.th.** ohne etw; ~ **down** zerlegen; ~ **off** ausziehen; abmachen; entfernen II. *itr* sich ausziehen; sich freimachen; ~ **to the waist** den Oberkörper freimachen; ~ **off** sich ausziehen; sich abschälen lassen III. *s* 1. Streifen *m;* schmales Stück 2. (SPORT) Trikot *n,* Dress *m* 3. (AERO) Start- und Landebahn *f;* **do a** ~ (*fam*) strippen; **tear a** ~ **off s.o.** jdn zur Schnecke machen; **strip cartoon** *s* Comic(strip) *m,* Bildgeschichte *f*

stripe [straɪp] *s* 1. Streifen *m* 2. (MIL) Streifen *m;* Tresse *f;* **striped** [straɪpt] *adj* gestreift; **be** ~ **(with) blue** blaue Streifen haben

strip light ['strɪplaɪt] *s* Neonröhre *f;* **strip light·ing** ['strɪplaɪtɪŋ] *s* Neonbeleuchtung *f;* **strip mill** *s* Walzwerk *n;* **strip mining** *s* (*Am*) Tagebau *m*

strip·per ['strɪpə(r)] *s* 1. Stripper(in) *m(f),* Stripteasetänzer(in) *m(f)* 2. (*paint* ~) Farbentferner *m;* **strip-search** ['strɪpsɜːtʃ] *s* Leibesvisitation *f;* **strip show** *s* Stripteaseshow *f;* **strip·tease** ['strɪptiːz] *s* Striptease *m*

strive [straɪv] <*irr:* strove, striven> *itr* 1. sich bemühen 2. kämpfen; ~ **to do s.th.** bestrebt sein etw zu tun; ~ **for s.th.** etw anstreben; ~ **against s.th.** gegen etw kämpfen; ~ **with s.o.** mit jdm ringen

strobe [strəʊb] I. *adj* stroboskopisch II. *s* (~ *light*) Stroboskoplampe *f;* **strobo·scope** ['strəʊbəskəʊp] *s* Stroboskop *n;* **strobo·scop·ic** [,strəʊbəʊ'skɒpɪk] *adj* stroboskopisch

strode [strəʊd] *s.* **stride**

stroke [strəʊk] I. *s* 1. Schlag, Hieb, Stoß *m* 2. (SPORT) Schlag *m;* Stoß *m;* Zug *m* 3. (*Rudern*) Schlagmann *m* 4. (*Bürste*) Strich *m* 5. (*fig*) Schlag *m;* Schachzug *m* 6. (*Uhr*) Schlag *m* 7. (TECH) Hub *m* 8. (MED) Schlaganfall *m* 9. Schrägstrich *m;* **put s.o. off his**

~ jdn aus dem Takt bringen; **he doesn't do a** ~ er rührt keinen Finger; **a** ~ **of luck** ein Glücksfall *m;* **at a** [*o* **one**] ~ mit e-m Schlag; **give s.o. a** ~ jdn streicheln; **have a** ~ einen Schlaganfall bekommen; **two-**~ **engine** Zweitaktmotor *m* **II.** *tr* streichen; ~ **one's hair down** sich das Haar glattstreichen; ~ **a boat** als Schlagmann rudern

stroll [strəʊl] **I.** *itr* spazieren, bummeln; ~ **along the road** die Straße entlangbummeln **II.** *s* Spaziergang, Bummel *m;* **take a** ~ e-n Bummel machen; **stroller** ['strəʊlə(r)] *s* **1.** Spaziergänger(in) *m(f)* **2.** (*Am: Kinder-*) Sportwagen *m*

strong [strɒŋ] **I.** *adj* **1.** stark, kräftig, kraftvoll **2.** (*Wand*) stabil, solide **3.** (*Gesichtszüge*) ausgeprägt **4.** (*Konstitution*) robust **5.** (*Augen*) gut **6.** (*Charakter*) fest **7.** (*Land*) mächtig **8.** (*Einfluss*) groß, stark **9.** (*Argument*) überzeugend **10.** (*Protest*) energisch **11.** (*Maßnahme*) drastisch **12.** (*Brief*) geharnischt **13.** (*zahlenmäßig*) stark **14.** (*Anhänger*) begeistert; überzeugt; unerschütterlich **15.** (*Parfüm*) stark **16.** (*Geruch*) streng **17.** (*Butter*) ranzig **18.** (*Farbe*) kräftig **19.** (*Akzent*) stark **20.** (*Lösung*) konzentriert **21.** (*Preise*) stabil; (*Währung*) stark; **she's getting** ~**er every day** sie wird mit jedem Tag kräftiger; **have** ~ **feelings about s.th.** in bezug auf etw stark engagiert sein; **have** ~ **feelings for s.th.** e-e starke Bindung an etw haben; **his** ~ **point** seine Stärke; **he is** ~ **in s.th.** etw ist seine Stärke; ~ **breath** Mundgeruch *m;* **a** ~ **drink** ein steifer Drink; **protest in the** ~**est terms** energisch protestieren **II.** *adv:* **be going** ~ gut in Form sein; in Schwung sein; **strong-arm** ['strɒŋɑːm] *adj* gewalttätig, brutal; **strong•box** *s* Stahl-, Geldkassette *f;* **strong•hold** ['strɒŋhəʊld] *s* **1.** Festung *f* **2.** (*fig*) Bollwerk *n,* Hochburg *f;* **strong•ly** ['strɒŋlɪ] *adv* **1.** stark; kräftig; energisch **2.** (*Interesse*) brennend **3.** (*Glaube*) fest **4.** (*Bitte*) inständig; kräftig; **I** ~ **advise you ...** ich möchte Ihnen dringendst raten ...; **strong-minded** [ˌstrɒŋ'maɪndɪd] *adj* willensstark; **strong•room** *s* Stahlkammer *f,* Tresor *m*

stron•tium ['strɒntɪəm] *s* (CHEM) Strontium *n*

strop [strɒp] **I.** *s* Streichriemen *m* **II.** *tr* (*Rasiermesser*) abziehen

stroppy ['strɒpɪ] *adj* (*fam*) schlecht gelaunt; pampig *fam*

strove [strəʊv] *s.* **strive**

struck [strʌk] *s.* **strike**

struc•tural ['strʌktʃərəl] *adj* **1.** strukturell **2.** (ARCH) baulich **3.** (*Fehler*) Konstruktions- **4.** (*fig*) Struktur- **5.** (*Balken*) tragend **6.** (*fig*) essenziell, notwendig; ~ **change** Strukturwandel *m;* ~ **engineering** Bautechnik *f;* ~ **unemployment** strukturelle Arbeitslosigkeit; **struc•ture** ['strʌktʃə(r)] **I.** *s* **1.** Struktur *f,* Gefüge *n,* Aufbau *m* **2.** (*Auto*) Konstruktion *f* **3.** Bau *m,* Gebilde, Gerüst *n* **4.** (BIOL) Organismus *m;* **bone** ~ Knochenbau *m* **II.** *tr* strukturieren; aufbauen; gestalten; gliedern

struggle ['strʌgl] **I.** *itr* **1.** kämpfen; sich wehren **2.** (*finanziell*) in Schwierigkeiten sein **3.** (*fig*) sich abmühen; sich quälen; ~ **to do s.th.** sich sehr anstrengen etw zu tun; ~ **for s.th.** um etw kämpfen; ~ **against s.o.** gegen jdn kämpfen; ~ **with s.o.** mit jdm kämpfen; ~ **with s.th.** sich mit etw herumschlagen; mit etw ringen; ~ **to get up** sich hochquälen; ~ **along** sich durchschlagen **II.** *s* **1.** Kampf *m* (*for* um) **2.** (*fig*) Anstrengung *f;* **without a** ~ kampflos; ~ **for survival/existence** Überlebens-/Daseinskampf *m*

strum [strʌm] **I.** *tr* klimpern auf **II.** *itr* klimpern (*on* auf)

strung [strʌŋ] *s.* **string**

strut[1] [strʌt] **I.** *itr* (herum)stolzieren **II.** *s* Stolzieren *n*

strut[2] [strʌt] *s* (ARCH) Strebe, Stütze *f*

strych•nine ['strɪkniːn] *s* Strychnin *n*

stub [stʌb] **I.** *s* **1.** Stummel *m* **2.** (*Zigarette*) Kippe *f* **3.** (*Scheck*) Abschnitt *m* **II.** *tr:* ~ **one's toe** mit dem Zeh an etw stoßen; ~ **out a cigarette** e-e Zigarette ausdrücken

stubble ['stʌbl] *s* Stoppeln *fpl;* **designer**~ Dreitagebart *m;* **stub•bly** ['stʌblɪ] *adj* stoppelig

stub•born ['stʌbən] *adj* **1.** stur; störrisch **2.** (*Ablehnung*) hartnäckig **3.** (*Material*) widerspenstig

stubby ['stʌbɪ] *adj* untersetzt, stämmig, kräftig

stucco ['stʌkəʊ] <*pl* **stucco(e)s**> **I.** *s* **1.** Stuck *m* **2.** (~ *work*) Stuckarbeit, Stukkatur *f* **II.** *tr* mit Stuck verzieren

stuck [stʌk] **I.** *pt, pp of* **stick**[2] **II.** *adj:* **be** ~ nicht zurechtkommen; **he is** ~ **for s.th.** es fehlt ihm an etw; **I was** ~ **for an answer** ich wusste nicht, was ich sagen sollte; **get** ~ **into s.o.** jdn richtig in die Mangel nehmen; **get** ~ **into s.th.** etwas in Angriff nehmen; **be** ~ **on s.o.** (*fam*) in jdn verknallt sein; **be** ~ **with s.th.** etw am Hals haben

stuck-up [ˌstʌk'ʌp] *adj* (*fam*) hochnäsig, arrogant

stud[1] [stʌd] **I.** *s* **1.** Ziernagel *m* **2.** Kragen-, Hemdknopf *m* **3.** (Ohr-, Nasen)Stecker *m;* **reflector** ~ Katzenauge *n;* ~ **earring** Ohrstecker *m* **II.** *tr* übersäen (*with* mit)

stud[2] [stʌd] *s* **1.** Stall *m,* Gestüt *n* **2.** (*sl*) Sexprotz *m;* **put to** ~ zur Züchtung verwenden

stu•dent ['stju:dnt] *s* **1.** Student(in) *m(f)* **2.** (*Am*) Schüler(in) *m(f)*; **fellow** ~ Kommilitone *m*, Kommilitonin *f*; **medical** ~ Medizinstudent(in) *m(f)*; **be a** ~ **of ...** ... studieren; **student teacher** *s* (Studien)Referendar(in) *m(f)*; **student union** *s* Studentenvereinigung *f*

stud farm ['stʌdfɑ:m] *s* Gestüt *n*; **stud horse** *s* Zuchthengst *m*

studied ['stʌdɪd] *adj* **1.** gut durchdacht, wohl überlegt **2.** (*Stil*) kunstvoll **3.** (*Beleidigung*) gewollt, beabsichtigt; berechnet **4.** (*Pose*) einstudiert

stu•dio ['stju:dɪəʊ] <*pl* -dios> *s* **1.** Studio *n* **2.** (*Maler*) Atelier *n* **3.** (RADIO) Senderaum *m*; **studio audience** *s* Publikum *n* im Studio; **studio couch** *s* Schlafcouch *f*

stu•di•ous ['stju:dɪəs] *adj* **1.** fleißig; eifrig **2.** (*Kind*) lernbegierig **3.** (*Aufmerksamkeit*) gewissenhaft, sorgfältig **4.** (*Höflichkeit*) bewusst; gewollt **5.** (*Bemühung*) beflissen

study ['stʌdɪ] **I.** *s* **1.** Studium *n*; Lernen *n* **2.** (*Natur*) Beobachtung *f* **3.** Studie *f* (*of* über), Untersuchung *f* **4.** Arbeits-, Studierzimmer *n*; **the** ~ **of cancer** die Krebsforschung; **make a** ~ **of s.th.** etw untersuchen; **during my studies** während meines Studiums; **spend one's time in** ~ seine Zeit mit Studieren verbringen **II.** *tr* **1.** studieren; lernen **2.** (*Natur*) beobachten **3.** (*Text*) sich befassen mit **4.** erforschen **III.** *itr* studieren (*for s.th.* etw); ~ **under s.o.** bei jdm studieren; **study group** *s* Arbeitsgruppe *f*; **study visit** *s* Studienreise *f*

stuff [stʌf] **I.** *s* **1.** Zeug *n* **2.** (*sl: Drogen*) Stoff *m* **3.** (*fam*) Kram *m*, Sachen *fpl*; **green** ~ Grünzeug *n*; **the** ~ **that heroes are made of** der Stoff, aus dem Helden gemacht sind; **it's poor** ~ das ist schlecht; **books and** ~ Bücher und so; **and** ~ **like that** und so was; **do one's** ~ (*fam*) seine Nummer abziehen; **know one's** ~ wissen, wovon man redet **II.** *tr* **1.** voll-, zustopfen **2.** (*Umschlag*) stecken (*into* in) **3.** (*Gans*) füllen **4.** (*Kissen*) füllen; ausstopfen; ~ **s.o. with food** jdn mästen; ~ **s.th. away** etw wegstecken; ~ **one's head with nonsense** sich den Kopf mit Unsinn vollstopfen; **be ~ed up** verschnupft sein; ~ **it** (*sl*) halt's Maul; **get ~ed!** (*fam*) du kannst mich mal! *fam*; **stuffed shirt** *s* (*fam*) aufgeblasener Kerl; **stuf•fer** ['stʌfə(r)] *s* (*Am*) Reklamebeilage *f*; **stuff•ing** ['stʌfɪŋ] *s* **1.** (*Essen*) Füllung *f* **2.** Polstermaterial *n*; **knock the** ~ **out of s.o.** (*fam*) jdn kleinkriegen, jdn fertig machen

stuffy ['stʌfɪ] *adj* **1.** stickig, dumpf **2.** (*fig*) spießig; prüde **3.** (*Atmosphäre*) steif, gezwungen; langweilig

stul•tify ['stʌltɪfaɪ] *tr* lähmen; verkümmern lassen

stumble ['stʌmbl] **I.** *itr* **1.** stolpern **2.** (*Rede*) stottern; ~ **against s.th.** gegen etw stoßen; ~ **on s.th.** auf etw stoßen; **she ~d through her speech** stockend hielt sie ihre Rede **II.** *s* **1.** Stolpern *n* **2.** Stocken *n*; **stum•bling block** ['stʌmblɪŋblɒk] *s* (*fig*) Hürde *f*, Hindernis *n*

stump [stʌmp] **I.** *s* **1.** (Baum-, Zahn)Stumpf *m* **2.** (*Zigarette*) Stummel *m* **3.** (*Am*) Rednertribüne *f* **4.** (*Kricket*) Stab *m*; **stir one's ~s** sich rühren, sich regen **II.** *tr* **1.** (*Am*) als Wahlredner bereisen **2.** (*Kricket*) ausschalten; **you've got me ~ed** (*fam*) da bin ich überfragt; ~ **up money** (*sl*) Geld lockermachen **III.** *itr* stapfen; ~ **along** entlangstapfen; ~ **up** (*sl*) blechen; **stumpy** ['stʌmpɪ] *adj* stämmig, untersetzt; klein und gedrungen

stun [stʌn] *tr* **1.** betäuben; benommen machen **2.** (*fig*) aus der Fassung bringen

stung [stʌŋ] *s.* **sting**

stun gre•nade ['stʌŋgrɪˌneɪd] *s* Blendgranate *f*

stunk [stʌŋk] *s.* **stink**

stunned [stʌnd] *adj* **1.** betäubt; benommen **2.** (*fig*) fassungslos; **stun•ner** ['stʌnə(r)] *s* (*fam*) Pfundskerl *m*; tolle Frau; **stun•ning** ['stʌnɪŋ] *adj* **1.** wuchtig **2.** betäubend **3.** (*fam*) prächtig, toll, blendend

stunt[1] [stʌnt] *tr* **1.** (*Entwicklung*) hemmen **2.** (*Verstand*) verkümmern lassen

stunt[2] [stʌnt] *s* (*fam*) Stunt *m*, Kunststück *n*; Nummer *f*; Gag *m*

stunted ['stʌntɪd] *adj* verkümmert, zurückgeblieben

stunt flying *s* Kunstflug *m*

stunt•man ['stʌntmən] <*pl* -men> *s* (FILM) Stuntman *m*, Double *n*

stu•pe•fac•tion [ˌstju:pɪ'fækʃn] *s* Verblüffung *f*; **stu•pefy** ['stju:pɪfaɪ] *tr* **1.** benommen machen **2.** (*fig*) verblüffen

stu•pen•dous [stju:'pendəs] *adj* **1.** überwältigend **2.** (*Anstrengung*) gewaltig, ungeheuer

stu•pid ['stju:pɪd] **I.** *adj* **1.** dumm; blöd(e) **2.** benommen, benebelt; **don't be** ~ sei nicht so blöd; **drink o.s.** ~ sich sinnlos betrinken **II.** *s* Blödmann, Dummkopf *m*; **stu•pid•ity** [stju:'pɪdətɪ] *s* Dummheit, Blödheit *f*

stu•por ['stju:pə(r)] *s* Benommenheit *f*; **in a drunken** ~ im Vollrausch

sturdy ['stɜ:dɪ] *adj* **1.** kräftig, stämmig **2.** (*Material*) kräftig, robust **3.** (*Auto*) stabil **4.** (*fig*) entschlossen, unnachgiebig

stur•geon ['stɜ:dʒən] *s* (ZOO) Stör *m*

stut•ter ['stʌtə(r)] **I.** *tr, itr* stottern; stammeln **II.** *s* Stottern *n*; **stut•terer** ['stʌtərə(r)] *s* Stotterer *m*, Stotterin *f*

sty [staɪ] *s* Schweinestall *m a. fig*

sty(e) [staɪ] <*pl* **sties, styes**> *s* (MED) Gerstenkorn *n*

style [staɪl] **I.** *s* **1.** Stil *m;* Ausdrucksweise *f* **2.** (*Kunst, fig*) Stil *m* **3.** Art *f* **4.** (*Mode*) Stil *m;* Schnitt *m* **5.** Titel *m,* Anrede *f* **6.** (BOT) Griffel *m;* ~ **of painting** Malstil *m;* ~ **of life** Lebensstil *m;* **that's the** ~ (*fam*) so ist's richtig; **in** ~ stilvoll; **do things in** ~ alles im großen Stil tun; **a new** ~ **of car** ein neuer Autotyp; **all the latest ~s** die neueste Mode; ~ **sheet** Merkblatt *n* zur Manuskriptgestaltung **II.** *tr* **1.** nennen **2.** entwerfen; gestalten **3.** (*Frisur*) stylen *fam;* **styl•ing** ['staɪlɪŋ] *s* Stylen, Styling *n;* Design *n;* Schnitt *m;* **styl•ish** ['staɪlɪʃ] *adj* **1.** modisch, elegant **2.** (*Haus*) vornehm **3.** (*Möbel*) stilvoll **4.** (*Lebensweise*) großartig, im großen Stil; **sty•list** ['staɪlɪst] *s* **1.** Modeschöpfer(in) *m(f)* **2.** (*hair* ~) Friseur(in) *m(f),* Friseuse *f* **3.** (*lit*) Stilist(in) *m(f);* **sty•lis•tic** [staɪ'lɪstɪk] *adj* stilistisch; **sty•lize** ['staɪəlaɪz] *tr* stilisieren

sty•lus ['staɪləs] *s* **1.** (*Plattenspieler*) Nadel *f* **2.** (HIST) Griffel *m*

sty•mie ['staɪmɪ] *tr* (*fig*) matt setzen; **be ~d** aufgeschmissen sein

styp•tic ['stɪptɪk] **I.** *s* blutstillendes Mittel **II.** *adj* blutstillend, Blutstill-

suave [swɑ:v] *adj* liebenswürdig; aalglatt

sub[1] [sʌb] *s abbr of* **subeditor** Redakteur(in) *m(f)*

sub[2] [sʌb] *s abbr of* **submarine** U-Boot *n*

sub[3] [sʌb] *s abbr of* **subscription** Subskription *f*

sub[4] [sʌb] *s abbr of* **subscription allowance** Vorschuss *m*

sub[5] [sʌb] *s abbr of* **substitute** Ersatzspieler(in) *m(f)*

sub- [sʌb] *prefix* Unter-, sub-; **sub•agency** [ˌsʌb'eɪdʒənsɪ] *s* Untervertretung *f;* **sub-agent** [ˌsʌb'eɪdʒənt] *s* Untervertreter(in) *m(f);* **sub•al•tern** ['sʌbltən] *s* (MIL) Subalternoffizier *m;* **sub•atomic** [ˌsʌbə'tɒmɪk] *adj* subatomar; **sub•class** ['sʌbklɑ:s] *s* Unterabteilung *f;* **sub•com•mit•tee** ['sʌbkəˌmɪtɪ] *s* Unterausschuss *m;* **sub-con•scious** [ˌsʌb'kɒnʃəs] **I.** *adj* unterbewusst **II.** *s:* **the** ~ das Unterbewusstsein; **sub•con•ti•nent** [ˌsʌb'kɒntɪnənt] *s* (GEOG) Subkontinent *m;* **sub•con•tract** [ˌsʌb'kɒntrækt] **I.** *s* Unter-, Nebenvertrag *m* **II.** [ˌsʌbkən'trækt] *tr* vertraglich weitervergeben (*to* an); **sub•con•tractor** [ˌsʌbkən'træktə(r)] *s* Subunternehmer(in) *m(f);* **sub•cul•ture** [ˌsʌb'kʌltʃə(r)] *s* Subkultur *f;* **sub•cu•taneous** [ˌsʌbkju:'teɪnɪəs] *adj* (MED) subkutan; **sub•di•vide** [ˌsʌbdɪ'vaɪd] **I.** *tr* unterteilen **II.** *itr* sich aufteilen; **sub•di•vi•sion** [ˌsʌbdɪ'vɪʒn] *s* **1.** Unterteilung *f* **2.** Unterabteilung *f;* (*Am*) Bauplatz *m*

sub•due [səb'dju:] *tr* **1.** besiegen, unterwerfen **2.** (*Gefühl*) unterdrücken **3.** (*Licht, Ton*) dämpfen **4.** (*Tier*) zähmen **5.** (*Schmerz*) lindern; **talk in a ~d voice** mit gedämpfter Stimme reden

sub•edit [ˌsʌb'edɪt] *tr* redigieren; **sub•editor** [ˌsʌb'edɪtə(r)] *s* Redakteur(in) *m(f);* **sub•frame** [ˌsʌb'freɪm] *s* Zwischen-, Nebenrahmen *m;* **sub•group** ['sʌbgru:p] *s* Unterabteilung *f;* **sub•head•ing** [ˌsʌb'hedɪŋ] *s* Untertitel *m*

sub•ject ['sʌbdʒɪkt] **I.** *adj* **1.** unterworfen **2.** anfällig (*to* für) **3.** abhängig (*to* von); **be ~ to s.th.** e-r S unterworfen sein; für etw anfällig sein; **prices are ~ to change without notice** Preisänderungen vorbehalten; **be ~ to taxation** besteuert werden; ~ **to correction** vorbehaltlich Änderungen **II.** *s* **1.** (POL) Staatsbürger(in) *m(f);* (*Monarchie*) Untertan(in) *m(f)* **2.** (GRAM) Subjekt *n* **3.** (MUS) Thema *n* **4.** (*Schule*) Fach *n;* Spezialgebiet *n* **5.** Grund, Anlass *m* (*for* zu) **6.** Gegenstand *m;* Versuchsperson *f;* **change the ~** das Thema wechseln; **on the ~ of ...** zum Thema ...; **that's off the ~** das gehört nicht zum Thema **III.** [səb'dʒekt] *tr* unterwerfen, -jochen; ~ **s.o. to s.th.** jdn e-r S aussetzen; ~ **s.o. to insults** jdn beschimpfen; ~ **o.s. to s.th.** etw hinnehmen; sich e-r S unterziehen; **subject catalogue** *s* Schlagwortkatalog *m;* **subject index** *s* Sachregister *n*

sub•jec•tion [səb'dʒekʃn] *s* **1.** Unterwerfung *f* **2.** (POL) Abhängigkeit *f* (*of* von)

sub•jec•tive [səb'dʒektɪv] *adj* subjektiv

sub•ject mat•ter ['sʌbdʒɪktˌmætə(r)] *s* Stoff *m;* Inhalt *m*

sub ju•dice [ˌsʌb'dʒu:dɪsɪ] *adj* (JUR) rechtshängig

sub•ju•gate ['sʌbdʒʊgeɪt] *tr* unterjochen, -werfen

sub•junc•tive [səb'dʒʌŋktɪv] **I.** *adj* konjunktivisch; ~ **mood** Konjunktiv *m* **II.** *s* Konjunktiv *m*

sub•lease [ˌsʌb'li:s] **I.** *s* Untervermietung *f;* Unterverpachtung *f* **II.** *tr* weiterverpachten; untervermieten

sub•let <*irr:* **-let, -let**> *tr* untervermieten

sub•lieu•ten•ant [ˌsʌblə'tenənt, *Am* ˌsʌblu:'tenənt] *s* (*Br*) Leutnant *m* zur See

sub•li•mate ['sʌblɪmeɪt] **I.** *tr* (CHEM PSYCH) sublimieren **II.** *s* (CHEM) Sublimat *n*

sub•lime [sə'blaɪm] *adj* **1.** erhaben; überragend, unvergleichlich **2.** (*fam: Frechheit*) unglaublich

sub•lim•inal [ˌsʌb'lɪmɪnl] *adj* (PSYCH) unterschwellig

sub•machine gun [ˌsʌbmə'ʃi:nˌgʌn] *s*

Machinenpistole *f*
sub•mar•ine [ˌsʌbməˈriːn, ˈsʌbməˌriːn] **I.** *adj* unterseeisch, submarin **II.** *s* Unterseeboot, U-Boot *n*
sub•menu [ˌsʌbˈmenjuː] *s* (EDV) Untermenü *n*
sub•merge [səbˈmɜːdʒ] **I.** *tr* **1.** untertauchen **2.** überschwemmen, -fluten; ~ **s.th. in water** etw in Wasser tauchen **II.** *itr* tauchen; **sub•merged** [səbˈmɜːdʒd] *adj* **1.** unter Wasser **2.** (*Wrack*) gesunken
sub•mer•si•ble [səbˈmɜːsɪbl] **I.** *adj* tauchfähig **II.** *s* Tauchboot *n;* **sub•mer•sion** [səbˈmɜːʒn] *s* **1.** (Unter)Tauchen *n* **2.** Überschwemmung *f*
sub•mis•sion [səbˈmɪʃn] *s* **1.** Unterwerfung *f* (*to* unter), Gehorsam *m* **2.** (JUR) Unterbreitung, Vorlage *f* **3.** Einwurf *m;* **force s.o. into** ~ jdn zwingen sich zu ergeben; **starve s.o. into** ~ jdn aushungern; **make a** ~ **to s.o.** jdm e-e Vorlage machen; **sub•mis•sive** [səbˈmɪsɪv] *adj* demütig, gehorsam; ~ **to authority** autoritätsgläubig
sub•mit [səbˈmɪt] **I.** *tr* **1.** vorlegen, unterbreiten, einreichen (*to* bei) **2.** verweisen an; ~ **s.th. to tests** etw Tests unterziehen; ~ **s.th. to heat** etw der Hitze aussetzen **II.** *itr* **1.** sich fügen, nachgeben **2.** (MIL) sich ergeben **3.** (SPORT) aufgeben; ~ **to s.th.** sich e-r S beugen; sich etw gefallen lassen **III.** *refl:* ~ **o.s. to s.th.** sich e-r S unterziehen
sub•nor•mal [ˌsʌbˈnɔːml] *adj* **1.** (*Intelligenz*) unterdurchschnittlich **2.** (PSYCH) minderbegabt
sub•or•di•nate [səˈbɔːdɪnət] **I.** *adj* rangniedriger; untergeordnet; ~ **clause** Nebensatz *m;* **be** ~ **to s.o.** jdm untergeordnet sein **II.** *s* Untergebene(r) *f m* **III.** [səˈbɔːdɪneɪt] *tr* unterordnen; **sub•or•di•na•tion** [səˌbɔːdɪˈneɪʃn] *s* Unterordnung *f* (*to* unter)
sub•orn [səˈbɔːn] *tr* (JUR: *Zeugen*) beeinflussen
sub•poena [səˈpiːnə] **I.** *s* (JUR) Vorladung *f* **II.** *tr* (JUR) vorladen
sub•plot [ˈsʌbplɒt] *s* Nebenhandlung *f*
sub-post of•fice [ˌsʌbpəʊstˈɒfɪs] *s* Poststelle *f*
sub•scribe [səbˈskraɪb] **I.** *tr* **1.** (*Geld*) zeichnen **2.** spenden (*to* für); ~ **one's name to a document** ein Dokument unterzeichnen **II.** *itr* spenden, geben; ~ **to an appeal** sich an e-r Spendenaktion beteiligen; ~ **to a magazine** e-e Zeitschrift abonnieren; ~ **to s.th.** (*fig*) etw gutheißen, etw billigen; **sub•scriber** [səbˈskraɪbə(r)] *s* **1.** Abonnent(in) *m(f)* **2.** Spender(in) *m(f)* **3.** (TELE) Teilnehmer(in) *m(f)* **4.** (*Anleihe*) Zeichner *m;* **subscriber trunk dialling, STD** *s* (*Br*) Selbstwählferndienst, -verkehr *m;* **sub•script** [səbˈskrɪpt] *adj* tief gestellt; **sub•scrip•tion** [səbˈskrɪpʃn] *s* **1.** Subskription, Zeichnung *f* **2.** Beitrag *m* **3.** Abonnement *n;* **take out a** ~ **to s.th.** etw abonnieren; **by public** ~ mit Hilfe von Spenden; **subscription rate** *s* Abonnements-, Bezugspreis *m*
sub•sec•tion [ˈsʌbˌsekʃn] *s* Unterabschnitt *m,* -abteilung *f*
sub•se•quent [ˈsʌbsɪkwənt] *adj* **1.** (nach)folgend **2.** (*zeitlich*) später, anschließend; ~ **to** im Anschluss an; **sub•se•quent•ly** [-lɪ] *adv* später; anschließend
sub•ser•vi•ent [səbˈsɜːvɪənt] *adj* **1.** unterwürfig (*to* gegenüber) **2.** unterworfen
sub•set [ˈsʌbset] *s* (MATH) Teilmenge *f*
sub•side [səbˈsaɪd] *itr* **1.** (*Flüssigkeit*) sich setzen **2.** (*Flut*) sinken **3.** (*Boden*) sich senken **4.** (*Wind*) abflauen, nachlassen, sich legen **5.** (*Ärger*) abklingen; **sub•sid•ence** [səbˈsaɪdns] *s* (Boden)Senkung *f*
sub•sidi•ary [səbˈsɪdɪərɪ] **I.** *adj* **1.** (*Rolle*) Neben- **2.** (*Firma*) Tochter-; **be** ~ **to s.th.** e-r S untergeordnet sein **II.** *s* (~ *company*) Tochtergesellschaft *f;* **indirect** ~ Enkelgesellschaft *f*
sub•si•dize [ˈsʌbsɪdaɪz] *tr* finanziell unterstützen; subventionieren; **~d accommodation** bezuschusste Wohnung; **sub•sidy** [ˈsʌbsədɪ] *s* Zuschuss *m;* Subvention *f*
sub•sist [səbˈsɪst] *itr* leben, sich ernähren (*on* von); **sub•sis•tence** [səbˈsɪstəns] *s* **1.** Existenz *f* **2.** (Lebens)Unterhalt *m,* Auskommen *n;* **enough for** ~ genug zum Leben; **subsistence allowance** *s* **1.** Tagegeld *n* **2.** Vorschuss *m;* **subsistence level** *s* Existenzminimum *n;* **subsistence wage** *s* Mindestlohn *m*
sub•sonic [ˌsʌbˈsɒnɪk] *adj* unter Schallgeschwindigkeit (fliegend)
sub•stance [ˈsʌbstəns] *s* **1.** Substanz, Materie *f,* Stoff *m* **2.** Substanz *f,* Gehalt *m;* Kern *m* **3.** Gewicht *n;* **in** ~ im Wesentlichen; **the argument lacks** ~ das Argument hat keine Durchschlagskraft; **a man of** ~ ein vermögender Mann
sub•stan•dard [ˌsʌbˈstændəd] *adj* **1.** (*Qualität*) minderwertig; unzulänglich **2.** (GRAM) nicht korrekt
sub•stan•tial [səbˈstænʃl] *adj* **1.** kräftig **2.** (*Gebäude*) solide, fest **3.** (*Beweis*) schlüssig **4.** (*Grund*) stichhaltig **5.** (*Einkommen*) beträchtlich, bedeutend, umfangreich **6.** körperlich; **be in** ~ **agreement** im Wesentlichen übereinstimmen; **sub•stan•tially** [səbˈstænʃəlɪ] *adv* **1.** erheblich, beträchtlich, wesentlich **2.** im Wesentlichen
sub•stan•ti•ate [səbˈstænʃɪeɪt] *tr* erhärten, untermauern
sub•stan•tive [ˈsʌbstəntɪv] **I.** *s* (GRAM)

Substantiv, Hauptwort *n* **II.** *adj* **1.** (*Argument*) überzeugend, stichhaltig **2.** (*Fortschritt*) beträchtlich, wesentlich, bedeutend

sub·sta·tion ['sʌbsteɪʃn] *s* (EL) Umspannstation *f*

sub·sti·tute ['sʌbstɪtju:t] **I.** *s* **1.** Ersatz *m;* Vertretung *f* **2.** (SPORT) Ersatzspieler(in) *m(f);* **find a ~ for s.o.** für jdn Ersatz finden **II.** *tr* ersetzen (*s.th. for s.th.* etw durch etw); **~ margarine for butter** Butter durch Margarine ersetzen **III.** *itr:* **~ for s.o.** jdn vertreten; **~ for s.th.** etw ersetzen **IV.** *adj* stellvertretend; Ersatz-; **sub·sti·tu·tion** [ˌsʌbstɪ'tju:ʃn] *s* **1.** Ersatz *m* **2.** (SPORT) Austausch *m*

sub·stra·tum [ˌsʌb'strɑ:təm, *pl* -tə] <*pl* -ta> *s* **1.** Substrat *n* **2.** (GEOL) Untergrund *m*

sub·sume [səb'sju:m] *tr:* **~ s.th. under s.th.** etw unter etw zusammenfassen

sub·ten·ant [ˌsʌb'tenənt] *s* Unterpächter(in) *m(f)*, -mieter(in) *m(f)*

sub·ter·fuge ['sʌbtəfju:dʒ] *s* Vorwand *m,* Ausflucht *f;* Trick *m*

sub·ter·ranean [ˌsʌbtə'reɪnɪən] *adj* unterirdisch

sub·title ['sʌbtaɪtl] **I.** *tr* (*Film*) mit Untertiteln versehen **II.** *s* Untertitel *m;* **sub·titling** [-ɪŋ] *s* Untertitelung *f*

subtle ['sʌtl] *adj* **1.** (*Parfüm, Charme*) fein, zart; unaufdringlich **2.** (*Bemerkung*) scharfsinnig; raffiniert **3.** (*Beobachter*) aufmerksam; fein; **sub·tlety** ['sʌtltɪ] *s* **1.** Feinheit, Zartheit *f;* Unaufdringlichkeit *f* **2.** Scharfsinn *m;* Raffiniertheit *f* **3.** Aufmerksamkeit *f*

sub·total ['sʌbˌtəʊtl] *s* Zwischensumme *f*

sub·tract [səb'trækt] *tr, itr* abziehen, subtrahieren (*from* von); **sub·trac·tion** [səb'trækʃn] *s* Subtraktion *f*

sub·tropi·cal [ˌsʌb'trɒpɪkl] *adj* subtropisch

sub·urb ['sʌbɜ:b] *s* Vorort *m;* **in the ~s** am Stadtrand; **sub·ur·ban** [sə'bɜ:bən] *adj* **1.** vorstädtisch **2.** (*pej*) kleinbürgerlich, spießig; **~ line** Vorortstrecke *f;* **sub·ur·bia** [sə'bɜ:bɪə] *s* Vororte *mpl*

sub·ven·tion [səb'venʃn] *s* Subvention *f*

sub·ver·sion [səb'vɜ:ʃn] *s* **1.** Umsturz *m* **2.** (*von Rechten*) Unterwanderung *f;* **subvers·ive** [səb'vɜ:sɪv] **I.** *adj* umstürzlerisch, subversiv **II.** *s* Umstürzler(in) *m(f)*, Subversive(r) *f m;* **sub·vert** [sʌb'vɜ:t] *tr* **1.** (*Regierung*) zu stürzen versuchen **2.** (*Glaube*) untergraben

sub·way ['sʌbweɪ] *s* **1.** (Fußgänger)Unterführung *f* **2.** (*Am*) Untergrundbahn, U-Bahn *f*

sub·zero [ˌsʌb'zɪərəʊ] *adj* unter Null, unter dem Gefrierpunkt

suc·ceed [sək'si:d] **I.** *itr* **1.** erfolgreich sein, Erfolg haben **2.** (*Plan*) gelingen **3.** nachfolgen; **~ in business** geschäftlich erfolgreich sein; **I ~ed in doing it** es gelang mir es zu tun; **~ to an office** in e-m Amt nachfolgen; **~ to an estate** e-n Besitz erben **II.** *tr* **1.** folgen auf **2.** Nachfolger(in) *m(f)* werden (*s.o.* jds); **~ s.o. in a post** jds Nachfolger(in) werden; **suc·ceed·ing** [-ɪŋ] *adj* aufeinander -, nachfolgend

suc·cess [sək'ses] *s* Erfolg *m;* **meet with ~** Erfolg haben, erfolgreich sein; **make a ~ of s.th.** mit etw Erfolg haben; **be a ~ with s.o.** bei jdm ankommen; **without ~** ohne Erfolg, erfolglos; **~ story** Erfolgsstory *f;* **suc·cess·ful** [sək'sesfl] *adj* erfolgreich (*in everything* bei allem); **be entirely ~** ein voller Erfolg sein

suc·ces·sion [sək'seʃn] *s* **1.** Folge, Serie *f;* Aufeinanderfolge *f* **2.** (JUR) Erbfolge *f;* Nachfolge *f;* **in ~** nach-, hintereinander; **in quick ~** in rascher Folge; **in ~ to s.o.** in jds Nachfolge; **~ to the throne** Thronfolge *f;* **suc·cess·ive** [sək'sesɪv] *adj* aufeinanderfolgend; **suc·cessor** [sək'sesə(r)] *s* Nachfolger(in) *m(f)* (*to* für); (*Produkt, Auto*) Nachfolgemodell *n*

suc·cinct [sək'sɪŋkt] *adj* kurz (u. bündig), knapp; prägnant

suc·cor (*Am*) *s.* **succour**

suc·cour ['sʌkə(r)] *s* Beistand *m*

suc·cu·lent ['sʌkjʊlənt] *adj* **1.** (*Pfirsich*) saftig **2.** (BOT) fleischig

suc·cumb [sə'kʌm] *itr* **1.** erliegen (*to dat*) **2.** (*Drohungen*) sich beugen

such [sʌtʃ] **I.** *adj* solche(r, s); **~ a book** so ein Buch; **all ~ people** all solche Leute; **~ a thing** so etwas; **no ~ thing** nichts dergleichen; **in ~ a case** in e-m solchen Fall; **men ~ as these** Männer wie diese; **she's ~ a beauty** sie ist solch e-e Schönheit; **his behaviour was ~ that ..., ~ was his behaviour that ...** sein Verhalten war so, dass ... **II.** *adv* so, solch; **it's ~ a long time ago** es ist so lange her **III.** *pron:* **~ being the case ...** in diesem Fall ...; **~ was not my intention** das war nicht meine Absicht; **~ is life!** so ist das Leben!; **as ~** an sich; **~ as it is** so, wie es nun mal ist; **such-and-such** *adj:* **~ a time** die und die Zeit; **such·like** ['sʌtʃlaɪk] *adj* dergleichen

suck [sʌk] **I.** *tr* **1.** saugen an **2.** (*Bonbon, Eis*) lutschen an; **~ the juice out of** [*o* **from**] **s.th.** den Saft aus etw heraussaugen; **~ s.o. dry** jdn bis aufs Blut aussaugen **II.** *itr* **1.** saugen; nuckeln **2.** (*Pfeife*) ziehen (*at* an) **III.** *s* Saugen, Lutschen *n;* **suck down** *tr* hinunterziehen; **suck in** *tr* **1.** auf-, ansaugen; einziehen **2.** (*Wissen*) aufsaugen; **suck under** *tr* hinunterziehen; verschlingen; **suck up** *tr* aufsaugen; **~ up to s.o.**

(*sl*) jdm schöntun; **sucker** ['sʌkə(r)] *s* **1.** (ZOO) Saugnapf *m* **2.** (BOT) unterirdischer Ausläufer **3.** (*Am*) Lutscher *m* **4.** (*sl*) Idiot(in) *m(f)*; **be a ~ for s.th.** auf etw hereinfallen; **suck•ing pig** ['sʌkɪŋpɪg] *s* Spanferkel *n*

suckle ['sʌkl] **I.** *tr* stillen; säugen **II.** *itr* saugen; trinken

su•crose ['suːkrəʊs] *s* Saccharose *f*, pflanzlicher Zucker

suc•tion ['sʌkʃn] *s* Saugwirkung *f;* Sog *m;* Sogwirkung *f;* **suction pump** *s* Saugpumpe *f*

Sudan [suː'dæn] *s* der Sudan; **Sudan•ese** [ˌsuːdə'niːz] **I.** *adj* sudan(es)isch **II.** *s* Sudanese *m*, Sudanesin *f;* Sudaner(in) *m(f)*

sud•den ['sʌdn] **I.** *adj* **1.** plötzlich, jäh **2.** (*fig*) unerwartet, unvorhergesehen **II.** *s:* **all of a ~** (ganz) plötzlich; **sudden death (play-off)** *s* Stichkampf *m;* **sud•den•ly** [-lɪ] *adv* plötzlich

Su•de•ten•land [suː'deɪtənˌlænd] *s* (HIST) Sudetenland *n*

suds [sʌdz] *s pl* Seifenwasser *n*, -lauge *f*, -schaum *m*

sue [sjuː] **I.** *tr* **1.** (JUR) verklagen, belangen **2.** (*lit*) bitten (*for* um); **~ s.o. for s.th.** jdn wegen etw verklagen; **~ s.o. for damages** jdn auf Schadensersatz verklagen **II.** *itr* **1.** (JUR) klagen, e-n Prozess anstrengen **2.** bitten (*to s.o. for* jdn um); **~ for divorce** die Scheidung einreichen; **~ for peace** um Frieden bitten

suede [sweɪd] **I.** *adj* aus Wildleder, Wildleder- **II.** *s* Wildleder *n*

suet ['suːɪt] *s* Nierentalg *m*, -fett *n*

suf•fer ['sʌfə(r)] **I.** *tr* **1.** erleiden **2.** (*Hunger*) leiden **3.** (*Krankheit*) leiden unter **4.** dulden, ertragen **5.** zulassen; **~ defeat** e-e Niederlage erleiden; **~ s.th. to be done** zulassen, dass etw geschieht **II.** *itr* **1.** leiden (*from* an) **2.** büßen (*for* für); **she's still ~ing from the effects** sie leidet immer noch an den Folgen; **~ for one's sins** für seine Sünden büßen; **he doesn't ~ fools gladly** er hat keine Geduld mit dummen Leuten; **suf•fer•ance** ['sʌfərəns] *s* Duldung *f;* **on ~** (nur) geduldet; **suf•ferer** ['sʌfərə(r)] *s* Leidende(r) *f m* (*from* an); **suf•fer•ing** ['sʌfərɪŋ] *s* Leiden *n*

suf•fice [sə'faɪs] **I.** *itr* genügen, ausreichen **II.** *tr* genügen; zufrieden stellen; **~ it to say ...** es reicht wohl, wenn ich sage ...; **suf•fi•ciency** [sə'fɪʃnsɪ] *s* Hinlänglichkeit *f;* **have a ~** genügend haben; **suf•fi•cient** [sə'fɪʃnt] *adj* genügend, aus-, hinreichend, genug; **be ~** genügen, ausreichen, genug sein

suf•fix ['sʌfɪks] *s* (GRAM) Nachsilbe *f*, Suffix *n*

suf•fo•cate ['sʌfəkeɪt] *tr, itr* ersticken *a. fig;* **suf•fo•cat•ing** [-ɪŋ] *adj* erstickend; erdrückend

suf•frage ['sʌfrɪdʒ] *s* Wahlrecht *n;* Stimme *f;* **universal ~** das allgemeine Wahlrecht; **female ~** Frauenwahlrecht *n;* **suf•fra•gette** [ˌsʌfrə'dʒet] *s* (HIST) Frauenrechtlerin, Suffragette *f*

sugar ['ʃʊgə(r)] **I.** *s* **1.** Zucker *m* **2.** (*fam*) Liebling *m*, Schätzchen *n* **II.** *tr* **1.** zuckern, süßen **2.** (*fig*) versüßen, mildern; **~ the pill** die Pille versüßen; **sugar basin, sugar bowl** *s* Zuckerdose *f;* **sugar beet** *s* Zuckerrübe *f;* **sugar cane** *s* Zuckerrohr *n;* **sugar-coated** [ˌsʊgə'kəʊtɪd] *adj* mit Zucker überzogen; **sugar daddy** *s* (*sl*) älterer, großzügiger Liebhaber; **sugar loaf** <*pl* loaves> *s* Zuckerhut *m;* **sugar lump** *s* Stück *n* Würfelzucker; **sugar tongs** *s pl* Zuckerzange *f;* **sug•ary** ['ʃʊgərɪ] *adj* **1.** süß **2.** (*fig*) zuckersüß, süßlich

sug•gest [sə'dʒest] **I.** *tr* **1.** vorschlagen; anregen **2.** (*Theorie*) vorbringen, nahelegen **3.** andeuten; unterstellen **4.** (*Gedicht*) denken lassen an; andeuten; **I ~ going** ich schlage vor zu gehen; **I ~ (to you) that ...** ich möchte (Ihnen) nahelegen, dass ...; **what are you trying to ~?** worauf wollen Sie hinaus?; **~ s.th. to s.o.** jdm etw suggerieren **II.** *refl* (*Plan*) sich aufdrängen, sich anbieten, nahe liegen; **sug•gest•ible** [-əbl] *adj* beeinflussbar; **sug•ges•tion** [sə'dʒestʃən] *s* **1.** Vorschlag *m;* Anregung *f* **2.** Vermutung *f* **3.** Andeutung, Anspielung *f;* Unterstellung *f* **4.** Spur *f* **5.** Eindruck *m*, Vorstellung *f* **6.** (PSYCH) Suggestion *f;* **following his ~** auf seinen Vorschlag hin; **make the ~ that ...** die Vermutung äußern, dass ...; **with a ~ of irony** mit e-r Spur von Ironie; **~ box** Kummerkasten *m;* **sug•ges•tive** [sə'dʒestɪv] *adj* **1.** anregend, zu denken gebend **2.** zweideutig, pikant **3.** (PSYCH) suggestiv; **be ~ of s.th.** den Eindruck von etw erwecken; auf etw hindeuten

sui•cidal [ˌsjuːɪ'saɪdl] *adj* selbstmörderisch; selbstmordgefährdet; **have ~ tendencies** zum Selbstmord neigen; **sui•cide** ['sjuːɪsaɪd] *s* **1.** Selbstmord, Suizid *m* **2.** Selbstmörder(in) *m(f)*; **commit ~** Selbstmord begehen; **~ pact** *Entschluss, gemeinsamen Selbstmord zu begehen*

suit [suːt] **I.** *s* **1.** Anzug *m;* Kostüm *n* **2.** (JUR) Prozess *m*, Verfahren *n* **3.** (*Kartenspiel*) Farbe *f* **4.** (*lit*) Werbung *f* **5.** Anliegen *n;* **the ~s** (*sl*) Geschäftsleute *pl;* **~ of clothes** Garnitur *f;* **~ of armour** Rüstung *f;* **bring a ~ against s.o. for s.th.** gegen jdn wegen etw Klage erheben; **follow ~** (*fig*) jds Beispiel folgen; **press one's ~** seinem Anliegen

Nachdruck verleihen **II.** *tr* **1.** passen; bekommen; gefallen (*s.o.* jdm) **2.** geeignet sein für **3.** (*Kleider*) gut stehen (*s.o.* jdm) **4.** anpassen **5.** gefallen (*s.o.* jdm), zufrieden stellen; **that ~s me fine!** das ist mir recht; **they are well ~ed** (**to each other**) sie passen gut zusammen; ~ **one's style to the audience** sich nach dem Publikum richten; **you can't ~ everybody** man kann es nicht jedem recht machen **III.** *refl:* **he ~s himself** er tut, was er will; ~ **yourself!** wie du willst! **IV.** *itr* passen

suit•able ['su:təbl] *adj* passend, geeignet, angemessen; **be ~ for s.o.** jdm passen; für jdn geeignet sein; **be ~ for s.th.** für etw geeignet sein; **she's not ~ for him** sie passt nicht zu ihm

suit•case ['su:tkeɪs] *s* Koffer *m*

suite [swi:t] *s* **1.** Gefolge *n* **2.** (*Möbel*) Garnitur *f* **3.** (*Zimmer*) Suite, Zimmerflucht *f* **4.** (MUS) Suite *f*

suitor ['su:tə(r)] *s* **1.** (JUR) Kläger(in) *m(f)* **2.** (*obs*) Freier *m*

sul•fate (*Am*) *s.* **sulphate; sul•fide** (*Am*) *s.* **sulphide; sul•fona•mide** (*Am*) *s.* **sulphonamide; sul•fur** (*Am*) *s.* **sulphur; sul•fur•ic** (*Am*) *s.* **sulphuric; sul•furous** (*Am*) *s.* **sulphurous**

sulk [sʌlk] **I.** *itr* schmollen, eingeschnappt sein **II.** *s* Schmollen *n;* **have a ~** schmollen; **sulky** ['sʌlkɪ] *adj* eingeschnappt, beleidigt

sul•len ['sʌlən] *adj* **1.** verdrießlich, mürrisch **2.** (*Himmel*) düster, finster

sully ['sʌlɪ] *tr* (*Ruf*) beflecken

sul•phate ['sʌlfeɪt] *s* (CHEM) Sulfat *n;* **sul•phide** ['sʌlfaɪd] *s* (CHEM) Sulfid *n;* **sul•phona•mide** [sʌl'fɒnəmaɪd] *s* (MED) Sulfonamid *n;* **sul•phur** ['sʌlfə(r)] *s* (CHEM) Schwefel *m;* **sulphur dioxide** ['sʌlfə(r)daɪ'ɒksaɪd] *s* (CHEM) Schwefeldioxid *n;* **sul•phu•ric** [sʌl'fjʊərɪk] *adj* Schwefel-; ~ **acid** Schwefelsäure *f;* **sul•phur•ous** ['sʌlfərəs] *adj* schwefel(halt)ig

sul•tan ['sʌltən] *s* Sultan *m;* **sul•tana** [sʌl'tɑ:nə] *s* **1.** (*Person*) Sultanin *f* **2.** (*Rosinenart*) Sultanine *f*

sul•try ['sʌltrɪ] *adj* **1.** schwül **2.** (*fig*) feurig, leidenschaftlich

sum [sʌm] **I.** *s* **1.** (Geld)Summe *f,* Betrag *m* **2.** Ergebnis, Resultat *n* **3.** (MATH) Rechenaufgabe *f;* **the ~ total of my ambitions** das Ziel meiner Wünsche; **do ~s** (**in one's head**) (im Kopf) rechnen; **in ~** mit e-m Wort **II.** *tr:* ~ **up** zusammenfassen; einschätzen; **she ~med me up at a glance** sie taxierte mich mit e-m Blick **III.** *itr:* ~ **up** zusammenfassen; **to ~ up we can say ...** zusammenfassend können wir feststellen ...

sum•mar•ize ['sʌməraɪz] *tr* zusammenfassen; **sum•mary** ['sʌmərɪ] **I.** *adj* **1.** knapp, kurzgefasst **2.** (JUR) summarisch **II.** *s* Zusammenfassung *f;* Abriss *m;* ~ **of contents** Inhaltsangabe *f*

sum•ma•tion [sʌ'meɪʃn] *s* **1.** (MATH) Addition *f* **2.** Zusammenfassung *f* **3.** (JUR: *Am*) Schlussplädoyer *n*

sum•mer ['sʌmə(r)] **I.** *s* Sommer *m;* **in** (**the**) ~ im Sommer; **two ~s ago** im Sommer vor zwei Jahren; **a ~'s day** ein Sommertag **II.** *adj* Sommer- **III.** *itr* den Sommer verbringen; **summer holidays** *s pl* Sommerferien *pl;* **summer-house** *s* Gartenhaus *n;* **sum•mer•time** ['sʌmətaɪm] *s* Sommer *m;* Sommerzeit *f;* **sum•mery** ['sʌmərɪ] *adj* sommerlich

sum•ming-up [ˌsʌmɪŋ'ʌp] *s* Resümee *n*

sum•mit ['sʌmɪt] *s* **1.** Gipfel *m* **2.** (*fig*) Höhepunkt *m* **3.** (POL: ~ *conference*) Gipfelkonferenz *f*

sum•mon ['sʌmən] *tr* **1.** (JUR) vor Gericht laden, vorladen **2.** (*Tagung*) einberufen, anberaumen **3.** herbeirufen, kommen lassen; ~ **s.o. to do s.th.** jdn auffordern etw zu tun; ~ **up one's strength** seine Kraft aufbieten; ~ **up one's courage** seinen Mut zusammennehmen; ~ **up arguments** Argumente einholen

sum•mons ['sʌmənz] <*pl* -monses> **I.** *s* **1.** (JUR) Vorladung *f* **2.** Aufruf *m,* Aufforderung *f;* **take out a ~ against s.o.** jdn vorladen lassen **II.** *tr* (JUR) vorladen

sump [sʌmp] *s* **1.** (MIN) Sumpf *m* **2.** (MOT) Ölwanne *f*

sump•tu•ous ['sʌmptʃʊəs] *adj* **1.** kostspielig, aufwendig **2.** (*Essen*) üppig, verschwenderisch

sun [sʌn] **I.** *s* Sonne *f;* **be up with the ~** in aller Frühe aufstehen; **there is no reason under the ~ why ...** es gibt keinen Grund auf Erden, warum ...; **a place in the ~** (*fig*) ein Platz an der Sonne **II.** *tr* der Sonne aussetzen **III.** *refl* sich sonnen; **sun-baked** ['sʌnbeɪkt] *adj* ausgedörrt; **sun bath** ['sʌnbɑ:θ] *s* Sonnenbad *n;* **sun-bathe** ['sʌnbeɪð] *itr* sonnenbaden; **sun-beam** ['sʌnbi:m] *s* Sonnenstrahl *m a. fig;* **sun•bed** ['sʌnbed] *s* Sonnenbank *f;* **sun blind** ['sʌnblaɪnd] *s* Jalousie *f;* Markise *f;* **sun block**(**er**) *s* Sonnenblocker *m;* **sun-burn** ['sʌnbɜ:n] *s* Sonnenbrand *m;* **sun-burnt** ['sʌnbɜ:nt] *adj* sonnenverbrannt; sonnengebräunt

sun•dae ['sʌndeɪ] *s* Eisbecher *m* mit Früchten

Sun•day ['sʌndɪ] *s* Sonntag *m;* **on ~** am Sonntag; **on ~s** sonntags; **on ~ afternoon** am Sonntagnachmittag; **a month of ~s** e-e Ewigkeit; **Sunday best, Sunday clothes** *s pl* (*fam*) Sonntagsstaat *m;* **Sun-**

day school *s* Sonntagsschule *f,* Kindergottesdienst *m*

sun deck ['sʌndek] *s* (MAR) Sonnendeck *n;* **sun•dew** ['sʌndjuː] *s* (BOT) Sonnentau *m;* **sun•dial** ['sʌndaɪəl] *s* Sonnenuhr *f;* **sun-down** ['sʌndaʊn] *s* Sonnenuntergang *m;* **sun•downer** ['sʌndaʊnə(r)] *s* (*fam*) Dämmerschoppen *m*

sun•dry ['sʌndrɪ] **I.** *adj* verschiedene **II.** *pron:* **all and ~** jedermann **III.** *s:* **sundries** Verschiedenes

sun•fast ['sʌnfæst] *adj* (*Am*) lichtecht; **sun•flower** ['sʌnˌflaʊə(r)] *s* Sonnenblume *f*

sung [sʌŋ] *s.* **sing**

sun•glasses ['sʌnˌglɑːsɪz] *s pl* Sonnenbrille *f;* **sun hat** *s* Sonnenhut *m;* **sun helmet** *s* Tropenhelm *m*

sunk [sʌŋk] *s.* **sink**[2]; **sunk•en** ['sʌŋkən] *adj* **1.** (*Schiff*) versunken, untergegangen **2.** (*Garten*) tiefliegend **3.** (*Wangen*) eingefallen **4.** (*Augen*) tiefliegend

sun lamp ['sʌnlæmp] *s* Höhensonne *f;* **sun•less** ['sʌnlɪs] *adj* ohne Sonne; **sun-light** ['sʌnlaɪt] *s* Sonnenlicht *n;* **in the ~** in der Sonne; **sun•lit** ['sʌnlɪt] *adj* von der Sonne beschienen

sunny ['sʌnɪ] *adj* **1.** sonnig **2.** (*fig*) heiter, freundlich; **~-side up** nur auf e-r Seite gebraten; **on the ~ side of 50** noch keine, noch unter 50

sun par•lor ['sʌnˌpɑːlə(r)] *s* (*Am*) Wintergarten *m;* **sun protection factor** *s* Lichtschutzfaktor *m;* **sun•ray** *s* Sonnenstrahl *m;* **sun•ray lamp** *s* Höhensonne *f;* **sun•ray treatment** *s* Ultraviolett-/Infrarotbestrahlung *f;* **sun•rise** ['sʌnraɪz] *s* Sonnenaufgang *m;* **at ~** bei Sonnenaufgang; **~ industry** *aufstrebender, innovativer Industriezweig;* **sun•roof** *s* **1.** Sonnenterrasse *f* **2.** (MOT) Schiebedach *n;* **sun•screen(ing agent)** ['sʌnˌskriːn] *s* Sonnenschutzmittel *n;* **sun•set** ['sʌnset] *s* Sonnenuntergang *m;* **at ~** bei Sonnenuntergang; **~ industry** *veralteter, überholter Industriezweig;* **sun-shade** ['sʌnʃeɪd] *s* **1.** Sonnenschirm *m* **2.** Sonnendach *n,* Markise *f;* **sun•shine** ['sʌnʃaɪn] *s* Sonnenschein *m a. fig;* **hours of ~** Sonnenstunden *fpl;* **sunshine roof** *s* (MOT) Schiebedach *n;* **sun•spot** ['sʌnspɒt] *s* (ASTR) Sonnenfleck *m;* **sun-stroke** ['sʌnstrəʊk] *s* Sonnenstich *m;* **sun•tan** ['sʌntæn] *s* Sonnenbräune *f;* **suntan lotion** *s* Sonnenmilch *f;* **sun-tanned** ['sʌntænd] *adj* braungebrannt; **suntan oil** *s* Sonnenöl *n;* **sun•trap** *s* sehr sonniges Plätzchen; **sun•up** ['sʌnʌp] *s* Sonnenaufgang *m;* **sun visor** *s* Sonnenschild *n;* **sun-worshipper** *s* Sonnenanbeter(in) *m(f)*

sup (**up**) [sʌp] *tr* (aus)trinken

super ['suːpə(r)] **I.** *s* **1.** (THEAT) Statist(in) *m(f)* **2.** (*fam*) Aufseher(in) *m(f)* **II.** *adj* (*fam*) super, erstklassig, prima

super•abun•dant [ˌsuːpərə'bʌndənt] *adj* (über)reichlich

super•an•nu•ate [ˌsuːpər'ænjʊeɪt] *tr* in den Ruhestand versetzen; **super•an•nu-ated** [ˌsuːpər'ænjʊeɪtɪd] *adj* **1.** pensioniert **2.** (*fig*) veraltet, altmodisch; **super-an•nu•ation** ['suːpərˌænjʊ'eɪʃn] *s* **1.** Pensionierung *f* **2.** Pension, Ruhestand **3.** Altersruhegeld, Rente *f*

su•perb [suː'pɜːb] *adj* **1.** großartig, prächtig **2.** (*Qualität*) ausgezeichnet, hervorragend

super•charged ['suːpətʃɑːdʒd] *adj* **1.** aufgeladen **2.** (*fig*) gereizt; **super•charger** ['suːpəˌtʃɑːdʒə(r)] *s* Lader *m*

super•cili•ous ['suːpə'sɪlɪəs] *adj* hochnäsig, herablassend

super•ego ['suːpəregəʊ] *s* (PSYCH) Überich *n*

super•fi•cial [ˌsuːpə'fɪʃl] *adj* **1.** oberflächlich **2.** (*Ähnlichkeit*) äußerlich, scheinbar; **super•fi•cial•ity** [ˌsuːpəˌfɪʃɪ'ælətɪ] *s* Oberflächlichkeit *f*

super•flu•ous [suː'pɜːflʊəs] *adj* überflüssig

super•glue ['suːpəgluː] *s* Sekundenkleber *m*

super•grass ['suːpəgrɑːs] *s* Superspitzel *m;* **super•hero** ['suːpəˌhɪərəʊ] *s* Superheld *m*

super•high•way [ˌsuːpə'haɪweɪ] *s* (*Am*) Autobahn *f*

super•hu•man [ˌsuːpə'hjuːmən] *adj* übermenschlich

super•im•pose [ˌsuːpərɪm'pəʊz] *tr:* **~ s.th. on s.th.** etw auf etw legen; etw mit etw überlagern

super•in•tend [ˌsuːpərɪn'tend] *tr* beaufsichtigen, überwachen; **super•in•tend-ence** [-əns] *s* Oberaufsicht *f;* **super•in-tend•ent** [-ənt] *s* **1.** Aufsicht *f* **2.** Bademeister(in) *m(f)* **3.** Parkwächter(in) *m(f)* **4.** Leiter(in) *m(f);* (*Polizei*) Polizeirat *m,* -rätin *f*

su•perior [suː'pɪərɪə(r)] **I.** *adj* **1.** besser (*to* als) **2.** (*Fähigkeit*) überlegen (*to s.o.* jdm) **3.** großartig, hervorragend **4.** (*Verstand*) überragend **5.** (*im Rang*) höher **6.** (*Kraft*) überlegen; stärker **7.** (*Art*) überheblich **8.** (TYP) hochgestellt; **goods of ~ quality** Waren *f pl* bester Qualität; **~ officer** Vorgesetzte(r) *f m;* **be ~ to s.o.** jdm übergeordnet sein; **~ in number(s)** zahlenmäßig überlegen; **~ number** Hochzahl *f* **II.** *s* **1.** Vorgesetzte(r) *f m* **2.** Überlegene(r) *f m* **3.** (TYP) Hochzahl *f;* **be s.o.'s ~** jdm überlegen sein; **Father ~** (REL) Vater Superior; **Mother ~** Oberin *f;*

su·perior·ity [suːˌpɪərɪ'ɒrətɪ] *s* **1.** bessere Qualität; Überlegenheit *f* **2.** überragende Eigenschaft **3.** (*Rang*) höhere Stellung **4.** (*zahlenmäßig*) Überlegenheit *f* **5.** Überheblichkeit *f;* **superiority complex** *s* Superioritätskomplex *m*

su·per·la·tive [suː'pɜːlətɪv] **I.** *s* (GRAM) Superlativ *m* **II.** *adj* überragend, unübertrefflich

super·man ['suːpəmæn] <*pl* -men> *s* Übermensch *m*

super·mar·ket ['suːpəmɑːkɪt] *s* Supermarkt *m;* **supermarket trolley** *s* Einkaufswagen *m*

super max(i·mum se·cur·ity prison) [ˌsuːpə'mæks] *s* Hochsicherheitsgefängnis *n*

super·natu·ral [ˌsuːpə'nætʃrəl] *adj* übernatürlich

super·nu·mer·ary [ˌsuːpə'njuːmərərɪ] **I.** *adj* **1.** zusätzlich **2.** überzählig **II.** *s* **1.** (THEAT) Statist(in) *m(f)* **2.** Zusatzperson *f*

super·power [ˌsuːpə'paʊə(r)] *s* (POL) Welt-, Groß-, Supermacht *f*

super·script ['suːpəskrɪpt] *adj* hochgestellt

super·sede [ˌsuːpə'siːd] *tr* **1.** ablösen **2.** (*Glauben*) an die Stelle treten von

super·sonic [ˌsuːpə'sɒnɪk] *adj* Überschall-; ~ **travel** Reisen *n* mit Überschallgeschwindigkeit

super·sti·tion [ˌsuːpə'stɪʃn] *s* Aberglaube *m;* **super·sti·tious** [ˌsuːpə'stɪʃəs] *adj* abergläubisch

super·store ['suːpəstɔː(r)] *s* Verbrauchermarkt *m*

super·struc·ture ['suːpəstrʌktʃə(r)] *s* Überbau *m*

super·tanker ['suːpəˌtæŋkə(r)] *s* Supertanker *m*

super·vene [ˌsuːpə'viːn] *itr* hinzukommen, dazwischentreten

super·vise ['suːpəvaɪz] **I.** *tr* beaufsichtigen; überwachen **II.** *itr* Aufsicht führen; **super·vi·sion** [ˌsuːpə'vɪʒn] *s* **1.** Aufsicht *f;* Beaufsichtigung *f* **2.** Überwachung *f;* **under the ~ of** unter der Aufsicht von; **super·vi·sor** [ˌsuːpə'vaɪzə(r)] *s* **1.** Aufseher(in) *m(f),* Aufsicht(sperson) *f* **2.** Leiter(in) *m(f);* **super·vis·ory** [ˌsuːpə'vaɪzərɪ] *adj* beaufsichtigend, überwachend; **in a ~ post** in e-r Aufsichtsposition; ~ **board** Aufsichtsrat *m*

su·pine ['suːpaɪn] *adj* **1.** auf dem Rücken liegend **2.** (*fig*) passiv, lethargisch; **in a ~ position** auf dem Rücken liegend, in Rückenlage

sup·per ['sʌpə(r)] *s* Abendessen *n;* **have ~** zu Abend essen; **the Lord's S~** das Abendmahl; **~-time** Zeit *f* des Abendessens

sup·plant [sə'plɑːnt] *tr* ablösen, ersetzen; ausstechen; verdrängen

supple ['sʌpl] *adj* **1.** biegsam, geschmeidig, elastisch *a. fig* **2.** (*Geist*) beweglich, flexibel

supple·ment ['sʌplɪmənt] **I.** *s* **1.** Ergänzung *f,* Zusatz *m* (*to* zu) **2.** (*Buch*) Nachtrag, Anhang *m* **3.** Ergänzungsband *m* **4.** (*Zeitung*) Beilage *f* **5.** Zu-, Aufschlag *m* **II.** ['sʌplɪment] *tr* ergänzen; ~ **one's income** sein Einkommen aufbessern; **supple·men·tary** [ˌsʌplɪ'mentərɪ] *adj* ergänzend, zusätzlich; Zusatz-; Nachtrags-; ~ **angle** Ergänzungswinkel *m;* ~ **benefit** (HIST) Sozialhilfe *f*

supple·ness ['sʌplnɪs] *s* Geschmeidigkeit, Elastizität *f a. fig,* Flexibilität *f*

sup·pli·ant, sup·pli·cant ['sʌplɪənt, 'sʌplɪkənt] **I.** *s* Bittsteller(in) *m(f)* **II.** *adj* flehend; **sup·pli·ca·tion** [ˌsʌplɪ'keɪʃn] *s* Flehen *n*

sup·plier [sə'plaɪə(r)] *s* (COM) Lieferant(in) *m(f),* Anbieter(in) *m(f);* **sup·ply** [sə'plaɪ] **I.** *tr* **1.** sorgen für; liefern; stellen **2.** (COM) beliefern **3.** (*Stadt*) versorgen (*with* mit) **4.** (*Bedarf*) befriedigen, decken **5.** (*Mangel*) ausgleichen, kompensieren **II.** *s* **1.** Versorgung *f* **2.** (COM) Lieferung *f;* Angebot *n* **3.** Vorrat *m;* Proviant *m* **4.** (~ *teacher*) Aushilfslehrer(in) *m(f)* **5.** (PARL) Etat *m;* **electricity ~** Stromversorgung *f;* **~ and demand** Angebot und Nachfrage; **cut off the ~** das Gas, Wasser abstellen; **lay in supplies** e-n Vorrat anlegen; **be in short ~** knapp sein; **medical supplies** Arzneimittel *pl;* **be on ~** aushilfsweise unterrichten; **supply base** *s* Vorratslager *n;* **supply depot** *s* Versorgungslager *n;* **supply industry** *s* Zulieferungsindustrie *f;* **supply lines** *s pl* Versorgungslinien *fpl;* **supply-side economics** *s* angebotsorientierte Wirtschaftspolitik; **supply teacher** *s* Aushilfslehrer(in) *m(f)*

sup·port [sə'pɔːt] **I.** *tr* **1.** (ARCH) (ab)stützen; tragen **2.** (*fig*) unterstützen; fördern, begünstigen; billigen **3.** (*Grund*) eintreten für **4.** (*Theorie*) erhärten, untermauern **5.** (*Benehmen*) dulden, ertragen; **without his family to ~ him** ohne die Unterstützung seiner Familie **II.** *refl* sich stützen (*on* auf), sich unterstützen **III.** *s* **1.** Stütze *f* **2.** (*fig*) Unterstützung *f;* **give ~ to s.o.** jdn stützen; **lean on s.o. for ~** sich auf jdn stützen; **in ~ of** zur Unterstützung; **depend on s.o. for financial ~** von jdm finanziell abhängig sein; ~ **price** Stützungspreis *m;* **sup·port·able** [-əbl] *adj* erträglich; **sup·porter** [sə'pɔːtə(r)] *s* **1.** Anhänger(in) *m(f)* **2.** Befürworter(in) *m(f)* **3.** (SPORT) Fan *m;* ~ **of disarmament** Rüstungsgegner(in) *m(f);* **sup·port·ing** [-ɪŋ] *adj* tragend; ~ **programme** (FILM) Beiprogramm *n;* ~ **role** (THEAT) Nebenrolle *f;* ~ **tissue** Stützgewebe *n;* **sup•port•ive** [sə'pɔːtɪv] *adj* stützend

sup•pose [sə'pəʊz] *tr* **1.** annehmen; sich vorstellen **2.** annehmen, denken, meinen **3.** (*in Passivkonstruktion*) sollen **4.** voraussetzen; **let's ~ that ...** angenommen, dass ..., nehmen wir einmal an, dass ...; **I ~ he'll do it** er wird es wohl [*o* vermutlich] tun; **I don't ~ he'll do it** ich glaube kaum, dass er es tut; **I ~ so** ich glaube schon; **I don't ~ so** ich glaube kaum; **I ~ not** wohl kaum; **she is ~d to be intelligent** sie soll intelligent sein; **be ~d to do s.th.** etw tun sollen; **you are not ~d to know that** das solltest du eigentlich nicht wissen; ~ **we go now?** wie wär's, wenn wir jetzt gingen?; **sup•posed** [sə'pəʊzd] *adj* vermutet; mutmaßlich; **let it be ~ that** gesetzt den Fall, dass; nehmen wir den Fall an, dass; **sup•pos•ed•ly** [-ɪdlɪ] *adv* angeblich; **sup•pos•ing** [-ɪŋ] *conj* angenommen (*that* dass); **sup•po•si•tion** [ˌsʌpə'zɪʃn] *s* Vermutung, Annahme *f;* **on the ~ that ...** unter der Annahme, dass ...

sup•posi•tory [sə'pɒzɪtrɪ] *s* (MED) Zäpfchen *n*

sup•press [sə'pres] *tr* **1.** unterdrücken **2.** (EL) entstören; **sup•pression** [sə'preʃn] *s* **1.** Unterdrückung *f* **2.** (EL) Entstörung *f*

sup•pu•rate ['sʌpjʊreɪt] *itr* eitern

su•prem•acy [sʊ'preməsɪ] *s* Vormachtstellung *f;* **air/naval ~** Luft-/Seeherrschaft *f;* **su•preme** [suː'priːm] *adj* **1.** höchste(r, s), oberste(r, s) **2.** größte(r, s), äußerste(r, s); **the ~ authority** die Regierungsgewalt; ~ **commander** Oberbefehlshaber *m;* **S~ Court** oberstes Gericht

sur•charge ['sɜːtʃɑːdʒ] **I.** *tr* mit Zuschlag, mit e-r Strafgebühr belegen **II.** *s* Auf-, Zuschlag, Aufpreis *m;* Strafgebühr *f;* Nachporto *n*

sure [ʃʊə(r)] **I.** *adj* sicher; (*Beweis, Tatsache*) sicher, eindeutig; (*Methode, Mittel, Freund*) zuverlässig; **be ~ of s.th.** etw sicher wissen; **be ~ of winning** sicher gewinnen; **be ~ of o.s.** sich seiner Sache sicher sein; selbstsicher sein; **make ~** nachsehen, kontrollieren, sich vergewissern; **make ~ you ...** achten Sie darauf, dass Sie ...; **make ~ of one's facts** sich der Fakten versichern; **for ~** sicher, gewiss; **to be ~** tatsächlich; ~ **thing** (*Am fam*) klar, sicher; **he is ~ to come** er kommt sicher; **be ~ not to forget your book** vergessen Sie ja ihr Buch nicht; **are you ~ you won't come?** wollen Sie wirklich nicht kommen?; **I'm ~ I don't know** ich weiß es sicher nicht; **I'm not ~ why/how** ich weiß nicht genau, warum/wie **II.** *adv* sicher, klar, gewiss; ~ **enough** tatsächlich; bestimmt; **as ~ as can be** todsicher; **sure-footed** [ʃʊə'fʊtɪd] *adj:* **be ~** e-n sicheren, festen Tritt haben; **sure•ly** ['ʃʊəlɪ] *adv* sicher(lich), gewiss; **he ~ ought to know that** das müsste er doch wissen; **surety** ['ʃʊərətɪ] *s* (JUR) **1.** Garantie, Bürgschaft *f* **2.** Bürge *m,* Bürgin *f,* Garant *m;* **go** [*o* **stand**] ~ Bürgschaft leisten (*for* für)

surf [sɜːf] **I.** *s* Brandung *f* **II.** *itr* surfen, wellenreiten; **go ~ing** surfen, zum Wellenreiten gehen **III.** *tr:* ~ **the net** (*fam*) durch das Netz surfen

sur•face ['sɜːfɪs] **I.** *s* **1.** Oberfläche *f a. fig* **2.** (Straßen)Belag *m* **3.** (MATH) Fläche *f;* Flächeninhalt *m* **4.** (AERO) Tragfläche *f;* **on the ~** oberflächlich betrachtet; nach außen hin; **at the ~, on the ~, up to the ~** (MIN) über Tage **II.** *adj* **1.** oberflächlich **2.** (MIN) über Tage **3.** (*Transport*) auf dem See-/Landweg **III.** *tr* **1.** (*Straße*) mit e-m Belag versehen **2.** (*U-Boot*) auftauchen lassen **IV.** *itr* auftauchen *a. fig;* **surface area** *s* (MATH) Flächeninhalt *m;* **surface mail** *s* auf dem See-/Landweg beförderte Post; **surface noise** *s* (*Schallplatte*) Reibungsgeräusch *n;* **surface tension** *s* Oberflächenspannung *f;* **sur•face-to-air** [ˌsɜːfɪstʊ'eə(r)] *adj:* ~ **missile** Boden-Luft-Rakete *f*

surf•board ['sɜːfbɔːd] *s* Brett zum Wellenreiten, Surfbrett *n;* **surf•boarder** [-ə(r)] *s s.* **surfer**

sur•feit ['sɜːfɪt] **I.** *s* Übermaß *n* (*of* an) **II.** *tr* übersättigen, überfüttern

surfer ['sɜːfə(r)] *s* Wellenreiter(in) *m(f),* Surfer(in) *m(f);* **surf•ing, surf-rid•ing** ['sɜːfɪŋ, 'sɜːfˌraɪdɪŋ] *s* Wellenreiten, Surfen *n*

surge [sɜːdʒ] **I.** *s* **1.** Welle, Woge *f a. fig* **2.** (*fig*) Flut *f;* (*Gefühle*) Aufwallung *f;* ~ **in demand** Nachfrageschub *m;* ~ **of adrenalin** Adrenalinstoß *m* **II.** *itr* **1.** wogen, branden **2.** (*Menschen*) drängen, strömen **3.** (*Gefühl:* ~ *up*) (auf)wallen **4.** (EL: *Fluss*) anschwellen; **blood ~d to his face** das Blut schoss ihm ins Gesicht

sur•geon ['sɜːdʒən] *s* **1.** Chirurg(in) *m(f)* **2.** (MIL) Stabsarzt *m,* -ärztin *f;* Marinearzt *m,* -ärztin *f;* **dental ~** Zahnarzt *m,* -ärztin *f;* **sur•gery** ['sɜːdʒərɪ] *s* **1.** Chirurgie *f* **2.** Sprechzimmer *n;* Sprechstunde *f;* **have ~** operiert werden; **surgery hours** *s pl* Sprechstunde(n *pl*) *f;* **sur•gi•cal** ['sɜːdʒɪkl] *adj* operativ; chirurgisch; ~ **boot** orthopädischer Schuh; ~ **spirit** Wundalkohol *m;* ~ **stocking** Stützstrumpf *m;* ~ **ward** chirurgische Station, Chirurgie *f*

Su•ri•nam ['sʊəˌnæm] *s* Surinam *n;* **Su•ri•nam•ese** [ˌsʊənæ'miːz] **I.** *adj* surinamisch **II.** *s* Surinamer(in) *m(f)*

sur•ly ['sɜːlɪ] *adj* schlecht -, übel gelaunt, mürrisch
sur•mise ['sɜːmaɪz] **I.** *s* Vermutung *f* **II.** [sə'maɪz] *tr* vermuten, annehmen
sur•mount [sə'maʊnt] *tr* überwinden; **be ~ed by s.th.** von etw gekrönt sein
sur•name ['sɜːneɪm] *s* Familien-, Nachname *m*
sur•pass [sə'pɑːs] *tr* **1.** übertreffen, -ragen (*in s.th.* in etw) **2.** hinausgehen über
sur•plus ['sɜːpləs] **I.** *s* **1.** Überschuss *m* (*of* an) **2.** Mehrbetrag *m;* Rest(betrag) *m* **3.** (~ *profit*) Mehrertrag *m,* -einnahme *f,* Gewinnüberschuss *m* **4.** nicht ausgeschütteter Gewinn **5.** (*Versicherung*) Exzedent *m* **II.** *adj* überschüssig, -zählig; **Army ~ goods** Stegwaren *fpl;* ~ **demand** Nachfrageüberhang *m;* ~ **goods** Überschussgüter *npl;* ~ **load** Mehrbelastung *f;* ~ **production** Über(schuss)produktion *f;* ~ **purchasing power** Kaufkraftüberhang *m;* ~ **revenue** Mehreinkommen *n;* ~ **stock** Mehrbestand *m;* **sale of ~ stock** Verkauf *m* von Lagerbeständen; ~ **supply** Überangebot *n;* ~ **value** Mehrwert *m;* ~ **weight** Über-, Mehrgewicht *n*
sur•prise [sə'praɪz] **I.** *tr* **1.** überraschen **2.** (plötzlich) überfallen, überrumpeln **3.** in Erstaunen versetzen, verwundern, befremden; **be ~d** überrascht sein; **be ~d at s.th.** sich über etw wundern, über etw staunen; ~ **s.o. into doing s.th.** jdn so verblüffen, dass er etw tut; ~ **in the act** auf frischer Tat ertappen; **I should not be ~d** es würde mich nicht überraschen; **I'm ~d to see you here** ich bin erstaunt Sie hier zu sehen; **nothing ~s me any more** ich wundere mich über nichts mehr; **I'm ~d at you!** Sie überraschen mich! **II.** *s* **1.** Überraschung *f* **2.** plötzlicher Angriff, Überfall **3.** Erstaunen *n,* Verwunderung *f* (*at* über); (**much**) **to my ~** zu meiner (großen) Überraschung; **catch** [*o* **take**] **by ~** überraschen; plötzlich überfallen; **give s.o. a ~** jdm e-e Überraschung bereiten; **you'll get the ~ of your life** Sie werden Ihr blaues Wunder erleben; ~ **attack** Überrumpelungs-, Überraschungsangriff *m;* **~, ~!** (*iro*) was du nicht sagst!; **sur•pris•ing** [-ɪŋ] *adj* erstaunlich, überraschend; **sur•pris•ing•ly** [-ɪŋlɪ] *adv* überraschenderweise
sur•real•ism [sə'rɪəlɪzəm] *s* Surrealismus *m;* **sur•real•ist** [sə'rɪəlɪst] **I.** *adj* surrealistisch **II.** *s* Surrealist(in) *m(f);* **sur•real•is•tic** [sərɪə'lɪstɪk] *adj* surrealistisch
sur•ren•der [sə'rendə(r)] **I.** *tr* **1.** übergeben; (*Waffen*) ausliefern, aushändigen **2.** (*Hoffnung, Anspruch, Recht*) aufgeben **3.** (*Versicherungspolice*) frühzeitig einlösen **4.** (*Mietvertrag*) kündigen **II.** *itr* **1.** sich ergeben **2.** (JUR) sich stellen **3.** (MIL) kapitulieren; die Waffen strecken **III.** *refl:* ~ **o.s. to s.th.** sich e-r S hingeben **IV.** *s* **1.** Übergabe *f;* Aushändigung, Auslieferung *f;* Aufgabe, Preisgabe *f;* (frühzeitiges) Einlösen *n;* Kündigung *f* **2.** (*a. fig*) Kapitulation *f;* ~ **value** Rückkaufswert *m;* **no ~!** wir kapitulieren nicht!
sur•rep•ti•tious [ˌsʌrəp'tɪʃəs] *adj* heimlich; (*Blick*) verstohlen
sur•ro•ga•cy ['sʌrəgəsɪ] *s* Leihmutterschaft *f;* **sur•ro•gate** ['sʌrəgɪt] **I.** *s* **1.** Ersatz *m* **2.** (*Br*) Weihbischof *m* **II.** *adj* **1.** Ersatz- **2.** (REL) Weih-; ~ **mother** Leihmutter *f*
sur•round [sə'raʊnd] **I.** *tr* **1.** umgeben **2.** (*a.* MIL) einschließen, umzingeln **3.** herumstehen um; **be ~ed with** [*o* **by**] umringt sein von **II.** *s* Einfassung *f,* Rand *m;* **sur•round•ing** [-ɪŋ] **I.** *adj* umliegend **II.** *s meist pl* Umgebung *f*
sur•tax ['sɜːtæks] *s* Zusatz-, Sondersteuer *f*
sur•veil•lance [sɜː'veɪləns] *s* Überwachung *f;* **be under ~** überwacht werden
sur•vey [sə'veɪ] **I.** *tr* **1.** betrachten, sich ansehen; begutachten; mustern **2.** untersuchen; einer Prüfung unterziehen **3.** einen Überblick geben über **4.** (*Land*) vermessen; (*Gebäude*) begutachten **II.** ['sɜːveɪ] *s* **1.** Überblick *m* (*of* über), Musterung *f* **2.** Untersuchung *f;* (*Statistik*) Umfrage *f* **3.** (*Land*) Vermessung *f;* Vermessungsgutachten *n;* (*Haus*) Begutachtung *f;* Gutachten *n;* **sur•veyor** [sə'veɪə(r)] *s* **1.** Landvermesser(in) *m(f)* **2.** Bauinspektor(in) *m(f),* -gutachter(in) *m(f);* **quantity ~** Baukostenkalkulator(in) *m(f)*
sur•vival [sə'vaɪvl] *s* **1.** Überleben *n* **2.** Überrest *m,* -bleibsel *n;* **on ~** im Erlebensfalle; ~ **of the fittest** (BIOL) natürliche Auslese; ~ **kit** Überlebensausrüstung *f;* **survive** [sə'vaɪv] **I.** *tr* **1.** überleben **2.** überstehen **3.** (*fam*) aushalten **II.** *itr* **1.** überleben, am Leben bleiben **2.** weiter bestehen **3.** übrig bleiben; **sur•viv•ing** [-ɪŋ] *adj* überlebend; **sur•vivor** [sə'vaɪvə(r)] *s* Überlebende(r) *f m,* Hinterbliebene(r) *f m*
sus•cep•tible [sə'septəbl] *adj* **1.** leicht beeinflussbar **2.** (MED) anfällig (*to* für); ~ **of proof** beweisbar; ~ **of change** veränderbar; **be ~ to s.th.** für etw empfänglich, zugänglich sein; **be ~ to attack** Angriffen ausgesetzt sein; **she is very ~ to remarks about her figure** wenn jem etwas über ihre Figur sagt, reagiert sie empfindlich; **he was not ~ to her tears** er ließ sich von ihren Tränen nicht erweichen
sus•pect ['sʌspekt] **I.** *s* Verdächtigte(r) *f m* **II.** *adj* verdächtig **III.** [sə'spekt] *tr* **1.** (*jdn*) verdächtigen (*of s.th.* e-r S); (*Betrug, Verschwörung*) vermuten **2.** (*Wahrheit*)

anzweifeln **3.** vermuten; ~ **s.o. of having done s.th.** jdn verdächtigen etw getan zu haben; **he is a ~ed member** er steht im Verdacht Mitglied zu sein; **I ~ed as much** das habe ich mir doch gedacht; **a ~ed case of cholera** ein Fall, bei dem Choleraverdacht besteht

sus•pend [sə'spend] *tr* **1.** (frei) (auf)hängen (*from* an) **2.** (zeitweilig) einstellen, unterbrechen **3.** (*Verhandlung, Urteil*) aussetzen **4.** (*Genehmigung*) einziehen; (*Rechte*) aussetzen **5.** (*Beamte*) suspendieren; (SPORT) (zeitweilig) ausschließen; sperren; ~ **payment** die Zahlungen einstellen; ~ **from duty** suspendieren; **be ~ed** hängen; (*Rechte*) ruhen; **be given a ~ed sentence** seine Strafe zur Bewährung ausgesetzt bekommen; **~ed animation** vorübergehende Leblosigkeit

sus•pender [sə'spendə(r)] *s* **1.** (*Br*) Strumpfhalter *m;* Sockenhalter *m* **2. ~s** (*Am*) Hosenträger *mpl;* **suspender belt** *s* Hüftgürtel *m*

sus•pense [sə'spens] *s* Spannung *f;* **in** ~ in der Schwebe, unentschieden; **don't keep me in ~ any longer** spanne mich nicht länger auf die Folter!; **wait in** ~ gespannt warten; **the ~ is killing me** ich bin wahnsinnig gespannt

sus•pen•sion [sə'spenʃn] *s* **1.** (MOT) Federung *f;* (Rad)Aufhängung *f* **2.** (CHEM) Suspension *f* **3.** (MUS) Vorhalt *m,* Halten *n* (*e-s Tones*) **4.** (zeitweilige) Einstellung *f* **5.** (*von Verein*) (zeitweiliger) Ausschluss *m;* (SPORT) Sperren *n* **6.** (JUR) Aussetzung *f* **7.** (*von Beamten*) (vorläufige) Suspendierung *f;* ~ **of payment** Zahlungseinstellung *f;* ~ **of work** Arbeitseinstellung *f;* **suspension bridge** *s* Hängebrücke *f;* **suspension points** *s pl* Auslassungspunkte *mpl;* **suspension railway** *s* Schwebebahn *f*

sus•pi•cion [sə'spɪʃn] *s* **1.** Verdacht, Argwohn *m* (*of, about* gegen) **2.** (*fig*) Andeutung, Spur *f,* Hauch *m* (*of* von); **above** ~ über jeden Verdacht erhaben; **on (the)** ~ unter dem Verdacht (*of having done s.th.* etw getan zu haben); **be under** ~ unter Verdacht stehen; **sus•pi•cious** [sə'spɪʃəs] *adj* **1.** verdächtig (*to dat*) **2.** argwöhnisch, misstrauisch (*of s.o.* gegen jdn, *about, of s.th.* gegen etw)

suss [sʌs] *tr* (*Br fam*) dahinter kommen; **I can't ~ him out** bei ihm blicke ich nicht durch

sus•tain [sə'steɪn] *tr* **1.** (*Gewicht*) aushalten, tragen **2.** (*Familie*) sorgen für, ernähren **3.** (*Körper*) bei Kräften halten; (*Leben*) erhalten; (*Wohlfahrtsverein*) unterstützen **4.** ermutigen, trösten **5.** aufrecht erhalten **6.** (*Verlust*) erleiden **7.** (JUR: *Einspruch*) stattgeben (*s.th.* e-r S) **8.** (THEAT: *Rolle*) durchhalten **9.** (MUS: *Note*) aushalten; **sus•tain•abil•ity** [səˌsteɪnə'bɪlɪtɪ] *s* Verträglichkeit *f;* **sustainable** [sə'steɪnəbl] *adj:* ~ **development** nachhaltige Entwicklung; **sus•tained** [sə'steɪnd] *adj* **1.** ausdauernd **2.** anhaltend **3.** (MUS) gehalten; **sus•tain•ing** [-ɪŋ] *adj* (*Mahlzeit*) stärkend; ~ **program** (*Am*) Fernsehprogramm *n* ohne Reklameeinschaltungen; ~ **wall** Stützmauer *f*

sus•ten•ance ['sʌstɪnəns] *s* **1.** Nahrung *f* **2.** Nährwert *m*

su•ture ['suːtʃə(r)] **I.** *s* (MED) Naht *f* **II.** *tr* (MED) nähen

svelte [svelt] *adj* **1.** schlank; anmutig **2.** vornehm

swab [swɒb] **I.** *s* **1.** (MAR) Mop *m* **2.** (MED) Tupfer *m;* Abstrich *m* **II.** *tr* **1.** scheuern **2.** (MED) abtupfen

swaddle ['swɒdl] *tr* (*Säugling*) wickeln; **swad•dling clothes** ['swɒdlɪŋkləʊðz] *s pl* Windeln *fpl*

swag•ger ['swægə(r)] *itr* **1.** (~ *about*) (einher)stolzieren **2.** angeben, prahlen

swal•low¹ ['swɒləʊ] *s* (ZOO) Schwalbe *f*

swal•low² ['swɒləʊ] **I.** *tr* **1.** (hinunter-, ver)schlucken **2.** (*fig*) schlucken; (*Beleidigung*) (hinunter)schlucken, einstecken; **that's hard to ~** das kann man kaum glauben; ~ **one's words** nuscheln; nichts sagen; seine Worte zurücknehmen **II.** *itr* schlucken **III.** *s* Schluck *m;* **swallow down** *tr* hinunterschlucken; **swallow up** *tr* verschlingen; (*Nebel*) verschlucken, verschwinden lassen; **I wish the ground would open and ~ me up** ich könnte in den Boden versinken

swal•low dive ['swɒləʊdaɪv] *s* (*Br*) Schwalbensprung *m*

swam [swæm] *s.* **swim**

swamp [swɒmp] **I.** *s* Sumpf *m* **II.** *tr* **1.** überschwemmen, -fluten, unter Wasser setzen **2.** (MAR) vollaufen lassen **3.** (*fig*) überschwemmen; **swamp fever** *s* Sumpffieber *n;* **swamp•land** ['swɒmpˌlænd] *s* Sumpfland *n;* **swampy** ['swɒmpɪ] *adj* sumpfig, morastig

swan [swɒn] **I.** *s* Schwan *m* **II.** *itr* **1.** (~ *around*) sich herumtreiben **2.** (~ *off*) abhauen, abzwitschern; **a ~ning job** eine gemütliche Arbeit; **swan dive** *s* (*Am*) Schwalbensprung *m*

swank [swæŋk] **I.** *s* (*fam*) **1.** Angeberei *f* **2.** Angeber(in) *m (f)* **II.** *itr* (*fam*) protzen, angeben (*about* mit); **swanky** ['swæŋkɪ] *adj* (*fam*) großspurig; protzig

swann•ery ['swɒnərɪ] *s* Schwanenzucht *f;* **swan song** ['swɒnsɒŋ] *s* (*fig*) Schwanengesang *m*

swap, swop [swɒp] **I.** *tr* tauschen (*for* für); (*Geschichten, Erinnerungen*) austauschen; ~ **s.th. for s.th.** etw für etw eintauschen; ~ **places with s.o.** mit jdm (die Plätze) tauschen **II.** *itr* tauschen **III.** *s* Tausch(handel) *m;* **do a ~ with s.o.** mit jdm tauschen
swarm [swɔːm] **I.** *s* (Bienen-, Menschen)Schwarm *m* **II.** *itr* schwärmen; **the place was ~ing with** es wimmelte von; ~ **up** hinaufklettern
swarthy ['swɔːðɪ] *adj* dunkel; dunkelhäutig
swash•buck•ling ['swɒʃ,bʌklɪŋ] *adj* draufgängerisch, verwegen
swas•tika ['swɒstɪkə] *s* Hakenkreuz *n*
swat [swɒt] **I.** *tr* (*Fliege*) totschlagen; (*Wand*) schlagen auf; ~ **at** schlagen nach **II.** *s* **1.** Schlag *m* **2.** Fliegenklatsche *f*
swatch [swɒtʃ] *s* **1.** (Textil)Muster *n* **2.** Musterbuch *n;* **colour** ~ Farbmuster *n*
swathe [sweɪð] *tr* wickeln
sway [sweɪ] **I.** *itr* **1.** schwanken **2.** schwingen **3.** (*fig*) (hin)neigen, tendieren (*towards* zu) **II.** *tr* **1.** schwingen, schwenken **2.** (*fig*) geneigt machen (*towards* für), beeinflussen; ~ **s.o. from s.th.** jdn von etw abbringen; **be easily ~ed** leicht beeinflussbar sein **III.** *s* **1.** Schwanken *n* **2.** (*Korn*) Wogen *n* **3.** Macht *f;* **hold ~ over s.o.** jdn in der Gewalt haben; **under his** ~ seinem Willen unterworfen
swear [sweə(r)] <*irr:* swore, sworn> **I.** *itr* **1.** schwören **2.** (JUR) unter Eid aussagen; beschwören (*to s.th.* etw, *to having done s.th.* etw getan zu haben) **3.** fluchen (*at s.th.* auf etw); **I wouldn't like to ~ to it** ich könnte es nicht beschwören **II.** *tr* **1.** schwören; (*Eid*) leisten **2.** vereidigen; **swear by** *itr* schwören auf; **swear in** *tr* vereidigen; **swear off** *itr* abschwören (*s.th.* e-r S); **swear-word** *s* Fluch *m*
sweat [swet] **I.** *itr* **1.** schwitzen (*with* vor) **2.** (*Gefäß, Scheibe*) sich beschlagen **3.** (*fam*) schwer arbeiten **4.** zittern, Angst haben; ~ **blood** (*fig*) Blut u. Wasser schwitzen **II.** *s* **1.** Schweiß *m* **2.** (TECH) Schwitzwasser *n* **3.** (*fig*) Plackerei *f* **4.** Aufregung *f;* **by the ~ of his brow** im Schweiße seines Angesichts; **be in a ~** schwitzen; **in a cold ~** mit Angstschweiß auf der Stirn; **no ~!** (*fam*) kein Problem; **sweat out** *tr* **1.** herausschwitzen **2.** (*fam*) durchhalten, durchstehen; **sweat•band** ['swetbænd] *s* Schweißband *n;* **sweated** ['swetɪd] *adj* **1.** für Hungerlöhne hergestellt **2.** (*Arbeit*) schlecht bezahlt **3.** (*Personal*) ausgebeutet; **sweater** ['swetə(r)] *s* Pullover *m;* **sweat•shirt** *s* Sweatshirt *n;* Trainingsbluse *f;* **sweat-shop** *s* Ausbeuterbetrieb *m;* **sweaty** ['swetɪ] *adj* **1.** schwitzend; schweißbedeckt; verschwitzt **2.** (*Arbeit*) anstrengend
swede [swiːd] *s* (*Br*) Kohl-, Steckrübe *f*
Swede [swiːd] *s* Schwede *m,* Schwedin *f;* **Swe•den** ['swiːdn] *s* Schweden *n;* **Swedish** ['swiːdɪʃ] **I.** *adj* schwedisch **II.** *s* (das) Schwedisch(e)
sweep [swiːp] <*irr:* swept, swept> **I.** *tr* **1.** kehren, fegen; ausfegen; wegfegen **2.** absuchen (*for* nach); (*vermintes Gebiet*) durchkämmen; (*Minen*) räumen **3.** (*Wind, Rock*) fegen über; (*Wellen*) überspülen; (*Blick*) gleiten über; (*fig*) überrollen; (*Krankheit*) sich verbreiten **4.** wegfegen; fortschwemmen; fortreißen **5.** großen Erfolg haben bei, im Sturm erobern; (*Wahl*) haushoch gewinnen; ~ **all before one** (*fig*) überall Erfolg haben; ~ **the board** (*fig*) e-n vollen Erfolg verbuchen; ~ **under the carpet** (*fig*) unter den Teppich kehren **II.** *itr* **1.** kehren, fegen **2.** vorbei-, hinausrauschen; (*Fahrzeug*) fegen **3.** (*Straße*) sich in weitem Bogen winden (*round* um); **the disease swept through the country** die Krankheit griff im Land um sich **III.** *s* **1.** Kehren, Fegen *n* **2.** (*chimney ~*) Kaminkehrer(in) *m(f),* Schornsteinfeger(in) *m(f)* **3.** Schwenken *n,* Schwung *m;* (*Schwert*) Streich *m* **4.** (*Kleidung, Stoff*) Rauschen *n* **5.** (*Radar, Licht*) Strahl *m* **6.** Bereich *m;* Schussbereich *m* **7.** (*Straße, Fluss*) Bogen *m;* (*Umriss*) Schwung *m* **8.** Ausdehnung, Fläche *f;* **give s.th. a ~** etw kehren, fegen; **make a clean ~** (*fig*) Ordnung schaffen; sehr erfolgreich sein; **at** [*o* **in**] **one ~** auf einmal; **sweep along I.** *itr* dahinrauschen; dahingleiten; dahinbrausen **II.** *tr* mitreißen; **sweep aside** *tr* wegfegen; (*fig*) vom Tisch fegen; **sweep away I.** *itr* davonrauschen; davonsausen; davongleiten **II.** *tr* wegfegen; wegreißen; wegschwemmen; (*fig*) zunichte machen; (*alte Gesetze*) abschaffen; **sweep down I.** *itr* hinunterrauschen; hinunterschießen; hinuntergleiten; (*Hang, Straße*) sanft abfallen **II.** *tr* abfegen; ~ **down on s.o.** sich auf jdn stürzen; **sweep off I.** *itr* davonrauschen; davonsausen; davongleiten **II.** *tr* hinunterfegen, -werfen; ~ **s.o. off to Gretna Green** jdn nach Gretna Green entführen; **he was swept off to bed/into hospital** er wurde schnell ins Bett/Krankenhaus gebracht; ~ **s.o. off his feet** jdn mitreißen; **she swept him off his feet** sie hat ihm völlig den Kopf verdreht; **sweep out I.** *itr* hinausfegen; hinausrauschen; hinausgleiten **II.** *tr* ausfegen, auskehren; **sweep up I.** *itr* **1.** (zusammen)fegen, -kehren **2.** heransausen; herangleiten **3.** (*Straße*) im Bogen hinaufführen **II.** *tr* **1.** zusammenfegen, -kehren **2.**

(*Gegenstände*) zusammenraffen **3.** (*jdn*) hochreißen; (*Haare*) hochstecken

sweeper ['swi:pə(r)] *s* **1.** Straßenkehrer(in) *m(f)* **2.** Kehrmaschine *f* **3.** (SPORT) Ausputzer *m;* (*Fußball*) Libero *m;* **carpet-~** Teppichkehrmaschine *f;* **sweep hand** *s* Sekundenzeiger *m;* **sweep•ing** ['-ɪŋ] **I.** *adj* **1.** (*Geste*) weitausholend; schwungvoll; (*Blick*) schweifend **2.** (*fig*) gründlich, durchgreifend, radikal; (*Urteil*) pauschal; (*Erfolg*) glänzend **II.** *s pl* Kehricht *m;* (*fig*) Abschaum *m;* **sweep•stake** ['swi:psteɪk] *s Art Lotterie* (*bei der der Gesamteinsatz an die Spieler ausgezahlt wird*)

sweet [swi:t] **I.** *adj* **1.** süß *a. fig* **2.** (*fig*) angenehm, lieblich, duftig **3.** anmutig, hübsch **4.** lieb, freundlich (*to* gegenüber, zu) **5.** frisch, unverbraucht **6.** (*fam*) reizend, goldig; **be ~ on s.o.** in jdn verliebt sein **II.** *s* **1.** Süßigkeit *f* **2.** Süßspeise *f,* Nachtisch *m* **3.** (*fig*) Liebling *m* **4.** **~s** Süßigkeiten *fpl,* Bonbons *m od npl;* **sweet-and-sour** *adj* (*Küche*) süßsauer; **sweet-bread** ['swi:tbred] *s* Bries *n;* **sweet-brier**, **sweet•briar** [ˌswi:t'braɪə(r)] *s* Hecken-, Hundsrose *f;* **sweet chestnut** *s* Esskastanie *f;* **sweet corn** *s* (BOT) Zuckermais *m;* **sweeten** ['swi:tn] *tr* **1.** süßen, zuckern **2.** (*fig*) versüßen **3.** (*sl*) bestechen **4.** mildern, abschwächen **5.** besänftigen; **sweet•ener** ['swi:tnə(r)] *s* **1.** Süßstoff *m* **2.** (*sl*) Bestechungsgeld *n;* **sweet•heart** ['swi:thɑ:t] *s* Liebchen *n;* **sweet•ness** ['swi:tnɪs] *s* Süßigkeit, Süße *f;* **all is ~ and light** es herrscht eitel Freude und Sonnenschein; **sweet pea** *s* (BOT) Gartenwicke *f;* **sweet potato** *s* Süßkartoffel, Batate *f;* **sweet-talk** ['swi:tˌtɔ:k] *s* schöne Worte, Schmeicheleien *fpl;* **sweet tooth** *s:* **have a ~** (*fam*) gerne Süßes essen; **sweet william** *s* (BOT) Bartnelke *f*

swell [swel] <*irr:* swelled, swollen (swelled)> **I.** *itr* **1.** (*~ up, out*) (an)schwellen (*into* zu, *with* von) **2.** sich (auf)blähen (*with* vor), sich bauschen **3.** sich ausdehnen; zunehmen, anwachsen (*to* zu); **~ with pride** vor Stolz schwellen **II.** *tr* **1.** anschwellen lassen **2.** aufblasen, -blähen (*with* vor) *a. fig* **3.** erweitern, vergrößern, ausweiten; **swollen with pride** stolzgeschwellt; **swollen with rage** wutentbrannt; **~ s.o.'s head** jdm zu Kopfe steigen **III.** *s* **1.** (*Meer*) Wogen *n;* Woge *f* **2.** feine Dame, feiner Herr **3.** (MUS) Anschwellen, Crescendo *n;* (*Knopf*) Schweller *m* **IV.** *adj* (*fam*) prima, großartig; **swell box** *s* (MUS) Schwellwerk *n;* **swell•head** ['swelhed] *s* (*Am*) Fatzke *m;* **swell•ing** ['-ɪŋ] *s* Schwellung, Geschwulst, Beule *f*

swel•ter ['sweltə(r)] *itr* vor Hitze umkommen; **swel•ter•ing** ['sweltrɪŋ] *adj* glühend; heiß; schwül

swept [swept] **I.** *pt, pp of* **sweep II.** *s:* **~-back wing** (AERO) Pfeilflügel *m*

swerve [swɜ:v] **I.** *itr* **1.** abweichen, -schweifen, -gehen (*from* von) **2.** (MOT) rasch ausbiegen **II.** *s* (MOT) Ausbiegen *n*

swift [swɪft] *adj* schnell, rasch, flink; **swift•ly** [-lɪ] *adv* geschwind, schnell; **swift•ness** [-nɪs] *s* Schnelligkeit *f*

swig [swɪg] **I.** *tr, itr* (*fam*) trinken **II.** *s* (*fam*) tüchtiger Schluck (*at a bottle* aus e-r Flasche)

swill [swɪl] **I.** *tr* **1.** spülen, abwaschen **2.** hinunterspülen **3.** (*fam*) trinken **II.** *s* **1.** Schweinefutter *n* **2.** Getränk *n*

swim [swɪm] <*irr:* swam, swum> **I.** *itr* schwimmen (*on* auf) *a. fig;* **my head is ~ming** es schwimmt mir alles vor den Augen **II.** *tr* **1.** schwimmen **2.** durchschwimmen **III.** *s* Schwimmen *n;* **be in (out of) the ~** (nicht) auf dem Laufenden sein; **have a ~, take a ~, go for a ~** schwimmen (gehen); **swim•mer** ['swɪmə(r)] *s* Schwimmer(in) *m(f);* **swim•ming** ['-ɪŋ] **I.** *s* Schwimmen *n* **II.** *adj* **1.** Schwimm-; schwimmend **2.** schwind(e)lig; **swimming bath, swimming pool** *s* Schwimmbad, -becken *n;* **swimming cap** *s* Bademütze *f;* **swimming costume** *s* Badeanzug *m;* **swimming•ly** ['-ɪŋlɪ] *adv* spielend, wie am Schnürchen; **everything went ~** alles ging glatt (vonstatten); **swimming match** *s* Wettschwimmen *n;* **swimming trunks** *s pl* Badehose *f;* **swim•suit** *s* Badeanzug *m*

swindle ['swɪndl] **I.** *tr* **1.** beschwindeln, betrügen (*s.o. out of s.th., s.th. out of s.o.* jdn um etw) **2.** erschwindeln (*s.th. out of s.o.* etw von jdm) **II.** *s* Schwindel, Betrug *m;* **swin•dler** ['swɪndlə(r)] *s* Schwindler(in) *m(f),* Betrüger(in) *m(f)*

swine [swaɪn] <*pl* swine, *fig* swines> *s* Schwein *n a. fig pej*

swing [swɪŋ] <*irr:* swung, swung> **I.** *itr* **1.** schwingen **2.** schlenkern, baumeln, schaukeln **3.** hängen (*for* wegen) **4.** sich drehen **5.** (*aufs Pferd*) sich schwingen **6.** (*fig*) Schwung haben, auf Zack sein; **~ at anchor** schaukelnd vor Anker liegen; **~ at s.o. with s.th.** etw gegen jdn schwingen; **~ from tree to tree** sich von Baum zu Baum schwingen; **~ into action** aktiv werden; **~ to and fro** hin- und herschwingen, pendeln; **~ open** sich öffnen; **~ shut** zuschlagen; **a ~ing party** eine Party, bei der was los ist **II.** *tr* **1.** schwingen **2.** schaukeln **3.** (*Propeller*) anwerfen **4.** (*fig*) beeinflussen; (*Meinung*) umschwenken lassen; (*jdn*) umstimmen **5.** (MUS) schwungvoll machen; schwungvoll spielen **6.** (~ *round*) herumschwenken **7.** (*fam: Sache*) schaukeln, drehen; ~ **one's hips** mit den Hüften wackeln, sich in den Hüften wiegen; ~ **the lead** (*Br fam*) sich drücken; ~ **an axe at s.o.** eine Axt gegen jdn schwingen; ~ **o.s. into the saddle** sich in den Sattel schwingen; **that swung it for me** das hat für mich den Ausschlag gegeben; **there isn't room to** ~ **a cat** (*fam*) es ist so eng, dass man sich nicht einmal umdrehen kann; ~ **a deal** ein Geschäft machen **III.** *s* **1.** Schwung *m;* Schwingen *n;* (*Zeiger*) Ausschlag *m* **2.** (*Boxen*) Schwinger *m;* (*Golf, Skilaufen*) Schwung *m* **3.** (*fig*) (Meinungs)Umschwung *m* **4.** (*Musik*) Schwung *m;* (*Tanz*) Swing *m* **5.** (*für Kinder*) Schaukel *f* **6.** (*Am: full* ~) freier Lauf; freie Hand; **get into the** ~ **of things** in Fahrt kommen; **go with a** ~ ein voller Erfolg sein; **be in full** ~ voll im Gang sein; **give one's imagination full** ~ (*Am*) seiner Fantasie freien Lauf lassen; **give s.o. full** ~ **to make the decisions** (*fam*) jdm bei allen Entscheidungen freie Hand lassen; **swing across** *itr* hinüberschwingen; sich hinüberhangeln; **swing back I.** *itr* zurückschwingen; (*Meinung*) umschlagen **II.** *tr* zurückschwingen; (*Meinung*) umschlagen lassen; **swing round I.** *itr* sich umdrehen; herumschwenken; (*Zeiger*) ausschlagen; (*fig*) umschwenken **II.** *tr* herumschwenken; (*fig*) umstimmen; (*Meinung*) umschlagen lassen; **swing to** *itr* (*Tür*) zuschlagen

swing bridge ['swɪŋbrɪdʒ] *s* Drehbrücke *f;* **swing door** *s* Pendeltür *f*

swinge·ing ['swɪndʒɪŋ] *adj* (*fam*) gewaltig, mächtig; extrem; (*Angriff*) scharf

swing·ing ['swɪŋɪŋ] *adj* (*fig*) beschwingt, schwungvoll; (*fam: Mensch*) flott; ~ **door** Pendeltür *f;* **swing-wing** *s* (AERO) Schwenkflügel *m*

swin·ish ['swaɪnɪʃ] *adj* (*pej*) schweinisch; gemein

swipe [swaɪp] **I.** *s* harter Schlag, Hieb *m* **II.** *tr* **1.** e-n Hieb versetzen (*s.o.* jdm) **2.** (*fam*) mopsen, klauen **3.** durch ein elektronisches Lesegerät ziehen **III.** *itr* schlagen (*at* nach)

swirl [swɜːl] **I.** *itr, tr* herumwirbeln (*about the street* auf der Straße) **II.** *s* Wirbel, Strudel *m*

swish [swɪʃ] **I.** *itr* **1.** schwirren, zischen **2.** rascheln, rauschen **II.** *tr* wedeln (*its tail* mit dem Schwanz) **III.** *s* Surren, Rascheln, Zischen *n*

Swiss [swɪs] **I.** *adj* Schweizer, schweizerisch; ~ **franc** Schweizer Franken; ~ **German** Schweizerdeutsch *n;* ~ **roll** Biskuitrolle *f* **II.** *s* Schweizer(in) *m(f);* **the** ~ die Schweizer *pl*

switch [swɪtʃ] **I.** *s* **1.** Gerte, Rute *f* **2.** (Licht)Schalter *m* **3.** (RAIL) Weiche *f* **4.** (*fig*) Wechsel *m* **5.** (COM) Tauschgeschäft *n;* **do** [*o* **make**] **a** ~ tauschen **II.** *tr* **1.** wechseln; ändern **2.** (*Aufmerksamkeit*) lenken (*to* auf) **3.** (*Produktion*) verlegen; (*Gegenstand*) umstellen **4.** (*fam*) tauschen; vertauschen **5.** (EL) umschalten **6.** (*Schwanz, Rute*) schlagen mit **7.** (*Am: Zug*) rangieren; ~ **schools** die Schule wechseln; **I** ~**ed trousers with him** wir haben die Hosen getauscht **III.** *itr* **1.** (~ *over*) überwechseln (*to* zu) **2.** (EL RADIO) umschalten (*to* auf) **3.** (~ *round, over*) tauschen **4.** (*Wind*) drehen (*to* nach) **5.** (RAIL) rangieren; **switch back I.** *itr* **1.** zu Gehabtem zurückkehren **2.** (EL RADIO TV) zurückschalten (*to* zu) **II.** *tr* zurückschalten (*to* auf); **switch off I.** *tr* ausschalten; abschalten; abstellen **II.** *itr* **1.** ausschalten **2.** (*fig*) abschalten; **switch on I.** *tr* **1.** anschalten; anstellen **2.** (*sl*) munter machen; high machen **II.** *itr* anschalten; sich einschalten; **be** ~**ed on to s.th.** (*sl*) auf etw stehen; **switch over I.** *itr* umschalten; (*fig*) überwechseln (*to* zu) **II.** *tr* verlegen; umstellen (*to* auf); ~ **the programme over** auf ein anderes Programm umschalten; **switch round I.** *tr* vertauschen; umstellen **II.** *itr* tauschen; **switch through** *tr* (TELE) durchstellen (*to* zu)

switch·back ['swɪtʃbæk] *s* **1.** Berg-, Gebirgsbahn *f* **2.** Berg-und-Tal-Bahn *f;* Achterbahn *f;* **switch·blade** (**knife**) ['swɪtʃbleɪd] *s* (*Am*) Schnappmesser *n;* **switchboard** *s* **1.** (EL) Schalttafel *f* **2.** (TELE) Vermittlung *f;* Zentrale *f;* **switchboard operator** *s* Telefonist(in) *m(f);* **switchman** <*pl* -men> *s* (*Am*) Weichenwärter *m;* **switch tower** *s* (*Am*) Stellwerk *n;* **switch-yard** *s* (*Am*) Rangierbahnhof *m*

Swit·zer·land ['swɪtsələnd] *s* die Schweiz

swivel ['swɪvl] **I.** *s* (TECH) Drehring *m,* -lager *n* **II.** *tr* schwenken, herumdrehen **III.** *itr* sich drehen; **swivel chair** *s* Drehstuhl *m;* **swivel joint** *s* Universalgelenk *n*

swizzle stick ['swɪzl,stɪk] *s* Sektquirl *m*

swol·len ['swəʊlən] *s.* **swell**

swoon [swuːn] **I.** *itr* ohnmächtig werden (*with* vor) **II.** *s* Ohnmacht *f*

swoop [swuːp] **I.** *itr* **1.** (*Raubvogel:* ~ *down*) herabschießen (*on* auf) **2.** herfallen (*on* über) **II.** *tr* (~ *up*) (weg)schnappen; emporreißen **III.** *s* **1.** Herabschießen *n* **2.** (*fig*) plötzlicher Angriff; Razzia *f;* **at one** (**fell**) ~ mit e-m Schlag

swop [swɒp] *s.* **swap**

sword [sɔːd] *s* Schwert *n a. fig;* **cross** ~**s**

die Klingen kreuzen (*with* mit); **sword-dance** *s* Schwerttanz *m;* **sword•fish** ['sɔːdfɪʃ] *s* Schwertfisch *m;* **sword-play** *s* Fechten *n;* **sword-point** *s* Schwertspitze *f;* **at ~** mit vorgehaltener Klinge; **swords-man** ['sɔːdzmən] <*pl* -men> *s* Schwertkämpfer *m;* Fechter *m;* **swords•man-ship** ['sɔːdzmənʃɪp] *s* Fechtkunst *f*

swore, sworn [swɔː, swɔːn] *s.* **swear**

swot [swɒt] **I.** *itr* (*Br fam*) ochsen, büffeln, pauken (*for an exam* auf e-e Prüfung); **~ up on s.th.** sich über etw informieren **II.** *s* (*Br fam*) Streber(in) *m(f)*

swum [swʌm] *s.* **swim**

swung [swʌŋ] *s.* **swing**

syca•more ['sɪkəmɔː(r)] *s* **1.** (*Br*) Bergahorn *m* **2.** (*Am*) amerikanische Platane **3.** (*Holz*) Ahorn *m*

syco•phant ['sɪkəfænt] *s* Speichellecker *m*

syl•labic [sɪ'læbɪk] *adj* silbisch; **syl•lab-ifi•ca•tion** [ˌsɪləbɪfɪ'keɪʃn] *s* Silbentrennung *f;* **syl•lable** ['sɪləbl] *s* Silbe *f;* **don't breathe a ~ of this!** kein(en) Ton davon!

syl•la•bus ['sɪləbəs] *s* **1.** Lehrplan *m* **2.** Programm *n*

sylph [sɪlf] *s* **1.** Sylphe, Luftgeist *m* **2.** (*fig*) schlankes Mädchen

sym•bio•sis [ˌsɪmbɪ'əʊsɪs] *s* Symbiose *f;* **sym•bio•tic** [ˌsɪmbɪ'ɒtɪk] *adj* symbiotisch

sym•bol ['sɪmbl] *s* Sinnbild, Symbol, Zeichen *n;* **sym•bolic(al)** [sɪm'bɒlɪk(l)] *adj* symbolisch (*of* für); **sym•bol•ism** ['sɪmbəlɪzəm] *s* **1.** (*lit*) Symbolismus *m* **2.** Symbolik *f;* **sym•bol•ize** ['sɪmbəlaɪz] *tr* symbolisieren

sym•met•ri•cal [sɪ'metrɪkl] *adj* symmetrisch; **sym•me•try** ['sɪmətrɪ] *s* Symmetrie *f*

sym•path•etic [ˌsɪmpə'θetɪk] *adj* **1.** mitfühlend; teilnehmend **2.** empfänglich (*to* für) **3.** (*fam*) einverstanden (*to* mit), geneigt (*towards dat*); **~ strike** Solidaritäts-, Sympathiestreik *m;* **sym•path•ize** ['sɪmpəθaɪz] *itr* **1.** sympathisieren (*with* mit) **2.** mitfühlen, Mitleid haben (*with* mit) **3.** Verständnis haben (*with* für); **~ with s.o.'s views** jds Meinung teilen; **sym•path•iz-er** [-ə(r)] *s* (POL) Sympathisant(in) *m(f);* **sym•pathy** ['sɪmpəθɪ] *s* **1.** Mitleid, Mitgefühl *n* (*for* mit); (*Tod*) Beileid *n* **2.** Verständnis *n;* Sympathie *f;* **feel** [*o* **have**] **~ for s.o.** mit jdm Mitleid haben; **you have my ~** (*hum*) herzliches Beileid; **be in** (**out of**) **~ with** (nicht) einhergehen mit; **our sympathies are with you** wir sind auf Ihrer Seite; **there isn't much ~ between them** sie verstehen sich nicht; **come out** [*o* **strike**] **in ~** in Sympathiestreik treten

sym•phonic [sɪm'fɒnɪk] *adj* (MUS) sinfonisch; **sym•phony** ['sɪmfənɪ] *s* Sinfonie *f;* **symphony concert** *s* Sinfoniekonzert *n;* **symphony orchestra** *s* Sinfonieorchester *n*

sym•po•sium [sɪm'pəʊzɪəm, -zɪə] <*pl* -sia> *s* Symposium *n,* Konferenz *f*

symp•tom ['sɪmptəm] *s* Symptom, Anzeichen, Merkmal *n* (*of* für); **symp•to-matic** [ˌsɪmptə'mætɪk] *adj* symptomatisch, charakteristisch (*of* für)

syna•gogue ['sɪnəgɒg] *s* (REL) Synagoge *f*

syn•chro•mesh ['sɪŋkrəʊˌmeʃ] *s* Synchrongetriebe *n*

syn•chron•ize ['sɪŋkrənaɪz] **I.** *tr* **1.** (*Geräte, Uhren*) aufeinander abstimmen **2.** (FILM) synchronisieren **II.** *itr* **1.** gleichzeitig sein **2.** (*Uhren*) übereinstimmen **3.** (FILM) synchronisiert sein; **syn•chron•ous** ['sɪŋkrənəs] *adj* gleichzeitig

syn•co•pate ['sɪŋkəpeɪt] *tr* (MUS) synkopieren; **syn•cope** ['sɪŋkəpɪ] *s* Synkope *f*

syn•di•cate ['sɪndɪkət] **I.** *s* Interessengemeinschaft *f;* (COM) Syndikat *n,* Verband *m;* (*Presse*) (Presse)Zentrale *f;* (*crime ~*) Syndikat *n,* Ring *m* **II.** ['sɪndɪkeɪt] *tr* **1.** (*Artikel, Beitrag*) an mehrere Zeitungen verkaufen **2.** (COM) syndizieren; **syn•di•ca•tion** [ˌsɪndɪ'keɪʃn] *s* (COM) Syndizierung *f*

syn•drome ['sɪndrəʊm] *s* Syndrom *n;* Phänomen *n*

syn•ergy ['sɪnədʒɪ] *s* Synergie *f*

synod ['sɪnəd] *s* Synode *f*

syn•onym ['sɪnənɪm] *s* Synonym *n;* **syn-ony•mous** [sɪ'nɒnɪməs] *adj* synonym, sinnverwandt; gleichbedeutend

syn•op•sis [sɪ'nɒpsɪs, *pl* -siːz] <*pl* -ses> *s* Übersicht, Zusammenfassung *f,* Abriss *m*

syn•tac•tic(al) [sɪn'tæktɪk(l)] *adj* syntaktisch; **syn•tax** ['sɪntæks] *s* Syntax *f*

syn•thesis ['sɪnθɪsɪs, *pl* -θɪsiːz] <*pl* -theses> *s* (*a.* CHEM) Synthese *f;* **syn-thesize** ['sɪnθəsaɪz] *tr* **1.** (*Stoff*) synthetisch herstellen (*from* aus) **2.** (*Stoff, Theorien*) zusammenfassen; **syn•thesizer** [-ər] *s* (EL) Synthesizer *m;* **syn•thetic** [sɪn'θetɪk] **I.** *s* Kunststoff *m* **II.** *adj* synthetisch; Kunst-; (*fig*) künstlich; **~ fibre** Kunstfaser *f;* **~ material** Kunststoff *m*

syph•ilis ['sɪfɪlɪs] *s* (MED) Syphilis *f;* **syphi-litic** [ˌsɪfɪ'lɪtɪk] *adj* syphilitisch

syphon ['saɪfn] *s s.* **siphon**

Syria ['sɪrɪə] *s* Syrien *n;* **Syr•ian** ['sɪrɪən] **I.** *adj* syrisch **II.** *s* Syrer(in) *m(f),* Syrier(in) *m(f)*

syr•inge [sɪ'rɪndʒ] **I.** *s* (MED TECH) Spritze *f* **II.** *tr* einspritzen, injizieren; (MED) (aus)spülen

syrup ['sɪrəp] *s* **1.** Sirup *m* **2.** (*fruit-~*) Frucht-, Obstsaft *m;* **syrupy** ['sɪrəpɪ] *adj* **1.** klebrig **2.** (*fam fig*) süßlich; sentimental

sys•tem ['sɪstəm] *s* **1.** System *n* **2.**

Methode *f;* **circulatory** ~ Kreislaufsystem *n;* **digestive/respiratory** ~ Verdauungs-/Atmungsapparat *m;* **railway** ~ Eisenbahnnetz *n;* **if you can't beat the ~ join it** wenn du nicht gegen das System ankommst, arrangiere dich mit ihm; **I have to get it out of my** ~ ich muss irgendwie darüber wegkommen; **it's bad for the** ~ das ist ungesund; **all ~s go!** jetzt aber voll ran!; **sys•tem•atic** [ˌsɪstəˈmætɪk] *adj* systematisch; **sys•tematize** [ˈsɪstəmətaɪz] *tr* in ein System bringen, nach e-m System (an)ordnen; **system check** *s* (EDV) Systemprüfung *f;* **system crash** *s* (EDV) Systemabsturz *m;* **system disk** *s* (EDV) Systemdiskette *f;* **system error** *s* Systemfehler *m;* **systems analysis** *s* Systemanalyse *f;* **systems analyst** *s* Systemanalytiker(in) *m(f);* **system software** *s* (EDV) Systemsoftware *f*

T

T, t [tiː] <*pl* -'s> *s* T, t *n;* **to a ~** ganz genau, aufs Haar

ta [tɑː] *interj* (*fam*) danke

tab [tæb] *s* **1.** Aufhänger *m;* Öse *f;* Lasche *f* **2.** Etikett *n;* Namensschild *n* **3.** (Karten) Reiter *m* **4.** (AERO) Klappe *f* **5.** (*Am fam*) Rechnung *f* **6.** (*fam: Schreibmaschine*) Tabulator *m;* **keep ~s on** (*fam*) genau kontrollieren

tab•by ['tæbɪ] **I.** *adj* (*fam: Katze*) getigert **II.** *s* (weibliche) Katze

tab•er•nacle ['tæbənækl] *s* **1.** (REL) Stiftshütte *f* **2.** Gotteshaus *n* **3.** Tabernakel *n od m*

tab key ['tæbkiː] *s* Tabulatortaste *f*

table ['teɪbl] **I.** *s* **1.** Tisch *m* **2.** Tischgesellschaft *f* **3.** Tabelle, Liste *f,* Verzeichnis *n;* **lay** (**clear**) **the ~** den Tisch decken (abräumen); **at the ~** am Tisch; **at ~** bei Tisch; **lay on the ~** zur Diskussion vorschlagen; (*Am*) auf die lange Bank schieben; **put on the ~** zur Sprache bringen, zur Diskussion stellen; anschneiden; **turn the ~s** (*fig*) den Spieß umkehren (*on s.o.* gegenüber jdm); **the ~s have turned** das Blatt hat sich gewendet; **~ of contents** (*Buch*) Inhaltsverzeichnis *n;* **multiplication ~s** Einmaleins *n* **II.** *tr* **1.** in Tabellenform zusammenstellen **2.** (*Br: Anfrage im Parlament*) einbringen **3.** (*Am*) vertagen; **table•cloth** *s* Tischtuch *n;* **table land** *s* (GEOG) Tafelland, Plateau *n;* **table-lift•ing** ['teɪbl,lɪftɪŋ] *s* Tischrücken *n* (*der Spiritisten*); **table linen** *s* Tischwäsche *f;* **table manners** *s pl* Tischmanieren *fpl;* **table mat** *s* Set *n od m;* **table•spoon** ['teɪblspuːn] *s* Esslöffel *m*

tab•let ['tæblɪt] *s* **1.** Gedenktafel *f* **2.** (MED) Tablette *f* **3.** (*Seife*) Stück *n;* (*Schokolade, Wachs*) Täfelchen *n*

table talk ['teɪbltɔːk] *s* Tischgespräch *n;* **table tennis** *s* Tischtennis *n;* **table•ware** ['teɪblweə(r)] *s* Tafelgeschirr *n;* **table wine** *s* Tafelwein *m*

tab•loid ['tæblɔɪd] *s* (*kleinformatige*) Boulevardzeitung *f*

ta•boo, ta•bu [tə'buː] **I.** *s* Tabu *n a. fig* **II.** *adj* tabu, verboten **III.** *tr* für tabu erklären

tabu•lar ['tæbjʊlə(r)] *adj:* **in ~ form** in Tabellenform; **tabu•late** ['tæbjʊleɪt] *tr* in Tabellenform bringen; **tabu•la•tion** [,tæbjʊ'leɪʃn] *s* tabellarische Anordnung; **tabu•la•tor** ['tæbjʊleɪtə(r)] *s* (*Tastatur*) Tabulator *m*

tacho ['tækəʊ] *s* (*fam*) Tacho *m;* **tacho•graph** ['tækəgrɑːf] *s* Fahrtenschreiber, Tachograph *m*

tacit ['tæsɪt] *adj* stillschweigend; **taci•turn** ['tæsɪtɜːn] *adj* schweigsam, wortkarg; **taci•tur•nity** [,tæsɪ'tɜːnətɪ] *s* Schweigsamkeit *f*

tack [tæk] **I.** *s* **1.** Reißbrettstift *m,* Heftzwecke *f;* kleiner Nagel, Stift *m* **2.** Heftstich *m;* Heften *n* **3.** (MAR) (Kreuz)Schlag *m* **4.** (*fig*) Kurs *m;* **on the wrong ~** (*fig*) auf dem Holzweg; **take** [*o* **try**] **a different ~** es anders versuchen **II.** *tr* **1.** mit Stiften befestigen **2.** heften **3.** (*fig*) hinzufügen (*on to s.th.* an etw); **~ together** zusammenfügen *a. fig* **III.** *itr* **1.** (MAR) aufkreuzen; wenden **2.** heften

tackle ['tækl] **I.** *s* **1.** Ausrüstung *f* **2.** (MAR) Tauwerk *n* **3.** Flaschenzug *m* **4.** (*Fußball etc*) Angreifen, Tackling *n;* **fishing ~** Angelsportgerät *n;* (*fam*) Angelzeug *n* **II.** *tr* **1.** ergreifen, packen; (SPORT) angreifen **2.** (*Problem, Arbeit*) anpacken, in Angriff nehmen **3.** angehen (*s.o. about/over s.th.* jdn wegen etw)

tacky ['tækɪ] *adj* **1.** klebrig **2.** (*fam*) schäbig, billig

tact [tækt] *s* Takt *m,* Fein-, Fingerspitzengefühl *n;* **tact•ful** ['tæktfl] *adj* taktvoll

tac•ti•cal ['tæktɪkl] *adj* taktisch *a. fig;* **tac•ti•cian** [tæk'tɪʃn] *s* Taktiker(in) *m(f) a. fig;* **tac•tics** ['tæktɪks] *s pl* Taktik *f a. fig*

tac•tile ['tæktaɪl] *adj:* **~ sense** Tastsinn *m*

tact•less ['tæktlɪs] *adj* taktlos; **tact•less•ness** [-nɪs] *s* Taktlosigkeit *f*

tad•pole ['tædpəʊl] *s* (ZOO) Kaulquappe *f*

taf•feta ['tæfɪtə] *s* Taft *m*

tag [tæg] **I.** *s* **1.** Etikett *n,* Preiszettel *m;* Schildchen *n* **2.** Aufhänger *m* **3.** stehende Redensart, Floskel *f,* Spruch *m* **4.** (GRAM) Bestätigungsfrage *f* **5.** (*Spiel*) Fangen *n;* **price ~** Preisschild *n* **II.** *tr* **1.** hinzufügen (*to* an) **2.** mit e-m Anhänger, Schildchen, Etikett versehen **3.** (COM) auszeichnen **4.** (*Am fam*) einen Strafzettel verpassen *dat* **III.** *itr* hinterher-, nachlaufen (*after s.o.* jdm); **tag along** *itr* mitgehen, -kommen; **tag around with s.o.** *itr* mit jdm immer zusammen sein; **tag on I.** *tr* anhängen **II.** *itr* sich anhängen (*to* an); **tag together** *tr* zusammenheften

tai•ga ['taɪgə] *s* (GEOG) Taiga *f*

tail [teɪl] **I.** *s* **1.** Schwanz, Schweif *m a. fig* **2.** (*fig*) Ende *n* **3.** Rockschoß *m;* Hemdzipfel *m* **4.** (AERO) Heck *n* **5.** **~s** (*Münze*) Zahlseite *f* **6.** **~s** Frack *m* **7.** (*fig*) Schatten *m* **8.** (*sl pej*) Weibsbild; **wag one's ~** mit dem Schwanz wedeln; **put a ~ on s.o.** jdn beschatten lassen; **put one's ~ between one's legs** (*fig*) den Schwanz einziehen; **turn ~** Reißaus nehmen; **I can't make head nor ~ of it** daraus werde ich nicht schlau; **heads or ~s?** Kopf oder Zahl? **II.** *tr* beschatten; folgen (*s.o.* jdm); **tail after s.o.** *itr* jdm hinterherlaufen; **tail back** *itr* (*Verkehr*) sich stauen; **tail off, tail away** *itr* **1.** abnehmen; schwächer werden **2.** schlechter werden, nachlassen

tail•back ['teɪlbæk] *s* (Auto)Schlange *f,* Stau *m;* **tail•board** *s* (Lade)Klappe *f;* **tail end** *s* hinteres Ende; Schluss *m;* **at the ~** ganz am Schluss; **tail•gate** ['teɪlgeɪt] **I.** *s* Hecktür *f;* Ladeklappe *f* **II.** *itr* dicht auffahren; **tail•less** ['teɪllɪs] *adj* schwanzlos; **tail•light** *s* (MOT) Rücklicht *n*

tailor ['teɪlə(r)] **I.** *s* Schneider(in) *m(f)* **II.** *tr* **1.** schneidern **2.** (*fig*) zuschneiden (*to* auf); **tailor-made** ['teɪləmeɪd] *adj* **1.** nach Maß angefertigt; maßgeschneidert *a. fig* **2.** (*fig*) zugeschnitten (*for* auf)

tail•piece ['teɪlpi:s] *s* **1.** Anhang *m,* Anhängsel *n* **2.** (AERO) Heck *n* **3.** (TYP) (Schluss)Vignette *f;* **tail•pipe** ['teɪlpaɪp] *s* (*Am*) Auspuffrohr *n;* **tail•spin** *s* (AERO) Trudeln *n;* **tail wind** *s* Rückenwind *m*

taint [teɪnt] **I.** *tr* **1.** verderben (*with* durch) **2.** (*fig: Ruf*) beflecken **II.** *s* **1.** Makel *m;* (Schand)Fleck *m* **2.** (krankhafte) Anlage *f* (*of* zu); **be free from ~** (*Fleisch*) (noch) nicht verdorben sein; **taint•less** [-lɪs] *adj* makel-, fleckenlos

take [teɪk] <*irr:* took, taken> **I.** *tr* **1.** nehmen **2.** an sich nehmen **3.** mitnehmen (*to* zu, nach) **4.** begleiten (*to* zu, nach) **5.** (*Verantwortung*) auf sich nehmen **6.** (*Preis*) gewinnen **7.** (*Examen*) machen **8.** (*Lehrer*) unterrichten; (*Schüler*) nehmen **9.** (*Reise, Spaziergang*) machen **10.** (*Tier*) fangen **11.** ergreifen, packen; gefangen nehmen **12.** (*Arznei*) einnehmen **13.** (*Temperatur*) messen **14.** (*Behandlung*) sich unterziehen **15.** nehmen, (aus)wählen, sich entschließen zu; (*Stelle*) annehmen **16.** auffassen, ansehen (*for* als), halten (*for* für) **17.** verstehen, begreifen **18.** (*unpersönliche Konstruktion*) brauchen **19.** (*Hindernis*) nehmen, sich hinwegsetzen über; (*fig*) überwinden **20.** (*Film, Foto*) machen **21.** sich gefallen lassen; (*Alkohol, Essen*) vertragen; (*Enttäuschung*) fertig werden mit **22.** (*Nachricht*) reagieren auf **23.** annehmen; halten (*s.o. for s.th.* jdn für etw) **24.** (MATH) abziehen **25.** (GRAM) stehen mit; **~ into account** in Betracht ziehen; **~ legal advice** zum Rechtsanwalt, zur Rechtsberatung gehen; **~ one's bearings** sich orientieren; **~ the blame** die Schuld auf sich nehmen; **~ a deep breath** tief Atem holen; **~ a chair** [*o* **seat**] sich setzen, Platz nehmen; **~ the chair** den Vorsitz übernehmen; **~ a chance** etwas wagen, riskieren; **~ charge of** sich kümmern um, Acht geben auf; die Leitung *+gen* in die Hand nehmen; **~ into confidence** ins Vertrauen ziehen; **~ into consideration** in Erwägung ziehen; **~ cover** Schutz suchen, in Deckung gehen; **~ a short cut** den Weg abkürzen; **~ a degree** ein Examen ablegen; **~ effect** wirksam werden; **~ fire** Feuer fangen; **~ for granted** für selbstverständlich halten; **~ a hint** e-n Wink verstehen; **~ hold of s.th.** sich e-r S bemächtigen; **~ interest in** Interesse haben an; **~ one's leave** sich verabschieden (*of* von); **~ a liking to s.o.** sich zu jdm hingezogen fühlen; **~ a look** e-n Blick werfen (*at* auf); **~ measures** Maßnahmen ergreifen; **~ the mickey out of s.o.** (*fam*) jdn veräppeln; **~ a nap** ein Nickerchen machen; **~ a note of s.th.** etw notieren, *fig* bemerken; **~ notes** sich Notizen machen; **~ notice of** beachten, Notiz nehmen von; **~ an oath** e-n Eid leisten; schwören; **~ offence at** sich beleidigt fühlen durch; **~ orders** gehorchen; **~ part in** teilnehmen an; **~ s.o.'s picture** jdn aufnehmen, fotografieren; **~ to pieces** auseinander nehmen; **~ pity on** Mitleid haben mit; **~ place** stattfinden; **~ s.o.'s place** an jds Stelle treten; **~ pleasure in** Vergnügen haben, finden an; **~ possession of** Besitz ergreifen von; **~ a resolution** e-n Entschluss fassen; **~ a rest** sich ausruhen; **~ time** Zeit brauchen; **~ one's time** sich Zeit lassen (*to* zu); **~ the trouble** sich die Mühe machen, sich bemühen (*to* zu); **~ turns** (sich) abwechseln; **~ a turn for the better/worse** e-e Wendung zum Besseren/Schlechteren nehmen; **it ~s 5 hours** man braucht 5 Stunden; **he ~s a size nine shoe** er hat (Schuh)Größe 9; **that doesn't ~ much brains** dazu gehört nicht viel Verstand; **how does that ~ you?** wie findest du das?; **~ it from me!** glaube mir!; **~ it or leave it** wie du willst; **I can't ~ it any more** ich kann nicht mehr; **I find that hard to ~** es fällt mir schwer, das hinzunehmen, zu verkraften, zu ertragen; **be ~n ill** krank werden; **be ~n with s.o.** von jdm angetan sein **II.** *itr* **1.** (*Pflanze*) anwachsen, Wurzeln schlagen; (*Feuer*) angehen; (*Farbe*) angenommen werden;

(*Impfung*) anschlagen **2.** (*Fisch*) anbeißen **3.** Anklang, Beifall finden **4.** Abbruch tun, abträglich sein (*from dat*); ~ **ill** krank werden; ~ **long** lange dauern **III.** *s* **1.** (*Am*) Einnahmen *fpl* **2.** Beute *f;* Fang *m* **3.** (FILM) Aufnahme *f;* **be on the** ~ Bestechungsgeld nehmen; **take aback** *tr* überraschen; **take after** *itr* **1.** nachschlagen (*s.o.* jdm) **2.** ähnlich sein (*s.o.* jdm); **take along** *tr* mitnehmen; **take apart** *tr* auseinander nehmen *a. fig;* **take away** *tr* **1.** wegnehmen **2.** (MATH) abziehen **3.** (*Essen*) mitnehmen; ~ **away from s.th.** etw schmälern, mindern; **take back** *tr* **1.** zurücknehmen **2.** (*Ware*) zurückbringen **3.** erinnern (*to* an); **take down** *tr* **1.** herunternehmen; abnehmen **2.** ab-, einreißen; abbauen **3.** demütigen **4.** aufschreiben; notieren; **I took him down a peg or two** (*fig*) ich habe ihm e-n Dämpfer aufgesetzt; **take for** *tr* halten für; **take home** *tr* **1.** nach Hause bringen **2.** (*Geld*) netto verdienen; **take in** *tr* **1.** annehmen **2.** (*Kleid*) enger machen **3.** einschließen **4.** wahrnehmen; verstehen, begreifen **5.** täuschen, hereinlegen **6.** zu sich nehmen, aufnehmen; (COM) in Kost nehmen **7.** (*Ernte*) einbringen **8.** (*Geld*) einnehmen; **take off I.** *tr* **1.** wegnehmen **2.** (*Telefonhörer, Deckel*) abnehmen **3.** (*Kleidung*) ausziehen; (*Hut*) abnehmen **4.** abziehen, subtrahieren; (*vom Preis*) nachlassen **5.** (*Zug*) ausfallen lassen **6.** nachmachen, -äffen **7.** (*Tag*) freinehmen **8.** (*Person*) mitnehmen; abführen **II.** *itr* **1.** sich entfernen **2.** (AERO) starten; ~ **o.s. off** weggehen; ~ **s.o.'s mind off s.th.** jdn von etw ablenken; ~ **s.th. off s.o.'s hands** jdm etw abnehmen; **take on I.** *tr* **1.** beschäftigen, einstellen **2.** auf sich nehmen; (*Arbeit*) annehmen **3.** spielen gegen; kämpfen gegen; sich auseinander setzen mit **4.** (*Farbe, Ausdruck*) bekommen, annehmen **II.** *itr* **1.** (*fam*) sich furchtbar ärgern **2.** (*fam*) ankommen, in Mode kommen (*among* bei); **take out** *tr* **1.** herausnehmen, entfernen **2.** hinausbringen; hinausfahren **3.** (*Geld*) abheben **4.** (*Patent*) nehmen, erwirken; (*Versicherung*) abschließen **5.** (*Am: Essen*) mitnehmen **6.** ausführen, begleiten **7.** (*euph*) zerstören; töten; ~ **it out of s.o.** jdn mitnehmen, jdn schlauchen; ~ **it out on s.o.** seinen Ärger an jdm auslassen; ~ **s.o. out of himself** jdn seine Sorgen vergessen lassen; **take over I.** *tr* **1.** (*Geschäft, Amt*) übernehmen **2.** (*Person*) hinüberbringen; mitnehmen **II.** *itr* an die Macht, Regierung kommen; (*fam*) das Heft an sich reißen; ~ **over from s.o.** jdn ablösen; **take to** *itr* **1.** Gefallen finden an; (*Person*) sympathisch finden **2.** Zuflucht nehmen zu; ~ **to doing s.th.** anfangen, etw zu tun; **take up I.** *tr* **1.** aufnehmen; hochheben **2.** hinaufbringen **3.** aufsaugen, absorbieren **4.** (*Zeit*) in Anspruch nehmen; (*Platz*) einnehmen **5.** übernehmen **6.** (*Beschäftigung*) aufnehmen **7.** (*Kredit, Einladung*) annehmen **8.** (*Hobby*) sich zulegen **9.** (*Rock*) kürzer machen **10.** (*Angelegenheit*) besprechen; eingehen auf **11.** (*Thema*) wieder aufnehmen **12.** (*Redner*) berichtigen **13.** (*Wohnung*) beziehen **14.** (*Gedanken*) aufgreifen **15.** fördern, sich einsetzen für **16.** (FIN: *Option*) ausüben; (*Aktien*) zeichnen **II.** *itr* weitermachen; **I'll ~ you up on that** ich nehme Sie beim Wort; **be ~n up with** beschäftigt sein mit; **take up with** *itr* sich anfreunden mit

take·away ['teɪkəweɪ] *s* **1.** Essen *n* zum Mitnehmen **2.** Imbissstube *f;* Restaurant *n* für Außer-Haus-Verkauf; **take-home pay** ['teɪkhəʊm'peɪ] *s* Nettolohn *m;* **take-in** ['teɪkɪn] *s* (*fam*) Schwindel *m,* Gaunerei *f,* Betrug *m;* **taken** ['teɪkn] *s.* **take**; **take-off** ['teɪkɒf] *s* **1.** (AERO) Abflug, Start *m a. fig* **2.** (*fam*) Nachmachen *n,* Karikieren *n;* Nachahmung *f;* ~ **clearance** Startfreigabe *f;* **do a ~ of s.o.** jdn nachmachen; **take-out** ['teɪkaʊt] *s* (*Am sl*) Fertiggericht *n* zum Mitnehmen; **take·over** ['teɪk,əʊvə(r)] *s* Übernahme *f;* **takeover bid** *s* Übernahmeangebot *n;* **takeover target** *s* (COM) Übernahmeobjekt *n*

taker ['teɪkə(r)] *s* **1.** Käufer(in) *m(f),* Interessent(in) *m(f)* **2.** Wettende(r) *f m;* **any ~s?** wer wettet?; (*bei Auktion*) wer bietet?, wer ist (daran) interessiert?

take-up ['teɪkʌp] *s* **1.** Inanspruchnahme *f* **2.** (*Tonband*) Aufwickeln, Aufspulen *n;* **take-up spool** *s* (*Tonband*) Aufwickelspule *f*

tak·ing ['teɪkɪŋ] **I.** *adj* sympathisch **II.** *s* **1.** Entnahme *f* **2.** ~**s** Einnahmen *fpl* **3.** (MIL) Einnahme *f;* **on** ~ bei Entnahme; ~ **an inventory** Inventur *f;* ~ **out a policy** Abschluss *m* e-r Versicherung; **tak·ing-over** [,teɪkɪŋ'əʊvə(r)] *s* Übernahme *f;* **tak·ing-up** [,teɪkɪŋ'ʌp] *s* (COM) Aufnahme *f;* ~ **of a loan** Kreditaufnahme *f*

talc [tælk] *s* (MIN) Talk *m;* **tal·cum** ['tælkəm] *s* (~ *powder*) Talkum-, Körperpuder *m*

tale [teɪl] *s* **1.** Erzählung, Geschichte *f* **2.** Lüge, Erfindung *f* **3.** Bericht *m;* Gerede *n;* **tell ~s** klatschen, (aus)plaudern

tal·ent ['tælənt] *s* **1.** Talent *n,* Begabung, Fähigkeit *f* **2.** (*fam*) anziehende Frau; **to have a ~ for** begabt sein für; **talented** [-ɪd] *adj* begabt, befähigt

tal·is·man ['tælɪzmən] <*pl* -mans> *s* Talisman, Glücksbringer *m*

talk [tɔ:k] I. *itr* 1. sprechen, reden (*about, of, on* von, über, *to, with s.o.* mit jdm) 2. plaudern, schwatzen; klatschen; ~ **big** (*sl*) angeben, prahlen; ~ **through one's hat** (*sl*) Unsinn reden; **now you are ~ing** das lässt sich hören!; **you can ~!** du hast gut reden!; ~ **to me!** sag' doch was!; ~ **to o.s.** Selbstgespräche führen; **~ing of holidays** da wir gerade vom Urlaub sprechen II. *tr* 1. (*Sprache*) sprechen; (*Unsinn*) reden 2. reden, sprechen über 3. überreden (*into doing s.th.* etw zu tun); ~ **s.o. into s.th.** jdm etw einreden; ~ **s.o. out of s.th.** jdm etw ausreden; **be ~ed about** [*o* **of**] ins Gerede kommen; **let's ~ business** kommen wir zur Sache; ~ **scandal** klatschen; ~ **sense** vernünftig reden; ~ **shop** fachsimpeln III. *s* 1. Gespräch *n,* Unterhaltung *f* 2. Diskussion, Aussprache, Besprechung *f* 3. Gerede, Geschwätz *n* 4. Vortrag *m;* **be all ~** immer nur reden; **be the ~ of the town** in aller Munde sein; **there is ~ of** man spricht von, man sagt; **small ~** Smalltalk *m;* **talk back** *itr* (scharf) erwidern, antworten; frech sein; **talk down** *tr* 1. zum Schweigen bringen 2. (AERO) heruntersprechen; ~ **down to s.o.** mit jdm herablassend reden; **talk on** *itr* weiterreden; **talk out** *tr* 1. (*Thema*) erschöpfen(d behandeln) 2. (PARL) durch lange Debatten hinauszögern; ~ **s.o. out of s.th.** jdn von etw abbringen; ~ **one's way out of s.th.** sich aus etw herausreden; **talk over** *tr* bereden, besprechen; **talk round** *tr* umstimmen; ~ **round s.th.** um etw herumreden; **talk through** *tr:* ~ **s.th. through** etw diskutieren; ~ **s.o. through s.th.** etw mit jdm durchsprechen

talka•tive ['tɔ:kətɪv] *adj* redselig, gesprächig; **talker** ['tɔ:kə(r)] *s* 1. Sprecher(in) *m(f),* Redner(in) *m(f)* 2. Schwätzer(in) *m(f);* **talk•ing** ['tɔ:kɪŋ] I. *adj* sprechend; ~ **picture** Tonfilm *m* II. *s* Reden *n;* **talking point** *s* Gesprächsgegenstand *m;* **talking shop** *s* (*pej*) Laberrunde *f;* **talk•ing-to** ['tɔ:kɪŋtu:] *s* (*fam*) Schimpfe, Schelte *f;* **talk show** *s* (TV) Talkshow *f*

tall [tɔ:l] *adj* groß; hoch; lang; **a ~ order** eine Zumutung; **a ~ story** eine unglaubliche Geschichte; **tall•boy** ['tɔ:lbɔɪ] *s* Aufbaukommode *f;* **tall•ness** ['tɔ:lnɪs] *s* Größe *f*

tal•low ['tæləʊ] *s* Talg *m*

tally ['tælɪ] I. *s* 1. Anschreibbuch *n* 2. (Ab)Rechnung *f;* **keep a ~ of** Buch führen über II. *tr* (~ *up*) zusammenrechnen, -zählen III. *itr* übereinstimmen, sich decken (*with* mit)

tally-ho [ˌtælɪ'həʊ] *interj* (*Jagd*) hallo

tally•man ['tælɪmən] <*pl* -men> *s* Ladungs-, Staugüterkontrolleur *m;* **tally sheet** *s* Strichliste *f*

talon ['tælən] *s* (*a. fig*) Kralle *f*

tam•able ['teɪməbl] *adj* zähmbar

tam•ar•ind ['tæmərɪnd] *s* (BOT) Tamarinde *f*

tam•ar•isk ['tæmərɪsk] *s* (BOT) Tamariske *f*

tam•bour ['tæmbʊə(r)] *s* 1. (MUS) Trommel *f* 2. (ARCH) Säulentrommel *f* 3. Stickrahmen *m* 4. (*Schreibtisch*) Rollo *n;* **tam•bour•ine** [ˌtæmbə'ri:n] *s* Tamburin *n*

tame [teɪm] I. *adj* 1. zahm; gezähmt 2. matt, fade, schal 3. langweilig, uninteressant II. *tr* 1. (be)zähmen 2. (*fig*) gefügig machen; **tamer** ['teɪmə(r)] *s* (Tier)Bändiger(in) *m(f),* Dompteur(in) *m(f)*

tam-o'-shan•ter [ˌtæmə'ʃæntə(r)] *s* (runde) Schottenmütze *f*

tamp [tæmp] *tr* 1. ab-, verdämmen 2. feststampfen; **tam•per** ['tæmpə(r)] *s* 1. Ramme *f* 2. (Pfeifen)Stopfer *m*

tam•per with ['tæmpə(r) 'wɪð] *tr* sich zu schaffen machen an; herumpfuschen an; (*Abrechnungen*) frisieren; (*Dokument*) fälschen; **tamper-proof** ['tæmpə(r) pru:f] *adj* gegen Missbrauch geschützt

tam•pon ['tæmpən] *s* (MED) Tampon *m*

tan [tæn] I. *s* 1. Hellbraun *n* 2. Sonnenbräune *f* II. *adj* hellbraun III. *tr* 1. gerben 2. (*in der Sonne*) bräunen; ~ **s.o.'s hide** jdn verdreschen IV. *itr* (*in der Sonne*) braun werden

tan•dem ['tændəm] I. *s* Tandem *n* II. *adv* hintereinander

tang [tæŋ] *s* penetranter Geruch; scharfer Geschmack

tan•gent ['tændʒənt] *s* Tangente *f;* **fly** [*o* **go**] **off at a ~** (*fig*) vom Thema abkommen; plötzlich e-e andere Richtung einschlagen; **tan•gen•tial** [tæn'dʒenʃl] *adj* (MATH) tangential; **this is only ~ to the question** das berührt die Frage nur am Rande

tan•ger•ine [ˌtændʒə'ri:n, *Am* 'tændʒəri:n] *s* (BOT) Mandarine *f*

tan•gible ['tændʒəbl] *adj* 1. fühl-, greifbar 2. (*fig: Beweis, Resultat*) greifbar; **tangible assets** *s pl* (COM) Sachanlagen *fpl*

tangle ['tæŋgl] I. *tr* verwirren; **get ~d (up)** sich verwickeln, sich verwirren; (*fig*) verwickelt werden (*in* in) II. *s* 1. Gewirr *n* 2. (*fig*) Wirrwarr *m,* Durcheinander *n* 3. Streit *m,* Auseinandersetzung *f*

tango ['tæŋgəʊ] <*pl* tangos> I. *s* Tango *m* II. *itr* Tango tanzen

tangy ['tæŋɪ] *adj* stark riechend; scharf (schmeckend)

tank [tæŋk] *s* 1. Tank, Behälter *m;* Kessel *m* 2. Tank, Panzer *m;* **tank up** *tr* 1. auftanken; volltanken 2. (*sl*) sich besaufen; **be**

~ed up besoffen sein
tank•ard ['tæŋkəd] *s* Maßkrug *m*
tanker ['tæŋkə(r)] *s* **1.** Tanker *m,* Tankschiff *n* **2.** (*flying* ~) Tankerflugzeug *n* **3.** (MOT) Tankwagen, -lastzug *m*
tanned [tænd] *adj* **1.** (*Person*) braun **2.** (*Tierhäute*) gegerbt
tan•ner ['tænə(r)] *s* Gerber(in) *m(f);* **tan•nery** ['tænərɪ] *s* Gerberei *f;* **tan•nic** ['tænɪk] *adj:* ~ **acid** Gerbsäure *f;* **tan•nin** ['tænɪn] *s* Tannin *n;* **tan•ning** ['tænɪŋ] *s* **1.** (*Prozess*) Gerben *n;* (*Fertigkeit*) Gerberei *f* **2.** (*fam*) Dresche *f;* ~ **lotion** Bräunungslotion *f*
tan•noy® ['tænɔɪ] *s* Lautsprecheranlage *f*
tan•ta•lize ['tæntəlaɪz] *tr* **1.** auf die Folter spannen **2.** foppen; quälen; **tan•ta•liz•ing** [-ɪŋ] *adj* verlockend; verführerisch
tan•ta•mount ['tæntəmaʊnt] *adj* gleichbedeutend (*to* mit); **be** ~ **to s.th.** e-r S gleichkommen
tan•trum ['tæntrəm] *s* Wutanfall *m*
Tan•za•nia [ˌtænzə'nɪə] *s* Tansania *n;* **Tan•za•ni•an** [ˌtænzə'nɪən] **I.** *adj* tansanisch **II.** *s* Tansanier(in) *m(f)*
tap¹ [tæp] **I.** *s* Hahn *m;* **on** ~ (*Bier*) vom Fass; (*fig*) verfügbar; **turn a** ~ **on/off** e-n Hahn auf-/zudrehen **II.** *tr* **1.** (*a.* EL) anzapfen **2.** (*Telefon*) abhorchen, -hören **3.** (*Markt*) erschließen; ~ **the reserves** die Vorräte angreifen
tap² [tæp] **I.** *tr* klopfen (*s.o. on the shoulder* jdm auf die Schulter); ~ **s.th. against s.th.** mit e-r S an etw klopfen **II.** *s* **1.** Klopfen *n* (*on the window* an das Fenster, *at the door* an die Tür) **2.** Klaps *m* **3.** **~s** (*Am*) Zapfenstreich *m;* **tap-dance** ['tæpdɑːns] **I.** *itr* steppen **II.** *s* Stepptanz *m*
tape [teɪp] **I.** *s* **1.** Band *n* **2.** (Papier)Streifen *m;* Klebestreifen *m* **3.** (TELE) Lochstreifen *m* **4.** Ton-, Videoband *n* **5.** (SPORT) Zielband *n;* **adhesive** ~ Klebestreifen *m;* **red** ~ Bürokratie *f;* Amtsschimmel *m* **II.** *tr* **1.** mit e-m Band befestigen; mit einem Klebestreifen verkleben **2.** auf Band aufnehmen; **have s.th./s.o. ~d** (*fam*) etw/jdn gründlich kennen; **tape cassette** *s* Tonbandkassette *f;* **tape deck** *s* Tapedeck *n;* **tape measure** *s* Bandmaß *n*
taper ['teɪpə(r)] **I.** *s* (Wachs)Kerze *f* **II.** *tr* spitz zulaufen lassen **III.** *itr* spitz zulaufen, sich verjüngen; abnehmen; ~ **off** abklingen; auslaufen, zu Ende gehen
tape reader ['teɪpˌriːdə(r)] *s* Lochstreifenleser *m;* **tape-re•cord** ['teɪprɪ'kɔːd] *tr* auf Band aufnehmen; **tape re•corder** ['teɪprɪ'kɔːdə(r)] *s* Tonbandgerät *n;* **tape re•cord•ing** ['teɪprɪ'kɔːdɪŋ] *s* Bandaufnahme *f*
tapered wing [ˌteɪpəd'wɪŋ] *s* (AERO) Trapezflügel *m*
tap•es•try ['tæpɪstrɪ] *s* Wandbehang, -teppich, Gobelin *m*
tape•worm ['teɪpwɜːm] *s* Bandwurm *m*
tapi•oca [ˌtæpɪ'əʊkə] *s* Tapioka *f,* Tapiokamehl *n*
ta•pir ['teɪpə(r)] *s* (ZOO) Tapir *m*
tap•pet ['tæpət] *s* (TECH) Stößel, Mitnehmer *m*
tap•room ['tæprʊm] *s* Schankraum *m;* **tap root** *s* (BOT) Pfahlwurzel *f;* **tap stock** *s* (FIN) Staatsanleihe *f;* **tap water** *s* Leitungswasser *n*
tar [tɑː(r)] **I.** *s* Teer *m* **II.** *tr* teeren; **they are ~red with the same brush** von ihnen ist einer nicht mehr wert als der andere
ta•ran•tula [tə'ræntjʊlə] *s* (ZOO) Tarantel *f*
tardy ['tɑːdɪ] *adj* **1.** spät **2.** säumig, verspätet; **be** ~ **for s.th.** zu etw zu spät kommen
tare [teə(r)] *s* (COM) Tara *f*
tar•get ['tɑːgɪt] **I.** *tr* zielen auf; richten auf **II.** *s* **1.** Schieß-, Zielscheibe *f a. fig* **2.** (POL COM) Ziel *n* **3.** (*Produktion*) Soll *n,* Planziffer *f;* **sales** ~ Verkaufsziel *n;* **target date** *s* **1.** (COM) Fälligkeitsdatum *n* **2.** Liefertermin *m;* **target figures** *s pl* Sollzahlen *fpl;* **target language** *s* Zielsprache *f;* **target practice** *s* (MIL) Zielschießen *n;* **target price** *s* **1.** Richtpreis *m* **2.** angestrebter Preis; **tar•get•ted** ['tɑːgɪtəd] *adj* zielgerichtet
tar•iff ['tærɪf] *s* **1.** (Zoll-, Versicherungs)Tarif *m;* Zoll(satz) *m* **2.** Gebührensatz *m* **3.** Preisliste *f;* **tariff barrier** *s* (COM) Zollschranke *f*
tar•mac ['tɑːmæk] **I.** *tr* asphaltieren **II.** *s* **1.** Asphalt, Teermakadam *m* **2.** (AERO) (asphaltiertes) Rollfeld
tarn [tɑːn] *s* (kleiner) Bergsee *m*
tar•nish ['tɑːnɪʃ] **I.** *tr* **1.** (*fig*) beflecken **2.** (*Metall*) stumpf werden lassen; mattieren **II.** *itr* seinen Glanz verlieren; trübe, matt werden; anlaufen **III.** *s* **1.** Anlaufen *n;* Beschlag *m* **2.** (*fig*) Makel *m*
tar•pau•lin [tɑː'pɔːlɪn] *s* Zeltplane *f*
tar•ra•gon ['tærəgən] *s* (BOT) Estragon *m*
tarry ['tɑːrɪ] *adj* teerig
tar•sus ['tɑːsəs, *pl* 'tɑːsaɪ] <*pl* -si> *s* (ANAT) Fußwurzel *f,* Tarsus *m*
tart¹ [tɑːt] *adj* **1.** scharf, herb, sauer **2.** (*fig*) beißend, spitz
tart² [tɑːt] *s* **1.** Obsttorte *f* **2.** (*Am*) Törtchen *n;* **apple-/cherry-**~ Apfel-/Kirschtorte *f*
tart³ [tɑːt] *s* (*pej*) Nutte *f;* **tart up** *tr* aufmachen, auftakeln, herausputzen
tar•tan ['tɑːtn] *s* Schottenmuster *n*
tar•tar¹ ['tɑːtə(r)] *s* (*fig*) Tyrann *m;* Xanthippe *f;* **catch a** ~ an den Unrechten kommen
tar•tar² ['tɑːtə(r)] *s* Wein-, Zahnstein *m;*

tar•taric [tɑː'tærɪk] *adj:* ~ **acid** Weinsteinsäure *f;* **tartar(e) sauce** *s* Remouladensoße *f*

task [tɑːsk] *s* Aufgabe *f;* Pflicht *f;* **take to** ~ zur Rede stellen (*for, about* wegen); **task force** *s* Sondereinheit *f;* Arbeitsgruppe *f;* **task•master** *s* Zuchtmeister *m;* **a hard** ~ ein strenger Meister

tas•sel ['tæsl] *s* Troddel, Quaste *f*

taste [teɪst] **I.** *tr* **1.** (*Speise*) kosten, versuchen **2.** (ab)schmecken **3.** essen **4.** (*fig*) erfahren, erleben **II.** *itr* schmecken (*of* nach) **III.** *s* **1.** Geschmackssinn *m;* Geschmack *m* (*e-r Speise*) **2.** Kostprobe *f* **3.** (*fig*) Vorgeschmack *m* **4.** (guter) Geschmack *m* **5.** Vorliebe *f* (*for* für), Neigung *f* (*for* zu), Sinn *m* (*for* für); **in (good)** ~ geschmack-, taktvoll; **in bad** [*o* **poor**] ~ geschmacklos; **to** ~ (*Küche*) nach Geschmack; **to s.o.'s** ~ nach jds Geschmack; **leave a bad** ~ **in one's mouth** e-n schlechten Nachgeschmack haben; **taste•bud** ['teɪstbʌd] *s* Geschmacksknospe *f;* **taste•ful** ['teɪstfl] *adj* geschmackvoll; **taste•less** [-lɪs] *adj* **1.** fade, nach nichts schmeckend **2.** (*fig*) geschmacklos; **taster** ['teɪstə(r)] *s* (Wein-, Tee)Schmecker, Probierer *m;* **tasty** ['teɪstɪ] *adj* **1.** wohlschmeckend **2.** (*sl*) interessant

tat [tæt] **I.** *s:* **give tit for** ~ etw mit gleicher Münze heimzahlen **II.** *tr, itr* (in) Schiffchenarbeit herstellen

tat•ter ['tætə(r)] *s* **1.** Fetzen, Lumpen *m* **2.** ~**s** abgerissene Kleidung; **tear to** ~**s** (*fig*) zerfetzen, zerreißen; **tat•tered** ['tætəd] *adj* zerlumpt, abgerissen

tattle ['tætl] **I.** *itr* plaudern; klatschen **II.** *s* Gerede *n;* **tat•tler** ['tætlə(r)] *s* Klatschbase *f*

tat•too[1] [tə'tuː] **I.** *tr* tätowieren **II.** *s* Tätowierung *f*

tat•too[2] [tə'tuː] *s* **1.** (MIL) Zapfenstreich *m* **2.** Trommeln *n* **3.** Musikparade *f;* **beat** [*o* **sound**] **the** ~ den Zapfenstreich blasen

tatty ['tætɪ] *adj* (*fam*) schäbig

taught [tɔːt] *s.* **teach**

taunt [tɔːnt] **I.** *tr* verspotten (*with cowardice* wegen Feigheit) **II.** *s* **1.** Spott *m* **2.** spöttische Bemerkung

Taurean [tɔː'rɪən] **I.** *adj* Stier- **II.** *s* Stier *m;* **Taurus** ['tɔːrəs] *s* (ASTR) Stier *m*

taut [tɔːt] *adj* **1.** gespannt, straff **2.** (*Gesicht*) angespannt **3.** (*Stil*) knapp

tauto•logi•cal [ˌtɔːtə'lɒdʒɪkəl], **taut•ol•ogous** [tɔː'tɒləgəs] *adj* tautologisch; **taut•ol•ogy** [tɔː'tɒlədʒɪ] *s* Tautologie *f*

tav•ern ['tævən] *s* Schenke *f*

taw•dry ['tɔːdrɪ] *adj* billig, geschmacklos; kitschig

tawny ['tɔːnɪ] *adj* gelbbraun; ~ **owl** Waldkauz *m*

tax [tæks] **I.** *tr* **1.** besteuern **2.** stark in Anspruch nehmen, anstrengen **3.** schätzen (*at* auf) **4.** beschuldigen (*with* +*gen*) **II.** *s* **1.** Steuer *f;* Abgabe *f* (*on* auf) **2.** Beanspruchung, Inanspruchnahme *f* (*on*+*gen*); **after** ~ netto, nach Steuern; **before** ~ brutto, vor Steuern; **exempt from** [*o* **free of**] ~ steuerfrei; **collect** ~**es** Steuern erheben; **impose/lay/levy/put a** ~ **on** mit e-r Steuer belegen/besteuern; **pay £ 100 in** ~**es** £ 100 Steuern zahlen; **for** ~ **purposes** aus steuerlichen Gründen; **tax•able** [-əbl] *adj* steuerpflichtig; ~ **entity** Steuersubjekt *n;* ~ **income** zu versteuerndes Einkommen; ~ **period** Veranlagungszeitraum *m;* **tax allowance** *s* Steuerfreibetrag *m;* Steuervergünstigung *f;* **tax arrears** *s pl* Steuerrückstände *mpl;* **tax assessment** *s* (*Tat*) Steuerveranlagung *f;* (*Ergebnis*) Steuerbescheid *m;* **tax•ation** [tæk'seɪʃn] *s* Besteuerung, Steuerveranlagung *f;* Steuern *fpl;* **subject to** ~ steuerpflichtig; **tax avoidance** *s* Steuerumgehung *f;* **tax bracket** *s* Steuerklasse *f;* **tax collector** *s* Steuereinnehmer *m;* (*Bibel*) Zöllner *m;* **tax consultant** *s* Steuerberater(in) *m(f);* **tax-deductible** *adj* steuerlich abzugsfähig; **tax disc** *s* (*Br*) Kraftfahrzeugsteuerplakette *f;* **tax dodging**, **tax evasion** *s* Steuerhinterziehung *f;* Steuerflucht *f;* **tax evader** *s* Steuersünder *m;* **tax exemption** *s* Steuerbefreiung *f;* **tax-free** *adj* steuerfrei; **tax haven** *s* Steueroase *f;* **tax holiday** *s* *steuerfreie Jahre*

taxi ['tæksɪ] **I.** *s* Taxe *f,* Taxi *n* **II.** *itr* **1.** (*take a* ~) mit e-r Taxe fahren **2.** (AERO) rollen; ~ **to a standstill** (AERO) ausrollen

taxi•der•mist ['tæksɪˌdɜːmɪst] *s* (Tier)Präparator(in) *m(f),* Taxidermist *m;* **taxidermy** ['tæksɪˌdɜːmɪ] *s* Taxidermie *f*

taxi-driver *s* Taxifahrer(in) *m(f);* **taximeter** ['tæksɪmiːtə(r)] *s* Fahrpreisanzeiger, Taxameter *m;* **taxi plane** *s* (*Am*) Flugtaxe *f;* **taxi rank**, **taxi stand** *s* Taxistand *m*

tax•man ['tæksmən] <*pl* -men> *s* Steuerbeamte(r) *m;* **the** ~ **keeps ...** das Finanzamt behält ...

tax•ono•my [tæk'sɒnəmɪ] *s* Taxonomie *f*

tax•payer ['tæksˌpeɪə(r)] *s* Steuerzahler(in) *m(f);* **tax point** *s* Besteuerungsdatum *n;* **tax rebate** *s* Steuerrückzahlung *f;* **tax relief** *s* Steuererleichterung, -vergünstigung *f;* **tax return** *s* Steuererklärung *f;* **tax year** *s* Steuerjahr *n*

T-bar ['tiːbɑː(r)] *s* Bügel *m;* Schlepplift *m*

tea [tiː] *s* Tee *m;* **have** ~ Tee trinken; **make (the)** ~ Tee zubereiten; **not my cup of** ~ (*fig fam*) nicht mein Fall; **beef** ~ Fleisch-, Kraftbrühe *f;* **camomile/peppermint** ~

Kamillen-/Pfefferminztee *m;* **five-o'-clock** ~ Fünfuhrtee *m;* **three ~s please, waiter** (Herr) Ober, dreimal Tee, bitte; **tea bag** *s* Teebeutel *m;* **tea break** *s* Teepause *f;* **tea caddy** *s* Teebüchse *f;* Teespender *m;* **tea-cake** *s* Rosinenbrötchen *n*

teach [tiːtʃ] <*irr:* taught, taught> **I.** *tr* lehren, unterrichten; ~ **s.o. to do s.th.** jdm etw beibringen; **this has taught him a lot** er hat viel daraus gelernt; **that'll ~ you!** das wird dir eine Lehre sein; ~ **s.o. a lesson** jdm eine Lektion erteilen **II.** *itr* unterrichten; **teacher** ['tiːtʃə(r)] *s* Lehrer(in) *m(f);* **teacher training** *s* Lehrerausbildung *f;* **teacher training college** *s* Lehrerseminar *n;* pädagogische Hochschule

tea chest ['tiːtʃest] *s* Teekiste *f*

teach-in ['tiːtʃɪn] *s* Teach-in *n;* **teach•ing** ['tiːtʃɪŋ] *s* **1.** Unterricht *m* **2.** Lehrberuf *m* **3.** ~**s** Lehre(n *pl*) *f;* **teaching staff** *s* Lehrkörper *m;* Lehrerschaft *f*

tea cloth ['tiːklɒθ] *s* Geschirrtuch *n;* **tea cosy** ['tiːkəʊzɪ] *s* Teewärmer *m;* **tea•cup** ['tiːkʌp] *s* Teetasse *f;* **a storm in a** ~ ein Sturm im Wasserglas; **tea garden** *s* **1.** Gartenrestaurant *n* **2.** Teepflanzung *f;* **tea-house** ['tiːhaʊs] *s* Teehaus *n*

teak [tiːk] *s* Teakbaum *m,* -holz *n*

tea•leaves ['tiːliːvz] *s pl* Teesatz *m,* Teeblätter *pl;* **tell** [*o* **read**] **s.o.'s fortune from the** ~ das Glück aus dem Kaffeesatz lesen

team [tiːm] *s* **1.** (SPORT) Mannschaft *f* **2.** Team *n,* Arbeitsgruppe *f* **3.** (*Ochsen*) Gespann *n;* **football** ~ Fußballmannschaft *f;* **team up with** *itr* zusammenarbeiten mit; sich zusammentun mit; **team captain** *s* Mannschaftsführer(in) *m(f),* -kapitän *m;* **team effort** *s* Teamarbeit *f;* **team-mate** *s* Mannschaftskamerad(in) *m(f);* **team play** *s* Zusammenspiel *n;* **team spirit** *s* Mannschafts-, Teamgeist *m;* **team•ster** ['tiːmstə(r)] *s* (*Am*) LKW-Fahrer *m;* **team-work** *s* Gemeinschafts-, Gruppenarbeit *f,* Teamwork *n*

tea•pot ['tiːpɒt] *s* Teekanne *f*

tear¹ [teə(r)] <*irr:* tore, torn> **I.** *tr* **1.** zerreißen (*on a nail* an e-m Nagel) **2.** (*Loch*) reißen; ein-, aufreißen **3.** (heraus)reißen (*from* aus) **4.** (*Haare*) sich raufen **5.** (*fig*) (auf)spalten; zersplittern **6.** (*innerlich*) hin- u. herreißen; **be torn between two things** zwischen zwei Dingen hin- und hergerissen sein; **be in a ~ing hurry** es sehr eilig haben; ~ **to pieces** [*o* **bits**] in Stücke reißen; **that's torn it!** (*fam fig*) das hat alles verdorben! **II.** *itr* **1.** (zer)reißen **2.** zerren, reißen (*at* an) **3.** rasen, sausen **III.** *s* Riss *m;* **tear along** *itr* entlangrasen; **tear apart** *tr* **1.** zerreißen **2.** durcheinander bringen; **tear at** *tr* reißen, ziehen an; **tear away** **I.** *tr* los-, wegreißen **II.** *itr* davonrasen; **he couldn't ~ himself away from** er konnte sich nicht trennen von; **tear down** **I.** *tr* **1.** abreißen, abbrechen **2.** herunterreißen (*from* von) **II.** *itr* hinunterrasen; **tear into** *tr* ein Loch reißen in; (*Tier*) zerfleischen; ~ **into the food** übers Essen herfallen; ~ **into s.o.** auf jdn losgehen; **tear off** **I.** *tr* abreißen **II.** *itr* davonrasen; ~ **s.o. off a strip** mit jdm schimpfen; **the button tore off** der Knopf ist ab(gerissen); **tear open** *tr* aufreißen; **tear out** *tr* (her)ausreißen; **tear up** *tr* **1.** zerreißen *a. fig* **2.** (*Straße*) aufreißen

tear² [tɪə(r)] *s* Träne *f;* **in ~s** in Tränen (aufgelöst), weinend; **burst into ~s** in Tränen ausbrechen; **shed ~s** Tränen vergießen

tear•away ['teərəweɪ] *s* Schlingel *m*

tear•drop ['tɪədrɒp] *s* Träne *f;* **tear•ful** ['tɪəfl] *adj* **1.** weinend **2.** traurig **3.** (*Gesicht*) tränenüberströmt; **tear-gas** *s* Tränengas *n;* **tear-jer•ker** ['tɪə ˌdʒɜːkə(r)] *s* (*fam*) sentimentaler Film; Schnulze *f;* **tear-less** ['tɪəlɪs] *adj* tränenlos

tea•room ['tiːrʊm] *s* Teestube *f*

tease [tiːz] **I.** *tr* **1.** hänseln, necken (*about* wegen) **2.** (*Tier*) quälen **3.** (*fig*) auf den Arm nehmen **4.** (TECH: *Flachs*) hecheln; (*Wolle*) krempeln; (*Tuch*) kardieren **II.** *itr* sticheln, frotzeln; Spaß machen **III.** *s* Schäker(in) *m(f);* **teaser** ['tiːzə(r)] *s* **1.** Schelm *m,* Schäker(in) *m(f)* **2.** (*fam*) harte Nuss

tea ser•vice, tea set ['tiːˌsɜːvɪs, 'tiːset] *s* Teeservice *n;* **tea•spoon** ['tiːspuːn] *s* Teelöffel *m;* **tea•spoon•ful** [-fʊl] *s* Teelöffelvoll *m;* **tea strainer** *s* Teesieb *n*

teat [tiːt] *s* **1.** (ZOO) Zitze *f* **2.** Sauger *m*

tea•time ['tiːtaɪm] *s* Teestunde *f;* Abendessenszeit *f;* **tea towel** *s* Geschirrtuch *n;* **tea tray** *s* Tablett *n;* **tea trolley** *s* (*Am*), **tea wagon** *s* Teewagen *m;* **tea urn** *s* Teemaschine *f*

tech [tek] *s abbr of* **technical college** technische Fachschule

tech•ni•cal ['teknɪkl] *adj* **1.** (*a.* SPORT) technisch **2.** fachlich; ~ **college** technische Fachschule; ~ **knowledge** Fachkenntnisse *pl,* Fachwissen *n;* ~ **question** Verfahrensfrage *f;* ~ **school** Gewerbeschule *f;* ~ **term** Fachausdruck *m;* **that's too ~ for me** dazu fehlt mir die nötige Fachkenntnis; **tech•ni•cal•ity** [ˌteknɪ'kælətɪ] *s* **1.** technische Einzelheit **2.** (JUR) Formsache *f;* **tech•ni•cian** [tek'nɪʃn] *s* **1.** Techniker(in) *m(f)* **2.** Facharbeiter(in) *m(f);* **tech•nique** [tek'niːk] *s* Technik *f,* Verfahren *n;* Methode *f;* **tech•noc•racy** [tek'nɒkrəsɪ] *s* Technokratie *f;* **tech•no•logi•cal** [ˌteknə'lɒdʒɪkl] *adj* technologisch; technisch; **tech•nol•ogy** [tek'nɒlədʒɪ] *s* Technologie, Technik *f;* **col-**

lege of T~ technische Fachschule; **techno•phil•ia** [ˌteknəʊ'faɪlɪə] *s* Technophilie *f;* **techno•phob•ia** [ˌteknəʊ'fəʊbɪə] *s* Technophobie *f*

techy ['tetʃɪ] *adj s.* **tetchy**

teddy bear ['tedɪbeə(r)] *s* Teddybär *m*

tedi•ous ['tiːdɪəs] *adj* langweilig; uninteressant; **tedi•ous•ness** [-nɪs] *s* Langweiligkeit *f;* **te•dium** ['tiːdɪəm] *s* Lang(e)weile *f*

tee [tiː] *s* (*Golf*) Tee *n;* **tee off I.** *tr* (*Golfball*) abschlagen **II.** *itr* (*fig*) anfangen

teem [tiːm] *itr* wimmeln (*with* von); **it's ~ing with rain** es gießt in Strömen; **teeming** [-ɪŋ] *adj* wimmelnd (*with* von)

teen•age ['tiːneɪdʒ] *adj* jugendlich; **teen•ager** ['tiːneɪdʒə(r)] *s* Teenager *m,* Jugendliche(r) *f m* (*zwischen 13 und 19 Jahren*); **teens** [tiːnz] *s pl:* **she is still in her ~** sie ist noch im Teenageralter

teeny ['tiːnɪ] *adj* winzig, klein; **tee•ny•bop•per** ['tiːnɪbɒpə(r)] *s* Teeny, Teenie *m,* Teenager und Popfan *m;* **tee•ny-wee•ny** [ˌtiːnɪ'wiːnɪ] *adj* winzig

tee-shirt ['tiːʃɜːt] *s* T-Shirt *n*

tee•ter ['tiːtə(r)] *itr* **1.** (*Am*) schaukeln, wippen **2.** schwanken

teeth [tiːθ] *s s.* **tooth**; **teethe** [tiːð] *itr* zahnen; **teether** ['tiːðə(r)] *s* Beißring *m;* **teeth•ing troubles** ['tiːðɪŋ 'trʌblz] *s pl* (*fig*) Kinderkrankheiten *fpl*

tee•total [tiː'təʊtl, *Am* 'tiːtəʊtl] *adj* abstinent; **tee•totaler** ['tiːtəʊtlə(r)] *s* (*Am*), **tee•total•ler** [tiː'təʊtlə(r)] *s* Abstinenzler(in) *m(f),* Alkoholgegner(in) *m(f)*

tele•cast ['telɪkɑːst] **I.** *s* Fernsehsendung, -übertragung *f* **II.** *tr* im Fernsehen übertragen, senden; **tele•com•muni•ca•tions** ['telɪkəˌmjuːnɪ'keɪʃnz] *s pl* Telekommunikation *f;* Fernmeldewesen *n;* Fernmeldetechnik *f;* **tele•con•fer•ence** ['telɪˌkɒnfərəns] *s* Telekonferenz *f;* **tele•copier** ['telɪkɒpɪə] *s* Tele-, Fernkopierer *m;* **tele•copy** ['telɪkɑpɪ] *s* Tele-, Fernkopie *f,* Telefax *n;* **tele•fax** ['telɪfæks] *s* Telefax *n;* **tele•genic** [ˌtelɪ'dʒenɪk] *adj* telegen

tele•gram ['telɪgræm] **I.** *s* Telegramm *n;* **by ~** telegrafisch **II.** *itr* telegrafieren; **telegram form** *s* Telegrammformular *n*

tele•graph ['telɪgrɑːf] **I.** *s* Telegraf *m* **II.** *tr, itr* telegrafieren; **tel•egra•phese** [ˌtelɪgrə'fiːz] *s* Telegrammstil *m;* **telegraphic** [ˌtelɪ'græfɪk] *adj* telegrafisch; **~ address** Telegrammadresse *f;* **~ answer** Drahtantwort *f;* **telegraph pole, telegraph post** *s* Telegrafenmast *m;* **tel•egra•phy** [tɪ'legrəfɪ] *s* Telegrafie *f*

tele•mess•age ['telɪˌmesɪdʒ] *s* (*Br*) Telegramm *n;* **tele•or•der•ing** [ˌtelɪ'ɔːdərɪŋ] *s* Teleordern *n*

tele•pathic [ˌtelɪ'pæθɪk] *adj* telepathisch; **tel•epa•thy** [tɪ'lepəθɪ] *s* Telepathie, Gedankenübertragung *f*

tele•phone ['telɪfəʊn] **I.** *s* Fernsprecher *m,* Telefon *n;* **by ~** telefonisch, fernmündlich; **on the ~** am Telefon; **are you on the ~?** haben Sie Telefon?; **answer the ~** ans Telefon gehen; **be on the ~** am Apparat sein; **he is wanted on the ~** er wird am Telefon verlangt **II.** *itr* telefonieren; anrufen, -läuten **III.** *tr* **1.** (*Nachricht*) telefonisch durchgeben, -sagen **2.** (*Person*) anrufen (*s.o.* jdn); **telephone booth, telephone box** *s* Telefon-, Fernsprechzelle *f;* **telephone call** *s* (Telefon)Anruf *m,* -gespräch *n;* **telephone connection** *s* Fernsprechverbindung *f;* **telephone conversation** *s* Telefongespräch *n;* **telephone directory, telephone book** *s* Telefonbuch, -verzeichnis *n;* **telephone exchange** *s* Telefonvermittlung, -zentrale *f;* **telephone information service** *s* Telefonansage *f;* **telephone message** *s* telefonische Nachricht, Durchsage *f;* **telephone number** *s* Telefonnummer, Rufnummer *f;* **telephone operator** *s* Telefonist(in) *m(f);* **telephone rates** *s pl* Fernsprechgebühren *fpl;* **tel•ephon•ist** [tɪ'lefənɪst] *s* Telefonist(in) *m(f);* **tel•eph•ony** [tɪ'lefənɪ] *s* Fernsprechwesen *n*

tele•photo lens [ˌtelɪ'fəʊtəʊ 'lenz] *s* Teleobjektiv *n*

tele•prin•ter ['telɪprɪntə(r)] *s* Fernschreiber *m*

tele•promp•ter® ['telɪprɒmptə(r)] *s* Teleprompter *m*

tele•re•cord•ing [ˌtelɪrɪ'kɔːdɪŋ] *s* (Fernseh)Aufzeichnung *f*

tele•sales ['telɪseɪls] *s pl* Telefonverkauf *m*

tele•scope ['telɪskəʊp] **I.** *s* Fernrohr, Teleskop *n;* **reflecting ~** Spiegelreflektor *m* **II.** *itr* sich ineinander schieben **III.** *tr* **1.** ineinander schieben **2.** (*fig*) verkürzen; **telescopic** [ˌtelɪ'skɒpɪk] *adj* **1.** teleskopisch **2.** ausziehbar, ineinander schiebbar

tele•tex ['telɪteks] *s* Teletex *n*

tele•type® ['telɪtaɪp] **I.** *s* (*Am*) Fernschreiber *m* **II.** *tr* als Fernschreiben übermitteln; **tele•type•writer** [ˌtelɪ'taɪpraɪtə(r)] *s* (*Am*) Fernschreiber *m*

tel•evan•gel•ist [ˌtelɪ'vændʒəlɪst] *s* (*Am*) Fernsehprediger(in) *m(f)*

tele•view•er ['telɪˌvjuːə(r)] *s* Fernsehteilnehmer(in) *m(f);* **tele•vise** ['telɪvaɪz] *tr* im Fernsehen übertragen; **~d debate** Fernsehdebatte *f;* **tele•vi•sion** ['telɪˌvɪʒn] *s* **1.** Fernsehen *n* **2.** (*fam:* ~ *set*) Fernseher *m;* **watch ~** fernsehen; **be on ~** im Fernsehen kommen; **see s.th. on ~** etw im Fernsehen sehen; **television advertising** *s* Fernsehwerbung *f;* **television announcer** *s* Fernsehansager(in) *m(f);* **television camera** *s* Fernsehkamera *f;* **television program(me)** *s* Fernsehprogramm *n;* **television receiver** *s* Fernsehempfänger *m;* **television set** *s* Fernsehapparat *m;* **television studio** *s* Fernsehstudio *n;* **television transmitter** *s* Fernsehsender *m;* **television viewer** *s* (Fernseh)Zuschauer(in) *m(f);* **tele•work•ing** ['telɪ,wɜ:kɪŋ] *s* Teleheimarbeit *f*

telex ['teleks] **I.** *tr* telexen **II.** *s* Telex *n*

tell [tel] <*irr:* told, told> **I.** *tr* **1.** erzählen, berichten **2.** sagen **3.** mitteilen **4.** ankündigen **5.** enthüllen, bloßlegen **6.** erkennen, feststellen **7.** unterscheiden, auseinander halten (*from* von) **8.** anweisen, beauftragen, befehlen (*s.o.* jdm) **9.** versichern (*s.o.* jdm); **all told** alles in allem, summa summarum; ~ **in advance** voraussagen; ~ **fortunes from cards** aus den Karten wahrsagen; ~ **lies** lügen; ~ **s.o. the time** jdm sagen, wie spät es ist; ~ **the truth** die Wahrheit sagen; **to ~ the truth** ehrlich gesagt; **I told you** ich habe es Ihnen doch gesagt; **you are ~ing me!** wem sagen Sie das! **II.** *itr* **1.** erzählen, berichten (*of* von, *about* über) **2.** es sagen **3.** hinweisen, -deuten (*of* auf) **4.** Bedeutung, Gewicht haben; sich auswirken (*on* auf); **I can't** ~ das weiß ich nicht; **you never can** ~ man kann nie wissen; **who can ~?** wer weiß?; **tell against** *tr* nachteilig sein für; **tell apart** *tr* auseinander halten; **tell off** *tr* ausschimpfen, anschnauzen; **tell on s.o.** *itr* jdn verraten; sich schlecht auf jdn auswirken

tel•ler ['telə(r)] *s* **1.** Erzähler(in) *m(f)* **2.** (Aus-, Stimm)Zähler(in) *m(f)* **3.** Kassenbeamte(r) *m,* -beamtin *f;* **fortune-~** Wahrsager(in) *m(f);* **tell•ing** ['telɪŋ] **I.** *adj* **1.** wirkungsvoll **2.** aufschlussreich **II.** *s:* **there is no ~ what may happen** man weiß nie, was (alles) passieren kann; **tell•ing-off** ['telɪŋ'ɒf] *s* Schimpfe *f;* **tell•tale** ['telteɪl] **I.** *s* Petze *f;* (*mar*) Windbändsel *n* **II.** *adj* verräterisch

telly ['telɪ] *s* (*fam*) Fernsehen *n*

te•mer•ity [tɪ'merətɪ] *s* (Toll)Kühnheit *f*

temp [temp] *s* (*fam: Büro*) Ersatzkraft, Zeitarbeitskraft *f;* **work as a** ~ als Aushilfskraft arbeiten

tem•per ['tempə(r)] **I.** *tr* **1.** mäßigen, mildern, abschwächen (*with* durch) **2.** (TECH) tempern; (*Stahl*) härten **II.** *s* **1.** Wesen *n,* Wesensart *f* **2.** Laune, Stimmung *f;* (*bad* ~) Wut *f* **3.** (TECH) Härtegrad *m;* **be in a** ~ wütend sein; **be out of ~ with s.o.** jdm böse sein; **get [*o* fly] into a ~ about** ärgerlich werden über; **keep [*o* control] one's** ~ sich beherrschen; **lose one's** ~ die Geduld verlieren

tem•pera ['tempərə] *s* Temperamalerei *f,* -farben *fpl*

tem•pera•ment ['temprəmənt] *s* Temperament *n;* Charakter *m;* **tem•pera•men•tal** [,temprə'mentl] *adj* **1.** temperamentvoll **2.** launisch **3.** anlagemäßig; angeboren; **be** ~ Mucken haben

tem•per•ance ['tempərəns] *s* **1.** Mäßigkeit *f* **2.** Abstinenz *f;* **tem•per•ate** ['tempərət] *adj* **1.** mäßig, gemäßigt, maßvoll **2.** (*Klima*) gemäßigt

tem•pera•ture ['temprətʃə(r)] *s* Temperatur *f;* **have [*o* run] a** ~ Fieber haben; **take s.o.'s** ~ die Temperatur messen; ~ **chart** Fieberkurve *f*

tem•pest ['tempɪst] *s* Sturm *m a. fig;* **tem•pes•tu•ous** [tem'pestjʊəs] *adj* stürmisch *a. fig;* (*fig*) ungestüm

tem•plate, **tem•plet** ['templɪt] *s* Schablone *f*

temple[1] ['templ] *s* (REL) Tempel *m*

temple[2] ['templ] *s* (ANAT) Schläfe *f;* **go grey at the ~s** an den Schläfen grau werden

tempo ['tempəʊ, 'tempi:] <*pl* tempos, tempi> *s* Tempo *n*

tem•poral ['tempərəl] *adj* **1.** (ANAT) Schläfen- **2.** zeitlich; vergänglich **3.** weltlich **4.** (GRAM) temporal; **tem•por•ar•ily** ['temprərəlɪ, *Am* ,tempə'rerəlɪ] *adv* vorübergehend; **tem•por•ary** ['temprərɪ, *Am* 'tempərerɪ] **I.** *adj* zeitlich begrenzt, vorübergehend, zeitweilig; provisorisch; ~ **credit** Zwischenkredit *m;* ~ **exit** (*Autobahn*) Behelfsausfahrt *f;* ~ **injunction** (JUR) einstweilige Verfügung; ~ **storage** Zwischenlagerung *f;* ~ **store** Zwischenlager *n* **II.** *s* Aushilfskraft *f;* **tem•por•ize** ['tempəraɪz] *itr* **1.** Zeit (zu) gewinnen (suchen) **2.** hinhalten (*with s.o.* jdn)

tempt [tempt] *tr* **1.** versuchen, verlocken **2.** in Versuchung führen; reizen, locken; **be ~ed to do s.th.** versucht sein etw zu tun; ~ **the appetite** den Appetit anregen; ~ **fate** das Schicksal herausfordern; **temp•ta•tion** [temp'teɪʃn] *s* Versuchung *f;* **lead into** ~ in Versuchung führen; **temp•ter** ['temptə(r)] *s* Verführer *m;* **temp•ting** ['temptɪŋ] *adj* verführerisch; (*Angebot*) verlockend; **temp•tress** ['temptrɪs] *s* Verführerin *f*

temp-work ['tempwɜ:k] *s* Zeitarbeit *f*

ten [ten] **I.** *adj* zehn; ~ **to one** höchstwahrscheinlich, *adv* **II.** *s* Zehn *f;* **count in ~s** in Zehnern zählen; **buy in ~s** in Zehnerpackungen kaufen

ten•able ['tenəbl] *adj* **1.** zu halten(d) **2.** haltbar **3.** (*Amt*) verliehen (*for* für, auf)

ten•acious [tɪ'neɪʃəs] *adj* **1.** (*Griff*) fest, eisern **2.** zäh **3.** festsitzend, haftend (*of* an) **4.** (*fig*) unbeugsam, unermüdlich **5.** (*Gedächtnis*) gut; **ten•ac•ity** [tɪ'næsətɪ] *s* **1.** Festigkeit *f;* Zähigkeit *f;* Beharrlichkeit *f* **2.** (*Gedächtnis*) Zuverlässigkeit *f*

ten•ancy ['tenənsɪ] *s* Pacht-, Mietverhältnis *n,* -dauer *f,* -besitz *m;* **during my** ~ als ich Mieter, Pächter war; **ten•ant** ['tenənt] **I.** *s* Pächter(in) *m(f),* Mieter(in) *m(f)* **II.** *tr* in Pacht, Miete haben; **tenant farmer** *s* Pächter(in) *m(f)*

tench [ten(t)ʃ] *s* (*Fisch*) Schleie *f*

tend¹ [tend] *tr* sich kümmern um; (*Schafe*) hüten; (*Kranken*) pflegen; (*Land*) bestellen; (*Maschine*) bedienen

tend² [tend] *itr* **1.** gehen, führen, gerichtet sein (*towards* nach) **2.** (*fig*) tendieren; geneigt sein (*to, towards* zu); **it ~s to go wrong** das geht oft schief; **he ~s to come early** er kommt meist früh; **ten•dency** ['tendənsɪ] *s* (*fig*) Hang *m,* Neigung *f;* Tendenz *f* (*to, towards* zu); **ten•den•tious** [ten'denʃəs] *adj* tendenziös

ten•der¹ ['tendə(r)] **I.** *tr* **1.** anbieten **2.** (*Beweis*) erbringen **3.** (*Gesuch*) einreichen **4.** (*Dank*) aussprechen; ~ **exact fare!** Fahrgeld abgezählt bereithalten! **II.** *itr* ein Angebot machen; ~ **for a contract** sich an e-r Ausschreibung beteiligen **III.** *s* Angebot *n;* **by** ~ in Submission; **legal** ~ gesetzliches Zahlungsmittel; **invite ~s for s.th.** etw ausschreiben

ten•der² ['tendə(r)] *s* **1.** (Auf)Wärter(in) *m(f)* **2.** (MAR) Lichter *m,* Leichterschiff *n* **3.** (RAIL) Tender *m;* **bar** ~ Barmixer *m*

ten•der³ ['tendə(r)] *adj* **1.** weich, zart **2.** empfindlich; anfällig **3.** (schmerz)empfindlich **4.** (*Alter, Farbton*) zart **5.** (*fig*) zärtlich, liebevoll **6.** feinfühlig; empfindlich; (*Herz*) weich **7.** (*Thema*) heikel; **ten•der•foot** ['tendəfʊt] <*pl* -foots> *s* Neuling, Anfänger *m;* **ten•der-hearted** [ˌtendə'hɑːtɪd] *adj* weichherzig, gutmütig; **ten•der•ize** ['tendəraɪz] *tr* (*Fleisch*) zart machen; **ten•der•iz•er** [-ə(r)] *s* Mürbesalz *n;* **ten•der•loin** ['tendəlɔɪn] *s* (*Küche*) Filet *n;* **ten•der•ness** ['tendənɪs] *s* **1.** Zartheit *f* **2.** Empfindlichkeit *f* **3.** Zärtlichkeit *f* (*to* gegen, zu) **4.** Mit-, Feingefühl *n*

ten•don ['tendən] *s* (ANAT) Sehne *f*

ten•dril ['tendrəl] *s* (BOT) Ranke *f*

ten•ement ['tenəmənt] *s* **1.** (JUR) Mietbesitz *m* **2.** Miet-, Wohnhaus *n;* **tenement house** *s* Mietshaus *n*

Ten•erife [ˌtenə'riːf] *s* Teneriffa *n*

ten•fold ['tenfəʊld] *adj, adv* zehnfach

ten•nis ['tenɪs] *s* (*lawn-~*) Tennis *n;* **tennis court** *s* Tennisplatz *m;* **tennis elbow** *s* Tennisarm *m;* **tennis player** *s* Tennisspieler(in) *m(f);* **tennis racket** *s* Tennisschläger *m*

tenon ['tenən] *s* (TECH) Zapfen *m*

tenor ['tenə(r)] *s* **1.** Grundhaltung, -tendenz *f* **2.** Verlauf, Gang *m* **3.** wesentlicher Inhalt; Wortlaut *m* **4.** (MUS) Tenor *m*

ten•pin ['tenpɪn] *s* Kegel *m;* **tenpin bowling** *s* Bowling, Kegeln *n;* **tenpins** *s* (*Am*) *s.* **tenpin bowling**

tense¹ [tens] **I.** *adj* **1.** gespannt **2.** (*fig*) spannungsgeladen **3.** (*Lage*) gespannt **II.** *tr* straffen; anspannen; **be ~d up** nervös sein **III.** *itr* sich anspannen

tense² [tens] *s* (GRAM) Tempus *n,* Zeit(form) *f;* **present** ~ Gegenwart *f;* **past** ~ Vergangenheit *f;* **future** ~ Zukunft *f*

ten•sion ['tenʃn] *s* **1.** Spannung *f a. fig* **2.** (*fig*) Anspannung *f* **3.** (POL) Gespanntheit, gespannte Lage *f* **4.** (PHYS) Zug *m* **5.** (EL) Spannung *f* **6.** (*Dampf*) Druck *m* **7.** (*Stricken*) Festigkeit *f;* **high** ~ (EL) Hochspannung *f;* **check the** ~ (*Stricken*) eine Maschenprobe machen

tent [tent] *s* Zelt *n*

ten•tacle ['tentəkl] *s* (ZOO) Fühler *m a. fig,* Fangarm *m*

ten•ta•tive ['tentətɪv] *adj* **1.** vorläufig, provisorisch **2.** vorsichtig; ~ **agreement** Vorvertrag *m;* Probevereinbarung *f;* **ten•ta•tive•ly** [-lɪ] *adv* versuchsweise; vorsichtig, zögernd

ten•ter•hooks ['tentəhʊks] *s pl:* **be on** ~ wie auf glühenden Kohlen sitzen; **keep s.o. on** ~ jdn auf die Folter spannen

tenth [tenθ] **I.** *adj* zehnte(r, s) **II.** *s* Zehntel *n;* Zehnte(r, s); (MUS) Dezime *f;* **tenth•ly** [-lɪ] *adv* zehntens

tent peg ['tentpeg] *s* Zeltpflock, Hering *m;* **tent pole** *s* Zeltstange *f*

tenu•ous ['tenjʊəs] *adj* **1.** dünn, fein; (*Gas*) flüchtig **2.** (*fig*) unbedeutend, schwach

ten•ure ['tenjʊə(r)] *s* **1.** Besitz *m* **2.** Bestallung, Anstellung *f* **3.** (~ *of office*) (Amts)Dauer *f*

tepee ['tiːpiː] *s* Tipi, Indianerzelt *n*

tepid ['tepɪd] *adj* lau(warm); **tepid•ity, tepid•ness** [te'pɪdətɪ, 'tepɪdnɪs] *s* Lauheit *f*

ter•cen•ten•ary [ˌtɜːsen'tiːnərɪ] *s* Dreihundertjahrfeier *f*

term [tɜːm] **I.** *s* **1.** Dauer *f,* Zeitraum *m;* (*Vertrag*) Laufzeit *f* **2.** Frist *f* **3.** (*Schule, Universität*) Trimester, Semester *n* **4.** (*sprachlich*) Ausdruck, Terminus, Fachbegriff *m;* Benennung *f,* Begriff *m* **5.** (MATH) Term *m,* Glied *n;* (~ *in parentheses*) Klammerausdruck *m* **6.** ~**s** Verhältnis, Beziehung *f* **7.** ~**s** (Vertrags-, Geschäfts-, Zahlungs)Bedingungen *fpl;* **in ~s of** was ...

betrifft; **in the long** ~ auf lange Sicht, langfristig; **in the short** ~ auf kurze Sicht, kurzfristig; **on easy ~s** zu günstigen Bedingungen; **be on good/bad ~s with s.o.** zu jdm ein gutes/schlechtes Verhältnis haben; **come to ~s** sich einigen (*with s.o.* mit jdm); **come to ~s with a situation** sich mit einer Situation abfinden; **meet s.o. on equal ~s** mit jdm auf gleichem Fuß verkehren; **we are not on speaking ~s** wir sprechen nicht miteinander; **technical ~** Fachausdruck *m;* ~ **deposit** (FIN) Termineinlage *f;* ~ **of delivery** Lieferzeit, -frist *f;* ~ **of government** Regierungszeit *f;* ~ **of office** Amtszeit *f;* ~ **of imprisonment** Gefängnisstrafe *f;* ~ **of notice** Kündigungsfrist *f;* ~ **of notification** Anmeldefrist *f;* **~s of payment** Zahlungsbedingungen *fpl;* ~ **of service** (MIL) Militärdienst *m,* Militärdienstzeit *f* **II.** *tr* (be)nennen; **ter•mi•na•ble** ['tɜːmənəbl] *adj* kündbar, auflösbar

ter•minal ['tɜːmɪnl] **I.** *adj* **1.** letzte(r, s); End-, Abschluss- **2.** (MED) unheilbar; ~ **bonus** (FIN) Schlussdividende *f;* ~ **ward** Sterbestation *f;* **be a ~ case** unheilbar krank sein **II.** *s* **1.** (EL) Pol *m* **2.** (*von Buslinie etc*) Endstation *f* **3.** (TECH) Endgerät *n* **4.** (AERO) Terminal *m od n* **5.** (EDV) Terminal *n;* **ter•min•ate** ['tɜːmɪneɪt] **I.** *tr* aufhören mit, beend(ig)en; (*Vertrag*) lösen; (*Schwangerschaft*) unterbrechen **II.** *itr* aufhören (*in* mit), enden (*in* auf); (*Vertrag*) ablaufen; **ter•mi•na•tion** [ˌtɜːmɪ'neɪʃn] *s* Beendigung *f;* Ende *n;* Schluss *m;* **bring s.th. to a ~** etw zum Abschluss bringen; ~ **of pregnancy** Schwangerschaftsabbruch *m*

ter•mi•no•logi•cal [ˌtɜːmɪnə'lɒdʒɪkl] *adj* terminologisch; **ter•mi•nol•ogy** [ˌtɜːmɪ'nɒlədʒɪ] *s* Terminologie *f*

ter•mi•nus ['tɜːmɪnəs] *s* Endstation *f*

ter•mite ['tɜːmaɪt] *s* (ZOO) Termite *f*

tern [tɜːn] *s* (ORN) Seeschwalbe *f*

ter•race ['terəs] **I.** *s* **1.** Terrasse *f* **2. ~s** (SPORT) Ränge *mpl* **3.** Häuserreihe *f* **II.** *tr* terrassenförmig anlegen; **ter•raced house** ['terəst'haʊs] *s* Reihenhaus *n*

ter•rain [te'reɪn] *s* Gelände, Gebiet *n*

ter•ra•pin ['terəpɪn] *s* Sumpfschildkröte *f*

ter•res•trial [tɪ'restrɪəl] *adj* **1.** irdisch, weltlich **2.** (*Tier*) Land-, auf dem Land lebend; ~ **globe** Erdkugel *f;* ~ **magnetism** Erdmagnetismus *m*

ter•rible ['terəbl] *adj* schrecklich, furchtbar, fürchterlich; **ter•ribly** ['terəblɪ] *adv* furchtbar, fürchterlich, schrecklich

ter•rier ['terɪə(r)] *s* Terrier *m*

ter•rific [tə'rɪfɪk] *adj* unheimlich; sagenhaft, toll; (*Kraft, Geschwindigkeit*) enorm, Mords-

ter•rify ['terɪfaɪ] *tr* erschrecken, in Angst und Schrecken versetzen; **be terrified** fürchterliche Angst haben; **a terrified look** ein angsterfüllter Blick; **ter•rify•ing** [-ɪŋ] *adj* erschreckend, grauenvoll

ter•ri•torial [ˌterɪ'tɔːrɪəl] *adj* territorial, Gebiets-; (ZOO) Revier-; **T~ Army** Territorialheer *n;* ~ **changes,** ~ **claims** *pl,* ~ **violation** Gebietsveränderungen *fpl,* -ansprüche *mpl,* -verletzung *f;* ~ **waters** Hoheitsgewässer *npl;* **ter•ri•tory** ['terɪtrɪ, *Am* 'terɪtɔːrɪ] *s* **1.** (Hoheits)Gebiet, Revier, Territorium *n* **2.** (COM) Vertretergebiet *n* **3.** (*fig*) Gebiet, Revier *n*

ter•ror ['terə(r)] *s* **1.** Entsetzen *n,* Schreck(en) *m* **2.** Terror *m* **3.** (*fam: Mensch*) Alptraum *m;* Scheusal *n;* **in ~** in panischer Angst; **ter•ror•ism** ['terərɪzəm] *s* Terrorismus *m;* **act of ~** Terrorakt *m;* **ter•ror•ist** ['terərɪst] *adj* Terrorist(in) *m(f);* **ter•ror•istic** ['terərɪstɪk] *adj* terroristisch; **ter•rori•za•tion** [ˌterəraɪ'zeɪʃn] *s* Terrorisierung *f;* **ter•ror•ize** ['terəraɪz] *tr* terrorisieren; **ter•ror-stricken, ter•ror-struck** ['terəstrɪkən, 'terəstrʌk] *adj* angsterfüllt, zu Tode erschrocken

terry ['terɪ] *s* (*Textil*) Frottee *n od m*

terse [tɜːs] *adj* (*Stil*) gedrängt, knapp, kurz angebunden

ter•ti•ary ['tɜːʃərɪ] **I.** *adj* tertiär; ~ **burns** Verbrennungen dritten Grades; ~ **education** Hochschulausbildung *f;* ~ **industry** Dienstleistungsgewerbe *n* **II.** *s:* **T~** (GEOL) Tertiär *n*

tes•sel•lated ['tesəleɪtɪd] *adj* mosaikartig ausgelegt

test [test] **I.** *s* **1.** (*a.* PSYCH) Prüfung, Probe, Untersuchung *f,* Versuch, Test *m* **2.** Prüfungsarbeit *f;* (*Schule*) Klassenarbeit *f* **3.** (*fig*) Prüfstein *m,* Probe *f;* Kriterium *n;* **put to the ~** auf die Probe stellen; **stand** [*o* **pass**] **a ~** e-e Prüfung, Probe bestehen; **take a ~** e-e Prüfung ablegen, sich e-r Prüfung unterziehen; **aptitude ~** Eignungsprüfung *f;* **blood ~** Blutprobe *f;* **driving ~** Fahrprüfung *f;* **intelligence ~** Intelligenztest *m;* ~ **ban treaty** Teststoppabkommen *n;* ~ **case** Präzedensfall *m* **II.** *tr* prüfen; erproben; untersuchen, testen (*for* auf ... hin)

tes•ta•ment ['testəmənt] *s* **1.** (*last will and ~*) Testament *n,* letztwillige Verfügung **2.** (REL): **T~** Testament *n;* **tes•ta•men•tary** [ˌtestə'mentrɪ] *adj* testamentarisch; **tes•ta•tor** [te'steɪtə(r)] *s* Erblasser *m;* **tes•ta•trix** [te'steɪtrɪks] *s* Erblasserin *f*

test ban ['test,bæn] *s* Versuchsverbot *n;* **test card** *s* (TV) Testbild *n;* **test case** *s* (JUR) Muster-, Präzedenzfall *m;* **test drive** *s* Probefahrt *f;* **tester** ['testə(r)] *s* Prüf(end)er *m;* **test flight** *s* Probe-, Testflug *m*

tes•ticle ['testɪkl] *s* Hode(n *m*) *m od f*
tes•tify ['testɪfaɪ] **I.** *tr* bezeugen **II.** *itr* aussagen (*in s.o.'s favour, on s.o.'s behalf* zu jds Gunsten, *against s.o.* gegen jdn); ~ **to s.th.** etw bezeugen; etw bestätigen; **refuse to** ~ die Aussage verweigern
tes•ti•mo•nial [ˌtestɪ'məʊnɪəl] *s* **1.** Zeugnis, Empfehlungsschreiben *n,* Referenz *f* **2.** Geschenk *n* als Zeichen der Wertschätzung; **tes•ti•mony** ['testɪmənɪ] *s* **1.** Zeugenaussage *f* **2.** Zeichen *n,* Beweis *m* (*of* für); **in** ~ **whereof** urkundlich dessen; **be called in** ~ als Zeuge benannt werden; **bear** ~ Zeugnis ablegen (*to* für)
test•ing ['testɪŋ] **I.** *s* (Über)Prüfung, Erprobung *f;* ~ **of goods** Warentest *m* **II.** *adj* hart, schwierig; **testing ground** *s* Versuchsgelände *n;* **testing plant** *s* Versuchseinrichtung, -anlage *f;* **testing stand, testing bench** *s* Prüfstand *m;* **test match** *s* Kricket-Testmatch *n;* **test piece** *s* Probestück *n;* **test pilot** *s* (AERO) Testpilot(in) *m(f);* **test stage** *s* Versuchsstadium *n;* **test tube** *s* Reagenzglas *n;* **test-tube baby** *s* Retortenbaby *n*
testy ['testɪ] *adj* reizbar, empfindlich; ungeduldig; launisch
teta•nus ['tetənəs] *s* (Wund)Starrkrampf, Tetanus *m;* **anti-~ vaccination** Tetanusimpfung *f*
tetchy ['tetʃɪ] *adj* **1.** empfindlich, reizbar **2.** mürrisch
tether ['teðə(r)] **I.** *s* Strick *m;* Kette *f;* **be at the end of one's** ~ (*fig*) am Ende seiner Kräfte sein **II.** *tr* (*Tier*) anbinden (*to* an), an die Kette legen
Teu•tonic [tjuː'tɒnɪk] *adj* (HIST) teutonisch; **the T~ Order** (HIST) der Deutsche Ritterorden
Tex•an ['teksən] **I.** *adj* texanisch **II.** *s* Texaner(in) *m(f);* **Tex•as** ['teksəs] *s* Texas *n*
text [tekst] *s* **1.** Text *m* **2.** Bibelstelle *f;* **text•book** ['tekstbʊk] *s* Lehrbuch *n;* **textbook case** *s* Paradefall *m;* **text editor** *s* (EDV) Texteditor *m*
tex•tile ['tekstaɪl] **I.** *adj* Textil-, textil; ~ **factory** Textilfabrik *f;* ~ **industry** Textilindustrie *f* **II.** *s* **1.** Stoff *m* **2.** ~**s** (~ *fabrics, materials*) Textilien, Textilwaren *pl*
text pro•ces•sing [ˌtekst'prəʊsesɪŋ] *s* (EDV) Textverarbeitung *f*
tex•tual ['tekstʃʊəl] *adj* Text-
tex•ture ['tekstʃə(r)] *s* **1.** Gewebe *n a. fig* **2.** Struktur *f,* Gefüge *n* **3.** Beschaffenheit *f* **4.** (MUS) Gestalt *f,* Aufbau *m;* **textured vegetable protein, TVP** *s* strukturiertes Pflanzeneiweiß
Thai [taɪ] **I.** *adj* thailändisch **II.** *s* **1.** Thailänder(in) *m(f),* Thai *m f* **2.** (*Sprache*) Thai *n;* **Thai•land** ['taɪlənd] *s* Thailand *n*
tha•lido•mide [θə'lɪdəʊmaɪd] *s* Contergan® *n;* **tha•lido•mide baby** *s* Contergankind *n*
Thames [temz] *s* Themse *f;* **she won't set the ~ on fire** (*fig*) sie hat das Pulver nicht erfunden
than [ðən, ðæn] *conj* als; **you are taller ~ he (is),** *fam* ~ **him** du bist größer als er; **nothing else** ~ nichts anderes als; völlig; **no other** ~ kein anderer als
thank [θæŋk] **I.** *tr* **1.** danken (*s.o.* jdm) **2.** sich bedanken (*s.o.* bei jdm, *for s.th.* für etw); **have o.s. to ~ for s.th.** sich etw selbst zuzuschreiben haben; ~ **you** danke; ~ **you very much!** besten Dank!; **no,** ~ **you,** *fam* **no ~s!** danke, nein! **II.** *s pl* Dank *m;* ~**s very much** danke (schön)! vielen Dank!; ~**s to** dank *+dat;* **in ~s for** zum Dank für; **thank•ful** ['θæŋkfl] *adj* dankbar (*for* für); **thank•less** [-lɪs] *adj* undankbar; **thanks•giv•ing** [ˌθæŋks'gɪvɪŋ] *s* Danksagung *f;* **T~ Day** (*Am*) Dankfest *n,* Thanksgiving Day *m* (*letzter Donnerstag im November*); **thank-you** ['θæŋkjuː] *s* Dankeschön *n;* **without even a** ~ ohne ein Wort des Dankes
that[1] [ðæt, ðət] <*pl* those> **I.** *pron* **1.** das **2.** (*hinweisend*) das da, jenes; **what is ~?** was ist das?; **as stupid as** ~ so dumm; **and all** ~ und so; **like** ~ so; **~'s it!** das ist es! richtig! das wär's!; **after/before/over** ~ danach/davor/darüber **II.** *adj* der, die, das; jene(r, s); ~ **poor dog** der arme Hund; **what about ~ car of yours?** was ist mit deinem Auto? **III.** *adv* (*fam*) so; **I was ~ pleased** ich habe mich so gefreut
that[2] [ðæt, ðət] *pron* der, die, das; **everything/nothing** ~ alles/nichts was; **the man ~ told me** der Mann, der mir erzählte; **the minute ~ he arrived** in dem Augenblick, als er ankam; **the day ~ ...** an dem Tag, als ...
that[3] [ðæt, ðət] *conj* dass; **I told you ~ I couldn't come** ich habe dir gesagt, dass ich nicht kommen kann; ~ **I should live to see this!** dass ich das erleben muss!
thatch [θætʃ] **I.** *s* **1.** Stroh-, Binsendach *n;* Dachstroh *n* **2.** (*hum*) (Haar)Schopf *m* **II.** *tr* mit Stroh decken; ~**ed roof** Strohdach *n*
thaw [θɔː] **I.** *itr* **1.** (auf)tauen **2.** (*fig*) auftauen, warm werden; **it is ~ing** es taut **II.** *tr* (~ *out*) auftauen *a. fig* **III.** *s* Tauwetter *n a. fig*
the [ðə, *vor Vokal, betont* ðiː] *art* der, die, das; ~ **...** ~ **...** je ... desto ...; **all ~ better/worse** um so besser/schlimmer; ~ **sooner ~ better** je eher, je lieber; **play ~ piano** Klavier spielen
the•ater *s* (*Am*), **the•atre** ['θɪətə(r)] *s* **1.** Theater *n;* Schauspielhaus *n* **2.** Hörsaal *m*

3. (*fig*) Schauplatz *m;* **go to the** ~ ins Theater gehen; **it's good** ~ es eignet sich für die Bühne; **open-air** ~ Freilichtbühne *f;* **operating** ~ Operationssaal *m;* **picture** ~ Filmtheater *n;* ~ **of war** Kriegsschauplatz *m;* **theatre company** *s* Theaterensemble *n;* Theater-, Schauspieltruppe *f;* **theatre critic** *s* Theaterkritiker(in) *m(f);* **theatregoer** ['θɪətə(r)gəʊə(r)] *s* Theaterbesucher(in) *m(f);* **the•atri•cal** [θɪ'ætrɪkl] **I.** *adj* **1.** bühnenmäßig; dramatisch; Theater- **2.** (*fig*) theatralisch **II.** *s pl* **1.** Theateraufführungen *fpl* **2.** Laienspiele *npl*

thee [ði:] *pron* (*obs poet*) dich; dir

theft [θeft] *s* Diebstahl *m*

their [ðeə(r)] *adj possessives* ihr; **everyone knows** ~ **duty** jeder kennt seine Pflicht; **theirs** [ðeəz] *pron* ihre(r, s); der, die, das Ihre, Ihrige; **a friend of** ~ e-r ihrer Freunde, ein Freund von ihnen; **it's** ~ es gehört ihnen

the•ism ['θi:ɪzəm] *s* Theismus *m*

them [ðem, ðəm] *pron* **1.** sie *acc,* ihnen *dat* **2.** (*inkorrekt*) diese; **of** ~ ihrer; **that's** ~ das sind sie; **with their children around** ~ mit ihren Kindern um sich

the•mat•ic [ˌθi:m'ætɪk] *adj* thematisch

theme [θi:m] *s* Thema *n;* (*Musik*) Thema, Leitmotiv *n;* (*Film*) Melodie *f;* **theme music** *s* Titelmusik *f;* **theme song** *s* Erkennungsmelodie *f;* **theme park** *s* Vergnügungspark *m*

them•selves [ðəm'selvz] *pron* **1.** sich *acc/dat* **2.** (*betont*) (sie) selbst; (**all**) **by** ~ (ganz) allein; ohne Hilfe; **they'll do it** ~ sie machen es selbst; **they ...** ~ sie ... selbst; **to** ~ zu sich (selbst)

then [ðen] **I.** *adv* **1.** dann **2.** damals; da **3.** außerdem, ferner **4.** in d(ies)em Fall; folglich; **before** ~ zuvor; **but** ~ aber dann; **by** ~ bis dahin; (**every**) **now and** ~ dann u. wann; **from** ~ **onwards** von da an; **until** ~ bis dahin; ~ **and there, there and** ~ auf der Stelle; **what** ~**?** was dann? **II.** *adj* damalig

thence [ðens] *adv* (*obs*) **1.** von dort; von da an; von dannen **2.** deshalb; **thenceforth**, **thence•for•ward** [ˌðens'fɔ:θ, ˌðens'fɔ:wəd] *adv* (*obs*) von da an, seitdem

the•oc•racy [θɪ'ɒkrəsɪ] *s* Theokratie *f*

the•odo•lite [θɪ'ɒdəlaɪt] *s* Theodolit *m*

theo•lo•gian [ˌθɪə'ləʊdʒən] *s* Theologe *m,* Theologin *f;* **theo•logi•cal** [ˌθɪə'lɒdʒɪkl] *adj* theologisch; **the•ol•ogy** [θɪ'ɒlədʒɪ] *s* Theologie *f*

the•orem ['θɪərəm] *s* Lehrsatz *m,* Theorem *n*

the•or•eti•cal [θɪə'retɪkl] *adj* theoretisch; **the•or•ist** ['θɪərɪst] *s* Theoretiker(in) *m(f);* **the•or•ize** ['θɪəraɪz] *itr* theoretisieren (*about* über); **the•ory** ['θɪərɪ] *s* Theorie *f;* **in** ~ in der Theorie; ~ **of relativity** Relativitätstheorie *f;* ~ **of sets** Mengenlehre *f*

thera•peutic(**al**) [ˌθerə'pju:tɪk(l)] *adj* therapeutisch; **thera•peutics** [ˌθerə'pju:tɪk(s)] *s pl mit sing* Therapeutik *f;* **thera•pist** ['θerəpɪst] *s* Therapeut(in) *m(f);* **ther•apy** ['θerəpɪ] *s* Therapie, Behandlung *f;* **occupational** ~ Beschäftigungstherapie *f*

there [ðeə(r)] **I.** *adv* dort, da; dort-, dahin; **here and** ~ hier u. da; gelegentlich; **over** ~ dort drüben; **then and** ~ auf der Stelle; ~ **is/are** es ist/sind; es gibt; ~ **you are!** da hast du's (haben Sie's)! da sind Sie (bist du) ja!; ~ **is no one** ~ es ist niemand da **II.** *interj* nanu! na also! da haben wir es!; ~**, that's enough** so, nun ist's aber genug!; **there•about**(**s**) ['ðeərəbaʊt(s)] *adv* in der Gegend; so etwa; **at 3 or** ~ so um 3 Uhr herum; **there•after** [ðeər'ɑ:ftə(r)] *adv* danach; seither; **there•by** [ðeə'baɪ] *adv* dadurch; dabei; daran; ~ **hangs a tale** da gibt es eine Geschichte dazu; **there•fore** ['ðeəfɔ:(r)] *adv* **1.** deshalb, -wegen, darum **2.** folglich; **there•in** [ðeər'ɪn] *adv* darin; in dieser Sache; **there•of** [ðeər'ɒv] *adv* davon; dessen; **there•under** [ðeər'ʌndə(r)] *adv* darunter *a. fig;* **thereupon** [ˌðeərə'pɒn] *adv* darauf, danach; daraufhin

therm [θɜ:m] *s* (*Gas*) 100 000 Wärmeeinheiten *fpl;* **ther•mal** ['θɜ:ml] **I.** *adj* **1.** thermisch; (PHYS) Wärme- **2.** warm, heiß; ~ **baths** Thermalbäder *npl;* ~ **imaging** Thermobildgebung *f;* ~ **springs** Thermalquellen *fpl;* ~ **underwear** Thermowäsche *f;* ~ **unit** (PHYS) Wärmeeinheit *f* **II.** *s meist pl* Thermik *f;* **thermo•dynam•ic** [ˌθɜ:məʊdaɪ'næmɪk] **I.** *adj* thermodynamisch **II.** *s pl mit sing* Thermodynamik *f;* **thermo•elec•tric** [ˌθɜ:məʊɪ'lektrɪk] *adj* thermoelektrisch; **ther•mom•eter** [θə'mɒmɪtə(r)] *s* Thermometer *n;* **thermometer scale** *s* Thermometerskala *f;* **ther•mo•nu•clear** [ˌθɜ:məʊ'nju:klɪə(r)] *adj:* ~ **weapons** thermonukleare Waffen *fpl;* **ther•mos bottle**, **ther•mos flask®** ['θɜ:məs'bɒtl, flɑ:sk] *s* Thermosflasche, -kanne *f;* **thermo•stat** ['θɜ:məʊstæt] *s* Thermostat *m;* **thermo•stat•ic** [ˌθɜ:məʊ'stætɪk] *adj* thermostatisch; ~ **switch** Temperaturschalter *m*

the•sau•rus [θɪ'sɔ:rəs] *s* Thesaurus *m*

these [ði:z] *pron s.* **this**

the•sis ['θi:sɪs, *pl* 'θi:si:z] <*pl* -ses> *s* **1.** These, Behauptung *f* **2.** Dissertation *f,* Doktorarbeit *f* **3.** Diplomarbeit *f* **4.** (MUS) *be-*

tonter Taktteil

they [ðeɪ] *pron* sie *pl,* man; es; ~ **who** diejenigen, welche; **they'll** [ðeɪl] = **they shall; they will; they're** [ðeɪr] = **they are; they've** [ðeɪv] = **they have**

thick [θɪk] **I.** *adj* **1.** dick **2.** dicht **3.** dickflüssig **4.** (*Luft*) schlecht **5.** (*Akzent*) stark, breit **6.** (*fig*) dumm, stupide **7.** (*fam*) dick, eng befreundet (*with* mit); ~ **with** voller, voll von; **be as ~ as thieves** (*fam*) dicke Freunde sein; **it's a bit ~** (*fam*) das ist ein starkes Stück; ~ **on the ground** (*fam*) wie Sand am Meer **II.** *adv* **1.** dick **2.** dicht; **lay it on ~** (*fam fig*) dick auftragen, übertreiben **III.** *s* dickster, dichtester Teil; **in the ~ of** mitten in; **through ~ and thin** durch dick und dünn; **thicken** ['θɪkən] **I.** *itr* **1.** sich verdicken **2.** sich verdichten; dichter werden **3.** sich verwickeln, sich verwirren; **the plot ~s** der Knoten schürzt sich **II.** *tr* (*Sauce*) eindicken; **thick•en•ing** ['θɪkənɪŋ] *s* (*Küche*) Bindemittel *n*

thicket ['θɪkɪt] *s* Dickicht *n*

thick•headed [ˌθɪk'hedɪd] *adj* blöd(e), dumm; **thick•ness** ['θɪknɪs] *s* **1.** Dicke, Stärke *f* **2.** Dichte *f;* Dickflüssigkeit *f* **3.** (*fig*) Dummheit *f* **4.** Lage, Schicht *f;* **thick•set** [ˌθɪk'set] *adj* **1.** dicht gepflanzt **2.** untersetzt; **thick-skinned** [ˌθɪk'skɪnd] *adj* (*fig*) dickfellig

thief [θi:f, *pl* 'θi:vz] <*pl* thieves> *s* Dieb *m;* **stop ~!** haltet den Dieb!; **thieve** [θi:v] *tr, itr* stehlen; **thiev•ing** ['θi:vɪŋ] **I.** *s* Stehlen *n* **II.** *adj* diebisch

thigh [θaɪ] *s* (Ober)Schenkel *m;* **thigh-bone** *s* Oberschenkelknochen *m*

thimble ['θɪmbl] *s* Fingerhut *m*

thin [θɪn] **I.** *adj* **1.** dünn **2.** mager, hager; (*Gesicht*) schmal **3.** fein(verteilt) **4.** spärlich, dürftig **5.** dünn, wässerig **6.** (*Gewebe*) (hauch)dünn, fein, zart **7.** (*fig: Ausrede*) schwach; fadenscheinig **8.** (COM) flau; gering; unzureichend; ~ **on the ground** (*fig*) dünn gesät; **have a ~ time of it** (*fam*) e-e üble Zeit durchmachen **II.** *adv* dünn; schwach **III.** *tr* **1.** dünn(er) machen; verdünnen **2.** (*Wald*) lichten **3.** (*Bevölkerung*) verringern **IV.** *itr* (*Haare*) schütter werden; (*Nebel*) sich lichten; (*Menge*) sich verlaufen; **thin down I.** *itr* dünner werden; abnehmen **II.** *tr* verdünnen; **thin out I.** *itr* schwächer werden; (*Menge*) kleiner werden; (*Haare*) sich lichten **II.** *tr* (*Haare*) ausdünnen; (*Wald*) lichten; (*Pflanzen*) verziehen; (*Bevölkerung*) verkleinern

thine [ðaɪn] *pron* (*obs*) dein

thing [θɪŋ] *s* **1.** (*a.* JUR) Ding *n,* Sache *f,* Gegenstand *m* **2.** (*fam*) Ding, Dingsda, Dingsbums *n* **3.** **~s** Sachen *fpl,* Kleider *npl;* **among other ~s** unter anderem; **do one's own ~** (*fam*) tun, was man will; **first ~** zuerst, zunächst (einmal); **first ~ in the morning** morgens früh als Erstes; **first ~s first!** immer schön der Reihe nach!; **for one ~** einmal, vor allem; **in all ~s** in jeder Hinsicht; **just the ~** genau das Richtige; **no such ~** nichts dergleichen; **no small ~** keine Kleinigkeit; **quite the ~** die Sache; **the real ~** das Richtige; **the very ~** genau das; **a ~ like that** so etwas; **have a ~ about** e-e Schwäche, e-e Vorliebe haben für; **he's got a ~ about snakes** er kann Schlangen nicht ausstehen; (*fasziniert von*) er ist verrückt auf Schlangen; **know a ~ or two** (*fam*) einiges loshaben; etwas können; **not to feel quite the ~** nicht auf der Höhe sein; **it's a funny ~, but ...** es ist seltsam, aber ...; **make a good ~ of s.th.** aus etw Nutzen ziehen; **make a ~ of s.th.** etw wichtig nehmen; **that was a near ~!** das ist noch mal gut gegangen; **how are ~s?** wie geht's?; **I'm going to tell him a ~ or two** dem werde ich was erzählen!; **there is no such ~** so was gibt es nicht; **it's a good ~ to ...** es ist vernünftig zu ...; **a ~ of beauty** etwas Schönes; **it's a peculiar ~** es ist eigenartig; **the ~ is ...** die Sache ist die, ...; **the nice ~ about it** das Schöne daran; **another ~** noch etwas; etwas anderes; **~s are going well** es geht gut; **think ~s over** (sich) die Sache überlegen; **you poor ~!** du Arme(r)!; **you must be seeing ~s!** du siehst wohl nicht richtig!; **thing•uma•bob, thing•uma•jig** ['θɪŋ(ə)məbɒb, 'θɪŋ(ə)mədʒɪg] *s* Dingsda *n*

think [θɪŋk] <*irr:* thought, thought> **I.** *tr* **1.** denken **2.** glauben, meinen **3.** sich vorstellen; sich einbilden **4.** halten für, ansehen als; **I ~ you had better do that** ich meine, du solltest das lieber tun; **I should ~ not!** das will ich auch nicht hoffen!; **do you ~ he'll manage?** glauben Sie, er schafft es?; **you must ~ me rude** Sie müssen mich für unhöflich halten; **that's what you ~!** das meinst du wohl!; **what do you ~?** was meinen Sie (dazu)?; **who would have thought it!** wer hätte das gedacht!; ~ **nothing of it!** das ist nicht der Rede wert!; ~ **nothing of** nichts halten von **II.** *itr* **1.** denken (*of* an, *about* über) **2.** glauben, meinen, der Meinung sein (*that* dass) **3.** planen, beabsichtigen (*to do* zu tun) **4.** nachdenken, -sinnen (*about, on, upon* über) **5.** (sich) überlegen, sich durch den Kopf gehen lassen (*about s.th.* etw) **6.** meinen (*about* zu) **7.** halten (*of* von) **8.** sich mit dem Gedanken tragen (*of doing* zu tun) **9.** sich erinnern (*of* an), sich besinnen (*of* auf); ~ **aloud** laut denken; ~ **better of s.th.** sich etw noch mal überlegen; ~ **fit** [*o*

good] **to do** es für gut halten zu tun; ~ **highly** [*o* **much**] **of** viel halten von; ~ **twice** (es) sich noch mal überlegen; **act without ~ing** unüberlegt handeln; **he wasn't ~ing** (*fig*) er hat geschlafen; **I ~ so** ich denke schon; **it makes you ~** das stimmt einen nachdenklich; **let me ~** lass mich überlegen; **just ~** stell dir mal vor **III.** *s:* **have a ~ about s.th.** sich etw überlegen; über etw nachdenken; **think about** *itr* nachdenken über; sich überlegen; vorhaben (*doing s.th.* etw zu tun); **think ahead** *itr* vorausdenken; **think back** *itr* sich zurückversetzen (*to* in); **think of, think about** *itr* denken an; sich vorstellen; sich ausdenken; **what do you ~ of him/it?** was halten Sie von ihm/davon?; **think on** *itr* nachdenken über; planen, vorhaben; **think out** *tr* ausdenken; sich gut überlegen; **think over** *tr* überdenken, -legen; nachdenken (über); **think through** *tr* durchdenken; **think up** *tr* (sich) ausdenken

think•able ['θɪŋkəbl] *adj* denk-, vorstellbar; **thinker** ['θɪŋkə(r)] *s* Denker(in) *m(f)*; **think•ing** ['θɪŋkɪŋ] **I.** *adj* vernünftig; denkend; **put one's ~ cap on** (*fam*) seinen Grips anstrengen, scharf nachdenken **II.** *s* Denken *n;* Nachdenken *n;* Meinung *f;* **to my ~** meiner Meinung nach; **that's wishful ~** das ist ein frommer Wunsch; **think tank** *s* Denkfabrik *f*

thin•ner ['θɪnə(r)] *s* (TECH) Verdünner *m,* Verdünnungsmittel *n;* **thin•ness** ['θɪnnɪs] *s* **1.** Dünnheit *f;* Dünnflüssigkeit *f* **2.** Feinheit *f* **3.** (*Mensch*) Magerkeit *f* **4.** (*Stimme*) Schwäche *f;* (*Entschuldigung*) Dürftigkeit, Fadenscheinigkeit *f;* **the ~ of his hair** sein spärlicher Haarwuchs; **the ~ of the population** die geringe Bevölkerungsdichte; **thin-skinned** ['θɪnskɪnd] *adj* (*fig*) empfindlich, leicht beleidigt

third [θɜːd] **I.** *adj* dritte(r, s) **II.** *s* **1.** Dritte(r, s) **2.** Drittel *n* **3.** (MOT) dritter Gang; **third-class mail** *s* (*Am*) Drucksache *f;* **third degree** *s* **1.** dritter Grad **2.** strenges Verhör *n;* **third-degree burns** *s* Verbrennungen *f pl* dritten Grades; **third•ly** [-lɪ] *adv* drittens; **third party** *s* (JUR) Dritte(r) *m,* dritte Person; **third-party liability, third-party insurance** *s* Haftpflichtversicherung *f;* **third-rate** [ˌθɜːd'reɪt] *adj* drittrangig, minderwertig; **Third World** *s* Dritte Welt

thirst [θɜːst] **I.** *s* **1.** Durst *m a. fig* **2.** (*fig*) Verlangen *n,* Sehnsucht *f* (*for* nach); **~ for knowledge** Wissensdrang, -durst *m* **II.** *itr* nach Wissen dürsten; (*fig*) verlangen, sich sehnen (*for* nach); **thirsty** ['θɜːstɪ] *adj* **1.** durstig **2.** (*fig*) begierig (*for, after* nach)

thir•teen [ˌθɜː'tiːn] *adj* dreizehn; **thir•teenth** [ˌθɜː'tiːnθ] **I.** *adj* dreizehnte(r, s) **II.** *s* Dreizehntel *n;* Dreizehnte(r, s); **thir•ti•eth** ['θɜːtɪəθ] **I.** *adj* dreißigste(r, s) **II.** *s* Dreißigstel *n;* Dreißigste(r, s); **thirty** ['θɜːtɪ] *num* dreißig

this [ðɪs] <*pl* these> **I.** *pron, adj* diese(r, s); **~ one** (*substantivisch*) diese(r, s); **by ~ time** jetzt; schon lange; bis dahin; **~ day** heute; **~ day week** heute in acht Tagen; **~ minute** augenblicklich; **~ morning/evening/night** heute Morgen/Abend/Nacht; **~ time** diesmal; **~ time last month** letzten Monat um diese Zeit; **these days** heutzutage; **what are you doing these days?** was machen Sie (so) in letzter Zeit? **II.** *pron substantivisch* dies, das; **what is ~?** was ist das?; **who is ~?** wer ist das?; **these are my friends** das sind meine Freunde; **~ is to prove ...** hiermit wird bewiesen ...; **~ and that** dieses und jenes; **it's like ~** es ist so; **~ is Sarah (speaking)** hier (ist) Sarah **III.** *adv* so; **~ late** so spät; **~ much** soviel

thistle ['θɪsl] *s* Distel *f*

tho' [ðəʊ] *conj s.* **though**

thong [θɒŋ] *s* Lederriemen *m*

tho•rax ['θɔːræks] *s* (ANAT) Brust *f,* Brustkorb *m,* Brustkasten *m*

thorn [θɔːn] *s* **1.** Dorn *m* **2.** Dornbusch, -strauch *m;* **that's a ~ in my flesh** (*fig*) das ist mir ein Dorn im Auge; **thorny** ['θɔːnɪ] *adj* **1.** dornig *a. fig* **2.** (*fig*) schwierig; heikel

thor•ough ['θʌrə, 'θʌrəʊ] *adj* **1.** sorgfältig, gründlich, genau **2.** vollendet **3.** vollständig, völlig; **thor•ough•bred** ['θʌrəbred] **I.** *s* Vollblut(pferd) *n,* Vollblüter *m* **II.** *adj* reinrassig; Vollblut-; **thor•ough•fare** ['θʌrəfeə(r)] *s* Durchfahrtsstraße *f;* **no ~!** keine Durchfahrt!; **thor•ough•go•ing** ['θʌrəˌgəʊɪŋ] *adj* gründlich; (*Reform, Änderung*) grundlegend; **thor•ough•ly** [-lɪ] *adv* gründlich; völlig; **thor•ough•ness** [-nɪs] *s* Sorgfalt, Gründlichkeit *f*

those [ðəʊz] *pron s.* **that**[1]

thou [ðaʊ] *pron* (*obs poet*) du

though [ðəʊ] **I.** *conj* obgleich; wenn auch; **as ~** als ob; **even ~** obwohl **II.** *adv* doch; **she did do it ~** sie hat es aber doch getan

thought [θɔːt] **I.** *pt, pp of* **think II.** *s* **1.** (Nach)Denken *n;* Überlegung *f* **2.** Denkfähigkeit *f,* Verstand *m* **3.** Gedanke, Einfall *m* **4.** Denkweise *f* **5.** Aufmerksamkeit, Rücksicht *f;* **a ~** (*fig*) ein bisschen, etwas, e-e Idee; **after serious ~, on second ~s** nach reiflicher Überlegung; **(lost) in ~** in Gedanken (versunken); **without ~** gedankenlos; **have no ~ of doing s.th.** nicht daran denken etw zu tun; **have second ~s about s.th.** sich etwas noch einmal überlegen; **give ~ to** nachdenken über; **don't**

give it another ~ denken Sie gar nicht daran; **thought•ful** ['θɔ:tfl] *adj* **1.** nachdenklich; wohl überlegt **2.** aufmerksam, rücksichtsvoll; **thought•less** [-lɪs] *adj* **1.** gedankenlos, unbesonnen **2.** rücksichtslos (*of* gegen), unachtsam **3.** unbekümmert (*of* um); **thought-out** [ˌθɔ:t'aʊt] *adj:* **a well ~ plan** ein wohl durchdachter Plan; **thought-pro•vok•ing** [ˌθɔ:tprə'vəʊkɪŋ] *adj* geistige Anstöße vermittelnd; anregend; **thought read•ing** ['θɔ:tˌri:dɪŋ] *s* Gedankenlesen *n*

thou•sand ['θaʊznd] **I.** *adj* (*a* ~) tausend; **a ~ thanks** tausend Dank; **a ~ times** tausendmal **II.** *s* Tausend *n;* **one ~** eintausend; **thou•sandth** ['θaʊzntθ] **I.** *adj* tausendste(r, s) **II.** *s* Tausendstel *n;* Tausendste(r, s)

thrash [θræʃ] **I.** *tr* **1.** verprügeln; verdreschen; einschlagen auf **2.** (*fam*) (vernichtend) besiegen, schlagen; **~ one's arms about** (mit den Armen) um sich schlagen **II.** *itr* (~ *about*) um sich schlagen; **thrash out** *tr* (*Thema*) gründlich erörtern; (*Plan*) ausdiskutieren; **thrash•ing** [-ɪŋ] *s* **1.** Tracht *f* Prügel **2.** (*fig*) völlige Niederlage; **give s.o. a good ~** jdm e-e tüchtige Tracht Prügel verabreichen

thread [θred] **I.** *s* **1.** (*Textil*) Faden *m a. fig,* (Näh)Garn *n* **2.** (*Licht*) Strahl *m* **3.** (TECH) Gewinde *n* (*on a screw* an e-r Schraube); **hang by a ~** (*fig*) an einem seidenen Faden hängen; **lose the ~** (*fig*) den Faden verlieren; **pick up the ~s** (*fig*) den Faden wieder aufnehmen **II.** *tr* **1.** einfädeln **2.** aufreihen **3.** (*fig*) sich durchwinden durch **4.** (TECH) mit einem Gewinde versehen; **~ one's way through** sich durchschlängeln **III.** *itr* **1.** sich (hin)durchwinden **2.** sich durchziehen (*through* durch); **thread•bare** ['θredbeə(r)] *adj* abgewetzt; abgetragen; (*Teppich*) abgelaufen; (*fig: Argument*) fadenscheinig

threat [θret] *s* **1.** Drohung *f* (*of* mit) **2.** Bedrohung *f* (*to* +*gen*), Gefahr *f* (*to* für); **utter a ~ against s.o.** jdm drohen; **there's a ~ of rain** es sieht nach Regen aus; **threaten** ['θretn] *tr* **1.** (*jdn*) bedrohen (*with* mit) **2.** androhen (*s.o. with s.th.* jdm etw) **3.** drohend ankündigen **4.** drohen (*s.th.* mit etw, *to do* zu tun); **threaten•ing** [-ɪŋ] *adj* drohend; **~ letter** Drohbrief *m*

three [θri:] **I.** *adj* drei **II.** *s* Drei *f;* **three-cor•nered** [ˌθri:'kɔ:nəd] *adj* **1.** dreieckig **2.** zu dreien; **~ hat** Dreispitz *m;* **three-di•mensional** [ˌθrɪdaɪ'menʃənl] *adj,* **three-D** [ˌθri:'di:] *adj* dreidimensional; **three•fold** ['θri:fəʊld] *adj, adv* dreifach; **three-part** ['θri:pɑ:t] *adj* dreiteilig; **three•penny bit** ['θrepənɪbɪt] *s* Dreipennystück *n;* **three- piece** [ˌθri:'pi:s] *adj* dreiteilig; **~ suite** dreiteilige Polstergarnitur; **three-ply** [ˌθri:'plaɪ] **I.** *adj* dreifach; dreischichtig **II.** *s* **1.** Sperrholz *n* **2.** Dreifachwolle *f;* **three-quarter** [ˌθri:'kwɔ:tə(r)] **I.** *adj* dreiviertel **II.** *s* (*Rugby*) Dreiviertelspieler *m;* **three•some** ['θri:səm] *s* Dreiergruppe *f;* Dreier *m;* **in a ~** zu dritt; **three-wheeler** [θrɪ'wi:lə(r)] *s* Dreiradwagen *m*

thresh [θreʃ] *tr, itr* dreschen; **thresh•ing machine** ['θreʃɪŋ mə'ʃi:n] *s* Dreschmaschine *f*

thresh•old ['θreʃhəʊld] *s* **1.** Schwelle *f a. fig* **2.** (*fig*) Anfang, Beginn *m;* **at the ~ of an era** an der Schwelle e-s Zeitalters; **be on the ~ of one's career** am Anfang seiner Laufbahn stehen; **~ of consciousness** Bewusstseinsschwelle *f;* **threshold agreement** *s* Lohnindexierung *f;* **threshold countries** *s* (COM) Schwellenländer *npl;* **threshold price** *s* Schwellenpreis *m*

threw [θru:] *s.* **throw**

thrice [θraɪs] *adv* dreimal, -fach

thrift [θrɪft] *s* **1.** Sparsamkeit *f* **2.** (*Am*) Sparkasse *f;* **thrifty** ['θrɪftɪ] *adj* **1.** sparsam (*of, with* mit) **2.** (*Am*) gedeihend, blühend

thrill [θrɪl] **I.** *tr* **1.** mitreißen; in Spannung versetzen; erregen **2.** erschauern lassen; **be ~ed to bits** sich fürchterlich freuen **II.** *itr* **1.** erregt, aufgewühlt sein **2.** zittern, beben (*with* vor) **III.** *s* Schauer, Nervenkitzel *m;* Sensation *f;* Erregung *f;* Reiz *m;* **a ~ of joy** e-e freudige Erregung; **give us a ~!** (*fam*) lass uns mal was sehen!; **thriller** ['θrɪlə(r)] *s* Reißer, Krimi *m;* **thrill•ing** ['θrɪlɪŋ] *adj* aufregend; reißerisch; spannend, sensationell

thrive [θraɪv] <*irr:* thrived (throve), thrived (thriven)> *itr* **1.** (gut) gedeihen *a. fig* **2.** Erfolg haben; **thriv•ing** [-ɪŋ] *adj* (*fig*) (gut) gedeihend; blühend

throat [θrəʊt] *s* **1.** Kehle, Gurgel *f* **2.** Rachen, Schlund *m;* Hals *m a. fig;* **cancer of the ~** Kehlkopfkrebs *m;* **clear one's ~** sich räuspern; **grip s.o. by the ~** jdn an der Kehle packen; **jump down s.o.'s ~** (*fig fam*) jdm ins Gesicht springen; **thrust s.th. down s.o.'s ~** jdm etw aufzwingen; **stick in s.o.'s ~** (*fig*) für jdn nicht akzeptabel sein; (*Worte*) jdm im Halse stecken bleiben; **sore ~** Halsweh *n;* **throaty** ['θrəʊtɪ] *adj* **1.** (*Stimme*) belegt, rau **2.** (*Mensch*) heiser

throb [θrɒb] **I.** *itr* (*Herz*) (heftig) schlagen, klopfen (*with* vor); (*Maschine*) klopfen; (*Trommeln*) dröhnen; (*fig*) pulsieren **II.** *s* (Herz-, Puls)Schlag *m;* (*fig*) Klopfen, Zittern, Dröhnen *n*

throes [θrəʊz] *s:* **be in the ~ of s.th.** mitten in etw sein

throm•bo•sis [θrɒm'bəʊsɪs] *s* (MED)

Thrombose *f*
throne [θrəʊn] *s* Thron *m a. fig;* **come to the** ~ den Thron besteigen
throng [θrɒŋ] **I.** *s* Gedränge, Gewühl *n,* Andrang *m;* (Menschen)Menge *f* **II.** *itr* (sich) drängen; strömen **III.** *tr* sich drängen in, um
throttle ['θrɒtl] **I.** *s* (~-*valve*) Drosselventil *n;* **at full** ~ mit Vollgas **II.** *tr* **1.** erdrosseln **2.** (*fig*) unterdrücken; **throttle back, throttle down I.** *tr* drosseln **II.** *itr* Gas wegnehmen
through [θru:] **I.** *prep* **1.** (*räumlich*) durch **2.** (*zeitlich*) über; ~ **the night** die Nacht über; **all** ~ **her life** ihr ganzes Leben lang **3.** (*Am*) bis einschließlich; **Monday** ~ **Friday** von Montag bis (einschließlich) Freitag **4.** (*kausal*) durch, infolge *+gen,* mit Hilfe *+gen;* ~ **the post** mit der Post **II.** *adv* durch; ~ **and** ~ durch u. durch, völlig; **all day** ~ den ganzen Tag über; **he knew it all** ~ er wusste es die ganze Zeit; **wet** ~ patschnass; **carry** ~ zu Ende bringen; **get** ~ durchkommen; **get** ~ **with** (*fam*) zu Ende kommen mit; **put** ~ (TELE) verbinden (*to s.o.* mit jdm); **I didn't get** ~ (TELE) ich bin nicht durchgekommen **III.** *adj* **1.** fertig **2.** (TELE) verbunden; **I'm** ~ **with him** der ist für mich gestorben; **I'm** ~ **with that job** ich habe diese Arbeit satt; **through car, through coach** *s* (RAIL) Kurswagen *m;* **through flight** *s* Direktflug *m;* **through•out** [θru:'aʊt] **I.** *prep* **1.** überall in **2.** während; ~ **his stay** seinen ganzen Aufenthalt über; ~ **his life** sein ganzes Leben lang **II.** *adv* **1.** überall **2.** die ganze Zeit (über); **through•put** ['θru:pʊt] *s* Durchsatz *m;* **through ticket** *s* (RAIL) durchgehende Fahrkarte; **through traffic** *s* Durchgangsverkehr *m;* **through train** *s* durchgehender Zug; **through-way** ['θru:weɪ] *s* (*Am*) Schnellstraße *f*
throve [θrəʊv] *s.* **thrive**
throw [θrəʊ] <*irr:* threw, thrown> **I.** *tr* **1.** werfen (*to the ground* auf den Boden), schleudern (*at* nach) **2.** (*vom Pferd*) abwerfen **3.** (*Blick*) zuwerfen (*s.o.* jdm) **4.** (*Hebel*) ein-, ausschalten **5.** (*Brücke*) schlagen (*over, across* über) **6.** (*Junge*) werfen **7.** (*auf der Drehscheibe*) töpfern, drehen **8.** (*fam*) drausbringen, verwirren **9.** (*fam: Anfall*) bekommen **10.** (*fam: Party*) geben, schmeißen; ~ **into confusion** [*o* **disorder**] in Unordnung bringen; ~ **dice** würfeln; ~ **a fit** (*fam*) e-n Wutanfall bekommen; ~ **s.th. open** etw weit öffnen; ~ **overboard** über Bord werfen *a. fig;* ~ **into prison** ins Gefängnis werfen; ~ **shadow**(**s**) Schatten werfen; ~ **that light this way, please** bitte, leuchten Sie hierher; ~ **o.s. at s.o.** (*fig*) sich jdm an den Hals werfen; ~ **o.s. into s.th.** (*fig*) sich auf etw stürzen; **be** ~**n upon o.s.** auf sich selbst angewiesen sein **II.** *itr* werfen **III.** *s* **1.** Wurf *m* **2.** (GEOL) Sprunghöhe *f,* Verwurf *m;* **throw away** *tr* **1.** fort-, wegwerfen; verschwenden **2.** (*Gelegenheit*) verpassen; **throw back I.** *tr* zurückwerfen **II.** *itr* (BIOL) zurückgehen; **be** ~**n back upon** angewiesen sein auf; **throw down** *tr* **1.** hinunterwerfen **2.** (*fig: Waffen*) wegwerfen; **throw in** *tr* **1.** (SPORT) einwerfen **2.** (COM) zugeben; hinzufügen **3.** (*e-e Bemerkung*) einwerfen; ~ **in** (**one's lot**) **with s.o.** mit jdm gemeinsame Sache machen; ~ **in the sponge** [*o* **towel**] (*fig*) das Handtuch werfen; **throw off** *tr* **1.** abwerfen **2.** (*Funken, Geruch*) von sich geben **3.** (*Erkältung*) losbekommen **4.** (*von e-r Spur*) ablenken; (*Verfolger*) abschütteln; **throw on** *tr* (*Kleidungsstück*) (schnell) überwerfen, -ziehen; **throw open** *tr* **1.** (*Tür*) aufstoßen **2.** (*Gebäude*) der Öffentlichkeit freigeben; **throw out** *tr* **1.** hinauswerfen; wegwerfen **2.** (*Gesetzesvorlage*) ablehnen, verwerfen **3.** (*Bemerkung, Gedanken*) äußern **4.** (*Schößlinge*) treiben **5.** (*Hitze*) abgeben **6.** (*Berechnungen, Pläne*) durcheinander bringen; ~ **out of work** entlassen; arbeitslos machen; **throw over** *tr* **1.** über den Haufen werfen **2.** (*Theorie*) verwerfen **3.** (*Liebhaber*) sitzenlassen; **throw together** *tr* **1.** zusammenstoppeln **2.** (*Personen*) zusammenbringen; **throw up I.** *tr* **1.** hervorbringen; an den Tag bringen **2.** hochwerfen, in die Höhe werfen **3.** (*Arbeit*) aufgeben; (*Gelegenheit*) sich entgehen lassen **4.** (*Essen*) erbrechen **5.** vorwerfen (*s.th. to s.o.* jdm etw) **6.** (*Frage*) aufwerfen **II.** *itr* sich übergeben
throw•away ['θrəʊəˌweɪ] *adj* **1.** Wegwerf-; (*Flasche*) Einweg- **2.** (*Bemerkung*) beiläufig; (*Stil*) lässig; ~ **paper cup** Papierbecher *m* zum Wegwerfen; ~ **society** Wegwerfgesellschaft *f;* ~ **prices** Schleuderpreise *mpl;* **throw•back** ['θrəʊbæk] *s* Rückfall *a. fig,* Atavismus *m;* (*fig*) Rückgriff *m* (*to* auf); **thrower** ['θrəʊə(r)] *s* Werfer(in) *m(f);* **throw-in** ['θrəʊɪn] *s* (SPORT) Einwurf *m;* **throw•ing** ['θrəʊɪŋ] *s* Werfen *n;* ~ **the hammer/the javelin** (SPORT) Hammer-/Speerwerfen *n;* **thrown** [θrəʊn] *s.* **throw**
thru [θru:] *prep* (*Am*) *s.* **through**
thrum [θrʌm] **I.** *tr* klimpern; (*Gitarre*) spielen; (*fig*) trommeln auf **II.** *itr* klimpern
thrush[1] [θrʌʃ] *s* (ORN) Drossel *f*
thrush[2] [θrʌʃ] *s* (MED) Soor *m,* Mundfäule *f,* Schwämmchen *n;* Pilzinfektion *f* der Scheide; (*Pferde*) Strahlfäule *f*
thrust [θrʌst] <*irr:* thrust, thrust> **I.** *tr* **1.** (heftig, fest) stoßen; drängen **2.** durch-

bohren **3.** (*Nadel*) stecken (*into* in); ~ **o.s. (up)on s.o.** sich jdm aufdrängen; ~ **o.s. forward** sich in den Vordergrund drängen; ~ **one's hands into one's pockets** die Hände in die Tasche stecken; ~ **one's way through** sich e-n Weg bahnen durch **II.** *itr* **1.** stoßen, stechen (*at* nach) **2.** sich drängen (*into* in, *through* durch) **III.** *s* **1.** Stoß, Stich, Hieb *m* **2.** (TECH) Schub *m;* **thrust•ful** ['θrʌstfl] *adj* resolut, energisch; **thrust·ing** ['θrʌstɪŋ] *adj* (*Mensch*) aufdringlich, unverfroren

thru•way ['θru:weɪ] *s* (*Am*) Schnellstraße *f*

thud [θʌd] **I.** *s* (dumpfer) Schlag *m,* (dumpfes) Geräusch *n;* (*fam*) Bums *m* **II.** *itr* dumpf aufschlagen (*to* auf)

thug [θʌg] *s* Schläger(typ) *m*

thumb [θʌm] **I.** *s* Daumen *m;* **twiddle one's ~s** Däumchen drehen; **under s.o.'s ~** unter jds Fuchtel; **he is all ~s** er hat zwei linke Hände; **~s down!** pfui!; **~s up!** bravo!; **give s.th./s.o. the ~s up** e-r Sache/jdm grünes Licht geben **II.** *tr* (*Buch*) durchblättern; ~ **a lift** [*o* **ride**] (*fam*) per Anhalter fahren; **a well ~ed book** ein zerlesenes Buch; **thumb index** *s* (*Buch*) Daumenregister *n;* **thumb•nail** ['θʌmneɪl] *s* Daumennagel *m;* **thumbnail sketch** *s* kleine Skizze; kurze Skizze; **thumb•print** *s* Daumenabdruck *m;* **thumb•screw** ['θʌmskru:] *s* **1.** (TECH) Flügelschraube *f* **2.** (*Folter*) Daumenschraube *f;* **thumb-tack** *s* (*Am*) Heftzwecke *f,* Reißnagel *m*

thump [θʌmp] **I.** *s* dumpfer Schlag **II.** *tr* schlagen; schlagen auf, an **III.** *itr* **1.** dumpf aufschlagen; stampfen **2.** heftig schlagen (*on, at* an, auf) **3.** (*Herz*) pochen (*with* vor) **IV.** *adv* bums; **thump•ing** [-ɪŋ] *adj* (*fam*) riesig

thun•der ['θʌndə(r)] **I.** *s* **1.** Donner(schlag) *m a. fig* **2.** (*fig*) Getöse *n;* (*Applaus*) Sturm *m;* **steal s.o.'s ~** (*fig*) jdm den Wind aus den Segeln nehmen **II.** *itr* **1.** donnern *a. fig* **2.** anbrüllen (*at s.o.* jdn) **III.** *tr* brüllen; **thun•der•bolt** ['θʌndəbəʊlt] *s* **1.** Blitz (u. Donnerschlag) *m* **2.** (*fig*) Blitz *m* aus heiterem Himmel; **thun•der•clap** ['θʌndəklæp] *s* Donnerschlag *m;* **thunder•cloud** *s* Gewitterwolke *f a. fig;* **thun•der•ing** ['θʌndərɪŋ] *adj* (*fam*) verflixt; **thun•der•ous** ['θʌndərəs] *adj* stürmisch; (*fig*) donnernd; **thun•der•storm** ['θʌndəstɔ:m] *s* Gewitter *n;* **thun•der·struck** ['θʌndəstrʌk] *adj* (*fig*) wie vom Schlag getroffen; **thun•dery** ['θʌndərɪ] *adj* gewitt(e)rig

Thurs•day ['θɜ:zdɪ] *s* Donnerstag *m;* **on ~** am Donnerstag; **on ~s** donnerstags

thus [ðʌs] *adv* **1.** so, auf diese Weise **2.** folglich; ~ **far** so weit

thwart¹ [θwɔ:t] *tr* **1.** (*Plan*) durchkreuzen **2.** (*Absicht*) vereiteln **3.** e-n Strich durch die Rechnung machen (*s.o.* jdm)

thwart² [θwɔ:t] *s* (MAR) Ruderbank, Ducht *f*

thy [ðaɪ] *pron* (*obs poet*) dein

thyme [taɪm] *s* (BOT) Thymian *m*

thy•roid ['θaɪrɔɪd] **I.** *adj* Schilddrüsen- **II.** *s* (~ *gland*) Schilddrüse *f*

thy•rox•ine [θaɪ'rɒksi:n] *s* (MED) Thyroxin, Tetrajodthyronin *n*

ti•ara [tɪ'ɑ:rə] *s* **1.** Tiara *f* **2.** Diadem *n*

tibia ['tɪbɪə, *pl* 'tɪbɪi:] <*pl* **tibiae**> *s* Schienbein *n*

tic [tɪk] *s* (MED) Gesichts-, Muskelzucken *n*

tick¹ [tɪk] **I.** *s* **1.** Ticken *n* **2.** Häkchen *n* **3.** (*fam*) Augenblick *m;* **in a ~** gleich, sofort **II.** *itr* ticken; **I don't know what makes her ~** ich weiß nicht, was in ihr vorgeht **III.** *tr* abhaken, anstreichen; **tick off** *tr* **1.** abhaken **2.** abkanzeln; **tick over** *itr* **1.** (MOT) leer laufen **2.** (*fig*) ordentlich gehen

tick² [tɪk] *s* (ZOO) Zecke *f*

tick³ [tɪk] *s* Matratzenbezug *m;* Inlett *n*

tick⁴ [tɪk] *s* (*fam*) Kredit *m;* **buy on ~** auf Pump kaufen

ticker ['tɪkə(r)] *s* **1.** (TELE) Ticker, Börsenfernschreiber *m* **2.** (*fam*) Uhr *f* **3.** (*sl*) Herz *n;* **ticker tape** *s* Lochstreifen *m;* **ticker-tape parade** *s* Konfettiparade *f*

ticket ['tɪkɪt] *s* **1.** (Eintritts-, Theater-, Fahr-, Flug)Karte *f;* Fahrschein *m,* Ticket *n* **2.** (Gepäck)Schein *m;* Abschnitt, Zettel *m;* Park(Schein) *m* **3.** Etikett, Schildchen *n;* Preiszettel *m* **4.** (*Am*) Kandidatenliste *f;* Wahlprogramm *n* **5.** (JUR) gebührenpflichtige Verwarnung; Strafzettel *m;* **vote the straight ~** die Parteiliste wählen; **that's the ~!** (*fam*) das ist die Sache!; **admission ~** Eintrittskarte *f;* **airline ~** Flugticket *n,* Flugschein *m;* **cloakroom ~** Garderobenmarke *f;* **lottery ~** Lotterielos *n;* **luggage ~, baggage ~** (*Am*) Gepäckschein *m;* **monthly ~** Monatskarte *f;* **return ~, round-trip ~** (*Am*) Rückfahrkarte *f* (*to* nach); **season ~** Dauer-, Zeitkarte *f;* **single ~** einfache Fahrkarte; **theatre ~** Theaterkarte *f;* **ticket agency** *s* Verkaufsstelle *f;* (THEAT) Vorverkaufsstelle *f;* **ticket collector** *s* Fahrkartenkontrolleur(in) *m(f),* Schaffner(in) *m(f);* **ticket counter** *s* Fahrkartenschalter *m;* **ticket holder** *s* Karteninhaber(in) *m(f);* **ticket machine** *s* Fahrscheinautomat *m;* **ticket number** *s* (*Lotterie*) Losnummer *f;* **ticket office** *s* Fahrkartenschalter *m;* (THEAT) Kasse *f*

tick•ing-off ['tɪkɪŋ'ɒf] *s* (*fam*) Anpfiff, Anschnauzer *m;* **give s.o. a ~** jdn ausschimpfen

tickle ['tɪkl] **I.** *tr* **1.** kitzeln *a. fig* **2.** schmeicheln, gefallen, angenehm sein (*s.o.* jdm), erheitern; **be ~d pink** [*o* **to death**] sich fürchterlich freuen; ~ **s.o.'s fancy** jdm gefallen **II.** *itr* kitzeln; jucken **III.** *s* Kitzeln *n;* **give s.o. a** ~ jdn kitzeln; **tick•lish** ['tɪklɪʃ] *adj* **1.** (*Mensch*) kitz(e)lig **2.** (*fig: Sache*) heikel

ti•dal ['taɪdl] *adj:* ~ **current** Gezeitenstrom *m;* ~ **energy,** ~ **power** Gezeitenenergie *f;* ~ **river** Tidefluss *m;* ~ **wave** Flutwelle *f a. fig*

tid•bit ['tɪdbɪt] *s* (*Am*) *s.* **titbit**

tid•dly ['tɪdlɪ] *adj* (*fam*) **1.** angeheitert **2.** winzig

tid•dly•winks ['tɪdlɪwɪŋks] *s* Flohhüpfen *n* (*Spiel*)

tide [taɪd] *s* **1.** Ebbe u. Flut *f,* Gezeiten *pl* **2.** (*fig*) Auf u. Ab *n* **3.** (*fig*) Strom *m,* Strömung *f;* **the** ~ **is in/out** es ist Flut/Ebbe; **the** ~ **turns** (*fig*) das Blatt wendet sich; **ebb** [*o* **low**] ~ Ebbe *f,* Niedrigwasser *n;* **flood** [*o* **high**] ~ Flut *f,* Hochwasser *n;* **at high** ~ bei Flut; **go** [*o* **swim**] **against the** ~ gegen den Strom schwimmen; **tide over** *tr* über Wasser halten; **will that** ~ **you over?** wird dir das ausreichen?; **tide•land** ['taɪdlænd] *s* (*Am*) Watt *n;* **tide•mark** *s* Flutmarke *f;* Pegelstand *m;* **tide•water** *s* Flut *f;* (*Am*) Watt *n;* **tide- way** *s* Priel *m*

ti•di•ness ['taɪdɪnɪs] *s* Ordentlichkeit *f;* Sauberkeit *f;* **tidy** ['taɪdɪ] **I.** *adj* **1.** ordentlich; sauber **2.** (*fam: Geldsumme*) ganz nett, hübsch **II.** *tr* **1.** in Ordnung bringen; hübsch machen **2.** (~ *up*) aufräumen

tie [taɪ] **I.** *tr* **1.** binden (*to* an) **2.** zusammenknoten; (*Paket*) zusammenschnüren **3.** (*Knoten*) machen; (*Band, Schnürsenkel*) binden **4.** verbinden, verknüpfen; **the match was ~d** das Spiel war unentschieden; **my hands are ~d** mir sind die Hände gebunden **II.** *itr* gleich stehen (*with* mit); (SPORT) punktgleich sein; unentschieden spielen **III.** *s* **1.** Band *n a. fig* **2.** (*fig*) Bindung, Verpflichtung *f;* Belastung *f* **3.** ~**s** Verbindungen *fpl* **4.** (*neck~*) Krawatte *f,* Schlips *m* **5.** (SPORT) Unentschieden *n;* unentschiedenes Spiel **6.** (MUS) Ligatur *f;* **the game ended in a** ~ das Spiel endete unentschieden; **business** ~ Geschäftsverbindung *f;* **family ~s** familiäre Bindungen *fpl;* ~**s of blood/of friendship** Bande *n pl* des Blutes/der Freundschaft; **tie back** *tr* zurückbinden; **tie down** *tr* **1.** festbinden **2.** (*fig*) binden (*to* an) **3.** (*Bedeutung, Gesprächspartner*) festlegen, festnageln; **he doesn't want to** ~ **himself down** er möchte sich nicht binden, festlegen; **a pet really ~s you down** mit einem Haustier ist man angebunden; **tie in I.** *itr* zusammenpassen **II.** *tr* in Einklang bringen; ~ **in with s.th.** zu etw passen; **tie on** *tr* anbinden; **tie up I.** *itr* **1.** zusammenpassen; zusammenhängen (*with* mit) **2.** (MAR) festmachen **II.** *tr* **1.** (*Paket*) verschnüren; (*Schnürsenkel*) binden **2.** (*Tier*) anbinden; (*Gefangene*) fesseln; (*Boot*) festmachen **3.** (*Geschäft, Pläne*) festmachen **4.** (*Kapital*) anlegen **5.** (*Menschen*) beschäftigen; (*Maschinen*) auslasten **6.** (*Produktion*) stilllegen; **I am ~d up tomorrow** morgen bin ich belegt, beschäftigt; **be ~d up with s.th.** mit etw zusammenhängen; **be ~d up with s.o.** zu jdm Verbindung haben

tie-break ['taɪbreɪk] *s* (*Tennis*) Tie Break *m od n;* **tie clip** *s* Krawattennadel *f;* **tie-in** [ˌtaɪ'ɪn] *s* **1.** Verbindung, Beziehung *f* **2.** (*Am:* ~ *sale*) Koppelungsgeschäft *n;* **tie-on label** [ˌtaɪ'ɒn'leɪbl] *s* Anhängeadresse *f;* **tie•pin** *s* Krawattennadel *f*

tier [tɪə(r)] **I.** *s* **1.** (Sitz)Reihe *f;* (THEAT) Rang *m* **2.** (*fig*) Stufe *f* **3.** (*Kuchen*) Etage *f* **II.** *adj:* **in ~s** stufenförmig; **three-~ed** dreigestuft; dreistöckig **III.** *adv:* **in ~s** stufenweise

tie-up ['taɪʌp] *s* **1.** (*Am*) Stockung *f,* Stillstand *m* **2.** Verbindung *f;* Zusammenschluss *m*

tiff [tɪf] *s* kleiner Streit, Krach *m*

ti•ger ['taɪgə(r)] *s* Tiger *m*

tight [taɪt] **I.** *adj* **1.** (luft-, wasser)dicht **2.** fest(sitzend); (*Umarmung*) fest **3.** eng(anliegend), zu eng, knapp **4.** (*fig: Kontrolle*) streng **5.** (*Seil, Haut*) straff **6.** (*Platz*) eng **7.** (*Zeit, Geld*) knapp **8.** (*Lage*) schwierig **9.** (SPORT) knapp **10.** (*fam: Mensch*) geizig **11.** (*sl*) blau, besoffen; **the cork is too** ~ der Korken sitzt zu fest; **air-/water-~** luft-/wasserdicht **II.** *adv* **1.** fest **2.** eng **3.** straff; **hold** ~ fest halten; **shut** ~ fest zumachen; **sit** ~ sich nicht rühren; **sleep ~!** schlafe gut!; **tighten** ['taɪtn] **I.** *tr* **1.** anziehen, straffen **2.** enger machen; (*Gürtel*) enger schnallen **3.** (*Bestimmungen*) verschärfen **II.** *itr* **1.** enger werden **2.** sich straffen **3.** (*Bestimmungen, Kontrollen*) strenger werden **4.** (*Markt*) sich versteifen; **tight-fisted** [ˌtaɪt'fɪstɪd] *adj* filzig, knauserig; **tight-fit•ting** [ˌtaɪt'fɪtɪŋ] *adj* **1.** eng anliegend **2.** (TECH) genau eingepasst; **tight-lipped** [ˌtaɪt'lɪpt] *adj* **1.** mit zusammengepressten Lippen **2.** (*fig*) verschwiegen; **tight•ness** ['taɪtnɪs] *s* **1.** Dichte *f;* Enge *f* **2.** Knappheit, Verknappung *f* **3.** Knauserigkeit *f;* **tight•rope** *s* (Draht)Seil *n;* **walk a** ~ (*fig*) einen Balanceakt vollführen, eine Gratwanderung machen; **tightrope walker** *s* Seiltänzer(in) *m(f)*

tights [taɪts] *s pl* (*Br*) Strumpfhose *f;* **tight-wad** ['taɪtwɒd] *s* (*Am*) Knicker, Knauser *m*

ti•gress ['taɪgrɪs] *s* Tigerin *f a. fig*

tile [taɪl] I. *s* 1. (Dach)Ziegel *m* 2. Kachel, Fliese *f* 3. (*Kork, Isolierung*) Platte *f;* (*Teppich*) Fliese *f;* **have a night on the ~s** (*fam*) herumsumpfen II. *tr* (*Fußboden*) mit Fliesen belegen; (*Dach*) mit Ziegeln decken; kacheln; **tiler** ['taɪlə(r)] *s* Dachdecker(in) *m(f)*

till¹ [tɪl] I. *prep* (*zeitlich*) bis (zu); **not ~** nicht vor; erst; **~ now** bis jetzt; **~ then** bis dahin II. *conj* bis; **~ such time as** bis

till² [tɪl] *tr* beackern; (*den Boden*) bearbeiten

till³ [tɪl] *s* (Laden)Kasse *f;* **have one's fingers in the ~** Geld aus der Ladenkasse entwenden

tiller ['tɪlə(r)] *s* (MAR) (Ruder)Pinne *f*

tilt [tɪlt] I. *tr* 1. kippen 2. schräg stellen; schief halten II. *itr* 1. geneigt, schräg sein 2. sich neigen 3. (*a. fig*) anrennen (*at* gegen) 4. losziehen (*at* gegen); **~ at windmills** gegen Windmühlen kämpfen III. *s* 1. Neigung *f*, schiefe Lage 2. (HIST) Turnier *n;* Stoß *m;* **(at) full ~** mit aller Gewalt; **have a ~** sich neigen; **have a ~ at s.o.** (*fig*) jdn angreifen; **tilt back** I. *itr* sich nach hinten neigen II. *tr* nach hinten neigen, kippen; **tilt over** I. *itr* sich neigen; umkippen II. *tr* neigen; kippen; **tilt up** I. *itr* (nach oben) kippen II. *tr* kippen; schräg nach oben halten

tilth [tɪlθ] *s* (AGR) 1. Gare *f* 2. bestelltes Land

tim·ber ['tɪmbə(r)] *s* 1. Bau-, Schnitt-, Nutzholz *n;* Balken *m* 2. (MAR) Spant *n* 3. Baumbestand, Wald *m;* **~!** Baum fällt!; **a man of his ~** (*Am*) ein Mann von seinem Schlag(e); **standing ~** Nutzwald *m;* **timbered** ['tɪmbəd] *adj* baumbestanden, bewaldet; **half-~** (*Haus*) Fachwerk-; **timber·line** ['tɪmbəlaɪn] *s* Baumgrenze *f;* **timber·work** *s* Gebälk *n;* Fachwerk *n*

time [taɪm] I. *s* 1. Zeit *f*, Zeitraum *m*, Zeitspanne *f* 2. (Zeit)Dauer *f* 3. Arbeitszeit *f*, -lohn *m* 4. Zeitmaß, Tempo *n*, Geschwindigkeit *f* 5. (MUS) Takt, Rhythmus *m* 6. Zeitpunkt *m*, genaue Zeit, richtiger Augenblick 7. Frist *f*, Termin *m* 8. Mal *n*, Gelegenheit *f* 9. *meist pl* Zeiten *fpl;* **against the ~** in größter Eile; **ahead of one's ~** seiner Zeit voraus; **ahead of ~** zu früh; **all the ~** die ganze Zeit (über); **another ~** ein andermal; **any number of ~s** x-mal; **at ~s** manchmal; hin u. wieder; **at all ~s** immer; **at the same ~** zur gleichen Zeit, gleichzeitig; **at that ~** damals, zu der Zeit; **by that ~** bis dahin, unterdessen; **every ~** jedesmal; **for the ~ being** im Augenblick; zur Zeit; **from ~ to ~** von Zeit zu Zeit; **in half the ~** in der halben Zeit; **in ~** rechtzeitig; **in due ~** termingemäß; **in no ~** im Nu; **many ~s, many a ~** oft(mals); **next ~** das nächste Mal; **on ~** pünktlich, *adv;* **this ~** diesmal; **up to this** [*o* **the present**] **~** bis heute, bis zum heutigen Tage; **once upon a ~ (there was) ...** es war einmal ... (*Märchenbeginn*); **ask s.o. the ~ of day** jdn nach der Uhrzeit fragen; **be behind ~** sich verspätet haben; **be behind the ~s** hinter seiner Zeit zurück sein; **beat ~** den Takt schlagen; **bide one's ~** auf e-n günstigen Augenblick warten; **do ~** (*fam*) (im Gefängnis) sitzen; **have no ~ to lose** keine Zeit zu verlieren haben; **have a good ~** sich gut unterhalten, sich amüsieren; **keep ~** (MUS) den Takt halten; **make good ~** aufholen; ein hohes Tempo haben; **take ~** Zeit erfordern; **work against the ~** unter Zeitdruck arbeiten; **what ~ do we eat?** um wie viel Uhr essen wir?; **~ is up** die Zeit ist (her)um, vorbei; **take your ~ over it** lassen Sie sich Zeit dazu; **~ will tell** die Zeit wird es lehren; **local ~** Ortszeit *f;* **loss of ~** Zeitverlust *m;* **a matter of ~** e-e Frage der Zeit; **spare ~** Freizeit *f;* **waste of ~** Zeitverschwendung *f;* **~ of arrival/of departure** Ankunftszeit/Abflug-, Abfahrtszeit *f;* **the ~ of day** die Tageszeit II. *tr* 1. den richtigen Zeitpunkt aussuchen für 2. (*Bombe*) einstellen 3. (*mit Uhr*) stoppen; (*Geschwindigkeit*) messen; timen; **you ~d that beautifully** Sie haben genau den richtigen Augenblick gewählt; **~ yourself to see how long it takes you** sehen Sie auf die Uhr, um herauszufinden, wie lange Sie brauchen

time-and-mo·tion study ['taɪmən ˌməʊʃnstʌdɪ] *s* Zeitstudie, Bewegungsstudie *f;* **time bomb** *s* Zeitbombe *f a. fig;* **time card** *s* (*am Arbeitsplatz*) Stechkarte *f;* **time clock** *s* Stechuhr *f;* **time-consum·ing** ['taɪmkənˌsjuːmɪŋ] *adj* zeitraubend; **time deposits** *s pl* Termineinlagen *fpl;* **time difference** *s* Zeitunterschied *m;* **time fuse** *s* Zeitzünder *m;* **time·keeper** ['taɪmˌkiːpə(r)] *s* (SPORT) Zeitnehmer(in) *m (f);* **time-lag** *s* Verzögerung *f;* zeitliche Verschiebung; Zeitunterschied *m;* **time-lapse** ['taɪmlæps] *adj* Zeitraffer-; im Zeitraffer; **time·less** ['taɪmlɪs] *adj* zeitlos; immerwährend; **time limit** *s* Zeitbeschränkung *f;* Frist *f;* **put a ~ on s.th.** etw befristen; **time lock** *s* Zeitschloss *n;* **time·ly** ['taɪmlɪ] *adj* rechtzeitig, im rechten Augenblick, zur rechten Zeit (stattfindend); **time-out** [ˌtaɪm'aʊt] *s* (*Am*) 1. (SPORT) Auszeit *f* 2. Pause *f;* **timer** ['taɪmə(r)] *s* 1. Zeitmesser *m;* Schaltuhr *f* 2. (SPORT) Zeitnehmer(in) *m (f);* **time-sav·ing** ['taɪmˌseɪvɪŋ] *adj* zeitsparend; **time scale** *s* zeitlicher Rahmen; Zeitmaßstab *m;* **time-share** ['taɪmʃeə(r)] *s* Anteil *m* an einer Ferienwohnung; **time sharing** *s* (EDV) Timesharing *n;* Anteile *m pl* an einer Ferienwohnung; **time sheet** *s* Arbeitsnachweisbogen, Stundenzettel *m;* **time switch** *s* Zeitschalter *m;* **timetable** ['taɪmˌteɪbl] *s* **1.** (RAIL) Fahrplan *m* **2.** (AERO) Flugplan *m* **3.** (*Schule*) Stundenplan *m* **4.** (*Kongress*) Programm *n* **5.** Terminkalender *m;* **time•worn** ['taɪmwɔːn] *adj* abgenutzt, verbraucht; (*Stein*) verwittert; **time zone** *s* Zeitzone *f*

timid ['tɪmɪd] *adj* **1.** furchtsam, ängstlich (*of* vor) **2.** schüchtern; **timid•ity** [tɪ'mɪdətɪ] *s* **1.** Furchtsamkeit, Ängstlichkeit *f* **2.** Schüchternheit *f*

tim•ing ['taɪmɪŋ] *s* **1.** Terminplanung *f* **2.** Wahl *f* des richtigen Zeitpunkts; Timing *n* **3.** (MOT) Steuerung *f;* Einstellung *f* **4.** Zeitmessung *f;* Stoppen *n;* **that was perfect ~** das war gerade der richtige Zeitpunkt

tim•or•ous ['tɪmərəs] *adj* ängstlich, furchtsam

tim•pani ['tɪmpənɪ] *s pl* (MUS) Kesselpauke *f*

tin [tɪn] **I.** *s* **1.** Zinn *n* **2.** Weißblech *n* **3.** (*Br*) (Konserven)Büchse, -Dose *f* **II.** *adj* zinnern; aus Blech, Blech- **III.** *tr* **1.** (*Br*) eindosen; konservieren **2.** verzinnen; **tin can** *s* **1.** (*Br*) Blechdose *f* **2.** (*Am sl*) Zerstörer *m*

tinc•ture ['tɪŋktʃə(r)] *s* Tinktur *f*

tin•der ['tɪndə(r)] *s* Zunder *m a. fig*

tin•foil ['tɪnfɔɪl] *s* Stanniol, Silberpapier *n;* (Aluminium)Folie *f*

ting [tɪŋ] **I.** *s* heller Klang **II.** *tr* hell klingen lassen **III.** *itr* klingen

tinge [tɪndʒ] **I.** *tr* **1.** (leicht) färben, tönen (*with* mit) **2.** (*fig*) e-n Anstrich, Beigeschmack geben (*s.th.* e-r S, *with* von) **II.** *s* **1.** Tönung *f* **2.** (*fig*) Anflug *m* (*of* von)

tingle ['tɪŋgl] *itr* **1.** prickeln, stechen **2.** zittern (*with excitement* vor Aufregung)

tin god ['tɪngɒd] *s* (*fig*) Götze *m;* Bonze *m;* **tin hat** *s* (MIL: *fam*) Stahlhelm *m;* **tinhorn** ['tɪnhɔːn] *s* Angeber *m*

tin•ker ['tɪŋkə(r)] **I.** *s* Kesselflicker *m;* **not to be worth a ~'s cuss** keinen Pfifferling wert sein **II.** *itr* herumbasteln, -pfuschen (*with* an)

tinkle ['tɪŋkl] **I.** *itr, tr* klingeln, läuten **II.** *s* Geklingel *n;* **give s.o. a ~** (*Br fam*) jdn anrufen

tinned [tɪnd] *adj:* **~ fruit** Obstkonserven *f pl;* **~ meat** Büchsenfleisch *n;* **tinny** ['tɪnɪ] *adj* (*Ton*) blechern; (*Geschmack*) nach Blech; (*Ware*) billig; **tin-opener** ['tɪnəʊpənə(r)] *s* Dosen-, Büchsenöffner *m;* **Tin Pan Alley** [ˌtɪnpæn'ælɪ] *s* Schlagerindustrie *f;* **tin plate** *s* Weißblech *n;* **tinpot** ['tɪnpɒt] *adj* (*Br fam*) minderwertig

tin•sel ['tɪnsl] *s* **1.** Flitter *m,* Flittergold *n;* Rauschgoldgirlande *f;* Lametta *n* **2.** (*fig*) falscher Glanz, Kitsch *m*

tint [tɪnt] **I.** *s* **1.** Färbung, Tönung *f* **2.** Farbton *m* **II.** *tr* tönen

tiny ['taɪnɪ] *adj* winzig

tip¹ [tɪp] **I.** *s* **1.** Spitze *f* **2.** (*Zigarette*) Mundstück *n* **3.** (*Berg*) Spitze *f;* Gipfel *m;* **from ~ to toe** vom Scheitel bis zur Sohle; **I have it on the ~ of my tongue** (*fig*) es liegt mir auf der Zunge **II.** *tr* mit e-r Spitze versehen; **~ped cigarette** Filterzigarette *f*

tip² [tɪp] **I.** *s* **1.** Trinkgeld *n* **2.** Tip *m;* Hinweis *m;* **give s.th. a ~** etw antippen, etw leicht berühren **II.** *tr* **1.** ein Trinkgeld geben (*s.o.* jdm) **2.** (*Rennen*) tippen auf, wetten auf, setzen auf **3.** leicht berühren; antippen **III.** *itr* Trinkgeld geben; **tip off** *tr* einen Tip geben (*s.o.* jdm)

tip³ [tɪp] **I.** *tr* kippen, umkippen; (*Flüssigkeit, Sand*) schütten; **~ the scales at 60 kg** 60 kg auf die Waage bringen; **~ the scales in s.o.'s favour** sich zu jds Gunsten auswirken **II.** *itr* **1.** kippen **2.** Schutt abladen **III.** *s* (*Br*) **1.** Schuttabladeplatz *m;* Müllhalde *f;* Kohlenhalde *f* **2.** (*fig*) Schweinestall *m;* **tip back** *itr, tr* nach hinten kippen; **tip out I.** *tr* auskippen; ausschütten **II.** *itr* herauskippen, -laufen, -rutschen, -fallen; **tip over** *itr, tr* umkippen; **tip up** *itr, tr* (um)kippen; hochklappen

tip-off ['tɪpɒf] *s* (*fam*) Wink, Tip *m*

tipple ['tɪpl] **I.** *itr* (gewohnheitsmäßig) trinken **II.** *s* Gläschen *n;* **she enjoys the occasional ~** ab und zu trinkt sie ganz gern mal einen; **tip•pler** ['tɪplə(r)] *s* (*fam*) Säufer, *jem, der gern ein Gläschen zu sich nimmt*

tip sheet ['tɪpʃiːt] *s* Börsenratgeber *m*

tip•ster ['tɪpstə(r)] *s* Tipgeber *m* (*bei Pferderennen*)

tipsy ['tɪpsɪ] *adj* angeheitert, beschwipst

tip•toe ['tɪptəʊ] **I.** *itr* auf Zehenspitzen gehen **II.** *s:* **on ~** auf Zehenspitzen; **tiptop** [ˌtɪp'tɒp] *adj* (*fam*) tipptopp, erstklassig, prima; **tip-up seat** ['tɪpʌp'siːt] *s* Klappsitz *m*

ti•rade [taɪ'reɪd] *s* Schimpferei *f*

tire¹ ['taɪə(r)] **I.** *itr* müde werden (*of doing s.th.* etw zu tun) **II.** *tr* ermüden; **~ out** völlig erschöpfen; **be ~d out** erschöpft sein (*from* von)

tire² ['taɪə(r)] *s* (*Am*) *s.* **tyre**

tired ['taɪəd] *adj* **1.** müde (*with* von) **2.** (*~ out*) erschöpft **3.** überdrüssig (*of s.th.* e-r S); **I'm ~ of it** ich habe es satt; **tired•ness** ['taɪədnɪs] *s* Müdigkeit *f;* **tire•less** ['taɪəlɪs] *adj* unermüdlich; **tire•some** ['taɪəsəm] *adj* langweilig; lästig, ärgerlich; **tir•ing** ['taɪərɪŋ] *adj* anstrengend; ermüdend

'tis [tɪz] (*poet*) = **it is**
tis•sue ['tɪʃu:] *s* **1.** Gewebe *n* **2.** (*~ paper*) Seidenpapier *n* **3.** Papiertaschentuch *n;* **~ cell** Gewebezelle *f;* **a ~ of lies** ein Lügengespinst *n*
tit[1] [tɪt] *s:* **give ~ for tat** etw mit gleicher Münze heimzahlen
tit[2] [tɪt] *s* (ORN) Meise *f*
tit[3] [tɪt] *s* (*sl: Brust*) Titte *f*
ti•tanic [taɪ'tænɪk] *adj* titanenhaft
ti•ta•nium [taɪ'teɪnɪəm] *s* (CHEM) Titan *n*
tit•bit ['tɪtbɪt] *s* Leckerbissen *m*
tit•il•late ['tɪtɪleɪt] *tr* erregen; anregen; (*Gaumen*) kitzeln; **tit•il•la•tion** [ˌtɪtɪ'leɪʃn] *s* Anregung *f;* Erregung *f;* (*fig*) Kitzel *m*
titi•vate ['tɪtɪveɪt] *itr* sich hübsch machen
title ['taɪtl] *s* **1.** (*Buch, Person*) Titel *m;* (*Kapitel*) Überschrift *f;* (*Film*) Untertitel *m* **2.** Recht *n,* Rechtsanspruch *m* (*to* auf), Eigentumsurkunde *f;* **under the same ~** in der gleichen Rubrik; **title deed** *s* Eigentumsurkunde *f;* **title-holder** *s* Titelinhaber(in) *m(f);* (SPORT) Titelverteidiger(in) *m(f);* **title page** *s* (*Buch*) Titelseite *f;* **title role** *s* (THEAT) Haupt-, Titelrolle *f;* **title-track** *s* (MUS) Titelstück *n*
tit•ter ['tɪtə(r)] **I.** *itr* kichern **II.** *s* Gekicher *n*
tittle-tattle ['tɪtltætl] **I.** *s* Geschwätz *n,* Tratsch *m* **II.** *itr* schwatzen, klatschen
tizzy ['tɪzɪ] *s* (*fam*) tolle Aufregung; **be in a ~** sich fürchterlich aufregen
to [tu:] **I.** *prep* **1.** (*Richtung*) zu; (*Länder, Städte*) nach; **go ~ school** zur Schule gehen; **go ~ the lawyer** zum Anwalt gehen; **go ~ the theatre/cinema** ins Theater/Kino gehen; **go ~ America/New York** nach Amerika/New York fahren; **~ Switzerland** in die Schweiz; **go ~ bed** ins [*o* zu] Bett gehen; **come ~ me!** komm zu mir! **2.** (*Erstreckung*) bis; (**up**) **~ the age of 10** bis 10 Jahre; (**from**) **30 ~ 40** 30 bis 40; **10 kms ~ Stuttgart** 10 km nach Stuttgart; **~ this day** bis auf den heutigen Tag **3.** (*als Dativobjekt*) *mit Dativ;* **give s.th. ~ s.o.** jdm etw geben; **I said ~ myself** ich habe mir gesagt; **sing ~ o.s.** vor sich hin singen; **addressed ~ me** an mich adressiert **4.** (*Widmung*) an; (*Trinkspruch*) auf **5.** (*Nähe, Berührung*) an; **close ~ s.th.** dicht an etw; **nail s.th. ~ the wall** etw an die Wand nageln **6.** (*Uhrzeit*) vor; **20** (**minutes**) **~ 3** 20 (Minuten) vor 3 **7.** (*Vergleich*) als; **superior ~** besser als **8.** (*Beziehung*) zu; **3 goals ~ 1** 3 zu 1 Toren (3 : 1); **a majority of 5 ~ 1** eine Mehrheit von 5 zu 1 **9.** pro; **one litre ~ one person** ein Liter pro Person **10.** (*Wendungen*): **~ my knowledge** meines Wissens; **~ my surprise** zu meiner Überraschung; **~ his taste** nach seinem Geschmack **II.** (*beim Infinitiv*) zu; **~ hope ~ succeed** hoffen, Erfolg zu haben; **I want you ~ do that** ich möchte, dass Sie das tun; **do you want ~ do that?** möchten Sie das tun?; **~ hear you talk one could think** wenn man dich so reden hört, könnte man meinen; **~ tell the truth** um ehrlich zu sein; **he is not the type ~ do that** er ist nicht der Typ, der so etwas tun würde; **you'll be the first ~ hear it** Sie werden der Erste sein, der das erfährt; **it's hard ~ go** es ist schwer zu gehen; **does he want ~?** will er denn?; **I would like ~ but I can't** ich würde ja gerne, aber ich kann nicht **III.** *adv:* **~ and fro** hin und her; auf und ab **IV.** *adj* (*Tür*) zu; angelehnt
toad [təʊd] *s* Kröte *f a. fig;* **toad-in-the-hole** [ˌtəʊdɪnðə'həʊl] *s* Würstchen *n* in Pfannkuchenteig; **toad•stool** ['təʊdstu:l] *s* (Gift)Pilz *m;* **toady** ['təʊdɪ] **I.** *s* Speichellecker *m* **II.** *itr* niedrig schmeicheln; sich anbiedern (*to s.o.* jdm)
to-and-fro [ˌtu:ən'frəʊ] *s* Hin und Her *n*
toast[1] [təʊst] **I.** *tr* rösten; **~ o.s.** sich auf-, durchwärmen **II.** *itr* braun u. knusprig werden **III.** *s* Toast *m*
toast[2] [təʊst] **I.** *s* Trinkspruch, Toast *m;* **propose** [*o* **give**] **a ~** e-n Toast ausbringen (*to s.o.* auf jdn) **II.** *tr* **1.** zutrinken (*s.o.* jdm) **2.** hochleben lassen
toaster ['təʊstə(r)] *s* Brotröster, Toaster *m*
toast•master ['təʊstmɑ:stə(r)] *s* Zeremonienmeister *m*
toast•rack ['təʊstræk] *s* Toastständer *m*
to•bacco [tə'bækəʊ] *s* Tabak *m;* **to•bacco•nist** [tə'bækənɪst] *s* Tabakhändler(in) *m(f);* **~'s** (**shop**) Tabakladen *m*
to-be [tə'bi:]: **my wife ~** meine zukünftige Frau
to•bog•gan [tə'bɒgən] **I.** *s* Rodel(schlitten) *m* **II.** *itr* rodeln; Schlitten fahren; **toboggan run** *s* Rodelbahn *f*
toby ['təʊbɪ] *s* (*~ jug*) Bierkrug *m* (*als Figur*)
tod [tɒd] *s* (*sl*): **on one's ~** allein
to•day [tə'deɪ] **I.** *adv* heute; heutzutage **II.** *s* heutiger Tag; Gegenwart *f;* **~'s** heutig; **of ~** von heute; **~'s rate** (COM) Tageskurs *m*
toddle ['tɒdl] *itr* **1.** tappen, watscheln **2.** (*fam*) gehen **3.** (*fam: ~ off*) abhauen; **toddler** ['tɒdlə(r)] *s* Kleinkind *n*
toddy ['tɒdɪ] *s* (Whisky)Grog *m*
to-do [tə'du:] *s* Theater *n;* **make a ~ about s.th.** viel Aufhebens von e-r S machen
toe [təʊ] **I.** *s* **1.** Zehe *f* **2.** (*Schuh*) Kappe *f* **3.** (*Socken*) Spitze *f;* **from top to ~** von Kopf bis Fuß; **be on one's ~s** (*fig*) auf Draht sein; **step** [*o* **tread**] **on s.o.'s ~s** (*fig*) jdm zu nahe treten; **big/little ~** große/kleine

Zehe **II.** *tr:* ~ **the line** (*fig*) nicht aus der Reihe tanzen, spuren; ~ **the party line** sich nach der Parteilinie richten; **toe•cap** *s* (*Schuh*) Kappe *f;* **toe•hold** *s* (*fig*) Halt *m;* **get a** ~ (*fig*) festen Fuß fassen; **toe•nail** *s* Zehen-, Fußnagel *m*

toff [tɒf] *s* (*sl*) feiner Pinkel

toffee, toffy ['tɒfɪ, *Am* 'tɔ:fɪ] *s* Karamelbonbon *m od n;* **toffee apple** *s* kandierter Apfel; **toffee-nosed** ['tɒfɪnəʊzd] *adj* (*Br fam*) eingebildet

to•gether [tə'geðə(r)] *adv* **1.** zusammen (*with* mit) **2.** miteinander, gemeinsam **3.** zugleich, zu gleicher Zeit **4.** ununterbrochen; **close** ~ nahe beieinander; **to•gether•ness** [-nɪs] *s* **1.** Beisammensein *n* **2.** Zusammengehörigkeit *f*

toggle ['tɒgl] *s* Knebelknopf *m;* (TECH) Knebel *m;* **toggle switch** *s* Kippschalter *m*

Togo ['təʊgəʊ] *s* Togo *n;* **To•go•lese** [,təʊgəʊ'li:z] **I.** *adj* togo(les)isch **II.** *s* Togoer(in) *m(f)*

toil [tɔɪl] **I.** *itr* sich abmühen, sich plagen; **he's ~ing** (*fam*) er tut sich schwer **II.** *s* Mühe, Plage *f*

toi•let ['tɔɪlɪt] *s* **1.** Toilette *f,* Klosett *n* **2.** (Morgen)Toilette *f* **3.** Kleidung *f;* **toilet paper** *s* Toilettenpapier *n;* **toi•let•ries** ['tɔɪlɪtrɪz] *s pl* Toilettenartikel *mpl;* **toilet roll** *s* Rolle *f,* Klosettpapier *n;* **toilet soap** *s* Toilettenseife *f;* **toilet water** *s* Toilettenwasser *n*

to-ing and fro-ing [,tu:ɪŋən'frəʊɪŋ] *s* Hin und Her *n*

to•ken ['təʊkən] **I.** *adj* Schein-, Pro-forma-; ~ **charge** nominelle Gebühr; ~ **payment** symbolische Zahlung, Pro-forma-Bezahlung *f;* ~ **strike** Warnstreik *m;* ~ **woman** Vorzeige-, Alibifrau *f* **II.** *s* **1.** Zeichen *n* **2.** Andenken *n,* Erinnerung(sstück *n*) *f* **3.** (Wert)Marke *f;* Gutschein, Bon *m;* **by the same** ~ aus dem gleichen Grund; **as a** ~ **of** zum Zeichen *+gen*

told [təʊld] *s.* **tell**

tol•er•able ['tɒlərəbl] *adj* erträglich; (*fig*) annehmbar; **tol•er•ably** ['tɒlərəblɪ] *adv* leidlich, ziemlich; **tol•er•ance** ['tɒlərəns] *s* **1.** Duldung *f* **2.** (*a.* FIN TECH MED) Toleranz *f;* ~ **limit** Toleranzgrenze *f;* **tol•er•ant** ['tɒlərənt] *adj* tolerant (*of* gegen); **tol•er•ate** ['tɒləreɪt] *tr* **1.** dulden, zulassen **2.** ertragen, aushalten; **tol•er•ation** [,tɒlə'reɪʃn] *s* Duldung *f*

toll¹ [təʊl] *s* **1.** Brücken-, Wegegeld *n,* -zoll *m;* Maut *f;* Autobahngebühr *f* **2.** Standgeld *n* **3.** (*Am*) Fernsprechgebühr *f* **4.** (*fig*) Zoll, Tribut *m;* **it took a heavy** ~ **of life** es hat viele Menschenleben gekostet; **the** ~ **on the roads** die Straßenverkehrsopfer *npl*

toll² [təʊl] **I.** *tr* (*Glocke*) läuten **II.** *itr* läuten, schallen; **for whom the bell ~s** wem die Stunde schlägt **III.** *s* Glockengeläut *n;* Glockenschlag *m*

toll•bar, toll•gate ['təʊlbɑ:(r), 'təʊlgeɪt] *s* Schlagbaum *m,* Mautschranke *f;* **toll bridge** *s* gebührenpflichtige Brücke, Mautbrücke *f;* **toll call** *s* (*Am*) Ferngespräch *n;* **toll-free** *adj* (*Am*) gebührenfrei; **toll-house** *s* Maut-, Zollhaus *n;* **toll road** *s* gebührenpflichtige Straße, Mautstraße *f*

tom [tɒm] *s* Männchen *n* (*einiger Tiere*); (*~cat*) Kater *m;* **any T~, Dick or Harry** jeder x-beliebige

toma•hawk ['tɒməhɔ:k] *s* Tomahawk *m*

tom•ato [tə'mɑ:təʊ, *Am* tə'meɪtəʊ] <*pl* -atoes> *s* Tomate *f;* **tomato juice** *s* Tomatensaft *m;* **tomato ketchup** *s* (Tomaten)Ketchup *m od n;* **tomato soup** *s* Tomatensuppe *f*

tomb [tu:m] *s* Grab(gewölbe) *n*

tom•bola [tɒm'bəʊlə] *s* Tombola *f*

tom•boy ['tɒmbɔɪ] *s* Wildfang *m;* **be a** ~ (*Mädchen*) ein richtiger Junge sein

tomb•stone ['tu:mstəʊn] *s* **1.** Grabstein *m* **2.** (*fam*) Finanzanzeige *f*

tom•cat ['tɒmkæt] *s* Kater *m*

tome [təʊm] *s* Band *m;* Wälzer *m fam*

tom•fool•ery [tɒm'fu:lərɪ] *s* Dummheit *f*

Tommy gun ['tɒmɪgʌn] *s* (*fam obs*) Maschinenpistole *f;* **tommy•rot** [,tɒmɪ'rɒt] *s* (*fam obs*) Unsinn *m*

to•mo•graph ['tɒməgrɑ:f] *s* (MED) Tomograph *n;* **to•mo•graphy** [tə'mɒgrəfɪ] *s* (MED) Tomographie *f;* **computerized** ~, **CT** Computertomographie, CT *f*

to•mor•row [tə'mɒrəʊ] **I.** *adv* morgen; ~ **morning/afternoon/night** morgen früh/Nachmittag/Abend; ~ **week** morgen in acht Tagen; **the day after** ~ übermorgen **II.** *s* der morgige Tag

tom•tom ['tɒmtɒm] *s* Trommel *f*

ton [tʌn] *s* **1.** Tonne *f* (*Gewichtseinheit*); (*long ~, Br*) *2240 lb. = 1016,05 kg;* (*short ~, Am*) *2000 lb. = 907,18 kg;* (*metric ~*) 1000 kg (*2204,6 lb.*) **2.** (MAR) Registertonne *f* (*100 Kubikfuß = 2,83 m³*) **3.** (*sl*) Geschwindigkeit *f* von 100 Meilen pro Stunde; **~s of** e-e Menge, Masse; **that/he weighs a** ~ (*fig*) das/er ist wahnsinnig schwer; **do a** [*o* **the**] ~ (MOT: *sl*) hundert Sachen fahren

tone [təʊn] **I.** *s* **1.** Ton *m a. fig;* (MUS) Klang *m;* (*Am*) Note *f* **2.** (*Malerei*) Farbton *m* **3.** (PHYSIOL) Tonus *m;* Spannkraft, Elastizität *f;* **in an angry** ~ mit zorniger Stimme; **don't speak to me in that** ~ (**of voice**) ich verbiete mir einen solchen Ton; **lower the** ~ **of the conversation** sich unfein ausdrücken; ~ **quality** Klangcharakter *m* **II.** *tr* **1.** (ab)tönen **2.** (PHOT) tonen **III.** *itr* farblich harmonieren; **tone down** I. *tr* dämpfen; abschwächen; mäßigen II. *itr* schwächer werden; abnehmen; **tone in** *itr* harmonieren (*with* mit); **tone up** *tr* stärken; **tone arm** *s* (*Am*) Tonarm *m;* **tone control** *s* Klangregler *m;* **tone deaf** *adj* ohne musikalisches Gehör; **tone·less** [-lɪs] *adj* tonlos; (*Musik*) eintönig; (*Farbe*) stumpf; **tone poem** *s* Tongedicht *n*

to·ner ['təʊnə(r)] *s* (*für Drucker, Kopiergerät*) Toner *m;* **toner cartridge** *s* Tonerpatrone *f*

tone row ['təʊnrəʊ] *s* (MUS) Reihe *f*

tongs [tɒŋz] *s pl* Zange *f;* Lockenstab *m;* Brennschere *f;* **a pair of** ~ e-e Zange; **sugar** ~ Zuckerzange *f*

tongue [tʌŋ] *s* 1. Zunge *f* 2. (*fig*) Sprache *f* 3. (*Schuh*) Lasche, Zunge *f* 4. (*Glocke*) Klöppel *m* 5. (*Waage*) Zeiger *m* 6. züngelnde Flamme; **find one's** ~ die Sprache wiederfinden; **get one's** ~ **around** korrekt aussprechen; **have lost one's** ~ kein Wort herausbringen; ~ **in cheek** nicht ernst (gemeint); **hold one's** ~ den Mund halten; **keep a civil** ~ **in one's head** höflich bleiben; **a slip of the** ~ ein Lapsus, Versprecher *m;* **native** ~ Muttersprache *f;* **put** [*o* **stick**] **out one's** ~ **at s.o.** jdm die Zunge herausstrecken; **tongue-tied** ['tʌŋtaɪd] *adj:* **be** ~ gehemmt sein; **tongue-twister** ['tʌŋˌtwɪstə(r)] *s* Zungenbrecher *m*

tonic ['tɒnɪk] I. *adj* 1. (MED) stärkend, anregend 2. (MUS) Grundton- 3. (*Phonetik*) betont II. *s* 1. (MED) Tonikum *n;* (*kosmetisch*) Lotion *f;* (*Haar*) Haarwasser *n* 2. (~ *water*) Tonic(water) *n* 3. (MUS) Tonika *f;* **it was a real** ~ es hat mir richtig gut getan

to·night [tə'naɪt] I. *adv* heute Abend; heute Nacht II. *s* der heutige Abend; diese Nacht

ton·nage ['tʌnɪdʒ] *s* Tonnage *f*

ton·sil ['tɒnsl] *s* (ANAT) Mandel *f;* **ton·sil·litis** [ˌtɒnsɪ'laɪtɪs] *s* Mandelentzündung *f*

too [tu:] *adv* 1. zu, allzu, gar zu 2. auch, gleichfalls 3. auch noch; ~ **bad** zu schade; bedauerlich; **it's** ~ **much for him** es geht über seine Kräfte; ~ **much** zuviel; (*fam*) toll

took [tʊk] *s.* **take**

tool [tu:l] I. *s* 1. Werkzeug, Gerät *n* 2. Instrument *n a. fig* 3. (*fig*) Werkzeug *n* (*Mensch*); **machine** ~ Werkzeugmaschine *f;* **down** ~**s** die Arbeit niederlegen II. *tr* 1. bearbeiten 2. (*Leder, Buch*) punzen; **tool-bag** *s* Werkzeugtasche *f;* **tool·box, tool-chest** *s* Werkzeugkasten *m;* **tool·kit** *s* Werkzeug *n,* Werkzeugausrüstung *f;* **tool-maker** ['tu:lmeɪkə(r)] *s* Werkzeugmacher(in) *m(f);* **tool·shed** ['tu:lʃed] *s* Geräteschuppen *m*

toot [tu:t] *itr, tr* tuten, hupen

tooth [tu:θ, *pl* ti:θ] <*pl* teeth> *s* (*a.* TECH) Zahn *m fig;* **long in the** ~ alt; ~ **and nail** (*fig*) mit aller Gewalt; erbittert; **cast** [*o* **throw**] **s.th. in s.o.'s teeth** (*fig*) jdm etw ins Gesicht schleudern; **cut one's teeth** zahnen; **escape by** [*o* **with**] **the skin of one's teeth** mit knapper Not davonkommen; **have a sweet** ~ gern naschen; **have a** ~ **out, have a** ~ **pulled** (*Am*) sich e-n Zahn ziehen lassen; **get one's teeth into s.th.** (*fig*) sich in etw hineinknien; (**set of**) **false teeth** Gebiss *n;* **tooth·ache** ['tu:θeɪk] *s* Zahnschmerzen *mpl,* -weh *n;* **tooth·brush** ['tu:θbrʌʃ] *s* Zahnbürste *f;* **tooth·comb** ['tu:θkəʊm] *s:* **go through with a fine** ~ kritisch prüfen; **toothed whale** *s* Zahnwal *m;* **tooth·paste** ['tu:θpeɪst] *s* Zahnpasta *f;* **tooth·pick** ['tu:θpɪk] *s* Zahnstocher *m;* **tooth·some** ['tu:θsəm] *adj* wohlschmeckend, schmackhaft; **toothy** [tu:θɪ] *adj* mit vorstehenden Zähnen

tootle ['tu:tl] I. *itr* 1. tuten; dudeln 2. (~ *along*) dahinschlendern; dahinzockeln; weggehen II. *s* Tuten *n*

toots ['tʊts] *s* (*fam*) Schätzchen *n*

top[1] [tɒp] I. *s* 1. oberer Teil; Spitze *f;* (*Baum*) Gipfel, Wipfel *m;* (*Berg*) Gipfel *m;* (*Welle*) Kamm *m* 2. (*Pflanzen*) Kraut *n* 3. (*Tisch, Bett*) Kopfende *n;* oberes Ende 4. (*Kleid, Bikini*) Oberteil *n* 5. Oberfläche *f,* obere Seite 6. Deckel *m;* Kappe *f;* (Flaschen)Kapsel *f* 7. (*fig*) Gipfel, Höhepunkt *m;* höchste Stellung 8. Oberkörper *m* 9. (*working* ~) Arbeitsfläche *f* 10. (MOT) höchster Gang; **at the** ~ **of the tree** (*fig*) auf der höchsten Sprosse; **at the** ~ **of one's voice** [*o* **lungs**] aus vollem Halse; **from** ~ **to bottom** von oben bis unten; von vorn bis hinten; **from** ~ **to toe** von Kopf bis Fuß; **in** ~ (**gear**) mit dem höchsten Gang; **on** ~ oben; (*fig*) obenauf; **on** ~ **of** auf, über; (*fig*) über ... hinaus; **its getting on** ~ **of me** es wächst mir über den Kopf; **over the** ~ übertrieben; **come to the** ~ (*fig*) an die Spitze kommen; **you are** ~**s with me** bei mir bist du ganz groß angeschrieben; ~ **of the pops** Spitzenreiter *m* (in der Hitparade) II. *adj* oberste(r, s); höchste(r, s); beste(r, s) III. *tr* 1. (*Pflanze*) kappen 2. bedecken 3. die Spitze bilden (*s.th.* e-r S) 4. maximal erreichen 5. an der Spitze stehen (*s.th.* e-r S) 6. übersteigen; **to** ~ **it all** zur Krönung des Ganzen; ~ **o.s.** (*sl*) sich umbringen; **top off** *tr* abrunden; **top up** *tr* auffüllen

top[2] [tɒp] *s* Kreisel *m*

to·paz ['təʊpæz] *s* (MIN) Topas *m*

top·coat ['tɒpkəʊt] *s* 1. Mantel *m* 2. oberste Farbschicht 3. Über(nagel)lack *m;* **top copy** *s* Original *n;* **top dog** *s* der Boss vom Ganzen; **top drawer** *adj* erstklassig; vornehm; **top executive** *s* Spitzenkraft *f;* **top-flight** *adj* (*fam*) erstklassig; **top hat** *s* Zylinder *m;* ~ **pension** Sonderpension *f* für leitende Angestellte; **top-heavy** *adj* kopflastig *a. fig*

topi, **topee** ['təʊpɪ] *s* Tropenhelm *m*

topic ['tɒpɪk] *s* Thema *n;* **provide a** ~ **for discussion** ein Diskussionsthema abgeben; **topi•cal** ['tɒpɪkl] *adj* aktuell; ~ **index** Sachregister *n;* **topi•cal•ity** [ˌtɒpɪ'kælətɪ] *s* **1.** Aktualität *f* **2. topicalities** Gegenwartsprobleme *npl*

top•less ['tɒplɪs] *adj* oben ohne, Oben-ohne-, topless; **top-level** *adj, s* Spitzen-; **on** ~ auf höchster Ebene; **top loader** ['tɒpləʊdə(r)] *s* Toplader *m;* **top man•age•ment** *s* Unternehmens-, Führungsspitze *f,* Topmanagement *n;* **top•most** ['tɒpməʊst] *adj* oberste(r, s); **top•notch** [ˌtɒp'nɒtʃ] *adj* (*fam*) großartig, fantastisch, prima

topo•gra•pher [tə'pɒgrəfə(r)] *s* Topograph(in) *m(f);* **topo•graphi•cal** [ˌtɒpə'græfɪkl] *adj* topographisch; **top•ogra•phy** [tə'pɒgrəfɪ] *s* Topographie *f*

top•per ['tɒpə(r)] *s* (*fam*) Zylinder *m*

top•ping ['tɒpɪŋ] **I.** *adj* (*fam*) prächtig, großartig **II.** *s:* **with a** ~ **of cream** mit e-r Sahnehaube, mit Sahne

topple ['tɒpl] **I.** *itr* **1.** wackeln **2.** fallen **3.** (*fig*) gestürzt werden **II.** *tr* **1.** umwerfen; hinunterwerfen **2.** (*fig*) stürzen; **topple down** *itr* umfallen; umkippen; herunterfallen; **topple over** *itr* fallen

top price ['tɒp'praɪs] *s* Höchstpreis *m;* **top priority** *s* höchste Priorität; **top quality** *s* Spitzenqualität *f;* **top-ranking** *adj* hochrangig, Spitzen-; **top•sail** ['tɒpsl] *s* Marssegel *n;* **top salary** *s* Spitzengehalt *n;* **top secret** *adj* streng geheim; **top-selling** *adj* meistverkauft; **top•soil** ['tɒpsɔɪl] *s* Mutterboden, Humusboden *m,* -schicht *f;* **top speed** *s:* **at** ~ mit Höchstgeschwindigkeit; **top•spin** ['tɒpspɪn] *s* (*Tennis*) Topspin *m*

topsy-turvy [ˌtɒpsɪ'tɜːvɪ] *adv, adj* kopfüber, drunter u. drüber, durcheinander; **turn** ~ das Oberste zuunterst kehren

torch [tɔːtʃ] *s* **1.** (*Br*) Taschenlampe *f* **2.** Fackel *f a. fig* **3.** (*fig*) Licht *n,* Flamme *f* **4.** (~*-lamp*) Lötlampe *f;* Schweißbrenner *m;* **carry a** ~ **for s.o.** in jdn verknallt sein; **torch•light** ['tɔːtʃlaɪt] *s* Fackelschein *m;* Licht *n* der Taschenlampe; **torchlight procession** *s* Fackelzug *m*

tore [tɔː(r)] *s.* **tear**[1]

tor•ment ['tɔːment] **I.** *s* **1.** Qual, Folter, Pein *f* **2.** (*Kind*) Quälgeist *m* **II.** [tɔː'ment] *tr* quälen, martern, peinigen (*with* mit); **tor•men•tor** [tɔː'mentə(r)] *s* Peiniger(in) *m(f)*

torn [tɔːn] *s.* **tear**[1]

tor•nado [tɔː'neɪdəʊ] <*pl* -nadoes> *s* Wirbelsturm, Tornado *m*

tor•pedo [tɔː'piːdəʊ] <*pl* -pedoes> **I.** *s* (MAR) Torpedo *m* **II.** *tr* torpedieren *a. fig;* (*fig*) unterminieren, hintertreiben

tor•pid ['tɔːpɪd] *adj* träge; apathisch, stumpf; **tor•por** ['tɔːpə(r)] *s* **1.** Stumpfheit, Trägheit *f* **2.** (*a.* ZOO) Erstarrung, Betäubung *f*

torque [tɔːk] *s* (PHYS) Drehmoment *n*

tor•rent ['tɒrənt] *s* **1.** Sturz-, Gießbach *m* **2.** (*fig*) Strom *m,* Flut *f;* **it rained in** ~**s** es goss in Strömen; **tor•ren•tial** [tə'renʃl] *adj* (*Regen*) wolkenbruchartig

tor•sion ['tɔːʃn] *s* Torsion *f*

torso ['tɔːsəʊ] <*pl* torsos> *s* Körper, Rumpf *m;* (*Kunst*) Torso *m a. fig*

tor•toise ['tɔːtəs] *s* (Land)Schildkröte *f;* **tor•toise•shell** ['tɔːtəsʃel] *s* Schildpatt *n*

tor•tu•ous ['tɔːtjʊəs] *adj* **1.** gewunden, kurvenreich **2.** (*fig*) verwickelt; umständlich

tor•ture ['tɔːtʃə(r)] **I.** *s* **1.** Folter *f* **2.** (*fig*) Qual *f* **II.** *tr* foltern; quälen *a. fig,* peinigen; **tor•turer** ['tɔːtʃərə(r)] *s* **1.** Folterknecht *m,* Folterer *m* **2.** (*fig*) Peiniger(in) *m(f)*

Tory ['tɔːrɪ] **I.** *adj* (*Br*) konservativ; Tory- **II.** *s* (*Br*) Konservative(r) *f m;* **Tory•ism** [-ɪzm] *s* Konservatismus *m*

tosh [tɒʃ] *s* (*fam*) Quatsch, Blödsinn *m*

toss [tɒs] **I.** *tr* **1.** werfen; (*Reiter*) abwerfen **2.** in die Höhe werfen **3.** (*Salat*) durcheinander machen **4.** (*Kopf*) hoch-, zurückwerfen **5.** (*mit e-r Münze*) auslosen (*for s.th.* etw); ~ **s.o. for s.th.** mit jdm um etw losen **II.** *itr* **1.** (~ *o.s. about*) sich (unruhig) hin- und herwerfen, wälzen **2.** (*Schiff*) schlingern; (*Korn*) wogen **3.** (~ *up*) losen (*for* um) **III.** *s* **1.** Wurf *m* **2.** (Aus)Losen *n* **3.** (*Schiff*) Schlingern *n;* **win/lose the** ~ beim Losen gewinnen/verlieren; **toss about I.** *itr* sich hin- und herwerfen **II.** *tr* hin- und herschütteln; (*Schiff*) schaukeln lassen; (*fig*) diskutieren; **toss away** *tr* wegwerfen; **toss off I.** *tr* hinunterstürzen, -spülen; (*fig*) aus dem Ärmel schütteln **II.** *itr, refl* (*sl*) sich einen runterholen *sl;* **toss out** *tr* **1.** wegwerfen **2.** hinauswerfen; **toss up I.** *itr* losen (*for* um) **II.** *tr* werfen

toss-up ['tɒsʌp] *s* Losen *n;* **it's a** ~ das hängt ganz vom Zufall ab (*whether* ob)

tot [tɒt] *s* **1.** (*Br fam*) Schluck *m* (*Schnaps*) **2.** (*fam: tiny*~) Knirps *m;* **tot up** *tr* zusammenzählen, -rechnen

to•tal ['təʊtl] **I.** *adj* ganz, völlig, vollständig; gesamt; ~ **amount** Gesamtbetrag *m;* ~ **cost** Gesamtkosten *pl;* ~ **eclipse** totale Finsternis; ~ **loss** Totalverlust *m;* ~ **spend** Gesamtausgaben *fpl;* ~ **of inspection** Inspektionsreise *f* **II.** *s* Gesamtbetrag *m,* Summe *f;* Gesamtmenge *f;* **in** ~ insgesamt; **what does the** ~ **come to?** wie hoch ist der Gesamtbetrag?; **sum** ~ Gesamtsumme *f,* -betrag *m* **III.** *tr* **1.** (~ *up*) zusammenzählen, -rechnen **2.** sich belaufen auf

to•tali•tar•ian [ˌtəʊtælɪ'teərɪən] *adj* (POL) totalitär; **to•tali•tar•ian•ism** [-ɪzəm] *s* Totalitarismus *m*

to•tal•ity [təʊ'tæləti] *s* **1.** Gesamtheit *f* **2.** (ASTR) totale Verfinsterung; **in** ~ im Ganzen, insgesamt

to•tal•iz•ator, to•tal•izer ['təʊtəl aɪˌzeɪtə(r), 'təʊtəlaɪzə(r)] *s* (*Pferderennen*) Totalisator *m*

to•tal•ly ['təʊtəlɪ] *adv* völlig, vollständig, ganz, gänzlich

tote[1] [təʊt] *s* (*fam: Pferderennen*) Totalisator *m*

tote[2] [təʊt] *tr* (*fam*) schleppen; bei sich tragen; **tote bag** *s* (*Am*) Einkaufstasche *f*

to•tem ['təʊtəm] *s* Totem *n;* **totem pole** *s* Totempfahl *m*

tot•ter ['tɒtə(r)] *itr* **1.** schaukeln **2.** torkeln, (sch)wanken **3.** wackeln **4.** (*fig*) schwanken; **tot•tery** ['tɒtərɪ] *adj* (sch)wankend; wack(e)lig; tatterig, zitterig

tou•can ['tu:kæn] *s* (*Vogel*) Tukan *m*

touch [tʌtʃ] **I.** *tr* **1.** be-, anrühren, anfassen **2.** rühren, stoßen an **3.** grenzen an; streifen **4.** (*fig*) erreichen, heranreichen an **5.** benutzen, gebrauchen **6.** (*Thema*) berühren; betreffen, angehen **7.** (*seelisch*) rühren **8.** treffen (*to the quick* ins Mark) **9.** (*sl*) anhauen, -pumpen (*for* um); **don't** ~ **it!** fass das nicht an!; **they can't** ~ **me** (*fig*) sie können mir nichts anhaben; **I haven't** ~**ed a tennis racket for years** ich habe schon seit Jahren nicht mehr Tennis gespielt; ~ **bottom** (*fig: der Sache*) auf (den Grund) kommen; auf e-m Tiefpunkt ankommen **II.** *itr* sich berühren; (*Grundstücke*) aneinander stoßen **III.** *s* **1.** (leichte) Berührung *f* **2.** Pinselstrich *m* **3.** Tastsinn *m* **4.** Gefühl *n;* Empfindung *f* **5.** Verbindung, Fühlung *f* **6.** Anflug, Hauch *m;* Idee, Spur *f* **7.** (MED) leichter Anfall **8.** (MUS) Anschlag *m;* **at a** ~ bei bloßer Berührung; **be/keep in** ~ **with** in Verbindung stehen/bleiben mit; **be out of** ~ **with** nicht mehr in Verbindung stehen mit; **touch at** *itr* (MAR) anlaufen; **touch down I.** *itr* **1.** (AERO) aufsetzen, landen **2.** (SPORT) einen Versuch erzielen **II.** *tr* (*Ball*) hinlegen; **touch in** *tr* einfügen; **touch on** *tr* (*Thema*) berühren, anschneiden, erwähnen; **touch off** *tr* hervorrufen, auslösen; **touch up** *tr* **1.** (*Farbe*) auffrischen; (*Foto*) retuschieren; (*Aufsatz*) überarbeiten **2.** (*fam: Person*) befummeln; **touch upon** *tr* (*Thema*) kurz berühren, streifen

touch-and-go [ˌtʌtʃən'gəʊ] *adj* riskant, gewagt; **touch-down** ['tʌtʃdaʊn] *s* **1.** (AERO) Landung *f* **2.** (SPORT) Versuch *m;* **touched** [tʌtʃt] *adj* gerührt, ergriffen; ~ **in the head** nicht ganz klar im Kopf; **touchiness** ['tʌtʃɪnəs] *s* Empfindlichkeit *f;* **touch•ing** ['tʌtʃɪŋ] *adj* rührend, ergreifend; **touch-sensitive** ['tʌtʃ'sensɪtɪv] *adj:* ~ **screen** Kontaktbildschirm *m;* **touch•stone** ['tʌtʃstəʊn] *s* (*fig*) Prüfstein *m;* **touch-type** *tr, itr* blindschreiben

touchy ['tʌtʃɪ] *adj* **1.** empfindlich **2.** heikel, riskant

tough [tʌf] **I.** *adj* **1.** zäh; robust **2.** widerstandsfähig **3.** hartnäckig **4.** mitleidslos, hart **5.** schwierig, schwer **6.** rauflustig, streitsüchtig; **it is really** ~ **that ...** es ist wirklich hart, dass ...; **that's a** ~ **nut to crack** (*fig*) das ist e-e harte Nuss; **have a** ~ **time** eine schwere Zeit durchmachen; ~ **(luck)**! Pech!; ~ **customer** schwieriger Patron **II.** *s* Raufbold *m;* **toughen** ['tʌfn] **I.** *itr* hart werden; zäh werden; sich verhärten **II.** *tr* **1.** (*Material*) härten **2.** (*Menschen*) stählen; hart machen **3.** (*Gesetze, Disziplin*) verschärfen; **toughness** [-nɪs] *s* Zähheit *f;* Zähigkeit *f;* Härte *f;* Schwierigkeit *f*

toupée ['tu:peɪ] *s* Toupet *n*

tour [tʊə(r)] **I.** *s* **1.** Tour *f;* Reise, Fahrt *f;* (*im Gebäude*) Rundgang *m* **2.** Führung *f;* Rundfahrt *f* **3.** (~ *of inspection*) Runde *f,* Rundgang *m* **4.** (THEAT SPORT) Tournee *f;* **go on a** ~ **of France** eine Reise durch Frankreich machen; **make a** ~ **of the building** einen Rundgang durchs Gebäude machen; **on** ~ auf Tournee; **guided** ~ Führung *f;* **coach** ~ Busreise *f* **II.** *itr* **1.** eine Reise machen **2.** (THEAT SPORT) eine Tournee machen; auf Tournee sein **III.** *tr* **1.** bereisen, reisen durch **2.** einen Rundgang machen durch; besichtigen **3.** (THEAT SPORT) eine Tournee machen durch; **tour•ing com•pany** [ˌtʊərɪŋ'kʌmpənɪ] *s* Tourneetheater *n*

tour•ism ['tʊərɪzəm] *s* Fremdenverkehr, Tourismus *m;* **tour•ist** ['tʊərɪst] *s* Tourist(in) *m(f);* **travel** ~ in der Touristenklasse reisen; **tourist agency** *s* (*Am*), **bureau** *s* Reisebüro *n;* **tourist office** *s* Fremdenverkehrsbüro *n;* **tourist class** *s* Touristenklasse *f;* **tourist guide** *s* **1.** (*Buch*) Reiseführer *m* **2.** (*Person*) Fremdenführer(in) *m(f);* **tourist industry** *s* Fremdenverkehr *m,* Fremdenverkehrsindustrie *f;* **tourist season** *s* Reisezeit *f;* **tourist ticket** *s* Rundreise(fahr)karte *f;* **tourist visa** *s* Touristenvisum *n*

tour•na•ment ['tɔ:nəmənt, *Am* 'tɜ:nəmənt] *s* (*a.* SPORT) Turnier *n*

tour op•er•ator ['tʊə(r)'ɒpərəɪtə(r)] *s* Reiseveranstalter *m*

tousle ['taʊzl] *tr* zerzausen

tout [taʊt] **I.** *itr* **1.** (*fam*) auf Kunden-, Stimmenfang gehen (*for* für) **2.** (~ *round*) auf Pferderennen Tips verkaufen **II.** *tr* **1.** (*Pferd*) als Favoriten angeben **2.** (*Lage, Ställe*) auskundschaften **3.** (*Information*) anbieten; (*Karten*) schwarz verkaufen **4.** (*fig*) anpreisen, aufschwatzen (*s.o. s.th.* jdm etw) **III.** *s* **1.** (*Person*) Schlepper *m* **2.** Tipgeber *m* **3.** Kartenschwarzhändler *m*

tow¹ [təʊ] **I.** *tr* (MOT MAR) (ab)schleppen **II.** *s* Schleppen *n;* (MAR) Treideln *n;* **have** [*o* **take**] **in** ~ im Schlepptau haben; ins Schlepptau nehmen; **can we give you a ~?** können wir Sie abschleppen?

tow² [təʊ] *s* Werg *n*

to•ward(s) [tə'wɔːd(z), *Am* tɔːrd(z)] *prep* **1.** auf … zu, nach … zu, in Richtung auf *a. fig* **2.** gegenüber *+dat* **3.** (*zeitlich*) gegen

tow•bar ['təʊbɑː(r)] *s* (MOT) Anhängerkupplung *f;* **tow•boat** *s* Schlepper *m;* **tow-car** *s* (*Am*) Abschleppwagen *m*

towel ['taʊəl] **I.** *s* Hand-, Badetuch *n;* **throw in the** ~ (*Boxen*) aufgeben, das Handtuch werfen; **kitchen** ~ Geschirrtuch *n;* **sanitary** ~ Damenbinde *f* **II.** *tr* abtrocknen, trockenreiben; **towel•ette** [ˌtaʊə'let] *s* Erfrischungstuch *n;* **towel•ing** *s* (*Am*), **towel•ling** [-ɪŋ] *s* Frottee *n od m;* **towel-rail** *s* Handtuchhalter *m*

tower ['taʊə(r)] **I.** *s* **1.** Turm *m;* (AERO: *control* ~) Kontrollturm *m* **2.** (*fig:* ~ *of strength*) (sicherer) Hort *m;* Stütze *f* **II.** *itr* ragen; **tower above, tower over** *itr* emporragen über; überragen; **tower up** *itr* emporragen; **tower block** *s* Hochhaus *n;* **tower•ing** [-ɪŋ] *adj* **1.** (*Gebäude*) alles überragend; (*Berge*) hochragend; (*Baum, Mensch*) hoch aufragend **2.** (*fig*) gewaltig, heftig

town [taʊn] *s* **1.** Stadt *f* **2.** London *n* **3.** Stadtbevölkerung *f;* **in** ~ in der Stadt; **be out of** ~ verreist sein; **go to** ~ in die Stadt gehen; (*fig fam*) es übertreiben (*on* mit); **paint the** ~ **red** die Stadt auf den Kopf stellen; **town centre** *s* Stadtzentrum *n,* -mitte *f;* **town clerk** *s* (*Br*) Stadtdirektor *m;* **town council** *s* Stadtrat *m;* **town councillor** *s* Stadtrat *m,* Stadträtin *f,* Stadtratsmitglied *n;* **town gas** *s* Stadtgas *n;* **town hall** *s* Rathaus *n;* **town house** *s* Stadthaus *n,* -wohnung *f;* **town planning** *s* Stadtplanung, Städteplanung *f;* **townscape** ['taʊnskeɪp] *s* Stadtbild *n,* Stadtlandschaft *f;* **towns•folk** ['taʊnzfəʊk] *s pl* Städter *mpl;* **town•ship** ['taʊnʃɪp] *s* (*Am*) (Amts)Bezirk *m;* Ortschaft *f;* (*Südafrika*) Township *f;* **towns•people** ['taʊnzˌpiːpl] *s* Städter, Bürger *mpl;* **town twinning** *s* Städtepartnerschaft *f*

tox•aemia [tɒk'siːmɪə] *s* Blutvergiftung *f;* **tox•emia** *s* (*Am*) *s.* **toxaemia;** **toxic** ['tɒksɪk] *adj* giftig; ~ **agent** Gift(stoff) *n* (*m*); ~ **waste** Giftmüll *m;* **toxi•col•ogy** [ˌtɒksɪ'kɒlədʒɪ] *s* Toxikologie *f;* **toxin** ['tɒksɪn] *s* Gift, Toxin *n*

toy [tɔɪ] **I.** *s* Spielzeug *npl,* Spielwaren *fpl* **II.** *adj* **1.** klein **2.** (*Hund*) Zwerg- **III.** *itr* spielen (*with* mit); **toy car** *s* Spielzeugauto *n;* **toy•shop** *s* Spielwarenhandlung *f*

trace¹ [treɪs] **I.** *s* **1.** Spur *f a. fig* **2.** *meist pl* (*a.* CHEM) Spur, geringe Menge *f;* **without a** ~ spurlos; **lose** ~ **of** aus den Augen verlieren; ~ **element** Spurenelement *n* **II.** *tr* **1.** folgen (*a path* e-m Pfad) **2.** nachgehen, -spüren (*s.o.* jdm) **3.** (*Ereignisse:* ~ *back*) zurückverfolgen, zurückführen (*to* auf) **4.** aufspüren, ausfindig machen **5.** zeichnen; nachzeichnen; durchpausen **6.** (mühsam) schreiben

trace² [treɪs] *s:* **kick over the ~s** (*fig*) über die Stränge schlagen

trace•able ['treɪsəbl] *adj* **1.** zurückzuverfolgen(d) **2.** nachweisbar **3.** zurückführbar (*to* auf) **4.** auffindbar; **tracer** ['treɪsə(r)] *s* **1.** (~ *bullet*) Leuchtspurgeschoss *n* **2.** (*radioactive* ~) Isotopenindikator *m* **3.** Suchzettel *m;* ~ **ammunition** Leuchtspurmunition *f*

tracery ['treɪsərɪ] *s* (ARCH) Maßwerk *n*

tra•chea [trə'kɪə, *pl* -kɪiː] <*pl* -cheae> *s* (ANAT) Luftröhre *f*

trac•ing ['treɪsɪŋ] *s* **1.** Aufspüren *n* **2.** (Durch)Pausen *n;* **tracing paper** *s* Pauspapier *n*

track [træk] **I.** *s* **1.** Spur, Fährte *f* **2.** Pfad, Weg *m* **3.** (*fig*) Bahn *f,* Gang *m* **4.** (Renn-, Aschen)Bahn *f;* Rennsport *m* **5.** (*fig*) (Gedanken)Gang *m* **6.** (RAIL) Gleis *n,* Schienenstrang *m* **7.** (*Raupenfahrzeug*) Gleiskette *f;* (MOT) Spur(weite) *f* **8.** Musikstück *n* (*auf Band, Schallplatte*); (*Band*) Spur *f;* **off the** ~ auf falscher Fährte; (*fig*) auf dem Holzweg; **off the beaten** ~ ungewöhnlich; **be born on the wrong side of the ~s** (*Am*) aus niedrigen Verhältnissen stammen; **be on the** ~ **of s.o.** jdm auf der Spur sein; **go off the** ~ entgleisen; **keep** ~ **of s.o.** jdn im Auge behalten; **keep** ~ **of s.th.** sich etw genau merken; etw verfolgen; **leave the ~s** entgleisen; **lose** ~ **of s.o.** jdn aus den Augen verlieren; **make ~s** (*fam*) abhauen **II.** *tr* **1.** (*jdn, e-e Spur*) verfolgen **2.** folgen (*s.o.* jdm) **3.** aufspüren **4.** Spuren hinterlassen in, auf **III.** *itr* **1.** (MOT) Spur halten **2.** (FILM) sich bewegen **3.** Fährten lesen; **track down** *tr* ausfindig machen; **track-and-field events** *s pl* Leichtathletikkämpfe *mpl;* **tracker dog** ['trækəˌdɒg] *s* Spürhund *m;* **track events** *s pl* (SPORT) Laufdisziplinen *fpl;* **track•ing sta•tion** ['trækɪŋ'steɪʃn] *s* Beobachtungsstation *f* (*Raumflug*); **track•less** ['træklɪs] *adj* **1.** spur-, pfadlos **2.** (*Fahrzeug*) ohne Ketten; **track record** *s* Leistungsnachweis *m;* **what's his ~?** was hat er vorzuweisen?; **track shoe** *s* Lauf-, Turnschuh *m;* **track-suit** *s* Trainings-, Jogginganzug *m*

tract[1] [trækt] *s* **1.** (ANAT) (Verdauungs)Trakt *m;* (Atem)Wege *mpl* **2.** (*Land*) Gebiet *n;* **a narrow ~ of land** ein schmaler Streifen Land

tract[2] [trækt] *s* (BES. REL) Traktat *n*

tract•able ['træktəbl] *adj* folgsam, lenkbar

trac•tion ['trækʃn] *s* **1.** Zug *m,* Zugkraft *f* **2.** (*Fahrzeug*) Bodenhaftung *f* **3.** (MED) Streckverband *m;* **traction engine** *s* Zugmaschine *f;* **trac•tor** ['træktə(r)] *s* Traktor *m,* Zugmaschine *f;* Sattelschlepper *m;* **~ truck** (*Am*) Sattelschlepper *m*

trad [træd] *s* (*~ jazz*) Originaljazz *m*

trade [treɪd] **I.** *s* **1.** Gewerbe *n;* Handwerk *n* **2.** (COM) Handel *m* **3.** Beruf *m* **4.** (COM) Fachwelt *f* **5.** Wirtschafts-, Erwerbszweig *m;* Branche *f* **6.** Tauschgeschäft *n,* -handel *m;* **the T~s** der Passat, die Passatwinde *mpl;* **by ~** von Beruf **II.** *itr* **1.** handeln, Handel treiben (*in s.th.* mit e-r S, *with s.o.* mit jdm), Geschäfte machen (*with s.o.* mit jdm) **2.** (*Am fam*) kaufen (*at* bei) **III.** *tr* eintauschen (*s.th. for s.th.* etw für etw); **trade in** *tr* in Zahlung geben (*for* für); **trade on** *tr* ausnutzen (*s.o.* jdn); **trade agreement** *s* Handelsabkommen *n;* **trade association** *s* Fachverband *m;* **trade balance** *s* Handelsbilanz *f;* **trade barrier** *s* Handelsschranke *f;* **trade cycle** *s* Konjunkturzyklus *m;* **trade directory** *s* Branchen-, Firmenverzeichnis *n;* **trade discount** *s* Händler-, Großhandelsrabatt *m;* **traded option** *s* handelbare Option; **trade fair** *s* (Fach)Messe *f;* **trade gap** *s* Außenhandelsdefizit *n;* **trade-in** ['treɪdɪn] *s* in Zahlung gegebener Gegenstand; **trade journal** *s* Fachzeitschrift *f;* **trade-in value** *s* Gebrauchtwert *m;* **trade•mark** *s* Warenzeichen *n;* **trade mission** *s* Handelsdelegation *f;* **trade name** *s* Handelsname *m;* **trade-off** ['treɪdɒf] *s* Austausch *m;* **trade policy** *s* Handelspolitik *f;* **trade press** *s* Fachpresse *f;* **trade price** *s* Großhandelspreis *m;* **trader** ['treɪdə(r)] *s* **1.** Händler(in) *m(f)* **2.** (*Börse*) freie(r) Makler(in) *m (f)* **3.** (MAR) Handelsschiff *n;* **trade reference** *s* Handels-, Kreditauskunft *f;* **trade register** *s* Handelsregister *n;* **trade route** *s* Handelsweg *m;* **trade secret** *s* Betriebsgeheimnis *n;* **trades-man** ['treɪdzmən] <*pl* -men> *s* Ladeninhaber, -besitzer *m;* Handwerker *m;* **tradesmen's entrance** Eingang *m* für Lieferanten; **trades•people** ['treɪdzˌpi:pl] *s pl* Geschäftsleute *pl;* **trade surplus** *s* Handelsüberschuss *m;* **trade union** [ˌtreɪd'ju:njən] *s* Gewerkschaft *f;* **form a ~** sich gewerkschaftlich organisieren, zusammenschließen; **trade unionism** *s* Gewerkschaftsbewegung *f;* **trade unionist** *s* Gewerkschaftler(in) *m(f);* **trade war** *s* Handelskrieg *m*

trade wind *s* Passatwind *m*

trad•ing ['treɪdɪŋ] **I.** *adj* handeltreibend **II.** *s* Handel *m;* **trading area** *s* Absatzgebiet *n;* **trading estate** *s* Gewerbegebiet *n;* **trading licence** *s* Gewerbeschein *m;* **trading stamp** *s* Rabattmarke *f;* **trading volume** *s* Handelsvolumen *n*

tra•di•tion [trə'dɪʃn] *s* Tradition *f;* Brauch *m;* **tra•di•tional** [trə'dɪʃənl] *adj* traditionell, herkömmlich; üblich; **tra•di•tion•al•ism** [trə'dɪʃənəlɪzəm] *s* Traditionalismus *m;* **tra•di•tion•al•ist** [trə'dɪʃənəlɪst] *s* Traditionalist(in) *m(f)*

traf•fic ['træfɪk] <*ppr:* -ficking, *pp:* -ficked> **I.** *s* **1.** Verkehr *m;* Flugverkehr *m* **2.** Handel *m* (*in* in, mit) **3.** (Waren)Umschlag *m;* **air ~** Luftverkehr *m;* **freight ~, goods ~, merchandise ~** Fracht-, Güter-, Warenverkehr *m;* **one-way ~** Einbahnverkehr *m,* -straße *f* **II.** *itr* (Schwarz-, Schleich)Handel treiben, handeln (*in s.th.* mit etw); **traffic accident** *s* Verkehrsunfall *m;* **traffic calming** *s Maßnahmen zur Verkehrsberuhigung;* **traffic circle** *s* (*Am*) Kreisverkehr *m;* **traffic island** *s* Verkehrsinsel *f;* **traffic jam** *s* Verkehrsstockung *f,* -stau(ung *f*) *m;* **traf•ficker** ['træfɪkə(r)] *s* Schwarzhändler, Schieber *m;* **traffic lights** *s pl* Verkehrsampel *f;* **traffic patrol** *s* Verkehrsstreife *f;* **traffic regulation** *s* Verkehrsregelung *fpl,* Verkehrsvorschriften *fpl;* **traffic sign** *s* Verkehrszeichen, -schild *n;* **traffic signals** *s pl* Verkehrsampel *f;* **traffic warden** *s* Verkehrspolizist(in) *m(f),* Politesse *f*

tra•gedy ['trædʒədɪ] *s* Trauerspiel *n,* Tragödie *f a. fig;* **tra•gic** ['trædʒɪk] *adj* tragisch *a. fig;* **tragi-com•edy** [ˌtrædʒɪ'kɒmədɪ] *s* Tragikomödie *f a. fig*

trail [treɪl] **I.** *tr* **1.** nach-, hinter sich herschleifen **2.** nachziehen, -schleppen **3.** verfolgen **II.** *itr* **1.** schleifen **2.** (BOT) ranken, kriechen **3.** sich dahinschleppen **4.** (*fig*) weit abgeschlagen sein **III.** *s* **1.** (*Rauch*) Fahne *f;* (*Meteor*) Schweif *m* **2.** Spur, Fährte *f* **3.** Pfad *m;* **(hot) on s.o.'s ~** (dicht) auf jds Spur; **blaze the ~** den Weg bahnen *a. fig;* **~ of blood** Blutspur *f;* **~ of dust**

Staubwolke *f;* **trail along** I. *itr* entlangtrotten II. *tr* entlangschleppen; **trail away**, **trail off** *itr* (*Stimme*) sich verlieren; verstummen; **trail behind** I. *itr* 1. hinterhertrotten 2. (*fig*) zurückgefallen sein II. *tr* hinter sich herschleppen

trail•blazer ['treɪl'bleɪzə(r)] *s* (*fig*) Wegbereiter, Bahnbrecher, Pionier *m*

trailer ['treɪlə(r)] *s* 1. (BOT) Kletterpflanze *f* 2. (~ *car*) Anhänger *m* (e-s Fahrzeuges) 3. Wohnwagen *m* 4. (Film)Vorschau *f;* **trailer camp**, **trailer park** *s* (*Am*) Campingplatz *m* für Wohnwagen; Wohnwagenkolonie *f*

train[1] [treɪn] *s* 1. (Eisenbahn)Zug *m* 2. langer Zug; Karawane *f;* Wagenkolonne *f;* (~ *of barges*) Schleppzug *m;* (*Menschen*) Schlange *f;* Gefolge *n* 3. (*fig*) Reihe, Serie, Kette, Folge *f* 4. (TECH) Walzenstrecke, -straße *f* 5. (*Kleid*) Schleppe *f;* **by** ~ mit dem Zug, mit der Bahn; **in** ~ im Gange; **get into a** ~, **get on a** ~, **board a** ~ in e-n Zug einsteigen; **put in** ~ in Gang setzen; **change ~s** umsteigen; **on the** ~ im Zug; **~ of thought** Gedankengang *m;* **it brought a drought in its** ~ es brachte eine Dürre mit sich

train[2] [treɪn] I. *tr* 1. ausbilden, schulen; (*Tier*) abrichten, dressieren; (*Kind*) erziehen; (*Auszubildende, Anfänger*) einweisen, unterweisen 2. (SPORT) trainieren; (*Gehirn*) schulen 3. (*Gewehr, Fernglas*) richten (*on* auf) 4. (*Pflanze*) wachsen lassen; am Spalier ziehen; ~ **o.s. to do s.th.** sich dazu erziehen etw zu tun; ~ **s.o. as s.th.** jdn zu etw ausbilden II. *itr* 1. (BES. SPORT) trainieren 2. ausgebildet werden; ~ **as a teacher** eine Lehrerausbildung machen, für das Lehramt studieren

train ac•ci•dent ['treɪnˌæksɪdənt] *s* Eisenbahnunglück *n;* **train collision** *s* Zugzusammenstoß *m;* **train connection** *s* Zugverbindung *f;* **train driver** *s* Zug-, Lokführer(in) *m(f)*

trained ['treɪnd] *adj* gelernt; ausgebildet; (*Tier*) dressiert; (*Auge, Ohr*) geschult; ~ **workers** Fachkräfte *fpl;* **well-~ child** guterzogenes Kind

trainee [treɪ'ni:] *s* Auszubildende(r) *f m,* Azubi *f m,* Praktikant(in) *m(f);* **he is a** ~ er befindet sich noch in der Ausbildung; **trainee•ship** [ˌtreɪ'ni:ʃɪp] *s* Ausbildungsplatz *m;* **trainee teacher** *s* Referendar(in) *m(f);* **trainer** ['treɪnə(r)] *s* 1. Trainer *m* 2. Ausbilder(in) *m(f)* 3. (*Tier*) Dresseur(in) *m(f),* Dompteur(in) *m(f)* 4. (AERO: ~ *plane*) Schulflugzeug *n;* Simulator *m*

train ferry ['treɪnˌferɪ] *s* Eisenbahnfähre *f*

train•ing ['treɪnɪŋ] *s* 1. Schulung, Ausbildung *f* 2. Dressur *f* 3. Training *n;* **in/out of** ~ (SPORT) in/aus der Übung; **go into** ~ sich vorbereiten (*for* auf); **training camp** *s* Trainingslager *n;* **training college** *s* Hochschule *f* für die Lehrerausbildung; **training course** *s* Ausbildungs-, Schulungskurs *m;* **training objective** *s* Ausbildungsziel *n;* **training personnel** *s* Lehrpersonal *n;* **training plane** *s* Schulflugzeug *n;* **training programme** *s* Ausbildungsprogramm *n;* **training ship** *s* Schulschiff *n*

train•man ['treɪnmən] <*pl* -men> *s* (*Am*) Eisenbahner *m;* Bremser *m;* **train schedule** *s* Fahrplan *m;* **train service** *s* Zugverkehr *m;* Zugverbindung *f*

traipse [treɪps] *itr* (*fam*) latschen; ~ **round the town for s.th.** sich in der Stadt die Beine nach etw ablaufen

trait [treɪt] *s* Eigenschaft *f;* (Charakter-, Wesens-, Gesichts)Zug *m*

trai•tor ['treɪtə(r)] *s* Verräter(in) *m(f)* (*to* an); **trai•tor•ous** ['treɪtərəs] *adj* verräterisch; **trai•tress** ['treɪtrɪs] *s* Verräterin *f*

tra•jec•tory [trə'dʒektərɪ] *s* Flugbahn *f*

tram [træm] *s* Straßenbahn *f;* **go by** ~ mit der Straßenbahn fahren; **tram•line** ['træmlaɪn] *s* 1. Straßenbahnlinie *f* 2. ~s (SPORT) Linien *pl* des Doppelspielfelds

tram•mel ['træml] I. *s pl* (*fig*) Fesseln *fpl* II. *tr* behindern, einengen, hemmen

tramp [træmp] I. *itr* 1. fest auftreten, stapfen 2. wandern, marschieren; umherziehen II. *tr* 1. durchwandern, -streifen 2. (*Schmutz*) herumtreten III. *s* 1. (schwerer) Tritt *m* 2. Fußmarsch *m,* Wanderung *f* 3. Wohnsitzlose(r) *f m,* Landstreicher(in) *m(f)* 4. (*pej*) Flittchen *n* 5. (MAR: ~ *steamer*) Trampschiff *n;* **tramp down** *tr* (*Erde*) festtreten; (*Blumen, Gras*) niedertrampeln; **tramp in** *tr* in den Boden treten

trample ['træmpl] I. *tr* zertrampeln; ~ **s.o. underfoot** (*fig*) jdn überfahren; ~ **s.th. into the ground** etw in den Boden trampeln II. *itr* stampfen, trampeln; ~ **on s.o.** auf jdm herumtrampeln

tram•po•line ['træmpəli:n] *s* Trampolin *n*

tram•way ['træmweɪ] *s* Straßenbahn(strecke) *f*

trance [trɑ:ns] *s* Trance *f,* Trancezustand *m;* **send s.o. into a** ~ jdn in Trance versetzen

tranny ['trænɪ] *s* (*fam*) Transistor *m,* Kofferradio *n*

tran•quil ['træŋkwɪl] *adj* 1. ruhig, friedlich 2. (*Mensch*) ruhig, gelassen; **tran•quil•ity** *s* (*Am*) *s.* **tranquillity**; **tran•quil•ize** *tr* (*Am*) *s.* **tranquillize**; **tran•quil•izer** *s* (*Am*) *s.* **tranquillizer**; **tran•quil•lity** [træŋ'kwɪlətɪ] *s* Ruhe *f;* **tran•quil•lize**

['træŋkwɪlaɪz] *tr* beruhigen; **tran•quil•li•zer** ['træŋkwɪlaɪzə(r)] *s* Beruhigungsmittel *n*

trans•act [træn'zækt] *tr* abwickeln; (*Geschäfte*) aus-, durchführen, abschließen, tätigen; **trans•ac•tion** [træn'zækʃn] *s* **1.** Aus-, Durchführung *f* **2.** Abschluss *m,* Tätigung *f* **3.** (*legal* ~) Rechtsgeschäft *n* **4.** (FIN) Transaktion *f* **5.** ~**s** Sitzungsbericht *m;* Verhandlungsprotokoll *n;* **cash** ~ Barverkauf *m;* **exchange** ~ Börsengeschäft *n*

trans•al•pine [trænz'ælpaɪn] *adj* transalpin

trans•at•lan•tic [ˌtrænzət'læntɪk] *adj* transatlantisch; ~ **liner** Überseedampfer *m*

trans•ceiver [træn'siːvə(r)] *s* (RADIO) Sende- u. Empfangsgerät *n*

tran•scend [træn'send] *tr* (*fig*) überschreiten, -steigen, hinausgehen über; **tran•scen•dent** [træn'sendənt] *adj* (REL PHILOS) transzendent; (*fig*) überragend; **tran•scen•den•tal** [ˌtrænsen'dentl] *adj* überirdisch; (PHILOS) transzendental; (*Zahl*) transzendent

trans•con•ti•nen•tal ['trænzkɒntɪ 'nentl] *adj* transkontinental

tran•scribe [træn'skraɪb] *tr* **1.** kopieren **2.** übertragen, transkribieren **3.** (MUS) umsetzen **4.** (RADIO) auf Band aufnehmen; **tran•script** ['trænskrɪpt] *s* **1.** Kopie *f;* Protokoll *n;* Niederschrift *f* **2.** (*Am*) (Zeugnis)Abschrift *f*

tran•scrip•tion [træn'skrɪpʃn] *s* **1.** Abschrift *f* **2.** Transkription, Umschrift *f* **3.** (MUS) Umsetzung *f* **4.** (RADIO) Ton-, Bandaufnahme *f;* **phonetic** ~ Lautschrift, phonetische Schrift *f*

trans•ducer [ˌtræns'djuːsə(r)] *s* Umformer *m*

tran•sept ['trænsept] *s* (ARCH) Querschiff *n*

trans•fer [træns'fɜː] **I.** *tr* **1.** verlegen (*from … to* von … nach) **2.** versetzen (*to* nach) **3.** (*Eigentum, Recht BED....: Eigentum, Recht, fig*) übertragen (*to* auf) **4.** (*Geld*) überweisen (*to* auf) **5.** (COM) übertragen, vortragen, umbuchen **II.** *itr* **1.** überwechseln (*to* zu), umstellen (*to* auf) **2.** (RAIL) umsteigen **III.** ['trænsfɜː(r)] *s* **1.** Verlegung *f* **2.** Versetzung *f* (*to* nach) **3.** (JUR) Übertragung *f* (*to* auf) **4.** (*Geschäft*) Umzug *m* **5.** (COM) Überweisung *f;* Transfer *m;* Umbuchung *f* **6.** Umsteigen *n;* Umsteigefahrkarte *f* **7.** Abziehbild *n* **8.** (SPORT) Transfer *m;* Transferspieler(in) *m(f);* **he is a** ~ **from another department** er ist von einer anderen Abteilung versetzt worden; **technology** ~ Technologietransfer *m;* **trans•fer•able** [træns'fɜːrəbl] *adj* übertragbar; **trans•fer•ence** ['trænsfərəns] *s* **1.** (*a.* PSYCH) Übertragung *f* **2.** (*Geld*) Überweisung *f,* Transfer *m;* **transferred charge call** *s* R-Gespräch *n*

trans•fig•ure [træns'fɪgə(r)] *tr* **1.** umgestalten (*into* in) **2.** (REL) verklären

trans•fix [træns'fɪks] *tr* **1.** durchbohren **2.** (*fig*) lähmen; **be ~ed to the spot** wie gelähmt, wie angewurzelt dastehen

trans•form [træns'fɔːm] *tr* **1.** verwandeln **2.** (*a.* MATH PHYS EL) umformen, umwandeln (*to* in); **trans•form•ation** [ˌtrænsfə'meɪʃn] *s* Verwandlung *f;* Umgestaltung *f;* Umformung, Umwandlung *f;* **trans•former** [træns'fɔːmə(r)] *s* (EL) Transformator, Umformer *m*

trans•fuse [træns'fjuːz] *tr* (*Blut*) übertragen; (*fig*) erfüllen; **trans•fusion** [træns'fjuːʒn] *s* (*blood* ~) Bluttransfusion, -übertragung *f;* (**blood**) ~ **service** Blutspendedienst *m*

trans•gress [trænz'gres] **I.** *tr* (*Gesetz*) übertreten, verstoßen gegen **II.** *itr* sündigen; **trans•gress•ion** [trænz'greʃn] *s* **1.** Übertretung *f,* Verstoß *m* **2.** (REL) Sünde *f;* **trans•gressor** [træns'gresə(r)] *s* **1.** Rechtsbrecher(in) *m(f),* Übel-, Missetäter(in) *m(f)* **2.** (REL) Sünder(in) *m(f)*

tran•si•ent ['trænzɪənt, *Am* 'trænʃnt] **I.** *adj* **1.** vorübergehend; kurz(lebig); flüchtig **2.** (*Am*) nichtansässig **II.** *s* (*Am*) Durchreisende(r) *f m*

tran•sis•tor [træn'zɪstə(r)] *s* **1.** (EL) Transistor *m* **2.** (~ *radio*) Kofferradio *n;* **tran•sis•tor•ize** [træn'zɪstəraɪz] *tr* mit Transistoren bestücken

tran•sit ['trænsɪt] *s* **1.** (*a.* ASTR) Durchgang *m* **2.** Transit-, Durchgangsverkehr *m* **3.** (*Waren*) Transport *m;* **in** ~ auf dem Transport, unterwegs; **transit business** *s* Transithandel *m;* **transit camp** *s* Durchgangslager *n;* **transit desk** *s* (AERO) Transitschalter *n;* **transit duty** *s* Durchgangszoll *m;* **transit goods** *s pl* Transitwaren *fpl;* **transit trade** *s* Transithandel *m*

tran•si•tion [træn'zɪʃn] *s* Übergang *m;* (*period of* ~) Übergangszeit *f;* **tran•si•tional** [træn'zɪʃənl] *adj* Übergangs-

tran•si•tive ['trænsətɪv] *adj* (GRAM) transitiv

transit lounge ['trænsɪtˌlaʊndʒ] *s* Transitraum *m*

tran•si•tory ['trænsɪtrɪ] *adj* vorübergehend; kurz(lebig)

tran•sit pas•sen•ger ['trænsɪt 'pæsɪndʒə(r)] *s* Transitreisende(r) *f m;* **transit traffic** *s* Transitverkehr *m;* **transit visa** *s* Durchreise-, Transitvisum *n*

trans•lat•able [trænz'leɪtəbl] *adj* übersetzbar; **trans•late** [trænz'leɪt] **I.** *tr* **1.** übersetzen, -tragen (*into German* ins Deutsche, *from* (*the*) *Italian* aus dem Italienischen) **2.** ~ **words into actions** Worte in die Tat umsetzen **II.** *itr* sich übersetzen lassen, übersetzbar sein; übersetzen; **trans·la·tion** [trænz'leɪʃn] *s* Übersetzung, -tragung *f;* **trans·la·tor** [trænz'leɪtə(r)] *s* Übersetzer(in) *m(f)*

trans·li·ter·ate [trænz'lɪtəreɪt] *tr* transliterieren; **trans·li·ter·at·ion** [ˌtrænzlɪtə'reɪʃn] *s* Transliteration *f*

trans·lu·cent, **trans·lu·cid** [trænz'lu:snt, trænz'lu:sɪd] *adj* lichtdurchlässig

trans·mi·gra·tion [ˌtrænzmaɪ'greɪʃn] *s* (~ *of the soul*) Seelenwanderung *f*

trans·mis·sible [trænz'mɪsəbl] *adj* übertragbar; **trans·mission** [trænz' mɪʃn] *s* **1.** Übersendung, -mittlung *f* **2.** (*a.* BIOL PHYS) Übertragung *f* **3.** (TECH) Transmission *f;* (MOT) Getriebe *n* **4.** (RADIO) Sendung *f* **5.** (EDV) Datenübertragung *f;* **trans·mit** [trænz'mɪt] *tr* **1.** übersenden, -mitteln **2.** übertragen **3.** (PHYS) übertragen; leiten **4.** (RADIO) senden; **trans·mit·ter** [trænz'mɪtə(r)] *s* **1.** Übermittler *m* **2.** (RADIO) Sender *m* **3.** (*Telefon*) Mikrofon *n;* **trans·mit·ting** [-ɪŋ] *adj:* ~ **station** Sendestelle *f;* ~ **set** Sender *m*

trans·mog·rify [trænz'mɒgrɪfaɪ] *tr* (*hum fig*) ummodeln

trans·mu·ta·tion [ˌtrænsmju:'teɪʃn] *s* **1.** (CHEM) Umwandlung *f* **2.** (BIOL) Transmutation *f;* **trans·mute** [trænz'mju:t] *tr* umwandeln (*into* in)

trans·oceanic ['trænzˌəʊʃɪ'ænɪk] *adj* überseeisch

tran·som ['trænsəm] *s* Querbalken, -träger *m;* (~ *window*) Oberlicht *n;* (*mar*) Spiegel *m*

trans·par·ency [træns'pærənsɪ] *s* **1.** Durchsichtigkeit, Transparenz *f* **2.** Diapositiv *n* **3.** Overheadfolie *f;* **trans·par·ent** [træns'pærənt] *adj* **1.** durchsichtig *a. fig* **2.** (*fig*) durchschaubar; offenkundig, offensichtlich; **it became** ~ es wurde offensichtlich

tran·spi·ra·tion [ˌtrænspɪ'reɪʃn] *s* Ausdünstung, Transpiration *f;* **tran·spire** [træn'spaɪə(r)] **I.** *tr* **1.** ausdünsten, -schwitzen **2.** (BOT) verdunsten **II.** *itr* **1.** schwitzen, transpirieren **2.** (*fig*) bekannt werden; durchsickern **3.** geschehen

trans·plant [træns'plɑ:nt] **I.** *tr* **1.** umpflanzen **2.** (*Menschen*) verpflanzen (*to* nach) **3.** (MED: *Gewebe*) transplantieren, verpflanzen **II.** ['trɑ:nsplɑ:nt] *s* **1.** Transplantation *f* **2.** Transplantat *n;* **trans·plan·ta·tion** [ˌtrænsplɑ:n'teɪʃn] *s* **1.** (BOT) Umpflanzen *n* **2.** (MED) Transplantation *f;* (*Organ*) Transplantat *n*

trans·port [træn'spɔ:t] **I.** *tr* befördern, transportieren; (HIST) deportieren **II.** ['trænspɔ:t] *s* **1.** Beförderung *f,* Transport *m* **2.** (MIL) Transportschiff *n;* Transportflugzeug *n* **3.** Beförderungsmittel *n* **4.** (*Am*) Fracht, Ladung *f;* **in a** ~, **in** ~**s of,** ~**ed with** hingerissen vor; **means of** ~ Beförderungs-, Transportmittel *n;* **passenger** ~ Personenverkehr *m;* **public** ~ öffentliche Verkehrsmittel *npl;* **road** ~ Güterkraftverkehr *m;* ~ **by rail** (Eisenbahn)Güterverkehr *m;* **trans·port·able** [træns'pɔ:təbl] *adj* transportierbar, versandfähig; **trans·por·ta·tion** [ˌtrænspɔ:'teɪʃn] *s* **1.** Beförderung *f* **2.** Beförderungs-, Transportmittel *n;* Verkehrsmittel *n* **3.** Versand-, Transportkosten *pl;* **transport café** *s* Fernfahrerlokal *n;* **trans·porter** [træn'spɔ:tə(r)] *s* **1.** Autotransporter *m* **2.** Laufkran *m* **3.** (~ *line*) Transportband *n*

trans·pose [træn'spəʊz] *tr* **1.** vertauschen **2.** (MATH MUS) transponieren

trans·sex·ual [træns'seksjʊəl] *s* Transsexuelle(r) *f m*

trans·verse ['trænzvɜ:s] *adj* diagonal, quer verlaufend (*to* zu); (*Lage*) horizontal; (*Motor*) querstehend

trans·ves·tite [træns'vestaɪt] *s* Transvestit *m*

trap [træp] **I.** *s* **1.** Falle *f a. fig* **2.** (*Hunderennen*) Box *f* **3.** (*Schießen*) Wurfmaschine *f* **4.** (~*door*) Falltür *f;* (THEAT) Versenkung *f* **5.** (TECH) Siphon *m* **6.** zweirädriger Einspänner **7.** (*sl*) Schnauze *f;* **set a** ~ **for s.o.** jdm e-e Falle stellen; **fall** [*o* **walk**] **into a** ~ in e-e Falle gehen **II.** *tr* **1.** fangen **2.** (*Menschen*) in die Falle locken **3.** in die Enge treiben; einschließen; absperren **4.** (*Ball*) stoppen **5.** (*Gas, Wasser*) stauen; ~ **s.o. into doing s.th.** jdn dazu bringen, dass er etw tut; **the miners were** ~**ped** die Bergleute waren von der Außenwelt abgeschlossen; **I feel** ~**ped** ich fühle mich wie im Gefängnis; ~ **one's finger in a drawer** sich den Finger in einer Schublade einklemmen; **trap door** *s* Falltür *f*

tra·peze [trə'pi:z] *s* (SPORT) Trapez *n;* **trapezium** [trə'pi:zɪəm] *s* (*Br*) Trapez *n;* (*Am*) Trapezoid *n;* **trap·ezoid** ['træpɪzɔɪd] *s* (MATH: *Br*) Trapezoid *n;* (*Am*) Trapez *n*

trap·per ['træpə(r)] *s* Trapper(in) *m(f)*

trap·pings ['træpɪŋz] *s pl* **1.** (*fig*) Aufmachung *f* **2.** Abzeichen *npl*

Trap·pist ['træpɪst] *s* Trappist *m*

trap-shoot·ing ['træpʃu:tɪŋ] *s* Wurftaubenschießen *n*

trash [træʃ] *s* **1.** (*Am*) Abfall *m* **2.** (*fig*) Schund, Plunder *m* **3.** Unsinn *m* **4.** Gesindel *n;* **white** ~ (*Am*) arme Weiße *mpl;* **trash can** *s* (*Am*) Abfalleimer *m;* **trash**

dump *s* (*Am*) Mülldeponie *f;* **trashy** ['træʃɪ] *adj* wertlos; minderwertig

trauma ['trɔːmə, *Am* 'traʊmə] *s* Trauma *n;* **trau•matic** [trɔː'mætɪk, *Am* traʊ'mætik] *adj* traumatisch; **trau•ma•tize** ['trɔːmətaɪz, *Am* 'traʊmətaɪz] *tr* traumatisieren

travel ['trævl] **I.** *itr* **1.** (*a.* COM) reisen (*in* in), fahren; eine Reise machen **2.** (TECH) sich bewegen **3.** sich ausbreiten, sich fortpflanzen **II.** *tr* **1.** bereisen **2.** (*Strecke*) zurücklegen; fahren **III.** *s* **1.** Reisen *n,* Reise *f* **2.** ~**s** Reisen *fpl* **3.** (TECH) Kolbenweg, Hub *m;* (*Instrumente*) Ausschlag *m;* **travel agency**, **travel bureau** *s* Reisebüro *n;* **travel•card** ['trævlkɑːd] *s* Netz-, Zeitkarte *f;* **daily** ~ Tageskarte *f;* **weekly** ~ Wochenkarte *f;* **monthly** ~ Monatskarte *f;* **travel cot** *s* Kinderreisebett *n;* **traveled** *adj* (*Am*), **travel•led** ['trævld] *adj* **1.** (*Mensch*) weitgereist **2.** (*Straße*) (viel) befahren; **traveler** *s* (*Am*), **travel•ler** ['trævlə(r)] *s* (*a.* COM) Reisende(r) *f m;* **commercial** ~ Vertreter(in) *m(f);* ~**'s cheque**, ~**'s check** (*Am*) Reisescheck *m;* **travel expenses** *s pl* Reisekosten *pl*

travel•ing *s* (*Am*), **travel•ling** ['trævlɪŋ] *s* Reisen *n;* **travelling allowance** *s* Reisespesen *pl;* **travelling bag** *s* Reisetasche *f;* **travelling circus** *s* Wanderzirkus *m;* **travelling clock** *s* Reisewecker *m;* **travelling crane** *s* Laufkran *m;* **travelling salesman** <*pl* -men> *s* Handelsreisende(r) *m*

travel insurance ['trævlɪn'ʃʊərens] *s* Reiseversicherung *f;* **travel-sick** ['trævlsɪk] *adj* reisekrank; **travel-sickness** ['trævlsɪknəs] *s* Reisekrankheit *f*

trav•elog *s* (*Am*), **trav•elogue** ['trævəlɒg] *s* Reisebericht *m;* Lichtbildervortrag *m* über Reiseerlebnisse

tra•verse ['trævɜːs] **I.** *tr* **1.** durch-, überqueren **2.** (*Zeit*) überdauern **3.** (*Bergsteigen*) queren **II.** *s* Querlinie *f,* -balken *m,* -gang *m*

trav•esty ['trævəstɪ] **I.** *s* **1.** Travestie *f* **2.** (*fig*) Zerrbild *n;* **a** ~ **of justice** ein Hohn auf die Gerechtigkeit **II.** *tr* (*fig*) verzerren, entstellen

tra•vo•la•tor [ˌtrævə'leɪtə(r)] *s* Rollsteg *m*

trawl [trɔːl] **I.** *s* (~*-net*) Schleppnetz *n* **II.** *itr, tr* mit dem Schleppnetz fischen; **trawler** ['trɔːlə(r)] *s* Fischdampfer, Trawler *m*

tray [treɪ] *s* **1.** Tablett *n* **2.** (flache) Schale *f;* Backblech *n* **3.** (*Büro*) Ablage *f,* Ablagekorb *m* **4.** Koffereinsatz *m;* **ash-**~ Aschenbecher *m;* **in-/out-**~ (Ablage *f*) eingehende/ausgehende Post

treach•er•ous ['tretʃərəs] *adj* **1.** verräterisch, treulos (*to s.o.* jdm) **2.** heimtückisch; gefährlich **3.** (*Gedächtnis*) trügerisch; **treach•ery** ['tretʃərɪ] *s* Treulosigkeit *f* (*to* gegen), Verrat *m* (*to* an)

treacle ['triːkl] *s* Sirup *m;* **treac•ly** ['triːklɪ] *adj* **1.** sirupartig **2.** (*fig*) süßlich

tread [tred] <*irr:* trod, trodden> **I.** *tr* **1.** gehen, schreiten auf **2.** (*Weg*) machen; ~ **a risky path** einen gefährlichen Weg beschreiten; ~ **grapes** Trauben stampfen; ~ **water** Wasser treten; ~ **dirt into the carpet** Schmutz in den Teppich treten **II.** *itr* **1.** schreiten, gehen **2.** treten, trampeln (*on, upon* auf); ~ **on air** (*fig*) im Glück schwimmen; ~ **in s.o.'s** (**foot**)**steps** (*fig*) in jds Fußstapfen treten; ~ **on s.o.'s heels** (*fig*) jdm nicht von den Fersen gehen; ~ **on s.o.'s toes** (*fig*) jdm zu nahe treten; ~ **carefully** vorsichtig gehen; (*fig*) vorsichtig vorgehen **III.** *s* **1.** Tritt, Schritt *m* **2.** Tritt *m,* Trittbrett *n;* (Treppen)Stufe *f;* (Leiter)Sprosse *f* **3.** (*Rad*) Lauffläche *f;* (*Gummireifen*) Profil *n;* **tread down**, **tread in** *tr* festtreten; **tread out** *tr* austreten

treadle ['tredl] *s* (TECH) Pedal *n*

tread•mill ['tredmɪl] *s* Tretmühle *f a. fig*

trea•son ['triːzn] *s* Verrat *m* (*to* an); **trea•son•able** ['triːzənəbl] *adj* verräterisch

treas•ure ['treʒə(r)] **I.** *s* Schatz *m a. fig* **II.** *tr* **1.** (~ *up*) horten, sammeln **2.** (*fig*) sehr schätzen; **treasure house** *s* Schatzkammer *f;* (*fig*) Fundgrube *f;* **treas•ure hunt** *s* Schatzsuche *f;* **treas•urer** ['treʒərə(r)] *s* Schatzmeister *m;* Stadtkämmerer *m;* Leiter(in) *m(f)* der Finanzabteilung; Kassenverwalter(in) *m(f),* -wart(in) *m(f);* **treas•ure trove** ['treʒəˌtrəʊv] *s* **1.** Schatz *m* **2.** Schatzgrube *f;* **treas•ury** ['treʒərɪ] *s* **1.** Schatzamt *n,* Fiskus *m;* Finanzministerium *n* **2.** Kasse *f* **3.** (*fig*) Schatz *m,* Sammlung *f;* Fundgrube *f;* **treasury bill** *s* kurzfristiger Schatzwechsel; **treasury bond**, **treasury note** *s* Schatzanweisung *f;* **Treasury Secretary** *s* (*Am*) Finanzminister(in) *m(f)*

treat ['triːt] **I.** *tr* **1.** behandeln (*for* wegen, *with* mit), umgehen mit **2.** ansehen, betrachten (*as* als) **3.** (*Thema*) behandeln, sich befassen mit **4.** (*Material*) behandeln; (*Abwasser*) klären; (*Altpapier*) verarbeiten, recyceln **5.** bewirten, freihalten (*to s.th.* mit etw); ~ **o.s. to s.th.** sich etw gönnen; **I am going to** ~ **you** ich lade dich ein; ~ **lightly** auf die leichte Schulter nehmen **II.** *itr* **1.** handeln (*of* von) **2.** ver-, unterhandeln (*with* mit, *for* wegen) **III.** *s* **1.** Bewirtung *f;* Fest(essen) *n* **2.** (Hoch)Genuss *m,* Freude *f,* Vergnügen *n;* **it's my** ~ das geht auf meine Rechnung; **give s.o. a** ~ jdm eine besondere Freude machen; **it's a real** ~ das ist ein wahrer Genuss; **it's coming along a ~** (*fam*) das macht sich prächtig

treat·ise ['tri:tɪz] *s* Abhandlung *f* (*upon, on* über)

treat·ment ['tri:tmənt] *s* Behandlung *f* (*for* wegen); (*Abwasser*) Klärung *f*

treaty ['tri:tɪ] *s* Vertrag *m,* Abkommen *n,* Übereinkunft *f;* **commercial ~** Handelsabkommen *n;* **peace ~** Friedensvertrag *m*

treble¹ ['trebl] **I.** *adj* dreifach **II.** *adv* dreimal **III.** *tr* verdreifachen **IV.** *itr* sich verdreifachen **V.** *s* (das) Dreifache

treble² ['trebl] *s* (MUS) Diskant, Sopran *m;* **treble clef** *s* Violinschlüssel *m;* **treble recorder** *s* Altflöte *f*

tree [tri:] **I.** *s* **1.** (*a.* TECH) Baum *m* **2.** (*shoe ~*) Leisten *m* **3.** (*family ~*) Stammbaum *m* **4.** (*clothes ~*) Kleiderständer *m;* **up a ~** (*fam*) in der Klemme; **at the top of the ~** (*fig*) ganz oben; **they don't grow on ~s** (*fig*) die fallen nicht vom Himmel **II.** *tr* auf e-n Baum jagen; **tree frog** *s* (ZOO) Laubfrosch *m;* **tree·less** [-lɪs] *adj* baumlos; **tree·line** ['tri:laɪn] *s* Baumgrenze *f;* **tree-lined** ['tri:laɪnd] *adj* baumbestanden; **tree surgeon** *s* Baumchirgurg(in) *m(f);* **tree·top** ['tri:tɒp] *s* (Baum)Wipfel *m;* **tree trunk** *s* Baumstamm *m*

tre·foil ['trefɔɪl] *s* **1.** Klee *m* **2.** (*Symbol*) Kleeblatt *n* **3.** (ARCH) Dreipass *m*

trek [trek] **I.** *itr* ziehen; mühsam gehen **II.** *s* Treck, Zug *m;* mühsamer Weg; **trek·king** ['trekɪŋ] *s* Trekking *n*

trel·lis ['trelɪs] *s* Spalier *n*

tremble ['trembl] **I.** *itr* **1.** zittern (*with* vor) **2.** vibrieren, zittern **3.** sehr besorgt sein, zittern (*for* um) **II.** *s:* **be all of a ~** (*fam*) am ganzen Leibe zittern

tre·men·dous [trɪ'mendəs] *adj* **1.** gewaltig, riesig **2.** (*fig*) toll; hervorragend

trem·olo ['tremələʊ] <*pl* -olos> *s* (MUS) Tremolo *n*

tremor ['tremə(r)] *s* Zittern, Beben *n;* (*earth~*) Erdstoß *m,* Beben *n;* **without a ~** gelassen, ruhig; **tremu·lous** ['tremjʊləs] *adj* **1.** zitternd, bebend **2.** ängstlich, nervös

trench [trentʃ] **I.** *tr* e-n Graben ziehen in; Schützengräben ausheben in **II.** *s* Graben *m;* Schützengraben *m*

trench·ant ['trentʃənt] *adj* (*Satire*) scharf, schneidend; (*Kritik, Geist*) scharf; (*Sprache, Ausdruck*) treffend, treffsicher

trench coat ['trentʃkəʊt] *s* Regen-, Wettermantel *m*

trencher·man ['trentʃəmən] <*pl* -men> *s* guter Esser

trend [trend] **I.** *itr* (*fig*) gerichtet sein, tendieren (*towards* nach) **II.** *s* **1.** Richtung, Tendenz *f,* Trend *m* **2.** (*fig*) Verlauf *m,* Entwicklung *f* **3.** Mode *f,* Trend *m;* **trend-set·ter** ['trend,setə(r)] *s* Trendsetter *m;*

trendy ['trendɪ] **I.** *adj* modisch; (*fam*) schickimicki **II.** *s* Modefan *m;* (*fam*) Schickimicki *m;* **the trendies** die Schickeria

trepi·da·tion [,trepɪ'deɪʃn] *s* **1.** Aufgeregtheit *f,* Bangen *n* **2.** Verzagtheit *f;* **in fear and ~** mit Zittern und Bangen

tres·pass ['trespəs] **I.** *itr* **1.** widerrechtlich betreten (*on, upon s.th.* etw) **2.** zu sehr in Anspruch nehmen (*on, upon s.o.'s time* jds Zeit); (*Rechte, Bereich*) eingreifen (*on, upon* in) **3.** (*Bibel*) sündigen (*against* gegen, wider); **no ~ing!** Betreten verboten! **II.** *s* **1.** unerlaubtes Betreten **2.** (*Bibel*) Sünde *f;* **tres·passer** ['trespəsə(r)] *s:* **~s will be prosecuted!** Betreten (bei Strafe) verboten!

trestle ['tresl] *s* Bock *m,* Gestell *n;* **trestle table** *s* Tisch *m* auf Böcken; Tapeziertisch *m*

triad ['traɪæd] *s* (MUS) Dreiklang *m*

trial ['traɪəl] *s* **1.** Versuch *m;* Probe *f* **2.** Untersuchung, Prüfung *f* **3.** (JUR) Gerichtsverfahren *n;* (Gerichts)Verhandlung *f* **4.** **~s** (*horse ~s*) Querfeldeinrennen *n* **5.** (*fig*) Unannehmlichkeit *f;* schwere Belastung, Last *f* (*to s.o.* für jdn); **~s and tribulations** Aufregungen, Schwierigkeiten *pl;* **by (way of) ~ and error** durch Ausprobieren; **on ~** auf, zur Probe; **bring to ~** vor Gericht bringen; **be on ~** angeklagt sein; **give s.th. a ~** etw ausprobieren; **put s.th. to the ~** etw testen; **year of ~** Probejahr *n;* **~ by jury** Schwurgerichtsverfahren *n;* **~ of strength** Kraftprobe *f;* **trial flight** *s* Testflug *m;* **trial marriage** *s* Ehe *f* auf Probe; **trial period** *s* Probezeit *f;* **trial run** *s* Generalprobe *f;* Probelauf *m;* Versuchs-, Probefahrt *f*

tri·angle ['traɪæŋgl] *s* **1.** Dreieck *n* **2.** (MUS) Triangel *m* **3.** (*fig*) Dreiecksbeziehung *f;* **tri·angu·lar** [traɪ'æŋgjʊlə(r)] *adj* dreieckig

tribal ['traɪbl] *adj* Stammes-; **~ chief** Stammeshäuptling *m;* **tribal·ism** ['traɪblɪzəm] *s* Stammesstruktur *f;* **tribe** [traɪb] *s* **1.** (Volks)Stamm *m* **2.** (BOT) Gattung *f* **3.** (*pej*) Sippschaft *f;* **tribes·man** ['traɪbzmən] <*pl* -men> *s* Stammesangehörige(r) *m*

tribu·la·tion [,trɪbjʊ'leɪʃn] *s* (großer) Kummer *m;* (*fig*) schwere Prüfung

tri·bu·nal [traɪ'bju:nl] *s* Gericht *n,* Gerichtshof *m,* Untersuchungsausschuss *m;* Tribunal *n*

tri·bune¹ ['trɪbju:n] *s* Tribüne *f*

tri·bune² ['trɪbju:n] *s* (HIST) Tribun *m*

tribu·tary ['trɪbjʊt(ə)rɪ] **I.** *adj* tributpflichtig (*to dat*) **II.** *s* (*~ river*) Nebenfluss *m;* **trib·ute** ['trɪbju:t] *s* Tribut *m* *a. fig,* Zeichen *n* der Hochachtung; **pay (a) ~ to**

s.o. jdm Anerkennung zollen

trice [traɪs] *s:* **in a ~** im Nu

tri•chi•na [trɪ'kaɪnə, *pl* -niː] <*pl* -nae> *s* Trichine *f;* **trichi•no•sis** [ˌtrɪkɪ'nəʊsɪs] *s* (MED) Trichinose *f*

trick [trɪk] **I.** *s* **1.** List *f,* Trick *m* **2.** Kunststück *n* **3.** Streich *m* **4.** (schlechte) Angewohnheit, Eigenheit *f* **5.** (*Kartenspiel*) Stich *m;* **that should do the ~** so müsste es gehen; **know a ~ or two** sich auskennen, gewitzt sein; **I know a ~ worth two of that** das kann ich besser; **she never misses a ~** ihr entgeht nichts; **play a ~ on s.o.** jdm einen Streich spielen; **I'm on to his ~s** ich kenne seine Schliche; **how's ~s?** (*fam*) wie geht's?; **card ~** Kartenkunststück *n,* -trick *m;* **a ~ of the light** eine Täuschung **II.** *tr* beschwindeln, betrügen; überlisten; an der Nase herumführen; **~ s.o. into doing s.th.** jdn dazu verleiten etw zu tun; **~ out** herausputzen, ausstaffieren; **trick•ery** ['trɪkərɪ] *s* Schwindel, Betrug *m,* Gaunerei *f*

trickle ['trɪkl] **I.** *itr* tröpfeln *a. fig* **II.** *tr* träufeln **III.** *s* Rinnsal *n;* **a ~ of people** tröpfchenweise ankommende Leute; **trickle away** *itr* (*Menge*) sich verlaufen; **trickle out** *itr* durchsickern; (*fig*) herausströmen (*of* aus)

trick•ster ['trɪkstə(r)] *s* Schwindler(in) *m(f),* Betrüger(in) *m(f);* **tricksy** ['trɪksɪ] *adj* heimtückisch; schlau; **tricky** ['trɪkɪ] *adj* **1.** gerissen, durchtrieben **2.** kompliziert; (*Problem*) schwierig; (*Situation*) kitzlig

tri•cycle ['traɪsɪkl] *s* Dreirad *n*

tri•dent ['traɪdnt] *s* Dreizack *m*

tried [traɪd] *adj* erprobt

tri•en•nial [traɪ'enɪəl] *adj* alle drei Jahre stattfindend; drei Jahre dauernd

trier ['traɪə(r)] *s* (*fam*) jem, der sich Mühe gibt

trifle ['traɪfl] *s* **1.** Kleinigkeit, Bagatelle *f;* Belanglosigkeit *f* (*to* für) **2.** (*Nachspeise*) Trifle *n;* **a ~** ein bisschen; **trifle away** *tr* vergeuden; **trifle with** *itr* spielen mit *a. fig,* nachlässig umgehen mit; **he is not a person to be ~d with** mit ihm ist nicht zu spaßen; **trif•ling** ['traɪflɪŋ] *adj* nichtig, unbedeutend

trig•ger ['trɪgə(r)] **I.** *s* (*Gewehr*) Abzug *m;* (*Kamera*) Auslöser *m;* **be quick on the ~** schnell abdrücken; **pull the ~** abdrücken **II.** *tr* (*~ off*) auslösen; **trigger-happy** *adj* schießwütig

trig•on•om•etry [ˌtrɪgə'nɒmətrɪ] *s* Trigonometrie *f*

trike [traɪk] *s* Dreirad *n*

tri•lat•eral [ˌtraɪ'lætərəl] *adj* dreiseitig

trilby ['trɪlbɪ] *s* weicher Filzhut *m*

tri•lin•gual [ˌtraɪ'lɪŋgwəl] *adj* dreisprachig

trill [trɪl] **I.** *s* Triller *m* **II.** *tr, itr* trillern; trällern

tril•lion ['trɪlɪən] *s* Billion *f*

tril•ogy ['trɪlədʒɪ] *s* Trilogie *f*

trim [trɪm] **I.** *tr* **1.** (*Hecke, Bart*) beschneiden, stutzen; (*Haare*) nachschneiden; (*Holzstück*) zurechtschneiden **2.** (*Budget, Aufsatz*) kürzen **3.** besetzen; schmücken **4.** (MAR: *Schiff*) trimmen; (*Segel*) brassen **5.** (AERO) (aus)trimmen; anpassen **6.** (*Am fam*) übers Ohr hauen **7.** (*Am*) völlig besiegen **II.** *s* **1.** guter Zustand, gute Verfassung **2.** Ausstattung, Einrichtung *f;* Ausrüstung *f* **3.** (MOT) Innenausstattung *f* **4.** (MAR) Trimm *m* **5.** (AERO) Trimmlage, Fluglage *f;* **in good** [*o* **proper**] **~** in gutem Zustand; (*fam*) in Form; **give s.th. a ~** etw zurechtschneiden; etw stutzen **III.** *adj* sauber; gepflegt; hübsch, fesch; gut proportioniert; **trim away** *tr* wegschneiden; **trim down** *tr* kürzen; stutzen; schneiden; **trim off** *tr* abschneiden; **trim up** *tr* stutzen; **trim•ming** [-ɪŋ] *s* **1.** Besatz *m,* Verzierung *f* **2.** **~s** Zutaten *fpl,* Zubehör *m* **3.** **~s** Abfälle *mpl,* Papierschnitzel *pl;* **with all the ~s** (*fig*) mit allem Drum und Dran

Tri•ni•dad ['trɪnɪdæd] *s* Trinidad *n*

Trin•ity ['trɪnətɪ] *s* **1.** (REL) Dreieinigkeit *f* **2.** (*t~*) Sommertrimester *n;* **~ (Sunday)** Sonntag *m,* Trinitatis

trin•ket ['trɪŋkɪt] *s* kleines Schmuckstück

trio ['triːəʊ] <*pl* trios> *s* (MUS) Trio *n a. fig*

trip [trɪp] **I.** *s* **1.** Reise *f;* Ausflug *m* **2.** (*sl: Drogen*) Trip *m* **3.** Stolpern *n* **4.** (SPORT) Beinstellen *n* **5.** Fehler, Lapsus *m* **6.** (TECH) Auslösung *f* **II.** *itr* **1.** trippeln **2.** stolpern (*over* über) **3.** (*fig*) e-n Irrtum begehen, e-n Schnitzer machen **4.** (*Drogen*) auf einen Trip gehen **III.** *tr* **1.** (*~ up*) stolpern lassen; ein Bein stellen (*s.o.* jdm) **2.** (*fig*) scheitern lassen, zu Fall bringen **3.** (TECH) in Gang setzen; auslösen; betätigen; **trip over** *itr* stolpern (über); **trip up** **I.** *itr* **1.** stolpern **2.** (*fig*) einen Fehler machen **II.** *tr* **1.** stolpern lassen; zu Fall bringen **2.** (*fig*) eine Falle stellen (*s.o.* jdm)

tri•par•tite [ˌtraɪ'pɑːtaɪt] *adj* dreiseitig

tripe [traɪp] *s* **1.** (*Küche*) Kaldaunen, Kutteln *fpl* **2.** (*fam fig*) Schund, Kitsch *m*

triple ['trɪpl] **I.** *adj* dreifach; **~ jump** Dreisprung *m* **II.** *tr* verdreifachen **III.** *itr* sich verdreifachen; **trip•let** ['trɪplɪt] *s* **1.** (MUS) Triole *f* **2.** *meist pl* Drilling *m;* **trip•li•cate** ['trɪplɪkət] **I.** *adj* **1.** dreifach **2.** in dreifacher Ausfertigung; **in ~** in dreifacher Ausfertigung **II.** ['trɪplɪkeɪt] *tr* dreifach ausfertigen

tri•pod ['traɪpɒd] *s* **1.** Dreifuß *m* **2.** (PHOT) Stativ *n*

trip•per ['trɪpə(r)] *s* Ausflügler(in) *m(f)*

trip·ping ['trɪpɪŋ] *adj* trippelnd; ~ **device** Auslösemechanismus *m*
trip·tych ['trɪptɪk] *s* Triptychon *n*
tri·sect [traɪ'sekt] *tr* in drei gleiche Teile teilen
trite [traɪt] *adj* abgedroschen; banal
tri·umph ['traɪʌmf] **I.** *s* Triumph, Sieg *m* (*over* über) **II.** *itr* **1.** triumphieren (*over* über) **2.** e-n Triumph feiern; **tri·um·phal** [traɪ'ʌmfl] *adj* triumphal; Sieges-; ~ **arch** Triumphbogen *m;* **tri·um·phant** [traɪ'ʌmfnt] *adj* **1.** triumphierend; siegreich **2.** jubelnd
trivia ['trɪvɪə] *s pl* Trivialitäten *fpl;* **triv·ial** ['trɪvɪəl] *adj* **1.** trivial **2.** belanglos, unwichtig **3.** (*Mensch*) oberflächlich; **triv·ial·ity** [ˌtrɪvɪ'ælətɪ] *s* **1.** Trivialität, Nebensächlichkeit *f* **2.** Belanglosigkeit *f;* **triv·ial·ize** ['trɪvɪəlaɪz] *tr* trivialisieren
tro·chaic [trəʊ'keɪɪk] *adj* trochäisch; **tro·chee** ['trəʊkiː] *s* (*Versfuß*) Trochäus *m*
trod, trodden [trɒd, 'trɒdn] *s.* **tread**
trog·lo·dyte ['trɒglədaɪt] *s* (HIST) Höhlenmensch *m*
Tro·jan ['trəʊdʒən] **I.** *s* Trojaner(in) *m(f),* Troer(in) *m(f);* **work like a** ~ arbeiten wie ein Pferd **II.** *adj* **1.** trojanisch **2.** (*fig*) übermenschlich; **T~ Horse** Trojanisches Pferd; **T~ War** Trojanischer Krieg
trol·ley ['trɒlɪ] *s* **1.** Handkarren *m* **2.** (RAIL) Draisine *f* **3.** (EL) Kontaktrolle *f* **4.** (*shopping, supermarket* ~) Einkaufswagen *m;* **~-bus** Obus *m;* **tea** ~ Teewagen *m;* **he's off his** ~ (*fam*) er hat einen Dachschaden
trol·lop ['trɒləp] *s* Schlampe *f;* Dirne *f*
trom·bone [trɒm'bəʊn] *s* Posaune *f;* **trom·bon·ist** [trɒm'bəʊnɪst] *s* Posaunist(in) *m(f)*
troop [truːp] **I.** *s* **1.** Gruppe *f* **2.** Haufe(n), Trupp *m* **3.** Schar, Herde *f* **4.** (*Pfadfinder*) Stamm *m* **5.** **~s** (MIL) Truppen *pl* **II.** *itr* strömen; ~ **out of** scharenweise herauskommen aus; ~ **into** hineinströmen in; ~ **past s.th.** an etw vorbeiziehen **III.** *tr:* ~ **the colours** eine Fahnenparade abhalten; **troop carrier** *s* (AERO MAR) Truppentransporter *m;* **trooper** ['truːpə(r)] *s* **1.** Kavallerist *m* **2.** (*Am: state* ~) Polizist *m;* **swear like a** ~ fluchen wie ein Kutscher
trophy ['trəʊfɪ] *s* Trophäe *f*
tropic ['trɒpɪk] *s* **1.** (GEOG) Wendekreis *m* **2.** **~s** Tropen *pl;* **T~ of Cancer/Capricorn** Wendekreis *m* des Krebses/des Steinbocks; **tropi·cal** ['trɒpɪkl] *adj* tropisch; ~ **clothing** Tropenkleidung *f;* ~ **disease** Tropenkrankheit *f;* ~ **rainforest** tropischer Regenwald
tro·po·sphere ['trəʊpəsfɪə(r)] *s* (METE) Troposphäre *f*
trot [trɒt] **I.** *itr* trotten; traben; (*fam*) gehen **II.** *tr* traben lassen **III.** *s* **1.** Trab *m a. fig* **2.** **~s** (*fam*) Durchfall *m;* **go for a** ~ (*fam*) sich die Füße vertreten; **keep s.o. on the** ~ (*fig*) jdn auf Trab halten; **three weeks on the** ~ drei Wochen lang; **trot along, trot off** *itr* (*fam*) losziehen; **trot out I.** *itr* hinausgehen **II.** *tr* (*fig*) produzieren; **trotter** ['trɒtə(r)] *s* (*Rennpferd*) Traber *m;* **pig's ~s** Schweinsfüße *mpl*
trouble ['trʌbl] **I.** *tr* **1.** beunruhigen, bedrücken, aufregen **2.** belästigen; bemühen (*for* um) **3.** Kummer, Sorgen machen (*s.o.* jdm); **be ~d about s.th.** sich wegen etw Sorgen machen; **I am sorry to ~ you** es tut mir leid, dass ich Sie stören muss; ~ **to do s.th.** sich bemühen etw zu tun; **may I ~ you?** darf ich Sie bitten (*for* um, *to do* zu tun) **II.** *itr* sich bemühen (*to do* zu tun); **I shan't ~ with that** das werde ich mir ersparen **III.** *s* **1.** Schwierigkeiten *fpl,* Ärger *m,* Unannehmlichkeiten *fpl* **2.** Mühe *f,* Umstände *mpl* **3.** (MED) Krankheit *f,* Leiden *n* **4.** Unruhe *f,* Durcheinander *n;* (POL) Wirren *pl* **5.** (TECH) Störung *f,* Defekt *m;* **ask** [*o* **look**] **for** ~ sich Ärger einhandeln; **be in** ~ in Schwierigkeiten sein; **be a ~ to s.o.** jdm Ärger machen; **get into** ~ sich Unannehmlichkeiten einhandeln; **get a girl into** ~ (*euph*) ein Mädchen ins Unglück bringen; **get s.o. into** ~ jdn in Schwierigkeiten bringen; **have ~ with** Ärger, Scherereien haben mit; **make** ~ Ärger machen; (**it will be**) **no** ~ (**at all**) das ist nicht der Rede wert; **what's the ~?** was ist los?; **the ~ is that ...** das Problem ist, dass ...; **liver/heart** ~ Leber-/Herzleiden *n;* **labour** ~ Arbeiterunruhen *fpl;* **troubled** ['trʌbld] *adj* beunruhigt; bekümmert; (*Zeiten*) unruhig; (*See*) aufgewühlt; **fish in ~ waters** (*fig*) im Trüben fischen; **trouble·free** ['trʌblfrɪː] *adj* sorglos; **trouble·maker** ['trʌblˌmeɪkə(r)] *s* Unruhestifter(in) *m(f);* **trouble·shooter** ['trʌblˌʃuːtə(r)] *s* **1.** Störungssucher(in) *m(f)* **2.** Schlichter(in) *m(f),* Vermittler(in) *m(f);* **trouble·some** ['trʌblsəm] *adj* **1.** störend, lästig, unangenehm **2.** beschwerlich, mühevoll; **trouble spot** *s* Krisenherd *m*
trough [trɒf, *Am* trɔːf] *s* **1.** Trog *m* **2.** Furche, Rille *f* **3.** Wellental *n* **4.** (METE) Tief *n* **5.** (FIN) Konjunkturtief *n,* Talsohle *f;* ~ **of barometric depression** Tiefdruckrinne *f*
troupe [truːp] *s* (Schauspiel)Truppe *f;* **trouper** ['truːpə(r)] *s* Mitglied *n* e-r Truppe *f;* **old** ~ (*fig*) alter Hase
trouser clip ['traʊzəˌklɪp] *s* Hosenklammer *f;* **trouser leg** *s* Hosenbein *n;* **trousers** ['traʊzəz] *s pl* (*pair of* ~) (lange) Hose *f;* **wear the** ~ (*fig*) die Hosen anhaben; **trouser suit** *s* Hosenanzug *m*

trous•seau ['tru:səʊ] *s* Aussteuer *f*
trout [traʊt] *s* Forelle *f;* **trout farm(ing)** *s* Forellenzucht *f;* **trout fishing** *s* Forellenfang *m*
trowel ['traʊəl] *s* Kelle *f;* **lay it on with a** ~ (*fig*) dick auftragen
troy [trɔɪ] *s* (~ *weight*) Troy-, Juwelengewicht *n;* **troy ounce** *s* Feinunze *f*
Troy [trɔɪ] *s* Troja *n;* **Helen of** ~ die schöne Helena
tru•ancy ['tru:ənsɪ] *s* Schulschwänzen *n;* **tru•ant** ['tru:ənt] *s* Schulschwänzer(in) *m(f);* **play** ~ (die Schule) schwänzen
truce [tru:s] *s* Waffenstillstand *m*
truck[1] [trʌk] **I.** *s* **1.** Schub-, Handkarren *m* **2.** (*Am*) Lastwagen *m,* -auto *n* **3.** offener Güterwagen **II.** *tr* (*Am*) transportieren **III.** *itr* (*Am*) Lastwagen fahren
truck[2] [trʌk] *s* **1.** (*Am: garden* ~) Gemüse *n* für den Markt **2.** (HIST) Tauschsystem *n;* **have no** ~ **with s.o.** mit jdm nichts zu tun haben
truck driver ['trʌk,draɪvə(r)] *s* LKW-Fahrer(in) *m(f),* Last(kraft)wagenfahrer(in) *m(f);* **trucker** ['trʌkə(r)] *s* (*Am*) **1.** Lastwagenfahrer(in) *m(f),* Spediteur *m* **2.** Gemüsegärtner(in) *m(f);* **truck farming** *s* Gemüseanbau *m* für den Markt; **trucking** ['trʌkɪŋ] *s* (*Am*) Spedition *f;* **truckman** ['trʌkmən] <*pl* -men> *s* (*Am*) Lastwagenfahrer *m;* **truck shop** *s* (*Am*) Fernfahrerlokal *n;* **truck trailer** *s* LKW-Anhänger *m*
trucu•lence ['trʌkjʊləns] *s* Aufsässigkeit *f;* **trucu•lent** ['trʌkjʊlənt] *adj* aufsässig
trudge [trʌdʒ] **I.** *itr* sich schleppen, sta(m)pfen (*through* durch) **II.** *s* langer mühsamer Marsch
true [tru:] **I.** *adj* **1.** wahr **2.** (*Bericht, Beschreibung*) wahrheitsgemäß; (*Kopie*) getreu **3.** (*Gefühle*) wahr, echt; (*Grund*) wirklich **4.** (*Leder etc*) echt **5.** (*Eigentümer, Erbe*) rechtmäßig **6.** (*Mann, Freund*) treu **7.** (*Wand, Fläche*) gerade; (*Kreis*) rund; (MUS) rein **8.** (PHYS) tatsächlich; (**it is**) ~ allerdings, zwar **II.** *adv* wahrhaftig, wirklich; genau; **come** ~ Wirklichkeit werden; **prove** ~ sich bewahrheiten; **tell me** ~**!** sag mir die Wahrheit! **III.** *s:* **out of** ~ schief, nicht gerade; **true up** *tr* genau einstellen; genau ausrichten; **true-blue I.** *adj* waschecht, echt **II.** *s* (*Br*) echter Tory; **true-born** *adj* gebürtig; echt; rechtmäßig; **true-hearted** [,tru:'hɑ:tɪd] *adj* aufrichtig, ehrlich; (ge)treu; **true-life** *adj* lebensecht; **true-love** *s* Liebchen *n,* Geliebte(r) *f m*
truffle ['trʌfl] *s* Trüffel *f*
tru•ism ['tru:ɪzəm] *s* Binsenwahrheit *f*
truly ['tru:lɪ] *adv* **1.** aufrichtig; wahrhaftig **2.** wirklich, tatsächlich; **yours** ~ hochachtungsvoll
trump[1] [trʌmp] **I.** *s* Trumpf *m,* Trumpfkarte *f a. fig;* **play one's** ~ **card** (*fig*) seine Trümpfe ausspielen; **turn up** ~**s** (*fig fam*) alle Erwartungen übertreffen; Glück haben **II.** *tr* übertrumpfen *a. fig;* **trump up** *tr* erfinden
trump[2] [trʌmp] *s* Trompete *f;* **the Last T**~ die Posaune des Jüngsten Gerichts
trump•ery ['trʌmpərɪ] **I.** *adj* kitschig; wertlos **II.** *s* Plunder *m;* Unsinn *m*
trum•pet ['trʌmpɪt] **I.** *s* Trompete *f;* **blow one's own** ~ (*fig*) sein eigenes Lob singen **II.** *tr, itr* **1.** trompeten **2.** (~ *forth*) ausposaunen; **trum•peter** ['trʌmpɪtə(r)] *s* Trompeter(in) *m(f)*
trun•cate [trʌŋ'keɪt] **I.** *tr* **1.** stutzen, verkürzen **2.** abschneiden **3.** verstümmeln **II.** ['trʌŋkeɪt] *adj* stumpf; abgestumpft
trun•cheon ['trʌntʃən] *s* (Gummi)Knüppel *m*
trundle ['trʌndl] **I.** *itr* (dahin)rollen **II.** *tr* rollen, ziehen, schieben
trunk [trʌŋk] *s* **1.** (Baum)Stamm *m* **2.** (*Mensch*) Rumpf *m* **3.** (*Elefant*) Rüssel *m* **4.** (großer) Koffer **5.** (*Am*) Kofferraum *m* **6.** ~**s** Turn-, Badehose *f;* **trunk call** *s* (*Br*) Ferngespräch *n;* **trunk line** *s* **1.** (RAIL) Hauptlinie *f* **2.** (TELE) Fernleitung *f;* **trunk road** *s* (*Br*) Fernstraße *f*
truss [trʌs] **I.** *tr* **1.** abstützen **2.** (*Küche*) wickeln, dressieren **3.** (*Heu*) bündeln **II.** *s* **1.** Bündel *n* **2.** (Eisen)Band *n,* Klammer *f* **3.** (ARCH) Fachwerk *n;* Dachsparren *mpl,* Tragbalken *m* **4.** (MED) Bruchband *n*
trust [trʌst] **I.** *s* **1.** Vertrauen *n* (*in* zu, auf), Zutrauen *n* (*in* zu) **2.** Verantwortung *f* **3.** (FIN COM) Treuhandverhältnis *n,* Treuhandvermögen *n* **4.** Stiftung *f* **5.** (~ *company*) Kartell *n,* Trust *m;* **in** ~ zu treuen Händen; treuhänderisch; **on** ~ auf Treu u. Glauben; **put one's** ~ **in s.o.** auf jdn sein Vertrauen setzen **II.** *itr* **1.** Vertrauen haben, vertrauen, bauen (*to* auf) **2.** sich verlassen (*to* auf) **III.** *tr* **1.** vertrauen (*s.o.* jdm) **2.** trauen (*s.th.* e-r S) **3.** sich verlassen (*s.o. to do s.th.* darauf, dass jem etw tut, *to* auf) **4.** erwarten; hoffen; ~ **s.o. to do s.th.** jdm vertrauen, dass er/sie etw tut; jdm zutrauen, dass er/sie etw tut; ~ **s.o. with s.th.** jdm etw anvertrauen; ~ **you!** typisch!; **I** ~ **not!** ich hoffe es nicht; **you are coming, I** ~ Sie kommen doch hoffentlich; **trust•busting** ['trʌst,bʌstɪŋ] *s* (*Am*) Monopolzerschlagung *f;* **trusted** ['trʌstɪd] *adj* **1.** (*Methode*) bewährt **2.** (*Diener, Freund*) (ge)treu; **trustee** [trʌs'ti:] *s* **1.** Treuhänder(in) *m(f),* Vermögensverwalter(in) *m(f)* **2.** (*Institution*) Kurator, Verwalter *m;* **trust•ful** ['trʌstfl] *adj* vertrauensvoll;

gutgläubig; **trust fund** *s* Treuhandvermögen *n;* **trust•ing** ['trʌstɪŋ] *adj* vertrauensvoll; **trust•worthi•ness** ['trʌst,wɜːðɪnɪs] *s* Vertrauenswürdigkeit *f;* Glaubhaftigkeit *f;* **trust•worthy** ['trʌst,wɜːðɪ] *adj* vertrauenswürdig; (*Geschichte*) glaubwürdig; **trusty** ['trʌstɪ] *adj* treu, zuverlässig

truth [truːθ, *pl* truːðz] <*pl* truths> *s* Wahrheit *f;* **in** ~ in Wirklichkeit; **to tell the** ~ ehrlich gesagt; **I told him the plain** ~ ich habe ihm reinen Wein eingeschenkt; **there is no** ~ **in it** es ist nichts Wahres daran; **home** ~**s** bittere Wahrheiten *fpl;* **truthful** ['truːθfl] *adj* ehrlich; **truth•ful•ness** [-nəs] *s* Ehrlichkeit *f;* (*e-r Aussage*) Wahrheit *f*

try [traɪ] **I.** *tr* **1.** versuchen (*doing s.th.* etw zu tun) **2.** probieren **3.** auf die Probe stellen **4.** (JUR: *Menschen*) vor Gericht stellen; (*Fall*) verhandeln; ~ **one's hand at s.th.** etw probieren; ~ **one's luck** sein Glück versuchen; **be tried for murder** wegen Mordes vor Gericht stehen; **just you** ~ **it!** versuch's bloß (nicht)!; **why don't you** ~ **him** warum versuchst du es nicht mal mit ihm; **tried and tested** erprobt; **these things are sent to** ~ **us!** man ist schon gestraft! **II.** *itr* versuchen; **I'll** ~ ich werde es versuchen; ~ **and come** versuche zu kommen **III.** *s* Versuch *m;* **give s.th. a** ~ etw versuchen; **have a** ~**!** versuchen Sie es mal!; **it was a good** ~ das war gar nicht schlecht; **try for** *itr* sich bemühen um; **try on** *tr* **1.** anprobieren; (*Hut*) aufprobieren **2.** (*fig*): **she's** ~**ing it on** sie probiert, wie weit sie gehen kann; sie will nur provozieren; ~ **it on with s.o.** jdn provozieren; **don't** ~ **it on with me** komm mir bloß nicht so; **try out** *tr* ausprobieren; (*Angestellten*) einen Versuch machen mit; **try over** *tr* (MUS) proben; **try•ing** [-ɪŋ] *adj* anstrengend, mühsam (*to* für); **how** ~**!** wie ärgerlich!; **try-on** ['traɪɒn] *s:* **it's just a** ~ er, sie tut nur so; **try-out** ['traɪaʊt] *s* Probe *f;* Probefahrt *f;* Probespiel *n;* Probezeit *f;* **give s.th. a** ~ etw ausprobieren

tsar [zɑː(r)] *s* Zar *m;* **tsa•rina** [zɑː'riːnə] *s* Zarin *f;* **tsar•ist** ['zɑːrɪst] **I.** *s* Zarist *m* **II.** *adj* zaristisch

tsetse ['tsetsɪ] *s,* ~ **fly** *s* Tsetsefliege *f*

T-Shirt ['tiːʃɜːt] *s* T-Shirt *n;* **T-square** ['tiːskweə(r)] *s* Reißschiene *f*

tub [tʌb] *s* **1.** Tonne *f,* Fass *n;* Kübel *m;* Zuber *m* **2.** Becher *m* **3.** (*fam*) (Bade)Wanne *f* **4.** (*pej fam*) Kahn *m;* **tubby** ['tʌbɪ] *adj* (*fam*) klein u. dick; mollig; pummelig; rundlich

tube [tjuːb] *s* **1.** Rohr *n;* Schlauch *m;* Sprachrohr *n* **2.** (*Zahnpasta etc.*) Tube *f* **3.** (EL TV) Röhre *f* **4.** (ANAT) Eileiter *m* **5.** (*London*) U-Bahn *f;* **bronchial** ~**s** Bronchien *pl;* **tubeless** [-lɪs] *adj* (MOT) schlauchlos

tu•ber ['tjuːbə(r)] *s* (BOT) Knolle *f*

tu•ber•cu•lar [tjuː'bɜːkjʊlə(r)] *adj* tuberkulös; **tu•ber•cu•lo•sis** [tjuː,bɜːkjʊ'ləʊsɪs] *s* Tuberkulose, Tb(c) *f;* **tu•ber•cu•lous** [tjuː'bɜːkjʊləs] *adj* tuberkulös

tube station ['tjuːbsteɪʃn] *s* (*London*) U-Bahn-Station *f*

tub-thumper ['tʌbθʌmpə(r)] *s* Volksredner *m*

tuck [tʌk] **I.** *tr* **1.** stecken **2.** (*Nähen*) mit Biesen versehen **II.** *s* **1.** Saum *m;* Biese *f* **2.** Süßigkeiten *fpl;* **tuck away** *tr* wegstecken; (*fam: Essen*) wegputzen; **tuck in I.** *tr* **1.** hineinstecken **2.** (*Kind*) zudecken **II.** *itr* (*fam*) (beim Essen) zulangen; **tuck up** *tr* hochstecken; (*Ärmel*) hochkrempeln; (*Beine*) unterschlagen; ~ **up in bed** ins Bett stecken; **tucker** ['tʌkə(r)] *s:* **in one's best bib and** ~ im Sonntagsstaat; **tuck-in** [,tʌk'ɪn] *s* (*fam*) solide Mahlzeit; **tuck shop** *s* (*fam*) Süßwarengeschäft *n*

Tues•day ['tjuːzdɪ] *s* Dienstag *m;* **on** ~ am Dienstag; **on** ~**s** dienstags

tuft [tʌft] *s* Büschel *n*

tug [tʌg] **I.** *itr* fest ziehen, zerren, reißen (*at* an) **II.** *tr* **1.** zerren, heftig ziehen (an) **2.** (MAR) schleppen **III.** *s* **1.** Zerren *n* **2.** (MAR: ~ *boat*) Schlepper *m;* ~ **of war** (SPORT) Tauziehen *n a. fig;* **give s.th. a** ~ an etw ziehen

tu•ition [tjuː'ɪʃn] *s* Unterricht *m*

tu•lip ['tjuːlɪp] *s* Tulpe *f*

tumble ['tʌmbl] **I.** *s* **1.** Sturz *m* **2.** Durcheinander *n;* **have** [*o* **take**] **a** ~ stürzen; (*fig*) fallen; **in a** ~ durcheinander **II.** *itr* **1.** straucheln, stolpern (*over* über) **2.** stürzen, fallen (*off a bicycle* vom Fahrrad, *out of a window* aus e-m Fenster) **3.** (COM: *Preise*) fallen **4.** (*fam*) plötzlich kapieren (*to s.th.* etw) **III.** *tr* **1.** stoßen **2.** (*Haar*) zerzausen; **tumble about** *itr* durcheinander purzeln; **tumble down** *itr* **1.** hinfallen; herunterfallen; (*Gebäude*) einfallen **2.** herunter-, hinunterrennen; **tumble in** *itr* hereinpurzeln; **tumble over** *itr* umfallen; **tumble-down** ['tʌmbl,daʊn] *adj* baufällig; **tumble-drier** *s* (EL) Wäschetrockner *m;* **tum•bler** ['tʌmblə(r)] *s* **1.** Akrobat(in) *m* (*f*) **2.** (*Spielzeug*) Stehaufmännchen *n* **3.** Becherglas *n* **4.** (EL) Wäschetrockner *m*

tu•mes•cence [tuː'mesns] *s* Schwellung *f;* **tu•mes•cent** [tuː'mesnt] *adj* anschwellend

tummy ['tʌmɪ] *s* (*fam*) Bauch *m;* **tummy-ache** *s* Bauchweh *n*

tu•mor *s* (*Am*), **tu•mour** ['tjuːmə(r)] *s* (MED) Geschwulst *f,* Tumor *m*

tu•mult ['tju:mʌlt] *s* **1.** Lärm, Tumult *m* **2.** Durcheinander *n;* **tu•mul•tu•ous** [tju:'mʌltʃʊəs] *adj* **1.** lärmend **2.** turbulent, stürmisch
tu•mu•lus ['tju:mjʊləs, *pl* -laɪ] <*pl* -li> *s* Tumulus *m,* Hügelgrab *n*
tun [tʌn] *s* Fass *n*
tuna ['tju:nə] *s* Thunfisch *m*
tun•dra ['tʌndrə] *s* (GEOG) Tundra *f*
tune [tju:n] **I.** *s* Melodie *f;* **in** ~ (MUS) (gut) gestimmt, in Harmonie (*with* mit); (*fig*) auf der gleichen Wellenlänge (*with* wie); **out of** ~ (MUS) verstimmt; (MOT) falsch eingestellt; (*fig*) im Widerspruch (*with* zu); **to the** ~ **of** (*fam*) zum Preis, in Höhe von; **change one's** ~ (*fig*) andere Töne anschlagen **II.** *tr* **1.** (*Musikinstrument*) stimmen **2.** (TECH RADIO) einstellen **3.** (MOT) tunen; **tune in** *tr* (RADIO) einschalten; ~ **in to s.th.** etw einschalten; **tune up I.** *itr* (MUS) die Instrumente stimmen **II.** *tr* (MOT: *Motor*) tunen; richtig einstellen; **tune•ful** ['tju:nfl] *adj* klangvoll, melodisch; **tune•less** [-lɪs] *adj* misstönend; **tuner** ['tju:nə(r)] *s* **1.** (*piano* ~) Klavierstimmer(in) *m(f)* **2.** (RADIO) Tuner *m;* **tune-up** ['tju:nʌp] *s* (TECH MOT) Justierung *f*
tung•sten ['tʌŋstən] *s* (CHEM) Wolfram *n*
tu•nic ['tju:nɪk] *s* **1.** lange (Damen)Bluse *f;* Kittel *m* **2.** (MIL) Waffenrock *m*
tun•ing ['tju:nɪŋ] *s* **1.** (MUS) Stimmen *n* **2.** (RADIO MOT) Einstellen *n* **3.** (MOT) Tunen, Tuning *n;* **tuning fork** *s* Stimmgabel *f;* **tuning knob** *s* Abstimmknopf *m;* **tuning range** *s* Abstimmbereich *m*
Tu•ni•sia [tju:'nɪzɪə] *s* Tunesien *n;* **Tu•ni•sian** [tju:'nɪzɪən] **I.** *s* Tunesier(in) *m(f)* **II.** *adj* tunesisch
tun•nel ['tʌnl] **I.** *s* **1.** Tunnel *m;* Unterführung *f* **2.** (MIN) Stollen *m* **3.** (ZOO) Bau *m;* **Channel T**~ Kanaltunnel *m* **II.** *tr* untertunneln **III.** *itr* e-n Tunnel anlegen (*through* durch, *into* in)
tunny ['tʌnɪ] *s* (ZOO) Thunfisch *m*
tup•pence ['tʌpəns] *s* zwei Pence *mpl;* **I don't care** ~ das ist mir egal; **tup•penny** ['tʌpənɪ] *adj* für zwei Pence; Zweipence-; **tup•penny-ha'penny** ['tʌpnɪ'heɪpnɪ] *adj* (*Br fam*) lächerlich
tur•ban ['tɜ:bən] *s* Turban *m*
tur•bid ['tɜ:bɪd] *adj* **1.** (*Flüssigkeit*) trüb(e), schmutzig **2.** (*fig*) wirr, konfus
tur•bine ['tɜ:baɪn] *s* Turbine *f;* **turbo•car** [ˌtɜ:bəʊ'kɑ:(r)] *s* Turbinenauto *n;* **turbo-charged** ['tɜ:bəʊˌtʃɑ:dʒəd] *adj* (MOT) mit Turbolader *m;* **turbo•charger** ['tɜ:bəʊˌtʃɑ:dʒə(r)] *s* (MOT) Turbolader *m;* **turbo•diesel** ['tɜ:bəʊˌdi:sl] *s* (MOT) Turbodiesel *m;* **turbo engine** ['tɜ:bəʊ ˌendʒɪn] *s* Turbomotor *m;* **tur•bo•jet** [ˌtɜ:bəʊ'dʒet] *s* Düsenflugzeug *n;* Turbotriebwerk *n;* **turbo•prop** ['tɜ:bəʊ'prɒp] *s* Turboprop *f;* Turbo- Prop-Flugzeug *n*
tur•bot ['tɜ:bət] *s* (ZOO) (Stein)Butt *m*
tur•bu•lence ['tɜ:bjʊləns] *s* **1.** Unruhe *f* **2.** (*a.* PHYS) Turbulenz *f,* Böigkeit *f;* **tur•bu•lent** ['tɜ:bjʊlənt] *adj* **1.** unruhig, ungestüm **2.** wirr, stürmisch, aufgeregt **3.** (PHYS) turbulent **4.** (*Wetter*) böig
turd [tɜ:d] *s* (*vulg*) **1.** Kacke *f,* Kot *m* **2.** Scheißkerl *m*
tu•reen [tjʊ'ri:n] *s* Suppenschüssel *f*
turf [tɜ:f, tɜ:vz] <*pl* turfs, turves> **I.** *s* Grasnarbe *f,* Rasen *m;* **the T**~ die (Pferde)Rennbahn; das Pferderennen **II.** *tr* mit Rasen(stücken) bedecken; ~ **out** (*sl*) rausschmeißen; **turf accountant** *s* Buchmacher(in) *m(f)*
tur•gid ['tɜ:dʒɪd] *adj* **1.** (MED) geschwollen *a. fig* **2.** (*fig*) schwülstig
Turk [tɜ:k] *s* Türke *m,* Türkin *f*
tur•key ['tɜ:kɪ] *s* **1.** Puter, Truthahn *m* **2.** (*Am fam*) Ladenhüter *m;* **talk** ~ kein Blatt vor den Mund nehmen
Turkey ['tɜ:kɪ] *s* die Türkei; **Tur•kish** ['tɜ:kɪʃ] **I.** *adj* türkisch; ~ **bath** türkisches Bad, Schwitzbad *n;* ~ **delight** Lokum *n* (*mit Puderzucker bestreutes Geleekonfekt*); ~ **towel** Frottiertuch *n* **II.** *s* (das) Türkisch(e)
tur•moil ['tɜ:mɔɪl] *s* Aufruhr *m;* Durcheinander *n;* **her mind was in a** ~ sie war völlig durcheinander
turn [tɜ:n] **I.** *s* **1.** Drehung *f;* Umdrehung *f* **2.** (*Straße*) Kurve *f;* (SPORT) Wende *f a. fig* **3.** Reihenfolge *f* **4.** (guter) Dienst *m* **5.** (MED) Anfall *m* **6.** Tendenz *f,* Hang *m;* Neigung *f* **7.** (BES. THEAT) Nummer *f* **8.** Zweck *m* **9.** Spaziergang *m;* Spazierfahrt *f* **10.** (~ *of phrase*) Ausdruck *m* **11.** (FIN) Handelsgewinn *m;* **do s.o. a good** ~ jdm einen guten Dienst erweisen; **give s.th. a** ~ etw drehen; **give s.o. a** ~ jdm einen Schrecken einjagen; **have an analytical** ~ **of mind** analytisch begabt sein, analytisch denken; **make a** ~ **to the right** eine Rechtskurve machen; rechts ein-, abbiegen; **miss a** ~ einmal aussetzen; **serve s.o.'s** ~ jds Zwecken dienen; **take a** ~ **for the better** besser werden; **take ~s at doing s.th.** sich bei etw abwechseln, etw abwechselnd tun; **take a** ~ **in the park** einen Spaziergang im Park machen; **at every** ~ auf Schritt und Tritt; **by ~s, in** ~ abwechselnd; **in** ~ der Reihe nach; ~ **and** ~ **about** abwechselnd; **out of** ~ außer der Reihe; (*fig*) unberechtigt; **be on the** ~ (*Nahrungsmittel*) nicht mehr ganz gut sein; **the** ~ **of the century** die Jahrhundertwende; **the** ~ **of events** der Verlauf der Dinge; ~ **of the tide** Gezei-

tenwechsel *m;* (*fig*) Umschwung *m,* (Trend)Wende *f;* **it gave me quite a ~** es hat mir einen schönen Schrecken eingejagt; **it's your ~** du bist an der Reihe, du bist dran; **it has served its ~** es hat seinen Zweck erfüllt; **whose ~ is it?** wer ist an der Reihe? wer ist dran? **II.** *tr* **1.** drehen; (*Rad etc*) antreiben; (*Purzelbaum*) schlagen **2.** (*Kopf*) drehen, wenden; (*Rücken*) zudrehen, zuwenden (*to s.o.* jdm); (*Magen*) umdrehen **3.** (*Heu, Kragen, Auto*) wenden; (*Seite*) umblättern; (*Schallplatte, Bild, Stuhl*) umdrehen **4.** (*Gedanken, Blicke, Aufmerksamkeit, Gewehr*) richten (*to* auf); (*Schritte*) lenken **5.** (*bestimmtes Alter*) überschreiten **6.** verwandeln (*into* in); (*Milch*) sauer werden lassen **7.** (*Holz, Gegenstand*) drechseln; (*Metall*) drehen; **~ s.o.'s head** (*fig*) jdm den Kopf verdrehen; jdm zu Kopf steigen; **~ s.o.'s brain** jdn verwirren; jdn verstören; **~ one's hand to s.th.** etw versuchen; **it has ~ed two o'clock** es ist zwei Uhr vorbei; **the lorry ~ed the corner** der Lastwagen bog um die Ecke; **~ s.o.'s hair grey** jds Haar grau werden lassen; **~ s.th. black** etw schwarz werden lassen; **nothing will ~ him from his goal** nichts wird ihn von seinem Ziel abbringen; **a well-~ed phrase** ein gut formulierter Satz; **~ s.o. loose** jdn freilassen **III.** *itr* **1.** sich drehen; sich drehen lassen; (*Magen*) sich umdrehen **2.** (*Fahrer, Auto*) abbiegen; wenden; (*Flugzeug, Schiff*) abdrehen; wenden; (*Mensch*) sich umdrehen; (*Wind*) drehen **3.** sich wenden (*to* an) **4.** (*Blätter*) sich färben; (*Nahrungsmittel*) schlecht werden; sauer werden; (*Wetter*) umschlagen **5.** (*Alter, Beruf*) werden; **~ traitor** zum Verräter werden; **his hair ~ed grey** sein Haar wurde grau; **~ into s.th.** zu etw werden; sich in etw verwandeln; **~ red** rot werden; **our luck ~ed** das Blatt hat sich gewendet; **he didn't know which way to ~** er wusste nicht mehr aus noch ein; **turn about I.** *itr* umdrehen; kehrtmachen **II.** *tr* (*Auto*) wenden; **turn against I.** *itr* sich wenden gegen **II.** *tr* aufbringen gegen; (*Argument*) verwenden gegen; **turn away I.** *tr* **1.** fort-, wegschicken **2.** (*Gesicht*) wegwenden **II.** *itr* sich abwenden; **~ away business** Aufträge ablehnen; **turn back I.** *itr* umkehren; sich umdrehen; (*im Buch*) zurückblättern **II.** *tr* **1.** (*Menschen*) zurückschicken; zurückweisen **2.** (*Uhr*) zurückstellen; zurückdrehen **3.** (*Bettdecke*) zurückschlagen; (*Buchseite*) umknicken; **turn down I.** *tr* **1.** herunterklappen **2.** (*Bild*) umdrehen **3.** (*Flamme*) herunterdrehen, klein stellen **4.** (*Sache*) abschlagen, -lehnen **5.** (*Radio*) leiser stellen **6.** (*Person*) ab-, zurückweisen; e-n Korb geben (*s.o.* jdm) **II.** *itr* einbiegen in (*e-e Straße*); **turn in I.** *itr* **1.** (*Auto*) einbiegen **2.** (*fam*) zu Bett gehen **II.** *tr* **1.** (*fam*) zurückgeben; abgeben **2.** eintauschen (*for* gegen) **3.** (*bei Polizei*) anzeigen; **her toes ~ in** ihre Zehen gehen nach innen; **~ in on o.s.** sich in sich selbst zurückziehen; **~ it in!** (*Br sl*) hör auf!; **turn into I.** *itr* sich verwandeln in **II.** *tr* verwandeln in; **turn off I.** *tr* **1.** (*Wasser, Gas*) abstellen **2.** (*Strom*) abschalten; (*Licht*) ausschalten **II.** *itr* **1.** vom Wege abbiegen **2.** (*Straße*) abzweigen, -biegen; **~ s.o. off** jdn abschrecken; **turn on** *tr* **1.** (*Wasser*) aufdrehen **2.** (*elektrisches Gerät*) einschalten **3.** (*Licht*) anmachen; **~ on s.o.** sich gegen jdn wenden; **~ on s.th.** von etw abhängen; **~ s.o. on** (*sl*) jdn scharf machen; jdm gefallen; **turn out I.** *tr* **1.** nach außen kehren; (*Tasche*) umkehren **2.** hinauswerfen, wegjagen, entlassen **3.** (*Licht*) ausmachen **4.** produzieren, herstellen **5.** (*Saldo*) aufweisen **II.** *itr* **1.** (heraus)kommen (*for* zu) **2.** sich erweisen, sich herausstellen (*to be good* als gut) **3.** ausgehen, ausfallen; werden (*wet* regnerisch) **4.** (*well*) gut gelingen; **it ~ed out to be right** es stellte sich heraus, dass es richtig war; **how did it ~ out?** wie ist es geworden?; **turn over I.** *tr* **1.** umdrehen **2.** aus-, abliefern **3.** (COM) umsetzen, verkaufen **4.** nachdenken über **5.** (MOT) laufen lassen **II.** *itr* sich umdrehen, sich auf die andere Seite legen; umkippen; **turn round I.** *itr* **1.** sich umdrehen; umkehren **2.** (*fig*) einfach gehen **II.** *tr* **1.** umdrehen; drehen **2.** (*Schiff*) abfertigen; (*Waren*) fertig stellen **3.** (COM) sanieren, in die Gewinnzone bringen; **~ round the corner** um die Ecke biegen; **the earth ~s round the sun** die Erde dreht sich um die Sonne; **she just ~ed round and left/hit him** sie ging einfach/schlug ihn einfach; **turn to** *itr* sich an die Arbeit machen; **~ to s.o.** sich an jdn wenden; **~ to one's work** sich an die Arbeit machen; **turn up I.** *itr* **1.** auftauchen **2.** geschehen; sich ergeben **3.** (*Nase, Seite*) nach oben gebogen sein **II.** *tr* **1.** (*Kragen*) hochschlagen; (*Ärmel*) hochkrempeln **2.** (*Gas, Heizung*) höher stellen; (*Radio*) lauter stellen; (*Lautstärke*) aufdrehen; (*Licht*) heller machen **3.** finden, entdecken; ausfindig machen **4.** (*Boden*) umpflügen; **~ up one's nose at s.th.** die Nase über etw rümpfen; **a ~ed up nose** eine Himmelfahrtsnase; **~ it up!** (*Br sl*) hör auf!

turn•about, turn•around ['tɜːnəˌbaʊt, 'tɜːnəˌraʊnd] *s* Kehrtwendung *f a. fig;* (COM) Tendenzwende *f;* (*fig*) Umschwung

m
turn•coat ['tɜːnkəʊt] *s* Abtrünnige(r) *m*
turner ['tɜːnə(r)] *s* Drechsler *m;* Dreher *m*
turn•ing ['tɜːnɪŋ] *s* **1.** Biegung, Kurve *f;* Straßenecke *f;* Abzweigung *f* **2.** Drechslerei *f;* Drehen *n;* **turning area** *s* (MOT) Wendefläche *f;* **turning lathe** *s* Drehbank *f;* **turning point** *s* Wendepunkt *m*
tur•nip ['tɜːnɪp] *s* Rübe *f*
turn•key op•er•ation [ˌtɜːnkiːɒpə'reɪʃn] *s* schlüsselfertiges Projekt
turn-off ['tɜːnɒf] *s* (Straßen)Gabelung, Abzweigung *f;* **it's a real ~** (*fam*) da vergeht e-m doch alles; **turn-out** ['tɜːnaʊt] *s* **1.** Teilnahme, Beteiligung *f;* Besucherzahl *f* **2.** Reinigung *f* **3.** Produktion *f* **4.** Aufmachung, Kleidung *f;* **give s.th. a ~** etw sauber machen; **turn•over** ['tɜːnˌəʊvə(r)] *s* (COM) Umsatz *m;* (*Kapital*) Umlauf *m;* (*Waren, Lager*) Umschlag *m;* (*Personal*) Fluktuation *f;* **turn•pike** ['tɜːnpaɪk] *s* **1.** Schlagbaum *m,* Mautschranke *f* **2.** (*Am*) (gebührenpflichtige) Autobahn *f;* **turn-round** ['tɜːnraʊnd] *s* **1.** (*Schiff, Flugzeug*) Abfertigung *f* **2.** (*Firma*) Sanierung *f* **3.** (*Firma*) Tendenzwende *f* **4.** (*Ware*) mittlerer Lagerumschlag; **turn•stile** ['tɜːnstaɪl] *s* Drehkreuz *n;* **turn•table** *s* **1.** (RAIL) Drehscheibe *f* **2.** Plattenteller *m;* **turntable ladder** *s* Drehleiter *f;* **turn-up** ['tɜːnʌp] *s* **1.** (*Br: Hose*) Aufschlag *m* **2.** (*fam*) Überraschung *f;* **a ~ for the book** e-e tolle Überraschung
tur•pen•tine ['tɜːpəntaɪn] *s* Terpentin *n*
tur•pi•tude ['tɜːpɪtjuːd] *s* Schändlichkeit, Verderbtheit *f*
turps [tɜːps] *s* (*fam*) Terpentin *n*
tur•quoise ['tɜːkwɔɪz] *s* **1.** (MIN) Türkis *m* **2.** (*Farbe*) Türkis *n*
tur•ret ['tʌrɪt] *s* **1.** Türmchen *n* **2.** (MIL) Geschütz-, Panzerturm *m* **3.** (AERO MIL) Kanzel *f*
turtle ['tɜːtl] *s* (Wasser)Schildkröte *f;* **turn ~** (MAR) (voll durch)kentern; **turtle•dove** *s* Turteltaube *f a. fig;* **turtle•neck** *s* Schildkrötenkragen *m*
tusk [tʌsk] *s* Stoßzahn *m;* Eckzahn *m;* Hauer *m*
tussle ['tʌsl] **I.** *itr* **1.** sich raufen **2.** (*fig*) streiten (*with* mit) **II.** *s* Balgerei *f*
tus•sock ['tʌsək] *s* (Gras)Büschel *n*
tut [tʌt] *interj* pfui!; **~-~!** Unsinn!
tu•te•lage ['tjuːtɪlɪdʒ] *s* **1.** Vormundschaft *f* **2.** Anleitung, Führung *f*
tu•tor ['tjuːtə(r)] **I.** *s* (*Universität*) Tutor(in) *m(f);* (*Am*) Assistent(in) *m(f),* Hauslehrer(in) *m(f)* **II.** *tr* **1.** unterrichten; Nachhilfeunterricht geben (*s.o.* jdm) **2.** (*fig: Gefühle*) beherrschen; **tu•torial** [tjuː'tɔːrɪəl] *s* Kolloquium *n;* Seminarübung *f*
tux•edo [tʌk'siːdəʊ] <*pl* -edos> *s* (*Am*) Smoking *m*
TV [tiː'viː] *s* Fernsehen *n;* Fernseher *m;* **on ~** im Fernsehen; **TV guide** *s* Fernsehzeitschrift *f;* **TV satellite** *s* Fernsehsatellit *m;* **TV star** *s* Fernsehstar *m*
TVP [ˌtiːviː'piː] *s abbr of* **textured vegetable protein** strukturiertes Pfanzeneiweiß
twaddle ['twɒdl] *s* Geschwätz *n*
twang [twæŋ] **I.** *s* **1.** Näseln *n* **2.** (*Geräusch*) Ping *n;* Doing *n* **II.** *tr* (*Gitarre*) zupfen **III.** *itr* ping, doing machen; **~ on a guitar** auf einer Gitarre klimpern
tweak [twiːk] *tr* zwicken, kneifen
twee [twiː] *adj* (*fam*) niedlich; geziert; verniedlichend
tweed [twiːd] *s* **1.** (*Textil*) Tweed *m* **2. ~s** Kleidungsstücke *n pl* aus Tweed; **tweedy** ['twiːdɪ] *adj* **1.** in Tweed gekleidet **2.** burschikos; formlos
tweeter ['twiːtə(r)] *s* Hochtonlautsprecher, Hochtöner *m*
tweez•ers ['twiːzəz] *s pl* (*a pair of ~*) Pinzette *f*
twelfth [twelfθ] **I.** *adj* zwölfte(r, s) **II.** *s* Zwölftel *n;* Zwölfte(r, s); **twelve** [twelv] **I.** *adj* zwölf **II.** *s* Zwölf *f*
twen•ti•eth ['twentɪəθ] **I.** *adj* zwanzigste(r, s) **II.** *s* Zwanzigstel *n;* Zwanzigste(r, s); **twenty** ['twentɪ] **I.** *adj* zwanzig **II.** *s* **1.** Zwangzig *f* **2.** (*Geld*) Zwanziger *m*
twerp [twɜːp] *s* (*sl*) blöder Kerl
twice [twaɪs] *adv* zweimal; doppelt, zweifach; **~ the amount** der doppelte Betrag; **~ as much/many** doppelt, noch einmal so viel/so viele; **twice-told** [ˌtwaɪs'təʊld] *adj* oft erzählt; abgedroschen
twiddle ['twɪdl] **I.** *tr* (herum)spielen mit; **~ one's thumbs** Däumchen drehen **II.** *itr* herumdrehen (*with* an)
twig [twɪg] **I.** *s* Zweig *m,* Zweiglein *n* **II.** *tr, itr* (*fam*) kapieren, begreifen
twi•light ['twaɪlaɪt] *s* (Abend)Dämmerung *f;* **at ~** in der Dämmerung; **the T~ of the Gods** die Götterdämmerung
twin [twɪn] **I.** *adj* paarig, doppelt; Zwillings-; Doppel- **II.** *s* **1.** Zwilling *m* **2.** (*Ding*) Gegenstück, Pendant *n;* **fraternal/identical ~s** zwei-/eineiige Zwillinge *mpl* **III.** *tr* (*Städte*) durch Partnerschaft verbinden; **twin beds** *s pl* zwei Einzelbetten *npl;* **twin brother** *s* Zwillingsbruder *m;* **twin carburettors** *s pl* Doppelvergaser *m;* **twin-cylinder engine** *s* Zweizylindermotor *m*
twine [twaɪn] **I.** *s* Bindfaden *m,* Schnur *f* **II.** *tr* **1.** verflechten **2.** winden (*s.th. round s.th.* etw um etw) **3.** umfassen, umschlingen

twin-en•gined [ˌtwɪnˈendʒɪnd] *adj* zweimotorig

twinge [twɪndʒ] *s* leichter Schmerz; **~s, of conscience** Gewissensbisse *mpl;* **a ~ of regret** (ein) leichtes Bedauern

twinkle [ˈtwɪŋkl] **I.** *itr* **1.** flimmern, funkeln, glitzern **2.** (*Augen*) blitzen **3.** (*fig*) schnell hin- u. hertanzen, huschen **II.** *s* Flimmern, Flackern, Funkeln *n;* **there was a ~ in his eyes** seine Augen blitzten; **when you were still a ~ in your father's eye** als du noch nicht auf der Welt warst; **in a ~** im Nu; **twink•ling** [ˈtwɪŋklɪŋ] *s* Funkeln *n;* Aufblitzen *n;* **in the ~ of an eye** im Nu

twin•ning [ˈtwɪnɪŋ] *s* (*town ~*) Städtepartnerschaft *f;* **twin prime** *s* (MATH) Primzahlzwilling *m;* **twin•set** [ˈtwɪnset] *s* Twinset *n;* **twin sister** *s* Zwillingsschwester *f;* **twin town** *s* Partnerstadt *f;* **twin-tub washing machine** *s* Waschmaschine *f* mit getrennter Schleuder

twirl [twɜːl] **I.** *tr* **1.** im Kreise drehen **2.** (*Haar*) zwirbeln, winden (*round* um) **II.** *itr* wirbeln **III.** *s* Wirbel *m,* Wirbeln *n,* schnelle Umdrehung; **give a ~** sich drehen; **give s.th. a ~** etw herumdrehen

twist [twɪst] **I.** *tr* **1.** drehen; wickeln (*around* um) **2.** verbiegen; verdrehen; verrenken **3.** (*fig*) verdrehen, entstellen; **~ s.th. out of shape** etw verbiegen; **~ one's ankle** sich den Fuß vertreten; **his face was ~ed** sein Gesicht war verzerrt; **~ s.o.'s arm** jdm den Arm verdrehen; (*fig*) jdn überreden; **she can ~ him round her little finger** sie kann ihn um den (kleinen) Finger wickeln **II.** *itr* **1.** sich drehen, sich winden *a. fig* **2.** (*Rauch*) sich ringeln **3.** (*Tanz*) twisten **III.** *s* **1.** (Bind)Faden *m* **2.** Twist *m* (*Tanz*) **3.** Tabakrolle *f* **4.** (Hefe)Zopf *m* **5.** (TECH SPORT) Drall *m;* Schraube *f* **6.** Drehung *f* **7.** Kurve, Biegung *f* **8.** (*fig: Geschichte*) Wendung *f;* **round the ~** (*sl*) bekloppt; **twist off** *tr* (*Kappe*) abschrauben; **twist out of** *tr* herauswinden aus; **twisted** [ˈtwɪstɪd] *adj* **1.** verdreht; verbogen **2.** (*Fuß*) verrenkt **3.** (*fig: Gedanken, Logik*) verdreht **4.** (*fam fig*) unredlich; **twister** [ˈtwɪstə(r)] *s* **1.** (SPORT) geschnittener Ball **2.** (*Am*) Wirbelsturm *m* **3.** (*Br*) schwieriges Problem **4.** (*fam*) Schwindler *m* **5.** Twisttänzer(in) *m(f);* **twisty** [ˈtwɪstɪ] *adj* (*Straße*) gewunden

twit [twɪt] **I.** *tr* verspotten, aufziehen (*s.o. with, about s.th.* jdn mit etw) **II.** *s* (*fam*) Depp *m*

twitch [twɪtʃ] **I.** *tr* **1.** zupfen, zerren **2.** zucken mit **II.** *itr* zucken **III.** *s* **1.** Zucken *n;* Zuckung *f* **2.** Ruck *m*

twit•ter [ˈtwɪtə(r)] **I.** *itr* **1.** zwitschern **2.** (*fig*) schnattern **II.** *s* **1.** Gezwitscher *n* **2.** (*fig*) Geschnatter *n;* **in a ~** aufgeregt

two [tuː] *adj* zwei; **the ~** die beiden; **by ~s, in ~s, ~ and ~** zu zweit, zu zweien, paarweise; **in ~** entzwei; **break in ~** in zwei Teile brechen; **in a day or ~** in ein paar Tagen; **one or ~** ein paar; **the ~ of us** wir beide; **be in ~ minds about doing s.th.** unentschlossen sein, ob man etw tun soll; **cut in ~** halbieren; **put ~ and ~ together** sich die Sache zusammenreimen; **that makes ~ of us** das betrifft auch mich; **two-bit** *adj* (*Am fam*) mies; **two-dimensional** [ˈtuːdaɪˈmenʃənl] *adj* zweidimensional; **two-door** *adj* zweitürig; **two-edged** [ˌtuːˈedʒd] *adj* zweischneidig *a. fig;* **two-faced** [ˌtuːˈfeɪst] *adj* (*fig*) falsch, heuchlerisch; **two•fold** [ˈtuːfəʊld] *adj* zweifach, doppelt; **two-part** [ˈtuːpɑːt] *adj* zweiteilig; **two- party system** *s* Zweiparteiensystem *n;* **two•pence** [ˈtʌpəns, *Am* ˈtuːpens] *s* zwei Pence; **two•penny** [ˈtʌp(ə)nɪ, *Am* ˈtuːpenɪ] *adj* **1.** Zweipence-; für zwei Pence **2.** (*fig*) billig, wertlos; **two- phase** *adj* (EL) Zweiphasen-; **two-piece** *adj* zweiteilig; **~ bathing-suit** zweiteiliger Badeanzug; **two-seater** [ˈtuːsiːtə(r)] *s* Zweisitzer *m;* **two•some** [ˈtuːsəm] *s* Pärchen *n;* **go out in a ~** zu zweit ausgehen; **two-stroke** *s* (*Motor*) Zweitakter *m;* (*Kraftstoff*) Zweitaktgemisch *n;* **two-thirds majority** *s* (PARL) Zweidrittelmehrheit *f;* **two-tiered** [ˈtuːtɪəd] *adj* **1.** zweistöckig **2.** zweigestuft; **two-time** [ˈtuːtaɪm] *tr* (*fam: in der Liebe*) betrügen; **two-tim•ing** [ˈtuːtaɪmɪŋ] *adj* falsch; **two-way** [ˌtuːˈweɪ] *adj* (*Sprechverkehr*) in beide Richtungen; (*Stoff*) auf beiden Seiten tragbar; (*Straße*) mit Verkehr in beiden Richtungen; **~ radio** Funksprechgerät *n;* **~ switch** Wechselschalter *m;* **~ adaptor** Doppelstecker *m;* **~ trade** wechselseitiger Handel

ty•coon [taɪˈkuːn] *s* Tycoon, Magnat, Großindustrielle(r) *m;* **oil ~** Ölmagnat *m*

tyke, tike [taɪk] *s* **1.** Köter *m* **2.** Lümmel *m* **3.** (*Am*) kleines Kind

tym•pa•num [ˈtɪmpənəm] *s* **1.** Mittelohr *n* **2.** Trommelfell *n*

type¹ [taɪp] **I.** *s* **1.** Art *f;* Sorte *f;* (*Mensch, Charakter*) Typ *m* **2.** (*fam*) Typ *m;* Type *f;* **this ~ of car** dieser Autotyp; **a person of this ~** ein Mensch der Art; **that ~ of behaviour** solches Benehmen; **she is not my ~** sie ist nicht mein Typ; **he is not the ~ to do that** er ist nicht der Typ, der so etwas tut **II.** *tr* bestimmen, klassifizieren

type² [taɪp] **I.** *s* (TYP) Type *f;* **small ~** kleine Buchstaben *mpl;* **bold ~** Fettdruck *m;* **italic ~** Kursive *f;* **Roman ~** Antiqua *f;* **in ~** gedruckt; maschinegeschrieben; **set s.th. up in** ~ etw setzen **II.** *tr* mit der Maschine schreiben, tippen **III.** *itr* Maschine schreiben, tippen; **type out** *tr* schreiben, tippen; (*Fehler*) ausixen; **type up** *tr* auf der Maschine schreiben

type•cast ['taɪpkɑːst] <*irr:* -cast, -cast> *tr* für e-e Rolle auswählen; (*fig*) auf eine bestimmte Rolle festlegen; **type•face** ['taɪpfeɪs] *s* Schrift *f;* **type•script** ['taɪpˌskrɪpt] *s* Schreibmaschinenmanuskript *n;* **type•set•ter** ['taɪpsetə(r)] *s* **1.** (*Beruf*) Schriftsetzer(in) *m(f)* **2.** (*Maschine*) Setzmaschine *f;* **type•set•ting** ['taɪpˌsetɪŋ] *s* (Schrift)Setzen *n;* **type•write** ['taɪpraɪt] <*irr:* -wrote, -written> **I.** *itr* maschineschreiben **II.** *tr* auf der Maschine schreiben; **type•writer** ['taɪpˌraɪtə(r)] *s* Schreibmaschine *f;* **typewriter ribbon** *s* Farbband *n;* **type•writing paper** ['taɪpraɪtɪŋ'peɪpə(r)] *s* Schreibmaschinenpapier *n;* **type•written** ['taɪpˌrɪtn] *adj* Maschinen geschrieben, getippt

ty•phoid ['taɪfɔɪd] *s* (~ *fever*) Typhus *m*

ty•phoon [taɪ'fuːn] *s* (METE) Taifun *m*

ty•phus ['taɪfəs] *s* Flecktyphus *m*

typi•cal ['tɪpɪkl] *adj* typisch, charakteristisch, kennzeichnend (*of* für); **typ•ify** ['tɪpɪfaɪ] *tr* kennzeichnend sein für

typ•ing ['taɪpɪŋ] **I.** *s* Maschineschreiben, Tippen *n* **II.** *adj* Schreibmaschinen-; ~ **error** Tippfehler *m;* ~ **pool** Schreibzentrale *f;* ~ **speed** (Schreib)Geschwindigkeit *f,* Anschläge *m pl* pro Minute; **typ•ist** ['taɪpɪst] *s* Maschinenschreiber(in) *m(f),* Schreibkraft *f*

ty•pogra•pher [taɪ'pɒgrəfə(r)] *s* Buchdrucker(in) *m(f);* **ty•po•graphic(al)** [ˌtaɪpə'græfɪk(l)] *adj* typographisch, drucktechnisch; Druck-; ~ **error** Druckfehler *m;* **ty•pogra•phy** [taɪ'pɒgrəfɪ] *s* Buchdruck *m,* Buchdruckerkunst *f;* Typographie *f*

ty•ran•ni•cal [tɪ'rænɪkl] *adj* tyrannisch; **tyr•an•nize** ['tɪrənaɪz] **I.** *itr* e-e Gewaltherrschaft ausüben (*over* über) **II.** *tr* tyrannisieren; **tyr•anny** ['tɪrənɪ] *s* Gewaltherrschaft *f;* Tyrannei *f;* **ty•rant** ['taɪərənt] *s* Tyrann(in) *m(f) a. fig*

tyre ['taɪə(r)] *s* (MOT) Reifen *m;* **put air in the** ~ den Reifen aufpumpen; **a flat** ~ ein platter Reifen; **tyre gauge** *s* Reifendruckmesser *m;* **tyre pressure** *s* Reifendruck *m*

tzar [zɑː(r)] *s s.* **tsar**

tzetze ['tsetsɪ] *s s.* **tsetse**

U

U, u [juː] <*pl* -'s> **I.** *s* U, u *n* **II.** *adj* **1.** vornehm **2.** (FILM) jugendfrei
UAE [ˌjuːeɪ'iː] *s abbr of* **United Arab Emirates** Vereinigte Arabische Emirate *pl*
ubi•qui•tous [juː'bɪkwɪtəs] *adj* allgegenwärtig; **ubi•quity** [juː'bɪkwətɪ] *s* Allgegenwart *f*
U-boat *s* U-Boot *n*
ud•der ['ʌdə(r)] *s* Euter *n*
UFO ['juːfəʊ] *s abbr of* **unidentified flying object** Ufo, UFO *n*
Ugan•da [juːgændə] *s* Uganda *n;* **Ugan•dan I.** *adj* ugandisch **II.** *s* Ugander(in) *m(f)*
ugh [ɜːh] *interj* äh! pfui!
ug•li•ness ['ʌglɪnɪs] *s* Hässlichkeit *f;* **ugly** ['ʌglɪ] *adj* **1.** hässlich **2.** widerlich, scheußlich, grässlich **3.** (*fig*) gemein, abstoßend; ~ **customer** (*fam*) übler Patron; ~ **duckling** hässliches Entlein
UK [ˌjuː'keɪ] *s abbr of* **United Kingdom** Vereinigtes Königreich
uke•lele [ˌjuːkə'leɪlɪ] *s* (MUS) Ukulele *f*
Ukraine [juː'kreɪn] *s:* **the** ~ die Ukraine; **Ukrain•ian** [-ɪən] **I.** *adj* ukrainisch **II.** *s* **1.** Ukrainer(in) *m(f)* **2.** (*Sprache*) Ukrainisch *n*
ul•cer ['ʌlsə(r)] *s* (MED) Geschwür *n a. fig;* **stomach** ~ Magengeschwür *n;* **ul•cer•ate** ['ʌlsəreɪt] **I.** *tr* (MED) ein Geschwür verursachen; eitern lassen **II.** *itr* ein Geschwür bilden; eitern; **ul•cer•ous** ['ʌlsərəs] *adj* (MED) geschwürartig; eiternd
ul•lage ['ʌlɪdʒ] *s* Leckage *f,* Schwund *m*
ulna ['ʌlnə, *pl* 'ʌlniː] <*pl* ulnae> *s* (ANAT) Elle *f*
Ulster ['ʌlstə(r)] *s* Ulster *n*
ul•terior [ʌl'tɪərɪə(r)] *adj* (*selten*) jenseitig; ~ **motive** Hintergedanke(n *pl*) *m*
ul•ti•mate ['ʌltɪmət] **I.** *adj* **1.** entfernteste(r, s), weiteste(r, s), äußerste(r, s) **2.** letzte(r, s); endlich, schließlich; endgültig **3.** fundamental, grundlegend, primär **4.** maximal, größte(r, s), größtmöglich **5.** vollendet, perfekt; **the** ~ **cause** die eigentliche Ursache; ~ **consumer** Endverbraucher *m* **II.** *s* (das) Beste; (das) Nonplusultra; **ul•ti•mate•ly** ['ʌltɪmətlɪ] *adv* schließlich, letzten Endes; im Grunde
ul•ti•ma•tum [ˌʌltɪ'meɪtəm, *pl* -tə] <*pl* -tums, -ta> *s* (POL) Ultimatum *n* (*to* an); **deliver an** ~ ein Ultimatum stellen
ul•timo ['ʌltɪməʊ] *adv* letzten Monats
ultra- [ˌʌltrə] *prefix* ultra-; **ultrahigh frequency, UHF** *s* Ultrakurzwellenbereich *m;* **ultra•mar•ine** [ˌʌltrəmə'riːn] *adj* ultramarin; **ultra•mod•ern** [ˌʌltrə'mɒdən] *adj* supermodern; **ultra-short wave** *s* (RADIO) Ultrakurzwelle *f,* UKW; **ultra•sonic** [ˌʌltrə'sɒnɪk] *adj* Überschall-, Ultraschall-; ~ **cleaning** Ultraschallreinigung *f;* **ultra•sound** ['ʌltrəsaʊnd] *s* Ultraschall *m;* **ultrasound picture** *s* (MED) Ultraschallaufnahme *f;* **ultra•vio•let** [ˌʌltrə'vaɪələt] *adj* (PHYS) ultraviolett; ~ **treatment** Ultraviolettbestrahlung *f*
umbel ['ʌmbəl] *s* (BOT) Dolde *f*
um•ber ['ʌmbə(r)] **I.** *s* Umber *m,* Umbra *f* **II.** *adj* dunkelbraun
um•bili•cal [ʌm'bɪlɪkl] *adj:* ~ **cord** (ANAT) Nabelschnur *f;* (*Raumfahrt*) Kabelschlauch *m*
um•brage ['ʌmbrɪdʒ] *s:* **take** ~ Anstoß nehmen (*at* an)
um•brella [ʌm'brelə] *s* **1.** (Regen)Schirm *m;* Sonnenschirm *m* **2.** (MIL) Abschirmung *f;* Jagdschutz *m* **3.** (*fig*) Kontrolle *f;* **under the** ~ **of** unter der Kontrolle von; **umbrella case, umbrella cover** *s* Schirmhülle *f;* **umbrella organization** *s* Dachorganisation *f,* -verband *m;* **umbrella stand** *s* Schirmständer *m*
um•pire ['ʌmpaɪə(r)] **I.** *s* Schiedsrichter(in) *m(f)* **II.** *tr* (SPORT) als Schiedsrichter leiten **III.** *itr* Schiedsrichter sein (*in a dispute* bei e-m Streit)
ump•teen ['ʌmptiːn] *adj* (*fam*) zig; e-e Menge, Masse ...; ~ **times** x-mal; **ump•teenth** ['ʌmptiːnθ] *adj* (*fam*) zigste(r, s), soundsovielte(r, s)
UN [juː'en] *s abbr of* **United Nations** UNO, UN *f*
un•abashed [ˌʌnə'bæʃt] *adj* nicht bange, beherzt, mutig; unverfroren; unerschrocken
un•abated [ˌʌnə'beɪtɪd] *adj* unvermindert
un•able [ʌn'eɪbl] *adj* untauglich, unfähig; **be** ~ **to do s.th.** etw nicht tun können, außer Stande sein etw zu tun; ~ **to pay** zahlungsunfähig
un•abridged [ˌʌnə'brɪdʒd] *adj* (*Text*) ungekürzt
un•ac•cept•able [ˌʌnək'septəbl] *adj* unannehmbar (*to* für)
un•ac•com•panied [ˌʌnə'kʌmpənɪd] *adj*

(*a.* MUS) ohne Begleitung

un•ac•count•able [ˌʌnəˈkaʊntəbl] *adj* unerklärlich; **un•ac•counted for** [ˌʌnəˈkaʊntɪdˈfɔː(r)] *adj* ungeklärt; (*Person*) vermisst

un•ac•cus•tomed [ˌʌnəˈkʌstəmd] *adj* ungewohnt; **be ~ to s.th.** etw nicht gewohnt sein

un•acknow•ledged [ˌʌnəkˈnɔlɪdʒd] *adj* **1.** (*Brief*) unbeantwortet **2.** (*Fehler*) uneingestanden

un•ad•dressed [ˌʌnəˈdrest] *adj* ohne Anschrift

un•adorned [ˌʌnəˈdɔːnd] *adj* schlicht; ungeschminkt

un•adul•terated [ˌʌnəˈdʌltəreɪtɪd] *adj* unverfälscht, rein

un•ad•vent•ur•ous [ˌʌnədˈventʃərəs] *adj* wenig abenteuerlich, ereignislos; (*Mensch*) wenig unternehmungslustig

un•ad•vis•able [ˌʌnədˈvaɪzəbl] *adj* nicht ratsam

un•af•fec•ted [ˌʌnəˈfektɪd] *adj* **1.** unbeeinflusst (*by* von) **2.** ungekünstelt, natürlich

un•afraid [ˌʌnəˈfreɪd] *adj* unerschrocken, furchtlos

un•aid•ed [ʌnˈəɪdɪd] *adv* ohne (fremde) Hilfe; selbstständig

un•alike [ˌʌnəˈlaɪk] *adj* unähnlich

un•al•loyed [ˌʌnəˈlɔɪd] *adj* (*fig*) ungetrübt

un•al•tered [ˌʌnˈɔːltəd] *adj* unverändert

un•am•big•u•ous [ˌʌnæmˈbɪgjʊəs] *adj* eindeutig, unzweideutig

un-Ameri•can [ˌʌnəˈmerɪkən] *adj* unamerikanisch

una•nim•ity [ˌjuːnəˈnɪmətɪ] *s* Einstimmigkeit *f;* **unani•mous** [juːˈnænɪməs] *adj* einstimmig, einmütig

un•an•nounced [ˌʌnəˈnaʊnst] *adj* ohne Ankündigung

un•an•swer•able [ˌʌnˈɑːnsərəbl] *adj* **1.** unbestreitbar, unwiderleglich **2.** nicht beantwortbar; **un•an•swered** [ˌʌnˈɑːnsəd] *adj* unbeantwortet

un•ap•pet•iz•ing [ˌʌnˈæpɪtaɪzɪŋ] *adj* unappetitlich; (*fig*) wenig verlockend

un•ap•proach•able [ˌʌnəˈprəʊtʃəbl] *adj* unzugänglich

un•armed [ˌʌnˈɑːmd] *adj* unbewaffnet; **~ combat** Nahkampf *m* ohne Waffe

un•ashamed [ˌʌnəˈʃeɪmd] *adj* schamlos; **be ~ about s.th.** sich e-r S nicht schämen

un•asked [ˌʌnˈɑːskt] *adj* **1.** ungefragt **2.** ungebeten; **~-for** unerwünscht

un•as•sign•able [ˌʌnəˈsaɪnəbl] *adj* (JUR) nicht übertragbar

un•as•sum•ing [ˌʌnəˈsjuːmɪŋ] *adj* zurückhaltend, bescheiden

un•at•tached [ˌʌnəˈtætʃt] *adj* **1.** unbefestigt **2.** (MIL) nicht zugeteilt **3.** (SPORT) keinem Verein angehörend **4.** unabhängig, frei **5.** ohne Anhang **6.** parteilos

un•at•tain•able [ˌʌnəˈteɪnəbl] *adj* unerreichbar

un•at•tended [ˌʌnəˈtendɪd] *adj* **1.** ohne Pflege **2.** unbeaufsichtigt

un•at•trac•tive [ˌʌnəˈtræktɪv] *adj* unschön; unattraktiv; unsympathisch

un•au•dit•ed [ˌʌnˈɔːdɪtɪd] *adj* ungeprüft

un•auth•or•ized [ˌʌnˈɔːθəraɪzd] *adj* unbefugt, nicht ermächtigt; **no entry for ~ persons!** Zutritt für Unbefugte verboten!

un•avail•able [ˌʌnəˈveɪləbl] *adj* nicht verfügbar; unerhältlich; **un•avail•ing** [ˌʌnəˈveɪlɪŋ] *adj* nutzlos, unnütz, vergeblich

un•avoid•able [ˌʌnəˈvɔɪdəbl] *adj* unvermeidlich; (*Folgerung*) unausweichlich

un•aware [ˌʌnəˈweə(r)] *adj* nicht bewusst; **be ~ of s.th.** sich e-r S nicht bewusst sein; etw nicht bemerken; etw nicht wissen; **unawares** [ˌʌnəˈweəz] *adv* unabsichtlich; versehentlich; unerwartet; **catch** [*o* **take**] **s.o. ~** jdn überraschen

un•bal•anced [ˌʌnˈbælənst] *adj* **1.** unausgewogen; einseitig **2.** (*mentally ~*) verrückt, nicht normal **3.** (COM) nicht saldiert, nicht ausgeglichen

un•bar [ˌʌnˈbɑː(r)] *tr* **1.** aufschließen **2.** (*fig: Weg*) eröffnen

un•bear•able [ˌʌnˈbeərəbl] *adj* unerträglich; unausstehlich

un•beat•able [ˌʌnˈbiːtəbl] *adj* unschlagbar, unbesiegbar; unübertrefflich; **un•bea•ten** [ˌʌnˈbiːtn] *adj* ungeschlagen; (*Rekord*) ungebrochen

un•be•com•ing [ˌʌnbɪˈkʌmɪŋ] *adj* **1.** (*fig*) unschicklich, ungehörig (*to, for* für) **2.** (*Kleidung*) unvorteilhaft

un•be•known(st) [ˌʌnbɪˈnəʊn] *adv:* **~ to us** ohne dass wir etw gewusst hätten

un•be•lief [ˌʌnbɪˈliːf] *s* (REL) Unglaube(n) *m;* **un•be•liev•able** [ˌʌnbɪˈliːvəbl] *adj* unglaublich; **un•be•liev•er** [ˌʌnbɪˈliːvə(r)] *s* Ungläubige(r) *f m;* **un•be•liev•ing** [ˌʌnbɪˈliːvɪŋ] *adj* ungläubig

un•bend [ˌʌnˈbend] <*irr:* -bent, -bent> **I.** *tr* geradebiegen; (*Arm*) strecken **II.** *itr* **1.** sich aufrichten **2.** aus sich herausgehen; **un•bend•ing** [-ɪŋ] *adj* (*fig*) fest entschlossen

un•bias(•s)ed [ˌʌnˈbaɪəst] *adj* unvoreingenommen; wertfrei

un•bid•den [ˌʌnˈbɪdn] *adj* ungebeten

un•bind [ˌʌnˈbaɪnd] <*irr:* -bound, -bound> *tr* **1.** losbinden, -machen **2.** befreien

un•bleached [ˌʌnˈbliːtʃt] *adj* ungebleicht

un•blink•ing [ˌʌnˈblɪnkɪŋ] *adj* unverwandt; starr

un·blush·ing [ˌʌnˈblʌʃɪŋ] *adj* (*fig*) schamlos

un·bolt [ˌʌnˈbəʊlt] *tr* aufriegeln, -schließen, öffnen

un·born [ˌʌnˈbɔːn] *adj* **1.** ungeboren **2.** (*fig*) (zu)künftig; **generations yet** ~ kommende Generationen

un·bosom [ˌʌnˈbʊzəm] *tr* freien Lauf lassen (*one's feelings* seinen Gefühlen)

un·bounded [ˌʌnˈbaʊndɪd] *adj* **1.** unbegrenzt **2.** (*fig*) grenzen-, schrankenlos

un·bowed [ˌʌnˈbaʊd] *adj* (*fig*) ungebeugt

un·break·able [ˌʌnˈbreɪkəbl] *adj* unzerbrechlich; (*Versprechen*) unverbrüchlich; (*Regel*) unumstößlich

un·bri·bable [ˌʌnˈbraɪbəbl] *adj* unbestechlich

un·bridled [ˌʌnˈbraɪdld] *adj* (*fig*) hemmungs-, zügellos, unbeherrscht; ~ **tongue** loses Mundwerk

un-Brit·ish [ˌʌnˈbrɪtɪʃ] *adj* unbritisch

un·bro·ken [ˌʌnˈbrəʊkən] *adj* **1.** unzerbrochen, heil, ganz **2.** (*fig*) ungebrochen; gleichbleibend; ununterbrochen

un·buckle [ˌʌnˈbʌkl] *tr* auf-, los-, abschnallen

un·bur·den [ˌʌnˈbɜːdn] *tr* **1.** entlasten *a. fig* **2.** (*fig*) sich befreien von, sich erleichtern um; ~ **o.s.** sein Herz ausschütten

un·busi·ness·like [ˌʌnˈbɪznɪslaɪk] *adj* ungeschäftsmäßig; dem Geschäftsgebaren nicht entsprechend; unsystematisch, unordentlich

un·but·ton [ˌʌnˈbʌtn] *tr* aufknöpfen

un·called-for [ˌʌnˈkɔːldfɔː(r)] *adj* **1.** unangebracht, ungerechtfertigt **2.** überflüssig

un·canny [ʌnˈkænɪ] *adj* unheimlich

un·cared-for [ˌʌnˈkeədfɔː(r)] *adj* vernachlässigt

un·car·pet·ed [ˌʌnˈkɑːpɪtɪd] *adj* ohne Teppich

un·ceas·ing [ˌʌnˈsiːsɪŋ] *adj* unaufhörlich

un·cer·emo·ni·ous [ˌʌnˌserɪˈməʊnɪəs] *adj* **1.** zwanglos **2.** unfreundlich

un·cer·tain [ʌnˈsɜːtn] *adj* **1.** unbestimmt (*a. Wetter*) **2.** unsicher, problematisch **3.** vage, ungenau; **in no** ~ **terms** klipp u. klar; **un·cer·tainty** [ʌnˈsɜːtntɪ] *s* **1.** Ungewissheit, Unbestimmtheit *f* **2.** Unsicherheit, Fragwürdigkeit *f* **3.** Unbeständigkeit *f*

un·chal·lenged [ˌʌnˈtʃælɪndʒd] *adj* unbestritten, unangefochten

un·changed [ˌʌnˈtʃeɪndʒd] *adj* unverändert

un·char·ac·ter·is·tic [ˌʌnkærəktəˈrɪs tɪk] *adj* uncharakteristisch, untypisch

un·chari·table [ˌʌnˈtʃærɪtəbl] *adj* lieblos, kalt

un·checked [ˌʌnˈtʃekt] *adj* **1.** unbe-, ungehindert **2.** unkontrolliert, ungeprüft

un·chris·tian [ˌʌnˈkrɪstʃən] *adj* unchristlich *a. fig*

un·civil [ˌʌnˈsɪvl] *adj* unhöflich

un·clad [ˌʌnˈklæd] *adj* unbekleidet, nackt

un·claimed [ˌʌnˈkleɪmd] *adj* **1.** nicht bestellt, unverlangt **2.** (*Brief*) nicht abgeholt, unzustellbar **3.** (*Eigentum*) besitzerlos

un·clas·si·fied [ˌʌnˈklæsɪfaɪd] *adj* **1.** nicht geordnet **2.** nicht geheim; ~ **road** Landstraße *f*

uncle [ˈʌŋkl] *s* Onkel *m*

un·clean [ˌʌnˈkliːn] *adj* (REL) unrein; unsauber; schmutzig

un·clear [ˌʌnˈklɪə(r)] *adj* unklar; **be** ~ **about s.th.** sich über etw nicht im klaren sein

un·clut·tered [ˌʌnˈklʌtəd] *adj* schlicht, einfach; (*Raum*) nicht überfüllt, nicht überladen

un·col·lected [ˌʌnkəˈlektɪd] *adj* **1.** (*Waren*) nicht abgeholt **2.** (*Gebühren*) nicht erhoben, nicht eingezogen

un·col·ored *adj* (*Am*), **un·col·oured** [ˌʌnˈkʌləd] *adj* (*fig*) ungeschminkt

un·com·fort·able [ʌnˈkʌmftəbl] *adj* **1.** unbehaglich **2.** verlegen; **feel** ~ sich nicht wohl fühlen

un·com·mit·ted [ˌʌnkəˈmɪtɪd] *adj* **1.** nicht gebunden (*to* an), ungebunden **2.** (POL) bündnis-, blockfrei; **remain** ~ sich nicht festlegen

un·com·mon [ˌʌnˈkɒmən] *adj* ungewöhnlich; außergewöhnlich; **un·com·mon·ly** [ʌnˈkɒmənlɪ] *adv* bemerkenswert; ungewöhnlich

un·com·muni·cat·ive [ˌʌnkəˈmjuːnɪ kətɪv] *adj* schweigsam

un·com·pro·mis·ing [ʌnˈkɒmprə maɪzɪŋ] *adj* unnachgiebig, unbeugsam; entschieden; kompromisslos

un·con·cerned [ˌʌnkənˈsɜːnd] *adj* **1.** interesselos, uninteressiert (*with* an) **2.** unbekümmert, gleichgültig, teilnahmslos (*about* an) **3.** unbeteiligt (*in* an)

un·con·di·tional [ˌʌnkənˈdɪʃənl] *adj* bedingungs-, vorbehaltlos

un·con·firmed [ˌʌnkənˈfɜːmd] *adj* unbestätigt

un·con·nec·ted [ˌʌnkəˈnektɪd] *adj* **1.** nicht miteinander in Beziehung stehend **2.** unzusammenhängend

un·con·ge·nial [ˌʌnkənˈdʒiːnɪəl] *adj* unangenehm

un·con·scion·able [ʌnˈkɒnʃ(ə)nəbl] *adj* unerhört

un·con·scious [ʌnˈkɒnʃəs] **I.** *adj* **1.** (*a.* PSYCH) unbewusst (*of s.th.* e-r S), unabsichtlich **2.** bewusstlos, ohnmächtig; **be** ~ **of s.th.** sich e-r S nicht bewusst sein **II.** *s* (PSYCH) (das) Unbewusste; **un·con-**

scious•ly [-lɪ] *adv* unbewusst; **un•con•scious•ness** [-nɪs] *s* **1.** (MED) Bewusstlosigkeit *f* **2.** Unkenntnis *f*
un•con•sid•ered [ˌʌnkən'sɪdəd] *adj* **1.** unbedacht, unüberlegt **2.** (*Tatsache*) unbeachtet, unberücksichtigt
un•con•sti•tu•tional ['ʌnˌkɒnstɪ'tju:ʃənl] *adj* **1.** (POL) verfassungswidrig **2.** (COM) satzungswidrig
un•con•sum•mated [ˌʌn'kɒnsjʊmeɪtɪd] *adj* unvollzogen
un•con•tested [ˌʌnkən'testɪd] *adj* **1.** unbestritten **2.** (*Wahl*) ohne Gegenkandidaten
un•con•trol•lable [ˌʌnkən'trəʊləbl] *adj* unkontrollierbar; unbezwingbar; **un•con•trolled** [ˌʌnkən'trəʊld] *adj* **1.** unbeaufsichtigt **2.** ungehindert; (*Lachen*) unkontrolliert; (*Weinen*) hemmungslos
un•con•tro•versial [ˌʌnkɒntrə'vɜ:ʃl] *adj* unverfänglich
un•con•vinced [ˌʌnkən'vɪnst] *adj* nicht überzeugt; **un•con•vinc•ing** [ˌʌnkən'vɪnsɪŋ] *adj* nicht überzeugend
un•cooked [ˌʌn'kʊkt] *adj* ungekocht, roh
un•co•op•er•ative [ˌʌnkəʊ'ɒpərətɪv] *adj* nicht entgegenkommend; wenig hilfsbereit; **be** ~ nicht zur Kooperation, Mithilfe bereit sein; nicht mittun
un•cork [ˌʌn'kɔ:k] *tr* entkorken
un•cor•rob•or•ated [ˌʌnkə'rɒbəreɪtɪd] *adj* unbestätigt; (*Beweis*) nicht bekräftigt
un•couple [ˌʌn'kʌpl] *tr* (TECH) abkuppeln
un•couth [ʌn'ku:θ] *adj* ungehobelt, ordinär
un•cover [ʌn'kʌvə(r)] *tr* **1.** auf-, abdecken **2.** (*fig*) enthüllen, aufdecken
un•criti•cal [ˌʌn'krɪtɪkl] *adj* unkritisch
un•crowned [ˌʌn'kraʊnd] *adj* ungekrönt
un•crush•able [ʌn'krʌʃəbl] *adj* **1.** knitterfrei **2.** (*fig: Wille*) unbeugsam
unc•tion ['ʌŋkʃn] *s* (REL) Salbung *f;* **the extreme** ~ (REL) die letzte Ölung; **unc•tu•ous** ['ʌŋktʃʊəs] *adj* salbungsvoll
un•cut [ˌʌn'kʌt] *adj* **1.** (*Haare*) ungeschnitten **2.** (*Buch*) unbeschnitten **3.** (*Stein*) ungeschliffen **4.** (*fig*) ungekürzt
un•dated [ˌʌn'deɪtɪd] *adj* undatiert
un•daunted [ˌʌn'dɔ:ntɪd] *adj* unerschrocken, furchtlos; nicht entmutigt
un•de•ceive [ˌʌndɪ'si:v] *tr:* ~ **s.o.** jdm reinen Wein einschenken
un•de•cided [ˌʌndɪ'saɪdɪd] *adj* **1.** unentschieden **2.** unentschlossen, unschlüssig
un•de•clared [ˌʌndɪ'kleəd] *adj* **1.** (*Zoll*) nicht deklariert **2.** (*Liebe*) heimlich **3.** (*Krieg*) nicht erklärt
un•de•fined [ˌʌndɪ'faɪnd] *adj* undefiniert; undefinierbar
un•de•liv•erable [ˌʌndɪ'lɪvrəbl] *adj* (*Post*) unzustellbar; **un•de•liv•ered** [ˌʌndɪ'lɪvəd] *adj* (*Post*) nicht zugestellt
un•de•mand•ing [ˌʌndɪ'mɑ:ndɪŋ] *adj* anspruchslos
un•demo•cratic [ˌʌndemə'krætɪk] *adj* undemokratisch
un•de•mon•stra•tive [ˌʌndɪ'mɒnstrətɪv] *adj* reserviert, zurückhaltend
un•de•ni•able [ˌʌndɪ'naɪəbl] *adj* unleugbar, unbestreitbar; **un•de•ni•ably** [-ɪ] *adv* zweifelsohne, zweifellos; unbestreitbar
under ['ʌndə(r)] **I.** *prep* **1.** unter *a. fig* **2.** (*zeitlich*) unter, während **3.** unter, weniger als; geringer als **4.** (JUR) gemäß, laut, nach; **from** ~ unter ... hervor; ~ **an act** auf Grund e-s Gesetzes; ~ **anaesthetic** in der Narkose; ~ **these circumstances/conditions** unter diesen Umständen/Bedingungen; ~ **construction** im Bau (befindlich); ~ **discussion** zur Debatte; ~ **s.o.'s (very) eyes** vor jds Augen; ~ **the impression** unter dem Eindruck; ~ **a misapprehension** im Irrtum; ~ **s.o.'s name** unter jds Namen; ~ **oath** unter Eid; ~ **repair** in Reparatur; ~ **treatment** in Behandlung; **be** ~ **control** in Ordnung sein; **be** ~ **the impression** den Eindruck haben (*that* dass); **come** ~ **s.th.** unter etw fallen **II.** *adv* **1.** unten; nach unten; (dar)unter **2.** bewusstlos **3.** (*zahlenmäßig*) darunter; **get out from** ~ langsam wieder klarkommen
under•achieve [ˌʌndərə'tʃi:v] *itr* hinter den Erwartungen zurückbleiben; **under•act** [ˌʌndər'ækt] *tr, itr* (THEAT) verhalten spielen; **under-age** [ˌʌndər'eɪdʒ] *adj* minderjährig; von Minderjährigen; **under•bid** [ˌʌndə'bɪd] <*irr:* -bid, -bid> *tr* (COM) unterbieten; **under•capi•tal•ized** [ˌʌndə'kæpɪtəlaɪzd] *adj* unterkapitalisiert; **under•car•riage** ['ʌndəkærɪdʒ] *s* (AERO) Fahrgestell, -werk *n;* **under•charge** [ˌʌndə'tʃɑ:dʒ] **I.** *tr* **1.** zu wenig berechnen (*s.o.* jdm) **2.** ungenügend belasten **II.** *s* **1.** ungenügende Ladung **2.** zu geringe Berechnung **3.** zu geringe Belastung; **under•clothes, under•cloth•ing** ['ʌndəkləʊðz, 'ʌndəkləʊðɪŋ] *s* Unter-, Leibwäsche *f;* **under•coat** ['ʌndəkəʊt] *s* **1.** (TECH) Grundanstrich *m* **2.** (MOT) Unterbodenschutz *m;* **under•cover** [ˌʌndə'kʌvə(r)] *adj* geheim; ~ **agent** Spitzel *m,* Geheimagent(in) *m (f);* **under•current** ['ʌndəkʌrənt] *s* Unterströmung *f a. fig;* **under•cut** [ˌʌndə'kʌt] <*irr:* -cut, -cut> *tr* (COM) unterbieten; **under•de•vel•oped** [ˌʌndədɪ'veləpt] *adj* unterentwickelt; **under•dog** ['ʌndədɒg] *s* (*fig*) Verlierer(in) *m(f),* Benachteiligte(r), Unterprivilegierte(r) *f m;* **under•done** [ˌʌndə'dʌn] *adj* nicht gar; nicht durchgebraten; blutig; **under•em•ployed** [ˌʌndərɪm'plɔɪd] *adj* unterbeschäftigt;

under•equipped [ˌʌndərˈkwɪpt] *adj* unzulänglich ausgerüstet; **under•esti•mate** [ˌʌndərˈestɪmeɪt] **I.** *tr* unterschätzen **II.** [ˌʌndərˈestɪmət] *s* Unterbewertung, Unterschätzung *f;* **under•ex•pose** [ˌʌndərɪkˈspəʊz] *tr* (PHOT) unterbelichten; **under•expo•sure** [ˌʌndərɪkˈspəʊʒə(r)] *s* (PHOT) Unterbelichtung *f;* **under•fed** [ˌʌndəˈfed] *adj* unterernährt; **under•felt** [ˈʌndəfelt] *s* Filzunterlage *f;* **under•floor heat•ing** [ˌʌndəˈflɔːhiːtɪŋ] *s* Fußbodenheizung *f;* **under•foot** [ˌʌndəˈfʊt] *adv* **1.** am Boden **2.** im Wege; **under•fund** [ˌʌndəˈfʌnd] *tr* unterfinanzieren; **under-fund•ing** [ˌʌndəˈfʌndɪŋ] *s* Unterfinanzierung *f;* **under•gar•ment** [ˈʌndəgɑːmənt] *s* Leibwäsche *f;* **under-go** [ˌʌndəˈgəʊ] <*irr:* -went, -gone> *tr* **1.** erfahren **2.** durchmachen **3.** sich unterziehen (müssen) (*s.th.* e-r S); **under•grad-uate** [ˌʌndəˈgrædʒʊət] *s* Student(in) *m(f)*

under•ground [ˈʌndəgraʊnd] **I.** *s* **1.** (*fig*) Untergrund-, Widerstandsbewegung *f* **2.** (*Br*) Untergrundbahn, U-Bahn *f;* **go** [*o* **travel**] **by** ~ mit der U-Bahn fahren **II.** *adj* **1.** unterirdisch **2.** (*fig*) geheim; Untergrund-; ~ **car park** Tiefgarage *f;* ~ **dump** Untertagedeponie *f* **III.** *adv* **1.** unter der Erdoberfläche **2.** (MIN) unter Tage; **go** ~ untertauchen; (POL) in den Untergrund gehen

under•growth [ˈʌndəgrəʊθ] *s* Gestrüpp, Unterholz *n;* **under•hand** [ˈʌndəhænd] **I.** *adj* **1.** heimlich, geheim **2.** hinterhältig **3.** (SPORT) unter der Schulterhöhe ausgeführt **II.** *adv* im Geheimen; hinterhältig; **under-in•sure** [ˌʌndərɪnˈʃʊə(r)] *tr* unterversichern; **under•lay** [ˌʌndəˈleɪ] <*irr:* -laid, -laid> *tr* unterlegen (*with* mit); **under•lie** [ˌʌndəˈlaɪ] <*irr:* -lay, -lain> *tr* **1.** liegen unter **2.** zu Grunde liegen (*s.th.* e-r S), die Grundlage bilden (*s.th.* für etw); **under-line** [ˌʌndəˈlaɪn] *tr* **1.** unterstreichen *a. fig* **2.** (*fig*) betonen, hervorheben

under•ling [ˈʌndəlɪŋ] *s* Untergebene(r) *f m*

under•ly•ing [ˌʌndəˈlaɪɪŋ] *adj* **1.** tiefer liegend **2.** (*Grund*) eigentlich; tiefer; (*Problem*) zu Grunde liegend; (*Ehrlichkeit*) grundlegend; **under•man•ned** [ˌʌndəˈmænd] *adj* **1.** (MAR) ungenügend bemannt **2.** unterbesetzt; **under•man-ning** [ˌʌndəˈmænɪŋ] *s* Personalmangel *m;* (*absichtlich*) Unterbesetzung *f;* **under-men•tioned** [ˌʌndəˈmenʃnd] *adj* untenerwähnt; **under•mine** [ˌʌndəˈmaɪn] *tr* **1.** unterminieren; auswaschen **2.** (*fig*) untergraben, (unmerklich) schwächen; **under•most** [ˈʌndəməʊst] *adj* unterste(r, s)

under•neath [ˌʌndəˈniːθ] **I.** *adv* darunter **II.** *prep* unter **III.** *s* Unterseite *f*

under•nour•ished [ˌʌndəˈnʌrɪʃt] *adj* unterernährt; **under•paid** [ˌʌndəˈpeɪd] *adj* unterbezahlt; **under•pants** [ˈʌndəpænts] *s pl* Unterhose *f;* **under•pass** [ˈʌndəpɑːs] *s* Unterführung *f;* **under•pay** [ˌʌndəˈpeɪ] <*irr:* -paid, -paid> *tr* unterbezahlen; **under•per•form** [ˌʌndəpəˈfɔːm] *itr* unterdurchschnittlich abschneiden; **under-play** [ˈʌndəpleɪ] *tr* **1.** (*Karten*) nicht voll ausspielen **2.** (*fig*) sich zurückhalten; **under•popu•lated** [ˌʌndəˈpɒpjʊleɪtɪd] *adj* unterbevölkert; **under•privi•leged** [ˌʌndəˈprɪvəlɪdʒd] *adj* unterprivilegiert, benachteiligt; **the** ~ die Unterprivilegierten *pl;* **under•rate** [ˌʌndəˈreɪt] *tr* unterbewerten, unterschätzen; **under•rep•re-sent•ed** [ˌʌndəreprɪˈzentɪd] *adj* unterrepräsentiert; **under•score** [ˌʌndəˈskɔː(r)] **I.** *tr* **1.** unterstreichen **2.** (*fig*) hervorheben, betonen **II.** *s* Unterstreichung *f;* **under•seal** [ˈʌndəsiːl] **I.** *s* (*Br: von Auto*) Unterbodenschutz *m* **II.** *tr* mit Unterbodenschutz versehen; **under•sell** [ˌʌndəˈsel] <*irr:* -sold, -sold> *tr* verschleudern; unter (dem) Preis verkaufen; unterbieten; **under•shirt** [ˈʌndəʃɜːt] *s* (*Am*) Unterhemd *n;* **under•shorts** [ˌʌndəˈʃɔːts] *s pl* (*Am*) Unterhose *f;* **under•side** [ˈʌndəsaɪd] *s* Unterseite *f;* **under•signed** [ˈʌndəsaɪnd] **I.** *adj* unterzeichnet **II.** *s* Unterzeichnete(r) *f m;* **under•sized** [ˌʌndəˈsaɪzd] *adj* unter Normalgröße; **under•skirt** [ˈʌndəskɜːt] *s* Unterrock *m;* **under•staffed** [ˌʌndəˈstɑːft] *adj* unterbesetzt; **be** ~ an Personalmangel leiden

under•stand [ˌʌndəˈstænd] <*irr:* understood, understood> **I.** *tr* **1.** verstehen (*by* unter) **2.** begreifen, einsehen **3.** annehmen, voraussetzen **4.** entnehmen, schließen (*from* aus); **I** ~ **that...** ich habe gehört, dass ...; **am I to** ~ **that ...?** soll das heißen, dass ...?; ~ **one another** sich, einander (gut) verstehen; **give s.o. to** ~ jdm zu verstehen geben; **make o.s. understood** sich verständlich machen; **it's understood** es ist selbstverständlich, es versteht sich von selbst (*that* dass); **is that understood?** ist das klar? **II.** *itr* **1.** Verständnis, Einsicht haben **2.** Bescheid wissen; (**so**) **I** ~ wie ich höre; **under•stand•able** [-əbl] *adj* verständlich; **under•stand•ing** [-ɪŋ] **I.** *s* **1.** Verständnis *n* (*of* für), Einsicht *f* (*of* in) **2.** Absprache *f,* Übereinkommen *n,* Verständigung *f,* Einvernehmen *n* (*between* zwischen) **3.** Voraussetzung *f;* **on this** ~ unter dieser Voraussetzung; **on the** ~ **that ...** unter der Voraussetzung, dass ...; **come to** [*o* **reach**] **an** ~ zu e-r Verständigung kommen (*with* mit), sich einigen **II.** *adj* verständnis-, einsichtsvoll, einsichtig

under•state [ˌʌndəˈsteɪt] *tr* untertreiben; zu niedrig ausweisen; **under•state•ment** [ˈʌndəsteɪt mənt] *s* Untertreibung *f,* Understatement *n;* **under•stocked** [ˌʌndəˈstɒkt] *adj:* **be** ~ zu wenig Vorrat haben (*with* an)

under•stood [ˌʌndəˈstʊd] *s.* **understand**

under•sto•rey [ˌʌndəˈstɔːrɪ] *s* (BOT) Unter(be)stand *m*

under•study [ˈʌndəstʌdɪ] **I.** *s* (THEAT) Ersatzdarsteller(in) *m(f)* **II.** *tr* einspringen für

under•take [ˌʌndəˈteɪk] <*irr:* -took, -taken> *tr* **1.** (*Aufgabe*) übernehmen **2.** (*Pflicht*) auf sich nehmen **3.** (*Risiko*) eingehen **4.** sich verpflichten (*to do* zu tun) **5.** sich verbürgern, garantieren **6.** (*Arbeit, Reise*) unternehmen; **under•taker** [ˈʌndəteɪkə(r)] *s* Beerdigungsunternehmer(in) *m(f),* Leichenbestatter(in) *m(f);* **under•tak•ing** [ˌʌndəˈteɪkɪŋ] *s* **1.** Unternehmen *n;* Projekt *n* **2.** Zusicherung *f* **3.** Beerdigungsgewerbe *n*

under-the-counter [ˌʌndəðəˈkaʊntə(r)] *adj:* ~ **sale** Verkauf *m* unter dem Ladentisch; **under•tone** [ˈʌndətəʊn] *s* **1.** gedämpfter Ton **2.** (*fig*) Unterton *m;* **under•uti•lized** [ˌʌndəˈjuːtɪlaɪzd] *adj* nicht voll genutzt; **under•value** [ˌʌndəˈvæljuː] *tr* zu niedrig schätzen; unterbewerten; **under•water** [ˈʌndəwɔːtə(r)] *adj:* ~ **camera** Unterwasserkamera *f;* ~ **swimming** Unterwasserschwimmen *n;* **under•wear** [ˈʌndəweə(r)] *s* Unterwäsche *f;* **under•weight** [ˌʌndəˈweɪt] *adj* untergewichtig; **he is several pounds** ~ er hat mehrere Pfund Untergewicht; **under•worked** [ˌʌndəˈwɜːkt] *adj* nicht ausgelastet; **under•world** [ˈʌndəwɜːld] *s* Unterwelt *f;* **under•write** [ˌʌndəˈraɪt] <*irr:* -wrote, -written> *tr* **1.** (FIN) garantieren **2.** (*Versicherung*) übernehmen **3.** (*ein Risiko*) versichern **4.** (*Anleihe*) die Platzierung übernehmen für; **under•writer** [ˈʌndəˌraɪtə(r)] *s* **1.** Emissionsbank *f,* Konsorte *m* **2.** Versicherer *m* **3.** ~**s** Konsortium *n*

un•de•sir•able [ˌʌndɪˈzaɪərəbl] *adj* unerwünscht

un•de•tected [ˌʌndɪˈtektɪd] *adj* unentdeckt

un•de•vel•oped [ˌʌndɪˈveləpt] *adj* **1.** unentwickelt **2.** (COM) unerschlossen

un•did [ʌnˈdɪd] *s.* **undo**

un•dies [ˈʌndɪz] *s pl* (*fam*) (Unter)Wäsche *f*

un•dis•charged bank•rupt [ˌʌndɪstʃɑːdʒdˈbæŋkrʌpt] *s* nicht entlastete(r) Konkursschuldner(in) *m(f)*

un•dis•closed [ˌʌndɪsˈkləʊzd] *adj* **1.** nicht enthüllt, unbekannt **2.** verheimlicht

un•dis•covered [ˌʌndɪsˈkʌvəd] *adj* unentdeckt

un•dis•pu•ted [ˌʌndɪˈspjuːtɪd] *adj* unbestritten

un•dis•tin•guished [ˌʌndɪˈstɪŋgwɪʃt] *adj* mittelmäßig, durchschnittlich

un•di•vided [ˌʌndɪˈvaɪdɪd] *adj* **1.** ungeteilt **2.** (COM) nicht verteilt

undo [ʌnˈduː] <*irr:* undid, undone> *tr* **1.** aufmachen; (*Knoten*) lösen; (*Paket*) öffnen **2.** zerstören, vernichten; ruinieren **3.** (*Tat*) ungeschehen machen; **un•do•ing** [-ɪŋ] *s* Ruin *m,* Verderben, Unglück *n;* **un•done** [ˌʌnˈdʌn] **I.** *pp of* **undo II.** *adj* **1.** (*Arbeit*) unerledigt **2.** (*Kleid, Paket*) offen; **leave nothing** ~ nichts unversucht lassen; **come** ~ aufgehen

un•doubted [ʌnˈdaʊtɪd] *adj* unbestritten; **un•doubted•ly** [-lɪ] *adv* zweifellos, gewiss, sicher

un•dreamed-of, undreamt-of [ʌnˈdriːmdɒv, ʌnˈdremtɒv] *adj* ungeahnt, unerwartet

un•dress [ʌnˈdres] **I.** *tr* entkleiden, ausziehen **II.** *itr* sich ausziehen, seine Kleider ablegen **III.** *s:* **in a state of** ~ halb bekleidet; **un•dressed** [ˌʌnˈdrest] *adj* **1.** unbekleidet **2.** (*Wunde*) unverbunden **3.** (*Häute*) ungegerbt **4.** (*Salat*) nicht angerichtet; **get** ~ sich ausziehen

un•due [ˌʌnˈdjuː] *adj* übertrieben; ungebührlich

un•du•late [ˈʌndjʊleɪt] *itr* wellig sein; wogen; **un•du•la•ting** [-ɪŋ] *adj* wellenförmig; (*Landschaft*) hügelig

un•duly [ˌʌnˈdjuːlɪ] *adv* (zu) sehr; übermäßig

un•dy•ing [ˌʌnˈdaɪɪŋ] *adj* unsterblich; unvergänglich, ewig

un•earned [ˌʌnˈɜːnd] *adj* **1.** (*Geld*) nicht verdient **2.** (*fig: Lob*) unverdient; ~ **income** Kapitaleinkommen *n;* ~ **increment** Wertzuwachs *m*

un•earth [ʌnˈɜːθ] *tr* **1.** ausgraben **2.** (*fig*) ausfindig machen, entdecken; **un•earth•ly** [ʌnˈɜːθlɪ] *adj* **1.** unheimlich **2.** (*Schönheit*) überirdisch; **at this** ~ **hour** zu dieser unchristlichen Stunde

un•ease [ʌnˈiːz] *s* Unbehagen *n;* Unruhe *f;* **un•easy** [-ɪ] *adj* **1.** unruhig (*about* wegen), besorgt (*about* um) **2.** unbehaglich **3.** ungeschickt; **be** ~ sich in seiner Haut nicht wohl fühlen; **I feel** ~ mir ist unbehaglich (zu Mute) (*about s.th.* wegen etw)

un•econ•omic(al) [ˈʌnˌiːkəˈnɒmɪk(l)] *adj* unwirtschaftlich; unrentabel, verschwenderisch

un•edu•cated [ʌnˈedʒʊkeɪtɪd] *adj* ungebildet

un•emo•tional [ˌʌnɪˈməʊʃənl] *adj* nüchtern, sachlich; kühl; unbewegt

un•em•ploy•able [ˌʌnɪm'plɔɪəbl] *adj* (*Mensch*) arbeitsunfähig; **un•em•ployed** [ˌʌnɪm'plɔɪd] *adj* **1.** arbeitslos; erwerbslos **2.** unbe-, ungenutzt **3.** (*Kapital*) tot; **the** ~ die Arbeitslosen *pl;* **un•em•ploy•ment** [ˌʌnɪm'plɔɪmənt] *s* Erwerbs-, Arbeitslosigkeit *f;* ~ **among young people** Jugendarbeitslosigkeit *f;* ~ **benefit** Arbeitslosengeld *n,* -hilfe *f;* ~ **insurance** Arbeitslosenversicherung *f;* ~ **rate** Arbeitslosenquote *f*

un•en•force•able [ˌʌnɪn'fɔːsəbl] *adj* nicht erzwingbar; nicht klagbar

un•en•light•ened [ˌʌnɪn'laɪtnd] *adj* **1.** (*fig*) unaufgeklärt, uneingeweiht **2.** rückständig **3.** intolerant

un•en•vi•able [ˌʌn'envɪəbl] *adj* wenig beneidenswert

un•equal [ˌʌn'iːkwəl] *adj* **1.** ungleich; unausgeglichen **2.** nicht gewachsen (*to a task* e-r Aufgabe); **un•equaled** *adj* (*Am*), **un•equal•led** [ˌʌn'iːkwld] *adj* einzig(artig); beispiellos; unübertroffen; **be** ~ seinesgleichen suchen

un•equivo•cal [ˌʌnɪ'kwɪvəkl] *adj* unzweideutig

un•err•ing [ʌn'ɜːrɪŋ] *adj* **1.** unfehlbar **2.** untrüglich

UNESCO [juː'neskəʊ] *s abbr of* **United Nations Educational, Scientific and Cultural Organisation** UNESCO *f*

un•even [ˌʌn'iːvn] *adj* **1.** uneben; ungleich **2.** unregelmäßig **3.** (*fig: Qualität*) ungleichmäßig **4.** (*fig*) uneinheitlich, unausgeglichen **5.** (*Zahl*) ungerade

un•event•ful [ˌʌnɪ'ventfʊl] *adj* ereignislos

un•ex•ampled [ˌʌnɪg'zɑːmpld] *adj* beispiellos, einmalig

un•ex•cep•tion•able [ˌʌnɪk'sepʃənəbl] *adj* untadelig, einwandfrei; **un•ex•cep•tional** [ˌʌnɪk'sepʃnəl] *adj* **1.** gewöhnlich **2.** ausnahmslos

un•ex•cit•ing [ˌʌnɪk'saɪtɪŋ] *adj* nicht besonders aufregend

un•ex•pected [ˌʌnɪk'spektɪd] *adj* unerwartet, unvorhergesehen

un•ex•peri•enced [ˌʌnɪk'spɪərɪənst] *adj* unerfahren; unerprobt

un•ex•plod•ed [ˌʌnɪk'spləʊdɪd] *adj* nicht explodiert

un•ex•ploit•ed [ˌʌnɪk'splɔɪtɪd] *adj* ungenutzt; brachliegend

un•ex•pressed [ˌʌnɪk'sprest] *adj* unausgesprochen; ungeäußert

un•ex•pres•sive [ˌʌnɪk'spresɪv] *adj* ausdruckslos

un•ex•pur•ga•ted [ˌʌn'ekspɜːgeɪtɪd] *adj* (*Buch*) ungekürzt

un•fail•ing [ʌn'feɪlɪŋ] *adj* unerschöpflich; zuverlässig

un•fair [ˌʌn'feə(r)] *adj* **1.** unfair, ungerecht(fertigt) **2.** unsportlich, unfair **3.** (*Wettbewerb*) unlauter (*to* gegenüber)

un•faith•ful [ˌʌn'feɪθfʊl] *adj* **1.** untreu (*to* gegenüber) **2.** ungenau

un•fal•ter•ing [ʌn'fɔːltərɪŋ] *adj* **1.** nicht wankend **2.** (*fig*) unerschütterlich

un•fam•il•iar [ˌʌnfə'mɪlɪə(r)] *adj* **1.** ungewohnt **2.** nicht vertraut (*with* mit); **be ~ with s.th.** etw nicht kennen

un•fas•ten [ˌʌn'fɑːsn] **I.** *tr* los-, aufmachen **II.** *itr* aufgehen

un•fath•om•able [ʌn'fæðəməbl] *adj* unergründlich, unerforschlich; **un•fath•omed** [ʌn'fæðəmd] *adj* unerforscht

un•fa•vor•able *adj* (*Am*), **un•fa•vour•able** [ˌʌn'feɪvrəbl] *adj* ungünstig, unvorteilhaft (*for, to* für); **un•fa•vour•able balance of trade** [ˌʌnfeɪvərəblˌbæləns-əv'treɪd] *s* passive Handelsbilanz *f*

un•feel•ing [ʌn'fiːlɪŋ] *adj* empfindungslos, grausam

un•feigned [ʌn'feɪnd] *adj* aufrichtig; unverhohlen

un•filled [ʌn'fɪld] *adj* leer; (*Stelle*) frei, offen, unbesetzt

un•fin•ished [ˌʌn'fɪnɪʃt] *adj* unvollendet; (TECH) unbearbeitet

un•fit [ˌʌn'fɪt] *adj* **1.** unfähig, untüchtig **2.** untauglich (*for* für) **3.** (SPORT) nicht in Form; ~ **for work** arbeitsunfähig

un•flag•ging [ˌʌn'flægɪŋ] *adj* unermüdlich

un•flap•pable [ˌʌn'flæpəbl] *adj* unerschütterlich

un•flinch•ing [ʌn'flɪntʃɪŋ] *adj* unnachgiebig, entschlossen; unerschütterlich, unerschrocken

un•fold [ʌn'fəʊld] **I.** *tr* **1.** entfalten **2.** (*fig*) offen darlegen, enthüllen **II.** *itr* **1.** sich entfalten **2.** bekannt werden **3.** (*Knospe*) sich öffnen

un•fore•see•able [ˌʌnfɔː'siːəbl] *adj* unvorhersehbar; **un•fore•seen** [ˌʌnfɔː'siːn] *adj* unvorhergesehen

un•for•get•table [ˌʌnfə'getəbl] *adj* unvergesslich

un•for•giv•able [ˌʌnfə'gɪvəbl] *adj* unverzeihlich

un•for•tu•nate [ʌn'fɔːtʃʊnət] **I.** *adj* **1.** unglücklich **2.** bedauerlich **3.** erfolg-, aussichtslos **4.** (*Bemerkungen*) unpassend **II.** *s* Pechvogel *m;* **un•for•tu•nate•ly** [-lɪ] *adv* unglücklicherweise, leider

un•founded [ˌʌn'faʊndɪd] *adj* unbegründet, grundlos

un•freeze [ˌʌn'friːz] *tr, itr* **1.** auf-, abtauen **2.** (*fig: Preisstopp*) aufheben **3.** (*Guthaben*) freigeben

un•fre•quented [ˌʌnfrɪ'kwentɪd] *adj*

wenig besucht; einsam

un•friend•ly [ˌʌn'frendlɪ] *adj* **1.** unfreundlich (*to* gegen) **2.** ungünstig (*for, to* für)

un•ful•filled [ˌʌnfʊl'fɪld] *adj* **1.** unerfüllt **2.** unausgefüllt; **unfulfilled order** *s* nicht ausgeführter Auftrag

un•furl [ʌn'fɜːl] **I.** *tr* aufrollen; entfalten **II.** *itr* sich entfalten; sich aufrollen

un•fur•nished [ˌʌn'fɜːnɪʃt] *adj* unmöbliert, leer

un•gain•ly [ʌn'geɪnlɪ] *adj* unbeholfen, plump; ungraziös

un•geared [ˌʌn'gɪəd] *adj* (FIN) ohne Fremdmittel

un•gen•er•ous [ʌn'dʒenərəs] *adj* kleinlich

un•gentle•man•ly [ʌn'dʒentlmənlɪ] *adj* unfein, ungebildet; **that is** ~ so etwas tut ein Gentleman nicht

un-get-at-able [ˌʌnget'ætəbl] *adj* (*fam*) schwer erreichbar, unerreichbar

un•god•ly [ʌn'gɒdlɪ] *adj* **1.** gottlos **2.** (*fam*) verdammt; abscheulich **3.** (*fam*) gotteslästerlich; unmöglich; **at an** ~ **hour** zu nachtschlafender Zeit

un•gov•ern•able [ʌn'gʌvənəbl] *adj* unbezähmbar; zügellos; (*Volk*) nicht zu regieren(d)

un•grace•ful [ˌʌn'greɪsfl] *adj* ohne Anmut, plump

un•gra•cious [ˌʌn'greɪʃəs] *adj* unhöflich

un•grate•ful [ʌn'greɪtfl] *adj* undankbar (*to* gegen)

un•grudg•ing [ˌʌn'grʌdʒɪŋ] *adj* entgegenkommend; großzügig; **un•grudg ing•ly** [-lɪ] *adv* gern

un•guarded [ˌʌn'gɑːdɪd] *adj* **1.** unbewacht **2.** (SPORT) ungedeckt **3.** sorglos, nachlässig; **in an** ~ **moment** in e-m unbedachten Augenblick

un•guent ['ʌŋgwənt] *s* Salbe *f*

un•hal•lowed [ʌn'hæləʊd] *adj* ungeweiht

un•happy [ʌn'hæpɪ] *adj* **1.** unglücklich; traurig **2.** nicht zufrieden; **feel** ~ **about s.th.** nicht glücklich über etw sein; ein ungutes Gefühl bei etw haben

un•harmed [ʌn'hɑːmd] *adj* wohlbehalten, unversehrt

UNHCR [juːeneɪtʃsiː'ɑː] *s abbr of* **United Nations High Commission for Refugees** Flüchtlingshilfswerk *n* der UN

un•healthy [ʌn'helθɪ] *adj* **1.** kränklich **2.** ungesund *a. fig*

un•heard [ʌn'hɜːd] *adj* ungehört; **un-heard-of** [ʌn'hɜːdɒv] *adj* unerhört

un•hinge [ʌn'hɪndʒ] *tr* verwirren, verstören

un•holy [ʌn'həʊlɪ] *adj* **1.** ungeweiht; (*Geister*) böse **2.** (*fam*) entsetzlich, schrecklich

un•hook [ʌn'hʊk] *tr* los-, aufhaken; losmachen

un•hoped-for [ʌn'həʊptfɔː(r)] *adj* unerwartet, unverhofft

un•horse [ˌʌn'hɔːs] *tr* aus dem Sattel werfen

un•hurt [ʌn'hɜːt] *adj* unverletzt

UNICEF ['juːnɪsef] *s abbr of* **United Nations International Children's Emergency Fund** UNICEF *f,* Weltkinderhilfswerk *n* der UNO

uni•corn ['juːnɪkɔːn] *s* Einhorn *n*

un•iden•ti•fied [ˌʌnaɪ'dentɪfaɪd] *adj* nicht identifiziert; unbekannt; ~ **flying object, UFO** unbekanntes Flugobjekt, UFO *n*

uni•fi•ca•tion [ˌjuːnɪfɪ'keɪʃn] *s* Vereinheitlichung *f;* Einigung *f;* **unification treaty** *s* (POL) Einigungsvertrag *m*

uni•form ['juːnɪfɔːm] **I.** *adj* **1.** gleich(bleibend), gleichförmig, -mäßig **2.** einförmig; einheitlich **3.** übereinstimmend **II.** *s* Uniform *f;* **uni•form•ity** [ˌjuːnɪ'fɔːmətɪ] *s* **1.** Gleichmäßigkeit *f* **2.** Einheitlichkeit *f* **3.** (*pej*) Eintönigkeit *f*

unify ['juːnɪfaɪ] *tr* vereinheitlichen; einigen; vereinigen

uni•lat•eral [ˌjuːnɪ'lætrəl] *adj* einseitig, unilateral

un•im•ag•in•able [ˌʌnɪ'mædʒnəbl] *adj* unvorstellbar

un•im•peach•able [ˌʌnɪm'piːtʃəbl] *adj* unanfechtbar; einwandfrei, untadelig

un•in•formed [ˌʌnɪn'fɔːmd] *adj* nicht unterrichtet, nicht informiert (*about, on* über)

un•in•hab•it•able [ˌʌnɪn'hæbɪtəbl] *adj* unbewohnbar; **un•in•hab•ited** *adj* unbewohnt

un•in•hib•ited [ˌʌnɪn'hɪbɪtɪd] *adj* ungehemmt

un•in•jured [ˌʌn'ɪndʒəd] *adj* unverletzt

un•in•sur•able [ˌʌnɪn'ʃʊərəbl] *adj* nicht versicherungsfähig; **un•in•sured** [ˌʌnɪn'ʃʊəd] *adj* nicht versichert

un•in•tel•li•gent [ˌʌnɪn'telɪdʒənt] *adj* unintelligent; **un•in•tel•li•gible** [ˌʌnɪn'telɪdʒəbl] *adj* unverständlich

un•in•ten•tional [ˌʌnɪn'tenʃənl] *adj* unabsichtlich; **un•in•ten•tional•ly** [ˌʌnɪn'tenʃnəlɪ] *adv* unbeabsichtigt

un•in•ter•ested [ʌn'ɪntrɪstɪd] *adj* uninteressiert (*in* an); **un•in•ter•est•ing** [ʌn'ɪntrɪstɪŋ] *adj* uninteressant

un•in•ter•rupted [ˌʌnɪntə'rʌptɪd] *adj* ununterbrochen

union ['juːnɪən] *s* **1.** Vereinigung *f,* Zusammenschluss *m;* Verbindung *f* **2.** (Staaten)Bund *m,* Union *f* **3.** (*trade* ~) Gewerkschaft *f* **4.** (TECH: *pipe* ~) Rohrverbindung *f* **5.** (*Textil*) gemischtes Gewebe **6.** (MATH) Vereinigungsmenge *f* **7.** (*fig*) Eintracht *f;* **in perfect** ~ in voller Eintracht;

union agreement, **union contract** *s* Tarifvertrag *m;* **union dues**, **union subscription(s)** *s pl* Gewerkschaftsbeiträge *mpl;* **union•ist** [-ɪst] *s* **1.** Gewerkschaft(l)er(in) *m(f)* **2.** (POL) Unionist(in) *m(f),* Unionsanhänger(in) *m(f);* **union•ize** ['ju:nɪənaɪz] *tr* gewerkschaftlich organisieren; **Union Jack** ['ju:nɪən'dʒæk] *s* britische Nationalflagge; **union member** *s* Gewerkschaftsmitglied *n;* **union official** *s* Gewerkschaftsfunktionär(in) *m(f);* **union representative** *s* (gewerkschaftliche) Vertrauensperson *f*

unique [ju:'ni:k] *adj* **1.** einzig; einmalig **2.** einzigartig, ungewöhnlich **3.** (MATH) eindeutig; **unique•ness** [ju:'ni:knɪs] *s* Einmaligkeit, Einzigartigkeit *f;* **uniqueness theorem** *s* (MATH) Eindeutigkeitssatz *m*

uni•sex ['ju:nɪseks] *adj* einheitlich für beide Geschlechter; Unisex-

uni•son ['ju:nɪsn] *s* **1.** Einklang *m* **2.** (*fig*) Übereinstimmung *f* **3.** (MUS) Gleichklang *m;* **in ~** einstimmig; **in ~ with** in Einklang mit

unit ['ju:nɪt] *s* **1.** (*a.* MATH MIL) Einheit *f,* Stück *n* **2.** Einzelteil, Anbauteil, Element *n* **3.** (TECH) Anlage *f* **4.** (MATH) Einer *m* **5.** (*Organisation*) Abteilung *f* **6.** (FIN) Fondsanteil *m;* **~ of account** Rechnungseinheit *f;* **~ of charge** Gebühreneinheit *f;* **~ of currency** Währungseinheit *f;* **~ of sampling** Stichprobeneinheit *f;* **~ of value** Wertmaßstab *m;* **~ costs** Stückkosten *pl;* **~ price** Stückpreis *m;* **generative ~** Aggregat *n;* **compressor ~** Kompressor *m;* **kitchen ~** Teil *n* einer Einbauküche

unite [ju:'naɪt] **I.** *tr* vereinigen, verbinden; (*fig*) vereinen **II.** *itr* sich vereinigen, sich zusammenschließen; **~ in doing s.th.** etw gemeinsam tun; **united** [ju:'naɪtɪd] *adj* **1.** vereinigt; verbunden **2.** (*Gruppe*) geschlossen **3.** (*Kräfte*) vereint; **~ trust** offener Investmentfonds; **United Arab Emirates**, **UAE** *s pl* Vereinigte Arabische Emirate *npl;* **United Kingdom**, **UK** *s* Vereinigtes Königreich *n* (*Großbritannien und Nordirland*); **United Nations (Organization)**, **UN(O)** *s sing* Vereinte Nationen *pl;* **United States (of America)**, **US(A)** *s sing od pl* Vereinigte Staaten *pl* (von Amerika)

unity ['ju:nətɪ] *s* **1.** (*a.* MATH) Einheit *f* **2.** Einigkeit, Eintracht, Solidarität, Harmonie *f* (*among* unter) **3.** Einheitlichkeit, Geschlossenheit *f;* **in ~ with** in Übereinstimmung mit; **economic ~** Wirtschaftseinheit *f*

uni•ver•sal [ju:nɪ'vɜ:sl] *adj* allgemein, allumfassend, universal; universell; **~ agent** Generalvertreter(in) *m (f),* -bevollmächtigte(r) *f m;* **~ education** Allgemeinbildung *f;* **he is a ~ favourite** er ist allgemein beliebt; **~ heir** Alleinerbe *m;* **~ joint** [*o* **coupling**] (TECH) Universalgelenk *n;* **U~ Postal Union** Weltpostverein *m;* **~ suffrage** allgemeines Wahlrecht

uni•verse ['ju:nɪvɜ:s] *s* Weltall, Universum *n*

uni•ver•sity [ˌju:nɪ'vɜ:sətɪ] *s* Universität *f;* **be at ~** die Universität besuchen, studieren; **university education** *s* akademische Bildung; **university lecture** *s* Vorlesung *f;* **university lecturer** *s* Dozent(in) *m(f);* **university library** *s* Universitätsbibliothek *f;* **university town** *s* Universitätsstadt *f*

un•just [ˌʌn'dʒʌst] *adj* ungerecht (*to* gegen); **un•jus•ti•fi•able** [ʌn'dʒʌstɪfaɪəbl] *adj* **1.** nicht zu rechtfertigen, ungerechtfertigt **2.** unentschuldbar; **un•jus•ti•fied** [ʌn'dʒʌstɪfaɪd] *adj* **1.** ungerechtfertigt **2.** (TYP) nicht ausgerichtet, im Flattersatz; **un•just•ly** [ˌʌn'dʒʌstlɪ] *adv* zu Unrecht; ungerecht

un•kempt [ˌʌn'kempt] *adj* **1.** ungekämmt, zerzaust, verwahrlost **2.** unordentlich

un•kind [ʌn'kaɪnd] *adj* unfreundlich; **un•kind•ly** [-lɪ] *adv* herzlos; unfreundlich

un•know•ing [ˌʌn'nəʊɪŋ] *adj* nichts wissend (*of* von); **un•known** [ˌʌn'nəʊn] **I.** *adj* unbekannt; fremd (*to s.o.* jdm); **~ quantity** unbekannte Größe; (MATH) Unbekannte *f;* **~ territory** Neuland *n a. fig;* **it's ~ for him to do that** das tut er sonst eigentlich nicht **II.** *s* Unbekannte(r) *f m;* (MATH) Unbekannte *f;* (*Gegend*) unerforschtes Gebiet; **the ~** das Unbekannte; das Ungewisse

un•law•ful [ˌʌn'lɔ:fʊl] *adj* widerrechtlich, ungesetzlich, illegal

un•lead•ed [ˌʌn'ledɪd] *adj* (*Benzin*) bleifrei, unverbleit

un•learn [ˌʌn'lɜ:n] *tr* verlernen, vergessen; sich abgewöhnen

un•leash [ʌn'li:ʃ] *tr* **1.** von der Leine lassen **2.** (*fig*) entfesseln

un•leav•ened [ˌʌn'levnd] *adj* (*Brot*) ungesäuert

un•less [ən'les] *conj* **1.** wenn nicht; außer wenn; es sei denn, dass **2.** vorausgesetzt, dass nicht

un•li•censed [ˌʌn'laɪsənst] *adj* unkonzessioniert

un•like [ˌʌn'laɪk] **I.** *adj* ungleich; verschieden **II.** *prep* **1.** unähnlich (*s.o.* jdm) **2.** im Gegensatz zu; **un•like•ly** [ʌn'laɪklɪ] *adj* unwahrscheinlich

un•limited [ʌn'lɪmɪtɪd] *adj* unbegrenzt; unbeschränkt; grenzenlos; **~ liability** unbeschränkte Haftung

un•listed [ʌn'lɪstɪd] *adj* nicht verzeichnet

un•load [ʌn'ləʊd] *tr, itr* **1.** (*Ladung*) ab-,

ausladen **2.** (MAR) löschen **3.** (*Fahrzeug*) entladen **4.** (*fig fam*) abladen; abwälzen **5.** (FIN) abstoßen

un•lock [ˌʌnˈlɒk] *tr* aufschließen, -sperren; **un•locked** [ˌʌnˈlɒkt] *adj* unverschlossen

un•looked-for [ʌnˈlʊktfɔː(r)] *adj* unerwartet, überraschend

un•lucky [ʌnˈlʌkɪ] *adj* **1.** unglücklich **2.** unheilvoll; **be ~** Pech haben

un•man [ˌʌnˈmæn] *tr* mutlos machen, entmutigen; **un•manned** [ˌʌnˈmænd] *adj* unbemannt; nicht besetzt

un•man•ner•ly [ʌnˈmænəlɪ] *adj* ungesittet, unmanierlich

un•mar•ried [ˌʌnˈmærɪd] *adj* unverheiratet, ledig

un•mask [ʌnˈmɑːsk] **I.** *tr* **1.** demaskieren *a. fig* **2.** (*fig*) entlarven, bloßstellen **II.** *itr* **1.** sich demaskieren **2.** (*fig*) die Maske fallen lassen

un•matched [ʌnˈmætʃt] *adj* unübertroffen, unvergleichlich

un•men•tion•able [ʌnˈmenʃənəbl] *adj* unaussprechlich; **un•men•tioned** [ˌʌnˈmenʃnd] *adj* unerwähnt

un•mind•ful [ʌnˈmaɪndfl] *adj* unachtsam, unaufmerksam; **be ~ of s.th.** etw nicht beachten

un•mis•tak(e)•able [ˌʌnmɪˈsteɪkəbl] *adj* unverkennbar

un•miti•gated [ʌnˈmɪtɪgeɪtɪd] *adj* **1.** ungemildert, unvermindert **2.** vollkommen, völlig; vollendet

un•moved [ʌnˈmuːvd] *adj* **1.** unbewegt **2.** (*fig*) ungerührt

un•natu•ral [ʌnˈnætʃrəl] *adj* **1.** unnatürlich **2.** widernatürlich, unnormal, abnorm; **it is ~ for her to do that** das tut sie normalerweise nicht

un•nec•ess•ar•ily [ˌʌnˈnesəsərəlɪ] *adv* unnötigerweise; übermäßig; **un•nec•ess•ary** [ʌnˈnesəsrɪ] *adj* unnötig, unnütz, überflüssig

un•nerve [ˌʌnˈnɜːv] *tr* **1.** zermürben **2.** den Mut nehmen (*s.o.* jdm)

un•no•ticed [ˌʌnˈnəʊtɪst] *adj* unbemerkt

un•num•bered [ˌʌnˈnʌmbəd] *adj* **1.** ungezählt, zahllos **2.** unnummeriert

un•ob•tain•able [ˌʌnəbˈteɪnəbl] *adj* nicht erhältlich; **this number is ~** kein Anschluss unter dieser Nummer

un•ob•trus•ive [ˌʌnəbˈtruːsɪv] *adj* **1.** (*Sache*) unaufdringlich **2.** (*Mensch*) zurückhaltend, bescheiden

un•oc•cupied [ˌʌnˈɒkjʊpaɪd] *adj* **1.** unbewohnt **2.** unbeschäftigt, müßig **3.** (MIL) unbesetzt

un•of•fi•cial [ˌʌnəˈfɪʃl] *adj* inoffiziell, nicht amtlich

un•or•gan•ized [ˌʌnˈɔːgənaɪzd] *adj* **1.** chaotisch; unmethodisch; ungeordnet **2.** (*Arbeiter*) nicht gewerkschaftlich organisiert

un•or•tho•dox [ˌʌnˈɔːθədɒks] *adj* unorthodox, unkonventionell

un•pack [ˌʌnˈpæk] *tr, itr* auspacken

un•paid [ˌʌnˈpeɪd] *adj* **1.** unbezahlt **2.** unfrankiert **3.** (*Stellung*) ehrenamtlich

un•pal•at•able [ˌʌnˈpælətəbl] *adj* ungenießbar; (*Wahrheit*) bitter

un•par•al•leled [ʌnˈpærəleld] *adj* unvergleichlich; einmalig

un•par•lia•men•tary [ˌʌnˌpɑːləˈmentrɪ] *adj* unparlamentarisch

un•per•turbed [ˌʌnpəˈtɜːbd] *adj* gelassen, nicht aus der Ruhe zu bringen

un•pick [ˌʌnˈpɪk] *tr* (*Naht*) auftrennen

un•placed [ˌʌnˈpleɪst] *adj* (SPORT) unplatziert

un•pleas•ant [ʌnˈpleznt] *adj* **1.** unangenehm **2.** ungefällig, unfreundlich; **un•pleas•ant•ness** [-nɪs] *s* **1.** Unstimmigkeit *f* **2.** Unannehmlichkeit *f*

un•plug [ˌʌnˈplʌg] *tr* den Stecker herausziehen

un•plumbed [ˌʌnˈplʌmd] *adj* unerforscht

un•polished [ˌʌnˈpɒlɪʃt] *adj* **1.** unpoliert, rau *a. fig* **2.** (*fig*) grob; unausgeglichen

un•pol•luted [ˌʌnpəˈluːtɪd] *adj* unverschmutzt

un•popu•lar [ˌʌnˈpɒpjʊlə(r)] *adj* unbeliebt, unpopulär; **un•popu•lar•ity** [ʌnˌpɒpjʊˈlærətɪ] *s* Unbeliebtheit *f*

un•prac•ti•cal [ˌʌnˈpræktɪkl] *adj* unpraktisch

un•prac•ticed [ʌnˈpræktɪst] *adj* ungeübt, unerfahren (*in* in); **un•prac•tised** (*Am*) *s.* **unpracticed**

un•prece•dented [ʌnˈpresɪdentɪd] *adj* **1.** einmalig, beispiellos; noch nie dagewesen **2.** (JUR) ohne Präzedenzfall

un•pre•dict•able [ˌʌnprɪˈdɪktəbl] *adj* **1.** unvorhersehbar **2.** (*Person*) unberechenbar

un•preju•diced [ʌnˈpredʒʊdɪst] *adj* vorurteilsfrei, unvoreingenommen

un•pre•medi•tated [ˌʌnprɪˈmedɪteɪtɪd] *adj* unüberlegt; nicht vorsätzlich

un•pre•ten•tious [ˌʌnprɪˈtenʃəs] *adj* zurückhaltend, bescheiden; schlicht

un•prin•cipled [ʌnˈprɪnsəpld] *adj* ohne Grundsätze; gewissenlos

un•pro•duc•tive [ˌʌnprəˈdʌktɪv] *adj* unproduktiv, unergiebig (*of* an); **~ capital** totes Kapital

un•pro•fes•sional [ˌʌnprəˈfeʃənl] *adj* (*Verhalten*) berufswidrig; (*Arbeit*) unfachmännisch, laienhaft

un•prof•it•able [ˌʌnˈprɒfɪtəbl] *adj* unrentabel

un•prompted [ˌʌnˈprɒmptɪd] *adj* aus eigenem Antrieb, spontan

un•pro•vided for [ˌʌnprəˈvaɪdɪdfɔː] *adj* unversorgt

un•pub•lished [ˌʌnˈpʌblɪʃt] *adj* unveröffentlicht

un•punc•tual [ˌʌnˈpʌŋktʃʊəl] *adj* unpünktlich

un•quali•fied [ʌnˈkwɒlɪfaɪd] *adj* **1.** unqualifiziert, ungeeignet, nicht befähigt **2.** uneingeschränkt, vorbehaltlos

un•ques•tion•able [ʌnˈkwestʃənəbl] *adj* unbestritten; fraglos; **un•ques•tion•ing** [ʌnˈkwestʃnɪŋ] *adj* (*Glaube*) bedingungslos, blind

un•quote [ʌnˈkwəʊt] *interj* Zitatende *n;* **un•quoted** [ʌnˈkwəʊtɪd] *adj* (*Börse*) nicht notiert

un•ravel [ʌnˈrævl] *tr* **1.** auftrennen, -ziehen **2.** (*Fäden*) entwirren *a. fig* **3.** (*fig*) klären, lösen

un•read•able [ˌʌnˈriːdəbl] *adj* **1.** unleserlich **2.** unlesbar

un•real [ʌnˈrɪəl] *adj* unwirklich; (*sl*) unglaublich

un•real•is•tic [ˌʌnˌrɪəˈlɪstɪk] *adj* unrealistisch, realitätsfern

un•real•ized [ʌnˈrɪəlaɪzd] *adj* **1.** (COM) nicht realisiert **2.** unverwirklicht

un•reas•on•able [ʌnˈriːznəbl] *adj* **1.** unvernünftig; unsinnig **2.** unmäßig **3.** unangemessen **4.** übertrieben, exorbitant; **un•reas•on•ing** [ʌnˈriːsənɪŋ] *adj* unvernünftig

un•re•deemed [ˌʌnrɪˈdiːmd] *adj* **1.** (REL) unerlöst **2.** (*Pfand*) nicht eingelöst; (*Schuld*) ungetilgt; ~ **by** nicht aufgehoben durch

un•re•fined [ˌʌnrɪˈfaɪnd] *adj* **1.** nicht raffiniert **2.** (*Mensch*) unkultiviert

un•re•flect•ing [ˌʌnrɪˈflektɪŋ] *adj* gedankenlos; (*Handlung*) unüberlegt; (*Gefühl*) unreflektiert

un•reg•is•tered [ˌʌnˈredʒɪstəd] *adj* **1.** nicht eingetragen, nicht registriert; nicht gemeldet **2.** (*Brief*) nicht eingeschrieben **3.** (*Warenzeichen*) nicht eingetragen

un•re•lent•ing [ˌʌnrɪˈlentɪŋ] *adj* unablässig; hartnäckig, unnachgiebig; unbarmherzig

un•re•lia•bil•ity [ˈʌnrɪˌlaɪəˈbɪlətɪ] *s* Unzuverlässigkeit *f;* **un•re•li•able** [ˌʌnrɪˈlaɪəbl] *adj* unzuverlässig

un•re•lieved [ˌʌnrɪˈliːvd] *adj* **1.** ununterbrochen **2.** ungemildert

un•re•mit•ting [ˌʌnrɪˈmɪtɪŋ] *adj* unablässig, unaufhörlich, ununterbrochen

un•re•peat•able [ˌʌnrɪˈpiːtəbl] *adj* nicht zu wiederholen

un•re•quit•ed [ˌʌnrɪˈkwaɪtɪd] *adj* (*Liebe*) unerwidert

un•re•served [ˌʌnrɪˈzɜːvd] *adj* nicht reserviert *a. fig;* **un•re•serv•ed•ly** [ˌʌnrɪˈzɜːvɪdlɪ] *adv* rückhaltlos; frei, offen

un•rest [ʌnˈrest] *s* Unruhen *fpl,* Unzufriedenheit *f;* **focus of** ~ Unruheherd *m;* **student** ~ Studentenunruhen *fpl*

un•re•strained [ˌʌnrɪˈstreɪnd] *adj* uneingeschränkt; (*Gefühle*) ungehemmt; (*Freude, Atmosphäre*) ungezügelt; (*pej*) unbeherrscht

un•re•stricted [ˌʌnrɪˈstrɪktɪd] *adj* **1.** unbeschränkt **2.** (*Geschwindigkeit*) unbegrenzt

un•ripe [ˌʌnˈraɪp] *adj* unreif

un•ri•valed *adj* (*Am*), **un•ri•valled** [ʌnˈraɪvld] *adj* konkurrenzlos; unvergleichlich, einzigartig

un•roll [ʌnˈrəʊl] **I.** *tr* aufrollen *a. fig* **II.** *itr* sich entfalten

un•ruffled [ʌnˈrʌfld] *adj* unbewegt, ruhig

un•ruly [ʌnˈruːlɪ] *adj* **1.** widersetzlich, undiszipliniert **2.** ungehorsam, aufsässig **3.** (*Haar*) widerspenstig

un•saddle [ˌʌnˈsædl] *tr* **1.** (*Pferd*) absatteln **2.** aus dem Sattel werfen

un•safe [ˌʌnˈseɪf] *adj* nicht sicher, unsicher; gefährlich

un•said [ˌʌnˈsed] *adj* unausgesprochen; **leave s.th.** ~ etw ungesagt sein lassen

un•sal•aried [ˌʌnˈsælərɪd] *adj* (*Arbeit*) unbezahlt; ehrenamtlich

un•sal(e)•able [ˌʌnˈseɪləbl] *adj* unverkäuflich

un•sat•is•fac•tory [ˈʌnˌsætɪsˈfæktrɪ] *adj* unbefriedigend; **un•sat•is•fied** [ˌʌnˈsætɪsfaɪd] *adj* unbefriedigt

un•sa•vory *s* (*Am*), **un•sa•voury** [ˌʌnˈseɪvərɪ] *s* unerfreulich; widerwärtig

un•say [ʌnˈseɪ] *tr* ungesagt machen

un•scathed [ʌnˈskeɪðd] *adj* unbeschädigt, unverletzt

un•sched•uled [ˌʌnˈʃedjuːld] *adj* außerplanmäßig

un•schooled [ˌʌnˈskuːld] *adj* ungebildet; unausgebildet

un•screened [ˌʌnˈskriːnd] *adj* **1.** (*Film*) nicht gezeigt **2.** nicht abgeschirmt **3.** nicht überprüft; nicht untersucht

un•scripted [ʌnˈskrɪptɪd] *adj* improvisiert

un•scru•pu•lous [ʌnˈskruːpjʊləs] *adj* skrupel-, gewissenlos

un•seal [ˌʌnˈsiːl] *tr* öffnen; entsiegeln; **un•sealed** [ˌʌnˈsiːld] *adj* offen; unversiegelt

un•seat [ˌʌnˈsiːt] *tr* **1.** des Amtes entheben; (PARL) seinen Sitz nehmen (*s.o.* jdm) **2.** (*Reiter*) abwerfen

un•se•cured [ˌʌnsɪˈkjʊəd] *adj* **1.** ungesichert **2.** (COM) ungedeckt

un•see•ing [ˌʌnˈsiːɪŋ] *adj* **1.** nicht sehend **2.** (*fig*) blind; (*Blick*) leer

un•seem•ly [ʌnˈsiːmlɪ] *adj* unpassend, unschicklich

un•seen [ʌn'siːn] **I.** *adj* ungesehen; unbemerkt **II.** *s* (*Schule*) Herübersetzung *f*

un•self•ish [ˌʌn'selfɪʃ] *adj* selbstlos, uneigennützig

un•ser•vice•able [ˌʌn'sɜːvɪsəbl] *adj* unbrauchbar (*to* für)

un•settle [ˌʌn'setl] *tr* **1.** durcheinander bringen; aufregen; verstören **2.** beunruhigen; aufregen; verunsichern **3.** (*Fundament*) erschüttern; **un•settled** [ˌʌn'setld] *adj* **1.** (*Gebiet*) unbesiedelt **2.** (*Rechnung*) unbezahlt **3.** (*Frage*) ungeklärt; (*Zukunft*) ungewiss **4.** (*Wetter, Markt, Verhältnisse*) unbeständig; (*Leben*) unstet; **be ~** (*Mensch*) aus dem Gleichgewicht geworfen sein; **un•sett•ling** [-ɪŋ] *adj* **1.** aufreibend **2.** (*Wissen, Nachricht*) beunruhigend; **have an ~ influence on** durcheinander bringen, aus dem Gleichgewicht bringen; **have an ~ effect on** aus dem Gleis werfen; verunsichern; verstören

un•shak•able [ʌn'ʃeɪkəbl] *adj* unerschütterlich

un•sha•ven [ˌʌn'ʃeɪvn] *adj* unrasiert

un•shod [ˌʌn'ʃɒd] *adj* **1.** barfuß **2.** (*Pferd*) unbeschlagen

un•shrink•able [ˌʌn'ʃrɪŋkəbl] *adj* **1.** nicht schrumpfend **2.** (*Gewebe*) nicht einlaufend; **un•shrink•ing** [ˌʌn'ʃrɪŋkɪŋ] *adj* furchtlos

un•sight•ly [ʌn'saɪtlɪ] *adj* unansehnlich, hässlich

un•signed [ˌʌn'saɪnd] *adj* nicht unterzeichnet

un•skilled [ˌʌn'skɪld] *adj* ungelernt; ungeübt; **~ labo(u)r** [*o* **workers**] ungelernte Arbeitskräfte *fpl,* Hilfsarbeiter *mpl*

un•soci•able [ʌn'səʊʃəbl] *adj* ungesellig

un•social [ˌʌn'səʊʃl] *adj* unsozial; **work ~ hours** außerhalb der normalen Arbeitszeiten arbeiten

un•sold [ˌʌn'səʊld] *adj* unverkauft

un•sol•ici•ted [ˌʌnsə'lɪsɪtɪd] *adj* unverlangt; unaufgefordert

un•soph•is•ti•cated [ˌʌnsə'fɪstɪkeɪtɪd] *adj* **1.** einfach **2.** natürlich, ungekünstelt **3.** naiv; unkritisch

un•sound [ˌʌn'saʊnd] *adj* **1.** krank; (*Gesundheit*) schlecht **2.** (*Gebäude*) baufällig; (*Finanzen*) unsicher **3.** (*Grund*) nicht stichhaltig; (*Rat*) töricht; (*Urteil*) unzuverlässig; (*Politik*) unvernünftig **4.** (COM) finanzschwach; unsicher; **of ~ mind** (JUR) unzurechnungsfähig; **be ~ on a subject** auf einem Gebiet unsicher, schlecht bewandert sein

un•spar•ing [ʌn'speərɪŋ] *adj* **1.** verschwenderisch, freigebig (*of* mit) **2.** reichlich, großzügig (*of* mit) **3.** schonungslos (*of* gegen); **be ~ in one's efforts** keine Mühe scheuen

un•speak•able [ʌn'spiːkəbl] *adj* unaussprechlich, unsagbar; scheußlich

un•spec•ified [ˌʌn'spesɪfaɪd] *adj* nicht spezifiziert, nicht einzeln angegeben

un•stable [ˌʌn'steɪbl] *adj* **1.** labil; unsicher, schwankend *a. fig* **2.** (*a. fig*) unbeständig, instabil

un•stressed [ˌʌn'strest] *adj* (*Silbe*) unbetont

un•stuck [ˌʌn'stʌk] *adj* nicht fest; lose; **come ~** sich lösen; (*Plan*) schief gehen; (*Redner*) stecken bleiben; **we came ~** wir sind gescheitert

un•stud•ied [ˌʌn'stʌdɪd] *adj* ungekünstelt, natürlich

un•sub•stan•tial [ˌʌnsəb'stænʃl] *adj* **1.** dürftig, nicht solide **2.** (*Geist*) körperlos **3.** (*Essen*) leicht **4.** (*Beweis*) haltlos; (*Anspruch*) unberechtigt

un•suc•cess•ful [ˌʌnsək'sesfl] *adj* erfolglos; (*Versuch*) vergeblich; (*Ergebnis*) nicht erfolgreich; **be ~ in doing s.th.** mit etw keinen Erfolg haben

un•suit•able [ˌʌn'suːtəbl] *adj* unpassend, unangebracht; ungeeignet (*to, for* für)

un•sullied [ˌʌn'sʌlɪd] *adj* unbefleckt

un•sure [ˌʌn'ʃʊə(r)] *adj* unsicher; (*Methode*) unzuverlässig

un•sus•pect•ing [ˌʌnsə'spektɪŋ] *adj* nichtsahnend

un•swerv•ing [ˌʌn'swɜːvɪŋ] *adj* unerschütterlich, standhaft

un•tapped [ˌʌn'tæpt] *adj* ungenutzt

un•taxed [ˌʌn'tækst] *adj* unbesteuert, steuerfrei

un•ten•able [ˌʌn'tenəbl] *adj* unhaltbar

un•ten•anted [ˌʌn'tenəntɪd] *adj* unbewohnt

un•think•able [ʌn'θɪŋkəbl] *adj* undenkbar; **un•think•ing** [ʌn'θɪŋkɪŋ] *adj* gedankenlos; unbedacht; **un•thought-of** [ʌn'θɔːtɒv] *adj* ungeahnt

un•ti•di•ness [ʌn'taɪdɪnɪs] *s* Unordentlichkeit *f;* **un•tidy** [ʌn'taɪdɪ] *adj* unordentlich

un•tie [ˌʌn'taɪ] *tr* aufbinden, -knoten; losbinden

un•til [ən'tɪl] **I.** *prep* (*zeitlich*) bis, bis zu; **not ~** nicht vor; erst; **~ further notice** bis auf Widerruf, bis auf weiteres **II.** *conj* bis (dass); **not ~** nicht bevor; erst als, erst wenn

un•time•ly [ʌn'taɪmlɪ] *adj* **1.** ungelegen, unangebracht **2.** vorzeitig

un•told [ˌʌn'təʊld] *adj* **1.** nicht erzählt **2.** ungezählt, unzählig **3.** (*Reichtum*) unermesslich

un•touched [ˌʌn'tʌtʃt] *adj* **1.** unberührt *a. fig* **2.** nicht erwähnt **3.** unverletzt, intakt **4.** ungerührt; unbeeinflusst **5.** (*fig*) unerreicht

un•to•ward [ˌʌntəˈwɔːd] *adj* 1. ungünstig, unglücklich 2. unschicklich, unziemlich; **I hope nothing ~ has happened** ich hoffe, dass nichts Schlimmes passiert ist
un•trans•fer•able [ˌʌntrænsˈfɜːrəbl] *adj* (COM) nicht übertragbar
un•trans•lat(e•)able [ˌʌntrænsˈleɪtəbl] *adj* unübersetzbar
un•treat•ed [ʌnˈtriːtɪd] *adj* unbehandelt
un•true [ˌʌnˈtruː] *adj* 1. unwahr, falsch 2. unrichtig
un•trust•worthy [ˌʌnˈtrʌstˌwɜːðɪ] *adj* unzuverlässig
un•truth [ʌnˈtruːθ] *s* Unwahrheit *f;* **un•truth•ful** [ʌnˈtruːθfl] *adj* 1. unwahr, falsch 2. unwahrhaft, unaufrichtig, lügnerisch
un•turned [ˌʌnˈtɜːnd] *adj:* **leave no stone ~** (*fig*) nichts unversucht lassen
un•tu•tored [ˌʌnˈtjuːtəd] *adj* ungeschult
un•used [ʌnˈjuːzd] *adj* 1. ungebraucht, unbenutzt 2. (*Kredit*) nicht beansprucht 3. nicht gewöhnt (*to* an), nicht gewohnt (*to doing* zu tun)
un•usual [ʌnˈjuːʒl] *adj* 1. ungewöhnlich 2. selten; **un•usually** [ʌnˈjuːʒəlɪ] *adv* ungewöhnlich; sehr; in höchstem Maße
un•ut•ter•able [ʌnˈʌtərəbl] *adj* 1. unaussprechlich *a. fig* 2. unbeschreiblich
un•var•nished [ʌnˈvɑːnɪʃt] *adj* (*Wahrheit*) ungeschminkt
un•veil [ˌʌnˈveɪl] I. *tr* 1. entschleiern 2. enthüllen, aufdecken *a. fig* 3. (*fig*) ans Licht, an den Tag bringen; den Schleier lüften von II. *itr* den Schleier fallen lassen
un•versed [ˌʌnˈvɜːst] *adj* unerfahren (*in* in)
unwaged *s:* **the ~** die Erwerbslosen *pl*
un•war•ranted [ˌʌnˈwɒrəntɪd] *adj* ungerechtfertigt
un•wa•ver•ing [ʌnˈweɪvərɪŋ] *adj* standhaft, unerschütterlich
un•well [ʌnˈwel] *adj* unwohl, unpässlich; **feel ~** sich nicht wohl fühlen
un•wieldy [ʌnˈwiːldɪ] *adj* 1. unhandlich, sperrig 2. ungeschickt, schwerfällig
un•will•ing [ˌʌnˈwɪlɪŋ] *adj* widerwillig; **be ~** keine Lust haben (*to do* zu tun); **un•will•ing•ly** [-lɪ] *adv* ungern
un•wind [ˌʌnˈwaɪnd] <*irr:* -wound, -wound> I. *tr* abwickeln *a. fig* II. *itr* 1. (*fam*) abschalten, sich entspannen 2. (*Rolle*) sich abwickeln; (*Handlung*) sich entwickeln, abrollen
un•wise [ʌnˈwaɪz] *adj* unklug
un•wit•ting [ʌnˈwɪtɪŋ] *adj* unbewusst; unabsichtlich; unwissentlich; **un•wit•ting•ly** [-lɪ] *adv* unwissentlich; ohne Absicht; ahnungslos
un•wonted [ʌnˈwəʊntɪd] *adj* 1. ungewohnt (*to do* zu tun) 2. ungewöhnlich, selten
un•work•able [ˌʌnˈwɜːkəbl] *adj* nicht durchführbar; (*Plan*) unausführbar; (*Material*) nicht bearbeitbar; (MIN) nicht abbauwürdig
un•world•ly [ˌʌnˈwɜːldlɪ] *adj* weltabgewandt; weltfremd
un•worthy [ʌnˈwɜːðɪ] *adj* unwürdig; **be ~ of s.th.** e-r S nicht wert, würdig sein; **that's ~ of you** das ist unter deiner Würde
un•wrap [ˌʌnˈræp] *tr* auswickeln, -packen
un•writ•ten [ˌʌnˈrɪtn] *adj* ungeschrieben; **~ agreement** mündliche Vereinbarung, stillschweigende Übereinkunft; **~ law** ungeschriebenes Gesetz
un•yield•ing [ʌnˈjiːldɪŋ] *adj* 1. nicht nachgebend, starr 2. (*fig*) unnachgiebig
un•zip [ˌʌnˈzɪp] *tr* den Reißverschluss öffnen (*s.th.* e-r S)
up [ʌp] I. *adv* 1. oben; nach oben; **~ here** hier oben; **~ there** da oben; **on the way ~** auf dem Weg hinauf; (*fig*) auf dem Weg nach oben; **go ~** hinauf-, hochgehen; **jump ~** aufspringen; hinaufspringen; **look ~** hochsehen; **things are looking ~** es geht bergauf; **throw ~** hochwerfen; (*fam*) kotzen *fam;* (**stand**) **~!** steh auf!; **~ in Hamburg** oben in Hamburg 2. (EDV) laufend 3. (*nicht im Bett*) auf; **get ~** aufstehen 4. (*Preise*) gestiegen 5. (*Gebäude*) gebaut; **be ~** stehen; (*Gerüst*) aufgestellt sein; (*Bild, Mitteilung, Tapete, Vorhänge*) hängen 6. (*Zahlen*) aufwärts; **from £ 3 ~** von £ 3 aufwärts, ab £ 3; **from the age of 18 ~** ab 18 Jahren; **~ to 100 DM** bis zu 100 DM 7. (*Begrenzung*) bis; **~ to here/now** bis hier/jetzt 8. (SPORT) in Führung; **be one ~ on s.o.** (*fig*) jdm um einen Schritt voraus sein 9. (*in Kenntnissen*) beschlagen (*in, on* in); **be well ~ in s.th.** sich in etw auskennen 10. zu Ende, vorüber, um; **time's ~** die Zeit ist um; **it's all ~ with her** es ist aus mit ihr 11. (*~ to*) gewachsen; abhängig; **be** [*o* **feel**] **~ to s.th.** e-r S gewachsen sein; **it's ~ to him to do that** es hängt von ihm ab, das zu tun, es liegt bei ihm, das zu tun; **it's ~ to my boss** das ist Aufgabe meines Chefs; **it's not ~ to much** das taugt nicht viel 12. (*mit anderen Präpositionen*): **~ against** gegen; **be ~ against problems** Schwierigkeiten haben; **be ~ against a difficult opponent** einem schwierigen Gegner gegenüberstehen; **I know what we're ~ against** ich weiß, wie schwer das ist; **~ and down** auf und ab; hin und her; **~ and ~** immer höher 13. (*Wendungen*): **what are you ~ to?** was machst du?; was hast du vor?; **he is ~ to no good** er führt irgendetwas im Schilde; **what's ~?** (*fam*) was ist los?; **what's ~ with you?** was ist mit dir los?; **there is something ~ with**

him/it irgend etwas stimmt mit ihm/damit nicht; **be ~ for sale** zu verkaufen sein, zum Verkauf stehen; **be ~ for discussion** zur Diskussion stehen; **be ~ for election** aufgestellt sein; **be ~ for trial** vor Gericht stehen **II.** *prep* hinauf; oben auf; **go ~ the hill** den Berg hinaufgehen **III.** *s* Höhepunkt *m;* **~s and downs** Höhen und Tiefen; **be on the ~ and ~** immer besser werden; (*sl*) sauber sein **IV.** *tr* (*fam*) erhöhen; (*Produktion*) ankurbeln **V.** *itr* (*fam*) aufstehen; **she ~ped and kissed him** sie gab ihm plötzlich einen Kuss

up-and-com•ing ['ʌpən'kʌmɪŋ] *adj* aufstrebend; im Aufstieg

up•beat ['ʌpbi:t] **I.** *s* (MUS) Auftakt *m* **II.** *adj* (*fam*) fröhlich; optimistisch

up•braid [ˌʌp'breɪd] *tr* tadeln (*for, with* wegen)

up•bring•ing ['ʌpbrɪŋɪŋ] *s* Erziehung *f*

up•com•ing ['ʌpˌkʌmɪŋ] *adj* (*Am*) bevorstehend

up-coun•try [ˌʌp'kʌntrɪ] *adj* landeinwärts, im Landesinneren

up•date [ˌʌp'deɪt] **I.** *tr* auf den neuesten Stand bringen, modernisieren, aktualisieren **II.** *s* Aktualisierung *f;* **up•dat•ing** [-ɪŋ] *s* Aktualisierung *f*

up•draught ['ʌpdrɑ:ft] *s* Aufwind *m*

up•end [ʌp'end] *tr* **1.** umstülpen **2.** auf den Kopf, hochkant stellen

up•front ['ʌpfrʌnt] *adj* im voraus

up•grade ['ʌpˌgreɪd] **I.** *s* **1.** (EDV) Erweiterung *f* **2.** (*Am*) Steigung *f* (*im Gelände*); **be on the ~** (*fig*) auf dem Weg nach oben sein **II.** *adj* (*Am*) ansteigend **III.** *adv* (*Am*) bergauf **IV.** [ˌʌp'greɪd] *tr* höher einstufen; befördern; (*Image, Verdienst*) aufbessern, -werten, anheben; (EDV) erweitern; **up•grade•able** [ˌʌp'greɪdəbl] *adj* (EDV) erweiterbar; **up•grad•ing** [ˌʌp'greɪdɪŋ] *s* **1.** Höhergruppierung *f* **2.** Beförderung *f* **3.** (EDV) Erweiterung *f*

up•heaval [ˌʌp'hi:vl] *s* (*fig*) Umwälzung *f,* Umsturz *m*

up•hill [ˌʌp'hɪl] **I.** *adv* bergan, bergauf **II.** *adj* **1.** (an)steigend **2.** (*fig*) mühselig, anstrengend

up•hold [ˌʌp'həʊld] <*irr:* -held, -held> *tr* wahren; (*Gesetz*) hüten; (*Entscheidung, jdn*) unterstützen; (JUR) bestätigen

up•hol•ster [ʌp'həʊlstə(r)] *tr* polstern; **well ~ed** (*Mensch*) gut gepolstert; **up•hol•sterer** [ʌp'həʊlstərə(r)] *s* Polsterer *m,* Polsterin *f;* **up•hol•stery** [ˌʌp'həʊlstərɪ] *s* Polsterung *f;* Polstern *n;* Polsterei *f*

up•keep ['ʌpki:p] *s* **1.** Instandhaltung *f* **2.** Instandhaltungs-, Unterhaltungskosten *pl*

up•land ['ʌplənd] *s* Hochland *n*

up•lift ['ʌplɪft] **I.** *s* **1.** (*fig*) Erbauung *f;* Erhebung *f* **2.** (FIN) Anhebung *f* **II.** [ʌp'lɪft] *tr* **1.** (*fig*) erheben **2.** (*schottisch*) abholen; **feel ~ed** sich erbaut fühlen

up•market ['ʌp'mɑ:kɪt] *adj* (*Produkt*) für den anspruchsvollen Kunden; (*Haus, Hotel etc.*) luxuriös; Luxus-; (*Zeitschrift, Kunde*) anspruchsvoll

upon [ə'pɒn] *prep* auf; **once ~ a time** es war einmal; **~ inquiry** auf Erkundigungen hin; **~ this** hierauf, danach, dann; **~ my word** auf mein Wort

up•per ['ʌpə(r)] **I.** *adj* höhe(r, s), obere(r, s) *a. fig;* **~ arm** Oberarm *m;* **~ jaw** Oberkiefer *m;* **~ lip** Oberlippe *f;* **U~ Egypt** Oberägypten *n;* **~ income bracket** obere Einkommensgruppe; **get/have the ~ hand of** die Oberhand gewinnen/haben über; **the ~ circle** (THEAT) der erste Rang; **the U~ House** (PARL) das Oberhaus; **the ~ storey** oberes Stockwerk; (*fam*) das Oberstübchen; **the ~ crust** (*fam*) die oberen Zehntausend **II.** *s* **1.** **~s** Oberleder, -material *n* **2.** (*sl*) Peppille *f;* **be on one's ~s** auf den Hund gekommen sein; **upper case** *s* (TYP) Großbuchstabe *m;* **upper class** *s* Oberschicht *f;* **upper-class** *adj* der Oberschicht; vornehm, fein; **upper•cut** *s* (*Boxen*) Kinnhaken *m;* **upper deck** *s* (MAR) Oberdeck *n;* **up•per•most** ['-məʊst] **I.** *adj* oberste(r, s), höchste(r, s) **II.** *adv* ganz oben; **say what is ~ in one's mind** sagen, was e-m am wichtigsten ist

up•pish, **up•pity** ['ʌpɪʃ, 'ʌpətɪ] *adj* dünkelhaft, überheblich

up•right ['ʌpraɪt] **I.** *adj* **1.** aufrecht, senkrecht **2.** aufrecht, ehrlich **II.** *adv* aufrecht, gerade; senkrecht **III.** *s* **1.** Ständer, Pfosten *m* **2.** (MUS) Klavier *n*

up•ris•ing ['ʌpraɪzɪŋ] *s* Aufstand *m*

up•roar ['ʌprɔ:(r)] *s* Lärm, Spektakel *m;* **up•roari•ous** [ʌp'rɔ:rɪəs] *adj* tobend, lärmend, laut; fürchterlich komisch

up•root [ˌʌp'ru:t] *tr* **1.** entwurzeln **2.** (*fig: Übel*) ausmerzen

up•set [ˌʌp'set] <*irr:* upset, upset> **I.** *tr* **1.** umstoßen, umwerfen, umkippen **2.** (*jdn*) bestürzen, mitnehmen; aus der Fassung bringen; aus dem Gleichgewicht bringen; aufregen; verletzen **3.** (*Pläne, Berechnungen*) durcheinander bringen; (*Theorie*) umstoßen **4.** (*Magen*) verderben; **don't ~ yourself** regen Sie sich nicht auf; **now you've ~ him** jetzt ist er beleidigt; jetzt regt er sich auf; **what's ~ you?** was hast du denn?; **fatty food ~s my stomach** fettes Essen vertrage ich nicht **II.** *itr* umkippen **III.** *adj* **1.** mitgenommen, geknickt; bestürzt; ärgerlich; gekränkt **2.** (*Magen*) verstimmt, verdorben; **don't be ~!** nimm's nicht so schwer!; **I'd be ~ if she did that**

ich würde mich aufregen, wenn sie das täte **IV.** ['ʌpset] *s* **1.** Störung *f;* böse Überraschung **2.** Aufregung *f;* Ärger *m* **3.** verdorbener Magen, Magenverstimmung *f;* **that was an ~ to our plans** das hat unsere Pläne durcheinander geworfen; **upset price** *s* Mindestpreis *m*

up•shot ['ʌpʃɒt] *s* Ergebnis, Resultat *n*

up•side down [ˌʌpsaɪd 'daʊn] *adv* verkehrt herum; **turn s.th. ~** etw auf den Kopf stellen; **the world is ~** die Welt steht kopf

up•stage [ˌʌp'steɪdʒ] **I.** *adv* im Hintergrund der Bühne **II.** *adj* (*fam*) eingebildet, hochmütig **III.** *tr* (*fig*) an die Wand spielen, in den Hintergrund drängen

up•stairs [ˌʌp'steəz] **I.** *adv* **1.** oben, im oberen Stock **2.** (die Treppe) hinauf, in den oberen Stock; **go ~** nach oben, hinaufgehen **II.** *adj* im oberen Stockwerk **III.** *s* obere Stockwerke *npl*

up•stand•ing [ˌʌp'stændɪŋ] *adj* (*fig*) rechtschaffen; **be ~** (JUR) stehen; aufstehen

up•start ['ʌpstɑːt] *s* Emporkömmling *m*

up•state ['ʌpsteɪt] *adj* (*Am*) im Norden (des Bundesstaates); in den Norden

up•stream [ˌʌp'striːm] *adv* fluss-, stromaufwärts

up•surge ['ʌpsɜːdʒ] *s* **1.** Aufwallung *f* **2.** (*fig*) steiler Aufstieg, Anstieg

up•swing ['ʌpswɪŋ] *s* (*fig*) Anstieg, Aufschwung *m;* (COM) Konjunkturaufschwung *m*

up•take ['ʌpteɪk] *s:* **be quick on the ~** schnell begreifen; **be slow on the ~** schwer von Begriff sein

up•tight [ʌp'taɪt] *adj* (*sl*) verklemmt; verärgert; nervös; **be ~ about s.th.** etw eng sehen; **get ~ about s.th.** (*fam*) wegen etw ausflippen

up-to-date [ˌʌptə'deɪt] *adj* **1.** auf dem neuesten Stand; hochaktuell **2.** modern; **keep ~** auf dem Laufenden bleiben; **bring ~** auf den neuesten Stand bringen; aktualisieren; **up-to-the-min•ute** ['ʌptəðə'mɪnɪt] *adj* modernste(r, s); (*Information*) auf dem neuesten Stand

up•town [ˌʌp'taʊn] **I.** *adv* (*Am*) im, in den Norden (der Stadt); im, ins Villenviertel **II.** *s* (*Am*) Villenviertel *n*

up•trend ['ʌptrend] *s* Aufwärtstrend *m*

up•turn ['ʌptɜːn] *s* (*fig*) Besserung *f,* Aufschwung *m;* **economic ~** Konjunkturbelebung *f;* **up•turned** [ˌʌp'tɜːnd] *adj* umgedreht, -gestülpt; **~ nose** Stupsnase *f*

up•ward ['ʌpwəd] **I.** *adj* Aufwärts-, nach oben; **~ movement** Aufwärtsbewegung *f;* **~ mobility** Aufstiegsmöglichkeiten *fpl;* **~ slope** Steigung *f* **II.** *adv* (*a.* **~s**) aufwärts *a. fig;* **and ~s** u. mehr, u. darüber; **go ~s** in die Höhe gehen; **up•ward•ly** [-lɪ] *adv:* **~ mobile** beruflich erfolgreich, auf der Karriereleiter; **upward trend** *s* steigende Tendenz; **~ of prices/of wages** Preis-/Lohnauftrieb *m*

ur(a)e•mia [jʊə'riːmjə] *s* (MED) Urämie, Harnvergiftung *f*

ura•nium [jʊ'reɪnɪəm] *s* (CHEM) Uran *n;* **~ deposit** Uranvorkommen *n;* **~ fission** Uranspaltung *f;* **~ ore** Uranserz *n*

Ura•nus [jʊ'reɪnəs] *s* (ASTR) Uranus *m*

ur•ban ['ɜːbən] *adj* städtisch; **~ and regional policy** Raumordnungspolitik *f;* **~ fringe** Umland *n;* **~ renewal** Stadtsanierung *f;* **~ warfare** Stadtguerilla *f;* **~ sprawl** Ballungsgebiet *n;* unkontrollierte Ausdehnung e-r Stadt

ur•bane [ɜː'beɪn] *adj* höflich; weltmännisch; **ur•ban•ity** [ɜː'bænətɪ] *s* Kultiviertheit *f;* Höflichkeit *fpl,* gute Umgangsformen *fpl*

ur•ban•iz•ation [ˌɜːbənaɪ'zeɪʃn] *s* Verstädterung *f;* **ur•ban•ize** ['ɜːbənaɪz] *tr* verstädtern; **highly ~d region** Ballungsgebiet *n,* -raum *m*

ur•chin ['ɜːtʃɪn] *s* **1.** (ZOO) Seeigel *m* **2.** Lausbub *m*

urethra [jʊə'riːərə] *s* Harnröhre *f*

urge [ɜːdʒ] **I.** *tr* **1.** inständig bitten **2.** drängen auf **3.** (*Anspruch*) betonen; (*Argument*) anführen **4.** (**~** *on*) weiter-, vorantreiben; **~ s.o. to do s.th.** jdn drängen etw zu tun; jdm zureden etw zu tun; **~ s.th. on s.o.** jdm etw aufdrängen **II.** *s* Verlangen, Bedürfnis *n;* Drang *m;* (*körperlich*) Trieb *m;* **urge on** *tr* vorantreiben, antreiben; anfeuern

ur•gency ['ɜːdʒənsɪ] *s* Dringlichkeit *f;* **a matter of ~** dringend; **there is no ~** es eilt nicht; **~ measure** Dringlichkeitsmaßnahme *f;* **~ motion** Dringlichkeitsantrag *m;* **ur•gent** ['ɜːdʒənt] *adj* **1.** dringend, (vor)dringlich, eilig **2.** (*Ton, Bitte*) dringlich; **be ~** eilen; **be in ~ need of s.th.** etw dringend brauchen; **be ~ about s.th.** etw eindringlich betonen; **give ~ attention to s.th.** etw vordringlich behandeln; **very ~** eilt sehr; **ur•gent•ly** [-lɪ] *adv* dringend

uri•nal ['jʊərɪnl] *s* **1.** (MED) Harnglas *n,* Urinflasche *f* **2.** Pissoir *n;* **uri•nary** ['jʊərɪnrɪ] *adj* Harn-; **uri•nate** ['jʊərɪneɪt] *itr* Wasser lassen, urinieren; **urine** ['jʊərɪn] *s* Urin, Harn *m*

urn [ɜːn] *s* **1.** (*funeral ~*) (Toten)Urne *f* **2.** Tee-, Kaffeemaschine *f*

Uru•guay ['jʊərəgwaɪ] *s* Uruguay *n;* **Uru•guay•an** [ˌjʊərə'gwaɪən] **I.** *adj* uruguayisch **II.** *s* Uruguayer(in) *m(f)*

us [əs, *betont* ʌs] *pron* uns; **all of ~** wir alle; **both of ~** wir beide; **it's ~** wir sind es

USA [ˌjuːes'eɪ] *s abbr of* **United States of America** USA *pl,* Vereinigte Staaten *pl* von

Amerika
usage ['ju:zɪdʒ] *s* **1.** Brauch *m,* Sitte, Gewohnheit *f;* Handelsbrauch *m* **2.** (Sprach)Gebrauch *m,* Anwendung *f* **3.** Behandlung *f;* **come into** ~ üblich werden; **that's local** ~ das ist ortsüblich; das ist (so) Brauch
use [ju:z] **I.** *tr* **1.** benützen, benutzen; verwenden; gebrauchen; (*Methode, Behandlung, Gewalt, Fähigkeiten*) anwenden; (*Medikamente*) nehmen **2.** (aus)nutzen, (aus)nützen; (*Vorteil*) nutzen; (*Abfallprodukte*) verwerten, nutzen **3.** (*mit "can"*) (ge)brauchen **4.** (~ *up*) verbrauchen **5.** (*pej*) ausnutzen; ~ **s.th. for s.th.** etw für etw verwenden; ~ **s.th. as s.th.** etw als etw verwenden; ~ **s.o.'s name** jds Namen verwenden; (*als Referenz*) jds Namen nennen, angeben; **I could** ~ **a whisky** ich könnte einen Whisky vertragen; **I could** ~ **a few pounds** ich könnte ein paar Pfund (gut) gebrauchen; **I feel** ~**d** ich komme mir ausgenutzt vor **II.** [ju:s] *s* **1.** Verwendung *f;* Benutzung *f;* Gebrauch *m* **2.** (*Gewalt, Methode*) Anwendung *f* **3.** Nutzung *f;* (*Abfallprodukte*) Verwertung *f* **4.** Nutzen *m* **5.** Gebrauch *m,* Benutzung *f* **6.** (JUR) Nutznießung *f* **7.** Brauch *m;* **be in** ~ benutzt werden; in Betrieb sein; **be out of** ~ nicht in Gebrauch sein; nicht in Betrieb sein; **be of** ~ nützlich sein (*for s.o.* jdm); **come into** ~ in Gebrauch kommen; **fall** [*o* **go**] **out of** ~ außer Gebrauch kommen; **have the** ~ **of s.th.** etw benutzen können; **have no** ~ **for s.th.** etw nicht gebrauchen können; für etw keine Verwendung haben; **make** ~ **of s.th.** etw benutzen; etw ausnutzen; **put to** ~ Gebrauch machen von; **for the** ~ **of** für; **direction(s) for** ~ Gebrauchsanweisung *f;* **ready for** ~ gebrauchsfertig; einsatzbereit; **he/it is no** ~ er/das nützt nichts, ist nicht zu gebrauchen; **it's no** ~ **telling him** es hat keinen Zweck es ihm zu sagen; **can I be of any** ~**?** kann ich irgendwie helfen?; **it's no** ~**!** es hat keinen Zweck!; **what's the** ~ was nützt das schon; **use up** *tr* verbrauchen; aufbrauchen; verwerten; **it's** ~**d up** es ist alle; **feel** ~**d up** sich ausgelaugt fühlen
used[1] [ju:zd] *adj* (*Waren, Auto*) gebraucht; Gebraucht-; (*Briefmarke*) gestempelt; (*Handtuch, Taschentuch etc*) benutzt
used[2] [ju:st] *adj* gewohnt; **be** ~ **to s.th.** an etw gewöhnt sein, etw gewohnt sein; **get** ~ **to s.th.** sich an etw gewöhnen
used[3] [ju:st] *aux* (*nur in der Vergangenheit*) üblicherweise getan haben; **I** ~ **to like it** früher mochte ich das; **things aren't what they** ~ **to be** es ist alles nicht mehr so wie früher; **he didn't use to smoke, he** ~ **not to smoke** er hat früher nicht geraucht
use•ful ['ju:sfl] *adj* **1.** nützlich; brauchbar; praktisch **2.** (*fam*) fähig, tüchtig; **prove** (**to be**) ~ sich als nützlich erweisen; **make o.s.** ~ sich nützlich machen; **come in** ~ sich als nützlich erweisen; ~ **life** (TECH) Lebensdauer *f;* **use•ful•ness** ['ju:sflnɪs] *s* Nützlichkeit, Brauchbarkeit *f;* **use•less** ['ju:slɪs] *adj* **1.** nutzlos, unnütz, zwecklos **2.** unbrauchbar
user ['ju:zə(r)] *s* **1.** Benutzer(in) *m(f)* **2.** (COM) Verbraucher(in) *m(f)* **3.** (EDV) Anwender(in) *m(f),* Bediener(in) *m(f);* ~**'s guide** [*o* **handbook**] Benutzerhandbuch *n;* **road** ~ Verkehrsteilnehmer(in) *m(f);* **ultimate** ~ Letzt-, Endverbraucher *m;* **user-friendly** ['juzə'frendlɪ] *adj* benutzerfreundlich; **user interface** *s* (EDV) Benutzeroberfläche *f;* **user program** *s* (EDV) Anwenderprogramm *n;* **user software** *s* Anwendersoftware *f*
usher ['ʌʃə(r)] **I.** *s* **1.** Platzanweiser *m* **2.** (JUR) Gerichtsdiener *m* **II.** *tr* begleiten, bringen; ~ **into a room** in ein Zimmer bringen; ~ **out of a room** hinausbringen; ~ **s.o. in** jdn hineinführen; ~ **in a new era** ein neues Zeitalter einleiten; **usher•ette** [ˌʌʃə'ret] *s* Platzanweiserin *f*
USP [ˌju:es'pi:] *s abbr of* **unique selling proposition** USP *m*
usual ['ju:ʒl] *adj* gewöhnlich, üblich; **as** ~ wie gewöhnlich; **the** ~ das Übliche; wie üblich; **usu•ally** ['ju:ʒəlɪ] *adv* gewöhnlich, im Allgemeinen
usu•fruct ['ju:sju:frʌkt] *s* (JUR) Nießbrauch *m*
us•urer ['ju:ʒərə(r)] *s* Wucherer *m,* Wucherin *f;* **usuri•ous** [ju:'zjʊərɪəs] *adj* Wucher-
usurp [ju:'zɜ:p] *tr* widerrechtlich Besitz ergreifen von; usurpieren; an sich reißen; **usurper** [ju:'zɜ:pə(r)] *s* unrechtmäßiger Machthaber, Usurpator *m;* (*fig*) Eindringling *m*
us•ury ['ju:ʒərɪ] *s* Wucher *m*
uten•sil [ju:'tensl] *s* Gerät, Utensil *n*
uterine ['ju:təraɪn] *adj* der Gebärmutter; ~ **brother** Halbbruder *m;* ~ **sister** Halbschwester *f* mütterlicherseits; **uterus** ['ju:tərəs] *s* Gebärmutter *f,* Uterus *m*
utili•tar•ian [ju:ˌtɪlɪ'teərɪən] **I.** *adj* auf Nützlichkeit ausgerichtet; utilitaristisch **II.** *s* Utilitarist *m*
util•ity [ju:'tɪlətɪ] **I.** *s* **1.** Nützlichkeit *f,* Nutzen *m* **2.** (*public* ~) (öffentlicher) Versorgungsbetrieb *m* **II.** *adj attr* Gebrauchs-; ~ **programme** (EDV) Dienstprogramm *n;* ~ **room** Abstellraum *m*
util•iz•ation [ˌju:tɪlaɪ'zeɪʃn] *s* Verwendung, Nutzung *f;* Auswertung *f;* **util•ize** ['ju:tɪlaɪz] *tr* verwenden; nutzen; ver-

werten

ut•most ['ʌtməʊst] **I.** *adj* **1.** größte(r, s), höchste(r, s) **2.** äußerste(r, s), weiteste(r, s); **of the ~ importance** äußerst wichtig; **with the ~ speed** so schnell wie möglich **II.** *s* (das) Beste; (das) Äußerste; **do one's ~** sein Möglichstes tun; **that is the ~ I can help** mehr kann ich nicht helfen; **to the ~** aufs Äußerste; **at the ~** höchstens

ut•ter[1] ['ʌtə(r)] *tr* **1.** äußern, von sich geben; (*Schrei*) ausstoßen; (*Verleumdung*) verbreiten **2.** (JUR: *Geld*) in Umlauf bringen; (*Scheck*) ausstellen

ut•ter[2] ['ʌtə(r)] *adj* **1.** völlig, total **2.** unverbesserlich; **what ~ nonsense!** was für ein Unsinn!

ut•ter•ance ['ʌtərəns] *s* **1.** Äußerung *f* **2.** Sprechen *n;* Ausdruck *m;* **give ~ to s.th.** e-r S Ausdruck geben, etw zum Ausdruck bringen

ut•ter•ly ['ʌtəlɪ] *adv* völlig, total; **despise s.o. ~** jdn zutiefst verachten; **~ beautiful** unsagbar schön

ut•ter•most ['ʌtəməʊst] *adv s.* **utmost**

U-turn ['juːtɜːn] *s* Kehrtwendung *f a. fig;* **no ~s!** Wenden verboten!

uvula ['juːvjʊlə] *s* (ANAT) Zäpfchen *n*

ux•ori•ous [ˌʌk'sɔːrɪəs] *adj* (*Mann*) äußerst liebevoll, anhänglich

Uz•bek ['ʌzˌbək] **I.** *adj* usbekisch **II.** *s* Usbeke *m,* Usbekin *f;* **Uz•be•kis•tan** [ʌz'bekɪstən] *s* Usbekistan *n*

V

V, v [viː] <*pl* -'s> *s* V, v *n*
vac [væk] *s* (*fam*) Ferien *pl*
va•cancy ['veɪkənsɪ] *s* **1.** Leere *f* **2.** (*Hotel*) freies Zimmer **3.** (*Firma*) offene Stelle **4.** (*fig*) geistige Leere; **advertise a ~** e-e freie Stelle ausschreiben; **fill a ~** e-e Stelle besetzen; **Vacancies** (*Zeitungsrubrik*) Stellenangebote *npl,* Stellenmarkt *m;* (*Hotel*) Zimmer frei; **va•cant** ['veɪkənt] *adj* **1.** leer **2.** (*Raum, Wohnung, Haus*) leer stehend, unbewohnt **3.** (*Toilette, Zimmer, Platz*) frei **4.** (*Stelle*) unbesetzt, frei, vakant **5.** (*fig*) geistesabwesend; **be ~** leer stehen; **~ possession** sofort beziehbar; **va•cate** [və'keɪt, *Am* 'veɪkeɪt] *tr* **1.** (*Wohnung*) räumen **2.** (*Stelle*) aufgeben **3.** (*Amt*) niederlegen, zur Verfügung stellen **4.** (*Platz*) freimachen; **va•ca•tion** [və'keɪʃn, *Am* veɪ'keɪʃn] **I.** *s* **1.** Räumung *f* **2.** (Amts)Niederlegung *f* **3.** (Schul-, Semester-, Gerichts)Ferien *pl,* Urlaub *m;* **on ~** in Urlaub; **take a ~** (*Am*) Ferien machen; Urlaub nehmen; **summer ~** Sommerferien *pl* **II.** *itr* (*Am*) Urlaub, Ferien machen (*in, at* in); **va•ca•tioner, va•ca•tion•ist** [veɪ'keɪʃənə(r), veɪ'keɪʃənɪst] *s* (*Am*) Urlauber(in) *m(f)*
vac•ci•nate ['væksɪneɪt] *tr* impfen (*against* gegen); **vac•ci•na•tion** [ˌvæksɪ'neɪʃn] *s* Impfung *f;* **vac•cine** ['væksiːn] *s* Impfstoff *m*
vac•il•late ['væsɪleɪt] *itr* wanken, schwanken (*between* zwischen); **vac•il•la•tion** [ˌvæsɪ'leɪʃn] *s* (*fig*) Schwanken *n,* Unschlüssigkeit *f*
vacu•ity [və'kjuːətɪ] *s* **1.** Leere *f* **2.** (*fig*) Gedanken-, Geistlosigkeit *f;* **vacu•ous** ['vækjʊəs] *adj* **1.** leer; ausdruckslos **2.** gedanken-, geistlos; **vac•uum** ['vækjʊəm, -jʊə] <*pl* -uums, -uua> **I.** *s* (luft)leerer Raum, Vakuum *n* **II.** *tr* mit e-m Staubsauger reinigen; **vacuum bottle, vacuum flask** *s* Thermosflasche®, Isolierkanne *f;* **vacuum cleaner** *s* Staubsauger *m;* **vacuum-packed** [ˌvækjʊəm'pækt] *adj* vakuumverpackt; **vacuum suction** *s* Vakuumsuktion *f*
vaga•bond ['vægəbɒnd] *s* Landstreicher(in) *m(f)*
va•gary ['veɪgərɪ] *s* Laune, Grille *f;* verrückte Idee; **the vagaries of life** die Wechselfälle des Lebens
va•gina [və'dʒaɪnə] *s* Scheide, Vagina *f*
va•grancy ['veɪgrənsɪ] *s* Landstreicherei *f;* **va•grant** ['veɪgrənt] **I.** *s* Landstreicher(in) *m(f)* **II.** *adj* **1.** vagabundierend **2.** (*fig*) unstet
vague [veɪg] *adj* **1.** vage, unbestimmt **2.** ungenau, unklar, verschwommen **3.** zerstreut; **not the ~st idea** nicht die leiseste Ahnung; **vague•ness** ['-nɪs] *s* Unbestimmtheit, Unklarheit, Verschwommenheit *f;* Zerstreutheit *f*
vain [veɪn] *adj* **1.** eitel; eingebildet **2.** zweck-, nutzlos, vergeblich; **in ~** umsonst, vergeblich; **take s.o.'s name in ~** respektlos, leichtfertig von jdm sprechen; **vain•glori•ous** [ˌveɪn'glɔːrɪəs] *adj* prahlerisch; (*Person*) dünkelhaft
val•ance ['væləns] *s* Volant *m*
vale [veɪl] *s* (*poet*) Tal *n;* **this ~ of tears** dieses Jammertal
val•edic•tion [ˌvælɪ'dɪkʃn] *s* **1.** Abschied *m,* Lebewohl *n* **2.** Abschiedsworte *npl;* (*Am*) Abschiedsrede *f;* **val•edic•tory** [ˌvælɪ'dɪktərɪ] *s* (*Am*) Abschiedsrede *f*
val•ence, val•ency ['væləns, 'veɪlənsɪ] *s* **1.** (CHEM) Wertigkeit *f* **2.** (LING) Valenz *f*
Val•en•tine ['væləntaɪn] *s* Valentin *m;* **v~** am Valentinstag; (*14. Februar*) erwählter Schatz; **v~ (card)** Karte *f* zum Valentinstag
val•erian [və'lɪərɪən] *s* (BOT) Baldrian *m*
valet ['vælɪt] *s* **1.** (Kammer)Diener *m* **2.** Hoteldiener *m;* **valet service** *s* (*Hotel*) Reinigungsdienst *m*
val•etu•di•nar•ian [ˌvælɪtjuːdɪ'neərɪən] **I.** *adj* **1.** kränklich **2.** hypochondrisch **II.** *s* **1.** kränklicher Mensch **2.** Hypochonder *m*
val•iant ['vælɪənt] *adj* tapfer, mutig
valid ['vælɪd] *adj* **1.** gültig; (*Vertrag*) bindend, rechtskräftig; (*Anspruch*) berechtigt **2.** (*Grund*) stichhaltig, triftig; (*Einwand*) berechtigt; **~ for three months** drei Monate gültig; **~ until recalled** gültig bis auf Widerruf; **become ~** rechtswirksam werden; **remain ~** Geltung behalten; **vali•date** ['vælɪdeɪt] *tr* für gültig erklären, bestätigen; **valid•ity** [və'lɪdətɪ] *s* **1.** Gültigkeit *f;* Rechtswirksamkeit *f* **2.** Stichhaltigkeit *f*
val•ley ['vælɪ] *s* Tal *n*
valor *s* (*Am*), **val•our** ['vælə(r)] *s* (*lit*) Tapferkeit *f,* Mut *m*
valu•able ['væljʊəbl] **I.** *adj* **1.** wertvoll,

kostbar **2.** geschätzt **II.** *s pl* Wertgegenstände *mpl,* -sachen *fpl;* **valu•ation** [ˌvæljʊ'eɪʃn] *s* **1.** (Ab)Schätzung, Wertermittlung *f* **2.** Veranschlagung, Bewertung, Wertfestsetzung *f* **3.** Schätz-, Taxwert *m* **4.** (*fig*) Beurteilung *f;* **valu•ator** ['væljʊeɪtə(r)] *s* Taxator, Schätzer *m;* **value** ['vælju:] **I.** *s* **1.** Wert *m* **2.** Nutzen *m* **3.** **~s** sittliche Werte *mpl* **4.** (MATH) Wert *m* **5.** (MUS) Quantität *f;* **at ~** zum Tageskurs; **of lasting ~** von bleibendem Wert; **of no/little ~** nichts/wenig wert; **be of ~ to s.o.** jdm nützen; **of great ~** sehr wertvoll; **to the ~ of** im Wert von; **attach ~ to s.th., put a ~ on s.th.** e-r S Wert, Bedeutung beimessen; **what's the ~ of it?** was ist es wert?; **go down in ~** an Wert verlieren; **it's good ~** das ist preiswert; **get ~ for money** reell bedient werden; **increase in ~** Wertsteigerung *f;* **loss in ~** Wertverlust *m;* **nominal ~** Nennwert *m* **II.** *tr* **1.** (ab)schätzen, bewerten, taxieren (*at* auf) **2.** (*fig*) (wert)schätzen; **value-added tax, VAT** *s* Mehrwertsteuer, MwSt *f;* **valued** ['vælju:d] *adj* geschätzt; **value•less** ['vælju:lɪs] *adj* **1.** wertlos **2.** (*Beurteilung*) wertfrei; **valuer** ['vælju:ə(r)] *s* Schätzer, Taxator *m*

valve [vælv] *s* **1.** Ventil *n* **2.** (RADIO TV) Röhre *f* **3.** (ANAT) Klappe *f*

va•moose [və'mu:s] *itr* (*Am sl*) abhauen, türmen

vamp[1] [væmp] **I.** *s* **1.** Oberleder *n* **2.** improvisierte Begleitmusik **II.** *tr* **1.** flicken **2.** (MUS) improvisieren; **~ up** (*sl*) aufmotzen **III.** *itr* (MUS) improvisieren

vamp[2] [væmp] **I.** *s* (*Frau*) Vamp *m* **II.** *itr* verführerisch sein

vam•pire ['væmpaɪə(r)] *s* Vampir *m*

van[1] [væn] *s* **1.** (*Br*) Lieferwagen, Kleintransporter *m;* Möbelwagen *m* **2.** (RAIL) Güterwagen *m* **3.** (*fam*) Wohnwagen *m;* **gipsy's ~** Zigeunerwagen *m;* **removal ~** Möbelwagen *m;* **luggage ~** (RAIL) Gepäckwagen *m*

van[2] [væn] *s abbr of* **advantage** (*Tennis*) Vorteil *m*

van[3] [væn] *s abbr of* **vanguard** Vorhut *f a. fig*

van•dal ['vændl] *s* (*fig*) Rowdy *m;* **van•dal•ism** ['vændəlɪzəm] *s* mutwillige Sachbeschädigung, Vandalismus *m;* **van•dal•ize** ['vændəlaɪz] *tr* mutwillig zerstören

vane [veɪn] *s* **1.** Wetterfahne *f* **2.** (*Propeller*) Flügel *m* **3.** (TECH) Schaufel *f*

van•guard ['vængɑ:d] *s* **1.** (MIL) Vorhut *f* **2.** (*fig*) Avantgarde *f;* **be in the ~ of s.th.** an der Spitze von etw stehen

va•nilla [və'nɪlə] *s* (BOT) Vanille *f*

van•ish ['vænɪʃ] *itr* verschwinden; (*Angst, Sorgen*) sich legen; (*Hoffnung*) schwinden; (*Rasse, Kultur*) untergehen; **~ing cream** Tagescreme *f;* **~ing point** Fluchtpunkt *m;* (*fig*) Nullpunkt *m*

van•ity ['vænətɪ] *s* **1.** Eitelkeit, Selbstgefälligkeit *f;* Einbildung *f* **2.** Nichtigkeit *f;* Vergeblichkeit *f* **3.** (*Am*) Frisiertisch *m;* **vanity bag, vanity case** *s* Kosmetikkoffer *m*

van•quish ['væŋkwɪʃ] *tr* besiegen

van•tage ['vɑ:ntɪdʒ] *s* Vorteil *m* (*a. Tennis*); **vantage point** *s* günstiger Aussichtspunkt; **from a modern ~** aus moderner Sicht

vapid ['væpɪd] *adj* (*fig*) nichts sagend; fade

va•por•iz•ation [ˌveɪpəraɪ'zeɪʃn, *Am* ˌveɪpərɪ'zeɪʃn] *s* Verdampfung *f;* Verdunstung *f;* **va•por•ize** ['veɪpəraɪz] *tr, itr* verdampfen; verdunsten; **va•por•izer** ['veɪpəraɪzə(r)] *s* Verdampfer *m;* Zerstäuber *m;* **va•por** *s* (*Am*), **va•pour** ['veɪpə(r)] *s* Dampf *m;* Dunst *m;* **water ~** Wasserdampf *m;* **vapo(u)r pressure** *s* Dampfdruck *m;* **vapo(u)r trail** *s* (AERO) Kondensstreifen *m*

varia•bil•ity [ˌveərɪə'bɪlətɪ] *s* Veränderlichkeit *f;* **vari•able** ['veərɪəbl] **I.** *adj* **1.** veränderlich; variabel; (*Winde*) wechselnd **2.** (TECH) regulierbar; einstellbar **3.** (*fig: Wetter, Stimmung*) unbeständig **II.** *s* (MATH) Variable *f,* veränderliche Größe; **variable geometry wing** *s* (AERO) Schwenkflügel *m*

vari•ance ['veərɪəns] *s* **1.** Unterschied *m;* Abweichung *f* **2.** (*Statistik*) Streuung *f* **3.** (MATH) Varianzvial *n,* Phiole *f;* **at ~** (*Sachen*) im Widerspruch (*with* zu); **be at ~ with s.o.** anderer Meinung sein als jem

vari•ant ['veərɪənt] **I.** *adj* andere(r, s), verschiedenartig **II.** *s* Variante *f;* **vari•ation** [ˌveərɪ'eɪʃn] *s* **1.** Veränderung *f;* Variation *f;* (METE FIN) Schwankung *f* **2.** (MUS) Variation *f* (*on* zu) **3.** (*a.* BIOL) Variante *f;* **~ in quality** unterschiedliche Qualität

vari•cose ['værɪkəʊs] *adj:* **~ veins** Krampfadern *fpl*

var•ied ['veərɪd] *adj* **1.** mannigfach, verschiedenartig; unterschiedlich **2.** abwechslungsreich

varie•gated ['veərɪgeɪtɪd] *adj* bunt, farbenprächtig; (*Blatt*) panaschiert

var•iety [və'raɪətɪ] *s* **1.** Mannigfaltigkeit, Vielfalt *f* **2.** Abwechslung *f* **3.** Auswahl *f;* Art, Sorte *f* **4.** Spielart, Variante *f* **5.** (THEAT) Varietee *n;* **add** [*o* **give**] **~ to s.th.** Abwechslung in etw bringen; **there is not much ~** es ist nicht sehr abwechslungsreich; **a ~ of colours** die verschiedensten Farben; **for a ~ of reasons** aus verschiedenen Gründen; **~ is the spice of life** (*prov*) Abwechslung muss sein; **variety act** *s* Varieteenummer *f;* **variety show** *s* Varietee *n;* (RADIO TV) Unterhaltungssendung *f;* **variety theatre** *s* Varieteetheater *n*

vari•ous ['veərɪəs] *adj* **1.** verschiedene **2.** (*fam*) mehrere; **at ~ times** zu verschiedenen Zeiten; **for ~ reasons** aus verschiedenen Gründen

var•mint ['vɑːmɪnt] *s* **1.** (*Am*) Halunke *m* **2.** (*Tier*) Schädling *m*

var•nish ['vɑːnɪʃ] **I.** *s* **1.** Firnis *m;* Politur *f;* Lack *m;* (*Töpferei*) Glasur *f* **2.** (*fig*) (äußerer) Schein *m* **II.** *tr* **1.** firnissen; polieren; lackieren **2.** (*fig*) beschönigen

vars•ity ['vɑːsətɪ] *s* (*fam*) Uni(versität) *f*

vary ['veərɪ] **I.** *tr* abändern; variieren **II.** *itr* **1.** sich wandeln, sich (ver)ändern, veränderlich sein; variieren **2.** sich unterscheiden (*from* von); **vary•ing** [-ɪŋ] *adj* **1.** veränderlich **2.** unterschiedlich

vas•cu•lar ['væskjʊlə(r)] *adj* (ANAT ZOO BOT): **~ system** Gefäßsystem *n*

vase [vɑːz, *Am* veɪs] *s* (Blumen)Vase *f*

vas•sal ['væsl] *s* (HIST) Vasall, Lehensmann *m;* **vassal state** *s* Vasallenstaat *m;* **vas•sal•age** ['væsəlɪdʒ] *s* (HIST) Lehenspflicht *f* (*to* gegenüber); (*fig*) Unterworfenheit *f* (*to* unter)

vast [vɑːst] *adj* **1.** riesig **2.** enorm; beträchtlich, umfangreich; **~ majority** überwiegende Mehrheit; **vast•ly** ['-lɪ] *adv* in hohem Maße; **vast•ness** ['-nɪs] *s* **1.** Weite, Ausgedehntheit *f* **2.** gewaltige Größe

vat [væt] *s* (großes) Fass *n,* Bottich *m*

VAT [ˌviːeɪ'tiː] *s abbr of* **value-added tax** (FIN) Mehrwertsteuer, MwSt *f*

Vati•can ['vætɪkən] *s* Vatikan *m*

vaude•ville ['vɔːdəvɪl] *s* Varietee(vorstellung *f*) *n*

vault¹ [vɔːlt] *s* **1.** (*a.* BIOL) Gewölbe *n,* Wölbung *f* **2.** Keller *m* **3.** Gruft *f* **4.** Stahlkammer *f,* Tresor(raum) *m*

vault² [vɔːlt] **I.** *s* (SPORT) Sprung *m* **II.** *tr* überspringen, springen über **III.** *itr* springen

vaulted ['vɔːltɪd] *adj* gewölbt; **vault•ing** ['vɔːltɪŋ] *s* (ARCH) Wölbung *f;* Gewölbe *n*

vault•ing horse ['vɔːltɪŋhɔːs] *s* (*Turnen*) Pferd *n;* **vaulting pole** *s* Sprungstab *m*

vaunt [vɔːnt] **I.** *s* Loblied *n* **II.** *tr* rühmen

VCR [ˌviːsiː'ɑː(r)] *s abbr of* **video cassette recorder** Videorecorder *m*

VD [viː'diː] *s abbr of* **venereal disease**(s) Geschlechtskrankheit(en *pl*) *f*

VDU [ˌviːdiː'juː] *s abbr of* **visual display unit** Datensicht-, Bildschirmgerät *n*

veal [viːl] *s* Kalbfleisch *n;* **veal cutlet** *s* Kalbsschnitzel *n*

vec•tor ['vektə(r)] *s* **1.** (MATH) Vektor *m* **2.** (MED) Träger *m*

veer [vɪə(r)] **I.** *itr* **1.** sich drehen, sich wenden **2.** (MAR) (ab)drehen **3.** (*fig*) seine Meinung ändern, umschwenken (*to* zu) **II.** *s* **1.** (*Wind*) Drehung *f* **2.** (*Schiff, fig*) Kurswechsel *m* **3.** (MOT) Ausscheren *n* **4.** (*Straße*) Knick *m,* scharfe Kurve; **veer (a)round** *tr* (*Auto*) herumreißen; wenden

veg [vedʒ] *s* (*fam*) (gekochtes) Gemüse *n;* **ve•gan** ['viːgən] *s* Veganer(in) *m(f);* **veg•etable** ['vedʒtəbl] **I.** *adj* pflanzlich **II.** *s* Gemüse *n;* **become a mere ~** nur noch dahinvegetieren; **vegetable butter, veg•etable fat** *s* Pflanzenfett *n;* **vegetable food** *s* Pflanzenkost *f,* pflanzliche Nahrung; **vegetable garden** *s* Gemüsegarten *m;* **vegetable kingdom** *s* Pflanzenreich *n;* **vegetable oil** *s* Pflanzenöl *n*

veg•etar•ian [ˌvedʒɪ'teərɪən] **I.** *s* Vegetarier(in) *m(f)* **II.** *adj* vegetarisch; **veg•etate** ['vedʒɪteɪt] *itr* (*fig*) (dahin)vegetieren; **veg•eta•tion** [ˌvedʒɪ'teɪʃn] *s* **1.** Vegetation *f* **2.** (*fig*) Dahinvegetieren *n*

ve•he•mence ['viːəməns] *s* Heftigkeit *f;* Leidenschaftlichkeit *f;* **ve•he•ment** ['viːəmənt] *adj* **1.** heftig, stark, gewaltig **2.** (*fig*) leidenschaftlich

ve•hicle ['viːɪkl] *s* **1.** Fahrzeug *n* **2.** (*fig*) Träger *m* **3.** Medium, Mittel *n;* **commercial ~** Nutzfahrzeug *n;* **motor ~** Kraftfahrzeug *n;* **~ of** [*o* **for**] **propaganda** Propagandamittel *n;* **vehicle currency** *s* Leitwährung *f;* **vehicle registration centre** *s* Kraftfahrzeugzulassungsstelle *f;* **vehicle registration number** *s* Kraftfahrzeugkennzeichen *n;* **ve•hicu•lar** [vɪ'hɪkjʊlə(r)] *adj:* **~ traffic** Fahrzeugverkehr *m*

veil [veɪl] **I.** *s* **1.** Schleier *a. fig* **2.** (*fig*) Deckmantel *m;* **under the ~ of** (*fig*) unter dem Schleier, unter dem Deckmantel *+gen;* **draw a ~ over** (*fig*) e-n Schleier ziehen über; **raise the ~** den Schleier lüften **II.** *tr* verschleiern; verhüllen, verbergen; **veiled** [veɪld] *adj* (*a.* COM) verschleiert, versteckt

vein [veɪn] *s* **1.** (ANAT) Ader *f;* Vene *f* **2.** (BOT MIN) Ader *f* **3.** (*Holz*) Faser *f* **4.** (*fig*) Ader, Anlage, Veranlagung, Neigung *f* (*of* zu) **5.** (*fig*) Stimmung *f;* **a ~ of truth** eine Spur von Wahrheit; **veined** [veɪnd] *adj* geädert

ve•lar ['viːlə(r)] **I.** *adj* velar **II.** *s* Velar(laut) *m*

Vel•cro® ['velkrəʊ] *s:* **~ fastener** Klett(en)verschluss *m*

veld(t) [velt] *s* Grasland *n* (*in Südafrika*)

vel•oci•pede [vɪ'lɒsɪpiːd] *s* (*Am*) (Kinder)Dreirad *n*

vel•oc•ity [vɪ'lɒsətɪ] *s* Geschwindigkeit *f;* **at the ~ of** mit der Geschwindigkeit von; **initial/final ~** Anfangs-/Endgeschwindigkeit *f;* **~ of light** Lichtgeschwindigkeit *f;* **~ of sound** Schallgeschwindigkeit *f*

vel•vet ['velvɪt] *s* Samt *m;* **vel•vet•een** [ˌvelvɪ'tiːn] *s* Veloursamt *m;* **vel•vety** ['velvɪtɪ] *adj* samtweich

ve•nal ['viːnl] *adj* käuflich; korrupt; **ve•nal•ity** [vɪ'nælətɪ] *s* Käuflichkeit *f;* Korruption *f*

vend [vend] *tr* verkaufen; **vend•ing machine** [ndɪŋməʃiːn] *s* Verkaufs-, Warenautomat *m;* **vendor** ['vendə(r)] *s* Verkäufer(in) *m(f);* **ven•due** ['vendjuː] *s* (*Am*) Auktion *f*

ven•det•ta [ven'detə] *s* Fehde *f;* Blutrache *f*

ve•neer [və'nɪə(r)] **I.** *tr* furnieren **II.** *s* **1.** Furnier *n* **2.** (*fig*) Tünche *f*

ven•er•able ['venərəbl] *adj* ehrwürdig; **ven•er•ate** ['venəreɪt] *tr* verehren; (*Andenken*) ehren; **ven•er•ation** [ˌvenə'reɪʃn] *s* Verehrung *f* (*for* für); **hold s.o. in ~** jdn verehren; **hold s.o.'s memory in ~** jds Andenken ehren

ve•ner•eal [və'nɪərɪəl] *adj* Geschlechts-; **~ disease, VD** Geschlechtskrankheit *f*

ve•ne•tian blind [vəˌniːʃn'blaɪnd] *s* Jalousie *f*

Vene•zue•la [ˌvene'zweɪlə] *s* Venezuela *n;* **Vene•zue•lan** [ˌvene'zweɪlən] **I.** *adj* venezolanisch, venezuelisch **II.** *s* Venezolaner(in) *m(f)*

ven•geance ['vendʒəns] *s* Rache *f;* **with a ~** (*fam*) wie toll, wie verrückt; **take ~ (up)on s.o.** sich an jdm rächen

ve•nial ['viːnɪəl] *adj* verzeihlich; **~ sin** lässliche Sünde

ven•ison ['venɪzn] *s* Reh(fleisch) *n*

venom ['venəm] *s* **1.** Gift *n* **2.** (*fig*) Bosheit *f;* **venom•ous** ['venəməs] *adj* **1.** giftig **2.** (*fig*) boshaft, bösartig; **~ snake** Giftschlange *f*

ve•nous ['viːnəs] *adj* **1.** (PHYSIOL) venös **2.** (BOT) geädert

vent [vent] **I.** *s* **1.** Öffnung *f;* (*Kamin*) Abzug *m;* (*Fass*) Spundloch *n* **2.** (*Kleidung*) Schlitz *m* **3.** (*fig*) Ventil *n;* **give ~ to s.th.** etw ausdrücken; **give ~ to one's feelings** s-n Gefühlen freien Lauf lassen; **give ~ to one's anger** sich Luft machen **II.** *tr* (*Gefühle*) abreagieren (*on* an)

ven•ti•late ['ventɪleɪt] *tr* **1.** (ent-, be)lüften **2.** (PHYSIOL) Sauerstoff zuführen (*s.th.* e-r S) **3.** (*fig: Frage*) ventilieren, erörtern; (*Beschwerde*) vorbringen; **ven•ti•la•tion** [ˌventɪ'leɪʃn] *s* **1.** Be-, Entlüftung, Ventilation *f* **2.** (PHYSIOL) Sauerstoffzufuhr *f* **3.** (*fig*) (freie) Aussprache *f;* **ventilation duct** *s* Lüftungsleitung *f;* **ven•ti•la•tor** ['ventɪleɪtə(r), *Am* 'ventəleɪtə(r)] *s* Ventilator *m*

ven•tricle ['ventrɪkl] *s* (ANAT) Herzkammer *f,* Ventrikel *m*

ven•tril•oquist [ven'trɪləkwɪst] *s* Bauchredner(in) *m(f)*

ven•ture ['ventʃə(r)] **I.** *s* Unternehmen, Unterfangen *n;* Projekt *n;* **that's his latest ~** darauf hat er sich neuerdings verlegt; **his first ~ at doing this** sein erster Versuch das zu tun; **business ~** Unternehmen, Projekt *n* **II.** *tr* wagen; aufs Spiel setzen, riskieren; **may I ~ an opinion?** darf ich sagen, was ich darüber denke? **III.** *itr* sich wagen (*on, upon s.th.* an etw); **venture on s.th.** *itr* sich an etw wagen; **he ~d on a statement** er hatte den Mut, eine Erklärung abzugeben; **venture out** *itr* sich hinauswagen; **venture capital** *s* (FIN) Risikoanlagekapital *n;* **ven•ture•some** [-səm] *adj* abenteuerlich

venue ['venjuː] *s* Treffpunkt *m,* Begegnungsstätte *f;* (SPORT) Austragungsort *m;* (JUR) Verhandlungsort *m*

Venus ['viːnəs] *s* (ASTR) Venus *f*

ver•acious [və'reɪʃəs] *adj* **1.** ehrlich **2.** wahr, richtig; **ver•ac•ity** [və'ræsətɪ] *s* **1.** Ehrlichkeit *f* **2.** Wahrheit *f*

ve•ran•da(h) [və'rændə] *s* Veranda *f*

verb [vɜːb] *s* (GRAM) Verb, Zeitwort *n;* **ver•bal** ['vɜːbl] *adj* **1.** mündlich **2.** (*Übersetzung*) wörtlich; wortgetreu **3.** (*Fehler, Fähigkeit*) sprachlich **4.** (GRAM) verbal; **~ memory** Wortgedächtnis *n;* **~ note** (POL) Verbalnote *f;* **~ noun** Verbalsubstantiv *n;* **ver•bal•ize** ['vɜːbəlaɪz] *tr* **1.** in Worten ausdrücken **2.** (GRAM) verbal formulieren; **ver•bal•ly** ['vɜːbəlɪ] *adv* **1.** mündlich **2.** (GRAM) verbal; **ver•ba•tim** [vɜː'beɪtɪm] *adv, adj* wörtlich; Wort für Wort; **ver•bi•age** ['vɜːbɪɪdʒ] *s* Wortreichtum, -schwall *m;* **ver•bose** [vɜː'bəʊs] *adj* wortreich, langatmig; **ver•bos•ity** [vɜː'bɒsətɪ] *s* Langatmigkeit *f*

ver•dant ['vɜːdnt] *adj* grün, frisch

ver•dict ['vɜːdɪkt] *s* Urteil *n;* (BES. JUR: *Wähler*) Entscheidung *f;* **arrive at a ~** zu e-m (Urteils)Spruch kommen; **~ of guilty** Schuldspruch *m;* **~ of not guilty** Freispruch *m;* **what is the ~?** wie lautet das Urteil?; **what is your ~ on this book?** wie beurteilen Sie dieses Buch?; **give one's ~ on** [*o* **about**] **s.th.** sein Urteil über etw abgeben

ver•di•gris ['vɜːdɪgrɪs] *s* Grünspan *m*

verge [vɜːdʒ] *s* Rand *m;* (*Straße*) Bankett *n,* Seitenstreifen *m;* **on the ~ of** (*fig*) am Rande *+gen,* nahe an; **be on the ~ of doing s.th.** im Begriff, nahe daran sein etw zu tun; **verge on** *itr* grenzen an; **he is verging on sixty** er ist fast sechzig

verger ['vɜːdʒə(r)] *s* Kirchendiener, Küster *m*

veri•fi•able ['verɪfaɪəbl] *adj* nachprüfbar; **veri•fi•ca•tion** [ˌverɪfɪ'keɪʃn] *s* **1.** Nach-, Überprüfung, Kontrolle *f* **2.** Bestätigung *f;*

Nachweis *m;* Beurkundung *f;* **on ~ of this** urkundlich dessen; **ver•ify** ['verɪfaɪ] *tr* **1.** (*auf Echtheit, Richtigkeit*) (über)prüfen, kontrollieren **2.** bestätigen, (urkundlich) belegen; beglaubigen; beweisen **3.** (*Verdacht, Furcht*) bestätigen
veri•si•mili•tude [ˌverɪsɪ'mɪlɪtju:d] *s* Wahrscheinlichkeit *f*
veri•table ['verɪtəbl] *adj* wahr(haft), wirklich
ver•mi•celli [ˌvɜ:mɪ'selɪ] *s pl* Fadennudeln *fpl*
ver•mi•cide ['vɜ:mɪsaɪd] *s* Wurmmittel *n*
ver•mi•form ['vɜ:mɪfɔ:m] *adj* wurmförmig; **~ appendix** (ANAT) Wurmfortsatz *m*
ver•mil•ion [və'mɪlɪən] *adj* zinnoberrot
ver•min ['vɜ:mɪn] *s* **1.** Ungeziefer *n;* Schädling *m* **2.** (*fig*) Gesindel *n;* **ver•min•ous** ['vɜ:mɪnəs] *adj* voller Ungeziefer
ver•mouth ['vɜ:məθ, *Am* vər'mu:θ] *s* Wermut *m*
ver•nacu•lar [və'nækjʊlə(r)] **I.** *adj* (*Sprache*) mundartlich; (ein)heimisch **II.** *s* Mundart *f;* Landessprache *f*
ver•nal equi•nox ['vɜ:nl'i:kwɪnɒks] *s* Frühjahrs-Tagundnachtgleiche *f* (*21. März*)
ve•ron•ica [və'rɒnɪkə] *s* (BOT) Ehrenpreis *m od n,* Veronika *f*
ver•ruca [və'ru:kə] *s* Warze *f*
ver•sa•tile ['vɜ:sətaɪl, *Am* 'vɜ:sətl] *adj* vielseitig; **ver•sa•til•ity** [ˌvɜ:sə'tɪlətɪ] *s* Vielseitigkeit *f*
verse [vɜ:s] *s* **1.** Strophe *f* **2.** Dichtung *f* **3.** (REL) Vers *m;* **in ~** in Versform; **give** [*o* **quote**] **chapter and ~ for s.th.** etw genau belegen
versed [vɜ:st] *adj* erfahren, bewandert, versiert (*in* in)
ver•sify ['vɜ:sɪfaɪ] **I.** *itr* Verse machen, dichten **II.** *tr* in Versform bringen
ver•sion ['vɜ:ʃn] *s* **1.** Version *f* **2.** Darstellung *f* **3.** (*Auto etc*) Modell *n,* Ausführung *f* **4.** Übersetzung *f*
verso ['vɜ:səʊ] <*pl* versos> *s* Rückseite *f*
ver•sus ['vɜ:səs] *prep* (JUR SPORT) gegen
ver•te•bra ['vɜ:tɪbrə, *pl* -bri:] <*pl* -brae> *s* Rückenwirbel *m;* **ver•te•bral** ['vɜ:tɪbrl] *adj:* **~ column** Wirbelsäule *f,* Rückgrat *n;* **ver•te•brate** ['vɜ:tɪbrət] *s* Wirbeltier *n*
ver•tex ['vɜ:teks, *pl* -tɪsi:z] <*pl* -tices> *s* **1.** Spitze *f,* Gipfel *m a. fig* **2.** (MATH) Scheitel(punkt) *m* **3.** (ASTR) Zenit *m*
ver•ti•cal ['vɜ:tɪkl] **I.** *adj* senkrecht, lotrecht, vertikal; **~ clearance** lichte Höhe; **~ integration** vertikale Integration, Unternehmenskonzentration; **~ take-off aircraft** Senkrechtstarter *m* **II.** *s* Senkrechte, Vertikale *f;* **out of the ~** aus der Senkrechten
ver•ti•gin•ous [vɜ:'tɪdʒɪnəs] *adj* schwindelerregend; **ver•tigo** ['vɜ:tɪgəʊ] *s* **1.** Schwindel(gefühl *n*) *m* **2.** (MED) Gleichgewichtsstörung *f*
verve [vɜ:v] *s* **1.** Schwung *m,* Begeisterung *f,* Feuer *n* **2.** Ausdruckskraft, -gewalt *f*
very ['verɪ] **I.** *adv* **1.** sehr **2.** äußerst **3.** gerade, (ganz) genau; **~ much** sehr; **thank you ~ much** vielen Dank; **~ possible** gut möglich; **how ~ peculiar!** wie eigenartig!; **the ~ best** der, die, das Allerbeste; **at the ~ latest** allerspätestens; **the ~ same** genau derselbe; **the ~ next day** gleich am nächsten Tag; **the ~ same day** noch am selben Tag; **my ~ own** mein eigenes; **~ well** na, nun gut; sehr wohl; **V~ Important Person, VIP** bedeutende Persönlichkeit, VIP *f* **II.** *adj* **1.** genau **2.** äußerste(r, s) **3.** bloß, allein, schon; sogar; **in the ~ act** auf frischer Tat; **to the ~ heart** tief ins Herz; **the ~ thought** der bloße Gedanke; **the ~ thing** genau das Richtige; **at the ~ end** am äußersten Ende
Very light® ['verɪˌlaɪt] *s* (MIL) Leuchtpatrone *f;* **Very pistol®** *s* Leuchtpistole *f*
ves•icle ['vesɪkl] *s* Bläschen *n*
ves•pers ['vespəz] *s pl* Vesper *f*
vessel ['vesl] *s* **1.** (*a.* ANAT BOT) Gefäß *n,* Behälter *m* **2.** (MAR) Schiff *n;* **blood ~** Blutgefäß *n*
vest[1] [vest] *s* **1.** (*Br*) Unterhemd *n* **2.** (*Am*) Weste *f*
vest[2] [vest] *tr* verleihen (*s.o. with s.th., s.th. in s.o.* jdm etw); **be ~ed with the power to do s.th.** das Recht haben etw zu tun; **the authority ~ed in him** die ihm verliehene Macht; **have a ~ed interest in s.th.** finanziell an etw beteiligt sein; (*fig*) persönliches Interesse an etw haben
ves•tal ['vestl] *adj:* **~ virgin** Vestalin *f*
ves•ti•bule ['vestɪbju:l] *s* **1.** Eingang(shalle *f*) *m,* Vorraum *m* **2.** (ANAT) Vorhof *m*
ves•tige ['vestɪdʒ] *s* Spur *f;* Überrest *m;* **not a ~ of** keine Spur von
vest•ment ['vestmənt] *s* **1.** (Amts)Tracht, Robe *f* **2.** (REL) Messgewand *n*
vest-pocket ['vestˌpɒkɪt] *adj* (*Am*): **~ edition** (*Buch*) Miniaturausgabe *f;* **~ size** Westentaschenformat *n*
ves•try ['vestrɪ] *s* Sakristei *f*
vet [vet] **I.** *s abbr of* **veterinary surgeon** Tierarzt *m,* -ärztin *f* **II.** *tr* überprüfen
vet [vet] *s* (*Am fam*) *abbr of* **veteran** Veteran(in) *m(f)*
vetch [vetʃ] *s* (BOT) Wicke *f*
vet•eran ['vetərən] *s* **1.** Veteran(in) *m(f)* **2.** (*fig*) alter Praktikus; **veteran car** *s* Oldtimer *m*
vet•eri•nar•ian [ˌvetərɪ'neərɪən] *s* (*Am*) Tierarzt *m,* -ärztin *f;* **vet•erin•ary** ['vetrɪnrɪ] *adj* tierärztlich; veterinär-; **~ medicine** Veterinärmedizin *f;* **~ surgeon** *s.* **vet-**

erinarian

veto ['viːtəʊ] <*pl* vetoes> **I.** *s* **1.** Veto *n,* Einspruch *m* **2.** (*power, right of* ~) Veto-, Einspruchsrecht *n* **II.** *tr* **1.** sein Veto einlegen gegen **2.** verbieten, untersagen

vex [veks] *tr* **1.** ärgern, aufregen, rasend machen **2.** plagen, quälen; **be ~ed about** verärgert sein über; **be ~ed with s.o.** auf jdn böse sein; **a ~ed question** eine schwierige, vieldiskutierte, umstrittene Frage; **vex•ation** [vek'seɪʃn] *s* **1.** Ärger *m;* Plage, Qual *f* **2.** ~**s** Ärgernisse *npl,* Unannehmlichkeiten *fpl;* **vex•atious** [vek'seɪʃəs] *adj* **1.** lästig, ärgerlich, verdrießlich **2.** (JUR) schikanös

VHF [ˌviːeɪtʃ'ef] *s abbr of* **very high frequency** UKW *f*

via ['vaɪə] *prep* über; per; via

vi•abil•ity [ˌvaɪə'bɪlətɪ] *s* **1.** Lebensfähigkeit *f* **2.** Machbarkeit *f* **3.** (COM) Rentabilität *f;* **vi•able** ['vaɪəbl] *adj* **1.** lebensfähig **2.** (*Plan*) machbar **3.** (COM) rentabel; lebensfähig

vi•aduct ['vaɪədʌkt] *s* Viadukt *m od n*

vibes [vaɪbz] *s pl* **1.** (*fam*) Vibraphon *n* **2.** (*sl*) Atmosphäre *f;* Reaktion *f;* Ausstrahlung *f;* **vi•brant** ['vaɪbrənt] *adj* **1.** vibrierend, schwingend **2.** (*fig*) pulsierend, lebhaft; **vi•bra•phone** ['vaɪbrəfəʊn] *s* (MUS) Vibraphon *n;* **vi•brate** [vaɪ'breɪt] **I.** *itr* **1.** vibrieren **2.** zittern (*with* vor); ~ **with life** vor Leben sprühen; ~ **with activity** von regem Treiben erfüllt sein **II.** *tr* in Schwingungen versetzen; vibrieren lassen; **vi•bra•tion** [vaɪ'breɪʃn] *s* **1.** Schwingung, Vibration *f* **2.** *oft pl* (*sl*) Ausstrahlung *f;* Atmosphäre *f;* Feeling *n;* **he got ~s from her** er spürte ihre Ausstrahlung; **vi•brator** [vaɪ'breɪtə(r)] *s* Vibrator *m*

vicar ['vɪkə(r)] *s* (REL) Pfarrer(in), Pastor(in) *m (f);* **vicar•age** ['vɪkərɪdʒ] *s* Pfarrhaus *n*

vi•cari•ous [vɪ'keərɪəs, *Am* vaɪ'keərɪəs] *adj* **1.** stellvertretend **2.** (*fig*) nachempfunden; Ersatz-

vice¹ [vaɪs] *s* **1.** Laster *n* **2.** (*a.* COM) Fehler *m;* ~ **squad** Sittenpolizei *f*

vice² [vaɪs] *s* Schraubstock *m;* ~**-like grip** eiserner Griff

vice³ [vaɪs] **I.** *s* (*fam*) Vize(präsident(in)) *m (f)* **II.** *prefix* Vize-; **vice-chairman** *s* stellvertretender Vorsitzender; **vice-chancellor** *s* Vizekanzler(in) *m(f);* (*Universität*) Rektor(in) *m(f);* **vice-president** *s* Vizepräsident(in) *m(f)*

vice versa [ˌvaɪsɪ'vɜːsə] *adv* umgekehrt

vi•cin•ity [vɪ'sɪnətɪ] *s* Nachbarschaft, Nähe *f;* **in close ~ to** ganz nahe bei; **in the immediate ~** in unmittelbarer Umgebung; **in the ~ of 1,000 DM** um die 1.000 DM (herum), ca. 1.000 DM

vi•cious ['vɪʃəs] *adj* **1.** tückisch, bösartig, gefährlich **2.** (*Hund*) bissig **3.** boshaft **4.** gemein, grausam **5.** lasterhaft; **vicious circle** *s* Teufelskreis *m*

vi•ciss•itude [vɪ'sɪsɪtjuːd] *s* **1.** Wechsel *m;* Unbeständigkeit *f* **2.** ~**s** Wechselfälle *mpl,* Auf und Ab *n*

vic•tim ['vɪktɪm] *s* **1.** Opfer *n* **2.** Geschädigte(r) *f m;* **fall ~ to** das Opfer werden von; ~ **of circumstances** Opfer *n* der Verhältnisse; **vic•tim•ize** [-aɪz] *tr* unfair behandeln; schikanieren

vic•tor ['vɪktə(r)] *s* Sieger(in), Gewinner(in) *m (f)*

Vic•tor•ian [vɪk'tɔːrɪən] *adj* **1.** (HIST) viktorianisch **2.** (*fig*) spießbürgerlich, prüde

vic•tori•ous [vɪk'tɔːrɪəs] *adj* siegreich (*over* über); **vic•tory** ['vɪktərɪ] *s* Sieg *m a. fig;* **gain** [*o* **win**] **a narrow ~ over** e-n knappen Sieg erringen über; ~ **at the elections** Wahlsieg *m*

vict•ual ['vɪtl] **I.** *s meist pl* Lebensmittel *npl* **II.** *tr* verpflegen, verproviantieren **III.** *itr* sich verpflegen, sich verproviantieren; **vict•ual•ler** ['vɪtlə(r)] *s* Lebensmittelhändler(in) *m(f);* **licensed ~** *für den Verkauf von Alkohol konzessionierter Lebensmittelhändler*

vide•licet, **viz** [vɪ'diːlɪsət, *Am* vɪ'delɪsət, vɪz] *adv* nämlich; und zwar

video ['vɪdɪəʊ] <*pl* videos> **I.** *tr* auf Band aufnehmen **II.** *s* (*Am*) Fernsehen *n;* Videogerät *n,* -recorder *m;* **video camera** *s* Videokamera *f;* **video cassette** *s* Videokassette *f;* **video conference** *s* Videokonferenz *f;* **video game** *s* Video-, Telespiel *n;* **video•phone** *s* Bildtelefon *n;* **video recorder** *s* Videorecorder *m,* -gerät *n;* **video set** *s* Video(-Fernseh)gerät *n;* **video show** *s* Fernsehprogramm *n;* **video surveillance** *s* Videoüberwachung *f;* **video tape** *s* Videoband *n;* **video•text** ['vɪdɪəʊtekst] *s* Videotext *m;* **video transmission** *s* Fernsehübertragung *f;* **video transmitter** *s* Fernsehsender *m*

vie [vaɪ] *itr* wetteifern (*with s.o.* mit jdm, *for* um)

Vi•en•na [vɪ'enə] *s* Wien *n;* **Vi•en•nese** [ˌvɪə'niːz] **I.** *s* Wiener(in) *m(f)* **II.** *adj* wienerisch, Wiener-

Vi•et•cong [ˌvjet'kɒŋ] *s* Vietcong *m;* **Vi•et•nam** [ˌvjet'næm] *s* Vietnam *n;* **Vi•et•nam•ese** [ˌvjetnə'miːz] **I.** *s* **1.** Vietnamese *m,* Vietnamesin *f* **2.** (das) Vietnamesisch(e) **II.** *adj* vietnamesisch

view [vjuː] **I.** *s* **1.** Sicht *f* **2.** Aussicht *f* **3.** Meinung, Ansicht *f* **4.** Absicht *f;* **at first ~** auf den ersten Blick; **in ~** zu sehen; (*fig*) in Aussicht; **in ~ of** im Hinblick auf; **in my ~**

meines Erachtens, meiner Ansicht nach; **on** ~ ausgestellt; (COM) zur Ansicht; **out of** ~ nicht zu sehen; **with a ~ to, with the ~ of** mit der Absicht zu; **in full ~ of all these people** vor den Augen all dieser Leute; **come into** ~ in Sicht kommen; **keep s.th. in** ~ etw im Auge behalten; **go out of** ~ außer Sicht kommen, verschwinden; **hidden from** ~ nicht zu sehen; **a nice ~ of the mountains** ein schöner Blick auf die Berge; **see the ~s** die Sehenswürdigkeiten ansehen; **take the ~ that ...** die Ansicht vertreten, dass ...; **a general ~ of a problem** ein Überblick über ein Problem; **have s.th. in** ~ etw beabsichtigen; **lose ~ of s.th.** etw aus den Augen verlieren; **take a dim** [*o* **poor**] ~ **of s.th.** etw nicht gut finden **II.** *tr* **1.** ansehen, betrachten **2.** besichtigen **3.** (*fig: Problem*) sehen, beurteilen **III.** *itr* fernsehen; **viewer** ['vjuːə(r)] *s* **1.** (Fernseh)Zuschauer(in) *m(f)* **2.** Diabetrachter *m;* **view•finder** *s* (OPT PHOT) Sucher *m;* **view•ing** ['vjuːɪŋ] *s* **1.** Besichtigung *f* **2.** Fernsehen *n;* ~ **figures** Einschaltquote *f;* **peak ~ time** Haupteinschaltzeit *f;* **view•point** ['vjuːpɔɪnt] *s* Gesichts-, Standpunkt *m*

vigil ['vɪdʒɪl] *s* Nachtwache *f;* **keep** ~ Nachtwache halten (*over* bei)

vigi•lance ['vɪdʒɪləns] *s* Wachsamkeit *f;* **vigi•lant** ['vɪdʒɪlənt] *adj* wachsam

vi•gnette [viː'njet] *s* **1.** Vignette *f* **2.** Charakterskizze *f*

vig•or•ous ['vɪgərəs] *adj* **1.** stark, kräftig, kraftvoll, robust **2.** energisch, nachdrücklich; **vigor** *s* (*Am*), **vig•our** ['vɪgə(r)] *s* **1.** Stärke, Kraft, Robustheit *f* **2.** Energie, Vitalität *f*

vile [vaɪl] *adj* **1.** (*sittlich*) schlecht, gemein **2.** widerlich, ekelhaft **3.** (*fam*) schlecht, abscheulich

vil•ify ['vɪlɪfaɪ] *tr* verleumden, herabwürdigen

vil•lage ['vɪlɪdʒ] *s* Dorf *n;* **village community** *s* Dorfgemeinschaft *f;* **village green** *s* Dorfwiese *f;* **village inn** *s* Dorfgasthaus *n;* **vil•lager** ['vɪlɪdʒə(r)] *s* Dorfbewohner(in) *m(f)*

vil•lain ['vɪlən] *s* **1.** Schuft, Schurke *m;* Bösewicht *m* **2.** (*hum*) Schelm, Schlingel *m* **3.** (*fam*) Verbrecher *m;* **vil•lain•ous** [vɪlənəs] *adj* **1.** schurkisch **2.** (*fam*) miserabel, schlecht; **vil•lainy** ['vɪlənɪ] *s* Schuftigkeit, Gemeinheit *f*

vim [vɪm] *s* (*fam*) Schwung *m*

vin•ai•grette [ˌvɪnɪ'gret] *s* Vinaigrette *f;* Salatsoße *f*

vin•di•cate ['vɪndɪkeɪt] *tr* **1.** rechtfertigen **2.** rehabilitieren; **vin•di•ca•tion** [ˌvɪndɪ'keɪʃn] *s* **1.** Rechtfertigung, Verteidigung *f* **2.** Rehabilitation *f;* **in ~ of** zur Rechtfertigung +*gen*

vin•dic•tive [vɪn'dɪktɪv] *adj* nachtragend; rachsüchtig

vine [vaɪn] *s* **1.** Weinstock *m,* Rebe *f* **2.** Kletterpflanze *f*

vin•egar ['vɪnɪgə(r)] *s* Essig *m;* **vin•egary** ['vɪnɪgərɪ] *adj* säuerlich, sauer *a. fig*

vine•yard ['vɪnjəd] *s* Weinberg *m*

vin•tage ['vɪntɪdʒ] **I.** *s* **1.** (Wein)Lese *f* **2.** Jahrgang *m* **II.** *adj* hervorragend; alt; ~ **car** (MOT) Autoveteran *m;* ~ **wine** Qualitätswein *m;* ~ **year** guter Jahrgang; **vint•ner** ['vɪntnə(r)] *s* Weinhändler *m*

vinyl ['vaɪnɪl] *s* Vinyl, PVC *n*

viol ['vaɪəl] *s* (HIST) Viola *f;* **bass** ~ Gambe *f*

vi•ola[1] [vɪ'əʊlə] *s* Bratsche *f;* ~ **da gamba** Gambe *f*

vi•ola[2] ['vaɪəʊlə] *s* (BOT) Veilchen *n*

vi•ol•ate ['vaɪəleɪt] *tr* **1.** (*Recht*) verletzen; (*Gesetz*) übertreten, verstoßen gegen; (*Vertrag, Versprechen*) brechen **2.** (*geweihten Ort*) entehren; (*Gefühl, Empfinden*) verletzen, beleidigen; (*Stille*) stören **3.** (*Frau*) vergewaltigen; **vi•ol•ation** [ˌvaɪə'leɪʃn] *s* **1.** Verletzung *f,* Verstoß *m* **2.** Entehrung *f;* Verletzung *f;* Störung *f* **3.** Vergewaltigung *f;* ~ **of a treaty** Vertragsbruch *m;* ~ **of human rights** Menschenrechtsverletzung *f;* **vi•ol•ence** ['vaɪələns] *s* **1.** Gewalt *f;* Gewalttätigkeit *f* **2.** Heftigkeit *f;* Stärke *f;* **do ~ to s.o./s.th.** jdm/e-r S Gewalt antun *a. fig;* (*Tatsachen*) etw verdrehen; **crimes of** ~ Gewaltverbrechen *npl;* **robbery with** ~ Raubüberfall *m;* **an outbreak of** ~ ein Ausbruch von Gewalttätigkeiten; **vi•ol•ent** ['vaɪələnt] *adj* **1.** gewaltsam; gewalttätig **2.** heftig, stark **3.** leidenschaftlich; **meet with a ~ death** e-s gewaltsamen Todes sterben; **have a ~ temper** jähzornig sein; **by ~ means** unter Gewaltanwendung

vi•olet ['vaɪələt] **I.** *s* Veilchen *n* **II.** *adj* violett

vi•olin [ˌvaɪə'lɪn] *s* Geige, Violine *f;* **play the** ~ Geige spielen; ~ **bow/case** Geigenbogen/-kasten *m;* ~ **string** Geigensaite *f;* **vi•olin•ist** ['vaɪəlɪnɪst] *s* Geiger(in) *m(f);* **vi•olon•cel•list** [ˌvaɪələn'tʃelɪst] *s* Cellist(in) *m(f);* **vi•olon•cello** [ˌvaɪələn'tʃeləʊ] <*pl* -cellos> *s* Cello *n*

V.I.P., VIP [ˌviːaɪ'piː] *s abbr of* **very important person** bedeutende Persönlichkeit, VIP *f;* **give s.o. the ~ treatment** jdn wie einen Ehrengast behandeln

vi•per ['vaɪpə(r)] *s* **1.** Viper *f* **2.** (*fig*) Schlange *f*

vir•ago [vɪ'rɑːgəʊ] <*pl* -ago(e)s> *s* Xanthippe *f,* Zankteufel *m*

vir•gin ['vɜːdʒɪn] **I.** *s* Jungfrau *f* **II.** *adj* **1.** jungfräulich, *a. Schnee* **2.** (*fig: Land*) unberührt; ~ **birth** (REL) jungfräuliche Geburt; (BOT) Jungfernzeugung *f;* **vir•ginal** ['vɜːdʒɪnl] *adj* jungfräulich; **vir•gin forest** *s* Urwald *m;* **vir•gin•ity** [vəˈdʒɪnətɪ] *s* Unschuld, Jungfräulichkeit *f*

Virgo ['vɜːgəʊ] <*pl* Virgos> *s* (ASTR) Jungfrau *f;* **v~ intacta** unberührte Jungfrau

vir•ile ['vɪraɪl, *Am* 'vɪrəl] *adj* **1.** männlich **2.** (*fig*) kraftvoll; **vir•il•ity** [vɪ'rɪlətɪ] *s* **1.** Männlichkeit *f;* Potenz, Manneskraft *f* **2.** Ausdruckskraft *f*

vi•rol•ogy [vaɪəˈrɒlədʒɪ] *s* Virologie *f*

vir•tual ['vɜːtʃʊəl] *adj* **1.** wirklich, tatsächlich, eigentlich **2.** (PHYS) virtuell; ~ **reality** virtuelle Realität; ~ **value** Effektivwert *m;* **vir•tual•ly** [-lɪ] *adv* fast, praktisch, so gut wie

vir•tue ['vɜːtʃuː] *s* **1.** Tugend *f* **2.** Tugendhaftigkeit *f* **3.** Vorteil *m,* Qualität *f* **4.** Wirkung *f;* Heilkraft *f;* **by ~ of** kraft, auf Grund +*gen;* **make a ~ of necessity** (*prov*) aus der Not e-e Tugend machen; **a woman of easy ~** ein Flittchen *n*

vir•tu•os•ity [ˌvɜːtjʊ'ɒsətɪ] *s* Virtuosität *f;* **vir•tu•oso** [ˌvɜːtjʊ'əʊzəʊ, *pl* -əʊziː] <*pl* -osos, -osi> *s* (MUS) Virtuose *m*

vir•tu•ous ['vɜːtʃʊəs] *adj* tugendhaft

viru•lence ['vɪrʊləns] *s* **1.** (MED) Heftigkeit, Bösartigkeit *f* **2.** (*fig*) Boshaftigkeit *f;* **viru•lent** ['vɪrʊlənt] *adj* **1.** (MED) bösartig; (*Gift*) stark, tödlich **2.** (*fig*) boshaft, gehässig

vi•rus ['vaɪərəs] *s* (MED) Virus *m*

visa ['viːzə] **I.** *s* Visum *n;* Sichtvermerk *m;* **entrance ~** Einreisevisum *n;* **transit ~** Durchreisevisum *n* **II.** *tr* mit e-m Visum versehen

vis-à-vis ['viːzəviː] *prep* gegenüber

vis•cera ['vɪsərə] *s pl* (ANAT) Eingeweide *npl*

vis•cose ['vɪskəʊz] *s* Viskose *f*

vis•cos•ity [vɪs'kɒsətɪ] *s* Zähflüssigkeit, Viskosität *f*

vis•count ['vaɪkaʊnt] *s* Vicomte *m;* **vis•count•ess** ['vaɪkaʊntɪs] *s* Vicomtesse *f*

vis•cous ['vɪskəs] *adj* zähflüssig, viskos

vise [vaɪs] (*Am*) *s.* **vice²**

visé ['viːzeɪ] (*Am*) *s.* **visa**

vis•ibil•ity [ˌvɪzə'bɪlətɪ] *s* **1.** Sichtbarkeit *f* **2.** Sicht(weite) *f;* Sichtverhältnisse *npl;* ~ **was poor** die Sicht war schlecht; **vis•ible** ['vɪzəbl] *adj* **1.** sichtbar, wahrnehmbar **2.** (*fig*) offensichtlich, deutlich

vi•sion ['vɪʒn] *s* **1.** Sehen *n;* Sehkraft *f,* -vermögen *n* **2.** Vision *f* **3.** Vorstellung *f* **4.** Voraussicht *f,* Weitblick *m;* ~ **of the future** Zukunftsvision *f;* Vorstellung *f* von der Zukunft; **field of ~** Gesichts-, Blickfeld *n;* **have ~s of fame** von Ruhm träumen; **I had ~s of having to do it all again** ich sah mich das schon alles noch einmal machen;

vi•sion•ary ['vɪʒənrɪ] **I.** *adj* **1.** visionär, unwirklich, fantastisch **2.** unpraktisch, undurchführbar **3.** hellseherisch **II.** *s* **1.** Hellseher(in) *m(f)* **2.** Fantast(in) *m(f)*

visit ['vɪzɪt] **I.** *tr* **1.** auf-, besuchen; auf Besuch sein bei **2.** besichtigen **3.** (REL) heimsuchen **II.** *itr* **1.** e-n Besuch machen **2.** (*Am*) sich unterhalten, plaudern (*with* mit) **III.** *s* **1.** Besuch *m* (*to* bei) **2.** Kontrolle *f;* **pay s.o./s.th. a ~** jdn/etw besuchen; **courtesy ~** Höflichkeitsbesuch *m;* **visi•ta•tion** [ˌvɪzɪ'teɪʃn] *s* **1.** Besichtigung *f;* Visitation, Inspektion *f* **2.** (*Geist*) Erscheinung *f* **3.** (REL) Heimsuchung *f;* **visit•ing** ['vɪzɪtɪŋ] *adj:* **be on ~ terms** sich (gegenseitig) besuchen; ~ **card** Visitenkarte *f;* ~ **hours** Besuchszeit *f;* ~ **professor** Gastprofessor(in) *m (f);* **the ~ team** die Gäste *pl;* **visi•tor** ['vɪzɪtə(r)] *s* **1.** Besucher(in) *m(f)* (*to a castle* e-s Schlosses) **2.** Gast *m* **3.** Inspekteur(in) *m(f);* **~s' book** Gästebuch *n*

vi•sor ['vaɪzə(r)] *s* **1.** (HIST: *Helm*) Visier *n* **2.** Mützenschirm *m* **3.** (MOT: *sun-~*) Sonnenblende *f*

vista ['vɪstə] *s* **1.** Ausblick *m,* -sicht *f* **2.** (*fig*) Aussicht *f* (*of* auf); (*von Vergangenheit*) Bild *n;* **open new ~s** (*fig*) neue Möglichkeiten eröffnen

vis•ual ['vɪʒʊəl] *adj* **1.** visuell **2.** Seh-; ~ **aids** Anschauungsmaterial *n;* ~ **display unit, VDV** Datensicht-, Bildschirmgerät *n,* Bildschirm *m;* ~ **field** Gesichts-, Blickfeld *n;* ~ **instruction** Anschauungsunterricht *m;* ~ **memory** visuelles Gedächtnis; ~ **nerve** Sehnerv *m;* **vis•ual•ize** ['vɪʒʊəlaɪz] *tr* **1.** sich vorstellen **2.** erwarten, rechnen mit

vi•tal ['vaɪtl] **I.** *adj* **1.** lebenswichtig, -notwendig; Lebens- **2.** (*fig*) wesentlich, unerlässlich (*to* für) **3.** (*Fehler*) schwerwiegend; ~ **force** Lebenskraft *f;* ~ **organs** lebenswichtige Organe *npl;* ~ **parts** wichtige Teile *mpl;* ~ **problem** Kernproblem *n;* ~ **statistics** Bevölkerungsstatistik *f;* (*fam*) Körpermaße *npl;* **at the ~ moment** im entscheidenden, kritischen Augenblick; **of ~ importance** äußerst wichtig; **it is ~ that ...** es ist unbedingt notwendig, dass ...; **how ~ is it?** wie wichtig ist es? **II.** *s pl* lebenswichtige Organe *npl;* (*hum*) Genitalien *pl;* **vi•tal•ity** [vaɪ'tælətɪ] *s* **1.** Lebendigkeit *f* **2.** Vitalität, Energie *f* **3.** Beständigkeit *f;* **vi•tal•ize** ['vaɪtəlaɪz] *tr* beleben

vit•amin ['vɪtəmɪn, *Am* 'vaɪtəmɪn] *s* Vitamin *n;* **vitamin deficiency** *s* Vitaminmangel *m;* **vitamin tablets** *s pl* Vitamintabletten *fpl*

vit•reous ['vɪtrɪəs] *adj* **1.** gläsern; glas(art)ig **2.** (GEOL) glasig; **vit•rify** ['vɪtrɪfaɪ] **I.** *tr* zu Glas schmelzen, verglasen **II.** *itr* zu Glas werden

vit•riol ['vɪtrɪəl] *s* 1. (CHEM) Vitriol *n* 2. Schwefelsäure *f* 3. (*fig*) beißender Spott; **blue** ~ Kupfervitriol *n;* **vit•riolic** [ˌvɪtrɪ'ɒlɪk] *adj* (*fig*) bissig, sarkastisch
vit•uper•ate [vɪ'tju:pəreɪt] *tr* schmähen, heruntermachen, beschimpfen; **vit•uper•ation** [vɪˌtju:pə'reɪʃn] *s* Beschimpfung *f*
viva ['vaɪvə] *s* (*Br*) mündliche Prüfung
vi•va•cious [vɪ'veɪʃəs] *adj* lebhaft; (quick)lebendig, munter; **vi•vac•ity** [vɪ'væsətɪ] *s* Lebhaftigkeit *f;* Lebendigkeit, Munterkeit *f*
vi•var•ium [vaɪ'veərɪəm] *s* Vivarium, Aquarium *n* (mit Terrarium)
viva voce [ˌvaɪvə'vəʊsɪ] I. *adj* mündlich II. *s* mündliche Prüfung
vivid ['vɪvɪd] *adj* 1. lebhaft, lebendig 2. (*Farbe*) kräftig, leuchtend; (*Licht*) hell 3. (*Erinnerung*) frisch, lebhaft
vi•vipar•ous [vɪ'vɪpərəs, *Am* vaɪ'vɪpərəs] *adj* (ZOO) lebendgebärend
vivi•sect [ˌvɪvɪ'sekt] *tr* vivisezieren; **vivi•sec•tion** [ˌvɪvɪ'sekʃn] *s* Vivisektion *f*
vixen ['vɪksn] *s* 1. Füchsin *f* 2. (*fig*) Xanthippe *f,* Zankteufel *m*
viz [vɪz] *adv s.* **videlicet**
vo•cabu•lary [və'kæbjʊlərɪ] *s* 1. Wörterverzeichnis, Vokabular, Glossar *n* 2. Wortschatz *m*
vo•cal ['vəʊkl] *adj* 1. Stimm- 2. mündlich 3. (*fig*) lautstark; **become** ~ sich hören lassen, seine Meinung lautstark kundtun; ~ **cords** Stimmbänder *npl;* ~ **music** Vokalmusik *f,* Gesang *m;* ~ **part** Gesangspartie *f;* **vo•cal•ist** ['vəʊkəlɪst] *s* Sänger(in) *m(f);* **vo•cal•ize** ['vəʊkəlaɪz] *tr* 1. aussprechen 2. (*Konsonanten*) vokalisieren
vo•ca•tion [vəʊ'keɪʃn] *s* 1. Berufung *f* 2. Eignung *f* (*for* für) 3. Beruf *m;* **vo•ca•tional** [vəʊ'keɪʃənl] *adj* beruflich; Berufs-; ~ **adviser** [*o* **counsellor**] Berufsberater(in) *m(f);* ~ **education** Berufsausbildung *f;* ~ **guidance** Berufsberatung *f;* ~ **retraining** Umschulung *f;* ~ **school** (*Am*) Berufsschule *f;* ~ **training** Berufsausbildung *f*
vo•cif•er•ate [və'sɪfəreɪt] *tr, itr* schreien, brüllen; **vo•cif•er•ation** [vəˌsɪfə'reɪʃn] *s* Geschrei, Gebrüll *n;* **vo•cif•er•ous** [və'sɪfərəs] *adj* laut; lautstark
vogue [vəʊg] *s* Mode *f;* **all the** ~ der letzte Schrei; **be in** ~ Mode sein; **come into/go out of** ~ in Mode/aus der Mode kommen; **have a great** ~ sehr beliebt sein; in großer Mode sein
voice [vɔɪs] I. *s* 1. Stimme *f* 2. Mitspracherecht *n* 3. (GRAM) Aktionsart *f* 4. (*Phonetik*) Stimmhaftigkeit *f;* **by a majority of ~s** mit Stimmenmehrheit; **in a loud** ~ mit lauter Stimme; **with one** ~ einstimmig; **give** ~ **to s.th.** etw zum Ausdruck bringen; **have a** ~ **in s.th.** bei e-r S (ein Wörtchen) mitzureden haben; **raise one's** ~ seine Stimme erheben (*against* gegen), lauter sprechen, anschreien (*to s.o.* jdn); **I have no** ~ **in the matter** ich habe in der Angelegenheit wenig zu sagen; **active/passive** ~ (GRAM) Aktiv/Passiv *n;* **chest/head** ~ Brust-/Kopfstimme *f* II. *tr* 1. äußern, zum Ausdruck bringen, ausdrücken 2. (*Phonetik*) stimmhaft aussprechen; **voice box** *s* Kehlkopf *m;* **voiced** [vɔɪst] *adj* (*Phonetik*) stimmhaft; **voice•less** ['vɔɪslɪs] *adj* 1. stumm 2. (PARL) nicht stimmberechtigt 3. (*Phonetik*) stimmlos; **voice-over** ['vɔɪsəʊvə(r)] *s* Begleitkommentar *m*
void [vɔɪd] I. *adj* 1. leer 2. nichtig, sinnlos 3. (JUR) ungültig, nichtig; ~ **of** ohne; **null and** ~ null u. nichtig II. *s* Leere *f* III. *tr* 1. (aus)leeren 2. (JUR) ungültig machen, für ungültig, nichtig erklären
vol•atile ['vɒlətaɪl, *Am* 'vɒlətl] *adj* 1. (CHEM) flüchtig *a. fig* 2. (*fig*) impulsiv; sprunghaft 3. (POL) gespannt, brisant 4. (FIN) unbeständig
vol•canic [vɒl'kænɪk] *adj* 1. (GEOL) vulkanisch 2. (*fig*) explosiv; ~ **eruption** Vulkanausbruch *m;* ~ **rock** Eruptiv gestein *n;* **vol•cano** [vɒl'keɪnəʊ] <*pl* -cano(e)s> *s* Vulkan *m*
vole [vəʊl] *s* (*field-~*) Feldmaus *f;* **water-~** Wasserratte *f*
vo•li•tion [və'lɪʃn, *Am* vəʊ'lɪʃn] *s* Wille *m;* **power of** ~ Willenskraft *f;* **do s.th. of one's own** ~ etw aus eigenem Antrieb tun
vol•ley ['vɒlɪ] I. *s* 1. (MIL) Salve *f* 2. (*fig*) Hagel *m;* Flut *f* 3. (SPORT) Flugball, Volley *m* II. *itr* 1. e-e Salve abfeuern 2. (SPORT) einen Volley spielen III. *tr:* ~ **the ball** einen Volley spielen; **vol•ley•ball** ['vɒlɪbɔ:l] *s* Volleyball *m*
volt [vəʊlt] *s* (EL) Volt *n;* **volt•age** ['vəʊltɪdʒ] *s* Spannung *f;* **what** ~ **is it?** wie viel Volt hat es?; **voltage detector** *s* (EL) Spannungsprüfer *m;* **voltage drop** *s* (EL) Spannungsabfall *m*
volte-face [ˌvɒlt'fɑ:s] *s* (Meinungs-, Stimmungs)Umschwung *m,* Kehrtwendung *f*
vol•uble ['vɒljʊbl] *adj* 1. gesprächig, redselig, geschwätzig 2. wortreich 3. (*Rede*) flüssig
vol•ume ['vɒlju:m] *s* 1. Band *m,* Buch *n* 2. Rauminhalt *m,* Volumen *n;* (großer) Umfang *m* 3. Lautstärke *f;* (MUS) Klangfülle *f;* ~**s of** ein Schwall +*gen;* **speak ~s** (*fig*) Bände sprechen (*for* für); **odd** ~ Einzelband *m;* ~ **of business** Geschäftsvolumen *n;* ~ **of goods sold** Absatzvolumen *n;* ~ **of sales** Umsatz *m;* ~ **of trade** Handelsvolumen *n;* **volume control, volume regulator** *s* Lautstärkeregler *m;* **volume**

discount *s* Mengenrabatt *m;* **vol•uminous** [və'ljuːmɪnəs] *adj* **1.** voluminös; üppig **2.** (*Schriften*) umfangreich **3.** (*Rock*) bauschig

vol•un•tary ['vɒləntrɪ] **I.** *adj* **1.** freiwillig **2.** (PHYSIOL) willkürlich **3.** (PSYCH) spontan **4.** (*Verbrechen*) vorsätzlich **II.** *s* (Orgel)Solo *n;* **voluntary organization** *s* Wohltätigkeitsorganisation *f;* **voluntary redundancy** *s* freiwilliges Ausscheiden aus einem Betrieb; **vol•un•teer** [ˌvɒlən'tɪə(r)] **I.** *s* Freiwillige(r) *f m* **II.** *tr* **1.** (*Hilfe*) anbieten **2.** (*Vorschlag*) machen; (*Auskunft*) geben **III.** *itr* sich freiwillig melden; etw freiwillig tun; ~ **for s.th.** sich für etw zur Verfügung stellen; ~ **to do s.th.** anbieten etw zu tun

vo•lup•tu•ous [və'lʌptʃʊəs] *adj* **1.** sinnlich **2.** (*Leben*) ausschweifend **3.** (*Körper*) üppig

vo•lute [və'ljuːt] *s* (ARCH) Volute, Schnecke *f*

vomit ['vɒmɪt] **I.** *s* (MED) **1.** (Er)Brechen *n* **2.** (das) Erbrochene **II.** *itr* sich erbrechen **III.** *tr* **1.** erbrechen, wieder von sich geben **2.** ausstoßen **3.** (*Feuer*) speien

voo•doo ['vuːduː] *s* Voodoo, Wodu *m*

vo•racious [və'reɪʃəs] *adj* **1.** gefräßig **2.** unersättlich *a. fig;* **vo•racity** [və'ræsətɪ] *s* **1.** Gefräßigkeit *f* **2.** (*fig*) Gier *f*

vor•tex ['vɔːteks, *pl* -teksəz, -tɪsiːz] <*pl* -texes, -tices> *s* Strudel *m a. fig*

vote [vəʊt] **I.** *s* **1.** Wahl, Abstimmung *f* **2.** Stimmabgabe *f* **3.** (Wahl)Stimme *f* **4.** Wahl-, Stimmrecht *f* **5.** Wahl-, Abstimmungsergebnis *n* **6.** Bewilligung *f,* bewilligte Summe; **by 5 ~s to 3** mit 5 gegen 3 Stimmen; **by a majority of 2 ~s** mit e-r Mehrheit von 2 Stimmen; **by a majority** ~ mit Stimmenmehrheit; **bring** [*o* **put**] **to the** ~ zur Abstimmung bringen; **cast one's** ~ seine Stimme abgeben; **have a** ~ Stimmrecht haben (*in* bei); **take a** ~ **on** abstimmen über; **casting** ~ ausschlaggebende Stimme *f;* **casting of ~s** Stimmabgabe *f;* **counting of ~s** Stimmenzählung *f;* **final** ~ Schlussabstimmung *f;* **number of ~s** Stimmenzahl *f;* ~ **of confidence** Vertrauensvotum *n;* **ask for a** ~ **of confidence** die Vertrauensfrage stellen; **pass a** ~ **of confidence in s.o.** jdm das Vertrauen aussprechen; ~ **of censure** Missbilligungsvotum *n;* ~ **of no confidence** Misstrauensvotum *n* **II.** *itr* wählen; seine Stimme abgeben (*for* für) **III.** *tr* **1.** wählen; wählen zu **2.** bewilligen, genehmigen; **vote down** *tr* überstimmen; ablehnen; **vote in** *tr* wählen (*s.o.* jdn); (*Gesetz*) beschließen; **vote on** *itr* abstimmen über; **vote out** *tr* ablehnen; abwählen; **voter** ['vəʊtə(r)] *s* Wähler(in) *m(f);* **vot•ing** ['-ɪŋ] *s* **1.** Wahl *f* **2.** Wahlbeteiligung *f;* **return a blank ~ paper** e-n leeren Stimmzettel abgeben; **system of** ~ Wahlsystem *n;* ~ **right** Stimmrecht *n;* **voting booth** *s* Wahlzelle, -kabine *f;* **voting box** *s* Wahlurne *f;* **voting machine** *s* Stimmenzählmaschine *f*

vouch [vaʊtʃ] *itr* sich verbürgen, garantieren (*for* für); **voucher** ['vaʊtʃə(r)] *s* **1.** Gutschein *m* **2.** Beleg *m,* Bescheinigung *f* **3.** (JUR) Schuldschein *m;* **luncheon** ~ Essen(s)marke *f,* Essensbon *m;* **credit** ~ Gutschrift *f;* **gift** ~ Geschenkgutschein *m;* **vouch•safe** [vaʊtʃ'seɪf] *tr* gewähren (*s.o.* jdm); **he ~d (me) no reply** er würdigte mich keiner Antwort

vow [vaʊ] **I.** *s* **1.** (REL) Gelübde *n* **2.** Versprechen, Gelöbnis *n;* **lover's** ~ Treueschwur *m;* **make a ~ to do s.th.** geloben etw zu tun; **take one's ~s** sein Gelübde ablegen; **be under a ~ to do s.th.** verpflichtet sein etw zu tun **II.** *tr* geloben; feierlich erklären

vowel ['vaʊəl] *s* Vokal, Selbstlaut *m*

voy•age ['vɔɪɪdʒ] **I.** *s* **1.** Reise *f* **2.** (*Raumfahrt*) Flug *m;* **on the ~ out/home** auf der Hin-/Rückreise **II.** *itr* **1.** e-e (See)Reise machen **2.** fliegen; **voy•ager** ['vɔɪədʒə(r)] *s* **1.** Passagier *m* **2.** Raumfahrer(in) *m(f)*

voyeur [vwaː'jɜː(r)] *s* Voyeur *m*

vto(l) [ˌviːtiː'əʊ, ˌviːtiːəʊ'el] *s abbr of* **vertical take-off (and landing)**: ~ **aircraft** Senkrechtstarter *m*

vul•can•ite ['vʌlkənaɪt] *s* Hartgummi *m od n,* Ebonit *n;* **vul•can•iz•ation** [ˌvʌlkənaɪ'zeɪʃn] *s* Vulkanisierung *f;* **vulcan•ize** ['vʌlkənaɪz] *tr* vulkanisieren

vul•gar ['vʌlgə(r)] *adj* **1.** vulgär; ordinär; geschmacklos **2.** (MATH: *Bruch*) gemein; ~ **beliefs** volkstümliche Auffassungen *fpl;* **in the ~ tongue** in der Sprache des Volkes; ~ **Latin** Vulgärlatein *n;* **vul•gar•ity** [vʌl'gærətɪ] *s* Vulgarität *f;* Anstößigkeit *f;* Geschmacklosigkeit *f;* **vul•gar•ize** ['vʌlgəraɪz] *tr* **1.** popularisieren, verbreiten **2.** vulgär werden lassen

Vul•gate ['vʌlgeɪt] *s* (REL) Vulgata *f*

vul•ner•able ['vʌlnərəbl] *adj* **1.** verwundbar *a. fig* **2.** ungeschützt; ~ **to the cold** kälteempfindlich; ~ **to temptation** für Versuchungen anfällig; **be ~ to criticism** der Kritik ausgesetzt sein; keine Kritik vertragen; **a ~ point** [*o* **spot**] eine schwache Stelle

vul•ture ['vʌltʃə(r)] *s* Geier *m*

vulva ['vʌlvə] *s* (äußere) weibliche Scham, Vulva *f*

vy•ing ['vaɪɪŋ] **I.** *adj* wetteifernd **II.** *s* Konkurrenzkampf *m* (*for* um)

W

W, w ['dʌblju:] <*pl* -'s> *s* W, w *n*

wack [wæk] *s* (*Br: sl*) Kumpel *m;* **wacky** ['wækɪ] *adj* (*fam*) verrückt, blöd

wad [wɒd] **I.** *s* **1.** Knäuel *n;* (*in Geschoss*) Pfropfen *m;* (*Watte*) Bausch *m* **2.** (*Geld*) Bündel *n;* **~s of money** ein Haufen Geld **II.** *tr* **1.** stopfen; zusammenknüllen **2.** (*Nähen*) wattieren; **wad•ding** ['wɒdɪŋ] *s* Füllsel *n;* Wattierung, Watte *f;* (MED) Wattetupfer *m*

waddle ['wɒdl] **I.** *itr* watscheln **II.** *s* Watscheln *n*

wade [weɪd] *itr* **1.** waten (*through* durch) **2.** (*fig*) sich (mühsam) (hin)durcharbeiten (*through* durch) **3.** (*fam fig*) sich hineinstürzen (*in, into* in); **~ into s.o.** (*fam*) auf jdn losgehen; **wader** ['weɪdə(r)] *s* **1.** (ZOO) Wattvogel *m* **2. ~s** (hohe) Gummistiefel *mpl*

wa•fer ['weɪfə(r)] *s* **1.** Waffel *f* **2.** Oblate *f* **3.** (REL) Hostie *f* **4.** (*silicone ~*, EDV) Chip *m,* Siliziumplättchen *n;* **~-thin** hauchdünn

waffle¹ ['wɒfl] *s* Waffel *f*

waffle² ['wɒfl] **I.** *itr* (*Br: fam*) quasseln, schwafeln **II.** *s* (*Br: fam*) Gequassel, Geschwafel *n*

waffle iron *s* Waffeleisen *n*

waft [wɒft] **I.** *tr* (weg-, fort)wehen, -blasen **II.** *itr* wehen; schweben **III.** *s* Hauch *a. fig,* Luftzug *m;* Duft *m*

wag¹ [wæg] **I.** *tr* wippen mit; wedeln mit; **~ one's finger at s.o.** jdm mit dem Finger drohen **II.** *itr* wippen; wedeln; **his tongue never stops ~ging** sein Mund steht nie still; **set tongues ~ging** Anlass zum Gerede geben **III.** *s* Wackeln, Wedeln *n*

wag² [wæg] *s* Witzbold *m;* **he's a bit of a ~** er ist ein alter Witzbold

wage¹ [weɪdʒ] *s oft pl* (Arbeits)Lohn *m;* **at a ~ of** bei e-m Lohn von; **basic ~** Grundlohn *m;* **weekly ~** Wochenlohn *m;* **the ~s of sin** die gerechte Strafe

wage² [weɪdʒ] *tr:* **~ war** Krieg führen

wage ad•just•ment [ˌweɪdʒə'dʒʌstmənt] *s* Lohnausgleich *m,* -anpassung *f;* **wage bill** *s* Lohnsumme *f*

wage costs ['weɪdʒ kɒsts] *s pl* Lohnkosten *pl;* **wage claim, wage demand** *s* Lohnforderung *f;* **wage differentials** *s pl* Lohngefälle *n;* **wage dispute** *s* Lohnauseinandersetzung *f;* **wage earner** *s* Lohnempfänger(in) *m(f);* **wage freeze** *s* Lohnstopp *m;* **wage increase** *s* Lohnerhöhung *f;* **wage level** *s* Lohnniveau *n;* **wage negociation** *s* Lohn-, Tarifverhandlung *f;* **wage packet** *s* Lohntüte *f*

wa•ger ['weɪdʒə(r)] **I.** *s* Wette *f;* **lay** [*o* **make**] **a ~** e-e Wette abschließen **II.** *tr, itr* wetten

wage scale ['weɪdʒskeɪl] *s* Lohnskala *f;* **wages clerk** *s* Lohnbuchhalter(in) *m(f);* **wage settlement** *s* Tarifabschluss *m;* **wage slip** *s* Lohnstreifen *m;* **wages policy** *s* Lohnpolitik *f;* **wage worker** *s* (*Am*) Lohnarbeiter(in) *m(f)*

wag•gish ['wægɪʃ] *adj* spaßig, scherzhaft

waggle ['wægl] **I.** *tr* wackeln mit; wedeln mit; wippen mit **II.** *itr* wackeln; wedeln; wippen **III.** *s* Wackeln *n;* Wedeln *n;* **with a ~ of its tail** mit einem Schwanzwedeln;

wagg•ly ['wæglɪ] *adj* wackelnd; wackelig; (*Schwanz*) wedelnd

wag(•g)on ['wægən] *s* **1.** Wagen *m* **2.** (RAIL) Waggon *m;* **be on the ~** (*fam*) keinen Alkohol trinken; **wag(•g)oner** ['wægənə(r)] *s* Fuhrmann *m;* **wag(g)onload** ['wægənləʊd] *s* Waggon-, Wagenladung *f;* **wagon train** *s* (*Am:* HIST) Zug *m* von Planwagen

waif [weɪf] *s* **1.** herrenloses Tier **2.** Obdachlose(r) *f m* **3.** verwahrlostes Kind; **~s and strays** heimatlose Kinder

wail [weɪl] **I.** *itr* **1.** wimmern, schreien **2.** wehklagen, jammern (*for* um, *over* über) **3.** (*Wind*) heulen **II.** *s* Wimmern *n;* Jammern, Klagen *n;* Heulen *n;* **wail•ing** ['weɪlɪŋ] *s* Wehklagen *n;* **W~ Wall** Klagemauer *f* (*in Jerusalem*)

wain•scot ['weɪnskət] *s* Wandverkleidung *f*

waist [weɪst] *s* **1.** Taille *f* **2.** (MAR) Mitteldeck *n;* **strip to the ~** den Oberkörper freimachen; **waist•band** ['weɪstbænd] *s* (Rock-, Hosen)Bund *m;* **waist•coat** ['weɪstkəʊt] *s* (*Br*) Weste *f;* **waist deep** *adj* hüfthoch; bis zur Hüfte; **waisted** ['weɪstɪd] *adj* tailliert; **waist•line** *s* Taille *f;* **watch one's ~** auf die schlanke Linie achten

wait [weɪt] **I.** *itr* **1.** warten (*for* auf, *until* bis) **2.** unerledigt bleiben **3.** aufwarten (*on s.o.* jdm, *at table* bei Tisch), bedienen (*on s.o.* jdn) **4.** (MOT) halten; **~ a minute!** Augenblick!; ~ **and see** abwarten; ~ **at table** bei Tisch aufwarten, bedienen; ~ (*Verkehrsampel*) warten; **I can't** ~ ich kann's kaum erwarten; ich bin gespannt; **keep ~ing** warten lassen; **~-and-see-policy** Politik *f* des Abwartens; abwartende Haltung; **what are you ~ing for?** worauf wartest du? **II.** *tr* **1.** warten auf, ab-, erwarten **2.** (*fam*) verschieben; ~ **dinner** mit dem Essen warten (*for* auf); ~ **one's turn** abwarten, bis man an der Reihe ist; ~ **at table** bei Tisch servieren **III.** *s* Warten *n,* Wartezeit *f;* **have a long** ~ lange warten müssen; **lie in** ~ **for s.o.** jdm auflauern; **wait about, wait around** *itr* warten (*for* auf); **wait behind** *itr* zurückbleiben (und warten); **wait in** *itr* zu Hause warten; **wait on** *itr* noch länger warten; ~ **on s.o.** jdn bedienen; auf jdn warten; **wait out** *tr* das Ende abwarten von; **wait up** *itr* aufbleiben (*for* wegen)

waiter ['weɪtə(r)] *s* Kellner *m;* (*head* ~) Ober(kellner) *m;* **~, the bill,** ~ **the check, please!** (*Am*) Ober, bitte zahlen!

wait•ing ['weɪtɪŋ] *s* **1.** Warten *n* **2.** Dienen *n* bei Hof **3.** Servieren, Bedienen *n;* **lady-in-~** Hofdame *f;* **no** ~ (*Schild*) Halteverbot *n;* **waiting game** *s* Wartespiel, Warten *n;* Geduldsprobe *f;* **waiting list** *s* Warteliste *f;* **waiting room** *s* Wartezimmer *n* (*beim Arzt*); (RAIL) Wartesaal *m*

wait•ress ['weɪtrɪs] *s* Kellnerin *f;* (*Anrede*) Fräulein!

waive [weɪv] *tr* **1.** (JUR) verzichten auf, aufgeben, zurücktreten von **2.** (*Einwurf, Frage*) abtun; ~ **one's right to speak** (PARL) auf das Wort verzichten; **waiver** ['weɪvə(r)] *s* Verzicht(erklärung *f*) *m* (*of* auf), Außerkraftsetzung *f*

wake[1] [weɪk] <*irr:* **woke (waked), woken (waked)**> **I.** *itr* **1.** (~ *up*) auf-, erwachen, munter werden **2.** wachen, wach, munter sein **3.** (~ *up*) aufmerksam werden (*to* auf), sich klar werden (*to* über) **II.** *tr* **1.** (auf)wecken *a. fig* **2.** (*Gefühl*) erwecken **3.** (*Erinnerungen*) wachrufen **4.** (*Echo*) hervorrufen **III.** *s* **1.** Totenwache *f;* (*Irland*) Leichenschmaus *m* **2. ~s** (*Nordengland*) jährlicher Urlaub; **wake up I.** *itr* aufwachen **II.** *tr* aufwecken; (*fig*) wachrütteln; ~ **up to s.th.** sich e-r S bewusst werden; ~ **s.o. up to s.th.** jdm etw klarmachen

wake[2] [weɪk] *s* Kielwasser *n;* **in the** ~ **of** (*fig*) im Gefolge *+gen,* unmittelbar nach

wake•ful ['weɪkfl] *adj* wach(sam); schlaflos; **waken** ['weɪkən] **I.** *itr* **1.** auf-, erwachen; munter werden **2.** (*fig*) sich bewusst werden (*to s.th. +gen*) **II.** *tr* **1.** (auf)wecken (*from, out of* von, aus) **2.** (*fig*) auf-, ermuntern, antreiben; **wakey** ['weɪkɪ] *interj* (*fam*) aufwachen!

Wales ['weɪlz] *s* Wales *n*

walk [wɔːk] **I.** *itr* **1.** gehen **2.** zu Fuß gehen; wandern; spazieren gehen **3.** (*Gespenst*) umgehen, spuken **4.** (*fam*) einfach verschwinden; ~ **in one's sleep** schlafwandeln; **it takes 5 minutes to** ~ **there** zu Fuß sind es 5 Minuten; **I like to go ~ing** ich gehe gerne spazieren, wandern **II.** *tr* **1.** spazieren gehen mit, spazieren führen; ausführen **2.** (*Strecke*) gehen, laufen **3.** (*Baseball*) einen Walk geben (*s.o.* jdm); ~ **s.o. home** jdn (zu Fuß) nach Hause bringen, begleiten; ~ **s.o. off his feet** jdn müde machen; **he ~ed his bicycle** er hat sein Rad geschoben; **you can** ~ **it from here** von hier aus kannst du zu Fuß gehen; ~ **the boards** beim Theater sein; ~ **the streets** durch die Straßen streifen, irren; (*Prostituierte*) auf den Strich gehen **III.** *s* **1.** Spaziergang *m;* Wanderung *f* **2.** (SPORT) Gehen *n;* Geherwettkampf *m;* Marsch *m* **3.** Gang(art *f*) *m* **4.** Weg *m* **5.** (*Baseball*) Walk *m;* **at a** ~ im Schritt; **go for** [*o* **take**] **a** ~ einen Spaziergang machen; **it's a long** ~ es ist ein weiter Weg; **from all ~s of life** aus allen Schichten und Berufen; **it's a 5 minute** ~ es sind 5 Minuten zu Fuß; **take s.o. for a** ~ einen Spaziergang mit jdm machen; **walk about, walk around I.** *itr* herumgehen, -laufen **II.** *tr* auf- und abführen; herumführen; **walk away** *itr* weggehen; **he ~ed away unhurt** er ist unverletzt davongekommen; ~ **away with s.th.** etw mitnehmen; etw leicht gewinnen; **walk back** *itr* zurückgehen; **walk in** *tr* hineingehen; **please** ~ **in!** bitte eintreten!; **walk into** *tr* **1.** hineingehen in **2.** anrempeln; laufen gegen **3.** zufällig treffen **4.** ohne Mühe bekommen; ~ **into a trap** in eine Falle gehen; **walk off I.** *tr* ab-, herunterlaufen; (*Rausch*) an der frischen Luft loswerden **II.** *itr* weggehen; ~ **off with** einfach mitnehmen; (*Preis*) gewinnen; **walk on** *itr* **1.** weitergehen **2.** betreten **3.** (THEAT) auftreten; auf der Bühne erscheinen; **walk out** *itr* **1.** gehen **2.** verlassen (*of s.th.* etw, *on s.o.* jdn), im Stich lassen (*on s.o.* jdn) **3.** in Streik treten, die Arbeit niederlegen; **walk over** *itr* **1.** leicht besiegen **2.** auf der Nase rumtanzen (*all over s.o.* jdm), herumschikanieren (*all over s.o.* jdn); **walk through** *tr* **1.** (*fam: Examen*) spielend schaffen, mit links machen **2.** (THEAT: *Rolle*) durchgehen; **walk up** *itr* **1.** hinaufgehen; zu Fuß hinaufgehen **2.** zugehen (*to* auf); ~ **up,** ~ **up!** treten Sie näher!

walk•about ['wɔːkəbaʊt] *s* persönliche Fühlungnahme mit dem Volk; **walk-away** ['wɔːkəweɪ] *s* (*Am*) leichter Sieg;

walker ['wɔːkə(r)] *s* **1.** Fuß-, Spaziergänger(in) *m(f)* **2.** (SPORT) Geher(in) *m(f)* **3.** Laufstuhl *m;* **walker-on** ['wɔːkər'ɒn] *s* (THEAT) Statist(in) *m(f);* **walkie-talkie** [ˌwɔːkɪ'tɔːkɪ] *s* Hand-, Sprechfunkgerät, Walkie Talkie *n;* **walk-in** ['wɔːkɪn] **I.** *s* (*Am*) leichter Sieg **II.** *adj:* ~ **cupboard** begehbarer Schrank

walk·ing ['wɔːkɪŋ] **I.** *s* Gehen *n;* Spazierengehen *n;* Wandern *n* **II.** *adj attr* **1.** (*hum*) wandelnd **2.** (*Puppe*) laufend, Lauf-; **at a ~ pace** im Schritt; **good ~** gute Wandermöglichkeiten; **the ~ wounded** die Leichtverletzten *pl;* **within ~ distance** zu Fuß erreichbar, zu erreichen; **walking frame** *s* Laufgestell *n;* **walking shoes** *s pl* Wanderschuhe *mpl;* **walking stick** *s* Spazierstock *m;* **walking tour** *s* (Fuß)Wanderung *f*

walk·man® ['wɔːkmən] *s* Walkman *m*

walk-on ['wɔːkɒn] *s* (*~-on part,* THEAT) Statistenrolle *f;* **walk·out** ['wɔːkaʊt] *s* (*fam*) Ausstand, Streik *m;* demonstratives Verlassen des Saales; **walk·over** ['wɔːkəʊvə(r)] *s* (*~ victory*) leichter Sieg; (*fig*) Kinderspiel *n;* **walk-through** ['wɔːkˌθruː] *s* (EDV) Spielhinweis *m;* **walk-up** ['wɔːkʌp] *s* (*Am: fam*) Mietshaus *n,* Wohnung *f* ohne Fahrstuhl; **walk·way** ['wɔːkweɪ] *s* Fußweg *m*

wall [wɔːl] **I.** *s* **1.** Wand *f;* (*a.* ANAT) Mauer *f a. fig* **2.** (Trenn-, Scheide)Wand *f;* **the Great W~ of China** die Chinesische Mauer; **the north ~ of the Eiger** die Eigernordwand; **with one's back to the ~** (*fig*) in die Enge getrieben; **drive** [*o* **push**] **s.o. to the ~** (*fig*) jdn an die Wand drücken; **drive s.o. up the ~** jdn auf die Palme bringen; **the ~s have ears** die Wände haben Ohren; **go to the ~** (*fig*) an die Wand gedrückt werden; den Kürzeren ziehen *fam;* (*Firma*) kaputt gehen; **go up the ~** wahnsinnig werden; **bang one's head against a brick ~** (*fig*) mit dem Kopf gegen die Wand rennen **II.** *tr* ummauern, mit einer Mauer umgeben; **wall in** *tr* mit Mauern umgeben; (*fig*) umgeben, einschließen; **wall off** *tr* durch eine Mauer abtrennen; unterteilen; ~ **o.s. off** (*fig*) sich abriegeln; **wall up** *tr* zumauern; **wall bars** *s pl* (SPORT) Sprossenwand *f;* **wall chart** *s* Wandkarte *f;* Diagramm *n;* **wall clock** *s* Wanduhr *f*

wal·let ['wɒlɪt] *s* Brieftasche *f*

wall·flower ['wɔːlˌflaʊə(r)] *s* **1.** (BOT) Goldlack *m* **2.** (*fig*) Mauerblümchen *n;* **wall hanging** *s* Wandbehang *m;* **wall map** *s* Wandkarte *f*

Walloon [wɒ'luːn] **I.** *s* **1.** Wallone *m,* Wallonin *f* **2.** (das) Wallonisch(e) **II.** *adj* wallonisch

wal·lop ['wɒləp] **I.** *tr* (*sl*) **1.** verprügeln **2.** erledigen, fertig machen **II.** *s* (*sl*) **1.** Schlag *m* **2.** Tempo *n;* **wal·lop·ing** [-ɪŋ] *adj* (*fam*) gewaltig, enorm, riesig; (*Preise*) saftig

wal·low ['wɒləʊ] **I.** *itr* **1.** sich wälzen; sich suhlen **2.** (MAR) rollen, schlingern **3.** (*fig*) schwelgen (*in* in); ~ **in money** (*fam*) im Geld schwimmen; ~ **in self-pity** in Selbstmitleid schwelgen **II.** *s* Suhle *f;* Bad *n*

wall·pa·per ['wɔːlpeɪpə(r)] **I.** *s* Tapete *f* **II.** *tr* tapezieren; **wall socket** *s* (EL) Steckdose *f;* **wall-to-wall** ['wɔltə'wɔːl] *adj:* ~ **carpeting** Teppichboden *m*

wal·nut ['wɔːlnʌt] *s* **1.** Walnuss *f* **2.** (Wal)Nussbaum *m* **3.** Nussbaum(holz *n*) *m*

wal·rus ['wɔːlrəs] *s* (ZOO) Walross *n;* **walrus moustache** *s* Hängeschnurrbart *m*

waltz [wɔːls] **I.** *s* Walzer *m* **II.** *itr* Walzer tanzen; herumwirbeln **III.** *tr* Walzer tanzen mit; **waltz about, waltz around** *itr* herumtanzen; **waltz in** *itr* hereintanzen; **waltz off** *itr* abtanzen; ~ **off with** abziehen mit; **waltz up to** *itr* zuschlendern auf

wan [wɒn] *adj* blass, bleich; müde, schwach

wand [wɒnd] *s* Zauberstab *m*

wan·der ['wɒndə(r)] *itr* **1.** umherwandern, -streifen, -schweifen **2.** abbiegen (*from* von) **3.** (*~ away*) sich verlaufen, sich verirren *a. fig* **4.** (*~ off*)) abschweifen (*from* von) **5.** (*Blick*) umherschweifen, gleiten **6.** (*Fluss*) sich schlängeln, sich winden; **his mind is ~ing** er ist geistig abwesend; **wan·derer** ['wɒndərə(r)] *s* Wanderer *m,* Wanderin *f;* Herumtreiber(in) *m(f);* **wan·der·ing** ['wɒndərɪŋ] *adj* **1.** wandernd, umherstreifend; unstet; (*Sänger*) fahrend **2.** nomadisch **3.** (*fig: Gedanken*) abschweifend **4.** (*Weg*) sich schlängelnd; **wan·der·ings** ['wɒndərɪŋz] *s* Fahrten *fpl,* Wanderleben *n;* (*fig*) wirre Gedanken *mpl;* wirres Gerede *n*

wane [weɪn] **I.** *itr* **1.** (*Mond*) abnehmen **2.** schwächer werden, nachlassen *a. fig* **3.** (*fig*) vergehen, (dahin)schwinden, verfallen **II.** *s:* **be on the ~** im Abnehmen sein

wangle ['wæŋgl] **I.** *tr* (*sl*) **1.** hinkriegen, drehen, deichseln **2.** rausschlagen (*s.th. out of s.o.* etw aus jdm), ergattern **II.** *s* (*sl*) Schiebung *f*

want [wɒnt] **I.** *tr* **1.** wollen; mögen **2.** nötig haben, brauchen **3.** sollen, müssen **4.** nicht haben; ~ **to do s.th.** etw tun wollen; **I ~ you to do it** ich möchte, will, dass du das machst; **I was ~ing to leave sooner** ich wäre gerne früher gegangen; **you ~ to get professional advice** Sie sollten einen Fachmann befragen; **that's all I ~ed!** das hat mir gerade noch gefehlt!; **your hair ~s**

cutting du solltest zum Friseur gehen; ~ed **by the police** polizeilich gesucht; **feel ~ed** das Gefühl haben, dass man gebraucht wird; **you are ~ed on the telephone** Sie werden am Telefon verlangt; **we ~ time** uns fehlt die Zeit; **all it ~s is a little paint** es braucht nur etwas Farbe **II.** *itr* **1.** wollen; mögen **2.** nicht haben (*for s.th.* etw) **3.** (*lit*) Mangel haben; in Armut leben; **if you ~ (to)** wenn Sie möchten; **as you ~** wie du willst; **they ~ for nothing** es fehlt ihnen an nichts **III.** *s* **1.** Mangel *m* (*of* an) **2.** Not, Armut *f* **3.** Bedürfnis *n;* Wunsch *m;* **for ~ of** aus Mangel an, mangels *+gen;* **for ~ of something to do** weil ich nichts zu tun hatte; **feel the ~ of s.th.** etw vermissen; **be in ~ of s.th.** etw brauchen; **a long- felt ~** ein langgehegter Wunsch; **all s.o.'s ~s** alles, was jem braucht; **it wasn't for ~ of trying** nicht, dass er sich nicht bemüht hätte; **want in** *itr* (*fam*) hereinwollen; **want out** *itr* (*fam*) rauswollen

want ad ['wɒnt 'æd] *s* (*fam*) Kaufgesuch *n;* Kleinanzeige *f;* **want•age** ['wɒntɪdʒ] *s* (*Am*) Fehlbetrag *m;* **want•ing** ['wɒntɪŋ] *adj* fehlend, nicht vorhanden; **be ~** fehlen, nicht enthalten sein (*in* in), es fehlen lassen (*in* an), nicht haben (*in s.th.* etw); **be found ~** (*Mensch*) für zu leicht befunden werden; sich als mangelhaft erweisen; **he's a bit ~** er ist etwas minderbemittelt

wan•ton ['wɒntən] *adj* **1.** unbeherrscht, zügellos **2.** ausschweifend, lüstern **3.** ausgelassen, mutwillig, übermütig **4.** (*Vernachlässigung, Verschwendung*) sträflich

wapi•ti ['wɒpɪtɪ] *s* (*Am*) Wapiti, Elk *m*

war [wɔ:(r)] **I.** *s* **1.** Krieg *m a. fig* **2.** (*fig*) Kampf, Streit, Konflikt *m;* **at ~** im Krieg(szustand) (*with* mit); **in case of ~, in the event of ~** im Kriegsfall; **in time(s) of ~** in Kriegszeiten; **carry the ~ into the enemy's camp** (*fig*) zum Gegenangriff übergehen; **declare ~ (on a country)** (e-m Land) den Krieg erklären; **declare ~ on s.o.** (*fig*) jdm den Kampf ansagen; **have been in the ~s** (*fig fam*) übel aussehen; **he looks as though he's been in the ~s** er sieht ziemlich mitgenommen aus; **make** [*o* **wage**] **~ (up)on** Krieg führen gegen; **civil ~** Bürgerkrieg *m;* **declaration of ~** Kriegserklärung *f;* **outbreak of ~** Kriegsausbruch *m;* **prisoner of ~** Kriegsgefangene(r) *f m;* **world ~** Weltkrieg *m;* **~ of aggression** Angriffskrieg *m;* **~ of attrition** Zermürbungskrieg *m;* **~ of independence** Unabhängigkeitskrieg *m;* **~ of nerves** Nervenkrieg *m* **II.** *itr* **1.** Krieg führen (*for* um) **2.** kämpfen, streiten (*against* gegen, *with* mit); **war atrocities** *s pl* Kriegsgreuel *mpl;* **war baby** *s* Kriegskind *n*

warble ['wɔ:bl] **I.** *itr* **1.** (*Lerche*) trillern **2.** (*Mensch*) trällern **II.** *tr* trällern; **war•bler** ['wɔ:blə(r)] *s* (ZOO) Grasmücke *f;* Waldsänger *m*

war bond ['wɔ:bɒnd] *s* Kriegsanleihe *f;* **war bulletin** *s* Kriegsbericht *m;* **war correspondent** *s* Kriegsberichterstatter(in) *m(f);* **war crime** *s* Kriegsverbrechen *n;* **war criminal** *s* Kriegsverbrecher(in) *m(f);* **war cry** *s* Kriegsruf *m;* (*fig*) Schlachtruf *m*

ward [wɔ:d] *s* **1.** Mündel *n* **2.** (Gefängnis-, Krankenhaus)Abteilung *f;* (MED) Station *f* **3.** (Stadt-, Verwaltungs)Bezirk *m;* **in ~** unter Vormundschaft; **ward off** *tr* abwehren, fern halten

war•den ['wɔ:dn] *s* **1.** Herbergsvater *m,* -mutter *f;* Jagdaufseher(in) *m(f);* Feuerwart(in) *m(f);* Aufseher(in) *m(f)* **2.** Rektor(in) *m(f),* Direktor(in) *m(f)* **3.** (*Am*) Gefängnisdirektor(in) *m(f)* **4.** Heimleiter(in) *m(f);* **air-raid ~** Luftschutzwart *m;* **traffic ~** Verkehrspolizist(in) *m(f);* (*fam*) Politesse *f*

war•der ['wɔ:də(r)] *s* Gefängniswärter *m;* **war•dress** ['wɔ:drɪs] *s* Aufseherin, Wärterin *f*

ward•robe ['wɔ:drəʊb] *s* **1.** Garderobe *f* **2.** Kleiderschrank *m;* **~ trunk** Schrankkoffer *m*

ward•ship ['wɔ:dʃɪp] *s* Vormundschaft *f* (*of, over* über)

war effort ['wɔ:(r)'efət] *s* Kriegsanstrengungen *pl*

ware•house ['weəhaʊs] **I.** *s* (Waren)Lager *n;* Lagerhaus *n,* Speicher *m;* **~-keeper** [*o* **man**] Lagerhalter *m* **II.** *tr* einlagern

wares [weəz] *s pl* Waren *fpl*

war•fare ['wɔ:feə(r)] *s* Krieg(führung *f*) *m;* **guerilla ~** Guerillakrieg *m;* **psychological ~** Nervenkrieg *m;* **war game** *s* Kriegsspiel *n;* **war grave** ['wɔ:greɪv] *s* Kriegs-, Soldatengrab *n,* Kriegsgräber *npl;* **war•head** ['wɔ:hed] *s* Sprengkopf *m*

wari•ly ['weərɪlɪ] *adv* vorsichtig; misstrauisch; **tread ~** sich vorsehen, vorsichtig sein

war•like ['wɔ:laɪk] *adj* kriegerisch; **war-lord** ['wɔ:lɔ:d] *s* Kriegsherr *m*

warm [wɔ:m] **I.** *adj* **1.** warm **2.** wärmend **3.** erhitzt **4.** (*fig*) hitzig, erregt, aufgeregt; **I feel** [*o* **am**] **~** mir ist warm; **make things ~ for s.o.** (*fig*) jdm einheizen **II.** *tr* **1.** (er)wärmen **2.** (*Speise:* ~ *up*) aufwärmen, warm machen **3.** (*fig*) erwärmen, begeistern (*to* für) **III.** *itr* **1.** (~ *up*) warm werden; (*fig*) sich erwärmen (*to* für) **2.** (*fig*) sich erhitzen, sich begeistern, entflammen (*to, towards* für) **IV.** *s* (*fam*) **1.** Warmwerden *n,* Erwärmung *f* **2.** warmer Platz; **warm up**

I. *tr* (er)wärmen; (*Essen*) an-, aufwärmen; (*fig*) in Schwung bringen, anfeuern, begeistern; (MOT) warm laufen lassen **II.** *itr* warm, wärmer werden; in Schwung kommen, sich begeistern, sich erregen; (SPORT) sich in Form bringen, sich warm laufen; **warm-blooded** [ˌwɔːmˈblʌdɪd] *adj* (ZOO) warmblütig; (*fig*) heißblütig; **warm front** *s* (METE) Warmluftfront *f;* **warm-hearted** [ˌwɔːmˈhɑːtɪd] *adj* warmherzig, freundlich, mitfühlend, herzlich; **warm start** *s* (EDV) Warmstart *m;* **warmth** [wɔːmθ] *s* **1.** Wärme *f a. fig* **2.** (*fig*) Herzlichkeit *f* **3.** Eifer *m,* Heftigkeit *f;* **warm-up** [ˈwɔːmʌp] *s* (SPORT) Sichwarmlaufen *n*

warn [wɔːn] **I.** *tr* warnen (*of, about, against* vor); (JUR) verwarnen; ~ **s.o. not to do s.th.** jdn davor warnen etw zu tun; ~ **s.o. that ...** jdn darauf hinweisen, dass ...; **you might have ~ed us** du hättest (auch) vorher Bescheid sagen können **II.** *itr* warnen (*of* vor); **warn off** *tr* warnen; ~ **s.o. off doing s.th.** jdn davor warnen etw zu tun; ~ **s.o. off a certain subject/product** jdm von einem bestimmten Thema/Produkt abraten; **warn·ing** [-ɪŋ] **I.** *s* **1.** Warnung *f;* (JUR) Verwarnung *f* **2.** (Voraus)Benachrichtigung, Mitteilung *f,* Wink *m;* **at a minute's** ~ fristlos; **without any** ~ überraschend, unerwartet; **give s.o. a ~, give a ~ to s.o.** jdn verwarnen; **give me some days'** ~ sagen Sie mir einige Tage vorher Bescheid; **let that be a ~ to you!** lassen Sie sich das eine Warnung sein!; **take ~ from s.th.** sich etw als Warnung dienen lassen; **gale** ~ Sturmwarnung *f* **II.** *adj* warnend; Warn-; ~ **light** Warnlicht *n;* ~ **shot** Warnschuss *m;* ~ **sign** Warnzeichen *n;* (*fig*) erstes Anzeichen; ~ **triangle** (MOT) Warndreieck *n*

warp [wɔːp] **I.** *s* **1.** Verwerfung *f* **2.** Biegung, Verkrümmung *f* **3.** (*fig*) Verdrehung, Entstellung *f* **4.** (*Weberei*) Kette *f* **5.** Schleppleine *f* **II.** *tr* **1.** verziehen, verbiegen **2.** (*fig*) verdrehen, entstellen **III.** *itr* sich werfen, sich verziehen

war·paint [ˈwɔːpeɪnt] *s* Kriegsbemalung *f a. fig;* **war·path** *s* Kriegspfad *m;* **be on the** ~ auf dem Kriegspfad sein *a. fig*

warped [wɔːpt] *adj* **1.** verzogen **2.** (*fig*) verschroben, pervers; (*Urteil*) verzerrt

war·rant [ˈwɒrənt] **I.** *s* **1.** (COM) Garantie *f* **2.** (JUR) Haftbefehl *m;* Durchsuchungsbefehl *m;* Beschlagnahmeverfügung *f* **3.** (*death* ~) Hinrichtungsbefehl *m* **4.** (MIL) Patent *n,* Beförderungsurkunde *f* **5.** Berechtigung *f;* Befugnis *f* **6.** (FIN) Optionsschein *m;* **take out a ~ against s.o.** e-n Haftbefehl gegen jdn erwirken; **a ~ is out against him** er wird steckbrieflich gesucht; **search ~** Durchsuchungsbefehl *m;* ~ **of arrest** Haftbefehl *m;* ~ **of attorney** Prozessvollmacht *f;* ~ **for payment** gerichtlicher Zahlungsbefehl **II.** *tr* **1.** rechtfertigen **2.** verdienen **3.** garantieren, gewährleisten; **war·ran·tee** [ˌwɒrənˈtiː] *s* Garantienehmer *m;* **warrant officer** *s* **1.** (MIL) Stabsfeldwebel *m* **2.** (MAR) (Ober)Stabsbootsmann *m;* **war·ran·tor** [ˈwɒrəntɔː(r)] *s* Garant(iegeber) *m;* **war·ranty** [ˈwɒrəntɪ] *s* Garantie *f;* **it's under** ~ darauf ist Garantie

war·ren [ˈwɒrən] *s* **1.** Kaninchenbau *m* **2.** (*fig*) Gewirr *n*

war·ring [ˈwɔːrɪŋ] *adj* kriegführend; (*fig*) gegensätzlich; (*Parteien*) sich bekämpfend; **war·rior** [ˈwɒrɪə(r)] *s* Krieger(in) *m(f),* Kämpfer(in) *m(f)*

Warsaw Pact, Treaty [ˈwɔːsɔːˈpækt,-ˈtriːtɪ] *s* (HIST) Warschauer Pakt, Vertrag

war·ship [ˈwɔːʃɪp] *s* Kriegsschiff *n*

wart [wɔːt] *s* (BOT ZOO MED) Warze *f;* **wart-hog** [ˈwɔːthɒg] *s* Warzenschwein *n*

war·time [ˈwɔːtaɪm] *s* Kriegszeit *f;* **in** ~ in Kriegszeiten; **war·torn** [ˈwɔːtɔːn] *adj* vom Krieg erschüttert; **war-weary** *adj* kriegsmüde

wary [ˈweərɪ] *adj* vorsichtig; umsichtig; (*Blick*) misstrauisch; **be ~ of s.th.** sich vor etw vorsehen; **be ~ about doing s.th.** seine Zweifel haben, ob man etw tun soll; **keep a ~ eye on** ein wachsames Auge haben auf

war zone [ˈwɔːzəʊn] *s* Kriegsgebiet *n*

was [wɒz] *1., 3. Person Singular Präteritum von* **be**

wash [wɒʃ] **I.** *tr* **1.** waschen; (*Geschirr*) abwaschen, spülen; (*Boden*) aufwischen; (*Körperteile*) sich *dat* waschen **2.** (*Wellen*) be-, umspülen; schlagen gegen **3.** (*Gestein, Rinne*) auswaschen, ausspülen **4.** (*Fluss, See*) (weg)spülen **5.** (*Wände*) tünchen; (*Papier*) kolorieren; ~ **the dishes** abwaschen, das Geschirr spülen; ~ **one's dirty linen in public** seine schmutzige Wäsche in der Öffentlichkeit waschen; ~ **one's hands** sich die Hände waschen; ~ **one's hands of s.th.** (*fig*) mit etw nichts zu tun haben wollen; **the body was ~ed ashore** die Leiche wurde an Land gespült, geschwemmt **II.** *itr* **1.** sich waschen **2.** (die Wäsche) waschen **3.** (*Stoff*) sich waschen lassen **4.** (*Meer*) branden, schlagen (*against* gegen) **5.** (*fig*) einer Prüfung standhalten; (*Entschuldigung*) gelten; **that won't** ~ das lässt sich nicht waschen; (*fig fam*) das kauft dir keiner ab **III.** *s* **1.** Waschen *n* **2.** Wäsche *f* **3.** (MAR) Kielwasser *n;* (AERO) Luftstrudel *m* **4.** (*Wellen*) Wellenschlag *m;* Geplätscher *n* **5.** Mundwasser *n* **6.** Spülwasser *n a. fig pej* **7.** Tünche *f,* Anstrich *m* **8.** (*Kunst*) Kolorierung, Tönung *f;* **be in the** ~ in der Wäsche sein; **it'll all come out in the** ~ es wird sich noch alles zeigen; **have a** ~ sich waschen; **give s.th. a** ~ etw waschen; **need a** ~ gewaschen werden müssen; **wash away** *tr* wegspülen; ~ **s.o.'s sins away** jdn von Sünden reinwaschen; **wash down** *tr* **1.** (ab)spülen **2.** (*Wagen*) waschen **3.** (*Bissen*) hinunterspülen; **wash off** *tr* weg-, abwaschen; **wash out I.** *itr* sich wegwaschen lassen **II.** *tr* **1.** auswaschen; ausspülen **2.** (*fig*) ins Wasser fallen lassen; **our party was ~ed out** unsere Party ist ins Wasser gefallen; **wash over** *tr* überstreichen, -pinseln; **it all just ~ed over him** das alles schien spurlos an ihm vorbeizugehen; **wash up I.** *tr* **1.** (*Geschirr*) ab-, aufwaschen, spülen **2.** (*Meer*) anspülen **II.** *itr* **1.** Geschirr spülen, abwaschen **2.** (*Am*) sich waschen; **be ~ed up** (*fig*) fertig, erledigt sein

wash•able ['wɒʃəbl] *adj* waschbar; **wash-and-wear** ['wɒʃn'weə(r)] *adj* bügelfrei; **wash•bag** ['wɒʃbæg] *s* (*Am*) Kulturbeutel *m;* **wash•basin** ['wɒʃˌbeɪsn] *s* Waschbecken *n;* **wash•board** ['wɒʃbɔːd] *s* Waschbrett *n;* **wash•bowl** ['wɒʃbəʊl] *s* Waschschüssel *f;* Waschbecken *n;* **wash-cloth** *s* (*Am*) Waschlappen *m;* **wash•day** ['wɒʃdeɪ] *s* Waschtag *m;* **wash•down** ['wɒʃdaʊn] *s* (MOT) (Wagen)Waschen *n;* **washed-out** [ˌwɒʃt'aʊt] *adj* **1.** (*Farbe*) verwaschen, verblasst **2.** (*fam*) abgespannt, müde; ausgelaugt *fam;* **washer** ['wɒʃə(r)] *s* **1.** Wäscher(in) *m(f)* **2.** Waschmaschine *f* **3.** (TECH) Dichtungsring *m;* **dish-**~ Geschirrspülmaschine *f;* **wash-hand-basin** ['wɒʃhændˌbeɪsn] *s* Handwaschbecken *n;* **wash-house** ['wɒʃhaʊs] *s* Waschküche *f;* -haus *n*

wash•ing ['wɒʃɪŋ] *s* Wäsche *f;* Waschen *n;* **do the** ~ Wäsche waschen; **he dislikes** ~ er wäscht sich nicht gern; **washing machine** *s* Waschmaschine *f;* **washing powder** *s* Waschpulver *n;* **washing soda** *s* Bleichsoda *f;* **wash•ing-up** [ˌwɒʃɪŋ'ʌp] *s* Abwaschen, Geschirrspülen *n;* **washing-up bowl, washing-up basin** *s* Spülschüssel *f;* **washing-up liquid** *s* (Geschirr)Spülmittel *n*

wash-leather ['wɒʃleðə(r)] *s* Waschleder *n;* **wash•out** ['wɒʃaʊt] *s* **1.** Reinfall *m,* Fiasko *n* **2.** (*Mensch*) Niete *f;* **wash-rag** *s* (*Am*) Waschlappen *m;* **wash•room** ['wɒʃrʊm] *s* Waschraum *m;* **wash•stand** *s* Waschtisch *m*

wasn't [wɒznt] = **was not**

wasp [wɒsp] *s* Wespe *f*

Wasp [wɒsp] *s abbr of* **White Anglo-Saxon Protestant** (*Am*) weiße(r), angelsächsische(r) Protestant(in)

wasp•ish [-ɪʃ] *adj* (*fig*) gemein, giftig; **wasp's nest** *s* Wespennest *n;* **wasp-waisted** [ˌwɒsp'weɪstɪd] *adj* mit e-r Wespentaille

wast•age ['weɪstɪdʒ] *s* **1.** Abnutzung *f,* Schwund *m,* Verschleiß *m* **2.** (Material)Verlust *m* **3.** (TECH) Abfall, Ausschuss *m;* **natural** ~ natürlicher Arbeitskräfteabgang *m*

waste [weɪst] **I.** *tr* **1.** verschwenden, vergeuden, nutzlos vertun **2.** auszehren, schwächen; (*Kraft*) aufzehren **3.** verwüsten; **you're wasting your time** das ist reine Zeitverschwendung; **you didn't ~ much time!** das ging ja schnell; **all our efforts were ~d** alle Mühe war umsonst, vergeblich; **you are ~d on that man** für den Mann bist du viel zu schade; **art is ~d on him** er hat keinen Sinn für Kunst; ~ **o.s. on s.o.** sich an jdn verschwenden; **you're wasting your breath** du redest vergeblich, spar dir deine Worte; **he didn't ~ any words** er hat nicht viele Worte gemacht **II.** *itr* (*Nahrung*) umkommen; (*Fähigkeiten*) verkümmern; (*Körper, Patient*) verfallen; (*Kraft, Vermögen*) schwinden **III.** *adj* **1.** überschüssig; ungenutzt **2.** Abfall-; **lay** ~ verwüsten; **lie** ~ brachliegen **IV.** *s* **1.** Verschwendung *f* **2.** Abfall *m;* Abfallstoffe *mpl* **3.** Ödland *n,* Wildnis *f;* **go** [*o* **run to**] ~ umkommen, verkommen; (*Fähigkeiten, Geld, Land*) ungenutzt bleiben; (*Talent*) verkümmern; ~ **of energy, money, time** Kraft-, Geld-, Zeitverschwendung *f;* **what a ~!** so eine Verschwendung!; **nuclear** ~ Atommüll *m;* **toxic** ~ Giftmüll *m;* **waste away** *itr* dahinsiechen; immer weniger werden; **waste•basket, waste•bin** *s* Papierkorb *m;* **waste dis•pos•al** *s* Müllbeseitigung *f;* **waste-disposal unit** *s* Müllschlucker *m;* **waste•ful** ['weɪstfl] *adj* verschwenderisch (*of* mit), unrentabel; **waste heat** *s* Abwärme *f;* **waste•land** ['weɪstlænd] *s* Ödland *n;* **waste management** *s* (Ab fall)Entsorgung *f;* **waste-paper** ['weɪst'peɪpə(r)] *s* Papierabfälle *mpl,* Makulatur *f a. fig;* (*zum Wiederverwerten*) Altpapier *n;* **wastepaper basket** *s* Papierkorb *m;* **waste pipe** *s* Ablussrohr *n;* **waste product** *s* Abfallprodukt *n;* (BIOL) Ausscheidungsstoff *m;* **waster** ['weɪstə(r)] *s* Verschwender(in) *m(f);* Taugenichts *m;* **waste reprocessing** *s* Müllverwertung *f;* **waste steam** *s* Abdampf *m;* **waste water** *s* Abwasser *n;* **wast•ing** ['weɪstɪŋ] *adj* (*Krankheit*) zehrend; **wast•rel** ['weɪstrəl] *s* Verschwender(in) *m (f)*

watch¹ [wɒtʃ] *s* (Armband)Uhr *f*

watch² [wɒtʃ] **I.** *s* **1.** (*a.* MAR) Wache *f* **2.**

Be-, Überwachung *f* **3.** (gespannte) Aufmerksamkeit, Wachsamkeit *f* **4.** Wache, Wachmannschaft *f* **5.** Wachmann *m,* Wächter(in) *m (f);* **on** ~ auf Wache; **be on the** ~ auf der Hut sein; Ausschau halten (*for* nach); **keep** ~ Wache halten; aufpassen (*on* auf) **II.** *itr* **1.** aufpassen, Acht geben (*over* auf) **2.** zusehen, beobachten **3.** abpassen, -warten (*for s.th.* etw) **4.** wachen; Wache halten; ~ **for s.o./s.th.** nach jdm/etw Ausschau halten; ~ **for certain symptoms** auf gewisse Symptome achten **III.** *tr* **1.** bewachen, aufpassen auf, Acht geben auf; nicht aus den Augen lassen **2.** achten auf **3.** abwarten; ~ **one's step** vorsichtig zu Werke gehen; ~ **your step!** Achtung, Stufe!; Seien Sie vorsichtig!; **she ~ed her chance** sie wartete auf e-e günstige Gelegenheit; ~ **your health** achte auf deine Gesundheit; ~ **your language!** drück dich bitte etwas gepflegter aus!; ~ **it** [*o* **yourself**]**!** sei vorsichtig!; **he needs close ~ing** man muss ihm auf die Finger sehen; **a ~ed pot never boils** (*prov*) wenn man daneben steht, kocht das Wasser nie; **watch out** *itr* aufpassen, Acht geben, ausschauen (*for s.o.* nach jdm), sich hüten (*for s.o.* vor jdm); ~ **out!** Vorsicht!

watch•band ['wɒtʃbænd] *s* Uhrarmband *n*

watch-dog ['wɒtʃdɒg] *s* Wachhund *m a. fig;* (*fig*) Stallwache *f;* **watcher** ['wɒtʃə(r)] *s* **1.** Wächter(in) *m(f),* Wärter(in) *m(f)* **2.** Beobachter(in) *m(f);* **watch•ful** ['wɒtʃfl] *adj* wachsam, aufmerksam (*for* auf)

watch•maker ['wɒtʃˌmeɪkə(r)] *s* Uhrmacher(in) *m(f)*

watch•man ['wɒtʃmən] <*pl* -men> *s* **1.** Wachmann *m* **2.** (*night* ~) (Nacht)Wächter *m;* **watch•strap** *s* Uhrarmband *n;* **watch•tower** *s* Wachtturm *m;* **watch•word** ['wɒtʃwɜːd] *s* Kennwort *n,* Parole *f*

water ['wɔːtə(r)] **I.** *s* **1.** (*a.* MED) Wasser *n* **2.** Flüssigkeit *f* **3.** Urin *m,* Wasser *n* **4.** **~s** Gewässer *n;* **above** ~ über Wasser *a. fig;* **by** ~ auf dem Wasserweg; **of the first** [*o* **purest**] ~ reinsten Wassers; **be in deep** ~ (*fig*) in Schwierigkeiten stecken; **get into hot** ~ (*fig*) in Teufels Küche kommen; **have** ~ **on the brain** einen Wasserkopf haben; (*fig*) den Verstand verloren haben; **hold** ~ wasserdicht, *fig* stichhaltig sein; **keep one's head above** ~ (*fig*) sich über Wasser halten; **make** ~ (MAR) lecken; **make** [*o* **pass**] ~ (MED) Wasser lassen; **stay above** ~ sich über Wasser halten; **spend money like** ~ mit Geld um sich werfen; **take** ~, **drink the ~s** eine (Trink)Kur machen; **throw cold** ~ **on s.th.** (*fig*) die Begeisterung für etw dämpfen; **the boat draws ten feet of** ~ das Schiff hat zehn Fuß Tiefgang; **drinking** ~ Trinkwasser *n;* **high** ~ Hochwasser *n;* Flut *f;* **holy** ~ Weihwasser *n;* **low** ~ Niedrigwasser *n;* Ebbe *f* **II.** *tr* **1.** (*Vieh*) tränken **2.** bewässern, begießen, sprengen **3.** (~ *down*) (mit Wasser) verdünnen **4.** (*fig*) verwässern; ~ **down** (*fig*) verwässern, abschwächen, mildern **III.** *itr* **1.** (*Tier*) saufen **2.** Wasser einnehmen, tanken **3.** (*Augen*) tränen; **my mouth is watering** mir läuft das Wasser im Munde zusammen

water bird ['wɔːtəbɜːd] *s* Wasservogel *m;* **water biscuit** *s* Wasserzwieback *m;* **water boatman** *s* Wasserläufer *m;* **water•borne** ['wɔːtəbɔːn] *adj* auf dem Wasserweg befördert; (*Seuche*) durch Wasser übertragen; **water bottle** *s* Wasserflasche *f;* Feldflasche *f;* **water butt** *s* Regenwassertonne *f;* **water can•non** ['wɔːtəˌkænən] *s* Wasserwerfer *m;* **water carrier** *s* Wasserträger *m;* **the W~** (ASTR) der Wassermann; **water cart** *s* Wasser-, Sprengwagen *m;* **water closet** *s* (Spül-, Wasser)Klosett *n;* **water•color** *s* (*Am*), **water•colour** *s* **1.** Wasserfarbe, Aquarellfarbe *f* **2.** Aquarell *n* **3.** **~s** Aquarellmalerei *f;* **water content** *s* Wassergehalt *m;* **water-cooled** ['wɔːtəkuːld] *adj* (TECH) wassergekühlt; **water-cool•ing** ['wɔːtəkuːlɪŋ] *s* (TECH) Wasserkühlung *f;* **water•course** ['wɔːtəkɔːs] *s* **1.** Wasserlauf *m* **2.** Fluss-, Kanalbett *n;* **water•craft** ['wɔːtəkrɑːft] *s* Wasserfahrzeug(e *pl*) *n;* **water•cress** ['wɔːtəkres] *s* (BOT) Brunnenkresse *f;* **water cure** *s* Wasser-, Kneippkur *f;* **water-driven** ['wɔːtəˌdrɪvn] *adj* durch Wasser angetrieben; **water•fall** ['wɔːtəfɔːl] *s* Wasserfall *m;* **water•fowl** ['wɔːtəfaʊl] *s* Wasservögel *m(pl);* **water•front** ['wɔːtəfrʌnt] *s* **1.** Uferbezirk *m* (*e-r Stadt*) **2.** Hafenviertel *n;* **water gauge** *s* Pegel *m;* Wasserstandsmesser *m;* **water heater** *s* Warmwasserbereiter *m,* Heißwassergerät *n;* **water hole** *s* Wasserloch *n;* **water hose** *s* Wasserschlauch *m;* **water ice** *s* Wassereis *n* (*Speiseeis aus Wasser, Zucker und Fruchtsaft*)

water•ing ['wɔːtərɪŋ] *s* **1.** Sprengen, Begießen, (Be)Wässern *n* **2.** (*Vieh*) Tränken *n;* **watering can** *s* Gießkanne *f;* **watering cart** *s* Sprengwagen *m;* **watering place** *s* **1.** Kurort *m;* Badeort *m* **2.** (*Tiere*) Tränke *f*

water•less ['wɔːtəlɪs] *adj* wasserlos, trocken; **water level** *s* **1.** Wasserspiegel *m* **2.** Wasserstand *m;* Pegelstand *m;* **water lily** *s* Seerose *f;* **water•line** *s* (MAR) Wasserlinie *f;* **water•logged** ['wɔːtəlɒgd] *adj*

1. voll(er) Wasser 2. vollgesogen; **water main** *s* 1. Hauptwasserrohr *n* 2. ~**s** Wasserleitungsnetz *n;* **water•man** ['wɔːtəmən] <*pl* -men> *s* Fähr-, Bootsmann *m;* **water•mark** ['wɔːtəmɑːk] I. *s* 1. Hochwasserstandsmarke *f* 2. (*Papier*) Wasserzeichen *n* 3. ~**s** (MAR) Tiefgangsmarken *fpl* II. *tr* (*Papier*) mit e-m Wasserzeichen versehen; **water•melon** ['wɔːtəmelən] *s* Wassermelone *f;* **water meter** *s* Wassermesser *m,* -uhr *f;* **water pipe** *s* 1. Wasserrohr *n* 2. Wasserpfeife *f;* **water pistol** *s* Wasserpistole *f;* **water pollution** *s* Wasserverschmutzung, -verunreinigung *f;* **water polo** *s* Wasserball(spiel *n*) *m;* **water power** *s* Wasserkraft *f;* **water pressure** *s* Wasserdruck *m;* **water•proof** ['wɔːtəpruːf] I. *adj* wasserdicht; wasserundurchlässig; wasserfest II. *s* Regenmantel *m* III. *tr* imprägnieren; **water-repellent** *adj* Wasser abstoßend; **water•shed** ['wɔːtəʃed] *s* 1. Wasserscheide *f* 2. (*fig*) Wendepunkt *m;* **water shortage** *s* Wassermangel *m;* **water-side** ['wɔːtəsaɪd] *s* Ufer *n,* Strand *m;* **water-ski** I. *s* Wasserski *m* II. *itr* Wasserski fahren; **water-ski•ing** ['wɔːtə,skiːɪŋ] *s* Wasserskilaufen *n;* **water softener** *s* Enthärter *m;* **water-soluble** *adj* wasserlöslich; **water•spout** *s* 1. Regenrinne *f* 2. (METE) Wasserhose *f;* **water supply** *s* Wasserversorgung *f;* **water supply pipe** *s* Wasserleitungsrohr *n;* **water supply point** *s* Wasserstelle *f;* **water•table** ['wɔːtəteɪbl] *s* 1. Grundwasserspiegel *m* 2. (ARCH) Wasserabflussleiste *f;* **water tank** *s* Wasserbehälter, -tank *m;* **water•tight** ['wɔːtətaɪt] *adj* 1. wasserdicht 2. (*fig*) stichhaltig; **water tower** *s* Wasserturm *m;* **water vapor** *s* (*Am*), **water vapour** *s* Wasserdampf *m;* **water vole** *s* Wasserratte *f;* **water wave** *s* (*Frisur*) Wasserwelle *f;* **water•way** ['wɔːtəweɪ] *s* Wasserweg *m;* Schleppkanal *m;* Fahrrinne *f;* **water•wings** ['wɔːtəwɪŋz] *s pl* Schwimmflügel *mpl;* **water•works** ['wɔːtəwɜːks] *s pl oft mit sing* Wasserwerk *n;* **turn on the** ~ (*fam*) auf die Tränendrüsen drücken; **do you have trouble with your ~?** (*fam*) du hast wohl 'ne schwache Blase?

wat•ery ['wɔːtərɪ] *adj* 1. wässerig 2. (*Augen*) tränend, feucht 3. (*Himmel, Sonne*) blass; **a ~ grave** ein feuchtes Grab

watt [wɒt] *s* (EL) Watt *n;* **wat•tage** ['wɒtɪdʒ] *s* Wattleistung *f;* **what ~?** wie viel Watt?

wave [weɪv] I. *s* 1. Welle *f a. fig* 2. (*fig*) Woge *f* 3. Wink(zeichen *n*) *m;* **give s.o. a ~** jdm (zu)winken; **in ~s** in (aufeinander folgenden) Wellen; ~ **of enthusiasm** Welle *f* der Begeisterung; ~ **of one's hand** Handbewegung *f;* ~ **of strikes** Streikwelle *f* II. *itr* 1. winken (*to s.o.* jdm) 2. (*Fahne*) wehen; (*Korn*) wogen; (*Äste*) sich bewegen 3. (*Haare*) sich wellen III. *tr* 1. winken mit; schwenken 2. durch Winkzeichen zu verstehen geben (*s.o.* jdm) 3. (*Haare*) wellen; ~ **one's hand at s.o.** jdm winken; ~ **s.o. goodbye** jdm zum Abschied winken; **he ~d us over to his table** er winkte uns zu sich an den Tisch herüber; **wave aside** *tr* 1. zur Seite winken 2. (*fig*) einfach abtun; **wave down** *tr* anhalten; **wave on** *tr* weiter winken; **wave power** *s* Wellenenergie *f;* **wave through** *tr* durchwinken; (*fig: Antrag*) ohne Einwände annehmen; **wave-band** *s* Frequenzband *n;* **wave•length** *s* Wellenlänge *f a. fig*

wa•ver ['weɪvə(r)] *itr* 1. (hin- u. her)schwanken, flattern 2. (*fig*) schwanken; zaudern; (*Mut*) wanken; (*Unterstützung*) nachlassen 3. (*Licht*) flackern

wave-range ['weɪvreɪndʒ] *s* Wellenbereich *m*

wa•verer ['weɪvərə(r)] *s* Zauderer *m;* **wa•ver•ing** ['weɪvərɪŋ] *adj* (*fig*) unentschlossen; (*Mut, Unterstützung*) wankend; nachlassend

wavy ['weɪvɪ] *adj* wellenförmig; wellig; ~ **line** Schlangenlinie *f*

wax¹ [wæks] I. *s* 1. (*bees~*) (Bienen)Wachs *n* 2. (*ear~*) Ohrenschmalz *n* 3. (*sealing ~*) Siegellack *m* II. *tr* (ein)wachsen; bohnern

wax² [wæks] *itr* zunehmen; **~ing moon** zunehmender Mond

wax paper ['wækspeɪpə(r)] *s* Wachspapier *n;* **wax removal strip** *s* Wachsenthaarungsstreifen *m;* **wax•works** ['wækswɜːks] *s pl* Wachsfigurenkabinett *n;* **waxy** ['wæksɪ] *adj* wachsartig; wächsern, Wachs-

way [weɪ] I. *s* 1. Weg *m* 2. Entfernung, (Weg)Strecke *f* 3. Richtung *f;* (MAR) Kurs *m* 4. (*fig*) Art, Weise, Art u. Weise *f* 5. Verhaltensweise, Art *f* 6. Möglichkeit, Gelegenheit *f* 7. Hinsicht, Beziehung *f* 8. Verfassung *f,* Zustand *m* 9. ~**s** (MAR) Helling *f;* **ask the ~** nach dem Weg fragen; **be out of the ~** abgelegen sein; **be on the ~ in** im Kommen sein; **be on the ~ out** (*fig*) im Begriff sein unmodern zu werden; **do s.th. the hard ~** sich etw schwer machen; **get** [*o* **have**] **one's (own) ~** seinen Willen durchsetzen; **get into the ~ of doing s.th.** sich angewöhnen etw zu tun; **give ~** nachgeben *a. fig,* Platz machen (*to s.o.* jdm); (MOT) die Vorfahrt beachten; **go out of one's ~** sich große Mühe geben (*for* wegen); **go one's**

own ~ (*fig*) seinen eigenen Weg gehen; **have a ~ with s.o.** mit jdm umzugehen verstehen; **have it both ~s** das eine tun und das andere nicht lassen; **have it your own ~!** wie du willst!; **have right of** ~ Vorfahrt haben; **lead the** ~ vorangehen *a. fig;* (*fig*) ein Beispiel geben; **lose one's** ~ sich verlaufen; sich verfahren; **lose** ~ (MAR) Fahrt verlieren; **make** ~ Platz machen (*for* für); **make one's** ~ vorwärts-, weiter-, vorankommen *a. fig;* **pave the ~ for s.o.** (*fig*) jdm den Weg ebnen; **that's the ~ he wants it** so will er es haben; **no ~!** (*sl*) ich denke nicht daran!; **a long ~ from** weit entfernt von; **a long ~ off** weit weg; **he'll go a long** ~ er wird es weit bringen; **he worked his ~ up** er hat sich nach oben gearbeitet; **things are in a bad** ~ es steht schlecht; ~ **home** Heimweg *m;* ~ **in,** ~ **out** Ein-/Ausgang *m;* **~-out!** irre!; **~s and means** Mittel u. Wege; **across the** ~ gegenüber; **any** ~ auf jeden Fall; **by ~ of** über, durch; mittels, mit Hilfe *+gen;* **by the** ~ übrigens; **in a** ~ in gewisser Weise; gewissermaßen; **in the** ~ im Wege, hinderlich, lästig; **in the ~ of** hinsichtlich *+gen;* **in no** ~ durchaus nicht, keineswegs; **in the family** ~ (*fam*) in anderen Umständen; **on the** ~ auf dem Weg, unterwegs (*to* nach); **one ~ or another** irgendwie; **there are no two ~s about it** da gibt es gar nichts; **this, that** ~ so, auf diese Weise; **this** ~ hierher; hier entlang, hindurch; **this ~ or that** ~ so oder so; **"this ~ up"** „hier oben"; **under** ~ unterwegs, auf dem Wege; (*fig*) in Gang; **be under** ~ (*fig*) vorankommen, Fortschritte machen; **get under** ~ in Gang kommen; (MAR) Fahrt aufnehmen **II.** *adv* (*fam*) weit, ein tüchtiges Stück, ganz; ~ **back** weit zurück; (*zeitlich*) vor langer Zeit; ~ **behind,** ~ **down,** ~ **up** ganz hinten, ganz unten, ganz oben; **he was ~ out** er hat weit gefehlt; ~ **out/over** weit draußen/drüben

way•bill ['weɪbɪl] *s* Frachtbrief *m;* **way•lay** [ˌweɪ'leɪ] *irr tr* auflauern (*s.o.* jdm); **way of thinking** *s* Denkweise *f;* **way out** [ˌweɪ'aʊt] *s* Ausgang *m;* (*Straße, Parkplatz*) Ausfahrt *f;* **way-out** [ˌweɪ'aʊt] *adj* (*sl*) irre; **way•side** ['weɪsaɪd] *s* Straßenrand *m;* **by the** ~ am Weges-, Straßenrand; **fall by the** ~ auf der Strecke bleiben; **wayside inn** *s* Rasthaus *n;* ~ **to go!** (*fam*) gut gemacht!, bravo!

way•ward ['weɪwəd] *adj* **1.** (*Mensch*) widerspenstig, eigensinnig, -willig **2.** (*Bitte, Vorstellung*) abwegig **3.** (*lit*) launisch

we [wiː] *pron* wir

weak [wiːk] *adj* **1.** (*a.* GRAM) schwach *fig* **2.** (*Spieler*) schlecht **3.** (*Flüssigkeit*) dünn **4.** (*Charakter*) labil, willenlos **5.** (*Argument*) nicht überzeugend; **weaken** ['wiːkən] **I.** *tr* **1.** schwächen **2.** verringern **II.** *itr* **1.** schwächer werden **2.** (*Mensch*) schwach werden, nachgeben; **weak•ling** ['wiːklɪŋ] *s* Schwächling *m;* **weak•ly** ['wiːklɪ] *adj, adv* schwächlich; **weak-minded** [ˌwiːk'maɪndɪd] *adj* **1.** willensschwach **2.** schwachsinnig; **weak•ness** ['wiːknɪs] *s* **1.** Schwäche *f* **2.** (*fig*) schwache Seite, Schwäche *f* (*for* für)

weal¹ [wiːl] *s* (LIT) Wohl *n;* **the common ~, the public ~, the general** ~ das Wohl der Allgemeinheit

weal² [wiːl] *s* Striemen *m*

wealth [welθ] *s* **1.** Reichtum *m;* Vermögen *n* **2.** (*fig*) Fülle *f* (*of* von); **wealth creation** *s* Vermögensbildung *f;* **wealth tax** *s* Vermögenssteuer *f;* **wealthy** ['welθɪ] *adj* vermögend, wohlhabend; **the** ~ die Reichen *pl*

wean [wiːn] *tr* (*Kind*) entwöhnen; ~ **s.o. from s.th.** jdm etw abgewöhnen

weapon ['wepən] *s* Waffe *f a. fig;* **weap•on•ry** ['wepənrɪ] *s* Waffen *fpl;* **atomic ~s** Atomwaffen *fpl;* **~s of mass destruction** Massenvernichtungswaffen *pl*

wear [weə(r)] <*irr:* wore, worn> **I.** *tr* **1.** (*Kleidung, Schmuck, Brille*) tragen **2.** abnutzen; (*Kleidung*) abtragen; (*Ärmel*) durchwetzen; (*Stufen*) austreten; (*Reifen*) abfahren **3.** (*fig fam*) annehmen; ~ **smooth** abgreifen; austreten; glatt machen; verwittern lassen; **what did she ~?** was hatte sie an?; **what shall I ~?** was soll ich anziehen?; **he has nothing to** ~ er hat nichts anzuziehen **II.** *itr* **1.** (*Stoff, Material*) halten **2.** sich abnutzen; kaputt gehen; abgefahren werden; ~ **to its end** [*o* **close**] langsam zu Ende gehen; ~ **smooth** verwittern; abgegriffen werden, sein; glatt, stumpf werden; **my patience is ~ing thin** meine Geduld geht langsam zu Ende, ich bin mit meiner Geduld am Ende; **the excuse is ~ing thin** die Ausrede zieht langsam nicht mehr; **he has worn well** (*fig fam*) er hat sich gut gehalten **III.** *s* **1.** (*Kleidung*) Tragen *n* **2.** Kleidung *f* **3.** Abnutzung *f,* Verschleiß *m* **4.** (*Material*) Haltbarkeit *f;* **have had a lot of ~ out of s.th.** etw oft getragen haben; **there is a lot of ~ left in this material** dieses Material hält noch lange; **for hard** ~ strapazierfähig; **for long** ~ haltbar; **be the worse for** ~ abgetragen, abgenutzt, in schlechtem Zustand sein; **I was none the worse for** ~ ich war völlig auf der Höhe; **men's ~, women's~, children's** ~ Herren-, Damen-, Kinder(be)kleidung *f;* **a dress for evening** ~ ein Kleid für den Abend; **suit for everyday** ~ Alltagsanzug *m;* **summer ~, winter ~** Sommer-, Winterkleidung *f;* **~ and tear** Abnutzung *f,* Verschleiß *m;* **wear away I.** *tr* **1.** (*Stein, Fels*) abtragen; aushöhlen; auswaschen; (*Stufen*) austreten; (*Inschrift*) verwischen; verwittern lassen **2.** (*fig*) schwächen; (*Geduld*) zehren an **II.** *itr* **1.** abgetragen werden; sich abschleifen; (*Inschrift*) verwittern; verwischen **2.** (*fig*) schwinden; **wear down** *tr* **1.** abnutzen **2.** ermüden **3.** (*Widerstand*) zermürben **4.** (*Geduld*) erschöpfen; **wear off** *itr* **1.** sich abnutzen **2.** vergehen; (*Aufregung*) sich legen; (*Eindruck*) sich verlieren; **wear on** *itr* (*Zeit*) (dahin)schleichen, langsam vergehen; **wear out** *tr* **1.** abtragen, abnutzen **2.** erschöpfen; ermüden

wear•able ['weərəbl] *adj* tragbar

wear•ing ['weərɪŋ] *adj* ermüdend

wear•i•some ['wɪərɪsəm] *adj* **1.** ermüdend, mühselig **2.** langweilig **3.** unangenehm, lästig

weary ['wɪərɪ] **I.** *adj* **1.** abgespannt, erschöpft (*with* von) **2.** ermüdend; lästig, unangenehm **II.** *tr* ermüden; langweilen **III.** *itr* überdrüssig werden (*of s.th.* e-r S); **he never wearied of it** er wurde es nie leid

wea•sel ['wi:zl] **I.** *s* (ZOO) (kleines) Wiesel *n* **II.** *itr* (*Am*) sich herausreden; **weasel out** *itr* sich drücken (*of* vor)

weather ['weðə(r)] **I.** *s* Wetter *n,* Witterung *f;* **in wet ~** bei nassem Wetter; **in all ~s** bei jeder Witterung; **under the ~** (*fam*) nicht auf dem Posten; nicht glücklich; in der Patsche; **keep one's ~ eye open** (*fig fam*) aufpassen; **make heavy ~ of s.th.** etw schwierig finden **II.** *tr* **1.** verwittern lassen; (*Haut*) gerben **2.** (*Holz*) (aus)trocknen, ablagern lassen **3.** (MAR) luvwärts umschiffen; vorbeifahren an **4.** (*fig: ~ out*) gut überstehen; **weather-beaten** ['weðə,bi:tn] *adj* **1.** durch Witterungseinflüsse beschädigt **2.** (*Haut*) wettergegerbt; **weather•board, weather boarding** *s* Holzverschalung *f;* **weather-bound** ['weðəbaʊnd] *adj* durch schlechtes Wetter gehindert; **weather bureau** *s* Wetterwarte *f;* **weather chart** *s* Wetterkarte *f;* **weather•cock** ['weðəkɒk] *s* Wetterhahn *m;* **weather conditions** *s pl* Wetterlage *f,* -verhältnisse *npl;* **weather forecast** *s* Wettervorhersage *f,* -bericht *m;* **weather•ing** ['weðərɪŋ] *s* (GEOL) Verwitterung *f;* **weather•man** ['weðəmæn] <*pl* -men> *s* Meteorologe *m;* **weather•proof** ['weðəpru:f] **I.** *adj* wetterfest **II.** *tr* wetterfest machen

weave [wi:v] <*irr:* wove, woven> **I.** *tr* **1.** weben, wirken **2.** (ein)flechten (*into* in) **3.** (*fig*) ausdenken, ersinnen **4.** verflechten (*with* mit, *into* in, zu) **5.** (MOT) ständig Spur wechseln; **~ one's way** sich durchlavieren (*through* durch) **II.** *itr* **1.** weben **2.** sich hin- u. herbewegen; (*Weg*) sich schlängeln; **get weaving** (*fam*) sich ins Zeug legen **III.** *s* Webart *f;* Gewebe *n;* **weaver** ['wi:və(r)] *s* Weber(in) *m (f);* **weaver bird** *s* Webervogel *m*

web [web] *s* **1.** Gewebe *n* **2.** (*cob~*) Spinnennetz *n* **3.** (ZOO) Schwimmhaut *f;* **~ of lies** Lügengewebe, -gespinst *n;* **web-footed** [,web'fʊtɪd] *adj* schwimmfüßig; **web-offset** *s* Rollenrotations-Offsetdruck *m*

wed [wed] **I.** *tr* **1.** heiraten; (*Pfarrer*) trauen **2.** (*fig*) eng verbinden, vereinigen (*with, to* mit) **II.** *itr* sich verheiraten

we'd [wi:d] = **we had; we would**

wedded ['wedɪd] *adj* **1.** verheiratet **2.** (*fig*) (eng) verbunden (*to* mit); **~ bliss** Eheglück *n;* **wed•ding** ['wedɪŋ] *s* Hochzeit *f;* (*fig*) Verbindung *f;* **wedding anniversary** *s* Hochzeitstag *m;* **wedding breakfast** *s* Hochzeitsessen *n;* **wedding cake** *s* Hochzeitskuchen *m;* **wedding day** *s* Hochzeitstag *m,* Tag *m* der Trauung; **wedding dress** *s* Hochzeitskleid *n;* **wedding guest** *s* Hochzeitsgast *m;* **wedding night** *s* Hochzeitsnacht *f;* **wedding present** *s* Hochzeitsgeschenk *n;* **wedding ring** *s* Trauring, Ehering *m*

wedge [wedʒ] **I.** *s* **1.** Keil *m* **2.** (*keilförmiges*) Stück *n* (*Torte, Kuchen*) **3.** (*Schuh*) Keilabsatz *m* **4.** (*Golf*) Wedge *m* **5.** (*sl*) Bündel *n* Scheine; **the thin end of the ~** (*fig*) der Anfang, das Vorspiel **II.** *tr* **1.** verkeilen **2.** (*~ in*) (hinein)drücken, zusammenpferchen; **~ o.s. in** sich hineinzwängen, -drängen; **be ~d between** eingekeilt, eingezwängt sein zwischen

wed•lock ['wedlɒk] *s* Ehe *f;* **born out of ~** unehelich geboren

Wed•nes•day ['wenzdɪ] *s* Mittwoch *m;* **on ~** am Mittwoch; **on ~s** mittwochs; **Ash ~** Aschermittwoch *m*

wee [wi:] **I.** *adj* winzig (klein); **a ~ bit** ein bisschen, ein wenig **II.** *s* (*fam*) Pipi *n* **III.** *itr* (*fam*) Pipi machen

weed [wi:d] **I.** *s* **1.** Unkraut *n a. fig* **2.** (*fig*) Schwächling *m* **3.** (*fam: Tabak*) Kraut *n* **4.** (*sl: Marihuana*) Gras *n* **II.** *tr* **1.** (*Garten*) jäten **2.** (*~ out, fig*) aussondern; **weed-killer** ['wi:dkɪlə(r)] *s* Unkrautvertilgungsmittel *n;* **weedy** ['wi:dɪ] *adj* **1.** voller Unkraut **2.** (*fig*) schwächlich

week [wi:k] *s* Woche *f;* **by the ~** wochenweise; wöchentlich; **for ~s** wochenlang; **this day, yesterday, Sunday ~** heute, gestern, Sonntag in 8 Tagen; **a ~ from tomorrow** morgen in 8 Tagen; **once a ~** (einmal) wöchentlich; **~ in, ~ out** Woche für

Woche; **a ~ or two** ein paar Wochen; **a 40-hour ~** e-e 40-Stunden-Woche; **what day of the ~?** an welchem Tag?; **week•day** ['wi:kdeɪ] *s* Wochen-, Arbeitstag *m;* **work (on) ~s** werktags arbeiten; **week•end** [ˌwi:k'end] **I.** *s* Wochenende *n;* **long ~** verlängertes Wochenende; **~ ticket** Sonntagsrückfahrkarte *f* **II.** *itr* das Wochenende verbringen; **week•ender** [ˌwi:k'endə(r)] *s* Wochenendausflügler *m;* **week•ly** ['wi:klɪ] **I.** *adj, adv* wöchentlich; **~ report** Wochenbericht *m* **II.** *s* Wochenblatt *n;* **~ travelcard** Wochenkarte *f*

weeny ['wi:nɪ] *adj* (*fam*) winzig

weep [wi:p] <*irr:* wept, wept> **I.** *itr* **1.** weinen (*for* um, *at, over* über) **2.** (*Wunde*) nässen; **~ for joy** vor Freude weinen **II.** *tr* beweinen, beklagen; **~ bitter tears** bittere Tränen weinen; **~ o.s. to sleep** sich in den Schlaf weinen; **weep•ing** [-ɪŋ] **I.** *s* Weinen *n* **II.** *adj* weinend; **~ willow** Trauerweide *f*

weigh [weɪ] **I.** *tr* **1.** wiegen **2.** (*fig*) abwägen; (*in one's mind*) erwägen; **~ anchor** den Anker lichten **II.** *itr* **1.** wiegen **2.** (*fig*) lasten (*on* auf) **3.** (*Wort, Meinung*) gelten, Gewicht haben; **weigh down** *tr* **1.** beugen, niederdrücken **2.** (*fig*) belasten, niederdrücken; **weigh in** *itr* **1.** (SPORT) sich wiegen lassen **2.** das Gepäck wiegen lassen **3.** (*fig fam*) beispringen, sich einmischen; **~ in at 80 kilos** 80 Kilo wiegen; **weigh out** *tr* abwiegen; **weigh up** *tr* abwägen; (*Menschen*) einschätzen; **weigh-bridge** ['weɪbrɪdʒ] *s* Brückenwaage *f;* **weigh-in** ['weɪɪn] *s* (SPORT) Wiegen *n*

weight [weɪt] **I.** *s* **1.** Gewicht *n a. fig* **2.** (*fig*) (schwere) Last, Bürde *f* **3.** Wichtigkeit, Bedeutung *f,* Einfluss *m* **4.** (*Statistik*) Wertigkeit *f;* **by ~** nach Gewicht; **of ~** gewichtig; **over ~, under ~** zu schwer, zu leicht; **attach ~ to s.th.** (*fig*) e-r S Gewicht beimessen; **carry ~** (*fig*) Gewicht, Macht, Einfluss haben (*with* auf); **lose ~** abnehmen; **put on ~** (*Mensch*) zunehmen; **throw one's ~ about** (*fam*) sich wichtig machen; **atomic ~** (CHEM) Atomgewicht *n;* **dead ~** Leer-, Eigengewicht *n;* **excess** [*o* **surplus**] **~** Übergewicht *n* **II.** *tr* **1.** beschweren **2.** (*Statistik*) gewichten; verfälschen; **~ in s.o.'s favour** zu jds Gunsten beeinflussen; **be ~ed against s.o.** jdn benachteiligen; **~ed average** gewogener Mittelwert; **~ed index** gewogener Index; **weight down** *tr* **1.** überladen **2.** beschweren **3.** (*fig*) belasten; **weight•ing** ['weɪtɪŋ] *s* Zulage *f;* **weight•less** [-lɪs] *adj* schwerelos; **weight•less•ness** ['weɪtlɪsnɪs] *s* Schwerelosigkeit *f;* **weight•lifter** ['weɪtlɪftə(r)] *s* (SPORT) Gewichtheber(in) *m(f);* **weight•lift•ing** ['weɪtlɪftɪŋ] *s* (SPORT) Gewichtheben *n;* **weighty** ['weɪtɪ] *adj* **1.** schwer *a. fig* **2.** (*fig*) (ge)wichtig, schwierig **3.** (*Grund*) triftig

weir [wɪə(r)] *s* **1.** Wehr *n,* Damm *m* **2.** (Fisch)Reuse *f*

weird [wɪəd] *adj* **1.** unheimlich; übernatürlich **2.** (*fam*) seltsam; **weirdie, weirdo** ['wɪədɪ, 'wɪədəʊ] *s* (*sl*) komischer Kauz

wel•come ['welkəm] **I.** *adj* **1.** willkommen, gern gesehen **2.** erfreulich, angenehm; **you are ~ to use my car** mein Wagen steht zu Ihrer Verfügung; (**you are**) **~!** bitte sehr, nichts zu danken! gern geschehen! **II.** *s* Willkomm(en *n*) *m;* Willkommensgruß *m;* **give s.o. a warm ~** jdm e-n herzlichen Empfang bereiten **III.** *interj* herzlich willkommen! **IV.** *tr* **1.** bewillkommnen, willkommen heißen **2.** (*fig*) begrüßen, gern sehen; **I should ~ it if ...** ich würde es begrüßen, wenn ...; **wel•com•ing** [-ɪŋ] *adj* Begrüßungs-; (*Atmosphäre*) freundlich

weld [weld] **I.** *tr* **1.** (TECH) schweißen **2.** (*fig*) zusammenschweißen **II.** *s* Schweißstelle *f;* **welder** ['weldə(r)] *s* **1.** Schweißer(in) *m(f)* **2.** Schweißgerät *n;* **weld•ing** [-ɪŋ] *s* Schweißen *n;* **welding torch** *s* Schweißbrenner *m*

wel•fare ['welfeə(r)] *s* **1.** Wohlergehen *n* **2.** Wohlfahrt, Fürsorge *f* **3.** Sozialhilfe *f;* **welfare payment** *s* Sozialhilfeleistung *f;* **welfare services** *s pl* Sozialdienste *mpl;* **welfare state** *s* Wohlfahrtsstaat *m;* **welfare work** *s* Sozialarbeit *f;* **welfare worker** *s* Sozialarbeiter(in) *m(f)*

we'll [wi:l] = **we shall; we will**

well[1] [wel] **I.** *s* **1.** Brunnen(schacht) *m* **2.** (MIN) Bohrloch *n;* Ölquelle *f* **3.** Quelle *f a. fig* **4.** (ARCH) Treppenhaus *n;* Fahrstuhlschacht *m* **5.** (*Br:* JUR) eingefriedeter Platz der Anwälte **6.** (THEAT) Parkett *n* **7.** (*ink~*) Tintenfass *n;* **drive** [*o* **sink** a] **~** e-n Brunnen bohren **II.** *itr* quellen, sprudeln, fließen (*from* aus); **well up** *itr* **1.** emporquellen **2.** (*fig*) aufsteigen; (*Geräusch*) anschwellen; **tears ~ed up in her eyes** ihr traten Tränen in die Augen

well[2] [wel] <better, best> **I.** *adv* **1.** gut **2.** durchaus, mit Recht, mit gutem Grund **3.** weit, sehr **4.** (ganz) genau; **do ~** seine Sache gut machen; **business is doing ~** die Geschäfte gehen gut; **the patient is doing ~** dem Patienten geht es gut; **do as ~ as one can** es so gut man kann machen; **do ~** gut vorankommen; (*Patient*) wohlauf sein; **do ~ in an exam** in einer Prüfung gut abschneiden; **do ~ out of s.th.** bei etw profitieren; **you would do ~ to come early** es wäre gut, wenn Sie früh kämen; **you did ~ to go** es war richtig [*o* gut], dass

Sie gegangen sind; ~ **done!** bravo!; **do ~ by s.o.** jdm gegenüber großzügig sein; **go ~** gut gehen; **go as ~** mitgehen; **let ~ alone** die Finger davon lassen; **speak ~ of s.o.** gut von jdm sprechen; **stand ~ with s.o.** bei jdm gut angeschrieben sein; ~ **past,** ~ **over,** ~ **under** weit nach, weit über, weit unter; ~ **played!** gut gespielt!; **as ~** auch; **as ~ as** ebenso wie; **all** [*o* **only**] **too ~** nur zu gut; ~ **and truly** wirklich; richtig; **pretty ~ enough** ziemlich genug; **you might as ~ come** du könntest eigentlich kommen; **I might as ~** warum eigentlich nicht; **I might as ~ not be there** ich könnte ebensogut nicht da sein; **he may ~ have said that** es kann gut sein, dass er das gesagt hat; **I can't very ~ not go** ich kann nicht gut nicht hingehen; **you may ~ ask!** das kann man wohl fragen!; **I am ~ content** ich bin sehr zufrieden; **he can ~ afford it** er kann es sich sehr gut leisten; **it was ~ worth it** es hat sich sehr gelohnt **II.** *adj* **1.** gesund **2.** (*Lage, Zustand*) gut; **get ~ soon!** gute Besserung!; **she is not ~** es geht ihr nicht gut; **I don't feel ~** ich fühle mich nicht wohl; **all is not ~** es steht gar nicht gut; **that's all very ~ but ...** das ist ja gut und schön, aber ...; **it's all very ~ for you to talk** Sie haben gut reden; **it would be just as ~ to tell him** es wäre wohl gut, wenn man es ihm sagen würde; **just as ~ you asked** nur gut, dass Sie gefragt haben; **you're ~ out of it** sei froh, dass du damit nichts zu tun hast; **all's ~ that ends ~** (*prov*) Ende gut, alles gut **III.** *interj* also; na; na ja; **~, ~!** na so etwas!; ~ **now** also; **very ~** (**then**) na schön **IV.** *s* (das) Gute; **wish s.o. ~** jdm alles Gute wünschen

well-ad•vised [ˌweləd'vaɪzd] *adj* wohl überlegt; **be ~** gut beraten sein; **well-ap•pointed** [ˌwelə'pɔɪntɪd] *adj* gut ausgerüstet, gut ausgestattet; **well-bal•anced** [ˌwel'bælənst] *adj* **1.** wohl ausgewogen **2.** gut ausgeglichen, im Gleichgewicht; **well-behaved** [ˌwelbɪ'heɪvd] *adj* wohlerzogen, artig; **well•be•ing** [ˌwel'biːɪŋ] *s* Wohl *n;* **well-bred** [ˌwel'bred] *adj* wohlerzogen; **well-chosen** [ˌwel'tʃəʊzn] *adj* gut (aus)gewählt, passend; **well-con•nec•ted** [ˌwelkə'nektɪd] *adj* mit guten Beziehungen; **well-de•served** [ˌweldɪ'sɜːvd] *adj* wohlverdient; **well-de•veloped** [ˌweldɪ'veləpt] *adj* (*Mensch*) gut entwickelt; (*Wirtschaft*) hochentwickelt; **well-dis•posed** [ˌweldɪ'spəʊzd] *adj* freundlich gesonnen (*towards dat*); **well-done** [ˌwel'dʌn] *adj* (*Fleisch*) gar, gut durch; **well-dressed** [ˌwel'drest] *adj* gut angezogen, gut gekleidet; **well-earned** [ˌwel'ɜːnd] *adj* wohlverdient; **well-educated** *adj* gebildet; **well-fed** [ˌwel'fed] *adj* wohlgenährt; **well-founded** [ˌwel'faʊndɪd] *adj* (wohl)begründet; **well-groomed** [ˌwel'gruːmd] *adj* (*Pferd, Mensch*) gepflegt; **well-heeled** [ˌwel'hiːld] *adj* (*fam*) betucht; **well-in•formed** [ˌwelɪn'fɔːmd] *adj* gut informiert, unterrichtet

wel•ling•ton (**boot**) ['welɪŋtən (buːt)] *s* (*Br*) Gummistiefel *m*

well-intentioned [ˌwelɪn'tenʃənd] *adj* wohlmeinend; **well-knit** [ˌwel'nɪt] *adj* gut gebaut; (*fig*) gut durchdacht; **well-known** [ˌwel'nəʊn] *adj* (wohl) bekannt; **well-man•nered** [ˌwel'mænəd] *adj* höflich; **well-mean•ing** [ˌwel'miːnɪŋ] *adj* wohlmeinend; **well-meant** [ˌwel'ment] *adj* gut gemeint; **well-nigh** ['welnaɪ] *adv* beinahe, fast; **well-off** [ˌwel'ɒf] *adj* **1.** reich, wohlhabend **2.** gut daran; **be ~** es gut haben; **well-oiled** [ˌwel'ɔɪld] *adj* (*fam*) beschwipst; **well-pro•por•tioned** [ˌwelprə'pɔːʃnd] *adj* wohlproportioniert; **well-read** [ˌwel'red] *adj* belesen; **well-spoken** [ˌwel'spəʊkən] *adj* gepflegt sprechend; **be ~** sich gepflegt ausdrücken; **well-thought-of** [ˌwel'θɔːtɒv] *adj* angesehen, von gutem Ruf; **well-timed** [ˌwel'taɪmd] *adj* im rechten Augenblick; **well-to-do** [ˌweltə'duː] *adj* wohlhabend; **well-turned** [ˌwel'tɜːnd] *adj* (*fig*) gut ausgedrückt; **well-wisher** ['welwɪʃə(r)] *s* Gönner(in) *m(f),* Freund(in) *m(f);* **well-worn** [ˌwel'wɔːn] *adj* (*Kleidung*) abgetragen; (*Teppich*) abgelaufen; (*Weg*) ausgetreten; (*fig*) abgedroschen

welly ['welɪ] *s* (*Br: fam*) Gummistiefel *m*

Welsh [welʃ] **I.** *adj* walisisch; ~ **dresser** Anrichte *f;* ~ **rabbit** [*o* **rarebit**] Toast *m* mit zerlassenem Käse **II.** *s* (das) Walisisch(e); **Welsh•man** ['welʃmən, *pl* -men] <*pl* -men> *s* Waliser *m;* **Welsh•woman** ['welʃwʊmən, *pl* -wɪmɪn] <*pl* -women> *s* Waliserin *f*

welt [welt] *s* **1.** Stoßkante *f* **2.** (*Schuh*) Rahmen *m* **3.** Strieme(n *m*) *f*

wel•ter•weight ['weltəweɪt] *s* Weltergewicht(sboxer *m*) *n*

wend [wend] *tr:* ~ **one's way to** seinen Weg machen nach

went [went] *s.* **go**

wept [wept] *s.* **weep**

were [wɜː(r)] *2. Person Singular, 1., 2., 3. Person Plural Präteritum* **be**

we're [wɪə(r)] = **were are**

weren't [wɜːnt] = **were not**

west [west] **I.** *s* Westen *m;* **the W~** der Westen; (*Am*) die Weststaaten *mpl;* **in the ~** im Westen; **to the ~** nach Westen; **to the ~ of** westlich von **II.** *adj* westlich **III.** *adv* nach Westen; ~ **of** westlich von; **go** ~ (*fig fam*) draufgehen; **west•bound** ['westbaʊnd] *adj* nach Westen gehend; **West End** *s* Westend *n;* **west•er•ly** ['westəlɪ] *adj* westlich; **west•ern** ['westən] **I.** *adj* westlich; ~ **Germany** der westliche Teil Deutschlands; die alten Bundesländer *npl* **II.** *s* Wildwestgeschichte *f,* -roman, -film *m,* Western *m;* **west•erner** ['westənə(r)] *s* **1.** Abendländer(in) *m(f)* **2.** (*amerik.*) Weststaatler(in) *m(f);* **west•ern•ize** ['westənaɪz] *tr* verwestlichen; **West Germany** *s* (HIST) Westdeutschland *n,* die (alte) Bundesrepublik (Deutschland); **west•ward(s)** ['westwəd(z)] *adj, adv* westwärts, nach Westen

wet [wet] <*irr:* wet (wetted), wet (wetted)> **I.** *adj* **1.** nass, feucht (*with* von) **2.** regennass, feucht, regnerisch **3.** (*Farbe*) frisch **4.** (*Br: fam*) weichlich; ~ **to the skin** nass bis auf die Haut; **be ~ through** (**and through**) durch u. durch nass sein; ~ **blanket** (*fig fam*) Miesmacher(in) *m(f);* ~ **cell** Nasszelle *f;* ~ **dock** Dock, Flutbecken *n;* ~ **paint!** frisch gestrichen! **II.** *s* **1.** Nässe, Feuchtigkeit *f* **2.** Regenzeit *f* **3.** (*Br: sl fig*) Waschlappen *m* **III.** *tr* nass machen; ~ **one's whistle** (*fam*) sich e-n hinter die Binde kippen; ~ **the bed** ins Bett machen, bettnässen

weth•er ['weðə(r)] *s* (ZOO) Hammel, Schöps *m*

wet-nurse ['wetnɜ:s] *s* Amme *f;* **wet season** *s* Regenzeit *f;* **wet shave** *s* Nassrasur *f;* **wet•ting** ['wetɪŋ]: **get a** ~ durchnässt, nass werden

we've [wi:v] = **we have**

whack [wæk] **I.** *tr, itr* schlagen **II.** *s* **1.** heftiger Schlag, Knall *m* **2.** (*fam*) Versuch *m* **3.** (*fam*) Anteil *m;* **have a ~ at s.th.** (*fam*) etw probieren; **whacked** [wækt] *adj* (*fam*) hundemüde; **whack•ing** ['wækɪŋ] **I.** *adj* (*fam*) gewaltig, kolossal **II.** *s* (*fam*) Tracht *f* Prügel; **get a** ~ verprügelt werden; (SPORT) haushoch geschlagen werden

whale [weɪl] *s* Wal(fisch) *m;* **a ~ of ...** (*fam*) e-e wahnsinnige Menge, ein Riesen- +*gen;* **we had a ~ of time** es war fantastisch; **whal•ing** [-ɪŋ] *s* Walfang *m;* **go** ~ auf Walfang gehen

wham [wæm] *s,* **whang** [wæŋ] *s* Knall, Bums *m*

wharf [wɔ:f, *pl* wɔ:vz] <*pl* wharfs, wharves> *s* Kai *m;* **wharf•age** ['wɔ:fɪdʒ] *s* Kaigebühr *f*

what [wɒt] **I.** *pron* **1.** (*fragend u. ausrufend*) was; wie **2.** (*relativ*) was; das, was; **and ~ not** und was nicht noch alles; ~ **about, of ...?** wie steht es mit ...?; ~ **for?** warum? weshalb? wozu?; ~ **if ...** (und) was ist, wenn ...; ~ **is more** außerdem; dazu kommt noch ...; ~ **is it called?** wie heißt es?; ~**'s your name?** wie heißen Sie?; ~ **does it matter?** was macht das schon?; ~ **is he like?** wie ist er?; **and ~'s more** und außerdem; ~ **next?** was nun?; ~**'s up?** was ist (denn) los?; **that's just** ~ gerade das; **give s.o. ~ for** es jdm tüchtig geben; **she knows ~'s ~** sie kennt sich aus; **I don't know ~'s ~ any more** ich kenne mich nicht mehr aus; ~**'s that to you?** was geht Sie das an?; **so ~?** na und?; ~ **with overwork and undernourishment she fell ill** wegen Überarbeitung und Unterernährung wurde sie krank; **Mr ~-d'you-call- him, Mr ~'s-his-name** Herr Soundso **II.** *adj* **1.** (*fragend*) welche(r, s) **2.** (*relativ*) der, die, das **3.** (*ausrufend*) was für ein(e); ~ **age?** wie alt?; ~ **good would that be?** wozu sollte das gut sein?; ~ **time is it?** wie viel Uhr ist es?; ~ **sort of** was für ein(e); ~ **else** was noch; ~ **a lucky man** so ein Glückspilz; ~ **an idiot I have been!** was war ich doch für ein Idiot! **III.** *interj* was!; **what•ever** [wɒt'evə(r)] **I.** *pron* was (auch immer); egal was; ~ **does he want?** was will er wohl?; (*ungeduldig*) was will er denn?; ~ **does he mean?** was meint er bloß? **II.** *adj* **1.** egal welche(r, s) **2.** (*verneint*) überhaupt **3.** (*fragend*) was denn, was wohl; ~ **reason** welcher Grund auch immer; **nothing** ~ überhaupt nichts; ~ **good can that be?** was kann das schon helfen?; **what•not** ['wɒtnɒt] *s* Dingsbums *n;* **whats•it** ['wɒtsɪt] *s* Dings(da) *n;* **what•so•ever** [ˌwɒtsəʊ'evə(r)] *pron s.* **whatever**

wheat [wi:t] *s* Weizen *m;* **shredded** ~ Weizenflocken *fpl;* **wheat belt** *s* (*Am*) Weizengürtel *m;* **wheat•germ** ['wi:tˌdʒɜ:m] *s* (BOT) Weizenkeim *m*

wheel [wi:l] **I.** *s* **1.** Rad *n* **2.** (MOT: *steering* ~) Steuer(rad), Lenkrad *n* **3.** (*spinning* ~) Spinnrad *n* **4.** (*potter's* ~) Töpferscheibe *f* **5.** (MIL) Schwenkung *f* **6.** **~s** (*fig*) Mühlen *fpl;* **at the** ~ am Steuer; **on ~s** auf Rädern; **put one's shoulder to the** ~ (*fig*) Hand ans Werk legen; **~s within ~s** Beziehungen *fpl* **II.** *tr* **1.** schieben; ziehen; (*Rollstuhl*) fahren **2.** drehen **III.** *itr* drehen; (*Vogel, Flugzeug*) kreisen; (MIL) schwenken; **wheel in** *tr* **1.** hereinfahren **2.** (*fig fam*) vorstellen, anschleppen; **wheel round** *itr* sich schnell umdrehen; (MIL) schwenken; **wheel•bar•row** ['wi:lˌbærəʊ] *s* Schubkarren *m;* **wheel brace** *s* Kreuzschlüssel *m;* **wheel•chair** *s* Rollstuhl *m;* **wheel clamp** *s* Parkkralle *f;* **wheeler-dealer** [ˌwi:lə'di:lə(r)] *s* (*fam*) Schlitzohr *n;* **wheel•house** ['wi:lhaʊs] *s* (MAR) Ruderhaus *n;* **wheel·ing** ['wi:lɪŋ] *s:* ~ **and dealing** Machenschaften *fpl*

wheeze [wi:z] I. *itr* keuchen II. *tr* (*Worte:* ~ *out*) pfeifend herausbringen III. *s* 1. pfeifendes Geräusch, Keuchen *n* 2. (*Br: obs*) Scherz *m;* **wheezy** ['wi:zɪ] *adj* pfeifend; keuchend

whelp [welp] I. *s* junger Hund, Welpe *m* II. *itr* (Junge) werfen

when [wen] I. *adv* 1. (*fragend*) wann 2. (*relativ*) als, wo, da; **since** ~, **until** ~ seit wann, bis wann? II. *conj* 1. wenn; als 2. (*mit Verlaufsform*) beim; wobei 3. wo ... doch; ~ **singing that song** beim Singen dieses Lieds III. *s:* **the** ~ **and where of s.th.** die zeitlichen u. örtlichen Umstände e-r S

whence [wens] *adv* 1. (*obs*) woher, von wo *a. fig* 2. (*fig*) woraus, wodurch

when·ever [wen'evə(r)] *adv* 1. wann auch immer; sobald 2. jedesmal wenn

where [weə(r)] I. *adv* wo; ~ (**to**) wohin; ~ (**from**) woher II. *conj* wo; da, wo; wohin; **this is** ~ **we were** da waren wir; ~ **this is concerned** was das betrifft; **where·abouts** [ˌweərə'baʊts] I. *adv* wo; wohin II. ['weərəbaʊts] *s pl mit sing* Aufenthalt(sort) *m;* **where·as** [weər'æz] *conj* 1. während, wohingegen 2. (JUR) da nun; mit Rücksicht darauf, dass; **where·by** [weə'baɪ] *adv* wodurch, woran; **where·in** [weər'ɪn] *adv* worin; **where·upon** [ˌweərə'pɒn] *adv* worauf; **wher·ever** [ˌweər'evə(r)] I. *conj* 1. egal wo, wo auch immer 2. wohin (auch immer) 3. überall wo II. *adv* wo nur; **where·withal** ['weəwɪðɔ:l] *s:* **the** ~ die (erforderlichen) Mittel *npl*

whet [wet] *tr* 1. wetzen, schleifen 2. (*den Appetit*) anregen

whether ['weðə(r)] *conj* ob; ~ ... **or** (~) ob ... oder (ob); ~ ... **or not** ob ... oder (ob) nicht; ~ **or not** auf jeden Fall

whet·stone ['wetstəʊn] *s* Wetz-, Schleifstein *m*

whew [fju:] *interj* puh!

whey [weɪ] *s* Molke *f*

which [wɪtʃ] I. *pron* 1. (*relativ*) der, die, das; welche(r, s); was 2. (*fragend*) welche(r, s); wer II. *adj* welche(r, s); **which·ever** [wɪtʃ'evə(r)] *pron, adj* welche(r, s) auch immer

whiff [wɪf] *s* 1. leichter Windstoß, (Luft)Zug *m* 2. vorüberstreichender Geruch 3. (*fam*) Zigarillo *m od n* 4. Atemzug *m* 5. (*fig*) Hauch *m;* Spur *f;* **whiffy** ['wɪfɪ] *adj* übelriechend

Whig [wɪg] *s* (*England,* HIST) Whig *m,* Liberale(r) *f m*

while [waɪl] I. *s* Weile *f;* **a long** ~ **ago** vor langer Zeit; **all this** ~ die ganze Zeit; **for a** ~ e-e Zeitlang; **in a little** ~ bald, in Kürze; **once in a** ~ gelegentlich; **a short** ~ e-e kleine Weile; **be worth** ~ der Mühe wert sein, sich lohnen II. *conj* 1. während; solange 2. zwar, obwohl 3. (*gegenüberstellend*) während; **while away** *tr* (*Zeit*) sich vertreiben

whim [wɪm] *s* Einfall *m,* Laune *f*

whim·per ['wɪmpə(r)] I. *itr, tr* 1. wimmern 2. (*Hund*) winseln II. *s* 1. Gewimmer *n* 2. Gewinsel *n*

whim·si·cal ['wɪmzɪkl] *adj* launisch; schrullig, wunderlich; **whim·si·cal·ity** [ˌwɪmzɪ'kælətɪ] *s* 1. Wunderlichkeit *f* 2. Laune, Grille *f;* **whimsy** ['wɪmzɪ] *s* 1. Laune, Grille *f* 2. schrulliger Humor

whin [wɪn] *s* (BOT) (Stech)Ginster *m*

whine [waɪn] I. *itr* wimmern; winseln; jammern II. *tr* weinerlich sagen III. *s* Gewimmer, Gejammer *n*

whinge [wɪndʒ] *itr* (*fam*) meckern

whinny ['wɪnɪ] I. *itr* wiehern II. *s* Wiehern *n*

whip [wɪp] I. *tr* 1. peitschen, schlagen 2. (*Sahne, Eiweiß*) (zu Schaum, Schnee) schlagen 3. (um)säumen, überwendlich nähen 4. (*fam fig*) abhängen, schlagen 5. (*fam*) schnell nehmen; schnell bringen; ~ **s.o. into shape** jdn auf Vordermann bringen II. *itr* rennen, rasen, flitzen III. *s* 1. Peitsche *f a. fig* 2. Peitschenschlag *m* 3. (*Küche*) Creme *f* 4. (PARL) Einpeitscher *m* 5. (PARL) Appell *m,* Aufforderung *f* (*zur Abstimmung zu kommen*); **whip away** *tr* wegreißen; **whip back** *itr* 1. (*Zweig*) zurückschnellen 2. (*fam*) schnell zurückgehen; **whip off** *tr* (*Kleidung*) herunterreißen; (*Tuch*) wegziehen; (*jdn*) schnell bringen; **whip on** *tr* 1. antreiben 2. (*Kleidung*) schnell anziehen; **whip out** *tr* herausholen; **whip up** *tr* 1. an sich reißen 2. (*Pferde*) antreiben 3. (*Küche*) schlagen; verrühren; (*fam: Essen*) schnell zubereiten 4. (*fig: Unterstützung*) auf die Beine stellen; (*Interesse*) entfachen; (*Publikum*) mitreißen

whip·cord ['wɪpkɔ:d] *s* 1. Peitschenschnur *f* 2. Whipcord *m* (*Gewebe*); **whip hand** *s:* **have the** ~ (*fig*) das Heft in der Hand haben; **have the** ~ **over s.o.** die Oberhand über jdn haben; **whip·lash** *s* Peitschenschnur *f;* (~ *injury,* MED) Schleudertrauma *n;* **whipped cream** *s* Schlagsahne *f,* -rahm *m;* **whipper-in** *s* (*Jagd*) Pikör *m*

whip·per·snap·per [wɪpəsnæpə(r)] *s* (*obs*) kleiner Angeber

whip·pet ['wɪpɪt] *s* (*Rennhund*) Whippet *m*

whip·ping ['wɪpɪŋ] *s* 1. Tracht *f* Prügel;

Prügelstrafe *f* **2.** Niederlage *f;* **whipping boy** *s* Prügelknabe *m;* **whipping cream** *s* Schlagsahne *f;* **whipping top** *s* Kreisel *m;* **whip-round** ['wɪpraʊnd] *s* (*fam*) (spontane) (Geld)Sammlung *f*

whirl [wɜːl] **I.** *itr* **1.** wirbeln, sich schnell drehen, rotieren **2.** (*fig: Gedanken*) durcheinander wirbeln **3.** schwindlig werden **4.** rasen, sausen; ~ **about** herumwirbeln **II.** *tr* **1.** wirbeln **2.** schnell bringen **III.** *s* **1.** Wirbeln *n* **2.** Wirbel *m a. fig* **3.** Schwindel(gefühl *n*) *m* **4.** (*fig*) Trubel *m;* Durcheinander, geschäftiges Hin u. Her *n;* **my head is in a** ~ mir schwirrt der Kopf; **give s.th. a** ~ (*fig fam*) etw versuchen; **whirli•gig** ['wɜːlɪgɪg] *s* **1.** Kreisel *m* **2.** Karussell *n;* **whirl•pool** *s* Strudel *m a. fig;* **whirlwind** ['wɜːlwɪnd] *s* **1.** Wirbelwind *m* **2.** (*fig*) Wirbel, Sturm *m;* **a** ~ **romance** eine stürmische Romanze; **reap the** ~ Sturm ernten; **whirly•bird** ['wɜːlɪˌbɜːd] *s* (*fam*) Hubschrauber *m*

whirr [wɜː(r)] *itr* surren

whisk [wɪsk] **I.** *tr* **1.** (~ *away*) (weg)wischen, fegen, kehren **2.** (~ *away*) rasch (weg)nehmen **3.** (*Sahne, Eiweiß*) schlagen; **the horse was ~ing its tail** das Pferd wedelte mit dem Schweif **II.** *itr* sausen, huschen **III.** *s* **1.** schnelle Bewegung **2.** (Staub)Wedel *m* **3.** (*egg* ~) Schneebesen *m*

whiskers ['wɪskəz] *s pl* **1.** Backenbart *m* **2.** (ZOO: *bes. Katze*) Schnurrhaare *npl;* **by a whisker** fast, um ein Haar; **he thinks he's the cat's ~s** er hält sich für wer weiß was

whis•k(e)y ['wɪskɪ] *s* Whisky *m*

whis•per ['wɪspə(r)] **I.** *itr, tr* **1.** wispern, flüstern **2.** (*Wind*) rauschen **3.** ausplaudern, weitererzählen **4.** zuflüstern (*to s.o.* jdm) **II.** *s* **1.** Geflüster *n* **2.** Tuscheln *n;* Gerücht *n;* **talk in a** ~ im Flüsterton reden; **whis•per•ing** ['wɪspərɪŋ] *adj:* ~ **campaign** (POL) Verleumdungskampagne *f;* ~ **propaganda** Flüsterpropaganda *f*

whist [wɪst] *s* (*Kartenspiel*) Whist *n*

whistle ['wɪsl] **I.** *itr* pfeifen (*to s.o.* jdm); **he'll have to** ~ **for it** er wird darauf warten müssen **II.** *tr* (*Ton, Lied*) pfeifen **III.** *s* Pfeife *f;* Pfiff *m*

whit [wɪt] *s:* **not a** ~ **of ...** nicht ein bisschen, kein Jota, keine Spur von ...

white [waɪt] **I.** *adj* **1.** weiß **2.** hell **3.** blass (*with terror* vor Schrecken); **black or ~?** (*Kaffee*) mit oder ohne Milch? **II.** *s* **1.** Weiß *n* **2.** das Weiße (*of the eye* im Auge) **3.** (~ *of egg*) Eiweiß *n* **4.** weiße Kleidung **5.** Weiße(r) *f m;* **white ant** *s* (ZOO) Termite *f;* **white•bait** <*pl* -> *s* Weißfisch *m;* **white-col•lar** [ˌwaɪt'kɒlə(r)] *adj:* ~ **crime** Wirtschaftsverbrechen *n;* ~ **job** Bürotätigkeit *f;* ~ **union** Angestelltengewerkschaft *f;* ~ **worker** Angestellte(r) *f m;* **white corpuscle** *s* weißes Blutkörperchen; **white elephant** *s* nutzloser Gegenstand; **white ensign** *s* (MAR) Fahne *f* der britischen Marine; **white feather** *s:* **show the** ~ sich feige benehmen; **white flag** *s:* **hoist the** ~ die weiße Fahne zeigen, sich ergeben; **white goods** *s* **1.** elektrische Haushaltsgeräte *pl* **2.** Bett- und Tischwäsche *f*

White•hall [waɪt'hɔːl] *s* (*fig*) die britische Regierung

white•head ['waɪthed] *s* entzündeter Mitesser

white heat [ˌwaɪt'hiːt] *s* Weißglut *f a. fig;* (*fig*) Feuereifer *m;* **white horse** *s* Schaumkrone *f;* **White House, the** *s* das Weiße Haus (*Regierungssitz des Präsidenten der USA*); **white lead** *s* Bleiweiß *n;* **white lie** *s* Notlüge *f;* **white man, the** *s* der weiße Mann, die Weißen *mpl;* **white meat** *s* Geflügel, Kalb- u. Schweinefleisch *n*

whiten ['waɪtn] **I.** *tr* weiß machen, bleichen **II.** *itr* weiß, heller werden; **whiten•ing** ['waɪtnɪŋ] *s* **1.** Weißen, Tünchen *n* **2.** Schlämmkreide *f*

white-out ['waɪtaʊt] *s* starkes Schneegestöber; **white paper** *s* (POL) Weißbuch *n;* **white sale** *s* (COM) Weiße Woche *f;* **white slave** *adj:* ~ **trade** Mädchenhandel *m;* **white spirit** *s* Terpentinersatz *m;* **white•thorn** ['waɪtθɔːn] *s* (BOT) Weißdorn *m;* **white tie** *s* weiße Fliege *f;* **a ~-tie occasion** eine Veranstaltung mit Frackzwang; **white•wash** ['waɪtwɒʃ] **I.** *s* **1.** Tünche *f;* Kalk(anstrich) *m* **2.** (*fig*) Schönfärberei *f* **II.** *tr* **1.** tünchen, weißen **2.** (*fig*) rein waschen **3.** (*Sache*) bemänteln, beschönigen; **white•water raft•ing** [ˌwaɪtwɔːtə'rɑːftɪŋ] *s* Wildwasserrafting *n;* **white wine** *s* Weißwein *m*

whither ['wɪðə(r)] *adv* (*poet lit*) wohin

whit•ing[1] ['waɪtɪŋ] *s* Schlämmkreide *f*

whit•ing[2] ['waɪtɪŋ] *s* (*Fisch*) Merlan, Wittling *m*

Whit Mon•day [ˌwɪt'mʌndɪ] *s* Pfingstmontag *m;* **Whit•sun** ['wɪtsn] **I.** *adj* Pfingst- **II.** *s* Pfingsten *n;* **Whit Sun•day** [ˌwɪt'sʌndɪ] *s* Pfingstsonntag *m;* **Whit•sun•tide** ['wɪtsntaɪd] *s* Pfingsten *n*

whittle ['wɪtl] **I.** *tr* schnitzen **II.** *itr:* ~ **(away) at s.th.** an etw herumschnitzen; **whittle away** *tr* **1.** wegschneiden, -schnitzen **2.** (*fig*) verringern, reduzieren; **whittle down** *tr* **1.** zurechtschneiden **2.** (*fig*) verringern, vermindern

whiz(z) [wɪz] **I.** *itr* **1.** zischen, surren, pfeifen **2.** sausen, rasen **II.** *s* (*Am*) Kanone *f,* Könner *m;* **gee ~!** Donnerwetter!;

whiz(z) kid ['wɪzkɪd] *s* (*fig*) Senkrechtstarter *m;* Genie *n*
WHO ['dʌblju:eɪtʃˌəʊ] *s abbr of* **World Health Organisation** Weltgesundheitsorganisation *f*
who [hu:] *pron* **1.** (*fragend*) wer, wem *dat,* wen *acc* **2.** (*relativ*) der, die, das; welche(r, s); **know ~'s ~** die Personen kennen; **~ would have thought it?** wer hätte das gedacht?
whoa [wəʊ] *interj* halt! brr!
who•dun•it [ˌhu:'dʌnɪt] *s* (*fam*) Krimi *m;* **who•ever** [hu:'evə(r)] *pron* **1.** wer auch (immer) *dat,* wem auch immer *acc,* wen auch immer **2.** (*fragend*) wer ... denn? **3.** (*ärgerlich*) wer zum Kuckuck? **4.** egal wer
whole [həʊl] **I.** *adj* **1.** ganz **2.** intakt, vollständig; **go the ~ hog** (*sl*) aufs Ganze gehen; **with one's ~ heart** von ganzem Herzen **II.** *s* das Ganze, Gesamtheit *f;* **the ~ of** der, die, das Ganze, alle(s); **(taken) as a ~** als Ganzes, im Ganzen; **on the ~** im Ganzen gesehen, alles in allem; **wholefood** ['həʊlfu:d] *s* Vollwert-, Natur-, Biokost *f;* **wholefood shop** *s* Naturkost-, Bioladen *m;* **whole•grain** ['həʊlgreɪn] *s* Vollkorn *n;* **whole•hearted** [ˌhəʊl'hɑ:tɪd] *adj* **1.** rückhaltlos **2.** aufrichtig, ernst; **whole•meal bread** ['həʊlmi:l'bred] *s* Vollkornbrot *n*
whole•sale ['həʊlseɪl] **I.** *s* Großhandel *m* **II.** *adj* **1.** *attr* Großhandels- **2.** (*fig*) umfassend; (*Vernichtung, Entlassungen*) Massen-; (*pej*) pauschal; **~ arrests, destruction** Massenverhaftungen *fpl,* -vernichtung *f;* **~ dealer, ~ merchant, ~ trader** Großhändler, Grossist *m;* **~ insurance** Gruppenversicherung *f;* **~ price** Großhandels-, Grossistenpreis *m;* (*Börse*) Kurs *m* im Freiverkehr; **~ trade** Großhandel *m* **III.** *adv* **1.** im Großhandel **2.** (*fig*) massenweise; (*pej*) pauschal **IV.** *tr* im Großhandel vertreiben **V.** *itr* im Großhandel kosten; **whole•saler** ['həʊlseɪlə(r)] *s* Großhändler(in) *m(f)*
whole•some ['həʊlsəm] *adj* gesund
whole-tone scale [ˌhəʊltəʊn'skeɪl] *s* (MUS) Ganztonleiter *f*
who'll [hu:l] = **who will; who shall**
wholly ['həʊlɪ] *adv* ganz, gänzlich, vollständig, völlig; **~-owned subsidiary** (COM) hundertprozentige Tochtergesellschaft
whom [hu:m] *pron* **1.** (*fragend*) wen; (*to* ~) wem **2.** (*relativ*) den; dem
whoop [hu:p] **I.** *s* **1.** (Freuden)Geschrei *n* **2.** (MED) Keuchen *n* **II.** *itr* schreien, brüllen **III.** *tr:* **~ it up** ein großes Fest veranstalten; sich toll amüsieren
whoopee ['wʊpɪ] *s:* **make ~** (*sl*) die Sau rauslassen
whoop•ing cough ['hu:pɪŋkɒf] *s* Keuchhusten *m*
whoops [wu:ps] *interj* hoppla!
whop [wɒp] *tr* (*sl*) **1.** verdreschen, versohlen **2.** besiegen; **whop•per** ['wɒpə(r)] *s* (*fam*) **1.** Riesenbiest, Mordsding *n* **2.** faustdicke Lüge; **whop•ping** ['wɒpɪŋ] *adj* (*fam*) **1.** gewaltig, riesig **2.** (*Lüge*) faustdick
whore [hɔ:(r)] *s* Hure *f*
whorl [wɜ:l] *s* **1.** (*a.* BOT) (Spinn)Wirtel *m* **2.** (ANAT ZOO) Windung *f,* Ring *m*
whortle•berry ['wɜ:tlˌberɪ] *s* (BOT) Heidelbeere *f;* **red ~** Preiselbeere *f*
who's [hu:z] = **who is; who has**
whose [hu:z] *pron* wessen; dessen, deren
why [waɪ] **I.** *adv* **1.** warum, weshalb, wofür **2.** wieso; aus welchem Grunde **3.** zu welchem Zweck **II.** *interj* sieh da! nun!; **~, yes!** natürlich! **III.** *s:* **the ~s and wherefores** das Warum u. Wieso
wick [wɪk] *s* Docht *m;* **get on s.o.'s ~** (*fam*) jdm auf den Wecker gehen
wicked ['wɪkɪd] *adj* **1.** böse, schlecht **2.** (*Sache*) böse, übel **3.** (*Schlag*) schlimm **4.** (*sl*) geil
wicker ['wɪkə(r)] *s* Flechtwerk, Geflecht *n;* **wicker basket** *s* Weidenkorb *m;* **wicker bottle** *s* Korbflasche *f;* **wicker chair** *s* Korbstuhl *m;* **wicker furniture** *s* Korbmöbel *pl;* **wicker•work** ['wɪkəwɜ:k] *s* Flechtwerk *n;* Korbwaren *fpl*
wicket ['wɪkɪt] *s* **1.** (*~-door, -gate*) Pförtchen *n* **2.** Drehkreuz *n* **3.** Schalterfenster *n* **4.** (*Kricket*) Dreistab *m;* Tor *n;* **wicketkeeper** ['wɪkɪtˌki:pə(r)] *s* (*Kricket*) Torhüter *m*
wide [waɪd] **I.** *adj* **1.** weit **2.** breit; groß **3.** (*fig*) umfangreich, umfassend **4.** (*Kleidung*) weit, lose, locker fallend **5.** (*Auswahl*) reich **6.** (*Interessen*) vielseitig **II.** *adv* **1.** (*~ of*) weit (weg), fern; weitab **2.** daneben; **far and ~** weit u. breit; **~ of the mark** danebengeschossen, verfehlt; **wide-angle** *adj* (PHOT FILM) Weitwinkel-; **wide-awake** [ˌwaɪdə'weɪk] *adj* **1.** ganz, völlig wach **2.** wachsam, aufmerksam (*to* auf) **3.** (*fig*) hellwach; **wide boy** *s* (*Br: fam*) Fuchs, Gauner *m;* **wide-eyed** ['waɪdaɪd] *adj:* **look at s.o. ~** jdn groß anschauen; **widely** ['waɪdlɪ] *adv* **1.** weit; weit u. breit **2.** in hohem Maße, sehr; **differ ~** sehr verschieden sein; sehr verschiedener Meinung sein; **widen** ['waɪdn] **I.** *tr* **1.** verbreitern **2.** (*Kluft*) vertiefen **3.** (*Interesse*) erweitern **II.** *itr* **1.** breiter werden **2.** (*Interessen*) sich ausbreiten; **wide-open** *adj* **1.** ganz offen **2.** völlig unentschieden; **wide-range filter** *s* Breitbandfilter *m;* **wide•spread** ['waɪdspred] *adj* weit verbreitet
widow ['wɪdəʊ] *s* Witwe *f;* **grass ~**

Strohwitwe *f;* **wid•owed** ['wɪdəʊd] *adj* verwitwet; **wid•ower** ['wɪdəʊə(r)] *s* Witwer *m;* **widow•hood** ['wɪdəʊhʊd] *s* Witwenschaft *f,* -stand *m;* **widow's allowance** *s* Witwengeld *n;* **widow's peak** *s* spitzer Haaransatz; **widow's pension** *s* Witwenrente *f*

width [wɪdθ] *s* **1.** Weite *f;* Breite *f* **2.** (*fig*) Vielfalt *f* **3.** (Stoff)Breite, Bahn *f;* **be 10 feet in ~** 10 Fuß breit sein

wield [wiːld] *tr* **1.** (*Schwert, Feder*) führen; (*Schlaginstrument*) schwingen **2.** (*Macht*) ausüben (*over* über)

wife [waɪf, *pl* waɪvz] <*pl* wives> *s* (Ehe)Frau, Gattin *f;* **wife•ly** [-lɪ] *adj* ehelich, der Ehefrau

wig [wɪg] *s* Perücke *f*

wiggle ['wɪgl] **I.** *tr* wackeln mit **II.** *itr* (hin- u. her)wackeln

wig•wam ['wɪgwæm] *s* Wigwam *m*

wild [waɪld] **I.** *adj* **1.** wild **2.** unbewohnt, unbebaut, öde **3.** wild, primitiv, unzivilisiert **4.** unbändig, zügellos **5.** (*Schmerz, Wut*) rasend **6.** ausgelassen, toll; stürmisch **7.** (leidenschaftlich) begeistert **8.** wahnsinnig (*with* vor) **9.** (*fam*) wütend (*about* über) **10.** plan-, ziellos **11.** (*fam*) fetzig *fam;* **be ~ about s.th.** auf etw erpicht sein; **drive s.o. ~** jdn zur Raserei bringen; **go ~** kein Maß mehr kennen; **sow one's ~ oats** sich die Hörner abstoßen **II.** *s* Wildnis, (freie) Natur *f;* **in the ~** in der Wildnis; **in the ~s of Scotland** im tiefsten Schottland; **observe an animal in the ~** ein Tier in freier Wildbahn beobachten **III.** *adv* **1.** wild; frei **2.** aufs Geratewohl; daneben; **run ~** (*Tier*) frei herumlaufen; (*Kind*) herumtoben; (*Garten*) verwildern; **let one's imagination run ~** seiner Fantasie freien Lauf lassen; **wild beast** *s* wildes Tier; Raubtier *n;* **~ show** Raubtierschau *f;* **wild boar** *s* Wildschwein *n;* **wild•cat** ['waɪldkæt] **I.** *s* **1.** Wildkatze *f a. fig* **2.** (*Am: fam*) riskante Sache; (*Ölindustrie*) Probebohrung *f* **II.** *adj* **1.** unreell, schwindelhaft **2.** Probe-, Versuchs- **3.** riskant; **~ strike** wilder Streik; **wil•der•ness** ['wɪldənɪs] *s* Wildnis *f a. fig;* **wild•fire** ['waɪld,faɪə(r)] *s:* **spread like ~** (*fig*) sich wie ein Lauffeuer verbreiten; **wild•fowl** ['waɪldfaʊl] *s* Wildvögel *mpl;* **wild goose** <*pl* -geese> *s* Wildgans *f;* **wild-goose chase** *s* (*fig*) vergebliches Bemühen; **wild•life** ['waɪldlaɪf] *s* Tierwelt *f;* **wild•ly** ['waɪldlɪ] *adv* **1.** wild, wütend, stürmisch **2.** bei weitem; erheblich; **wild•ness** ['waɪldnɪs] *s* Wildheit *f*

wile [waɪl] *s* List *f,* Trick *m*

wil•ful ['wɪlfl] *adj* **1.** absichtlich, vorsätzlich **2.** eigensinnig; **~ homicide** vorsätzliche Tötung

wili•ness ['waɪlɪnɪs] *s* Verschlagenheit *f*

will[1] [wɪl] <*Präteritum:* would> **I.** *aux* werden; wollen; **I won't be a minute** ich bin gleich wieder da; **this window won't open** dieses Fenster lässt sich nicht öffnen; **he ~ keep interrupting me** er muss mich dauernd unterbrechen; **~ you be quiet!** sei gefälligst ruhig!; **boys ~ be boys** Jungs sind halt so **II.** *itr* wollen

will[2] [wɪl] **I.** *s* **1.** Wille *m* **2.** Wunsch *m,* Verlangen *n* **3.** Befehl *m,* Anordnung, Anweisung *f* **4.** (*last ~ and testament*) Letzter Wille, Testament *n;* **against s.o.'s ~** gegen jds Willen; **at ~** nach Wunsch, nach Belieben; (JUR) auf Widerruf; **by ~** letztwillig; **of one's free ~** aus freiem Willen; **do s.o.'s ~** jdm seinen Willen tun; **have a ~ of one's own** einen eigenen Willen haben; **read a ~** ein Testament eröffnen; **where there's a ~ there's a way** (*prov*) wo ein Wille ist, ist auch ein Weg **II.** *tr* **1.** (*obs*) wollen, bestimmen **2.** stark wollen; erzwingen **3.** testamentarisch vermachen **III.** *itr* wollen

will•full (*Am*) *s.* **wilful**

wil•lies ['wɪlɪz] *s pl* (*sl*): **give s.o. the ~** jdn nervös machen

will•ing ['wɪlɪŋ] *adj* **1.** willig, geneigt **2.** bereitwillig; **God ~** so Gott will; **will•ing•ness** [-nɪs] *s* Bereitwilligkeit *f;* Bereitschaft *f*

will-o'-the-wisp [,wɪləðə'wɪsp] *s* **1.** Irrlicht *n a. fig* **2.** (*fig*) Täuschung *f*

wil•low ['wɪləʊ] *s* (BOT: *~-tree*) Weide *f;* **wil•lowy** ['wɪləʊɪ] *adj* (*fig*) schlank, graziös

will•power ['wɪl,paʊə(r)] *s* Willenskraft *f*

willy-nilly [,wɪlɪ'nɪlɪ] *adv* wohl oder übel, notgedrungen

wilt [wɪlt] *itr* **1.** (ver)welken **2.** (*fig*) erschlaffen; müde werden

wily ['waɪlɪ] *adj* listig, verschlagen, schlau

win [wɪn] <*irr:* won, won> **I.** *itr* gewinnen, siegen; **~ hands down** (*fam*) leichtes Spiel haben; **you can't ~** (*fig*) man macht's doch immer falsch **II.** *tr* **1.** gewinnen; (*Sieg*) erringen **2.** (*Ruf*) erlangen; (*Vertrag, Stipendium*) bekommen **3.** (*Rohstoffe*) gewinnen; **~ a competition** ein Preisausschreiben gewinnen; **~ the day** den Sieg davontragen **III.** *s* Sieg *m;* **win back** *tr* zurückgewinnen; **win over, win round** *tr* für sich gewinnen; bekehren; **win through** *itr* (*Patient*) durchkommen; **we'll ~ through** wir werden es schaffen

wince [wɪns] **I.** *itr* zusammenzucken (*under a blow* unter e-m Hieb, *at an insult* bei e-r Beleidigung) **II.** *s:* **without a ~** ohne e-e Miene zu verziehen

winch [wɪntʃ] **I.** *s* Winde *f* **II.** *tr:* **~ up** hochwinden

wind¹ [wɪnd] **I.** *s* **1.** Wind *m* **2.** (*Jagd*) Wind *m* **3.** Atem *m* **4.** (MED) Blähungen *pl* **5.** (*fig*) dummes Gerede, Unsinn *m;* Aufschneiderei *f* **6.** **~s** (MUS) Blasinstrumente *npl;* **break ~** einen Wind streichen lassen; **get/have ~ of s.th.** von e-r S Wind kriegen/haben; **get one's second ~** wieder zu Atem kommen; **know how the ~ blows** (*fig*) wissen, woher der Wind weht; **put the ~ up s.o.** (*fig sl*) jdm bange machen; **sail close to the ~** (*fig*) mit e-m Fuß im Gefängnis stehen; **see which way the ~ blows** sehen, woher der Wind weht; **take the ~ out of s.o.'s sails** (*fig*) jdm den Wind aus den Segeln nehmen; **I got the ~ up** (*sl*) das Herz fiel mir in die Hose; **sound in ~ and limb** kerngesund **II.** *tr* **1.** (*Jagd*) wittern **2.** den Atem nehmen *dat* **3.** (*Tier*) verschnaufen lassen

wind² [waɪnd] <*irr:* wound, wound> **I.** *tr* **1.** drehen, kurbeln **2.** winden, (auf)wickeln, spulen **3.** umwinden, -wickeln **4.** (~ *up*) hochwinden **5.** (*Uhr*) aufziehen; **~ s.o. round one's (little) finger** (*fig*) jdn um den (kleinen) Finger wickeln; **~ one's way into s.o.'s affections** sich bei jdm einschmeicheln **II.** *itr* sich winden (*about, around* um), sich schlängeln **III.** *s* **1.** Drehung *f* **2.** Biegung, Windung, Kurve *f;* **wind back** *tr* (*Film*) zurückspulen; **wind down** **I.** *tr* **1.** (*Scheibe*) herunterkurbeln **2.** reduzieren **II.** *itr* **1.** (*Uhr*) ablaufen **2.** (*fig*) sich beruhigen **3.** (COM) sich mehr und mehr zurückziehen; **wind on** *tr* (*Film*) weiterspulen; **wind up** **I.** *tr* **1.** aufwickeln; hochwinden **2.** (*Uhr*) aufziehen **3.** (*fig*) beschließen **4.** (*Geschäft*) abwickeln; liquidieren, auflösen **II.** *itr* **1.** (*Rede*) abschließen **2.** (*fam*) enden, landen; **he got wound up about it** er regte sich darüber auf

wind•bag ['wɪndbæg] *s* (*fam fig*) Schwätzer(in) *m(f);* **wind•break** ['wɪndbreɪk] *s* Windschutz *m;* **wind cone** *s* Windsack *m;* **wind energy** *s* Windenergie *f*

winder ['waɪndə(r)] *s* **1.** Winde, Kurbel *f* **2.** Aufziehschraube *f* **3.** (BOT) Schlingpflanze *f*

wind•fall ['wɪndfɔːl] *s* **1.** Fallobst *n* **2.** (*fig*) unverhoffter Glücksfall, Gewinn; warmer Regen *fam;* **~ profit** (COM) unerwarteter Gewinn *f;* **~ tax** (FIN) Sondergewinnsteuer *f;* **wind farm** *s* Windfarm *f*

wind generator ['wɪnd'dʒenəreɪtə(r)] *s* Windgenerator *m*

wind•ing ['waɪndɪŋ] **I.** *s* **1.** Drehung *f* **2.** Winden, (Auf)Wickeln *n* **3.** (EL) Wickelung *f* **II.** *adj* sich windend, sich schlängelnd, gewunden; **winding rope** *s* Förderseil *n;* **winding sheet** *s* Leichentuch *n;* **winding staircase** *s* Wendeltreppe *f;* **winding-up** [ˌwaɪndɪŋ'ʌp] *s* Aufziehen *n;* (*fig*) Beendigung *f,* Abschluss *m,* Abwick(e)lung *f;* Liquidation *f;* **winding-up sale** *s* Verkauf *m* wegen Geschäftsaufgabe, Räumungsverkauf *m*

wind in•stru•ment ['wɪnd 'ɪnstrʊmənt] *s* (MUS) Blasinstrument *n;* **wind•jam•mer** ['wɪndˌdʒæmə(r)] *s* Windjammer *m*

wind•lass ['wɪndləs] *s* **1.** Winde, Haspel *f* **2.** (MAR) Anker-, Gangspill *n*

wind•mill ['wɪndmɪl] *s* Windmühle *f;* **fight** [*o* **tilt**] **at ~s** (*fig*) gegen Windmühlen kämpfen

win•dow ['wɪndəʊ] *s* **1.** Fenster *n* **2.** Schalter *m* **3.** (*shop-~*) Schaufenster *n,* Auslage *f;* **dress a ~** ein Schaufenster dekorieren; **ticket ~** Fahrkartenschalter *m;* **window box** *s* Blumenkasten *m;* **window cleaner** *s* Fensterputzer(in) *m(f);* **window display** *s* (Schaufenster)Auslage *f;* **window display competition** *s* Schaufensterwettbewerb *m;* **window-dressing** *s* **1.** Schaufensterdekoration *f* **2.** (*fig*) Aufmachung, Reklame *f;* Mache *f,* Bilanzschönung *f;* **window envelope** *s* Fenster(brief)umschlag *m;* **window frame** *s* Fensterrahmen *m;* **window pane** *s* Fensterscheibe *f;* **window shopping** *s* Schaufensterbummel *m;* **go ~** e-n Schaufensterbummel machen; **window sill** *s* Fensterbank *f;* Fenstersims *m*

wind•pipe ['wɪndpaɪp] *s* (ANAT) Luftröhre *f;* **wind power** *s* Windkraft *f;* **windscreen** ['wɪndskriːn] *s* Windschutzscheibe *f;* **windscreen wiper** *s* Scheibenwischer *m;* **wind•shield** *s* (*Am*) *s.* **windscreen;** **wind•sock** *s* (AERO) Windsack *m;* **wind•surf•er** ['wɪndsɜːfə(r)] *s* Windsurfer(in) *m(f);* **wind•surf•ing** ['wɪndsɜːfɪŋ] *s* Windsurfen *n;* **go ~** windsurfen; **wind-swept** ['wɪndswept] *adj* **1.** sturmgepeitscht **2.** zerzaust; **wind tunnel** *s* (AERO) Windkanal *m;* **wind turbine** *s* (TECH) Windrad *n;* **wind•ward** ['wɪndwəd] **I.** *adj* gegen den, am Wind **II.** *s* Windseite *f;* **windy** ['wɪndɪ] *adj* **1.** windig **2.** (*fig*) langatmig **3.** (*fam*) ängstlich, nervös

wine [waɪn] **I.** *s* Wein *m* **II.** *tr* mit Wein bewirten; **wine bottle** *s* Weinflasche *f;* **wine cooler** *s* Wein-, Sektkühler *m;* **wine-glass** ['waɪnglɑːs] *s* Weinglas *n;* **wine grower** ['waɪngrəʊə(r)] *s* Winzer(in) *m(f);* **wine grow•ing** ['waɪngrəʊɪŋ] *s* Weinbau *m;* **wine list** *s* Weinkarte *f;* **wine merchant** *s* Weinhändler(in) *m (f);* **wine•press** ['waɪnpres] *s* Kelter *f;* **win•ery** ['waɪnərɪ] *s* (*Am*) Weinkellerei *f;*

wine tasting *s* Weinprobe *f;* **wine waiter** *s* Weinkellner *m*

wing [wɪŋ] **I.** *s* **1.** Flügel *m* **2.** (AERO) Tragfläche *f* **3.** (MOT) Kotflügel *m* **4.** (Tür-, Fenster)Flügel *m* **5.** (ARCH) (Seiten)Flügel *m* **6.** **~s** (THEAT) Kulisse *f* **7.** (*fig*) Flügel *m* (*e-r Partei*) **8.** (AERO) Gruppe *f;* (*Am*) Geschwader *n;* **in the ~s** hinter den Kulissen *a. fig;* **on the ~** im Fluge; (SPORT) auf dem Flügel; **under s.o.'s ~** (*fig*) unter jds Fittichen; **clip s.o.'s ~s** (*fig*) jdm die Flügel stutzen; **give** [*o* **lend**] **~s** (*fig*) Flügel verleihen; **take ~** davonfliegen; (*fig*) rasch verschwinden **II.** *tr* **1.** durch-, überfliegen **2.** in den Flügel treffen **3.** (*fam*) in den Arm schießen; **wing assembly** *s* (AERO) Tragwerk *n;* **wing chair** *s* Ohrensessel *m;* **wing commander** *s* (AERO) **1.** Oberstleutnant *m* der Luftwaffe **2.** (*Am*) Geschwaderkommodore *m;* **winged** ['wɪŋd] *adj* **1.** (*a.* BOT) geflügelt **2.** (*fig*) beflügelt, beschwingt; **winger** ['wɪŋə(r)] *s* (SPORT) Außen-, Flügelstürmer(in) *m(f);* **wing nut** *s* Flügelmutter *f;* **wing span**, **wing•spread** *s* Spannweite *f*

wink [wɪŋk] **I.** *itr* **1.** blinzeln **2.** mit den Augen zwinkern **3.** (*Stern*) flimmern **4.** (*Auto*) blinken; **~ at s.o.** jdm zuzwinkern, zublinzeln; **~ at s.th.** etw geflissentlich übersehen **II.** *tr* blinzeln, zuzwinkern (*s.o.* jdm) **III.** *s* **1.** Blinzeln, Zwinkern *n* **2.** Augenblick *m* **3.** (MOT) Blinken *n;* **give s.o. a ~** jdm e-n Blick zuwerfen; **tip s.o. the ~** (*sl*) jdm e-n Wink geben; **I did not sleep a ~, I could not get a ~ of sleep** (**all night**) ich habe (die ganze Nacht) kein Auge zugetan; **winker** ['wɪŋkə(r)] *s* (*Br:* MOT) Blinker *m*

win•ner ['wɪnə(r)] *s* **1.** Gewinner(in) *m(f),* Sieger(in) *m(f)* **2.** (*fam*) todsichere Sache; **win•ning** ['wɪnɪŋ] **I.** *adj* (*fig*) gewinnend, einnehmend, anziehend; **~ party** siegreiche Partei; (JUR) obsiegende Partei; **~ post** (SPORT) Ziel *n;* **~ ticket** Gewinnlos *n* **II.** *s* **1.** (MIN) Gewinnung, Förderung *f,* Abbau *m* **2.** **~s** (Geld)Gewinn *m;* **~ of iron** Eisengewinnung *f*

win•now ['wɪnəʊ] *tr* **1.** (*Getreide*) schwingen, worfeln **2.** (*fig*) aussortieren, -scheiden; trennen (*from* von)

win•some ['wɪnsəm] *adj* gewinnend, anziehend, reizend

win•ter ['wɪntə(r)] **I.** *s* Winter *m a. fig;* **nuclear ~** nuklearer Winter **II.** *itr, tr* überwintern (*in, at* in); **winter coat** *s* (*Menschen*) Wintermantel *m;* (*Tiere*) Winterfell *n;* **win•ter•ize** ['wɪntəraɪz] *tr* (*Am*) winterfest machen; **winter season** *s* Wintersaison *f;* **winter solstice** *s* Wintersonnenwende *f;* **winter sports** *s pl* Wintersport *m;* **win•tery**, **win•try** ['wɪntrɪ] *adj* winterlich

WIP [ˌdʌbljuːaɪ'piː] *s abbr of* **work in progress** Halbfabrikate *npl*

wipe [waɪp] **I.** *tr* **1.** (ab)wischen, abreiben, abtrocknen (*on a towel* an e-m Handtuch) **2.** säubern, reinigen **3.** putzen (*one's nose* die Nase) **4.** (*sl*) schlagen; **~ dry** trockenwischen; **~ the floor with s.o.** (*sl*) jdn völlig fertig machen **II.** *s* **1.** (Ab)Wischen *n* **2.** (*sl*) Schlag, Hieb *m;* **give s.th. a ~** etw abwischen; etw putzen; **wipe down** *tr* (nass) abwischen; **wipe off** *tr* weg-, abwischen; (COM: *Schulden*) abtragen; **wipe out** *tr* **1.** völlig vernichten, auslöschen **2.** reinigen; auswischen; **wipe up** *tr* **1.** aufwischen **2.** (*Geschirr*) abtrocknen

wiper ['waɪpə(r)] *s* (MOT: *windscreen ~*) Scheibenwischer *m*

wire ['waɪə(r)] **I.** *s* **1.** Draht *m* **2.** (*fam*) Telegramm *n;* **by ~** telegrafisch; **get one's ~s crossed** missverstanden, verwirrt werden; **pull** (**the**) **~s** (*fig*) die Fäden in der Hand haben; **live ~** (*fig: Mensch*) Energiebündel *n* **II.** *tr* **1.** mit Draht befestigen **2.** (EL) e-e Leitung legen in **3.** telegrafieren, drahten; **wire cutters** *s pl* Drahtschere *f;* **wire fence** *s* Drahtzaun *m;* **wire-haired terrier** ['waɪəheəd 'terɪə(r)] *s* Drahthaarterrier *m*

wire•less ['waɪəlɪs] **I.** *s* (*obs*) (Rund)Funk *m;* Radio(apparat *m*) *n;* **by ~** durch Funkspruch, funktelegrafisch; **on** [*o* **over**] **the ~** im Rundfunk **II.** *tr, itr* funken; **wireless operator** *s* Funker(in) *m(f);* (AERO) Bordfunker(in) *m(f);* **wireless set** *s* Radioapparat *m*

wire•photo ['waɪəˌfəʊtəʊ] *s* Bildtelegramm *n;* Bildtelegrafie *f;* **wire•puller** ['waɪəˌpʊlə(r)] *s* (*Am*) Drahtzieher *m;* **wire-pul•ling** ['waɪəˌpʊlɪŋ] *s* (*fig*) Machenschaften *fpl;* **wire tap•ping** ['waɪəˌtæpɪŋ] *s* (TELE) Abhören *n;* **wire transfer** *s* (*Am*) telegrafische Geldüberweisung

wir•ing ['waɪərɪŋ] *s* Leitungsnetz *n,* Verkabelung *f;* **wiring diagram** *s* Schaltplan *m*

wiry ['waɪərɪ] *adj* (*fig*) sehnig

wis•dom ['wɪzdəm] *s* Weisheit *f;* Klugheit *f;* **wisdom tooth** <*pl* -teeth> *s* Weisheitszahn *m*

wise [waɪz] *adj* **1.** weise **2.** klug, vernünftig **3.** klug, intelligent; **be none the ~r for s.th.** durch etw nicht schlauer geworden sein; **be ~ to s.th.** (*fam*) über etw im Bilde sein; **get ~ to s.th.** (*fam*) von etw e-e Ahnung bekommen; **put s.o. ~ to s.th.** jdm in e-r S ein Licht aufstecken; **wise up**

I. *tr* (*Am: sl*) aufklären, informieren II. *itr* dahinter kommen; **wise•acre** ['waɪz,eɪkə(r)] *s* Neunmalkluge(r) *f m,* Angeber(in) *m(f);* **wise•crack** ['waɪzkræk] I. *s* (*fam*) witzige Bemerkung II. *itr* (*fam*) witzig reden; **wise guy** *s* (*fam*) Neunmalkluge(r), Angeber *m*

wish [wɪʃ] I. *tr* 1. (sich) wünschen; wollen 2. (*Glück*) wünschen 3. aufhalsen (*on s.o.* jdm); ~ **s.o. (good) luck** jdm Glück wünschen; ~ **s.o. well/ill** jdm wohl/übel wollen; I ~ ich möchte II. *itr* sich etwas wünschen III. *s* 1. Wunsch *m* 2. Wille *m* 3. Bitte *f* (*for* um), Verlangen *n* (*for* nach) 4. ~**s** (*good ~es*) Glückwünsche *mpl;* **with best ~es** mit herzlichen Glückwünschen; **wish•bone** *s* (*Vogel*) Gabelbein *n;* **wish•ful** ['wɪʃfl] *adj:* ~ **thinking** Wunschdenken *n*

wishy-washy ['wɪʃɪwɒʃɪ] *adj* 1. wässerig, dünn 2. (*fig*) wischiwaschi

wisp [wɪsp] *s* 1. (kleines) Büschel, Bündel *n* 2. (Wolken)Fetzen *m;* (Rauch)wölkchen *n* 3. (*fig*) Hauch *m;* **a ~ of a girl** ein schmächtiges Ding; ~ **of hair** Haarsträhne *f;* **wispy** ['wɪspɪ] *adj* klein, dünn

wis•teria [wɪ'stɪərɪə] *s* (BOT) Glyzin(i)e *f,* Blauregen *m*

wist•ful ['wɪstfl] *adj* sehnsuchtsvoll, sehnsüchtig

wit [wɪt] *s* 1. Verstand *m,* geistige Fähigkeiten *fpl,* Intelligenz *f* 2. Geist, Witz *m* 3. witziger Kopf; **be at one's ~s' end** mit seiner Kunst am Ende sein; **have** [*o* **keep**] **one's ~s about one** e-n klaren Kopf behalten; **live by one's ~s** sich (geschickt) durchs Leben schlagen; **scared out of one's ~s** verrückt vor Angst

witch [wɪtʃ] *s* Hexe *f;* **witch•craft** ['wɪtʃkrɑːft] *s* Hexerei, Zauberei *f;* **witch doctor** *s* Medizinmann *m;* **witch•ery** ['wɪtʃərɪ] *s* 1. Hexerei *f* 2. Zauber, Reiz *m;* **witch-hunt** *s* Hexenverfolgung *f;* **witch•ing** ['wɪtʃɪŋ] *adj:* **the ~ hour** die Geisterstunde

with [wɪð, wɪθ] *prep* 1. mit 2. (*instrumental*) durch 3. (*kausal*) durch, an, vor; nebst; bei; auf; trotz; vor; ~ **the window open** bei offenem Fenster; ~ **all his faults** bei all seinen Fehlern, trotz all seiner Fehler; **be ~ it** (*fam*) auf Draht sein; **be in ~** eng verbunden sein mit; **have s.th. ~ one** etw bei sich haben; **part ~** sich trennen von; **are you still ~ me?** sind Sie mitgekommen?; ~ **anger, ~ love, ~ hunger** vor Ärger, Liebe, Hunger

with•draw [wɪð'drɔː] I. *tr* 1. zurückziehen, -nehmen (*from* von, aus) 2. entziehen (*s.o. s.th.* jdm etw) 3. (*Geld*) abheben; entnehmen 4. widerrufen; abberufen; ~ **from circulation** (*Geld*) aus dem Verkehr ziehen; ~ **from school** von der Schule nehmen II. *itr* 1. sich zurückziehen 2. zurücktreten; austreten 3. ausscheiden (*from* von) 4. (PARL) seinen Antrag zurücknehmen; **with•drawal** [wɪð'drɔːəl] *s* 1. Zurücknahme, -ziehung *f* (*from* von) 2. Entnahme *f;* Abhebung *f* (*vom Konto*) 3. Ausscheiden *n,* Rücktritt *m* (*from* von) 4. Widerruf *m* 5. (MIL) Rückzug *m* 6. (*aus der Gesellschaft*) Ausstieg *m;* **withdrawal symptoms** *s pl* Entzugserscheinungen *fpl*

wither ['wɪðə(r)] I. *itr* 1. (~ *up*) (ver)welken, verdorren, vertrocknen 2. (*fig*) welken; schwinden II. *tr* 1. vertrocknen, verdorren lassen 2. (*fig*) einschüchtern (*with a look* mit e-m Blick); **wither•ing** ['wɪðərɪŋ] *adj* (*Blick*) vernichtend

with•hold [wɪð'həʊld] *tr* 1. zurückhalten 2. verweigern, vorenthalten (*s.th. from s.o.* jdm etw) 3. verhindern; versagen 4. (*Steuern*) einbehalten

with•in [wɪð'ɪn] I. *adv* innen (drin), im Innern, innerlich; **from ~** von innen (her) II. *prep* 1. in; innerhalb *+gen* 2. im Bereich *+gen,* in den Grenzen, im Rahmen *+gen* 3. (*zeitlich*) binnen; ~ **one's income** im Rahmen seines Einkommens; **be ~ walking distance** zu Fuß erreichbar sein; ~ **hearing, ~ reach, ~ sight** in Hör-, Reich-, Sichtweite

with•out [wɪð'aʊt] I. *prep* ohne; ~ **saying a word** ohne ein Wort zu sagen; ~ **number** (*fig*) unzählig; ~ **doubt** zweifellos II. *adv* (*obs lit*) außen; **from ~** von draußen; von außen III. *adj* ohne; **be ~ s.th.** etw nicht haben

with•stand [wɪð'stænd] *tr* 1. sich widersetzen, widerstehen (*s.o., s.th.* jdm, e-r S) 2. aus-, standhalten (*hard wear* starker Beanspruchung)

wit•ness ['wɪtnɪs] I. *s* 1. Zeugnis *n* 2. Zeuge *m,* Zeugin *f* (*to* für) 3. Urkundsperson *f;* Beweis(stück, -mittel *n*) *m* (*to* für); **in ~ thereof** [*o* **whereof**] zu Urkund, zum Zeugnis dessen; **bear ~** Zeugnis ablegen (*of, to s.th.* von e-r S, *against, for s.o.* gegen, für jdn); **call as** [*o* **to**] ~ als Zeugen benennen [*o* vorladen]; **hear a ~** e-n Zeugen vernehmen; **hearing of ~es** Zeugenvernehmung, Beweisaufnahme *f;* **marriage ~** Trauzeuge *m,* -zeugin *f;* **principal ~** Haupt-, Kronzeuge *m,* -zeugin *f;* ~ **of an accident** Unfallzeuge *m,* -zeugin *f;* ~ **for the defence/the prosecution** Ent-/Belastungszeuge *m,* -zeugin *f;* ~ **on oath** vereidigter Zeuge II. *tr* 1. bezeugen 2. erkennen lassen 3. beurkunden, bestätigen, beglaubigen 4. Augenzeuge sein *+gen* III.

itr bezeugen (*to s.th.* etw); **witness box** *s* (*Am*), **witness stand** *s* Zeugenstand *m*
witty ['wɪtɪ] *adj* geistreich, witzig
wiz•ard ['wɪzəd] I. *s* 1. Zauberer, Hexenmeister *m a. fig* 2. Genie *n* II. *adj* (*Br: fam obs*) blendend, prachtvoll, prima; **wizardry** ['wɪzədrɪ] *s* Zauberei *f a. fig*
wiz•ened ['wɪznd] *adj* vertrocknet, verhutzelt
wobble ['wɒbl] I. *itr* 1. wackeln; (sch)wanken 2. (*Knie*) schlottern 3. (*Stimme*) zittern II. *tr* zum Wackeln bringen III. *s* Wackeln *n;* Zittern *n;* **wobbly** ['wɒblɪ] *adj* (sch)wankend, wack(e)lig
woe [wəʊ] *s* Weh, Leid *n,* Schmerz *m,* Übel *npl,* Nöte *fpl;* **woe•be•gone** ['wəʊbɪgɒn] *adj* jämmerlich, erbärmlich; **woe•ful** ['wəʊfl] *adj* 1. traurig, betrüblich 2. jämmerlich
wog [wɒg] *s* (*Br: sl pej*) (dunkelhäutige(r)) Ausländer(in) *m (f);* Kanake *m pej*
woke ['wəʊk] *pt of* **wake¹**
woken ['wəʊkn] *pp of* **wake¹**
wolf [wʊlf, *pl* wʊlvz] <*pl* wolves> I. *s* 1. Wolf *m* 2. (*sl*) Schürzenjäger *m;* **cry** ~ (*fig*) blinden Alarm schlagen; **keep the ~ from the door** (*fig*) sich über Wasser halten II. *tr* (~ *down*) hinunterschlingen; **wolf cub** *s* 1. junger Wolf 2. Jungpfadfinder, Wölfling *m;* **wolf•hound** *s* Schäfer-, Wolfshund *m;* **wolf whistle** *s* Pfiff *m* für e-e Schöne
woman ['wʊmən, *pl* 'wɪmɪn] <*pl* women> *s* Frau *f;* **single** ~ Alleinstehende *f;* **women's book** Frauenbuch *n;* **women's group** Frauengruppe *f;* **women's magazine** Frauenzeitschrift *f;* **women's refuge** Frauenhaus *n;* **women's representative** Frauenbeauftragte *f;* **women's rights** Frauenrechte *npl;* **women's liberation movement** Frauenrechtsbewegung *f;* **women's libber** (*fam*) Frauenrechtlerin *f;* **woman doctor** *s* Ärztin *f;* **woman driver** *s* (Auto)Fahrerin *f;* **woman•hood** ['wʊmənhʊd] *s* Weiblichkeit, Fraulichkeit *f;* **reach** ~ (*Mädchen*) heranwachsen; **woman•ish** ['wʊmənɪʃ] *adj* weiblich; weibisch; **woman•ize** ['wʊmənaɪz] *itr* (*fam*) es mit den Frauen haben; **woman•kind** ['wʊməkaɪnd] *s* die Frauen *fpl,* das weibliche Geschlecht; **woman•ly** [-lɪ] *adj* weiblich, fraulich
womb [wu:m] *s* (ANAT) Gebärmutter *f;* **in the** ~ im Mutterleib
women•folk ['wɪmɪnfəʊk] *s* Frauen *fpl*
women's centre ['wɪmɪnz,sentə(r)] *s* Frauenzentrum *n;* **women's lib** *s* (*fam*) Frauenrechtsbewegung *f;* **women's shelter** *s* Frauenhaus *n*
won [wʌn] *s.* **win**
wonder ['wʌndə(r)] I. *s* 1. Verwunderung *f,* Erstaunen *n* 2. Wunder *n;* **in** ~ voller Staunen; **the ~ of architecture** das Wunder der Architektur; **do** [*o* **work**] **~s** Wunder wirken; (**it's**) **no ~ that ...** (es ist) kein Wunder, dass ...; **the ~ of it is ...** das Erstaunliche daran ist ...; **~s will never cease!** (*prov*) es geschehen noch Zeichen und Wunder!; ~ **of the world** Weltwunder *n* II. *tr* sich fragen; ~ **why** sich fragen, warum; ~ **what/how** gespannt sein, was/wie III. *itr* 1. gespannt sein; sich fragen 2. sich wundern; **it set him ~ing** das gab ihm zu denken; **I was just ~ing** das war nur so ein Gedanke; **I ~!** na ja, mal sehen!; ~ **about s.th.** sich über etw Gedanken machen; ~ **about doing s.th.** es sich überlegen, ob man etw tut; **I was ~ing if you would like one** möchten Sie vielleicht eines?; **I ~ that he didn't say anything** es wundert mich, dass er nichts gesagt hat; ~ **at s.th.** sich über etw wundern; **I shouldn't** ~ es würde mich nicht überraschen; **wonder boy** *s* Wunderknabe *m;* **wonder drug** *s* Wundermittel *n*
won•der•ful ['wʌndəfl] *adj* wundervoll, -bar
won•der•land ['wʌndəlænd] *s* 1. Wunder-, Zauber-, Märchenland *n a. fig* 2. (*fig*) Paradies *n;* **won•der•ment** ['wʌndəmənt] *s* Verwunderung *f,* Erstaunen *n*
wonky ['wɒŋkɪ] *adj* (*fam*) wack(e)lig, kipp(e)lig, unsicher; schief; verschwommen
wont [wəʊnt, *Am* wɔ:nt] I. *s* (*obs*) Gewohnheit *f* II. *adj:* **be** ~ gewöhnt sein, pflegen (*to do* zu tun); **as is his** ~ wie er zu tun pflegt
won't [wəʊnt] = **will not**
woo [wu:] *tr* 1. umwerben; (*Wähler*) zu gewinnen suchen 2. (*fig*) streben nach, trachten nach; ~ **s.o. away** jdn abwerben
wood [wʊd] I. *s* 1. Holz *n* 2. Wald *m* 3. Holzfass *n* 4. **~s** (MUS) Holzblasinstrumente *npl* 5. (SPORT: *Golf*) Holz *n;* (*Bowling*) Kugel *f;* **from the** ~ vom Fass; **out of the ~(s)** (*fig*) über den Berg; **be unable to see the ~ for the trees** (*fig*) den Wald vor (lauter) Bäumen nicht sehen; **touch ~!** unberufen! II. *adj* hölzern, Holz-; **wood alcohol** *s* Holzgeist *m;* **wood•bine** ['wʊdbaɪn] *s* (BOT) 1. Geißblatt *n* 2. (*Am*) wilder Wein; **wood•carver** *s* Holzschnitzer(in) *m(f);* **wood•craft** ['wʊdkrɑ:ft] *s* 1. Weidmannskunst *f* 2. Holzarbeiten *fpl;* **wood•cut** ['wʊdkʌt] *s* Holzschnitt *m;* **wood•cut•ter** ['wʊd,kʌtə(r)] *s* 1. Holzfäller(in) *m(f)* 2. Holzschnitzer(in) *m (f);* **wooded** ['wʊdɪd] *adj* bewaldet; **wooden** ['wʊdn] *adj* 1. hölzern *a. fig* 2. (*fig*) steif, langweilig; ~ **construction**

Holzkonstruktion *f;* ~ **floor** Holzfußboden *m;* ~**-headed** dumm, doof; **wood•land** ['wʊdlænd] *s* Waldland *n;* **wood panelling** *s* Holzvertäfelung *f;* **wood•pecker** ['wʊd,pekə(r)] *s* Specht *m;* **wood•pile** ['wʊdpaɪl] *s* Holzstoß *m;* **wood preservative** *s* Holzschutzmittel *n;* **wood•shed** ['wʊdʃed] *s* Holzschuppen *m;* **wood•sy** ['wʊdzɪ] *adj* (*Am*) waldig; **wood ulp** *s* Holzschliff *m;* **wood•wind** ['wʊdwɪnd] *s* (*pl*) (Holz)Blasinstrument(e *pl*) *n;* **wood•work** ['wʊdwɜːk] *s* **1.** Holzarbeiten *fpl* **2.** hölzerne Bauteile *mpl,* Balkenwerk *n;* **wood•worm** ['wʊdwɜːm] *s* Holzwurm *m;* **woody** ['wʊdɪ] *adj* **1.** bewaldet, waldig **2.** holzig

woof [wuːf] *s* (Hunde)Gebell *n;* **woofer** ['wuːfə(r)] *s* Tieftonlautsprecher, Tieftöner *m*

wool [wʊl] *s* (*a.* TECH) Wolle *f;* **pull the ~ over s.o.'s eyes** (*fig*) jdm das Fell über die Ohren ziehen; **woolen** (*Am*) *s.* **woollen; wool•gather•ing** ['wʊl,gæðərɪŋ] *s* Geistesabwesenheit, Zerstreutheit *f;* **wool•len** ['wʊlən] **I.** *adj* wollen **II.** *s pl* (~ *goods*) Wollwaren, -sachen, Strickwaren *fpl;* **wool•ly** ['wʊlɪ] **I.** *adj* **1.** wollen **2.** wollig, flauschig, weich **3.** (*fig*) nebelhaft; verworren **II.** *s* wollenes Kleidungsstück; **wool•sack** ['wʊlsæk] *s* Wollsack *m* (*Sitz des britischen Lordkanzlers im Oberhaus*); **wool trade** *s* Wollhandel *m;* **wooly** (*Am*) *s.* **woolly**

woozy ['wuːzɪ] *adj* (*fam*) schwindelig

wop [wɒp] *s* (*sl pej*) Itaker *m*

word [wɜːd] **I.** *s* **1.** Wort *n* **2.** (MIL) Befehl *m;* Kennwort *n* **3.** (*fig*) kurze Äußerung, Bemerkung *f* (*about* über) **4.** Rede *f,* Spruch *m* **5.** Zusage *f;* (Ehren)Wort *n* **6.** Bescheid *m,* Nachricht *f* **7.** ~**s** Wortwechsel, Streit *m;* **at a** ~ auf e-n Wink, sofort; **by** ~ **of mouth** mündlich; **in a** [*o* **one**] ~ mit e-m Wort; **in other** ~**s** mit anderen Worten; **in so many** ~**s** genauso, wörtlich, *adv;* **of many** ~**s** redselig, gesprächig; **not to be the** ~ **for s.th.** etw nicht richtig wiedergeben; **break/keep one's** ~ sein Wort brechen/halten; **give one's** ~ **upon s.th.** sein Wort auf etw geben; **have a** ~ **with s.o.** kurz mit jdm sprechen; **have** ~ **from** Nachricht haben von; **have** ~**s with s.o.** sich mit jdm streiten; **have no** ~**s for s.th.** für etw keine Worte finden; **have the last** ~ das letzte Wort haben; **leave** ~ eine Nachricht, Bescheid hinter-, zurücklassen (*with* bei, *at the office* im Büro); **put into** ~**s** in Worte kleiden; **put in** [*o* **say**] **a (good)** ~ **for s.o.** für jdn ein gutes Wort einlegen; **send** ~ e-e Nachricht zukommen lassen (*to s.o.* jdm); **take s.o. at his** ~ jdn beim Wort nehmen; **he is as good as his** ~ man kann sich auf ihn verlassen; **he didn't say a** ~ **about it** er hat kein Wort, keinen Ton davon gesagt; **by** ~ **of mouth** mündlich **II.** *tr* in Worte kleiden, formulieren; **word break** *s* (TYP) Trennung *f;* **word division** *s* (TYP) Silbentrennung *f;* **word•ing** [-ɪŋ] *s* Formulierung, Wortwahl *f;* Wortlaut *m;* ~ **of the law** Gesetzestext *m;* ~ **of the oath** Eidesformel *f;* **word•less** [-lɪs] *adj* wort-, sprachlos; **word order** *s* (GRAM) Wortstellung *f;* **word-per•fect** [,wɜːd'pɜːfɪkt] *adj:* **be** ~ seine Rolle auswendig können, rollensicher sein; **word•play** *s* Wortspiel *n;* **word processing** *s* Textverarbeitung *f;* **word processor** *s* **1.** Textverarbeitungsanlage *f* **2.** Textverarbeitungsprogramm *n;* **word•wrap** *s* **1.** (TYP) Fließsatz *m* **2.** (EDV) automatischer Zeilenumbruch; **wordy** ['wɜːdɪ] *adj* wortreich; weitschweifig

wore [wɔː(r)] *s.* **wear**

work [wɜːk] **I.** *s* **1.** Arbeit *f* **2.** Tätigkeit, Beschäftigung *f* **3.** Unternehmen *n* **4.** Werk *n,* (Arbeits)Leistung *f;* (Kunst)Werk *n* **5.** ~**s** Werke *npl,* Taten *fpl,* Werke *npl* (*e-s Dichters*) **6.** ~**s** *mit sing* (Werk-, Industrie)Anlage *f;* Werk(e *pl*) *n,* Fabrik, Anstalt *f* **7.** ~**s** (ARCH) Baustelle *f* **8.** ~**s** (TECH) Getriebe *n;* Uhrwerk *n;* **brain** ~ geistige Arbeit; **casual** ~ Gelegenheitsarbeit *f;* **clerical** [*o* **office**] ~ Schreib-, Büroarbeit *f;* **gas** ~**s** *mit sing* Gaswerk *n;* **iron** ~**s** *mit sing* Eisenhütte *f,* -werk *n;* **public** ~**s** Stadt-, Versorgungswerke *npl;* **water** ~**s** Wasserwerk *n;* ~ **of art** Kunstwerk *n;* **at** ~ bei der Arbeit, beschäftigt (*upon* mit), in Betrieb, im Gange, tätig; **fit for** ~ arbeitsfähig; **in** ~ in Arbeit stehend; **out of** ~ arbeitslos; **the** ~**s** (*sl*) alles Drum und Dran; **give s.o. the** ~**s** (*sl*) jdn fertigmachen; jdn verwöhnen; **have one's** ~ **cut out** schwer arbeiten müssen; **make light** ~ **of s.th.** mit etw leicht fertig werden; **make short** [*o* **quick**] ~ **of** kurzen Prozess machen mit **II.** *itr* **1.** arbeiten (*at* an) **2.** beschäftigt, tätig sein (*at* mit) **3.** funktionieren; wirksam sein **4.** Einfluss ausüben (*on, upon* auf), zu überreden suchen (*on, upon s.o.* jdn) **5.** sich abmühen, sich plagen **6.** in Bewegung, in Erregung sein **7.** (*Pläne*) glücken, gelingen; ~ **loose** lose werden, los-, abgehen; ~ **towards s.th.** auf etw hinarbeiten; **it won't** ~ das klappt nicht; **her face** ~**ed** in ihrem Gesicht arbeitete es **III.** *tr* **1.** be-, ver-, erarbeiten, ausarbeiten **2.** (*Aufgabe*) lösen, ausrechnen **3.** zu Stande bringen, bewerkstelligen; hervorbringen, -rufen, auslösen, (be)wirken **4.** arbeiten mit, betätigen, in Betrieb setzen, in Gang bringen **5.** (*Maschine*) bedienen;

beanspruchen **6.** (*Betrieb*) leiten **7.** (*Gut*) bewirtschaften **8.** (*Gebiet*) bereisen, bearbeiten **9.** (*fam*) spielen lassen, ausnutzen, Gebrauch machen von; ~ **o.s. hard** hart arbeiten; ~ **one's way through s.th.** sich durch etw durcharbeiten; ~ **it** (*sl*) es fertig bringen, es schaffen; **work away** *itr* vor sich hinarbeiten; **work in I.** *tr* einfügen, -flechten; einarbeiten **II.** *itr* sich einfügen (*with* in); **work off I.** *itr* sich losmachen **II.** *tr* abarbeiten; (*Energie*) loswerden; (*Gefühl*) abreagieren; **work on I.** *itr* weiterarbeiten **II.** *tr* **1.** arbeiten an **2.** ausgehen von **3.** bearbeiten (*s.o.* jdn); **work out I.** *tr* **1.** ausarbeiten, entwickeln **2.** aus-, zusammenrechnen **3.** lösen **4.** (*fam*) verstehen **5.** herausfinden **6.** (MIN) abbauen **II.** *itr* **1.** funktionieren, klappen **2.** (*Aufgabe, Rätsel*) aufgehen **3.** ergeben (*at* acc) **4.** (SPORT) trainieren; **things didn't ~ out for me** es ist mir schiefgegangen; **how is it ~ing out?** wie geht's damit?; **work over** *tr* überarbeiten; ~ **s.o. over** jdn zusammenschlagen; **work round** *itr* **1.** sich mühsam durcharbeiten (*to* nach) **2.** (*Wind*) sich drehen; **work up I.** *tr* **1.** ausarbeiten **2.** aufstacheln **3.** (*Begeisterung*) aufbringen; (*Appetit*) sich machen; (*Geschäft*) zum Erfolg bringen **II.** *itr* (*Rock*) sich hochschieben; ~ **one's way up** sich hocharbeiten; **get ~ed up about s.th.** sich über etw aufregen; ~ **o.s. up** sich aufregen; ~ **up to s.th.** auf etw hinauswollen; etw im Sinn haben; ~ **up to a climax** sich zu einem Höhepunkt steigern

work•able ['wɜ:kəbl] *adj* **1.** bearbeitbar; zu gebrauchen(d), brauchbar, praktizierbar, durchführbar **2.** (MIN) abbaufähig, -würdig; **work•a•day** ['wɜ:kədeɪ] *adj* **1.** werktäglich **2.** alltäglich, gewöhnlich, abgedroschen; **work•bag** *s* Nähbeutel *m;* **work•bench** ['wɜ:kbentʃ] *s* Werkbank *f;* **work•book** ['wɜ:kbʊk] *s* Arbeitsheft *n;* **work camp** *s* Arbeitslager *n;* **work•day** ['wɜ:kdeɪ] **I.** *s* Arbeits-, Werk-, Wochentag *m;* **on ~s** an Wochen-, Werktagen **II.** *adj* werktäglich

worker ['wɜ:kə(r)] *s* **1.** Arbeiter(in) *m(f),* Arbeitnehmer(in) *m(f)* **2.** (ZOO: ~ *bee*) Arbeiterin *f;* **factory** [*o* **industrial**] ~ Fabrikarbeiter(in) *m(f);* **manual** ~ Handarbeiter(in) *m(f);* **real** ~ richtiges Arbeitstier; **~s' participation** Mitbestimmung *f;* **work ethic** *s* Arbeitsethos *n*

work•force ['wɜ:kfɔ:s] *s* **1.** Belegschaft *f;* Arbeitskräfte *pl* **2.** Arbeitskräftepotential *n;* **work•horse** *s* Arbeitspferd *n a. fig;* **work-in** ['wɜ:kɪn] *s* Betriebsbesetzung *f* durch die Arbeitnehmer

work•ing ['wɜ:kɪŋ] **I.** *adj* **1.** arbeitend; werktätig, berufstätig; (*Partner*) aktiv **2.** betriebs-, arbeitsfähig **3.** (*Hypothese, Modell*) Arbeits-; (*Mehrheit*) arbeitsfähig **4.** (*Tag, Bedingungen, Kleidung*) Arbeits-; ~ **capital** Betriebskapital *n;* ~ **committee** Arbeitsausschuss *m;* ~ **condition** Arbeitsbedingung *f;* ~ **day** Arbeits-, Werktag *m;* ~ **dinner** Arbeitsessen *n;* ~ **girl** Berufstätige *f;* (*Am: fig*) Gunstgewerblerin *f;* ~ **hours** Arbeitszeit *f;* ~ **knowledge** ausreichende praktische Kenntnisse; ~ **lunch** Arbeitsessen *n;* ~ **man** Arbeiter *m;* **I am a ~ man** ich arbeite den ganzen Tag; ~ **model** funktionsfähiges Modell; **in ~ order** gebrauchs-, betriebsfähig; ~ **paper** Arbeitsunterlage *f;* Arbeitspapier *n;* ~ **party** Arbeitsgruppe *f,* -ausschuss *m;* ~ **place** Arbeitsplatz *m;* ~ **population** erwerbstätige Bevölkerung; ~ **process** Arbeitsprozess, -vorgang *m;* ~ **week** Arbeitswoche *f;* **35-hour ~ week** 35-Stunden-Woche *f;* ~ **wife** berufstätige Ehefrau; ~ **woman** berufstätige Frau **II.** *s* **1.** Arbeit *f* **2. ~s** Funktion, Arbeitsweise *f* **3. ~s** (MIN) Schächte *mpl,* Grube *f;* **~s of the mind** Gedankengänge *mpl;* **working-class** *adj* der Arbeiterklasse, Arbeiter-; (*pej*) proletenhaft; **working class(es)** *s* (*pl*) Arbeiterklasse *f;* **work•ing-out** ['wɜ:kɪŋ'aʊt] *s* Ausarbeitung *f;* Berechnung *f;* (SPORT) Training *n;* **work•ing-over** ['wɜ:kɪŋ'əʊvə(r)] *s* (*fam*) Tracht *f* Prügel

work•load ['wɜ:kləʊd] *s* Arbeit(slast), Arbeitsbelastung *f;* **work•man** ['wɜ:kmən] <*pl* -men> *s* Handwerker *m;* **work•man•like** ['wɜ:kmənlaɪk] *adj* fachmännisch; **work•man•ship** ['wɜ:kmənʃɪp] *s* Arbeitsausführung *f;* Qualität *f;* **work of art** *s* Kunstwerk *n;* **work-out** ['wɜ:kaʊt] *s* (SPORT) Training *n;* **work permit** *s* Arbeitserlaubnis *f;* **work•place** ['wɜ:kpleɪs] *s* Arbeitsplatz *m;* **works committee, works council** *s* Betriebsrat *m;* **work•shar•ing** ['wɜ:kˌʃeərɪŋ] *s* Arbeitsplatzteilung *f,* Jobsharing *n;* **work•shop** ['wɜ:kʃɒp] *s* **1.** Werkstatt, -stätte *f* **2.** Arbeitsgruppe *f,* -kreis, Kurs *m;* Workshop *m;* **work-shy** ['wɜ:kʃaɪ] *adj* arbeitsscheu; **works mananger** *s* Betriebsleiter(in) *m(f);* **works outing** *s* Betriebsausflug *m;* **work•space** ['wɜ:kspeɪs] *s* (EDV) Arbeitsspeicher *m;* **work station** *s* Arbeitsplatz *m;* Fertigungsstation *f;* (EDV) Werkstation *f,* Bildschirmarbeitsplatz *m;* **work-study** *s* Arbeitsstudie *f;* **work•table** ['wɜ:kˌteɪbl] *s* Arbeitstisch *m;* **work•top** *s* Arbeitsplatte *f;* **work-to-rule** [ˌwɜ:ktə'ru:l] *s* Dienst *m* nach Vorschrift; **work•week** ['wɜ:kwi:k] *s* (*Am*) Arbeitswoche *f*

world [wɜ:ld] *s* Welt *f;* **all the ~ knows** alle

wissen; **all the ~ and his wife** Gott und die Welt; **not for all the** ~ um nichts in der Welt; **be all the ~ to s.o.** jds ein und alles sein; **a ~ of ...** eine Menge; sehr; **be ~s apart** völlig verschieden sein; **in the** ~ auf der Welt; **all over the** ~ in der ganzen Welt; **all the ~ over** überall; **out of this** ~ (*fig sl*) sagenhaft; **round the** ~ (rund) um die Welt; **bring s.o. into the** ~ jdn auf die, zur Welt bringen; **bring s.th. into the** ~ etw in die Welt setzen; **come into the** ~ auf die, zur Welt kommen; **come** [*o* **go**] **down in the** ~ herunterkommen; **go up in the** ~ es zu etwas bringen; **feel on top of the** ~ sich nicht besser fühlen können; **have the best of both ~s** auf nichts verzichten müssen, können; **think the ~ of s.o.** große Stücke auf jdn halten; **it's not the end of the** ~ deshalb geht die Welt nicht unter; **how goes the ~ with you?** wie geht's, wie steht's?; **what in the ~?** was in aller Welt?; **the New/Old/Third W~** die Neue/Alte/Dritte Welt; **a man of the** ~ ein Mann von Welt

World Bank [ˌwɜːld'bæŋk] *s* Weltbank *f*

world-beater ['wɜːldˌbiːtə(r)] *s* alles überragende Person, Sache; **world clock** *s* Weltzeituhr *f;* **world congress** *s* Weltkongress *m;* **World Cup** *s* Fußballweltmeisterschaft *f;* Weltpokal *m;* **World Fair** *s* Weltausstellung *f;* **world-famous** *adj* weltberühmt; von Weltrang; **world language** *s* Weltsprache *f*

world•ly ['wɜːldlɪ] *adj* **1.** weltlich, irdisch; diesseitig; weltzugewandt **2.** (~ *wise*) weltklug

world opinion ['wɜːldə'pɪnjən] *s* Weltöffentlichkeit *f;* **world population** *s* Weltbevölkerung *f;* **world power** ['wɜːldˌpaʊə(r)] *s* Weltmacht *f;* **world record** *s* Weltrekord *m;* **world-shattering** *adj* welterschütternd; **world view** *s* Weltbild *n;* **world war** *s* Weltkrieg *m;* **world-weary** [ˌwɜːld'wɪərɪ] *adj* lebensmüde; **world•wide** [ˌwɜːld'waɪd] *adj, adv* weltweit; ~ **reputation** Weltruf *m;* ~ **sales** Weltumsatz *m*

worm [wɜːm] **I.** *s* **1.** Wurm *m a. fig* **2.** (Schrauben)Gewinde *n* **II.** *tr* **1.** mit e-m Wurmmittel behandeln **2.** (*fig*) herausziehen, -locken (*s.th., a secret out of s.o.* etw, ein Geheimnis aus jdm) **3.** zwängen (*into* in); ~ **o.s.** [*o* **one's way**] **in**(**to**) sich einschleichen; ~ **o.s.** [*o* **one's way**] **through** sich hindurchwinden; **worm-eaten** ['wɜːmˌiːtn] *adj* **1.** wurmstichig **2.** (*sl*) alt; **worm•hole** *s* Wurmloch *n* (*in e-m Möbelstück*); **wormy** ['wɜːmɪ] *adj* **1.** wurmig **2.** wurmstichig

worn [wɔːn] **I.** *pp of* **wear II.** *adj* **1.** verbraucht, abgenutzt **2.** abgetragen **3.** erschöpft; abgespannt **4.** (*fig*) abgedroschen; **worn-out** [ˌwɔːn'aʊt] *adj* **1.** unbrauchbar (geworden) **2.** erschöpft, abgespannt

wor•ried ['wʌrɪd] *adj* **1.** besorgt, beunruhigt (*about* über) **2.** gequält; **worri•some** ['wʌrɪsəm] *adj* **1.** Besorgnis erregend **2.** lästig; **worry** ['wʌrɪ] **I.** *tr* **1.** beunruhigen, Sorgen machen (*s.o.* jdm) **2.** belästigen, stören **3.** (*Hund*) beißen, packen; ~ **s.o. with s.th.** jdn wegen etw stören; ~ **s.o. for s.th.** jdn um etw plagen; **I won't let that ~ me** darüber lasse ich mir keine grauen Haare wachsen **II.** *itr* besorgt, beunruhigt sein, sich Sorgen machen, in Ängsten sein (*about* um); **don't ~!** machen Sie sich keine Sorgen! seien Sie unbesorgt! **III.** *s* Sorge(n *pl*) *f;* **it's a great ~ to me** ich mache mir deswegen große Sorgen; **worry•ing** [-ɪŋ] **I.** *adj* beunruhigend; **it's ~ for me** es macht mir Sorgen **II.** *s* Sorgen *fpl;* ~ **won't help** es hilft nichts, wenn man sich Sorgen macht

worse [wɜːs] <*Komparativ von* **bad, badly**> **I.** *adj* **1.** schlechter, übler, schlimmer, ärger **2.** (~ *off*) schlechter, übler dran; kränker **II.** *adv* schlimmer, ärger **III.** *s* (das) Schlimmmere, Ärgere **IV.** (*Wendungen*): **all** [*o* **so much**] **the** ~ um so schlimmer; **from bad to** ~ immer schlimmer; ~ **and** ~ immer schlimmer; **I'm ~** (**off**) es geht mir schlechter; **he's none the ~ for it** es hat ihm nichts geschadet; ~ **was to follow** es sollte noch schlimmer kommen; **my shoes are the ~ for wear** meine Schuhe sind ganz abgetragen; ~ **luck!** leider! unglücklicherweise!; **a change for the** ~ e-e Wendung zum Schlechteren; **worsen** ['wɜːsn] **I.** *itr* sich verschlimmern, sich verschlechtern **II.** *tr* verschlechtern

wor•ship ['wɜːʃɪp] **I.** *s* **1.** (REL) Verehrung, Anbetung *f* **2.** Gottesdienst *m* **3.** tiefe Hingabe; **Your W~** Euer Gnaden; Herr Bürgermeister **II.** *tr* **1.** verehren, anbeten **2.** vergöttern **III.** *itr* den Gottesdienst abhalten; **wor•ship•per** [-ə(r)] *s* (*Kirche*) Gottesdienstbesucher(in) *m(f);* (*Gottheit*) Anbeter(in) *m(f);* (*Person*) Verehrer(in) *m(f)*

worst [wɜːst] <*Superlativ von* **bad, badly**> **I.** *adj* schlechteste(r, s), übelste(r, s), schlimmste(r, s) **II.** *adv* am schlimmsten, am ärgsten **III.** *s* (das) Schlechteste, Schlimmste **IV.** (*Wendungen*): **at** (**the**) ~ schlimmstenfalls; **at his ~, her ~, its** ~ im ungünstigsten Moment; **if the ~ comes to the** ~ im allerschlimmsten Fall; **be ~ off** am schlimmsten dran sein; **be prepared for the** ~ auf das Schlimmste gefasst sein; **get the ~ of it** den Kürzeren ziehen; am meisten zu leiden haben; **the ~ of it is that**

... das Schlimmste daran ist, dass ...; **do your ~!** mach, was du willst!; **let him do his ~!** lass ihn machen, was er will!; **the ~ is yet to come** das dicke Ende kommt noch (nach)

wor·sted ['wʊstɪd] *s* Kammgarn(stoff *m*) *n*

worth [wɜːθ] **I.** *s* Wert *m;* Gegenwert *m;* **a pound's ~ of apples** für ein Pfund Äpfel; **did you get your money's ~?** sind Sie auf Ihre Kosten gekommen? **II.** *adj* wert; **be ~** wert sein; sich lohnen; **it's ~ a lot to me** es ist mir viel wert; (*fig*) es bedeutet mir sehr viel; **be ~ a million** Millionär sein; **is it ~ it?** lohnt es sich; **he isn't ~ it** er ist es nicht wert; **~ reading/living/seeing/mentioning** lesens-/lebens-/sehens-/der Rede wert; **for all one is ~** mit ganzer Kraft, so gut man kann; **for what it's ~** so wie es ist; ohne Garantie; **it's ~ the trouble** die Mühe lohnt sich; **worth·less** [-lɪs] *adj* **1.** wertlos **2.** (*fig*) unwürdig; **worth-while** [ˌwɜːθ'waɪl] *adj* lohnend; **be ~** sich lohnen; der Mühe wert sein; **worthy** ['wɜːðɪ] *adj* **1.** würdig, wert (*of s.th.* e-r S) **2.** ehrenwert; würdig; löblich; **~ of credit** glaubwürdig; (COM) kreditwürdig

would [wʊd] *pt of* **will**[1] würde; **he ~ do it** er würde es tun; **he ~ have done it** er hätte es getan; **he said he ~ do it** er sagte, er würde es tun; **but he ~ do it** (*betont*) aber er muss es unbedingt machen; **~ he do it?** würde er es vielleicht tun?; **~ he have done it?** hätte er es getan?; **who ~ have thought it?** wer hätte das gedacht; **you ~ think ...** man sollte meinen ...; **you ~ be the one who ...** typisch, dass ausgerechnet du ...; **I ~n't know** was weiß ich (das); **he ~ go there every year** er ging jedes Jahr dahin; **it ~ seem** es scheint so; **would-be** ['wʊdbiː] *adj attr* **1.** angeblich; Möchtegern- **2.** gut gemeint

wouldn't [wʊdnt] = **would not**

wound[1] [wuːnd] **I.** *s* **1.** Wunde *f* (*in the arm* am Arm), Verletzung *f a. fig* **2.** (*fig*) Kränkung, Beleidigung *f* (*to* für) **II.** *tr* verwunden, verletzen *a. fig;* **~ fatally** tödlich verwunden

wound[2] [waʊnd] *s.* **wind**[2]

wounded ['wuːndɪd] *adj* **1.** verwundet, verletzt *a. fig* **2.** (*Eitelkeit*) gekränkt

wove(n) ['wəʊv(n)] *s.* **weave**

wow [waʊ] **I.** *interj* Mensch! **II.** *s* (*sl*) **1.** Mordsspaß *m* **2.** toller Kerl, tolle Frau **3.** (THEAT) Bombenerfolg *m* **III.** *tr* (*sl*) begeistern

wrack [ræk] *s* Seetang *m;* **go to ~ and ruin** in die Brüche gehen

wraith [reɪθ] *s* Geist *m* (*bes. e-s Sterbenden*)

wrangle ['ræŋgl] **I.** *itr* (sich) zanken, (sich) streiten, disputieren (*with s.o. about, over s.th.* mit jdm über etw) **II.** *s* Gerangel *n;* **wrangler** ['ræŋglə(r)] *s* (*Am*) Cowboy *m*

wrap [ræp] **I.** *tr* **1.** (~ *up*) einwickeln, -schlagen; ein-, verpacken (*in* in) **2.** wickeln (*round* um); **be ~ped in** (*fig*) gehüllt sein in **II.** *s* Umschlagtuch *n;* Stola *f;* Cape *n;* Mantel *m;* **take the ~s off s.th.** etw der Öffentlichkeit vorstellen; **under ~s** versteckt, geheim; **wrap·around** ['ræpəˌraʊnd] *s* (EDV) (automatischer) Zeilenumbruch *m;* **wrap-over vest** *s* Wickelhemdchen *n;* **wrap up I.** *tr* **1.** einpacken **2.** (*fam*) unter Dach und Fach bringen **II.** *itr* **1.** sich warm anziehen **2.** (*sl*) den Mund halten; **be ~ped up in s.th.** ganz in etw aufgehen; von etw völlig in Anspruch genommen sein; **wrap·per** ['ræpə(r)] *s* **1.** Streif-, Kreuzband *n* **2.** (*Buch*) Schutzumschlag *m;* (*Zigarre*) Deckblatt *n* **3.** Verpackung(smaterial *n*) *f;* (Bonbon)Papier *n;* **wrapping paper** *s* Packpapier *n;* Geschenkpapier *n*

wrath [rɒθ] *s* Zorn *m;* **wrath·ful** ['rɒθfl] *adj* zornig

wreak [riːk] *tr* (*Schaden, Chaos*) anrichten; (*Rache*) üben (*on, upon* an); (*Ärger*) auslassen (*on* an); **~ havoc** verheerenden Schaden anrichten; sich verheerend auswirken (*on* auf)

wreath [riːθ] *s* Girlande *f;* Kranz *m;* **~ of smoke** Rauchfahne *f;* **wreathe** [riːð] **I.** *tr* **1.** winden **2.** flechten (*into a wreath* zu e-m Kranz) **3.** bekränzen **4.** einhüllen **II.** *itr* **1.** sich winden, sich kräuseln **2.** sich ringeln (*round* um)

wreck [rek] **I.** *s* **1.** Wrack *n* **2.** (MAR) Schiffbruch *m* **3.** (JUR) Strandgut *n* **4.** (*fig*) (elendes) Wrack *n* **5.** Verderben *n,* Untergang, Ruin *m,* Zerstörung *f* **6.** (COM) Konkursunternehmen *n;* **be a mere ~ of one's former self** nur noch ein Schatten seiner selbst sein **II.** *tr* **1.** zerstören *a. fig,* zertrümmern, zerschlagen **2.** (*fig*) ruinieren, zu Grunde richten **3.** (*Pläne*) vernichten; **wreck·age** ['rekɪdʒ] *s* Trümmer *pl a. fig;* **wrecker** ['rekə(r)] *s* **1.** (*Am*) Abbrucharbeiter, -unternehmer *m;* Schrotthändler *m* **2.** (*Am*) Bergungsdampfer *m;* Bergungsarbeiter *mpl,* Bergungsmannschaft *f,* -trupp *m* **3.** (*Am:* MOT) Abschleppwagen *m* **4.** (*ship~*) jem der durch falsche Signale ein Schiff zum Stranden bringt **5.** (*fig*) Umstürzler(in) *m(f);* **~ service** (*Am:* MOT) Abschleppdienst *m*

wren [ren] *s* (*Vogel*) Zaunkönig *m*

Wren [ren] *s Angehörige des weiblichen Marinedienstes* (*Womens Royal Naval Service*)

wrench [rentʃ] **I.** *s* **1.** (plötzlicher) Ruck *m*

2. (MED) Zerrung, Verrenkung, Verstauchung *f* 3. (*fig*) Stich (*ins Herz*), Abschiedsschmerz *m* 4. (TECH) Schraubenschlüssel *m;* **monkey** ~ Universalschraubenschlüssel *m* II. *tr* 1. heftig reißen, ziehen (*from* von), zerren 2. (MED) verrenken, -stauchen; ~ **away** entreißen (*from s.o.* jdm)

wrestle ['resl] I. *itr* 1. ringen *a. fig* 2. kämpfen (*for* um, *with* mit) 3. sich herumschlagen, sich abquälen (*with* mit) II. *tr* 1. ringen mit 2. (*Ringkampf*) austragen III. *s* Ringkampf *m;* **wres·tler** ['reslə(r)] *s* Ring(kämpf)er(in) *m(f);* **wres·tling** ['reslɪŋ] *s* Ringen *n a. fig;* **wrestling bout**, **wrestling match** *s* Ringkampf *m*

wretch [retʃ] *s* 1. unglücklicher Mensch 2. (*pej*) Wicht *m;* **wretched** ['retʃɪd] *adj* 1. unglücklich 2. elend; erbärmlich 3. scheußlich

wriggle ['rɪgl] I. *itr* 1. sich winden 2. sich unruhig hin- u. herbewegen 3. (*fig*) sich (drehen u.) winden 4. sich unbehaglich fühlen II. *tr* wackeln mit; ~ (**o.s.**) [*o* **one's way**] **out** sich herauswinden (*of s.th.* aus etw) III. *s* Winden *n;* Krümmung *f*

wring [rɪŋ] <*irr:* wrung, wrung> *tr* 1. (~ *out*) auswringen, -drücken, -pressen, -quetschen 2. (~ *out*) herausdrücken, -pressen 3. (*Bekenntnis*) erpressen (*from, out of* von) 4. (*Hals*) umdrehen; ~ **one's hands** die Hände ringen; ~ **s.o.'s heart** jdm (großen) Kummer machen; jdm ans Herz greifen; **wringer** ['rɪŋə(r)] *s* Mangel *f*

wrinkle ['rɪŋkl] I. *s* 1. Falte, Runzel *f* 2. (*Papier*) Kniff *m* II. *tr* 1. zerknittern 2. runzlig machen 3. (*Stirn*) runzeln; (*Nase*) rümpfen III. *itr* 1. knittern 2. Falten schlagen 3. runzlig werden; **wrinkled**, **wrinkly** ['rɪŋkld, 'rɪŋklɪ] *adj* 1. runz(e)lig, faltig 2. (*Stoff*) leicht knitternd

wrist [rɪst] *s* Handgelenk *n;* **wrist·band** *s* 1. Armband *n;* Schweißband *n* 2. Armbündchen *n;* **wrist·let** ['rɪstlɪt] *s* Armband *n;* **wrist·watch** ['rɪstwɒtʃ] *s* Armbanduhr *f*

writ [rɪt] *s* (JUR) Verfügung, Anweisung *f;* (~ *of summons*) Vorladung *f;* **issue a** ~ **against s.o., serve a** ~ **(up)on s.o.** jdm e-e Vorladung zustellen; **Holy W**~ Heilige Schrift

write [raɪt] <*irr:* wrote, written> I. *tr* 1. schreiben; auf-, niederschreiben, zu Papier bringen 2. aufzeichnen, ab-, verfassen 3. (JUR) aufsetzen 4. (*Bescheinigung, Scheck*) ausstellen 5. (*Scheck*) ausschreiben 6. (*Formular*) ausfüllen 7. (*Papier*) beschreiben 8. (*Vertrag*) aufsetzen 9. (schriftlich, brieflich) mitteilen (*s.th. to s.o., s.o. s.th.* jdm etw); ~ **in full** ausschreiben; ~ **shorthand** stenografieren; ~ **s.o. a letter** jdm e-n Brief schreiben II. *itr* 1. schreiben 2. bestellen, kommen lassen (*for s.th.* etw); **write away** *itr* auswärts bestellen (*for s.th.* etw); **write back** *itr* zurückschreiben; **write down** *tr* nieder-, aufschreiben; (COM) (teil)abschreiben; **write in** I. *tr* 1. einfügen, eintragen 2. (*Am: Wahlschein*) ausfüllen; seine Stimme abgeben für II. *itr* sich schriftlich bewerben (*for* um); **write off** *tr* 1. (COM) abschreiben 2. (*Auto*) zu Schrott fahren; als Totalschaden abschreiben 3. schnell hinschreiben; **write out** *tr* 1. (voll) ausschreiben 2. (*Scheck*) ausfüllen, -stellen; **write up** *tr* 1. e-n schriftlichen Bericht machen über, eingehend berichten; (*Aufzeichnungen*) ausarbeiten 2. (*schriftlich*) aufs Laufende bringen 3. eine Kritik schreiben über 4. (*Wert*) zu hoch ansetzen

write·down ['raɪt,daʊn] *s* Teilabschreibung *f*

write-in ['raɪtɪn] *s* (*Am*) Stimmabgabe *f* für einen nicht aufgeführten Kandidaten; **write-off** ['raɪtɒf] *s* (COM) Abschreibung *f;* (MOT) Totalschaden *m;* **write-pro·tec·ted** ['raɪtprə'tektəd] *adj* (EDV) schreibgeschützt

writer ['raɪtə(r)] *s* 1. Schreiber(in) *m(f),* Schriftsteller(in) *m(f),* Verfasser(in) *m(f)* 2. (*Am*) Versicherer *m;* ~ **of a cheque** Scheckaussteller *m;* ~**'s cramp** Schreibkrampf *m;* **I am a poor** ~ ich schreibe nicht gerne Briefe; ich schreibe schlecht

write-up ['raɪtʌp] *s* 1. (COM) Heraufsetzung *f* des Buchwertes 2. Pressebericht *m;* Kritik *f*

writhe [raɪð] *itr* sich krümmen, winden (*with* vor)

writ·ing ['raɪtɪŋ] *s* 1. Schreiben *n;* Schriftstück *n* 2. (Hand)Schrift *f* 3. Buch, Werk *n* 4. Schriftstellerei *f;* **in** ~ schriftlich; **put in** ~ niederschreiben, schriftlich abfassen; **writing case** *s* Schreibmappe *f;* **writing desk** *s* Schreibtisch *m;* **writing pad** *s* Schreibunterlage *f;* Notiz-, Briefblock *m;* **writing paper** *s* Schreibpapier *n*

writ·ten ['rɪtn] I. *pp of* **write** II. *adj* schriftlich; (*Wort*) geschrieben; ~ **language** Schriftsprache *f*

wrong [rɒŋ, *Am* rɔːŋ] I. *adj* 1. unrichtig, falsch 2. unrecht 3. unangebracht, unpassend; ~ **side out** mit der Innenseite nach außen; **be** ~ unrecht haben; sich irren, nicht in Ordnung sein, nicht stimmen; **get on the** ~ **side of s.o.** sich jdn zum Gegner machen; **there is s.th.** ~ da stimmt etw nicht (*with* mit); **what's ~?** stimmt etw nicht?; **sorry,** ~ **number!** (TELE) Verzeihung, falsch verbunden!; ~**-foot s.o.** jdn auf dem falschen Fuß erwischen; **I was ~-footed by the question** die Frage traf mich unvorbereitet **II.** *adv* falsch, nicht richtig, nicht recht; **do s.th.** ~ etw falsch, verkehrt machen; **go** ~ schief gehen, scheitern; nicht richtig funktionieren; **get it** ~ sich verrechnen; es falsch verstehen; **take s.th.** ~ etw übel nehmen **III.** *s* **1.** Unrecht *n;* Ungerechtigkeit *f* **2.** (JUR) Rechtswidrigkeit *f;* **be in the** ~ im Unrecht sein; **do** ~ Unrecht tun (*to s.o.* jdm), sich etw zuschulden kommen lassen; **put in the** ~ ins Unrecht setzen **IV.** *tr* **1.** ein Unrecht zufügen (*s.o.* jdm) **2.** ungerecht behandeln, benachteiligen, beeinträchtigen **3.** unrecht tun (*s.o.* jdm); **wrong•doer** ['rɒŋ,dʊə(r)] *s* Übel-, Missetäter(in) *m(f);* **wrong-doing** [,rɒŋ'du:ɪŋ] *s* Übeltat *f;* Missetaten *fpl;* **wrong•ful** ['rɒŋfl] *adj* ungerechtfertigt, zu Unrecht; ~ **dismissal** unrechtmäßige Entlassung; **wrong-headed** [,rɒŋ'hedɪd] *adj* starrsinnig, querköpfig, halsstarrig; **wrong•ly** ['rɒŋlɪ] *adv* falsch, unrichtig; zu Unrecht; fälschlicherweise

wrote [rəʊt] *s.* **write**

wrought [rɔ:t] **I.** *tr Präteritum, pp von* **work** (*obs*): **great changes have been** ~ es wurden große Veränderungen herbeigeführt; **the storm** ~ **destruction** der Sturm richtete Zerstörung an **II.** *adj* (*Eisen*) Schmiede-; (*Silber*) getrieben; ~ **iron** Schmiedeeisen *n;* **wrought-up** [rɔ:t'ʌp] *adj* erregt; aufgeregt, -gewühlt

wrung [rʌŋ] *s.* **wring**

wry [raɪ] *adj* ironisch; (*Lächeln*) gezwungen; **make a** ~ **face** das Gesicht verziehen; **a** ~ **sense of humour** ein trockener Humor

WWW *s abbr of* **World Wide Web** (EDV) WWW *n*

X

X, **x** [eks] <*pl* -'s> *s* **1.** X, x *n* **2.** (MATH: *fig*) x, unbekannte Größe **3.** (*in Briefen nach Namen*) Kuss *m;* **x number of people** x Leute; **Mrs. X** Frau X; **x marks the spot where ...** die Stelle, an der ..., ist mit einem Kreuzchen bezeichnet; **x-axis** x-Achse *f;* **X-cer•ti•fi•cate** ['ekssəˌtɪfɪkət] *adj* (*Film*) nicht jugendfrei, ab 18 Jahren; **X-chromosome** ['eksˌkrəʊməsəʊm] *s* (BIOL) X-, Geschlechtschromosom *n*

xeno•phobia [ˌzenə'fəʊbɪə] *s* Fremdenhass *m,* Xenophobie *f;* **xeno•pho•bic** [ˌzenə'fəʊbɪk] *adj* fremdenfeindlich, xenophob

Xerox® ['zɪərɒks] **I.** *s* Xerokopie *f;* Xeroxverfahren *n* **II.** *tr* xerokopieren

Xmas ['eksməs, 'krɪsməs] *s* (*fam*) *s.* **Christmas**

X-ray ['eksreɪ] **I.** *s* **1.** Röntgenaufnahme *f* **2.** ~**s** Röntgenstrahlen *mpl;* **take an ~ of s.o.** jdn röntgen; **have an ~** geröntgt werden; **~ apparatus** Röntgenapparat *m;* **~ diagnosis, ~ examination, ~ test** Röntgenuntersuchung *f* **II.** *tr* röntgen, durchleuchten

xylo•phone ['zaɪləfəʊn] *s* (MUS) Xylophon *n*

Y

Y, y [waɪ] *s* <*pl* -'s> **1.** Y, y *n* **2.** (MATH) y, zweite Unbekannte; **y-axis** y-Achse *f*

yacht [jɒt] **I.** *s* (MAR) (Segel-, Motor)Jacht, Yacht *f* **II.** *itr* auf e-r Jacht fahren, segeln; **yacht•ing** [-ɪŋ] *s* Segeln *n;* **they go ~** sie gehen zum Segeln; **yachts•man** ['jɒtsmən] <*pl* -men> *s* Jachtfahrer, Segler *m*

yak [jæk] **I.** *s* (ZOO) Jak, Yak *m* **II.** *itr* (*fam*) quasseln

yam [jæm] *s* (BOT) **1.** Jamswurzel *f* **2.** (*Am*) Süßkartoffel *f*

yank [jæŋk] **I.** *s* Ruck *m* **II.** *tr* mit e-m Ruck ziehen; **yank off** *tr* abreißen; **yank out** *tr* ausreißen; (*Zahn*) ziehen

Yank [jæŋk] *s* (*fam*) Ami *m;* **Yan•kee** ['jæŋkɪ] *s* Amerikaner, Yankee *m*

yap [jæp] **I.** *itr* **1.** kläffen *a. fig* **2.** (*fam*) schwätzen; (*dumm*) quatschen **II.** *s* **1.** Gekläff *n* **2.** (*fam*) Gequatsche *n*

yard¹ [jɑːd] *s* **1.** Yard *n* (= *0,914 m*) **2.** (MAR) Rah(e) *f;* **square ~** Quadratyard *n;* **by the ~** meterweise; (*fig*) unendlich viel, lang

yard² [jɑːd] *s* **1.** Hof *m* **2.** (Arbeits-, Bau-, Lager)Platz *m* **3.** (*Am*) Garten *m;* **in the ~** auf dem Hof; **the Y~, Scotland Y~** Londoner Polizeibehörde *f;* **shipbuilding ~** Werft *f*

yard•stick ['jɑːdstɪk] *s* **1.** Elle *f,* Yardstock *m* **2.** (*fig*) Maßstab *m;* **~ of performance** Erfolgsmaßstab *m*

yarn [jɑːn] **I.** *s* **1.** Garn *n,* Faden *m* **2.** (*fig*) Seemannsgarn *n* **II.** *itr* (*spin a ~*) ein Seemannsgarn spinnen (*about* über)

yaw [jɔː] **I.** *itr* (MAR AERO) gieren, vom Kurs abweichen **II.** *s* (Kurs)Abweichung *f*

yawl [jɔːl] *s* (MAR) Jolle *f;* Beiboot *n*

yawn [jɔːn] **I.** *itr* **1.** gähnen *a. fig* **2.** (*fig*) klaffen, sich öffnen **II.** *s* Gähnen *n;* **it was a ~** (*fam*) es war langweilig; **yawn•ing** [-ɪŋ] *adj* gähnend *a. fig*

yea [jeɪ] **I.** *adv* ja (doch) **II.** *s* **1.** Ja *n* **2.** Jastimme *f;* **yeah** [jeə] *adv* (*fam*) ja

year [jɜː(r), jɪə(r)] *s* Jahr *n;* Jahrgang *m;* **all the ~ round** das ganze Jahr über; **for ~s** seit Jahren, jahrelang; **for his ~s** für sein Alter; **in the ~ 1837** im Jahre 1837; **last/this/next ~** letztes/dieses/nächstes Jahr; **~s ago** vor Jahren; **~ in, ~ out** jahraus, jahrein; **difference in ~s** Altersunterschied *m;* **~ of assessment** Steuerjahr *n;* **~ of birth** Geburtsjahr *n;* **~ of manufacture** Baujahr *n;* **~ under report** [*o* **review**] Berichtsjahr *n;* **~s of service** Dienstjahre *npl;* **year•book** *s* Jahrbuch *n;* **year•ling** ['jɜːlɪŋ, 'jɪəlɪŋ] *s* (ZOO) Jährling *m;* **year-long** [ˌjɜː'lɒŋ, 'jɪə'lɒŋ] *adj* ein volles Jahr dauernd; **year•ly** ['jɜːlɪ, 'jɪəlɪ] *adj, adv* jährlich; **~ income/output/subscription** Jahreseinkommen *n,* -produktion *f,* -beitrag *m*

yearn [jɜːn] *itr* sich sehnen, verlangen (*for, after* nach, *to do* zu tun); **yearn•ing** [-ɪŋ] *s* Sehnsucht *f,* Verlangen *n*

yeast [jiːst] *s* Hefe *f;* **yeasty** ['jiːstɪ] *adj* hefig, nach Hefe

yell [jel] **I.** *s* Schrei *m;* **give me a ~ when you're ready** sag Bescheid, wenn du fertig bist; **college ~** (*Am*) anfeuernder Zuruf eines Colleges **II.** *itr* (*~ out*) schreien; **~ at s.o.** jdn anbrüllen **III.** *tr* (*~ out*) schreien, brüllen; rufen

yel•low ['jeləʊ] **I.** *adj* **1.** gelb **2.** (*fam*) feige; **the ~ peril** die gelbe Gefahr; **he has a ~ streak in him** er ist feige; **parking on the ~ lines** Parken im Parkverbot **II.** *s* **1.** Gelb *n* **2.** Eigelb *n* **III.** *tr* gelb färben **IV.** *itr* **1.** gelb werden **2.** vergilben; **yellow-belly** *s* (*sl*) Feigling *m;* **yellow-dog** *adj* (*Am*) gewerkschaftsfeindlich; **yellow fever** *s* (MED) Gelbfieber *n;* **yellow jack** *s* **1.** (*Am*) Gelbfieber *n* **2.** (gelbe) Quarantäneflagge *f;* **yellow pages** *s pl* Gelbe Seiten *fpl,* Branchenverzeichnis *n*

yelp [jelp] **I.** *itr* **1.** kläffen, jaulen **2.** aufschreien **II.** *s* **1.** kurzes Bellen, Jaulen *n* **2.** Aufschrei *m*

Yem•en ['jemən] *s:* **the ~** der Jemen; **Yem•eni** ['jemənɪ] **I.** *adj* jemenitisch **II.** *s* Jemenit(in) *m(f)*

yen [jen] *s* **1.** (FIN) Yen *m* **2.** Sehnsucht *f;* Lust *f* (*for* auf); **he has a ~ to be alone** er möchte gar zu gerne allein sein

yeo•man ['jəʊmən] <*pl* -men> *s* (HIST) Freisasse *m;* kleiner Grundbesitzer; **Y~ of the Guard** königlicher Leibgardist; **yeomanry** [-rɪ] *s* bäuerlicher Mittelstand; **yeoman('s) service** *s* treue Dienste *mpl*

yep [jep] *adv* (*sl*) ja

yes [jes] **I.** *adv* ja, jawohl; doch **II.** *s* Ja *n;* **yes man** <*pl* men> *s* Jasager *m*

yes•ter•day ['jestədɪ, 'jestədeɪ] **I.** *adv* gestern; **the day before ~** vorgestern; **~ morning/afternoon/night** gestern Mor-

gen/Nachmittag/Nacht; ~ **week** vor acht Tagen **II.** *s* der gestrige Tag
yet [jet] **I.** *adv* **1.** (*zeitlich*) noch; jetzt; schon; schon noch **2.** (*vor Komparativ*) noch, sogar; außerdem; trotzdem; **as** ~ bis jetzt; **not** ~ noch nicht; **I have** ~ **to see it myself** ich muss es selbst noch sehen **II.** *conj* (je)doch, dennoch, trotzdem
yew [juː] *s* (*a.* ~*-tree,* BOT) Eibe *f*
Yid•dish ['jɪdɪʃ] *s* Jiddisch *n*
yield [jiːld] **I.** *tr* **1.** hervorbringen, liefern **2.** einbringen, abwerfen, (her)geben **3.** (*Zinsen*) gewähren **4.** (*fig*) aufgeben; abtreten (*to s.o.* an jdn) **II.** *itr* **1.** (AGR) tragen **2.** (COM) Zinsen tragen **3.** sich fügen; es aufgeben **4.** nachgeben **5.** (MOT) die Vorfahrt lassen, beachten **6.** (*Am*) das Wort überlassen (*to s.o.* jdm); ~ **to conditions** auf Bedingungen eingehen; ~ **to force** der Gewalt weichen; ~ **to no-one** niemandem nach-, hinter niemandem zurückstehen **III.** *s* **1.** Ertrag, (erzielter) Gewinn *m* **2.** Ernte *f* **3.** Ausbeute *f;* effektive Verzinsung; (COM) Rendite *f;* **yield up** *tr* abtreten (*to* an); (*Leben*) aufgeben; ~ **up to one's fate** sich in sein Schicksal ergeben, fügen; **yield•ing** [-ɪŋ] *adj* **1.** nachgebend **2.** (*fig*) nachgiebig
yip•pee ['jɪpɪ] *interj* juhe! hurra!
yob, **yob•bo** [jɒb, 'jɒbəʊ] *s* Lümmel *m*
yodel, **yodle** ['jəʊdl] **I.** *itr* jodeln **II.** *s* Jodler *m*
yoga ['jəʊgə] *s* Yoga, Joga *n od m*
yog•h(o)urt ['jɒgət] *s* Jogurt *m od n*
yogi ['jəʊgɪ] *s* Yogi *m*
yoke [jəʊk] **I.** *s* **1.** (AGR: *fig*) Joch *n* **2.** (*Kleid*) Passe *f;* **throw off the** ~ (*fig*) das Joch abschütteln **II.** *tr* **1.** (*Zugtiere*) anjochen, anspannen (*to* an) **2.** (*fig*) koppeln, verbinden (*to* mit)
yokel ['jəʊkl] *s* (*pej*) Tölpel *m*
yolk [jəʊk] *s* Dotter *m od n,* Eigelb *n*
yon•der ['jɒndə(r)] *adv* dort (drüben)
yore [jɔː(r)] (LIT): **in days of** ~ in alten Zeiten
you [juː] *pron* **1.** du; dich *acc,* dir *dat* **2.** (*pl*) ihr; euch *acc/dat* **3.** (*Höflichkeitsform*) Sie *a. acc,* Ihnen *dat* **4.** (*unbestimmt*) man; einen *acc,* einem *dat;* **all of** ~ ihr alle; Sie alle; **if I were** ~ ich an deiner, Ihrer Stelle; **it's** ~ du bist es; ihr seid's; Sie sind es; ~ **teachers** ihr Lehrer; **there's a nice job for** ~ das ist eine nette Arbeit; **that hairstyle just isn't** ~ die Frisur passt einfach nicht zu dir; **you'll** [juːl] = **you will; you shall**
young [jʌŋ] **I.** *adj* **1.** (*a.* GEOL) jung **2.** jugendlich **3.** frisch, kräftig **4.** unerfahren; **the night is still** ~ der Abend hat erst angefangen **II.** *s* (ZOO) (das) Junge; **the** ~ die Jungen, die jungen Leute *pl;* **with** ~ (*Tier*) trächtig; **young people** *s pl* junge Leute *pl;* **young persons** *s pl* Jugendliche *pl;* **young•ster** ['jʌŋstə(r)] *s* Junge, Bursche *m*
your [jɔː(r), jʊə(r)] *pron* **1.** dein; euer *pl* **2.** (*Höflichkeitsform*) Ihr **3.** (*unbestimmt*) sein **4.** (*typisch*) der, die, das; ~ **average German** der durchschnittliche Deutsche; **you register and then you get** ~ **form** man meldet sich an, und dann bekommt man sein Formular; **one of** ~ **friends** einer deiner, Ihrer Freunde
you're [jʊə(r)] = **you are**
yours [jɔːz, jʊəz] *pron* **1.** deine(r, s); der, die, das Deine **2.** (*pl*) eure(r, s); der, die, das Eure **3.** (*Höflichkeitsform*) Ihre(r, s); der, die, das Ihre; **a friend of** ~**s** einer deiner, eurer, Ihrer Freunde; **this book is** ~**s** dies Buch gehört dir, euch, Ihnen; ~**s sincerely** mit freundlichen Grüßen; ~**s truly,** ~**s faithfully** hochachtungsvoll
your•self [jɔː'self, jə'self, *Am* jʊər'self] <*pl* -selves> *pron* **1.** dich *acc,* dir *dat* **2.** (*pl*) euch *acc/dat* **3.** (*Höflichkeitsform*) sich **4.** (*betont*) (du, ihr, Sie) selbst; (**all**) **by** ~ (ganz) allein; ohne Hilfe; **be** ~**!** (*fam*) reiß dich zusammen!; **you don't seem to be** ~ **today** Sie sind heute wohl nicht ganz auf der Höhe; **will you do it** ~**?** machst du das selbst? machen Sie das selbst?; **you** ~ **said it** das hast du, das habt ihr, das haben Sie selbst gesagt
youth [juːθ, *pl* juːðz] <*pl* youths> *s* **1.** Jugend *f* **2.** Jugendlichkeit, -frische *f* **3.** *mit sing od pl* Jugend *f,* junge Leute *pl* **4.** junger Mann, Jugendliche(r) *m;* **the friends of his** ~ seine Jugendfreunde *mpl;* **vigour of** ~ Jugendkraft *f;* **youth centre, youth club** *s* Haus *n* der Jugend, Jugendzentrum *n;* **youth•ful** ['juːθfl] *adj* **1.** jung **2.** jugendlich; **youth hostel** *s* Jugendherberge *f;* **youth training scheme** *s* Ausbildungsförderungsprogramm *n;* **youth unemployment** *s* Jugendarbeitslosigkeit *f*
you've [juːv] = **you have**
yowl [jaʊl] *itr* jaulen
yo-yo ['jəʊjəʊ] *s* (*Kinderspielzeug*) Jo-Jo *n;* **up and down like a** ~ immer auf und ab
Yu•go•slav ['juːgəʊ'slɑːv] **I.** *adj* jugoslawisch **II.** *s* Jugoslawe *m,* Jugoslawin *f;* **Yu•go•sla•via** ['juːgəʊ'slɑːvɪə] *s* Jugoslawien *n;* **Yu•go•sla•vian** ['juːgəʊ' slɑːvɪən] *adj* jugoslawisch
yukky ['jʌkɪ] *adj* (*fam*) ekelhaft
yule [juːl] *s* Weihnachten *n,* Weihnacht *f;* **yule log** *s* Weihnachtsscheit *n;* **yuletide** *s* Weihnachtszeit *f*
yuppie, **yuppy** ['jʌpɪ] *s abbr of* **young urban professional** Yuppie *m*

Z

Z, z [zed, *Am* ziː] <*pl* -'s> *s* Z, z *n*

Zaire [zɑː'iːə] *s* Zaire *n;* **Za•ir•ean** [zɑː'iːərən] **I.** *adj* zairisch **II.** *s* Zairer(in) *m(f)*

Zam•bia ['zæmbɪə] *s* Sambia *n;* **Zam•bi•an** ['zæmbɪən] **I.** *adj* sambisch **II.** *s* Sambier(in) *m(f)*

zany ['zeɪnɪ] *adj* komisch, spaßig

zap [zæp] *tr* **1.** (*fam*) löschen **2.** (TV: *fam*) ständig hin- und herschalten; **zap•ping** [zæpɪŋ] *s* (*fam*) TV-Hoppen *n fam,* ständiges Umschalten

zeal [ziːl] *s* Eifer *m;* **zealot** ['zelət] *s* **1.** Fanatiker(in) *m(f)* **2.** (REL) Zelot *m;* **zeal•ous** ['zeləs] *adj* eifrig; begeistert, enthusiastisch

zebra ['ziːbrə] *s* Zebra *n;* **zebra crossing** *s* Zebrastreifen *m*

zen•ith ['zenɪθ, *Am* 'ziːnɪθ] *s* Zenit *m a. fig*

zero ['zɪərəʊ] <*pl* zero(e)s> **I.** *s* **1.** Null *f* **2.** Nullpunkt *m* (*e-r Skala*) **3.** Gefrierpunkt *m* **4.** (*fig*) Null-, Tiefpunkt, -stand *m* **5.** Nichts *n a. fig;* **be at ~** auf Null stehen; **fall to ~** auf null Grad fallen **II.** *adj* null, Null-; **~ altitude flying** Tiefflug *m;* **~ degrees** null Grad; **~ emission vehicle, ZEV** abgasfreies Fahrzeug; **~ gravity** Schwerelosigkeit *f;* **~ growth** Nullwachstum *n;* **~ hour** die Stunde X; **~ option** (POL) Nulllösung *f;* **~-rated** von der Mehrwertsteuer befreit; **I have ~ interest in that** (*fam*) ich habe null Interesse daran; **zero in** *itr* (MIL) sich einschießen (*on* auf); **~ in on s.o.** jdn einkreisen; **~ in on s.th.** sich etw herausgreifen; sich auf etw stützen

zest [zest] *s* **1.** Begeisterung *f* **2.** (*fig*) Pfiff, Schwung *m* **3.** Zitronen-, Orangenschale *f;* **~ for life** Lebensfreude *f;* **with ~** mit Eifer, Begeisterung; **add** [*o* **give**] **~ to s.th.** e-r S Würze verleihen, e-e S interessant machen

Zeus [zjuːs] *s* Zeus *m*

ZEV [ˌzediː'viː] *s abbr of* **zero emission vehicle** abgasfreies Fahrzeug

zig•zag ['zɪgzæg] **I.** *s* Zickzack *m,* Zickzacklinie *f,* Zickzackweg *m* **II.** *adv* im Zickzack **III.** *adj* Zickzack-; zickzackförmig; **~ path** Zickzackweg *m* **IV.** *itr* im Zickzack (ver)laufen

Zim•ba•bwe [zɪm'bɑːbwɪ] *s* (GEOG) Simbabwe, Zimbabwe *n;* **Zim•bab•we•an** [zɪm'bɑːbwɪən] **I.** *adj* simbabwisch **II.** *s* Simbabwer(in) *m(f)*

zinc [zɪŋk] *s* Zink *n*

zip [zɪp] **I.** *s* **1.** Pfeifen, Zischen, Surren *n* **2.** (*fig fam*) Dynamik *f,* Schwung *m* **3.** (*~ fastener*) Reißverschluss *m* **II.** *itr* pfeifen, schwirren, surren **III.** *tr* **1.** (*~ shut*) mit e-m Reißverschluss schließen **2.** (*~ open*) den Reißverschluss aufmachen (*s.th.* e-r S); **will you ~ me up?** würdest du meinen Reißverschluss zumachen?; **zip code, ZIP code** *s* (*Am*) Postleitzahl *f;* **zip fas•tener** ['zɪpˌfɑːsnə(r)] *s* Reißverschluss *m;* **zip•per** ['zɪpə(r)] *s* (*Am*) Reißverschluss *m;* **~ clause** (*Am*) Schweigepflichtklausel *f;* **zippy** ['zɪpɪ] *adj* (*fam*) schwungvoll; schnell

zither ['zɪðə(r)] *s* (MUS) Zither *f*

zo•diac ['zəʊdɪæk] *s* (ASTR) Tierkreis *m;* **sign of the ~** Tierkreiszeichen *n*

zom•bie ['zɒmbɪ] *s* **1.** (*Westindien*) Zombie *m* **2.** (*fig fam*) Trottel *m;* **like a ~** total im Tran *fam*

zonal ['zəʊnl] *adj* Zonen-, zonal; **zone** [zəʊn] **I.** *s* **1.** Zone *f* **2.** Gebiet *n,* Bereich *m* **3.** (Post)Bezirk *m;* (*Am*) Gebührenzone *f;* **danger ~** Gefahrenzone *f,* -bereich *m;* **frigid/temperate/torrid ~** kalte/gemäßigte/heiße Zone; **occupation ~** Besatzungszone *f* **II.** *tr* **1.** in Zonen [*o* Bezirke] einteilen **2.** (*Gelände*) für e-n bestimmten Zweck vorsehen; **zon•ing** [-ɪŋ] *s* Gebiets-, Flächenaufteilung *f;* **zoning ordinance** *s* Bebauungsplan *m,* baurechtliche Vorschriften *fpl*

zoo [zuː] *s* Zoo *m;* **zo•ol•ogi•cal** [ˌzəʊə'lɒdʒɪkl] *adj* zoologisch; **~ gardens** zoologischer Garten, Tierpark *m;* **zo•ol•ogist** [zəʊ'ɒlədʒɪst] *s* Zoologe *m,* Zoologin *f;* **zo•ol•ogy** [zəʊ'ɒlədʒɪ] *s* Zoologie *f*

zoom [zuːm] **I.** *s* **1.** (PHOT: *~ lens*) Zoom(objektiv) *n* **2.** (AERO) Steilflug *m,* steiler Aufstieg **3.** (*Geräusch*) Surren *n* **II.** *tr* **1.** (AERO) steil hochziehen **2.** (MOT) auf Hochtouren bringen **III.** *itr* **1.** (AERO) steil aufsteigen **2.** (*Preise*) in die Höhe schnellen **3.** sausen, rasen; schnell arbeiten **4.** surren; **he just ~ed through it** er hatte das im Nu fertig; **zoom in** *itr* **1.** (PHOT) nah herangehen **2.** (*fam*) hereinsausen; **~ in on s.th.** (*fig fam*) etw sofort herausgreifen; **zoom out** *itr* **1.** (PHOT) aufziehen **2.** (*fam*) hinaussausen

zuc•chi•ni [zu'kiːnɪ] *s* (*Am*) Zucchini *pl*

Klett's Modern GERMAN and ENGLISH Dictionary

Explanation of German-English Entries

I. Type faces

Bold	for keyword entries;
Halfbold	for examples and for idiomatic expressions in the source language as well as for Roman and Arabic numerals;
Basic Style	for English translations of the German keywords, examples, and idiomatic expressions;
Basic Style (Modern)	for grammatical information in < >;
Italics	for information on word class and gender, for explanations in ( ), for indications of language level;
SMALL CAPITALS	for indications of subject area.

Example: **a·ber** [ˈabːɑ] *conj* **1.** (*Gegensatz*) but; **oder** ~ or else; ~ **trotzdem** but still; **schönes Wetter! – aber ziemlich kalt** nice day! – rather cold, though **2.** (*Verstärkung*): ~**,** ~**!** (*interj*) come, come! ~ **ja!** oh, yes! **bist du** ~ **braun!** aren't you tanned!, **nun ist** ~ **Schluss!** now that's enough!

II. Arrangement of Keyword Entries

All boldface keywords are listed alphabetically. The umlaut letters *ä, ö, ü* are integrated into the letters *a, o, u.* **Roman numerals** indicate the different word classes and parts of speech to which a keyword can belong.

Example: **al·so** [ˈalzo] **I.** *adv* so; (*als Fürwort*) well; ~ **doch!** so … after all!, ~ **gut!** well all right then! **II.** *conj* (*daher*) therefore

Different meanings of a keyword are indicated by **Arabic numerals.**

Example: **Raum** [raʊm, *pl:* ˈrɔɪmə] <-(e)s, ¨-e> *m* **1.** (ASTR) space; **2.** (*Zimmer*) room **3.** (*Gebiet*) area; **4.** (*fig: Spiel~*) scope; ~ **schaffen** make some space; **der** ~ **Frankfurt** the Frankfurt area; ~ **sparend**[RR] space-saving

Arabic numerals (*raised*) distinguish homographs.

Example: **Pack**[1] [pak] <-(e)s> *m* **1.** (*Haufen*) stack **2.** (*Bündel*) bundle; **mit Sack u.** ~ (*fam*) with bag and baggage
Pack[2] *n* (*Gesindel*) rabble, riffraff

III. Tilde ~

The tilde ~ replaces the (boldface) keyword in idiomatic expressions and examples, as well as in explanations given between ( ).

Example: **Wehr·dienst** <-(e)s> *m* military service; **jdn zum** ~ **einberufen** call s.o. up *Br,* draft s.o. *Am;*
Zie·gel [ˈtsiːgəl] <-s, -> *m* **1.** (*~stein*) brick **2.** (*Dach~*) tile

IV. Grammatical Explanations

The following grammatical explanations briefly describe the properties of German words and their behavior and appearance in sentences. They are designed to help the reader use the words in this dictionary correctly. A basic knowledge of German grammar is supplied in the front of this dictionary. Readers should familiarize themselves with the following explanations in order to understand the abbreviations and symbols used in this dictionary.

1. Substantives

Grammatical gender is indicated by *m* ("masculine" – definite article *der*), *f* ("feminine" – definite article *die*), and *n* ("neuter" – definite article *das*). Words that are followed by one of these symbols are substantives (nouns).

Substantives which are declined like adjectives and have both masculine and feminine forms are indicated as follows:

Angestellte(r) *f m* = der Angestellte, ein Angestellter
= die Angestellte, eine Angestellte

Masculine nouns declined like adjectives are indicated as follows:

Beamte(r) *m* = der Beamte, ein Beamter

Substantives which form the feminine with *-in* are indicated as follows:

Ingenieur(in) *m(f)*
Chirurg(in) *m(f)*
Agent(in) *m(f)*

Following the grammatical gender are the endings of the genitive singular and the nominative plural, separated by commas and placed between < >. Information given between ( ) indicates optional and/or less common forms.

Example: **Ha·se** *m* <-n, -n> *for* <*Gen. Sing.* Hasen, *Nom. Pl.* Hasen>
Haar *n* <-(e)s, -e> *for* <Haars (Haares), Haare>

If there is a hyphen without an ending between the < >, then the given inflection is the same as the base form.

Kat·ze *f* <-, -n> *for* <Katze, Katzen>
Ham·ster *m* <-s, -> *for* <Hamsters, Hamster>

If the stem vowel of the base form takes an umlaut in the plural (*a, o, u, au* become *ä, ö, ü, äu*), the symbol -̈ will appear before the plural ending.

Zahn *m* <-(e)s, -̈e> *for* <Zahn(e)s, Zähne>
Haus *n* <-es, -̈er> *for* <Hauses, Häuser>

For words which normally do not have a plural form, the symbol between < > designates only the genitive singular.

Ei·fer *m* <-s> *for* <Eifers, *no plural*>
Lie·be *f* <-> *for* <Liebe, *no plural*>

Some “foreign words” (e.g., ending in *-mus, -ium, -(u)um*) have minor variations when they form the plural.

> **Or·ga·nis·mus** *m* <-, -men> *for* <Organismus, Organismen>
> **Ora·to·rium** *n* <-s, -ien> *for* <Oratoriums, Oratorien>
> **Kon·ti·nu·um** *n* <-s, -ua> *for* <Kontinuums, Kontinua>

The inflections for compound nouns are found with the entry for the last word in the compound. A large number of words in German are derived from other words by attaching specific suffixes. The suffix normally determines the inflection, and also the gender, of the noun, which means that this normally does not need to be indicated in each instance. Since these derivative endings do not form separate entries in this dictionary, they are listed here with their associated inflectional patterns:

-chen	*n* <-s, ->	**(das) Kerl·chen**	<Kerlchens, Kerlchen>
-e	*m f* <-n, -n>	**(der/die) Ge·fan·gene**	<Gefangenen, Gefangenen>
-ei	*f* <-, (-en)>	**(die) Sau·er·ei**	<Sauerei, (Sauereien)>
-er	*m* <-s, ->	**(der) Leh·rer**	<Lehrers, Lehrer>
	(This applies only to derivatives ending in *-er*. See Note 1.)		
-heit	*f* <-, -en>	**(die) Frei·heit**	<Freiheit, Freiheiten>
-in	*f* <-, -nen>	**(die) Leh·rer·in**	<Lehrerin, Lehrerinnen>
-keit	*f* <-, -en>	**(die) Klei·nig·keit**	<Kleinigkeit, Kleinigkeiten>
-lein	*n* <-s, ->	**(das) Männ·lein**	<Männleins, Männlein>
-ling	*m* <-s, -e>	**(der) Misch·ling**	<Mischlings, Mischlinge>
-nis	*n* <-ses, -se>	**(das) Ver·hält·nis**	<Verhältnisses, Verhältnisse>
	f <-, (-se)>	**(die) Be·dräng·nis**	<Bedrängnis, (Bedrängnisse)>
-schaft	*f* <-, -en>	**(die) Ei·gen·schaft**	<Eigenschaft, Eigenschaften>
-tum	*n* <-s, ¨er>	**(das) Hei·lig·tum**	<Heiligtums, Heiligtümer>
	(*Exception:* **Irrtum** *m*)		
-ung	*f* <-, -en>	**(die) Be·deu·tung**	<Bedeutung, Bedeutungen>

Note 1. A number of words have an ending *-er* which is part of the word, not a derivative ending (**Eimer** *m*, **Feier** *f*, **Feuer** *n*). In these cases the grammatical inflection information will always be given.

Note 2. Whether or not a word is used in the plural depends on whether or not the given substantive is “countable.”

Many foreign words in German have endings which regularly determine the inflection (and also gender), so that an indication of the inflection may often be omitted. The most important and predictable endings and their inflectional patterns are:

-anz	*f* <-, -en>	**(die) To·le·ranz**	<Toleranz, Toleranzen>
-ar	*m* <-s, -e>	**(der) Ar·chi·var**	<Archivars, Archivare>
	n <-s, -e>	**(das) In·ven·tar**	<Inventars, Inventare>
-är	*m* <-s, -e>	**(der) Pen·sio·när**	<Pensionärs, Pensionäre>
-enz	*f* <-, -en>	**(die) Po·tenz**	<Potenz, Potenzen>
-graph	*m* <-en, -en>	**(der) Geo·graph**	<Geographen, Geographen>
-ie	*f* <-, -n>	**(die) Har·mo·nie**	<Harmonie, Harmonien>
	(*Exception:* **Ge·nie** *n* <-s, -s>)		
-ien	*n* <-s, (-)>	**(das) Spa·ni·en**	<Spaniens, (Spanien)>
-ier	*m* <-s, ->	**(der) Spa·ni·er**	<Spaniers, Spanier>
-ik	*f* <-, -en>	**(die) Kri·tik**	<Kritik, Kritiken>
-iker	*m* <-s, ->	**(der) Kri·ti·ker**	<Kritikers, Kritiker>
-ion	*f* <-, -en>	**(die) Na·tion**	<Nation, Nationen>
-ium	*n* <-s, -ien>	**(das) Po·di·um**	<Podiums, Podien>
-oge	*m* <-n, -n>	**(der) As·tro·loge**	<Astrologen, Astrologen>
-or	*m* <-s, -en>	**(der) Mo·tor**	<Motors, Motoren>
-smus	*m* <-, -smen>	**(der) Or·ga·nis·mus**	<Organismus, Organismen>
-st	*m* <-en, -en>	**(der) Kom·mu·nist**	<Kommunisten, Kommunisten>
-tät	*f* <-, -en>	**(die) Prio·ri·tät**	<Priorität, Prioritäten>
-tiv	*n* <-s, -e>	**(das) Ad·jek·tiv**	<Adjektivs, Adjektive>
	m <-s, -e>	**(der) Ge·ni·tiv**	<Genitivs, Genitive>
-ur	*f* <-, -en>	**(die) Agen·tur**	<Agentur, Agenturen>

Substantives which are derived from verbs (usually the infinitive) without adding endings are neuter (*das*) and have a plural only when they are "countable."

Wan·dern	*n* <-s>	*for* <Wanderns, *no plural*>
Mar·schie·ren	*n* <-s>	*for* <Marschierens, *no plural*>
Le·ben	*n* <-s, (-)>	*for* <Lebens, (Leben)>
Ver·bre·chen	*n* <-s, ->	*for* <Verbrechens, Verbrechen>

2. Adjectives and Adverbs

The designation of a word as *adj* indicates that the word can also function as an adverb (*adv*) with the same form. Irregular comparative and superlative forms of adjectives, including those which require the stem vowel to be umlauted, are indicated between < >, with the comparative listed first and the superlative second.

Example:	**gut**	*adj* <besser, best>	
	alt	*adj* <¨-er, ¨-est>	*for* <älter, ältest>
	hoch	*adj* <höher, höchst>	

3. Verbs

1. Words labelled *tr, itr,* or *refl* are verbs. If the verb functions as more than one of these, the entry is divided according to the following format:

I. *tr* The verb can take a direct (accusative) object which in turn can become the subject of a sentence in the passive voice.

II. *itr* The verb does not take a direct object, or it takes an indirect object or a prepositional phrase. If a particular preposition is used frequently with the given verb, this will be indicated in parentheses, for both English and German.

III. *refl* The verb is used with the reflexive object "sich," which with finite verbs is inflected for the appropriate person.

2. The so-called "strong" verbs and other "irregular" verbs in German are labelled *irr.*

3. The "compound tenses" (perfect, pluperfect, and future II) are formed by using one of the auxiliary verbs **haben** or **sein.** Unless otherwise indicated, a verb will use **haben** in its compound tenses. Verbs that require **sein** are labelled *sein.* Irregular verbs which require **sein** are indicated as such in the list on pp. XXI–XXIV of the first section of this dictionary. Verbs which can take either **haben** or **sein** interchangeably are labelled *haben oder sein.* Verbs which change their meaning when they alternate between **haben** and **sein** are indicated appropriately in the subdivisions of the entry.

4. The formation of the past participle with or without *(-)ge-*

Most simple verbs form their past participle by adding the (unstressed) prefix **ge-.**

Example:

bau·en — gebaut
hö·ren — gehört
le·sen — gelesen

Compound verbs with a so-called (stressed) "separable" prefix form their past participles by inserting the syllable **ge-** between the prefix and the verb stem. In this dictionary a vertical slash is printed between a "separable" prefix and the infinitive.

auf|bau·en — auf**ge**baut
zu|hö·ren — zu**ge**hört
vor|le·sen — vor**ge**lesen

Important: A large number of verbs regularly form their past participles without the prefix **ge-.** It is unnecessary to indicate each such verb using "without ge-," since (with very few exceptions) these verbs belong to two large groups:

1. All verbs ending in **-ieren:**

mar·schie·ren — marschierte — (ist) marschiert
pro·bie·ren — probierte — (hat) probiert

N.B. These verbs form their past participles without **ge-** even when they have a "separable" (stressed) prefix:

ab|mar·schie·ren — marschierte ab — (ist) abmarschiert
aus|pro·bie·ren — probierte aus — (hat) ausprobiert

2. All verbs which have one of the following "inseparable" (unstressed) prefixes:

be, emp-, ent-, er-, ge-, ver-, zer-

be·bau·en — bebaute — (hat) bebaut
er·hö·ren — erhörte — (hat) erhört
ge·stal·ten — gestaltete — (hat) gestaltet
ver·lan·gen — verlangte — (hat) verlangt

A number of verbs have prefixes which can be "separable" or "inseparable" depending on the meaning of the verb. Where the prefix is "inseparable," the verb is listed without the vertical slash.

um·ge·hen — umging — (hat) umgangen
un·ter·su·chen — untersuchte — (hat) untersucht
über·set·zen — übersetzte — (hat) übersetzt

N.B. If a verb has both a "separable" prefix *and* an "inseparable" prefix, the past participle still does not take the **ge**-!

um|ge·stal·ten — gestaltete um — (hat) umgestaltet
ab|ver·lan·gen — verlangte ab — (hat) abverlangt
zu·rück|über·set·zen — übersetzte zurück — (hat) zurückübersetzt

There are very few other verbs which form their past participles without adding **ge-**, such as *miauen, trompeten, stibitzen, interviewen.* (Note the stress on the penultimate syllable!) These will be marked in this dictionary with <ohne ge->.

V. Pronunciation

Pronunciation is indicated in square brackets [ ], using the symbols of the International Phonetic Alphabet. For German refer to the authoritative *DUDEN-Aussprachewörterbuch* (3. Auflage). The symbols used in this dictionary are listed on p. XV of this section. The pronunciation of German words is fairly easy to determine from the spelling, once the pronunciation of individual letters and letter combinations is learned. It is often only necessary to determine which syllable in a word is stressed. Stressed syllables can have a long or a short vowel in German, so that vowel length is reflected in the spelling, not in syllable stress, as is often the case in English. If the pronunciation of a word is not otherwise indicated, the following stress rules apply.

1. The pronunciation of compound words will not be indicated if the pronunciation and stress of the individual parts are the same as if they were individual words. The pronunciation of the parts can be found under each keyword, or, in the case of inflected forms or other regularly formed derivatives, under the corresponding base form.

2. Compound substantives normally have primary stress on the first part. Where this is not the case, the stress is indicated as follows (the hyphens here represent individual syllables):

Alt·wei·ber·som·mer [-ˈ----]
Ar·beit·ge·ber·an·teil [--ˈ----]
Fa·schings·diens·tag [--ˈ--]
In·an·spruch·nah·me [-ˈ----]

Alternative stress patterns are indicated by a slash (/) followed by the alternative:

At·ten·tat [atənˈta:t/ˈ---]
Ar·beit·ge·ber [ˈ----/--ˈ--]

3. Compound Adjectives/Adverbs

Compound adjectives/adverbs which are stressed on the first part have no special notation. There are, however, countless exceptions. This is especially true for highly individualistic constructions with negative prefixes (e.g., **un-**) which are often, but not always, stressed. Alternative stress patterns are listed in important cases. In cases where the alternatives can be used interchangeably, no special notation is given. A number of adjectives/adverbs show a shift in stress when used as an attributive as opposed to a predicate. In general the stress is on the first part of the compound when the word is attributive; as a predicate, at the end of the sentence, and often in cases of special emphasis or emotion, the stress shifts to the second part of the compound. Occasionally a compound will have both parts more or less equally stressed.

blut·rot [ˈ-ˈ-]	**but·ter·weich** [ˈ--ˈ-]
eis·kalt [ˈ-ˈ-]	**brand·ei·lig** [ˈ-ˈ--]

As attributives the stress remains on the first part as much as possible.

4. Adjectival/Adverbial Elements

Several very productive adjectival/adverbial elements occur only in compounds. The pronunciation can usually be determined from their corresponding base forms. For the sake of convenience, however, the following high-frequency elements are listed here.

-förmig	[-fœrmiç]	**-jährig**	[-jɛːriç]
-halber	[-halbɐ]	**-stöckig**	[-ʃtœkiç]
-haltig	[-haltiç]	**-stündig**	[-ʃtʏndiç]
-maßen	[-maːsən]	**-tägig**	[-tɛːgiç]
-mütig	[-myːtiç]	**-wärts**	[-vɛrts]

Here are three elements which form compound substantives (nouns).

-gänger	*m*	[-gɛŋɐ]	(from *gehen*)
-länder	*m*	[-lɛndɐ]	(from *Land*)
-nahme	*f*	[-naːmə]	(from *nehmen*)

5. Word formations with inseparable suffixes

For most of the German words formed from other words by means of special endings, it is possible to do without special indications of pronunciation. Since these derivational suffixes have no entries in the dictionary, they are given here. The following native-German suffixes are always unstressed. The stress remains where it belongs in the base form (with a few exceptions as indicated). The stressed syllable is underlined in the examples below.

-bar	[-baːɐ]	Wunder — wunderbar
		vertreten — vertretbar
-haft	[-haft]	Gewissen — gewissenhaft
-heit	[-haɪt]	sicher — Sicherheit
-ig	[-ɪç]	Vorsicht — vorsichtig
		sofort — sofortig
		BUT: lebend — lebendig
-keit	[-kaɪt]	regelmäßig — Regelmäßigkeit
-lich	[-lɪç]	Vorbild — vorbildlich
		vertrauen — vertraulich
		BUT: Abscheu — abscheulich

-ling	[-lɪŋ]	Finger — Fingerling
-los	[-loːs]	Gewissen — gewissenlos Hemmung — hemmungslos
-nis	[-nɪs]	finster — Finsternis geheim — Geheimnis
-sam	[-zaːm/-zam]	Arbeit — arbeitsam unterhalten — unterhaltsam
-schaft	[-ʃaft]	eigen — Eigenschaft
-tum	[-tuːm]	Verbrecher — Verbrechertum
-ung	[-ʊŋ]	ausarbeiten — Ausarbeitung betonen — Betonung

Verbs which are derived by attaching **-(e)n** [-(ə)n] to a substantive are accented like the base word.

6. Special cases

-ei [-aɪ] Feminine substantives ending in **-ei** (mostly in the form **-(e)lei** [-(ə)ˈlaɪ] and **-(e)rei** [-(ə)ˈraɪ]) are always stressed on this syllable:
trödeln — Trödelei   lieben — Liebelei
fragen — Fragerei   Schwein — Schweinerei

-er [-ɐ] Masculine derivatives with this ending (mostly agents or designations of origin, sometimes in the form **-ler, -ner**) are stressed like the base word:
vertreten — Vertreter   Hamburg — Hamburger
Deviations from this pattern (e.g., **-aner** [-ˈaːnɐ]) are noted individually. For the stress patterns connected with "foreign words" (especially **-ier, -iker**), see explanation below.

-in [-ɪn] Feminine substantives with this "feminine" ending (most common in the form **-erin** [-ərɪn]) are stressed like the "masculine" form.
Vertreter — Vertreterin
Arbeiter — Arbeiterin
This is generally true for corresponding derivatives from "foreign words" (**-graph/-graphin; -ist/-istin; -loge/-login,** etc.). For the stress patterns connected with **-or/-orin,** see below.

-isch [-ɪʃ] Adjectives derived from native German words with this ending are stressed like the base word.
Heim — heimisch
Verbrecher — verbrecherisch
For "foreign words" ending in **-isch,** see below.

7. Foreign words

So-called "foreign words" have stress patterns determined by their endings. The pronunciation is otherwise generally predictable and does not normally have to be indicated separately in this dictionary. The most important endings are listed as follows. Words with these endings are stressed like the examples.

-al [-aːl] normal, rational, horizontal
ideal, Material, prozentual

-ant	[-ant]	vakant, relevant, Ignorant
-anz	[-an(t)s]	Vakanz, Relevanz, Arroganz
-ar	[-aːɐ]	Exemplar, elementar, nuklear
-är	[-ɛːɐ]	regulär, Sekretär, humanitär
-at	[-aːt]	Demokrat, Sekretariat
-ell	[-ɛl]	formell, strukturell, sensationell ideell, industriell, sexuell
-ent	[-ɛnt]	potent, konsequent, kongruent
-enz	[-ɛn(t)s]	Potenz, Konsequenz, Kongruenz
-eur	[-øːɐ]	Friseur, Amateur, Ingenieur
-ien	[-iən]	In the names of countries: Spanien, Argentinien
-ier	[-iɐ]	Only in names of nationalities or ethnic groups: Spanier, Argentinier **BUT:** Kavalier
-iker	[-ikɐ]	Designation of agents derived from words ending in **-ik;** see below: Musiker, Komiker, Mathematiker, Informatiker
-ion	[-joːn]	Region, Kommunion, Rebellion

High-frequency combinations with preceding consonants:

-sion	[-zjoːn]	Illusion, Explosion
-ssion	[-sjoːn]	Passion, Kommission
-tion	[-tsjoːn]	also **-ation, -ition:** Redaktion, Konstitution Information, Organisation Position, Intuition
-isch	[-ɪʃ]	In non-Germanic adjectives the stress is on the penultimate syllable: melodisch, phonetisch, medizinisch There are frequent word formations with **-alisch, -atisch,** etc. musikalisch, problematisch
-ismus	[-ɪsmʊs]	Kommunismus, Materialismus
-ist	[-ɪst]	Kommunist, Materialist
-istik	[-ɪstɪk]	Statistik, Linguistik
-istisch	[-ɪstɪʃ]	kommunistisch, materialistisch
-ium	[-iʊm]	Planetarium, Laboratorium
-or	[-ɔr/-oːɐ]	Faktor, Professor, Kommentator Alternative stress patterns are indicated: Autor/Autor, Motor/Motor Exceptions (Humor, Labor, etc.) are indicated.
-oren	[-oːrən]	Plural of words ending in **-or** regularly shift to penultimate syllable: Faktoren, Professoren, Kommentatoren, Autoren, Motoren
-orin	[-oːrɪn]	Feminine counterparts to words ending in **-or:** Autorin, Professorin, Kommentatorin
-ös	[-øːs]	nervös, religiös
-tät	[-tɛːt]	Mostly in words ending in **-ität [-iˈtɛːt]** Qualität, Aktivität, Regularität, Universität
-ur	[-uːɐ]	Klausur, Tortur, Korrektur, Makulatur

Verbs which end in *-ieren* [-iːrən] are stressed reguarly as follows:

probieren, informieren, variieren, funktionieren

Common formations include:

-isieren	[-iˈziːrən]	normalisieren, rationalisieren
-izieren	[-iˈtsiːrən]	praktizieren, identifizieren

In some cases the pronunciation must be given, because different stress patterns are possible.

-ie	1.	[-iː]	Stress on the last syllable, e.g.: Manie, Batterie, Hysterie, Harmonie and all words ending in **-graphie, -logie, -nomie**
	2.	[-iə]	stress on the penultimate syllable: Linie, Materie, Familie, Begonie
-ik	1.	[-iːk]	stress on the last syllable: Musik, Politik, Mathematik
	2.	[-ɪk]	stress on the penultimate syllable: Komik, Phonetik, Informatik (compare words ending in **-istik,** above)
-iv	1.	[-iːf]	stress on the last syllable: Motiv, intensiv, Objektiv
	2.	[-iːf]	Dativ, Konjunktiv, negativ The stress in polysyllabic words shifts between the two possibilities given.

N.B. The stress patterns listed are for "simple" words, that is, for example, words not formed with negative or "separable" prefixes.

8. Compound verbs with prefixes

1. The following "inseparable" prefixes are never stressed, even in adjectives and substantives.

be-	[bə-]	**emp-**	[ɛmp-]	**ent-**	[ɛnt-]	**er-**	[ɛr-]
ge-	[gə-]	**ver-**	[fɛr-]	**zer-**	[tsɛr-]		

Example: be·to·nen, er·le·ben, ge·den·ken, ver·ant·worten

2. Verbs with a "separable" prefix have their stress on that prefix. A vertical slash is placed between the prefix and the main verb.

Example: ab|tren·nen, wei·ter|sa·gen, zu·sam·men|set·zen
aus|pro·bie·ren, an|mon·tie·ren, ein|stu·die·ren

3. For prefixes which can be either separable or inseparable (and thus either stressed or unstressed) the vertical slash determines the stress.

durch|le·sen	**but:** durch·blu·ten
un·ter|brin·gen	**but:** un·ter·su·chen
wi·der|spie·geln	**but:** wi·der·spre·chen

Important: A difference in stress often indicates a difference in meaning.

durch|fah·ren	"pass through without stopping"
durch·fah·ren	"pass through"

um|ge·hen	"be about, know how to handle"
um·ge·hen	"circumvent"
ü·ber|set·zen	"cross by boat"
ü·ber·set·zen	"translate"
wie·der|ho·len	"get back, retrieve"
wie·der·ho·len	"repeat"

9. Important Pronunciation Rules

Two very important pronunciation rules need to be mentioned because of their regularity and their frequency of occurrence in the German language.

1. Devoicing of final consonants

The sounds represented by the letters **b, d, g,** and **v** are replaced by the sounds [p, t, k, and f] when they occur at the end of a word. The former set of sounds are called "voiced," the latter "voiceless." However, when an ending is attached to the word, the voiced consonant sound returns. In neither case does the spelling of the word in question change. The same pattern of replacement of sound occurs for the sound represented by **s,** that is, at the end of a word the sound is "voiceless" ([s]) but is "voiced" ([z]) when an ending is attached.

Dieb	[diːp]	but:	**Die·bes**	[ˈdiːbəs]	**die·bisch**	[ˈdiːbɪʃ]
Raub	[raʊp]	but:	**Rau·bes**	[ˈraʊbəs]	**rau·ben**	[ˈraʊbən]
Leid	[laɪt]	but:	**lei·den**	[ˈlaɪdən]	**lei·der**	[ˈlaɪdɐ]
Held	[hɛlt]	but:	**Hel·den**	[ˈhɛldən]	**Hel·din**	[ˈhɛldɪn]
Sieg	[ziːk]	but:	**sie·gen**	[ˈziːgən]	**Sie·ger**	[ˈziːgɐ]
Berg	[bɛrk]	but:	**Ber·ge**	[ˈbɛrgə]	**ber·gig**	[ˈbɛrgiç]
Mo·tiv	[moˈtiːf]	but:			**Mo·tive**	[moˈtiːvə]
	[moˈtiːf]	but:			**mo·ti·vie·ren**	[motiˈviːrən]
Preis	[praɪs]	but:	**Prei·se**	[ˈpraɪzə]	**prei·sen**	[ˈpraɪzən]
Puls	[pʊls]	but:	**Pul·se**	[ˈpʊlzə]	**pul·sie·ren**	[pʊlˈziːrən]

Notice the following cases:

Le·ben	[ˈleːbən]	but:	**leb·haft**	[ˈleːphaft]
En·de	[ˈɛndə]	but:	**end·los**	[ˈɛntloːs]
fol·gen	[ˈfɔlgən]	but:	**folg·lich**	[ˈfɔlklɪç]
wei·se	[ˈvaɪzə]	but:	**Weis·heit**	[ˈvaɪshaɪt]

The ending **-ig** is pronounced [-ɪç] but is replaced by [-ɪg-] when an ending is present.

Kö·nig	[ˈkøːnɪç]	but:	**Kö·ni·ge**	[ˈkøːnɪgə]	**Kö·ni·gin**	[ˈkøːnɪgɪn]
ei·nig	[ˈaɪnɪç]	but:	**ei·ni·ge**	[ˈaɪnɪgə]	**ei·ni·gen**	[ˈaɪnɪgən]

2. The so-called "vocalic /r/"

According to the *DUDEN-Aussprachewörterbuch,* the sound written as **-r** takes the form of the vowel [ɐ]. This predominates in the spoken language in the following situations:

—nonsyllabic [ɐ] at the end of a word after a long vowel
—syllabic [ɐ] in the final syllables *-er, -ern.*

Note, however, that the consonant sound **[r]** is produced when an ending beginning with a vowel is attached, as for example in

Jahr	[jaːɐ]	—	Jah**re**	[ˈjaːrə]
Uhr	[uːɐ]	—	Uh**ren**	[ˈuːrən]
Tier	[tiːɐ]	—	tie**risch**	[ˈtiːrɪʃ]
Kul·tur	[kʊlˈtuːɐ]	—	kultu**rell**	[kʊltuˈrɛl]
Fe·der	[ˈfeːdɐ]	—	Fede**rung**	[ˈfeːdərʊŋ]
for·dern	[ˈfɔrdɐn]	—	Forde**rung**	[ˈfɔrdərʊŋ]

N.B. This rule applies especially to entries with the endings **-er(in)** and **-ar(in).**

Leh·rer(in)	[ˈleːrɐ]	—	(Lehre**rin**)	[ˈleːrərɪn]
Eng·län·der(in)	[ˈɛŋlɛndɐ]	—	(Englände**rin**)	[ˈɛŋlɛndərɪn]

Pronunciation Key

Symbols

[ː] The previous vowel is long.
[ˈ] The following syllable is stressed.
[ˌ] The following syllable has secondary stress (rare).
[ˀ] The so-called "glottal stop" (rare).
[-] In a series of syllables represents each individual syllable; in a partial transcription represents the remainder of the word.

Vowels

[i]	bieten [ˈbiːtən]
	zivil [tsiˈviːl]
[ɪ]	bitten [ˈbɪtən]
[e]	beten [ˈbeːtən]
	wehren [ˈveːrən]
[ɛ]	betten [ˈbɛtən]
	währen [ˈvɛːrən]
[a]	Maat [maːt]
	wahren [ˈvaːrən]
	banal [baˈnaːl]
[o]	Ofen [ˈoːfən]
	Ozon [oˈtsoːn]
[ɔ]	offen [ˈɔfən]
[ø]	Öfen *pl* [ˈøːfən]
	Höhle [ˈhølə]
[œ]	öffnen [ˈœfnən]
	Hölle [ˈhœlə]
[u]	Pute [ˈpuːtə]
	zu Mute [tsuˈmuːtə]
[ʊ]	Putte [ˈpʊtə]
	Mutter [ˈmʊtɐ]
[y]	Tüte [ˈtyːtə]
[ʏ]	Hütte [ˈhʏtə]
[ɐ]	aber [ˈaːbɐ]
	Ruhr [ruːɐ]
[ə]	beleben [bəˈleːbən]
[aɪ]	mein [maɪn]
[aʊ]	Maus [maʊs]
[ɔɪ]	neu [nɔɪ]
	Mäuse *pl* [ˈmɔɪzə]
[ã]	Balance [baˈlãːs]
[õ]	Bonbon [bõːˈbõ]
[œ̃]	Parfum [parˈfœ̃]
[ɛ̃]	Bassin [baˈsɛ̃ː]

Consonants

[b]	Bibel [ˈbiːbəl]
[ç]	nicht [nɪçt]
	ächten [ˈɛçtən]
[x]	Nacht [naxt]
	achten [ˈaxtən]
[d]	doch [dɔx]
[f]	Frevel [ˈfreːfəl]
	Vielfalt [ˈfiːlfalt]
[g]	gegen [ˈgeːgən]
[ʒ]	Genie [ʒeˈniː]
	Garage [gaˈraːʒe]
[h]	Hahn [haːn]
[j]	jagen [ˈjaːgən]
[k]	Krieg [kriːk]
	Knick [knɪk]
[l]	lallen [ˈlalən]
	labil [laˈbiːl]
[m]	Mumm [mʊm]
[n]	nennen [ˈnɛnɛn]
[ŋ]	fangen [ˈfaŋən]
	denken [ˈdɛŋkən]
[p]	Pappe [ˈpapə]
[r]	Rohre *pl* [ˈroːrə]
[s]	Mars [mars]
	küssen [ˈkʏsən]
	fließen [ˈfliːsən]
[z]	Sense [ˈzɛnzə]
	sausen [ˈzauzən]
[ʃ]	Schau [ʃaʊ]
	stehlen [ˈʃteːlən]
	spielen [ˈʃpiːlən]
[t]	Tat [taːt]
	Tod [toːt]
[ts]	Zoo [tsoː]
	Zitze [tsɪtse]
[v]	Wein [vaɪn]

A

A, a [aː] <-, -> *n* A, a; **das ~ und O** the be-all and end-all; **Wer ~ sagt, muss auch B sagen** in for a penny, in for a pound; **von ~ bis Z** from beginning to end

Aal [aːl] <-(e)s, -e> *m* (ZOO) eel; **sich winden wie ein ~** wriggle like an eel

aa•len *refl* (*faulenzen*) stretch out

aal•glatt *adj* slick, slippery as an eel

Aas [aːs] <-es, -e/Äser> *n* (*Tierkadaver*) carrion; **Aas•gei•er** *m* (*a. fig*) vulture

ab [ap] **I.** *adv* away, off; **~ und zu** now and again; **~ durch die Mitte!** (*fam*) beat it!; **London ~ 8.35 Uhr** (RAIL) leaving London 8:35; **von heute ~** from this day; **auf und ~ gehen** walk up and down **II.** *präp:* **~ Werk** (COM) ex works *pl;* **von nun ~, von jetzt ~** from now on; **~ heute** from today; **~ sofort** as of now

ab|än•dern *tr* alter (*in* to); (*revidieren*) revise; **ein Gesetz ~** amend a bill

Ab•än•de•rung *f* **1.** alteration **2.** (PARL) amendment; **in ~ des ...** in amendment of ...; **Ab•än•de•rungs•an•trag** *m* (PARL) proposed amendment

ab|ar•bei•ten I. *tr* **1.** (*allgemein*) work **2.** (*Schuld*) work off **II.** *refl* **1.** (*Material*) wear off **2.** (*Person*) slave away

Ab•art *f* **1.** (*allgemein*) variety **2.** (*Variation*) variation

ab•ar•tig *adj* **1.** (*abnorm*) abnormal **2.** (*sl*) kinky

Ab•bau <-(e)s> *m* **1.** (MIN) mining; (*über Tage*) quarrying **2.** (COM: *Preis~*) cut (*von* in) **3.** (CHEM: *Auflösung, Trennung*) decomposition **4.** (*von Fabrikeinrichtung*) dismantling; **~ von Arbeitskräften** reduction in labour *sing*

ab|bau•en I. *tr* **1.** (MIN) mine; (*über Tage*) quarry **2.** (COM: *Preis*) reduce **3.** (*demontieren*) dismantle **4.** (CHEM) decompose **II.** *itr* (*erlahmen*) flag, wilt

ab|bei•ßen *irr tr* bite off

ab|bei•zen *tr* strip; **Ab•beiz•mit•tel** *n* paint stripper

ab|be•kom•men *irr tr:* **etw ~** (*erhalten*) get some of it; (*beschädigt werden*) get damaged; (*verletzt werden*) get injured

ab|be•stel•len *tr* cancel; **jdn ~** tell s.o. not to come; **e-e Zeitung ~** cancel a newspaper subscription; **Ab•be•stel•lung** *f* cancellation

ab|be•zah•len *tr* pay off

ab|bie•gen I. *irr tr haben* **1.** (*allgemein*) bend off **2.** (*fam: verhindern*) head off; (*sich e-r Aufgabe entziehen*) manage to get out of **II.** *itr sein* **1.** (MOT: *Fahrzeug*) turn off (*in* into) **2.** (*Straße*) bend; **nach links ~** turn to the left

Ab•bie•ge•spur *f* (MOT) filter lane

Ab•bild *n* **1.** (*Kopie*) copy **2.** (*~ e-s Menschen*) image; **ab|bil•den** *tr* **1.** (*allgemein*) portray **2.** (EDV) map; **auf Seite 15 ist ein Schloss abgebildet** there's a castle shown on page 15

Ab•bil•dung *f* **1.** (*Wiedergabe*) reproduction **2.** (*Illustration*) illustration **3.** (EDV) mapping; **mit ~en versehen** illustrate

ab|bin•den *irr tr* **1.** (*allgemein*) untie **2.** (MED) ligature

Ab•bit•te *f* apology; **~ leisten** apologize (*bei jdm wegen etw* to s.o. for s.th.)

ab|bit•ten *irr tr:* **jdm etw ~** beg someone's pardon for s.th.

ab|bla•sen *irr tr* **1.** (*fig fam*) call off **2.** (*Staub etc*) blow off (*von etw* s.th.)

ab|blät•tern *itr* (*sich abschälen*) flake off

ab|blen•den *tr* **1.** (*Lampe*) screen **2.** (MOT) dip *Br,* dim *Am* **3.** (PHOT) stop down **4.** (FILM) fade out

Ab•blend•licht *n* dipped headlights *Br,* dimmed headlights *Am*

ab|blit•zen *sein itr* (*fam*) be sent packing; **jdn ~ lassen** (*fam*) send s.o. packing

ab|blo•cken *tr* (*a. fig*) block

ab|brau•sen I. *tr haben* (*Körperteil*) wash under a shower **II.** *itr sein* (*fam: wegfahren*) roar off **III.** *refl haben* take a shower

ab|bre•chen I. *irr tr haben* **1.** (*allgemein*) break off; (*Häuser*) tear down **2.** (*aufhören*) break off **3.** (EDV) abort; **brich dir (mal) keinen ab!** (*fam*) don't make such a dance!; **sich e-n ~** (*sl: Umstände machen*) make heavy weather of it **II.** *itr* **1.** *sein* (*allgemein*) break off **2.** *haben* (*aufhören*) stop

ab|bren•nen I. *irr tr haben* (*Bewuchs*) burn off; (*Gebäude*) burn down; (*Feuerwerk*) let off **II.** *itr sein* burn down

ab|brin•gen *irr tr* (*Gegenstand*) get off; **jdn von etw ~** make s.o. change his [*o* her] mind about s.th.; **ich lass' mich davon nicht ~!** nothing will make me change my mind about it!; **jdn vom Rauchen ~** get s.o. to stop smoking

ab|brö•ckeln *sein itr* **1.** (*allgemein*) crumble away **2.** (*fig*) drop off

Ab•bruch <-(e)s> *m* **1.** (*von Gebäude*) demolition **2.** (*fig: von Beziehungen*) breaking off **3.** (*fig: Schaden*) harm; **e-r Sache ~ tun** do harm to s.th.

ab•bruch•reif *adj* only fit for demolition

ab|brü•hen *tr* scald

ab|bu•chen *tr* (COM) debit (*von* to); **etw ~ lassen** pay s.th. by direct debiting order (*von* from)

Ab•bu•chung *f* (COM) direct debiting

ab|bürs•ten *tr* brush (down)

ab|bü•ßen *tr* (*Strafe*) serve

Abc [abe'tseː] <-, -s> *n:* **nach dem ~ ordnen** arrange alphabetically; **Abc-Schüt•ze** *m* (*fam*) school beginner; **ABC-Waf•fen** *fpl* (MIL) NBC-weapons

ab|dan•ken *itr* (POL) resign; (*von Herrschern*) abdicate

ab|de•cken *tr* **1.** (*Dach*) untile **2.** (*Haus*) tear the roof off **3.** (*Tisch*) clear **4.** (*ver-, zudecken*) cover **5.** (*Bett*) turn down

Ab•deck•stift *m* concealer stick

ab|dich•ten *tr* seal up; **gegen Lärm ~** make soundproof; **gegen Wasser ~** make watertight

Ab•dich•tung *f* (*Verschluss*) seal

ab|drän•gen *tr* push away (*von* from)

ab|dre•hen **I.** *tr* (*Gas, Wasser*) turn off; (EL) switch off **II.** *itr* (AERO) veer off

ab|drif•ten *itr sein* drift off

ab|dros•seln *tr* (MOT) throttle down

Ab•druck[1] <-(e)s, ¨-e> *m* (*allgemein*) imprint; (*von Finger, Fuß*) print; **man sieht jeden ~ auf dieser Lederjacke** you can see every mark on this leather jacket

Ab•druck[2] *m* (TYP: *Nachdruck*) reprint

ab|dru•cken *tr* print; (*wieder ~*) reprint

ab|drü•cken **I.** *tr:* **jdn ~** (*fam*) squeeze s.o.; **jdm die Luft ~** squeeze all the breath out of s.o. **II.** *itr* (*Schusswaffe*) pull [*o* squeeze] the trigger

ab|dun•keln *tr* dim

ab|eb•ben *sein itr* **1.** (*Meer*) go out **2.** (*fig: sich beruhigen*) die down; fade away

A•bend ['aːbənt] <-s, -e> *m* evening; **am ~** in the evening; **am nächsten ~** the next evening; **gegen ~** towards evening; **heute ~**[RR] this evening; (*später*) tonight; **gestern ~**[RR] last night; **morgen ~**[RR] tomorrow evening; **es ist noch nicht aller Tage ~** (*fig*) it's early days still; **zu ~ essen** have supper [*o* dinner]; **A•bend•an•zug** *m* dinner suit; **A•bend•brot** *n*, **A•bend•es•sen** *n* supper; **A•bend•däm•me•rung** *f* dusk; **a•bend•fül•lend** *adj* taking up the whole evening; **A•bend•kas•se** *f* (THEAT) box office; **A•bend•kleid** *n* evening dress; **A•bend•kurs** *m* evening classes *pl;* **A•bend•land** *n* western world; **a•bend•län•disch** *adj* western; **A•bend•mahl** *n* (ECCL) Holy Communion; **das ~ emp•fangen** take communion; **A•bend•rot** *n* sunset; **a•bends** ['aːbənts] *adv* in the evening; **A•bend•schu•le** *f* (PÄD) night school; **A•bend•son•ne** *f* setting sun; **A•bend•stern** *m* evening star

A•ben•teu•er ['aːbəntɔɪɐ] <-s, -> *n* adventure; **ein ~ mit jdm haben** (*euph*) have an affair with s.o.; **A•ben•teu•er•fe•ri•en** *pl* adventure holidays; **a•ben•teu•er•lich** *adj* **1.** (*allgemein*) adventurous **2.** (*unglaublich*) bizarre; **A•ben•teu•er•spiel•platz** *m* adventure playground; **A•ben•teu•rer(in)** ['aːbəntɔɪrɐ] *m(f)* adventurer, adventuress

a•ber ['aːbɐ] *conj* **1.** (*Gegensatz*) but; **oder ~** or else; **~ trotzdem** but still; **schönes Wetter! – aber ziemlich kalt** nice day! – rather cold, though **2.** (*Verstärkung*): **~, ~!** (*interj*) come, come!; **~ ja!** oh, yes!; **bist du ~ braun!** aren't you tanned!; **nun ist ~ Schluss!** now that's enough!

A•ber <-s, -> *n* but; **ohne Wenn und ~** without any ifs and buts *pl*

A•ber•glau•be *m* superstition

a•ber•gläu•bisch *adj* superstitious

a•ber•hun•dert *num:* **hundert und A~/~** hundreds upon hundreds

ab|er•ken•nen *irr tr:* **jdm etw ~** deprive s.o. of s.th.; (JUR *a.* SPORT) disallow s.o. s.th.

a•ber•mals ['aːbɐmaːls] *adv* once again

ab|ern•ten *tr* harvest

a•ber•tau•send *num:* **tausend und A~/** thousands upon thousands

ab|fa•ckeln *tr* (*Erdgas*) burn off

ab•fahr•be•reit *adj* ready to leave

ab|fah•ren **I.** *irr itr sein* **1.** (*allgemein*) leave; (*geh*) depart (*nach* for); (MAR) sail (*nach* for) **2.** (SPORT: *Ski*) ski down **II.** *tr haben* (*fortschaffen*) cart off

Ab•fahrt *f* **1.** (*allgemein*) departure **2.** (*beim Skifahren*) descent; **Ab•fahrts•lauf** *m* (*Ski*) downhill; **Ab•fahrt(s)•tag** *m* day of departure; **Ab•fahrt(s)•zeit** *f* time of departure

Ab•fall *m* **1.** (*Müll*) rubbish *Br,* garbage *Am* **2.** (*fig a.* POL) break (*von* with); **in den ~ kommen** go into the dustbin *Br,* go into the trashcan *Am;* **Ab•fall•berg** *m* rubbish tip; **Ab•fall•be•sei•ti•gung** *f* waste disposal; **Ab•fall•ei•mer** *m* wastebin *Br,* garbage can *Am*

ab|fal•len *sein irr itr* **1.** drop off **2.** (*fig: übrig bleiben*) be left **3.** (*fig: rebellieren*) revolt **4.** (*von Gelände*) slope away; **wie•viel fällt ab für mich?** (*fam*) how much do I get?; **vom Glauben ~** break with the faith

ab•fäl•lig *adj* disparaging, deprecatory; **von**

jdm ~ sprechen speak disparagingly of s.o.; **~e Bemerkungen über jdn machen** make derogatory [*o* disparaging] remarks about s.o.

Ab·fall·pro·dukt *n* (*a. fig*) by-product; **Ab·fall·stof·fe** *mpl* waste products; **Ab·fall·ver·bren·nung** *f* refuse incineration; **Ab·fall·ver·bren·nungs·an·la·ge** *f* refuse incineration plant; **Ab·fall·ver·wer·tung** *f* recycling

ab|fan·gen *irr tr* **1.** (*erwischen*) catch **2.** (*Briefe, Meldungen*) intercept **3.** (AERO) pull out; **Ab·fang·jä·ger** *m* (MIL AERO) interceptor

ab|fär·ben *itr* (*Wäschestück*) run; **auf jdn ~** (*fig*) rub off on s.o.

ab|fas·sen *tr* (*verfassen*) write, draft

ab|fer·ti·gen *tr* **1.** (*versandfertig machen*) get ready for dispatch **2.** (*Gepäck*) check (in) **3.** (*an Grenze*) clear **4.** (*Kundschaft*) deal with, attend to; **jdn kurz ~** snub s.o.

Ab·fer·ti·gung *f* (COM) **1.** (*Gebäude*) dispatch office **2.** (*Tätigkeit*) clearance; **Ab·fer·ti·gungs·schal·ter** *m* check-in desk

ab|feu·ern *tr* fire

ab|fin·den I. *irr tr* pay off **II.** *refl:* **sich mit jdm ~** come to terms with s.o.; **sich mit etw schwer ~** find it hard to accept s.th.; **Ab·fin·dung** *f* **1.** (*allgemein*) paying off **2.** (*Entschädigung*) compensation, indemnification

ab|flau·en ['apflaʊən] *sein itr* **1.** (*Wind*) die down, subside **2.** (*fig*) fade **3.** (COM: *Nachfrage, Geschäft*) fall [*o* drop] off

ab|flie·gen *irr itr sein* (AERO) take off (*nach* for)

Ab·flug *m* (AERO) **1.** (*von Flugzeug*) take-off **2.** (*für Fluggäste*) departure (*nach* for); **Ab·flug·hal·le** *f* departure lounge; **Ab·flug·zeit** *f* departure time

Ab·fluss[RR] <-es, ⸚e> *m* **1.** (*Rohr*) waste-pipe **2.** (*von Gewässern*) outlet

ab|for·dern *tr:* **jdm etw ~** demand s.th. from s.o.

Ab·fra·ge <-, -n> *f* (EDV) inquiry, query; **Ab·fra·ge·me·di·um** *n* (EDV) inquiry medium

ab|fra·gen *tr* **1.** (*allgemein*) question s.o. (*über etw* on s.th.) **2.** (PÄD) test s.o. orally **3.** (EDV) query

Ab·fuhr ['apfuːɐ] <-, -en> *f* **1.** (*allgemein*) removal **2.** (*fig fam: Rüge*) rebuff, snub; **jdm e-e ~ erteilen** snub s.o.; **sich e-e ~ holen** be snubbed

ab|füh·ren I. *tr* **1.** (*allgemein*) lead away **2.** (FIN: *Geld*) pay (*an* to) **II.** *itr* (MED) have a laxative effect

Ab·führ·mit·tel *n* (MED) laxative

ab|fül·len *tr* **1.** (*in Flaschen*) bottle **2.** (*aus Gefäß*) ladle off **3.** (*sl: betrunken machen*) get sloshed

Ab·ga·be *f* **1.** (*das Abgeben*) delivery **2.** (FIN) contribution; (*Steuer*) duty, tax; **ab·ga·be·pflich·tig** *adj* (FIN) liable to taxation

Ab·gang *m* **1.** (*Aufbruch*) departure **2.** (THEAT) exit **3.** (SPORT) dismount **4.** (MED: *von Blasenstein etc*) passing; **Ab·gangs·prü·fung** *f* leaving examination; **Ab·gangs·zeug·nis** *n* leaving certificate

a·bgän·gig *adj* (*österr: vermisst*) missing

Ab·gas *n* (MOT) exhaust fumes *pl;* **ab·gas·arm** *adj* with low exhaust emission; (*Fahrzeug a.*) low-pollution; **Ab·gas·grenz·wer·te** *pl* exhaust emission limits *pl;* **Ab·gas·rei·ni·gung** *f* purification of exhaust gases; **Ab·gas·rück·füh·rung** *f* (MOT) exhaust gas recirculation; **Ab·gas·son·der·un·ter·su·chung** *f* (MOT COM) *pulsory annual test of a car's emission levels*

ab|ge·ben *irr tr* **1.** (*allgemein*) hand in; (*fortgeben*) give away **2.** (COM) sell **3.** (SPORT: *Punkte*) concede; (*Ball*) pass **4.** (*Erklärung, Urteil*) give; **jdm etw ~** give s.th. to s.o.; **sich mit etw ~** bother o.s. with s.th.; **sich mit jdm ~** associate with s.o.; **seine Meinung ~ über ...** express one's opinion about ...; **e-e Nachricht bei jdm ~** leave a message with s.o.

ab·ge·brannt *adj* (*fig fam*) (stony) broke

ab·ge·brüht *adj* (*fig fam*) hardened

ab·ge·dreht *adj* (*sl*) tuned in

ab·ge·dro·schen *adj* well-worn *fam,* hackneyed

ab·ge·feimt ['apgəfaɪmt] *adj* crafty, cunning

ab·ge·hackt *adj* (*fig*) clipped; **~ sprechen** speak in a clipped manner

ab·ge·han·gen *adj* hung

ab·ge·här·tet *adj* hardy (*gegen* to)

ab|ge·hen *sein irr itr* **1.** (RAIL: *Zug*) leave (*nach* for) **2.** (*Straße*) branch off **3.** (*von Schule*) leave **4.** (*Knopf*) come off; **es ist alles gut abgegangen** everything went [*o* passed] off well; **von e-r Meinung ~** change one's opinion; **davon kann ich nicht ~** I must insist on that

ab·ge·kar·tet *adj:* **e-e ~e Sache** a put-up job

ab·ge·klärt *adj* (*Alter*) serene; **Ab·ge·klärt·heit** *f* serenity

ab·ge·la·gert *adj* (*Wein*) matured; (*Holz*) seasoned

ab·ge·lau·fen *adj* **1.** (COM: *Wechsel*) due, payable **2.** (*Zeit*) expired

ab·ge·le·gen *adj* remote

ab·ge·macht *interj* O.K.!; **das ist e-e ~e Sache** that's a fix

ab·ge·neigt *adj:* **~ sein** be adverse [*o* reluctant] to ...; **jdm ~ sein** dislike s.o.; **ich**

wäre nicht ~ I wouldn't mind

ab•ge•nutzt *adj* worn; (MOT: *Reifen*) worn-down

Ab•ge•ord•ne•te(r) <-n, -n> *f m* (*allgemein*) representative; (PARL) member of parliament; **Ab•ge•ord•ne•ten•haus** *n* parliament

ab•ge•rei•chert *adj* (*Uran*) depleted

ab•ge•ris•sen *adj* **1.** (*fam: Person*) ragged **2.** (*Kleider*) shabby

ab•ge•run•det *adj* rounded

Ab•ge•sand•te(r) <-n -n> *f m* delegate; (POL) envoy

ab•ge•schabt *adj* threadbare

ab•ge•schie•den *adj* (*abgelegen*) remote, solitary; **Ab•ge•schie•den•heit** *f* seclusion

ab•ge•schlafft *adj* (*fam*) whacked

ab•ge•schla•gen *adj* (*müde*) worn-out

ab•ge•schlos•sen *adj* **1.** (*verschlossen*) locked **2.** (*fig: isoliert*) isolated; (*Wohnung*) self-contained

ab•ge•schmackt ['apgəʃmakt] *adj* fatuous

ab•ge•se•hen *adj:* ~ **von ...** apart from ...; **es auf jdn ~ haben** have it in for s.o.; **es auf etw ~ haben** have one's eye on s.th.

ab•ge•spannt *adj* (*müde*) weary, tired out

ab•ge•stan•den *adj* stale; (*Bier*) flat

ab•ge•stor•ben *adj* (*Pflanze, Gewebe*) dead; (*Glieder*) numb

ab•ge•stumpft *adj* **1.** (*von Gefühl*) dull **2.** (*fig: geistig*) insensitive (*gegenüber* to)

ab|ge•win•nen *irr tr:* **jdm etw** ~ win s.th. from s.o.; **e-r Sache Geschmack** ~ get a taste for s.th.

ab|ge•wöh•nen *tr:* **sich etw** ~ give up doing s.th.; **jdm etw** ~ cure s.o. of s.th.

Ab•glanz *m* reflection

Ab•gleich <-s> *m* comparison; **ab•gleichen** *irr tr* **1.** (*Bau*) level out **2.** (EL) tune **3.** (*fig*) coordinate

ab|glei•ten *irr itr* slip, slide

Ab•gott *m* idol; **jds ~ sein** be idolized by s.o.; **ab•göt•tisch** ['apgœtɪʃ] *adj* idolatrous; **jdn ~ lieben** idolize s.o.

ab|gra•sen *tr* **1.** (*allgemein*) graze **2.** (*fig fam*) comb

ab|gren•zen **I.** *tr* **1.** (*mit Einzäunung*) fence off **2.** (*fig*) delimit (*gegen* from) **II.** *refl* (*fig*): **sich ~ gegen** dis(as)sociate o.s. from

Ab•gren•zung *f* **1.** (*Zaun*) fencing **2.** (*fig*) delimitation

Ab•grund *m* **1.** (*allgemein*) precipice **2.** (*fig*) abyss

ab•grün•dig *adj* (*fig*) cryptic

ab•grund•tief *adj* (*a. fig*) profound

ab|gu•cken *itr* copy (*bei* from)

Ab•gussRR <-es, ¨-e> *m* **1.** (*Gießen*) founding **2.** (*abgegossenes Bild*) cast

ab|ha•cken *tr* chop off

ab|ha•ken *tr* **1.** (*von Haken*) unhook **2.** (*abstreichen auf Liste*) tick off *Br,* check off *Am*

ab|hal•ten *irr tr* **1.** keep off **2.** (*Sitzung*) hold **3.** (*Fest*) celebrate **4.** (*verhindern*) stop; **jdn davon ~, etw zu tun** keep s.o. from doing s.th.; **lass dich nicht ~!** don't let me stop you!; **ein Kind** ~ allow a child to pee

ab|han•deln *tr* **1.** (*vom Preis*) get s.o. to knock a bit off **2.** (*erörtern*) deal with, treat

ab•han•den [ap'handən-] *adv:* ~ **kommen** get lost

Ab•hand•lung *f* treatise, discourse (*über* on)

Ab•hang *m* slope

ab|hän•gen **I.** *tr* **1.** take down; (RAIL MOT: *Zug*) uncouple **2.** (*Auto, a. fig: nach d. Überholen*) shake off **II.** *irr itr* (*fig*): ~ **von** depend on; **das hängt davon ab!** that depends!

ab•hän•gig *adj* (*Person*) dependent (*von* on)

Ab•hän•gig•keit *f* **1.** (*von Personen*) dependence **2.** (GRAM) subordination; dependency

ab|här•ten **I.** *tr* toughen up **II.** *refl* (*fig*) harden o.s. (*gegen* to)

Ab•här•tung *f* **1.** (*allgemein*) toughening up **2.** (*fig*) hardening

ab|hau•en **I.** *irr tr* (*Gegenstand etc*) cut off **II.** *itr sein* (*sl: weggehen*) push off; **hau ab!** get lost!

ab|he•ben **I.** *irr tr* **1.** (*Gegenstand*) take off **2.** (*anheben*) lift **3.** (*Geld*) withdraw; **e-e Karte** ~ take a card **II.** *itr* (AERO) take off; (*Rakete*) lift off **III.** *refl:* **sich ~ von** stand out against

ab|hel•fen *irr itr:* **e-r Sache** ~ remedy s.th.

ab|het•zen **I.** *tr* tire out **II.** *refl* wear o.s. out

Ab•hil•fe *f* remedy; ~ **schaffen** take remedial action

ab|ho•beln *tr* plane down

ab|ho•len *tr* **1.** (*Person*) call for **2.** (*Gegenstand*) collect, fetch; **etw ~ lassen** send for s.th.; **jdn am Bahnhof** ~ meet s.o. at the station

Ab•hol•markt *m* cash and carry

ab|hol•zen *tr* (*Wald*) chop down; (*ganze Gebiete*) clear; **Ab•hol•zung** *f* deforestation; clearing

Ab•hör•af•fä•re *f* bugging affair; **Ab•hör•ak•ti•on** *f* bugging operation

ab|hor•chen *tr* (MED) auscultate

Ab•hör•ein•rich•tung *f* bugging system

ab|hö•ren *tr* **1.** (PÄD) hear a pupil's lesson **2.** (*Gespräch*) bug; **ab•hör•si•cher** *adj* bugproof

A•bi•tur <-s, -e> *n* Abitur, *German school-leaving examination and university entrance qualification*

A•bi•tu•ri•ent(in) *m(f) person who has done the Abitur*

ab|ja•gen *tr:* **jdm etw ~** get s.th. off s.o.

ab|kap•seln *refl* cut o.s. off

ab|kau•en *tr* (*Fingernägel*) bite; (*Bleistift*) chew

ab|kau•fen *tr:* **jdm etw ~** buy s.th. from s.o.

ab|keh•ren *refl:* **sich ~ von** turn away from

ab|klap•pern *tr* (*fam*) scour (*nach* for)

ab|klä•ren *tr* clarify

Ab•klatsch <-es, -e> *m* (*fig pej*) poor imitation

ab|klin•gen *sein irr itr* **1.** (*Krankheit*) ease off **2.** (*Effekt, Wirkung*) wear off

ab|klop•fen *tr* (MED) sound; **jdn auf etw ~** (*fig fam*) sound s.o. out about s.th.; **etw auf etw ~** go into s.th. to find out whether ...

ab|knal•len *tr* (*sl*): **jdn ~** shoot s.o. down

ab|knap•sen *tr:* **sich etw ~** scrape s.th. together; **jdm etw ~** get s.th. off s.o.

ab|knöp•fen *tr* (*allgemein*) unbutton; **jdm etw ~** (*fam*) get s.th. off s.o.

ab|knut•schen **I.** *tr* (*fam*): **jdn ~** canoodle s.o. **II.** *refl* canoodle

ab|ko•chen *tr* boil; (*sterilisieren*) sterilize; (*Milch*) scald

ab|kom•man•die•ren *tr* detail (*zu* for)

Ab•kom•men <-s, -> *n* agreement; **ein ~ treffen mit ...** come to an agreement with ...

ab|kom•men *sein irr itr* get away; **vom Weg ~** lose one's way; **von etw ~** give up s.th.; **von e-m Thema ~** get off a subject

ab•kömm•lich *adj* available, free; **nicht ~ sein** be unavailable

Ab•kömm•ling ['apkœmlɪŋ] *m* (*Nachkomme*) descendant

ab|kop•peln *tr* (TECH) uncouple

ab|krat•zen **I.** *tr haben* scrape [*o* scratch] off **II.** *itr sein* (*fig vulg: sterben*) kick the bucket, pop off

ab|krie•gen *tr* **1.** (*bekommen*) get **2.** (*fig: verletzt werden*) get hurt

ab|küh•len **I.** *tr* (*a. fig*) cool **II.** *refl* cool down; **Ab•küh•lung** *f* cooling

ab|kup•fern *tr* (*fam*) crib, copy

ab|kür•zen *tr* **1.** (*ein Wort*) abbreviate **2.** (*verkürzen*) cut short; **den Weg ~** take a short cut

Ab•kür•zung *f* **1.** (GRAM) abbreviation **2.** (*von Weg*) short cut; **Ab•kür•zungs•ver•zeich•nis** *n* list of abbreviations

ab|la•den *irr tr* (*Last*) unload; (*Müll etc*) dump

Ab•la•ge *f* (*allgemein*) place to keep s.th.; (*im Büro*) filing

ab|la•gern **I.** *tr* (*deponieren*) store; (*anhäufen*) deposit **II.** *itr* (*Wein*) mature; (*Holz*) season

Ab•la•ge•rung *f* (*a.* GEOL) deposit

ab•la•ge•rungs•fä•hig *adj* capable of landfill disposal

ab|las•sen[1] *irr itr* (*aufhören*) desist; **von etw ~** abandon s.th.

ab|las•sen[2] *irr tr* (*Flüssigkeit*) drain; (*Dampf*) let off; (MOT: *Motoröl*) drain off; **jdm etw vom Preis ~** knock s.th. off the price for s.o.

Ab•lauf *m* **1.** (*das Ablaufen*) drain **2.** (*von Ereignissen*) course **3.** (*e-r Frist*) expiry; **nach ~ von ...** at the end of ...; **Ab•lauf•brett** *n* (*an Spüle*) draining board

ab|lau•fen **I.** *irr itr sein* **1.** (*Flüssigkeit*) run off **2.** (*fig: Frist*) run out **3.** (*Uhr*) run down; **wie ist es abgelaufen?** how did it go? **II.** *tr haben* (*Schuhe etc*) wear out; **jdm den Rang ~** steal a march on s.o.

Ab•le•ben *n* (*Tod*) decease

ab|le•cken *tr* lick off

ab|le•gen **I.** *tr* **1.** (*ausziehen*) take off **2.** (*fig: Gewohnheiten*) give up **3.** (*Last*) lay down **4.** (*Akten*) file; **e-n Eid ~** take an oath; **e-e Probe von etw ~** give a proof of s.th.; **e-e Prüfung ~** pass [*o* take] an examination **II.** *itr* (*Schiff*) cast off

ab|leh•nen *tr* (*allgemein*) decline; (*Angebot, Stelle*) reject

Ab•leh•nung *f* (*allgemein*) refusal; (*von Angebot, Stelle*) rejection; **auf ~ stoßen** meet with disapproval

ab|leis•ten *tr:* **s-n Wehrdienst ~** serve one's time

ab|lei•ten **I.** *tr* **1.** (*Gewässer*) divert **2.** (LING: *Wort*) derive (*aus, von* from) **II.** *refl* (LING): **sich ~ aus** be derived from

Ab•lei•tung *f* **1.** (*e-s Flusses*) diversion **2.** (LING) derivative

ab|len•ken **I.** *tr* **1.** (*allgemein*) turn away **2.** (*zerstreuen*) distract **II.** *itr:* **vom Thema ~** change the subject

Ab•len•kung *f* (*Zerstreuung*) diversion; **~ vom Thema** changing of the subject; **~ brauchen** need s.th. to take one's mind off things; **Ab•len•kungs•ma•nö•ver** *n:* **~ betreiben** bring in a red herring, lay a false scent

ab|le•sen *irr itr tr* (*von e-m Blatt, Zählerstand*) read

ab|leug•nen *tr* deny

ab|lich•ten *tr* (*fotokopieren*) photocopy; (*fotografieren*) photograph

Ab•lich•tung *f* (PHOT) photocopy

ab|lie•fern *tr* (*übergeben*) hand over (*bei* to); (COM) deliver

Ab•lie•fe•rung *f* handing-in; (*von Waren*)

delivery; **bei** ~ on delivery
ab•lös•bar *adj* (*trennbar*) detachable
ab|lö•sen I. *tr* **1.** (*entfernen*) take off **2.** (FIN: *Schulden*) pay off; **jdn** ~ take the place of s.o. **II.** *refl:* **sich** ~ (*abgehen*) come off; (*Haut*) peel off; (*Kollegen, Wache*) take turns
Ab•lö•sung *f* **1.** (MIL) relief **2.** (FIN: *von Schulden*) redemption
Ab•luft *f* (TECH) waste air
ABM *f Abk. von* **Arbeitsbeschaffungsmaßnahme** job creation scheme
ab|ma•chen¹ *tr* take off
ab|ma•chen² *tr* (*vereinbaren*) agree (*etw* on s.th.)
Ab•ma•chung *f* agreement
ab|ma•gern *sein itr* get thinner; **Ab•ma•ge•rungs•kur** *f* diet; **eine** ~ **machen** be on a diet
ab|mah•nen *tr* caution; **Ab•mah•nung** *f* caution
ab|ma•len *tr* copy
Ab•marsch *m* departure; **ab•marsch•be•reit** *adj* ready to move off
ab|mar•schie•ren *sein itr* march off
ab|meh•ren *vi* (*CH: abstimmen*) take a vote
ab|mel•den I. *tr* (*Abonnement*) cancel; **sein Telefon** ~ have one's telephone disconnected **II.** *refl:* **sich bei jdm** ~ tell s.o. that one is leaving
ab|mes•sen *irr tr* (*a. fig*) measure; **Ab•mes•sung** *f* measurement
ab|mon•tie•ren *tr* (*Gegenstand*) take off (*von etw* s.th.)
ABM-Stel•le *f* temporary post (*through job creation scheme*)
ab|mü•hen *refl:* **sich** ~ struggle
ab|na•beln *refl* (*fig fam*): **sich** ~ cut oneself loose
ab|na•gen *tr:* **e-n Knochen** ~ gnaw off meat from a bone
Ab•nah•me¹ *f* (*das Abnehmen*) taking down
Ab•nah•me² *f* **1.** (*Verringerung*) decrease **2.** (COM) decline **3.** (*TÜV*) inspection
ab|neh•men I. *irr tr* **1.** (*Gegenstand*) take off **2.** (MED: *Körperteil*) amputate; **den Hörer** ~ lift the receiver; **jdm etw** ~ take s.th. from s.o.; **das nehme ich dir nicht ab!** (*fig fam*) I don't buy that tale! **II.** *itr* **1.** (*an Zahl*) decrease; (*an Gewicht*) lose weight **2.** (*Mond*) wane; **sein Erfolg nimmt ab** his success is on the wane
Ab•neh•mer(in) *m(f)* (COM) buyer, customer, purchaser
Ab•nei•gung *f* dislike (*gegen* of), aversion (*gegen* to)
ab•norm [ap'nɔrm] *adj* abnormal
ab|nut•zen *tr refl* wear out; **Ab•nut•zung** *f* wear and tear
A•bon•ne•ment [abɔn(ə)'mɑ̃:] <-s, -s> *n* subscription; **A•bon•ne•ment•fern•se•hen** *n* pay TV
A•bon•nent(in) [abɔ'nɛnt] <-en, -en> *m(f)* (*von Zeitung etc*) subscriber; **A•bon•nen•ten•wer•bung** *f* (MARKT) circulation promotion
a•bon•nie•ren *tr* subscribe to …
ab|ord•nen *tr* delegate; **Ab•ord•nung** *f* delegation
A•b•ort [a'bɔrt] <-s, -e> *m* **1.** lavatory, toilet **2.** (MED) abortion
ab|pa•cken *tr* (COM) pack
ab|pflü•cken *tr* pick
ab|pla•gen *refl:* **sich mit etw** ~ slave away at s.th.
ab|pral•len *sein itr* (*a. fig*) bounce off
ab|put•zen *tr* (*Schmutz*) clean (off); **sich die Hände** ~ wipe one's hands
ab|rah•men *tr* skim
ab|ra•ten *irr itr* warn (*von* against)
Ab•raum <-(e)s> *m* (MIN) mining debris
ab|räu•men *tr* clear away; **den Tisch** ~ clear the table
ab|rea•gie•ren *refl* let off steam, work it off
ab|rech•nen I. *tr* (*abziehen*) deduct **II.** *itr* (COM) cash up; **mit jdm** ~ (*a. fig*) settle up with s.o.
Ab•rech•nung *f* **1.** (COM: *an der Kasse*) cashing up **2.** (*Aufstellung*) statement (*über* for) **3.** (*Rechnung, allgemein*) bill; (COM) invoice **4.** (*fig*) revenge; **Ab•rech•nungs•zeit•raum** *m* (COM) accounting period
ab•re•gen *refl:* **sich** ~ (*fam*) calm [*o* cool] down
ab|rei•ben *irr tr* **1.** (*Schmutz etc*) rub off **2.** (*Schuhe etc*) wipe
Ab•rei•bung *f:* **e-e** ~ **kriegen** (*fam*) get a good hiding
Ab•rei•se *f* departure (*nach* for); **bei meiner** ~ **von hier …** on leaving this place …
ab|rei•sen *sein itr* depart, leave (*nach* for)
ab|rei•ßen I. *irr tr haben* tear off; (*Haus*) pull down; **ich habe mir e-n Knopf abgerissen** I've torn a button off **II.** *itr sein* (*abgehen*) come off; **mein Schnürsenkel ist abgerissen** my shoestring has broken
Ab•reiß•ka•len•der *m* tear-off calendar
ab|rich•ten *tr* (*Tiere*) train
ab|rie•geln *tr* **1.** (*Straße*) block off **2.** (*Türe*) bolt
Ab•riss[RR] <-es, -e> *m* **1.** (*von Gebäude*) demolition **2.** (*Übersicht*) summary
ab|rol•len I. *tr haben* (*von Rolle*) unroll; (*von Spule*) unreel; (*Kabel etc*) uncoil **II.** *itr sein* **1.** (RAIL) roll off **2.** (*fig: sich ereignen*) unfold

ab|rü•cken I. *itr sein* 1. (*fortziehen*) move out 2. (*fig*) disassociate o.s. (*von* from) II. *tr haben* (*Gegenstand*) move away

Ab•ruf *m:* **sich auf ~ bereithalten** be ready to be called for; **ab|ru•fen** *irr tr* 1. (*allgemein*) call away 2. (FIN: *von Konto*) withdraw 3. (EDV: *aus Datenbank*) retrieve

ab|run•den *tr* 1. (*rund machen, a. fig*) round off 2. (FIN: *e-e Summe*) round down

ab|rüs•ten *tr itr* (MIL POL) disarm; **Ab•rüs•tung** *f* (MIL POL) disarmament; **Ab•rüs•tungs•kon•fe•renz** *f* (MIL POL) disarmament conference

ab|rut•schen *sein itr* 1. (*allgemein*) slip 2. (*fig: in Schule*) drop down (*auf* to)

ABS *n Abk. von* **Antiblockiersystem** (MOT) anti-lock braking system

ab|sa•cken *sein itr* 1. (*allgemein*) sink 2. (AERO) drop 3. (PÄD: *in der Leistung*) drop off

Ab•sa•ge ['apza:gə] <-, -n> *f* refusal; **jdm e-e ~ erteilen** reject s.o.

ab|sa•gen I. *tr* cancel; (*Einladung*) decline II. *itr:* **jdm ~** tell s.o. that one cannot come

ab|sä•gen *tr* 1. (*Ast etc*) saw off 2. (*fig fam*) sling out

Ab•satz *m* 1. (*Abschnitt*) paragraph 2. (*Schuh~*) heel 3. (COM: *Waren~*) sales *pl* 4. (*von Treppe*) landing; **Ab•satz•ge•biet** *n* market; **Ab•satz•ren•ner** *m* (COM) big seller; **Ab•satz•vo•lu•men** *n* (COM) sales volume

ab|scha•ben *tr* scrape off

ab|schaf•fen *tr* abolish, do away with

Ab•schaf•fung *f* abolition

ab|schal•ten I. *tr* (EL) switch off II. *itr* (*fig fam*) switch off

ab|schät•zen *tr* assess; **ein ~der Blick** an appraising look

ab•schät•zig ['apʃɛtsɪç] *adj* disparaging; **e-e ~e Bemerkung** a derogatory remark

ab|schau•en *itr* (*österr*) copy (*bei* from)

Ab•schaum <-(e)s> *m:* **der ~ der Menschheit** the scum of the earth

Ab•scheu <-(e)s> *m* abhorrence (*vor* at); **vor etw ~ haben** loathe s.th.

ab•scheu•lich [ap'ʃɔɪlɪç] *adj* (*widerlich*) abominable; (*heimtückisch*) heinous; **~!** (*interj*) terrible!

ab|schi•cken *tr* send (off); (*mit Post*) post *Br*, mail *Am*

ab|schie•ben I. *irr tr* 1. (*deportieren*) deport 2. (*loswerden*) get rid of II. *itr sein* (*fig fam*) push off

Ab•schied ['apʃi:t] <-(e)s, (-e)> *m* farewell, parting; **von jdm ~ nehmen** say goodbye to s.o.; **Ab•schieds•brief** *m* farewell letter; **Ab•schieds•fei•er** *f* farewell party; **Ab•schieds•re•de** *f* farewell speech

ab|schie•ßen *irr tr* 1. (*Pfeil*) shoot; (*Gewehr*) fire 2. (MIL: *Flugzeug*) shoot down

Ab•schirm•dienst *m* (MIL) counter-espionage service

ab|schir•men *tr* shield; **Ab•schir•mung** *f* shielding

ab|schlach•ten *tr* (*fig*) butcher

ab|schlaf•fen *sein itr* (*fig fam*) wilt

Ab•schlag *m* 1. (SPORT: *von Fußball*) goal kick 2. (COM: *bei Handel*) reduction 3. (*~szahlung*) part payment (*auf* of)

ab|schla•gen *irr tr* 1. (*Gegenstand etc*) cut off 2. (MIL: *Angriff*) beat off 3. (*verweigern*) turn down

ab•schlä•gig ['apʃlɛ:gɪç] *adj* negative; **meine Bewerbung wurde ~ beschieden** my application was rejected

Ab•schlags•zah•lung *f* part payment (*auf* of)

ab|schlei•fen *irr tr* (*Gegenstand*) grind down; **Rost ~** polish off rust

ab|schlep•pen *tr* 1. (MOT MAR) tow 2. (*fam: Person*) pick up

Ab•schlepp•seil *n* towrope; **Ab•schlepp•stange** *f* tow bar; **Ab•schlepp•wa•gen** *m* recovery vehicle

ab|schlie•ßen I. *irr tr* 1. (*Tür*) lock up 2. (*fig: beenden*) complete; **e-e Versicherung ~** take out an insurance; **e-n Vertrag ~** conclude a treaty II. *refl:* **sich ~ von** cut o.s. off from; **ab•schlie•ßend** *adj* (*Bemerkung*) final

Ab•schlussRR *m* 1. (*Ende*) end 2. (COM) business deal; **kurz vor dem ~ stehen** be in the final stages *pl;* **Ab•schluss•prü•fung**RR *f* (PÄD) final examination; **Ab•schluss•zeug•nis**RR *n* (PÄD) leaving certificate, diploma *Am*

ab|schme•cken *tr* 1. (*probieren*) taste 2. (*würzen*) season

ab|schmie•ren *tr* (MOT) grease

ab|schmin•ken *refl* 1. take off one's make up 2. (*fig fam*): **sich etw ~** get s.th. out of one's head

ab|schnal•len I. *tr* undo II. *itr:* **da schnallst du ab!** (*fam*) it blows your mind!

ab|schnei•den I. *irr tr* cut off; (*Haar*) cut; **jdm das Wort ~** cut s.o. short II. *itr* (*fig*): **bei etw gut** (**schlecht**) **~** come off well (badly) in s.th.

Ab•schnitt *m* 1. (*Sektion*) section 2. (MATH) segment 3. (*in Buch*) passage 4. (*Zeit~*) period

ab|schöp•fen *tr* skim off; **Gewinn ~** (COM) siphon off the profits *pl*

ab|schrau•ben *tr* unscrew

ab|schre•cken *tr* 1. deter 2. (*Speisen*) rinse with cold water; **ab•schre•ckend** *adj* deterrent; **ein ~es Beispiel** a warning

Ab•schre•ckung *f* (MIL) deterrence; **Ab-**

schre•ckungs•mit•tel *n* (MIL) deterrent

ab|schrei•ben I. *irr tr* 1. copy out 2. (COM) deduct; **jdn** ~ (*fig*) write s.o. off II. *itr* (*in der Schule*) crib; **jdm** ~ tell s.o. that one cannot come to a meeting

Ab•schrei•bung *f* (COM) deduction; (*Wertminderung*) depreciation

Ab•schrift *f* copy

ab|schür•fen *tr* graze

Ab•schür•fung *f* (*Wunde*) graze

Ab•schuss[RR] *m* 1. (MIL: *e-r Waffe*) firing 2. (MIL: *von Raketengeschoss, Torpedo*) launching 3. (MIL: *e-s Flugzeuges*) shooting down; (*e-s Panzers*) knocking out

ab•schüs•sig ['apʃʏsɪç] *adj* sloping

Ab•schuss•ram•pe[RR] *f* (*a.* MIL) launching pad

ab|schüt•teln *tr* (*a. fig*) shake off

ab|schwä•chen *tr* 1. weaken 2. (*beschönigen*) tone down

ab|schwei•fen ['apʃvaɪfən] *sein itr* digress; **vom Thema** ~ deviate from the subject

ab•seh•bar *adj* (*Zeit*) before long, imaginable; **nicht** ~ not to be foreseen; **in ~er Zeit** in the foreseeable future

ab|se•hen I. *irr tr:* **es ist abzusehen, dass ...** it's easy to see that ...; **ein Ende ist noch nicht abzusehen** the end is not yet in sight II. *itr:* **ich will (mal) davon** ~ I'm going to dispense with it

Ab•seits <-> *n* (SPORT) offside

ab•seits ['apzaɪts] I. *adv* (SPORT) offside II. *präp:* ~ **der Straße** away from the road

Ab•seits•fal•le *f* (SPORT: *Fußball*) off-side trap; **Ab•seits•tor** *n* (SPORT) goal scored from an off-side position

ab|sen•den *irr tr* send; (*Briefe*) post *Br,* mail *Am;* (COM) dispatch

Ab•sen•der(in) *m(f)* sender

ab•setz•bar *adj* 1. (*Person*) dismissible 2. (COM) sal(e)able 3. (FIN: *Betrag*) deductible

ab|set•zen I. *tr* 1. (*Gegenstand*) take off 2. (COM: *verkaufen*) sell 3. (*entlassen*) dismiss; (*Herrscher*) depose 4. (TYP) compose 5. (*Fahrgast*) drop 6. (THEAT: *Stück*) take off 7. (FIN: *Betrag*) deduct II. *itr* (*unterbrechen*) stop

Ab•sicht <-, -en> *f* intention; **die ~ haben etw zu tun** intend to do s.th.

ab•sicht•lich *adj* intentional; **etw ~ tun** do s.th. on purpose

ab|sit•zen I. *irr itr sein* dismount II. *tr:* **s-e Strafe** ~ serve one's time

ab•so•lut [apzo'lu:t] *adj* absolute

ab•son•der•lich [ap'zɔndɐlɪç] *adj* odd, quaint

ab|son•dern I. *tr* 1. (*Personen*) separate; (*isolieren*) isolate 2. (MED) secrete II. *refl:* **sich** ~ cut o.s. off

Ab•son•de•rung *f* (MED) secretion

ab•sor•bie•ren [apzɔr'bi:rən] *tr* absorb

ab|spal•ten *tr a. refl* split off

ab|spa•ren *tr:* **sich etw vom Munde** ~ scrimp and save for s.th.

ab|spei•chern *tr* (EDV) save, file

ab•spens•tig ['apʃpɛnstɪç] *adj:* **jdm jdn ~ machen** lure s.o. away from s.o.

ab|sper•ren *tr* 1. (*Straße*) block 2. (TECH) turn off; (*Tür*) lock

ab|spie•len I. *tr* (*Tonmedien*) play II. *refl:* **sich** ~ happen

Ab•spra•che *f* arrangement

ab|spre•chen I. *irr tr* (*Termin*) arrange; **jdm etw** ~ (*verweigern*) dispute s.o. s.th. II. *refl:* **sich mit jdm** ~ arrange things with s.o.

ab|sprin•gen *sein irr itr* jump down (*von* from); (*mit Fallschirm*) jump

ab|sprit•zen I. *tr* spray II. *refl* (*mit Wasserstrahl*) spray o.s. down

Ab•sprung *m* jump; **den ~ schaffen** (*fig fam*) make the break

ab|spü•len I. *tr* rinse II. *itr* (*Geschirr*) do the dishes

ab|stam•men *itr* 1. (*Mensch*) be descended (*von* from) 2. (LING) be derived (*von* from); **Ab•stam•mung** *f* 1. (*gesellschaftlich*) descent 2. (GEOG) origin

Ab•stand *m* 1. (*räumlich*) distance 2. (*zeitlich*) interval 3. (*Ablösungssumme*) indemnity; **mit** ~ by far; **kurzer** ~ short gap; ~ **halten** keep one's distance

ab|stat•ten *tr:* **jdm e-n Besuch** ~ pay s.o. a visit

ab|stau•ben *tr* 1. (*Gegenstände*) dust 2. (*fig fam*) cadge (*bei jdm* from s.o.); **etw** ~ (*fig fam*) nick s.th.

ab|ste•chen I. *irr tr* 1. (*töten*) stick 2. (*Boden*) dig up II. *itr* (*sich abheben*): **von etw** ~ stand out against s.th.

Ab•ste•cher *m* 1. excursion 2. (*fig*) digression

ab|ste•cken *tr* mark out; (*Kleid*) pin

ab|ste•hen *irr itr* stick out

ab|stei•gen *sein irr itr* 1. get off (*von* s.th.) 2. (*im Hotel*) put up (*in* at); **sich auf dem ~den Ast befinden** (*fig fam*) be on the decline

ab|stel•len *tr* 1. (*Gegenstand*) put down 2. (TECH: *Maschine*) stop; (*abdrehen*) turn off 3. (*Fahrzeug*) park 4. (*fig: Missstände*) bring to an end

Ab•stell•gleis *n* (RAIL) siding

ab|stem•peln *tr* 1. (*allgemein*) stamp 2. (*fig*) brand (*zu* as)

ab|ster•ben *sein irr itr* (*a. fig*) die

Ab•stieg ['apʃti:k] <-(e)s, (-e)> *m* 1. (*allgemein*) descent 2. (*fig*) decline

ab|stim•men I. *tr* 1. (RADIO) tune (*auf* to)

2. (*in Einklang bringen*) match (*auf* with) 3. (*Termine*) coordinate (*auf* with) II. *itr* (POL) take a vote (*über* on); **über etw ~ lassen** put s.th. to the vote III. *refl:* **sich mit jdm ~** come to an agreement with s.o.

Ab•stim•mung *f* vote; **e-e ~ vornehmen** take a vote (*über* on)

ab•s•ti•nent [apsti'nɛnt] *adj* teetotal; (*sexuell*) abstinent; **~ leben** live a life of abstinence

Ab•s•ti•nenz•ler(in) *m(f)* teetotal(l)er

Ab•stoß *m* (SPORT: *beim Fußball*) goal-kick; **ab|sto•ßen** I. *irr tr* 1. (*fortstoßen*) push off; (SPORT: *beim Fußball*) make a goal kick 2. (*Möbel*) batter 3. (COM) get rid of 4. (*fig*) repel II. *itr* (*fig*) be repulsive; **ab•sto•ßend** *adj* repulsive

ab|stot•tern *tr* (*fam*) pay off

ab|strah•len *tr* 1. (*Wärme*) emit 2. (*Fassade*) sandblast

ab•s•trakt [ap'strakt] *adj* abstract

ab|strei•fen *tr haben* 1. (*Gegenstand*) slip off 2. (*Schmutz etc*) wipe off

ab|strei•ten *irr tr* (*leugnen*) deny

ab|stu•fen I. *tr* 1. (*Farben*) shade 2. (*Haare*) layer 3. (COM FIN) grade II. *refl* (*von Gelände*): **sich ~** be terraced

ab|stump•fen *sein itr* 1. (*stumpf werden*) blunt 2. (*fig*) dull

Ab•sturz *m* 1. fall 2. (AERO) crash

ab|stür•zen *sein itr* 1. (*Mensch*) fall 2. (AERO: *Flugzeug*) crash

ab|su•chen *tr* 1. (*Gelände etc*) search 2. (MIL: *mit Scheinwerfern*) sweep

ab•surd [ap'zʊrt] *adj* absurd

Ab•s•zess^RR^ [aps'tsɛs] <-es, -e> *m* (MED) abscess

Abt [apt, *pl:* 'ɛptə] <-(e)s, ⸚e> *m* (ECCL) abbot

ab|tas•ten *tr* 1. feel; (MED) palpate; (*~ auf Waffen etc*) frisk (*auf* for) 2. (EL) scan

ab|tau•en I. *tr* defrost II. *itr sein* thaw

Ab•tau•vor•rich•tung *f* (TECH) defroster *Br*, demister *Am*

Ab•tei [ap'taɪ] *f* (ECCL) abbey

Ab•teil [ap'taɪl] *n* (RAIL) compartment

ab|tei•len *tr* (*durch Wand*) partition off; **Ab•tei•lung** [-'--] *f* 1. department 2. (MIL) unit; **Ab•tei•lungs•lei•ter(in)** *m(f)* head of department

Äb•tis•sin [ɛp'tɪsɪn] *f* (ECCL) abbess

ab|tö•ten *tr* (*Zahnnerv*) deaden

ab|tra•gen *irr tr* 1. (*Gebäude etc*) take down 2. (*Geschirr*) clear away 3. (*Schuld*) pay off 4. (*Kleidung*) wear out

ab•träg•lich ['aptrɛ:klɪç] *adj* harmful, injurious

Ab•trans•port *m* transportation; (*Evakuierung*) evacuation

ab|trei•ben *irr itr* 1. *sein* (AERO MAR) be driven off course 2. *haben* (MED) have an abortion

Ab•trei•bung *f* (MED) abortion; **e-e ~ vornehmen (lassen)** have an abortion; **Ab•trei•bungs•pil•le** *f* abortion pill

ab|tren•nen *tr* 1. take off; (*Abschnitt*) detach; (*mit Messer o Schere*) cut off 2. (*räumlich*) divide off

ab|tre•ten I. *irr tr haben* 1. (*abnutzen*) wear out 2. (JUR: *Ansprüche, Gebiet*) cede II. *itr sein* (*vom Amt*) resign; (THEAT) go off

ab|trock•nen I. *tr haben* dry II. *itr sein* dry up

ab•trün•nig ['aptrʏnɪç] *adj* (POL) rebel; (ECCL) apostate; **jdm ~ werden** (POL) desert s.o.; **Ab•trün•ni•ge(r)** *f m* (POL) rebel; (ECCL) apostate, recusant

ab|tun *irr tr* (*fig: von sich schieben*) dismiss

ab|ur•tei•len *tr:* **jdn ~** pass sentence upon s.o.

A•bver•kauf *m* (*österr: Ausverkauf*) sale

ab|wä•gen *irr tr* (*fig: gegeneinander ~*) weigh up; (*Worte*) weigh

ab|wäh•len *tr* vote out (of office)

ab|wäl•zen *tr* (*fig*) shift (*auf* onto)

ab|wan•deln *tr* 1. (*variieren*) modify 2. (MUS) adapt

ab|wan•dern *sein itr* migrate (*aus* from)

Ab•wär•me *f* (TECH) waste heat

Ab•wart(in) <-s, -e> *m(f)* (*CH: Hausmeister*) janitor

ab|war•ten I. *tr:* **etw ~** wait s.th. out II. *itr* wait; **warte nur ab!** just you wait!; **~ und Tee trinken** wait and see

ab•wärts ['apvɛrts] *adv* down; **es geht mit ihm ~** he is on the decline

Ab•wasch <-, -en> *f* (*österr: Spülstein*) sink

ab|wa•schen I. *irr tr* (*Schmutz*) wash off; (*Geschirr*) wash up; (*Gesicht*) wash II. *itr* do the washing up

Ab•wasch•ma•schi•ne *f* (*CH*) dishwasher

Ab•wasch•was•ser *n* dish-water

Ab•was•ser *n* sewage; **Ab•was•ser•ka•nal** *m* sewer

ab|wech•seln *refl* alternate, change, vary; **sich miteinander ~** (*Personen*) take turns; **ab•wech•selnd** *adv* alternately

Ab•wechs•lung *f* change; **zur ~** for a change; **hier gibt es wenig ~** there's not much variety in life here

Ab•weg *m:* **auf ~e geraten** go astray

ab•we•gig ['apve:gɪç] *adj* (*fam*) off-beat; (*Verdacht*) groundless

Ab•wehr *f* (*allgemein*) defence; (MIL) counter-intelligence; **auf ~ stoßen** be repulsed; **Ab•wehr•kräf•te** *fpl* (MED) the body's defences; **Ab•wehr•maß•nah•me** *f* defence reaction; **Ab•wehr•me-**

cha•nis•mus *m* defence mechanism
ab|weh•ren I. *tr* 1. (*allgemein*) ward off; (*Angriff*) repulse 2. (*fig*) dismiss II. *itr* 1. (SPORT) clear 2. (*fig*) refuse
ab|wei•chen *sein irr itr* 1. (*von Kurs etc*) deviate; (*Weg*) swerve; (PHYS) decline; (*von Wahrheit*) depart 2. (*Meinungen*) differ
Ab•wei•chung *f* deviation
ab|wei•sen *irr tr* 1. (*Person*) turn away 2. (*Antrag etc*) reject, turn down
ab•wei•send *adj* (*Haltung*) cold
ab|wen•den I. *irr tr* (*Unglück etc*) avert II. *refl:* **sich** ~ (*a. fig*) turn away
ab|wer•ben *irr tr* (COM) headhunt
ab|wer•fen *irr tr* 1. throw [*o* cast] off; (*aus der Luft*) drop; (*Blätter etc*) shed; (*Spielkarte*) discard 2. (COM: *einbringen*) yield
ab|wer•ten *tr* 1. (FIN) devaluate 2. (*fig*) cheapen
Ab•wer•tung *f* (FIN) devaluation
ab•we•send ['apve:zənt] *adj* 1. absent 2. (*fig*) far-away; **Ab•we•sen•de(r)** *f m* absentee
Ab•we•sen•heit *f* 1. (*allgemein*) absence 2. (*fig: Geistes~*) abstraction; **durch ~ glänzen** (*fig*) be conspicuous by one's absence
ab|wi•ckeln *tr* 1. unwind 2. (*fig: Angelegenheit*) deal with 3. (COM: *Geschäft*) conclude; **Ab•wick•lung** *f* 1. (COM: *von Geschäft*) completion 2. (*von Kontrolle, Prüfung*) carrying out; **für e-e reibungslose ~ von etw sorgen** make sure that s.th. goes off smoothly
ab|wim•meln *tr* (*fam*): **jdn** ~ get rid of s.o.
ab|win•ken *itr* (*fig*): **jdm** ~ put s.o. off
ab|wi•schen *tr* (*Schmutz etc*) wipe off; (*Gesicht etc*) wipe; (*Tränen*) dry
Ab•wurf *m* (*allgemein*) throwing off; (*aus Flugzeug*) dropping
ab|wür•gen *tr* 1. (*fam*) scotch 2. (*Motor*) stall
ab|zah•len *tr* pay off
ab|zäh•len *tr* (*Geld*) count
Ab•zah•lung *f* (*Rückzahlung*) paying off; **auf ~ kaufen** buy on hire purchase *Br,* buy on the instalment plan *Am;* **Ab•zah•lungs•ge•schäft** *n* (COM) hire purchase; **Ab•zah•lungs•kre•dit** *m* consumer credit
ab|zap•fen *tr* draw off; **jdm Blut** ~ (*fam*) take blood from s.o.
Ab•zei•chen *n* 1. (*an Anzug o Kleid*) badge 2. (MIL) insignia *pl*
ab|zeich•nen I. *tr* 1. (*jdn o etw*) draw 2. (*mit Sichtvermerk*) initial II. *refl* 1. (*allgemein*) stand out (*gegen* against) 2. (*fig*) become apparent
ab|zie•hen I. *irr tr haben* 1. (*Schlüssel*) take out 2. (*Bett*) strip 3. (*Haut*) skin 4. (*in Flaschen*) bottle 5. (*Zahl*) take away, substract; (*vom Preis*) take off 6. (PHOT: *Bild*) print II. *itr sein* 1. (*Gase etc*) escape 2. (MIL: *Truppen*) withdraw
ab|zie•len *itr* (*fig*): ~ **auf** be aimed at
Ab•zug *m* 1. (MIL) withdrawal 2. (COM) discount; (*vom Lohn*) deduction 3. (TYP) copy 4. (PHOT) print 5. (*Gewehr~*) trigger; **nach ~ der Kosten** expenses deducted
ab•züg•lich ['aptsy:klıç] *präp* less
Ab•zugs•hau•be *f* (*Dunst~*) extractor hood
ab|zwei•gen I. *itr sein* (*Weg etc*) branch off II. *tr haben* (*Geld*) spare
Ab•zwei•gung *f* (*allgemein*) junction; (RAIL) branchline
Ach *n:* **mit ~ und Krach** by the skin of one's teeth
ach [ax] *interj* oh!; ~ **nee!** really!; ~ **so!** I see!
A•chil•les•seh•ne [a'xılɛs-] *f* Achilles tendon
Ach•se ['aksə] <-, -n> *f* 1. (MOT) axle 2. (MATH) axis; **auf ~ sein** (*fam: mit Kfz unterwegs*) be on the road
Ach•sel ['aksəl] <-, -n> *f* armpit; **die ~n zucken** shrug one's shoulders; **Ach•sel•höh•le** *f* (ANAT) armpit
Acht [axt] <-> *f:* **außer ~**[RR] **lassen** disregard; **sich in ~**[RR] **nehmen** watch out
acht *num* eight; **alle ~ Tage** every week; **vor ~ Tagen** a week ago; **heute in ~ Tagen** a week today
acht•bar *adj* respectable
ach•te *adj* eighth
Acht•eck *n* octagon; **acht•e•ckig** *adj* octagonal
Ach•tel ['axtəl] <-s, -> *n* eighth
ach•ten ['axtən] I. *tr* (*schätzen*) respect II. *itr:* **auf etw** ~ pay attention to s.th.; **auf jdn** ~ look after s.o.
äch•ten ['ɛçtən] *tr* outlaw, proscribe
ach•tens ['axtəns] *adv* in the eighth place
Ach•ter <-s, -> *m* 1. (SPORT: *Boot*) eight 2. (SPORT: *Figur*) figure eight; **Ach•ter•bahn** *f* big dipper *Br,* roller coaster; **Ach•ter•deck** *n* (MAR) quarterdeck
ach•tern *adv* (MAR) astern
acht•fach *adj* eightfold; **in ~er Ausfertigung** with seven copies; **acht•jäh•rig** *adj* eight-year-old
acht•los *adj* careless; **Acht•lo•sig•keit** *f* carelessness
acht•mal *adv* eight times
Acht•stun•den•tag ['-'---] *m* eight hour day
acht•tä•gig *adj* lasting a week
Ach•tung ['axtʊŋ] *f* 1. respect (*vor* for) 2. ~! attention!; **sich ~ verschaffen** gain respect for o.s.; **alle ~!** (*interj*) good for you [*o*

her]!

Äch•tung ['ɛçtʊŋ] *f* proscription, outlawing

acht•zehn *num* eighteen; **acht•zehn•te** *adj* eighteenth

acht•zig ['axtsɪç] *num* eighty; **acht•zig•jäh•rig** *adj* eighty-year-old; **acht•zigs•te** *adj* eightieth

äch•zen ['ɛçtsən] *itr* groan (*vor* with)

A•cker ['akɐ] <-s, ⸚> *m* field; **den ~ bestellen** till the soil; **A•cker•bau** *m* agriculture, farming; **A•cker•land** *n* arable land

a•ckern *itr* (*fig fam*) slog away

Ac•ryl [a'kry:l] <-s> *n* (CHEM: *in Zusammensetzungen*) acrylic; **Ac•ryl•far•be** *f* acrylic paint; **Ac•ryl•glas** *n* acrylic glass

A•dap•ter [a'daptɐ] <-s, -> *m* adapter, adaptor; **a•dap•tie•ren** *vt* (*österr: herrichten*) fix up

ad•die•ren [a'di:rən] *tr* add

Ad•di•ti•on *f* addition

Adel ['a:dəl] <-s> *m* nobility; (*niederer ~*) gentry; **von ~** of noble birth

a•d(e)•lig *adj* noble; **~ sein** be of noble birth

A•d(e)•li•ge(r) ['a:d(ə)lɪgə] <-n, -n> *f m* nobleman (noblewoman); **A•d(e)•li•ge** *pl* the aristocracy

a•deln ['a:dəln] *tr* **1.** knight **2.** (*fig*) ennoble

A•der ['a:dɐ] <-, -n> *f* **1.** (ANAT) blood vessel **2.** (BOT MIN) vein; (EL) core **3.** (*Holz~*) grain, streak; **er hat e-e musikalische ~** (*fig*) he has a feeling for music

A•dieu [a'djø:] <-, (-s)> *n* farewell

Ad•jek•tiv ['atjɛkti:f] <-s, -e> *n* (GRAM) adjective

Ad•junkt(in) <-en, -en> *m(f)* (*österr: Assistent*) junior civil servant

Ad•ju•tant [atju'tant] <-en, -en> *m* (MIL) adjutant

Ad•ler ['a:dlɐ] <-s, -> *m* (ZOO) eagle; **Ad•ler•na•se** *f* aquiline nose

Ad•mi•ral [atmi'ra:l] <-s, -e/(⸚e)> *m* (MIL) admiral; **Ad•mi•ra•li•tät** *f* (MIL) **1.** (*Gesamtheit der Admirale*) the admirals *pl* **2.** (*Ministerium*) the Admiralty *Br*

a•d•op•tie•ren [adɔp'ti:rən] *tr* adopt

A•d•op•ti•on *f* adoption

A•d•op•tiv•el•tern *pl* adoptive parents; **A•d•op•tiv•kind** *n* adopted child

Ad•re•na•lin [adrena'li:n] <-s> *n* adrenalin; **Ad•re•na•lin•spie•gel** *m* adrenalin level

A•d•res•sat <-en, -en> *m* addressee

A•d•res•sa•ten•grup•pe *f*, **A•d•res•sa•ten•kreis** *m* (*fig*) target group

A•d•ress•buch[RR] *n* directory

A•d•res•se [a'drɛsə] <-, -n> *f* (*allgemein, a.* EDV) address; **per ~ …** care of …, c/o; **an die falsche ~ kommen** (*fig*) pick the wrong person

a•d•res•sie•ren *tr* address (*an* to)

A•d•res•sier•ma•schi•ne *f* (TECH) addressograph

A•dria ['a:dria] *f* Adriatic Sea

Ad•vent [at'vɛnt] *m* (ECCL) Advent; **Ad•vents•kranz** *m* Advent wreath

Ad•verb [at'vɛrp] *n* (GRAM) adverb

Ad•vo•kat [atvo'ka:t] <-en, -en> *m* **1.** (*…: allgemein*) advocate **2.** (*österr: Rechtsanwalt*) lawyer; **Ad•vo•ka•tur** <-, -en> *f* (*CH*) **1.** (*Büro*) lawyer's office **2.** (*Amt*) legal profession

Ae•ro•bic [ɛə'rɔbɪk] <-s> *n* aerobics *sing*

A•e•ro•dy•na•mik [aerody'na:mɪk] <-> *f* aerodynamics *sing;* **a•e•ro•dy•na•misch** *adj* aerodynamic

A•e•ro•fel•ge [a'ero-] *f* aero rim

Af•fe ['afə] <-n, -n> *m* monkey; (*Menschen~*) ape; **ein eingebildeter ~** a conceited ass

Af•fekt [a'fɛkt] <-(e)s, -e> *m:* **im ~ handeln** act in the heat of the moment

af•fek•tiert [afɛk'ti:ɐt] *adj* affected

Af•fen•hit•ze *f* (*fam*) incredible heat

af•fig *adj* affected

Af•gha•ne [af'ga:nə] <-n, -n> *m*, **Af•gha•nin** *f* Afghan

A•fri•ka ['a(:)frika] <-s> *n* Africa; **A•fri•ka•ner(in)** *m(f)* African; **af•ri•ka•nisch** *adj* African

A•fro•a•me•ri•ka•ner(in) *m(f)* Afro-American; **a•fro•a•me•ri•ka•nisch** *adj* Afro-American

Af•ter ['aftɐ] <-s, -> *m* (ANAT) anus

A•gent(in) [a'gɛnt] <-en, -en> *m(f)* agent; **A•gen•tur** <-, -en> *f* agency

Ag•glo•me•ra•tion <-, -en> *f* (*CH: Ballungsraum*) conurbation

Ag•gre•gat [agre'ga:t] <-(e)s, -e> *n* (TECH) unit

a•gie•ren [a'gi:rən] *itr* act

A•gi•ta•tor *m* (POL) agitator; **a•gi•ta•to•risch** *adj* (POL) agitative; **e-e ~e Rede** an inflammatory speech

a•gi•tie•ren *itr* agitate

A•grar•staat [a'gra:ɐ-] *m* agrarian state; **A•grar•flä•che** *f* agricultural land

Ä•gyp•ten [ɛ'gʏptən] <-s> *n* Egypt; **Ä•gyp•ter(in)** *m(f)* Egyptian; **ä•gyp•tisch** *adj* Egyptian

a•ha [a'ha(:)] *interj* I see!; **A•ha-Er•leb•nis** *n* sudden insight

Ah•le ['a:lə] <-, -n> *f* awl

Ahn [a:n] <-s/-en, -en> *m* forefather; (*geh*) ancestor

ahn•den ['a:ndən] *tr* punish

äh•neln ['ɛ:nəln] *itr* be like, resemble

ah•nen ['a:nən] *tr* foresee, know; **ich ahne nichts Gutes** I have a premonition that all is not well; **das konnte ich doch nicht ~!**

I couldn't be expected to know that!
Ah•nen•ta•fel *f* genealogical table
ähn•lich ['ɛ:nlɪç] *adj* similar; **ziemlich ~ wie …** pretty much as …; **jdm ~ sehen** resemble s.o.; **das sieht ihm ~** (*fam*) that is just like him
Ähn•lich•keit *f* similarity; **mit etw ~ haben** resemble s.th.
Ah•nung *f* **1.** (*Vorgefühl*) presentiment **2.** (*Wissen*) idea; **hast du e-e ~!** that's what you know!; **keine ~!** no idea!
ah•nungs•los *adj* unsuspecting
Ahorn ['a:hɔrn] <-s, -e> *m* (BOT) maple-tree
Äh•re ['ɛ:rə] <-, -n> *f* ear; **~n lesen** glean
AIDA-For•mel *f* (COM) AIDA formula
Aids, AIDS [eɪts] <-> *n Akr. von* **Acquired Immune Deficiency Syndrome** (MED) aids, AIDS; **Aids-Er•re•ger** *m* aids virus; **Aids-Hil•fe** *f* (*Institution*) aids-centre; **aids•in•fi•ziert** *adj* aids-infected, infected with aids; **Aids•in•fi•zier•te** *m f* person infected with aids; **aids-po•si•tiv** *adj* tested positive for aids; **Aids-Test** *m* aids test
Air•bag ['ɛəbæg] <-s, -s> *m* (MOT) airbag
Air•bus ['ɛəbʊs] *m* (AERO) airbus
Air•line ['eəlaɪn] <-, -s> *f* airline
A•ja•tol•lah [aja'tɔla] <-(s), -s> *m* (REL) ayatollah
A•ka•de•mie [akade'mi:] *f* academy
A•ka•de•mi•ker(in) *m(f)* (*Hochschulabsolvent(in)*) university graduate
a•ka•de•misch *adj* academic
A•ka•zie [a'ka:tsiə] *f* (BOT) acacia
ak•kli•ma•ti•si•eren [aklimati'zi:rən] **I.** *tr* acclimatize **II.** *refl* become acclimatized
Ak•kord [a'kɔrt] <-(e)s, -e> *m* **1.** (MUS) chord **2.** (*Stücklohn*) piece rate; **im ~ arbeiten** do piecework; **Ak•kord•ar•beit** *f* piece work; **Ak•kord•ar•bei•ter(in)** *m(f)* piece-worker
Ak•kor•de•on [a'kɔrdeɔn] <-s, -s> *n* (MUS) accordion
ak•kre•di•tie•ren [akredi'ti:rən] *tr* (POL: ~ *bei*) accredit to
Ak•kre•di•tiv [---'-] *n* **1.** (POL) credentials *pl* **2.** (FIN) letter of credit
Ak•ku(•mu•la•tor) [akumu'la:tɔr] <-s, -s> *m* (EL) accumulator
ak•ku•rat [aku'ra:t] *adj* precise
Ak•ku•sa•tiv ['akuzati:f] <-s, -e> *m* (GRAM) accusative
Ak•ne ['aknə] <-> *f* acne
A•kon•to•zah•lung [a'kɔnto-] *f* payment on account
A•kro•bat(in) [akro'ba:t] <-en, -en> *m(f)* acrobat; **a•kro•ba•tisch** *adj* acrobatic
Akt [akt] <-(e)s, -e> *m* **1.** (*Tat*) act, action **2.** (THEAT) act **3.** (JUR: *Vorgang*) file **4.** (*Malerei: Nacktbild*) nude **5.** (*euph: Geschlechtsakt*) coitus **6.** (*österr: Akte*) file
Ak•ten *fpl* files, records; **zu den ~ legen** file away; **ak•ten•kun•dig** *adj* on record; **Ak•ten•no•tiz** *f* memo; **Ak•ten•ord•ner** *m* file; **Ak•ten•schrank** *m* filing cabinet; **Ak•ten•ta•sche** *f* brief-case, portfolio; **Ak•ten•zei•chen** *n* reference
Ak•teur(in) *m(f)* (FILM THEAT) protagonist
Akt•fo•to *n* nude (photograph)
Ak•tie ['aktsiə] *f* share; **in ~n anlegen** invest in shares; **na, wie stehen die ~n?** (*fig hum*) how are things?; **Ak•tien•ge•sell•schaft** *f* joint-stock company; **Ak•tien•ka•pi•tal** *n* share capital; **Ak•ti•en•kurs** *m* (COM) share price; **Ak•tien•mehr•heit** *f*: **die ~ besitzen** hold the controlling interest
Ak•ti•on [ak'tsjo:n] *f* action; (*Einsatz*) operation; (COM: *Sonderangebot*) special offer; **in ~ treten** go into action
Ak•ti•o•när(in) <-s, -e> *m(f)* shareholder *Br,* stockholder *Am*
Ak•ti•ons•preis *m* (COM) special-offer price; **Ak•ti•ons•ra•di•us** *m* (AERO MAR) radius, range
ak•tiv [ak'ti:f] *adj* active; **sich ~ an etw beteiligen** take an active part in s.th.
Ak•ti•va *pl* (FIN) assets
Ak•tiv•ge•schäft *n* (COM) lending business
ak•ti•vie•ren *tr* **1.** (CHEM) activate **2.** (*fig: in Bewegung setzen*) get moving
Ak•ti•vist(in) *m(f)* (POL) activist
Ak•ti•vi•tät *f* activity
ak•tu•a•li•sie•ren *tr* update; **Ak•tu•a•li•sie•rung** *f* update
Ak•tu•a•li•tät [aktuali'tɛ:t] *f* topicality
Ak•tu•ar(in) <-s, -e> *m(f)* (*CH: Schriftführer*) secretary
ak•tu•ell [aktu'ɛl] *adj* topical; **~e Mode** latest fashion; **das ist nicht mehr ~** that's no longer relevant; **e-e ~e Sendung** (RADIO TV) a current-affairs programme
A•ku•pres•sur *f* (MED) acupressure
A•ku•punk•tur [akupuŋk'tu:ɐ] <-> *f* acupuncture
A•kus•tik [a'kʊstɪk] *f* acoustics *pl;* **A•kus•tik•kopp•ler** <-s, -> *m* (EDV) acoustic coupler
a•kus•tisch *adj* acoustic; **ich habe Sie ~ nicht verstanden** I simply didn't catch what you said
a•kut [a'ku:t] *adj* **1.** (MED) acute **2.** (*vordringlich*) urgent
AKW <-s, -s> *n Abk. von* **Atomkraftwerk** nuclear power station
Ak•zent [ak'tsɛnt] <-(e)s, -e> *m* **1.** (LING) accent **2.** (*fig*) stress (*auf* on)
Ak•zep•tanz *f* acceptance, approval
ak•zep•tie•ren *tr* accept

A•la•bas•ter [ala'bastɐ] <-s, (-)> *m* alabaster

A•larm [a'larm] <-(e)s, -e> *m* alarm; ~ **schlagen** sound the alarm; **A•larm•an•la•ge** *f* alarm system; **a•lar•mie•ren** *tr* alert; **A•larm•zu•stand** *m:* **in den ~ versetzen** put on the alert

Al•ba•ner(in) *m(f)* Albanian; **Al•ba•ni•en** [al'ba:niən] <-s> *n* Albania; **al•ba•nisch** *adj* Albanian

al•bern ['albɐn] *adj* (*kindisch*) silly

al•bern *itr* behave foolishly

Al•bern•heit *f* **1.** (*alberne Art*) silliness **2.** (*alberner Streich*) silly prank

Alb(•traum)^RR^ *m* nightmare

Al•bum ['album, *pl:* albən] <-s, -ben> *n* album

Al•ge ['algə] <-, -n> *f* (BOT) alga *pl,* algae *pl;* **Al•gen•ent•wick•lung** *f* algae development [*o* growth]

Al•ge•bra ['algebra] <-> *f* (MATH) algebra

al•go•rith•misch [algo'ritmɪʃ] *adj* algorithmic; **Al•go•rith•mus** <-, -men> *m* algorithm

A•li•bi ['a:libi] <-s, -s> *n* alibi; **A•li•bi•frau** *f* token woman; **A•li•bi•funk•ti•on** *f:* ~ **haben** be used as an alibi

A•li•men•te [ali'mɛntə] *pl* maintenance *sing*

al•ka•lisch *adj* alkaline

Al•ko•hol ['alkoho:l] <-s, -e> *m* alcohol; **al•ko•hol•arm** *adj* low in alcohol; **Al•ko•hol•ein•fluss**^RR^ *m:* **unter ~** under the influence of alcohol; **al•ko•hol•frei** *adj* nonalcoholic; **~e Getränke** soft drinks; **Al•ko•hol•ge•halt** *m* alcohol content; **al•ko•hol•hal•tig** *adj* alcoholic

Al•ko•ho•li•ker(in) [alko'ho:likɐ] *m(f)* alcoholic; **Al•ko•ho•lis•mus** <-> *m* alcoholism; **Al•ko•hol•miss•brauch**^RR^ *m* alcohol abuse; **Al•ko•hol•test** *m* breath test; **Al•ko•hol•ver•bot** *n* ban on alcohol

All [al] <-s> *n* space; (PHILOS) universe

al•le ['alə] *adj pred:* ~ **sein** be all gone; ~ **werden** run out; **all(e, s)** *pron* all; **~es in ~em** on the whole; **~es, was ...** all that ...; **~e beide** both of us [*o* you, them ...]; **~e 2 Tage** every other day; **~e 8 Tage** once a week; **auf ~e Fälle** at all events; **ein für ~emal** once and for all; **dies ~es** all this; **~es, was Sie wollen** anything you like; **vor ~em** above all; **wer war ~es da?** who was there?; **was soll das ~es?** what's all this supposed to mean?

Al•lee [a'le:, *pl:* a'le:ən] <-, -n> *f* avenue

al•lein [a'laɪn] *adj, adv* alone; (*einsam*) lonely; **von ~** by o.s.; **das weiß ich von ~!** you don't have to tell me that!; **alleinerziehend** *adj s.* **erziehend; Al•lein•er•zie•hen•de(r)** *f m* single parent; **Al•lein•gang** *m* (*a.* SPORT) solo run; **Al•lein•herr•schaft** *f* (POL) autocratic rule

al•lei•nig *adj* sole

Al•lein•le•ben•de(r) <-n, -n> *f m* person living alone; **Al•lein•sein** *n* loneliness; **alleinstehend** *adj s.* **stehend; Al•lein•ver•tre•tung** *f* **1.** (COM) sole agency **2.** (POL) sole representation

al•le•mal ['alə'ma:l] *adv:* **~!** (*interj*) no problem!; **ein für ~** once and for all

al•len•falls ['alən'fals] *adv* if need be; (*höchstens*) at most

al•lent•hal•ben ['--'--] *adv* everywhere

al•ler•beste ['alɐ'bɛst] *adj* best of all, very best; **es ist am ~n, wenn ...** the best thing would be if ...

al•ler•dings ['alɐ'dɪŋs] **I.** *adv* (*aber*) but **II.** *interj:* **~!** certainly!

al•ler•ers•te *adj* very first; **zu allererst** first and foremost

Al•ler•gie [alɛr'gi:] *f* (MED) allergy; **Al•ler•gi•ker(in)** *m(f)* person suffering from an allergy; **er ist ~** he suffers from an allergy; **al•ler•gisch** *adj* allergic (*gegen* to)

Al•ler•go•lo•ge *m,* **Al•ler•go•lo•gin** *f* (MED) allergist

Al•ler•hei•li•gen [--'---] *n* (ECCL) All Saints' Day

al•ler•lei ['alɐ'laɪ] *adj* all sorts of things; **al•ler•letz•te** *adj* very last; **das ist das A~!** (*fam*) that's the absolute end!; **al•ler•meiste** *adj* by far the most; **am ~n** most of all; **die A~n** the vast majority; **al•ler•nächste** *adj* the very next; **in ~r Zukunft** in the very near future; **al•ler•neu•es•te** *adj* very latest

Al•ler•see•len [--'--] *n* (ECCL) All Souls' Day

al•ler•seits ['alɐ'zaɪts] *adv:* **guten Morgen ~!** good morning (to) everybody!

al•ler•we•nigst *adj* least of all; **das wissen die A~en** very few people know that; **al•ler•we•nigs•tens** *adv* at the very least

al•le•samt ['--'-] *adv* all

all•fäl•lig *adv* (*CH: eventuell*) possibly

all•ge•mein ['algə'maɪn] *adj* general; **im A~en**^RR^ generally, in general; **all•ge•mein•bil•dend** *adj s.* **bildend; All•ge•mein•bil•dung** *f* general education; **All•ge•mein•heit** *f* general public; **all•ge•mein•ver•ständ•lich** *adj s.* **verständlich; All•ge•mein•wohl** *n* public good

All•heil•mit•tel [al'haɪl-] *n* panacaea, cure-all

Al•li•anz [ali'an(t)s] <-, -en> *f* alliance; **strategische ~** (COM) strategic alliance

Al•li•ier•te [ali'i:ɐtə] *m f* ally; **die ~n** the Allies

all•jähr•lich [-'--] *adj* annual, yearly

all•mäch•tig [-'--] *adj* omnipotent; **~er Gott!** (*interj*) heavens above!

all•mäh•lich [al'mɛ:lɪç] **I.** *adj* gradual **II.** *adv* gradually, step by step; **wir sollten ~ gehen** we should think about going

Al•lon•ge [a'lõ:ʒə] <-, -n> *f* (COM) allonge

All•rad•an•trieb ['----] *m* (MOT) all-wheel drive

all•sei•tig ['alzaɪtɪç] *adj:* **~ interessiert sein** have all-round interests *pl*

All•tag ['alta:k] *m* **1.** weekday **2.** (*fig*) everyday life

all•täg•lich [-'--] *adj* **1.** daily **2.** (*gewöhnlich*) everyday

all•wis•send *adj* omniscient

all•zu ['--] *adv:* **~ oft**[RR] much too often; **~ sehr**[RR] too much; **nicht ~ sehr**[RR] not all that much; **~ viel**[RR] too much; **~ viel**[RR] **ist ungesund** you can have too much of a good thing

all•zu•oft *adv s.* **allzu**

all•zu•sehr *adv s.* **allzu**

all•zu•viel *adv s.* **allzu**

All•zweck- ['--] (*in Zusammensetzungen*) all-purpose ...

Alm [alm] <-, -en> *f* alpine pasture

Al•pen ['alpən] *pl* (GEOG): **die ~** the Alps; **Al•pen•tran•sit•ver•kehr** *m* transalpine traffic; **Al•pen•veil•chen** *n* (BOT) cyclamen

Al•pha•bet [alfa'be:t] <-(e)s, -e> *n* alphabet; **al•pha•be•tisch** *adj* alphabetical; **~ ordnen** arrange alphabetically

al•pha•nu•me•risch *adj* alphanumeric

Al•pi•nist *m* Alpinist

Alp(•traum) *m,* **Alb(•traum)**[RR] *m* nightmare

Al•rau•ne [al'raʊnə] *f* (BOT) mandrake

als [als] *conj* **1.** (*nach Komparativen*) than **2.** (*bei Vergleich*) as ... as **3.** (*temporal*) when; **meine Schwester ist größer ~ ich** my sister is taller than I; **wir machen das anders ~ ihr** we do it differently to you; **alles andere ~ ...** anything but ...; **es sieht so aus, ~ würde es regnen** it looks like rain; **~ ich nach Hause kam, ...** when I came home ...; **gerade, ~ ...** just as ...; **gleich, ~** as soon as; **~ Kind** as a child; **~ ob das so einfach wäre** as if it were as easy as that

als•dann [-'-] *adv:* **~!** (*interj*) well then!

al•so ['alzo] **I.** *adv* so; (*als Füllwort*) well; **~ doch!** so ... after all!; **~ gut!** well all right then! **II.** *conj* (*daher*) therefore

alt [alt] <¨er, ¨est> *adj* **1.** (*Person*) old **2.** (*historisch*) ancient; **mein A~er** (*Mann, Vater*) my old man; **meine A~e** (*Frau, Mutter*) my old lady; **~e Sprachen** classical languages; **wie ~ bist du?** how old are you?; **er ist nicht mehr der A~e** he is not the man he used to be; **alles beim A~en**[RR] **lassen** leave everything as it was; **~ aussehen** (*fig fam*) look a right fool; **etw ~ kaufen** buy s.th. second-hand

Alt[1] *n* (*Bierart*) *top-fermented German dark beer*

Alt[2] *m* (MUS) alto

Al•tar [al'ta:ɐ, *pl:* al'tɛ:rə] <-(e)s, ¨e> *m* (ECCL) altar

alt•bac•ken ['---] *adj* stale

Alt•bau *m* **1.** (*altes Haus*) old building **2.** (*Hausteil*) old part of a house

Alt•bau•sa•nie•rung *f* redevelopment of old buildings

alt•be•währt ['--'-] *adj* of long standing

alt•ein•ge•ses•sen *adj* old-established

Alt•ei•sen *n* scrap iron

Al•ten•heim *nt* old people's home; **Al•ten•hil•fe** *f* old people's welfare; **Al•ten•pfle•ge•heim** *n* geriatric care centre

Al•ter ['altɐ] <-s> *n* age; **hohes ~** old age; **im ~ von ...** at the age of ...; **das ist doch kein ~!** that's no age at all!

al•tern *sein itr* **1.** (*von Mensch*) get older **2.** (*von Wein, Spirituosen*) mature

al•ter•na•tiv *adj* (*Weg, Methode, Lebensweise, Energiegewinnung*) alternative; (POL) unconventional; (*umweltbewusst*) ecologically minded

Al•ter•na•tiv- (*in Zusammensetzungen*) alternative; (*Bäckerei, Landwirtschaft*) organic

Al•ter•na•ti•ve <-, -n> *f* alternative

Al•ter•na•ti•ve(r) <-n, -n> *f m* (POL) member of the alternative movement

Al•ters•a•syl *nt* (*CH: Altersheim*) old people's home; **Al•ters•fleck** *m* age spot; **Al•ters•ge•nos•se, -genos•sin** *m, f* contemporary; **Al•ters•gren•ze** *f* age limit; **die ~ erreichen** reach retirement age; **Al•ters•grup•pe** *f* age group; **Al•ters•heim** *n* old people's home; **Al•ters•py•ra•mi•de** *f* age pyramid; **Al•ters•ru•he•geld** *n* old-age pension; **Al•ters•schwä•che** *f* **1.** (*von Mensch*) infirmity **2.** (*von Material*) decrepitude; **Al•ters•ver•sor•gung** *f* provision for old age

Al•ter•tum ['altɐtu:m] *n* antiquity

al•ter•tüm•lich ['altɐty:mlɪç] *adj* **1.** (*altmodisch*) old-fashioned **2.** (*veraltet*) antiquated

Al•te•rungs•be•stän•dig•keit *f* aging resistance [*o* stability]

Alt•glas•con•tai•ner *m* bottle bank

alt•her•ge•bracht [-'---] *adj* traditional

Alt•jah•res•a•bend *m* (*CH: Silvester*) New Year's Eve

alt•klug *adj* precocious

Alt•las•ten *fpl* dangerous waste residues

ält•lich ['ɛltlɪç] *adj* oldish

Alt•ma•te•ri•al *n* scrap; **Alt•meis•ter** *m* (SPORT) ex-champion; **alt•mo•disch** *adj* old-fashioned; **Alt•öl** *n* waste oil; **Alt•öl•tank** *m* slop-tank; **Alt•pa•pier** *n* wastepaper; **Alt•pa•pier•samm•lung** *f* wastepaper collection; **Alt•stadt** *f* old part of town; **Alt•wa•gen** *m* used car; **Alt•wa•ren•händ•ler(in)** *m(f)* second-hand dealer; **Altwei•ber•som•mer** [-'----] *m* Indian summer

A•lu•fo•lie ['alufo:ljə] *f* tin foil, aluminium foil *Br*, aluminum foil *Am*

A•lu•mi•ni•um [alu'mi:niʊm] <-s> *n* aluminium *Br*, aluminum *Am*

am [am] *präp:* ~ **1. November** on November 1st; **Frankfurt ~ Main** F. on the Main; ~ **Abend** in the evening; ~ **Anfang** at the beginning; ~ **Ende** after all, at last, in short; ~ **Himmel** in the sky; **ich war gerade ~ Weggehen** I was just leaving; ~ **Tag** by day; ~ **Tag darauf** on the following day; ~ **Lager** (COM) in stock; ~ **besten** best; ~ **meisten** most; ~ **Leben** alive

A•ma•teur(in) [ama'tø:ɐ] <-s, -e> *m(f)* amateur; **A•ma•teur•fun•ker(in)** *m(f)* radio amateur; (*fam*) radio ham

Am•boss[RR] ['ambɔs] <-es, -e> *m* anvil

Am•bu•lanz *f* (MED) **1.** (*im Krankenhaus*) outpatients *sing* **2.** (*Krankenwagen*) ambulance

A•mei•se ['a:maɪzə] <-, -n> *f* (ZOO) ant; **A•mei•sen•bär** *m* (ZOO) ant-eater; **A•mei•sen•hau•fen** *m* anthill; **A•mei•sen•säu•re** *f* (CHEM) formic acid

a•men ['a:mɛn] *interj* (ECCL) amen!; **ja u. ~ zu etw sagen** give one's blessing to s.th.

A•me•ri•ka [a'me:rika] <-s, (-)> *n* America; **die Vereinigten Staaten von ~** the United States of America, the USA; **A•me•ri•ka•ner(in)** [ameri'ka:nɐ] *m(f)* American; **a•me•ri•ka•nisch** *adj* American; **a•me•ri•ka•ni•sie•ren** *tr* Americanize

A•me•thyst [ame'tyst] <-en, -en> *m* amethyst

Am•mann *m* <-s, Amänner> (*CH*) mayor

Am•mo•ni•ak ['amonjak] <-s> *n* (CHEM) ammonia

Am•nes•tie [amnɛs'ti:] *f* (POL) amnesty; **am•nes•tie•ren** *tr* grant an amnesty to

A•mö•be [a'mø:bə] <-, -n> *f* am(o)eba

A•mok ['a:mɔk] <-s> *m* amok *Br*, amuck *Am*; ~ **laufen** run amok; **A•mok•schüt•ze** *m* crazed gunman

a•mor•ti•sie•ren [amɔrti'zi:rən] *refl:* **sich ~** pay for itself

Am•pel ['ampəl] <-, -n> *f* **1.** (*Verkehrs~*) traffic lights *pl* **2.** (*Hängelampe*) hanging lamp

Am•pere [am'pɛ:ɐ] <-(s), -> *n* (EL) ampere; **Am•pere•me•ter** *n* (EL) ammeter

Am•phi•bie [am'fi:biə] <-, -n> *f* (ZOO) amphibian

am•phi•bisch *adj* amphibious

Am•pul•le [am'pʊlə] <-, -n> *f* (MED) ampoule

am•pu•tie•ren [ampu'ti:rən] *tr* amputate

Am•sel ['amzəl] <-, -n> *f* (ZOO) blackbird

Amt [amt, *pl:* 'ɛmtɐ] <-(e)s, ¨-er> *n* **1.** (*öffentliches*) office **2.** (*Aufgabe*) duty, task **3.** (*Behörde*) department **4.** (TELE) exchange; **zum zuständigen ~ gehen** go to the relevant authority; **von ~s wegen** officially; **sich um ein ~ bewerben** apply for a post

Äm•ter•häu•fung *f* holding of multiple posts

am•tie•ren *itr* hold office, be in office; ~ **als** (*fungieren*) act as

amt•lich *adj* official; **~es Kennzeichen** registration number *Br*, license number *Am*

Amts•an•ma•ßung *f* unauthorized assumption of authority; **Amts•an•tritt** *m* assumption of office; **Amts•arzt** *m* medical officer; **Amts•eid** *m* oath of office **Amts•ent•setzung** <-, -en> *f* (*österr*) dismissal from office; **Amts•ge•richt** *n* county court *Br*, district court *Am;* **Amts•hand•lung** *f* official duty; **Amts•rich•ter** *m* county court judge *Br*, district court judge *Am;* **Amts•zei•chen** *n* (TELE) dialling tone *Br*, dial tone *Am;* **Amts•zeit** *f* period of office; **Amts•zim•mer** *n* office

A•mu•lett [amu'lɛt] <-(e)s, -e> *n* amulet, charm

a•mü•sant [amy'zant] *adj* amusing

a•mü•sie•ren I. *tr* amuse **II.** *refl* enjoy o.s., have a good time; **sich über etw ~** find s.th. funny

A•mü•sier•vier•tel *n* nightclub district

an [an] **I.** *präp* **1.** (*räumlich*): ~ **der Wand stehen** stand by the wall; ~ **etw vorbeigehen** pass s.th.; **sie ging ~s Fenster** she went to the window; **~s Telefon gehen** answer the phone **2.** (*zeitlich*): ~ **diesem Abend** that evening; **es ist ~ der Zeit** the time has come **3.** (*fig*): **jdn ~ etw erkennen** recognize s.o. by s.th.; **was haben Sie ~ Weinen da?** what wines do you have?; ~ **etw schuld sein** be to blame for s.th.; **ich habe e-e Bitte ~ Sie** I have a request to make of you **II.** *adv* **1.** (*etwa*): ~ **die 500 Schüler** about five hundred pupils; **von nun ~** from today onwards **2.** (RAIL: *Ankunft*): **Stuttgart ~ 16.25** arriving Stuttgart 16:25

A•na•bo•li•kum [ana'bo:likʊm] <-s, -ka> *n* anabolic steroid

A•na•chro•nis•mus *m* anachronism

a•na•log [ana'lo:k] *adj* **1.** (*allgemein*) analogous **2.** (EDV) analog

A•na•lo•gie [analo'gi:] *f* analogy

A•na•log•rech•ner *m* (EDV) analog computer

An•al•pha•bet(in) ['analfabe:t, ---'-] <-en, -en> *m(f)* illiterate; **An•al•pha•be•ten•tum** *n* illiteracy
A•na•ly•se [ana'ly:zə] <-, -n> *f* analysis
a•na•ly•sie•ren *tr* analyze
A•na•nas ['ananas] <-, -/(-se)> *f* (BOT) pineapple
a•na•phy•lak•ti•sch [anafy'laktɪʃ] *adj* (MED) anaphylactic; **~er Schock** anaphylactic shock
A•nar•chie [anar'çi:] *f* anarchy
A•nar•chist(in) *m(f)* anarchist
A•na•to•mie [anato'mi:] *f* **1.** anatomy **2.** (*Institut*) anatomical institute
a•na•to•misch [ana'to:mɪʃ] *adj* anatomical
an|bah•nen I. *tr* initiate **II.** *refl* (*bevorstehen*) be in the offing
an|bän•deln ['anbɛndəln] *itr* (*fam: flirten*) flirt (*mit* with)
An•bau[1] <-(e)s, -ten> *m* (*Gebäude*) extension
An•bau[2] <-(e)s> *m* (*landwirtschaftlich*) cultivation
an|bau•en *tr* **1.** (*Gebäude*) add, build on **2.** (*landwirtschaftlich*) cultivate, grow
An•bau•flä•che *f* arable land; area under cultivation
an•bei [-'-] *adv* (COM) enclosed please find
an|bei•ßen I. *irr itr* **1.** bite **2.** (*fig*) swallow the bait **II.** *tr* bite into
an|be•lan•gen *itr* concern; **was mich anbelangt ...** as far as I am concerned ...
an|bel•len *tr* bark at
an|be•rau•men *tr* arrange, fix
an|be•ten *tr* **1.** (REL) worship **2.** (*fig*) adore
An•be•tracht *m*: **in ~** in view of; **in ~ dessen, dass ...** considering the fact that ...
an|bie•dern *refl*: **sich bei jdm ~** curry favour with s.o.
an|bie•ten I. *irr tr* offer (*jdm etw* s.o. s.th.) **II.** *refl* **1.** (*Mensch*) offer one's services **2.** (*Gelegenheit*) present itself
an|bin•den *irr tr* tie (up); **kurz angebunden** (*fig*) curt
An•blick *m* sight; **beim ersten ~** at first sight
an|bli•cken *tr* glance at, look at
an|boh•ren *tr* bore into; (*e-e Quelle etc*) open up
An•bot <-(e)s, -e> *nt* (*österr*) offer
an|bre•chen I. *irr tr haben* **1.** (*Packung etc*) open **2.** (*Geld etc*) break into **II.** *itr sein* (*fig: Tag*) break, dawn; (*Nacht*) fall
an|bren•nen *sein irr itr* catch fire; (*Essen*) get burnt; **~ lassen** burn; **nichts ~ lassen** (*fig*) not miss one's chances
an|brin•gen *irr tr* **1.** (*festmachen*) fix (*an* to) **2.** (*installieren*) install **3.** (*äußern: Bitte, Beschwerde etc*) make (*bei* to); **s-e Kritik ~** get one's criticism in
An•bruch <-(e)s> *m* beginning; **bei ~ des Tages** at day-break; **bei ~ der Nacht** at nightfall
An•dacht ['andaxt] <-, -en> *f* devotion; (*Gottesdienst*) prayers *pl*
an•däch•tig ['andɛçtɪç] *adj* devout; (*im Gebet*) in prayer
an|dau•ern *itr* continue; **an•dau•ernd** *adj* (*ständig*) continuous; (*anhaltend*) continual; **jdn ~ unterbrechen** keep on interrupting s.o.
An•den•ken <-s, -> *n* **1.** memory **2.** (*Gegenstand*) keepsake (*an* from); (*Reise~*) souvenir; **zum ~ an ...** in memory [*o* remembrance] of ...
an•de•rer•seits ['--(-)'-] *adv* on the other hand
an•de•re *adj* **1.** (*verschieden*) different **2.** (*noch ein*) other; **am ~n Morgen** the next morning; **kein ~r** no one else; **etw ~s** s.th. else; **das ist etw A~s/~s** that is different; **nichts ~s als** nothing but; **alles ~ als** anything but; **~ Kleider anziehen** change one's clothes; **es blieb mir nichts ~s übrig, als selbst hinzugehen** I had no alternative but to go myself; **ein ~s Mal** another time; **es kam eins zum ~n** one thing led to another; **unter ~m** among other things *pl;* **e-r nach dem ~n** one at a time; **nichts ~s** nothing else; **~ Saiten aufziehen** (*fig*) change one's tune; **sich e-s ~n besinnen** change one's mind; **und vieles ~ mehr** and much more besides
än•dern ['ɛndɐn] **I.** *tr* alter; (*wechseln*) change; **ich kann es nicht ~** I can't do anything about it **II.** *refl* alter, change
an•dern•falls *adv* otherwise
an•ders ['andɐs] *adv* differently; **jem ~** s.o. else; **es sich ~ überlegen** change one's mind; **es geht nicht ~** there's no other way; **das klingt schon ganz ~** now that's more like it; **es war nicht ~ möglich** there was no other way
An•ders•den•ken•de(r) *f m* dissenter
an•ders•ge•sinnt *adj s.* **gesinnt**
an•ders•he•r•um *adv* the other way round
an•ders•wo ['---] *adv* elsewhere; **an•ders•wo•her** *adv* from elsewhere; **an•ders•wo•hin** ['---(')-] *adv* elsewhere
an•dert•halb ['andɐ'talp] *num* one and a half; **an•dert•halb•fach** *adj* one and a half times
Än•de•rung ['ɛndərʊŋ] *f* alteration, change
an•der•wei•tig ['----] **I.** *adj* other **II.** *adv* (*woanders*) elsewhere; **~ vergeben werden** be given to s.o. else
an|deu•ten *tr* (*erkennen lassen*) indicate; (*zu verstehen geben*) hint (*jdm etw* s.th. to

s.o.)

An•deu•tung *f:* **e-e ~ über etw. machen** hint at; **versteckte ~en machen** drop veiled hints

An•drang <-(e)s> *m* (*von Menschen*) crowd, rush; (*von Blut*) rush

an|dre•hen *tr* **1.** (*Licht*) switch on; (*Gas*) turn on **2.** (*befestigen*) tighten; (*Schraube*) screw in; **jdm etw ~** (*fig*) palm s.th. off on s.o.

an|dro•hen *tr:* **jdm etw ~** threaten s.o. with s.th.

an|ecken *sein itr* (*fam*): **bei jdm ~** rub s.o. up the wrong way

an|eig•nen *refl:* **sich etw ~** acquire s.th.; (*widerrechtlich*) appropriate s.th.; (*fig*) learn s.th.

an•ei•n•an•der ['--'--] *adv* each other; **sich ~ gewöhnen** get used to each other; **an•ei•n•an•der|fü•gen** *s.* **fügen**; **an•ei•n•an•der|ge•ra•ten** *s.* **geraten**; **an•ei•n•an•der|gren•zen** *s.* **grenzen**; **an•ei•n•an•der|rei•hen** *s.* **reihen**; **an•ei•n•an•der|sto•ßen** *s.* **stoßen**

An•ek•do•te [anɛk'doːtə] <-, -n> *f* anecdote

an|ekeln *tr* disgust; **es ekelt mich an** it's making me sick

A•ne•mo•ne [ane'moːnə] <-, -n> *f* (BOT) anemone

An•er•bie•ten *n* offer

an|er•ken•nen *irr tr* **1.** (*allgemein*) recognize, acknowledge; (COM) accept **2.** (*lobend*) appreciate; **ein ~der Blick** an appreciative look; **An•er•ken•nung** *f* **1.** (*allgemein*) recognition, acknowledgement **2.** (*lobende ~*) appreciation

an|fa•chen *tr* **1.** (*allgemein*) fan **2.** (*fig*) arouse

an|fah•ren *sein* **I.** *irr itr* (MOT) start; (RAIL) pull up **II.** *tr* **1.** (MAR) put in at **2.** *haben* (*zusammenstoßen*) run into **3.** *haben* (*liefern*) deliver; **jdn ~** (*fig*) shout at s.o.

An•fahrt *f* **1.** (*Reise*) journey **2.** (*Zufahrt*) approach

An•fall *m* **1.** (MED) attack; (*Schlag~*) fit (of apoplexy) **2.** (FIN: *von Kosten*) amount (*an* of); **in e-m ~ von …** in a fit of …

an|fal•len **I.** *irr tr haben* attack **II.** *itr sein* arise; **die ~de Arbeit** the work which comes up

an•fäl•lig ['anfɛlɪç] *adj* (*von schwacher Gesundheit*) delicate; **für etw ~ sein** be susceptible to s.th.

An•fang ['anfaŋ] <-(e)s, ⸚e> *m* beginning; **~ Mai** at the beginning of May; **für den ~** for the present; **von ~ an** right from the beginning; **den ~ machen** begin, start

an|fan•gen *irr tr itr* begin, start; **von vorn ~** begin [*o* start] again; **fang nicht wieder damit an!** don't start all that again!; **bei e-r Firma ~** start with a firm; **Streit ~** start an argument; **ich weiß nicht, was ich damit ~ soll** I don't know what to do with it

An•fän•ger(in) *m(f)* beginner

an•fäng•lich ['anfɛŋlɪç] **I.** *adj* initial **II.** *adv* at first

an•fangs ['anfaŋs] *adv* at first

An•fangs•buch•sta•be *m* first letter; **großer ~** capital initial; **kleiner ~** small initial; **An•fangs•ge•halt** *n* starting salary; **An•fangs•ge•schwin•dig•keit** *f* (PHYS) initial velocity; **An•fangs•sta•di•um** *n* initial stage

an|fas•sen *tr* touch; **e-e Sache falsch ~** (*fig*) tackle a problem the wrong way; **jdn ~** (*fig: behandeln*) treat s.o.; **zum A~** (*Mensch, Sache*) accessible; (*Mensch a.*) approchable

an•fecht•bar *adj* contestable

an|fech•ten *irr tr* (*allgemein*) contest; (JUR) appeal against; (*Vertrag*) dispute

an|fein•den *tr* treat with hostility

an|fer•ti•gen *tr* make; **etw ~ lassen** have s.th. made

an|feuch•ten *tr* moisten, wet

an|feu•ern *tr* **1.** (*Ofen*) light **2.** (*fig*) spur on

an|fle•hen *tr* implore (*um* for)

An•flug *m* **1.** (AERO: *das Anfliegen*) approach **2.** (*Spur*) trace **3.** (*Hauch*) hint; **mit einem ~ von Spott** with a hint of derision

an|for•dern *tr* request

An•for•de•rung *f* **1.** (*Belastung*) demand **2.** (*Bedürfnis*) requirement **3.** (*das Anfordern*) request (*von* for); **hohe ~en an jdn stellen** demand a lot of s.o.; **den ~en genügen** be able to meet the demands

An•fra•ge *f* **1.** (*allgemein*) inquiry **2.** (PARL) question **3.** (EDV) query

an|fra•gen *itr* inquire (*bei jdm* of s.o.)

an|freun•den *refl:* **sich mit jdm ~** make friends with s.o.; **sich mit etw ~** (*fig*) get to like s.th.

an|fü•gen *tr* add

an|füh•len *tr refl* feel

an|füh•ren *tr* **1.** (*als Führer*) lead **2.** (*zitieren*) cite, quote; **ein Beispiel ~** give an example

An•füh•rer *m* leader; (*Anstifter*) ringleader

An•füh•rungs•zei•chen *npl* inverted commas, quotation marks

an|fül•len *tr* fill up

An•ga•be[1] *f* **1.** (*Aussage*) statement **2.** (*nähere*) detail; **~n über etw machen** give details about s.th.

An•ga•be[2] *f* (*Prahlerei*) showing off

an|ge•ben[1] *irr tr* **1.** (*nennen*) give **2.** (*behaupten*) maintain; **seinen Namen ~** give one's name; **Gründe ~** state reasons; **sein**

Vermögen ~ state one's fortune

an|ge·ben² *irr itr* (*fam: prahlen*) boast, show off

An·ge·ber(in) *m(f)* (*fam: Prahler*) show-off

an·geb·lich ['ange:plɪç/ -'--] **I.** *adj* so-called **II.** *adv* allegedly; **er fährt ~ e-n Rolls-Royce** he is said to drive a Rolls-Royce

an·ge·bo·ren *adj* innate; **~e Kurzsichtigkeit** congenital short-sightedness

An·ge·bot *n* offer; (*Waren~*) supply; **~ und Nachfrage** supply and demand

an·ge·bracht *adj* (*sinnvoll*) reasonable

an·ge·brannt *adj* burnt

an·ge·gos·sen *adj:* **wie ~ sitzen** fit like a glove

an·ge·grif·fen *adj:* **~e Gesundheit** weak health; **sie sieht ~ aus** she looks strained

an·ge·hei·tert ['angəhaɪtɐt] *adj* tipsy

an|ge·hen **I.** *irr itr sein* (*Feuer*) start burning; **gegen etw ~** fight s.th. **II.** *tr haben* (*betreffen*) concern; **das geht Sie nichts an!** that's none of your business!; **was geht das mich an?** what's that got to do with me?; **was mich angeht ...** for my part ...; **an·ge·hend** *adj:* **ein ~er Ehemann** a prospective husband

an|ge·hö·ren *itr* (*Familie etc*) be a member of

An·ge·hö·ri·ge(r) *f m:* **meine Angehörigen** my relatives

An·ge·klag·te(r) <-n, -n> *f m* accused, defendant

An·gel¹ ['aŋəl] <-, -n> *f* (*Fenster~, Tür~*) hinge; **etw aus den ~n heben** (*fig*) revolutionize s.th. completely; **e-e Tür aus den ~n heben** unhinge a door

An·gel² *f* (*Fisch~*) rod and line *Br,* fishing pole *Am*

An·ge·le·gen·heit *f* matter; **das ist nicht meine ~** that's not my business; **kümmere dich um deine eigenen ~en!** mind your own business!

an·ge·lernt *adj:* **~er Arbeiter** semi-skilled worker

an·geln ['aŋəln] *itr tr:* **~ gehen** go fishing; **nach etw ~** (*fig*) fish for s.th.; **den werde ich mir ~!** (*fig fam*) I'll give him a piece of my mind!

an·ge·lo·ben *tr* (*österr*) swear in

An·ge·lo·bung <-> *f* (*österr*) swearing in

An·gel·ru·te *f* fishing rod

an·ge·mes·sen *adj* appropriate; (*Preis*) reasonable

an·ge·nehm ['angəne:m] *adj* agreeable, pleasant; **ist es Ihnen so ~?** is that all right for you?; **~ Reise!** have a pleasant journey!

an·ge·nom·men **I.** *adj:* **~er Name** adopted name **II.** *konj:* **~, dass ...** assuming that ...

an·ge·se·hen *adj* respected

an·ge·sichts *präp* in view of, considering

An·ge·stell·te(r) *f m* employee; **~ sein bei ...** be on the staff of ...; **An·ge·stell·ten·ver·si·che·rung** *f* employees' insurance

an·ge·strengt **I.** *adj:* **ein ~es Gesicht** a strained face **II.** *adv:* **~ arbeiten** work hard

an·ge·tan *adv:* **von jdm (etw) ~ sein** be impressed by s.o (s.th.); **es jdm ~ haben** appeal to s.o.

an·ge·trun·ken *adj* inebriated

an·ge·wandt *adj:* **~e Mathematik** applied mathematics *pl*

an·ge·wie·sen *adj:* **~ sein auf** be dependent on; **darauf bin ich nicht ~** I can get along without it

an|ge·wöh·nen **I.** *tr:* **jdm etw ~** accustom s.o. to s.th. **II.** *refl:* **sich etw ~** get accustomed to s.th.

An·ge·wohn·heit *f* habit; **die ~ haben, etw zu tun** be in the habit of doing s.th.

An·gi·na [aŋ'gi:na] <-> *f* (MED) angina

an|glei·chen **I.** *irr tr* bring into line (*an* with) **II.** *refl:* **sich ~** grow closer together

Ang·ler(in) ['aŋlɐ] *m(f)* angler

an|glie·dern *tr* (*allgemein*) affiliate (*an* to); (POL) annex (*an* to)

An·glist(in) [aŋ'glɪst] <-en, -en> *m(f)* anglicist; (*Student*) student of English philology; (*Dozent etc*) English lecturer; **Ang·lis·tik** *f* study of English philology

an·greif·bar *adj* (*fig*) open to attack

an|grei·fen *irr tr* **1.** (*feindlich*) attack **2.** (*in Anspruch nehmen: Vorräte, Geld*) draw on **3.** (*etw anfassen*) tackle **4.** (*schwächen*) weaken; (*beeinträchtigen*) affect

An·grei·fer(in) *m(f)* aggressor, attacker

an|gren·zen *itr:* **~ an** border on; **an·gren·zend** *adj* **1.** (*Gebiet*) adjacent (*an* to) **2.** (EDV) contiguous

An·griff *m* attack (*auf* to); **etw in ~ nehmen** tackle s.th.; **zum ~ übergehen** take the offensive; **An·griffs·flä·che** *f:* **jdm e-e ~ bieten** lay o.s. open to an attack

an·griffs·lus·tig *adj* aggressive

An·griffs·punkt *m* **1.** (*Ziel, a. fig*) target **2.** (TECH: *Schwachstelle*) weakspot; **der Plan bietet der Opposition zu viele ~e** the plan is too vulnerable to attack by the opposition

an|grin·sen *tr* grin at

Angst [aŋst, *pl:* 'ɛŋstə] <-, ¨-e> *f* anxiety (*um* about); (*Furcht*) fear (*vor* of); **~ haben vor etw** be afraid of s.th.; **~ haben um jdn** be anxious about s.o.; **keine ~!** don't be afraid!

ängs·ti·gen ['ɛŋstɪgən] **I.** *refl:* **sich vor etw ~** be afraid of s.th.; **sich wegen etw ~** worry about s.th. **II.** *tr:* **jdn ~** frighten s.o.

ängst·lich ['ɛŋstlɪç] *adj* (*angstvoll*)

anxious; (*schüchtern*) timid

Angst•zu•stän•de *pl* (PSYCH) state *sing* of anxiety; ~ **bekommen** get in a state of panic

an|gu•cken *tr* look at

an|gur•ten *refl:* **sich** ~ fasten one's seat belt

an|ha•ben *irr tr* **1.** (*Kleidungsstücke*) have on, wear **2.** (*beeinträchtigen*): **das kann mir nichts** ~ that can't do me any harm; **sie können mir nichts** ~ they can't touch me

an|haf•ten *itr* stick (*an* to)

An•halt <-(e)s, (-e)> *m* (*~spunkt*) clue; **jdm e-n ~ gewähren** give a clue to s.o.; **ich habe keinen ~ dafür, dass ...** I have no grounds to suppose that ...

an|hal•ten I. *irr tr* stop; **die Luft** ~ hold one's breath; **jdn zu etw** ~ encourage s.o. to do s.th. **II.** *itr* **1.** (*stehen bleiben*) stop **2.** (*andauern*) last; **um jds Hand** ~ propose to s.o.; **an•hal•tend** *adj* incessant

An•hal•ter(in) *m(f)* hitch-hiker; **per ~ fahren** hitch-hike

An•halts•punkt *m s.* **Anhalt**

An•hang *m* **1.** appendix **2.** (*von Partei etc*) followers *pl* **3.** (*fam: Familie*) family

an|hän•gen *tr* **1.** (MOT: *Anhänger*) hitch up (*an* to) **2.** (*hinzufügen*) add **3.** (EDV: *an Datei*) append; **jdm etw** ~ (*fig*) blame s.th. on s.o.

An•hän•ger *m* **1.** (*Gefolgsmann*) follower, supporter **2.** (*Gepäck~*) tag; (*Schmuckstück*) pendant **3.** (MOT) trailer

An•hän•ger•schaft *f* supporters *pl*

an•häng•lich *adj* clinging

An•häng•lich•keit *f* devotion

an|hau•en *irr tr* (*fam*): **jdn** ~ make a pass at s.o., touch s.o. for s.th.

an|häu•fen I. *tr* amass; (*sammeln, hamstern*) hoard up **II.** *refl* pile up

An•häu•fung *f* amassing; (*von Waren*) hoarding

an|he•ben *irr tr* raise; (*hochheben*) lift up

an|hef•ten *tr* fasten (*an* to); (*mit Reißnagel*) tack on; (*mit Stecknadel*) pin to

an•heim[RR] [an'haɪm]: **der Vergessenheit ~ fallen**[RR] sink into oblivion; **jdm etw ~ stellen**[RR] leave s.th. to someone's discretion

an•hei•melnd ['anhaɪməlnt] *adj* homely

an•heim|fal•len *irr itr s.* **anheim**; **an•heim|stel•len** *tr s.* **anheim**

an|hei•zen *tr* **1.** (*Kamin etc*) light **2.** (*fig: positiv*) stimulate; (*negativ*) aggravate

an|heu•ern *itr tr* (MAR) sign up

An•hieb *m:* **auf** ~ straight off

an|him•meln *tr:* **jdn** ~ make sheep's eyes at s.o.

An•hö•he *f* hill

an|hö•ren I. *tr:* **jdn** ~ hear s.o.; **etw** ~ listen to s.th. **II.** *refl:* **das hört sich ja gut an!** that sounds good!

An•hö•rung *f* (PARL) hearing

a•ni•ma•lisch *adj* animal

A•ni•ma•teur(in) [anima'tøːɐ] <-s, -e> *m(f)* host (hostess)

a•ni•mie•ren [ani'miːrən] *tr* encourage; **sich animiert fühlen, etw zu tun** feel prompted to do s.th.

A•nis ['aːnɪs/a'niːs] <-es, -e> *m* anise

An•kauf *m* purchase

an|kau•fen *tr* buy, purchase

An•ker ['aŋkɐ] <-s, -> *m* **1.** (MAR) anchor **2.** (EL) armature; **vor ~ gehen** drop anchor; **den ~ lichten** weigh anchor

an•kern ['aŋkɐn] *itr* (*vor Anker liegen*) be anchored

An•ker•ket•te *f* (MAR) anchor cable; **Anker•platz** *m* anchorage

an|ket•ten *tr* chain up (*an* to)

An•kla•ge *f* **1.** (JUR) charge **2.** (*Staatsanwalt als ~vertreter*) prosecution; **jdn unter ~ stellen** charge s.o. (*wegen* with); **gegen jdn ~ erheben** bring charges against s.o.; **An•kla•ge•bank** *f* (JUR) dock; **auf der ~** in the dock

an|kla•gen *tr* charge (*wegen* with); **jdn ~, etw getan zu haben** accuse s.o. of having done s.th.

An•klä•ger(in) *m(f)* (JUR) prosecutor

an|klam•mern I. *tr* (*mit Klammer*) clip (*an* to) **II.** *refl* cling (*an* to)

An•klang *m* (*Beifall*): ~ **bei jdm finden** be well received by s.o.

an|kle•ben I. *tr haben* stick up (*an* on) **II.** *itr sein* stick

an|klei•den *tr refl* dress

An•klei•de•zim•mer *n* dressing-room

an|kli•cken *tr* (EDV) click on

an|klop•fen *itr* knock (*an* at); **bei jdm ~ wegen etw** (*fig*) come knocking at someone's door for s.th.

an|knip•sen *tr* (*Licht*) switch on

an|knüp•fen I. *tr* **1.** tie on (*an* to) **2.** (*fig*) start up; **Beziehungen** ~ establish relations **II.** *itr:* **an etw** ~ take s.th. up

an|kom•men[1] *sein irr itr* **1.** arrive **2.** (*bei Bewerbungen*) be taken on (*bei* by) **3.** (*Anklang finden*) go down (*bei* with); **bist du gut angekommen?** did you get there all right?; **jdm mit etw** ~ come to s.o. with s.th.; **bei jdm** ~ (*fam*) have success with s.o.; **komm bloß damit nicht wieder an!** (*fam*) don't start up again with this!

an|kom•men[2] *sein irr itr* (*wichtig sein*): **es kommt darauf an** it depends; **es kommt darauf an, dass ...** what matters is that ...; **es darauf ~ lassen** chance it; **lass es nicht darauf ~!** don't push your luck!; **es auf e-n Prozess ~ lassen** let it get as far as the courts; **darauf soll es mir nicht ~** that's not the problem

an|kot·zen *tr* (*sl*) **1.** (*etw ~*) puke over **2.** (*fig vulg*): **das kotzt mich an!** that's enough to make me sick!

an|kün·di·gen I. *tr* announce **II.** *refl* (*fig*) be heralded (*durch* by)

An·kün·di·gung *f* announcement

An·kunft ['ankʊnft] <-> *f* arrival; **bei ~** on arrival; **An·kunfts·zeit** *f* time of arrival

an|kur·beln *tr* (*fig*) boost

an|lä·cheln *tr:* **jdn ~** give s.o. a smile

an|la·chen *tr* smile at; **sich jdn ~** (*fig fam*) pick s.o. up

An·la·ge *f* **1.** (*Fabrik~*) plant **2.** (*Park*) public park, gardens *pl* **3.** (*Garten~*) grounds *pl* **4.** (*Beilage*) enclosure **5.** (*Entwurf*) layout **6.** (EL) installation **7.** (EDV RADIO) system **8.** (FIN) investment; **als ~ erhalten Sie ...** enclosed please find ...; **An·la·ge·pa·pier** *n* (FIN) long-term investment bond

An·lass[RR] ['anlas, *pl:* 'anlɛsə] <-es, ¨-e> *m* **1.** (*Ursache*) cause (*zu* for) **2.** (*Gelegenheit*) occasion; **es besteht kein ~** there is no reason; **etw zum ~ nehmen, zu ...** use s.th. as an opportunity to ...; **festlicher ~** festive occasion; **beim geringsten ~** for the slightest reason

an|las·sen *irr tr* **1.** (MOT: *in Gang setzen*) start **2.** (*nicht ausziehen z.B. Jacke*) keep on **3.** (*Geräte*) leave on

An·las·ser <-s, -> *m* (MOT) starter

an·läss·lich[RR] ['anlɛslɪç] *präp* on the occasion of

An·lauf *m:* **e-n ~ nehmen** take a run-up; **erst beim zweiten ~** (*fig*) only at the second go

an|lau·fen I. *irr itr sein* **1.** (*anfangen*) begin, start; (FILM) open **2.** (MED) swell up **3.** (*beschlagen*) steam up; (*von Metall*) tarnish **II.** *tr haben* (MAR: *e-n Hafen*) call at

An·lauf·stel·le *f* shelter, refuge; **~ für Drogensüchtige** Drug Crisis Centre *Br,* Drug Crisis Center *Am*

An·lauf·zeit *f* (*fig*): **das braucht ein paar Wochen ~** it needs a few weeks to get going

An·laut *m* (LING) initial sound

an|le·gen I. *tr* **1.** (*daranlegen*) lay (*an* next to) **2.** (*anziehen*) don **3.** (FIN) invest **4.** (*Kartei*) start **5.** (*Vorräte*) lay in **6.** (EDV) create; **e-e Leiter ~ an** put up a ladder to; **sein Lineal ~** set one's ruler; **es darauf ~, dass ...** be determined that ...; **sich mit jdm ~** pick a quarrel with s.o. **II.** *itr* (MAR) berth

An·le·ger(in) *m(f)* (FIN) investor

An·le·ger *m* (MAR) landing-stage; (*für Ozeandampfer*) berth

an|leh·nen I. *tr* lean (*an* against); (*Tür*) leave ajar **II.** *refl* lean (*an* against); **sich an etw ~** (*fig*) follow s.th.

an|lei·ern *tr* (*fam: in die Wege leiten*) launch, get on the road

An·lei·he ['anlaɪə] <-, -n> *f* **1.** (*Darlehen*) loan **2.** (*Wertpapier*) bond; **e-e ~ aufnehmen** take a loan; **bei jdm e-e ~ machen** (*a. fig*) borrow from s.o.

an|lei·men *tr* stick on (*an* to)

an|lei·ten *tr* instruct; **jdn zu etw ~** teach s.o. s.th.

An·lei·tung *f* (*a.* TECH) instructions *pl;* **unter ~ von ...** under the guidance of ...

An·lie·gen ['anli:gən] <-s, -> *n* **1.** (*Bitte*) request **2.** (*Angelegenheit*) matter

an|lie·gen *irr itr* (*Kleider*) fit closely (*an* s.th.); (*Haare*) lie flat (*an* against)

an·lie·gend *adj* **1.** (*benachbart*) adjacent **2.** (*Kleider*) tight-fitting **3.** (*beiliegend*) enclosed

An·lie·ger(in) <-s, -> *m(f)* (*Anwohner*) local resident; **~ frei** residents only

an|lo·cken *tr* attract; (*Tiere*) lure

an|lö·ten *tr* solder on (*an* to)

an|lü·gen *irr tr:* **jdn ~** lie to s.o.

an|ma·chen *tr* **1.** (*befestigen*) put up (*an* on) **2.** (*Salat*) dress **3.** (*Feuer*) light **4.** (*fig fam: jdn ansprechen*) chat up s.o. **5.** (*fig fam: erregen*) turn on **6.** (*beschimpfen*) slam; **(das) Licht ~** turn on the light

An·marsch *m* walk; **im ~ sein auf** (MIL) be advancing on; (*fig*) be on one's way

an|ma·ßen ['anma:sən] *refl:* **sich ~, etw zu tun** have the presumption to do s.th.; **sich etw ~** claim s.th.; **an·ma·ßend** ['anma:sənt] *adj* presumptuous

An·ma·ßung *f* **1.** presumption **2.** (*Unverschämtheit*) insolence

An·mel·de·for·mu·lar *n* registration form; **An·mel·de·ge·bühr** *f* registration fee

an|mel·den I. *tr* **1.** (*allgemein*) announce **2.** (*für Abgaben, Zoll etc*) declare **3.** (TELE: *Gespräch*) book; **jdn bei e-r Schule ~** enrol s.o. at a school; **jdn zu e-m Kurs ~** enrol s.o. for a course; **s-n Fernseher ~** get a licence for one's TV set **II.** *refl* **1.** (*allgemein*) announce one's arrival **2.** (*für e-n Kurs*) enrol o.s.; **sich polizeilich ~** register with the police

An·mel·dung *f* **1.** (*Ankündigung*) announcement **2.** (*zu e-m Kurs etc*) enrolment; (*bei Polizei*) registration **3.** (*Reception*) reception

an|mer·ken *tr* **1.** (*anstreichen*) mark **2.** (*bemerken*) say **3.** (*schriftlich*) note; **sich etw ~ lassen** let s.th. show

An·mer·kung *f* **1.** (*schriftlich*) note **2.** (*Bemerkung*) remark

An·mut ['anmu:t] <-> *f* grace

an•mu•tig *adj* graceful
an|nä•hen *tr* sew on (*an* to)
an|nä•hern I. *tr* bring more into line (*an* with) **II.** *refl* approach (*e-r S* s.th.); **an•nä•hernd** ['annɛ:ɐnt] **I.** *adj* approximate **II.** *adv* (*etwa*) about, approximately
An•nä•he•rung *f* approach (*an* towards); **An•nä•he•rungs•ver•such** *m* advances *pl*
An•nah•me ['anna:mə] <-, -n> *f* acceptance; (*Vermutung*) assumption; **der ~ sein, dass ...** assume that ...; **in der ~, dass ...** on the assumption that ...
An•nah•me•schluss[RR] *m* deadline
an•nehm•bar *adj* acceptable, admissible; **ein ~er Preis** a reasonable price
an|neh•men *irr tr* **1.** (*Angebotenes ~*) accept **2.** (*aufnehmen*) take **3.** (*fig: vermuten*) presume **4.** (*fig: voraussetzen*) assume; **von jdm etw ~** expect s.th. of s.o.; **e-n Auftrag ~** take on an order; **sich e-r Sache ~** see to a matter
An•nehm•lich•keit *f* convenience; **die ~en des Lebens** the comforts of life
an•nek•tie•ren [anɛk'ti:rən] *tr* (POL) annex
An•no *adv* (*österr: im Jahre*) in (the year)
An•non•ce *f* advertisement
an•nul•lie•ren [anʊ'li:rən] *tr* (JUR) annul
an|öden ['anø:dən] *tr* (*fam*) bore stiff
a•n•o•nym [ano'ny:m] *adj* anonymous; **A~e Alkoholiker** Alcoholics Anonymous *pl*
a•n•o•ny•mi•sie•ren *tr* (*Daten, Fragebögen*) make anonymous
A•no•rak ['anorak] <-s, -s> *m* anorak
an|ord•nen *tr* **1.** (*aufstellen*) arrange **2.** (*befehlen*) order
An•ord•nung *f* **1.** (*Aufstellung*) arrangement **2.** (*Befehl*) order; **auf ~ meines Arztes** on my doctor's orders *pl*
an|pa•cken *tr* **1.** (*allgemein*) grab **2.** (*fig*) tackle; **kannst du mal mit ~?** can you lend me a hand?
an|pas•sen I. *tr* (*Kleidung etc*) fit (on); (TECH) fit (to); **etw e-r Sache ~** suit s.th. to s.th. **II.** *refl:* **sich ~ an etw** adapt o.s. to s.th.
An•pas•sung *f* **1.** (*allgemein*) adjustment **2.** (*Angepasstheit*) conformity; **an•pas•sungs•fä•hig** *adj* adaptable; **An•pas•sungs•ver•mö•gen** *n* adaptability
an|pei•len *tr* (RADIO): **etw ~** take a bearing on s.th.; (*fig: im Auge haben*) have one's sights on s.th.
an|pflan•zen *tr* grow
An•pflan•zung *f* (*bepflanzte Fläche*) cultivated area
an|pran•gern ['anpraŋɐn] *tr* denounce
an|prei•sen *irr tr* extol; **sich ~ als** sell o.s. as
An•pro•be *f* fitting
an|pro•bie•ren *tr* try on
an|pum•pen *tr* (*fig fam*): **jdn um £ 2 ~** touch s.o. for £ 2
An•rai•ner(in) <-s, -> *m(f)* (*österr: Anlieger*) neighbour
an|rech•nen *tr* **1.** (*berechnen*) charge **2.** (*gutschreiben*) take into account; **wie viel rechnen Sie mir für mein altes Auto noch an?** how much will you allow me for my old car?
An•recht *n:* **ein ~ haben auf etw** be entitled to s.th.
an|re•den *tr* address; **gegen den Lärm ~** make o.s. heard against the noise
an|re•gen *tr* **1.** (*stimulieren*) stimulate **2.** (*ermuntern*) prompt (*zu* to); **jds Appetit ~** whet someone's appetite; **an•re•gend** *adj* stimulating
An•re•gung *f* **1.** (*Stimulierung*) stimulation **2.** (*Vorschlag*) idea; **auf ~ von** on the suggestion of
an|rei•chern ['ənraɪçern] **I.** *tr* **1.** (*allgemein, a. fig*) enrich **2.** (*vergrößern*) enlarge; **angereichert werden** (CHEM) be accumulated **II.** *refl* (CHEM) accumulate
An•rei•che•rung *f* **1.** (CHEM) accumulation **2.** (*fig*) enrichment
An•rei•se *f* journey
An•reiz *m* incentive
an|rei•zen *tr* encourage
an|rem•peln *tr:* **jdn ~** bump into s.o.; (*böswillig*) jostle s.o.
an|ren•nen *sein irr itr:* **gegen etw ~** run against s.th.; (*fig*) fight against s.th.
An•rich•te ['anrɪçtə] <-, -n> *f* **1.** sideboard **2.** (*Raum*) pantry
an|rich•ten *tr* **1.** (*Mahlzeit*) prepare **2.** (*fig: verursachen*) bring about; **da hat er was Schönes angerichtet!** he's really made a fine mess there!
an•rü•chig ['anrʏçɪç] *adj* notorious
An•ruf *m* (TELE) call; **An•ruf•be•ant•wor•ter** *m* (telephone) answering machine
an|ru•fen *irr tr* **1.** (*jdn ~*) shout to (s.o.) **2.** (TELE) call, ring; **darf ich mal bei Ihnen ~?** can I make a call from here?
an|rüh•ren *tr* **1.** (*berühren*) touch **2.** (*Farbe ~*) mix; (*Sauce*) blend
an•rüh•rend *adj* touching
An•sa•ge ['anza:gə] <-, -n> *f* announcement
an|sa•gen I. *tr* **1.** (*allgemein*) announce **2.** (*bei Kartenspiel*): **Sie sagen an!** it is your turn to bid! **II.** *refl* say that one is coming; **angesagt sein** be recommended, be suggested; (*modisch*) be the in thing; **Spannung ist angesagt** we are in for a bit of excitement
An•sa•ger(in) *m(f)* (RADIO) announcer

an|sam•meln *tr* accumulate; **Vorräte ~** build up provisions
An•samm•lung *f* **1.** (*von Gegenständen*) collection **2.** (*von Menschen*) crowd
an•säs•sig ['anzɛsɪç] *adj* resident
An•satz *m* **1.** (*Haar~*) hair-line **2.** (TECH) attachment; (*zur Verlängerung*) extension **3.** (*Ablagerung*) layer **4.** (PHILOS) approach; **die ersten ¨e zeigen** be in the initial stages
an|sau•gen *tr* draw [*o* suck] in
An•saug•fil•ter *m* (MOT) suction filter
an|schaf•fen I. *tr* (*kaufen*) buy, purchase **II.** *itr* (*sl: Prostituierte*) be on the game
An•schaf•fung *f* acquisition; **~en machen** make purchases; **An•schaf•fungs•wert** *m* cost-value
an|schal•ten *tr* (EL RADIO) switch on
an|schau•en *tr* look at
an•schau•lich *adj* (*klar*) clear, graphic; (*lebendig*) vivid; **ein ~es Beispiel** a concrete example
An•schau•ung *f* opinion, view; **etw aus eigener ~ kennen** know s.th. from one's own experience; **An•schau•ungs•ma•te•ri•al** *n* visual aids *pl*
An•schein <-(e)s> *m* appearance; **allem ~ nach** to all appearances *pl;* **es hat den ~, als ob ...** it seems as if ...; **sich den ~ geben** pretend to be
an•schei•nend I. *adj* apparent **II.** *adv* apparently
an|schie•ben *irr tr* push
an|schie•ßen I. *irr tr haben* shoot **II.** *itr sein* (*fam*): **angeschossen kommen** come shooting along
An•schlag *m* **1.** (*Mord~*) murderous attempt **2.** (*Bekanntmachung*) notice; (*Poster*) poster **3.** (*auf Schreibmaschine*) touch **4.** (TECH: *bei Hebel etc*) stop; **e-m ~ zum Opfer fallen** be assassinated; **dreh den Knopf bis zum ~!** push the knob right down!; **An•schlag•brett** *n* noticeboard *Br,* bulletin board *Am*
an|schla•gen I. *irr tr* **1.** (*annageln etc*) nail on (*an* to) **2.** (*Bekanntmachung aushängen*) post (*an* on) **3.** (*Vase, Teller etc*) chip **II.** *itr* **1.** (*Brecher*) beat (*an* against) **2.** (MED: *wirken*) take effect
an|schlie•ßen I. *irr tr* **1.** (*allgemein*) lock (*an* to) **2.** (EL TECH) connect **II.** *refl:* **sich jdm ~** join s.o.; **ich schließe mich (Ihrer Meinung) an** I'll second you
An•schluss[RR] *m* **1.** (RAIL) connection **2.** (*freiwilliger ~*) joining (*an* of) **3.** (TELE) telephone; **im ~ an** following; **den ~ verpassen** (RAIL) miss one's connection; (*fig*) miss the bus; **~ haben nach ...** (RAIL) have a connection to ...; **e-n ~ beantragen** (TELE) apply for a telephone to be connected; **An•schluss•flug**[RR] *m* connecting flight; **An•schluss•zug**[RR] *m* connection
an|schmie•gen *refl* **1.** (*Mensch*) snuggle up (*an* to), nestle (*an* against) **2.** (*Kleidung: passen, eng anliegen*) cling to
an•schmieg•sam *adj* (*Material, Stoff*) smooth
an|schnal•len I. *tr* strap on; **seine Skier ~** clip on one's skis **II.** *refl* (AERO MOT) fasten one's seat belt
An•schnall•pflicht *f* (AERO MOT) obligatory wearing of seat belts
an|schnau•zen *tr:* **jdn ~** yell at s.o.
an|schnei•den *irr tr* **1.** cut **2.** (*fig: Frage etc*) touch on
an|schrau•ben *tr* screw on (*an* to)
an|schrei•ben *irr tr* **1.** (*an Wand etc*) write up (*an* on); (*an Tafel*) chalk s.th. up **2.** (*auf Kredit ~*) chalk up; **~ lassen** (*fam*) buy on tick; **jdn ~** (*durch Brief*) write s.o. a letter
an|schrei•en *irr tr* shout at
An•schrift *f* address
an|schul•di•gen *tr* accuse (*wegen* of)
An•schul•di•gung *f* accusation
an|schwei•ßen *tr* (TECH) weld on (*an* to)
an|schwel•len *sein irr itr* swell
An•schwel•lung *f* (*a.* MED) swelling
an|schwem•men I. *tr haben* wash up **II.** *itr sein* be washed up
An•se•hen ['anze:ən] <-s> *n* **1.** (*Aussehen*) appearance **2.** (*Achtung*) reputation; **zu ~ gelangen** acquire standing; **an ~ verlieren** lose credit
an|se•hen *irr tr* **1.** look at **2.** (*besichtigen*) have a look at (*etw* s.th.) **3.** (TV) watch (*etw* s.th.); **sieh mal (einer) an!** well, I never!; **etw ~ als** (*fig*) regard s.th. as; **sich etw genau ~** take a close look at s.th.; **das sieht man ihr nicht an** she doesn't look it; **das kann ich nicht länger mit ~!** I can't stand it any more!
an•sehn•lich *adj* **1.** (*Person*) handsome **2.** (*beträchtlich*) considerable; **ein ~es Sümmchen** (*fam*) a tidy little sum
an|sei•len I. *tr:* **jdn ~** rope s.o. up **II.** *refl* rope o.s. up
an|set•zen I. *tr* **1.** (*anfügen*) put on (*an* to) **2.** (*fig: bestimmen*) fix; (*veranschlagen*) estimate; **Fett ~** put on weight; **e-e Leiter an die Wand ~** put a ladder onto the wall **II.** *refl* (*Ablagerungen*) form
An•sicht <-, -en> *f* **1.** view **2.** (*fig*) opinion **3.** (TECH: *Zeichnung*) drawing; **meiner ~ nach** in my opinion; **der ~ sein, dass ...** be of the opinion that ...; **ich bin ganz Ihrer ~** I entirely agree with you; **zur ~** on approval; **An•sichts•kar•te** *f* picture (post)card; **An•sichts•sa•che** *f* matter of opinion
an|sie•deln *tr* (*Menschen*) settle; (*Indus-*

trie) establish
An•sied•lung *f* settlement
an|span•nen *tr* **1.** (*Seil etc*) tighten **2.** (*fig: anstrengen*) strain; **das spannt mich zu sehr an!** that's too much of a strain for me!
An•span•nung *f* strain
an|spie•len **I.** *itr* (SPORT: *Fußball*) kick off; **auf etw ~** (*fig*) allude to s.th.; **worauf spielen Sie an?** (*fig*) what are you driving at? **II.** *tr* (SPORT: *Fußball*) pass to
An•spie•lung *f* allusion (*auf* to)
an|spit•zen *tr* (*Gegenstand*) sharpen
An•sporn ['anʃpɔrn] <-(e)s> *m* incentive
an|spor•nen *tr* (*fig*): **jdn zu etw ~** encourage s.o. to do s.th.
An•spra•che *f* address; **e-e ~ halten** make a speech
an|spre•chen **I.** *irr tr* **1.** speak to **2.** (*fig: gefallen*) appeal to **II.** *itr* (*reagieren*) respond (*auf* to); **die Bremsen sprechen gut an** the brakes are very responsive
an•spre•chend *adj* attractive
An•sprech•part•ner(in) *m(f)* person to talk to, contact
an|sprin•gen **I.** *irr itr sein* (MOT) start; **auf etw ~** (*fig*) jump at s.th. **II.** *tr* jump
An•spruch *m* claim (*auf* to); **auf etw ~ haben** have a right to s.th.; **jdn völlig in ~ nehmen** take up all of someone's time
an•spruchs•los *adj* **1.** (*Mensch*) modest **2.** (*Lektüre*) light
an•spruchs•voll *adj* **1.** (*allgemein*) demanding **2.** (*fig*) ambitious
an|sta•cheln *tr* spur on
An•stalt ['anʃtalt] <-, -en> *f* **1.** (*Institut*) institute **2.** (JUR: *Institution*) institution; **für etw ~en treffen** (*fig*) take measures for s.th.
An•stand *m* decency, propriety; **keinen ~ haben** have no manners *pl*
an•stän•dig ['anʃtɛndɪç] *adj* (*a. fig*) decent; **ein ~es Essen bekommen** get a square meal
an•stands•los *adv* without difficulty
an|star•ren *tr* stare at
an•statt [an'ʃtat] *präp, conj* instead of
an|ste•chen *irr tr* pierce; **ein Fass Bier ~** tap a keg (of beer)
an|ste•cken[1] *tr* **1.** (*mit Nadel etc*) pin on **2.** (*Ring*) slip on
an|ste•cken[2] *tr* (*anzünden*) light; **ein Haus ~** set fire to a house
an|ste•cken[3] **I.** *tr* (MED: *infizieren*) infect **II.** *refl:* **sich mit etw ~** catch s.th. (*bei* from); **an•ste•ckend** *adj* contagious, infectious; **~e Krankheit** infectious disease
An•steck•na•del *f* pin
An•ste•ckung *f* infection; **An•ste•ckungs•ge•fahr** *f* risk of infection
an|ste•hen *irr itr* **1.** (*Schlange stehen*) queue (up); (*nach Waren ~*) stand in line (*nach* for) **2.** (*fig: noch folgen*) be due to be dealt with
an|stei•gen *sein irr itr* rise
an•stel•le *präp* in place (*von* of), instead (*von* of)
an|stel•len **I.** *tr* **1.** (*anlehnen*) lean (*an* against) **2.** (TECH MOT) start; (EL RADIO) turn on **3.** (*einstellen*) employ; **ich weiß nicht, wie ich es ~ soll** I don't know how to manage it; **stell bloß keinen Unsinn an!** don't get up to mischief! **II.** *refl* **1.** (*in Schlange*) queue up **2.** (*sich verhalten*) act up; **stell dich nicht an!** don't make such a fuss!
An•stel•lung *f* employment; **e-e feste ~** a permanent position
an|stif•ten *tr:* **jdn zu etw ~** incite s.o. to do s.th.
An•stif•ter *m* instigator
an|stim•men *tr:* **ein Lied ~** begin singing a song
An•stoß *m* **1.** (SPORT) kick-off **2.** (*Ärgernis*) annoyance; **jdm den ~ geben, etw zu tun** induce s.o. to do s.th.; **~ erregen** cause offence (*bei* to); **den ~ zu etw geben** get s.th. going
an|sto•ßen *irr itr* **1.** *sein* knock, bump **2.** *haben* (*mit Gläsern*) touch glasses **3.** *haben* (SPORT: *Fußball*) kick off; **auf etw ~** drink to s.th.
an•stö•ßig ['anʃtøːsɪç] *adj* offensive
an|strei•chen *irr tr* **1.** (*anmalen*) paint **2.** (*markieren*) mark
An•strei•cher *m* painter
an|stren•gen **I.** *tr* strain; **sein Gedächtnis ~** rack one's brains *pl* **II.** *refl* make an effort; **an•stren•gend** *adj* strenuous; **das ist ~ für die Augen** it's a strain on the eyes
An•stren•gung *f* effort; (*große ~*) strain; **große ~en machen** make every effort *sing*
An•strich *m* **1.** (*das Anstreichen*) painting **2.** (*Farbschicht*) coat of paint **3.** (*fig: Hauch*) touch
An•sturm <-(e)s> *m* rush
an|stür•men *sein itr* (*gegen etw ~, a. fig*) attack s.th.
an•su•chen *vi* (*österr: förmlich bitten*) ask for
Ant•ark•tis [ant'arktɪs] <-> *f* (GEOG): **die ~** the Antarctic; **ant•ark•tisch** *adj* antarctic
an|tas•ten *tr* **1.** (*allgemein*) touch **2.** (*fig: Frage*) touch on **3.** (*Rechte*) question; **Vorräte ~** break into supplies
An•teil *m* share; (**tiefen**) **~ nehmen an etw** (*mitfühlend*) be (deeply) sympathetic over s.th.; **an etw** (**regen**) **~ nehmen** show a (lively) interest in s.th.
an•tei•lig ['antaɪlɪç] *adj* proportionate
An•teil•nah•me ['antaɪlnaːmə] <-> *f* sym-

pathy (*an* with)

An•ten•ne [an'tɛnə] <-, -n> *f* **1.** (RADIO) aerial **2.** (ZOO) antenna

An•thra•zit [antra'tsi:t] <-s, (-e)> *m* anthracite

An•ti•al•ko•ho•li•ker(in) *m(f)* teetotaller

an•ti•au•to•ri•tär *adj* antiauthoritarian

An•ti•ba•by•pil•le [anti'be:bi-] *f* contraceptive pill

An•ti•bio•ti•kum [antibi'o:tikʊm] <-s, -ka> *n* (MED) antibiotic

An•ti•blo•ckier•sys•tem *n* (MOT) anti-lock braking system

An•ti•fal•ten•creme *f* anti-wrinkle cream

An•ti•hist•amin [antihɪsta'mi:n] <-s, -e> *n* (MED) antihistamine

an•tik [an'ti:k] *adj* **1.** (COM) antique **2.** (*aus der Antike*) ancient; **An•ti•ke** [an'ti:kə] <-, -n> *f:* **die** ~ antiquity

An•ti•kör•per ['----] *m* (MED) antibody

An•ti•lo•pe [anti'lo:pə] <-, -n> *f* (ZOO) antelope

An•ti•pa•thie [antipa'ti:] *f* antipathy (*gegen* to)

An•ti•qua [an'ti:kva] <-> *f* (TYP) Roman type

An•ti•qua•riat [antikvari'a:t] <-s, -e> *n* **1.** (*Geschäft*) second-hand bookshop **2.** (*Abteilung*) second-hand department

an•ti•qua•risch *adj* second-hand

An•ti•qui•tä•ten [antikvi'tɛ:tn] *pl* antiques *pl;* **An•ti•qui•tä•ten•schmug•gel** *m* smuggling of antiques

An•ti•schäum•mit•tel *n* (CHEM: *in Motoröl*) foam inhibitor

An•ti•se•mit(in) [antize'mi:t] <-en, -en> *m(f)* anti-Semite

an•ti•se•mi•tisch *adj* anti-Semitic

an•ti•sta•tisch *adj* antistatic

An•ti•ter•ror- (*in Zusammensetzungen*) antiterrorist

Ant•litz ['antlɪts] <-es, (-e)> *n* countenance

an•tö•nen *vt* (*österr: andeuten*) hint

An•trag ['antra:k, *pl:* 'antrɛ:gə] <-(e)s, -¨e> *m* **1.** (*allgemein*) application (*auf* for) **2.** (JUR) petition **3.** (PARL) motion; **e-n ~ auf etw stellen** make an application for s.th.; (JUR) file a petition for s.th.; (PARL) propose a motion for s.th.; **auf ~ von** at the request of; **An•trags•for•mu•lar** *n* application form; **An•trag•stel•ler(in)** *m(f)* applicant

an|tref•fen *irr tr* find; (*zufällig*) come across

an|trei•ben I. *irr tr* **1.** (*a.* MOT) drive **2.** (*fig: drängen*) urge **II.** *itr sein* wash ashore

an|tre•ten I. *irr tr haben* (*Reise etc*) begin; **e-e neue Stellung** ~ take up a new job **II.** *itr sein* **1.** (SPORT) compete **2.** (*neue Stellung*) start

An•trieb *m* **1.** (*fig*) drive; (*plötzlicher*) impetus **2.** (MOT TECH) drive; **aus eigenem** ~ on one's own initiative; **An•triebs•wel•le** *f* (MOT) halfshaft

An•tritt *m* (SPORT) acceleration; **bei ~ der Reise ...** when beginning one's journey ...

An•tritts•re•de *f* inaugural speech

an|tun *irr tr:* **jdm etw** ~ do s.th. to s.o.; **sich etw** ~ do away with o.s.; **tun Sie sich keinen Zwang an!** don't stand on ceremony!

an|tur•nen ['antœrnən] *tr* (*sl*) turn on

Ant•wort ['antvɔrt] <-, -en> *f* answer, reply; **jdm e-e ~ geben** reply to s.o.; **keine ~ ist auch e-e ~!** your silence is answer enough!; **als ~ auf etw** in response to s.th.

ant•wor•ten ['antvɔrtən] *itr tr* answer, reply; **auf etw** ~ answer s.th.

Ant•wort•cou•pon *m* reply coupon

an|ver•trau•en I. *tr:* **jdm etw** ~ entrust s.o. with s.th.; (*fig*) confide s.th. to s.o. **II.** *refl:* **sich jdm** ~ entrust o.s. to s.o.; (*fig*) confide in s.o.

an|wach•sen *sein irr itr* **1.** (BOT) take root **2.** (*fig: zunehmen*) increase

An•walt ['anvalt, *pl:* 'anvɛltə] <-(e)s, ¨e> *m,* **An•wäl•tin** [anvɛltɪn] *f* lawyer; (*fig*) advocate; **An•walts•kos•ten** *pl* legal expenses

An•wand•lung *f:* **aus e-r ~ heraus** on an impulse

An•wär•ter(in) *m(f)* (*allgemein*) candidate (*auf* for); (SPORT) contender

an|wei•sen *irr tr* **1.** (FIN) transfer **2.** (*anleiten*) instruct **3.** (*befehlen*) order; **jdm e-n Platz** ~ show s.o. a seat

An•wei•sung *f* **1.** (FIN) transfer **2.** (FIN: *~sformblatt*) payment slip **3.** (*Anleitung*) instructions *pl* **4.** (*Anordnung*) instruction; **auf ~ von ...** on the instructions of ...

an•wend•bar *adj* applicable (*auf* to)

an|wen•den *irr tr* use (*auf* on); **sich auf etw ~ lassen** be applicable to s.th.

An•wen•der(in) <-s, -> *m(f)* user; **An•wen•der•pro•gramm** *n* user program; **An•wen•der•soft•ware** *f* user software

An•wen•dung *f* **1.** (*allgemein*) use **2.** (*Übertragung, a.* EDV) application **3.** (*Kur~*) treatment; **An•wen•dungs•vor•schrift** *f* instructions *pl* for use

an|wer•ben *irr tr* recruit (*für* to)

An•wer•be•stopp *m* recruitment freeze

An•we•sen <-s, -> *n* (*Gut*) estate

an•we•send *adj* present; **sehr verehrte A~e!** Ladies and Gentlemen!

An•we•sen•heit *f* presence; **in ~ von ...** in the presence of ...; **An•we•sen•heits•lis•te** *f* attendance register

an|wi•dern ['anvi:dɐn] *tr* disgust; **es wi-**

dert mich an it makes me feel sick
an|wur•zeln *sein itr (fig)*: **ich war wie angewurzelt** I stood rooted to the spot
An•zahl <-> *f* number
an|zah•len *tr:* **können Sie 20 £ auf den Mantel ~?** can you pay £ 20 as a deposit on this coat?
An•zah•lung *f* deposit; **e-e ~ machen auf ...** pay a deposit on ...
an|zap•fen *tr* **1.** *(Fass)* tap **2.** (EL) tap
An•zei•ge ['antsaɪgə] <-, -n> *f* **1.** *(bei der Polizei)* report *(wegen* of) **2.** (MARKT) advertisement **3.** (EDV: *Bildschirm~)* display; **wegen etw ~ bei der Polizei erstatten** report s.th. to the police
an|zei•gen *tr* **1. jdn ~** report s.o. **2.** (TECH: *auf Skala etc)* indicate **3.** *(bekannt geben)* announce **4.** (MARKT) advertise
An•zei•gen•an•nah•me *f* advertising office; **An•zei•gen•blatt** *n* advertising journal; **An•zei•gen•kam•pa•gne** *f* (COM) advertising campaign; **An•zei•gen•lei•ter** *m* (COM) head of advertising
an|zet•teln *tr* instigate
an|zie•hen **I.** *irr tr* **1.** *(Kleidung)* put on **2.** (TECH: *Schraube)* tighten **3.** (MOT: *Handbremse)* apply **4.** *(an sich her~)* draw up **5.** *(fig: a. Staub, Späne etc)* attract **II.** *itr* **1.** (COM: *Preise)* rise **2.** *(beschleunigen)* accelerate **III.** *refl (sich ankleiden)* get dressed; **an•zie•hend** *adj* attractive
An•zie•hung *f* attraction
An•zie•hungs•kraft *f* **1.** (PHYS) force of attraction **2.** *(fig)* appeal
An•zug *m* **1.** *(Kleidung)* suit **2.** *(fig: Anrücken)* approach; **im ~ sein** *(fig)* be in the offing; **An•zug•ho•se** *f* suit trousers *pl*
an•züg•lich ['antsy:klɪç] *adj:* **~ werden** *(beleidigend)* get personal; *(sexuell)* make lewd remarks
an|zün•den *tr (Feuer, Streichholz)* light; *(Gebäude)* set on fire
a•part [a'part] *adj* distinctive
a•pa•thisch [a'pa:tɪʃ] *adj* apathetic
a•per *adj (CH: schneefrei)* snowless
A•pe•ri•tif [aperi'ti:f] <-s, -s> *m* aperitif
Ap•fel ['apfəl, *pl:* 'ɛpfəl] <-s, ⸚> *m* apple; **in den sauren ~ beißen** *(fig)* (have to) swallow the bitter pill; **Ap•fel•baum** *m* apple tree; **Ap•fel•ku•chen** *m* apple pie; **Ap•fel•mus** *n* apple sauce; **Ap•fel•saft** *m* apple juice
Ap•fel•si•ne [apfəl'zi:nə] <-, -n> *f* orange
Ap•fel•wein *m* cider
A•pos•tel [a'pɔstəl] <-s, -> *m* (ECCL) apostle; **A•pos•tel•ge•schich•te** *f* Acts of the Apostles *pl*
A•pos•troph [apos'tro:f] <-s, -e> *m* (GRAM) apostrophe
A•po•the•ke [apo'te:kə] <-, -n> *f* chemist's shop, pharmacy *Am*
A•po•the•ker(in) [--'--] <-s, -> *m(f)* chemist, pharmacist, druggist *a. Am*
Ap•pa•rat [apa'ra:t] <-(e)s, -e> *m* **1.** *(a. fig)* apparatus; *(Vorrichtung)* appliance, contraption *fam,* gadget **2.** *(Gerät)* set; *(Foto~)* camera **3.** (TELE: *Telefon)* (tele)phone; **am ~!** (TELE) speaking!; **bleiben Sie am ~!** (TELE) hold the line, please!; **Ap•pa•ra•te•me•di•zin** *f* high-tech medicine
Ap•pa•ra•tur *f* equipment
Ap•par•te•ment [apartə'mɑ̃:] <-s, -s> *n* flat *Br,* apartment *Am*
Ap•par•te•ment•haus *n* block of flats *Br,* condominium, apartment house *Am*
Ap•pell [a'pɛl] <-s, -e> *m* appeal; **e-n ~ an jdn richten** make an appeal to s.o.
Ap•pel•la•tion <-, -en> *f (CH)* appeal
ap•pel•lie•ren *itr* appeal *(an* to)
Ap•pe•tit [apə'ti:t] <-(e)s, (-e)> *m* appetite *(auf etw* for s.th.); **~ bekommen** get an appetite; **jdm den ~ verderben** spoil someone's appetite; **~ auf etw haben** feel like s.th.
ap•pe•tit•lich *adj* **1.** *(allgemein)* appetizing **2.** *(fig)* attractive; **das sieht ~ aus!** that looks tempting!
Ap•pe•tit•lo•sig•keit *f* lack of appetite; **Ap•pe•tit•züg•ler** *m* appetite suppressant
ap•plau•die•ren [aplaʊ'di:rən] *itr* applaud; **Ap•plaus** [a'plaʊs] <-es> *m* applause
A•pri•ko•se [apri'ko:zə] <-, -n> *f* (BOT) apricot
A•pril [a'prɪl] <-(s), (-e)> *m* April; **der 1. ~** All Fools' Day; **~, ~!** April fool!; **A•pril•scherz** *m* April fool's trick
a•pro•pos [apro'po:] *adv:* **~** by the way, that reminds me; **~ Gesundheit ...** talking about health ...
A•qua•ma•rin [akvama'ri:n] <-(e)s, -e> *m* aquamarine
A•qua•pla•ning [akva'pla:nɪŋ] <-s> *n* aquaplaning
A•qua•rell [akva'rɛl] <-(e)s, -e> *n* watercolour (painting)
Ä•qua•tor [ɛ'kva:to:ɐ] <-s> *m* (GEOG) equator; **Ä•qua•tor•tau•fe** *f* crossing the line ceremony
Ä•ra ['ɛ:ra] <-, (Ären)> *f* era
A•ra•ber(in) ['arabɐ] *m(f)* Arab (Arabian woman); **A•ra•bi•en** [a'ra:biən] *n* Arabia; **a•ra•bisch** *adj* Arabic
Ar•beit ['arbaɪt] <-, -en> *f* **1.** *(allgemein)* work **2.** *(Lohn für Arbeit)* labour **3.** *(Stellung, Job)* job **4.** (PÄD: *Klassen~)* test; **jdm viel ~ machen** be a lot of work for s.o.; **an die ~ gehen** get down to work; **mein**

Fernseher ist gerade in ~ my TV-set is in for a repair at the moment; **jdm** ~ **machen** put s.o. to trouble; **machen Sie sich keine** ~**!** don't bother!; **e-e** ~ **suchen als ...** look for a job as ...; **ohne** ~ **sein** be out of work; **e-e** ~ **schreiben** (*Klassen~*) do a test

ar•bei•ten ['arbaɪtən] *itr tr* **1.** work (*an* on) **2.** (TECH MOT) operate; (*laufen*) run **3.** (*Teig*) work; (*Holz*) warp; **die ganze Anlage arbeitet automatisch** the plant is automatic; **sich krank** ~ work one's fingers to the bone; **sich nach oben** ~ work one's way up

Ar•bei•ter(in) ['arbaɪtɐ] <-s, -> *m(f)* worker; (*ungelernter*) labourer; **Ar•bei•ter•schaft** *f* work force; **Ar•bei•ter•vier•tel** *n* working-class district

Ar•beit•ge•ber(in) *m(f)* employer; **Ar•beit•ge•ber•an•teil** *m* (*für Sozialbeiträge*) employer's contribution; **Ar•beit•ge•ber•ver•band** *m* employer's association; **Ar•beit•neh•mer(in)** *m(f)* employee; **Ar•beit•neh•mer•sei•te** [--'----] *f* employees' side; **ar•beit•sam** *adj* industrious

Ar•beits•amt *n* employment exchange; **Ar•beits•be•din•gun•gen** *pl* working conditions; **Ar•beits•be•las•tung** *f* (COM) workload; **Ar•beits•be•schaf•fungs•maß•nah•me** *f* job-creation scheme, job scheme; **Ar•beits•ein•stel•lung** *f* walkout; **Ar•beits•er•laub•nis** *f* work permit; **Ar•beits•er•leich•te•rung** *f*: **das ist e-e große** ~ **für mich** that makes work much easier for me; **Ar•beits•es•sen** *n* working lunch

ar•beits•fä•hig *adj* able to work

Ar•beits•feld *n* sphere of activity

Ar•beits•frie•den *m* peaceful labour relations *pl*

Ar•beits•ge•biet *n* field of work; **Ar•beits•ge•mein•schaft** *f* **1.** (*allgemein*) team **2.** (PÄD) studygroup; **Ar•beits•ge•richt** *n* industrial tribunal; **ar•beits•in•ten•siv** *adj* labour-intensive; **Ar•beits•kampf** *m* industrial dispute; **Ar•beits•klei•dung** *f* working clothes *pl;* **Ar•beits•kraft** *f* **1.** (*körperlich*) capacity to work **2.** (*Arbeiter*) worker; **Ar•beits•kräf•te** *fpl* labour *sing;* **Ar•beits•kräf•te•man•gel** *m* labour shortage; **Ar•beits•kreis** *m* study group; **Ar•beits•la•ger** *n* labour camp; **Ar•beits•leis•tung** *f* performance; **Ar•beits•lohn** *m* wages *pl*

ar•beits•los *adj* out of work, unemployed

Ar•beits•lo•se(r) *f m* unemployed person; **Ar•beits•lo•sen•geld** *f* earnings-related benefit; **Ar•beits•lo•sen•hil•fe** *f* unemployment benefit; **Ar•beits•lo•sen•in•i•tia•ti•ve** *f* self-help group of the unemployed; **Ar•beits•lo•sen•quo•te** *f* rate of unemployment; **Ar•beits•lo•sen•un•ter•stüt•zung** *f*: ~ **bekommen** draw unemployment benefit; **Ar•beits•lo•sen•ver•si•che•rung** *f* National Insurance *Br;* social insurance *Am;* **Ar•beits•lo•sig•keit** *f* unemployment; **Ar•beits•markt** *m* labour market; **Ar•beits•ma•te•ri•al** *n* work material; **Ar•beits•nie•der•le•gung** *f* walk-out; **Ar•beits•pa•pier** *n* working paper; **Ar•beits•platz** *m* **1.** (*im Betrieb*) workplace **2.** (*Stelle*) job; **Ar•beits•platz•be•schrei•bung** *f* job description; **Ar•beits•platz•tei•lung** *f* job sharing; **Ar•beits•platz•wech•sel** *m* change of jobs; **Ar•beits•schutz** *m* maintenance of industrial health and safety standards; **Ar•beits•schutz•vor•schrif•ten** *fpl* health and safety regulations; **Ar•beits•spei•cher** *m* (EDV) working storage; **Ar•beits•spra•che** *f* working language; **Ar•beits•stun•de** *f* man hour; **Ar•beits•tag** *m* working day, workday; **Ar•beits•ta•gung** *f* conference; **Ar•beits•tei•lung** *f* division of labour

ar•beits•un•fä•hig *adj* **1.** (*krank*) unfit for work **2.** (*dauernd*) unable to work

Ar•beits•ver•dienst *m* earned income; **Ar•beits•ver•hält•nis** *n* **1.** (*im Betrieb*) employee-employer relationship **2.** (*Stellung*) employment; **Ar•beits•ver•mitt•lung** *f* **1.** (*Agentur*) employment agency **2.** (*im Arbeitsamt*) employment exchange; **Ar•beits•ver•trag** *m* (COM) contract of employment; **Ar•beits•vor•gang** *m* work process; **Ar•beits•wei•se** *f* **1.** (*menschliche ~*) working method **2.** (*e-r Maschine*) mode of operation; **Ar•beits•wo•che** *f* (COM) working week

Ar•beits•zeit *f* working hours *pl;* **gleitende** ~ flexible working hours *pl;* (*fam*) flexitime; **Ar•beits•zeit•ver•kür•zung** *f* reduction in working hours; **Ar•beits•zeug•nis** *n* reference from one's employer; **Ar•beits•zim•mer** *n* study

Ar•chäo•lo•ge [arçεo'lo:gə] *m* archaeologist; **Ar•chä•o•lo•gie** [arçεolo'gi:] *f* archaeology; **ar•chä•o•lo•gisch** *adj* archaeological

Ar•chi•tekt(in) [arçi'tεkt] <-en, -en> *m(f)* architect; **ar•chi•tek•to•nisch** *adj* architectural; **Ar•chi•tek•tur** *f* architecture

Ar•chiv [ar'çi:f] <-s, -e> *n* archives *pl*

A•re•al [are'a:l] <-s, -e> *n* area

A•re•na [a're:na, *pl:* a're:nən] <-, -nen> *f* (*a. fig*) arena; (*Zirkus~, etc*) ring

arg [ark] <ärger, ärgst> **I.** *adj* **1.** (*böse*) wicked **2.** (*stark, schlimm*) terrible; **mein** **~ster Feind** my worst enemy; **etw noch** **~er machen** make s.th. worse **II.** *adv* (*sehr*) awfully, very

Ar·gen·ti·ni·en [argɛn'ti:niən] <-s> *n* Argentina; **Ar·gen·ti·ni·er**(**in**) *m(f)* Argentine; **ar·gen·ti·nisch** *adj* Argentinian

Är·ger ['ɛrgɐ] <-s> *m* (*Wut*) anger; (*Unannehmlichkeit*) trouble; **aus** ~ out of anger; **jdm** ~ **machen** cause s.o. a lot of trouble; ~ **kriegen** get into trouble; **mach keinen** ~! (*fam*) cool it!; **so ein** ~! what a nuisance!

är·ger·lich *adj* **1.** (*verärgert*) annoyed, cross **2.** (*Ärger erregend*) annoying; **das ist** ~ that is a nuisance; ~ **über etw sein** be cross about s.th.

är·gern ['ɛrgɐn] **I.** *tr* **1.** (*allgemein*) annoy, irritate **2.** (*belästigen*) pester, torment **II.** *refl:* **sich über jdn** ~ get angry with s.o.

Är·ger·nis *n* offence; ~ **erregen** cause offence

arg·los *adj* **1.** (*harmlos*) innocent **2.** (*ohne Argwohn*) unsuspecting

Ar·gu·ment [argu'mɛnt] <-(e)s, -e> *n* argument

ar·gu·men·tie·ren *itr* argue

Arg·wohn ['arkvo:n] <-(e)s> *m* suspicion; ~ **gegen jdn schöpfen** become suspicious of s.o.; **voller** ~ suspiciously

arg·wöh·nen ['arkvø:nən] *tr* suspect

arg·wöh·nisch *adj* suspicious (*gegen* of)

A·rie ['a:riə] <-, -n> *f* (MUS) aria

A·ris·to·krat(**in**) [arɪsto'kra:t] <-en, -en> *m(f)* aristocrat; **A·ris·to·kra·tie** *f* aristocracy; **a·ris·to·kra·tisch** *adj* aristocratic

A·rith·me·tik [arɪt'me:tɪk] *f* arithmetic

a·rith·me·tisch *adj* arithmetical

Ark·tis ['arktɪs] <-> *f* (GEOG): **die** ~ the Arctic

ark·tisch *adj* arctic; ~**e Kaltluft** polar air

Arm [arm] <-(e)s, -e> *m* **1.** (ANAT) arm **2.** (*von Leuchter*) branch **3.** (*von Waage*) beam; ~ **in** ~ arm in arm; **jdn in den** ~ **nehmen** take s.o. in one's arms *pl;* **jdn auf den** ~ **nehmen** (*fig fam*) pull someone's leg, take s.o. for a ride; **jdm in die** ~**e laufen** bump into s.o.; **e-n langen** ~ **haben** (*fig*) have a lot of pull; **e-n längeren** ~ **haben** (*fig*) have more pull

arm [arm] <ärmer, ärmst> *adj* poor; ~ **an etw sein** be somewhat lacking in s.th.; **das Land ist** ~ **an Bodenschätzen** the country is poor in mineral resources; **die A**~**en** the poor; ~ **dran sein** (*fam*) have a hard time of it; ~**es Schwein** (*fig fam*) poor so-and-so

Ar·ma·tur [arma'tu:ɐ] <-, -en> *f* (TECH) fitting; **Ar·ma·tu·ren·brett** *n* (MOT) dashboard; (RAIL MAR) instrument panel

Arm·band *n* **1.** (*von Uhr*) strap **2.** (*Schmuckstück*) bracelet; **Arm·band·uhr** *f* wrist watch

Arm·bin·de *f* armband

Arm·brust *f* crossbow

Ar·mee [ar'me:, *pl:* ar'me:ən] <-, -n> *f* army; **bei der** ~ **sein** be in the army

Är·mel ['ɛrməl] <-s, -> *m* sleeve; **etw aus dem** ~ **schütteln** (*fig*) produce s.th. just like that; **Är·mel·auf·schlag** *m* cuff

Är·mel·ka·nal *m:* **der** ~ the (English) Channel

Arm·leh·ne *f* armrest

Arm·leuch·ter *m* (*sl: Idiot*) twit

ärm·lich ['ɛrmlɪç] *adj s.* **armselig**

arm·se·lig ['armse:lɪç] *adj* **1.** (*elend*) miserable **2.** (*fig*) paltry

Ar·mut ['armu:t] <-> *f* poverty

Ar·muts·gren·ze *f* poverty line; **Ar·muts·zeug·nis** *n:* **sich ein** ~ **ausstellen** (*fig*) show one's own shortcomings *pl*

A·ro·ma [a'ro:ma, *pl:* a'ro:mən/a'ro:mas/a'ro:mata] <-s, -men/-mas/-mata> *n* **1.** (*Duft*) aroma **2.** (*Geschmack*) flavour; **A·ro·ma·the·ra·pie** *f* aromatherapy

a·ro·ma·tisch *adj* **1.** (*duftend*) aromatic **2.** (*würzig*) spicy

Ar·rest [a'rɛst] <-(e)s, -e> *m* **1.** (*a.* JUR: *Haft*) detention **2.** (JUR: *Beschlagnahme*) distress; **Ar·rest·zel·le** *f* detention cell

ar·ro·gant *adj* arrogant; **Ar·ro·ganz** *f* arrogance

Arsch [arʃ, *pl:* 'ɛrʃə] <-(e)s, ⸚e> *m* (*fam*) arse; **leck mich am** ~! (*vulg*) fuck off!; **Arsch·krie·cher** *m* (*vulg pej*) ass-kisser; **Arsch·loch** *n* (*vulg a. fig*) arsehole; **du** ~! (*vulg*) you bastard! you asshole!

Ar·sen [ar'ze:n] <-s> *m* (CHEM) arsenic

Ar·se·nal <-(e)s, -e> *n* (MIL) arsenal

Art [art] <-, -en> *f* **1.** (*allgemein*) kind, sort; (*Typ*) type **2.** (BIOL) species **3.** (*Benehmen*) behaviour **4.** (*Methode*) way **5.** (*Wesen*) nature; **auf diese** ~ in this way; **alle** ~**en von Menschen** all sorts of people; **die einfachste** ~ **etw zu tun** the simplest way of doing s.th.; **was ist denn das für e-e** ~! what sort of a way to behave is that!

Ar·ten·reich·tum *m ohne pl* biodiversity

Ar·ten·rück·gang *m ohne pl* decline of species

Ar·ten·schutz *m* protection of species

Ar·te·rie [ar'te:riə] <-, -n> *f* artery; **Ar·te·ri·en·ver·kal·kung** *f* (MED) arteriosclerosis

Art·ge·nos·se *m* s.o. of the same type; **s·e** ~**n** (*fam*) the likes of him

Ar·thros·ko·pie [artrosko'pi:] <-> *f* arthroscopy

ar·tig ['artɪç] *adj* (*Kinder*) good, well-behaved; **sei schön** ~! be a good child!

Ar·ti·kel [ar'ti:kəl] <-s, -> *m* **1.** (GRAM) article **2.** (COM: *Ware*) article; (*einzelner Posten*) item **3.** (*Zeitungs*~) article, feature

ar·ti·ku·lie·ren **I.** *tr* articulate **II.** *refl* express o.s.

Ar·til·le·rie [artɪlə'ri:] *f* (MIL) artillery

Ar·ti·scho·cke [arti'ʃɔkə] <-, -n> *f* (BOT) artichoke

Ar·tist [ar'tɪst] <-en, -en> *m* artiste

Arz·nei [arts'naɪ] <-, -en> *f* medicine; **Arz·nei·mit·tel** *n* drug; **Arz·nei·mit·tel·ab·hän·gig·keit** *f* (MED) drug dependence; **Arz·nei·mit·tel·ent·sor·gung** *f* disposal of drugs; **Arz·nei·mit·tel·miss·brauch**[RR] *m* drug abuse

Arzt [artst, *pl:* 'ɛrtstə] <-es, =e> *m* doctor, physician; **praktischer ~** general practitioner; **Arzt·be·such** *m* GP visit

Ärz·te·kam·mer *f* General Medical Council *Br,* State Medical Board of Registration *Am*

Arzt·hel·fe·rin *f* (doctor's) receptionist

Ärz·tin ['ɛrtstɪn] *f* female doctor

ärzt·lich *adj* medical; **in ~er Behandlung sein** be under medical care; **sich ~ behandeln lassen** get medical treatment

Arzt·wahl *f* choice of doctor

As[1] [as] <-, -> *n* (MUS) A flat; **As-Dur/As-Moll** A flat major/minor

As[2] *n s.* **Ass**

ASCII-Code ['askɪko:d] <-s, -s> *m* (EDV) ASCII code

A·sche ['aʃə] <-, (-n)> *f* ash, ashes *pl;* **zu ~ werden** turn to dust; **A·schen·bahn** *f* (SPORT) cinder track; **A·schen·be·cher** *m* ashtray; **A·schen·brö·del** *n* Cinderella; **A·scher·mitt·woch** [--'--] *m* (ECCL) Ash Wednesday

asch·fahl ['-'-] *adj* ashen

asch·grau ['-'-] *adj* ash-grey

As·cor·bin·säu·re *f* (CHEM) ascorbic acid

ä·sen ['ɛ:zən] *itr* graze, browse

A·si·at(in) *m(f)* Asian; **a·sia·tisch** *adj* Asian; **A·si·en** ['a:ziən] *n* Asia

As·ket [as'ke:t] <-en, -en> *m* ascetic

as·ke·tisch *adj* ascetic

a·so·zi·al ['azotsja:l] *adj* antisocial

As·phalt [as'falt] <-(e)s, -e> *m* asphalt

as·phal·tie·ren *tr* asphalt

Ass[RR] <-es, -e> *n* (*Spielkarte, a. fig*) ace

As·sem·bler [ə'sɛmblə] <-s, -> *m* (EDV) assembler

As·si·mi·la·ti·on [asimila'tsjo:n] <-, -en> *f* **1.** (LING CHEM) assimilation **2.** (*fig*) adjustment (*an* to)

as·si·mi·lie·ren *tr* (CHEM) assimilate; **sich an etw ~** adjust to s.th.

As·sis·tent(in) [asɪs'tɛnt] <-en, -en> *m(f)* assistant

As·sis·tenz [asɪs'tɛnts] *f:* **unter (der) ~ von ...** with the assistance of ...; **As·sis·tenz·arzt** *m* houseman *Br,* intern *Am*

as·sis·tie·ren *itr:* **jdm ~** assist s.o. (*bei etw* in doing s.th.)

Ast [ast, *pl:* 'ɛstə] <-(e)s, =e> *m* **1.** bough, branch **2.** (*im Holz*) knot **3.** (ANAT: *Nerven, Arterien*) branch **4.** (MATH: *Geometrie*) branch; **sich e-n ~ lachen** (*fam*) double up with laughter; **den ~ absägen, auf dem man sitzt** (*fig*) dig one's own grave

A·ster ['astɐ] <-, -n> *f* (BOT) aster

Äs·thet [ɛs'te:t] <-en, -en> *m* (a)esthetic

Äs·the·tik *f* (a)esthetics *pl*

äs·the·tisch *adj* (a)esthetic(al)

Asth·ma ['astma] <-s> *n* (MED) asthma

asth·ma·tisch *adj* asthmatic

Ast·loch *n* knothole

ast·rein *adj* (*fig fam*) above board; **nicht ganz ~** (*fig fam*) somewhat fishy

A·stro·lo·ge [astro'lo:gə] <-n, -n> *m* astrologer; **A·stro·lo·gie** *f* astrology; **a·stro·lo·gisch** *adj* astrologic(al)

A·stro·nom [astro'no:m] <-en, -en> *m* astronomer; **A·stro·no·mie** *f* astronomy; **astro·no·misch** *adj* (*a. fig*) astronomic(al)

A·stro·phy·sik *f* (PHYS) astrophysics; **A·stro·phy·si·ker(in)** *m(f)* astrophyicist

ASU ['a:zu] <-> *f Abk. von* **Abgassonderuntersuchung** (MOT) *anti-pollution test of exhaust fumes*

A·syl [a'zy:l] <-(e)s, -e> *n* (POL) asylum; (*fig: Schutzort*) sanctuary; **~ suchen** (POL) seek asylum; **A·sy·lant(in)** *m(f)* asylum seeker; **A·sy·lan·ten·wohn·heim** *n home for asylum seekers;* **A·syl·be·wer·ber(in)** *m(f)* applicant for political asylum; **A·syl·recht** *n* (POL) right of (political) asylum

A·te·lier [atə'lje:] <-s, -s> *n* studio

A·tem ['a:təm] <-s> *m* breath; **~ holen** take breath; **wieder zu ~ kommen** regain breath; **den ~ anhalten** hold one's breath; **außer ~ kommen** get out of breath, lose one's breath; **außer ~ sein** be out of breath, be panting; **a·tem·be·rau·bend** *adj* **1.** breath-taking **2.** (*fig*) exciting; **A·tem·be·schwer·den** *pl* respiratory trouble *sing,* trouble *sing* in breathing; **A·tem·ge·rät** *n* oxygen apparatus; **a·tem·los** *adj* breathless, out of breath; **A·tem·luft** *f* inhaled air; **A·tem·not** *f* difficulty in breathing; (MED) dyspn(o)ea; **A·tem·pau·se** *f* **1.** (*fig: Entspannung*) breather **2.** (*Pause*) respite; **A·tem·schutz·ge·rät** *n* breathing apparatus; **A·tem·still·stand** *m* respiratory arrest; **A·tem·we·ge** *pl* respiratory tract *sing;* **A·tem·zug** *m* breath; **in e-m ~** with the same breath; **den letzten ~ tun** (*fig: sterben*) breathe one's last; **bis zum letzten ~** to the last breath

A·the·is·mus [ate'ɪsmʊs] <-> *m* atheism; **A·the·ist(in)** <-en, -en> *m(f)* atheist; **a·theis·tisch** *adj* atheistical

Ä•ther ['ɛ:tɐ] <-s> *m* **1.** (CHEM) ether **2.** (RADIO): **über den ~** on the air; **ä•the•risch** [ɛ'te:rɪʃ] *adj* (*a. fig*) ethereal; **~es Öl** volatile [*o* essential] oil

Ä•thi•o•pi•en [ɛti'o:piən] *n* Ethiopia; **Ä•thi•o•pi•er(in)** *m(f)* Ethiopian; **ä•thi•o•pisch** *adj* Ethiopian

Ath•let(in) [at'le:t] <-en, -en> *m(f)* athlete; **ath•le•tisch** *adj* athletic

At•lan•tik [at'lantɪk] <-s> *m*: **der ~** the Atlantic; **at•lan•tisch** *adj* atlantic; **der A~e Ozean** the Atlantic Ocean

At•las ['atlas, *pl:* at'lantən] <-, -lanten> *m* **1.** (GEOG) Atlas **2.** (*Kartenwerk*) atlas

At•men *n* breathing

at•men ['a:tmən] *itr* breathe, respire; **tief ~** draw [*o* fetch] a deep breath; **wieder ~ können** recover one's breath

At•mo•sphä•re [atmo'sfɛ:rə] <-, -n> *f* atmosphere; **at•mo•sphä•risch** *adj* atmospheric

At•mung ['a:tmʊŋ] *f* breathing, respiration; **At•mungs•or•ga•ne** *pl* respiratory organs

A•tom [a'to:m] <-s, -e> *n* atom; **a•to•mar** [ato'ma:ɐ] *adj* atomic, nuclear; **A•tom•bom•be** *f* atomic bomb, A-bomb; **A•tom•bom•ben•ex•plo•si•on** *f* atomic explosion; **A•tom•ener•gie** *f* atomic [*o* nuclear] energy; **A•tom•for•schungs•zen•trum** *n* atomic [*o* nuclear] research centre; **A•tom•ge•wicht** *n* atomic weight; **A•tom•in•dus•trie** *f* nuclear industry; **A•tom•kern** *m* atomic nucleus; **A•tom•kraft** *f* nuclear [*o* atomic] energy; **A•tom•kraft•werk** *n* nuclear power station; **A•tom•krieg** *m* nuclear war; **A•tom•macht** *f* nuclear [*o* atomic] power; **A•tom•müll** *m* radioactive waste; **A•tom•müll•de•po•nie** *f* radioactive waste dump; **A•tom•müll•lage•rung**RR *f* radioactive waste storage; **A•tom•phy•sik** *f* nuclear physics *pl;* **A•tom•pilz** *m* mushroom cloud; **A•tom•re•ak•tor** *m* atomic [*o* nuclear] reactor; **A•tom•spal•tung** *f* atomic fission; **A•tom•test** *m* nuclear test; **A•tom•test•stopp**RR *m* nuclear test ban; **A•tom•waf•fe** *f* (MIL) nuclear weapon; **a•tom•waf•fen•frei** *adj* nuclear-free; **A•tom•waf•fen•ver•such** *m* nuclear test; **A•tom•zeit•al•ter** *n* nuclear age

ätsch [ɛ:tʃ] *interj* (*Schadenfreude*) serves you right!

At•ten•tat [atɛn'ta:t/ '---] <-(e)s, -e> *n* attempt on someone's life; **es wurde ein ~ auf ihn verübt** an attempt was made on his life; **At•ten•tä•ter(in)** [atɛn'tɛ:tɐ/ '----] *m(f)* assassin, assailant

At•test [a'tɛst] <-(e)s, -e> *n* attest(ation), certificate; **ärztliches ~** medical certificate *Br,* doctor's certificate *Am;* **ein ~ aus•stellen** grant a certificate

At•trap•pe [a'trapə] <-, -n> *f* dummy; (*Schaustück, leere Packung etc*) show piece

At•tri•but [atri'bu:t] <-(e)s, -e> *n* **1.** (*Abzeichen, Sinnbild*) emblem, symbol; (*äußeres Zeichen*) attribute; (*Merkmal*) characteristic, property **2.** (GRAM) attribute; **at•tri•bu•tiv** [atribu'ti:f/ '----] *adj* (GRAM) attributive

ät•zen ['ɛtsən] *tr* corrode; (MED) cauterize; (*beim Kupferstich*) etch; **ät•zend** *adj* **1.** corrosive, caustic *a. fig* **2.** (*fig: beißend*) biting, mordant **3.** (*fam: abscheulich, fürchterlich*) revolting, sickening, nauseating

au(a) *interj* ouch!

Au•ber•gi•ne [obɛr'ʒi:nə] <-, -n> *f* aubergine, egg-plant

auch [aʊx] *adv* **1.** also, too **2.** (*steigernd*) even **3.** (*gleichermaßen*) likewise **4.** (*wirklich*) certainly, indeed; **ich ~** I too, me too; **ich ~ nicht** neither do I, me neither; **nicht nur ... sondern ~** not only ... but also; **er ist ~ so einer** he ist another one of those; **wie dem ~ sei** be that as it may; **u. mag er ~ noch so reich sein** let him be ever so rich; **was ~ ...** whatever ...; **wenn ~ ...** (even) though ..., although ...; **wer ~ ...** whoever ...; **wo ~ immer** wheresoever; **wozu ~?** what is the good of it?

Au•di•enz [aʊdi'ɛn(t)s] <-, -en> *f* audience (*bei* with); **um e-e ~ bitten bei ...** request an audience with ...; **jdm e-e ~ ge•währen** grant an audience to s.o.

Au•di•to•ri•um [aʊdi'to:riʊm] <-s, -rien> *n* **1.** (*Räumlichkeit*) auditorium, lecture-hall **2.** (*Zuhörer*) audience

Au [aʊ] <-, -en> *f* (*poet*) green, meadow

Au•er•ochse *m* (ZOO) bison

auf [aʊf] **I.** *präp* **1.** (*örtlich*) at; **~ der Post** at the post office; **~ der Schule** at school **2.** (*örtlich*) in; **~ dem Land** in the country; **~ der Straße** in the street *Br,* on the street *Am;* **~ der Welt** in the world; **~ dem Markt** in the market-place; (COM) on the market; **~ der Karte** on the map **3.** (*räumlich*) on; **etw ~ etw legen (stellen)** put s.th. on [*o* on top of] s.th.; **sich ~ den Boden setzen** sit down on the floor; **~ der Insel Wight** on the Isle of Wight; **etw ~ einen Zettel schreiben** write s.th. on a piece of paper **4.** (*sonstiger Gebrauch*): **~ Anfrage** on inquiry; **~ Befehl von** by order of; **~ Besuch sein bei** stay with; **~ Deutsch**RR in German; **~ einmal** all at once; **~ jeden Fall** in any case; **~ keinen Fall** on no account; **~ der Geige spielen** play the violin; **~ Kredit kaufen** (*fam*) buy on tick; ~ **diese Weise** in this manner; **Einfluss**[RR] ~ **jdn haben** have influence over s.o. **II.** *adv* **1.** (*offen*) open **2.** (*hinauf*): ~ **haben**[RR] (*Augen, Mund*) have open; (*Laden*) be open; (*Hut etc*) have on, wear; ~ **und ab** up and down **3.** (*sonstiger Gebrauch*): ~ **und davon** up and away; **noch** ~ **sein** be still up; **von klein** ~ from childhood; ~ **dass ...** that ... **III.** *interj:* ~**!** (**los!**) come along!

auf|ar•bei•ten *tr* **1.** (*auffrischen*) refurbish **2.** (*Polstersachen*) upholster; **Rückstände** ~ clear the backlog

auf|at•men *itr* breathe a sigh of relief

auf|bah•ren *tr* lay out (*feierlich* in state)

Auf•bau <-(e)s> *m* **1.** (*Tätigkeit*) building **2.** (*fig: e-r Organisation*) set-up **3.** (MOT) body **4.** (*Struktur*) structure; (*e-s Kunstwerkes*) composition

Auf•bau•creme *f* regenerative cream

auf|bau•en *tr* **1.** (*errichten*) put up; (EL MOT) assemble **2.** (*fig*) build up; **jdn** ~ (*beruflich*) promote s.o.; **sich** ~ **auf** be based on; **sich vor jdm** ~ (*fam*) plant o.s. before s.o.

auf|bäu•men ['aʊfbɔɪmən] *refl* **1.** (*von Tieren*) rear **2.** (*fig*) rebel

auf|bau•schen I. *tr* **1.** blow out **2.** (*fig*) blow up, exaggerate **II.** *refl* **1.** blow out **2.** (*fig*) blow up (*zu* into)

Auf•bau•ten *pl* **1.** (MAR) superstructure *sing* **2.** (FILM) set *sing*

auf|be•hal•ten *irr tr* **1.** (*Hut*) keep on **2.** (*Augen*) keep open

auf|be•rei•ten *tr* **1.** (*allgemein*) process **2.** (*von Kohle*) prepare; (*von Wasser*) condition, treat; (*von Erz*) dress **3.** (*Computerdaten*) edit

Auf•be•rei•tung *f* (*allgemein*) processing; (*von Kohle*) preparation; (*von Wasser*) conditioning; (*von Erz*) dressing; ~ **radioaktiver Abfälle** processing of radio-active waste; **Auf•be•rei•tungs•an•la•ge** *f* (*für Kernbrennstoff*) nuclear fuel reprocessing plant

auf|bes•sern *tr:* **jds Gehalt** ~ increase [*o* raise] someone's salary

auf|be•wah•ren *tr* keep; (*Wertsachen* ~) look after; **sein Gepäck** ~ **lassen** leave one's luggage; **jds Dokumente** ~ have someone's documents in one's keeping

Auf•be•wah•rung *f* keeping, storage; (*Gepäck~*) left-luggage office; **sein Gepäck zur** ~ **geben** deposit one's luggage

auf|bie•ten *irr tr* (*allgemein*) muster; (MIL: *a. Polizei*) call in; **alle Kräfte** ~ strain every nerve

auf|bin•den *irr tr* (*öffnen*) undo, untie; **jdm e-e Lüge** ~ (*fig*) take s.o. in

auf|blä•hen I. *tr* **1.** (*allgemein*) blow out; (MED) swell **2.** (*fig*) inflate **II.** *refl* **1.** (*allgemein*) blow out **2.** (*fig*) puff o.s.

auf•blas•bar *adj* inflatable

auf|bla•sen I. *irr tr* **1.** (*mit Luft füllen*) blow up; (MOT) inflate **2.** (*hochblasen*) blow up **II.** *refl* (*fig*) puff o.s. up

auf|blei•ben *sein irr itr* **1.** (*offen bleiben*) stay open **2.** (*nicht schlafen gehen*) stay up

auf|blen•den *itr tr* **1.** (MOT) turn the headlights on full **2.** (PHOT) increase the aperture

auf|bli•cken *itr:* **zu jdm** ~ look up to s.o.

auf|blit•zen I. *itr sein* (*Licht*) flash **II.** *itr sein* (*fig: Idee etc*) flare up

auf|blü•hen *sein itr* **1.** blossom **2.** (*fig: gedeihen*) flourish

auf|bo•cken *tr* (MOT) jack up

auf|brau•chen *tr* use up

auf|brau•sen *sein itr* **1.** fizz up **2.** (*fig*) flare up

auf|bre•chen I. *irr tr haben* break [*o* force] open; **ein Schloss** ~ pick a lock **II.** *itr sein* **1.** (*Wunden*) burst; (*Knospen*) open **2.** (*fortgehen*) set out (*nach* for)

auf|bren•nen *irr tr:* **e-m Tier ein Zeichen** ~ brand an animal

auf|brin•gen *irr tr* **1.** (*fam: Tür*) get open **2.** (*Mut*) summon up **3.** (*Geld*) raise **4.** (*fig: jdn reizen*) irritate (s.o.); **jdn gegen jdn** ~ set s.o. against s.o.

Auf•bruch *m* **1.** (*das Losgehen*) departure **2.** (*Riss*) crack

auf|brü•hen *tr* brew up

auf|brum•men *tr* (*fam*): **jdm etw** ~ land s.o. with s.th.

auf|bür•den *tr:* **jdm etw** ~ load s.th. onto s.o.; (*fig*) encumber s.o. with s.th.

auf|de•cken *tr* **1.** (*allgemein*) uncover; (*Bett*) turn down **2.** (*fig*) uncover; **ein Geheimnis** ~ disclose [*o* reveal] a secret; **s-e Karten** ~ show one's hand

auf|drän•gen I. *tr:* **jdm etw** ~ force s.th. on s.o. **II.** *refl:* **sich jdm** ~ impose o.s. on s.o.

auf|dre•hen I. *tr* (*Hahn*) turn on; (*Schraube*) unscrew **II.** *itr* **1.** (*fig: loslegen*) get going **2.** (*beschleunigen, fam*) open up

auf•dring•lich *adj* (*allgemein, a. Benehmen*) obtrusive; (*Person*) pushing

Auf•dring•lich•keit *f* (*allgemein*) obtrusiveness; (*von Person*) pushiness

Auf•druck *m* (*allgemein*) imprint; (*Stempel*) overprint

auf|dru•cken *tr:* **etw auf etw** ~ print s.th. on s.th.

auf|drü•cken *tr* **1.** (*stempelnd*): **etw auf etw** ~ press s.th. on s.th.; (TYP) stamp s.th. on s.th. **2.** (*öffnen*) press [*o* break] open

auf•ein•an•der ['aʊfaɪ'nandɐ] *adv* **1.** (*folgend*) one after another **2.** (*körperlich*) one on top of the other; **auf•ein•an•der|fol-**

gen *s.* folgen; **auf•ein•an•der|häu•fen** *s.* häufen; **auf•ein•an•der|sto•ßen** *s.* **stoßen**

Auf•ent•halt ['aʊfəntalt] <-(e)s, -e> *m* **1.** (*allgemein*) stay; (*dauernder Wohnort*) residence **2.** (RAIL) stop; **Sie haben 5 Minuten ~ in München** you have a five-minute stop in Munich; **wie lange haben wir hier ~?** how long do we stop here?; **Auf•ent•halts•ge•neh•mi•gung** *f* residence permit; **Auf•ent•halts•ort** *m* whereabouts *pl;* **Auf•ent•halts•raum** *m* common-room, recreation room

auf|er•le•gen **I.** *tr* impose; (*Strafe*) inflict **II.** *refl:* **sich Zwang ~** force o.s.

auf|er•ste•hen *sein irr itr* (REL) rise (*von den Toten* from the dead)

Auf•er•ste•hung *f* (REL) resurrection

auf|es•sen *irr tr* eat up

auf|fah•ren **I.** *irr itr sein* **1.** (*hochschrecken*) start **2.** (MOT: *auf jdn ~*) drive into s.o. **II.** *tr haben* (MIL: *Artillerie ~*) place

Auf•fahrt *f* **1.** (*Haus~*) drive **2.** (*Autobahn~*) slip road

Auf•fahr•un•fall *m* front-end collision

auf|fal•len *sein irr itr* (*~d sein*) be remarkable (*durch* for); **was fällt dir an diesem Haus auf?** what strikes you about this house?; **auf•fal•lend** **I.** *adj* conspicuous, striking **II.** *adv:* ~ **gekleidet** showily dressed

auf•fäl•lig ['aʊffɛlɪç] *adj* striking; **~e Farben** loud colours

auf|fan•gen *irr tr* **1.** catch (up) **2.** (*Stöße ~*) cushion **3.** (*Regenwasser ~*) collect

Auf•fang•la•ger *n* refugee camp

auf|fas•sen *tr* (*fig: ansehen*) understand (*als* as); (*begreifen*) grasp

Auf•fas•sung *f* (*Meinung*) opinion, view; **nach meiner ~** in my opinion, to my mind

auf|fin•den *irr tr* locate

auf|flie•gen *sein irr itr* **1.** (*Vögel*) fly up **2.** (*Türen*) fly open **3.** (*fig: Schmugglerring etc*) be busted

auf|for•dern *tr* ask; (*gerichtlich*) summon; **jdn zum Tanzen ~** ask s.o. to dance; **Auf•for•de•rung** *f* request; (*Bitte*) invitation; (JUR) incitement

auf|fors•ten ['aʊffɔrstən] *tr* afforest; **e-e Rodung ~** retimber a clearing

Auf•fors•tung *f* reafforestation, reforestation

auf|fres•sen *irr tr* eat up

auf|fri•schen *tr* **1.** freshen up **2.** (*fig: Vorräte*) replenish; (*Kenntnisse*) brush up; (*Erinnerungen*) refresh; **Auf•fri•schungs•kurs** *m* (PÄD) refresher course

auf|füh•ren **I.** *tr* **1.** (THEAT) perform **2.** (*auflisten*) list **II.** *refl* behave

Auf•füh•rung *f* (THEAT) performance; **eine gelungene ~** a successful performance

auf|fül•len *tr* **1.** (*ganz füllen*) fill up **2.** (*nachfüllen*) top up **3.** (*fig: ergänzen*) replenish

Auf•ga•be ['aʊfga:bə] *f* **1.** (*allgemein*) task **2.** (PÄD) exercise; (*Haus~*) homework **3.** (*Verzicht*) surrender; (SPORT) retirement **4.** (*das Aufgeben*) giving up; **das ist nicht deine ~** that's not your job; **sich etw zur ~ machen** make s.th. one's business

auf|ga•beln *tr* **1.** (*allgemein*) fork up **2.** (*fig fam*) pick up; **wo hast du denn das Buch aufgegabelt?** where did you get hold of this book?

Auf•ga•ben•be•reich *m* area of responsibility

Auf•gang *m* **1.** (ASTR: *~ der Gestirne*) rising **2.** (*Treppen~*) staircase, stairs *pl,* steps *pl,* stairway *Am*

auf|ge•ben **I.** *irr tr* **1.** (*verzichten*) give up **2.** (*Hausaufgaben*) give **3.** (*Gepäck*) register; **e-n Koffer ~** register a suitcase; **e-e Anzeige ~** place an advertisement; **e-n Brief ~** post a letter *Br,* mail a letter *Am* **II.** *itr* give up

auf•ge•bla•sen *adj* (*fig*) puffed-up

Auf•ge•bot *n* **1.** (*von Menschen*) contingent **2.** (*standesamtlich*) notice of (one's) intended marriage, banns *pl*

auf•ge•bracht *adj* outraged

auf•ge•don•nert *adj* (*fam*) dressed to kill

auf•ge•dun•sen ['aʊfgədʊnzən] *adj* bloated

auf|ge•hen *sein irr itr* **1.** (ASTR: *Gestirne*) rise **2.** (*von Kleidung*) open; (*Knopf*) come undone **3.** (*Teig*) rise **4.** (*Saat*) come up **5.** (MATH) work out; **in Flammen ~** go up in flames; **jetzt geht mir ein Licht auf!** now I get it!, now it dawns on me!; **in e-r Sache ganz ~** be taken up with s.th.; **mein Schuh(band) ist aufgegangen** my shoestring has come undone

auf•ge•klärt *adj* (*a.* HIST) enlightened; **~ sein** (*euph: sexuell*) know the facts of life

auf•ge•legt *adj:* **~ sein, etw zu tun** feel like doing s.th.; **gut (schlecht) ~ sein** be in a good (bad) mood

auf•ge•regt *adj* excited; (*nervös*) nervous

auf•ge•schmis•sen *adj* (*fam*): **~ sein** be all at sea

auf•ge•sprun•gen *adj:* **~e Lippen** chapped lips

auf•ge•ta•kelt *adj* (*fam*) all dolled up

auf•ge•weckt *adj* (*fig*) bright, quick-witted

auf|gie•ßen *irr tr* (*Tee*) brew; (*Kaffee*) make

auf|glie•dern **I.** *tr* split up (*in* into) **II.** *refl* divide (*in* into)

auf|grei•fen *irr tr* (*fig*) take up (again)

auf•grund *präp* on the basis of; (*wegen*)

because of

Auf•gussRR *m* 1. (*allgemein*) infusion 2. (*fig*) rehash; **Auf•guss•beu•tel**RR *m* tea [*o* coffee] bag [*o* herb]

auf|ha•ben I. *tr* 1. (*Hut*) have on, wear 2. (*Augen, Mund*) have open 3. (*Schularbeiten*) have to do II. *itr* (*Laden*) be open

auf|hal•ten I. *irr tr* 1. (*offen halten*) keep open 2. (*hemmen*) stop; (*hinhalten*) delay; **ich will Sie nicht länger ~** don't let me keep you II. *refl* stay; **sich mit etw ~** spend time dealing with s.th.

auf|hän•gen I. *tr* 1. (*Gegenstand*) hang up 2. (*erhängen*) hang II. *refl* hang o.s. (*an* from); **Auf•hän•ger** *m* (*für Kleider*) loop; **ein ~ für etw** (*fig*) a peg to hang s.th. on

Auf•hän•gung *f* (MOT: *für Batterie, Stoßdämpfer etc*) mounting; **~ der Vorderräder** front-wheel suspension

Auf•he•ben <-s> *n* fuss; **viel ~(s) um etw machen** make a lot of fuss about s.th.

auf|he•ben *irr tr* 1. (*hochheben*) pick up 2. (*aufbewahren*) keep 3. (PARL) abolish; (*Vertrag*) cancel 4. (*Sitzung*) break up; **kannst du das für mich ~?** (*aufbewahren*) can you put this aside for me?; **Auf•he•bung** *f* (PARL: *Abschaffung*) abolition

auf|hei•tern I. *tr* brighten, cheer up II. *refl* (*Wetter*) clear up; **Auf•hei•te•rung** *f* (*von Wetter*) brighter period

auf|hel•len I. *tr* brighten II. *refl* (*Wetter, a. Miene*) brighten up

auf|het•zen *tr* (*fig*) stir up; **jdn gegen jdn ~** stir up someone's animosity against s.o.

auf|ho•len I. *tr* 1. (*Zeitverlust*) make up 2. (MAR: *den Anker*) haul up; **ich muss noch in Latein ~** (PÄD) I must catch up on Latin II. *itr* (SPORT) make up ground; (RAIL) make up time

auf|hor•chen *itr* prick up one's ears

auf|hö•ren *itr* stop; (*enden*) come to an end; **sie hörte nicht auf zu singen** she kept on singing; **hör doch endlich auf!** will you stop it!; **also, da hört bei mir der Spaß auf!** I'm not amused by that!

auf|kau•fen *tr* buy up

auf|klap•pen *tr* (*allgemein*) open up; (*Buch*) open; (*Klappe*) let down

auf|kla•ren ['aʊfkla:rən] *itr* (METE: *a. fig*) brighten [*o* clear] up

auf|klä•ren I. *tr* clear up; (*Verbrechen*) solve; **jdn (sexuell) ~** tell s.o. the facts of life II. *refl* (*fig*) be resolved; **Auf•klä•rer** *m* (AERO MIL) reconaissance plane

Auf•klä•rung *f* 1. (*allgemein*) clearing up 2. (HIST) enlightenment 3. (*Information*) informing; **sexuelle ~** sex education

Auf•klä•rungs•sa•tel•lit *m* reconnaissance satellite

auf•kleb•bar *adj* adhesive

auf|kle•ben *tr* stick on (*auf* to); (*mit Klebstoff*) glue on

Auf•kle•ber *m* sticker

auf|knöp•fen *tr* unbutton

auf|knüp•fen *tr* 1. (*Knoten*) untie 2. (*erhängen*) hang (*an* from)

auf|ko•chen *itr sein* come to the boil

auf|kom•men *sein irr itr* 1. (*für Schäden etc*) pay for 2. (*entstehen*) arise; **ein schwacher Wind ist aufgekommen** a gentle breeze has sprung up; **für die Kosten ~** bear the costs; **Zweifel ~ lassen** give rise to doubts

auf|krem•peln *tr:* **sich die Ärmel ~** roll up one's sleeves

auf|krie•gen *tr* (*fam*) *s.* **aufbekommen**

auf|la•chen *itr* give a laugh

auf|la•den I. *irr tr* 1. (*Last*) load 2. (EL) charge; **jdm etw ~** burden s.o. with s.th. II. *refl* (EL) become charged

Auf•la•ge *f* 1. (TYP: *von Buch*) edition; (*von Zeitung*) circulation 2. (*~nhöhe*) number of copies 3. (*Bedingung*) condition; **jdm etw zur ~ machen** impose s.th. on s.o. as a condition; **Auf•la•gen•hö•he** *f* number of copies published

auf|las•sen *irr tr* 1. (*offen lassen*) leave open 2. (*Hut etc*) leave on

auf|lau•ern *itr:* **jdm ~** lie in wait for s.o.

Auf•lauf *m* 1. (*Menschen~*) crowd 2. (*Speise*) baked pudding

auf|lau•fen I. *irr itr sein* 1. (*Zinsen*) accumulate 2. (MAR) run aground (*auf* on) II. *tr haben:* **sich die Füße ~** get sore feet

Auf•lauf•form *f* ovenproof dish

auf|le•ben *sein itr* liven up; **etw (wieder) ~ lassen** revive s.th.

auf|le•gen *tr* 1. (*allgemein*) put on; (*Geschirr*) lay; (TELE: *Hörer*) replace 2. (TYP: *ein Buch ~*) publish 3. (FIN: *Aktien*) issue

auf|leh•nen *refl:* **sich ~ gegen** revolt against

auf|le•sen *irr tr* pick up

auf|leuch•ten *haben o sein itr* (*a. fig*) light up

auf|lo•ckern *tr* 1. (*Erde etc*) break up 2. (PÄD: *Unterricht etc*) give relief to (*durch* with); **aufgelockerte Atmosphäre** relaxed mood

auf•lös•bar *adj* (*in Flüssigkeit*) soluble; (*Vertrag*) revocable

auf|lö•sen I. *tr* 1. (*in Flüssigkeiten*) dissolve 2. (*zerlegen*) resolve (*in* into) 3. (*Versammlung*) break up 4. (*Geschäft*) wind up; **sein Konto ~** close one's account II. *refl* 1. (*allgemein*) dissolve 2. (*fig*) be dissolved

Auf•lö•sung *f* 1. (*e-r Versammlung*) dispersal 2. (*von Aufgabe, Rätsel*) solution

auf|ma•chen I. *tr* open II. *refl* (*auf-*

brechen) set out (*nach* for)

Auf•ma•chung *f* 1. (*e-r Person*) rig-out 2. (*e-s Buches*) presentation 3. (TYP: *e-r Druckseite*) lay-out

auf|mar•schie•ren *sein itr* march up; ~ **lassen** (*a.* MIL) deploy

auf•merk•sam ['aʊfmɛrkzam] *adj* attentive; **jdn auf etw ~ machen** draw someone's attention to s.th.

Auf•merk•sam•keit *f* attention, attentiveness; **das ist nur e-e kleine ~!** that's just a little something!

auf|mö•beln *tr* (*fig*): **jdn ~** buck s.o. up

auf|mu•cken *itr* (*fam*) balk, jib

auf|mun•tern ['aʊfmʊntɐn] *tr:* **jdn ~** cheer s.o. up

auf•müp•fig ['aʊfmʏpfɪç] *adj* (*fam*) rebellious

Auf•nah•me ['aʊfna:mə] <-, -n> *f* 1. (*Empfang*) reception 2. (*Zulassung*) admission (*in* to) 3. (PHOT: *Vorgang*) taking 4. (*Foto*) photo 5. (RADIO: *auf Tonband*) recording 6. (FIN: *von Geldern*) raising; **e-e ~ machen** (PHOT) take a photo; ~ (**diplomatischer**) **Beziehungen** establishment of (diplomatic) relations; **Auf•nah•me•be•din•gun•gen** *fpl* conditions of admission; **auf•nah•me•fä•hig** *adj* (MARKT) active; **ich bin nicht mehr ~** (*fig*) I can't take anything else in; **Auf•nah•me•ge•bühr** *f* admission fee; **Auf•nah•me•la•ger** *n* reception camp; **Auf•nah•me•land** *n* host country; **Auf•nah•me•prü•fung** *f* entrance examination

auf|neh•men *irr tr* 1. (*Gegenstand*) pick up 2. (*zulassen*) admit (*in* to) 3. (*empfangen*) receive 4. (*auf Band*) record 5. (*etw beginnen*) begin; **Kontakt mit jdm ~** contact s.o.; **es mit jdm ~ können** be a match for s.o.; **er kann alles sehr schnell ~** he's very quick on the uptake; **Verhandlungen ~** enter into negotiations

auf|nö•ti•gen *tr:* **jdm etw ~** force s.th. on s.o.

auf|op•fern I. *refl* sacrifice o.s. II. *tr* give up

auf|pas•sen *itr:* **pass auf!**[RR] watch out!; **auf jdn ~** keep an eye on s.o.

Auf•pas•ser(in) *m(f)* watchdog *fam*

auf|peit•schen *tr* 1. (*fig*) inflame 2. (*Sturm: das Meer*) whip up

auf|pep•pen *tr* (*fam*) jazz up

auf|pflan•zen I. *tr:* **das Bajonett ~** fix the bajonet II. *refl* (*fam*): **sich vor jdm ~** plant o.s. in front of s.o.

auf|plat•zen *sein itr* burst open

Auf•prall <-s, -e> *m* impact

auf|pral•len *sein itr:* **auf den Boden ~** hit the ground; **auf e-n anderen Wagen ~** collide with another car

Auf•preis *m* surcharge; **gegen ~ von ...** for an extra charge of ...

auf|pum•pen *tr* (*Reifen*) inflate, pump up

auf|put•schen *tr* (*aufhetzen*) inflame; (*erregen*) stimulate

Auf•putsch•mit•tel *n* stimulant

auf|put•zen *tr* (*österr*) decorate

auf|raf•fen *refl:* **sich ~** pull o.s. up; (*fig*) pluck up courage

auf|ra•gen *sein itr* rise; (*höher*) tower

auf|räu•men I. *tr* tidy II. *itr* (*fig*): **mit etw ~** do away with s.th.

Auf•räu•mungs•ar•bei•ten *fpl* clearing-up operation *sing*

auf•recht ['aʊfrɛçt] *adj* erect, upright; ~ **sitzen** sit up; ~ **stehen** stand erect; **auf•recht|er•hal•ten** *irr tr* (*allgemein*) maintain; (*Verbindung, Kontakt*) keep up; (*Gebräuche, Urteil, Lehre u. a.*) uphold

auf|re•gen I. *tr* (*ärgern*) annoy; **reg mich nicht auf!** don't drive me mad! II. *refl* get (over)excited (*über* about)

Auf•re•gung *f* excitement; **nur keine ~!** don't get in a state!

auf|rei•ben I. *irr tr* 1. (*fig: erschöpfen*) wear down [*o* out] 2. (MIL: *vernichten*) annihilate, wipe out 3. (*wund reiben*) chafe II. *refl* (*fig*) wear o.s. out

auf|rei•ßen *irr tr* 1. tear up 2. (*öffnen*) fling open; **sich die Hand ~** gash one's hand

auf|rei•zen *tr* 1. (*ärgern*) provoke 2. (*erregen*) excite

auf|rich•ten I. *tr* 1. set upright 2. (*fig: seelisch*) lift II. *refl* straighten up; (*aufsitzen*) sit up

auf•rich•tig *adj* sincere (*zu* towards); **mein ~es Beileid** my sincere condolences *pl;* **Auf•rich•tig•keit** *f* sincerity

Auf•riss(zeich•nung)[RR] *m* (TECH) elevation; **etw (von vorne/von der Seite) im ~ zeichnen** draw (the front/the side) elevation of s.th.

auf|rol•len I. *tr* 1. (*zusammenrollen*) roll up; (*Kabel*) coil up 2. (*entfalten*) unroll; **e-e Frage ~** go into a problem II. *refl* unroll

Auf•ruf *m* 1. appeal (*an* to) 2. (AERO EDV) call

auf|ru•fen *irr tr* (*a.* EDV) call; **e-n Schüler ~** ask a pupil a question; **zum Widerstand ~** call for resistance

Auf•ruhr ['aʊfru:ɐ] <-(e)s, -e> *m* 1. (*Aufstand*) rebellion, uprising 2. (*fig: Aufgewühltheit*) turmoil

auf|rüh•ren *tr* (*fig: Skandal, alte Geschichte*) rake up

Auf•rüh•rer *m* rabble-rouser; **auf•rüh•re•risch** *adj* 1. (*aufständisch*) rebellious 2. (*Rede*) inflammatory

auf|run•den *tr* (*Betrag*) round up

auf|rüs•ten *tr* (re)arm

Auf•rüs•tung *f* rearmament
auf|rüt•teln *tr* **1.** (*aus dem Schlaf etc*) rouse (*aus* from) **2.** (*fig: jdn ~*) stir s.o.
auf|sa•gen *tr* (*rezitieren*) recite
auf|sam•meln *tr* pick up
auf•säs•sig ['aʊfzɛsɪç] *adj* rebellious
Auf•satz *m* **1.** (*Abhandlung*) essay; (PÄD) composition **2.** (*oberer Teil*) top, upper part
auf|sau•gen *tr* **1.** (*allgemein*) soak up **2.** (*fig*) absorb
auf|schau•en *itr* look up
auf|scheu•chen *tr* startle
auf|schich•ten *tr* pile up, stack
auf|schie•ben *irr tr* **1.** (*fig*) put off, postpone **2.** (*Fenster, Türe etc*) slide open
Auf•schlag *m* **1.** (*Aufprall*) impact **2.** (*Hosen~*) turn-up **3.** (SPORT: *beim Tennis*) service **4.** (COM: *Preis~*) surcharge; **wer hat ~?** (*beim Tennis*) whose serve?
auf|schla•gen I. *irr itr* **1.** (COM: *Preise*) rise, go up **2.** (*beim Tennis*) serve **3.** (*aufprallen*) hit II. *tr* **1.** (*Nuss etc*) crack **2.** (*öffnen*) open **3.** (*verwunden*) cut; **ein Zelt ~** pitch a tent
auf|schlie•ßen I. *irr tr* unlock; **jdm ~** unlock the door for s.o. II. *itr* (SPORT) catch up (*zu* with)
auf|schlit•zen *tr* rip (open); (*mit Messer a.*) slit (open)
Auf•schluss[RR] *m:* **können Sie mir darüber ~ geben?** can you give me any information about it?
auf•schluss•reich[RR] *adj* informative, instructive
auf|schnal•len *tr* **1.** (*auflösen*) unbuckle **2.** (*Rucksack etc aufbinden*) buckle on
auf|schnap•pen *tr* (*ein Wort etc*) pick up
auf|schnei•den I. *irr tr* cut open; (MED) lance II. *itr* (*übertreiben*) boast, brag
Auf•schnitt <-(e)s> *m* sliced cold meat
auf|schnü•ren *tr* undo
auf|schrau•ben *tr* **1.** (*losschrauben*) unscrew **2.** (*daraufschrauben*) screw on (*auf* to)
auf|schre•cken I. *tr haben* startle II. *itr sein* give a start; **aus dem Schlaf ~** wake up with a start
Auf•schrei *m* **1.** (*allgemein*) yell **2.** (*fig*) outcry
auf|schrei•ben *irr tr* put [*o* write] down
auf|schrei•en *irr itr* yell out
Auf•schrift *f* inscription; (*auf Poster etc*) caption; (*auf Etikett*) label
Auf•schub *m* delay, postponement
auf|schüt•ten *tr* **1.** (*Flüssigkeit*) pour on; (*Erde*) deposit **2.** (*Damm*) throw up
auf|schwat•zen *tr* (*fam*): **jdm etw ~** talk s.o. into taking s.th.
auf|schwin•gen *irr refl* (*fig*): **sich zu etw ~** (*sich aufraffen*) bring o.s. to do s.th.
Auf•schwung *m* **1.** (*fig*) upswing **2.** (SPORT: *beim Turnen*) swing-up **3.** (COM) boom, upturn, upswing; **das gibt mir (wieder) neuen ~** this is giving me a lift
Auf•se•hen <-s> *n:* **~ erregen** cause [*o* create] a sensation; **ohne großes ~** without any fuss
auf|se•hen *irr itr s.* **aufbli•cken**
Auf•se•her(in) *m(f)* (*Gefängnis~*) warden; (*im Museum*) attendant; (*im Betrieb*) supervisor
auf|set•zen I. *tr* **1.** (*Gegenstand auf etw ~*) put on **2.** (*Kaffee ~*) make **3.** (*schriftlich entwerfen*) draft II. *itr* (AERO) touch down
Auf•sicht *f* **1.** (*Überwachung*) supervision **2.** (*mit der ~ Beauftragter*) person in charge; **über etw ~ führen** be in charge of s.th.; **Auf•sichts•be•hör•de** *f* supervisory body; **Auf•sichts•rat** *m* board of directors; **Auf•sichts•rats•vor•sit•zen•de(r)** *f m* chairman of the board, chairwoman of the board
auf|sit•zen *sein irr itr* mount
auf|spal•ten *tr* **1.** split **2.** (*fig*) split up
Auf•spal•tung *f* **1.** (BIOL) fission **2.** (CHEM) disintegration **3.** (*allgemein*) splitting
auf|span•nen *tr* **1.** spread out **2.** (*Stoff*) stretch (*auf* onto); **s-n Schirm ~** open one's umbrella
auf|spa•ren *tr* save up
auf|spei•chern *tr* store up
auf|sper•ren *tr* (*aufschließen*) unlock; **sperr deine Ohren auf!** prick up your ears!
auf|spie•len *refl* give o.s. airs; **sich ~ als etw** set o.s. up as s.th.
auf|spie•ßen *tr* spear; (*mit der Gabel*) prong; (*mit den Hörnern*) gore
auf|sprin•gen *sein irr itr* **1.** (*Person*) jump to one's feet **2.** (*Risse bekommen*) crack; (*Haut*) chap **3.** (*Tür*) fly open
auf|spü•ren *tr* track down
auf|sta•cheln *tr:* **jdn ~, etw zu tun** urge s.o. into doing s.th.
Auf•stand *m* rebellion, insurrection
Auf•stän•di•sche(r) <-n, -n> *f m* insurgent, rebel
auf|sta•peln *tr* pile [*o* stack] up
auf|ste•chen *irr tr* puncture; (MED) lance
auf|ste•cken *tr* **1.** (*Gegenstand*) put on (*auf* to); (*mit Nadeln*) pin up **2.** (*Haar*) put up **3.** (*fig fam: aufgeben*) pack it in
auf|ste•hen *irr itr* **1.** *haben* (*offen stehen*) be open **2.** *sein* (*sich erheben*) get up
auf|stei•gen *sein irr itr* **1.** (*auf Berg, Leiter*) climb (up) **2.** (*Nebel*) rise; (*Vogel, Drachen*) soar (up) **3.** (*fig: Gefühl*) rise **4.** (*beruflich ~*) be promoted
Auf•stei•ger(in) *m(f)* climber
auf|stel•len I. *tr* **1.** (*hinstellen*) put up;

(*Maschine*) install **2.** (SPORT: *Mannschaft*) draw up **3.** (*Kandidaten*) nominate; **e-e Behauptung** ~ put forward an assertion; **e-n Rekord** ~ set up a record; **e-e Liste** ~ make a list **II.** *refl* stand; **sich hintereinander** ~ line up

Auf•stel•lung *f* **1.** putting-up **2.** (SPORT: *die Mannschaft*) line-up **3.** (*Liste*) list

Auf•stieg ['aʊfʃtiːk] *m* <-(e)s, -e> **1.** ascent **2.** (*fig: beruflich*) advancement, promotion

Auf•stiegs•chan•cen *pl* prospects of promotion

auf|stö•bern *tr* (*aufspüren*) ferret out

auf|sto•cken *tr* **1.** (*Haus*) build another storey onto **2.** (COM: *Kredit*) increase; **sein Kapital** ~ raise additional funds *pl*

auf|sto•ßen I. *irr tr* push open **II.** *itr* burp **III.** *refl:* **sich den Knöchel** ~ graze one's ankle

auf|strei•chen *irr tr* spread (*auf* on)

Auf•strich *m* (*Brotbelag*) spread; **was willst du als ~?** what would you like on your bread?

auf|stül•pen *tr* (*Hut etc*) pull on

auf|stüt•zen I. *tr* (*Körperteil*) rest (*auf* on) **II.** *refl* support o.s.

auf|su•chen *tr:* **jdn** ~ call on s.o.; **etw** ~ pick up s.th.; **e-e Stadt auf der Karte** ~ find a town on the map

auf|ta•keln *refl:* **sich** ~ (*fam*) deck oneself out

Auf•takt *m* **1.** (MUS) up-beat **2.** (*fig: Eröffnung, Beginn*) prelude; **den ~ zu etw bilden** mark the start of s.th.

auf|tan•ken *tr* (MOT) fill up; (AERO) refuel

auf|tau•chen *sein itr* **1.** (*plötzlich erscheinen*) appear **2.** (MAR) surface **3.** (*fig*) arise

auf|tau•en *tr haben, itr sein* (*a. fig*) thaw

auf|tei•len *tr* **1.** (*an Personen*) share out (*an* between) **2.** (*unterteilen*) split up (*in* into); **Auf•tei•lung** *f* **1.** (*Verteilung*) sharing out **2.** (*Unterteilung*) division

auf|ti•schen ['aʊftɪʃən] *tr* (*Speisen*) serve up; **jdm etw** ~ (*fig*) come up with s.th.

Auf•trag ['aʊftraːk, *pl:* 'aʊftrɛːgə] <-(e)s, -¨e> *m* **1.** (*Anweisung*) instructions *pl* **2.** (COM) order; **in jds ~ handeln** act on someone's behalf; **jdm den ~ geben, etw zu tun** instruct s.o. to do s.th.; **etw bei ... in ~ geben** order s.th. from ...

auf|tra•gen *irr tr* **1.** (*Speisen*) serve **2.** (*Farbe etc*) put on; **jdm etw** ~ instruct s.o. to do s.th.; **dick** ~ (*fig*) lay it on thick

Auf•trag•ge•ber(in) *m(f)* (COM) purchaser, customer, client; (JUR) principal

Auf•trag•neh•mer(in) *m(f)* contractor

Auf•trags•be•stä•ti•gung *f* (COM) confirmation of order; **Auf•trags•buch** *n* (COM) orderbook; **Auf•trags•ein•gang** *m* incoming orders *pl*

auf•trags•ge•mäß *adv* (*allgemein*) as instructed; (COM) as per order

auf|trei•ben I. *irr tr haben* (*ausfindig machen*) get hold of **II.** *itr sein* (MED) become bloated

auf|tren•nen *tr* undo

Auf•tre•ten *n* **1.** (*Vorkommen*) appearance **2.** (*Benehmen*) behaviour; **ein sicheres ~ haben** have self-assured manners *pl;* **bei ~ von Schwierigkeiten** in case difficulties should arise

auf|tre•ten *irr itr sein* **1.** (*allgemein*) tread **2.** (*erscheinen*) appear **3.** (*fig: sich zeigen*) arise **4.** (*sich verhalten*) behave

Auf•trieb *m* **1.** (*fig*) impetus **2.** (AERO) lift; **das gibt mir wieder** ~ that gives me a lift

Auf•tritt *m* **1.** (*Erscheinen*) appearance **2.** (THEAT: *Szene, a. fig*) scene

auf|trump•fen *itr* show how good one is

auf|tun I. *irr refl* **1.** (*Abgrund*) yawn **2.** (*fig: sich bieten*) open up **II.** *tr* (*fig fam: finden*) find

auf|tür•men I. *tr* pile up **II.** *refl* **1.** (*allgemein*) tower up **2.** (*fig*) mount up

auf|wa•chen *sein itr* wake up

auf|wach•sen *sein irr itr* grow up

auf|wal•len *itr sein* **1.** boil up **2.** (*fig*) surge up

Auf•wand ['aʊfvant] <-(e)s> *m* **1.** (FIN) expenditure (*an* of); (*Kosten a.*) expense **2.** (*Prunk etc*) extravagance; **das erfordert e-n großen ~ an Arbeit** that requires a lot of work; **Auf•wands•ent•schä•di•gung** *f* expense allowance

auf•wän•dig[RR] *adj* **1.** (*teuer*) costly **2.** (*prunkvoll*) lavish; **ein ~es Leben führen** live extravagantly

auf|wär•men I. *tr* **1.** (*Speisen*) heat up **2.** (*fig*) bring up **II.** *refl* warm o.s. up

auf•wärts ['aʊfvɛrts] *adv* up, upward(s)

Auf•wärts•ent•wick•lung *f* upward trend

auf|wa•schen *irr tr s.* **abwaschen**

auf|we•cken *tr* wake up

auf|wei•chen I. *tr haben* make sodden **II.** *itr sein* get sodden

auf|wei•sen *irr tr* show; **etw aufzuweisen haben** have s.th. to show for o.s.

auf|wen•den *irr tr* **1.** (*allgemein*) use **2.** (FIN) spend; **auf•wen•dig** *adj s.* **aufwändig**

auf|wer•fen *irr tr* **1.** (*Graben*) dig **2.** (*fig: Frage etc*) raise

auf|wer•ten *tr* **1.** (FIN) revalue, revaluate *Am a.* **2.** (*fig*) increase the value of

Auf•wer•tung *f* (FIN) revaluation

auf|wi•ckeln *tr* **1.** (*aufrollen*) roll up **2.** (*loswickeln*) untie

auf|wie·geln *tr* stir up

auf|wir·beln *tr* **1.** (*Blätter etc*) whirl up **2.** (*fig*): **das wird viel Staub** ~ that is going to cause a big stir

auf|wi·schen I. *tr* mop up **II.** *itr* wipe the floor

auf|wüh·len *tr* (*fig*) stir up

auf|zäh·len *tr* enumerate, list

Auf·zäh·lung *f* enumeration

auf|zeh·ren *tr* **1.** (*verzehren*) eat up **2.** (*fig: erschöpfen*) exhaust

auf|zeich·nen *tr* **1.** (*mit Stift*) draw **2.** (RADIO TV) record

Auf·zeich·nung *f* **1.** (*Niederschrift*) note **2.** (RADIO TV) recording

auf|zei·gen *tr* show, demonstrate

auf|zie·hen I. *irr tr haben* **1.** (*fig*): **jdn** ~ make fun of s.o. (*mit* about) **2.** (*Uhr etc*) wind up **3.** (*Vorhang etc*) draw back **4.** (*Gegenstände*) pull up **5.** (*fig: ein Kind*) raise **6.** (*Foto etc*) mount **II.** *itr sein* **1.** (*allgemein*) come up **2.** (MIL) march up

Auf·zucht <-> *f* (*von Vieh*) rearing

Auf·zug *m* **1.** (*Fahrstuhl*) lift *Br,* elevator *Am* **2.** (*Parade etc*) parade **3.** (THEAT) act **4.** (*Kleidung*) get-up

auf|zwin·gen *irr tr:* **jdm etw** ~ force s.th. upon s.o.

Aug·ap·fel *m* eyeball

Au·ge ['aʊgə] <-s, -n> *n* **1.** eye **2.** (*Punkt beim Spiel*) point; **mit den ~n zwinkern** wink; **ich habe es mit eigenen ~n gesehen** I have seen it with my own eyes; **etw im ~ haben** (*Staubkorn etc*) have s.th. in one's eye; (*fig*) have one's eye on s.th.; **ich konnte kaum aus den ~n gucken** I could hardly see straight; **vor aller ~n** in front of everybody; **ein ~ zudrücken** (*fam*) turn a blind eye (to); **jdm etw aufs ~ drücken** (*fam*) impose s.th. on s.o.; **ich werde es im ~ behalten** I'll bear it in mind; **er lässt sie nicht aus den ~n** he won't let her out of his sight; **jdn aus den ~n verlieren** lose sight of s.o.; **das kann leicht ins ~ gehen!** (*fig fam*) it might easily go wrong!; **in meinen ~n ...** in my opinion ...; **das fällt ins ~** that leaps to the eye; **unter vier ~n** in private

Au·gen·arzt *m* eye specialist; oculist

Au·gen·blick *m* moment; **e-n ~ bitte!** one moment please!; ~ **mal!** just a second!; **im letzten ~** at the last moment

au·gen·blick·lich I. *adj* **1.** (*umgehend*) immediate **2.** (*gegenwärtig*) current **II.** *adv* **1.** (*umgehend*) at once **2.** (*zur Zeit*) at present, presently *bes. Am*

Au·gen·braue *f* eyebrow; **Au·gen·ent·zün·dung** *f* ophtalmia; **Au·gen·far·be** *f* colour of eyes; **Au·gen·hö·he** *f:* **in ~** at eye-level; **Au·gen·höh·le** *f* eye socket; **Au·gen·licht** *n* eyesight; **Au·gen·lid** *n* eyelid; **Au·gen·maß** *n:* **nach ~** by eye; **Au·gen·merk** <-(e)s> *n:* **sein ~ richten auf** direct one's attention to; **Au·gen·schein** <-(e)s> *m:* **dem ~ nach** by all appearances *pl;* **etw in ~ nehmen** have a close look at s.th.; **Au·gen·trop·fen** *mpl* eyedrops; **Au·gen·wei·de** *f* feast [*o* treat] for the eyes; **das ist nicht gerade e-e ~!** (*ironisch*) that's a bit of an eyesore!; **Au·gen·wim·pern** *fpl* eyelashes; **Au·gen·zeu·ge** *m,* **Au·gen·zeu·gin** *f* eyewitness (*bei* to)

Au·gust¹ [aʊ'gʊst] *m* August

Au·gust² ['aʊgʊst] *m* Augustus; **der dumme ~** the clown

Auk·ti·on [aʊk'tsjo:n] <-, -en> *f* auction; **Auk·ti·o·na·tor** *m* auctioneer; **Auk·ti·ons·haus** *n* auction house, auctioneers *pl*

Au·la ['aʊla] <-, -len/-s> *f* hall

Au·ri·kel [aʊ'ri:kəl] <-, -n> *f* (BOT) auricula

Aus <-> *n* **1.** (SPORT) touch, offside **2.** (*fig*) end, finish; **ins ~ gehen** go out

aus [aʊs] **I.** *präp* **1.** (*örtlich, räumlich, zeitlich*) from; (*von innen*) out of; **~ dem Fenster fallen** fall out of the window; **ich komme ~ Deutschland** I'm from Germany; **trink bitte nicht ~ der Flasche!** please don't drink from [*o* out of] the bottle!; **dieser Stuhl stammt ~ dem 18. Jahrhundert** this chair's from the 18th century **2.** (*begründend*): **das habe ich nur ~ Spaß gesagt** I said it just for fun; **~ Versehen** by mistake; **~ Hass** through hatred; **~ Erfahrung** from experience; **~ Mitleid** out of sympathy **3.** (*sonstige*): **~ der Sache ist nichts geworden** nothing came of it; **was ist ~ ihr geworden?** what has become of her?; **das ist doch ~ der Mode!** that's out of fashion! **II.** *adv:* **so, jetzt ist's ~!** that'll do now!; **von mir ~** as far as I'm concerned; **vom Turm ~ konnte man den Fluss sehen** one could see the river from the tower

aus|ar·bei·ten *tr* work out; (*vorbereiten*) prepare

aus|ar·ten *sein itr* **1.** (*außer Kontrolle geraten*) get out of control **2.** (*über die Stränge schlagen*) get out of hand

aus|at·men *itr tr* breathe out

aus|ba·den *tr:* **etw ~ müssen** (*fam*) carry the can for s.th.

aus|bag·gern *tr* (*Baugrube*) excavate

aus|bal·do·wern ['aʊsbal,do:vɐn] <ohne ge-> *tr* (*fam*): **etw ~** nose [*o* scout] s.th. out; **~, ob ...** nose [*o* scout] around to find out whether ...

Aus·bau <-(e)s, -ten> *m* **1.** (TECH: *von Motor, Gerät etc*) removal **2.** (*Erweiterung*) extension; **aus|bau·en** *tr* **1.** (TECH:

Motor, Gerät etc) remove (*aus* from) **2.** (*Dachboden etc*) fit out **3.** (*erweitern, a. fig*) extend; **aus•bau•fä•hig** *adj* that can be extended

aus|be•din•gen <ausbedungen> *irr tr:* **ich muss mir ~, dass ...** I must make it a condition that ...

aus|bei•ßen *irr tr:* **sich e-n Zahn ~** break a tooth; **an dem wirst du dir noch die Zähne ~!** (*fig*) you'll have a tough time of it with him!

aus|bes•sern *tr* mend, repair; (*Fehler*) correct

Aus•bes•se•rung *f* mending, repair

aus|beu•len *tr* (MOT) beat out

Aus•beu•te *f* gain; (*Ertrag*) yield (*an* in)

aus|beu•ten *tr* exploit; **Aus•beu•ter(in)** *m(f)* exploiter

Aus•beu•tung *f* exploitation

aus|be•zah•len *tr* (*Betrag*) pay out; (*Miteigentümer etc*) buy out

aus|bil•den I. *tr* **1.** (*allgemein*) train; (*geistig*) educate **2.** (*ausgestalten*) shape **II.** *refl* (*fig*) develop, form

Aus•bil•der(in) *m(f)* instructor

Aus•bil•dung *f* training, instruction; (*geistige ~*) education; **Aus•bil•dungs•bei•hil•fe** *f* educational grant; **Aus•bil•dungs•för•de•rung** *f* promotion of training; **Aus•bil•dungs•platz** *m* training place; **Aus•bil•dungs•stand** *m* level of training

aus|bit•ten *irr tr:* **sich etw ~ von jdm** request s.th. from s.o.; **das bitte ich mir auch aus!** I should think so too!

Aus•blei•ben *n* **1.** (*Fernbleiben*) non-appearance **2.** (*~ der Zahlung*) non-payment

aus|blei•ben *sein irr itr* (*Person*) stay out; **unsere Gäste sind ausgeblieben** our guests have failed to appear; **es konnte nicht ~, dass ...** it was inevitable that ...

aus|blen•den *tr* (FILM RADIO) fade out

Aus•blick *m* **1.** (*allgemein*) view (*auf* of) **2.** (*fig*) prospect (*auf* for)

aus|bor•gen *tr:* **sich etw von jdm ~** borrow s.th. from s.o.

aus|bre•chen *sein irr itr* **1.** (*aus Gefängnis etc*) escape (*aus* from) **2.** (*entstehen*) break out **3.** (*von Vulkan*) erupt; **in Tränen ~** burst into tears; **in Gelächter ~** burst out laughing

aus|brei•ten I. *tr* spread out; (*entfalten*) display **II.** *refl* spread; **sich über etw ~** (*fig*) spread on s.th.; **Aus•brei•tung** *f* (*das Ausbreiten*) spreading

aus|bren•nen I. *irr tr haben* (*Wunden*) cauterize **II.** *itr sein* (*Feuer*) burn out

Aus•bruch *m* **1.** (*aus Gefängnis etc*) escape **2.** (*Beginn*) outbreak **3.** (*Vulkan~*) eruption **4.** (*Gefühls~*) outburst; **zum ~ kommen** break out; (*fig*) erupt

aus|brü•ten *tr* **1.** (*Eier*) hatch **2.** (*fig: Pläne*) hatch up

aus|büch•sen *itr* (*fam: ausreißen*) break out, run away

aus|bud•deln *tr* dig out

aus|bür•gern ['aʊsbʏrgɐn] *tr* expatriate

aus|bürs•ten *tr* (*Kleid etc*) brush; (*Staub*) brush out

Aus•dau•er *f* endurance; (*Beharrlichkeit*) perseverance; (*Hartnäckigkeit*) persistence

aus|deh•nen I. *tr* **1.** (*räumlich, durch Wärme*) expand; (*Stoffe etc*) stretch **2.** (*fig: Macht*) extend (*auf* to) **II.** *refl* **1.** (*Stoffe etc*) stretch **2.** (*sich erstrecken*) extend

Aus•deh•nung *f* **1.** (*Größe*) extension **2.** (*Umfang*) expanse

aus|den•ken *irr tr:* **sich etw ~** think s.th. up; (*in der Fantasie*) imagine s.th.

aus|dre•hen *tr* (*Gas*) turn off; (*Lampe*) switch off

Aus•druck <-(e)s, ⸚e> *m* **1.** (*Terminus*) term **2.** (*Miene*) expression **3.** (EDV: *Computer~*) print-out; **etw zum ~ bringen** express s.th.; **das ist gar kein ~!** that's not the word for it!

aus|dru•cken *tr* (EDV) print (out)

aus|drü•cken *tr* **1.** (*Zigarette*) stub out **2.** express; **sich ~** express o.s.

aus•drück•lich *adv:* **ich möchte ~ betonen, dass ...** I should like to emphasize particularly that ...

aus•drucks•los *adj* inexpressive

Aus•drucks•ver•mö•gen *n* expressiveness; (*Gewandtheit*) articulateness; **aus•drucks•voll** *adj* expressive; **Aus•drucks•wei•se** *f* mode of expression; **was ist denn das für 'ne ~!** what sort of language is that to use!

aus|dün•nen *tr* (*Haare etc*) thin out

Aus•düns•tung *f* vaporization; (*von Körper*) transpiration

aus•ein•an•der [aʊsaɪ'nandɐ] *adv* apart; **weit ~ liegen** lie wide apart; **etw ~ schreiben** write s.th. as two words; **aus•ein•an•der|brin•gen** *s.* **bringen**; **aus•ein•an•der|fal•len** *s.* **fallen**; **aus•ein•an•der|fal•ten** *s.* **falten**; **aus•ein•an•der|ge•hen** *s.* **gehen**; **aus•ein•an•der•hal•ten** *s.* **halten**; **aus•ein•an•der•neh•men** *s.* **nehmen**; **aus•ein•an•der|set•zen** *s.* **setzen**

Aus•ein•an•der•set•zung *f* (*Streit*) argument

aus•er•le•sen *adj* select

aus|er•wäh•len *tr* choose

aus|fah•ren I. *irr itr sein* **1.** (*spazieren fahren*) go for a ride **2.** (AERO: *Fahrgestell*) come out **II.** *tr haben* **1.** **jdn ~** take s.o. for a ride **2.** (*Waren etc*) deliver **3.** (AERO: *Fahr-*

gestell) lower

Aus•fahrt *f* **1.** (*für Kraftfahrzeuge*) exit **2.** (*Spazierfahrt etc*) ride

Aus•fall *m* **1.** (MOT TECH) failure **2.** (*Verlust*) loss **3.** (*von Unterricht etc*) cancellation; (MIL) sortie

aus|fal•len *sein irr itr* **1.** (*nicht stattfinden*) be cancelled **2.** (MOT TECH) fail; **der Aufsatz ist schlecht ausgefallen** the composition has turned out badly; **die Schule fällt morgen aus** there's no school tomorrow

aus•fal•lend *adj,* **aus•fäl•lig** *adj* (*Verhalten*) impertinent; (*Sprache*) abusive; ~ **werden** become personal

Aus•fall•stra•ße *f* main road (leading out of a city)

Aus•fall•zeit *f* (COM) downtime

aus|fer•ti•gen *tr* (*Auftrag*) make out; (*Pass*) issue

Aus•fer•ti•gung *f* **1.** (*das Ausfertigen*) drawing up; (*von Pass*) issuing **2.** (*Kopie*) copy; **in doppelter** (**dreifacher**) ~ in duplicate (triplicate)

aus•fin•dig ['aʊsfɪndɪç] *adv:* ~ **machen** find; (*aufspüren*) trace

aus|flie•ßen *sein irr itr* **1.** flow out (*aus* of) **2.** (*auslaufen*) leak (*aus* out of)

aus|flip•pen *itr* (*sl*) freak out

Aus•flucht ['aʊsflʊxt, *pl:* 'aʊsflʏçtə] <-, -¨e> *f* excuse; **¨e machen** make excuses

Aus•flug *m* trip; **e-n** ~ **machen** go on a trip

Aus•flüg•ler(in) ['aʊsfly:klɐ] *m(f)* tripper

Aus•fluss[RR] *m* **1.** (*das Ausfließen*) flowing out **2.** (MED) vaginal discharge

aus|fra•gen *tr* question (*nach* about)

aus|fres•sen *irr tr* (*fig*): **etw** ~ do s.th. wrong

Aus•fuhr ['aʊsfu:ɐ] <-, -en> *f* export, exportation

aus•führ•bar *adj* feasible, practicable

Aus•fuhr•be•stim•mun•gen *fpl* export regulations

aus|füh•ren *tr* **1.** (*exportieren*) export **2.** (*fig: Bestellungen, Aufträge, Pläne*) carry out **3.** (*fig: genauer darstellen*) explain

Aus•fuhr•land *n* exporting country

aus•führ•lich ['aʊsfy:ɐlɪç/ -'--] **I.** *adj* detailed **II.** *adv* in detail; ~**er** in greater detail

Aus•fuhr•pa•pie•re *npl* (COM) export documents [*o* papers]; **Aus•fuhr•zoll** *m* export duty

Aus•füh•rung *f* **1.** (*von Aufträgen, Plänen*) execution **2.** (*Bauplan*) design; (*Typ*) model; (COM) quality **3.** (*Darstellung*) statement; ~**en** report

Aus•füh•rungs•be•stim•mun•gen *fpl* regulations

aus|fül•len *tr* **1.** (*Graben etc*) fill up **2.** (*Formular*) fill in; **das füllt mich nicht ganz aus** that doesn't satisfy me completely

Aus•ga•be *f* **1.** (*Geld etc*) expense **2.** (*Buch*) edition **3.** (*Austeilung*) distribution **4.** (EDV: *Daten~*) output; ~**n** (*Auslagen*) costs

Aus•ga•be•da•ten *pl* (EDV) output data; **Aus•ga•be•ge•rät** *n* (EDV) output device

Aus•gang *m* **1.** (*Öffnung nach außen*) exit **2.** (*fig: Ergebnis*) outcome; ~ **haben** have a dayoff; **Aus•gangs•punkt** *m* starting-point; **Aus•gangs•sper•re** *f* **1.** (*für Zivilisten*) curfew **2.** (MIL: *Disziplinarstrafe*) confinement to barracks; **Aus•gangs•stel•lung** *f* starting position

aus|ge•ben *irr tr* **1.** (*verteilen*) give out, distribute; (*Karten*) deal **2.** (*Befehle, Banknoten, Fahrkarten*) issue **3.** (*Geld*) spend; **sich für etw** ~ pass o.s. off as s.o.; **e-n** ~ (*fam*) stand a round

aus•ge•bucht *adj* booked up, fully booked

aus•ge•bufft ['aʊsgəbʊft] *adj* (*fam: trickreich*) shrewd, fly

aus•ge•dehnt *adj* **1.** (*fig: umfassend*) extensive **2.** (*Gummiband etc*) stretched; **ein ~er Spaziergang** a long walk

aus•ge•dient *adj* (*Gerät etc*) clapped-out *fam*

aus•ge•fal•len *adj* extravagant; (*ungewöhnlich*) exceptional

aus•ge•flippt *adj* (*sl*) flipped, freaked out

aus•ge•fuchst *adj* (*fam*) crafty, wily

aus•ge•gli•chen *adj* balanced; ~**es Klima** even climate

Aus•ge•gli•chen•heit *f* balance

aus|ge•hen *sein irr itr* **1.** (*ins Freie*) go out **2.** (*Vorräte*) run out **3.** (*Feuer*) go out **4.** (*Haare*) fall out; **schlecht** ~ turn out badly; **mir ging das Geld aus** I ran out of money; **leer** ~ come away empty-handed; **wir können davon ~, dass ...** we can proceed from the assumption that ...; **ihm ging die Puste aus** he ran out of breath

aus•ge•las•sen *adj* **1.** (*lärmend*) boisterous **2.** (*Stimmung*) mad

aus•ge•macht *adj* **1.** (*abgemacht*) agreed **2.** (*fig: vollkommen*) utter

aus•ge•nom•men *konj* except

aus•ge•powert [aʊsgə'paʊət] *adj* (*fam: erledigt, erschöpft*) washed out, tired

aus•ge•prägt *adj* distinct; **ein ~es Interesse** a marked interest

aus•ge•rech•net *adv* (*fig*): ~ **ich musste den Ausweis vergessen** of all people, I had to forget my passport; ~ **in Paris musste ich meinen Fotoapparat verlieren** I would have to lose my camera in Paris; ~ **im Juni war das Schwimmbad geschlossen** in June, of all times, the swimming pool was shut

aus•ge•reift *adj* (TECH) fully developed

aus•ge•schlos•sen *adj* impossible

aus·ge·schnit·ten *adj* (*Kleid*) low-cut

aus·ge·spro·chen I. *adj* (*fig*) definite II. *adv* really

aus·ge·stor·ben *adj* 1. (*allgemein*) extinct 2. (*fig: gänzlich verlassen*) deserted

aus·ge·sucht I. *adj* choice, select II. *adv* (*besonders*) exceptionally

aus·ge·wählt *adj* select

aus·ge·wo·gen *adj* balanced

aus·ge·zeich·net ['----/ '--'--] *adj* excellent; **es geht mir ~!** I'm feeling marvellous!

aus·gie·big *adj* substantial; **~en Gebrauch machen von ...** make full use of ...; **~ frühstücken** have a substantial breakfast

aus|gie·ßen *irr tr* 1. (*Flüssigkeit*) pour out 2. (*Fugen*) fill in

Aus·gleich ['aʊsglaɪç] <-(e)s, -e> *m* 1. (*allgemein*) balance 2. (COM: *Konto~*) balancing 3. (FIN: *von Schulden*) settling; **zum ~ für etw** in order to compensate for s.th.

aus|glei·chen I. *irr tr* 1. (*gleich machen*) level out 2. (COM: *Konto*) balance 3. (FIN: *Schulden*) settle II. *itr* (SPORT) equalize

Aus·gleichs·sport *m* remedial exercise

aus|glei·ten *sein irr itr* slip (*auf* on)

aus|gra·ben *irr tr* 1. (*Gegenstand etc, a. fig*) dig up 2. (*Loch etc*) dig out

Aus·gra·bun·gen *fpl* excavations

aus|gren·zen *tr* exclude; (*Person a.*) ostracize

Aus·guck ['aʊsgʊk] <-(e)s, -e> *m* (MAR) lookout

Aus·gussRR *m* (*in der Küche*) sink

aus|hal·ten I. *irr tr* (*ertragen*) bear, stand; **es ist nicht zum A~!** it's unbearable!; **er hält viel aus** he can take a lot II. *itr* hold out

aus|hän·di·gen ['aʊshɛndɪgən] *tr* hand over; (*ausliefern*) deliver

Aus·hang <-(e)s, ⸚e> *m* (*Bekanntmachung*) notice

aus|hän·gen I. *tr* 1. (*aushaken*) unhook 2. (*eine Tür*) unhinge 3. (*bekannt machen*) put up II. *irr itr* have been put up

Aus·hän·ge·schild *n* sign

aus|har·ren *itr* wait

aus|he·ben *irr tr* 1. (*Graben etc*) dig 2. (*fig: Bande etc*) make a raid on

Aus·he·bung <-, -en> *f* (*CH: Einberufung*) conscription

aus|he·cken *tr* (*fig: Pläne*) cook up

aus|hei·len *sein itr* be cured; (*Wunde*) heal

aus|hel·fen *irr itr:* **jdm ~** help s.o. out

Aus·hil·fe *f* 1. (*allgemein*) help 2. (*Person*) temporary worker

aus·hilfs·wei·se *adv* temporarily

aus|höh·len *tr* 1. (*allgemein*) hollow out 2. (*fig*) undermine

aus|ho·len *itr* 1. (*zum Schlag*) raise one's hand; (*zum Wurf*) reach back 2. (*fig*) go far afield

aus|hor·chen *tr:* **jdn ~** sound s.o. out

aus|ken·nen *irr refl* 1. (*fig*) know a lot (*in* about) 2. (*allgemein*) know one's way around

Aus·klang *m* end

aus|klap·pen *tr* open out

aus|klei·den I. *tr* 1. (*entkleiden*) undress 2. (*mit Bezugsstoff beziehen*) line II. *refl* get undressed

aus|klin·gen *sein irr itr* finish

aus|klop·fen *tr* (*Kleidung*) beat the dust out of; (*Teppich*) beat

aus|knip·sen *tr* (*Licht*) switch out

aus|ko·chen *tr* boil

Aus·kom·men *n* livelihood; **sein ~ haben** get by

aus|kom·men *sein irr itr* manage (*mit* on); **ohne etw ~** do without s.th.; **mit jdm gut ~** get along well with s.o.

aus|kos·ten *tr* (*fig*) make the most of

aus|kra·men *tr* 1. (*allgemein*) turn out 2. (*fig*) bring up

aus|krat·zen *tr* scrape out

aus|kund·schaf·ten *tr* find out, spy out; (MIL) reconnoitre

Aus·kunft ['aʊskʊnft, *pl:* 'aʊskʏnftə] <-, ⸚e> *f* 1. (*allgemein*) information 2. (TELE) directory inquiries *pl* 3. (*~sschalter*) information desk

Aus·kunf·tei *f* credit inquiry agency

aus|la·chen *tr* laugh at; **lass dich nicht ~!** don't make a fool of yourself!

aus|la·den I. *irr tr* 1. unload 2. (*fig: Gast*) uninvite II. *itr* (ARCH) jut out

Aus·la·ge *f* 1. (*Kosten*) expense; (*ausgelegtes Geld*) outlay 2. (*Waren*) display 3. (*Schaufenster*) shop window

aus|la·gern *tr* (EDV: *Daten*) export

Aus·land <-(e)s> *n* foreign countries *pl;* **ins ~, im ~** abroad; **aus dem ~** from abroad

Aus·län·der(in) *m(f)* foreigner; (*bes. juristisch*) alien; **Aus·län·der·be·auf·trag·te(r)** *mf officer with special responsibility for foreigners;* **Aus·län·der·feind** *m person who dislikes foreigners,* xenophobe *obs;* **aus·län·der·feind·lich** *adj* hostile to foreigners, xenophobic; **Aus·län·der·feind·lich·keit** *f* hostility to foreigners, xenophobia

aus·län·disch *adj* foreign; (BOT) exotic

Aus·lands·auf·ent·halt *m* stay abroad; **Aus·lands·ge·spräch** *n* (TELE) international call; **Aus·lands·kor·re·spon·dent(in)** *m(f)* foreign correspondent; **Aus·lands·rei·se** *f* trip abroad

aus|las·sen *irr tr* 1. (*Fett etc*) melt 2. (*weglassen*) leave out 3. (RADIO MOT: *a. Klei-*

dung) leave off; **sich über etw** ~ go on about s.th.; **sich an jdm** ~ vent on s.o.
Aus•lauf <-(e)s, (¨-e)> *m* **1.** (*Gelände*) run **2.** (*Ausfluss*) outlet
Aus•lau•fen *n* **1.** (MAR: *von Schiffen*) sailing **2.** (*von Programm o Serie*) phasedown
aus|lau•fen *sein irr itr* **1.** (*Flüssigkeit*) run out; (*lecken*) leak **2.** (MAR) sail **3.** (*Serie*) be discontinued **4.** (*Vertrag*) run out
Aus•läu•fer *m* **1.** (BOT) runner **2.** (*Berg~*) foothill
Aus•laut *m* (LING) final position
aus|lau•ten *itr* (LING) end (*auf* in)
aus|le•ben *refl* live it up
aus|le•cken *tr* lick out
aus|lee•ren *tr* empty
aus|le•gen *tr* **1.** (*Waren*) display, lay out **2.** (*auskleiden*) line **3.** (*erklären*) explain **4.** (*Geld*) lend **5.** (*technisch ausstatten*) design (*für* for); **mit Teppich** ~ carpet; **etw falsch** ~ misinterpret s.th.
Aus•le•ger *m* **1.** (TECH: *von Kran*) boom **2.** (MAR: *von Boot*) outrigger
Aus•le•ge•wa•re *f* carpets and rugs *pl*
Aus•le•gung *f* interpretation
aus|lei•hen *irr tr* (*verleihen*) lend; **etw von jdm** ~ borrow s.th. from s.o.
aus|ler•nen *tr:* **man lernt nie aus** you live and learn
Aus•le•se ['aʊsle:zə] <-, -n> *f* selection; **aus|le•sen** *irr tr* **1.** (*auswählen*) select **2.** (*fam: ein Buch*) finish reading
aus|lie•fern *tr* **1.** (*übergeben*) hand over **2.** (*Waren* ~) deliver **3.** (POL: *jdn* ~) extradite; **jdm ausgeliefert sein** be at someone's mercy
Aus•lie•fe•rung *f* **1.** (COM) delivery **2.** (POL) extradition; **Aus•lie•fe•rungs•la•ger** *n* distribution depot
aus|lie•gen *irr itr* be displayed; (*Zeitungen*) be available
aus|lö•schen *tr* **1.** (*meist fig*) extinguish; (*Licht*) put out **2.** (*Schrift*) erase
aus|lo•sen *tr* (*allgemein*) draw lots for; (*Preis etc*) draw
aus|lö•sen *tr* **1.** (*allgemein, a.* TECH) trigger; (*Kameraverschluss*) release **2.** (*fig*) arouse **3.** (*Gefangene*) release; **e-e Wirkung** ~ produce an effect
Aus•lö•ser *m* (TECH) trigger; (PHOT) shutter release
Aus•lo•sung *f* draw
aus|ma•chen *tr* **1.** (*Feuer*) put out **2.** (EL RADIO) turn off **3.** (*vereinbaren*) agree **4.** (*betragen*) come to **5.** (*ermitteln*) make out; **e-n Termin** ~ agree on a time; **ein Treffen** ~ arrange a meeting; **das macht nichts aus** that doesn't matter; **macht es Ihnen etw aus, wenn ...?** do you mind if ...?
aus|ma•len *refl:* **sich etw** ~ imagine s.th.
Aus•maß *n* **1.** (*allgemein*) size **2.** (*fig*) extent; **in größerem** ~ on a bigger scale
aus|mer•zen ['aʊsmɛrtsən] *tr* **1.** (*allgemein*) eradicate **2.** (*fig*) weed out
aus|mes•sen *irr tr* measure out
aus|mis•ten *tr* **1.** (*Stall*) muck out **2.** (*fig: säubern*) tidy out
Aus•nah•me *f* exception; **mit** ~ **von** with the exception of; **ohne** ~ without exception; **~n bestätigen die Regel** the exception proves the rule; **Aus•nah•me•fall** *m* exceptional case; **Aus•nah•me•zu•stand** *m* state of emergency; **den** ~ **verhängen** declare a state of emergency
aus•nahms•los I. *adv* without exception **II.** *adj* unanimous
aus•nahms•wei•se *adv* as an exception, once
aus|neh•men *irr tr* **1.** (*ausweiden*) draw **2.** (*ausschließen*) make an exception of **3.** (*Bande etc*) raid **4.** (*fig fam*) fleece
aus•neh•mend *adv* exceptionally
aus|nut•zen *tr* make use of; **jdn** ~ take advantage of s.o.
aus|pa•cken I. *tr* (*aus Verpackung*) unwrap; **s-n Koffer** ~ unpack one's suitcase **II.** *itr* (*fig sl: Neuigkeiten*) talk
aus|peit•schen *tr* whip
aus|pfei•fen *irr tr* (THEAT) hiss off the stage
aus|plau•dern *tr* let out
aus|plün•dern *tr* pillage, plunder; **jdn** ~ (*fig fam*) clean s.o. out
aus|po•sau•nen <ohne ge-> *tr* (*fig fam*) broadcast
aus|pres•sen *tr* **1.** (*Früchte etc*) squeeze out **2.** (*fig*): **jdn** ~ bleed s.o. white
aus|pro•bie•ren *tr* try out
Aus•puff ['aʊspʊf] <-(e)s, -e> *m* exhaust; **Aus•puff•ga•se** *npl* exhaust fumes; **Aus•puff•rohr** *n* exhaust pipe; **Aus•puff•topf** *m* silencer *Br,* muffler *Am*
aus|pum•pen *tr* **1.** (*allgemein*) pump out **2.** (*fig: erschöpfen*) drain
aus|quar•tie•ren ['aʊskvarti:rən] *tr* move out
aus|quet•schen *tr* squeeze out; **jdn** ~ (*fig sl: ausfragen*) grill s.o.
aus|ra•die•ren *tr* **1.** (*allgemein*) erase **2.** (*fig: dem Erdboden gleichmachen*) wipe out
aus|ran•gie•ren *tr* throw out; (*Auto*) scrap
aus|rau•ben *tr* rob
aus|räu•chern *tr* **1.** (*allgemein*) fumigate **2.** (*fig*) smoke out
aus|räu•men *tr* **1.** (*Schrank*) clear out **2.** (*Möbel*) move out **3.** (*fig: Bedenken*) put aside
aus|rech•nen *tr* work out; (*berechnen*) calculate
Aus•re•de *f* excuse

aus|re•den *itr* finish speaking; **jdn ~ lassen** let s.o. speak out
aus|rei•chen *itr* be sufficient
aus|rei•fen *sein itr* ripen
Aus•rei•se *f*: **bei der ~** on departure
Aus•rei•se•an•trag *m* application for an exit visa; **Aus•rei•se•ge•neh•mi•gung** *f* exit permit
aus•rei•sen *sein itr* leave the country
Aus•rei•se•vi•sum *n* exit visa
aus|rei•ßen I. *irr tr haben* pull out; (*Haare*) tear out II. *itr sein* 1. (*einreißen*) tear 2. (*fig fam: weglaufen*) run away
Aus•rei•ßer *m* runaway
aus|rei•ten *sein irr itr* go for a ride (on horseback)
aus|ren•ken ['aʊsrɛŋkən] *tr* dislocate
aus|rich•ten *tr* 1. (*erreichen*) achieve 2. (*Nachricht ~*) tell 3. (TECH) align; **jdm etw ~** give s.o. a message
Aus•rich•tung *f* 1. (TECH) alignment 2. (POL) orientation (*auf* towards)
Aus•ritt *m* ride (on horseback)
aus|rol•len I. *tr haben* (*Teig, Teppich*) roll out II. *itr sein* (AERO) taxi to a standstill; (MOT) coast to a stop
aus|rot•ten ['aʊsrɔtən] *tr* 1. (*allgemein*) wipe out, exterminate 2. (*fig*) stamp out
aus|rü•cken I. *itr sein* 1. turn out; (*Feuerwehr, Polizei*) be called out; (MIL) move off 2. (*fam: ausreißen*) make off; (*heimlich*) run away II. *tr haben* (TYP) move out
Aus•ruf *m* cry, exclamation
aus|ru•fen *irr tr itr* exclaim; (*verkünden*) call out; **jdn ~ lassen** put out a call for s.o., have s.o. paged
Aus•ru•fe•zei•chen *n* exclamation mark
aus|ru•hen *itr* rest; **sich ein wenig ~** have a rest
aus|rüs•ten *tr* equip
Aus•rüs•tung *f* equipment
aus|rut•schen *sein itr* slip
Aus•rut•scher *m* (*fig fam*) gaffe, slip
Aus•saat *f* 1. (*das Säen*) sowing 2. (*die Saat*) seed
Aus•sa•ge ['aʊsza:gə] <-, -n> *f* statement; (*Zeugen~*) evidence; **nach ~ von** according to; **es steht ~ gegen ~** it's one person's word against another's
Aus•sa•ge•kraft *f* expressiveness
aus|sa•gen *tr* (*allgemein*) say; (JUR) state; **gegen jdn ~** testify against s.o.
aus|schach•ten ['aʊsʃaxtən] *tr* dig, excavate
aus|schal•ten *tr* 1. (EL) turn off 2. (*fig: eliminieren*) eliminate
Aus•schank ['aʊsʃaŋk] <-(e)s> *m* 1. (*Lokal*) bar 2. (*Tätigkeit*) serving of drinks
Aus•schau <-> *f*: **~ halten nach** be on the lookout for
aus|schau•en *itr* 1. (*aussehen*) look like 2. **nach jdm ~** look out for s.o.
aus|schei•den I. *irr itr sein* 1. (*allgemein*) leave (*aus etw* s.th.); (*aus e-m Amt*) retire (*aus* from); (SPORT) be disqualified, drop out 2. (*nicht in Betracht kommen*) be ruled out II. *tr haben* 1. (*allgemein: fallen lassen*) drop 2. (MED) excrete
Aus•schei•dung *f* 1. (SPORT) elimination 2. (MED): **~en** secretions; **Aus•schei•dungs•kampf** *m* (SPORT) qualifying contest
aus|schen•ken *tr* serve
aus|schi•cken *tr* send out
aus|schil•dern *tr* signpost
aus|schimp•fen *tr* tell off, scold
aus|schlach•ten *tr* 1. (*Fahrzeug*) cannibalize 2. (*fig*) exploit
aus|schla•fen I. *irr tr* (*Rausch etc*) sleep off II. *itr* have a good sleep
Aus•schlag <-(e)s, (¨-e)> *m* 1. (MED: *Haut~*) rash 2. (*e-s Zeigers*) swing; **den ~ geben** (*fig*) be the decisive factor
aus|schla•gen I. *irr tr* 1. (*allgemein*) knock out 2. (*mit Bezugsstoff*) line 3. (*ablehnen*) turn down II. *itr* 1. (BOT) come out 2. (*Tiere*) kick 3. (*Zeiger*) swing
aus•schlag•ge•bend *adj* decisive; **von ~er Bedeutung sein** be of prime importance
aus|schlie•ßen *irr tr* 1. (*allgemein*) lock out 2. (SPORT) disqualify 3. (*fig*) exclude; (*ausstoßen*) expel
aus•schließ•lich I. *adj* exclusive II. *adv* exclusively
aus|schlüp•fen *sein itr* (*Küken etc*) hatch
Aus•schluss^RR *m* exclusion; (SPORT) disqualification; **unter ~ der Öffentlichkeit stattfinden** be closed to the public
aus|schmü•cken *tr* 1. decorate 2. (*fig: Erzählung etc*) embroider
aus|schnei•den *irr tr* 1. (*allgemein*) cut out 2. (*Bäume*) prune
Aus•schnitt *m* 1. (*fig: Teil*) part, section; (*Detail*) detail 2. (*bei Kleid*) neckline; **e-n tiefen ~ haben** have a low neckline; **ein ~ aus e-m Buch** an extract from a book
aus|schöp•fen *tr* 1. (*allgemein*) ladle out; (*Wasser aus e-m Boot*) bale out 2. (*fig: Thema*) exhaust
aus|schrei•ben *irr tr* 1. (*veröffentlichen*) advertise; (*Bauvorhaben etc*) invite tenders for 2. (*Rechnung*) make out 3. (*allgemein*) write out
Aus•schrei•bung *f* (*e-r offenen Stelle*) advertising; (*e-s Bauvorhabens*) invitation of tenders
Aus•schrei•tung *f* riot
Aus•schuss^RR *m* 1. (*Komitee*) committee 2. (COM) rejects *pl* 3. (*Geschossaustrittsöff-*

nung) exit wound; **Aus•schuss•sit•zung**RR *f* committee meeting

aus|schüt•teln *tr* shake out

aus|schüt•ten *tr* **1.** tip out; (*Flüssigkeit aus Behältnis*) empty **2.** (COM: *Dividenden*) distribute; **jdm sein Herz ~** (*fig*) pour out one's heart to s.o.

Aus•schüt•tung *f* (COM) distribution

aus•schwei•fend *adj* (*Leben*) dissipated; **e-e ~e Fantasie haben** have got a wild imagination

Aus•schwei•fung *f* dissipation

aus|schwen•ken *itr* (*Kran*) swing out

Aus•se•hen <-s> *n* appearance

aus|se•hen *irr itr* look; **du siehst gut aus** you look good; **~ wie jem** look like s.o.; **wie sieht's aus?** (*fig fam*) how's things?; **so siehst du aus!** (*fig fam*) that's what you think!; **es sieht nicht gut aus** things don't look too good

au•ßen ['aʊsən] *adv* on the outside; **~ vor sein** (*fig*) be out of it

Au•ßen•an•strich *m* outside coating

Au•ßen•be•zirk *m* fringe area, outskirts

aus|sen•den *irr tr* send out

Au•ßen•dienst *m* external duty; **im ~ tätig sein** work as a sales representative; **Au•ßen•dienst•mit•ar•bei•ter(in)** *m(f)* sales representative

Au•ßen•han•del *m* foreign trade; **Au•ßen•han•dels•bi•lanz** *f* foreign trade balance

Au•ßen•mi•nis•ter(in) *m(f)* (*allgemein*) foreign minister, Foreign Secretary *Br,* Secretary of State *Am;* **Au•ßen•mi•nis•te•rium** *n* (*allgemein*) foreign ministry, Foreign Office *Br,* State Department *Am;* **Au•ßen•po•li•tik** *f* foreign policy; **au•ßen•po•li•tisch** *adj* foreign policy; **Au•ßen•sei•te** *f* outside; **Au•ßen•sei•ter(in)** *m(f)* (*fig* U. SPORT) outsider; **Au•ßen•spie•gel** *m* (MOT) outside mirror; **Au•ßen•stän•de** *mpl* (FIN) outstanding debts; **Au•ßen•stür•mer** *m* (SPORT) wing; **Au•ßen•tem•pe•ra•tur** *f* outside temperature; **Au•ßen•ver•tei•di•ger** *m* (SPORT) outside defender

au•ßer ['aʊsɐ] *präp* **1.** (*räumlich*) out of **2.** (*ausgenommen*) except; (*abgesehen von*) apart from; **~ sich sein vor ...** be beside o.s. with ...; **~ Haus sein** be out; **~ wenn ...** except when ...

au•ßer•dem [aʊsɐ'deːm] *adv* besides

Äu•ße•re ['ɔɪsərə] <-n> *n* exterior; (*von Personen*) outward appearance

äu•ße•re *adj* **1.** (*allgemein*) outer **2.** (*fig*) outward; **der ~ Durchmesser** the external diameter

au•ßer•e•he•lich *adj* extramarital; (*Kind*) illegitimate

au•ßer•ge•wöhn•lich I. *adj* unusual **II.** *adv* (*sehr*) extremely

au•ßer•halb I. *präp* outside; **~ der Geschäftsstunden** out of office hours; **~ der Legalität** outside the law **II.** *adv* outside; **~ wohnen** live out of town

äu•ßer•lich ['ɔɪsɐlɪç] *adj* **1.** (*Sache*) external **2.** (*fig: oberflächlich*) superficial; **rein ~ betrachtet** on the face of it

Äu•ßer•lich•keit *f* (*Formalität*) formality; (*Oberflächlichkeit*) superficiality

äu•ßern ['ɔɪsɐn] **I.** *tr* say; **s-e Wünsche ~** express one's wishes **II.** *refl* speak; **ich will mich dazu nicht ~** I don't want to say anything about that

au•ßer•or•dent•lich I. *adj* extraordinary; **A~es leisten** achieve some remarkable things **II.** *adv* exceptionally, extraordinarily

au•ßer•par•la•men•ta•risch *adj* extraparliamentary

au•ßer•plan•mä•ßig *adj* unscheduled; (*zusätzlich*) additional

au•ßer•schu•lisch *adj* extracurricular

äu•ßerst ['ɔɪsɐst] *adv* exceedingly, extremely

au•ßer•stan•de [aʊsɐ'ʃtandə] *adj:* **~ sein(,) etw zu tun** be incapable of doing s.th.

äu•ßers•te *adj* **1.** (*räumlich*) furthest; (*Schicht*) outermost **2.** (*zeitlich*) latest possible **3.** (*fig*) extreme, utmost; **im ~n Falle** if the worst comes to the worst; **mit ~r Kraft** with all one's strength; **Äu•ßers•te** *n:* **bis zum ~n gehen** (*fig*) go to extremes *pl;* **auf das ~ gefasst sein** be prepared for the worst

äu•ßers•ten•falls *adv* at most

au•ßer•ta•rif•lich *adj:* **~ bezahlt werden** be paid non-union rates

Äu•ße•rung *f* comment, remark; (*Ausdruck*) expression

aus|set•zen I. *tr* **1.** (*Kind, Tier*) abandon **2.** (*e-e Belohnung*) offer **3.** (JUR) suspend **4.** (*unterbrechen*) interrupt; **ein Boot ~** lower a boat; **e-e Strafe zur Bewährung ~** give a suspended sentence; **an jdm etw auszusetzen haben** find fault with s.o.; **was hast du daran auszusetzen?** what don't you like about it?; **daran kann ich nichts ~** there's nothing wrong with it **II.** *itr* (*aufhören*) stop; (MOT: *Motor*) fail; **ohne auszusetzen** without a break

Aus•set•zung *f* **1.** (*von Kind, Tier*) abandonment **2.** (*Unterbrechung*) interruption; **durch ~ e-r Belohnung** by the offer of a reward

Aus•sicht *f* **1.** (*Blick*) view (*auf* of) **2.** (*fig*) prospect (*auf* of); **die ~, dass etw geschieht** the chances of s.th. happening; **ein Zimmer mit ~ auf den Garten** a room overlooking the garden; **jdm die ~ nehmen** block someone's view; **jdm etw in ~ stellen** promise s.o. s.th.; **etw in ~ haben** have good prospects of s.th.; **das sind ja (feine) ~en!** (*ironisch*) what a prospect!

aus•sichts•los *adj* (*zwecklos*) pointless; (*hoffnungslos*) hopeless; **Aus•sichts•lo•sig•keit** *f* (*Zwecklosigkeit*) pointlessness; (*Hoffnungslosigkeit*) hopelessness; **aus•sichts•reich** *adj* promising; **Aus•sichts•turm** *m* lookout [*o* observation] tower

aus|sie•ben *tr* (*a. fig*) sift out

aus|sie•deln *tr* evacuate

Aus•sied•lung *f* evacuation

aus|sit•zen *irr tr* (*Problem*) sit out

aus|söh•nen ['auszø:nən] **I.** *tr:* **jdn mit jdm (etw) ~** reconcile s.o. with s.o. (to s.th.) **II.** *refl:* **sich mit jdm ~** become reconciled with s.o.

Aus•söh•nung *f* reconciliation (*mit jdm* with s.o., *mit etw* to s.th.)

aus|son•dern *tr* pick out

aus|sor•tie•ren *tr* sort out

aus|span•nen I. *itr* (*sich erholen*) have a break, relax **II.** *tr* **1.** (*Wäscheleine etc*) put up; (*Tuch etc*) spread out **2.** (*Tiere aus Wagengeschirr*) unhitch; **jdm die Freundin ~** (*fig fam*) pinch someone's girlfriend

Aus•span•nung *f* (*Erholung*) relaxation

aus|spa•ren *tr* **1.** (*freilassen*) leave blank **2.** (*fig: vorläufig auslassen*) omit

Aus•spa•rung *f* (*Lücke*) gap

aus|sper•ren *tr* lock out

Aus•sper•rung *f* lockout

aus|spie•len *tr* **1.** (*Karten*) play **2.** (*fig*) display; **jdn gegen jdn ~** play s.o. off against s.o.

aus|spi•o•nie•ren *tr* spy out

Aus•spra•che *f* **1.** (LING) pronunciation **2.** (*Gespräch*) discussion; **mit jdm e-e ~ haben** talk the matter fully out with s.o.

aus|spre•chen I. *irr tr* **1.** (*a.* JUR) pronounce **2.** (*einen Satz*) finish **3.** (*äußern*) express; **e-e Warnung ~** deliver a warning **II.** *itr* finish speaking **III.** *refl* talk things out; **sich für etw ~** declare o.s. in favour of s.th.; **sich mit jdm über etw ~** have a talk with s.o. about s.th.

Aus•spruch *m* (*Bemerkung*) remark; (*Sprichwort*) saying

aus|spu•cken *tr* **1.** (*allgemein*) spit out **2.** (*fig fam: Geld etc*) cough up

aus|spü•len *tr* rinse out

aus|staf•fie•ren ['aʊsʃtafi:rən] *tr* (*etw ~*) fit out; (*jdn ~*) kit out

Aus•stand *m:* **im ~ sein** be on strike; **in den ~ treten** go on strike

aus|stan•zen *tr* (*Loch*) punch out

aus|stat•ten ['aʊsʃtatən] *tr* equip

Aus•stat•tung *f* equipment

aus|ste•chen *irr tr* **1.** (*Auge*) put out; (*Rasen*) dig up **2.** (*fig*): **jdn ~** outdo s.o.

aus|ste•hen I. *irr tr* bear, endure; **ich kann ihn nicht ~** I can't stand him **II.** *itr* be due, be outstanding; **die Antwort steht noch aus** the answer is still due; **Geld ~ haben** have money owing

aus|stei•gen *sein irr itr* **1.** (*allgemein*) get out (*aus* of); (*aus Verkehrsmittel*) get off (*aus* s.th.) **2.** (*fig fam: aus der Gesellschaft*) drop out

Aus•stei•ger(in) *m(f)* (*fam*) dropout

aus|stel•len *tr* **1.** (*auf Ausstellung*) exhibit, show; (*in Schaufenster*) display **2.** (*Pässe, Zeugnisse*) issue; (*Rezept*) write; (*Rechnung, Quittung*) make out

Aus•stel•ler *m* **1.** (*auf Ausstellung*) exhibitor **2.** (COM: *eines Schecks*) drawer

Aus•stel•lung *f* **1.** exhibition **2.** (*von Schriftstück*) making out; (*von Dokument*) issuing; **Aus•stel•lungs•hal•le** *f* exhibition hall

aus|ster•ben *sein irr itr* die out; (*Tiere*) become extinct

Aus•steu•er <-, -n> *f* dowry

Aus•stieg ['aʊsʃti:k] <-(e)s, -e> *m* exit; (*aus Gesellschaft, aus Kernenergie*) withdrawal

aus|stop•fen *tr* stuff

Aus•stoß <-es, ¨-e> *m* **1.** (TECH) ejection **2.** (COM) output **3.** (*Ausschluss*) expulsion

aus|sto•ßen *irr tr* **1.** (*allgemein*) eject **2.** (*ausschließen*) expel (*aus* from) **3.** (*Gase, Dampf etc*) emit

aus|strah•len *tr* radiate; (RADIO TV) broadcast

Aus•strah•lung *f* **1.** radiation **2.** (*fig*) charisma **3.** (RADIO TV) broadcasting

aus|stre•cken I. *tr* extend (*nach* towards) **II.** *refl* stretch o.s. out

aus|strei•chen *irr tr* **1.** (*Geschriebenes*) cross out **2.** (*Teig*) spread out

aus|streu•en *tr* **1.** scatter, spread **2.** (*Gerüchte*) spread

aus|strö•men I. *tr haben* **1.** (*allgemein*) give off **2.** (*fig*) radiate **II.** *itr sein* pour out (*aus* of); (*Gase*) escape

aus|su•chen *tr* choose; **darf ich mir was ~?** can I pick what I want?

Aus•tausch <-(e)s> *m* exchange; (*von Ideen*) interchange

aus•tausch•bar *adj* interchangeable

aus|tau•schen *tr* exchange (*gegen* for); (*ersetzen*) replace (*durch* with)

Aus•tausch•ma•te•ri•al *n* replacement (material)

aus|tei•len *tr* **1.** distribute (*an* among); (*Spielkarten*) deal out; (*Essen*) serve **2.**

(*Befehle*) give

Aus•tei•lung *f* (*Verteilung*) distribution; (*Zuteilung: von Verpflegung etc*) serving

Aus•ter ['aʊstɐ] <-, -n> *f* oyster; **Aus•tern•bank** *f* oysterbed

Aus•tern•pilz *m* chinese mushroom

aus|to•ben *refl:* **sich** ~ let off steam; (*Kinder*) romp about

aus|tra•gen I. *irr tr* 1. (*Briefe, Waren*) deliver 2. (*ein Kind*) carry to the full term 3. (SPORT: *Kampf*) hold II. *refl* (*aus e-r Liste*) sign out

Aus•tra•gung *f* (SPORT) holding; **Aus•tra•gungs•ort** *m* (SPORT) venue

aus|trei•ben I. *irr itr* (*Pflanzen*) sprout II. *tr* (REL: *Teufel*) exorcize; **das werde ich ihm noch ~!** I'll cure him of that!

aus|tre•ten I. *irr itr sein* 1. (*aus e-r Kirche*) leave (*aus* s.th.) 2. (*von Flüssigkeit*) come out (*aus* of); (*von Gas*) escape (*aus* from) 3. (*fam: zur Toilette gehen*) go to the loo II. *tr haben* 1. (*allgemein*) tread out 2. (*Schuhe*) wear out

aus|tri•ck•sen *tr* (*fam*) outwit

B

B, b [beː] <-, -> *n* B, b

Ba•by ['beːbi/ 'beɪbɪ] <-s, -s> *n* baby; **Ba•by•aus•stat•tung** *f* layette; **Ba•by•hös•chen** *n* baby pants *pl;* **Ba•by•nah•rung** *f* baby food; **Ba•by•schu•he** *mpl* bootees; **Ba•by•sit•ter** *m* baby-sitter; **Ba•by•tra•ge•ta•sche** *f* carrycot

Bach [bax, *pl:* 'bɛçə] <-(e)s, ⸚e> *m* brook

Ba•che ['baxə] <-, -n> *f* (ZOO) wild sow

Bach•stel•ze *f* (ORN) wagtail

Back•blech *n* baking tray

Back•bord ['bakbɔrt] <(-s)> *n* (MAR) port

Ba•cke ['bakə] <-, -n> *f* **1.** (ANAT: *Wange*) cheek **2.** (TECH: *Einspann~*) jaw **3.** (MOT: *Brems~*) shoe

ba•cken ['bakən] *irr tr* bake; (*in der Pfanne*) fry

Ba•cken•bart *m* sideburns *pl;* **Ba•cken•kno•chen** *m* cheek bone; **Ba•cken•zahn** *m* molar

Bä•cker ['bɛkɐ] *m* baker; **Bä•cke•rei** *f* bakery; **Bä•cker•meis•ter** *m* master baker

Back•fisch *m* fried fish; (*obs: junges Mädchen*) young thing; **Back•form** *f* baking tin; **Back•obst** *n* dried fruit; **Back•ofen** *m* oven; **Back•pflau•me** *f* prune; **Back•pul•ver** *n* baking powder

Back•stage•be•reich [bæk'steɪdʒ-] *m* backstage (area)

Back•stu•be *f* bakery; **Back•wa•ren** *pl* bread, cakes and pastries

Bad [baːt, *pl:* 'bɛːdɐ] <-(e)s, ⸚er> *n* **1.** (*in der Wanne*) bath **2.** (*Badezimmer*) bathroom **3.** (*Badeort*) spa; **ein ~ einlaufen lassen** run a bath; **ein ~ nehmen** have a bath

Ba•de•an•stalt *f* (*obs*) swimming baths *pl;* **Ba•de•an•zug** *m* swimsuit; **Ba•de•ho•se** *f* trunks *pl;* **Ba•de•kap•pe** *f* bathing cap; **Ba•de•man•tel** *m* beach robe; (*Morgenmantel*) bathrobe; **Ba•de•meis•ter(in)** *m(f)* swimming-pool attendant

ba•den ['baːdən] **I.** *itr* have a bath; (*im Meer*) have a swim; **~ gehen** go swimming; (*fig fam*) come a cropper **II.** *tr* bathe

Ba•de•ofen *m* (*obs*) boiler; **Ba•de•ort** *m* **1.** (*Heilbad*) spa **2.** (*Seebad*) resort; **Ba•de•schu•he** *mpl* bathing shoes; **Ba•de•strand** *m* bathing beach; **Ba•de•tuch** *n* bath towel; **Ba•de•wan•ne** *f* bath; **Ba•de•zeug** *n* swimming things *pl;* **Ba•de•zim•mer** *n* bathroom; **Ba•de•zu•satz** *m* bath salts *pl*

baff [baf] *adj:* **~ sein** (*fam*) be flabbergasted

BAföG ['baːfœk] <-, -> *n Abk. von* **Bundesausbildungsförderungsgesetz** grant; **er kriegt ~** (*fam*) he gets a grant

Ba•ga•tel•le [baga'tɛlə] <-, -n> *f* trifle

ba•ga•tel•li•sie•ren *tr* trivialize

Bag•ger ['bagɐ] <-s, -> *m* excavator

bag•gern *itr* excavate; (*fam: arbeiten*) slog; **~ wie blöde** (*sl*) slog one's guts out

Bahamas *fpl* Bahamas

Bahn [baːn] <-, -en> *f* **1.** (*Weg, Kurs*) path, track **2.** (ASTR) orbit **3.** (*Tapeten~ etc*) length **4.** (RAIL) railway *Br,* railroad *Am;* **etw in die richtigen ~en lenken** channel s.th. properly; **sich ~ brechen** (*fig*) make headway; **jdn aus der ~ werfen** (*fig*) throw s.o. out of gear; **~ frei!** make way!; **Bahn•be•am•te(r), -be•am•tin** *m, f* railway official *Br,* railroad official *Am*

bahn•bre•chend *adj* pioneering; **Bahn•bre•cher** *m* pioneer

Bahn•Card <-, -s> *f card entitling holder to purchase rail tickets at half price;* **Bahn•damm** *m* railway embankment

bah•nen ['baːnən] *tr:* **sich e-n Weg ~** force one's way; **e-r Sache den Weg ~** (*fig*) pave the way for s.th.

Bahn•fahrt *f* railway journey; **Bahn•hof** *m* railway station *Br,* railroad station *Am;* **auf dem ~** at the station; **ich verstehe nur ~** (*fam*) it's as clear as mud; **Bahn•hofs•hal•le** *f* concourse; **Bahn•hofs•vor•ste•her** *m* stationmaster; **Bahn•hofs•gast•stät•te** *f* station buffet

bahn•la•gernd *adj* (COM) to be collected from the station; **Bahn•po•li•zei** *f* transport police; **Bahn•schran•ke** *f* level crossing barrier *Br,* grade crossing gate *Am;* **Bahn•steig** *m* platform; **Bahn•steig•kar•te** *f* platform ticket; **Bahn•trans•port** *m* **1.** (*Beförderungsart*) rail transport **2.** (COM: *Stückgutsendung*) consignment sent by rail; **Bahn•über•gang** *m* level crossing *Br,* grade crossing *Am;* **Bahn•ver•bin•dung** *f* train connection; **Bahn•wär•ter(in)** *m(f)* attendant *Br,* gatekeeper *Am*

Bah•re ['baːrə] <-, -n> *f* stretcher; (*Toten~*) bier

Bai [baɪ] <-, -en> *f* bay

Bais•se ['bɛːs(ə)] <-, -n> *f* (COM) slump

Bais•sier [bɛ'sjeː] <-s, -s> *m* (COM) bear

Ba•jo•nett [bajo'nɛt] <-(e)s, -e> *n* bayonet

Ba•ke ['baːkə] <-, -n> *f* **1.** (*Verkehrs~*) distant warning signal **2.** (MAR) marker buoy

Bak•te•rie [bak'teːriə] *f* bacterium, bacteria *pl*

bak•te•ri•ell *adj* bacterial

Bak•te•rio•lo•ge [bakterio'loːgə] *m*, **Bak•te•ri•o•lo•gin** *f* bacteriologist; **Bak•te•rio•lo•gie** *f* bacteriology; **bak•te•rio•lo•gisch** *adj* bacteriological

bak•te•ri•zid [bakteri'tsiːt] *adj* bactericidical

Ba•lan•ce [ba'lãːs(ə)] <-, -n> *f* balance; **die ~ behalten** keep one's balance

ba•lan•cie•ren *sein itr* balance; **über etw ~** balance one's way across s.th.

bald [balt] *adv* **1.** soon **2.** (*fast*) almost, nearly; **möglichst ~** as soon as possible; **kommst du ~?** will you be coming soon?; **wird's bald?!** get a move on!; **bis ~!** see you soon!; **~ ... ~ ...** sometimes ... sometimes ...

Bal•da•chin ['baldaxiːn] <-(e)s, -e> *m* canopy

bal•digst *adv* **1.** (*allgemein*) as soon as possible **2.** (COM) at your earliest convenience

Bal•dri•an ['baldriaːn] <-s> *m* (BOT) valerian

Ba•le•aren [bale'aːrən] *pl:* **die ~** the Balearic Islands

Balg[1] [balk, *pl:* 'bɛlgə] <-(e)s, ⸚e> *m* **1.** (*abgezogene Tierhaut*) skin **2.** (*Blase~, a.* PHOT) bellows *pl*

Balg[2] [balk, *pl:* 'bɛlgɐ] <-(e)s, ⸚er> *n* (*fam: freches Kind*) brat

Bal•kan <-s> *m* Balkans *pl;* **Bal•kan•län•der** *npl* (GEOG) Balkan States

Bal•ken ['balkən] <-s, -> *m* **1.** (*Holz~*) beam; (*Stütz~*) prop **2.** (*auf Uniform*) stripe; **lügen, dass sich die ~ biegen** (*fig fam*) lie in one's teeth; **Bal•ken•de•cke** *f* ceiling with wooden beams; **Bal•ken•di•a•gramm** *n* bar chart; **Bal•ken•ko•de** *m* bar code; **Bal•ken•kons•truk•ti•on** *f* timber-frame construction

Bal•kon [bal'kɔŋ/bal'koːn] <-s, -s/-e> *m* **1.** (ARCH) balcony **2.** (THEAT) dress circle; **Bal•kon•tür** *f* French window

Ball[1] [bal, *pl:* 'bɛlə] <-(e)s, ⸚e> *m* ball; **~ spielen** play ball; **am ~ bleiben** (SPORT) keep the ball; **am ~ sein** (SPORT) have the ball; **bei jdm am ~ bleiben** (*fig*) keep in with s.o.

Ball[2] *m* (*Tanz*) ball

Bal•la•de [ba'laːdə] <-, -n> *f* ballad

Bal•last ['balast/ -'-] <-(e)s, (-e)> *m* **1.** (AERO MAR) ballast **2.** (*fig*) burden

Bal•last•stof•fe *pl* roughage *sing*

Bal•len ['balən] <-s, -> *m* **1.** (*Stoff~*) bale **2.** (ANAT) ball

bal•len ['balən] **I.** *tr* (*die Faust*) clench **II.** *refl* **1.** (*Wolken*) build up **2.** (*Menschen*) crowd

Bal•lett [ba'lɛt] <-(e)s, -e> *n* ballet; **Bal•lett•tän•zer**[RR]**(in)** *m(f)* ballet dancer

bal•lis•tisch *adj* ballistic

Ball•jun•ge *m* (*Tennis*) ball boy

Ball•kleid *n* ball [*o* evening] dress

Bal•lon [ba'lɔŋ/ba'loːn] <-s, -s/-e> *m* **1.** (*Gummi~*) balloon **2.** (*Glasgefäß, Glas~*) carboy

Ball•spiel *n* ball game

Bal•lung ['balʊŋ] *f* concentration

Bal•lungs•ge•biet *n* conurbation

Bal•sam ['balzaːm] <-s, -e> *m* **1.** (BOT) balsam **2.** (*fig: Linderung*) balm

bal•sa•mie•ren *tr* embalm

Bal•te ['baltə] <-n, -n> *m* Balt; **Bal•ti•kum** ['baltikʊm] *n* the Baltic; **Bal•tin** ['baltɪn] *f* Balt; **bal•tisch** *adj* Baltic; **das ~e Meer** the Baltic

Bam•bus ['bambʊs] <-/-ses, -se> *m* bamboo; **Bam•bus•rohr** *n* bamboo (cane); **Bam•bus•spros•sen** *fpl* bamboo shoots

Bam•mel ['baməl] <-s> *m* (*fam*): **~ vor etw haben** be scared of s.th.

ba•nal [ba'naːl] *adj* trite

Ba•na•li•tät *f* banality

Ba•na•ne [ba'naːnə] <-, -n> *f* banana; **Ba•na•nen•re•pu•blik** *f* (*fam pej*) banana republic

Ba•na•nen•ste•cker *m* (EL) jack plug

Ba•nau•se [ba'naʊzə] <-n, -n> *m* (*fam*) philistine

Band[1] [bant, *pl:* 'bɛndɐ] <-(e)s, ⸚er> *n* **1.** (*Stoffband*) ribbon; (*Maß~*) tape **2.** (RADIO: *Ton~*) tape **3.** (*Fließ~*) conveyor belt; **etw auf ~ aufnehmen** tape s.th.; **etw auf ~ sprechen** record s.th. on tape; **am laufenden ~** (*fam*) continuously, in endless succession

Band[2] [bant, *pl:* 'bɛndə] <-(e)s, ⸚e> *m* (*Buch*) volume; **das spricht ⸚e** (*fig*) that speaks volumes

Ban•da•ge [ban'daːʒə] <-, -n> *f* bandage

ban•da•gie•ren *tr* bandage

Band•ar•chiv *nt* (EDV) tape library; **Band•auf•nah•me** *f* (RADIO) tape-recording

Band•brei•te *f* **1.** (RADIO) wave band, frequency range **2.** (*fig*) range

Ban•de[1] ['bandə] <-, -n> *f* (SPORT: *am Billardtisch*) cushion

Ban•de[2] *f* (*Verbrecher~*) gang

Ban•de•ro•le [bandə'roːlə] <-, -n> *f* tax seal

Bän•der•riss[RR] *m* (MED) torn ligament

bän•di•gen ['bɛndɪgən] *tr* **1.** (*allgemein*) tame **2.** (*unter Kontrolle halten*) control **3.**

(*fig: Leidenschaft etc*) master
Ban•dit [ban'di:t] <-en, -en> *m* bandit
Band•lauf•werk *n* (EDV) tape streamer
Band•maß *n* tape measure
Band•sä•ge *f* band-saw
Band•schei•be *f* (ANAT) intervertebral disc; **Band•schei•ben•scha•den** *m* damaged disc; **Band•schei•ben•vor•fall** *m* slipped disc
Band•wurm *m* tape-worm
bang(**e**) [baŋ(ə)] *adj:* **sei nicht ~!** don't be afraid!; **jdn ~ machen** scare s.o.; **e-e ~ Ahnung** a sense of foreboding
ban•gen ['baŋən] **I.** *itr:* **mir bangt davor** I am afraid of it **II.** *refl* be anxious (*um* about)
Bank[1] [baŋk, *pl:* 'bɛŋkə] <-, ¨e> *f* **1.** (*Plural:Bänke*) bench **2.** (*Untiefe*) sandbank; **etw auf die lange ~ schieben** (*fig*) put s.th. off
Bank[2] [baŋk, *pl:* 'baŋkən] <-, -en> *f* (COM: *pl Banken*) bank; **ein Konto bei e-r ~ eröffnen** open an account with a bank; **Bank•an•ge•stell•te**(**r**) *f m* bank employee; **Bank•an•wei•sung** *f* banker's order; **Bank•au•to•mat** *m* cash dispenser
Ban•ken•kon•sor•ti•um <-s, -konsortien> *n* (COM) consortium of banks
Ban•ker ['bɛŋkɐ] <-s, -> *m* (COM) banker
Ban•kett[1] [baŋ'kɛt] <-s, -s/-e> *n* banquet
Ban•kett[2] *n* (*Straßen~*) verge *Br,* shoulder *Am*
Bank•ge•heim•nis *n* (COM) banking secrecy; **Bank•gut•ha•ben** *n* bank balance
Ban•kier [baŋ'kje:] <-s, -s> *m* banker
Bank•kauf•frau *f* (*m*) bank clerk; **Bank•kon•to** *n* bank account; **Bank•kre•dit** *m* bank loan, bank credit; **Bank•leit•zahl** *f* bank (sorting) code; **Bank•no•te** *f* banknote *Br,* bill *Am;* **Bank•raub** *m* bank robbery; **Bank•räu•ber**(**in**) *m(f)* bank robber
Bank•rott [baŋ'krɔt] <-(e)s, -e> *m* bankruptcy; **~ machen** go bankrupt; **bank•rott** *adj* **1.** (*allgemein*) bankrupt **2.** (*fig: Politik etc*) discredited; **~ machen** go bankrupt
Bank•über•wei•sung *f* bank transfer; **Bank•ver•bin•dung** *f* banking arrangements *pl;* (*Kontonummer*) banking details *pl;* **Bank•we•sen** *n* (COM) banking (system)
Bann [ban] <-(e)s> *m* spell; **er ist ganz in ihrem ~** he is completely under her spell; **jdn in s-n ~ schlagen** captivate s.o.
ban•nen ['banən] *tr* (REL: *böse Geister etc*) exorcize; **e-e Gefahr ~** avert a danger
Ban•ner ['banɐ] <-s, -> *n* banner
Bann•wald *m* (*österr*) forest for protection against avalanches
Bar [ba:ɐ] <-, -s> *f* bar
bar *adj* **1.** (FIN) cash **2.** (*bloß*) bare **3.** (*völlig*) pure **4.** (*ohne*) devoid of; **~ zahlen** pay cash (down); **~ auf die Hand** cash on the nail; **etw für ~e Münze nehmen** (*fig*) take s.th. at face value; **~er Unsinn** utter nonsense
Bär [bɛ:ɐ] <-en, -en> *m* bear; **der Große ~** (ASTR) the Great Bear; **jdm e-n ~en aufbinden** (*fig*) have s.o. on
Bä•ren•dreck *m* (*CH: Lakritze*) liquorice
Ba•ra•cke [ba'rakə] <-, -n> *f* shack
Bar•bar(**in**) [bar'ba:ɐ] <-s/-en, -en> *m(f)* barbarian; **Bar•ba•rei** [barba'raɪ] *f* barbarism; **bar•ba•risch** *adj* barbarous
Bar•bi•tu•rat <-s, -e> *n* (PHARM) barbiturate
Bar•da•me *f* barmaid; (*Animierdame*) hostess
Ba•rett [ba'rɛt] <-(e)s, -e/-s> *n* **1.** (*Baskenmütze*) beret **2.** (*Richter~ etc*) biretta
bar•fuß *adj* barefoot(ed)
Bar•geld *n* cash
bar•geld•los *adj* non-cash; **~er Zahlungsverkehr** transfer of money not involving cash
Bärin ['bɛ:rɪn] *f* she-bear
Bar•kas•se [bar'kasə] <-, -n> *f* (MAR) launch
Bar•kauf *m* cash purchase
Bar•ke ['barkə] <-, -n> *f* (MAR) skiff
Bar•kee•per *m* barkeeper
barm•her•zig [barm'hɛrtsɪç] *adj* compassionate; **der ~e Samariter** the good Samaritan
Barm•her•zig•keit *f* compassion
Bar•mi•xer *m* cocktail waiter
Ba•rock [ba'rɔk] <-s> *n* baroque
ba•rock *adj* **1.** (ARCH) baroque **2.** (*fig: Figur*) buxom
Ba•ro•me•ter [baro'me:tɐ] *n* barometer
Ba•ron [ba'ro:n] <-s, -e> *m* baron
Ba•ro•nin *f* baroness
Bar•ren ['barən] <-s, -> *m* **1.** (*Edelmetall~*) ingot **2.** (SPORT: *zum Turnen*) parallel bars *pl*
Bar•rie•re [ba'rje:rə] <-, -n> *f* **1.** (*Hindernis*) barrier **2.** (*CH: Bahnschranke*) level crossing barrier
Bar•ri•ka•de [bari'ka:də] <-, -n> *f* barricade; **~n bauen** raise barricades; **auf die ~n gehen** (*fig*) protest
Barsch [barʃ] <-(e)s, -e> *m* (ZOO) perch
barsch *adj* brusque; **jdn ~ anfahren** snap at s.o.
Bar•scheck *m* open [*o* uncrossed] cheque
Bar•sor•ti•ment *n* (COM) book wholesaler's
Bart[1] [ba:ɐt, *pl:* 'bɛrtə] <-(e)s, ¨e> *m* beard; **sich e-n ~ wachsen lassen** grow a beard; **der ~ ist ab!** (*fig fam*) you've had it!; **der Witz hat e-n Bart!** (*fig*) that's a real

oldie!

Bart² *m* (*Schlüssel~*) bit

Bart•flech•te *f* 1. (MED) barber's itch, sycosis 2. (BOT) beard moss; **Bart•schnei•der** *m* beard trimmer

Bar•zah•lung *f* cash payment, payment in cash; **bei ~ 2% Skonto** 2% discount for cash

Ba•salt [ba'zalt] <-(e)s, -e> *m* basalt

Ba•sal•tem•pe•ra•tur *f* basal body temperature

Ba•sar [ba'zaːɐ] <-s, -e> *m* bazaar

Ba•se¹ ['baːzə] <-, -n> *f* (*obs: Cousine*) cousin

Ba•se² ['baːzə] <-,-n> *f* (CHEM) base

ba•sie•ren [ba'ziːrən] I. *tr* (*~ auf*) base on II. *itr* (*~ auf*) rest upon

Ba•si•li•kum [ba'ziːlikʊm] <-s> *n* (BOT) basil

Ba•sis ['baːzɪs] <-, Basen> *f* 1. (*allgemein, a.* MIL) base 2. (*fig*) basis 3. (POL): **die ~** the grass roots *pl;* **auf breiter ~ ruhen** (*fig*) be firmly established; **Ba•sis•de•mo•kra•tie** *f* grass-roots democracy; **Ba•sis•grup•pe** *f* action group; **Ba•sis•wis•sen** *n* basic knowledge

Bas•ke ['baskə] <-n, -n> *m*, **Bas•kin** *f* Basque

Bass[RR] [bas, *pl:* 'bɛsə] <-es, ¨-e> *m* bass

Bass•gi•tar•re[RR] *f* bass guitar

Bas•sin [ba'sɛ̃ː] <-s, -s> *n* pool

Bas•sist [ba'sɪst] <-en, -en> *m* 1. (*Sänger*) bass singer 2. (*Orchester~*) bass player

Bast [bast] <-(e)s, -e> *m* 1. (*Binde~*) raffia 2. (*am Hirschgeweih*) velvet 3. (BOT) bast

bas•ta ['basta] *interj:* **und damit ~!** and that's that!

Bas•tard ['bastart] <-(e)s, -e> *m* bastard

Bas•tei [bas'taɪ] *f* (HIST) bastion

bas•teln ['bastəln] *itr:* **ich bastele gerne** I like to do handicrafts; **an etw ~** (*arbeiten*) work on s.th.; **an etw (herum)~** mess around with s.th.

Ba•tail•lon [batal'joːn] <-s, -e> *n* (MIL) battalion

Ba•tist [ba'tɪst] <-(e)s, -e> *m* cambric

Bat•te•rie [batə'riː] *f* 1. (EL) battery 2. (MIL) battery 3. (*Anzahl*) row; **Bat•te•rie•be•trieb** *m* battery operation; **bat•te•rie•be•trie•ben** *adj* battery operated; **Bat•te•rie•la•de•ge•rät** *n* battery charger

Bau [baʊ] <-(e)s, -ten> *m* 1. (*das Bauen*) construction 2. (*Bauart*) structure 3. (*Gebäude*) building 4. (*Baustelle*) building site 5. (*Kaninchen~*) burrow; **im ~** under construction; **auf dem ~ arbeiten** be a building worker *Br,* be a construction worker *Am;* **Bau•amt** *n* planning department and building control office; **Bau•ar•bei•ten** *pl* construction work *sing;* **Bau•ar•bei•ter(in)** *m(f)* construction worker; **Bau•art** *f* 1. (ARCH) style 2. (TECH) construction, design; (*Type*) model, type; **Bau•be•ginn** *m* start of building

Bauch [baʊx, *pl:* 'bɔɪçə] <-(e)s, ¨-e> *m* 1. (ANAT) stomach 2. (*fig*) belly, tummy 3. (*Fett~*) paunch, potbelly *fam;* **mir tut der ~ weh** I have (a) stomach ache; **mit etw auf den ~ fallen** (*fig*) come a cropper with s.th.; **sich den ~ vollschlagen** (*fam*) gorge [*o* stuff] o.s; **Bauch•de•cke** *f* (ANAT) abdominal wall; **Bauch•fell•ent•zün•dung** *f* peritonitis; **Bauch•höh•len•schwan•ger•schaft** *f* ectopic pregnancy

bau•chig ['baʊxɪç] *adj* bulbous; **Bauch•lan•dung** *f* (AERO) belly landing; **Bauch•na•bel** *m* navel; **Bauch•red•ner(in)** *m(f)* ventriloquist; **Bauch•schmer•zen** *pl:* **ich habe ~** I have (a) stomach ache *sing;* **Bauch•spei•chel•drü•se** *f* pancreas; **Bauch•tanz** *m* belly dance; (*das Tanzen*) belly dancing

Bau•ele•ment *n* 1. (ARCH) building component 2. (TECH) construction element

bau•en ['baʊən] I. *tr* build, construct; **e-n Unfall ~** (*fam*) cause an accident II. *itr* build; **hier wird viel gebaut** there's a lot of building going on here

Bau•er¹ <-n/(-s), -n> *m* 1. (*Acker~*) farmer 2. (*Schachfigur*) pawn 3. (*Kartenfigur*) knave

Bau•er² <-s, -> *n* (*Vogel~*) cage

Bäu•er•chen *n* (*Luftaufstoßen in der Kindersprache*) burp; **ein ~ machen** do a burp

Bäu•e•rin ['bɔɪərɪn] *f* farmer's wife

bäu•er•lich *adj* rural

Bau•ern•auf•stand *m* peasants' revolt; **Bau•ern•haus** *n* farmhouse; **Bau•ern•bub** *m* (*österr*) country boy; **Bau•ern•hof** *m* farm; **Bau•ern•re•gel** *f* country saying; **bau•ern•schlau** *adj* cunning, shrewd

bau•fäl•lig *adj* dilapidated

Bau•fir•ma *f* building contractor; **Bau•ge•län•de** *n* building site; **Bau•ge•neh•mi•gung** *f* planning and building permission; **Bau•ge•rüst** *n* scaffolding; **Bau•gru•be** *f* excavation; **Bau•herr(in)** *m(f)* client; **Bau•holz** *n* timber *Br,* lumber *Am;* **Bau•in•ge•nieur(in)** *m(f)* civil engineer; **Bau•jahr** *n* year of construction; (*vom Auto*) model; **Bau•kas•ten** *m* building kit; **Bau•kon•junk•tur** *f* building boom; **Bau•kos•ten** *pl* building costs; **Bau•land** *n* building land; **Bau•lei•tung** *f* 1. (*Büro*) site office 2. (*Bauaufsicht*) site supervision

bau•lich *adj* structural; **in gutem ~en Zustand** structurally sound

Baum [baʊm, *pl:* 'bɔɪmə] <-(e)s, ¨-e> *m*

tree; **auf dem** ~ in the tree; **auf e-n** ~ **steigen** climb a tree

Bau•markt *m* (COM) DIY superstore; **Bau•maß•nah•men** *fpl* building measures; **Bau•ma•te•ria•lien** *npl* building materials

Baum•blü•te *f* blossom

bau•meln ['baʊməln] *itr* dangle (*an* from)

Baum•gren•ze *f* tree line; **baum•los** *adj* treeless; **Baum•nuss** *f* (*CH: Walnuss*) walnut; **Baum•rin•de** *f* bark; **Baum•schu•le** *f* nursery; **Baum•stamm** *m* tree trunk; **Baum•ster•ben** *n* (*Umwelt*) dying (off) of trees; **Baum•stumpf** *m* tree stump

Baum•wol•le *f* cotton; **baum•wol•len** *adj* cotton

Bau•ord•nung *f* building by-law, building regulations *pl;* **Bau•plan** *m* building plan; **Bau•pla•nung** *f* project planning; **Bau•platz** *m* site; **Bau•po•li•zei** *f* building control department

Bausch [baʊʃ] <-(e)s, -e/⸗e> *m* ball; **in** ~ **u. Bogen** (*fam*) lock, stock and barrel

Bau•schä•den *mpl* structural damages

bau•schen ['baʊʃən] **I.** *itr* become bunched **II.** *refl* billow out **III.** *tr:* **der Wind bauscht die Segel** the wind is filling the sails

Bau•schlos•ser(in) *m(f)* locksmith

Bau•schutt *m* rubble

bau•spa•ren *itr* save with a building society; **Bau•spar•kas•se** *f* building society *Br,* building and loan association *Am;* **Bau•spar•ver•trag** *m* building society savings agreement *Br,* savings contract with a building and loan association *Am;* **Bau•spe•ku•lant** *m* (COM) building speculator

Bau•stein *m* **1.** (*allgemein*) stone **2.** (*fig*) constituent; **elektronischer** ~ chip; **Bau•stel•le** *f* (*Haus~*) building site; (*Straßen~*) roadworks *Br,* construction work *Am;* **Bau•stoff** *m* building-material; **Bau•teil** *n* prefabricated part (of building)

Bau•ten *pl* buildings

Bau•trupp *m* construction team; **Bau•un•ter•neh•mer(in)** *m(f)* building contractor; **Bau•vor•ha•ben** *n* building scheme; **Bau•wei•se** *f* type of construction; **Bau•werk** *n* building; **Bau•wirt•schaft** *f* construction industry

Bau•xit [baʊ'ksi:t] <-s, -e> *m* bauxite

Bau•zaun *m* (building site) fencing

Bay•er(in) <-n, -n> *m(f)* Bavarian; **Bay•ern** ['baɪɐn] *n* Bavaria; **bay•(e)•risch** *adj* Bavarian

Ba•zil•lus [ba'tsɪlʊs] <-, -llen> *m* bacillus, germ

be•ab•sich•ti•gen *tr* intend; **das war beabsichtigt!** that was intentional!

be•ach•ten *tr* **1.** (*aufmerksam* ~) pay attention to **2.** (*Vorschrift*) observe; **jds Ratschlag** ~ follow someone's advice

be•acht•lich *adj* considerable

Be•ach•tung *f:* **die** ~ **der Verkehrsregeln** observance of traffic regulations; ~ **finden** receive attention; **jdm keine** ~ **schenken** take no notice of s.o.

Be•am•te(r) [bə'amtə] *m,* **Be•am•tin** *f* civil servant; **Be•am•ten•an•wär•ter(in)** *m(f)* civil service trainee; **Be•am•ten•deutsch** *n* officialese; **Be•am•ten•lauf•bahn** *f:* **die** ~ **einschlagen** join the civil service; **Be•am•ten•tum** *n* civil service; **be•am•tet** *adj* permanently appointed as a civil servant

be•ängs•ti•gend *adj* alarming

be•an•spru•chen *tr* **1.** (*Recht*) claim **2.** (*Aufmerksamkeit*) demand; (*erfordern*) take **3.** (TECH) use; **jds Hilfe** ~ ask for someone's help; **etw** ~ **können** be entitled to s.th.

Be•an•spru•chung *f* **1.** (*Inanspruchnahme*) demand (*von* on) **2.** (*Belastung*) use

be•an•stan•den *tr* complain about

Be•an•stan•dung *f* complaint

be•an•tra•gen *tr* **1.** (*Erlaubnis*) apply for (*bei* to) **2.** (*bei Diskussion etc*) propose

be•ant•wor•ten *tr* answer; **leicht zu** ~ easily answered

be•ar•bei•ten *tr* **1.** (*allgemein*) work on **2.** (*Buch etc*) edit **3.** (*Land*) cultivate **4.** (EDV) process; **Bestellungen** ~ deal with orders; **etw mit dem Hammer** ~ hammer s.th.

Be•ar•bei•tung *f* **1.** (*Neu~*) revision **2.** (*von Vorgang*) handling

Be•ar•bei•tungs•ge•bühr *f* processing fees *pl*

be•arg•wöh•nen *tr* regard with suspicion

be•at•men *tr:* **jdn künstlich** ~ give s.o. artificial respiration

Beat ['bi:t] <-s, -s> *m* beat; **Beat•mu•sik** *f* beat (music); **Beatnik** [bi:tnɪk] <-s, -s> *m* beatnik

be•auf•sich•ti•gen *tr* supervise

Be•auf•sich•ti•gung *f* supervision

be•auf•tra•gen *tr* **1.** (*mit Auftrag versehen*) engage **2.** (*anweisen*) instruct; **jdn mit etw** ~ employ s.o. to do s.th.

Be•auf•trag•te(r) *f m* representative

be•bau•en *tr* **1.** build on **2.** (*Land*) cultivate

Be•bau•ungs•dich•te *f* density of development; **Be•bau•ungs•plan** *m* development scheme

Bé•bé <-s, -s> *nt* (*CH: Baby*) baby

Be•ben ['be:bən] <-s, -> *n* earthquake

be•ben *itr* shake, tremble

be•bil•dern *tr* illustrate

Be•cher ['bɛçɐ] <-s, -> *m* cup; (*Glas~*)

tumbler; (*Ton~*) mug

be•chern ['bɛçɐn] *itr* (*fam*) have a few

Be•cken ['bɛkən] <-s, -> *n* **1.** basin; (*Küchen~*) sink; (*Schwimm~*) pool **2.** (ANAT) pelvis **3.** (MUS) cymbal

Bec•que•rel [bɛkə'rɛl] <-, -> *n* Becquerel

Be•dacht *m:* **etw mit ~ tun** do s.th. deliberately

be•dacht [bə'daxt] *adj* careful, cautious; **auf etw ~ sein** be concerned about s.th.; **wohl ~**[RR] well considered

be•däch•tig [bə'dɛçtɪç] *adj* deliberate

Be•däch•tig•keit *f* deliberateness

be•dan•ken *refl:* **ich möchte mich bei Ihnen ~ für ...** I should like to thank you for ...; **dafür können Sie sich bei ... bedanken** (*iro*) you've got ... to thank; **ich bedanke mich** thank you very much

Be•darf [bə'darf] <-(e)s> *m* **1.** (*Bedürfnis*) need (*an* for) **2.** (*Waren~*) requirements *pl;* **bei ~** when required; **an etw ~ haben** be in need of s.th.; **je nach ~** according to demand; **Be•darfs•ana•ly•se** *f* demand analysis; **Be•darfs•ar•ti•kel** *m* necessaries *pl;* **Be•darfs•be•stim•mung** *f* determination of demand; **Be•darfs•de•ckung** *f* filling of demand, filling of needs; **Be•darfs•gü•ter** *npl* basic commodities, consumer goods; **Be•darfs•hal•te•stel•le** *f* request stop; **Be•darfs•rech•nung** *f* assessment of demand

be•dau•er•lich [bə'daʊɐlɪç] *adj* regrettable, unfortunate; **wie ~!** how unfortunate!; **be•dau•er•li•cher•wei•se** *adv* unfortunately, regrettably

Be•dau•ern <-s> *n* regret; **zu meinem größten ~** much to my regret

be•dau•ern [bə'daʊɐn] *tr* **1.** (*etw*) regret **2.** (*jdn*) be sorry for; **bedaure!** I'm sorry!; **er ist zu ~** one must feel sorry for him; **be•dau•erns•wert** *adj* (*Mensch*) pitiful; (*Zustand*) deplorable

be•de•cken I. *tr* cover; **von etw bedeckt sein** be covered in s.th. **II.** *refl* cover o.s.; **der Himmel bedeckt sich** the sky is becoming overcast; **be•deckt** *adj* (*Himmel*) clouded, overcast; **sich bedeckt halten** (*fig*) keep a low profile

Be•de•ckung *f* **1.** (MIL) escort **2.** (*Leibwache*) guard

Be•den•ken <-s, -> *n* doubt; **mir kommen ~** I'm having second thoughts; **ohne ~** without thinking

be•den•ken *irr tr* **1.** consider **2. jdn ~** remember s.o.; **wenn man es recht bedenkt** if you think about it properly; **man muss bedenken, dass ...** one must take into consideration the fact that ...; **be•den•ken•los** *adj* **1.** (*ohne zu zögern*) unhesitating **2.** (*rücksichtslos*) heedless of others; **~ zustimmen** agree without hesitation

be•denk•lich *adj* **1.** (*Lage etc*) alarming, serious **2.** (*zweifelhaft*) dubious **3.** (*besorgt*) anxious; **sein Zustand ist ~** his condition is giving cause for concern

Be•denk•zeit *f:* **können Sie mir e-n Tag ~ geben?** can you give me one day to think about it?

be•deu•ten *tr itr* mean; **was soll das ~?** what does that mean?; **was soll denn das ~?** what's the meaning of that?; **das hat nichts zu ~** it doesn't mean anything; **be•deu•tend I.** *adj* **1.** (*gewichtig*) important **2.** (*groß*) considerable **II.** *adv* (*erheblich*) considerably; **be•deut•sam** *adj* **1.** (*bedeutungsvoll*) meaningful **2.** (*wichtig*) important

Be•deu•tung *f* **1.** (*allgemein*) meaning **2.** (*Wichtigkeit*) importance; **von ~ sein** be important; **von großer ~ sein** be of great importance; **nichts von ~** nothing of any importance; **be•deu•tungs•los** *adj* **1.** (*unwichtig*) insignificant **2.** (*ohne Sinn*) meaningless; **Be•deu•tungs•lo•sig•keit** *f* insignificance

be•die•nen I. *itr tr* **1.** attend to, serve **2.** (*beim Kartenspiel*) follow suit **3.** (TECH: *Apparate, Maschinen*) operate; **hier wird man gut bedient** the service is good here; **na, ich bin bedient!** (*iro*) I've had all I can take! **II.** *refl* help o.s. (*mit* to); **Be•die•ner(in)** *m(f)* (EDV) operator, user; **Be•die•ner•füh•rung** *f* (EDV) context-sensitive help

Be•die•ner•in *f* (*österr: Putzfrau*) cleaner

be•diens•tet *adj* (*österr: angestellt*): **~ sein** be an employee; **Be•diens•te•te(r)** *f m* (*im öffentlichen Dienst*) public employee; **seine ~n** his servants

Be•die•nung *f* **1.** (*im Laden*) service **2.** (*von Geräten*) operation; **~!** waiter (waitress)!; **Be•die•nungs•an•lei•tung** *f* operating instructions *pl;* **Be•die•nungs•kom•fort** *m* user-friendliness

be•din•gen [bə'dɪŋən] *irr tr* **1.** (*voraussetzen*) demand **2.** (*bewirken*) cause

be•dingt *adj:* **nur ~ richtig** only partially right; **~ tauglich** (MIL) fit for limited duties

Be•din•gung *f* condition; **unter der ~, dass ...** on condition that ...; **unter keiner ~** under no circumstances *pl;* **nur unter einer ~** only on one condition; **zu günstigen ~en** on favourable terms; **be•din•gungs•los** *adj* unconditional

be•drän•gen *tr* **1.** (*belästigen*) plague **2.** (SPORT) pressurize

Be•dräng•nis *f:* **in ~ bringen** get into trouble; **in ~ geraten** get into difficulties *pl*

be•dro•hen *tr* threaten

be•droh•lich *adj* threatening; **sich ~ verschlechtern** deteriorate alarmingly

Be•dro•hung *f* threat

be•drü•cken *tr* (*fig*) depress

be•drückt *adj* depressed

Be•du•i•ne [bedu'iːnə] <-n, -n> *m* Bedouin

be•dür•fen *irr tr:* **es bedarf einiger Mühe** some effort is required; **das bedarf keiner weiteren Erklärung** there's no need for any further explanation

Be•dürf•nis *n* need; **ich hatte das dringende ~ ...** I felt an urgent need to ...

be•dürf•tig *adj* needy

Beef•steak ['biːfsteːk] <-s, -s> *n* steak

be•ei•d(i•g)en *tr* swear to

be•ei•digt *adj* (JUR): **~e Aussage** sworn evidence

be•ei•len *refl* hurry up; **beeil dich!** hurry up! get a move on!; **Be•ei•lung** *f:* **~!** hurry up!

be•ein•dru•cken *tr* impress; **davon lasse ich mich nicht ~** I won't be impressed by that

be•ein•flus•sen *tr* influence; **kannst du sie nicht ~?** can't you persuade her?

be•ein•träch•ti•gen *tr:* **den Wert von etw ~** reduce the value of s.th.

be•e•len•den *vt* (*CH: traurig stimmen*) distress

be•en•den *tr* **1.** finish **2.** (EDV: *erfolgreich*) exit, quit; (*nicht erfolgreich*) abort

Be•en•di•gung *f* (*Abschluss*) completion

be•en•gen [bə'ɛŋən] *tr* **1.** (*allgemein*) cramp **2.** (*fig*) inhibit; **~de Kleidung** tight clothing

be•er•ben *tr:* **jdn ~** be heir to s.o.

be•er•di•gen [bə'eːɐdɪgən] *tr* bury

Be•er•di•gung *f* **1.** (*Bestattung*) burial **2.** (*Feier*) funeral

Bee•re ['beːrə] <-, -n> *f* (BOT) berry; **Bee•ren•aus•le•se** *f* (*Weinart*) vintage wine of selected grapes

Beet [beːt] <-(e)s, -e> *n* bed

be•fä•hi•gen [bə'fɛːɪgən] *tr* enable; **befähigt** *adj* capable; **zu etw ~ sein** be capable of doing s.th.

Be•fä•hi•gung *f* ability, capability

be•fahr•bar *adj:* **nicht ~ sein** be closed to traffic

be•fah•ren *irr tr* drive on; **diese Straße ist stark ~** this road is used a lot

be•fal•len *irr tr* (*Krankheit*) strike; **von Schädlingen ~ sein** be infested with parasites

be•fan•gen *adj* **1.** (*scheu*) bashful **2.** (*voreingenommen*) prejudiced; **in e-m Irrtum ~ sein** labour under a misapprehension

Be•fan•gen•heit *f:* **jdn wegen ~ ablehnen** (JUR) object to s.o. on grounds of interest

be•fas•sen *tr:* **sich mit etw ~** deal with s.th.; **mit etw befasst**[RR] **sein** be dealing with s.th.

Be•fehl [bə'feːl] <-(e)s, -e> *m* command, order; (EDV) instruction, command; **den ~ haben über ...** have command of ...; **~ ist ~** orders are orders; **auf ~ handeln** act under orders

be•feh•len *irr tr* order; **du hast mir gar nichts zu ~!** I won't take orders from you!; **er befiehlt gern** he likes giving orders; **Be•fehls•fol•ge** *f* (EDV) command sequence; **be•fehls•ge•mäß** *adj* as ordered; **Be•fehls•ge•walt** *f:* **~ haben über ...** have command over ...; **Be•fehls•ha•ber** *m* (MIL) commander

Be•fehls•kode *m* (EDV) command code; **Be•fehls•spra•che** *f* (EDV) command language; **Be•fehls•ver•wei•ge•rung** *f* (MIL) insubordination

be•fes•ti•gen *tr* **1.** (*Gegenstand*) fasten (*an* to) **2.** (*Straße etc*) make up **3.** (*fig*) consolidate

Be•fes•ti•gung *f* **1.** (*Vorrichtung*) fastening **2.** (MIL) fortification

be•feuch•ten *tr* moisten

Be•fin•den <-s> *n:* **wie ist Ihr ~?** how are you feeling?; **be•fin•den** *irr* **I.** *refl* (*sein*) be; **die Abbildung befindet sich auf der nächsten Seite** the illustration can be found on the next page **II.** *itr* (*entscheiden*) decide (*über* about)

be•fle•cken *tr* **1.** (*allgemein*) stain **2.** (*fig*) sully; **sich die Hose mit Öl ~** get oil on one's trousers

be•flie•gen *irr tr* (AERO: *Strecke*) fly

be•flis•sen [bə'flɪsən] *adj* keen; **~ sein etw zu tun** be concerned to do s.th.

Be•flis•sen•heit *f* zeal

be•flü•geln *tr* (*fig*) inspire; **Freude beflügelte seine Schritte** (*lit*) joy winged his steps

be•fol•gen *tr* **1.** (*Beispiel, Rat, Regel*) follow **2.** (*Vorschrift*) comply with; **befolge meinen Rat!** take my advice!

be•för•dern *tr* **1.** (*allgemein*) carry; (*Waren*) transport **2.** (*dienstlich*) promote; **etw mit Luftpost ~** send s.th. by airmail

Be•för•de•rung *f* **1.** (*von Waren*) transport **2.** (*dienstlich*) promotion; **Be•för•de•rungs•be•din•gun•gen** *fpl* (COM) terms of carriage

be•frach•ten *tr* **1.** (*Fahrzeug*) load **2.** (*fig*) burden

be•fra•gen *tr* **1.** (*ausfragen*) question **2.** (*um Rat, a. Bücher*) consult; **jdn um Rat ~** ask someone's advice

Be•fra•gung *f* (*Verhör*) questioning; (*Erhebung*) survey

be•frei•en *tr* (*allgemein*) free; (FIN MIL: *freistellen*) exempt (*von* from); **jdn vom Militärdienst** ~ exempt s.o. from military service; **Be•frei•er(in)** *m(f)* liberator; **Be•frei•ung** *f* 1. (*allgemein*) liberation **2.** (*fig: Erleichterung*) relief; **Be•frei•ungs•or•ga•ni•sa•ti•on** *f* liberation organisation; **Be•frei•ungs•ver•such** *m* escape attempt

be•frem•den [bəˈfrɛmdən] *tr:* **das befremdet mich** I find it displeasing

Be•frem•den <-s> *n (f):* **zu meinem** ~ to my displeasure; **be•frem•dend** *adj* displeasing

be•freun•den [bəˈfrɔɪndən] *refl* make friends (*mit* with); **sich mit etw** ~ (*fig*) grow accustomed to s.th.; **be•freun•det** *adj:* **miteinander** ~ **sein** be friends; **gut** ~ **sein** be close friends

be•frie•di•gen [bəˈfriːdɪgən] **I.** *tr* satisfy; **jds Ansprüche** ~ meet someone's demands **II.** *refl* (*sexuell*) masturbate; **be•frie•di•gend** *adj* **1.** (*allgemein*) satisfactory **2.** (PÄD: *Schulzensur*) fair

Be•frie•di•gung *f* satisfaction

be•fris•ten *tr* restrict (*auf* to); **etw** ~ put a time limit on s.th.

be•fris•tet *adj* restricted; ~ **sein** be valid for a limited time

be•fruch•ten *tr* **1.** (BIOL) fertilize **2.** (BOT) pollinate **3.** (*fig*) stimulate; **künstlich** ~ inseminate artificially

Be•fruch•tung *f* insemination

Be•fug•nis [bəˈfuːknɪs] *f* authorization

be•fugt *adj:* ~ **sein etw zu tun** be authorized to do s.th.

be•füh•len *tr* feel, finger

Be•fund <-(e)s, -e> *m* **1.** (*allgemein*) findings *pl* **2.** (MED) diagnosis; **ohne** ~ (MED) (results) negative; **Ihr Magen ist ohne** ~ the results of the tests on your stomach are negative

be•fürch•ten *tr* fear; **es ist zu ~, dass ...** it is to be feared that ...; **das ist nicht zu** ~ there is no fear of that

Be•fürch•tung *f:* **die schlimmsten ~en haben** fear the worst

be•für•wor•ten [bəˈfyːɐvɔrtən] *tr* approve

Be•für•wor•ter(in) *m(f)* supporter, advocate

be•gabt [bəˈgaːpt] *adj* talented; (*geistig, musisch*) gifted; **für etw** ~ **sein** be talented at s.th.

Be•ga•bung [bəˈgaːbʊŋ] *f* **1.** (*Fähigkeit*) talent **2.** (*begabte Person*) talented person; **mangelnde** ~ insufficient talent

be•ge•ben *irr refl* **1.** (*aufbrechen nach*) go (to), set out (for) **2.** (*sich ereignen*) come to pass; **sich zur Ruhe** ~ retire; **sich in Gefahr** ~ put o.s. in danger; **sich in ärztliche Behandlung** ~ undergo medical treatment

Be•ge•ben•heit *f* event, occurrence

be•geg•nen [bəˈgeːgnən] *sein itr* meet; **sich** ~ meet; **jdm ist etw begegnet** s.th. has happened to s.o.; **Schwierigkeiten** ~ face difficulties

Be•geg•nung *f* **1.** (*allgemein*) meeting **2.** (SPORT) encounter; **Be•geg•nungs•stät•te** *f* venue for meetings

be•ge•hen *irr tr* **1.** (*Weg etc*) use **2.** (*tun, machen*) commit **3.** (*feiern*) celebrate; **e-e Dummheit** ~ do s.th. stupid; **e-n Fehler** ~ make a mistake

be•geh•ren [bəˈgeːrən] *tr* desire

Be•geh•ren *n* desire (*nach* for); **auf mein** ~ at my request; **be•geh•rens•wert** *adj* desirable; **be•gehrt** *adj* in demand; (*Ort*) coveted, desirable; **ein ~er Junggeselle** an eligible bachelor

be•geis•tern [bəˈgaɪstɐn] **I.** *tr* fill with enthusiasm; (*inspirieren*) inspire **II.** *refl:* **sich für etw** ~ be enthusiastic about s.th.; **be•geis•tert** *adj* enthusiastic (*von* about)

Be•geis•te•rung *f* enthusiasm; **etw mit** ~ **tun** do s.th. with enthusiasm

Be•gier(de) <-, -den> *f* desire (*nach* for)

be•gie•rig *adj* eager; (*gierig*) greedy; **auf etw** ~ **sein** be eager for s.th.

be•gie•ßen *irr tr* (*Blumen*) water; (*Braten*) baste; **das müssen wir ~!** (*fam*) that calls for a drink!

Be•ginn [bəˈgɪn] <-(e)s> *m* beginning; **bei** ~ at the beginning; **gleich zu** ~ at the very beginning

be•gin•nen *irr* **I.** *itr* begin, start **II.** *tr* begin, start

be•glau•bi•gen [bəˈglaʊbɪgən] *tr* **1.** (*Schriftstück*) witness; (*Kopie*) authenticate; (*durch Gutachten*) attest **2.** (POL) accredit (*bei* to); **etw** ~ **lassen** have s.th. witnessed

Be•glau•bi•gung *f* **1.** witnessing, authentication, attestation **2.** accrediting, accreditation *form;* **Be•glau•bi•gungs•schrei•ben** *n* credentials *pl*

be•glei•chen *irr tr* (*bezahlen*) settle; **mit jdm e-e Rechnung zu** ~ **haben** (*fig*) have a score to settle with s.o.

be•glei•ten *tr* (*a. fig*) accompany; **meine besten Wünsche** ~ **Sie** my best wishes go with you

Be•glei•ter(in) *m(f)* **1.** (*allgemein*) companion **2.** (MUS) accompanist

Be•gleit•er•schei•nung *f* concomitant; **Be•gleit•ins•tru•ment** *n* (MUS) accompanying instrument; **Be•gleit•mu•sik** *f* accompaniment; **Be•gleit•schrei•ben** *n* (COM) covering letter

Be•glei•tung *f* **1.** company **2.** (*Begleiter*) companion **3.** (MUS) accompaniment; **in** ~

von accompanied by

be•glü•cken *tr* make happy; **ein ~des Gefühl** a cheering feeling; **beglückt über etw sein** be delighted about s.th.

be•glück•wün•schen *tr* congratulate (*zu* on)

be•gna•det [bəˈgnaːdət] *adj:* **ein ~er Künstler** a gifted artist

be•gna•di•gen *tr* (JUR) reprieve

Be•gna•di•gung *f* (JUR) reprieve; **Be•gna•di•gungs•ge•such** *n* plea for reprieve; **ein ~ einreichen** file a plea for reprieve

be•gnü•gen [bəˈgnyːgən] *refl:* **sich mit etw ~** be content with s.th.; **damit begnüge ich mich nicht** that doesn't satisfy me

be•gra•ben *irr tr* **1.** (*allgemein*) bury **2.** (*fig*) abandon; **das ist längst ~** (*fig*) that was over long ago

Be•gräb•nis [bəˈgrɛːpnɪs] *n* **1.** burial **2.** (*Feier*) funeral

be•gra•di•gen [bəˈgraːdɪgən] *tr* straighten

be•grei•fen *irr tr* understand; **~, dass ...** realize that ...; **es ist kaum zu ~** it's almost incomprehensible; **be•greif•lich** *adj* understandable; **jdm etw ~ machen** make s.th. clear to s.o.; **be•greif•li•cher•wei•se** *adv* understandably (enough)

be•gren•zen *tr* **1.** (*allgemein*) mark the boundary of ... **2.** (*fig*) restrict (*auf* to); **begrenzt haltbare Waren** non-durable goods

Be•gren•zung *f* **1.** (*allgemein*) demarcation **2.** (*fig*) restriction

Be•griff <-(e)s, -e> *m* **1.** (*Vorstellung*) idea **2.** (*Ausdruck*) term; **sein Name ist mir kein ~** his name doesn't mean anything to me; **sich e-n ~ von etw machen** imagine s.th.; **du machst dir keinen ~ davon** you've no idea about it; **für meine ~e** in my opinion; **im ~ sein etw zu tun** be about to do s.th.; **schwer von ~ sein** (*fam*) be slow on the uptake

be•griffs•stut•zig *adj* dense, slow

be•grün•den *tr* **1.** (*Gründe geben für*) give reasons for ... **2.** (*gründen*) establish, found; **können Sie Ihr Verhalten ~?** can you account for your behaviour?; **be•grün•det** *adj* **1.** (*allgemein*) well-founded **2.** (*berechtigt*) justified; **nicht ~ sein** be unfounded; **wohl ~**[RR] well-founded

Be•grün•dung *f* reason, grounds *pl;* **etw als ~ anführen** say s.th. in explanation

be•grü•nen *tr* (*beim Straßenbau*) put turf down; **Be•grü•nung** *f* planting with trees and grass

be•grü•ßen *tr* **1.** (*allgemein*) greet **2.** (*fig*) welcome; **es ist zu ~, dass ...** it's a good thing that ...

Be•grü•ßung *f* greeting; (*das Willkommen*) welcome

be•güns•ti•gen [bəˈgʏnstɪgən] *tr* **1.** (*günstig sein für*) encourage **2.** (*fördern*) favour **3.** (JUR) aid and abet

Be•güns•ti•gung *f* **1.** (*Bevorzugung*) preferential treatment **2.** (JUR) aiding and abetting

be•gut•ach•ten *tr* give expert advice about; (PÄD) judge; **etw ~ lassen** get expert advice about s.th.

Be•gut•ach•tung *f* assessment

be•gü•tert [bəˈgyːtɐt] *adj* wealthy

be•haart [bəˈhaːɐt] *adj* hairy; (*Tiere*) hirsute

be•hä•big [bəˈhɛːbɪç] *adj* **1.** (*von Mensch*) portly **2.** (*fig*) comfortable **3.** (*CH: stattlich*) well-to-do

be•haf•tet [bəˈhaftət] *adj* (*mit Fehlern, Mängeln*) full of

Be•ha•gen <-s> *n* contentment; **er aß mit sichtlichem ~** he ate with obvious pleasure; **be•ha•gen** [bəˈhaːgən] *itr* please; **be•hag•lich** *adj* cosy; **~ warm** comfortably warm; **Be•hag•lich•keit** *f* cosiness

be•hal•ten *irr tr* **1.** (*allgemein*) keep **2.** (*fig: im Gedächtnis*) remember **3.** (*fig: zurückbehalten*) be left with; **die Nerven ~** keep one's nerve; **etw für sich ~** keep s.th. to o.s.; **jdn in guter Erinnerung ~** have happy memories of s.o.

Be•häl•ter [bəˈhɛltɐ] *m* container

be•hän•de[RR] [bəˈhɛndə] *adj* agile, nimble

be•han•deln *tr* **1.** (*allgemein*) treat **2.** (*fig: Problem etc*) deal with; **der ~de Arzt** the doctor in attendance; **s-e Zähne ~ lassen** have one's teeth attended to

Be•hand•lung *f* treatment; **ich war früher in ~ bei Dr. X wegen ...** Dr. X used to treat me for ...

be•hän•gen *tr* decorate; **sich ~ mit ...** deck o.s. out with ...

be•har•ren *itr:* **auf seiner Meinung ~** insist on one's opinion; **auf seinen Grundsätzen ~** stick to one's principles

be•harr•lich *adj* insistent; (*unerschütterlich*) steadfast

Be•harr•lich•keit *f* persistence

be•hau•en *irr tr* (*Steine etc*) cut

be•haup•ten [bəˈhaʊptən] **I.** *tr* **1.** (*aussagen*) claim **2.** (*fig*) maintain; **von jdm ~, dass ...** say of s.o. that ... **II.** *refl* assert o.s.

Be•haup•tung *f* claim; (*unbewiesene*) assertion; **e-e ~ aufstellen** make an assertion

Be•hau•sung [bəˈhaʊzʊŋ] *f* dwelling

be•he•ben *irr tr* **1.** (*Schwierigkeiten*) remove; (*Schaden etc*) repair **2.** (*österr: vom Konto abheben*) withdraw

be•hei•ma•tet [bəˈhaɪmaːtət] *adj* resident

Be•helf [bəˈhɛlf] <-(e)s, -e> *m* makeshift

be•hel•fen *irr refl* get by

be•helfs•mä•ßig *adj* makeshift, provisional; (*vorläufig*) temporary

be•hel•li•gen [bəˈhɛlɪgən] *tr* bother

be•hen•de *adj s.* **behände**

be•her•ber•gen [bəˈhɛrbɛrgən] *tr* house; **Gäste ~** accommodate guests

be•herr•schen I. *tr* **1.** (*allgemein*) govern, rule **2.** (*fig*) dominate **3.** (*fig: können*) master **II.** *refl* control o.s.; **ich kann mich ~!** (*fam*) not likely!

Be•herr•schung *f* **1.** (*Selbst~*) self-control **2.** (*Können*) mastery

be•her•zi•gen [bəˈhɛrtsɪgən] *tr* heed

Be•her•zi•gung *f* heeding

be•herzt [bəˈhɛrtst] *adj* courageous

Be•herzt•heit *f* courage

be•hilf•lich *adj:* **jdm bei etw ~ sein** help s.o. with s.th.

be•hin•dern *tr* hinder; **jdn bei etw ~** hinder s.o. in s.th.; **jds Sicht ~** impede someone's view; **be•hin•dert** *adj* handicapped; **Be•hin•der•te(r)** *f m* handicapped person; **die ~n** the handicapped; **schwer ~**[RR] seriously handicapped person; **Be•hin•der•ten•werk•statt** *f* sheltered workshop; **Be•hin•de•rung** *f* **1.** (*allgemein*) hindrance **2.** (*Verkehrs~*) obstruction **3.** (*Körper~*) handicap

Be•hör•de [bəˈhøːɐdə] <-, -n> *f* authority; **die zuständige ~** the proper authorities *pl*

be•hörd•lich *adj* official

be•hü•ten *tr:* **jdn vor etw ~** protect s.o. from s.th.; **be•hü•tet** *adj:* **~ aufwachsen** have a sheltered upbringing

be•hut•sam [bəˈhuːtzaːm] *adj* careful, cautious; **mit etw ~ umgehen** handle s.th. with care

bei [baɪ] *präp* **1.** (*räumlich*) at, near, with; **ich war ~ meinem Onkel** I was at my uncle's; **~ jdm zu Hause sein** stay with s.o.; **~ mir zu Hause** at home; **ein Konto ~ der Bank haben** have an account at the bank; **hast du etwas Geld ~ dir?** have you any money on you? **2.** (*zeitlich*) at, during, on; **~ den schweren Regenfällen** during the heavy rains; **~ Tag** by day; **~ Nacht** at night; **~ Beginn der Vorstellung** at the beginning of the performance **3.** (*sonstiger Gebrauch*): **~ guter Gesundheit sein** be in good health; **~m Arbeiten sah er ...** when he was working, he saw ...; **~ reiflicher Überlegung** upon mature reflection; **~ zwanzig Grad unter Null** when it's twenty degrees below zero; **~ offenem Fenster schlafen** sleep with the window open; **~ aller Vorsicht** despite all one's caution; **es geht ~m besten Willen nicht!** with the best will in the world it's not possible!

bei|be•hal•ten *irr tr* keep; **s-e Gewohnheit ~** keep up one's habit

bei|brin•gen *irr tr* **1.** (*lehren*): **jdm etw ~** teach s.o. s.th. **2.** (*mitteilen*) break s.th. to s.o.; **Dokumente ~** furnish documents

Beich•te [ˈbaɪçtə] <-, -n> *f* confession; **zur ~ gehen** go to confession

beich•ten *tr* confess (*jdm etw* s.th. to s.o.); **Beicht•va•ter** *m* father confessor

bei•de [ˈbaɪdə] *pron* both, the two; **ihr ~n** you two; **alle ~** both of them; **keiner von ~n** neither of them; **~s** both; either; **bei•de•mal** *adv* both times; **bei•der•lei** [ˈbaɪdɐlaɪ/--ˈ-] *adj* both; **bei•der•sei•tig** *adj* **1.** (*auf beiden Seiten*) on both sides **2.** (*gegenseitig*) bilateral; **in ~em Einvernehmen** by mutual agreement; **bei•ein•an•der** [ˈ--ˈ--] *adv* together; **du hast sie nicht alle ~!** you can't be all there! *fam*

Bei•fah•rer(in) *m(f)* (MOT) **1.** (*in Kfz*) (front-seat) passenger **2.** (*bei Motorrad*) pillion rider; **Bei•fah•rer•air•bag** *m* (MOT) passenger airbag; **Bei•fah•rer•sitz** *m* passenger seat

Bei•fall <-s> *m* **1.** (*Applaus*) applause **2.** (*fig: Billigung*) approval; **~ finden** meet with approval

bei•fäl•lig *adj:* **~ aufnehmen** receive favourably

bei|fü•gen *tr* enclose

Bei•fü•gung *f* **1. unter ~ e-s Verrechnungsschecks** enclosing a crossed cheque **2.** (GRAM) attributive

Bei•ga•be *f* (COM: *Zugabe*) free gift; **unter ~ von** (*beim Kochen*) adding

beige [beːʃ] *adj* beige

Bei•ge <-, -n> *f* (*österr: Stapel*) pile

bei|ge•ben *irr* **I.** *tr* add **II.** *itr:* **klein ~** give in

Bei•ge•schmack *m* aftertaste, residual flavour; **e-n unangenehmen ~ haben** have an unpleasant taste to it; **das hat e-n ~ von ...** (*fig*) that smacks of ...

Bei•heft *n* supplement

Bei•hil•fe *f* **1.** (*Unterstützung*) financial assistance **2.** (*staatliche*) allowance **3.** (JUR) abetment

bei|kom•men *irr itr sein:* **jdm ~** get hold of s.o.

Beil [baɪl] <-(e)s, -e> *n* axe; (*kleines ~*) hatchet

Bei•la•ge *f* **1.** (*in Zeitung*) insert; (*in Buch*) insertion **2.** (*Essens~*) side-dish

bei•läu•fig [ˈbaɪlɔɪfɪç] *adj* casual; **~ gesagt** by the way

bei|le•gen *tr* **1.** (*e-r Sendung*) insert; (*e-m Briefe etc*) enclose (in) **2.** (*beimessen*) ascribe, attribute **3.** (*schlichten*) settle; **e-r Sache Gewicht ~** attach importance to s.th.; **Bei•le•gung** *f* (*von Streit etc*) settlement

bei•lei•be [baɪˈlaɪbə] *adv:* **~ nicht!** certainly not!; ~ **kein Held** by no means a hero

Bei•leid <-(e)s> *n:* **mein aufrichtiges ~!** my heartfelt condolences! *pl*

bei|lie•gen *irr itr* (*in Brief*) be enclosed; (*e-r Zeitung etc*) be inserted (in); **bei•lie•gend** *adj* enclosed; ~ **sende ich ...** enclosed please find ...

bei|mes•sen *irr tr:* **e-r Sache Bedeutung** ~ attach importance to s.th.

bei|mi•schen *tr* add

Bei•mi•schung *f* addition, admixture

Bein [baɪn] <-(e)s, -e> *n* (ANAT) leg; **jdm ein ~ stellen** (*a. fig*) trip s.o. up; **jdm ~e machen** (*fam*) make s.o. get a move on; **etw auf die ~e stellen** (*fig*) get s.th. off the ground

bei•na•he [baɪ'na:ə] *adv* almost, nearly; **ich hätte ~ gesagt ...** I nearly said ...

Bei•na•me *m* epithet

Bein•bruch *m* fracture of the leg; **das ist kein ~!** (*fig*) it could be worse!

be•in•hal•ten [bə'ɪnhaltən] *tr* **1.** (*enthalten*) contain **2.** (*besagen*) express, say **3.** (*bedeuten*) imply

Bein•pro•the•se *f* artificial leg

Bei•pack•zet•tel *m* instruction leaflet

bei|pflich•ten ['baɪpflɪçtən] *itr:* **jdm in etw ~** agree with s.o. on s.th.

Bei•rat *m* advisory council

be•ir•ren [bə'ɪrən] *tr:* **sich durch nichts ~ lassen** not to let o.s. be put off by s.th.

Bei•ried ['bairi:t] <-(e)s> *n* roast beef *österr*

bei•sam•men [baɪ'zamən] *adv* together; **gut ~ sein** (*fig*) be in good shape; **nicht alle ~haben** (*fam*) be not (quite) all there; **Bei•sam•men•sein** *n* get-together

Bei•schlaf *m* intercourse

Bei•sein *n:* **in meinem ~** in my presence

bei•sei•te [baɪ'zaɪtə] *adv* aside; **jdn ~ schaffen** get rid of s.o.; **etw ~ schaffen** misappropriate s.th.; **Spaß ~!** joking apart!

Bei•sel ['baizl] <-s, -(n)> *f* (*österr*) pub

bei|set•zen *tr* **1.** (*beerdigen*) bury **2.** (MAR: *Segel*) spread

Bei•set•zung *f* funeral; (*Urnen~*) installing in its resting place

Bei•sit•zer(in) *m(f)* (*allgemein*) committee member; (JUR) assessor

Bei•spiel *n* example; **zum ~** for instance; **wie zum ~** such as; **jdm ein ~ geben** set s.o. an example; **sich ein ~ an jdm nehmen** take s.o. as an example; **bei•spiel•los** *adj* **1.** (*ohne Beispiel*) unprecedented **2.** (*unverschämt*) outrageous; **bei•spiels•wei•se** *adv* for example [*o* instance]

bei•ßen ['baɪsən] *irr tr itr* **1.** bite **2.** (*Gewürz, Geschmack*) sting; **in den Augen ~** make one's eyes sting; **bei•ßend** *adj* **1.** (*Kälte etc*) biting; (*Schmerz*) stinging; (*Geschmack*) pungent, sharp **2.** (*Bemerkung*) cutting

Beiß•zan•ge *f* pincers *pl;* **e-e ~** a pair of pincers

Bei•stand *m:* **jdm ~ leisten** give s.o. assistance; **Bei•stands•pakt** *m* (POL) mutual assistance treaty

bei|ste•hen *irr itr:* **jdm ~** stand by s.o.

bei•stel•len *vt* (*österr: zur Verfügung stellen*) provide

Bei•stell•tisch *m* occasional table

Bei•trag ['baɪtra:k] <-(e)s, ¨-e> *m* **1.** (*Geldsumme*) contribution; (*Mitglieds~*) (member's) fee; (*Versicherungs~*) premium **2.** (*Anteil*) contribution; **e-n ~ zu etw leisten** make a contribution to s.th.

bei•trags•pflich•tig *adj* contributory; **~ sein** have to pay contributions *pl*

Bei•trags•satz *m* rate of subscription

bei|tre•ten *irr itr sein* **1.** (*e-r Partei etc*) join **2.** (*e-m Vertrag*) accede to

Bei•tritt *m* **1.** (*allgemein*) joining **2.** (*zu e-m Vertrag*) accession to; **s-n ~ erklären** become a member

Bei•wa•gen *m* (*von Motorrad*) sidecar

bei|woh•nen *itr:* **e-r Sache ~** be present at s.th.; **e-m Treffen ~** attend a meeting

Bei•ze ['baɪtsə] <-, -n> *f* **1.** (*für Holz*) stain **2.** (*für Speisen*) marinade

bei•zei•ten [baɪ'tsaɪtən] *adv* in good time

bei•zen ['baɪtsən] *tr* **1.** (*Holz*) stain **2.** (*Speisen*) marinate

be•ja•hen [bə'ja:ən] *tr itr* **1.** (*ja sagen zu*) answer in the affirmative **2.** (*gutheißen*) approve of; **be•ja•hend** *adj* affirmative; **e-e ~e Lebenseinstellung** a positive attitude towards life

be•jahrt [bə'ja:ɐt] *adj* advanced in years; **ein ~er Mann** an elderly man

be•jam•mern *tr* (*etw*) lament; (*jdn*) lament for

be•kämp•fen *tr* fight; **sich ~** fight one another; **Schädlinge ~** control pests

Be•kämp•fung *f* (*allgemein*) fight; (*Schädlings~*) controlling; **bei ~ von ...** in fighting ...

be•kannt [bə'kant] *adj* well-known (*wegen* for); **wie ist das ~ geworden?** how did that come to be so well-known?; **das ist mir ~** I know about that; **wir sind miteinander ~** we have already met; **~ geben**[RR] announce; **jdn mit jdm ~ machen**[RR] introduce s.o. to s.o.; **etwas ~ machen**[RR] to announce s.th.; **Be•kann•te(r)** *f m* acquaintance; **ein ~r von mir** a friend of mine; **Be•kann•ten•kreis** *m* circle of friends

be•kannt|ge•ben *s.* **bekannt**

be•kannt•lich *adv* as is (well) known
be•kannt|ma•chen *s.* bekannt; **Be•kannt•ma•chung** *f* **1.** (*allgemein*) announcement **2.** (*Publikation*) publication; **Be•kannt•schaft** *f:* **jds ~ machen** make someone's acquaintance; **mit etw ~ machen** come into closer contact with s.th.
be•keh•ren I. *tr* (REL) convert **II.** *refl* become converted
Be•keh•rung *f* conversion
be•ken•nen *irr tr* confess; **sich zu etw ~** declare one's belief for s.th.; **sich schuldig ~** admit one's guilt; **sich zur Demokratie ~** declare one's belief in democracy; **Be•ken•ner•brief** *m* letter claiming responsibility
Be•kennt•nis *n* **1.** (*allgemein*) confession **2.** (REL: *Glaubens~*) denomination
be•kla•gen I. *tr* lament; **jds Tod ~** mourn someone's death **II.** *refl* complain (*über* about); **sich bei jdm über etw ~** complain to s.o. about s.th.; **ich kann mich nicht ~** I can't complain; **Sie können sich nicht ~!** you have no reason to complain!
be•kla•gens•wert *adj* pitiable; **ein ~er Unfall** a terrible accident
Be•klag•te(r) *f m* (JUR: *im Zivilprozess*) defendant
be•kle•ben *tr* **1.** (*mit Klebstoff*) paste over **2.** (*mit Gegenständen*): **etw mit etw ~** stick s.th. onto s.th.
be•kle•ckern I. *tr* stain **II.** *refl:* **sich mit etw ~** spill s.th. over o.s.
be•klei•den *tr* **1.** (*anziehen*) dress (*mit* in) **2.** (*obs: Stellung*) hold; **bekleidet sein mit ...** be wearing ...
Be•klei•dung *f* clothes *pl*
be•klem•men *tr* (*fig*) oppress
Be•klem•mung *f* apprehensiveness
be•klom•men [bə'klɔmən] *adj* apprehensive
be•kloppt [bə'klɔpt] *adj* (*fam*) loony
Be•klopp•te(r) *f m* (*fam*) nit
be•kom•men *irr* **I.** *tr haben* (*erhalten*) get, receive; **wir ~ bald Regen** we're going to have rain; **was ~ Sie dafür?** (*im Laden*) how much is that?; **jdn dazu ~ etw zu tun** get s.o. to do s.th.; **Flecken ~** get spotty; **e-e Glatze ~** go bald; **etw zu essen ~** get s.th. to eat; **es mit jdm zu tun ~** get into trouble with s.o. **II.** *itr sein* (*bekömmlich sein*): **jdm gut ~** do s.o. good; **wohl bekomm's!** your health!
be•kömm•lich [bə'kœmlɪç] *adj* (*Speisen*) digestible
be•kös•ti•gen [bə'kœstɪgən] *tr* (*geh*) cater for
Be•kös•ti•gung *f* (*geh*) catering
be•kräf•ti•gen *tr* confirm; **jdn in etw ~** strengthen s.o. in s.th.
Be•kräf•ti•gung *f* confirmation
be•krän•zen [bə'krɛntsən] *tr* garland
be•kreu•zi•gen *refl* (REL) cross o.s.
be•krie•gen *tr* **1.** (MIL) wage war on **2.** (*fig*) fight
be•krit•teln *tr* (*fam pej*) criticize
be•krit•zeln *tr* scribble over
be•küm•mern I. *tr* worry **II.** *refl:* **sich über etw ~** worry about s.th.; **be•küm•mert** *adj* worried
be•kun•den *tr* (*aussagen*) state
be•lä•cheln *tr* smile at
be•la•den *irr tr* **1.** (*allgemein*) load **2.** (*fig*) burden
be•la•den *adj* **1.** (*allgemein*) loaded **2.** (*fig: a. von Mensch*) laden
Be•lag [bə'la:k, *pl:* bə'lɛ:gə] <-(e)s, ¨-e> *m* coating; (*Straßen~*) surface; (*der Zunge*) fur; (*Zahn~*) film; (*Brot~*) topping
be•la•gern *tr* besiege, lay siege to
Be•la•ge•rung *f* siege; **Be•la•ge•rungs•zu•stand** *m* state of siege
be•läm•mert[RR] [bə'lɛmɐt] *adj* (*sl: betreten*) sheepish
Be•lang [bə'laŋ] <-(e)s, -e> *m* importance; **nicht von ~** of no importance; **meine ~e** my interests
be•lan•gen *tr* **1.** (JUR: *heranziehen*) sue (*wegen* for) **2.** (*angehen*) concern
be•lang•los *adj* irrelevant, trivial
be•las•sen *irr tr:* **wollen wir es dabei ~!** let's leave it at that!; **alles beim alten ~** leave things as they are; **etw an s-m Ort ~** leave s.th. in its place
be•las•ten I. *tr* **1.** (*mit Gewicht*) put weight on; (*Fahrzeug etc*) load **2.** (*fig*) burden **3.** (JUR) incriminate **4.** (FIN: *Bankkonto*) charge; **das belastet mich sehr** that weighs heavily upon my mind; **die Atmosphäre ~** pollute the atmosphere **II.** *refl* (JUR) incriminate o.s.
be•läs•ti•gen [bə'lɛstɪgən] *tr* **1.** (*lästig sein*) bother **2.** (*zudringlich werden*) pester
Be•läs•ti•gung *f* annoyance; **etw als ~ empfinden** find s.th. a nuisance
Be•las•tung [bə'lastʊŋ] *f* **1.** (*fig*) burdening; (*Anstrengung*) strain **2.** (*von Fahrzeug etc*) load **3.** (FIN: *von Bankkonto*) charge (on); **höchstzulässige ~** maximum load; **Be•las•tungs•fä•hig•keit** *f* **1.** (*durch Stress*) ability to take stress **2.** (*durch Gewicht*) load-bearing capacity; **Be•las•tungs•gren•ze** *f* **1.** (*fig*) limit **2.** (*durch Gewicht*) weight limit; **Be•las•tungs•zeu•ge** *m* witness for the prosecution
be•lau•ern *tr* keep under observation
be•lau•fen *irr refl:* **sich ~ auf ...** amount [*o* come] to ...
be•lau•schen *tr* eavesdrop on

be•le•ben I. *tr* liven up; **jds Hoffnungen** ~ stimulate someone's hopes II. *refl* (*fig*) 1. (*zum Leben erwachen*) come to life 2. (FIN: *Konjunktur*) be stimulated; **be•le•bend** *adj* invigorating

be•lebt *adj* (*Straße*) crowded; (*fig*) busy

Be•le•bung *f* 1. (FIN: *von Konjunktur etc*) stimulation 2. (*Wiederaufleben*) revival

Be•leg [bəˈleːk] <-(e)s, -e> *m* 1. (FIN) receipt 2. (*~stelle*) reference

be•le•gen *tr* 1. (*nachweisen*) verify 2. (*Platz*) reserve 3. (*bedecken*) cover; **e-e Vorlesung** ~ enrol for a lecture

Be•leg•ex•em•plar *n* (TYP) specimen copy; **Be•leg•le•ser** *m* (EDV) optical reader; **Be•leg•schaft** *f* staff

be•legt *adj* 1. (*Stimme*) hoarse 2. (*Zunge*) furred 3. (*Platz*) occupied; **~e Brote** open sandwiches

be•leh•ren *tr* instruct, teach; **jdn e-s Besseren** ~ teach s.o. otherwise; **sich eines anderen ~ lassen** learn otherwise

Be•leh•rung *f* (*Instruktion*) instruction; (JUR) caution; **ich verbitte mir deine ~en!** there's no need to lecture me!

be•leibt [bəˈlaɪpt] *adj* corpulent, stout

be•lei•di•gen [bəˈlaɪdɪgən] *tr* insult; (*fig: beleidigend sein*) offend; **ich wollte Sie nicht** ~ no offence!; **bist du jetzt beleidigt?** have I offended you?

Be•lei•di•gung *f* insult; **etw als ~ auffassen** take s.th. as an insult

be•lei•hen *irr tr* (*Gegenstände*) lend money on ...; (*Immobilien*) mortgage

be•lem•mert *adj s.* **belämmert**

be•le•sen *adj* well-read

Be•le•sen•heit *f* wide reading

be•leuch•ten *tr* 1. light; (*festlich*) illuminate 2. (*fig: untersuchen*) examine

Be•leuch•tung *f* 1. (*Lichtanlage*) lights *pl* 2. (*fig*) examination; **die ~ einschalten** turn on the lights; **Be•leuch•tungs•an•lage** *f* lighting equipment; **Be•leuch•tungs•kör•per** *m* lighting appliance

Bel•gien [ˈbɛlgiən] *n* Belgium; **Bel•gier(in)** *m(f)* Belgian; **bel•gisch** *adj* Belgian

be•lich•ten *tr* (PHOT) expose

Be•lich•tung *f* (PHOT) exposure; **Be•lich•tungs•au•to•ma•tik** *f* (PHOT) automatic exposure; **Be•lich•tungs•mes•ser** *m* (PHOT) exposure meter; **Be•lich•tungs•zeit** *f* exposure time

Be•lie•ben <-s> *n:* **ganz nach Ihrem** ~ at your discretion

be•lie•ben *itr:* **wie es Ihnen beliebt** as you wish; **du beliebst wohl zu scherzen!** (*hum*) you must be joking!

be•lie•big *adj* optional, any; **zu jeder ~en Zeit** at any time; **von ~er Größe** of any size; **in ~er Reihenfolge** in any order whatever

be•liebt *adj* popular; **sich bei jdm ~ machen** make o.s. popular with s.o.

Be•liebt•heit *f* popularity

be•lie•fern *tr:* **jdn mit etw** ~ supply s.o. with s.th.

bel•len [ˈbɛlən] *itr* bark

Bel•le•tris•tik [bɛleˈtrɪstɪk] *f* fiction and poetry; **bel•le•tris•tisch** *adj:* **~e Literatur** fiction and poetry; **~e Zeitschrift** literary magazine

be•loh•nen *tr* reward

Be•loh•nung *f* recompense, reward; **zur ~ für ...** as a reward for ...

be•lüf•ten *tr* ventilate

Be•lüf•tung *f* 1. ventilating 2. (*Anlage*) ventilation; **Be•lüf•tungs•schacht** *m* (MOT) intake air shaft

be•lü•gen *irr tr:* **jdn** ~ tell lies to s.o.

be•lus•ti•gen *tr* amuse; **sich mit etw** ~ amuse o.s. by (doing) s.th.

be•lus•tigt *adj:* ~ **über etw** amused with s.th.

Be•lus•ti•gung *f* amusement; **zu meiner** ~ to my amusement

be•mäch•ti•gen [bəˈmɛçtɪgən] *refl:* **sich e-r Sache** ~ seize hold of s.th.; **sich jds** ~ (*fig*) come over s.o.

be•ma•len I. *tr* paint II. *refl* paint o.s.

be•män•geln [bəˈmɛŋəln] *tr* find fault with ...

be•mannt [bəˈmant] *adj* (*Rakete, Raumfahrzeug*) manned

be•merk•bar *adj* noticeable, perceptible; **sich ~ machen** draw attention to o.s.; (*fig*) make itself felt

be•mer•ken *tr* 1. (*merken*) notice 2. (*sagen*) remark; **nebenbei bemerkt** by the way

be•mer•kens•wert *adj* remarkable

Be•mer•kung *f* comment, remark

be•mes•sen *irr tr* (*zumessen*) allocate; **meine Zeit ist knapp** ~ my time is limited

be•mit•lei•den [bəˈmɪtlaɪdən] *tr* pity; **sich selbst** ~ feel sorry for o.s.; **be•mit•lei•dens•wert** *adj* pitiable, pitiful

be•moost [bəˈmoːst] *adj* mossy

be•mü•hen [bəˈmyːən] I. *tr* trouble; **jdn zu sich** ~ call in s.o. II. *refl* try hard; **sich um jdn** ~ look after s.o.; **bitte ~ Sie sich nicht!** please don't trouble yourself!; **sich um e-e Stelle** ~ try to get a job

Be•mü•hung *f* effort, endeavour; **vielen Dank für Ihre** ~ thank you for your trouble

be•mut•tern [bəˈmʊtɐn] *tr* mother

be•nach•bart [bəˈnaxbaːɐt] *adj* neighbouring; **das ~e Haus** the house next door

be•nach•rich•ti•gen [bəˈnaːxrɪçtɪgən] *tr* inform (*von* of)

Be•nach•rich•ti•gung *f* notification; **e-e ~ erhalten** be notified

be•nach•tei•li•gen [bə'na:xtaɪlɪgən] *tr* discriminate against

Be•nach•tei•li•gung *f* **1.** (*Zustand*) discrimination **2.** (*das Benachteiligen*) disadvantaging

Be•ne•fiz•kon•zert <-(e)s, -e> *n* benefit concert

Be•neh•men <-s> *n* behaviour

be•neh•men *irr refl* behave; **benimm dich!** behave yourself!

be•nei•den *tr:* **jdn um etw ~** envy s.o. s.th.; **er ist nicht zu ~** I don't envy him; **be•nei•dens•wert** *adj* enviable

Be•ne•lux•staa•ten *mpl* Benelux Economic Union *sing*

be•nen•nen *irr tr* name

Be•nen•nung *f* (*Bezeichnung*) name

Ben•gel ['bɛŋəl] <-s, -/-s> *m* (*fig fam*) rascal

be•nom•men [bə'nɔmən] *adj* dazed

be•nö•ti•gen [bə'nø:tɪgən] *tr* need, require; **dringend ~** be in urgent need of …

be•nut•zen *tr* use; **etw als Vorwand ~** use s.th. as an excuse; **Be•nut•zer(in)** *m(f)* user; **be•nut•zer•freund•lich** *adj* user-friendly; **Be•nut•zer•hand•buch** *n* (TECH) user's guide, user handbook; **Be•nut•zer•ober•flä•che** *f* (EDV) user [*o* system] interface

Be•nut•zung *f* use; **etw in ~ haben** be using s.th.

Ben•zin [bɛn'tsi:n] <-s, -e> *n* petrol *Br,* gasoline *Am;* **Ben•zin•gut•schein** *m* (HIST) petrol coupon *Br,* gasoline coupon *Am;* **Ben•zin•ka•nis•ter** *m* petrol can *Br,* gasoline can *Am;* **Ben•zin•pum•pe** *f* fuel pump; **Ben•zin•tank** *m* fuel tank *Br,* gasoline tank *Am;* **Ben•zin•ver•brauch** *m* fuel consumption

be•ob•ach•ten [bə'o:baxtən] *tr* observe, watch; **etw an jdm ~** notice s.th. in s.o.

Be•ob•ach•ter(in) *m(f)* observer

Be•ob•ach•tung *f* observation; **Be•ob•ach•tungs•ga•be** *f* power of observation; **Be•ob•ach•tungs•sa•tel•lit** *m* (MIL METE) observation satellite

be•or•dern *tr:* **jdn an e-n Ort ~** instruct s.o. to go somewhere

be•quem [bə'kve:m] *adj* **1.** (*komfortabel*) comfortable **2.** (*fig: leicht*) easy; **es sich ~ machen** make o.s. comfortable; **es ~ haben** have an easy time of it

be•que•men *refl:* **sich zu etw ~** deign to do s.th.

Be•quem•lich•keit *f* **1.** (*Komfort*) comfort **2.** (*Faulheit*) idleness

be•ra•ten *irr* **I.** *tr* **1.** (*Rat geben*) advise **2.** (*beratschlagen*) discuss; **sich von jdm ~ lassen** ask someone's advice; **sich von e-m Anwalt ~ lassen** consult a lawyer **II.** *refl* discuss; **sich mit jdm ~ über etw** consult with s.o. about s.th.; **be•ra•tend** *adj* advisory

Be•ra•ter(in) *m(f)* adviser

be•rat•schla•gen *itr* confer

Be•ra•tung *f* **1.** (*Konsultation*) consultation **2.** (*Besprechung*) discussion; **Be•ra•tungs•stel•le** *f* advice centre

be•rau•ben *tr* rob; **jdn e-r Sache ~** rob s.o. of s.th.

be•rau•schen **I.** *tr* **1.** intoxicate **2.** (*fig*) enrapture **II.** *refl* **1.** become intoxicated (*an etw* with s.th.) **2.** (*fig*) be enraptured (*an* by); **be•rau•schend** *adj* intoxicating; **das war nicht sehr ~!** (*fig fam*) that wasn't very exciting!

Ber•ber ['bɛrbɐ] <-s, -> *m* **1.** (*Teppich*) Berber carpet [*o* rug] **2.** (*Volkszugehöriger*) Berber **3.** (*fam: Obdachloser*) tramp

be•re•chen•bar [bə'rɛçənba:ɐ] *adj* **1.** (FIN) calculable **2.** (*fig*) predictable

be•rech•nen *tr* **1.** (*a. fig*) calculate **2.** (*in Rechnung stellen*) charge; **Sie haben mir das zu teuer berechnet** you've charged me too much for this; **be•rech•nend** *adj* calculating

Be•rech•nung *f* calculation; **nach meiner ~** according to my calculations *pl*

be•rech•ti•gen [bə'rɛçtɪgən] *tr* entitle; **das berechtigt zu der Annahme, dass …** this justifies the assumption that …

be•rech•tigt *adj* legitimate; **~ sein etw zu tun** be entitled to do s.th.

Be•rech•ti•gung *f* **1.** (*Recht*) right **2.** (*Rechtmäßigkeit*) legitimacy

be•re•den *tr* talk over; **sich mit jdm über etw ~** talk s.th. over with s.o.

Be•red•sam•keit *f* eloquence

be•redt [bə're:t] *adj* eloquent

Be•reich [bə'raɪç] <-(e)s, -e> *m* **1.** area **2.** (*fig*) sphere; **im ~ des Möglichen** within the bounds of possibility

be•rei•chern **I.** *tr* enrich **II.** *refl* make a lot of money (*an* out of)

Be•rei•che•rung *f* **1.** (*allgemein*) money-making **2.** (*fig*) enrichment

be•rei•fen *tr* (MOT) put tyres on …

Be•rei•fung *f* (MOT) set of tyres

be•rei•ni•gen *tr* (*ins Reine bringen*) clear up; **sich ~** resolve itself

be•rei•sen *tr* (COM) travel; **England ~** travel around England

be•reit [bə'raɪt] *adj* **1.** (*allgemein*) ready **2.** (*bereitwillig*) prepared, willing; **~ sein etw zu tun** be willing to do s.th.

be•rei•ten *tr* **1.** (*zubereiten*) prepare **2.** (*verursachen*) cause; **jdm Kummer ~**

cause s.o. grief; **Vergnügen** ~ give pleasure

be•reit|hal•ten *irr tr* **1.** (*allgemein*) have ready **2.** (*fig*) have in store

be•reits [bəˈraɪts] *adv* already; ~ **am nächsten Tag** on the very next day

Be•reit•schaft *f* **1.** readiness **2.** (*~sdienst*) emergency service; **welcher Arzt hat heute ~?** which doctor is on call today?; **welche Apotheke hat heute ~?** which chemist is open after-hours today?; **etw in ~ haben** have s.th. ready; **Be•reit•schafts•dienst** *m* emergency service; **Be•reit•schafts•po•li•zei** *f* crowd control police, riot police *Br*

be•reit|stel•len *tr* **1.** (*allgemein*) get ready **2.** (*zur Lieferung ~*) provide, supply

Be•reit•stel•lungs•kos•ten *pl* material overheads

be•reit•wil•lig *adj* eager; ~ **Auskunft erteilen** give information willingly

be•reu•en [bəˈrɔɪən] *tr* regret; **das wirst du** (**noch**) **~!** you'll be sorry for that!

Berg [bɛrk] <-(e)s, -e> *m* **1.** mountain; (*Hügel*) hill **2.** (*fig*) heap, pile; **in die ~e fahren** go to the mountains; **über den ~ sein** (*fig*) be out of the wood; **über alle ~e sein** (*fig*) be long gone; **ihr standen die Haare zu ~e** her hair stood on end; **bergab** [bɛrkˈap] *adv* downhill; **berg•an** *adv s.* bergauf; **Berg•ar•bei•ter** *m* miner; **Berg•ar•bei•ter•streik** *m* miner's strike; **berg•auf** [bɛrkˈaʊf] *adv* uphill; **es geht ~ mit ihm** (*fig*) things are looking up for him; **Berg•bahn** *f* mountain railway; **Berg•bau** *m* mining

ber•gen [ˈbɛrgən] *irr tr* **1.** (*retten*) rescue, save **2.** (MAR) salvage **3.** (*enthalten*) hold; **das birgt natürlich die Gefahr, dass ...** this of course involves the danger that ...

Berg•füh•rer(in) *m(f)* mountain guide; **Berg•gip•fel** *m* mountain top; **Berg•ket•te** *f* mountain range; **Berg•kris•tall** *m* rock crystal; **Berg•kup•pe** *f* (round) mountain top; **Berg•land** *n* hilly region; **Berg•mann** <-(e)s, -leute> *m* miner; **Berg•rü•cken** *m* mountain ridge; **Berg•rutsch** *m* landslide; **Berg•schuh** *m* climbing boot; **Berg•stei•gen** *n* mountaineering; **Berg•stei•ger(in)** *m(f)* mountain climber, mountaineer; **Berg-und-Tal-bahn** *f* big dipper *Br*, roller-coaster

Ber•gung [ˈbɛrgʊŋ] *f* **1.** (*Rettung*) rescue, saving **2.** (MAR) salvage; **Ber•gungs•ar•beit** *f* **1.** (*Rettungsarbeit*) rescue work **2.** (MAR) salvage work; **Ber•gungs•trupp** *m* rescue team

Berg•wacht *f* mountain rescue service; **Berg•wand** *f* mountain face; **Berg•wan•de•rung** *f* hike in the mountains; **Berg•werk** *n* mine

Be•richt [bəˈrɪçt] <-(e)s, -e> *m* report; **e-n ~ abfassen über etw** give a report on s.th.; **jdm über etw ~ erstatten** give s.o. a report on s.th.

be•rich•ten *tr itr* report; **er berichtete, dass ...** he said that ...; **gibt es Neues zu ~?** has anything new happened?; **nun berichte mal von dir!** now tell me about yourself!

Be•richt•er•stat•ter(in) *m(f)* (*Presse*) reporter; (*Korrespondent*) correspondent

Be•richt•er•stat•tung *f* reporting

be•rich•ti•gen [bəˈrɪçtɪgən] *tr* correct

Be•rich•ti•gung *f* correction

be•rie•seln *tr* (*Rasen etc*) sprinkle

Be•rie•se•lung *f* **1.** (*mit Wasser*) watering **2.** (*fig*): **die ~ durch etw** the constant stream of s.th.; **Be•rie•se•lungs•an•lage** *f* sprinkler system

be•rit•ten [bəˈrɪtən] *adj* (MIL: *a. Polizei*) mounted

Ber•li•ner[1] [bɛrˈliːnɐ] <-s, -> *m* (*Gebäck*) doughnut

Ber•li•ner(in)[2] *m(f)* Berliner

ber•li•nern *tr* speak with a Berlin accent

Bern•stein *m* amber

bers•ten [ˈbɛrstən] *irr itr sein* (*auf~*) crack; (*platzen*) burst; **vor Ungeduld ~** (*fig*) be bursting with impatience

be•rüch•tigt [bəˈrʏçtɪçt] *adj* infamous, notorious

be•rück•sich•ti•gen [bəˈrʏkzɪçtɪgən] *tr* **1.** (*in Betracht ziehen*) consider **2.** (*bedenken*) take into consideration; **etw nicht ~** disregard s.th.

Be•rück•sich•ti•gung *f* consideration; **unter ~ der Tatsache, dass ...** in view of the fact that ...

Be•ruf [bəˈruːf] <-(e)s, -e> *m* occupation; (*Handwerk*) trade; **e-n ~ ausüben** have an occupation; **was sind Sie von ~?** what's your job?

be•ru•fen *irr* **I.** *tr* (*ernennen*) appoint **II.** *refl* refer (*auf etw* to s.th.)

be•ru•fen *adj* (*zuständig*) competent; **sich zu etw ~ fühlen** feel one has a mission to do s.th.

be•ruf•lich *adj* professional; **~e Probleme** problems at work; **sich ~ weiterbilden** undertake further job training; **~ unterwegs sein** be away on business

Be•rufs•aus•bil•dung *f* training; **Be•rufs•be•ra•ter(in)** *m(f)* careers adviser; **Be•rufs•be•ra•tung** *f* careers guidance; **Be•rufs•be•zeich•nung** *f* job title; **Be•rufs•bild** *n* job description; **be•rufs•er•fah•ren** *adj* professionally experienced; **Be•rufs•fach•schu•le** *f* technical college; **Be•rufs•ge•nos•sen•schaft** *f* professional association; (*für Handwerk*) trade association; **Be•rufs•krank•heit** *f* occupational disease; **Be•rufs•le•ben** *n* professional life; **Be•rufs•ri•si•ko** *n* occupational hazard; **Be•rufs•schu•le** *f* (*allgemein*) vocational college; (*technische*) technical college; **Be•rufs•schul•leh•rer(in)** *m(f)* vocational school teacher; **Be•rufs•sol•dat** *m* professional soldier; **Be•rufs•sport•ler(in)** *m(f)* professional sportsman (sportswoman); **be•rufs•tä•tig** *adj* working; **Be•rufs•tä•ti•ge(r)** *f m* working person; **Be•rufs•un•fall** *m* professional accident; **Be•rufs•ver•band** *m* professional organization; **Be•rufs•ver•kehr** *m* commuter traffic; **Be•rufs•wahl** *f* choice of occupation

Be•ru•fung *f* **1.** (*fig*) vocation; (REL) calling **2.** (JUR) appeal; **in die ~ gehen** (JUR) appeal; **unter ~ auf ...** with reference to ...

be•ru•hen *itr* be founded [*o* based] on; **etw auf sich ~ lassen** let s.th. rest

be•ru•hi•gen [bəˈruːigən] **I.** *tr* calm (down); **ich kann Sie (da) ~!** I can reassure you!; **na, dann bin ich ja beruhigt!** well I must say I'm quite relieved! **II.** *refl* **1.** (*allgemein*) calm down **2.** (*Verkehr*) subside; **hat sich dein Magen jetzt beruhigt?** has your stomach settled down now?

Be•ru•hi•gung *f*: **zu meiner großen ~** much to my relief; **zu Ihrer ~ kann ich sagen ...** you'll be reassured to know that ...; **Be•ru•hi•gungs•mit•tel** *n* (MED) sedative, tranquillizer

be•rühmt [bəˈryːmt] *adj* famous; **~ für etw sein** be famous for s.th.; **Be•rühmt•heit** *f* **1.** (*großer Ruf*) fame **2.** (*bekannte Person*) celebrity

be•rüh•ren *tr* **1.** touch **2.** (*fig: nahe angehen*) move; **das berührt mich nicht** that's nothing to do with me

Be•rüh•rung *f* touch; **in ~ kommen mit ...** come in(to) contact with ...; **bei ~ Lebensgefahr!** danger! do not touch!

Be•rüh•rungs•angst *f* fear of contact

be•sa•gen *tr* say; **das besagt nicht viel** that doesn't mean a lot; **das besagt nicht, dass ...** that doesn't say that ...

be•sagt [bəˈzaːkt] *adj* said; (*geh*) aforementioned

be•sai•tet [bəˈzaɪtət] *adj*: **zart ~ sein** (*fig*) be highly sensitive

be•sänf•ti•gen [bəˈzɛnftɪgən] *tr* calm down, soothe

Be•sänf•ti•gung *f* calming, soothing

be•sät [bəˈzɛːt] *adj* covered; **mit Blättern ~** strewn with leaves

Be•satz *m* edging, trimming

Be•sat•zung *f* **1.** (MIL: *e-r Stadt, Garnison*) garrison **2.** (*Schiffs- etc*) crew; **Be•sat•zungs•ar•mee** *f* army of occupation; **Be•sat•zungs•macht** *f* occupying power; **Be•sat•zungs•streit•kräf•te** *fpl* occupying forces

be•sau•fen *irr refl* (*sl*) get plastered

be•schä•di•gen *tr* damage

Be•schä•di•gung *f* damage (*von* to)

be•schaf•fen *tr* get hold of, obtain

be•schaf•fen *adj*: **so ~ sein, wie ...** be the same as ...

Be•schaf•fen•heit *f* (*allgemein*) composition; (*seelische ~*) disposition, nature

Be•schaf•fung *f* obtaining, procuring; **Be•schaf•fungs•gü•ter** *npl* supply goods; **Be•schaf•fungs•kre•dit** *m* buyer credit; **Be•schaf•fungs•kri•mi•na•li•tät** *f* (*Drogenszene*) drug-related crime; **Be•schaf•fungs•plan** *m* buying programme, procurement budget; **Be•schaf•fungs•preis** *m* cost [*o* purchase] price; **Be•schaf•fungs•wert** *m* acquisition value

be•schäf•ti•gen [bəˈʃɛftɪgən] **I.** *refl*: **sich mit etw ~** occupy o.s. with s.th.; **sich mit jdm ~** devote one's attention to s.o.; **ich beschäftige mich gerade mit meiner Arbeit** I'm busy with my work just now **II.** *tr* **1.** (*allgemein*) occupy **2.** (*Arbeit geben*) employ; **be•schäf•tigt** *adj* busy, occupied; **er ist ~** he is busy; **~ bei ...** employed by ..., working for ...; **viel ~**[RR] very busy

Be•schäf•tig•te(r) *f m* employee

Be•schäf•ti•gung *f* **1.** (*Tätigkeit*) occupation **2.** (*fig: mit Problem etc*) preoccupation **3.** (*Beruf*) job, employment; **Be•schäf•ti•gungs•la•ge** *f* employment situation; **Be•schäf•ti•gungs•pro•gramm** *n* (*Schaffung von Arbeitsplätzen*) job creation scheme; **Be•schäf•ti•gungs•the•ra•pie** *f* occupational therapy

be•schä•men *tr* **1.** (*jdn ~*) shame **2.** (*~d sein für*) embarrass

be•schämt *adj* embarrassed

Be•schä•mung *f* embarrassment; (*Scham*) shame

be•schat•ten *tr* (*a. fig*) shadow; **jdn ~ lassen** (*fig*) have s.o. shadowed

Be•schat•tung *f* shading

be•schau•en *tr* behold, look at

be•schau•lich *adj* **1.** (*geruhsam*) tranquil **2.** (*in sich gekehrt*) contemplative

Be•schau•lich•keit *f* **1.** (*Geruhsamkeit*) tranquillity **2.** (REL) contemplativeness

Be•scheid [bəˈʃaɪt] <-(e)s, -e> *m* **1.** (*Antwort*) answer, reply; (*Auskunft*) information **2.** (*Entscheidung*) decision; **ich warte noch auf ~** I'm still waiting to hear; **jdm ~ stoßen** (*fam*) tell s.o. where to get off; **jdm über etw Bescheid geben** let s.o. know about s.th.; **weißt du darüber ~?** do you know about this?; **entschuldigen Sie, wissen Sie hier ~?** excuse me, do you know your way around?

be•schei•den *irr* I. *tr:* **jdn abschlägig** ~ turn s.o. down II. *refl:* **sich mit etw** ~ content o.s. with s.th.

be•schei•den *adj* 1. (*genügsam*) modest 2. (*mittelmäßig*) mediocre; **~es Auftreten** unassuming manners *pl*

Be•schei•den•heit *f* (*Genügsamkeit*) modesty; (*Anspruchslosigkeit*) unassumingness; **bei aller** ~ with all due modesty; **nur keine falsche ~!** no false modesty now!

be•schei•ni•gen [bəˈʃaɪnɪgən] *tr* certify; **den Empfang von ...** ~ acknowledge receipt of ...; **hiermit wird bescheinigt, dass ...** this is to certify that ...; **können Sie mir ~, dass ...?** can you confirm in writing that ...?

Be•schei•ni•gung *f* certificate; (*Quittung*) receipt

be•schei•ßen *irr tr* (*sl*): **jdn** ~ do s.o. (*um* out of); **wir sind ganz schön beschissen worden!** (*sl*) we've really been had! *fam*

be•schen•ken *tr:* **jdn mit etw** ~ give s.o. s.th.; **sich gegenseitig** ~ give each other presents

be•sche•ren [bəˈʃeːrən] *tr:* **die Kinder** ~ give the children their Christmas presents

Be•sche•rung *f* (*zu Weihnachten*) distribution of Christmas presents; **e-e schöne ~!** this is a nice mess!; **da haben wir die ~!** what did I tell you!

be•scheu•ert [bəˈʃɔɪɐt] *adj* (*sl*) dumb

be•schich•ten *tr* (TECH) coat, cover

be•schi•cken *tr* (TECH) charge, feed, load

be•schie•ßen *irr tr* 1. (*allgemein*) fire on; (*durch Geschütze*) shell 2. (*fig*) bombard

Be•schie•ßung *f* 1. (*mit Geschossen*) firing (*von* on); (*durch Geschütze*) shelling 2. (PHYS) bombarding

Be•schil•de•rung *f* signposting

be•schimp•fen *tr* abuse, swear at

Be•schimp•fung *f* insult

be•schir•men *tr* protect, shield

be•schis•sen *adj* (*vulg*): **es geht mir** ~ I feel lousy *fam*, I feel pissed off *sl*

Be•schlag *m* 1. (*an Tür etc*) mounting; (*Koffer~ etc*) fitting 2. (*Niederschlag auf Metall*) tarnish; **etw mit ~ belegen** (*fig*) monopolize s.th.

be•schla•gen[1] *irr tr* 1. (*allgemein*) fit with furnishings 2. (*Pferd*) shoe

be•schla•gen[2] *irr itr sein* (*Scheiben etc*) get steamed; (*von Metall*) tarnish

be•schla•gen *adj:* **gut ~ sein in ...** (*fig*) be well versed in ...; **der Spiegel ist** ~ the mirror is misted over

Be•schlag•nah•me *f* confiscation

be•schlag•nah•men *tr* 1. (JUR) confiscate 2. (*fig*) monopolize

be•schleu•ni•gen [bəˈʃlɔɪnɪgən] *tr* accelerate, hasten, speed (up); (*Lieferung, Verkauf*) expedite; **die Fahrt** ~ pick up speed; **seine Schritte** ~ quicken one's steps

Be•schleu•ni•gung *f* acceleration, speeding up; **Be•schleu•ni•gungs•ver•mö•gen** *n* (MOT) acceleration

be•schlie•ßen *irr tr* 1. (*Resolution etc*) decide on; (PARL: *Gesetz*) pass 2. (*beenden*) conclude; **über etw** ~ decide on s.th.

Be•schluss[RR] *m* decision, resolution; **be•schluss•fä•hig**[RR] *adj* (*a.* PARL): ~ **sein** have a quorum; **be•schluss•un•fä•hig**[RR] *adj* (*a.* PARL): ~ **sein** be inquorate

be•schmie•ren I. *tr* smear; **die Wände mit ...** ~ smear ... on the walls; **die Tafel** ~ scribble all over the blackboard II. *refl* get dirty

be•schmut•zen I. *tr* (*a. fig*) dirty, soil II. *refl* get o.s. dirty

be•schnei•den *irr tr* 1. (*allgemein*) trim; (*Bäume etc*) prune 2. (REL MED: *Vorhaut*) circumcise 3. (*fig*) curtail

Be•schnei•dung *f* 1. (REL MED: *der Vorhaut*) circumcision 2. (*fig*) curtailment

be•schnüf•feln *tr* sniff at; **jdn** ~ (*fig*) spy s.o. out

be•schö•ni•gen [bəˈʃøːnɪgən] *tr* gloss over

be•schrän•ken [bəˈʃrɛŋkən] I. *tr* limit, restrict (*auf* to) II. *refl:* **sich ~ auf ...** confine o.s. to ...; **sich auf das Wesentliche** ~ confine o.s. to the essentials *pl*

be•schränkt *adj* 1. limited 2. (*geistig*) limited, narrow; **Gesellschaft mit ~er Haftung** private limited company *Br,* corporation *Am*

Be•schränkt•heit *f* (*a. fig*) limitedness

Be•schrän•kung *f* limitation, restriction; **jdm ~en auferlegen** impose restrictions on s.o.

be•schrei•ben *irr tr* 1. (*schildern*) describe 2. (*Papier etc*) write on 3. (MATH: *Kreis etc*) describe; **nicht zu ~ sein** be beyond description

Be•schrei•bung *f* 1. (*allgemein*) description 2. (*Funktionsdarstellung*) instructions *pl*

be•schrei•ten *irr tr:* **neue Wege** ~ (*fig*) follow new paths

be•schrif•ten [bəˈʃrɪftən] *tr* 1. (*mit Schrift versehen*) write on; (*mit Lettern versehen*) inscribe 2. (*etikettieren*) label

Be•schrif•tung *f* (*Aufschrift*) inscription

be•schul•di•gen [bəˈʃʊldɪgən] *tr* (*e-r S*) accuse (s.o.) of, charge (s.o.) with

Be•schul•di•gung *f* accusation, charge

Be•schuss[RR] *m* 1. (MIL) fire 2. (PHYS) bombarding; **unter ~ nehmen** fire on; (*fig*) launch an attack on

be•schüt•zen *tr* protect, shelter (*vor* from)

Be•schüt•zer(in) *m(f)* protector (protectress)

be•schwat•zen *tr* (*fam*) **1.** talk over **2.** (*schwatzen über*) have a chat about; **jdn zu etw ~** talk s.o. into s.th.

Be•schwer•de [bəˈʃveːɐdə] <-, -n> *f* **1.** (*Klage*) complaint **2.** (*Schmerzen etc*) trouble; **mit etw ~n haben** have trouble with s.th.; **e-e ~ einlegen** lodge a complaint

be•schwe•ren **I.** *refl* complain **II.** *tr* (*mit Gewicht*) weigh down

be•schwer•lich *adj* arduous; **jdm ~ fallen** be a burden to s.o.

be•schwich•ti•gen [bəˈʃvɪçtɪgən] *tr* appease, calm

be•schwin•deln *tr* **1.** (*betrügen*) swindle **2.** (*belügen*) tell s.o. a fib *fam;* **jdn um etw ~** cheat s.o. out of s.th.

be•schwingt [bəˈʃvɪŋt] *adj* **1.** (*lebhaft, munter*) lively, sprightly **2.** (*rasch, schnell*) swift; **~e Laune** cheerful mood

be•schwipst [bəˈʃvɪpst] *adj* (*fam*) tipsy

be•schwö•ren *irr tr* **1.** (*durch Schwur bekräftigen*) swear to **2.** (*anflehen*) beseech, implore **3.** (*heraufbeschwören, a. fig*) conjure up

Be•schwö•rung *f* **1.** (*durch Zauberer etc*) conjuration **2.** (*inständiges Bitten*) entreaty

be•see•len *tr* fill, inspire

be•se•hen *irr tr* look at; **sich etw aus der Nähe ~** look at s.th. closely

be•sei•ti•gen [bəˈzaɪtɪgən] *tr* **1.** (*entfernen*) get rid of, remove **2.** (*sl: töten*) do away with, liquidate

Be•sei•ti•gung *f* **1.** (*allgemein*) removal **2.** (*Liquidierung*) elimination

Be•sen [ˈbeːzən] <-s, -> *m* broom; (*Reisig~*) besom; **ich fresse einen ~, wenn ...** (*fig fam*) I'll eat my hat if ...; **Be•sen•stiel** *m* broom-stick

be•ses•sen [bəˈzɛsən] *adj* **1.** (REL: *von bösen Geistern*) possessed (*von* by) **2.** (*fig*) obsessed (*von* with); **arbeiten wie ~** work like one possessed

be•set•zen *tr* **1.** (*allgemein, a.* MIL) occupy **2.** (*mit Verzierungen*) trim **3.** (*Stelle, Posten*) fill **4.** (*Rolle*) cast; **ist dieser Platz besetzt?** is this seat taken?; **ein Haus instand ~**[RR] squat in a house (and do it up); **be•setzt** *adj* **1.** (*Platz*) taken; (*Toilette*) occupied **2.** (TELE) engaged *Br,* busy *Am* **3.** (*ausgebucht*) booked

Be•setzt•zei•chen *n* (TELE) engaged tone *Br,* busy tone *Am*

Be•set•zung *f* **1.** (MIL) occupation **2.** (MUS) instrumentation; (THEAT) cast; (SPORT) team

be•sich•ti•gen [bəˈzɪçtɪgən] *tr* have a look at; (*Stadt*) visit

Be•sich•ti•gung *f* **1.** (*e-r Stadt*) visit (to); (*von Sehenswürdigkeiten*) sight-seeing tour **2.** (*Inspektion*) inspection

be•sie•deln *tr* settle (*mit* with); **dicht besiedelt** densely populated; **dünn besiedelt** sparsely populated

Be•sie•d(e)•lung *f* settlement; (*Kolonisierung*) colonization; **dünne ~** sparse population

be•sie•geln *tr* seal

be•sie•gen *tr* **1.** (*Feind*) defeat; (*Land*) conquer **2.** (*fig*) overcome

Be•sieg•te(r) *f m* **1.** (*besiegter Feind*) defeated foe **2.** (SPORT) loser

be•sin•nen *irr refl* **1.** (*es sich anders überlegen*) have second thoughts **2.** (*sich erinnern an*) remember **3.** (*nachdenken*) think, reflect; **sich anders ~** change one's mind; **ohne sich lange zu ~** without thinking twice; **sich e-s Besseren ~** think better of ...; **wenn ich mich recht besinne** if I remember correctly

be•sinn•lich *adj* contemplative

Be•sin•nung *f* consciousness; reflection; **die ~ verlieren** lose consciousness; **wieder zur ~ kommen** regain consciousness; (*fig*) come to one's senses *pl;* **jdn zur ~ bringen** bring s.o. round; (*fig*) bring s.o. to his [*o* her] senses *pl;* **nicht bei ~ sein** be unconscious; **be•sin•nungs•los** *adj* insensible, unconscious; **~ vor Wut** blind with rage

Be•sitz <-es> *m* **1.** (*allgemein*) possession **2.** (*Grundvermögen*) property, (real) estate; **von etw ~ ergreifen** seize possession of s.th.; **etw in ~ nehmen** take possession of s.th.; **wir sind im ~ von Dokumenten** we have documents in our possession; **be•sitz•an•zei•gend** *adj* (GRAM) possessive; **be•sit•zen** *irr tr* (*haben*) have; (*geh*) own, possess; **jds Vertrauen ~** have someone's confidence; **be•sitz•er•grei•fend** *adj* possessive; **Be•sitz•er•grei•fung** *f* seizure; **Be•sit•zer(in)** *m(f)* owner, proprietor; **den ~ wechseln** change hands; **be•sitz•los** *adj* without possessions; **Be•sitz•tum** *n* **1.** (*Eigentum*) possession, property **2.** (*Landgut*) estate; **Be•sit•zung** *f* **1.** (*allgemein*) possession **2.** (*Land~*) estates *pl*

be•sof•fen [bəˈzɔfən] *adj* (*fam*) canned, pissed; (*sl*) tight *fam*

be•soh•len [bəˈzoːlən] *tr* sole

be•sol•den [bəˈzɔldən] *tr* pay

Be•sol•dung *f* pay

be•son•de•re [bəˈzɔndərə] *adj* **1.** (*allgemein*) special **2.** (*außergewöhnlich*) exceptional; **ohne ~ Begeisterung** without any particular enthusiasm; **wir legen ~n Wert auf ...** we place special emphasis on ...

Be•son•der•heit *f* peculiarity

be•son•ders *adv* **1.** (*hauptsächlich*) chiefly, particularly **2.** (*speziell*) specially; **das ist nicht ~ lustig!** that's not particularly funny!; **das Essen ist nicht ~** the food is nothing to write home about; **wie geht's? – nicht ~** how are you? – not too hot

be•son•nen [bəˈzɔnən] *adj* considered

Be•son•nen•heit *f* level-headedness

be•sor•gen *tr* **1.** (*beschaffen*) get **2.** (*erledigen*) see to

Be•sorg•nis *f* anxiety, worry; **es besteht kein Grund zur ~** there's no reason for concern; **be•sorgt** [bəˈzɔrkt] *adj* anxious, worried (*wegen* about); **um seine Sicherheit ~ sein** be concerned for one's safety; **Be•sorgt•heit** *f s.* **Besorgnis**

Be•sor•gung *f:* **~en machen** do some shopping; **für jdn e-e ~ machen** get s.th. for s.o.

be•span•nen *tr* **1.** (*mit Bezugsmaterial*) cover **2.** (*Pferdewagen etc*) harness up; **Be•span•nung** *f* (*Bespannmaterial*) covering

be•spie•len *tr* record

be•spre•chen *irr tr* **1.** discuss, talk over **2.** (*Film, Theaterstück*) criticize; (*Buch*) review; **sich mit jdm über etw ~** confer with s.o. about s.th.

Be•spre•chung *f* **1.** (*Unterredung*) discussion **2.** (*Sitzung*) conference **3.** (*Buch~*) review; **Be•spre•chungs•zim•mer** *m* meeting room

be•sprit•zen *tr* (*mit Wasser*) spray; (*mit Schmutz etc*) splash; (*mit Blut*) stain

bes•ser [ˈbɛsɐ] *adj* better; **~ werden** get better, improve; **um so ~!** so much the better!; **das ist auch ~ so** it's better that way; **ich habe B~es zu tun** I have better things to do; **jdn e-s B~en belehren** teach s.o. otherwise; **das solltest du ~ nicht tun** you had better not do that

bes•sern I. *tr* better, improve **II.** *refl* **1.** (*Zustand*) get better, improve **2.** (*sittlich*) mend one's ways *pl*

Bes•se•rung *f* improvement; **gute ~!** I hope you get well soon!; **auf dem Wege der ~ sein** be on the way to recovery

Bes•ser•wis•ser(in) *m(f)* know-all *Br,* know-it-all *Am*

Be•stand [bəˈʃtant] *m* **1.** (*Fortdauer*) continued existence **2.** (COM: *Lager~*) stock (*an* of); **von ~ sein** be permanent; **~ aufnehmen** (COM) take stock; **Be•stands•kon•trol•le** *f* stock control; **Be•stands•ma•te•ri•al** *n* stock-in-trade

be•stän•dig *adj* **1.** (*ständig*) constant, continual **2.** (*gleichbleibend*) constant; (*Wetter*) settled **3.** (*dauerhaft*) resistant (*gegen* to); (*Farbe*) fast

Be•stän•dig•keit *f* **1.** (*Standhaftigkeit*) constancy **2.** (TECH: *Dauerhaftigkeit*) resistance

Be•stands•auf•nah•me *f* (*a.* COM) stocktaking

Be•stand•teil *m* **1.** (*allgemein*) component, part **2.** (*fig*) integral part; **in s-e ~e zerlegen** take apart; **sich in s-e ~e auflösen** fall to pieces

be•stär•ken *tr* confirm; **jdn in seinem Vorhaben ~** confirm s.o. in his intention; **das hat mich nur (darin) bestärkt** that made me all the more determined

be•stä•ti•gen [bəˈʃtɛːtɪgən] **I.** *tr* **1.** (*allgemein*) confirm **2.** (*den Empfang ~*) acknowledge (receipt of); **hiermit wird bestätigt, dass …** this is to certify that …; **sich in etw bestätigt finden** be confirmed in s.th. **II.** *refl* prove [*o* be proved] true; **be•stä•ti•gend** *adj* confirmative; **Be•stä•ti•gung** *f* **1.** (*allgemein*) confirmation **2.** (*Empfangs~*) acknowledg(e)ment of receipt

be•stat•ten [bəˈʃtatən] *tr* bury

Be•stat•tung *f* burial; (*Feier*) funeral; **Be•stat•tungs•ins•ti•tut** *n* undertaker's *Br,* mortician's *Am*

be•stäu•ben [bəˈʃtɔɪbən] *tr* **1.** (*von Blüten*) pollinate **2.** (*mit Pulver etc*) dust

bes•te [ˈbɛstə] *adj* best; **~n Dank!** many thanks!; **der erste B~** RR the first that comes along; **mit den ~n Grüßen** with best wishes; **ich hielte es für das B~** RR**, wenn …** I thought it best if …; **das B~** RR **wäre, wir …** it would be the best for us to …; **wir wollen das B~ hoffen** let's hope for the best; **es ist zu deinem B~n** it is for your own good

be•ste•chen *irr tr* **1.** bribe, corrupt **2.** (*fig: faszinieren*) captivate, fascinate; **sich ~ lassen** take bribes; **be•stech•lich** [bəˈʃtɛçlɪç] *adj* bribable, corruptible; **Be•stech•lich•keit** *f* corruptibility; **Be•ste•chung** *f* bribery, corruption

Be•steck [bəˈʃtɛk] <-(e)s, -e/(-s)> *n* cutlery *Br,* flatware *Am*

Be•ste•hen *n* **1.** (*Existenz*) existence **2.** (*einer Prüfung*) passing; **bei ~ der Prüfung** on passing the exam(ination)

be•ste•hen *irr* **I.** *itr* **1.** (*existieren*) exist **2.** (*zusammengesetzt sein aus*) consist (*aus* of); **~ bleiben** RR remain; **es besteht die Aussicht, dass …** there is a prospect that …; **das Problem besteht darin, dass …** the problem is that … **II.** *tr* **1.** (*Prüfung*) pass **2.** (*Kampf*) win; **e-e Prüfung mit 'befriedigend' ~** pass an exam with 'fair'

be•stei•gen *irr tr* **1.** (*erklettern*) climb; (*geh*) ascend **2.** (*Schiff*) go aboard; **den Thron ~** ascend the throne

Be•stei•gung *f* climbing

be•stel•len *tr* **1.** (*Waren etc*) order **2.** (*ausrichten*) leave a message **3.** (*Land*) till; **soll ich etw ~?** can I take a message?; **er hat hier nichts zu ~!** (*fig fam*) he doesn't have any say here!; **ich bin für zehn Uhr bestellt** I have an appointment for ten o'clock; **wir sitzen hier wie bestellt und nicht abgeholt** (*fam*) we're sitting here all dressed up and nowhere to go

Be•stell•num•mer *f* order number; **Be•stell•schein** *m* order form

Be•stel•lung *f* **1.** (*Auftrag*) order **2.** (*Botschaft*) message; **e-e (Hotelzimmer)~ rückgängig machen** cancel a (hotel) reservation

bes•ten•falls *adv* at best

bes•tens *adv* very well; **er lässt Sie ~ grüßen** he sends his best regards

be•steu•ern *tr* tax

Be•steue•rung *f* taxation

bes•ti•a•lisch [bɛsti'a:lɪʃ] *adj* **1.** (*allgemein*) bestial **2.** (*fig: ekelhaft*) beastly

Bes•tie ['bɛstiə] *f* **1.** (*Tier*) beast **2.** (*fig: Mensch*) animal, brute

be•stim•men **I.** *tr* **1.** (*festlegen*) determine; (*Zeit, Ort*) fix, set **2.** (*berechnen*) ascertain **3.** (*vorsehen*) mean **II.** *itr* decide (*über* on); **er hat hier nicht zu ~!** he doesn't make the decisions here!; **be•stim•mend** *adj* determining; **für etw ~ sein** be characteristic of s.th.

be•stimmt **I.** *adj* **1.** (*festgelegt*) fixed, set **2.** (*fig: fest*) firm; **ich suche ein ~es Buch** I want a particular book **II.** *adv* certainly, definitely; **~ wissen, dass ...** know for certain that ...; **das ist für dich ~** that's meant for you; **das ist ~ für dich!** (*Post etc*) it's bound to be for you!

Be•stimmt•heit *f* certainty; **mit ~** for certain, positively

Be•stim•mung *f* **1.** (*Vorschrift*) regulation **2.** (*Schicksal*) destiny **3.** (*das Bestimmen*) determining; **gesetzliche ~en** legal regulations [*o* requirements]; **Be•stim•mungs•land** *n* (country of) destination; **Be•stim•mungs•ort** *m* destination

Best•leis•tung *f* best performance

best•mög•lich *adj* best possible; **sein B~es tun** do one's best

Best•no•ten *fpl* top marks

be•stra•fen *tr* punish

Be•stra•fung *f* punishment

be•strah•len *tr* **1.** (*bescheinen*) shine on **2.** (*anstrahlen*) illuminate **3.** (MED) give ray treatment to ...

Be•strah•lung *f* (MED) radiotherapy, ray treatment

Be•stre•ben <-s> *n* effort, endeavour

be•strebt *adj:* **~ sein etw zu tun** endeavour to do s.th.

Be•stre•bung *f* attempt, endeavour; **~en sind im Gange** efforts are being made

be•strei•chen *irr tr:* **etw mit etw ~** spread s.th. on s.th.

be•strei•ken *tr* black; **dieser Betrieb wird bestreikt** this factory is on strike

be•strei•ten *irr tr* **1.** (*allgemein*) contest, dispute **2.** (*leugnen*) deny **3.** (*aufkommen für*) defray; **das will ich nicht ~** I'm not disputing it; **es lässt sich nicht ~, dass ...** there's no denying the fact that ...

be•streu•en *tr* **1.** cover (*mit* with) **2.** (*Speisen*) sprinkle

best•si•tu•iert *adj* (*österr: gut situiert*) well-off

be•stü•cken *tr* **1.** (*ausstatten*) equip, fit **2.** (MIL) arm

Be•stü•ckung *f* **1.** (*Ausstattung*) equipment **2.** (MIL) armaments *pl*

be•stür•men *tr* **1.** (MIL) assail, storm **2.** (*fig: angehen*) bombard, inundate

be•stürzt [bə'ʃtʏrtst] *adj* dismayed

Be•stür•zung *f* consternation, dismay; **zu unserer ~** to our dismay

Be•such [bə'zu:x] <-(e)s, -e> *m* **1.** visit **2.** (*Teilnahme*) attendance **3.** (*Besucher*) visitor; **bei jdm zu ~ sein** be visiting s.o.; **von jdm ~ erhalten** get a visit from s.o.; **bekommst du viel ~?** do you have a lot of visitors?

be•su•chen *tr* **1.** visit **2.** (*gehen zu*) go to **3.** (*teilnehmen*) attend

Be•su•cher(in) *m(f)* visitor; **Be•su•cher•zahl** *f* attendance

Be•suchs•zeit *f* visiting time; **Be•suchs•zim•mer** *n* visitor's room

be•sucht *adj* **1.** (*Ort, Lokal*) frequented **2.** (FILM THEAT) attended, patronized; **gut (schwach) ~** well (poorly) attended

be•su•deln [bə'zu:dəln] *tr* **1.** (*allgemein*) soil **2.** (*fig*) sully

Be•ta•blo•cker <-s, -> *m* (MED) beta blocker

be•tagt [bə'ta:kt] *adj* aged

be•tas•ten *tr* feel

be•tä•ti•gen [bə'tɛ:tɪgən] **I.** *tr* operate; **die Bremsen ~** apply the brakes **II.** *refl* busy o.s.; **sich literarisch ~** do some writing; **sich politisch ~** be active in politics

Be•tä•ti•gung *f* **1.** (*Tätigkeit*) activity **2.** (*Bedienung*) operation **3.** (*Aktivierung*) activation

be•täu•ben [bə'tɔɪbən] *tr* **1.** (MED: *narkotisieren*) anaesthetize **2.** (*benommen machen*) stun; **~der Lärm** deafening noise

Be•täu•bung *f* **1.** (*Narkotisierung*) anaesthetization **2.** (*Narkose*) anaesthetic

Be•täu•bungs•mit•tel *n* anaesthetic

Be•te ['be:tə] <-, -n> *f:* **rote ~** beetroot

be•tei•len *vt* (*österr*) give presents to

be•tei•li•gen [bə'taɪlɪgən] **I.** *refl* participate, take part (*an* in); **sich an den Kosten ~** contribute to the expenses **II.** *tr:* **jdn an etw ~** let s.o. take part in s.th.; **be•tei•ligt** *adj:* **an etw ~ sein** be involved in s.th.; (FIN) have a share in s.th.

Be•tei•lig•te *m f* person involved; (JUR) party

Be•tei•li•gung *f* **1.** participation **2.** (*Teilhaberschaft*) partnership **3.** (*Anteil*) share, interest **4.** (*Zuhörerschaft*) attendance

be•ten ['be:tən] *itr* pray

be•teu•ern [bə'tɔɪɐn] *tr* declare; **s-e Unschuld ~** protest one's innocence

Be•teue•rung *f* declaration

be•ti•teln *tr* **1.** (*mit Titel versehen*) entitle **2.** (*beschimpfen*) call

Be•ton [be'tɔŋ] <-s, -s> *m* concrete

be•to•nen [bə'to:nən] *tr* (*a. fig*) emphasize, stress

be•to•nie•ren [beto'ni:rən] *tr* **1.** (*allgemein*) concrete **2.** (*fig: festigen*) firm up

Be•ton•misch•ma•schi•ne *f* concrete mixer; **Be•ton•si•lo** *m* (*pej: Hochhaus*) concrete block

be•tont [bə'to:nt] *adj:* **~ einfach** markedly simple

Be•to•nung *f* **1.** (*von Wort*) stress **2.** (*Nachdruck*) emphasis

be•tö•ren [bə'tø:rən] *tr* beguile, bewitch

Be•tracht [bə'traxt] <-(e)s> *m:* **in ~ kommen** be considered; **in ~ ziehen** take into consideration; **etw außer ~ lassen** disregard s.th.; **nicht in ~ kommen** be out of the question

be•trach•ten *tr* **1.** (*allgemein*) look at **2.** (*fig: ansehen als*) consider, regard; **sich etw ~** have a look at s.th.

Be•trach•ter(in) *m(f)* observer

be•trächt•lich [bə'trɛçtlɪç] *adj* considerable

Be•trag [bə'tra:k, *pl:* bə'trɛ:gə] <-(e)s, ¨-e> *m* amount, sum; **~ dankend erhalten** payment received with thanks; **ein Scheck über den ~ von 300 DM** a cheque for 300 marks

Be•tra•gen *n* behaviour *Br,* behavior *Am;* (*Führung*) conduct

be•tra•gen *irr* **I.** *itr* be **II.** *refl* behave

be•trau•en *tr:* **jdn mit etw ~** entrust s.o. with s.th.

be•trau•ern *tr* mourn

Be•treff [bə'trɛf] <-(e)s> *m:* **~: ...** re: ...

be•tref•fen *irr tr* (*angehen*) concern, relate to; **was das betrifft** as far as that goes; **be•tref•fend** *adj* concerned, in question; **der ~e Brief** the letter referred to

be•trei•ben *irr tr* **1.** (*Studien*) pursue; (*Geschäft*) carry on **2.** (*e-e Angelegenheit*) push ahead; **auf B~ von** at the instigation of; **Be•trei•ber(in)** <-s, -> *m(f)* runner

be•tre•ten *irr tr* **1.** (*Raum*) enter, go into **2.** (*Boden*) walk on (to); **B~ verboten!** keep off!

be•treu•en [bə'trɔɪən] *tr* look after

Be•trieb *m* **1.** (*Geschäft*) business, concern **2.** (*e-r Fabrik etc*) operation **3.** (*Betriebsamkeit*) bustle; (*Verkehr*) traffic; **wann kommst du heute aus dem ~?** when are you leaving work today?; **außer ~** out of order; **in der Stadt war viel ~** the town was very busy

Be•triebs•an•lei•tung *f* operating instructions *pl;* **Be•triebs•arzt** *m* company doctor; **Be•triebs•aus•flug** *m* firm's outing; **be•triebs•blind** *adj* blind to the faults in one's company; **Be•triebs•fe•rien** *pl* annual holiday *sing;* **Be•triebs•fest** *n* office party; **Be•triebs•ka•pi•tal** *n* working capital; **Be•triebs•kli•ma** *n* working conditions *pl;* **Be•triebs•kos•ten** *pl* **1.** (TECH) running costs **2.** (COM) overheads; **Be•triebs•lei•ter(in)** *m(f)* (works) manager; **Be•triebs•lei•tung** *f* management; **Be•triebs•rat** *m* **1.** (*Kollegium*) works committee **2.** (*Angehöriger des ~es*) works committee member; **Be•triebs•rats•vor•sit•zen•de(r)** <-s, -> *f m* chair of works [*o* factory] committee; **Be•triebs•still•le•gung**[RR] *f* closing down, shutdown; **Be•triebs•sys•tem** *n* (EDV) operating system; **Be•triebs•tem•pe•ra•tur** *f* (TECH) operating temperature; **Be•triebs•un•fall** *m* industrial accident; **Be•triebs•ver•fas•sungs•ge•setz** *n* Industrial Constitution Law; **Be•triebs•wirt(in)** *m(f)* business economist; **Be•triebs•wirt•schaft** *f* business management

be•trin•ken *irr refl* get drunk

be•trof•fen [bə'trɔfən] *adj* **1.** (*bestürzt*) full of consternation **2.** (*erfasst*) affected (*von* by); **~ sind verschiedene Mitarbeiter** several staff members are concerned

be•trü•ben *tr* distress, sadden; **be•trüb•lich** [bə'try:plɪç] *adj* deplorable

be•trübt *adj* distressed; **tief ~**[RR] deeply distressed

Be•trug [bə'tru:k] <-(e)s> *m* deceit, deception; (JUR) fraud; **das ist ~!** it's all a fraud!

be•trü•gen [bə'try:gən] *irr tr* cheat, deceive; **jdn um etw ~** cheat s.o. out of s.th.; **s-n Mann ~** be unfaithful to one's husband

Be•trü•ger(in) *m(f)* (*beim Spiel*) cheat; (*geschäftlich*) swindler; (*Hochstapler*) conman; **Be•trü•ge•rei** *f* cheating, swindling

be•trü•ge•risch *adj* deceitful; **in ~er Absicht** with intent to defraud

be•trun•ken [bə'trʊŋkən] *adj* drunk; **ein Betrunkener** a drunk

Bett [bɛt] <-(e)s, -en> *n* **1.** (*Liege~*) bed **2.**

(*Ober~*) quilt; **das ~ machen** make the bed; **im ~** in bed; **Frühstück im ~** breakfast in bed; **zu ~ gehen** go to bed; **mit jdm ins ~ gehen** go to bed with s.o.; **Bett•an•zug** *m* (*CH: Bettbezug*) quilt-cover; **Bett•be•zug** *m* quilt-cover; **Bett•dec•ke** *f* **1.** (*flache ~*) blanket **2.** (*Steppdecke*) quilt; **Bett•fla•sche** *f* (*CH: Wärmflasche*) hot-water bottle

bet•tel•arm [--'-] *adj* destitute

bet•teln *itr* beg; **bei jdm um etw ~** beg s.o. for s.th.

bett•lä•ge•rig ['bɛtlɛːgərɪç] *adj* bedridden, confined to one's bed

Bett•laken *n* sheet

Bett•ler(in) *m(f)* beggar

Bett•näs•ser(in) *m(f)* bedwetter; **Bett•ru•he** *f*: **jdm ~ verordnen** order s.o. to stay in bed; **Bett•tuch**[RR] *n* sheet; **Bett•vor•le•ger** *m* bedside rug; **Bett•wä•sche** *f* bed linen; **Bett•zeug** *n* bedding

beu•gen ['bɔɪgən] **I.** *tr* **1.** bend; (*Kopf*) bow; incline **2.** (*fig*) break **3.** (GRAM) inflect; (*Verb*) conjugate; (*Substantiv, Adjektiv*) decline **II.** *refl* **1.** (*allgemein*) bend **2.** (*fig*) submit (to); **sich nach vorne ~** lean forward

Beu•le ['bɔɪlə] <-, -n> *f* **1.** (*Schwellung*) bump, swelling; (*Eiter~*) boil **2.** (*im Blech etc*) dent

be•un•ru•hi•gen [bə'ʊnruːigən] *tr* worry; **~d sein** give cause for concern

Be•un•ru•hi•gung *f* concern; **kein Grund zur ~** no cause for alarm

be•ur•kun•den *tr* certify

Be•ur•kun•dung *f* certification

be•ur•lau•ben *tr* give leave; **beurlaubt sein** be on leave; **sich ~ lassen** take leave

be•ur•tei•len *tr* judge (*nach* by, from); **etw falsch ~** misjudge s.th.

Be•ur•tei•lung *f* **1.** (*das Beurteilen*) judg(e)ment **2.** (*Rezension*) review

Beu•te ['bɔɪtə] <-> *f* booty, loot, spoil; **reiche ~ machen** make a big haul; **jdm zur ~ fallen** fall a prey to s.o.

Beu•tel ['bɔɪtəl] <-s, -> *m* bag; **tief in den ~ greifen** dig deep into one's pocket

be•völ•kern [bə'fœlkɐn] *tr* inhabit; **das Land ist dicht bevölkert** it's a densely populated country

Be•völ•ke•rung *f* population; **Be•völ•ke•rungs•dich•te** *f* density of population; **Be•völ•ke•rungs•ent•wick•lung** *f* demographic developments; **Be•völ•ke•rungs•ex•plo•si•on** *f* population explosion; **Be•völ•ke•rungs•rück•gang** *m* decline in population; **Be•völ•ke•rungs•zu•nah•me** *f* increase in population

be•voll•mäch•ti•gen [bə'fɔlmɛçtɪgən] *tr* authorize (*zu etw* to do s.th.)

Be•voll•mäch•tig•te(r) *f m* authorized representative

be•vor [bə'foːɐ] *konj* before; **~ nicht ...** until ...

be•vor•mun•den [bə'fɔːɐmʊndən] *tr* tell s.o. what he [*o* she] should be doing

Be•vor•mun•dung *f*: **ich lasse mir diese ~ nicht gefallen** I hate having my mind made up for me

be•vor•ra•ten *tr* store, stockpile, build up stocks

Be•vor•ra•tung <-> *f* stockpiling

be•vor•rech•tigt [bə'foːɐrɛçtɪçt] *adj* **1.** (*privilegiert*) privileged **2.** (*vorrangig*) high-priority

be•vor|ste•hen *irr itr* lie ahead; (*unmittelbar drohend*) be imminent; **wer weiß, was ihr noch bevorsteht** who knows what is still in store for her; **be•vor•ste•hend** *adj* forthcoming, approaching; **die ~e Gefahr** the imminent danger; **der ~e Winter** the approaching winter

be•vor•zu•gen *tr* prefer; (*begünstigen*) favour

Be•vor•zu•gung *f* preferential treatment (*bei* in)

be•wa•chen *tr* guard

be•wach•sen [bə'vaksən] *adj*: **mit ...** overgrown with ...

Be•wa•chung *f* **1.** (*das Bewachen*) guarding **2.** (*Wache*) guard

be•waff•nen [bə'vafnən] *tr* arm; **be•waff•net** *adj* armed; **schwer ~**[RR] heavily armed

Be•waff•nung *f* **1.** (*Vorgang*) arming **2.** (*Waffen*) armament, arms *pl*

be•wah•ren [bə'vaːrən] *tr* **1.** (*aufheben*) keep **2.** (*beschützen*) protect (*vor* from); **Gott bewahre!** heaven forbid!

be•wäh•ren [bə'vɛːrən] *refl* **1.** (*Mensch*) prove one's worth **2.** (*Gerät etc*) prove worthwhile

be•wahr•hei•ten [bə'vaːɐhaɪtən] *refl* prove well-founded

be•währt *adj* tried and tested; **ein ~es Mittel** a proven remedy

Be•wäh•rung *f* (JUR) probation; **e-e Strafe zur ~ aussetzen** impose a suspended sentence; **Be•wäh•rungs•frist** *f* (JUR) probation period; **Be•wäh•rungs•hel•fer(in)** *m(f)* probation officer

be•wal•det [bə'valdət] *adj* wooded

be•wäl•ti•gen [bə'vɛltɪgən] *tr* **1.** (*meistern*) manage **2.** (*überwinden*) get over

be•wan•dert [bə'vandɐt] *adj* expert, knowledgeable; **in etw gut ~ sein** be well versed in s.th.

Be•wandt•nis [bə'vantnɪs] *f*: **damit hat es folgende ~ ...** the facts are these ...

be•wäs•sern [bəˈvɛsɐn] *tr* (*Land*) irrigate; (*Rasen etc*) water
Be•wäs•se•rung *f* irrigation
be•we•gen [bəˈveːgən] **I.** *tr* (*a. fig*) move; **jdn zu etw** ~ induce s.o. to do s.th.; **können Sie ihn dazu ~?** can you get him to do it? **II.** *refl* **1.** (*allgemein*) move; **es bewegt sich etwas** (*fig*) things happen, things get going **2.** (*sich Bewegung verschaffen*) get some exercise
Be•weg•grund *m* motive
be•weg•lich [bəˈveːklɪç] *adj* **1.** movable; (*leicht manövrierbar*) manoeuvrable **2.** (*flink*) agile **3.** (*geistig* ~) nimble
Be•weg•lich•keit *f* **1.** (*allgemein*) movability **2.** (*Agilität*) agility
be•wegt [bəˈveːkt] *adj* **1.** (*Wasser: aufgerührt*) choppy **2.** (*fig*) moved **3.** (*fig: ereignisreich*) eventful; **~e See** rough sea; **tief ~**RR deeply moved
Be•we•gung *f* **1.** (*allgemein*) movement, motion **2.** (*körperlich*) exercise **3.** (*fig: seelisch*) agitation, emotion; **politische ~** political movement; **in ~ bringen** set in motion; **etwas kommt in ~** (*fig*) s.th. gets moving; **jdn in ~ bringen** get s.o. moving; **keine (falsche) ~!** freeze! *fam;* **sich ~ verschaffen** get some exercise; **Be•we•gungs•frei•heit** *f* **1.** (*allgemein*) freedom of movement **2.** (*fig: Ellenbogenfreiheit*) elbow-room; **be•we•gungs•los** *adj* motionless; **Be•we•gungs•lo•sig•keit** *f* immobility, motionlessness; **Be•we•gungs•the•ra•pie** *f* (MED) kinesiotherapy
be•wei•nen *tr* weep for; (*betrauern*) mourn
Be•weis [bəˈvaɪs] <-es, -e> *m* proof; (JUR) evidence; (MATH) demonstration; **als ~ dienen** serve as evidence; **den ~ erbringen** produce proof; **den ~ führen** prove; **zum ~ von ...** in proof of ...; **Be•weis•auf•nah•me** *f* hearing of evidence; **be•weis•bar** *adj* demonstrable, provable; **Be•weis•bar•keit** *f* demonstrability
be•wei•sen *irr tr* **1.** prove **2.** (*zeigen*) show; **was noch zu ~ wäre** that remains to be seen
Be•weis•füh•rung *f* **1.** (JUR) presentation of one's case **2.** (*Argumentation*) reasoning; **Be•weis•ma•te•rial** *n* evidence
Be•wen•den *n:* **damit hatte es sein ~** that was the end of the matter
be•wen•den *tr:* **lassen wir es dabei ~!** let's leave it at that!
be•wer•ben *irr refl:* **sich bei jdm um e-e Stelle ~** apply to s.o. for a job
Be•wer•ber(in) *m(f)* applicant
Be•wer•bung *f* application; **seine ~ einreichen** file one's application; **Be•wer•bungs•ge•spräch** *n* (job) interview; **Be•wer•bungs•schrei•ben** *n* letter of application; **Be•wer•bungs•ver•fah•ren** *n* application procedure
be•wer•fen *irr tr:* **jdn mit etw ~** throw s.th. at s.o.
be•werk•stel•li•gen *tr* manage
be•wer•ten *tr* judge; (*schätzen auf*) value; **etw zu hoch (niedrig) ~** overvalue (undervalue) s.th.
Be•wer•tung *f* judg(e)ment; (*Schätzung*) valuation; **Be•wer•tungs•kri•te•ri•en** *npl* valuation criteria
be•wil•li•gen [bəˈvɪlɪgən] *tr* (*zugestehen*) allow; (FIN) grant
Be•wil•li•gung *f* allowance; (FIN) grant; (*amtliche ~*) approval
be•wir•ken *tr* bring about, cause; **e-e Veränderung ~** effect a change
be•wir•ten *tr:* **jdn ~** entertain s.o. to a meal
be•wirt•schaf•ten *tr* **1.** (*Gut etc*) administer, manage **2.** (*Acker*) cultivate **3.** (*Mangelware*) ration; (*Wohnraum*) control
Be•wirt•schaf•tung *f* **1.** (*Betreibung*) management **2.** (*von Grund u. Boden*) cultivation
Be•wir•tung *f* (*zu Hause*) hospitality; (*im Gasthaus*) service
be•wohn•bar *adj* habitable
be•woh•nen *tr* live in; **bewohnt sein** be inhabited [*o* occupied]
Be•woh•ner(in) *m(f)* (*Einwohner*) inhabitant; (*Haus~*) occupant
be•wöl•ken [bəˈvœlkən] *refl* cloud over; **be•wölkt** *adj* cloudy; **dicht bewölkt**RR heavily overcast
Be•wöl•kung *f* clouds *pl*
Be•wuchs *m* natural cover
Be•wun•de•rer *m*, **Be•wun•de•rin** *f* admirer
be•wun•dern *tr* admire (*wegen* for); **be•wun•derns•wür•dig** *adj* admirable
Be•wun•de•rung *f* admiration
be•wusstRR [bəˈvʊst] **I.** *adj* **1.** (*wissend*) conscious **2.** (*willentlich*) deliberate **3.** (*besagt*) in question; **sich e-r Gefahr ~ sein** be aware of a danger; **die ~e Sache** the matter in question; **es war e-e ~e Lüge** it was a deliberate lie; **jdm etw ~ machen**RR make s.o. aware of s.th. **II.** *adv* (*absichtlich*) deliberately; **be•wusst•los**RR *adj* unconscious; **~ werden** lose consciousness; **~ zusammenbrechen** fall senseless; **Be•wusst•lo•sig•keit**RR *f* unconsciousness
be•wußt|ma•chen *s.* **bewusst**
Be•wusst•seinRR <-s> *n* consciousness; **in dem ~ ...** conscious of ...; **es kommt jdm zu ~** it dawns upon s.o.; **jdm etw zum ~ bringen** bring s.th. home to s.o.; **das ~ verlieren** lose consciousness; **wieder zu ~ kommen** regain conscious-

ness; **be•wusst•seins•er•wei•ternd**[RR] *adj* mind-expanding; **Be•wusst•seins•schwel•le**[RR] *f* threshold of consciousness; **be•wusst•seins•ver•än•dernd**[RR] *adj* (*Droge*) which alters one's (state of) awareness

be•zah•len *tr* pay; **ein Fahrrad ~** pay for a bike; **kannst du mir das nicht ~?** could you pay for it for me?; **be•zahlt** *adj:* **sich ~ machen** pay off; **gut ~**[RR] highly-paid

Be•zah•lung *f* **1.** (*das Zahlen*) payment **2.** (*Entlohnung*) pay

be•zau•bern *tr* (*fig*) charm, fascinate; **be•zau•bernd** *adj* charming, fascinating

be•zeich•nen *tr* **1.** (*mit Zeichen versehen*) mark **2.** (*beschreiben*) describe **3.** (*benennen*) call; **so kann man es (natürlich) auch ~** you can call it that too; **be•zeich•nend** *adj* characteristic (*für* of); **das ist wieder ~!** that is just typical!

Be•zeich•nung *f* (*Ausdruck*) term; **das ist e-e zutreffende ~!** that hits the nail on the head!

be•zeu•gen *tr* testify

be•zich•ti•gen [bəˈtsɪçtɪgən] *tr s.* **be•schuldigen**

be•zie•hen *irr* **I.** *tr* **1.** (*mit Bezugsmaterial*) cover **2.** (*Haus, Wohnung*) move into **3.** (*bekommen*) get, obtain; **die Betten ~** change the beds; **e-e Zeitung ~** take a newspaper; **e-n Standpunkt ~** (*fig*) adopt a point of view; **etw auf sich ~** take s.th. personally **II.** *refl* **1.** (*mit Wolken*) cloud over **2.** (*betreffen*): **sich ~ auf ...** refer to ...

Be•zie•her(in) *m(f)* **1.** (*e-r Zeitung*) subscriber **2.** (COM) purchaser **3.** (*von Unterstützung*) drawer; **~ niedriger Einkommen** earners of low wages

Be•zie•hung *f* **1.** (*Verhältnis*) relationship **2.** (*menschliche ~*) relations *pl* **3.** (*Verbindung*) connections *pl;* **keine ~ zu etw haben** have no bearing on s.th.; **er hat ~en** he knows the right people; **in jeder ~** in every respect; **Be•zie•hungs•kis•te** *f* (*fam*) affair, relationship

be•zie•hungs•wei•se *adv* **1.** (*aber*) respectively; **Kinder ~ Jugendliche ...** children and/or young people (respectively) **2.** (*oder vielmehr*) or rather

be•zif•fern [bəˈtsɪfɐn] **I.** *tr:* **etw auf etw ~** estimate s.th. at **II.** *refl:* **sich ~ auf ...** amount to ...

Be•zirk [bəˈtsɪrk] <-(e)s, -e> *m* district; **Be•zirks•ge•richt** *nt* (*CH: Amtsgericht*) district court; **Be•zirks•ver•wal•tung** *f* district administration

Be•zug [bəˈtsu:k] *m* **1.** (*Überzug*) cover **2.** (*Kauf*) purchase **3.** (FIN: *Erhalt*) drawing; (*von Zeitung*) taking; **¨-e** (FIN) earnings; **~ nehmen auf ...** refer to ...

be•züg•lich [bəˈtsy:klɪç] *präp* regarding, with regard to

Be•zugs•per•son *f:* **jds ~** person to whom one relates; **Be•zugs•quel•le** *f* source of supply

be•zwe•cken [bəˈtsvɛkən] *tr* (*beabsichtigen*) aim at; **was soll das ~?** what's the point of that?

be•zwei•feln *tr* call in question, doubt

be•zwin•gen *irr* **I.** *tr* **1.** (*allgemein*) conquer; (*besiegen*) defeat **2.** (*fig: überwinden*) master **II.** *refl* control one's feelings

BH [be:ˈha:] <-s, -s> *m* bra

Bhag•wan <-s> *m* Bhagwan

Bi•bel [ˈbi:bəl] <-, -n> *f* Bible; **Bi•bel•stel•le** *f* quotation from the Bible

Bi•ber [ˈbi:bɐ] <-s, -> *m* beaver

Bi•blio•gra•fie[RR] [bibliograˈfi:] *f,* **Bi•blio•gra•phie** *f* bibliography

Bi•blio•thek [biblioˈte:k] <-, -en> *f* library

Bi•blio•the•kar(in) *m(f)* librarian

bie•der [ˈbi:dɐ] *adj* **1.** (*rechtschaffen*) honest **2.** (*fam: spießig*) conventional

bie•gen [ˈbi:gən] *irr* **I.** *tr* bend **II.** *itr sein* (*ab~*) turn **III.** *refl* bend; (*sich verziehen*) warp; **gerade ~**[RR] straighten; (*fig*) sort out; **sich vor Lachen ~** double up with laughter; **ge•ra•de|bie•gen** *irr tr* **1.** (*allgemein*) straighten **2.** (*fig*) sort out

bieg•sam *adj* flexible; (*geschmeidig*) supple

Bieg•sam•keit *f* flexibility; (*Geschmeidigkeit*) suppleness

Bie•gung *f* bend; **e-e ~ machen** bend

Bie•ne [ˈbi:nə] <-, -n> *f* bee; **Bie•nen•ho•nig** *m* natural honey; **Bie•nen•kö•ni•gin** *f* queen bee; **Bie•nen•schwarm** *m* swarm of bees; **Bie•nen•stock** *m* beehive; **Bie•nen•wa•be** *f* honeycomb; **Bie•nen•wachs** *n* beeswax

Bier [bi:ɐ] <-(e)s, -e> *n* beer; **zwei ~ bitte!** two beers, please!; **das ist mein ~!** (*fig fam*) that's my business!; **das ist dein ~!** (*fig fam*) that's your funeral!; **Bier•do•se** *f* beer can; **Bier•fla•sche** *f* beer bottle; **Bier•kas•ten** *m* beer crate; **Bier•krug** *m* beermug, tankard; **Bier•trin•ker(in)** *m(f)* beer drinker; **Bier•zelt** *n* beer tent

Biest [bi:st] <-(e)s, -er> *n* (*Tier*) creature; **du ~!** (*sl: zu Frau*) you bitch! *vulg;* (*zu Mann*) you bastard! *vulg*

bie•ten [bi:tən] *irr* **I.** *tr* **1.** (*an~*) offer **2.** (*dar~*) present; **wer bietet mehr?** will anyone offer more?; **das lasse ich mir nicht ~!** I won't stand for that! **II.** *itr* bid **III.** *refl* present itself

Bi•ga•mie [bigaˈmi:] *f* bigamy

Bi•ki•ni [biˈki:ni] <-s, -s> *m* bikini

Bi•lanz [biˈlants] <-, -en> *f* **1.** (FIN: *Lage*)

balance **2.** (*Abrechnung*) balance sheet **3.** (*fig*) outcome; ~ **ziehen** take stock (*aus* of); **Bi•lanz•kos•me•tik** <-> *f* (COM) window-dressing the accounts; **Bi•lanz•prü•fer(in)** <-s, -> *m(f)* (COM) balance sheet auditor

bi•la•te•ral ['bi:latera:l] *adj* bilateral

Bild [bɪlt] <-(e)s, -er> *n* **1.** (*allgemein*) painting, picture **2.** (PHOT) picture; **sie ist nicht im ~e darüber** (*fig*) she is not in the picture about it; **sich von etw ein ~ machen** (*fig*) get an idea of s.th.; **Bild•auf•lö•sung** *f* (TV EDV) resolution

bil•den ['bɪldən] **I.** *tr* **1.** (*darstellen*) constitute **2.** (*formen, a. fig*) form **3.** (*geistig ~*) educate; **sich ein Urteil ~** form a judgment; **e-e Gefahr ~** constitute a danger **II.** *refl* **1.** (*sich entwickeln*) develop, form **2.** (*sich geistig ~*) improve one's mind; **bil•dend** *adj:* **die ~en Künste** the fine arts; **allgemein ~e**[RR] **Schule** school providing general education

Bil•der•bo•gen *m* illustrated broadsheet; **Bil•der•buch** *n* picture book; **Bilder•ge•schich•te** *f* strip cartoon; **Bil•der•ha•ken** *m* picture hook; **Bil•der•rah•men** *m* picture-frame; **Bil•der•rät•sel** *n* picture-puzzle; **Bil•der•schrift** *f* pictographic writing system

Bild•flä•che *f:* **auf der ~ erscheinen** appear on the scene; **von der ~ verschwinden** vanish from the scene; **Bild•fol•ge** *f* sequence of pictures; **Bild•haue•rei** *f* sculpture; **Bild•hau•er(in)** *m(f)* sculptor; **bild•hübsch** ['-'-] *adj* pretty as a picture

bild•lich *adj:* **~ gesprochen** figuratively speaking; **sich etw ~ vorstellen** picture s.th. in one's mind; **Bild•nis** ['bɪltnɪs] *n* portrait; **Bild•plat•te** *f* (TV) video disc; **Bild•plat•ten•spie•ler** *m* (TV) video disc player; **Bild•punkt** *m* microdot; **Bild•schirm** *m* (TV EDV) screen; **Bild•schirm•ab•strah•lung** *f* (EDV) screen radiation; **Bild•schirm•ar•beit** *f* on-screen work; **Bild•schirm•ar•beits•platz** *m* work station; **Bild•schirm•ge•rät** *n* visual display unit, VDU; **Bild•schirm•scho•ner** *m* (EDV) screen-saver; **Bild•schirm•text** *m* viewdata, videotex

bild•schön ['-'-] *adj* superb, gorgeous

Bild•stö•rung *f* (TV) interference; **Bild•te•le•fon** *n* (TV) videophone

Bil•dung ['bɪldʊŋ] *f* **1.** (*geistige ~*) education **2.** (*Formung, a. fig*) formation; **~ haben** be educated; **Bil•dungs•grad** *m* degree of instruction, educational level; **Bil•dungs•gut** *n* cultural heritage; **Bil•dungs•lü•cke** *f* gap in s.o.'s education; **Bil•dungs•ni•veau** *n* standard of education; **Bil•dungs•pla•nung** *f* education planning; **Bil•dungs•po•li•tik** *f* educational policy; **Bil•dungs•ur•laub** *m* educational holiday; **Bil•dungs•we•sen** *n* education system

Bild•ver•ar•bei•tung *f* (EDV) image processing

Bil•lard ['bɪljart] <-s> *n* billiards *pl;* **~ spielen** play billiards; **Bil•lard•ku•gel** *f* billiard ball; **Bil•lard•stock** *m* billiard cue

Bil•let [bɪl'jɛt] <-s, -e> *n* (*CH*) **1.** (*Bahn~, Theater~*) ticket **2.** (*fam*) driving licence **3.** (*österr: Brief*) letter; **Bil•le•teur, -euse** <-s, -e> *m, f* (*CH: Schaffner*) conductor

Bil•li•ar•de [bɪ'ljardə] <-, -n> *f* billiards

bil•lig ['bɪlɪç] *adj* **1.** (*preiswert*) cheap **2.** (*fig: primitiv*) shabby; **e-e ~e Ausrede** (*fig*) a feeble excuse; **~ davonkommen** (*fig*) get off lightly

bil•li•gen ['bɪlɪgən] *tr* approve of

Bil•lig•flag•ge *f* (MAR COM) flag of convenience; **Bil•lig•land** *n* (COM) country with low production costs

Bil•li•gung *f* approval; **jds ~ finden** meet with someone's approval

Bil•li•on [bɪl'jo:n] *f* trillion

bim•bam *interj* ding-dong!

Bims•stein *m* pumice stone

bi•när *adj* binary

Bin•de ['bɪndə] <-, -n> *f* **1.** (MED) bandage **2.** (*Armschlinge*) sling **3.** (*Damen~*) sanitary towel *Br,* napkin *Am* **4.** (*Armband*) armband **5.** (*Augen~*) blindfold; **sich e-n hinter die ~ gießen** (*fig fam*) whet one's whistle

Bin•de•ge•we•be *n* (ANAT) connective tissue; **Bin•de•glied** *n* link; **Bin•de•haut** *f* (ANAT) conjunctiva; **Bin•de•haut•ent•zün•dung** *f* conjunctivitis; **Bin•de•mit•tel** *n* binder, binding agent

bin•den ['bɪndən] *irr* **I.** *tr* **1.** (*fest~*) tie **2.** (*fig*) bind **3.** (*Staub etc*) bind **4.** (*absorbieren*) absorb; **jdm die Hände ~** (*a. fig*) tie someone's hands **II.** *refl* (*fig*) commit o.s. (*an* to); **bin•dend** *adj* binding

Bin•de•strich *m* hyphen; **ein Wort mit ~ schreiben** hyphenate a word

Bind•fa•den *m* piece of string

Bin•dung ['bɪndʊŋ] *f* **1.** (*fig*) relationship **2.** (SPORT: *Ski~*) binding; **enge ~en an die Heimat haben** have close ties to one's home country

bin•nen ['bɪnən] *präp* within; **~ kurzem** before long

Bin•nen•ge•wäs•ser *n* inland water; **Bin•nen•ha•fen** *m* inland port; **Bin•nen•han•del** *m* domestic trade; **Bin•nen•land** *n* interior; **Bin•nen•markt** *m* home [*o* domestic] market; **europäischer ~** EU's single market; **Bin•nen•meer** *n* inland sea; **Bin•nen•schiff•fahrt**[RR] *f* inland navigation

Bin•se ['bɪnzə] <-, -n> *f* (BOT) rush; **in die ~n gehen** (*fig fam*) be a wash-out

Bin•sen•weis•heit *f* truism

Bi•o•bau•er *m* bio-farmer; **Bi•o•che•mie** [bioçe'miː] *f* biochemistry; **Bi•o•che•mi•ker(in)** *m(f)* biochemist; **bi•o•dy•na•misch** *adj* biodynamic; **Bi•o•gas** *n* biogas, methane gas

Bi•o•gra•fie[RR] *f*,

Bi•o•gra•phie *f* biography; **bi•o•gra•fisch[RR]** *adj*, **bi•o•gra•phisch** *adj* biographical

Bi•o•la•den *m* whole-food shop; **Bi•o•lo•ge** *m*, **Bi•o•lo•gin** *f* biologist; **Bi•o•lo•gie** [biolo'giː] *f* biology; **bi•o•lo•gisch** *adj* biological; **~ abbaubar** biodegradable; **~e Abwasserreinigung** biological purification of sewage; **~e Kläranlage** biological sewage plant; **Bi•o•mas•se** <-> *f* (CHEM) biomass; **Bi•o•müll** *m* organic waste; **Bi•o•phy•sik** *f* biophysics *pl*; **Bi•o•pro•duk•te** *npl* bio(logical) products; **Bi•o•rhyth•mus** *m* biorhythm; **Bi•o•tech•nik** *f*, **Bi•o•tech•no•lo•gie** *f* biotechnology; **bi•o•tech•nisch** *adj* biotechnological; **Bi•o•ton•ne** *f waste bin reserved for biological waste;* **Bi•o•top** <-s, -e> *n* biotope; **Bi•o•Wasch•mit•tel** *n* biological detergent

Bir•cher•müs•li *nt* (*CH*) muesli

Bir•ke ['bɪrkə] <-, -n> *f* birch; **Bir•ken•pilz** *m* boletus

Bir•ma ['bɪrma] <-s> *n* Burma; **Bir•ma•ne** <-n, -n> *m*, **Bir•ma•nin** *f* Burmese; **bir•ma•nisch** *adj* Burmese

Birn•baum *m* pear tree

Bir•ne ['bɪrnə] <-, -n> *f* **1.** (*Frucht*) pear **2.** (EL: *Glüh~*) bulb **3.** (*sl: Kopf*) nut *fam*

bir•nen•för•mig *adj* pear-shaped

bis [bɪs] **I.** *präp* **1.** (*räumlich*) to; **~ hierher** (to) here; **~ hierher und nicht weiter** this far and no further **2.** (*zeitlich*) till, until; (*spätestens*) by; **ich werde ~ Ende der Woche zurück sein** I'll be back by the end of this week; **~ wann?** till when?; **~ einschließlich ...** up to and including ...; **von ... ~ ...** from ... till ... *Br*, from ... thru ... *Am;* **~ dann!** see you then!; **~ bald!** see you soon! **II.** *adv* **1.** (*räumlich*) till, until; (*spätestens*) by; **~ auf weiteres** until further notice **2.** (*sonstige*): **alle ~ auf einen** all except for one **III.** *konj:* **es wird lange dauern, ~ sie es merken** it'll be a long time before they'll find out

Bi•sam ['biːzam] <-s, -e/-s> *m* **1.** (ZOO) musk **2.** (*Pelz*) musquash; **Bi•sam•rat•te** *f* muskrat

Bi•schof ['bɪʃɔf, *pl:* 'bɪʃøːfə] <-s, ¨-e> *m* bishop; **bi•schöf•lich** *adj* episcopal; **Bi•schofs•müt•ze** *f* mitre; **Bi•schofs•sitz** *m* diocesan town; **Bi•schofs•stab** *m* crosier

bi•se•xu•ell ['biːzɛksuˌɛl] *adj* bisexual

bis•her [bɪs'heːɐ] *adv* hitherto, until now; **~ wusste ich das noch nicht** I didn't know that before; **~ noch nicht** not as yet; **bis•he•rig** *adj* previous; **die ~en Nachrichten** the news received to date

Bis•ka•ya [bɪs'kaːja] *f* (GEOG) Biscay; **Golf von ~** Bay of Biscay

Bis•kuit [bɪs'kviːt] <-(e)s, -s/-e> *m o n* sponge (cake)

bis•lang [bɪs'laŋ] *adv s.* **bisher**

Bi•son ['biːzɔn] <-s, -s> *m* (ZOO) bison

Biss[RR] [bɪs] <-es, -e> *m* bite; **~ haben** (*fig*) have bite

biss•chen[RR] ['bɪsçən] *n, adv, adj:* **ein ~ ...** a bit of ...; **warten Sie ein ~** wait a while; **ein ~ länger** a little longer; **kein ~** not a bit; **das ist ein ~ zu wenig** that's not quite enough; **das ist ein ~ wenig** that's not very much

Bis•sen ['bɪsən] <-s, -> *m* mouthful; **ich rühre keinen ~ an** I won't eat a thing

bis•sig *adj* (*Hund*) snappy; (*Bemerkung*) cutting, biting

Bis•sig•keit *f* (*a. fig*) viciousness

Bis•tum ['bɪstuːm, *pl:* 'bɪstyːmɐ] *n* bishopric, diocese

bis•wei•len [bɪs'vaɪlən] *adv* from time to time, now and then

Bit <-s, -s> *n* (EDV) bit

Bit•te ['bɪtə] <-, -n> *f* request; **auf meine ~** at my request; **ich habe e-e ~ an Sie** I have a favour to ask (of) you

bit•te *interj* please!; **wie ~?** sorry? pardon?; **~ nicht!** please don't!; **~ nach Ihnen!** after you; **~?** (*was möchten Sie?*) can I help you?; **ich kündige! – ~!** I resign! – go ahead!; **na ~!** there you are!

bit•ten *irr tr* ask; **jdn um etw ~** ask s.o. for s.th.; **aber ich bitte Sie!** not at all!; **wenn ich ~ darf** if you wouldn't mind; **ich muss doch sehr ~!** well I must say!; **jdn ins Zimmer ~** ask s.o. to come in

bit•ter ['bɪtɐ] *adj* (*a. fig*) bitter; **das ist mein ~er Ernst!** I mean it!; **~e Wahrheit** sad truth; **etw ~ nötig haben** be in dire need of s.th.; **bit•ter•bö•se** *adj* furious; **Bit•ter•keit** *f* bitterness

bit•ter•lich *adv:* **~ weinen** cry bitterly

Bitt•stel•ler(in) *m(f)* petitioner

Bi•wak ['biːvak] <-s, -e/-s> *n* (MIL) bivouac

bi•zarr [bi'tsar] *adj* bizarre

Bla•che <-, -n> *f* (*österr: Plane*) tarpaulin

Black•out <-s, -s> *m* (*Ohnmacht, Gedächtnisverlust*) blackout

blä•hen ['blɛːən] **I.** *tr refl* (*Segel etc*) swell **II.** *itr* cause flatulence; **blä•hend** *adj* (MED) flatulent

Blä•hung *f* flatulence, wind

bla•ma•bel *adj* disgraceful

Bla•ma•ge [bla'maːʒə] <-, -n> *f* disgrace

bla•mie•ren I. *tr* disgrace; **damit hast du uns schön blamiert!** you've really put us in a spot! II. *refl* make a fool of o.s.; **damit hast du dich unsterblich blamiert!** you've made yourself look a hopeless fool!

blank [blaŋk] *adj* 1. (*glänzend*) shining 2. (~ *gescheuert*) shiny 3. (*entblößt*) bare 4. (*fig: rein*) sheer; **~er Unsinn** sheer nonsense; **etw ~ scheuern** clean s.th. till it shines; **ich bin ~** (*fig fam*) I am dead broke

Blan•ko•scheck *m* blank cheque *Br,* blank check *Am;* **Blan•ko•voll•macht** *f* carte blanche

Bla•se [blaːzə] <-, -n> *f* 1. (*Luft~*) bubble 2. (MED: *Haut~*) blister 3. (ANAT: *Harn~*) bladder; **~n werfen** blister; **sich die ~ erkälten** get a chill on the bladder

Bla•se•balg *m* bellows *pl,* pair *sing* of bellows

bla•sen *irr itr tr* blow; **ein Horn ~** blow a horn; **dir werde ich was ~!** I'll give you a piece of my mind!

Bla•sen•ent•zün•dung *f* bladder infection, cystitis; **Bla•sen•stein** *m* bladder stone

Blä•ser(in) ['blɛːzɐ] *m(f)* (MUS) windplayer

bla•siert [bla'ziːɐt] *adj* blasé

Blas•ins•tru•ment *n* (MUS) wind-instrument; **Blas•ka•pel•le** *f* brass band

Blas•phe•mie [blasfe'miː] *f* (REL) blasphemy

blassRR [blas] *adj* pale; **~ werden** grow pale; **~ aussehen** look pale; **keinen ~en Schimmer haben** (*fig fam*) not to have the faintest idea

Bläs•se ['blɛsə] <-> *f* 1. (*allgemein*) paleness, pallor 2. (*fig*) colourlessness

Blatt [blat, *pl:* 'blɛtɐ] <-(e)s, ⸚er> *n* 1. (BOT) leaf 2. (~ *Papier*) sheet 3. (*Zeitung*) paper 4. (*bei Kartenspiel*) hand; **ein ~ Papier** a sheet of paper; **das steht auf einem anderen ~** (*fig*) that is another story; **er nimmt kein ~ vor den Mund** (*fig*) he doesn't mince his words *pl*

blät•tern *itr* browse

Blät•ter•teig *m* puff pastry *Br,* puff paste *Am*

Blatt•gold *n* gold leaf; **Blatt•grün** *n* chlorophyll; **Blatt•laus** *f* greenfly; **Blatt•pflan•ze** *f* foliate plant; **Blatt•stiel** *m* leafstalk; **Blatt•werk** *n* foliage

blau [blaʊ] *adj* 1. (*Farbe*) blue 2. (*fam: betrunken*) blotto, canned, tight; **ein ~es Auge** a black eye; **~ machen**RR (*fam*) skive off work; **~e Flecken** (*am Körper*) bruises; **sein ~es Wunder erleben** (*fig fam*) get the surprise of one's life; **mit e-m ~en Auge davonkommen** (*fig*) get off cheaply;

blau•äu•gig *adj* 1. (*allgemein*) blue-eyed 2. (*fig: naiv*) naïve; **Blau•äu•gig•keit** *f* 1. (*Augenfarbe*) blue eyes *pl* 2. (*fig: Naivität*) naïvety

Blau•bee•re *f* bilberry *Br,* blueberry *Am*

Blaue ['blaʊə] *n:* **das ~** the blue; **das ~ vom Himmel herunterlügen** (*fig*) tell a pack of lies; **Fahrt ins ~e** mystery tour

Bläue ['blɔɪə] <-> *f* blueness

Blau•fuchs *m* 1. (ZOO) arctic fox 2. (*Pelz*) blue fox

blau•grau *adj* bluish grey, livid

Blau•helm *m* (*fam: UNO-Soldat*) Blue Helmet

bläu•lich ['blɔɪlɪç] *adj* bluish

Blau•licht *n* flashing blue light; **blau|ma•chen** *s.* **blau**; **Blau•mei•se** *f* bluetit; **Blau•säu•re** *f* (CHEM) prussic [*o* hydrocyanic] acid; **Blau•strumpf** *m* (*pej*) bluestocking

Bla•zer ['bleɪzə] <-s, -> *m* blazer

Blech [blɛç] <-(e)s, -e> *n* 1. (*allgemein*) sheet metal 2. (*Stück ~*) metal plate 3. (*fam: Blödsinn*) rubbish; **red kein ~!** (*fam*) don't talk rot!; **Blech•büch•se** *f,* **Blech•do•se** *f* tin *Br,* can *Am;* **in ~n** tinned *Br,* canned *Am*

ble•chen ['blɛçən] *tr itr* (*fam: bezahlen*) cough up, fork out

ble•chern ['blɛçɐn] *adj* 1. (*allgemein*) metal 2. (*fig: im Klang*) tinny

Blech•ins•tru•ment *n* brass instrument; **Blech•ka•nis•ter** *m* metal can; **Blech•la•wi•ne** *f* (*fam*) wave of cars; **Blech•scha•den** *m* (MOT) damage to the bodywork; **Blech•sche•re** *f* 1. (*Handgerät*) metal shears *pl* 2. (*Schrottschere*) metal shearer

Blei [blaɪ] <-(e)s, -e> *n* lead; **aus ~** leaden; **meine Füße sind wie ~** (*fam*) my feet feel like lead

Blei•be ['blaɪbə] <-, (-n)> *f:* **keine ~ haben** have nowhere to stay; **eine ~ suchen** look for a place to stay

blei•ben ['blaɪbən] *irr itr sein* 1. (*da~*) remain, stay 2. (*übrig ~*) be left; **bleibt's dabei?** so we'll stick to this?; **du bleibst zu Hause, und dabei bleibt's!** you stay at home, and that's that!; **bei der Wahrheit ~** stick to the truth; **wo bleibt er nur?** where's he got to?; **ruhig ~** keep calm; **wo bleibst du so lange?** what's keeping you?; **sieh zu, wo du bleibst!** you're on your own!; **jds Freund ~** remain someone's friend; **das bleibt unter uns!** that is between you and me!; **es bleibt dabei!** agreed!; **es bleibt mir nichts anderes übrig** I have no other choice; **lassen Sie das lieber ~!** you had better leave that alone!; **am Leben ~** survive; **blei•bend** *adj* lasting

bleich [blaɪç] *adj* pale

blei•chen *itr tr* bleach

Bleich•mit•tel *nt* bleaching agent

blei•ern ['blaɪɐn] *adj* leaden

blei•frei *adj* unleaded; (*Benzin*) lead-free, unleaded; **Blei•fuß** *m* (*fig*): **mit ~ fahren** keep one's foot down; **blei•hal•tig** *adj* containing lead, leaded; **~es Benzin** leaded petrol; **Blei•kri•stall** *m* lead crystal; **Blei•rohr** *n* lead-pipe

Blei•stift *m* pencil; **Blei•stift•spit•zer** *m* pencil sharpener

Blen•de ['blɛndə] <-, -n> *f* **1.** (*Sonnen~*) blinds *pl* **2.** (PHOT) aperture; **die ~ einstellen** (PHOT) set the aperture

blen•den I. *tr* **1.** (*allgemein, a. fig*) blind **2.** (*fig: faszinieren*) dazzle **II.** *itr* (*Licht*) be dazzling; **blen•dend** *adj* (*fig: wunderbar*) splendid; **ich habe mich ~ amüsiert** I had a wonderful time

Blen•der(in) *m(f)* (*fig*) phoney

blend•frei *adj:* **~er Rückspiegel** anti-glare rear view mirror

Blend•schutz•an•pflan•zung *f* anti-dazzle screen planting; **Blend•schutz•zaun** *m* anti-dazzle barrier

Blen•dung *f* blinding

Bles•se ['blɛsə] <-, -n> *f* (*von Pferd: weißer Stirnfleck*) blaze

Blick [blɪk] <-(e)s, -e> *m* **1.** (*allgemein*) look **2.** (*Ausblick*) view; **auf den ersten ~** at first glance; **jdm e-n ~ zuwerfen** look at s.o.; **ohne jdn e-s ~es zu würdigen** without deigning to look at s.o.; **mit e-m ~** at a glance; **e-n ~ auf etw tun** glance at s.th.; **ein Zimmer mit ~ auf den Park** a room overlooking the park

bli•cken *itr* look; **er lässt sich gar nicht mehr bei uns ~** he never visits us these days; **das lässt ja tief ~!** that tells a tale!; **lassen Sie sich (bloß) nicht mehr ~!** never show your face here again!; **sich ~ lassen** let o.s. be seen; **weit ~d**RR (*fig*) far-sighted

Blick•fang *m* eye-catcher; **Blick•feld** *n* range of vision; **Blick•kon•takt** *m* visual contact; **Blick•punkt** *m:* **im ~ stehen** be in the limelight; **Blick•win•kel** *m:* **etw aus e-m anderen ~ betrachten** regard s.th. from a different point of view

blind [blɪnt] *adj* blind (*für* to); **~er Alarm** false alarm; **~e Gewalt** brute force; **~er Eifer** blind enthusiasm; **Liebe macht ~** (*prov*) love is blind; **~er Passagier** stowaway

Blind•band <-(e)s, -bände> *m* dummy

Blind•darm *m* (*Wurmfortsatz*) appendix; (*eigentlicher ~*) caecum; **Blind•darm•ent•zün•dung** *f* appendicitis; **Blind•darm•ope•ra•ti•on** *f* appendix operation; (MED) appendectomy

Blin•de ['blɪndə] *m* blind man (blind woman); **das sieht doch ein ~r!** (*fig*) any fool can see that!; **Blin•de•kuh** *f:* **~ spielen** play blind-man's-buff; **Blin•den•heim** *n* home for the blind; **Blin•den•hund** *m* guide-dog; **Blin•den•schrift** *f* braille; **Blind•flug** *m* (AERO) blind flight; **Blind•gän•ger** *m* (*Geschoss, a. fig*) dud; **Blind•heit** *f* blindness; **mit ~ geschlagen** (*fig*) blind; **Blind•lan•dung** *f* blind landing

blind•lings ['blɪntlɪŋs] *adv* blindly

Blind•schlei•che ['blɪntʃlaɪçə] *f* (ZOO) slow-worm

blin•ken ['blɪŋkən] *itr* **1.** gleam, glitter, sparkle; (*Sterne*) twinkle **2.** (MOT) signal, indicate; **links ~** indicate left

Blin•ker <-s, -> *m* indicator

Blink•licht *n* (MOT) indicator

blin•zeln ['blɪntsəln] *itr* **1.** (*vor Helligkeit*) squint **2.** (*Augenzeichen geben*) wink

Blitz [blɪts] <-es, -e> *m* **1.** lightning **2.** (PHOT) flash; **vom ~ getroffen werden** be struck by lightning; **wie vom ~ getroffen** thunder-struck; **wie ein geölter ~** (*fam*) like greased lightning; **ein ~ aus heiterem Himmel** (*fig*) a bolt from the blue; **Blitz•ab•lei•ter** *m* lightning conductor; **blitz•ar•tig I.** *adj* lightning **II.** *adv* like lightning; **blitz•blank** ['-'-] *adj* spick and span

blit•zen *itr* **1. es blitzt** there is lightning **2.** (*strahlen*) flash **3.** (PHOT) use flash

Blitz•ge•rät *n* (PHOT) flash gun; **Blitz•ge•spräch** *n* (TELE) special priority telephone call; **Blitz•krieg** *m* blitz; **Blitz•licht** *n* (PHOT) flash; **blitz•sau•ber** ['-'--] *adj s.* **blitzblank**; **Blitz•schlag** *m* flash of lightning; **blitz•schnell** ['-'-] *adj s.* **blitzartig**; **Blitz•wür•fel** *m* (PHOT) flashcube

Block [blɔk, *pl:* blœkə] <-(e)s, ∸e> *m* **1.** (*allgemein, a. Häuser~*) block **2.** (*Holz~*) log **3.** (*Schreib~*) pad

Blo•cka•de [blɔ'ka:də] <-, -n> *f* blockade; **die ~ aufheben** raise the blockade; **die ~ durchbrechen** run the blockade

Block•flö•te *f* recorder

block•frei *adj* (POL) non-aligned

Block•haus *n* log-cabin

blo•ckie•ren I. *tr* **1.** (*allgemein*) block **2.** (*fig*) obstruct **II.** *itr* (*Lenkung, Rad*) lock

Block•satz *m* (TYP) justification; **Block•schrift** *f* block letters *pl*

blö•de ['blø:də] *adj* silly, stupid; **ein ~s Gefühl** (*fam*) a funny feeling

blö•deln ['blø:dəln] *itr* clown about, fool around

Blöd•heit *f* stupidity; **Blöd•mann** *m* (*fam*)

idiot, silly ass; **Blöd•sinn** *m:* **mach keinen ~!** don't mess about!; **was soll der ~ hier?** what fool did this?

blöd•sin•nig *adj* stupid

blö•ken ['blø:kən] *itr* (*Rind*) low; (*Schaf*) bleat

blond [blɔnt] *adj* blond, fair

Blon•di•ne [blɔn'di:nə] <-, -n> *f* blonde

bloß [blo:s] **I.** *adj* **1.** (*nackt*) bare **2.** (*nichts als*) mere; **der ~e Gedanke** the mere idea, the very thought; **mit ~en Fäusten** with bare fists; **~er Schwindel** pure swindle; **mit ~em Auge** with the naked eye; **mit ~em Kopf** bare-headed **II.** *adv* only; **es handelt sich ~ um einige Tage** it's only a matter of a few days; **was sie ~ hat?** whatever is wrong with her?; **hau ~ ab!** just get lost!; **~ nicht!** God forbid!; **komm ~ nicht näher!** don't you dare come any nearer!

Blö•ße ['blø:sə] <-, -n> *f* bareness, nakedness; **sich e-e ~ geben** show one's ignorance

bloß|le•gen *tr* **1.** (*allgemein*) uncover **2.** (*fig*) reveal; **bloß|stel•len I.** *tr* show up **II.** *refl* show o.s. up

Blou•son [blu'zõ:] <-s, -s> *m* blouson

Blues [blu:s] <-> *m* blues

Bluff [blʊf] <-s, -s> *m* (*fam*) bluff

bluf•fen *itr* (*fam*) bluff

blü•hen ['bly:ən] *itr* **1.** (*Blumen*) bloom; (*Bäume*) blossom **2.** (*Wirtschaft, Geschäfte*) flourish, prosper, thrive **3.** (*fig: bevorstehen*) be in store; **dir blüht noch was!** you'll be in for it!; **blü•hend** ['bly:ənt] *adj* **1.** blooming **2.** (*fig*) flourishing; (*Gesundheit*) glowing

Blüm•chen ['bly:mçən] *n* little flower

Blu•me ['blu:mə] <-, -n> *f* **1.** flower **2.** (*Wein: Bouquet*) bouquet; **Blu•men•beet** *n* flower bed; **Blu•men•kohl** *m* cauliflower; **Blu•men•kü•bel** *m* flower tub; **Blu•men•stän•der** *m* flowerstand; **Blu•men•strauß** *m* bunch of flowers; **Blu•men•topf** *m* flowerpot; **keinen ~ mit etw gewinnen können** (*fam*) not to get anywhere with s.th.; not to get a fig out of s.th.; **Blu•men•va•se** *f* vase; **Blu•men•zwie•bel** *f* bulb

blu•mig ['blu:mɪç] *adj* (*fig*) flowery; **ein ~er Stil** (*fig*) an ornate style

Blu•se ['blu:zə] <-, -n> *f* blouse

Blut [blu:t] <-(e)s> *n* blood; **ich kann kein ~ sehen** I can't stand the sight of blood; **das gibt böses ~** (*fig*) that'll cause ill feeling; **nur ruhig ~!** (*fig fam*) keep your shirt on!; **das liegt ihm im ~** (*fig*) that's in his blood; **jetzt hab' ich ~ geleckt!** (*fig*) now I've developed a taste for it!; **das geht einem ins ~** (*fig*) it gets in your blood; **blut•arm** *adj* **1.** (MED) anaemic **2.** (*fig: farblos*) colourless; **Blut•ar•mut** *f* (MED) anaemia; **Blut•bad** *n* bloodbath; **Blut•bank** *f* blood bank; **blut•be•fleckt** *adj* bloodstained; **Blut•bild** *nt* blood count; **Blut•druck** *m* blood pressure; **erhöhter ~** high blood pressure; **niedriger ~** low blood pressure

Blü•te ['bly:tə] <-, -n> *f* **1.** (*Blumen~*) bloom; (*Baum~*) blossom **2.** (*fam: falsche Banknote*) dud; **in ~ stehen** be in full bloom [*o* blossom]; (*fig*) be flourishing

Blut•egel *m* leech

blu•ten ['blu:tən] *itr* bleed (*aus* from); **mir blutet das Herz!** (*iro*) my heart bleeds for you!; **dafür wirst du ~ müssen!** (*fig fam*) you'll have to cough up a lot for this!

Blü•ten•blatt *n* petal; **Blü•ten•staub** *m* pollen

Blu•ter(in) ['blu:tɐ] *m(f)* (MED) haemophiliac

Blut•er•guss[RR] *m* bruise, haematoma

Blu•ter•krank•heit *f* blood disease

Blü•te•zeit *f* **1. in der ~ sein** be in blossom **2.** (*fig: ~ des Lebens*) prime; **die ~ der Künste** the heyday of the arts

Blut•fett•wer•te *mpl* plasma lipid concentrations; **Blut•fleck** *m* bloodstain; **Blut•ge•fäß** *n* blood vessel; **Blut•ge•rinn•sel** *n* blood clot; **Blut•grup•pe** *f* blood group; **Blut•hund** *m* bloodhound

blu•tig *adj* bloody; **ein ~er Anfänger** an absolute beginner

blut•jung *adj* very young

Blut•kör•per•chen *n* blood corpuscles, blood cells; **weiße ~** white corpuscles [*o* cells]; **rote ~** red corpuscles [*o* cells]; **Blut•kon•ser•ve** *f* unit of stored blood; **Blut•kreis•lauf** *m* blood circulation; **blut•leer** *adj* bloodless; **Blut•oran•ge** *f* blood orange; **Blut•plas•ma** *n* blood plasma; **Blut•prä•pa•rat** *n* (MED) blood preparation; **Blut•pro•be** *f* (MED) blood test; **Blut•ra•che** *f* blood feud; **blut•rot** ['-'-] *adj* blood-red; **blut•rüns•tig** ['blu:trʏnstɪç] *adj* bloodthirsty; **Blut•sau•ger** *m* blood-sucker; **Blut•schan•de** *f* incest; **Blut•sen•kung** *f* sedimentation of the blood; **Blut•spen•de** *f* donation of blood; **Blut•spen•der(in)** *m(f)* blood donor; **Blut•spur** *f* trail of blood

blut•stil•lend *adj* styptic

Bluts•trop•fen *m* drop of blood; **bluts•ver•wandt** *adj* related by blood; **Bluts•ver•wand•te(r)** *f m* blood relation; **Bluts•ver•wandt•schaft** *f* blood relationship; **Blut•tat** *f* bloody deed; **Blut•ü•ber•tra•gung** *f* blood transfusion; **Blu•tung** *f* bleeding; (*Monats~*) period; **blut•un•ter•lau•fen** *adj* bloodshot; **Blut•un•ter•su•chung** *f* blood examination [*o* test]; **Blut•ver•gie•ßen** *n* bloodshed; **Blut•ver•gif•tung** *f* blood-poisoning; **Blut•ver•lust** *m* loss of blood; **Blut•wä•sche** *f* (MED) detoxification of the blood; **Blut•wurst** *f* blood sausage; **Blut•zu•cker** *m* blood sugar

BMX-Rad *n* BMX bike

Bö [bøː] <-, -en> *f* gust, sudden squall

Bock [bɔk, *pl:* 'bœkə] <-(e)s, ⸚e> *m* **1.** (*Nager, Rotwild*) buck; (*Schaf~*) ram; (*Ziegen~*) he-goat **2.** (MOT: *Gestell*) ramp **3.** (SPORT) vaulting horse; ~ **auf etw haben** (*sl*) fancy s.th.; **keinen ~ haben etw zu tun** (*sl*) not to feel like doing s.th.

Bock•bier *n* bock beer

bo•cken *itr* **1.** (*Pferd*) refuse **2.** (*Auto*) jerk **3.** (*fig: bockig sein*) act up

bo•ckig *adj* contrary

Bocks•horn ['bɔkshɔrn] *n* (*fig*): **lass dich nicht ins ~ jagen!** don't let yourself get into a state!

Bock•sprin•gen *n* **1.** (SPORT) vaulting **2.** (*Spiel*) leap-frog; **Bock•sprung** *m* **1.** (SPORT) vault **2.** (*Spiel*) leap

Bock•wurst *f* bockwurst, *type of sausage*

Bo•den ['boːdən, *pl:* 'bøːdən] <-s, ⸚> *m* **1.** (*Erd~*) ground; (*Acker~*) soil **2.** (*Fuß~*) floor **3.** (*Dach~*) loft **4.** (*Gefäß, Behälter, Meeres~*) bottom; **zu ~ fallen** fall to the ground; **am ~ zerstört sein** (*fig*) be shattered; **an ~ gewinnen** (*fig*) gain ground; **auf dem ~ der Tatsachen bleiben** stick to the facts *pl*

Bo•den•be•lag *m* floor covering; **Bo•den•be•schaf•fen•heit** *f* condition of the soil; **Bo•den•be•wirt•schaf•tung** *f* soil management; **Bo•den•frei•heit** *f* (MOT) ground clearance; **Bo•den•frost** *m* ground frost; **Bo•den•haf•tung** *f* (MOT) road holding

bo•den•los *adj* **1.** bottomless **2.** (*fig: unglaublich*) incredible; **e-e ~e Frechheit** an unbounded cheek

Bo•den•ne•bel *m* ground mist; **Bo•den•nut•zung** *f* land use; **Bo•den•per•so•nal** *n* (AERO) ground staff [*o* personnel]; **Bo•den•pro•be** *f* soil sample; **Bo•den•re•form** *f* land reform; **Bo•den•satz** *m* (*allgemein*) deposit, sediment; (*von Kaffee*) dregs *pl;* **Bo•den•schät•ze** *pl* mineral resources

Bo•den•see *m* (GEOG) Lake Constance

Bo•den•sen•ke *f* depression; **bo•den•stän•dig** *adj* native, indigenous; **Bo•den•sta•ti•on** *f* (RADIO) ground station; **Bo•den•streit•kräf•te** *pl* (MIL) ground forces; **Bo•den•tur•nen** *n* floor exercises *pl;* **Bo•den•un•ter•su•chung** *f* soil exploration [*o* survey]; **Bo•den•ver•bes•se•rung** *f* land improvement [*o* amelioration]; **Bo•den•ver•dich•tung** *f* soil compaction, surface sealing of soil; **Bo•den•ver•schmut•zung** *f* soil contamination; **Bo•den•ver•seu•chung** *f* soil contamination

Bo•dy <-, Bodies> *m* body stocking [*o* suit]; **Bo•dy•buil•der(in)** *m(f)* bodybuilder; **Bo•dy•buil•ding** <-s> *n* bodybuilding; **Bo•dy•suit** <-, -s> *m s.* **Body**

Bo•gen ['boːgən, *pl:* 'bøːgən] <-s, -/⸚> *m* **1.** (*allgemein*) curve **2.** (*Waffe*) bow **3.** (*Papier~*) sheet; **er hat den ~ heraus** (*fig fam*) he's got the hang of it; **e-n ~ machen** (*fig*) curve; **jdn in hohem ~ hinauswerfen** send s.o. flying out

bo•gen•för•mig *adj* arched

Bo•gen•gang *m* (ARCH) arcade; **Bo•gen•schüt•ze, -schüt•zin** *m, f* archer

Boh•le ['boːlə] <-, -n> *f* thick board

böh•misch ['bøːmɪʃ] *adj* Bohemian; **das sind ihm ~e Dörfer** (*fig*) that is Greek to him

Boh•ne ['boːnə] <-, -n> *f* bean; **dicke ~n** broad beans; **das juckt mich nicht die ~** (*fam*) I don't care a fig; **Boh•nen•kaf•fee** *m* ground coffee; **Boh•nen•kraut** *n* savory; **Boh•nen•stan•ge** *f* **1.** (*allgemein*) bean support **2.** (*fig*) beanpole

boh•nern ['boːnɐn] *tr* polish

Boh•ner•wachs *n* floor polish [*o* wax]

boh•ren ['boːrən] *itr* **1.** (*allgemein*) bore; (*mit Bohrer*) drill **2.** (*fig: nachfragen*) keep on; **~de Zweifel** gnawing doubts

Boh•rer *m* (*Kraftbohrmaschine*) drill; (*Handbohrer*) gimlet

Bohr•in•sel *f* oil rig; **Bohr•loch** *n* drillhole; **Bohr•ma•schi•ne** *f* drill; **Bohr•turm** *m* (*für Öl*) derrick

bö•ig *adj* squally

Boi•ler ['bɔɪlɐ] <-s, -> *m* tank

Bo•je ['boːjə] <-, -n> *f* buoy

Bo•li•vi•en [bo'liːviən] *n* Bolivia

Boll•werk ['bɔlvɛrk] <-(e)s, -e> *n* bulwark, stronghold

Bol•sche•wis•mus [bɔlʃe'vɪsmʊs] *m* Bolshevism; **Bol•sche•wist(in)** *m(f)* Bolshevist; **bol•sche•wis•tisch** *adj* Bolshevist

Bol•zen ['bɔltsən] <-s, -> *m* (TECH) **1.** (*Schraub~*) bolt **2.** (*Zapfen, Stift*) pin

Bom•bar•de•ment [bɔmbardə'mãː] <-s, -s> *n* bombardment

bom•bar•die•ren *tr* **1.** (MIL) bomb **2.** (*fig*) bombard

bom•bas•tisch *adj* (*pej*) bombastic

Bom•be ['bɔmbə] <-, -n> *f* bomb; **die Nachricht schlug wie e-e ~ ein** the news struck like a bombshell; **Bom•ben•an•griff** *m* bomb raid; **Bom•ben•an•schlag** *m* bomb attack; **Bom•ben•er•folg** ['---'-] *m* smash hit; **Bom•ben•ge-**

schäft ['---'-] *n* (*fam*): **ein ~ machen** do a roaring trade; **Bom•ben•stim•mung** *f* (*fam*) fantastic atmosphere

Bom•ber ['bɔmbɐ] *m* (MIL) bomber

bom•big *adj* (*fam*) fantastic

Bon [bɔŋ/bõ:] <-s, -s> *m* (COM: *Gutschein*) voucher

Bon•bon [bɔŋ'bɔŋ/bõ'bõ:] <-s, -s> *m o n* sweet *Br*, candy *Am*

Bo•ni•tät <-> *f* (FIN) financial standing, credit-worthiness

Bon•sai ['bɔnzai] <-(s), -s> *m* bonsai

Bo•nus ['bo:nʊs] <-/ses, -se/Boni> *m* bonus

Bon•ze ['bɔntsə] <-n, -n> *m* **1.** (REL: *buddhistischer Priester*) bonze **2.** (*fig pej: Partei~ etc*) bigwig, big shot

Boom [bu:m] <-s, -s> *m* (COM) boom

boomen ['bu:mən] *itr* (*fam*) boom

Boot [bo:t] <-(e)s, -e> *n* boat; **~ fahren** go boating

Boot•leg•ging ['bu:tlegɪŋ] <-s> *n* bootlegging

Boots•fahrt *f* boat trip; **Boots•flücht•lin•ge** *mpl* boat people; **Boots•haus** *n* boathouse; **Boots•lie•ge•platz** *m* landing stage, mooring; **Boots•mann** <-s, -leute> *m* (MAR) boatswain; (MIL) petty officer; **Boots•ver•leih** *m* boat hire business

Bor [bo:ɐ] <-s> *n* (CHEM) boron

Bord [bɔrt] <-(e)s, -e> *n* **1.** (*das Bücher~*) shelf **2.** (AERO MAR) board; **an ~ gehen** board the plane/ship; **über ~ werfen** (*a. fig*) throw overboard; **von ~ gehen** disembark

Bor•dell [bɔr'dɛl] <-s, -e> *n* brothel

Bord•fun•ker(in) *m(f)* (AERO MAR) radio operator; **Bord•kar•te** *f* boarding card, boarding pass; **Bord•ki•no** *n* (MAR) ship's cinema; **Bord•per•so•nal** *n* (AERO) aircrew

Bord•stein *m* kerb(stone)

Bord•ver•pfle•gung *f* (AERO) flight rations *pl*; **Bord•waf•fen** *fpl* (AERO) aircraft armaments; **Bord•werk•zeug** *n* (AERO) tool kit

bor•gen ['bɔrgən] *tr itr* borrow (*von* from)

Bor•ke ['bɔrkə] <-, -n> *f* bark; **Bor•ken•kä•fer** *m* (ZOO) bark beetle

bor•niert [bɔr'ni:ɐt] *adj* (*pej*) narrow-minded

Bör•se ['bœrzə] <-, -n> *f* **1.** (*Geldbeutel*) purse **2.** (COM: *Gebäude*) the stock-exchange **3.** (COM: *~nmarkt*) stock market; **Bör•sen•be•richt** *m* stock market report; **Bör•sen•kli•ma** *n* market climate; **Bör•sen•krach** *m* (stock market) crash; **Bör•sen•kurs** *m* market price; **Bör•sen•mak•ler(in)** *m(f)* stockbroker; **Bör•sen•platz** *m* stock exchange; **Bör•sen•spe•ku•lant(in)** *m(f)* stock exchange speculator

Bors•te ['bɔrstə] <-, -n> *f* bristle

Bor•te ['bɔrtə] <-, -n> *f* braid trimming

bös•ar•tig *adj* **1.** (*Menschen*) malicious; (*Tiere*) vicious **2.** (MED: *Tumor etc*) malignant

Bös•ar•tig•keit *f* **1.** (*von Lebewesen*) ill nature, viciousness **2.** (*von Tumor etc*) malignancy

Bö•schung ['bœʃʊŋ] *f* (*von Straße*) embankment; (*Fluss~*) bank

bö•s(e) [bø:s/'bø:zə] *adj* **1.** evil; (*schlimm, schlecht*) bad **2.** (*frech*) nasty; **das war nicht ~ gemeint** I didn't mean it nastily; **ein ~es Erwachen** a rude awakening; **die ~e Stiefmutter** the wicked stepmother; **er meinte es nicht ~** he meant no harm; **~e sein (auf jdn)** be angry (with s.o.)

Bö•se•wicht ['bø:zəvɪçt] <-(e)s, -er/-e> *m* villain

bos•haft ['bo:shaft] *adj* malicious, spiteful

Bos•haf•tig•keit *f* maliciousness

Bos•heit *f* nastiness

Boss[RR] [bɔs] <-es, -e> *m* (*fam*) boss

bös•wil•lig *adj* malevolent; (JUR) malicious; **e-e ~e Verleumdung** a malevolent defamation

Bös•wil•lig•keit *f* malice

Bo•ta•nik [bo'ta:nɪk] *f* botany; **Bo•ta•ni•ker(in)** *m(f)* botanist; **bo•ta•nisch** *adj* botanical; **~er Garten** botanical gardens *pl*

Bo•te ['bo:tə] <-n, -n> *m*, **Bo•tin** *f* messenger; **Bo•ten•gang** *m* errand; **e-n ~ machen** run an errand

Bot•schaft ['bo:tʃaft] *f* **1.** (*Nachricht*) message **2.** (POL: *Botschaftsgebäude*) embassy; **gute ~** good news *pl*; **e-e ~ übermitteln** deliver a message

Bot•schaf•ter(in) *m(f)* ambassador

Bött•cher(in) ['bœtçɐ] <-s, -> *m(f)* cooper

Bot•tich ['bɔtɪç] <-(e)s, -e> *m* tub

Bouil•lon [bʊl'jõ:] <-, -s> *f* bouillon, consommé

Bou•le•vard•pres•se [bulə'va:ɐprɛsə] *f* popular press

Bou•tique [bu'ti:k] <-, -n> *f* boutique

Bow•le ['bo:lə] <-, -n> *f* **1.** (*Gefäß*) punch-bowl **2.** (*Getränk*) punch; **e-e ~ ansetzen** prepare some punch

Bow•ling ['bəʊlɪŋ] <-s> *n* (ten-pin) bowling

Box [bɔks] <-, -en> *f* box; speaker

bo•xen ['bɔksən] *itr* box; **gegen jdn ~** fight s.o.

Bo•xer *m* (*a. Hunderasse*) boxer

Bo•xer•mo•tor *m* opposed cylinder engine

Box•hand•schuh *m* boxing glove

Box•kampf *m* boxing match

Boy•kott [bɔɪ'kɔt] <-(e)s, -e> *m* boycott

boy•kot•tie•ren *tr* boycott

brach [bra:x] *adj* **1.** (*von Acker*) fallow **2.** (*fig: unausgenutzt*) unexploited; **~liegende Kenntnisse** unexploited knowledge; **Brach•feld** *n* fallow field

Bra•chi•al•ge•walt [braxi'a:lgəvalt] *f*: **mit ~** by brute force

brach|lie•gen *itr* lie fallow *fig,* be left unexploited

Brack•was•ser ['brakvasɐ] *n* brackish water

Brain•stor•ming ['breɪnstɔ:mɪŋ] <-s> *n* brainstorming

Bran•che ['brã:ʃə] <-, -n> *f* (COM) branch; (*Fach*) department, field; **Bran•chen•füh•rer** *m* market leader; **Bran•chen•kennt•nis** *f* knowledge of the trade; **Bran•chen•ver•zeich•nis** *n* (TELE) yellow pages *pl*

Brand [brant, *pl:* 'brɛndə] <-(e)s, ¨-e> *m* **1.** (*Feuer*) fire **2.** (MED: *Gangrän*) gangrene **3.** (BOT: *Getreidepilz*) blight **4.** (*starker Durst nach Rausch*) raging thirst; **in ~ geraten** catch fire; **in ~ setzen** [*o* **stecken**] set on fire, set fire to; **in ~ stehen** be on fire; **Brand•bla•se** *f* blister; **Brand•bom•be** *f* incendiary bomb

brand•ei•lig ['-'--] *adj* extremely urgent, pressing

bran•den ['brandən] *itr* surge; **~ gegen ...** break against ...

Brand•herd *m* **1.** (*Feuerentstehungsort*) source of the fire **2.** (*fig: Gefahrenherd*) trouble spot

bran•dig *adj* **1.** (BOT: *Getreide etc*) suffering from blight **2.** (MED) gangrenous; **~ riechen** have a burnt smell

Brand•mal <-s, -e> *n* (*Narbe*) brand

brand•mar•ken *tr* brand; **jdn als etw ~** (*fig*) brand s.o. as s.th.

Brand•mau•er *f* fire-proof wall; **brand•neu** *adj* brand new; **Brand•ro•dung** *f* slash-and-burn; **Brand•sal•be** *f* ointment for burns; **Brand•scha•den** *m* fire damage; **Brand•schutz** *m* fire protection; **Brand•stel•le** *f* **1.** (*Ort des Brands*) fire **2.** (*verbrannte Stelle*) burnt patch; **Brand•stif•ter(in)** *m(f)* fire-raiser; **Brand•stif•tung** *f* arson, fire-raising

Bran•dung ['brandʊŋ] *f* surf, breakers *pl*

Brand•wa•che *f* **1.** (*Tätigkeit*) firewatch **2.** (*Gruppe*) firewatch team; **Brand•wun•de** *f* burn; (*durch Verbrühung*) scald; **Brand•zei•chen** *n* brand

Brannt•wein *m* spirits *pl*

Bra•si•li•a•ner(in) [brazi'lja:nɐ] *m(f)* Brazilian; **bra•si•li•a•nisch** *adj* Brazilian; **Bra•si•li•en** [bra'zi:liən] *n* Brazil

Brat•apfel *m* baked apple

Bra•ten <-s, -> *m* roast (meat); **den ~ begießen** baste the roast; **den ~ riechen** (*fig*) smell a rat

bra•ten ['bra:tən] *irr itr tr* roast; (*in der Pfanne*) fry; **etw knusprig ~** fry s.th. until it is crispy

Bra•ten•fett *n* dripping

Brä•ter ['brɛ:tɐ] <-s, -> *m* roasting dish

Brat•hähn•chen *n* roast chicken; **Brat•he•ring** *m* fried herring; **Brat•huhn** *n* roast chicken; **Brat•kar•tof•feln** *pl* fried potatoes; **Brat•pfan•ne** *f* frying-pan; **Brat•rost** *m* grill

Brat•sche ['bra:tʃə] <-, -n> *f* (MUS) viola

Brat•spieß *m* skewer; **Brat•wurst** *f* **1.** (*zum Braten*) frying sausage **2.** (*gebratene Wurst*) fried sausage

Brauch [braʊx, *pl:* 'brɔɪçə] <-(e)s, ¨-e> *m* (*Sitte*) common usage, custom; **das ist bei uns so ~** that's traditional with us

brauch•bar *adj* **1.** (*nützlich*) useful **2.** (*verwendungsfähig*) usable **3.** (*fig: gut, vernünftig*) decent; **ein ~er Hinweis** a useful hint; **ein ~er Plan** a plan that works

brau•chen ['braʊxən] *tr* **1.** (*nötig haben, bedürfen*) need, require **2.** (*gebrauchen*) use; **Zeit ~** take time; **er braucht nur 2 Stunden, um es zu tun** it takes him only 2 hours to do it; **wie lange wird er noch ~?** how much longer will it take him?; **Sie ~ es nur zu sagen** you only need to say so; **das brauchst du dir nicht gefallen zu lassen** you don't have to stand for that; **den Wagen kann ich nicht ~** I have no use for this car

Brauch•tum *n* customs *pl,* traditions *pl*

Brauch•was•ser *n* industrial water

Braue ['braʊə] <-, -n> *f* eyebrow

brau•en ['braʊən] *tr* (*Bier etc*) brew

Brau•e•rei *f* brewery

braun [braʊn] *adj* brown; **~ werden** (*von der Sonne*) get a tan, tan

Braun•bär *m* brown bear

Bräu•ne ['brɔɪnə] <-> *f* brownness; (*Sonnen~*) tan; **gesunde ~** healthy tan

bräu•nen I. *tr* **1.** (*in Fett*) brown **2.** (*in der Sonne*) tan **II.** *refl* (*in der Sonne*) tan

Braun•koh•le *f* brown coal, lignite

Braun•koh•le•ab•raum•hal•de *f* slag heap

bräun•lich *adj* brownish

brau•sen *itr* **1.** *haben* (*rauschen*) roar; (*Wasser*) foam **2.** *haben* (*fig: Beifall*) thunder **3.** *sein* (MOT: *rasen*) race

Brau•se•pul•ver *n* lemonade powder; **Brau•se•ta•blet•te** *f* lemonade tablet

Braut [braʊt, *pl:* 'brɔɪtə] <-, ¨-e> *f* bride

Bräu•ti•gam ['brɔɪtigam] <-s, -e> *m* (bride)groom

Braut•jung•fer *f* bridesmaid; **Braut•kleid** *n* wedding dress; **Braut•paar** *n*

bride and (bride)groom; **Braut•schlei•er** *m* wedding veil

brav [bra:f] *adj* **1.** (*rechtschaffen*) honest, upright **2.** (*von Kindern*) good, well-behaved

Break•dance ['brəɪkdə:ns] *m* break-dancing

Brech•durch•fall *m* (MED) diarrhoea and sickness

Brech•ei•sen *n* crowbar, jemmy *Br,* jimmy *Am*

bre•chen ['brɛçən] *irr* **I.** *tr haben* **1.** (*a. fig*) break; (*Steine, Gestein*) cut **2.** (*erbrechen*) bring up, vomit; **sich das Bein** ~ break one's leg **II.** *itr* **1.** *sein* (*allgemein*) break **2.** *haben* (*erbrechen*) throw up; **mit jdm** ~ break with s.o. **III.** *refl* **1.** (*Wellen*) break **2.** (*Schall*) rebound (*an* off)

Bre•cher ['brɛçɐ] *m* (*Welle*) breaker

Brech•mit•tel *n* (MED) emetic; **Brech•reiz** *m* nausea

Bre•chung *f* (*von Wellen*) breaking; (OPT: *von Strahlen*) refraction

Brei [braɪ] <-(e)s, -e> *m* mash; **jdn zu** ~ **schlagen** (*fig fam*) beat s.o. to a pulp; **um den (heißen)** ~ **herumreden** (*fig fam*) beat about the bush

brei•ig ['braɪɪç] *adj* mushy

breit [braɪt] *adj* broad; (*weit, a. fig*) wide; **machen Sie sich bitte nicht so ~!** please don't take up so much room!; **etw ~er machen** widen s.th.; **die ~e Masse** the masses *pl;* ~ **gebaut** sturdily built

Breit•band•ka•bel *n* (EL) broadband cable

breit•bei•nig *adj* with one's legs apart

Brei•te ['braɪtə] <-, -n> *f* **1.** breadth; (*bei Maßen*) width **2.** (GEOG) latitude; **e-e** ~ **von 10 Metern haben** be 10 meters in width; **in die** ~ **gehen** (*fam*) put on weight; **Brei•ten•grad** *m* latitude

breit|ma•chen *refl* spread (oneself) *fig,* make oneself at home; **breit|schla•gen** *irr tr* (*fig fam*): **jdn** ~ talk s.o. round; **sich** ~ **lassen** let o.s. be talked round; **breit•schul•t(e)•rig** *adj* broad-shouldered; **Breit•sei•te** *f* (MAR) broadside; **Breit•wand•film** *m* (FILM) wide-screen picture

Brems•ba•cke *f* brake block; **Brems•be•lag** *m* brake lining; **den** ~ **erneuern** reline the brakes

Brem•se¹ ['brɛmzə] <-, -n> *f* (ZOO: *Insekt*) horsefly

Brem•se² *f* (MOT) brake; **die ~n nach•stellen** adjust the brakes; **die ~en ent•lüften** bleed the brakes

brem•sen **I.** *itr* brake **II.** *tr* (*fig*) slow down; **er ist nicht zu** ~ there is no stopping him

Brems•flüs•sig•keit *f* brake fluid; **Brems•haupt•zy•lin•der** [-'----] *m* (MOT) brake master cylinder; **Brems•klotz** *m* (MOT) brake block; **Brems•kraft•ver•stär•ker** *m* servo-assistance unit; **Brems•licht** *n* brake light; **Brems•pe•dal** *n* brake pedal; **Brems•ra•ke•te** *f* (AERO) retro rocket; **Brems•schlauch** *m* (MOT) brake hose; **Brems•schlupf•reg•ler** *m* (MOT) anti-block braking system; **Brems•spur** *f* skid mark; **Brems•trom•mel** *f* brake drum; **Brems•weg** *m* braking distance

brenn•bar ['brɛnba:ɐ] *adj* combustible; (*entzündlich*) inflammable

Brenn•dau•er *f* (EL: *von Glühbirne*) life; **Brenn•e•le•ment** *n* fuel element

bren•nen ['brɛnən] *irr* **I.** *itr* **1.** (*Feuer*) burn **2.** (EL) be on **3.** (*fig: Verletzung*) sting; (*Druckstelle*) hurt; **das brennt in den Augen!** that burns my eyes!; **lass das Licht nicht ~!** don't leave the light on!; **es brennt!** fire! fire!; **darauf** ~ **etw zu tun** (*fig*) be dying to do s.th. **II.** *tr* **1.** (*Ziegel*) bake **2.** (*Schnaps*) distil; **bren•nend** *adj* **1.** (*allgemein*) burning; (*Pfeife, Zigarette*) lighted **2.** (*Hitze*) scorching **3.** (*fig: Schmerz*) smarting **4.** (*fig: Frage*) urgent, vital

Bren•ner <-s, -> *m* **1.** (TECH: *Schweiß~*) welding torch **2.** (TECH: *Gas~, Öl~*) burner **3.** (*Schnaps~*) distiller

Bren•ne•rei *f* (*für Schnaps*) distillery

Brenn•glas *n* burning glass; **Brenn•holz** *n* firewood; **Brenn•ma•te•rial** *n* fuel; **Brenn•nes•sel**[RR] ['brɛnnɛsəl] *f* stinging nettle; **Brenn•punkt** *m* (*fig* OPT) focus; **im** ~ **stehend** (*fig*) focal; **etw in den** ~ **rücken** focus attention on s.th.; **Brenn•spi•ri•tus** *m* methylated spirits *pl;* **Brenn•stab** *m* fuel rod; **Brenn•stoff** *m* fuel; **Brenn•wei•te** *f* (OPT) focal length

brenz•lig ['brɛntslɪç] *adj* **1.** (*obs: nach Brand riechend*): **es riecht** ~ **hier** there is a smell of burning **2.** (*fam: gefährlich*) dicey, precarious; **e-e ~e Angelegenheit** [*o* **Geschichte**] (*fam*) a delicate matter; **die Sache wird** ~ **(für jdn)** (*fam*) the matter is getting too hot (for s.o.)

Bre•sche ['brɛʃə] <-, -n> *f* breach, gap; **in die** ~ **springen** (*fig*) step into the breach

Bre•ta•gne [bre'tanjə] <-> *f* (GEOG): **die** ~ Brittany; **Bre•to•ne** [bre'to:nə] <-n, -n> *m,* **Bre•to•nin** *f* Breton; **bre•to•nisch** *adj* Breton

Brett [brɛt] <-(e)s, -er> *n* **1.** board; (*dickeres ~*) plank **2.** (*Spiel~*) board **3.** (*Frühstück~, Ess~*) platter; **der hat 'n Brett vorm Kopf** (*fig fam*) he's as thick as two short planks; **schwarzes** ~[RR] notice board; **Bret•ter•bu•de** *f* shack; **Bret•ter•wand** *f* wooden wall; (MARKT) hoarding; **Bret•ter•zaun** *m* wooden fence

Brett•spiel *n* board game
Bre•zel ['bre:tsəl] <-, -n> *f* pretzel
Brief [bri:f] <-(e)s, -e> *m* letter; **etw als ~ schicken** send s.th. by letter post; **jdm ~ und Siegel auf etw geben** (*fig*) assure s.o. on one's oath; **Brief•ab•la•ge** *f* letter-files *pl;* **Brief•be•schwe•rer** *m* paper-weight; **Brief•bo•gen** *m* sheet of note paper; **Brief•bom•be** *f* letter bomb; **Brief•freund(in)** *m(f)* pen-friend; **Brief•ge•heim•nis** *n* privacy of the post
Brie•fing ['bri:fɪŋ] <-s, -s> *n* (COM) briefing
Brief•kas•ten *m* (*am Haus*) letter box *Br,* mail box *Am;* (*in Säule*) pillar box, post box *Br,* mail box *Am;* **Brief•kas•ten•fir•ma** *f* (COM) letter box company; **Brief•kopf** *m* letter-head; (*von Hand*) heading
brief•lich *adj* by letter; **~er Verkehr** correspondence; **mit jdm ~ verkehren** correspond with s.o.
Brief•mar•ke *f* stamp; **Brief•mar•ken•au•to•mat** *m* (postage) stamp slot machine; **Brief•mar•ken•samm•ler(in)** *m(f)* philatelist, stamp collector; **Brief•mar•ken•samm•lung** *f* stamp collection
Brief•öff•ner *m* letter opener; **Brief•pa•pier** *n* letter-paper, writing-paper, note-paper; **Brief•post** *f* letter post; **Brief•ta•sche** *f* wallet *Br,* billfold *Am;* **Brief•tau•be** *f* carrier pigeon; **Brief•trä•ger(in)** *m(f)* postman (postwoman) *Br,* mailman (mailwoman) *Am;* **Brief•um•schlag** *m* envelope; **Brief•waa•ge** *f* letter scales *pl;* **Brief•wahl** *f* (POL) postal vote; **Brief•wech•sel** *m* correspondence; **in ~ stehen mit jdm** correspond with s.o.; **Brief•wer•bung** *f* direct mail advertising
Bri•ga•de [bri'ga:də] <-, -n> *f* brigade
Bri•ga•de•kom•man•deur *m* (MIL) brigadier *Br,* brigadier general *Am*
Brigg [brɪk] <-, -s> *f* (MAR) brig
Bri•kett [bri'kɛt] <-s, -s/(-e)> *n* briquette
Bril•lant [brɪl'jant] <-en, -en> *m* diamond
Bril•lan•ten•schliff *m* brilliant cut
Bril•le ['brɪlə] <-, -n> *f* **1.** glasses *pl;* (*Schutz~*) goggles *pl* **2.** (*von Toilettensitz*) (toilet) seat; **e-e ~ tragen** wear glasses; **Bril•len•etui** *n* spectacle case; **Bril•len•ge•stell** *n* spectacle frame; **Bril•len•glas** *n* lens; **Bril•len•schlan•ge** *f* **1.** (ZOO) cobra **2.** (*fig pej: Brillenträgerin*) four-eyes; **Bril•len•trä•ger(in)** *m(f):* **~ sein** wear glasses
brin•gen ['brɪŋən] *irr tr* **1.** (*herbringen*) bring; (*wegbringen*) take **2.** (*veröffentlichen*) publish; **auseinander ~**^RR be able to get (s.o., s.th.) apart; **jdn dazu ~ etw zu tun** get s.o. to do s.th., make s.o. do s.th.; **es weit ~** [*o* **es zu etw ~**] (*fig*) get somewhere, make one's way; **jdn nach Hause ~** see s.o. home; **jdn auf den Gedanken ~** suggest s.th. to s.o.; **du bringst mich auf den Gedanken ...** you make me think that ...; **auf die Seite ~** put aside; **ich brachte sie auf meine Seite** I brought her over to my side; **er brachte es bis zum General** he rose to be a general; **in Erfahrung ~** get to know, learn; **Gewinn ~** yield a profit; **in Verlegenheit ~** embarrass; **mit sich ~** (*fig*) imply, involve; **jdn um etw ~** deprive s.o. of s.th.; (*betrügen*) cheat s.o. out of s.th.; **sich ums Leben ~** commit suicide; **jdn um den Verstand ~** drive s.o. mad; **zum Abschluss ~, zu Ende ~** bring to a close; **jdn zur Besinnung ~** bring s.o. to his [*o* her] senses *pl;* **zu Fall ~** bring down; **jdn zum Lachen ~** make s.o. laugh; **jdn zum Schweigen ~** silence s.o.; **jdn wieder zu sich ~** bring s.o. round; **jdn zur Vernunft ~** bring s.o. to reason; **das bringt's auch nicht!** that's no use either!; **das bringt nichts!** that's pointless!; **fertig ~**^RR (*vollenden*) get done; (*imstande sein*) manage; **der bringt es glatt fertig und ...** he's quite capable of ...; **vorwärts ~**^RR (*fig*) advance; **jdn vorwärts ~**^RR help s.o. to get on
bri•sant *adj* explosive
Bri•sanz [bri'zants] <-> *f* explosive nature
Bri•se ['bri:zə] <-, -n> *f* breeze
Bri•tan•nien [bri'taniən] *n* (*poet*) Britannia
Bri•te <-n, -n> *m,* **Bri•tin** *f* Briton; **die ~n** the British; **bri•tisch** *adj* British
brö•ckeln ['brœkəln] *sein itr* crumble
Bro•cken ['brɔkən] <-s, -> *m* chunk; (*Klumpen*) lump; **ein harter ~ sein** (*fig*) be a tough nut to crack
bro•deln ['bro:dəln] *itr* (*Suppe*) bubble; (*Lava, Schmelze etc*) seethe
Bro•kat [bro'ka:t] <-(e)s, -e> *m* brocade
Bro•ker ['bro:kɐ] <-s, -> *m* (COM) broker
Brok•ko•li *mpl* broccoli *pl*
Brom [bro:m] <-s> *n* (CHEM) bromine
Brom•bee•re ['brɔmbe:rə] *f* blackberry, bramble; **Brom•beer•strauch** *m* bramble bush
bron•chi•al [brɔnçi'a:l] *adj* bronchial; **Bron•chi•al•ka•tarrh** *m* bronchial catarrh; **Bron•chien** ['brɔnçiən] *fpl* bronchi *pl,* bronchial tubes *pl;* **Bron•chi•tis** <-, -tiden> *f* bronchitis
Bron•ze ['brõ:sə] <-, -n> *f* bronze; **bron•ze•far•ben** *adj* bronze-coloured; **Bron•ze•me•dai•lle** *f* bronze medal
bron•zen *adj* (of) bronze
Bron•ze•zeit *f* Bronze Age
Bro•sche ['brɔʃə] <-, -n> *f* brooch
bro•schiert [brɔ'ʃi:ɐt] *adj:* **~e Ausgabe** paperback edition

Bro•schur *f*, **Bro•schur•ein•band** *m* (TYP) cut flush binding
Bro•schü•re [brɔ'ʃy:rə] <-, -n> *f* booklet
Brö•sel ['brøzl] <-s, -> *m* crumb
Brot [bro:t] <-(e)s, -e> *n* **1.** (*allgemein*) bread; (*Brotlaib*) loaf of bread **2.** (*Butter~*) sandwich
Bröt•chen ['brø:tçən] *n* roll; **belegtes ~** filled roll; **kleinere ~ backen** (*fig*) set one's sights lower
Brot•ein•heit *f* carbohydrate exchange *Br*, bread unit *Am;* **Brot•kas•ten** *m* bread bin; **Brot•kru•me** *f* bread-crumb; **brot•los** *adj* (*fig: ohne Stellung*) unemployed; **~ werden** lose one's livelihood; **jdn ~ machen** put s.o. out of work; **Brot•rin•de** *f* crust; **Brot•schnei•de•ma•schi•ne** *f* bread slicer
Bruch¹ [brʊx, *pl:* 'brʏçə] <-(e)s, ⸚e> *m* **1.** (*allgemein, a.* TECH) break; (MED: *Knochen~*) fracture **2.** (MED: *der Eingeweide*) hernia, rupture **3.** (*e-s Versprechens*) breach (of promise); (*der Freundschaft*) breach (of friendship); (JUR: *Vertrags~*) infringement; (*e-s Gesetzes*) violation **4.** (MATH) fraction; **zu ~ gehen** get broken; **ein Auto zu ~ fahren** smash a car; **in die ⸚e gehen** (*fig*) break up; **sich einen ~ heben** do o.s. an injury
Bruch² *m* (*Sumpf*) fen, marsh
Bruch•band *n* (MED) truss
Bruch•bu•de *f* (*fam*) tumbledown shanty
bruch•fest *adj* unbreakable
brü•chig ['brʏçɪç] *adj* **1.** (*zerbrechlich*) fragile; (*von Metallen*) flawed; (*spröde*) brittle **2.** (*rissig*) cracked **3.** (*fig: zerbröckelnd*) crumbling; **~e Stimme** rough voice
Bruch•lan•dung *f* crash-landing
Bruch•rech•nung *f* (MATH) fractions *pl*
Bruch•ril•le *f* (*bei Tablette*) score-mark
Bruch•strich *m* (MATH) line of a fraction
Bruch•stück *n* fragment
bruch•stück•haft *adj* fragmentary
Bruch•teil *m* fraction; **im ~ einer Sekunde** in a split second
Bruch•zahl *f* fraction
Brü•cke ['brʏkə] <-, -n> *f* **1.** bridge **2.** (MED: *Zahn~*) bridge **3.** (*Teppich*) rug **4.** (SPORT: *Gymnastik*) crab; **jdm e-e ~ bauen** (*fig*) give s.o. a helping hand; **die ~n hinter sich abbrechen** (*fig*) burn one's bridges [*o* boats]; **Brü•cken•bau** *m* bridge construction; **Brü•cken•ge•län•der** *n* parapet; **Brü•cken•kopf** *m* (MIL) bridgehead; **Brü•cken•pfei•ler** *m* pier
Bru•der ['bru:dɐ, *pl:* 'bry:dɐ] <-s, ⸚> *m* brother; **unter Brüdern** between friends; **liebe Brüder!** my brethren!
Bru•der•krieg *m* (MIL) fratricidal war
brü•der•lich *adj* brotherly, fraternal
Brü•der•lich•keit *f* fraternity
Bru•der•mord *m* fratricide
Bru•der•schaft *f* brotherhood
Brü•he ['bry:ə] <-, -n> *f* **1.** (*Fleisch~*) broth **2.** (*trübe Flüssigkeit*) sludge **3.** (*fam: dünnes Getränk*) muck
brü•hen *tr* (*Speisen*) blanch; **Tee ~** brew tea
brüh•warm ['-'-] *adj* **1.** (*vom Erhitzen*) boiling hot **2.** (*fig: brandneu*) hot from the press; **sie verbreitete die Nachricht ~** she spread the news red hot
Brüh•wür•fel *m* stock-cube
brül•len ['brʏlən] *itr* roar; (*Stier*) bellow; (*Kind*) bawl; **das ist zum B~!** (*fam*) it's a scream!
Brumm•bär *m* (*fig fam*) grouch
brum•men ['brʊmən] *itr* **1.** (*summen*) hum **2.** (*von Raubtier*) growl **3.** (*Käfer, Fliegen etc*) buzz **4.** (MOT: *Motor*) drone, purr **5.** (*von Menschen*) growl, grumble, snarl **6.** (*sl: Strafe absitzen*) be locked up; **er brummte etw in seinen Bart** (*fig*) he muttered s.th. in his beard; **mir brummt der Kopf** my head is spinning
Brum•mer *m* (*fam*) **1.** (*Fliege*) blue-bottle (fly) **2.** (*LKW*) juggernaut
brum•mig *adj* (*verdrießlich*) grouchy, grumpy
Brumm•schä•del *m* (*fam*) thick head
brü•nett [bry'nɛt] *adj* dark-haired
Brü•net•te <-n, -n> *f* brunette
Brun•nen ['brʊnən] <-s, -> *m* **1.** (*Schöpf~*) well **2.** (*Spring~*) fountain **3.** (*Mineral~*) spring; **Brun•nen•kres•se** *f* (BOT) watercress; **Brun•nen•rand** *m* brim [*o* edge] of a well; **Brun•nen•schacht** *m* well-shaft; **Brun•nen•was•ser** *n* well water
Brunst [brʊnst, *pl:* 'brʏnstə] <-, ⸚e> *f* (*Paarungszeit der Tiere*) mating season
brüns•tig ['brʏnstɪç] *adj* (*Tiere*) in heat
brüsk [brʏsk] *adj* (*kurz angebunden*) brusque; (*barsch*) curt
brüs•kie•ren *tr* snub
Brüs•sel ['brʏsəl] <-s> *n* Brussels
Brust [brʊst, *pl:* 'brʏstə] <-, ⸚e> *f* **1.** (*weibliche*) breast **2.** (*Brustkorb*) chest; **jdn an die ~ drücken** press s.o. to one's bosom; **e-m Kind die ~ geben** feed a baby; **e-n zur ~ nehmen** (*fam*) have a quick one; **Brust•bein** *n* (ANAT) breastbone, sternum; **Brust•beu•tel** *m* money bag
brüs•ten ['brʏstən] *refl* boast, brag (*mit etw* about s.th.)
Brust•fell *n* (ANAT) pleura; **Brust•fell•ent•zün•dung** *f* pleurisy; **Brust•korb** *m* chest, thorax; **Brust•krebs** *m* breast cancer; **Brust•mus•kel** *m* (ANAT) pectoral muscle; **Brust•schwim•men** *n* breaststroke; **Brust•ta•sche** *f* **1.** (*außen*) breast

pocket **2.** (*innen*) inside pocket; **Brust·um·fang** *m* (*weiblicher ~*) bust measurement; (*männlicher ~*) chest measurement
Brüs·tung ['brʏstʊŋ] *f* parapet
Brust·war·ze *f* nipple
Brut ['bru:t] <-, -en> *f* **1.** (*Nest mit Jungen*) brood; (*~ der Fische*) fry, spawn **2.** (*fig: verächtlich: von Menschen*) lot, mob, rabble **3.** (*Kinder*) brats *pl* **4.** (*das Brüten*) brooding, sitting
bru·tal [bru'ta:l] *adj* brutal; **ein ~er Kerl** a beast, a brute
Bru·ta·li·sie·rung *f* brutalization
Bru·ta·li·tät *f* brutality
brü·ten ['bry:tən] *itr tr* **1.** brood, sit **2.** (*fig: nachdenken*) ponder (*über* over); **~de Hitze** oppressive heat
Brü·ter <-s, -> *m* (TECH: *Brutreaktor*): **schneller ~** fast-breeder (reactor)
Brut·kas·ten *m* incubator
Brut·stät·te *f* (*fig*) hotbed
brut·to ['brʊto] *adj* gross
Brut·to·ein·kom·men *n* gross income; **Brut·to·ge·wicht** *n* gross weight; **Brut·to·preis** *m* gross price; **Brut·to·re·gis·ter·tonne** *f* gross register ton; **Brut·to·so·zial·pro·dukt** *n* gross national product
Btx *Abk. von* **Bildschirmtext** viewdata, videotext
Bu·b(e) [bu:p/'bu:bə] <-n, -n> *m* **1.** (*Junge*) boy, lad **2.** (*bei Kartenspiel*) jack, knave
Buch [bu:x, *pl:* 'by:çɐ] <-(e)s, ¨-er> *n* **1.** (*Druckwerk*) book **2.** (*Band e-s ~es*) volume; **über etw ~ führen** keep a record of s.th.; **reden wie ein ~** talk like a book; **er ist ein Lehrer, wie er im ~e steht** he is a perfect example of a teacher; **Buch·be·spre·chung** *f* book review; **Buch·bin·der(in)** *m(f)* bookbinder; **Buch·bin·de·rei** *f* (*Werkstatt*) bookbindery; **Buch·club** *m* bookclub; **Buch·druck** *m* letterpress; **Buch·dru·cker(in)** *m(f)* printer
Bu·che ['bu:xə] <-, -n> *f* beech; **Buch·e·cker** *f* beechnut; **Bu·chen·holz** *n* beechwood; **Bu·chen·wald** *m* beechwood
Bü·cher·brett *n* bookshelf; **Bü·che·rei** *f* library; **Bü·cher·gut·schein** *m* book token; **Bü·cher·re·gal** *n* bookshelf; **Bü·cher·schrank** *m* bookcase; **Bü·cher·stüt·ze** *f* book-end; **Bü·cher·wurm** *m* (*fig*) bookworm
Buch·fink *m* chaffinch
Buch·füh·rung *f* accounting, bookkeeping; **doppelte ~** double entry bookkeeping; **Buch·hal·ter(in)** *m(f)* bookkeeper; **Buch·hal·tung** *f s.* Buchführung; **Buch·han·del** *m* booktrade; **Buch·händ·ler(in)** *m(f)* bookseller; **Buch·hand·lung** *f* bookshop *Br*, bookstore *Am*; **Buch·hül·le** *f* dust jacket [*o* cover]; **Buch·klub** *m* book club; **Buch·ma·cher(in)** *m(f)* bookmaker *fam*, bookie; **Buch·markt** *m* book market; **Buch·prü·fer(in)** *m(f)* (FIN COM) auditor; **Buch·prü·fung** *f* audit
Buchs(·baum) ['bʊksbaʊm] <-es, -e> *m* box(-tree)
Buch·se ['bʊksə] <-, -n> *f* socket
Büch·se ['bʏksə] <-, -n> *f* **1.** (*Dose*) can; (*Konserven~*) tin; (*Sammel~*) collecting box **2.** (*Gewehr*) rifle; **Büch·sen·fleisch** *n* canned meat, tinned meat *Br*; **Büch·sen·milch** *f* evaporated milk, tinned milk *Br*; **Büch·sen·öff·ner** *m* tin opener *Br*, can opener *Am*
Buch·sta·be ['bu:xʃta:bə] <-ns, -n> *m* character, letter; **in ~n** in words; **~ für ~** letter by letter; **großer ~** capital letter; **kleiner ~** small letter; **dem ~n nach** literally
buch·sta·bie·ren *tr* spell; **falsch ~** misspell
buch·stäb·lich ['bu:xʃtɛ:plɪç] *adj* literal; **etw ~ nehmen** take s.th. literally
Bucht [bʊxt] <-, -en> *f* bay; (*kleine*) cove
Buch·tel <-, -n> *f* (*österr*) *dumpling filled with jam*
Bu·chung ['bu:xʊŋ] *f* (COM) entry; (*Reservierung*) booking, reservation; **Bu·chungs·sys·tem** *n* booking system
Buch·wei·zen *m* buckwheat
Buch·wert *m* (FIN COM) book value
Bu·ckel ['bʊkəl] <-s, -> *m* **1.** (ANAT: *buckliger Rücken*) hump, humpback **2.** (ANAT: *Rücken*) back **3.** (*bucklige Wölbung*) bulge, hump; **einen ~ machen** hunch one's back; **du kannst mir den ~ herunterrutschen!** (*fig fam*) you can get knotted!; **den ~ hinhalten** (*fig fam*) carry the can
buck·lig *adj* hunchbacked; **~e Straße** bumpy road
Buck·(e)li·ge(r) *f m* humpback, hunchback
bu·ckeln *itr* (*fam*) kowtow
bü·cken ['bʏkən] *refl* bend, stoop; **sich nach etw ~** stoop to pick s.th. up
Bück·ling[1] *m* (*Räucherhering*) bloater, kipper
Bück·ling[2] *m* (*fam: Verbeugung*) bow
bud·deln ['bʊdəln] *itr* (*fam*) dig
Bud·dhis·mus [bʊ'dɪsmʊs] *m* Buddhism
Bud·dhist(in) *m(f)* Buddhist
Bu·de ['bu:də] <-, -n> *f* **1.** (*Bretter~*) hut **2.** (*Verkaufsstand*) booth, stall, stand **3.** (*Unterkunft*) bedsit(ter); room; **jdm die ~ auf den Kopf stellen** (*fam*) turn someone's place upside down; **jdm auf die ~ rücken** (*fam*) descend on s.o.; **e-e sturmfreie ~ haben** (*hum*) be able to have visitors any

time

Bud•get [by'dʒeː] <-s, -s> *n* (COM) budget; **Bud•get•ab•wei•chung** *f* budget variance

Bü•fett [bʏ'fɛt/bʏ'feː] <-(e)s, -s/-e> *n* **1.** (*Möbel*) sideboard **2.** (*Schanktisch*) bar; **kaltes ~** cold buffet

Büf•fel ['bʏfəl] <-s, -> *m* buffalo; **Büf•fel•le•der** *n* buff (leather)

büf•feln ['bʏfəln] **I.** *tr* (*fam: Lernstoff*) swot up (on) **II.** *itr* (*fam*) cram, swot

Bug [buːk] <-s, -e> *m* (MAR) bow; (AERO) nose

Bü•gel ['byːgəl] <-s, -> *m* **1.** (*Kleider~*) hanger **2.** (*Steig~*) stirrup

Bü•gel•brett *n* ironing board; **Bü•gel•ei•sen** *n* iron; **Bü•gel•fal•te** *f* (*in der Hose*) crease; **bü•gel•frei** *adj* non-iron; **Bü•gel•ma•schi•ne** *f* rotary iron

bü•geln *tr* (*Wäsche*) iron; (*Kleidungsstück*) press; **glatt ~**[RR] iron smooth

bu•hen ['buːən] *itr* boo

buh•len ['buːlən] *itr:* **um jds Gunst ~** court someone's favour

Buh•ne ['buːnə] <-, -n> *f* breakwater, groyne

Büh•ne ['byːnə] <-, -n> *f* **1.** (THEAT) stage **2.** (*fig: Theater*) theatre **3.** (MOT: *Hebe~*) ramp; **auf der ~** on stage; **hinter der ~** (*a. fig*) behind the scenes *pl;* **etw über die ~ bringen** (*fig*) stage s.th.; **Büh•nen•be•ar•bei•tung** *f* stage adaptation; **Büh•nen•bild** *n* stage set; **Büh•nen•bild•ner(in)** *m(f)* stage designer; **Büh•nen•stück** *n* play

büh•nen•wirk•sam *adj* effective on the stage; **Büh•nen•wir•kung** *f* dramatic effect

Buh•ruf *m* boo

Bu•ka•rest <-s> *n* Bucharest

Bu•kett [bu'kɛt] <-(e)s, -e/-s> *n* **1.** (*Strauß*) bouquet **2.** (*Duft des Weines*) bouquet, nose

Bul•ga•re [bʊl'gaːrə] <-n, -n> *m*, **Bul•ga•rin** *f* Bulgarian; **Bul•ga•rien** *n* Bulgaria; **bul•ga•risch** *adj* Bulgarian

Bu•li•mie <-> *f* (MED) bulimia

Bull•au•ge ['bʊlaʊgə] *n* (MAR) porthole

Bull•dog•ge *f* (ZOO) bulldog

Bull•do•zer ['bʊldoːzɐ] <-s,-> *m* bulldozer

Bul•le ['bʊlə] <-n, -n> *m* **1.** (ZOO) bull **2.** (*bulliger Mann*) great ox of a man **3.** (*sl: Polizist*) cop *fam*

Bul•len•hit•ze ['--'--] *f* (*fam*) boiling heat

Bulle•tin [bʏl'tɛ̃ː] <-s, -s> *n* bulletin

Bu•me•rang ['buːməraŋ] <-s, -e/-s> *m* (*a. fig*) boomerang

Bum•mel ['bʊməl] <-s, -> *m* stroll; **e-n ~ machen** go for a stroll

Bum•me•lant(in) [bʊmə'lant] <-en, -en> *m(f)* slowcoach *Br,* slowpoke *Am*

Bum•me•lei *f* dawdling

bum•meln *itr* **1.** *sein* (*umherschlendern*) stroll **2.** *haben* (*trödeln*) dawdle

Bum•mel•streik *m* **1.** (*allgemein*) go-slow **2.** (*im öffentlichen Dienst*) work-to-rule

Bum•mel•zug *m* (*fam*) slow train *Br,* accommodation train *Am*

bums [bʊms] *interj* bang! thud!

bum•sen ['bʊmzən] **I.** *itr* **1.** (*schlagen*) thump **2.** (*fam: Geschlechtsverkehr haben*) screw *sl;* **es hat gebumst!** (MOT) there's been a crash!; **gegen die Tür ~** hammer on the door **II.** *tr:* **jdn ~** (*fam*) have sex with s.o., screw s.o. *fam*

Bund[1] [bʊnt] <-(e)s, -e> *m* bunch

Bund[2] [bʊnt, *pl:* 'bʏndə] <-es, (¨e)> *m* **1.** (*fam: Bundesrepublik*) Federal Government **2.** (*Vereinigung*) association **3.** (POL: *Staaten~*) alliance **4.** (*fam: Bundeswehr*) the services *pl;* **den ~ fürs Leben schließen** take the marriage vows *pl*

Bün•del ['bʏndəl] <-s, -> *n* **1.** bundle; (*Bund*) bunch **2.** (*fig*) cluster; **ein ~ von Vorschlägen** a set of suggestions

bün•deln *tr* **1.** bundle up **2.** (OPT) focus

Bun•des•ar•beits•ge•richt [--'----] *n* Federal Labour Court; **Bun•des•aus•bil•dungs•för•de•rungs•ge•setz** *n law regarding grants for higher education;* **Bun•des•bahn** *f* Federal Railway; **Bun•des•bank** *f* Federal Bank; **Bun•des•be•hör•de** *f* Federal authority; **Bun•des•bür•ger(in)** *m(f)* citizen of the Federal Republic (of Germany); **Bun•des•fi•nanz•hof** [---'--] *m* Federal Finance Court; **Bun•des•ge•biet** *n* federal territory; **Bun•des•ge•richts•hof** [---'--] *m* Federal Supreme Court; **Bun•des•haupt•stadt** *f* capital of the Federal Republic (of Germany); **Bun•des•heer** *n* (*österr*) (Austrian) Federal Armed Forces *pl;* **Bun•des•in•nen•mi•nis•ter(in)** [--'-----] *m(f)* Federal Minister of the Interior; **Bun•des•kanz•ler(in)** *m(f)* German Chancellor; **Bun•des•land** *n* federal state, Land; **Bun•des•li•ga** *f* National League; **Bun•des•nach•rich•ten•dienst** *m* Federal Intelligence Service; **Bun•des•post** *f* Federal Post Office; **Bun•des•prä•si•dent(in)** *m(f)* (*Deutschland*) Federal President; (*Schweiz*) President of the Federal Council; **Bun•des•rat** *m* (*Deutschland*) Bundesrat; (*Schweiz*) Federal Government; **Bun•des•re•gie•rung** *f* Federal Government; **Bun•des•re•pu•blik** *f* Federal Republic; (*Deutschland*) Federal Republic of Germany; **Bun•des•schatz•brief** *m* Federal Government bond; **Bun•des•staat** *m* federal state; **Bun•des•stra•ße** *f* federal highway;

Bun•des•tag *m* Bundestag; **Bun•des•tags•mit•glied** *n* member of the Bundestag; **Bun•des•tags•prä•si•dent(in)** *m(f)* President of the Bundestag; **Bun•des•tags•wahl** *f* elections to [*o* for] the Bundestag; **Bun•des•trai•ner(in)** *m(f)* coach of the German national team; **Bun•des•ver•fas•sungs•ge•richt** [---'----] *n* Federal Constitutional Court; **Bun•des•ver•samm•lung** *f* (*Deutschland*) Federal Convention; (*Schweiz*) Federal Assembly; **Bun•des•wehr** *f* Federal Armed Forces *pl*

Bund•fal•ten•ho•se *f* pleated trousers *Br,* pegged [*o* pleated] pants *Am*

bün•dig ['bʏndɪç] *adj* **1.** (TECH: *fluchtrecht*) flush **2.** (*fig: schlüssig*) conclusive; **kurz und ~** tersely

Bünd•nis [bʏntnɪs] *n* alliance

Bun•ker ['bʊnkɐ] <-s, -> *m* (MIL) bunker; (*Schutz~*) air-raid shelter

Bun•sen•bren•ner ['bʊnzn-] <-s, -> *m* (CHEM) bunsen burner

bunt [bʊnt] *adj* **1.** (*vielfarbig*) colourful; (*farbig*) coloured **2.** (*fig: allerlei enthaltend*) mixed; (*verschiedenartig*) varied; **~es Glas** stained glass; **ein ~er Abend** (*fig*) a social; **in ~er Reihenfolge** (*fig*) in a varied sequence; **jetzt wird's mir aber zu ~!** (*fig fam*) that's going too far!

Bunt•me•tall *n* non-ferrous metal; **Bunt•sand•stein** *m* new red sandstone; **Bunt•specht** *m* spotted woodpecker; **Bunt•stift** *m* coloured pencil, crayon; **Bunt•wä•sche** *f* coloureds *pl*

Bür•de ['bʏrdə] <-, -n> *f* **1.** (*aufgebürdete Last*) load **2.** (*fig*) burden

Burg [bʊrk] <-, -en> *f* castle; **Burg•an•la•ge** *f* castle complex

Bür•ge ['bʏrgə] <-n, -n> *m* guarantor; **e-n ~n stellen** offer surety

bür•gen *tr:* **für etw ~** guarantee s.th.; **für jdn ~** stand surety for s.o.; (*fig*) vouch for s.o.

Bür•ger(in) *m(f)* (*Staats~*) citizen; **die ~ unserer Stadt** the people of our town

Bür•ger•ini•tia•ti•ve *f* citizens' action group

Bür•ger•krieg *m* civil war

bür•ger•lich *adj* civil; **das ~e Gesetzbuch** the Civil Code

Bür•ger•meis•ter(in) *m(f)* mayor; **bür•ger•nah** *adj* (*Politiker*) close to the people

Bür•ger•recht *n* civil rights *pl;* **Bür•ger•recht•ler(in)** *m(f)* civil righter; **Bür•ger•rechts•be•we•gung** *f* civil rights movement

Bür•ger•schaft *f* **1.** (*die Bürger*) citizens *pl* **2.** (*Stadtparlament*) City Parliament

Bür•ger•steig *m* pavement *Br,* sidewalk *Am*

Bür•ger•ver•samm•lung *f* town meeting; **Bür•ger•wehr** *f* militia

Burg•gra•ben *m* castle moat

Bürg•schaft ['bʏrkʃaft] *f* security, surety; **für jdn ~ leisten** stand surety for s.o.

Bur•gund [bʊr'gʊnt] <-s> *n* Burgundy; **Bur•gun•der** *m* (*Wein*) burgundy; **bur•gun•disch** *adj* Burgundian

Burg•ver•lies *n* (castle) dungeon

bur•lesk [bʊr'lɛsk] *adj* burlesque

Bü•ro [by'ro:] <-s, -s> *n* office; **Bü•ro•an•ge•stell•te** *m f* office worker; **Bü•ro•ar•beit** *f* office work; **Bü•ro•be•darf** *m* office supplies *pl;* **Bü•ro•hengst** *m* (*pej*) pen pusher; **Bü•ro•klam•mer** *f* paper clip; **Bü•ro•kom•mu•ni•ka•ti•on** *f* office communications *pl;* **Bü•ro•kom•mu•ni•ka•ti•ons•sys•tem** *n* (EDV) office communications system

Bü•ro•krat(in) *m(f)* bureaucrat; **Bü•ro•kra•tie** [byrokra'ti:] *f* bureaucracy; **bü•ro•kra•tisch** *adj* bureaucratic

Bü•ro•ma•schi•nen *pl* office machines; **Bü•ro•stuhl** *m* office chair; **Bü•ro•stun•den** *pl* office hours; **Bü•ro•vor•ste•her(in)** *m(f)* chief clerk

Bur•sche ['bʊrʃə] <-n, -n> *m* **1.** (*Halbwüchsiger*) boy, chap, lad **2.** (*Kerl*) fellow, guy; **ein kluger ~** a clever fellow; **ein übler ~** (*fam*) a bad lot

bur•schi•kos [bʊrʃi'ko:s] *adj* tomboyish

Bürs•te ['bʏrstə] <-, -n> *f* brush

bürs•ten *tr* brush; **sich die Haare ~** brush one's hair

Bürs•ten•haar•schnitt *m* crew cut; **Bürs•ten•mas•sa•ge** *f* brush massage

Bus [bʊs] <-ses, -se> *m* bus; **Bus•bahn•hof** *m* bus [*o* coach] station

Busch [bʊʃ, *pl:* 'bʏʃə] <-es, ⸚e> *m* **1.** (*Gesträuch*) bush; (*einzelner Strauch*) shrub **2.** (*kleines Gehölz, Dickicht*) copse, thicket; (*Wald, Urwald*) jungle; **jdm auf den ~ klopfen** (*fig fam*) sound s.o. out; **sich in die Büsche schlagen** (*fig fam*) slip away; **etw ist im ~** (*fig fam*) there's s.th. up; **Busch•boh•ne** *f* dwarf bean

Bü•schel ['bʏʃəl] <-s, -> *n* (*von Haaren etc*) tuft, wisp; (*von Stroh etc*) bundle; **bü•schel•wei•se** *adv* in tufts

Bu•sen ['bu:zən] <-s, -> *m* breast; **am ~ der Natur** (*hum*) in the lap of nature; **Bu•sen•freund(in)** *m(f)* bosom friend

Bus•fah•rer(in) *m(f)* bus driver

Bus•hal•te•stelle *f* bus stop

Busi•ness Class ['bɪznɪs,kla:s] <-> *f* business class

Bus•li•nie *f* bus route

Bus•sard ['bʊsart] <-s, -e> *m* (ORN) buzzard

Bu•ße ['bu:sə] <-, -n> *f* **1.** (ECCL: *Bußsakra-*

ment) penance; (*Reue*) penitence, repentance **2.** (*Geld~*) fine; ~ **tun** do penance; **jdn zu e-r ~ verurteilen** fine s.o.

bü•ßen ['by:sən] *tr itr:* **das wirst du mir** (**noch**) **~!** I'll make you pay for that!; **er musste schwer dafür ~** he had to pay dearly for it

Buß•geld *n* fine; **Buß•geld•be•scheid** *m* notice of payment due

Buß•tag *m* day of repentance

Büs•te ['bʏstə] <-, -n> *f* bust; **Büs•ten•hal•ter** *m* brassiere

Bu•tan•gas [bu'ta:n-] *n* butane

Bu•tike[RR] <-, -n> *f s.* **Boutique**

Butt [bʊt] <-(e)s, -e> *m* (ZOO) flounder

Büt•te ['bʏtə] <-, -n> *f* (*Kufe, Wanne*) tub; (*Zuber*) vat

Büt•ten(**•pa•pier**) *n* (*handgeschöpftes ~*) handmade paper; (*Werksbütten*) rag paper

But•ter ['bʊtɐ] <-> *f* butter; **alles in ~!** (*fig fam*) everything ok!; **sich eine Scheibe Brot mit ~ bestreichen** spread butter on a slice of bread; **ranzige ~** rancid butter

But•ter•berg *m* (*fam*) butter mountain

But•ter•blu•me *f* (BOT) buttercup

But•ter•brot *n* bread and butter; (*belegtes ~*) sandwich; **jdm etw** (**ständig**) **aufs ~ schmieren** (*fig*) keep rubbing s.th. in; **But•ter•brot•pa•pier** *n* greaseproof paper; **But•ter•milch** *f* buttermilk; **But•ter•schmalz** *n* clarified butter

but•ter•weich ['--'-] *adj* (*a. fig*) beautifully soft

But•ton [bʌtn] <-s, -s> *m* badge, button

But•ton-down-Kra•gen ['bʌtndaʊn-] *m* button-down collar

But•zen•schei•be *f* bull's-eye (window) pane

By•pass-Ope•ra•ti•on *f* (MED) bypass operation

Byte [bait] <-(s), -(s)> *n* (EDV) byte

By•zanz [bytsants] *n* Byzantium

C

C, c [tseː] <-,-> *n* C, c

CAD <-> *n Abk. von* **computer-aided design** CAD

Cad•mi•um ['katmiʊm] <-s> *n* (CHEM) cadmium

Café [ka'feː] <-s, -s> *n* café; **Ca•fe•te•ria** [kafete'rɪa] <-, -s> *f* cafeteria

Call•boy ['kɔːlbɔɪ] <-s, -s> *m* callboy

Call•girl ['kɔːlgœrl] <-s, -s> *n* callgirl

Cam•cor•der ['kɛmkɔrdɐ] <-s, -> *m* camcorder

Camp [kɛmp] <-s, -s> *n* camp

Cam•ping ['kɛmpɪŋ] <-s> *n* camping; **zum ~ fahren** go camping; **Cam•ping•aus•rüs•tung** *f* camping gear; **Cam•ping•bus** *m* camper, dormobile®; **Cam•ping•ge•schirr** *n* camping eating utensils *pl;* **Cam•ping•platz** *m* camping [*o* caravan] site

Cap•pu•cci•no [kapʊ'tʃiːno] <-s, -s> *m* cappucino

Cash-flow ['kæʃfləʊ] <-s> *m* (COM) cash flow

Ca•si•no [ka'ziːno] <-s, -s> *n* casino

Cä•si•um ['tsɛːziʊm] <-s> *n* (CHEM) caesium *Br,* cesium *Am*

Cat•cher(in) ['kɛtʃɐ] <-s, -> *m(f)* wrestler

CB-Funk *m* citizen's band, CB

CD1 <-, -s> *f Abk. von* **Compact Disc** CD, compact disc

CD2 <-s, -s> *n Abk. von* **Corporate Design** corporate design

CD-ROM <-, -s> *f* CD-ROM; **CD-ROM-Lauf•werk** *n* CD-ROM drive; **CD-Spie•ler** *m* compact disc player, CD player; **CD-Stän•der** *m* CD rack

Cel•list(in) [tʃɛ'lɪst] *m(f)* cellist

Cel•lo ['tʃɛlo, *pl:* 'tʃɛli/'tʃɛlos] <-s, -i/-s> *n* cello

Cel•lo•phan [tsɛlo'faːn] <-s> *n* cellophane

Cel•si•us ['tsɛlziʊs] <-,-> *n* centigrade; **8 Grad ~** eight degrees centigrade

Cem•ba•lo ['tʃɛmbalo, *pl:* 'tʃɛmbali/tʃɛmbalos] <-s, -i/-s> *n* cembalo, harpsichord

Ces [tsɛs] <-, (-)> *n* (MUS) C flat

Cey•lon ['tsaɪlɔn] <-s> *n* Ceylon

Cha•mä•le•on [ka'mɛːleɔn] <-s, -s> *n* (*a. fig*) chameleon

Cham•pa•gner [ʃam'panjɐ] <-s, -> *m* champagne

Cham•pi•g•non ['ʃampɪnjɔŋ] <-s, -s> *m* mushroom

Cham•pi•on ['tʃæmpjən] <-s, -s> *m* (SPORT) champion

Chan•ce ['ʃãːs(ə)] <-, -n> *f* chance; **keine ~n haben** not to stand a chance; **bei jdm ~n haben** stand a chance with s.o.; **Chan•cen•gleich•heit** *f* equal opportunities *pl;* **chan•cen•los** *adj* (*Spieler, Partei*) bound to lose; (*Plan, Produkt*) bound to fail

Chan•son [ʃã'sõː] <-s, -s> *n* song

Cha•os ['kaːɔs] <-> *n* chaos; **Cha•os•the•o•rie** *f* (MATH) chaos theory

Cha•ot(in) [ka'oːt] <-en, -en> *m(f)* **1.** (POL) anarchist **2.** (*sl: unordentlicher Mensch*) chaotic person; (*ausgeflippte Person*) freak

cha•o•tisch [ka'oːtɪʃ] *adj* chaotic

Cha•rak•ter [ka'raktɐ, *pl:* karak'teːrə] <-s, -e> *m* **1.** (*Wesenszug, Merkmal*) character **2.** (*Persönlichkeit*) personality **3.** (*Art*) nature; **Cha•rak•ter•ei•gen•schaft** *f* character trait

cha•rak•ter•fest *adj* of firm character, strong-minded; **Cha•rak•ter•fes•tig•keit** *f* firmness of character, strong-mindedness

cha•rak•te•ri•sie•ren *tr* characterize

Cha•rak•te•ri•sie•rung *f* characterization

Cha•rak•te•ris•tik *f* **1.** (*allgemein*) characteristics *pl* **2.** (*Schilderung*) description

Cha•rak•te•ris•ti•kum <-s, -ka> *n* characteristic

cha•rak•te•ris•tisch *adj* characteristic; **~e Eigenschaft** typical feature

cha•rak•ter•lich *adv* character; **~ unbeständig** having an unsteady character

cha•rak•ter•los *adj* **1.** (*von Person*) unprincipled **2.** (*fig: farblos*) colourless

Cha•rak•ter•lo•sig•keit *f* **1.** (*Eigenschaft*) lack of principles **2.** (*Tat*) unprincipled act

Cha•rak•ter•zug *m* characteristic trait; **das ist kein schöner ~!** that is an unpleasant character trait!

char•mant [ʃar'mant] *adj* charming

Charme [ʃarm] <-s> *m* charm

Char•ta ['karta] <-, -s> *f* charter; **die ~ der Vereinten Nationen** the United Nations Charter

Char•ter•flug ['tʃaːɐtɐ-] *m* charter flight; **Char•ter•ma•schi•ne** *f* (AERO) charter plane

char•tern ['tʃaːɐtɐn] *tr* (AERO MAR) charter;

(*anheuern*) hire
Chas•sis [ʃa'siː] <-, -> *n* (MOT TECH) chassis, frame
Chauf•feur(in) [ʃɔ'føːɐ] <-s, -e> *m(f)* chauffeur
Chauf•feuse [ʃofɔz] <-, -n> *f* female professional driver *CH*
chauf•fie•ren *tr haben, itr sein* (MOT) drive
Chau•vi [ʃoːvi] <-s, -s> *m* (*fam pej*) male chauvinist pig, MCP; **Chau•vi•nis•mus** [ʃovi'nɪsmʊs] *m* **1.** (POL) chauvinism, jingoism **2.** (*männlicher* ~) male chauvinism; **Chau•vi•nist(in)** *m(f)* **1.** (POL) chauvinist **2.** (*männlicher* ~) male chauvinist; **chau•vi•nis•tisch** *adj* **1.** (POL) chauvinistic **2.** (*männlich* ~) chauvinist
che•cken ['tʃɛkn̩] *tr* **1.** (*überprüfen*) check **2.** (*fam: begreifen*) get it
Chef(in) [ʃɛf] <-s, -s> *m(f)* (*allgemein*) boss; (*von Polizei*) chief; **Chef•arzt**, **-ärz•tin** *m, f* senior consultant; **Chef•eta•ge** *f* executive floor; **Chef•koch**, **-kö•chin** *m, f* chef; **Chef•re•dak•teur(in)** *m(f)* editor-in-chief; **Chef•se•kre•tär(in)** *m(f)* personal assistant, PA; **Chef•zim•mer** *n* executive's office
Che•mie [çe'miː] *f* chemistry; **Che•mie•fa•ser** *f* synthetic fibre; **Che•mie•müll** *m* chemical waste; **Che•mie•un•fall** *m* chemical accident; **Che•mie•waf•fe** *f* chemical weapon; **Che•mi•ka•lien** [çemi'kaːliən] *fpl* chemicals
Che•mi•ker(in) *m(f)* chemist
che•misch *adj* chemical; **~e Kampfstoffe** chemical warfare agents; **~e Reinigung** dry cleaner's
Che•mo•the•ra•pie [çemotera'piː] *f* (MED) chemotherapy
Chif•fre ['ʃɪfrə] <-, -n> *f* **1.** (*Code~*) cipher **2.** (*in Zeitungsannoncen*) box number; **Chif•fre•an•zei•ge** *f* box number advertisement
chif•frie•ren [ʃɪ'friːrən] *tr* encode, encipher; **chiffrierte Nachricht** coded message
Chi•le ['çiːle/'tʃiːle] <-s> *n* Chile; **Chi•le•ne** ['çi'leːnə] <-n, -n> *m*, **Chi•le•nin** *f* Chilean; **chi•le•nisch** *adj* Chilean
Chi•na ['çiːna] <-s> *n* China; **Chi•na•res•tau•rant** *n* Chinese restaurant; **Chi•ne•se** [çi'neːzə] <-n, -n> *m*, **Chi•ne•sin** *f* Chinese; **chi•ne•sisch** *adj* Chinese; **die Chinesische Mauer** the Great Wall of China
Chi•nin [çi'niːn] <-s> *n* quinine
Chip [tʃɪp] <-s, -s> *m* **1.** (*Kartoffel~*) crisp *Br*, potato chip *Am* **2.** (*Spiel~*) chip **3.** (EDV) chip
Chip•kar•te *f* (COM) ..: smart card
Chi•r•urg(in) [çi'rʊrk] <-en, -en> *m(f)* surgeon
Chi•r•ur•gie [çirʊr'giː] <-, -n> *f* surgery
chi•r•ur•gisch *adj* surgical; **~er Eingriff** surgery
Chlor [kloːɐ] <-s> *n* (CHEM) chlorine
chlo•ren ['kloːrən] *tr* chlorinate
Chlo•rid [klo'riːt] <-(e)s, -e> *n* (CHEM) chloride
Chlo•ro•form [kloro'fɔrm] <-s> *n* chloroform; **chlo•ro•for•mie•ren** *tr* chloroform
Chlo•ro•phyll [kloro'fʏl] <-s> *n* chlorophyll
Chlor•was•ser *n* chlorinated water; **Chlor•was•ser•stoff** [-'---] *m* (CHEM) chlorhydric acid
Cho•le•ra ['koːlera/'kɔləra] <-> *f* cholera
Cho•le•ri•ker(in) *m(f)* choleric person
cho•le•risch *adj* choleric
Cho•les•te•rin [kolɛste'riːn] <-s> *n* (MED) cholesterol; **Cho•les•te•rin•spie•gel** *m* cholesterol level; **Cho•les•te•rin•wert** *m* cholesterol level
Chor1 [koːɐ, *pl:* 'køːrə] <-(e)s, ⸚e> *m* (MUS) choir; (THEAT) chorus; **im ~ singen** sing in the choir
Chor2 *m* (ARCH ECCL) chancel, choir
Cho•ral [ko'raːl, *pl:* ko'rɛːlə] <-s, ⸚e> *m* (ECCL MUS) chant
Cho•reo•grafRR(in) [koreo'graːf] <-en, -en> *m(f)* choreographer; **Cho•reo•gra•fieRR** [koreogra'fiː] *f* choreography; **Cho•reo•graph** *m s.* **Choreograf**; **Cho•reo•gra•phie** *f s.* **Choreografie**
Chor•kna•be *m* choirboy
Chor•sän•ger(in) *m(f)* (ECCL) chorister
Cho•se ['ʃoːzə] <-, -n> *f* (*fam*): **die ganze ~** all of it, the whole lot of it
Christ(in) [krɪst] <-en, -en> *m(f)* Christian; **Christ•baum** *m* Christmas tree
Chris•ten•heit *f* Christendom; **Chris•ten•tum** *n* Christianity
Christ•kind *n* Christ Child; **das ~ kommt!** Father Christmas is coming!
christ•lich **I.** *adj* Christian; **Christlicher Verein Junger Menschen** Young Men's Christian Association, Y.M.C.A.; **~e Zeitrechnung** Christian Era **II.** *adv* as a Christian; **jdn ~ erziehen** bring s.o. up as a Christian
Christ•met•te *f* Midnight Mass
Chris•tus ['krɪstʊs] *m* Christ; **vor Christi Geburt** before Christ, B.C.; **700 nach ~** in the year 700 of our Lord, A.D.
Chrom [kroːm] <-s> *n* chrome
Chro•mo•som [kromo'zoːm] <-s, -en> *n* chromosome
Chrom•pfle•ge•mit•tel *n* chrome polish; **Chrom•stahl** *m* chromium steel; **Chrom•teil** *n* (*a.* MOT) chrome-plated part
Chro•nik ['kroːnɪk] *f* chronicle

chro•nisch *adj* (*Krankheit, a. fig*) chronic
Chro•nist [kro'nɪst] *m* chronicler
chro•no•lo•gisch [krono'lo:gɪʃ] *adj* chronological
Chro•no•me•ter [krono'me:tɐ] <-s, -> *m* chronometer
Chry•san•the•me [kryzan'te:mə] <-, -n> *n* (BOT) chrysanthemum
CI *f Abk. von* **Corporate Identity** corporate identity
cir•ca ['tsɪrka] *adv* about, circa, ca.
Cis [tsɪs] <-, -> *n* (MUS) C sharp
Clea•ring ['kli:rɪŋ] <-s, -s> *n* (COM) clearing
Cle•men•ti•ne [klemɛn'ti:nə] <-, -n> *f* (BOT) clementine
cle•ver ['klɛvɐ] *adj* clever
Clinch [klɪntʃ] <-(e)s> *m* (*fam*): **mit jdm im ~ liegen** (*fig*) be at loggerheads with s.o.
Clip [klɪp] <-s, -s> *m* **1.** (*an Schreibgerät*) clip **2.** (*Ohrclip*) earring
Cli•que ['klɪkə] <-, -n> *f* (*fam*) group, set; **Paul und seine** (**ganze**) ~ Paul and his set
Clo•chard [klɔ'ʃa:r] <-s, -s> *m* tramp
Clou [klu:] <-s, -s> *m*: **das ist doch der ~!** that's the whole point!; **das ist ja gerade der ~!** but that's just it!; **der ~ des Abends** the highlight of the evening
Clown [klaʊn] <-s, -s> *m* clown; **sich zum ~ machen** make a clown of o.s.
Cock•pit ['kɔkpɪt] <-s, -s> *n* (AERO) cockpit
Code [ko:d] <-s, -s> *m* code; **genetischer ~** (BIOL) genetic code
co•die•ren *tr* codify, encode
Coif•feur [kwa'fɔ:r] <-s, -e> *m* hairdresser *CH*
Col•la•ge [kɔ'la:ʒə] <-, -n> *f* collage
Colt® [kɔlt] <-s, -s> *m* colt
Come-back [kam'bɛk] <-s, -s> *n* (*a.* SPORT) comeback
Co•mic•heft *n* comic
Com•pu•ter [kɔm'pju:tɐ] <-s, -> *m* (EDV) computer; **Com•pu•ter•ar•beits•platz** *m* work station; **Com•pu•ter•dia•gno•se** *f* (MED) computer diagnosis; **Com•pu•ter•freak** *m* (*fam*) computer freak; **com•pu•ter•ge•steu•ert** *adj* computer-controlled; **Com•pu•ter•gra•fikRR** *f*, **Com•pu•ter•gra•phik** *f* computer graphics *sing;* **Com•pu•ter•in•tel•li•genz** *f* artificial intelligence; **com•pu•te•ri•sie•ren** *tr* computerize; **Com•pu•ter•kri•mi•na•li•tät** *f* computer crime; **com•pu•ter•les•bar** *adj* (*Ausweis etc*) machine-readable; **Com•pu•ter•lin•guis•tik** *f* computer linguistics *sing;* **Com•pu•ter•netz•werk** *n* computer network; **Com•pu•ter•satz** *m* (TYP) computer typesetting; **Com•pu•ter•si•mu•la•ti•on** *f* computer simulation; **Com•pu•ter•spiel** *n* computer game; **Com•pu•ter•tisch** *m* computer table; **Com•pu•ter•to•mo•gra•fieRR** *f*, **Com•pu•ter•to•mo•gra•phie** *f* (MED) computer tomography; **Com•pu•ter•vi•rus** *m* computer virus; **Com•pu•ter•zeit•schrift** *f* computer magazine
Con•fé•ren•cier [kõferãsj'e:] <-s, -s> *m* compère
Con•tai•ner [kɔn'te:nɐ] <-s, -> *m* (*zum Transport*) container; (*für Bauschutt*) skip; **Con•tai•ner•brü•cke** *f* (MAR) transporter container-loading bridge; **Con•tai•ner•dorf** *n* village of prefab huts; **Con•tai•ner•schiff** *n* container ship; **Con•tai•ner•sta•pel** *m* unit load; **Con•tai•ner•stap•ler** *m* (TECH) container carrier truck; **Con•tai•ner•ter•mi•nal** *m* container berth [*o* terminal]
Con•ter•gan•kind [kɔntɛr'ga:n-] *n* thalidomide baby
cool [kʊ:l] *adj* (*fam*) cool
Co•py-Shop ['kɔpiʃɔp] <-s, -s> *m* (COM) ..: copy shop
Cord <-s, -s> *m* cord, corduroy; **Cord•jeans** ['kɔrtʒi:ns] *pl* corduroy jeans, cords
Corn•flakes ['kɔ:nfleɪks] *pl* cornflakes
Cos•ta Ri•ca ['kɔsta 'ri:ka] *n* Costa Rica
Couch [kaʊtʃ] <-, -en> *f* couch; **Couch•gar•ni•tur** *f* suite; **Couch•tisch** *m* coffee table
Count•down ['kaʊntdaʊn] <-s, -s> *m* (*a. fig*) countdown
Cou•pon [ku'põ:] <-s, -s> *m* coupon
Cou•ra•ge [kʊ'raʒə] <-> *f* (*fam*) guts *pl*
cou•ra•giert *adj* courageous
Cou•sin(**e**) [ku'zɛ̃: (ku'zi:nə)] <-, -s> *m* cousin
Cou•vert [ku've:ɐ] <-s, -s> *n* envelope
Crack1 [krɛk] <-s, -s> *m* (*Könner*) ace
Crack2 [krɛk] <-s> *n* (*Droge*) crack
crash-er•probt ['krɛʃ-] *adj* crash-tested
Creme [krɛ:m/kre:m] <-, -s> *f* cream
creme•far•ben *adj* cream-coloured
Creme•tor•te *f* cream gateau
Creme•spü•lung *f* cream rinse
cre•mig *adj* creamy
Cur•ling ['kø:ɐlɪŋ] <-s> *n* (SPORT) curling
Cur•ri•cu•lum [kʊ'rɪkʊlʊm] <-s, -la> *n* (PÄD) curriculum
Cur•ry ['kœrɪ] <-s, -s> *n* curry; **Cur•ry•wurst** ['kœrivʊrst] *f* curried sausage
Cur•sor ['kœ:rzɐ] <-s, -> *m* (EDV) cursor
Cut•ter(**in**) ['katɐ] <-s, -> *m(f)* (FILM) cutter

D

D, d [deː] <-,-> *n* D, d
D-Zug ['deːtsuːk] *m* (RAIL) fast train
da [daː] **I.** *adv* **1.** (*örtlich: dort*) there **2.** (*örtlich: hier*) here; (*bei der Hand*) at hand **3.** (*zeitlich*) then; **das Haus** ~ the house over there; ~ **haben wir's!** that had to happen!; **wer ~?** who's there?; **da sein**[RR] be there; **wir sind gleich** ~ we'll soon be there; **ich bin gleich wieder** ~ I'll be right back; **ich bin noch** ~ I'm still there; **ist noch (etw) Tee ~?** is there any tea left?; **ist die Post schon ~?** has the post come yet?; **~, nimm schon!** here, take it!; ~ **siehst du, was du angerichtet hast!** now see what you've done!; **was gibt's denn ~ zu lachen?** what's funny about that?; ~ **kann man nichts machen** there's nothing to be done about it; ~ **kann ich bloß lachen!** I can't help laughing!; ~ **fällt mir gerade ein, ...** it just occurred to me ... **II.** *konj* (*weil*) as, since, seeing that
DAAD <-> *m Abk. von* **Deutscher Akademischer Austauschdienst** Academic Exchange Service
da•bei [da'baɪ/'daːbaɪ] *adv* **1.** (*örtlich*): **ist die Beschreibung ~?** are the instructions attached? **2.** (*zeitlich*): **hör auf Klavier zu spielen! ~ kann ich mich nicht konzentrieren!** do stop playing the piano! I can't concentrate!; ~ **darf man (allerdings) nicht vergessen, dass ...** it shouldn't be forgotten here that ... **3.** (*sonstige*): **es kommt doch nichts ~ heraus** nothing will come of it (after all); **... und ~ bleibt's!** ... and that's that!; **lassen wir es ~ (bewenden)!** let's leave it at that!; **was ist schon ~?** so what of it?; **was hast du dir ~ gedacht?** what were you thinking of?
da|blei•ben *sein irr itr* stay
Dach [dax, *pl:* 'dɛçɐ] <-s, =er> *n* roof; **unterm ~ wohnen** live right on the top floor; **unter ~ und Fach sein** be in the bag; **eins aufs ~ kriegen** (*fig fam*) get told off; **Dach•bal•ken** *m* roof beam; **Dach•bo•den** *m* attic; **Dach•de•cker** *m* tiler; **Dach•fens•ter** *n* dormer window; (*Dachluke*) skylight; **Dach•first** *m* ridge of the roof; **Dach•gar•ten** *m* roof garden; **Dach•ge•päck•trä•ger** *m* (MOT) roof rack; **Dach•ge•sell•schaft** *f* holding company; **Da•chglei•che** <-, -n> *f* (*österr: Richtfest*) topping-out ceremony; **Dach•haus** *n* penthouse; **Dach•kam•mer** *f* attic room; **Dach•kän•nel** <-s, -> *m* (*CH: Dachrinne*) gutter; **Dach•lu•ke** *f* skylight; **Dach•or•ga•ni•sa•ti•on** *f* parent organization; **Dach•pap•pe** *f* roofing felt; **Dach•pfan•ne** *f* tile; **Dach•rin•ne** *f* gutter
Dachs [daks] <-es, -e> *m* (ZOO) badger
Dach•scha•den *m:* **du hast ja 'n ~!** (*fig fam*) you've a screw loose!; **Dach•stuhl** *m* roof truss; **Dach•woh•nung** *f* attic flat; **Dach•zie•gel** *m* roofing tile
Da•ckel ['dakəl] <-s, -> *m* (ZOO) dachshund
da•durch ['daːdʊrç] *adv* **1.** (*örtlich: dort durch*) that way, through there **2.** (*Grund: durch dieses Mittel*) by that, in that way; **er rettete sich ~, dass er aus dem Fenster sprang** he saved himself by jumping out of the window
da•für ['daːfyːɐ/da'fyːɐ] *adv* **1.** (*für das*) for it, for that; **ich bin ganz ~!** I'm all for it! *fam;* **ich bin ~ nach Hause zu gehen** I'm for going home; **sie gibt ihr ganzes Geld ~ aus** she spends all her money on it; **ich werde ~ sorgen, dass ...** I'll see to it that ... **2.** (*andererseits*): **der Anzug ist teuer, ~ passt er aber gut** the suit is expensive, but then it fits well
Da•für•hal•ten [-'---] *n:* **nach meinem ~** in my opinion
da•ge•gen ['daːgeːgən/da'geːgən] **I.** *adv* **1.** (*allgemein*) against that, against it **2.** (*örtlich*) into s.th., against s.th. **3.** (*verglichen mit*) compared with; **er schlug ~** he hammered on it; **ich habe nichts ~** I don't object, I've no objections; **haben Sie etw ~, wenn ich gehe?** do you mind if I leave?; ~ **kann man nichts machen** nothing can be done about it **II.** *konj* (*andererseits*) on the other hand
Da•heim [da'haɪm] <-s> *n* home
da•heim *adv* at home; **wieder ~ sein** be home again
da•her ['daːheːɐ/da'heːɐ] **I.** *adv* **1.** (*örtlich*) from there **2.** (*aus diesem Grund*) that's why ..., hence; **das kommt ~, dass ...** that's because ... **II.** *konj* (*deswegen*) that's why ...; **da•her•brin•gen** *vt* (*österr: herbeibringen*) bring over
da•hin ['daːhɪn/da'hɪn] *adv* **1.** (*örtlich*) there **2.** (*zeitlich: bis ~*) by that time, by then, until then **3.** (*vorbei, vergangen*)

gone; **ist es noch weit bis ~?** is it still a long way?; **meine Meinung geht ~, dass ...** I tend to the opinion that ...; **mir steht's bis ~!** (*fam*) I've had it up to here!; **da•hin•ge•stellt** [-'---] *adj:* **ich lasse das mal (so)** ~ I leave it open whether ...; **da•hin|sa•gen** [-'---] *tr* say without really thinking; **das war nur so dahingesagt** I just said that; **da•hin|schwin•den** [-'---] *sein irr itr* **1.** (*räumlich*) dwindle **2.** (*Zeit*) go past

da•hin•ten [da'hɪntən] *adv* over there

da•hin•ter [da'hɪntɐ] *adv* behind that [*o* it]; **es steckt etw ~** (*fig*) there is s.th. in it; **es steckt nichts ~** (*fig*) there's nothing in it; **da•hin•ter|klem•men** *s.* klemmen; **da•hin•ter|kom•men** *s.* **kommen**

da•hin|ve•ge•tie•ren *itr* vegetate

Dah•lie ['da:liə] <-, -n> *f* dahlia

Dal•ma•ti•en [dal'ma:tsiən] *n* (GEOG) Dalmatia

da•ma•lig ['da:ma:lɪç] *adj* at that time; **der ~e Gesandte** the then ambassador

Da•mast [da'mast] <-(e)s, -e> *m* damask

Da•me ['da:mə] <-, -n> *f* **1.** (*Frau*) lady **2.** (*im Damespiel*) king **3.** (*im Kartenspiel*) queen; **meine ~n u. Herren!** Ladies and Gentlemen!; **Da•me•brett** *n* (*Br*) draught(s) board; (*Am*) checkerboard; **Da•men•bin•de** *f* (*Br*) sanitary towel; (*Am*) napkin; **Da•men•fahr•rad** *n* ladies' bicycle, ladies' bike *fam;* **Da•men•un•ter•wä•sche** *f* lingerie; **Da•men•wahl** *f* (*beim Tanz*) ladies' choice

Da•me•spiel *n* (*Br*) draughts; (*Am*) checkers *pl;* **Da•me•stein** *m* (*Br*) draughtsman; (*Am*) checker

Dam•hirsch ['damhɪrʃ] *m* fallow deer

da•mit ['da:mɪt/da'mɪt] **I.** *adv:* **was willst du ~?** what do you want with that?; **was soll ich ~?** what am I meant to do with that?; **was ist ~?** what about it?; **wie wär's ~?** how about it?; **das hat ~ gar nichts zu tun** that has nothing to do with it; **hör auf ~!** stop it!; **was wollen Sie ~ sagen?** what's that supposed to mean?; **sind Sie ~ einverstanden?** do you agree to that?; **her ~!** (*fam*) give it here! **II.** *konj:* ~ **... nicht ...** so that ... not ...

däm•lich ['dɛ:mlɪç] *adj* dumb, stupid

Damm [dam, *pl:* 'dɛmə] <-(e)s, ⸚e> *m* **1.** (*Ufer~*) embankment **2.** (*Deich*) dyke **3.** (*fig: Hindernis*) barrier **4.** (ANAT) perineum; **nicht auf dem ~ sein** (*fig fam*) not to feel up to the mark; **wieder auf dem ~ sein** (*fig fam*) be all right again; **Damm•bruch** *m* breach in a dyke

däm•me•rig ['dɛmərɪç] *adj* (*Beleuchtung*) dim, faint; **Däm•mer•licht** *n* gloom, halflight; (*Zwielicht*) twilight

däm•mern ['dɛmɐn] *itr* **1.** (*morgens: day*) dawn; (*abends: dusk, evening, night*) fall **2.** (*fig: dahin~*) doze; **jetzt dämmert's mir!** now it is beginning to dawn on me!; **es dämmerte ihr** it dawned upon her

Däm•me•rung ['dɛmərʊŋ] *f* twilight; **bei ~** (*abends*) when dusk begins to fall; (*morgens*) when dawn is breaking

Dä•mon ['dɛ:mɔn, *pl:* dɛ'mo:nən] <-s, -en> *m* demon; **dä•mo•nisch** *adj* demonic

Dampf [dampf, *pl:* 'dɛmpfə] <-(e)s, ⸚e> *m* (*Wasser~*) steam; (*Dunst*) vapour; ~ **ablassen** (*a. fig*) let off steam; **jdm ~ machen** (*fig fam*) make s.o. get a move on; **Dampf•bad** *n* steam [*o* vapour] bath; **Dampf•bü•gel•ei•sen** *n* steam iron; **Dampf•druck** *m* vapour pressure

damp•fen ['dampfən] *itr* **1.** (*aus~*) steam **2.** (*voll von Dampf sein*) be full of steam

dämp•fen ['dɛmpfən] *tr* **1.** (*fig*) muffle; (*Stimme*) lower **2.** (*fig: Freude*) dampen **3.** (*Speisen*) steam

Damp•fer ['dampfɐ] <-s, -> *m* steamer, steamship; **da bist du aber auf dem falschen ~!** (*fig fam*) you're on the wrong track!

Dämp•fer ['dɛmpfɐ] <-s, -> *m* **1.** (*Schall~ an Auspuff, Br*) silencer; (*Am*) muffler **2.** (*Schall~ bei Schusswaffe*) silencer **3.** (MUS: *bei Trompete*) mute

Damp•fer•fahrt *f* boat trip

Dampf•hei•zung *f* steam heating

damp•fig *adj* steamy

Dampf•kes•sel *m* **1.** (TECH) steam boiler **2.** (*Kochkessel*) steamer; **Dampf•koch•topf** *m* pressure cooker; **Dampf•kraft•werk** *n* steam power plant; **Dampf•ma•schi•ne** *f* steam engine; **Dampf•schiff•fahrt**[RR] *f* steam navigation; **Dampf•schiff•fahrts•ge•sell•schaft**[RR] *f* steamship company; **Dampf•tur•bi•ne** *f* steam turbine; **Dampf•wal•ze** *f* steamroller

da•nach ['da:nax/da'na:x] *adv* **1.** (*zeitlich: darauf*) after, after that **2.** (*demgemäß*) accordingly **3.** (*in Richtung*) at, towards; **er sieht auch ~ aus** that's just what he looks like; ~ **siehst du gerade aus!** (*iro*) I can see that!; **mir ist nicht ~ zumute** I don't feel like it; **sich ~ erkundigen, ob ...** enquire whether ...

Dä•ne ['dɛ:nə] <-n, -n> *m*, **Dä•nin** *f* Dane

da•ne•ben [da'ne:bən/'da:ne:bən] *adv* **1.** (*räumlich*) next to s.o. [*o* s.th.] **2.** (*zusätzlich*) in addition; (*gleichzeitig*) at the same time; **dicht ~** hard [*o* close] by; **rechts ~** to the right of it; ~ **nimmt sich das Haus ganz klein aus** the house looks very small in comparison; **da•ne•ben|ge•hen** [-'----]

sein irr itr (*fig fam*) go wrong

Dä•ne•mark ['dɛːnəmark] <-s> *n* Denmark; **dä•nisch** *adj* Danish

Dank [daŋk] <-(e)s> *m* **1.** (*Dankbarkeit*) gratitude **2. ~!** thanks!; **vielen ~!** thanks a lot!; **jdm zu ~ verpflichtet sein** owe s.o. a debt of gratitude; **mit bestem ~ zurück!** thanks for lending it to me!; **ist das also dein ~ dafür?!** is that your way of saying thank you?

dank *präp +dat* thanks to

dank•bar *adj* **1.** (*allgemein*) grateful **2.** (*fig: lohnend*) rewarding; **jdm ~ sein für etw** be grateful to s.o. for s.th.; **ich wäre Ihnen ~, wenn Sie mir das Geld gleich geben würden** I'd appreciate it if you gave me the money right now; **ein ~es Publikum** an appreciative audience

Dank•bar•keit *f* gratitude

dan•ke *interj* thanks!; **~ schön** thank you!

dan•ken *itr* (*jdm ~*) thank s.o. (*für* for); **jdm ~ lassen** send s.o. one's thanks; **~d ablehnen** decline with thanks; **nichts zu ~!** don't mention it!

dann [dan] *adv* **1.** (*danach*) then **2.** (*dann also*) then **3.** (*obendrein*) on top of that; **~ und wann** now and then; **selbst ~ nicht, wenn ...** not even if ...; **~ eben nicht!** (*fam*) well, in that case ...; **also, ~ bis morgen!** see you tomorrow then!

da•r•an [da'ran/'daːran] *adv* **1.** (*räumlich: an etw*) on (s.th.); (*festmachen an etw*) to (s.th.) **2.** (*fig: an etw*) in s.th. **3.** (*zeitlich*): **im Anschluss ~** following it; **nahe ~ sein** (*fig*) be on the point of; **nahe ~ sein etw zu tun** very nearly do s.th.; **ich bin ~ interessiert** I'm interested in it; **das Schönste ~ ist, ...** the best thing about it is ...; **da•r•an|ge•hen** [-'---] *sein irr itr:* **~ etw zu tun** (*fam*) set about doing s.th.; **da•r•an|ma•chen** [-'---] *refl:* **sich ~ etw zu tun** (*fam*) get down to doing s.th.; **da•r•an|•set•zen** [-'---] *tr* risk, stake

da•r•auf ['daːraʊf/da'raʊf] *adv* **1.** (*räumlich*) on (s.th.) **2.** (*zeitlich*) after that **3.** (*fig: auf etw*) to that; **am Tag ~** the next day; **drei Jahre ~** three years later; **ich werde ~ nicht antworten** I won't answer that; **~ steht Gefängnis** that is punishable by imprisonment; **ich bestehe ~, dass Sie ein neues Getriebe einbauen** I insist on your fitting a new gearbox; **wie kommst du ~?** what makes you think that?; (**nur**) **~ aus sein etw zu tun** be (only) interested in doing s.th.

da•r•auf•hin¹ *adv* **1.** (*als Folge*) as a result **2.** (*danach*) after that

da•r•auf•hin² *adv* (*im Hinblick darauf*) with regard to (s.th.)

da•r•aus ['daːraʊs/da'raʊs] *adv* **1.** (*aus e-m Gegenstand heraus*) out of (s.th.) **2.** (*fig: aus Material*) from (s.th.) **3.** (*fig: folgend aus etw*) from (s.th.); **~ wird nichts!** (*fam*) nothing doing!; **~ mache ich mir nichts** I'm not very keen on that

dar•ben ['darbən] *itr* live in want

dar|bie•ten ['daːɐbiːtən] **I.** *irr tr* **1.** (*Aufführung etc*) perform **2.** (*Speisen: anbieten*) serve **II.** *refl* present itself

Dar•bie•tung *f* (THEAT) performance

dar•ein- *präp,* **drein-** [da'raɪn-] *präp:* **traurig ~blicken** look sad; **jdm dreinreden** interfere in someone's affairs

dar•in ['daːrɪn/da'rɪn] *adv* **1.** (*räumlich*) in (s.th.) **2.** (*fig*) in that respect; **der Unterschied liegt ~, dass ...** the difference is that ...

dar|le•gen ['daːɐleːgən] *tr* explain (*jdm etw* s.th. to s.o.); (*Plan, Theorie a.*) expound

Dar•le•h(e)n ['daːɐleː(ə)n] <-s, -> *n* loan (*an, für* to); **ein ~ aufnehmen** raise [*o* take up] a loan; **Dar•lehens•ge•ber** *m* lender; **Dar•lehens•neh•mer** *m* borrower

Darm [darm, *pl:* 'dɛrmə] <-(e)s, ⸚e> *m* **1.** (ANAT) bowel, intestines *pl* **2.** (*Wursthaut*) skin; **Darm•er•kran•kung** *f* intestinal disease; **Darm•grip•pe** *f* gastric influenza; **Darm•in•fek•ti•on** *f* bowel infection; **Darm•krebs** *m* cancer of the intestine; **Darm•ver•schluss**[RR] *m* obstruction of the bowel

dar|rei•chen ['daːɐraɪçən] *tr* offer (*jdm etw* s.o. s.th.)

dar|stel•len ['daːɐʃtɛlən] *tr* **1.** (*vorzeigen*) show; (*beschreiben*) describe **2.** (THEAT) play **3.** (*bedeuten*) constitute, represent; **was soll das ~?** what is that supposed to be?

Dar•stel•le•r(in) *m(f)* (THEAT) actor (actress)

Dar•stel•lung *f* **1.** (*bildlich*) portrayal **2.** (*fig*) representation; (*Beschreibung*) description **3.** (*grafische ~*) graph; **falsche ~** misrepresentation

da•r•über ['daːrybɐ/da'ryːbɐ] *adv* **1.** (*räumlich*) over s.th.; (*quer ~*) across s.th. **2.** (*fig: über*) about (s.th.); **~ hinweg sein** (*fig*) have got over it; **~ hinaus** over and above that; **es geht nichts ~** there's nothing to beat it

da•r•um ['daːrʊm/da'rʊm] *adv* **1.** (*örtlich*) round s.th. **2.** (*fig: deshalb*) that's why; **es geht ~, dass ...** the thing is that ...; **~ geht es gar nicht** that isn't the point; **ach ~!** so that's why!

da•r•un•ter ['daːrʊntɐ/da'rʊntɐ] *adv* **1.** (*räumlich*) under [*o* beneath] s.th. **2.** (*unter e-r Anzahl*) among them **3.** (*weniger*) under that; **was verstehen Sie ~?** what do

you understand by it?
das[1] [das] *art* the
das[2] [das] *pron* (*nom sing*) who, which, that; (*acc sing*) whom, which; (*pl*) those
da|sein *s.* **da**
Da•sein ['da:zaɪn] <-s> *n* **1.** (*Anwesendsein*) presence **2.** (*Existenz*) existence; **etw ins ~ rufen** call s.th. into existence
dass[RR] [das] *konj* that; **~ du es mir nicht verlierst!** see that you don't lose it!; **ich bin dagegen, ~ wir jetzt gehen** I'm against us leaving now
das•sel•be [das'zɛlbə] *pron* the same; **das ist genau ~** it is just the same
Da•tei [da:'taɪ] *f* (EDV) file; **Da•tei•mar•ke** *f* (EDV) filemark; **Da•tei•na•me** *m* file name; **Da•tei•sys•tem** *nt* (EDV) file system
Da•ten ['da:tən] *pl* (*von Datum: Angaben*) the facts; **technische ~** technical data; **Da•ten•ab•ruf** *m* data retrieval; **Da•ten•auf•be•rei•tung** *f* (EDV) data preparation; **Da•ten•aus•tausch** *m* data exchange [*o* interchange]; **Da•ten•au•to•bahn** *f* (EDV) information superhighway; **Da•ten•bank** *f* (EDV) data bank; **Da•ten•ba•sis** *f* database; **Da•ten•be•stand** *m* database; **Da•ten•ein•ga•be** *f* (EDV) data input; **Da•ten•er•fas•sung** *f* (EDV) data capture; **Da•ten•feld** *nt* (EDV) data field; **Da•ten•fern•ver•ar•bei•tung** *f* teleprocessing; **Da•ten•fluss**[RR] *m* (EDV) data flow; **Da•ten•hand•schuh** *m* data glove; **Da•ten•lei•tung** *f* data line; **Da•ten•miss•brauch**[RR] *m* data abuse; **Da•ten•netz** *n* data network; **Da•ten•schutz** *m* data protection; **Da•ten•schutz•be•auf•trag•te(r)** *f m* data protection specialist
Da•ten•si•cher•heit *f* data integrity; **Da•ten•si•che•rung** *f* (EDV) backup; **Da•ten•sicht•ge•rät** *n* visual display unit, VDU; **Da•ten•trä•ger** *m* data carrier; **Da•ten•ty•pist(in)** *m(f)* terminal operator; **Da•ten•ver•ar•bei•tung** *f* (EDV) data processing; **elektronische ~** electronic data processing; **Da•ten•zen•tra•le** *f* data centre
da•tie•ren [da'ti:rən] *tr* date; **datiert sein vom ...** date from ...
Da•tiv ['da:ti:f] <-s, -e> *m* (GRAM) dative
Dat•tel ['datəl] <-, -n> *f* date; **Dat•tel•pal•me** *f* date palm
Da•tum ['da:tʊm] <-s, -ten> *n* date; **was ist heute für ein ~?** what is the date today?; **ich hab' mich im ~ vertan** I've got the wrong date; **welches ~ hat der Brief?** when is the letter dated?; **Da•tum•stem•pel** *m* date stamp
Dau•er ['daʊɐ] <-> *f* **1.** (*allgemein*) duration **2.** (*Zeitspanne*) length; **für die ~ von ...** for a period of ...; **auf die ~** in the long term; **von kurzer ~ sein** be short-lived; **das kann auf die ~ nicht so weitergehen** it can't go on like that indefinitely; **Dau•er•auf•trag** *m* (COM) standing order; **Dau•er•be•hand•lung** *f* permanent treatment; **Dau•er•be•trieb** *m* continuous [*o* non-stop] operation; **Dau•er•bren•ner** *m* (*Ofen*) slow-burning stove; **Dau•er•er•folg** *m* permanent result; **dau•er•haft** *adj* durable, lasting; (*ständig*) permanent; **Dau•er•haf•tig•keit** *f* **1.** (*von Material*) durability **2.** (*fig: Permanenz*) permanence; **Dau•er•lauf** *m* (SPORT) jogging; **e-n ~ machen** go jogging
dau•ern *itr* go on, last; **dauert das noch lange?** will it take much longer?; **wie lange dauert das denn noch?** how much longer will it take?; **das dauert mir zu lange** it takes too long; **es dauert nicht mehr lange** it won't take much longer;
dau•ernd ['daʊɐnt] *adj* (*andauernd*) lasting; (*ständig*) permanent; **etw ~ tun** keep doing s.th.
Dau•er•re•gen *m* lasting rain; **Dau•er•scha•den** *m* permanent injury; **Dau•er•stel•lung** *f* permanent position; **Dau•er•wel•le** *f* (*Frisur*) permanent wave, perm *fam;* **Dau•er•wir•kung** *f* lasting effect; **Dau•er•zu•stand** *m* permanent state of affairs
Dau•men ['daʊmən] <-s, -> *m* thumb; **am ~ lutschen** suck one's thumb; **halten Sie mir den ~!** keep your fingers crossed for me!
Dau•ne ['daʊnə] <-, -n> *f* down feather; **Dau•nen•de•cke** *f* continental quilt, duvet; **Dau•nen•ja•cke** *f* quilted jacket
da•von ['da:fɔn/da'fɔn] *adv* **1.** (*räumlich*) from (s.th.) **2.** (*dadurch*) from (s.th.); **das kommt ~!** (*fam*) I told you so!; **das hängt ~ ab, ob ...** that depends on whether ...; **ich habe keine Ahnung ~** I've no idea about it; **da•von|flie•gen** [-'---] *sein irr itr* fly away; **da•von|•kom•men** *sein irr itr* escape, get away; **mit dem Schrecken ~** escape with no more than a shock; **da•von•lau•fen** *sein irr itr* run away (*vor jdm* from s.o.); **da•von|ma•chen** *refl* make off; **da•von|tra•gen** *irr tr* **1.** (*allgemein*) carry away **2.** (*fig: Schaden, Verletzung*) suffer **3.** (*Preis, Sieg*) carry off, win
da•vor ['da:fo:ɐ/da'fo:ɐ] *adv* **1.** (*örtlich*) in front of (s.th.) **2.** (*zeitlich*) before (s.th.); **hast du Angst ~?** are you afraid of it?
DAX *m Abk. von* **Deutscher Aktien Index** DAX, German Stock Index
da•zu ['da:tsu/da'tsu:] *adv* **1.** (*räumlich*) there **2.** (*Zweck*) for that; **ich kam nicht ~ es zu tun** I never got around to doing it;

noch ~, wo ... when ... too; **wie konnte es nur ~ kommen?** how could that happen?; **wie komme ich ~!** why on earth should I!; **ich habe keine Lust ~** I don't feel like it; **da•zu|ge•hö•ren** [-'----] *itr:* **das gehört mit dazu** it's all part of it; **es gehört schon einiges dazu** that takes a lot; **da•zu|tun** *irr tr* add

da•zwi•schen ['da:tsvɪʃən/da'tsvɪʃən] *adv* **1.** (*örtlich*) between **2.** (*mittendrin*) amongst them; **da•zwi•schen|fah•ren** [-'----] *sein irr itr* (*unterbrechen*) interrupt; **da•zwi•schen|kom•men** *sein irr itr* come between; **wenn nichts dazwischenkommt** if all goes well, if nothing crops up; **da•zwi•schen|tre•ten** *sein irr itr* intervene

Deal ['i:l] <-s, -s> *m* (*fam: Drogenhandel*) deal

dea•len ['di:lən] *itr* (*fam*) deal in drugs, push *fam*

Dea•ler(in) *m(f)* (*fam*) pusher; (*international*) traffiker

De•ba•kel [de'ba:kl] <-s, -> *n* debacle

De•bat•te [de'batə] <-, -n> *f* debate; **etw zur ~ stellen** put s.th. up for discussion; **das steht hier nicht zur ~** that's not the issue

de•bat•tie•ren *itr tr:* **mit jdm über etw ~** discuss s.th. with s.o.

De•büt [de'by:] <-s, -s> *n:* **sein ~ geben** make one's debut

de•chif•frie•ren [deʃɪ'fri:rən] *tr* decipher, decode

Deck [dɛk] <-(e)s, -s/(-e)> *n* **1.** (MAR) deck **2.** (*von Omnibus*) top **3.** (*Parkhaus~*) level; **an ~ gehen** go on deck; **von ~ gehen** go below deck; **Deck•an•strich** *m* top coat(ing); **Deck•blatt** *n* **1.** (*von Zigarre*) wrapper **2.** (BOT) bract **3.** (*zur Einlage*) overlay

De•cke ['dɛkə] <-, -n> *f* **1.** (*Woll~*) blanket; (*Stepp~*) quilt **2.** (MOT: *Reifen~*) cover **3.** (*Zimmer~*) ceiling; **an die ~ gehen** (*fig*) blow one's top; **mit jdm unter e-r ~ stecken** (*fig*) be hand in glove with s.o.

De•ckel ['dɛkəl] <-s, -> *m* **1.** (*allgemein*) cover, lid **2.** (*von Buch*) cover **3.** (*fam: Hut*) hat

de•cken ['dɛkən] **I.** *tr* **1.** (*be~*) cover **2.** (*Tisch*) lay, set **3.** (*fig*) cover **4.** (*Tiere begatten*) cover; **ein Tuch über etw ~** put a cloth over s.th. **II.** *refl* **1.** (MATH) be congruent **2.** (*fig*) coincide

De•cken•be•leuch•tung *f* ceiling lighting

Deck•man•tel *m* (*fig*): **unter dem ~ von ...** under the guise of ...; **Deck•na•me** *m* (*im Geheimdienst*) code name

De•ckung ['dɛkʊŋ] *f* **1.** (MIL: *Schutz*) cover **2.** (FIN) cover; **in ~ gehen** take cover; **jdm ~ geben** (MIL) give s.o. cover

De•co•der [di'koʊdə] <-s, -> *m* decoder

De•fekt [de'fɛkt] <-(e)s, -e> *m* defect, fault

de•fekt [de'fɛkt] *adj* defective; faulty; (*beschädigt*) damaged

de•fen•siv [defɛn'zi:f] *adj* defensive

De•fen•si•ve [defɛn'zi:və] <-, -n> *f* defensive; **in der ~** on the defensive

de•fi•nie•ren [defi'ni:rən] <ohne ge-> *tr* define

De•fi•ni•ti•on *f* definition

de•fi•ni•tiv [defini'ti:f] *adj* (*eindeutig*) definite; (*endgültig*) definitive; **etw ~ abklären** clear s.th. up definitively [*o* once and for all]

De•fi•zit ['de:fitsɪt] <-s, -e> *n* **1.** (*allgemein*) deficit **2.** (*fig*) deficiency (*an* of); **ein ~ von £ 500 aufweisen** be £ 500 short *fam*

De•fla•ti•on [defla'tsjo:n] *f* (FIN) deflation

de•for•mie•ren [defɔr'mi:rən] *tr* deform

def•tig ['dɛftɪç] *adj* huge, solid

De•gen ['de:gən] <-s, -> *m* rapier

De•ge•ne•ra•ti•on [de:genəratsi'o:n] <-> *f* degeneration

de•ge•ne•rie•ren [degene'ri:rən] *sein itr* degenerate (*zu* into)

de•gra•die•ren [degra'di:rən] *tr* **1.** (MIL) demote (*zu* to) **2.** (*fig*) lower (*jdn zu etw* s.o. to the level of s.th.)

dehn•bar ['de:nba:ɐ] *adj* **1.** (*allgemein*) elastic **2.** (*fig*) flexible

Dehn•bar•keit *f* **1.** (*allgemein*) elasticity **2.** (*fig: von Begriff etc*) flexibility

deh•nen ['de:nən] **I.** *tr* **1.** stretch **2.** (*Worte*) lengthen **II.** *refl* stretch

Deh•nung *f* **1.** (*allgemein*) stretching **2.** (LING) lengthening; **Deh•nungs•fu•ge** *f* (TECH) contraction [*o* expansion] joint

Deich [daɪç] <-(e)s, -e> *m* (*Br*) dyke; (*Am*) dike

Deich•sel ['daɪksəl] <-, -n> *f* shaft

deich•seln *tr* (*fam: fertig bringen*) wangle

dein [daɪn] *pron* yours; **deine(r, s)** *pron* (*substantivisch*) yours; **dei•ner•seits** ['daɪnɐ'zaɪts] *adv* on your part; **dei•nes•glei•chen** ['daɪnəs'glaɪçən] *pron* the likes of you; **dei•net•we•gen** ['daɪnətve:gən] *adv* (*wegen dir*) because of you; (*dir zuliebe*) for your sake; **dei•ni•ge** ['daɪnɪgə] *m f n* yours; (*für dich*) on your behalf

de•ka•dent [deka'dɛnt] *adj* decadent

De•ka•denz *f* decadence

De•ka•(gramm) [deka'gram] <-s> *n* (*österr*) 10 gram(me)s

De•kan [de'ka:n] <-s, -e> *m* dean

de•kla•mie•ren [dekla'mi:rən] *tr* declaim

De•kla•ra•ti•on [deklara'tsjo:n] *f* declaration

de•kla•rie•ren *tr* declare

De•kli•na•ti•on [deklina'tsjo:n] *f* **1.** (GRAM) inflexion **2.** (PHYS: *Abweichung*) declination

de•kli•nie•ren *tr* decline, inflect

De•kor [de'ko:ɐ] <-s, -e> *n* decor; **De•ko•ra•teur(in)** [dekora'tø:ɐ] <-s, -e> *m(f)* **1.** (*Schaufenster~*) window- dresser **2.** (*Innen~*) interior designer; **De•ko•ra•ti•on** *f* (*allgemein, a.* THEAT) decoration, set; **de•ko•ra•tiv** *adj* decorative; **de•ko•rie•ren** *tr* (*a. fig*) decorate; (*Schaufenster*) dress

De•kret [de'kre:t] <-(e)s, -e> *n* decree

De•le•ga•ti•on [delega'tsjo:n] *f* delegation

De•le•gier•te *m f* delegate

de•li•kat [deli'ka:t] *adj* **1.** (*köstlich*) delicious **2.** (*heikel*) delicate; **e-e ~e Angelegenheit** a delicate [*o* sensitive] issue

De•li•ka•tes•se [delika'tɛsə] <-, -n> *f* delicacy

De•likt [de'lɪkt] <-(e)s, -e> *n* (JUR: *Vergehen*) offence; (*Verbrechen*) crime

De•lin•quent(in) [delɪŋ'kvɛnt] <-en, -en> *m(f)* delinquent, offender

De•li•ri•um [de'li:riʊm] *n* delirium

Del•le ['dɛlə] <-, -n> *f* dent

de•lo•gie•ren *vt* (*österr: raussetzen*) evict

Del•phin [dɛl'fi:n] <-s, -e> *m*, **Del•fin**[RR] *m* dolphin

Del•ta ['dɛlta] <-(s), -s> *n* delta; **del•ta•för•mig** *adj* delta-shaped

dem [de(:)m] *pron* (*dat von der, das*): **wie ~ auch sei** be that as it may; **wenn ~ so ist** if that's the way it is

Dem•a•go•ge [dema'go:gə] *m*, **Dem•a•go•gin** *f* demagogue; **Dem•a•go•gie** <-, -n> *f* demagogy

de•mas•kie•ren [demas'ki:rən] **I.** *tr* unmask; **jdn als etw ~** expose s.o. as s.th. **II.** *refl* unmask o.s.; **sich als etw ~** show o.s. to be s.th.; reveal o.s. as s.th.

De•men•ti [de'mɛnti] <-s, -s> *n* (*offizielle Berichtigung*) denial

de•men•tie•ren **I.** *tr* (*offiziell berichtigen*) deny **II.** *itr* deny it

dem•ent•spre•chend **I.** *adv* correspondingly **II.** *adj* appropriate

dem•nach *adv* therefore, according to that

dem•nächst [dem'nɛ:kst] *adv* soon

De•mo <-, -s> *f* (*fam*) demo

De•mo•kra•tie [demokra'ti:] *f* democracy; **De•mo•krat(in)** *m(f)* democrat; **de•mo•kra•tisch** *adj* democratic

de•mo•kra•ti•sie•ren *tr* democratize; **De•mo•kra•ti•sie•rung** *f* democratization

de•mo•lie•ren [demo'li:rən] *tr* wreck

De•mon•s•trant(in) *m(f)* demonstrator

De•mon•s•tra•ti•on [demɔnstra'tsjo:n] *f* (*a.* POL) demonstration; **De•mon•s•tra•ti•ons•ein•satz** *m* (*~ der Polizei*) demonstration duty

de•mon•s•tra•tiv [demɔnstra'ti:f] *adj* demonstrative; **De•mon•s•tra•tiv•pro•no•men** *n* (GRAM) demonstrative pronoun

de•mon•s•trie•ren *tr itr* demonstrate; **für etw ~** demonstrate in support of s.th.; **gegen etw ~** demonstrate against s.th.

De•mon•ta•ge [demɔn'ta:ʒə] <-, -n> *f* dismantling

de•mon•tie•ren *tr* dismantle

de•mo•ra•li•sie•ren *tr* demoralize

De•mo•s•ko•pie [demosko'pɪ:] *f* opinion polls *pl*

De•mut ['de:mu:t] <-> *f* humility

de•mü•tig ['de:my:tɪç] *adj* humble; **de•mü•ti•gen** *tr* humble; **De•mü•ti•gung** *f* humiliation

denk•bar *adj* conceivable; **das ist durchaus ~** that is feasible

den•ken ['dɛŋkən] *irr tr itr* think; **an etw ~** think of s.th.; **ich denke nicht daran!** no way! *fam;* **daran hatte ich gar nicht mehr gedacht** I had forgotten about that; **das kann ich mir ~** I can imagine; **das habe ich mir gleich gedacht** I thought that all along; **dacht' ich's mir doch!** I knew it!

Den•ker(in) *m(f)* thinker

Denk•fa•brik *f* think tank

Denk•mal ['dɛŋkma:l] <-s, -mäler/(-male)> *n* **1.** (*Monument*) monument **2.** (*Statue*) statue; **Denk•mal•schutz** *m* protection of historical monuments; **unter ~ stehen** be under a preservation order; **Denk•pro•zess**[RR] *m* process of reasoning; **Denk•schrift** *f* memorandum; **denk•wür•dig** *adj* memorable; **Denk•zet•tel** *m:* **jdm e-n ~ geben** teach s.o. a lesson

denn [dɛn] **I.** *konj* for; **es sei ~, dass ...** unless ... **II.** *adv* then; **wo ~?** oh, where?; **wieso ~?** how come?; **warum ~ nicht?** why not?; **was soll das ~?** what's all this then?

den•noch *adv* nevertheless, still

De•nun•ziant(in) *m(f)* informer

de•nun•zie•ren *tr* inform against (*jdn bei* s.o. to)

Deo <-s, -s> *n*, **De•o•do•rant** <-s, -e *o* -s> *n* deodorant; **De•o•rol•ler** <-s, -> *m* roll-on deodorant; **De•o•spray** *n o m* deodorant spray; **De•o•stift** *m* deodorant stick

De•par•te•ment [departə'mɛnt] <-(e)s, -e> *n* (*CH*) department

De•po•nie [depo'ni:] *f* dump; **geordnete ~** (*Br*) officially approved rubbish dump; (*Am*) sanitary fill; **wilde ~** unauthorized refuse disposal site

de•po•nie•ren *tr* deposit
de•por•tie•ren [depɔr'ti:rən] *tr* deport
De•pot [de'po:] <-s, -s> *n* **1.** (*in Bank*) strong room **2.** (*Lager*) warehouse
Depp [dɛp] <-s, -en> *m* (*pej*) idiot
De•pres•si•on [deprɛ'sjo:n] *f* depression
de•pres•siv *adj* depressive
de•pri•mie•ren [depri'mi:rən] *tr* depress
der [de:ɐ] *pron* (*Artikel*) the, that; (*derjenige*) the one; **der•art** ['--] *adv* in such a way, so; ~, **dass ...** so much that ...; **der•ar•tig** *adj* of that kind
derb [dɛrp] *adj* **1.** (*kräftig*) strong, tough **2.** (*rau, grob*) coarse, crude
de•rent•we•gen ['de:rənt've:gən] *adv* (*von Personen*) on whose account; (*von Sachen*) on account of which
der•ge•stalt ['---] *adv:* ~, **dass ...** so ... that ...; **der•glei•chen** ['-'--] *adj* of that kind, such; **und** ~ and the like
De•ri•vat [deri'va:t] <-(e)s, -e> *n* (FIN) derivative
der•je•ni•ge *pron,* **die•je•nige**, **das•je•ni•ge** ['de:ɐje:nɪgə] *pron:* ~ **welcher ...** he who ...; **ach, du warst** (**also**) ~, **welcher ...!** so it was you who ...!; **der•ma•ßen** ['de:ɐ'ma:sən] *adv:* ~, **dass ...** so much that ...
der•sel•be *pron,* **die-**, **das-** [de:ɐ'zɛlbə] *pron* the same; (*auf Vorhergehendes weisend*) he, she, it; **eben** ~ the very same; **es sind immer dieselben!** it's always the same people!
der•zeit ['--] *adv* at present; **der•zei•tig** *adj* present
Des *n* (MUS) D flat
De•sas•ter <-s, -> *n* disaster
De•ser•teur [dezɛr'tø:ɐ] <-s, -e> *m* deserter
de•ser•tie•ren *sein itr* desert
des•glei•chen [dɛs'glaɪçən] *adv* likewise
des•halb ['--] *adv* therefore; ~ **also!** so that's why!; ~ **frage ich ja!** that's exactly why I'm asking!
De•sign [di'zaɪn] *n* design; **de•sig•nen** *itr* design; **De•sig•ner•mo•de** *f* designer fashion
Des•in•fek•ti•on [dezɪnfɛk'tsjo:n] *f* disinfection; **Des•in•fek•ti•ons•mit•tel** *n* disinfectant
des•in•fi•zie•ren *tr* disinfect
Des•in•for•ma•ti•on *f* disinformation
Desk•top•pu•bli•shing[RR] ['dɛsk tɔp'pablɪʃɪŋ] <-> *n* desktop publishing
des•o•do•rie•ren [dezodo'ri:rən] *tr* deodorize
Des•pot [dɛs'po:t] <-en, -en> *m* despot; **des•po•tisch** *adj* despotic
des•sen ['dɛsən] *pron* (*von Personen*) of whom, whose; (*von Sachen, Tieren*) of which
Des•sert [dɛ'sɛ:ɐ] <-s, -s> *n* dessert
de•sta•bi•li•sie•ren *tr* destabilize; **De•sta•bi•li•sie•rung** *f* destabilization
des•til•lie•ren [dɛstɪ'li:rən] *tr* distil
des•to ['dɛsto] *konj:* ~ **mehr** all the more; ~ **besser** all the better
des•truk•tiv [destrʊk'ti:f/'---] *adj* destructive
De•tail [de'taɪ(l)/de'ta(:)j] <-s, -s> *n* detail; **ins ~ gehen** go into details; **alle ~s** full details; **de•tail•lie•ren** [deta'ji:rən] *tr* give full particulars of ..., specify; **de•tail•liert** *adj* detailed
De•tek•tei *f* detective agency
De•tek•tiv(in) [detɛk'ti:f] <-s, -e> *m(f)* private investigator
De•to•na•ti•on [detona'tsjo:n] <-, -en> *f* explosion
de•to•nie•ren *sein itr* explode
deu•ten ['dɔɪtən] **I.** *tr* (*interpretieren*) interpret; **etw falsch** ~ misinterpret s.th. **II.** *itr* (*auf etw ~*) indicate; point out
deut•lich ['dɔɪtlɪç] *adj* clear; **ich fühle ~, dass ...** I have the distinct feeling that ...; **muss ich ~er werden?** have I not made myself plain enough?; **Deut•lich•keit** *f* clarity; **ich muss** (**einmal**) **mit aller ~ sagen ...** I must make it perfectly clear ...
deutsch [dɔɪtʃ] *adj* German; **auf Deutsch**[RR] **heißt das ...** in German it means ...; **auf gut Deutsch**[RR] (*fam*) in plain English
Deut•sche[1] <-n> *n* (*Sprache*) German
Deut•sche(r)[2] <-n, -n> *f m* German
Deut•sche De•mo•kra•tische Re•pu•blik *f* (HIST) German Democratic Republic, GDR
deutsch•feind•lich *adj* anti-German; **deutsch•freund•lich** *adj* pro-German; **Deutsch•land** <-s, (-)> *n* Germany; **deutsch•spra•chig** *adj* German-speaking; **Deutsch•stäm•mi•ge(r)** *f m* ethnic German
Deu•tung *f* interpretation
De•vi•se [de'vi:zə] <-, -n> *f* **1.** (*Wahlspruch*) motto **2.** (FIN) foreign currency; **De•vi•sen•brin•ger** *m* earner of foreign exchange; **De•vi•sen•ver•ge•hen** *n* breach of exchange control regulations
De•zem•ber [de'tsɛmbɐ] <-(s), (-)> *m* December
de•zent [de'tsɛnt] *adj* discreet
de•zen•tral *adj* decentralized; **de•zen•tra•li•sie•ren** *tr* decentralize
De•zer•nat [detsɛr'na:t] <-(e)s, -e> *n* department
De•zer•nent(in) [detsɛr'nɛnt] *m(f)* head of department
de•zi•mal [detsi'ma:l] *adj* decimal; **De•zi-**

mal•rech•nung *f* decimals *pl*

de•zi•mie•ren [detsi'mi:rən] *tr* decimate

Dia ['di:a] <-s, -s> *n* slide

Di•a•be•tes [dia'be:tɛs] <-> *f* diabetes; **Di•a•be•ti•ker(in)** [dia'be:tɪkɐ] *m(f)* diabetic; **Di•a•be•ti•ker•kost** *f* diabetic diet

di•a•bo•lisch [dia'bo:lɪʃ] *adj* diabolical

Di•a•dem [dia'de:m] <-s, -e> *n* diadem

Di•a•gno•se [dia'gno:zə] <-, -n> *f* diagnosis; **Di•a•gno•se•stand** *m* (MOT) diagnostic test bay

di•a•gnos•ti•zie•ren [diagnɔsti'tsi:rən] *tr* diagnose

di•a•go•nal [diago'na:l] *adj* diagonal

Di•a•go•na•le <-, -n> *f* diagonal

Di•a•gramm [dia'gram] <-s, -e> *n* diagram

Di•a•kon [dia'ko:n] <-s/-en, -e/-en> *m* (ECCL) deacon; **Di•a•ko•nis•sin** *f* (ECCL) deaconess

Di•a•lekt [dia'lɛkt] <-(e)s, -e> *m* dialect

Di•a•lek•tik *f* dialectics *pl*

Di•a•log [dia'lo:k] <-(e)s, -e> *m* (EDV) dialogue, dialog; **Di•a•log•be•trieb** *m* (EDV) conversational mode

Di•a•ly•se [dia'ly:zə] <-, -n> *f* (MED) dialysis

Di•a•mant [dia'mant] <-en, -en> *m* diamond; **di•a•man•ten** *adj* diamond; **Di•a•mant•ring** *m* diamond-ring

Di•ät [di'ɛ:t] <-> *f* diet; ~ **halten** be on a diet

Di•ä•ten [di'ɛ:tən] *pl* (PARL) parliamentary allowance *sing*

Di•ät•kur *f* diet

Di•ät•salz *n* dietetic salt

dich [dɪç] **I.** *pron pers* you **II.** *pron refl* yourself

dicht [dɪçt] **I.** *adj* **1.** (*Beschaffenheit*) thick **2.** (~ *geschlossen*) heavy; **~es Laub** dense foliage; ~ **schließen** shut tightly; **du bist wohl nicht ganz ~!** (*fig fam*) you must be daft! **II.** *adv* **1.** (*nahe daran*) closely **2.** (*Gegenteil von dünn*) densely; ~ **beieinander sitzen** sit close together; **dicht•be•wölkt** *adj s.* **bewölkt**

Dich•te <-, (-n)> *f* (PHYS) density

dich•ten[1] ['dɪçtən] **I.** *tr* (*verfassen*) write **II.** *itr* write poems

dich•ten[2] *tr* (*ab~*) seal

Dich•ter(in) *m(f)* poet(ess); **dich•te•risch** *adj* poetic; **~e Freiheit** poetic licence

dicht|hal•ten *irr tr* (*fig fam*) hold one's tongue, keep one's mouth shut

Dicht•kunst *f* art of poetry

Dich•tung[1] *f* **1.** (*Verskunst*) poetry **2.** (*Literatur*) literature

Dich•tung[2] *f* (TECH) seal

Dich•tungs•schei•be *f* washer

dick [dɪk] *adj* **1.** thick **2.** fat, hefty; **er ist ein ~er Brocken** (*fig fam*) he is a tough nut to crack; **das ist ein ~er Hund** (*fig fam*) that's a bit much; **~e Freunde** (*fam*) firm [*o* close] friends; **dick•bäu•chig** ['dɪkbɔɪçɪç] *adj* potbellied; **Dick•darm** *m* colon; **Dick•darm•krebs** *m* colonic cancer

Di•cke ['dɪkə] <-, -n> *f* **1.** (*Beleibtheit*) fatness **2.** (*Maßangabe*) thickness; **dick•fel•lig** ['dɪkfɛlɪç] *adj* (*fam*) thick-skinned; **dick•flüs•sig** *adj* thick, viscous

Di•ckicht ['dɪkɪçt] <-(e)s, -e> *n* **1.** (*allgemein*) thicket **2.** (*fig: Wirrwarr*) maze

Dick•kopf *m* (*fig*): **e-n ~ haben** be obstinate; **dick•köp•fig** *adj* (*fig*) obstinate, stubborn

Dick•milch *f* soured milk

Dick•wanst *m* (*fam*) fatso

die [di(:)] *f* (*Artikel*) the; (*diejenige*) the one

Dieb(in) [di:p, 'di:bɪn] <-s, -e> *m(f)* thief; **haltet den ~!** stop thief!

die•bisch *adj* **1.** thieving **2. sich über etw ~ freuen** gloat over s.th.

Dieb•stahl *m* theft; **Dieb•stahl•si•che•rung** *f* (MOT) anti-theft device

Die•le[1] ['di:lə] <-, -n> *f* (*Brett*) floorboard

Die•le[2] *f* (*Hausflur*) hall, hallway

die•nen ['di:nən] *itr* serve; **womit kann ich ~?** can I help you?; **damit ist mir nicht gedient** that doesn't help me; **zu etw ~** serve for s.th.

Die•ner *m* **1.** servant **2.** (*Verbeugung*) bow; **Die•ne•rin** *f* maid

dien•lich *adj* **1.** (*brauchbar*) useful **2.** (*geraten*) advisable; **es für ~ halten** deem it expedient

Dienst [di:nst] <-es, -e> *m* **1.** (*allgemein*) service **2.** (~*ausübung*) duty; **öffentlicher ~** public service; **~ nach Vorschrift** work-to-rule; **~ haben** (*Arzt*) be on duty; (*Apotheke*) be open; **es leistet mir gute ~e** I find it very useful; **jdm e-n schlechten ~ erweisen** do s.o. a bad turn; **jdm gute ~e leisten** serve s.o. well; **Dienst•ab•teil** *n* (RAIL: *Br*) guard's compartment; (*Am*) conductor's car

Diens•tag ['di:nsta:k] <-(e)s, -e> *m* Tuesday

Dienst•äl•tes•te(r) *f m* senior member of staff; **Dienst•an•wei•sung** *f* regulations *pl;* **dienst•frei** *adj:* **e-n ~en Tag haben** have a day off; **Dienst•grad** *m* rank; **was ist er für ein ~?** what rank does he have?; **dienst•ha•bend** *adj* duty; **Dienst•jah•re** *npl* years of service; **Dienst•leis•tung** *f* service

dienst•lich *adj* official; **ich bin ~ hier** I'm here on business; **möchten Sie ihn ~ oder privat sprechen?** do you want to speak to him on a business or private matter?

Dienst•pflicht *f* compulsory service; **Dienst•rei•se** *f* business trip; **Dienst•stel•le** *f* office; **Dienst•stun•den** *pl* working hours; **dienst•tu•end** *adj* duty; **Dienst•vor•schrift** *f* official regulations *pl;* **Dienst•wa•gen** *m* official car; (*Firmenwagen*) company car; **Dienst•weg** *m:* **auf dem** ~ through official channels *pl;* **Dienst•woh•nung** *f* **1.** (*Betriebswohnung*) company flat [*o* house] **2.** (*dienstlicher Wohnsitz*) official residence; **Dienst•zeit** *f* period of service

dies•be•züg•lich ['----] *adj* regarding this

Die•sel ['di:zəl] <-s, -> *m* **1.** (*Motor*) diesel (engine) **2.** (*Fahrzeug*) diesel **3.** (*Kraftstoff*) diesel oil; **Die•sel•an•trieb** *m* (MOT): **mit** ~ diesel powered; **Die•sel(•kraft•stoff)** *m* (*Br*) derv; (*Am*) diesel oil; **Die•sel•lo•ko•mo•ti•ve** *f* diesel locomotive; **Die•sel•mo•tor** *m* diesel engine

die•s(e, er, es) ['di:s ('di:zə, 'di:zɐ, 'di:zəs)] *pron* this *pl,* these; **dies und das** this and that; **dies alles** all this

die•sig ['di:zɪç] *adj* hazy, misty

dies•jäh•rig *adj* this year's; **dies•mal** *adv* this time; **dies•sei•tig** *adj* **1.** (*allgemein*) nearside **2.** (*fig*) of this world

Dies•seits ['di:szaɪts] <-> *n* (ECCL) this life; **im** ~ in this life

dies•seits *adv* on this side of ...

Diet•rich ['di:trɪç] <-s, -e> *m* (*Nachschlüssel*) picklock, skeleton-key

dif•fa•mie•ren [dɪfa'mi:rən] *tr* defame

Dif•fe•ren•tial *n s.* **Differenzial**

Dif•fe•ren•tial•rech•nung *f s.* **Differenzialrechnung**

Dif•fe•renz [dɪfə'rɛnts] *f* **1.** (*Unterschied*) difference **2.** (*Auseinandersetzung*) argument; **dif•fe•ren•zie•ren** *tr* make distinctions

Dif•fe•ren•zial[RR] [dɪfərɛn'tsja:l] <-s, -e> *n* (MOT) differential

Dif•fe•ren•zial•rech•nung[RR] *f* (MATH) differential calculus

dif•fe•rie•ren *itr* differ

dif•fi•zil [dɪfi'tsi:l] *adj* difficult, meticulous

dif•fus [dɪ'fu:s] *adj* diffuse

di•gi•tal [digi'tɑ:l] *adj* digital; **di•gi•ta•li•sie•ren** *tr* (*Daten, Signale*) digitize; **Di•gi•ta•li•sie•rung** *f* digitization; **Di•gi•tal•rech•ner** *m* digital computer; **Di•gi•tal•uhr** *f* digital clock; (*Armbanduhr*) digital watch

Dik•tat [dɪk'ta:t] <-(e)s, -e> *n* **1.** dictation **2.** (POL: *Befehl*) dictate; **ein** ~ **aufnehmen** take a dictation

Dik•ta•tor *m* dictator; **dik•ta•to•risch** *adj* dictatorial

Dik•ta•tur *f* dictatorship

dik•tie•ren *tr* dictate

Dik•tier•ge•rät *f* dictating machine

Di•lem•ma [di'lɛma] <-s, -s> *n* dilemma

Di•let•tant(in) [dilɛ'tant] <-en, -en> *m(f)* amateur; **di•let•tan•tisch** *adj* amateurish

Dill [dɪl] <-(e)s, -e> *m* (BOT) dill weed

Di•men•si•on [dimɛn'zjo:n] *f* dimension

Dim•mer ['dɪmɐ] <-s, -> *m* (EL) dimmer (switch)

DIN *Abk. von* **Deutsche Industrie-Norm(en)** DIN, German Industrial Standard(s)

Ding [dɪŋ] <-(e)s, -e> *n* (*Gegenstand*) thing; **er hat ein tolles** ~ **gedreht** (*fam*) he pulled off a good job; **reden wir von anderen ~en!** let's talk about s.th. else!

ding•fest *adj:* ~ **machen** (*fam*) take into custody

Dings [dɪŋs] <-> *n* (*fam*) thingummy *fam*

di•nie•ren [di'ni:rən] *itr* (*geh*) dine

Di•no•sau•ri•er [dino'zaʊriɐ] *m* dinosaur

Di•o•de [di'o:də] <-, -n> *f* (EDV) diode

Di•o•xin ['dioksi:n] <-s, -e> *n* (CHEM) dioxane; **di•o•xin•hal•tig** *adj* dioxinated

Diph•the•rie [dɪfte'ri:] *f* diphtheria

Di•plom [di'plo:m] <-(e)s, -e> *n* diploma; **sein** ~ **machen** take one's degree; **Di•plom•ar•beit** *f* diploma thesis, dissertation

Di•plo•mat(in) [diplo'ma:t] <-en, -en> *m(f)* diplomat; **Di•plo•ma•ten•kof•fer** *m* executive case; **Di•plo•ma•tie** [diploma'ti:] *f* diplomacy; **di•plo•ma•tisch** *adj* diplomatic

Di•plom•in•ge•nieur(in) *m(f)* qualified engineer

dir [di:ɐ] *pron* (*dat von du*) (to) you; **mir nichts** ~ **nichts** just like that

Di•rectmai•ling[RR] [dɪ'rekt/daɪ'rekt 'meɪlɪŋ] <-s> *n* (COM) ..: direct mailing

di•rekt [di'rɛkt] **I.** *adj* direct; **e-e ~e Verbindung** (AERO) a direct flight; (RAIL) a through train **II.** *adv* (*Br*) directly; (*Am*) right (-away), straight; ~ **gegenüber von ...** straight across ...; ~ **nach Hause kommen** come home right away; **ich konnte ihn** ~ **vor mir sehen, als sie von ihm sprach** I could almost see him in front of me when she was speaking about him

Di•rek•ti•on [dirɛk'tsjo:n] *f* (*Verwaltung*) management; **Di•rek•tor(in)** *m(f)* (*allgemein*) director; (*Schul~, Br*) headmaster (headmistress); (*Am*) principal; (*Gefängnis~, Br*) governor; (*Am*) warden; **Di•rek•to•ri•um** [dirɛk'to:riʊm] *n* **1.** (HIST) directory **2.** (*Vorstand*) board of directors; **Di•rekt•ri•ce** [dirɛk'tri:sə] <-, -n> *f* manageress

Di•rekt•über•tra•gung *f* (RADIO TV) live broadcast; **Di•rekt•ver•trieb** *m* (COM) direct marketing; **Di•rekt•zu•griff** *m* direct access; **Di•rekt•zu•griffs•spei•cher** *m* (EDV) random access memory, RAM

Di•ri•gent(in) [diri'gɛnt] *m(f)* (MUS) conductor

di•ri•gie•ren *tr* **1.** (MUS) conduct **2.** (*fig*) direct

di•ri•gis•tisch *adj* (*Maßnahmen*) dirigiste

Dir•ne ['dɪrnə] <-, -n> *f* (*Prostituierte*) prostitute

Dis [dɪs] <-, (-)> *n* (MUS) D sharp

Dis•count•la•den [dɪs'kaʊnt-] *m* (COM) discount store

dis•har•mo•nisch *adj* (*a.fig*) discordant, disharmonious

Dis•ket•te *f* (floppy) disk, diskette; **Dis•ket•ten•box** *f* diskette box; **Dis•ket•ten•lauf•werk** *n* disk drive

Dis•ko <-, -s> *f* (*fam*) disco

Dis•ko•gra•fie[RR] [dɪskogra'fi:] <-, -n> *f*, **Dis•ko•gra•phie** *f* discography

Dis•kont [dɪs'kɔnt] <-(e)s, -e> *m* (FIN) discount; **Dis•kont•la•den** *m* discount store; discounter; **Dis•kont•satz** *m* (FIN) discount rate; **Dis•ko•thek** [dɪsko'te:k] <-, -en> *f* discotheque

Dis•kre•panz [dɪskre'pants] <-, -en> *f* discrepancy

dis•kret [dɪs'kre:t] *adj* discreet; (*zurückhaltend*) reserved; (*behutsam*) cautious

Dis•kre•ti•on [dɪskret'sjo:n] *f* discretion

dis•kri•mi•nie•ren [dɪskrimi'ni:rən] *tr* discriminate; **Dis•kri•mi•nie•rung** *f* discrimination

Dis•kus ['dɪskʊs] <-, -se/disken> *m* (SPORT) discus

Dis•kus•si•on [dɪskʊ'sjo:n] *f* discussion; **da gibt's gar keine ~!** I'm not having any discussions about it!

Dis•kus•wer•fen *m* throwing the discus; **Dis•kus•wer•fer(in)** *m(f)* discus-thrower

dis•ku•tie•ren [dɪsku'ti:rən] *tr itr* discuss; **über etw ~** discuss s.th.

dis•pen•sie•ren [dɪspɛn'zi:rən] *tr* excuse (*von* from)

Dis•play [dɪs'pleɪ] <-s, -s> *n* display

dis•po•nie•ren [dɪspo'ni:rən] *tr* (*Anordnungen treffen*) make arrangements; **über etw ~ können** have s.th. at one's disposal

Dis•po•si•ti•on [dɪspozi'tsjo:n] *f*: **s-e ~en treffen** make one's arrangements

dis•qua•li•fi•zie•ren [dɪskvalifi'tsi:rən] *tr* disqualify (*von* from)

Dis•ser•ta•ti•on [dɪsɛrta'tsjo:n] *f* (*Doktorarbeit*) thesis

Dis•si•dent [dɪsi'dɛnt] <-en, -en> *m* dissenter, dissident

dis•so•nant [dɪso'nant] *adj* dissonant

Dis•tanz [dɪs'tants] <-, -en> *f* distance; **auf ~ gehen** (*fig*) become distant

dis•tan•zie•ren *refl* distance; **sich von etw ~** dissociate o.s. from s.th.

Dis•tel ['dɪstəl] <-, -n> *f* (BOT) thistle

Dis•trikt [dɪs'trɪkt] <-(e)s, -e> *m* district

Dis•zi•p•lin [dɪstsi'pli:n] <-, -en> *f* **1.** (*Ordnung*) discipline **2.** (*Wissenszweig, Fach*) discipline; **~ halten** keep good discipline; **dis•zi•pli•na•risch** [dɪstsipli'na:rɪʃ] *adj* disciplinary; **~e Maßnahmen** disciplinary measures; **Dis•zi•pli•nar•stra•fe** *f* disciplinary penalty; **dis•zi•pli•nie•ren** *tr* discipline; **dis•zi•pli•niert** *adj* disciplined

Di•va ['di:va] <-, -s/-ven> *f* star

di•vers [di'vɛrs] *adj* diverse, various

Di•ver•si•fi•ka•ti•on *f* (COM) diversification; **di•ver•si•fi•zie•ren** *tr* diversify

Di•vi•den•de [divi'dɛndə] <-, -n> *f* (FIN) dividend

di•vi•die•ren *tr* divide

Di•vi•si•on [divi'zjo:n] *f* (MIL) division

Di•wan ['di:va:n] <-s, -e> *m* divan

DNS <-> *f Abk. von* **Desoxyribonukleinsäure** desoxyribonucleic acid, DNA

doch [dɔx] *konj* **1.** (*dennoch*) yet **2.** (*aber*) but; **das ist ~ nicht dein Ernst!** you can't be serious!; **wenn er ~ käme!** if only he would come!; **Sie kommen ~?** you're coming, aren't you?; **denk ~!** just imagine!; **nicht ~!** don't do that!; **~, ~!** well, yes ...!; **das ist ~ interessant!** that's really interesting!; **komm ~!** do come!

Docht [dɔxt] <-(e)s, -e> *m* wick

Dock [dɔk] <-(e)s, -s> *n* (MAR) dock; **Dock•ar•bei•ter** *m* docker

do•cking•fä•hig ['dɔkɪŋ-] *adj* (EDV) dockable

Dog•ge ['dɔgə] <-, -n> *f* (ZOO) mastiff

Dog•ma ['dɔgma] <-s, -men> *n* (*a.* ECCL) dogma; **dog•ma•tisch** *adj* dogmatic

Doh•le ['do:lə] <-, -n> *f* (ORN) jackdaw

Dok•tor(in) ['dɔktɔr] *m(f)* doctor; **s-n ~ machen** do a doctorate; **Dok•to•rand(in)** [dɔkto'rant] <-en, -en> *m(f)* doctoral candidate; **Dok•tor•ar•beit** *f* thesis; **Dok•tor•va•ter** *m* PhD supervisor

Dok•t•rin [dɔk'tri:n] <-, -en> *f* (*a.* POL) doctrine

Do•ku•ment [doku'mɛnt] <-(e)s, -e> *n* document; **Do•ku•men•tar•film** *m* documentary; **do•ku•men•ta•risch** *adj* documentary; **Do•ku•men•ta•ti•on** [dokumɛnta'tsjo:n] *f* documentation

do•ku•men•tie•ren **I.** *tr* (*allgemein, a.* EDV) document **II.** *refl* (*fig*) become evident

Dolch [dɔlç] <-(e)s, -e> *m* dagger

Dol•de ['dɔldə] <-, -n> *f* (BOT) umbel

Dol•lar ['dɔlar] <-s, -s> *m* dollar; (*Am fam*) buck; **Dol•lar•kri•se** *f* dollar crisis; **Dol•lar•kurs** *m* (COM) ..: dollar (exchange) rate

dol•met•schen ['dɔlmɛtʃən] *tr itr* interpret; **Dol•met•scher(in)** *m(f)* interpreter

Dom [doːm] <-(e)s, -e> *m* **1.** (ARCH: *Kathedrale*) cathedral **2.** (*Kuppel*) dome

Do•mä•ne [do'mɛːnə] <-, -n> *f* **1.** (HIST: *Staatsgut*) domain **2.** (*Fach*) domain, province

do•mi•nant [domi'nant] *adj* dominant

do•mi•nie•ren *itr* **1.** (*Eigenschaft*) be predominant **2.** (*Mensch*) dominate

Do•mi•ni•ka•ni•sche Re•pub•lik [domini'kaːnɪʃə-] *f* Dominican Republic

Do•mi•no ['doːmino] <-s, -s> *m* (*Spiel*) dominoes *pl;* ~ **spielen** play dominoes

Dom•pfaff ['doːmpfaf] <-s, -en> *m* (ORN) bullfinch

Domp•teur [dɔmp'tøːɐ] <-s, -e> *m* tamer

Domp•teu•se [dɔmp'tøːzə] <-, -n> *f* (female) tamer

Do•nau ['doːnaʊ] <-> *f* the Danube

Don•ner ['dɔnɐ] <-s> *m* thunder; **Don•ner•grol•len** *n* roll of thunder; **don•nern** ['dɔnɐn] *itr* thunder

Don•ners•tag *m* Thursday

Don•ner•wet•ter *n* (*fig: Schelte*) scolding; ~**!** (*interj*) hang it all! damn it!

doof [doːf] *adj* (*fam*) daft, thick; **Doof•heit** *f* (*fam*) dumbness

do•pen ['doːpən] *tr* (SPORT) dope; **Do•ping** ['-pɪŋ] <-s, -s> *n* (SPORT) doping

Dop•pel ['dɔpəl] <-s, -> *n* **1.** (*Duplikat*) duplicate **2.** (SPORT: *beim Tennis*) doubles *pl;* **Dop•pel•a•gent(in)** *m(f)* double agent; **Dop•pel•be•schluss**[RR] *m* (POL) two-track [*o* twin-track] decision; **Dop•pel•bett** *n* double-bed; **Dop•pel•de•cker** *m* **1.** (AERO) biplane **2.** (*Bus*) double-decker; **dop•pel•deu•tig** *adj* ambiguous; **Dop•pel•fens•ter** *n* double window; **Dop•pel•gän•ger(in)** *m(f)* double; **Dop•pel•haus** *n* semi-detached house; **Dop•pel•kinn** *n* double chin; **Dop•pel•le•ben** *n* double life; **ein ~ führen** lead a double life; **Dop•pel•na•me** *m* double-barrelled name; **Dop•pel-Null-Lö•sung** *f* (POL) double zero option; **Dop•pel•punkt** *m* colon; **Dop•pel•ste•cker** *m* (EL) two-way adaptor

dop•pelt ['dɔpəlt] **I.** *adj* double; **die ~e Menge** twice [*o* double] the amount; **~e Buchführung** double-entry book-keeping; **in ~er Hinsicht** in two respects *pl* **II.** *adv* doubly, twice; ~ **so viel** twice as much

Dop•pel•ver•die•ner *pl* couple *sing* with two incomes; **Dop•pel•zent•ner** *m* 100 kilograms; **Dop•pel•zim•mer** *n* double room

Dopp•ler•ef•fekt *m* (PHYS) Doppler effect

Dorf [dɔrf, *pl:* 'dœrfɐ] <-(e)s, ¨-er> *n* village; **Dorf•be•woh•ner(in)** *m(f)* villager; **Dorf•trot•tel** *m* (*pej*) village idiot

Dorn [dɔrn] <-(e)s, -en/(¨-er)> *m* **1.** thorn **2.** (*an Schnalle*) tongue **3.** (TECH: *Ahle*) awl; **das ist mir schon lange ein ~ im Auge** it has been a thorn in my flesh for a long time

dor•nig *adj* **1.** (*allgemein*) spiny, thorny **2.** (*fig: Frage, Problem*) difficult

Dorn•rös•chen [dɔrn'røːsçən] <-s> *n* Sleeping Beauty

dör•ren ['dœrən, 'dɔrən] *tr itr* dry; **Dörr•obst** *n* dried fruit

Dorsch [dɔrʃ] <-(e)s, -e> *m* (ZOO) cod

dort [dɔrt] *adv* there; ~ **kommt er ja!** here he comes!; **es liegt ~ drüben** it's over there; **dort•her** ['-'-] *adv* from there, thence; **dort•hin** ['-'-] *adv* there; **dor•tig** *adj* there

Do•se ['doːzə] <-, -n> *f* **1.** (*Holz~*) box; (*Plastik~*) pack **2.** (*Konserven~, Br*) tin; (*Am*) can **3.** (EL: *Steck~*) socket

dö•sen ['døːzən] *itr* doze

Do•sen•bier *n* canned beer; **Do•sen•milch** *f* tinned [*o* canned] milk; **Do•sen•öff•ner** *m* tin opener *Br,* can opener *Am*

do•sie•ren [do'ziːrən] *tr* measure out

Do•sie•rung *f* dosage, dose

Do•sis ['doːzɪs, *pl:* 'doːzən] <-, dosen> *f* dose

Dos•sier [dɔ'sjeː] <-s, -s> *n* dossier

do•tie•ren [do'tiːrən] *tr* **1.** (*bezahlen*) remunerate **2.** (*mit Preis etc*) endow; **do•tiert** *adj:* **e-n gut ~en Posten suchen** look for a remunerative position

Dot•ter ['dɔtɐ] <-s, -> *m* yolk

Dou•ble ['duːb(ə)l] <-s, -s> *n* (FILM) substitute

Dow-Jones-Ak•ti•en•in•dex *m* Dow Jones Average

Down-Syn•drom *n* (MED) Down's syndrome

Do•zent(in) [do'tsɛnt] <-en, -en> *m(f)* (*Br*) lecturer (*für* in); (*Am*) assistant professor (*für* of); **do•zie•ren** *itr* (*belehrend vortragen*) hold forth (*über* on)

Dra•che ['draxə] <-n, -n> *m* (*Fabeltier*) dragon; **Dra•chen** <-s, -> *m* **1.** (*Papier~*) kite **2.** (*pej: zänkische Frau*) battle-axe **3.** (SPORT) hang-glider; **einen ~n steigen lassen** fly a kite; **Dra•chen•flie•gen** *n* (SPORT) hang-gliding; **Dra•chen•flie•ger(in)** *m(f)* hang-glider

Dra•gee [dra'ʒeː] <-s, -s> *n* coated tablet

Draht [draːt, *pl:* 'drɛːtə] <-(e)s, ¨-e> *m* wire; **er ist auf ~** (*fig fam*) he is on the ball; **Draht•bürs•te** *f* wire brush; **Draht•git•ter** *n* wire netting

drah•tig *adj* wiry

draht•los *adj* (RADIO) wireless

Draht•seil *n* wire-cable; **Draht•seil•akt** *m* (*a. fig*) balancing act; **Draht•zie-**

her(in) *m(f)* (*fig*) wire-puller; **der ~ sein** pull the strings

Drai•na•ge [drɛ(:)'na:ʒə] <-, -n> *f* drainage; **drai•nie•ren** *tr* drain

dra•ko•nisch [dra'ko:nɪʃ] *adj* draconian

Drall [dral] <-(e)s> *m* **1.** (PHYS) spin **2.** (*fig: Tendenz*) inclination, tendency

drall [dral] *adj* buxom

Dra•ma ['dra:ma, *pl:* 'dramən] <-s, -men> *n* drama; **sie machte immer ein ~ daraus** (*fig*) she used to make quite a fuss about it; **Dra•ma•ti•ker(in)** [dra'ma:tikɐ] *m(f)* dramatist; **dra•ma•tisch** *adj* dramatic; **dra•ma•ti•sie•ren** *tr* **1.** (*allgemein*) dramatize **2.** (*fig: etw hochspielen*) make a to-do about s.th.

dran [dran] *adv:* **du bist ~!** (*beim Spiel*) it's your turn!; **jetzt bist du ~!** (*fam*) now you are for it!; **er ist arm ~** he's badly off; **drauf und ~ sein ...** be on the verge of ...; **mit allem Drum und D~** with all the trimmings *pl*

Drang [draŋ] <-(e)s, (¨e)> *m* impulse, urge

drän•geln ['drɛŋəln] *itr* **1.** (*vor~*) jostle, push **2.** (*drangsalieren*) pester

Drän•geln ['drɛŋln] <-s> *n* pushing and shoving

drän•gen ['drɛŋən] **I.** *itr* **1.** (*vor~*) press, push **2.** (*fig: ~d sein*) be pressing **3.** (*fig: dringen*) press (*auf* for); **darauf ~, dass etw getan wird** press for s.th. to be done **II.** *tr* push

Drang•sal ['draŋza:l] <-> *f* hardship

drang•sa•lie•ren [draŋza'li:rən] *tr* **1.** (POL: *peinigen*) oppress **2.** (*belästigen*) pester, plague

dran|krie•gen *tr* (*fam*): **ihr habt mich schön drangekriegt!** you really got me!

dras•tisch ['drastɪʃ] *adj* drastic

drauf ['draʊf] *adv* (*fam*): **der hat schwer 'was ~!** he knows his trade!

Drauf•ga•be *f* (*österr: Zugabe*) encore

Drauf•gän•ger(in) ['draʊfgɛŋɐ] <-s, -> *m(f)* go-getter

drauf|ge•hen *sein irr itr* (*fam*) **1.** (*sterben*) snuff it **2.** (*Geld*) disappear; **drauf|ha•ben** *tr* (*fam: Sprüche, Antwort*) come out with; **drauf•los** *adv:* **nichts wie ~!** go for it!; **drauf|ma•chen** *tr* paint the town red; **drauf|set•zen** *tr* (*fam*): **eins** [*o* **einen**] **~** go one better; **drauf|zah•len** *itr* pay extra

drau•ßen ['draʊsən] *adv* outside; (*im Freien*) in the open air, out of doors; **da ~** out there

drech•seln ['drɛksəln] **I.** *tr* turn **II.** *itr* work the lathe

Drechs•ler(in) ['drɛkslɐ] *m(f)* turner

Dreck [drɛk] <-(e)s> *m* **1.** dirt, stuff **2.** (*fam: Kleinigkeit*) little thing; **das geht dich e-n ~ an!** (*vulg*) that's none of your damn business!; **kümmere dich um deinen eigenen ~!** (*vulg*) mind your own bloody business!

dre•ckig *adj* dirty; **es geht ihm ~** (*fam*) he's badly off

Dreck•spatz *m* (*fam*) mucky pup

Dreh [dre:] <-(e)s, -s/-e> *m* (*fam: Trick*) trick; **den ~ heraushaben** have got the hang of it; **Dreh•bank** *f* lathe; **dreh•bar** *adj* revolving, rotating; **Dreh•blei•stift** *m* (*Br*) propelling pencil *Br,* mechanical pencil *Am*

Dreh•buch *n* (FILM) script; **Dreh•buch•au•tor(in)** *m(f)* scriptwriter

dre•hen I. *tr* **1.** (*allgemein, a.* TECH) turn **2.** (*rotieren*) rotate **3.** (*Zigarette, Augen*) roll **4.** (FILM) shoot; **ein Ding ~** (*fam*) Gaunerstückchen, pull off a prank; (*Verbrechen*) pull a job **II.** *refl* **1.** (*allgemein*) turn (*um* about) **2.** (*fig*): **um was dreht es sich?** what's it all about?; **mir dreht sich alles** my head is spinning; **sich im Kreise ~** turn round and round; (*fig*) be going round in circles; **es dreht sich darum, ob ...** the point is whether ...

Dre•her(in) *m(f)* lathe operator

Dreh•kar•tei *f* rotary file; **Dreh•kreuz** *n* turnstile; **Dreh•mo•ment** *n* (MOT TECH) torque; **Dreh•or•gel** *f* hurdy-gurdy; **Dreh•schei•be** *f* **1.** (TELE) dial **2.** (RAIL) turntable; **Dreh•strom** *m* (EL) three-phase current; **Dreh•stuhl** *m* swivel-chair; **Dreh•tür** *f* revolving door; **Dre•hung** *f* **1.** (*allgemein*) turn **2.** (*Rotation*) rotation; **Dreh•zahl** *f* (MOT) revolutions per minute, r. p. m.

drei [draɪ] *num* three; (*in Zusammensetzungen*) three-, tri-; **Drei•eck** *n* triangle; **drei•e•ckig** *adj* triangular; **drei•er•lei** ['draɪɐ'laɪ] *adj* three sorts of; **drei•fach** ['draɪfax] *adj* threefold, triple; **Drei•fach•ste•cker** *m* (EL) three-way adapter; **drei•hun•dert** *adj* three hundred; **drei•jäh•rig** *adj* three-year-old; **Drei•kampf** *m* (SPORT) three-part competition; **Drei•klang** *m* (MUS) triad; **Drei•kö•nigs•tag** *m* Epiphany; **Drei•punkt•si•cher•heits•gurt** *m* (MOT) three-point safety belt; **Drei•rad** *n* tricycle; **Drei•satz** *m* (MATH) rule of three

drei•ßig ['draɪsɪç] *adj* thirty; **drei•ßig•jäh•rig** *adj* thirty years old, thirty-year-old; **der D~e Krieg** the Thirty Years' War; **Drei•ßigs•te** *adj* thirtieth; **Drei•ßigs•tel** <-s, -> *n* thirtieth

dreist [draɪst] *adj* **1.** (*kühn*) bold **2.** (*frech*) cheeky, impudent

drei•stel•lig *adj* (*Zahlen*) three-figure

Dreis•tig•keit ['draɪstɪçkaɪt] *f* **1.** (*Kühnheit*) boldness **2.** (*Frechheit*) impudence

drei•stö•ckig *adj* three-storied; **drei•stu•fig** *adj* three-stage; **Drei•ta•ge•bart** *m* designer stubble; **drei•tä•gig** *adj* three-day; **ein ~er Kurs** a three-day course; **drei•tei•lig** *adj* three-piece; **Drei•zack** *m* trident; **drei•zehn** *num* thirteen; **drei•zehn•te** *adj* thirteenth

Dre•sche ['drɛʃə] <-> *f* (*fam*) thrashing; **~ kriegen** get a good hiding

dre•schen *irr tr* **1.** (*Korn etc*) thresh **2.** (*sl: prügeln*) thrash; **Phrasen ~** (*fig*) mouth empty phrases

Dresch•fle•gel *m* flail; **Dresch•ma•schi•ne** *f* threshing machine

Dress <-es, -e> *n* (*österr*) kit

dres•sie•ren [drɛ'si:rən] *tr* train

Dress•man ['drɛsmən] <-s, -men> *m* male model

Dres•sur *f* training

Drill [drɪl] <-(e)s> *m* (MIL) drill

dril•len ['drɪlən] *tr* **1.** (MIL) drill **2.** (TECH) drill; **auf etw gedrillt sein** (*fig*) be practised at doing s.th.

Dril•ling ['drɪlɪŋ] <-s, -e> *m* (*Gewehr*) triple-barrelled (shot)gun

Dril•lin•ge *pl* triplets

drin [drɪn] *adv* (*fam*): **er ist da ~** he is in there; **bis jetzt ist noch alles ~** (*fam*) everything is still quite open

drin•gen ['drɪŋən] *irr itr* come through, penetrate (*an* to); **auf etw ~** insist on s.th.; **an die Öffentlichkeit ~** leak out; **drin•gend** *adj,* **dring•lich** *adj* pressing, urgent; **~ verdächtig** strongly suspected; **Dring•lich•keit** *f* urgency

drin•nen ['drɪnən] *adv* inside

dritt [drɪt] *adj* third; **der D~e im Bunde sein** make a third; **die Dritte Welt**[RR] the Third World; **wir waren zu ~** there were three of us; **aus ~er Hand** indirectly; **Drit•tel** ['drɪtəl] <-s, -> *n* third; **drit•tens** ['drɪtəns] *adv* thirdly; **Drit•te-Welt-La•den** *m* Third World Shop; **Dritt•land** *n* (COM) ..: third country

dro•ben ['dro:bən] *adv* up there

Dro•ge ['dro:gə] *f* drug; **dro•gen•ab•hän•gig** *adj* drug-addicted, addicted to drugs; **Dro•gen•ab•hän•gig•keit** *f* drug addiction; **Dro•gen•be•ra•tungs•stel•le** *f* drug advice [*o* help] centre; **Dro•gen•fahn•der(in)** *m(f)* drug squad officer; **Dro•gen•kon•sum** *m* drug consumption; **Dro•gen•rausch** *m:* **im ~ sein** be on a trip *sl;* **dro•gen•süch•tig** *adj* addicted to drugs; **Dro•gen•süch•ti•ge(r)** *f m* drug addict; **Dro•gen•to•te** *pl* drug deaths

Dro•ge•rie [drogə'ri:] *f* (*Br*) chemist's (shop); (*Am*) drugstore; **Dro•gist(in)** *m(f)* (*Br*) chemist; (*Am*) druggist

Droh•brief *m* threatening letter

dro•hen ['dro:ən] *itr* **1.** (*jdm ~*) threaten **2.** (*~d bevorstehen*) be imminent; **da droht Gefahr** that could be dangerous; **dro•hend** *adj* **1.** (*bevorstehend*) imminent **2.** (*Gebärde etc*) threatening, menacing

Droh•ne ['dro:nə] <-, -n> *f* **1.** (ZOO) drone **2.** (*fig: Nichtstuer*) parasite

dröh•nen ['drø:nən] *itr* **1.** (*Triebwerk etc*) roar; (*Lautsprecher*) boom **2.** (*widerhallen*) resound; **mir ~ die Ohren** my ears are ringing

Dro•hung ['dro:ʊŋ] *f* threat

drol•lig ['drɔlɪç] *adj* droll, funny; (*Person*) odd

Dro•me•dar ['dro:meda:ɐ/drome'da:ɐ] *n* (ZOO) dromedary

Dros•sel ['drɔsəl] <-, -n> *f* **1.** (ORN) thrush **2.** (TECH) throttle valve **3.** (EL) choking coil

dros•seln ['drɔsəln] *tr* **1.** (MOT) choke **2.** (*zurückdrehen*) turn down **3.** (*fig*) cut down (*etw* on)

drü•ben ['dry:bən] *adv* over there

drü•ber ['dry:bɐ] *adv s.* **darüber**

Druck[1] [drʊk, *pl:* 'drʏkə] <-s, (¨-e)> *m* (*allgemein, a. fig*) pressure; **in ~ sein wegen ...** be pressed for ...; **jdn unter ~ setzen** put pressure on s.o.; **hinter etw ~ machen** put pressure on s.th.

Druck[2] [drʊk, *pl:* 'drʊkə] <-s, -e> *m* **1.** (*Buch~*) printing **2.** (*~erzeugnis*) copy **3.** (*Schrifttype*) print; **das Buch ist im ~** the book is being printed; **Druck•ab•fall** *m* (TECH) pressure drop [*o* loss]; **Druck•an•stieg** *m* (TECH) pressure increase [*o* rise]; **Druck•aus•gleich** *m* pressure compensation; **Druck•buch•sta•be** *m* printed letter; **bitte in ~n schreiben** please write in block capitals

Drü•cke•ber•ger *m* (*fam*) shirker, slacker

dru•cken ['drʊkən] *tr* print; **etw ~ lassen** have s.th. printed; **fett gedruckt** (TYP) printed in bold-type

drü•cken ['drʏkən] **I.** *tr* **1.** (*allgemein*) press; (*kneifen, von Schuhen*) pinch **2.** (*Preise*) force down, lower; **wo drückt der Schuh?** (*fig*) what's the trouble?; **jdm etw in die Hand ~** slip s.th. into someone's hand **II.** *refl* shirk (*vor etw* s.th.); **sich um etw ~** get out of s.th.; **drü•ckend** *adj* **1.** (*Last*) heavy **2.** (*fig: Hitze*) oppressive; (*Luft*) sultry

Dru•cker *m* (*a.* EDV) printer

Drü•cker *m* (*Druckknopf*) button; **am ~ sitzen** (*fig fam*) be in a key position

Dru•cke•rei *f* printing works *pl;* **Dru•cke•rin** *f* printer; **Dru•cker•pres•se** *f* printing press; **Druck•feh•ler** *m* misprint, printer's error; **Druck•ka•bi•ne** *f* pressurized cabin; **Druck•knopf** *m* **1.** (*Klingel, an Instrumentenbrett*) push-button **2.** (*bei*

Kleidung) press-stud; **Druck•luft** *f* compressed air; **Druck•mit•tel** *n* means of exerting pressure; **Druck•plat•te** *f* (TYP) printing plate; **druck•reif** *adj* ready for printing *fig*, polished; **Druck•sa•che** *f* printed matter; **Druck•schrift** *f* block capitals

druck•sen ['drʊksən] *itr* (*fam*) hum and haw

Druck•ver•lust *m* head loss; **Druck•was•ser•re•ak•tor** *m* pressurized water reactor

drum [drʊm] *n:* **das D~ und Dran** the incidentals, the fancy bits *pl;* **mit allem D~ und Dran** with all the trimmings *pl*

drun•ten ['drʊntən] *adv* down there

drun•ter ['drʊntɐ] *adv* underneath; ~ **und drüber gehen** be topsy-turvy

Drü•se ['dry:zə] <-, -n> *f* gland

Dschun•gel ['dʒʊŋəl] <-s, -> *m* jungle

DTP *n Abk. von* **Desktoppublishing** DTP

du [du:] *pron* you, thou *obs;* **bist ~ es?** is that you?; **mach ~ das doch!** why don't you do it!

Du•ath•let(**in**) <-en, -en> *m(f)* biathlete

Du•ath•lon ['du:atlɔn] <-s> *m* biathlon

Dü•bel ['dy:bəl] <-s, -> *m* plug

du•bi•os [du'bjo:s] *adj* dubious

du•cken ['dʊkən] **I.** *refl* **1.** (*allgemein*) duck (*vor etw* s.th.) **2.** (*fig: unterwürfig*) cringe **II.** *tr* (*erniedrigen*) humiliate

Duck•mäu•ser ['dʊkmɔɪzɐ] <-s, -> *m* (*pej*) moral coward

du•deln ['du:dln] *itr* (*fam*) tootle

Du•del•sack ['du:dəlzak] *m* bagpipes *pl*

Du•ell [du'ɛl] <-s, -e> *n* duel

Du•ett [du'ɛt] <-s, -e> *n* duet

Duft [dʊft, *pl:* 'dʏftə] <-(e)s, ¨-e> *m* (*Geruch*) scent, smell; (*von Blume*) fragrance; (*von Parfüm etc*) perfume; **duf•ten** ['dʊftən] *itr* smell (*nach* of); **duf•tend** *adj* fragrant (*nach* with)

duf•tig *adj:* **ein ~es Sommerkleid** a light summery frock

Duft•mi•schung *f* potpourri

dul•den ['dʊldən] **I.** *tr* (*zulassen*) tolerate; **er ist hier nur geduldet** he's only tolerated here **II.** *itr* (*leiden*) suffer; **duld•sam** [dʊltza:m] *adj* tolerant (*gegenüber jdm* towards s.o.)

dumm [dʊm] <dümmer, dümmst> *adj* **1.** (*Br*) stupid; (*Am*) dumb **2.** (*unangenehm*) annoying; **red kein ~es Zeug!** don't talk such rubbish!; **frag nicht so ~!** don't ask such silly questions!; **jdm ~ kommen** (*fam*) get funny with s.o.; **der D~e sein** be the sucker *fam;* **das ist gar nicht so ~** that's not such a bad idea; **jetzt wird's mir zu ~!** now I've had enough!

dum•mer•wei•se *adv* foolishly

Dumm•heit *f* **1.** stupidity **2.** (*dummer Fehler*) stupid thing; **Dumm•kopf** *m* (*fam*) blockhead

dumpf [dʊmpf] *adj* **1.** (*Ton*) hollow, muffled **2.** (*muffig*) musty; **ein ~es Gefühl** a vague feeling

Dum•ping ['dampɪŋ] <-s, -s> *n* (COM) ..: dumping

Dü•ne ['dy:nə] <-, -n> *f* dune

Dung [dʊŋ] <-(e)s> *m* dung, manure

Dün•ge•mit•tel *n* fertilizer

dün•gen ['dʏŋən] *tr* (*natürlich*) dung; (*künstlich*) fertilize; **Dün•ger** *m* (*natürlicher*) dung; (*künstlicher*) fertilizer

Dun•kel ['dʊŋkəl] <-s> *n* darkness; **im ~n tappen**[RR] (*fig*) grope in the dark

dun•kel ['dʊŋkəl] *adj* **1.** (*Farbe*) dark **2.** (*fig: tief*) deep **3.** (*fig: vage, unbestimmt*) vague; **es wird ~** it's getting dark

Dün•kel ['dʏŋkəl] <-s> *m* arrogance, conceit

dunkel- *präfix* (*in Zusammensetzungen*) dark

dün•kel•haft *adj* arrogant

dun•kel•häu•tig *adj* dark-skinned

Dun•kel•heit *f* darkness; **bei Eintritt der ~** at nightfall; **Dun•kel•kam•mer** *f* (PHOT) darkroom; **dun•keln** *itr:* **es dunkelt schon** (*lit*) it's growing dark

Dun•kel•zif•fer *f* (estimated) number of unreported cases

dün•ken ['dʏŋkən] **I.** *irr itr* (*obs lit*): **mich dünkt, er kommt nicht mehr** methinks he will not come **II.** *refl:* **sich klug ~** have a high opinion of o.s.

dünn [dʏn] *adj* thin; (*Haar*) fine; **~ besiedelt**[RR] sparsely settled; **sich ~(e) machen** (*fig fam*) beat it, make off

Dünn•darm *m* small intestine

Dünn•säu•re *f* (CHEM) dilute acid; **Dünn•säu•re•ver•klap•pung** *f* dumping of dilute acid (into the sea)

Dunst [dʊnst, *pl:* 'dʏnstə] <-es, ¨-e> *m* **1.** (*Dampf*) steam **2.** (*diesige Luft*) haze; **keinen blassen ~ haben** (*fam*) not to have a clue; **Dunst•ab•zugs•hau•be** *f* extractor hood

düns•ten ['dʏnstən] *tr itr* steam

Dunst•glo•cke *f* enveloping haze, haze canopy

duns•tig ['dʊnstɪç] *adj* hazy, misty

Du•p•li•kat [dupli'ka:t] <-(e)s, -e> *n* duplicate

Dur [du:ɐ] <-, -en> *n* (MUS) major; **G-dur** G major

durch [dʊrç] **I.** *präp* **1.** (*räumlich*) through **2.** (*mittels*) by means of **3.** (*wegen*) due [*o* owing] to; **~ den Fluss** across the river; **sechs ~ zwei ist drei** two into six makes three; **~ Zufall** by chance **II.** *adv:* **es ist**

schon fünf ~ it's past five; **du darfst hier nicht** ~ you can't come through here; **ist das Fleisch gut ~?** is the meat well done?; **gut** ~(**gebraten**) well done; **durch|ar·bei·ten** I. *tr* (*Aufgabe, Text*) work through II. *itr* work through; **durch|at·men** *itr* breathe deeply

durch·aus ['--/-'-] *adv:* **ich bin ~ deiner Meinung** I absolutely agree with you; **es ist ~ möglich** it's perfectly possible; **er ist ~ nicht dumm** he is by no means stupid

durch|bie·gen I. *irr tr* bend II. *refl* sag; **durch·blät·tern** *tr* (*Buch*) leaf through; **Durch·blick** *m* (*fig fam*) comprehension; **ihm fehlt der ~** he does'nt quite get it; **durch|bli·cken** *itr* look through; (*fam: verstehen*) understand; **etw ~ lassen** (*fig*) hint at s.th.; **ich blicke (da) nicht ~** (*fig*) I don't get it

Durch·blu·tungs·stö·rung *f* circulation problems

durch·boh·ren *tr* stab; **durch·boh·rend** *adj* piercing; (*Blicke a.*) penetrating

durch|bra·ten *irr tr* cook through

durch|bre·chen¹ I. *irr tr haben* break II. *itr sein* 1. (*allgemein*) break 2. (*fig: Sonne*) break through

durch·bre·chen² <ohne -ge-> *tr* 1. (*allgemein*) break through 2. (*fig*) break

durch|bren·nen¹ *itr sein* (EL) blow

durch|bren·nen² *sein itr* (*fam: sich davonmachen*) run away

durch|brin·gen I. *irr tr* 1. (*fam: verschwenden*) blow 2. (*e-n Kranken*) pull through 3. (*durchsetzen*) get through II. *refl* make ends meet; **ich bringe mich gerade so durch** I just manage to get by

Durch·bruch ['--] <-(e)s, ⸚e> *m* 1. (*fig: Erfolg*) breakthrough 2. (*Wand~*) opening

durch·den·ken <ohne -ge-> *irr tr* think through; **wohl durchdacht**^RR carefully thought out

durch|drän·ge(l)n *refl* force one's way through

durch|dre·hen *itr* (*fam*) go berserk

durch|drin·gen¹ *sein irr itr* 1. (*durchkommen*) come through 2. (*fig: sich durchsetzen*) get through

durch·drin·gen² *tr* penetrate

durch|drü·cken *tr* 1. (*durchpressen*) press through 2. (*fam: erzwingen*) enforce

Durch·ein·an·der <-s> *n* mess, muddle

durch|fah·ren *irr itr* go through; **bei Rot ~** jump the lights; **plötzlich durchfuhr mich ein Gedanke** (*fig*) suddenly a thought flashed through my mind; **Durch·fahrt** ['--] *f* 1. (*das Durchfahren*) thoroughfare 2. (*Tor*) gateway 3. (*Durchreise*) way through; ~ **verboten!** no thoroughfare!

Durch·fall *m* 1. (MED: *Br*) diarrhoea; (*Am*) diarrhea 2. (*Misserfolg*) failure, flop; **durch|fal·len** *sein irr itr* 1. (*durch Öffnung*) fall [*o* drop] through 2. (*im Examen*) fail; **in e-r Prüfung** ~ fail an exam

durch|fin·den *irr refl* find one's way through

durch·for·schen *tr* 1. search 2. (*fig*) search through

Durch·fors·tung <-, -en> *f* thinning

durch|fra·gen *refl* ask one's way

durch·führ·bar *adj* feasible, practicable; **Durch·führ·bar·keit** *f* feasibility; viability; **durch|füh·ren** I. *tr* (*ausführen*) carry out II. *itr* (*Straße*) go through (*unter etw* under s.th.); **Durch·füh·rung** *f* (*Ausführung*) carrying out

Durch·gang *m* 1. (*Verbindungsgang*) gateway 2. (*Weg*) way; ~ **gesperrt!** closed to traffic!; **kein ~!** no thoroughfare! private road!

durch·gän·gig *adj* general

Durch·gangs·stra·ße *f* thoroughfare; **Durch·gangs·ver·kehr** *m* through traffic *Br,* thru traffic *Am;* **kein ~!** no through road!

durch|ge·ben *irr tr* 1. (*durchreichen*) pass through 2. (RADIO TV: *Meldung*) give

durch·ge·bra·ten *adj* well done

durch|ge·hen *sein irr itr* 1. (*allgemein*) go [*o* walk] through; (*Antrag etc*) be carried [*o* passed] 2. (*fam: durchpassen*) go through 3. (AERO RAIL) be direct 4. (*Pferd*) bolt; **jdm etw ~ lassen** let s.o. get away with s.th.; **durch·ge·hend** *adj:* ~**er Zug** through train; ~ **geöffnet** open 24 hours

durch|grei·fen *irr itr* 1. (*durchfassen*) reach through 2. take vigorous action; **durch·grei·fend** *adj* drastic; ~**e Änderung** radical change

durch|hal·ten I. *irr itr* hold out II. *tr* stand

durch|hau·en *irr tr* chop [*o* hack] in two

durch|käm·men *tr* (*Gebiet*) comb

durch|kom·men *sein irr itr* 1. come through 2. (*fig: Erfolg haben*) succeed; (*ungestraft* ~) get away with 3. (*genesen*) pull through 4. (*Prüfung*) get through, pass

durch·kreu·zen <ohne -ge-> *tr* (*fig*) foil, thwart

durch|las·sen *irr tr* 1. (*allgemein*) let through 2. (*fig*) let pass; **durch·läs·sig** ['dʊrçlɛsɪç] *adj* permeable; (*wasser~*) (s.th.) that lets water in; **Durch·läs·sig·keit** *f* permeability

Durch·lauf *m* run, flow

durch|lau·fen I. *irr tr* (*Schuhe, Socken*) wear through II. *itr* run through

Durch·lauf·er·hit·zer ['-----] *m* (TECH) continuous-flow water heater

durch|le·sen *irr tr* read through

durch·leuch·ten <ohne -ge-> *tr* 1. (MED:

röntgen) X-ray **2.** (*fig: untersuchen*) investigate; **Durch•leuch•tung** [-'--] *f* (MED) X-ray examination

durch•lö•chern [dʊrç'lœçən] <ohne -ge-> *tr* make holes in

durch|ma•chen *tr* **1.** (*erleben*) go through **2.** (*durchlaufen*) undergo **3.** (*durchfeiern*) make a night of it *fam* **4.** (*durcharbeiten*) work through

Durch•marsch *m* **1.** (*allgemein*) march(ing) through **2.** (*fam: Durchfall*) the runs *pl;* **durch|mar•schie•ren** *sein itr* march through

Durch•mes•ser *m* diameter

durch|mo•geln *refl* fiddle one's way through

durch•näs•sen *tr* soak, wet through; **ganz durchnässt** drenched to the skin

durch|neh•men *irr tr* (*in der Schule*) go through

durch|pau•sen ['dʊrçpaʊzən] *tr* trace

durch|peit•schen *tr* **1.** (*auspeitschen*) flog **2.** (*fig: ein Gesetz*) rush through

durch|prü•geln *tr* beat, cudgel, thrash

durch•que•ren [dʊrç'kve:rən] <ohne -ge-> *tr* cross, traverse

durch|rech•nen *tr* calculate

durch|reg•nen *itr:* **es regnet durch** the rain is coming through

Durch•rei•se ['---] *f:* **ich bin nur auf der ~** I'm only passing through; **durch|rei•sen** *itr* (*auf der Durchreise sein*) pass [*o* travel] through; **Durch•rei•sen•de(r)** *f m* (*Br*) through-passenger; (*Am*) transient; **Durch•rei•se•vi•sum** *n* transit visa

durch|rei•ßen *irr itr sein, tr haben* tear in half

durch|ros•ten *sein itr* rust through

durch|rühren *tr* mix thoroughly

Durch•sa•ge ['dʊrçza:gə] <-, -n> *f* (RADIO) announcement

durch|sa•gen *tr* (RADIO) announce

durch|sä•gen *tr* saw through

durch•schau•en <ohne -ge-> *itr* (*fig*) see through (*jdn* s.o.)

durch|schei•nen *irr itr* shine through

durch•schei•nend ['---] *adj* (*lichtdurchlässig*) transparent

Durch•schlag *m* (*Schreibmaschinen~*) (carbon) copy; **durch•schla•gen**[1] *irr tr* (*Geschoss*) pass (clean) through; **durch•schla•gen**[2] *haben* **I.** *irr itr haben* (*fig: zum Vorschein kommen*) show through **II.** *refl* (*fig*) fight one's way through; **durch•schla•gend** *adj* **1.** (*effektiv*) effective **2.** (*total*) sweeping; **Durch•schlag•pa•pier** *n* carbon paper; **Durch•schlags•kraft** *f* **1.** (*von Geschoss*) penetrating power **2.** (*fig*) force, impact

durch|schlän•geln ['dʊrçʃlɛŋəln] *refl* (*fig*) manoevre one's way through

durch|schlüp•fen *sein itr* slip through

durch|schnei•den *irr tr* cut in two [*o* through]; **etw in der Mitte ~** cut s.th. through the middle

Durch•schnitt ['dʊrçʃnɪt] *m* average; **im ~** on an average; **über dem ~** above the average

durch•schnitt•lich ['dʊrçʃnɪtlɪç] **I.** *adj* average **II.** *adv* on an average

Durch•schnitts•ein•kom•men *n* average income; **Durch•schnitts•ge•schwin•dig•keit** *f* average speed; **Durch•schnitts•wert** *m* average [*o* mean] value

durch•schnüf•feln *tr* nose through

Durch•schrift *f* (carbon) copy

Durch•schuss[RR] *m* **1.** (*Schusswunde*) gunshot wound **2.** (TYP) space

durch|se•hen **I.** *irr itr* look through **II.** *tr* (*fig*) check through

durch|set•zen **I.** *tr* (*durchführen*) carry through; (*erzwingen*) push through; **etw bei jdm ~** get s.o. to agree to s.th.; **s-n Willen ~** impose one's will (*bei* on) **II.** *refl* assert o.s. (*bei* with)

durch•seu•chen <haben, ohne -ge-> *tr* infect; **Durch•seu•chung** [-'--] *f* (MED) spread of an epidemic [*o* infection]

Durch•sicht ['dʊrçzɪçt] *f:* **bei ~ von …** on checking …; **durch•sich•tig** *adj* (*Material, a. fig*) transparent; (*Wasser, Luft*) clear; (*Kleidungsstück*) see-through; **Durch•sich•tig•keit** *f* (*allgemein, a. fig*) transparency; (*von Wasser*) clarity

durch|si•ckern *sein itr* **1.** trickle out **2.** (*fig: Nachrichten etc*) leak out

durch|spre•chen *irr tr* talk over

durch|ste•hen *tr* stand, bear

durch|steigen *itr* (*fam*) get it

durch|stö•bern *tr* ransack (*nach* in search of); (*Gegend: durchsuchen*) scour (*nach* for)

durch•sto•ßen <ohne -ge-> *irr tr* (MIL: *feindliche Linien*) break through

durch|strei•chen *irr tr* cross out, delete

durch•strei•fen <ohne -ge-> *tr* rove through

durch|sty•len *tr* (*fam*) give style to

durch•su•chen <ohne -ge-> *tr* search (*nach* for); **Durch•su•chung** [dʊrç'zu:xʊŋ] *f* search

durch|tre•ten *irr tr* (*Pedal*) step on

durch•trie•ben [dʊrç'tri:bən] *adj* cunning, sly; **Durch•trie•ben•heit** *f* cunning, slyness

durch•wa•chen <ohne -ge-> *tr:* **die Nacht ~** stay awake all night

durch•wach•sen *sein irr itr* grow through

durch•wach•sen **I.** *adj* (*Fleisch*) with fat

running through; ~**er Speck** streaky bacon **II.** *adv* (*fam: leidlich*) so- so

durch|wa•ten *sein itr* wade through

durch•weg(s) ['dʊrçvɛk/(-'veːks)] *adv* without exception

durch|win•den *irr refl* (*a. fig*) worm one's way through

durch|win•ken *tr:* **jdn an der Grenze ~** wave s.o. through

durch•wüh•len[1] <ohne -ge-> *tr* **1.** (*fig: durchstöbern*) rummage (through) (*nach* for) **2.** (*Erde*) dig up

durch|wüh•len[2] *refl* **1.** (*allgemein*) burrow through **2.** (*fig*) plough through

durch|wurs•teln *refl* (*fam*) muddle through

durch|zäh•len I. *tr* count over **II.** *itr* (MIL A. SPORT) count off

durch|zie•hen[1] **I.** *irr tr* **1.** (*allgemein*) draw through **2.** (*fam: erledigen*) get through **II.** *itr sein* (*durchmarschieren, a. fig*) go through

durch•zie•hen[2] *irr tr* **1.** (*teilen*) run through **2.** *sein* (*durchwandern*) go [*o* pass] through; **ein scharfer Geruch durchzog die Luft** a pungent smell filled [*o* pervaded] the air

Durch•zug *m* **1.** (*Zugluft*) draught **2.** (*Durchmarsch*) march through

dür•fen ['dʏrfən] *irr itr:* **darf ich fragen, ...?** may I ask ...?; **ich darf nicht ...** I must not [*o* I am not allowed to] ...; **darf man hier rauchen?** are you allowed to smoke here?; **was darf ich Ihnen bringen?** what can I bring you?; **ich darf wohl sagen ...** I dare say ...; **das darf doch (wohl) nicht wahr sein!** that can't be true!; **wenn ich bitten darf** if you please; **das dürfte wohl das Beste sein** that is probably the best thing; **das dürfte reichen** that should be enough

dürf•tig ['dʏrftɪç] *adj* **1.** (*armselig*) wretched **2.** (*unzulänglich*) scanty

dürr [dʏr] *adj* **1.** (*trocken*) dry; (*~er Boden*) arid, barren **2.** (*mager*) scrawny; **mit ~en Worten** (*fig*) in plain terms; **ein ~er Ast** a withered bough

Dür•re <-, -n> *f* **1.** (*Trockenzeit*) drought **2.** (*Magerkeit*) scrawniness

Durst [dʊrst] <-es> *m* thirst (*nach* for); **~ haben** be thirsty; **seinen ~ löschen** [*o* **stillen**] quench one's thirst; **einen über den ~ trinken** have one over the eight

durs•ten *itr:* **~ müssen** have to go thirsty

dürs•ten *tr* (*fig*): **~ nach** be thirsty for

durs•tig *adj* thirsty

durst•lö•schend *adj,* **durst•stil•lend** *adj* thirst-quenching

Durst•stre•cke *f* lean time

Du•sche ['duːʃə/'dʊʃə] <-, -n> *f* shower; **du•schen** ['duːʃən/'dʊʃən] *itr* take a shower; **Dusch•gel** <-s, -s> *n* shower foam; **Dusch•ka•bi•ne** *f* shower (cubicle); **Dusch•vor•hang** *m* shower curtain; **Dusch•wan•ne** *f* shower basin

Dü•se ['dyːzə] <-, -n> *f* (*Luft~, Wasser~*) nozzle; (*Kraftstoff~*) jet

dü•sen *itr* (*fam*) dash

Dü•sen•an•trieb *m* jet-propulsion; **Dü•sen•flug•zeug** *n* jet (plane)

duss•lig ['dʊslɪç] *adj* (*fam*) daft

düs•ter ['dyːstɐ] *adj* **1.** (*allgemein*) dark, gloomy **2.** (*fig: drohend, finster*) dismal, sinister

Dutyfreeshop[RR] <-s, -s> *m,* **Duty-free-Shop** *m* duty free shop

Dut•zend ['dʊtsənt] <-s, -e> *n* dozen; **dut•zend•mal** *adv* dozens of times; **dut•zend•wei•se** *adv* by the dozen

dy•na•misch [dy'naːmɪʃ] *adj* dynamic

Dy•na•mit [dyna'mɪt/dyna'miːt] <-(e)s> *n o m* dynamite

Dy•na•mo ['dynamo] *m* (TECH) dynamo

Dy•nas•tie [dynas'tiː] <-, -n> *f* dynasty

E

E, e [eː] <-, -> *n* E, e
EAN *f Abk. von* **Europäische Artikelnummer** European article number, EAN
Eb•be ['ɛbə] <-, -n> *f* **1.** (*sinkender Wasserspiegel*) ebb (tide); (*gesunkener Wasserspiegel, Niedrigwasser*) low tide **2.** (*fig*): **bei** [*o* **in**] **etw herrscht** ~ s.th. is at a low ebb; ~ **u. Flut** ebb and flow; **bei** ~ (*wenn der Wasserspiegel sinkt*) when the tide is going out; (*bei Niedrigwasser*) at low tide
e•ben ['eːbən] **I.** *adj* (*gleichmäßig*) even; (*von gleicher Höhe*) level; (*flach*) flat; (*glatt*) smooth; (MATH) plane; **auf ~er Strecke** on the flat; **zu ~er Erde** at ground level **II.** *adv* **1.** (*gerade noch*) just **2.** (*genau*) exactly, precisely **3.** (*einfach, nun einmal*) just, simply; **schau doch ~ mal bei mir vorbei!** will you please drop in on me for a minute!; **ich erreichte mein Flugzeug noch** (**so**) ~ I just caught the plane; **er ist ~ ganz einfach ein Faulpelz** he's simply a lazybones, that's all there is to it
E•ben•bild *n* image; **dein Sohn ist wirklich dein** ~ your son really is the very picture of you
e•ben•bür•tig ['eːbənbʏrtɪç] *adj* **1.** (*gleichwertig*) equal (*jdm* someone's, *an* in) **2.** (HIST: *von gleicher Geburt, gleichem Rang*) of equal birth; **einander ~ sein** be equals *pl*
E•be•ne ['eːbənə] <-, -n> *f* **1.** (*Tiefland*) plain; (*Hochland*) plateau **2.** (MATH) plane **3.** (*fig*) level; **auf höchster** (**gleicher**) ~ (*fig*) at the highest (same) level
e•ben•er•dig *adj* ground-level
e•ben•falls *adv* as well, likewise; (*bei Negation*) either
E•ben•holz *n* ebony
E•ben•maß *n* due proportion, symmetry
e•ben•so *adv* **1.** (*genauso*) just as **2.** (*ebenfalls*) as well; **ebenso sehr**[RR], **ebenso viel**[RR] just as much; **ebenso wenig**[RR] just as little
E•ber ['eːbɐ] <-s, -> *m* (ZOO) boar
E•ber•esche *f* (BOT) mountain ash, rowan
eb•nen ['eːbnən] *tr* **1.** level (off) **2.** (*fig*) smooth
EC <-, -s> *m Abk. von* **EuroCity**(**-Zug**) EC
E•cho ['ɛço] <-s, -s> *n* **1.** echo **2.** (*fig: Antwort*) response (*auf* to); **bei der Bevölkerung ein lebhaftes ~ finden** (*fig*) meet with a lively response from the population
E•cho•lot *n* echo-sounder; (*mit Ultraschall*) supersonic echo sounding
Ech•se ['ɛksə] <-, -n> *f* lizard
echt [ɛçt] **I.** *adj, adv* **1.** (*nicht falsch, nicht gefälscht*) genuine; (*Urkunde, Unterschrift*) authentic; (*wirklich*) real; (*natürlich*) natural **2.** (*lauter, aufrichtig*) sincere **3.** (*typisch*) typical **4.** (*von Farbe*) fast; **~es Gold** real gold; ~ **englisch** typically English **II.** *adv* (*fam*) really; **das ist ~ klasse!** that's really smashing!; **das ist ~ geil!** (*sl*) that's really wicked! *fam;* **Echt•heit** *f* **1.** genuineness; (*Authentizität*) authenticity **2.** (*Aufrichtigkeit*) sincerity **3.** (*von Farbe*) fastness; **Echt•zeit** *f* (EDV) real time
Eck [ɛk] <-(e)s, -e(n)> *n* **1.** (SPORT): **langes** (**kurzes**) ~ far (near) corner of the goal **2.** **über** ~ crosswise, diagonally across
EC-Kar•te *f* (COM) ..: debit card
Eck•ball *m* (SPORT: *Fußball*) corner
E•cke ['ɛkə] <-, -n> *f* **1.** (*allgemein, a. Fußball: Eckball*) corner **2.** (*Kante, Rand*) edge **3.** (*Kuchen~ etc*) wedge **4.** (*fam: Gegend*) corner **5.** (*fam: Entfernung, Strecke*) way; (**gleich**) **um die** ~ (just) round the corner; **Queensborough Terrace ~ Bayswater Road** at the corner of Queensborough Terrace and Bayswater Road; **jdn um die ~ bringen** (*fig fam*) do away with s.o.; **an allen ~n u. Enden sparen** scrimp and save; **jdn in die linke ~ abdrängen** (POL) label s.o. (as) left, label s.o. as a leftie; **diese ~ Deutschlands** (*fam*) this corner of Germany; **bis London ist's noch 'ne ganze ~** (*fam*) London's still a fair way away
Eck•haus *n* corner house
e•ckig *adj* **1.** angular; (*Schulter, Klammer, Tisch*) square **2.** (*fig: unbeholfen*) awkward; (*ruckartig*) jerky
Eck•knei•pe *f* (*fam*) pub [*o* bar] on the corner; **Eck•stein** *m* (*a. fig*) cornerstone; **Eck•zahn** *m* canine tooth; **Eck•zins** *m* (FIN) minimum lending rate
Economyclass[RR] [ɪ'kɔnəmɪ ˌklaːs] <-> *f* ..: Economy Class
E•cu, E•CU [e'kyː] <-(s), -(s)> *m* European Currency Unit, ECU
E•cua•dor [ekua'doːɐ] *n* Equador; **E•cua•do•ri•a•ner**(**in**) *m*(*f*) Equadorian; **e•cua•do•ri•a•nisch** *adj* Equadorian
e•del ['eːdəl] *adj* **1.** (*adlig, vornehm*) noble

2. (*hochwertig*) precious; (*Pferde*) thoroughbred **3.** (*fig: großherzig*) generous; **E·del·frau** *f* (HIST) noblewoman; **E·del·gas** *n* (CHEM) noble gas, inert gas; **E·del·holz** *n* high-grade timber; **E·del·kas·ta·nie** *f* (BOT) sweet [*o* Spanish] chestnut; **E·del·kitsch** *m* pretentious kitsch; **E·del·mann** <-s, -leute> *m* (HIST) nobleman; **E·del·me·tall** *n* precious metal; **E·del·mut** *m* magnanimity; **e·del·mü·tig** ['e:dəlmy:tɪç] *adj* magnanimous; **E·del·pilz·kä·se** *m* green mould [*o* blue vein] cheese; **E·del·stahl** *m* refined [*o* high-grade] steel; **E·del·stein** *m* precious stone; (*geschliffen*) gem, jewel; **E·del·tan·ne** *f* (BOT) noble fir; **E·del·weiß** *n* (BOT) edelweiss

e·die·ren *tr* (EDV) edit

E·dikt [e'dɪkt] <-(e)s, -e> *n* (HIST) edict

e·di·tie·ren *tr* edit; **E·di·tor** <-s, -en> *m* (EDV) editor

E·du·tain·ment [ˌedjʊ'teɪnmənt] <-s> *n* edutainment

EDV [e:de:'faʊ] <-> *f Abk. von* **elektronische Datenverarbeitung** EDP, electronic data processing; **EDV-An·la·ge** *f* EDP equipment; **EDV-Bran·che** *f* data processing business

E·feu ['e:fɔɪ] <-s> *m* ivy

Eff·eff [ɛf'ɛf] *m* (*fam*): **etw aus dem ~ können** [*o* **beherrschen**] can do s.th. standing on one's head

Ef·fekt [ɛ'fɛkt] <-(e)s, -e> *m* effect

Ef·fek·ten *pl* (FIN: *Wertpapiere*) stocks and bonds; **Ef·fek·ten·bör·se** *f* (FIN) stock exchange

Ef·fekt·ha·sche·rei *f* **1.** (*fam pej*) cheap gimmicks **2.** (*Prahlerei*) showing- off

ef·fek·tiv *adj* **1.** (*wirkungsvoll*) effective **2.** (*tatsächlich*) actual

Ef·fek·ti·vi·tät *f* effectiveness

EG [e:'ge:] <-> *f* (HIST) *Abk. von* **Europäische Gemeinschaft** European Community

e·gal [e'ga:l] *adj* (*fam*) **1.** (*gleichartig*) equal, the same **2.** (*gleichgültig*): **das ist mir ganz ~** it's all the same to me, I couldn't care less

Eg·ge ['ɛgə] <-, -n> *f* harrow

eg·gen *tr itr* harrow

E·go·is·mus [ego'ɪsmʊs] *m* ego(t)ism; **E·go·ist(in)** *m(f)* ego(t)ist; **e·go·istisch** *adj* ego(t)istical

e·he ['e:ə] *konj* (*bevor*) before; (*bis*) until

E·he ['e:ə] <-, -n> *f* marriage; **Kinder aus erster (zweiter) ~** children from someone's first (second) marriage; **mit jdm die ~ schließen** [*o* **eingehen**] marry s.o.; **in den Stand der ~ eintreten** enter into matrimony; **unsere ~ wurde letztes Jahr geschieden** we were divorced last year; **E·he·be·ra·ter(in)** *m(f)* marriage (guidance) counsellor; **E·he·be·ra·tung** *f* **1.** (*Vorgang*) marriage guidance **2.** (*Stelle*) marriage guidance council; **E·he·bre·cher(in)** *m(f)* adulterer (adulteress); **E·he·bruch** *m* adultery

E·he·frau *f* wife; **E·he·gat·te** *m*, **Ehe·gat·tin** *f* spouse; **E·he·krach** *m* marital row; **E·he·leu·te** *pl* married couple *sing*

e·he·lich *adj* **1.** conjugal, marital **2.** (*von Kindern*) legitimate; **für ~ erklären** legitimate

e·he·los *adj* (*ledig*) single, unmarried; **E·he·lo·sig·keit** *f* **1.** single life, unmarried state **2.** (ECCL: *Zölibat*) celibacy

e·he·ma·lig ['e:əma:lɪç] *adj* former, one-time; **er ist ein E~er** (*euph: Exsträfling*) he's an ex-con

E·he·mann <-(e)s, -männer> *m* **1.** (*als männlicher Ehepartner*) husband; (*fam*) hub, hubby **2.** (*allg: verheirateter Mann*) married man; **E·he·paar** *n* married couple; **E·he·part·ner** *m* marriage partner, spouse

e·her ['e:ɐ] *adv* **1.** (*früher*) earlier, sooner **2.** (*lieber*) rather **3.** (*vielmehr*) more **4.** (*leichter*) more easily **5.** (*wahrscheinlicher*) more likely; **je ~, desto besser** the sooner the better; **ich würde ~ sterben als ...** I would rather die than ...; **nicht ~, als ...** not until ...; **so geht es am ehesten** that's the easiest way to do it; **um so ~** the more so; **das ist schon ~ möglich** that is more likely

E·he·ring *m* wedding ring; **E·he·schei·dung** *f* divorce; **E·he·schlie·ßung** *f* wedding

ehr·bar *adj* **1.** (*ehrenhaft*) honourable **2.** (*respektgebietend, achtenswert*) respectable

Eh·re ['e:rə] <-, -n> *f* honour; **auf ~ u. Gewissen** on my honour; **damit kannst du wenig ~ einlegen** that does not do you any credit; **etw allein um der ~ willen tun** do s.th. for the very honour of it; **jdm die letzte ~ erweisen** pay one's last respects to s.o.; **er macht s-r Familie ~** he is an honour to his family; **~, wem ~ gebührt** credit where credit is due; **jdm zur ~ gereichen** do [*o* be an] honour to s.o.; **zu ~n von ...** in honour of ...; **mit wem habe ich die ~?** to whom do I have the honour of speaking?; **was verschafft mir die ~?** to what do I owe the honour of your visit?; **es ist mir e-e ~, ...** it is an honour for me ...; **Ihr Wissen in allen ~, aber ...** with all due deference to your knowledge, but ...; **mit militärischen ~n** with full military honours

eh•ren *tr* honour; **Ihre Einstellung zu dieser Frage ehrt Sie** your attitude towards this question does you credit; **ich fühle mich durch Ihren Besuch geehrt** I am honoured by your visit

Eh•ren•amt *n* honorary office [*o* post]; **eh•ren•amt•lich** I. *adj* honorary II. *adv* in an honorary capacity; **Eh•ren•bür•ger(in)** *m(f)* honorary citizen [*o* freeman]; **Eh•ren•dok•tor** *m* honorary doctor; **Eh•ren•gast** *m* guest of honour; **eh•ren•haft** *adj* honourable; **eh•ren•hal•ber** *adv:* **Doktor ~** honorary doctor; **Eh•ren•mal** <-(e)s, -¨er/(-e)> *n* cenotaph; **Eh•ren•mann** <-s, -¨er> *m* man of honour; **Eh•ren•mit•glied** *n* honorary member; **Eh•ren•platz** *m* 1. place of honour 2. (*fig: hervorgehobener Platz*) special place; **Eh•ren•rech•te** *npl* (JUR): **Verlust der bürgerlichen ~** loss of civil rights; **Eh•ren•sa•che** *f* point of honour; **Eh•ren•tor** *n*, **Eh•ren•tref•fer** *n* (*m*) (SPORT) consolation goal; **eh•ren•voll** *adj*, **eh•ren•wert** *adj* honourable

Eh•ren•wort <-(e)s, -e> *n* word of honour; **ich gebe mein ~** I promise on my honour; **sein ~ brechen** (**halten**) break (keep) one's word; **du hast mir dein ~ gegeben nichts zu erzählen** I've put you on your honour not to tell; **jdm Urlaub auf ~ gewähren** let s.o. out on parole; **~?** (**~!**) (*fam*) cross your heart? (cross my heart!)

ehr•er•bie•tig *adj* (*respektvoll*) respectful; (*rücksichtsvoll*) deferential

Ehr•er•bie•tung *f* (*Respekt*) respect; (*Achtung*) deference; **Ehr•furcht** *f* (*Respekt*) deep respect (*vor* for); (*Scheu*) awe; **vor jdm** (**etw**) **~ haben** respect s.o. (s.th.); **jdm ~ einflößen** strike s.o. with awe; **ehr•fürch•tig** *adj*, **ehr•furchts•voll** *adj* reverent; **Ehr•ge•fühl** *n* sense of honour

Ehr•geiz *m* ambition; **ehr•gei•zig** *adj* ambitious

ehr•lich *adj* honest; (*aufrichtig*) sincere; **ob er es wohl ~ mit uns meint?** I wonder if he is being honest with us; **~ gesagt ...** frankly speaking ...; **~!** honestly! really!; **er hat ~e Absichten** (*aufrichtige*) his intentions are sincere; (*ehrbare*) his intentions are honourable; **~ währt am längsten** (*prov*) honesty is the best policy; **Ehr•lich•keit** *f* honesty; (*Aufrichtigkeit*) sincerity

ehr•los *adj* dishonourable; **Ehr•lo•sig•keit** *f* dishonourableness

Eh•rung *f* honour (*jds* bestowed (up)on s.o.)

Ehr•wür•den *f* (*Titel*) Reverend, Rev.

ehr•wür•dig *adj* venerable

Ei [aɪ] <-(e)s, -er> *n* 1. (*Hühner~ etc*) egg 2. (*sl*): **~er** (*Br: Pfund*) quid *sing;* (*Am: Dollar*) bucks *pl;* (*DM*) marks *pl* 3. (*vulg*): **~er** (*Hoden*) balls; **~er von freilaufenden Hennen** free-range eggs; **das ~ des Kolumbus** just the thing; **einander wie ein ~ dem andern gleichen** be as alike as two peas in a pod; **nicht gerade das Gelbe vom ~ sein** (*fig*) be not quite the thing; **das sind doch alles ungelegte ~er!** (*fig fam*) we can't cross those bridges before we come to them!; **jdn wie ein rohes ~ behandeln** (*fig*) handle s.o. with kid gloves; **wie aus dem ~ gepellt aussehen** (*fig fam*) look smart; **das macht zusammen 20 ~er** (*sl*) altogether that's 20 quid

Ei•be ['aɪbə] <-, -n> *f* (BOT) yew

Eich•amt ['aɪç-] *n* Weights and Measures Office *Br*, gaging-office *Am*

Ei•che ['aɪçə] <-, -n> *f* oak

Ei•chel ['aɪçəl] <-, -n> *f* 1. (BOT) acorn 2. (ANAT) glans; **Ei•chel•hä•her** ['aɪçəl hɛːɐ] <-s, -> *m* (ORN) jay

ei•chen ['aɪçən] *tr* calibrate

Ei•chen•holz *n* oak; **Ei•chen•wald** *m* oakwood

Eich•hörn•chen *n* (ZOO) squirrel

Eich•maß *n* standard; **Ei•chung** *f* standardization

Eid [aɪt] <-(e)s, -e> *m* oath; **e-n ~ leisten** [*o* **schwören**] take [*o* swear] an oath (*auf* on); **ich kann e-n ~ darauf ablegen** I can swear to it; **unter ~ aussagen** give evidence under oath; **an ~es statt**[RR] (JUR) in lieu of oath; **eid•brü•chig** *adj* (JUR): **~ werden** break one's oath

Ei•dech•se ['aɪdɛksə] <-, -n> *f* (ZOO) lizard

Ei•des•for•mel *f* wording of the oath; **sprechen Sie mir die ~ nach ...!** repeat the oath ...!

ei•des•statt•lich *adj:* **e-e ~e Erklärung abgeben** make a solemn declaration; **hiermit erkläre ich ~, dass ...** herewith I affirm that ...

Eid•ge•nos•sen•schaft *f:* **Schweizerische ~** Swiss Confederation

eid•lich I. *adj* given under oath, sworn II. *adv* under [*o* on] oath

Ei•er•be•cher *m* eggcup; **Ei•er•ku•chen** *m* (*Pfannkuchen*) pancake

ei•ern *itr* (*fam: Rad*) wobble

Ei•er•scha•le *f* eggshell

Ei•er•schwam•merl ['aiɐʃvamɐl] <-s, -n> *n* chanterelle *österr*

Ei•er•stock *m* (ANAT) ovary; **Ei•er•stock•krebs** *m* ovarian cancer

Ei•er•teig•wa•ren *pl* pasta *sing*

Ei•fer ['aɪfɐ] <-s> *m* 1. (*Eifrigkeit*) eagerness, zeal 2. (*Begeisterung*) enthusiasm; **blinder ~ schadet nur** more haste less speed; **er ist mit großem ~ bei der Sache** he's really put his heart into it; **im ~ des**

Gefechtes (*fig*) in the heat of the moment; **Ei•fe•rer** ['aɪfərɐ] *m* (REL) zealot; **ei•fern** ['aɪfɐn] *itr:* **nach etw ~** strive for s.th.; **Ei•fer•sucht** *f* jealousy (*auf* of); **aus ~** out of jealousy; **vor lauter ~** for pure jealousy; **ei•fer•süch•tig** *adj* jealous (*auf* of)
ei•för•mig *adj* egg-shaped, oval
eif•rig ['aɪfrɪç] *adj* 1. eager, zealous 2. (*begeistert*) enthusiastic
Ei•gelb *n* egg yolk
ei•gen ['aɪgən] *adj* 1. (*zu etw o jdm gehörend*) own 2. (*selbständig, abgetrennt*) separate 3. (*~tümlich*) peculiar, strange 4. (*pingelig*) fussy, particular 5. (*typisch*) typical (*jdm* of s.o.); **ein ~es Haus haben** have a house of one's own; **ich habe es mir zu E~**[RR] **gemacht ...** (*angewöhnt*) I've made it a habit to ...; **sich e-e Idee zu E~**[RR] **machen** adopt an idea; **in ~er Sache** on one's own account; **meine Wohnung hat e-n ~en Eingang** my flat has a separate entrance; **er hat e-e ganz ~e Art zu malen** he has quite a peculiar way of painting; **er ist sehr ~ in bezug auf s-e Kleidung** he is very particular about his clothes
Ei•gen•art *f* 1. (*Besonderheit*) peculiarity 2. (*Individualität*) individuality 3. (*charakterische Eigenschaft*) characteristic; **ei•gen•ar•tig** *adj* peculiar; (*sonderbar*) odd, strange
Ei•gen•be•darf *m* (*e-s Menschen*) (one's own) personal use; (*des Staates*) domestic requirements *pl;* **ei•gen•ge•setz•lich** *adj* autonomous; **Ei•gen•ge•wicht** *n* (TECH) dead weight; (*Leergewicht e-s LKWs etc*) unladen weight; (COM) net weight; **ei•gen•hän•dig** *adj* 1. (*mit eigener Hand*) with one's own hand 2. (*persönlich, selbst*) personal; **~e Unterschrift** one's own signature; **e-e Arbeit ~ erledigen** do a job personally [*o* o.s.]; **Ei•gen•heim** *n* house of one's own; **Ei•gen•lie•be** *f* self-love; **Ei•gen•lob** *m* self-praise; **~ stinkt** self-praise no honour
ei•gen•mäch•tig I. *adj* 1. (*in Eigenverantwortung*) done on one's own authority 2. (*unbefugt*) unauthorized 3. (*selbstherrlich*) high-handed II. *adv* 1. on one's own authority 2. without any authorization 3. high-handedly
Ei•gen•mit•tel *npl* (FIN) one's own resources; **Ei•gen•na•me** *m* proper name; **Ei•gen•nutz** *m* self-interest; **ei•gen•nüt•zig** *adj* selfish
Ei•gen•schaft *f* (*Attribut*) quality; (*Merkmal*) characteristic; (PHYS CHEM) property; (*Funktion*) capacity; **in seiner ~ als ...** in his capacity as [*o* of] ...; **Ei•gen•schafts•wort** <-(e)s, ⸗er> *n* (GRAM) adjective; **Ei•gen•sinn** <-s> *m* obstinacy, stubbornness; **ei•gen•sin•nig** *adj* obstinate, stubborn
ei•gent•lich I. *adj* 1. (*wirklich, tatsächlich*) actual, real, true 2. (*ursprünglich*) original; **im ~en Sinne des Wortes** what this word really means is ... II. *adv* 1. (*tatsächlich*) actually, really 2. (*überhaupt*) anyway; **~ sollten Sie das nicht tun** you shouldn't really do that; **ich bin ~ nur gekommen, um zu ...** actually I've only come to ...; **was wollen Sie ~?** what do you want anyway?
Ei•gen•tor *n* (SPORT) own goal
Ei•gen•tum *n* property; ownership; **Ei•gen•tü•mer(in)** *m(f)* owner, proprietor (proprietress)
ei•gen•tüm•lich *adj* 1. (*typisch*) characteristic, typical (*jdm, e-r Sache* of s.o., of s.th.) 2. (*sonderbar*) odd, peculiar, strange; **Ei•gen•tüm•lich•keit** *f* 1. (*Eigenheit*) peculiarity 2. (*charakteristisches Merkmal*) characteristic
Ei•gen•tums•ver•hält•nis•se *npl* (COM) ..: ownership (structure); **Ei•gen•tums•vor•be•halt** *m* (JUR) reservation of proprietary rights; **Ei•gen•tums•woh•nung** *f* owner-occupied flat
ei•gen•wil•lig *adj* 1. (*eigensinnig*) self-willed 2. (*e-e eigene Meinung etc habend*) with a mind of one's own 3. (*unkonventionell*) unconventional
eig•nen ['aɪgnən] *refl* be suitable (*zu, für* for, *als* as)
Eig•nung *f* (*Brauchbarkeit*) suitability; (*Qualifikation, Befähigung*) aptitude
Ei•klar <-s, -> *nt* (*österr*) egg white
Eil•bo•te *m* special [*o* express] messenger; **e-n Brief per ~n schicken** send a letter express
Eil•brief *m* express letter *Br,* special-delivery letter *Am*
Ei•le <-> *f* hurry; **ich bin in ~** I am in a hurry; **das hat keine ~** there is no hurry about it; **nur keine ~!** don't rush!; **in aller ~** hurriedly
Ei•lei•ter *m* (ANAT) oviduct; **Ei•lei•ter•schwan•ger•schaft** *f* ectopic pregnancy
ei•len ['aɪlən] *itr* 1. *sein* (*hasten*) hurry, rush 2. *haben* (*dringlich sein*) be urgent; **jdm zu Hilfe ~** rush to help s.o.; **die Sache eilt** the matter is urgent; **eilt!** (*auf Briefen etc*) urgent!
Eil•gut *n* express freight
ei•lig ['aɪlɪç] *adj* 1. (*rasch, hastig*) hasty, hurried 2. (*dringend*) urgent; **es ~ haben** be in a hurry; **die Sache ist sehr ~** the matter is very urgent
Eil•zug *m* (RAIL) fast stopping train
Eil•zu•stel•lung *f* express delivery; (*Post*) special delivery
Ei•mer ['aɪmɐ] <-s, -> *m* bucket, pail; **im ~**

sein (*fig sl*) be done for

ein[1] [aɪn] *adv* 1. (*auf Elektrogeräten*): ~/**aus** on/off 2. ~ **und aus gehen** come and go; **er geht hier praktisch** ~ **und aus** he is almost always round here; **er wusste nicht mehr** ~ **noch aus** he was at his wits' end

ein[2] I. *num* one; ~ **gewisser Herr ...** a certain Mr ...; **das ist** ~ **und dasselbe** it is one and the same thing; **das wirst du** ~**es Tages bereuen!** you'll regret it one day! II. *pron* one; **du bist mir** ~**e(r)!** (*fam*) you're a one!; ~**er nach dem anderen** one after the other; **sieh mal** ~**er an!** (*fam*) fancy that!; **das muss** ~**em doch gesagt werden!** (*fam*) how can one be expected to know that!; **kannst du** ~**en denn nie in Ruhe lassen?** (*fam*) why can't you ever leave me alone?; ~**es sage ich Ihnen ...** I'll tell you one thing ...; **das ist mir alles** ~**s** (*fam*) it's all the same to me; **sich** ~**en genehmigen** (*fam*) have one on the sly; **jdm** ~**e runterhauen** (*fam*) give s.o. a clout (round the ears) III. *art* a; (*vor Vokal*) an; **das ist (vielleicht)** ~ **Bier!** that's some beer!; **ich hatte aber auch** ~**en Hunger!** was I hungry!

Ein·ak·ter ['aɪnaktɐ] <-s, -> *m* (THEAT) one- act play

ei·n·an·der [aɪ'nandɐ] *pron* each other, one another

ein|ar·bei·ten I. *tr* 1. (*anlernen*) train 2. (*integrieren, einbauen*) work in (*in* to) II. *refl* get used to the work

Ein·ar·bei·tungs·zeit *f* training period

ein·ar·mig *adj* one-armed

ein|ä·schern ['aɪnɛʃərn] *tr* 1. (*Häuser, Städte etc*) burn to ashes 2. (*Leichen*) cremate

ein|at·men *tr itr* breathe in

ein·äu·gig ['aɪnɔɪgɪç] *adj* one-eyed

Ein·bahn·stra·ße *f* one-way street

ein|bal·sa·mie·ren *tr* embalm

Ein·band <-(e)s, ¨-e> *m* (*Buchdecke*) book cover, case

ein·bän·dig ['aɪnbɛndɪç] *adj* in one volume; (*nur attr*) one-volume

Ein·bau ['aɪnbaʊ] *m* (TECH) installation

ein|bau·en *tr* 1. (*installieren*) install 2. (*fig: Zitat etc*) work in (*in* to)

Ein·bau·kü·che *f* fitted kitchen

Ein·baum *m* (*Boot*) dug-out

Ein·bau·mö·bel *npl* built-in furniture; **Ein·bau·schrank** *m* built-in cupboard

ein|be·hal·ten *irr tr* keep back; (*Lohn*) stop

ein|be·ru·fen *irr tr* 1. (*Versammlung*) convene; (PARL) summon 2. (MIL) call up *Br*, draft *Am*

Ein·be·ru·fung *f* 1. (*e-r Versammlung*) convention; (PARL) summoning 2. (MIL) conscription *Br*, draft call *Am*

ein|bet·ten *tr* embed

ein|beu·len *tr* (*bes. von Auto*) dent in

ein|be·zie·hen *tr* include

ein|bie·gen I. *irr tr haben* (*verbiegen*) bend in II. *itr sein* turn off (*in* into, (*nach*) *links o rechts* to the left, to the right)

ein|bil·den *refl* 1. (*fantasieren*) imagine 2. (*eingebildet, stolz sein*) be conceited [*o* vain]; **sich viel auf etw** ~ be conceited about s.th.; **bilden Sie sich nur nicht ein, dass ...!** don't imagine that ...!; **das bildest du dir alles nur ein!** you're just imagining things!; **ich bilde mir nicht ein, ein großer Künstler zu sein** I'm not pretending to be a great artist; **er bildet sich Wunder was ein**[RR] he thinks he's too wonderful for words; **darauf kannst du dir nicht gerade etw** ~ that's nothing to be proud of

Ein·bil·dung *f* 1. (*Fantasie, Vorstellung*) imagination 2. (*Illusion*) illusion 3. (*Dünkel*) conceit; **Ein·bil·dungs·kraft** *f* power of imagination

ein·bin·den *irr tr* 1. (*Buch*) bind 2. (*fig: Person*) integrate

Ein·bin·dung *f* (*fig*) integration

ein|bläu·en[RR] *tr* (*fam*): **jdm etw** ~ thump s.th. into s.o.

ein|blen·den *tr* (FILM RADIO TV: *Werbespots etc*) slot in

ein|bleu·en *s.* **einbläuen**

Ein·blick *m* 1. (*Einsicht in etw hinein*) view (*in* of) 2. (*fig: Kenntnis*) insight (*in* into)

ein|bre·chen[1] I. *irr itr* 1. *sein* (*zusammenfallen*) fall in 2. (*fig: einsetzen: Nacht*) fall 3. **auf dem Eis** ~ fall through the ice II. *tr haben* 1. (*Mauer, Tür etc*) break down 2. (*Eis*) break through

ein|bre·chen[2] *irr itr* 1. *haben o sein* (*Einbruch begehen*) break in, burgle, burglarize *Am* 2. *sein* (MIL: *in feindliches Terrain*) invade (*in etw* s.th.); **in dem Gebäude (bei mir) wurde eingebrochen** thieves broke into the place (my home), the place (I) was burgled

Ein·bre·cher(in) *m(f)* burglar

ein|bren·nen I. *irr tr* (*Brandzeichen*) brand II. *refl* (*fig: sich einprägen*) engrave itself (*in* on)

ein|brin·gen I. *irr tr* 1. (PARL: *Antrag*) introduce; (*Gesetzentwurf*) bring in 2. (*Ernte*) gather in 3. (FIN: *Ertrag, Zinsen*) earn (*jdm etw* s.o. s.th.); (*Nutzen, Geld*) bring in (*jdm etw* s.th. to s.o.), yield 4. (*hin~, mitbringen*) bring in (*in* -to), contribute; (*integrieren*) integrate II. *refl* commit o.s.; **das bringt nichts ein** (*fig*) it's not worth it

ein|bro·cken *tr* **1.** (*Brot etc*) crumble (*in* into) **2.** (*fig fam*): **sich (jdm) etw ~** land o.s. (s.o.) in the soup; **da hast du mir aber was Schönes eingebrockt!** see what you've let me in for now!

Ein·bruch[1] *m* **1.** (*Einsturz*) collapse **2.** (*von Wasser etc*) penetration **3.** (*fig: von Nacht*) fall; (*von Winter*) onset; **bei ~ der Dunkelheit** [*o* **Dämmerung**] at dusk; **bei ~ der Nacht** at nightfall

Ein·bruch[2] *m* **1.** (*~sdiebstahl*) burglary (*in* in) **2.** (MIL: *in Front*) breakthrough (*in* of); (*Invasion*) invasion (*in* of)

Ein·bruchs·dieb·stahl *m* (JUR) burglary

ein|buch·ten *tr* (*sl: einsperren*) put behind bars

ein|bür·gern **I.** *tr* (*a. fig: Wort, Sitte etc*) naturalize **II.** *refl* (*a. fig*) become naturalized

Ein·bu·ße *f* loss (*an* to)

ein|bü·ßen *tr* **1.** (*verlieren*) lose **2.** (*verwirken*) forfeit

ein|che·cken *tr* (AERO) check in

ein|cre·men *tr* put cream on

ein|däm·men *tr* **1.** (*Fluss etc*) dam **2.** (*fig: hemmen*) check; (*in Grenzen halten, vor allem pol*) contain; **Ein·däm·mungs·po·li·tik** *f* (POL) policy of containment

ein|damp·fen *tr* evaporate

ein|de·cken **I.** *tr* (*fam: überhäufen*) inundate **II.** *refl* (*Vorräte schaffen*) stock up (*mit* on)

ein·deu·tig *adj* **1.** (*nicht mehrdeutig*) unambiguous **2.** (*klar*) clear

ein|deut·schen *tr* (*Begriff*) germanize

ein|di·cken *tr* thicken

ein|drin·gen *irr itr* **1.** *sein* penetrate (*in etw* into s.th.) **2. auf jdn ~** (*bestürmen*) go for s.o. (*mit* with); **in ein Land ~** invade a country, penetrate into a country; **entschuldigen Sie, wenn wir hier so ~, wir wollten nur ...** forgive the intrusion, we only wanted to ...

Ein·dring·ling *m* intruder

Ein·druck <-(e)s, ⸚e> *m* impression; **sie hat großen ~ auf mich gemacht** she made a great impression on me; **die Worte des Präsidenten haben großen ~ bei der Bevölkerung hinterlassen** the President's words made quite a strong impression on the population; **den ~ haben, dass ...** be under the impression that ...; **du willst wohl unbedingt ~ schinden!** (*fam*) you must be hell-bent on impressing!

ein|drü·cken **I.** *tr* (*zus.-drücken*) crush; (*flach machen*) flatten **II.** *refl* leave an impression

ein·drucks·voll *adj* impressive

ein|eb·nen *tr* (*a. fig*) level

ein·ei·ig *adj* (*Zwillinge*) identical

ein·ein·halb *num* one and a half

Ein·el·tern·fa·mi·lie *f* single-parent familiy

ein|en·gen *tr* (*a. fig*) constrict; **jdn in s-r Freiheit ~** constrict someone's freedom

Ei·ner <-s, -> *m* **1.** (*Boot*) single scull **2.** (MATH) unit; **Deutscher Meister im ~** (*Rudersport*) German champion in the single sculls; **Zehner und ~** tens and units *pl*

Ei·ner·lei ['aɪnɐ'laɪ] <-s> *n* sameness, monotony; **ei·ner·lei** *adj* **1.** (*der-, die-, dasselbe*) (one and) the same **2.** (*gleichgültig*) all the same; **es ist mir alles ~** it is all one [*o* the same] to me; **~, was (wer) ...** no matter what (who) ...; **ei·ner·seits** *adv* on the one hand

ein·fach ['aɪnfax] **I.** *adj* **1.** (*allgemein*) simple; (*schlicht*) plain **2.** (*nicht doppelt*) simple; (*Fahrt, Fahrkarte*) single **3.** (*leicht*) easy; **~e Fahrkarte** single [*o* one-way] ticket; **einmal ~, bitte!** (*in Bus, Bahn etc*) one single, please!; **~e Kost** plain fare **II.** *adv* (*geradezu*) simply; **~ unerträglich** simply intolerable; **so etw tut man ~ nicht** that simply isn't done

Ein·fach·heit *f* simplicity, plainness

ein|fä·deln ['aɪnfɛ:dəln] **I.** *tr* **1.** thread (*in* through) **2.** (*fam: Komplott, Intrige*) set up **II.** *refl* (MOT): **sich in den laufenden Verkehr ~** filter into the stream of traffic

ein|fah·ren **I.** *irr tr* **1.** *haben* (MOT: *ein Auto*) run in *Br*, break in *Am* **2.** (AERO: *Fahrgestell*) retract **3.** (*Ernte, Gewinne*) bring in; (*Verluste*) make **4.** (*Tor, Zaun, Wand etc*) knock down **II.** *itr sein* (*Zug*) come in (*auf, in* at, into)

Ein·fahrt *f* **1.** (*Eingang*) entrance **2.** (*das Einfahren*) entry (*in* to); (MIN: *in den Schacht*) descent; **keine ~!** no entrance!; **bitte zurücktreten, der Zug hat ~!** please stand well back, the train is arriving!

Ein·fall *m* **1.** (*plötzlicher Gedanke*) (sudden) idea **2.** (MIL) invasion (*in* of) **3.** (PHYS: *von Licht*) incidence; **das brachte mich auf den ~ ihn zu fragen, ...** that gave me the idea of asking him ...; **auf den ~ kommen etw zu tun** get the idea of doing s.th.; **ach, es war nur so ein ~** oh, it was just an idea

ein|fal·len *irr itr* **1.** *sein* (*einstürzen*) collapse **2.** (PHYS: *Strahlen etc*) be incident **3.** (*Licht*) come in (*in* -to) **4.** (MIL: *eindringen*) invade (*in ein Land* a country) **5.** (*Wangen, Augen etc*) become sunken **6.** (*in den Sinn kommen*) occur (*jdm* to s.o.) **7.** (*ins Gedächtnis kommen*): **jdm (wieder) ~** come (back) to s.o.; **was fällt Ihnen ein?** what's the idea? what are you thinking of?; **mir fällt einfach nichts ein** I just can't think of anything; **da fällt mir eben ein, ...** by the way, it just occurred to me ...; **dabei fällt mir ein, wie ich ...** that reminds me of how I ...

ein•falls•los *adj* unimaginative

Ein•falls•win•kel *m* (PHYS) angle of incidence

Ein•falt ['aɪnfalt] <-> *f* **1.** (*Naivität*) simplicity **2.** (*Dummheit*) simple-mindedness; **ein•fäl•tig** ['aɪnfɛltɪç] *adj* **1.** (*naiv*) simple **2.** (*dumm*) simple- minded; **Ein•falts•pin•sel** *m* (*fam*) simpleton

Ein•fa•mi•li•en•haus *n* detached house

ein|fan•gen *irr tr* (*a. fig*) catch

ein•far•big *adj* of one colour; (*Stoff*) self-coloured; (TYP) monochrome

ein|fas•sen *tr* **1.** (*umsäumen*) edge; (*Knopfloch, Naht etc*) trim **2.** (*Edelstein*) set (*mit* in); **Ein•fas•sung** *f* **1.** (*Umsäumung*) edging; (*von Knopfloch, Naht etc*) trimming **2.** (*von Edelsteinen*) setting

ein|fet•ten *tr* grease

ein|fin•den *irr refl* **1.** (*kommen*) come **2.** (*eintreffen*) arrive

ein|flö•ßen *tr:* **jdm etw** ~ (*eingeben*) give s.o. s.th.; (*fig*) instil s.th. into s.o.

Ein•flug•schnei•se *f* (AERO) air corridor, approach line

Ein•fluss[RR] *m* (*fig*) influence (*auf* over, on); **darauf haben Sie keinen** ~ you can't influence that; ~ **auf jdn haben (ausüben)** have (exert) an influence on s.o.; **Ein•fluss•be•reich**[RR] *m* sphere of influence; **Ein•fluss•nah•me**[RR] *f* influencing control; **ein•fluss•reich**[RR] *adj* influential

ein•för•mig ['aɪnfœrmɪç] *adj* **1.** (*uniform*) uniform **2.** (*eintönig*) monotonous; **Ein•för•mig•keit** *f* **1.** (*Gleichförmigkeit*) uniformity **2.** (*Eintönigkeit*) monotony

ein|frie•den ['aɪnfri:dən] *tr* enclose

Ein•frie•dung *f* enclosure

ein|frie•ren *irr* **I.** *irr itr sein* (*zufrieren*) freeze (up) **II.** *tr* **1.** *haben* (*Lebensmittel*) freeze **2.** (*fig: Beziehungen*) suspend

ein|fü•gen **I.** *tr* **1.** (*einpassen*) fit (*in* into) **2.** (*nachträglich hinzufügen*) insert (*in* in) **II.** *refl* **1.** (*passen*) fit in (*in* -to) **2.** (*sich anpassen*) adapt (*in* to)

ein|füh•len *refl* empathise (*in* with)

Ein•füh•lungs•ver•mö•gen *n* empathy

Ein•fuhr ['aɪnfu:ɐ] <-, -en> *f* (COM) import; **Ein•fuhr•be•stim•mun•gen** *fpl* (COM) import regulations

ein|füh•ren **I.** *tr* **1.** (COM: *importieren*) import **2.** (*Markt: neue Produkte*) introduce (*in* to); (*neue Mode, Trend*) set **3.** (*hineinstecken*) insert (*in* into); **einige ~de Worte** some words of introduction **II.** *refl* (*sich vorstellen*) introduce o.s.

Ein•fuhr•sper•re *f* (COM) ban on imports; **e-e ~ für Autos** a ban on the import of cars

Ein•füh•rung *f* **1.** ((*Neu-*) *Vorstellung, Einleitung*) introduction (*in* to) **2.** (*Amts~*) installation; **Ein•füh•rungs•kam•pa•gne** *f* (MARKT) introductory [*o* launching] campaign; **Ein•füh•rungs•kos•ten** *pl* introduction cost *sing;* **Ein•füh•rungs•preis** *m* introductory price

Ein•fuhr•zoll *m* import duty

ein|fül•len *tr* pour in; **etw in Flaschen (Fässer, Säcke)** ~ bottle (barrel, sack) s.th.

Ein•ga•be *f* **1.** (*Gesuch*) petition (*an* to) **2.** (EDV: *Daten~*) input; **Ein•ga•be•da•ten** *pl* (EDV) input data; **Ein•ga•be•ge•rät** *m* (EDV) input device; **Ein•ga•be•tas•te** *f* return [*o* enter] key

Ein•gang *m* **1.** (*Tür, Tor etc*) entrance (*in* to) **2.** (*Zutritt, a. fig*) entry (*in* into, *zu* to) **3.** (COM: *Erhalt*) receipt; (*von Waren*) delivery; **kein** ~ keep out! no entrance!; **nach** ~ (COM) on receipt; **gleich beim ~ sind die Waren zu prüfen** (COM) the goods must be checked on delivery

ein•gangs *adv* initially

ein|ge•ben *irr tr* **1.** (*verabreichen*) administer, give **2.** (EDV: *Daten*) enter, key in **3.** (*fig: Gedanken*) inspire (*jdm etw* s.o. with s.th.)

ein•ge•bil•det *adj* **1.** (*nicht wirklich*) imaginary **2.** (*hochmütig*) conceited

ein•ge•bo•ren *adj* (*einheimisch*) native

Ein•ge•bo•re•ne(r) *f m* native

Ein•ge•bung *f* inspiration; **göttliche** ~ divine inspiration

ein•ge•fah•ren *adj* (*fig: abgegriffen, abgedroschen*) well-worn; **aus dem ~en Gleis herauskommen** (*fig*) get out of the rut

ein•ge•fal•len *adj* (*Wangen, Augen*) sunken; (*Gesicht, Leib*) haggard

ein•ge•fleischt ['aɪngəflaɪʃt] *adj* **1.** (*in Fleisch u. Blut übergegangen*) ingrained **2.** (*unverbesserlich, echt*) dyed-in-the-wool **3.** (*überzeugt*) confirmed; **~er Junggeselle** confirmed bachelor

ein|ge•hen **I.** *irr itr* **1.** *sein* (*schrumpfen, einlaufen*) shrink **2.** (*sterben: von Pflanzen u. Tieren*) die (*an* of); (*fam: von Zeitungen, Betrieben*) fold up **3.** (*verstanden werden*): **es will mir einfach nicht ~, warum ...** I just cannot understand why ... **4. auf e-e Frage** ~ (*behandeln*) go into a question; (*sich widmen*) give one's time and attention to a question **5.** (*ankommen*) arrive **6.** (*fig: einfließen*) leave its mark (*in* on); (*angenommen werden*) be adopted (*in* in) **7.** (*zustimmen*) agree (*auf* to); **die ~de Post** the incoming mail; **diese Hitze ist zum E~** (*fam*) this heat is killing; **auf etw näher** ~ go into the particulars of s.th. **II.** *tr:* **e-e Wette** ~ make a bet; **ein Risiko** ~ take a risk

ein•ge•hend *adj* **1.** (*ausführlich*) detailed **2.** (*gründlich*) thorough

Ein•ge•mach•te <-n> *n* (*Marmelade*) preserves *pl;* (*in Essig*) pickles *pl*

ein|ge•mein•den *tr* incorporate (*nach, in* into)

Ein•ge•mein•dung *f* incorporation

ein•ge•nom•men *adj* **1. von sich (jdm, etw) ~ sein** fancy oneself (s.o., s.th.) *fam* **2. für jdn (etw) ~ sein** be taken with s.o. (s.th.) **3. gegen jdn (etw) ~ sein** be biased against s.o. (s.th.)

ein•ge•schnappt *adj* (*fig fam*) cross, peeved

ein•ge•schränkt *adj* (*eingeengt*) limited, restricted

ein•ge•schrie•ben *adj* (*Brief, Mitglied etc*) registered

ein•ge•stan•de•ner•ma•ßen *adv* admittedly

Ein•ge•ständ•nis *n* admission, confession

ein|ge•ste•hen *irr tr* admit, confess (*etw* to s.th.)

ein•ge•stellt *adj:* **auf etw ~ sein** be prepared for s.th.; **gegen jdn (etw) ~ sein** be set against s.o. (s.th.); **konservativ ~ sein** be a conservative; **sozial ~** socially minded [*o* oriented]

ein•ge•tra•gen *adj* registered

Ein•ge•wei•de ['aɪngəvaɪdə] <-s, -> *n sing u. pl* bowels, entrails *pl*

Ein•ge•weih•te(r) *f m* initiate

ein|ge•wöh•nen *refl* settle down

ein|gie•ßen *tr* pour (out); **sie goss**[RR] **sich ein Glas Wein ein** she poured herself a glass of wine

ein•glei•sig *adj* **1.** (RAIL) single-track **2.** (*fig*): **~ denken** have a one-track mind

ein|glie•dern I. *tr* (*Betriebsteile, Firma*) incorporate (*in* with, into); (*Personen*) integrate (*in* into) **II.** *refl* integrate o.s. (*in* into); **Ein•glie•de•rung** *f* incorporation, integration; **~ Behinderter** integration of the disabled

ein|gra•ben I. *irr tr* dig in **II.** *refl* (MIL: *a. fig*) dig o.s. in

ein|gra•vie•ren *tr* engrave

ein|grei•fen *irr itr* **1.** (TECH: *von Maschinenteilen*) mesh (*in* with) **2.** (*intervenieren*) intervene; **in ein Gespräch ~** intervene in a conversation; **in jds Rechte ~** infringe (up)on someone's rights

Ein•griff *m* **1.** (MED) operation **2.** (*fig: Einmischung*) intervention; **ein ~ in jds Rechte (Privatsphäre)** an infringement of someone's rights (privacy)

ein•grup•pie•ren *tr* group (*in* in)

Ein•grup•pie•rung *f* classification, grouping

ein|ha•ken I. *tr* hook in (*in* -to) **II.** *itr* (*fam: etw aufgreifen, sich einmischen*) intervene **III.** *refl:* **er hakte sich bei mir ein** he put his arm through mine

Ein•halt *m:* **e-r Sache ~ gebieten** put a stop to s.th.

ein|hal•ten I. *irr tr* (*sich halten an, beachten*) keep; **e-e Frist ~** meet a deadline; **e-n Termin ~** keep a term; **den Kurs ~** (MAR AERO) stay on course **II.** *itr* **1.** (*innehalten*) pause **2.** (*aufhören*) stop; **Ein•hal•tung** *f* (*Beachtung*) keeping of, keeping to

ein|häm•mern I. *tr* **1.** (*Nagel etc*) hammer in (*in* -to) **2.** (*fig*): **jdm etw ~** hammer s.th. into s.o. **II.** *itr:* **auf etw ~** hammer on s.th.; **auf jdn ~** (*fig*) pound s.o.

ein|han•deln *tr* **1.** (COM) trade (*gegen, für* for) **2.** (*fig fam*): **sich etw ~** get s.th.

ein•hei•misch *adj* (*Menschen, Tiere, Pflanzen*) native; (*lokal*) local

ein|heim•sen ['aɪnhaɪmzən] *tr* (*fam: Ruhm, Beifall*) walk off with

Ein•heit ['aɪnhaɪt] *f* **1.** (*staatlich, national*) unity; (*Ganzes*) whole **2.** (MIL) unit

Ein•hei•ten•an•zei•ge *f* (TELE) display of units used

ein•heit•lich *adj* **1.** (*standardisiert*) standard(ized) **2.** (*gleichförmig*) uniform **3.** (*ein geschlossenes Ganzes bildend*) unified; **~ gekleidet** dressed the same

Ein•heits•ge•bühr *f* consolidated [*o* flat] rate; **Ein•heits•lis•te** *f* (POL) single list; **Ein•heits•preis** *m* (COM) standard price [*o* rate]; **Ein•heits•ta•rif** *m* standard tariff

ein|hei•zen *itr* **1.** (*heizen*) put the heating on **2.** (*fig fam*): **jdm tüchtig ~** (*ihm zusetzen*) make things hot for s.o.

ein•hel•lig ['aɪnhɛlɪç] *adj* unanimous

ein|ho•len I. *tr* **1.** (*Fahne, Segel*) lower **2.** (MAR: *Netze, Boot etc*) haul in **3.** (*erreichen*) catch up **4.** (*gutmachen: Verlust*) make good; (*Zeit*) make up (for) **5.** (*einkaufen*) buy; **bei jdm Rat ~** obtain someone's advice; **ärztlichen Rat ~** take medical advice; **Versäumtes ~** make up for lost time **II.** *itr* shop

Ein•horn *n* unicorn

ein|hül•len *tr* wrap up

ei•nig ['aɪnɪç] *adj* **1.** (*e-r Meinung*) in agreement, agreed (*in* on, *über* about) **2.** (*geeint*) united; **sich über etw ~ werden** agree on s.th.; **miteinander ~ werden** come to an agreement; **sie sind sich darüber ~, dass ...** they are agreed that ...

ei•ni•ge ['aɪnɪgə] *pron* some; **in ~r Entfernung** some distance away; **ich weiß ~s über sie** I know a thing or two about her; **das wird ~s kosten** that will cost s.th.; **~ andere** (*mehrere*) several others; **in ~n Tagen** (*in wenigen Tagen*) in a few days

ei•ni•gen I. *tr* **1.** (*Nation*) unite **2.** (*strei-

tende Parteien) reconcile **II.** *refl* agree, come to an agreement (*über* on, about)

ei•ni•ger•ma•ßen ['aɪnɪgɐ'maːsən] **I.** *adv* **1.** (*etwa*) to a certain extent **2.** (*ziemlich*) somewhat; **wie gehen die Geschäfte? – na, so ~** how's business? – well, so-so **II.** *adj* (*fam: leidlich*) all right

Ei•nig•keit *f* **1.** (*Eintracht*) unity **2.** (*Übereinstimmung*) agreement (*in, über* on); **~ macht stark** unity is strength

Ei•ni•gung *f* **1.** (*Übereinstimmung*) agreement **2.** (JUR: *Vergleich*) settlement **3.** (POL) unification; **über e-e strittige Frage ~ erzielen** reach agreement on a controversial question; **Ei•ni•gungs•ver•such** *m* (*Schlichtungsversuch*) attempt at reconciliation

ein|imp•fen *tr* **1.** (*impfen*) vaccinate (*jdm etw* s.o. with s.th.) **2.** (*fig*) instil (*jdm etw* s.th. into s.o.)

ein|ja•gen *tr:* **jdm Furcht ~** frighten s.o.; **jdm e-n Schrecken ~** give s.o. a fright

ein•jäh•rig ['aɪnjɛːrɪç] *adj* **1.** (*ein Jahr alt*) one-year-old **2.** (BOT: *nicht perennierend*) annual **3.** (*ein Jahr dauernd*) of one [*o* a] year

ein|kal•ku•lie•ren *tr* take into account

ein|kas•sie•ren *tr* (*Geld*) collect

Ein•kauf *m* **1.** (*das Kaufen*) buying **2.** (*das Gekaufte*) purchase **3.** (COM: *~sabteilung*) buying (department); **ein|kau•fen I.** *tr* buy **II.** *itr* (*privat*) shop; (COM: *durch Einkaufsabteilung*) buy, do the buying **III.** *refl* (COM) buy o.s. (*in* into)

Ein•käu•fer(in) *m(f)* (COM) buyer

Ein•kaufs•ab•tei•lung *f* purchasing department; **Ein•kaufs•bum•mel** *m* shopping spree; **e-n ~ machen** go on a shopping spree; **Ein•kaufs•ge•nos•sen•schaft** *f* consumers' co-operative society; **Ein•kaufs•lei•ter(in)** *m(f)* purchasing manager; **Ein•kaufs•pas•sa•ge** *f* (COM) ..: shopping arcade; **Ein•kaufs•preis** *m* (COM) wholesale price; **Ein•kaufs•ta•sche** *f* shopping bag; **Ein•kaufs•wa•gen** *m* shopping cart, trolley; **Ein•kaufs•zen•trum** *n* shopping centre *Br,* shopping center *Am*

Ein•kehr ['aɪnkeːɐ] <-> *f* **1.** (*Rast*) stop **2.** (*fig*) contemplation; **in e-m Gasthof ~ halten** stop at an inn; **innere ~ halten** (*fig*) contemplate

ein|keh•ren *itr* **1.** *sein* (*in Gasthof*) stop (off) (*in* at) **2.** (*Friede, Sorge, Ruhe etc*) come (*bei* to); **bei jdm ~** call on s.o.; **der Friede ist (bei uns) wieder eingekehrt** peace has returned (to us)

ein|kel•lern *tr* store in a cellar

ein|klam•mern *tr* (*in Klammern setzen*) bracket, put in brackets

Ein•klang *m* **1.** (*Harmonie*) harmony **2.** (MUS) unison; **in ~ bringen** bring into accord; **in ~ mit etw sein** [*o* **stehen**] be in accord with s.th.

ein|kle•ben *tr* stick in (*in* -to)

ein|klei•den *tr* (MIL) fit out with a uniform; **jdn (sich) neu ~** buy s.o. (o.s.) new clothes

ein|klem•men *tr* (*quetschen*) jam; **hinter dem Steuer eingeklemmt werden** be pinned behind the wheel

ein|ko•chen I. *tr* (*Gemüse etc*) preserve; (*Marmelade*) bottle **II.** *itr* (*Marmelade etc*) boil down

Ein•kom•men <-s, -> *n* income; **Ein•kom•mens•ge•fäl•le** *n* income differential; **Ein•kom•men(s)•steu•er** *f* income tax; **Ein•kom•men(s)•steu•er•er•klä•rung** *f* income tax return

ein|krei•sen *tr* **1.** (MIL) encircle, surround **2.** (*fig: Fragen, Probleme*) isolate

Ein•künf•te ['aɪnkʏnftə] *pl* income *sing,* revenue *sing*

ein|la•den *irr tr* **1.** (*Waren*) load (*in* into) **2.** (*Gäste*) invite (*jdn zu etw* s.o. to s.th.); **darf ich Sie zu e-m** [*o* **auf ein**] **Bier ~?** may I invite you for a beer?; **ich lade Sie ein** I'm treating you; **ein•la•dend** *adj* inviting; (*verlockend*) enticing; **Ein•la•dung** *f* invitation

Ein•la•ge *f* **1.** (FIN: *Spar~*) deposit; (*Investition*) investment **2.** (*Spiel~*) stake **3.** (THEAT) interlude **4.** (*Einlegesohle*) insole; (*orthopädische Schuh~*) support

ein|la•gern *tr* store

ein•lan•gen *vi sein* (*österr: eintreffen*) arrive

Ein•lass[RR] ['aɪnlas, *pl:* 'aɪnlɛsə] <-es, ⸚e> *m* (*Zutritt*) admission

ein|las•sen I. *irr tr* **1.** (*her~*) let in **2.** (*einsetzen, einfügen*) set in (*in* -to); **sich ein Bad ~** run o.s. a bath; **Wasser in die Badewanne ~** run water into the bath(tub) **II.** *refl:* **sich auf etw ~** (*in etw verwickelt werden*) let o.s. in for s.th.; (*e-r Sache zustimmen*) agree to s.th.; **sich mit jdm ~** (*Umgang haben*) get mixed up with s.o.

Ein•lauf *m* **1.** (MED) enema **2.** (SPORT: *Ziel~*) finish

ein|lau•fen I. *irr itr* **1.** *sein* (*einfahren etc*) come in (*in* -to); (*Wasser*) run in (*in* -to) **2.** (*Stoff*) shrink; **„läuft garantiert nicht ein"** (*bei der Wäsche*) 'guaranteed non-shrink' **II.** *tr haben* (*Schuhe*) wear in

ein|le•ben *refl* settle down (*in* in, *an* at)

ein|le•gen *tr* **1.** (*Intarsien etc*) inlay **2.** (*hin~, -tun*) put in (*in* -to) **3.** (*in Essig*) pickle **4.** (FIN: *Geld*) deposit; **Widerspruch ~** (register a) protest; **sein Veto ~** use one's veto; **den ersten Gang ~** (MOT) engage first (gear); **e-n Film ~** (PHOT) load the camera; **e-e Pause** ~ have a pause; **e-e Sonderschicht** ~ put on an extra shift; **ein gutes Wort für jdn** ~ put in a good word for s.o.

Ein•le•ge•soh•le *f* insole

ein|lei•ten *tr* **1.** (*beginnen*) start; (*eröffnen*) open **2.** (*initiieren*) initiate; (*Schritte, Maßnahmen etc*) take; **ein Verfahren gegen jdn** ~ (JUR) take legal proceedings *pl* against s.o.; **s-e Wahl leitete e-e neue Ära ein** his election inaugurated a new era; **ein•lei•tend** *adj* introductory; **Ein•lei•tung** *f* **1.** (*e-s Buches*) introduction; (MUS) prelude **2.** (*das Ingangsetzen*) initiation

ein|len•ken *itr* (*fig*) give way, yield; **„so war es nicht gemeint", lenkte er ein** "it wasn't meant like that", he said, giving in

ein|leuch•ten *itr* be clear (*jdm* to s.o.); **das leuchtet mir ein** I can see the point; **das will mir einfach nicht** ~ I simply can't see that

ein•leuch•tend *adj* clear, plausible

ein|lie•fern *tr* (*bringen, abliefern*) deliver; **jdn ins Krankenhaus** ~ admit s.o. to hospital; **jdn ins Gefängnis** ~ commit s.o. to prison

Ein•lie•fe•rung *f* delivery; ~ **ins Krankenhaus** admission to hospital; ~ **ins Gefängnis** committal to prison

ein|lö•sen *tr* **1.** (*Pfand*) redeem **2.** (COM: *Wechsel, Scheck*) cash (in) **3.** (*Verpflichtung*) discharge; (*Versprechen, Wort*) keep

ein|ma•chen *tr* (*Gemüse, Obst*) preserve; (*in Gläser*) bottle; (*in Büchsen*) tin *Br*, can *Am*

Ein•mach•glas *n* bottling jar

ein•mal ['aɪnma:l] *adv* **1.** (*nicht zweimal*) once **2.** (*ehemals*) once (upon a time) **3.** (*in Zukunft*) one day, some time **4.** (*erstens*) first of all; **auf** ~ (*zugleich*) at once; (*plötzlich*) all of a sudden; **noch** ~ again, once more; (*ein letztes Mal*) one last time; **nicht** ~ not even ..., not so much as ...; **wenn du sie** ~ **siehst** if you happen to see her; **das war** ~**!** that was then!; ~ **ist keinmal** once won't hurt; **warst du schon** ~ **in London?** have you ever been to London?; **so liegen die Dinge nun** ~ that's just the way things are

Ein•mal•eins [aɪnma:l'aɪns] <-> *n* (multiplication) tables *pl;* **das große (kleine)** ~ tables over (up to) ten; **das** ~ **aufsagen** say one's tables

ein•ma•lig ['---/-'--] *adj* **1.** (*einzigartig*) unique; (*fam*) fantastic **2.** (*nur einmal nötig*) single; **e-e** ~**e Gelegenheit** a unique chance; ~**e Abfindung** lump- sum pay-off

Ein•mann•be•trieb *m* one-man business; **Ein•mann•ka•pel•le** *f* (MUS) one-man band

Ein•marsch *m* (MIL) invasion (*in* of)

ein|mar•schie•ren *itr sein* march in (*in* - to)

ein|men•gen *tr* (*hinzufügen, unterrühren*) mix in (*in* -to)

Ein•mi•schung *f* interference, meddling (*in* in)

ein•mo•to•rig ['aɪnmoto:rɪç] *adj* (AERO) single-engine(d)

ein|mot•ten ['aɪnmɔtən] *tr* **1.** (*Kleidung*) put in mothballs **2.** (*fig*) mothball

ein|mum•men ['aɪnmʊmən] *tr refl* (*fam*) muffle up

ein|mün•den *itr sein* (*Flüsse*) flow in (*in* -to); (*Straßen*) run in (*in* -to)

Ein•mün•dung *f* (*Flüsse*) confluence; (*Straßen*) junction; **die** ~ **der Mosel in den Rhein** the confluence of the Moselle and the Rhine

ein•mü•tig ['aɪnmy:tɪç] *adj* unanimous

Ein•mü•tig•keit *f* unanimity

Ein•nah•me ['aɪnna:mə] *f* **1.** (MIL) seizure; (*e-r Stadt od Stellung*) capture **2.** (COM) receipt **3.** (COM FIN): ~**n** (*Einkommen*) income *sing;* (*Geschäfts~n*) takings *pl;* (*des Fiskus*) revenue *sing;* **Ein•nah•me•quel•le** *f* source of income [*o* revenue]

ein|neh•men *irr tr* **1.** (*zu sich nehmen*) take **2.** (*verdienen*) earn; (*Steuern*) collect; (COM) take **3.** (*Platz, Posten, a. fig*) occupy **4.** (MIL: *erobern*) take; **jdn für etw** ~ win s.o. over to s.th.; **jdn für sich** ~ win s.o. over; **jdn gegen sich (jdn, etw)** ~ set s.o. against o.s. (s.o., s.th.); **ein•neh•mend** *adj* likeable; **ein** ~**es Wesen haben** (*gewinnend sein*) be a likeable character

ein|ni•cken *itr sein* (*fam*) drop [*o* nod] off [*o* doze]

ein|nis•ten *refl* **1.** (*nisten*) nest **2.** (*fig*) settle (*in* in, *bei jdm* at someone's place)

Ein•öde ['aɪn?ø:də] <-, -n> *f* (*a. fig*) wasteland

ein|ölen *tr* oil

ein|ord•nen I. *tr* **1.** (*in e-e Ordnung bringen*) put in order; (*Karteikarten, Aktenordner*) file **2.** (*klassifizieren*) classify **II.** *refl* **1.** (*sich ein- o anpassen*) fit in (*in* -to) **2.** (MOT) get in lane; **sich rechts (links)** ~ get into the right (left) lane

ein|pa•cken I. *tr* **1.** (*in Packpapier etc, a. fig fam: in warme Kleidung*) wrap up (*in* in) **2.** (*Koffer etc*) pack (*in* in) **3.** (*Päckchen, Paket*) pack up **II.** *itr* pack; **wenn er erst einmal loslegt, dann können wir alle** ~ (*fam*) once he gets going we can all pack it all in

ein|par•ken *tr itr* (MOT) park (*zwischen zwei Autos* between two cars)

ein|pas·sen *tr* (TECH) fit in (*in* -to)
ein·pen·deln *refl* even out
ein|pfer·chen *tr* **1.** (*Tiere*) pen in (*in* -to) **2.** (*fig*) coop up (*in* in)
ein|pla·nen *tr* (*planen*) include in one's plans; (*von vornherein berücksichtigen*) allow for ...
ein|prä·gen I. *tr* **1.** (*Muster etc*) impress, imprint **2.** (*fig*) impress (*jdm etw* s.th. on s.o.) **3.** (*fig*): **sich etw ~** (*merken*) memorize s.th. **II.** *refl* make an impression (*jdm* on s.o.)
ein·präg·sam ['aınprɛːkzaːm] *adj* easily remembered
ein|pro·gram·mie·ren *tr* (EDV) feed in
ein|quar·tie·ren ['aınkvartiːrən] **I.** *tr* quarter (*bei* with) **II.** *refl* be quartered (*bei* with)
Ein·rad *n* unicycle
ein|rah·men *tr* (*a. fig*) frame
ein|ram·men *tr* ram in (*in* -to)
ein·ras·ten *itr* engage
ein|räu·men *tr* **1.** (*verstauen*) put away **2.** (*leeren Schrank etc*) fill **3.** (*zugeben*) admit, concede **4.** (*zugestehen*) allow
ein|rech·nen *tr* include; **die Kosten eingerechnet** including the costs
ein|re·den I. *tr:* **jdm (sich) etw ~** talk s.o. (o.s.) into believing s.th. **II.** *itr:* **auf jdn ~** keep on and on at s.o.
ein|rei·ben *irr tr* rub in; **sich (das Gesicht) mit etw ~** rub o.s. with s.th. [*o* rub s.th. into one's face]
ein|rei·chen *tr* **1.** (*Unterlagen*) submit (*bei* to) **2.** (*Pensionierung, Versetzung etc*) apply for; **e-e Klage gegen jdn ~** institute proceedings *pl,* against s.o.
ein|rei·hen I. *tr* **1.** (*klassifizieren*) classify **2.** (*einordnen, -räumen, -fügen*) put in (*in* -to) **II.** *refl* join (*in etw* s.th.)
Ein·rei·se *f* entry (*in* to); **bei der ~** on entry; **Ein·rei·se·be·stim·mun·gen** *fpl* entry regulations; **Ein·rei·se·be·wil·li·gung** *f,* **Ein·rei·se·er·laub·nis, Ein·rei·se·ge·neh·mi·gung** *f* entry permit
ein|rei·sen *itr sein* enter the country; **nach England ~** enter England
Ein·rei·se·ver·bot *n* refusal of entry; **~ haben** have been refused entry
ein|rei·ßen I. *irr tr haben* (*Haus, Zaun etc*) pull [*o* tear] down **II.** *itr* **1.** *sein* (*Fingernagel, Papier etc*) tear **2.** (*fig fam: Missstände*) catch on
ein|ren·ken ['aınrɛŋkən] **I.** *tr* **1.** (*Glieder, Gelenke*) set **2.** (*fig fam*) sort out **II.** *refl* (*fig fam*) sort itself out
ein|ren·nen *irr tr* **1.** (*Hindernisse*) batter down **2.** (*fig*): **offene Türen ~** kick at an open door *sing* **3.** (*fig fam*): **jdm die Bude ~** pester s.o.
ein|rich·ten I. *tr* **1.** (*gründen*) establish; (*Bankkonto*) open **2.** (TECH: *justieren*) set up **3.** (*möblieren*) furnish; (*ausstatten*) fit out **4.** (*arrangieren, a. Musikstück*) arrange; (THEAT TV) adapt; **s-e Wohnung neu ~** refurnish one's flat; **können Sie es ~, mich um sechs (Uhr) zu treffen?** can you arrange to meet me at six (o'clock)? **II.** *refl* **1.** (*sich niederlassen*) settle (down) **2.** (*sich vorbereiten*) prepare o.s. (*auf* for) **3.** (*s-e Wohnung möblieren*) furnish one's flat
Ein·rich·tung *f* **1.** (*Gründung*) establishment; (*e-s Bankkontos*) opening **2.** (TECH) setting-up **3.** (*das Möblieren*) furnishing; (*das Ausstatten*) fitting-out **4.** (*Möbel*) furnishings *pl;* (*Ausstattung*) fittings *pl* **5.** (MUS: *Bearbeitung*) arrangement; (THEAT TV) adaptation **6.** (*Institution*) institution; (*staatlich, öffentlich: Verkehrsbetriebe, Bibliotheken etc*) facility; **kulturelle (öffentliche, soziale) ~en** cultural (public, social) facilities
Ein·rich·tungs·stil *m* furnishing style
ein|rit·zen *tr* carve in (*in* -to)
ein|rol·len *tr refl* roll up
ein|ros·ten *itr* **1.** *sein* (*Rost ansetzen*) rust up **2.** (*fig fam: Gelenke, Körper*) stiffen up
ein|rü·cken I. *itr sein* (MIL: *einmarschieren*) march in (*in* -to) **II.** *tr haben* (TYP: *Zeile*) indent
Eins [aıns] <-, -en> *f* **1.** (*Ziffer*) one **2.** (PÄD: *Note „sehr gut"*) A **3.** (*beim Würfeln*) one; **e-e ~ schreiben (würfeln)** get an A (throw a one)
eins [aıns] *num* one; **~ a** (*fam: erstklassig*) A1; **es läuft ja doch alles auf ~ hinaus** (*auf dasselbe*) it always comes to the same thing anyway; **(es steht) ~ zu ~/zwei** (SPORT) (the score is) one all/one-two
ein|sa·cken[1] *tr* **1.** *haben* (*in Säcke packen*) sack **2.** (*fig fam: kassieren*) rake in
ein|sa·cken[2] *itr sein* (*versinken*) sink
ein|sal·zen *irr tr* salt
ein·sam ['aınzaːm] *adj* **1.** (*Mensch*) lonely; (*einzeln*) solitary **2.** (*abgelegen*) secluded; (*Strand etc: leer*) empty; **~e Spitze** (*fam*) absolutely great
Ein·sam·keit *f* **1.** (*von Mensch*) loneliness, solitariness; (*das Alleinsein*) solitude **2.** (*von Ort*) emptiness, seclusion
ein|sam·meln *tr* (*Ernte*) gather (in); (*Geld*) collect (in)
Ein·satz *m* **1.** (*eingesetztes Stück, Teil*) inset; (*Schubfach, Kofferfach*) tray **2.** (*Spiel~*) stake; (COM FIN: *Kapital~*) investment **3.** (MIL: *Aktion*) action **4.** (*Gebrauch, Anwendung*) use; (*von Arbeitskräften*) employment **5.** (*Engagement*) commitment (*für etw* to s.th.) **6.** (MUS) entry; (THEAT) entrance; **s-n ~ wieder herausbekommen**

recover one's stake; **s-n ~ verpassen** (MUS) miss one's entrance; **dem Orchester den ~ geben** bring in the orchestra; **zum ~ kommen** (*verwendet werden*) be put to use; (*von Personal*) be employed; (MIL: *von Truppen*) go into action; **unter ~ aller Kräfte** (*mit größtem Kraftaufwand*) by summoning up all one's strength; **im ~** in action; **unter ~ ihres Lebens** at the risk of her life; **ein•satz•be•reit** *adj* (*allgemein*) ready for use; (MIL) ready for action; **Ein•satz•be•reit•schaft** *f* readiness for use; **Ein•satz•mög•lich•keit** *f* range [*o* field] of application

ein|schal•ten I. *tr* 1. (*Maschinen, Licht*) switch on; (*Gerät*) turn on 2. (*einschieben*) interpolate 3. **jdn (bei etw) ~** (*fig*) bring s.o. in (on s.th.) II. *refl* (*sich einmischen*) intervene

Ein•schalt•quo•te *f* (RADIO TV) audience rating; **Ein•schal•tung** *f* 1. (*das Anmachen*) switching [*o* turning] on 2. (*Einschub*) interpolation 3. (*von Personen, Institutionen*) bringing in

ein|schär•fen *tr* impress (*jdm etw* s.th. (up) on s.o.)

ein|schät•zen I. *tr* assess; **falsch ~** (*beurteilen*) misjudge II. *refl* rate o.s.

ein|schen•ken *tr* pour (out); **jdm reinen Wein ~** (*fig*) tell s.o. the (unvarnished) truth

ein|schi•cken *tr* send in

ein|schie•ben *irr tr* 1. (*hin~*) put in (*in* -to) 2. (*dazwischenschieben*) interpolate 3. (*einfügen*) insert, put in

ein|schie•ßen I. *irr tr* 1. (*mit Gewehr*) shoot in; (*mit Ball etc*) smash 2. (TYP: *Zwischenblätter*) interleave II. *refl* 1. (MIL: *bei Schießübungen*) get one's eye in 2. (*fig*): **sich auf jdn ~** line s.o. up for the kill

ein|schif•fen I. *tr* ship II. *refl* embark

Ein•schif•fung *f* embarkation

ein|schla•fen *irr itr* 1. *sein* fall asleep 2. (*von Gliedern*) go to sleep 3. (*fig: allmählich aufhören*) peter out

ein|schlä•fern ['aɪnʃlɛːfɐn] *tr* 1. (*schläfrig machen*) make sleepy 2. (*fig: einlullen*) lull 3. (*Tiere töten*) put to sleep; **ein•schlä•fernd** *adj* 1. (*narkotisierend*) soporific 2. (*fig: langweilig*) monotonous, soporific

Ein•schlag *m* 1. (*am Kleid*) fold; (*von Gewebe*) weft, woof 2. (*von Geschoss*) impact; (*von Blitz*) striking 3. (*Zusatz, Charakterelement*) element; **ein|schla•gen** I. *irr tr* 1. (*Nagel etc*) drive in 2. (*Scheibe, Tür etc*) smash; (*Zähne*) knock out 3. (*einwickeln*) wrap (up) 4. (*Kleid, Stoff etc*) turn up 5. (MOT: *Lenkrad*) turn 6. (*Weg, Kurs, a. fig*) take II. *itr* 1. (*Geschoss*) hit (*in etw* s.th.); (*Blitz*) strike (*in etw* s.th.) 2. (*fam*): **gut ~** (*gut ankommen*) be a big hit 3. (*prügeln*) hit out (*auf jdn, etw* at s.o., s.th.); **wie e-e Bombe ~** burst like a bombshell; **komm, schlag ein!** (*fam*) come on, let's shake (hands) on it!

ein•schlä•gig ['aɪnʃlɛːgɪç] *adj* 1. (*geeignet*) appropriate; (*Literatur, Gesetzesvorschrift*) relevant 2. (JUR): **~ vorbestraft sein** have been previously convicted [*o* have a previous conviction] for a similar offence

ein|schlei•chen *irr refl* (*a. fig*) creep in (*in* -to)

ein|schlep•pen *tr* (*fig: Krankheit*) bring in

ein|schleu•sen *tr* smuggle in (*in, nach* -to)

ein|schlie•ßen *irr tr* 1. (*in Zimmer etc*) lock up 2. (MIL) encircle, surround 3. (*fig*) include; **ein•schließ•lich** I. *präp* including, inclusive of; **~ Mehrwertsteuer** V.A.T. included II. *adv:* **von Mittwoch bis ~ Freitag** from Wednesday to Friday inclusive, from Wednesday thru Friday *Am a.*

ein|schmei•cheln *refl* ingratiate o.s. (*bei jdm* with s.o.); **ein•schmei•chelnd** *adj* (*gewinnend*) winning; (*Musik*) enticing

ein|schmie•ren *tr* (*einfetten*) grease; (*ölen*) oil; (MOT) lubricate

ein|schmug•geln *tr* (*a. fig*) smuggle in (*in* -to)

ein|schnap•pen *itr* 1. *sein* (*Schloss, Tür*) click shut 2. (*fig fam: beleidigt sein*) get peeved (*über* about, at)

ein|schnei•den *irr tr* 1. (*Papier, Stoff*) cut 2. (*einkerben*) carve (*in* into); **ein•schnei•dend** *adj* (*fig: drastisch*) drastic; (*weitreichend*) far-reaching

Ein•schnitt *m* 1. (*Schnitt*) cut; (MED) incision 2. (*Spalte*) cleft 3. (*fig: Wendepunkt*) decisive point

ein|schnü•ren *tr* 1. (*Taille*) lace in; (*einschneiden*) cut into 2. (*Paket*) tie up

ein|schrän•ken ['aɪnʃrɛŋkən] I. *tr* (*reduzieren*) reduce; (*begrenzen*) limit; (*Behauptung, Kritik*) qualify; **~d möchte ich sagen, dass ...** I should like to qualify this by saying that ... II. *refl* (*sparen*) economize; **sich finanziell ~** cut down on one's expenses

Ein•schrän•kung *f* 1. (*Reduzierung*) reduction; (*Begrenzung*) limitation; (*Vorbehalt*) qualification 2. (*das Einsparen*) economizing; (*Einsparung*) economy (*bei* in); **ohne ~** without reservations *pl;* **mit ~** in a qualified sense

Ein•schrei•be•brief *m,* **Ein•schrei•ben** *n* registered letter *Br,* certified letter *Am*

ein|schrei•ben I. *irr tr* (*eintragen*) enter II. *refl* 1. (*an Universität*) register 2. (*in Verein*) enrol(l); **sich in ein Buch ~** enter one's name in a book; **e-n Brief ~ lassen**

have a letter registered *Br,* have a letter certified *Am*

Ein•schrei•bung *f* **1.** (*an Universität*) registration **2.** (*in Verein*) enrol(l)ment

ein|schrei•ten *irr itr sein* (*Maßnahmen ergreifen*) take action (*gegen* against); (*eingreifen*) intervene

ein|schrump•fen *itr sein* shrink

ein|schüch•tern *tr* intimidate

Ein•schüch•te•rung *f* intimidation; **Ein•schüch•te•rungs•ver•such** *m* attempt at intimidation

ein|schu•len *tr:* **eingeschult werden** start school; **Ein•schu•lung** *f* enrol(l)ment in elementary school

Ein•schuss[RR] *m* **1.** (*Wunde*) bullet hole **2.** (SPORT) shot into goal **3.** (*beim Weben*) weft, woof

ein|schwei•ßen *tr* (*in Plastik*) shrinkwrap; **Ein•schweiß•fo•lie** *f* shrink wrap

ein|seg•nen *tr* (ECCL) **1.** (*segnen*) consecrate **2.** (*konfirmieren*) confirm

ein|se•hen I. *irr tr* **1.** (*Akten etc*) look at **2.** (*begreifen*) see **II.** *itr* **1.** (*in Gelände*) see (*in etw* s.th.) **2.** (*in Akten*) look (*in* at)

ein|sei•fen *tr* **1.** (*mit Seife*) soap **2.** (*fig fam: hereinlegen*) con

ein•sei•tig ['aɪnzaɪtɪç] *adj* **1.** (*von e-r Seite, a. fig*) one-sided **2.** (*voreingenommen*) bias(s)ed **3.** (*Nahrung*) unbalanced **4.** (JUR POL) unilateral; **Ein•sei•tig•keit** *f* **1.** (*Beschränktheit*) onesidedness **2.** (*Voreingenommenheit*) bias(s)edness (*gegenüber* towards) **3.** (*Unausgewogenheit*) imbalance

ein|sen•den *irr tr* send in

Ein•sen•der(in) *m(f)* **1.** (*von Post*) sender **2.** (*von Preisausschreiben*) competitor; **Ein•sen•de•schluss**[RR] *m* closing date; **Ein•sen•dung** *f* sending in

ein•setz•bar *adj* applicable, usable

ein|set•zen I. *tr* **1.** (*hin~, einfügen*) put [*o* fit] in (*in* -to) **2.** (*Geld beim Spiel*) stake **3.** (*zum Einsatz bringen, gebrauchen*) use; (MIL: *Truppen etc*) bring into action **4.** (*ernennen*) appoint (*jdn als etw* s.o. s.th., *jdn in etw* s.o. to s.th.); **sein Leben** ~ risk one's life **II.** *itr* (*anfangen*) start **III.** *refl* **1.** (*sich engagieren*) commit o.s. (*für etw* to s.th.) **2.** (*sich verwenden*) give one's support (*für jdn* to s.o.)

Ein•set•zung *f* (*Ernennung*) appointment (*als, zu* to)

Ein•sicht <-, -en> *f* **1.** (*Erkenntnis*) insight; (*Verständnis*) understanding; (*Vernunft*) reason **2.** (*in Akten, Bücher etc*) look (*in* at); **ich bin zu der ~ gelangt, dass ...** I have come to the conclusion that ...; **jdm ~ in etw gewähren** allow s.o. to look at s.th.; ~ **nehmen in etw** take a look at s.th.; **ein•sich•tig** *adj* **1.** (*vernünftig*) reasonable; (*verständnisvoll*) understanding **2.** (*begreiflich*) understandable

Ein•sicht•nah•me ['aɪnzɪçtna:mə] *f* (*in Akten etc*) perusal; **zur** ~ (*Aufschrift auf Aktenstücken*) for attention

ein|si•ckern *itr sein* (*in den Boden etc*) seep in (*in* -to)

Ein•sied•ler(in) *m(f)* hermit

ein•sil•big ['aɪnzɪlbɪç] *adj* **1.** (GRAM) monosyllabic **2.** (*fig: schweigsam*) uncommunicative; (*kurz, lakonisch*) monosyllabic

ein|sin•ken *sein irr itr* **1.** (*in Sumpf etc*) sink in (*in* -to) **2.** (*von Boden*) subside

ein|span•nen *tr* **1.** (*in Rahmen*) fit in (*in* -to); (*in Schraubstock*) clamp in (*in* -to); (*in Schreibmaschine*) insert (*in* in(to)) **2.** (*Pferde*) harness **3.** (*fig fam: heranziehen zu Arbeiten etc*) rope in (*für etw* to s.th., *etw zu tun* to do s.th.)

Ein•spän•ner <-s, -> *m* (*österr: Kaffee mit Sahnehaube*) black coffee with whipped cream

ein|spa•ren *tr* **1.** (*sparen*) save **2.** (*reduzieren*) reduce

Ein•spa•rung *f* economy (*bei, in* in)

ein|spei•sen *tr* (EL) feed in (*in* -to); (*Daten, Programm*) enter

ein|sper•ren *tr* **1.** (*in Zimmer etc*) lock in (*in* -to) **2.** (*fam: ins Gefängnis*) put away

ein|spie•len I. *tr* **1.** (THEAT FILM: *Geld*) bring in **2.** (MUS: *auf Band od Schallplatte*) record **II.** *refl* **1.** (SPORT: *warm werden*) warm up **2.** (*nach e-r Anlaufzeit funktionieren*) work out; **das wird sich schon noch** ~ that will work out (come out) all right in the end

Ein•spra•che *f* (*CH: Einspruch*) objection

ein|sprin•gen *sein irr itr* (*helfen*) stand in (*für jdn* for s.o.)

ein|sprit•zen *tr* (MOT MED) inject (*etw* s.th., *jdm etw* s.o. with s.th.)

Ein•sprit•zer, **Ein•spritz•mo•tor** *m* (MOT) fuel-injection engine; **Ein•spritz•pum•pe** *f* (MOT) fuel injection

Ein•spruch *m* (*a.* JUR) objection; **gegen etw ~ erheben** (*allgemein*) object to s.th.; (JUR) file an objection to s.th.; (**ich erhebe**) **~! – (~) abgelehnt!** (JUR) vor Gericht, objection! – (objection) overruled!; (**dem ~ wird**) **stattgegeben!** (objection) sustained!; **Ein•spruchs•recht** *n* veto

ein•spu•rig ['aɪnʃpu:rɪç] *adj* (RAIL) single-track; (MOT) single-lane

einst(mals) [aɪn(t)st, '-ma:ls] *adv* **1.** (*früher*) once **2.** (*künftig*) some day

ein|stamp•fen *tr* (*Bücher, Papier*) pulp

Ein•stand *m* (*Anfang*) start; **s-n ~ geben** celebrate starting one's new job

Ein•stands•preis *m* (COM) cost price

ein|ste•cken *tr* **1.** (*hin~*) put in (*in* -to) **2.**

(*in Tasche, a. fig: Profite, Kritik, Beleidigung*) pocket; **hast du dein Feuerzeug eingesteckt?** have you got your lighter with you?

ein|ste•hen *sein irr itr* **1.** (*Verantwortung übernehmen*) answer (*für etw* for s.th.) **2.** (*Schaden ersetzen*) make good (*für etw* s.th.) **3.** (*bürgen*) vouch (*für jdn, etw* for s.o., s.th.)

Ein•stei•ge•kar•te *f* (AERO) boarding pass [*o* card]

ein|stei•gen *irr itr* **1.** *sein* (*hineingehen*) get in (*in* -to); (*in Zug, Bus etc*) get on (*in* -to) **2.** (*fam: in Geschäft, Politik etc*) go in (*in etw* -to s.th., *bei jdm* with s.o.) **3.** (SPORT: *sl*): **hart ~** go in hard; **~!** (RAIL) all aboard!; **alles ~!** (*fam*) everybody pile in!

Ein•steig•öff•nung *f* manhole

ein•stell•bar *adj* adjustable

ein|stel•len **I.** *tr* **1.** (*beenden*) stop; (*zeitweilig*) suspend; (MIL: *Feuer, Kämpfe etc*) cease **2.** (*Arbeiter*) hire; (*Angestellte*) take on staff **3.** (TECH: *Geräte etc*) adjust (*auf* to); (RADIO TV: *Sender*) tune in to; (*Gerät*) tune; (PHOT: *Brennpunkt*) focus (*auf* on); **e-n Rekord ~** (*fig*) beat a record **II.** *refl* **1.** (*erscheinen, kommen*) appear **2.** (*sich bereit machen o halten*) prepare o.s. (*auf* for) **3.** (*sich anpassen*) adapt o.s. (*auf* to)

ein•stel•lig *adj* (MATH) single-digit

Ein•stel•lung *f* **1.** (*Haltung, Ansicht*) attitude; (REL POL: *Gesinnung*) views *pl* **2.** (*von Arbeitskräften*) employment **3.** (TECH: *von Geräten*) adjustment; (RADIO TV) tuning (*auf* in to); (PHOT) focus(s)ing **4.** (*Beendigung*) stopping; (*zeitweilig*) suspension; **Ein•stel•lungs•stopp** *m* job freeze

Ein•stiegs•dro•ge *f* starter drug

Ein•stiegs•ver•si•on *f* beginner's version

ein|stu•fen *tr* classify; **in e-e Kategorie ~** put into a category

Ein•stu•fung *f* classification

ein•stün•dig ['aɪnʃtʏndɪç] *adj* one-hour; **nach ~em Aufenthalt** after an hour's wait, after a one-hour wait

ein|stür•men *itr sein:* **auf jdn ~** (*a. fig: mit Fragen etc*) assail s.o. (*mit* with)

Ein•sturz <-es> *m* collapse; (GEOL MIN) caving-in

ein|stür•zen *itr sein* (*zusammenfallen*) collapse; (*Decke, Boden, Stollen*) cave in; **auf jdn ~** (*fig*) ihn überwältigen, overwhelm s.o.

einst•wei•len ['aɪnst'vaɪlən] *adv* **1.** (*in der Zwischenzeit*) in the meantime **2.** (*vorübergehend*) temporarily

einst•wei•lig ['aɪnst'vaɪlɪç] *adj* temporary; (JUR) interim; **~e Verfügung** (JUR) interim injunction (order)

ein•tä•gig ['aɪntɛːgɪç] *adj* (*e-n Tag dauernd*) one- day

Ein•tags•flie•ge *f* **1.** (ZOO) mayfly **2.** (*fig fam*) nine days' wonder

ein|tas•ten *tr* (TELE EDV) key in

ein|tau•chen **I.** *tr* **1.** *haben* (*eintunken*) dip in (*in* -to) **2.** (*untertauchen, versenken*) immerse (*in* to) **II.** *itr sein* dive

ein|tau•schen *tr* exchange; (*fam*) swap (*für, gegen* for); (*Geld*) change

ein|tei•len *tr* **1.** (*aufteilen*) divide (*in* into); (*in Grade*) graduate **2.** (*organisieren*) organize; (FIN: *Mittel*) budget **3.** (*für bestimmte Aufgabe etc*) detail (*zu, für* for, *etw zu tun* to do s.th.)

Ein•tei•ler *m* (*einteiliger Badeanzug*) one-piece; **ein•tei•lig** *adj* (*attributiv*) one-piece; (*prädikativ*) of one piece

Ein•tei•lung *f* **1.** (*Aufteilung*) division; (*Grad~*) gradation **2.** (*Organisation*) organization; (FIN: *Budgetierung*) budgeting **3.** (*für bestimmte Aufgabe etc*) detailment

ein•tö•nig ['aɪntøːnɪç] *adj* monotonous

Ein•tö•nig•keit *f* monotony

Ein•topf(•ge•richt) *m* (*n*) stew

Ein•tracht ['aɪntraxt] <-> *f* harmony

ein•träch•tig ['aɪntrɛçtɪç] *adj* peaceable

Ein•trag ['aɪntraːk, *pl:* 'aɪntrɛːgə] <-(e)s, -¨e> *m* (*in Buch*) entry (*in* in); **ein|tra•gen** **I.** *irr tr* **1.** (*in Liste, Buch etc*) enter; (*registrieren*) register **2.** (*einbringen*) bring (*jdm etw* s.o. s.th.) **II.** *refl* put one's name down

ein•träg•lich ['aɪntrɛːklɪç] *adj* lucrative, profitable

Ein•tra•gung *f* entry

ein|träu•feln *tr:* **jdm etw ~** (*Medizin etc*) give s.o. s.th. by drops; **jdm Medizin ins Ohr ~** put some drops of medicine in someone's ear

ein|tref•fen *irr itr* **1.** *sein* (*ankommen*) arrive **2.** (*fig: sich bestätigen, verwirklichen*) come true

ein|trei•ben *irr tr* (*Geldsummen*) collect; (*Schulden*) recover

ein|tre•ten **I.** *irr tr haben* (*Tür*) kick in **II.** *itr sein* **1.** (*betreten*) enter (*in etw* s.th.) **2.** (*beitreten*) join (*in etw* s.th.) **3.** **für jdn (etw) ~** stand for s.o. (s.th.) **4.** (*einsetzen, beginnen*) set in **5.** (*geschehen*) happen, occur; **treten Sie (bitte) ein!** do come in (, please)!; **in Verhandlungen ~** enter into negotiations; **wann wird Spacelab in s-e Umlaufbahn ~?** when will Spacelab go into its orbit?; **sollte der Fall ~, dass ...** should it happen, that ...; **sollte dies(er Fall) ~ ...** should this happen (this case occur) ...

ein|trich•tern *tr* (*fam*): **jdm etw ~** drum s.th. into s.o.; **jdm ~, dass ...** drum it into s.o. that ...

Ein•tritt *m* **1.** (*das Betreten, a. Berufs~*)

entry (*in* (in)to) **2.** (*Beitritt*) joining (*in* of) **3.** (*Zutritt*) admittance **4.** (*~sgeld*) admission (*in* to) **5.** (*Beginn*) onset; **Ein•tritts•geld** *n* charge for admission; **Ein•tritts•kar•te** *f* ticket

ein|trock•nen *itr sein* dry up

ein|tru•deln *itr* (*fam*) drift in

ein|tun•ken *tr* dip in (*in* -to)

ein|ü•ben *tr* practise; (THEAT: *proben*) rehearse

ein|ver•lei•ben ['aɪnfɛɐlaɪbən] *tr* incorporate (*etw e-r Sache* s.th. into s.th.); (POL: *annektieren*) annex (*etw e-r Sache* s.th. to s.th.); **sich etw ~** (POL) ein Land etc, annex s.th.; (*Nahrung, Wissen*) assimilate s.th.

Ein•ver•nah•me <-, -n> *f* (*österr: Vernehmung*) examination

Ein•ver•neh•men ['aɪnfɛɐne:mən] *n* **1.** (*Übereinstimmung*) agreement **2.** (*Harmonie*) harmony; **in gutem ~ leben** live in perfect harmony; **im ~ mit jdm** in agreement with s.o.

ein•ver•stan•den ['aɪnfɛɐʃtandən] *adj:* **mit jdm (etw) ~ sein** agree with s.o. (to s.th.); **~!** (*interj*) agreed!

Ein•ver•ständ•nis *n* **1.** (*Zustimmung*) consent; (JUR: *mit etw Strafbarem*) connivance (*mit, bei* at) **2.** (*Übereinstimmung*) agreement; **in gegenseitigem ~** by mutual consent; **sein ~ mit etw erklären** give one's agreement [*o* consent] to s.th.

Ein•wand ['aɪnvant, *pl:* 'aɪnvɛndə] <-(e)s, ⸗e> *m* objection; **e-n ~ erheben** raise an objection

Ein•wan•de•rer *m*, **Ein•wan•de•rin** *f* immigrant

ein|wan•dern *sein itr* immigrate (*nach, in* to)

Ein•wan•de•rung *f* immigration

ein•wand•frei *adj* **1.** (*fehlerfrei*) perfect **2.** (*unanfechtbar, unbestreitbar*) indisputable

ein•wärts ['aɪnvɛrts] *adv* inwards

Ein•weg•er•zeug•nis *n* one-way [*o* throw-away] product; **Ein•weg•fla•sche** *f* non-returnable [*o* one-way] bottle; **Ein•weg•ra•sie•rer** *m* disposable razor

ein|wei•chen *tr* soak, steep

ein|wei•hen *tr* **1.** (*eröffnen*) inaugurate **2.** **jdn in etw ~** initiate s.o. into s.th.; **eingeweiht sein** be in the know; **Ein•wei•hung** *f* (*Eröffnungsfeier*) inauguration

ein|wei•sen *irr tr* **1.** **jdn (in s-e Arbeit) ~** introduce s.o. to his [*o* her] job **2.** (*in Krankenhaus, geschlossene Anstalt etc*) admit (*in* to); **jdn ins Krankenhaus ~** admit s.o. to hospital *Br,* hospitalize s.o. *Am*

ein|wen•den *irr tr* object (*gegen* to)

Ein•wen•dung *f* objection

ein|wer•fen **I.** *irr tr* **1.** (*Scheiben*) break **2.** (*Brief*) post *Br,* mail *Am* **3.** (SPORT: *Ball*) throw in **4.** (*fig: Bemerkung*) throw in (*in* -to) **II.** *itr* **1.** (SPORT: *Einwurf ausführen*) throw in **2.** (*einwenden*) object

ein|wi•ckeln *tr* **1.** wrap up **2.** (*fig fam: hereinlegen*) take in

ein|wil•li•gen ['aɪnvɪlɪgən] *itr* agree, consent (*in* to)

Ein•wil•li•gung *f* agreement, consent

ein|wir•ken *itr* **1.** (*Wirkung zeigen*) have an effect (*auf* on) **2.** (MED) work in; **etw ~ lassen** let s.th. work in; **auf jdn ~** influence s.o.

Ein•wir•kung *f* **1.** (*Wirkung*) effect **2.** (*Einfluss*) influence

Ein•woh•ner(in) *m(f)* inhabitant; **Ein•woh•ner•mel•de•amt** ['---'---] *n* registration office; **Ein•woh•ner•schaft** *f* population, inhabitants *pl*

Ein•wurf *m* **1.** (*Öffnung, Münz~*) slot; (*Briefkastenschlitz*) slit **2.** (*fig: Einwand*) objection **3.** (*fig: Gesprächs~, Bemerkung*) interjection **4.** (SPORT) throw-in

Ein•zahl *f* (GRAM) singular

ein|zah•len *tr* pay in (*auf ein Konto* -to an account)

Ein•zah•lung *f* deposit

ein|zäu•nen ['aɪntʃɔɪnən] *tr* fence in

Ein•zel•bett *n* single bed; **Ein•zel•blatt•ein•zug** *m* (TECH: *von Drucker*) cut-sheet feed; **Ein•zel•fahr•schein** *m* ticket (for one journey); **Ein•zel•fall** *m* **1.** (*der einzelne Fall*) individual case **2.** (*der spezielle Fall, Ausnahme*) isolated case; **Ein•zel•gän•ger(in)** ['aɪntsəlgɛŋɐ] *m(f)* loner; **Ein•zel•haft** *f* (*Gefängnis*) solitary confinement

Ein•zel•han•del *m* retail trade

Ein•zel•händ•ler *m* retailer

Ein•zel•heit *f* detail; **in allen ~en** in great detail *sing;* **auf ~en eingehen** go into details; **bis in die kleinsten ~en** right down to the last detail *sing*

Ein•zel•kind *n* only child

ein•zel•lig ['aɪntsɛlɪç] *adj* (ZOO) monocellular, unicellular

ein•zeln ['aɪntsəln] *adj* **1.** (*individuell*) individual **2.** ((*ab*)*getrennt*) separate **3.** **~e** (*einige, wenige*) some **4.** **der (die) E~e**[RR] the individual **5.** **das E~e** (*nicht das Allgemeine*) the particular; **~ (herein)kommen** come (in) separately; **im E~en**[RR] **aufführen** list in detail; **~ aufführen** list separately; **jeder E~e**[RR] each and every one; **ein ~er Handschuh** an odd glove

Ein•zel•per•son *f* individual; **Ein•zel•rad•auf•hän•gung** *f* (MOT) independent suspension; **Ein•zel•stück** *n* individual item; **Ein•zel•teil** *n* **1.** (*Bestandteil*) component (part) **2.** (*einzelnes Teil*) separate part; **Ein•zel•the•ra•pie** *f* individual therapy; **Ein•zel•zim•mer** *n* (*im Hotel*) single room

ein|zie•hen I. *irr tr* 1. *haben* (*zurückziehen, a. aero: Fahrgestell*) retract; (*Bauch*) draw in; (*Segel, Flagge*) lower **2.** (*Gebühren, Steuern, Miete etc*) collect (*bei, von* from) **3.** (*aus dem Verkehr ziehen: Geldscheine, Münzen, a. Führerschein*) withdraw; (*konfiszieren*) confiscate **4.** (MIL: *Wehrpflichtige*) call up *Br,* draft *Am* **5.** (*einsaugen*) suck in **6.** (*einbauen: Wand, Kabel etc*) put in; **Erkundigungen über jdn** (**etw**) ~ make inquiries about s.o. (s.th.); **den Kopf** ~ duck one's head; **den Schwanz** ~ (*a. fig sl*) put one's tail between one's legs **II.** *itr* **1.** *sein* (*in Wohnung*) move in (*in* -to, *bei* with) **2.** (*Ruhe u. Ordnung etc*) come (*in etw, bei jdm* to s.th., to s.o.) **3.** (*Substanz*) soak in (*in* -to); **ins Parlament** ~ take up one's seat (in Parliament); **lassen Sie die Farbe erst einmal ~!** leave the colour to soak in first!

ein•zig ['aɪntsɪç] **I.** *adj* **1.** (*nur*) only, sole **2.** *pred* (*ohnegleichen*) unique **II.** *adv:* ~ **und allein** simply and solely

ein•zig•ar•tig *adj* unique

ein|zu•ckern *tr* sugar

Ein•zug *m* **1.** (*in Wohnung*) move, moving in **2.** (*Kassieren von Geld*) collection; **Ein•zugs•be•reich** *m* **1.** (*allgemein*) catchment area **2.** (*e-r Großstadt*) commuter belt; **Ein•zugs•ver•fah•ren** *n* (FIN) direct debit

Eis [aɪs] <-es> *n* **1.** (*gefrorenes Wasser*) ice **2.** (*Speise~*) ice-cream; **zu** ~ **werden** turn to ice; **auf** ~ **legen** (*fig*) put into cold storage; **Eis•bahn** *f* icerink; **Eis•bär** *m* polar bear; **Eis•be•cher** *m* (*Speise*) sundae; **Eis•bein** *n* (*Speise*) knuckle of pork; **Eis•berg** *m* iceberg; **Eis•beu•tel** *m* ice-pack; **Eis•bre•cher** *m* **1.** (*Schiff*) icebreaker **2.** (*an Brücken*) ice-guard; **Eis•creme** *f* ice-cream; **Eis•de•cke** *f* sheet of ice; **Eis•die•le** *f* ice-cream parlour

Ei•sen ['aɪzən] <-s> *n* iron; **das gehört zum alten** ~ (*fig*) that's ready for the scrap heap; **noch ein** ~ **im Feuer haben** (*fig*) have another iron in the fire; **ein heißes** ~ **sein** (*fig*) be a hot potato

Ei•sen•bahn *f* railway *Br,* railroad *Am;* **mit der** ~ **fahren** travel by rail [*o* train]; **es ist höchste** ~ (*fam*) it's high time; *s.* **Bahn; Ei•sen•bah•ner** *m* railwayman *Br,* railroader *Am;* **Ei•sen•bah•ner•ge•werk•schaft** *f* railway union *Br,* railroad brotherhood *Am;* **Ei•sen•bahn•fäh•re** *f* train ferry; **Ei•sen•bahn•kno•ten•punkt** *m* railway junction; **Ei•sen•bahn•netz** *n* railway network *Br,* railroad network *Am;* **Ei•sen•bahn•über•füh•rung** *f* **1.** (*für Kfz*) railway over-pass *Br,* railroad over-pass *Am* **2.** (*für Fußgänger*) footbridge; **Ei•sen•bahn•un•glück** *n* railway accident; **Ei•sen•bahn•un•ter•füh•rung** *f* railway underpass *Br,* railroad underpass *Am;* **Ei•sen•bahn•wa•gen** *m* railway carriage *Br,* railroad car *Am;* (*Güterwagen*) goods wagon

Ei•sen•blech *n* sheet iron; **Ei•sen•erz** *n* iron ore; **Ei•sen•git•ter** *n* iron bars *pl*

ei•sen•hal•tig ['aɪzənhaltɪç] *adj* ferruginous; **das Wasser ist** ~ the water contains iron

Ei•sen•hand•lung *f* ironmonger's *Br,* hardware store *Am;* **Ei•sen•hüt•te** *f* steel mill, ironworks *pl;* **Ei•sen•man•gel** *m* (MED) iron deficiency; **Ei•sen•stan•ge** *f* iron bar

ei•sern ['aɪzɐn] *adj* **1.** (*aus Eisen*) iron **2.** (*fig: unbeugsam*) inflexible, iron; **aber ~!** (*fam*) absolutely!; ~ **trainieren** train resolutely; **~e Gesundheit** iron constitution

eis•frei *adj* ice-free; **eis•ge•kühlt** *adj* chilled; **Eis•glät•te** *f* (*auf Fahrbahn*) black ice; **Eis•ho•ckey** *n* ice hockey *Br,* hockey *Am*

ei•sig ['aɪzɪç] *adj* icy

Eis•kaf•fee *m* iced coffee

eis•kalt ['-'-] **I.** *adj* **1.** (*allgemein*) icy-cold **2.** (*fig: kaltblütig*) cold-blooded **II.** *adv* (*fig fam: unverschämterweise*) as cold as you please; **aber ~!** (*fig fam: aber bestimmt*) no problem!

Eis•kris•tall *m* ice crystal; **Eis•kunst•lauf** *m* figure skating; **Eis•lau•fen** *n* ice skating; **Eis•läu•fer(in)** *m(f)* ice-skater

Ei•sprung <-(e)s> *m* ovulation

Eis•schol•le *f* ice floe; **Eis•ver•käu•fer** *m* ice-cream man; **Eis•wür•fel** *m* ice cube; **Eis•zap•fen** *m* icicle; **Eis•zeit** *f* Ice Age

ei•tel ['aɪtəl] *adj* vain; (*eingebildet*) conceited; **sie ist** ~ she's vain about her appearance; **Ei•tel•keit** *f* vanity

Ei•ter ['aɪtɐ] <-s> *m* pus; **ei•te•rig** *adj* (*voll von Eiter*) purulent; (*eiternd*) festering; **ei•tern** *itr* fester, suppurate

Ei•weiß *n* **1.** egg-white **2.** (CHEM) protein; **ei•weiß•reich** *adj* rich in proteins

Ei•zel•le *f* (BIOL) eggcell, ovum

E•ja•ku•la•ti•on [ejakula'tsjo:n] <-, -en> *f* ejaculation

e•ja•ku•lie•ren [ejaku'li:rən] *itr* ejaculate

E•kel[1] ['e:kəl] <-s> *m* disgust; **vor etw e-n** ~ **haben** have a loathing of s.th.

E•kel[2] <-s, -> *n* (*Person*) revolting person; (*fam*) creep

e•kel•haft *adj,* **e•ke•lig** *adj* disgusting, revolting

e•keln **I.** *itr:* **mich ekelt vor …** … fills me with revulsion **II.** *refl:* **sie ekelt sich vor …** she finds … disgusting [*o* revolting]

Eks•ta•se [ɛk'sta:zə] <-, -n> *f* ecstasy; **in ~ geraten** go into ecstasies *pl*
Ek•zem [ɛk'tse:m] <-s, -e> *n* (MED) eczema
e•las•tisch [e'lastɪʃ] *adj* elastic
E•las•ti•zi•tät *f* elasticity; (*Flexibilität*) flexibility
Elch [ɛlç] <-(e)s, -e> *m* elk
E•le•fant [ele'fant] <-en, -en> *m* elephant
E•le•fan•ten•hoch•zeit *f* (*fam: Fusion*) merger of giants
e•le•gant [ele'gant] *adj* elegant
E•le•ganz *f* elegance
e•lek•tri•fi•zie•ren [elɛktrifi'tsi:rən] *tr* electrify
E•lek•tri•fi•zie•rung *f* electrification
E•lek•tri•ker [e'lɛktrikɐ] *m* electrician
e•lek•trisch [e'lɛktrɪʃ] *adj* electric; **~e Geräte** electrical appliances; **~er Schlag** electric shock
e•lek•tri•sie•ren [elɛktri'zi:rən] *tr* (*a. fig*) electrify; **sie stand wie elektrisiert** she was standing there as if electrified
E•lek•tri•zi•tät *f* electricity; **E•lek•tri•zi•täts•ge•sell•schaft** *f* electric power company; **E•lek•tri•zi•täts•werk** *n* (*Kraftwerk*) power station
E•lek•t•ro•an•trieb [e'lɛktro-] *m* electric drive; **E•lek•t•ro•au•to** *n* electric car; **E•lek•t•ro•be•hand•lung** *f* electric shock treatment
E•lek•t•ro•de [elɛk'tro:də] <-, -n> *f* electrode
E•lek•t•ro•fil•ter *m* (TECH: *Industrieabgas- u. Staubfilter*) electrostatic filter; **E•lek•t•ro•herd** *m* electric cooker; **E•lek•t•ro•in•dus•trie** *f* electrical industry; **E•lek•t•ro•in•ge•nieur** *m* electrical engineer; **E•lek•t•ro•kar•dio•gramm** [-'----'-] *n* (MED) electrocardiogram; **E•lek•t•ro•lok(o•mo•ti•ve)** *f* electric locomotive; **E•lek•t•ro•ly•se** [elɛktro'ly:zə] <-, -n> *f* electrolysis; **E•lek•t•ro•ma•gnet** *m* electromagnet; **e•lek•t•ro•ma•gne•tisch** [-'---'--] *adj* electromagnetic
E•lek•t•ro•mo•tor *m* electric motor
E•lek•t•ro•nen [elɛk'tro:nən] *npl* electrons; **E•lek•t•ro•nen•blitz** *m* (PHOT) electronic flash; **E•lek•t•ro•nen•hirn** *n* electronic brain; **E•lek•t•ro•nen•mi•kro•skop** *n* electron microscope; **E•lek•t•ro•nen•rech•ner** *m* electronic computer; **E•lek•t•ro•nen•rö•hre** *f* valve *Br,* electron tube *Am*
E•lek•t•ro•nik [elɛk'tro:nɪk] *f* electronics *sing;* **E•lek•t•ro•nik•in•dus•trie** *f* electronics industrie
e•lek•t•ro•nisch *adj* electronic; **~e Datenverarbeitung** electronic data processing
E•lek•t•ro•ra•sen•mä•her *m* electric lawn mower; **E•lek•t•ro•ra•sie•rer** *m* electric shaver; **E•lek•t•ro•schock** *m* electric shock; **E•lek•t•ro•schock•be•hand•lung** *f* electric shock treatment; **E•lek•t•ro•smog** *m* electrochemical smog; **E•lek•t•ro•tech•nik** *f* electrical engineering; **E•lek•t•ro•tech•ni•ker** *m* electrical engineer
E•le•ment [ele'mɛnt] <-(e)s, -e> *n* **1.** (*Grundstoff*) element **2.** (EL: *Batteriezelle*) cell; **in s-m ~ sein** be in one's element
e•le•men•tar [elemɛn'ta:ɐ] *adj* **1.** (*grundlegend*) elementary **2.** (*heftig*) elemental; **~e Bedürfnisse** elementary [*o* primary] needs
E•le•men•tar•teil•chen *n* (PHYS) elementary particle
E•lend ['e:lɛnt] <-(e)s> *n* **1.** (*Unglück*) distress, misery **2.** (*Armut*) poverty; **das ~ des Krieges** the misery caused by war; **es ist wirklich ein ~ mit dir!** (*fam*) you really make me want to weep!
e•lend *adj* **1.** (*krank, übel*) awful, ill **2.** (*niederträchtig*) wretched **3.** (*fam: gewaltig*) dreadful; **mir ist ~ (zumute)** I feel really awful; **e-e ~e Hitze heute!** (*fam*) dreadfully hot today!
E•lends•vier•tel *n* slums *pl*
elf [ɛlf] *adj* eleven
El•fe ['ɛlfə] <-, -n> *f* elf, fairy
El•fen•bein ['ɛlfənbaɪn] <-(e)s> *n* ivory; **aus ~** ivory
el•fen•bein•far•ben *adj* ivory-coloured
El•fen•bein•küs•te *f* (GEOG) Ivory Coast
El•fen•bein•turm *m* (*fig*): **in seinem ~ sitzen** sit in one's ivory tower
Elf•me•ter [ɛlf'me:tɐ] <-s, -> *m* penalty kick; **e-n ~ schießen** take a penalty; **Elf•me•ter•mar•ke** *f* penalty spot
elf•te *adj* eleventh
Elf•tel ['ɛlftəl] <-s, -> *n* eleventh part
e•li•mi•nie•ren [elimi'ni:rən] *tr* eliminate
E•li•sa•beth [e'li:zabɛt] <-> *f* Elizabeth
e•li•sa•be•tha•nisch *adj* Elizabethan; **das ~e Zeitalter** the Elizabethan age
e•li•tär *adj* elite; **ein ~er Zirkel** an elite circle
E•li•te [e'li:tə] <-, -n> *f* elite
E•li•te•ein•heit *f* (MIL) crack troops *pl*
E•li•xier [elɪ'ksi:ɐ] <-s, -e> *n* elixir
Ell•bo•gen ['ɛlbo:gən] <-s, -> *m* elbow; **Ell•bo•gen•ge•sell•schaft** *f* (*pej*) dog-eat-dog society
El•le ['ɛlə] <-, -n> *f* **1.** (*Maß*) cubit **2.** (ANAT) ulna
El•lip•se [ɛ'lɪpsə] <-, -n> *f* (MATH) ellipse
el•lip•tisch *adj* elliptical
El Sal•va•dor [ɛl zalva'do:ɐ] *n* El Salvador
El•sass[RR] ['ɛlzas] <-> *n* Alsace; **El•sass-Loth•rin•gen**[RR] *n* Alsace-Lorraine; **El•säs•ser(in)** ['ɛlzɛsɐ] *m(f)* Alsatian; **el-**

säs•sisch ['ɛlzɛsɪʃ] *adj* Alsatian

Els•ter ['ɛlstɐ] <-, -n> *f* magpie; **e-e diebische ~ sein** (*fig*) be a thieving magpie

el•ter•lich ['ɛltɐlɪç] *adj* parental

El•tern ['ɛltɐn] *pl* parents; **El•tern•abend** *m* (PÄD) parents' evening; **El•tern•haus** *n* (parental) home; **El•tern•lie•be** *f* parental love; **el•tern•los** *adj* parentless; **El•tern•sprech•tag** *m* (PÄD) open day

E-Mail ['i:meil] <-s, -s> *n* (EDV) email, e-mail, E-mail

E•mail(•le) [e'ma:j/e'maɪ(l)] <-, -n> *n (f)* enamel; **E•mail•le•schicht** *f* enamel coating

e•mail•lie•ren [ema'(l)ji:rən] *tr* enamel

E•man•ze [e'mantsə] <-, -n> *f* (*fam pej*) women's libber

E•man•zi•pa•ti•on [emantsipa'tsjo:n] *f* emancipation

e•man•zi•pie•ren **I.** *tr* emancipate **II.** *refl* emancipate o.s.

Em•bar•go [ɛm'bargo] <-s, -s> *n* embargo

Em•bryo ['ɛmbryo] <-s, -s> *m* embryo

E•mi•grant(in) [emi'grant] <-en, -en> *m(f)* emigrant; **E•mi•gra•ti•on** *f* emigration

e•mi•grie•ren *itr sein* emigrate

E•mi•rat [emi'ra:t] <-(e)s, -e> *n* emirate

E•mis•si•on [emɪ'sjo:n] *f* **1.** (PHYS) emission **2.** (FIN: *Ausgabe*) issue

E•mo•ti•on [emo'tsjo:n] <-, -en> *f* emotion

e•mo•tio•nal *adj* emotion

Emp•fang [ɛm'pfaŋ, *pl:* ɛm'pfɛŋə] <-(e)s, ⸚e> *m* **1.** (*von Personen*) reception **2.** (*von Sachen*) receipt; **bei ~** on receipt; (*von Waren*) on delivery; **in ~ nehmen** receive; **den ~ bestätigen von ...** acknowledge receipt of ...; **nach ~** after receipt; **e-n ~ geben** give a reception

emp•fan•gen *irr tr* receive

Emp•fän•ger(in) [ɛm'pfɛŋɐ] *m(f)* **1.** (*von Brief*) addressee; (*von Waren*) consignee **2.** (RADIO: *Apparat*) receiver; **~ unbekannt** not known at this address

emp•fäng•lich *adj* susceptible (*für* to)

Emp•fäng•nis *f* conception; **emp•fäng•nis•ver•hü•tend** *adj* contraceptive; **~es Mittel** contraceptive; **Emp•fäng•nis•ver•hü•tung** *f* contraception

Emp•fangs•be•schei•ni•gung *f*, **Emp•fangs•be•stä•ti•gung** *f* (COM) (acknowledgement of) receipt; **Emp•fangs•chef(in)** *m(f)* head porter; **Emp•fangs•da•me** *f* receptionist; **Emp•fangs•zim•mer** *n* reception room

emp•feh•len [ɛm'pfe:lən] **I.** *irr tr* recommend; **jdm etw ~** recommend s.th. to s.o.; **es ist nicht zu ~** it's not to be recommended **II.** *refl* **1.** (*sich anbieten*) recommend itself **2.** (*obs: sich verabschieden*) take one's leave; **ob sich das empfiehlt?** I wonder whether it's advisable; **sich auf französisch ~** (*fig fam obs*) take French leave; **emp•feh•lens•wert** *adj* recommendable

Emp•feh•lung *f* **1.** (*allgemein*) recommendation **2.** (*Referenz*) reference; **auf ~ von ...** on the recommendation of ...

Emp•feh•lungs•schrei•ben *n* letter of recommendation, testimonial

emp•fin•den [ɛm'pfɪndən] *irr tr* (*fühlen*) feel; **das empfinde ich nicht so** I feel differently about it; **~ Sie das auch so?** do you feel the same way?

emp•find•lich [ɛm'pfɪntlɪç] *adj* **1.** (*empfindungsvoll*) sensitive **2.** (*leicht verletzt*) touchy; (*reizbar*) irritable **3.** (*schmerzlich*) grievous; **~e Kälte** severe cold; **er ist ~ gegen solche Bemerkungen** he's sensitive about comments like that; **Emp•find•lich•keit** *f* **1.** (*Empfindungsfähigkeit*) sensitiveness **2.** (*Verletzbarkeit*) touchiness

emp•find•sam [ɛm'pfɪntza:m] *adj* sensitive; **Emp•find•sam•keit** *f* sentimentality

Emp•fin•dung *f* (*Gefühl*) feeling

Emp•fin•dungs•ver•mö•gen *n* sensibility

em•por [ɛm'po:ɐ] *adv* upwards; **em•por•ar•bei•ten** *refl* work one's way up

Em•po•re [ɛm'po:rə] <-, -n> *f* gallery

em•pö•ren [ɛm'pø:rən] **I.** *tr* (*aufbringen*) outrage **II.** *refl* **1.** (*aufgebracht werden*) be indignant (*über* at) **2.** (*rebellieren*) rebel

em•pö•rend *adj* scandalous

Em•por•kömm•ling [ɛm'po:ɐkœmlɪŋ] *m* (*pej*) upstart

em•por|•ra•gen *itr* tower (*über* above)

em•pört *adj* indignant (*über* at)

Em•pö•rung [ɛm'pø:rʊŋ] *f* (*Entrüstung*) indignation (*über* at)

em•sig ['ɛmzɪç] *adj* **1.** (*geschäftig*) busy; (*fleißig*) industrious; (*eifrig*) eager **2.** (*unermüdlich*) assiduous

End- ['ɛnt-] (*in Zusammensetzungen*) final; **End•ab•neh•mer** *m* (COM) ultimate buyer; **End•bahn•hof** *m* terminus; **End•be•nut•zer** *m* (COM) ..: end user

En•de ['ɛndə] <-s, -n> *n* **1.** (*räumlich, zeitlich*) end **2.** (*kleines Stück*) piece **3.** (*Resultat*) result **4.** (*Ausgang*) ending; **von e-m ~ zum anderen** from end to end; **gegen ~ Dezember** towards the end of December; **zu ~ sein** be at an end; **mit s-r Weisheit am ~ sein** be at one's wits' end; **ein Buch bis zu ~ lesen** read a book to the end; **zu ~ gehen** come to an end; **ein böses ~ nehmen** come to a bad end; **etw zu ~ bringen** finish off s.th.; **sie ist ~ dreißig**

she is in her late thirties; **ein ~ mit Schrecken nehmen** end in disaster; **das ~ vom Lied sein** (*fig fam*) be the end of it

End•ef•fekt *m:* **im ~** in the end

En•de•mie [ɛnde'miː] <-, -n> *f* (MED) endemic; **en•de•misch** [ɛnːdeːmɪʃ] *adj* (MED) endemic

en•den *itr* end, finish; **das wird böse ~!** no good will come of it!; **als Säufer ~** end up (as) an alcoholic

End•er•geb•nis *n* final result; **End•ge•rät** *n* (EDV TELE) terminal (equipment)

end•gül•tig *adj* definite; **jetzt ist ~ Schluss!** that's it!

End•hal•te•stel•le *f* terminus

En•di•vie [ɛn'diːviə] *f* endive

End•kampf *m* (SPORT) final

End•la•ger *n* final depot, permanent storage depot; **end•la•gern** *tr* put into permanent storage; **End•la•ge•rung** *f* permanent [*o* final] storage

end•lich *adv* (MATH PHILOS) finite; **hör ~ auf!** will you stop that!; **komm jetzt ~!** get a move on!; **na ~!** at last!; **schließlich und ~** at long last

end•los *adj* endless; **~ dauern** (*hum*) take ages *pl fam*

End•lo•sig•keit *f* endlessness

End•los•pa•pier *n* (EDV) continous form [*o* stationary]

End•los•per•len•ket•te *f* rope

En•do•s•ko•pie [ɛndosko'piː] <-> *f* (MED) endoscopy

End•pro•dukt *n* final product; **End•run•de** *f* **1.** (SPORT) finals *pl* **2.** (*beim Boxen*) final round; **End•sil•be** *f* last syllable; **End•spurt** *m* final spurt; **End•sta•ti•on** *f* terminus; **End•stu•fe** *f* (EL) power amplifier; **End•sum•me** *f* total; **En•dung** *f* (GRAM) ending; **End•ver•brau•cher** *m* consumer; **End•ziel** *n* ultimate goal

E•ner•gie [enɛr'giː] *f* energy; **~ sparen** save energy; **mit aller ~** with all one's energies *pl;* **E•ner•gie•be•darf** *m* energy requirement; **e•ner•gie•be•wusst**[RR] *adj* energy conscious; **E•ner•gie•ge•win•nung** *f* generation of energy; **E•ner•gie•knapp•heit** *f* energy shortage; **E•ner•gie•kri•se** *f* energy crisis; **E•ner•gie•po•li•tik** *f* energy policy; **E•ner•gie•quel•le** *f* source of energy; **e•ner•gie•spa•rend** *adj* energy-saving; **E•ner•gie•spar•maß•nah•men** *fpl* energy-saving measures; **E•ner•gie•ver•brauch** *m* consumption of energy; **E•ner•gie•ver•sor•gung** *f* supply of energy; **E•ner•gie•ver•sor•gungs•un•ter•neh•men** *n* energy supply company

e•ner•gisch [e'nɛrgɪʃ] *adj* (*tatkräftig*) energetic; **~ durchgreifen** take vigorous action

eng [ɛŋ] *adj* **1.** (*schmal*) narrow **2.** (**~** *sitzend*) tight **3.** (*innig*) close; **etw ~ sehen** (*fam*) take s.th. seriously; **in der ~eren Wahl sein** be on the short list; **~er machen** (*Kleidung*) take in; **wir sind ~ befreundet** we are close friends; **~ zusammen** close together

En•ga•ge•ment [ãgaʒə'mãː] <-s, -s> *n* **1.** (*Anstellung*) engagement **2.** (*Verpflichtung*) engagement

en•ga•gie•ren [ãga'ʒiːrən] **I.** *tr* (*verpflichten*) engage **II.** *refl* become committed (*für* to); **ich wollte mich nicht zu sehr ~** I didn't want to get too involved; **en•ga•giert** *adj* committed, engaged

En•ge ['ɛŋə] <-, -n> *f* **1.** (*Schmalheit*) narrowness **2.** (*Beengtheit*) crampedness; **jdn in die ~ treiben** (*fig*) drive s.o. into a corner; corner (*jdn* s.o.)

En•gel ['ɛŋəl] <-s, -> *m* **1.** (REL) angel **2.** (*als Kosewort*) darling, sweetheart; **rettender ~** saviour

En•gels•ge•duld ['---'-] *f:* **e-e ~ haben** have the patience of a saint

En•ger•ling ['ɛŋelɪŋ] *m* (ZOO) grub [*o* larva] of the cockchafer

Eng•land ['ɛŋlant] *n* England; **Eng•län•der(in)** ['ɛŋlɛndɐ] <-s, -> *m(f)* Englishman (Englishwoman); **eng•lisch** ['ɛŋlɪʃ] *adj* English; **das E~e, die ~e Sprache** English, the English language

eng•ma•schig *adj* close-meshed

Eng•pass[RR] *m* **1.** (GEOG) defile, narrow pass **2.** (COM: *a. Straßenverengung*) bottleneck

eng•stir•nig *adj* (*Mensch, Verhalten*) narrow-minded

En•kel(in) ['ɛŋkəl] <-s, -> *m(f)* grandson, granddaughter; (*Enkelkind*) grandchild

enorm [e'nɔrm] *adj* enormous

En•quete <-, -n> *f* (*österr: Arbeitstagung*) symposium

En•sem•ble [ã'sãːbəl] <-s, -s> *n* (THEAT) cast

ent•ar•ten [ɛnt'artən] *itr sein* degenerate (*zu* into); **ent•ar•tet** *adj* degenerate

Ent•ar•tung *f* degeneration

ent•beh•ren [ɛnt'beːrən] *tr* (*auskommen ohne*) do without

ent•behr•lich *adj* dispensable; (*überflüssig*) unnecessary

Ent•beh•rung *f:* **~en auf sich nehmen** make sacrifices

ent•bin•den *irr tr* **1.** (*von e-m Baby*) deliver (*von* of) **2.** (*lossprechen*) release (*von* from)

Ent•bin•dung *f* delivery; **Ent•bin•dungs•kli•nik** *f* maternity clinic; **Ent•bin•dungs•sta•ti•on** *f* maternity ward

ent•blö•ßen [ɛnt'bløːsən] *tr* **1.** (*von Kleidung befreien*) bare **2.** (*fig: bloßstellen*) lay bare; **ent•blößt** *adj* bare

ent•bren•nen *irr itr* **1.** *sein* (*ausbrechen*)

erupt **2.** (*ergriffen werden, fig*) become inflamed (*vor* with)

ent•bü•ro•kra•ti•sie•ren *tr* ..: free from bureaucracy

ent•de•cken *tr* (*allgemein*) discover; (*herausfinden*) find out; (*sehen*) spot

Ent•de•cker(in) *m(f)* discoverer

Ent•de•ckung *f* discovery; **Ent•de•ckungs•rei•se** *f* expedition; **auf ~ gehen** go exploring

En•te ['ɛntə] <-, -n> *f* **1.** (ZOO) duck **2.** (*Zeitungslüge*) canard, hoax **3.** (*fig fam: Citroën 2 CV*) deux-chevaux

ent•eh•ren *tr* dishonour; **ent•eh•rend** *adj* degrading

Ent•eh•rung *f* degradation

ent•eig•nen [ɛnt'aɪgnən] *tr* dispossess, expropriate

Ent•eig•nung *f* expropriation

ent•ei•sen [ɛnt'aɪzən] *tr* (*Scheibe etc*) de-ice

En•ten•bra•ten *m* roast duck

ent•er•ben *tr* disinherit

en•tern ['ɛntɐn] *tr* (*v. Schiff, a. Flugzeug*) *enter with violence and take possession of*

En•ter•tai•ner(in) ['ɛntɐteɪnɐ] <-s, -> *m(f)* entertainer

En•ter-Tas•te *f* (EDV) enter key

ent•fa•chen [ɛnt'faxən] *tr* (*a. fig*) kindle

ent•fah•ren *irr itr sein:* **die unbedachten Worte, die mir ~ sind** the thoughtless words which escaped me

ent•fal•len *irr itr sein:* **dieses Wort ist mir ~** this word slipped my mind; **die morgige Vorstellung entfällt** tomorrow's performance has been cancelled; **bei diesem Wort entfällt das „e" im Plural** this word drops the 'e' in the plural

ent•fal•ten I. *tr* **1.** (*auseinander falten*) unfold **2.** (*fig: entwickeln*) develop **II.** *refl* **1.** (*aufblühen*) open, unfold **2.** (*fig: sich entwickeln*) develop; **Ent•fal•tung** *f* (*fig: Entwicklung*) development

ent•fär•ben *tr* take the colour out of, decolorize

ent•fer•nen [ɛnt'fɛrnən] **I.** *refl* **1.** (*fortgehen*) go away (*von* from) **2.** (*fig: sich entfremden*) become estranged; (*abweichen*) depart **II.** *tr* remove (*aus, von* from)

ent•fernt I. *adj* **1.** (*räumlich, zeitlich*) distant **2.** (*fig: gering*) remote, vague; **~ sein von** be away from **II.** *adv* remotely, slightly; **sie sind sich nicht im E~esten**[RR] **ähnlich** they're not even remotely similar; **nicht im E~esten**[RR]**!** not in the least!; **~ verwandt** distantly related

Ent•fer•nung *f* **1.** (*allgemein*) distance **2.** (*das Entfernen*) removal; **in zwei Metern ~** at a distance of two metres; **aus der ~ sieht das ganz anders aus** seen from a distance it looks different; **auf e-e ~ von** at a range of; **auf kurze ~** at close range; **unerlaubte ~ von der Truppe** (MIL) absence without leave

Ent•fer•nungs•mes•ser *m* (PHOT) rangefinder

ent•fes•seln *tr* (*fig*) unleash

ent•flamm•bar *adj* inflammable

ent•flam•men I. *itr* **1.** *sein* (*Feuer fangen*) catch fire **2.** (*fig: Person*) be inflamed **3.** (*fig: ausbrechen*) flare up **II.** *tr haben* (*begeistern*) inflame

ent•flech•ten *irr tr* **1.** (POL: *von Kartell*) break up, decartelize **2.** (*von Haar, Garn etc*) disentangle

Ent•flech•tung *f* (*com*) breaking up

ent•flie•gen *irr itr sein* fly away

ent•flie•hen *irr itr sein* escape, flee (*aus* from)

ent•frem•den [ɛnt'frɛmdən] **I.** *tr* alienate, estrange **II.** *refl* become alienated [*o* estranged] (*von* from)

Ent•frem•dung *f* estrangement

Ent•fros•ter <-s, -> *m* (MOT) defroster

ent•füh•ren *tr* **1.** (*Menschen*) kidnap **2.** (*Flugzeug*) hijack **3.** (*fam: entwenden*) make off with

Ent•füh•rer(in) *m(f)* kidnapper

Ent•füh•rung *f* **1.** (*e-r Person*) kidnapping **2.** (*e-s Flugzeuges*) hijacking

ent•ge•gen [ɛnt'ge:gən] **I.** *präp* contrary to; **~ meinen Erwartungen** contrary to what I expected; **das ist ~ unserer Abmachung** that is contrary to our agreement **II.** *adv* towards; **er ging ihr ~** he walked towards her

ent•ge•gen|brin•gen *irr tr:* **jdm Vertrauen ~** have confidence in s.o.

ent•ge•gen|ge•hen *irr itr* **1.** *sein* (*auf jdn zugehen*) go to meet; (*in jds Richtung*) go towards **2.** (*fig*) face; **der Krieg geht s-m Ende entgegen** the war is approaching its end

ent•ge•gen•ge•setzt *adj* **1.** (*Richtung*) opposite **2.** (*fig: Meinung*) opposing

ent•ge•gen|hal•ten *irr tr* **1.** (*Gegenstand*) hold s.th. out (*jdm* to s.o.) **2.** (*fig: dagegenstellen*) object

ent•ge•gen|kom•men *irr itr sein* come to meet; **auf halbem Weg ~** (*a. fig*) meet halfway; **ent•ge•gen•kom•mend** *adj* (*fig*) obliging

ent•ge•gen|neh•men *irr tr:* **können Sie diesen Brief ~?** can you accept this letter?

ent•ge•gen|se•hen *irr itr:* **wir sehen Ihrer baldigen Antwort entgegen ...** looking forward to your early reply ...

ent•ge•gen|set•zen *tr:* **e-r Sache Widerstand ~** put up resistance against s.th.; **können Sie dem irgend etwas ~?** can

you put up any resistance to this?
ent·ge·gen|ste·hen *irr itr:* **was steht dem entgegen?** what obstacle is there to that?; **dem steht allerdings entgegen, dass ...** what stands in the way of that is that ...
ent·ge·gen|tre·ten *irr itr* **1.** *sein* (*in den Weg treten*) step up to **2.** (*fig: angehen gegen*) counter
ent·geg·nen [ɛnt'ge:gnən] *tr* reply (*auf etw* to s.th.)
ent·ge·hen *irr itr sein:* **das ist mir entgangen** I missed that; **mir ist (durchaus) nicht entgangen, dass ...** it didn't escape me that ...; **lass dir das nicht ~!** don't miss your chance!
ent·geis·tert [ɛnt'gaɪstɐt] *adj* (*verstört*) thunderstruck; (*verblüfft*) flabbergasted *fam*
Ent·gelt [ɛnt'gɛlt] <-(e)s, -e> *n* (*Entschädigung*) compensation; **nur gegen ~!** only for a consideration!
ent·gif·ten *tr* detoxicate
Ent·gif·tung *f* detoxication; **Ent·gif·tungs·an·la·ge** *f* (TECH) decontamination plant
ent·glei·sen [ɛnt'glaɪzən] *itr* **1.** *sein* (RAIL) be derailed, jump the rails **2.** (*fig: sich taktlos benehmen*) misbehave; **e-n Zug ~ lassen** derail a train
Ent·glei·sung *f* **1.** derailment **2.** (*fig*) faux pas, gaffe
ent·glei·ten *irr itr sein* slip away
ent·grä·ten [ɛnt'grɛ:tən] *tr* bone
ent·haa·ren [ɛnt'ha:rən] *tr* remove hair from
Ent·haa·rungs·mit·tel *n* depilatory
ent·hal·ten I. *irr tr* (*in sich haben*) contain; (*fassen*) hold **II.** *refl* abstain; **sie konnte sich e-r Bemerkung nicht ~** she couldn't refrain from making a remark
ent·halt·sam *adj* **1.** (*von Genussmitteln*) abstemious **2.** (*sexuell ~*) continent
Ent·halt·sam·keit *f* **1.** (*Essen, Trinken*) abstemiousness **2.** (*sexuell*) continence
ent·här·ten *tr* (*Wasser*) soften
Ent·här·tungs·an·la·ge *f* (*Wasser~*) softening plant
ent·haup·ten [ɛnt'haʊptən] *tr* behead, decapitate; **Ent·haup·tung** *f* beheading, decapitation
ent·he·ben *irr tr:* **jdn seines** [*o* **des**] **Amtes ~** remove s.o. from (his) office
ent·hül·len *tr* reveal, uncover
Ent·hül·lung *f* (*fig: Aufdeckung*) disclosure, revelation
En·thu·si·as·mus [ɛntuzi'asmʊs] *m* enthusiasm
en·thu·si·as·tisch *adj* enthusiastic (*über* about, at)
ent·kal·ken *tr* decalcify
ent·ker·nen *tr* (*Kernobst*) core; (*Steinobst*) stone
ent·klei·den *tr refl* undress
ent·kof·fe·i·niert *adj* decaffeinated
ent·kom·men *irr itr sein* escape; **mit knapper Not ~** have a narrow escape
ent·kor·ken *tr* uncork
ent·kräf·ten [ɛnt'krɛftən] *tr* **1.** (*die Kräfte rauben*) wear out **2.** (*fig: widerlegen*) invalidate
Ent·kräf·tung *f* exhaustion; (*fig*) invalidation
ent·kri·mi·na·li·sie·ren *tr* decriminalize
ent·la·den I. *irr tr* (*abladen, ausladen*) unload **II.** *refl* **1.** (EL: *Batterie*) discharge **2.** (*fig: Ärger*) vent itself; **Ent·la·dung** *f* **1.** (*Ausladung*) unloading **2.** (EL) discharge; **etw zur ~ bringen** (*Explosion*) detonate s.th.
ent·lang [ɛnt'laŋ] *adv* along; **hier ~ bitte!** this way please!
ent·lar·ven [ɛnt'larfən] *tr* (*fig*) expose; **sich ~** reveal one's true character
ent·las·sen *irr tr* **1.** (*aus Stellung*) dismiss **2.** (*erlauben zu verlassen*) discharge; **Ent·las·sung** *f* **1.** (*aus Stellung*) dismissal **2.** (*aus Klinik*) discharge; **Ent·las·sungs·zeug·nis** *n* (PÄD) school leaving certificate
ent·las·ten *tr* **1.** (*von Last befreien*) relieve the load on **2.** (*fig: Arbeit abnehmen*) relieve (*von* of) **3.** (JUR) exonerate; **Ent·las·tung** *f* (*Erleichterung*) relief; **Ent·las·tungs·zeu·ge, -zeu·gin** *m, f* witness for the defence; **Ent·las·tungs·zug** *m* relief train
ent·lau·ben *tr* (MIL) defoliate; **Ent·lau·bung** *f* (MIL) defoliation; **Ent·lau·bungs·mit·tel** *n* (MIL) defoliant
ent·lau·fen *irr itr sein* run away; **„Katze ~"** 'cat missing'
ent·le·di·gen [ɛnt'le:dɪgən] *refl:* **sich e-r Sache ~** rid o.s. of s.th.
ent·lee·ren *tr* empty
ent·le·gen [ɛnt'le:gən] *adj* remote
ent·leh·nen *tr* (*fig*) borrow (*von* from)
Ent·leh·nung *f* (*fig*) borrowing
ent·lei·hen *irr tr* borrow (*aus* from)
ent·lo·cken *tr* elicit (*jdm etw* s.th. from s.o.)
ent·loh·nen *tr* pay; **Ent·loh·nung** *f* pay; **nur gegen ~** for payment only
ent·lüf·ten *tr* **1.** (*von Luft befreien*) air, ventilate **2.** (MOT: *Bremsen*) bleed; **Ent·lüf·tung** *f* ventilation
ent·mach·ten *tr* deprive of power
ent·mi·li·ta·ri·sie·ren *tr* demilitarize
ent·mün·di·gen *tr* incapacitate
ent·mu·ti·gen *tr* discourage, dishearten
ent·neh·men *irr tr* **1.** (*weg~*) take out (*aus* of) **2.** (*e-m Buch*) take (*aus* from) **3.** (*fig:*

folgern) infer (*aus* from); **sie entnahm (aus) s-m Brief, dass ...** she gathered from his letter that ...

ent•ölen *tr* deoil

ent•pup•pen [ɛntpʊpən] *refl:* **sich ~ als ...** turn out to be ...

ent•rah•men *tr* skim

ent•rät•seln *tr* **1.** (*Geheimnis*) solve **2.** (*Geheimschrift*) decipher

ent•rei•ßen *irr tr:* **jdm etw ~** snatch s.th. away from s.o.

ent•rich•ten *tr* (FIN) pay

Ent•rin•nen *n:* **es gibt kein ~!** there is no escape!

ent•rin•nen *irr itr sein* escape from

ent•rol•len *tr* (*Aufgerolltes*) unroll

ent•ros•ten *tr* derust

ent•rüm•peln [ɛnt'rʏmpəln] *tr* clear out

ent•rüs•ten [ɛnt'rʏstən] **I.** *tr* (*empören*) outrage **II.** *refl* be outraged (*über* at)

ent•rüs•tet *adj* indignant, outraged

Ent•rüs•tung *f* indignation (*über* at)

ent•saf•ten [ɛnt'zaftən] *tr* extract the juice from

Ent•saf•ter *m* (TECH) juice extractor

ent•sa•gen *itr:* **dem muss ich leider ~** I'm afraid I shall have to forego that

Ent•sa•gung *f* (*Entbehrung*) privation

ent•schä•di•gen *tr* **1.** (*für Verluste*) indemnify **2.** (*für geleistete Dienste*) compensate **3.** (*für Auslagen*) reimburse

Ent•schä•di•gung *f* compensation, recompense

ent•schär•fen *tr* (*Bombe*) defuse; **die Situation ~** alleviate the situation

Ent•scheid [ɛnt'ʃaɪt] <-(e)s, -e> *m s.* **Entscheidung**

ent•schei•den *irr tr refl* decide; **wie habt ihr euch entschieden?** what did you decide?; **du musst ~, was du tun willst** you must decide what to do; **ich kann mich nicht ~** I don't know [*o* I can't decide]; **jetzt wird es sich ~** now we'll see; **das musst du ~** it's your decision; **ent•schei•dend** *adj* decisive; **ein ~er Fehler** a crucial error; **die ~e Stimme** (POL) the casting vote

Ent•schei•dung *m* decision; **e-e ~ treffen** make a decision; **wie ist die ~ ausgefallen?** which way did the decision go?; **um die ~ spielen** (SPORT) play the decider; **es geht um die ~** it's going to decide things; **Ent•schei•dungs•fin•dung** *f* decision-making; **ent•schei•dungs•freu•dig** *adj* decisive; **Ent•schei•dungs•kri•te•ri•um** *n* deciding factor; **Ent•schei•dungs•pro•zess**[RR] *m* decision-making process; **Ent•schei•dungs•spiel** *n* decider

ent•schie•den [ɛnt'ʃiːdən] *adj* determined, resolute

Ent•schie•den•heit *f* determination, resolution

ent•schla•cken *tr* (MED) purify

Ent•schla•ckungs•kur *f* cleansing treatment

ent•schla•fen *irr itr sein* (*euph*) pass away

ent•schlie•ßen *irr refl* decide, determine; **wozu hast du dich entschlossen?** what did you decide?; **sich ~ etw zu tun** determine to do s.th.; **ich habe mich anders entschlossen** I've changed my mind

Ent•schlie•ßung *f* resolution; **Ent•schlie•ßungs•ent•wurf** *m* draft resolution

ent•schlos•sen [ɛnt'ʃlɔsən] *adj* determined, resolute; **kurz ~** without further ado; **fest ~ sein** be absolutely determined; **ich bin jetzt zu allem ~** I'm ready for anything now

Ent•schluss[RR] *m* decision, resolution; **e-n ~ fassen** make a decision; **mein ~ ist gefasst** my mind is made up; **es ist mein fester ~ ...** it's my firm intention ...; **ent•schluss•freu•dig** *adj* decisive

ent•schlüs•seln *tr* **1.** (*Geheimschrift*) decipher **2.** (*Funkspruch*) decode

Ent•schlüs•se•lung *f* deciphering, decoding

ent•schuld•bar *adj* excusable

ent•schul•di•gen I. *tr* excuse; **~ Sie bitte!** excuse me! sorry!; **entschuldige, dass ich gefragt habe!** excuse me for asking!; **und nun ~ Sie mich, ich habe zu arbeiten** and now if you will excuse me I have work to do **II.** *refl* apologize (*bei* to, *wegen* for); **sich ~ lassen** send one's apologies

Ent•schul•di•gung *f* **1.** (*allgemein*) excuse **2.** (*~sbrief*) excuse note; **ich habe e-e gute ~, warum ich nicht hingehen kann** I've a good excuse for not going; **was sagte Sie zu ihrer ~?** what did she say in her defence?; **~!** excuse me!, sorry!

Ent•schul•di•gungs•brief *m* (PÄD) excuse note

Ent•schul•dung [ɛnt'ʃʊldʊŋ] *f* (FIN) regulation of debts

ent•schwe•feln *tr* (TECH) desulphurize; **Ent•schwe•fe•lung** *f* (TECH) desulphurization; **Ent•schwe•fe•lungs•an•la•ge** *f* desulphurization plant

ent•schwin•den *irr itr sein* disappear, vanish

ent•seelt [ɛnt'zeːlt] *adj* (*tot*) lifeless

ent•sen•den *irr tr* dispatch, send off

Ent•set•zen <-s> *n* horror; **zu meinem ~** to my horror

ent•set•zen I. *tr* **1.** (*erschrecken*) horrify **2.** (MIL: *von Einschließung befreien*) relieve **II.** *refl* be horrified (*über* at)

ent•setz•lich [ɛnt'zɛtslɪç] *adj* **1.** (*gräss-*

lich) appalling, dreadful **2.** (*fam: sehr*) awful; **wie ~, dass das passieren musste!** what a dreadful thing to happen!

ent•setzt *adj* horrified (*über* at); **sie fuhr ~ zurück** she shrank back in horror

ent•seu•chen *tr* (TECH) decontaminate; **Ent•seu•chung** *f* (TECH) decontamination; **Ent•seu•chungs•mit•tel** *n* **1.** (MED) disinfectant **2.** (CHEM) decontaminating agent

ent•si•chern *tr* (*Pistole etc*) release the safety catch of

ent•sin•nen *irr refl* recollect, remember; **soweit ich mich ~ kann** as far as I can recollect

ent•sor•gen *tr:* **eine Stadt ~** dispose of a town's refuse and sewage; **Ent•sor•gung** [ɛnt'zɔrgʊŋ] *f* sewage and refuse disposal, waste management; **Ent•sor•gungs•park** *m* (*nuklearer ~*) waste dump

ent•span•nen **I.** *tr* **1.** (*Körperteile, Muskeln etc*) relax **2.** (*fig: Lage etc*) ease **II.** *refl* (*a. fig*) relax

Ent•span•nung *f* **1.** (POL) détente **2.** (*fig: Zerstreuung*) diversion **3.** (*Gelöstheit, a. fig*) relaxation; **Ent•span•nungs•po•li•tik** *f* policy of détente; **Ent•span•nungs•übung** *f* relaxation exercises

ent•spin•nen *irr refl* arise, develop

ent•spre•chen *irr itr* **1.** (*übereinstimmen, ähnlich sein*) correspond to **2.** (*nachkommen*) comply with, conform to; **allen Anforderungen ~** answer [*o* meet] all requirements; **jds Erwartungen ~** come up to (meet) someone's expectations; **ent•spre•chend** **I.** *adj* **1.** (*angemessen*) appropriate **2.** (*gleichend*) corresponding **II.** *adv* accordingly, according to

Ent•spre•chung *f* counterpart, equivalent; **die deutsche ~ des englischen Wortes** the German equivalent of the English word

ent•sprin•gen *irr itr* **1.** *sein* (*Flüsse*) rise **2.** (*fig: herrühren*) arise (*aus* from)

ent•stam•men *itr* originate from

ent•ste•hen *irr itr sein* come into being; (*sich bilden*) arise; **die Legende ist in ... entstanden** the legend originated in ...; **wodurch ist das Feuer entstanden?** what was the cause of the fire?

Ent•ste•hung *f* **1.** (*allgemein*) coming into being; (*Ursprung*) origin **2.** (*Bildung*) formation

ent•stei•gen *irr itr sein* (*dem Wasser*) emerge from

ent•stei•nen *tr* (*Obst*) stone

ent•stel•len *tr* **1.** (*verunstalten*) disfigure **2.** (*verändern, a. fig*) distort; **s-e Worte wurden von der Presse entstellt wiedergegeben** he was misrepresented in the papers

Ent•stel•lung *f* **1.** (*fig: Verdrehung*) distortion **2.** (*Verunstaltung*) disfigurement

ent•sti•cken *tr* (TECH: *Stickstoff entziehen*) denitrify; **Ent•sti•ckung** *f* (TECH) denitrification; **Ent•sti•ckungs•an•la•ge** *f* (TECH) denitrification plant

ent•stö•ren *tr* **1.** (RADIO TELE) free from interference **2.** (MOT EL) suppress

Ent•stö•rungs•stel•le *f* (TELE) telephone maintenance service

ent•strö•men *itr* **1.** *sein* (*Flüssigkeit*) pour out (*aus* of) **2.** (*Gas etc*) escape (*aus* from)

ent•täu•schen *tr* disappoint; **in e-r Prüfung ~d abschneiden** do disappointingly in an exam

ent•täuscht *adj* disappointed; **von jdm ~ sein** be disappointed in s.o.

Ent•täu•schung *f* disappointment; **so e-e ~!** how disappointing!

ent•waff•nen [ɛnt'vafnən] *tr* (*a. fig*) disarm

ent•waff•nend *adj* (*fig*) disarming

Ent•war•nung *f* (*Signal*) all-clear

ent•wäs•sern [ɛnt'vɛsɐn] *tr* **1.** (*Boden*) drain **2.** (CHEM) dehydrate

Ent•wäs•se•rung *f* (*Kanalisation e-s Hauses*) drainage

Ent•wäs•se•rungs•mit•tel *n* dehydrating agent

ent•we•der [ɛnt've:dɐ/'---] *konj:* **~ ... oder ...** either ... or ...; **~ oder!** make up your mind!

ent•wei•chen *irr itr* **1.** *sein* (*Gase etc*) escape (*aus* from); (*lecken*) leak (*aus* out of) **2.** (*entfliehen*) escape (*aus* from)

ent•wen•den *tr* purloin (*jdm etw* s.th. from s.o.)

ent•wer•fen *irr tr* **1.** (*zeichnerisch*) sketch; (*Modell*) design **2.** (*Schriftstück etc*) draft, draw up

ent•wer•ten *tr* **1.** (*wertlos machen*) devalue **2.** (*fig: entkräften*) undermine; **s-n Fahrschein ~** cancel one's ticket

Ent•wer•ter <-s, -> *m* ticket(-cancelling) machine

ent•wi•ckeln **I.** *tr* **1.** (*allgemein*) develop **2.** (*entstehen lassen*) produce; **e-e Theorie ~** evolve a theory **II.** *refl* **1.** (*allgemein*) develop (*zu* into) **2.** (*sich bilden*) be produced

Ent•wick•ler *m* (PHOT) developer

Ent•wick•lung *f* **1.** (*allgemein*) development **2.** (*Erzeugung*) generation, production; **Ent•wick•lungs•dienst** *m* Voluntary Service Overseas *Br,* Peace Corps *Am;* **ent•wick•lungs•fä•hig** *adj* capable of development; **Ent•wick•lungs•ge•schich•te** *f* developmental history, evolution; **Ent•wick•lungs•hel•fer(in)** *m(f)* *person involved in foreign aid, e.g. doing*

Voluntary Service Overseas; **Ent•wick•lungs•hil•fe** *f* foreign aid; **Ent•wick•lungs•land** *n* developing country; **Ent•wick•lungs•maß•nah•men** *fpl* development measures; **Ent•wick•lungs•pla•nung** *f* development planning; **Ent•wick•lungs•sta•dium** *n* stage of development

ent•wir•ren *tr* unravel

ent•wi•schen *sein itr* get away

ent•wöh•nen [ɛnt'vøːnən] *tr:* **jdn e-r Sache ~** cure s.o. of s.th.

Ent•wurf *m* **1.** (*Zeichnung, Plan*) outline, sketch **2.** (*Modell*) design **3.** (*~ von Resolution etc*) draft

ent•wur•zeln *tr* (*a. fig*) uproot

ent•zer•ren *tr* (PHOT) rectify

ent•zie•hen I. *irr tr* **1.** (*fortnehmen*) take away **2.** (CHEM: *extrahieren*) extract; **jdm den Führerschein ~** revoke someone's driver's licence **II.** *refl* (*e-r Sache*) evade s.th.; **sich der Festnahme ~** elude arrest; **das enzieht sich meiner Kenntnis** that is beyond my knowledge

Ent•zie•hungs•an•stalt *f* treatment centre for drug addicts [*o* alcoholics]

Ent•zie•hungs•kur *f* **1.** (*für Drogensüchtige*) cure for drug addiction **2.** (*für Alkoholiker*) alcoholism cure; **e-e ~ mitmachen** take a cure for drug addiction [*o* an alcoholism cure]

ent•zif•fern [ɛnt'tsɪfɐn] *tr* **1.** (*Geheimschrift*) decipher **2.** (*Funkspruch*) decode; **nicht zu ~** indecipherable

Ent•zü•cken [ɛn'tsʏkən] <-s> *n:* **in ~ geraten** go into raptures *pl;* **jdn in ~ versetzen** send s.o. into raptures *pl*

ent•zü•cken *tr:* **entzückt sein über (von)** be in raptures over (about); **ent•zü•ckend** *adj* charming

Ent•zug *m* withdrawal; (*Behandlung*) *s.* Entziehungskur; **Ent•zugs•er•schei•nung** *f* withdrawal symptom

ent•zünd•bar *adj* inflammable; **leicht ~** highly inflammable

ent•zün•den I. *tr* **1.** (*Feuer*) light **2.** (MED: *infizieren*) inflame **3.** (*fig: entfachen*) start **II.** *refl* **1.** (*Feuer fangen*) catch fire **2.** (MED) become inflamed **3.** (*fig: sich entfachen*) be sparked off; **ent•zün•det** *adj* (MED) inflamed; **ent•zünd•lich** *adj* inflammable

Ent•zün•dung *f* (MED) inflammation

ent•zwei [ɛn'tsvaɪ] *adj* **1.** (*in zwei Teile zerbrochen*) in two **2.** (*kaputt*) broken

ent•zwei•en *refl:* **sie haben sich entzweit** they've fallen out with each other

ent•zwei|ge•hen *itr sein* break in two

En•zi•an ['ɛntsiaːn] <-s, -e> *m* **1.** (BOT) gentian **2.** (*Likör*) gentian spirit

En•zy•klo•pä•die [ɛntsyklopɛ'diː] *f* encyclop(a)edia

En•zym [ɛn'tsyːm] <-(e)s, -e> *n* enzyme

E•pi•de•mie [epide'miː] *f* epidemic; **E•pi•de•mi•o•lo•ge** *m,* **E•pi•de•mi•o•lo•gin** *f* epidemiologist; **E•pi•de•mi•o•lo•gie** *f* epidemiology; **e•pi•de•mi•o•lo•gisch** *adj* epidemiological

E•pik ['eːpɪk] <-> *f* epic

E•pi•lep•sie [epilɛ'psiː] *f* epilepsy

E•pi•lep•ti•ker(in) *m(f)* epileptic

e•pi•lep•tisch *adj* epileptic

E•pi•log [epi'loːk] <-s, -e> *m* epilogue

e•pisch ['eːpɪʃ] *adj* epic

E•pi•so•de [epi'zoːdə] <-, -n> *f* episode

E•po•che [e'pɔxə] <-, -n> *f* epoch; **e•po•che•ma•chend** *adj* epoch-making

E•pos ['eːpɔs] <-, Epen> *n* epic poem

er [eːɐ] *pron* he; **~ selbst** he himself; **~ ist es** it's him

Er•ach•ten [ɛr'axtən] *n:* **meines ~s** in my opinion

er•ah•nen *tr* guess

er•ar•bei•ten I. *tr* **1.** (*Vermögen etc*) work for **2.** (*erwerben*) acquire **3.** (*ausarbeiten*) work out **II.** *refl* **1.** (*Vermögen*) earn **2.** acquire

Erb•adel *m* hereditary nobility

Erb•an•la•ge *f* hereditary factor

Er•bar•men <-s> *n* pity, compassion (*mit* on); (*Gnade*) mercy (*mit* on); **~!** for pity's sake!; **mit jdm ~ haben** feel pity for s.o.; **es ist zum ~** it's pitiful

er•bar•men [ɛɐ'barmən] *refl:* **sich jds ~** have pity on s.o.

er•bärm•lich [ɛɐ'bɛrmlɪç] *adj* **1.** (*fig: niederträchtig*) miserable **2.** (*erbarmungswürdig*) wretched; **mir geht's ~** I feel wretched

er•bar•mungs•los *adj* merciless, pitiless

er•bau•en *tr* build

Er•bau•er(in) *m(f)* builder

Er•bau•ung *f* building, construction

Er•be[1] ['ɛrbə] <-n, -n> *m* (*der Erbende*) heir

Er•be[2] <-s> *n* **1.** (*Erbteil*) inheritance **2.** (*fig*) heritage

er•be•ben [-'--] *itr sein* shake, tremble

er•ben ['ɛrbən] *tr* inherit (*von* from)

er•bet•teln *tr* get by begging

er•beu•ten [ɛɐ'bɔɪtən] *tr* **1.** (*Diebesgut*) get away with **2.** (*Raubtier: Tierbeute*) carry off

Erb•fak•tor *m* gene; **Erb•feh•ler** *m* hereditary defect

Erb•fol•ge *f* succession

Erb•gut *n* (BIOL) genetic make-up, genotype; **erb•gut•schä•di•gend** *adj* genetically damaging [*o* harmful]

er•bie•ten *irr refl:* **sich ~ etw zu tun** offer to do s.th.

Er•bin <-, -nen> *f* heiress

Erb•in•for•ma•ti•on *f* (BIOL) genetic information
er•bit•ten *irr tr* ask for, request
er•bit•tern [ɛɐ'bɪtɐn] *tr* enrage, incense
er•bit•tert *adj* bitter
Er•bit•te•rung *f* bitterness
Erb•krank•heit *f* hereditary disease
er•blas•sen *itr*, **er•blei•chen** [ɛr'blasən] *itr sein* go [*o* turn] pale (*vor* with)
Erb•las•se•r(in) ['ɛrplasɐ] <-s, -> *m(f)* (JUR) testator (testatrix)
erb•lich *adj* hereditary
er•bli•cken *tr* behold
er•blin•den *itr sein* go blind
Er•blin•dung *f* loss of sight; **das kann zur ~ führen** that can lead to loss of sight
er•blü•hen *itr sein* bloom, blossom
Erb•mas•se ['ɛrpmasə] <-, (-n)> *f* **1.** (*das Geerbte*) inheritance **2.** (BIOL) genetic make-up
Er•bre•chen <-s> *n* (MED) vomiting
er•bre•chen I. *irr tr* **1.** (*aufbrechen*) break open **2.** (*Mageninhalt ~*) throw up **II.** *refl* vomit; **ich glaub', ich muss mich ~** I think I'm going to be sick
Erb•recht *n* law of inheritance
er•brin•gen *irr tr:* **den Beweis ~** furnish proof, produce evidence
Erb•schaft *f* inheritance; **e-e ~ machen** come into an inheritance; **Erb•schafts•steu•er** *f* death duty
Erb•schein *m* certificate of inheritance
Erb•schlei•cher(in) *m(f)* legacy-hunter; **Erb•schlei•che•rei** *f* legacy-hunting
Erb•se ['ɛrpsə] <-, -n> *f* pea; **Erb•sen•sup•pe** *f* pea soup
Erb•stück *n* heirloom; **Erb•teil** *n* inheritance
Erd•ach•se *f* earth's axis; **Erd•an•zie•hung** *f* gravitational pull of the earth; **Erd•ap•fel** *m* potato *österr;* **Erd•ar•bei•ten** *pl* excavation *sing;* **Erd•at•mos•phä•re** *f* earth's atmosphere; **Erd•ball** *m* globe; **Erd•be•ben** *n* earthquake; **Erd•be•ben•gür•tel** *m* earthquake zone; **Erd•bee•re** *f* strawberry; **Erd•bo•den** *m* ground, earth; **dem ~ gleichmachen** level, raze to the ground
Er•de ['eːɐdə] <-, -n> *f* **1.** (*Welt*) earth, world **2.** (*Boden*) ground **3.** (*Bodenart*) soil **4.** (EL) earth *Br,* ground *Am;* **auf der ~** on earth; **den Himmel auf ~n** heaven on earth; **zur ~ fallen** fall to earth; **über (unter) der ~** above (below) ground
er•den•ken *irr tr* devise, think up
er•denk•lich *adj* imaginable; **alles E~e tun** do everything imaginable
erd•far•ben ['eːɐtfarbən] *adj* earth- coloured
Erd•gas *n* natural gas; **Erd•gas•feld** *n* gas field; **Erd•gas•lei•tung** *f* (natural gas) pipeline
Erd•ge•schossRR <-es, -e> *n* ground floor *Br,* first floor *Am;* **im ~** on the ground floor *Br,* on the first floor *Am*
Erd•hau•fen *m* mound of earth
er•dich•ten *tr* fabricate
er•dig ['eːɐdɪç] *adj* earthy
Erd•in•ne•re *n* interior of the earth; **Erd•ka•bel** *n* underground cable; **Erd•kar•te** *f* map of the earth; **Erd•klum•pen** *m* clod of earth; **Erd•krus•te** *f* (GEOL) earth's crust; **Erd•ku•gel** *f* globe; **Erd•kun•de** *f* geography; **Erd•nuss**RR *f* (BOT) peanut; **Erd•o•ber•flä•che** *f* earth's surface; **Erd•öl** *n* oil, petroleum; **Erd•öl•em•bar•go** *n* oil embargo; **erd•öl•ex•por•tie•rend** *adj* oil-exporting; **Erd•öl•ver•ar•bei•tung** *f* processing of crude oil; **Erd•reich** *n* earth, soil
er•dreis•ten [ɛr'draɪstən] *refl:* **sich ~ etw zu tun** have the audacity [*o* cheek] to do s.th.
er•dros•seln *tr* strangle
er•drü•cken *tr* **1.** (*zermalmen*) crush **2.** (*fig: überwältigen*) overwhelm
Erd•rutsch ['eːɐtrʊtʃ] <-es, -e> *m* (*a. fig*) landslide; **Erd•rutsch•sieg** *m* (POL) landslide (victory); **Erd•schol•le** *f* clod of earth; **Erd•stoß** *m* seismic shock; **Erd•strah•len** *mpl* field lines; **Erd•teil** *m* continent
er•dul•den *tr* endure
Erd•um•dre•hung *f* rotation of the earth; **Erd•um•lauf•bahn** *f* earth orbit; **Erd•um•seg•lung** *f* circumnavigation of the globe
Er•dung ['eːɐdʊŋ] *f* (EL) earthing *Br,* grounding *Am*
Erd•wär•me *f* geothermal energy, geothermy; **Erd•wär•me•kraft•werk** *n* geothermal power station; **Erd•zeit•al•ter** *n* geological era
er•ei•fern [ɛɐ'aɪfɐn] *refl* get worked up (*über* over)
er•eig•nen [ɛɐ'aɪgnən] *refl* happen, occur
Er•eig•nis *n* event, occurrence
er•eig•nis•reich *adj* eventful
Erek•ti•on [erɛk'tsjoːn] <-, -en> *f* erection
er•fah•ren *irr tr* **1.** (*hören*) hear, learn (*von* from); (*herausfinden*) find out **2.** (*erleben*) experience; **er hat nie wirklichen Kummer ~** he has had no experience of real grief
er•fah•ren *adj* experienced
Er•fah•rung *f* experience; **die ~ lehrt, dass ...** experience proves that ...; **etw aus ~ wissen** know s.th. by experience; **aus eigener ~** from one's own personal experience

er•fah•rungs•ge•mäß *adv* as experience shows

er•fas•sen *tr* **1.** (*fig: begreifen*) grasp **2.** (*fig: registrieren*) record, register **3.** (*einschließen*) include **4.** (*ergreifen*) catch; **diese Tatsachen sind nirgends erfasst** these facts aren't recorded anywhere

er•fin•den *irr tr* **1.** (*e-e Erfindung machen*) invent **2.** (*etw ausdenken*) fabricate; **e-e Story** ~ (*fam*) cook up a story

Er•fin•der(in) *m(f)* inventor

er•fin•de•risch *adj* inventive; **Not macht** ~ (*prov*) necessity is the mother of invention

Er•fin•dung *f* invention; **Er•fin•dungs•reich•tum** *m* inventiveness, ingenuity

Er•folg [ɛɐ'fɔlk] <-(e)s, -e> *m* **1.** (*Gelingen*) success **2.** (*Ergebnis*) result; **ohne** ~ without success; **viel ~!** wishing you every success!; **mit etw ~ haben** make a success of s.th.; ~ **haben** meet with success; **ein voller ~ sein** be entirely successful; **bei jdm ~ haben** be a success with s.o.; **ich möchte e-n ~ sehen!** I want to see results *pl,* !; **wir hatten damit großen** ~ we had very good results with this; **... mit dem ~, dass ...** with the consequence that ...

er•fol•gen *itr* **1.** *sein* (*Zahlungen*) be made **2.** (*stattfinden*) occur, take place

er•folg•los *adj* unsuccessful, without success

Er•folg•lo•sig•keit *f* lack of success, unsuccessfulness; **zur ~ verurteilt sein** be destined to failure

er•folg•reich *adj* successful

Er•folgs•au•tor(in) *m(f)* best-selling author; **Er•folgs•bi•lanz** *f* record of success; **Er•folgs•druck** *m* pressure to succeed; **Er•folgs•er•leb•nis** *n* (PSYCH) feeling of success, sense of achievement; **Er•folgs•ho•no•rar** *n* (COM) ..: contingent fee; **Er•folgs•kon•trol•le** *f* (PÄD) testing; **Er•folgs•re•zept** *n* recipe for success

er•folg•ver•spre•chend *adj* promising

er•for•der•lich [ɛɐ'fɔrdɐlɪç] *adj* necessary, requisite; **falls** ~ if required; **alle ~en Qualifikationen** all the necessary qualifications; **die dazu ~e Zeit** the requisite time; **das E~e tun** do what is necessary

er•for•dern *tr* call for, require; **das erfordert große Sorgfalt** it requires great care

Er•for•der•nis *n* requirement

er•for•schen *tr* **1.** (*erkunden*) explore **2.** (*untersuchen*) research (*etw* into s.th.)

Er•for•schung *f* **1.** (*Erkundung*) exploration **2.** (*Untersuchung*) research (*von etw* into s.th.)

er•fra•gen *tr* ask, inquire; **zu ~ bei** apply to, inquire at

er•freu•en **I.** *tr* delight, please; **jdn** ~ give s.o. pleasure **II.** *refl* delight (*an* in); **sich an Büchern** ~ find pleasure in books; **sich großer Nachfrage** ~ be in great demand

er•freu•lich *adj* pleasant; **~!** how nice!; **es ist ~ zu erfahren, dass ...** it's gratifying to learn that ...

er•freu•li•cher•wei•se *adv* fortunately, happily

er•freut *adj:* **sehr ~!** pleased to meet you!; **über etw ~ sein** be delighted [*o* at] about [*o* pleased]

er•frie•ren *irr itr* **1.** *sein* (*totfrieren*) freeze to death **2.** (*abfrieren*) get frostbitten **3.** (*Pflanze*) be killed by frost; **seine Füße sind erfroren** his feet got frostbite

er•fri•schen *tr itr* refresh; **er•fri•schend** *adj* (*a. fig*) refreshing

Er•fri•schung *f* refreshment; **e-e ~ zu sich nehmen** take some refreshment; **Er•fri•schungs•ge•tränk** *n* soft drink; **Er•fri•schungs•raum** *m* cafeteria, snack bar

er•fül•len *tr* **1.** (*ausführen*) fulfil **2.** (*vollmachen, a. fig*) fill; **die Prophezeiung erfüllte sich** the prophecy was fulfilled; **der Gedanke erfüllt mich mit Entsetzen** the thought fills me with horror; **Verpflichtungen** ~ carry out obligations; **s-e Pflicht** ~ perform one's duty; **jds Erwartungen** ~ come up to someone's expectations; **jdm e-n Wunsch** ~ grant s.o. a wish

Er•fül•lung *f* fulfilment; **in ~ gehen** be fulfilled; ~ **finden** feel fulfilled

er•gän•zen [ɛɐ'gɛntsən] *tr* complete, supplement; **sich** [*o* **einander**] ~ complement one another

Er•gän•zung *f* **1.** (*das Vervollständigen*) completion **2.** (*das Ergänzte*) addition **3.** (GRAM) complement; **~en** (*zu Buch*) addenda *pl;* **Er•gän•zungs•ab•ga•be** *f* (FIN) supplementary tax; **Er•gän•zungs•band** *m* supplement

er•gat•tern [ɛɐ'gatɐn] *tr* (*fam*) get hold of

er•ge•ben **I.** *irr tr* amount [*o* come] to **II.** *refl* **1.** (*aufgeben*) surrender, yield **2.** (*resultieren*) result (*aus* from); **hieraus ergibt sich, dass ...** it follows from this that ...

Er•geb•nis *n* result; **zu keinem ~ führen** lead nowhere; **er•geb•nis•los** *adj* unsuccessful, without result; ~ **bleiben** come to nothing

er•ge•hen *irr itr* **1.** *sein* (*erteilt werden*) go out; **etw über sich ~ lassen** submit to s.th. **2.** (*geschehen*): **es ist ihr schlecht ergangen** she fared badly; **wie wird es ihm ~?** what will become of him?

er•gie•big [ɛɐ'gi:bɪç] *adj* (*ertragreich, a. fig*) productive; (*lukrativ*) lucrative, profitable

er•gie•ßen *irr refl* pour out

er•glü•hen *itr* **1.** *sein* (*glühend werden*)

glow **2.** (*fig: brennen*) burn (*vor* with); **ihre Augen erglühten vor Zorn** her eyes glowed with anger

Er•go•me•ter <-s, -> *n* ergometer

Er•go•no•mie *f* ergonomics *sing;* **er•go•no•misch** *adj* ergonomic

er•grau•en *itr sein* go [*o* turn] grey

er•grei•fen *irr tr* **1.** grasp, seize **2.** (*fig: rühren*) move; **jds Partei** ~ take someone's side; **er•grei•fend** *adj* (*fig*) moving; **Er•grei•fung** *f* capture

er•grif•fen [ɛɐ'grɪfən] *adj* (*bewegt*) moved

er•grün•den *tr* fathom; **das wollen wir jetzt mal** ~**!** now let's get to the bottom of this!

Er•gussRR [ɛɐ'gʊs, *pl:* ɛɐ'gʏsə] <-es, ⸚e> *m* **1.** (*Blut~*) bruise **2.** (*Samen~*) ejaculation **3.** (*fig hum o pej: Geschriebenes*) effusion

er•ha•ben [ɛɐ'ha:bən] *adj* **1.** (*fig: feierlich erhoben*) elevated, exalted **2.** (*erhöht*) embossed, raised; **~e Gedanken** elevated thoughts; **~e Gefühle** lofty sentiments; **über jeden Verdacht** ~ **sein** be above suspicion; **über solche Dinge bin ich** ~ I'm above such things

Er•ha•ben•heit *f* (*fig*) sublimity

Er•halt <-(e)s> *m* receipt

er•hal•ten *irr tr* **1.** (*bekommen*) get, receive **2.** (*bewahren*) preserve **3.** (*unterhalten*) maintain; **dankend** ~ received with thanks; **gut** ~ well preserved; **sich gesund** ~ keep healthy; **er•hält•lich** [ɛɐ'hɛltlɪç] *adj* available, obtainable

Er•hal•tung *f* (*allgemein*) preservation; (*von Maschinen etc*) maintenance; (*von Bauten*) upkeep; **Er•hal•tungs•do•sis** *f* (MED) booster [*o* maintenance] dose; **Er•hal•tungs•maß•nah•men** *fpl* conservation measures

er•hän•gen I. *tr* hang **II.** *refl* hang o.s.

er•här•ten *tr* (*fig*) substantiate; **e-e Theorie** ~ corroborate a theory

er•ha•schen [ɛɐ'haʃən] *tr* (*a. fig*) catch

er•he•ben I. *irr tr* **1.** (*Gegenstand*) raise **2.** (FIN: *Abgaben etc*) levy; **gegen jdn Anklage** ~ bring a charge against s.o.; **ein Geschrei** ~ set up a cry **II.** *refl* **1.** (*aufstehen*) get up, rise **2.** (*sich auflehnen*) revolt

er•heb•lich *adj* considerable; (*ernstlich*) serious

Er•he•bung *f* **1.** (*kleiner Hügel*) rise **2.** (*Aufstand*) uprising **3.** (*offizielle Befragung*) inquiry **4.** (*Einziehung von Gebühren*) levying

er•hei•tern [ɛɐ'haɪtɐn] **I.** *tr* cheer up **II.** *refl* be amused (*über* by)

Er•hei•te•rung *f* amusement; **zur allgemeinen** ~ to everybody's amusement

er•hel•len I. *tr* **1.** (*durch Licht*) illuminate, light up **2.** (*fig: erläutern, erklären*) elucidate **II.** *refl* brighten

er•hit•zen [ɛɐ'hɪtsən] **I.** *tr* heat up (*auf* to) **II.** *refl* heat up; **nach dem Dauerlauf erhitzt sein** be sweaty after long-distance running

er•hof•fen *tr* hope for; **man kann sich nichts anderes** ~ you can't hope for anything else

er•hö•hen [ɛɐ'hø:ən] **I.** *tr* increase, raise; **erhöhte Temperatur haben** have a temperature **II.** *refl* increase, rise

Er•hö•hung *f* **1.** (*Vermehrung*) increase **2.** (*Gelände~*) rise **3.** (*Intensivierung*) heightening, intensification; **Er•hö•hungs•zei•chen** *n* (MUS) sharp

er•ho•len *refl* (*sich ausruhen*) take a rest; (*sich entspannen*) relax; **sich von e-r Krankheit** ~ recover from an illness; **er•hol•sam** *adj* refreshing, restful; **Er•ho•lung** *f* (*Ruhe*) rest; (*Entspannung*) recovery; **gute** ~**!** have a good rest!; **du brauchst ein wenig** ~ **nach der Arbeit!** you need some relaxation after work!; **ich kann dir sagen, das war alles andere als eine** ~**!** it was no holiday, I can tell you!; **ich brauche dringend** ~ I badly need a holiday; **Er•ho•lungs•an•la•ge** *f* leisure centre; **Er•ho•lungs•ge•biet** *n* recreational area; **Er•ho•lungs•ur•laub** *m* holiday for convalescence purposes; **Er•ho•lungs•wert** *m* recreational value

er•hö•ren *tr:* **Herr, erhöre unser Gebet!** Lord, hear our prayer!

er•in•nern [ɛɐ'ɪnɐn] **I.** *tr* remind (*jdn an etw* s.o. of s.th.); **jdn daran** ~ **etw zu tun** remind s.o. to do s.th.; **s-e Gegenwart erinnerte mich an ...** his presence was a reminder of ... **II.** *refl* remember (*an* s.th.); **soweit ich mich** ~ **kann** as far as I can remember; **ich kann mich nicht** ~ I have no recollection of it

Er•in•ne•rung *f* memory, recollection; **ich habe nur eine vage** ~ **daran** my recollection of it is vague; **in ~en schwelgen** walk down memory lane *fam;* **zur** ~ **an ...** in memory of ...

er•kal•ten *itr* **1.** *sein* (*kalt werden*) go cold **2.** (*fig: Gefühle etc*) cool down

er•käl•ten [ɛr'kɛltən] *refl* catch a cold; **er•käl•tet** *adj:* ~ **sein** have a cold

Er•käl•tung *f* cold; **e-e schwere** ~ a bad cold; **sich e-e** ~ **holen** catch a cold

er•kämp•fen *tr refl* win

er•kau•fen *tr* buy

er•kenn•bar *adj* **1.** (*sichtbar*) visible **2.** (*wahrnehmbar*) discernible; **ohne ~es Einkommen** (JUR) with no visible means of support

er•ken•nen *irr tr* **1.** (*wieder~*) recognize

(*an* by) **2.** (*wahrnehmen*) discern **3.** (*klar sehen*) see; ~ **Sie die Melodie?** do you recognize this tune?; **ich hätte sie in der Verkleidung nicht erkannt** I wouldn't have recognized her in her disguise; **ich erkannte nur zu deutlich, dass ...** I saw only too clearly that ...

er•kennt•lich [ɛɐ'kɛntlɪç] *adj:* **sich jdm für etw ~ zeigen** show s.o. one's gratitude for s.th.

Er•kennt•nis *f* **1.** (*Wissen*) knowledge **2.** (*Erkennen*) realization **3.** (*Einsicht*) insight; **die Polizei hat keine neuen ~se über seine Aktivitäten** the police have no knowledge of his activities; **Er•kennt•nis•stand** *m* level of knowledge

Er•ken•nungs•dienst *m* (~ *der Polizei*) police records department; **Er•ken•nungs•me•lo•die** *f* (RADIO) signature tune; **Er•ken•nungs•zei•chen** *n* identification

Er•ker ['ɛrkɐ] <-s, -> *m* (ARCH) bay

er•klär•bar *adj* explainable, explicable; **das ist leicht ~** that's easy to explain; **das ist nicht ~** that's inexplicable

er•klä•ren I. *tr* **1.** (*begründen*) explain (*jdm etw* s.th. to s.o.) **2.** (*bekanntgeben*) declare; (*sagen*) say; **ich hoffe, Sie können das ~** you'd better explain yourself; **was meinst du mit „dumm"? erklär mir das!** what do you mean 'stupid'? explain yourself!; **jdm den Krieg ~** (*a. fig*) declare war on s.o.; **ich erkläre diese Sitzung für geschlossen** I declare this meeting closed; **der Regierungssprecher erklärte ...** the government spokesman said ... **II.** *refl* be explained; **das erklärt sich durch ...** that is explained by ...; **das erklärt sich von selbst** that's self-explanatory

er•klär•lich *adj:* **mir ist einfach nicht ~, wie ...** I simply cannot understand how ...

er•klärt *adj:* **~er Feind** open [*o* sworn] enemy; **~er Liebling** acknowledged favourite

Er•klä•rung *f* **1.** (*Begründung, Erläuterung*) explanation **2.** (*Bekanntgabe*) declaration; (*Aussage*) statement; **es bedarf e-r kurzen ~** it needs a little explanation; **e-e ~ abgeben** make a declaration; (*Regierungssprecher etc*) make a statement

er•klin•gen *irr itr* **1.** *sein* (*hallen*) resound (*von* with) **2.** (*erschallen*) be heard; **um 9 Uhr erklangen die Kirchenglocken** at 9 o'clock the church bells rang

er•kran•ken *itr sein* be taken sick, fall ill; **sie ist erkrankt** she is ill

Er•kran•kung *f* disease

er•kun•den [ɛɐ'kʊndən] *tr* **1.** (*ausfindig machen*) find out **2.** (MIL: *ausspähen*) reconnoitre, scout

er•kun•di•gen [ɛɐ'kʊndɪgən] *refl:* **sich bei jdm nach etw ~** enquire s.th. of s.o.; **sich nach etw ~** ask about s.th.

Er•kun•di•gung *f:* **~en einziehen über ...** make enquiries about ...

Er•kun•dung *f* reconnaissance

er•lah•men *sein itr* (*Interesse, Begeisterung*) flag

er•lan•gen [ɛɐ'laŋən] *tr* achieve, attain

Er•lass[RR] [ɛɐ'las, *pl:* ɛɐ'lɛsə] <-es, ¨-e> *m* **1.** (*Verordnung*) decree, edict **2.** (*e-r Strafe*) remission

er•las•sen *irr tr:* **jdm die Gebühren ~** waive the fees for s.o.; **er erließ mir den Rest** he let me off paying the rest; **ein Gesetz ~** enact a law

er•lau•ben [ɛɐ'laʊbən] *tr* (*gestatten*) allow, permit; **jdm ~ etw zu tun** allow s.o. to do s.th.; **wenn Sie ~** if you permit; **wenn ich mir ~ darf, meine Meinung zu sagen** if I may venture an opinion; **was ~ Sie sich!** how dare you!; **~ Sie mal!** well I must say!

Er•laub•nis *f* permission; **mit Ihrer ~** with your permission; **jdm die ~ geben etw zu tun** give s.o. permission to do s.th.; **jdn um ~ bitten** ask permission of s.o.

er•läu•tern [ɛɐ'lɔɪtɐn] *tr* explain; (*kommentieren*) comment on

Er•läu•te•rung *f* explanation; (*Kommentar*) comment

Er•le ['ɛrlə] <-, -n> *f* (BOT) alder

er•le•ben *tr* **1.** (*durchmachen*) experience **2.** (*lebend sehen*) live to see; **er hat zwei Kriege erlebt** he lived through two wars; **ich möchte mal ~, dass du ein Versprechen hältst** I'd like to see the day you keep a promise; **du kannst was ~!** you're going to be in for it! *fam;* **ich möchte mal was ~** I want to have a good time; **Sie werden (noch) Ihr blaues Wunder ~!** (*fig*) you'll get the shock of your life!

Er•leb•nis *n* experience; **ich hatte ein unangenehmes ~** I had a nasty experience; **Er•leb•nis•wert** *m* value as an experience

er•le•di•gen [ɛɐ'le:dɪgən] *tr* **1.** (*ausführen*) settle **2.** (*vernichten*) finish; (*fam: umbringen*) do in; **ich habe noch einiges zu ~** I still have a few things to see to; **er ist erledigt** he's done for; **er ist für mich erledigt** I'm finished with him

er•le•gen *tr* (*Wild*) shoot

er•leich•tern [ɛɐ'laɪçtɐn] *tr* **1.** (*leichter machen*) make easier **2.** (*fig: lindern*) relieve; **jds Lage ~** lighten someone's burden; **jdn um s-e Geldbörse ~** (*fam*) relieve someone of his purse; **es würde die Sache ~** it would facilitate matters

er•leich•tert *adj:* **~ sein** feel relieved

Er•leich•te•rung *f:* **jdm ~ verschaffen**

bring s.o. relief

er•lei•den *irr tr* suffer

er•ler•nen *tr* learn

er•le•sen *adj* exquisite, select

er•leuch•ten *tr* illuminate, light up

Er•leuch•tung *f* (*fig*) inspiration

er•lie•gen *irr itr sein* succumb to; **e-m Irrtum** ~ be the victim of an error

Er•lie•gen [ɛɐ'li:gən] *n:* **zum** ~ **kommen** come to a standstill

Er•lös [ɛɐ'lø:s] <-es, -e> *m* proceeds *pl*

er•lo•schen *adj* (*Vulkan, Spezies*) extinct

er•lö•schen *irr itr* **1.** *sein* (*Feuer: ausgehen*) go out **2.** (*fig*) die **3.** (*Versicherung*) become void

er•lö•sen *tr* **1.** (REL) redeem; (*von Qualen*) deliver **2.** (*bei Verkauf*) get

Er•lö•sung *f* **1.** (*von Qual*) release **2.** (REL) redemption

er•mäch•ti•gen [ɛɐ'mɛxtɪgən] *tr* authorize, empower; **ermächtigt sein etw zu tun** be empowered to do s.th.

er•mah•nen *tr* reprove (*wegen* for)

Er•mah•nung *f* admonition, rebuke

Er•man•ge•lung *f:* **in** ~ **eines Besseren** for want of anything better

er•mä•ßi•gen [ɛɐ'mɛ:sɪgən] *tr* reduce

Er•mä•ßi•gung *f* reduction

er•mat•tet *adj* exhausted

Er•mes•sen *n:* **das liegt in Ihrem** ~ that's within your discretion; **nach meinem** ~ in my estimation; **nach menschlichem** ~ as far as anyone can judge

er•mes•sen *irr tr* **1.** (*abwägen*) gauge **2.** (*begreifen*) realize

Er•mes•sens•fra•ge *f* matter of discretion

er•mit•teln [ɛɐ'mɪtəln] **I.** *tr* **1.** (*bestimmen*) determine; (*feststellen*) establish **2.** (*ausfindig machen*) trace; **jds Identität** ~ establish someone's identity **II.** *itr* (*polizeilich* ~) investigate; **gegen jdn** ~ investigate s.o.; **in e-m Fall** ~ investigate a case

Er•mitt•lung *f* (*polizeiliche* ~): **~en anstellen** make inquiries (*über* about); **Er•mitt•lungs•ver•fa•hren** *n* preliminary proceedings *pl*

er•mög•li•chen [ɛɐ'mø:klɪçən] *tr* facilitate, make possible; **es jdm** ~ **etw zu tun** make it possible for s.o. to do s.th.

er•mor•den *tr* murder

Er•mor•dung *f* murder

er•mü•den [ɛɐ'my:dən] *tr haben, sein* tire

er•mü•dend *adj* tiring

Er•mü•dung *f* fatigue, weariness

er•mun•tern [ɛɐ'mʊntɐn] *tr* **1.** (*aufmuntern*) cheer up **2.** (*ermutigen*) encourage

er•mu•ti•gen [ɛɐ'mu:tɪgən] *tr* encourage; **jdn** ~ **etw zu tun** encourage s.o. to do s.th.

er•näh•ren **I.** *tr* **1.** (*speisen*) feed **2.** (*erhalten*) maintain, support **II.** *refl* live (*von* on)

Er•näh•rung *f* **1.** (*Nahrung*) food, nourishment **2.** (*das Ernähren*) feeding; **Er•näh•rungs•ge•wohn•hei•ten** *fpl* dietary habits

er•nen•nen *irr tr* appoint; **jdn zu etw** ~ appoint s.o. s.th.; **er wurde zum Rektor ernannt** he was appointed headmaster

Er•nen•nung *f* appointment (*zum* as)

er•neu•er•bar *adj:* **~e Energiequellen** renewable energy resources

er•neu•ern [ɛɐ'nɔɪɐn] *tr* **1.** (MOT: *auswechseln*) replace **2.** (*fig: wiederherstellen*) renew; **s-e Bekanntschaft mit jdm** ~ renew one's acquaintance with s.o.; **jds Pass** ~ renew someone's passport

er•nied•ri•gen [ɛɐ'ni:drɪgən] *tr* (*demütigen*) humiliate; **~de Behandlung** humiliating treatment

Er•nie•dri•gungs•zei•chen *n* (MUS) flat

Ernst [ɛrnst] <-es> *m* **1.** (*ernster Wille*) seriousness **2.** (*ernsthafte Gesinnung*) earnestness; **im** ~ in earnest; **ganz im** ~ in all seriousness; **diesmal meine ich es im** ~ this time I'm serious; **das ist mein** ~ I'm serious about it; **das kann nicht dein** ~ **sein!** you can't be serious!; **wollen Sie das im ~?** do you seriously want to do that?; **ist das Ihr ~?** do you mean that seriously?

ernst *adj* **1.** (*ernsthaft*) earnest, serious **2.** (*bedrohlich*) serious; **er meint es** ~ **mit ihr** he is serious about her; **das meinst du doch nicht ~!** you can't be serious!; **es wird** ~ it's getting serious; **etw (jdn)** ~ **nehmen** take s.th. (s.o.) seriously

Ernst•fall *m* emergency; **im** ~ in case of emergency

ernst•haft *adj* earnest, serious

Ernst•haf•tig•keit *f s.* **Ernst**

ernst•lich *adv:* ~ **wütend werden** get really angry

Ern•te ['ɛrntə] <-, -n> *f* **1.** (*das Ernten, a. fig*) harvest **2.** (*Ertrag*) crop; **die** ~ **einbringen** bring the crops in; **Ern•te•dank•fest** *n* harvest festival

ern•ten ['ɛrntən] *tr itr* **1.** (*Getreide, Wein*) harvest, reap **2.** (*fig*) reap; **Undank** ~ (*fig*) get little thanks *pl;* **Kartoffeln** ~ dig potatoes; **Äpfel** ~ pick apples

er•nüch•tern [ɛɐ'nʏçtɐn] *tr* (*zur Vernunft bringen*) sober up

Er•nüch•te•rung *f* disillusionment

Er•o•be•rer [ɛɐ'o:bərɐ] <-s, -> *m* conqueror

er•o•bern [ɛɐ'o:bɐn] *tr* (*a. fig*) conquer; **sie eroberten die vom Feinde beherrschte Stadt** they captured the town from the enemy

Er•o•be•rung *f* (*a. Person*) conquest

er•öff•nen *tr* (*mit etw beginnen*) open; **e-e**

Ausstellung ~ open an exhibition; **ein Konto** ~ open an account; **der Arzt eröffnete ihm nicht, wie hoffnungslos sein Zustand war** the doctor did not reveal to him how hopeless his situation was

Er•öff•nung *f* **1.** (*Beginn*) opening **2.** (*Mitteilung*) disclosure

er•ör•tern [ɛɐ'œrtɐn] *tr* discuss; **ich möchte das nicht weiter** ~ I don't want to discuss it any further

Er•ör•te•rung *f* discussion; **das ist noch in der** ~ that is still under discussion

E•ro•si•on [ero'zjo:n] <-, -en> *f* erosion; **E•ro•si•ons•schutz** *m* erosion control [*o* prevention]

E•ro•tik [e'ro:tɪk] *f* eroticism

e•ro•tisch *adj* erotic

Er•pel ['ɛrpəl] <-s, -> *m* drake

er•picht [ɛɐ'pɪçt] *adj:* **auf etw** ~ **sein** be keen on s.th.

er•pres•sen *tr* **1.** (*unter Druck setzen*) blackmail **2.** (*abpressen*) extort (*von* from)

Er•pres•ser(in) *m(f)* blackmailer

Er•pres•ser•brief *m* **1.** blackmail letter **2.** (*Brief von Entführern*) ransom note

er•pres•se•risch *adj* blackmailing

Er•pres•sung *f* blackmail; **Er•pres•sungs•ver•such** *m* blackmail attempt

er•pro•ben *tr* test, try; **er•probt** *adj* (*bewährt*) proven

Er•pro•bung *f* test, trial

er•qui•cken [ɛɐ'kvɪkən] *tr* (*lit*) refresh

er•quick•lich *adj:* **nicht sehr** ~ not very pleasant

er•ra•ten *irr tr* guess; **wie hast du das bloß ~?** how did you guess?; **das wirst du nie ~!** you'll never guess!; **sie hat es fast** ~ her guess was nearly right

er•rech•nen *tr* calculate, work out

er•reg•bar [ɛɐ're:kba:ɐ] *adj* excitable; (*sexuell*) easily aroused; (*empfindlich*) sensitive

er•re•gen [ɛɐ're:gən] **I.** *tr* **1.** (*bewirken*) cause, create **2.** (*aufregen*) excite **3.** (*anregen*) arouse; **Aufsehen** ~ attract publicity; **Mitleid** ~ provoke pity; **jdn** ~ (*sexuell*) excite s.o.; **jds Verdacht** ~ arouse someone's suspicion **II.** *refl* get excited, get worked up (*über* about)

Er•re•ger *m* (MED) pathogene

Er•re•gung *f* (*Erregtheit*) agitation; (*Wut*) rage; (*sexuell*) arousal

er•reich•bar *adj:* **die Berge sind leicht** ~ the mountains are within easy reach; **nicht** ~ (*nicht zu erlangen*) unattainable; **telefonisch** ~ **sein** have a phone connection; **er ist nie** ~ he is never available; **Er•reich•bar•keit** *f* (*verkehrsgünstige Lage*) accessibility

er•rei•chen *tr* **1.** (*zustande bringen*) manage **2.** (*gelangen zu, ergreifen*) reach

er•ret•ten *tr* deliver (*aus, von* from)

er•rich•ten *tr* **1.** (*bauen*) erect **2.** (*gründen*) establish

Er•rich•tung *f* **1.** (*das Bauen*) erection **2.** (*Gründung*) establishment

er•rin•gen *irr tr* achieve, gain; **e-n Sieg** ~ win a victory

er•rö•ten [ɛɐ'rø:tən] *itr sein* blush (*vor* with); **er•rö•tend** *adj* with a blush

Er•run•gen•schaft [ɛɐ'rʊŋənʃaft] *f* **1.** (*Leistung*) achievement **2.** (*hum: Liebschaft*) acquisition

Er•satz [ɛɐ'zats] <-es> *m* replacement, substitute; **für jdn** ~ **finden** find a substitute for s.o.; **als** ~ as a substitute; **Er•satz•be•frie•di•gung** *f* (PSYCH) substitutive [*o* vicarious] satisfaction; **Er•satz•dienst** *m* alternative service; **Er•satz•lö•sung** *f* alternate solution; **Er•satz•kas•se** *f* private health insurance company; **Er•satz•mann** <-s, -leute> *m* (*allgemein*) replacement; (SPORT) substitute; **Er•satz•mi•ne** *f* refill; **Er•satz•rei•fen** *m* (MOT) spare tyre; **Er•satz•teil** *n* spare

er•sau•fen *irr itr sein* (*sl: ertrinken*) drown

er•säu•fen [ɛɐ'zɔɪfən] *tr* drown

er•schaf•fen *irr tr* create

Er•schaf•fung *f* creation

er•schal•len *irr itr* **1.** *sein* (*widerhallen*) resound **2.** (*ertönen*) sound; **im Korridor erschallten Schritte** feet sounded in the corridor; **er ließ s-e tiefe Bassstimme** ~ his deep bass voice rang out

er•schau•ern *itr sein* shiver (*vor* with); (*schaudern*) shudder

Er•schei•nen *n* **1.** appearance **2.** (*Publizierung*) publication

er•schei•nen *irr itr* **1.** *sein* (*publiziert werden*) be published, come out **2.** (*sichtbar werden*) appear; **vor Gericht** ~ appear in court

Er•schei•nung *f* **1.** (*Natur~*) phenomenon **2.** (*Geister~*) apparition; **äußere** ~ outward appearance; **in** ~ **treten** appear; **Er•schei•nungs•jahr** *n* year of publication; **Er•schei•nungs•ort** *m* place of publication; **Er•schei•nungs•ter•min** *m* publication date

er•schie•ßen **I.** *irr tr* shoot **II.** *refl* shoot o.s.

Er•schie•ßung *f* (MIL) shooting

er•schlaf•fen [ɛɐ'ʃlafən] **I.** *itr* **1.** *sein* (*Person*) go limp **2.** (*Seil etc*) flag, wane **II.** *tr haben* (*ermüden*) tire

er•schla•gen *irr tr* slay; **vom Blitz** ~ **werden** be struck by lightning

er•schla•gen *adj* (*fam: erschöpft*) deadbeat

er•schlei•chen *irr tr* obtain in an underhand way

er•schlie•ßen *irr tr* **1.** (*Rohstoffquellen etc*) tap **2.** (*Gelände, Markt*) develop, open up **3.** (*Einnahmequelle*) find, acquire

Er•schlie•ßungs•kos•ten *pl* development costs

er•schöp•fen *tr* exhaust; **das Klima erschöpft einen** the climate is exhausting; **meine Geduld ist erschöpft** I've run out of patience; **er•schöp•fend** *adj* **1.** (*ausführlich*) exhaustive **2.** (*ermüdend*) exhausting

Er•schöp•fung *f* exhaustion

er•schre•cken I. *itr sein* (*auffahren*) start **II.** *tr* frighten, startle; **jdn ~** startle s.o.; **ich stellte erschreckt fest, ...** I was startled to see ...

er•schro•cken *adj* startled

er•schüt•tern [ɛɐ'ʃʏtɐn] *tr* **1.** (*erzittern lassen*) shake **2.** (*fig: aus der Fassung bringen*) upset; (*fam*) shatter; **von etw erschüttert sein** be distressed about s.th.

Er•schüt•te•rung *f* **1.** (*Vibration*) vibration **2.** (*fig: Ergriffenheit*) shock

er•schwe•ren [ɛɐ'ʃve:rən] *tr* **1.** (*schwerer machen*) make more difficult **2.** (*verschlimmern*) aggravate; **~de Umstände** aggravating circumstances

er•schwing•lich [ɛɐ'ʃvɪŋlɪç] *adj* within one's means

er•se•hen *irr tr:* **wie aus meinem Bericht zu ~ ist** as will be gathered from my report; **soviel ich aus dem Bericht ersehe ...** as far as I can see from the report ...

er•seh•nen *tr* long for

er•set•zen *tr* replace; (*an jds Stelle treten a.*) take the place of; **du musst mir den Schaden ~** you've got to compensate me for the loss; **jds Auslagen ~** refund someone's expenses

er•sicht•lich [ɛɐ'zɪçtlɪç] *adj* obvious; **hieraus ist ~, dass ...** this shows that ...

er•spä•hen *tr* espy, spot

er•spa•ren *tr* save; **erspar dir die Mühe!** spare yourself the trouble!; **es erspart uns sehr viel Mühe, wenn wir ...** it'll save a lot of hard work if we ...; **mir blieben sehr viele Ausgaben erspart** I've been spared a lot of expense

Er•spar•nis *f* **1.** (*Einsparung*) saving (*an* of) **2. ~se** (FIN) savings

erst [e:ɐst] *adv* **1.** (*zuerst*) at first **2.** (*nicht eher, als*) not until; **~ einmal** in the first place; **~ hast du aber etw anderes gesagt** that's not what you said first; **~ gehe ich schwimmen** first of all I'm going for a swim; **ich muss das ~ fertigmachen** I must finish this first; **überlege ~, bevor du etw unterschreibst!** think first before you sign anything!; **ich habe ~ vor fünf Minuten davon gehört** I heard nothing of it until five minutes ago; **er kommt ~, wenn Sie ihn einladen** he won't come until you invite him; **sie fingen ~ an, als wir da waren** they didn't start until we came; **~ gestern** only yesterday; **~ vor kurzem** only a short time ago; **jetzt ~ recht!** that makes me all the more determined!; **das ist fürs E~e**RR **genug** that's enough to begin with

er•star•ren *itr* **1.** *sein* (*steif werden*) grow stiff, stiffen **2.** (*flüssige Masse: fest werden*) solidify **3.** (*unbeweglich werden*) ossify; **erstarrte Finger** numb fingers

Er•star•rung *f* (*Steifheit von Gliedern*) numbness, stiffness

er•stat•ten [ɛɐ'ʃtatən] *tr* (*Auslagen*) refund, reimburse; **diese Ausgaben werden erstattet** these expenses are refundable; **Er•stat•tung** *f* (*von Kosten*) refund, reimbursement

Erst•auf•füh•rung *f* (THEAT) first-night (performance)

Er•stau•nen <-s> *n* astonishment, amazement; **in ~ setzen** amaze; **ich höre mit ~, dass ...** I'm astonished to learn that ...; **zu meinem großen ~** much to my amazement

er•stau•nen I. *tr haben* amaze, astonish **II.** *itr sein* be astonished (*über* at); **nein, wirklich? da bin ich aber erstaunt!** no, really? you amaze me!

er•staun•lich *adj* amazing, astonishing

er•staun•li•cher•wei•se *adv:* **~ hat er es gleich beim ersten Mal richtig gemacht** amazingly, he got it right first time

Erst•aus•ga•be *f* first edition

ers•te *adj* (*m f n*) first; **er war der E~**RR**, der das gemacht hat** he was the first to do that; **wer ist der E~**RR**?** who's first?; **wann haben Sie ihn das ~ Mal getroffen?** when did you first meet him?; **sie kamen als E~**RR they were the first to come; **er war als E~r**RR **zu Hause** he was the first home; **das ist das ~**RR**, was ich höre** that's the first I've heard of; **in ~r Linie** first and foremost

er•ste•chen *irr tr* stab (to death)

Ers•te Hil•fe <-> *f* first aid; **Ers•te-Hil•fe-Kas•ten** *m* first-aid box

er•stei•gen *irr tr* climb

er•sti•cken [ɛɐ'ʃtɪkən] **I.** *tr haben* (*töten*) suffocate **II.** *itr sein* suffocate; choke; **sie erstickte an einer Fischgräte** she choked on a fishbone

Er•sti•ckung *f* suffocation

erst•klas•sig ['e:ɐstklasɪç] *adj* first- class [*o* -rate]

Erst•kom•mu•ni•on *f* first communion

Erst•la•ge•rung *f* (*von Atommüll*) initial

storage

Erst•lings•werk *n* first work

erst•ma•lig ['e:ɐstma:lɪç] *adj* first

erst•mals ['e:ɐstma:ls] *adv* for the first time

er•stre•ben *tr* strive after (*o* for), aspire to

er•stre•cken *refl* extend; (*räumlich a.*) reach (*bis* to, as far as), strech (*auf, über* over); (*zeitlich a.*) carry on, last (*auf, über* for)

Erst•schlag *m* (MIL: *nuklearer* ~) first strike

er•stür•men *tr* (MIL) storm

Er•su•chen <-s, -> *n* request; **auf ~ von ...** at the request of ...

er•su•chen *tr* request (*jdn um etw* s.th. of s.o.)

er•tap•pen *tr:* **jdn bei etw ~** catch s.o. at s.th.; **auf frischer Tat ertappt** caught in the act, caught red-handed

er•tei•len *tr* give; **e-e Erlaubnis ~** grant permission

er•tö•nen [ɛɐ'tø:nən] *itr sein* sound; **bei E~ des Signals ...** at the sounding of the signal ...

Er•trag [ɛɐ'tra:k, *pl:* ɛɐ'trɛ:gə] <-(e)s, ⸚e> *m* **1.** (*Gewinn*) proceeds *pl,* return **2.** (*von Boden*) yield

er•tra•gen *irr tr* bear, endure; **sie kann es nicht ~, wenn man über sie lacht** she can't bear being laughed at

er•träg•lich [ɛɐ'trɛ:klɪç] *adj* bearable, endurable; **wie geht es dir? – noch ganz ~** how are you getting on? – quite tolerably

er•trag•reich *adj:* **~er Boden** fertile soil; **~e Goldmine** productive goldmine

Er•trags•aus•fall *m* reduced yields *pl*

Er•trags•aus•schüt•tung *f* (FIN) dividend distribution

Er•trags•stei•ge•rung *f* increase of efficiency

er•trän•ken *tr* drown; **seine Sorgen im Alkohol ~** (*fig*) drown one's sorrows (in drink)

er•trin•ken *irr itr sein* drown

er•tüch•ti•gen [ɛɐ'tʏçtɪgən] *refl* keep fit

er•üb•ri•gen [ɛɐ'y:brɪgən] **I.** *tr* spare **II.** *refl* be unnecessary; **es erübrigt sich, zu sagen ...** it's superfluous to say ...

er•wa•chen *sein itr* awake, wake (up); **als er erwachte, war ein Einbrecher im Zimmer** he woke up to find a burglar in the room; **als sie erwachte, sangen die Vögel** she woke to the sounds of birds singing; **von etw ~** be woken up by s.th.

er•wach•sen[1] [ɛɐ'vaksən] *sein irr itr* (*fig*) arise, develop; **daraus werden Ihnen einige Kosten ~** some costs will accrue to you from this

er•wach•sen[2] *adj* adult, grown-up; **Er•wach•se•ne(r)** *f m* grown-up (person), adult; **Er•wach•se•nen•bil•dung** *f* adult education

er•wä•gen *irr tr* consider

Er•wä•gung *f:* **in ~ ziehen** take into consideration

er•wäh•nen [ɛɐ'vɛ:nən] *tr* mention; **er wurde mehrfach lobend erwähnt** he was mentioned in several dispatches

er•wär•men I. *tr* heat, warm **II.** *refl* heat up; **sich für etw ~** (*fig*) take to s.th.

er•war•ten *tr* **1.** (*annehmen*) expect **2.** (*entgegensehen*) await; **etw von jdm ~** expect s.th. from s.o.; **das war zu ~** that was to be expected; **ich weiß, was mich erwartet** I know what to expect; **das habe ich erwartet** I expected as much; **ich habe eigentlich erwartet, dass sie kommt** I was expecting her to come; **Sie ~ doch wohl nicht, dass ich dem zustimme?** you can't expect me to agree to that; **ich erwarte dich morgen** I'll be expecting you tomorrow; **der lang erwartete Tag[RR]** the long awaited day; **ich kann das Wochenende kaum noch ~** I can hardly wait for the weekend

Er•war•tung *f* expectation; **in ~ ...** in expectation of ...; **jds ~en entsprechen** come up to someone's expectations; **Er•war•tungs•druck** *m* pressure of expectation; **Er•war•tungs•hal•tung** *f* (PSYCH) anticipation

er•war•tungs•voll *adj* expectant

er•we•cken *tr* (*lit: aus dem Schlaf*) rouse; **Verdacht ~** raise suspicion; **Interesse ~** arouse interest

er•weh•ren *refl:* **sich jds ~** ward s.o. off

er•wei•chen [ɛɐ'vaɪçən] *tr* (*fig: milde stimmen*) move; **sich nicht ~ lassen** be unmoved

er•wei•sen I. *irr tr* **1.** (*beweisen*) prove **2.** (*zuteil werden lassen*) show; **jdm die letzte Ehre ~** pay one's last respects to s.o.; **das muss erst noch erwiesen werden** that remains to be proved **II.** *refl* prove o.s. (*als etw* as s.th.); **sich als unfähig ~** show o.s. to be incompetent; **sich als nützlich ~** prove useful

er•wei•ter•bar *adj* **1.** expandable **2.** (EDV) upgradeable

er•wei•tern [ɛɐ'vaɪtɐn] *tr* (*vergrößern*) enlarge; (*verbreitern*) widen; (*Geschäft etc*) expand; **erweiterte Ausgabe** enlarged edition; **s-n Horizont ~** (*fig*) broaden one's mind; **s-e Macht ~** extend one's power

Er•werb [ɛɐ'vɛrp] <-(e)s, -e> *m* (*Kauf*) purchase

er•wer•ben *irr tr* acquire; **erworbene Eigenschaften** acquired characteristics; **mehr Wissen ~** gain in knowledge

Er•werbs•ar•beit *f* waged work; **Er-**

werbs•be•völ•ke•rung *f* working population; **Er•werbs•fä•hi•ge** *m f* person able to work [*o* fit for work]; **Er•werbs•le•ben** *n* working life; **er•werbs•los** *adj* unemployed; **er•werbs•tä•tig** *adj* (gainfully) employed; **~e Bevölkerung** economically active population; **Er•werbs•tä•ti•ge(r)** *f m* gainfully employed person; **er•werbs•un•fä•hig** *adj* unable to work, incapacitated

Er•wer•bung *f* acquisition

er•wi•dern [ɛɐ'viːdɐn] *tr* **1.** (*antworten*) answer, reply **2.** (*vergelten*) return; **jds Liebe ~** return someone's love; **das Feuer ~** (MIL) return fire

Er•wi•de•rung *f* reply, retort

er•wie•se•ner•ma•ßen *adv* as has been proved

er•wir•ken *tr* obtain

er•wirt•schaf•ten *tr* earn through good management

er•wi•schen *tr* **1.** (*fangen*) catch **2.** (*zufällig bekommen*) get hold of; **sich ~ lassen** get caught; **jdn bei etw ~** catch s.o. at s.th.; **hab' ich dich erwischt!** aha, caught you!; **in flagranti erwischt** caught in the act

er•wo•gen *adj:* **wohl ~[RR]** carefully considered

er•wünscht *adj* desirable; **nicht ~e Person** persona non grata

er•wür•gen [ɛɐ'vʏrgən] *tr* strangle

Erz [eːɐts/ɛrts] <-es, -e> *n* ore

er•zäh•len *tr* tell; **jdm von etw ~** tell s.o. about [*o* of] s.th.; **ich erzählte meinem Freund, was geschehen war** I told my friend what had happened; **so hat man es mir jedenfalls erzählt** or so I've been told; **wem ~ Sie das!** (*fam*) you're telling me!; **na, dem werd' ich was ~!** (*fam*) I'll give him a piece of my mind!; **er•zäh•lend** *adj* narrative

Er•zäh•ler(in) *m(f)* narrator

Er•zäh•lung *f* story, tale

Erz•bi•schof *m* archbishop

Erz•bis•tum *n* archbishopric

Erz•en•gel *m* archangel

er•zeu•gen *tr* produce; **aus Kohle Energie ~** generate electricity from coal

Er•zeu•ger *m* (COM) manufacturer; **Erzeu•ger•ge•mein•schaft** *f* manufacturers' association

Er•zeug•nis *n* produce

Er•zeu•gung *f* (*allgemein*) generation; (*Produktion*) production

Erz•feind(in) *m(f)* arch-enemy

Erz•her•zog *m* archduke; **Erz•her•zo•gin** *f* archduchess

er•zieh•bar *adj:* **schwer ~[RR]** maladjusted

er•zie•hen *irr tr* **1.** (*aufziehen*) bring up **2.** (*ausbilden*) educate; **jdn dazu ~ etw zu tun** bring s.o. up to do s.th.

Er•zie•her(in) *m(f)* **1.** (*Hauslehrer(in)*) (private) tutor **2.** (*Internats~*) educator

er•zie•he•risch *adj* educational

Er•zie•hung *f* **1.** (*Erziehungszeit*) upbringing **2.** (*Bildung*) education; **Er•zie•hungs•be•rech•tig•te(r)** *f m* parent; guardian; **Er•zie•hungs•geld** *n* subsidy for parents; **Er•zie•hungs•ur•laub** *m* *paid leave for working parents of a newlyborn baby;* **Er•zie•hungs•we•sen** *n* educational system; **Er•zie•hungs•wis•sen•schaft** *f* educational science; **Er•zie•hungs•wis•sen•schaft•ler(in)** *m(f)* educationalist

er•zie•len *tr* (*erreichen*) reach; **e-n Erfolg ~** achieve a success; **ein Ergebnis ~** obtain a result; **ein Tor ~** score a goal

Erz•la•ger *n* ore deposit

Erz•schiff *n* ore carrier

er•zür•nen [ɛɐ'tsʏrnən] **I.** *tr* anger **II.** *refl* grow angry (*über* about)

er•zwin•gen *irr tr* force; **etw von jdm ~** force s.th. from s.o.; **ein Geständnis von jdm ~** force a confession out of s.o.

Es [ɛs] <-, -> *n* (MUS) E flat

es [ɛs] *pron* it; **~ gibt viele Leute, die ...** there are a lot of people who ...; **~ ist kalt** it's cold; **~ klopft** there's a knock (at the door); **~ meldete sich niemand** nobody replied; **~ sei denn, dass ...** unless ...; **~ wurde gesagt, dass ...** it was said that ...; **ich bin's** it's me; **ich hab's** I've got it; **wer ist ~?** who is it?

E•sche ['ɛʃə] <-, -n> *f* (BOT) ash

E•sel ['eːzəl] <-s, -> *m* donkey; **alter ~!** you're an ass!

E•se•lin *f* she-ass

E•sels•brü•cke *f* mnemonic; **jdm e-e ~ bauen** give s.o. a hint

E•sels•ohr *n* (*fig*) dog-ear

es•ka•lie•ren [ɛska'liːrən] *tr* escalate

Es•ka•pa•de [ɛska'paːdə] <-, -n> *f* escapade

Es•ki•mo ['ɛskimo] <-s, -s> *m* Eskimo

Es•kor•te [ɛs'kɔrtə] <-, -n> *f* escort

es•kor•tie•ren *tr* escort

Es•pe ['ɛspe] <-, -> *f* (BOT) aspen; **Es•pen•laub** *n:* **zittern wie ~** tremble like a leaf

Es•pres•so•ma•schi•ne *f* espresso machine

ess•bar[RR] ['ɛsbaːɐ] *adj* eatable, edible; (*Pilz*) edible

Ess•be•steck[RR] *n* cutlery (knife, fork and spoon)

Es•sen <-s, -> *n* **1.** (*Kost, Verpflegung*) food **2.** (*Mahlzeit*) meal; **komm zum ~!** come round for a meal!; **warmes ~** hot meal; **Sie sollten während des ~s nicht**

rauchen you shouldn't smoke at meal times; **ich lade dich zum ~ ein** I'll invite you for a meal

es•sen ['ɛsən] *irr tr itr* eat; **ich hab' schon ewig nichts mehr gegessen!** I haven't eaten for ages!; **ich hab' seit zwei Tagen nichts Richtiges mehr gegessen** I haven't had a proper meal for two days; **die Sache ist gegessen** (*fig fam*) that's history; **in dem Lokal kann man gut ~** that's a good restaurant; **sich (ordentlich) satt ~** eat one's fill; **~ Sie gern Rosenkohl?** do you like Brussels sprouts?; **~ gehen** eat out

Es•sens•mar•ke *f* meal voucher

Es•senz [ɛ'sɛnts] *f* essence

Es•ser(in) ['ɛsɐ] *m(f)* eater; **ein guter (schlechter) ~ sein** be a good (poor) eater

Ess•ge•schirr[RR] *n* **1.** (*im Haus*) dinner-service **2.** (MIL) mess kit

Es•sig ['ɛsɪç] <-s, (-e)> *m* vinegar; **damit ist's ~!** (*fam*) it's all off!; **Es•sig•baum** *m* stag's horn sumac; **Es•sig•gur•ke** *f* pickled gherkin

Es•sig•säu•re *f* (CHEM) acetic acid

Ess•kas•ta•nie[RR] *f* sweet chestnut

Ess•löf•fel[RR] *m* soup [*o* dessert] spoon; **ein ~ voll** a tablespoonful; **ess•löf•fel•wei•se**[RR] *adj* by the spoonful; **Ess•stäb•chen**[RR] *npl* chopsticks; **Ess•stö•run•gen**[RR] *fpl* eating disorders; **Ess•tisch**[RR] *m* dining table; **Ess•wa•ren**[RR] *pl* food *sing,* provisions; **Ess•zim•mer**[RR] *n* dining-room

E•ste ['e:stə] <-n, -n> *m,* **E•stin** *f* Estonian; **Est•land** *n* Estonia; **est•nisch** *adj* Estonian

E•stra•gon ['ɛstragɔn] <-> *m* (BOT) tarragon

Es•trich <-s, -e> *m* (*CH: Dachboden*) attic

e•ta•blie•ren [eta'bli:rən] *tr* establish

e•ta•bliert *adj* established

E•ta•ge [e'ta:ʒə] <-, -n> *f* floor; **er wohnt auf der 3. ~** he lives on the 3rd floor; **E•ta•gen•bad** *n* (*im Hotel*) shared bath; **E•ta•gen•du•sche** *f* (*im Hotel*) shared shower; **E•ta•gen•kell•ner(in)** *m(f)* waiter (waitress) on room-service; **E•ta•gen•woh•nung** *f* flat (occupying an entire floor)

E•tap•pe [e'tapə] <-, -n> *f* **1.** (*Teilstrecke*) stage **2.** (MIL) communications zone

E•tat [e'ta:] <-s, -s> *m* (FIN) budget

e•te•pe•te•te ['e:təpə'te:tə] *adj* (*fam*): **sie ist sehr ~** she's very finicky

E•ter•nit® [etɛr'ni:t] <-s> *n* asbestos cement

E•thik ['e:tɪk] *f* ethics *pl*

e•thisch *adj* ethical

Eth•no•gra•phie [ɛtnogra'fi:] *f,* **Eth•no•gra•fie**[RR] *f* ethnography

Eth•no•lo•gie [ɛtnolo'gi:] *f* ethnology

E•ti•kett [eti'kɛt] <-(e)s, -e/-s> *n* label

E•ti•ket•te [eti'kɛtə] <-> *f* etiquette; **gegen die ~ verstoßen** offend against etiquette

e•ti•ket•tie•ren *tr* label

et•li•che ['ɛtlɪçə] *pron* quite a few; **es hat sich ~s geändert** things have changed a lot

E•tui [ɛ'tvi:] <-s, -s> *n* case

et•wa ['ɛtva] *adv* (*ungefähr*) about, approximately; **soll das ~ heißen, dass ...?** is that supposed to mean that ...?; **es ist ~ so groß** it's about this size; **es ist ~ so** it's more or less like this; **wann ~?** roughly when?; **sind Sie ~ nicht einverstanden?** do you mean to say that you don't agree?

et•wa•ig *adj* possible; **~e Einwände ...** any objections ...

et•was ['ɛtvas] *pron* **1.** (*substantivisch*) something; (*Frage: verneint*) anything **2.** (*adjektivisch*) some; **das ist immerhin ~** well, that's something; **das gewisse E~** that certain something; **~ mehr als 200** something over 200; **hast du heute abend schon ~ vor?** are you doing anything tonight?; **kaum ~** hardly anything; **noch ~ Tee?** some more tea?; **lass mir ~ Kuchen übrig!** leave some cake for me!

E•ty•mo•lo•gie *f* etymology; **e•ty•mo•lo•gisch** *adj* etymological

EU [e:'u:] <-> *f Abk. von* **Europäische Union** (COM) EU, European Union

EU-Be•hör•de *f* EU institution

euch [ɔɪç] *pron* you; **es liegt an ~** it's up to you; **setzt ~!** sit down!; **wascht ~!** wash yourselves!

euer, eure ['ɔɪɐ, 'ɔɪrə] *pron* your; **sind das eure?** are these yours?

Eu•ka•lyp•tus [ɔɪka'lyptʊs] <-> *m* eucalyptus

EU-Kom•mis•sar(in) *m(f)* (COM) EU Commissioner

EU-Kom•mis•si•on *f* (COM) EU Commission

Eu•le ['ɔɪlə] <-, -n> *f* owl; **~n nach Athen tragen** (*prov*) carry coals to Newcastle

EU-Mi•nis•ter•rat *m* EU Council of Ministers; **EU-Mit•glieds•land** *n* EU member state; **EU-Norm** *f* EU standard

Eu•nuch [ɔɪ'nu:x] <-en, -en> *m* eunuch

eu•phe•mis•tisch [ɔɪfe'mɪstɪʃ] *adj* euphemistic

Eu•pho•rie [ɔɪfo'ri:] <-> *f* euphoria

eu•pho•risch *adj* euphoric

eu•pho•ri•sie•ren *tr* enthuse

eu•rer•seits *pron* on your part, for your part

eu•res•glei•chen ['-'--] *pron* the likes of you

eu•ret•we•gen ['ɔɪrətve:gən] *adv* because of you

eu•ret•wil•len ['ɔɪrətvɪlən] *adv:* **um** ~ for your sake
eu•ri•ge ['ɔɪrɪgə] *pron* yours; **tut ihr das** E~ (you) do your bit
Eu•ro•Ci•ty-Zug *m* European Inter-City Train
Eu•ro•pa [ɔɪ'ro:pa] <-s> *n* Europe; **Eu•ro•pa•cup** *m* European cup; **Eu•ro•pä•er(in)** [ɔɪro'pɛ:ɐ] <-s, -> *m(f)* European; **eu•ro•pä•isch** *adj* European; ~**e Artikelnummer** (*Warenauszeichnung*) European Article Number; ~**es Sicherheitssystem** (MIL) European security system; ~**es Währungssystem, EWS** European Monetary System, EMS; **E~e Gemeinschaft** (HIST) European Community, Common Market
Eu•ro•pa•meis•ter(in) *m(f)* European champion; **Eu•ro•pa•par•la•ment** *m* European Parliament; **Eu•ro•pa•pass**RR *m* European passport; **Eu•ro•pa•po•kal** *m* (SPORT) European cup; **Eu•ro•pa•rat** *m* Council of Europe; **Eu•ro•pa•wah•len** *fpl* European elections
Eu•ro•scheck *m* Eurocheque; **Eu•ro•scheck•kar•te** *f* Eurocheque card
EU-Staat *m* EU country
Eu•ter ['ɔɪtɐ] <-s, -> *n* udder
e•va•ku•ie•ren [evaku'i:rən] *tr* evacuate
E•va•ku•ie•rung *f* evacuation
e•van•ge•lisch [evaŋ'ge:lɪʃ] *adj* Protestant
E•van•ge•li•um [evaŋ'ge:liʊm] *n* gospel
e•ven•tu•ell [evɛntu'ɛl] **I.** *adj* (*etwaig*) possible **II.** *adv* if the occasion arises; (*nötigenfalls*) if need be; (*vielleicht*) perhaps, possibly; **ich komme ~ ein bisschen später** I might come a little later
E•vo•lu•ti•on [evolu'tsjo:n] <-> *f* evolution
e•wig ['e:vɪç] *adj* (REL PHILOS) eternal; **das dauert ja ~!** (*fig*) it goes on forever!; **ich mag diese ~en Diskussionen nicht** I don't like these never-ending discussions
E•wig•keit *f* (REL) eternity; **ich habe ihn eine ~ nicht mehr gesehen** (*fig*) I haven't seen him for ages *pl;* **das dauert ja eine ~!** (*fig*) it's taking ages!
EWS [e:ve:e's] <-> *n Abk. von* **Europäisches Währungssystem** EMS
EWU [e:ve:u:] <-> *f Abk. von* **Europäische Währungsunion** EMU
ex•akt [ɛ'ksakt] *adj* exact; ~ **arbeiten** work accurately
Ex•amen [ɛ'ksa:mən, *pl:* ɛ'ksa:mina] <-s, -/-mina> *n* examination; (*fam*) exam; ~ **machen** take one's exams *pl*
E•xe•ku•ti•on [ɛkseku'tsjo:n] *f* execution
E•xe•ku•ti•ons•kom•man•do *n* firing squad
E•x•em•pel [ɛ'ksɛmpəl] <-s, -> *n* example; **die Probe aufs ~ machen** put it to the test; **ein ~ an jdm statuieren** make an example of s.o.
E•x•em•plar [ɛksɛm'pla:ɐ] <-s, -e> *n* **1.** (*Buch*) copy **2.** (*Muster*) sample **3.** (*Pflanze*) specimen
e•x•em•pla•risch *adj* exemplary; **jdn ~ bestrafen** punish s.o. as an example
e•x•er•zie•ren [ɛksɛr'tsi:rən] *itr* drill
E•x•er•zier•platz *m* parade ground
ex•hu•mie•ren [ɛkshu'mi:rən] *tr* exhume
E•xil [ɛ'ksi:l] <-s, -e> *n* exile; **ins ~ gehen** go into exile
e•xis•ten•ti•ell *adj* existential
E•xis•tenz [ɛksɪs'tɛnts] *f* (*Dasein*) existence; **sich e-e ~ aufbauen** make a life for o.s.; **glauben Sie an die ~ von Engeln?** do you believe in the existence of angels?; **E•xis•tenz•angst** *f* existential fear, angst; **E•xis•tenz•be•rech•ti•gung** *f* right to exist; **E•xis•tenz•grund•la•ge** *f* basis of one's livelihood; **E•xis•tenz•grün•der** *m* founder of a new business; **E•xis•tenz•grün•dung** *f* establishing one's livelihood; **E•xis•tenz•mi•ni•mum** *n* subsistence level; **mein Gehalt liegt unter dem ~** my salary is not enough to live on
e•xis•tie•ren *itr* **1.** (*bestehen*) exist **2.** (*leben können*) live, subsist (*von* on)
ex•klu•siv [ɛksklu'zi:f] *adj* exclusive
Ex•klu•siv•recht *n* exclusive rights *pl*
Ex•kre•men•te [ɛkskre'mɛntə] *pl* faeces, fecales
Ex•kur•si•on [ɛkskʊr'zjo:n] <-, -en> *f* excursion
ex•ma•tri•ku•lie•ren **I.** *refl* withdraw from the university register **II.** *tr* take off the university register
e•xo•tisch [ɛ'kso:tɪʃ] *adj* exotic
Ex•pan•si•on [ɛkspan'zjo:n] <-, -en> *f* expansion
Ex•pe•di•ti•on [ɛkspedi'tsjo:n] *f* expedition; **auf e-e ~ gehen** go on an expedition
Ex•pe•ri•ment [ɛksperi'mɛnt] <-(e)s, -e> *n* experiment; **ein ~ machen** do an experiment
ex•pe•ri•men•ti•eren *itr* experiment
Ex•per•te [ɛks'pɛrtə] <-n, -n> *m*, **Ex•per•tin** *f* expert (*für* in); **Ex•per•ten•sys•tem** *m* (EDV) expert system
ex•pli•zit [ɛkspli'tsi:t] *adj* explicit
ex•plo•die•ren [ɛksplo'di:rən] *itr sein* explode
Ex•plo•si•on *f* explosion; **etw zur ~ bringen** detonate s.th.; **ex•plo•si•ons•ar•tig** *adj* explosive; **Ex•plo•si•ons•ge•fahr** *f* danger of explosion
ex•plo•siv [ɛksplo'zi:f] *adj* explosive
ex•po•nie•ren [ɛkspo'ni:rən] *refl* take a prominent stance; **exponierte Lage** promi-

nent position

Ex•port [ɛks'pɔrt] <-(e)s, -e> *m* export

Ex•port•ar•ti•kel *m* export; **Ex•por•teur** [ɛkspɔr'tøːɐ] <-s, -e> *m* exporter; **Ex•port•ge•neh•mi•gung** *f* (COM) ..: export authorisation; **ex•por•tie•ren** *tr* export; **Ex•port•schla•ger** *m* (COM) ..: export hit; **Ex•port•ver•bot** *n* (COM) ..: export ban, ban on exports

Ex•press[RR] [ɛks'prɛs] *adv* (*Postsendung*) by express

Ex•press•gut•ab•fer•ti•gung[RR] *f* (RAIL) express goods office

Ex•pres•sio•nis•mus [---'-] *m* expressionism

ex•pres•sio•nis•tisch *adj* expressionist

ex•pres•siv [ɛksprɛ'siːf] *adj* expressive

Ex•press•stra•ße *f* (*CH: Schnellstraße*) expressway

ex•tern [ɛks'tɛrn] *adj* external

ex•tra ['ɛkstra] **I.** *adv:* **das hast du ~ getan!** you did that on purpose!; **jetzt tu ich's ~!** just for that I'll do it!; **diese Frage wird ~ diskutiert** there will be separate discussions on this question **II.** *adj:* **ein ~ Blatt Papier** a separate sheet of paper

Ex•tra•aus•stat•tung *f* (MOT) special fittings *pl;* **Ex•tra•blatt** *n* special edition; **ex•tra•fein** *adj* superfine

ex•tra•kor•po•ral *adj* (MED) extracorporal; **~e Befruchtung** artificial insemination

Ex•trakt [ɛks'trakt] <-(e)s, -e> *m* extract

ex•tra•u•te•rin *adj* (MED) extra-uterine; **~e Befruchtung** artificial insemination

ex•tra•va•gant [ɛkstrava'gant] *adj* extravagant

Ex•tra•wurst *f* (*fig*): **er muss immer e-e ~ gebraten haben** he always has to have s.th. special

Ex•trem <-s, -e> *n* extreme; **von e-m ~ ins andere fallen** go from one extreme to the other

ex•trem [ɛks'treːm] *adj* extreme; **die ~e Linke** (POL) the extreme left

Ex•tre•mist(in) *m(f)* extremist

Ex•tre•mi•tä•ten *fpl* (ANAT) extremities

Ex•trem•wert *m* extreme value

ex•tro•ver•tiert ['ɛkstrovɛrtiːɐt] *adj* (PSYCH) extrovert

ex•zel•lent [ɛkstsɛ'lɛnt] *adj* excellent

Ex•zel•lenz [ɛkstsɛ'lɛnts] *f* Excellency

ex•zen•trisch [ɛks'tsɛntrɪʃ] *adj* eccentric

Ex•zess[RR] [ɛks'tsɛs] <-es, -e> *m* excess; **bis zum ~** to excess

ex•zes•siv [--'-] *adj* excessive

F

F, f [ɛf] <-, -> *n* F, f; **F-Schlüs•sel** *m* (MUS) F clef

Fa•bel ['fa:bəl] <-, -n> *f* **1.** (*Tier~*) fable **2.** (*fam: Erdichtung, unglaubliche Geschichte*) fantastic story; **fa•bel•haft** *adj* **1.** (*unglaublich*) incredible **2.** (*wunderbar*) fabulous **3.** (*großartig, hervorragend*) splendid; **Fa•bel•tier** *n,* **Fa•bel•we•sen** *n* mythical creature

Fa•b•rik [fa'bri:k] <-, -en> *f* factory; (*Werk*) works *pl;* (*Anlage, Anwesen*) establishment, plant; **Fa•b•ri•kant(in)** [fabri'kant] <-en, -en> *m(f)* **1.** (*Besitzer*) factory-owner **2.** (*Erzeuger*) manufacturer; (*Hersteller*) maker; **Fa•b•rik•ar•bei•ter(in)** *m(f)* factory worker; **Fa•b•ri•kat** <-(e)s, -e> *n* **1.** (*Marke, Fertigung*) brand, make **2.** (*Erzeugnis*) article, product; **Fa•b•ri•ka•ti•on** *f* manufacture, manufacturing, production; **Fa•b•ri•ka•ti•ons•feh•ler** *m* manufacturing fault; **Fa•b•rik•be•sit•zer(in)** *m(f)* factory-owner; **Fa•b•rik•ge•län•de** *n* factory premises *pl;* **fa•b•rik•neu** *adj* brand-new; **Fa•b•rik•schorn•stein** *m* smoke stack; **Fa•b•rik•still•le•gung**[RR] *f* closing down (of a factory), industrial dereliction

fa•b•ri•zie•ren [fabri'tsi:rən] *tr* manufacture; (*herstellen*) make; (*produzieren*) produce

fa•bu•lie•ren [fabu'li:rən] *itr* romance

Fach [fax, *pl:* 'fɛçɐ] <-(e)s, ⸚er> *n* **1.** (*Abteil*) compartment, division; (*Schub~*) drawer; (*Ablage~*) filing cabinet; (*Schrankabteil*) partition **2.** (*fig: Zweig*) branch, business, line; (*Arbeitsgebiet*) province **3.** (*Unterrichts~*) subject; **ein Mann (eine Frau) vom** ~ an expert; **das schlägt nicht in mein** ~ that is not in my line; **er versteht sein** ~ he knows his business

Fach•ar•bei•ter(in) *m(f)* skilled worker; **Fach•arzt, -ärz•tin** *m, f* specialist (*für* in); ~ **für innere Medizin** specialist for internal medicine; **Fach•aus•druck** *m* technical term; **Fach•buch** *n* specialist book [*o* publication]; **Fach•dis•zi•plin** *f* specialist discipline

fä•cheln ['fɛçəln] *itr* fan

Fä•cher ['fɛçɐ] <-s, -> *m* fan

Fach•frau *f* expert; **Fach•ge•biet** *n* (special) field (of work); **Fach•ge•schäft** *n* specialist shop *Br,* specialist store *Am;* **Fach•händ•ler** *m* specialist retailer; **Fach•hoch•schu•le** *f* college, polytechnic; **Fach•i•di•ot** *m* (*fam*) one-track specialist; **Fach•kennt•nis•se** *pl* special knowledge *sing*

fach•kun•dig *adj* competent, expert

fach•lich *adj* **1.** technical **2.** (*beruflich*) professional

Fach•li•te•ra•tur *f* technical literature; **Fach•mann** <-s, -leute/(-männer)> *m* expert, specialist; **fach•män•nisch** *adj* expert; **Fach•maß•nah•men** *fpl* specific measures; **Fach•mes•se** *f* trade fair; **Fach•pres•se** *f* trade press; **Fach•schu•le** *f* technical college; **fach•sim•peln** ['-zɪmpəln] *itr* (*fam*) talk shop; **Fach•spra•che** *f* technical language; **Fach•text** *m* specialist [*o* technical] text; **Fach•werk** *n* half-timbering; **Fach•werk•haus** *n* half-timbered house; **Fach•welt** *f* experts *pl;* **Fach•wis•sen** *n* expertise; **Fach•wort** *m* technical term; **Fach•wör•ter•buch** *n* specialist dictionary; **Fach•zeit•schrift** *f* (*technisch*) technical journal; (*naturwissenschaftlich*) scientific journal; (*Branchen~*) trade journal

Fa•ckel ['fakəl] <-, -n> *f* torch

fa•ckeln *itr* (*fam*): **da wird nicht lange gefackelt!** there won't be any dilly-dallying!

fa•de ['fa:də] *adj* **1.** stale, tasteless **2.** (*abgeschmackt*) insipid; (*langweilig*) dull, flat

Fa•den ['fa:dən, *pl:* 'fɛ:dən] <-s, ⸚> *m* **1.** thread; (*an Marionetten*) string **2.** (*Maß*) fathom; **ihr Schicksal hängt an e-m dünnen** ~ (*fig*) her fate hangs by a thread; **der rote** ~ (*fig*) the main idea; **alle** ⸚ **in der Hand halten** (*fig*) hold the reins; **den** ~ **verlieren** (*fig*) lose the thread

Fa•den•nu•deln *fpl* vermicelli

fa•den•schei•nig *adj* **1.** (*a. fig*) threadbare, flimsy **2.** (*schäbig*) shabby

Fad•heit *f* **1.** (*Abgeschmacktheit*) insipidity **2.** (*Langweiligkeit*) dullness

Fa•gott [fa'gɔt] <-(e)s, -e> *n* (MUS) bassoon

fä•hig ['fɛ:ɪç] *adj* able, capable; (*qualifiziert*) fit, qualified; **er ist zu allem** ~ he is capable of anything; **e-n ~en Kopf haben** have a (clever) mind

Fä•hig•keit *f* ability, capability

fahl [fa:l] *adj* fallow; (*matt*) faded; (*bleich*) livid, pale

fahn•den ['fa:ndən] *itr* search (*nach* for)
Fahn•dung *f* search (*nach* for); **Fahn•dungs•lis•te** *f* list of wanted criminals, wanted list
Fah•ne ['fa:nə] <-, -n> *f* **1.** flag **2.** (TYP) galley (proof) **3.** (*fam*): **e-e ~ haben** (*fig fam*) reek of the bottle; **mit fliegenden ~n untergehen** (*fig*) go down with all flags flying; **die ~ hochhalten** (*fig*) keep the flag flying
Fah•nen•ab•zug *m* (TYP) galley-proof; **Fah•nen•eid** *m* oath of allegiance; **Fah•nen•flucht** *f* (MIL: *a. fig*) desertion; **fah•nen•flüch•tig** *adj* (MIL: *a. fig*): **~ sein** have deserted; **~ werden** desert; **Fah•nen•stan•ge** *f* flagpole; **Fah•nen•trä•ger(in)** *m(f)* standard-bearer
Fähn•rich ['fɛ:nrɪç] <-s, -e> *m* (MIL) sergeant
Fahr•aus•weis *m* ticket; **Fahr•bahn** *f* lane; **Fahr•bahn•ver•en•gung** *f* lane closures *pl;* (*auf Schildern*) road narrows; **fahr•bar** *adj* (*beweglich*) mobile; **~er Untersatz** (*fam*) wheels *pl;* **Fahr•bi•blio•thek** *f* mobile library; **Fahr•dienst•lei•ter(in)** *m(f)* (RAIL) assistant station-master *Br,* station agent *Am*
Fäh•re ['fɛ:rə] <-, -n> *f* ferry
fah•ren ['fa:rən] **I.** *irr itr* **1.** *sein* (*mit e-m Fahrzeug*) go; (*im Wagen, auf dem Rad*) drive, ride; (*mit e-m Schiff*) sail **2.** (*von Fahrzeugen*) run **II.** *tr* **1.** *haben* (*e-n Wagen lenken*) drive; (*Boot*) row; (*Schiff*) sail (*nach* for) **2.** (*befördern*) convey; (*Steine*) cart; **er kann Auto** (**Motorrad**) **~** he knows how to drive a car (ride a motorcycle); **wollen wir ~ oder zu Fuß gehen?** shall we go by car or walk?; **was ist in sie gefahren?** (*fig*) what's got into her?; **per Anhalter ~** hitch(hike); **~ über** (*Fluss etc*) cross; **etw ~ lassen**[RR] (*aufgeben*) abandon, give up, let go; **rechts ~!** keep right!; **um die Ecke ~** turn the corner; **der Gedanke fuhr mir durch den Kopf** the thought flashed through my mind; **sich mit der Hand über das Gesicht ~** pass one's hand over one's face; **in die Höhe ~** (*aufschrecken*) start (up); (**nicht**) **schlecht bei etw ~** (*fig*) (not) to come off badly with; **Sie ~ besser, wenn ...** (*fig*) you would do better if ...; **fah•rend** *adj* itinerant; **~er Sänger** (HIST) itinerant minstrel
Fah•rer(in) *m(f)* driver; **Fah•rer•flucht** *f* hit-and-run
Fahr•er•laub•nis *f* driver's permit, driving licence *Br,* driver's license *Am;* **jdm die ~ entziehen** revoke someone's driving licence
Fahr•gast *m* passenger; **Fahr•geld** *n* fare; **Fahr•ge•le•gen•heit** *f* conveyance; (*für Anhalter*) lift; **Fahr•ge•mein•schaft** *f* driving pool, car pool *Am;* **Fahr•ge•stell** *n* **1.** (MOT) chassis; (AERO) undercarriage *Br,* landing gear *Am* **2.** (*fam: Beine*) legs *pl*
fah•rig ['fa:rɪç] *adj* fidgety
Fahr•kar•te *f* (RAIL) ticket; **einfache ~** single ticket *Br,* one-way ticket *Am;* **Fahr•kar•ten•au•to•mat** *m* (automatic) ticket (vending) machine; **Fahr•kar•ten•schal•ter** *m* ticket office; **Fahr•kom•fort** *m* (MOT) motoring comfort
fahr•läs•sig ['fa:ɐlɛsɪç] *adj* (JUR) negligent; **~e Körperverletzung** physical injury caused by negligence; **~e Tötung** manslaughter through culpable negligence
Fahr•läs•sig•keit *f* (JUR) negligence; **grobe ~** culpable negligence
Fahr•leh•rer *m* driving instructor
Fähr•li•nie *f* ferry line; **Fähr•mann** <-s, -männer/-leute> *m* ferryman
Fahr•plan *m* (RAIL) time-table *Br,* (railroad) schedule *Am*
fahr•plan•mä•ßig *adj* scheduled; **~ ankommen** arrive on schedule; **alles verlief ~** (*fig*) everything went according to schedule
Fahr•pra•xis *f* driving experience; **Fahr•preis** *m* fare; **Fahr•preis•er•mä•ßi•gung** *f* fare reduction; **Fahr•prü•fung** *f* (MOT) driving test
Fahr•rad *n* bicycle, cycle; (*fam*) bike; **Fahr•rad•com•pu•ter** *m* bicycle computer; **Fahr•rad•ku•rier** *m* bicycle courier; **Fahr•rad•stän•der** *m* bicycle stand; **Fahr•rad•weg** *m* cyclepath
Fahr•rin•ne *f* (MAR) shipping channel; **Fahr•schein** *m* ticket; **Fahr•schein•au•to•mat** *m* ticket machine; **Fahr•schu•le** *f* driving school; **Fahr•schü•ler(in)** *m(f)* learner (driver); **Fahr•spur** *f* lane; **Fahr•spur•mar•kie•rung** *f* lane marking; **Fahr•stuhl** *m* lift *Br,* elevator *Am;* **Fahr•stuhl•füh•rer** *m* lift-boy *Br,* elevator boy *Am*
Fahrt [fa:ɐt] <-, -en> *f* **1.** (*im Wagen*) drive, ride **2.** (*Reise*) journey, trip; (MAR: *See~*) voyage; (*Über~*) passage; (*Kreuz~*) cruise **3.** (*~geschwindigkeit*) speed; **in voller ~** (at) full speed; **~ verlieren** (*Schiff, Flugzeug*) lose headway; **~ aufnehmen** pick up speed; **in ~ kommen** (*fig*) get into one's stride
Fähr•te ['fɛ:ɐtə] <-, -n> *f* track, trail; **auf falscher ~** on the wrong track
Fahr•ten•buch *n* (MOT) driver's log; **Fahr•ten•schrei•ber** *m* (MOT) tachograph; **Fahrt•kos•ten** *pl* travelling expenses *pl;* **Fahrt•rich•tung** *f* direction; **in ~ sitzen** sit facing the engine; **Fahrt•rich•tungs•an•zei•ger** *m* **1.** (MOT) indicator **2.** (RAIL) destination board

fahr•tüch•tig *adj* **1.** (*Kfz*) roadworthy **2.** (*Fahrer*) fit to drive

Fahr•tüch•tig•keit *f* **1.** (*Kfz*) roadworthiness **2.** (*Fahrer*) fitness to drive

Fahrt•un•ter•bre•chung *f* break in the journey

Fahrt•wind *m* air stream, head wind

fahr•un•tüch•tig *adj* unfit to drive

Fahr•ver•bot *n* suspension of someone's driving licence *Br*; suspension of someone's driver's license *Am*; **jdm (ein) ~ erteilen** suspend someone's driving licence; **Fahr•ver•hal•ten** *n* **1.** (*von Kfz*) road performance **2.** (*von Fahrer*) driving behaviour; **Fahr•was•ser** *n* **1.** (MAR) fairway **2.** (*fig*): **im richtigen ~ sein** be in one's element; **Fahr•werk** *n* (*von Flugzeug*) undercarriage, landing gear; **Fahr•zeit** *f* running-time; (*Reisedauer*) duration (of a journey)

Fahr•zeug *n* vehicle; **Fahr•zeug•hal•ter(in)** *m(f)* owner of a vehicle

Fak•si•mi•le [fak'zi:mile] <-s, -s> *n* facsimile

fak•tisch ['faktɪʃ] *adj* effective, real

Fak•tor *m* (MATH) factor

Fak•tum ['faktʊm] *n* fact

Fa•kul•tät [fakʊl'tɛ:t] *f* (*Universitäts~*) faculty

fa•kul•ta•tiv [fakʊlta'ti:f/'----] *adj* optional

Fal•ke ['falkə] <-n, -n> *m* (ORN) falcon

Fall[1] [fal] <-(e)s, (⸚e)> *m* **1.** (*Sturz*) fall; (*von Preisen, Kursen, Barometer etc*) drop, fall (*e-r Sache* in s.th.) **2.** (*fig: Sturz*) fall; (*e-r Regierung, e-s Menschen*) downfall; **zu ~ bringen** make fall; (*fig*) cause the downfall of ...; **zu ~ kommen** (*hinfallen*) fall; **Knall auf ~ entlassen werden** (*fam*) be sacked on the spot

Fall[2] [fal, *pl:* 'fɛlə] <-(e)s, ⸚e> *m* **1.** (*Umstand, Sachverhalt*) case, instance **2.** (JUR MED GRAM) case; **gesetzt den ~, dass ...** supposing that ...; **in diesem ~** in this case [*o* instance]; **in jedem (keinem) ~** always (never); **auf jeden (keinen) ~** at any rate (on no account); **für den ~, dass er ...** in case he ...; **auf alle ⸚e** anyway; **auf alle ⸚e gefasst** prepared for anything; **im besten (schlimmsten) ~** at best (worst); **von ~ zu ~** from case to case; **ein klarer ~ sein** be a clear-cut case; **klarer ~!** (*fam*) sure thing!; **das ist ganz mein ~** (*fam*) that's right up my street!; **er ist ganz mein ~** (*fam*) he's just my type; **das ist nicht mein ~** (*fam*) that's not my cup of tea

Fall•beil *n* guillotine

Fal•le ['falə] <-, -n> *f* **1.** (*a. fig*) trap **2.** (*fam: Bett*) sack; **in die ~ gehen** get caught in the trap; (*fig*) fall into the trap; (*fam: ins Bett gehen*) hit the sack; **jdn in e-e ~ locken** (*fig*) trick s.o.; **jdm e-e ~ stellen** (*fig*) set a trap for s.o.

fal•len ['falən] *irr itr* **1.** *sein* drop, fall **2.** (*Preise, Temperatur etc*) go down **3.** (*Schuss*) be fired **4.** (*Entscheidung*) be made; (*Urteil*) be passed **5.** (*im Krieg sterben*) be killed **6.** (*stattfinden*) fall (*auf* on) **7.** (*gehören*) come (*unter* under, *in* within) **8.** (*zu~: Erbschaft etc*) go (*an* to) **9.** (*reichen*) come down (*bis auf* to) **10.** (*Wort*) be uttered; (*Bemerkung*) be made; (*Name*) be mentioned; **er fiel durch die Prüfung** (*fam*) he failed the exam; **über etw ~** trip over s.th.; **im Preis ~** go down in price; **im Kurs ~** (*Aktien etc*) go down; **in Schlaf ~** fall asleep; **ins Schloss ~** (*von Tür*) click shut; **endlich fiel ein Tor** (SPORT) finally a goal was scored; **mit der Tür ins Haus ~** (*fig*) blurt things out; **ins Gewicht ~** (*fig*) be crucial; **nicht ins Gewicht ~** (*fig*) be of no consequence; **in Ohnmacht ~** faint; **jdm um den Hals ~** fling one's arms around someone's neck; **jdm in den Rücken ~** (*fig*) stab s.o. in the back; **er ist nicht auf den Mund gefallen** (*fig fam*) he's not at a loss for words; **sie ist nicht auf den Kopf gefallen** (*fig fam*) she's smart; **jdm leicht ~**[RR] be easy for s.o.

fäl•len ['fɛlən] *tr* **1.** (*Bäume etc*) fell **2.** (*fig: Entscheidung*) make; (*Urteil*) pass **3.** (MATH): **das Lot ~** drop a perpendicular **4.** (CHEM) precipitate

Fal•len•stel•ler *m* trapper

Fall•ge•schwin•dig•keit *f* (PHYS) speed of fall; **Fall•ge•setz** *n* (PHYS) law of gravity; **Fall•gru•be** *f* **1.** pit **2.** (*fig*) pitfall

fäl•lig ['fɛlɪç] *adj* (*a.* FIN) due; **die Zahlung ist ~** the payment is due; **~ werden** fall due; (*Wechsel*) mature; **jetzt bist du ~!** (*fam*) you're for it!

Fäl•lig•keit *f* (FIN) settlement date; (*von Wechsel*) maturity; **bei ~** by settlement date [*o* at maturity]

Fall•obst *n* (BOT) windfall

falls [fals] *konj* **1.** (*wenn*) if **2.** (*für den Fall, dass ...*) in case ...

Fall•schirm *m* parachute; **mit dem ~ abspringen** parachute (*über* out over); **mit dem ~ abwerfen** drop by parachute; **Fall•schirm•ab•sprung** *m* parachute jump; **Fall•schirm•jä•ger** *m* (MIL) paratrooper; **Fall•schirm•sprin•ger(in)** *m(f)* parachutist

Fall•strick *m* (*fig*) snare, trap

Fall•stu•die *f* case study

Fall•tür *f* trapdoor

Fäl•lung ['fɛlʊŋ] *f* **1.** (*e-s Baumes*) felling **2.** (CHEM) precipitation **3.** (JUR: *e-s Urteils*) pronouncement; (*e-r Entscheidung*) reaching

falsch [falʃ] *adj* **1.** (*verkehrt*) wrong **2.**

(*Name, Zähne*) false **3.** (*Pass, Alibi etc*) fake, forged; (*fam*) phon(e)y; (*Geld*) counterfeit **4.** (*betrügerisch*) bogus; (*fam*) phon(e)y **5.** (*unpassend, unangebracht*) false; ~ **gehen** (*Uhr*) be wrong; **etw ~ aussprechen** mispronounce s.th.; **etw ~ schreiben** misspell s.th.; **etw ~ beurteilen** misjudge s.th.; **etw ~ verstehen** misunderstand s.th.; ~ **singen (spielen)** (MUS: *unrein*) sing (play) out of tune; ~ **spielen** (MUS: *e-n ~en Ton*) play the wrong note(s); (*beim Kartenspiel betrügen*) cheat; **damit liegst du ~** (*fig fam*) you're wrong about that; **bei mir gerätst du an den F~en** you've picked the wrong man in me; **~er Alarm** (*a. fig*) false alarm; **du treibst ein ~es Spiel mit mir** you're playing me false; **so ein ~er Hund!** (*fam*) he's such a snake-in-the- grass!

fäl·schen ['fɛlʃən] *tr* **1.** fake, forge; (*Geld*) counterfeit **2.** (COM: *Rechnung, Bilanz*) falsify **3.** (*Tatsachen*) falsify

Fäl·scher(in) *m(f)* forger

Falsch·geld *n* counterfeit money

Falsch·heit *f* falseness

fälsch·lich ['fɛlʃlɪç] *adj* false; **fälsch·li·cher·wei·se** *adv* falsely, wrongly

Falsch·mün·zer(in) *m(f)* counterfeiter, forger; **Falsch·par·ker** *m* person who parks illegally; **Falsch·spie·ler(in)** *m(f)* cheat

Fäl·schung ['fɛlʃʊŋ] *f* **1.** (*Vorgang*) faking, forging; (*von Geld*) counterfeiting **2.** (*Ergebnis*) fake, forgery; **fäl·schungs·si·cher** *adj* (*Ausweis etc*) unforgeable, forgery-proof

Falt·blatt *n* (*Prospekt*) leaflet *Br*, folder *Am*; **Falt·boot** *n* collapsible boat *Br*, foldboat *Am*

Fält·chen ['fɛltçən] <-s, -> *n* fine line

Falt·dach *n* (MOT) collapsible [*o* convertible] top, folding roof

Fal·te ['faltə] <-, -n> *f* **1.** (*allgemein*) fold **2.** (*Bügel~*) crease; (*von Tuch, Kleid*) pleat **3.** (*Gesichts~*) wrinkle; **die ~n glätten** smooth the folds; **in ~n legen** fold, pleat; **~n werfen** crease, pucker; **die Stirn in ~n legen** [*o* **ziehen**] knit one's brow; **fal·ten** *tr* (*zusammenlegen*) fold; (*Stoff*) crease, pleat; **die Hände ~** clasp one's hands; **fal·ten·los** *adj* **1.** without folds **2.** (*ohne Runzeln*) unwrinkled; **fal·ten·reich** *adj* (*runzlig*) wrinkled; **Fal·ten·rock** *m* pleated skirt; **Fal·ten·wurf** *m* drapery

Fal·ter <-s, -> *m* (*Schmetterling*) butterfly

fal·tig *adj* **1.** (*zerknittert*) creased **2.** (*Stirn, Haut etc*) wrinkled

Falz [falts] <-es, -e> *m* **1.** (*Kniff, Faltung*) fold **2.** (*Buchbinder~*) joint **3.** (TECH: *Nutnaht*) rabbet

fal·zen ['faltsən] *tr* **1.** (*Papier*) fold **2.** (TECH: *Holz etc*) rabbet

fa·mi·li·är [fami'ljɛ:ɐ] *adj* **1.** (*zur Familie gehörig*) family **2.** (*zwanglos*) informal

Fa·mi·lie [fa'mi:liə] *f* family; **aus guter ~ sein** come from good family; **es liegt in der ~** it runs in the family; **Fa·mi·li·en·an·schluss**RR *m*: **mit ~** as one of the family; **Fa·mi·lien·an·zei·ge** *f* personal announcement; **Fa·mi·li·en·fei·er** *f* family party; **Fa·mi·li·en·be·trieb** *m* family business; **Fa·mi·li·en·kreis** *m* family circle; **Fa·mi·lien·le·ben** *n* family life; **Fa·mi·li·en·mit·glied** *n* member of the family; **Fa·mi·li·en·name** *m* surname *Br*, last name *Am*; **Fa·mi·li·en·pla·nung** *f* family planning; **Fa·mi·li·en·stand** *m* marital status; **Fa·mi·li·en·the·ra·pie** *f* family therapy; **Fa·mi·li·en·un·ter·neh·men** *n* family business; **Fa·mi·li·en·va·ter** *m* father of a family, family man; **Fa·mi·li·en·zu·sam·men·füh·rung** *f* reuniting of families

fa·mos [fa'mo:s] *adj* (*ausgezeichnet*) splendid *Br*, capital, swell *Am*

Fan [fɛn] <-s, -s> *m* (*fam*) fan; (*sl*) freak

Fa·na·ti·ker(in) [fa'na:tɪkɐ] *m(f)* fanatic; **fa·na·tisch** *adj* fanatical

Fan·club *m* fan club

Fan·fa·re [fan'fa:rə] <-, -n> *f* **1.** (MUS) fanfare **2.** (MOT) horn

Fang [faŋ, *pl:* 'fɛŋə] <-(e)s, ⸚e> *m* **1.** (*Beute, a. fig*) catch **2.** (*Jagd*) hunting; (*Fisch~*) fishing **3.** (*Kralle*) talon **4.** (*~zahn*) fang; (*von Keiler*) tusk; **ein guter ~** a good catch; **in jds ⸚en** in someone's clutches; **Fang·arm** *m* (ZOO) tentacle

Fan·ge·mein·de *f* fan club

fan·gen ['faŋən] **I.** *irr tr* **1.** catch; (*mit Fallen*) trap **2.** (*fig: durch Fangfragen*) trap; (*überlisten*) trick; **du fängst dir gleich e-e!** (*fam*) you're going to catch it! **II.** *refl* **1.** (*in e-r Falle*) get caught **2.** (*fig: das Gleichgewicht wiedererlangen*) steady o.s.

Fang·flot·te *f* fishing fleet; **Fang·fra·ge** *f* catch question; **Fang·lei·ne** *f* (MAR) hawser

Fan·ta·sieRR [fanta'zi:] *f* fantasy, imagination; **Fan·ta·sie·ge·bil·de**RR *n* (*Einbildung*) figment of the [*o* one's] imagination; **fan·ta·sie·los**RR *adj* unimaginative, lacking in imagination; **Fan·ta·sie·preis**RR *m* dream price; **fan·ta·sie·ren**RR **I.** *itr* **1.** (*sich vorstellen*) fantasize (*über* about) **2.** (MED: *delirieren*) be delirious **II.** *tr* (*sich ausdenken*) dream up; **fan·ta·sie·voll**RR *adj* imaginative

Fan·tastRR [fan'tast] <-en, -en> *m* dreamer, visionary; **Fan·tas·te·rei**RR *f* fantasy; **fan·tas·tisch**RR *adj* **1.** fantastic

2. (*großartig*) excellent; (*fam: bes Am*) swell **3.** (*unglaublich*) incredible

Fan·zine ['fænzi:n] <-s, -s> *n* (*Zeitschrift eines Fanclubs*) fanzine

Farb·ab·zug *m* coloured print; **Farb·auf·nah·me** *f* colour photo(graph)

Farb·band *n* (*von Schreibmaschine*) typewriter ribbon; **Farb·band·kas·set·te** *f* ribbon cassette

Far·be ['farbə] <-, -n> *f* **1.** (*allgemein*) colour *Br,* color *Am;* (*dunkle Tönung*) shade; (*helle Tönung*) tint; (*von Gesicht*) complexion **2.** (*Färberei*) dye; (TYP: *Druck~*) ink; (*Anstrich*) paint **3.** (*von Kartenspiel*) suit **4.** (*im pl: Fahne*) colours *pl;* ~ **bekennen** (*sich entscheiden*) nail one's colours to the mast; (*gestehen*) come clean; ~ **bekommen** get a bit of colour

farb·echt *adj* colourfast

fär·ben ['fɛrbən] **I.** *tr* colour; (*Stoff, Haare*) dye **II.** *refl* change colour; **sich gelb** ~ turn yellow

far·ben·blind *adj* colour-blind

Far·b(en)·druck <-(e)s, -e> *m* **1.** (TYP) colour print(ing) **2.** (*Bild*) chromotype; **Far·ben·fa·brik** *f* paint factory; **far·ben·freu·dig** *adj* colourful; **far·ben·froh** *adj* colourful; **Far·b(en)·kas·ten** *m* paintbox; **Far·ben·leh·re** *f* chromatology; **Far·ben·pracht** *f* blaze of colour; **Far·ben·reich·tum** *m* wealth of colours

Fär·ber ['fɛrbɐ] *m* dyer; **Fär·be·rei** *f* **1.** (*Betrieb*) dyeing works *sing* **2.** (*Gewerbe*) dyer's trade

Farb·fern·se·hen *n* colour TV; **Farb·fern·se·her** *m* (*Gerät*) colour TV; **Farb·film** *m* colour film; **Farb·fo·to(·gra·fie)** *n (f)* **1.** (*Verfahren*) colour photography **2.** (*Bild*) colour photo(graph)

far·big ['farbɪç] *adj* **1.** coloured **2.** (OPT) chromatic **3.** (*fig: Schilderung*) colourful, vivid

Far·bi·ge(r) *f m* coloured man, coloured woman, coloured person

Farb·ko·pie·rer *m* colour (photo)copier

farb·los *adj* (*a. fig*) colourless

Farb·ska·la *f* colour range; **Farb·stift** *m* coloured pencil [*o* crayon]; **Farb·stoff** *m* colouring; (*Pigment*) pigment; **Farb·ton** *m* hue, shade; (*Tönung*) tint

Fär·bung ['fɛrbʊŋ] *f* **1.** (*das Färben*) colouring **2.** (*Farbe*) colour, tinge; (*Schattierung*) shade **3.** (*fig: Tendenz*) slant

Far·ce [fars] <-, (-n)> *f* (THEAT: *a. fig*) farce

Farm [farm] <-, -en> *f* farm; **Far·mer** *m* farmer

Farn [farn] <-(e)s, -e> *m* (BOT) fern

Fa·san [fa'za:n] <-(e)s, -e(n)> *m* (ORN) pheasant

Fa·schier·te(s) [fa'ʃi:rtə(s)] <-n> *n* (*österr*) mince(d meat) *Br,* ground meat *Am*

Fa·sching ['faʃɪŋ] <-s, -e/-s> *m* carnival

Fa·schings·diens·tag *m* Shrove Tuesday

Fa·schis·mus [fa'ʃɪsmʊs] <-> *m* (POL) fascism; **Fa·schist(in)** *m(f)* fascist; **fa·schis·tisch** *adj* fascist

Fa·se·lei [fa:zə'laɪ] *f* (*fam pej*) drivel, twaddle; **fa·seln** ['fa:zəln] **I.** *itr* (*fam pej*) drivel, gas **II.** *tr:* **dummes Zeug** ~ talk drivel

Fa·ser ['fa:zɐ] <-, -n> *f* (BOT ANAT) fibre *Br,* fiber *Am;* **fa·se·rig** ['fa:zərɪç] *adj* fibrous; (*Fleisch, Spargel etc*) stringy

fa·sern *itr* fray

Fass[RR] [fas, *pl:* 'fɛsɐ] <-es, ¨-er> *n* barrel; **vom** ~ on tap; (*Bier*) on draught; **Bier vom** ~ draught beer; **das ist doch ein** ~ **ohne Boden** (*fig fam*) it's a bottomless pit; **das schlägt dem** ~ **den Boden aus!** (*fig fam*) that's the last straw!

Fas·sa·de [fa'sa:də] <-, -n> *f* (*a. fig*) façade

fas·sen ['fasən] **I.** *tr* **1.** (*ergreifen*) take hold of; (*packen*) grab; (*festnehmen*) apprehend **2.** (*Edelsteine*) set **3.** (*enthalten*) hold **4.** (*begreifen*) grasp, understand **5.** (*fig: Entschluss, Mut etc*) take **6.** (*fig: ausdrücken*) express; **jds Hand** ~ take someone's hand; **jdn beim Arm** ~ take s.o. by the arm; **den Vorsatz** ~ **etw zu tun** take a resolution to do s.th.; **zu jdm Vertrauen** ~ come to trust s.o.; **etw in Worte** ~ put s.th. into words; **diesen Teil der Story müssen Sie neu** ~ you must revise this part of the story; **es ist nicht zu** ~ it's unbelievable; **etw ins Auge** ~ contemplate s.th.; **sich ein Herz** ~ pluck up courage **II.** *itr* **1.** (*an~*) feel, touch (*an etw* s.th.) **2.** (*Halt finden, greifen*) grip **III.** *refl* (*sich sammeln*) compose o.s.; **sich kurz** ~ be brief; **sich in Geduld** ~ be patient

fass·lich[RR] ['faslɪç] *adj* comprehensible

Fas·sung ['fasʊŋ] *f* **1.** (*von Juwelen*) setting; (EL: *Birnen~*) socket **2.** (*fig: Ruhe*) composure **3.** (*Version, Bearbeitung*) version; **jdn aus der** ~ **bringen** disconcert s.o.; **die** ~ **verlieren** (**bewahren**) lose (maintain) one's composure; **etw mit** ~ **tragen** take s.th. calmly; **e-e ungekürzte** ~ an unabridged version

Fas·sungs·kraft *f* (power of) comprehension; **das übersteigt die menschliche** ~ that is beyond human understanding

fas·sungs·los *adj* aghast, stunned; **Fas·sungs·ver·mö·gen** *n* (*a. fig*) capacity; **das übersteigt mein** ~ that is beyond me

fast [fast] *adv* almost, nearly; ~ **dasselbe** much the same; ~ **nichts** hardly anything; ~ **nie** hardly ever

fas·ten ['fastən] *itr* fast; **Fas·ten·kur** *f* fast; **Fas·ten·zeit** *f* (ECCL) Lent

Fastfood[RR] ['fa:st'fu:d] <-> *n* fast food

Fast•nacht *f* **1.** Shrovetide **2.** (*Dienstag*) Shrove Tuesday

fas•zi•nie•ren [fastsi'ni:rən] *tr itr* fascinate (*an* about); **fasziniert sein** be fascinated (*von, durch* by); **fas•zi•nie•rend** *adj* fascinating

fa•tal [fa'ta:l] *adj* **1.** (*verhängnisvoll*) disastrous, fatal; (*unglücklich*) unlucky **2.** (*unangenehm*) awkward

Fa•ta•lis•mus *m* fatalism

Fatz•ke ['fatskə] <-n/-s, -n/-s> *m* **1.** (*pej: Geck*) dandy, fop **2.** (*hochnäsiger Dummkopf*) stuck-up twit *fam*

fau•chen ['faʊxən] *itr* hiss

faul [faʊl] *adj* **1.** (*Eier, Äpfel etc, a. fig*) rotten; (*von Zähnen*) decayed **2.** (*träge*) idle, lazy **3.** (*fam: verdächtig*) fishy; (*fadenscheinig*) flimsy; **~es Geschwätz** (*fam*) idle talk; **an der Sache ist etw ~** (*fam*) there's s.th. fishy about the whole business; **auf der ~en Haut liegen** (*fam*) laze about; **~er Witz** lame joke; **~er Zauber** (*fam*) humbug

fau•len ['faʊlən] *itr sein* rot

fau•len•zen ['faʊlɛntsən] *itr* laze [*o* loaf] about

Fau•len•zer(in) *m(f)* lazybones *sing;* (*Bummler*) loafer, idler; (*fam*) slacker; **Fau•len•ze•rei** *f* lazing [*o* loafing] about

Faul•gas *n* sewer gas

Faul•heit *f* idleness, laziness

fau•lig *adj* (*Eier, Äpfel etc*) going rotten; (*Geruch, Geschmack*) foul, putrid; (*Wasser*) stale

Fäul•nis ['fɔɪlnɪs] <-> *f* (*Fäule*) rottenness; (MED) putrefaction; (*Zahn~*) caries; **in ~ übergehen** go rotten; **Fäul•nis•pro•zess**[RR] *m* breakdown, decomposition

Faul•pelz *m* (*fam*) lazybones *sing;* **Faul•schlamm** *m* **1.** (*allgemein*) sludge **2.** (GEOL) sapropel; **Faul•tier** *n* **1.** (ZOO) sloth **2.** (*fig fam*) sluggard; **Faul•turm** *m* (*im Klärwerk*) digestion tower

Fau•na ['faʊna] <-, -nen> *f* fauna

Faust [faʊst, *pl:* 'fɔɪstə] <-, ¨-e> *f* fist; **die ~ ballen** clench one's fist; **auf eigene ~** (*fig fam*) off one's own bat; **das passt wie die ~ aufs Auge** (*fam*) it's completely out of place

Fäust•chen ['fɔɪstçən] *n:* **sich ins ~ lachen** laugh up one's sleeve

faust•dick ['-'-] *adj* as big as a fist; **er hat es ~ hinter den Ohren** (*fam*) he's a crafty one; **e-e ~e Lüge** (*fig fam*) a whopping lie

Faust•hand•schuh *m* mitt(en); **Faust•pfand** *n* pledge; **Faust•re•gel** *f* rule of thumb; **Faust•schlag** *m* punch

Fa•vo•rit(in) [favo'ri:t] <-en, -en> *m(f)* favourite

Fax ['faks] <-, -e> *n* fax; **fa•xen** *tr itr* fax; send by fax

Fa•zit ['fa:tsɪt] <-s, -e/-s> *n* (*fig*) result; **das ~ ziehen** draw the conclusion(s) (*aus etw* from)

FCKW *m Abk. von* **Fluorchlorkohlenwasserstoff** (CHEM) CFC

Fe•ber ['fe:bɐ] <-s, -e> *m* (*österr*) February

Fe•bru•ar ['fe:brua:ɐ] <-(s), (-e)> *m* February

fech•ten ['fɛçtən] *irr itr* fence, fight

Fech•ter(in) *m(f)* (SPORT) fencer

Fecht•meis•ter(in) *m(f)* fencing master

Fe•der ['fe:dɐ] <-, -n> *f* **1.** (*Vogel~*) feather; (*Gänse~*) quill; (*Hut~*) plume **2.** (TECH) spring **3.** (*Schreib~*) pen; (*Stahl~, Spitze e-r ~*) nib; **noch in den ~n liegen** (*fam*) be still in one's bed; **sich mit fremden ~n schmücken** deck o.s. out in [*o* adorn o.s. with] borrowed plumes; **mit spitzer ~** (*fig*) with a deadly pen; **Fe•der•ball** *m* **1.** (*Ball*) shuttlecock **2.** (SPORT: *~spiel*) badminton; **Fe•der•bett** *n* quilt *Br,* feather comforter *Am;* **Fe•der•busch** *m* **1.** (ORN) crest **2.** (*an Helm, Hut etc*) plume; **Fe•der•fuch•ser** *m* (*pej: Schreiberling*) penpusher; **fe•der•füh•rend** *adj* (*fig*) in (overall) charge (*bei, für* of); **Fe•der•ga•bel** *f* suspension fork; **Fe•der•ge•wicht** *n* (SPORT) featherweight; **Fe•der•hal•ter** *m* pen; **fe•der•leicht** ['--'-] *adj* light as a feather; **Fe•der•le•sen** *n:* **nicht viel ~(s) machen** make short work (*mit* of)

fe•dern **I.** *itr* **1.** *sein* (*elastisch sein*) be springy **2.** (*zurück~*) spring back **3.** *haben* (*von Polster etc*) shed **II.** *tr* **1.** (TECH) spring **2.** (MOT) fit with suspension; **fe•dernd** *adj* **1.** (*elastisch*) springy **2.** (TECH) sprung; **~er Gang** springy step

Fe•de•rung *f* **1.** (TECH) springing **2.** (MOT) (spring) suspension

Fe•der•vieh *n* (*obs a. hum*) poultry

Fe•der•zeich•nung *f* pen-and-ink drawing

Fee [fe:, *pl:* 'fe:ən] <-, -n> *f* fairy

Feed•back ['fi:dbæk] <-s, -s> *n* (COM) feedback

feen•haft *adj* fairylike

Fe•ge•feu•er *n* (ECCL) purgatory

fe•gen ['fe:gən] **I.** *tr haben* **1.** (*mit Besen*) sweep clean **2.** (*CH: feucht wischen*) wipe clean **II.** *itr* **1.** *haben* sweep (up) **2.** *sein* (*fam: jagen*) sweep; **um die Ecke ~** sweep round the corner

Feh•de ['fe:də] <-, -n> *f* (HIST) feud; **mit jdm in ~ liegen** (*a. fig*) feud with s.o.

Fehl *m:* **ohne ~ u. Tadel** without (a) blemish; **fehl** [fe:l] *adj:* **~ am Platze sein** be out of place; **Fehl•an•zei•ge** *f:* **~!** no way!; **Fehl•be•trag** *m* (COM FIN) deficit; **Fehl•ein•schät•zung** *f* misjudg(e)ment

feh·len ['feːlən] *itr* **1.** (*nicht da sein*) be missing; (*in Schule etc*) be away (*in* from) **2.** (*mangeln*) be lacking; **es fehlt ihm an etw, ihm fehlt etw** he lacks s.th.; **hier fehlt etw** there's s.th. missing here; **mir ~ die Worte** words fail me; **das hat uns gerade noch gefehlt!** (*fam iro*) that was all we needed!; **was fehlt Ihnen?** what's the matter with you?; **wo fehlt es?** what's the trouble?; **es fehlt ihm nie an e-r Ausrede** he is never at a loss for an excuse; **jetzt fehlt nur noch, dass ...** ... is all we need; **weit gefehlt!** (*fig: ganz im Gegenteil*) far from it!

Feh·ler ['feːlɐ] *m* **1.** (*Fehlgriff, Schreib~ etc*) mistake; (*Irrtum*) error **2.** (*Mangel*) defect, fault; **e-n ~ begehen** [*o* **machen**] make a mistake; **~!** (SPORT) fault!; **das war nicht mein ~** that was not my fault; **e-n ~** (**an sich**) **haben** have a fault; **sie hat den ~, dass ...** the trouble with her is that ...; **feh·ler·an·fäl·lig** *adj* error-prone; **Feh·ler·an·zei·ge** *f* (EDV) error message; **feh·ler·frei** *adj*, **feh·ler·los** *adj* perfect; (*makellos*) faultless, flawless; **feh·ler·haft** *adj* defective, faulty; (*stümperhaft*) poor

Fehler·mel·dung *f s.* **Fehleranzeige**; **Feh·ler·quel·le** *f* source of error; **Feh·ler·quo·te** *f* error rate

Fehl·funk·ti·on *f* inadequate function, malfunction

Fehl·ge·burt *f* miscarriage

fehl|ge·hen *irr itr* **1.** *sein* (*sich verirren*) go wrong, miss the way **2.** (*fig: sich irren*) be wrong [*o* mistaken]

Fehl·griff *m* (*fig*) mistake; **Fehl·kal·ku·la·ti·on** *f* miscalculation; **Fehl·kons·truk·ti·on** *f* bad design; **Fehl·leis·tung** *f* **1.** (PÄD) mistake, slip **2.** (PSYCH) failure of purposive action; **freudsche ~**[RR] Freudian slip; **Fehl·prog·no·se** *f* incorrect prognosis; **Fehl·schal·tung** *f* faulty circuit; **Fehl·schlag** *m* (*fig*) failure; **fehl|schla·gen** *irr itr sein* (*fig*) fail; **Fehl·schluss**[RR] *m* false conclusion; **Fehl·start** *m* false start *Br*, wrong start *Am*; **Fehl·tritt** *m* (*fig*) false step, lapse; **Fehl·ur·teil** *n* (JUR) miscarriage of justice; **Fehl·zün·dung** *f* (MOT) backfiring

Fei·er ['faɪɐ] <-, -n> *f* (*Fest*) celebration; (*zeremonielle ~*) ceremony; (*Party*) party; **zur ~ des Tages** in honour of the occasion

Fei·er·a·bend *m* **1.** (*Arbeitsschluss*) end of work; (*Geschäftsschluss*) closing time *Br*, quitting time *Am* **2.** (*arbeitsfreie Zeit abends*) evening; **~ machen** finish work; **machen wir ~ für heute!** let's call it a day!; **nach ~** after work; **schönen ~!** have a nice evening!; **~!** (*in Pub etc*) time, please!

fei·er·lich *adj* **1.** (*würdig, erhebend*) solemn **2.** (*festlich*) festive **3.** (*förmlich*) ceremonious; **Fei·er·lich·keit** *f* **1.** solemnity **2.** (*Festivität*) festivity; **~en** (*Veranstaltungen*) celebrations

fei·ern ['faɪɐn] *tr* **1.** (*Festtag halten*) keep; (*Fest, Geburtstag etc*) celebrate **2.** (*rühmen, preisen*) fête

Fei·er·tag *m* holiday; (ECCL) feast; **gesetzlicher ~** public holiday *Br*, legal holiday *Am*

Fei·ge ['faɪgə] <-, -n> *f* (BOT) fig

fei·g(e) [faɪk/'faɪgə] **I.** *adj* cowardly; (*fam*) gutless **II.** *adv* in a cowardly way, like a coward

Fei·gen·baum *m* fig tree; **Fei·gen·blatt** *n* (*a. fig*) fig leaf

Feig·heit ['faɪkhaɪt] *f* cowardice

Feig·ling *m* coward

Fei·le ['faɪlə] <-, -n> *f* file; **fei·len I.** *tr* file **II.** *itr* **1.** file (*an etw* away at s.th.) **2.** (*fig: verbessern*) polish (*an etw* s.th. up)

feil·schen ['faɪlʃən] *itr* haggle (*um* over)

Feil·spä·ne *mpl* filings

fein [faɪn] **I.** *adj* **1.** (*nicht grob*) fine **2.** (*zart, a. fig*) delicate **3.** (*erlesen*) choice; (*nur attr*) excellent **4.** (*prima, sehr gut*) splendid; (*fam*) great *Br*, swell *Am* **5.** (*vornehm*) refined; (*fam*) posh **6.** (*sinnesscharf, einfühlsam*) sensitive; (*Gehör, Geruchssinn*) acute; **~er Regen** drizzling rain; **das hast du ~ gemacht** you did it beautifully; **er ist ein ~er Kerl** (*fam*) he's a great guy; **~!** (*fam*) schön, great! *Br*, swell! *Am*; (*in Ordnung*) fine!; **du hast dich heute aber ~ gemacht!** (*fam: gut angezogen*) you're dressed up today! **II.** *adv*: **~ säuberlich** nice and neat

Fein·ab·stim·mung *f* (RADIO) fine tuning

Fein·des·land *n* enemy territory

Feind(in) [faɪnt] <-(e)s, -e> *m(f)* enemy; (*unversöhnliche(r) ~*) foe; **sich jdn zum ~ machen** make an enemy of s.o.; **jdn zum ~ haben** have s.o. as an enemy; **Feind·bild** *n* concept of the enemy; **ein ~ aufbauen** build up a picture of the enemy; **Fein·des·land** *n* enemy territory; **feind·lich** *adj* **1.** (*feindselig*) hostile (*gegen* to) **2.** (MIL: *gegnerisch*) enemy; **im ~en Lager** (*a. fig*) in the enemy camp; **Feind·schaft** *f* enmity; **dadurch hat er sich meine ~ zugezogen** that made him my enemy; **feind·se·lig** *adj* hostile; **Feind·se·lig·keit** *f* hostility; **die ~en eröffnen/einstellen** commence/suspend hostilities

Fein·ein·stel·lung *f* fine adjustment; **fein·füh·lend** *adj* sensitive; (*taktvoll*) tactful; **Fein·füh·lig·keit** *f*, **Fein·ge·fühl** *n* sensitivity; (*Takt*) tact; **fein·ge-**

mah•len *adj s.* mahlen; **Fein•gold** *n* refined gold; **Fein•heit** *f* **1.** (*Dünne*) fineness **2.** (*Zartheit, a. fig*) delicacy **3.** (*Erlesenheit*) excellence **4.** (*Vornehmheit*) refinement; (*fam*) poshness **5.** (*der Sinne, des Gefühls*) keenness; (*Gehör, Geruchssinn*) acuteness; ~**en** niceties; **fein•kör•nig** *adj* fine-grained

Fein•kost•ge•schäft *n* delicatessen; **fein•ma•schig** *adj* fine-meshed; **Fein•me•cha•nik** *f* precision engineering; **Fein•schme•cker(in)** *m(f)* **1.** gourmet **2.** (*fig: Kenner*) connoisseur; **Fein•sieb** *n* micro-strainer; (*in Kläranlage*) fine screen; **Fein•staub** *m* fine dust; **Fein•un•ze** *f* troy ounce; **Fein•wä•sche** *f* **1.** (*Wäschestücke*) delicate clothes *pl* **2.** (*Waschvorgang*) programme for delicates *pl;* **Fein•wasch•mit•tel** *n* mild detergent

feist [faɪst] *adj* fat, plump

fei•xen ['faɪksən] *itr* (*fam*) smirk

Feld [fɛlt] <-(e)s, -er> *n* **1.** (*Korn~ etc, Acker,* SPORT: *Spiel~, Gruppe der Verfolger*) field **2.** (*freies ~*) open country **3.** (MIL: *Schlacht~*) (battle)field **4.** (*Schachbrett~*) square **5.** (*fig: Arbeits~, -bereich*) area, field **6.** (PHYS CHEM MIN EL) field; **auf freiem ~** in the open country; **das ~ beherrschen** be on top; **das ~ behaupten** (*fig*) hold the field; **das ~ räumen** (*fig*) give way (*jdm, e-r Sache* to s.o., s.th.); **etw ins ~ führen** (*fig*) bring s.th. to bear; **gegen jdn (etw) zu ~e ziehen** (*fig*) crusade against s.o. (s.th.); **einander das ~ streitig machen** (*fig*) fight for the same ground; **er ließ das ~ hinter sich** (SPORT) he left the rest of the field behind; **das ist natürlich ein weites ~** (*fig*) of course, this is a very broad field

Feld•ar•beit *f* **1.** (*landwirtschaftliche ~*) work in the fields **2.** (*wissenschaftliche ~*) fieldwork; **Feld•bett** *n* campbed; **Feld•blu•me** *f* wild flower; **Feld•fla•sche** *f* waterbottle; **Feld•geist•li•che** *m* (MIL) army chaplain; **Feld•herr** *m* commander-in-chief, cominch *fam;* **Feld•kü•che** *f* (MIL) field kitchen; **Feld•la•ger** *n* (MIL) (military) camp; **Feld•la•za•rett** *n* (MIL) field hospital; **Feld•mar•schall** *m* (MIL) field marshal; **Feld•maus** *f* (ZOO) field mouse; **Feld•mes•ser** *m* (land) surveyor; **Feld•post** *f* (MIL) forces' postal service; **Feld•sa•lat** *m* (BOT) lamb's lettuce; **Feld•spat** ['fɛltʃpa:t] <-(e)s, (-e)> *m* (GEOL) feldspar; **Feld•stär•ke** *f* (PHYS) field strength; **Feld•ste•cher** *m* pair *sing* of field glasses, field glasses *pl;* **Feld•we•bel** ['fɛltve:bəl] <-s, -> *m* (MIL) sergeant; **Feld•weg** *m* path [*o* track] (across the fields); **Feld•zug** *m* (*a. fig*) campaign

Fel•ge ['fɛlgə] <-, -n> *f* (TECH) (wheel) rim; **Fel•gen•brem•se** *f* caliper brake

Fell [fɛl] <-(e)s, -e> *n* **1.** (*Pelz*) fur; (*Vlies*) fleece **2.** (*bei toten Tieren: zum Abziehen*) skin; (*bei Rindern*) hide **3.** (*fam: Haut e-s Menschen*) hide **4.** (MUS: *von Trommel*) skin; **ihm schwimmen alle ~e davon** (*fig*) his hopes are all being dashed; **e-m Tier das ~ abziehen** skin an animal; **ein dickes ~ haben** (*fig fam*) be thickskinned, have a thick skin; **jdm das ~ über die Ohren ziehen** (*fig fam*) pull the wool over someone's eyes

Fels•block *m* boulder

Fel•s(en) ['fɛls, 'fɛlzən] <-s, -en> *m* rock

fel•sen•fest ['--'-] *adj* firm as a rock; ~**er Glaube** (*fig*) unwavering faith; **davon bin ich ~ überzeugt** (*fig*) I am dead certain about it

Fels•ge•stein *n* rock material, formation

fel•sig ['fɛlzɪç] *adj* craggy, rocky

Fels•wand *f* rock face

fe•mi•nin *adj* feminin; **Fe•mi•nis•mus** *m* feminism; **Fe•mi•nist(in)** <-en, -en> *m(f)* feminist; **fe•mi•nis•tisch** *adj* feminist

Fen•chel ['fɛnçəl] <-s, -> *m* (BOT) fennel

Fens•ter ['fɛnstɐ] <-s, -> *n* window; **das Geld zum ~ hinauswerfen** (*fig*) pour money down the drain; **Fens•ter•bank** *f,* **Fens•ter•brett** *f* (*n*) window-sill; **Fens•ter•brief•um•schlag** *f* window envelope; **Fens•ter•flü•gel** *m* casement; **Fens•ter•he•ber** *m* (MOT) window winder; (*elektronisch*) window control; **Fens•ter•kur•bel** *f* (MOT) window crank; **Fens•ter•la•den** *m* shutter; **Fens•ter•le•der** *n* chamois (leather); **Fens•ter•ni•sche** *f* windowbay; **Fens•ter•platz** *m* window seat; **Fens•ter•put•zer(in)** *m(f)* window cleaner; **Fens•ter•rah•men** *m* window frame; **Fens•ter•schei•be** *f* (window) pane; **Fens•ter•tech•nik** *f* (EDV) split-screen technique; **Fens•ter•um•schlag** *m* window envelope

Fe•ri•en ['fe:riən] *fpl* **1.** holidays *Br,* vacation *Am* **2.** (*~reise*) holiday *Br,* vacation *Am* **3.** (PARL JUR) recess *sing;* **die großen ~** the summer holidays *Br,* the long vacation *Am;* **~ haben** be on holidy *Br,* be on vacation *Am;* **in die ~ fahren** go on holiday *Br,* go on vacation *Am;* **Fe•rien•haus** *n* holiday cottage; (*Wochenendhaus*) weekend chalet; **Fe•ri•en•kurs** *m* holiday course; **Fe•ri•en•la•ger** *f* holiday camp; **Fe•rien•woh•nung** *f* holiday dwelling *Br,* vacation apartment *Am;* **Fe•ri•en•zeit** *f* holiday time

Fer•kel ['fɛrkəl] <-s, -> *n* **1.** (*Schweinchen*) piglet **2.** (*fam: Dreckspatz*) mucky, pup **3.** (*unanständiger Mensch*) dirty pig

Fer•ment [fɛr'mɛnt] <-(e)s, -e> *n* (*obs*) enzyme

fern [fɛrn] I. *adj* 1. (*räumlich*) distant, faraway 2. (*zeitlich*) far-off; **von** ~ from a distance, from afar; ~ **von hier** a long way from here; **der Tag ist nicht mehr ~, an dem ...** the day is not far when ...; **es liegt mir fern zu ...** I am far from ... II. *präp* far (away) from

Fern•amt *n* (TELE) (telephone) exchange *Br,* long-distance office [*o* exchange] *Am;* **Fern•bahn** *f* (RAIL) main-line service; **Fern•be•die•nung** *f* remote control; **Fern•blei•ben** *n* (*vom Arbeitsplatz*) absenteeism

fern|blei•ben *irr itr sein* stay away (*jdm, von etw* from s.o., s.th.)

Fern•blick *m* distant view (*auf* of)

Fern•emp•fang *m* (RADIO TELE) long-range [*o* long-distance] reception

fer•ner ['fɛrnɐ] I. *adj* (*weiter*) further II. *adv* 1. (*weiterhin*) further(more) 2. (*künftig*) in future; ~ **liefen ...** (SPORT) also-rans ...; **wir kamen unter „~ liefen"** (*fig fam*) we were among the also-rans; **... und so wollen wir es auch ~ halten** ... and we shall continue to do so

Fern•fah•rer(in) *m(f)* (MOT) long-distance lorry driver *Br,* long-distance truck driver *Am;* **Fern•flug** *m* long-distance flight; **Fern•gas** *n* long- distance gas; **fern•gelenkt** *adj,* **fern•ge•steu•ert** *adj* 1. (*Rakete etc*) remote- controlled 2. (*fig*) manipulated; **Fern•ge•spräch** *n* trunk call *Br,* long-distance call *Am;* **Fern•glas** *n* (pair of) field glasses; **fern|hal•ten** *irr tr refl* keep away (*von* from); **Fern•hei•zung** *f* district heating; **Fern•ko•pie** *f* (TELE) fax; **fern•ko•pie•ren** *tr itr* fax, send by fax; **Fern•ko•pie•rer** *m* (TELE) telecopier, fax terminal, facsimile terminal; **Fern•kurs(us)** *m* correspondence course; **Fern•las•ter** *m* long-distance lorry *Br,* long-distance truck *Am;* **Fern•lei•tung** *f* 1. (TELE) trunk-line *Br,* long-distance line *Am* 2. (EL) (long-distance) transmission line; **Fern•len•kung** *f* remote control; (*drahtlos*) wireless control *Br,* radio control *Am;* **Fern•licht** *n* (MOT) main beam *Br,* high beam *Am*

fern|lie•gen *s.* **liegen**

Fern•mel•de•dienst *m* telecommunications service; **Fern•mel•de•sa•tel•lit** *m* telecommunications satellite; **Fern•mel•de•tech•nik** *f* telecommunications engineering

fern•münd•lich I. *adj* telephone II. *adv* by telephone

Fern•ost [fɛrn'ɔst] *m:* **in** ~ in the Far East

Fern•rohr *n* 1. (ASTR) telescope 2. (*Feldstecher*) (pair of) field glasses; **Fern•ruf** *m* (TELE) 1. (*Anruf*) (telephone) call 2. (*Teilnehmernummer*) telephone number; **Fern•schnell•zug** *m* (RAIL) long-distance express train; **Fern•schrei•ben** *n* telex; **Fern•schrei•ber** *m* teleprinter; (COM) telex; **fern•schrift•lich** *adj* by telex

Fern•seh•an•sa•ger(in) *m(f)* television announcer; **Fern•seh•an•ten•ne** *f* television aerial; **Fern•seh•ap•pa•rat** *m* television (set), TV

Fern•se•hen *n* television, telly *Br;* **im ~ übertragen werden** be televised; **er hat e-n Job beim** ~ he's got a job in television; **im** ~ on television; ~ **haben** (*ein Fernsehgerät*) have a TV; **fast alle Länder haben heutzutage** ~ almost all countries have television nowadays

fern|se•hen *irr itr* watch television, watch TV, watch the telly *fam*

Fern•se•her *m* 1. (*Gerät*) television, TV, telly *fam* 2. (*Zuschauer*) (TV) viewer

Fern•seh•film *m* television film; **Fern•seh•ge•rät** *n* television [*o* TV] set; **Fern•seh•ka•me•ra** *f* television [*o* TV] camera; **Fern•seh•netz** *n* television network; **Fern•seh•pro•gramm** *n* 1. (*Erstes, Zweites etc* ~) channel *Br,* station *Am* 2. (*Sendefolge*) program(me)s *pl* 3. (*einzelne Sendung*) program(me) 4. (*Programmzeitschrift*) (television) program(me) guide; **Fern•seh•sa•tel•lit** *m* TV satellite; **Fern•seh•sen•der** *m* television station; **Fern•seh•sen•dung** *f* television program(me); **Fern•seh•spiel** *n* television play; **Fern•seh•tech•nik** *f* television engineering; **Fern•seh•tech•ni•ker** *m* television engineer; **Fern•seh•teil•neh•mer** *m* television licence holder; **Fern•seh•über•tra•gung** *f* television broadcast; **Fern•seh•wer•bung** *f* television advertising; **Fern•seh•zeit•schrift** *f* TV guide

Fern•sicht *f* clear view

Fern•sprech•amt *n* telephone exchange *Br,* telephone central office *Am;* **Fern•sprech•an•la•ge** *f* telephone installation; **Fern•sprech•an•sa•ge•dienst** *f* information services *pl;* **Fern•sprech•an•schluss**[RR] *m* telephone; **Fern•sprech•auf•trags•dienst** *m* answering service; **Fern•sprech•aus•kunft** *f* directory enquiries *pl;* **Fern•spre•cher** *m* telephone; **öffentlicher** ~ public telephone; **Fern•sprech•ge•büh•ren** *fpl* telephone charges; **Fern•sprech•netz** *n* telephone network; **Fern•sprech•num•mer** *f* (tele)phone number; **Fern•sprech•orts•netz** *n* local telephone network; **Fern•sprech•teil•neh•mer** *m* (telephone) subscriber; **Fern•sprech•ver•kehr** *m* telephone traffic; **Fern•sprech•ver•mitt•lung** *f* telephone exchange *Br,* telephone central office *Am*

Fern•steu•e•rung *f* remote control; (*drahtlos*) radio control; **Fern•stu•di•um** *n* correspondence degree course, Open University course *Br;* **Fern•ver•kehr** *m* (MOT) long-distance traffic; **Fern•ver•kehrs•stra•ße** *f* trunk road *Br,* highway *Am;* **Fern•wär•me** *f* municipal heat distribution; **Fern•wär•me•ver•sor•gung** *f* district [*o* municipal] heating; **Fern•was•ser•ver•sor•gung** *f* long-distance water supply; **Fern•weh** *n* wanderlust; **Fern•wir•kung** *f* (PHYS) long-distance effect

Fer•se ['fɛrzə] <-, -n> *f* (ANAT) heel; **jdm auf den ~n folgen** be on someone's heels; **Fer•sen•bein** *n* (ANAT) heel bone; **Fer•sen•geld** *n* (*fam*): **~ geben** take to one's heels

fer•tig ['fɛrtɪç] *adj* **1.** (*bereit*) ready **2.** (*vollendet*) finished; (*ausbildungsmäßig*) qualified **3.** (*reif*) mature **4.** (*fam: ruiniert*) finished; (*völlig erschöpft*) done in, shattered *fam;* **das Essen ist ~** dinner is ready; **bist du mit deiner Arbeit ~?** have you finished your work?; **mit dir bin ich ~** I am through [*o* finished] with you; **sind Sie ~ ausgebildeter ...?** are you a fully qualified ...?; **ich muss erst ~ essen** I must finish eating first; **mit jdm (etw) ~ werden** (*fig*) cope with s.o. (s.th.); **ich werde auch ohne dich ~** (*fig*) I'll get along without you; **..., und damit ~!** (*fig fam*) ... and that's that!; **ich bin echt ~** (*erschöpft*) I'm really done in *fam;* **der ist ~** (*fam: ruiniert*) he's done for; **~ bringen**RR (*vollenden*) get done; (*imstande sein*) manage; **der bringt es glatt fertig und ...** (*iro fam*) he's quite capable of ...; **~ machen**RR (*vollenden*) finish; (*bereitmachen*) get ready; **jdn ~ machen**RR (*fam: herunterputzen*) lay into s.o.; (*erledigen*) do for s.o.; (*ermüden*) take it out of s.o.; (*deprimieren*) get s.o. down; **~ stellen**RR complete

Fer•tig•bau <-s, -bauten> *m* prefab(ricated house); **Fer•tig•bau•wei•se** *f* (ARCH) prefabricated construction; **Haus in ~** prefab

fer•tig|brin•gen *s.* **fertig**

fer•ti•gen ['fɛrtɪgən] *tr* (*herstellen*) manufacture

Fer•tig•er•zeug•nis•se *npl* finished goods [*o* products]; **Fer•tig•fa•bri•kat** *n* finished product; **Fer•tig•ge•richt** *n* ready-to-serve [*o* instant] meal; **Fer•tig•haus** *n* (ARCH) prefabricated house, prefab

Fer•tig•keit *f* (*Geschick*) skill; (*im Sprechen*) fluency; **er hat (e-e) große ~ darin** he is very skilled at it

fer•tig|ma•chen *s.* **fertig**

fer•tig|stel•len *s.* **fertig**

Fer•tig•stel•lung *f* completion; **Fer•tig•teil** *n* finished part; **Fer•ti•gung** *f* production; **Fer•ti•gungs•stra•ße** *f* assembly line; production line

Fes[1] [fɛs] <-, -> *n* (MUS) F flat

Fes[2] [feːs] <-, -e> *m* (*Kopfbedeckung*) fez

fesch [fɛʃ] *adj* smart

Fes•sel[1] ['fɛsəl] <-, -n> *f* (ANAT) **1.** (*beim Menschen*) ankle **2.** (*bei Tieren*) pastern

Fes•sel[2] *f* (*a. fig*) bond, fetter, shackle; **jdn in ~n legen, jdm ~n anlegen** fetter [*o* shackle] s.o.; **die ~n der Unterdrückung** the chains of oppression

Fes•sel•bal•lon *m* captive balloon

fes•seln *tr* **1.** (*binden*) bind; (*mit F~*) fetter, shackle; (*mit Handschellen*) handcuff **2.** (*fig: faszinieren*) grip; **jdn an Händen und Füßen ~** fetter [*o* bind] s.o. hand and foot; **meine Krankheit fesselt mich ans Bett** (*fig*) my illness confines me to bed; **jdn an sich ~** (*fig*) bind s.o. to o.s.

fes•selnd *adj* (*packend*) gripping; (*faszinierend*) fascinating

Fest [fɛst] <-(e)s, -e> *n* (*Feier*) celebration; (*Gesellschaft*) party; **frohes ~!** (*Weihnachts~*) Merry Christmas!

fest [fɛst] **I.** *adj* **1.** (*hart, stabil*) solid **2.** (FIN COM: *Kurse etc*) stable **3.** (*nicht nachgebend, sicher, kräftig*) firm **4.** (*nicht leicht o locker*) tight; (*Schlag*) hard; (*fig: Schlaf*) sound **5.** (*ständig*) regular; (*Lohn, Gehalt, Preise*) fixed; (*Stellung, Beruf, Wohnsitz*) permanent; **~e Nahrung** solid food; **mit ~er Stimme erklärte sie ...** with a steady voice she explained ...; **~ versprechen** promise faithfully; **~ packen** grip tightly; **ich bin ~ entschlossen**RR I am absolutely determined; **wir sind ~ befreundet** (*gute Freunde*) we are good friends; (*mein(e) Freund(in) u. ich*) we are going steady; **~e(r) Freund(in)** steady boyfriend (girlfriend); **sie ist in ~en Händen** (*hum fam*) she's spoken for **II.** *adv* (*fam: kräftig, tüchtig*) properly; (*nachdrücklich, eifrig*) with a will

fest•an•ge•stellt *adj* permanently employed

fest|bin•den *irr tr* tie up; **jdn (etw) an etw ~** tie s.o. (s.th.) to s.th.

fest|blei•ben *sein irr tr* remain firm

fes•ten *vi* (*CH: feiern*) celebrate

Fest•es•sen *n* banquet

fest|fah•ren *irr refl* **1.** get stuck **2.** (*fig*) be at a deadlock

fest|hal•ten **I.** *irr tr* **1.** hold (tight) **2.** (*betonen*) emphasize **3.** (*speichern*) record; **jdn am Arm ~** hold on to someone's arm; **diese Tatsachen sind nirgends festge-**

halten these facts are not recorded anywhere **II.** *itr* hold (*an etw* to s.th.) **III.** *refl* hold on (*an* to); **halt dich fest!** hold tight!; (*fam: sei gefasst*) brace yourself!; *s. a.* **halten**RR

fes•ti•gen ['fɛstɪgən] **I.** *tr* strengthen **II.** *refl* become stronger; **Fes•ti•ger** *m* (*Haar~*) setting lotion; **Fes•tig•keit** *f* **1.** (*Stärke, Kraft*) strength **2.** (*fig: Standhaftigkeit*) steadfastness; (*Beständigkeit*) firmness; **Fes•ti•gung** *f* (*Be-, Verstärkung*) strengthening

fest|klam•mern *refl* cling on (*an* to)

fest|kle•ben *tr haben o sein* stick (firmly) (*an* to)

Fest•land *n* **1.** (*das europäische ~*) continent **2.** (*als Gegensatz zu Insel*) mainland

fest|le•gen **I.** *tr* **1.** (*bestimmen*) lay down; (*festsetzen*) fix; (*vorschreiben*) stipulate **2.** (FIN: *Geld*) tie up **3.** (*verpflichten*) commit (*jdn auf etw* s.o. to s.th.); (*festnageln*) tie down (*jdn auf etw* s.o. to s.th.) **II.** *refl* **1.** (*beschließen*) decide (*auf* on) **2.** (*sich verpflichten*) commit o.s. (*auf* to); (*e-e einzige Möglichkeit ins Auge fassen*) tie o.s. down (*auf* to)

Fest•le•gung *f* **1.** (*Bestimmung*) laying-down; (*Festsetzung*) fixing; (*Vorschrift: in Vertrag etc*) stipulation **2.** (*Verpflichtung*) commitment (*auf* to)

fest•lich ['fɛstlɪç] *adj* **1.** festive **2.** (*feierlich*) solemn; **in ~er Stimmung** in a festive mood; **~ begehen** celebrate

Fest•lich•keit *f* **1.** (*Feier*) festivity **2.** (*Feststimmung*) festiveness

fest|lie•gen *irr itr* **1.** (*bestimmt sein*) have been laid down; (*festgesetzt sein*) have been fixed **2.** (FIN: *Geld*) be tied up [*o* on time deposit] **3.** (*Schiff*) be aground

fest|ma•chen **I.** *tr* **1.** (*festbinden*) fasten (*an* on to) **2.** (*befestigen*) fix on (*an* to) **3.** (MAR) moor **4.** (*abmachen*) arrange **II.** *itr* (MAR) moor

Fest•mahl *n* banquet

Fest•me•ter *m* (*Holz*) cubic metre *Br*, meter (of solid timber) *Am*

fest|na•geln *tr* **1.** nail up, nail down (*etw an etw* s.th. to s.th.) **2.** (*fig fam*): **jdn auf etw ~** pin s.o. down to s.th.

Fest•nah•me ['fɛstnaːmə] <-, -n> *f* arrest

fest|neh•men *irr tr* (put under) arrest

Fest•plat•te *f* (EDV) hard disk; **Fest•plat•ten•lauf•werk** *n* (EDV) hard disk drive

Fest•preis *m* (COM) fixed price

Fest•red•ner(in) *m(f)* main speaker

fest|schnal•len *tr* buckle; **fest|schrau•ben** *tr* screw in tight; **fest|set•zen** **I.** *tr* **1.** (*bestimmen*) fix (*auf, bei* at) **2.** (*in Haft nehmen*) detain **II.** *refl* **1.** (*sich sammeln: Schmutz etc*) collect **2.** (*fig: Ideen*) take root; **fest|sit•zen** *irr itr* (*nicht weiterkönnen*) be stuck (*an, bei* on); (MAR) be aground

Fest•spiel *n* festival (performance); **~e** festival *sing*

fest|ste•hen *irr itr* **1.** (*gewiss sein*) be certain **2.** (*endgültig sein*) be definite **3.** (*beschlossene Sache sein*) have been fixed

fest•stell•bar *adj* **1.** (*herausfindbar*) ascertainable **2.** (TECH) securable

fest|stel•len *tr* **1.** (*herausfinden*) ascertain, find (out) **2.** (*erkennen*) tell (*an* from) **3.** (*entdecken*) discover; (*einsehen*) realize **4.** (*betonend äußern*) emphasize **5.** (TECH) lock, stop

Fest•stel•lung *f* **1.** (*Ermittlung*) ascertainment; (*von Personalien, Sachverhalt, Ursache*) establishment **2.** (*Schlussfolgerung*) conclusion **3.** (*Bemerkung*) remark, statement

Fest•tag *m* (*Feiertag*) holiday; (ECCL) feast

Fes•tung ['fɛstʊŋ] *f* fort(ress)

fest•ver•zins•lich *adj* (FIN) fixed-interest; (*nur attributiv*) with fixed interest

Fest•zins(•satz) *m* (FIN) fixed rate of interest

Fest•zug *m* (festive) procession, parade

Fe•tisch ['feːtɪʃ] <-(e)s, -e> *m* fetish; **Fe•ti•schist** *m* fetishist

Fett [fɛt] <-(e)s, (-e)> *n* **1.** fat **2.** (*Schmiere*) grease; **~ ansetzen** put on weight; **er hat sein ~ weg** (*fam*) he's got his come-uppance

fett *adj* **1.** (*a. fig fam*) fat **2.** (*Boden, Weide etc, a. fig fam: Gewinn, Beute etc*) rich **3.** (*~haltig: Essen etc.*) fatty **4.** (*fam: einträglich*) lucrative **5.** (MOT: *Gemisch*) rich **6.** (TYP) bold; **er isst gern ~** he likes (to eat) fatty food; **die ~en Jahre sind vorbei** the fat years are over; **~ gedruckt**RR (TYP) printed in bold (face) [*o* in bold-type]; **fett•arm** *adj* with a low fat content; **Fett•au•ge** *n* globule of grease; **Fett•druck** *m* (TYP) bold print, bold typeface

fet•ten **I.** *tr* (*schmieren*) lubricate, oil **II.** *itr* **1.** (*fettig sein*) be greasy **2.** (*Fett absondern*) get greasy

Fett•fleck *m* grease spot; **fett•ge•druckt** *adj s.* **fett**; **Fett•ge•halt** *m* fat content; **Fett•ge•webe** *n* (ANAT) fatty tissue; **fet•tig** *adj* greasy; (*ölig, Haut*) oily; **Fett•kloß** *m* (*fam: Mensch*) fatty; **fett•lei•big** ['fɛtlaɪbɪç] *adj* corpulent; **Fett•lei•big•keit** *f* corpulence; **Fett•näpf•chen** *n*: **ins ~ treten** put one's foot in it; **Fett•pols•ter** *n* **1.** (ANAT) subcutaneous fat **2.** (*hum fam*) padding; **er hat ganz hübsche ~** he's quite well- padded; **Fett•säu•re** *f* (CHEM) fatty acid; **Fett•sucht** *f* (MED) obesity

Fet·zen ['fɛtsən] <-s, -> *m* (*Abgerissenes*) shred; (*Kleider~, Lappen*) rag; (*Stoff~, Papier~, a. fig: Gesprächs~*) scrap; **..., dass die ~ nur so fliegen** (*fig fam*) ... like mad

fet·zen *itr* (*sl*): **diese Musik fetzt echt!** that music really blows your mind! *sl;* **fet·zig** *adj* (*sl*) wild, crazy; (*Kleidung a.*) racy

feucht [fɔɪçt] *adj* damp, moist; (*Klima*) humid; (*Hände*) sweaty; **das geht dich e-n ~en Dreck an!** (*sl*) that's none of your bloody business! *Br,* that's none of your goddam business! *Am;* **Feucht·bio·top** *m o m* damp biotope; **Feucht·ge·biet** *n* wetland; **Feuch·tig·keit** *f* **1.** (*Zustand*) dampness, moistness; (*von Klima*) humidity; (*von Körperteil*) sweatiness **2.** (*Flüssigkeit*) moisture; (*Luft~*) humidity; **Feuch·tig·keits·cre·me** *f* moisturizing cream; **Feuch·tig·keits·ge·halt** *m* moisture content; **Feuch·tig·keits·ver·lust** *m* moisture loss

feucht·warm *adj* (*Klima*) humid, muggy

feu·dal [fɔɪ'da:l] *adj* **1.** (POL) feudal **2.** (*fam: prächtig, prima*) plush *Br,* swell *Am*

Feu·da·lis·mus *m* (HIST) feudalism

Feu·er ['fɔɪɐ] <-s, -> *n* **1.** (*Herd~, Kamin~, Brand, Gewehr~*) fire **2.** (*für Zigarette*) light **3.** (*Glanz, Scheinen*) sparkle **4.** (*fig: Glut, Leidenschaft*) ardour; **am ~** by the fire; **~ (an)machen** light a fire; **~ legen** start a fire; **~ an etw legen** set fire to s.th.; **Spiel mit dem ~** (*fig*) brinkmanship; **~ fangen** catch fire; (*fig*) be really taken (*bei* with); **für jdn durchs ~ gehen** (*fig*) go through fire and water for s.o.; **können Sie mir ~ geben?** can I have a light? can you give me a light?; **mit dem ~ spielen** (*fig*) play with fire; **sie ist ganz ~ u. Flamme für ...** (*fig fam*) she's crazy about ...; **~ (frei)!** (MIL) (open) fire!; **Feu·er·alarm** *m* fire alarm; **Feu·er·an·zün·der** *m* firelighter; **Feu·er·be·fehl** *m* (MIL) order to fire; **feu·er·be·stän·dig** *adj* fire-resistant; **Feu·er·be·stat·tung** *f* cremation; **Feu·er·ei·fer** *m* zeal; **mit ~ arbeiten** work with great zeal; **mit ~ bei der Sache sein** be full of zeal for the cause; **Feu·er·ein·stel·lung** *f* (MIL) cease-fire; **feu·er·fest** *adj* fireproof; (*Glas*) heat-resistant; **Feu·er·gas·se** *f* fire lane; **Feu·er·ge·fahr** *f* fire hazard; **bei ~** in the event of fire; **feu·er·ge·fähr·lich** *adj* combustible, (in)flammable; **Feu·er·ge·fecht** *n* gun fight; **Feu·er·ha·ken** *m* (*Schüreisen*) poker; **Feu·er·lei·ter** *f* **1.** (*Nottreppe*) fire escape **2.** (*Leiter e-s Feuerwehrfahrzeugs*) fireman's ladder; **Feu·er·lösch·ein·rich·tung** *f* fire fighting device; **Feu·er·lö·scher** *m* fire extinguisher; **Feu·er·mel·der** *m* fire alarm; (*automatischer*) fire detector; **Feu·er·scha·den** *m* fire damage

feu·ern I. *itr* **1.** (MIL: *schießen*) fire (*auf* at, on, upon) **2.** (*heizen*): **mit Öl ~** have oil heating **II.** *tr* **1.** (*heizen*) heat **2.** (*fam: schmeißen*) fling **3.** (*fam: entlassen*) fire, sack; **jdm e-e ~** (*fam: schlagen*) thump s.o. one; **den Ball ins Tor ~** (*fam: Fußball*) slam the ball in; **gefeuert werden** (*fam: entlassen werden*) get the sack

Feu·er·pau·se *f* (MIL) pause in firing; **feu·er·rot** ['--'-] *adj* fiery red; **Feu·er·schlu·cker** *m* fire-eater; **Feu·ers·brunst** *f* conflagration; **feu·er·si·cher** *adj* fireproof; **Feu·er·sprit·ze** *f* fire hose; **Feu·er·stein** *m* flint; **Feu·er·stel·le** *f* (camp)fire; **Feu·er·über·fall** *m* (MIL) armed attack; **Feue·rung** *f* **1.** (*das Heizen*) heating **2.** (*Brennmaterial*) fuel **3.** (*~sanlage*) heating system; **Feu·er·ver·si·che·rung** *f* fire insurance; **Feu·er·wa·che** *f* fire station; **Feu·er·waf·fe** *f* firearm

Feu·er·wehr ['fɔɪɐve:ɐ] <-, -en> *f* fire brigade *Br,* fire department *Am;* **Feu·er·wehr·au·to** *n* fire engine *Br,* fire truck *Am;* **Feu·er·wehr·frau** *f* firewoman; **Feu·er·wehr·lei·ter** *f* fireman's ladder; **Feu·er·wehr·mann** *m* fireman

Feu·er·werk *n* **1.** fireworks *pl* **2.** (*fig*) cavalcade; **Feu·er·werks·kör·per** *m* firework; **Feu·er·zeug** *n* (cigarette) lighter

Feuil·le·ton [fœj(ə)'tõ(:)] <-s, -s> *n* **1.** (*Zeitungssparte*) feature pages *pl* **2.** (*Artikel*) feature (article)

feu·rig ['fɔɪrɪç] *adj* (*a. fig*) fiery

Fi·a·ker <-s, -> *m* (*österr: Kutsche*) cab

Fi·as·ko [fi'asko] <-s, -s> *n* failure, fiasco

Fi·bel[1] ['fi:bəl] <-, -n> *f* (*Schul~*) primer

Fi·bel[2] *f* (*Spange*) clasp, fibula

Fich·te ['fɪçtə] <-, -n> *f* (BOT) spruce

Fick [fɪk] <-s, (-e)> *m* (*vulg*) fuck

fi·cken *tr itr* (*vulg*) fuck (*jdn, mit jdm* s.o.)

fi·del [fi'de:l] *adj* jolly, merry

Fi·dschi·in·seln *pl* Fiji Islands

Fie·ber ['fi:bɐ] <-s, (-)> *n* **1.** (*Krankheit, a. fig*) fever **2.** (*Temperatur*) temperature; **jdm das ~ messen** take someone's temperature; **(39 °C) ~ haben** have a temperature (of 39 °C); **Fie·ber·an·fall** *m* attack of fever; **Fie·ber·bla·se** *f* herpes blister; **Fie·ber·fan·ta·sie**RR *f* delirious ravings *pl;* **fie·ber·frei** *adj* free from fever; **fie·ber·haft** *adj* (*fig: hektisch*) feverish; **fieb·rig** ['fi:b(ə)rɪç] *adj* feverish; (MED) febrile; **fie·ber·krank** *adj* sick with fever, suffering from fever; **Fie·ber·kur·ve** *f* temperature curve

fie·bern *itr* **1.** (*Fieber haben*) have a temperature [*o* a fever] **2.** (*fig*): **nach etw ~** long feverishly for s.th.; **vor ... ~** be in a

fever of …
Fie•ber•phan•ta•sie *f s.* Fieberfantasie; **fie•ber•sen•kend** *adj* fever-reducing; **Fie•ber•ther•mo•me•ter** *n* (clinical) thermometer
Fie•del ['fi:dəl] <-, -n> *f* fiddle
fie•deln *tr itr* fiddle
fies *adj* (*fam: Mensch, Arbeit, Geruch*) nasty, horrid, horrible; (*Charakter, Methoden a.*) mean
fif•ty-fif•ty ['fɪfti'fɪfti] *adv* (*fam*): **mit jdm ~ machen** go fifty-fifty with s.o.
Fi•gur [fi'gu:ɐ] <-, -en> *f* **1.** (*Abbildung, Statuette, a.* SPORT MUS MATH) figure **2.** (*Gestalt, Körperform, literarische ~*) figure **3.** (*~ in e-m Film o Roman*) character; **ich muss auf meine ~ achten** I must watch my figure; **e-e traurige (gute) ~ machen** cut a sorry (good) figure
fi•gür•lich [fi'gy:ɐlɪç] *adj* (*übertragen*) figurative
Fik•ti•on [fɪk'tsjo:n] <-, -en> *f* fiction
fik•tiv *adj* fictitious
Fi•let [fi'le:] <-s, -s> *n* (*Fleischstück*) piece of sirloin *Br,* piece of tenderloin *Am*
Fi•let•steak *n* fillet steak
Fi•li•a•le [fi'lja:lə] <-, -n> *f* branch
Fi•li•al•lei•ter *m* branch manager
Fi•li•pi•na <-, -s> *f* Filipina; **Fi•li•pi•no** <-s, -s> *m* Filipino
Film [fɪlm] <-(e)s, -e> *m* **1.** (*Häutchen, Schleier, Schicht, Belag*) coat, film **2.** (PHOT) film **3.** (*Kino~*) film *Br,* movie *Am,* motion picture **4.** (*~branche*) films *Br,* movies *Am;* **e-n ~ drehen** shoot a film *Br,* shoot a movie *Am;* **e-n ~ (in e-e Kamera) einlegen** load (a film into) a camera; **in e-n ~ gehen** go and see a film; **zum ~ gehen** go into the films *Br,* go into the movies *Am;* **Film•ar•chiv** *n* film archives *pl;* **Film•a•te•lier** *n* film studio
Fil•me•ma•cher(in) *m(f)* film-maker
Fil•me•ma•chen *n* film-making
fil•men ['fɪlmən] *tr itr* (FILM: *machen*) film
fil•misch *adj* cinematic
Film•ka•me•ra *f* film camera *Br,* movie camera *Am;* **Film•kunst** *f* cinematic art; **Film•pro•jek•tor** *m* film projector *Br,* movie projector *Am;* **Film•prüf•stel•le** *f* film censorship office; **Film•re•gis•seur(in)** *m(f)* film director *Br,* movie director *Am;* **Film•riss**[RR] *m* (*fig fam*) mental blackout; **Film•satz** *m* (TYP) film-setting, photocomposition; **Film•schau•spie•ler(in)** *m(f)* film actor/actress *Br,* movie actor/actress *Am;* **Film•star** *m* film star *Br,* movie star *Am;* **Film•the•a•ter** *n* cinema *Br,* movie theater *Am;* **Film•ver•leih** *m,* **Film•ver•trieb** *m* **1.** (*Tätigkeit*) film distribution **2.** (*Firma*) film distributors *pl;* **Film•vor•füh•rung** *f,* **Film•vor•stel•lung** *f* film show *Br,* movie show *Am;* **Film•vor•führ•ge•rät** *n* cine-projector; **Film•vor•schau** *f* **1.** (*für Kritiker etc*) preview, prevue *Am a.* **2.** (*Reklame für das nächste Programm e-s Kinos*) trailer (*auf* of); **Film•zen•sur** *f* film censorship
Fil•ter ['fɪltɐ] <-s, -> *m o n* (EL PHOT RADIO TECH) filter; **Fil•ter•ag•gre•gat** *n* filter unit; **Fil•ter•an•la•ge** *f* filter [*o* filtration] plant; **Fil•ter•ein•satz** *m* filter pad; **Fil•ter•ge•we•be** *n* filtering fabric; **Fil•ter•kaf•fee** *m* filter coffee *Br,* drip coffee *Am*
fil•tern *tr itr* filter
Fil•ter•pa•pier *n* filter paper; **Fil•ter•wir•kung** *f* filter efficiency; **Fil•ter•zi•ga•ret•te** *f* (filter-)tipped cigarette, filter cigarette
fil•trie•ren *tr* filter
Filz [fɪlts] <-es, -e> *m* **1.** (*Stoff*) felt **2.** (*fam: Hut*) felt hat **3.** (*fig: Korruption*) corruption, sleaze; (*Vetternwirtschaft*) nepotism
fil•zen I. *tr* (*fam*) **1.** (*berauben*) do over **2.** (*durchsuchen*) frisk **II.** *itr* (*Stoff*) felt
fil•zig *adj* (*filzartig*) feltlike
Filz•laus *f* (ZOO) crablouse
Fil•zo•kra•tie *f* (POL: *hum*) corruption and nepotism
Filz•pan•tof•fel *m* felt slipper
Filz•schrei•ber *m,* **Filz•stift** *m* felt-pen, felt-tip pen
Fim•mel ['fɪməl] <-s, -> *m* (*fam*) craze; **du hast wohl e-n ~!** you must be crazy!
Fi•na•le [fi'na:lə] <-s, -/(-s)> *n* **1.** (SPORT) finals *sing* **2.** (MUS) finale
Fi•nanz [fi'nants] <-> *f* financial world; **Fi•nanz•amt** *n* tax [*o* fiscal] office; **Fi•nanz•be•am•te, -be•am•tin** *m, f* tax official
Fi•nan•zen <-> *pl* finances; **Fi•nanz•hil•fen** *fpl* financial assistance [*o* aid]
fi•nan•ziell [finan'tsjɛl] *adj* financial
fi•nan•zie•ren *tr* finance
Fi•nan•zie•rung *f* financing; **Fi•nan•zie•rungs•ge•sell•schaft** *f* finance company
Fi•nanz•mi•nis•ter *m* Chancellor of the Exchequer *Br,* Secretary of the Treasury *Am;* (*andere Länder*) minister of finance; **Fi•nanz•mi•nis•te•rium** *n* the Exchequer *Br,* Treasury Department *Am;* (*andere Länder*) ministry of finance; **Fi•nanz•po•li•tik** *f* financial policy; **Fi•nanz•sprit•ze** *f* ..: a (financial) shot in the arm; **Fi•nanz•ver•wal•tung** *f* financial administration; (*Steuer*) Board of Inland Revenue
Fin•del•kind ['fɪndəlkɪnt] *n* foundling
fin•den ['fɪndən] **I.** *irr tr* **1.** (*entdecken, vor~*) find **2.** (*halten für, ansehen als, meinen*) think; **er ist nirgends zu ~** he is nowhere to be found; **ich finde nichts dabei** I think nothing of it; **Bestätigung ~**

be confirmed; **Beifall** ~ meet with applause; **ich finde einfach nicht die Kraft zu ...** I simply can't find the strength to ...; ~ **Sie es auch schön hier?** do you find it quite nice here, too?; **etw gut** ~ think s.th. is good; **wir** ~ **sie alle sehr nett** we all think she is very nice **II.** *itr:* **zu sich selbst** ~ sort o.s. out **III.** *refl* **1.** (*auftauchen*) be found **2.** (*in Ordnung kommen*) sort itself out **3.** (*sich ab~*) reconcile o.s. (*in etw* to s.th.); **niemand fand sich, der ...** there was no-one (to be found) who ...; **es wird sich schon alles** ~ (*auftauchen*) it will turn up; (*in Ordnung kommen*) it will all sort itself out

Fin•der(in) *m(f)* finder

Fin•der•lohn *m* finder's reward

fin•dig *adj* resourceful

Fin•dig•keit *f* resourcefulness

Find•ling *m* **1.** (*Kind*) foundling **2.** (GEOL) erratic block

Fi•nes•se [fi'nɛsə] <-, -n> *f* (*Feinheit*) refinement; **mit allen ~n** with every refinement *sing*

Fin•ger ['fɪŋɐ] <-s, -> *m* finger; **jdm auf die** ~ **sehen** keep a close eye on s.o.; **sich etw aus den ~n saugen** (*fig*) dream s.th. up; **sich in den** ~ **schneiden** cut one's finger; **man kann es sich an den fünf ~n abzählen** it sticks out a mile; **jdm auf die** ~ **klopfen** (*fig*) rap someone's knuckles; **die** ~ **von jdm (etw) lassen** keep one's hands off s.o. (s.th.); **überall s-e** ~ **drin haben** (*fig fam*) have a finger in every pie; **für den mache ich keinen** ~ **krumm** (*fig fam*) I won't lift a finger to help him; **sich die** ~ **nach etw lecken** (*fig fam*) be dying for s.th.

Fin•ger•ab•druck <-(e)s, ¨e> *m* fingerprint; **jds ~̈e nehmen** fingerprint s.o., take someone's fingerprints; **fin•ger•dick** ['--'-] *adj* as thick as a finger; **fin•ger•fer•tig** *adj* dext(e)rous; **Fin•ger•fer•tig•keit** *f* dexterity; **Fin•ger•glied** *n* (ANAT) phalanx; **Fin•ger•hut** *m* **1.** (*Nähutensil*) thimble **2.** (BOT) foxglove

fin•gern *itr:* **an** [*o* **mit**] **etw** ~ fiddle with s.th.

Fin•ger•na•gel *m* fingernail; **Fin•ger•spit•ze** *f* fingertip; **Fin•ger•spit•zen•ge•fühl** *n* (*fig*) **1.** (*Feingefühl, Takt*) tact **2.** (*Einfühlungsvermögen*) instinctive feel(ing)

Fin•ger•zeig *m* hint

fin•gie•ren [fɪŋ'gi:rən] *tr* fake

Fink [fɪŋk] <-en, -en> *m* (ORN) finch

Fin•ne <-n, -n> *m*, **Fin•nin** *f* Finn; **fin•nisch** *adj* Finnish

Finn•land <-s> *n* Finland

fins•ter ['fɪnstɐ] *adj* **1.** (*dunkel*) dark **2.** (*fig: unheimlich*) sinister **3.** (*fig: mürrisch, verdrossen*) grim, sullen **4.** (*fig: zweifelhaft, anrüchig*) shady; **im F~n** in the dark; **es sieht** ~ **aus** (*fig fam*) things look bleak; **e-e ~e Angelegenheit** (*fig*) a shady business

Fins•ter•ling <-(e)s, -e> *m* (*fam*) shady type

Fins•ter•nis <-, -se> *f* darkness

Fin•te ['fɪntə] <-, -n> *f* **1.** (SPORT) feint **2.** (*List*) ruse, trick

Fir•ma ['fɪrma, *pl:* 'fɪrmən] <-, -men> *f* (COM) **1.** (*Unternehmen*) company, firm **2.** (*Name des Unternehmens*) name; **unter der** ~ **...** under the name of ...; ~ **X u. Y** (*Briefanschrift*) Messrs. X and Y

Fir•ma•ment [fɪrma'mɛnt] <-s, (-e)> *n* firmament, heavens *pl*

fir•men ['fɪrmən] *tr* (ECCL) confirm

Fir•men•grün•der(in) *m(f)* founder of a business [*o* firm]; **Fir•men•grün•dung** *f* formation of a company; **Fir•men•lei•tung** *f* management; **Fir•men•na•me** *m* corporate name; **Fir•men•schild** *m* (shop) sign; **Fir•men•schlie•ßung** *f* closing-down; **Fir•men•stem•pel** *m* firm stamp; **Fir•men•wa•gen** *m* company car; **Fir•men•zei•chen** *n* logo

Firm•ling *m* (ECCL) candidate for confirmation; **Fir•mung** *f* (ECCL) confirmation

Firn [fɪrn] <-s, -e> *m* firn

First [fɪrst] <-es, -e> *m* **1.** (*Dach-*) ridge **2.** (*Berg*) crest, (mountain) ridge

Fis [fɪs] <-, -> *n* (MUS) F sharp

Fisch [fɪʃ] <-(e)s, -e> *m* **1.** (ZOO) fish **2.** (ASTR: *Sternbild*) Pisces *pl;* **(zehn) ~e fangen** catch (ten) fish(es); **kleine ~e** (*fam: e-e leichte Aufgabe*) child's play; **er ist nur ein kleiner** ~ (*sl: unbedeutender Mensch*) he's only one of the small fry; **ich bin** ~ (ASTR) I am (a) Pisces; **gesund wie ein** ~ **im Wasser** as sound as a bell; **Fisch•bein** *n* whalebone; **Fisch•damp•fer** *m* trawler

fi•schen *tr itr* (*a. fig*) fish; **im Trüben** ~[RR] (*fig*) fish in troubled waters *pl*

Fi•scher *m* fisherman; **Fi•sche•rei** *f* **1.** (*Vorgang*) fishing **2.** (*~branche*) fishing industry; **Fisch•fang** *m* fishing; **vom** ~ **leben** live by fishing; **zum** ~ **auslaufen** set off for the fishing grounds; **Fisch•händ•ler(in)** *m(f)* fishmonger *Br,* fish dealer *Am*

Fisch•kon•ser•ve *f* canned fish; **Fisch•mehl** *n* fish meal; **Fisch•mes•ser** *n* fish-knife; **Fisch•ot•ter** *m* (ZOO) otter; **fisch•reich** *adj* rich in fish; **Fisch•stäb•chen** *n* fish finger; **Fisch•ster•ben** *n* death of fish; **Fisch•trep•pe** *f* fish leap [*o* pass]; **Fisch•zucht** *f* fish culture, fish-farming

fis•ka•lisch [fɪs'ka:lɪʃ] *adj* fiscal

Fis•kus ['fɪskʊs] <-> *m* exchequer *Br,* treasury *Am*

Fi•so•le [fi'zo:lə] <-s, -n> *f* (*österr*) French bean, green bean

Fis•tel ['fɪstəl] <-, -n> *f* (MED) fistula

Fis•tel•stim•me *f* falsetto

fit [fɪt] *adj* fit, in good shape

Fit•nessRR ['fɪtnɛs] <-> *f* fitness; **Fit•ness-cen•ter**RR ['fɪtnɛs'sɛntɐ] <-s, -> *n* health center

fix [fɪks] *adj* **1.** (*feststehend*) fixed **2.** (*fam: flink*) quick; **~e Idee** (PSYCH) idee fixe, obsession; **~ u. fertig sein** (*fam: erschöpft, erledigt*) be finished; (*ruiniert*) be done for; (*bereit*) be all ready; **jdn ~ u. fertig machen** (*fam: erschöpfen*) wear s.o. out; (*ruinieren*) do for s.o.; (*fam: bereit machen*) get s.o. all ready

fi•xen *itr* **1.** (*sl: Rauschgift spritzen*) (give o.s. a) fix, shoot **2.** (FIN: *an der Börse*) bear; **Fixer(in)** *m(f)* **1.** (*sl*) fixer; (*Süchtige(r)*) junkie **2.** (FIN) bear

fi•xie•ren *tr* **1.** (*festlegen*) define, specify **2.** (*schriftlich festhalten*) record **3.** (*starr ansehen*) fix one's eyes on; **fi•xiert** *adj* fixated (*auf* on)

Fi•xie•rung *f* **1.** (*Festlegung*) specification **2.** (*schriftliche ~*) recording **3.** (*starres Ansehen*) fixing of one's eyes (*e-r Person, e-r Sache* on s.o., on s.th.) **4.** (PSYCH: *Mutter~ etc*) fixation (*auf* on)

Fi•xum ['fɪksʊm, *pl:* 'fɪksa] <-s, -xa> *n* (COM) basic (salary)

FKK-Strand [ɛfka'ka-] *m* nudist beach

flach [flax] *adj* **1.** (*eben, niedrig, platt*) flat; (*Haus*) low **2.** (*nicht tief*) shallow **3.** (*Böschung*) gentle; (*Kiel e-s Bootes*) flat-bottomed **4.** (*fig: seicht*) shallow; (*oberflächlich*) superficial; **~ machen** flatten; **die ~e Hand** the flat of one's hand; **sich ~ auf den Boden legen** lie down flat on the ground; **~ liegen** lie flat

Flach•bild•schirm *m* (TV) flat screen; **Flach•dach** *n* flat roof; **Flach•druck** <-(e)s, -e> *m* (TYP) **1.** (*Verfahren*) planography **2.** (*Ergebnis*) planograph

Flä•che ['flɛçə] <-, -n> *f* (*~ninhalt, Ausdehnung*) area; (*Ober~*) surface; (*Wasser~*) expanse; **Flä•chen•aus•deh•nung** *f* surface area; **Flä•chen•in•halt** *m* area; **Flä•chen•maß** *n* unit of square measure

flach|fal•len *irr itr* (*fam*) **1.** *sein* (*wegfallen*) end **2.** (*nicht stattfinden*) not come off

Flach•land *n* lowland

Flachs [flaks] <-es> *m* **1.** (BOT) flax **2.** (*fam: Jux*) kidding; **das war doch nur ~** (*fam*) I was only kidding

flachs•blond *adj* flaxen-haired

flach•sen *itr* (*fam*) kid around

fla•ckern ['flakɐn] *itr* (*a. fig*) flicker

Fla•den ['fla:dən] <-s, -> *m* **1.** (*Brot*) flat cake **2.** (*Kuhmist*) cowpat

Flag•ge ['flagə] <-, -n> *f* flag; **die ~ streichen** strike the flag; (*fig*) show the white flag; **die ~ hissen** (*aufziehen*) hoist the flag; **die ~ hochhalten** (*fig*) keep the flag flying

flag•gen *itr* fly flags [*o* a flag]; **Flag•gen•si•gnal** *n* flag signal; **Flagg•schiff** *n* (MAR AERO: *a. fig*) flagship

Flair [flɛ:ɐ] <-s> *n* flair

Flak [flak] <-, -(s)> *f* (*Fliegerabwehrkanone*) **1.** (MIL: *sl: Gerät*) anti-aircraft gun **2.** (*Einheit*) anti-aircraft unit

Fla•kon [fla'kõ:] <-s, -s> *n* phial; (*Parfüm*) scent bottle

flam•bie•ren [flam'bi:rən] *tr* flambée

Fla•me ['fla:mə (flɛ:mɪn)] *m*, **Flä•min** *f* Fleming

Fla•min•go [fla'mɪŋgo] <-s, -s> *m* (ORN) flamingo

flä•misch ['flɛ:mɪʃ] *adj* Flemish

Flam•me ['flamə] <-, -n> *f* **1.** (*a. fig*) flame **2.** (*fam: alte Liebe*) flame; **in ~n aufgehen** go up in flames; **in hellen ~n stehen** be ablaze; **etw auf kleiner ~ kochen** cook s.th. on a low flame; (*fig*) let s.th. just tick over; **sie ist e-e alte ~ von mir** (*fig fam*) she's an old flame of mine

flam•men *itr* blaze; **flam•mend** *adj* blazing; (*feurig*) fiery

Flam•men•wer•fer *m* (MIL) flamethrower

Flan•dern ['flandɐn] <-s> *n* (GEOG) Flanders *sing*

Fla•nell [fla'nɛl] <-s, -e> *m* flannel

Flan•ke ['flaŋkə] <-, -n> *f* **1.** (ANAT MIL) flank; (*von Fahrzeug*) side **2.** (SPORT: *beim Turnen*) side-vault; (*beim Fußball*) centre pass; **offene ~** open flank

flan•ken *itr* (SPORT: *Fußball*) centre

flan•kie•ren *tr* (*a. fig*) flank; **~de Maßnahmen** supporting measures

Flansch [flanʃ] <-(e)s, -e> *m* (TECH) flange

Fla•sche ['flaʃə] <-, -n> *f* **1.** bottle **2.** (*fam: Schwächling, Versager*) dead loss; **in ~n füllen** bottle; **mit der ~ aufziehen** bottle-feed; **zur ~ greifen** take to the bottle; **du alte ~!** (*fam*) you're a dead loss, you are!

Fla•schen•bier *n* bottled beer; **Fla•schen•bürs•te** *f* bottle-brush; **Fla•schen•ge•stell** *n* bottle rack; **Fla•schen•hals** *m* neck of a bottle; **Fla•schen•kind** *n* bottle-fed baby; **Fla•schen•nah•rung** *f* baby milk; **Fla•schen•öff•ner** *m* bottle-opener; **Fla•schen•pfand** *m* deposit (on a bottle); **Fla•schen•post** *f* message in a bottle; **Fla•schen•zug** *m* pulley

flat•ter•haft *adj* fickle; **Flat•ter•haf•tig•keit** *f* fickleness

flat·tern ['flatɐn] *itr* **1.** *sein* (*Vogel*) flutter **2.** *haben* (*Fahne*) stream, wave

flau [flaʊ] *adj* **1.** (*schwach*) weak **2.** (*Saison, Wind*) slack **3.** (*übel*) queasy; **mir ist ganz ~** I feel queasy

Flau·heit *f* **1.** (*Schwäche*) weakness **2.** (*von Saison, Wind*) slackness **3.** (*im Magen*) queasiness

Flaum [flaʊm] <-(e)s> *m* down, fluff; **Flaum·fe·der** *f* down feather; **flau·mig** *adj* downy, fluffy

Flausch [flaʊʃ] <-(e)s, -e> *m* fleece

Flau·sen ['flaʊzən] *pl* (*fam*) **1.** (*Unsinn*) nonsense **2.** (*Illusionen*) fancy ideas *pl*

Flau·te ['flaʊtə] <-, -n> *f* **1.** (*Windstille*) calm **2.** (*der Konjunktur, fig*) slack period

Flech·te ['flɛçtə] <-, -n> *f* **1.** (*Haar*) braid, plait **2.** (BOT) lichen **3.** (MED) herpes

flech·ten *irr tr* (*Haar*) plait; (*Korb, Matte*) weave; (*Kranz*) wreathe

Flecht·werk *n* interlacing

Fleck [flɛk] <-(e)s, -e> *m* **1.** (*Stelle*) spot **2.** (*Schmutz~*) blot, stain; (*Farb~*) splotch; **vom ~ weg** on the spot; **nicht vom ~ kommen** (*a. fig*) not to make any headway; **sie hat das Herz auf dem rechten ~** (*fig*) her heart is in the right place; **ein weißer ~** (*auf der Landkarte*) a blank area; **~en machen** stain (*in o auf etw* s.th.); **blauer ~** bruise; **er hatte überall blaue ~en** he was bruised all over

Fle·cken ['flɛkən] <-s, -> *m* (*Ort*) market town; **fle·cken·los** *adj* (*a. fig*) spotless

Fleck·ent·fer·ner *m*, **Fle·cken·was·ser** *n* stain-remover

Fle·ckerl·tep·pich *m* (*österr*) rag rug

fle·ckig ['flɛkɪç] *adj* stained

Fle·der·maus ['fle:dɐmaʊs] *f* bat

Fle·gel ['fle:gəl] <-s, -> *m* (*rüpelhafter Mensch*) uncouth fellow; **Fle·ge·lei** *f* uncouth behaviour; **fle·gel·haft** *adj* uncouth; **Fle·gel·jah·re** *pl* awkward adolescent phase *sing*

Fle·hen ['fle:ən] *n* entreaty

fle·hen *itr* plead (*um etw* for s.th., *zu jdm* with s.o.), entreat (*um etw* for s.th., *zu jdm* s.o.); **fle·hent·lich** ['fle:əntlɪç] *adj* entreating, imploring; **ich bitte Sie ~ zu ...** I implore you to ...

Fleisch [flaɪʃ] <-(e)s> *n* **1.** (*lebendes ~*) flesh **2.** (*Nahrung*) meat **3.** (*Obst~*) flesh; **vom ~ fallen** (*fam*) lose a lot of weight; **sich ins eigene ~ schneiden** (*fig*) cut off one's nose to spite one's face; **es ist mir in ~ u. Blut übergegangen** (*fig*) it has become second nature to me; **~ fressend**[RR] (BOT ZOO) carnivorous; **Fleisch·be·schau** *f* **1.** meat inspection **2.** (*fam: Striptease etc*) cattle [*o* meat] market *fam;* **Fleisch·brü·he** *f* broth, consommé; **Fleisch·brüh·wür·fel** *m* bouillon [*o* stock] cube; **Flei·scher(in)** *m(f)* butcher; **Fleisch·ex·trakt** *m* beef extract, extract of meat; **fleisch·far·ben** *adj* flesh-coloured; **fleisch·fres·send** *adj s.* **Fleisch**

flei·schig *adj* **1.** fleshy **2.** (*Obst*) pulpy

Fleisch·klöß·chen *n* meat-ball

Fleisch·kost *f* meat diet

fleisch·lich *adj* **1.** (*Kost, Nahrung*) meat **2.** (ECCL: *Begierde, Lüste*) carnal

fleisch·los *adj* **1.** (*ohne Fleisch*) meatless **2.** (*vegetarisch*) vegetarian

Fleisch·to·ma·te *f* beef tomato; **Fleisch·pas·te·te** *f* meat pie; **Fleisch·ver·gif·tung** *f* botulism; **Fleisch·wa·ren** *fpl* meat products; **Fleisch·wa·ren·fa·brik** *f* packing house; **Fleisch·wolf** *m* mincer *Br,* meat grinder *Am;* **Fleisch·wun·de** *f* flesh wound; **Fleisch·wurst** *f* pork sausage

Fleiß [flaɪs] <-es> *m* **1.** (*Fleißigsein*) industry **2.** (*als Wesenseigenschaft*) industriousness **3.** (*Ausdauer*) application; **ohne ~ kein Preis** no pains, no gains; **mit großem ~** very industriously

flei·ßig *adj* **1.** (*Fleiß, Sorgfalt zeigend*) diligent, industrious; (*arbeitsam*) hard-working **2.** (*fam: unverdrossen*) keen

flen·nen ['flɛnən] *itr* (*fam pej*) blubber

flet·schen ['flɛtʃən] *tr:* **die Zähne ~** show one's teeth

fle·xi·bel *adj* flexible; **flexible Arbeitszeit** flexitime; **Fle·xi·bi·li·sie·rung** *f:* **~ der Arbeitszeit** transition to flexible working hours; **Fle·xi·bi·li·tät** *f* flexibility

Fle·xi·on [flɛ'ksjo:n] *f* (GRAM) inflection, inflexion

Fli·cken <-s, -> *m* patch; **fli·cken** ['flɪkən] *tr* mend; (*mit F~*) patch; **Fli·cken·tep·pich** *m* rag rug

Flick·zeug *n* **1.** (*Nähzeug*) sewing kit **2.** (*für Reifen*) (puncture) repair outfit

Flie·der ['fli:dɐ] <-s, -> *m* (BOT) lilac

Flie·ge ['fli:gə] <-, -n> *f* **1.** (ZOO) fly **2.** (*Krawatte*) bow tie; **zwei ~n mit e-r Klappe schlagen** (*fig*) kill two birds with one stone; **er kann keiner ~ etw zuleide tun** (*fig*) he wouldn't hurt a fly; **komm, mach 'ne ~!** (*sl*) get lost! *fam,* piss off! *vulg*

flie·gen ['fli:gən] **I.** *irr itr* **1.** (*als Fortbewegungsart, a. wehen*) fly; (*Raumschiff*) travel **2.** (*eilen*) fly (*jdm in die Arme* into someone's arms) **3.** (*Puls*) race **4.** (*fam: fallen*) fall (*von etw* off s.th.) **5.** (*sl: entlassen werden*) be kicked out (*aus, von* of); **mit Pan Am ~** fly (by) Pan Am; **in die Ferien ~** fly on holiday *Br,* fly on vacation *Am;* **~ kann ich leider noch nicht!** (*fam: schneller kann ich nicht arbeiten*) sorry, I haven't got wings yet!; **in die Luft ~** (*fam*) go up; **auf jdn** ~ (*fam*) be mad about s.o.; **durch e-e Prüfung** ~ (*fam*) flunk one's exam **II.** *tr* fly **III.** *refl:* **diese Maschine fliegt sich leicht** (**schwer**) this plane is easy (difficult) to fly

flie•gend *adj* flying

Flie•gen•fän•ger *m* fly-paper; **Flie•gen•ge•wicht** *n* (SPORT: *a. fig*) flyweight; **Flie•gen•klat•sche** *f* fly-swat

Flie•gen•pilz *m* (BOT) fly agaric

Flie•ger ['fli:gɐ] *m* (AERO) **1.** (*Flugzeugführer*) airman **2.** (MIL: *Rang*) aircraftman *Br,* airman (basic) *Am;* **bei den ~n sein** be in the air force; **Flie•ger•a•larm** *m* air-raid warning; **Flie•ger•an•griff** *m* air-raid; **Flie•ger•horst** *m* (MIL) RAF station *Br,* airbase *Am*

flie•hen ['fli:ən] **I.** *irr itr sein* flee (*vor jdm* from s.o.) **II.** *tr* **1.** (*meiden*) avoid, shun **2.** (*entkommen*) escape (*aus* from); **aus dem Lande** ~ flee the country; **zu jdm** ~ take refuge with s.o.

Flie•se ['fli:zə] <-, -n> *f* tile; **~n legen** lay tiles; **Flie•sen•le•ger** *m* tiler

Fließ•band *n* assembly line; **am** ~ **arbeiten** [*o* **stehen**] work on the assembly line; **vom** ~ **rollen** come off the assembly line; **Fließ•band•ar•beit** *f* assembly-line work; **Fließ•(band)•fer•ti•gung** *f* (conveyor-) belt production

flie•ßen ['fli:sən] *irr itr sein* flow; **flie•ßend** *adj* **1.** flowing **2.** (*fig: Sprache, Rede etc*) fluent; (*Grenze, Übergang*) fluid; **~es Wasser** running water; ~ **Englisch sprechen** speak English fluently, speak fluent English

Fließ•heck *n* (MOT) fastback; **Fließ•satz** *m* (TYP) wordwrap

flim•mern ['flɪmɐn] *itr* glimmer, shimmer; (*Sterne*) twinkle; (*Filmleinwand, TV-Bildschirm*) flicker

flink [flɪŋk] *adj* **1.** (*schnell*) quick **2.** (*geschickt*) nimble

Flin•te ['flɪntə] <-, -n> *f* rifle; (*Schrot~*) shot gun; **die ~ ins Korn werfen** (*fig*) throw in the sponge

Flipchart^RR^ ['flɪptʃa:rt] <-, -s (-s, -s)> *f* (*n*) flip chart

Flip•per•(au•to•mat) ['flɪpɐ] <-s, -> *m* (*fam: Spielautomat*) pinball machine

flip•pern *itr* (*fam*) play pinball

flip•pig ['flɪpɪç] *adj* (*fam*) kooky, eccentric, wild

Flirt [flɪrt/flœrt] <-(e)s, -s> *m* flirtation

flir•ten *itr* flirt

Flitt•chen *n* (*fam pej*) slut

Flit•ter ['flɪtɐ] <-s> *m* **1.** (*Pailletten*) sequins, spangles *pl* **2.** (*fig: Tand*) frippery; **Flit•ter•gold** *n* tinsel; **Flit•ter•wo•chen** *pl* honeymoon *sing;* **sie fahren in die** ~ they are going on their honeymoon

flit•zen ['flɪtsən] *itr sein* (*fam*) whizz

Flo•cke ['flɔkə] <-, -n> *f* (*Woll~*) flock; (*Schnee~, Schokoladen~*) flake; (*Staub~*) ball (of fluff); **flo•ckig** *adj* fluffy

Floh [flo:, *pl:* 'flø:ə] <-(e)s, ¨-e> *m* **1.** (ZOO) flea **2.** (*sl: im pl: Geld*): **¨-e** dough *sing;* **jdm e-n** ~ **ins Ohr setzen** (*fig*) put an idea into someone's head; **die ¨-e husten hören** (*fam hum*) imagine things; **Floh•markt** *m* flea market

Flo•ka•ti [flo'ka:ti] <-s, -s> *m* flokati

Flop [flɔp] <-s, -s> *m* flop

Flor[1] [flo:ɐ] <-(e)s,(-e)> *m* **1.** (*dünnes Gewebe*) gauze; (*Trauer~*) crêpe **2.** (*Samt~ etc*) pile

Flor[2] *m* **1.** (*alle Blüten e-r Pflanze*) bloom **2.** (*Blumenfülle*) abundance (of flowers) **3.** (*fig: literarisch: Schar, Schwarm*) bevy

Flo•rett [flo'rɛt] <-(e)s, -e> *n* foil

flo•rie•ren [flo'ri:rən] *itr* bloom, flourish

Flos•kel ['flɔskəl] <-, -n> *f* set phrase; **e-e abgedroschene** ~ a hackneyed phrase

Floß [flo:s, *pl:* 'flø:sə] <-es, ¨-e> *n* raft

Flos•se ['flɔsə] <-, -n> *f* **1.** (ZOO MAR AERO) fin **2.** (*e-s Tauchers*) flipper **3.** (*sl: Hand*) paw *fam;* **nimm deine ~n weg!** (*sl*) take your paws off! *fam*

flö•ßen ['flø:sən] *tr itr* raft

Flö•ßer *m* raftsman *Br,* riverdriver *Am*

Flö•te ['flø:tə] <-, -n> *f* **1.** (MUS) pipe; (*Quer~*) flute **2.** (*beim Kartenspiel*) flush

flö•ten *itr* **1.** (MUS) play (on) the flute **2.** (*Vogel*) warble **3.** (*pfeifen*) whistle; ~ **gehen**^RR^ (*sl*) go west

flö•ten|ge•hen *s.* **flöten**

Flö•ten•spie•ler(in) *m(f)* flautist, piper

Flö•tist(in) *m(f)* (MUS) flautist

flott [flɔt] *adj* **1.** (*schnell*) quick; (*Musik*) lively **2.** (*Kleidung*) smart; (*Tänzer*) good; (*Stil, Artikel*) racy **3.** (*lustig, lebenslustig*) fast-living; (MAR: *Schiff*) afloat; **mach mal ein bisschen ~!** make it snappy!; ~ **leben** be a fast liver; **wieder** ~ **sein** (*Schiff*) be afloat again; (*Auto*) be back on the road; **flott|be•kom•men** *irr tr,* **flott|ma•chen** *tr* **1.** (*Schiff*) float off **2.** (*Auto*) get on the road

Flot•te ['flɔtə] <-, -n> *f* (MAR) fleet; **Flot•ten•ab•kom•men** *n* (POL) naval treaty; **Flot•ten•stütz•punkt** *m* (MIL) naval base

Flöz [flø:ts] <-es, -e> *n* (MIN: *Kohlen~*) seam

Fluch [flu:x, *pl:* 'fly:çə] <-(e)s, ¨-e> *m* **1.** (*Verfluchung*) curse; (MEIST ECCL: *Bannfluch, Exkommunikation*) anathema **2.** (*Kraftausdruck*) swearword; (*Am fam*) cuss; **flu•chen** ['flu:xən] *itr* **1.** (*Flüche ausstoßen*) swear (*über* about); (*Am fam*)

cuss **2.** (*verfluchen*) curse (*jdn, e-e Sache* s.o., s.th.)

Flucht [flʊxt] <-, -en> *f* **1.** (*Fliehen*) flight; (*erfolgreiche* ~) escape **2.** (*fig: Häuser~*) row; (*Treppen~*) flight of steps; (*Zimmer~*) suite; **in die ~ schlagen** put to flight; **die ~ ergreifen** flee, take flight; **auf der ~ sein** (*Flüchtling*) be fleeing; (*vor der Polizei*) be on the run

flucht•ar•tig *adj* (*eilends*) hasty

flüch•ten [ˈflʏçtən] **I.** *itr* **1.** *sein* flee; (*entkommen*) escape **2.** (*Zuflucht suchen*) take refuge **II.** *refl* take refuge

Flucht•hel•fer(in) *m(f)* escape helper

Flucht•hil•fe *f* escape aid; (**jdm**) **~ leisten** aid someone's escape

flüch•tig [ˈflʏçtɪç] *adj* **1.** (*auf der Flucht*) fugitive **2.** (*oberflächlich*) cursory **3.** (*sorglos, nachlässig*) careless **4.** (*schnell vorübergehend*) brief, fleeting; (*kurzlebig*) short-lived **5.** (CHEM) volatile; **~ sein** (*Ausbrecher etc*) be still at large; **ich habe es nur ~ gelesen** I only skimmed through it; **jdn ~ kennen** know s.o. slightly [*o* have a nodding acquaintance with s.o.]; **ein ~er Bekannter** a passing [*o* nodding] acquaintance; **Flüch•tig•keit** *f* **1.** (*Kürze*) brevity **2.** (*Oberflächlichkeit*) cursoriness **3.** (*Sorglosigkeit, Nachlässigkeit*) carelessness **4.** (*Vergänglichkeit*) fleetingness **5.** (CHEM) volatility; **Flüch•tig•keits•feh•ler** *m* careless mistake

Flücht•ling *m* refugee; **Flücht•lings•la•ger** *n* refugee camp

Flucht•ver•such *m* escape attempt

Flug [flu:k, *pl:* ˈfly:gə] <-(e)s, ¨-e> *m* flight; **im ~** in flight, on the wing; (*fig: eilig*) in a twinkling; **Flug•ab•wehr** *f* (MIL) anti- aircraft defence *Br,* anti-aircraft defense *Am;* **Flug•ab•wehr•kör•per** *m* (MIL) anti-aircraft missile; **Flug•asche** *f* flue dust, fly ash; **Flug•auf•kom•men** *n* air traffic; **Flug•bahn** *f* **1.** (MATH) trajectory **2.** (AERO) flight path; **Flug•be•glei•ter(in)** *m(f)* (AERO) steward(ess, air hostess) *Br,* flight attendant *Am;* **Flug•blatt** *n* leaflet; (*Werbe~*) handbill; **Flug•blatt•ak•ti•on** *f* leaflet campaign; **Flug•boot** *n* (AERO MAR) flying boat; **Flug•da•ten•schrei•ber** *m* flight recorder; **Flug•dau•er** *f,* **Flug•zeit** *f* (AERO) flying time; **Flug•dra•chen** *m* hang glider

Flü•gel [ˈfly:gəl] <-s, -> *m* **1.** (*von Vogel, Haus, Tragfläche*) wing **2.** (*von Ventilator, Hubschrauber*) blade; (*Windmühlen~*) vane **3.** (*von Fenster*) casement; (*von Tür*) leaf, side **4.** (MIL) wing **5.** (ANAT: *Lungen~*) lobe; (*Nasen~*) nostril **6.** (MUS: *Piano*) grand piano; **mit den ~n schlagen** (*Vogel*) flap its wings; **jdm die ~ beschneiden** [*o* **stutzen**] (*fig*) clip someone's wings; **die ~ hängen lassen** (*fig*) be downcast

flü•gel•lahm *adj* **1.** (*Vogel*) with (an) injured wing(s) **2.** (*fig: kränkelnd*) ailing; **Flü•gel•mut•ter** *f* (TECH) wing nut; **Flü•gel•schlag** *m* wing stroke; **Flü•gel•schrau•be** *f* wing screw

Flü•gel•tür *f* double door

Flug•gast *m* (AERO) (airline) passenger

flüg•ge [ˈflʏgə] *adj* (fully-)fledged; **~ werden** (*fig*) leave the nest

Flug•ge•schwin•dig•keit *f* flying speed; **Flug•ge•sell•schaft** *f* (AERO) airline; **Flug•ha•fen** *m* (AERO: *Zivil~*) airport; (MIL) aerodrome *Br,* airdrome *Am;* **Flug•hö•he** *f* (AERO) altitude; **wir befinden uns in e-r ~ von ...** we are flying at an altitude of ...; **Flug•ka•pi•tän** *m* (AERO) captain; **Flug•kör•per** *m* **1.** (*allgemein*) flying object **2.** (MIL) missile; **Flug•lärm** *m* aircraft [*o* air-traffic] noise; **Flug•leh•rer(in)** *m(f)* (AERO) flight instructor; **Flug•leit•sys•tem** *n* (AERO) flight control system; **Flug•lei•tung** *f* flight control; **Flug•leit•zen•trum** *n* mission control centre; **Flug•lot•se, -lot•sin** *m, f* (AERO) air-traffic controller, flight controler; **Flug•num•mer** *f* flight number; **Flug•plan** *m* (AERO) flight schedule; **Flug•platz** *m* (AERO) airfield; **Flug•rei•se** *f* flight

flugs [flu:ks] *adv* instantly, without delay

Flug•schein *m* **1.** (*Flugkarte*) plane ticket **2.** (*„Führerschein" für Piloten*) pilot's licence *Br,* pilot's license *Am;* **Flug•schnei•se** *f* (AERO) aerial corridor, flying lane; **Flug•si•cher•heit** *f* (AERO) air safety; **Flug•si•che•rung** *f* (AERO) air traffic control; **Flug•stre•cke** *f* air route; **Flug•tech•nik** *f* (AERO) **1.** (*Flugzeugbau*) aircraft engineering **2.** (*Technik des Fliegens*) flying technique; **Flug•ti•cket** *n* air ticket; **Flug•ver•bot** *n* (AERO) grounding order; **jdm ~ erteilen** ground s.o.; **Flug•ver•kehr** *m* (AERO) air traffic; **Flug•waf•fe** *f* (*CH: Luftwaffe*) air force; **Flug•we•sen** *n* (AERO: *mit Ballon etc*) aeronautics *pl;* (*mit Flugzeug*) aviation; **Flug•zeit** *f* flying time

Flug•zet•tel *m* (*österr: Flugblatt*) leaflet

Flug•zeug [ˈflu:ktsɔɪk] <-(e)s, -e> *n* aircraft, plane; **Flug•zeug•ab•sturz** *m* air [*o* plane] crash; **Flug•zeug•bau** *m* aircraft construction; **Flug•zeug•be•sat•zung** *f* aircrew; **Flug•zeug•ent•füh•rer(in)** *m(f)* hijacker; **Flug•zeug•ent•füh•rung** *f* hijack(ing); **Flug•zeug•fa•brik** *f* aircraft factory; **Flug•zeug•hal•le** *f* hangar; **Flug•zeug•kons•truk•teur(in)** *m(f)* aircraft designer; **Flug•zeug•park** *m* fleet of aircraft; **Flug•zeug•trä•ger** *m* aircraft carrier; **Flug•zeug•un•glück** *m* plane crash; **Flug•zeug•ver•band** *m* (MIL) aircraft formation; **Flug•zeug•wrack** *n:* **ein (zwei, drei) ~(s)** the wreckage of a (two, three) plane(s)

fluk•tu•ie•ren [flʊktu'iːrən] *itr* fluctuate

Flun•ke•rei [flʊŋkə'raɪ] *f* (*fam*) **1.** (*das Flunkern*) story-telling **2.** (*kleine Lüge*) fib

flun•kern ['flʊŋken] *itr* tell fibs

Flu•or ['fluːɔr] <-s> *n* (CHEM) fluorine; **Flu•or•chlor•koh•len•was•ser•stoff** *m* (CHEM) chlorofluorocarbon, CFC; **Flu•or•koh•len•was•ser•stoff** *m* (CHEM) fluorocarbon

Flu•o•res•zenz [fluorɛs'tsɛnts] *f* (PHYS) fluorescence; **flu•o•res•zie•ren** *itr* fluoresce; **flu•o•res•zie•rend** *adj* fluorescent

Flu•or•tab•let•te *f* fluoride tablets

Flur[1] [fluːɐ] <-(e)s, -e> *m* (*Haus~*) hall; (*Korridor*) corridor

Flur[2] <-, -en> *f* (*unbewaldetes Land*) open fields *pl;* **der Kanzler stand allein auf weiter ~** (*fig*) the chancellor was out on a limb

Flur•be•rei•ni•gung <-> *f* land consolidation; **Flur•na•me** *m* field-name; **Flur•scha•den** *m* damage to crops

Fluss[RR] [flʊs, *pl:* 'flʏsə] <-es, ¨-e> *m* **1.** (*Gewässer*) river **2.** (*das Fließen*) flow **3.** (TECH: *Schmelz~*) molten mass **4.** (*Ausfluss*) flux; **(unten) am ~** down by the river; **in ~ kommen** (TECH) begin to melt; (*fig: beginnen*) get going; **etw in ~ bringen** (*sich verändern*) move into a state of flux; (*fig*) get s.th. going; **im ~ sein** (TECH) be molten; (*fig: vorankommen*) be going on; (*sich verändern*) be in a state of flux

fluss•ab•wärts[RR] [-'-(-)] *adv* downstream; **Fluss•arm**[RR] *m* arm of a [*o* the] river; **fluss•auf•wärts**[RR] [-'-(-)] *adv* upstream; **Fluss•bett**[RR] *n* river bed

Fluss•di•a•gramm[RR] *n* flow chart, flow diagram

flüs•sig ['flʏsɪç] *adj* **1.** (*nicht fest*) liquid; (*Metall, Glas*) molten **2.** (*fließend*) flowing, fluid; (*Sprechen, Lesen, Schreiben*) fluent **3.** (COM FIN: *Geld*) available; **~ machen** liquefy; (*schmelzen*) melt; (COM FIN: *Wertpapiere etc*) convert; **nicht ~ sein** (*fig fam*) be out of funds; **~ sein** (*fig fam*) be in funds

Flüs•sig•gas *n* liquefied gas, L.P. gas

Flüs•sig•keit *f* **1.** (*flüssiger Stoff*) liquid **2.** (*Zustand*) liquidity **3.** (COM FIN: *von Geldern*) availability **4.** (*fig: des Stils, Ausdrucks etc*) fluidity

Flüs•sig•kris•tall *m* liquid crystal; **Flüs•sig•kris•tall•an•zei•ge** *f* (TECH: *in elektronischen Taschenrechnern etc*) liquid crystal display, LCD

Fluss•krebs[RR] *m* (ZOO) crayfish *Br,* crawfish *Am;* **Fluss•lauf**[RR] *m* course of a [*o* the] river; **Fluss•nie•de•rung**[RR] *f* river plain; **Fluss•pferd**[RR] *n* (ZOO) hippopotamus; **Fluss•schif(f•)fahrt**[RR] *f* (*Verkehr*) river traffic; (*~swesen*) river navigation; **Fluss•u•fer**[RR] *n* riverbank

flüs•tern ['flʏstɐn] *tr itr* whisper (*jdm etw ins Ohr* s.th. in someone's ear); **das kann ich dir ~** (*fam: glaub es mir*) take it from me; **Flüs•ter•pro•pa•gan•da** *f* underground rumours *pl;* **Flüs•ter•ton** *m* whisper; **im ~** in whispers *pl*

Flut [fluːt] <-, -en> *f* **1.** (*im Gegensatz zu Ebbe*) flood [*o* high] tide **2.** (*im pl: Wassermassen*) waters *pl* **3.** (*fig: Menge*) floods; **es ist ~** (*die ~ kommt*) the tide is coming in; (*die ~ ist da*) it is high tide, the tide is in; **flu•ten I.** *itr sein* flood, pour, stream **II.** *tr haben* (MAR): **die Tanks ~** flood the tanks; **Flut•ka•tas•tro•phe** *f* flood disaster; **Flut•licht** *n* (EL) floodlight; (*Am fam*) flood; **Flut•wel•le** *f* tidal wave

Fö•de•ra•lis•mus [fødera'lɪsmʊs] *m* (POL) federalism; **fö•de•ra•lis•tisch** *adj* (POL) federalist; **fö•de•ra•tiv** *adj* (POL) federal

Foh•len ['foːlən] <-s, -> *n* (ZOO) foal; (*Hengst~*) colt; (*Stuten~*) filly

foh•len *itr* foal

Föhn[1] [føːn] <-(e)s, -e> *m* (METE) foehn, föhn

Föhn[RR2] [føːn] <-(e)s, -e> *m* (*Haartrockner*) hair-dryer

föh•nen[RR] *tr* blow-dry

Föhn•lo•ti•on[RR] *f* blow-drying lotion

Föh•re ['føːrə] <-, -n> *f* (BOT) Scots pine

Fol•ge ['fɔlgə] <-, -n> *f* **1.** (*Aufeinander~*) succession; (*Reihen~*) order; (*Serie*) series *sing;* (MATH) sequence **2.** (RADIO TV: *Fortsetzung*) episode **3.** (*Konsequenz*) consequence; (*Ergebnis*) result **4.** (*formell*): **~ leisten** comply with (*e-r Sache* s.th.); **in zwangloser ~** in no particular order; **in der ~** subsequently; **als ~ davon** in consequence [*o* as a result]; **dies hatte zur ~, dass ...** the consequence [*o* result] of this was that ...; **die Sache wird ~n haben** the affair will have serious consequences; **die ~n tragen** take the consequences; **Fol•ge•er•schei•nung** *f* consequence, result

fol•gen *itr* **1.** *sein* (*a. fig: verstehen*) follow (*jdm, e-r Sache* s.o., s.th.) **2.** (*resultieren*) follow (*aus* from) **3.** (*gehorchen*) do as one is told; **es folgt daraus, dass ...** hence it follows that ...; **Fortsetzung folgt** to be continued; **jds Beispiel ~** follow someone's example; **~ Sie meinem Rat!** take my advice!; **auf den Frühling folgt der Sommer** spring is followed by summer;

fol•gend *adj* following; **am ~en Tage** the following day; **er schreibt F~es …**[RR] he writes (as follows) …; **es handelt sich um F~es …**[RR] the matter is this …; **fol•gen•der•ma•ßen** *adv,* **fol•gen•der•wei•se** *adv* as follows; **fol•gen•schwer** *adj* of serious consequence(s); (*bedeutsam*) momentous; **fol•ge•rich•tig** *adj* consistent, logical; **Fol•ge•rich•tig•keit** *f* (logical) consistency

fol•gern ['fɔlgɐn] *tr itr* conclude from, infer from; **Fol•ge•rung** *f* conclusion; **die ~en können Sie selber ziehen** draw your own conclusions

Fol•ge•zeit *f* time to come

folg•lich ['fɔlklɪç] *konj* consequently, therefore

folg•sam ['fɔlkza:m] *adj* obedient

Folg•sam•keit *f* obedience

Fo•li•ant [fo'ljant] <-en, -en> *m* **1.** (*Folioband*) folio (volume) **2.** (*dickes Buch*) tome

Fo•lie ['fo:liə] <-, -n> *f* (*Metall~, Schicht*) foil; (*Plastik~*) film

Fo•lio ['fo:lio] <-s, -s/-lien> *n* folio

Folk•lo•re [fɔlk'lo:rə] <-, -n> *f* folklore; **Folk•lo•re•kleid** *n* ethnic dress; **Folk•lo•rist(in)** *m(f)* folklorist; **folk•lo•ris•tisch** *adj* folkloric

Folk•sän•ger(in) *m(f)* folk singer; **Folk•song** *m* folk song

Fol•säu•re ['fo:l-] *f* folic acid

Fol•ter ['fɔltɐ] <-, -n> *f* **1.** torture **2.** (*fig*) torment; **jdn auf die ~ spannen** (*a. fig*) put s.o. on the rack; **Fol•ter•bank** *f* rack; **fol•tern I.** *tr* torture; **jdn ~ lassen** have s.o. tortured **II.** *itr* use torture

Fol•te•rung *f* torture

Fon[RR] *n s.* **Phon**

Fön *m s.* **Föhn**

Fond [fɔ̃:] <-s> *m* (MOT) back, rear

Fonds [fõ:] <-, -> *m* **1.** (FIN: *Geldreserve*) funds *pl;* (*Schuldverschreibung*) government bond **2.** (*fig*) fund

Fon•due [fõ'dy:] <-s, -s> *n* fondue

fö•nen *s.* **föhnen**

Fön•lo•ti•on *f s.* **Föhnlotion**

Fo•no•bran•che[RR] *f s.* **Phonobranche**

Fo•no•ty•pist[RR] *m s.* **Phonotypist**

Fon•tä•ne [fɔn'tɛ:nə] <-, -n> *f* **1.** (*Strahl*) jet **2.** (*Springbrunnen*) fountain

fop•pen ['fɔpən] *tr* (*fam*): **jdn ~** (*für dumm verkaufen*) make a fool of s.o.

for•cie•ren [fɔr'si:rən] *tr* force; (*nach oben zwingen*) force [*o* push] up; **s-e Anstrengungen ~** increase one's efforts

För•der•an•la•ge *f* hauling plant; **För•der•band** *n* conveyor belt

För•de•rer *m* sponsor; (*Gönner*) patron

För•der•ge•rät *n* (TECH) conveyor; **För•der•ge•rüst** *n* (MIN) pithead; **För•der•ge•schwin•dig•keit** *f* velocity of conveying; **För•der•korb** *m* (MIN) mine cage; **För•der•land** *n* producer country

för•der•lich *adj* beneficial (*jdm, e-r Sache* to s.o., to s.th.)

För•der•men•ge *f* capacity, delivery; (*von Öl*) output

for•dern ['fɔrdɐn] **I.** *tr* **1.** (*verlangen*) demand (*von jdm* of s.o.); (*Anspruch erheben auf, a. fig: Opfer, Menschenleben etc*) claim **2.** (*er~*) call for **3.** (*heraus~, a. fig*) challenge; **richtig** [*o* **wirklich**] **gefordert werden** (*fig*) be faced with a real challenge **II.** *itr* make demands

för•dern ['fœrdɐn] *tr* **1.** (*unterstützen*) support; (*finanziell*) sponsor **2.** (*propagieren, voranbringen, steigern*) promote **3.** (MIN: *Bodenschätze*) extract; (*Erz, Kohle*) mine; **zu Tage ~** (*fig*) bring to light

För•der•pro•gramm *n* promotion programme, development plan

För•der•schacht *m* (MIN) winding shaft; **För•der•turm** *m* (MIN) winding tower

For•de•rung *f* **1.** (*Verlangen*) demand (*nach* for); (*Lohn~ etc*) claim (*nach* for) **2.** (*Erfordernis*) requirement **3.** (COM: *gegenüber Schuldnern*) claim (*gegen* against) **4.** (*Heraus~*) challenge

För•de•rung *f* **1.** (*Unterstützung*) support; (*finanzielle*) sponsorship **2.** (*Voranbringen*) promotion **3.** (*fam: ~ssumme*) grant **4.** (MIN) extraction, mining

För•de•rungs•pro•gramm *n* development [*o* aid] program(me)

Fo•rel•le [fo'rɛlə] <-, -n> *f* (ZOO) trout

Form [fɔrm] <-, -en> *f* **1.** form; (*Umriss, Gestalt*) shape **2.** (TECH: *Gieß~*) mould; (*Back~*) baking, tin *Br,* pan *Am* **3.** (*im pl: Umgangs~en*) manners *pl* **4.** (SPORT: *Kondition*) condition, form; **in guter ~ sein** (SPORT) be in good form; **in ~ von …** in the form of …; **e-e bestimmte ~ haben** be in a certain form; **e-r Sache ~ geben** [*o* **verleihen**] (*a. fig*) shape s.th.; **in aller ~ um Entschuldigung bitten** make a formal apology; **die ~ wahren** observe the proprieties *pl;* **der ~ wegen** for form's sake; **feste ~ annehmen** (*fig*) take shape

for•mal [fɔrma:l] *adj* **1.** formal **2.** (*äußerlich*) technical

Form•al•de•hyd <-s> *m* (CHEM) formaldehyde

For•ma•li•tät *f* formality

For•mat [fɔr'ma:t] <-(e)s, -e> *n* **1.** format **2.** (*fig: Niveau*) quality; (*Rang*) stature; **ein Staatsmann von ~** (*fig*) a statesman of high, calibre *Br,* caliber *Am*

for•ma•tie•ren *tr* (EDV) format; **For•ma•tie•rung** *f* (EDV) formatting

For•ma•ti•on *f* formation

form•bar *adj* (*a. fig*) malleable; **Form•bar•keit** *f* (*a. fig*) malleability; **form•be•stän•dig** *adj* **1.** (TECH) retaining its form **2.** (SPORT) consistent in form

Form•blatt *n* (blank) form

For•mel ['fɔrməl] <-, -n> *f* **1.** formula **2.** (*Wortlaut e-s Eides etc*) wording; **~-1-Rennen** (MOT SPORT) Formula-one race; **um dies alles auf e-e ~ zu bringen ...** (in order) to reduce this all to a formula ...

for•mell [fɔr'mɛl] *adj* formal

for•men ['fɔrmən] *tr* form, shape; **~de Kraft** formative power; **For•men•leh•re** *f* (LING GEOG) morphology; **For•me•rei** *f* moulding shop; **For•mer(in)** *m(f)* moulder

Form•feh•ler *m* **1.** (JUR) flaw **2.** (*gesellschaftlich*) social blunder **3.** (COM) deficiency in form

for•mie•ren I. *tr* form; (MIL: *Truppen etc zus.-ziehen*) draw up **II.** *refl* form up

For•mie•rung *f* formation; (MIL: *von Truppen*) drawing-up

förm•lich ['fœrmlɪç] *adj* **1.** (*formell*) formal; (*feierlich*) ceremonious **2.** (*regelrecht*) positive, real

Förm•lich•keit *f* formality; **bitte keine ~en!** please don't stand on ceremony! *sing*

form•los *adj* **1.** (*gestaltlos*) formless **2.** (*fig: zwanglos*) casual **3.** (*Antrag etc*) unaccompanied by any forms

Form•sa•che *f* formality; **das ist e-e ~** that's a matter of form

For•mu•lar [fɔrmu'la:ɐ] <-s, -e> *n* form *Br,* blank *Am;* **ein ~ ausfüllen** fill in a form *Br,* fill out a blank *Am;* **for•mu•lie•ren** *tr* formulate, word; **ich möchte es so ~: ...** I should like to put it like this: ...; **ich werde die Frage anders ~** I'll put the question another way; **For•mu•lie•rung** *f* formulation, wording; **e-e bestimmte ~** a particular phrase

For•mung *f* **1.** (*das Formen*) forming **2.** (*Form*) shape

form•voll•en•det *adj* perfect in form

forsch [fɔrʃ] *adj* **1.** (*schneidig*) dashing **2.** (*nass~*) brash

for•schen ['fɔrʃən] *itr* **1.** (*suchen*) search (*nach* for) **2.** (*wissenschaftlich*) do research work, research

For•scher(in) *m(f)* **1.** (*Wissenschaftler*) research scientist **2.** (*Forschungsreisender*) explorer

For•schung *f* research; **For•schungs•ab•tei•lung** *f* research department; **For•schungs•an•stalt** *f* research institute; **For•schungs•er•geb•nis** *n* result of research; **For•schungs•la•bor** *n* research laboratory; **For•schungs•rei•se** *f* expedition; **For•schungs•sa•tel•lit** *m* resarch satellite; **For•schungs•zen•trum** *n* research centre

Forst [fɔrst] <-(e)s, -e(n)> *m* forest; **Forst•amt** *n* forestry office; **Forst•ar•bei•ter(in)** *m(f)* forestry worker; **Forst•auf•se•her(in)** *m(f)* ranger; **Forst•be•am•te(r), -be•am•tin** *m, f* forestry official

Förs•ter(in) ['fœrstɐ] *m(f)* forester *Br,* forest ranger *Am*

Forst•haus *n* forester's lodge *Br,* ranger's lodge *Am;* **Forst•wirt•schaft** *f* forestry

fort [fɔrt] *adv* **1.** (*weg*) away; (*verschwunden*) gone **2.** (*weiter*) on; **ich muss ~** I must be off; **meine Uhr ist ~** my watch is gone; **~! ~ mit dir!** (*interj*) away with you!; **~ u. ~** on and on; **in einem ~** without a break; **u. so ~** and so on, and so forth

Fort•be•stand *m* continuance; **~ gefährdeter Tierarten** continuance of endangered species

fort|be•ste•hen *irr itr* continue (to exist); **fort|be•we•gen** *tr refl* move on [*o* away]; **Fort•be•we•gung** *f* locomotion; **Fort•be•we•gungs•mit•tel** *n* means of locomotion; **fort|bil•den** *tr refl* continue someone's (one's) education; **Fort•bil•dung** *f* further education; **berufliche ~** further vocational training; **fort|brin•gen** *irr tr* **1.** take away; (*zur Reinigung, Reparatur etc*) take in **2.** (*bewegen*) move

Fort•dau•er *f* continuance

fort|dau•ern *itr* continue; **fort•dau•ernd I.** *adj* continuing; (*bei Vergangenem*) continued **II.** *adv* continuously

Fort•ent•wick•lung *f* (further) development; **dieses Modell ist e-e ~ seines Vorgängers** this model is a further development on the previous one

fort|fah•ren I. *irr itr* **1.** *sein* (*wegfahren*) go [*o* drive] away **2.** (*~ wie bisher*) continue (*in, mit etw* with s.th.); **~ etw zu tun** continue to do [*o* doing] s.th.; **„wie ich schon sagte ...", fuhr er fort ...** "as I already told you ...", he continued ... **II.** *tr haben* take [*o* drive] away

Fort•fall <-(e)s> *m* discontinuance; **fort•fal•len** *sein irr itr* **1.** (*abgeschafft werden*) be abolished **2.** (*nicht mehr erfolgen*) be stopped **3.** (*aufhören zu existieren*) cease to exist **4.** (*nicht mehr zutreffen*) cease to apply; **fort|flie•gen** *irr itr sein* fly away; **fort|füh•ren** *irr tr* **1.** (*fortsetzen*) continue, go on with; (*Geschäft, Krieg*) carry on **2.** (*wegführen*) take [*o* lead] away; **Fort•füh•rung** *f* (*Fortsetzung*) continuation; **Fort•gang** <-(e)s, (¨-e)> *m* **1.** (*Weggang*) departure (*von, aus* from) **2.** (*Verlauf*) progress; **bei s-m ~** when he left; **s-n ~ nehmen** progress; **fort|ge•hen** *irr itr sein* go away; **von zu Hause ~** leave home

fort•ge•schrit•ten *adj* advanced; **zu ~er Stunde** at a late hour; **eine Krankheit im ~en Stadium** an advanced stage of an illness

fort•ge•setzt *adj* continual, incessant; (*wiederholt*) repeated

fort|ja•gen I. *tr haben* chase out (*von aus* of) II. *itr sein* race off

Fort•kom•men *n* (*a. fig: Fortschritt*) progress

fort|kom•men *irr itr* 1. *sein* (*wegkommen*) get away 2. (*fig: vorankommen*) get on well 3. (*abhanden kommen*) disappear; **machen Sie, dass Sie ~!** be off! make yourself scarce!

fort|lau•fen *irr itr* run away (*jdm* from s.o.); **fort•lau•fend** *adj* ongoing; (*ausdauernd*) continual; ~ **numeriert** (*Geldscheine*) serially numbered; (*Buchseite*) consecutively paginated

fort|le•ben *itr* live on

fort|pflanzen I. *tr* (BIOL: *vermehren*) reproduce II. *refl* 1. (BIOL) reproduce 2. (PHYS: *Wellen*) propagate; **Fort•pflan•zung** *f* 1. (BIOL) reproduction 2. (PHYS: *von Wellen*) transmission 3. (*Vermehrung von Pflanzen*) propagation; **Fort•pflan•zungs•fä•hig•keit** *f* 1. (BIOL) reproductiveness 2. (PHYS) transmissibility; **Fort•pflan•zungs•or•gan** *n* reproductive organ; **Fort•pflan•zungs•trieb** *m* reproductive instinct

ort|schaf•fen *tr* remove; **fort|schi•cken** *tr* send away; **fort|schrei•ten** *irr itr* 1. *sein* (*vorwärts schreiten*) progress; (*Wissenschaft*) advance 2. (*sich entwickeln*) develop 3. (*weitergehen*) continue

Fort•schritt *m* 1. progress 2. (*wissenschaftlicher*) advance; **~e machen** [*o* **erzielen**] make progress; **dem ~ dienen** further progress

fort•schritt•lich *adj* progressive

fort|set•zen I. *tr* (*fortführen*) continue; **wird fortgesetzt** (*Fortsetzung folgt*) to be continued II. *refl* 1. (*sich ausbreiten*) extend 2. (*weitergehen, weiter dauern*) continue; **Fort•set•zung** *f* 1. (*das Fortsetzen*) continuation 2. (*e-s Romans, a. Rundfunk: ~ des Programms*) instal(l)ment; ~ **folgt** to be continued; **Fort•set•zungs•ge•schich•te** *f* serial

fort•wäh•rend ['-'--] *adj* continual, incessant

fort|wir•ken *itr* continue to have an effect

fos•sil *adj* (*a. Brennstoff*) fossil

Fo•to ['fo:to] <-s, -s> *n* photo; **ein ~ (von jdm (etw)) machen** take a photo (of s.o. (s.th.)); **Fo•to•ap•pa•rat** *m* camera

Fo•to-CD *f* photo CD

fo•to•gen [foto'ge:n] *adj* photogenic

Fo•to•gra•fie *f* 1. (*Kunst der ~*) photography 2. (*Foto*) photograph; **fo•to•gra•fie•ren** I. *tr* (take a) photograph (of); **sich ~ lassen** have one's photo(graph) taken II. *itr* take photo(graph)s, take pictures *Am;* **Fo•to•graf(in)** [foto'gra:f] *m(f)* photographer; **fo•to•gra•fisch** I. *adj* photographic II. *adv* photographically

Fo•to•ko•pie *f* photocopy; **fo•to•ko•pie•ren** *tr* photocopy; **Fo•to•ko•pie•rer** *m* photocopier; **Fo•to•ko•pier•ge•rät** *n* photocopying machine

Fo•to•mon•ta•ge *f* photomontage; **Fo•to•re•por•ter(in)** *m(f)* press photographer; **Fo•to•satz** <-es> *m* (TYP) photo composition

Fo•to•syn•the•se[RR] *f* (BIOL CHEM) photosynthesis; **Fo•to•zel•le**[RR] *f* photoelectric cell

Fö•tus <-(ses), se/Föten> *m* foetus

Fot•ze ['fɔtsə] <-, -n> *f* (*vulg*) cunt, twat *Br a.*

Föt•zel <-s, -> *m* (*CH: Taugenichts*) good-for-nothing

Foul [faul] <-s, -s> *n* foul

fou•len *tr* (SPORT) foul

Fracht [fraxt] <-, -en> *f* 1. (*Ladung*) freight; (MAR AERO) cargo 2. (*~gebühr*) freight(age); **etw per ~ versenden** send s.th. freight; ~ **berechnen** charge freight; **Fracht•brief** *m* consignment note; (MAR) bill of lading; **Fracht•damp•fer** *m* cargo steamer; **Frach•ter** *m* freighter; **Fracht•flug•zeug** *n* freight plane, freighter; **fracht•frei** *adj* carriage paid [*o* free]; **Fracht•gut** *n* freight; **Fracht•kos•ten** *pl* freight charges; **Fracht•raum** *m* 1. (*Raum für die Fracht*) hold 2. (*Ladekapazität*) cargo space; **Fracht•schiff** *n* cargo ship, freighter; **Fracht•ta•rif** *m* freight rate; **Fracht•ver•kehr** *m* goods traffic

Frack [frak, *pl:* 'frɛkə] <-(e)s, ⁼e/-s> *m* 1. tail coat 2. (*fam: Jackett*) jacket; **im ~** in tails *pl*

Fra•ge ['fra:gə] <-, -n> *f* 1. question 2. (*Problem*) problem; **ich möchte Ihnen e-e ~ stellen** I should like to ask you a question; **ich habe hierzu noch e-e ~** I have another question on this; **ich habe e-e ~ an Sie** I have a question for you; **die deutsche ~** (POL HIST) the German issue [*o* question]; **entscheidende ~** crucial question; **das ist e-e andere ~** that is another question; **e-e ~ aufwerfen** raise a question; **das ist (doch sehr) die ~** that's the whole problem; **e-e ~ des Geldes** a question of money; **etw in ~ stellen** call s.th. into question; **in ~ kommen** (*möglich sein*) be possible; (*in Betracht kommen*) be considered (*für etw* for s.th.); **nicht in ~ kommen** be out of the question (*für jdn oder etw* for s.o., s.th.); **das ist (gar) keine ~** that is (absolutely) beyond question; **ohne ~** without doubt; **das ist nur e-e ~ der Zeit** that's only a matter of time; **nur diese ~ ist noch strittig** this is the only controversial problem

Fra•ge•bo•gen *m* questionnaire

fra•gen ['fra:gən] **I.** *tr itr* ask (*jdn o etw* s.o., s.th, *nach jdm o etw* about s.o., s.th.); **ich fragte ihn nach s-m Namen** I asked him (what) his name (was); **wir mussten nach dem Weg ~** we had to ask the way; **ich möchte Sie um Rat ~** I would like to ask your advice; **darf ich Sie etw ~?** may I ask you a question?; **frag mich bloß das nicht!** ask me another!; **frag doch nicht so dumm!** don't ask (such) silly questions!; **danach fragt sie doch überhaupt nicht** (*das kümmert sie nicht*) she doesn't bother about that at all; **man wird ja wohl noch ~ dürfen** (*fam*) I only asked **II.** *refl* wonder; **da fragt man sich doch wirklich, ob ...** one can't help wondering if ...; **es fragt sich, ob ...** it's questionable whether

Fra•ge•rei *f* (*fam pej*) questions *pl;* **was soll die ganze ~?** why all these questions?

Fra•ge•satz *m* (GRAM) interrogative sentence; **Fra•ge•stel•ler(in)** *m(f)* questioner; **Fra•ge•stel•lung** *f* **1.** (*Formulierung e-r Frage*) formulation of a question **2.** (*Problem, Frage*) question; **Fra•ge•stun•de** *f* (PARL) question time; **Fra•ge•wort** *n* (GRAM) interrogative; **Fra•ge•zei•chen** *n* (*a. fig*) question mark

frag•lich ['fra:klɪç] *adj* **1.** (*in Frage stehend*) in question; (*attributiv*) questionable **2.** (*zweifelhaft*) doubtful **3.** (*ungewiss*) uncertain

frag•los *adj* unquestionable

Frag•ment [frag'mɛnt] <-(e)s, -e> *n* fragment; **frag•men•ta•risch** *adj* fragmentary

frag•wür•dig *adj* **1.** doubtful **2.** (*dubios*) dubious

Frak•tal [frak'ta:l] <-(e)s, -e> *n* (MATH) fractal

Frak•ti•on [frak'tsjo:n] *f* (POL) parliamentary party *Br,* congressional party *Am*

Frak•ti•ons•füh•rer(in) *m(f)* (POL) party whip

Frak•tur [frak'tu:ɐ] <-, -en> *f* fracture

Fran•chi•sing ['fræntʃaɪzɪŋ] <-s> *n* (COM) ...: franchising

frank [fraŋk] *adj* frank, open; **~ u. frei** frankly, openly

Fran•ken ['fraŋkn] <-s, -> *m* (Swiss) franc *CH*

fran•kie•ren *tr* (*manuell*) stamp; (*maschinell*) frank

Fran•kier•ma•schi•ne *f* franking machine

Fran•kie•rung *f* franking

fran•ko ['fraŋko(:)] *adj* (*bei Postbeförderung*) postpaid, P.P.; (COM: *frei Haus*) carriage paid

Frank•reich ['fraŋkraɪç] *n* France

Fran•se ['franzə] <-, -n> *f* (*an Teppich etc*) fringe; (*von Haar*) strand of hair

Fran•zo•se [fran'tso:zə] <-n, -n> *m* Frenchman; **die ~n** (*das Volk*) the French; **ich bin ~** I'm French; **Fran•zö•sin** [fran'tsø:zɪn] *f* French woman

fran•zö•sisch *adj* French; **sich auf ~ empfehlen** take French leave

frä•sen ['frɛ:zən] *tr* (TECH) mill(-cut); (*Holz*) mould

Fräs•ma•schi•ne *f* milling machine

Fraß [fra:s] <-es> *m* (*sl: schlechtes Essen*) muck; **der Märtyrer wurde den Löwen zum ~ vorgeworfen** the martyr was fed to the lions

Frat•ze ['fratsə] <-, -n> *f* **1.** (*Grimasse*) grimace **2.** (*fam: hässliches Gesicht*) ugly face **3.** (*fig: Zerrbild*) grotesque caricature; **~n schneiden** pull a face (*jdm* at s.o.)

Frau [fraʊ] <-, -en> *f* **1.** (*als Geschlechtsbezeichnung*) woman **2.** (*Ehe~*) wife **3.** (*Anrede: verheiratete Frau*) Mrs(.); (*Familienstand unbekannt*) Ms(.); **e-e ~ haben** be married; **jdn zur ~ haben** be married to s.o.; **~ u. Kinder haben** have a wife and children; **Ihre ~ Mutter** (*obs*) your mother; **kann ich Ihnen helfen, gnädige ~?** can I help you, madam?; **Frau•en•arzt, -ärz•tin** *m, f* gyn(a)ecologist; **Frau•en•be•auf•trag•te** *m f* official women's representative; **Frau•en•be•we•gung** *f* feminist movement

Frau•en•e•man•zi•pa•ti•on *f* emancipation of women; (*als Bewegung*) women's lib(eration); **Frau•en•för•de•rung** *f* promotion of women; **Frau•en•grup•pe** *f* women's group; **Frau•en•haus** *n* women's refuge, refuge (for battered women); **Frau•en•kli•nik** *f* gyn(a)ecological hospital; **Frau•en•lei•den** *n* gyn(a)ecological illness; **Frau•en•po•li•tik** *f* feminist politics *sing;* **Frau•en•recht•le•r(in)** *m(f)* feminist; (*fam*) Women's Libber; **Frau•en•zeit•schrift** *f* women's magazine; **Frau•en•zim•mer** *n* (*fam a. pej*) female; (*Am fam*) broad

Fräu•lein ['frɔɪlaɪn] <-s, -s> *n* **1.** (*obs: unverheiratete Frau, junge Frau*) young lady **2.** (*obs: Anrede*) Miss; Ms; (*Kellnerin*) waitress; **Ihr ~ Tochter** (*obs*) your daughter; **~ Smith** Miss Smith

Freak [fri:k] <-s, -s> *m* (*fam*) freak; **frea-**

kig *adj* freaky

frech [frɛç] *adj* insolent; (*unverschämt*) impudent; (*fam: keck*) cheeky *Br,* fresh *Am;* (*trotzig*) saucy; (*Am fam*) sassy; **e-e ~e Lüge** a brazen lie; **~e Antwort** backtalk; **werd nicht ~!** don't be fresh with me!; **sei nicht so ~!** don't be cheeky!

Frech•dachs *m* (*fam*) cheeky monkey; **Frech•heit** *f* **1.** (*freches Verhalten*) cheek(iness), impudence, insolence, sauciness **2.** (*freche Bemerkung, Handlung*) bit of impudence [*o* cheek]; **sie besaß die ~ zu ...** she had the impudence [*o* nerve] to ...; **so e-e ~!** what a cheek!

Fre•gat•te [fre'gatə] <-, -n> *f* (MAR) frigate; **Fre•gat•ten•ka•pi•tän** *m* (MAR) commander

frei [fraɪ] *adj* **1.** (*unbehindert, unabhängig*) free; (*~beruflich*) freelance; (*privat, nichtstaatlich*) private **2.** (*Posten, Amt, Wohnung*) vacant; (*Taxi*) for hire **3.** (*kostenlos*) free **4.** (*freisinnig*) liberal; (*freimütig*) free **5.** (*unbekleidet*) bare **6.** (*verfügbar, erhältlich*) available; (*Beamter, Angestellter, Zeit*) free; **~e Wahl des Arbeitsplatzes** free movement of labour; **~e Hand haben** (**jdm lassen**) have (give s.o.) a free hand; **Eintritt ~!** admission free!; **sind Sie ~?** are you free?; **~ an Bord** (COM) free on board, f.o.b.; **auf ~em Felde** in the open country; **unter ~em Himmel** in the open air; **auf ~er Strecke** (RAIL) between stations *pl;* (MOT) on the road; **aus ~en Stücken** of one's own free will; **keine ~e Minute haben** not have a moment to o.s.; **ich bin so ~** may I?; **endlich gab er dem Projekt ~e Fahrt** (*fig*) at last he gave the green light for the project; **~es Geleit** safe conduct; **jdn auf ~en Fuß setzen** set s.o. free; **kannst du dich von dieser Vorstellung nicht ~ machen?** can't you free yourself from that idea?; **den Dingen ~en Lauf lassen** let things take their course; **das ~e Spiel der Kräfte** the free play of forces; **machen Sie die Straße ~!** clear the road!; **ich arbeite als ~er Mitarbeiter** I am working freelance; **~e Marktwirtschaft** free-market [*o* open market] economy; **e-n Tag ~ bekommen** (**haben, nehmen**) get (have, take) a day off; **morgen ist ~** tomorrow is a holiday; **unser Haus steht völlig ~** (*allein, isoliert*) our house stands quite by itself; **sie hat heute Abend ~**[RR] she is off tonight; **haben Sie noch etw ~?** (*ein Zimmer*) have you got any vacancies? *pl;* **~ reden, ~ sprechen** (*offen*) speak openly; (*nicht vom Blatt ablesen*) extemporize; **diese Stelle wird nächsten Monat ~** this position will become vacant next month

Frei•bad *n* open-air (swimming) pool

frei•be•ruf•lich *adj* self-employed; (*Journalist, Autor*) freelance; **Frei•be•trag** *m* (*bei Steuern*) tax allowance; **Frei•bier** *n* free beer; **Frei•brief** *m* **1.** (*Vorrechte*) privilege **2.** (*fig*) licence *Br,* license *Am*

Frei•den•ker(in) *m(f)* freethinker

Freie <-n> *n:* **das ~** the open (air); **im ~n** in the open (air); **im ~n übernachten** sleep out in the open

Frei•er *m* **1.** (*hum: Verehrer*) suitor **2.** (*fam: Kunde e-r Prostituierten*) client *Br,* john *Am*

Frei•e•xem•plar *n* free copy

frei|ge•ben **I.** *irr tr* **1.** (*Vermögen, Personen, a. Nachrichten für die Presse*) release (*für, an* to); (*Gefangene, Ehegatten*) set free; (*gesperrte Konten*) deblock; (*Preise*) decontrol **2.** (*eröffnen*) open (*für etw* to s.th.) **3.** (*e-n Film*) pass; **dieser Film ist** (**für Jugendliche**) **ab 16** (**Jahren**) **freigegeben** this film may be seen by people over (the age of) 16; **ein Produkt für den Markt ~** allow a product to be sold on the market **II.** *itr:* **jdm** (**e-e Woche**) **~** give s.o. a (week's) holiday; **jdm** (**für**) **e-n Tag ~** give s.o. a day off

frei•ge•big ['fraɪge:bɪç] *adj* generous; **~ mit Geld sein** be liberal with one's money; **Frei•ge•big•keit** *f* generosity; **Frei•geist** *m* freethinker; **Frei•ge•las•se•ne(r)** *f m* (HIST) freedman; **Freigepäck** *n* baggage allowance; **Frei•ha•fen** *m* free port

frei|hal•ten **I.** *irr tr* **1.** (*Platz etc*) keep free; (*reservieren*) keep **2.** (*für jdn bezahlen*) pay for **II.** *refl* (*vermeiden*) avoid (*von etw* s.th.)

Frei•han•del *m* (COM POL) free trade; **Frei•han•dels•zo•ne** *f* (COM POL): **Europäische ~** European Free Trade Area, EFTA

frei•hän•dig ['fraɪhɛndɪç] *adj* (*Schießen*) offhand; (*Zeichnen*) freehand; (*Radfahren*) without hands

Frei•heit ['fraɪhaɪt] *f* **1.** freedom; (*als Idealvorstellung*) liberty **2.** (*Recht, Privileg, oft pl: ~en*) freedom; **endlich bin ich wieder in ~** at last I am free again; **ich schenke dir die ~** I am giving you your freedom; **jdn in ~ setzen** set s.o. free; **dichterische ~** poetic licence *Br,* license *Am;* **persönliche ~** personal freedom; **~ der Presse** freedom of the press; **du hast doch alle ~en, was willst du noch?** you have all the freedom possible, what else do you want?; **sich die ~ nehmen etw zu tun** take the liberty of doing s.th.; **sich ~en herausnehmen** take liberties

frei•heit•lich *adj* liberal; **die ~-demokratische Grundordnung** the free democratic constitutional structure

Frei•heits•be•rau•bung *f* (JUR) wrongful

deprivation of personal liberty; **Frei•heits•drang** *m* thirst [*o* desire] for freedom; **Frei•heits•krieg** *m* war of liberation; **Frei•heits•stra•fe** *f* prison sentence; **zu e-r ~ von vier Jahren verurteilt werden** be sentenced to four years' imprisonment, be given a four-year prison sentence

Frei•kar•te *f* free [*o* complimentary] ticket

frei|kau•fen *tr* ransom

Frei•kör•per•kul•tur *f* nudism

Frei•land•huhn *n* free-range hen

frei|las•sen *irr tr* set free; (*Häftling*) release (*aus* from); (*Sklaven*) emancipate; **gegen Kaution ~** release on bail

Frei•las•sung *f* release

Frei•lauf *m* (*beim Fahrrad*) freewheel

frei|le•gen *tr* (*a. fig*) expose

Frei•lei•tung *f* (EL) aerial line, overhead cable

frei•lich ['fraɪlɪç] *adv* **1.** (*natürlich*) certainly, of course, sure *Am* **2.** (*allerdings*) admittedly; **ja ~!** to be sure! yes, of course!

Frei•licht•büh•ne *f* open-air theatre

Frei•los *n* free lottery ticket

frei|ma•chen I. *tr* (*frankieren*) stamp; (*maschinell*) frank **II.** *itr* (*nicht arbeiten*) take off; **ich mache morgen frei** I'll take the day off tomorrow **III.** *refl* (*sich entkleiden*) take one's clothes off

Frei•mau•rer *m* (HIST) Freemason; **Frei•mau•re•rei** *f* (HIST) Freemasonry

Frei•mut *m* candour, frankness, openness; **frei•mü•tig** ['fraɪmy:tɪç] *adj* candid, frank, open; **Frei•mü•tig•keit** *f* frankness, openness

frei|spre•chen *irr tr* (JUR) acquit (*jdn von etw* s.o. of s.th.); **ich wurde wegen erwiesener Unschuld freigesprochen** I was proved not guilty; **Frei•spruch** *m* (JUR) acquittal; **die Verteidigung plädierte auf ~** the defence pleaded not guilty; **Frei•staat** *m* free state

frei|ste•hen *irr itr* **1.** (*leer stehen*) stand empty **2.** (*dem jeweiligen Gutdünken*) be up (*jdm* to s.o.)

frei|stel•len *tr* **1.** (*ausnehmen, befreien*) exempt (*jdn von etw* s.o. from s.th.) **2.** (*Arbeiter, Angestellte*) release (*für* for) **3.** (*anheimstellen*) leave (*jdm etw* s.th. (up) to s.o.)

Frei•stoß *m* (SPORT: *Fußball*) free kick

Frei•tag ['fraɪta:k] <-(e)s, -e> *m* Friday

Frei•tod *m* suicide; **Frei•trep•pe** *f* open stairs *pl;* **Frei•um•schlag** *m* stamped envelope; **adressierter ~** stamped addressed envelope; **Frei•wild** *n* (*fig*) fair game

frei•wil•lig *adj* voluntary; (*Schulbesuch, Krankenversicherung etc*) optional; **~e Feuerwehr** voluntary fire brigade

Frei•wil•li•ge(r) *f m* volunteer; **~ vor!** volunteers, one pace forward!; **Frei•wil•lig•keit** *f* voluntariness

Frei•zei•chen *n* (TELE) dialling tone; **Frei•zeit** *f* **1.** (*arbeitsfreie Zeit*) leisure time, free time **2.** (*Urlaubsreise*) holiday course; **Frei•zeit•aus•gleich** *m* free time compensation; **Frei•zeit•ge•sell•schaft** *f* leisure society; **Frei•zeit•ge•stal•tung** *f* organization of one's leisure time; **Frei•zeit•hemd** *n* casual shirt; **Frei•zeit•in•dus•trie** *f* leisure industry; **Frei•zeit•klei•dung** *f* **1.** (*was jem in s-r Freizeit trägt*) casual clothes *pl* **2.** (*Warengattung*) leisure wear; **Frei•zeit•park** *m* amusement park; **Frei•zeit•wert** *m* recreational value

frei•zü•gig *adj* **1.** (*liberal*) liberal **2.** (*offen, geradeheraus*) permissive

Frei•zü•gig•keit *f* **1.** (POL) freedom of movement **2.** (*Großzügigkeit*) liberalness **3.** (*ethisch, moralisch*) permissiveness

fremd [frɛmt] *adj* **1.** (*anders, unvertraut*) strange; (*ausländisch*) foreign **2.** (*unbekannt*) unknown (*jdm o für jdn* to s.o.) **3.** (*nicht eigen, jem anderem gehörend*) s.o. else's; **ich bin hier ~** I am a stranger here; **solches Verhalten ist mir ~** I don't understand how one can behave like that; **er ist mir völlig ~** he is a complete stranger to me; **wir sind einander ~ geworden** we have grown apart; **unter e-m ~en Namen** under an assumed name; **nicht für ~e Ohren bestimmt sein** be not meant to be heard by other people

fremd•ar•tig ['frɛmta:ɐtɪç] *adj* strange; (*exotisch*) exotic; **Fremd•ar•tig•keit** *f* strangeness; (*Exotisches*) exoticism

Fremde ['frɛmdə] <-> *f* foreign parts *pl;* **in die ~ gehen** go to foreign parts; (*ins Ausland*) go abroad

Frem•de(r) <-n, -n> *f m* **1.** (*orts~ o unbekannte Person*) stranger **2.** (*Ausländer*) foreigner

frem•deln *vi* (*CH: Kind*) be scared of strangers

Frem•den•füh•rer(in) *m(f)* guide; **Frem•den•le•gi•on** *f* Foreign Legion; **Frem•den•ver•kehr** *m* tourism; **Frem•den•ver•kehrs•zen•trum** *n* tourist centre *Br,* tourist center *Am;* **Frem•den•zim•mer** *n* guest room

Fremd•fi•nan•zie•rung *f* (COM) outside financing; **Fremd•herr•schaft** *f* foreign rule; **Fremd•ka•pi•tal** *n* (COM) outside capital; **Fremd•kör•per** *m* **1.** (MED) foreign body **2.** (*fig*) alien element

fremd•län•disch ['frɛmtlɛndɪʃ] *adj* **1.** (*ausländisch*) foreign **2.** (*exotisch*) exotic

Fremd•ling *m* stranger

Fremd•spra•che *f* foreign language; **Fremd•spra•chen•se•kre•tär(in)** *m(f)*

bilingual secretary
fremd•spra•chig *adj:* **~er Unterricht** (*Unterricht, in dem die Fremdsprache gesprochen wird*) teaching in a foreign language; **fremd•sprach•lich** *adj:* **~er Unterricht** (*das Lehren der Fremdsprache*) (foreign-)language teaching
Fremd•wäh•rung *f* foreign currency; **Fremd•wort** *n* foreign word
fre•ne•tisch *adj* frenetic, frenzied; (*Beifall a.*) wild
Fre•quenz [fre'kvɛnts] <-, -en> *f* (*Häufigkeit, a.* PHYS) frequency
Fres•ko ['frɛsko] <-s, -ken> *n* fresco
Fres•sa•li•en [frɛ'saːliən] *pl* (*fam*) grub *sing*
Fres•se ['frɛsə] <-, -n> *f* (*vulg*) **1.** (*Mund*) gob, trap **2.** (*Gesicht*) mug; **jdm die ~ polieren** (*vulg*) give s.o. a sock in the kisser; **halt endlich deine ~!** (*vulg*) won't you shut your trap!
Fres•sen <-s> *n* **1.** (*für Tiere*) food **2.** (*sl: schlechtes Essen, Fraß*) grub, muck *fam;* **ein gefundenes ~** (*fam*) a heaven-sent opportunity
fres•sen I. *irr itr* **1.** (*von Tieren*) eat, feed **2.** (*sl: von Menschen*) eat; **er isst nicht, er frisst**^{RR} (*fam: solche Mengen*) he doesn't eat, he stuffs himself; (*fam: unmanierlich*) he eats like a pig; **jdm aus der Hand ~** (*a. fig fam*) eat out of someone's hand **II.** *tr* **1.** (*verzehren, a. sl bei Menschen*) eat; (*sl: gierig essen*) scoff **2.** (*sich ernähren von*) feed on **3.** (*fam: verbrauchen*) gobble up **4.** (*fig: Hass, Neid etc*) eat up; **du frisst**^{RR} **mir noch die Haare vom Kopf!** (*fig fam*) you're going to eat me out of house and home!; **ich habe dich zum F~ gern** (*fam*) I could eat you; **hast du's jetzt endlich gefressen?** (*fam: kapiert*) have you got it at last?; **jdn** (**etw**) **gefressen haben** (*fam: verabscheuen*) be fed up with s.o. (s.th.); **ich fresse e-n Besen, wenn ...** (*fig fam*) I'll eat my hat if ... **III.** *refl* (*sich hineinbohren*) eat one's way (*durch* through, *in* into)
Fress•napf^{RR} *m* feeding bowl
Fress•sucht^{RR} *f* bulimia
Frett•chen ['frɛtçən] <-s, -> *n* (ZOO) ferret
Freu•de ['frɔɪdə] <-, -n> *f* joy (*über* at); (*Entzücken*) delight (*über* at); (*Vergnügen*) pleasure; **vor ~** with joy; **vor ~ außer sich sein** be mad with joy; **vor ~ weinen** weep for joy; **mit ~n** gladly; **ich habe einfach keine ~ am Lesen** I simply don't get any pleasure from [*o* out of] reading; **~ am Leben haben** enjoy life; **jdm e-e ~ machen** make s.o. happy; **jdm die ~ verderben** spoil someone's pleasure; **herrlich u. in ~n leben** live a life of ease; **zu s-r großen ~** to his great delight; **ihr Sohn macht ihnen wenig ~** their son is not much of a joy to them; **Freu•den•ge•schrei** *n* shrieks *pl* of joy; **Freu•den•mäd•chen** *n* (*euph: Prostituierte*) woman of easy virtue; **Freu•den•trä•nen** *fpl* tears of joy
freu•de•strah•lend *adj* beaming with delight
freu•dig ['frɔɪdɪç] *adj* **1.** (*froh*) joyful; (*bereitwillig*) willing **2.** (*glücklich, beglückend*) happy; **das war e-e ~e Überraschung** that was a delightful surprise; **in ~er Erwartung Ihrer Ankunft ...** looking forward to your arrival with great pleasure ...; **ein ~es Ereignis** (*meist: Geburt*) a happy event
freud•los ['frɔɪtloːs] *adj* joyless
freu•en ['frɔɪen] **I.** *tr:* **das freut mich** I'm really pleased; **es freut mich zu ...,** (**dass ...**) I'm pleased to ... (that ...) **II.** *refl* **1.** (*froh sein*) be pleased [*o* glad] (*über* about) **2.** (*Vorfreude*) look forward (*auf etw* to s.th., *auf jdn* to seeing, meeting s.o.); **ich habe mich riesig über dein Geschenk gefreut** I was ever so pleased about your present; **ich freue mich mit Ihnen** I share your happiness; **sich an etw** (**sehr**) **~** get (a lot of) pleasure from s.th.; **er freut sich s-s Lebens** he enjoys life; **„er ist also doch noch zurückgekommen", freute sie sich** "so he did come back in the end", she said joyfully; **da hast du dich wohl zu früh gefreut!** it seems you got your hopes up too soon!
Freund [frɔɪnt] <-(e)s, -e> *m* **1.** (*Kamerad*) friend **2.** (*Liebhaber*) boyfriend **3.** (*fig: Kunst~ etc*) lover; (*Mäzen*) friend; **dicke ~e** (*fam*) great friends; **mit jdm gut ~ sein** be good friends with s.o.; **jdn zum ~ haben** have s.o. for a friend; **du bist mir ein schöner ~** (*fam iro*) a fine friend you are; **kein ~ von Katzen** no lover of cats; **ich bin kein ~ vieler Worte** I'm not one of the talking kind; **Freund•chen** *n* (*fam*): **jetzt hör mal zu, mein ~!** now listen, loverboy! *fam;* **Freun•din** ['frɔɪndɪn] *f* **1.** (*Kameradin*) friend **2.** (*Liebhaberin*) girlfriend **3.** (*fig: Kunst~ etc*) lover; (*Mäzenin*) friend
freund•lich ['frɔɪntlɪç] *adj* **1.** (*wohlgesonnen*) friendly **2.** (*gütig, nett*) kind (*zu* to) **3.** (*angenehm*) pleasant; (*heiter*) cheerful; **~er Empfang** friendly welcome; **~es Zimmer** cheerful room; **wären Sie wohl so ~ zu ...?** would you be so kind as to ...?; **das Wetter ist ~** the weather is pleasant; **~e Börsentendenz** (COM FIN) favourable stock market trend; **Freund•lich•keit** *f* **1.** friendliness **2.** (*nette Art*) kindliness **3.**

(*Heiterkeit*) cheerfulness **4.** (*Gefälligkeit*) favour, kindness **5.** (*freundliche Äußerung*) kind remark; **hätten Sie wohl die ~ zu ...?** would you be so kind as to ...?

Freund•schaft *f* **1.** friendship **2.** (*Freundeskreis*) friends *pl;* ~ **schließen mit jdm** make friends with s.o.; **freund•schaft•lich** *adj* friendly; **~e Gesinnung** friendly disposition; **auf ~em Fuße mit jdm stehen** be on friendly terms with s.o.; **~e Gefühle** feelings of friendship

Freund•schafts•be•such *m* (POL) goodwill visit; **Freund•schafts•spiel** *n* (SPORT) friendly (match)

Fre•vel ['fre:fəl] <-s, -> *m* **1.** (REL: *Sünde*) sin (*gegen* against) **2.** (*fig: Verbrechen*) crime (*an* against); (*Sakrileg*) sacrilege; **fre•vel•haft** *adj* sacrilegious, sinful; **fre•veln** *itr* sin (*gegen, an* against); **Frev•ler(in)** *m(f)* sinner

Frie•de(n) ['fri:dən] <-s, (-)> *m* **1.** peace **2.** (*Ruhe*) tranquillity; **im ~** in time of peace; **in ~ u. Freiheit** in peace and freedom; ~ **schließen** (POL) make peace; **(s-n) ~ mit der Welt schließen** make one's peace with the world; **der Westfälische ~** (HIST) the Peace of Westphalia; **der häusliche ~** domestic harmony; **um des lieben ~s willen** (*fam*) for the sake of peace and quiet; **lass mich in ~!** leave me alone!

frie•dens•be•wegt *adj* (*fam: Person*) pacifist; **Frie•dens•be•weg•te(r)** *f m* (*fam*) peace activist; **Frie•dens•be•we•gung** *f* peace movement

Frie•dens•bruch *m* violation of (the) peace; **Frie•dens•ge•sprä•che** *npl* peace talks; **Frie•dens•in•itia•ti•ve** *f* (*für den Frieden eintretende Gruppe*) peace campaigners *pl;* **Frie•dens•kon•fe•renz** *f* peace conference; **Frie•dens•marsch** *m* peace march; **Frie•dens•pfei•fe** *f* peace-pipe; **die ~ rauchen** smoke the peace-pipe; **Frie•dens•re•ge•lung** *f* arrangement [*o* settlement] of peace; **Frie•dens•rich•ter(in)** *m(f)* justice of the peace, J.P.; **Frie•dens•schluss**[RR] *m* conclusion of peace; **Frie•dens•stif•ter(in)** *m(f)* peacemaker; **Frie•dens•ver•hand•lun•gen** *fpl* peace negociations; **Frie•dens•ver•trag** *m* peace treaty; **Frie•dens•zeit** *f:* **in ~en** in times of peace, in peacetime

fried•fer•tig *adj* peaceable

Fried•hof ['fri:tho:f] *m* cemetery

fried•lich *adj* peaceful; (*friedfertig*) peaceable; **~e Lösung, ~er Weg** peaceful solution; **bist du dann endlich ~?** (*fam*) will that make you happy?; **nun sei doch endlich ~!** (*fam*) now, give it a rest!

fried•lie•bend *adj* peace-loving

frie•ren [fri:rən] *irr itr tr* (*a. gefrieren*) freeze; **mich friert (ich friere)** I am cold, I feel cold; **mich friert es an den Fingern** my fingers are cold; **wird es heute Nacht ~?** will it freeze tonight?

Fries [fri:s] <-es, -e> *m* (ARCH) frieze

fri•gi•de [fri'gi:də] *adj* frigid

Fri•gi•di•tät <-> *f* frigidity

Fri•ka•del•le *f* meatball

Fris•bee•schei•be® *f* frisbee disc®

frisch [frɪʃ] *adj* **1.** (*allgemein*) fresh; (*noch feucht*) wet **2.** (*kühl*) chilly, cool **3.** (*Aussehen, Gesichtsfarbe*) fresh **4.** (*munter*) bright, cheery; **~e Eier** new-laid eggs; **~es Obst** fresh-picked fruit; ~ **gestrichen** newly painted; (*als Warnung auf Hinweisschild*) wet paint *Br,* fresh paint *Am;* **auf ~er Tat ertappt werden** be caught in the act; **~en Mut fassen** gain new courage; ~ **von der Schulbank** fresh out of college; **an der ~en Luft** in the fresh air; **jdn an die ~e Luft setzen** (*fam*) kick s.o. out; **mit ~er Kraft** with renewed vigour; **nur immer ~ drauflos!** just go ahead! don't hold back!; **sie schreibt einfach ~ drauflos** she just writes away; ~ **verheiratet** newly married; **ein ~er Wind** a fresh wind; (*fig*) the wind of change

Fri•sche ['frɪʃə] <-> *f* **1.** (*allgemein*) freshness; (*Feuchtigkeit: von Fleck, Farbe*) wetness **2.** (*Kühle*) coolness **3.** (*Aussehen*) freshness; (*Munterkeit*) brightness

Frisch•fleisch *n* fresh meat; **Frisch•hal•te•da•tum** *n* sell-by date; **Frisch•hal•te•fo•lie** *f* cling film; **Frisch•hal•te•pa•ckung** *f* air-tight [*o* vacuum] pack(age); **in ~** aroma-sealed, vacuum-packed; **Frisch•kä•se** *m* cream cheese

Frisch•zel•le *f* live cell; **Frisch•zel•len•the•ra•pie** *f* (MED) cellular therapy, live-cell therapy

Fri•seur(in) [fri'zø:ɐ] <-s, -e> *m(f)* hairdresser; **fri•sie•ren I.** *tr* **1. jdm das Haar ~, jdn ~** do someone's hair; (*kämmen*) comb someone's hair **2.** (*fam: manipulieren*) fiddle; **die Bilanz ~** (*fam*) cook the books **3.** (*fam: die Leistung eines Autos erhöhen*) hot [*o* soup] up **II.** *refl* do one's hair; **Fri•sier•sa•lon** *m* (*für Damen*) hairdressing salon; (*für Herren*) barber's shop

Fri•sör(in) *m(f) s.* **Friseur**

Frist [frɪst] <-, -en> *f* **1.** (*Zeitraum*) period (*für Nachricht, Kündigung etc* of notice) **2.** (*Zeitpunkt*) deadline (*für, zu* for); (COM: *Zahlungsziel*) last date for payment; (*~verlängerung, Aufschub*) period of grace; **nach Ablauf der ~** after expiration of the term; **binnen kürzester ~** without delay; **die ~ verstreichen lassen** let the deadline [*o* the last date for payment] pass; **e-e ~ ein-**

halten (**versäumen**) meet (miss) a deadline; **jdm e-e ~ von sieben Tagen gewähren** grant [*o* give] s.o. seven days grace

fris•ten *tr:* **sein Dasein mit etw ~** eke out one's existence with s.th.; **sein Leben kümmerlich ~** eke out a miserable existence

Fris•ten•re•ge•lung *f* (JUR: *in Zus.hang mit Schwangerschaftsabbruch*) *latest point at which abortion is legally permitted*

frist•ge•recht *adj* within the period stipulated; **frist•los** *adj* without notice; **~ entlassen** dismiss without notice

Fri•sur *f* hairdo, hairstyle

Frit•teuseRR *f* deep-fryer; chip pan

frit•tie•renRR *tr* deep-fry

fri•vol [fri'vo:l] *adj* frivolous

froh [fro:] *adj* **1.** (*dankbar, glücklich*) glad; (*erfreut*) pleased **2.** (*erfreulich*) happy; **über etw ~ sein** be glad about [*o* pleased with] s.th.; **sie wird ihres Lebens nicht mehr ~** she doesn't enjoy life any more; **~e Ostern** (**Weihnachten**)! Happy Easter (Christmas)!

fröh•lich ['frø:lɪç] *adj* cheerful, gay, merry; **Fröh•lich•keit** *f* cheerfulness, happiness

froh•lo•cken [fro'lɔkən] <ohne ge-> *itr* rejoice (*über* at)

Froh•natur <-, -en> *f* cheerful nature; **Froh•sinn** <-s> *m* cheerfulness

fromm [frɔm] *adj* **1.** (REL: *gläubig*) religious; (*hingegeben*) devout **2.** (*gehorsam, zahm*) docile; **das ist ja wohl nur ein ~er Wunsch!** thats just a pipe- dream!; **e-e ~e Lüge** a white lie

Fröm•me•lei [frœmə'laɪ] *f* (*pej*) false [*o* affected] piety

fröm•meln ['frœməln] *itr* (*pej*) affect piety

Fröm•mig•keit *f* (REL) religiousness

Frömm•ler(in) *m(f)* (*pej: Heuchler(in)*) sanctimonious hypocrite

Fron(•ar•beit) ['fro:n-] <-, (-en)> *f* **1.** (HIST: *Frondienst*) socage **2.** (*fig*) drudgery

frö•nen ['frø:nən] *itr* indulge (*e-r Sache* in s.th.)

Fron•leich•nams•fest [-'--(-)] *n* (ECCL) Feast of Corpus Christi

Front [frɔnt] <-, -en> *f* **1.** (*Vorderseite*) front **2.** (METE: *Wetter~*) front **3.** (MIL) front; (*Kampflinie*) front line **4.** (SPORT: *Spitze*) lead; **gegen diese Entscheidung werden wir ~ machen** (*fig*) we will make a stand against this decision; **an der ~** (MIL) at the front; **wir müssen endlich klare ~en schaffen** (*fig*) it's high time we made our position clear; **die ~en wechseln** (*fig*) change sides

fron•tal [frɔn'ta:l] **I.** *adj* frontal **II.** *adv* frontally, head on; **Fron•tal•zu•sam•men•stoß** *m* head-on collision

Front•schei•be *f* (MOT) windscreen *Br,* windshield *Am*

Frosch [frɔʃ, *pl:* 'frœʃə] <-(e)s, ⸚e> *m* (ZOO) frog; **ich hab' e-n ~ im Hals!** (*fam fig*) I've got a frog in my throat!; **komm, sei kein ~!** (*fam: kein Spielverderber*) come on, be a sport!; **Frosch•laich** *m* (ZOO) frogspawn; **Frosch•per•spek•ti•ve** *f* worm's eye view; **Frosch•schen•kel** *m* frog's leg

Frost [frɔst, *pl:* 'frœstə] <-(e)s, ⸚e> *m* frost; **strenger** (**eisiger**) **~** heavy (crisp) frost; **Frost•beu•le** *f* (MED) chilblain

frös•teln ['frœstəln] *itr* shiver

fros•tig *adj* (*a. fig*) frosty

Fros•tig•keit *f* (*fig*) frostiness

Frost•scha•den *m* frost damage; **Frost•schutz•mit•tel** *n* (MOT) antifreeze

Frot•tee ['frɔte:] *n* <-s, -> terry towelling; **Frot•tee•hand•tuch** *n* terry towel; **Frot•tee•kleid** *n* towelling dress

frot•tie•ren *tr refl* rub (down)

frot•zeln ['frɔtsəln] *itr* (*fam*) tease; **über jdn** (**etw**) **~** make fun of s.o. (s.th.)

Frucht [frʊxt, *pl:* 'frʏçtə] <-, ⸚e> *f* **1.** (BOT: *a. fig*) fruit; (*Getreide*) crops *pl* **2.** (MED) f(o)etus **3.** (*im pl: Obst*) fruit *sing;* **⸚e tragen, ⸚e bringen** (*a. fig*) bear fruit

frucht•bar *adj* **1.** (*a. fig*) fertile, prolific **2.** (*fig: nutzbringend*) productive; **Frucht•bar•keit** *f* **1.** (*a. fig*) fertility, prolificness **2.** (*fig*) productiveness

Frucht•bla•se *f* (ANAT) amniotic sac

Frücht•chen ['frʏçtçən] <-s, -> *n* (*fam*) good-for-nothing

fruch•ten ['frʊxtən] *itr* (*fig*) bear fruit; **nichts ~** be fruitless; **Frucht•fleisch** *n* flesh (of a fruit); **frucht•los** *adj* (*fig*) fruitless; **Frucht•lo•sig•keit** *f* (*fig*) fruitlessness; **Frucht•saft** *m* fruit juice; **Frucht•was•ser•un•ter•su•chung** *f* (MED) amneocentesis; **Frucht•was•ser•spie•ge•lung** *f* amnioscopy; **Frucht•wech•sel** *m* (AGR) crop rotation; **Frucht•zu•cker** *m* fructose

früh [fry:] **I.** *adj* early; **am ~en Nachmittag** in the early afternoon; **in ~er Jugend** in one's early youth; **seit meiner ~esten Kindheit** since I was a very small child **II.** *adv* **1.** early **2.** (*schon in der Kindheit o Jugend*) at an early age; **heute** (**morgen**) **~** this (tomorrow) morning; **es ist noch ~ am Tag** it's still early in the day; **Sonntag ~** Sunday morning; **von ~ bis spät** from morning till night; **Früh•auf•ste•her(in)** *m(f)* early riser

Frü•he ['fry:ə] <-> *f:* **in aller** (**der**) **~** at the crack of dawn (early in the morning)

frü•her ['fry:ɐ] **I.** *adj* **1.** earlier **2.** (*ehemalig*) former; (*vorherig*) previous; **in ~en Zeiten** in the past; **der ~e Besitzer** the previous owner **II.** *adv* **1.** earlier **2.** formerly, previously; ~ **am Abend** earlier on in the evening; **ich habe ihn ~ einmal gekannt** I used to know him; **ich kenne ihn noch von ~** I've known him for some time; **es ist alles genau wie ~** everything's just as it used to be; ~ **oder später** sooner or later; **da musst du ~ aufstehen** (*fig fam*) you have to be quicker off the mark

Früh•er•ken•nung *f* (MED) early diagnosis; **frü•hes•tens** *adv* at the earliest; **wann kannst du ~ kommen?** what is the earliest you can come?

Früh•ge•burt *f* **1.** (*zu frühe Geburt*) premature birth **2.** (*zu früh geborenes Kind*) premature baby; **Früh•jahr** *n*, **Früh•ling** *m* spring; **Früh•jahrs-**, **Früh•lings-** *präfix* spring; **Früh•jahrs•mü•dig•keit** *f* springtime lethargy; **Früh•lings•rol•le** *f* spring roll; **Früh•lings•sup•pe** *f* mixed early vegetables soup; **früh•mor•gens** *adv* early in the morning; **Früh•pen•sio•nie•rung** *f* early retirement; **früh•reif** *adj* **1.** (*körperlich*) mature at an early age **2.** (*fig*) precocious; **~es Kind** precocious child; **Früh•rei•fe** *f* **1.** early maturity **2.** (*fig*) precocity; **Früh•schicht** *f* early shift; **Früh•schop•pen** *m* morning [*o* lunchtime] drinking; **e-n ~ machen** go for a morning drink; **Früh•stück** *n* breakfast; **sollen wir Eier zum ~ essen?** shall we have eggs for breakfast?; **Übernachtung u. ~** bed and breakfast; **früh•stü•cken I.** *itr* have breakfast **II.** *tr* breakfast on; **Früh•warn•sys•tem** *n* (MIL) (distant) early warning system; **früh•zei•tig** *adj* **1.** (*früh*) early **2.** (*vorzeitig*) premature

Früh•zün•dung *f* (MOT) pre-ignition

Frust [frʊst] <-s> *m* (*fam*) frustration; **Frus•tra•ti•on** *f* frustration; **frus•trie•ren** *tr* frustrate

Fuchs [fʊks, *pl:* 'fʏksə] <-es, ¨-e> *m* **1.** (ZOO: *a. ~pelz*) fox **2.** (*Pferd*) chestnut; (*Rotfuchs*) sorrel **3.** (*fig*): **ein schlauer** [*o* **alter**] ~ a cunning old devil, a sly fox; **Fuchs•bau** *m* fox's den

Füch•sin ['fʏksɪn] *f* (ZOO) vixen

Fuchs•jagd *f* fox-hunt(ing); **fuchs•rot** *adj* (*Pferd*) sorrel; (*Haar*) ginger; **Fuchs•schwanz** *m* **1.** fox's tail **2.** (*Säge*) handsaw **3.** (BOT) love-lies-bleeding

fuchs•teu•fels•wild ['-'--'-] *adj* (*fam*) hopping mad

Fuch•tel ['fʊxtəl] <-, -n> *f* (*österr: zänkische Frau*) shrew; **unter jds ~ stehen** be under someone's thumb; **fuch•teln** *itr* (*fam*) wave (*mit etw* s.th. about)

Fug [fu:k] *m:* **mit ~ u. Recht** with good cause

Fuge[1] ['fu:gə] <-, -n> *f* **1.** joint **2.** (*Falz*) groove; **in allen ~en krachen** creak in every joint; **aus den ~n gehen** [*o* **geraten**] (*a. fig*) come apart (at the seams), go awry; go haywire

Fuge[2] *f* (MUS) fugue

fü•gen ['fy:gən] **I.** *tr* (*plazieren*) place **II.** *refl* **1.** (*nachgeben*) be obedient, bow (*jdm* to s.o., *e-r Sache o in etw* to s.th.); **er fügte sich in sein Schicksal** he resigned himself to his fate **2.** (*geschehen*): **es hat sich so gefügt, dass ...** it so happened that ...

füg•sam *adj* **1.** (*gehorsam*) obedient **2.** (*biegsam*) pliant

Füg•sam•keit *f* **1.** (*Gehorsamkeit*) obedience **2.** (*Biegsamkeit*) pliability

Fü•gung *f* chance; (*Zus.treffen*) coincidence; **göttliche ~** divine providence

fühl•bar *adj* **1.** (*greifbar*) palpable **2.** (*deutlich*) marked **3.** (*wahrnehmbar*) perceptible; **ein ~er Verlust** a grievous loss

füh•len ['fy:lən] *tr itr refl* feel; (*Puls*) take; ~ **Sie denn überhaupt kein Mitleid** (**mit ihm**)? don't you feel any sympathy at all (for him)?; **jdm auf den Zahn ~** (*fam: ihn ausfragen*) pump s.o. for information; **sich verletzt/krank/verantwortlich ~** feel hurt/ill/responsible; **sich jdm** (**e-r Sache**) **gewachsen ~** feel up to s.o. (s.th.); **zart ~d**[RR] sensitive

Füh•ler *m* **1.** (ZOO) antenna, feeler **2.** (*fig fam*): **s-e ~ ausstrecken nach etw** put out feelers towards s.th.; **Füh•lung** *f* contact, touch; ~ **haben mit ...** be in touch [*o* contact] with ...; **in ~ bleiben mit ...** keep in touch with ...

Fuh•re ['fu:rə] <-, -n> *f* (*a. fig*) **1.** (*Ladung*) load **2.** (*Schub*) batch

füh•ren ['fy:rən] **I.** *tr* **1.** (*an~, vorangehen*) lead **2.** (*bringen, geleiten*) take; (*Touristen, Blinde*) guide **3.** (COM: *im Sortiment haben*) carry, keep **4.** (*Fahrzeug steuern*) drive; (MAR) sail; (AERO) fly; (*bedienen: Fahrstuhl, Bagger etc*) operate **5.** (*leiten: Unternehmen*) run; (MIL: *Armee, Kompanie etc*) command **6.** (*tragen, transportieren, führen: elektrischen Strom*) carry; **was führt Sie zu mir?** what brings you here?; **etw bei sich ~** carry s.th. on one's person; **jdm den Haushalt ~** keep house for s.o.; **er führte den Beweis s-r Unschuld** he offered proof of his innocence; **er führte sein Glas an die Lippen** he raised his glass to his lips; **er führt über alles genau Buch** he keeps a detailed record of everything; **jdm die Bücher ~** keep someone's books; ~ **Sie Badeanzüge?** do you sell bathing suits?; **gegen jdn e-n Prozess ~** take legal action against s.o.; **der Rhein führt im Augenblick Hochwasser** the Rhine is running high at the moment;

etw (nichts Gutes) im Schilde ~ be up to s.th. (to no good); **die Firma X führt in Software** firm X is the leading software dealer **II.** *itr* **1.** (*bewirken*): **zu etw** ~ lead to s.th.; **zu nichts** ~ come to nothing **2.** (*an der Spitze, in Führung sein*) lead; (SPORT) be in the lead (*um, mit* by) **3.** (*verlaufen: Weg, Straße, Fahrstuhl etc*) go; (*Leitung, Kabel etc*) run; **wohin soll das bloß ~?** where is this leading us?; **wollen Sie mich hinters Licht ~?** (*fig fam*) are you trying to lead me up the garden path? **III.** *refl* (*sich auf~*) conduct o.s.; **füh•rend** *adj* leading; (*Persönlichkeit*) prominent; **die Firma A ist bei Videorekordern** ~ A is the leading firm for video recorders

Füh•rer ['fy:rɐ] *m* **1.** (POL) leader; (*Oberhaupt, An~*) head **2.** (MOT: *von Fahrzeug*) driver; (*Bagger~, Fahrstuhl~ etc*) operator **3.** (*Reise~: Mensch u. Buch Kunst~ etc*) guide; **der** ~ (POL HIST: *selbstgeschaffener Titel Adolf Hitlers*) the Fuehrer; ~ **durch Frankreich (die Moderne Kunst)** guide to France (Modern Art); **Füh•rer•haus** *n* (RAIL MOT) (driver's) cab; **Füh•re•rin** *f* **1.** (POL) leader; (*An~*) head **2.** (MOT: *Fahrerin*) driver; (*Fahrstuhl~ etc*) operator **3.** (*Reise~*) guide

füh•rer•los *adj* **1.** (*Partei etc*) leaderless, without a leader **2.** (MOT: *Fahrzeug*) driverless, without a driver; (AERO) pilotless, without a pilot

Füh•rer•schein *m* (MOT) driving licence *Br,* driver's license *Am;* **er macht gerade den** ~ he is learning to drive; **wann haben Sie den ~ gemacht?** when did you take your driving test?; **Füh•rer•schein•ent•zug** *m* disqualification from driving; **Füh•rer•schein•prü•fung** *f* driving test

Füh•rer•stand *m* (RAIL) cab

Fuhr•mann <-(e)s, -leute/(-männer)> *m* carter; **Fuhr•park** *m* fleet (of vehicles)

Füh•rung ['fy:rʊŋ] *f* **1.** (*Vorsprung*) lead **2.** (*Feder~, Verantwortung*) direction, guidance; (MIL: *Kommando*) command; (COM: *Unternehmens~*) management; (POL: *Partei~*) leadership **3.** (TECH) guide(way) **4.** (*Verhalten*) conduct **5.** (*Besichtigung*) guided tour (*durch* of); **die ~ übernehmen** take the lead; **in ~ liegen** be in the lead; **unter jds** ~ (*allgemein*) under someone's direction; (MIL) under someone's command; (COM) under someone's management; (POL) under someone's leadership; **sind Sie zur ~ e-s Kraftfahrzeugs berechtigt?** are you licensed to drive a motor vehicle?

Füh•rungs•ebe•ne *f* (COM) ..: top management level; **Füh•rungs•kraft** *f* **1.** (COM) executive **2.** (POL) leader; **Füh•rungs•nach•wuchs** *m* **1.** (COM) management [*o* executive] trainees *pl* **2.** (POL) potential leaders; **Füh•rungs•qua•li•tät** *f meist pl* leadership quality; **Füh•rungs•schicht** *f* **1.** (*allgemein*) ruling classes *pl* **2.** (COM) managerial class **3.** (POL) group of leaders; **Füh•rungs•schwä•che** *f* weak leadership; **Füh•rungs•spit•ze** *f* (COM) top management; **Füh•rungs•stab** *m* **1.** (MIL) operations staff **2.** (COM) top management; **Füh•rungs•stär•ke** *f* strong leadership; **Füh•rungs•stil** *m* style of management; **Füh•rungs•zeug•nis** *n* certificate of conduct

Fuhr•un•ter•neh•men *n* haulage firm; **Fuhr•un•ter•neh•mer(in)** *m(f)* haulage contractor

Fül•le ['fʏlə] <-> *f* **1.** (*Vollsein*) fullness **2.** (*Körper~*) corpulence **3.** (*Menge*): **e-e ~ von Problemen/Fragen** plenty [*o* a whole host] of problems/questions; (*Über~*) abundance; **in Hülle u.** ~ in abundance

fül•len I. *tr* (*allgemein*) fill; (*Gans, Ente etc*) stuff; **e-n Zahn** ~ fill a tooth; **e-e Lücke** ~ (*fig*) stop a gap; **etw in Flaschen** ~ bottle s.th.; **e-n Sack** ~ fill a sack; **etw in e-n Sack** ~ put s.th. into a sack; **ihre Bücher ~ ihre ganze Wohnung** her books take up her whole flat; **voll** ~[RR] fill up **II.** *refl* fill up; **ihre Augen füllten sich mit Tränen** her eyes filled with tears

Fül•ler[1] *m* (*nur als Seiten~ eingeschobener Zeitungsartikel*) filler

Fül•ler[2] *m,* **Füll•fe•der•hal•ter** *m* fountain pen

Füll•ge•wicht *n* **1.** (COM: *Nettogewicht*) net weight **2.** (*e-r Waschmaschine*) maximum load

Füll•men•gen•an•zei•ge *f* (*an Tanksäule*) volume readout

Füll•sel ['fʏlzəl] <-s, -> *n* filler

Full-Size-Airbag ['fʊl saɪz 'eəbæg] <-s, -s> *m* (MOT) full size airbag

Fül•lung *f* **1.** (*allgemein*) filling; (*von Gans, Ente etc*) stuffing; (*von Praline*) centre *Br,* center *Am* **2.** (*Tür~*) panel **3.** (*Zahn~*) filling

Fum•mel *m* (*sl pej: Kleid*) rag

fum•meln ['fʊməln] *itr* (*fam: hantieren*) fumble (*an etw* with)

Fund [fʊnt] <-(e)s, -e> *m* **1.** (*Auffindung*) finding **2.** (*gefundene Sache*) find

Fun•da•ment [fʊnda'mɛnt] <-(e)s, -e> *n* (*a. fig*) foundation; **das ~ für etw schaffen** (*fig*) lay the foundations for *pl* s.th.

fun•da•men•tal *adj* fundamental

Fun•da•men•ta•list(in) *m(f)* fundamentalist, radical; **fun•da•men•ta•lis•tisch** *adj* fundamentalist, radical

Fund•bü•ro *n* lost-property office *Br,* lost and found office [*o* department] *Am*

Fund•gru•be *f* (*fig*) treasure trove
Fun•di ['fʊndɪ] <-s, -s> *m* (*fam*) fundamentalist (of the ecology movement)
fun•die•ren [fʊn'di:rən] *tr* (*begründen*) found; **gut fundiert** well-founded
Fund•sa•chen *fpl* lost property *sing*
fünf [fʏnf] *num* five; **~e gerade sein lassen** (*fig fam*) turn a blind eye; **s-e ~ Sinne beieinander haben** have one's wits about one; **es ist ~ (Minuten) vor zwölf** it's five (minutes) to twelve; (*fig: fast schon zu spät*) it's at the eleventh hour
Fünf•eck *n* pentagon; **fünf•e•ckig** *adj* pentagonal; **Fün•fer** ['fʏnfɐ] <-s, -> *m* (*fam: Fünfmarkstück o -schein*) five marks *pl;* **fün•fer•lei** ['fʏnfɐ'laɪ] *adj* of five different sorts; **fünf•fach** *adj* fivefold
Fünf•gang•ge•trie•be *n* (MOT) five-speed gearbox
fünf•hun•dert *num* five hundred
Fünf•jah•res•plan [-'---] *m* (POL HIST) five-year plan; **Fünf•kampf** *m* (SPORT) pentathlon; **fünf•mal** *adv* five times; **Fünf•ta•ge•wo•che** [-'----] *f* five-day week; **fünf•tau•send** *num* five thousand
Fünf•tel ['fʏnftəl] <-s, -> *n* fifth
fünf•tens ['fʏnftəns] *adv* fifth(ly), in the fifth place
fünf•zehn *num* fifteen
fünf•zig ['fʏnftsɪç] *num* fifty; **Fünf•zi•ger** *m* (*fam*) **1.** (*Fünfzigjähriger*) fifty-year-old **2.** (*Geldstück*) fifty-pfennig piece; (*Geldschein*) fifty-mark note; **falscher ~** crook; **fünf•zig•jäh•rig** *adj pred* fifty years old, fifty-year-old
fünf•zigs•te *adj* fiftieth
fun•gie•ren [fʊŋ'gi:rən] *itr* function (*als* as a)
Funk ['fʊŋk] <-s> *m* radio; **Funk•a•ma•teur(in)** *m(f)* radio amateur; (*fam*) radio ham; **Funk•aus•stel•lung** *f* radio and television exhibition
fun•keln ['fʊŋkəln] *itr* sparkle; (*Edelstein*) glitter; (*Augen: vor Freude*) gleam; (*Augen: vor Zorn*) flash; (*Stern*) twinkle
fun•kel•na•gel•neu ['--'--'-] *adj* (*fam*) brand-new
Fun•ke(n) <-n, -n (-s, -)> *m* (*a. fig*) spark; **ein ~ Verstand** a modicum of sense; **zwischen den beiden ist wohl endlich der ~ übergesprungen** (*fig fam*) they seem to have clicked at last; **kein ~n Hoffnung** not the slightest gleam of hope; **~n sprühen** spark; (*Augen*) flash; **..., dass die ~en fliegen** (*fig fam*) ..., like mad
fun•ken ['fʊŋkən] **I.** *tr:* **SOS ~** radio an SOS **II.** *itr* **1.** (*senden*) radio **2.** (*Funken sprühen*) spark; **na, hat's zwischen euch gefunkt?** (*fig fam*) well, have you clicked?
Fun•ker(in) *m(f)* radio operator; (AERO) radioman
Funk•ge•rät *n* **1.** (*Sprech~*) radio set; (*fam*) walkie-talkie **2.** (*Funkausrüstung*) radio equipment; **Funk•haus** *n* broadcasting station; **Funk•kol•leg** *n* educational radio broadcasts *pl;* **Funk•na•vi•ga•ti•on** *f* radio navigation; **Funk•sprech•ge•rät** *n* walkie-talkie; **Funk•spruch** *m* **1.** (*Nachricht*) radio message **2.** (*Signal*) radio signal; **Funk•sta•ti•on** *f* radio station; **Funk•stil•le** *f* radio silence; **Funk•ta•xi** *n* radio taxi, radio cab; **Funk•tech•nik** *f* radio technology; **Funk•te•le•fon** *n* radiotelephone, cordless telephone
Funk•ti•on [fʊŋk'tsjo:n] *f* **1.** (*das Funktionieren*) functioning **2.** (*Amt*) office **3.** (*Aufgabe, Zweck, mathematische ~*) function; **e-e ~ übernehmen** take up a position; **in ~ treten** start to function; **etw außer ~ setzen** stop s.th. functioning
funk•tio•nal *adj,* **funk•tio•nell** *adj* functional
Funk•tio•när(in) *m(f)* (POL) functionary, official
funk•tio•nie•ren *itr* **1.** function, work **2.** (*fam: gehorchen*) obey; **mein Füllfederhalter funktioniert nicht** my fountain pen doesn't work
Funk•ti•ons•bild *n* job profile; **Funk•ti•ons•prü•fung** *f* functional test; **Funk•ti•ons•tas•te** *f* (EDV) function key
Funk•turm *m* radio tower; **Funk•ver•bin•dung** *f* radio contact; **Funk•ver•kehr** *m* radio traffic, wireless communication
Fun•zel ['fʊntsl] <-, -n> *f* (*pej*) gloom, dim light
für [fy:ɐ] *präp* **1.** for **2.** (*anstatt*) instead of, for **3.** (*zugunsten von*) in favour of, for **4.** (*Gegenleistung*) (in exchange) for; **er ist gern ~ sich** he likes to be left by himself; **~ mich** for me; (*nach meiner Meinung*) in my view; **~ jdn handeln** act for s.o.; **ein ~ allemal** once and for all; **~s erste** for the time being; **e-e Karte ~ die heutige Vorstellung** a ticket for today's performance; **was ~ ein Mann ist er?** what kind of a man is he?; **es ~ ratsam halten** think it advisable; **jdn ~ ... halten** think s.o. is ...; **~ s-n Humor ist er bekannt** he is known for his sense of humour; **sich ~ jdn (etw) entscheiden** decide in favour of s.o. (s.th.); **kannst du denn nie etw ~ dich behalten?** can't you ever keep anything to yourself?; **er hat mir ein Maultier ~ ein Pferd verkauft** (*anstelle e-s Pferdes o als Gegenleistung*) he sold me a mule for a horse; **er hat schließlich doch etw ~ sich** he's not so bad after all; **das hat etw ~ sich** there's s.th. in it; **Schritt ~ Schritt** step by

step; **Tag ~ Tag** day after day; **Wort ~ Wort** word for word; **an u. ~ sich** actually; **das F~ u. Wider** the pros and cons *pl*

Fur•che ['fʊrçə] <-, -n> *f* (*Acker~, Falte im Gesicht*) furrow; (*Wagenspur*) rut

fur•chen *tr* furrow

Furcht [fʊrçt] <-> *f* fear; **aus ~ vor ...** for fear of ...; **jdm ~ einflößen** frighten s.o.; **~ haben vor ...** be afraid of ...; **bleich vor ~** pale with fear; **~ erregend**[RR] fearful, terrifying

furcht•bar *adj* awful, dreadful, terrible

fürch•ten ['fʏrçtən] **I.** *tr* be afraid of, fear **II.** *itr* fear (*um, für* for) **III.** *refl* be afraid (*vor* of)

fürch•ter•lich *adj* dreadful, terrible

furcht•er•re•gend *adj s.* Furcht; **furcht•los** *adj* fearless, intrepid; **Furcht•lo•sig•keit** *f* fearlessness, intrepidity; **furcht•sam** *adj* timorous; **Furcht•sam•keit** *f* timorousness

für•ei•n•an•der *adv* for one another, for each other

Fu•rie ['fu:riə] <-, -n> *f* **1.** (*in der Mythologie*) Fury **2.** (*fig pej: wütende Frau*) hellcat, termagant

Fur•nier [fʊr'ni:ɐ] <-s, -e> *n* veneer

fur•nie•ren *tr* veneer

Fu•ro•re [fu'ro:rə] <-> *f* furore *Br*, furor *Am*; **Arthur Millers neues Stück machte damals ~** Arthur Miller's latest play caused a furor(e) at that time

Für•sor•ge <-> *f* **1.** (*Betreuung*) care **2.** (*Sozial~, a. fam: Sozialamt*) welfare **3.** (*fam: ~unterstützung*) social security

Für•sor•ge•amt *n* welfare office *Br*, department of welfare *Am*

Für•sor•ger(in) *m(f)* welfare worker

für•sorg•lich *adj* careful

Für•spra•che *f* intercession; **~einlegen** intercede (*für* for, *bei* with)

Für•spre•cher(in) *m(f)* intercessor

Fürst [fʏrst] <-en, -en> *m* prince; **du lebst wie ein ~** you live like a lord

Fürs•ten•tum *n* principality; **Fürs•tin** *f* princess; **fürst•lich** *adj* **1.** princely **2.** (*fig: üppig*) lavish

Furt [fʊrt] <-, -en> *f* ford

Fu•run•kel [fu'rʊŋkəl] <-s, -> *m* (MED) boil

Furz [fʊrts, *pl:* 'fʏrtsə] <-es, ⸚e> *m* (*vulg*) fart; **e-n ~ lassen** (*vulg*) let off a fart

fur•zen *itr* (*vulg*) fart

Fu•sel ['fu:zəl] <-s, -> *m* (*fam pej*) gutrot *Br*, hooch *Am*

Fu•si•on [fu'zjo:n] *f* **1.** (PHYS CHEM: *a. fig*) fusion **2.** (COM) merger

fu•sio•nie•ren *itr* (*a.* COM) merge (*mit* with)

Fu•si•ons•re•ak•tor *m* (PHYS) fusion reactor

Fuß [fu:s, *pl:* 'fy:sə] <-es, ⸚e> *m* **1.** (ANAT: *a. Längenmaß*) foot **2.** (*e-s Gegenstandes*) base; (*e-s Gebirges*) foot; (*an Stuhl, Tisch*) leg **3.** (*Vers~*) foot; **mit beiden ⸚en auf der Erde stehen** (*fig*) have both feet firmly on the ground; **~ fassen** (*a. fig*) establish o.s.; **jdm auf den ~ treten** tread on someone's foot; **jdm auf die ⸚e treten** (*fam: ihn vor den Kopf stoßen*) put someone's nose out of joint; **einander auf die ⸚e treten** (*fam: weil zu viele Menschen da sind*) tread on each other's toes; **jdn (etw) mit ⸚en treten** kick s.o. (s.th.) about; (*fig*) trample all over s.o. (s.th.); **kalte ⸚e bekommen** (*a. fig fam*) get cold feet; **auf eigenen ⸚en stehen** (*fig*) stand on one's own two feet; **auf großem ~ leben** live in style; **zu ~** on foot; **jdm (e-r Sache) auf dem ~e folgen** be hot on the heels of s.o. (s.th.); (*fig*) follow hard on s.o. (s.th.); **mit jdm auf gutem ~e stehen** be on good terms with s.o.; **jdn auf freien ~ setzen** set s.o. free; **jdm zu ⸚en fallen** fall at someone's feet

Fuß•ab•druck *m* footprint; **Fuß•ab•strei•fer** *m* doormat, footscraper; **Fuß•ab•tre•ter** *m* doormat, footscraper; **Fuß•an•gel** *f* **1.** mantrap **2.** (*fig: Falle*) catch, trap; **Fuß•bad** *n* foot bath

Fuß•ball *m* **1.** (association) football *Br*, soccer *Am* **2.** (*der Ball*) football *Br*, soccer ball *Am*; **Fuß•bal•ler(in)** *m(f)* (*fam*) footballer; **Fuß•ball•mann•schaft** *f* football team *Br*, soccer team *Am*; **Fuß•ball•platz** *m* football pitch *Br*, soccer ground *Am*; **Fuß•ball•row•dy** *m* football hooligan; **Fuß•ball•spiel** *n* football match *Br*, soccer match *Am*; **Fuß•ball•spie•ler(in)** *m(f)* footballer; **Fuß•ball•sta•di•on** *n* football stadium; **Fuß•ball•toto** *n* football pools *pl*

Fuß•bank *f* footstool

Fuß•bo•den *m* floor; **Fuß•bo•den•be•lag** *m* floor covering; **Fuß•bo•den•hei•zung** *f* underfloor heating

Fuß•brem•se *f* (MOT) footbrake

Fus•sel ['fʊsəl] <-, -n (-s, -)> *f* (*m*) (*fam*) fluff

fus•se•lig *adj* fluffy; **sich den Mund ~ reden** (*fig fam*) talk till one is blue in the face

fu•ßen ['fu:sən] *itr* (*a. fig*) be based, rest (*auf* on)

Fuß•en•de *n* bottom-end, foot

Fuß•gän•ger(in) ['fu:sgɛŋər] *m(f)* pedestrian; **Fuß•gän•ger•in•sel** *f* pedestrian island; **Fuß•gän•ger•strei•fen** *m* pedestrian crossing *CH*; **Fuß•gän•ger•über•weg** *m* pedestrian crossing; **Fuß•gän•ger•zo•ne** *f* pedestrian precinct

Fuß•ge•lenk *n* ankle joint; **fuß•ge•recht**

adj foot-contoured, anatomically correct; **Fuß•kett•chen** *n* anklet; **Fuß•na•gel** *m* toenail

Fuß•no•te *f* footnote

Fuß•pfle•ge *f* chiropody; **Fuß•pfle•ger(in)** *m(f)* chiropodist; **Fuß•pilz** *m* *ohne pl* athlete's foot

Fuß•raum *m* (MOT) footwell; **Fuß•schal•tung** *f* (MOT) foot gear control, foot shifter

Fuß•soh•le *f* sole of the foot; **Fuß•spit•ze** *f* **1.** toes *pl* **2.** (*von Strumpf*) toe; **Fuß•spur** *f*, **Fuß•stap•fe** *f* footprint; **in jds Fußstapfen treten** (*fig*) follow in someone's footsteps; **Fuß•tritt** *m* (*Stoß*) kick; **ich bekam e-n ~** (*fig*) I was kicked out

Fuß•volk *n* (*fig*): **das ~** the rank and file

Fuß•weg *m* **1.** (*Entfernung*) walk **2.** (*Weg für Fußgänger*) footpath

futsch [fʊtʃ] *adj* (*fam*) **1.** (*weg*) gone **2.** (*kaputt*) bust

Fut•ter[1] ['fʊtɐ] <-s> *n* **1.** (*Nahrung für Tiere*) food; (*Vieh~*) fodder **2.** (*fam: Essen*) grub

Fut•ter[2] <-s, -> *n* (*Stoff~, Briefumschlag~*) lining; (*Tür~*) casing

Fut•te•ral [fʊtə'ra:l] <-s, -e> *n* case

fut•tern ['fʊtɐn] **I.** *tr* (*hum fam*) scoff **II.** *itr* stuff o.s.

füt•tern[1] ['fʏtɐn] *tr* (*mit Nahrung versorgen*) feed

füt•tern[2] *tr* (*mit Pelz*) fur; (*mit Tuch*) line

Fut•ter•napf *m* bowl; **Fut•ter•neid** *m* (*a. fig*) envy (of s.o.'s possessions)

Füt•te•rung ['fʏtərʊŋ] *f* feeding

Fu•tur [fu'tu:ɐ] <-/-s> *n* (GRAM) future (tense)

fu•tu•ris•tisch *adj* futurist(ic)

Fu•tu•ro•lo•gie *f* futurology

G

G, g [geː] <-, -> *n* G, g
Ga•be ['gaːbə] <-, -n> *f* **1.** (*Geschenk*) gift, present **2.** (*Begabung*) gift, talent **3.** (*Dosis*) dose
Ga•bel ['gaːbəl] <-, -n> *f* **1.** (*zum Essen*) fork **2.** (*Deichsel*) shafts *pl;* **ga•bel•för•mig** *adj* forked; **ga•beln** ['gaːbəln] *refl* fork; **Ga•bel•stap•ler** *m* fork-lift truck; **Ga•be•lung** *f* fork
ga•ckern ['gakɐn] *itr* cackle
gaf•fen ['gafən] *itr* gape (*nach* at); **Gaf•fer** *m* gaper
Gag [gɛk] <-s, -s> *m* gag
Ga•ge ['gaːʒə] <-, -n> *f* (THEAT) fee
gäh•nen ['gɛːnən] *itr* yawn
Ga•la•abend *m* gala evening
ga•lak•tisch *adj* galactic
ga•lant [ga'lant] *adj* gallant
Ga•la•vor•stel•lung *f* (THEAT) gala performance
Ga•la•xis [ga'laksɪs] *f* <-, Galaxien> (ASTR) galaxy
Ga•lee•re [ga'leːrə] <-, -n> *f* galley
Ga•le•rie [galə'riː] *f* gallery
Gal•gen ['galgən] <-s, -> *m* gallows *pl;* **am ~ enden** end on the gallows; **Gal•gen•frist** *f* (*fig a. hum*) reprieve; **Gal•gen•hu•mor** *m* gallows humour
Gal•le ['galə] <-, -n> *f* **1.** (ANAT: *Gallenblase*) gallbladder **2.** (*~nflüssigkeit*) bile, gall; **mir läuft gleich die ~ über!** (*fig*) I'm beginning to seethe!; **Gal•len•bla•se** *f* gallbladder; **Gal•len•flüs•sig•keit** *f* bile; **Gal•len•ko•lik** *f* gall-stone colic; **Gal•len•lei•den** *n:* **sie hat ein ~** she has trouble with her gallbladder; **Gal•len•stein** *m* gall-stone
gal•lert•ar•tig ['galɐtaːɐtɪç] *adj* gelatinous, jelly-like
gal•lisch ['galɪʃ] *adj* (*a.* HIST) Gallic
Ga•lopp [ga'lɔp] <-s, -s/-e> *m* gallop; **im ~** at a gallop; **ga•lop•pie•ren** *haben o sein itr* (*a. fig*) gallop (*auf* at); **~de Inflation** galloping inflation
gal•va•nisch [gal'vaːnɪʃ] *adj* galvanic; **Gal•va•ni•sier•an•stalt** *f* electroplating works *pl;* **gal•va•ni•sie•ren** *tr* electroplate
Ga•ma•sche [ga'maʃə] <-, -n> *f* gaiter
Game•boy ['geɪmbɔɪ] <-s, -s> *m* Gameboy
Gam•ma•strah•lung *f* (PHYS) gamma radiation
gam•meln ['gaməln] *itr* (*fam*) bum around; **Gamm•ler**(**in**) *m(f)* loafer, layabout
Gams <-, -(en)> *f* (*österr*) chamois
Gäm•se[RR] ['gɛmzə] <-, -n> *f* chamois
Gang [gaŋ, *pl:* 'gɛŋə] <-s, ⸚e> *m* **1.** (*Spazier~*) stroll, walk; (*Besorgung*) errand **2.** (*von Personen*) gait **3.** (*Flur*) hallway; (RAIL: *in Eisenbahnwagen*) corridor **4.** (*beim Essen*) course **5.** (MOT) gear; **etw in ~ halten** keep s.th. moving; **etw in ~ setzen** set s.th. going; **etw ist im ~e** something's up; **in den zweiten ~ schalten** change into second (gear) *Br,* shift into second (gear); **Gang•art** *f* gait, walk; **gang•bar** *adj* **1.** (*Weg*) passable **2.** (*fig*) practicable
Gän•gel•band *n:* **jdn am ~ führen** (*fig*) spoon-feed s.o., treat s.o. like a child; **gän•geln** ['gɛŋəln] *tr s.* **Gängelband**
gän•gig ['gɛŋɪç] *adj* **1.** (COM) in demand **2.** (*gebräuchlich*) current
Gang•schal•tung *f* (MOT) gears *pl*
Gangs•ter ['gɛŋstɐ] <-s, -> *m* gangster
Gang•way ['gɛŋweɪ] <-, -s> *f* (AERO) steps *pl;* (MAR) gangway
Ga•no•ve [ga'noːvə] <-n, -n> *m* (*fam*) crook
Gans [gans, *pl:* 'gɛnzə] <-, ⸚e> *f* goose; **dumme ~!** silly goose!
Gän•se•blüm•chen *n* daisy; **Gän•se•bra•ten** *m* roast goose; **Gän•se•füss•chen**[RR] *npl* (*fam*) inverted commas, quotation marks; **Gän•se•haut** *f* (*fig*) goose-flesh, goose-pimples; **e-e ~ bekommen** get goose-flesh [*o* goose-pimples]; **Gän•se•le•ber•pas•te•te** *f* pâté de foie gras; **Gän•se•marsch** *m:* **im ~** in single [*o* Indian] file; **Gän•se•rich** ['gɛnzərɪç] <-s, -e> *m* gander; **Gän•se•schmalz** *n* goose-dripping
ganz [gants] **I.** *adj* **1.** (*vollständig*) entire, whole **2.** (*fam: heil*) intact; **die ~e Zeit** all the time, the whole time; **das ist e-e ~e Menge** that's quite a lot; **~ deiner Meinung** I quite agree; **~e zehn Tage** all of ten days **II.** *adv* **1.** (*völlig*) quite **2.** (*fam: wirklich*) really; **~ und gar nicht** by no means, not at all; **im Großen und Ganzen**[RR] on the whole; **das haben Sie ~ und gar missverstanden** you've misunderstood every bit of it; **~ gewiss!** most certainly!;

das ist mir ~ **gleich** it's all the same to me; ~ **wie Sie meinen** just as you think; ~ **wenig** a tiny bit; **Gan•ze** <-n> *n* whole; **aufs ~e gehen** go all out (for); **Ganz•heit** *f* totality; **ganz•heit•lich** *adj* 1. (*einheitlich*) integrated 2. (*Sichtweise*) holistic; **Ganz•heits•me•tho•de** *f* (PÄD) 1. (*Unterricht*) global method 2. (*Ganzwortmethode*) "look and say" method

gänz•lich ['gɛntslɪç] *adv* completely, totally

Ganz•tags•schu•le *f* all-day school

gar[1] [gaːɐ] *adj* (*von Speisen*) cooked, done

gar[2] *adv* (*sogar*) even; ~ **nicht** not at all; **es fällt ihr** ~ **nicht ein es zu tun** she would not even think of doing it; **er geht fast** ~ **nicht aus** he hardly ever goes out; ~ **nichts** nothing at all

Ga•ra•ge [ga'raːʒə] <-, -n> *f* garage; **ga•ra•gie•ren** *vt* (*österr: Auto*) park

Ga•rant [ga'rant] <-en, -en> *m* guarantor

Ga•ran•tie [garan'tiː] *f* guarantee; **hat dein Fernseher noch ~?** is your TV set still under guarantee?; **6 Monate** ~ **haben** have a 6 month guarantee; **darauf gebe ich dir meine** ~ I guarantee (you) that; **ga•ran•tie•ren** *tr* guarantee; **ich kann nicht dafür ~, dass er gut ist** I can't guarantee he will be any good; **Ga•ran•tie•schein** *m* guarantee

Gar•aus ['gaː'raʊs] *m*: **jdm den** ~ **machen** do s.o. in, finish s.o. off *fam*

Gar•be ['garbə] <-, -n> *f* 1. (BOT) sheaf 2. (MIL: *Feuer~*) burst of fire

Gar•de ['gardə] <-, -n> *f* guard

Gar•de•ro•be [gardə'roːbə] <-, -en> *f* 1. (*Kleiderablage*) hall-stand; (*Raum*) cloakroom *Br*, checkroom *Am* 2. (*Kleidung*) wardrobe; **„für** ~ **wird nicht gehaftet"** "articles deposited at owner's risk"; **sie bevorzugt sportliche** ~ she prefers a sporty style of clothing; **Gar•de•ro•ben•stän•der** *m* hatstand, hall stand

Gar•di•ne [gar'diːnə] <-, -n> *f* curtain *Br*, drape *Am;* **die ~n aufziehen/zuziehen** draw the curtains; **hinter schwedischen** ~ **sitzen** (*fig*) be behind bars; **Gar•di•nen•pre•digt** *f* (*fam*) ticking-off; **Gar•di•nen•stan•ge** *f* curtain rail

gä•ren ['gɛːrən] *irr itr* (*allgemein*) ferment; **es gärt** (*fig*) s.th. is brewing

Ga•ret•te <-, -n> *f* (*CH: Schubkarren*) barrow

Garn [garn] <-(e)s, -e> *n* thread; (*Woll~*) yarn

Gar•ne•le [gar'neːlə] <-, -n> *f* shrimp

gar•nie•ren [gar'niːrən] *tr* (*Speisen*) garnish

Gar•ni•son [garni'zoːn] <-, -en> *f* garrison

Gar•ni•tur [garni'tuːɐ] *f* (*Satz*) set; **erste** ~ (*fig*) top rank; **zweite** ~ second rank

Garn•knäu•el *n* ball of thread [*o* yarn]; **Garn•rol•le** *f* spool [*o* reel]

gars•tig ['garstɪç] *adj* 1. (*hässlich*) ugly 2. (*gemein*) mean; **~es Wetter** foul [*o* nasty] weather

Gar•ten ['gartən, *pl:* 'gɛrtən] <-s, ⸚n> *m* garden; **e-n** ~ **anlegen** lay out a garden; **Gar•ten•ar•beit** *f* gardening; **Gar•ten•ar•chi•tekt(in)** *m(f)* landscape gardener; **Gar•ten•bau** <-(e)s> *m* horticulture; **Gar•ten•fest** *n* garden-party; **Gar•ten•ge•rät** *n* gardening tools *pl;* **Gar•ten•hag** *m* <-(e)s, -häge> (*CH: Hecke*) hedge; **Gar•ten•haus** *n* 1. (*Gartenlaube*) summer house 2. (*Geräteschuppen*) garden shed; **Gar•ten•lau•be** *f* arbour, bower; **Gar•ten•lo•kal** *n* garden café; **Gar•ten•mö•bel** *pl* garden furniture; **Gar•ten•sche•re** *f* pruning shears *pl*

Gar•ten•sitz•platz *m* (*CH: Terrasse*) patio; **Gar•ten•stadt** *f* garden city; **Gar•ten•tor** *f* garden gate; **Gar•ten•zaun** *m* garden fence

Gärt•ner(in) *m(f)* gardener; **Gärt•ne•rei** [gɛrtnə'raɪ] *f* market garden

Gä•rung ['gɛːrʊŋ] *f* fermentation

Gas [gaːs] <-es, -e> *n* gas; ~ **geben** (MOT) accelerate, step on the gas; (*im Leerlauf*) rev up; ~ **wegnehmen** (MOT) decelerate; **das** ~ **andrehen** turn on the gas; **Gas•bren•ner** *m* (TECH) gas burner; **Gas•feu•er•zeug** *n* gas-lighter; **Gas•fla•sche** *f* gas canister; **gas•för•mig** *adj* gaseous; **Gas•hahn** *m* gas-tap; **Gas•he•bel** *m* (MOT) throttle; **Gas•hei•zung** *f* gas heating; **Gas•herd** *m* gas cooker [*o* stove]; **Gas•kam•mer** *f* gas chamber; **Gas•ko•cher** *m* camping stove; **Gas•la•ter•ne** *f* gas lamp; **Gas•lei•tung** *f* gas pipe; **Gas•mann** *m* gasman; **Gas•mas•ke** *f* gasmask; **Ga•so•lin** [gazo'liːn] <-s> *n* petroleum ether; **Gas•pe•dal** *n* accelerator *Br*, gas pedal *Am;* **Gas•pis•to•le** *f* gas-pistol

Gas•se ['gasə] <-, -n> *f* lane; **e-e** ~ **für jdn bilden** clear a path for s.o.; **Gas•sen•jun•ge** *m* (*pej*) street urchin

Gast [gast, *pl:* 'gɛstə] <-es, ⸚e> *m* 1. (*allgemein*) guest 2. (*Kunde*) customer; **bei jdm zu** ~ **sein** be someone's guest; **Gast•ar•bei•ter(in)** *m(f)* foreign worker

Gäs•te•buch *n* visitors' book; **Gäs•te•zim•mer** *n* guest room

gast•freund•lich *adj* hospitable; **Gast•freund•schaft** *f* hospitality; **Gast•ge•ber(in)** *m(f)* host (hostess); **Gast•haus** *n* inn; **Gast•hof** *m* inn; **Gast•hö•rer(in)** *m(f)* (*an Universität*) observer *Br*, auditor *Am;* **gas•tie•ren** *itr* (THEAT) guest; **Gast•land** *n* host country; **gast•lich** *adj* hospitable; **Gast•mann•schaft** *f* (SPORT) visiting side [*o* team]; **Gast•pro•fes•sur** <-, -en> *f* visiting chair

Gas•tri•tis [gas'tri:tɪs] <-> *f* gastritis

Gas•tro•no•mie <-> *f* gastronomy; **gas•tro•no•misch** *adj* gastronomic(al)

Gast•spiel *n* (THEAT) guest performance; **Gast•stät•te** *f* restaurant; **Gast•stu•be** *f* lounge; **Gast•wirt(in)** *m(f)* innkeeper; **Gast•wirt•schaft** *f* inn; **Gast•zim•mer** *n* guest room

Gas•ver•flüs•si•gung *f* gas liquefaction; **Gas•ver•gif•tung** *f* gas poisoning; **Gas•wol•ke** *f* gas cloud; **Gas•zäh•ler** *m* gas meter

GATT <-s> *n* (POL) *Abk. von* **General Agreement on Tariffs and Trade** (**Allgemeines Zoll- und Handelsabkommen**) GATT

Gat•te ['gatə] <-n, -n> *m* husband

Gat•ter ['gatɐ] <-s, -> *n* trellis; (*Eisen~*) grating

Gat•tin ['gatɪn] *f* wife

Gat•tung ['gatʊŋ] *f* (*Art*) kind, sort; (BOT) genus; (ZOO) species *sing*

Gau, **GAU** <-s, -s> *m* (*bei Atomreaktor*) *Abk. von* **größter anzunehmender Unfall** nuclear catastrophe, MCA

Gau•di ['gaʊdi] <-, -s> *f* (*fam*) fun

Gau•ke•lei [gaʊkə'laɪ] *f* trickery; **Gau•kler(in)** *m(f)* travelling entertainer

Gaul [gaʊl, *pl:* 'gɔɪlə] <-(e)s, ¨-e> *m* (*fam*) nag

Gau•men ['gaʊmən] <-s, -> *m* palate; **e-n empfindlichen ~ haben** (*fig*) have a delicate palate

Gau•ner ['gaʊnɐ] <-s, -> *m* **1.** (*Schwindler*) crook, spiv **2.** (*fam: Schlaukopf*) sly customer; **Gau•ne•rei** *f* cheating, swindling

Ga•za•strei•fen ['ga:za] <-s> *m* Gaza Strip

Ga•ze ['ga:zə] <-, -n> *f* gauze

Ga•zel•le [ga'tsɛlə] <-, -n> *f* gazelle

Ge•bäck [gə'bɛk] <-(e)s> *n* pastries *pl*

Ge•bälk [gə'bɛlk] <-(e)s> *n* timberwork

ge•ballt *adj* concentrated; **~e Ladung** (**Dynamit**) (*a. fig*) concentrated charge (of dynamite)

Ge•bär•de [gə'bɛ:ɐdə] <-, -n> *f* gesture

ge•bär•den *refl* behave, conduct o.s.

Ge•bär•den•spra•che *f* (use of) gestures, sign language

ge•bä•ren [gə'bɛ:rən] *irr tr* give birth to; **Ge•bär•mut•ter** *f* (ANAT) uterus, womb

ge•bauch•pin•selt [gə'baʊxpɪnzəlt] *adj* (*fam*): **sich ~ fühlen** feel flattered

Ge•bäu•de [gə'bɔɪdə] <-s, -> *n* **1.** (*allgemein*) building **2.** (*fig*) construct; **Ge•bäu•de•kom•plex** *m* (building) complex

Ge•beine *npl* (*Skelett*) remains *pl*

Ge•bell [gə'bɛl] <-(e)s> *n* barking

ge•ben ['ge:bən] *irr tr* **1.** (*allgemein*) give **2.** (THEAT: *aufführen*) put on **3.** (*Karten ~*) deal; **sich etw ~ lassen** ask s.o. for s.th.; **gib's her!** give it to me!; **was gibt's?** what's the matter?; **wann gibt's was zu essen?** when are we going to get s.th. to eat?; **das gibt's doch nicht!** that can't be true!; **geben Sie mir bitte ...** (TELE) can I speak to ... please?; **er gibt Englisch** (*fam*) he teaches English; **wer gibt?** (*beim Kartenspiel*) whose deal is it?; **das wird sich ~** it'll all work out; **sich mit etw zufrieden ~** be content with s.th.

Ge•bet <-(e)s, -e> *n* prayer

Ge•biet [gə'bi:t] <-(e)s, -e> *n* **1.** (*allgemein*) area, region **2.** (*fig: Arbeits~*) field

ge•bie•ten [gə'bi:tən] *irr tr:* **e-r Sache Einhalt ~** halt [*o* stop] s.th.

Ge•bie•ter(in) *m(f)* lord (lady), master (mistress); **ge•bie•te•risch** *adj* **1.** (*befehlend*) imperious **2.** (*entschieden*) peremptory

Ge•biets•an•spruch *m* territorial claim

Ge•biets•lei•ter(in) *m(f)* area manager (manageress)

Ge•bil•de [gə'bɪldə] <-s, -> *n* **1.** (*Ding*) object **2.** (*Konstruktion*) construction

ge•bil•det *adj* educated; (*kultiviert*) cultured

Ge•bin•de [gə'bɪndə] <-s, -> *n* (*Blumen~*) arrangement

Ge•bir•ge [gə'bɪrgə] <-s, -> *n* mountains *pl*, mountain chain; **ge•bir•gig** *adj* mountainous; **Ge•birgs•stra•ße** *f* mountain road; **Ge•birgs•zug** *m* mountain range

Ge•biss[RR] [gə'bɪs] <-es, -e> *n* **1.** (*Zähne*) teeth **2.** (*künstliches*) dentures *pl*

ge•blümt [gə'bly:mt] *adj* (*allgemein*) flowered; (*Muster*) floral

ge•bo•gen [gə'bo:gən] *adj* bent

ge•bo•ren [gə'bo:rən] *adj* born; **ich wurde 1964 ~** I was born in 1964; **taub ~ sein** be born deaf; **er ist der ~e Lehrer** he is a born teacher; **Maria Braun ~e** [*o* **geb.**] **Schmidt** Maria Braun, née Schmidt; **tot ~**[RR] still-born

ge•bor•gen [gə'bɔrgən] *adj* safe, secure

Ge•bot [gə'bo:t] <-(e)s, -e> *n* **1.** (*Gesetz*) law **2.** (*Vorschrift*) rule **3.** (*Grundsatz*) precept **4.** (*Auktionsangebot*) bid(ding); **höchstes ~** highest bid; **ein ~ machen** make a bid; **die Zehn ~e** the Ten Commandments *pl;* **ge•bo•ten** *adj* advisable; **dringend ~** imperative; **Ge•bots•schild** *n* mandatory sign

Ge•bräu [gə'brɔɪ] <-s> *n* brew

Ge•brauch [gə'braʊx, *pl:* gə'brɔɪçə] <-(e)s, (¨-e)> *m* **1.** (*Anwendung*) use **2.** (*Gepflogenheit*) custom; **von etw ~**

machen make use of s.th.; **in ~ sein** being used; **ge•brau•chen** *tr* **1.** (*benutzen*) use **2.** (*anwenden*) apply; **das ist nicht mehr zu ~** that's useless; **das kann ich gut ~** that'll come in handy; **ich könnte jetzt e-n Cognac ~** I could do with a brandy now

ge•bräuch•lich [gəˈbrɔɪçlɪç] *adj* **1.** (*üblich*) customary **2.** (*gewöhnlich*) common; **nicht mehr ~** no longer used

Ge•brauchs•an•wei•sung *f* directions for use, instructions *pl;* **Ge•brauchs•ar•ti•kel** *m* article of everyday use; **ge•brauchs•fer•tig** *adj* ready for use; **Ge•brauchs•ge•gen•stand** *m* basic commodity; **ge•braucht** *adj* used; **etw ~ kaufen** buy s.th. second-hand; **Ge•braucht•wa•gen** *m* second-hand [*o* used] car

Ge•bre•chen [gəˈbrɛçən] <-s, -> *n* affliction; **ge•brech•lich** *adj* infirm; **alt und ~** old and infirm; **Ge•brech•lich•keit** *f* infirmity

ge•bro•chen [gəˈbrɔxən] *adj* (*a. fig*) broken; **in ~em Englisch** in broken English

Ge•brü•der [gəˈbryːdɐ] *pl* brothers

Ge•brüll [gəˈbrʏl] <-(e)s> *n* (*Menschen*) yelling; (*Rinder*) bellowing; (*Löwen*) roaring

ge•bückt *adv:* **~ gehen** stoop

Ge•bühr [gəˈbyːɐ] <-, -en> *f* charge; (*Beitrag*) fee; **gegen e-e geringe ~** on payment of a small fee; **ge•büh•ren** [gəˈbyːrən] *itr:* **wie es sich gebührt** as it is (right and) proper; **ge•büh•rend** *adj* due; **Ge•büh•ren•ein•heit** *f* (TELE) unit; **Ge•büh•ren•er•hö•hung** *f* increase in charges; **Ge•büh•ren•er•mä•ßi•gung** *f* reduction of fees; **ge•büh•ren•frei** *adj* free of charge; **ge•büh•ren•pflich•tig** *adj* chargeable; **~e Autobahn** toll road *Br,* turnpike *Am;* **~e Verwarnung** fine; **Ge•büh•ren•zäh•ler** *m* meter

ge•bun•den [gəˈbʊndən] *adj* (*allgemein*) bound; (*fest~*) tied (*an* to); **vertraglich ~ sein** be bound by contract

Ge•burt [gəˈbuːɐt] <-, -en> *f* birth; **von ~** by birth; **Ge•bur•ten•an•stieg** *m* rising birth rate; **Ge•bur•ten•kon•trol•le** *f* birth-control; **Ge•bur•ten•rück•gang** *m* drop in the birthrate; **ge•bur•ten•schwach** *adj* (*Jahrgang*) with a low birth rate; **Ge•bur•ten•über•schuss**RR *m* excess of births over deaths; **Ge•bur•ten•zif•fer** *f* birth-rate

ge•bür•tig [gəˈbʏrtɪç] *adj* born (*aus* in); **er ist ~er Ire** he is Irish-born

Ge•burts•ab•lauf *m* course of labour; **Ge•burts•an•zei•ge** *f* birth notice; **Ge•burts•da•tum** *n* date of birth; **Ge•burts•jahr** *n* year of birth; **Ge•burts•ort** *m* birth place; **Ge•burts•tag** *m* birthday; **herzlichen Glückwunsch zum ~** many happy birthday; **Ge•burts•urkun•de** *f* birth certificate; **Ge•burts•vor•be•rei•tung** *f* preparation for delivery; **Ge•burts•we•hen** *fpl* **1.** (*allgemein*) labour pains **2.** (*fig*) birth pangs

Ge•büsch [gəˈbʏʃ] <-es, -e> *n* bushes *pl*

ge•dacht [gəˈdaxt] *adj* (*imaginär*) imaginary

Ge•dächt•nis [gəˈdɛçtnɪs] *n* memory; **sich etw ins ~ zurückrufen** recall s.th.; **zum ~ von ...** in memory of ...; **Ge•dächt•nis•hil•fe** *f* aide-memoire, memory aid; **Ge•dächt•nis•lü•cke** *f* gap in one's memory; **Ge•dächt•nis•schwund** *m* loss of memory, failing memory; **Ge•dächt•nis•stö•rung** *f* dysmnesia

ge•dämpft *adj* **1.** (*Schall*) muffled **2.** (*Schwingung*) damped **3.** (*fig: gedrückt*) subdued

Ge•dan•ke [gəˈdaŋkə] <-ns, -n> *m* **1.** thought **2.** (*Idee*) idea; **sich über etw ~n machen** think about s.th.; **das bringt mich auf e-n guten ~** that gives me a good idea; **sich ~n machen** worry; **auf andere ~n kommen** be distracted; **ich kann doch nicht ~n lesen!** I'm not a mind-reader!; **ich mache mir so meine ~n** I've got my ideas; **mir schwebt der ~ vor ...** I'm toying with the idea ...; **Ge•dan•ken•aus•tausch** *m* exchange of ideas; **Ge•dan•ken•gang** *m* train of thought; **ge•dan•ken•los** *adj* **1.** (*rücksichtslos*) thoughtless **2.** (*zerstreut*) absent-minded; **Ge•dan•ken•lo•sig•keit** *f* **1.** (*Rücksichtslosigkeit*) thoughtlessness **2.** (*Zerstreutheit*) absent-mindedness; **Ge•dan•ken•strich** *m* dash; **Ge•dan•ken•über•tra•gung** *f* telepathy; **ge•dan•ken•ver•lo•ren** *adj* lost in thought

ge•dank•lich *adj* intellectual

Ge•där•me [gəˈdɛrmə] *pl* intestines

Ge•deck [gəˈdɛk] <-(e)s, -e> *n:* **ein ~ auflegen** lay a place

ge•dei•hen [gəˈdaɪən] *sein irr itr* prosper, thrive; **die Angelegenheit ist soweit gediehen** the affair has now reached such a point; **wie weit sind die Verhandlungen gediehen?** how far have the negotiations progressed?

ge•den•ken *irr itr* **1.** (*denken an*): **jds ~** think of s.o. **2.** (*beabsichtigen*): **~ etw zu tun** propose to do s.th.; **Ge•denk•fei•er** *f* commemoration; **Ge•denk•mi•nu•te** *f* minute's silence; **Ge•denk•ta•fel** *f* commemorative plaque; **Ge•denk•tag** *m* remembrance day

Ge•dicht [gəˈdɪçt] <-(e)s, -e> *n* poem;

Ge•dicht•samm•lung *f* anthology
ge•die•gen [gə'di:gən] *adj* **1.** (MIN) genuine, pure **2.** (*fig: echt, lauter*) solid, true **3.** (*fig: gründlich*) sound
Ge•drän•ge [gə'drɛŋə] <-s> *n* **1.** (*Menschenmenge*) crowd **2.** (*Drängelei*) jostling; **ins ~ geraten** (*fig*) get into a fix; **gedrängt** *adj* **1.** (*räumlich*) packed **2.** (*fig: Stil*) concise; **~ voll** crowded
ge•drückt *adj* (*fig*) depressed
ge•drun•gen [gə'drʊŋən] *adj* (*Körperbau*) stout, sturdy
Ge•duld [gə'dʊlt] <-> *f* patience; **mit etw die ~ verlieren** lose patience with s.th.; **meine ~ ist erschöpft!** I've been patient long enough!; **ge•dul•den** *refl* have patience; **ge•dul•dig** *adj* patient; **Ge•dulds•pro•be** *f* trial of (one's) patience
ge•dun•sen [gə'dʊnzən] *adj* bloated
ge•ehrt [gə'e:ɐt] *adj* (*geschätzt*) esteemed; **sehr ~e Damen und Herren!** Ladies and Gentlemen!
ge•eig•net [gə'aɪgnət] *adj* suitable; **er ist nicht die ~e Person** he is not the right person; **~e Maßnahmen ergreifen** take appropriate action *sing;* **im ~en Augenblick** at the right moment
Ge•fahr [gə'fa:ɐ] <-, -en> *f* **1.** (*allgemein*) danger **2.** (*Risiko*) risk; **in ~ schweben** be in danger; **außer ~ sein** be out of danger; **es besteht die ~, dass …** there is the danger that …; **auf eigene ~** at one's own risk; **~ laufen etw zu tun** run the risk of doing s.th.; **ge•fähr•den** [gə'fɛ:ɐdən] *tr* endanger; **Ge•fah•ren•quel•le** *f* source of danger; **Ge•fah•ren•zo•ne** *f* danger area; **Ge•fah•ren•zu•la•ge** *f* danger money; **Ge•fahr•gut** *n* dangerous goods *pl;* **Ge•fahr•gut•trans•port** *m* transport of dangerous goods; **ge•fähr•lich** [gəfɛ:ɐlɪç] *adj* dangerous; **Ge•fähr•lich•keit** *f* dangerousness; **ge•fahr•los** *adj* safe
Ge•fähr•te [gə'fɛ:ɐtə] <-n, -n> *m*, **Ge•fähr•tin** *f* companion
Ge•fäl•le [gə'fɛlə] <-s, -> *n* **1.** (*Abhang*) slope; (*Fluss~*) fall **2.** (*fig*) difference
ge•fal•len *irr itr* please; **es gefällt mir** I like it; **sich etw ~ lassen** put up with s.th.; **e-e solche Frechheit lasse ich mir nicht ~!** I'm not going to stand for that kind of cheek!; **wie hat ihm der Film ~?** how did he enjoy the picture?; **das lasse ich mir (schon eher) ~** that's more like it
ge•fal•len *adj* (MIL) killed in action
Ge•fal•len¹ <-s, -> *m* favour; **jdm e-n ~ tun** do s.o. a favour; **jdn um e-n ~ bitten** ask s.o. a favour
Ge•fal•len² <-s> *n* (*Vergnügen*): **an etw ~ finden** delight in s.th., get pleasure from s.th.
Ge•fal•le•ne(r) *f m* (MIL): **die ~n** those killed in action
ge•fäl•lig [gə'fɛlɪç] *adj* **1.** (*angenehm*) pleasing **2.** (*hilfsbereit*) helpful; **kann ich Ihnen ~ sein?** can I help you?; **noch ein Bier ~?** another beer?; **Ge•fäl•lig•keit** *f* **1.** (*Gefallen*) favour **2.** (*Hilfsbereitschaft*) helpfulness; **aus ~** as a favour; **jdm e-e ~ erweisen** do s.o. a good turn; **darf ich Sie um e-e ~ bitten?** may I ask a favour of you?
ge•fäl•ligst *adv* kindly; **mach ~ die Tür zu!** (*sl*) shut the bloody door! *sl*
ge•fan•gen *adj* captured; **~ halten**[RR] keep prisoner; **Ge•fan•ge•ne(r)** *f m* prisoner; **ge•fang•en|hal•ten** *s.* **gefangen**; **Ge•fan•gen•nah•me** *f* capture; (*Verhaftung*) arrest; **bei s-r ~** on his arrest; **Ge•fan•gen•schaft** *f* captivity; **in ~ geraten** be taken prisoner
Ge•fäng•nis [gə'fɛŋnɪs] *n* **1.** (*Ort*) jail, prison **2.** (*Strafe*) imprisonment; **ins ~ kommen** be sent to prison; **darauf steht ~** that's punishable by imprisonment; **Ge•fäng•nis•di•rek•tor(in)** *m(f)* governor *Br,* warden *Am;* **Ge•fäng•nis•stra•fe** *f* prison sentence; **Ge•fäng•nis•wär•ter(in)** *m(f)* warder (wardress)
Ge•fa•sel <-s> *n* (*pej*) waffle
Ge•fäß [gə'fɛ:s] <-es, -e> *n* **1.** (*Behälter*) container, receptacle **2.** (ANAT BOT) vessel
Ge•fäß•er•wei•te•rung *f* vasodilation
ge•fasst[RR] *adj* calm, composed; **du kannst dich auf was ~ machen!** (*fam*) I'll give you s.th. to think about!; **ich bin auf das Schlimmste ~** I'm prepared for the worst
Ge•fecht [gə'fɛçt] <-(e)s, -e> *n* encounter; (*Schlacht*) battle; **außer ~ setzen** (*a. fig*) put out of action; **Ge•fechts•kopf** *m* (MIL) warhead; **Ge•fechts•stand** *m* command post
ge•feit [gə'faɪt] *adj:* **gegen etw ~ sein** be immune to s.th.
Ge•fie•der [gə'fi:dɐ] <-s, -> *n* feathers *pl;* **ge•fie•dert** *adj* **1.** (ZOO) feathered **2.** (BOT) pinnate
ge•fin•kelt *adj* (*österr: durchtrieben*) cunning
Ge•flecht [gə'flɛçt] <-(e)s, -e> *n* **1.** (*allgemein*) network; (*aus Weiden*) wickerwork **2.** (ANAT) plexus
ge•fleckt *adj* spotted
ge•flis•sent•lich [gə'flɪsəntlɪç] *adj* (*absichtlich*) intentional
Ge•flü•gel <-s> *n* poultry; **Ge•flü•gel•sa•lat** *m* chicken salad; **Ge•flü•gel•sche•re** *f* poultry shears *pl*
ge•flü•gelt *adj* winged; **~e Worte** familiar quotations

Ge•flüs•ter [gəˈflʏstɐ] <-s> *n* whispering
Ge•fol•ge <-s, -> *n* retinue; **Ge•folg•schaft** *f* following
Ge•fra•ge <-s> *n* (*pej*) (annoying) questions *pl*
ge•frä•ßig [gəˈfrɛːsɪç] *adj* gluttonous; **Ge•frä•ßig•keit** *f* gluttony
Ge•frei•te [gəˈfraɪtə] *m* lance corporal *Br*, private first class *Am*
ge•frie•ren *sein irr itr* freeze; **Ge•frier•fach** *n* freezing compartment; **Ge•frier•fleisch** *n* frozen meat; **ge•frier•ge•trock•net** *adj* freeze-dried; **Ge•frier•punkt** *m* freezing point; **unter dem ~** below zero; **Ge•frier•schrank** *m* (upright) freezer; **Ge•frier•tru•he** *f* deep freeze, freezer; **Ge•frier•vor•rich•tung** *f* freezer
ge•fro•ren [gəˈfroːrən] *adj* frozen; **hart ~**[RR] frozen solid
Ge•fü•ge [gəˈfyːgə] <-s, -> *n* structure
ge•fü•gig *adj* submissive; **jdn ~ machen** make s.o. bend to one's will
Ge•fühl [gəˈfyːl] <-(e)s, -e> *n* feeling; **das ist das höchste der ~e** (*fam*) that's the best I can do for you; **jds ~e erwidern** return someone's affection; **ein ~ für Gerechtigkeit** a sense of justice; **etw im ~ haben** have a feel for s.th.; **ge•fühl•los** *adj* **1.** (*herzlos*) unfeeling **2.** (*Körperteil*) numb; **Ge•fühl•lo•sig•keit** *f* unfeelingness; **Ge•fühls•aus•bruch** *m* emotional outburst; **ge•fühls•be•tont** *adj* emotional; **Ge•fühls•du•se•lei** [gəˈfyːlsduzəˈlaɪ] *f* (*fam pej*) mawkishness; **Ge•fühls•käl•te** *f* coldness; **ge•fühls•mä•ßig** *adj* instinctive; **ge•fühl•voll** *adj* sensitive
ge•füllt *adj* (*Speise: mit Füllung*) stuffed
ge•ge•be•nen•falls *adv* if need be
ge•gen [ˈgeːgən] *präp* **1.** (*Gegenteil von: für*) against **2.** (*an*) against **3.** (*etwa*) around **4.** (*etwa: zeitlich*) towards **5.** (*statt*) for; **~ etw sein** be against s.th.; **~ bar** for cash; **gut ~ Kopfschmerzen** good for headaches; **~ die Tür schlagen** hammer on the door; **Ge•gen•ar•gu•ment** *n* counter-argument; **Ge•gen•an•griff** *m* counterattack; **Ge•gen•be•weis** *m:* **den ~ antreten** produce evidence to counter s.th.
Ge•gend [ˈgeːgənt] <-, -en> *f* area; **ungefähr in dieser ~** somewhere round here
Ge•gen•dar•stel•lung *f* contradiction, denial; **Ge•gen•de•mons•trant(in)** *m(f)* counterdemonstrator
ge•gen•ein•an•der *adv* against one another; **~ halten** compare
Ge•gen•fahr•bahn *f* oncoming carriageway; **Ge•gen•fra•ge** *f* counter-question; **Ge•gen•ge•wicht** *n:* **das ~ halten** counterbalance; **Ge•gen•gift** *n* antidote (*gegen* to); **Ge•gen•kan•di•dat(in)** *m(f)* rival candidate; **Ge•gen•leis•tung** *f* service in return; **als ~ für** in return for; **Ge•gen•licht•auf•nah•me** *f* (PHOT) contre-jour shot; **Ge•gen•lie•be** *f:* **mein Vorschlag fand keine ~** my proposal met with no approval; **Ge•gen•maß•nah•me** *f* countermeasure; **Ge•gen•pro•be** *f* crosscheck; **die ~ zu etw machen** crosscheck s.th.; **Ge•gen•re•for•ma•ti•on** *f* (HIST) Counter-Reformation; **Ge•gen•satz** *m* contrast; **im ~ zu ...** in contrast to ...; **¨e** (*Streitigkeiten*) differences; **im ~ zu etw stehen** conflict with s.th.; **ge•gen•sätz•lich** [ˈ--zɛtslɪç] *adj* contrasting; **~e Meinung** different view; **Ge•gen•schlag** *m* (MIL) reprisal; **e-n ~ führen** strike back; **Ge•gen•sei•te** *f* other side; **ge•gen•sei•tig** [ˈgeːgənzaɪtɪç] *adj* mutual, reciprocal; **Ge•gen•sei•tig•keit** *f:* **das beruht auf ~** the feeling is mutual; **Ge•gen•spie•ler(in)** *m(f)* opponent; **Ge•gen•spio•na•ge** *f* counterespionage; **Ge•gen•sprech•an•la•ge** *f* intercom
Ge•gen•stand *m* **1.** (*Ding*) object, thing **2.** (*fig: als Thema*) subject, topic; **ge•gen•stands•los** *adj* irrelevant; (*unbegründet*) unfounded; **etw als ~ betrachten** disregard s.th.
Ge•gen•stim•me *f* vote against; **Ge•gen•stoß** *m* (*a.* MIL) counterattack; **Ge•gen•strö•mung** *f* countercurrent; (*Unterströmung*) undertow; **Ge•gen•stück** *n* counterpart; **Ge•gen•teil** <-s> *n* opposite; **im ~!** on the contrary; **ins ~ umschlagen** swing to the other extreme; **ganz im ~!** quite the reverse!; **ge•gen•tei•lig** *adj* opposite
Ge•gen•über [--ˈ--] <-s, -> *n:* **jds ~** person opposite to s.o; **ge•gen•über** [gegənˈyːbɐ] **I.** *adv* opposite **II.** *präp* (*in Bezug auf*) as regards, with regard to; **mir ~ ist sie immer höflich** she is always polite to me; **ge•gen•über•lie•gend** *adj* opposite; **ge•gen•über|ste•hen** *irr itr* stand opposite; **ge•gen•über|stel•len** *tr* **1.** (*Person*) confront **2.** (*vergleichen*) compare; **Ge•gen•über•stel•lung** *f* **1.** (*von Person*) confrontation **2.** (*Vergleich*) comparison
Ge•gen•ver•kehr *m* oncoming traffic; **Ge•gen•vor•schlag** *m* counter-proposal
Ge•gen•wart [ˈgeːgənvart] <-> *f* **1.** (*Anwesenheit*) presence **2.** (*Jetztzeit*) present; **ge•gen•wär•tig** [ˈgeːgənvɛrtɪç] **I.** *adj* present **II.** *adv* (*zur Zeit*) at present; **Ge•gen•wehr** *f* resistance; **Ge•gen•wert** *m* equivalent; **Ge•gen•wind** *m* headwind

ge•gen|zeich•nen *tr* countersign

Geg•ner(in) ['ge:gnɐ] *m(f)* adversary, opponent; (*Feind*) enemy, foe; **geg•ne•risch** *adj* opposing; (*feindlich*) enemy; **Geg•ner•schaft** *f* **1.** (*Einstellung*) opposition **2.** (*die Gegner*) opponents *pl*

Ge•ha•be [gə'ha:bə] <-s> *n* (*pej*) affected behaviour

Ge•halt¹ [gə'halt, *pl:* gə'hɛltɐ] <-(e)s, ¨-er> *n* (*Entlohnung*) salary; **sie hat ein gutes ~** she earns a good salary; **wie hoch ist sein ~?** what is his salary?

Ge•halt² <-(e)s, -e> *m* (*Anteil*) content; **ge•halt•los** *adj* **1.** (*ohne Nährwert*) unnutritious **2.** (*fig: seicht*) empty

Ge•halts•ab•rech•nung *f* pay slip; **Ge•halts•emp•fän•ger(in)** *m(f)* salary earner; **Ge•halts•er•hö•hung** *f* rise in salary; **Ge•halts•grup•pe** *f* salary group; **Ge•halts•kon•to** *n* current account; **Ge•halts•nach•zah•lung** *f* back-payment; **Ge•halts•zu•la•ge** *f* salary increase

ge•halt•voll *adj* nutritious, rich

ge•han•di•kapt [gə'hɛndikɛpt] *adj* handicapped (*durch* by)

ge•häs•sig [gə'hɛsɪç] *adj* spiteful; **Ge•häs•sig•keit** *f* spitefulness

Ge•häu•se [gə'hɔɪzə] <-s, -> *n* **1.** (TECH) case **2.** (*Obst~*) core

geh•be•hin•dert ['ge:bəhɪndɐt] *adj:* **~ sein** have difficulty in walking

Ge•he•ge [gə'he:gə] <-s, -> *n* (*Tier~*) enclosure; **jdm ins ~ kommen** queer someone's pitch *fam*

ge•heim [gə'haɪm] *adj* secret; **das bleibt ~** that remains a secret; **~ halten**^RR keep secret; **etw vor jdm ~ halten** keep s.th. secret from s.o.; **~ tun**^RR (*fam pej*) be secretive; **Ge•heim•agent(in)** *m(f)* secret agent; **Ge•heim•dienst** *m* secret service; **Ge•heim•fach** *n* **1.** (*in Schreibtisch etc*) secret drawer **2.** (*in Wand*) private safe; **ge•heim|hal•ten** *s.* **geheim**; **Ge•heim•hal•tung** *f* secrecy; **zur ~ von etw verpflichtet sein** be obliged to keep s.th. a secret

Ge•heim•nis *n* secret; (*nicht begründbares ~*) mystery; **ein ~ verraten** disclose a secret; **ich habe kein ~ vor dir** I have no secrets *pl* from you; **aus etw kein ~ machen** make no secret of s.th.; **Ge•heim•nis•krä•me•rei** *f* secretiveness; **ge•heim•nis•voll** *adj* mysterious

Ge•heim•num•mer *f* (TELE) secret number; **Ge•heim•po•li•zei** *f* secret police; **Ge•heim•schrift** *f* code, secret writing; **Ge•heim•tip** *m* quiet tip; **ge•heim•tun** *s.* **geheim**; **Ge•heim•tür** *f* secret door; **Ge•heim•zahl** *f* personal identification number, PIN

Ge•heiß [gə'haɪs] <-es> *n:* **auf jds ~** at someone's behest

Ge•hen *n* (*a.* SPORT) walking; **das Kommen u. ~** the coming and going

ge•hen ['ge:ən] *sein irr itr* **1.** (*allgemein*) go; (*zu Fuß*) walk **2.** (TECH) work; (*Uhr*) go, run **3.** (*Waren*) be selling well; **sich ~ lassen**^RR let oneself go; **schwimmen ~** go swimming; **schlafen ~** go to bed; **über die Straße ~** cross the street; **das geht zu weit** that's going too far; **was geht hier vor?** what's going on here?; **wie geht's?** how are you?; **es geht** so-so; **das geht doch nicht!** you can't do that!; **darum geht es nicht** that's not the point; **wenn es nach mir ginge** if it were up to me; **~ wir!** let's go!; **sie ~ miteinander** they are going together; **das will mir nicht in den Kopf ~** I just can't understand it; **es geht nicht** it can't be done, it won't work; **geht es morgen?** will tomorrow be all right?; **solange es geht** as long as possible; **worum geht's denn?** what's it about?; **es geht nichts über ein gutes Glas Wein** there's nothing better than a good glass of wine; **gut gehend**^RR (*fig*) flourishing, thriving; **vorwärts ~**^RR come on, progress

ge•hen|las•sen *s.* **gehen**

Ge•her ['ge:ɐ] *m* (SPORT) walker

ge•heu•er [gə'hɔɪɐ] *adj:* **die Sache ist nicht ~** there's s.th. fishy about it; **es ist mir nicht ganz ~** I feel uneasy about it

Ge•hil•fe [gə'hɪlfə] *m*, **Ge•hil•fin** *f* assistant

Ge•hirn [gə'hɪrn] <-(e)s, -e> *n* brain; **Ge•hirn•er•schüt•te•rung** *f* concussion; **Ge•hirn•schlag** *m* stroke; **Ge•hirn•tu•mor** *m* brain tumour; **Ge•hirn•wä•sche** *f* (*fig*) brain-washing; **jdn e-r ~ unterziehen** brainwash s.o.

Ge•höft [gə'hø:ft] <-(e)s, -e> *n* farm- stead

Ge•hölz [gə'hœlts] <-es, -e> *n* copse; (*Dickicht*) thicket

Ge•hör [gə'hø:ɐ] <-(e)s> *n* hearing; **~ finden** gain a hearing; **sich ~ verschaffen** obtain a hearing; **nach dem ~ spielen** play by ear

ge•hor•chen *itr* obey

ge•hö•ren *itr* **1.** (*Eigentum sein*) belong to **2.** (*erfordern*) take **3.** (*Teil sein von*) be part of; **dazu gehört schon e-e Portion Unverschämtheit** that takes a lot of cheek; **das gehört nicht hierher** it doesn't go [*o* belong] here; (*fig*) it's irrelevant here; **du gehörst jetzt zur Familie** now you're one of the family; **das gehört sich einfach nicht** that's just not done

Ge•hör•gang *m* auditory canal

ge•hö•rig *adj* **1.** (*gebührend*) proper **2.** (*fam: beträchtlich*) good, sound; **sie be-**

kamen e-e ~e Tracht Prügel they got a sound thrashing; **zu etw ~ sein** belong to s.th.
Ge•hör•lo•se(r) *f m* deaf person; **Ge•hör•nerv** *m* auditory nerve
Ge•hor•sam [gəˈhoːɐzaːm] <-s> *m* obedience; **ge•hor•sam** *adj* obedient
Ge•hör•schutz *m* ear muff, ear protectors
Ge•hu•pe <-s> *n* (*pej*) hooting
Geh•weg <-s, -e> *m* **1.** (*Bürgersteig*) pavement *Br*, sidewalk *Am* **2.** (*Fußweg*) footpath
Gei•er [ˈgaɪɐ] <-s, -> *m* vulture
Gei•ge [ˈgaɪgə] <-, -n> *f* fiddle, violin; **die erste ~ spielen** (*fig*) call the tune; **gei•gen** *itr* fiddle, play the violin; **Gei•ger(in)** *m(f)* fiddler, violinist
Gei•ger•zäh•ler *m* Geiger counter
geil [gaɪl] *adj* (*fam a. pej*) randy *Br*, horny *Am*; (*fam: toll*) ace, brilliant; **du ~es Schwein!** (*vulg*) you randy old bastard!; **das ist echt ~!** (*sl*) that's real(ly) wicked!
Gei•sel [ˈgaɪzəl] <-s, -n> *f* hostage; **jdn als ~ nehmen** take s.o. hostage; **Gei•sel•dra•ma** *n* hostage crisis; **Gei•sel•haft** *f* captivity (as hostage); **Gei•sel•nah•me** *f* taking of hostages; **Gei•sel•neh•mer(in)** *m(f)* hostage-taker
Geiß [gaɪs] <-, -en> *f* goat; **Geiß•blatt** *n* (BOT) honeysuckle, woodbine
Gei•ßel [ˈgaɪsəl] <-, -n> *f* scourge; **gei•ßeln** *tr* **1.** whip; (ECCL) flagellate **2.** (*fig: kritisieren*) castigate
Geist [gaɪst] <-(e)s, -er/-e> *m* **1.** (*Intellekt*) mind **2.** (*Gespenst*) ghost **3.** (*Gesinnung*) spirit; **etw im ~e vor sich sehen** see s.th. in one's mind's eye; **von allen guten ~ern verlassen sein** have taken leave of one's senses
Geis•ter•bahn *f* ghost train; **Geis•ter•fah•rer(in)** *m(f)* ghost-driver (*person driving in the wrong direction*); **Geis•ter•glau•be** *m* belief in ghosts; **geis•ter•haft** *adj* ghostly; **Geis•ter•stim•me** *f* (RADIO) voice-over; **Geis•ter•stun•de** *f* witching hour
geis•tes•ab•we•send *adj* absent-minded; **Geis•tes•ab•we•sen•heit** *f* absent-mindedness; **Geis•tes•blitz** *m* brainwave; **Geis•tes•ge•gen•wart** *f* presence of mind; **geis•tes•ge•gen•wär•tig** *adj* quick-witted; **geis•tes•ge•stört** *adj* mentally deranged; **du bist wohl ~!** (*fig fam*) you must be out of your mind!; **Geis•tes•hal•tung** *f* attitude of mind; **geis•tes•krank** *adj* mentally ill; **Geis•tes•krank•heit** *f* mental illness; **Geis•tes•le•ben** *n* mental life; **geis•tes•ver•wandt** *adj* mentally akin (*mit* to); **Geis•tes•wis•sen•schaf•ten** *fpl* the arts; **Geis•tes•zu•stand** *m* state of mind
geis•tig [ˈgaɪstɪç] *adj* **1.** (*intellektuell*) intellectual, mental **2.** (*seelisch*) spiritual; **~ behindert** mentally handicapped; **jds ~e Heimat** someone's spiritual home
geist•lich [ˈgaɪstlɪç] *adj* spiritual; **Geist•li•che(r)** *m* clergyman
geist•los *adj* **1.** (*langweilig*) dull **2.** (*dumm*) stupid **3.** (*nichtssagend*) inane; **geist•reich** *adj* witty
Geiz [gaɪts] <-es> *m* meanness; **gei•zen** *itr:* **mit etw ~** be mean with s.th.; **Geiz•hals** *m*, **Geiz•kra•gen** *m* miser, skinflint; **gei•zig** *adj* mean; (*knauserig*) stingy
Ge•jam•mer [gəˈjamɐ] <-s> *n* moaning and groaning
Ge•joh•le [gəˈjoːlə] <-s> *n* (*Gegröle*) caterwauling; (*Gekreische*) howling
ge•kauft *adj:* **viel ~**RR frequently bought, much purchased
Ge•ki•cher [gəˈkɪçɐ] <-s> *n* giggling, tittering
Ge•kläff [gəˈklɛf] <-(e)s> *n* yelping
Ge•klap•per [gəˈklapɐ] <-s> *n* rattling
Ge•klin•gel <-s> *n* ringing
Ge•klirr [gəˈklɪr] <-(e)s> *n* clanking, clinking
Ge•krit•zel [gəˈkrɪtsəl] <-s> *n* scrawl; (*das Kritzeln*) scribbling
ge•küns•telt [gəˈkʏnstəlt] *adj* artificial; (*geziert*) affected
Gel <-s, -e> *n* gel
Ge•la•ber <-s> *n* (*pej*) rabbiting on
Ge•läch•ter [gəˈlɛçtɐ] <-s, -> *n* laughter; **in ~ ausbrechen** burst out laughing
ge•lack•mei•ert [gəˈlakmaɪɐt] *adj* (*fam*): **der G~e sein** be the dupe
ge•la•den *adj* **1.** (EL) charged **2.** (*allgemein*) loaded; **~ sein** (*fig fam*) be ratty
Ge•la•ge [gəˈlaːgə] <-s, -> *n* carouse
ge•lähmt *adj* paralyzed
Ge•län•de [gəˈlɛndə] <-s, -> *n* **1.** (*Grundstück*) grounds *pl* **2.** (*freies Land*) open country; **Ge•län•de•fahr•zeug** *n* cross-country vehicle; **ge•län•de•gän•gig** *adj* able to go cross-country
Ge•län•der [gəˈlɛndɐ] <-s, -> *n* **1.** (*Treppen~*) banisters *pl* **2.** (*als Begrenzung*) railing
Ge•län•de•ren•nen *n* (SPORT) cross-country race
Ge•län•der•pfos•ten *m* baluster
Ge•län•de•wa•gen *m* (MOT) cross-country vehicle
ge•lan•gen [gəˈlaŋən] *sein itr* reach (*zu etw* s.th.); **ans Ziel ~** (*fig*) attain one's goal; **zur Überzeugung ~, dass ...** become convinced that ...
ge•las•sen [gəˈlasən] *adj* calm; **~ bleiben** keep calm; **Ge•las•sen•heit** *f* calmness;

(*Fassung*) composure

ge·läu·fig [gəˈlɔɪfɪç] *adj:* **das ist durchaus** ~ that's quite common; **das ist mir** ~ I'm familiar with that

ge·launt [gəˈlaʊnt] *adj:* **gut** ~ RR good-tempered, in a good mood, cheerful, in good spirits; **schlecht** [*o* **übel**] ~ RR bad-tempered, in a bad mood, ill- humoured

Ge·läut(e) [gəˈlɔɪt(ə)] <-s> *n* ringing

gelb [gɛlp] *adj* yellow; **~!** (*bei Verkehrsampel*) amber!; **G~e Seiten** (TELE: *Branchenverzeichnis*) yellow pages; **Gelb·fie·ber** *nt* yellow fever; **Gelb·sucht** *f* (MED) jaundice

Geld [gɛlt] <-(e)s, -er> *n* money; **ins ~ gehen** (*fam*) cost a pretty penny; **zu ~ machen** sell off; **um ~ spielen** play for money; **~ wie Heu haben** (*fam*) have money to burn; **etw für sein ~ bekommen** get one's money's worth; **sein ~ wert sein** be good value; **das Fahrrad war wirklich sein ~ wert** I've really had my money's worth out of that bike; **das ist rausgeschmissenes ~!** that's money down the drain!; **mit ~ geht alles** money talks; **jdm das ~ aus der Tasche ziehen** squeeze money out of s.o.; **Geld·an·la·ge** *f* investment; **Geld·au·to·mat** *m* (*zum Geldabheben*) cash dispenser, automatic teller *Am;* (*zum Geldwechseln*) change machine; **Geld·au·to·ma·ten·kar·te** *f* cash(-line) card; **Geld·be·trag** *m* **1.** (*allgemein*) amount of money **2.** (*angezeigter ~*) cash readout; **Geld·beu·tel** *m* purse; **Geld·bom·be** *f* strongbox; **Geld·ein·wurf** *m* slot; **Geld·ent·wer·tung** *f* currency depreciation; **Geld·ge·ber(in)** *m(f)* financial backer; **geld·gie·rig** *adj* avaricious; **geld·lich** *adj* financial; **Geld·men·ge** *f* (COM) ..: money supply; **Geld·mit·tel** *pl* funds; **Geld·quel·le** *f* source of income; **Geld·schein** *m* banknote *Br,* bill *Am;* **Geld·schrank** *m* safe; **Geld·spiel·au·to·mat** *m* slot machine; **Geld·stra·fe** *f* fine; **Geld·stück** *n* coin; **Geld·sum·me** *f* sum of money; **Geld·wä·sche** *f* money laundering; **Geld·wechs·ler** *m* (*Automat*) change machine; **Geld·wert** *m* cash value

Ge·lee [ʒeˈleː] <-s, -s> *n* jelly

ge·le·gen [gəˈleːgən] *adj* **1.** (*örtlich*) situated *Br,* located *Am* **2.** (*günstig*) opportune; **es kam mir gerade ~** it came just at the right time; **mir ist nichts daran~** it doesn't matter to me; **Sie kommen mir gerade ~** you are just the person I want to see; **Ge·le·gen·heit** *f* **1.** (*Anlass*) occasion **2.** (*günstige ~*) opportunity; **bei erster ~** at the first opportunity; (COM) at one's earliest convenience; **die ~ nutzen etw zu tun** take the opportunity of doing s.th.; **sobald sich die ~ ergibt** as soon as I get the opportunity; **Ge·le·gen·heits·an·zei·ge** *f* classified advertisement; **Ge·le·gen·heits·ar·beit** *f* casual work; **Ge·le·gen·heits·ar·bei·ter(in)** *m(f)* casual worker; **Ge·le·gen·heits·kauf** *m* bargain; **ge·le·gent·lich** **I.** *adj* (*zeitweise*) occasional **II.** *adv* (*hin und wieder*) now and again, occasionally; **er raucht ~ ganz gern eine Zigarre** he likes an occasional cigar

ge·leh·rig [gəˈleːrɪç] *adj* quick to learn

ge·lehrt *adj* learned; **Ge·lehr·te(r)** <-n, -n> *f m* scholar

Ge·leit [gəˈlaɪt] <-(e)s, -e> *n* **1.** (*Begleitung, a.* MIL) escort **2.** (*Grab~*) cortege; **freies ~** safe-conduct; **jdm das ~ geben** escort s.o.; **ge·lei·ten** *tr* escort; **Ge·leit·schutz** *m* (MIL) escort; **Ge·leit·zug** *m* (MAR MIL) convoy

Ge·lenk [gəˈlɛnk] <-(e)s, -e> *n* **1.** (ANAT) joint **2.** (TECH) hinge; **Ge·lenk·bus** *m* articulated bus; **Ge·lenk·ent·zün·dung** *f* arthritis; **ge·len·kig** *adj* **1.** (*geschmeidig*) supple **2.** (*agil*) agile; **Ge·lenk·rheu·ma·tis·mus** *m* rheumatic fever

ge·liebt *adj* beloved, dear; **viel** ~ RR much-beloved; **Ge·lieb·te(r)** *f m* lover

ge·lie·fert *adj:* **verdammt, jetzt sind wir ~!** (*fam*) blast! that's the end!

ge·lind(e) *adj* light, slight; **~e gesagt** to put it mildly

Ge·lin·gen <-s> *n* success; **gutes ~!** good luck!; **ge·lin·gen** [gəˈlɪŋən] *sein irr itr* succeed; **es gelang mir es zu tun** I succeeded in doing it

gel·len [ˈgɛlən] *itr:* **jdm in den Ohren ~** ring in one's ears; **gel·lend** *adj* piercing, shrill

ge·lo·ben *tr* vow; **er hat Stillschweigen gelobt** he is sworn to silence; **Ge·löb·nis** [gəˈløːpnɪs] *n* vow

Gel·se <-, -n> *f* (*österr*) gnat

gel·ten [ˈgɛltən] *irr itr* **1.** (*Gültigkeit haben*) be valid **2.** (*~ für*) go for; **das lasse ich ~!** I accept that!; **das gilt nicht!** (*beim Spiel*) that doesn't count!; **das gilt auch für dich!** that goes for you, too!; **gel·tend** *adj:* **~ machen** assert; **~e Preise** current prices; **~e Meinung** prevailing opinion

Gel·tung *f* **1.** (*Gültigkeit*) validity **2.** (*Ansehen*) prestige; **~ haben** be valid; **etw zur ~ bringen** show s.th. to advantage; **das Gemälde kommt in diesem Zimmer nicht zur ~** the picture doesn't look good in this room; **sich ~ verschaffen** establish one's position; **Gel·tungs·be·dürf·nis** *n* drive for personal prestige; **Gel·tungs·be·reich** *m* (EDV) scope; **Gel·tungs·dau·er** *f* period of validity

Ge•lüb•de [gəˈlʏpdə] <-s, -> *n* vow; **ein ~ ablegen** (REL) take a vow
ge•lun•gen [gəˈlʊŋən] *adj* **1.** capital, excellent **2.** (*fig: von Personen*) odd; **das war ein ~er Abend** the evening was a success
ge•mäch•lich [gəˈmɛ(ː)çlɪç] **I.** *adj* unhurried; **~e Schritte** unhurried steps **II.** *adv* **1.** (*gemütlich*) leisurely **2.** (*langsam*) slow; **~ gehen** walk at a leisurely pace
Ge•mahl [gəˈmaːl] <-(e)s, (e)> *m* spouse, husband; **Ge•mah•lin** *f* spouse, wife
Ge•mäl•de [gəˈmɛːldə] <-s, -> *n* painting; **Ge•mäl•de•aus•stel•lung** *f* exhibition of paintings; **Ge•mäl•de•ga•le•rie** *f* picture gallery
Ge•mar•kung [gəˈmarkʊŋ] <-, -en> *f* communal land
ge•mäß [gəˈmɛːs] **I.** *präp* in accordance with; **~ ...** (JUR) under ... **II.** *adj* (*angemessen*) appropriate to
ge•mä•ßigt [gəˈmɛːsɪçt] *adj* moderate; **~es Klima** temperate climate
Ge•mäu•er [gəˈmɔɪɐ] <-s, -> *n* ruins *pl*
Ge•me•cker <-s> *n* (*pej*) griping, grousing
ge•mein [gəˈmaɪn] *adj* **1.** (*bösartig*) mean, wicked **2.** (*gemeinsam*) common; **das ist e-e ~e Lüge** that's a dirty lie; **sie haben nichts miteinander ~** they have nothing in common; **du ~es Stück!** (*fam*) you mean thing!
Ge•mein•de [gəˈmaɪndə] <-, -n> *f* **1.** (*städtische*) community, municipality **2.** (ECCL) parish **3.** (*Anhängerschaft*) following; **Ge•mein•de•ab•ga•ben** *fpl* rates; **Ge•mein•de•haus** *n* (ECCL) parish rooms *pl;* **Ge•mein•de•ord•nung** *f* municipal by-laws *pl;* **Ge•mein•de•rat** *m* **1.** (*Körperschaft*) district council **2.** (*Person*) district councillor; **Ge•mein•de•schwes•ter** *f* district nurse; **Ge•mein•de•steu•ern** *fpl* local rates *Br,* local taxes *Am;* **Ge•mein•de•ver•wal•tung** *f* local authority; **Ge•mein•de•zen•trum** *n* community centre
ge•mein•ge•fähr•lich *adj* dangerous to the community; **Ge•mein•gut** *n* common property
Ge•mein•heit *f* **1.** (*Eigenschaft*) meanness **2.** (*Tat*) dirty trick
ge•mein•hin *adv* generally; **Ge•mein•nutz** *m* common good; **ge•mein•nüt•zig** *adj* charitable; **~er Verein** non-profit-making organization; **ge•mein•sam I.** *adj* **1.** (*gemeinschaftlich*) common **2.** (*beidseitig*) mutual; **mit jdm ~e Sache machen** join up with s.o.; **der G~e Markt** the Common Market **II.** *adv* (*zusammen*) together; **Ge•mein•schaft** *f* **1.** (*Gemeinde*) community **2.** (*~sgefühl*) sense of community; **ge•mein•schaft•lich** *adj* common; **Ge•mein•schafts•an•ten•ne** *f* communal aerial; **Ge•mein•schafts•ar•beit** *f* teamwork, team effort; **Ge•mein•schafts•ge•fühl** *n* sense of community; **Ge•mein•schafts•kun•de** *f* social studies *pl;* **Ge•mein•schafts•pra•xis** *f* group practice; **ge•mein•ver•ständ•lich** *adj:* **sich ~ ausdrücken** make o.s. generally understood; **Ge•mein•wohl** *n* public welfare
Ge•men•ge <-s, -> *n* **1.** (CHEM: *Mischung*) mixture **2.** (*Menschengewühl*) bustle
ge•mes•sen *adj:* **~en Schrittes** at a measured pace
Ge•met•zel [gəˈmɛtsəl] <-s, -> *n* massacre
Ge•misch [gəˈmɪʃ] <-(e)s, -e> *n* mixture
ge•mischt *adj* mixed
Gem•me [ˈgɛmə] <-, -n> *f* cameo
Ge•mot•ze <-s> *n* (*fam*) moaning
Gem•se *f s.* **Gämse**
Ge•mun•kel <-s> *n* **1.** (*Gerücht*) rumours *pl* **2.** (*Geflüster*) whispers *pl*
Ge•mur•mel <-s> *n* murmuring, muttering
Ge•mü•se [gəˈmyːzə] <-s, -> *n* **1.** (*allgemein*) vegetables *pl* **2.** (*hum: junge Dinger*) whippersnappers, green young things; **Ge•mü•se•an•bau** *m* market gardening *Br,* truck farming *Am;* **Ge•mü•se•gar•ten** *m* kitchen garden; **Ge•mü•se•händ•ler** *m* **1.** (*Beruf*) greengrocer **2.** (*Laden*) greengrocer's
ge•mus•tert *adj* patterned
Ge•müt [gəˈmyːt] <-(e)s, -er> *n:* **er hat ein fröhliches ~** he has a happy nature; **sich (etw) zu ~e führen** (*hum*) zu sich nehmen, indulge in s.th.; **also, du hast ein ~!** (*fam*) you're a fine one!; **ge•müt•lich** *adj* **1.** (*angenehm, bequem*) comfortable, cosy; (*schnuckelig*) snug **2.** (*gelassen*) easy-going; **es sich ~ machen** make o.s. comfortable; **Ge•müt•lich•keit** *f:* **in aller ~** at one's leisure
Ge•müts•art *f* disposition; **Ge•müts•be•we•gung** *f* emotion; **Ge•müts•mensch** *m* good-natured person; **Ge•müts•ru•he** *f* composure; **Ge•müts•ver•fas•sung** *f,* **Ge•müts•zu•stand** *m* frame of mind
Gen [geːn] <-s, -e> *n* (BIOL) gene
ge•nannt [gəˈnant] *adj:* **der oben G~e** the above-mentioned
ge•nau [gəˈnaʊ] **I.** *adj* **1.** (*exakt*) exact **2.** (*detailliert*) detailed **II.** *adv* exactly; **~ genommen**[RR] strictly speaking; **(stimmt) ~!** exactly!; **das ist ~ das Wort, nach dem ich gesucht habe** that's just the word I was looking for; **meine Uhr geht ~** my watch keeps accurate time; **passt ~!** fits perfectly! it's a perfect fit!; **ge•nau•ge•nom•men** *adv s.* **genau**; **Ge•nau•ig•keit** *f* exactness; **ge•nau•so** *adv:* **~ gut**[RR] just as well; **~ viel**[RR] just as much; **~ we-**

nig[RR] just as little
Gen•bank *f* gene bank
ge•neh•mi•gen [gə'ne:mɪgən] *tr* 1. (*amtlich*) approve 2. (*gewähren*) grant; **Ge•neh•mi•gung** *f* (*amtlich*) approval; (*Ermächtigung*) authorization; **mit ~ von ...** by permission of ...; **~ einholen** secure the approval; **~ erteilen** grant a licence; **ge•neh•mi•gungs•pflich•tig** *adj* requiring official approval; **Ge•neh•mi•gungs•ver•fah•ren** *n* approval procedure
ge•neigt[1] *adj* inclined, sloping
ge•neigt[2] *adj* 1. (*aufgelegt zu*) willing 2. (*wohlwollend*) well-disposed
Ge•ne•ral(in) [genə'ra:l] <-s, -e/¨-e> *m(f)* general; **Ge•ne•ral•di•rek•tor(in)** *m(f)* chairman (chairwoman) *Br,* chair, president *Am;* **Ge•ne•ral•in•ten•dant(in)** *m(f)* (THEAT) director; **Ge•ne•ral•kon•sul(in)** *m(f)* consul general; **Ge•ne•ral•kon•su•lat** *n* consulate general; **Ge•ne•ral•ma•jor** *m* major general; **Ge•ne•ral•pro•be** *f* dress-rehearsal; **Ge•ne•ral•stab** *m* general staff; **Ge•ne•ral•streik** *m* general strike; **ge•ne•ral•über•ho•len** *tr:* **~ lassen** have generally overhauled; **Ge•ne•ral•über•ho•lung** *f* thorough going-over; **Ge•ne•ral•un•ter•su•chung** *f* (MED) general check-up; **Ge•ne•ral•ver•samm•lung** *f* general meeting
Ge•ne•ra•t•i•on [genəra'tsjo:n] *f* generation; **Ge•ne•ra•ti•ons•kon•flikt** *m* generation gap
Ge•ne•ra•tor [genə'ra:to:ɐ] *m* generator
ge•ne•rell [genə'rɛl] *adj* general
ge•ne•sen [gə'ne:zən] *sein irr itr* convalesce; **Ge•ne•sung** *f* recovery; **ich wünsche baldige ~** I wish you a speedy recovery
Ge•ne•tik [ge'ne:tɪk] *f* (BIOL) genetics *pl;* **Ge•ne•ti•ker(in)** *m(f)* (BIOL) geneticist; **ge•ne•tisch** *adj* genetic
Genf [gɛnf] <-s> *n* Geneva; **~er See** Lake Geneva, Lake Leman
Gen•for•scher(in) *m(f)* genetic researcher; **Gen•for•schung** *f* genetic research
ge•nial [ge'nja:l] *adj* 1. (*einfallsreich*) ingenious 2. (*fam: hervorragend*) brilliant; **das ist e-e ~e Idee!** that's a brilliant idea!; **Ge•nia•li•tät** *f* brilliance, genius
Ge•nick [gə'nɪk] <-(e)s, -e> *n* neck; **jdm das ~ brechen** break someone's neck; (*fig*) put paid to s.o.; **Ge•nick•schuss**[RR] *m* shot in the neck; **Ge•nick•star•re** *f:* **~ haben** have a stiff neck
Ge•nie [ʒe'ni:] <-s, -s> *n* genius
ge•nie•ren [ʒe'ni:rən] *refl* be embarrassed; **~ Sie sich nicht!** make yourself at home!
ge•nieß•bar *adj* 1. (*Speisen*) edible; (*Getränke*) drinkable 2. (*schmackhaft*) palatable; **ge•nie•ßen** [gə'ni:sən] *irr tr* 1. (*mit Genuss verzehren*) enjoy 2. (*Speise*) eat; (*Getränk*) drink; **Ge•nie•ßer(in)** *m(f)* 1. (*allgemein*) connoisseur 2. (*Feinschmecker*) gourmet
Ge•ni•ta•lien [geni'ta:liən] *npl* genitals
Ge•ni•tiv ['ge:niti:f] *m* genitive
Ge•ni•us ['ge:niʊs, *pl:* 'ge:niən] <-, -nien> *m* genius
Gen•ma•ni•pu•la•ti•on *f* genetic manipulation
ge•normt *adj* standardized
Ge•nos•se [gə'nɔsə] <-n, -n> *m* 1. (*Kamerad*) mate *Br,* pal *Am* 2. (POL) comrade; **Ge•nos•sen•schaft** *f* co-operative; **Ge•nos•sen•schafts•bank** *f* co-operative bank
Gen•tech•nik *f* genetic engineering; **Gen•tech•ni•ker(in)** *m(f)* genetic engineer; **gen•tech•nisch** *adj* (*Fortschritt etc*) in genetic engineering; **Gen•tech•no•lo•gie** *f s.* **Gentechnik**; **Gen•trans•fer** *m* genetic transfer
ge•nug [gə'nu:k] *adv* enough; **danke, das ist ~** enough, thank you; **so, jetzt hab' ich aber ~!** I've had enough!
Ge•nü•ge [gə'ny:gə] <-> *f:* **das kenne ich zur ~** I know that well enough; **jdm ~ tun** satisfy s.o.; **ge•nü•gen** *itr* be enough, suffice; **den Anforderungen ~** fulfil the requirements; **das genügt** that will do; **ge•nü•gend** *adj* 1. (*ausreichend*) sufficient 2. (*befriedigend*) satisfactory; **ge•nüg•sam** *adj* undemanding; **Ge•nüg•sam•keit** *f* simple needs *pl*
Ge•nug•tu•ung [gə'nu:ktu:ʊŋ] *f* satisfaction; **für etw ~ leisten** make amends for s.th.; **das hat mir richtig ~ verschafft** that gave me a sense of satisfaction
Ge•nus ['ge:nʊs] <-, Genera> *n* (LING) gender
Ge•nuss[RR] [gə'nʊs, *pl:* gə'nʏsə] <-es, ¨-e> *m* 1. (*Vergnügen*) pleasure 2. (*Verbrauch*) consumption; **in den ~ von etw kommen** enjoy s.th.; **ge•nüss•lich**[RR] *adj* pleasureable; **Ge•nuss•mit•tel**[RR] *npl* (semi-)luxury items *pl;* **ge•nuss•süch•tig**[RR] *adj* hedonistic; **ge•nuss•voll**[RR] *adj* delightful; **etw ~ trinken** drink s.th. with obvious enjoyment
gen•ver•än•dert *adj* (*Tiere, Pflanzen*) genetically manipulated
Ge•o•graph(in) <-en, -en> *m(f),* **Ge•o•graf**[RR]**(in)** *m(f)* geographer; **Ge•o•gra•phie** [geogra'fi:] *f,* **Ge•o•gra•fie**[RR] *f* geography; **ge•o•gra•phisch** *adj,* **ge•o•gra•fisch**[RR] *adj* geographical
Ge•o•lo•gie [geolo'gi:] *f* geology; **ge•o•lo•gisch** *adj* geological
Ge•o•me•trie [geome'tri:] *f* geometry; **ge-**

o•me•trisch *adj* geometric

Ge•päck [gəˈpɛk] <-(e)s> *n* luggage *Br,* baggage *Am;* **sein ~ aufgeben** check in one's luggage *Br,* check in one's baggage *Am;* **Ge•päck•ab•fer•ti•gung** *f* (AERO) luggage check in *Br,* baggage check in *Am;* (RAIL) luggage office *Br,* baggage office *Am;* **Ge•päck•auf•kle•ber** *m* luggage sticker *Br,* baggage sticker *Am;* **Ge•päck•aus•ga•be** *f* (AERO) luggage reclaim *Br,* baggage reclaim *Am;* **ich muss noch zur ~** I've still got to collect my luggage; **Ge•päck•kar•ren** *m* luggage van *Br,* baggage car *Am;* **Ge•päck•netz** *n* luggage [*o* baggage] rack; **Ge•päck•schein** *m* luggage ticket *Br,* baggage ticket *Am;* **Ge•päck•schließ•fach** *n* luggage locker *Br,* baggage locker, Am; **Ge•päck•stück** *n* piece of luggage [*o* baggage]; **Ge•päck•trä•ger** *m* **1.** (*Person*) porter *Br,* baggage-handler *Am* **2.** (*an Fahrrad*) carrier; **Ge•päck•wa•gen** *m* luggage van

ge•pfef•fert *adj* peppered; **e-e ~e Rechnung** a steep bill; **ein ~er Brief** a stiff letter

ge•pflegt *adj* **1.** (*Rasen, Haus etc*) well cared-for **2.** (*Person*) well-groomed; **~ wohnen** live in style; **sich ~ unterhalten** have a civilized conversation

Ge•pflo•gen•heit [gəˈpfloːgənhaɪt] *f* habit

ge•pfropft *adj:* **voll ~**[RR] crammed, packed *fam*

Ge•plap•per [gəˈplapɐ] <-s> *n* babbling

Ge•plät•scher [gəˈplɛtʃɐ] <-s> *n* splashing

Ge•pol•ter [geˈpɔltɐ] <-s> *n* banging

Ge•prä•ge [gəˈprɛːgə] <-s, -> *n* character; **die Fachwerkhäuser geben der Stadt ihr ~** the half-timbered houses lend character to the town

Ge•ra•de <-n, -n> *f* (MATH) straight line; (*Fluss, Weg, Rennbahn*) straight; **kurze ~** (*beim Boxen*) jab; **ge•ra•de** [gəˈraːdə] **I.** *adj* **1.** (*nicht uneben*) even **2.** (*geradlinig*) straight; **~ Zahl** even number; **sitz ~!** sit up! **II.** *adv* (*eben, a. fig*) just; **ich wollte ~ gehen** I was just about to leave; **er war nicht ~ freundlich** he wasn't exactly friendly; **~ heute** today of all days; **ich komme ~ so aus** I can just about manage; **sie war ~ hier** she was here a moment ago; **das ist es ja ~!** that's just it!; **warum ~ ich?** why me of all people?; **ge•ra•de•aus** [---ˈ-] *adv* straight ahead; **ge•ra•de•bie•gen** *s.* **biegen**; **ge•ra•de•her•aus** [-ˈ---ˈ-] *adv* frankly

ge•rä•dert [gəˈrɛːdɐt] *adj:* **wie ~ sein** be knackered

ge•ra•de|ste•hen *irr itr* stand up straight; **~ für etw** (*fig*) answer for s.th.; **ge•ra•de•wegs** [-ˈ--ˈ-] *adv* straight; **ge•ra•de•zu** [-ˈ---] *adv* **1.** (*beinahe*) almost **2.** (*wirklich*) really; **das ist ~ Wahnsinn** that's sheer madness

ge•rad•li•nig [gəˈraːtliːnɪç] *adj* **1.** (*allgemein*) straight **2.** (*Entwicklung*) linear **3.** (*fig*) straight; **Ge•rad•li•nig•keit** *f* (*fig*) straightness

Ge•ra•nie [geˈraːniə] *f* (BOT) geranium

Ge•rät [gəˈrɛːt] <-(e)s, -e> *n* **1.** (*Apparat*) gadget; (EL TECH) appliance **2.** (RADIO TELE TV) set **3.** (*Werkzeug*) tool **4.** (*Ausrüstung*) equipment

ge•ra•ten [gəˈraːtən] *sein irr itr* **1.** (*gelangen*) get [*o* fall] (*in* into) **2.** (*fig: ausfallen*) turn out; **an etw ~** come by s.th.; **an jdn ~** find s.o.; **an den Falschen ~**[RR] pick the wrong man; **in Gefangenschaft ~** be taken prisoner; **in e-e Falle ~** fall into a trap; **in Brand ~** catch fire; **nach jdm ~** take after s.o.

ge•ra•ten *adj:* **etw für ~ halten** think it best

Ge•rä•te•tur•nen *n* apparatus gymnastics *sing*

Ge•ra•te•wohl [gəraːtəˈvoːl] *n:* **aufs ~** at random, on the off-chance

ge•raum [gəˈraʊm] *adj:* **~e Zeit** a long time; **vor ~er Zeit** (a) long (time) ago

ge•räu•mig [gəˈrɔɪmɪç] *adj* roomy, spacious

Ge•räusch [gəˈrɔɪʃ] <-(e)s, -e> *n* noise; **ge•räusch•arm** *adj* low-noise; **ge•räusch•däm•mend** *adj* soundproofing; **Ge•räusch•dämp•fung** *f* sound damping; **ge•räusch•emp•find•lich** *adj* sensitive to noise; **ge•räusch•los** *adj* silent; **Ge•räusch•min•de•rung** *f* noise reduction; **ge•räusch•voll** *adj* noisy

ger•ben [ˈgɛrbən] *tr* tan; **Ger•ber(in)** *m(f)* tanner; **Ger•be•rei** *f* **1.** (*Betrieb*) tannery **2.** (*das Gerben*) tanning; **Gerb•säu•re** *f* tannic acid

ge•recht [gəˈrɛçt] *adj* just; **~er Lohn** fair wages *pl;* **jdm ~ werden** do justice to s.o.; **jds Erwartungen ~ werden** come up to someone's expectations; **Ge•rech•tig•keit** *f* justice; **Ge•rech•tig•keits•lie•be** *f* love of justice

Ge•re•de <-s> *n* talk; **das ist nur ~** that's only gossip; **ins ~ kommen** get o.s. talked about

ge•rei•chen *itr:* **das gereicht dir nicht gerade zum Vorteil** (*obs*) that isn't exactly advantageous for you

ge•reizt *adj* **1.** (*wütend*) irritated **2.** (*reizbar*) irritable; **~e Stimmung** strained atmosphere

Ge•ri•a•trie [geriaˈtriː] <-> *f* (MED) geriatrics

Ge•richt[1] [gəˈrɪçt] <-(e)s, -e> *n* dish

Ge•richt[2] *n* **1.** (JUR: *Gebäude*) court **2.** (*Richter*) court; **jdn vor ~ bringen** take s.o. to court; **mit etw vor ~ gehen** take legal action about s.th.; **das Jüngste ~** (ECCL) the Last Judgment; **mit jdm ins ~ gehen** (*fig*) judge s.o. harshly; **ge•richt•lich** *adj:* **~e Untersuchung** judicial investigation; **gegen jdn ~ vorgehen** take court proceedings against s.o.; **~ vereidigt** sworn; **Ge•richts•ak•ten** *fpl* court records; **Ge•richts•arzt**, **-ärz•tin** *m, f* court doctor; **Ge•richts•bar•keit** *f* jurisdiction; **Ge•richts•be•schluss**[RR] *m* court decision; **Ge•richts•fe•rien** *pl* recess; **Ge•richts•hof** *m* Supreme Court; **Ge•richts•kos•ten** *pl* court costs; **jdm die ~ auferlegen** order s.o. to pay costs; **Ge•richts•me•di•zin** *f* forensic medicine; **Ge•richts•saal** *m* courtroom; **Ge•richts•stand** *m* court jurisdiction; **Ge•richts•ver•fah•ren** *n* court [*o* legal] proceedings; **gegen jdn ein ~ einleiten** institute court proceedings against s.o.; **Ge•richts•ver•hand•lung** *f* (*Zivil~*) hearing; (*Straf~*) trial; **Ge•richts•voll•zie•her** *m* bailiff

ge•ring [gəˈrɪŋ] *adj* **1.** (*niedrig*) low **2.** (*~wertig*) little; **~e Chance** slight chance; **~e Temperatur** low temperature; **~e Entfernung** short distance; **nicht das G~ste**[RR] nothing at all; **~e Qualität** poor quality

ge•ring•fü•gig [gəˈrɪŋfyːgɪç] *adj* (*klein*) minor; (*unwichtig*) insignificant; **Ge•ring•fü•gig•keit** *f* triviality

ge•ring|schät•zen *s.* **schätzen**; **ge•ring•schät•zig** *adj* contemptuous; **Ge•ring•schät•zung** *f* (*Ablehnung*) disdain; (*geringe Meinung*) low opinion (*für* of)

ge•rin•nen [gəˈrɪnən] *sein irr itr* coagulate; (*Milch*) curdle

Ge•rinn•sel [gəˈrɪnzəl] <-s, -> *n* (MED) clot

Ge•rin•nung *f* coagulation

Ge•rip•pe [gəˈrɪpə] <-s, -> *n* **1.** (*Skelett*) skeleton **2.** (ARCH) frame

ge•ris•sen [gəˈrɪsən] *adj* (*schlau*) crafty, cunning

Ger•ma•ne [gɛrˈmaːnə] <-n, -n> *m*, **Ger•ma•nin** *f* Teuton; **ger•ma•nisch** *adj* Teutonic; **Ger•ma•nist(in)** *m(f)* German specialist, German scholar

gern [gɛrn] *adv* gladly, with pleasure; **~ haben** like; **du kannst mich mal ~ haben!** (*fam*) you know what you can do!; **aber ~!** of course!; **~ geschehen!** don't mention it *Br,* you're welcome! *Am;* **das glaube ich ~** I can well believe it

Ger•ne•groß <-, -e> *m* (*hum a. pej*) show-off

Ge•röll [gəˈrœl] <-(e)s, -e> *n* rubble; (*größer*) boulders *pl*

Gers•te [ˈgɛrstə] <-> *f* barley; **Gers•ten•korn** *n* **1.** barley-corn **2.** (MED) stye; **Gers•ten•saft** *m* (*hum fam*) the amber liquid *fam*

Ger•te [ˈgɛrtə] <-, -n> *f* switch

Ge•ruch [gəˈrʊx, *pl:* gəˈrʏçə] <-(e)s, ⸗e> *m* **1.** smell; (*starker ~*) odour **2.** (*~ssinn*) sense of smell; **ge•ruch•los** *adj* odourless, scentless; **Ge•ruchs•be•läs•ti•gung** *f* offensive smell; **Ge•ruchs•sinn** *m* sense of smell

Ge•rücht [gəˈrʏçt] <-(e)s, -e> *n* rumour; **es geht das ~, dass ...** it is rumoured that ...

ge•ru•hen *itr:* **~ etw zu tun** deign to do s.th.; **ge•ruh•sam** *adj* peaceful

Ge•rüm•pel [gəˈrʏmpəl] <-s> *n* junk

Ge•run•di•um [geˈrʊndiʊm, *pl:* geˈrʊndiən] <-s, -dien> *n* (GRAM) gerund

Ge•rüst [gəˈrʏst] <-(e)s, -e> *n* **1.** (ARCH) scaffolding; (*Gestell*) trestle **2.** (*fig*) framework

Ges [gɛs] <-, -> *n* (MUS) G flat

ge•sal•zen *adj* salted; **~e Preise** steep prices; **~e Rechnung** stiff bill

ge•samt [gəˈzamt] *adj* entire, whole; **die ~en Kosten** the total costs; **Ge•samt•an•sicht** *f* general view; **Ge•samt•aus•ga•be** *f* (TYP) complete edition; **Ge•samt•be•trag** *m* total; **ge•samt•deutsch** *adj* all-German; **Ge•samt•ein•druck** *m* general impression; **Ge•samt•heit** *f* totality; **die ~ der ...** all the ...; **in ihrer (seiner) ~ ...** as a whole; **Ge•samt•hoch•schu•le** *f* comprehensive university, polytechnic; **Ge•samt•kos•ten** *pl* overall costs; **Ge•samt•nut•zungs•dau•er** *f* useful life; **Ge•samt•schu•le** *f* comprehensive school; **Ge•samt•über•sicht** *f* general survey; **Ge•samt•wer•tung** *f* (SPORT) overall placings *pl*

Ge•sand•te(r) [gəˈzantə] <-n, -n> *f m* envoy; **Ge•sandt•schaft** *f* legation

Ge•sang [gəˈzaŋ, *pl:* gəˈzɛŋə] <-(e)s, ⸗e> *m* **1.** (*das Singen*) singing **2.** (*Lied*) song; (*Choral*) chant; **Ge•sang•buch** *n* hymnbook; **Ge•sang•ver•ein** *m* choral society

Ge•säß [gəˈzɛːs] <-es, -e> *n* buttocks *pl*

Ge•schäft [gəˈʃɛft] <-(e)s, -e> *n* **1.** (*Laden*) shop *Br,* store *Am* **2.** (COM: *Gewerbe*) business; **ein gutes ~ machen** make a good deal; **ein ~ mit etw machen** make money out of s.th.; **mit jdm ~e machen** do business with s.o.; **ins ~ gehen** go to the office

Ge•schäf•te•ma•cher(in) <-s, -> *m(f)* profiteer

ge•schäf•tig *adj* busy

ge•schäft•lich **I.** *adj* business **II.** *adv:* **ich**

muss ihn ~ sprechen I must see him on business

Ge•schäfts•an•teil *m* share of a business; **Ge•schäfts•brief** *m* business letter; **Ge•schäfts•es•sen** *n* business lunch; **Ge•schäfts•flä•che** *f* (MARKT) trading floor space; **Ge•schäfts•frau** *f* businesswoman; **Ge•schäfts•freund(in)** *m(f)* business associate; **ge•schäfts•füh•rend** *adj* executive; **~er Direktor** managing director; **Ge•schäfts•füh•rer(in)** *m(f)* managing director; (*von Verein*) secretary; **Ge•schäfts•füh•rung** *f* management; **Ge•schäfts•jahr** *n* financial year; **Ge•schäfts•kos•ten** *pl* business expenses; **das geht auf ~** that's on expenses; **Ge•schäfts•la•ge** *f* business conditions *pl;* **Ge•schäfts•le•ben** *n* business life; **Ge•schäfts•lei•tung** *f* management; **Ge•schäfts•leu•te** *pl* businesspeople *pl;* **Ge•schäfts•mann** <-(e)s, -leute/(-männer)> *m* businessman; **Ge•schäfts•ord•nung** *f* (PARL) standing orders; **Ge•schäfts•räu•me** *mpl* premises; **in unseren ~n** on our premises; **Ge•schäfts•rei•se** *f* business trip; **Ge•schäfts•schluss**[RR] *m* closing time; **nach ~** (*von Betrieb*) out of working hours *pl;* (*von Laden*) after closing time; **Ge•schäfts•sinn** <-(e)s> *m* business sense; **Ge•schäfts•stel•le** *f* offices *pl;* (*Zweigstelle*) branch; **Ge•schäfts•stun•den** *fpl* office hours; **Ge•schäfts•tä•tig•keit** *f* business activity; **ge•schäfts•tüch•tig** *adj* business-minded; **Ge•schäfts•ver•bin•dung** *f* business connection; **mit jdm in ~ stehen** have business connections with s.o.; **Ge•schäfts•vier•tel** *n* shopping centre; **Ge•schäfts•vo•lu•men** *n* volume of trade; **Ge•schäfts•zeit** *f* office hours *pl;* **Ge•schäfts•zim•mer** *n* office

Ge•sche•hen <-s> *n* events *pl*

ge•sche•hen [gəˈʃeːən] *sein irr itr* happen; (*stattfinden*) take place; **das geschieht dir recht** that serves you right; **um ihn ist's ~** it's all up with him; **ich wusste nicht, wie mir geschah** I didn't know what was going on; **es muss etw ~** something must be done

ge•scheit [gəˈʃaɪt] *adj* clever; **daraus werde ich nicht ~** I can't make head nor tail of it

Ge•schenk [gəˈʃɛŋk] <-(e)s, -e> *n* gift, present; **jdm ein ~ machen** give s.o. a present; **Ge•schenk•abon•ne•ment** *n* gift subscription; **Ge•schenk•bou•tique** *f* gift shop; **Ge•schenk•gut•schein** *m* gift coupon, gift voucher; **Ge•schenk•pa•ckung** *f* gift pack; **Ge•schenk•pa•pier** *n* wrapping paper, giftwrap

Ge•schich•te [gəˈʃɪçtə] <-, -n> *f* **1.** (*Erzählung*) story **2.** (*Menschheits~ etc*) history **3.** (*fig: Angelegenheit*) affair; **mach keine langen ~n!** don't make a fuss!; **immer wieder die alte ~!** it's the same old story!; **Ge•schich•ten•er•zäh•ler(in)** *m(f)* storyteller

ge•schicht•lich *adj* historical; **~ bedeutsam** historic; **Ge•schichts•at•las** *m* historical atlas; **Ge•schichts•buch** *n* history book; **Ge•schichts•zahl** *f* historical date

Ge•schick[1] [gəˈʃɪk] <-(e)s, -e> *n* (*Schicksal*) fate

Ge•schick[2] <-(e)s> *n* (*Fertigkeit*) skill

Ge•schick•lich•keit *f* skilfulness, skill

ge•schickt *adj:* **~ sein** be skilful; **das war sehr ~!** that was very clever!

ge•schie•den [gəˈʃiːdən] *adj* (*Ehe*) divorced; **mein G~er** my ex *fam;* **wir sind ~e Leute** we have nothing to do with each other anymore, we're through *fam*

Ge•schirr [gəˈʃɪr] <-(e)s, -e> *n* **1.** (*Küchen~*) kitchenware **2.** (*Tafelgedeck*) service; **Ge•schirr•schrank** *m* china cupboard; **Ge•schirr•spül•ma•schi•ne** *f m* dishwasher; **Ge•schirr•spül•mit•tel** *n* washing-up liquid; **Ge•schirr•tuch** *n* (*Trockentuch*) tear-towel

Ge•schlecht [gəˈʃlɛçt] <-(e)s, -er> *n* **1.** (*menschliches*) sex **2.** (GRAM) gender **3.** (*Familie, Sippe*) house; **das schöne ~** (*fam hum*) the fair sex; **ge•schlecht•lich** *adj* sexual; **Ge•schlechts•akt** *m* coitus; **Ge•schlechts•hor•mon** *n* sex hormone; **ge•schlechts•krank** *adj* suffering from venereal disease [*o* VD]; **Ge•schlechts•krank•heit** *f* venereal disease, VD; **Ge•schlechts•or•gan** *n* sexual organ; **Ge•schlechts•tei•le** *mpl* genitals; **Ge•schlechts•trieb** *m* sex urge; **Ge•schlechts•ver•kehr** *m* sexual intercourse; **Ge•schlechts•wort** *n* (GRAM) article

ge•schlif•fen [gəˈʃlɪfən] *adj* **1.** (*Glas*) cut **2.** (*fig*) polished

ge•schlos•sen [gəˈʃlɔsən] **I.** *adj* **1.** (*zu*) closed **2.** (*fig: abgerundet*) well-rounded **3.** (*fig: gemeinsam*) united; **~e Gesellschaft** private party **II.** *adv* unanimously; **~ hinter jdm stehen** stand solidly behind s.o.

Ge•schmack [gəˈʃmak] <-(e)s, ¨e(r)> *m* (*a. fig*) taste; **an etw ~ finden** acquire a taste for s.th.; **das ist nicht mein ~** that's not my taste; **über ~ lässt sich streiten** there's no accounting for tastes *pl;* **ge•schmack•los** *adj* (*a. fig*) tasteless; **Ge•schmack•lo•sig•keit** *f* bad taste; **Ge•schmack•sa•che** *f* matter of taste; **Ge•schmacks•ver•stär•ker** *m* flavour enhancer; **ge•schmack•voll** *adj* (*Person*) elegant, stylish; ~ **gekleidet** dressed tastefully

Ge•schmei•de [gəˈʃmaɪdə] <-s, -> *n* jewellery

ge•schmei•dig [gəˈʃmaɪdɪç] *adj* **1.** (*weich*) supple **2.** (*fig: Bewegung, Körper*) lissom, lithe; **Ge•schmei•dig•keit** *f* **1.** (*Weiche*) suppleness **2.** (*fig: ~ der Bewegung*) litheness

Ge•schöpf [gəˈʃœpf] <-(e)s, -e> *n* creature

Ge•schoss^RR1^ [gəˈʃɔs] <-es, -e> *n* **1.** (*Rakete*) missile **2.** (*Kugel*) bullet

Ge•schoss^RR2^ *n* (*Haus~*) floor *Br,* stor(e)y *Am*

ge•schraubt *adj* (*fig: gekünstelt*) stilted

Ge•schrei <-s> *n* screaming; (*Rufen*) shouting; **ein großes ~ über etw machen** make a great fuss about s.th.

Ge•schütz [gəˈʃʏts] <-es, -e> *n* cannon; **schweres ~ auffahren gegen ...** (*fig*) bring up one's big guns against ...; **Ge•schütz•stel•lung** *f* (MIL) gun emplacement

Ge•schwa•der [gəˈʃvaːdɐ] <-s, -> *n* squadron

Ge•schwa•fel <-s> *n* (*fam pej*) waffle

Ge•schwätz [gəˈʃvɛts] <-es> *n* **1.** (*pej: Unsinn*) nonsense **2.** (*Klatsch*) gossip; **ge•schwät•zig** *adj* gossipy; **Ge•schwät•zig•keit** *f* gossipiness

ge•schwei•ge [gəˈʃvaɪgə] *adv:* ~ **denn ...** let alone, never mind *fam*

ge•schwind [gəˈʃvɪnt] *adj* swift

Ge•schwin•dig•keit *f* speed; (*Flinkheit*) swiftness; **mit e-r ~ von ...** at a speed of ...; **Ge•schwin•dig•keits•be•schrän•kung** *f* speed limit; **gegen die ~ verstoßen** exceed the speed limit; **Ge•schwin•dig•keits•kon•trol•le** *f* speed check; **Ge•schwin•dig•keits•über•schrei•tung** *f* exceeding the speed limit, speeding

Ge•schwis•ter [gəˈʃvɪstɐ] *pl* brothers and sisters

ge•schwol•len [gəˈʃvɔlən] *adj* swollen

Ge•schwo•re•ne(r) [gəˈʃvoːrənə] *f m* juror; **die ~n** the jury

Ge•schwulst [gəˈʃvʊlst] <-, ¨-e> *f* (*allgemein*) growth; (*Krebs~*) tumour

Ge•schwür [gəˈʃvyːɐ] <-(e)s, -e> *n* (*Wund~*) sore; (*Eiterbeule*) boil

Ge•selchtes *nt* (*österr*) *salted and smoked meat*

Ge•sel•le [gəˈzɛlə] <-n, -n> *m* (*Handwerks~*) journeyman; **ein komischer ~** a strange fellow

ge•sel•len *tr:* **sich zu jdm ~** join s.o.

ge•sel•lig *adj* sociable; **~es Beisammensein** social gathering; **Ge•sel•lig•keit** *f* (*Eigenschaft*) sociability; **er mag ~ nicht** he doesn't like company

Ge•sell•schaft [gəˈzɛlʃaft] *f* **1.** society **2.** (*geladene ~*) party **3.** (COM) company *Br,* corporation *Am;* ~ **mit beschränkter Haftung** private limited company *Br,* Ltd, incorporated company *Am,* Inc; **e-e ~ geben** give [*o* throw] a party; **jdm ~ leisten** join s.o., keep s.o. company; **Ge•sell•schaf•ter(in)** *m(f)* (COM) partner; (*nur f*) escort

ge•sell•schaft•lich *adj* social; **ge•sell•schafts•fä•hig** *adj* **1.** (*Verhalten*) socially acceptable **2.** (*Aussehen*) presentable; **Ge•sell•schafts•kri•tik** *f* social criticism; **Ge•sell•schafts•ord•nung** *f* social structure; **Ge•sell•schafts•raum** *m* function room; **Ge•sell•schafts•schicht** *f* social stratum; **Ge•sell•schafts•spiel** *n* party game

Ge•setz [gəˈzɛts] <-es, -e> *n* **1.** (*bestehendes ~, Recht*) law **2.** (PARL: *~esvorlage*) bill; **nach dem ~** under the law (*über* on); **ein ungeschriebenes ~** an unwritten rule; **ein ~ erlassen** enact a law; **Ge•setz•blatt** *n* law gazette; **Ge•setz•buch** *n* civil code; **Ge•setz•ent•wurf** *m* bill; **ge•setz•ge•bend** *adj:* **~e Körperschaft** legislative body; **Ge•setz•ge•ber** *m* legislator; **Ge•setz•ge•bung** *f* legislation

ge•setz•lich *adj* legal; ~ **geschützt** patented; **~er Erbe** heir apparent; **~es Zahlungsmittel** legal tender

ge•setz•los *adj* lawless; **Ge•setz•lo•sig•keit** *f* lawlessness; **ge•setz•mä•ßig** *adj* **1.** (*rechtmäßig*) lawful, legitimate **2.** (*regelmäßig*) regular; **Ge•setz•mä•ßig•keit** *f* **1.** (*Rechtmäßigkeit*) legitimacy **2.** (*Regelmäßigkeit*) regularity

ge•setzt I. *adj* (*behäbig*) sedate **II.** *konj:* ~ **den Fall, dass ...** supposing that ...; **Ge•setzt•heit** *f* (*Behäbigkeit*) sedateness

ge•si•chert *adj* **1.** (*Mensch: ab~*) safe **2.** (TECH) secured; (*Schraube*) locked

Ge•sicht [gəˈzɪçt] *n* **1.** <-(e)s, -er> face **2.** <-(e)s, -e> (*Erscheinung*) apparition, vision; **jdm etw ins ~ sagen** tell s.o. s.th. to his (her) face; **sein wahres ~ zeigen** (*fig*) show one's true nature; **den Tatsachen ins ~ sehen** face facts; **jdn zu ~ bekommen** see s.o.; **Ge•sichts•aus•druck** *m* (facial) expression; **Ge•sichts•be•hand•lung** *f* facial treatment; **Ge•sichts•creme** *f* face cream; **Ge•sichts•far•be** *f* complexion; **Ge•sichts•feld** *n* field of vision, visual field; **Ge•sichts•kreis** *m:* **jdn aus s-m ~ verlieren** lose sight of s.o.

Ge•sichts•mas•ke *f* face mask; **Ge•sichts•pfle•ge** *f* facial care; **Ge•sichts•was•ser** *nt* face lotion; **Ge•sichts•punkt** *m* point of view; **das ist natürlich ein ~!** that's certainly one way of looking at it!; **Ge•sichts•win•kel** *m* visual angle; **Ge•sichts•zü•ge** *pl* features

Ge•sims [gə'zɪms] <-es, -e> *n* ledge

Ge•sin•del [gə'zɪndəl] <-s> *n* (*pej*) rabble, riffraff

ge•sinnt [gə'zɪnt] *adj* disposed, minded; **anders** ~[RR] **sein** hold different views *pl* (*als* from s.o.); **gleich** ~[RR] **sein** hold the same views (*wie* as s.o.); **Ge•sin•nung** *f* way of thinking; **s-e wahre** ~ **zeigen** show one's true colours *pl;* **Ge•sin•nungs•ge•nos•se** *m* like-minded person; **Ge•sin•nungs•lo•sig•keit** *f* lack of principle; **Ge•sin•nungs•wan•del** *m* change of opinion, volte-face

ge•sit•tet [gə'zɪtət] *adj* well-mannered

Ge•söff [gə'zœf] <-s, (-e)> *n* **1.** (*fam: Getränk*) swill **2.** (*pej: billiger Alkohol*) plonk

Ge•spann [gə'ʃpan] <-(e)s, -e> *n* **1.** (*fig: Menschen*) pair **2.** (*Zugtier~*) team

ge•spannt *adj* **1.** (*fig: erwartungsvoll*) eager; (*neugierig*) curious **2.** (*straff*) taut **3.** (*fig: belastet*) strained; **da bin ich aber ~!** that I'd like to see!; **auf e-n Film ~ sein** be dying to see a film; **Ge•spannt•heit** *f* **1.** (*fig: von Situation*) tension **2.** (*Neugierde*) curiosity

Ge•spenst [gə'ʃpɛnst] <-(e)s, -er> *n* ghost, spectre; **du siehst ~er!** you're imagining things!; **ge•spens•tisch** *adj* **1.** (*Aussehen*) ghostly **2.** (*fig: schauerlich*) eery

ge•sperrt *adj* **1.** (*Straße*) closed **2.** (TYP) spaced

Ge•spött [gə'ʃpœt] <-(e)s> *n* mockery; **sich zum ~ machen** make o.s. a laughingstock

Ge•spräch [gə'ʃprɛːç] <-(e)s, -e> *n* **1.** (*allgemein*) conversation, talk **2.** (TELE) call; **das ~ auf etw bringen** bring the conversation round to s.th.; **ein ~ anmelden** (TELE) book a call; **ein ~ mit jdm führen** have a talk with s.o.; **ge•sprä•chig** *adj* talkative; **Ge•sprächs•ein•heit** *f* (TELE) unit; **Ge•sprächs•the•ma** *n* subject, topic (of conversation); **Ge•sprächs•the•ra•pie** *f* face-to-face conversation-style psychotherapy; **Ge•sprächs•über•ga•be** *f* (TELE) call transfer

ge•spreizt *adj* **1.** (*auseinander stehend*) wide apart **2.** (*fig: affektiert*) affected, unnatural

ge•spren•kelt *adj* speckled

Ge•spür <-s> *n* feel(ing)

Ges•ta•gen [gɛsta'geːn] <-s> *nt* gestagen

Ge•stalt [gə'ʃtalt] <-, -en> *f* **1.** (*Form, Mensch*) form **2.** (*Körperbau*) build **3.** (*Roman~*) character; **in ~ von …** in the form of …; **ge•stal•ten** *tr* (*allgemein*) form, shape; **e-n Abend ~** arrange an evening; **s-e Freizeit ~** organize one's leisure time; **Ge•stal•tung** *f* (*Arrangement*) arrangement

Ge•stam•mel <-s> *n* (*pej*) stammering, stuttering

ge•stän•dig [gə'ʃtɛndɪç] *adj:* ~ **sein** have confessed

Ge•ständ•nis [gə'ʃtɛntnɪs] *n* confession; **ein ~ ablegen** make a confession

Ge•stän•ge [gəʃtɛŋə] <-s, -> *n* (MOT) linkage

Ge•stank [gə'ʃtaŋk] <-(e)s> *m* (*fam pej*) bad smell, stench, stink

ge•stat•ten [gə'ʃtatən] **I.** *tr* allow, permit; **jdm etw ~** allow s.o. s.th.; **~?** would you mind? **II.** *refl* take the liberty (*etw zu tun* of doing s.th.)

Ges•te ['gɛstə] <-, -n> *f* gesture

ge•ste•hen *irr tr* confess; **offen gestanden** frankly

Ge•stein <-(e)s, -e> *n* rock

Ge•stell [gə'ʃtɛl] <-(e)s, -e> *n* (*Bücher~*) shelf; (*Ablage*) rack

ges•tern ['gɛstɐn] *adv* yesterday; ~ **früh** yesterday morning; ~ **Abend**[RR] last night; ~ **vor acht Tagen** a week ago yesterday

ge•stimmt *adj:* **heiter ~ sein** be in a cheerful mood

Ge•stirn [gə'ʃtɪrn] <-(e)s, -e> *n* **1.** (*Himmelskörper*) celestial body **2.** (*Stern*) star **3.** (*Sternbild*) constellation

ge•sto•chen [gə'ʃtɔxən] *adj:* **~e Schrift** neat handwriting

Ge•stot•ter <-s> *n* stuttering

Ge•sträuch [gə'ʃtrɔɪç] <-(e)s, -e> *n* bushes *pl*

gestreckt[RR] *adj:* **lang** ~ long

ge•streift *adj* striped; **quer** ~[RR] cross-striped

ge•stri•chen [gə'ʃtrɪçən] *adj* painted; **frisch ~!** wet paint!; ~ **voll** full to the brim; **ein ~er Esslöffel** a level tablespoon; **die Nase ~ voll haben von etw** (*fig fam*) be fed up (to the teeth) with s.th.; **den Kanal ~ voll haben** (*fam*) be completely blotto *fam,* be completely pissed *sl*

ge•strickt[RR] *adj:* **selbst ~er**[RR] **Pullover** hand-knitted pullover

ges•trig ['gɛstrɪç] *adj* of yesterday; **am ~en Abend** yesterday evening

Ge•strüpp [gə'ʃtrʏp] <-(e)s, -e> *n* brushwood

Ge•stüt [gə'ʃtyːt] <-(e)s, -e> *n* stud farm

Ge•such [gə'zuːx] <-(e)s, -e> *n* petition; (*Antrag*) application; **ein ~ einreichen auf …** make an application for …

ge•sucht *adj* **1.** (*polizeilich*) wanted **2.** (*begehrt*) sought-after **3.** (*fig: gekünstelt*) artificial

ge•sund [gə'zʊnt] *adj* **1.** (*körperlich ~*)

healthy **2.** (*fig*) sound; **Milch ist** ~ milk is good for you [*o* your health]; **bleib ~!** look after yourself!; **~er Menschenverstand** common sense

ge•sun•den [gə'zʊndən] *sein itr* recover

Ge•sund•heit *f* **1.** (*körperliche* ~) health **2.** (*fig: Zuträglichkeit*) healthiness; **auf deine ~!** (*interj*) your health!; **~!** (*interj*) (God) bless you!; **ge•sund•heit•lich** *adj:* **~er Zustand** state of health; **wie geht's ~?** how's your health?; **Ge•sund•heits•amt** *n* public health department; **Ge•sund•heits•be•wusst•sein**[RR] *nt* health awareness; **Ge•sund•heits•er•zie•hung** *f* health education; **ge•sund•heits•schäd•lich** *adj* harmful [*o* damaging] to health, noxious; **Ge•sund•heits•schuh** *m* orthopaedic shoe; **Ge•sund•heits•wel•le** *f* health craze; **Ge•sund•heits•we•sen** *n* health service; **Ge•sund•heits•zu•stand** *m* (*e-s Menschen*) state of health; **ge•sund|schrump•fen** *refl* (*fam: Unternehmen*) concentrate and consolidate; **ge•sund|sto•ßen** *irr refl* (*fam*): **bei diesem Geschäft hat er sich gesundgestoßen** he made a pile in this business

Ge•tier [gə'tiːɐ] <-(e)s> *n* creatures *pl*

ge•tönt *adj:* **~e Brillengläser** tinted lenses

Ge•tö•se [gə'tøːzə] <-s> *n* din

ge•tra•gen *adj* **1.** (*Kleidung: gebraucht*) used **2.** (*aus zweiter Hand*) second-hand

Ge•tram•pel <-s> *n* trampling

Ge•tränk [gə'trɛŋk] <-(e)s, -e> *n* drink; **Ge•trän•ke•au•to•mat** *m* drinks machine; **Ge•trän•ke•markt** *m* drinks cash-and-carry

ge•trau•en *refl* dare

Ge•trei•de [gə'traɪdə] <-s, -> *n* grain, cereals *pl;* **Ge•trei•de•an•bau** *m* cultivation of grain, cultivation of cereals; **Ge•trei•de•ern•te** *f* grain harvest; **Ge•trei•de•pro•dukt** *n* cereal product; **Ge•trei•de•si•lo** *m* silo

ge•trennt *adj* separate; **~ bezahlen** go Dutch; **~ leben** live apart

ge•treu [gə'trɔɪ] *adj* **1.** faithful, true **2.** *pred o dat* true to

Ge•trie•be [gə'triːbə] <-s, -> *n* (TECH) gears *pl;* (*im Auto*) gearbox; **Ge•trie•be•öl** *n* transmission oil

ge•trost [gə'troːst] **I.** *adj* confident **II.** *adv:* **Sie können sich ~ darauf verlassen, dass ...** you can rest assured that ...

ge•trübt *adj* (*a. fig*) cloudy

Get•to ['gɛto] <-s, -s> *n* ghetto

Ge•tue [gə'tuːə] <-s> *n* fuss

Ge•tüm•mel [gə'tʏməl] <-s, -> *n* **1.** (*Volksmenge*) crowd **2.** (*Durcheinander*) turmoil

ge•übt *adj* (*beschlagen*) versed; (*fähig*) proficient

Ge•wächs [gə'vɛks] <-es, -e> *n* herb, plant

ge•wach•sen *adj:* **e-r Sache ~ sein** be equal to s.th.; **jdm ~ sein** be a match for s.o.

Ge•wächs•haus *n* (*Treibhaus*) hothouse, greenhouse

ge•wagt *adj* risky

ge•wählt *adj* **1.** (PARL) elect **2.** (*fig: ausgewählt*) distinguished; **sich ~ ausdrücken** choose one's words carefully

Ge•währ [gə'vɛːɐ] <-> *f:* **ohne ~** no liability assumed; **diese Angabe erfolgt ohne ~** this information is supplied without liability; **~ leisten für etw** guarantee s.th.

ge•wah•ren *tr* become aware of; **er gewahrte ihrer** he became aware of her

ge•wäh•ren *tr itr* (*Bitte*) grant; (*bewilligen*) afford; (*gestatten*) allow; **Vorteil ~** offer an advantage; **jdn ~ lassen** let s.o. do as he likes

ge•währ•leis•ten *tr* (*sicherstellen*) ensure; **Ge•währ•leis•tung** *f* guarantee; **zur ~ von ...** to ensure ...

Ge•wahr•sam [gə'vaːɐzaːm] <-s, -e> *m:* **etw in ~ nehmen** take s.th. into safekeeping; **er befindet sich jetzt in sicherem ~** he's in safe custody now

Ge•währs•mann <-(e)s, -männer/-leute> *m* source

Ge•wäh•rung *f* granting

Ge•walt [gə'valt] <-, -en> *f* **1.** (*~anwendung*) force **2.** (*Macht*) power **3.** (*Wucht*) force; **~ anwenden** use force; **mit aller ~** (*fam*) for all one is worth; **jdn in s-r ~ haben** have s.o. in one's power; **sich nicht mehr in der ~ haben** have lost control of o.s.; **Ge•walt•an•wen•dung** *f* use of force; **Ge•walt•be•reit•schaft** *f* propensity to violence; **Ge•wal•ten•tei•lung** *f* separation of powers; **Ge•walt•herr•schaft** *f* tyranny

ge•wal•tig *adj* **1.** (*fam: eindrucksvoll*) tremendous **2.** (*stark*) violent **3.** (*riesig*) huge; **da täuscht du dich aber ~!** (*fam*) you're way out!

ge•walt•los **I.** *adj* non-violent **II.** *adv* without force [*o* violence]; **Ge•walt•lo•sig•keit** *f* non-violence; **Ge•walt•mo•no•pol** *n* (*des Staats*) monopoly of power; **ge•walt•sam** **I.** *adj* forcible; **~er Umsturz** violent overthrow **II.** *adv* by force, forcibly; **Ge•walt•tä•ter(in)** *m(f)* violent criminal; **ge•walt•tä•tig** *adj* violent; **Ge•walt•tä•tig•keit** *f* **1.** (*Eigenschaft*) violence **2.** (*Tat*) act of violence; **Ge•walt•ver•zichts•ab•kom•men** *n* non- aggression treaty

Ge•wand [gə'vant, *pl:* gə'vɛndɐ] <-(e)s, –

¨er> *n* gown

ge•wandt [gə'vant] *adj* **1.** (*flink*) nimble **2.** (*geschickt*) skilful

Ge•wäs•ser [gə'vɛsɐ] <-s, -> *n* waters *pl,* stretch of water; **Ge•wäs•ser•gü•te** *f* water quality; **Ge•wäs•ser•rein•hal•tung** *f* maintenance of water quality; **Ge•wäs•ser•schutz** *m* prevention of water pollution

Ge•we•be [gə've:bə] <-s, -> *n* **1.** (BIOL) tissue **2.** (*Stoff*) fabric; **Ge•we•be•ent•nah•me** *f* removal of tissue; **Ge•webs•trans•plan•ta•ti•on** *f* (MED) tissue graft

Ge•wehr [gə've:ɐ] <-(e)s, -e> *n* rifle; **Ge•wehr•kol•ben** *m* butt

Ge•weih [gə'vaɪ] <-(e)s, -e> *n* antlers *pl*

Ge•wer•be [gə'vɛrbə] <-s, -> *n* trade; **ein ~ ausüben** carry on a trade; **Ge•wer•be•ab•fall** *m* special refuse; **Ge•wer•be•auf•sichts•amt** *n* factory inspectorate; **Ge•wer•be•be•trieb** *m* commercial enterprise; **Ge•wer•be•ge•biet** *n* commercial district, business park; **Ge•wer•be•steu•er** *f* trade tax

ge•werb•lich [gə'vɛrplɪç] *adj* commercial; (*industriell*) industrial

ge•werbs•mä•ßig *adj* professional

Ge•werk•schaft [gə'vɛrkʃaft] *f* trade(s) union *Br;* labor union *Am;* **Ge•werk•schaft•(l)er(in)** *m(f)* trade unionist; **ge•werk•schaft•lich** *adj* trade *Br,* labor *Am;* **Ge•werk•schafts•bund** *m* trade unions federation; **Ge•werk•schafts•füh•rer(in)** *m(f)* trade union leader; **Ge•werk•schafts•mit•glied** *n* union member

Ge•wicht [gə'vɪçt] <-(e)s, -e> *n* weight; **spezifisches ~** (PHYS) specific gravity; **ins ~ fallen** be of great importance; **nicht ins ~ fallen** be of no consequence; **auf etw ~ legen** lay stress upon s.th.; **ge•wich•tig** *adj* (*fig*) important, weighty; **Ge•wichts•kon•trol•le** *f* weight control; **Ge•wichts•ver•lust** *m* weight loss; **Ge•wichts•zu•nah•me** *f* weight gain

ge•wi•ckelt *adj:* **wenn du glaubst, ich helfe dir, bist du (aber) schief ~**[RR]**!** if you think I'm going to help you you've got another think coming!

ge•wieft [gə'vi:ft] *adj* (*fam*) crafty, smart

Ge•wie•her <-s> *n* (*a. fig*) whinnying

ge•willt [gə'vɪlt] *adj:* **~ sein etw zu tun** be willing to do s.th.

Ge•wim•mel <-s> *n* throng

Ge•win•de [gə'vɪndə] <-s, -> *n* (TECH) thread

Ge•winn <-(e)s, -e> *m* **1.** (COM: *Erlös*) profit **2.** (*Preis*) prize; (*Spiel~*) winnings *pl;* **~ abwerfen** make a profit; **e-n großen ~ machen** win a lot; **Ge•winn•an•teil** *m* (FIN) dividend; **Ge•winn•be•tei•li•gung** *f* **1.** (FIN: *Grundsatz*) profit-sharing **2.** (*Ausschüttung*) bonus; **ge•winn•brin•gend** *adj* profitable; **~ anlegen** invest advantageously; **Ge•winn•ein•bruch** *m* (COM) ..: collapse in profits; **Ge•winn•ein•bu•ßen** *fpl* reduced income *sing*

ge•win•nen [gə'vɪnən] **I.** *irr tr* **1.** (*siegen*) win **2.** (*erzeugen*) produce; (*aus Altware*) reclaim, recover; **Zeit ~** gain time **II.** *itr* win (*bei* at); **du kannst dadurch nur ~** you can only gain by it; **ge•win•nend** *adj:* **ein ~es Wesen** winning manners *pl;* **lieb ~**[RR] grow fond of

Ge•win•ner(in) *m(f)* winner; **Ge•winn•los** *n* winning ticket; **Ge•winn•mit•nah•me** *f* (FIN) profit taking; **Ge•winn•num•mer**[RR] *f* winning number; **Ge•winn•span•ne** *f* profit margin; **Ge•win(n)•num•mer** *f s.* Gewinnnummer; **Ge•win•nung** *f:* **~ von Eisenerz** extraction of iron ore; **~ von Energie** generation of energy

Ge•win•sel <-s> *n* whining

ge•wiss[RR] [gə'vɪs] **I.** *adj* (*bestimmt*) certain; **sie hat das ~e Etwas** she's got that certain something; **ein ~er John Smith** a certain John Smith **II.** *adv* (*sicher*) certainly; **aber ~ doch!** but of course! why, certainly!

Ge•wis•sen <-s, -> *n* conscience; **das hast du auf dem ~!** it's your fault!; **jdm ins ~ reden** have a serious talk with s.o.; **ge•wis•sen•haft** *adj* conscientious; **Ge•wis•sen•haf•tig•keit** *f* conscientiousness; **ge•wis•sen•los** *adj* unscrupulous; **Ge•wis•sen•lo•sig•keit** *f* unscrupulousness; **Ge•wis•sens•bis•se** *mpl* pangs *pl* of conscience, of conscience; **er macht sich ~** his conscience is pricking him; **Ge•wis•sens•fra•ge** *f* matter of conscience; **Ge•wis•sens•frei•heit** *f* freedom of conscience; **Ge•wis•sens•kon•flikt** *m* moral conflict

ge•wis•ser•ma•ßen [-'--'--] *adv* as it were, so to speak

Ge•wiss•heit[RR] *f* certainly; **ich muss mir ~ darüber verschaffen** I must be certain about it

Ge•wit•ter [gə'vɪtɐ] <-s, -> *n* thunderstorm; **es ist ein ~ im Anzug** (*a. fig*) a storm is brewing; **ge•wit•te•rig** *adj* thundery; **ge•wit•tern** *itr:* **es gewittert** it's thundering; **Ge•wit•ter•schau•er** *m* thundery shower; **Ge•wit•ter•stim•mung** *f* (*a. fig*) stormy atmosphere

ge•wo•gen [gə'vo:gən] *adj:* **jdm ~ sein** be favourably disposed towards s.o., show a liking for s.o.

ge•wöh•nen [gə'vø:nən] **I.** *tr:* **jdn an etw**

~ make s.o. used to s.th.; **etw gewöhnt sein** be used to s.th. **II.** *refl:* **sich an etw** ~ get used to s.th.

Ge•wohn•heit [gəˈvoːnhaɪt] *f* habit; **die Macht der** ~ the force of habit; **es sich zur** ~ **machen** make it a habit; **aus** ~ by habit; **zur** ~ **werden** grow into a habit; **ge•wohn•heits•mä•ßig** *adj* habitual; **Ge•wohn•heits•mensch** *m* creature of habit; **Ge•wohn•heits•recht** *n* common law

ge•wöhn•lich [gəˈvøːnlɪç] *adj* **1.** (*üblich*) ordinary **2.** (*unfein*) common, vulgar; **er wuchs in ~en Verhältnissen auf** he grew up in average circumstances

ge•wohnt [gəˈvoːnt] *adj* usual; **etw** ~ **sein** be used to s.th.; ~ **sein etw zu tun** be used to doing s.th.

Ge•wöh•nung [gəˈvøːnʊŋ] *f* (*Akklimatisierung*) acclimatization; **Ge•wöh•nungs•sa•che** *f:* **das ist nur** (**eine**) ~ that's only a question of getting used to it

Ge•wöl•be [gəˈvœlbə] <-s, -> *n* vault

ge•wölbt *adj* (*Decke*) vaulted; (*Stirn*) domed

Ge•wühl [gəˈvyːl] <-(e)s> *n* **1.** (*Menschen~*) crowd, throng **2.** (*Wühlen*) rummaging around

ge•wun•den [gəˈvʊndən] *adj* (*Fluss, Pfad etc*) winding

ge•wür•felt *adj* (*von Nahrungsmitteln*) diced

Ge•würm [gəˈvʏrm] <-(e)s> *n* (*meist pej*) **1.** (*Ungeziefer a. fig*) vermin **2.** (*Würmer*) worms *pl*

Ge•würz [gəˈvʏrts] <-es, -e> *n* **1.** (*~art*) spice **2.** (*Würze*) seasoning; **Ge•würz•bord** *n* spice rack; **Ge•würz•gur•ke** *f* pickled gherkin; **Ge•würz•mi•schung** *f* mixed herbs

ge•zackt [gəˈtsakt] *adj* (*allgemein*) serrated; (*Fels*) jagged

Ge•zänk [gəˈtsɛŋk] <-(e)s> *n* wrangling

Ge•zei•ten *fpl* tides; **Ge•zei•ten•kraft•werk** *n* tidal power plant; **Ge•zei•ten•strom** *m* tidal current; **Ge•zei•ten•wech•sel** *m* turn of the tide

Ge•ze•ter [gəˈtseːtɐ] <-s> *n* clamour, yelling; **mach kein ~!** don't make a scene!

ge•zielt *adj* with a particular aim in mind, purposeful; (*Kritik*) pointed

ge•ziert *adj* affected

Ge•zir•pe [gəˈtsɪrpə] <-s> *n* chirping

Ge•zweig <-(e)s> *n* branches *pl*

Ge•zwit•scher [gəˈtsvɪtʃɐ] <-s> *n* chirping, twitter

ge•zwun•gen [gəˈtsvʊŋən] *adj* **1.** (*fig: gespannt*) forced **2.** (*fig: unnatürlich*) stiff; **ge•zwun•ge•ner•ma•ßen** [-ˈ---ˈ--] *adv* of necessity

Gha•na [ˈgaːna] *n* Ghana; **Gha•na•er(in)** <-s, -> *m(f)* Ghanaian; **gha•na•isch** *adj* Ghanaian

Ghet•to *n s.* Getto; **ghet•to•i•sie•ren** *tr* ghettoize

Gicht [gɪçt] <-> *f* (MED) gout

Gie•bel [ˈgiːbəl] <-s, -> *m* gable

Gier [giːɐ] <-> *f* **1.** (*allgemein*) greed (*nach* for) **2.** (*sexuell*) lust; **gie•rig** *adj* greedy (*nach* for); **sie trank in ~en Zügen** she drank in greedy gulps

gie•ßen [ˈgiːsən] **I.** *irr tr* **1.** (*in Gefäß*) pour **2.** (*wässern*) water **3.** (*Glas*) found **II.** *itr* (*fam: regnen*) pour; **es goss**[RR] **(in Strömen)!** it was pouring (with rain)!; **Gie•ßer** *m* caster, founder; **Gie•ße•rei** *f* foundry; **Gieß•kan•ne** *f* watering can

Gift [gɪft] <-(e)s, -e> *n* **1.** (*zubereitetes ~*) poison; (*Tier~*) venom **2.** (*fig: Bosheit*) malice; ~ **nehmen** poison o.s.; **schleichendes** ~ slow poison; **Gift•gas** *n* poison gas

gift•hal•tig *adj* toxiferous; **gif•tig** *adj* **1.** (*vergiftet*) poisonous; (ZOO) venomous; (BOT MED) toxic **2.** (*fig: boshaft*) poisonous, venomous; **Gif•tig•keit** *f* toxicity

Gift•müll *m* toxic waste; **Gift•müll•ex•port** *m* exports of toxic waste, exporting of toxic waste; **Gift•pfeil** *m* poisoned arrow; **Gift•pflan•ze** *f* poisonous plant; **Gift•pilz** *m* poisonous toadstool; **Gift•schlan•ge** *f* poisonous snake; **Gift•stoff** *m* toxic substance; **Gift•zwerg** *m* (*fig fam pej*) nasty little squirt

Gi•gant [giˈgant] <-en, -en> *m* giant; **gi•gan•tisch** *adj* enormous, gigantic; **Gi•gan•to•ma•nie** <-> *f* megalomania

Gim•pel [ˈgɪmpəl] <-s, -> *m* **1.** (ORN) bullfinch **2.** (*fig*) dunce

Gins•ter [ˈgɪnstɐ] <-s, -> *m* broom; (*Stech~*) gorse

Gip•fel [ˈgɪpfəl] <-s, -> *m* **1.** (*Bergspitze*) peak, summit **2.** (*fig*) height; **also, das ist der ~!** (*fam*) that takes the cake!; **Gip•fel•kon•fe•renz** *f* (POL) summit (conference); **gip•feln** *itr* culminate (*in* in); **Gip•fel•punkt** *m* (*fig*) high point; **Gip•fel•tref•fen** *n* summit (meeting)

Gips [gɪps] <-es, -e> *m* plaster; **Gips•ab•druck** *m* plaster cast; **gip•sen** *tr* plaster; **Gips•fi•gur** *f* plaster figure; **Gips•ver•band** *m* plaster cast

Gi•raf•fe [giˈrafə] <-, -n> *f* giraffe

Gir•lan•de [gɪrˈlandə] <-, -n> *f* garland

Gi•ro [ˈʒiːro] <-s, -s> *n* giro; **Gi•ro•kon•to** [ˈʒiːrokɔnto] *n* current account

Gis [gɪs] <-, -> *n* (MUS) G sharp

Gischt [gɪʃt] <-> *f* spray

Gi•tar•re [giˈtarə] <-, -n> *f* guitar; **Gi•tar•rist(in)** <-en, -en> *m(f)* guitarist

Git•ter [ˈgɪtɐ] <-s, -> *n* **1.** (*~stangen*) bars

pl **2.** (*Viereck~*) grid **3.** (*Holz~*) lattice, trellis; **hinter ~n** behind bars; **Git•ter•fens•ter** *n* barred window; **Git•ter•rost** *m* grating; **Git•ter•tor** *n* paled gate; **Git•ter•zaun** *m* paling

Gla•cé•hand•schuh [gla'se:hantʃu] *m*: **jdn mit ~en anfassen** (*fig*) kid-glove s.o.

Gla•dio•le [gladi'o:lə] <-, -n> *f* (BOT) gladiolus

Glanz [glants] <-es> *m* **1.** gleam; (*von Farbe, Schuh*) shine **2.** (*fig: Ruhm*) glory; **s-n ~ verlieren** lose its shine

glän•zen ['glɛntsən] *itr* **1.** shine; (*glitzern*) glisten; (*vor Fett*) be shiny **2.** (*fig*) be brilliant; **durch Abwesenheit ~** (*fig*) be conspicuous by one's absence

glän•zend *adj* **1.** shining; (*glitzernd*) glistening **2.** (*fig*) brilliant

Glanz•leis•tung *f* brilliant achievement

glanz•los *adj* (*a. fig*) dull; **Glanz•num•mer** *f* big number; **Glanz•pa•pier** *n* glossy paper; **Glanz•po•li•tur** *f* gloss polish; **glanz•voll** *adj* brilliant, splendid; **Glanz•zeit** *f* heyday

Glas [gla:s, *pl:* 'glɛ:zɐ] <-es, =er> *n* **1.** (*allgemein*) glass **2.** (*Fern~*) binoculars *pl* **3.** (OPT: *Brillen~*) lens; **ein ~ Marmelade** a jar of jam; **unter ~** behind glass; **Glas•au•ge** *n* glass eye; **Glas•bau•stein** *m* glass block; **Glas•be•häl•ter** *m* glass container [*o* vessel]; **Glas•con•tai•ner** *m* bottle bank; **Glas•dach** *n* glass roof; **Gla•ser(in)** *m(f)* glazier; **Gla•se•rei** *f* glazier's workshop

glä•sern ['glɛ:zɐn] *adj* **1.** (*aus Glas*) glass **2.** (*fig: starr*) glassy; (*durchschaubar*) transparent

Glas•fa•ser•kabel *n* (TECH) fibre optic cable; **Glas•fa•ser•op•tik** *f* (TECH) fibre optics *sing;* **Glas•haus** *n:* **wer im ~ sitzt, soll nicht mit Steinen werfen** (*prov*) those who live in glasshouses shouldn't throw stones; **Glas•hüt•te** *f* glassworks *pl*

gla•sig *adj* **1.** (*Speck, Zwiebeln*) transparent **2.** (*fig: Blick*) glassy

Glas•kas•ten *m* **1.** (*allgemein*) glass case **2.** (*fam: verglaster Raum*) glass box; **glas•klar** ['-'-] *adj* **1.** (*klar, wie Glas*) clear as glass **2.** (*fig*) crystal-clear

Glas•kör•per *m* corpus vitreum; **Glas•kör•per•trü•bung** *f* opacity of the vitreum; **Glas•ma•le•rei** *f* glass painting; **Glas•per•le** *f* glass bead; **Glas•plat•te** *f* glass top; **Glas•röh•re** *f* glass tube; **Glas•schei•be** *f* sheet of glass; (*Fenster*) pane of glass; **Glas•scher•be** *f* fragment of glass, piece of broken glass; **Glas•schrank** *m* glass-fronted cupboard; **Glas•split•ter** *m* splinter of glass; **Glas•tür** *f* glass door

Gla•sur [gla'zu:ɐ] *f* **1.** (*auf Keramik*) glaze **2.** (*Emaille*) enamel **3.** (*auf Speisen*) frosting, icing

Glas•ver•si•che•rung *f* glass insurance; **Glas•wol•le** *f* glass wool

glatt [glat] **I.** *adj* **1.** (*eben, a. fig*) smooth **2.** (*schlüpferig*) slippery; (*Stoff*) uncreased **3.** (*fig: ausgesprochen*) downright; **~ sitzen**[RR] (*anliegen*) be a close fit **II.** *adv* **1.** (*eben, a. fig*) smoothly **2.** (*direkt*) flatly; **er hat es mir ~ ins Gesicht gesagt** he said it straight to my face; **das habe ich doch ~ vergessen** I clean forgot about it

glatt|bü•geln *tr* (*fig*) iron out; *s. a.* **bügeln**[RR]

Glät•te ['glɛtə] <-, (-n)> *f* **1.** (*Ebenheit*) smoothness **2.** (*Schlüpfrigkeit*) slipperiness **3.** (*fig: Benehmen*) slickness

Glatt•eis *n* (black) ice; **jdn aufs ~ führen** (*fig*) take s.o. for a ride

glät•ten ['glɛtən] *tr* **1.** (*glatt machen*) smooth out **2.** (*fig: in Ordnung bringen*) iron out

glatt•weg ['glatvɛk] *adv* (*fam*) bluntly, just like that, simply

Glat•ze ['glatsə] <-, -n> *f* bald head; **e-e ~ bekommen** be going bald; **e-e ~ haben** be bald; **Glatz•kopf** *m* (*fam: Glatzköpfiger*) baldie; **glatz•köp•fig** ['glatskœpfɪç] *adj* bald

Glau•be ['glaʊbə] <-ns, (-n)> *m* **1.** (REL) faith (*an* in) **2.** (*Ansicht*) belief; **den ~n an etw verlieren** lose faith in s.th.; **lass sie doch in ihrem ~n!** let her keep her illusions! *pl*

glau•ben *tr itr* **1.** (*meinen*) think **2.** (*für wahr halten*) believe (*jdm* s.o., *an etw* in s.th.); **ich glaube schon** I suppose so; **ich glaube, ja** I think so; **wer's glaubt, wird selig!** (*fam*) a likely story!; **daran ~ müssen** (*fig fam*) cop it *sl;* **glaubst du?** do you think so?; **ob du es glaubst oder nicht** believe it or not; **es ist kaum zu ~** I can hardly believe it; **das glaubst du wohl selbst nicht!** you can't be serious!; **Glau•bens•be•kennt•nis** *n* (REL) creed; **Glau•bens•frei•heit** *f* religious freedom

glaub•haft *adj* **1.** (*zu glauben*) believable, credible **2.** (*authentisch, verbürgt*) authentic; **jdm etw ~ machen** satisfy s.o. of s.th.; **Glaub•haf•tig•keit** *f* credibility

gläu•big ['glɔɪbɪç] *adj* (REL) religious; **Gläu•bi•ge(r)** *f m* believer; **die ~n** the faithful *pl*

Gläu•bi•ger(in) *m(f)* (COM) creditor; **Gläu•bi•ger•bank** *f* creditor bank; **Gläu•bi•ger•land** *n* creditor nation [*o* state]

glaub•lich *adj:* **es ist kaum ~** it's hardly credible

glaub•wür•dig *adj* **1.** (*Person*) credible **2.**

(*Hinweis etc: verlässlich*) reliable; **Glaub·wür·dig·keit** *f* **1.** (*von Person*) credibility **2.** (*von Hinweis etc*) reliability

gleich [glaɪç] **I.** *adj* **1.** (*identisch*) same **2.** (*ähnlich*) similar **3.** (*rechnerisch ~*) equal; **zur ~en Zeit** at the same time; **ich hab' das ~e Buch!** I've got the same book!; **in ~em Abstand** at an equal distance; **es war der G~e wie gestern**[RR] it was the same one as yesterday; **ist mir ganz ~!** it's all the same to me! **II.** *adv* **1.** (*sofort*) at once **2.** (*in ~er Weise*) equally; **ich komme ~** I'll be right there; **~!** just a minute!; **ich komme ~ wieder** I'll be right back; **warum nicht ~ so?** why didn't you do that straight away?; **bis ~!** see you in a while!; **wie war das doch ~?** what was that again?; **das bleibt sich ~** it doesn't matter

gleich·alt·rig *adj* of the same age; **gleich·ar·tig** *adj* of the same kind; (*ähnlich*) similar; **gleich·be·deu·tend** *adj:* **das ist ~ mit ...** that's tantamount to ...; **gleich·be·rech·tigt** *adj* with equal rights; **~ sein** have equal rights; **Gleich·be·rech·ti·gung** *f* equal rights; **gleich·blei·bend** *adj* constant

glei·chen ['glaɪçən] *irr itr* be like; **sie gleicht ihrer Mutter** she looks like her mother

glei·cher·ma·ßen ['--'--] *adv* (*in gleicher Weise*) in a similar manner

gleich·falls *adv* (*auch*) also; **danke, ~!** thanks, the same to you!; **gleich·för·mig** *adj* (*eintönig*) monotonous; **gleich·ge·sinnt** *adj s.* **gesinnt**

Gleich·ge·wicht *n* (*a. fig*) balance; **das ~ verlieren** lose one's balance; **jdn aus dem ~ bringen** throw s.o. off balance; **Gleich·ge·wichts·or·gan** *nt* organ of equilibrium; **Gleich·ge·wichts·stö·rung** *f* balance impairment

gleich·gül·tig *adj* **1.** (*uninteressiert*) indifferent (*gegen* to(wards)) **2.** (*apathisch*) listless; **ist mir doch völlig ~!** I don't give a damn! *fam;* **Gleich·gül·tig·keit** *f* indifference (*gegen* to(wards))

Gleich·heit *f* equality; **Gleich·heits·zei·chen** *n* (MATH) equals sign

gleich|kom·men *sein irr itr:* **jdm ~ an ...** match s.o. in ...

gleich·lau·tend *adj s.* **lautend**

gleich|ma·chen *tr* level out; **dem Erdboden ~** raze to the ground; **Gleich·ma·che·rei** *f* (*pej*) levelling down

gleich·mä·ßig *adj* **1.** (*zu gleichen Teilen*) equal **2.** (*fig: ausgeglichen*) stable, well-balanced **3.** (*ebenmäßig*) even **4.** (*regelmäßig*) regular; **Gleich·mä·ßig·keit** *f* **1.** (*Ebenmäßigkeit*) evenness **2.** (*Regelmäßigkeit*) regularity; **Gleich·mut** <-(e)s> *m* composure, equanimity; **gleich·mü·tig** ['glaɪçmyːtɪç] *adj* composed

Gleich·nis *n* (*Parabel, a.* ECCL) parable

gleich·sam *adv* as it were, so to speak

gleich·schenk(e)·lig *adj* (MATH) isosceles; **Gleich·schritt** *m:* **im ~, marsch!** forward march!; **gleich·sei·tig** *adj* equilateral; **gleich|set·zen** *tr* equate; **Gleich·stand** *m* (SPORT): **den ~ erzielen** draw level; **Gleich·stel·lung** *f* equality; **Gleich·strom** *m* (EL) direct current, D.C.; **gleich|tun** *irr tr:* **es jdm ~** match s.o.; **es jdm ~ wollen** vie with s.o.

Glei·chung *f* equation; **~ 1. Grades** linear equation; **~ mit mehreren Unbekannten** simultaneous equation

gleich·wer·tig *adj* **1.** (*allgemein*) equal **2.** (*gleichstark*) evenly matched **3.** (CHEM) equivalent; **gleich·wink·lig** *adj* equiangular; **gleich·wohl** ['-'-] *adv* nevertheless; **gleich·zei·tig I.** *adj* simultaneous **II.** *adv* at the same time

gleich|zie·hen *irr itr* (SPORT): **~ mit ...** catch up with ...

Gleis [glaɪs] <-es, -e> *n* (RAIL) line, track, rails *pl;* **von welchem ~ geht der Zug nach ...?** which platform does the train to ... leave from?; **jdn aus dem ~ bringen** (*fig*) put s.o. off his (her) stroke; **Gleis·an·schluss**[RR] *m* siding; **Gleis·ar·bei·ten** *pl* track repairs

glei·ßen ['glaɪsən] *itr* glisten

Gleit·boot *n* hydroplane

glei·ten ['glaɪtən] *sein irr itr* **1.** glide **2.** (*Blick*) pass, range; (*Hand a.*) slide; **~de Arbeitszeit** flexitime; **sie glitt zu Boden** she slid to the ground; **Gleit·flug** *m* glide, gliding; **Gleit·flug·zeug** *m* glider; **Gleit·kar·te** *f* (*fam: Ausweis für Gleitzeitteilnehmer*) flexicard; **Gleit·klau·sel** *f* (COM FIN) escalator clause; **Gleit·mit·tel** *n* lubricant; **Gleit·schie·ne** *f* (*bei Schreibmaschine*) carriage rail; **Gleit·schirm** *m* hang glider; **Gleit·schirm·flie·gen** *n* hang-gliding; **Gleit·wachs** *n* (*Skiwachs*) wax; **Gleit·zeit** *f* flexitime

Glet·scher ['glɛtʃɐ] <-s, -> *m* glacier; **Glet·scher·brand** *m* glacial sunburn; **Glet·scher·spal·te** *f* crevasse

Glied [gliːt] <-(e)s, -er> *n* **1.** (*Körperteil*) limb **2.** (*Penis*) member **3.** (*Ketten~, a. fig*) link; **an allen ~ern zittern** be shaking all over; **s-e ~er strecken** stretch o.s.; **Glie·der·arm·band** *n* (*flexibles ~*) expanding bracelet

glie·dern ['gliːdɐn] **I.** *tr* (*unter~*) subdivide (*in* into) **II.** *refl* be composed, consist (*in* of)

Glie·der·schmer·zen *mpl* rheumatic pains; **Glie·de·rung** *f* **1.** (*Struktur*) structure **2.** (*als Aufgabe*) organization; **Glied-**

ma•ßen ['gli:tmasən] *pl* limbs
glim•men ['glɪmən] *irr itr* **1.** (*allgemein*) glow **2.** (*fig*) glimmer
glim•mern *itr* glimmer
Glimm•sten•gel *m* (*Br fam*) fag
glimpf•lich ['glɪmpflɪç] *adj* light, mild; ~ **davonkommen** get off lightly
glit•schig ['glɪtʃɪç] *adj* slippery
glit•zern ['glɪtsɐn] *itr* glitter; (*Stern a.*) twinkle
glo•bal [glo:'ba:l] *adj:* **~e Klimaverschlechterung** worldwide deterioration of the climate; **Glo•bus** ['glo:bʊs] <-/-ses, -ben/-se> *m* globe
Glo•cke ['glɔkə] <-, -n> *f* **1.** (*Turm~*) bell **2.** (*Klingel*) gong; **die ~n läuten** ring the bells; **du brauchst es nicht an die große ~ zu hängen** (*fig*) you don't need to shout it from the rooftops
Glo•cken•blu•me *f* bellflower, blue-bell; **glo•cken•för•mig** *adj* bell-shaped; **Glo•cken•ge•läu•te** *n* peal of bells; **Glo•cken•klang** *m* ringing of bells; **Glo•cken•schlag** *m* stroke of a bell; **Glo•cken•spiel** *n* chimes *pl;* **Glo•cken•stuhl** *m* bellcage; **Glo•cken•turm** *m* belltower, belfry
Glöck•ner ['glœknɐ] *m* bellringer
Glo•rie ['glo:riə] *f* (*Ruhm*) glory
glo•ri•fi•zie•ren [glorifi'tsi:rən] *tr* glorify
glor•reich ['glo:ɐraɪç] *adj* glorious
Glos•sar [glɔ'sa:ɐ] <-s, -e> *n* glossary
Glos•se ['glɔsə] <-, -n> *f* gloss (*zu* on); **glos•sie•ren** *tr* write a gloss on
Glot•ze <-, -n> *f* (*sl: Fernseher*) goggle-box *fam;* **glot•zen** ['glɔtsən] *itr* stare (*auf* at)
Glück [glʏk] <-(e)s> *n* **1.** (*~sfall*) good luck **2.** (*Glücklichkeit*) happiness; ~ **gehabt!** that was lucky!; **kein ~ haben** be out of luck; **von ~ sagen können** be able to consider o.s. lucky; **sein ~ versuchen** try one's luck; **du hast ~ gehabt** you were lucky; **ein ~, dass ...** it's a good thing that ...; **ein ~!** how lucky!; **zum ~** fortunately; **viel ~!** good luck!; **dein ~!** lucky for you!; **auf gut ~** on the off-chance; **jdm ~ wünschen zu ...** congratulate s.o. on ...
Glu•cke ['glʊkə] <-, -n> *f* (ZOO) broody hen
glü•cken ['glʏkən] *sein itr* be a success; **es wollte einfach nicht ~** it simply wouldn't go right; **wie ist dir denn das geglückt?** how did you manage to do that?
glu•ckern ['glʊkɐn] *itr* (*Wasser*) gurgle
glück•lich *adj* **1.** (*erfolgreich*) fortunate, lucky **2.** (*froh*) happy; **sich ~ schätzen** consider o.s. lucky; **er ist ~ angekommen** he arrived safely; **glück•li•cher•wei•se** ['---'--] *adv* fortunately, luckily
Glücks•brin•ger *m* lucky charm; **Glücks•fall** *m* stroke of luck *Br,* lucky break *Am;* **Glücks•kind** *n* lucky person; **Glücks•klee** *m* four-leaf clover; **Glücks•pfen•nig** *m* lucky penny; **Glücks•pilz** *m* (*fam*) lucky fellow [*o* beggar]; **Glücks•rad** *m* wheel of fortune; **Glücks•sa•che** *f* matter of luck; **Glücks•spiel** *n* game of chance; **Glücks•spie•ler(in)** *m(f)* gambler; **Glücks•tref•fer** *m* **1.** (SPORT MIL) lucky shot **2.** (*allgemein, auch Lotterie*) stroke of luck
Glück•wunsch *m* congratulations *pl;* **herzlichen ~ zum Geburtstag!** happy birthday!; **Glück•wunsch•kar•te** *f* greetings card; **Glück•wunsch•te•le•gramm** *n* greetings telegram
Glüh•bir•ne *f* light bulb
glü•hen ['gly:ən] *itr* glow; **ihre Augen glühten vor Zorn** her eyes glowed with anger; **glü•hend** *adj* **1.** (*allgemein*) glowing; (*Metall*) red-hot **2.** (*fig*) ardent, fervent; **~e Hitze** blazing heat; **~ heiß** burning hot; **rot ~**RR red-hot; **Glüh•fa•den** *m* (EL) filament; **Glüh•strumpf** *m* gas mantle; **Glüh•wein** *m* mulled wine; **Glüh•würm•chen** *n* glow-worm
Glupsch•au•ge ['glʊpʃaʊgə] *n* (*fam*) goggle eye
Glut [glu:t] <-, -en> *f* **1.** (*Sonnen~*) blaze **2.** (*glühende Masse*) embers *pl*
Glu•ta•min [gluta'mi:n] <-s, -e> *n* (CHEM) glutamine
Glut•hit•ze ['-'--] *f* sweltering heat; **glut•rot** ['-'-] *adj* fiery red
Gly•kol [gly'ko:l] <-s, -e> *n* (CHEM) glycol
GmbH <-, -s> *f Abk. von* **Gesellschaft mit beschränkter Haftung** Ltd *Br,* Inc *Am*
Gna•de ['gna:də] <-, -n> *f* (*Erbarmen*) mercy; **~ vor Recht ergehen lassen** temper justice with mercy; **~!** (*a. fig*) mercy!; **Gna•den•frist** *f* reprieve; **ich geb' dir noch zwei Stunden ~!** I will give you two hours' grace!; **Gna•den•ge•such** *n* plea for clemency; **ein ~ einreichen** file a plea for clemency; **gna•den•los** *adj* merciless; **Gna•den•stoß** *m* coup de grâce
gnä•dig ['gnɛ:dɪç] *adj* **1.** (*erbarmend*) merciful **2.** (*herablassend*) condescending
Gnom [gno:m] <-en, -en> *m* gnome
Go-Go-Girl ['go:go gœrl] <-s, -s> *n* go-go girl
Go•be•lin [gobə'lɛ̃:] <-s, -s> *m* tapestry
Go•ckel(•hahn) ['gɔkəl-] <-s, -> *m* cock
Gold [gɔlt] <-(e)s> *n* gold; **Gold•bar•ren** *m* gold ingot; **Gold•barsch** *m* redfish; **Gold•be•stand** *m* gold reserve; **Gold•dou•blé** ['gɔltduble:] <-s, (-s)> *n* gold plating
gol•den ['gɔldən] *adj* golden; **~er Schnitt** golden section; **die ~e Mitte wählen**

strike a happy medium

gold•far•ben *adj* golden

Gold•fa•san *m* golden pheasant; **Gold•fisch** *m* goldfish; **Gold•ge•halt** *m* gold contents *pl;* **gold•gelb** *adj* golden; **gold•gie•rig** *adj* greedy for gold; **Gold•grä•ber** *m* gold-digger; **Gold•gru•be** *f* (*a. fig*) gold-mine

Gold•hams•ter *m* golden hamster

gol•dig *adj* (*fig*) cute

Gold•klum•pen *m* gold nugget; **Gold•lack** *m* **1.** (*goldener Lack*) gold laquer **2.** (BOT) wallflower; **Gold•me•dail•le** *f* gold medal; **Gold•me•dail•len•ge•win•ner(in)** *m(f)* gold medallist; **Gold•mün•ze** *f* gold piece; **Gold•re•gen** *m* (BOT) laburnum; **gold•rich•tig** ['-'--] *adj* (*fam*) dead right; **Gold•schmied(in)** *m(f)* goldsmith; **Gold•schnitt** *m* (TYP) gilt edging; **Gold•stück** *n* (*Münze*) gold coin; **Gold•su•cher** *m* gold- hunter; **Gold•waa•ge** *f* gold-scales *pl;* **alle Worte auf die ~ legen** (*fig*) weigh (one's) words well; **Gold•wäh•rung** *f* gold-standard; **Gold•wa•ren** *fpl* gold articles

Golf[1] [gɔlf] <-(e)s, -e> *m* (GEOG) gulf; (*länderspezifisch*) Gulf

Golf[2] <(-s)> *n* (*Spiel*) golf

Golf•krieg *m* (HIST) Gulf war

Golf•platz *m* golf course; **Golf•schlä•ger** *m* golf club; **Golf•spie•ler(in)** *m(f)* golfer; **Golf•staat** *m* Gulf state; **Golf•strom** *m* (GEOG) Gulf Stream

Gon•del ['gɔndəl] <-, -n> *f* **1.** (*Boot*) gondola **2.** (*Seilbahnkabine*) car

gön•nen ['gœnən] *tr:* **nicht ~** begrudge; **sich ~** give [*o* allow] o.s.; **das sei dir gegönnt** I don't grudge you that; **er gönnt sich keine Minute Ruhe** he doesn't allow himself a minute's rest

gön•ner•haft *adj* patronizing; **Gön•ner(in)** *m(f)* patron(ess); **Gön•ner•mie•ne** *f* patronizing air

Gör [gøːɐ] <-(e)s, -en> *n* (*pej fam*) brat; (*fam*) kid

Gö•re ['gøːrə] <-, -n> *f* cheeky [*o* saucy] little miss

Go•ril•la [go'rɪla] <-s, -s> *m* gorilla

Gos•se ['gɔsə] <-, -n> *f* gutter

Go•te ['goːtə] <-n, -n> *m*, **Go•tin** *f* Goth; **Go•tik** ['goːtɪk] *f* (ARCH) Gothic; **go•tisch** *adj* Gothic

Gott [gɔt, *pl:* 'gœtɐ] <-es/(-s), ⸚er> *m* God; **ach ~ ...** well ...; **der liebe ~** the good Lord; **an ~ glauben** believe in God; **leider ~es** unfortunately; **ich habe, weiß ~, keine Zeit für so etwas!** I really have no time for that sort of thing!; **mein ~, was machen Sie denn da?** for God's sake, what are you doing?; **o ~!** dear me!; **du bist wohl ganz von ~ verlassen!** (*fig*) you must be completely out of your mind!; **in ~es Namen!** for goodness sake!; **um ~es willen!** for heaven's sake; **~ sei Dank** thank God!

Göt•ter•spei•se *f* fruit jelly

Got•tes•dienst *m* service; **zum ~ gehen** go to church; **Got•tes•haus** *n* place of worship; **Got•tes•läs•te•rung** *f* blasphemy; **gott•ge•wollt** *adj* willed by God; **Gott•heit** *f* **1.** (*Göttlichkeit*) divinity **2.** (*ein Gott*) godhead; **Göt•tin** ['gœtɪn] *f* goddess; **gött•lich** *adj* divine

gott•lob! ['-'-] *interj* thank goodness!

gott•los *adj* (*fig: verrucht*) wicked; **gott•ver•las•sen** *adj* godforsaken; **Gott•ver•trau•en** *n* trust in God; **na, du hast aber ~!** I wish I had your faith!

Göt•ze ['gœtsə] <-n, -n> *m* (*pej*) idol

Gour•met-Tem•pel [gʊr'meː-] *m* (*fam*) place of pilgrimage for gourmets

Gou•ver•neur [guvɐ'nøːɐ] <-s, -e> *m* governor

Grab [graːp, *pl:* 'grɛːbər] <-(e)s, ⸚er> *n* grave; **jdn zu ~e tragen** bear s.o. to his (her) grave; **deine Mutter würde sich im ~ umdrehen, wenn ...** (*fig*) your mother would turn in her grave if ...; **sie bringt mich noch ins ~!** (*fig*) she'll be the death of me yet!

Grab•bel•tisch ['grabl-] *m* (*fam*) clearance table

Gra•ben ['graːbən, *pl:* 'grɛːbən] <-s, ⸚> *m* ditch; (MIL) trench

gra•ben *irr tr* (*mit Spaten etc*) dig

Gra•bes•käl•te ['-'--] *f* deathly cold

Grab•hü•gel *m* mound; **Grab•in•schrift** *f* epitaph; **Grab•mal** *n* monument; **Grab•plat•te** *f* memorial slab; **Grab•re•de** *f* funeral oration; **Grab•schän•der(in)** *m(f)* defiler of graves; **Grab•stein** *m* gravestone

Grad [graːt] <-(e)s, -e> *m* (*allgemein*) degree; **15 ~ Wärme (Kälte)** 15 degrees above (below) zero; **die Waschmaschine auf 60° stellen** set the washing-machine at sixty degrees; **bis zu e-m gewissen~e** to a certain degree; **im höchsten ~e** extremely; **Grad•ein•tei•lung** *f* graduation; **Grad•netz** *n* (GEOG TECH) latitude and longitude grid

gra•du•ell [gradu'ɛl] *adj* gardual

Graf [graːf] <-en, -en> *m* earl *Br;* (*ausländischer ~*) count

Graf•fi•ti [gra'fɪtɪ] *pl* graffiti *pl*

Gra•fik[RR] ['graːfɪk] *f* **1.** (*künstlerische ~*) graphic **2.** (*Gewerbe*) graphic arts *pl* **3.** (*Diagramm*) diagram; **Gra•fik•bild•schirm**[RR] *m* (EDV) graphics screen; **Gra•fi•ker**[RR]**(in)** *m(f)* graphic artist; **Gra•fik-**

kar•te *f* (EDV) graphics card; **gra•fisch**[RR] *adj* 1. (*allgemein*) graphic; (*schematisch*) schematic 2. (*anschaulich*) vivid; **~e Darstellung** graph

Grä•fin ['grɛːfɪn] *f* countess

Gra•fit[RR] *m s.* **Graphit**

Graf•schaft *f* (*früher*) earldom; (*heute*) county

Gram [graːm] <-(e)s> *m* grief, sorrow; **jdm g~ sein** bear s.o. ill-will

grä•men ['grɛːmən] *refl:* **sich über jdn (etw) ~** grieve over s.o. (s.th.)

Gramm [gram] <-s, (-e)> *n* gram(me)

Gram•ma•tik [gra'matɪk] *f* grammar; **gram•ma•ti•ka•lisch** *adj* grammatical; **gram•ma•tisch** *adj* grammatical

Gram•mel ['graml] <-, -n> *f* greaves *österr*

Gra•nat [gra'naːt] <-(e)s, -e> *m* (*Edelstein*) garnet

Gra•nat•ap•fel *m* pomegranate

Gra•na•te [gra'naːtə] <-, -n> *f* shell; **Gra•nat•feu•er** *n* shell fire, shelling; **Gra•nat•split•ter** *m* shell splinter; **Gra•nat•trich•ter** *m* shell crater; **Gra•nat•wer•fer** *m* trench mortar

gran•di•os [gran'djoːs] *adj* magnificent, terrific

Gra•nit [gra'niːt] <-s, -e> *m* granite

Grape•fruit ['greipfruːt] <-s, -s> *f* grapefruit

Gra•phik *f s.* **Grafik**; **Gra•phik•bild•schirm** *m s.* **Grafikbildschirm**; **Gra•phi•ker** *m s.* **Grafiker**; **Gra•phik•kar•te** *f s.* **Grafikkarte**; **gra•phisch** *adj s.* **grafisch**

Gra•phit [gra'fiːt] <-(e)s, -e> *m* graphite

Gras [graːs, *pl:* 'grɛːzər] <-es, ¨-er> *n* grass; **ins ~ beißen** (*fig fam*) bite the dust; **über etw ~ wachsen lassen** (*fig*) let the dust settle over s.th.

gra•sen ['graːzən] *itr* graze

gras•grün ['-'-] *adj* grass-green; **Gras•halm** *m* blade of grass; **Gras•hüp•fer** *m* (ZOO) grasshopper; **Gras•land** <-(e)s> *n* grassland; **Gras•mü•cke** *f* (ORN) warbler

gras•sie•ren [gra'siːrən] *itr* (MED) rage; **die Seuche grassiert immer mehr** the disease is spreading

gräss•lich[RR] ['grɛslɪç] *adj* 1. (*grauenvoll*) hideous, horrible 2. (*widerlich*) awful, dreadful

Grat [graːt] <-(e)s, -e> *m* 1. (*Berg~*) ridge 2. (TECH) burr

Grä•te ['grɛːtə] <-, -n> *f* fish-bone

Gra•ti•fi•ka•ti•on [gratifika'tsjoːn] *f* bonus

gra•tis ['graːtɪs] *adv* free (of charge); **Gra•tis•pro•be** *f* free sample

Gra•tu•la•ti•on [gratula'tsjoːn] *f* congratulations *pl;* **gra•tu•lie•ren** *itr* congratulate (on); **ich gratuliere!** my congratulations!; **jdm zum Geburtstag ~** wish s.o. many happy returns

Grau <-s, -/(-s)> *n* grey; **grau** [graʊ] *adj* grey; **der ~e Alltag** dull reality; **~e Haare bekommen** go grey; **in ~er Vorzeit** in the misty past; **grau•äu•gig** ['graʊɔɪgɪç] *adj* grey-eyed; **grau•braun** ['-'-] *adj* greyish brown; **Grau•brot** *n* rye bread

Gräu•el[RR] ['grɔɪəl] <-s, -> *m* 1. (*Grauen*) horror 2. (*~tat*) outrage; **Gräu•el•mär•chen**[RR] *n* horror story; **Gräu•el•mel•dung**[RR] *f* atrocity propaganda; **Gräu•el•tat**[RR] *f* atrocity

Grau•en <-s> *n* (*Entsetzen*) horror; **~ erregend**[RR] gruesome, horrid

grau•en[1] *imp:* **mir graut es davor** I dread it; **grau•en•er•re•gend** *adj s.* **Grauen**, **~haft** *adj,* **~voll** *adj* gruesome, horrid

grau•en[2] ['graʊən] *itr:* **der Tag fängt schon an zu ~** dawn is beginning to break

Grau•er Star <-(e)s> *m* cataract

grau•grün ['-'-] *adj* grey-green; **Grau•guss**[RR] *m* (TECH: *Gusseisen*) grey iron; **grau•haa•rig** *adj* grey-haired; **grau•me•liert** *adj s.* **meliert**

gräu•lich[RR] ['grɔɪlɪç] *adj* abominable, atrocious

Grau•pe ['graʊpə] <-, -n> *f* grain of pearl barley

Grau•pel•schau•er *m* sleet

Grau•pen•sup•pe *f* barley broth

grau•sam ['graʊzaːm] *adj* 1. (*brutal*) cruel (*zu* to) 2. (*fam: schlimm*) awful; **Grau•sam•keit** *f* cruelty

Grau•sen ['graʊzən] <-s> *n:* **da überkommt dich (doch) das kalte ~** it's enough to give you the creeps; **grau•sig** *adj* horrible; **graus•lich** *adj, adv* (*österr*) terrible

Gra•veur(in) [gra'vøːɐ] <-s, -e> *m(f)* engraver; **gra•vie•ren** *tr* engrave; **Gra•vie•rung** *f* engraving

Gra•vi•ta•ti•on [gravita'tsjoːn] *f* (PHYS) gravitation; **Gra•vi•ta•ti•ons•kraft** *f* (PHYS) gravitational force

gra•vi•tä•tisch [gravi'tɛːtɪʃ] *adj* grave, solemn

Gra•vur•plat•te *f* nameplate

Gra•zie ['graːtsiə] *f* grace; **gra•zi•ös** [gra'tsjøːs] *adj* graceful

Greif•arm *m* claw arm; **greif•bar** *adj* (*zur Verfügung*) available; **in ~er Nähe** within reach

grei•fen ['graɪfən] I. *irr tr* (*er~*) grasp II. *itr* 1. (TECH: *einrasten*) grip 2. (*fig*) have an effect (*bei* on); (*wirksam werden*) be effective; **in die Saiten ~** hold down the strings; **nach etw ~** reach for s.th.; **an etw ~** (*fassen*) take hold of s.th., grasp s.th.; (*be-

rühren) touch s.th.; **zum G~ naheliegen** (*fig*) be within one's grasp; **zur Flasche ~** take to the bottle; **ineinander ~**RR (TECH) mesh (with each other); (*fig: sich überschneiden*) overlap; **Grei•fer** *m* (TECH: *Klaue*) grab

Greif•vo•gel *m* bird of prey, raptor

Greis [graɪs] <-es, -e> *m* old man; **greis** *adj:* **sein ~es Haupt schütteln** (*a. hum fam*) shake one's wise old head; **Grei•sin** *f* old woman

grell [grɛl] *adj:* **~e Stimme** shrill voice; **~e Sonne** dazzling sun; **~e Farbe** loud colour

Gre•mi•um ['greːmiʊm] <-s, Gremien> *n* body

Grenz•be•am•te, **-be•am•tin** *m, f* passport official; **Grenz•be•reich** *m* border zone; **Grenz•be•völ•ke•rung** *f* inhabitants of the border zone

Gren•ze ['grɛntsə] <-, -n> *f* **1.** (*Staats~*) border **2.** (*private ~*) boundary **3.** (*fig*) limits *pl;* **alles hat s-e ~n** (*fig*) there's a limit to everything; **sich (noch) in ~n halten** (*fig*) be limited; **die ~ überschreiten** cross the border; **die ~ zu Dänemark** the Danish border; **gren•zen** *itr* (*a. fig*) border (*an* on); **gren•zen•los** *adj* (*a. fig*) boundless; **Grenz•fall** *m* borderline case; **Grenz•gän•ger(in)** *m(f)* (COM) ..: cross-frontier commuter; **Grenz•ge•biet** *m* border area; **Grenz•kon•flikt** *m* border [*o* frontier] dispute; **Grenz•li•nie** *f* boundary; **Grenz•pfahl** *m* boundary post; **Grenz•pos•ten** *m* border guard; **Grenz•schutz** *m* frontier guard; **Grenz•stadt** *f* border-town; **Grenz•sta•ti•on** *f* border station; **Grenz•stein** *m* boundary stone; **Grenz•strei•tig•keit** *f* (POL) border [*o* frontier] dispute; **Grenz•über•gang** *m* border [*o* frontier] crossing; **Grenz•ver•kehr** *m* border traffic; **Grenz•wert** *m* (MATH) limit; **Grenz•zwi•schen•fall** *m* frontier [*o* border] incident

Greu•el *m s.* Gräuel; **Greu•el•mär•chen** *n s.* Gräuelmärchen; **Greu•el•mel•dung** *f s.* Gräuelmeldung; **Greu•el•tat** *f s.* Gräueltat; **greu•lich** *adj s.* **gräulich**

Grie•che ['griːçe] <-n, -n> *m*, **Grie•chin** *f* Greek; **Grie•chen•land** *n* Greece; **grie•chisch** *adj* Greek

Grieß(•brei) [griːs] <-es> *m* semolina

Griff [grɪf] <-(e)s, -e> *m* **1.** (*Stiel*) handle **2.** (*Revolver~*) butt **3.** (*Tür~*) knob **4.** (*Hand~*) grasp, grip; **e-n ~ ansetzen** (*beim Ringen*) apply a hold; **etw in den ~ bekommen** (*fig*) gain control of s.th.; **griff•be•reit** *adj* handy

Griff•brett *n* (*von Musikinstrument*) fingerboard

Grif•fel ['grɪfəl] <-s, -> *m* **1.** (*obs: Schreibgerät*) slate-pencil **2.** (BOT) style

grif•fig *adj* handy

Grill [grɪl] <-s, -s> *m* **1.** (*Brat~*) grill **2.** (MOT: *Kühler~*) grille

Gril•le ['grɪlə] <-, -n> *f* (ZOO) cricket

gril•len ['grɪlən] *tr* (*in der Küche*) grill; (*im Garten*) barbecue

Grill•res•tau•rant *n* grillroom

Gri•mas•se [gri'masə] <-, -n> *f* grimace; **~n schneiden** pull faces

Grimm [grɪm] <-(e)s> *m* wrath (*auf* against); **grim•mig** *adj* **1.** grim **2.** (*übermäßig*) severe

Grin•sen ['grɪnzən] <-s> *n* grin; **grin•sen** *itr* grin

grip•pal [grɪ'paːl] *adj:* **~er Infekt** influenza infection; **Grip•pe** ['grɪpə] <-, -n> *f* influenza; (*fam*) flu; **Grip•pe•mit•tel** *nt* flu remedy

Grips [grɪps] <-es> *m* brains *pl;* **streng mal deinen ~ an!** use your brains!

grob [groːp] <gröber, gröbst> *adj* **1.** (*von Beschaffenheit*) coarse **2.** (*fig: verletzend*) rude **3.** (*groß*) gross; **~ gemahlen**RR coarse-ground; **~ geschätzt** at a rough estimate; **aus dem Gröbsten heraus sein** be out of the woods *fig;* **Grob•heit** *f* (*fig*) rudeness; **jdm ~en an den Kopf werfen** be rude to s.o.; **grob•kör•nig** *adj* coarse-grained; **grob•ma•schig** *adj* large-meshed; (*von Pullover*) loose-knit

grö(h)len ['grøːlən] *itr* bawl

Groll [grɔl] <-(e)s> *m* anger, wrath; **~ gegen jdn hegen** harbour [*o* hold] a grudge against s.o.; **grol•len** *itr* **1.** (*jdm ~*) be filled with wrath against (s.o.) **2.** (*Donner*) peal, roll

Grön•land ['grøːnlant] <-s> *n* Greenland

Gros [groː, *gen, pl:* groːs] <-, -> *n* **1.** bulk, major part **2.** (COM) gross

Gro•schen•ro•man *m* cheap novel *Br,* dime novel *Am*

groß [groːs] <größer, größt> **I.** *adj* **1.** (*bedeutend*) great; (*räumlich*) large; (*umfangreich, a. fig*) big; (*riesig*) huge; (*hochgewachsen*) tall; (*Fläche*) extensive, vast **2.** (*großartig*) grand; **~e Hitze** intense heat; **~ Kälte** severe cold; **~er Fehler** bad mistake; **die ~e Masse** the vast majority; **die ~en Ferien** the long holidays *Br,* the long vacation *Am;* **~e Worte machen** use big words; **ich habe ~e Lust ins Kino zu gehen** I would really like to go to the cinema; **das ist jetzt ~e Mode** that's all the fashion now **II.** *adv:* **im Trinken ist er ~** he's great at drinking; **(ganz) ~ rauskommen** (*fam*) make the big time

Groß•ab•neh•mer *m* bulk purchaser; **groß•ar•tig** *adj* (*wunderbar*) wonderful; (*hervorragend*) splendid; **~!** great! splendid!; **Groß•auf•nah•me** *f* (FILM) close-up; **Groß•auf•trag** *m* large order; **Groß•be•trieb** *m* large concern; **Groß•bild•schirm** *m* (TV) large screen; **Groß•bri•tan•nien** ['gro:sbrɪ'taniən] <-s> *n* Great Britain; **Groß•buch•sta•be** *m* (TYP) capital; **Groß•com•pu•ter** *m* mainframe

Grö•ße ['grø:sə] <-, -n> *f* **1.** (*Umfang, Format, Nummer*) size **2.** (*Höhe*) height **3.** (*Ausdehnung*) dimensions *pl* **4.** (MATH ASTR: *Wichtigkeit*) magnitude **5.** (*Bedeutung*) greatness; **in natürlicher** ~ full-scale [*o* -length]; **unbekannte** ~ unknown quantity; **der** ~ **nach aufstellen** line up in order of height

Groß•ein•kauf *m* bulk purchase; **Groß•el•tern** *pl* grandparents

Grö•ßen•ord•nung *f* scale; **in der** ~ **von** of this size; on the scale of

gro•ßen•teils *adv* for the most part, mostly

Grö•ßen•wahn *m* megalomania; **grö•ßen•wahn•sin•nig** *adj* megalomaniac

Groß•fahn•dung *f* dragnet operation, manhunt; **Groß•fa•mi•lie** *f* extended family; **Groß•feu•er** *n* major fire; **Groß•for•mat** *n* large size; **Groß•grund•be•sit•zer(in)** [-'----] *m(f)* big landowner; **Groß•han•del** *m* wholesale trade; **Groß•händ•ler(in)** *m(f)* wholesaler; **groß•her•zig** *adj* generous, magnanimous; **Groß•her•zig•keit** *f* generosity, magnanimity; **Groß•her•zog(in)** *m(f)* grand duke (duchess); **Groß•her•zog•tum** *n* Grand Duchy; **Groß•hirn** <-(e)s> *n* cerebrum; **Groß•kind** *n* grandchild *CH*

groß•kot•zig ['gro:skɔtsɪç] *adj* (*sl pej*) swanky

Groß•kü•che *f* canteen kitchen; **Groß•kund•ge•bung** *f* mass rally; **Groß•macht** *f* great power; **Groß•ma•ma** *f* grandma; **Groß•markt** *m* hypermarket; **Groß•maul** *n* (*fam pej*) loudmouth; **Groß•mut** *m* magnanimity; **groß•mü•tig** ['gro:smy:tɪç] *adj* magnanimous; **Groß•mut•ter** *f* grandmother; **Groß•nef•fe** *m* great-nephew; **Groß•nich•te** *f* great-niece; **Groß•on•kel** *m* great-uncle; **Groß•raum•ab•teil** *n* (RAIL) open carriage; **Groß•raum•bü•ro** *n* open-plan office; **Groß•raum•flug•zeug** *n* large- capacity aircraft; **Groß•raum•li•mou•si•ne** *f* multi-purpose vehicle; **Groß•rech•ner** *m* mainframe; **Groß•rei•ne•ma•chen** [-'----] *n* thorough cleaning

groß•spu•rig *adj* (*pej*) boastful

Groß•stadt *f* city; **Groß•städ•ter(in)** *m(f)* city-dweller; **groß•städ•tisch** *adj* big- city; **Groß•tan•te** *f* great-aunt

Groß•teil *m* large part; **zum** ~ for the most part

größ•ten•teils *adv* for the most part

Groß•un•ter•neh•men *n* large concern; **Groß•va•ter** *m* grandfather; **Groß•ver•an•stal•tung** *f* big event; **Groß•ver•brau•cher** *m* large consumer; **Groß•ver•sand•haus** *n* mail-order house; **Groß•wet•ter•la•ge** *f* general weather situation; **die politische** ~ the general political climate

groß|zie•hen *irr tr* raise

groß•zü•gig ['gro:stsy:gɪç] *adj* **1.** (*planend*) large scale **2.** (*freigebig*) generous, liberal **3.** (*weiträumig*) spacious; **Groß•zü•gig•keit** *f* **1.** (*räumlich*) spaciousness **2.** (*Freigebigkeit*) generosity

gro•tesk [gro'tɛsk] *adj* grotesque

Grot•te ['grɔtə] <-, -n> *f* grotto

Grou•pie ['gru:pi] <-s, -s> *n* (*sl*) groupie

Gru•be ['gru:bə] <-, -n> *f* **1.** (*Ton~ etc, a.* MIN) mine, pit **2.** (*gegrabene ~*) hole, hollow; **wer andern e-e ~ gräbt, fällt selbst hinein** (*prov*) you can easily fall into your own trap

Grü•be•lei *f* brooding; **grü•beln** ['gry:bəln] *itr* brood (*über* over)

Gru•ben•ex•plo•si•on *f* colliery explosion; **Gru•ben•un•glück** *n* mine disaster

grüe•zi ['gryətsi] *interj* (*CH*) hello *fam,* good morning/afternoon/evening

Gruft [grʊft, *pl:* 'grʏftə] <-, ⁼e> *f* **1.** (*Grabgewölbe*) tomb, vault **2.** (*Grabmal*) mausoleum **3.** (*Krypta*) crypt

grün [gry:n] *adj* green; **e-e Fahrt ins G~e** a trip to the country; **e-e ~e Witwe** a grass widow; **das ist dasselbe in G~** (*fig fam*) that's one and the same thing; **~e Welle** (MOT) phased traffic lights *pl;* **jdm ~es Licht geben** (*fig*) give s.o. the go-ahead; **sie ist mir nicht** ~ (*fig*) I'm not in her good books; **Grün•an•la•ge** *f* park; **grün•äu•gig** ['grʏ:nɔɪgɪç] *adj* green-eyed; **grün•blau** ['-'-] *adj* greeny blue

Grund[1] [grʊnt, *pl:* 'grʏndə] <-(e)s, ⁼e> *m* (*Ursache*) reason; **aus welchem ~?** for what reason?; **jdm zu etw ~ geben** give s.o. good cause for s.th.; **e-n ~ zum Feiern haben** have good cause for celebration; **der ~, weshalb ich gegangen bin** my reason for going [*o* the reason I went]; **ich habe allen ~ zu glauben, dass ...** I have every reason to believe that ...; **aus irgendeinem** ~ for some reason or other

Grund[2] *m* **1.** (*Boden von Gefäß, Grube etc*) bottom **2.** (*~stück*) land **3.** (*Erdboden*) ground; **von ~ auf** completely; **e-r Sache auf den ~ gehen** get to the bottom of s.th.; **im ~e** basically; **etw zu ~e**[RR] **legen** base s.th. on s.th.; **etw zu ~e**[RR] **liegen** be based on s.th.; **zu ~e**[RR] **richten** ruin, destroy

Grund•aus•bil•dung *f* basic training;

Grund•be•din•gung *f* main condition; **Grund•be•griff** *m* basic principle; **Grund•be•sitz** *m* landed property, real estate; **Grund•be•sit•zer(in)** *m(f)* landowner; **Grund•buch** *n* land register; **Grund•buch•amt** *n* land registry

grün•den ['grʏndən] *tr* found; **sich ~ auf** be based on; **Grün•der(in)** *m(f)* founder

Grund•er•werb *m* land acquisition

grund•falsch ['-'-] *adj* utterly wrong

Grund•flä•che *f* floor space

Grund•for•de•rung *f* basic claim; **Grund•ge•bühr** *f* standing charge; **Grund•ge•dan•ke** *m* basic idea; **Grund•ge•setz** *n* (*bundesdeutsche Verfassung*): **das ~** the constitution

grun•die•ren [grʊn'di:rən] *tr* undercoat; **Grun•dier•far•be** *f* undercoat

Grund•ka•pi•tal *n* (COM) ..: capital stock, equity capital

Grund•la•ge *f* basis, foundation; **jeder ~ entbehren** be without any foundation; **grund•le•gend** *adj* fundamental, basic (*für* to)

gründ•lich ['grʏntlɪç] *adj* thorough; **~ Bescheid wissen** know all about it; **jdm ~ die Meinung sagen** give s.o. a piece of one's mind *fig;* **Gründ•lich•keit** *f* thoroughness

Grund•lohn *m* basic pay; **grund•los** *adj* **1.** (*unbegründet*) unfounded **2.** (*sehr tief*) bottomless; **Grund•mau•er** *f* foundation wall; **Grund•nah•rungs•mit•tel** *n* staple food

Grün•don•ners•tag [-'---] *m* Maundy Thursday

Grund•recht *n* fundamental right; **Grund•re•gel** *f* basic principle; **Grund•ren•te** *f* basic pension; **Grund•riss**RR *m* (ARCH) ground plan; (*Skizze*) outline, sketch; **Grund•satz** *m* principle; **es sich zum ~ machen** make it a rule; **grund•sätz•lich** ['grʊntzɛtslɪç] **I.** *adv* **1.** (*im Allgemeinen*) in principle **2.** (*stets*) always; **~ nicht** absolutely not **II.** *adj* (*grundlegend*) fundamental; **Grund•satz•pa•pier** *n* (POL) (written) statement of principles

Grund•schuld *f* mortgage; **Grund•schu•le** *f* elementary [*o* primary] school; **Grund•schul•leh•rer(in)** *m(f)* elementary [*o* primary] school teacher; **Grund•stein** *m* foundation-stone; **den ~ legen zu etw** (*fig*) lay the foundations *pl* of s.th.; **Grund•steu•er** *f* property tax; **Grund•stock** <-s> *m* basis, foundation; **Grund•stoff•in•dus•trie** *f* primary industry; **Grund•stück** *n* **1.** (*Parzelle*) plot; (*größeres ~*) estate **2.** (*Grund und Boden*) property **3.** (*Bau~*) site; **Grund•stücks•mak•ler(in)** *m(f)* estate agent *Br,* realtor *Am;* **Grund•stücks•preis** *m* land price; **Grund•ton** *m* **1.** (MUS) key-note **2.** (*Farbe*) ground colour; **Grund•übel** *n* **1.** basic evil **2.** (*Grundproblem*) basic problem; **Grund•um•satz** *m* basal metabolism

Grün•dung ['grʏndʊŋ] *f* foundation

grund•ver•schie•den ['--'--] *adj* entirely different

Grund•was•ser *n* ground water; **Grund•was•ser•spie•gel** *m* ground-water level; **Grund•wehr•dienst** *m* national service *Br,* selective service *Am;* **Grund•wort•schatz** *m* basic [*o* essential] vocabulary; **Grund•zahl** *f* **1.** (*Kardinalzahl*) cardinal number **2.** (MATH) base number; **Grund•zug** *m* essential feature

Grü•ne(r) ['gryːnə] *m f* (POL) ecologist *fam,* Green; **die ~n** the Green Party; (*fam*) the Greens

grü•nen *itr* turn green

Grü•ner Star <-(e)s> *m* glaucoma; **Grün•fink** *m* greenfinch; **Grün•flä•che** *f* green [*o* open] space; **Grün•fut•ter** *n* green fodder; **Grün•kohl** *m* kale; **grün•lich** *adj* greenish; **Grün•pla•nung** *f* open space planning; **Grün•schna•bel** *m* (*pej*) greenhorn; **Grün•span** <-s> *m* verdigris; **Grün•strei•fen** *m* **1.** (*am Straßenrand*) grass verge **2.** (*Mittelstreifen*) central reservation *Br,* median strip *Am*

grun•zen ['grʊntsən] *itr* grunt

Grün•zeug *n* (*fam: Salat etc*) greens *pl*

Grup•pe ['grʊpə] <-, -n> *f* **1.** (*allgemein*) group; (*Arbeits~*) team **2.** (*Bäume*) cluster; **in ~n einteilen** group together; **Grup•pen•ar•beit** *f* (PÄD) teamwork; **Grup•pen•bild** *n* (PHOT) group portrait; **Grup•pen•dy•na•mik** *f* (PSYCH) group dynamics *pl;* **grup•pen•dy•na•misch** *adj* (PSYCH) group-dynamic; **Grup•pen•sex** *m* group sex; **Grup•pen•the•ra•pie** *f* group therapy; **grup•pen•wei•se** *adv* in groups; **Grup•pen•zwang** *m* group [*o* peer] pressure

grup•pie•ren [grʊ'piːrən] **I.** *tr* group **II.** *refl* form groups; **Grup•pie•rung** *f* grouping

Gru•sel•ge•schich•te *f* gruesome tale

gru•se•lig ['gruːzəlɪç] *adj* gruesome, horrifying

Gruß [gruːs, *pl:* 'gryːsə] <-es, ⸚e> *m* greeting; **jdm herzliche ⸚e bestellen** give one's kindest regards to s.o.; **schönen ~ zu Hause!** my regards to your family!; **viele ⸚e an …** best wishes to …; **grü•ßen** ['gryːsən] *tr* greet; (MIL) salute; **grüß dich!** hi!; **jdn ~ lassen** send one's compliments [*o* love] to … [*o* regards]; **~ Sie Ihre Mutter von mir!** remember me to your mother!

gu•cken ['gʊkən/kʊkən] *itr* look; **aus dem**

Fenster ~ look out of the window; **guck mal!** just take a look!; **Guck•loch** *n* peephole

Gue•ril•la•kämp•fer *m* guerilla fighter; **Gue•ril•la•krieg** [ge'rɪl(j)akri:k] *m* guerilla war(fare)

Guil•lo•ti•ne [gɪljo'ti:nə/gijo'ti:nə] <-, -n> *f* (HIST) guillotine

Gui•nea [gi'ne:a] *n* Guinea; **Gui•ne•er(in)** *m(f)* Guinean; **gui•ne•isch** *adj* Guinean

Gu•lasch ['gʊlaʃ] <-(e)s, -e> *n* goulash; **Gu•lasch•ka•no•ne** *f* (MIL: *sl*) cooker; **Gu•lasch•sup•pe** *f* goulash soup

Gul•den ['gʊldən] <-s, -> *m* **1.** (HIST: *Gold~*) florin **2.** (*niederländischer ~*) guilder

gül•tig ['gʏltɪç] *adj* valid; **ist der neue Fahrplan schon ~?** has the new timetable come into force yet?; **die ~en Preise** the current prices; **Gül•tig•keit** *f* (*Währung*) validity; **Gül•tig•keits•dau•er** *f* period of validity

Gum•mi ['gʊmi] <-s, -(s)> *m* **1.** (*a. Radiergummi*) rubber **2.** (*fam: Kondom*) rubber; **Gum•mi•band** *n* **1.** (*für Bürobedarf*) rubber band **2.** (*für Kleidung*) elastic; **Gum•mi•bär•chen** *n* jelly baby; **Gum•mi•baum** *m* rubber plant; **gum•mie•ren** *tr* gum; **Gum•mi•ge•schoss[RR]** *n* rubber bullet; **Gum•mi•hand•schu•he** *mpl* rubber gloves; **Gum•mi•knüp•pel** *m* (rubber) truncheon; **Gum•mi•pa•ra•graph** *m* (*fam: vielseitig auslegbarer Gesetzestext*) *legal regulation capable of many different interpretation;* **Gum•mi•rei•fen** *m* rubber tyre; **Gum•mi•schlauch** *m* **1.** (MOT: *in Reifen*) tube **2.** (*Wasserschlauch*) rubber hose; **Gum•mi•stop•fen** *m* rubber stopper; **Gum•mi•strumpf** *m* elastic stocking; **Gum•mi•zel•le** *f* (*fam*) padded cell

Gunst [gʊnst] <-> *f* favour; **zu deinen ~en** in your favour *sing;* **sich jds ~ verscherzen** lose someone's favour; **zu ~en[RR]** (*von o mit Genitiv*) in favour of

güns•tig ['gʏnstɪç] *adj* favourable; **Gemüse ist jetzt ~** vegetables are reasonable just now; **im ~sten Falle** at best; **ich hab' es ~ gekauft** I bought it for a good price; **in ~er Lage** well-situated

Günst•ling ['gʏnstlɪŋ] <-s, -e> *m* favourite

Gur•gel ['gʊrgəl] <-, -n> *f* throat; **jdn an der ~ packen** grab s.o. by the throat; **Gur•gel•mit•tel** *nt* gargle; **gur•geln** *itr* **1.** (*mit Mundwasser*) gargle **2.** (*~de Geräusche machen*) gurgle

Gur•ke ['gʊrkə] <-, -n> *f* (BOT) cucumber; (*Essig~, Pfeffer~*) gherkin; **Gur•ken•sa•lat** *m* cucumber salad

gur•ren ['gʊrən] *itr* coo

Gurt [gʊrt] <-(e)s, -e> *m* **1.** (*Riemen*) strap **2.** (*Gürtel*) belt

Gür•tel ['gʏrtəl] <-s, -> *m* **1.** (*Hosen~*) belt **2.** (*fig: Absperrung*) cordon **3.** (*fig: Streifen, Zone*) zone; **Gür•tel•li•nie** *f* waist; **ein Schlag unter die ~** (*a. fig*) a punch below the belt; **Gür•tel•rei•fen** *m* (MOT) radial-ply tyre

Gür•tel•ro•se <-> *f* shingles *sing*

Gür•tel•schnal•le *f* buckle

Gurt•muf•fel *m* (*fam*) person who refuses to wear a seat-belt; **Gurt•pflicht** *f* (MOT): **es besteht ~** wearing of seat-belts is compulsory

Gu•ru ['gu:ru:] <-s, -s> *m* guru

GUS *Abk. von* **Gemeinschaft unabhängiger Staaten** CIS

Guss[RR] [gʊs, *pl:* 'gʏsə] <-es, ¨-e> *m* **1.** (TECH: *das Gießen*) casting, founding **2.** (*Gusseisen*) cast iron **3.** (*Wasser~*) gush **4.** (*Regen~*) downpour **5.** (*Zucker~*) frosting, icing; **aus e-m ~** (*fig*) a unified whole; **Guss•ei•sen[RR]** *n* cast iron *Br,* pig iron *Am;* **guss•ei•sern[RR]** *adj* cast-iron; **Guss•form[RR]** *f* mould

Gut [gu:t, *pl:* 'gy:te] <-(e)s, ¨-er> *n* **1.** (*Landgut*) estate **2. Güter** (COM) goods

gut [gu:t] <besser, best> **I.** *adj* good; **wozu ist das ~?** what's that for?; **wie ~, dass ...** it's good that ...; **das ist schön und ~, aber ...** it's all very well but ...; **~e Besserung!** get well soon!; **schon ~!** all right! OK!; **nun ~!** all right then!; **du bist vielleicht ~!** (*fig fam*) some hope!; **das tut ~[RR]** that's good; **das wird dir ~ tun[RR]** that will do you good **II.** *adv* well; **du hast ~ lachen!** it's easy for you to laugh!; **Sie haben's ~!** you're lucky!; **~ so!** that's it!; **das kann ~ sein** that may well be; **~ gemacht!** well done!; **mach's ~!** bye!

Gut•ach•ten ['gu:taxtən] <-s, -> *n* expert opinion; **ein ~ abgeben** deliver [*o* render] an opinion; **ein ~ einholen** get an, opinion; **Gut•ach•ter(in)** *m(f)* expert

gut•ar•tig *adj* (MED: *Geschwulst*) benign; **gut•be•zahlt** *adj s.* **bezahlt**; **gut•bür•ger•lich** *adj:* **~e Küche** home cooking

Gut•dün•ken ['gu:tdʏŋkən] <-s> *n:* **nach ~** at discretion

Gü•te ['gy:tə] <-> *f* **1.** (*Freundlichkeit*) kindness **2.** (COM: *Qualität*) quality; **(ach) du meine ~!** goodness me!

Gü•ter•ab•fer•ti•gung *f* **1.** (*Vorgang*) dispatch of goods **2.** (*Gebäude*) goods office *Br,* freights office *Am;* **Gü•ter•bahn•hof** *m* goods depot *Br,* freights depot *Am;* **Gü•ter•fern•ver•kehr** ['--'---] *m* long-distance haulage; **Gü•ter•ge•mein•schaft** *f* (JUR) community of property; **Gü•ter•nah•ver•kehr** ['--'---] *m* short-distance haulage; **Gü-**

ter•tren•nung *f* (JUR) separation of property; **Gü•ter•wa•gen** *m* goods truck *Br,* freight car *Am;* **Gü•ter•zug** *m* goods train *Br,* freight train *Am*

Gü•te•zei•chen *n* **1.** (COM) quality mark **2.** (*fig*) hallmark

gut•ge•hend *adj s.* **gehen**; **gut•ge•launt** *adj s.* **gelaunt**; **gut•ge•meint** *adj s.* **meinen**; **gut•gläu•big** *adj* (*leichtgläubig*) credulous

Gut•ha•ben ['gu:tha:bən] <-s, -> *n* credit; **ich habe noch ein ~ von 150 DM** my account is still 150 marks in the black

gut|hei•ßen *irr tr* approve (*etw* of s.th.)

gü•tig ['gy:tɪç] *adj* **1.** (*freundlich*) friendly, kind **2.** (*voller Güte*) generous

güt•lich *adj* amicable; **sich ~ tun an etw** make free with s.th.

gut•mü•tig ['gu:tmy:tɪç] *adj* good-natured; **Gut•mü•tig•keit** *f* goodnaturedness

Guts•be•sit•zer(in) *m(f)* landowner

Gut•schein *m* **1.** (*als Zahlung*) coupon, voucher **2.** (*für umgetauschte Waren*) credit note

gut|schrei•ben *irr tr* credit; **schreiben Sie es bitte meinem Konto gut** credit it to my account please

Gut•schrift *f* **1.** <-> (*Vorgang*) crediting **2.** (*Bescheinigung*) credit note; (*Betrag*) credit (item)

Guts•hof *m* estate

gut|tun *irr itr s.* **gut**

gut•wil•lig *adj* **1.** (*bereitwillig*) willing **2.** (*nicht böswillig*) well-meaning

Gym•na•si•ast(in) [gʏmnazi'ast] <-en, -en> *m(f)* grammar school pupil *Br,* high school student *Am;* **Gym•na•si•um** [gʏm'na:ziʊm] *n* grammar school *Br,* high school *Am*

Gym•nas•tik [gʏm'nastɪk] *f* keep fit; **~ machen** do keep-fit exercises *pl;* **Gym•nas•tik•an•zug** *m* leotard

Gy•nä•ko•lo•ge [gʏnɛko'lo:gə] *m,* **Gy•nä•ko•lo•gin** *f* gynaecologist

H

H, h [haː] <-, -> *n* H, h; **H** *n* (MUS) **1.** (*Note*) B **2.** (*Tonart: H-dur*) B major; (*h-moll*) B minor; **H-Bom•be** *f* H-bomb; **H-Milch** *f* UHT-milk

ha! [ha] *interj* ha! ah!

Haar [haːɐ] <-(e)s, -e> *n* (*a.* BOT ZOO) hair; **blondes ~ (haben)** (have) fair hair; **sie hat ~e auf den Zähnen** (*fig fam*) she's a tough customer; **sich die ~e kämmen** comb one's hair; **er musste ~e lassen** (*fig fam*) he did not escape unscathed; **etw an (bei) den ~en herbeiziehen** [*o* **-zerren**] (*fig*) drag s.th. in by the head and shoulders; **jdn an den ~en ziehen** pull someone's hair; **um ein ~** (*fig: beinahe*) within a hair's breadth; **man hat ihr kein ~ gekrümmt** (*fig*) they didn't harm a hair of her head; **kein gutes ~ an jdm lassen** (*fig*) pick [*o* pull] s.o. to pieces; **mir standen die ~e zu Berge** (*fig fam*) my hair stood on end; **sich in die ~e geraten** (*fig fam: handgreiflich werden*) come to blows; (*sich streiten*) pick a quarrel (with each other); **sich ständig in den ~en liegen** (*fig fam*) be constantly quarrel(l)ing; **sich die ~e schneiden lassen** have one's hair cut; **sich über etw keine grauen ~e wachsen lassen** (*fig fam*) not lose any sleep over s.th.; **ein ~ in der Suppe finden** (*fig fam*) find s.th. to quibble about; **um kein ~ besser** (*fig*) not a whit better; **Haar•aus•fall** *m* loss of hair; **Haar•bürs•te** *f* hairbrush

haa•ren ['haːrən] *itr* **1.** (*von Tieren*) lose it's hair **2.** (*von Stoff o Pelz*) shed (hairs)

Haa•res•brei•te ['--'--] *f:* **um ~** by a hair's breadth; **nicht um ~** (*weichen etc*) not an inch; **Haar•far•be** *f* colour of hair; **Haar•fes•ti•ger** *m* (hair) setting lotion; **haar•ge•nau** ['--'-] **I.** *adj* exact to a T, meticulous **II.** *adv* to a hair [*o* T]

haa•rig ['haːrɪç] *adj* **1.** (*behaart, a. fig fam: heikel*) hairy **2.** (*fig fam: schlimm*) nasty

Haar•klam•mer *f* hairgrip *Br,* bobby pin *Am*

haar•klein ['-'-] *adv* (*fig fam*) minutely, to the last detail

Haar•lack *m* hair lacquer; **Haar•na•del** *f* hairpin; **Haar•na•del•ku•rve** *f* (MOT) hairpin bend; **Haar•netz** *n* hairnet

haar•scharf ['-'-] **I.** *adj* **1.** (*Gedächtnis, Konturen*) very sharp **2.** (*Wiedergabe*) exact **II.** *adv* (*fam*) by a hair's breadth

Haar•schnei•der *m* **1.** (*Gerät*) (electric) clippers *pl* **2.** (*Friseur*) barber; **Haar•schnitt** *m* haircut; **Haar•spal•te•rei** ['----'-] *f* (*pej*) hair-splitting; **Haar•span•ge** *f* hair slide; **Haar•spray** *m* hair lacquer [*o* spray]; **Haar•spü•lung** *f* hair conditioner, hair rinse; **haar•sträu•bend** *adj* hair-raising; (*unverschämt*) shocking; **Haar•teil** *n* hair- piece; **Haar•tö•ner** <-s, -> *m* hair-tinting-lotion; **Haar•trock•ner** *m* (*Föhn, Trockenhaube*) hair-dryer; **Haar•wasch•mit•tel** *n* shampoo; **Haar•was•ser** *n* hair lotion; **Haar•wild** *n* game animals *pl;* **Haar•wuchs** *m* growth of hair; **Haar•wuchs•mit•tel** *n* hair restorer; **Haar•wur•zel** *f* root of a [*o* the] hair

Hab [haːp] *n:* **mit ~ und Gut** with all one's belongings *pl;* **Ha•be** ['haːbə] <-> *f* (*Besitz*) goods, possessions *pl;* (*persönliche ~*) belongings *pl;* **Ha•ben** <-> *n* (COM) credit (side)

ha•ben ['haːbən] **I.** *irr tr* have; (*fam*) have got; **noch zu ~** still to be had; (*fam: noch nicht verheiratet*) still single; **für etw zu ~ sein** be keen on s.th.; **dafür bin ich nicht zu ~** (*darauf bin ich nicht scharf*) I'm not keen on that; (*da mache ich nicht mit*) I won't lend myself to that; **das ~ Sie davon!** that'll teach you!; **es hat nichts auf sich** that's not important; **es hat's in sich** it has hidden depths *pl;* **ich kann das eben nicht ~** (*fam*) leiden, I just can't stand it; **ich hab's!** I've got it!; **Eile ~, es eilig ~** be in a hurry; **gute Laune ~** be in a good mood; **e-e Erkältung ~** have (got) a cold; **etw fertig ~** have finished s.th.; **jdn zum Freund ~** have s.o. for a friend; **gern ~** be fond of, like; **du kannst mich mal gern ~!** (*fam*) I don't give a damn!; **es gut (schlecht) ~** be lucky (unlucky), be fortunate (unfortunate); **lieber ~** prefer; **nötig ~** need; **recht ~** be right; **unrecht ~** be wrong; **die Wahl ~** have the choice; **etw ~ wollen** (*verlangen*) ask for s.th.; (*wünschen*) desire, want s.th.; **er hat's ja!** (*fam*) he's got what it takes!; **wir ~ heute schlechtes Wetter** it's bad weather today; **jetzt ~ wir Winter** it's winter now; **den Wievielten ~ wir heute?** what's the date today?; **zu tun ~** (*beschäftigt sein*) be busy; **etw zu tun ~ mit ...** have s.th. to do with

…; **was ~ Sie?** what's the matter with you?; **das ~ wir gleich!** (*fam*) we'll have that fixed in a jiffy!; **da ~ Sie's!** (*fam*) there you are!; **bei sich ~** have about; **etw (nichts) gegen jdn (etw) ~** have s.th. (nothing) against s.o. (s.th.); **unter sich ~** be in charge of …; **es hat seine Richtigkeit** it is quite correct; **aber davon habe ich nichts** but I don't get anything out of that; **was hat es damit auf sich?** what's this all about?; **etw von e-m … (an sich) ~** be a bit of a … **II.** *refl* (*fam*): **~ Sie sich nicht so (deswegen)!** don't make such a fuss (about that)!; **und damit hat sich's!** and that's that!; **hat sich was!** that's off!

Ha•be•nichts <-(es), -e> *m* (*pej*) have-not

hab•gie•rig *adj* covetous, greedy

hab•haft *adj:* **~ werden** get hold (*jds* of s.o, *e-r Sache* of s.th.)

Ha•bicht ['ha:bɪçt] <-s, -e> *m* (ORN) hawk

Hab•se•lig•keiten *pl* (few) personal belongings [*o* effects] *pl*

Hab•sucht *f* covetousness, greed(iness); **hab•süch•tig** *adj* covetous, greedy

Hack•bra•ten *m roasted minced meat loaf*

Ha•cke[1] ['hakə] <-, -n> *f* (*anat*) heel

Ha•cke[2] *f* (*Gerät*) hoe; (*Picke*) pick(axe); **ha•cken** ['hakən] **I.** *tr* **1.** (*Holz*) chop; (*Fleisch*) mince *Br,* grind *Am* **2.** (*Feld, Garten*) hoe **3.** (*mit Spitzhacke*) hack; **klein ~**[RR] chop up small **II.** *itr* **1.** (*picken*) peck (*nach jdm* at s.o.) **2.** (EDV) hack

Ha•cker(in) ['hakɐ] <-s, -> *m(f)* (EDV) hacker

Hack•fleisch *n* minced meat *Br,* ground meat *Am;* **~ aus jdm machen** (*fig sl*) make mincemeat of s.o.; **Hack•klotz** *m* chopping block; **Hack•ord•nung** *f* (*a. fig*) pecking order

Häck•sel ['hɛksəl] <-s> *m o n* chaff

Ha•der ['ha:dɐ] <-s, (-)> *m* **1.** (*Zank*) dispute **2.** (*Zwist*) discord; **in ~ mit sich und der Welt leben** be at odds with o.s. and the world; **ha•dern** *itr* quarrel, wrangle (*mit* with, *über* over)

HDTV *Abk. von* **High Definition Television** HDTV

Ha•fen ['ha:fen, *pl:* 'hɛ:fən] <-s, ⸚> *m* **1.** (MAR) harbour, port **2.** (*fig: sicherer Ort*) haven; **aus e-m ~ auslaufen** leave a harbour; **in e-n ~ einlaufen** enter a harbour; **Ha•fen•an•la•gen** *pl* (*Docks*) docks; (*Hafeneinrichtungen*) port facilities; **Ha•fen•ar•bei•ter(in)** *m(f)* docker *Br,* longshoreman (longshorewoman) *Am;* **Ha•fen•be•hör•den** *fpl* port authorities; **Ha•fen•ein•fahrt** *f* harbour entrance; **Ha•fen•ge•büh•ren** *pl* harbour-dues; **Ha•fen•knei•pe** *f* (*fam*) dockland pub *Br,* dockland bar *Am;* **Ha•fen•rund•fahrt** *f* conducted boat tour of the harbour; **Ha•fen•spei•cher** *m* entrepôt; **Ha•fen•stadt** *f* port; (*am Meer*) seaport

Ha•fer ['ha:fɐ] <-s> *m* (BOT) oats *pl;* **ihn sticht der ~** (*fig fam*) he's feeling his oats; **Ha•fer•flo•cken** *fpl* rolled oats

Haft [haft] <-> *f* **1.** (*~strafe*) imprisonment **2.** (*vor dem Prozess*) custody; **in ~** in prison [*o* custody]; **aus der ~ entlassen** release from prison [*o* custody]; **in ~ nehmen** take into custody

haft•bar *adj* (legally) responsible [*o* liable] (*für jdn* for s.o., *o für etw* for s.th.); **~ machen** make [*o* hold] liable

Haft•be•fehl *m* warrant of arrest

haf•ten ['haftən] *itr* **1.** (*an etw kleben*) adhere, stick (*an* to) **2.** (*haftbar sein*) be liable [*o* responsible] (*für* for, *jdm* to s.o.); **an etw ~ blei•ben**[RR] stick to sth; **haf•ten|blei•ben** *s.* **haften**

Häft•ling ['hɛftlɪŋ] <-s, -e> *m* prisoner

Haft•no•tiz *f* self-adhesive note

Haft•pflicht *f* (JUR: *Schadenersatzpflicht*) liability (*für* for); **Haft•pflicht•ver•si•che•rung** *f* **1.** (JUR) personal liability insurance *Br,* public liability insurance *Am* **2.** (MOT) third-party insurance

Haft•pul•ver *n* (*für Gebiss*) denture fixative; **Haft•rei•fen** *m* (MOT) traction tyre *Br,* traction tire *Am;* **Haft•scha•len** *pl* (OPT) contact lenses; **Haf•tung** *f* **1.** (JUR: *Schadenersatz*) liability; (*Verantwortung für Personen*) responsibility **2.** (PHYS TECH) adhesion; **beschränkte ~** limited liability; **für Garderobe wird keine ~ übernommen** all articles are left at owner's risk !; **Haf•tungs•be•schrän•kung** *f* (JUR) limitation of liability; **Haft•ver•kür•zung** *f* shortened sentence

Hag <-s *o* -e> *m* (*CH: Hecke*) hedge

Ha•ge•but•te ['ha:gəbʊtə] <-, -n> *f* (BOT) hip

Ha•gel ['ha:gəl] <-s> *m* **1.** (*allgemein*) hail **2.** (*fig: von Steinen etc*) shower **3.** (*fig: von Vorwürfen etc*) stream; **Ha•gel•korn** *n* hailstone; **ha•geln** ['ha:gəln] *tr haben o sein* (*a. fig*) hail; **es hagelt** it's hailing; **Schläge hagelten auf ihn** [*o* **es hagelte Schläge auf ihn**] the blows hailed down on him; **Ha•gel•scha•den** *m* damage (done) by hail; **Ha•gel•schau•er** *m* hailstorm

ha•ger ['ha:gɐ] *adj* **1.** (*schlank*) lean, thin **2.** (*abgezehrt*) emaciated; (*ausgemergelt*) gaunt

ha•ha [ha'ha(:)] *interj* (*Lachen*) haha!; (*triumphierend*) aha!

Hä•her ['hɛ:ɐ] <-s, -> *m* (ORN) jay

Hahn[1] [ha:n, *pl:* 'hɛ:nə] <-(e)s, ⸚e> *m* **1.** (*Ablass~*) tap *Br,* faucet *Am;* (*Sperr~*) stopcock **2.** (*Zapf~*) spigot **3.** (*am Gewehr*) hammer; **den ~ spannen** cock the gun; **den ~ aufdrehen** turn on the tap

Hahn² *m* (ZOO) cock *Br*, rooster *Am*; **~ im Korb sein** (*fig*) be the cock of the walk; **es kräht kein ~ danach** (*fig fam*) nobody cares a hoot about it; **Hah•nen•fuß** *m* (BOT) crowfoot; **Hah•nen•schrei** *m* cock-crow; **beim ersten ~** at cockcrow; **Hah•nen•tritt** *m* tread

Hai [haɪ] <-(e)s, -e> *m* (*a. fig*) shark

Hain [haɪn] <-(e)s, -e> *m* (*poet*) grove

Hai•ti [ha'i:ti] *n* Haiti; **Ha•i•ti•a•ner(in)** <-s, -> *m(f)* Haitian; **ha•i•ti•a•nisch** *adj* Haitian

hä•keln ['hɛ:kəln] *tr itr* crochet; **Hä•kel•na•del** *f* crochet hook

Ha•ken ['ha:kən] <-s, -> *m* **1.** (*allgemein, a.* SPORT) hook; (*aus Holz*) peg **2.** (*Zeichen*) tick *Br*, check *Am* **3.** (*fig fam: Schwierigkeit*) catch, snag; **jdm e-n ~ versetzen** deal s.o. a hook; **die Sache hat e-n ~** (*fig fam*) there's a catch in it; **Ha•ken•kreuz** *n* swastika; **Ha•ken•na•se** *f* hooked nose

halb [halp] **I.** *adj* (*a. fig*) half; (*in Zusammensetzungen*) half-; (*vor allem tech*) semi-; **los, wir machen ~e-~e!** (*fam*) come on, let's go halves!; **nichts H~es u. nichts Ganzes** neither one thing nor the other; **es ist ~ eins** it is half past twelve; **mit ~em Herzen** half-heartedly; **zum ~en Preis** at half the price; **e-e ~e Stunde** half an hour; **das ist nur die ~e Wahrheit** that is only half the truth; **jdm auf ~em Wege entgegenkommen** (*fig*) meet s.o. halfway; **wir machen keine ~en Sachen** we don't do things by halves; **e-e ~e Note** (MUS) a half note; **ein ~er Ton** (MUS) a semitone; **noch ein ~es Kind sein** be scarcely more than a child; **ich fühle mich wie ein ~er Mensch** I feel half dead **II.** *adv* **1.** (*zur Hälfte, a. teilweise*) half **2.** (*beinahe*) almost; **~ so viel** half as much; **das ist doch ~ so schlimm** (*fam*) it's not that bad; **~ fertig**[RR] semi-finished; **~ nackt**[RR] half-naked; **~ offen**[RR] half-open; **halb tot**[RR] half-dead; **~ voll**[RR] half-full; **halb•amt•lich** *adj* semiofficial; **halb•au•to•ma•tisch** *adj* semiautomatic; **Halb•bru•der** *m* half-brother; **Halb•dun•kel** *n* **1.** semi-darkness **2.** (*Zwielicht*) twilight

hal•ber ['halbɐ] *präp* **1.** (*um ... willen*) for the sake of ... **2.** (*wegen*) on account of

Halb•er•zeug•nis *n*, **Halb•fa•bri•kat** *n* (COM) semifinished product; **halb•fer•tig** *adj s.* **halb**; **halb•flüs•sig** *adj* semifluid; **Halb•gott** *m* (*a. fig*) demigod; **Halb•heit** *f* half-measure; **keine ~en bitte!** please don't do things by halves [*o* half-measures]

hal•bie•ren [hal'bi:rən] *tr* **1.** (*allgemein*) halve **2.** (*zerschneiden*) cut in halves **3.** (MATH) bisect; **Hal•bie•rung** *f* **1.** (*allgemein*) halving **2.** (MATH) bisection

Halb•in•sel *f* peninsula; **Halb•jahr** *n* half-year, six months *pl*; **Halb•jah•res•abon•ne•ment** *n* semi-annual subscription; **Halb•jah•res•be•richt** *m* semi-annual report; **halb•jäh•rig** *adj* **1.** (*ein halbes Jahr alt*) six-month-old **2.** (*ein halbes Jahr dauernd*) six month; **halb•jähr•lich I.** *adj* half-yearly *Br*, semiannual *Am* **II.** *adv* every six months; **Halb•kreis** *m* semicircle; **Halb•ku•gel** *f* hemisphere; **halb•laut I.** *adj* low **II.** *adv* in an undertone; **Halb•lei•ter** *m* (EL PHYS) semiconductor; **halb•mast** *adv* (*a. fam hum*) half- mast; **auf ~** at half-mast; **Halb•mond** *m* **1.** (ASTR) half-moon **2.** (POL: *Wappen*) crescent; **halb•nackt** *adj s.* **halb**; **halb•of•fen** *adj s.* **halb**; **Halb•pen•si•on** *f* half-board; **halb•rund** *adj* semicircular; **Halb•schat•ten** *m* **1.** (*Halbdunkel*) half shadow **2.** (ASTR) penumbra; **Halb•schrit(t•)tas•te** *f* condensed key, half-space key; **Halb•schuh** *m* shoe; **Halb•schwer•ge•wicht** *n* (SPORT: *Boxen*) light-heavyweight; **Halb•schwes•ter** *f* half-sister; **halb•tags** *adj*: **~ arbeiten** work part-time; **Halb•tags•ar•beit** *f* part-time job; **halb•tot** *adj s.* **halb**; **halb•voll** *adj s.* **halb**

halb•wegs ['halpve:ks] *adv* (*fig*) **1.** (*teilweise*) partly **2.** (*ein bisschen*) a bit

Halb•welt *f* demimonde; **Halb•werts•zeit** *f* (PHYS CHEM) half-life (period); **Halb•wüch•si•ge(r)** *f m* adolescent; **Halb•zeit** *f* (SPORT) **1.** (*Spielhälfte*) half **2.** (*Pause*) half-time

Hal•de ['haldə] <-, -n> *f* **1.** (*Schutt~*) waste dump **2.** (MIN: *Kohlen~*) pithead stocks *pl*; (*Schlacken~*) slagheap

Hälf•te ['hɛlftə] <-, -n> *f* **1.** (*halber Teil*) half **2.** (*Mitte*) middle; **bis zur ~** (*Mitte*) to the middle; **um die ~** by half; **um die ~ mehr** half as much again; **meine bessere ~** (*fam hum*) my better half; **mehr als die ~** more than half

Hal•le ['halə] <-, -n> *f* **1.** (*großer Raum*) hall **2.** (*Vor~*) vestibule **3.** (*Fabrik~*) shed **4.** (*Hotel~*) lobby, lounge **5.** (SPORT) gym(nasium); **in der ~** (SPORT ETC.) indoors

hal•len ['halən] *itr* (re)sound; (*wider~*) reverberate

Hal•len•bad *n* indoor swimming pool

hal•lo [ha'lo:/'halo] *interj* hello!

Hal•lu•zi•na•ti•on *f* hallucination

Halm [halm] <-(e)s, -e> *m* (BOT: *Stengel*) stalk, stem; (*Gras~*) blade; (*Stroh~*) straw

Ha•lo•gen•bir•ne *f* halogen bulb; **Ha•lo•gen•schein•wer•fer** [halo'ge:n-] *m* (MOT) halogen headlight

Hals [hals, *pl:* 'hɛlzə] <-es, ⸚e> *m* **1.** (*Nack-*

en) neck **2.** (*Kehle*) throat **3.** (*Flaschen~*) neck; **ich habe es im ~** I have a sore throat; **steifer ~** stiff neck; **aus vollem ~e lachen** roar with laughter; **sich den ~ brechen** break one's neck; **jdm den ~ brechen** break someone's neck; **das wird ihm den ~ brechen!** (*fig*) that will cost him his neck!; **jdm um den ~ fallen** fling one's arms around someone's neck; **sich etw auf den ~ laden** (*fig fam*) saddle o.s. with s.th.; **jdn auf dem ~e haben** (*fig fam*) be saddled with s.o.; **das hängt mir zum ~ heraus** (*fig fam*) I am sick and tired of that; **sie hat es in den falschen ~ bekommen** (*fig fam*) she took it the wrong way; **sich jdn (etw) vom ~ schaffen** (*fig fam*) get s.o. (s.th.) off one's back; **bis an den ~ in Schulden stecken** (*fig fam*) be in debt up to one's ears; **sich den ~ nach jdm (etw) verrenken** (*fig fam*) crane one's neck to see s.o. (s.th.); **~ über Kopf** in a rush; **~- und Beinbruch!** (*fam*) break a leg!; **sich jdm an den ~ werfen** (*fig fam*) throw o.s. at s.o.; **du kannst den ~ auch nie voll kriegen!** (*fig fam*) really, you're never satisfied!; **Hals•ab•schnei•der** *m* (*fig fam*) cutthroat; **Hals•band** *n* (*von Hund*) collar; **hals•bre•che•risch** *adj* **1.** (*Tempo*) breakneck **2.** (*riskant*) daredevil; **Hals•ent•zün•dung** *f* sore throat; **Hals•ket•te** *f* **1.** (*Schmuck*) necklace **2.** (*für Hund*) collar; **Hals•krau•se** *f* ruff; **Hals•schlag•ader** *f* (MED) carotid (artery); **Hals•schmer•zen** *pl* sore throat; **hals•star•rig** *adj* **1.** (*verstockt*) obstinate, stubborn **2.** (*eigensinnig*) wilful *Br,* stiff-necked *Am;* **Hals•star•rig•keit** *f* **1.** (*Verstocktheit*) obstinacy, stubbornness **2.** (*Eigensinn*) wilfulness *Br,* stiff-neckedness *Am;* **Hals•tuch** *n* **1.** (*zum Schmuck*) neckerchief **2.** (*Schal*) scarf; **Hals•wir•bel** *m* (ANAT) cervical vertebra; **Hals•wir•bel•säu•le** *f* cervical vertebra

Halt [halt] <-(e)s, -e> *m* **1.** (*für Füße etc, Festigkeit*) hold; (*Stütze, a. fig*) support; (*fig: innerer ~*) stability **2.** (*Anhalten, Aufenthalt*) halt, stop; **ohne ~** non- stop; **ohne jeden ~** (*fig*) without any backbone; **jdm ein ~ sein** be a support for s.o.; **~ machen**^RR (make a) stop; **vor nichts ~ machen**^RR stop at nothing

halt¹ *interj* stop!; (*fam*) hold on!; (MIL) halt!

halt² *adv* (*fam: nun einmal*) just, simply; **das ist ~ so** that's just the way it is

halt•bar *adj* **1.** (*Position, Behauptung etc*) tenable; (*Zustand*) tolerable **2.** (*dauerhaft*) durable; (*Farbe*) fast, permanent **3.** (*stabil*) solid, strong **4.** (SPORT: *Bälle*) stoppable; (*Tore*) avoidable **5.** (*Lebensmittel*): **nur begrenzt ~** perishable; **~ machen** (*Früchte etc*) preserve; **~ sein** (*Lebensmittel*) keep (well); **Ihre Theorie ist wirklich nicht ~** you really can't maintain your theory; **Halt•bar•keit** *f* **1.** (*von Position etc*) tenability; (*von Zustand*) tolerability **2.** (*Dauerhaftigkeit*) durability; (*von Farbe*) fastness **3.** (*Festigkeit, Stabilität*) solidity **4.** (*von Lebensmitteln*) shelf life (of a product); **begrenzte ~** perishability; **Halt•bar•keits•da•tum** *n* eat-by date; **Halt•bar•ma•chung** *f* preservation; **Hal•te•griff** *m* grab handle

hal•ten ['haltən] **I.** *irr tr* **1.** (*fest~, zurück~*) hold **2.** (*aufrechter~, beibe~*) maintain **3.** (*be~*) keep; (*Rekord, Position etc*) hold **4.** (*beschäftigen, besitzen, unter~*) keep **5.** (*tragen, stützen*) hold up, support **6.** (SPORT: *Torschuss*) save **7.** (*ein~, erfüllen*) keep **8.** (*erachten, einschätzen*) think (*jdn für etw* s.o. (to be) s.th.) **9.** (*ab~, veranstalten*) hold; **e-e Rede (Vorlesung) ~** give a speech (lecture); **Ruhe (Ordnung) ~** keep quiet (order); **halt den Mund!** (*fam*) button your lip! shut up!; **jdn unter Kontrolle ~** keep s.o. in order; **wenn er betrunken ist, ist er nicht zu ~** (*fig*) when he's drunk there's no holding him; **etw ans [*o* gegen das] Licht ~** hold s.th. up to the light; **es gelang ihnen nicht(,) ihre Angestellten zu ~** they did not succeed in holding their employees; **etw für wahr (falsch) ~** hold s.th. to be true (false); **was ~ Sie von dem Film?** how do you rate the film?; **mit jdm Verbindung ~** keep in touch with s.o.; **wofür ~ Sie mich eigentlich?** really, what do you take me for?; **was ~ Sie von ihm?** what do you think of him?; **ich halte nicht viel von ihm** I don't think much of him; **jdm die Treue ~** remain faithful to s.o.; **jdn zum Besten ~**^RR make fun of s.o.; **jdn auf dem Laufenden ~**^RR keep s.o. posted; **fest ~**^RR (*mit Kraft festhalten*) hold tight **II.** *itr* **1.** (*fest~, stand~, haften*) hold **2.** (*an~*) stop **3.** (*in e-m Zustand er~*) keep **4.** (*bestehen bleiben, dauern, haltbar sein*) last; (*Lebensmittel*) keep; (*Stoffe*) wear well **5.** (SPORT: *als Torwart*) make a save, make saves; **Jogging hält fit** jogging keeps you fit; **X hat gestern fantastisch gehalten** (SPORT) X made phantastic saves yesterday; **zu jdm ~** stand by s.o.; **an sich ~** contain o.s. **III.** *refl* **1.** (*Nahrungsmittel, Blumen etc*) keep **2.** (*sich behaupten*) last, stay; (*im Kampf etc*) hold out **3.** (*sich wenden an*) turn (*an jdn* to s.o.) **4.** (*für klug, etw Besonderes etc*) think o.s. (*für etw* (to be) s.th.); **sich an die Tatsachen ~** keep to the facts; **sich an die Vorschriften ~** observe the regulations; **sie hat sich gut gehalten** (*in e-m Spiel, bei e-r

Anstrengung etc) she did well; (*fam: sie sieht immer noch gut aus*) she's well-preserved; **sich an ein Versprechen** ~ keep a promise; **sich gerade** ~ hold o.s. upright; **sich links** (**rechts**) ~ keep (to the) left (right); **sich an das Althergebrachte** ~ stay with [*o* stick to] tradition; **der Film hält sich streng an den Roman** the film sticks closely to the novel; **sich an die Spielregeln** ~ play the game; **Hal•te•stel•le** *f* (*Bus~*) stop; (RAIL) station; **Hal•te•ver•bot** *n* (MOT) ban on stopping; no stopping; (*Bereich*) no stopping zone

halt•los *adj* **1.** (*schwach*) unstable, unsteady **2.** (*hemmungslos*) unre·strained **3.** (*unbegründet*) unfounded; **Halt•lo•sig•keit** *f* **1.** (*Schwäche*) instability, unsteadiness **2.** (*Hemmungslosigkeit*) lack of restraint **3.** (*Unbegründetheit*) unfoundedness

halt|ma•chen *itr s.* **Halt**

Hal•tung *f* **1.** (*Körper~*) posture **2.** (*fig*) attitude; (*Auftreten a.*) bearing **3.** (*fig: inneres Gleichgewicht*) composure **4.** (*fig: Einstellung*) attitude; ~; **annehmen** (MIL) stand to attention; **er bewahrt immer** ~ he always maintains his composure; **e-e andere** ~ **annehmen** change one's position

Ha•lun•ke [ha'lʊŋkə] <-n, -n> *m* **1.** (*Schuft*) scoundrel **2.** (*hum*) rascal, scamp

hä•misch ['hɛːmɪʃ] *adj* malicious, rancorous, spiteful; **~es Lächeln** sardonic smile, sneer; **sich** ~ **über etw freuen** gloat over s.th.

Ham•mel ['haməl] <-s, -> *m* **1.** (ZOO) wether **2.** (*Fleisch*) mutton **3.** (*fig fam: Dummkopf*) muttonhead; **Ham•mel•bra•ten** *m* roast mutton; **Ham•mel•fleisch** *n* mutton; **Ham•mel•keu•le** *f* leg of mutton; **Ham•mel•ko•te•lett** *n* mutton chop

Ham•mer ['hamɐ, *pl:* 'hɛmɐ] <-s, ¨> *m* **1.** (*a.* SPORT, ANAT) hammer; (*Holz~*) mallet **2.** (*sl: schwerer Schnitzer*) howler; **du hast wohl 'n ~!** (*sl*) you must be round the bend!; **das ist ja 'n ~!** (*sl: toll*) that's fantastic!; **unter den** ~ **bringen** (*versteigern*) auction off, bring to the hammer

häm•mern ['hɛmɐn] *tr itr* **1.** (*a. fig*) hammer **2.** (*Blut, Herz, Puls*) pound

Hä•mor•rho•i•den [hɛmɔro'iːdən] *pl,* **Hä•mor•ri•den**RR *pl* (MED) h(a)emorrhoids

Ham•pel•mann ['hampəlman] <-(e)s, ¨er> *m* **1.** (*Spielzeug*) jumping jack **2.** (*fig: zappelige Person*) fidget **3.** (*fig fam: willensschwache Person*) puppet

Hams•ter ['hamstɐ] <-s, -> *m* (ZOO) hamster

hams•tern *tr itr* (*speichern*) hoard

Hand [hant, *pl:* 'hɛndə] <-, ¨e> *f* **1.** (*allgemein*) hand; (*in Zusammensetzungen*) manual **2.** (*Schrift*) hand(writing) **3.** (SPORT: *Fußball*): ~**!** hands! *pl;* ~ **u. Fuß haben** (*fig fam*) hold water; **weder** ~ **noch Fuß haben** (*fig fam*) not make sense; **von** ~ by hand; **jdm die** ~ **geben** give s.o. one's hand; **in die ¨e klatschen** clap one's hands; **¨e hoch!** hands up!; **¨e weg!** hands off!; (**bei etw**) **mit** ~ **anlegen** (*helfen*) lend a hand (with s.th.); **letzte** ~ **an etw legen** put the finishing [*o* final] touches to s.th.; ~ **an sich legen** (*sich töten*) take one's own life; **die** ~ **auf etw legen** lay hands on s.th.; **das liegt doch wohl auf der** ~ that's obvious, isn't it?; **jdm freie** ~ **geben** (*fig*) give s.o. a free hand; **bei etw die** ~ **im Spiel haben** have a hand in s.th.; (*fam*) have a finger in the pie; ~ **aufs Herz!** cross your heart!; **etw in die** ~ **nehmen** (*anfassen*) pick s.th. up; (*fig: in Angriff nehmen, übernehmen*) take s.th. in hand; **es lag in ihrer** ~ (*fig*) it was in her hands *pl;* **alle ¨e voll zu tun haben** (*fig*) have one's hands full; **e-e** ~ **wäscht die andere** (*prov*) you scratch my back and I'll scratch yours; **ich wasche meine ¨e in Unschuld** I wash my hands of it; **entsetzt die ¨e über dem Kopf zusammenschlagen** (*fig*) throw up one's hands in horror; **anhand von ...** by means of ...; **von der** ~ **in den Mund leben** live from hand to mouth; **in festen ¨en sein** be spoken for; **etw aus erster** ~ **wissen** know s.th. first hand; **ein Fahrrad aus erster** ~ a first-hand bike; **etw bei der** [*o* **zur**] ~ **haben** have s.th. to hand; (*fig: Ausrede, Erklärung etc*) have s.th. ready; **stets mit e-r Antwort bei der** ~ **sein** never be at a loss for a reply; **jdn bei der** ~ **nehmen** take s.o. by the hand; **die Situation fest in der** ~ **haben** have the situation well in hand; ~ **in** ~ hand in hand; **sich in der** ~ **haben** (*fig*) have o.s. under control; **er hat es in der** ~**, ob ...** (*fig*) it's up to him whether ...; **mit beiden ¨en zugreifen** (*fig*) grasp an opportunity with both hands; **sich mit ¨en u. Füßen gegen etw wehren** fight s.th. tooth and nail; **die Arbeit geht ihm leicht von der** ~ he finds the work easy (to do); **von langer** ~ **vorbereiten** (*fig*) prepare long before; **es lässt sich nicht von der** ~ **weisen, dass ...** (*fig*) it cannot be denied that ...; **zu ¨en von ...** (*bei Briefen*) (for the) attention of ...; **das ist bei mir in guten ¨en** that's in good hands with me; **dem Feind in die ¨e fallen** fall into the hands of the enemy; ~**voll**RR handful

Hand•ar•beit *f* **1.** (*nicht Maschinenarbeit*) hand(i)work; (*kunsthandwerklich*) handicraft **2.** (*nicht Kopfarbeit*) manual work **3.**

(*Nähen, Stricken, Häkeln etc*) needlework **4.** (*Unterrichtsfach*) classes in sewing and needlework; **dieser Tisch ist ~** this table is handmade; **Hand•ball** *m* (SPORT: *Spiel*) (European) handball; **Hand•be•we•gung** *f* **1.** movement [*o* sweep] of the hand **2.** (*Geste*) gesture; **Hand•bi•blio•thek** *f* reference library; **Hand•brem•se** *f* (MOT) handbrake; **Hand•buch** *n* **1.** (*allgemein*) handbook, manual **2.** (*Führer*) guide **3.** (*Kompendium*) compendium

Händ•chen ['hɛntçən] *n* little hand; **~ halten** hold hands

Hän•de•druck <-(e)s, ⸚e> *m* handshake

Han•del ['handəl] <-s> *m* **1.** (*das ~n, Warenverkehr*) trade (*mit Ware* in, *mit Partner* with) **2.** (*Geschäft*) deal **3.** (*Wirtschaftszweig*) commerce; **etw in den ~ bringen** put s.th. on the market; **etw aus dem ~ ziehen** take s.th. off the market; **~ treiben** trade (*mit jdm* with s.o.)

Han•deln *n* **1.** (*Handeltreiben*) trading **2.** (*Feilschen*) haggling **3.** (*Tätigwerden o -sein*) action; (*Verhalten*) behaviour

han•deln ['handəln] **I.** *itr* **1.** (*agieren, tätig werden o sein*) act; (*sich verhalten*) behave **2.** (*von etw ~, zum Gegenstand haben*) deal (*von, über* with) **3.** (*feilschen*) haggle (*um* about, over) **4.** (*fig: ver~*) negotiate (*um* about) **5.** (*Handel treiben*) trade (*mit* in); **rechtswidrig ~** act unlawfully; **lässt er wohl mit sich ~?** do you think he'll be open to persuasion? **II.** *tr:* **an der Börse gehandelt werden** be quoted **III.** *refl:* **es handelt sich um ...** it is a matter of ..., it concerns ...; **worum handelt es sich?** what's it about?; **darum handelt es sich nicht** that is not the issue

Han•dels•ab•kom•men *n* trade agreement; **Han•dels•a•ka•de•mie** *f* (*österr*) commercial college; **Han•dels•ar•ti•kel** *m* commodity; **Han•dels•bank** *f* commercial bank *Br,* investment banking house *Am;* **Han•dels•be•zie•hun•gen** *fpl* commercial [*o* trade] relations; **~ unterhalten** maintain trade relations; **Han•dels•bi•lanz** *f* balance of trade; **Han•dels•de•fi•zit** *n* trade deficit

han•dels•ei•nig *adj:* **~ werden** come to terms (*mit jdm* with s.o.)

Han•dels•flot•te *f* merchant [*o* mercantile] fleet; **Han•dels•frei•heit** *f* freedom of trade; **Han•dels•ge•richt** *n* commercial court; **Han•dels•ge•sell•schaft** *f* **1.** (COM) trading company *Br,* business corporation *Am* **2.** (JUR) firm under the mercantile law; **offene ~** general partnership; **Han•dels•ge•setz** *n* (JUR) commercial [*o* mercantile] law; **Han•dels•ge•setz•buch** *n* (JUR) code of commerce; **Han•dels•haus** *n* business house [*o* firm]; **Han•dels•kam•mer** *f* chamber of commerce *Br,* Board of Trade *Am;* **Han•dels•krieg** *m* trade war; **Han•dels•ma•ri•ne** *f* merchant [*o* mercantile] marine; **Han•dels•mar•ke** *f* retail label; **Han•dels•nie•der•las•sung** *f* branch (establishment); **Han•dels•part•ner** *m* trading partner; **Han•dels•recht** *n* (JUR) commercial law; **Han•dels•re•gis•ter** *n* (COM) commercial [*o* trade] register; **Han•dels•schiff** *n* trading ship; **Han•dels•schu•le** *f* commercial school *Br,* business school *Am;* **han•dels•üb•lich** *adj* customary in trade; **Han•dels•ver•trag** *m* trade agreement; **Han•dels•ver•tre•ter(in)** *m(f)* sales representative; **Han•dels•wa•ren** *fpl* commodities, merchandise *sing;* **Han•dels•zen•trum** *n* trading [*o* trade] centre; **Han•dels•zweig** *m* branch (of trade); **Han•del•trei•ben•de(r)** *f m* trader

hän•de•rin•gend *adv* **1.** wringing one's hands **2.** (*fig: inständig*) imploringly

Hand•fe•ger *m* brush; **Hand•fer•tig•keit** *f* (*Geschick*) dexterity; **hand•fest** *adj* **1.** (*Kerl*) robust, strong **2.** (*Schlägerei etc*) violent **3.** (*fig: Beweis etc*) solid; (*Betrug etc*) blatant; **Hand•feu•er•waf•fe** *f* hand gun; **Hand•flä•che** *f* palm; **Hand•funk•ge•rät** *n* Walkie-talkie; **hand•ge•ar•bei•tet** *adj* handmade; **Hand•ge•lenk** *n* wrist; **Hand•ge•men•ge** *n* **1.** (MIL) hand-to-hand fight **2.** (*Schlägerei*) scuffle; **Hand•ge•päck** *n* hand luggage *Br,* hand baggage *Am;* **Hand•ge•rät** *n* (TELE) handset; **hand•ge•schrie•ben** *adj* handwritten; **hand•ge•strickt** *adj* hand-knitted; **Hand•gra•na•te** *f* hand grenade; **hand•greif•lich** *adj* **1.** (*gewalttätig*) violent **2.** (*fig: offensichtlich*) evident, obvious; **~ werden** (*tätlich*) become violent *Br,* get tough *Am;* **Hand•griff** *m* **1.** (*an Tür, Schirm etc*) handle, knob **2.** (*Tätigkeit, Bewegung*) movement; **das ist doch nur ein ~** (*fig*) that only needs a flick of the wrist; **Hand•ha•be** <-, (-n)> *f* **1.** (*a. fig*) handle **2.** (JUR): **gesetzliche ~** legal grounds *pl;* **hand•ha•ben** ['hantha:bən] *tr* **1.** (*Werkzeug, Waffe etc, a. fig*) handle **2.** (*Maschine etc*) operate **3.** (*fig: Methode etc*) apply; **Hand•ha•bung** *f* **1.** (*von Gerät etc*) handling **2.** (TECH: *Bedienung*) operation **3.** (*fig: Anwendung*) application; **Hand•har•mo•ni•ka** *f* (MUS) accordion

hän•disch *adj* (*österr: manuell*) manual

Hand•kar•ren *m* handcart; **Hand•kof•fer** *m* small suitcase; **Hand•kuss**[RR] *m* kiss on the hand; **mit ~** (*fig fam*) gladly [*o* with pleasure]; **Hand•lan•ger(in)** *m(f)* **1.** (*Zuarbeiter*) helper **2.** (*fig: verächtlich*) jackal; (*Komplize*) accomplice

Händ·ler(in) ['hɛndlɐ] *m(f)* **1.** (*Handeltreibende(r)*) trader; dealer **2.** (*Ladeninhaber(in)*) shopkeeper *Br,* storekeeper *Am*

hand·lich ['hantlɪç] *adj* **1.** (*vom Format her*) handy **2.** (*leicht zu handhaben*) manageable

Hand·lung ['handlʊŋ] *f* **1.** (*Vorgehen*) action; (*Tat*) act **2.** (*Geschehen*) action; (*im Drama etc*) plot; **Hand·lungs·be·voll·mäch·tig·te(r)** *f m* **1.** (*Prokurist(in)*) authorized clerk **2.** (*Stellvertreter(in)*) proxy; **hand·lungs·fä·hig** *adj* capable of acting; **Hand·lungs·frei·heit** *f* freedom of action; **Hand·lungs·wei·se** *f* **1.** (*Art u. Weise zu handeln*) manner of acting **2.** (*Verhalten*) behaviour **3.** (*Vorgehen*) procedure

Hand·mehr <-s> *n* (*CH*) show of hands

Hand·or·gel *f* (*CH: Harmonika*) concertina

Hand·pfle·ge *f* manicure; **Hand·rü·cken** *m* back of the hand; **Hand·satz** <-es> *m* (TYP) hand composition; **Hand·schel·le** *f* handcuff; (*fam*) nipper; **Hand·schlag** <-(e)s> *m* (*Händeschütteln*) handshake; **keinen ~ tun** (*fam*) not do a stroke; **Hand·schrift** *f* **1.** handwriting **2.** (*Text*) manuscript **3.** (*fig: Charakterzug, „Markenzeichen"*) (trade)mark; **hand·schrift·lich I.** *adj* (hand)written **II.** *adv* in writing; **Hand·schuh** *m* glove; **Hand·schuh·fach** *n* (MOT) glove compartment; **Hand·stand** *m* (SPORT) handstand; **Hand·ta·sche** *f* (hand)bag *Br,* purse *Am;* **Hand·tel·ler** *m* palm (of the hand); **Hand·tuch** *n* towel; **das ~ werfen** (*beim Boxen, a. fig*) throw in the sponge [*o* towel]; **Hand·um·dre·hen** *n:* **im ~** in a jiffy, in no time; **Hand·voll** *f s.* Hand; **Hand·werk** *n* **1.** (*im Gegensatz zu industrieller Arbeit*) (handi)craft **2.** (*Berufsstand*) trade; **jdm das ~ legen** (*fig*) put a stop to someone's game; **sein ~ verstehen** (*a. fig*) know one's job; **Hand·wer·ker(in)** *m(f)* **1.** (skilled) manual worker **2.** (*Selbständiger, Kunst~*) craftsperson, craftsman (-woman); **Hand·werks·meis·ter(in)** *m(f)* master craftsperson; **Hand·werks·zeug** *n* **1.** (*Werkzeug, Geräte*) tools *pl* **2.** (*fig*) equipment, tools *pl;* **Hand·wur·zel** *f* (ANAT) carpus; **Hand·zeich·nung** *f* **1.** (*Zeichnung aus freier Hand*) freehand drawing **2.** (*Skizze*) sketch; **Hand·zet·tel** *m* flier; handbill; leaflet

ha·ne·bü·chen ['ha:nəby:çən] *adj* (*obs: unglaublich*) incredible

Hanf [hanf] <-(e)s> *m* (BOT) hemp

Hang [haŋ, *pl:* 'hɛŋə] <-(e)s, ⸚e> *m* **1.** (*Abhang*) slope **2.** (*fig: Neigung*) tendency; **e-n ~ zu etw haben** be inclined to do s.th., have a tendency towards s.th.

Hän·ge·brü·cke *f* suspension bridge; **Hän·ge·lam·pe** *f* droplight; **Hän·ge·mat·te** *f* hammock

hän·gen I. *tr* (*Gegenstände, a. Verbrecher auf~*) hang; **sein Herz an etw ~** set one's heart on s.th. **II.** *irr itr* **1.** (*allgemein, a. gehenkt werden*) hang **2.** (*fam: herum~, sich aufhalten*) hang around; **an etw ~** (*an jds Hals, Arm etc, a. fig*) cling to s.th.; (*am Geld etc*) be fond of; **an jdm ~** (*fig: ihn gernhaben*) be fond of s.o.; (*wie e-e Klette*) cling to s.o.; **an jds Lippen ~** (*fig*) hang on someone's every word; **mit H~ u. Würgen** (*fig fam*) by the skin of one's teeth; **an einem Nagel ~ bleiben**[RR] get caught on a nail; **ihr Blick blieb an ihm hängen**[RR] her gaze rested on him; **im Gedächtnis hängen bleiben**[RR] stick in one's memory; **~ bleiben**[RR] (*fam: sitzen bleiben*) repeat a year; **an mir bleibt ja doch wieder alles hängen!** (*fig fam*) I'll be [*o* get] stuck with all that again anyway! **III.** *refl* **1.** hang on (*an etw* to s.th.) **2.** (*fam: sich anschließen*) latch on (*an jdn* to s.o.) **3.** (*fam: verfolgen*) set off in pursuit (*an jdm* of s.o.); (*beschatten*) tail (*an jdn* s.o.); **hän·gen|blei·ben** *s.* hängen; **hän·gend** *adj* **1.** (*baumelnd*) hanging **2.** (*Schultern*) sagging

Hans·dampf [hans'damf] *m* (*fam*): **(ein) ~ in allen Gassen** Jack-of-all-trades

Han·se ['hanzə] <-> *f* (HIST) Hanse, Hanseatic League

hän·seln ['hɛnzəln] *tr* tease

Hans·wurst ['--/-'-] <-(e)s, -e/(⸚e)> *m* buffoon; (*im Zirkus*) clown; **den ~ spielen** fool around; **für andere den ~ machen** do the donkey work for others

Han·tel ['hantəl] <-, -n> *f* (SPORT) dumbbell

han·tie·ren [han'ti:rən] *itr* **1.** (*arbeiten*) work **2.** (*herumbasteln*) be busy, tinker (*an* on) **3.** (*umgehen*) handle (*mit etw* s.th.)

ha·pern ['ha:pɐn] *itr* (*fam*): **es hapert an ...** there's a hitch in ...; **mit der Grammatik hapert es bei ihr** she's weak at grammar; **bei ihm hapert es immer am Geld** he's always short of money

Hap·pen ['hapən] <-s, -> *m* (*fam*) morsel, mouthful

hap·pig *adj* (*fam*) steep; **das ist ganz schön ~** that's a bit much

Hap·py·end[RR] ['hɛpɪɛnt] <-s, -s> *n* happy ending

Hard·li·ner ['ha:dlaɪnɐ] <-s, -> *m* (POL) hardliner

Hardrock[RR] ['ha:drɔk] *m* (MUS) hard rock

Hard·ware ['ha:dɛə] <-, -s> *f* (EDV) hardware

Har·fe ['harfə] <-, -n> *f* (MUS) harp; **~ spielen** play the harp; **etw auf der ~**

spielen play s.th. on the harp

Har•ke ['harkə] <-, -n> *f* rake; **dir werd' ich zeigen, was 'ne ~ ist!** (*fig fam*) I'll show you what's what!; **har•ken** *tr itr* rake

Har•le•kin ['harleki:n] <-s, -e> *m* harlequin

Harm [harm] <-(e)s> *m* (*poet*) **1.** (*Kummer*) grief **2.** (*Kränkung*) harm; **harm•los** *adj* **1.** (*Mensch, Tier etc*) harmless **2.** (*Vergnügen*) innocent **3.** (*Verletzung, Unfall etc*) minor; **Harm•lo•sig•keit** *f* **1.** (*Gutmütigkeit*) harmlessness **2.** (*von Vergnügen*) innocence **3.** (*von Wunde etc*) minor nature

Har•mo•nie [harmo'ni:] *f* (*a. fig*) harmony; **har•mo•nie•ren** *itr* (*a. fig*) harmonize (*mit* with)

Har•mo•ni•ka [har'mo:nika] <-, -s/-ken> *f* **1.** (*Zieh~*) concertina **2.** (*Mund~*) mouth organ

har•mo•nisch *adj* **1.** (MUS) harmonic **2.** (*fig: wohlklingend*) harmonious

Har•mo•ni•um <-s, -nien> *n* (MUS) harmonium

Harn [harn] <-(e)s> *m* (MED) urine; **Harn•bla•se** *f* (ANAT) (urinary) bladder

Har•nisch ['harnɪʃ] <-(e)s, -e> *m* (HIST) armour; **in ~ geraten** (*fig*) fly into a rage (*wegen etw* about s.th.)

Harn•lei•ter *m* ureter; **Harn•röh•re** *f* urethra; **Harn•we•ge** *pl* urinary tract *sing*

Har•pu•ne [har'pu:nə] <-, -n> *f* harpoon; **har•pu•nie•ren** *tr itr* harpoon

har•ren ['harən] *itr* await, wait for (*jds* s.o., *e-r Sache* s.th.)

Harsch [harʃ] <-es> *m* crusted snow

harsch *adj* harsh

hart [hart] <härter, härtest> **I.** *adj* **1.** (*allgemein*) hard **2.** (*Gesichtszüge, Umrisse etc*) sharp **3.** (*widerstandsfähig*) tough; (*rauh*) rough **4.** (*solide, stabil*) stable **5.** (*grausam*) cruel; (*streng*) severe; **ein ~es Herz** (*fig*) a hard heart; **~ gefroren**[RR] frozen solid; **sie ist ~ im Nehmen** (*fam*) she's a tough cookie; **~e Worte** harsh words; **~ zu jdm sein** be hard on s.o.; **~ (gegenüber jdm) bleiben** remain adamant (towards s.o.); **~ werden** (**~ machen**) (*a. fig*) harden **II.** *adv* **1.** (*allgemein*) hard **2.** (*scharf*) sharply **3.** (*rau*) roughly **4.** (*streng*) severely **5.** (*nahe, beinahe*) close (*an* to); **~ arbeiten** work hard; **das mag ~ klingen, aber ...** that may sound harsh, but ...; **jdn ~ anpacken** be hard on s.o.; **der Tod s-r Frau traf ihn ~** his wife's death hit him hard; **~ an der Grenze von** [*o* **zu**] **etw** close to s.th., on the very limits of; **~ gekochtes Ei**[RR] hard-boiled egg

Här•te ['hɛrtə] <-, -n> *f* **1.** (*allgemein*) hardness **2.** (*Schärfe*) sharpness **3.** (*Zähigkeit*) toughness; (*Rauheit*) roughness **4.** (*Strenge*) severity **5.** (*Stabilität*) stability **6.** (*schwere Erträglichkeit*) cruelty, harshness; (*soziale ~*) hardship; **Här•te•fall** *m* hardship case; **Här•te•grad** *m* **1.** (*allgemein*) degree of hardness **2.** (*von Stahl*) temper; **här•ten** *tr itr refl* **1.** (*allgemein, a. fig*) harden **2.** (*Stahl*) temper; **Här•te•test** *m* **1.** endurance test **2.** (*fig*) acid test

Hart•fa•ser•plat•te *f* hardboard *Br*, fiberboard *Am*; **hart•ge•fro•ren** *adj s.* **hart**; **hart•ge•kocht** *adj s.* **hart**; **Hart•geld** *n* hard cash; **hart•ge•sot•ten** *adj* (*fig*) tough, hard-boiled; **hart•her•zig** *adj* hard-hearted; **Hart•her•zig•keit** *f* hard-heartedness; **Hart•holz** *n* hardwood; **hart•nä•ckig** ['hartnɛkɪç] *adj* **1.** (*eigensinnig, stur*) obstinate, stubborn **2.** (*beharrlich*) persistent **3.** (MED: *Krankheit*) refractory; **Hart•nä•ckig•keit** *f* **1.** (*Sturheit*) obstinacy, stubbornness **2.** (*Beharrlichkeit*) persistence **3.** (MED: *e-r Krankheit*) refractoriness

Hart•scha•len•kof•fer *m* hard-top case

Harz [ha:ɐts] <-es, -e> *n* (BOT) resin; **har•zig** *adj* resinous

Hasch [haʃ] <-s> *n* (*fam: Haschisch*) boo, grass, pot, shit

Ha•schee [ha'ʃe:] <-s, -s> *n* (*Hackfleischgericht*) hash

ha•schen[1] ['haʃən] **I.** *tr* **1.** (*obs: fangen*) catch **2.** (*jagen*) chase **II.** *itr* **1.** (*obs: schnappen, greifen*) snatch (*nach* for) **2.** (*fig*) strive (*nach* for); **nach Effekt ~** (*fig*) strain for effect; (THEAT) play to the gallery; **nach Beifall ~** strive for applause

ha•schen[2] *itr* (*fam: Haschisch rauchen*) take hash [*o* pot]

Ha•schisch <-(s)> *n o m* hashish

Ha•se ['ha:zə] <-n, -n> *m* (ZOO) hare; **falscher ~** (*fam*) meat loaf; **sehen, wie der ~ läuft** (*fig fam*) see how the cat jumps; **da liegt der ~ im Pfeffer** there's the rub

Ha•sel•nuss[RR] ['ha:zəlnʊs] *f* (BOT) hazel(nut)

Ha•sen•bra•ten *m* roast hare; **Ha•sen•fuß** *m* (*fig: Feigling*) coward; **Ha•sen•pfef•fer** *m* jugged hare; **Ha•sen•schar•te** *f* (MED) harelip

Hass[RR] [has] <-es> *m* **1.** hate, hatred (*auf, gegen* of, for) **2.** (*fam: Ärger, Wut*) soreness (*auf* at); **sich jds ~ zuziehen** incur someone's hatred; **aus ~ auf ...** out of hatred of ...; **ich habe e-n richtigen ~ auf ihn** (*fam*) I'm really sore at him

has•sen ['hasən] *tr itr* **1.** hate (*wegen* for) **2.** (*verabscheuen*) detest; **has•sens•wert** *adj* hateful, odious; **hass•er•füllt**[RR] *adj* filled with hatred; **jdn ~ ansehen** look daggers at s.o.

häss·lich[RR] ['hɛslɪç] *adj* **1.** (*unschön*) ugly **2.** (*scheußlich*) hideous **3.** (*fig: unangenehm*) unpleasant **4.** (*fig: gemein*) mean, nasty; **Häss·lich·keit[RR]** *f* **1.** (*Unschönheit*) ugliness **2.** (*Scheußlichkeit*) hideousness **3.** (*fig: Unerfreulichkeit*) unpleasantness **4.** (*fig: Gemeinheit*) meanness, nastiness; (*hässliche Bemerkung*) nasty remark

Hast [hast] <-> *f* **1.** (*Eile*) haste, hurry **2.** (*Überstürzung*) precipitation; **in großer ~** in great haste; **has·ten** *sein itr* hasten, hurry; **has·tig** *adj* **1.** (*eilig*) hasty, hurried **2.** (*überstürzt*) precipitate

hät·scheln ['hɛ(:)tʃəln] *tr* **1.** (*liebkosen*) fondle **2.** (*fig: verzärteln*) pamper

Hau·be ['haʊbə] <-, -n> *f* **1.** (*allgemein*) cap, hood **2.** (MOT: *Motor~*) bonnet *Br*, hood *Am* **3.** (ORN: *von Vogel*) crest, tuft; **jdn unter die ~ bringen** (*fam hum*) marry s.o. off; **unter die ~ kommen** (*fam hum*) get spliced

Hauch [haʊx] <-(e)s, (-e)> *m* **1.** (*Atem*) breath; (*Luft~*) breeze; (*kalter*) blast **2.** (*fig: Spur*) hint, touch; **hauch·dünn** ['-'-] *adj* **1.** filmy **2.** (*fig*) wafer-thin; **hau·chen** ['haʊxən] **I.** *itr* breathe; (*blasen*) blow **II.** *tr* (*leise sprechen*) whisper softly; **hauch·zart** ['-'-] *adj* extremely delicate

Hau·de·gen *m* (*fig*) **1.** (POL) old campaigner **2.** (MIL) old warhorse; **Haue** ['haʊə] <-, -n> *f* **1.** (*Hacke*) hoe **2.** (*fam: Prügel*) (good) hiding; **hau·en** **I.** *irr tr itr* **1.** (*Holz, Fleisch*) chop **2.** (MIN: *Steine, Kohle*) break; (*Erz*) cut **3.** (*fam: schlagen, prügeln*) hit **4.** (*fam: schmeißen*) bang, slam; **sein Geld auf den Kopf ~** (*fam*) blow one's money **II.** *refl* (*fam*) **1.** (*sich schlagen*) scrap, fight **2.** (*sich setzen, legen*) fling o.s.; **sich in die Falle ~** (*fam*) hit the sack

Hau·er[1] *m* (ZOO: *Eberzahn*) tusk

Hau·er[2] *m* (MIN: *Bergmann*) hewer

Hau·fen ['haʊfən] <-s, -> *m* **1.** (*allgemein*) heap; (*gleichmäßig*) pile **2.** (*fam: große Anzahl, Menge*) great number **3.** (*Häufung, Ansammlung*) accumulation **4.** (*fam: bunter ~, Menschengruppe etc*) bunch; **ein ~n Arbeit** a load [*o* heap] of work; **über den ~n werfen** (*Pläne etc*) upset; (*Bedenken etc*) throw aside; **jdn über den ~ rennen** send s.o. cartwheeling; **hau·fen·wei·se** *adj* in heaps; **etw ~ haben** have piles of s.th.; **Hau·fen·wol·ke** *f* cumulus (cloud)

häu·fig ['hɔɪfɪç] **I.** *adj* **1.** (*oft vorkommend*) frequent **2.** (*weit verbreitet*) common, widespread **II.** *adv* frequently, often; **Häu·fig·keit** *f* frequency; **Häu·fung** *f* accumulation

Haupt [haʊpt, *pl:* 'hɔɪpte] <-(e)s, ⸚er> *n* **1.** (*Kopf, a. fig*) head **2.** (*in Zusammensetzungen*): ~- chief, main, principal; **mit entblößtem ~** bareheaded; **zu jds ⸚ern** at someone's head *sing;* **das ~ e-r Verschwörung** the mastermind [*o* head] of a conspiracy; **Haupt·ak·tio·när(in)** *m(f)* major shareholder; **Haupt·al·tar** *m* (ECCL) high altar; **Haupt·an·schluss[RR]** *m* (TELE) main extension; **Haupt·auf·ga·be** *f* main [*o* chief] task; **Haupt·au·gen·merk** *n* chief attention; **sein ~ auf etw richten** focus one's special attention on s.th.; **Haupt·bahn·hof** *m* (RAIL) central station; **Haupt·be·din·gung** *f* principal condition; **Haupt·be·ruf** *m* main profession; **haupt·be·ruf·lich** *adv* as one's main occupation; **Haupt·be·stand·teil** *m* **1.** principal ingredient **2.** (*e-r Warensendung*) bulk **3.** (*e-r Mahlzeit*) substantials *pl;* **Haupt·buch** *n* (COM) ledger; **Haupt·dar·stel·ler(in)** *m(f)* (FILM THEAT) principal actor (actress); **mit ... als ~** starring ...; **Haupt·ein·gang** *m* main entrance; **Haupt·fach** *n* main subject; **Haupt·fi·gur** *f* main figure; **Haupt·film** *m* main film; **Haupt·ge·bäu·de** *n* main building; **Haupt·ge·richt** *n* (*Essen*) main course; **Haupt·ge·schäfts·zeit** ['--'--] *f* main business hours *pl;* **Haupt·ge·winn** *m* **1.** (*Erster Preis*) first prize **2.** (*größter Vorteil*) main profit; **Haupt·grund** *m* principal reason; **Haupt·hahn** *m* (*Gas, Wasser*) main tap; **den ~ abdrehen** turn off the mains *pl;* **Haupt·lei·tung** *f* **1.** (EL) mains **2.** (*Gas, Abwasser, Wasser etc*) main pipe

Häupt·ling ['hɔɪptlɪŋ] *m* chief(tain)

Haupt·mahl·zeit *f* chief [*o* main] meal; **Haupt·mann** <-(e)s, -leute> *m* **1.** (MIL) captain; (AERO MIL) flight lieutenant **2.** (*Räuber~*) chieftain; **Haupt·merk·mal** *n* chief characteristic, main feature; **Haupt·nen·ner** *m* (MATH) common denominator; **Haupt·nut·zen** *m* main [*o* primary] benefit; **Haupt·per·son** *f* **1.** (*a. fig*) central figure **2.** (*Schlüsselfigur*) key man [*o* key woman] **3.** (*e-s Romans*) hero, heroine **4.** (FILM THEAT) principal character; **Haupt·post(·amt)** *f* (*n*) Main Post Office; **Haupt·pro·blem** *n* main problem; **Haupt·quar·tier** *n* headquarters *pl*, H.Q.; **Haupt·rol·le** *f* (THEAT FILM) leading role [*o* part]; **die ~ spielen** (FILM) star; (*fig*) be all-important; **mit ... in der ~** starring ...; **Haupt·sache** *f* main point; **das ist die ~** that's all that matters; **in der ~** mainly; **~, es klappt** the main thing is it comes off; **haupt·säch·lich** **I.** *adj* chief, main, principal **II.** *adv* chiefly, mainly, principally; **Haupt·sai·son** *f* high season; **Haupt·satz** *m* **1.** (GRAM) principal clause

2. (MUS) principal (movement) 3. (*e-r wissenschaftl. Theorie*) main proposition; **Haupt•schal•ter** *m* 1. (EL) main switch 2. (*im Postamt etc*) main ticket office; **Haupt•schlag•ader** *f* (MED) aorta; **Haupt•schlüs•sel** *m* master key; **Haupt•schuld** *f* (*a.* JUR) principal fault; **Haupt•schul•di•ge(r)** *f m* (JUR) main offender; **Haupt•sen•de•zeit** *f* prime time; **Haupt•si•che•rung** *f* (EL) main fuse; **Haupt•spei•cher** *m* (EDV) main storage; **Haupt•stadt** *f* capital; **Haupt•stra•ße** *f* 1. (*in der Stadt*) high street *Br,* main street *Am* 2. (*für Fernverkehr*) arterial road *Br,* highway *Am;* **Haupt•tref•fer** *m* (*bei Lotterie*) jackpot, top prize; **Haupt•ur•sa•che** *f* chief cause; **Haupt•ver•hand•lung** *f* (JUR) (actual) trial, main hearing; **Haupt•ver•kehrs•stra•ße** *f* 1. (*in der Stadt*) main street 2. (*Durchgangsstraße*) main thoroughfare 3. (*Städteverbindung*) main highway; **Haupt•ver•kehrs•zeit** *f* rush hours *pl;* **Haupt•ver•samm•lung** *f* 1. (*allgemein*) general meeting 2. (COM: *bei AG*) shareholders' general meeting *Br,* stockholders' general meeting *Am;* **Haupt•ver•wal•tung** *f* (COM) head office; **Haupt•wä•sche** *f,* **Haupt•wasch•gang** *m* main wash; **Haupt•wort** *n* (GRAM) noun

Haus [haʊs, *pl:* 'hɔɪzɐ] <-es, ¨-er> *n* 1. (*allgemein*) house; (*Gebäude*) building; (*Heim*) home 2. (*Fürsten~, Firma, Parlament*) House 3. (THEAT: *Publikum*) house; (*Theatergebäude*) theatre *Br,* theater *Am;* **ein volles ~** (THEAT) a full house; **Herr X ist nicht im ~e** (*nicht im Betrieb*) Mr X is not on the premises *pl,* Mr X is not in; **altes ~** (*fig fam: Freund, Kamerad*) old chum; **Lieferung frei ~** (COM) free delivery; **außer ~ essen** eat out; **das ~ Habsburg** (*fig*) the House of the Habsburgs; **~ an ~ mit jdm wohnen** live next door to s.o.; **aus gutem ~e** from a good family; **~ und Hof** house and home; **der kommt mir nicht ins ~!** I won't have him in the house!; **mit der Tür ins ~ fallen** (*fig*) come straight to the point, blurt s.th. out; **nach ~e** (*a. fig*) home; **jdn nach ~e bringen** see s.o. home; **von ~ aus** (*ursprünglich*) originally; (*von Natur aus*) naturally; **zu ~e** at home; **wieder zu ~e sein** be back home; **in e-r Sache zu ~e sein** (*fig*) be at home in s.th.; **er ist in London zu ~e** his home town is London; **ich fühle mich hier wie zu ~e** I feel at home here; **fühlen Sie sich wie zu ~e!** make yourself at home!; **das ~ hüten** (*zu ~e bleiben*) stay at home; (*sich ums ~ kümmern*) look after the house; **jdm das ~ verbieten** forbid s.o. (to enter) one's house; **ins ~ stehen** be forth-coming; **~ halten**[RR] (*den Haushalt führen*) keep house; (*sparsam wirtschaften*) be economical; **mit s-n Kräften ~ halten**[RR] (*fig*) conserve one's strength *sing;* **mit s-n Kräften nicht ~ halten**[RR] (*fig*) burn the candle at both ends

Haus•ab•fall *m* domestic refuse; **Haus•an•ge•stell•te** *m f* domestic (servant); **Haus•an•schluss**[RR] *m* (TECH) house [*o* service] connection; **Haus•an•zug** *m* leisure suit; **Haus•apo•the•ke** *f* (family) medicine-chest; **Haus•ar•beit** *f* 1. (*Haushalt*) chores *pl,* housework 2. (PÄD) homework; **Haus•ar•rest** *m* (JUR) house arrest; **jdn unter ~ stellen** put s.o. under house arrest; **Haus•arzt, -ärz•tin** *m, f* family doctor; **Haus•auf•ga•be** *f* (PÄD) homework; **s-e ~n machen** do one's homework *sing;* **haus•ba•cken** *adj* 1. (*obs: Brot etc*) homemade 2. (*fig*) drab, homespun, homely *bes. Am;* **Haus•bar** *f* cocktail cabinet; **Haus•be•set•zer(in)** *m(f)* squatter; **Haus•be•set•zung** *f* squatting; **Haus•be•sit•zer(in)** *m(f)* 1. (*Besitzer e-s Hauses*) house owner 2. (*Vermieter*) landlord (landlady); **Haus•be•such** *m* home visit; **Haus•be•woh•ner(in)** *m(f)* 1. (*im Hause Wohnende(r)*) occupant (of a house) 2. (*Mieter*) tenant; **Haus•brand** *m* domestic fuel

Häus•chen ['hɔɪsçən] <-s, -> *n* 1. (*kleines Haus*) small house 2. (*im Grünen, Wochenend~*) cottage; **ganz aus dem ~ sein** (*fig fam: vor Freude, Aufregung*) be out of one's mind with joy [*o* excitement]; (*fig fam: vor Wut*) hit the ceiling; **das Publikum geriet förmlich aus dem ~** (*fig fam*) the audience really went berserk

Haus•ein•gang *m* (house) entrance

hau•sen ['haʊzən] *itr* (*pej: wohnen*) dwell; **übel ~** (*fig*) wreak [*o* create] havoc

Häu•ser•block <-(e)s, -s> *m,* **Häu•ser•kom•plex** *m* block (of buildings); **Häu•ser•mak•ler(in)** *m(f)* estate agent

Haus•flur <-(e)s, -e> *m* 1. (*Diele*) (entrance)hall *Br,* hallway *Am* 2. (*Gang*) corridor 3. (*Treppenhaus*) staircase; **Haus•frau** *f* (*Berufsbezeichnung*) housewife; **Haus•freund** *m* 1. (*Freund der Familie*) friend of the family 2. (*euph: Geliebter der Ehefrau*) man friend; **Haus•frie•dens•bruch** *m* (JUR) disturbance of domestic peace and security; **Haus•ge•brauch** *m* domestic use; **mein Englisch reicht gerade für den ~** (*fam*) I just about get by with my English; **Haus•ge•burt** *f* home birth; **haus•ge•macht** *adj* home-made; **Haus•halt** <-(e)s, -e> *m* 1. (*Hausgemeinschaft*) household 2. (FIN POL: *Etat*) budget;

jdm den ~ führen keep house for s.o.; **hausǀhal•ten** *s.* Haus[RR]; **Haus•häl•ter(in)** *m(f)* housekeeper; **Haus•halts•geld** *n* housekeeping money; **Haus•halts•ge•rät** *n* domestic appliance; **Haus•halts•jahr** *n* (POL) fiscal [*o* financial] year; **Haus•halts•plan** *m* (POL) budget; **den ~ aufstellen** draw up the budget; **Haus•halts•wa•ren** *fpl* household articles *Br,* housewares *Am;* **Haus•herr(in)** *m(f)* **1.** (*Gastgeber*) host (hostess) **2.** (*Hauswirt*) landlord (landlady); **haus•hoch** ['-'-] *adj* **1.** (*sehr hoch, a. fig*) enormous, huge **2.** (*fig: Sieg etc*) crushing; **~ gewinnen** (*fig*) win by miles

hau•sie•ren ['haʊ'ziːrən] *itr* (*a. fig*) hawk (about), peddle (*mit etw* s.th.); **Betteln u. H~ verboten!** no begging or peddling!; **Hau•sie•rer(in)** *m(f)* hawker

Haus•leh•rer(in) *m(f)* private tutor(ess)

häus•lich ['hɔɪslɪç] *adj* **1.** (*zum Haus gehörig*) domestic **2.** (*das Zuhause liebend*) home-loving **3.** (*Familien-*) family; **Häus•lich•keit** *f* domesticity

Haus•ma•cher•le•ber•wurst *f* homemade liver sausage; **Haus•mäd•chen** *n* (house)maid; **Haus•mann** <-(e)s, ¨-er> *m* house-husband; **Haus•manns•kost** *f* plain fare; **Haus•mar•ke** *f* own brand [*o* label]; **Haus•meis•ter(in)** *m(f)* caretaker *Br,* janitor *Am;* **Haus•mit•tel** *n* (MED) household remedy; **Haus•müll** *m* domestic rubbish [*o* refuse], domestic garbage *bes. Am;* **Haus•num•mer** *f* house number; **Haus•ord•nung** *f* rules of the [*o* a] house; **Haus•rat** <-(e)s> *m* household effects *pl;* **Haus•rat•ver•si•che•rung** *f* household contents insurance; **Haus•schlüs•sel** *m* front-door key; **Haus•schuh** *m* slipper; **Haus•su•chung** *f* (JUR) house search *Br,* house check *Am;* **e-e ~ vornehmen** search a house; **Haus•te•le•fon** *n* internal telephone; **Haus•tier** *n* **1.** (*kein wildes Tier*) domestic animal **2.** (*in der Wohnung*) pet; **Haus•tür** *f* front door; **Haus•ver•wal•ter(in)** *m(f)* (COM) property manager; **Haus•wart(in)** ['haʊsvart] <-s, -e> *m(f)* caretaker *Br,* janitor *Am;* **Haus•wirt(in)** *m(f)* landlord (landlady); **Haus•zelt** *n* ridge tent

Haut [haʊt, *pl:* 'hɔɪtə] <-, ¨-e> *f* **1.** (*allgemein*) skin **2.** (*von Tieren, zur Lederverarbeitung*) hide **3.** (*e-r Frucht*) peel **4.** (*bei Flüssigkeit*) film; (*bei Milch*) cream, skin; **e-e dicke ~ haben** (*fig fam*) be thick-skinned; **die ~ betreffend** cutaneous; **mit ~ u. Haaren** (*fig fam*) lock, stock, and barrel; **sich e-r Sache mit ~ u. Haaren verschreiben** (*fig fam*) devote o.s. body and soul to s.th.; **nur ~ u. Knochen sein** (*fig*) be nothing but skin and bone; **mit heiler ~ davonkommen** (*fig*) escape without a scratch; **das ist zum Aus-der-~-Fahren** (*fig fam*) that's enough to drive you mad; **den ganzen Tag auf der faulen ~ liegen** (*fig fam*) idle away one's time; **nass bis auf die ~** soaked to the skin; **ich möchte nicht in seiner ~ stecken** (*fig fam*) I wouldn't like to be in his shoes *pl;* **sich s-r ~ wehren** (*fig*) defend o.s vigorously; **das geht e-m unter die ~** (*fig fam*) that gets under your skin; **Haut•ab•schür•fung** *f* (MED) excoriation; **Haut•arzt, -ärz•tin** *m, f* (MED) dermatologist; **Haut•aus•schlag** *m* rash

Häut•chen ['hɔɪtçən] <-s, -> *n* **1.** (*dünne Haut*) thin skin **2.** (ANAT BOT: *Membran*) membrane; (*an Fingernagel*) cuticle

Haut•creme *f* skin cream

häu•ten ['hɔɪtən] **I.** *tr* (*Tier*) skin **II.** *refl* (ZOO) shed its skin; (*bei Schlange*) slough

haut•eng ['-'-] *adj* skin-tight

Haute•vo•lee [(h)oːtvo'leː] <-> *f* (*fam meist pej*) (the) upper crust

Haut•far•be *f* skin colour; **Haut•kli•nik** *f* dermatological [*o* skin] clinic; **Haut•krank•heit** *f* skin disease; **Haut•krebs** *m* skin cancer; **Haut•pfle•ge** *f* skin care; **Haut•rei•ni•gung** *f* skin cleansing; **Haut•typ** *m* skin type; **Haut•über•tra•gung** *f* (ANAT) skin grafting; **Haut•un•rein•heit** <-, -en> *f* skin flaw

Ha•va•rie [hava'riː] *f* (MAR) average

Ha•xe ['haksə] <-, -n> *f* knuckle, leg *hum*

he, he da [heː] *interj* hey!

Head•hun•ter ['hedhʌntə] <-s, -> *m* (COM) ..: headhunter

Heb•am•me ['heːpʔamə/'heːbamə] <-, -n> *f* midwife

He•be•büh•ne *f* (MOT) lifting platform

He•bel ['heːbəl] <-s, -> *m* lever; **alle ~ in Bewegung setzen** (*fig*) move heaven and earth; **am längeren ~ sitzen** (*fig fam*) have the whip hand; **He•bel•arm** *m* lever arm; **He•bel•wir•kung** *f* leverage

he•ben ['heːbən] **I.** *irr tr* **1.** (*hoch~*) lift, raise **2.** (*fig: aufwerten*) improve; (*vergrößern*) increase; **e-n ~** (*fam*) wet one's whistle **II.** *refl* **1.** (*sich er~, sich nach oben bewegen*) rise **2.** (*sich verbessern*) improve; (*zunehmen*) increase

He•brä•er(in) [he'brɛːɐ] *m(f)* Hebrew; **he•brä•isch** *adj* Hebrew

He•bung ['heːbʊŋ] *f* **1.** (*von Küste, Boden etc*) elevation **2.** (*von Stimme*) accent **3.** (*betonte Silbe*) stressed syllable **4.** (*fig: Verbesserung*) improvement; (*Erhöhung*) increase

Hecht [hɛçt] <-(e)s, -e> *m* (ZOO) pike; **Hecht•sprung** *m* (*fig* SPORT: *beim*

Schwimmen) pike dive *Br,* jackknife *Am;* (*beim Turnen*) long fly; (*e-s Torwarts*) (full-length) dive

Heck [hɛk] <-s, -s> *n* (MAR) stern; (MOT) rear; (AERO) tail

He•cke ['hɛkə] <-, -n> *f* hedge; **He•cken•ro•se** *f* (BOT) dogrose; **He•cken•sche•re** *f* hedge clippers *pl;* **He•cken•schüt•ze** *m* (MIL) sniper

Heck•klap•pe *f* (MOT) tail gate; **Heck•mo•tor** *m* (MOT) rear engine; **Heck•schei•be** *f* (MOT) rear window; **Heck•schei•ben•hei•zung** *f* (MOT) rear window pane heating; **Heck•spoi•ler** *m* (MOT) rear spoiler

he•da ['he:da] *interj* (*fam*) heigh! hey there!

Hedge•ge•schäft ['hedʒ-] *n* (COM) ..: hedging, hedge transaction

Heer [he:ɐ] <-(e)s, -e> *n* **1.** (MIL) army **2.** (*fig: Schwarm*) swarm **3.** (*fig fam: große Menge*) host, large number; **stehendes ~** (MIL) standing army; **ein ~ von Reportern** (*fig fam*) a host of reporters; **ein ~ von Fliegen** (*fig*) a swarm of flies

He•fe ['he:fə] <-, -n> *f* (*zum Backen etc*) yeast; **He•fe•teig** *m* yeast dough

Heft¹ [hɛft] <-(e)s, (-e)> *n* **1.** (*Griff*) handle; (*Schwert~*) hilt **2.** (*fig: Leitung*) reins *pl*

Heft² <-(e)s, -e> *n* **1.** (*Schreib~*) notebook **2.** (*Übungs~*) exercise book **3.** (*Broschüre*) booklet **4.** (*einzelnes ~ e-r Zeitschrift*) issue, number

hef•ten I. *tr* **1.** (*befestigen*) fix; (*feststecken*) pin **2.** (*Buch*) stitch **3.** (*Saum, Naht*) baste, tack **II.** *refl:* **sich an jds Fersen ~** (*fig*) verfolgen, dog someone's heels

Hef•ter <-s, -> *m* **1.** (*Mappe*) folder **2.** (*Bürogerät*) stapler

hef•tig ['hɛftɪç] *adj* **1.** (*stark, gewaltig*) violent **2.** (*Intensität*) intense **3.** (*Gewitter*) furious; (*Regen*) lashing; **~ sein** (*aufbrausend*) be violent-tempered; **~er Widerstand** fierce resistance; **~es Fieber** raging fever; **Hef•tig•keit** *f* **1.** violence **2.** (*Intensität*) intensity

Heft•klam•mer *f* paper clip, staple; **Heft•pflas•ter** *n* (MED) adhesive plaster *Br,* adhesive tape *Am;* **Heft•zwe•cke** *f* drawing-pin *Br,* thumbtack *Am*

he•gen ['he:gən] *tr* **1.** (*pflegen*) care for **2.** (*fig: Gefühle etc*) entertain, have, nourish; **den Verdacht ~, dass ...** have a suspicion that ...; **Hoffnung ~** cherish hope(s); **Groll gegen jdn ~** bear s.o. a grudge; **den Wunsch ~** have the wish

Hehl [he:l] *n:* **kein ~ machen aus etw** make no secret of s.th.; **Heh•le•rei** *f* (JUR) receiving (of) stolen goods; **Heh•ler(in)** *m(f)* receiver (of stolen goods), fence *sl*

hehr [he:ɐ] *adj* sublime

Hei•de¹ <-n, -n> *m,* **Hei•din** *f* heathen, pagan

Hei•de² ['haɪdə] <-, -n> *f* (*Landschaft*) heath; **Hei•de•kraut** <-(e)s> *n* heather; **Hei•del•bee•re** ['haɪdəlbe:rə] *f* (*Blaubeere*) bilberry *Br,* blueberry, huckleberry *Am*

Hei•den•angst ['--'-] *f* (*fam*) blue funk; **e-e ~ haben** be in a blue funk; **Hei•den•geld** ['--'-] *n* (*fam*): **ein ~** lots [*o* loads] of money; **Hei•den•lärm** ['--'-] *m* (*fam*): **ein ~** a heck of a noise; **Hei•den•spaß** ['--'-] *m* (*fam*) terrific fun; **e-n ~ haben** have a ball; **Hei•den•tum** *n* **1.** (*die Heiden*) heathendom **2.** (*heidnischer Glaube*) paganism; **heid•nisch** ['haɪdnɪʃ] *adj* heathen, pagan

hei•kel ['haɪkəl] *adj* **1.** (*Sache: schwierig, gefährlich*) delicate, ticklish **2.** (*Person: wählerisch, schwer zu befriedigen*) fussy, particular (*in bezug auf etw* about s.th.)

Heil [haɪl] <-(e)s> *n* **1.** (*Wohl*) welfare **2.** (*Nutzen*) benefit **3.** (*Glück*) luck **4.** (ECCL) salvation; (*Gnade*) grace; **sein ~ in der Flucht suchen** seek refuge in flight

heil *adj* **1.** (*unverletzt*) unhurt, unscathed **2.** (*ganz, intakt*) undamaged **3.** (*geheilt*) cured, healed; **Heil•an•stalt** *f* **1.** (*Pflegeheim*) nursing home **2.** (*für psychisch Kranke*) mental hospital [*o* home]; **heil•bar** *adj* **1.** (*Wunden*) healable **2.** (*Krankheit*) curable; **Heil•bar•keit** *f* curability; **Heil•be•hand•lung** *f* curative treatment

Heil•butt *m* (ZOO) halibut

hei•len ['haɪlən] I. *tr haben* (*a. fig*) cure **II.** *itr sein* heal; **heil•froh** ['-'-] *adj* (*fam*) jolly glad; **Heil•gym•nas•tik** *f* physiotherapy; **Heil•gym•nast(in)** *m(f)* physiotherapist

hei•lig ['haɪlɪç] *adj* **1.** (REL) holy; (*vor Namen von H~en*) Saint **2.** (*fig: ernst*) sacred, solemn; **H~er Vater** (*Papst*) Holy Father; **das ist mir ~** that is sacred to me; **~er Bimbam!** (*interj fam*) holy smoke!; **jdm etw hoch u. ~ versprechen** promise s.th. to s.o. faithfully; **es war ihr ~er Ernst** she was dead serious; **~ sprechen**[RR] (ECCL) canonize; **Hei•lig•a•bend** *m* Christmas Eve; **Hei•li•ge(r)** <-n, -n> *f m* saint; **hei•li•gen** ['haɪlɪgən] *tr* **1.** (*weihen*) sanctify; (*heilig halten*) hallow **2.** (*rechtfertigen, gutheißen*) justify; **geheiligt werde Dein Name** hallowed be Thy name; **der Zweck heiligt die Mittel** (*prov*) the end justifies the means; **Hei•li•gen•schein** *m* **1.** (REL) aureole **2.** (*fig*) halo; **Hei•lig•keit** *f* (REL) holiness; **Eure ~** (ECCL) Your Holiness; **hei•lig|spre•chen** *s.* **heilig**; **Hei•lig•tum** *n* **1.** (*heiliger Ort etc*) sanctuary **2.** (*fam: heiliger Gegenstand*) sacred object **3.** (*fig fam: Ort ungestörter Ruhe*) sanctum

Heil•kli•ma *n* salubrious climate; **Heil•kraft** *f* **1.** healing power **2.** (MED: *e-r*

Pflanze) medicinal properties *pl;* **Heil·kraut** *n* medicinal herb; **Heil·kun·de** *f* medicine

heil·los I. *adj* 1. (*unheilig*) unholy 2. (*hoffnungslos*) hopeless 3. (*schrecklich*) terrible II. *adv* (*äußerst, sehr*) utterly

Heil·mit·tel *n* (*a. fig*) remedy; **Heil·pflan·ze** *f* medicinal plant; **Heil·prak·ti·ker(in)** *m(f)* non-medical practitioner, naturopathic doctor *Am;* **Heil·quel·le** *f* mineral [*o* medicinal] spring; **heil·sam** *adj* (*a. fig*) beneficial; **e-e ~e Erfahrung** a salutary experience; **Heils·ar·mee** *f* Salvation Army

Hei·lung *f* 1. (*Wund~*) healing; (*Kranken~*) curing 2. (*Gesundung*) cure 3. (*fig: von Lastern etc*) reclamation (*von* from); **Hei·lungs·pro·zess**[RR] *m* healing process

Heil·was·ser *nt* medicinal water

Heim [haɪm] <-(e)s, -e> *n* home; **heim** *adv* home; **Heim·ar·beit** *f* 1. (*das Zuhause-Arbeiten*) outwork 2. (*als Industrieform*) home industry 3. (*Produkt*) home-made article

Hei·mat [ˈhaɪmaːt] <-> *f* native country; **in der ~** at home; **s-e ~ verlassen** leave one's home; **Hei·mat·ge·mein·de** *f* (*Stadt*) native town; (*Dorf*) native village; **Hei·mat·land** *n* native land [*o* country]; **hei·mat·lich** *adj* (*zur Heimat gehörig*) native, of home; **hei·mat·los** *adj* homeless; **Hei·mat·recht** *n* (JUR) right of domicile; **Hei·mat·stadt** *f* home town; **Hei·mat·ver·trie·be·ne(r)** *f m* displaced person

Heim·chen [ˈhaɪmçən] <-s, -> *n* 1. (ZOO) (house) cricket 2. (*fig pej*): **~ am Herd** (*Hausmütterchen*) little woman at home

Heim·com·pu·ter *m* home computer

heim|fah·ren *sein* I. *irr itr* 1. (*als Fahrer*) drive home 2. (*als Gefahrener*) ride home II. *tr:* **jdn ~** drive [*o* take] s.o. home; **Heim·fahrt** *f* (*allgemein*) return journey; (MAR) return voyage; **auf der ~ sein** be on one's way (back) home

hei·misch *adj* 1. (*national*) home; (*ein~*) native; (*ortsansässig*) local 2. (*vertraut*) at home, familiar; **~e Gewässer** home waters; **sich ~ fühlen in ...** (*a. fig*) feel at home in ...; **Brecht fühlte sich in Amerika nie ~** Brecht never became acclimatized to America

Heim·kehr [ˈhaɪmkeːɐ] <-> *f* homecoming, return; **heim|keh·ren** *sein irr itr* return home (*aus* from); **Heim·keh·rer** *m* 1. (*allgemein*) homecomer 2. (POL) repatriate(d prisoner of war); **heim|kom·men** *sein itr* come [*o* return] home

heim·lich [ˈhaɪmlɪç] *adj* 1. (*geheim*) secret 2. (*verstohlen*) furtive; **sich ~ entfernen** sneak away; **er ging ~ (still u. leise) weg** he left on the quiet; **~ tun**[RR] affect [*o* put on] an air of secrecy; **Heim·lich·keit** *f* 1. (*Verborgenheit*) secrecy 2. (*Geheimnis*) secret; **in aller ~** in secrecy; **Heim·lich·tue·rei** *f* (*fam*) secretive ways *pl* (*mit* about); **heim·lich|tun** *s.* **heimlich**

Heim·rei·se *f* (*allgemein*) homeward journey, journey home; (MAR) homeward voyage; **auf der ~ sein** be homeward-bound

heim|su·chen *tr* 1. (*Geister*) haunt 2. (*Ungeziefer*) infest 3. (*Unglück*) afflict

heim·tü·ckisch *adj* 1. (*boshaft*) malicious 2. (*Krankheit*) insidious 3. (*gefährlich, trügerisch*) treacherous 4. (*hinterlistig*) insidious

heim·wärts [ˈhaɪmvɛrts] *adv* homeward(s); **~ ziehen** head for home; **Heim·weg** *m* way home; **auf dem ~ sein** be on one's way home; **sich auf den ~ machen** set out for home; **Heim·weh** *n* 1. homesickness 2. (*fig: Nostalgie*) nostalgia; **~ haben** be homesick; **krank vor ~ sein** suffer badly from homesickness; **Heim·we·sen** *nt* (*CH*) farm; **heim|zah·len** *tr* (*fig: vergelten*) pay back (*jdm etw* s.o. for s.th.)

Hei·rat [ˈhaɪraːt] <-, -en> *f* marriage; (*Hochzeitsfeier*) wedding; **hei·ra·ten** I. *tr* marry II. *itr* get married; **Hei·rats·an·trag** *m* proposal (of marriage); **jdm e-n ~ machen** propose to s.o.; **Hei·rats·an·zei·ge** *f* 1. (*Bekanntgabe*) marriage announcement 2. (*Heiratsinserat*) insertion in a Lonely Hearts' column; **hei·rats·fä·hig** *adj* marriageable; **im ~en Alter** of marriageable age, nubile; **Hei·rats·ur·kun·de** *f* marriage-certificate; **Hei·rats·ver·mitt·ler(in)** *m(f)* (*Beruf*) marriage broker; **Hei·rats·ver·mitt·lung** *f* (*Geschäft*) marriage agency *Br,* marriage bureau *Am*

hei·schen [ˈhaɪʃən] I. *tr* demand II. *itr* strive (*nach etw* for s.th.)

hei·ser [ˈhaɪzɐ] *adj* 1. hoarse 2. (*belegt*) husky; **sich ~ schreien** (*a. fig*) shout o.s. hoarse; **mit ~er Stimme** in a hoarse [*o* husky] voice; **Hei·ser·keit** *f* hoarseness

heiß [haɪs] *adj* 1. (*allgemein*) hot 2. (*Zone*) torrid 3. (*fig: Liebe etc*) ardent, burning 4. (*fig: Kampf*) fierce; (*Temperament*) fiery; **drückend ~** oppressively hot; **mir ist ~** I am hot; **jdn ~ machen** (*fam*) sexuell, turn s.o. on; **etw ~ machen** (*erhitzen*) heat s.th. up; **jdm die Hölle ~ machen** worry the life out of s.o.; **das ist ein ~es Eisen** (*fig*) that's a hot potato; **~ umkämpft**[RR] fiercely fought over; **~ geliebt**[RR] ardently beloved; **ein ~es Eisen anfassen** (*fig*) bring up a controversial subject; **etw ~ er-**

sehnen (*fig*) long for s.th. ardently; ~ **umkämpft** fiercely fought over; ~**er Draht** (*fig*) hot line; ~**e Spur** (*fig*) hot trail; ~**er Tip** (*fig*) hot tip; ~**laufen** (TECH) run hot; (MOT) overheat; **heiß•blü•tig** ['haɪsbly:tɪç] *adj* (*leidenschaftlich*) hot-blooded

hei•ßen ['haɪsən] **I.** *irr tr* **1.** (*nennen*) call (*jdn etw* s.o. s.th.) **2.** (*befehlen*) tell (*jdn, etw zu tun* s.o. to do s.th.); **jdn e-n Lügner** ~ call s.o. a liar; **jdn willkommen** ~ bid s.o. welcome **II.** *itr* **1.** (*genannt werden*) be called (*nach jdm* after) **2.** (*bedeuten*) mean; **es heißt** (*man sagt*) it is said, they say; (*es steht geschrieben*) it says; **das heißt** that is, i.e.; (*mit anderen Worten*) that is to say; **was soll das ~?** (*bei Unleserlichem*) what does this say?; (*bei unverständlichem Verhalten*) what's the idea?; (*bei unverständlichem Ausspruch*) what do you mean by that?; **das will nicht viel** ~ that doesn't mean much; **es soll nicht ~, dass ...** it shall not be said that ...; **wie ~ Sie?** what's your name?; **wie heißt das?** what do you call this?; **was heißt das auf Englisch?** what's that in English?; **wie heißt dieser Ort?** what's the name of this place?; **da hieß es schnell handeln** that situation called for quick action

heiß•ge•liebt *adj s.* **heiß**; **Heiß•hun•ger** *m* ravenous appetite; **heiß|lau•fen** *itr* (TECH) run hot; **Heiß•luft** *f* hot air; **Heiß•luft•herd** *m* convection oven; **Heiß•man•gel** *f* (steamheated) mangle; **Heiß•was•ser•spei•cher** [-'----] *m* storage water heater

hei•ter ['haɪtɐ] *adj* **1.** (*sonnig, hell*) bright, fair **2.** (*fig: fröhlich*) cheerful **3.** (*fig: erheiternd*) amusing, funny **4.** (*fig: abgeklärt, ausgeglichen*) serene; **aus ~em Himmel** (*fig*) out of the blue; **~er werden** (*Mensch*) cheer up; (*Wetter*) brighten up; **das kann ja noch ~ werden!** (*iro*) nice prospects indeed!; **Hei•ter•keit** *f* **1.** (*Helligkeit, Klarheit*) brightness **2.** (*fig: Fröhlichkeit*) cheerfulness **3.** (*fig: Lachen, Gelächter*) laughter **4.** (*fig: Belustigung*) amusement

heiz•bar *adj* **1.** (MOT: *Heckscheibe*) heated **2.** (*Wohnung*) with heating; **Heiz•de•cke** *f* (*im Bett*) electric blanket; **hei•zen** ['haɪtsən] **I.** *tr* **1.** (*Wohnung etc*) heat **2.** (*Ofen etc*) fire **II.** *itr* **1.** (*die Heizung in Betrieb haben*) have the heating on **2.** (*Wärme abgeben*) give off heat; **mit ...** ~ use ... for heating; **Hei•zer** *m* (MAR) stoker; (RAIL) fireman; **Heiz•kes•sel** *m* (TECH) boiler; **Heiz•kis•sen** *n* electric heat pad; **Heiz•kör•per** *m* radiator; **Heiz•kos•ten** *pl* heating cost; **Heiz•kos•ten•pau•scha•le** *f* fixed heating cost; **Heiz•kraft•werk** *n* thermal power station; **Heiz•leis•tung** *f* (TECH) heat output; **Heiz•lüf•ter** *m* (EL) warm-air fan heater; **Heiz•ma•te•rial** *n* fuel; **Heiz•öl** *n* fuel oil; **Heiz•son•ne** *f* (EL) electric fire; **Hei•zung** *f* (TECH) heating; **die ~ anstellen** (**abstellen**) turn on (turn off) the heating; **Hei•zungs•an•la•ge** *f* heating system; **Hei•zungs•kel•ler** *m* boiler room

Hekt•ar ['hɛkta:ɐ] <-s, (-e)> *m o n* hectare

Hek•tik ['hɛktɪk] <-> *f* hectic pace; **nur keine ~!** take it easy!; **hek•tisch** ['hɛktɪʃ] **I.** *adj* hectic **II.** *adv* in a hectic way

hek•to•gra•fie•renRR [hɛktogra'fi:rən] *tr*, **hek•to•gra•phie•ren** *tr* hectograph

Hek•to•li•ter ['hɛktoli:tɐ] *m* hectolitre *Br*, hectoliter *Am*

hel•den•haft *adj* heroic; **Hel•den•tat** *f* heroic deed; **Hel•den•tum** *n* heroism; **Held**(**in**) [hɛlt] <-en, -en> *m(f)* hero(ine); **Held des Tages** hero of the hour

hel•fen ['hɛlfən] *irr itr* (*allgemein*) help (*jdm* s.o., *bei etw* with s.th.); **jdm aus der Patsche** ~ (*fam*) help s.o. out of a jam; **sich zu ~ wissen** be able to take care of o.s.; **sich nicht zu ~ wissen** be at a loss; **sich nicht mehr zu ~ wissen** be at one's wits' end; **sich selbst** ~ help o.s.; **ich kann mir nicht ~, ich hasse ihn** I can't help hating him; **was hilft schon Weinen?** what good is crying?; **es hilft nichts** it's no good; **dir ist nicht mehr zu** ~ you are beyond help; **da hilft kein Jammern u. kein Klagen** it's no use moaning; **Hel•fer**(**in**) *m(f)* **1.** (*Helfende(r)*) helper **2.** (*Gehilfe*) assistant **3.** (*Ratgeber*) advisor; **Hel•fers•hel•fer**(**in**) *m(f)* (JUR) abettor, accessory

hell [hɛl] *adj* **1.** (*nicht dunkel*) light; (*leuchtend, a. fig*) bright; **ein ~er Mantel** a light-coloured coat; **es wird schon** ~ it's getting light; **du bist ein ~es Köpfchen** (*fig fam*) you have brains **2.** (*attr: völlig*): **~er Wahnsinn** (*fam*) sheer madness; **hell•auf** *adv* (*völlig*) completely; ~ **begeistert** totally enthusiastic; **hell•blau** ['-'-] *adj* light blue; **hell•blond** ['-'-] *adj* light blond; **Hel•le** ['hɛlə] <-> *f* **1.** (*von Farben etc*) brightness **2.** (*helles Licht*) (bright) light; **hell•hö•rig** *adj* **1.** (*Person*) keen of hearing **2.** (*Wohnung*) poorly soundproofed

hel•licht *adj s.* **hellicht**

Hel•lig•keit *f* **1.** (*allgemein, a. von TV, Bildschirm*) brightness **2.** (*Beleuchtung*) lightness **3.** (PHYS) light intensity; **Hel•lig•keits•re•ge•lung** *f* (TECH) brightness control; **Hel•lig•keits•reg•ler** *m* brightness control switch

hell•lichtRR *adj:* **am ~en Tage** in broad daylight; **Hell•se•he•rei** *f* clairvoyance;

Hell•se•her(in) *m(f)* clairvoyant(e); **hell•wach** *adj* wide-awake

Helm [hɛlm] <-(e)s, -e> *m* helmet; **Helm•pflicht** *f*: **es besteht** ~ wearing of crash helmets is compulsory

Hemd [hɛmt] <-(e)s, -en> *n* **1.** (*Ober~*) shirt **2.** (*Unter~*) vest *Br*, undershirt *Am*; **hemds•är•me•lig** *adj* (*a. fig*) shirt-sleeved

He•mi•sphä•re [hemiˈsfɛːrə] <-, -n> *f* hemisphere

hem•men [ˈhɛmən] *tr* **1.** (*den Fortschritt etc*) hamper, hinder **2.** (*den Lauf der Dinge*) check **3.** (PSYCH: *seelisch*) inhibit; (*Leidenschaften*) restrain **4.** (*verlangsamen*) slow down; **Hemm•nis** *n* hindrancen, impediment (*für* to); **Hemm•schuh** *m* **1.** (TECH) drag **2.** (*fig*) hindrance, impediment (*für* to); **Hemm•schwel•le** *f* inhibition threshold; **Hem•mung** *f* **1.** (*das Verhindern, Verlangsamen*) hindering; (*Eindämmung*) check **2.** (PSYCH: *seelisch*) inhibition; (*Bedenken*) scruple; **hem•mungs•los** *adj* **1.** (*ungezügelt*) unrestrained **2.** (*skrupellos*) unscrupulous; **Hem•mungs•lo•sig•keit** *f* **1.** (*Zügellosigkeit*) lack of restraint **2.** (*Skrupellosigkeit*) unscrupulousness

Hendl <-s, -(n)> *nt* (*österr: Brathähnchen*) chicken

Hengst [hɛŋst] <-es, -e> *m* (ZOO) stallion *Br*, stud *Am*

Hen•kel [ˈhɛŋkəl] <-s, -> *m* handle

hen•ken [ˈhɛŋkən] *tr* hang; **Hen•ker** *m* **1.** (HIST) hangman **2.** (*Scharfrichter*) executioner; **zum ~!** (*sl*) hang it all!; **weiß der ~, was ...** (*sl*) heaven knows what ...; **Hen•kers•mahl•zeit** *f* (*fig*) last meal

Hen•na [ˈhɛna] <-(s)> *n* henna

Hen•ne [ˈhɛnə] <-, -n> *f* (ZOO) hen

He•pa•ti•tis [hepaˈtiːtɪs] <-> *f* hepatitis

her [heːɐ] *adv* **1.** (*örtlich: hier~*) here; (*von ... ~*) from **2.** (*zeitlich*) ago; **kommen Sie ~!** come here (to me)!; **wo kommen Sie ~?** where do you come from?; (*aus welcher Stadt etc*) where are you from?; **wo hast du das ~?** where did you get that from?; (*wo hast du das gehört?*) who told you that?; ~ **damit!** give that here!; **wie lang ist das ~?** how long ago was that?; **ich kenne ihn noch von früher** ~ I used to know him before; **ich kenne ihn von der Universität** ~ I have known him since university; **hinter jdm ~ sein**[RR] (*fig fam*) be after s.o.; **mit ihm ist es nicht weit** ~ (*fig fam*) he's no great shakes

he•r•ab [hɛˈrap] *adv* down, downward(s); **von oben** ~ from above; (*herablassend*) condescendingly; **he•r•ab|bli•cken** *itr* (*a. fig*) look down (*auf jdn* on s.o.); **he•r•ab•fal•len** *irr itr* fall down; **he•r•ab•ge•setzt** *adj* (*preislich*) cut-rate; **he•r•ab•hän•gen** *irr itr* hang down; **he•r•ab|las•sen** I. *irr tr* let down, lower II. *refl* **1.** let o.s. down **2.** (*fig*) condescend (*etw zu tun* to do s.th.); **he•r•ab•las•send** *adj* (*fig*) condescending; **Her•ab•las•sung** *f* condescension; **he•r•ab|se•hen** *irr itr* (*a. fig*) look down (*auf jdn* on s.o.); **he•r•ab|set•zen** *tr* **1.** (*fig: Preise, Steuern etc*) cut (down), reduce **2.** (*fig: schlechtmachen*) belittle, disparage; **Her•ab•set•zung** *f* **1.** (*fig: Reduzierung*) reduction **2.** (*fig: Geringschätzung*) disparagement; (*geringschätzige Behandlung*) disparaging treatment

he•r•an [hɛˈran] *adv* close, near; **nur ~! immer ~!** come here! [*o* closer!]; **he•r•an•bil•den** I. *tr* **1.** (*ausbilden*) train **2.** (*erziehen*) educate II. *refl* **1.** (*sich ausbilden*) train o.s. **2.** (*sich erziehen*) educate o.s. **3.** (*sich entwickeln*) develop; **he•r•an|fah•ren** *irr itr* **1.** drive close (*an* to) **2.** (*um zu halten*) pull up [*o* over] (*an* to); **he•r•an•kom•men** *irr itr* **1.** (*näher kommen*) come near **2.** (*fig: Zeit etc*) approach, draw near **3.** (*fig: erreichen*) reach (*an jdn o etw* s.o., s.th.); **die Dinge an sich ~ lassen** (*fig*) wait and see what happens; **man kann nur schwer an ihn** ~ (*menschlich*) it is difficult to get anywhere near him; **he•r•an|ma•chen** *refl* (*fam*): **sich an etw** ~ (*mit etw beginnen*) get down to s.th.; **sich an jdn** ~ make up to s.o.; **he•r•an|na•hen** *sein itr* approach, draw near; **he•r•an|rei•chen** *itr* **1.** reach up (*an* to) **2.** (*fig*) come up (*an* to); **he•r•an|wach•sen** *irr itr* (*a. fig*) grow up; **he•r•an|wa•gen** *refl* dare to go near, venture near; **he•r•an|zie•hen** I. *irr tr haben* **1.** (*näher bringen*) pull up (*an* to, *zu* toward(s)) **2.** (*zu Hilfe, Arbeit etc*) call up(on) (*jdn zu etw* s.o. to do s.th.); (*Arzt etc konsultieren*) call in **3.** (*fig: in Betracht ziehen*) take into consideration; (*benutzen*) use; (*zitieren*) refer (*etw* to s.th.) **4.** (*fig: aufziehen*) raise; (*ausbilden*) train **5.** (COM: *zu Zahlung etc*) subject (*jdn zu etw* s.o. to s.th.) II. *itr sein* approach

he•r•auf [hɛˈraʊf] I. *adv* up; **von unten** ~ from below II. *präp* up; **die Treppe** ~ up the stairs; **he•r•auf|be•schwö•ren** *irr tr* **1.** (*wachrufen*) conjure up, evoke **2.** (*herbeiführen*) bring about; **he•r•auf|kom•men** *irr itr* come up; **he•r•auf|zie•hen** I. *irr tr haben* **1.** (*nach oben ziehen*) pull up **2.** (*fig*): **jdn zu sich** ~ raise s.o. to one's level II. *itr sein* (*von Gewitter etc*) approach, draw near

he•r•aus [hɛˈraʊs] *adv* **1.** out **2.** (*fig*): **aus ... ~** out of ... **3.** (*fig fam: entschieden* *sein*) have been settled; **von innen** ~ from within; **nach vorn** ~ **wohnen** live at the front; **ein Zimmer nach vorn** ~ a front-room; **zum Fenster** ~ out of the window; ~ **mit dir!** out with you!; ~ **damit!** (*fam*) ~ mit der Sprache, out with it!; (*her damit!*) hand it over!; **das ist noch nicht** ~ (*fig fam*) that's not yet been settled; **aus e-r Notlage** ~ (*fig*) out of necessity; **aus dem Ärgsten** ~ **sein**RR (*fig*) be out of the wood *Br,* be out of the woods *Am;* **he•r•aus|be•kom•men** *irr tr* **1.** (*Wechselgeld*) get back **2.** (*Nagel, Flecken etc*) get out **3.** (*fig: herausfinden*) find out; (*lösen*) solve; **Ich bekomme noch 3 DM heraus** I still have 3 DM change to come; **wieviel haben Sie ~?** (*Wechselgeld*) how much change did you get back?; (*fig: herausgefunden*) how much did you find out?; **sie werden nicht viel aus ihm** ~ (*fig*) er wird nicht viel sagen, they won't get much change out of him; **he•r•aus|brin•gen** *irr tr* **1.** (*a.* COM) bring out **2.** (*Nagel, Flecken*) get out **3.** (*fig: lösen*) solve; (*herausfinden*) find out **4.** (*fig: hervorbringen, sagen*) get out; **jdn (etw) groß** ~ (*fig*) give s.o. (s.th.) a big build-up; **he•r•aus|fah•ren I.** *itr tr haben* (*nach draußen*) drive out **II.** *itr sein* **1.** (*nach draußen*) drive out **2.** (*schnell herauskommen*) leap out **3.** (*fig: von Worten*) slip out; **he•r•aus|fin•den I.** *irr tr* (*a. fig*) find out **II.** *itr* find one's way out

Her•aus•for•de•rer *m* challenger; **he•r•aus|for•dern** *tr* **1.** (*a.* SPORT) challenge (*zu* to) **2.** (*provozieren*) provoke (*zu etw* to do s.th.) **3.** (*trotzen*) defy **4.** (*zurückfordern*) reclaim; **die** [*o* **zur**] **Kritik** ~ invite criticism; **jdn zum Duell** ~ challenge s.o. to a duel; **he•r•aus•for•dernd** *adj* **1.** (*frech*) provoking **2.** (*provokativ*) provocative **3.** (*trotzig*) defiant; **Her•aus•for•de•rung** *f* **1.** (*a.* SPORT) challenge **2.** (*Provokation*) provocation

he•r•aus|ge•ben I. *irr tr* **1.** (*zurückgeben*) return; (*Gefangene*) give up (*jdm jdn* s.o. to s.o.); (*aushändigen*) hand over (*jdm etw* s.th. to s.o.) **2.** (COM: *Ware*) deliver, hand out; (*Wechselgeld*) give change **3.** (*herausreichen*) pass out **4.** (*Buch als Herausgeber*) edit; (*als Verleger*) publish; **ich kann auf 50 DM nicht** ~ I haven't got change for 50 DM; **Sie haben mir zu wenig herausgegeben** you gave me too little change **II.** *itr* (*Wechselgeld*) give change (*auf* for); **können Sie mir (auf 50 DM) ~?** can you give me change (for 50 DM)?; **Her•aus•ge•ber(in)** *m(f)* **1.** (*Verfasser*) editor **2.** (*Verleger*) publisher

he•r•aus|ge•hen *irr itr* **1.** (*ins Freie etc*) go [*o* walk] out **2.** (*von Flecken*) come out; **aus sich** ~ come out of one's shell; (*munter werden*) liven up; **He•raus•geld** *nt* (*CH: Wechselgeld*) change; **he•r•aus|grei•fen** *irr tr* pick [*o* single] out; **he•r•aus|gu•cken** *itr* (*fam*) peep out; **he•r•aus|hal•ten** *irr refl* keep out (*aus etw* of s.th.); **he•r•aus|he•ben I.** *irr tr* **1.** lift out **2.** (*fig: betonen*) set off **II.** *refl* (*fig*) stand out (*aus etw* against s.th.); **he•r•aus|kom•men** *irr itr* **1.** (*a. fig: entdeckt werden*) come out **2.** (*wegkommen, weggehen, a. fig*) get out **3.** (*fig: Buch*) be published, come out **4.** (*fig: als Resultat*) come (*bei etw* of s.th.); (*bei Rechenaufgaben*) be the result **5.** (*fig fam: gestehen*) admit (*mit etw* s.th.); **es kommt auf eins** [*o* **aufs gleiche**] **heraus** it comes (down) to the same thing; **groß** ~ (*fig*) be a big hit; **was wird dabei ~?** what will come of it?; **dabei kommt nichts** ~ that doesn't get us anywhere; **sie kamen aus dem Lachen nicht** ~ they just couldn't stop laughing; **he•r•aus|neh•men** *irr tr* (*a.* MED) take out; **sich etw** ~ (*fig*) take liberties *pl;* **sich jdm gegenüber zuviel** ~ make too free with s.o.; **er nahm sich die Frechheit heraus(,) mir zu erzählen, ...** he had the nerve to tell me ...; **sich den Blinddarm** ~ **lassen** have one's appendix out; **he•r•aus|ra•gen** *itr* **1.** (*hervorstehen*) jut out **2.** (*höher sein*) tower (*aus etw* above s.th.) **3.** (*fig*) stand out; **he•r•aus|re•den** *refl:* **sich** ~ make excuses; **sich aus etw** ~ talk one's way out of s.th.; **he•r•aus|rei•ßen** *irr tr* pull [*o* tear] out; **jdn aus etw** ~ (*fig*) tear s.o. away from s.th.; (*aus Schwierigkeiten*) save s.o. from s.th.; **he•r•aus|rü•cken I.** *itr sein* (*fig*): **mit etw** ~ (*mit der Wahrheit etc*) come out with s.th.; (*mit Geld*) fork s.th. out *Br,* shell s.th. out *Am* **II.** *tr haben* **1.** (*fam: hergeben*) let go of; (*Geld*) fork out *Br,* shell out *Am* **2.** (TYP) flush (*nach links, an den Rand* to the left, to the margin); **he•r•aus•rut•schen** *sein itr* slip out; **he•r•aus•schla•gen I.** *irr tr haben* **1.** (*Nagel etc*) pound out **2.** (*Zähne*) knock out; **e-n Vorteil aus etw** ~ make a profit out of s.th. **II.** *itr sein* (*von Flammen*) leap out; **he•r•aus•sprit•zen** *sein tr itr* squirt out; **he•r•aus•stel•len I.** *tr* **1.** (*Gegenstände*) put out **2.** (SPORT: *e-n Spieler*) turn out **3.** (*fig: darstellen*) present; (*betonen*) emphasize; **jdn groß** ~ (*fig*) feature s.o. **II.** *refl* (*sich zeigen*) turn out; **he•r•aus|strei•chen I.** *irr tr* **1.** (*durchstreichen*) strike out **2.** (*fig: betonen*) emphasize; (*loben*) crack up **II.** *refl* (*fig*) praise o.s.; **he•r•aus|tröp•feln** *itr* trickle out; **he•r•aus|wach•sen** *irr itr* grow out (*aus* of); **he•r•aus|wer•fen** *irr tr* fling [*o* throw] out; **he•r•aus|zie•hen** *irr tr*

1. draw [*o* pull] out **2.** (*entfernen*) remove (*aus* from) **3.** (*fig fam: herausschreiben*) extract, take (*aus* from)

herb [hɛrp] *adj* **1.** (*scharf*) sharp **2.** (*fig: bitter*) bitter; (*streng a. von Schönheit*) austere; (*Worte, Kritik etc*) harsh; **ein ~es Parfum** a tangy perfume; **~er Wein** dry wine

her•bei [hɛr'baɪ] *adv* here; **her•beiǀeilen** *sein itr* come running (up); **her•beiǀfüh•ren** *tr* **1.** (*fig: bewirken*) bring about; (*verursachen*) cause **2.** (*nach sich ziehen*) give rise to **3.** (*veranlassen*) induce **4.** (*Begegnung etc arrangieren*) arrange for; **die Entscheidung** ~ (SPORT) decide the match; **her•beiǀru•fen** *irr tr* call (for); **her•bei•zie•hen** *irr tr* draw [*o* pull] near; **an den Haaren herbeigezogen** (*fig*) far fetched

Her•ber•ge ['hɛrbɛrgə] <-, -n> *f* **1.** (*Obdach*) shelter **2.** (*Gasthof*) inn **3.** (*Jugend~*) (youth) hostel; **Her•bergs•mut•ter** *f*, **Her•bergs•va•ter** *m* warden

Her•bi•zid <-(e)s, -e> *n* (CHEM) herbicide

Herbst [hɛrpst] <-(e)s, -e> *m* (*a. fig*) autumn *Br*, fall *Am*; **im** ~ in autumn *Br*, in the fall *Am*; **der ~ des Lebens** (*fig poet*) the autumn of (one's) life; **herbst•lich** *adj* autumnal; (*attributiv*) autumn; **Herbst•zeit•lo•se** <-, -n> *f* (BOT) meadow saffron

Herd [heːɐt] <-(e)s, -e> *m* **1.** (*Küchen~*) kitchen stove; (*Elektro~*) electric range **2.** (*fig: Ausgangspunkt*) centre; **Heim u.** ~ hearth and home; **am heimischen** ~ by the fireside; **eigener ~ ist Goldes wert** (*prov*) there's no place like home; **~ e-s Erdbebens** (*fig*) epicentre *Br*, epicenter *Am*

Her•de ['heːɐdə] <-, -n> *f* **1.** (*Vieh~*) herd; (*von Schafen*) flock **2.** (*fig: Haufe*) crowd; **Her•den•mensch** *m* (*pej*) man of the crowd; **Her•den•trieb** *m* (*a. fig*) herd instinct

her•ein [hɛ'raɪn] *adv* in, into; **~!** (*interj*) come in!; **immer nur ~!** roll up!; **hier ~, bitte!** this way in, please!; **von draußen** ~ from outside; **her•einǀbe•kom•men** *irr tr* **1.** (*Waren*) get in **2.** (RADIO: *bestimmten Sender*) get; **her•einǀbre•chen** *sein irr itr* **1.** (*eindringen*) gush in **2.** (*fig: von Dunkelheit*) close in; (*von Nacht, Dämmerung*) fall; (*von Unwetter etc*) break (*über* over) **3.** (*fig: von Unglück*) befall (*über jdn, etw* s.o., s.th.); **her•einǀfal•len** *sein irr itr* **1.** (*in Loch etc*) fall in (*in* -to) **2.** (*fig: betrogen werden*) be taken in (*auf* by); **mit jdm (etw)** ~ (*fig*) have a bad deal with s.o. (s.th.); **her•einǀho•len** *tr* **1.** (*von draußen*) fetch in **2.** (COM: *Aufträge*) canvass **3.** (*fig: aufholen: Verluste etc*) make up for; **her•einǀkom•men** *sein irr itr* come in(side); **wie bist du bloß hier hereingekommen?** how on earth did you get in here?; **her•einǀlas•sen** *irr tr* let in (*in* -to); **her•einǀle•gen** *tr* **1.** (*in Kiste etc*) put in (*in* -to) **2.** (*fig fam*): **jdn** ~ take s.o. for a ride; **her•einǀplat•zen** *sein itr* burst in

Her•fahrt *f ohne pl* journey here

herǀfal•len *irr itr:* **über jdn** ~ (*angreifen*) fall upon s.o.; (*fig: mit Fragen*) pitch into s.o.; (*fig: kritisieren*) pull s.o. to pieces; **über etw** ~ (*fig: über Geschenke etc*) pounce upon s.th.; **Her•gang** *m* **1.** (*Ablauf*) course of events **2.** (*Umstände*) details *pl;* **herǀge•ben** *tr* give away, hand over; **her•ge•bracht** *adj* (*alt~*) traditional; **herǀge•hen** *irr itr* **1. es ging hoch her** (*wild*) there were wild goings-on; **es ging lustig her** we had lots of fun **2. hinter (neben, vor) jdm** ~ walk behind (beside, ahead of) s.o.; **her•ge•lau•fen** *adj* (*fam pej*): **ein ~er Kerl** a bum; **herǀhal•ten** *irr itr:* **immer ~ müssen** be always in for it; **herǀho•len** *tr* fetch, (go and) get; **herǀhö•ren** *itr* listen; **hört mal her!** listen here!

her•ge•holt *adj:* **weit** ~ far-fetched

He•ring ['heːrɪŋ] <-s, -e> *m* **1.** (ZOO) herring **2.** (*Zeltpflock*) (tent-)peg **3.** (*fig: dünner Mensch*) shrimp

herǀkom•men *sein irr itr* **1.** come here; (*sich nähern*) approach **2.** (*abstammen*) come (*von* from); **her•kömm•lich** ['heːɐkœmlɪç] *adj* conventional; **Her•kunft** ['heːɐkʊnft] <-> *f* **1.** (*Abstammung*) descent; (*soziale ~*) background **2.** (*Ursprung*) origin; **britischer** ~ of British origin [*o* descent]; **von vornehmer** ~ of gentle birth; **von unbekannter** ~ of obscure origin; **Her•kunfts•land** *n* country of origin; **herǀlei•ten I.** *tr* **1.** (*bringen*) bring (here) **2.** (*fig: ableiten*) derive (*aus* from) **II.** *refl* be derived (*von* from); **herǀma•chen I.** *refl:* **sich ~ über etw** (*fam: in Angriff nehmen*) get stuck into s.th.; (*über Essen etc*) pitch into s.th.; **sich über jdn** ~ lay into s.o. **II.** *tr:* **viel** ~ (*fam*) be impressive; **wenig von sich** ~ be pretty modest

Her•me•lin [hɛrmə'liːn] <-s, -e> *m* **1.** (ZOO) ermine **2.** (*Pelz*) ermine (fur)

her•me•tisch [hɛr'meːtɪʃ] *adj* (*adv*) hermetic(ally)

her•nach [hɛr'naːx] *adv* afterward(s)

herǀneh•men *irr tr* **1.** (*beschaffen*) get **2.** (*fam: tadeln*) give a (good) talking-to **3.** (*fordern, belasten*): **jdn richtig** ~ make s.o. sweat

He•ro•in [hero'iːn] <-s> *n* heroine

he•ro•isch [he'roːɪʃ] *adj* heroic; **He•ro•is•mus** [hero'ɪsmʊs] *m* heroism

He•rold ['heːrɔlt] <-(e)s, -e> *m* **1.** (*a. fig*)

herald **2.** (*fig: Vorbote*) harbinger

Her•pes <-> *m* (MED) herpes

Herr [hɛr] <-/(-en)n, -en> *m* **1.** (*Mann*) gentleman **2.** (*Gebieter*) lord, master **3.** (*Anrede ohne Namen*) sir **4.** (*Anrede mit Namen*) Mr (= Mister); ~ **Professor** (**Maier**) professor (Professor Maier); **meine** (**Damen u.**) ~**en!** (ladies and) gentlemen!; **sehr geehrter** ~ **Maier** dear Mr Maier; **sehr geehrte** ~**en** dear Sirs; ~**en** (*Toilette*) Gentlemen, Men('s room); **die** ~**en X u. Y** Messrs. X and Y; **Ihr** ~ **Vater** (*obs*) your father; ~ **sein über etw** have the command of s.th.; **sein eigener** ~ **sein** be one's own boss; ~ **über seine Leidenschaften sein** control one's passions; ~ **der Lage** master of the situation; ~ **über Leben u. Tod sein** have the power of life and death; **e-r Sache** ~ **werden** master s.th.; **des Feuers** ~ **werden** get the fire under control; **Her•ren•be•klei•dung** *f* men's wear; **Her•ren**(**•fahr**)**•rad** *n* man's bicycle; **Her•ren•haus** *n* mansion; **her•ren•los** *adj* (JUR: *Sache*) ownerless; (*verlassen*) abandoned; (*Tier*) stray; **Her•ren•sa•lon** *m* barber's; **Her•ren•toi•let•te** *f* (gentle-) men's lavatory [*o* toilet]; **Herr•gott** <-s> *m* God, Lord; ~! (*fam*) good Lord!; ~ **noch mal!** (*fam*) damn it all!; **Her•rin** ['hɛrɪn] *f* mistress; **her•risch** *adj* **1.** (*gebieterisch*) domineering, imperious **2.** (*hochmütig*) lordly **3.** (*anmaßend*) overbearing

herr•lich *adj* **1.** (*großartig*) magnificent **2.** (*wunderbar*) marvel(l)ous **3.** (*glänzend, prächtig*) splendid; **Herr•lich•keit** *f* (*fig*): **die ganze** ~ the whole set-out

Herr•schaft *f* **1.** (*Staatsgewalt*) rule; (*e-s Fürsten*) reign **2.** (*Macht*) power; (*Kontrolle*) control **3.** (*Herr u. Herrin*) master and mistress; **meine** ~**en!** (*Anrede*) ladies and gentlemen!; **die** ~ **der Vernunft** (*fig*) the supremacy of reason; **die** ~ **über etw** (**jdn**) **ausüben** rule s.th. (s.o.); **herr•schaft•lich** *adj* **1.** (*e-m hohen Herrn gehörig*) belonging to a lord [*o* master] **2.** (*vornehm*) elegant, grand; **herr•schen** ['hɛrʃən] *itr* **1.** (*die Macht haben*) rule **2.** (*regieren*) govern; (*als König*) reign **3.** (*fig: vor~*) prevail **4.** (*fig: bestehen*) be; **hier** ~ **ja Zustände!** (*fam*) things are in a pretty state round here!; **herr•schend** *adj* **1.** (*Klasse, Partei etc*) ruling; (*König*) reigning **2.** (*fig: vor~*) prevailing; (*augenblicklich*) present; (*Mode, Trend etc*) current; **Herr•scher•fa•mi•lie** *f* reigning family; **Herr•scher•haus** *n* dynasty; **Herr•scher**(**in**) *m(f)* (*allgemein*) ruler (*über* of); (*Fürst*) sovereign; **Herrsch•sucht** *f* domineering behaviour; **herrsch•süch•tig** *adj* domineering

her|rüh•ren *itr* come (*von* from), be due (*von* to); **her|sa•gen** *tr* **1.** (*aufsagen*) recite **2.** (*herunterleiern*) reel off; **her|stel•len** *tr* **1.** (*fam: hierher stellen*) put (over) here **2.** (TELE: *Verbindung*) put through **3.** (*fig: zuwege bringen*) establish **4.** (COM: *erzeugen*) make, produce; **Her•stel•ler**(**in**) *m(f)* **1.** (COM: *Produzent*) producer **2.** (TYP: *Buch~*) production manager; **Her•stel•lung** *f* (COM TYP) production; manufacture; **Her•stel•lungs•kos•ten** *pl* production costs

he•r•über [hɛ'ry:bɐ] *adv* over (here); (*über Grenze etc*) across

he•rum [hɛ'rʊm] *adv* about, (a)round; **um ...** ~ around ...; **oben** ~ round the top; **unten** ~ underneath; **immer um jdn** ~ **sein** be always hanging about s.o.; **es kostet so um die 10 Mark** ~ (*fam*) it costs somewhere round 10 marks; **he•r•um|är•gern** *refl* keep struggling (*mit* with); **he•r•um|bum•meln** *itr* (*fam*) **1.** (*herumlungern*) loiter **2.** (*faulenzen*) loaf about **3.** (*trödeln*) mess about; **he•r•um|dre•hen I.** *tr* **1.** turn round **2.** (*wenden*) turn over; **jdm das Wort im Munde** ~ (*fig*) twist someone's words *pl* **II.** *itr* twiddle (*an etw* with s.th.) **III.** *refl* **1.** (*im Kreis*) rotate; (*um sich selbst*) spin (a)round **2.** (*sich* (*um*)*wenden*) turn round (*zu jdm* toward(s) s.o.); **he•r•um|fah•ren** *sein* **I.** *irr tr haben* drive about, take around **II.** *itr sein* **1.** (*umherfahren*) drive [*o* sail] around **2.** (*sich schnell umdrehen*) turn round quickly; **he•r•um|fuch•teln** [hɛ'rʊmfʊxtəln] *itr* (*fam*) wave one's hands about; **he•r•um|füh•ren I.** *tr* **1.** (*Tiere, Menschen etc*) lead around (*um etw* s.th.) **2.** (*bei Besichtigung*) show around (*in etw* s.th.); **etw um etw** ~ (*herumbauen*) build s.th. around s.th.; **jdn an der Nase** ~ (*fig*) lead s.o. up the garden path **II.** *itr* go around (*um etw* s.th.); **he•r•um|ge•hen** *irr itr* **1.** (*umhergehen*) go around (*in etw* s.th.) **2.** (*um etw* ~) walk around (*um etw* s.th.) **3.** (*zirkulieren*) be passed around **4.** (*zu Ende gehen*) pass; **etw** ~ **lassen** (*weiterreichen*) circulate s.th.; **diese Melodie geht mir im Kopf** ~ (*fig*) that tune goes round and round in my head; **das Gerücht geht herum, dass ...** there's a rumour around that ...; **he•r•um|hor•chen** *itr* (*fam*) **1.** (*aus Neugier*) eavesdrop **2.** (*sich umhören*) keep one's ears open; **he•r•um|kom•man•die•ren** *tr itr* order around; **he•r•um|kom•men** *sein irr itr* **1.** (*reisen*) get around **2.** (*fig*): **um etw** ~ get out of s.th.; **er ist weit herumgekommen** he has seen a lot of the world; **Sie kommen um die**

Tatsache nicht herum, dass ... you cannot overlook the fact that ...; **he•r•um|kra•men** *itr* (*fam*) rummage around; **he•r•um|krie•gen** *tr* (*fam*) **1.** (*a. fig fam*) get round **2.** (*fig: Zeit*) get through; **he•r•um|lau•fen** *sein irr itr* (*fam*) run around; **frei ~** (*Verbrecher*) be at large; (*Hund*) run free; **he•r•um|lie•gen** *irr itr* (*fam*) lie around; (*verstreut*) be scattered about; (*faul*) laze around; **he•r•um|lun•gern** [-'-lʊŋɐn] *itr* (*fam*) loaf about; **he•r•um|rei•chen I.** *tr* (*zirkulieren lassen*) hand round; **jdn ~** (*fig*) introduce s.o. to one's friends **II.** *itr* reach round (*um etw* s.th.); **he•r•um|rei•ten** *sein irr itr* **1.** (*fam: umherreiten*) ride about **2.** (*um Hindernis etc ~*) ride (a)round (*um etw* s.th.); **auf etw ~** (*fig*) dauernd von etw reden, harp upon s.th.; **he•r•um|schla•gen** *irr refl* (*fam*) **1.** (*sich prügeln*) scuffle about **2.** (*fig: mit Personen*) battle; (*mit Problemen etc*) struggle (*mit* with); **he•r•um|schlep•pen** *tr* (*fam*) drag about; **he•r•um|schnüf•feln** *itr* (*fig fam*) snoop about [*o* around]; **he•r•um|sprin•gen** *itr* (*fam*) dance about; **he•r•um|ste•hen** *irr itr* (*fam*) **1.** (*Sachen: herumliegen*) be lying around **2.** (*Menschen u. Sachen*) stand around (*um jdn, etw* s.o., s.th.); **he•r•um|sto•ßen** *tr* push [*o* shove] around; **he•r•um|su•chen** *itr* (*fam*) ferret about (*nach* for); **he•r•um|trei•ben** *irr refl* (*fam*) **1.** (*herumziehen*) knock around (*mit jdm* with s.o.) **2.** (*herumhängen*) hang around; **he•r•um|wer•fen I.** *irr tr* **1.** (*Lenkrad, Hebel etc*) throw around **2.** (*den Kopf etc schnell herumdrehen*) turn quickly; **das Steuer ~** (*fig*) alter course **II.** *refl* toss about; **he•r•um|zie•hen I.** *irr itr sein* (*umherziehen*) wander about **II.** *itr haben* (*fam: zerren*) pull around (*an etw* at s.th.); **in der Weltgeschichte ~** (*fam*) roam the world **III.** *tr haben:* **etw mit sich ~** take s.th. around with one **IV.** *refl haben* (*von Hecke, Zaun etc*) run around (*um etw* s.th.)

he•run•ten *adv* (*österr: hier unten*) down here

he•r•un•ter [hɛ'rʊntɐ] **I.** *adv* down; **von oben ~** from above; **vom Berg ~** down the mountain; **gerade ~** straight down; **~ damit!** down with it! **II.** *präp* down; **die Treppe (den Berg) ~** down the stairs (the mountain); **he•r•un•ter|fal•len** *irr itr* fall down; **he•r•un•ter|ge•hen** *irr itr* **1.** go down; (*e-e Treppe*) go downstairs **2.** (AERO) descend **3.** (*fig: Preise*) go down, fall

he•r•un•ter•ge•kom•men *adj* **1.** down-and-out **2.** (*äußerlich*) dowdy **3.** (*finanziell*) run-down **4.** (*moralisch*) degenerated **5.** (*verfallen*) dilapidated

he•r•un•ter|han•deln *tr* (*Preis*) beat down; **he•r•un•ter|hau•en** *irr tr* (*fam*): **jdm e-e ~** give s.o. a clip on the ear; **he•r•un•ter|ho•len** *tr* **1.** fetch down **2.** (MIL AERO: *abschießen*) shoot down; **he•r•un•ter|klap•pen** *tr* (*Kragen*) turn down; (*Sitz*) fold down; **he•r•un•ter|kom•men** *irr itr* **1.** (*nach unten kommen*) come down **2.** (*fig: gesundheitlich*) get run down; (*wirtschaftlich*) go to pot **3.** (*moralisch*) degenerate **4.** (*verfallen*) decay; **he•r•un•ter|ma•chen** *tr* **1.** (*fam: kritisieren*) tear to pieces; (*fam: schlechtmachen*) run down **2.** (*abmachen, wegmachen*) take down; **he•r•un•ter|pur•zeln** *sein itr* tumble down; **he•r•un•ter|put•zen** *tr* (*fam*): **jdn ~** tear strips off someone; **he•r•un•ter•schlu•cken** *tr* swallow; **he•r•un•ter•schrau•ben** *tr* (*fig*): **s-e Ansprüche ~** lower one's demands; **he•r•un•ter|wirt•schaf•ten** *tr* (*fam*) run down

her•vor [hɛr'foːɐ] *adv:* **aus etw ~** out from s.th.; **unter etw ~** from under s.th.; **her•vor|brin•gen** *irr tr* **1.** (*produzieren*) bring forth, produce **2.** (*Worte etc äußern*) get out; **her•vor|ge•hen** *sein irr itr* **1.** (*als Sieger etc*) come out **2.** (*entstehen*) develop, spring (*aus* from) **3.** (*folgen, sich ergeben*) follow (*aus* from); (*herrühren*) result (*aus* from) **4.** (*stammen*) come (*aus* from); **her•vor|he•ben** *irr tr* **1.** (*betonen*) emphasize, stress **2.** (*fig: herausstreichen*) point out **3.** (TYP: *im Druck etc*) set off; **her•vor|ho•len** *tr* get out, produce; **her•vor|lo•cken** *tr* lure out (*aus* from, *hinter* from behind); **her•vor|ra•gen** *itr* **1.** (*hervorstehen*) jut out; (*fam*) stick out; (*höher sein*) tower (*aus etw* above s.th.) **2.** (*fig: hervorstechen*) stand out; **her•vor•ra•gend** *adj* **1.** (*vorstehend*) projecting; (*Körperteile auch*) protruding **2.** (*fig: ausgezeichnet*) excellent, outstanding; **her•vor•ru•fen** *irr tr* **1.** (*verursachen*) cause, give rise to **2.** (*fig: Bewunderung*) arouse; **her•vor•ste•chend** *adj* (*auffallend*) striking; **her•vor|tre•ten** *sein irr itr* **1.** (*heraustreten*) step out; (*von Augen, Adern*) protrude; (*auftauchen*) emerge (from behind) **2.** (*fig: vor die Öffentlichkeit treten*) come to the fore **3.** (*fig: Farben, Umrisse etc*) stand out; (*sichtbar werden*) become evident; **~ lassen** set off (*vor* against); **her•vor•tun** *irr refl* (*auszeichnen*) distinguish o.s.; **her•vor|wa•gen** *refl* venture (to come) out

Herz [hɛrts] <-ens, -en> *n* **1.** (*allgemein, a. fig*) heart **2.** (*in Zusammensetzungen*): **~-** heart-, of the heart; (MED ANAT) cardiac **3.** (*beim Kartenspiel: Farbe ~*) hearts *pl;* (*einzelne Spielkarte*) heart **4.** (*als Kosewort*) love, sweetheart; **ein hartes (gutes) ~**

haben be hard-hearted (good-hearted); **jdm sein ~ ausschütten** pour out one's heart to s.o.; **jdm das ~ brechen** break someone's heart; **sein ~ ist angegriffen** his heart is affected; **mein ~ klopft** my heart is beating [*o* pounding]; **jdm sein ~ schenken** (*poet*) give s.o. one's heart; **~ spielen** (*beim Kartenspiel*) play hearts *pl;* **sein ~ verlieren** lose one's heart; **das liegt mir** (**sehr**) **am ~en** I am (very) concerned about that; **jdm etw ans ~ legen** recommend s.th. warmly to s.o.; **Hand aufs ~, hast du wirklich ...?** did you honestly ...?; **jdm ans ~ gewachsen sein** be very dear to s.o.; **etw auf dem ~en haben** have s.th. on one's mind; **aus tiefstem ~en** from the bottom of one's heart; **im tiefsten ~en** in one's heart of hearts; **im ~en der Stadt** in the heart of the city; **jdn ins ~ schließen** take s.o. to one's heart; **ich kann es nicht übers ~ bringen** I haven't got the heart to do it; **jdm das ~ schwer machen** grieve s.o.; **schweren ~ens** with a heavy heart; **von ~en** (**gern**) with all one's heart; **jdn auf ~ u. Nieren prüfen** (*fig fam*) put s.o. to the acid test; **mit ganzem ~** wholeheartedly; **aus ganzem ~en lachen** laugh heartily; **jdm zu ~en gehen** touch someone's heart; **sich etw zu ~en nehmen** take s.th. to heart; **sich ein ~ fassen** take heart; **ein ~ u. e-e Seele sein** be bosom friends; **jdm aus dem ~en sprechen** voice someone's innermost thoughts

Herz•an•fall *m* heart attack; **Herz•beu•tel** *m* (MED) pericardium

her•zen ['hɛrtsən] *tr* (*obs*) **1.** (*umarmen*) embrace, hug **2.** (*liebkosen*) cuddle

her•zens•gut ['--'-] *adj* kind-hearted, very kind; **Her•zens•lust** *f:* **nach ~** to one's heart's content; **herz•er•grei•fend** *adj* heart-rending; **Herz•feh•ler** *m* (MED) cardiac defect

herz•haft *adj* **1.** (*mutig*) bold; (*fam*) plucky **2.** (*kräftig*) hearty; (*Händedruck etc*) firm

her|zie•hen I. *irr tr haben* **1.** (*näher heran ziehen*) draw closer **2. jdn** (**etw**) **hinter sich ~** drag s.o. (s.th.) along behind one **II.** *itr sein* **1.** (*in neue Wohnung ziehen*) move here **2.** (*gehen, marschieren*) march along (*vor* in front of, *neben* beside, *hinter* behind); **über jdn** (**etw**) **~** (*fig*) pull s.o. (s.th.) to pieces

her•zig ['hɛrtsɪç] *adj* delightful, sweet; (*fam*) cute

Herz•in•farkt *m* heart attack; **Herz•in•suf•fi•zi•enz** *f* heart failure; **Herz•kam•mer** *f* (MED) ventricle; **Herz•klap•pe** *f* (MED) cardiac valve; **Herz•klap•pen•feh•ler** *m* (MED) valvular defect of the heart; **Herz•klop•fen** *n* (MED) palpitation [*o* throbbing] of the heart; **ich bekam ~** my heart started pounding; **herz•krank** *adj* suffering from a heart condition; **Herz•krank•heit** *f* heart condition, cardiopathy; **Herz•kranz•ge•fä•ße** *ntpl* coronary blood vessels; **Herz-Kreis•lauf-Sys•tem** *n* (MED) heart circulation system; **Herz•lei•den** *n* heart condition, cardiopathy

herz•lich I. *adj* **1.** (*Empfang*) warm **2.** (*Lachen etc*) hearty **3.** (*Bitte*) sincere **4.** (*eher formelhaft*) cordial; **~e Grüße** kind regards; **~en Dank!** thank you very much indeed!; **~es Beileid!** you have my heartfelt sympathy! **II.** *adv* **1.** (*sehr*) very **2.** (*äußerst*) utterly; **~ wenig** precious little; **~ gern** with all one's heart; **Herz•lich•keit** *f* **1.** (*Wärme*) warmth **2.** (*Herzhaftigkeit*) heartiness; **herz•los** *adj* heartless

Herz-Lun•gen-Ma•schi•ne *f* (MED) heart-lung machine; **Herz•mit•tel** *n* cardiac drug; **Herz•mus•kel** *m* (MED) cardiac muscle

Her•zog(**in**) ['hɛrtso:k] *m(f)* duke (duchess); **Her•zog•tum** *n* **1.** (*Land*) duchy **2.** (*Würde*) dukedom

Herz•rhyth•mus•stö•rung *f* (MED) palpitation; **Herz•schlag[1]** *m* **1.** (*einzelner Schlag des Herzens*) heartbeat **2.** (*Herztätigkeit*) pulse rate; **Herz•schlag[2]** *m* (MED: *Stillstand des Herzens*) heart failure; **Herz•schritt•ma•cher** *m* (MED) cardiac pacemaker; **Herz•still•stand** ['-'--] *m* (MED) cardiac arrest; **Herz•tä•tig•keit** *f* (MED) cardiac activity; **Herz•trans•plan•ta•ti•on** ['-transplanta'tsio:n] <-, -en> *f* (MED) heart transplant; **Herz•ver•sa•gen** *n* heart failure; **herz•zer•rei•ßend** *adj* heart-rending

Hes•se ['hɛsə] <-n, -n> *m*, **Hes•sin** *f* Hessian; **hes•sisch** *adj* Hessian

he•te•ro•gen *adj* heterogeneous

he•te•ro•se•xu•ell [heterozɛksu'ɛl] *adj* heterosexual

Het•ze ['hɛtsə] <-, (-n)> *f* **1.** (*fam: Eile*) hurry, rush **2.** (*fig*) agitation, campaign (*gegen* against); **het•zen** *tr haben, itr sein* **1.** (*jagen*) chase, hunt **2.** (*eilen, antreiben*) hurry, rush **3.** (*fig: aufreizen*) agitate, stir up hatred (*gegen* against); **zu Tode ~** hunt to death; (*fig*) hound; **die Hunde auf jdn ~** set the dogs on s.o.; **Het•ze•rei** *f* (*Eile*) rush; **Hetz•kam•pa•gne** *f* inflammatory campaign

Heu [hɔɪ] <-(e)s> *n* hay; **~ machen** make hay; **Geld wie ~ haben** (*fig fam*) have pots of money; **Heu•bo•den** *m* hayloft

Heu•che•lei [hɔɪçə'laɪ] *f* hypocrisy; **heu•cheln** ['hɔɪçəln] **I.** *itr* (*sich verstellen*) play the hypocrite **II.** *tr* (*vortäuschen*) feign; **Heuch•ler(in)** *m(f)* **1.** hypocrite **2.** (*Frömmler(in)*) canter; **heuch•le•risch** *adj* **1.** hypocritical **2.** (*frömmelnd*) canting

heu•er ['hɔɪɐ] *adv* (*österr: in diesem Jahr*) this year, this year

heu•len ['hɔɪlən] *itr* **1.** (*allgemein*) howl; (*fam*) bawl; (*laut*) yell **2.** (*fig*) roar **3.** (*Tiere*) howl, yelp **4.** (*fig: Sirene*) wail; **das ~de Elend** (*fam*) the blues *pl;* **es ist einfach zum H~** (*fam*) it's enough to make you weep

heu•rig ['hɔɪrɪç] *adj* (*österr, CH*) *this year's*

Heu•schnup•fen *m* hay fever

Heu•schre•cke ['hɔɪʃrɛkə] <-, -n> *f* (ZOO) grasshopper, locust

heu•te ['hɔɪtə] *adv* today, this day; ~ **Abend**[RR] this evening, tonight; ~ **früh,** ~ **Morgen**[RR] this morning; ~ **Mittag**[RR] today at twelve o'clock *Br,* today noon *Am;* ~ **in 8 Tagen** this day week, today week; ~ **in e-m Jahr** a year from today; ~ **vor 8 Tagen** a week ago today; **den wievielten haben wir ~?** what date is it today?; **bis** ~ till today [*o* this day]; **noch ~ muss das geschehen** it has to be done this very day; **von ~ an** from this day on; **der Mensch von** ~ modern man; **die Jugend von** ~ the young people of today

heu•tig *adj* **1.** of this day, today's **2.** (*gegenwärtig*) contemporary; (*neuzeitlich*) modern; **der ~e Tag** today; **bis zum ~en Tag** to this very day; **vom ~en Tag** (COM: *Brief*) of today('s date)

heut•zu•ta•ge *adv* nowadays, these days, today

he•xen ['hɛksən] *itr* (HIST) practise witchcraft; (*Wunder wirken*) work miracles; **ich kann doch nicht ~!** (*fig fam*) I am not a magician!; **He•xen•kes•sel** *m* (*fig*) pandemonium

He•xen•schuss[RR] *m* (MED) lumbago

He•xe(r) ['hɛksə ('hɛksɐ)] <-, -n (-s, -)> *f* (*m*) witch, (wizard); **alte Hexe** (*pej: alte Frau*) old hag; **He•xe•rei** *f* **1.** (*das Hexen*) sorcery, witchcraft **2.** (*von Zaubertrick*) magic; **das ist doch keine** ~ (*fig fam*) that's no magic

Hick•hack <-s> *n* (*fam*) squabbling

Hieb [hiːp] <-(e)s, -e> *m* **1.** (*Schlag*) blow; (*Streich*) stroke **2.** (SPORT: *beim Fechten*) slash; **~e bekommen** get a thrashing [*o* licking]

hieb- und stich•fest *adj* watertight, copper-bottomed

hier [hiːɐ] *adv* **1.** (*räumlich*) here; (*in diesem Land*) in this country **2.** (*zeitlich*) now; **der Herr** ~ this gentleman; **sind Sie von** ~ are you a local man?, are you a local woman?; ~ **u. da** (*örtlich*) here and there; (*zeitlich*) now and then; ~ **oben** up here; ~ **unten** down here; ~ **ist** [*o* **spricht**] **Frau W.!** (TELE) this is Mrs. W. (speaking)!; ~ **bin ich** here I am!; **es steht mir bis** ~ (*fig sl: ich hab's satt*) I'm fed up to here; **hie•r•an** ['--/-'-] *adv:* ~ **lässt sich erkennen, ...** you can see from this ...; **wenn ich ~ denke** when I think of this; ~ **kann es keinen Zweifel geben** there can be no doubt about that; ~ **erkenne ich es** I recognize it by this

Hie•r•ar•chie [hierar'çiː] <-, -n> *f* hierarchy

hie•r•auf *adv* (*zeitlich*) then; **hie•r•aus** *adv* from this; **hier•bei** *adv* **1.** (*währenddessen*) doing this **2.** (*fig: bei dieser Gelegenheit*) on this occasion; (*in diesem Zus.-hang*) in this connection; **hier•durch** *adv* **1.** (*hier hindurch*) through here **2.** (*fig: hiermit*) by this means, hereby, herewith **3.** (JUR: *kraft*) by (virtue of) the present; **hier•für** *adv* for it, for this; **hier•her** *adv* here, over here, this way; **~!** come here!; **bis** ~ (*zeitlich*) so far, up to now; (*räumlich*) up to here; **bis ~ u. nicht weiter** this far and no further; **mir steht es bis** ~ (*fig sl*) I'm fed up to here; **hie•r•in** *adv* (*a. fig*) in this; **hier•mit** *adv* herewith, with this

Hie•ro•gly•phe [hiero'glyːfə] <-, -n> *f* hieroglyph

hie•r•über *adv* **1.** (*nach hier*) over here **2.** (*oberhalb dieser Stelle*) over it **3.** (*fig: betreffend*) about this; **hie•r•un•ter** *adv* **1.** (*unter diesem hier*) beneath this, under this **2.** (*fig*) by this [*o* that]; (*in dieser Kategorie*) among these; **hier•von** *adv* **1.** (*örtlich*) from here **2.** (*von diesem*) from this; **hier•zu** *adv* **1.** (*dafür*) for this; (*dazu*) with this **2.** (*außerdem*) in addition to this, moreover **3.** (*zu diesem Punkt*) about this

hier•zu•lan•de *adv* here, in this country

hie•sig ['hiːzɪç] *adj* local; **die ~e Bevölkerung** the local population

Hi-Fi-Anlage ['haɪfaɪ-/'haɪfi-] *f* hi-fi (set)

high *adj* (*sl: von Drogen*) high; ~ **werden von etw** get a kick from [*o* out of] s.th.; **High•life** ['haɪlaɪf] <-s> *n* (*fam*) high life; ~ **machen** live it up; **High-Tech** ['haɪ'tɛk] <-(s)> *n* high-tech, hi tech

Hil•fe ['hɪlfə] <-, -n> *f* **1.** (*allgemein*) help **2.** (*fin. ~stellung*) aid; (*Beistand*) assistance **3.** (*für Notleidende*) relief **4.** (*Hilfskraft*) help; **erste ~e** first aid; **mit ~ des Lineals** with the help of the ruler; **ohne ~ sein** stand alone; **zu ~!** help! help!; **jdm seine ~ anbieten** offer one's aid to s.o.; **jdn um ~ bitten** ask for someone's help; **jdm zu ~ kommen** come to someone's aid; **jede ~ kam zu spät** it was too late to help; **jdm ~ leisten** help s.o.; **etw zu ~**

nehmen make use of s.th.; **um ~ rufen** cry for help; ~ **suchend**^RR imploring, seeking help; **jdn ~ suchend ansehen**^RR look at sb beseechingly; **Hil•fe•leis•tung** *f* assistance, help; **Hil•fe•ruf** *m* **1.** cry for help **2.** (*fig*) urgent appeal; **hil•fe•su•chend** *adj s.* **Hilfe**

hilf•los *adj* helpless; **Hilf•lo•sig•keit** *f* helplessness; **hilf•reich** *adj* **1.** helpful **2.** (*nützlich*) useful

Hilfs•ak•ti•on *f* relief action; **Hilfs•ar•bei•ter(in)** *m(f)* unskilled worker; **hilfs•be•dürf•tig** *adj* **1.** (*Hilfe benötigend*) in need of help **2.** (*notleidend*) needy; **hilfs•be•reit** *adj* **1.** (*helfend, hilfreich*) helpful **2.** (*entgegenkommend*) obliging; **er ist stets ~** he is always ready to help; **Hilfs•da•tei** *f* (EDV) scratch file; **Hilfs•dienst** *m* **1.** (*Aus~*) auxiliary service **2.** (*Notdienst*) emergency service **3.** (MOT: *bei Autopannen*) breakdown service, wrecker service *Am;* **Hilfs•kraft** *f* **1.** (*Assistent*) assistant, help(er) **2.** (*Aus~*) temporary worker; **Hilfs•mit•tel** *n* **1.** (*Hilfe*) aid **2.** (*Maßnahme*) means, measure **3.** (*Mittel*) resources **4.** (*Werkzeug*) device; **Hilfs•mo•tor** *m:* **Fahrrad mit ~** motor-assisted bicycle; **Hilfs•werk** *n* relief organization; **Hilfs•zeit•wort** *n* (GRAM) auxiliary verb

Him•bee•re ['hɪmbeːrə] <-, -n> *f* (BOT) raspberry; **Him•beer•saft** *m* raspberry juice

Him•mel ['hɪməl] <-s, -> *m* **1.** (*der sichtbare ~*) sky **2.** (REL: *Sitz der Gottheit*) heaven; (*Paradies*) paradise; (*fig: Gott, Schicksal*) Heaven **3.** (*Decke e-s ~bettes*) canopy; **bewölkter ~** cloudy [*o* overcast] sky; **am ~** in the sky; **aus heiterem ~** (*fig*) out of the blue; **um ~s willen!** for Heaven's sake!; **dem ~ sei Dank!** thank Heaven!; **du lieber ~!** great Heavens!; **unter freiem ~ schlafen** sleep in the open air; **~ u. Erde in Bewegung setzen** move heaven and earth; **jdn in den ~ heben** (*fig*) praise s.o. to the skies *pl;* **das Blaue vom ~ herunterlügen** (*fam*) lie a blue streak; **jdm das Blaue vom ~ versprechen** promise s.o. everything under the sun

Him•mel•bett *n* four-poster; **him•mel•blau** ['--'-] *adj* azure, sky-blue; **Him•mel•fahrt** *f* (REL) **1. Christi ~** the Ascension of Christ **2.** (*~stag*) Ascension Day; **Mariä ~** the Assumption of the Virgin Mary; **Him•mel•reich** *n* (REL) Kingdom of Heaven; **him•mel•schrei•end** *adj* (*fig*) **1.** (*Unrecht*) outrageous; (*Verhältnisse*) appalling **2.** (*Unsinn*) utter **3.** (*Schande, Skandal etc*) crying; **Him•mels•kör•per** *m* (ASTR) celestial body; **Him•mels•rich•tung** *f* direction; **him•mel•weit** ['--'-] *adj* (*fig*) tremendous; **es ist ein ~er Unterschied** it makes all the difference in the world

himm•lisch ['hɪmlɪʃ] *adj* **1.** (*zum Himmel gehörig*) heavenly; (*poet*) celestial **2.** (*fig: wunderbar*) divine; (*grenzenlos*) infinite

hin [hɪn] **I.** *adv* **1.** (*dort~*) there; (*zu*) towards **2.** (*entlang*) along; **nichts wie ~!** (*fam*) let's go then!; **~ u. her** (*auf u. ab*) to, and fro; (*~ u. zurück*) there and back; **das H~ u. Her** the comings and goings *pl;* **auf die Gefahr ~(,) missverstanden zu werden** at the risk of being misunderstood; **auf s-n Rat ~** on his advice; **~ u. wieder** (every) now and again; **~ u. zurück** there and back; **e-e Fahrkarte** [*o* **Flugkarte**] **~ u. zurück** a return ticket *Br,* a round-trip ticket *Am;* **Sonntag ~, Sonntag her** Sunday or not [*o* or no Sunday]; **über die Jahre ~** as years go by; **nach außen ~** (*fig*) outwardly; **wo sind sie ~?** (*fam*) where have they gone?; **etw ~ u. her überlegen** think about s.th. over and over (again) **II.** *adj pred* (*fam*) **1.** (*Ruf etc: ruiniert*) ruined **2.** (*kaputt*) broken **3.** (*fig: erschöpft*) done in **4.** (*fig: begeistert*) carried away **5.** (*fig: tot*) dead; **sie war ganz ~** (*fig fam: ~gerissen*) she was really carried away; **dein Ruf ist ~** (*fam*) your reputation is ruined

hi•n•ab [hɪ'nap] *adv* down, downward(s); **~ mit dir!** down with you! down you go!; **den Berg ~** down the hill, downhill; **den Strom ~** down the river, downstream

hin|ar•bei•ten *itr* aim (*auf* at)

hi•n•auf [hɪ'naʊf] *adv* up; **da ~** up there; **die Straße ~** up the street; **hi•n•auf|fah•ren** **I.** *irr itr* go up, drive up **II.** *tr* take up, drive up; **hi•n•auf|ge•hen** *irr itr* **1.** go up; (*Treppe*) go upstairs **2.** (*fig: von Preisen etc*) rise; **hi•n•auf|stei•gen** *irr itr* climb up

hi•n•aus [hɪ'naʊs] *adv* **1.** (*räumlich*) out; **über ... ~** beyond ... **2.** (*zeitlich*): **über ... ~** until after ... **3.** (*fig*): **über ... ~** on top of ...; (*jenseits*) beyond ...; **~ (mit Ihnen)!** (get) out!; **hier ~** this way out; **sie wohnt nach hinten (vorn) ~** she is living towards the back (the front); **zum Fenster ~** out of the window; **zur Tür ~** out through the door; **auf Jahre ~** for years to come; **darüber ~** on top of this; **über das Grab ~** beyond the grave; **er will zu hoch ~** (*fig*) he aims too high; **hi•n•aus|be•för•dern** *tr* kick out, throw out; **hi•n•aus|be•glei•ten** *tr* see out (*aus* of); **hi•n•aus|ekeln** *tr* winkle out; (*sl*) freeze out; **hi•n•aus|ge•hen** *irr itr* **1.** (*Raum etc verlassen*) go out **2.** (*Tür, Zimmer, Fenster*) open (*auf* onto) **3.** (*fig: überschreiten*) go beyond (*über etw* s.th.) **4.** (*fig: übertreffen, übersteigen*) exceed (*über etw* s.th.); **hi•n•aus|lau•fen**

irr itr **1.** (*hinausrennen*) run out **2.** (*fig*): **auf etw** ~ come [*o* amount] to s.th.; **hi•n-aus|leh•nen** *refl* lean out; **hi•n•aus-schi•cken** *tr* send out; **hi•n•aus|schie-ben** *irr tr* put off, postpone; **hi•n•aus-schie•ßen** *sein irr itr* (*fig*): **über das Ziel** ~ overshoot the mark; **hi•n•aus|wer•fen** *irr tr* **1.** (*aus Fenster etc*) cast [*o* throw] out **2.** (*fam: entfernen*) chuck [*o* kick out]; (*ent-lassen*) fire; (*sl*) sack; **e-n Blick** ~ take a, glance outside; **Geld zum Fenster** ~ (*fig fam*) pour money down the drain; **hi•n-aus|wol•len** *irr itr* (*fig: hinzielen, beab-sichtigen*) be driving at; **hoch** ~ aim high; **hi•n•aus|zö•gern** *tr* delay

hin|bie•gen *irr tr* (*fig fam*) sort out

Hin•blick *m:* **im** ~ **auf** with regard to; (*angesichts*) in view of

hin|brin•gen *irr tr* **1.** (*begleiten*) take there **2.** (*fig: Zeit*) pass, spend

hin•der•lich ['hɪndɐlɪç] *adj* **1.** (*im Weg*) in the way **2.** (*lästig*) restricting; (*störend*) embarrassing; **jdm** ~ **sein** (*jdm im Wege stehen*) stand in someone's way; **jds Fort-kommen** ~ **sein** be an obstacle to some-one's advancement

hin•dern **I.** *tr* **1.** (*aufhalten*) hinder; (*hemmen*) hamper, impede **2.** (*ganz ab-halten*) prevent (*an* from) **II.** *itr* (*stören*) be a hindrance (*bei* to); **Hin•der•nis** ['hɪnd-ɐnɪs] <-ses, -se> *n* **1.** (*a. fig*) obstacle **2.** (*Erschwernis*) hindrance **3.** (*Behinderung*) handicap; **jdm ~se in den Weg legen** (*fig*) put obstacles in someone's way; **alle ~se aus dem Wege räumen** remove all ob-stacles; **auf ~se stoßen** run into obstacles; **Hin•der•nis•ren•nen** *n* (SPORT: *auf Pferden*) steeplechase

hin|deu•ten *itr* **1.** (*zeigen*) point (*auf* at) **2.** (*fig: anzeigen*) indicate

Hin•du ['hɪndu] <-(s), -(s)> *m* Hindu

hin•durch [hɪn'dʊrç] *adv* **1.** (*räumlich*) through **2.** (*zeitlich*) throughout; **das ganze Jahr** ~ all the year round, through-out the year; **den ganzen Tag** ~ all day (long); **mitten** ~ right [*o* straight] through; **lange Zeit** ~ for a long time

hin•ein [hɪ'naɪn] *adv* **1.** (*räumlich*) in, in-side, into **2.** (*zeitlich*) into; ~ **mit Ihnen!** in you go!; **da** ~ in there; **in etw** ~ into s.th.; **bis tief in die Nacht** ~ well into the night; **hin•ein|fin•den** *irr refl:* **sich** ~ **in ...** (*ver-traut werden mit*) get familiar with ...; (*sich abfinden*) come to terms with ...; **hin•ein|ge•hen** *sein irr itr* **1.** go in (*in* -to) **2.** (*hineinpassen*): **in dieses Fass gehen 20 Liter hinein** this barrel holds 20 liters; **hin•ein|le•gen** *tr* (*a. fig*) put in [*o* into]; **hin•ein|pas•sen** *itr:* **in etw** ~ fit into s.th.; (*fig: in Schema etc*) fit in with s.th.; **hin•ein|re•den** *itr* **1.** (*unterbrechen*) in-terrupt (*jdm* s.o.) **2.** (*fig: sich einmischen*) interfere (*jdm* in someone's affairs); **sich in s-e Wut** ~ talk o.s. into a rage; **hin•ein-ste•cken** *tr* put in (*in* -to); **viel Mühe in etw** ~ put a lot of effort into s.th.; **s-e Nase in alles** ~ (*fig*) poke one's nose into every-thing; **hin•ein|stei•gern** *refl* work o.s. up (*in e-n Zustand* into a state); **sich in s-e Wut** ~ work o.s. up into a rage; **sich in s-n Kummer** ~ let o.s. be completely taken up with one's worries *pl;* **sich in e-e Rolle** ~ become completely caught up in a role; **hin•ein|ver•set•zen** *refl* put o.s. in the position (*in jdn* of s.o.)

hin|fah•ren **I.** *irr tr haben* take [*o* drive] there **II.** *itr sein* go there, drive there, sail there; **Hin•fahrt** *f* journey there; (MAR) voyage out; (RAIL) outward journey; **auf der** ~ on the way there; **nur** ~ (RAIL) single *Br,* one way *Am*

hin|fal•len *irr itr* fall (down); **hin•fäl•lig** *adj* **1.** (*schwach*) frail **2.** (*fig: unhaltbar*) untenable; 3; (*fig: ungültig*) invalid; **Hin-fäl•lig•keit** *f* **1.** (*Schwäche*) frailness **2.** (*fig: Ungültigkeit*) invalidity

Hin•flug *m* (AERO) outward flight

hin|füh•ren *tr itr* (*a. fig*) lead there; **wo soll das ~?** (*fig*) where is this leading to?

Hin•ga•be <-> *f* (*fig*) **1.** (*Ergebenheit*) de-votion **2.** (*Begeisterung*) dedication; **hin-ge•ben** **I.** *irr tr* **1.** (*aufgeben*) give up **2.** (*opfern*) sacrifice **II.** *refl:* **sich e-r Sache** ~ (*e-r positiven Sache*) devote o.s. to s.th.; (*e-r negativen Sache*) abandon o.s. to s.th.; sich jdm ~, give o.s. to s.o.; **hin•ge-bungs•voll** *adj* devoted

hin•ge•gen [-'--] *konj* (*jedoch*) however; (*andererseits*) on the other hand

hin|ge•hen *irr itr* **1.** go there **2.** (*von Zeit*) go by, pass; **etw** ~ **lassen** (*fig*) hinnehmen, let s.th. pass

hin|hal•ten *irr tr* **1.** (*reichen*) hold out (*jdm* to s.o.) **2.** (*fig*): **jdn** ~ put s.o. off; **Hin•hal-te•tak•tik** *f* stalling tactics *pl*

hin|hau•en **I.** *irr tr* (*sl*) **1.** (*hinschmeißen*) plonk down **2.** (*hinschmieren*) knock off **II.** *itr* (*sl*) **1.** (*ausreichen*) do **2.** (*klappen*) work **III.** *refl* (*sl: sich schlafen legen*) turn in

hin•ken ['hɪŋkən] *itr* **1.** (*lahmen*) limp **2.** (*fig: unpassend sein*) be inappropriate; **mit dem rechten Bein** ~ have a limp in one's right leg; **der Vergleich hinkt** (*fig*) that's a lame [*o* poor] comparison

hin|knien *itr refl* kneel down

hin•läng•lich *adj* **1.** (*ausreichend*) suffi-cient **2.** (*angemessen*) adequate

hin|le•gen **I.** *tr* **1.** (*niederlegen*) put down; (*flach* ~) lay down **2.** (*fam: Rede, Vortrag,*

Leistung) perform effortlessly **3.** (*fam: bezahlen müssen*) fork out **II.** *refl* (*sich niederlegen*) lie down; **sich der Länge nach ~** (*fig fam*) be taken aback

hin|neh•men *irr tr* accept, take; **etw als selbstverständlich ~** take s.th. for granted

hin|raf•fen *tr* (*poet*) carry off

hin•rei•chend *adj* **1.** (*ausreichend*) sufficient **2.** (*angemessen*) adequate

Hin•rei•se *f* journey there; (MAR) voyage out; (RAIL) outward journey; **auf der ~** on the way there; **Hin- u. Rückreise** journey there and back

hin|rei•ßen *irr tr* (*fig*) **1.** (*entzücken*) enrapture, thrill **2.** (*überwältigen*) force (*jdn zu etw* s.o. into s.th.); **sich ~ lassen** let o.s. be carried away (*zu e-r Entscheidung* into making a decision); **hin•rei•ßend** *adj* (*fantastisch*) fantastic; (*bezaubernd*) enchanting; (*Schönheit*) ravishing

hin|rich•ten *tr* (*Verbrecher*) execute; **jdn durch den Strang ~** hang s.o.; **Hin•rich•tung** *f* execution

hin|schmei•ßen *irr tr* **1.** (*fam: hinwerfen*) fling down **2.** (*fig fam: aufgeben*) chuck in

hin|se•hen *irr itr* look; **vor sich ~** look straight ahead

hin|set•zen I. *tr* (*Gegenstände*) set down; (*Personen*) seat **II.** *refl* sit down; **sich gerade ~** sit up straight

Hin•sicht *f*: **in jeder ~** in every respect; **in ~ auf ...** (*bezüglich*) with regard to ...; (*angesichts*) in view of ...; **in dieser ~** in this regard; **hin•sicht•lich** *präp* (*bezüglich*) with regard to; (*angesichts*) in view of

hin|stel•len I. *tr* **1.** (*hinsetzen od -legen*) put (down) **2.** (*fam: Häuser etc*) put up; **jdn (etw) als jdn (etw) ~** (*fig*) make s.o. (s.th.) out to be s.o. (s.th.) **II.** *refl* **1.** stand **2.** (MOT: *parken*) park

hin•ten ['hɪntən] *adv* behind; (*am Hinterende, auf der Rückseite*) at the back; **~ im Buch** at the end of the book; **~ im Bild** in the back of the picture; **nach ~** to the back; **von ~ anfangen** begin from the back; **ein Blick nach ~** a look behind; **~ bleiben** stay behind; (*fig*) lag behind; **von ~ (her)** from behind, from the back; **von weit ~** from the very back; **weit ~** far behind, far back; **jdn am liebsten von ~ sehen** (*fig fam*) be glad to see the back of s.o.; **jdn ~ u. vorne bedienen** wait on s.o. hand and foot; **es jdm ~ u. vorne reinstecken** (*fig fam*) spoon-feed s.o.; **ich weiß nicht mehr, wo ~ u. vorn ist** (*fig fam*) I don't know whether I'm coming or going; **das langt ~ u. vorn nicht** (*fig fam*) that's not enough to make ends meet

hin•ter ['hɪntɐ] *präp* **1.** (*räumlich*) behind **2.** (*zeitlich*) after; **~ dem Haus** at the back of the house, behind the house; **~ mir (her)** (*räumlich*) behind me; (*um mich zu kriegen*) after me; **~ meinem Rücken** behind my back; **sich ~ jdn stellen** stand behind s.o.; (*fig*) support s.o.; **~ Schloss u. Riegel** under lock and key; **~ etw kommen** (*fig*) get to the bottom of s.th.; **~** etw hervor, from behind s.th.; **~ etw stecken** (*fig*) be at the bottom of s.th.; **etw ~ sich bringen** get s.th. over (and done with); (*Entfernung*) cover s.th.; **etw ~ sich haben** (*überstanden*) have got over s.th.; (*Krankheit, schlimme Zeit*) have been through s.th.; (*zurückgelegt*) have covered s.th.; **~ sich lassen** leave behind

Hin•ter•ach•se *f* (MOT) rear axle

Hin•ter•ba•cke *f* buttock

Hin•ter•bein *n* hind leg; **sich auf die ~e stellen** (*Pferd etc*) rear up; (*fig fam: sich widersetzen*) kick up a fuss

Hin•ter•blie•be•ne [hɪntɐ'bli:bənə] *m f* (JUR) surviving relative; **die ~n** the bereaved

hin•ter•brin•gen *irr tr* inform (*jdm etw* s.o. of s.th.)

hin•te•re ['hɪntərə] *adj* back; **der (die) ~** the one at the back

hin•ter•ei•n•an•der ['---'--] *adv* **1.** (*zeitlich*) one after the other [*o* another] **2.** (*räumlich*) one behind the other; **drei Tage ~** three days running; **dicht ~** (*zeitlich*) close behind; (*räumlich*) close on one another

Hin•ter•ge•da•nke *m* ulterior motive

hin•ter•ge•hen *haben irr tr* (*betrügen*) deceive

Hin•ter•grund *m* **1.** (*von Zimmer, Gemälde, a. fig*) background **2.** (THEAT) back; **vor diesem ~** (*a. fig*) against this background; **im ~ bleiben** (*a. fig*) stay in the background; **Hin•ter•grund•pro•gramm** *n* (EDV) background program

Hin•ter•halt *m* (*a. fig*) ambush; **in e-n ~ locken** draw into an ambush; **im ~ liegen** lie in ambush; **jdn aus dem ~ angreifen** ambush s.o.; **jdm im ~ auflauern** wait in ambush for s.o.; **hin•ter•häl•tig** ['hɪntɐhɛltɪç] *adj* underhand

Hin•ter•hand *f*: **noch etw in der ~ haben** have s.th. up one's sleeve

hin•ter•her [--'-] *adv* **1.** (*räumlich*) behind **2.** (*zeitlich*) afterward(s); **hin•ter|her•lau•fen** *sein irr itr* **1.** run behind **2.** (*fig fam*) run after (*jdm* s.o.)

Hin•ter•hof *m* backyard

Hin•ter•kopf *m* back of one's head; **etw im ~ haben** (*fam*) have s.th. in the back of one's mind

Hin•ter•land <-(e)s> *n* hinterland

hin•ter•las•sen *irr tr* **1.** (*zurücklassen*)

leave **2.** (*testamentarisch*) bequeath (*jdm etw* s.th. to s.o.); **Hin•ter•las•sen•schaft** *f* **1.** (JUR) estate **2.** (*fig*) legacy

Hin•ter•lauf *m* hind leg

hin•ter•le•gen *tr* **1.** (*verwahren lassen*) deposit (*bei* with) **2.** (*als Pfand*) leave

Hin•ter•list *f* **1.** (*Tücke*) craftiness; (*Verschlagenheit*) cunning **2.** (*in Betrugsabsicht*) deceitfulness **3.** (*List*) trick; **hin•ter•lis•tig** *adj* **1.** (*tückisch*) crafty; (*verschlagen*) cunning **2.** (*betrügerisch*) deceitful **3.** (*falsch*) false, perfidious

Hin•ter•mann <-(e)s, ¨-er> *m* **1.** (*hinter e-m Stehender*) person behind (one) **2.** (*fig*) backer

Hin•tern ['hɪntɐn] <-s, -> *m* (*fam*) backside, bottom, butt *Am;* **sich auf den ~ setzen** (*fam: hinfallen*) fall on one's bottom; (*fig fam: energisch arbeiten*) buckle down to work; **ein Tritt in den ~** (*fam*) a kick up the backside; **was auf den ~ kriegen** (*fam*) get one's bottom smacked

Hin•ter•rad *n* (RAIL) back wheel; (MOT: *a. Fahrrad*) rear wheel; **Hin•ter•rad•an•trieb** *m* (MOT) rear wheel drive

hin•ter•rücks ['hɪntərʏks] *adv* **1.** (*von hinten*) from behind **2.** (*fig: heimtückisch*) behind someone's back

Hin•ter•sitz *m* (MOT) backseat

hin•ters•te *adj* backmost, very back; **das ~ Ende** the very end

Hin•ter•tref•fen *n:* **ins ~ kommen** [*o* **geraten**] lose ground; **im ~ sein** be under a handicap

hin•ter•trei•ben *irr tr* (*vereiteln*) foil, thwart

Hin•ter•trep•pe *f* back stairs *pl*

Hin•ter•tür *f* **1.** (*Tür nach hinten heraus*) back door **2.** (*fig: Ausweg*) loophole; **sich ein ~chen offenhalten** leave o.s. a loophole

Hin•ter•wäld•ler ['hɪntɐvɛltlɐ] *m* (*fam*) backwoodsman, hillbilly *Am a.*

hin•ter•zie•hen *irr tr:* **Steuern ~** evade tax(es)

hi•n•über [hɪ'ny:bɐ] *adv* over; (*durch Überqueren*) across; **~ sein**[RR] (*fam: verdorben*) be off; (*kaputt, tot*) have had it; (*betrunken*) be (well) away; **hin•über|sein** *s.* **hinüber**

hi•n•un•ter [hɪ'nʊntɐ] *adv, präp* down; **die Straße ~** down the street; **bis ~ nach ...** down to ...; **hin•un•ter|fah•ren** *irr* **I.** *itr sein* go down **II.** *tr haben* (*e-n Passagier etc*) take down; (*ein Auto etc*) drive down; **hin•un•ter|ge•hen** *sein irr itr* (*allgemein*) go down; (*zu Fuß*) walk down; **hin•un•ter|kip•pen** *tr* **1.** tip down **2.** (*fam: Getränk*) knock back

hin•un•ter|schlu•cken *tr* (*a. fig*) swallow

hin•un•ter|spü•len *tr* **1.** wash down **2.** (*fig: Ärger*) soothe; **hin•un•ter|wer•fen** *irr tr* throw down; **e-n Blick ~** glance down; **jdn die Treppe ~** kick s.o. downstairs

hin•weg [hɪn'vɛk] *adv* **1.** (*fort*) away **2.** (*zeitlich*): **über 10 Jahre ~** over a period of 10 years; **über jdn** [*o* **jds Kopf**] **~** over someone's head; **hin•weg|ge•hen** *irr itr:* **über etw ~** (*nicht beachten*) pass over s.th.; **hin•weg|kom•men** *irr itr* (*fig*) get over; **er kann nicht darüber ~** he can't get over it; **hin•weg|se•hen** *irr itr* (*fig*): **über jdn** [*o* **etw**] **~** see over s.o. [*o* s.th.]; (*fig: ignorieren*) ignore s.o. [*o* s.th.]; (*außer Acht lassen*) overlook s.o. [*o* s.th.]; **hin•weg|set•zen I.** *itr:* **über etw ~** (*springen*) jump over s.th. **II.** *refl* (*fig*): **sich ~ über etw** disregard s.th.

Hin•weis ['hɪnvaɪs] <-es, -e> *m* **1.** (*Anhaltspunkt*) indication (*auf* to); (*bes. für Polizei*) clue **2.** (*Anspielung*) allusion (*auf* to) **3.** (*amtlicher ~*) notice; (*Rat*) tip **4.** (*Verweisung*) reference (*auf* to); **hin|wei•sen I.** *irr tr* point (*jdn auf etw* s.th. out to s.o.) **II.** *itr* **1.** (*zeigen*) point (*auf* to) **2.** (*verweisen*) refer (*auf* to) **3.** (*betonen*) emphasize (*auf etw* s.th.)

hin|wer•fen I. *irr tr* **1.** throw down (*jdm etw* s.th. to s.o.) **2.** (*fig: flüchtige Bemerkung*) drop (casually) **3.** (*fam: Arbeit, Stelle*) chuck **II.** *refl* throw o.s. down (*auf die Knie* on one's knees)

Hinz [hɪnts]: **~ und Kunz** every Tom, Dick and Harry

hin|zie•hen I. *irr tr* **1.** *haben* draw (*zu* towards) **2.** (*fig: anziehen*) attract (*zu* to) **3.** (*fig: in die Länge ziehen*) drag out **II.** *itr sein* (*über das Land etc*) move (*über* across, *zu, nach* towards) **III.** *refl haben* **1.** (*sich erstrecken*) stretch (*bis, nach* to) **2.** (*zeitlich*) drag on

hin•zu [hɪn'tsu:] *adv* **1.** (*örtlich*) there **2.** (*außerdem*) besides, in addition; **hin•zu•fü•gen** *tr* **1.** add (*e-r Sache* to s.th.) **2.** (*beilegen in Briefen etc*) enclose; **hin•zu•kom•men** *irr itr* **1.** (*herbeikommen*) arrive **2.** (*sich anschließen*) join (*bei o zu etw* s.th.) **3.** (*beigefügt werden*) be added (*zu etw* to s.th.); **es kommt noch hinzu, dass ...** add to this that ...; **kommt sonst noch etw ~?** will there be anything else?; **hin•zu|zäh•len** *tr* add; **hin•zu|zie•hen** *irr tr* (*Arzt etc*) consult

Hi•obs•bot•schaft ['hi:ɔps-] *f* bad news, tidings of gloom and doom

Hirn [hɪrn] <-(e)s, -e> *n* **1.** (ANAT) brain **2.** (*fam: Verstand, Intelligenz*) brains *pl;* **Hirn•an•hang•drü•se** *f* pituitary gland; **Hirn•ge•spinst** ['hɪrngəʃpɪnst] <-(e)s,

-e> *n* (*pej*) fantasy; **Hirn•haut•ent•zün•dung** *f* (MED) meningitis; **hirn•ris•sig** *adj* (*fam*) crazy, hare-brained; **Hirn•tod** *m* (MED) brain [*o* cerebral] death; **hirn•ver•brannt** *adj* (*fig fam*) crackbrained; **du bist völlig ~!** you're really cracked!

Hirsch [hɪrʃ] <-(e)s, -e> *m* (ZOO: *Rot~*) stag; **Hirsch•fän•ger** *m* hunting-knife; **Hirsch•ge•weih** *n* antlers *pl;* **Hirsch•kä•fer** *m* (ZOO) stag-beetle; **Hirsch•kalb** *n* (ZOO) fawn; **Hirsch•keu•le** *f* haunch of venison; **Hirsch•kuh** *f* (ZOO) hind

Hir•se ['hɪrzə] <-> *f* (BOT) millet

Hir•te ['hɪrtə] <-n, -n> *m* herdsman; (*Schaf~, a. fig eccl: Seelsorger*) shepherd; **Hir•ten•brief** *m* (ECCL) pastoral

His [hɪs] <-, -> *n* (MUS) B sharp

his•sen ['hɪsən] *tr* hoist (up)

His•to•rie [hɪs'to:riə] <-, -n> *f* **1.** (*Welt~*) history **2.** (*Erzählung*) story; **His•to•ri•ker(in)** *m(f)* historian; **his•to•risch** *adj* **1.** (*geschichtlich*) historical **2.** (*fig: sehr bedeutsam*) historic

Hit•pa•ra•de <-, -n> *f* charts *pl*

Hit•ze ['hɪtsə] <-> *f* **1.** (*allgemein*) heat; (*Wetter*) hot weather **2.** (*fig: Leidenschaft*) passion; **drückende ~** oppressive heat; **in der ~ des Gefechts** (*fig*) in the heat of the moment; **hit•ze•be•stän•dig** *adj* heat-resistant; **hit•ze•emp•find•lich** *adj* sensitive to heat; **Hit•ze•schutz•schild** *m* (*bei Raumfahrt*) heat shield; **Hit•ze•wel•le** *f* heat wave

hit•zig ['hɪtsɪç] *adj* **1.** (*fig: aufbrausend*) hot-headed **2.** (*fig: Wortstreit, Debatte*) heated **3.** (MED: *Fieber*) high; (*Gesichtsfarbe*) fevered; **~ werden** (*Person*) flare up; (*Debatte*) grow heated

HIV [ha:i:'faʊ] <-(s), -(s)> *n Abk. von* **Human Immunodeficiency Virus** HIV; **HIV-in•fi•ziert** *adj* HIV(-)infected; **HIV-po•si•tiv** *adj* HIV(-)positive, tested positive for aids; **HIV-Po•si•ti•ve(r)** *f m* HIV-positive person; **HIV-Vi•rus** *m* HIV virus

Hitz•kopf *m* hothead; **Hitz•schlag** *m* heat-stroke

hm [hm] *interj* hm, hum

H-Milch *f* UHT-milk

HNO *Abk. von* **Hals-Nasen-Ohren** ear, nose and throat

Hob•by ['hɔbi] <-s, -s> *n* hobby; **Hob•by•fe•ri•en** *pl* activity holiday *sing*

Ho•bel ['ho:bəl] <-s, -> *m* (TECH) plane; **Ho•bel•bank** *f* joiner's bench; **ho•beln** *tr itr* plane; **wo gehobelt wird, da fallen Späne** (*prov*) you can't make an omelette without breaking eggs

Hoch [ho:x] <-s, -s> *n* **1.** (*~ruf*) cheer (*auf, für* for) **2.** (*in Meteorologie, a. fig*) high; **ein dreifaches ~ für ...** three cheers *pl,* for ...

hoch [ho:x] <höher, höchst> **I.** *adj* **1.** (*allgemein*) high; (*groß, ~gewachsen*) tall **2.** (*fig: Preise*) dear, high **3.** (*fig: Ehre*) great; (*Geburt*) noble; (*Strafe*) heavy, severe; **ein hohes Alter erreichen** live to a ripe old age; **H~ u. Niedrig** rich and poor; **in hohem Ansehen stehen** be highly esteemed; **in hoher Blüte stehen** (*fig: Handel etc*) be flourishing; (*Kultur etc*) be at its zenith; **e-e hohe Geldstrafe** a heavy fine; **das hohe C** (MUS) top C; **ein hohes Tier** (*fam fig*) a big fish [*o* shot]; **im hohen Norden** in the far North; **auf dem hohen Ross sitzen** (*fig*) be on one's high horse; **auf hoher See** on the high seas *pl;* **in hohem Maße** to a high degree **II.** *adv* **1. ~ oben** high up **2.** (*nach oben*) up **3.** (*Qualität etc*) highly **4.** (MATH): **2 ~ 3** (**=** 2^3) 2 to the power of 3; **~ zu Ross** on horseback; **~ u. heilig versprechen** promise faithfully; **Hände ~!** hands up!; **Kopf ~!** chin up!; **jdm etw ~ anrechnen** think highly of s.o. for s.th.; **~ hinauswollen** aim high; **es geht ~ her** things are pretty lively; **~ lebe der König!** long live the king!; **den Kopf ~ tragen** hold one's head high; **die Nase ~ tragen** (*fam*) go around with one's nose in the air; **~ halten**[RR] hold up; **die Fahne ~ halten**[RR] carry the banner; **~ begabt**[RR] highly talented; **~ bezahlt**[RR] highly paid; **~ qualifiziert**[RR] highly qualified

Hoch•ach•tung *f* deep respect; **mit vorzüglicher ~** (*obs: im Brief*) yours faithfully; **meine ~!** well done!; **hoch•ach•tungs•voll** *adv* (*in Briefen*) yours faithfully; **hoch•ak•tu•ell** ['---'-] *adj* highly topical; **Hoch•al•tar** *m* (ECCL) high altar; **Hoch•amt** *n* (ECCL) High Mass; **hoch|ar•bei•ten** *refl* work one's way up; **hoch•auf•lö•send** *adj* (EDV TV) high-resolution; **Hoch•bahn** *f* elevated railway *Br,* elevated railroad *Am;* **Hoch•bau** <-(e)s> *m* **1.** (TECH) building construction, surface engineering **2.** (ARCH) high-rise building; **hoch•be•gabt** *adj s.* hoch; **Hoch•be•gab•te(r)** *f m* gifted person; gifted child; **hoch•be•rühmt** ['--'-] *adj* very famous; **hoch•be•tagt** ['--'-] *adj* aged, advanced in years, well on in years; **Hoch•be•trieb** *m* **1.** (*in Geschäft*) peak period **2.** (*im Verkehr*) rush hour **3.** (*Hochsaison*) high season; **hoch•be•zahlt** *adj s.* hoch; **Hoch•burg** *f* (*fig*) stronghold; **hoch•deutsch** *adj* High [*o* standard] German; **Hoch•druck** [-(e)s] *m* **1.** (*Wetter, a.* PHYS) high pressure **2.** (TYP: *Verfahren*) relief printing **3.** (*Ergebnis*) relief print **4.** (MED: *Blut~*) high blood pressure; **mit ~ arbeiten** work at full stretch; **Hoch•eb•e•ne** *f* plateau; **hoch•ent•wi-**

ckelt ['--'--] *adj* highly advanced [*o* developed]; **hoch•er•freut** ['--'-] *adj* overjoyed (*über* at); **hoch•ex•plo•siv** *adj* (*a. fig*) highly explosive; **hoch•fah•rend** *adj* (*fig: überheblich*) arrogant; **Hoch•fi•nanz** <-> *f* high finance; **hoch•flie•gend** *adj* (*fig*) **1.** (*hochgesteckt*) ambitious **2.** (*übertrieben*) high-flown; **Hoch•form** <-> *f* (*a. fig*) top form; **Hoch•for•mat** *n* vertical format; **Hoch•fre•quenz** *f* (EL) high frequency; **Hoch•ga•ra•ge** *f* (MOT) multi stor(e)y car park; **Hoch•ge•bir•ge** *n* high mountains *pl;* **Hoch•ge•fühl** *n* elation

hoch|ge•hen *sein irr itr* **1.** (*steigen*) rise **2.** (*fam: hinaufgehen*) go up **3.** (*fig fam: zornig werden*) hit the ceiling [*o* roof]; (*fam: explodieren*) blow up **4.** (*fam: gefasst werden*) get nabbed

hoch•ge•lobt *adj* highly praised, critically acclaimed

Hoch•ge•nussRR *m* real treat; **Hoch•ge•schwin•dig•keits•com•pu•ter** *m* high-speed computer; **Hoch•ge•schwin•dig•keits•zug** *m* high-speed train; **hoch•ge•spannt** *adj* (*fig: groß*) great, high; **Hoch•glanz** *m* high- polish; **etw auf ~ bringen** polish s.th. until it gleams; **hoch•gra•dig** *adj* **1.** extreme **2.** (*fig: Unsinn*) absolute, utter; **hoch|hal•ten** *irr tr* (*achten*) uphold; *s. a.* hochRR; **Hoch•haus** *n* high-rise building; (*Wolkenkratzer*) skyscraper; **hoch|he•ben** *irr tr* (*Hand, Arm*) lift raise, hold up; (*Kind, Last*) lift up

hoch•kant ['ho:xkant] *adv* end up, on end

hoch|kom•men *itr* come up

Hoch•kon•junk•tur *f* (COM FIN) boom; **Hoch•land** <-(e)s> *n* highland; **das schottische ~** the Scottish Highlands *pl;* **Hoch•leis•tung** *f* first-class performance; **Hoch•lohn•land** *n* country with high wage costs; **hoch•mo•dern** ['--'-] *adj* very modern; **Hoch•moor** *n* moor; **Hoch•mut** *m* arrogance; **~ kommt vor dem Fall** (*prov*) pride comes before a fall; **hoch•mü•tig** ['ho:xmy:tɪç] *adj* haughty, arrogant; **hoch•nä•sig** *adj* (*fam pej*) stuck-up, snooty; **Hoch•ofen** *m* (blast) furnace; **hoch•pro•zen•tig** *adj* (*Alkohol*) high-proof; **hoch•qua•li•fi•ziert** *adj s.* hoch; **Hoch•rech•nung** *f* (computer) projection, projected result; **hoch|rüs•ten I.** *tr* (TECH) upgrade **II.** *itr* (MIL) increase the weaponry (of a country); rearm; **Hoch•rüs•tung** <-> *f* (MIL) arms build-up; **Hoch•sai•son** *f* high season; **Hoch•schrank** *m* **1.** (*Einbau~*) floor-to-ceiling wardrobe **2.** (*hoher Schrank*) high wardrobe; **Hoch•schu•le** *f* college; (*Universität*) university; **Hoch•schul•leh•rer(in)** *m(f)* **1.** (*allgemein*) college [*o* university] teacher **2.** (*Professor*) professor; **Hoch•schul•rei•fe** *f* matriculation standard; **hoch•schwan•ger** ['-'--] *adj* well advanced in pregnancy; **Hoch•see** *f* high sea; **Hoch•see•fi•sche•rei** *f* deep-sea fishing; **hoch•sen•si•bel** *adj* (*Apparat, Person*) highly sensitive; **Hoch•si•cher•heits•trakt** *m* (*Gefängnis*) high-security wing; **Hoch•som•mer** *m* midsummer; **Hoch•span•nung** *f* (EL) high-voltage, H.V.; (*a. fig*) high-tension, H.T.; **Hoch•span•nungs•lei•tung** *f* (EL) high- tension [*o* power] line; **Hoch•span•nungs•mast** *m* (EL) (high-tension) pylon; **Hoch•spra•che** *f* standard language; **Hoch•sprung** *m* (SPORT) high jump

höchst [hø:çst/hø:kst] *adv* highly, most; **Höchstalter** *n* maximum age

Hoch•stap•ler *m* (*Schwindler*) confidence trickster; (*fam*) con-man

Höchst•be•trag *m* maximum amount; (*Limit*) limit

höchs•te *adj* **1.** (*allgemein*) highest **2.** (*größte*) tallest; (*längste*) longest **3.** (*äußerste*) utmost; (*extrem*) extreme **4.** (*maximal*) maximum **5.** (*schwerste*) heaviest; **die ~ Instanz** (JUR) the supreme court (of appeal); **im ~n Maße** to the highest degree; **im ~n Fall** at the most; **aufs ~ erfreut** highly pleased; **am ~n** highest; **~ Zeit** high time; **das ist aber das ~ der Gefühle** (*fig fam*) and that's the end of it

höchs•tens *adv* **1.** (*bestenfalls*) at best, at (the) most **2.** (*nicht mehr*) not more than ...

Höchst•fall *m:* **im ~** at the most; **Höchst•form** *f* (*a. fig*) top form; **Höchst•ge•bot** *n* highest bid; **Höchst•ge•schwin•dig•keit** *f* maximum [*o* top] speed; **zulässige ~** speed limit; **Höchst•gren•ze** *f* upper limit; **Höchst•leis•tung** *f* **1.** (*Bestleistung*) best performance **2.** (SPORT) record **3.** (*Produktions~*) maximum output; **Höchst•maß** *n* maximum amount (*an* of); **höchst•per•sön•lich** *adv* in person; **Höchst•preis** *m* (COM) maximum price; **höchst•wahr•schein•lich** ['--'--] *adv* in all probability, most likely

hoch•sty•len *tr* (*fam*) give style to; (*pej: Person*) hype *sl;* **hochgestyltes Produkt** stylish product

höchst•zu•läs•sig *adj* maximum (permissible); **~er Wert** maximum value

Hoch•tech•no•lo•gie *f* high-technology; **Hoch•tem•pe•ra•tur•re•ak•tor** *m* high temperature reactor; **Hoch•tou•ren** *pl:* **auf ~en laufen** at full speed [*o* steam]

hoch•tra•bend *adj* (*fam: aufgeblasen*) pompous; (*geschwollen*) high-falutin(g)

Hoch•ver•rat *m* high treason

Hoch•wald *m* timber forest; **Hoch•was•ser** *n* **1.** (*zu hoher Wasserstand*) high water; (*Überschwemmung*) flood **2.** (*Höchststand von Flut*) high tide; **s-e Hose hat ~** (*hum fam*) his trousers are at half-mast; **Hoch•was•ser•stand** *m* high water level; (*bei Überschwemmung*) flood stage

hoch•wer•tig *adj pred* of high quality, high-quality; (*Lebensmittel: nahrhaft*) highly nutritious

Hoch•zahl *f* (MATH) exponent

Hoch•zeit¹ ['ho:xtsaɪt] *f* (*Blüteperiode*) golden age

Hoch•zeit² ['hɔxtsaɪt] *f* marriage, wedding; **diamantene** (**goldene, silberne**) **~** diamond (golden, silver) wedding; **auf allen ~en tanzen** have a finger in every pie; **Hoch•zeits•fei•er** *f* wedding celebration; **Hoch•zeits•gast** *m* wedding guest; **Hoch•zeits•nacht** *f* wedding night; **Hoch•zeits•rei•se** *f* honeymoon; **Hoch•zeits•tag** *m* **1.** (*Tag der Hochzeit*) wedding day **2.** (*Jahrestag*) wedding anniversary

hoch|zie•hen *tr* pull up

Ho•cke ['hɔkə] <-, -n> *f* (*beim Turnen*) squat; **in die ~ gehen** squat; **ho•cken** *itr* **1.** squat **2.** (*fam: sitzen*) sit (around); **über s-n Büchern ~** pore over one's books; **Ho•cker** *m* (*Schemel*) stool; **das reißt mich nicht vom ~** (*fig sl*) that doesn't bowl me over

Hö•cker ['hœkɐ] <-s, -> *m* (ZOO: *a. kleiner Hügel*) hump

Ho•de ['ho:də] <-n, -n> *m* testicle; **Ho•den•krebs** *m* testicular cancer; **Ho•den•sack** *m* (ANAT) scrotum

Hof [ho:f, *pl:* 'hø:fə] <-(e)s, ⸚e> *m* **1.** (*Platz*) yard; (*Innen~*) courtyard; (*Hinter~*) backyard **2.** (*Bauern~*) farm **3.** (*Fürsten~*) court **4.** (ASTR: *Ring um Mond, Sonne*) halo; **bei** [*o* **am**] **~e** at court; **am ~e Heinrichs VIII** at the court of Henry VIII; **e-m Mädchen den ~ machen** (*obs*) court a girl

hof•fen ['hɔfən] **I.** *tr* hope for **II.** *itr* hope (*auf etw* for s.th.), set one's hopes (*auf jdn* on s.o.); **das Beste ~** hope for the best; **ich hoffe es** I hope so; **es ist sehr zu ~** it is much to be hoped; **ich will nicht ~, dass das wahr ist** I hope that it is not true; **auf Gott ~** trust in God; **hof•fent•lich** ['hɔfəntlɪç] *adv* hopefully, I hope so, it is to be hoped; **~ nicht** I hope not; **~ kommt sie** I hope she will come; **Hoff•nung** ['hɔfnʊŋ] *f* hope (*auf* in); **die ~ aufgeben** (**verlieren**) abandon (lose) hope; **jdm ~en machen** raise someone's hopes; **jdm keine ~en machen** not hold out any hopes for s.o.; **sich ~ machen** have hopes (*auf etw* of getting s.th.); **sie ist meine einzige ~** my only hope is in her; **s-e ~en setzen auf ...** pin one's hope on ...; **in der ~ zu ...** hoping to ...; **guter ~ sein** (*euph: schwanger*) be expecting; **hoff•nungs•los** *adj* hopeless; **Hoff•nungs•lo•sig•keit** *f* hopelessness; **Hoff•nungs•schim•mer** *m* glimmer of hope; **Hoff•nungs•strahl** <-(e)s> *m* ray of hope; **Hoff•nungs•trä•ger(in)** *m(f)* carrier of hope; **hoff•nungs•voll I.** *adj* (*voller Hoffnung*) hopeful; (*viel versprechend*) promising **II.** *adv* full of hope

Hof•hund *m* watchdog

hö•fisch ['hø:fɪʃ] *adj* courtly

höf•lich ['hø:flɪç] *adj* (*allgemein*) polite; (*zuvorkommend*) courteous; (*respektvoll*) respectful; **Höf•lich•keit** *f* **1.** (*das Höflichsein*) politeness, courteousness **2.** *meist pl* (*Komplimente*) compliments

Höf•ling *m* courtier

Hof•narr *m* court jester; **Hof•tor** *n* yard gate

ho•he ['ho:ə] *adj attr s.* **hoch**

Hö•he ['hø:ə] <-, -n> *f* **1.** (*allgemein*) height **2.** (MATH ASTR AERO) altitude **3.** (*Gipfel*) summit; (*An~*) hill **4.** (*Ausmaß, Größenordnung, Niveau*) level; (*Umfang, Wert, Betrag*) amount **5.** (*geografische ~*) latitude **6.** (MUS: *Ton~*) pitch; (RADIO: *Ton~*) treble; **das ist doch wohl die ~!** (*fig fam*) that's the limit!; **auf der ~ sein** (*fig fam: der Zeit*) be up-to- date; (*der Leistungskraft*) be at one's best; (*gesundheitlich*) be fighting fit; **auf gleicher ~** level with each other; **auf der ~ von Liverpool** (MAR) off Liverpool; **an ~ gewinnen** (AERO) gain height; **aus der ~** from above; **die Preise in die ~ treiben** (*fig*) force up the prices; **bis zur ~ von $ 5** up to the amount of $ 5; **ein Betrag in ~ von ...** an amount of ...; **in der ~** on high, up in the air; **in die ~** into the air, up, upwards; **die ~n u. Tiefen des Lebens** the ups and downs of life; **in e-r ~ von 1.000 Fuß** (AERO) at an altitude of 1.000 feet; **in die ~ fahren** start up; **in die ~ gehen** (*fig: Preise*) go up

Ho•heit ['ho:haɪt] *f* **1.** (*Erhabenheit*) sublimity **2.** (*Staats~*) sovereignty (*über* over) **3.** (*Titel*) Highness; **S-e** (**Ihre**) **Königliche ~** His (Her) Royal Highness, H.R.H.; **Ho•heits•ge•biet** *n* sovereign territory; **Ho•heits•ge•wäs•ser** *pl* territorial waters; **ho•heits•voll** *adj* majestic; **Ho•heits•zei•chen** *n* national emblem

Hö•hen•an•ga•abe *f* altitude reading; (*auf Karte*) height marking; **Hö•hen•mes•ser** *m* (AERO) altimeter; **Hö•hen•son•ne** *f* (EL) sunray lamp; **Hö•hen•un•ter•schied** *m*

difference in altitude; **hö•hen•ver•stell•bar** *adj* (*Sitz etc*) vertically adjustable; **Hö•hen•zug** *m* mountain range, ridge of hills; **Hö•he•punkt** *m* **1.** (*höchster Punkt*) highest point **2.** (*fig: e-r Entwicklung*) apex, summit; (*des Tages, e-r Veranstaltung*) high spot; (*der Karriere, der Macht*) peak, pinnacle; (*e-s Dramas, a. Orgasmus*) climax **3.** (MED: *Krise*) crisis **4.** (ASTR) zenith

hö•her ['hø:ɐ] *adj* (*a. fig*) higher; (*von Macht*) superior; (*von Klasse*) upper; **~e Gewalt** an act of God; **~e Instanz** (JUR) higher court; (*Behörde*) higher authority; **~e Mathematik** higher mathematics; **~e Schule** secondary school *Br,* high school *Am;* **mein Herz schlägt ~** my heart beats faster

hohl [ho:l] *adj* **1.** (*a. fig*) hollow; (*Wangen, Augen*) sunken **2.** (*gedämpft klingend*) dull, hollow **3.** (*fig: leer*) empty; (*schal, seicht*) shallow

Höh•le ['hø:lə] <-, -n> *f* **1.** cave, cavern; (*Loch*) hole; (*Tier~*) den, hole **2.** (*fig fam: Bude, Verbrecher~*) hole **3.** (ANAT) cavity; (*Augen~*) socket; **Höh•len•for•scher(in)** *m(f)* speleologist

Hohl•heit *f* (*fig: Leere*) emptiness, shallowness; **Hohl•kopf** *m* (*pej*) dunce, num(b)skull; **Hohl•kör•per** *m,* **Hohl•kreuz** <-(e)s> *n* hollow back, hollow body; **Hohl•maß** *n* measure of capacity; **Hohl•raum** *m* hollow space; (*Höhlung*) cavity; **Hohl•raum•ver•sie•ge•lung** *f* (MOT) cavity seal; **Hohl•spie•gel** *m* concave mirror

Höh•lung ['hø:lʊŋ] *f* cavity, hollow

Hohl•weg *m* narrow pass

Hohn [ho:n] <-(e)s> *m* (*Geringschätzung*) scorn; (*Spott*) derision, mockery; **nur ~ u. Spott ernten** get nothing but scorn and derision; **das ist der reinste ~** it's sheer mockery; **höh•nen** ['hø:nən] **I.** *tr* mock **II.** *itr* sneer (*über* at); **Hohn•ge•läch•ter** *n* scornful laughter; **höh•nisch** ['hø:nɪʃ] *adj* mocking, scornful, sneering; **Hohn•lä•cheln** *n* sneer

Ho•kus•po•kus [ho:kʊs'po:kʊs] <-> *m* **1.** (*Zauberformel*) hey presto **2.** (*fig fam: Täuschung*) hocus-pocus **3.** (*fig fam: Drumherum*) fuss

hold [hɔlt] **I.** *adj* (*lit obs: lieblich, anmutig*) lovely, sweet **II.** *adj* (*zugeneigt*) well- disposed (*jdm* to s.o.); **das Glück war ihr ~** (*poet*) fortune smiled upon her

ho•len ['ho:lən] *tr* fetch, get; (*Person ab~*) take away; (*erringen, gewinnen*) win; **jdn ~ lassen** send for s.o.; **sich e-e Erkältung ~** catch a cold; **sich den Tod ~** (*fam*) catch one's death; **sich bei jdm Rat ~** ask someone's advice; **Atem ~** draw (a) breath; **da ist nichts zu ~** (*fam*) there's nothing in it; **bei ihr ist nichts zu ~** (*fam*) you won't get anything out of her; **hol's der Teufel** [*o* **Henker**]**!** (*sl*) confound it!; **hol dich der Teufel!** (*sl*) go to hell!

Hol•land ['hɔlant] <-s> *n* Holland

Hol•län•der[1] ['hɔlɛndɐ] <-s> *m* (*Käse*) Dutch cheese

Hol•län•der[2] <-s, -> *m* Dutchman; **Hol•län•de•rin** *f* Dutchwoman; **hol•län•disch** *adj* Dutch

Höl•le ['hœlə] <-> *f* hell; **fahr** [*o* **scher dich**] **zur ~!** (*sl*) go to hell!; **die ~ auf Erden haben** have a hellish time; **jdm die ~ heiß machen** (*fam*) give s.o. hell; **jdm das Leben zur ~ machen** (*fam*) make someone's life a hell; **Höl•len•lärm** ['--'-] *m* (*fam*) infernal noise; **Höl•len•stein** *m* (CHEM) lunar caustic, silver nitrate; **höl•lisch** *adj* **1.** (*aus od von der Hölle*) infernal **2.** (*fam: sehr, riesig*) hellish; **~ aufpassen** keep one's eyes skinned; **e-e ~e Angst haben** (*fam*) be scared stiff; **~ weh tun** (*fam*) hurt like hell; **~ schwer** (*fam*) hellish(ly) difficult

Ho•lo•caust <-s> *m* holocaust

Ho•lo•gra•fie[RR] *f* (OPT TV) holography

Ho•lo•gramm [holo'gram] <-(e)s, -e> *n* (OPT TV) holograph; **Ho•lo•gra•phie** *f s.* **Holografie**

hol•pern ['hɔlpɐn] *sein itr* (*von Wagen etc*) bump, jolt; **holp•rig** ['hɔlprɪç] *adj* **1.** (*Weg*) bumpy **2.** (*fig: Stil*) clumsy

Ho•lun•der [ho'lʊndɐ] <-s, -> *m* (BOT) elder

Holz [hɔlts, *pl:* 'hœltsɐ] <-es, ¨-er> *n* wood; (*Bau~*) timber *Br,* lumber *Am;* **aus ~** made of wood; **aus demselben ~ geschnitzt sein** (*fig*) be cast in the same mo(u)ld; **aus hartem ~ geschnitzt sein** (*fig*) be made of stern stuff; **holz•ar•tig** *adj* woodlike, woody; **Holz•be•ar•bei•tung** *f* woodworking

höl•zern ['hœltsɐn] *adj* (*a. fig*) wooden

Holz•fäl•ler *m* lumberjack, woodcutter; **Holz•fa•ser** *f* wood fibre *Br,* wood fiber *Am;* **holz•frei** *adj* (*Papier*) wood- free; **Holz•ha•cker** *m* woodchopper; **Holz•ham•mer** *m* mallet; **jdm etw mit dem ~ beibringen** (*fig fam*) hammer s.th. into s.o.; **Holz•ham•mer•me•tho•de** *f* (*fig fam*) sledgehammer method; **Holz•han•del** *m* timber trade *Br,* lumber trade *Am*

hol•zig ['hɔltsɪç] *adj* **1.** (*holzartig*) woody **2.** (*bei Rettich, Spargel etc*) stringy

Holz•klotz *m* block of wood; **Holz•koh•le** *f* charcoal; **Holz•la•ger** *n* timberyard *Br,* lumberyard *Am;* **Holz•schnitt** *m* wood engraving; **Holz•schnit•zer(in)** *m(f)* wood carver; **Holz•schuh** *m* (*hölzerner*

Schuh) wooden shoe; (*Pantine*) clog, sabot; **Holz•schutz•mit•tel** *n* wood preservative; **Holz•stich** *m* wood engraving; **Holz•stoß** *m* woodpile; **Holz•weg** *m* (*fig fam*): **auf dem ~ sein** be on the wrong track; **Holz•wol•le** *f* woodwool *Br,* excelsior *Am;* **Holz•wurm** *m* (ZOO) woodworm

Home•trai•ner *m* (SPORT) home exercise machine

Ho•mo ['ho:mo] <(-s), -s> *m* (*fam*) queer

ho•mo•gen [homo'ge:n] *adj* homogeneous; **ho•mo•ge•ni•sie•ren** *tr* homogenize; **Ho•mo•ge•ni•tät** *f* homogeneity

Ho•mö•o•pa•thie [homøopa'ti:] *f* (MED) hom(o)eopathy; **ho•mö•o•pa•thisch** *adj* hom(o)eopathic

Ho•mo•se•xua•li•tät [-zɛksuali'tɛ:t] *f* homosexuality; **ho•mo•se•xu•ell** *adj* homosexual; (*fam*) gay; **Ho•mo•se•xu•el•le(r)** *f m* homosexual; (*fam*) gay

Hon•du•ra•ner(in) <-s, -> *m(f)* Honduran; **hon•du•ra•nisch** *adj* Honduran; **Hon•du•ras** [hɔn'du:ras] *n* Honduras

Ho•nig ['ho:nɪç] <-s> *m* honey; **Ho•nig•bie•ne** *f* honey-bee

Ho•nig•ku•chen•pferd *n* (*fig fam*): **wie ein ~ grinsen** grin like a Cheshire cat

Ho•nig•me•lo•ne *f* honeydew melon; **ho•nig•süß** ['--'-] *adj* **1.** as sweet as honey **2.** (*fig*) honeyed; **Ho•nig•wa•be** *f* honeycomb

Ho•no•rar [hono'ra:ɐ] <-s, -e> *n* fee; (*für Autor*) royalty

Ho•no•ra•ti•o•ren [honora'tsjo:rən] *pl* dignitaries

ho•no•rie•ren *tr* **1.** (COM) remunerate; (*Wechsel, Scheck*) honour **2.** (*fig*) reward

Hop•fen ['hɔpfən] <-s, -> *m* (BOT) hop; (*Brau~*) hops *pl;* **an ihm ist ~ u. Malz verloren** (*fig fam*) he's a dead loss

hopp•hopp ['-'-] **I.** *interj:* **~!** (be) quick! **II.** *adv* (*fam*): **alles muss ~ gehen** everything has to be done double- quick; **hopp•la** ['hɔpla] *interj:* **~!** (wh)oops!; **~, jetzt komm' ich!** look out, here I come!

Hops [hɔps] <-es, -e> *m* (*fam*) hop; **hops**[1] *interj:* **~ war er weg** with a jump he was gone; **hops**[2] *adj pred* (*fam*): **~ gehen** (*verloren gehen*) get lost; (*kaputtgehen*) get broken; (*sl: sterben*) kick the bucket; **hop•sen** *sein itr* (*fam*) hop, skip

Hör•ap•pa•rat *m* (TECH MED) hearing aid; **hör•bar** *adj* audible; **Hör•bril•le** *f* earglasses *pl*

hor•chen ['hɔrçən] *itr* **1.** (*hören*) listen (*auf* to) **2.** (*an der Tür etc*) eavesdrop; **horch!** listen! hark!; **Hor•cher(in)** *m(f)* (*an der Tür*) eavesdropper; **Horch•pos•ten** *m* (MIL) listening post

Hor•de ['hɔrdə] <-, -n> *f* (*a. fig*) horde

hö•ren ['hø:rən] *tr itr* **1.** (*allgemein*) hear; (*hin~, lauschen*) listen (*auf* to); (*Vorlesung*) go to **2.** (*erfahren*) hear (*von* about, of) **3.** (*gehorchen*) obey; **Radio ~** listen to the radio; **etw im Radio ~** hear s.th. on the radio; **~ Sie mich?** (RADIO) are you receiving me?; **mit meinem Radio kann ich Radio Peking ~** I can get Radio Peking with my radio; **auf jdn ~** listen to s.o.; **auf den Namen Bello ~** (*meist von Tieren*) answer to the name of Bello ...; **hört! hört!** (*interj: bei Zustimmung*) hear! hear!; (*bei Missfallen*) listen to that!; **er will auch gehört werden** he wants to be heard too; **soviel man hört** from what one hears; **nichts ~ wollen von etw** not want to know anything about s.th.; **gut ~** hear well; **schwer** [*o* **schlecht**] **~** be hard of hearing; **das lässt sich ~** (*fig*) that doesn't sound bad; **von sich ~ lassen** keep in touch (*jdm gegenüber* with s.o.); **ihr verging H~ u. Sehen** (*fam*) she didn't know whether she was coming or going; **Sie werden noch von mir ~!** (*fam: als Drohung*) you'll be hearing from me!

Hö•ren•sa•gen *n* hearsay; **vom ~** by [*o* from] hearsay

Hö•rer(in)[1] *m(f)* **1.** (RADIO) listener **2.** (*Student*) student

Hö•rer[2] *m* **1.** (TELE) receiver **2.** (*Kopf~*) headphone; **den ~ abnehmen (auflegen)** (TELE) lift (put down) the receiver, (hang up); **Hö•rer•schaft** *f* **1.** (RADIO) listeners *pl* **2.** (*Studenten*) (number of) students *pl;* **Hör•feh•ler** *m* (MED) hearing defect; **Hör•funk** *m* radio; **Hör•ge•rät** *n* hearing aid

hö•rig *adj* enslaved, sexually dependent (*jdm* on s.o.); **sie ist ihm völlig ~** she is in complete bondage to him; **Hö•rig•keit** *f* (*Sklaverei*) bondage; (*geschlechtlich*) sexual dependence

Ho•ri•zont [hori'tsɔnt] <-(e)s, -e> *m* (*a. fig*) horizon; **am ~** on the horizon; **das geht über meinen ~** that's beyond me; **ho•ri•zon•tal** *adj* horizontal; **das ~e Gewerbe** (*fam hum*) the oldest profession in the world; **Ho•ri•zon•ta•le** <-, -n> *f* (MATH) horizontal (line); **sich in die ~ begeben** (*hum: ins Bett gehen*) hit the sack

Hor•mon [hɔr'mo:n] <-s, -e> *n* (MED CHEM) hormone; **Hor•mon•be•hand•lung** *f* hormone treatment; **Hor•mon•pro•duk•ti•on** *f* hormone production; **Hor•mon•sys•tem** *nt* hormone system

Hör•mu•schel *f* (TELE) earpiece

Horn [hɔrn, *pl:* 'hœrnɐ] <-(e)s, ⸚er> *n* **1.** horn **2.** (*Fühler*) feeler **3.** (MUS: *Instrument*) horn; (MIL MUS) bugle; (MOT: *Hupe*) horn; **jdm ⸚er aufsetzen** (*fig fam*) cuckold s.o.; **in das gleiche ~ stoßen** (*fig*) chime in; **den Stier bei den ¨ern fassen** (*fig*) take the bull by the horns; **sich die ¨er abstoßen** (*fig*) sow one's wild oats; **Horn·bril·le** *f* horn- rimmed spectacles *pl*

Hörn·chen ['hœrnçən] <-s, -> *n* (*Gebäck*) croissant, French roll

Hör·nerv *m* (ANAT) auditory nerve

Horn·ge·stell *n* (*Brille*) tortoiseshell, frame; **Horn·haut** *f* **1.** horn skin **2.** (*im Auge*) cornea; **Horn·haut·bil·dung** *f* hornification; **Horn·haut·ho·bel** *m* calosity plane

Hor·nis·se [hɔr'nɪsə] <-, -n> *f* (ZOO) hornet

Horn·och·se *m* (*fig fam: als Schimpfwort*) blockhead; **Horn·vieh** *n* **1.** (*Vieh mit Hörnern*) horned cattle **2.** (*fig fam: Dummkopf*) blockhead

Ho·ro·skop [horo'sko:p] <-s, -e> *n* horoscope; **jdm das ~ stellen** cast someone's horoscope

Hör·rohr *n* ear-trumpet; (MED) stethoscope

Hor·ror·sze·ne *f* scene of horror, horrific scene; **Hor·ror·trip** *m* (*fam*) horror trip

Hör·saal *m* lecture room; **Hör·spiel** *n* (RADIO) radio play

Horst [hɔrst] <-(e)s, -e> *m* **1.** (*Nest*) nest; (*Adler~*) eyrie **2.** (*fig* AERO: *Flieger~*) airbase

Hör·sturz *m* (MED: *plötzlicher Hörverlust*) hearing loss

Hort [hɔrt] <-(e)s, -e> *m* **1.** (*Schatz*) hoard, treasure **2.** (*Zufluchtsort*) refuge **3.** (*Kinder~*) day nursery for children of school age; **ein ~ der Freiheit** a stronghold of liberty; **hor·ten** *tr* hoard

Hör·ver·mö·gen *n* (capacity of) hearing; **Hör·wei·te** *f* hearing range; **in ~** within hearing [*o* earshot]; **außer ~** out of hearing

Ho·se ['ho:zə] <-, -n> *f* (*lang*) trousers *Br*, pants *Am;* (*kurz*) shorts *pl;* (*Unter~*) (under)pants *pl;* **e-e ~** a pair of trousers *Br*, a pair of pants *Am;* **die ~n anhaben** (*fig fam*) wear the trousers [*o* pants]; **das Herz rutschte ihm in die ~** (*fig fam*) his heart was in his mouth; **die ~n voll haben** (*fam: in die ~ gemacht haben*) have made a mess in one's pants; (*fig fam: sehr ängstlich sein*) be wetting o.s.; **in die ~ gehen** (*fig sl*) be a complete flop; **tote ~ sein** (*fam: langweilig sein*) be a drag; (*erfolglos sein*) be a dead loss; **Hös·chen·win·del** *f* disposable nappy; **Ho·sen·an·zug** *m* trouser suit *Br*, pantsuit *Am;* **Ho·sen·auf·schlag** *m* turn-up *Br*, cuff *Am;* **Ho·sen·bein** *n* trouser leg; **Ho·sen·bund** *m* waistband; **Ho·sen·klam·mer** *f* (*für Radfahrer*) trouser clip; **Ho·sen·rock** *m* culottes; **Ho·sen·sack** *m* (*CH: Hosentasche*) pocket

Ho·sen·schei·ßer *m* **1.** (*fam: Dreikäsehoch*) mucky pup **2.** (*sl: Feigling*) chicken; **Ho·sen·schlitz** *m* fly; **Ho·sen·ta·sche** *f* trousers pocket; **Ho·sen·trä·ger** *m (pl)* braces *Br*, suspenders *Am*

Hos·pi·tal [hɔspi'ta:l, *pl:* hɔspi'tɛ:lɐ] <-s, -e/¨er> *n* hospital, infirmary

Hos·pi·ta·ti·on *f* (PÄD) sitting in on lectures [*o* classes]

Hos·tie ['hɔstiə] <-, -n> *f* (ECCL) host

Ho·tel [ho'tɛl] <-s, -s> *n* hotel; **Ho·tel·boy** *m* bellboy; **Ho·tel·fach·schu·le** *f* college of hotel management; **Ho·tel·ge·wer·be** *n* hotel business; **Ho·te·lier** [hota'lie:] <-s, -s> *m* hotelkeeper, hotelier; **Ho·tel·ket·te** *f* ..: hotel chain; **Ho·tel·ver·zeich·nis** *n* hotel register

hott [hɔt] *interj* gee up!; (*nach rechts*) gee!

hü [hy:] *interj* (*beim Antreiben der Pferde*) gee up!; (*nach links*) wo hi!; **einmal ~, einmal hott** (*fam*) always chopping and changing

Hub·raum *m* (MOT) cubic capacity

hübsch [hʏpʃ] *adj* **1.** (*gutaussehend*) pretty; (*nett*) nice **2.** (*fam iro*) fine, nice, pretty **3.** (*fam: beträchtlich*) pretty, tidy **4.** (*fam: als adv: ziemlich*) pretty; **Ihr zwei H~en** (*fam*) the two of you; **e-e ~e Summe Geld** a tidy sum of money; **sei ~ artig!** be a good boy [*o* girl]!; **ganz ~!** rather pretty!; **das wirst du ~ bleiben lassen!** (*fam*) you're not going to do anything of the kind!; **da hast du dir etw H~es eingebrockt!** (*fam*) now you've got yourself into a fine [*o* pretty] mess!

Hub·schrau·ber *m* helicopter; **Hub·schrau·ber·lan·de·platz** *m* heliport

Hu·cke ['hʊkə] *f* (*fam*): **die ~ vollkriegen** get a thrashing; **hu·cke·pack** ['hʊkəpak] *adv* pick-a-back; **jdn ~ tragen** carry s.o. pick-a-back; **Hu·cke·pack·ver·fah·ren** *n* (AERO RAIL) piggy-back system

hu·deln *vi* (*österr: schlampen*) work sloppily

Huf [hu:f] <-(e)s, -e> *m* hoof; **Huf·ei·sen** *n* horseshoe; **huf·ei·sen·för·mig** *adj* horseshoe-shaped; **Huf·ei·sen·mag·net** *m* horseshoe magnet; **Huf·na·gel** *m* horseshoe-nail; **Huf·schmied** *m* farrier

Hüft·bein *n* hip-bone; **Hüf·te** ['hʏftə] <-, -n> *f* hip; **Hüft·hal·ter** *m* (panty-)girdle, suspender belt

Hü·gel ['hy:gəl] <-s, -> *m* hill; (*kleiner*) hillock; **hü·g(e·)lig** *adj* hilly

Huhn [hu:n, *pl:* 'hy:nər] <-(e)s, ¨er> *n* **1.** (*allgemein*) fowl **2.** (*Henne*) hen **3.** (*Federvieh*) poultry; **mit den ¨ern aufstehen** (*fam*) get up with the lark; **da lachen ja die ¨er!** (*fig fam*) it's enough to make a cat laugh!; **ein verrücktes ~** (*fig fam*) a queer fish; **dummes ~!** (*fig fam*) silly goose!

Hühn•chen ['hy:nçən] <-s, -> *n* chicken; (*Brat~*) (roast) chicken; **mit jdm ein ~ zu rupfen haben** (*fam*) have a bone to pick with s.o.

Hüh•ner•au•ge *n* (MED) corn; **Hüh•ner•brü•he** *f* chicken broth; **Hüh•ner•ei** *n* hen's egg; **Hüh•ner•farm** *f* chicken farm; **Hüh•ner•fut•ter** *n* chicken feed; **Hüh•ner•stall** *m* chicken-coop, henhouse; **Hüh•ner•stan•ge** *f* perch, roost; **Hüh•ner•sup•pe** *f* chicken soup; **Hüh•ner•zucht** *f* chicken farming

Huld [hʊlt] <-> *f* (*obs: Güte*) grace; (*Gunst*) favour; **hul•di•gen** ['hʊldɪgən] *itr* **1.** (*e-n Menschen ehren*) do [*o* pay] homage (*jdm* to s.o.) **2.** (*e-m Laster*) indulge (*e-r Sache* in s.th.); **Hul•di•gung** *f* homage

Hül•le ['hʏlə] <-, -n> *f* **1.** (*allgemein*) cover **2.** (*Brief~, Ballon~*) envelope; (*Schallplatten~*) sleeve; **in ~ u. Fülle** in abundance; **die sterbliche ~** the mortal frame [*o* shell]; **die ~n fallen lassen** strip off; **... in ~ u. Fülle ...** galore; **hül•len** *tr* (*einwickeln*) wrap; (*bedecken*) cover; **in Dunkel gehüllt** shrouded in darkness; **sich (über etw) in Schweigen ~** remain silent (on s.th.); **hül•len•los** *adj* (*nackt*) unclothed

Hül•se ['hʏlzə] <-, -n> *f* **1.** (*Schale*) hull, husk; (*Schote*) pod **2.** (TECH) case, shell; (*von Geschoss*) case; (*Kapsel*) capsule; **Hül•sen•frucht** *f* (BOT) legume(n)

hu•man [hu'ma:n] *adj* **1.** humane **2.** (*verständnisvoll*) considerate (*gegenüber* to(wards)); **Hu•man•ge•ne•ti•ker(in)** *m(f)* human geneticist; **Hu•ma•nis•mus** *m* humanism; **hu•ma•ni•tär** *adj* humanitarian; **Hu•ma•ni•tät** *f* humaneness

Hum•mel ['hʊməl] <-, -n> *f* (ZOO) bumblebee

Hum•mer ['hʊmɐ] <-s, -> *m* (ZOO) lobster

Hu•mor [hu'mo:ɐ] <-s> *m* (sense of) humour; **etw mit ~ (auf)nehmen** take s.th. in good humour; **(Sinn für) ~ haben** have a sense of humour; **so langsam verliere ich den ~** it's getting beyond a joke; **hu•mo•ris•tisch** *adj* humorous; **hu•mor•los** *adj* humourless; **hu•mor•voll** *adj* humorous

hum•peln ['hʊmpəln] *haben o sein itr* **1.** hobble **2.** (*fam: hinken*) limp

Hum•pen ['hʊmpən] <-s, -> *m* tankard

Hu•mus ['hu:mʊs] <-> *m* humus; **Hu•mus•bo•den** *m* humus

Hund [hʊnt] <-(e)s, -e> *m* **1.** (ZOO) dog; (*Jagd~*) hound **2.** (*fig sl: als Schimpfwort*) bastard, swine; **armer ~** (*fig*) poor devil; **da wird ja der ~ in der Pfanne verrückt!** (*fig fam*) that's really enough to drive you round the bend!; **auf den ~ kommen** (*fam*) go to the dogs *pl;* **da liegt der ~ begraben** (*fam*) that's why! there's the rub!; **er ist vor die ~e gegangen** (*sl: heruntergekommen*) he's gone to the dogs; (*sl: krepiert*) he kicked the bucket; **wie ~ u. Katze leben** lead a cat-and-dog life; **das ist ein dicker ~!** (*sl*) that's a bit much!; **er ist bekannt wie ein bunter ~** (*fam*) everyone knows him, he's a well-known sight; **damit kann man keinen ~ hinterm Ofen hervorlocken** (*fam*) that won't tempt anybody

hun•de•elend *adv* (*fam*) lousy

Hun•de•hüt•te *f* (*a. fig fam*) (dog-)kennel; **Hun•de•käl•te** ['--'--] *f* (*fam*) freezing cold; **Hun•de•ku•chen** *m* dog biscuit; **Hun•de•le•ben** *n* (*fig fam*) dog's life; **Hun•de•lei•ne** *f* dog leash; **hun•de•mü•de** ['--'--] *adj* dog-tired

hun•dert ['hʊndɐt] *num* a [*o* one] hundred; **Hun•dert**[1] <-> *f* (*Zahl*) hundred; **Hun•dert**[2] <-s, -e> *n* hundred; **zu ~en** by the hundred, in hundreds; **fünf von~** five per cent; **Hun•der•ter** *m* **1.** (MATH) hundred **2.** (*fam: Geldschein*) hundred-pound note

hun•der•ter•lei *adj* a hundred and one; **hun•dert•fach I.** *adj* hundredfold **II.** *adv* a hundred times; **Hun•dert•jahr•fei•er** *f* centenary *Br,* centennial *Am;* **hun•dert•jäh•rig** *adj* **1.** *attr* (*hundert Jahre alt*) (one-)hundred-year-old, a hundred years old **2.** (*hundert Jahre lang*) of a hundred years; **hun•dert•pro•zen•tig** *adj* a hundred per cent; **hun•derts•te** *adj* hundredth; **Hun•derts•tel** <-s, -> *n* hundredth

Hun•de•steu•er *f* dog tax

Hün•din ['hʏndɪn] *f* (ZOO) bitch; **hün•disch** *adj* **1.** (*hundeartig*) doglike **2.** (*fig: kriecherisch*) fawning, sycophantic

Hü•ne ['hy:nə] <-n, -n> *m* (*Riese*) giant; **hü•nen•haft** *adj* gigantic

Hun•ger ['hʊŋɐ] <-s> *m* **1.** (*allgemein, a. fig*) hunger (*nach* for) **2.** (*fig: Verlangen, Sehnsucht*) craving, yearning (*nach* for); **~ haben** be hungry; **auf etw ~ haben** feel like s.th.; **~ leiden** go hungry, starve; **s-n ~ stillen** satisfy one's hunger; **ich sterbe vor ~** (*fam*) I'm starving; **Hun•ger•kur** *f* starvation diet; **Hun•ger•land** *n* famine-stricken country; **Hun•ger•lohn** *m* (*pej*) starvation [*o* rotten] wages *pl,* pittance; **für e-n ~ arbeiten** work for a mere pittance

hun•gern ['hʊŋɐn] **I.** *itr* **1.** (*Hunger leiden*) go hungry, starve **2.** (*fasten*) go without food **3.** (*fig: verlangen*) hunger (*nach* for) **II.** *refl:* **sich zu Tode ~** starve o.s. to death

Hun•gers•not *f* famine; **Hun•ger•streik** *m* hunger strike; **Hun•ger•tuch** *n* (*fig*): **am ~ nagen** (*fam*) be on the breadline

hung•rig ['hʊŋrɪç] *adj* (*a. fig*) hungry (*nach*

for)

Hu•pe ['hu:pə] <-, -n> *f* (MOT) horn; **hu•pen** *itr* hoot, sound one's horn

hüp•fen ['hʏpfən] *sein itr* hop; (*springen*) jump, skip; (*Ball*) bounce; **vor Freude** ~ jump for joy

Hür•de ['hʏrdə] <-, -n> *f* **1.** (*a. fig*) hurdle **2.** (*Schaf~*) fold, pen; (*Pferde~*) corral; **Hür•den•lauf** *m* (SPORT) hurdling

Hu•re ['hu:rə] <-, -n> *f* (*pej*) whore; **Hu•ren•sohn** *m* (*vulg*) bastard *Br*, son of a bitch *Am*

hur•ra [hʊ'ra:] *interj* hurray, hurrah; **Hur•ra** <-s, -s> *n* cheer; **ein dreifaches** ~ three cheers; **Hur•ra•pa•trio•tis•mus** *m* (*pej obs*) jingoism

husch [hʊʃ] *interj* come on! quickly now!; **hu•schen** ['hʊʃən] *sein itr* dart, flash

hüs•teln ['hy:stəln] *itr* cough slightly

Hus•ten ['hu:stən] <-s> *m* cough; ~ **haben** have a cough; **hus•ten** *tr itr* cough; **dem werd' ich was ~!** (*fam*) I'll tell him where he can get off!; **Hus•ten•an•fall** *m* fit of coughing; **Hus•ten•bon•bon** *m o n* cough drop; **Hus•ten•mit•tel** *n* cough medicine; **Hus•ten•reiz** *m* irritation of the throat; **Hus•ten•saft** *m* cough mixture

Hut[1] [hu:t] <-> *f*: **auf der ~ sein** be on one's guard (*vor* against)

Hut[2] [hu:t, *pl:* 'hy:tə] <-(e)s, ⸚e> *m* hat; (*von Pilz*) cap; ~ **ab!** (*interj*) hat(s) off!; (*fig: vor jds Leistung*) I take my hat off to you; **den ~ abnehmen** take off one's hat (*vor jdm* to s.o.); **das kannst du dir an den ~ stecken!** (*fig fam*) you can keep it!; **mir geht der ~ hoch** (*fig fam*) I blow my top; **unter e-n ~ bringen** (*fig: widerstreitende Meinungen*) reconcile (conflicting opinions); **das ist ein alter ~** (*fig fam*) that's old hat; **Hut•ab•la•ge** *f* hat shelf

hü•ten ['hy:tən] **I.** *tr* **1.** look after, tend **2.** (*Geheimnisse*) keep; **das Bett ~** stay in bed; **seine Zunge ~** (*fig*) guard one's tongue **II.** *refl* be on one's guard (*vor* against); **sich hüten(,) etw zu tun** take care not to do s.th.; **ich werde mich ~!** I'll do nothing of the kind!; **Hü•ter(in)** *m(f)* guardian; (*Aufseher*) custodian; (*Wärter*) keeper

Hut•ge•schäft *n* hatter's (shop); (*für Damenhüte*) milliner's (shop); **Hut•krem•pe** *f* brim (of a hat)

Hut•sche <-, -n> *f* (*österr: Schaukel*) swing

Hut•schnur *f*: **das geht mir über die ~** (*fig fam*) that's going too far

Hüt•te ['hʏtə] <-, -n> *f* **1.** (*allgemein*) hut; (*kleines Häuschen, auch Landhaus*) cottage; (*Holz~, Block~*) cabin; (*Hunde~*) kennel **2.** (TECH: *Eisen~*) iron and steel works *pl*; **Hüt•ten•kä•se** *m* cottage cheese; **Hüt•ten•schuh** *m* slipper-sock

Hyä•ne [hy'ɛ:nə] <-, -n> *f* (ZOO) hyena

Hya•zin•the [hya'tsɪntə] <-, -n> *f* (BOT) hyacinth

Hy•drant [hy'drant] <-en, -en> *m* hydrant

Hy•drau•lik [hy'draʊlɪk] *f* (TECH) hydraulics *pl*; (*~anlage*) hydraulic system; **hy•drau•lisch** *adj* hydraulic

hy•drie•ren [hy'dri:rən] *tr* (CHEM) hydrogenate

Hy•dro•dy•na•mik ['hydrody'na:mɪk] *f* (TECH) hydrodynamics *pl*

Hy•dro•kul•tur *f* (BOT) hydroponics *sing*

Hy•dro•the•ra•pie *f* (MED) hydrotherapy

Hy•gie•ne [hy'gje:nə] <-> *f* hygiene; **Hy•gie•ne•pa•pier** *n* toilet tissue; **hy•gie•nisch** *adj* hygienic

Hym•ne ['hʏmnə] <-, -n> *f* hymn

Hy•per•bel [hy'pɛrbəl] <-, -n> *f* **1.** (MATH) hyperbola **2.** (*als rhetorischer Begriff*) hyperbole

Hyp•no•se [hʏp'no:zə] <-, -n> *f* hypnosis; **in** [*o* **unter**] ~ under hypnosis; **Hyp•no•ti•seur(in)** *m(f)* hypnotist; **hyp•no•ti•sie•ren** [hʏpnoti'zi:rən] *tr* hypnotize

Hy•po•te•nu•se [hypote'nu:zə] <-, -n> *f* (MATH) hypotenuse

Hy•po•thek [hypo'te:k] <-, -en> *f* **1.** (FIN) mortgage **2.** (*fig: Belastung*) burden; **e-e ~ abtragen** [*o* **abzahlen**] pay off a mortgage; **e-e ~ aufnehmen** raise a mortgage; **etw mit e-r ~ belasten** mortgage s.th.; **Hy•po•the•ken•brief** *m* (FIN) mortgage deed *Br*, mortgage note *Am*; **hy•po•the•ken•frei** *adj* (FIN) unmortgaged; **Hy•po•the•ken•gläu•bi•ger** *m* (FIN) mortgagee; **Hy•po•the•ken•pfand•brief** *m* (FIN) mortgage bond; **Hy•po•the•ken•zins** *m* (COM) ..: mortgage interest (rate)

Hy•po•the•se [hypo'te:zə] <-, -n> *f* hypothesis; **hy•po•the•tisch** *adj* hypothetical

Hys•te•rie [hʏste'ri:] *f* hysteria; **hys•te•risch** [hʏs'te:rɪʃ] *adj* hysteric; **e-n ~en Anfall bekommen** go into hysterics *pl*

I

I, i [iː] <-, -> *n* I, i; **I** *n:* **das Tüpfelchen auf dem ~** (*fig*) the final touch; **i!** [iː] *interj* (*fam*) ugh!; **~ wo!** not a bit of it!; **~gitt ~gitt!** ugh! yuk!

IC <-, -s> *m* (RAIL) *Abk. von* **Intercity(-Zug)** intercity; **IC-Be•treu•er(in)** *m(f)* intercity steward (stewardess); **ICE** <-, -s> *m Abk. von* **Intercity Express** intercity express train

Ich <-(s), -(s)> *n* self; (PSYCH) ego; **das eigene ~** one's (own) self [*o* ego]; **das eigene ~ verleugnen** deny the self; **mein zweites ~** my alter ego; **ich** [ɪç] *pron 1. pers sing* I; **~ nicht!** not I!; (*fam*) not me!; **~ selbst** I myself; **~ bin es** it is I; (*fam*) it is me; **~ Armer!** poor me!; **immer ~!** it's always me!; **~ Idiot!** what an idiot I am!

IC-Zu•schlag *m* intercity supplement

I•de•al [ide'aːl] <-s, -e> *n* ideal; **i•de•al** *adj* ideal

I•de•al•ge•wicht *nt* ideal weight

i•de•a•li•sie•ren [ideali'ziːrən] *tr* idealize; **I•de•a•lis•mus** <-> *m* idealism; **I•de•a•list** <-en, -en> *m* idealist

i•de•a•lis•tisch *adj* idealistic

I•dee [i'deː] <-, -n> *f* (*Einfall*) idea (*zu* for); **du kommst wirklich manchmal auf seltsame ~n!** you do have some strange ideas!; **das ist e-e fixe ~ von ihr** it's an obsession with her; **wie kommst du denn auf die ~?** whatever gave you that idea?; **e-e ~ zu kurz** (*fam*) a trifle too short; **auf die ~ kommen etw zu tun** have the idea of doing s.th.; **i•de•en•reich** *adj* **1.** (*einfallsreich*) full of ideas **2.** (*reich an Vorstellungskraft*) imaginative

I•den•ti•fi•ka•ti•ons•fi•gur *f* role model; **i•den•ti•fi•zie•ren** [idɛntifi'tsiːrən] *tr refl* identify (*mit* with); **I•den•ti•fi•zie•rung** *f* identification

i•den•tisch *adj* identical (*mit* with)

I•den•ti•tät *f* identity; **I•den•ti•täts•kri•se** *f* (PSYCH) identity crisis

I•de•o•lo•gie [ideolo'giː] *f* ideology; **i•de•o•lo•gisch** *adj* ideological

I•di•om *n* (LING) idiom; **i•di•o•ma•tisch** [idio'maːtɪʃ] *adj* idiomatic

I•di•ot [i'djoːt] <-en, -en> *m* (*a. pej*) idiot; **I•di•o•tie** [idio'tiː] *f* idiocy; **i•di•o•tisch** *adj* idiotic

I•dol [i'doːl] <-s, -e> *n* idol

I•dyl•l(e) [i'dʏl] <-s, -e (-, -n)> *n (f)* idyll; **i•dyl•lisch** *adj* idyllic

I•gel ['iːgəl] <-s, -> *m* (ZOO) hedgehog

I•gno•rant(in) [ɪgno'rant] <-en, -en> *m(f)* ignoramus; **I•gno•ranz** *f* ignorance; **i•gno•rie•ren** *tr* ignore

ihm [iːm] *pron 3. pers sing dat m n* (*für Person*) (to) him; (*für Sache*) (to) it

ihn [iːn] *pron 3. pers sing acc m* (*für Person*) him; (*für Sache*) it

Ih•nen *pron 2. pers sing u. pl dat* (*Anrede*) (to) you

ih•nen ['iːnən] *pron 3. pers pl dat* (to) them; **ein Freund von ~** a friend of theirs

Ihr *pron sing u. pl* (*Anrede*) your; **~ ...** (*Briefschluss*) yours, ...; **meine Anschauungen u. ~e** my opinions and yours; **ist das ~es?** is this yours?

ihr [iːɐ] **I.** *pron* **1.** (*für Person*) (to) her; (*für Sache*) (to) it **2.** (*bezogen auf Plural*) you **II.** *pron* **1.** (*von Person*) her; (*von Sache*) its **2.** (*bezogen auf Plural*) their; **meine und ~e Anschauungen** my opinions and hers, my opinion and theirs; **ist das ~(e)s?** is this hers?, is this theirs?

Ih•rer *pron 2. pers gen sing u. pl* (*Anrede*) of you; **wir werden ~ gedenken** we will remember you

ih•rer ['iːrɐ] *pron* **1.** (*von Person*) of her; (*von Sache*) of it **2.** (*bezogen auf Plural*) of them; **wir werden ~ gedenken** we will remember her, we will remember them

Ih•rer•seits *adv* (*Anrede*) for your part; (*von Ihrer Seite*) on your part

ih•rer•seits *adv* **1.** (*bezüglich Singular*) for her part; (*von ihrer Seite*) on her part **2.** (*bezüglich Plural*) for their part; (*von ihrer Seite*) on their part

Ih•res•glei•chen *pron* (*unveränderlich: Anrede*) people like you

ih•res•glei•chen ['-'--] *pron* (*unveränderlich*) **1.** (*von e-r Person*) people like her; (*von e-r Sache*) similar ones **2.** (*bezüglich einer Mehrzahl von Personen*) people like them; (*von Sachen*) similar ones

Ih•ret•hal•ben *adv,* **Ih•ret•we•gen**, **Ih•ret•wil•len** *adv* (*Anrede*) because of you; (*Ihnen zuliebe*) for your sake

ih•ret•hal•ben *adv,* **ih•ret•we•gen** *adv,* **ih•ret•wil•len** *adv* (*bei Person*) because of her; (*ihr zuliebe*) for her sake; (*bei Sache*) because of it; (*auf eine Mehrzahl bezogen*) because of them; (*ihnen zuliebe*) for their sake

il·le·gal ['ɪlega:l] *adj* illegal; **Il·le·ga·li·tät** *f* illegality

il·le·gi·tim ['ɪlegiti:m] *adj* illegitimate

Il·lu·mi·na·ti·on [ɪlumina'tsjo:n] *f* illumination; **il·lu·mi·nie·ren** *tr* (*a. fig*) illuminate; **eine nicht sehr ~de Bemerkung** not a very enlightening comment

Il·lu·si·on [ɪlu'zjo:n] *f* illusion; **sich ~en machen** have illusions

il·lu·so·risch *adj* illusory

Il·lus·tra·ti·on [ɪlʊstra'tsjo:n] *f* illustration; **Il·lus·tra·tor(in)** <-, -en> *m(f)* illustrator; **il·lus·trie·ren** *tr* illustrate (*jdm etw* s.th. for s.o.); **Il·lus·trier·te** <-n, -n> *f* magazine; (*fam*) mag

Il·tis ['ɪltɪs] <-ses, -se> *m* (ZOO) polecat

im [ɪm] *präp* in the

IM <-s, -s> *m* (*des Ministeriums für Staatssicherheit*) *Abk. von* **Informeller Mitarbeiter** *individual who provided information to the security authorities in the former GDR*

Image ['ɪmɪt] <-(s), -s> *n* image; **Image·ver·lust** *m* damage to one's image

ima·gi·när [imagi'nɛ:ɐ] *adj* imaginary

Im·biss^RR^ ['ɪmbɪs] <-es, -e> *m* snack; (*Imbissstube*) snack bar; **Im·biss·stu·be**^RR^ *f* snack bar; (*Cafeteria*) cafeteria

I·mi·ta·ti·on [imita'tsjo:n] *f* imitation; **i·mi·tie·ren** *tr* imitate

Im·ker(in) ['ɪmkɐ] <-s, -> *m(f)* beekeeper

Im·ma·tri·ku·la·ti·on [ɪmatrikula'tsjo:n] *f* matriculation; **im·ma·tri·ku·lie·ren** *tr refl* register (*an* at)

im·mens [ɪ'mɛns] *adj* immense, huge, enormous

im·mer ['ɪmɐ] *adv* **1.** (*häufig, ständig*) always, all the time **2.** ~ **mehr** more and more **3.** (*fam: jeweils*) at a time; ~ **wieder** time [*o* again] and again; **für** ~ for ever; **wie** ~ as usual; **schon** ~ always; ~ **noch** still; ~ **noch nicht** still not (yet); ~ **größer** bigger and bigger; ~ **diese Gören!** (*fam pej*) these wretched brats!; ~ **geradeaus!** keep straight ahead!; ~ **weiter,** ~ **zu!** keep on! keep going!; ~ **ruhig Blut!** (*fam*) don't get excited!; ~ **schön langsam!** (*fam*) take your time!; ~ **drei auf einmal** three at a time; **was auch** ~ what(so)ever; **wer auch** ~ who(so)ever; **wie auch** ~ how(so)ever; **wo auch** ~ where(so)ever

Im·mer·grün <-(s)> *n* (BOT) periwinkle

im·mer·grün *adj* evergreen

im·mer·hin ['--'-] *adv* **1.** (*wenigstens*) at least **2.** (*schließlich*) after all

im·mer·zu ['--'-] *adv* all the time

Im·mi·grant(in) [ɪmi'grant] <-en, -en> *m(f)* immigrant; **Im·mi·gra·ti·on** <-> *f* immigration

Im·mis·sio·nen [ɪmɪ'sjo:nən] *fpl* (*Gase, Stäube*) airborne substances; **Im·mis·si·ons·scha·den** *m* pollution damage; **Im·mis·si·ons·schutz** *m* pollution protection; **Im·mis·si·ons·schutz·ge·biet** *n* air pollution control area; **Im·mis·si·ons·schutz·ge·setz** *n* air pollution laws *pl*

Im·mo·bi·lien [ɪmo'bi:liən] *fpl* real estate *sing;* **Im·mo·bi·lien·mak·ler(in)** *m(f)* (real) estate agent *Br,* realtor *Am*

im·mun [ɪ'mu:n] *adj* immune (*gegen* to); **dagegen bin ich** ~ (*fig fam*) that doesn't bother me; **Im·mun·ab·wehr** *f* (MED) immune defense; **Im·mun·glo·bu·lin** <-(e)s, -e> *nt* (MED) immunoglobulin; **im·mu·ni·sie·ren** [ɪmuni'zi:rən] *tr* immunize (*gegen* against); **Im·mu·ni·sie·rung** *f* immunization (*gegen* against); **Im·mu·ni·tät** *f* (MED POL) immunity (*gegen* to); **Im·mu·no·lo·ge** *m,* **Im·mu·no·lo·gin** *f* immunologist; **im·mu·no·lo·gisch** *adj* immunological; **Im·mun·schwä·che** *f* (MED) immunodeficiency; **Im·mun·schwä·che·krank·heit** *f* immunodeficiency syndrome; **Im·mun·sys·tem** *n* immune system

Im·pe·ra·tiv ['ɪmperati:f] <-s, -e> *m* (GRAM) imperative

Im·per·fekt ['ɪmpɛrfɛkt] <-s, -e> *n* (GRAM) imperfect [*o* past] tense

Im·pe·ria·lis·mus [ɪmperia'lɪsmʊs] *m* (POL) imperialism; **im·pe·ria·lis·tisch** *adj* (POL) imperialistic

imp·fen ['ɪmpfən] *tr* inoculate, vaccinate (*gegen* against)

Impf·pass^RR^ *m* vaccination card; **Impf·scha·den** *m* vaccine damage; **Impf·schein** *m* certificate of vaccination; **Impf·stoff** *m* vaccine; **Imp·fung** *f* inoculation, vaccination; **Impf·zwang** *m* compulsory vaccination

im·plan·tie·ren [ɪmplan'ti:rən] *tr* (MED) implant

im·pli·zit [ɪmpli'tsi:t] *adj* implicit

im·po·nie·ren [ɪmpo'ni:rən] *itr* impress (*jdm* s.o.); **im·po·nie·rend** *adj* impressive; **Im·po·nier·ge·ha·be** *n* **1.** (ZOO) display behaviour **2.** (*fig pej*) exhibitionism

Im·port [ɪm'pɔrt] <-(e)s, -e> *m* import(s); **Im·por·teur** <-s, -e> *m* importer; **im·por·tie·ren** *tr* import

im·po·sant [ɪmpo'zant] *adj* imposing

im·po·tent ['ɪmpotɛnt] *adj* (*a. fig*) impotent; **Im·po·tenz** <-> *f* (*a. fig*) impotence

im·prä·gnie·ren [ɪmprɛ'gni:rən] *tr* **1.** (*gegen Zerfall etc schützen*) impregnate **2.** (*Stoffe wasserdicht machen*) waterproof

Im·pres·sio·nis·mus *m* impressionism; **im·pres·sio·nis·tisch** *adj* impressionistic

im•pro•vi•sie•ren [ɪmprovi'ziːrən] *tr itr* (*allgemein*) improvise; (MUS) extemporize; (*fam: Rede*) ad-lib

Im•puls [ɪm'pʊls] <-es, -e> *m* impulse; **aus e-m ~ heraus** on impulse

im•pul•siv [ɪmpʊl'ziːf] *adj* impulsive

im•stan•de [ɪm'ʃtandə] *adv,* **im Stande**[RR] *adv* **1.** (*fähig*): **~ sein** be able (*etw zu tun* to do s.th.), be capable (*zu etw* of s.th.) **2.** (*in der Lage*) be in a position (*etw zu tun* to do s.th.); **er ist ~ und vergisst es** I wouldn't put it past him to forget it

in [ɪn] **I.** *präp* **1.** (*räumlich*) in; (*bei kleineren Ortschaften*) at; (*hinein ~*) into; (*zu, nach*) to **2.** (*zeitlich*) in; (*bis*) into; (*innerhalb*) within; **sind Sie schon einmal ~ London gewesen?** have you ever been to London?; **im ersten Stock** on the first floor; **die Kinder sind ~ der Schule** the children are at school; **~ die Schule gehen** go to school; **komm, wir gehen ~s Kino!** let's go to the pictures [*o* movies]!; **komm, wir gehen ~s Haus!** let's go into the house!; **im vorigen Jahr** last year; **bis ~s 19. Jahrhundert** (**hinein**) into the 19th century; **~ der Nacht** at night; **bis ~ die späte Nacht** far into the night; **~ tiefster Nacht** at dead of night; **im Alter von ...** at the age of ...; **dieser Whisk**(**e**)**y hat's aber ~ sich!** (*fam*) that's quite a whisk(e)y, isn't it?; **~ Englisch ist er ziemlich schwach** he's rather weak at English **II.** *adj* (*fam*): **~ sein** be in, be the in thing

in•ak•tiv ['ɪnaktiːf] *adj* inactive

In•an•spruch•nah•me [-'----] <-, -n> *f* **1.** (*Beanspruchung*) demands [*o* claims] *pl* (*jds* on s.o.) **2.** (*Benutzung von Einrichtungen etc*) utilization

In•be•griff ['ɪnbəgrɪf] <-(e)s> *m* **1.** (*eigentliches Wesen*) epitome **2.** (*Verkörperung*) embodiment, perfect example

in•be•grif•fen *adj* included

In•be•trieb•nah•me [--'---] <-, -n> *f* **1.** (*von Bauwerk*) inauguration **2.** (TECH: *von Maschinen*) putting into operation

In•brunst ['ɪnbrʊnst] <-> *f* ardour, fervour; **in•brüns•tig** ['ɪnbrʏnstɪç] *adj* ardent, fervent

In•bus•schrau•be ['ɪnbʊs-] *f* Allen screw

in•dem [ɪn'deːm] *konj* **1.** (*während*) while; (*in dem Augenblick*) as **2.** (*dadurch, dass: mit gerund*) by

In•der(**in**) ['ɪndɐ] <-s, -> *m(f)* Indian

in•des(**•sen**) [ɪn'dɛs(ən)] **I.** *adv* **1.** (*zeitlich*) meanwhile, (in the) meantime **2.** (*jedoch*) however **II.** *konj* **1.** (*zeitlich*) while **2.** (*jedoch*) however **3.** (*hingegen, andererseits*) whereas

In•dex ['ɪndɛks, *pl:* 'ɪnditseːs] <-(es), -e/indizes> *m* index

In•di•aner(**in**) [ɪndi'anɐ] <-s, -> *m(f)* (Red) Indian

In•di•en ['ɪndiən] <-s> *n* India

in•dif•fe•rent ['ɪndɪferɛnt/---'-] *adj* **1.** (*gleichgültig*) indifferent (*gegenüber* to) **2.** (CHEM PYS) inert

In•di•ka•tiv ['ɪndikatiːf] <-s, -e> *m* (GRAM) indicative

In•dio ['ɪndio] <-s> *m* indio

in•di•rekt ['ɪndirɛkt] *adj* indirect; **~e Rede** (GRAM) indirect speech

in•disch ['ɪndɪʃ] *adj* Indian; **I~er Ozean** Arabian Sea

in•dis•kret ['ɪndɪskreːt] *adj* indiscreet

In•dis•kre•ti•on *f* indiscretion

in•dis•ku•ta•bel *adj* out of the question

In•di•vi•du•a•lis•mus <-> *m* individualismus; **In•di•vi•du•a•list**(**in**) [ɪndividua'lɪst] *m(f)* individualist; **in•di•vi•du•a•lis•tisch** *adj* individualistic; **In•di•vi•du•a•li•tät** *f* **1.** (*eigene Persönlichkeit*) individuality **2.** (*Charakterzug*) individual characteristic; **In•di•vi•du•al•ver•kehr** *m* private transport; **in•di•vi•du•ell** *adj* individual; **~e Note** personal note; **~ verschieden sein** differ from person to person [*o* from case to case]

In•di•vi•du•um [ɪndi'viːduʊm] <-s, -duen> *n* individual

In•diz [ɪn'diːts] <-es, -ien> *n* **1.** (JUR: *Beweismittel*) piece of circumstantial evidence **2.** (*Hinweis*) indication (*für* of); **In•di•zi•en•be•weis** *m* (JUR) circumstantial evidence

In•do•chi•na [ɪndo'çiːna] *n* Indochina

in•do•ger•ma•nisch ['---'--] *adj* Indo-European

In•do•ne•si•en [ɪndo'neːziən] *n* Indonesia; **in•do•ne•sisch** *adj* Indonesian

In•dos•sa•ment *n* (COM FIN) endorsement; **in•dos•sie•ren** [ɪndɔ'siːrən] *tr* (COM FIN) endorse

In•duk•ti•on [ɪndʊk'tsjoːn] *f* (PHYS) induction; **In•duk•ti•ons•herd** *m* induction oven

in•dus•tria•li•sie•ren [ɪndʊstriali'ziːrən] *tr* industrialize; **In•dus•tria•li•sie•rung** *f* industrialization

In•dus•trie [ɪndʊs'triː] *f* industry; **In•dus•trie- u. Han•dels•kam•mer** *f*, **IHK** *f* chamber of industry and commerce; **In•dus•trie•ab•was•ser** *n* industrial waste water; **In•dus•trie•be•trieb** *m* industrial plant; **In•dus•trie•er•zeug•nis** *n* industrial product; **In•dus•trie•ge•biet** *n* industrial area; **In•dus•trie•ge•werk•schaft** *f* industrial (trade) union; **In•dus•trie•land** *n* industrialized country; **In•dus•trie•land•schaft** *n* industrial landscape; **in•dus•tri•ell** [ɪndʊstri'ɛl] *adj* industrial; **In•dus•tri•el•le**(**r**) [ɪndʊstri'ɛlə] <-n, -n> *f m* industrialist; **In•dus•trie•mes•se** *f* industries fair; **In•dus•trie•müll** *m* industrial waste; **In•dus•trie•staat** *m* industrial country [*o* nation]; **In•dus•trie•stadt** *f* industrial town; **In•dus•trie•zen•trum** *n* industrial centre; **In•dus•trie•zweig** *m* branch of industry

in•ein•an•der [ɪnaɪ'nandɐ] *adv* in(to) one another, in(to) each other; **in•ein•an•der•grei•fen** *s.* greifen; **in•ein•an•der•schie•ben** *s.* **schieben**

in•fam [ɪn'faːm] *adj* infamous

In•fan•te•rie ['ɪnfantri/--'-] *f* (MIL) infantry; **In•fan•te•rist** <-en, -en> *m* (MIL) infantryman

in•fan•til [ɪnfan'tiːl] *adj* infantile

In•fek•ti•on [ɪnfɛk'tsjoːn] *f* (MED) infection; **In•fek•ti•ons•herd** *m* focus of infection; **In•fek•ti•ons•krank•heit** *f* infectious disease

in•fil•trie•ren [ɪnfɪl'triːrən] *tr* infiltrate

In•fi•ni•tiv ['ɪnfinitiːf] <-s, -e> *m* (GRAM) infinitive

in•fi•zie•ren [ɪnfi'tsiːrən] **I.** *tr* infect **II.** *refl* be infected (*bei* by)

In•fla•ti•on [ɪnfla'tsjoːn] *f* (FIN) inflation; **In•fla•ti•ons•ra•te** *f* (FIN) rate of inflation; **in•fla•to•risch** *adj* inflationary

In•fo <-, -s> *f* (*fam*) info

in•fol•ge [ɪn'fɔlgə] *präp* as a result of, owing to; **in•fol•ge•des•sen** [---'--] *adv* as a result (of that), because of that, consequently

In•for•ma•tik [ɪnfɔrma'tik] *f* information [*o* computer] science; **In•for•ma•ti•ker**(**in**) *m(f)* information [*o* computer] scientist

In•for•ma•ti•on [ɪnfɔrma'tsjoːn] *f* information (*über* on, about); **in•for•ma•tio•nell** *adj* informational; **In•for•ma•ti•ons•dienst** *m* (*in Zeitschriftenform*) news letter; **In•for•ma•ti•ons•fluss**[RR] *m* flow of information; **In•for•ma•ti•ons•ge•sell•schaft** *f* information society; **In•for•ma•ti•ons•stand** *m* information stand; **In•for•ma•ti•ons•tech•no•lo•gie** *f* information technology; **In•for•ma•ti•ons•vor•sprung** *m:* **einen ~ haben** be better informed; **in•for•ma•tiv** [---'-] *adj* informative; **in•for•mie•ren I.** *tr* inform (*über, von* about, of) **II.** *refl* inform o.s. (*über* about)

In•fo•tain•ment [ɪnfo'teinmənt] <-s> *n* (*Medien*) infotainment

infrage[RR] *adv:* **für etw ~ kommen** (*möglich sein*) be possible for sth; (*in Betracht kommen*) be considered for sth; **für jdn o etw nicht ~ kommen** be out of the question for s.o. o s.th; **etw ~ stellen** call sth into question

in•fra•rot [ɪnfra'roːt] *adj* (PHYS) infra-red; **In•fra•rot•schein•wer•fer** *m* blackout service headlight; **In•fra•schall** *m* infrasound; **In•fra•struk•tur** ['----] <-> *f* infrastructure; **In•fra•struk•tur•maß•nah•me** ['---'----] *f* provision of infrastructure

In•ge•nieur(**in**) *m(f)* engineer; **In•ge•nieur•bü•ro** *n* engineering office

Ing•wer ['ɪŋvɐ] <-s> *m* ginger

In•ha•ber(**in**) ['ɪnhaːbɐ] *m(f)* **1.** (*Geschäfts~, Firmen~*) owner; (*Besitzer*) proprietor (proprietress) **2.** (*von Konto, Rekord, Patent etc*) holder; (*von Wertpapier, Urkunde*) bearer

in•haf•tie•ren [ɪnhaf'tiːrən] *tr* take into custody

In•ha•la•ti•on [ɪnhala'tsjoːn] *f* inhalation; **in•ha•lie•ren** *tr itr* inhale

In•halt ['ɪnhalt] <-(e)s, -e> *m* **1.** (*allgemein*) contents *pl* **2.** (*fig: von Buch, Film etc*) content; (*Sinn, Bedeutung: des Lebens etc*) meaning **3.** (MATH: *Flächen~*) area; (*Raum~*) volume; **in•halt•lich** *adj* as regards content; **In•halts•an•ga•be** *f* (*Zus.fassung*) précis, summary; **in•halts•los** *adj* **1.** (*leer*) empty **2.** (*fig: bedeutungslos*) meaningless; **In•halts•ver•zeich•nis** *n* table of contents

In•i•ti•ale [initsi'aːlə] <-, -n> *f* initial

In•i•ti•al•zün•dung *f* (TECH) booster detonation

In•i•ti•a•ti•on [initsia'tsɪoːn] <-, -en> *f* (*a. lit*) initiation

In•i•ti•a•ti•ve [initsia'tiːvə] <-, -n> *f* initiative; **die ~ ergreifen** take the initiative; **aus eigener ~** on one's own initiative; **auf jds ~ hin** on someone's initiative

In•jek•ti•on [ɪnjɛk'tsjoːn] *f* injection; **In•jek•ti•ons•sprit•ze** *f* hypodermic (syringe)

in•ji•zie•ren [ɪnji'tsiːrən] *tr* inject (*jdm etw* s.o. with s.th.)

In•kas•so [ɪn'kaso] <-s, -s/(-kassi)> *n* (FIN) collection; **In•kas•so•bü•ro** *n* debt- collecting agency

in•klu•si•ve [ɪnklu'ziːvə] **I.** *präp* inclusive of **II.** *adv* inclusive

in•kom•pe•tent ['ɪnkɔmpetɛnt] *adj* incompetent; inefficient; **In•kom•pe•tenz** ['ɪnkɔmpetɛnts] *f* inefficiency

in•kon•se•quent ['ɪnkɔnzekvɛnt] *adj* inconsistent; **In•kon•se•quenz** *f* inconsistency

In-Kraft-Tre•ten[RR] [-'---] <-s> *n* coming into force [*o* effect]; **bei ~ von etw** when s.th. comes into force

In•ku•ba•ti•ons•zeit [ɪnkuba'--] *f* (MED) incubation period

In•land ['ɪnlant] <-(e)s> *n* **1.** (*das Landesinnere*) inland **2.** (*im Gegensatz zum*

Ausland) home; **in•län•disch** ['ɪnlɛndɪʃ] *adj* domestic, home; (*von Ware*) home-made; **In•land•flug** *m* internal flight

In•lands•markt *m* home market

in•mit•ten [ɪn'mɪtən] **I.** *präp* in the midst of **II.** *adv:* ~ **von …** amongst …

in•ne|ha•ben *irr tr* hold; **in•ne|hal•ten** *irr itr* (*aufhören*) pause, stop

in•nen ['ɪnən] *adv* inside; (*im Haus*) indoors; (*auf Innenseite*) on the inside; **nach ~** inward(s); **von ~** from within; **~ u. außen** within and without

In•nen•an•sicht *f* interior (view); **In•nen•an•ten•ne** *f* indoor aerial; **In•nen•ar•chi•tekt(in)** *m(f)* interior designer; **In•nen•auf•nah•me** *f* (PHOT) indoor photo(graph); (FILM) indoor shot; **In•nen•dienst** *m* office duty; **im ~ sein** work in the office; **In•nen•le•ben** *n* (*fam*) **1.** (*seelisch*) inner life **2.** (*körperlich*) insides *pl;* **In•nen•mi•nis•ter(in)** *m(f)* (*allgemein*) minister of the interior, Home Secretary *Br,* Secretary of the Interior *Am;* **In•nen•mi•nis•te•rium** *n* Home Office *Br,* Department of the Interior *Am;* (*bei anderen Ländern*) ministry of the interior; **In•nen•po•li•tik** *f* domestic policy; **in•nen•po•li•tisch** *adj* domestic, internal; **In•nen•raum** *m* interior; **In•nen•sei•te** *f* inside; **In•nen•spie•gel** *m* (MOT) interior mirror; **In•nen•stadt** *f* (*allgemein*) centre of town *Br,* center of town *Am;* (*bei Großstadt*) centre of the city *Br,* center of the city *Am;* **In•nen•ver•klei•dung** *f* (MOT) interior trim

in•ner•be•trieb•lich *adj* internal *Br,* in-plant *Am*

In•ne•re ['ɪnərə] <-n> *n* **1.** inside, interior **2.** (*fig: Herz*) heart; **Minister des ~n** Home Secretary *Br,* Secretary of the Interior *Am;* (*bei anderen Ländern*) minister of the interior; **ins ~ des Landes** into the heart of the country; **im tiefsten ~n** (*fig*) in one's heart of hearts

in•ne•re *adj* (*allgemein, a. fig*) inner; (*im Körper*) internal; **vor meinem ~n Auge** in my mind's eye; **~ Angelegenheit** (POL) internal affair; **~ Mission** Home Mission; **~r Monolog** interior monolog(ue); **~ Werte** inner worth *sing*

In•ne•rei•en <-> *pl* innards

in•ner•halb ['ɪnɐhalp] **I.** *präp* within **II.** *adv* inside

in•ner•lich *adj* **1.** (*körperlich*) internal **2.** (*fig: nach innen*) inward; (*von innen heraus*) inner

In•ner•lich•keit *f* inwardness

In•ners•te <-n> *n* **1.** (*innerstes Teil*) innermost part **2.** (very) heart; **tief im ~n** in one's heart of hearts; **bis ins ~ getroffen** deeply hurt

i•n•nert *präp* (*österr: binnen*) within

in•ne|woh•nen *itr* be inherent in

in•nig ['ɪnɪç] *adj* **1.** (*herzlich*) heartfelt, hearty **2.** (*vertraut*) intimate **3.** (*tief*) deep, profound; **In•nig•keit** *f* **1.** (*Wärme*) warmth; (*Aufrichtigkeit*) sincerity; (*Intensität*) intensity **2.** (*Vertrautheit*) intimacy **3.** (*Tiefe*) depth

In•no•va•ti•on *f* innovation; **in•no•va•tiv** *adj* innovative; **in•no•va•to•risch** *adj* innovatory

In•nung ['ɪnʊŋ] *f* guild

in•of•fi•ziell ['ɪnɔfitsjɛl] *adj* unofficial

ins [ɪns] in(to) the

In•sas•se ['ɪnzasə] <-n, -n> *m,* **In•sas•sin** *f* (*e-r Anstalt*) inmate; (*Fahrgast*) passenger; **In•sas•sen•un•fall•ver•si•che•rung** *f* (MOT) passenger cover

ins•be•son•de•re [ɪnsbə'zɔndərə] *adv* (e)specially, in particular, particularly

In•schrift *f* inscription; (*auf Münzen*) legend; (*auf Grabstein*) epitaph

In•sekt [ɪn'zɛkt] <-(e)s, -en> *n* insect; **In•sek•ten•be•kämp•fungs•mit•tel** *n* insecticide *Br,* pesticide *Am;* **In•sek•ten•kun•de** *f* entomology; **In•sek•ten•pul•ver** *n* insect powder; **In•sek•ten•stich** *m* (insect) sting; **In•sek•ti•zid** [ɪnzɛk-ti'tsiːt] <-(e)s, -e> *n s.* **Insektenbekämpfungsmittel**

In•sel ['ɪnzəl] <-, -n> *f* island, isle; **künstliche ~** man-made island; **die Britischen ~n** the British Isles

In•se•rat [ɪnze'raːt] <-(e)s, -e> *n* advertisement; (*fam*) advert *Br,* ad *Am;* **ein ~ aufgeben** put an advertisement in a paper; **In•se•ra•ten•teil** *m* advertise-, ment section; (*fam*) adverts *Br,* ads *Am*

In•se•rent <-en, -en> *m* advertiser

in•se•rie•ren *tr itr* advertise (*etw* s.th., *in* in)

ins•ge•heim ['--'-] *adv* secretly

ins•ge•samt ['--'-] *adv* altogether; **… beläuft sich auf ~ 10 000 DM** … amounts to a total of DM 10,000

In•si•der(in) ['ɪnsaɪdɐ] <-s, -> *m(f)* insider

in•so•fern *konj,* **in•so•weit** [--'-/-'--] *konj* **1.** (*was dies betrifft*) in this respect **2.** (*falls*) if; **~ …, als …** … inasmuch as …

In•spek•ti•on [ɪnʃpɛk'tsjoːn] *f* inspection; (MOT) service; **In•spek•ti•ons•rei•se** *f* tour of inspection

In•spek•tor(in) *m(f)* inspector; (*Aufseher, Verwalter*) superintendent

in•spi•rie•ren [ɪnspi'riːrən] *tr* inspire

in•spi•zie•ren [ɪnspi'tsiːrən] *tr* inspect

Ins•tal•la•teur(in) [ɪnʃtala'tøːɐ] <-s, -e> *m(f)* (*Klempner*) plumber; (*Monteur*) fitter; (*für Gas*) gas-fitter; **Ins•tal•la•ti•on**

f installation

ins·tal·lie·ren *tr* (*a. fig*) install

in·stand [ɪn'ʃtant] *adj,* **in Stand**[RR] *adj:* **etw ~ halten** (*in Ordnung*) maintain s.th.; (*funktionsfähig*) keep s.th. in working order; **etw ~ setzen** (*funktionstüchtig machen*) get s.th. into working order; (*reparieren*) repair s.th.; **in·stand|be·set·zen** *tr:* **ein Haus ~** squat in a house (and do it up)

in·stän·dig ['ɪnʃtɛndɪç] *adj* urgent; **~ bitten** beseech, implore; **~ hoffen** hope fervently

In·stand·set·zung [-'---] *f* (*Überholung*) overhaul; (*Reparatur*) repair

Ins·tanz [ɪn'stan(t)s] <-, -en> *f* **1.** (JUR) court **2.** (JUR: *Stadium der Revision*) instance **3.** (*Behörde*) authority; **in erster ~** (JUR) in the first instance; **höhere ~** (JUR) appellate court; (*höhere Verwaltungsbehörde*) higher authority; **in letzter ~** (JUR) in the last instance, without further appeal; **von e-r ~ zur nächsten gehen** (JUR) go through all the courts *pl;* (*von Behörde zu Behörde*) go from one department to the next; **Ins·tan·zen·weg** *m* **1.** (*bei Behörden*) official channels *pl* **2.** (JUR) stages of appeal *pl;* **auf dem ~** through the official channels; (JUR) through the various stages of appeal

Ins·tinkt [ɪn'stɪŋkt] <-(e)s, -e> *m* instinct; **aus ~** by instinct; **ins·tink·tiv** [ɪnstɪŋ'ti:f] *adj* instinctive; **~ handeln** act on [*o* by] instinct

Ins·ti·tut [ɪnsti'tu:t] <-(e)s, -e> *n* **1.** institute **2.** (JUR) institution

Ins·ti·tu·ti·on *f* institution

ins·tru·ie·ren [ɪnstru'i:rən] *tr* instruct

Ins·truk·ti·on [ɪnstrʊk'tsjo:n] *f* instruction

Ins·tru·ment [ɪnstru'mɛnt] *n* **1.** (*allgemein*) instrument **2.** (TECH: *Werkzeug*) implement, tool; **Ins·tru·men·tal·stück** *n* (MUS) instrumental piece

In·su·la·ner(in) [ɪnzu'la:nɐ] *m(f)* islander

In·su·lin <-s> *n* insulin

in·s·ze·nie·ren [ɪnstse'ni:rən] *tr* **1.** (THEAT) put on the stage **2.** (FILM: *produzieren*) produce; (*Regie führen*) direct **3.** (*fig: Streit, Skandal etc*) stage

In·s·ze·nie·rung *f* production

in·takt [ɪn'takt] *adj* intact

In·tar·sie [ɪn'tarziə] *f* inlay, marquetry

In·te·gral [ɪnte'gra:l] <-s, -e> *n* (MATH) integral; **In·te·gral·helm** *m* full-face helmet; **In·te·gral·rech·nung** *f* (MATH) integral calculus

In·te·gra·ti·on *f* integration; **In·te·gra·ti·ons·fi·gur** *f* unifying figure; **in·te·gra·tiv** *adj* (*Erziehung, Zusammenarbeit etc*) integrated; **in·te·grie·ren** *tr* (*a.* MATH) integrate; **ein integrierter Bestandteil** an integral part; **integrierte Gesamtschule** comprehensive (school); **integrierte Schaltung** (EL) integrated circuit; **In·te·grie·rung** *f* integration

In·tel·lekt [ɪntɛ'lɛkt] <-(e)s> *m* intellect

in·tel·lek·tu·ell [ɪntɛlɛktu'ɛl] *adj* intellectual; **In·tel·lek·tu·el·le(r)** *f m* intellectual; (*fam*) highbrow

in·tel·li·gent [ɪntɛli'gɛnt] *adj* intelligent; **In·tel·li·genz** <-, -en> *f* **1.** (*Denkfähigkeit*) intelligence **2.** (*als Kollektivbezeichnung für Intellektuelle*) intelligentsia; **In·tel·li·genz·quo·tient** *m* intelligence quotient

In·ten·dant(in) [ɪntɛn'dant] <-en, -en> *m(f)* (THEAT) director, manager

In·ten·si·tät [ɪntɛnzi'tɛ:t] *f* intensity

in·ten·siv [ɪntɛn'zi:f] *adj* **1.** (*Gefühl, Blick, Farbe*) intense **2.** (*Arbeit*) intensive; **In·ten·siv·be·hand·lung** *f* (MED) intensive care; **in·ten·si·vie·ren** *tr* intensify; **In·ten·siv·kurs** *m* (PÄD) intensive course; **In·ten·siv·sta·ti·on** *f* (MED) intensive care unit

in·ter·ak·tiv *adj* (*a.* EDV) interactive

In·ter·ci·ty <-s, -s> *m s.* **IC**

in·ter·es·sant [ɪnt(ə)rɛ'sant] *adj* interesting; **er will sich doch nur ~ machen** he just wants to attract everybody's attention; **das ist für uns nicht mehr ~** we are no more interested in it

In·ter·es·se [ɪn'trɛsə] <-s, -n> *n* interest (*für, an* in); **~ haben an ...** be interested in ...; **es liegt in meinem ureigenen ~** it is in my very own interest; **aus ~** for interest; **für jdn nicht von ~ sein** be of no interest to s.o.; **jds ~n vertreten** [*o* **wahrnehmen**] look after someone's interests; **von allgemeinem ~** of general interest; **im öffentlichen ~** in the public interest; **Fragen von öffentlichem ~** questions of public interest; **in·ter·es·se·hal·ber** *adv* for interest; **in·ter·es·se·los** *adj* indifferent; **In·ter·es·sen·ge·mein·schaft** *f* **1.** (*Interessengleichheit*) community of interests **2.** (*Personengruppe*) group of people sharing interests; (COM) syndicate; **In·ter·es·sen·kon·flikt** *m* conflict of interests; **In·ter·es·sent(in)** *m(f)* interested person [*o* party]

in·ter·es·sie·ren **I.** *tr* interest (*für, an* in) **II.** *refl* be interested (*für* in)

In·ter·face ['ɪntɐfeɪs] <-, -s> *n* (EDV: *Schnittstelle*) interface

In·ter·mez·zo [ɪntɐ'mɛtso] <-s, -s/ -mezzi> *n* **1.** (MUS) intermezzo **2.** (*fig: Zwischenspiel*) interlude

in·tern [ɪn'tɛrn] *adj* internal

In·ter·nat <-(e)s, -e> *n* boarding school

in•ter•na•ti•o•nal [ˈɪntɐnatsioˈnaːl] *adj* international; ~**er Währungsfonds** International Monetary Fund, IMF

in•ter•nie•ren [ɪntɐˈniːrən] <ohne ge-> *tr* intern; **In•ter•nier•te(r)** *f m* internee; **In•ter•nie•rung** *f* internment

In•ter•nist(in) [ɪntɐˈnɪst] <-en, -en> *m(f)* internist

In•tern•ver•bin•dung *f* (TELE) internal connection

in•ter•po•lie•ren [ɪntɐpoˈliːrən] *tr* (MATH) interpolate

In•ter•pre•ta•ti•on [ɪntɐpretaˈtsjoːn] *f* interpretation; **in•ter•pre•tie•ren** *tr* interpret; **etw falsch** ~ misinterpret s.th; **In•ter•pret(in)** *m(f)* interpreter

In•ter•punk•ti•on *f* punctuation; **In•ter•punk•ti•ons•zei•chen** *n* punctuation mark

In•ter•rail-Kar•te *f* inter-rail ticket

In•ter•vall [ɪntɐˈval] <-s, -e> *n* (*a.* MUS) interval; **In•ter•vall•schal•tung** *f* (EL) interval switch

in•ter•ve•nie•ren [-veˈniːrən] *itr* intervene (*bei jdm* with s.o., *bei etw* in s.th.)

In•ter•ven•ti•on [ɪntɐvɛnˈtsjoːn] <-, -en> *f* (MIL POL) intervention (*bei* with, *für* for)

In•ter•view [ɪntɐˈvjuː/ˈɪntɐvju] <-s, -s> *n* interview

in•ter•view•en [ɪntɐˈvjuːən] <ohne ge-> *tr* interview (*jdn zu, über etw* s.o. on, about s.th.)

in•tim [ɪnˈtiːm] *adj* intimate (*mit* with); **mit jdm** ~ **werden** become intimate with s.o.; **ein** ~**er Kenner von etw sein** have an intimate knowledge of s.th.; **in** ~**em Kreise** with one's most intimate friends; **In•tim•be•reich** *m* privacy; **In•ti•mi•tät** *f* intimacy (*mit* with); **In•tim•part•ner(in)** *m(f)* sexual partner

in•to•le•rant [ˈ----] *adj* intolerant (*gegenüber jdm* toward(s) s.o., *gegenüber e-r Sache* of s.th.); **In•to•le•ranz** *f* intolerance

in•t•ran•si•tiv [ˈ----] *adj* (GRAM) intransitive

in•t•ri•gant [ɪntriˈgant] *adj* plotting, scheming

In•t•ri•gant(in) <-en, -en> *m(f)* intriguer, plotter, schemer

In•t•ri•ge [ɪnˈtriːgə] <-, -n> *f* intrigue

in•t•ri•gie•ren *itr* intrigue, plot, scheme

in•t•ro•ver•tiert [ˈɪntrovɛrtiːɐt] *adj* introverted

In•va•li•de [ɪnvaˈliːdə] <-n, -n> *m* invalid; ~ **sein** be disabled [*o* invalid]; **In•va•li•di•tät** *f* disability

In•va•si•on [ɪnvaˈzjoːn] *f* (*a. fig*) invasion

In•ven•tar [ɪnvɛnˈtaːɐ] <-s, -e> *n* (COM) **1.** (*Warenliste*) inventory **2.** (*Einrichtung*) fittings *pl;* **lebendes** ~ livestock; **totes** ~ fixtures and fittings *pl;* **das** ~ **aufnehmen** do the inventory; **er gehört schon zum** ~ (*fig fam*) he's part of the furniture

In•ven•tur *f* (COM) stocktaking *Br,* inventory *Am;* ~ **machen** stocktake *Br,* make an inventory *Am*

In•ver•si•ons•wet•ter•la•ge *f* (METE) *weather situation comprising temperature inversion*

in•ves•tie•ren [ɪnvɛsˈtiːrən] *tr itr* (*a. fig*) invest (*in* in); **In•ves•ti•ti•on** *f* (COM FIN) investment; **In•ves•ti•ti•ons•gut** *n meist pl* (FIN COM) item of capital expenditure

In-vi•tro-Fer•ti•li•sa•ti•on *f* (MED) in vitro fertilization

in•wen•dig [ˈɪnvɛndɪç] *adj* inside; **in- u. auswendig** inside out

in•wie•fern *konj,* **in•wie•weit** [--ˈ-/-ˈ--] *adv* (in) how far; (*als Frage*) in what way?

In•zucht <-> *f* inbreeding

in•zwi•schen [-ˈ--] *adv* (in the) meantime, meanwhile

I•on [ioːn] <-s, -en> *n* (CHEM PHYS) ion

I•rak [iˈraːk] <-s> *m:* **der** ~ Iraq; **I•ra•ker(in)** *m(f)* Iraqi

I•ran [iˈraːn] <-s> *m:* **der** ~ Iran; **I•ra•ner(in)** *m(f)* Iranian

ir•den [ˈɪrdən] *adj* earthen; ~**es Geschirr** earthenware

ir•disch *adj* earthly, terrestrial; **der Weg alles I~en** the way of all flesh

I•re [ˈiːrə] <-n, -n> *m* Irishman

ir•gend [ˈɪrgənt] *adv* (*überhaupt*) at all; **wo es** ~ **geht** where it's at all possible; **ich bin nicht** ~ **jemand** I'm not just anybody; **ir•gend•ein** *pron* some; (*in verneinten Sätzen, Frage- oder Bedingungssätzen*) any; **ir•gend•eine(r, s)** *pron* (*substantivisch*) **1.** (*bei Personen*) someone, somebody; (*in verneinten, Frage- oder Bedingungssätzen*) anyone, anybody **2.** (*bei Sachen*) something; (*in verneinten, Frage- oder Bedingungssätzen*) anything; **ir•gend•et•was**[RR] *pron* something; (*in verneinten, Frage- oder Bedingungssätzen*) anything; **ir•gend•je•mand**[RR] *pron* someone, somebody; (*in verneinten, Frage- oder Bedingungssätzen*) anyone, anybody, somebody

ir•gend•wann *adv* sometime; (*fragend oder bedingend*) ever

ir•gend•was *pron* anything, something

ir•gend•wie *adv* somehow (or other); **das habe ich** ~ **schon einmal gesehen** I've got a feeling I've seen it before

ir•gend•wo *adv* somewhere; (*fragend, verneinend oder bedingend*) anywhere; **ir•gend•wo•her** *adv* from somewhere; (*fragend, verneinend oder bedingend*) from anywhere

ir•gend•wo•hin *adv* somewhere; (*fragend,*

verneinend oder bedingend) anywhere
I•rin ['i:rɪn] *f* Irishwoman; **i•risch** *adj* Irish; **Ir•land** ['ɪrlant] <-s> *n* Ireland; (*auf gälisch*) Eire
I•ro•nie [iro'ni:] *f* irony
i•ro•nisch *adj* ironic(al)
ir•ra•tio•nal ['----] *adj* (*a.* MATH) irrational
ir•r(e) ['ɪr(ə)] **I.** *adj* **1.** (*verrückt*) crazy, insane, mad **2.** (*fam: wild*) wild; **wie ~** (*fig fam*) like crazy; **du machst mich noch ganz ~!** you're going to drive me mad!; **~(e)r Typ** (*sl*) groover; **das ist ja echt ~(e)!** (*sl*) that's really mind-boggling! **II.** *adv* **1.** (*verrückt*) in a mad way **2.** (*sl: sehr*) incredibly; **~ gut** (*sl*) way-out
Ir•re¹ <-n, -n> *m f* (*pej*) lunatic
Ir•re² <-> *f*: **jdn in die ~ führen** (*a. fig*) lead s.o. astray
ir•re•al ['---] *adj* unreal
ir•re|füh•ren *tr* **1.** (*falschen Weg zeigen*) mislead **2.** (*täuschen*) deceive; **sich durch jdn ~ lassen** let s.o. mislead [*o* deceive] one
ir•re•füh•rend *adj* misleading
ir•re•le•vant ['----] *adj* irrelevant (*für* for, to)
ir•re|ma•chen *irr tr* confuse
ir•ren ['ɪrən] **I.** *itr* **1.** *sein* (*herum~*) roam, wander **2.** *haben* (*sich täuschen*) be mistaken **II.** *refl haben* be mistaken (*in jdm* in s.o., *in etw* about s.th.); **ich habe mich in der Nummer geirrt** I made a mistake about the number; **Sie haben sich um drei Mark geirrt** you've made a mistake of three marks; **I~ ist menschlich** (*prov*) to err is human; **jeder kann sich mal ~** anyone can make a mistake
Ir•ren•an•stalt *f*, **Ir•ren•haus** *f* (*n*) (*fam pej*) lunatic asylum; (*fam*) loony-bin; **hier geht's ja zu wie im Irrenhaus!** (*fam*) this place is an absolute madhouse!; **reif fürs Irrenhaus sein** (*fam*) have gone loony
Ir•ren•arzt *m* (*fam pej*) shrink
Irr•fahrt *f* odyssey, wandering
Irr•gar•ten *m* maze
ir•rig *adj* erroneous; **in der ~en Annahme** under the wrong assumption
ir•ri•tie•ren [ɪri'ti:rən] *tr* **1.** (*ärgern*) irritate **2.** (*verwirren*) confuse
Irr•läu•fer *m* **1.** (*Brief*) misdirected letter **2.** (MIL) stray bullet
Irr•licht <-(e)s, -er> *n* (*a. fig*) jack-o'-lantern, will-o'-the-wisp
Irr•sinn <-(e)s> *m* insanity, madness; **das ist doch ~!** (*fig fam*) that's sheer madness!; **auf den ~ verfallen etw zu tun** have the mad idea of doing s.th.
irr•sin•nig *adj* **1.** (*verrückt*) crazy, insane, mad **2.** (*fam: stark, klasse*) groovy, terrific
Irr•tum *m* (*schuldhafter ~*) error; (*Fehler, Versehen*) mistake; **~!** that's where you're wrong!; **sehr im ~ sein** be greatly mistaken; **im ~ sein, sich im ~ befinden** be in error; **~ vorbehalten!** (COM) errors excepted!; **e-n ~ zugeben** admit an error [*o* a mistake]; **da muss ein ~ vorliegen** there must be some mistake; **~, mein Lieber!** you're wrong there, my dear boy!
irr•tüm•lich ['ɪrty:mlɪç] **I.** *adj* erroneous, mistaken **II.** *adv* erroneously; (*aus Versehen*) by mistake
ISBN <-> *f Abk. von* **Internationale Standardbuchnummer** ISBN
Is•chi•as ['ɪʃias] <-> *f* (MED) sciatica
ISDN *n Abk. von* **Integrated Services Digital Network**
Is•lam [ɪs'la:m] <-s> *m* (REL) Islam; **is•la•misch** *adj* Islamic; **Is•la•mi•sie•rung** *f* (POL REL) Islamization
Is•land ['i:slant] <-s> *n* Iceland; **Is•län•der(in)** ['i:slɛndɐ] *m(f)* Icelander; **is•län•disch** *adj* Icelandic
Iso•la•ti•on [izola'tsjo:n] *f* **1.** (*allgemein, a.* MED) isolation; (*von Häftlingen*) (solitary) confinement **2.** (TECH EL) insulation; **Iso•la•ti•ons•haft** *f* solitary confinement
Iso•la•tor *m* (EL) insulator
Iso•lier•band *n* (EL) insulating tape
iso•lie•ren **I.** *tr* **1.** (*absondern*) isolate **2.** (EL: *a. Häuser, Fenster etc*) insulate **II.** *refl* isolate o.s. (from the world)
Iso•lier•kan•ne *f* thermos flask, insulated flask; **Iso•lier•mas•se** *f* insulating compound; **Iso•lier•ma•te•rial** *n* insulating material
Iso•mat•te® *f* karrimat, thermomat
Iso•ther•me [izo'tɛrmə] <-, -n> *f* isotherm
iso•to•nisch [izo'to:nɪʃ] *adj* (CHEM) isotonic
Iso•top [izo'to:p] <-s, -e> *n* (CHEM PHYS) isotope
Is•ra•el ['ɪsraɛl] *n* Israel; **Is•ra•e•li** [ɪsra'e:li] <-(s), -(s)> *m* Israeli; **is•ra•e•lisch** *adj* Israeli; **Is•ra•e•lit(in)** [ɪsrae'li:t] <-en, -en> *m(f)* (HIST) Israelite; **is•ra•e•li•tisch** *adj* (HIST) Israelite
Ist•be•stand ['ɪstbəʃtant] <-(e)s> *m* (COM FIN: *an Geld*) cash in hand; (*an Waren*) actual stock
Ita•li•en [i'ta:liən] *n* Italy; **Ita•lie•ner(in)** [ita'lje:nɐ] *m(f)* Italian; **ita•lie•nisch** *adj* Italian
IVF *f* (MED) *Abk. von* **In Vitro Fertilisation** IVF, in vitro fertilisation
IWF *m Abk. von* **Internationaler Währungsfonds** IMF

J

J, j [jɔt] <-, -> *n* J, j

ja [ja:] *adv* **1.** (*zustimmend*) yes; (*fam*) yeah **2.** (*feststellend*): ~ **doch** [*o* **aber** ~] yes, of course **3.** (*Frage: wirklich?*) really? **4.** (*tatsächlich*) just **5.** (*schließlich*) after all **6.** (*sogar*) even; ~**?** (*richtig?*) right?; **zu etw ~ sagen** say yes to s.th.; **nun ~ ...** well ...; **sei ~ vorsichtig!** be careful!; **tu es ~ nicht!** I warn you, don't do it!; **das ist ~ schrecklich!** that's just terrible!; **es schneit ~!** goodness, it's snowing!; **es ist ~ nicht so schlimm** after all it's not that bad; **ich sehe Sie also morgen, ~?** I'll see you tomorrow, right?; **ich habe es Ihnen ~ gesagt!** I told you so!; **es muss sich ~ e-s Tages bessern** don't worry, it'll have to improve one day; **~, was Sie nicht sagen!** you don't say!; **sie ist ~ meine Schwester!** why, she is my sister!; **ich komm' ~ schon!** all right, all right, I'm coming!

Jacht [jaxt] <-, -en> *f* (MAR SPORT) yacht

Ja•cke ['jakə] <-, -n> *f* jacket; **das ist ~ wie Hose** (*fig fam*) that's six (of one) and half a dozen (of the other); **die ~ voll kriegen** (*fam*) cop a packet; **Ja•ckett** [ʒa'kɛt] <-(e)s, -e/-s> *n* jacket *Br,* coat *Am*

Jagd [ja:kt] <-, -en> *f* **1.** (*a. fig: Verfolgung*) hunt (*nach* for); (*das Jagen*) hunting **2.** (*fig*) chase (*nach* after); **auf die ~ gehen** go hunting; **~ machen auf ...** (*a. fig*) hunt for ...; **die ~ aufs Geld** the pursuit of money; **Jagd•auf•se•her(in)** *m(f)* gamekeeper; **Jagd•beu•te** *f* bag; **Jagd•bom•ber** *m* (MIL AERO) fighter-bomber; **Jagd•flug•zeug** *n* (MIL AERO) fighter plane [*o* aircraft]; **Jagd•ge•wehr** *n* hunting rifle; **Jagd•haus** *n* hunting lodge; **Jagd•hund** *m* hound; (*Vorstehhund*) pointer; **Jagd•re•vier** *n* shoot; **Jagd•schein** *m* hunting license

ja•gen ['ja:gən] **I.** *tr* **1.** (*a. Menschen*) hunt **2.** (*verfolgen, hetzen*) chase; **sich e-e Kugel durch den Kopf ~** (*fam*) blow one's brains out; **jdn zum Teufel ~** (*fig fam*) send s.o. to hell; **ein Unglück jagte das andere** one misfortune followed hard upon the other; **damit kann man mich ~** (*fig fam*) I wouldn't touch that (kind of) thing with a ten- foot pole **II.** *itr* **1.** (*auf die Jagd gehen*) go hunting **2.** *sein* (*fig: rasen*) race; **nach etw ~** (*fig*) chase after s.th. **III.** *refl:* **die Ereignisse ~ sich** things happen one after the other

Jä•ger ['jɛ:gɐ] <-s, -> *m* **1.** hunter, huntsman **2.** (MIL) rifleman **3.** (MIL AERO: *Jagdflugzeug*) fighter (plane); **Jä•ge•rin** *f* huntress; **Jä•ger•zaun** *m* rustic fence

Ja•gu•ar ['ja:gua:ɐ] <-s, -e> *m* (ZOO) jaguar

jäh [jɛ:] *adj* **1.** (*steil*) steep **2.** (*plötzlich*) sudden; (*unvermittelt*) abrupt **3.** (*überstürzt*) headlong, precipitous

Jahr [ja:ɐ] <-(e)s, -e> *n* year; **ein halbes ~** six months; **alle ~e** every year; **alle fünf ~e** every five years; **~ für ~** year after year; **das ganze ~ hindurch** [*o* **über**] all the year round; **im ~e 1996** in (the year) 1996; **in den besten ~en** in the prime of one's life; **in den neunziger ~en** in the nineties; **im Alter von zehn ~en** at the age of ten; **mit den ~en** over the years; **übers ~** a year hence; **viele ~e lang** for many years; **pro ~** a year, per annum; **von ~ zu ~** from year to year; **vor e-m ~** a year ago

jahr•aus [ja:ɐ'aʊs] *adv:* **~, jahrein** year in, year out

Jahr•buch *n* **1.** (*statistisches ~ etc*) yearbook **2.** (*Almanach*) almanac

jah•re•lang **I.** *adj attr* lasting for years **II.** *adv* for years

jäh•ren ['jɛ:rən] *refl:* **es jährt sich heute (zum zehnten Mal), dass ...** it is a year (ten years) ago today that ...

Jah•res•abon•ne•ment *n* annual subscription; **Jah•res•ab•schluss**[RR] *m* **1.** end of the year **2.** (COM) annual statement of account; **Jah•res•an•fang** *m* beginning of a [*o* the] (new) year; **Jah•res•bei•trag** *m* annual subscription; **Jah•res•be•richt** *m* annual report; **Jah•res•bi•lanz** *f* (COM) ..: annual balance sheet; **Jah•res•durch•schnitt** *m* annual average; **Jah•res•ein•kom•men** *n* annual income; **Jah•res•frist** <-> *f* year's time; **binnen** [*o* **noch vor**] ~ within a year's time; **Jah•res•tag** *m* anniversary; **Jah•res•ur•laub** *m* annual vacation; **Jah•res•wech•sel** *m* turn of the year; (*Neujahr*) New Year; **Jah•res•wen•de** *f* turn of the year; (*Neujahr*) New Year; **Jah•res•zahl** *f* date, year; **Jah•res•zeit** *f* season; **jah•res•zeit•lich** *adj* seasonal; **~e Schwankungen** seasonal variations [*o* fluctuations]

Jahr•gang *m* **1.** (*Altersklasse*) age-group **2.**

(*von Zeitschrift*) volume **3.** (*von Wein*) vintage

Jahr•hun•dert [-'--] <-s, -e> *n* century; **jahr•hun•der•te•lang** I. *adj* lasting for centuries II. *adv* for centuries; **Jahr•hun•dert•wen•de** *f* turn of the century

jähr•lich ['jɛːɐlɪç] I. *adj* annual, yearly II. *adv* annually, every year, yearly; (COM FIN) per annum; **einmal** ~ once a year

Jahr•markt *m* fair

Jahr•tau•send [-'--] <-s, -e> *n* millenium

Jahr•zehnt [jaːɐ'tseːnt] <-(e)s, -e> *n* decade; **jahr•zehn•te•lang** I. *adj* decades of …, lasting for decades II. *adv* for decades

Jäh•zorn ['jɛːtsɔrn] *m* irascibility, violent temper; **jäh•zor•nig** *adj* irascible, violent-tempered

Ja•lou•sie [ʒalu'ziː] *f* (Venetian) blind *Br,* window shades *Am*

Jam•mer ['jamɐ] <-s> *m* **1.** (*Klage*) lamentation, wailing **2.** (*Elend*) misery, wretchedness; **es ist ein** ~ it is awful; **ein Bild des ~s bieten** (*fig*) be a sorry sight; **jäm•mer•lich** ['jɛmɐlɪç] I. *adj* **1.** (*elend, erbärmlich*) wretched **2.** (*Mitleid erregend*) pitiful **3.** (*beklagenswert*) lamentable **4.** (*fam: schlecht, mies*) pathetic II. *adv* (*fam: sehr*) terribly; **jam•mern** ['jamɐn] *itr* wail (*über* over, *um* for); **jam•mer•scha•de** ['--'--] *adj* (*fam*): **es ist ~, dass …** it's a crying shame that …

Jan•ker <-s, -> *m* (*österr: Strickjacke*) cardigan

Jän•ner ['jɛnɐ] <-s, -> *m* (*österr*) January

Ja•nu•ar ['janua:ɐ] <-(s), -e> *m* January

Ja•pan ['ja:pan] *n* Japan; **Ja•pa•ner(in)** [ja'pa:nɐ] *m(f)* Japanese; **ja•pa•nisch** *adj* Japanese

Jar•gon [ʒar'gõː] <-s, -s> *m* jargon

Jas•min [jas'miːn] <-s, -e> *m* (BOT) jasmine

jä•ten ['jɛːtən] *tr itr* weed

Jau•che ['jaʊxə] <-, -n> *f* liquid manure; (*Abwasser*) sewage; **Jau•che•gru•be** *f* cesspool

jauch•zen ['jaʊxtsən] *itr* exult, rejoice

jau•len ['jaʊlən] *itr* (*a. fig*) howl

Ja•wort *n* consent

Jazz [dʒɛs/jats] <-> *m* (MUS) jazz

jaz•zig ['dʒɛsɪç] *adj* jazzy

je[1] [jeː] *interj:* ~ **nun …** well now …; **o ~!** oh dear!

je[2] I. *präp* (*pro*) per; ~ **Kopf der Bevölkerung** per head of population II. *adv* **1.** (~*weils*) each, every **2.** (~*mals*) ever; **für ~ zehn Wörter** for every ten words; **schlimmer denn** ~ worse than ever III. *konj:* ~ **eher, desto besser** the sooner the better; ~ **nachdem** that depends; ~ **nach …** depending on …

Jeans [dʒiːns] *pl* jeans, denims; **Jeans•an•zug** *m* denim suit; **Jeans•rock** *m* denim skirt

je•den•falls *adv* **1.** (*auf jeden Fall*) in any case **2.** (*zumindest*) at least

jede(r, s) ['jeːdə] I. *pron* (*substantivisch*) **1.** (~ *einzelne,* ~ *für sich*) each **2.** (~ *von allen*) everyone, everybody **3.** (~ *beliebige*) anyone, anybody II. *adj* **1.** (*einzeln, für sich*) each; (~ *von zweien*) either **2.** (~ *von allen*) every **3.** (~ *beliebige*) any; **~s Mal**[RR] each time, every time; **~s Mal, wenn**[RR] whenever

je•der•mann *pron* **1.** (*ein jeder*) everyone, everybody **2.** (*jeder beliebige*) anyone, anybody

je•der•zeit ['--'-] *adv* (at) any time

je•des•mal *adv s.* **jede(r,s)**

je•doch [je'dɔx] *adv, konj* however

Jeep [dʒiːp] <-s, -s> *m* (®) jeep

je•her ['jeːheːɐ/'-'-] *adv:* **von** [*o* **seit**] ~ always

je•mals ['jeːmaːls] *adv* ever

je•mand ['jeːmant] *pron* somebody, someone; (*in fragenden, verneinenden od bedingenden Sätzen*) anybody, anyone; **sonst ~, ~ anders** somebody else; (*irgend~*) anybody else

je•ne(r, s) ['jeːnə] I. *pron* that one, those ones; **bald dieser, bald jener** first one, then the other; **jener** (*letzterer*) the latter; **dies u. jenes** this and that II. *adj* that; (*bezogen auf Plural*) those

jen•sei•tig *adj* opposite, on the other side; **Jen•seits** <-> *n* next world; **jdn ins ~ befördern** (*fam*) send s.o. to kingdom come; **jen•seits** ['jeːnzaɪts] *präp* (*adv:* ~ *von*) on the other side of; **er ist ~ von Gut und Böse** (*hum fam*) he's past it

Je•su•it [jezu'iːt] <-en, -en> *m* (ECCL) Jesuit; **Je•su•i•ten•or•den** *m* (ECCL) Jesuit Order

Je•sus ['jeːzʊs] *m* Jesus

Jet•set[RR] ['dʒɛtsɛt] <-s> *m* (*fam*) jet-set

jet•ten ['dʒɛtn] *itr* (*fam*) jet

jet•zig ['jɛtsɪç] *adj* (*im Augenblick*) present; (*laufend*) current; **in der ~en Zeit** in present times *pl;* **~e Preise** current prices

jetzt [jɛtst] *adv* now; **gerade** ~ this very moment; **bis** ~ so far, up to now; ~ **eben** just now; **von ~ an** from now on; **für** ~ for the present, for now; **gleich ~, ~ gleich** right now; **erst** ~ only now; ~ **oder nie!** (it's) now or never!

Jetzt•zeit *f* present time

je•wei•lig ['jeːvaɪlɪç] *adj* **1.** (*derzeitig*) of the day; (*vorherrschend*) prevailing **2.** (*betreffend*) respective

je•weils ['jeːvaɪls] *adv* **1.** (*zur gleichen Zeit*) at a time **2.** (*jedesmal*) each time;

(*jeder einzelne*) each; **die ~ erfolgreichsten Kandidaten der beiden Wahlgänge** the most successful candidates of each of the two ballots

Job [dʒɔp/dʒɔb] <-s, -s> *m* (*a.* EDV) job

job•ben *itr* (*fam*) work, do casual work

Job•hop•pingRR *n* job hopping; **Jobsharing**RR *n* job sharing

Joch [jɔx] <-(e)s, -e> *n* **1.** (*a. fig*) yoke **2.** (*Berg~*) ridge **3.** (ARCH) truss; **sein ~ abschütteln** (*fig*) shake off one's yoke; **sich e-m ~ beugen** (*fig*) submit to a yoke

Jo•ckei *m,* **Jo•ckey** ['jɔki/dʒɔki] <-s, -s> *m* jockey

Jod [jo:t] <-(e)s> *n* iodine

jo•deln ['jo:dəln] *tr itr* yodel

Jod•ler[1] *m* (*Jodelruf*) yodel; **Jod•ler(in)**[2] *m(f)* (*jodelnde Person*) yodeller

Jod•man•gel *m* iodine deficiency; **Jod•tink•tur** *f* iodine tincture

Jo•ga ['jo:ga] <-(s)> *m* yoga

jog•gen ['dʒɔgn] *itr* jog; **Jog•ger(in)** <-s, -> *m(f)* jogger; **Jog•ging** <-s> *n* jogging; **Jog•ging•an•zug** *m* jogging suit

Jo•ghurt ['jo:gʊrt] <-s, -s> *m o n,* **Jo•gurt**RR *m o n* yog(h)urt

Jo•han•nis•bee•re [jo'hanɪsbe:rə] *f* (BOT): **rote** (**schwarze**) ~ redcurrant (blackcurrant)

Jo•han•nis•tag *m* Midsummer's Day

joh•len ['jo:lən] *itr* bawl, howl

Joint [dʒɔɪnt] <-s, -s> *m* (*sl: Haschischzigarette*) joint

Joint•ven•tureRR ['dʒɔɪnt'vɛntʃə] <-(s), -s> *n* (COM) joint venture

Jo•jo <-s, -s> *n* yo-yo

Jon•gleur(in) [ʒɔ̃'glø:ɐ] <-s, -e> *m(f)* juggler; **jon•glie•ren** *itr* (*a. fig*) juggle

Jor•da•ni•en [jɔr'da:niən] *n* Jordan; **Jor•da•ni•er(in)** <-s, -> *m(f)* Jordanian; **jor•da•nisch** *adj* Jordanian

Joule [dʒu:l] <-(s), -> *n* joule

Jour•nal [ʒɔr'na:l] <-s, -e> *n* **1.** (*Tagebuch*) diary **2.** (COM) daybook **3.** (*Fach~*) journal

Jour•na•lis•mus *f* journalism; **Jour•na•list(in)** *m(f)* journalist

jo•vi•al [jo'vja:l] *adj* jovial

Joy•stick ['dʒɔɪstɪk] <-s, -s> *m* (EDV) joystick

Ju•bel ['ju:bəl] <-s> *m* jubilation; **Ju•bel•jahr** *n* jubilee year; **alle ~e einmal** (*fam*) once in a blue moon; **ju•beln** *itr* rejoice, shout with joy

Ju•bi•lar(in) [jubi'la:ɐ] *m(f)* man [*o* woman] celebrating an anniversary

Ju•bi•lä•um [jubi'lɛ:ʊm] <-s, -läen> *n* jubilee; (*Jahrestag*) anniversary

ju•cken ['jʊkən] **I.** *itr* itch; **mir juckt die Nase** my nose itches; **das juckt mich doch nicht!** (*fig fam*) I don't care (a damn)!; **es juckt mir in den Fingern zu ...** I'm itching to ... **II.** *tr* (*kratzen*) scratch; **Ju•cken** *n,* **Juck•reiz** *m* itching

Ju•de ['ju:də] <-n, -n> *m* Jew; **Ju•den•tum** *n* Judaism; Jewry; **Ju•den•ver•fol•gung** *f* persecution of the Jews; **Jü•din** ['jy:dɪn] *f* Jewess; **jü•disch** *adj* Jewish

Ju•do ['ju:do] <-(s)> *n* (SPORT) judo

Ju•gend ['ju:gənt] <-> *f* **1.** (*~zeit*) youth **2.** (*~lichkeit*) youthfulness **3.** (*junge Menschen*) young people *pl,* youth; **frühe ~** early youth; **von ~ an** [*o* **auf**] from one's youth; **in meiner ~** when I was young; **die heutige ~** the youth of today, young people of today; **Ju•gend•amt** *n* youth welfare department; **Ju•gend•ar•beits•lo•sig•keit** *f* youth unemployment; **Ju•gend•er•in•ne•rung** *f* memory of one's youth; **Ju•gend•freund(in)** *m(f)* friend of one's youth; **Ju•gend•her•ber•ge** *f* youth hostel; **Ju•gend•her•bergs•aus•weis** *m* youth hostelling card, YHA card; **Ju•gend•kri•mi•na•li•tät** *f* juvenile crime [*o* delinquency]

ju•gend•lich *adj* **1.** (*jung*) young **2.** (*jung wirkend*) youthful **3.** (JUR) juvenile; **Ju•gend•li•che(r)** *f m* **1.** (*allgemein*) young person, teenager **2.** (JUR) juvenile **3.** (*Minderjährige*) minor; **Ju•gend•lich•keit** *f* youthfulness

Ju•gend•schutz *m* (JUR) protection of children and young people; **Ju•gend•zeit** *f* youth

Ju•go•sla•we [jugo'sla:və] *m,* **Ju•go•sla•win** *f* Yugoslav; **Ju•go•sla•wien** *n* Yugoslavia; **ju•go•sla•wisch** *adj* Yugoslav(ian)

Ju•li ['ju:li] <-(s), -s> *m* July

jung [jʊŋ] <jünger, jüngst> *adj* (*a. fig*) young

Jun•ge[1] ['jʊŋə] <-n, -n(s)> *m* boy; **~, ~!** (*fam*) oh boy!; **alter ~** (*fig fam: als Anrede*) old pal; **ein schwerer ~** (*fam*) a bad egg

Jun•ge[2] <-n, -n> *n* (*allgemein von Tier*) young one; (*von Hund*) puppy; (*von Katze*) kitten; (*von Raubtier*) cub; (*von Vogel*) nestling; **die ~n** the young

Jün•ger *m* (*a. fig*) disciple

jün•ger ['jʏŋɐ] *adj* **1.** (*Komparativ von jung*) younger **2.** (*Entwicklung, Geschichte etc*) recent; **sie ist fünf Jahre ~ als ich** she is my junior by five years [*o* five years my junior]; **er sieht ~ aus, als er ist** he does not look his age; **die ~e Steinzeit** the New Stone Age

Jung•fer ['jʊŋfɐ] <-, -n> *f* (*hum*): **alte ~** old maid, spinster; **Jung•fern•fahrt** *f* (MAR) maiden voyage; **Jung•fern•häut•chen** *n* (ANAT) hymen, maidenhead

Jung•fil•mer(in) *m(f)* young film maker

Jung•frau *f* **1.** (*sexuell unberührt*) virgin **2.** (ASTR) Virgo; **jung•fräu•lich** ['jʊŋfrɔɪlɪç] *adj* (*a. fig*) virgin
Jung•ge•sel•le *m* bachelor; **eingefleischter** ~ confirmed [*o* regular] bachelor; **Jung•ge•sel•lin** *f* bachelor girl, single woman
Jüng•ling ['jʏŋlɪŋ] *m* (*fam*) youth
jüngst [jʏŋst] *adv* lately, recently; **jüngs•te** *adj* **1.** (*Superlativ von jung*) youngest **2.** (*letzte*) latest; (*Zeit, Vergangenheit*) recent; **der J~ Tag, (das J~ Gericht)** Doomsday, (the Last Judg(e)ment); **sein ~er Roman** his latest novel; **sie ist nicht mehr die J~** (*fam*) she's no (spring) chicken any more; **mein J~r** my youngest; **in der ~n Zeit** recently; **die ~n Ereignisse** the latest events
Ju•ni ['ju:ni] <-(s), -s> *m* June
ju•ni•or ['ju:niɔr] *adj* (*unveränderlich*) junior, jun., jr.; **Sammy Davis ~** Sammy Davis jr.; **Ju•nior(in)** <-s, -en> *m(f)* junior; **Ju•ni•or-Pass**[RR] *m* (RAIL) junior rail-pass
Jun•kie ['dʒaŋki] <-s, -s> *m* (*sl*) junkie
Jupe [ʒyp] <-s, -s> *m* (*CH*) skirt
Ju•ra[1] ['ju:ra] <-> *m* (GEOG) Jura Mountains *pl*
Ju•ra[2] *npl* (JUR) law *sing;* ~ **studieren** study [*o* read] law
Ju•ris•pru•denz [jurɪspru'dɛnts] <-> *f* jurisprudence
Ju•ris•te•rei *f* (*fam*) law; **Ju•rist(in)** *m(f)* **1.** (*ausgebildeter*) jurist **2.** (*Jurastudent(in)*) law student; **ju•ris•tisch** *adj* legal; **~e Person** body corporate, corporation, legal entity; **~es Studium** law studies *pl;* **~e Fakultät** faculty of law *Br,* law school *Am;* **~er Beistand** counsel; **~er Kommentar** legal commentary
Ju•ry [ʒy'ri:/'ʒy:ri] <-, -s> *f* jury
Jus [ju:s] *n* (*österr*) law *sing;* ~ **studieren** study law
just [jʊst] *adv* exactly, just
jus•tie•ren [jʊs'ti:rən] *tr* (*einstellen, einrichten*) adjust; (TYP) justify
Jus•tiz [jʊs'ti:ts] <-> *f* justice; **jdn der ~ überantworten** hand s.o. over to the law; **Jus•tiz•be•am•te, -be•am•tin** *m, f* judicial officer; **Jus•tiz•ge•bäu•de** *n* courthouse; **Jus•tiz•irr•tum** *m* error [*o* miscarriage] of justice; **Jus•tiz•mi•nis•ter(in)** *m(f)* Lord (High) Chancellor *Br,* Attorney General *Am;* (*anderer Länder*) minister of justice; **Jus•tiz•mi•nis•te•rium** *n* Ministry of Justice *Br,* Department of Justice *Am;* **Jus•tiz•mord** *m* judicial murder
Ju•wel [ju've:l] <-s, -en> *n* (*a. fig*) gem, jewel; **Ju•we•len•han•del** *m* jewel(l)er's trade; **Ju•we•lier(in)** [juve'li:ɐ] <-s, -e> *m(f)* jewel(l)er; **Ju•we•lier•ge•schäft** *n* jewel(l)er's (shop)
Jux [jʊks] <-es, -e> *m* (*fam*) lark; **das war doch nur ein ~!** it was only a joke!; **sich e-n ~ aus etw machen** make a joke out of s.th.; **aus ~** for a lark; **ju•xig** *adj* (*fam*) funny

K

K, k [ka:] <-, -> *n* K, k

Ka•ba•rett [kaba'rɛt/kaba're:] <-s, -s/-e> *n* **1.** (*Kleinkunst(bühne)*) cabaret **2.** (*~programm*) floor show; **politisches ~** satirical political revue

Ka•bel ['ka:bəl] <-s, -> *n* **1.** (EL) wire; (TELE) flex **2.** (*Drahtseil*) cable; **Ka•bel•an•schluss**[RR] *m* (EL) cable connection; **Ka•bel•fern•se•hen** *n* cable television

Ka•bel•jau ['ka:bəljaʊ] <-s, -e/-s> *m* (ZOO) cod

Ka•bel•ka•nal *m* (TV) cable channel; **Ka•bel•klem•me** *f* (EL) **1.** (*an Auto*) cable clamp **2.** (*an Zündkerze*) plug terminal; **ka•beln** ['ka:bəln] *tr itr* cable; **Ka•bel•netz** *n* cable network

Ka•bi•ne [ka'bi:nə] <-, -n> *f* **1.** (*Umkleide~, Dusch~ etc*) cubicle; (TELE) booth; (AERO MAR) cabin **2.** (*von Drahtseilbahn*) car

Ka•bi•nett [kabi'nɛt] <-s, -e> *n* (POL) cabinet; **Ka•bi•netts•kri•se** *f* (POL) ministerial crisis; **Ka•bi•netts•sit•zung** *f* (POL) cabinet meeting; **Ka•bi•netts•um•bil•dung** *f* (POL) cabinet reshuffle

Ka•bis <-> *m* (*CH*) cabbage

Ka•brio•lett [kabrio'lɛt/'kabriole:] <-s, -s> *n* (MOT) convertible

Ka•chel ['kaxəl] <-, -n> *f* (glazed) tile; **Ka•chel•o•fen** *m* tiled stove

ka•cheln *tr* tile

Ka•cke ['kakə] <-> *f* (*vulg*) crap, shit; **ka•cken** *tr itr* (*vulg*) crap, shit

Ka•da•ver [ka'da:vɐ] <-s, -> *m* carcass; **Ka•da•ver•ge•hor•sam** *m* (*pej*) blind obedience

Ka•der ['ka:dɐ] <-s, -> *m* (MIL POL) cadre

Kad•mi•um *n s.* **Cadmium**

Kä•fer ['kɛ:fɐ] <-s, -> *m* **1.** beetle, bug *fam* **2.** (*sl: Mädchen*) bird, chick *Am*

Kaff [kaf] <-s, -s/¨er> *n* (*fam pej*) dump

Kaf•fee ['kafe/ka'fe:] <-s> *m* **1.** (*Getränk*) coffee **2.** (*obs: Café*) café; **~ mit Milch** white coffee *Br,* coffee with milk *Am;* **~ kochen** make coffee; **das ist doch alles kalter ~!** (*fig fam*) that's all old stuff!; **zwei ~, bitte!** two coffees, please!; **Kaf•fee•boh•ne** *f* coffee bean; **Kaf•fee•fil•ter** *m* coffee filter; **Kaf•fee•haus** *n* (*österr*) café; **Kaf•fee•kan•ne** *f* coffeepot; **Kaf•fee•klatsch** *m,* **Kaf•fee•kränz•chen** *n* hen party *Br,* coffee klatsch *Am;* **Kaf•fee•löf•fel** *m* coffee spoon; **Kaf•fee•ma•schi•ne** *f* coffee maker, (coffee) percolator; **Kaf•fee•müh•le** *f* coffee grinder; **Kaf•fee•pau•se** *f* coffee break; **Kaf•fee•satz** *m* coffee grounds *pl;* **Kaf•fee•ser•vice** *n* coffee set; **Kaf•fee•strauch** *m* coffee tree; **Kaf•fee•tas•se** *f* coffee cup

Kä•fig ['kɛ:fɪç] <-s, -e> *m* cage; **Kä•fig•hal•tung** *f* caging

kahl [ka:l] *adj* **1.** (*Mensch*) bald **2.** (*Landschaft*) barren, bleak **3.** (*Bäume*) bare; **~ geschoren**[RR] (*Mensch*) shaven; **~ geschoren**[RR] (*Schaf*) shorn; **kahl•ge•scho•ren** *adj s.* **kahl**; **Kahl•heit** *f* **1.** (*von Mensch*) baldness **2.** (*von Landschaft*) barrenness, bleakness **3.** (*von Bäumen*) bareness; **Kahl•kopf** *m* **1.** (*Glatze*) bald head **2.** (*Mensch mit Glatze*) bald man [*o* woman]; **kahl•köp•fig** ['ka:lkœpfɪç] *adj* bald-headed; **Kahl•schlag** *m* **1.** (*Abholzen*) deforestation **2.** (*fig: Abriss*) demolition **3.** (*fam: radikale Kürzung etc*) axing

Kahn [ka:n, *pl:* 'kɛ:nə] <-(e)s, ¨e> *m* (*allgemein*) boat; (*Last~*) barge; **~ fahren** go boating; **Kahn•fahrt** *f* row

Kai [kaɪ] <-s, -e/-s> *m* quay; **Kai•mau•er** *f* quay wall

Kai•ser ['kaɪzɐ] <-s, -> *m* emperor; (*Deutscher ~*) Kaiser; **Kai•se•rin** *f* empress; **Kai•ser•kro•ne** *f* **1.** imperial crown **2.** (BOT) crown imperial; **kai•ser•lich** *adj* imperial; **Kai•ser•reich** *n* empire; **Kai•ser•schnitt** *m* (MED) Caesarean (section); **Kai•ser•tum** *n* **1.** (*Kaiserreich*) empire **2.** (*Kaiserwürde*) imperial dignity

Ka•jü•te [ka'jy:tə] <-, -n> *f* cabin

Ka•ka•du ['kakadu] <-s, -s> *m* (ZOO) cockatoo

Ka•kao [ka'kaʊ] <-s> *m* cocoa; **jdn durch den ~ ziehen** (*fig fam: auf den Arm nehmen*) take the mickey (out of s.o.); (*heruntermachen*) run s.o. down; **Ka•kao•boh•ne** *f* cocoa bean

Ka•ker•lake [ka(:)kɐ'la(:)kə] <-, -n> *f* (ZOO) cockroach

Kaktee *f,* **Kaktus** [kak'te: ('kaktʊs)] <-, -n> *m* (BOT) cactus

Ka•lau•er ['ka:laʊɐ] <-s, -> *m* (*Wortspiel*) corny pun; (*fauler Witz*) old chestnut

Kalb [kalp, *pl:* 'kɛlbɐ] <-(e)s, ¨er> *n* (ZOO) calf; **kal•ben** ['kalbən] *itr* calve; **Kalb•fleisch** *n* veal; **Kalb(s)•le•der** *n*

calf(skin); **Kalbs•schnit•zel** *n* veal cutlet

Ka•lei•do•skop [kalaɪdo'sko:p] <-s, -e> *n* kaleidoscope

Ka•len•der [ka'lɛndɐ] <-s, -> *m* calendar; (*Taschen~*) diary; **Ka•len•der•jahr** *n* calendar year

Ka•li ['ka:li] <-s, -s> *n* (CHEM) potash, potassium oxide; **Ka•li•ab•wäs•ser** *pl* potash mine waste water

Ka•li•ber [ka'li:bɐ] <-s, -> *n* (*a. fig: Format*) calibre *Br,* caliber *Am*

Ka•li•for•ni•en [kali'fɔrniən] *n* California

Ka•li•um ['ka:liʊm] <-s> *n* (CHEM) potassium; **Ka•li•um•chlo•rid** *n* (CHEM) potassium chloride; **ka•li•um•hal•tig** *adj* potassic; **Ka•li•um•per•man•ga•nat** [-pɛrmaŋga'na:t] <-s> *n* (CHEM) potassium permanganate

Kalk [kalk] <-(e)s, -e> *m* lime; **gebrannter ~** quicklime; **gelöschter ~** slaked lime; **Kalk•bo•den** *m* calcareous soil; **Kalk•bren•ne•rei** *f* lime works *pl;* **kal•ken** *tr* **1.** (*tünchen*) whitewash **2.** (*mit Kalk düngen*) lime; **kalk•hal•tig** *adj* (*Boden*) chalky; (*Wasser*) hard; **Kalk•man•gel** <-s> *m* (MED) calcium deficiency; **Kalk•ofen** *m* lime kiln; **Kalk•sand•stein** *m* calcareous sandstone; **Kalk•stein** <-(e)s> *m* limestone

Kal•ku•la•ti•on [kalkula'tsjo:n] *f* **1.** (*Berechnung*) calculation **2.** (*Kostenvoranschlag*) estimate; **kal•ku•lier•bar** *adj* calculable; **kal•ku•lie•ren** *tr* calculate

Ka•lo•rie [kalo'ri:] *f* calorie; **ka•lo•rien•arm** *adj pred* low in calories, low-calorie; **Ka•lo•rien•bom•be** *f* (*fam*) mass of calories; **Ka•lo•rien•ge•halt** *m* calorie content

kalt [kalt] <kälter, kältest> *adj* **1.** (*allgemein, a. fig*) cold **2.** (*fig: frigide*) frigid; **K~er Krieg**^{RR} (HIST) Cold War; **~er Schweiß brach ihm aus** he broke out in a cold sweat; **~e Platte** cold meal; **es überlief mich ~** cold shivers were running through me; **mir ist ~** I am cold; **das lässt mich ~** that leaves me cold; **~ bleiben** (*fig*) besonnen bleiben, keep cool; (*unbewegt bleiben*) remain unmoved; **~e Füße kriegen** (*fig fam*) get cold feet; **jdm die ~e Schulter zeigen** (*fig*) give s.o. the cold shoulder; **~ lächelnd**^{RR} (*fam pej*) cool as you please; **eine Flasche Wein ~ stellen** chill a bottle of wine; **kalt•blü•tig** ['kaltbly:tɪç] **I.** *adj* (*fig: Mensch*) cold-blooded; (*lässig, gelassen*) cool **II.** *adv* (*fig*) coolly, in cold blood; **Kalt•blü•tig•keit** *f* (*fig*) cold-bloodedness, coolness

Käl•te ['kɛltə] <-> *f* **1.** (*allgemein*) cold **2.** (METE: *~periode*) cold spell **3.** (*fig*) coldness; **zehn Grad ~** ten degrees of frost; **bei dieser ~** in this cold; **die ~ lässt nach** the cold is breaking up; **Käl•te•be•hand•lung** *f* cryotherapy; **käl•te•be•stän•dig** *adj* cold-resistant; **käl•te•emp•find•lich** *adj* sensitive to cold; **Käl•te•grad** *m* (*fam: Maßgröße f. Minustemperaturen*) degree of frost; **Käl•te•mi•schung** *f* freezing-mixture; **Käl•te•schutz•mit•tel** *n* (MOT) anti- freeze; **Käl•te•wel•le** *f* cold spell

kalt•lächelnd *adv s.* **kalt**

Kalt•luft *f* cold air; **Kalt•luft•front** *f* (METE) cold front

kalt|ma•chen *tr* (*sl*) do in

Kalt•scha•le *f* cold sweet [*o* iced fruit] soup

kalt•schnäu•zig ['kaltʃnɔɪtsɪç] *adj* (*fam*) **1.** (*gefühllos*) callous, cold **2.** (*frech, unverschämt*) insolent

Kalt•start *m* (EDV) cold start; **Kalt•start•au•to•ma•tik** *f cold start device*

kalt|stel•len *tr* (*fig*) demote; *s. a.* **kalt**^{RR}

Kal•zi•um <-s> *n* (CHEM) Calcium

Ka•mel [ka'me:l] <-(e)s, -e> *n* **1.** (ZOO) camel **2.** (*fig fam: Trottel*) dope; **Ka•mel•haar** *n* camel-hair *Br,* camel's- hair *Am*

Ka•me•lie [ka'me:liə] *f* (BOT) camellia

Ka•me•ra ['kaməra] <-, -s> *f* (PHOT) camera

Ka•me•rad [kamə'ra:t] <-en, -en> *m* **1.** (MIL) comrade; (*Gefährte*) companion **2.** (*fam: Freund*) chum *Br,* buddy *Am;* **Ka•me•rad•schaft** *f* comradeship; **ka•me•rad•schaft•lich** *adj* comradely; (*Gemeinschaft, Ehe etc*) companionate; **Ka•me•rad•schafts•geist** *m* spirit of comradeship

Ka•me•ra•frau <-, -en> *f* camerawoman; **Ka•me•ra•füh•rung** *f* camera work; **Ka•me•ra•mann** <-(e)s, -männer/-leute> *m* (FILM) cameraman; **ka•me•ra•scheu** *adj* camera-shy

Ka•me•run ['kaməru:n] *n* Cameroon

Ka•mil•le [ka'mɪlə] <-, -n> *f* (BOT) camomile; **Ka•mil•len•tee** *m* camomile tea

Ka•min [ka'mi:n] <-s, -e> *m* **1.** (*Schornstein, a. von Berg*) chimney **2.** (*im Zimmer*) fireplace, fireside; **Ka•min•auf•satz** *m* mantelpiece; **Ka•min•fe•ger(in)** *m(f)* chimney sweep

Kamm [kam, *pl:* 'kɛmə] <-(e)s, ¨-e> *m* **1.** (*Haar~*) comb **2.** (*von Vögeln, Wellen*) crest **3.** (*von Berg*) crest, ridge **4.** (*von Rind*) neck; **über e-n ~ scheren** (*fig*) lump together; **der ~ schwillt ihm** (*fig fam: er wird übermütig*) he is getting swollen-headed; (*er wird wütend*) he is bristling up with anger

käm•men ['kɛmən] **I.** *tr* (*Haare*) comb; (*Wolle*) card **II.** *refl* comb one's hair

Kam•mer ['kamɐ] <-, -n> *f* **1.** (*kleines Zimmer*) small room **2.** (*fig: von Behörde*) chamber; (*Ärzte~ etc*) association; **Kam-**

mer•die•ner *m* valet; **Kam•mer•zo•fe** *f* chambermaid

Kam•pa•gne [kam'panjə] <-, -n> *f* campaign

Kampf [kampf, *pl:* 'kɛmpfə] <-(e)s, ¨-e> *m* **1.** (*allgemein, a. fig*) fight (*um* for) **2.** (MIL: *Schlacht*) battle **3.** (*Wettkampf, Wettstreit*) contest; **im ~ für die Freiheit** in the struggle for freedom; **schließlich kam es zum ~** finally fighting broke out; **~ auf Leben u. Tod** life and death struggle; **~ ums Dasein** struggle for existence; **~ bis aufs Messer** (*fig*) fight to the finish; **ein heißer ~** a ding-dong fight; **jdm (e-r Sache) den ~ ansagen** (*fig*) declare war on s.o. (s.th.); **im ~ fallen** be killed in action; **Kampf•an•sa•ge** *f* (*fig*) declaration of war; **Kampf•bahn** *f* (SPORT) arena, sports stadium; **kampf•be•reit** *adj* ready for action; **Kampf•ein•satz** *m* (MIL) combat mission

kämp•fen ['kɛmpfən] *tr itr* fight (*um, für* for, *gegen jdn o etw* s.o., s.th.); **um sein Leben ~** fight for one's life; **mit den Tränen ~** (*fig*) fight back one's tears; **mit Schwierigkeiten ~** contend with difficulties; **mit sich selber ~** have a battle with o.s.

Kamp•fer ['kampfɐ] <-s> *m* (CHEM) camphor

Kämp•fer(in) *m(f)* fighter; (*Krieger*) warrior; **kämp•fe•risch** *adj* aggressive

kampf•er•probt *adj* battle-tried; **kampf•fä•hig** *adj* (MIL) fit for action; **Kampf•gas** *n* (MIL) war gas; **Kampf•geist** <-(e)s> *m* fighting spirit; **Kampf•grup•pe** *f* (MIL) combat group; (*Spezialeinheit*) task force; **Kampf•hahn** *m* (*a. fig*) fighting cock; **Kampf•hand•lung** *f* action, engagement; **Kampf•hund** *m* fighting dog; **Kampf•kraft** *f* fighting strength; **kampf•lus•tig** *adj* pugnacious; **er ist ganz schön ~** he's quite eager for the fray; **Kampf•maß•nah•me** *f* offensive measure; **~n ergreifen** go on the offensive; **Kampf•platz** *m* **1.** (MIL: *Schlachtfeld*) battle field **2.** (SPORT: *Arena*) arena; **Kampf•rich•ter(in)** *m(f)* (SPORT: *allgemein*) referee; (*beim Tennis*) umpire; **Kampf•sport** *m* martial art; **kampf•un•fä•hig** *adj* **1.** (MIL) unfit for fighting **2.** (SPORT: *von Boxer etc*) unfit

kam•pie•ren [kam'pi:rən] *itr* camp

Ka•na•da ['kanada] *n* Canada; **Ka•na•dier(in)** [ka'na:diɐ] *m(f)* Canadian; **ka•na•disch** *adj* Canadian

Ka•nal [ka'na:l, *pl:* ka'nɛ:lə] <-s, ¨-e> *m* **1.** (*natürlicher*) channel; (*Ärmel~*) Channel; (*künstlicher*) canal **2.** (*Entwässerungs~*) drain; (*Abwasser~*) sewer **3.** (RADIO TV) channel; **die haben den ~ aber ganz schön voll** (*sl: sie sind ziemlich betrunken*) they're pretty canned, aren't they?; **Ka•nal•de•ckel** *m* drain cover; **Ka•nal•in•seln** *fpl* Channel Islands; **Ka•na•li•sa•ti•on** [kanaliza'tsjo:n] *f* **1.** (*für Abwässer*) sewerage system **2.** (*Flussbegradigung*) canalization; **Ka•na•li•sa•ti•ons•netz** *n* sewerage system; **ka•na•li•sie•ren** *tr* **1.** (*mit Kanalröhren versehen*) install sewers (*e-e Stadt etc* in a town) **2.** (*e-n Fluss*) canalize **3.** (*fig: Energie, Gefühle etc*) channel; **Ka•na•li•sie•rung** *f* **1.** (*von Fluss*) canalization **2.** (*fig*) *channelization;* **Ka•nal•rohr** *n* sewer pipe; **Ka•nal•tun•nel** *m* Channel Tunnel

Ka•na•ri•en•vo•gel [ka'na:riənfo:gəl] *m* (ZOO) canary

Kan•di•dat(in) [kandi'da:t] <-en, -en> *m(f)* (*Anwärter(in)*) candidate; (*Bewerber(in)*) applicant; **Kan•di•da•tur** *f* candidature *Br,* candidacy *Am;* **kan•di•die•ren** *itr* (POL) run, stand (*für* for); **für das Amt des Präsidenten ~** run for president

kan•diert [kan'diɐt] *adj* (*Früchte etc*) candied

Kan•dis(•zu•cker) ['kandɪs] <-> *m* (sugar)candy

Kän•gu•ru[RR] ['kɛŋguru] <-s, -s> *n* (ZOO) kangaroo

Ka•nin•chen [ka'ni:nçən] <-s, -> *n* (ZOO) rabbit; **Ka•nin•chen•bau** *m* rabbit burrow

Ka•nis•ter [ka'nɪstɐ] <-s, -> *m* can

Känn•chen ['kɛnçən] <-s, -> *n* (*für Milch*) jug; (*für Kaffee*) pot

Kan•ne ['kanə] <-, -n> *f* (*allgemein*) can; (*Tee~, Kaffee~*) pot; (*Milch~*) churn

Kan•ni•ba•le [kani'ba:lə] <-n, -n> *m,* **Kan•ni•ba•lin** *f* cannibal; **kan•ni•ba•lisch** *adj* cannibal

Ka•no•na•de [kano'na:də] <-, -n> *f* **1.** (MIL) cannonade **2.** (*fig: Schimpf~*) tirade

Ka•no•ne [ka'no:nə] <-, -n> *f* **1.** (*allgemein*) gun; (HIST) cannon **2.** (*fig fam: Ass, Könner*) ace **3.** (*sl: Revolver*) gat, rod; **das ist einfach unter aller ~** (*fam*) that simply defies description; **Ka•no•nen•boot** *n* gunboat; **Ka•no•nen•boot•po•li•tik** *f* gunboat diplomacy; **Ka•no•nen•fut•ter** *n* (*fam*) cannon fodder; **Ka•no•nen•ku•gel** *f* cannon ball; **Ka•no•nen•rohr** *n* gun barrel; **heiliges ~!** (*fam*) good grief!

Ka•no•nier [kano'ni:ɐ] <-s, -e> *m* (MIL) gunner

Kan•te ['kantə] <-, -n> *f* **1.** (*bei Gegenstand, Fläche etc*) edge **2.** (*Rand*) border; **etw (Geld) auf die hohe ~ legen** (*fam*) put some money by; **etw (Geld) auf der**

hohen ~ haben (*fam*) have some money put by; **kan•ten** *tr* **1.** (*kippen*) tilt **2.** (*mit Kanten versehen*) trim; **Kant•holz** *n* squared timber; **kan•tig** *adj* **1.** (*Holz etc*) edged **2.** (*Gesicht*) angular

Kan•ti•ne [kan'tiːnə] <-, -n> *f* (*allgemein*) canteen; (MIL) Naafi *Br*

Kan•ton [kan'toːn] <-(e)s, -e> *m* Swiss federal state; **Kan•to•nist** *m* (*obs*) canton

Ka•nu ['kaːnu/ka'nuː] <-s, -s> *n* canoe; ~ **fahren** canoe

Ka•nü•le [kɑ'nyːlə] <-, -n> *f* (MED) needle

Kan•zel ['kantsəl] <-, -n> *f* **1.** (ECCL) pulpit **2.** (AERO) cockpit; **auf der ~** (ECCL) in the pulpit; **von der ~ herab** (ECCL) from the pulpit

Kanz•lei [kants'laɪ] *f* **1.** (*Dienststelle*) office; (*Rechtsanwalts~*) chambers *pl* **2.** (HIST POL) chancellery

Kanz•ler(in) ['kantslɐ] *m(f)* chancellor; **Kanz•ler•amt** *n* chancellory

Kap [kap] <-s, -s> *n* cape

Ka•paun [ka'paʊn] <-s, -e> *m* capon

Ka•pa•zi•tät [kapatsi'tɛːt] *f* **1.** (*Volumen*) capacity **2.** (*fig: Experte*) authority

Ka•pel•le [ka'pɛlə] <-, -n> *f* **1.** (ECCL) chapel **2.** (MUS) band; **Ka•pell•meis•ter** *m* (MUS: *Leiter e-r Musikkapelle*) bandmaster; (*Dirigent*) conductor

Ka•per ['kaːpɐ] <-, -n> *f* (BOT) caper

ka•pern ['kaːpɐn] *tr* (MAR) capture, seize

ka•pie•ren [ka'piːrən] *tr* (*fam*) get; **kapiert?** got it?; **sie kapiert aber schnell** she really catches on quick

Ka•pi•tal [kapi'taːl, *pl:* kapi'taːliən] <-s, -e/-ien> *n* **1.** (FIN) capital **2.** (*fig*) asset (*an etw* in s.th.); **angelegtes ~** capital investments *pl;* ~ **anlegen,** ~ **hineinstecken** invest capital; ~ **aus etw schlagen** (*fig*) capitalize on s.th; **Ka•pi•tal•ab•fluss**[RR] <-es> *m* (FIN) capital outflow; **Ka•pi•tal•ab•wan•de•rung** *f* (COM) ..: exodus of capital; **Ka•pi•tal•an•la•ge** *f* (FIN) capital investment; **Ka•pi•tal•an•la•ge•ge•sell•schaft** *f* (FIN) investment fund; **Ka•pi•tal•be•tei•li•gungs•ge•sell•schaft** *f* (FIN) capital investment company; **Ka•pi•tal•er•trag** *m* (FIN) capital gains *pl;* **Ka•pi•ta•lis•mus** *m* capitalism; **Ka•pi•ta•list(in)** *m(f)* capitalist; **ka•pi•ta•lis•tisch** *adj* capitalist(ic); **Ka•pi•tal•man•gel** <-s> *m* (FIN) lack of capital; **Ka•pi•tal•markt** *m* (FIN) money market

Ka•pi•tal•ver•bre•chen *n* (JUR) serious crime

Ka•pi•tän [kapi'tɛːn] <-s, -e> *m* (MAR AERO) captain; ~ **zur See** captain R.N *Br,* commodore *Am;* **Ka•pi•tän•leut•nant** *m* lieutenant-commander

Ka•pi•tel [ka'pɪtəl] <-s, -> *n* (*a. fig*) chapter; **das ist ein ~ für sich** (*fig*) that's another story

Ka•pi•tell [kapi'tɛl] <-s, -e> *n* (ARCH) capital

Ka•pi•tu•la•ti•on [kapitula'tsjoːn] *f* surrender; (*a. fig*) capitulation (*vor* to, *angesichts* in the face of); **ka•pi•tu•lie•ren** *itr* surrender; (*a. fig*) capitulate (*vor* to, *angesichts* in the face of)

Ka•plan [ka'plaːn, *pl:* ka'plɛːnə] <-s, ⸚e> *m* (ECCL) chaplain

Kap•pe ['kapə] <-, -n> *f* **1.** (*Kopfbedeckung*) cap **2.** (*von Flaschen etc*) top; **alles auf s-e ~ nehmen** (*fig fam*) take the full responsibility; **das geht auf meine ~** (*fig fam: auf meine Rechnung*) that's on me

kap•pen ['kapən] *tr* (*a. fig*) cut

Kap•pes ['kapəs] <-, (-se)> *m* (*fam*) **1.** (BOT: *Kohl*) cabbage **2.** (*fig: Blödsinn*) rubbish

Ka•prio•le [kapri'oːlə] <-, -n> *f* caper

Kap•sel ['kapsəl] <-, -n> *f* (*allgemein*) capsule

ka•putt [ka'pʊt] *adj* (*fam*) **1.** (*zerbrochen*) broken, kaput *sl;* (*Beziehungen, Ehe etc*) on the rocks **2.** (*übermüdet*) done in, shattered **3.** (*Gesundheit*) ruined; **~er Typ** (*sl*) bum; **musst du denn immer alles ~ machen?** do you have to break everything?; **dieses ewige Theater macht mich noch ganz ~** this never-ending fuss will be the death of me; **mach dich doch nicht ~!** (*überanstrenge dich nicht*) don't wear yourself out!; **ka•putt|ge•hen** *sein irr itr* (*fam: entzweigehen*) break, go kaput *sl;* (*Maschinen, Geräte etc*) break down; (*Beziehungen etc*) go on the rocks (*an* because of); **ka•putt|la•chen** *refl* (*fam*) die laughing; **er hat sich kaputtgelacht** he was killing himself (laughing); **da lachst du dich kaputt!** this one'll kill you!; **ka•putt|ma•chen** *tr* **1.** break **2.** (*fig: Person*) exhaust, wear out

Ka•pu•ze [ka'puːtsə] <-, -n> *f* hood; (*von Mönch*) cowl

Ka•pu•zi•ner [kapu'tsiːnɐ] *m* (ECCL) Capuchin (monk); **Ka•pu•zi•ner•kres•se** *f* (BOT) nasturtium

Ka•ra•bi•ner [kara'biːnɐ] <-s, -> *m* **1.** (*Gewehr*) carbine **2.** (*Haken*) karabiner snap link

Ka•raf•fe [ka'rafə] <-, -n> *f* carafe; (*für Wein*) decanter

Ka•ram•bo•la•ge [karambo'laːʒə] <-, -n> *f* collision, crash; **ka•ram•bo•lie•ren** *itr* **1.** (MOT) crash (*mit* into) **2.** (*beim Billard*) cannon *Br,* carom *Am*

Ka•ra•mell[RR] [kara'mɛl] <-s> *n* caramel

Ka•rat [ka'raːt] <-(e)s, -e> *n* carat

Ka•ra•te [ka'ra:tə] <-(s)> *n* karate; **Ka•ra•te•kämp•fer(in)** *m(f)* karateka
Ka•ra•wa•ne [kara'va:nə] <-, -n> *f* caravan
Kar•bid [kar'bi:t] <-(e)s, -e> *n* (CHEM) carbide
Kar•da•mom [karda'mo:m] <-s> *n* cardamom
Kar•di•nal [kardi'na:l, *pl:* kardi'nɛ:lə] <-s, ⸚e> *m* (ECCL) cardinal
Kar•di•nal•zahl *f* (MATH) cardinal number
Kar•di•o•gramm [kardio'gram] <-s, -e> *n* (MED) cardiogram
Ka•renz•zeit [ka'rɛntstsaɪt] *f* waiting period
Kar•fi•ol [kar'fjo:l] <-s> *m österr* cauliflower
Kar•frei•tag [ka:ɐ'fraɪta:k] *m* (ECCL) Good Friday
karg [kark] *adj* **1.** (*mager, spärlich*) meagre, sparse; (*unfruchtbar*) barren **2.** (*geizig*) mean (*mit* with); **kärg•lich** ['kɛrklɪç] *adj* meagre, sparse
Ka•ri•bik [ka'ri:bɪk] <-> *f* Caribbean
ka•riert [ka'ri:ɐt] *adj* **1.** (*Stoff*) checked *Br,* checkered *Am* **2.** (*Papier*) squared; **klein~** (*fig fam*) small-time; **sei doch nicht so klein~!** (*engstirnig*) don't be so small-minded!; **klein ~denken** think small
Ka•ri•es ['ka:riɛs] <-> *f* (MED) caries
Ka•ri•ka•tur [karika'tu:ɐ] *f* caricature; **Ka•ri•ka•tu•rist(in)** *m(f)* cartoonist; **ka•ri•kie•ren** *tr* caricature
Karl [karl] *m* Charles; ~ **der Große** Charlemagne
Kar•ne•val ['karnəval] <-s, -e/-s> *m* carnival
Kärn•ten ['kɛrntən] *n* Carinthia
Ka•ro ['ka:ro] <-s, -s> *n* **1.** (*Quadrat*) square; (*Raute*) lozenge; (*quadratisches Stoffmuster*) check **2.** (*Kartenfarbe*) diamonds *pl*
Ka•ros•se [ka'rɔsə] <-, -n> *f* state coach
Ka•ros•se•rie [---'-] *f* (MOT) bodywork
Ka•rot•te [ka'rɔtə] <-, -n> *f* (BOT) carrot
Kar•pa•ten [kar'pa:tən] *pl* Carpathians
Karp•fen ['karpfən] <-s, -> *m* (ZOO) carp; **Karp•fen•teich** *m* carp pond
Kar•re(n) ['karən] <-s, -> *f* (*m*) **1.** (*Wagen*) cart; (*Schub~*) (wheel-)barrow **2.** (*fam: altes Auto*) crate; **jdm wegen e-r Sache an den Karren fahren** (*fig fam*) take s.o. to task for s.th.; **Sie haben den Karren gründlich in den Dreck gefahren!** (*fig fam*) you got things in a complete mess!; **jetzt ziehen Sie den Karren auch wieder aus dem Dreck!** (*fig fam*) now get things sorted out again!, now clear up the mess again
Kar•rie•re [ka'rjɛ:rə] <-, -n> *f* career; ~ **machen** get to the top, make a career for o.s; **Kar•ri•e•re•be•ra•ter(in)** *m(f)* careers adviser; **Kar•ri•e•re•frau** *f* career woman; **Kar•ri•e•re•knick** *m* hiccup in one's career; **Kar•ri•e•re•ma•cher(in)** *m(f)* (*pej*) careerist
Karst [karst] <-(e)s, -e> *m* (GEOL) chalky formation
Kar•te ['kartə] <-, -n> *f* **1.** (*Land~*) map; (*See~*) chart **2.** (*Fahr~, Theater~*) ticket **3.** (*Post~, Spiel~, Besuchs~, Loch~*) card **4.** (*Speise~*) menu; **kannst du ~n lesen?** can you map- read?; **ein Spiel ~n** a, pack of cards *Br,* deck of cards *Am;* **decken Sie Ihre ~n auf!** (*fig*) show your hand!; **alle ~n in der Hand haben** (*fig*) hold all the trumps; **~n geben** deal cards; ~ **mischen** give the cards a shuffle; **~n spielen** play cards; **jdm die ~n legen** tell someone's fortune from the cards; **er lässt sich nicht in die ~n gucken** (*fig*) he's playing it close to his chest; **alles auf e-e ~ setzen** (*fig*) put all one's eggs in one basket
Kar•tei [kar'taɪ] *f* card file; **Kar•tei•kar•te** *f* file card; **Kar•tei•kas•ten** *m* file-card box; **Kar•tei•lei•che** *f* (*fig hum*): **das sind doch bloß ~n** they're just names on the files
Kar•tell [kar'tɛl] <-s, -e> *n* (COM) cartel; **Kar•tell•amt** *n* Monopolies Commission *Br*
Kar•ten•haus *n* **1.** (*fig*) house of cards **2.** (MAR) chart house
Kar•ten•in•ha•ber(in) *m(f)* card-holder
Kar•ten•kunst•stück *n* card trick; **Kar•ten•le•ger(in)** *m(f)* fortune-teller; **Kar•ten•spiel** *n* **1.** (*das ~en*) card-playing **2.** (*einzelnes Spiel*) card game **3.** (*die Karten*) pack of cards *Br,* deck of cards *Am;* **Kar•ten•spie•ler(in)** *m(f)* card- player; **Kar•ten•te•le•fon** *n* cardphone; **Kar•ten•vor•ver•kauf** ['--'---] *m* (THEAT) advance sale of tickets; **Kar•ten•vor•ver•kaufs•stel•le** *f* ticket agency
kar•tie•ren *tr* (*Gebiet*) map out
Kar•tof•fel [kar'tɔfəl] <-, -n> *f* (BOT) potato; **~n schälen** peel potatoes; **man ließ ihn fallen wie e-e heiße ~** (*fig fam*) they dropped him like a hot potato; **Kar•tof•fel•brei** *m* mashed potatoes *pl;* **Kar•tof•fel•chips** *m meist pl* crisps *pl;* **Kar•tof•fel•ern•te** *f* (*Ernteergebnis*) potato crop; **Kar•tof•fel•kä•fer** *m* (ZOO) Colorado [*o* potato] beetle; **Kar•tof•fel•puf•fer** *m* potato fritter; **Kar•tof•fel•sa•lat** *m* potato salad; **Kar•tof•fel•scha•le** *f* **1.** (*Haut der Kartoffelknolle*) potato-skin **2.** (*als Abfall*) potato peel
Kar•ton [kar'tɔŋ] <-s, -s/(-e)> *m* **1.** (*Pappe*) cardboard **2.** (*Schachtel*) cardboard box; **kar•to•nie•ren** [karto'ni:rən]

tr (*Buch mit Pappeinband versehen*) bind in boards; **kar•to•niert** *adj* paperback

Ka•rus•sell [karʊ'sɛl] <-s, -s/-e> *n* car(r)ousel, merry-go-round, roundabout *Br*

kar•zi•no•gen [kɑrtsino'ge:n] *adj* (MED) carcinogenic; ~**e Stoffe** carcinogenic agents; **Kar•zi•nom** [kɑrtsi'no:m] <-s, -e> *n* (MED) carcinoma, malignant growth

ka•schie•ren [ka'ʃi:rən] *tr* **1.** (*überdecken*) conceal **2.** (*Bucheinband*) laminate

Kasch•mir ['kaʃmi:ɐ] <-s> *n* Kashmir

Kä•se ['kɛ:zə] <-s, -> *m* **1.** (*Nahrungsmittel*) cheese **2.** (*fig fam: Quatsch*) rubbish; **Kä•se•blatt** *n* (*pej: Zeitung*) (local) rag; **Kä•se•glo•cke** *f* cheese cover; **Kä•se•ku•chen** *m* cheesecake; **Kä•se•plat•te** *f* cheese board; **Kä•se•rei** *f* (*~betrieb*) cheese-dairy

Ka•ser•ne [ka'zɛrnə] <-, -n> *f* (MIL) barracks *pl;* **Ka•ser•nen•hof** *m* barrack square; **Ka•ser•nen•hof•ton** *m:* **im ~ sagte er ...** in his sergeant-major's voice he said ...; **ka•ser•nie•ren** *tr* quarter in barracks

kä•sig ['kɛ:zɪç] *adj* **1.** (*käseartig*) cheesy **2.** (*fig fam: Gesichtsfarbe*) pale, pasty

Ka•si•no [ka'zi:no] <-s, -s> *n* **1.** (*Spiel~*) casino **2.** (MIL) (officers') mess

Kas•ko•ver•si•che•rung ['kasko-] *f* (MOT: *Teil~*) third-party insurance; (*Voll~*) fully comprehensive insurance

Kas•per <-s, -> *m* Punch; (*fig*) clown; **Kas•per•le•the•a•ter** ['kaspɐlə-] *n* Punch and Judy; (*Spiel*) show; (*Gestell*) theatre *Br,* theater *Am*

Kas•se ['kasə] <-, -n> *f* **1.** (*Geldkasten*) cashbox **2.** (*Zahlstelle im Laden*) cash point, till; (*im Supermarkt*) check-out; (*Theater~*) box office; (*in Bank*) cashdesk **3.** (*Bargeld*) cash; **knapp bei ~ sein** (*fam*) be short of cash; **gut bei ~ sein** (*fam*) be well-off; **bei ~ sein** (*fam*) be flush; **bei mir stimmt die ~** I'm all right for the money; **gegen ~** for cash; **netto ~** no discount allowed; **~ bei Lieferung** cash on delivery; **zahlen Sie bitte an der ~** (*im Laden*) please pay at the till [*o* desk]; **sie wurde beim Griff in die ~ ertappt** she was caught with her hands in the till; **jdn zur ~ bitten** (*fig*) make s.o. pay up; **~ machen** count the money; **Kas•sen•ab•schluss**[RR] *m* (COM) cashing-up; **Kas•sen•arzt, -ärz•tin** *m, f* panel doctor *Br;* **Kas•sen•au•to•mat** *m* cash dispenser; **Kas•sen•be•leg** *m* sales receipt, sales check *Am;* **Kas•sen•be•stand** *m* (COM) cash balance; **Kas•sen•bon** *m* (COM) sales slip *Br,* sales check *Am*

Kas•sen•ge•stell *n* (*fam: von Brille*) National Health spectacle frame; **Kas•sen•pa•tient(in)** *m(f)* panel patient *Br;* **Kas•sen•sturz** *m* (COM) cashing-up; **Kas•sen•ter•mi•nal** *n* sales point; **Kas•sen•zet•tel** *m* sales slip

Kas•set•te [ka'sɛtə] <-, -n> *f* **1.** (*Kästchen*) case **2.** (COM: *Buchkasten*) box; (*Verkaufspackung für mehrere Produkte*) pack, set **3.** (*Musik~, Film~, Video~*) cassette; **Kas•set•ten•deck** *n* cassette deck; **Kas•set•ten•re•cor•der** *m* cassette recorder

kas•sie•ren **I.** *tr* **1.** (FIN) collect (*bei jdm* from s.o.); (*fam: einstecken, verdienen*) pick up (*bei etw* on s.th.) **2.** (JUR: *Urteil einziehen*) quash **3.** (*fam: wegnehmen*) take away **4.** (*fig fam: schnappen, einlochen*) nab **II.** *itr* **1.** (FIN) collect money (*bei jdm* from s.o.) **2.** (*fam: Geld machen, verdienen*) make money; (*Kapital aus etw schlagen*) cash in (*bei etw* on s.th.); **darf ich bitte ~?** would you like to pay now?; **er hat dabei ganz hübsch kassiert** (*fam*) he really cashed in on it; **Kas•sie•rer(in)** *m(f)* (COM: *allgemein*) cashier; (*bei Bank*) clerk, teller; (*bei Verein*) treasurer

Kas•ta•gnet•te [kasta'njɛtə] <-, -n> *f* (MUS) castanet

Kas•ta•nie [kas'ta:niə] <-, -n> *f* (BOT) chestnut; **für jdn die ~n aus dem Feuer holen** (*fig*) pull someone's chestnuts out of the fire; **Kas•ta•nien•baum** *m* chestnut tree; **kas•ta•nien•braun** *adj* maroon; (*Haarfarbe*) chestnut

Käst•chen ['kɛstçən] <-s, -> *n* **1.** (*kleiner Kasten*) small box **2.** (*Karo*) square

Kas•te ['kastə] <-, -n> *f* caste

kas•tei•en [kas'taɪən] <ohne ge-> *refl* castigate o.s.

Kas•ten ['kastən, *pl:* 'kɛstən] <-s, =/(-)> *m* **1.** (*allgemein*) box; (*Kiste*) case; (*Truhe*) chest **2.** (*österr*) cupboard *Br,* closet *Am;* (*Kleider~*) wardrobe **3.** (*fam: Auto*) crate **4.** (*fig fam: hässliches Gebäude*) ugly building **5.** (*fam: verrottetes Schiff*) tub

Kas•trat [kɑ'strɑ:t] <-en, -en> *m* (*obs*) eunuch; **kas•trie•ren** [kas'tri:rən] *tr* (*a. fig*) castrate

Ka•sus ['ka:zʊs] <-, -> *m* (LING) case

Ka•ta•kom•ben [kata'kɔmbən] *fpl* catacombs

Ka•ta•log [kata'lo:k] <-(e)s, -e> *m* catalogue *Br,* catalog *Am;* **ka•ta•lo•gi•sie•ren** *tr* catalogue *Br,* catalog *Am*

Ka•ta•ly•sa•tor [kataly'za:tɔr] <-s, -en> *m* **1.** (CHEM PHYS: *a. fig*) catalyst **2.** (MOT) catalytic converter; **Ka•ta•ly•sa•tor•wa•gen** *m* car (fitted) with a catalytic converter, cat-car, cat-car *fam*

Ka•ta•ma•ran [katama'ra:n] <-s, -e> *m* catamaran

Ka•ta•pult [kata'pʊlt] <-(e)s, -e> *m o n*

catapult; **ka•ta•pul•tie•ren** *tr* (AERO) catapult

Ka•tarrh [ka'tar] <-s, -e> *m* (MED) catarrh

Ka•tas•ter [ka'tastɐ] <-s, -> *m o n* land register; **Ka•tas•ter•amt** *n* land registry

ka•tas•t•ro•phal [katastro'fa:l] *adj* catastrophic; **Ka•tas•t•ro•phe** [katas'tro:fə] <-, -n> *f* catastrophe; **Ka•tas•t•ro•phen•alarm** *m* disaster warning signal; **Ka•tas•t•ro•phen•hil•fe** *f* disaster relief; **Ka•tas•t•ro•phen•op•fer** *n* disaster victim; **Ka•tas•t•ro•phen•schutz** *m* **1.** (*zur Verhütung*) disaster prevention **2.** (*zur Eindämmung*) disaster control

Ka•te•chis•mus [katɛ'çɪsmʊs] <-, -men> *m* (ECCL) catechism

Ka•te•go•rie [katego'ri:] *f* category; **ka•te•go•risch** *adj* categorical

Ka•ter ['ka:tɐ] <-s, -> *m* **1.** (ZOO: *männl. Katze*) tomcat **2.** (*Katzenjammer*) hangover

Ka•the•der [ka'te:dɐ] <-s, -> *n* (*in der Schule*) teacher's desk; (*im Hörsaal*) lectern

Ka•the•dra•le [kate'dra:lə] <-, -n> *f* cathedral

Ka•tho•de [ka'to:də] <-, -n> *f* (PHYS) cathode

Ka•tho•lik(in) [kato'li:k] <-en, -en> *m(f)* (ECCL) (Roman) Catholic; **ka•tho•lisch** *adj* (Roman) Catholic

katz•bu•ckeln ['---] *itr* (*fig pej*) grovel (*vor jdm* before s.o.)

Kätz•chen ['kɛtsçən] *n* kitten

Kat•ze ['katsə] <-, -n> *f* (ZOO) cat; (*fam*) pussy; **bei Nacht sind alle ~n grau** all cats are grey at night; **die ~ aus dem Sack lassen** (*fig fam*) let the cat out of the bag; **die ~ im Sack kaufen** (*fig*) buy a pig in a poke; **wenn die ~ aus dem Haus ist, tanzen die Mäuse** (*prov*) when the cat's away the mice will play; **es war alles für die Katz** (*fam*) it was a sheer waste of time; **nun schleich doch nicht wie die ~ um den heißen Brei herum!** (*fig*) stop beating about the bush!; **kat•zen•ar•tig** *adj* cat-like, feline

Kat•zen•au•ge *n* **1.** (*Rückstrahler*) reflector **2.** (*Fahrbahnmarkierung*) cat's-eye

kat•zen•freund•lich ['--'--] *adj* (*fam pej*) overfriendly

Kat•zen•jam•mer *m* (*fam*) **1.** (*depressive Stimmung*) the blues *pl* **2.** (*Kater nach Rausch*) hangover

Kat•zen•sprung *m* (*fam*) stone's throw; short journey

Kat•zen•streu *f* cat litter

Kat•zen•wä•sche *f* (*hum fam*) a lick and a promise

Katz-und-Maus-Spiel *n* cat-and-mouse game

Kau•der•welsch ['kaʊdɐvɛlʃ] <-(s)> *n* (*fam*) **1.** (*Sprachgemisch*) hotch potch **2.** (*unverständliche Ausdrucksweise*) double dutch **3.** (*Fachjargon*) lingo, jargon

kau•en ['kaʊən] *tr itr* chew; **an den Nägeln ~** chew one's nails; **daran kaue ich immer noch** (*fig fam*) I still can't get over it

kau•ern ['kaʊɐn] *itr refl* (*allgemein*) crouch; (*vor Angst in der Ecke*) cower

Kauf [kaʊf, *pl:* 'kɔɪfə] <-(e)s, ⸗e> *m* **1.** (*das Ein~en*) buying, purchase **2.** (*das Eingekaufte*) buy; **ein guter ~** a good buy; **etw zum ~ anbieten** offer s.th. for sale; **e-n ~ tätigen** complete a purchase; **etw in ~ nehmen** (*fig*) accept s.th., put up with s.th.; **Kauf•ab•sicht** *f* (MARKT) purchase intention; **Kauf•be•reit•schaft** *f* (MARKT) disposition to buy

kau•fen ['kaʊfən] **I.** *tr* **1.** (*erwerben*) buy **2.** (*fam: bestechen*) buy off **3.** (*fam*): **sich jdn ~** fix s.o.; (*ihm gehörig die Meinung sagen*) give s.o. a piece of one's mind; **jdm etw ~** buy s.th. for s.o.; **ich habe (mir) eine neue Schreibmaschine gekauft** I bought (myself) a new typewriter **II.** *itr* **1.** (*~ im Gegensatz zu ver~*) buy **2.** (*ein~, Einkäufe machen*) shop

Käu•fer(in) ['kɔɪfɐ] *m(f)* buyer, purchaser; (*Kunde*) customer

Kauf•frau *f* businesswoman

Kauf•haus *n* department store; **Kauf•haus•de•tek•tiv(in)** *m(f)* store detective

Kauf•kraft *f* **1.** (MARKT) spending power **2.** (FIN) buying [*o* purchasing] power; **kauf•kräf•tig** *adj* **1.** (MARKT): **~e Kundschaft** customers with money to spend, customers with considerable spending power *pl* **2.** (FIN): **~e Währung** currency with good buying power; **Kauf•kraft•len•kung** *f* (FIN POL) control of consumer spending; **Kauf•la•den** *m* shop, store; (*Spielzeug*) toy shop

käuf•lich ['kɔɪflɪç] *adj* **1.** (*angeboten*) on [*o* for] sale, purchasable **2.** (*fig: bestechlich*) venal; **er ist nicht ~** (*fig*) one can't buy him (off); **etw ~ erwerben** acquire s.th. by purchase; **~e Liebe** prostitution; **Käuf•lich•keit** *f* (*fig*) venality

Kauf•mann <-(e)s, -leute> *m* **1.** (*Einzelhandels~*) small shopkeeper; (*für Lebensmittel*) grocer **2.** (*Händler*) trader; (*Geschäftsmann*) businessman; **kauf•män•nisch** *adj* commercial; (*geschäftsmäßig*) businesslike; **~er Angestellter** clerk; **~e Ausbildung** business training; **Kauf•preis** *m* (COM) selling price; **Kauf•rausch** *m* spending spree; **im ~ sein** be on a spending spree; **Kauf•sum•me** *f* (COM) (purchase) money; **Kauf•ver•trag**

m (COM) contract of sale, sales contract; **Kauf•zwang** *m* (COM) obligation to buy; **kein ~** no obligation

Kau•gum•mi *m* chewing gum

Kaul•quap•pe ['kaʊlkvapə] <-, -n> *f* (ZOO) tadpole

kaum [kaʊm] **I.** *adv* **1.** (*mit Mühe*) hardly, scarcely **2.** (*wahrscheinlich nicht*) hardly, scarcely; **~ zehn Mark** hardly ten marks; **ich glaube ~** I hardly think so; **das wird wohl ~ passieren** that's scarcely likely to happen **II.** *konj* hardly, scarcely; **~ hatte er das gesagt, als ...** hardly had he said this when ...

Kau•ta•bak *m* chewing tobacco

Kau•ti•on [kaʊ'tsjo:n] *f* **1.** (JUR) bail **2.** (*Miet~*) deposit; **e-e ~ stellen** stand bail; **gegen ~** on bail; **jdn gegen ~ freibekommen** bail s.o. out; **e-e ~ hinterlegen** (*für Mietwohnung*) leave a deposit

Kau•tschuk ['kaʊtʃʊk] <-s, -e> *m* india rubber

Kauz [kaʊts, *pl:* 'kɔɪtsə] <-es, ⸚e> *m* (ORN) screech owl; **komischer ~** (*fig*) odd bird

Ka•va•lier [kava'li:ɐ] <-s, -e> *m* gentleman; **Ka•va•liers•de•likt** *n* peccadillo

Ka•val•le•rie [kavalə'ri:, '----] *f* (MIL HIST) cavalry; **Ka•val•le•rist** *m* (MIL HIST) cavalry man

Ka•vi•ar ['ka:viar] <-s, -e> *m* caviar

keck [kɛk] *adj* **1.** (*kühn*) bold **2.** (*flott*) pert **3.** (*frech*) cheeky, saucy; **Keck•heit** *f* **1.** (*Kühnheit*) boldness **2.** (*Flottheit*) pertness **3.** (*Frechheit*) cheekiness, sauciness

Keeper(in) <-s, -> *m(f)* (*CH*) goalkeeper

Ke•fe <-, -n> *f* (*CH: Zuckererbse*) mangetout (pea)

Ke•gel ['ke:gəl] <-s, -> *m* **1.** (MATH) cone **2.** (*Figur beim ~n*) ninepin, skittle; (*beim Bowling*) pin **3.** (TYP) body; **~ schieben** play at ninepins; **mit Kind u. ~** (*hum fam*) with the whole lot; **Ke•gel•bahn** *f* skittle-alley; (*für Bowling*) bowling alley; **ke•gel•för•mig** *adj* conic(al); **ke•geln** ['ke:gəln] *itr* play ninepins (*beim Bowling* bowls); **Ke•gel•schnitt** *m* (MATH) conic section

Keh•le ['ke:lə] <-, -n> *f* **1.** (ANAT: *Gurgel*) throat **2.** (TECH: *Rille*) groove; **mir ist die ~ wie zugeschnürt** I've got a lump in my throat; **jdm das Messer an die ~ setzen** (*a. fig*) hold a knife to someone's throat; **die Worte blieben mir in der ~ stecken** (*fig*) the words stuck in my throat; **jdn an der ~ packen** seize s.o. by the throat; **jdm die ~ durchschneiden** cut someone's throat; **Kehl•kopf** *m* (ANAT) larynx; **Kehl•kopf•ent•zün•dung** *f* layringitis; **Kehl•kopf•krebs** *m* cancer of the throat; **Kehl•laut** *m* guttural (sound)

Keh•re ['ke:rə] <-, -n> *f* **1.** (*Kurve*) (sharp) bend [*o* turn] **2.** (SPORT: *beim Turnen*) rear vault

keh•ren[1] **I.** *tr itr* (*drehen, wenden*) turn; **jdm (e-r Sache) den Rücken ~** (*a. fig*) turn one's back on s.o. (s.th.); **in sich gekehrt** (*fig: still, verschlossen*) introverted; (*nachdenklich*) pensive; **das Oberste zuunterst ~** turn everything upside down **II.** *refl* **1.** (*sich drehen, wenden*) turn **2.** (*sich kümmern*) mind (*an etw* s.th.) **3.** (*zurückfallen auf, sich wenden gegen*) rebound (*gegen jdn* on s.o.)

keh•ren[2] ['ke:rən] *tr itr* (*fegen*) sweep

Keh•richt ['ke:rɪçt] <-s> *m* sweepings *pl;* (*CH: Müll*) rubbish, garbage

Kehr•ma•schi•ne *f* **1.** (*Straßen~*) road-sweeper **2.** (*Teppich~*) carpet-sweeper

Kehr•reim *m* chorus, refrain

Kehr•schau•fel *f* dustpan

Kehr•sei•te *f* **1.** (*fam: Rücken*) back; (*Gesäß*) backside **2.** (*von Münze*) reverse **3.** (*fig: Nachteil*) drawback; (*Schattenseite*) other side

kehrt|ma•chen ['ke:ɐt-] *itr* **1.** (MIL) about-turn **2.** (*umkehren*) turn back; **Kehrt•wen•dung** *f* (MIL: *a. fig*) about-turn

Kehr•wert *m* (MATH) reciprocal value

kei•fen ['kaɪfən] *itr* **1.** (*meckern*) nag **2.** (*giftig zanken*) bicker

Keil [kaɪl] <-(e)s, -e> *m* (TECH: *a. fig*) wedge

Kei•le <-> *pl* (*fam*) thrashing; **kei•len** **I.** *tr* (TECH) wedge **II.** *refl* (*fam: sich schlagen*) brawl, fight

Kei•ler *m* (ZOO: *männl. Wildschwein*) wild boar

Kei•le•rei *f* (*fam: Schlägerei*) brawl, punch-up *Br*

keil•för•mig *adj* wedge-shaped; **Keil•rie•men** *m* (MOT) fan belt; **Keil•schrift** *f* (HIST) cuneiform (writing)

Keim [kaɪm] <-(e)s, -e> *m* **1.** (*Krankheits~*) germ **2.** (BOT: *Schößling*) shoot, sprout **3.** (*fig*) seed; **etw im ~ ersticken** nip s.th. in the bud; **den ~ zu etw legen** (*fig*) sow the seeds *pl* of s.th.; **Keim•drü•se** *f* (ANAT) gonad; **kei•men** *itr* **1.** (*a. fig*) germinate; (BOT: *treiben*) shoot, sprout **2.** (*fig: von Verdacht, Hoffnung etc*) be aroused; **keim•frei** *adj* (MED: *a. fig*) sterile; **Keim•ling** *m* **1.** (MED: *Embryo*) embryo **2.** (BOT: *Spross*) sprout; **keim•tö•tend** *adj* antiseptic, germicidal; **Kei•mung** *f* germination; **Keim•zel•le** *f* germ cell; (*fig*) nucleus

kein(e) [kaɪn] *pron* (*adjektivisch*) **1.** no; (*vor Subst. im Sing a.*) not a; (*vor Subst. im Pl a.*) not any **2.** (*kaum, nicht einmal*) less than; **sie ist kein Kind mehr** she is no longer a child; **kein Wort mehr!** not another word!; **kein bisschen ...** absolutely no ...; **kein einziges Mal** not a single time; **kein anderer als Bismarck** no-one else but Bismarck; **keine(r, s)** *pron* (*substantivisch*) **1.** (*von Menschen: als Subjekt*) no-one, nobody; (*als Subjekt o Objekt*) not anyone, not anybody **2.** (*von Gegenständen: als Subjekt*) not one *sing*, none; (*als Subjekt o Objekt*) not any, none; **keiner von uns** none of us; **keiner von uns beiden** neither of us; **kei•ner•lei** *adj attr* not ... at all, no ... whatever; **kei•nes•falls** ['--'-] *adv* on no account, under no circumstances; **kei•nes•wegs** ['--'-] *adv* **1.** (*keinesfalls*) by no means, not at all **2.** (*nicht im geringsten*) not in the least

Keks [ke:ks] <-(es), -(e)> *m* biscuit *Br*, cookie *Am*; **jdm auf den ~ gehen** (*fam*) get on s.o.'s wick

Kelch [kɛlç] <-(e)s, -e> *m* **1.** (*Trinkgefäß*) goblet **2.** (BOT) calyx **3.** (ECCL) communion cup; **der ~ ist noch einmal an ihm vorübergegangen** (*fig*) he has been spared again

Kel•le ['kɛlə] <-, -n> *f* **1.** (*Schöpf~*) ladle **2.** (*Maurer~*) trowel **3.** (RAIL: *Zugführer~*) signalling disc

Kel•ler ['kɛlɐ] <-s, -> *m* cellar; **Kel•ler•as•sel** [-'asəl] <-, -n> *f* (ZOO) wood-louse; **Kel•ler•ge•schoss**[RR] *n* basement; **Kel•ler•spei•cher** *m* (EDV) stack; **Kel•ler•woh•nung** *f* basement flat

Kell•ner(in) *m(f)* waiter (waitress)

Kel•te ['kɛltə] <-n, -n> *m* Celt

Kel•ter ['kɛltɐ] <-, -n> *f* winepress; (*Obst~*) press; **kel•tern** *tr* press

Ke•nia ['ke:nja] *n* Kenya

Kenn•da•ten *pl* characteristics

ken•nen ['kɛnən] *irr tr* know; (*bekannt sein mit*) be acquainted with; **oh, ich kenne dich doch! (... was du für einer bist!)** oh, I know what you're like!; **das Leben ~** know the ways of the world; **~ Sie mich denn nicht mehr?** well, don't you remember me?; **ich kenne ihn nur dem Namen nach** I know him only by name; **nur oberflächlich ~** know but slightly; **aber so ~ wir ihn gar nicht!** but we've never known him like this before!; **etw in- u. auswendig ~** know s.th. inside out; **~ lernen**[RR] become acquainted with, get to know; (*zum ersten Mal sehen*) meet; **Sie werden mich noch ~ lernen!**[RR] (*fam*) I'll show you! you'll have me to reckon with!; **jdn näher ~ lernen**[RR] get to know s.o. better; **ken•nen|ler•nen** *s.* **kennen**

Ken•ner(in) *m(f)* **1.** (*Wein~ etc*) connoisseur **2.** (*Experte*) expert (*von* in, on); (*Autorität*) authority (*von* on); **Ken•ner•blick** *m* expert's eye

Kenn•kar•te *f* identity card; **Kenn•num•mer** *f* identification number

kennt•lich *adj* **1.** (*erkennbar*) recognizable (*an* by) **2.** (*unterscheidbar*) distinguishable (*an* by) **3.** (*klar*) clear; **etw ~ machen** (*kennzeichnen*) mark s.th.; (*klar bezeichnen*) indicate s.th. clearly

Kennt•nis ['kɛntnɪs] <-, -se> *f* (*Wissen*) knowledge; **jdn von etw in ~ setzen** advise s.o. about s.th.; **etw zur ~ nehmen** take note of s.th.; **nehmen Sie bitte zur ~, dass ...** please note that ...; **~ erhalten von etw** hear [*o* learn] about s.th.; **ohne ~ von etw** without any knowledge of s.th; **Kennt•nis•nah•me** *f*: **zu Ihrer ~** for your information; **Kennt•nis•se** *fpl* **1.** (*Talente*) attainments *pl* **2.** (*Fertigkeiten*) accomplishments *pl* **3.** (*Wissen*) knowledge *sing* (*in* of); **jdm ~ vermitteln** impart knowledge to s.o.

Kenn•wort *n* **1.** (*Chiffre*) code name **2.** (MIL: *Parole*) password **3.** (BES. EDV) password, keyword; **Kenn•zei•chen** *n* **1.** (*Charakteristikum*) characteristic (*für, von* of) **2.** (*Anzeichen, a. für eine Krankheit*) symptom (*für* of) **3.** (*Merkmal, Markierung*) (distinguishing) mark **4.** (*~ für Qualität*) hallmark (*für, von* of) **5.** (MOT) number plate *Br*, license plate *Am*; **kenn•zeich•nen** *tr* **1.** (*markieren*) mark (*als zerbrechlich etc* fragile etc) **2.** (*charakterisieren*) characterize; **Kenn•zif•fer** *f* **1.** (MATH) characteristic **2.** (COM) reference number **3.** (*bei Chiffreanzeige*) box number

ken•tern ['kɛntɐn] *sein itr* (MAR) capsize

Ke•ra•mik [ke'ra:mɪk] *f* **1.** (*Kunst*) ceramics *pl* **2.** (*Tonwaren*) ceramics *pl*, pottery

Ker•be ['kɛrbə] <-, -n> *f* notch; **in die gleiche ~ hauen** (*fig fam*) take the same line

Ker•bel ['kɛrbl] <-s> *m* chervil

ker•ben *tr* notch

Kerb•holz *n* (*fig fam*): **er hat einiges auf dem ~** he has quite a record; **etw auf dem ~ haben** have done s.th. wrong

Kerl [kɛrl] <-(e)s, -e/(-s)> *m* (*fam*) chap, fellow, bloke *Br*, guy *Am*; **ein anständiger ~** a decent sort of a fellow; **feiner ~** fine fellow; **sie ist ein netter ~** she's a nice lass; **ein ganzer ~** a real man, a stout fellow; **gemeiner ~!** mean thing!

Kern [kɛrn] <-(e)s, -e> *m* **1.** (*Obst~*) pip; (*Kirsch~*) stone **2.** (TECH EL) core; (PHYS) nucleus **3.** (*fig: Hauptsache*) core, heart

Kern•ar•beits•zeit *f* core time

Kern•brenn•stoff *m* nuclear fuel; **Kern•e•ner•gie** *f* nuclear energy; **Kern•ex•plo•si•on** *f* nuclear explosion; **Kern•for•schung** *f* nuclear research; **Kern•for-**

schungs•zen•trum *n* nuclear research centre *Br;* nuclear research center *Am;* **Kern•fu•si•on** *f* **1.** (PHYS) nuclear fusion **2.** (BIOL) karyogamy
Kern•ge•häu•se *n* core
kern•ge•sund ['--'-] *adj* as fit as a fiddle
ker•nig ['kɛrnɪç] *adj* **1.** (*voller Kerne*) full of pips **2.** (*kräftig*) robust **3.** (*sl: Klasse*) groovy
Kern•kraft *f* nuclear power; **Kern•kraft•be•für•wor•ter(in)** *m(f)* supporter of nuclear power; **Kern•kraft•geg•ner(in)** *m(f)* anti-nuke activist, opponent of nuclear power; **Kern•kraft•werk** *n* nuclear power station; **Kern•la•dung** *f* (CHEM PHYS) nuclear charge
kern•los *adj* pipless; **Kern•obst** *n* (BOT) pome
Kern•phy•sik *f* nuclear physics *pl*
Kern•punkt *m* (*fig*) essential [*o* central] point
Kern•re•ak•ti•on *f* (PHYS) nuclear reaction; **Kern•re•ak•tor** *m* nuclear reactor
Kern•schat•ten *m* (ASTR OPT) complete shadow
Kern•schmel•ze <-, -n> *f* (PHYS) meltdown
Kern•sei•fe *f* washing soap
Kern•spal•tung *f* (PHYS) nuclear fission
Kern•spei•cher *m* (EDV) core memory
Kern•stück *n* (*fig*) principal item
Kern•tech•nik *f* (PHYS TECH) nucleonics *pl;* **kern•techn•nisch** *adj:* ~**e Anlage** nuclear plant; **Kern•tei•lung** *f* (BIOL) nuclear division; **Kern•ver•schmel•zung** *f* **1.** (PHYS) nuclear fusion **2.** (BIOL) cell union; **Kern•waf•fe** *f* nuclear weapon
Ke•ro•sin [kero'zi:n] <-s> *n* kerosene
Ker•ze ['kɛrtsə] <-, -n> *f* **1.** (*Wachs~*) candle **2.** (MOT: *Zünd~*) plug; **ker•zen•ge•ra•de** ['---'--] *adj* straight as a die; **Ker•zen•licht** *n* candlelight; **Ker•zen•stän•der** *m* candle holder
kess[RR] [kɛs] *adj* (*fam: keck*) pert, saucy; (*fesch*) jaunty
Kes•sel ['kɛsəl] <-s, -> *m* **1.** (*Tee~*) kettle **2.** (*Dampf~*) boiler **3.** (GEOG: *Tal~*) basin **4.** (MIL) encircled area; **Kes•sel•stein** *m* fur, scale
Kes•sel•trei•ben *n* **1.** (*Treibjagd, a. fig*) battue **2.** (*fig*) witchhunt
Ket•sch•up[RR] ['kɛtʃap] <-s> *m o n,* **Ketch•up** *m o n* ketchup
Ket•te ['kɛtə] <-, -n> *f* **1.** (*allgemein*) chain **2.** (*Hals~*) necklace **3.** (*Berg~*) range **4.** (*fig: Serie*) series, string; **an die ~ legen** chain up; **jdn in ~n legen** put s.o. in chains; **e-e ~ von Ereignissen** a chain [*o* series] of events
ket•ten *tr* (*an~*) chain (*an* to); **sich an jdn (etw) ~** (*fig*) bind o.s. to s.o. (s.th.); **jdn an sich ~** (*fig*) bind s.o. to o.s
Ket•ten•blatt *n* chain wheel; **Ket•ten•fahr•zeug** *n* tracked vehicle; **Ket•ten•glied** *n* (chain-)link
Ket•ten•rau•cher(in) *m(f)* chainsmoker
Ket•ten•re•ak•ti•on *f* chain reaction
Ket•ze•rei [kɛtsə'raɪ] *f* (ECCL) heresy; **Ket•zer(in)** *m(f)* (ECCL: *a. fig*) heretic; **ket•ze•risch** *adj* (ECCL: *a. fig*) heretical
keu•chen ['kɔɪçən] *itr* pant; **Keuch•hus•ten** *m* whooping-cough
Keu•le ['kɔɪlə] <-, -n> *f* **1.** (*Schlagwerkzeug*) club, cudgel **2.** (*Fleisch~*) leg; **chemische ~** chemical mace
keusch [kɔɪʃ] *adj* (*a. fig*) chaste; **Keusch•heit** *f* **1.** (*Tugendhaftigkeit*) chasteness **2.** (*sexuelle Unberührtheit*) chastity
Key•board ['ki:bɔ:d] <-s, -s> *n* (MUS) keyboards *pl*
KI <-> *f Abk. von* **Künstliche Intelligenz** AI
Ki•cher•erb•se *f* chickpea
ki•chern ['kɪçṇ] *itr* giggle
Kick•down ['kɪkdaʊn] <-s, -s> *n o m* (MOT) kickdown
kid•nap•pen *tr* kidnap
Kie•bitz ['ki:bɪts] <-es, -e> *m* **1.** (ORN) peewit **2.** (*fam: Kartengucker*) kibitzer
Kiefer[1] ['ki:fɐ] <-s, -> *m* (ANAT) jaw
Kiefer[2] <-, -n> *f* (BOT) pine
Kie•fer•ge•lenk *nt* jaw joint; **Kie•fer•or•tho•pä•die** *f* orthodontics
Kiel[1] [ki:l] <-(e)s, -e> *m* (*Feder~*) quill
Kiel[2] *m* (MAR) keel; **kiel•ho•len** ['---] *tr* (MAR) **1.** (*von Schiff*) careen **2.** (*als Strafe*) keelhaul; **Kiel•raum** *m* (MAR) bilge; **Kiel•was•ser** *n* (MAR: *a. fig*) wake; **in jds ~ segeln** (*fig*) follow in someone's wake
Kie•me ['ki:mə] <-, -n> *f* gill
Kies [ki:s] <-es, (-e)> *m* **1.** (*Geröll, Schotter*) gravel **2.** (*sl: Geld*) dough
Kie•sel•er•de *f* (CHEM) silica
Kie•sel(•stein) ['ki:zəl] <-s, -(-s, -e)> *m* pebble
Kies•ge•win•nung *f* gravel working; **Kies•gru•be** *f* gravel pit
kif•fen *itr* (*fam*) smoke (pot)
Ki•ke•ri•ki ['kɪkəri'ki:] <-(s), (-s)> *n* cock-a-doodle-doo
kil•len ['kɪlən] *tr* (*sl*) bump off; **Kil•ler** <-s, -> *m* (*sl*) killer; (*bezahlter Mörder*) hitman
Ki•lo•byte *n s.* **Kbyte**
Ki•lo(•gramm) ['ki:lo] <-s, -(s)> *n* kilogram(me)
Ki•lo•hertz *n* (RADIO) kilocycle
Ki•lo•joule *n* kilojoule
Ki•lo•me•ter [--'--/'----] *m* kilometre *Br,* kilometer *Am;* **Ki•lo•me•ter•fres•ser** [--'----]

m (MOT: *fam*) long-haul driver; **Ki•lo•me•ter•geld** *n* mileage allowance; **Ki•lo•me•ter•stand** *m* (MOT) mileage; **Ki•lo•me•ter•stein** *m* milestone; **Ki•lo•me•ter•zä•hler** *m* (MOT) mil(e)ometer *Br,* odometer *Am*

Ki•lo•watt•stun•de *f* (EL) kilowatt hour

Kind [kɪnt] <-(e)s, -er> *n* child; (*fam*) kid; (*Klein~*) baby; **von ~ auf** from childhood; **mit ~ u. Kegel** (*hum fam*) with the whole lot; **~er u. Kindeskinder** children and grandchildren; **an ~es statt annehmen**[RR] adopt; **das ~ mit dem Bade ausschütten** (*prov*) throw out the baby with the bathwater; **sich wie ein ~ freuen** be as pleased as Punch; **sie bekommt ein ~** she's going to have a baby; **sie kann keine ~er mehr bekommen** she is past child-bearing; **ein ~ erwarten** be expecting a baby; **wir werden das ~ schon schaukeln** (*fig fam*) don't worry, we'll get along somehow; **das ~ beim Namen nennen** call a spade a spade; **sich bei jdm lieb ~ machen** (*fam*) soft-soap s.o.

Kind•bett *n* childbed; **im ~** in confinement

Kin•der•arzt, -ärztin *m, f* pediatrician; **Kin•der•buch** *n* children's book; **Kin•der•chor** *m* children's choir; **Kin•der•dorf** *n* children's village; **Kin•de•rei** *f* childishness; **Kin•der•fahr•kar•te** *f* (RAIL) child's ticket, half; **Kin•der•fest** *n* children's party; **Kin•der•frei•be•trag** *m* allowance for dependent children; **Kin•der•funk** *m* (RADIO) children's radio; ~ nursery school; **Kin•der•gar•ten** *m* kindergarten; **Kin•der•gärt•ner(in)** *m(f)* nursery-school teacher; **Kin•der•geld** *n* family allowance; **Kin•der•hort** *m* day nursery; **Kin•der•krank•heit** *f* **1.** (MED) children's disease **2.** (*fig*) teething troubles *pl;* **Kin•der•läh•mung** *f* (MED) polio(myelitis); **kin•der•leicht** ['--'-] *adj* childishly simple, dead easy; **kin•der•lieb** *adj* fond of children; **kin•der•los** *adj* childless; **Kin•der•mäd•chen** *n* nanny; **Kin•der•narr** *m* great lover of children; **ein ~ sein** adore children; **Kin•der•por•no•gra•fie**[RR] *f,* **Kin•der•por•no•gra•phie** *f* child pornography; **Kin•der•pro•gramm** *n* children's programme; **kin•der•reich** *adj* (*Familie*) large, with a lot of children; **Kin•der•reich•tum** *m* abundance of children; **Kin•der•rei•se•bett** *n* collapsible cot; **Kin•der•schuh** *m* child's shoe; **~e** children's shoes; **den ~en entwachsen sein** (*fig*) erwachsen sein, have grown up; **noch in den ~en stecken** (*fig*) be still in its infancy; **kin•der•si•cher** *adj* childproof; **Kin•der•sitz** *m* (MOT) child's safety seat; **Kin•der•spiel** *n* **1.** (*Spiel für Kinder*) children's game **2.** (*fig*) child's play; **Kin•der•spiel•platz** *m* children's playground; **Kin•der•spiel•zeug** *nt* child's toy; **Kin•der•spra•che** *f* **1.** (*Sprache von Kindern*) children's language **2.** (*Babysprache, imitierend*) baby talk; **Kin•der•sterb•lich•keit** *f* infant mortality; **Kin•der•stu•be** *f* (*fig*) upbringing; **ihm fehlt die ~** he hasn't got any upbringing; **Kin•der•ta•ges•stät•te** *f* day nursery; **Kin•der•tel•ler** *m* (*in Restaurant*) children's portion; **Kin•der•wa•gen** *m* pram *Br,* (baby-)car·riage *Am;* **Kin•der•zim•mer** *n* child's [*o* children's] room

Kin•des•al•ter *n* infancy; **Kin•des•bei•ne** *npl:* **von ~n an** from (early) childhood

kind•ge•recht *adj* child-orient(at)ed

Kind•heit *f* childhood

kin•disch *adj* childish

kind•lich I. *adj* childlike **II.** *adv* like a child

Kind•tau•fe *f* christening

Kinn [kɪn] <-(e)s, -e> *n* chin; **Kinn•bart** *m* goatee (beard); **Kinn•ha•ken** *m* (*beim Boxen*) hook to the chin; **Kinn•la•de** *f* (ANAT) jaw(-bone)

Ki•no ['kiːno] <-s, -s> *n* cinema; **ins ~ gehen** go to the pictures *Br,* go to the movies *Am;* **Ki•no•cen•ter** *n* cinema complex; **Ki•no•gän•ger(in)** *m(f)* cinemagoer; **Ki•no•hit** *m* blockbuster; **Ki•no•pro•gramm** *n* film programme; (*Übersicht*) film guide; **Ki•no•vor•stel•lung** *f* performance

Ki•osk [ki'ɔsk/'kiːɔsk] <-(e)s, -e> *m* kiosk

Kip•ferl <-s, -(n)> *nt* (*österr: Hörnchen*) croissant

Kip•pe ['kɪpə] <-, -n> *f* **1.** (SPORT) spring **2.** (*Müll~*) tip **3.** (*fam: Zigaretten~*) stub; **es steht auf der ~** (*fig fam*) it's touch and go

kip•pen I. *tr haben* (*um~*) tilt **II.** *itr sein* tip over; (*Mensch*) topple; (*Fahrzeug*) overturn; **aus den Latschen ~** (*fig fam: vor Staunen etc, fam*) fall through the floor; (*ohnmächtig werden*) pass out; **Kipp•schal•ter** *m* (TECH) toggle switch; **Kipp•wa•gen** *m* (MOT) dump truck, tipper

Kir•che ['kɪrçə] <-, -n> *f* church; **in der ~** at church; **in die** [*o* **zur**] **~ gehen** go to church

Kir•chen•be•such *m* church-going; **Kir•chen•buch** *n* parish register; **Kir•chen•chor** *m* church choir; **kir•chen•feind•lich** *adj* anticlerical; **Kir•chen•fens•ter** *n* church window; **Kir•chen•fürst** *m* prince of the Church; **Kir•chen•ge•mein•de** *f* parish; **Kir•chen•ge•schich•te** *f* church history; **Kir•chen•jahr** *n* ecclesiastical year; **Kir•chen•maus** *f:* **so arm wie e-e ~** as poor as a church mouse; **Kir•chen•recht** *n* canon(ical) law; **Kir-**

chen•staat <-(e)s> *m* (HIST) Papal State *pl;* (*Vatikanstaat*) Vatican City; **Kir•chen•steu•er** *f* church tax; **Kir•chen•va•ter** *m* Father of the Church

Kirch•gän•ger(in) *m(f)* churchgoer; **Kirch•hof** *m* **1.** churchyard **2.** (*Friedhof*) graveyard

kirch•lich *adj* (*attributiv*) church; (*institutionell*) ecclesiastical; (*religiös*) religious; **sich ~ trauen lassen** get married in church; **~es Begräbnis** religious fune ral

Kirch•turm *m* church steeple; **Kirch•weih** <-> *f* (*Volksfest*) fair *Br,* kermis *Am*

kir•re ['kɪrə] *adj* (*fam*) tame; **jdn ~ machen** soften s.o. up

Kirsch•baum *m* (BOT) cherry tree

Kir•sche ['kɪrʃə] <-, -n> *f* (BOT) cherry; **mit ihm ist nicht gut ~n essen** (*fig*) it's best not to tangle with him; **Kirsch•kern** *m* cherry stone; **Kirsch•ku•chen** *m* cherry cake; **Kirsch•was•ser** *n* kirsch

Kis•sen ['kɪsən] <-s, -> *n* cushion; (*Kopf~*) pillow; **Kis•sen•be•zug** *m* cushion cover

Kis•te ['kɪstə] <-, -n> *f* **1.** (*Behälter*) box; (*Truhe*) chest; (*Wein~*) case **2.** (*fam: Auto, Flugzeug*) crate; (*Fernseher*) box

Kitsch [kɪtʃ] <-(e)s> *m* kitsch; **kit•schig** *adj* kitschy

Kitt [kɪt] <-(e)s, -e> *m* (*Spachtel, a. fig*) cement; (*Glaser~*) putty

Kitt•chen ['kɪtçən] <-s, -> *n* (*fam*) clink; **ins ~ kommen** be sent to clink

Kit•tel ['kɪtəl] <-s, -> *m* smock; (*Arbeits~*) overall; (*Arzt~ etc*) coat

kit•ten *tr* (*a. fig*) cement; (*Fenster*) putty

Kitz [kɪts] <-es, -e> *n* (ZOO: *Zicklein*) kid; (*Reh~*) fawn

Kit•zel ['kɪtsəl] <-s, -> *m* **1.** tickle **2.** (*fig*) thrill; **kit•ze•lig** ['kɪts(ə)lɪç] *adj* (*a. fig*) ticklish; **kit•zeln** *tr itr* (*a. fig*) tickle

Ki•wi ['ki:vi] <-, -s> *f* (*Frucht*) kiwi

KKW <-s, -s> *n Abk. von* **Kernkraftwerk** nuclear power station

Klacks [klaks] *m* (*fam*): **das ist doch nur ein ~** (*wenig Geld*) that's just peanuts *pl;* (*sehr einfach*) that's but a piece of cake; **wozu habe ich e-en Assistenten, wenn ich jeden ~ allein machen muss?** why do I have an assistant, if I have to do every little chore myself?

klaf•fen ['klafən] *itr* gape

kläf•fen ['klɛfən] *itr* yap

Kla•ge ['kla:gə] <-, -n> *f* **1.** (JUR: *zivilrechtlich*) action, suit; (*strafrechtlich*) charge **2.** (*Beschwerde*) complaint (*über* about) **3.** (*Weh~*) lament (*um, über* for); **e-e ~ abweisen** (JUR) dismiss a case; **e-e ~ gegen jdn anstrengen** [*o* **einreichen**] (JUR) institute proceedings against s.o; **Kla•ge•laut** *m* plaintive cry; **Kla•ge•lied** *n* lament; **ein ~ anstimmen** (*fig*) start to moan (*über* about)

kla•gen ['kla:gən] **I.** *itr* **1.** (*sich be~*) complain (*über* about) **2.** (*trauern*) lament (*um jdn o etw* s.o., s.th.) **3.** (*weh~*) moan **4.** (JUR) sue (*auf* for); **auf Schadenersatz ~** (JUR) sue for damages *pl;* **wir können nicht ~** (*fam*) we've got nothing to grumble [*o* complain] about **II.** *tr:* **jdm sein Leid ~** pour out one's sorrow to s.o.

Klä•ger(in) ['klɛ:gɐ] *m(f)* (JUR) plaintiff; **wo kein ~ ist, ist auch kein Richter** (*prov*) well, if no-one complains …

Kla•ge•schrift *f* (JUR) charge

kläg•lich ['klɛ:klɪç] **I.** *adj* **1.** (*mitleiderregend*) pitiful **2.** (*dürftig*) pathetic **3.** (*klagend*) plaintive **II.** *adv* (*in ~er Weise*) miserably

klamm [klam] *adj* **1.** (*feuchtkalt*) clammy **2.** (*erstarrt*) numb

Klam•mer ['klamɐ] <-, -n> *f* **1.** (*Haar~*) (hair)grip; (*Büro~, Hosen~, Wund~*) clip; (*Heft~*) staple; (*Wäsche~*) peg **2.** (*Satzzeichen, a. Rechenzeichen*) bracket; **in ~n setzen** put in brackets; **~ auf (zu)** open (close) brackets; **klam•mern I.** *tr* (*Wäsche*) peg; (*Papier*) staple **II.** *itr* (SPORT) clinch **III.** *refl* (*a. fig*) cling (*an* to)

klamm•heim•lich ['-'--] *adj, adv* (*fam*) on the quiet

Kla•mot•ten [kla'mɔtən] *pl* (*fam: Kleider etc*) gear *sing;* (*Zeug*) stuff *sing*

Klang [klaŋ, *pl:* 'klɛŋə] <-(e)s, ¨-e> *m* sound; (MUS: *Tonqualität*) tone; **Klang•far•be** *f* tone colour; **Klang•fül•le** *f* sonority

klang•lich *adj* tonal

klang•voll *adj* **1.** (*sonor*) sonorous **2.** (*fig: Namen etc*) fine-sounding

klapp•bar *adj* **1.** (*zusammen~*) collapsible, folding **2.** (*nach unten o oben ~*) hinged, tipping

Klapp•bett *n* folding bed

Klap•pe <-, -n> *f* **1.** (*allgemein*) flap; (*Deckel*) lid **2.** (MUS: *von Blasinstrument*) key **3.** (TECH: *Ventil, a. Herz~*) valve **4.** (*sl: Mund*) trap; **zwei Fliegen mit e-r ~ schlagen** (*fig fam*) kill two birds with one stone; **die ~ halten** (*sl*) pipe down

klap•pen ['klapən] **I.** *itr* (*fig fam: in Ordnung sein*) work; (*gut gehen*) work out; **wenn das bloß klappt!** I hope that'll work out!; **es hat alles geklappt** everything clicked; **es klappt nichts** everything is going wrong; **alles klappte wie am Schnürchen** everything went like clockwork **II.** *tr* fold (*nach oben, unten, vorn, hinten* up, down, forward, back)

Klap•pen•text *m* blurb

Klap•per ['klapɐ] <-, -n> *f* rattle

klap•per•dürr ['--'-] *adj* (*fam*) (as) thin as a rake

klap•p(e)•rig ['klapərɪç] *adj* **1.** rickety **2.** (*fig fam: Mensch*) shaky

Klap•per•kis•te *f* (*fam: altes Auto*) boneshaker, rattletrap; **klap•pern** *itr* clatter, rattle; (*mit den Zähnen*) chatter; (*Absatz, Mühle*) clack; **Klap•per•schlan•ge** *f* (ZOO) rattlesnake

Klapp(•fahr)•rad *n* folding bicycle; **Klapp•mes•ser** *n* jack-knife; **Klapp•sitz** *m* folding seat; **Klapp•stuhl** *m* folding chair; **Klapp•tisch** *m* folding table; **Klapp•ver•deck** *n* (MOT) collapsible [*o* folding] hood

Klaps [klaps] <-es, -e> *m* (*leichter Schlag*) slap, smack; **e-n ~ haben** (*fig fam*) be off one's rocker; **Klaps•müh•le** *f* (*fam pej*) loony bin *Br*, bughouse *Am*

klar [klaːɐ] *adj* **1.** (*deutlich, offensichtlich*) clear **2.** (*fertig*) ready; **~er Fall!** (*fam*) sure thing!; **na ~!** (*fam*) sure!; **alles ~?** (*fam*) everything OK?; **~ u. deutlich** distinctly, plainly; **~e Antwort** plain answer; **sich darüber im K~en**[RR] **sein, dass** realize that; **sich über etw im K~**[RR] **sein** be aware of s.th.; **jdm etw ~ zu verstehen geben** make s.th. plain to s.o.; **ist das ~?** do I make myself plain?; **~ wie Kloßbrühe** (*fig fam*) clear as mud; **~ sehen**[RR] see clearly

Klär•an•la•ge *f* sewage plant; **Klär•be•cken** *n* clarification basin, clarifier

klä•ren ['klɛːrən] **I.** *tr* (*klar machen*) clear; (*Sachlage*) clarify; (*Angelegenheit, Problem*) settle; (*Luft etc reinigen*) purify **II.** *refl* **1.** (*Himmel*) clear; (*Wetter*) clear up **2.** (*klar, deutlich werden*) become clear; (*aufgeklärt, gelöst werden*) be clarified; (*bereinigt werden*) be settled

klar|ge•hen *irr itr* (*fam*) be OK; **das geht schon klar** that's hunky-dory anyway

Klar•heit *f* **1.** (*Reinheit, Schärfe*) clearness **2.** (*fig: Deutlichkeit*) clarity; **ich möchte Ihnen in aller ~ sagen, dass ...** I'd like to make it perfectly plain to you that ...; **sich über etw ~ verschaffen** get clear about s.th.

Kla•ri•net•te [klari'nɛtə] <-, -n> *f* (MUS) clarinet

klar|kom•men *irr itr* (*fam*) get by; **mit jdm (etw) ~** cope with s.o. (s.th.)

Klar•lack *m* clear varnish

klar|le•gen *tr* make clear, explain; **klar•ma•chen** *tr* **1.** (*erklären*) make clear **2.** (MAR: *Schiff*) make ready; **sich etw ~** realize s.th.

Klär•schlamm *m* sewage sludge

klar|se•hen *s.* **klar**

Klar•sicht•fo•lie *f* cling [*o* clear] film; **Klar•sicht•hül•le** *f* clear plastic folder

Klar•text *m* uncoded text; **im ~** (*fig fam*) in plain English; **mit jdm ~ reden** (*fig fam*) give s.o. a piece of one's mind

Klas•se ['klasə] <-, -n> *f* **1.** (*Kategorie*) class; (SPORT: *Spiel~*) league; (COM: *Güter~*) grade **2.** (*Schul~*) class, form; (*~nzimmer*) classroom; **das ist ja große ~!** (*fam*) großartig, that's really great! that's a real smasher!; **das ist einsame ~!** (*fam*) that's a class by itself!; **untere/höhere/arbeitende ~** lower/upper/working class; **in ~n einteilen** classify

Klas•sen•ar•beit *f* class test; **Klas•sen•be•wusst•sein**[RR] *n* class-consciousness; **Klas•sen•buch** *n* (class-)register; **Klas•sen•ka•me•rad(in)** *m(f)* classmate; **Klas•sen•kampf** *m* (POL) class struggle; **Klas•sen•leh•rer(in)** *m(f)* class teacher; **Klas•sen•zim•mer** *n* classroom

klas•si•fi•zie•ren [klasifi'tsiːrən] *tr* classify

Klas•sik ['klasɪk] <-> *f* **1.** (*Kunstperiode*) classical period **2.** (*klassische Musik*) classical music; **Klas•si•ker(in)** *m(f)* classic; **klas•sisch** *adj* **1.** (*die Klassik betreffend*) classical **2.** (*typisch*) classic

Klatsch [klatʃ] <-(e)s, (-e)> *m* **1.** (*klatschendes Geräusch*) splash **2.** (*fam: Gerede*) gossip; **Klatsch•ba•se** *f* **1.** (*pej: Quasselstrippe*) chatterbox **2.** (*Lästermaul*) gossip, scandalmonger

klat•schen **I.** *tr* **1.** (*Takt, Beifall etc*) clap **2.** (*knallen, schlagen*) slap, smack; **jdm Beifall ~** clap s.o. **II.** *itr* **1.** (*mit den Händen*) clap **2.** (*schlagen, klapsen*) slap **3.** (*platschen, spritzen etc*) splash **4.** (*fam: tratschen*) gossip (*über* about); **er klatschte sich auf die Schenkel** he slapped his thighs; **sie klatschte in die Hände** she clapped her hands; **Regen klatschte an mein Fenster** rain was splashing against my window; **sie klatscht gern** (*fam: tratscht gern*) she likes to (spread) gossip

Klatsch•maul *n* (*sl pej*) scandalmonger

Klatsch•mohn *m* (BOT) poppy

klatsch•nass[RR] ['-'-] *adj* (*fam*) sopping [*o* soaking] wet

Klatsch•spal•te *f* gossip column

Klaue ['klaʊə] <-, -n> *f* **1.** (*von Raubtier*) claw; (*von Raubvogel*) talon **2.** (*fig fam: schlechte Schrift*) scrawl

klau•en **I.** *tr* (*sl*) nick, pinch (*jdm etw* s.th. from s.o.) **II.** *itr* pinch things

Klau•se ['klaʊzə] <-, -n> *f* **1.** (*von Einsiedler*) hermitage; (*Mönchszelle*) cell **2.** (*Schlucht*) chasm

Klau•sel ['klaʊzəl] <-, -n> *f* (JUR) clause; (*Bedingung*) stipulation; (*Vorbehalt*) proviso

Klau•sur <-, -en> *f* **1.** (PÄD) exam, paper **2.** *nur sing* (*Abgeschlossenheit*) seclusion

Kla•vier [kla'viːɐ] <-s, -e> *n* piano; ~ **spielen** play the piano; **Kla•vier•spiel** <-(e)s> *n* piano-playing; **Kla•vier•spie•ler(in)** *m(f)* piano-player; **Kla•vier•stim•mer(in)** *m(f)* piano-tuner

Kle•be•band *n* adhesive tape; **Kle•be•bin•dung** *f* (TYP) adhesive binding; **Kle•be•flä•che** *f* surface to be glued

kle•ben ['kleːbən] **I.** *tr* glue, paste; **jdm e-e** ~ (*fig fam*) paste s.o. one; **Bilder in ein Album** ~ paste pictures into an album; **selbst~** self-adhesive **II.** *itr* **1.** (*anhaften*) stick (*an* to) **2.** (*fig: festhalten*) cling (*an* to) **3.** (*fam obs: Versicherungsmarken*) pay stamps

kleb•rig ['kleːbrɪç] *adj* sticky

Kleb•stoff *m* adhesive; **Kleb•stoff•tu•be** *f* tube of glue; **Kleb(e)•strei•fen** *m* adhesive tape

kle•ckern ['klɛkɐn] *itr* **1.** (*beim Essen etc*) make a mess **2.** (*fig fam: stückchenweise tun*) fiddle about

kle•cker•wei•se *adv* (*fam pej*) in dribs and drabs; **das Geld kommt nur ~ herein** the money ist only dribbling in

Klecks [klɛks] <-es, -e> *m* (*Tinten~*) blot; (*Farb~*) blob; **kleck•sen** *itr* **1.** blot **2.** (*fig: schlecht malen*) daub

Klee [kleː] <-s> *m* (BOT) clover; **über den grünen ~ loben** praise to the skies; **Klee•blatt** *n* **1.** (BOT) cloverleaf **2.** (*fig*) threesome, trio

Kleid [klaɪt] <-(e)s, -er> *n* dress; **~er** (*Kleidung*) pl, clothes; **~er machen Leute** (*prov*) fine feathers make fine birds; **klei•den** ['klaɪdən] **I.** *tr* **1.** (*mit Kleidung ausstatten, a. fig*) clothe, dress **2.** (*kleidsam sein*) suit (*jdn* s.o.) **II.** *refl* (*sich anziehen*) dress (o.s.); **Klei•der•ab•la•ge** *f* (*Garderobe*) cloakroom *Br*, checkroom *Am;* **Klei•der•bü•gel** *m* clothes [*o* coat] hanger; **Klei•der•bürs•te** *f* clothes brush; **Klei•der•ha•ken** *m* coat hook; **Klei•der•kas•ten** *m* (*österr: Kleiderschrank*) wardrobe; **Klei•der•sack** *m* suit bag; **Klei•der•schrank** *m* **1.** wardrobe **2.** (*fig fam: großer Mensch*) great hulk (of a man); **kleid•sam** *adj* becoming, flattering; **Klei•dung** *f* clothes *pl*, clothing; **Klei•dungs•stück** *n* garment

Kleie ['klaɪə] <-, -n> *f* (BOT) bran

klein [klaɪn] *adj* **1.** (*unbedeutend, gering*) little **2.** (*an Umfang, Wert, Anzahl*) small **3.** (*kurz, ~ von Wuchs*) short; ~ **beigeben** eat humble pie; **bis ins K~ste**[RR] in minute detail; **ein ~ bisschen, ein ~ wenig** (*fam*) a tiny [*o* little] bit; **~er Buchstabe** small letter; **~er Fehler** trifling error; **haben Sie es nicht etw ~er?** do you not have anything smaller?; **einige ~ere Fehler** some minor mistakes; **~er Gauner** petty crook; **~er Beamter** minor official; **im K~en**[RR] in miniature; **von ~ auf ist er daran gewöhnt** he's been used to it from his childhood; ~ **anfangen** start off in a small way; **er ist e-n Kopf ~er als ich** he is a head shorter than I; **das ~ere Übel** the lesser evil

Klein•an•zei•ge *f* classified ad; small ad; want ad *fam*

Klein•asien [-'--] *n* Asia Minor

Klein•bau•er *m* small farmer; **Klein•be•trieb** *m* small business; **Klein•buch•sta•be** *m* small [*o* lower case] letter; **Klein•bür•ger** *m* petty bourgeois; **Klein•bür•ger•tum** *n* petty bourgeoisie; **Klein•bus** *m* minibus; **Klein•for•mat** *n* small size; **Klein•geld** <-(e)s> *n* small coin [*o* change]; **das nötige ~ haben** (*fig fam*) have the necessary wherewithal

klein•gläu•big *adj* **1.** (REL) doubting **2.** (*ängstlich*) timid

klein|ha•cken *s.* **hacken**

Klein•heit *f* smallness, small size; **Klein•hirn** *n* (ANAT) cerebellum; **Klein•holz** <-es> *n* firewood, kindling; ~ **aus jdm machen** (*fig fam*) make mincemeat out of s.o.; ~ **aus etw machen** (*fig fam*) smash s.th. to pieces

Klei•nig•keit ['klaɪnɪçkaɪt] *f* **1.** (*kleines Ding*) little thing; (*Bagatelle*) trifling matter; (*Detail*) minor detail **2.** (*ein bisschen*) a little, a trifle; **nur e-e ~ essen** eat but a little s.th.; **das ist e-e ~** that's nothing; **sich nicht mit ~en abgeben** not bother over details; **wegen [*o* bei] jeder ~** for the slightest reason; **das wird Sie aber e-e ~ kosten** (*fam*) iro, but that'll cost you a pretty penny; **die ~ von 50000 DM** (*fam*) iro, the small matter of DM 50.000; **Klei•nig•keits•krä•mer(in)** *m(f)* (*pej*) pedant, stickler (for detail)

Klein•ka•li•ber•ge•wehr *n* small-bore rifle

klein•ka•riert *adj* (*fig*) small-time; **sei doch nicht so ~!** don't be so small-minded!; ~ **denken** think small; **Klein•kind** *n* infant; **Klein•kram** *m* (*fam*) odds and ends *pl;* **Klein•krieg** *m* (*fig*) battle; **e-n ~ mit jdm führen** be fighting a running battle with s.o.

klein|krie•gen *tr* **1.** (*zerhacken*) chop up; (*zerteilen, aufteilen*) break up **2.** (*fam: unterkriegen*) get down **3.** (*fam: kaputtmachen*) smash

klein•laut *adj* abashed, meek, subdued

klein•lich *adj* **1.** (*pedantisch*) petty; (*knauserig*) mean **2.** (*engstirnig*) small-minded; **Klein•lich•keit** *f* **1.** (*Pedanterie*) pettiness **2.** (*Engstirnigkeit*) small- min-

dedness
klein•mü•tig *adj* fainthearted, timid
Klein•od ['klaɪnoːt, *pl:* 'klaɪnoːdə/ klaɪ'noːdiən] <-(e)s, -e/-dien> *n* (*a. fig*) gem, jewel
Klein•staat *m* small state; **Klein•stadt** *f* small town; **klein•städ•tisch** *adj* (*meist pej*) provincial
Kleinst•ka•me•ra *f* subminiature camera; **Kleinst•wa•gen** *m* midget car, minicar
Klein•vieh *n:* ~ **macht auch Mist** (*prov*) many a mickle makes a muckle
Klein•wa•gen *m* (MOT) small car
Kleis•ter ['klaɪstɐ] <-s, -> *m* paste; **kleis•tern** *tr itr* paste
Klem•me ['klɛmə] <-, -n> *f* **1.** (*Klammer*) clip **2.** (*fig fam*) fix, jam, tight spot; **In e-e ~ geraten** (*fig fam*) get into a jam; **tief in der ~ sitzen** be deep in a fix
klem•men I. *tr* **1.** (*Draht etc*) clamp, clip; (*verkeilen, fest~*) wedge; **dahinter ~** (*fam*) make a bit of an effort **2.** (*fam: klauen*) pinch; **ich habe mir den Finger in der Tür geklemmt** I caught my finger in the door **II.** *itr* (*Tür etc*) jam, stick **III.** *refl* (*fig fam*): **sich hinter jdn** (**etw**) ~ get on to s.o. (get stuck into s.th.); **können Sie sich mal** (**'n bisschen**) **dahinter ~?**[RR] (*fam*) can't you make a bit of an effort?
Klemp•ner(**in**) ['klɛmpnɐ] <-s, -> *m(f)* plumber; **Klemp•ne•rei** *f* **1.** (*das Klempnern*) plumbing **2.** (*Werkstatt*) plumber's workshop
Klep•per ['klɛpɐ] <-s, -> *m* (ZOO) nag
Kle•ri•ker <-s, -> *m* (ECCL) cleric
Kle•rus ['kleːrʊs] <-> *m* (ECCL) clergy
Klet•te ['klɛtə] <-, -n> *f* **1.** (BOT) burdock **2.** (*fig fam: Nervensäge*) nuisance; (*lästige Person*) barnacle
Klet•ter•ge•rüst *n* climbing frame; **klet•tern** ['klɛtɐn] *sein itr* climb; **Klet•ter•pflan•ze** *f* (BOT) climbing plant; **Klet•ter•stan•ge** *f* climbing pole
Klett•ver•schluss[RR] *m* Velcro®
Kli•ma ['kliːma] <-s, (-s/-ta)> *n* (*a. fig*) climate; **Kli•ma•an•la•ge** *f* air-conditioner; **Kli•ma•for•scher**(**in**) *m(f)* climatologist
Kli•mak•te•ri•um <-s> *n* change of life
kli•ma•tisch *adj* climatic; **kli•ma•ti•siert** *adj* air-conditioned; **Kli•ma•ti•sie•rung** *f* air-donditioning; **Kli•ma•wech•sel** *m* change of air
klim•men ['klɪmən] *irr itr* clamber
Klimm•zug *m* (SPORT) pull-up; **geistige ⸚e machen** (*fig*) do intellectual acrobatics
klim•pern ['klɪmpɐn] *tr itr* tinkle; (MUS: *schlecht spielen*) plonk away
Klin•ge ['klɪŋə] <-, -n> *f* blade
Klin•gel ['klɪŋəl] <-, -n> *f* bell; **klin•geln** *itr* **1.** (*läuten*) ring (*nach* for) **2.** (MOT) knock; **es hat geklingelt!** somebody just rang the door bell!; (TELE) the phone just rang!; **na, hat's geklingelt?** (*fig*) has the penny dropped?
klin•gen ['klɪŋən] *irr itr* **1.** (*tönen, sich anhören*) sound (*nach etw* like s.th.) **2.** (*Glocke, Ohr*) ring; (*Metall*) clang; (*Glas*) clink; **das klingt mir wie Musik in den Ohren** (*fig*) that is music to my ears
Kli•nik ['kliːnɪk] *f* (MED) clinic; **Kli•ni•kum** *n* **1.** (*Teil der med. Prüfung*) clinical curriculum **2.** (*Großkrankenhaus*) clinical complex; **kli•nisch** *adj* clinical
Klin•ke ['klɪŋkə] <-, -n> *f* (*Tür~*) handle; **Klin•ken•put•zer** *m* (*pej: Hausierer*) hawker
Klin•ker ['klɪŋkɐ] <-s, -> *m* clinker
klipp [klɪp] *adv:* ~ **u. klar** (*offen*) frankly; (*deutlich*) plainly; **er sagte mir ~ u. klar, dass ...** he told me flat that ...
Klip•pe ['klɪpə] <-, -n> *f* **1.** (*am Steilufer*) cliff; (*im Meer*) rock **2.** (*fig*) obstacle, hurdle
Klips [klɪps] <-> *pl* clips
klir•ren ['klɪrən] *itr* (*allgemein*) clink; (*von Waffen*) clash; (*von Ketten*) jangle; (*von Fensterscheiben*) rattle; **Klirr•fak•tor** *m* (RADIO: *bei HiFi-Verstärker etc*) distortion factor
Kli•schee [kli'ʃeː] <-s, -s> *n* **1.** (TYP) block **2.** (*fig*) cliché; **kli•schie•ren** *tr* (TYP) stereotype
Klis•tier [klɪs'tiːɐ] <-s, -e> *nt* enema
Kli•to•ris ['klitorɪs] <-> *f* (ANAT) clitoris
Klit•sche ['klɪtʃə] <-, -n> *f* (*fam*) tumble-down shanty
klitsch•nass[RR] ['klɪtʃ'nas] *adj* (*fam*) sopping wet
Klo [kloː] <-s, -s> *n* (*fam*) loo *Br*, john *Am*
Klo•a•ke [klo'aːkə] <-, -n> *f* **1.** (*Abwasserkanal*) sewer **2.** (*fig*) cesspool; **Klo•a•ken•jour•na•lis•mus** *m* gutter press [*o* journalism]
klo•big ['kloːbɪç] *adj* **1.** bulky; (*Mensch*) hulking great **2.** (*fig: ungehobelt*) boorish
Klo•nen ['kloːnən] <-s> *n* (BIOL) cloning; **klo•nen** *tr* clone
klö•nen ['kløːnən] *itr* (*fam*) have a chinwag [*o* a natter] *Br*
klop•fen ['klɔpfən] **I.** *itr* **1.** (*an der Tür etc*) knock (*an* at); (*sanft*) tap (*an, auf* at, on) **2.** (*Herz*) beat; (*stärker*) pound **3.** (MOT: *Motor*) knock, pink; **es klopft** there is a knock at [*o* on] the door; **jdm auf die Finger ~** (*fig*) rap s.o. on the knuckles **II.** *tr* (*Steine etc*) knock down; (*Fleisch, Teppich etc*) beat; **den Takt ~** beat time; **klopf•fest** *adj* (MOT) anti-knock
Klöp•pel ['klœpəl] <-s, -> *m* **1.** (*von Glocke*) clapper, tongue **2.** (*Spitzen~*) bob-

bin; **klöp·peln** *itr* make lace
klop·pen ['klɔpən] *refl* (*fam*) scrap
Klops [klɔps] <-es, -e> *m* (*fam*) meatball
Klo·sett [klo'zɛt] <-s, -e/-s> *n* lavatory, toilet; **Klo·sett·pa·pier** *n* toilet paper
Kloß [klo:s, *pl:* 'klø:sə] <-es, ¨-e> *m* **1.** (*Erd~*) clod **2.** (*Knödel*) dumpling; (*Fleisch~*) meatball
Klos·ter ['klo:stɐ, *pl:* 'klø:stɐ] <-s, ¨-> *n* (*Mönchs~*) monastery; (*Frauen~*) convent
Klotz [klɔts, *pl:* 'klœtsə] <-es, ¨-e> *m* **1.** (*Holz~*) block (of wood) **2.** (*fam: hässliches Haus*) monstrosity **3.** (*fam: grober Kerl*) great lump; **auf e-n groben ~ gehört ein grober Keil** (*prov*) rudeness must be met with rudeness; **sich e-n ~ ans Bein binden** (*fig*) tie a millstone around one's neck; **klot·zen** *itr* (*sl: hart arbeiten*) slog (away); (*angeben*) show off
Klub [klʊp] <-s, -s> *m* club; **Klub·ses·sel** *m* club chair
Kluft [klʊft, *pl:* klʏftə] <-, ¨-e> *f* **1.** (*Lücke, a. fig*) gap **2.** (*Abgrund*) chasm; (*Spalte*) cleft; (*Schlucht*) ravine **3.** (*sl: Kleidung*) gear; **e-e ~ überbrücken** (*fig*) bridge a gulf
klug [klu:k] <klüger, klügst> *adj* clever, intelligent; (*aufgeweckt*) bright; (*verständig*) sensible, wise; (*geschickt*) shrewd; **daraus kann ich nicht ~ werden** I cannot make head or tail of it; **durch Schaden wird man ~** one learns by one's mistakes; **aus dem kann ich nicht ~ werden** I wonder what makes him tick; **der Klügere gibt nach** (*prov*) discretion is the better part of valour; **das Klügste**[RR] **wäre wohl zu gehen** it would probably be best to go; **Klug·heit** *f* (*Verstand*) cleverness, intelligence; (*Weisheit*) wisdom
Klum·pen ['klʊmpən] <-s, -> *m* (*allgemein*) lump; (*Erd~*) clod; (*Gold~*) nugget
klum·pen *itr* (*Sauce*) go lumpy
Klump·fuß *m* club-foot
Klün·gel ['klʏŋəl] <-s, -> *m* (*pej: Clique*) clique
knab·bern ['knabɐn] *tr itr* nibble; **daran wirst du noch zu ~ haben!** (*fig fam*) you won't get over it so easily!
Kna·be ['kna:bə] <-n, -n> *m* (*obs*) boy, lad; **alter ~** (*fam*) old chap
Knä·cke·brot *n* crispbread
kna·cken ['knakən] **I.** *itr* **1.** (*reißen*) crack **2.** (*sl: pennen*) (have a) kip **II.** *tr* **1.** (*Nüsse, Rätsel*) crack **2.** (*sl: Autos, Tresor*) break into
Kna·cker *m* (*sl*): **alter ~** old geezer
Kna·cki *m* (*sl: ehem. Häftling*) jailbird
Knack·punkt *m* (*fam*) critical point, crucial point
Knacks [knaks] <-es, -e> *m* **1.** (*Riss, Sprung*) crack **2.** (*fam: leichter Defekt*): **mein Kasettenrecorder hat e-n ~** there's s.th. wrong with my cassette recorder; **eure Ehe hat doch schon lange e-n ~** (*fig fam*) your marriage has been cracking up for a long time; **er hat einen ~ weg** (*fig fam*) he's a bit screwy; (*gesundheitlich*) his health isn't too good; **e-n ~ bekommen** (*fig fam: e-n Rückschritt erleiden*) suffer a setback
Knall [knal] <-(e)s, (-e)> *m* **1.** (*von Peitsche*) crack; (*von Tür*) bang; (*von Sektkorken*) pop **2.** (*fam: Krach*) trouble; **e-en ~ haben** (*fig fam*) be off one's rocker; **~ auf Fall** (*fam*) all of a sudden; **jdn ~ auf Fall entlassen** (*fam*) dismiss s.o. completely out of the blue; **Knall·bon·bon** *n* cracker; **Knall·ef·fekt** *m* (*fam*) surprise [*o* spectacular] effect
knal·len **I.** *tr* bang, slam; **ich knalle dir gleich e-e!** (*fam*) I'll clout you one in a minute! **II.** *itr* **1.** (*allgemein*) bang; (*Tür*) bang, slam; (*Sektkorken etc*) (go) pop; (*Peitsche*) crack **2.** (*fam: Sonne*) blaze down; **mit der Peitsche ~** crack the whip
Knall·erb·se *f* toy torpedo; **Knall·gas** *n* (CHEM) oxyhydrogen
knall·hart *adj* (*fam*) hard as nails
knall·rot ['-'-] *adj* (*fam*) as red as a beetroot
knapp [knap] *adj* **1.** (*spärlich*) scarce; (*Kleidung*) scanty; (*Geld*) tight; (*dürftig*) meagre *Br,* meager *Am* **2.** (*kaum ausreichend*) barely sufficient **3.** (*Stil*) concise; (*Geste*) terse **4.** (*gerade noch, so eben*) just; **~ bei Kasse sein** (*fam*) be short of money; **mit ~er Mehrheit** with a narrow majority; **sein ~es Auskommen haben** only just get by; **mit ~er Not entkommen** only just escape; **seit e-m ~en Jahr** for almost a year; **etw wird bei jdm ~** s.o. is running short of s.th.; **..., aber nicht zu ~!** (*fam: gehörig, und wie!*) ..., and good and proper!
Knap·pe ['knapə] <-n, -n> *m* **1.** (HIST: *Schild~*) squire **2.** (MIN: *Berg~*) qualified miner
Knapp·heit *f* **1.** (*Mangel*) scarcity, shortage; (*von Zeit*) shortness **2.** (*fig: von Stil etc*) conciseness
Knapp·schaft *f* (MIN) miners' guild
Knar·re ['knarə] <-, -n> *f* **1.** (*sl: Gewehr*) shooter **2.** (TECH: *~nschlüssel*) ratchet wrench
knar·ren *itr* creak
Knast [knast] <-(e)s, -e> *m* (*sl: Gefängnis*) clink, jug, can *Am a.;* **im ~** in clink; **~ schieben** (*sl*) do time
knat·tern ['knatɐn] *itr* (*rattern*) rattle; (*Motor*) roar
Knäu·el ['knɔɪəl] <-s, -> *m o n* (*Garn~*) ball
Knauf [knaʊf, *pl:* 'knɔɪfə] <-(e)s, ¨-e> *m*

(*Tür~*) knob; (*Degen~*) pommel
knau·se·rig *adj* (*fam*) stingy (*mit* with); **knau·sern** *itr* (*fam*) be stingy (*mit* with)
knaut·schen ['knaʊtʃən] *tr itr* (*fam*) crumple (up); **Knautsch·zo·ne** *f* (MOT) crumple zone
Kne·bel ['kne:bəl] <-s, -> *m* gag; **Kne·bel·knopf** *m* (*an Mantel etc*) toggle fastening; **kne·beln** *tr* (*a. fig: die Presse etc*) gag
Knecht [knɛçt] <-(e)s, -e> *m* **1.** (*Bauern~*) farm hand; (*Diener*) (man) servant **2.** (*fig: Sklave*) slave (*jds* to s.o.); **knech·ten** *tr* enslave; **Knecht·schaft** *f* servitude
knei·fen ['knaɪfən] **I.** *irr tr itr* pinch (*jdn* s.o.); **jdn in den Arm ~** pinch someone's arm **II.** *itr* (*fam: sich drücken*) chicken out (*vor* of); **K~ gilt nicht!** there's no shirking it!
Knei·pe ['knaɪpə] <-, -n> *f* (*fam*) pub *Br,* saloon *Am;* **Knei·pen·bum·mel** *m* pub crawl
Kne·te *f* **1.** (*sl: Geld*) dough **2.** (*Knetgummi*) plasticine; **kne·ten** ['kne:tən] *tr* knead; **Knet·gum·mi** *m o n* plasticine; **Knet·mas·se** *f* modelling clay
Knick [knɪk] <-(e)s, -e> *m* **1.** (*Biegung*) sharp bend **2.** (*Falte*) crease; **kni·cken** *tr itr* snap; (*falten*) fold
kni·ck(e)·rig *adj* (*fam: geizig*) stingy
Knicks [knɪks] <-es, -e> *m* curts(e)y; **vor jdm e-n ~ machen** (drop a) curts(e)y to s.o.; **knick·sen** *itr* curts(e)y (*vor jdm* to s.o.)
Knie [kni:, *pl:* 'kni:ə] <-s, -> *n* **1.** (ANAT) knee **2.** (*von Fluss*) bend **3.** (TECH: *Rohr~ etc*) angle; **etw übers ~ brechen** (*fig*) rush at s.th.; **in die ~ sinken** drop to one's knees; **das ~ beugen vor jdm** bend the knee to s.o.; **schließlich ging er doch in die ~** (*fig*) at last he was brought to his knees; **ich lege ihn gleich übers ~** I'll put him over my lap in a minute; **jdn in die ~ zwingen** (*fig*) force s.o. to his (her, their) knees; **Knie·beu·ge** *f* (SPORT) knee-bend; **Knie·bund·ho·se** *f* knee-breeches; **Knie·ge·lenk** *n* (ANAT) knee joint; **Knie·keh·le** *f* (ANAT) hollow of the knee
knien ['kni:ən] *itr refl* kneel (*vor* before)
Knies [kni:s] *m* (*fam*): **~ haben** have a tiff
Knie·schei·be *f* (ANAT) kneecap; **Knie·schüt·zer** *m* kneepad
Knie·strumpf *m* knee-length sock
Knie·stück *n* (TECH) elbow joint
Kniff [knɪf] <-(e)s, -e> *m* **1.** (*fam: Trick*) knack, trick **2.** (*Falte*) crease, fold **3.** (*Kneifen*) pinch; **den ~ bei etw heraushaben** (*fam*) have the knack of s.th.; **ist ein besonderer ~ dabei?** (*fam*) is there a special knack to it?; **kniff·lig** *adj* fiddly; (*heikel*) tricky
Knilch [knɪlç] <-s, -e> *m* (*fam pej*) bloke, a. guy *Am;* (*sl*) nut
knip·sen ['knɪpsən] **I.** *tr* **1.** (PHOT: *fam*) snap **2.** (*lochen*) punch **II.** *itr* (PHOT: *fam*) take pictures; **mit den Fingern ~** (*fig*) snap one's fingers
Knirps [knɪrps] <-es, -e> *m* **1.** (*kleiner Junge*) whippersnapper, squirt *pej* **2.** (*Faltschirm*) folding umbrella
knir·schen ['knɪrʃən] *itr* (*Schnee*) crunch; (*Getriebe*) grind; **mit den Zähnen ~** gnash [*o* grind] one's teeth
knis·tern ['knɪstɐn] *itr* (*Feuer*) crackle; (*Kleid, Papier, Seide*) rustle
knit·ter·frei *adj* crease-resistant; **knit·tern** ['knɪtɐn] *tr itr* crease
kno·beln ['kno:bəln] *itr* **1.** (*würfeln*) play dice **2.** (*grübeln, nachdenken*) puzzle (*an* over); (**mit jdm**) **um etw ~** toss (s.o.) for s.th.
Knob·lauch ['kno:blaʊx] <-(e)s> *m* (BOT) garlic; **Knob·lauch·pres·se** *f* garlic press; **Knob·lauch·ze·he** *f* clove of garlic
Knö·chel ['knœçəl] <-s, -> *m* (*von Fuß*) ankle; (*von Hand*) knuckle
Kno·chen ['knɔxən] <-s, -> *m* bone; **nass bis auf die ~** soaked to the skin; **er hat einfach keinen Mumm in den ~** (*fam*) he just has no guts; **mir tun alle ~ weh** (*fam*) every bone in my body is aching; **sich einen ~ brechen** break a bone; **Kno·chen·ar·beit** *f* hard graft; **Kno·chen·bau** *m* bone structure; **Kno·chen·bruch** *m* fracture; **Kno·chen·ge·rüst** *n* skeleton; **Kno·chen·lei·den** *n* osteopathy; **Kno·chen·mark** *n* bone marrow; **Kno·chen·schin·ken** *m* ham on the bone
knö·chern ['knœçɐn] *adj* (*Material*) osseous
kno·chig ['knɔxɪç] *adj* bony
Knö·del ['knø:dəl] <-s, -> *m* dumpling
Knol·le ['knɔlə] <-, -n> *f* **1.** (BOT) nodule; (*von Kartoffel*) tuber **2.** (*fig fam: dicke Nase*) conk
Knol·len·blät·ter·pilz [--'---] *m* (BOT) deathcup
Knopf [knɔpf, *pl:* 'knœpfə] <-(e)s, ¨-e> *m* **1.** (*an Kleidern*) button **2.** (*an Geräten*) (push-)button; **auf den ~ drücken** press [*o* push] the button; **knöp·fen** ['knœpfən] *tr* button (up); **Knopf·loch** *n* buttonhole; **Knopf·zel·le** *f* round cell battery
Knor·pel ['knɔrpəl] <-s, -> *m* (ANAT) cartilage; (*an Bratenstücken etc*) gristle; **knor·pe·lig** *adj* (ANAT) cartilaginous; (*Fleisch*) gristly
knor·rig ['knɔrɪç] *adj* **1.** (*Holz*) knotty; (*Baum*) gnarled **2.** (*fig: eigenwillig*) surly
Knos·pe ['knɔspə] <-, -n> *f* bud; **knos-**

pen *itr* bud

Kno·ten ['kno:tən] <-s, -> *m* **1.** (*allgemein*) knot; (ASTR BOT MATH) node; (MED) lump **2.** (*fig: Verwicklung*) plot; **(in etw) e-n ~ machen** tie a knot (in s.th.); **e-n ~ lösen** undo a knot; (*fig*) solve a difficulty; **Kno·ten·punkt** *m* (MOT RAIL) junction

kno·tig *adj* knotty; (*Hände, Zweige*) gnarled

Know-how [noʊ'haʊ] <-(s)> *n* know-how

knül·le *adj* (*fam: betrunken*) tight

knül·len ['knʏlən] *tr itr* crumple

Knül·ler ['knʏlɐ] <-s, -> *m* (*fam*) **1.** (*Sensation*) big hit **2.** (*sensationelle Zeitungsmeldung*) scoop

knüp·fen ['knʏpfən] **I.** *tr* **1.** (*Knoten, Band etc*) knot, tie; (*Netz*) mesh **2.** (*fig: Freundschaft*) form; **e-e Bedingung an etw ~** add a condition to s.th. **II.** *refl* be linked (*an etw* with s.th.)

Knüp·pel ['knʏpəl] <-s, -> *m* **1.** (*Waffe*) cudgel; (*Polizei~*) truncheon **2.** (AERO: *Steuer~*) control stick; (MOT: *an Gangschaltung*) gear stick; **jdm (e-n) ~ zwischen die Beine werfen** (*fig*) put a spoke in someone's wheel

knüp·pel·dick ['--'-] *adj* (*fam*): **wenn's mal losgeht, dann kommt's auch gleich ~** it never rains but it pours; **Knüp·pel·schal·tung** *f* (MOT) gear shift

knur·ren ['knʊrən] *tr itr* **1.** (*Hund*) growl; (*wütend ~*) snarl **2.** (*Magen*) rumble **3.** (*fig: nur itr: sich beklagen*) groan, moan (*über* about); **knur·rig** *adj* (*brummig, grantig*) grumpy; (*verstimmt*) disgruntled

knus·pern ['knʊspɐn] *tr itr* crunch; **knusp·rig** *adj* (*Brötchen, Braten*) crisp

knut·schen ['knu:tʃən] *tr itr refl* (*fam*) neck, pet, smooch (*jdn o mit jdm* with s.o.); **Knutsch·fleck** *m* (*fam*) love bite

Ko·a·li·ti·on [koali'tsjo:n] *f* (POL) coalition; **Ko·a·li·ti·ons·part·ner** *m* coalition partner; **Ko·a·li·ti·ons·re·gie·rung** *f* (POL) coalition government

Ko·balt ['ko:balt] <-s> *n* cobalt

Ko·bold ['ko:bɔlt] <-(e)s, -e> *m* goblin, imp

Kob·ra ['ko:bra] <-, -s> *f* cobra

Koch [kɔx, *pl:* 'kœçə] <-(e)s, ¨-e> *m* cook; **viele ¨-e verderben den Brei** (*prov*) too many cooks spoil the broth; **Koch·buch** *n* cookbook, cookery book; **ko·chen** ['kɔxən] **I.** *itr* **1.** (*Wasser*) boil **2.** (*Mahlzeiten*) cook; **vor Wut ~** (*fig fam*) be boiling with rage; **er kocht gut** he ist a good cook **II.** *tr* **1.** (*Essen*) cook **2.** (*Wasser, Suppe*) boil; (*Kaffee*) make; **hart gekochtes Ei**[RR] hard-boiled egg; **weich gekochtes Ei**[RR] soft-boiled egg

Ko·cher *m* **1.** (*Herd*) cooker; (*Camping~*) stove **2.** (*Heizplatte*) hotplate

Kö·cher ['kœçɐ] <-s, -> *m* (*für Pfeile*) quiver

Koch·feld *n* ceramic hob; **Koch·ge·le·gen·heit** *f* cooking facilities *pl;* **Koch·ge·schirr** *n* (*im Haushalt*) pots and pans *pl;* (MIL) mess tin

Kö·chin ['kœçɪn] <-, -nen> *f* cook

Koch·kunst *f* culinary art; **Koch·löf·fel** *m* cooking spoon; **Koch·ni·sche** *f* kitchenette; **Koch·plat·te** *f* boiling ring, hotplate; **Koch·re·zept** *n* recipe; **Koch·salz** *n* common salt, sodium chloride; **Koch·topf** *m* pot; (*mit Stiel*) saucepan; **Koch·wä·sche** *f* washing that can be boiled

Ko·die·rung [ko'di:rʊŋ] *f* coding

Kö·der ['kø:dɐ] <-s, -> *m* (*a. fig*) bait; **kö·dern** *tr* **1.** lure **2.** (*fig*) entice; **sich ~ lassen** (*fig*) swallow the bait

Ko·dex ['ko:dɛks] <-es/-, -e/Kodizes> *m* code, codex

Kof·fe·in [kɔfe'i:n] <-s> *n* caffeine; **kof·fe·in·frei** *adj* decaffeinated

Kof·fer ['kɔfɐ] <-s, -> *m* case, bag; **s-e ~ packen** (*a. fig*) pack one's bags

Kof·fer·ra·dio *m* portable radio; **Kof·fer·raum** *m* (MOT) boot *Br,* trunk *Am*

Ko·gnak ['kɔnjak] <-s, -s> *m* cognac

Kohl <-(e)s> *m* **1.** (*Gemüse*) cabbage **2.** (*fig fam: Quatsch*) rubbish; **aufgewärmter ~** (*fig fam*) old stuff; **das macht den ~ auch nicht fett** (*fig fam*) you won't get fat on that; **Kohl·dampf** *m* (*fam*): **~ schieben** be starving

Koh·le ['ko:lə] <-, -n> *f* **1.** (*Stein~*) coal **2.** (TECH) carbon **3.** (*sl: Geld*) dough, dosh; **auf heißen ~n sitzen** (*fig*) be on tenterhooks; **Hauptsache, die ~n stimmen** (*sl*) the main thing is that the money's right; **Koh·le·fil·ter** *m* carbon filter; **Koh·le·kraft·werk** *n* coal(-fired) power station; **koh·len**[1] *itr* **1.** (*karbonisieren*) carbonize **2.** (MAR) take on coal

koh·len[2] *itr* (*fam: lügen*) tell lies

Koh·len·be·cken *n* coal basin; **Koh·len·berg·bau** *m* coal-mining; **Koh·len·berg·werk** *n* coalmine; **Koh·len·di·o·xid** *n* (CHEM) carbon dioxide; **Koh·len·flöz** [-flø:ts] <-es, -e> *n* layer of coal; **Koh·len·hal·de** *f* pile of coal; **Koh·len·händ·ler(in)** *m(f)* coal merchant; **Koh·len·hand·lung** *f* coal-merchant's business; **Koh·len·herd** *m* range; **Koh·len·hy·drat** *n* (CHEM) carbohydrate; **Koh·len·kas·ten** *m* coal-box; **Koh·len·kel·ler** *m* coal cellar; **Koh·len·mon·o·xid** *n* (CHEM) carbon monoxide; **Koh·len·säu·re** *f* (CHEM) carbonic acid; **Koh·len·staub** *m* coaldust; **Koh·len·stoff** <-(e)s> *m*

(CHEM) carbon; **Koh•len•wa•gen** *m* **1.** (MOT) coal truck **2.** (RAIL: *Tender*) tender; **Koh•len•was•ser•stoff** [--'---] *m* (CHEM) hydrocarbon

Koh•le•pa•pier <-s> *n* carbon paper

Köh•ler ['kø:lɐ] <-s, -> *m* charcoal burner

Koh•le•ver•flüs•si•gung *f* (TECH) carbohydrate metabolism; **Koh•le•zeich•nung** *f* charcoal drawing

Kohl•kopf *m* cabbage; **Kohl•mei•se** *f* (ORN) great tit; **kohl•ra•ben•schwarz** ['-'--'-] *adj* **1.** (*Haar, Augen*) jet black **2.** (*fam: sehr schmutzig*) (as) black as coal; **Kohl•ra•bi** [ko:l'ra:bi] <-, -> *m* (BOT) kohlrabi; **Kohl•rou•la•de** *f* stuffed cabbage; **Kohl•rü•be** *f* (BOT) swede; **Kohl•spros•se** *f* Brussel sprout *österr;* **Kohl•weiß•ling** [-'--] *m* (ZOO) cabbage white

Ko•i•tus ['ko:itʊs] <-> *m* coition, coitus

Ko•je ['ko:jə] <-, -n> *f* **1.** (MAR) berth, bunk **2.** (*Messestand*) stand; **sich in die ~ hauen** (*sl*) hit the sack

Ko•jo•te [ko'jo:tə] <-n, -n> *m* (ZOO) coyote

Ko•ka•in [koka'i:n] <-s> *n* cocaine

Ko•ke•rei [ko:kə'raɪ] *f* coking plant, coke works *pl*

ko•kett [ko'kɛt] *adj* coquettish; **Ko•ket•te•rie** [kokɛtə'ri:] *f* coquetry; **ko•ket•tie•ren** *itr* (*a. fig*) flirt; **mit e-m Gedanken ~** (*fig*) flirt with an idea

Ko•ko•lo•res [koko'lo:rəs] <-> *m* (*fam*) **1.** (*Kram*) shebang **2.** (*Unsinn, Unfug*) rubbish **3.** (*viel Aufhebens, Getue*) palaver

Ko•kon [ko'kõ:] <-s, -s> *m* (ZOO) cocoon

Ko•kos ['ko:kɔs] <-> *n* coconut; **Ko•kos•fa•ser** *f* coco fibre *Br,* coco fiber *Am;* **Ko•kos•fett** *n* coconut oil; **Ko•kos•flo•cken** *pl* desiccated coconut; **Ko•kos•mat•te** *f* coconut matting; **Ko•kos•milch** *f* coconut milk; **Ko•kos•nuss**[RR] *f* coconut; **Ko•kos•pal•me** *f* coconut palm

Koks[1] [ko:ks] <-> *m* **1.** (*Brennstoff*) coke **2.** (*fam: Unsinn, Unfug*) rubbish **3.** (*sl: Geld*) dough

Koks[2] *m o n* (*sl: Kokain*) coke

Kol•ben ['kɔlbən] <-s, -> *m* **1.** (*Gewehr~*) butt **2.** (BOT) spadix; (*Mais~*) cob **3.** (MOT) piston **4.** (CHEM: *Destillier~*) retort; **Kol•ben•fres•ser** *m* (MOT: *fam*) piston seizure

Ko•li•bri ['ko:libri] <-s, -s> *m* (ORN) colibri

Ko•lik ['ko:lɪk/ko:'li:k] *f* (MED) colic

Kol•la•bo•ra•teur(in) [kɔlabora'tø:ɐ] *m(f)* (POL) collaborator

Kol•laps ['kɔlaps] *m* (MED) collapse

Kol•leg [kɔ'le:k] <-s, -s/-ien> *n* **1.** (*Reihe von Vorlesungen*) course of lectures **2.** (*einzelne Vorlesung*) lecture

Kol•le•ge [ko'le:gə] <-n, -n> *m,* **Kol•le•gin** *f* colleague; (*Arbeits~*) (work)mate; **kol•le•gial** [kole'gja:l] *adj* **1.** (*als Kollege*) like a good colleague **2.** (*kooperativ, hilfsbereit*) cooperative

Kol•le•gi•um [kɔ'le:giʊm] *n* (*Lehrer~ etc*) staff

Kol•leg•map•pe *f* document case

Kol•lek•te [kɔ'lɛktə] <-, -n> *f* (ECCL) offertory

Kol•lek•tiv [kɔlɛk'ti:f] <-s, -e/(-s)> *n* collective; **kol•lek•tiv** *adj* collective; **Kol•lek•tiv•schuld** *f* collective guilt; **Kol•lek•tiv•wirt•schaft** *f* (POL) collective economy

Kol•lek•tor <-s, -en> *m* (EL) collector

Kol•ler ['kɔlɐ] <-s, -> *m* (*fam*): **e-n ~ kriegen** fly into a rage

kol•li•die•ren [kɔli'di:rən] *sein o haben itr* (*a. fig*) collide (*mit* with); (*zeitlich*) clash

Kol•li•si•on [kɔli'zjo:n] <-, -en> *f* (*a. fig*) collision; (*zeitlich*) clash; **Kol•li•si•ons•kurs** *m* (*a. fig*) collision course; **auf ~ laufen** (*a. fig*) be heading on a collision course

Kol•lo•ka•ti•on [kɔloka'tsjo:n] <-, -en> *f* (LING) collocation

Kol•lo•qui•um [kɔ'lo:kviʊm] *n* colloquium

Köln [kœln] *n* Cologne

Köl•nisch•was•ser *n* eau de cologne

ko•lo•ni•al [kolo'nja:l] *adj* colonial; **Ko•lo•ni•al•herr•schaft** *f:* **die britische ~ über ...** British colonial supremacy over ...; **in den Zeiten britischer ~** during the times of British colonial power; **Ko•lo•ni•al•sys•tem** *n* colonial system; **Ko•lo•nie** [kolo'ni:] *f* colony; **Ko•lo•ni•sa•ti•on** *f* colonization; **ko•lo•ni•sie•ren** *tr* colonize; **Ko•lo•nist(in)** *m(f)* colonist; (*Siedler*) settler

Ko•lon•na•de [kolɔ'na:də] <-, -n> *f* (ARCH) colonnade

Ko•lon•ne [ko'lɔnə] <-, -n> *f* (*allgemein*) column; (MIL) convoy; (MOT: *Autoschlange*) line; (*Arbeiter~*) gang; **fünfte ~** (HIST) fifth column

ko•lo•rie•ren [kolo'ri:rən] *tr* (ARCH) colour

Ko•lo•rit [kolo'ri:t] <-(e)s, -e> *n* **1.** (MUS) colour; (*bei Malerei*) colouring **2.** (*fig: Lokal~*) atmosphere

Ko•loss[RR] [ko'lɔs] <-es, -e> *m* colossus

ko•los•sal [kolɔ'sa:l] **I.** *adj* **1.** (*allgemein*) colossal **2.** (*fam: Fehler etc*) crass **II.** *adv* (*fam*) tremendously

Ko•lum•bi•en [ko'lʊmbiən] *n* Columbia

Ko•lum•ne [ko'lʊmnə] <-, -n> *f* (TYP) column; **Ko•lum•nist(in)** *m(f)* columnist

Ko•ma ['ko:ma] <-s, -s/-ta> *n* (MED) coma

Kom•bi ['kɔmbi] <-s, -s> *m Abk. von* **Kombiwagen** estate car, station wagon

Kom•bi•na•ti•on [kɔmbina'tsjo:n] *f* **1.** (*Zusammenstellung*) combination **2.** (SPORT: *Zus.-spiel*) concerted move **3.**

(*Schlussfolgerung*) deduction **4.** (*von Kleidung*) ensemble, suit; (AERO: *Flieger~*) flying suit; **Kom•bi•na•ti•ons•ga•be** *f* power of deduction

kom•bi•nie•ren I. *tr* combine II. *itr* 1. (*folgern*) deduce **2.** (*vermuten*) suppose

Kom•bi•wa•gen *m* (MOT) estate car *Br*; station wagon *Am*

Kom•bü•se [kɔm'byːzə] <-, -n> *f* (MAR) galley

Ko•met [ko'meːt] <-en, -en> *m* (ASTR) comet

Kom•fort [kɔm'foːɐ] <-s> *m* (*Luxus*) luxury; (*Bequemlichkeiten*) comfort; **kom•for•ta•bel** [kɔmfɔr'taːbəl] *adj* **1.** (*mit Komfort*) luxurious **2.** (*bequem*) comfortable; **Kom•fort•haus** *n* luxury home

Ko•mik ['koːmɪk] *f* **1.** (*das Komische*) comic **2.** (*komisches Moment etc*) comic element; **die Situation entbehrte nicht e-r gewissen** ~ the situation was not without an element of comedy; **Ko•mi•ker(in)** *m(f)* comedian; **Sie ~!** (*fig fam*) you must be joking!

ko•misch *adj* **1.** (*lächerlich, spaßig*) comic(al), funny **2.** (*merkwürdig*) funny, strange; **das K~e daran ist, dass ...** the funny thing about it is that ...

Ko•mi•tee [komi'teː] <-s, -s> *n* committee

Kom•ma ['kɔma] <-s, -s/-ta> *n* comma; (MATH: *Dezimal~*) decimal point; **zwanzig ~ fünf** (**20,5**) twenty point five (20.5); **null ~ vier** (**0,4**) point 4 (.4)

Kom•man•dant(in) [kɔman'dant] <-en, -en> *m(f)* commanding officer; **Kom•man•dan•tur** *f* head quarters *pl*

Kom•man•deur(in) *m(f)* commander; (MIL) commanding officer, C. O.; (MAR) captain

kom•man•die•ren I. *tr* **1.** (*Truppen etc*) command **2.** (*befehlen*) order (*jdm etw* s.o. to do s.th.) II. *itr* 1. (*Kommandeur sein*) be in command **2.** (*Befehle erteilen*) give the orders

Kom•man•dit•ge•sell•schaft [--'dit-] *f* (COM) limited partnership; **Kom•man•di•tist** *m* (COM) limited partner

Kom•man•do [kɔ'mando] <-s, -s> *n* **1.** (*Befehl*) command, order **2.** (*Befehlsgewalt*) command (*über* of) **3.** (MIL: *Abteilung*) commando; **das ~ führen** be in command; **das ~ übernehmen** take command; **Kom•man•do•brü•cke** *f* (MAR) bridge

kom•men ['kɔmən] I. *irr itr* **1.** (*allgemein*) come; (*an~*) arrive; (*her~*) come over **2.** (*gelangen, hin~*) get (*nach, zu* to); ((*er*)*reichen*) reach; **das kommt überhaupt nicht in Frage!** that's absolutely out of the question!; **ich komme ja schon!** I'm just coming!; **da kommt sie ja!** there she is!, here she comes; **ich komme gleich** I'll be there right away; **~ Sie mir bloß nicht mit der Tour!** (*fam*) don't come that (game) with me!; **komme, was wolle** come what may; **wie kommt's** (**, dass du immer so knapp bei Kasse bist**)? (*fam*) how come (you're always that short of money)?; **was** (**wer**) **kommt als nächstes?** what's (who's) next?; **das kommt davon, wenn ...** that's what happens when ...; **das kommt von ...** that's because of ...; **das kommt davon, dass ...** that's because ...; **das kommt davon!** see what happens?; **los, komm!** come on!; **komm, komm, es ist doch alles nicht so schlimm!** come, come, it's not all that bad!; **aber das Schlimmste kommt noch** ..., but the worst is yet to come; **sie kommt so langsam in das Alter, in dem ...** she's just reaching the age when ...; **ich komme nicht auf den richtigen Ausdruck** I can't think of the right expression; **es kam alles ziemlich überraschend** it all came as quite a surprise; **alles zusammen kommt das auf 500 DM** (*fam*) that comes to DM 500 all together; **auf wieviel Geld ~ Sie pro Monat?** (*fam*) how much money do you get a month?; **mir kommt gerade ein Gedanke** I just had an idea; **das haben wir ~ sehen** we saw it coming; **~ Sie mir bloß nicht so!** (*fam*) don't try that on me!; **er ließ e-n Arzt ~** he sent for a doctor; **die Kupplung ~ lassen** (*fam*) let the clutch in; **nach London ~** get to London; **an die frische Luft ~** get out into the fresh air; **endlich ~ die Dinge in Bewegung** things start to move at last; **ins Gefängnis ~** go to prison; **wer zuerst kommt, mahlt zuerst** (*prov*) first come first served [*o* first in first out]; **~ Sie bloß nicht an diese Vase!** just don't touch this vase!; **wie sind wir bloß darauf gekommen?** (*zu sprechen gekommen*) how on earth did we get onto that?; **ich lasse auf diese Frau nichts ~** I won't have a word against this woman; **darauf wäre ich nie gekommen** that would never have occurred to me; **wie sind Sie dahinter gekommen?**[RR] how did you find that out?; **er wird schon noch dahinter kommen**[RR] (*fam: schlau werden*) he'll get it sooner or later; **um s-n Schlaf ~** not to get any sleep; **gelaufen ~** come running; **dazu kommt** (~) **noch ...** then there is (are) ...; **ich bin noch nicht dazu gekommen** I haven't yet got round to it; **wie sind Sie denn nur zu Ihrem neuen Haus gekommen?** how on earth did you get [*o* come by] your new house?; **ins Gerede ~** get o.s. talked about; **zu sich ~** (*aus Ohnmacht erwachen*) come to one's senses; (*fig: sich über sich selbst klar werden*) sort o.s. out; **soweit ist es gekommen!** it has come to that!; **es kommt noch so weit, dass ...** it will get to the point where ...; **ums Leben ~** lose one's life; (**zu etw**) **zu spät ~** be late (for s.th.); **zu kurz ~** come off badly; **zu e-r Entscheidung ~** come to a decision; **in/mit etw vorwärts ~**[RR] make progress in/with s.th.; (*fig*) get on with s.th.; **wir kamen im Schlamm nur langsam vorwärts** we made slow progress through the mud; **sie kamen im offenen Gelände gut vorwärts** they made good progress across the open country **II.** *tr* (*fam*): **das wird Sie teuer zu stehen ~!** that'll cost you dear!

kom•mend *adj* coming; **~e Woche** next week; **in den ~en Jahren** in the years to come

Kom•men•tar [kɔmɛn'taːɐ] <-s, -e> *m* commentary; (*Statement gegenüber Presse etc*) comment; **kein ~** no comment; **e-n ~ zu etw abgeben** (make a) comment on s.th.; **Kom•men•ta•tor**(**in**) *m(f)* commentator; **kom•men•tie•ren** *tr* comment on

kom•mer•zi•a•li•sie•ren *tr* (*vermarkten*) commercialize; **kom•mer•zi•ell** [kɔmɛr'tsjɛl] *adj* commercial; **rein ~ denken** think purely in commercial terms

Kom•mi•li•to•ne [kɔmili'toːnə] <-n, -n> *m*, **Kom•mi•li•to•nin** *f* fellow student

Kom•miss[RR] [kɔ'mɪs] <-es> *m* (*fam*) **1.** (*~leben*) barrack-room life **2.** (*Heer*) army

Kom•mis•sar [kɔmɪ'saːɐ] <-s, -e> *m* **1.** (POL) commissioner **2.** (*Polizei~*) inspector; **Kom•mis•sa•ri•at** [kɔmɪsari'aːt] <-(e)s, -e> *n* **1.** (POL) commissioner's department **2.** (*Polizeidienststelle*) superintendent's department; **kom•mis•sa•risch** *adj* (*vorläufig*) temporary

Kom•mis•sär(**in**) <-s, -e> *m(f)* (*österr*) inspector

Kom•mis•si•on *f* **1.** (*Komitee*) committee; (*Untersuchungsausschuss*) commission **2.** (COM) commission; **in ~** (COM) on commission; **Kom•mis•sio•när** <-s, -e> *m* (COM) **1.** commission agent **2.** (*im Buchhandel: Großhändler*) wholesale bookseller

Kom•mo•de [kɔ'moːdə] <-, -n> *f* chest of drawers

kom•mu•nal [kɔmu'naːl] *adj* (POL) local; (*die Stadt betreffend*) municipal; **Kom•mu•nal•po•li•tik** *f* (POL) local government politics *pl*; **Kom•mu•nal•wah•len** *fpl* (POL) local [*o* municipal] elections

Kom•mu•ne [kɔ'muːnə] <-, -n> *f* **1.** (*Gemeinde, Ortschaft*) community **2.** (*Wohngemeinschaft*) commune; **die Pariser ~** (POL HIST) the Paris Commune

Kom•mu•ni•ka•ti•on *f* communication; **Kom•mu•ni•ka•ti•ons•mit•tel** *n* means of communication; **Kom•mu•ni•ka•ti•ons•sa•tel•lit** *m* communications satellite; **Kom•mu•ni•ka•ti•ons•wis•sen•schaft•ler**(**in**) *m(f)* communication scientist

Kom•mu•ni•kee[RR] *n s.* **Kommuniqué**

Kom•mu•ni•on [kɔmu'njoːn] *f* (ECCL) Communion

Kom•mu•ni•qué [kɔmyni'keː] <-s, -s> *n* communiqué

Kom•mu•nis•mus [kɔmu'nɪsmʊs] *m* communism; **Kom•mu•nist**(**in**) *m(f)* Communist; **kom•mu•nis•tisch** *adj* communist; **~e Partei** Communist Party; **~e Internationale** Communistic International; **das K~e Manifest** the Communist Manifesto

Ko•mö•diant(**in**) [komø'djant] *m(f)* **1.** (THEAT) actor (actress) **2.** (*fig: Heuchler(in)*) play-actor

Ko•mö•die [ko'møːdiə] <-, -n> *f* **1.** (THEAT) comedy **2.** (*fig*) farce; **~ spielen** (*fig*) put on an act

Kom•pa•gnon ['kɔmpanjɔŋ/-'jõː] <-s, -s> *m* (COM) partner

kom•pakt *adj* comact; **Kom•pakt•ka•me•ra** *f* (PHOT) compact camera

Kom•pakt•pu•der *nt* compact powder

Kom•pa•nie [kɔmpa'niː] *f* **1.** (MIL) company **2.** (COM) trading company, Co; **Kom•pa•nie•chef** *m*, **-füh•rer** *m* (MIL) company commander

Kom•pa•ra•tiv ['kɔmparatiːf] <-s, -e> *m* (GRAM) comparative

Kom•par•se [kɔm'parzə] <-n, -n> *m* (FILM) extra; (THEAT) super(numerary)

Kom•pass[RR] ['kɔmpas] <-es, -e> *m* compass; **nach dem ~** by the compass; **Kom•pass•na•del**[RR] *f* compass needle

kom•pa•ti•bel *adj* compatible; **Kom•pa•ti•bi•li•tät** *f* compatibility

Kom•pen•sa•ti•on [kɔmpɛnza'tsjoːn] *f* compensation; **kom•pen•sie•ren** *tr* compensate for

kom•pe•tent [kɔmpe'tɛnt] *adj* **1.** (*zuständig*) competent **2.** (*befugt*) authorized; **Kom•pe•tenz** <-, -en> *f* competence, authority; (JUR: *~bereich e-s Gerichts*) jurisdiction; **Kom•pe•tenz•strei•tig•keit** *f* demarcation dispute

kom•p•lett [kɔm'plɛt] *adj* complete; **kom•p•let•tie•ren** *tr* complete; **Kom•p•lett•lö•sung** *f* overall solution

Kom•p•lex [kɔm'plɛks] <-es, -e> *m* complex; (*fam: Minderwertigkeits~*) hang-up; **er hat ~e wegen s-r großen Nase** he has a complex about his big nose; **kom•p•lex** *adj* complex; **Kom•p•le•xi•tät** <-> *f* complexity

Kom•p•li•ka•ti•on *f* complication

Kom•p•li•ment [kɔmpli'mɛnt] <-(e)s, -e> *n* compliment; **jdm für etw ~e machen** compliment s.o. on s.th.

Kom•p•li•ze [kɔm'pli:tsə] <-n, -n> *m*, **Kom•pli•zin** *f* accomplice

kom•p•li•ziert *adj* complicated

Kom•p•lott [kɔm'plɔt] <-(e)s, -e> *n* conspiracy, plot; **ein ~** (**zur Ermordung des Königs**) **schmieden** hatch a plot (to murder the King)

kom•po•nie•ren [kɔmpo'ni:rən] *tr itr* compose; **Kom•po•nist**(**in**) *m(f)* composer; **Kom•po•si•ti•on** *f* composition

Kom•post [kɔm'pɔst] <-(e)s, -e> *m* compost; **Kom•post•hau•fen** *m* compost heap; **Kom•pos•tier•an•la•ge** *f* composting plant; **kom•pos•tie•ren** *tr* compost; **kom•pos•tier•bar** *adj* degradable; **Kom•pos•tier•bar•keit** *f* degradability; **Kom•pos•tie•rung** *f* biological degradation; **Kom•post•werk** *n* composting plant

Kom•pott [kɔm'pɔt] <-(e)s, -e> *n* compote, stewed fruit

Kom•p•res•se [kɔm'prɛsə] <-, -n> *f* compress

Kom•p•res•sor <-s, -en> *m* (TECH) compressor

kom•p•ri•mie•ren [kɔmpri'mi:rən] *tr* **1.** (TECH) compress **2.** (*fig*) condense

Kom•p•ro•miss[RR] [kɔmpro'mɪs] <-es, -e> *m* compromise; **e-n ~ schließen** [*o* **eingehen**] (make a) compromise; **kom•p•ro•miss•be•reit**[RR] *adj* willing to compromise; **kom•p•ro•miss•los**[RR] *adj* uncompromising; **Kom•p•ro•miss•lö•sung**[RR] *f* compromise solution; **Kom•p•ro•miss•vor•schlag**[RR] *m* suggested compromise

kom•p•ro•mit•tie•ren **I.** *tr* compromise **II.** *refl* compromise o.s.

Kon•den•sat *n* condensate

Kon•den•sa•tor [kɔndɛn'za:tɔr] <-s, -en> *m* (CHEM EL MOT) condenser

kon•den•sie•ren *tr itr* (*a. fig*) condense

Kon•dens•milch [kɔn'dɛn(t)s-] *f* condensed milk; **Kon•dens•strei•fen** *m* (AERO) vapour trail; **Kon•dens•was•ser** *n* condensation

Kon•di•ti•on [kɔndi'tsio:n] <-, -en> *f* (SPORT: *Bedingung*) condition

Kon•di•tor(**in**) [kɔn'di:tɔr] <-s, -en> *m(f)* pastry-cook; **Kon•di•to•rei** *f* cake shop; **Kon•di•tor•wa•ren** *pl* cakes and pastries

Kon•do•lenz [kɔndo'lɛnts] <-> *f* condolence

Kon•dom [kɔn'do:m] <-s, -e> *n* condom

Kon•dor ['kɔndo:ɐ] <-s, -e> *m* condor

Kon•duk•teur [kɔndʊk'tø:ɐ] <-s, -e> *m* conductor *CH*

Kon•fekt [kɔn'fɛkt] <-(e)s, -e> *n* confectionery

Kon•fek•ti•on [kɔnfɛk'tsjo:n] *f* (manufacture of) ready-made clothes; **Kon•fek•ti•ons•grö•ße** *f* size; **Kon•fek•ti•ons•klei•dung** *f* ready-made clothing

Kon•fe•renz [kɔnfe'rɛnts] <-, -en> *f* conference; (*Zusammenkunft*) meeting; **e-e ~ abhalten** hold a meeting; **Kon•fe•renz•schal•tung** *f* **1.** (RADIO TV) link- up **2.** (TELE) conference circuit; **Kon•fe•renz•zim•mer** *n* conference room; **kon•fe•rie•ren** *itr* confer (*über* on, about)

Kon•fes•si•on [kɔnfɛ'sjo:n] *f* (REL) denomination; **welcher ~ sind Sie?** what denomination are you?; **kon•fes•sio•nell** *adj* (REL) denominational; **kon•fes•si•ons•los** *adj* (REL) non-denominational

Kon•fet•ti [kɔn'fɛti] <-(s)> *n* confetti

Kon•fir•mand(**in**) [kɔnfɪr'mant] <-en, -en> *m(f)* (ECCL) candidate for confirmation; **Kon•fir•ma•ti•on** *f* (ECCL) confirmation; **kon•fir•mie•ren** *tr* (ECCL) confirm

kon•fis•zie•ren [kɔnfɪs'tsi:rən] *tr* confiscate

Kon•fi•tü•re [kɔnfi'ty:rə] <-, -n> *f* jam

Kon•flikt [kɔn'flɪkt] <-(e)s, -e> *m* conflict

Kon•fö•de•ra•ti•on [kɔnfødera'tsjo:n] <-, -en> *f* confederation

kon•form [kɔn'fɔrm] *adj* concurring; **mit jdm** (**in etw**) **~ gehen** agree with s.o. (about s.th.)

Kon•fron•ta•ti•on [kɔnfrɔnta'tsio:n] *f* confrontation; **kon•fron•tie•ren** *tr* confront (*mit* with)

kon•fus [kɔn'fu:s] *adj* confused, muddled; **~ machen** confuse; **Sie machen mich noch ganz ~!** you're really quite confusing me!

Kon•gress[RR] [kɔŋ'grɛs] <-es, -e> *m* **1.** (POL) congress; (*Fach~*) convention **2.** (*Am:* PARL) Congress; **Kon•gress•hal•le**[RR] *f* congress hall

kon•gru•ent [kɔŋgru'ɛnt] *adj* **1.** (MATH) congruent **2.** (*fig: übereinstimmend*) concurring

Kö•nig ['kø:nɪç] <-(e)s, -e> *m* king; **Kö•ni•gin** ['kø:nɪgɪn] *f* queen; **kö•nig•lich** [kø:nɪklɪç] *adj* royal; **sie hat sich ~ amüsiert** (*fam*) she had the time of her life [*o* a jolly good time]; **Kö•nig•reich** *n* kingdom; **Kö•nig•tum** *n* kingship

Kon•ju•ga•ti•on [kɔnjuga'tsjo:n] *f* (GRAM) conjugation; **kon•ju•gie•ren** *tr* (GRAM) conjugate

Kon•junk•ti•on [kɔnjʊŋk'tsjo:n] *f* (GRAM A. ASTR) conjunction; **Kon•junk•tiv** ['kɔnjʊnkti:f] <-s, -e> *m* (GRAM) subjunctive

Kon•junk•tur *f* (COM) **1.** (*Wirtschaftslage*) economic situation **2.** (*Hoch~*) boom; **steigende** (**fallende**) ~ upward (downward) economic trend; **Kon•junk•tur•ab•schwung** *m* (COM) economic down-turn; **Kon•junk•tur•ba•ro•me•ter** *n* (COM) business barometer; **Kon•junk•tur•be•le•bung** *f* (COM) economic revival; **Kon•junk•tur•ein•bruch** *m* (COM) slump; **kon•junk•tu•rell** *adj* (COM) economic; ~ **bedingt** due to economic factors; **Kon•junk•tur•kri•se** *f* (COM) economic crisis; **Kon•junk•tur•rück•gang** *m* (COM) slowdown in the economy; **Kon•junk•tur•schwan•kung** *f* (COM) economic fluctuation; **Kon•junk•tur•tief** *n* trough; **Kon•junk•tur•zy•klus** *m* economic [*o* trade] cycle

kon•kav *adj* (MATH PHYS) concave

kon•kret [kɔŋ'kreːt] *adj* concrete; **kon•kre•ti•sie•ren** *tr* put in concrete terms

Kon•kur•rent [kɔŋkʊ'rɛnt] <-en, -en> *m* **1.** (COM) competitor **2.** (*Rivale*) rival; **Kon•kur•renz** *f* **1.** (COM: *Wettbewerb*) competition; (*Rivalität*) rivalry **2.** (*die Konkurrenten*) competitors [*o* rivals]; **scharfe** ~ keen competition; **jdm ~ machen** compete with s.o.; **sich gegenseitig ~ machen** be in competition with each other; **Kon•kur•renz•druck** *m* pressure of competition; **kon•kur•renz•fä•hig** *adj* competitive; **Kon•kur•renz•kampf** *m* **1.** (COM) competition **2.** (*Rivalität*) rivalry; **kon•kur•renz•los** *adj* unrival(l)ed, without competition; **Kon•kur•renz•pro•dukt** *n* (COM) competing product; **kon•kur•rie•ren** *itr* compete (*mit* with)

Kon•kurs [kɔŋ'kʊrs] <-es, -e> *m* (COM) bankruptcy; ~ **anmelden** declare o.s. bankrupt; **in ~ gehen** go bankrupt; **Kon•kurs•mas•se** *f* (COM) bankrupt's estate; **Kon•kurs•ver•fah•ren** *n* (COM JUR) bankruptcy proceedings *pl;* **Kon•kurs•ver•wal•ter(in)** *m(f)* (COM JUR) (official) receiver

Kön•nen *n* **1.** (*Fähigkeit*) ability **2.** (*Kenntnisse*) knowledge

kön•nen ['kœnən] *irr tr itr* **1.** (*beherrschen, verstehen*) know (*etw* s.th.) **2.** (*vermögen*) be able to **3.** (*dürfen*) be allowed to, may **4.** (*wahrscheinlich o möglich sein*) be likely to, may; **ich kann kein** (**Wort**) **Deutsch** I have no German, I have got no German *Br;* **sie kann sehr gut Englisch** she knows a lot of English; **tanzen** (**etc**) ~ know how to dance (etc); **Klavier spielen** ~ know how to play the piano; **jd kann etw tun** s.o. can [*o* is able to] do s.th.; **ich kann nicht mehr** (*mehr kann ich nicht aushalten*) I can't take any more; (*ich kann nicht weitermachen etc*) I can't go on; (*essen*) I can't eat any more; **die Polizei kann mir nichts** (**anhaben**) the police can't touch me; **er kann einfach nichts** (*ist unfähig*) he's just incapable; (*er versteht sich auf nichts*) he just doesn't know a thing; **das hätte ich Ihnen gleich sagen** ~ I could have told you that straight away; **Sie ~ jetzt gehen** you can [*o* are allowed to] go now; **Sie ~ sich doch wohl nicht beklagen, oder?** you certainly can't complain, can you?; **das kann man wohl sagen!** you could well say that!; **das kann doch nicht wahr sein!** but that's impossible! [*o* that can't possibly be true!]; **ich kann nichts dafür** [*o* **dazu**] (*fam*) it's not my fault [*o* I'm not to blame for that]; **kann ich das Fenster öffnen?** may I open the window?; **ich kann das Fenster nicht öffnen** I can't open the window; **ich kann mich irren** I may be mistaken; **kann schon sein** maybe; **das könnte durchaus stimmen** that's quite likely to be true, that may well be true; **dieser Spinner kann mich mal!** (*sl*) that crank can get stuffed!

Kon•sens [kɔn'zɛns] <-es> *m* consensus

kon•se•quent [kɔnze'kvɛnt] *adj* consistent; **etw ~ einhalten** [*o* **beachten**] observe s.th. strictly

Kon•se•quenz *f* **1.** (*Folgerichtigkeit*) consistency; (*Härte, Strenge*) rigourousness **2.** (*Folge*) consequence, result; **~en ziehen** cut one's losses

kon•ser•va•tiv [kɔnzɛrva'tiːf/'----] *adj* conservative; (*Br:* POL PARL) Conservative, Tory

Kon•ser•ve [kɔn'zɛrvə] <-, -n> *f* preserved food; (*in ~nbüchse*) tinned food *Br,* canned food *Am;* **Kon•ser•ven•büch•se** *f,* **-do•se** *f* tin *Br,* can *Am;* **Kon•ser•ven•fa•brik** *f* tinning factory *Br,* cannery *Am;* **kon•ser•vie•ren** *tr* conserve, preserve; **Kon•ser•vie•rung** *f* preservation; **Kon•ser•vie•rungs•mi•ttel** *n* preservative

Kon•sis•tenz [kɔnzɪs'tɛnts] <-, -en> *f* consistency

Kon•so•le [kɔn'zoːlə] <-, -n> *f* console

kon•so•li•die•ren [kɔnzoli'diːrən] *tr* consolidate

Kon•so•nant [kɔnzo'nant] <-en, -en> *m* consonant

Kon•sor•ti•um [kɔn'zɔrtsiʊm] <-s, Konsortien> *n* consortium

kon•s•pi•ra•tiv [kɔnspira'tiːf] *adj* conspiratorial

kons•tant [kɔn'stant] *adj* constant; **Kons•tan•te** <-, -n> *f* constant

kons•ta•tie•ren [kɔnsta'tiːrən] *tr* notice, see

Kons•tel•la•ti•on [kɔnstɛla'tsjoːn] <-, -en> *f* constellation

Kons•ti•tu•ti•on [kɔnstitu'tsjo:n] *f* (POL MED) constitution; **kons•ti•tu•tio•nell** *adj* (POL MED) constitutional
kons•tru•ie•ren [kɔnstru'i:rən] *tr* **1.** (*a. fig*) construct **2.** (*entwerfen*) design; **Kons•truk•teur(in)** [kɔnstrʊk'tø:ɐ] <-s, -e> *m(f)* engineer, designer; **Kons•truk•ti•on** *f* **1.** (MATH: *a. fig*) construction **2.** (*Entwurf, Bauweise*) design; **Kons•truk•ti•ons•feh•ler** *m* **1.** (*fehlerhafter Entwurf*) design fault **2.** (*struktureller Fehler*) structural defect
kons•truk•tiv *adj* constructive
Kon•sul ['kɔnzʊl] <-s, -n> *m* (POL) consul; **Kon•su•lat** <-(e)s, -e> *n* (POL) consulate
kon•sul•tie•ren *tr* consult
Kon•sum [kɔn'zu:m] <-s> *m* (*Verbrauch*) consumption; **Kon•su•ment(in)** <-en, -en> *m(f)* consumer; **Kon•sum•ge•sell•schaft** *f* consumer society; **Kon•sum•gü•ter** *npl* consumer goods; **kon•su•mie•ren** *tr* consume; **Kon•sum•tem•pel** *m* (*pej*) shrine to consumerism
Kon•takt [kɔn'takt] <-(e)s, -e> *m* (*allgemein, a.* EL) contact; **mit jdm in ~ stehen (kommen)** be in (come into) contact with s.o.; **Kon•takt•an•zei•ge** *f* lonely hearts ad; **Kon•takt•bild•schirm** *m* (EDV) touch-sensitive screen; **kon•takt•freu•dig** *adj* sociable; **Kon•takt•lin•sen** *fpl* (OPT) contact lenses; **Kon•takt•per•son** *f* contact
kon•tern *tr itr* counter
Kon•ter•re•vo•lu•ti•on *f* counter-revolution
Kon•text ['kɔntɛkst] <-(e)s, -e> *m* (LING: *fig*) context
Kon•ti•nent ['kɔntinɛnt/--'-] <-(e)s, -e> *m* continent; **kon•ti•nen•tal** *adj* continental; **Kon•ti•nen•tal•kli•ma** *n* continental climate
Kon•tin•gent [kɔntɪŋ'gɛnt] <-(e)s, -e> *n* **1.** (COM) quota **2.** (MIL: *Truppen~*) contingent **3.** (*Zuteilung*) allotment; **kon•tin•gen•tie•ren** *tr* fix the quotas (*etw* of s.th.)
kon•ti•nu•ier•lich *adj* continuous; **Kon•ti•nui•tät** [kɔntinui'tɛ:t] *f* continuity
Kon•to ['kɔnto] <-s, -ten/(-s/-ti)> *n* account; **das geht auf mein ~** (*fig fam: es ist meine Schuld*) I am to blame for this; (*es geht auf meine Rechnung*) this is on me; **Kon•to•aus•zug** *m* (bank) statement; **Kon•to•be•we•gung** *f* transaction; **Kon•to•füh•rung** *f* running of an account; **Kon•to•in•ha•ber(in)** *m(f)* account holder; **Kon•to•num•mer** *f* account number
Kon•tor [kɔn'to:ɐ] <-s, -e> *n* (COM) office; **Kon•to•rist(in)** *m(f)* (COM) clerk (clerkess)
Kon•to•stand *m* bank balance
Kon•t•ra ['kɔntra] <-s> *n* (*Ansage beim Kartenspiel*) double; **jdm ~ geben** (*beim Kartenspiel*) double; (*fig: widersprechen*) contradict s.o.
Kon•t•ra•hent(in) [kɔntra'hɛnt] <-en, -en> *m(f)* **1.** (*Gegenspieler*) opponent **2.** (COM: *Vertragspartner*) contracting party
Kon•t•ra•in•di•ka•ti•on *f* (MED) contra indication
kon•t•ra•pro•duk•tiv *adj* counterproductive
Kon•t•ra•punkt *m* (MUS) counterpoint
kon•t•rär [kɔn'trɛ:ɐ] *adj* contrary, opposite
Kon•t•rast [kɔn'trast] <-(e)s, -e> *m* contrast; **kon•t•ras•tie•ren** *itr* contrast (*mit* with); **Kon•t•rast•mit•tel** *n* (MED) contrast medium; **Kon•t•rast•pro•gramm** *n* alternative program(me); **Kon•t•rast•reg•ler** *m* (TV) contrast control; **kon•t•rast•reich** *adj* rich in contrast
Kon•t•ri•bu•ti•on [kɔntribu'tsjo:n] *f* contribution
Kon•t•roll•ab•schnitt *m* (COM) counterfoil; **Kon•t•rol(l•)lam•pe** *f* (*allgemein*) pilot lamp; (MOT) warning light; **Kon•t•rol•le** [kɔn'trɔlə] <-, -n> *f* **1.** (*Überprüfung*) check (*bei jdm o etw, jds o e-r Sache* on s.o., s.th.) **2.** (*Kontrollpunkt, -stelle*) checkpoint **3.** (*Kontrolleur(in)*) inspector **4.** (*Beherrschung, Gewalt, Regulation*) control (*über jdn o etw* of s.o., s.th.); **regelmäßige ~n (bei jdm/etw) durchführen** make regular checks (on s.o./s.th.); **jdn (etw) unter ~ haben** have s.o. (s.th.) under control; **Kon•t•rol•leur(in)** *m(f)* inspector; **Kon•t•roll•funk•ti•on** *f* controlling function; **Kon•t•roll•ge•rät** *n* controlling device
kon•t•rol•lier•bar *adj* **1.** (*beherrschbar*) controllable **2.** (*überprüfbar*) verifiable
kon•t•rol•lie•ren *tr* **1.** (*nachprüfen*) check (*nach, auf etw* for s.th.); (*überwachen*) supervise **2.** (*beherrschen, lenken*) control
Kon•t•roll•lis•te[RR] *f* check-list; **Kon•t•roll•turm** *m* (AERO) control tower; **Kon•t•roll•uhr** *f* time clock; **Kon•t•roll•zen•trum** *n* control centre *Br*, control center *Am*
Kon•t•ro•ver•se [kɔntro'vɛrzə] <-, -n> *f* controversy
Kon•tur [kɔn'tu:ɐ] <-, -en> *f* contour, outline
Kon•ven•ti•on [kɔnvɛn'tsjo:n] *f* convention; **Kon•ven•tio•nal•stra•fe** *f* (COM) penalty for breach of contract; **kon•ven•tio•nell** *adj* conventional
Kon•ver•sa•ti•on [kɔnvɛrza'tsjo:n] *f* conversation; **Kon•ver•sa•ti•ons•le•xi•kon** *n* encyclop(a)edia

kon•ver•tier•bar *adj* (FIN) convertible; **kon•ver•tie•ren** [kɔnvɛr'ti:rən] **I.** *tr* convert (*in* into) **II.** *itr* be converted; **Kon•ver•tit(in)** *m(f)* (REL) convert

kon•vex [kɔn'vɛks] *adj* (MATH PHYS) convex

Kon•voi [kɔn'vɔɪ/'--] <-s, -s> *m* convoy; **im** ~ in convoy

kon•ze•die•ren [kɔntse'di:rən] *tr itr* concede (*jdm etw* s.th.)

Kon•zen•trat [kɔntsɛn'tra:t] <-(e)s, -e> *n* **1.** (CHEM) concentrate **2.** (*fig*) condensed extract

Kon•zen•tra•ti•on *f* concentration (*auf* on); **Kon•zen•tra•ti•ons•fä•hig•keit** *f* power of concentration; **Kon•zen•tra•ti•ons•la•ger** *n* concentration camp; **Kon•zen•tra•ti•ons•schwä•che** *f* concentration failure; **Kon•zen•tra•ti•ons•stö•rung** *f* impaired concentration

kon•zen•trie•ren *tr refl* concentrate (*auf* on)

kon•zen•trisch *adj* (MATH) concentric

Kon•zept [kɔn'tsɛpt] <-(e)s, -e> *n* **1.** (*für Essay, Aufsatz etc*) rough copy; (*Rohentwurf*) draft **2.** (*Begriff, Vorstellung*) concept; **jdn aus dem ~ bringen** put s.o. off; (*fam: aus dem Gleichgewicht*) upset s.o; **sich aus dem ~ bringen lassen** be put off one's stroke; **das passte ihm ganz u. gar nicht ins** ~ that did not at all fit in with his plans; **Kon•zep•ti•on** *f* conception

Kon•zern [kɔn'tsɛrn] <-s, -e> *m* (COM) combine, trust; **multinationaler** ~ multinational company, multinational *fam*

Kon•zert [kɔn'tsɛrt] <-(e)s, -e> *n* **1.** (*~vorstellung*) concert **2.** (*musikalische Gattung*) concerto; **Kon•zert•flü•gel** *m* concert grand

kon•zer•tie•ren *itr* (MUS) give a concert

Kon•zert•meis•ter(in) *m(f)* (MUS) leader *Br*, concertmaster *Am;* **Kon•zert•pa•vil•lon** *m* bandstand; **Kon•zert•saal** *m* concert hall

Kon•zes•si•on [kɔntsɛ'sjo:n] *f* **1.** (*Zugeständnis*) concession (*an* to) **2.** (*Lizenz*) licence *Br*, franchise *Am;* **kon•zes•sio•nie•ren** *tr* license

Kon•zil [kɔn'tsi:l] <-s, -e/-ien> *n* (ECCL) council

kon•zi•li•ant [kɔntsili'ant] *adj* **1.** (*beschwichtigend*) conciliatory **2.** (*großzügig*) generous

kon•zi•pie•ren *tr* conceive

Ko•o•pe•ra•ti•on *f* cooperation

Ko•or•di•na•ti•on [koɔrdina'tsjo:n] <-> *f* coordination; **ko•or•di•nie•ren** *tr* coordinate

Kopf [kɔpf, *pl:* 'kœpfə] <-(e)s, ¨-e> *m* **1.** (*allgemein*) head; (*oberster Teil*) top **2.** (*fig: Verstand*) brain **3.** (*leitende Persönlichkeit*) leader **4.** (*einzelner Mensch*) person; **von ~ bis Fuß** from top to toe; **mit bloßem** ~ bare-headed; **~ an ~** shoulder to shoulder; (SPORT) neck to neck; **~ hoch!** (*fam*) chin up!; **aus dem** ~ by heart; **Hals über** ~ head over heels; **jdm den ~ waschen** (*fig fam*) give s.o. a piece of one's mind; **e-n dicken ~ haben** (*fam: e-n Kater haben*) have a thick head; **sein Sohn ist ihm über den ~ gewachsen** his son has outgrown him; **s-e Probleme wachsen ihm über den Kopf** (*fig*) his problems are getting too much for him; **es will ihr nicht in den ~, dass ...** she won't get it into her head that ...; **er ist ein heller** ~ he has a good head on his shoulders; **der ~ e-r Bewegung sein** be the head of a movement; **etw über jds ~ hinweg tun** go over someone's head; **~ u. Kragen riskieren** (*fig fam*) risk one's neck; **..., und wenn Sie sich auf den ~ stellen** (*fig fam*) ..., you can say or do what you like; **~ oder Zahl?** heads or tails?; **sie war wie vor den ~ geschlagen** she was dumbfounded; **pro** ~ per capita [*o* head] [*o* person]; **wir bekamen zehn Mark pro** ~ we got ten marks each; **das hältst du ja im ~ nicht aus!** (*sl*) it's absolutely incredible!; **jdn e-n ~ kürzer machen** (*fam*) cut [*o* chop] someone's head off; **jds ~ fordern** (*a. fig*) demand someone's head; **nicht auf den ~ gefallen sein** (*fig fam*) be no fool; **sich etw durch den ~ gehen lassen** think about s.th.; **den ~ hängenlassen** hang one's head; (*fig*) be downcast; **dieser Gedanke geht mir immer im ~ herum** I can't get that thought out of my head; **muss denn immer alles nach deinem ~ gehen?** do you always have to get your own way?; **er hat s-n eigenen** ~ (*fig*) he's got a mind of his own; **sich etw aus dem ~ schlagen** get s.th. out of one's head; **ich habe andere Dinge im** ~ I have other things on my mind; **nicht richtig im ~ sein** (*fam*) be not quite right up top; **sich etw in den ~ setzen** take s.th. into one's head; **e-m in den ~ steigen** go to one's head; **ich weiß nicht, wo mir der ~ steht** I don't know whether I'm coming or going; **etw auf den ~ stellen** (*a. fig*) turn s.th. upside down; **die Tatsachen auf den ~ stellen** (*fig*) stand the facts on their heads; **jdn vor den ~ stoßen** (*fig*) offend s.o.; **jdm den ~ verdrehen** (*fig fam*) turn someone's head; **den ~ (nicht) verlieren** (*fig*) lose (keep) one's head; **sich (über etw) den ~ zerbrechen** rack one's brains over s.th.; **jdm etw auf den ~ zusagen** say s.th. straight out to s.o.; **~ stehen**[RR] stand on one's head; (*fig*) go wild; **Kopf•ar•bei-**

ter(in) *m(f)* brainworker; **Kopf•ball** *m* (SPORT) header; **Kopf•be•de•ckung** *f* headgear

Köpf•chen ['kœpfçən] *n* (*fam hum*): ~ **haben** have brains *pl*

köp•fen ['kœpfən] *tr itr* **1.** (*hinrichten*) behead; (*hum fam: Flasche*) crack **2.** (SPORT: *beim Fußball*) head (*ins Tor* a goal)

Kopf•en•de *n* head; **Kopf•geld•jä•ger** *m* head-hunter; **Kopf•haar** *n* hair on one's head; **Kopf•haut** *f* scalp; **Kopf•hö•rer** *m* (RADIO) headphones *pl;* **Kopf•kis•sen** *n* pillow

kopf•las•tig *adj* **1.** (*a. fig*) top-heavy **2.** (AERO) nose-heavy

Kopf•laus *f* (ZOO) head louse; **kopf•los** *adj* (*fig*) panicky; ~ **werden** (*fig*) lose one's head; **Kopf•rech•nen** *n* mental arithmetic; **Kopf•sa•lat** *m* (BOT) lettuce; **kopf•scheu** *adj* shy, timid; **jdn** ~ **machen** intimidate s.o.; **Kopf•schmerz** *m* headache; **rasende ~en haben** have a splitting headache *sing;* **Kopf•schmerz•ta•blet•te** *f* headache tablet; **Kopf•schup•pen** *pl* dandruff; **Kopf•sprung** *m* header; **e-n** ~ **machen** take a header

Kopf•stand *m* headstand; **kopf|ste•hen** *s.* **Kopf**

Kopf•stein•pflas•ter *n* cobbles, cobbled surface

Kopf•stim•me *f* (MUS) falsetto; **Kopf•stüt•ze** *f* headrest; **Kopf•tuch** *n* scarf; **kopf•über** [-'--] *adj* (*a. fig*) headlong; **Kopf•ver•let•zung** *f* head injury; **Kopf•weh** *n* (*fam*) headache; **Kopf•zer•bre•chen** *n:* **etw bereitet jdm** ~ sth is a headache for sb

Ko•pie [ko'pi:] <-, -n> *f* **1.** (*allgemein*) copy; (*Durchschlag*) carbon copy **2.** (PHOT FILM) print **3.** (*Imitation*) imitation; **ko•pie•ren** *tr itr* **1.** (*a. fig*) copy; (*durchpausen*) trace **2.** (PHOT FILM) print; **oft kopiert, nie erreicht** often imitated, but never equalled; **Ko•pie•rer** *m,* **Ko•pier•ge•rät** *n* photocopier, copier; **Ko•pier•schutz** *m* (EDV) copy protection; **Ko•pier•sper•re** *f* (EDV) anti-copy device

Kop•pel¹ ['kɔpəl] <-s, -> *n* (MIL) belt

Kop•pel² <-, -n> *f* (*Weide*) paddock

Kop•pel³ <-, -n> *f* (*Hunde~*) pack; (*Pferde~*) string

kop•peln *tr* **1.** (*Pferde*) string together; (*Hunde*) leash together **2.** (*verbinden*) couple, join (*etw an etw* s.th. to s.th.) **3.** (*fig*) link (*etw an etw* s.th. with s.th.)

Kop•pe•lung *f* (*allgemein*) coupling; (*von Raumschiffen*) link-up

Ko•pro•duk•ti•on ['----] *f* (FILM) co production

Ko•ral•le [ko'ralə] <-, -n> *f* coral; **Ko•ral•len•hals•band** *n* coral necklace; **Ko•ral•len•riff** *n* coral reef

Ko•ran [ko'ra:n] <-s> *m* (REL) Koran

Korb [kɔrp, *pl:* 'kœrbə] <-(e)s, ⸚e> *m* **1.** (*allgemein*) basket; (*Bienen~*) hive; (MIN: *Förder~*) cage **2.** (*~geflecht*) wicker; **jdm e-n** ~ **geben** (*fig*) turn s.o. down; **e-n** ~ **bekommen** (*fig*) get a refusal; **Korb•ball** *m* (SPORT) basket-ball; **Körb•chen** ['kœrpçən] *n* (*kleiner Korb*) little basket; **ab ins** ~! (*fam: ins Bett*) time for bye-byes!; **Korb•fla•sche** *f* demijohn; **Korb•flech•te•rei** *f* (*das Korbflechten*) basket-making; **Korb•flech•ter(in)** *m(f)* basket-maker; **Korb•mö•bel** *npl* wicker furniture; **Korb•stuhl** *m* wicker chair

Kord [kɔrt] <-(e)s, -e> *m* corduroy

Ko•rea [ko're:a] *n* Korea; **Ko•re•a•ner(in)** <-s, -> *m(f)* Korean; **ko•re•a•nisch** *adj* Korean

Ko•ri•an•der [kori'andɐ] <-s> *m* coriander

Ko•rin•the [ko'rɪntə] <-, -n> *f* currant

Kork [kɔrk] <-(e)s, -e> *m* (BOT) cork; **Kork•ei•che** *f* cork oak; **Kor•ken** ['kɔrkən] <-s, -> *m* cork; (*Plastik~*) stopper; **Kor•ken•zie•her** *m* corkscrew

Korn¹ [kɔrn, *pl:* 'kœrnɐ] <-(e)s, ⸚er> *n* **1.** (*Samen~*) seed; (*Salz~, Sand~, a.* PHOT) grain; (*Pfeffer~*) corn **2.** (*Getreide*) grain, corn *Br a.*

Korn² <-(e)s> *m* (*fam: Kornbranntwein*) corn schnapps

Korn³ <-(e)s> *n* (*am Gewehr*) bead, front sight; **jdn (etw) aufs** ~ **nehmen** draw a bead on s.o. (s.th.); (*fig*) hit out at s.o. (s.th.); **die Flinte ins** ~ **werfen** (*fig*) throw in the sponge

Korn•blu•me *f* cornflower

kör•nen ['kœrnən] *tr* granulate; (*aufrauhen*) roughen

kör•nig ['kœrnɪç] *adj* granular

Korn•kam•mer *f* (*a. fig*) granary

Kör•per ['kœrpɐ] <-s, -> *m* (*allgemein*) body; (*Schiffs~*) hull; **Kör•per•bau** *m* build, physique; **kör•per•be•hin•dert** *adj* physically handicapped; **Kör•per•be•hin•der•te(r)** *f m* disabled [*o* handicapped] person; **kör•per•ei•gen** *adj* (MED BIOL): **~e Abwehrstoffe** endogenous antibodies [*o* antitoxins]; **Kör•per•ge•wicht** *n* weight; **Kör•per•grö•ße** *f* height; **Kör•per•hal•tung** *f* bearing, posture; **Kör•per•kraft** *f* physical strength; **Kör•per•län•ge** *f* body length

kör•per•lich *adj* **1.** (*physisch*) physical **2.** (*materiell*) material; **~e Züchtigung** corporal punishment

Kör•per•lo•ti•on *f* body lotion; **Kör•per•pfle•ge** *f* personal hygiene; **Kör•per•pu•der** *m* talcum powder; **Kör•per•schaft** *f*

corporation; **gesetzgebende** ~ legislative body; **Kör•per•schaft(s)•steu•er** *f* corporation tax; **Kör•per•spra•che** *f* body language; **Kör•per•teil** *m* part of the body; **Kör•per•ver•let•zung** *f* (JUR) bodily injury; **Kör•per•wär•me** *f* body heat

Korps [koːɐ] <-(s), -s> *n* (MIL) corps

kor•pu•lent [kɔrpu'lɛnt] *adj* corpulent; **Kor•pu•lenz** *f* corpulence

kor•rekt [kɔ'rɛkt] *adj* correct; **Kor•rekt•heit** *f* correctness

Kor•rek•tor(in) *m(f)* (TYP) proof-reader

Kor•rek•tur [kɔrɛk'tuːɐ] <-, -en> *f* **1.** (*Berichtigung*) correction **2.** (TYP: *das ~lesen*) proof-reading **3.** (TYP: *~fahne*) proof; **~ lesen** read the proofs *pl;* **Kor•rek•tur•band** *n* correction tape; **Kor•rek•tur•fah•ne** *f* (TYP) galley proof; **Kor•rek•tur•flüs•sig•keit** *f* correction fluid; **Kor•rek•tur•spei•cher** *m* (TYP EDV) correction memory; **Kor•rek•tur•tas•te** *f* correction key; **Kor•rek•tur•zei•chen** *n* (TYP) proof-reader's mark

Kor•re•spon•dent(in) [kɔrɛspɔn'dɛnt] <-en, -en> *m(f)* correspondent; **Kor•re•spon•denz** *f* correspondence; **mit jdm in ~ stehen** be in correspondence with s.o.; **kor•re•spon•die•ren** *itr* correspond (*mit jdm* with s.o., *mit etw* to s.th.)

Kor•ri•dor ['kɔridoːɐ] <-s, -e> *m* corridor; (*Hausflur*) hall

kor•ri•gie•ren [kɔri'giːrən] *tr* **1.** (*berichtigen*) correct; (TYP) read the proofs; (*Aufsätze*) mark **2.** (*nachstellen*) alter

Kor•ro•si•on [kɔro'zioːn] <-, -en> *f* corrosion; **kor•ro•si•ons•be•stän•dig** *adj* corrosion-resistant

kor•rum•pie•ren *tr* corrupt

kor•rupt [kɔ'rʊpt] *adj* corrupt; **Kor•rup•ti•on** *f* corruption

Kor•se ['kɔrzə] <-n, -n> *m,* **Kor•sin** *f* Corsican

Kor•sett [kɔr'zɛt] <-(e)s, -e/-s> *n* corset

kor•sisch *adj* Corsican

Kor•vet•te [kɔr'vɛtə] <-, -n> *f* (MAR) corvette; **Kor•vet•ten•ka•pi•tän** *f* (MAR) lieutenant commander

Ko•ry•phäe [kory'fɛːə] <-, -n> *f* coryphaeus

ko•scher ['koːʃɐ] *adj* kosher

ko•sen ['koːzən] *tr itr* (*poet*) caress, fondle (*jdn o mit jdm* s.o.); **Ko•se•na•me** *m* pet name; **Ko•se•wort** *n* term of endearment

Ko•si•nus ['koːzinʊs] <-, -/(-se)> *f* (MATH) cosine

Kos•me•tik [kɔs'meːtɪk] <-> *f* **1.** (*Körperpflege*) beauty treatment **2.** (*das kosmetische Mittel*) cosmetic **3.** (*fig: Tünche*) cosmetics *pl;* **Kos•me•ti•ka** [kɔs'meːtika] *npl* cosmetics; **Kos•me•ti•ker(in)** *m(f)* beautician; **Kos•me•tik•kof•fer** *m* vanity case; **Kos•me•tik•tuch** *n* paper tissue; **kos•me•tisch** *adj* (*a. fig*) cosmetic; (*Chirurgie*) plastic

kos•misch ['kɔsmɪʃ] *adj* cosmic

Kos•mo•naut(in) [kɔsmo'naʊt] <-en, -en> *m(f)* cosmonaut

Kos•mo•po•lit(in) [kɔsmopo'liːt] <-en, -en> *m(f)* cosmopolitan

Kos•mos ['kɔsmɔs] <-> *m* cosmos

Kost [kɔst] <-> *f* **1.** (*Essen, Nahrung*) fare, food **2.** (*Beköstigung, Pension*) board; **magere ~** meagre fare; (MED) low diet; **leichte ~** (*fig*) easy going; **in ~ sein bei jdm** board with s.o.; **jdn in ~ nehmen** take s.o. as a boarder; **~ u. Logis** board and lodging

kost•bar *adj* (*wertvoll*) precious, valuable; (*kostspielig, luxuriös*) sumptuous; **Kost•bar•keit** *f* **1.** (*das Kostbarsein*) preciousness, sumptuousness **2.** (*kostbarer Gegenstand*) treasure; (*Leckerbissen*) delicacy

Kos•ten ['kɔstən] *pl* (*Preis*) cost, costs; (*Ausgaben*) expenses; (*Auslagen*) outlay *sing;* **auf jds ~** (*a. fig*) at someone's expense; **auf ~ s-r Gesundheit** (*fig*) at the cost of his health; **die ~ bestreiten** defray the expenses; **die ~ für etw tragen** bear the costs of s.th.; **die ~ auf DM 1000 veranschlagen** estimate the cost at DM 1,000; **jdm s-e ~ zurückerstatten** refund someone's expenses; **das ist aber mit ~ verbunden** that involves costs, you know?; **keine ~ scheuen** spare no expense; **weder ~ noch Mühe scheuen** spare neither trouble nor expense; **auf s-e ~ kommen** (*s-e Kosten decken*) cover one's expenses; (*fig*) get one's money's worth

kos•ten[1] *tr itr* **1.** (FIN: *a. fig*) cost **2.** (*erfordern*) take; **koste es, was es wolle** cost what it may [*o* whatever the cost]; **was** [*o* **wieviel**] **kostet das?** what [*o* how much] does it cost?; **Zeit u. Mühe ~** take time and trouble; **Höflichkeit kostet nichts** (*fig*) politeness doesn't cost anything

kos•ten[2] *tr itr* (*probieren, a. fig*) taste ((*von*) *etw* s.th.)

Kos•ten•be•tei•li•gung *f* sharing of costs; **kos•ten•de•ckend** *adj* cost-effective; **Kos•ten•er•spar•nis** *f* cost saving; **Kos•ten•fak•tor** *m* cost factor; **Kos•ten•fra•ge** *f* question of cost(s); **kos•ten•los** *adj, adv* free; **Kos•ten-Nut•zen-Ana•ly•se** *f* (COM FIN) cost-benefit analysis; **kos•ten•pflich•tig** *adj:* **das ist ~** there is a charge (on it); **Kos•ten•pla•nung** *f* cost planning; **Kos•ten•rah•men** *m* budgeted costs *pl;* **Kos•ten•rech•nung** *f* cost accounting; **Kos•ten•rück•er•stat•tung** *f* reimbursement of costs; **Kos•ten•vor•an-**

schlag *m* estimate; **Kos•ten•wirk•sam•keit** *f* (COM) cost effectiveness

köst•lich ['kœstlɪç] *adj* **1.** (*wohlschmeckend*) delicious; (*erlesen*) choice, exquisite **2.** (*amüsant*) priceless; **sich ~ amüsieren** have a marvellous time

Kost•pro•be *f* **1.** (*Geschmacksprobe*) taste **2.** (*fig*) sample

kost•spie•lig *adj* costly, expensive

Kos•tüm [kɔs'ty:m] <-s, -e> *n* (*Jackenkleid*) costume; (*Masken~*) fancy dress; **Kos•tüm•fest** *n* fancy dress ball; **kos•tü•mie•ren** *tr refl* dress up (*als* as); **Kos•tüm•pro•be** *f* (THEAT) dress rehearsal

Kost•um•stel•lung *f* change of diet

Kost•ver•äch•ter *m*: **kein ~ sein** (*hum*) be a ladies' man

Kot [ko:t] <-(e)s> *m* faeces *pl*, excrements *pl*

Ko•te•lett [kot(ə)'lɛt/'kɔtlɛt] <-(-e)s, -s/(e)> *n* chop; **Ko•te•let•ten** *fpl* sideburns, sidewhiskers

Kö•ter ['kø:tɐ] <-s, -> *m* (*pej*) cur

Kot•flü•gel *m* (MOT) wing *Br*, fender *Am*

Kotz•bro•cken *m* (*vulg*) son of a bitch

Kot•ze ['kɔtsə] <-> *f* (*vulg*) puke; **kot•zen** *itr* (*vulg: sich erbrechen*) puke *sl*; **das ist ja zum K~!** it really makes you sick!

kotz•übel ['-'--] *adj* (*sl*): **mir ist ~** I feel like I could puke my guts up *sl*

Krab•be ['krabə] <-, -n> *f* (ZOO) **1.** (*Taschenkrebs*) crab **2.** (*Garnele*) shrimp

krab•beln ['krabəln] *sein itr* (*kriechen*) crawl

Krach [krax, *pl:* ('krɛçə)] <-(e)s, ⸚e> *m* **1.** (*Lärm*) din, noise; (*Schlag*) bang, crash **2.** (*fam: Streit*) quarrel, row; (*Krawall, Aufruhr*) racket; **~ machen** make a noise [*o* racket]; **wegen e-r Sache ~ schlagen** (*fig fam*) kick up a fuss about s.th.; **mit jdm ~ kriegen** have a row with s.o.; **sie haben ~** they're not on speaking terms; **mit Ach u. ~** (*fig fam*) by the skin of one's teeth; **kra•chen** *itr* **1.** (*Krach machen*) crash; (*Schuss*) crack out; (*Holz*) creak **2.** (*fam: zusammenstoßen*) crash; (*aufplatzen*) rip; **..., sonst kracht's!** (*fam*) ... or there'll be trouble!; **auf dieser Kreuzung hat es schon wieder gekracht** (*fam*) there was another crash on this crossing; **Kra•cher** *m* (*fam: Feuerwerkskörper*) banger *Br*, firecracker *Am*

kräch•zen ['krɛçtsən] *itr* (*a. von Menschen*) croak

Kraft [kraft, *pl:* 'krɛftə] <-, ⸚e> *f* **1.** (*Körper~*) strength **2.** (*bewirkende, treibende ~*) force, power **3.** (*Arbeits~*) employee, worker **4.** (JUR: *Gültigkeit*) force; **mit letzter ~** with one's last ounce of strength; **mit aller ~** with all one's strength; **aus eigener ~** by o.s.; **nach (besten) Kräften** to the best of one's ability; **mit frischer ~** with renewed strength; **s-e ~ [*o* Kräfte] an jdm (etw) messen** pit one's strength against s.o. (s.th.); **die ~ aufbringen zu ... (für etw)** find the strength to ... (for s.th.); **er war am Ende s-r Kräfte** he couldn't take any more; **es ging über s-e Kräfte** it was too much for him; **wieder zu Kräften kommen** regain one's strength; **volle ~ voraus!** (MAR) full speed ahead!; **treibende ~** (*fig*) driving force; **Gleichgewicht der Kräfte** (POL) balance of power; **in ~ treten (sein)** (JUR) come into (be in) force; **außer ~ treten (sein)** (JUR) cease (have ceased) to be in force; **(zeitweilig) außer ~ setzen** (JUR) annul (suspend)

kraft *präp* by virtue of [*o* on the strength of]; **~ meines Amtes (meiner Befugnisse)** by virtue of my office [*o* authority]

Kraft•akt *m* **1.** strong-man act **2.** (*fig*) show of strength; **Kraft•auf•wand** *m* effort; **Kraft•aus•druck** *m* swearword; **⸚e** strong language *sing*

Kräf•te•spiel *n* power play; **Kräf•te•ver•fall** *m* loss of strength

Kraft•fah•rer(in) *m(f)* (MOT: *a. als Berufsbezeichnung*) driver

Kraft•fahr•zeug *n* motor vehicle; **Kraft•fahr•zeug•brief** *m* (MOT) (vehicle) registration document [*o* book]; **Kraft•fahr•zeug•kenn•zei•chen** *n* vehicle registration; **Kraft•fahr•zeug•steu•er** *f* motor vehicle tax; **Kraft•fahr•zeug•ver•si•che•rung** *f* car insurance

Kraft•feld *n* (PHYS) force field

Kraft•fut•ter *n* concentrated feed

kräf•tig ['krɛftɪç] **I.** *adj* **1.** (*allgemein*) strong **2.** (*mächtig, kraftvoll*) powerful; (*Händedruck*) firm **3.** (*nahrhaft*) nourishing; **~e Gegenwehr** strong resistance; **e-e ~e Tracht Prügel** a sound thrashing [*o* hiding] **II.** *adv* **1.** (*allgemein*) strongly **2.** (*als Verstärkung: viel, stark, sehr*) really; **~ regnen** rain heavily; **~ schütteln** shake vigorously; **die Preise sind aber ~ gestiegen** prices have really gone up

kräf•ti•gen ['krɛftɪgən] *tr* invigorate

kraft•los *adj* (*machtlos*) powerless; (*schwach*) feeble, weak

Kraft•pro•be *f* (*a. fig*) trial of strength; **Kraft•rad** *n* (MOT) motor-cycle; **Kraft•re•ser•ve** *f* power reserve; **Kraft•stoff** *m* fuel; **Kraft•stoff•ge•misch** *n* fuel mixture; **kraft•strot•zend** *adj* vigorous; **Kraft•über•tra•gung** *f* (TECH) power transmission; **kraft•voll** *adj* powerful; (*tatkräftig*) energetic; **Kraft•wa•gen** *m* motor car; **Kraft•werk** *n* (EL) power station

Kra•gen ['kra:gən] <-s, ⸚> *m* collar; **jdn beim ~ packen** grab s.o. by the collar; (*fig fam*) collar s.o.; **sie riskiert ihren ~** (*fig fam*) she's risking her neck; **es geht um Kopf und ~!** (*fig fam*) all is at stake!; **das kann ihn den ~ kosten** (*fig*) that could be his downfall; **jetzt platzt mir aber der ~!** (*fig fam*) that's the real last straw!; **schließlich platzte ihr der ~** (*fig fam*) at last she blew her top; **jetzt endlich geht's ihm an den ~** (*fig fam*) now at last he's in for it; **Kra•gen•knopf** *m* collar stud *Br,* collar button *Am;* **Kra•gen•wei•te** *f* collar size; **das ist nicht meine ~** (*fig fam*) that's not my cup of tea; **das ist genau meine ~!** (*fig fam*) that's right up my street!; **dieser Job ist e-e ~ zu groß für mich** (*fig fam*) this job's too much for me to handle

Krä•he ['krɛ:ə] <-, -n> *f* (ORN) crow

krä•hen *itr* crow

Krä•hen•fü•ße *mpl* (*fig*) **1.** (*Runzeln*) crow's-feet *pl* **2.** (*krakelige Schrift*) scrawl *sing*

Kra•ke ['kra:kə] <-, -n> *f* octopus

kra•kee•len [kra'ke:lən] <ohne ge-> *itr* (*fam pej*) kick up a racket [*o* row]

Kra•kel ['kra:kl] <-s, -> *m* (*fam*) scrawl

Kral•le ['kralə] <-, -n> *f* **1.** claw; (*Raubvogel~*) talon **2.** (*sl: Hand*) paw *fam,* mauler *sl;* **jdm die ~n zeigen** (*fig*) show s.o. one's claws

kral•len I. *tr* **1. die Finger in etw ~** claw at, clutch s.th. **2.** (*sl: klauen*) pinch **II.** *refl:* **sich an jdn (etw) ~** (*fig*) cling to s.o. (s.th.)

Kram [kra:m] <-s> *m* (*fam*) **1.** (*Zeug*) stuff; (*Plunder*) junk **2.** (*Sache, Angelegenheit*) business; **das passt mir überhaupt nicht in den ~** (*fam*) that's a bloody nuisance, really; **den ganzen ~ hinschmeißen** (*fam*) chuck the whole business; **mach doch deinen ~ selber!** (*fam*) why don't you do that yourself?; **er kennt s-n ~** he knows what's what, he knows his onions *Br;* **kra•men I.** *itr* (*fam*) rummage about (*in* in, *nach* for) **II.** *tr:* **etw aus etw ~** fish s.th. out of s.th.

Krä•mer ['krɛ:mɐ] <-s, -> *m* grocer; **Krä•mer•see•le** *f* (*pej*) petty-minded man [*o* woman]

Kram•la•den *m* (*fam pej*) tatty little shop

Kram•pen <-s, -> *m* (*österr*) pick

Krampf [krampf, *pl:* 'krɛmpfə] <-(e)s, ⸚e> *m* **1.** cramp; (MED: *einzelner*) spasm; (*wiederholter*) convulsion **2.** (*fam: Getue*) palaver; (*Blödsinn*) nonsense; **Krampf•ader** *f* (ANAT) varicose vein; **kramp•fen** *tr* (*Finger, Hand etc*) clench (*um etw* around s.th.); **krampf•haft** *adj* **1.** (*krampfartig*) convulsive **2.** (*fam: verzweifelt*) desperate, frantic; (*gezwungen, angestrengt*) forced

Kran [kra:n, *pl:* 'krɛ:nə] <-(e)s, ⸚e/(-e)> *m* crane; **Kran•füh•rer(in)** *m(f)* crane operator

Kra•nich ['kra:nɪç] <-s, -e> *m* (ORN) crane

krank [kraŋk] *adj* **1.** (*allgemein*) ill, sick; (*Organ*) diseased; (*Zahn, Bein etc*) bad **2.** (*fig: leidend*) ailing; **~ werden** be taken sick, fall ill; **jdn ~ schreiben** *s.* **krankschreiben: sich ~ melden** *s.* **krankmelden: dieses Warten macht mich ganz ~** (*fig fam*) this waiting really drives me round the bend; **Kran•ke(r)** *f m* patient, sick person; **die ~en** the ill, the sick

krän•keln ['krɛŋkəln] *itr* be sickly; (*a. fig: Wirtschaft etc*) be ailing

kran•ken ['kraŋkən] *itr* (*a. fig*) suffer (*an* from)

krän•ken ['krɛŋkən] *tr* hurt (*jdn* s.o., someone's feelings); **sie war tief gekränkt** she was deeply hurt; **jdn in seiner Ehre ~** offend someone's pride

Kran•ken•ak•te *f* medical file; **Kran•ken•be•richt** *m* medical report; **Kran•ken•be•such** *m* **1.** (*Besuch bei jdm im Krankenhaus*) visit (to a sick person) **2.** (*Arztbesuch*) (sick) call; **Kran•ken•bett** *n* sick-bed; **Kran•ken•geld** *n* sickness benefit; (*von Firma*) sickpay; **Kran•ken•haus** *n* hospital; **jdn in ein ~ einliefern** put s.o. in a hospital, hospitalize s.o.; **jdn in ein ~ aufnehmen** admit s.o. to a hospital; **Kran•ken•kas•se** *f* **1.** (*Krankenversicherung*) health insur, ance **2.** (*Versicherungsunternehmen*) health insurance company; **Kran•ken•kost** *f* sick diet; **Kran•ken•pfle•ge** *f* nursing; **Kran•ken•pfle•ger** *m* male nurse, orderly; **Kran•ken•pfle•ge•rin** *f* nurse; **Kran•ken•schein** *m* medical insurance record card; **Kran•ken•schwes•ter** *f* nurse; **Kran•ken•stand** *m* number of absentees due to illness; **Kran•ken•trans•port** *m* **1.** (*Transport Kranker*) transportation of sick people **2.** (*Rettungsdienst*) ambulance service; **Kran•ken•ver•si•che•rung** *f* health insurance; **Kran•ken•wa•gen** *m* ambulance; **Kran•ken•zim•mer** *n* (*Zimmer mit Krankem*) sickroom; (*Krankenhauszimmer*) hospital room

krank|fei•ern *itr* (*fam*) be off sick

krank•haft *adj* **1.** (*a. fig*) morbid **2.** (*seelisch*) pathological

Krank•heit *f* **1.** (*allgemein, a. fig*) illness, sickness **2.** (*bestimmte*) disease; **ansteckende ~** contagious disease; **e-e ~ durchmachen** suffer from an illness; **sich e-e ~ zuziehen** contract a disease; **e-e ~ vortäuschen** pretend to be ill; **diese Karre ist e-e ~!** (*fig fam*) this crate's just a joke!;

krank•heits•er•re•gend *adj* pathogenic; **Krank•heits•er•re•ger** *m* (MED) disease-causing agent, pathogene; **Krank•heits•keim** *m* (MED) germ of a [*o* the] disease; **Krank•heits•ver•lauf** *m* (MED) course of a [*o* the] disease

krank|la•chen *refl* crease up (laughing)

kränk•lich ['krɛŋklɪç] *adj* in poor health, sickly

krank|mel•den[RR] *refl* report sick; (*telephonisch*) phone in sick

Krank•mel•dung *f* notification of illness (to one's employer)

krank|schrei•ben[RR] *irr tr* file a medical certificate; **sie ist schon seit drei Monaten krankgeschrieben** she's been off sick for three months

Krän•kung ['krɛŋkʊŋ] *f* insult, offence

Kranz [krants, *pl:* 'krɛntsə] <-es, ¨-e> *m* **1.** wreath **2.** (*ringförmig Eingefasstes*) ring **3.** (*fig: Zyklus*) cycle

krän•zen ['krɛntsən] *tr* adorn (with garlands)

krass[RR] [kras] *adj* **1.** (*auffallend*) glaring; (*Unterschied etc*) extreme **2.** (*unerhört*) blatant, crass **3.** (*unverblümt*) stark

Kra•ter ['kra:tɐ] <-s, -> *m* crater

Krat•ten <-s, -> *m* (*CH: Korb*) basket

Kratz•bürs•te *f* (*fig fam*) crosspatch

Krät•ze ['krɛtsə] <-> *f* (MED) scabies

krat•zen ['kratsən] *tr* **1.** (*a. itr*) scratch; (*ab~*) scrape (*von* off) **2.** (*fam: stören*) bother; **es kratzt mich im Hals** [*o* **mein Hals kratzt**] my throat feels rough; **das kratzt mich nicht** (*fig fam*) I don't give a damn (about that); **Krat•zer** *m* (*Schramme*) scratch; **kratz•fest** *adj* mar-resistant

krau•len[1] ['kraʊlən] *sein* **I.** *itr* (SPORT: *Kraulschwimmen*) do the crawl **II.** *tr:* **C. hat die 100 m in 85 sec gekrault** C. did the 100 metres crawl in 85 seconds

krau•len[2] *haben tr* (*liebkosen*) fondle; **jdn am Kinn ~** chuck s.o. under the chin

kraus [kraʊs] *adj* **1.** crinkly; (*Haar*) frizzy; (*Stirn*) wrinkled **2.** (*fig: konfus*) muddled; **die Stirn ~ ziehen** knit one's brow; (*missbilligend*) frown

kräu•seln ['krɔɪzəln] **I.** *tr* (*Haar*) make frizzy; (*Wasseroberfläche*) ruffle; (*Lippen*) pucker **II.** *refl* (*Haare*) go frizzy; (*Wasser*) ripple; (*Rauch*) curl (up)

Kraus•kopf *m* **1.** (*Frisur*) frizzy hair **2.** (*wirrer Mensch*) curly-head

Kraut [kraʊt, *pl:* 'krɔɪtɐ] <-(e)s, ¨-er> *n* **1.** (BOT) herb **2.** (*Kohlgemüse*) cabbage **3.** (*pej: Tabak*) tobacco; **ins ~ schießen** run to seed; (*fig*) run wild; **wie ~ u. Rüben durcheinander** higgledy-piggledy; **dagegen ist kein ~ gewachsen** (*fig fam*) there is no remedy for that

Kräu•ter•tee *m* herb tea

Kraut•kopf *m* (*österr*) cabbage

Kra•wall [kra'val] <-s, -e> *m* **1.** (*Aufruhr*) riot **2.** (*Krach, Lärm*) racket; **~ machen** (*fam: randalieren*) go on the rampage; **~ schlagen** (*fam: sich beschweren*) kick up a fuss

Kra•wat•te [kra'vatə] <-, -n> *f* (neck)tie; **Kra•wat•ten•na•del** *f* tie-pin

kra•xeln ['kraksəln] *sein itr* (*fam*) clamber

kre•a•tiv [kreɑ'ti:f] *adj* creative; **Kre•a•ti•vi•tät** *f* creativity

Kre•a•tur [krea'tu:ɐ] <-, -en> *f* creature

Krebs [kre:ps] <-es, -e> *m* **1.** (ZOO: *Fluss~*) crayfish *Br,* crawfish *Am;* (*Taschen~*) crab **2.** (ASTR) Cancer **3.** (MED) cancer; **~ erregend**[RR] carcinogenic; **krebs•ar•tig** *adj* **1.** (ZOO) crustaceous **2.** (MED) cancerous; **Krebs•ent•ste•hung** *f* cancerogenesis; **krebs•er•re•gend** *adj s.* Krebs; **Krebs•for•schung** *f* cancer research; **Krebs•früh•er•ken•nung** *f* early detection of cancer; **Krebs•ge•schwulst** *f* (MED) cancerous growth [*o* tumour]; **Krebs•ge•schwür** *n* **1.** (MED) carcinoma **2.** (*fig*) cancer; **Krebs•kli•nik** *f* cancer clinic; **krebs•krank** *adj* suffering from cancer; **Krebs•ri•si•ko•fak•tor** *m* cancer risk factor; **Krebs•vor•sor•ge(•un•ter•su•chung)** *f* cancer check-up; **Krebs•zel•le** *f* cancer cell

Kre•dit [kre'di:t] <-(e)s, -e> *m* **1.** (*Anleihe*) credit, loan **2.** (*fig: Ruf*) (good) repute [*o* standing]; **auf ~** on credit; **e-n ~ aufnehmen** raise a loan; **jdm ~ einräumen** grant s.o. a credit; **~ haben** (FIN) enjoy credit; (*fig*) have standing; **Kre•dit•brief** *m* (FIN) letter of credit; **Kre•dit•ge•ber** *m* (COM FIN) creditor; **Kre•dit•hai** *m* (*pej*) loan shark; **kre•di•tie•ren** *tr* (COM FIN): **jdm e-n Betrag ~** credit s.o. with an amount; **Kre•dit•ins•ti•tut** *n* financial institution; **Kre•dit•kar•te** *f* credit card; **Kre•dit•lauf•zeit** *f* credit period; **Kre•dit•li•nie** *f* (FIN) line of credit; **Kre•dit•neh•mer** *m* (COM FIN) borrower; **kre•dit•wür•dig** *adj* (FIN) credit-worthy

Krei•de ['kraɪdə] <-, -n> *f* **1.** (CHEM) chalk **2.** (GEOL: *Erdzeitalter*) Cretaceous (period); **bei jdm tief in der ~ stehen** (*fig fam*) be deep in debt to s.o.; **krei•de•bleich** *adj,* **krei•de•weiß** ['--'-] *adj* (as) white as chalk; **Krei•de•fel•sen** *m* chalk cliff; **Krei•de•zeich•nung** *f* chalk drawing

kre•ie•ren [kre'i:rən] *tr* create

Kreis [kraɪs] <-es, -e> *m* **1.** (*allgemein*) circle **2.** (*Sphäre, Wirkungs~*) sphere **3.** (*Stadt~, Land~*) district **4.** (EL: *Strom~*) circuit **5.** (*fig: Zirkel*) circle; **sich im ~(e)**

drehen turn round in a circle; (*fig*) go round in circles *pl;* **e-n ~ beschreiben** describe a circle; **in weiten ~en der Bevölkerung** in wide sections of the population; **weite ~e ziehen** (*fig*) have wide repercussions; **Kreis•bahn** *f* (ASTR) orbit; **Kreis•be•we•gung** *f* gyration; **Kreis•bo•gen** *m* (*allgemein*) arc (of a circle); (ARCH) circular arch

krei•schen ['kraɪʃən] *itr* shriek, screech

Krei•sel ['kraɪzəl] <-s, -> *m* **1.** (*Spielzeug*) spinning top **2.** (TECH) gyroscope; **Krei•sel•pum•pe** *f* centrifugal pump

krei•sen *sein itr* **1.** (*um e-e Achse, a. fig*) revolve (*um* around); (*Satellit etc*) orbit (*um etw* s.th.) **2.** (*Blut, a. fig*) circulate (*in* through); **die Arme ~ lassen** swing one's arms around

Kreis•dia•gramm *n* pie chart

Kreis•flä•che *f* **1.** (*der Kreis*) circle **2.** (MATH: *~ninhalt*) area of a [*o* the] circle; **kreis•för•mig** *adj* circular; **Kreis•lauf** *m* **1.** (*Blut~, Öl~, Geld~ etc*) circulation **2.** (*Zyklus, ewiger ~ der Natur etc*) cycle; **Kreis•lauf•still•stand** *m* circulatory collapse; **Kreis•lauf•stö•run•gen** *fpl* (MED) circulatory disorders; **Kreis•sä•ge** *f* chain saw

Kreiß•saal *m* delivery room

Kreis•stadt *f* district [*o* county] town *Br;* **Kreis•um•fang** *m* (MATH) circumference; **Kreis•ver•kehr** *m* roundabout traffic *Br,* rotary traffic *Am*

Kre•ma•to•rium [krema'toːriʊm] *n* crematorium *Br,* crematory *Am*

Kreml ['krɛml] <-(s)> *m* (POL) Kremlin

Krem•pe ['krɛmpə] <-, -n> *f* brim

Krem•pel ['krɛmpəl] <-s> *m* (*pej: Zeug*) stuff; (*Gerümpel*) junk; **ich werfe den ganzen ~ hin!** (*fig*) I'm really going to chuck the whole business in!

Kren [kreːn] <-(e)s> *m* horse-radish *österr*

kre•pie•ren [kre'piːrən] *sein itr* **1.** (*eingehen*) die **2.** (*sl: sterben*) croak (it) **3.** (MIL: *platzen*) explode

Krepp [krɛp] <-s, -s/-e> *m* crepe; **Krepp•pa•pier**[RR] *n* crepe paper; **Krepp•soh•le** *f* crepe sole

Kres•se ['krɛsə] <-, -n> *f* (BOT) cress

Kreuz [krɔɪts] <-es, -e> *n* **1.** (*allgemein, a. fig*) cross **2.** (*Kartenfarbe*) clubs *pl;* (*einzelne ~karte*) club **3.** (ANAT) small of the back **4.** (MUS) sharp; **das ~ schlagen** (*sich bekreuzigen*) cross o.s.; **jdn ans ~ schlagen** nail s.o. to the cross; **aufs ~ fallen** (*hinfallen*) fall on one's back; (*fig fam*) fall through the floor; **jdn aufs ~ legen** (*fig fam*) take s.o. for a ride; **zu ~e kriechen** (*fig*) eat humble pie; **es ist ein ~ mit ihr** (*fig fam*) she's a real plague; **sein ~ auf sich nehmen** (*fig*) take up one's cross; **ich hab's im ~** (*fam*) I have back trouble

kreuz *adv:* **~ u. quer** (**durcheinander**) all over (the place)

kreu•zen **I.** *tr refl haben* (BIOL) cross; **die Klingen mit jdm ~** (*a. fig*) cross swords with s.o.; **werden sich unsere Wege jemals wieder ~?** will our ways ever cross again? **II.** *itr sein* **1.** (*Zickzack fahren*) tack **2.** (MAR) cruise

Kreu•zer *m* (MAR MIL) cruiser

Kreuz•fahrt *f* **1.** (HIST: *Kreuzzug*) crusade **2.** (MAR) cruise; **e-e ~ machen** (MAR) go on a cruise; **Kreuz•feu•er** *n* (MIL: *a. fig*) crossfire; **im ~ stehen** (*fig*) be caught in the crossfire; **kreuz•fi•del** ['--'-] *adj* (*fam*) (as) merry as a cricket; **Kreuz•gang** *m* (ARCH) cloister

kreu•zi•gen ['krɔɪtsɪgən] *tr* crucify; **Kreu•zi•gung** *f* crucifixion

Kreuz•ot•ter *f* (ZOO) adder; **Kreuz•schlitz•schrau•be** *f* (TECH) recessed head screw; **Kreuz•schlitz•schrau•ben•zie•her** *m* (TECH) Phillips screwdriver®; **Kreuz•schlüs•sel** *m* (MOT) wheel brace; **Kreuz•schmer•zen** *mpl* backache *sing;* **Kreuz•spinne** *f* cross [*o* garden] spider

Kreu•zung *f* **1.** (*Straßen~*) crossroads *Br,* intersection *Am* **2.** (BIOL: *Vorgang*) cross-breeding **3.** (*Ergebnis*) cross-breed, hybrid

Kreuz•ver•hör *n* cross-examination; **jdn ins ~ nehmen** cross-examine s.o.; **Kreuz•weg** *m* **1.** (*Wegkreuzung, a. fig*) crossroads *pl* **2.** (ECCL) way of the cross

kreuz•wei•se *adv* crosswise; **du kannst mich ~!** (*sl*) get stuffed!

Kreuz•wort•rät•sel *n* crossword puzzle; **Kreuz•zug** *m* (*a. fig*) crusade

krib•beln ['krɪbəln] *itr* **1.** (*herumkrabbeln*) scurry (around) **2.** (*jucken*) itch, tickle; (*prickeln*) prickle, tingle

krie•chen [kriːçən] *irr itr* **1.** crawl, creep **2.** (*fig: unterwürfig sein*) grovel (*vor* before); **Krie•cher(in)** *m(f)* (*fig*) groveller; **Kriech•spur** *f* (MOT: *fam*) slow [*o* crawler] lane; **Kriech•tem•po** *n* (MOT: *fam*): **im ~** at a snail's pace

Krieg [kriːk] <-(e)s, -e> *m* war; **im ~** (*im Gegensatz zum Frieden*) in war; (*als Soldat*) away in the war; **im ~ sein mit ...** be at war with ...; **~ anfangen mit ...** start a war with ...; **~ führen mit ...** wage war (on); **~ führend**[RR] belligerent; **~ der Sterne** (POL MIL) Star Wars

krie•gen ['kriːgən] *tr* (*fam: bekommen*) get

Krie•ger ['kriːgɐ] <-s, -> *m* warrior; **Krie•ger•denk•mal** <-s, ¨er> *n* war memorial

krie•ge•risch *adj* warlike; **~e Auseinandersetzung** military conflict

Krie•ger•wit•we *f* war-widow

krieg•füh•rend *adj s.* Krieg; **Krieg•füh•rung** *f* warfare

Kriegs•aus•bruch *m* outbreak of war; **Kriegs•beil** *n* tomahawk; **das ~ begraben** (*fig*) bury the hatchet; **Kriegs•be•richt•er•stat•ter(in)** *m(f)* war correspondent; **kriegs•be•schä•digt** *adj* war-disabled; **Kriegs•dienst•ver•wei•ge•rer** *m* conscientious objector; **Kriegs•er•klä•rung** *f* declaration of war; **Kriegs•fall** *m* war

Kriegs•fuß *m* (*fig fam*): **mit jdm auf ~ stehen** be at loggerheads with s.o.; **mit der deutschen Sprache auf ~ stehen** find the German language rather heavy going

Kriegs•ge•fan•ge•ne(r) *f m* prisoner of war; **Kriegs•ge•fan•gen•schaft** *f* captivity; **in ~ sein** be a prisoner of war; **Kriegs•ge•richt** *n* (MIL) court-martial; **vor das ~ kommen** be tried by court-martial; **jdn wegen etw vors ~ stellen** court-martial s.o. for s.th.; **Kriegs•ha•fen** *m* naval port; **Kriegs•ka•me•rad** *m* fellow soldier; **Kriegs•list** *f* stratagem; **Kriegs•ma•ri•ne** *f* navy; **Kriegs•pfad** *m* warpath; **Kriegs•recht** *n* (MIL) martial law; **Kriegs•schau•platz** *m* theatre of war *Br,* theater of war *Am;* **Kriegs•spiel•zeug** *n* war toy(s); **Kriegs•schiff** *n* man- of-war, warship; **Kriegs•teil•neh•mer** *m* combatant; (*nach Kriegsende*) ex- serviceman *Br,* veteran *Am;* **Kriegs•trei•ber** *m* (*pej*) war-monger; **Kriegs•ver•bre•cher** *m* war criminal; **kriegs•ver•sehrt** *adj* war-disabled; **Kriegs•zu•stand** *m* state of war; **im ~** at war

Kri•mi ['krɪmi] <-s, -s> *m* (*fam*) thriller

Kri•mi•nal•be•am•te, -be•am•tin [krɪmi'na:l-] *m, f* detective; **Kri•mi•na•li•tät** *f* **1.** (*Verbrechertum*) crime **2.** (*~srate*) crime rate; **Kri•mi•nal•po•li•zei** *f* criminal investigation department *Br,* detective force *Am;* **Kri•mi•nal•ro•man** *m* (crime) thriller, detective novel; **kri•mi•nell** *adj* (*a. fig fam*) criminal; **Kri•mi•nel•le(r)** *f m* criminal

Krims•krams ['krɪmskrams] <-(es)> *m* (*fam*) **1.** (*Nippes*) knickknacks *pl* **2.** (*Zeug*) odds and ends *pl*

Krin•gel ['krɪŋl] <-s, -> *m* (*fam*) squiggle

Kri•po ['kri:po] <-> *f Abk. von* **Kriminalpolizei** CID, Criminal Investigation Department

Krip•pe ['krɪpə] <-, -n> *f* **1.** (*Weihnachts~*) crib; (*biblisch: im NT*) manger **2.** (*Futter~*) haybox, rack **3.** (*Kinder~*) creche; **Krip•pen•tod** *m* (MED) cot death

Kri•se ['kri:zə] <-, -n> *f* crisis; **kri•seln** ['kri:zəln] *itr* (*fam*): **es kriselt** there is a crisis looming

kri•sen•an•fäl•lig *adj* crisis-prone; **kri•sen•fest** *adj* crisis-proof; **Kri•sen•herd** *m* flashpoint, trouble spot; **Kri•sen•ma•nage•ment** *n* (COM POL) crisis management; **Kri•sen•stab** *m* action committee; **Kri•sen•zeit** *f* time of crisis

Kris•tall [krɪs'tal] *m* crystal; **kris•tal•len** *adj* crystal; **Kris•tall•glas** *n* crystal glass; **kris•tal•lin(isch)** [krɪ sta'li:n(ɪʃ)] *adj* crystalline; **kris•tal•li•sie•ren** *itr refl* (*a. fig*) crystallize; **Kris•tall•wa•ren** *pl* crystalware; **Kris•tall•zu•cker** *m* refined sugar in crystals

Kri•te•ri•um *n* **1.** (*allgemein*) criterion **2.** (*Radsport*) circuit race

Kri•tik [kri'ti:k] *f* **1.** criticism **2.** (*Besprechung, Rezension*) review **3.** (*die ~er*) critics *pl* **4.** (PHILOS: *kritische Analyse*) critique; **unter aller ~** (*fam*) beneath contempt; **Kri•ti•ker(in)** *m(f)* critic; **kri•tik•los** *adj* uncritical; **kri•tisch** *adj* critical; **etw ~ prüfen** scan s.th.; **dann wird es kritisch!** it could be critical!

kri•ti•sie•ren *tr itr* criticize; **du hast aber auch an allem etw zu ~** you really always have s.th. to criticize

krit•teln ['krɪtəln] *itr* (*pej*) find fault (*an* with)

Krit•ze•lei [krɪtsə'laɪ] *f* scribble; (*an Wänden*) graffiti

krit•zeln *tr itr* scribble

Kro•kant [kro'kant] <-s> *n* cracknel

Kro•ket•te [kro'kɛtə] <-, -n> *f* croquette

Kro•ko•dil [kroko'di:l] <-s, -e> *n* (ZOO) crocodile; **Kro•ko•dils•trä•nen** *fpl* (*fig*) crocodile tears; **Kro•ko•le•der** *n* (*fam*) alligator [*o* crocodile] skin

Kro•kus [kro:kʊs] <-, -se> *m* (BOT) crocus

Kro•ne ['kro:nə] <-, -n> *f* **1.** (*Königs~ etc*) crown **2.** (*Zahn~*) cap, crown **3.** (*Baum~*) top **4.** (*Währungseinheit*) crown; (*Schweden*) krona; **das setzt doch wirklich allem die ~ auf!** that really beats everything!; **e-n in der ~ haben** (*fig fam*) have had a drop too much; **die ~ der Schöpfung** (*fig*) the pride of creation

krö•nen ['krø:nən] *tr* (*a. fig*) crown (*jdn zum König* s.o. king); **s-e Bemühungen waren von Erfolg gekrönt** (*fig*) his efforts were crowned with success

Kron•kor•ken *m* crown cork; **Kron•leuch•ter** *m* chandelier

Kron•prinz *m* crown prince; (*im Vereinigten Königreich*) Prince of Wales; **Kron•prin•zes•sin** *f* crown-princess; (*im Vereinigten Königreich*) Princess Royal

Krö•nung ['krønʊŋ] *f* **1.** (*Königs~ etc*) coronation **2.** (*fig: Kulmination*) culmination

Kron•zeu•ge *m* (JUR): **als ~ auftreten** turn,

Queen's evidence *Br,* State's evidence *Am*

Kropf [krɔpf, *pl:* 'krœpfə] <-(e)s, ¨-e> *m* **1.** (*bei Taube etc*) crop **2.** (MED) goitre; **Kropf•band** *nt* choker

Krö•te ['krøːtə] <-, -n> *f* **1.** (ZOO) toad **2.** (*im Plural, sl: Geld*): **~n** dough; **freche ~!** (*fig fam*) cheeky minx!

Krü•cke ['krʏkə] <-, -n> *f* **1.** (*Gehhilfe*) crutch **2.** (*fig*) prop **3.** (*sl: Flasche, Versager*) dead loss

Krug¹ [kruːk, *pl:* 'kryːgə] <-(e)s, ¨-e> *m* jug; (*Bier~*) mug

Krug² <-s> *m* (*Wirtshaus*) inn

Kru•me ['kruːmə] <-, -n> *f* **1.** (*Brot~*) crumb **2.** (*Acker~*) soil

Krü•mel ['kryːməl] <-s, -> *m* (*Krume*) crumb; **krü•me•lig** *adj* crumbly; **krü•meln** *tr itr* crumble; (*beim Essen*) make crumbs

krumm [krʊm] *adj* **1.** crooked; (*verbogen*) bent; (*Rücken*) hunched **2.** (*fig fam: nicht ganz legal*) crooked; **~e Wege** (*fig fam*) crooked ways; **~e Nase** hooked nose; **keinen Finger (für jdn) ~ machen** (*fig fam*) not lift a finger (for s.o.); **auf die ~e Tour** (*fig fam*) by dishonest means; **etw auf die ~e Tour versuchen** (*fig fam*) try to fiddle s.th.; **(jdm) etw ~ nehmen**^RR^ (*fam*) take s.th. amiss; **krumm•bei•nig** *adj* bandy-legged

krüm•men ['krʏmən] **I.** *tr* bend **II.** *refl* **1.** (*Straße, Fluss*) wind **2.** (*Wurm*) writhe; **sich vor Schmerzen ~** writhe with pain

krumm|neh•men *s.* **krumm**

Krüm•mung ['krʏmʊŋ] *f* (*Biegung*) bend, turn; (MED: *von Rückgrat*) curvature

Krup•pe ['krʊpə] <-, -n> *f* (ZOO) croup, crupper

Krüp•pel ['krʏpəl] <-s, -> *m* (*a. fig*) cripple; **jdn zum ~ machen** cripple s.o.; **krüp•pe•lig** *adj* **1.** (MED: *verkrüppelt*) crippled **2.** (*missgestaltet: Baum etc*) deformed

Krus•te ['krʊstə] <-, -n> *f* crust; (MED) scurf; (*Braten~*) crackling; **Krus•ten•tier** *n* (ZOO) crustacean

Kru•zi•fix ['kruːtsifɪks/krutsi'fɪks] <-es, -e> *n* (ECCL) crucifix

Kryp•ta ['krʏpta] <-, -ten> *f* crypt

Ku•ba ['kuːba] *n* Cuba; **Ku•ba•ner(in)** [ku'baːnɐ] *m(f)* Cuban; **ku•ba•nisch** *adj* Cuban

Kü•bel ['kyːbəl] <-s, -> *m* (*Eimer*) bucket, pail; **es gießt wie aus ~n** it's really bucketing down

Ku•bik•me•ter *m* cubic metre; **Ku•bik•wur•zel** [ku'biːk-] *f* (MATH) cube root; **Ku•bik•zahl** *f* (MATH) cube number; **Ku•bik•zen•ti•me•ter** *m* cubic centrimetre *Br,* cubic centimeter *Am*

Kü•che ['kʏçə] <-, -n> *f* **1.** (*Raum*) kitchen **2.** (*Kochkunst*) cooking, cuisine **3.** (*fig: Essen, Speisen*) dishes, meals *pl*

Ku•chen ['kuːxən] <-s, -> *m* cake

Kü•chen•ab•fall *m* kitchen slops *pl*

Ku•chen•blech *n* baking tin

Kü•chen•chef *m* chef

Ku•chen•form *f* cake tin

Kü•chen•herd *m* kitchen range; **Kü•chen•ma•schi•ne** *f* **1.** (*allgemein*) food processor **2.** (*Mixer*) mixer; **Kü•chen•scha•be** *f* (ZOO) cockroach; **Kü•chen•schrank** *m* (kitchen)cupboard

Ku•chen•teig *m* cake mixture

Kü•chen•tuch *n* kitchen towel; **Kü•chen•zet•tel** *m* menu

Ku•ckuck ['kʊkʊk] <-s, -e> *m* **1.** (ZOO) cuckoo **2.** (*fam: Pfandsiegel*) bailiff's seal; **zum ~ noch mal!** hell's bells!; **hol's der ~!** botheration!; **weiß der ~!** heaven knows!; **Ku•ckucks•uhr** *f* cuckoo clock

Kud•del•mud•del ['kʊdlmʊdl] <-s> *n* (*fam*) muddle, mess

Ku•fe ['kuːfə] <-, -n> *f* (*Schlitten~*) runner; (AERO) skid

Ku•gel ['kuːgəl] <-, -n> *f* **1.** (*allgemein*) ball **2.** (MATH) sphere **3.** (*Bleigeschoss*) bullet; **sich e-e ~ durch den Kopf jagen** blow one's brains out; **e-e ruhige ~ schieben** (*fig fam: faulenzen*) swing the lead; **Ku•gel•blitz** *m* ball-lightning; **Ku•gel•fang** *m* butt; **ku•gel•för•mig** *adj* spherical; **Ku•gel•kopf** *m* golf ball; **Ku•gel•kopf•schreib•ma•schi•ne** *f* golf-ball typewriter; **Ku•gel•la•ger** *n* ball bearing; **ku•geln** ['kuːgəln] *tr itr refl* roll; **ich könnte mich kugeln!** (*fig fam*) it's killingly funny!; **es war zum Kugeln!** (*fig fam*) I nearly split with laughing!; **ku•gel•rund** ['--'-] *adj* **1.** as round as a ball **2.** (*fam: fett*) barrel-shaped; **Ku•gel•schrei•ber** *m* ballpoint pen, Biro; **ku•gel•si•cher** *adj* bullet-proof; **Ku•gel•sto•ßen** *n* (SPORT) putting the shot

Kuh [kuː, *pl:* kyːə] <-, ¨-e> *f* cow; **blinde ~** blind-man's-buff; **heilige ~** (*a. fig*) sacred cow; **Kuh•han•del** *m* (*fig fam*) horse-trading; **Kuh•haut** *f* cow-hide; **das geht auf keine ~!** (*fam*) that's absolutely staggering!; **Kuh•hir•te** *m* cowherd

kühl [kyːl] *adj* **1.** chilly, cool **2.** (*fig*) cool; (*abweisend*) cold; **mir wird etw ~** I'm getting rather chilly; **abends wird es ~** in the evening it gets chilly; **Kühl•an•la•ge** *f* cooling [*o* refrigerating] plant; **Kühl•be•cken** *n* (*für Brennelemente*) cooling pond; **Kühl•box** *f* cold box, cooler; **Küh•le** ['kyːlə] <-> *f* (*a. fig*) coolness; (*Abweisung*) coldness

küh•len *tr itr* cool; (TECH) refrigerate; **sein Mütchen an jdm ~** (*fig fam*) take it out on s.o.

Küh•ler *m* (MOT) **1.** radiator **2.** (*fam: ~haube*) bonnet *Br,* hood *Am;* **Küh•ler•grill** *m* (MOT) radiator grille; **Küh•ler•hau•be** *f* (MOT) bonnet *Br,* hood *Am*

Kühl•ge•blä•se *n* cooling air fan; **Kühl•haus** *n* cold-storage depot; **Kühl•man•tel** *m* (TECH) cooling jacket; **Kühl•raum** *m* cold-storage room; **Kühl•schlan•ge** *f* (TECH) refrigerating coil; **Kühl•schrank** *m* refrigerator; (*Br: fam*) fridge, icebox *Am;* **Kühl•tru•he** *f* chest freezer, freezer cabinet; **Kühl•turm** *m* cooling tower; **Küh•lung** *f* **1.** (*das Kühlen*) cooling **2.** (*Kühle*) coolness; **Kühl•wa•gen** *m* **1.** (RAIL) refrigerator waggon *Br,* refrigerator car *Am* **2.** (MOT: *Lastwagen*) refrigerator truck; **Kühl•was•ser** *n* cooling water

Kuh•milch *f* cow's milk

kühn [kyːn] *adj* (*a. fig*) bold; **die Vorstellung übertraf meine ~sten Erwartungen** the performance surpassed my wildest hopes [*o* dreams]; **Kühn•heit** *f* boldness

Kuh•stall *m* byre, cowshed

Kü•ken [ˈkyːkn] <-s, -> *n* chicken

ku•lant *adj* obliging

Ku•li [ˈkuːli] <-s, -s> *m* **1.** (*Lastträger*) coolie **2.** (*fam: Kugelschreiber*) ballpoint

ku•li•na•risch [kuliˈnaːrɪʃ] *adj* culinary

Ku•lis•se [kuˈlɪsə] <-, -n> *f* **1.** (THEAT: *a. Landschafts~*) scenery **2.** (*fig: Hintergrund*) background; **was geht hinter den ~n vor?** what's going on backstage?; **e-n Blick hinter die ~n tun** (*fig*) have a glimpse behind the scenes

kul•lern [ˈkʊlɐn] *itr* (*fam*) roll

Kult [kʊlt] <-(e)s, -e> *m* cult; (*Verehrung*) worship; **Kult•fi•gur** *f* cult figure; **Kult•film** *m* cult film

kul•ti•vie•ren [kʊltiˈviːrən] *tr* (*a. fig*) cultivate; **kul•ti•viert** *adj* (*a. fig*) cultivated; (*verfeinert, anspruchsvoll*) sophisticated; **eine ~e Unterhaltung** a refined conversation

Kult•stät•te *f* place of worship

Kul•tur [kʊlˈtuːɐ] <-, -en> *f* **1.** (*Geistesleben*) culture **2.** (*Lebensform*) civilization **3.** (*Bakterien~, Pilz~, Bienen~ etc*) culture; **Kul•tur•aus•tausch** *m* cultural exchange; **Kul•tur•beu•tel** *m* washbag, toilet bag; **Kul•tur•ba•nau•se** *m* (*fam*) philistine; **kul•tu•rell** [kʊltuˈrɛl] *adj* cultural; **Kul•tur•film** *m* documentary film; **Kul•tur•ge•schich•te** *f* history of civilisation; **Kul•tur•land•schaft** *f* **1.** (*bebautes Land*) agricultural landscape **2.** (*fig*) cultural landscape; **Kul•tur•na•ti•on** *f* cultural nation; **Kul•tur•po•li•tik** *f* politics of culture; **Kul•tur•re•fe•rent(in)** *m(f)* convenor responsible for cultural affairs in a community; **Kul•tur•stu•fe** *f* stage of civilisation; **Kul•tur•volk** *n* civilized nation [*o* people]; **Kul•tur•zen•trum** *n* **1.** (*kultureller Mittelpunkt*) cultural centre *Br,* cultural center *Am* **2.** (*Institution, Anlage*) arts centre

Kul•tus•mi•nis•te•rium [ˈkʊltʊs-] *n* ministry of education and the arts

Küm•mel [ˈkʏməl] <-s, -> *m* **1.** (*Gewürz*) caraway **2.** (*fam: ~branntwein*) kümmel

Kum•mer [ˈkʊmɐ] <-s> *m* (*Betrübtheit*) grief, sorrow; (*Ärger*) trouble, worry; **ist das Ihr einziger ~?** don't you have any other problems? *pl;* **jdm ~ bereiten** cause s.o. worry; **wir sind ~ gewöhnt** (*fig fam*) it happens all the time

küm•mer•lich [ˈkʏmɐlɪç] *adj* **1.** (*karg, armselig*) miserable, wretched; (*spärlich, kläglich*) scanty **2.** (*schwächlich, mickrig*) puny

küm•mern **I.** *tr* (*betreffen*) concern; **was kümmert mich das?** what's that to me? what do I care about that? **II.** *refl* **1.** (*sorgen*): **sich um jdn (etw) ~** look after s.o. (s.th.), take care of s.o. (s.th.) **2.** (*sich befassen*) mind (*um etw* s.th.); **~ Sie sich darum, dass ...** see to it that ...; **~ Sie sich nicht um ...** don't worry about ...; **~ Sie sich um Ihre eigenen Angelegenheiten!** mind your own business!; **ich muss mich um ein Geschenk für sie ~** I have to see about a present for her

kum•mer•voll *adj* sorrowful

Kum•pan [kʊmˈpaːn] <-s, -e> *m* (*fam*) pal; (*pej*) accomplice

Kum•pel [ˈkʊmpəl] <-s, -(s)> *m* **1.** (MIN) pitman **2.** (*fam: Freund, Arbeitskollege*) mate *Br,* pal, buddy *Am*

künd•bar [ˈkʏntbaːɐ] *adj* (*Vertrag*) terminable; (*Anleihe*) redeemable

Kun•de [ˈkʊndə] <-n, -n> *m*, **Kun•din** *f* customer; (*für Dienstleistung*) client

Kun•de[1] <-> *f* (*obs: Nachricht*) news *pl;* **der Welt von etw ~ geben** proclaim s.th. to the world; **von etw ~ ablegen** bear witness to s.th.

Kun•den•dienst *m* **1.** (*Service*) after-sales service **2.** (*~abteilung*) service department; **Kun•den•dienst•sach•be•ar•bei•ter(in)** *m(f)* customer service representative; **Kun•den•dienst•scheck•heft** *n* service coupon book; **Kun•den•kar•te** *f* customer (loyalty) card; **Kun•den•kreis** *m* clientale ele; **Kun•den•num•mer** *f* client code, customer number; **Kun•den•stamm** *m* (*Kundenschaft*) clientèle; (*Stammkundschaft*) regular customers *pl;* **Kun•den•stock** *m* (*österr*) customers

kund|ge•ben *irr tr* **1.** (*bekannt machen*) make known **2.** (*zum Ausdruck bringen*) express; **Kund•ge•bung** *f* 1. (POL) rally 2. (*Erklärung*) declaration; **kun•dig** *adj* (*informiert*) well-informed; (*erfahren, sach~*) expert

kün•di•gen ['kʏndɪgən] I. *tr* 1. (*Wohnung, Arbeit*) hand in one's notice for … 2. (*Vertrag*) terminate; (*Mitgliedschaft, Kredite etc*) cancel II. *itr* 1. (*vom Arbeitnehmer, Mieter etc aus*) give in one's notice to s.o. 2. (*vom Arbeitgeber aus*) give s.o. his notice (*zum 1. Juli* for July 1st, as of July 1st); (*vom Vermieter aus*) give s.o. notice to quit 3. (*bei Mitgliedschaft*) cancel one's membership; **Kün•di•gung** *f* 1. (*von Stellung, Wohnung*) notice 2. (*von Vertrag, Mitgliedschaft etc*) cancellation; **mit monatlicher ~** with a month's notice; **Kün•di•gungs•frist** *f* period of notice; **Kün•di•gungs•schutz** *m* protection against unlawful dismissal

Kund•schaft *f* customers *pl;* (*von Dienstleistungsbetrieb*) clients *pl*

kund•schaf•ten ['---] *tr* (MIL) reconnoitre; **Kund•schaf•ter** *m* (MIL) scout

künf•tig ['kʏnftɪç] I. *adj* future II. *adv* in future

Kunst [kʊnst, *pl:* 'kʏnstə] <-, ⸚e> *f* 1. (*Malerei, Bildhauerei etc*) art 2. (*Geschicklichkeit*) skill 3. (*Kniff*) trick; **die bildenden ⸚e** the plastic arts *pl;* **die schönen ⸚e** the fine arts *pl;* **das ist keine ~!** (*fig*) it doesn't take much!; **mit s-r ~ am Ende sein** be at one's wits' end; **die ~ besteht darin zu …** the knack is in … -ing …; **ärztliche ~** medical skill; **das ist e-e brotlose ~** (*fam*) there's no money in that; **was macht die ~?** (*fam: wie steht's?*) how are things?; **Kunst•a•ka•de•mie** *f* academy of art; **Kunst•aus•stel•lung** *f* art exhibition; **Kunst•dün•ger** *m* artificial fertilizer; **Kunst•er•zie•hung** *f* (*Schulfach*) art; **Kunst•fa•ser** *f* synthetic fibre; **kunst•fer•tig** *adj* skillful; **Kunst•fer•tig•keit** *f* skill; **Kunst•ge•gen•stand** *m* object of art; **kunst•ge•recht** *adj* proficient; **Kunst•ge•schich•te** *f* history of art; **Kunst•ge•wer•be** *n,* **Kunst•hand•werk** *n* arts and crafts *pl;* **Kunst•griff** *m* trick; **Kunst•händ•ler(in)** *m(f)* art dealer; **Kunst•hand•lung** *f* fine-art repository; **Kunst•harz** *m* (CHEM) artificial resin; **Kunst•herz** *n* artificial heart; **Kunst•ken•ner(in)** *m(f)* connoisseur; **Kunst•kri•ti•ker(in)** *m(f)* art-critic; **Kunst•le•der** *n* artificial [*o* imitation] leather

Künst•ler(in) ['kʏnstlɐ] <-s, -> *m(f)* 1. (*Kunstschaffender*) artist 2. (*fig: Könner*) genius (*in* at); **künst•le•risch** ['kʏnstlərɪʃ] *adj* artistic; **Künst•ler•na•me** *m* (*von Schauspieler*) stage name; (*von Schriftsteller*) pen name

künst•lich *adj* artificial; (*synthetisch*) synthetic; (*Haar, Zähne etc*) false; **jdn ~ ernähren** feed s.o. artificially; **sich ~ aufregen** (*fam*) get all worked up about nothing; **~e Intelligenz** (EDV) artificial intelligence, AI

Kunst•lieb•ha•ber(in) *m(f)* art lover; **kunst•los** *adj* unsophisticated; **Kunst•ma•ler(in)** *m(f)* painter; **Kunst•pau•se** *f* (*spannungssteigernde Pause*) pause for effect; (*iro: Steckenbleiben im Text*) awkward pause; **Kunst•rei•ter(in)** *m(f)* trick rider; **Kunst•samm•lung** *f* art collection; **Kunst•sei•de** *f* artificial silk; **Kunst•stoff** *m* synthetic material, synthetics *pl;* **kunst•stoff•be•schich•tet** *adj* synthetic-coated; **Kunst•stoff•ka•ros•se•rie** *f* (MOT) fibre glass body *Br,* fiber glass body *Am;* **Kunst•stoff•müll** *m* plastic waste; **Kunst•stück** *n* stunt, trick; **~!** (*iro: kein Wunder!*) small wonder!; **Kunst•tur•nen** *n* gymnastics *sing;* **Kunst•werk** *n* work of art

kun•ter•bunt ['kʊntɐ'bʊnt] *adj* motley; (*vielfarbig*) many-coloured; (*abwechslungsreich*) varied

Kup•fer ['kʊpfɐ] <-s> *n* copper; **Kup•fer•draht** *m* copper wire; **Kup•fer•schmied(in)** *m(f)* coppersmith; **Kup•fer•stich** *m* 1. (*das Kupferstechen*) copper engraving 2. (*~Karte etc.*) copperplate

Kup•pe ['kʊpə] <-, -n> *f* 1. (*Berg~*) rounded hilltop 2. (*Finger~*) tip

Kup•pel ['kʊpəl] <-, -n> *f* cupola, dome

Kup•pe•lei *f* (JUR) procuring

kup•peln ['kʊpəln] I. *itr* 1. (*sich als Kuppler(in) betätigen*) match-make; (JUR) procure 2. (MOT) operate the clutch II. *tr* (TECH: *verbinden*) couple, join

Kupp•ler(in) *m(f)* matchmaker; (JUR) procurer

Kupp•lung *f* 1. (TECH: *Wellen~, a. das Koppeln*) coupling 2. (MOT) clutch; **die ~ treten** (MOT) disengage the clutch; **die ~ kommen lassen** (MOT) let the clutch in

Kur [kuːɐ] <-, -en> *f* 1. (MED) cure 2. (*Haar~*) treatment

Kür [kyːɐ] <-, -en> *f* (*Eiskunstlauf*) free skating

Ku•ra•to•rium [kura'toːriʊm] <-s, -rien> *n* 1. (*Gremium*) board of trustees 2. (*Komitee, Vereinigung*) comittee

Kur•bel [kʊrbəl] <-, -n> *f* (TECH) crank; **Kur•bel•ge•häu•se** *n* (MOT) crankcase; **kur•beln** *tr itr* turn, wind; **Kur•bel•wel•le** *f* (MOT) crankshaft

Kür•bis ['kʏrbɪs] <-ses, -se> *m* 1. (BOT) pumpkin 2. (*fig fam: Kopf*) nut

ku•ren ['ku:rən] *itr* (*fam*) take a cure
Kur•fürst *m* (HIST) Elector; **Kur•fürs•ten•tum** *n* (HIST) electorate
Kur•gast *m* visitor to [*o* patient at] a health resort; **Kur•haus** *n* spa rooms *pl*
Ku•rie ['ku:riə] <-, -n> *f* (ECCL) Curia
Ku•rier [ku'ri:ɐ] <-s, -e> *m* courier; **Ku•rier•dienst** *m* parcel delivery service
ku•rie•ren *tr* cure
ku•ri•os [kuri'o:s] *adj* (*seltsam*) curious, odd; **Ku•rio•si•tät** *f* **1.** (*einzelner Gegenstand*) curiosity **2.** (*Merkwürdigkeit*) oddity
Kur•ort *m* health resort, spa; **Kur•pa•ckung** *f* (*für Haare*) hair repair kit; **Kur•pfu•scher(in)** *m(f)* (*fam*) quack; **Kur•pfu•sche•rei** *f* (*fam*) quackery
Kurs [kʊrs] <-es, -e> *m* **1.** (MAR AERO: *a. fig*) course; (POL) line **2.** (COM FIN: *Wechsel~*) rate of exchange; (*Aktien~*) price **3.** (*Lehrgang*) course (*für, in* in); **vom ~ abkommen** (AERO MAR: *a. fig*) deviate from one's course; **den ~ ändern** (**beibehalten**) (MAR AERO: *a. fig*) alter (hold) one's course; **~ nehmen auf ...** set course for ...; **zum ~ von ...** (FIN) at the rate of ...; **im ~ fallen** fall, go down; **im ~ steigen** go up, rise; **hoch im ~ stehen** (*Aktien*) be high; (*fig*) be popular (*bei* with); **Kurs•be•richt** *m* (FIN) stock market report; **Kurs•buch** *n* (RAIL) timetable *Br,* railroad guide *Am*
Kürsch•ner(in) ['kʏrʃnɐ] <-s, -> *m(f)* furrier
Kurs•ein•bruch *m* sudden price fall
kur•sie•ren *itr* circulate
kur•siv [kʊr'zi:f] *adj* italic; **etw ~ drucken** print s.th. in italics; **Kur•siv•schrift** *f* italic script, italics
Kurs•no•tie•rung *f* (FIN) quotation; **Kurs•ri•si•ko** *n* (FIN) market risk; **Kurs•rück•gang** *m* (FIN) fall in prices; **Kurs•schwan•kung** *f* (FIN) fluctuation in rates of exchange; **Kurs•sturz** *m* (FIN) sharp fall in prices; **Kurs•teil•neh•mer(in)** *m(f)* student
Kur•sus ['kʊrzʊs, *pl:* 'kʊrzə] <-, Kurse> *m* (*Lehrgang*) course
Kurs•ver•lust *m* (FIN) loss on the stock exchange; **Kurs•wa•gen** *m* (RAIL) through coach; **Kurs•wech•sel** *m* (POL) change of policy; **Kurs•zet•tel** *m* (FIN) stock exchange list
Kur•ve ['kʊrvə] <-, -n> *f* (*allgemein, a.* MATH) curve; (*Biegung*) bend; (AERO) turn; **weiter vorn macht die Straße e-e ~** further ahead the road bends; **die ~ kratzen** (*fig fam*) make tracks *pl;* **die ~ raushaben** (*fig fam*) have (got) the hang of it; **kur•ven•reich** *adj* (*Straße*) bendy
Kur•ver•wal•tung *f* spa authorities *pl*
kurz [kʊrts] **I.** *adj* **1.** (*räumlich u. zeitlich*) short **2.** (*bündig*) brief **3.** (*rasch*) quick; **mach's ~!** make it brief!; **in kürzester Frist** before very long; **binnen ~em** before long; **seit ~em** for a short while; **über ~ oder lang** sooner or later; (**bis**) **vor ~em** (until) recently; **vor ~er Zeit** lately; **~e Zeit nachher** shortly after; **den Kürzeren ziehen**[RR] (*fig fam*) get the worst of it; **≃er machen** shorten **II.** *adv* **1.** (*nicht lang, nicht weit*) just, shortly **2.** (*für e-e ~e Zeit*) briefly; **~ u. gut** in a word, in short; **~ u. bündig** concisely; **~ vor London** just before London; **etw ~ u. klein schlagen** smash s.th. to pieces; **zu ~ kommen** come off badly; **Kurz•ar•beit** *f* short time; **kurz|ar•bei•ten** *itr* be on short time; **Kurz•ar•bei•ter•geld** *n* short time allowance; **kurz•är•me•lig** *adj* short-sleeved; **kurz•at•mig** *adj* **1.** (MED) short-winded **2.** (*fig*) feeble; **Kurz•brief** *m* memo letter
Kür•ze ['kʏrtsə] <-> *f* **1.** (*allgemein*) shortness; (*von Aufsatz, Bericht etc*) briefness **2.** (*fig: Barschheit*) curtness; (*Bündigkeit*) conciseness; **in aller ~** very briefly; **der ~ halber** for the sake of brevity; **in der ~ liegt die Würze** (*prov*) brevity is the soul of wit; **kür•zen** *tr* **1.** (*kürzer machen*) shorten; (*Buch*) abridge **2.** (*fig: beschneiden*) cut (back) (back) **3.** (MATH: *e-n Bruch*) cancel (down)
kur•zer•hand ['kʊrtsɐ'hant] *adv* **1.** (*ohne Umschweife*) without further ado **2.** (*auf der Stelle*) on the spot
Kurz•fas•sung *f* abridged version; **Kurz•film** *m* filmlet, short; **Kurz•form** *f* (LING) abbreviated form; **kurz•fris•tig I.** *adj* short-term **II.** *adv* **1.** (*fürs erste*) for the short term **2.** (*für kurze Zeit*) for a short time; **Kurz•ge•schich•te** *f* short story; **kurz•le•big** *adj* short-lived
kürz•lich ['kʏrtslɪç] *adv* lately, recently
Kurz•nach•richt *f* brief account [*o* statement]; **~en** the news headlines *pl;* **Kurz•park•zo•ne** *f* short-stay parking zone; **Kurz•reise** *f* short trip; **Kurz•schluss**[RR] *m* (EL) short-circuit; **e-n ~ haben** (**bekommen**) be short-circuited (short-circuit); **Kurz•schluss•hand•lung**[RR] *f* (*fig*) rash action; **Kurz•schrift** *f* shorthand; **kurz•sich•tig** *adj* (*a. fig*) short-sighted; **Kurz•sich•tig•keit** *f* (*a. fig*) short-sightedness; **Kurz•stre•cken•flug** *m* short-haul flight; **Kurz•stre•cken•ra•ke•te** *f* (MIL) short-range missile
Kür•zung ['kʏrtsʊŋ] *f* **1.** (*das Kürzermachen*) shortening; (*bei Buch etc*) abridgement **2.** (*von Gehältern, Ausgaben etc*) cut (*bei etw o Genitiv: e-r Sache* in s.th.)
Kurz•wa•ren *pl* haberdashery *Br,* notions

Am

Kurz•weil ['kʊrtsvaɪl] <-> *f* pastime; **kurz•wei•lig** *adj* entertaining

Kurz•wel•le *f* (RADIO) short wave; **Kurz•zeit•ge•dächt•nis** *n* short-term memory; **Kurz•zeit•spei•cher** *m* (EDV) register

ku•scheln ['kʊʃln] *itr* cuddle

ku•schen ['kʊʃn] *itr* knuckle under

Ku•si•ne [ku'zi:nə] <-, -n> *f* cousin

Kuss[RR] [kʊs, *pl:* 'kʏsə] <-es, ⸚e> *m* kiss; **kuss•echt**[RR] *adj* kiss-proof

küs•sen ['kʏsən] *tr itr refl* kiss (*refl a.* each other)

Küs•te ['kʏstə] <-, -n> *f* coast; **Küs•ten•ge•biet** *n* coastal area; **Küs•ten•ge•wäs•ser** *npl* coastal waters; **Küs•ten•land•schaft** *f* coastal landscape; **Küs•ten•schiff•fahrt**[RR] *f* coastal shipping; **Küs•ten•schutz** *m* **1.** (*Erhaltung*) coastal preservation **2.** (*Küstenwache*) coastguard; **Küs•ten•strich** *m* stretch of coast; **Küs•ten•ver•schmut•zung** *f* coastal pollution

Küs•ter ['kʏstɐ] <-s, -> *m* (ECCL) sexton, verger

Kut•sche ['kʊtʃə] <-, -n> *f* **1.** carriage, coach **2.** (*fam: Auto*) jalopy; **Kut•scher** *m* coachman

Kut•te ['kʊtə] <-, -n> *f* habit

Kut•teln *pl* (*Speise: saurer Rindermagen*) tripes

Kut•ter ['kʊtɐ] <-s, -> *m* cutter

Ku•vert [ku'vɛrt/ku've:ɐ] <-(e)s, -e/-s> *n* (*Briefumschlag*) envelope

Ku•wait [ku'vaɪt] *n* Kuwait; **Ku•wai•ter(in)** <-s, -> *m(f)* Kuwaiti; **ku•wai•tisch** *adj* Kuwaiti

Ky•ber•ne•tik [kybɛr'ne:tɪk] *f* cybernetics *pl;* **ky•ber•ne•tisch** *adj* cybernetic

ky•ril•lisch [ky'rɪlɪʃ] *adj* Cyrillic

KZ [ka:'tsɛt] <-s, -s> *n Abk. von* **Konzentrationslager** concentration camp; **KZ-Ge•denk•stät•te** *f* concentration camp memorial

L

L, l [ɛl] <-, -> *n* L, l

la•ben ['la:bən] *refl* feast (*an* on); (*erfrischen*) refresh (*jdn* s.o., *sich mit o an etw* o.s. with s.th.); **sie ~ sich an dem Anblick** they feast their eyes on the view

la•bern ['la:bɐn] *tr itr* (*fam*) drivel, jabber

la•bil [la'bi:l] *adj* **1.** (*physisch, gesundheitlich*) delicate **2.** (*psychisch*) weak

La•bor [la'bo:ɐ] <-s, -s/(-e)> *n* lab; **La•bo•rant(in)** [labo'rant] *m(f)* lab(oratory) technician; **La•bor•be•fund** *m* laboratory findings *pl;* **La•bo•ra•to•rium** *n* laboratory; (*fam*) lab

la•bo•rie•ren *itr* (*fam*) labour (*an etw* at s.th.)

La•by•rinth [laby'rɪnt] <-(e)s, -e> *n* **1.** (*Irrgarten*) labyrinth **2.** (*fig*) maze

La•che¹ ['laxə] <-, -n> *f* (*Pfütze*) puddle, pool

La•che² ['laxə] <-> *f* (*fam*) laugh, way of laughing

lä•cheln ['lɛçəln] *itr* smile (*über* at); **lächle doch mal!** give me [*o* us] a smile!; **kalt ~d**^RR^ (*fam pej*) cool as you please

La•chen *n* laughing, laughter; **brüllen vor ~** roar with laughter; **können vor ~!** (*fam*) if only I knew how!; **das ist nicht zum ~** that's not funny; **sich das ~ verbeißen** keep a straight face; **Ihnen wird das ~ noch vergehen!** you'll soon be laughing on the other side of your face!

la•chen ['laxən] *tr itr* laugh (*über* at); **aus vollem Halse ~** roar with laughter; **dass ich nicht lache!** (*fam*) don't make me laugh! my eye!; (**bei jdm**) **nichts zu ~ haben** (*fig fam*) have a tough time of it (with s.o.); **er hat gut ~** it's all right [*o* very well] for him to laugh; **das Glück lacht ihm** fortune smiles on him; **sich ins Fäustchen ~** laugh up one's sleeve; **sich halbtot ~** split one's sides laughing; **wer zuletzt lacht, lacht am besten** (*prov*) he who laughs last laughs longest; **sie lachte u. lachte** she was laughing away

La•cher *m* **1.** (*Lachender*) laugher **2.** (*fam: die Lache*) laugh; **die ~ auf s-r Seite haben** (*am Ende recht behalten, triumphieren*) have the last laugh

lä•cher•lich ['lɛçɐlɪç] *adj* **1.** (*zum Lachen*) ridiculous; (*komisch*) comical **2.** (*unbedeutend*) petty; **zu e-m ~en Preis** at an absurdly low price; **sich** (**vor jdm**) **~ machen** make a fool of o.s. (in front of s.o.); **jdn ~ machen** expose s.o. to ridicule; **er hat mich vor ihnen ~ gemacht** he made me look stupid in front of them; **etw ins L~e ziehen** make fun of s.th.; **Lä•cher•lich•keit** *f* absurdity

Lach•fal•ten *pl* laughing lines; **Lach•gas** *n* laughing gas; **lach•haft** *adj* laughable

Lachs [laks] <-es, -e> *m* (ZOO) salmon; **lachs•far•ben** *adj* salmon-coloured; **Lachs•fo•rel•le** *f* (ZOO) salmon trout; **Lachs•schin•ken** *m* smoked ham

Lack [lak] <-(e)s, -e> *m* lacquer, varnish; (*Auto~*) paint

La•ckel <-s, -> *m* (*österr: fam: Tölpel*) oaf

la•ckie•ren *tr itr* varnish; (*Fingernägel*) paint; (*Auto*) spray

Lack•le•der *n* patent leather

Lack•mus ['lakmʊs] <-> *n o m* (CHEM) litmus; **Lack•mus•pa•pier** *n* litmus paper

Lack•pfle•ge•mit•tel *n* lacquer preservative; **Lack•schuh** *m* patent-leather shoe

La•de•ge•rät *n* battery charger; **La•de•hem•mung** *f* (MIL) jam; **~ haben** jam

La•den¹ ['la:dən, *pl:* 'lɛ:dən] <-s, ⸚> *m* (*Fenster~*) shutter

La•den² *m* **1.** (*~geschäft*) shop *Br,* store *Am* **2.** (*fam: „Verein", Betrieb*) outfit; **na, wie läuft der ~?** (*fam*) well, how's business?; **das ist ja ein feiner ~ hier!** (*fam iro*) a nice outfit you've got here!; **den ~ dichtmachen** (*fam*) shut up shop; **den** (**ganzen**) **~ schmeißen** (*sl*) run the (whole) show; **den ganzen ~ hinschmeißen** (*sl*) chuck the whole lot in

la•den¹ *irr tr* **1.** (*Gäste etc ein~*) invite **2.** (*vor Gericht vor~*) summon

la•den² *irr tr itr* **1.** (*mit Fracht etc be~*) load **2.** (EL PHYS) charge **3.** (*Feuerwaffe*) load; **sich etw auf den Hals ~** (*fig fam*) saddle o.s. with s.th.; **schwere Schuld auf sich ~** (*fig fam*) place o.s. under a heavy burden of guilt

La•den•be•sit•zer(in) *m(f)* shopkeeper; **La•den•dieb(in)** *m(f)* shoplifter; **La•den•dieb•stahl** *m* shoplifting; **La•den•ein•rich•tung** *f* shopfittings *pl;* **La•den•hü•ter** *m* non-seller, non-selling line; **La•den•ket•te** *f* chain of shops *Br,* chain of stores *Am;* **La•den•preis** *m* retail price; ((*fester*) **~** *von Druckerzeugnissen*) publishing price; **La•den•schild** *n* shop sign

Br, store sign *Am;* **La•den•schluss**[RR] *m* closing time; **La•den•schluss•zei•ten**[RR] *fpl* closing hours; **La•den•tisch** *m* (sales) counter

La•de•ram•pe *f* loading ramp; **La•de•raum** *m* load room; (MAR AERO) hold

lä•die•ren [lɛ'di:rən] *tr* (*beschädigen*) damage; **lädiert sein** (*fam hum*) be the worse for wear

La•dung[1] *f* (*Vor~ vor Gericht*) summons *sing*

La•dung[2] *f* **1.** (*allgemein, a. fig*) cargo load **2.** (EL PHYS) charge

La•ge ['la:gə] <-, -n> *f* **1.** (*Situation*) situation **2.** (*Position*) position **3.** (*örtliche ~, das Gelegensein*) location **4.** (*Schicht*) layer **5.** (*fam: Runde Bier, Schnaps etc*) round; **Herr der ~ sein** be master of the situation; **die ~ der Nation** the state of the nation; **die ~ der Dinge** the situation; **nach ~ der Dinge** as things stand; **die ~ peilen** (*fam*) see how the land lies; **sich in jds ~ versetzen** put o.s. in someone's place; **jdn in die ~ versetzen etw zu tun** put s.o. in a position to do s.th.; **dazu bin ich nicht in der ~** I'm not in a position to do that; **in günstiger ~** (*günstig gelegen*) well-situated; **das Haus hat e-e ruhige ~** the house is in a peaceful location; **La•ge•be•richt** *m* situation report; **La•ge•plan** *m* general plan, layout plan, site plan

La•ger ['lagɐ] <-s, -> *n* **1.** (*Unterkunft, a. fig: Partei*) camp **2.** (*Waren~*) store; (*~haus*) warehouse; (*Vorrat*) stocks **3.** (GEOL: *Ab~ung, ~stätte*) deposit **4.** (MOT TECH) bearing; **ans ~ gefesselt sein** (*fig*) im Bett liegen müssen, be confined to bed; **das ~ abbrechen** strike [*o* break] camp; **ein ~ aufschlagen** pitch camp; **das sozialistische ~** (*fig: Partei*) the socialist camp; **etw am ~ haben** have s.th. in stock; **etw auf ~ haben** (*fam: e-n Witz etc*) have s.th. on tap; **La•ger•be•stand** *m* stock, inventory; **La•ger•be•stands•auf•stel•lung** *f* inventory status report; **La•ger•be•stands•füh•rung** *f* inventory accounting, inventory control; **La•ger•feu•er** *n* campfire; **La•ger•ge•bühr** *f* storage charge; **La•ger•grö•ße** *f* inventory level, stock level; **La•ger•hal•tung** *f* storekeeping; **La•ger•hal•tungs•kos•ten** *pl* inventory carrying costs, warehouse charges; **La•ger•haus** *n* warehouse, store; **La•ge•rist(in)** *m(f)* storeman (storewoman); **La•ger•lei•ter(in)** *m(f)* camp commander

la•gern ['la:gɐn] **I.** *tr* **1.** (*hinlegen*) lay down **2.** (COM: *auf Lager nehmen*) store **II.** *itr* **1.** (*liegen*) lie **2.** (COM: *am Lager sein*) be stored **3.** (*Menschen, a.* MIL) camp **III.** *refl* settle o.s.

La•ger•platz *m* (*Rastplatz*) resting-place; **La•ger•raum** *m* storeroom; **La•ge•rung** *f* storage; **~ von Abfällen** dumping of refuse; **La•ger•ver•wal•ter(in)** *m(f)* (COM) stores supervisor

La•gu•ne <-, -n> *f* lagoon

lahm [la:m] *adj* **1.** (*gelähmt*) lame **2.** (*fig fam*) dreary, dull; **e-e ~e Entschuldigung** (*fig fam*) a poor [*o* lame] excuse; **e-e ~e Ente sein** (*fig fam*) have no zip; **~ legen**[RR] paralyse, bring to a standstill; **Lahm•arsch** *m* (*sl*) slowcoach *Br,* slowpoke *Am;* **lahm•ar•schig** *adj* (*sl*) damn slow; **sei doch nicht so ~!** get your arse in gear! *Br,* get your ass in gear! *Am*

lah•men *itr* be lame (*auf* in)

läh•men ['lɛ:mən] *tr* (*a. fig*) paralyse; **vor Angst wie gelähmt sein** be paralysed with fear

lahm|le•gen *s.* **lahm**

Läh•mung ['lɛ:mʊŋ] *f* (*a. fig*) paralysis

Laib [laɪp] <-(e)s, -e> *m* loaf

Laich [laɪç] <-(e)s, -e> *m* (ZOO) spawn; **lai•chen** *itr* (ZOO) spawn

Laie ['laɪə] <-n, -n> *m* **1.** (*Kirche, a. fig*) layman **2.** (*fig*) amateur; **da staunt der ~, und der Fachmann wundert sich** (*fam*) that's a real turn-up for the book; **ein blutiger ~ sein** (*fam*) be an absolute amateur *Br,* be a real tyro *Am a.;* **Lai•en•dar•stel•ler(in)** *m(f)* amateur actor (actress); **lai•en•haft** *adj* **1.** (*amateurhaft*) amateurish **2.** (*unfachmännisch*) lay

La•kai [la'kaɪ] <-en, -en> *m* lackey

La•ke ['la:kə] <-, -n> *f* brine

La•ken ['la:kən] <-s, -> *n* sheet

la•ko•nisch [la'ko:nɪʃ] *adj* laconic(al)

La•kritz(e) [la'krɪts] <-, -n> *m* liquorice

lal•len ['lalən] *tr itr* (*Säugling*) babble; (*Betrunkener*) slur

La•ma[1] ['la:ma] <-(s), -s> *n* (ZOO) llama

La•ma[2] *m* (REL: *buddhistischer Priester in Tibet*) lama

La•ma•is•mus <-> *m* (REL) Lamism

La•mel•le [la'mɛlə] <-, -n> *f* **1.** (BOT) lamella **2.** (*von Jalousien*) slat

La•met•ta [la'mɛta] <-s> *f* **1.** tinsel **2.** (*fam: Orden*) gongs *pl*

la•mi•nie•ren [lamɪ'ni:rən] *tr* (TECH) laminate

Lamm [lam, *pl:* 'lɛmɐ] <-(e)s, ⸚er> *n* (ZOO) lamb; **Lamm•fell** *n* lambskin

Lam•pe ['lampə] <-, -n> *f* lamp; **Lam•pen•fie•ber** *n* (THEAT) stage fright; **Lam•pen•schirm** *m* lamp-shade

Lam•pi•on [lam'pjo:n] <-s, -s> *m* Chinese lantern

LAN *n* (EDV) *Abk. von* **local area network** LAN, lan

lan•cie•ren [lɑ̃'si:rən] *tr* launch

Land [lant, *pl:* 'lɛndɐ] <-(e)s, ¨-er> *n* **1.** (*Fest~, Gelände*) land **2.** (*im Gegensatz zur Stadt*) country **3.** (*Staat*) country; (*Bundesland der BRD*) Land; (*in Österreich*) province; **an ~ gehen (setzen)** go (put) ashore; (**das**) **~ bebauen** work on [*o* cultivate] the land; **~ sichten** (MAR) sight land; **wieder ~ sehen** (*fig*) be back on dry land again; **~ in Sicht!** (MAR) land ahoy!; **zu ~ u. zu Wasser** by land and by sea; **sich jdn (etw) an ~ ziehen** (*fam*) land s.o. (s.th.); **auf dem ~(e)** in the country; **aufs ~ gehen** go (in)to the country; **außer ~es gehen** leave the country; **aus aller Herren ¨-er** from the four corners of the earth; **hier zu ~e**[RR] here, in this country

Land•adel *m* landed gentry; **Land•ar•bei•ter(in)** *m(f)* farm [*o* agricultural] worker; **Land•be•sitz** *m* land, landed property [*o* estate]; **~ haben** own land; **Land•be•sit•zer(in)** *m(f)* landowner; **Land•be•völ•ke•rung** *f* rural population

Lan•de•an•flug *m* (AERO) approach; **Lan•de•bahn** *f* (AERO) runway, landing-strip

land•ein•wärts [-'--] *adv* inland

lan•den ['landən] **I.** *tr haben* (*a. fig*) land; **e-n Coup (gegen jdn (etw)) ~** (*fam*) pull off a coup (against s.o. (s.th.)); **bei jdm e-n Kinnhaken ~** (SPORT: *fam*) land s.o. a hook to the chin **II.** *itr sein* **1.** land **2.** (*fam: enden*) land up **3.** (*fam: bei jdm „ankommen"*) get somewhere (*mit etw bei jdm* with s.o. by s.th.); **weich ~** (AERO) soft-land; **mit deinen krummen Touren wirst du noch im Gefängnis ~!** (*fig fam*) those crooked means of yours will land you in jail!; (**sofort**) **im Papierkorb ~** (*fig fam*) go (straight) into the wastepaper basket; **glaub' nur nicht, dass du damit bei mir ~ kannst!** (*fig fam*) don't think to get anywhere with me by that!

Land•en•ge *f* isthmus

Lan•de•platz *m* (MAR) landing place; (AERO: *ausgebauter ~*) landing strip; (*nicht ausgebauter Platz zum Landen*) place to land

Län•de•rei•en [lɛndə'raɪən] *pl* estates

Län•der•spiel *n* (SPORT) international

Lan•des•ar•beits•amt ['--'---] *n* Regional Labour Exchange *Br,* Regional Labor Office *Am;* **Lan•des•ar•beits•ge•richt** ['--'----] *n* Labour Court *Br,* Higher Labor Court *Am;* **Lan•des•haupt•mann** *m* head of a province government

Lan•de•schein•wer•fer *m* (AERO) landing light

Lan•des•far•ben *fpl* **1.** (*e-r Nation*) national colours *pl* **2.** (*e-s Bundeslandes der Bundesrepublik D.*) state colours *pl;* **Trikots in den ~** (SPORT) jersey in national colours; **Lan•des•gren•ze** *f* **1.** (*e-s Staates*) national boundary **2.** (*e-s Bundeslandes der Bundesrepublik D.*) state boundary; **Lan•des•in•ne•re** *n* inland region; **tief ins ~ vorstoßen** penetrate into the heart of the country; **Lan•des•kun•de** *f* regional studies; **Lan•des•re•gie•rung** *f* (*in der Bundesrepublik D.*) government of a Land; (*in Österreich*) provincial government; **Lan•des•so•zial•ge•richt** ['---'---] *n* Higher Social Court; **Lan•des•spra•che** *f* national language

Lan•de•steg *m* landing stage

Lan•des•tracht *f* national costume; **Lan•des•trau•er** *f* national mourning; **lan•des•üb•lich** *adj* customary; **Lan•des•ver•rat** *m* high treason; **Lan•des•ver•tei•di•gung** *f* national defence *Br,* national defense *Am;* **Lan•des•wäh•rung** *f* national currenc; **Lan•des•zen•tral•bank** *f* state central bank

Land•flucht *f* migration [*o* drift] from the land; **Land•frie•dens•bruch** *m* (JUR) breach of the peace; **Land•gang** *m* (MAR) shore leave; **Land•ge•mein•de** *f* country community; **Land•ge•richt** *n* district court; **land•ge•stützt** *adj* (MIL: *Raketen*) land-based; **Land•gut** *n* estate; **Land•haus** *n* country house; **Land•kar•te** *f* map; **Land•kreis** *m* administrative district; **X, Landkreis Y** X, county (of) Y; **land•läu•fig** *adj* popular; **nach ~er Meinung** according to popular opinion; **Land•le•ben** *n* country life

Länd•ler <-s, -> *m* (*österr*) country dance; **Land•leu•te** *pl* country people

länd•lich ['lɛntlɪç] *adj* rural

Land•ma•schi•nen *pl* agricultural machinery *sing;* **Land•pla•ge** *f* (*fig fam*) pest; **Land•rat•te** *f* (*hum*) landlubber; **Land•re•gen** *m* steady rain

Land•schaft *f* **1.** (*ländl. Gegend*) countryside **2.** (*auf Fotos, Gemälden*) landscape; **in der ~ herumstehen** (*fam hum*) stand around; **land•schaft•lich** *adj* **1.** (*allgemein*) scenic **2.** (*regional*) regional; **die ~e Schönheit dieser Gegend** the beauty of the scenery; **Land•schafts•gärt•ner(in)** *m(f)* landscape gardener; **Land•schafts•pfle•ge** *f* landscape management [*o* planning]; **Land•schafts•schutz•ge•biet** *n* (*allgemein*) landscape protection area, Area of Outstanding Natural Beauty, AONB

Lands•knecht *m* (HIST: *Söldner*) mercenary

Lands•mann(-män•nin) <-(e)s, -leute/(-männer)> *m* compatriot, fellow countryman; **was für ein ~ sind Sie?** where do you come from?

Land•stra•ße *f* road; (*im Gegensatz zur Autobahn*) ordinary road; **Land•strei-**

cher(in) *m(f)* tramp, hobo *Am;* **Land·streit·kräf·te** *pl* land forces; **Land·strich** *m* area; **Land·tag** *m* (*in Deutschland*) Landtag (regional parliament); **Land·tags·wah·len** *pl* German regional elections

Lan·dung ['landʊŋ] *f* (MAR AERO MIL) landing; **weiche ~** soft landing; **Lan·dungs·boot** *n* (MIL) landing craft; **Lan·dungs·brü·cke** *f* jetty, landing-stage

Land·ver·mes·ser(in) *m(f)* land surveyor; **Land·ver·mes·sung** *f* land surveying; **Land·weg** *m:* **auf dem ~** by land; **Land·wirt(in)** *m(f)* farmer; **Land·wirt·schaft** *f* **1.** (*Agrikultur*) agriculture, farming **2.** (*Hof*) farm **3.** (*die Landwirte*) farmers *pl;* **land·wirt·schaft·lich** *adj* agricultural; **~e Maschinen** agricultural machinery *sing;* **Land·wirt·schafts·mi·nis·te·rium** *n* (*allgemein*) ministry of agriculture, Board of Agriculture *Br,* Department of Agriculture *Am;* **Land·wirt·schafts·schu·le** *f* agricultural college; **Land·zun·ge** *f* spit of land

lang [laŋ] <länger, längst> **I.** *adj* **1.** (*allgemein*) long **2.** (*fam: groß, hoch aufgeschossen*) tall; **das weiß ich seit ~em** I have known that (for) a long time; **das habe ich ~e Zeit nicht gewusst** I haven't known that for a long time; **das ist schon ~ her** that's a long time ago; **in nicht allzu ~er[RR] Zeit** before too long; **ich fahre für ≃ere Zeit weg** I'm going away for a long time; **zehn Fuß ~** ten feet long; **auf ~e Sicht** (*fig*) in the long term; **Sie müssen das auf ~e Sicht betrachten** (*fig*) you must take the long view; **ein ~es Gesicht machen** pull a long face; **e-n ~en Hals machen** (*fam*) crane one's neck; **die Zeit wurde uns ~** time began to hang heavy on our hands; **etw ~ und breit erklären** go to great lengths to explain s.th.; **mir wird die Zeit nie ~** I never get bored; **etw auf die ~e Bank schieben** (*fig*) put s.th. off; **etw von ~er Hand vorbereiten** (*fig*) prepare s.th. carefully **II.** *adv:* **drei Tage/Wochen ~** for three days/weeks; **sein ganzes Leben ~** all his life; **~ ersehnt[RR]** longed-for; **~ erwartet** long-awaited; **über kurz o ~** sooner or later; **~ u. breit** (*fig*) at great length; **~ gestreckt[RR]** long; **lang·ar·mig** *adj* long-armed; **lang·at·mig** *adj* (*fig*) long-winded; **lang·bei·nig** *adj* long-legged

lan·ge ['laŋə] *adv* **1.** (*e-e ~ Zeit*) a long time; (*in Frage- od Verneinungssätzen*) long **2.** (*fam: bei weitem*): **~ nicht so ...** not nearly as ...; **noch ~ nicht** not by any means; **das ist schon ~ her** it's a long time ago; **es ist noch gar nicht ~ her, dass ...** it's not long since ...; **er macht es nicht mehr ~** (*fam*) he won't last long [*o* much longer]; **je ≃er, je lieber** (*fam*) the longer the better; **das ist noch ~ kein Beweis** (*fam*) that's far from being evidence; **was du kannst, das kann ich schon ~** (*fam*) the things you can do are but child's play to me

Län·ge ['lɛŋə] <-, -n> *f* **1.** (*zeitlich, räumlich, a.* SPORT) length **2.** (*fig: langatmige Stelle*) long-drawn-out passage **3.** (ASTR GEOG MATH) longitude **4.** (*fam: Größe e-s Menschen*) height; **der ~ nach** (*längs*) lengthwise; **der ~ nach hinfallen** fall flat; **etw in die ~ ziehen** protract s.th.; **sich in die ~ ziehen** go on and on; **mit e-r ~ (Vorsprung) gewinnen** (SPORT) win by a length

lan·gen ['laŋən] **I.** *tr* (*reichen*) give, hand, pass; **jdm e-e ~** smack someone's face **II.** *itr* **1.** (*genügen*) be enough, do, suffice **2.** (*sich (er)strecken*) reach (*bis zu o an etw* s.th., *nach* for); **mir langt's!** I'm fed up with it!; **~ Sie zu!** (*fam: bei Tisch*) help yourself!; **es langt hinten u. vorn nicht** (*fam*) it's nowhere near enough; **das Geld langt einfach nicht** (*fam*) there just isn't enough money

Län·gen·grad *m* (GEOG) longitude; **Län·gen·maß** *n* linear measure

län·ger·fris·tig **I.** *adj* longer-term; **~es Darlehen** loan taken at relatively long terms **II.** *adv* in the longer term; **~ planen** plan for the longer term

Lan·ge·wei·le ['laŋəvaɪlə/--'--] <-> *f* boredom; **~ haben** be bored

lang·fä·dig *adj* (*CH: Rede, Ausführungen*) long-winded

Lang·fin·ger *m* (*fam hum*) pickpocket

lang·fris·tig **I.** *adj* long-term **II.** *adv* in the long term; **~ planen** plan for the long term

lang·ge·streckt *adj s.* **lang**

lang·jäh·rig **I.** *adj* **1.** (*viele Jahre dauernd*) many years of **2.** (*seit vielen Jahren bestehend*) long-standing, of many years' standing; **unser ~er Mitarbeiter** our long-standing employee **II.** *adv* for many years

Lang·lauf <-(e)s> *m* (SPORT: *Ski~*) cross-country skiing; **Lang·läu·fer(in)** *m(f)* cross-country skier; **Lang·lauf·ski** *m* cross-country ski

lang·le·big *adj* **1.** (*haltbar*) long-lasting **2.** (*Gerücht*) long-lived; **Lang·le·big·keit** *f* durability, longevity

läng·lich ['lɛŋlɪç] *adj* elongated, long

Lang·mut <-> *f* forbearance, patience; **lang·mü·tig** *adj* forbearing, patient

längs [lɛŋs] **I.** *präp* along **II.** *adv* lengthways, lengthwise

Längs·ach·se *f* longitudinal axis

lang·sam ['laŋza:m] **I.** *adj* slow **II.** *adv* **1.**

(*allgemein*) slowly **2.** (*fam: allmählich, endlich*) just about; **~(er) fahren** drive slowly (slow down); **es wird ~ Zeit, dass etw geschieht** (*fam*) it's about time s.th. happened; **es wurde aber auch ~ Zeit!** (*fam*) it was really high time! [*o* and about time too!]; **~ reicht es mir** (*fam*) I'm just about fed up with it; **so ~ sollte er kommen!** (*fam*) it's just about time he was here!; **immer schön ~!** (*fam*) easy does it!; **Lang•sam•keit** *f* slowness

Lang•schlä•fer(in) *m(f)* late riser

Lang•spiel•plat•te *f* long-playing record

Längs•schnitt *m* longitudinal section

längst [lɛŋst] *adv* (*schon lange*) for a long time; (*vor langer Zeit*) long ago; **~ nicht so ...** not nearly as ...; **noch ~ nicht** not by any means; **das weiß ich schon ~** I've known that for ages; **..., aber der Zug war ~ weg** ..., but the train had long since gone

längs•tens *adv* **1.** (*spätestens*) at the latest **2.** (*höchstens*) at the most; **ich kann es dir ~ für drei Tage leihen** I can lend it to you for three days at the longest

Lang•stre•cken•flug *m* (AERO) long-haul flight, long-distance flight; **Lang•stre•cken•lauf** *m* long-distance run [*o* race]; **Lang•stre•cken•ra•ke•te** *f* (MIL AERO) long-range missile [*o* rocket]; **Lang•stre•cken•waf•fe** *f* (MIL) long-range weapon

Lan•gus•te [laŋ'gʊstə] <-, -n> *f* crayfish, crawfish *Am*

lang•wei•len ['laŋvaɪlən] **I.** *tr* bore **II.** *itr* be boring **III.** *refl* be [*o* get] bored; **sich zu Tode ~** be bored to death

lang•wei•lig *adj* **1.** boring, tedious **2.** (*fam: langsam, lahm*) slow; **er ist so ~ mit allem** (*fam*) he's such a slowcoach at everything

Lang•wel•le *f* (RADIO) long wave

lang•wie•rig ['laŋviːrɪç] *adj* lengthy

Lang•zeit- *präfix* long-term; **Lang•zeit•ar•beits•lo•se(r)** *f m* long-term unemployed (person); **Lang•zeit•ri•si•ko** *n* long-term risk; **Lang•zeit•spei•cher** *m* (EDV) long-term storage; **Lang•zeit•stu•die** *f* long-term study; **Lang•zeit•test** *m* long-term test; **Lang•zeit•wir•kung** *f* long-term effect

LAN-Ser•ver <-s, -> *m* (EDV) LAN server

Lan•ze ['lantsə] <-, -n> *f* lance; **für jdn e-e ~ brechen** (*fig*) take up the cudgels for s.o.

La•os ['laːɔs] <-> *n* Laos; **La•o•te** [la'oːtə] *m*, **La•o•tin** *f* Laotian; **la•o•tisch** *adj* Laotian

La•pis•la•zu•li [lapɪs'laːtsuli] <-> *m* lapis lazuli

Lap•pa•lie [la'paːliə] <-, -n> *f* (*fam*) mere nothing, trifle

Lap•pen ['lapən] <-s, -> *m* (*Stück Stoff*) cloth; (*Wisch~*) duster; (*Wasch~*) flannel; **jdm durch die ~ gehen** (*fam: entwischen*) slip through someone's fingers

läp•pisch ['lɛpɪʃ] *adj* **1.** (*dumm*) silly **2.** (*sehr gering*) mere; **das ist doch ~!** that's silly!; **~e zwanzig Mark** a mere twenty marks

Lap•sus ['lapsʊs *pl:* 'lapsuːs] <-, -> *m* slip

Lap•top ['læptɒp] <-s, -s> *n* (EDV) laptop

Lär•che ['lɛrçə] <-, -n> *f* (BOT) larch

La•ri•fa•ri <-s> *n* (*fam*) airy-fairy nonsense

Lärm [lɛrm] <-(e)s> *m* **1.** (*allgemein*) noise **2.** (*Radau*) row **3.** (*Aufsehen*) fuss; **~ schlagen** give the alarm; (*fig*) kick up a fuss; **viel ~ um nichts machen** make a lot of fuss about nothing; **Lärm•be•kämp•fung** *f* noise prevention; **Lärm•be•läs•ti•gung** *f* noise disturbance; **Lärm•be•las•tung** *f* noise pollution; **Lärm•ein•wir•kung** *f* effect of noise; **lärm•emp•find•lich** *adj* sensitive to noise

lär•men *itr* be noisy, make a noise; **lär•mend** *adj* noisy

Lärm•ku•lis•se *f* acoustic environment; **Lärm•min•de•rung** *f* noise level reduction; **Lärm•pe•gel** *m* noise level; **Lärm•quel•le** *f* source of noise; **Lärm•schutz** *m* noise prevention; **Lärm•schutz•be•reich** *m* noise prevention zone; **Lärm•schutz•maß•nah•men** *fpl* noise prevention measures; **Lärm•schutz•wall** *m*, **Lärm•schutz•wand** *f* sound [*o* noise] barrier

Lar•ve ['larfə] <-, -n> *f* **1.** (BIOL) larva **2.** (*Maske*) mask

lasch [laʃ] *adj* **1.** (*schlaff*) limp **2.** (*zu nachgiebig*) lax **3.** (*fam: Geschmack*) tasteless

La•sche ['laʃə] <-, -n> *f* (*Schuh~*) tongue; (*Schlaufe*) loop

La•ser ['leːzɐ] <-s, -> *m* laser; **La•ser•be•hand•lung** *f* laser treatment; **La•ser•dru•cker** *m* (EDV) laser printer; **La•ser•strahl** *m* laser beam; **La•ser•tech•nik** *f* laser technology; **La•ser•waf•fe** *f* (MIL) laser weapon

las•sen ['lasən] *irr* **I.** *tr* **1.** (*zulassen, erlauben*) let **2.** (*veranlassen*): **etw tun ~** have [*o* get] s.th. done; **jdn etw tun ~** have [*o* make] s.o. do s.th. **3.** (*be~*) leave; (*gewähren ~*) let **4.** (*unter~*) omit **5.** (*über~*): **jdm etw ~** let s.o. have s.th. **6.** (*zurück~*) leave **7.** (*hinaus~, hinein~*) let (*aus* out of, *in* into); **lasst[RR] uns gehen!** let's go!; **er lässt[RR] sich nicht überreden** he will not be persuaded; **er ließ sich nicht überzeugen** he would not be convinced; **ich lasse mir von dem Jungen helfen** I have the boy help me; **ich lasse meinen Anzug reinigen** I have my suit cleaned; **sich e-n Bart wachsen ~** grow a beard; **er ließ**

mich (e-e Stunde) warten he kept me waiting (for an hour); ~ **Sie die Dinge, wie sie sind!** leave things as they are!; ~ **Sie das!** stop it!; **lass**[RR] **mich in Ruhe!** leave me alone!; ~ **wir das jetzt mal!** let's leave this now!; **dann ~ wir's eben!** let's drop the whole idea!; ~ **wir es dabei (bewenden)!** let's leave it at that!; ~ **Sie mir e-e Woche Zeit!** give me a week!; **höflich ist er, das muss man ihm ~** he's polite, you must admit [*o* you've got to give him that]; **tu, was du nicht ~ kannst!** do what you think you must!; **jdn rufen** [*o* **kommen**] ~ send for s.o.; ~ **Sie es sich doch schicken!** have it sent to you!; **ich habe mir sagen ~, ...** I've been told ...; ~ **Sie sich das gesagt sein!** take it from me!; **jdm etw mitteilen ~** let s.o. know s.th.; **von etw ~** keep away from s.th.; **sie kann's einfach nicht ~** she just can't help it; **das lässt**[RR] **sich machen!** that's possible!; **lass**[RR] **mich nur machen!** leave it to me!; **die Tür lässt**[RR] **sich nicht öffnen** the door doesn't open; **offen ~**[RR] (*a. fig*) leave open **II.** *itr* (*ab~, aufgeben*) give up (*von etw* s.th.)

läs•sig ['lɛsɪç] *adj* **1.** (*nach~*) careless **2.** (*ungezwungen*) casual **3.** (*sl: mit Leichtigkeit, cool*) cool

Las•so ['laso] <-s, -s> *m o n* lasso

Last [last] <-, -en> *f* **1.** (*allgemein, a. fig*) burden, load **2.** (MAR AERO) cargo **3.** **~en** (*Kostenbe~ung*) charges, costs *pl;* **jdm zur ~ fallen** be a burden on s.o.; (*ihm lästig sein*) trouble s.o.; **jdm etw zur ~ legen** lay s.th. to someone's charge, charge s.o. with s.th.; **las•ten** ['lastən] *itr* weigh (heavily) (*auf* on); **alle Verantwortung lastet auf mir** all the responsibility rests on me; **Las•ten•auf•zug** *m* goods lift *Br,* goods elevator *Am;* **Las•ten•ta•xi** *n* goods taxi

Las•ter[1] <-s, -> *m* (*fam: LKW*) lorry *Br,* truck *Am*

Las•ter[2] <-s, -> *n* (*Untugend, Unsitte*) vice

Läs•te•rer ['lɛstərɐ] <-s, -> *m* **1.** (*Gottes~*) blasphemer **2.** (*fam: Schandmaul*) malicious tongue; **ein ~ sein** have a malicious tongue

las•ter•haft *adj* depraved; **Las•ter•haf•tig•keit** *f* depravation

Läs•ter•maul *n* (*fam: Person*) scandalmonger

läs•tern ['lɛstɐn] **I.** *tr* (*Gott etc*) blaspheme against **II.** *itr* (*fam*) make nasty remarks (*über* about)

läs•tig ['lɛstɪç] *adj* (*belästigend*) troublesome; (*ärgerlich*) annoying; **jdm ~ fallen** [*o* **sein**] molest [*o* pester] s.o.; **du kannst wirklich ~ sein** you can be a real nuisance; **er wird langsam ~** he's about becoming a nuisance

Last•kahn *m* barge; **Last•kraft•wa gen** *m* (MOT) heavy goods vehicle

Last•schrift *f* (COM) **1.** (*~anzeige*) debit note **2.** (*Buchung*) debit entry

Last•tier *n* pack animal; **Last•trä•ger** *m* porter; **Last•wa•gen** *m* lorry *Br,* truck *Am;* **Last•zug** *m* (MOT) trailer, truck

La•sur [la'zuːɐ] *f* glaze

La•tein [la'taɪn] <-s> *n* Latin; **ich bin mit meinem ~ am Ende** (*fig fam*) I'm at my wits' end; **La•tein•a•me•ri•ka** *n* Latin America; **la•tei•nisch** *adj* Latin

la•tent [la'tɛnt] *adj* latent

La•ter•ne [la'tɛrnə] <-, -n> *f* lantern; (*Straßen~*) streetlight; **La•ter•nen pfahl** *m* lamp post

La•tex ['laːtɛks] <-> *n* latex

Lat•sche ['laːtʃə] <-, -n> *f* (BOT) mountain pine; **Lat•schen•kie•fer** *f* mountain pine

Lat•schen ['laːtʃən] <-s, -> *m* (*fam*) **1.** (*Hausschuh*) slipper **2.** (*alter Schuh*) worn-out shoe; **lat•schen** *sein itr* (*fam*) **1.** (*herumlaufen*) traipse **2.** (*schlurfen*) slouch along

Lat•te ['latə] <-, -n> *f* **1.** (*Brett*) slat **2.** (SPORT: *beim Hochsprung*) bar; (*beim Fußball*) crossbar; **e-e ganze ~ von ...** (*fig*) a whole string of ...; **du hast sie doch nicht alle auf der ~!** (*sl*) you've got a screw loose!; **Lat•ten•rost** *m* bed-lattice; **Lat•ten•ver•schlag** *m* crate; **Lat•ten•zaun** *m* wooden fence

Latz [lats, *pl:* 'lɛtsə] <-es, ¨-e> *m* **1.** (*Kleider~*) bib **2.** (*Hosen~*) flap; **jdm eins vor den ~ knallen** (*sl*) clobber [*o* sock] s.o. one; **Latz•ho•se** *f* dungarees *pl*

lau [laʊ] *adj* **1.** (*~warm: Flüssigkeit, a. fig*) lukewarm **2.** (*mild*) mild

Laub [laʊp] <-(e)s> *n* leaves *pl;* **Laub•baum** *m* deciduous tree

Lau•be ['laʊbə] <-, -n> *f* **1.** (*~ngang*) arbour **2.** (*Gartenhäuschen*) summerhouse

Laub•frosch *m* (ZOO) treefrog; **Laub•sä•ge** *f* fretsaw; **Laub•wald** *m* deciduous forest

Lauch [laʊx] <-(e)s, -e> *m* (BOT) leek; **Lauch•zwie•bel** *f* spring onion

Lau•er ['laʊɐ] <-> *f:* **auf der ~ liegen** [*o* **sein**] lie in wait

lau•ern *itr* (*a. fig*) lie in wait (*auf* for)

Lauf [laʊf, *pl:* 'lɔɪfə] <-(e)s, ¨-e> *m* **1.** (*schneller Schritt*) run **2.** (*~ e-r Maschine, Gang*) operation, running **3.** (EDV) run **4.** (SPORT: *Wett~*) race **5.** (*Gewehr~*) barrel **6.** (*Bein von Tieren*) leg **7.** (*Flussver~, a. ~ der Gestirne*) course **8.** (*fig: Ver~, Ab~ von Ereignissen etc*) course; **der ~ der Dinge** the way things go; **den Dingen ihren** [*o* **freien**] **~ lassen** let things take their course; **s-n Gefühlen freien ~ lassen** give way to one's feelings; **im ~e des Gesprächs** in the course of the conversation; **im ~e der Jahre** in the course of the years; **Lauf•bahn** *f* (*Beruf*) career; **e-e ~ einschlagen** enter on a career; **Lauf•bursche** *m* (*obs*) errand-boy

lau•fen ['laʊfən] *irr* I. *itr* 1. (*allgemein*) run 2. (*zu Fuß gehen*) walk 3. (*Maschine, Uhr*) go; (*funktionieren*) work 4. (*undicht sein, lecken*) leak; (*Nase*) run 5. (*ver~, Fluss*) run; (*Weg*) go 6. (*fig: im Gange sein*) go on; (FILM) be on; **was läuft im Kino?** what's on at the cinema?; **mal sehen, wie die Sache läuft!** (*fam*) let's see how things go!; **die Sache ist gelaufen** (*sl*) unter Dach und Fach, erledigt, it's all wrapped up; **kann Ihr Kind schon ~?** can your child already walk?; **wie ~ die Geschäfte?** how's business?; **die Geschäfte ~ schlecht** business is going badly; **unter dem Namen ... ~** (*fam: ... heißen*) go by the name of ...; **das läuft unter der Rubrik ...** (*fam*) that comes under the category ...; **die Versicherung läuft auf meinen Namen** the insurance is in my name II. *tr* 1. (*rennen, a. e-e Rekordzeit*) run 2. (*zu Fuß gehen*) walk 3. (MOT: *fahren*) do; **Gefahr ~ etw zu tun** run the risk of doing s.th.; **Ski ~** ski; **Rollschuh ~** rollerskate; **Schlittschuh ~** skate III. *refl:* **sich warm ~**[RR] (SPORT *a.* MOT) warm up; **sich e-e Blase ~** give o.s. a blister; **es läuft sich gut in diesen Schuhen** these shoes are good for walking; **~ lassen**[RR] let go

lau•fend I. *adj* 1. (*Monat, Jahr*) current 2. (*ständig*) regular; (*regelmäßig*) routine; **~e Nummer** serial number; **am ~en Band** (*fig*) continuously; **auf dem L~en bleiben**[RR] keep o.s. up-to-date; **jdn auf dem L~en halten**[RR] keep s.o. up- to-date; **seid ihr mit eurer Arbeit auf dem L~en?**[RR] are you up-to-date on your work? II. *adv* continually

lau•fen|las•sen *s.* **laufen**

Läu•fer(in) ['lɔɪfɐ] <-s, -> *m(f)* (SPORT) runner

Läufer[2] <-s, -> *m* 1. (*beim Schachspiel*) bishop 2. (*Treppen~*) runner; (*in der Wohnung*) rug 3. (TECH: *Laufkatze*) crab

Lauf•feu•er *n:* **die Nachricht verbreitete sich wie ein ~** the news spread like wildfire; **Lauf•flä•che** *f* (TECH) 1. (*von Reifen*) tread 2. (MOT: *bei Zylinder*) working surface 3. (MOT: *in Lager*) raceway; **Lauf•gitter** *n* playpen

läu•fig *adj* on heat

Lauf•kat•ze *f* (TECH) crab; **Lauf•kran** *m* travelling crane; **Lauf•kund•schaft** *f* occasional customers *pl;* **Lauf•ma•sche** *f* (*im Strumpf*) ladder *Br,* run *Am;* **Lauf•pass**[RR] *m* (*fam*): **jdm den ~ geben** give s.o. his (her) marching orders *pl;* **sie gab mir den ~** she told me we were through; **Lauf•rich•tung** *f* direction of movement; **Lauf•schie•ne** *f* (TECH) guide rail, track; **Lauf•schritt** <-(e)s> *m* 1. (*schneller Schritt*) trot 2. (MIL) double-quick; **im ~** trotting; (MIL) at the double; **Lauf•stall** *m* playpen; **Lauf•steg** *m* (*für Mannequins*) catwalk; **Lauf•vo•gel** *m* flightless bird; **Lauf•werk** *n* (EDV) drive; **Lauf•zeit** *f* 1. (*von Brief, Telegramm etc*) transmission time 2. (*Dauer*) duration; (*Lebensdauer*) life 3. (*von Vertrag, Wechsel etc*) period of validity 4. (SPORT) time 5. (EDV) runtime; **Lauf•zet•tel** *m* docket; (*Rundschreiben*) circular

Lau•ge ['laʊgə] <-, -n> *f* 1. (CHEM) leach, lye 2. (*Seifen~*) soapy water

Lau•heit *f,* **Lau•ig•keit** *f* 1. (*von Flüssigkeit, a. fig*) lukewarmness 2. (*Mildheit von Wind, Abend etc*) mildness

Lau•ne ['laʊnə] <-, -n> *f* 1. (*Grille, Einfall*) whim 2. (*Stimmung*) mood; (*schlechte ~*) (bad) temper; **er hat mal wieder e-e seiner ~n** he's in one of his moods; **guter/schlechter ~ sein** be in a good/bad mood; **man muss ihn nur bei ~ halten** (*fam*) you've only got to keep him happy; **aus e-r ~ heraus** on a whim; **lau•nen•haft** *adj* 1. (*launisch*) moody 2. (*unberechenbar*) capricious; **Lau•nen•haf•tig•keit** *f* 1. moodiness 2. (*Unberechenbarkeit*) capriciousness

lau•nig *adj* (*witzig*) witty

lau•nisch *adj* (*pej*) 1. (*launenhaft*) moody 2. (*unberechenbar*) capricious

Laus [laʊs, *pl:* 'lɔɪzə] <-, ⸚e> *f* (ZOO) louse *pl,* lice; **e-e ~ ist ihm über die Leber gelaufen** (*fig fam*) something's biting him

lau•schen ['laʊʃən] *itr* 1. (*zuhören*) listen (*jdm* to s.o., *auf etw* to s.th.) 2. (*heimlich*) eavesdrop; **Lau•scher** *m* 1. (*heimlicher Zuhörer*) eavesdropper 2. (*in Jägersprache: Ohr*) ear

lau•schig *adj* (*gemütlich*) cosy, snug

Lau•se•jun•ge *m* rascal, scamp

Läu•se•mit•tel *nt* lice treatment

lau•sen ['laʊzən] *tr* (*ent~*) delouse; **mich laust der Affe!** blow me down!

lau•sig I. *adj* (*fam*) lousy II. *adv* (*fam*) awfully; **~ schwer** bloody [*o* damn] difficult

Laut [laʊt] <-(e)s, -e> *m* sound; **keinen ~ von sich geben** not to make a sound; **~ geben** (*Hund*) give tongue

laut[1] *adj* 1. (*allgemein*) loud 2. (*hörbar, vernehmlich*) audible 3. (*lärmend*) noisy; **~er!** (*als Aufforderung an Redner*) speak up! *Br,* louder! *Am;* **mit ~er Stimme** at the top of one's voice; ~ **lesen** read aloud; ~ **vorlesen** read out; **stell mal das Radio etw ~er!** turn the radio up!; **etw ~ sagen** (*mit ~er Stimme*) say s.th. out loud; **das solltest du besser nicht ~ sagen** (*fig*) you had better not shout that from the rooftops; ~ **werden** (*fig*) bekannt, become known; **musst du denn immer gleich ~ werden?** (*losbrüllen*) do you always have to get obstreperous?; **~es Gelächter** roars *pl* of laughter

laut[2] *präp* according to

lau•ten *itr* (*allgemein*) be; (*These, Rede etc*) go; (*Inhalt e-s Schreibens etc*) go, read; **auf den Inhaber ~** be payable to bearer; **die Anklage lautet auf Mord** the charge is (one of) murder

läu•ten ['lɔɪtən] *tr itr* ring; **hat es nicht eben geläutet?** hasn't the bell just rung?; **ich habe davon etw ~ hören** (*fig fam*) I've heard s.th. about it

lau•tend *adj:* **gleich ~**[RR] identical; **gleich ~e**[RR] **Abschrift** duplicate, true copy

lau•ter ['laʊtɐ] *adj* **1.** (*rein*) pure **2.** (*aufrichtig, ehrbar*) honourable; **~e Wahrheit** honest truth; **das sind ~ Freunde** they're friends, all of them; **man konnte vor ~ Krach nichts verstehen** you couldn't understand a word for all the noise; **~ Lügen!** nothing but lies!

läu•tern ['lɔɪtɐn] *tr* **1.** (REL) purify **2.** (*fig: reformieren*) reform; **Läu•te•rung** *f* **1.** (REL) purification **2.** (*fig*) reformation

laut•hals *adv* at the top of one's voice

Laut•leh•re *f* phonetics *sing*

laut•lich *adj* phonetic

laut•los *adj* soundless

Laut•schrift *f* (LING) phonetic script

Laut•spre•cher(•box) *m* (RADIO TV) (loud)speaker; **Laut•spre•cher•wa•gen** *m* loudspeaker car

laut•stark *adj* loudly; **gegen etw ~ protestieren** protest loudly at [*o* against] sth; **Laut•stär•ke** *f* loudness; (RADIO TV) volume; **Laut•stär•ke•reg•ler** *m* (RADIO TV) volume control

lau•warm *adj* **1.** (*Flüssigkeit, a. fig*) lukewarm **2.** (*nicht heiß*) slightly warm

La•va ['la:va] <-, (-ven)> *f* lava

La•va•bo <-(s), -s> *nt* (*CH*) wash-basin

La•ven•del [la'vɛndəl] <-s, -> *m* lavender

la•vie•ren [la'vi:rən] *itr* **1.** (MAR) tack **2.** (*fig*) manoeuvre *Br*, maneuver *Am*

La•wi•ne [la'vi:nə] <-, -n> *f* (*a. fig*) avalanche; **La•wi•nen•ge•fahr** *f* danger of avalanches; **la•wi•nen•si•cher** *adj* (*Ort*) secure from avalanches; **La•wi•nen•ver•bau•ung** *f* avalanche barrier

lax [laks] *adj* lax

La•za•rett [latsa'rɛt] <-(e)s, -e> *n* (MIL) **1.** (*Militärkrankenhaus*) military hospital **2.** (*Krankenstation*) sick bay; **La•za•rett•schiff** *n* (MIL) hospital ship; **La•za•rett•zug** *m* (MIL) hospital train

LCD *Abk. von* **liquid crystal display** LCD; **LCD-An•zei•ge** *f*, **LCD-Dis•play** *n* LCD-display

Le•be•mann <-(e), ¨-er> *m* rake, roué

Le•ben <-s, -> *n* **1.** (*allgemein*) life **2.** (*Lebhaftigkeit, Betriebsamkeit*) activity, life; **so ist das ~** such is life; **er liebt das gute ~** he is fond of good living; **jdm das ~ zur Hölle machen** make someone's life hell; **am ~ bleiben (sein)** stay (be) alive; **sich durchs ~ schlagen** struggle through life; **du hast doch noch das ganze ~ vor dir** you've still got all your life in front of you; **eine Sache auf ~ u. Tod** a matter of life and death; ~ **in die Bude bringen** make things hum; **sich das ~ nehmen** take one's (own) life; **Kampf auf ~ u. Tod** life-and-death struggle; **etw ins ~ rufen** bring s.th. into being; **e-m Kind das ~ schenken** give birth to a child; **etw für sein ~ gern haben (tun)** be mad about (doing) s.th.; **überall herrschte reges ~** a lot of activity was all around; **jdn ums ~ bringen** kill someone; **ums ~ kommen** lose one's life; **im ~ stehen** know what life is all about

le•ben ['le:bən] *tr itr* live; **lebt er noch?** is he still alive?; **na, du lebst also auch noch?** (*hum fam*) well, so you're still among the living?; **von etw ~** live on s.th.; **~ u. ~ lassen** live and let live; **lang lebe die Königin!** long live the Queen!; **man lebt nur einmal!** (*prov*) you only live once!; **hier lässt es sich wohl ~** life's not too bad here; **sie lebt sehr bescheiden (zurückgezogen)** she leads a very modest (retired) life

lebend *adj attr* live, alive; **er ist der ~e Beweis für ...** he is living proof of ...; **~es Inventar** livestock; **~e Sprachen** modern languages; **die L~en** the living; **Le•bend•ge•burt** *f* (MED) live- birth; **Le•bend•ge•wicht** *n* (*a. hum*) live weight

le•ben•dig [le'bɛndɪç] *adj* **1.** (*nicht tot*) live, alive **2.** (*fig: lebhaft*) lively; (*Erinnerung etc*) vivid; **die Ölgesellschaften nehmen's von den L~en!** (*hum fam*) the oil companies will really have the shirt off your back!; **Le•ben•dig•keit** *f* (*fig*) liveliness, vividness

Le•bens•abend *m* old age; **Le•bens•ab•schnitt** *m* period of life; **Le•bens•a•der** *f* (*fig*) lifeline; **Le•bens•ar•beits•zeit** *f* working life; **Le•bens•ar•beits•zeit•ver•kür•zung** *f* shortening of one's working life; **Le•bens•art** *f* **1.** (*Lebensweise*) way [*o* manner] of living **2.** (*fig:*

Benehmen) manners *pl;* (*Lebensstil, Savoir-vivre*) style, lifestyle, way of live; **Le·bens·auf·ga·be** *f* life's work; **Le·bens·be·din·gun·gen** *pl* living conditions; **le·bens·be·dro·hend** *adj* life-threatening; **Le·bens·dau·er** *f* life; **Le·bens·en·de** *n* end of someone's [*o* one's] life; **bis an sein (mein)** ~ till the end of his (my) life; **Le·bens·er·fah·rung** *f* experience of life; **le·bens·er·hal·tend** *adj* (MED) life-support; **Le·bens·er·hal·tungs·sys·tem** ['---'----] *n* life-support system; **Le·bens·er·war·tung** *f* life expectancy

le·bens·fä·hig *adj* **1.** (MED) capable of living **2.** (*fig*) equipped for life

Le·bens·freu·de *f* zest for life; **le·bens·froh** *adj* full of the joys of life; **Le·bens·ge·fahr** *f* (mortal) danger; **unter** ~ at the risk of one's life; **Vorsicht! ~!** Caution! Danger!; **es besteht** ~ there is danger to life; **in** ~ **sein** be in danger of one's life; **außer** ~ **sein** be out of danger; **le·bens·ge·fähr·lich** *adj* highly dangerous; (*Verletzung*) critical; **Le·bens·ge·fähr·te** *m,* **Le·bens·ge·fähr·tin** *f* companion through life, partner; **Le·bens·ge·fühl** *n* awareness of life

Le·bens·hal·tungs·in·dex *m* cost of living index *Br,* cost of living figure *Am;* **Le·bens·hal·tungs·kos·ten** *pl* cost of living *sing*

le·bens·klug *adj* canny; **Le·bens·la·ge** *f* situation; **in jeder** ~ in any situation; **le·bens·läng·lich** *adj* (*lebenslang*) lifelong; ~ **hinter Gittern sitzen** (*fam*) be behind bars for life; **er hat** ~ **bekommen** (*fam*) he got life; **Le·bens·lauf** *m* **1.** (*Lauf des Lebens, Leben*) life **2.** (*geschriebener*) curriculum vitae *Br,* résumé *Am;* **le·bens·lus·tig** *adj* lively, fond of life; **Le·bens·mit·tel** *npl* food *sing;* **Le·bens·mit·tel·ge·schäft** *n* grocer's (shop) *Br,* grocery (store) *Am;* **Le·bens·mit·tel·ver·gif·tung** *f* food poisoning; **Le·bens·mit·tel·ver·sor·gung** *f* food supply

le·bens·mü·de *adj* tired [*o* weary] of life

Le·bens·mut *m* vital energy; **Le·bens·nerv** *m* (*fig*) mainspring; **Le·bens·quali·tät** *f* quality of life; **Le·bens·raum** *m* **1.** (BIOL) habitat; (*allgemein*) environment **2.** (POL) lebensraum; **Le·bens·ret·ter(in)** *m(f)* rescuer; **Le·bens·rhyth·mus** *m* macrobiotic rhythm; **Le·bens·stan·dard** *m* standard of living, living standards; **Le·bens·stel·lung** *f* job for life; **Le·bens·un·ter·halt** *m* living, livelihood; **sich s-n ~ verdienen** earn [*o* make] a living; **Le·bens·ver·si·che·rung** *f* life assurance, life insurance *bes. Am;* **e-e ~ abschließen** take out a life assurance [*o* insurance]; **Le·bens·wan·del** *m* (way of) life; **lockerer** ~ loose living; **Le·bens·wei·se** *f* way of life, habits *pl;* **Le·bens·weis·heit** *f* **1.** (*Lebenserfahrung*) wisdom **2.** (*Maxime fürs Leben*) maxim; **le·bens·wert** *adj* worth living; **le·bens·wich·tig** *adj* essential, vital; **Le·bens·zei·chen** *n* sign of life; **er gab kein** ~ **mehr von sich** he showed no signs of life any more; **Le·bens·zeit** *f* lifetime; **auf** ~ for life; **Beamter auf** ~ permanent civil servant

Le·ber ['le:bɐ] <-, -n> *f* (ANAT) liver; **frisch von der ~ weg reden** (*fam*) speak frankly, speak one's mind; **was ist ihm über die ~ gelaufen?** (*fam*) what's biting him?; **Le·ber·ent·zün·dung** *f* liver infection; **Le·ber·fleck** *m* mole; **Le·ber·funk·ti·ons·stö·rung** *f* liver disorder; **Le·ber·krank·heit** *f* liver disorder; **Le·ber·krebs** *m* liver cancer; **Le·ber·lei·den** *n* liver disorder; **Le·ber·pas·te·te** *f* liver pâté; **Le·ber·tran** *m* cod-liver oil; **Le·ber·wer·te** *mpl* liver function reading; **Le·ber·wurst** *f* liver sausage *Br,* liverwurst *Am;* **spiel doch nicht immer die beleidigte ~!** (*fam*) must you always get into a huff?; **Le·ber·zir·rho·se** <-> *f* cirrhosis of the liver

Le·be·we·sen *n* living thing [*o* creature]

Le·be·wohl [--'-] <-(e)s, -s/-e> *n* farewell; **jdm ~ sagen** bid s.o. farewell

leb·haft *adj* **1.** (*voller Leben, a. fig: kräftig*) lively; (*temperamentvoll*) vivacious **2.** (COM: *Geschäft*) brisk; **~e Farben** bright colours; **~er Handel** brisk trade; **~e Phantasie** vivid imagination; **es geht hier recht ~ zu** things are pretty lively here; **etw ~ bedauern** regret s.th. deeply; **Leb·haf·tig·keit** *f* **1.** (*Lebendigkeit*) liveliness; (*von Temperament*) vivaciousness **2.** (COM) briskness

Leb·ku·chen *m* gingerbread

leb·los *adj* **1.** (*ohne Leben*) lifeless; (*unbeseelt, flau*) inanimate **2.** (*fig: leer, verlassen*) deserted, empty

Leb·lo·sig·keit *f* **1.** lifelessness **2.** (*fig: Leere*) emptiness; **Leb·tag** *m* (*fam*): **das habe ich mein ~ noch nicht gesehen** I've never seen the like (of it) in all my life; **Leb·zei·ten** *fpl:* **zu s-n ~** (*als er noch lebte*) in his lifetime; (*zu s-r Zeit*) in his day

lech·zen ['lɛçtsən] *itr* (*fig*) thirst, crave, long (*nach* for)

Le·ci·thin [lɛtsi'ti:n] <-s> *n* lecithin

Leck [lɛk] <-(e)s, -s> *n* leak; **leck** *adj* leaky; ~ **sein** leak; ~ **schlagen** hole

le·cken¹ *itr* (*undicht sein*) leak

le·cken² *tr itr* (*schlecken*) lick; **s-e Wunden** ~ (*a. fig*) lick one's wounds; **sich die Finger nach etw** ~ (*fig fam*) be panting for s.th.; **leck mich am Arsch!** (*vulg*) fuck off!; (*verdammt noch mal!*) fuck it!

le•cker ['lɛkɐ] *adj* (*köstlich*) delicious; **Le•cker•bis•sen** *m* **1.** (*Speise*) titbit **2.** (*fig: Juwel*) gem; **Le•cke•rei** *f* (*Süßigkeit*) dainty; **Le•cker•maul** *n* (*fig fam*): **ein ~ sein** have a sweet tooth

Le•der ['le:dɐ] <-s, -> *n* **1.** leather **2.** (SPORT: *fam: der Fußball*) ball; **am ~ bleiben** (SPORT) fig; (*fam*) stick with the ball; **jdm ans ~ wollen** (*fig fam*) want to get one's hand on s.o.; **zäh wie ~** (*fam*) as tough as old boots; **Le•der•be•satz** *m* leather trimming; **Le•der•ein•band** *m* leather binding; **Le•der•hand•schuh** *m* leather glove; **Le•der•ho•se** *f* (*von Tracht*) leather shorts *pl;* **Le•der•ja•cke** *f* leather jacket

le•dern *adj* **1.** (*aus Leder*) leather **2.** (*zäh*) leathery

Le•der•pfle•ge•mit•tel *n* leather conditioner; **Le•der•rie•men** *m* leather strap; **Le•der•wa•ren** *pl* leather goods

le•dig ['le:dɪç] *adj* **1.** (*unverheiratet*) single **2.** (*frei von*) free; **~e Mutter** unmarried mother; **aller Pflichten ~ sein** be free of all commitments

Le•di•ge(r) <-n, -n> *f m* single person

le•dig•lich ['le:dɪklɪç] *adv* merely

Lee [le:] <-> *f* (MAR) lee; **nach ~ (zu)** leeward

leer [le:ɐ] *adj* **1.** (*allgemein*) empty **2.** (*~ stehend, Wohnung, Haus etc*) vacant; (*unmöbliert*) unfurnished **3.** (*unbeschrieben*) blank **4.** (*eitel*) vain; **~es Gerede** idle talk; **~e Versprechungen** vain promises; **mit ~en Händen** (*fig*) empty-handed; **~ ausgehen** come away empty-handed; **es waren alles nur ~e Worte** it was all just talk; **~ stehen** stand empty; **die Straßen waren wie ~ gefegt**[RR] the streets were deserted

Lee•re ['le:rə] <-> *f* (*a. fig*) emptiness; **geistige ~** a mental vacuum; **gähnende ~** a yawning void

lee•ren *tr* empty

Leer•for•mel *f* empty phrase; **leer•ge•fegt** *adj s.* leer; **Leer•ge•wicht** *n* unladen weight; **Leer•gut** <-(e)s> *n* (COM) empties *pl;* **Leer•lauf** *m* **1.** (TECH) idle [*o* lost] motion **2.** (MOT: *Gang*) neutral **3.** (*fig*) slack; **Leer•tas•te** *f* space bar

Lee•rung *f* emptying; **nächste ~** (*e-s Briefkastens*) next collection

le•gal [le'ga:l] *adj* legal, lawful; **le•ga•li•sie•ren** *tr* legalize; **Le•ga•li•tät** *f* legality; (etw) **außerhalb der ~** (*euph*) illegal, (slightly) outside the law

Le•gas•the•nie [legaste'ni:] <-> *f* (PÄD) dyslexia; **Le•gas•the•ni•ker(in)** *m(f)* dyslexic

Le•gat[1] [le'ga:t] <-en, -en> *m* (*päpstlicher Gesandter*) legate

Le•gat[2] <-(e)s, -e> *n* (JUR: *Vermächtnis*) legacy

Le•ge•bat•te•rie *f* hen battery

le•gen ['le:gən] **I.** *tr* **1.** (*allgemein*) lay, put **2.** (*an e-n bestimmten Platz*) place; **jdn in Ketten ~** put s.o. in chains; **s-e Stirn in Falten ~** frown; **e-n Brand ~** start a fire; **etw beiseite ~** put s.th. aside; **jdm etw ans Herz ~** entrust s.th. to someone; **Wert auf etw ~** set great store by s.th.; **Eier ~** lay eggs; **jdm das Handwerk ~** (*fig*) put a stop to someone's game **II.** *refl* **1.** (*hin~*) lie down **2.** (*an e-n best. Platz*) settle (*auf* on) **3.** (*fig: aufhören, abklingen*) abate, die down, subside; (*Zorn, Begeisterung*) wear off; **sich in die Sonne ~** lie in the sun; **sich in die Kurve ~** lean into the corner; **das legt sich** (*fam*) that'll sort itself out; **ihr Fieber hat sich gelegt** her fever has come down

le•gen•där *adj* legendary

Le•gen•de [le'gɛndə] <-, -n> *f* legend

le•ger [le'ʒɛ:ɐ] *adj* casual

le•gie•ren [le'gi:rən] *tr* (*Metalle*) alloy

Le•gie•rung *f* **1.** (*Verfahren*) alloying **2.** (*Ergebnis*) alloy

Le•gi•on [le'gjo:n] *f* legion; **Le•gi•o•när** *m* legionary

Le•gis•la•t•ive ['legɪslati:və] <-, -n> *f* (POL) legislative body, legislature; **Le•gis•la•tur•pe•ri•ode** *f* (POL) parliamentary term *Br,* congressional term *Am*

le•gi•tim [legi'ti:m] *adj* legitimate; **Le•gi•ti•ma•ti•on** *f* legitimation; **le•gi•ti•mie•ren I.** *tr* **1.** (*legitim machen*) legitimize **2.** (*berechtigen*) entitle **II.** *refl* (*sich ausweisen*) show proof of one's identity; **Le•gi•ti•mi•tät** *f* legitimacy

Le•hen ['le:ən] <-s, -> *n* (HIST) feoff, fief; **Leh(e)ns•herr** *m* (HIST) feudal lord; **Leh(e)ns•mann** *m* (HIST) vassal

Lehm [le:m] <-(e)s, -e> *m* loam; (*Ton*) clay; **Lehm•bo•den** *m* loamy soil; (*Tonboden*) clayey soil; **leh•mig** *adj* loamy

Leh•ne ['le:nə] <-, -n> *f* (*Rücken~*) back(rest); (*Arm~*) arm(rest); **leh•nen I.** *tr* lean (*an* against) **II.** *itr* be leaning (*an* against) **III.** *refl* lean (*an* against, *auf* on); **nicht aus dem Fenster ~!** (RAIL) do not lean out!; **Leh•nen•ver•stel•lung** *f* backrest adjustment; **Lehn•ses•sel** *m,* **Lehn•stuhl** *m* easy-chair

Lehn•wort *n* (LING) loan-word

Lehr•amt *n:* **das ~** the teaching profession; **ein ~** a teaching post; **Lehr•amts•stu•di•um** *n* teacher training; **Lehr•an•stalt** *f* educational establishment; **Lehr•be•auf•trag•te(r)** *f m* assistant lecturer *Br,* associate lecturer *Am;* **Lehr•be•ruf** *m* **1.** (*Beruf*

e-s Lehrers) teaching profession **2.** (*Beruf mit Lehrzeit*) skilled trade; **Lehr•brief** *m* **1.** (*Zeugnis*) certificate of apprenticeship **2.** (*Lektion bei Fernkurs*) correspondence lesson; **Lehr•buch** *n* textbook

Leh•re ['le:rə] <-, -n> *f* **1.** (*Lektion*) lesson **2.** (*Lehrmeinung*) doctrine; (*Inhalt des ~ns*) teachings *pl;* (*Theorie*) theory **3.** (*Berufsausbildung*) apprenticeship **4.** (TECH: *Mess~*) gauge *Br,* gage *Am;* **in die ~ gehen** serve one's apprenticeship (*bei jdm* with s.o.); **die christliche ~** Christian doctrine; **das soll dir e-e ~ sein!** let that be a lesson to you!

leh•ren *tr itr* teach; (*an e-r Universität*) lecture; **er lehrt Wirtschaftswissenschaft** he lectures in economics; **ich werde dich ~ zu ...** I'll teach you to ...

Leh•rer(in) *m(f)* **1.** (*allgemein*) teacher **2.** (*Privat~, Nachhilfe~*) tutor **3.** (*Fahr~ etc*) instructor (instructress)

Lehr•fach *n* subject; **Lehr•film** *m* educational film; **Lehr•gang** *m* course (*für* in); **e-n ~ besuchen** take a course; **Lehr•geld** *n* (HIST) (apprenticeship) premium; **~ zahlen für etw** (*fig*) pay dearly for s.th.; **Lehr•jahr** *n* year as an apprentice; **~e sind keine Herrenjahre** (*prov*) life's not easy at the bottom; **Lehr•kör•per** *m* teaching staff; **Lehr•kraft** *f* teacher

Lehr•ling *m* apprentice

Lehr•mit•tel *npl* (PÄD) teaching materials; **Lehr•plan** *m* (PÄD) (teaching) curriculum; (*e-r Klassenstufe*) syllabus; **lehr•reich** *adj* **1.** (*informativ*) instructive **2.** (*von erzieherischem Wert*) educational; **Lehr•satz** *m* (MATH) theorem; (ECCL) dogma; **Lehr•stel•le** *f* position as an apprentice; **Lehr•stück** *n* **1.** (THEAT) didactic play **2.** (*fig: Paradebeispiel*) prime example (*in* of); **Lehr•stuhl** *m* chair (*für* of); **Lehr•zeit** *f* apprenticeship

Leib [laɪp] <-(e)s, -er> *m* **1.** (ANAT: *Körper*) body **2.** (*Unter~*) abdomen, belly; **jdm wie auf den ~ geschrieben sein** (*fig*) be tailor-made for s.o.; **am ganzen ~e zittern** tremble all over; **mit ~ u. Seele** heart and soul; **er war mit ~ u. Seele bei der Sache** he put his heart and soul into it; **bleiben Sie mir damit vom ~e!** (*fam*) stop pestering me with it!; **halt ihn mir vom ~!** keep him away from me; **jdm auf den ~ rücken** (*ihm zu nahe kommen*) crowd s.o.; (*sich jdn vorknöpfen*) get on at s.o.; (*hum: besuchen*) move in on s.o.; **ich habe es am eigenen ~e erfahren** I experienced it for myself; **er hat keinen Funken Anstand im ~e** he hasn't got a spark of decency in him; **Leib•arzt** *m* personal physician

lei•ben ['laɪbən] *itr:* **wie er leibt u. lebt** to a T

Lei•bes•er•zie•hung *f* (*Sport*) physical training; **Lei•bes•kräf•te** *fpl:* **aus ~n** with all one's might; **Lei•bes•übun•gen** *pl* (*Schulfach*) physical training [*o* education]

Leib•gar•de *f* bodyguard; **Leib•ge•richt** *n* favourite dish; **leib•haf•tig** [-'--] **I.** *adj* incarnate, personified **II.** *adv* in person

leib•lich *adj* **1.** (*körperlich*) bodily, physical **2.** (*Mutter, Vater*) natural; **~es Wohlbefinden** material well-being; **die ~en Genüsse** the pleasures of the flesh

Leib•wäch•ter(in) *m(f)* bodyguard; **Leib•wä•sche** *f* underwear

Lei•che ['laɪçə] <-, -n> *f* body, corpse; **über ~n gehen** (*fig fam*) stop at nothing; **nur über meine ~!** (*fam*) not over my dead body!; **wie e-e ~ auf Urlaub aussehen** (*fig fam*) look like death warmed up

Lei•chen•be•gräb•nis *n* funeral; **lei•chen•blass**RR ['--'-] *adj* as pale as death; **Lei•chen•gift** *n* (MED) ptomaine; **Lei•chen•hal•le** *f* (*n*) mortuary; **Lei•chen•schän•dung** *f* desecration of corpses; **Lei•chen•schau•haus** *n* morgue; **Lei•chen•star•re** *f* (MED) rigor mortis; **Lei•chen•tuch** *n* shroud; **Lei•chen•ver•bren•nung** *f* cremation; **Lei•chen•wa•gen** *m* hearse; **Lei•chen•zug** *m* funeral procession

Leich•nam ['laɪçna:m] <-(e)s, -e> *m* body

leicht [laɪçt] **I.** *adj* **1.** (*von geringem Gewicht, a. fig*) light **2.** (*einfach*) easy **3.** (*geringfügig*) slight; **man hat's nicht ~** life isn't easy; **das geht nicht so ~** that's not so easy; **mit ~er Hand** (*fig*) ohne Mühe, effortlessly; **~er Tabak** mild tobacco; **~ wie e-e Feder** as light as a feather; **~ gekleidet**RR **sein** be dressed in light clothes; **~ bekleidet**RR scantily dressed; **e-e ~e Erkältung** a slight cold; **keinen ~en Stand haben** not to have an easy time of it; **~es Spiel haben** have a walkover; **Sie werden mit ihm ~es Spiel haben** he'll be no problem; **das ist ~ zu verstehen** that's easy to understand [*o* easily understood]; **~er gesagt als getan** easier said than done; **~es Mädchen** (*fig fam*) tart; **~en Herzens** with a light heart; **etw zu ~ nehmen, etw auf die ~e Schulter nehmen** take s.th. too lightly **II.** *adv* (*unversehens, schnell*) easily; **das werde ich so ~ nicht vergessen** I won't forget that in a hurry; **das ist ~ möglich** that's quite possible; **das kann man sich ~ vorstellen** one can easily imagine that; **jdm ~ fallen**RR be easy for s.o.; **es sich ~ machen**RR make things easy for oneself

Leicht•ath•le•tik *f* (SPORT) athletics *pl;*

Leicht•ath•let(**in**) *m(f)* (SPORT) athlete

leicht|fal•len *s.* **leicht**

leicht|ma•chen *tr s.* **leicht**

leicht•fer•tig *adj* **1.** (*gedankenlos*) thoughtless **2.** (*moralisch*) easygoing

Leicht•ge•wicht *n* (*Boxen, a. fig*) lightweight

leicht•gläu•big *adj* credulous; **Leicht-gläu•big•keit** *f* credulity

leicht•hin ['-'-] *adv* lightly

Leich•tig•keit *f* (*fig: Mühelosigkeit*) ease; **mit** ~ with no trouble at all

Leicht•kraft•rad *n* moped

leicht•le•big *adj* easy-going

leicht|ma•chen *s.* **leicht**

Leicht•me•tall *n* light metal

Leicht•sinn <-(e)s> *m* **1.** (*Gedankenlosigkeit*) thoughtlessness **2.** (*Unvorsichtigkeit*) foolishness; **sträflicher** ~ criminal negligence; **so** [*o* **was für**] **ein** ~**!** how silly!; **leicht•sin•nig** *adj* **1.** (*gedankenlos*) thoughtless **2.** (*töricht*) foolish; **leicht-ver•dau•lich** *adj s.* **verdaulich**; **leicht-ver•derb•lich** *adj s.* **verderblich**; **leicht•ver•wun•det** *adj s.* **verwundet**

Leicht•was•ser•re•ak•tor *m* (TECH) light-water reactor

Leid [laɪt] <-(e)s> *n* **1.** (*Sorge, Betrübnis*) grief, sorrow **2.** (*Schaden*) harm; **jdm sein** ~ **klagen** tell s.o. one's troubles *pl;* **jdm ein** ~ **antun** harm s.o.; **in Freud' u.** ~ come rain, come shine; **Freude u.** ~ **mit jdm teilen** share one's joys and sorrows with s.o.; **es tut mir** ~**, dass ...**[RR] I regret that ...; (**das**) **tut mir** ~**!**[RR] I'm sorry (about it)!; **es tut mir** ~ **um sie**[RR] I'm sorry for her; **das wird dir noch** ~ **tun!**[RR] you'll regret it!; **jdm etw zu** ~**e tun**[RR] do s.o. harm, harm s.o.; **er tut keiner Fliege was zu** ~**e**[RR] he wouldn't hurt a fly

leid *adv:* **ich bin** (**habe**) **es** ~ (*fam*) I'm tired of it; **ich bin Ihr ewiges Gerede** ~ (*fam*) I'm fed up with your eternal chatter; *s. a.* **Leid**

Lei•den *n* **1.** (*allgemein*) suffering **2.** (*Krankheit*) illness; (*Beschwerden*) complaint; **die Freuden u.** ~ **des Lebens** the ups and downs of life; **das ist ja eben das** ~**!** (*fam*) that's just the trouble!; **wie das** ~ **Christi aussehen** (*fam*) look like death warmed up

lei•den ['laɪdən] *irr* **I.** *tr* **1.** (*er*~) suffer **2.** (*zulassen*) allow, permit; ~ **können** like; **Not** ~ be in want; **ich kann ihn nicht** ~ I don't like him [*o* can't stand him]; **bei jdm wohl gelitten sein** be held in high regard by s.o. **II.** *itr* suffer (*an, unter* from); **lei-dend** *adj* **1.** (*er*~) suffering **2.** (*kränklich*) ailing

Lei•den•schaft *f* passion; **e-e** ~ **für etw haben** have a passion for s.th.; **ein Ausbruch der** ~ an outburst of passion; **Lesen ist ihre** ~ reading is a passion with her; **lei-den•schaft•lich** *adj* passionate; **etw** ~ **gern tun** be passionately fond of doing s.th.; **Lei•den•schaft•lich•keit** *f* passion; **lei•den•schafts•los** *adj* dispassionate

Lei•dens•ge•nos•se, **-ge•nos•sin** *m, f* fellow-sufferer

lei•der ['laɪdɐ] *adv* unfortunately; ~ **sehe ich, dass ...** I am sorry to see that ...; ~ **muss ich gehen** I'm afraid I have to go; **ja** ~**!** (*interj*) I'm afraid so!; ~ **lässt sich das nicht machen** unfortunately that can't be done

lei•dig *adj* tiresome

leid•lich *adj* reasonable; **es geht ihr so** ~ (*fam*) she is so-so; **er ist noch so** ~ **davongekommen** he did not come out of it too badly

Leid•tra•gen•de(**r**) *f m* (*Benachteiligte(r)*) sufferer, the one to suffer

leid•voll *adj* grievous

Leid•we•sen *n:* (**sehr**) **zu meinem** ~ (much) to my disappointment

Lei•er ['laɪɐ] <-, -n> *f* (MUS) lyre; **es ist immer die alte** ~ (*fig fam*) it's always the same old story; **Lei•er•kas•ten** *m* hurdy-gurdy

lei•ern *tr itr* **1.** (*auf der Drehorgel*) grind (*itr* a barrel organ) **2.** (*fam: herunter~: Gedicht etc*) drone

Leih•ar•beit *f* casual labour; **Leih•ar•bei-ter**(**in**) *m(f)* casual worker; **Leih•bi•b•li-o•thek** *f* lending library; **Leih•bü•che-rei** *f* lending library

lei•hen ['laɪən] *irr tr* **1.** (*aus*~) lend **2.** (*von jdm ent~, borgen*) borrow; **ich habe es mir geliehen** I've borrowed it; **jdm sein Ohr** (**s-e Aufmerksamkeit**) ~ (*fig*) lend s.o. one's ear (one's attention)

Leih•ga•be *f* loan; **Leih•ge•bühr** *f* rental charge; (*für Bücher*) lending fee; **Leih-haus** *n* pawnshop; **Leih•mut•ter** *f* surrogate mother; **Leih•mut•ter•schaft** *f* surrogate motherhood, surrogacy; **Leih-schein** *m* pawn ticket; (*für Buch*) borrowing slip; **Leih•schwan•ger•schaft** *f* surrogate pregnancy; **Leih•wa•gen** *m* hire(d) car; **leih•wei•se** *adv* on loan

Leim [laɪm] <-(e)s, -e> *m* glue; **jdm auf den** ~ **gehen** (*fig fam*) fall for someone's line; **jdn auf den** ~ **führen** (*fig fam*) take s.o. in; **aus dem** ~ **gehen** (*fam: auseinanderfallen*) fall apart; **lei•men** *tr* **1.** (*zusammen*~) glue (together) **2.** (*fam: hereinlegen*) take for a ride; **Leim•far•be** *f* distemper

Lei•ne ['laɪnə] <-, -n> *f* (*Wäsche*~) line;

(*Schnur*) cord; (*Hunde~*) leash, lead
Lei•nen ['laɪnən] <-s, -> *n* linen; (*Bucheinband*) cloth; **in ~ gebunden** cloth- bound; **lei•nen** *adj* linen
Lein•sa•men *m* (BOT) linseed
Lein•tuch *n* (*Bettuch*) sheet; **Lein•wand** *f* **1.** (*für Zelte, a. zum Bemalen*) canvas **2.** (FILM) screen
lei•se ['laɪzə] *adj* **1.** (*still*) quiet; (*nicht laut*) low **2.** (*schwach, gering, von fern*) faint **3.** (*weich, sanft*) soft; **sei doch ~!** don't make such a noise!; **stell doch mal das Radio ~r!** turn the radio down!; **ich habe nicht die ~ste Ahnung** I haven't got the slightest [*o* faintest] idea; **sprechen Sie doch bitte etw ~r!** please keep your voice down a bit!
Lei•se•tre•ter(in) *m(f)* (*fig fam*) pussyfooter
Leis•te ['laɪstə] <-, -n> *f* **1.** (*Holz~*) strip; (*Umrandung*) border **2.** (ANAT) groin
Leis•ten ['laɪstən] <-s, -> *m*: **alles über e-n ~ schlagen** (*fig fam*) measure everything by the same yardstick
leis•ten ['laɪstən] *tr* **1.** (*tun*) do **2.** (*vollbringen*) achieve; **sich etw ~** (*erlauben*) allow o.s. s.th.; (*gönnen*) treat o.s. to s.th.; **sich etw ~ können** be able to afford s.th.; **jdm Beistand ~** lend s.o. one's support; **jdm e-n Dienst ~** render s.o. a service; **e-n Eid ~** take an oath; **jdm Hilfe ~** help s.o.; **gute Arbeit ~** do a good job; **Ersatz ~** provide a replacement; **jdm Genugtuung ~** give s.o. satisfaction; **jdm Gesellschaft ~** keep s.o. company; **Großes ~** achieve great things *pl;* **das kann ich mir nicht ~** I can't afford that; **er leistete sich die Frechheit zu ...** he had the cheek to ...; **da hat er sich aber etw (Schönes) geleistet!** (*iro*) that was really brilliant of him!
Leis•ten•bruch *m* (MED) hernia; **Lei•sten•ge•gend** *f* (ANAT) inguinal region
Leis•tung *f* **1.** (*Geleistetes*) performance; (*geleistete Arbeit*) work **2.** (*~sfähigkeit*) capacity; (MOT) power **3.** (*Zahlung durch Versicherung, Krankenkasse*) benefit **4.** (*betriebliche ~, Ausstoß*) output; **nach ~ bezahlt werden** be paid on results *pl;* **die ~en sind besser geworden** the levels of performance have improved; **schwache ~!** (*fam*) poor show!; **Leis•tungs•ab•fall** *m* (TECH EL) power diminution; **er hat e-n ~** (PÄD) his work has deteriorated; **Leis•tungs•auf•nah•me** *f* (TECH EL) power consumption [*o* input]; **Leis•tungs•be•wer•tung** *f* efficiency measurement; **Leis•tungs•bi•lanz** *f* balance of goods and services; **Leis•tungs•druck** *m* pressure (to do well), stress of performance; **Leis•tungs•fach** *m* (PÄD) special subject; **leis•tungs•fä•hig** *adj* **1.** (*fähig*) able, capable; (*tüchtig*) efficient **2.** (COM: *produktiv*) productive; (*konkurrenzfähig*) competitive **3.** (MOT) powerful **4.** (FIN: *zahlungskräftig*) solvent; **Leis•tungs•fä•hig•keit** *f* **1.** (*Fähigkeit*) ability; (*Tüchtigkeit*) efficiency **2.** (COM: *Produktivität*) productive power; (*Konkurrenzfähigkeit*) competitiveness **3.** (MOT) power **4.** (FIN: *Zahlungskraft*) solvency; **Leis•tungs•ge•sell•schaft** *f* performance-oriented society; **Leis•tungs•knick** *m* bend in efficiency; **Leis•tungs•kon•trol•le** *f* performance control; **Leis•tungs•min•de•rung** *f* **1.** (*körperlich, geistig*) drop in efficiency **2.** (EL) power drop **3.** (TECH) drop in output; **Leis•tungs•prü•fung** *f* performance test; **Leis•tungs•test** *m* **1.** (*allgemein*) performance test **2.** (PÄD) achievement test; **Leis•tungs•wil•le** *m* motivation; **Leis•tungs•zu•la•ge** *f* productivity bonus
Leit•ar•ti•kel *m* leader *Br,* editorial *Am;* **Leit•ar•tik•ler(in)** *m(f)* leader-writer *Br,* editorial-writer *Am;* **Leit•bild** *n* model
lei•ten ['laɪtən] *tr* **1.** (*führen*) lead **2.** (*fig: lenken*) guide **3.** (*verantwortlich sein*) be in charge of; (COM: *als Manager*) direct, manage **4.** (PHYS EL) conduct; **(etw) gut ~** (PHYS EL) be a good conductor (of s.th.); **etw an die zuständige Stelle ~** pass s.th. on to the proper authority; **sich von jdm (etw) ~ lassen** (*a. fig*) let o.s. be guided by s.o. (s.th.); **leitend** *adj* **1.** (*führend*) leading **2.** (*Stellung*) managerial **3.** (PHYS EL) conductive; **nicht ~** (EL) non-conductive; **~e(r) Angestellte(r)** executive; **der ~e Ingenieur** the engineer in charge
Lei•ter(in)[1] *m(f)* **1.** (*allgemein*) leader; (*Chef(in), Abteilungs~*) head; (*Geschäftsführer*) manager, manageress; (*Schul~*) headmaster, headmistress *Br,* principal *Am* **2.** (PHYS EL: *nur m*) conductor
Lei•ter[2] <-, -n> *f* (*a. fig*) ladder; **die ~ zum Erfolg** the stairway to success
Lei•ter•plat•te *f* circuit board
Leit•fa•den *m* **1.** guide; (*einführendes Handbuch*) introduction **2.** (*fig: in Handlung etc*) main connecting thread; **leit•fä•hig** *adj* (PHYS EL) conductive; **Leit•ge•dan•ke** *m* central idea; **Leit•ham•mel** *m* (*a. fig fam*) bellwether; **Leit•mo•tiv** *n* leitmotiv; **Leit•plan•ke** *f* (MOT) crash-barrier; **Leit•satz** *m* guiding principle; **Leit•stern** *m* (*a. fig*) lodestar
Lei•tung *f* **1.** (*das Führen*) leading **2.** (*fig: das Lenken, Steuern*) guiding **3.** (*Vorsitz*) leadership; (COM: *Management*) management; (*Schul~*) headship *Br,* principalship *Am* **4.** (*~spersonen, Leiter*) leaders *pl;* (COM: *Manager*) management **5.** (*Telefon~, Strom~*) wire; (*Gas~, Wasser~ im*

Haus) pipe; (*Zuführungs~ für Gas u. Wasser*) main **6.** (TELE: *Verbindung*) line; **wer hat die ~ dieses Projekts?** who is in charge of this project?; **die ~ des Marketingbereichs** (COM) the management of the marketing division; **unter der ~ von ...** (MUS) conducted by ...; **die ~ ist besetzt** (TELE) the line is engaged *Br,* the line is busy) *Am;* **er hat e-e ziemlich lange ~** (*fam*) he's rather slow on the uptake; **Lei•tungs•netz** *n* **1.** (EL) grid **2.** (*für Wasser, Gas*) mains system **3.** (TELE) network; **Lei•tungs•rohr** *n* main; (*im Haus*) pipe; **Lei•tungs•was•ser** *n* tapwater; **Lei•tungs•wi•der•stand** *m* (EL) resistance

Leit•ver•mö•gen *n* (EL) conductivity; **Leit•werk** *n* (AERO) tail unit; **Leit•zins** *m* (FIN) prime rate

Lek•ti•on [lɛk'tsjo:n] *f* (*a. fig*) lesson; **das wird ihm e-e ~ sein** (*fig*) that'll teach him a lesson

Lek•tor(in) *m(f)* (*in e-m Verlag*) editor

Lek•tü•re [lɛk'ty:rə] <-, -n> *f* (*Lesen*) reading; (*Lesestoff*) reading matter

Lem•ming <-s, -e> *m* (ZOO) lemming

Len•de ['lɛndə] <-, -n> *f* (ANAT) loin; **Len•den•bra•ten** *m* loin roast; **Len•den•ge•gend** *f* (ANAT) lumbar region; **Len•den•schurz** *m* loincloth; **Len•den•stück** *n* (*Fleischstück*) piece of loin; **Len•den•wir•bel** *m* (ANAT) lumbar vertebra

lenk•bar *adj* (*steuerbar*) steerable; (*Rakete*) guided

Lenk•com•pu•ter *m* guide computer

len•ken ['lɛŋkən] *tr* **1.** (*führen, leiten*) direct, guide **2.** (*Fahrzeuge etc steuern*) steer **3.** (*verwalten*) manage **4.** (*fig: Schritte, Gedanken, Gespräche etc*) direct (*auf* to); **jds Aufmerksamkeit auf jdn (etw) ~** draw someone's attention to s.o. (s.th.); **den Blick auf etw ~** turn one's eyes to s.th.; **gelenkte Wirtschaft** planned economy

Len•ker(in)[1] *m(f)* **1.** (*Fahrer*) driver **2.** (*fig: Führer*) guide

Len•ker[2] *m* (MOT: *Steuerrad*) steering wheel; (*Lenkstange beim Fahrrad, Motorrad*) handlebars *pl;* **Len•ker•ar•ma•tu•ren** *pl* (*beim Motorrad*) handlebar fittings

Lenk•rad *n* (MOT: *Steuerrad*) steering wheel; **Lenk•rad•schal•tung** *f* (MOT) column gear change *Br,* column gear shift *Am;* **Lenk•rad•schloss**[RR] *n* (MOT) steering-wheel lock

Lenk•stan•ge *f* (*an Motorrad, Fahrrad*) handlebars *pl*

Len•kung *f* **1.** (*das Leiten, Führen*) directing; (*das Steuern*) steering **2.** (MOT: *Lenkvorrichtung*) steering

Lenk•waf•fe *f* (MIL) guided missile

Lenz [lɛnts] <-es, -e> *m* (*lit obs: Frühling*) springtime; **sich e-n faulen ~ machen** (*sl pej*) laze about; **25 ~e zählen** (*hum*) have seen 25 summers

Le•o•pard [leo'part] <-en, -en> *m* (ZOO) leopard

Le•pra ['le:pra] <-> *f* (MED) leprosy; **Le•pra•kran•ke(r)** *f m* leper

Ler•che ['lɛrçə] <-, -n> *f* (ORN) lark

lern•be•gie•rig *adj* eager to learn; **lern•be•hin•dert** *adj* educationally handicapped; **Lern•dis•ket•te** *f* didactic disk

ler•nen ['lɛrnən] **I.** *tr* (*allgemein*) learn (*etw von jdm* s.th. from s.o., *etw zu tun* to do s.th., *von o aus etw* from s.th.); **schwimmen (Schreibmaschine) ~** learn to swim (to type); **du lernst es nie!** you'll never learn!; **er lernt Bäcker** he's learning the baker's trade, he's training as a baker; **tja, alles will gelernt sein** well, it's all a question of practice **II.** *itr* **1.** (*sich Wissen aneignen*) learn **2.** (*ausgebildet werden: in Lehrberuf*) train; (*zur Schule gehen*) go to school; (*studieren*) study; **von ihr kannst du nur ~!** she could really teach you a thing or two! **III.** *refl:* **sich leicht/schwer ~** be easy/hard to learn

Ler•ner(in) *m(f)* learner; **Ler•ner•wör•ter•buch** *n* learner's dictionary

Lern•mit•tel•frei•heit *f* free means *pl,* of study; **Lern•tech•nik** *f* mnemonics *pl;* **Lern•ziel** *n* (PÄD) learning objective

Les•art ['le:sa:ɐt] *f* (*a. fig*) version

les•bar *adj* **1.** (*leserlich*) legible **2.** (*lesenswert*) readable

Les•be ['lɛsbə] <-, -n> *f* (*sl*) dyke *Br,* dike *Am;* **Les•bie•rin** ['lɛsbiərɪn] *f* lesbian; **les•bisch** *adj* lesbian

Le•se•buch *n* reader; **Le•se•ge•rät** *n* **1.** (*Mikrofilm~*) film reader **2.** (EDV) reading device; **Le•se•lam•pe** *f* reading lamp; **Le•se•map•pe** *f* magazine-sharing club folder

le•sen[1] ['le:zən] *irr tr* **1.** (*auf~, sammeln*) pick, gather **2.** (*ver~, sortieren*) sort

le•sen[2] *irr* **I.** *tr itr* **1.** (*allgemein, a.* EDV) read **2.** (*nur itr,* PÄD: *Vorlesung halten*) lecture (*über* on); **s-e Handschrift ist kaum zu ~** his handwriting is hardly legible; **... u. da stand zu ~, dass ...** ... and it said there that ... **II.** *refl* read; **dieses Buch liest sich gut** this book reads well

le•sens•wert *adj* worth reading

Le•se•pro•be *f* **1.** (THEAT) reading **2.** (*Buchausschnitt*) excerpt; **Le•se•rat•te** *f* (*fig fam*) bookworm

Le•ser(in) *m(f)* (*Buch~*) reader; **Leser•brief** *m* reader's letter; **Le•ser•kreis** *m* readership; **le•ser•lich** *adj* legible; **Le•ser•schaft** *f* readers *pl*

Le•se•saal *m* reading room; **Le•se•spei-**

cher *m* (EDV) read only memory; **Le•se•stoff** *m* reading (matter); **Le•se•zei•chen** *n* (*in Buch*) bookmark; **Le•se•zir•kel** *m* magazine subscription club

Le•sung *f* (PARL: *a. Dichter~*) reading

Let•te ['lɛtə] <-n, -n> *m*, **Let•tin** *f* Latvian

Let•ter ['lɛtɐ] <-, -n> *f* (TYP) character

let•tisch *adj* Latvian

Lett•land <-s> *n* Latvia

Letzt [lɛtst] *f*: **zu guter ~** in the end; **das ist ja wohl das ~e!** (*fam*) that's the real last straw!; **sein ~es (her)geben** do one's utmost; **bis aufs ~**RR completely; **bis ins ~**RR down to the last detail

letz•te *adj* **1.** (*zeitlich, räumlich*) last; (*abschließend, endgültig*) final **2.** (*äußerste*) extreme **3.** (*neueste*) latest **4.** (*fam: schlechteste*) most terrible; **er ging als L~r**RR he was the last to go; **~r Ausweg** last resort; **~n Endes** after all; **jdm die ~ Ehre erweisen** pay one's last respects to s.o.; **~ Meldungen, ~ Nachrichten** latest news; **~ Runde** (SPORT) final round; **L~r Wille** last will and testament; **an ~r Stelle liegen** (SPORT) bei Rennen, be last; (*am Tabellenende*) be bottom; **in den ~n Zügen liegen** (*fam*) be at one's last gasp; **in ~r Zeit** recently; **das ist der ~ Dreck** (*fam*) that's absolute trash; **jdn wie den ~n Dreck behandeln** (*fam*) treat s.o. like dirt; *s. a.* Letzt; **letzt•end•lich** *adv* at last, finally; **letz•tens** ['lɛtstəns] *adv* recently; **letz•te•re** *adj* the latter

letzt•jäh•rig *adj* last year's; **letzt•lich** *adv* in the end; **letzt•wil•lig** *adj*: **~e Verfügung** last will and testament

Leucht•an•zei•ge *f* illuminated display; **Leucht•bo•je** *f* light-buoy; **Leucht•bom•be** *f* (AERO MIL) flare; **Leucht•di•o•de** *f* light-emitting diode; **Leucht•di•o•den•an•zei•ge** *f* LED-display

Leuch•te ['lɔɪçtə] <-, -n> *f* **1.** (*Licht*) light; (*Lampe*) lamp **2.** (*fam: begabter Mensch*) genius, shining star

leuch•ten *itr* **1.** (*glänzen, scheinen*) shine; (*glühen*) glow **2.** (*mit einer Lampe*) shine a [*o* the] lamp (*in* into, *auf* onto, *für jdn, jdm* for); **leuch•tend** *adj* (*a. fig*) shining; **ein ~es Beispiel** a shining example; **mit ~en Augen** with shining eyes; **etw in den ~sten Farben schildern** paint s.th. in glowing colours

Leuch•ter *m* (*Kerzen~*) candlestick; (*Kron~*) chandelier

Leucht•far•be *f* fluorescent paint [*o* colour]; **Leucht•feu•er** *n* navigational light; **Leucht•kä•fer** *m* (ZOO) glow- worm; **Leucht•kraft** *f* brightness; **Leucht•ku•gel** *f* flare; **Leucht•pis•to•le** *f* flare pistol; **Leucht•ra•ke•te** *f* signal rocket; **Leucht•re•kla•me** *f* neon sign; **Leucht•schrift** *f* illuminated letters *pl;* **Leucht•spur•mu•ni•ti•on** *f* (MIL) tracer bullets *pl;* **Leucht•stift** *m* highlighter; **Leucht•stoff•lampe** *f* fluorescent lamp; **Leucht•strei•fen** *m* (TECH) fluorescent strip; **Leucht•turm** *m* lighthouse; **Leucht•wer•bung** *f* illuminated advertising; **Leucht•zei•chen** *n* flare signal; **Leucht•zif•fer•blatt** *n* luminous dial

leug•nen ['lɔɪgnən] *tr itr* deny (*itr* everything); **etw getan zu haben** having done s.th.; **es ist nicht zu ~, dass ...** it cannot be denied that ...

Leu•kä•mie [lɔɪkɛ'mi:] *f* (MED) leukaemia

Leu•mund ['lɔɪmʊnt] *m* (JUR) reputation

Leu•te ['lɔɪtə] *pl* **1.** (*allgemein*) people **2.** (*als pl von Mann*) men; **meine ~** (*Mannschaft, Arbeiter*) my staff *fam;* (*meine Familie*) my folks; **etw unter die ~ bringen** (*fam*) spread s.th. around; **ich kenne doch meine ~!** (*fam: ich kenne euch Brüder*) I know you lot!; **unter die ~ kommen** (*fam*) do the rounds *pl;* **was werden die ~ dazu sagen?** what will people say?

Leut•nant ['lɔɪtnant] <-e, -s/(-e)> *m* (MIL: *beim Heer*) second lieutenant; (*Flieger~*) pilot officer *Br,* second lieutenant *Am;* **~ zur See** sub-lieutenant *Br,* lieutenant junior grade *Am*

leut•se•lig *adj* affable; **Leut•se•lig•keit** *f* affability

Le•vi•ten [le'vi:tən] *pl* (*fam*): **jdm die ~ lesen** lecture s.o.

Le•xem [lɛ'kse:m] <-s, -e> *n* (LING) lexeme

le•xi•ka•lisch [lɛksi'ka:lɪʃ] *adj* lexical

Le•xi•ko•gra•phie <-> *f*, **Le•xi•ko•gra•fie**RR *f* lexicography

Le•xi•ko•lo•gie *f* lexicology; **le•xi•ko•lo•gisch** *adj* lexicological

Le•xi•kon ['lɛksikɔn] <-s, -ka/(-ken)> *n* **1.** (*Konversations~*) encyclop(a)edia **2.** (*obs: Wörterbuch*) dictionary

Li•ba•ne•se [liba'ne:zə] <-n, -n> *m*, **Li•ba•ne•sin** *f* Lebanese; **li•ba•ne•sisch** *adj* Lebanese; **Li•ba•non** ['li:banɔn] *m*: **der ~** the Lebanon

Li•bel•le [li'bɛlə] <-, -n> *f* **1.** (ZOO) dragonfly **2.** (TECH: *an Wasserwaage*) spirit level

li•be•ral [libe'ra:l] *adj* liberal; **li•be•ra•li•sie•ren** *tr* liberalize; **Li•be•ra•li•sie•rung** *f* liberalization

Li•be•ria [li'be:ria] *n* Liberia

Li•be•ro ['li:bero] <-s, -s> *m* (SPORT) sweeper

Li•by•en ['li:byən] *n* Libya; **Li•by•er(in)** *m(f)* Libyan; **li•bysch** *adj* Libyan

Licht [lɪçt] <-(e)s, -er> *n* **1.** (*a. fig*) light **2.** (*fig: Könner*) genius; **mach mal das ~ an (aus)!** turn on (switch off) the light!; **etw**

ans ~ bringen (*fig*) bring s.th. out into the open; **etw gegen das ~ halten** hold s.th. up to the light; **bei ~ betrachtet** (*am Tage*) in the daylight; (*fig*) in the cold light of day; **jdn hinters ~ führen** (*fig*) pull the wool over someone's eyes; **etw ins rechte ~ setzen** (*fig: richtig stellen*) show s.th. in its true colours *pl;* **in ein schiefes ~ geraten** (*fig*) be seen in the wrong light; **du stehst mir im ~** you're standing in my light; **plötzlich ging ihm ein ~ auf** (*fig*) suddenly it began to dawn on him; **wir müssen ~ in diese Angelegenheit bringen** (*fig*) we must cast some light on this matter; **man sollte nicht gegen das ~ fotografieren** one shouldn't take a photograph into the light

licht *adj* **1.** (*hell*) light **2.** (*gelichtet: von Haar*) thin; (*von Wald*) sparse; **ein ~er Augenblick** a lucid moment; **am ~en Tag** in broad daylight; **~e Weite** internal diameter

Licht•an•la•ge *f* **1.** (*die Beleuchtung*) lights *pl* **2.** (*das Beleuchtungssystem*) lighting system; **Licht•bild** *n* (*Diapositiv*) slide; **Licht•bil•der•vor•trag** *m* slide-illustrated lecture; **Licht•blick** *m* (*fig*) cheering prospect; **Licht•bo•gen** *m* arc; **Licht•bre•chung** *f* refraction; **Licht•druck** *m* **1.** (TYP) phototype **2.** (PHYS) light pressure; **licht•durch•läs•sig** *adj* light-transmissive; **licht•echt** *adj* non-fade; **Licht•ein•wir•kung** *f* effect [*o* action] of light; **licht•emp•find•lich** *adj* (*allgemein*) sensitive to light; (TECH) photosensitive

lich•ten[1] **I.** *tr* (*ausdünnen*) thin out **II.** *refl* **1.** (*spärlicher werden*) thin out; (*schwinden, schrumpfen*) dwindle **2.** (*Nebel*) clear; (*Wolken, Dunkel*) lift **3.** (*fig: aufgeklärt werden*) be cleared up

lich•ten[2] *tr:* **den Anker ~** weigh anchor

lich•ter•loh ['lɪçtɐ'loː] *adv:* **~ brennen** be ablaze

Licht•fleck *m* light spot; **Licht•ge•schwin•dig•keit** *f* (PHYS) speed of light; **mit ~** at the speed of light; **Licht•grif•fel** *m* (EDV) light pen; **Licht•hof** *m* **1.** (ARCH) air well **2.** (ASTR A. PHOT) halo; **Licht•hu•pe** *f* (MOT) flasher; **Licht•jahr** *n* light year; **Licht•lei•tung** *f* lighting wire; **Licht•ma•schi•ne** *f* (MOT) alternator *Br,* generator *Am;* **Licht•mast** *m* lamp post; **Licht•mess[RR]** *f* (ECCL): **Mariä ~** Candlemas; **Licht•mes•ser** *m* (PHOT) photometer; **Licht•or•gel** *f* **1.** (*in Discothek etc*) clavilux **2.** (FILM THEAT) lighting console **3.** (*~effekt*) light show; **Licht•pau•se** *f* blueprint; **Licht•quel•le** *f* source of light; **Licht•re•kla•me** *f* neon sign; **Licht•satz** <-es> *m* (TYP) film- setting, photocomposition; **Licht•schacht** *m* **1.** (*in Haus*) air shaft **2.** (PHOT: *bei Spiegelreflexkamera*) focussing hood; **Licht•schal•ter** *m* (EL) light switch; **Licht•schein** *m* gleam of light; **licht•scheu** *adj* **1.** averse to light **2.** (*fig*) shady; **Licht•schutz•fak•tor** *m* protection factor; **Licht•si•gnal** *n* light signal; **licht•stark** *adj* (OPT) intense; (PHOT) fast; **Licht•stär•ke** *f* **1.** (*e-r Birne*) wattage **2.** (PHOT) speed; (OPT) luminous intensity; **Licht•strahl** *m* beam of light

Lich•tung *f* clearing, glade

licht•un•durch•läs•sig *adj* opaque; **Licht•ver•hält•nis•se** *pl* lighting conditions; **Licht•wel•le** *f* (PHYS) light wave; **Licht•zei•chen•an•la•ge** *f* (*im Straßenverkehr*) set of lights

Lid [liːt] <-(e)s, -er> *n* (ANAT) eyelid; **Lid•schat•ten** *m* eye-shadow; **Lid•strich** *m* eye-liner

lieb [liːp] *adj* **1.** (*teuer, geschätzt*) dear; (*geliebt*) beloved **2.** (*angenehm*) pleasant; (*nett*) nice; (*~enswürdig*) kind **3.** (*artig, brav*) good; **ich bin ihr von allen der ~ste** I'm her favourite; **es wäre sehr ~, wenn Sie ...** it would be sweet of you if you ...; **es wäre mir ~ zu ...** I'd like to ...; **ich würde ~er nach Hause gehen** I'd rather go home; **Sie hätten ~er nicht kommen sollen** it would, have been better if you hadn't come; **am ~sten würde ich ...** what I'd like most would be to ...; **den ~en langen Tag** the whole livelong day; **s-e ~e Not haben** have no end of trouble (*mit* with); **er hatte s-e ~e Not damit** it was very difficult for him; **um des ~en Friedens willen** (*fam*) for the sake of peace and quiet; **ach, du ~e Zeit!** (*interj fam*) goodness me!; **~ gewinnen[RR]** grow fond of; **~ haben[RR]** be fond of, love

lieb•äu•geln ['liːpɔɪgəln] *itr:* **mit etw ~** have an eye on s.th.; **mit dem Gedanken ~ etw zu tun** be toying with the idea of doing s.th.

Lieb•chen ['liːpçən] *n* (*obs*) sweetheart

Lie•be ['liːbə] <-> *f* (*allgemein*) love (*zu jdm* of s.o., for s.o., *zu etw* of s.th.); **ein Kind der ~** a love-child; **~ macht blind** (*prov*) love is blind; **sie ist meine große ~** she's the love of my life; **~ machen** (*sl*) make love; **Lie•be•lei** *f* (*fam*) flirtation

lie•ben *tr itr* **1.** (*sehr gern haben*) love **2.** (*koitieren*) make love (*jdn* to s.o.); **etw nicht ~** not to like s.th.; **das würde ich ~d gern tun** I'd love to do so

lie•bens•wert *adj* lovable

lie•bens•wür•dig *adj* **1.** (*liebenswert*) amiable **2.** (*freundlich*) kind; **wären Sie wohl so ~, ...?** would you be so kind as to ...?; **Lie•bens•wür•dig•keit** *f* kindness

lie•ber ['li:bɐ] I. *adj* (*Komparativ*) dearer; **er mag Techno ~ als Hip-Hop** he prefers techno to hiphop [*o* likes techno better than hiphop]; **nichts ~ als das** there's nothing I'd rather do II. *adv* 1. (*eher*) rather 2. (*besser*) better; **je länger, je ~** the longer the better; **ich möchte ~ nach Hause gehen** I'd [*o* I would] rather go home; **du bleibst ~ da** (*besser*) you'd [*o* you had] better stay there; **du hättest ~ nachgeben sollen** you'd have done better to have given in

Lie•bes•brief *m* love letter; **Lie•bes•dienst** *m* (*fig: Gefallen*) favour; **Lie•bes•ent•zug** <-s> *m* withdrawal of favours; **Lie•bes•er•klä•rung** *f* declaration of love; **jdm e-e ~ machen** declare one's love to s.o.; **Lie•bes•ga•be** *f* alms *pl;* **Lie•bes•kum•mer** *m* lovesickness; **~ haben** be lovesick; **Lie•bes•lied** *n* love song; **Lie•bes•mü•he** *f* (*fig*): **alles vergebliche ~** it's all futile; **Lie•bes•paar** *n* lovers *pl,* courting couple

lie•be•voll *adj* loving

lieb|ge•win•nen *s.* **lieb**

lieb|ha•ben *s.* **lieb**

Lieb•ha•ber(in) *m(f)* 1. (*Geliebte(r)*) lover 2. (*Enthusiast(in)*) enthusiast; (*Kenner(in)*) connoisseur; **Lieb•ha•be•rei** [li:pha:bə'raɪ] *f* (*fig: Steckenpferd*) hobby; **aus ~** as a hobby; **Lieb•ha•ber•stück** *n* collector's item; **Lieb•ha•ber•wert** *m* collector's value

lieb•ko•sen [li:p'ko:zən] <ohne ge-> *tr* caress, fondle

lieb•lich *adj* (*anmutig*) lovely; (*süß*) sweet; (*reizend*) charming; (*köstlich*) delightful

Lieb•ling *m* 1. (*Günstling*) favourite 2. (*Geliebte, Geliebter*) darling

lieb•los *adj* 1. (*unfreundlich*) unkind 2. (*ohne Liebe*) unloving 3. (*unaufmerksam, rücksichtslos*) inconsiderate

Lieb•lo•sig•keit *f* 1. (*Charakterzug*) unkindness 2. (*Äußerung, Tat etc*) unkind remark [*o* act]

Lieb•schaft *f* (love)affair

Liebs•te(r) ['li:pstə] *f m* sweetheart

Lied [li:t] <-(e)s, -er> *n* song; **es ist immer das alte ~** (*fig fam*) it's always the same old story; **davon kann ich auch ein ~ singen** (*fig fam*) I could tell you a thing or two about that myself; **das ist dann das Ende vom ~** (*fig fam*) it always ends like that; **Lie•der•buch** *n* songbook

lie•der•lich ['li:dɐlɪç] *adj* 1. (*schlampig*) slovenly; (*nachlässig a.*) sloppy 2. (*pej: unmoralisch: Mann*) dissolute, dissipated; (*Frau*) loose

Lie•der•lich•keit *f* 1. (*Schlampigkeit*) slovenliness 2. (*Lebenswandel*) dissoluteness, looseness

Lie•der•ma•cher(in) *m(f)* singer-songwriter

Lie•fer•ab•kom•men *n* supply [*o* delivery] contract

Lie•fe•rant(in) <-en, -en> *m(f)* supplier

lie•fer•bar *adj* (*vorrätig*) available; **die Ware ist sofort ~** the article can be supplied at once

Lie•fer•be•din•gun•gen *fpl* terms of delivery; **Lie•fer•fir•ma** *f* 1. (*Versorgungsfirma*) supplier 2. (*Zustellerfirma*) delivery firm

lie•fern ['li:fɐn] *tr itr* 1. (*versorgen mit*) supply; (*aus~*) deliver 2. (*zur Verfügung stellen*) furnish, provide; (*Beweis*) produce; (*Ertrag, Ernte*) yield; **jdm e-e Schlacht ~** do battle with s.o.; **jetzt ist er geliefert** (*fam*) now he's had it; **wir können nicht ins Ausland ~** we do not supply the foreign market; **ein spannendes Spiel ~** (SPORT) put on an exciting game

Lie•fer•schein *m* delivery note; **Lie•fer•ter•min** *m* delivery date

Lie•fe•rung *f* 1. (*Versorgung*) supply 2. (*Aus~*) delivery; **Bezahlung bei ~, zahlbar bei ~** payable on delivery; **~ frei Haus** free delivery

Lie•fer•wa•gen *m* (MOT) van *Br,* panel truck *Am;* (*offener*) pick-up; **Lie•fer•zeit** *f* time of delivery, delivery time

Lie•ge ['li:gə] <-, -n> *f* (*Chaiselongue*) couch

lie•gen ['li:gən] *irr itr* 1. (*allgemein*) lie 2. (*gelegen sein*) be situated; (*sein, sich befinden*) be 3. (*sich verhalten*) be 4. (*passen, zusagen*) suit (*jdm* s.o.), appeal (*jdm* to s.o.); **er liegt mir nicht** (*fam*) he's not my type; **das liegt mir absolut nicht** (*fam*) that's absolutely not my line; **mir liegt viel daran** it means a lot to me; **daran liegt mir wenig (nichts)** that doesn't matter much (at all) to me; **das liegt nicht an mir** (*das ist nicht meinetwegen so*) that's not because of me; (*das ist nicht meine Schuld*) that's not my fault; **woran liegt es?** what's the cause of it?; **an mir soll's nicht ~** (*fam: ich habe nichts dagegen*) it's all right by [*o* with] me; **es liegt bei Ihnen, ob ...** it rests with you whether ...; **lass es da ~** leave it there; **der deutsche Läufer liegt weit hinter dem Amerikaner** the German runner is a long way behind the American; **das liegt gar nicht in meiner Absicht** that's not at all my intention; **sein neues Auto liegt sehr gut auf der Straße** his new car holds the road very well; **unser Haus liegt sehr ruhig** our house is in a very peaceful location; **wo liegt Herford?**

where is Herford situated?; **wie die Dinge momentan** ~ as things are at the moment; **fern** ~RR (*fig*) be far from; **es liegt mir fern ihn zu verurteilen** (*fig*) It is not my job to judge him; ~ **bleiben**RR remain lying; (*nicht verkauft werden*) not to sell; (*vergessen werden*) be left behind; **im Bett** ~ **bleiben**RR stay [*o* remain] in bed; **die Briefe sind** ~ **geblieben**RR the letters were not sent off; **meine Arbeit ist** ~ **geblieben**RR my work was left undone; **unser Auto ist kurz vor London** ~ **geblieben**RR our car broke down just outside London; ~ **lassen**RR (*vergessen*) leave behind; (*Arbeit etc unerledigt lassen*) leave; **herum~ lassen**RR leave lying around; **jdn links** ~ **lassen**RR (*fig fam*) ignore [*o* disregard] s.o.; **alles stehen- u.** ~ **lassen**RR (*auf der Stelle aufhören*) drop everything; (*alles hinter sich lassen, zurücklassen*) leave everything behind; **sich wund** ~RR get bedsore

lie•gen|blei•ben *s.* **liegen**

lie•gen|las•sen *s.* **liegen**

Lie•gen•schaf•ten *pl* real estate *sing;* **Lie•gen•schafts•amt** *n* property register

Lie•ge•platz *m* (MAR) berth; **Lie•ge•sitz** *m* reclining seat; **Lie•ge•stuhl** *m* deckchair; (*fam*) loafer; **Lie•ge•wa•gen** *m* (RAIL) couchette coach *Br,* couchette car *Am*

Lift [lɪft] <-(e)s, -e/-s> *m* lift *Br,* elevator *Am;* **Lift•boy** *m* liftboy *Br,* elevator boy *Am*

Lift-off-Kor•rek•tur•band *n* (TYP) lift-off correction tape

Li•ga ['li:ga] <-, -gen> *f* league

Light-Pro•dukt ['laɪt-] *n* low fat product, low calory product

Li•kör [li'kø:ɐ] <-s, -e> *m* liqueur

li•la ['li:la] *adj* purple, lilac

Li•lie ['li:liə] *f* (BOT) lily

Li•li•pu•ta•ner(in) [lilipu'ta:nɐ] *m(f)* **1.** (*poet: Bewohner(in) von Liliput*) Liliputian **2.** (*kleiner Mensch*) dwarf, midget

Li•mo•na•de [limo'na:də] <-, -n> *f* lemonade

Li•mou•si•ne [limu'zi:nə] <-, -n> *f* (MOT) saloon *Br,* sedan *Am*

Lin•de ['lɪndə] <-, -n> *f* **1.** (BOT) linden tree **2.** (*~nholz*) limewood

lin•dern ['lɪndɐn] *tr* **1.** (*erleichtern*) ease, alleviate, relieve **2.** (*mildern*) soothe

Lin•de•rung *f* **1.** (*Erleichterung*) easing, alleviation, relief **2.** (*Milderung*) soothing

Li•ne•al [line'a:l] <-s, -e> *n* ruler

Li•nie ['li:niə] *f* **1.** (*allgemein*) line **2.** (*Straßenbahn~*) number; (RAIL: *Eisenbahn~, a. Bus~*) line; **fahren Sie mit** ~ **zehn!** take number ten!; **auf der ganzen** ~ (*fig*) all along the line; **in erster** ~ first of all; **~n ziehen** draw lines; **die vorderste** ~ (MIL) the front line; **auf die schlanke** ~ **achten** watch one's waistline; **e-e klare** ~ (*fig*) a clear line; **Li•ni•en•bus** *m* public service bus, regular bus; **Li•ni•en•flug** *m* (AERO) scheduled flight; **Li•ni•en•gra•fik** *f* line graph; **Li•ni•en•rich•ter(in)** *m(f)* (SPORT) linesperson; **Li•ni•en•schiff** *n* liner; **li•ni•en•treu** *adj* (POL) loyal to the party line; **Li•ni•en•ver•kehr** *m* regular traffic; (AERO) scheduled traffic

li•nie•ren *tr* draw lines on [*o* rule]; **li•niert** *adj* ruled

link *adj* (*sl*): **ein ganz ~r Hund** (*sl*) an absolutely crooked son-of-a-bitch; **ein ganz ~s Ding drehen** (*sl*) get up to s.th. real crooked

Lin•ke <-n, -n> *f* **1.** (*Hand*) left hand; (*Seite*) left side; (*beim Boxen*) left **2.** (POL) left

linke ['lɪŋkə] *adj* **1.** left **2.** (POL) left-wing; ~ **Masche** (*beim Stricken*) purl (stitch); ~ **Seite** left-hand side; (*Tuchseite*) wrong side; **mein ~r Nebenmann** my left-hand neighbour; **~r Hand, zur ~n Hand** on [*o* to] the left; **ein ~r Politiker** a left-wing politician; **der** ~ **Flügel von Labour** Labour's left wing

lin•ken *tr* (*fam*): **jdn** ~ (*hereinlegen*) con s.o., take s.o. for a ride

lin•kisch *adj* (*ungeschickt*) awkward, clumsy

links [lɪŋks] *adv* (*a.* POL) left; (*auf der Linken*) on the left; (*nach, zur Linken*) to the left; ~ **sein** (POL: *fam*) be left-wing; **jdn** ~ **liegen lassen** (*fig fam*) ignore [*o* disregard] s.o.; ~ **von etw** to the left of s.th.; **links von mir** to [*o* on] my left; (POL) left of me; **von** ~ from the left; **sich** ~ **einordnen** (MOT) move into the left- hand lane; **Sie haben den Pullover auf** ~ **an** you have your pullover on inside out; **ganz** ~ **stehen**RR (POL) be an extreme leftist; **das mach' ich mit** ~ (*fig fam*) that's kid's stuff for me

Links•au•ßen [-'--] *m* **1.** (SPORT: *Fußball*) outside left **2.** (POL) extreme left-winger; **Links•drall** *m* **1.** (SPORT: *von Ball*) swerve to the left **2.** (*fig* POL) leftist leaning; **e-m Ball e-n** ~ **geben** (SPORT) hook a ball; **Links•hän•der(in)** *m(f)* left-handed person; **links•hän•dig** ['lɪŋkshɛndɪç] *adj, adv* left-handed; **Links•kur•ve** *f* left-hand bend; **links•ra•di•kal** *adj* (POL) extreme left-wing; **er ist ein L~er** he is a left-wing radical; **Links•steu•erung** *f* (MOT) left-hand drive; **Links•ver•kehr** *m* driving on the left

Lin•o•le•um [li'no:leʊm] <-s> *n* lino(leum)

Lin•ol•schnitt *m* linocut

Lin•se ['lɪnzə] <-, -n> *f* **1.** (BOT) lentil **2.** (OPT) lens; (PHOT: *Objektiv*) objective
lin•sen *itr* (*fam: gucken*) peek (*nach* at)
lin•sen•för•mig *adj* lenticular
Lin•sen•sup•pe *f* lentil soup
Lip•pe ['lɪpə] <-, -n> *f* (ANAT) lip; **sie brachte kein Wort über die ~n** she could not say a word; **e-e** (**dicke**) **~ riskieren** (*sl*) be (damn) brazen; **an jds ~n hängen** (*fig*) hang on someone's every word; **Lip•pen•bal•sam** *m* lip balm; **Lip•pen•be•kennt•nis** *n* lip-service; **Lip•pen•pfle•ge** *f* lip care; **Lip•pen•po•ma•de** *f* lip salve; **Lip•pen•stift** *m* lipstick
li•qui•die•ren [likvi'di:rən] *tr* **1.** (COM) put into liquidation, wind up **2.** (*Honorar*) charge **3.** (*euph: töten*) liquidate
Li•qui•di•tät *f* (COM FIN) liquidity
lis•peln ['lɪspəln] *itr tr* lisp
List [lɪst] <-, -en> *f* **1.** (*Schlauheit, Verschlagenheit*) artfulness, cunning **2.** (*Trick, Kunstgriff*) ruse, trick; **zu e-r ~ greifen** resort to a ruse; **mit etw ~ u. Tücke** (*hum fam*) with a little coaxing
Lis•te ['lɪstə] <-, -n> *f* (*Aufstellung*) list; (*Register*) register; **e-e ~ aufstellen** draw up a list; **etw in e-e ~ eintragen** put s.th. down on a list; **sich in e-e ~ einschreiben** put o.s. on a list; **jdn auf die schwarze ~ setzen** blacklist s.o.; **Lis•ten•preis** *m* (COM) list price
lis•tig *adj* cunning
Li•ta•nei [lita'naɪ] *f* (*in Kirche, a. fig*) litany; **die alte ~** (*fam*) the same old story; **e-e ganze ~ von Klagen** a long list of complaints
Li•tau•en ['lɪtaʊən] <-s> *n* Lithuania; **Li tau•er**(**in**) *m(f)* Lithuanian; **li•tau•isch** *adj* Lithuanian
Li•ter ['li:tɐ] <-s, -> *m o n* litre *Br,* liter *Am*
li•te•ra•risch [lɪtə'ra:rɪʃ] *adj* literary
Li•te•rat(**in**) <-en, -en> *m(f)* man (woman) of letters
Li•te•ra•tur <-, -en> *f* literature; **Li•te•ra•tur•an•ga•be** *f* bibliographical reference; **Li•te•ra•tur•ge•schich•te** *f* history of literature; **Li•te•ra•tur•preis** *m* award for literature; **Li•te•ra•tur•wis•sen•schaft** *f* literary studies, literature
Li•ter•fla•sche *f* litre bottle *Br,* liter bottle *Am*
Lit•fass•säu•le[RR] ['lɪtfaszɔɪlə] *f* (*für Reklame*) advertizing column
Li•tho•gra•phie [litogra'fi:] *f,* **Li•tho•gra•fie**[RR] *f* (TYP) **1.** (*Verfahren*) lithography **2.** (*Ergebnis*) lithograph; **li•tho•gra•phisch** *adj,* **li•tho•gra•fisch**[RR] *adj* (TYP) lithographic
Li•tur•gie [litʊr'gi:] *f* (ECCL) liturgy
Lit•ze ['lɪtsə] <-, -n> *f* **1.** braid; (*an Uniform*) braiding **2.** (EL) flex
live [laɪf] *adj pred, adv* (RADIO TV) live; **Live-Be•richt** *m* (RADIO TV) live report; **Live-Sen•dung** *f* (RADIO TV) live broadcast
Liv•land ['li:flant] <-s> *n* (HIST) Livonia
Li•vree [li'vre:] <-, -n> *f* livery
Li•zenz [li'tsɛnts] <-, -en> *f* licence *Br,* license *Am;* **in ~** under licence *Br,* under license *Am;* **Li•zenz•ge•ber**(**in**) <-s, -> *m(f)* licensor; **Li•zenz•ge•bühr** *f* licence fee *Br,* license fee *Am;* (*im Verlagswesen*) royalty; **Li•zenz•neh•mer**(**in**) *m(f)* licensee; **Li•zenz•spie•ler**(**in**) *m(f)* (SPORT) professional player
Lob [lo:p] <-(e)s> *n* praise; **über alles ~ erhaben** beyond praise; **er singt gern sein eigenes ~** (*fam*) he likes to blow his own trumpet
Lob•by ['lɔbi] <-, -s> *f* (POL PARL) lobby
lo•ben ['lo:bən] *tr* praise; **da lob' ich mir doch ...!** I always say nothing can beat ...!; **das lob' ich mir** that's what I like; **lo•bend** *adj* commendatory; **jdn** (**etw**) **~ erwähnen** commend s.o. (s.th.)
lo•bens•wert *adj* praiseworthy
löb•lich ['lø:plɪç] *adj* (*meist ironisch*) commendable, laudable, praiseworthy
Lob•lied *n* hymn of praise; **ein ~ auf jdn anstimmen** (*fig*) sing someone's praises *pl;* **Lob•re•de** *f* eulogy; **e-e ~ auf jdn** (**etw**) **halten** eulogize s.o. (s.th.); **Lob•red•ner**(**in**) *m(f)* (*fig*) eulogist
Loch [lɔx, *pl:* 'lœçɐ] <-(e)s, ¨-er> *n* **1.** (*allgemein*) hole; (*im Reifen*) puncture; (*im Käse*) eye; (*Lücke*) gap; (*beim Billard*) pocket **2.** (*pej: schlechte Wohnung*) dump **3.** (*sl: Gefängnis*) jug **4.** (PHYS: *schwarzes ~*) black hole; **auf** (**aus**) **dem letzten ~ pfeifen** (*fam: kaputt sein*) be on one's last legs *pl;* (*finanziell am Ende sein*) be on one's beam ends *pl;* **jdm ein ~ in den Bauch fragen** (*fig fam*) pester the living daylights out of s.o.; **er säuft wie ein ~** (*fig fam*) he drinks like a fish
lo•chen *tr* **1.** (*perforieren*) perforate **2.** (RAIL: *Fahrkarten*) clip
Lo•cher *m* (*Gerät zum Lochen*) punch
Loch•fraß *m* (*Korrosion*) pitting; **Loch•kar•te** *f* (EDV) punch card; **Loch•strei•fen** *m* (EDV) punch tape
Lo•chung *f* **1.** (*Perforation*) perforation **2.** (*Loch in Lochkarte*) punching; **Loch•zan•ge** *f* (TECH) punch
Lo•cke ['lɔkə] <-, -n> *f* curl, lock; **~n haben** have curly hair
lo•cken[1] *tr* lure, tempt, entice; **jdn in e-n Hinterhalt ~** lure s.o. into a trap; **Ihr Angebot lockt mich schon ...** well, I'm really tempted by your offer ...
lo•cken[2] *tr refl* (*kräuseln*) curl

Lo•cken•kopf *m* **1.** (*lockiges Haar*) curly hairstyle **2.** (*fig: Mensch mit ~*) curlyhead; **Lo•cken•stab** *m* curling tongs *pl;* **Lo•cken•wick•ler** *m* curler

lo•cker ['lɔkɐ] *adj* **1.** (*lose, a. fig*) loose; (*nicht straff*) slack **2.** (*fam: gelöst, entspannt*) relaxed **3.** (*sl: lässig, cool*) cool; **etw ~ machen** loosen [*o* slacken] s.th.; **bei ihm sitzt die Hand recht ~, er hat e-e ~e Hand** (*fig fam*) he's quick to hit out; **so etw mache ich ganz ~** (*fig fam*) I manage such things just like that; **ein ganz schön ~er Vogel** (*fam*) quite a bit of a lad; **ein ~er Lebenswandel** (*fig*) a loose life

lo•cker|las•sen *irr itr* (*fam*): **nicht ~** not let up; **er ließ nicht locker, bis man ihm das Geld zurückerstattete** he didn't let up until he got his money back

lo•cker|ma•chen *tr* (*fam: Geld etc auftreiben*) fork [*o* shell] out, jar loose with *Am a.*

lo•ckern **I.** *tr* **1.** (*locker machen*) loosen, slacken **2.** (*fig: entspannen*) relax **II.** *refl* **1.** (SPORT) loosen up **2.** (*fig: abklingen*) ease off **3.** (*fig: gelöst, entspannter werden*) get more relaxed

lo•ckig *adj* curly

Lock•mit•tel *n* lure; **Lock•ruf** *m* call; **Lock•spit•zel** *m* (*pej*) agent provocateur *fam,* stool-pigeon

Lo•ckung *f* (*a. fig: Ver~*) lure

Lock•vo•gel *m* (*a. fig*) decoy, lure; **Lock•vo•gel•wer•bung** *f* (MARKT) loss leader advertising *Br,* bait and switch tactics *Am*

lo•dern ['lo:dɐn] *itr* (*a. fig*) blaze

Löf•fel ['lœfəl] <-s, -> *m* **1.** (*Ess~ etc*) spoon **2.** (*~voll*) spoonful **3.** (*Hasenohr*) ear **4.** (TECH: *von ~bagger*) shovel; **du glaubst wohl, du hast die Weisheit mit ~n gefressen** (*fig fam*) you think you know it all; **er hat die Weisheit nicht gerade mit ~n gefressen** (*fig fam*) he's not so bright after all; **sperr doch deine ~ auf!** (*fam*) why don't you damn well listen?; **du kriegst von mir gleich ein paar hinter die ~!** (*fam*) I'll give you a clout round the ear in a minute!; **sich etw hinter die ~ schreiben** get s.th. into one's thick head; **den ~ abgeben** (*fam: sterben*) kick the bucket; **Löf•fel•bag•ger** *m* power-shovel, shovel dredger

löf•feln *tr* spoon

löf•fel•wei•se *adv* by the spoonful

Lo•ga•rith•men•ta•fel [loga'rɪtmən-] *f* (MATH) log(arithm) table

Log-Da•tei ['lɔk-] *f* (EDV) log file

lo•gie•ren *itr* lodge, stay

Lo•gik ['lɔgɪk] <-> *f* logic; **du hast (vielleicht) e-e ~!** your logic is a bit quaint!

Lo•gis [lo'ʒi:] <-, -> *n* **1.** (*allgemein*) lodgings *pl* **2.** (MAR) crew's quarters *pl;* **Kost u. ~** board and lodging

lo•gisch ['lo:gɪʃ] **I.** *adj* **1.** (*der Logik entsprechend*) logical **2.** (*fam: selbstverständlich*) natural **II.** *adv* (*natürlich*) of course

Lo•gis•tik [lo'gɪstɪk] <-> *f* (MIL) logistics *pl*

Lo•go ['lo:go] <-s, -s> *n o m* logo

Lo•go•pä•de, -pä•din [logo'pɛ:dɪn] *m, f* logopedist

Lohn [lo:n, *pl:* 'lø:nə] <-(e)s, ¨-e> *m* **1.** (*Arbeits~*) pay, wage, wages **2.** (*fig: Be~ung*) reward **3.** (*Strafe*) punishment

Lohn•ab•bau *m* reduction of wages; **Lohn•ab•kom•men** *n* wages agreement; **Lohn•ab•rech•nung** *f* pay slip; **Lohn•aus•fall** *m* loss of earnings; **Lohn•aus•gleich** *m* wage adjustment; **bei vollem ~** with full pay; **Lohn•bü•ro** *n* wages office; **Lohn•emp•fän•ger(in)** *m(f)* wage earner

loh•nen ['lo:nən] **I.** *tr* **1.** (*be~*) reward (*jdm etw* s.o. for s.th.) **2.** (*wert sein*) be worth; **etw (jdm etw) mit Undank ~** repay s.th. (s.o. for s.th.) with ingratitude **II.** *refl* be worth it [*o* worthwhile]; **ein Besuch dort lohnt sich** it's worth visiting

löh•nen ['lø:nən] *itr* (*fam: zahlen*) fork [*o* shell] out

loh•nend *adj* **1.** (*einträglich*) profitable **2.** (*nutzbringend*) worthwhile

Lohn•er•hö•hung *f* wage increase; **Lohn•for•de•rung** *f* wage claim; **Lohn•fort•zah•lung** *f* continued payment of wages; **Lohn•ge•fäl•le** *n* pay differential; **Lohn•kos•ten** *pl* wage costs; **Lohn•kür•zung** *f* wage cut; **Lohn•ni•veau** *n* wage levels *pl;* **Lohn-Preis-Spi•ra•le** *f* (COM) wage-price spiral; **Lohn•run•de** *f* wage round; **Lohn•steu•er** *f* income tax; **Lohn•steu•er•jah•res•aus•gleich** ['---'----] *m* annual adjustment of income tax; **Lohn•steu•er•kar•te** *f* (income) tax card; **Lohn•stopp** *m* wage freeze; **Lohn•tü•te** *f* wage packet

Loi•pe ['lɔɪpə] <-, -n> *f* (SPORT) cross-country ski run

Lo•kal [lo'ka:l] <-(e)s, -e> *n* **1.** (*Kneipe*) pub *Br,* saloon *Am* **2.** (*Restaurant*) restaurant

lo•kal *adj* local

Lo•kal•au•gen•schein *m* (*österr*) visit to the scene of the crime

Lo•kal•blatt *n* local paper

lo•ka•li•sie•ren *tr* **1.** (*Ort feststellen*) locate **2.** (MED: *Krankheitsherd*) localize; (*örtlich beschränken*) limit (*auf* to)

Lo•ka•li•tät *f* **1.** (*Gegend*) locality **2.** (*Räumlichkeit*) facilities *pl* **3.** (*fam: Lokal*) pub *Br,* saloon *Am*

Lo•kal•nach•rich•ten *fpl* local news; **Lo•kal•pa•tri•o•tis•mus** *m* local patriotism;

Lo•kal•ra•dio *n* local [*o* community] radio; **Lo•kal•sen•der** *m* local radio [*o* TV] station

Lo•ko•mo•ti•ve [lokomo'ti:və] <-, -n> *f* (RAIL) engine, locomotive; **Lo•ko•mo•tiv•füh•rer(in)** *m(f)* (RAIL) engine driver *Br*, engineer *Am*; **Lo•ko•mo•tiv•schup•pen** *m* (RAIL) engine-shed

Lo•kus ['lo:kʊs] <-ses, -se> *m* (*fam*) loo *Br*, john *Am*

Loo•ping ['lu:pɪŋ] <-s, -s> *m* (AERO) loop

Lor•beer ['lɔrbe:ɐ] <-s, -en> *m* **1.** (*Gewürz*) bayleaf **2.** (**sich**) **auf s-n ~en ausruhen** rest on one's laurels

Lo•re ['lo:rə] <-, -n> *f* (RAIL) truck, wagon

Los [lo:s] <-es, -e> *n* **1.** (*Schicksal*) lot **2.** (*Lotterie~*) lottery ticket; **etw durch das ~ entscheiden** decide s.th. by casting lots; **das große ~** (**ziehen**) (*a. fig*) (hit) the jackpot; **das ~ fiel auf mich** it fell to my lot; **sie hat ein schweres ~** her lot is hard

los [lo:s] **I.** *adj pred* **1.** (*locker*) loose **2.** (*fam*): **jdn** (**etw**) **~ sein** be [*o* have got] rid of s.o. (s.th.) **3.** (*fam*): **~ sein** (*vor sich gehen*) be going on; (*nicht in Ordnung sein*) be the matter [*o* wrong]; **was ist ~?** (*fam*) what's up [*o* wrong]?; **hier ist nichts ~** (*fam*) there's nothing going on here; **mit ihm ist aber auch gar nichts ~!** (*fam*) he's a dead loss, he is!; **was ist denn mit dir ~?** (*fam*) what's the matter with you?; **dann war aber der Teufel ~** (*fam*) ..., but then it was as if all hell had been let loose; **der Hund ist ~** the dog's got(ten) loose **II.** *adv:* **~!** (*vorwärts, komm*) come on!; (*weiter, geh*) go on!; (*~, beweg dich*) get going!; **von jdm** (**etw**) **~ wollen** want to break away from s.o. (s.th.); **nun aber ~!** (*interj*) off we go!; **warum wollt ihr denn schon so früh ~?** (*fam*) why only do you want to be off so early?

lös•bar *adj* soluble

los|bin•den *irr tr* untie (*von* from)

los|bre•chen *irr* **I.** *tr haben* break off **II.** *itr sein* break out

Lösch•blatt *n* sheet of blotting paper

lö•schen¹ ['lœʃən] **I.** *tr* **1.** (*Feuer*) extinguish; (EL: *Licht*) switch out **2.** (*Durst*) quench **3.** (*Kalk*) slake **4.** (*Daten, Tonband*) erase; (*Speicher, Bildschirm*) clear; (*Information*) cancel **5.** (*Schuld*) pay off **6.** (*ausstreichen*) strike off; (*Eintragung*) delete **7.** (*mit Löschpapier aufsaugen*) blot; **sein Konto ~** close one's account **II.** *itr* **1.** (*Feuerwehr*) put out a [*o* the] fire **2.** (*aufsaugen*) blot

lö•schen² *tr itr* (MAR: *entladen*) unload

Lösch•fahr•zeug *n* fire engine; fire boat; **Lösch•ge•rät** *n* fire extinguisher; **Lösch•mann•schaft** *f* team of firemen; **Lösch•pa•pier** *n* blotting paper; **Lösch•tas•te** *f* (EDV) erase key

Lö•schung¹ *f* **1.** (*Namens~*) striking off **2.** (*e-s Kontos*) closing **3.** (*Tilgung, Abzahlung*) paying off

Lö•schung² *f* (MAR: *von Ladung*) unloading

lo•se ['lo:zə] *adj* **1.** (*a. fig: von Lebenswandel*) loose; (*locker*) slack **2.** (*fig: lax, nachlässig*) lax; **etw ~ verkaufen** sell s.th. loose

Lö•se•geld *n* ransom

lo•sen ['lo:zən] *itr* draw [*o* cast] lots (*um* for)

lö•sen ['lø:zən] **I.** *tr* **1.** (*entfernen, losmachen*) remove (*von* from) **2.** (*lockern*) loosen **3.** (*fig*) solve **4.** (CHEM) dissolve **5.** (*Fahrkarte*) buy **II.** *refl* **1.** (*sich losmachen, a. fig*) detach (*von* from) **2.** (*losgehen: Schuss*) go off **3.** (*locker werden*) loosen **4.** (*fig: sich lockern*) come loose; (*sich entspannen*) relax **5.** (*fig: sich trennen*) break away (*von* from) **6.** (*sich aufklären, auf~*) be solved **7.** (CHEM JUR POL) dissolve (*in* in); **Salz löst sich in Wasser** salt dissolves in water; **der Mordfall XY hat sich von selbst gelöst** the XY murder solved itself

los|fah•ren *irr itr sein* (MOT) drive off; **los|ge•hen** *irr itr* **1.** (*fam: sich lösen, abgehen*) come off **2.** (*weggehen, aufbrechen*) set off **3.** (*Gewehr, Bombe etc*) go off **4.** (*fam: anfangen*) start; **auf jdn ~** go for s.o.; **gleich geht's los!** (*fam*) it's just about to start!; **geht das schon wieder los?** (*fam: das Gemeckere etc*) here we go again!; **ich glaub', es geht los!** (*sl*) have you gone mad?; **los|ha•ben** *irr tr* (*fam*): **etw** (**nichts**) **~** be pretty clever (stupid); **sie hat ganz schön was los** she's really got what it takes; **los|kau•fen** *tr* (*Entführten*) ransom, pay ransom for; **los|kom•men** *irr itr* (*a. fig*) get away (*von* from); **los|las•sen** *irr tr* **1.** (*nicht mehr festhalten*) let go of **2.** (*fig fam*): **jdn auf jdn ~** let s.o. loose on s.o. **3.** (*fam: vortragen, vom Stapel lassen*) come out with; **lass mich los! ~!** let me go!; **lass den Brief los!** let go of the letter!; **er ließ die Hunde auf mich los** he set the dogs on me; **wehe, wenn sie losgelassen ...** (*hum fam*) oh dear, once they're on the loose ...; **dieser Gedanke lässt**[RR] **mich nicht mehr los** (*fig*) that thought is always haunting me; **dieses Buch lässt**[RR] **e-n nicht mehr los** (*fig*) one can't put this book down

lös•lich ['lø:slɪç] *adj* soluble

los|ma•chen **I.** *tr* **1.** (*lösen*) unfasten; (*Handbremse*) let off **2.** (*freimachen*) free **II.** *itr* **1.** (MAR: *ablegen*) cast off **2.** (*fam: sich beeilen*) get a move on **III.** *refl* (*wegkommen, sich befreien*) get away (*von* from); (*Hund*) get loose; **los|rei•ßen** *irr* **I.**

tr tear off (*von jdm o etw* s.o., s.th.) **II.** *refl* **1.** (*Hund*) break free **2.** (*fig*) tear o.s. away (*von* from); **los|sa•gen** *refl:* **sich von jdm (etw) ~** break with s.o. (s.th.)

Lo•sung ['lo:zʊŋ] *f* **1.** (MIL) password **2.** (*Devise*) watchword, motto

Lö•sung ['lø:zʊŋ] *f* **1.** (*Annullierung*) cancellation **2.** (*e-es Rätsels, a.* MATH CHEM) solution

Lö•sungs•mit•tel *n* solvent; **lö•sungs•mit•tel•frei** *adj* solvent-free

los|wer•den *irr tr* **1.** (*sich befreien von*) get rid of **2.** (*verlieren*) lose; **gestern bin ich beim Kartenspiel mein ganzes Geld losgeworden** (*fam*) I got cleaned out gambling at cards yesterday; **los|zie•hen** *irr itr sein* **1.** (*aufbrechen*) set out (*nach* for) **2.** (*fig pej*): **gegen jdn (etw) ~** (*herausziehen*) lay into s.o. (s.th.)

Lot [lo:t] <-(e)s, -e> *n* **1.** (*Senkblei*) plumb line **2.** (MATH) perpendicular; **ein ~ fällen** (MATH) drop a perpendicular; **wir werden die Sache schon wieder ins (rechte) ~ bringen** (*fig*) don't worry, we'll sort it out [*o* put matters straight]

lo•ten *tr itr* **1.** (TECH) plumb **2.** (MAR) sound

lö•ten ['lø:tən] *tr itr* solder

Loth•rin•gen ['lo:trɪŋən] <-s> *n* Lorraine; **Lo•thrin•ger(in)** *m(f)* Lorrainer; **loth•rin•gisch** *adj* Lorrainese

Lo•ti•on [lo'tsjo:n] <-, -en> *f* lotion

Löt•kol•ben *m* soldering iron; **Löt•lam•pe** *f* blowtorch

Lo•tos ['lo:tɔs] <-s> *m* (BOT) lotus

lot•recht *adj* (MATH) perpendicular

Lot•rech•te *f* (MATH) perpendicular

Löt•rohr *n* blowpipe

Lot•se ['lo:tsə] <-n, -n> *m* **1.** (MAR) pilot; (AERO: *Flug~*) flight controller **2.** (*fig: Führer*) guide

lot•sen *tr* pilot

Löt•stel•le *f* soldered point

Lot•te•rie [lɔtə'ri:] *f* lottery; **Lot•te•rie•los** *n* lottery ticket

lot•te•rig ['lɔt(ə)rɪç] *adj* (*fam: schlampig*) slovenly

Lot•ter•le•ben *n* (*fam pej*) dissolute life

Lot•to ['lɔto] <-s> *n* lottery; **im ~ gewinnen** win the lottery

Löt•zinn *m* solder

Lö•we ['lø:və] <-n, -n> *m* **1.** (ZOO) lion **2.** (ASTR) Leo; **sich in die Höhle des ~n wagen** (*fig*) beard the lion in his den; **Lö•wen•an•teil** *m* (*fig fam*) lion's share; **Lö•wen•maul** *n* (BOT) snapdragon; **Lö•wen•zahn** *m* (BOT) dandelion; **Lö•win** ['lø:vɪn] *f* (ZOO) lioness

loy•al [loa'ja:l] *adj* loyal (*jdm gegenüber* to s.o.); **Loy•a•li•tät** *f* loyalty (*jdm gegenüber* to s.o.)

Luchs [lʊks] <-es, -e> *m* (ZOO) lynx

Lü•cke ['lʏkə] <-, -n> *f* (*a. fig*) gap; (*Gesetzes~, Schlupfloch*) loophole; **Lü•cken•bü•ßer(in)** *m(f)* (*fam*) stopgap; **Lü•cken•fül•ler** *m* filler; **lü•cken•haft** *adj* **1.** (*voller Lücken*) full of gaps **2.** (*fig: unvollständig*) defective, incomplete; (*fragmentarisch*) fragmentary; **lü•cken•los** *adj* (*fig*) **1.** (*vollständig*) complete **2.** (*ununterbrochen*) unbroken **3.** (*vollkommen*) perfect

Lu•der ['lu:dɐ] <-s, -> *n* (*pej: Biest*) minx; **du dummes ~!** you stupid creature!; **so ein freches kleines ~!** such a cheeky little minx!

Lu•es *f* (MED: *Syphilis*) lues

Luft [lʊft, *pl:* 'lʏftə] <-, ¨-e> *f* **1.** (*allgemein*) air; (*Atem*) breath **2.** (TECH: *Spiel*) room, space; **an die frische ~ gehen** get out in the fresh air; **jdn an die ~ setzen** (*fig fam*) give s.o. the push; **dicke ~!** (*fig fam*) a pretty bad atmosphere!; **die ~ ist rein!** (*fig fam*) the coast is clear!; **ich kriege keine ~ mehr** I can't breathe; **für mich ist er ~** he doesn't exist as far as I am concerned; **das ist völlig aus der ~ gegriffen** (*fig fam*) that's pure invention; **jdn (etw) in der ~ zerreißen** (*fig fam*) shoot s.o. (s.th.) down; **ich hänge völlig in der ~** (*fig fam*) I'm in a real sort of limbo; **es liegt etw in der ~** (*fig fam*) s.th. is in the air; **sich ~ machen, s-m Herzen ~ machen** give vent to one's feelings; **tief ~ holen** (*a. fig fam*) take a deep breath; **in die ~ fliegen, in die ~ jagen** blow up; **halt doch endlich mal die ~ an!** (*fam: halt den Mund*) won't you put a sock in it?; **jetzt halt aber mal die ~ an!** (*fam: lass das Übertreiben*) now, come off it!; **Luft•ab•wehr** *f* (MIL) anti- aircraft defence *Br*, anti-aircraft defense *Am;* **Luft•an•griff** *m* air-raid (*auf* on); **Luft•bal•lon** *m* balloon; **Luft•be•feuch•ter** <-s, -> *m* humidifier; **Luft•be•las•tung** *f* atmospheric pollution; **Luft•bild** *n* aerial picture; **Luft•bla•se** *f* air bubble; **Luft•brü•cke** *f* airlift; **luft•dicht** *adj* airtight; **Luft•druck** *m* air pressure

lüf•ten ['lʏftən] **I.** *tr* **1.** (*mit Luft versorgen*) air **2.** (*hochheben*) lift, raise **II.** *itr* (*Luft hereinlassen*) let some air in; **e-n Anzug zum L~ hinaushängen** put a suit out to air

Luft•fahrt *f* aviation; **Luft•fe•de•rung** *f* **1.** (TECH) air cushioning **2.** (MOT) air suspension; **Luft•feuch•tig•keit** *f* atmospheric humidity; **Luft•flot•te** *f* air fleet; **Luft•fracht** *f* air freight; **luft•ge•kühlt** *adj* (MOT) air- cooled; **luft•ge•stützt** *adj* (*Flugkörper*) air-launched; **Luft•ge•wehr** *n* airgun; **Luft•hül•le** *f* mantle of air

luf•tig *adj* **1.** (*mit o von Luft*) airy; (*windig*) breezy **2.** (*fig: dünn*) flimsy, thin

Luft•kampf *m* air fight; **Luft•kis•sen•boot** *n* hovercraft; **Luft•krieg** *m* aerial warfare; **Luft•küh•lung** *f* (MOT) air-cooling; **Luft•kur•ort** *m* (climatic) health resort; **Luft•lan•de•trup•pen** *pl* (MIL) airborne troops; **luft•leer** *adj:* ~**er Raum** vacuum; **Luft•li•nie** *f* (*direkte Verbindung*) bee-line; ~ **100 km** 100 km bee-line [*o* as the crow flies]; **Luft•loch** *n* **1.** (TECH) airhole **2.** (AERO) airpocket; **Luft-Luft-Ra•ke•te** *f* (MIL) air-to-air missile; **Luft•ma•trat•ze** *f* airbed, lilo®; **Luft•pi•rat(in)** *m(f)* hijacker *Br,* skyjacker *Am;* **Luft•post** *f* airmail; **Luft•pum•pe** *f* pneumatic pump; **Luft•raum** *m* airspace; **Luft•rein•hal•tung** *f* air-purity maintenance prevention of air pollution; **Luft•ret•tungs•dienst** *m* air rescue service; **Luft•röh•re** *f* (ANAT) windpipe; **Luft•sack** *m* (MOT) air bag; **Luft•schacht** *m* air shaft; **Luft•schicht** *f* atmospheric layer, layer of air; **Luft•schiff** *n* airship; **Luft•schiff•fahrt**[RR] *f* aeronautics *pl;* **Luft•schlan•ge** *f* paper streamer; **Luft•schlauch** *m* (MOT) inner tube *Br,* air tube *Am;* **Luft•schleu•se** *f* air lock; **Luft•schloss**[RR] *n* (*fig*) castle in the air; **Luft•schrau•be** *f* airscrew, propeller; **Luft•schutz** *m* **1.** (~*maßnahmen*) air-raid precautions *pl* **2.** (~*truppe*) Civil Defence Service *Br;* **Luft•schutz•bun•ker** *m* concrete air-raid shelter; **Luft•schutz•kel•ler** *m* air- raid shelter; **Luft•sprung** *m* jump in the air; **er machte vor Freude e-n** ~ he jumped for joy; **Luft•strö•mung** *f* current of air; **Luft•stütz•punkt** *m* (AERO MIL) air-base; **Luft•ta•xi** *f* air taxi; **Luft•tem•pe•ra•tur** *f* air temperature; **Luft•trans•port** *m* air transport; **Luft•tüch•tig•keit** *f* (AERO: *Flugtüchtigkeit*) airworthiness; **Luft•über•wa•chung** *f* air monitoring

Lüf•tung ['lʏftʊŋ] *f* airing; (*Be~, Ventilation*) ventilation; **Lüf•tungs•schacht** *m* ventilation shaft

Luft•ver•än•de•rung *f* change of air; **Luft•ver•kehr** *m* air traffic; **Luft•ver•kehrs•ge•sell•schaft** *f* airline; **Luft•ver•kehrs•li•nie** *f* (*Route*) air route; **Luft•ver•pes•ter** *m* (*pej*) air polluter; **Luft•ver•schmut•zung** *f* air pollution; **Luft•ver•tei•di•gung** *f* air defence *Br,* air defense *Am;* **Luft•waf•fe** *f* (AERO MIL) air force; **Luft•weg** *m* **1.** (AERO) air route **2.** (ANAT) respiratory tract; **auf dem** ~ (AERO) by air; **Luft•wi•der•stand** *m* (PHYS) air resistance; **Luft•zu•fuhr** *f* air supply; **Luft•zug** *m* draught *Br,* draft *Am*

Lü•ge ['ly:gə] <-, -n> *f* lie; **jdn (etw)** ~**n strafen** belie s.o. (s.th.); ~**n haben kurze Beine** (*prov*) truth will out

lü•gen *irr itr* lie, tell a lie [*o* stories]; (*flunkern*) fib; ~ **wie gedruckt** (*fam*) lie like mad; **ich müsste** ~**, wenn ...** I would be lying if ...; **das ist erstunken u. erlogen!** (*fam*) that's a pack of lies!

Lü•gen•de•tek•tor *m* lie detector

lü•gen•haft *adj* made-up, mendacious

Lüg•ner(in) ['ly:gnɐ] *m(f)* liar

lüg•ne•risch ['ly:gnərɪʃ] *adj* mendacious, untruthful

Lu•ke ['lu:kə] <-, -n> *f* **1.** (*allgemein*) hatch **2.** (*Dach~*) skylight

lu•kra•tiv [lukra'ti:f] *adj* lucrative

Lu•latsch ['lʊlatʃ] *m* (*hum fam*): **langer** ~ beanpole

Lüm•mel ['lʏməl] <-s, -> *m* (*fam: Flegel*) oaf, lout; **Lüm•me•lei** *f* (*fam*) **1.** (*Flegelei*) rudeness **2.** (*Herumlümmeln*) lolling around

lüm•meln *refl* lounge (about)

Lump [lʊmp] <-en, -en> *m* (*Schuft*) rogue

Lum•pen ['lʊmpən] <-s, -> *m* rag

lum•pen *itr* (*fam*): **sich nicht** ~ **lassen** splash out; **das Essen war ausgezeichnet, du hast dich wahrlich nicht** ~ **lassen** the dinner was excellent, you certainly splashed out (on it)

Lum•pen•ge•sin•del *n* (*pej*) rabble, riffraff *pl;* **Lum•pen•händ•ler(in)** *m(f)* rag-and-bone man (woman)

Lunch [lantʃ] <-(s), -(s)> *m* lunch

lunchen *itr* lunch

Lun•ge ['lʊŋə] <-, -n> *f* (ANAT) lungs *pl;* (*einzelner ~nflügel*) lung; **eiserne** ~ (MED) iron lung; **der Hyde Park ist die grüne** ~ **Londons** (*fig*) Hyde Park is London's lung; **rauchen Sie auf** ~**?** do you inhale?; **Lun•gen•bläs•chen** *n* (ANAT) pulmonary alveolus

Lun•gen•bra•ten *m* loin roast *österr*

Lun•gen•ent•zün•dung *f* pneumonia; **Lun•gen•flü•gel** *m* (ANAT) (lobe of the) lung; **lun•gen•krank** *adj* tubercular; ~ **sein** have a lung disease; **Lun•gen•krank•heit** *f* lung disease; **Lun•gen•krebs** *m* (MED) lung cancer; **Lun•gen•tu•ber•ku•lo•se** *f* tuberculosis (of the lung)

Lun•te ['lʊntə] <-, -n> *f* **1.** (HIST: *Zündschnur*) fuse **2.** (*Schwanz des Fuchses*) brush; ~ **riechen** (*fam: Verdacht schöpfen*) smell a rat; (*Gefahr wittern*) smell danger

Lu•pe ['lu:pə] <-, -n> *f* (OPT) magnifying glass; **jdn (etw) unter die** ~ **nehmen** (*fig fam*) scrutinize [*o* examine] s.o. (s.th.) closely

Lu•pi•ne [lu'pi:nə] <-, -n> *f* (BOT) lupin *Br,* lupine *Am*

Lurch [lʊrç] <-(e)s, -e> *m* (ZOO) batrachian

Lust [lʊst, *pl:* 'lʏstə] <-, ⸚e> *f* **1.** (*Freude*)

joy, pleasure **2.** (*Neigung*) inclination **3.** (*sinnliche Begierde*) desire; (*Sinnes~*) lust; **er ging mit ~ u. Liebe an die Arbeit** he set to work enthusiastically; **s-e ~ an etw haben** take a delight in s.th.; **wenig ~ haben zu etw** not be keen about s.th.; **ich habe keine ~ dazu** I don't feel like it; **alle ~ an etw verlieren** lose all interest in s.th.; **hast du ~ ins Kino zu gehen?** do you feel like going to the movies?; **ich hätte fast ~ zu ...** I've half a mind to ...; **mir ist die ~ vergangen** I no longer feel like it

Lust•bar•keit *f* festivity

Lus•ter <-s, -> *m* (*österr: Kronleuchter*) chandelier

Lüs•ter ['lʏstɐ] <-s, -> *m* **1.** (*Stoff, Glanzüberzug*) lustre **2.** (*Kronleuchter*) chandelier

Lüs•ter•klem•me *f* (EL) connector

lüs•tern ['lʏstɐn] *adj* lecherous; **nach etw ~ sein** lust after s.th.

Lüs•tern•heit *f* lecherousness

lus•tig ['lʊstɪç] *adj* **1.** (*munter*) jolly, merry **2.** (*komisch, erheiternd*) amusing, funny; **es wurde später noch ganz ~** later on things got quite merry; **sich über jdn ~ machen** make fun of s.o.

Lüst•ling ['lʏstlɪŋ] *m* (*pej*) debauchee, lecher

lust•los *adj* **1.** (*ohne Begeisterung*) unenthusiastic **2.** (COM FIN: *Markt, Börse*) dull, slack; **Lust•man•gel** *m* loss of sexual drive; **Lust•molch** *m* (*hum fam*) sex maniac; **Lust•mord** *m* sex murder; **Lust•prin•zip** *n* (PSYCH) pleasure principle; **Lust•schloss**[RR] *n* summer residence; **Lust•spiel** *n* (THEAT) comedy

Lu•the•ra•ner(in) [lʊtə'ra:nɐ] *m(f)* (ECCL) Lutheran; **lu•the•risch** ['lʊtərɪʃ, lʊ'te:rɪʃ] *adj* Lutheran

lut•schen ['lʊtʃən] *tr itr* suck (*an etw* s.th.)

Lut•scher *m* (*fam: Dauer~*) lollipop

Lutsch•ta•blet•te *f* lozenge

Luv [lu:f] <-> *f* (MAR) windward

Lu•xem•burg *n* Luxembourg; **Lu•xem•bur•ger(in)** *m(f)* Luxembourger; **lu•xem•bur•gisch** *adj* Luxembourgian

lu•xu•ri•ös [lʊksuri'ø:s] *adj* luxurious; **ein ~es Leben** a life of luxury

Lu•xus ['lʊksʊs] <-> *m* luxury; (*pej: Überfluss, Verschwendung*) extravagance; **Lu•xus•ar•ti•kel** *mpl* luxury goods; **Lu•xus•aus•füh•rung** *f* de luxe model; **Lu•xus•hotel** *n* luxury hotel; **Lu•xus•steu•er** *f* tax on luxuries

Lu•zer•ne [lu'tsɛrnə] <-, -n> *f* (BOT: *Kleeart*) lucerne *Br*, alfalfa *Am*

Lymph•drai•na•ge *f* (MED) lymphatic drainage; **Lym•phe** ['lʏmfə] <-, -n> *f* (ANAT) lymph; **Lymph•kno•ten** *m* (ANAT) lymph node

lyn•chen ['lʏnçən] *tr* lynch

Lynch•jus•tiz *f* lynch-law; **Lynch•mord** *m* lynching

Ly•rik ['ly:rɪk] *f* lyric poetry; **Ly•riker(in)** *m(f)* lyricist; **ly•risch** *adj* (*a. fig*) lyrical; **ein ~es Gedicht** a lyric poem

M

M, m [ɛm] <-, -> *n* M, m
M-und-S-Reifen *m* (MOT) winter tyre
Mach-Zahl *f* (AERO) Mach number
Mach•art *f* **1.** (*Fabrikat*) make **2.** (*Muster*) design
Ma•che <-> *f* (*fam: Täuschung*) sham; **etw in der ~ haben** be working on s.th.; **nur ~ sein** be kidding
ma•chen ['maxən] *tr* **1.** (*tun*) do **2.** (*verursachen*) make **3.** (*fig: ausmachen*) matter; **mach's gut!** so long!; **ich mache mir nichts aus ...** I don't care much for ...; **ich mach' mir nichts daraus** I'm not keen on it; **er macht sich** he's getting good; **nun mach aber mal 'n Punkt!** come off it!; **gemacht!** O.K.! right!; **ich mache das schon** I'll see to that; **was machst du da?** what are you doing there?; **was machst du denn hier?** what on earth are you doing here?; **ich kann da nichts ~** I can't do anything about it; **was machst du Samstag?** what are you doing on Saturday?; **wie macht man das?** how do you do it?; **macht dich das an?** (*sl*) does that do anything for you?; **das Essen ~** do the cooking; **er wird's nicht mehr lange ~** he won't last long; **das macht nichts!** that doesn't matter!; **macht das was?** does that matter?; **mach mal!** get a move on!; **in die Hosen ~** wet o.s.
Ma•chen•schaf•ten *fpl* machinations, wheelings and dealings
Ma•cher <-s, -> *m* (*fam*) doer
Ma•cho [matʃo] <-s, -s> *m* (*fam*) macho
Macht [maxt, *pl:* 'mɛçtə] <-, ⸚e> *f* power; **die Partei, die im Augenblick an der ~ ist** the party now in power; **an die ~ kommen** come into power; **mit aller ~** with might and main; **ich habe getan, was in meiner ~ stand** I did all in my power; **Macht•be•reich** *m* sphere of influence; **Macht•er•grei•fung** *f* seizure of power; **Macht•ha•ber(in)** *m(f)* ruler
mäch•tig ['mɛçtɪç] *adj* **1.** (*gewaltig*) powerful **2.** (*fam: sehr groß*) mighty; **ein ~er Schlag** a powerful punch; **ein ~er Krieger** a mighty warrior; **~ Hunger haben** have a tremendous appetite; **sich ~ anstrengen** make a tremendous effort
Macht•kampf *m* struggle for power; **macht•los** *adj* powerless; **Macht•losig•keit** *f* powerlessness; **Macht•probe** *f* trial of strength; **Macht•stel•lung** *f* position of power; **Macht•über•nah•me** *f* takeover; **Macht•wort** *n*: **ein ~ sprechen** exercise one's authority
Mach•werk *n* (*pej*) sorry effort
Ma•cke ['makə] <-, -n> *f* (*eines Menschen*) quirk; (*Defekt, Fehler*) fault, defect
Ma•cker ['makɐ] <-s, -> *m* (*sl*) guy
Mäd•chen ['mɛːtçən] <-s, -> *n* girl; **~ für alles sein** be the general dogsbody; **mäd•chen•haft** *adj* girlish; **~ aussehen** look like a girl; **Mäd•chen•na•me** *m* **1.** (*Vorname*) girl's name **2.** (*e-r verheirateten Frau*) maiden-name
Ma•de ['maːdə] <-, -n> *f* maggot; **ma•dig** *adj* worm-eaten; **jdm etw ~ machen** put s.o. off s.th.; **jdn ~ machen** run s.o. down
Ma•don•na [ma'dɔna] *f* Madonna
Ma•fia ['mafia] <-, -s> *f* mafia
Ma•ga•zin [maga'tsiːn] <-s, -e> *n* **1.** (MIL: *Waffen~*) magazine **2.** (*Zeitschrift*) magazine **3.** (*Lager*) storeroom; **Ma•ga•zi•ner(in)** <-s, -> *m(f)* (*CH: Lagerist*) storeman
Magd [maːkt, *pl:* 'mɛːkdə] <-, ⸚e> *f* maid(servant); (*auf Bauernhof*) farm lass
Ma•gen ['maːgən, *pl:* 'mɛːgən] <-s, ⸚/-> *m* stomach; **auf nüchternen ~** on an empty stomach; **Ma•gen•be•schwer•den** *pl* stomach trouble *sing;* **Ma•gen•bit•ter** <-s, -> *m* bitters *pl;* **Ma•gen•blu•tung** *f* stomach bleeding; **Ma•gen-Darm-Grip•pe** *f* gastro-enteritis; **Ma•gen•durch•bruch** *m* perforation of the stomach; **Ma•gen•ge•gend** *f* stomach region; **Ma•gen•ge•schwür** *n* gastric ulcer; **Ma•gen•knur•ren** *n* stomach rumbles *pl;* **Ma•gen•lei•den** *n* stomach disorder
Ma•gen•saft *m* gastric juice; **Ma•gen•säu•re** *f* gastric acid; **Ma•gen•schleim•haut** *f* stomach lining; **Ma•gen•schmer•zen** *pl* stomachache; **ich habe ~** I have a pain in my stomach; **Ma•gen•ver•stim•mung** *f* stomach upset
ma•ger ['maːgɐ] *adj* **1.** (*dünn*) lean, thin **2.** (*fam: dürftig*) meagre, poor; **das war aber ~!** (*fig fam*) that was a poor do!; **Ma•ger•keit** *f* leanness, thinness; **Ma•ger•milch** *f* skimmed milk; **Ma•ger•quark** *m* low-fat curd cheese; **Ma•ger•sucht** *f* (MED) anorexia
Ma•gie [ma'giː] *f* magic; **Ma•gi•er(in)**

['ma:giɐ] *m(f)* magician; **ma•gisch** *adj* magic(al); **mit ~er Gewalt** as if by magic
Ma•gis•trat [magɪs'tra:t] <-(e)s, -e> *m* municipal authorities *pl*
Mag•ma ['magma] <-s, Magmen> *n* magma
Ma•g•nat [ma'gna:t] <-s, -en> *m* magnate
Ma•g•ne•si•um [ma'gne:ziʊm] <-s> *n* (CHEM) magnesium
Ma•g•net [ma'gne:t] <-(e)s/-en, -e(n)> *m* magnet; **Ma•g•net•bahn** *f* magnetic railway; **Ma•g•net•band** *n* magnetic tape; **Ma•g•net•feld** *n* magnetic field
ma•g•ne•tisch *adj* magnetic; **~e Bildaufzeichnung** magnetic video recording
Ma•g•net•kar•te *f* magnetic card; **Ma•g•net•kopf** *m* (RADIO) magnetic head; **Ma•g•net•na•del** *f* magnetic needle; **Ma•g•net•plat•te** *f* (EDV) magnetic disk; **Ma•g•net•schal•ter** *m* (MOT) solenoid switch; **Ma•g•net•spu•le** *f* magnetic coil; **Ma•g•net•strei•fen** *m* magnetic strip
Ma•ha•go•ni [maha'go:ni] <-> *n* mahogany
Mäh•bin•der *m* reaper-binder; **Mäh•dre•scher** *m* combine
mä•hen ['mɛ:ən] *tr* (*Rasen*) mow; (*Gras*) cut; **Mä•her(in)** *m(f)* **1.** (*Person*) mower **2.** (*Rasen~*) mower **3.** (*Erntemaschine*) reaper
Mahl [ma:l] <-(e)s, -e/(¨er)> *n* meal
mah•len ['ma:lən] **I.** *tr* (*Korn*) grind; **fein gemahlen**^{RR} fine(ly) ground **II.** *itr* **1.** (MOT: *Getrieberäder*) grind **2.** (MOT: *Räder im Schlamm*) spin
Mahl•zeit *f* meal; **na dann prost ~!** (*fam iro*) that's just great!
Mahn•brief *m* reminder
Mäh•ne ['mɛ:nə] <-, -n> *f* mane
mah•nen ['ma:nən] *tr* **1.** (*er~*) admonish (*wegen* on account of) **2.** (COM: *wegen Schulden*) demand payment from; (*schriftlich ~*) send a reminder (*jdn* to s.o.)
Mahn•mal <-(e)s, -e/ (¨er)> *n* memorial
Mah•nung *f* **1.** (COM: *Mahnbrief*) reminder **2.** (*Er~*) admonition
Mahn•ver•fah•ren *n:* **ein ~ einleiten gegen ...** institute collection proceedings against ...; **Mahn•wa•che** *f* (POL) picket
Mai [maɪ] <-(e)s/-, -e> *m* May; **der Erste ~** May Day; **Mai•fei•er** *f* (POL) May-Day celebrations *pl;* **Mai•glöck•chen** *n* (BOT) lily of the valley; **Mai•kä•fer** *m* cockchafer
Mai•land ['maɪlant] *n* Milan
Mail•box ['meɪlbɒks] <-, -en> *f* (EDV) mailbox
Mais [maɪs] <-es, (-e)> *m* (*Br*) maize; (*Am*) corn; **Mais•keim•öl** *nt* corn germ oil; **Mais•kol•ben** *m* corn cob
Ma•jes•tät [majɛs'tɛ:t] *f* majesty; **S-e ~** His Majesty; **ma•jes•tä•tisch** *adj* majestic
Ma•jo•nä•se^{RR} [majɔ'nɛ:zə] <-, -n> *f* mayonnaise
Ma•jor(in) [ma'jo:ɐ] <-s, -e> *m(f)* (MIL) major
Ma•jo•ran ['ma:joran] <-s, -e> *m* marjoram
Ma•jo•ri•tät [majori'tɛ:t] *f* majority; **die ~ haben** have a majority
ma•ka•ber [ma'ka:bɐ] *adj* macabre
Ma•kel ['ma:kəl] <-s, -> *m* **1.** (COM: *Defekt*) fault **2.** (*fig: Fehler*) blemish; **ma•kel•los** *adj* **1.** (*Haus, Zimmer*) spotless **2.** (*Ware*) faultless; **~er Ruf** impeccable reputation; **~es Benehmen** immaculate behaviour
mä•keln ['mɛ:kəln] *itr* carp, cavil (*an* at)
Make-up ['me:k'ap] *n* make-up
Mak•ka•ro•ni [maka'ro:ni] *pl* macaroni *sing*
Mak•ler(in) ['ma:klɐ] <-s, -> *m(f)* **1.** (*Wohnungs~, Br*) estate agent; (*Am*) real estate agent **2.** (*Börsen~*) broker; **Mak•ler•ge•bühr** *f* brokerage, broker's commission
Ma•kre•le [ma'kre:lə] <-, -n> *f* (ZOO) mackerel
Ma•kro•kli•ma *n* macro climate
Ma•kro•ne [ma'kro:nə] <-, -n> *f* macaroon
Ma•ku•la•tur [makula'tu:ɐ] <-, -en> *f* wastepaper
mal *adv* (*fam: einmal*): **besuch mich doch ~!** come and see me sometime!; **sieh ~ her!** now look here!; **lass ihn ~ machen!** just let him try!; **komm ~ her!** can you come here for a moment!; **geh ~ hin, sie wird dir sicher helfen** go ahead and see him, I'm sure she'll help you; **sag ~, ist das wahr?** tell me is that true?; **ich bin nun ~ so** that's just the way I am
Mal^1 <-(e)s, -e> *n* (*zeitlich*): **ein einziges ~** once; **das vorige ~** the time before; **das letzte ~** last time; **beim ersten ~** the first time; **mit e-m ~** all at once; **ein für alle ~** once and for all
Mal^2 [ma:l, *pl:* 'mɛ:lɐ] <-(e)s, -e/¨er> *n* **1.** (*Zeichen*) mark **2.** (*Mahn~*) memorial
ma•lai•isch [ma'laɪɪʃ] *adj* Malayan
Ma•la•ria [ma'la:ria] <-> *f* (MED) malaria
Ma•lay•sia [ma'laɪzia] *n* Malaysia
Mal•buch *n* colouring book
malen ['ma:lən] *itr* (*mit Farbe*) paint; (*zeichnen*) draw; **sich ~ lassen** have one's portrait painted
Ma•ler(in) *m(f)* painter; **Ma•le•rei** *f* **1.** (*Kunst*) painting **2.** (*Gemälde*) picture
ma•le•risch *adj* picturesque
Mal•heur [ma'lø:ɐ] <-s, -s/-e> *n* mishap; **das ist doch kein ~!** that's not serious!
Mal•kas•ten *m* paintbox

ma•lo•chen [ma'lo:xən] <ohne ge-> *itr* (*sl*) drudge, slave

Ma•lo•cher(**in**) <-s, -> *m(f)* (*sl*) grafter

Mal•stift *m* crayon

Mal•ta ['malta] *n* Malta

Mal•te•ser(**in**) <-s, -> *m(f)* Maltese; **mal•te•sisch** *adj* maltese

Mal•ve ['malvə] <-, -n> *f* (BOT) hollyhock, mallow

Malz [malts] <-es> *n* malt; **Malz•bier** *n* malt beer; **Malz•bon•bon** *n* malt lozenge; **Malz•kaf•fee** *m* malt coffee

Ma•ma ['mama] <-, -s> *f* (*fam Br*) mum(my); (*Am*) mom; **Ma•ma•söhn•chen** ['mamazø:nçən] *n* (*fam pej*) mummy's darling

Mam•mo•gra•phie [mamogra'fi:] *f*, **Mam•mo•gra•fie**[RR] *f* (MED) mammography

Mam•mon ['mamɔn] <-s> *m*: **der schnöde** ~ filthy lucre

Mam•mut ['mamʊt] <-s, -e/-s> *n* (ZOO HIST) mammoth; **Mam•mut•baum** *m* (BOT) giant redwood

mamp•fen ['mam(p)fən] *itr* (*fam*) chomp

man [man] *pron* one; ~ **hat mir gesagt** I was told; ~ **kann nie wissen** you never can tell; **das tut** ~ **nicht** that's not done; ~ **munkelt schon lange davon** it's been rumoured for some time

Ma•nage•ment <-s, -s> *n* management

Ma•na•ger(**in**) ['mɛnɪdʒɐ] <-s, -> *m(f)* manager; **Ma•na•ger•krank•heit** *f* stress disease

manche(**r**, **s**) ['mançə] *pron* many a; **manch einer** many a person; **manche Leute** quite a few people; **manch anderer** many another

man•cher•lei *adj* various; ~ **Dinge** a number of things

man•ches *adj* (*vieles*) a good many things; **in manchem hat sie ja recht** she's right about some things

manch•mal *adv* sometimes

Man•dant(**in**) [man'dant] <-en, -en> *m(f)* (JUR) client

Man•da•ri•ne [manda'ri:nə] <-, -n> *f* (BOT) mandarin, tangerine

Man•dat [man'da:t] <-(e)s, -e> *n* **1.** (POL: *Auftrag*) mandate **2.** (JUR: *Anwalts~*) brief **3.** (PARL: *Parlamentssitz*) seat; **sein** ~ **niederlegen** (PARL) resign one's seat; **Man•dats•trä•ger**(**in**) *m(f)* mandate holder

Man•del ['mandəl] <-, -n> *f* **1.** (BOT: *Frucht*) almond **2.** (ANAT: *Drüse*) tonsil; **gebrannte ~n** sugared almonds; **Man•del•baum** *m* (BOT) almond tree; **Man•del•ent•zün•dung** *f* (MED) tonsillitis; **man•del•för•mig** *adj* almond- shaped; **Man•del•kleie** *f* almond meal; **Man•del•o•pe•ra•ti•on** *f* tonsil operation

Man•do•li•ne [mando'li:nə] <-, -n> *f* (MUS) mandolin

Man•dschu•rei [mantʃu'raɪ] *f* Manchuria

Ma•ne•ge [ma'ne:ʒə] <-, -n> *f* arena, ring

Man•gan [maŋ'ga:n] <-s> *n* (CHEM) manganese

Mangel[1] ['maŋəl] <-, -n> *f* mangle; (*Heiß~*) rotary iron; **jdn durch die** ~ **drehen** (*fig fam*) put s.o. through the mill; **jdn in die** ~ **nehmen** (*fig fam*) give s.o. a grilling

Mangel[2] ['maŋəl, *pl:* 'mɛŋəl] <-s, => *m* **1.** (*Fehlen*) lack; (*Knappheit*) shortage (*an* of) **2.** (*Fehler*) fault; (TECH) defect; ~ **an Arbeitskräften** shortage of staff; **aus** ~ **an ...** for want of ...; **Man•gel•er•schei•nung** *f* (MED) deficiency symptom

man•gel•haft *adj* (*Schulnote*) unsatisfactory; (*unzureichend*) insufficient; (*fehlerhaft*) defective, faulty

Man•gel•krank•heit *f* (MED) deficiency disease

man•geln[1] ['maŋəln] *tr* (*Wäsche*) press

man•geln[2] *itr* (*fehlen, unzureichend vorhanden sein*) want; **es mangelt an etw** there is lack of s.th.; **es mangelt ihr an nichts** she lacks for nothing

man•gels ['maŋəls] *präp* for lack of

Man•gel•wa•re *f* scarce commodity; ~ **sein** (*fig*) be a rare thing

Man•go ['maŋgo] <-, -s> *f* (BOT) mango

Ma•nie [ma'ni:] *f* mania

Ma•nier [ma'ni:ɐ] <-, -en> *f* manner; **höfliche ~en** (good) manners

ma•nier•lich *adj* (*Kind*) well-mannered; (*Aussehen etc*) respectable; **sich** ~ **benehmen** behave properly

Ma•ni•fest [mani'fɛst] <-es, -e> *n* manifesto; **Ma•ni•fes•tant**(**in**) <-en, -en> *m(f)* (*österr: Demonstrant*) demonstrator; **ma•ni•fes•tie•ren** *refl* manifest itself

Ma•ni•kü•re [mani'ky:rə] <-, -n> *f* **1.** (*Hand- u. Nagelpflege*) manicure **2.** (*Person*) manicurist

ma•ni•kü•ren <ohne ge-> *tr* manicure

Ma•ni•pu•la•ti•on *f* manipulation; (*Trick*) manoeuvre *Br,* manoeuver *Am*

ma•ni•pu•lie•ren [manipu'li:rən] *tr* manipulate

ma•nisch ['ma:nɪʃ] *adj* manic; **ma•nisch-de•pres•siv** *adj* (MED) manic- depressive

Man•ko ['maŋko] <-s, -s> *n* **1.** (*fig: Fehler*) shortcoming **2.** (COM: *Fehlbetrag*) deficit

Mann [man, *pl:* 'mɛnɐ] <-(e)s, =er> *m* **1.** (*allgemein*) man **2.** (*Gatte*) husband; **etw an den** ~ **bringen** get rid of s.th.; **s-n** ~ **stehen** hold one's own; **pro** ~ per head; ~, **o ~!** oh boy!; **den starken** ~ **markieren** (*fam*) act big

Männ•chen ['mɛnçən] <-s, -> *n* **1.** (*kleiner Mann*) mannikin **2.** (ZOO: *Tier~*) male; (*Vogel~*) cock; ~ **machen** sit up and beg
Man•ne•quin [manə'kɛ̃:] <-s, -s> *n* fashion model
Män•ner•be•ruf *m* male profession; **Män•ner•ge•sell•schaft** *f* male dominated society
Man•nes•al•ter *n:* **im besten ~ sein** be in one's prime
man•nig•fach ['manɪçfax] *adj* manifold
man•nig•fal•tig *adj* diverse
männ•lich ['mɛnlɪç] *adj* **1.** (BIOL) male **2.** (GRAM) masculine **3.** (*fig: mannhaft*) manly; **Männ•lich•keit** *f* **1.** (*fig: Mannhaftigkeit*) manliness **2.** (*euph: männliche Geschlechtsteile*) manhood
Mann•schaft *f* (SPORT) team; (AERO MAR) crew; **Mann•schafts•füh•rer(in)** *m(f)* (SPORT) captain; **Mann•schafts•wa•gen** *m* (*Polizei*) police van; (MIL) troop carrier
manns•hoch ['-'-] *adj* as high as a man
manns•toll *adj* (*fam*) man-mad
Ma•no•me•ter [mano'me:tɐ] <-s, -> *n* (TECH) pressure gauge *Br*, pressure gage *Am;* **~!** (*fam*) boy oh boy!
Ma•nö•ver [ma'nø:vɐ] <-s, -> *n* **1.** (*Br*) manoeuvre; (*Am*) maneuver **2.** (*List*) trick; **ins ~ gehen** (MIL) go on manoeuvres *Br*, go on maneuvers *Am*
ma•nö•vrie•ren [manø'vri:rən] *tr* (*Br*) manoevre; (*Am*) maneuver
ma•nö•vrier•un•fä•hig *adj* disabled
Man•sar•de [man'zardə] <-, -n> *f* garret; (*Boden*) attic; **Man•sar•den•wohnung** *f* attic flat
Manns•bild *nt* (*österr: Mann*) fellow
Man•schet•te [man'ʃɛtə] <-, -n> *f* **1.** (*an Hemd*) cuff **2.** (TECH: *Dichtungs~*) sleeve; **~n haben** (*fig fam*) be in a funk; **Man•schet•ten•knopf** *m* cufflink
Man•tel ['mantəl, *pl:* 'mɛntəl] <-s, ⸚> *m* **1.** (*Kleidungsstück*) coat **2.** (TECH: *Rohr~*) jacket **3.** (*Reifen~*) casing; **den ~ nach dem Wind hängen** (*fig*) set one's sails to the wind; **Man•tel•auf•schlag** *m* lapel
Man•tel•ta•rif•ver•trag *m general agreement concerning conditions of employment*
ma•nu•ell [manu'ɛl] *adj* manual
Ma•nu•skript [manʊ'skrɪpt] <-(e)s, -e> *n* manuscript
Map•pe ['mapə] <-, -n> *f* **1.** (*Aktentasche*) brief-case **2.** (*Hefter*) folder **3.** (*Feder~*) pencil case
Ma•ra•cu•ja [mara'kuja] <-, -s> *f* passion fruit
Ma•ra•thon ['maratɔn] <-s, -s> *m* marathon; **Ma•ra•thon•lauf** *m* (SPORT) marathon race

Mär•chen ['mɛ:ɐçən] <-s, -> *n* **1.** fairytale **2.** (*fig fam*) tall story; **Mär•chen•buch** *n* book of fairytales; **mär•chen•haft** *adj* **1.** (*in der Art e-s Märchens*) fairytale; (*prädikativ*) like a fairytale **2.** (*fig: fantastisch*) fabulous; **Mär•chen•land** *n* fairyland; **Mär•chen•prinz** *m* (*fig*) Prince Charming
Mar•der ['mardɐ] <-s, -> *m* (ZOO) marten
Mar•ga•ri•ne [marga'ri:nə] <-> *f* margarine
Mar•ge•ri•te [margə'ri:tə] <-, -n> *f* (BOT) marguerite
Ma•ria [ma'ri:a] *f* Mary
Ma•ri•en•kä•fer *m* (ZOO) ladybird
Ma•ri•hu•a•na [marihu'a:na] <-(s)> *n* marijuana; **Ma•ri•hu•a•na•zi•ga•ret•te** *f* joint, reefer
Ma•ril•le [ma'rɪlə] <-, -n> *f* (*österr*) apricot
Ma•ri•na•de [mari'na:də] <-, -n> *f* marinade
Ma•ri•ne [ma'ri:nə] <-, -n> *f* navy; **Ma•ri•ne•flie•ger** *m* naval pilot; **Ma•ri•ne•in•fan•te•rie** *f* marines *pl;* **Ma•rine•of•fi•zier** *m* naval officer; **Ma•rine•stütz•punkt** *f* naval base
ma•ri•nie•ren *tr* marinate; **marinierter Hering** pickled herring
Ma•ri•o•net•te [mario'nɛtə] <-, -n> *f* **1.** (*Holzpuppe*) marionette **2.** (*fig*) puppet; **Ma•ri•o•net•ten•the•ater** *n* puppet theatre *Br*, puppet theater *Am*
Mark[1] [mark] <-(e)s> *n* (ANAT) marrow; **das geht mir durch ~ u. Bein** that goes right through me
Mark[2] <-, (⸚er)> *f* (*Währung*) mark; **mit jeder ~ rechnen müssen** have to count every penny
mar•kant [mar'kant] *adj* (*ausgeprägt*) clear-cut, prominent; (*auffallend*) striking
Mar•ke ['markə] <-, -n> *f* **1.** (MOT: *Auto~*) make **2.** (COM: *Warensorte*) brand **3.** (*Brief~*) stamp; (*Rabatt~*) trading-stamp; (*Essens~*) ticket; **Mar•ken•ar•ti•kel** *m* proprietary article; **Mar•ken•ar•tik•ler** <-s, -> *m* (COM) producer of a proprietary brand; **Mar•ken•but•ter** *f* best quality butter; **Mar•ken•na•me** *m* brand name; **Mar•ken•zei•chen** *n* **1.** (*Warenzeichen*) trade-mark **2.** (MOT: *Firmenzeichen*) badge
Mar•ke•ting ['markətɪŋ] <-s> *n* marketing
mar•kie•ren [mar'ki:rən] *tr* **1.** (*mit Markierung versehen*) mark **2.** (*fam: simulieren*) play; **den Dummen ~** play the fool; **er markiert doch nur** he's only acting; **komm, markier' nicht!** stop putting it on!; **Mar•kier•stift** *m* highlighter; **Mar•kie•rung** *f* **1.** (*das Markieren*) marking **2.** (*Zeichen*) mark
mar•kig *adj* **1.** (*kernig*) pithy **2.** (*bombas-*

tisch) bombastic
Mar•ki•se [mar'ki:zə] <-, -n> *f* blind
Mark•kno•chen *m* marrowbone
Mark•stein *m* **1.** (*Grenzstein*) boundary-stone **2.** (*fig*) milestone
Mark•stück *n* one-mark piece
Markt [markt, *pl:* 'mɛrktə] <-(e)s, ¨-e> *m* **1.** (*~handel*) market **2.** (*~platz*) market-place; **auf dem ~** at the market; **auf den ~ gehen** go to the market; **auf dem ~ sein** (COM) be on the market; **auf den ~ kommen** (COM) come on the market; **auf den ~ bringen** (COM) put on the market; **wann ist wieder ~?** when is the next market?
Markt•a•na•ly•se *f* market analysis; **Markt•an•teil** *m* (COM) share of the market; **Markt•bu•de** *f* stall; **Markt•ein•füh•rung** *f* introduction on to the market; **markt•fä•hig** *adj* marketable; **Markt•for•schung** *f* market research; **Markt•füh•rer** *m* (COM) market leader; **Markt•füh•rer•schaft** *f* market leadership; **Markt•hal•le** *f* covered market
Markt•ka•pa•zi•tät *f* capacity of the market; **Markt•la•ge** *f* state of the market; **Markt•lü•cke** *f* gap in the market, opening; **in e-e ~ stoßen** fill a gap in the market; **Markt•platz** *m* marketplace; **Markt•po•ten•zial**[RR] *n*, **Markt•po•ten•tial** *n* market potential; **Markt•preis** *m* market price, market rate; **markt•reif** *adj* (*Produkt*) ready for the market; **Markt•sät•ti•gung** *f* (MARKT) market saturation; **Markt•seg•ment** *nt* (COM) market segment; **Markt•tag** *m* market day; **Markt•test** *m* (MARKT) market testing; **Markt•wert** *m* market value; **Markt•wirt•schaft** *f* market economy; **freie ~** free-market economy; **markt•wirt•schaft•lich** *adj* free-enterprise; **Markt•vo•lu•men** *n* (COM) market volume
Mar•me•la•de [marmə'la:də] <-, -n> *f* jam; (*Orangen~*) marmalade
Mar•mor ['marmɔr] <-s, -e> *m* marble; **mar•mo•rie•ren** *tr* marble; **Mar•mor•ku•chen** *m* marble cake; **mar•morn** ['marmɔrn] *adj* marble; **Mar•mor•säu•le** *f* marble column
Ma•rok•ka•ner(in) [marɔ'ka:nɐ] *m(f)* Moroccan; **ma•rok•ka•nisch** *adj* Moroccan; **Ma•rok•ko** [ma'rɔko] *n* Morocco
Ma•ro•ne[1] [ma'ro:nə] <-, -n> *f* (BOT: *Esskastanie*) sweet [*o* edible] chestnut
Ma•ro•ne[2] *f* (BOT: *Pilz*) chestnut boletus
Ma•rot•te [ma'rɔtə] <-, -n> *f* quirk
Mars[1] [mars] <-> *m* (ASTR) Mars
Mars[2] *n* (MAR: *Segel*) top
marsch *interj:* **~!** march!
Marsch[1] [marʃ, *pl:* 'mɛrʃə] <-(e)s, ¨-e> *m* (MUS MIL) march; **jdm den ~ blasen** (*fig*) give s.o. a piece of one's mind; **sich in ~ setzen** move off
Marsch[2] <-, -en> *f* (*Landschaft*) fen, marsh
Mar•schall ['marʃal, *pl:* 'marʃɛlə] <-s, ¨-e> *m* (MIL) marshal
Marsch•be•fehl *m* (MIL) marching orders *pl;* **Marsch•flug•kör•per** *m* (MIL) cruise missile; **Marsch•ge•päck** *n* pack
mar•schie•ren *itr* march
Marsch•ko•lon•ne *f* column; **Marsch•kom•pass**[RR] *m* compass; **Marsch•musik** *f* military marches *pl;* **Marsch•rich•tung** *f* **1.** (*Richtung des Marsches*) route of march **2.** (*fig*) line of approach; **Marsch•ver•pfle•gung** *f* rations *pl*
Mars•mensch *m* Martian
Mar•ter ['martɐ] <-, -n> *f* torture; **mar•tern** *tr* torment, torture; **Mar•terpfahl** *m* stake; **Mar•ter•werk•zeug** *n* instrument of torture
mar•tia•lisch [mar'tsja:lɪʃ] *adj* martial, warlike
Mär•ty•rer(in) [mɛr'ty:rɐ] <-s, -> *m(f)* (*a. fig*) martyr; **jdn zum ~ machen** (*fig*) make a martyr of s.o.; **sich als ~ aufspielen** make a martyr of o.s.
Mar•xis•mus [mar'ksɪsmʊs] *m* (POL) Marxism; **Mar•xist(in)** *m(f)* (POL) Marxist; **mar•xis•tisch** *adj* (POL) Marxist
März [mɛrts] <-es, -e> *m* March; **Anfang (Mitte, Ende) ~** at the beginning (in the middle, at the end) of March
Mar•zi•pan [martsi'pa:n] <-s, -e> *n* marzipan
Ma•sche ['maʃə] <-, -n> *f* **1.** (*Strick~*) stitch **2.** (*Netzschlinge*) hole, mesh **3.** (*fam: Trick*) trick; **immer die alte ~!** the same old trick!; **jdm durch die ~n gehen** slip through someone's fingers; **das ist die große ~!** it's all the fad!
Ma•schen•draht *m* wire netting; **Ma•schen•wei•te** *f* mesh size
Ma•schi•ne [ma'ʃi:nə] <-, -n> *f* **1.** (TECH) machine **2.** (MOT) engine **3.** (AERO: *Flugzeug*) plane; **etw mit der ~ schreiben** type s.th.
ma•schi•nell *adj* mechanical
Ma•schi•nen•bau *m* mechanical engineering; **Ma•schi•nen•bau•in•ge nieur(in)** *m(f)* mechanical engineer; **Ma•schi•nen•code** *m* machine code; **Ma•schi•nen•fa•brik** *f* engineering works *pl;* **Ma•schi•nen•ge•wehr** *n* (MIL) machine gun; **ma•schi•nen•les•bar** *adj* (EDV: *Ausweis etc*) machine readable; **Ma•schi•nen•les•bar•keit** *f* machine readability; **Ma•schi•nen•öl** *n* lubricating oil; **Ma•schi•nen•park** *m* plant; **Ma•schi•nen•pis•to•le** *f* (MIL) submachine gun; **Ma•schi•nen-**

raum *m* 1. (MAR) engine-room 2. (*in Werk*) plant room; **Ma·schi·nen·scha·den** *m* mechanical fault; **Ma·schi·nen·schlos·ser(in)** *m(f)* engine fitter; **Ma·schi·nen·schrift** *f* typescript

Ma·schi·ne·rie [maʃinəˈriː] *f* (*a. fig*) machinery

Ma·schi·nist(in) *m(f)* engineer

Ma·ser [ˈmaːzɐ] <-, -n> *f* (*in Holz*) grain, vein

Ma·sern [ˈmaːzɐn] *pl* (MED) measles

Ma·se·rung *f* grain

Mas·ke [ˈmaskə] <-, -n> *f* 1. (*Gesichts~, a.* EDV) mask 2. (THEAT) make-up; **sie ließ ihre ~ fallen** (*fig*) she slipped her mask; **das ist nur ~** (*fig*) that's all just pretence *Br*, that's all just pretense *Am*; **jdm die ~ vom Gesicht reißen** (*fig*) unmask s.o.; **Mas·ken·ball** *m* masked ball; **Mas·ken·bild·ner(in)** *m(f)* make-up artist; **Mas·ke·ra·de** [maskəˈraːdə] <-, -n> *f* (*Verkleidung*) costume

mas·kie·ren I. *tr* disguise II. *refl* disguise o.s.

Mas·kott·chen [masˈkɔtçən] <-s, -> *n* mascot

mas·ku·lin [maskuˈliːn] *adj* masculine

Mas·ku·li·num <-s, -Maskulina> *n* (LING) masculine

Ma·so·chist(in) [mazɔˈxɪst] <-en, -en> *m(f)* masochist; **ma·so·chis·tisch** *adj* masochistic

Maß[1] [maːs] <-es, -e> *n* 1. (*~einheit*) measure (*für* of) 2. (*~band*) tape measure 3. (*gemessene Größe*) measurement 4. (*Aus~*) degree, extent; **das ~ ist voll!** that's going too far!; **ein gewisses ~ an …** a certain degree of …; **in höchstem ~e** extremely; **in ~en** in moderation; **~ halten**[RR] be moderate

Maß[2] <-, -(e)> *f* (*Biermaß: Liter*) litre of beer *Br*, liter of beer *Am*

Mas·sa·ge [maˈsaːʒə] <-, -n> *f* massage; **~n bekommen** get massage treatment; **Mas·sa·ge·öl** *n* massage oil; **Mas·sa·ge·sa·lon** *m* massage parlour

Mas·sa·ker [maˈsaːkɐ] <-s, -> *n* massacre; **mas·sa·krie·ren** *tr* (*fam*) massacre

Maß·ar·beit *f* (*fig*) neat piece of work

Mas·se [ˈmasə] <-, -n> *f* 1. (*ungeformter Stoff*) mass 2. (*Menge*) lots [*o* heaps] of 3. (*bei Speisenzubereitung*) mixture 4. (*Menschenmenge*) crowd 5. (EL) mass; **die breite ~** (*von Menschen*) the masses *pl*; **eine ganze ~ von …** a great deal of …; **Mas·se·ka·bel** *n* (EL) ground cable

Mas·sen·an·drang *m* crush; **es herrschte ~** there was a terrible crush; **Mas·sen·ar·beits·lo·sig·keit** *f* mass unemployment; **Mas·sen·ar·ti·kel** *m* mass-produced article; **Mas·sen·be·we·gung** *f* mass movement; **Mas·sen·ent·las·sung** *f* mass redundancy; **Mas·sen·grab** *n* mass grave; **Mas·sen·gü·ter** *npl* bulk goods

mas·sen·haft I. *adj* on a massive scale II. *adv* (*fam: sehr viel*) masses of

Mas·sen·ka·ram·bo·la·ge *f* (MOT) pile-up; **Mas·sen·me·dien** *npl* mass media *pl*; **Mas·sen·mensch** *m* mass man; **Mas·sen·mord** *m* mass murder; **Mas·sen·pro·duk·ti·on** *f* mass production; **Mas·sen·ster·ben** *n* mass of deaths; **Mas·sen·tier·hal·tung** *f* intensive livestock farming; **Mas·sen·tou·ris·mus** *m* mass tourism; **Mas·sen·ver·nich·tungs·waf·fe** *f* weapon of mass destruction

Mas·seur(in) [maˈsøːɐ] <-s, -e> *m(f)* masseur (masseuse)

Mas·seu·se [maˈsøːzə] <-, -n> *f* (*obs: Masseurin*) masseuse

Maß·ga·be *f*: **nach ~** according to

maß·ge·bend *adj* authoritative; **deine Meinung ist für mich nicht ~** I won't accept your opinion as authoritative; **das ist ein ~es Buch über Archäologie** this is a definitive book on archeology

maß·geb·lich *adj* authoritative

maß|hal·ten *s.* **Maß**

mas·sie·ren[1] *tr* massage

mas·sie·ren[2] *tr* (MIL: *Truppen*) mass

mas·sig I. *adj* massive II. *adv* (*fam*): **~ viel** stacks of

mä·ßig [ˈmɛːsɪç] *adj* 1. (*gemäßigt*) moderate, temperate 2. (*mittel~*) indifferent 3. (*gering*) moderate; **mä·ßi·gen** [ˈmɛːsɪgən] I. *tr* (*mindern*) moderate II. *refl* restrain o.s.; **Mä·ßig·keit** *f* 1. (*das Maßhalten*) moderation 2. (*Mittel~*) mediocrity; **Mä·ßi·gung** *f* moderation, restraint

Mas·siv [maˈsiːf] <-s, -e> *n* massif

mas·siv *adj* 1. (*fest, stabil*) solid 2. (*fig: grob*) gross

Maß·klei·dung *f* (*Br*) made-to-measure clothing; (*Am*) custom clothing

Maß·krug *m* litre beer mug *Br*, liter beer mug *Am*

maß·los I. *adj* 1. (*unmäßig*) immoderate 2. (*gewaltig*) extreme; **~e Übertreibung** extreme exaggeration II. *adv* (*äußerst*) extremely; **Maß·lo·sig·keit** *f* lack of moderation

Maß·nah·me <-, -n> *f* measure; **~n ergreifen(,) um etw zu tun** take measures to do s.th.; **nicht vor ~n zurückschrecken** not shrink from taking action

Maß·re·gel *f* rule; **maß·re·geln** [ˈ---] *tr* 1. (*Strafe verhängen*) discipline 2. (*tadeln*) re-

primand; **er wurde für s-e unfreundlichen Worte gemaßregelt** he was rebuked for having spoken unkindly
maß|schnei•dern *tr* make to measure
Maß•stab *m* **1.** (*fig: Richtlinie*) standard **2.** (*Zollstock*) rule **3.** (*maßstäbliches Verhältnis*) scale; **hier ist e-e Karte mit kleinem ~** this is a small- scale map; **das ist für mich kein ~** I don't take that as my yardstick; **¨e setzen** set a good standard *sing*
maß•stab(s)•ge•recht *adj* (true) to scale
maß•voll *adj* moderate
Mast¹ [mast] <-(e)s, -en/(-e)> *m* **1.** (EL: *Strom~*) pylon **2.** (MAR: *a. Antennen~*) mast
Mast² <-, -en> *f* (*das Mästen*) fattening
Mast•baum *m* (MAR) mast
Mast•darm *m* (ANAT) rectum
mäs•ten ['mɛstən] **I.** *tr* fatten **II.** *refl* (*hum*) stuff o.s.
Mast•schwein *n* fattened pig
mas•tur•bie•ren [mastʊr'bi:rən] *tr itr* masturbate
Match [metʃ] <-es> *n* (SPORT) match; **Match•ball** *m* (SPORT: *beim Tennis*) match point
Ma•te•ri•al [materi'a:l] <-s, -ien> *n* **1.** (*Stoff, Substanz*) material **2.** (*Gerätschaften*) materials *pl;* **Ma•te•ri•al•an•for•de•rung** *f* materials requisition; **Ma•te•ri•al•auf•wand** *m* material costs; **Ma•te•ri•al•be•darf** *m* material needs, material requirements; **Ma•te•ri•al•er•mü•dung** *f* material fatigue; **Ma•te•ri•al•feh•ler** *m* material defect
ma•te•ria•li•sie•ren *refl* materialize
Ma•te•ria•lis•mus *m* (*a.* PHILOS) materialism; **Ma•te•ria•list(in)** *m(f)* (*a.* PHILOS) materialist; **ma•te•ria•lis•tisch** *adj* (*a.* PHILOS) materialistic
Ma•te•ri•al•kos•ten *pl* cost *sing* of materials; **Ma•te•ri•al•la•ger** *nt* materials stock, stock of materials; **Ma•te•ri•al•ver•brauch** *m* consumption of material(s); **Ma•te•ri•al•prü•fung** *f* materials testing, inspection of incoming materials; **Ma•te•ri•al•ver•brauch** *m* materials usage; **Ma•te•ri•al•wirt•schaft** *f* materials management
Ma•te•rie [ma'te:riə] <-, -n> *f* **1.** matter **2.** (*Gegenstand, Thema*) subject-matter; **die ~ beherrschen** know one's stuff
ma•te•ri•ell *adj* **1.** (*die Materie betreffend, a. fig*) material **2.** (*geldlich*) financial
Ma•the•ma•tik [matema'ti:k] *f* mathematics; **Ma•the•ma•ti•ker(in)** *m(f)* mathematician; **ma•the•ma•tisch** *adj* mathematical
Ma•ti•nee [mati'ne:] <-, -n> *f* matinee
Mat•jes•he•ring ['matjəshe:rɪŋ] *m* young herring
Ma•trat•ze [ma'tratsə] <-, -n> *f* mattress; **an der ~ horchen** (*fam: ein Nickerchen machen*) turn in
Mä•tres•se [mɛ'trɛsə] <-, -n> *f* (HIST) mistress
Ma•tri•kel [ma'tri:kəl] <-, -n> *f* (*Universitäts~*) matriculation register; **Ma•tri•kel•num•mer** *f* registration number
Ma•trix ['ma:trɪks] <-, Matrizen> *f* matrix; **Ma•trix•dru•cker** *m* (EDV) dot-matrix printer
Ma•tri•ze [ma'tri:tsə] <-, -n> *f* (*Schablone*) stencil; **etw auf ~ schreiben** stencil s.th.
Ma•tro•ne [ma'tro:nə] <-, -n> *f* matron; **ma•tro•nen•haft** *adj* matronly
Ma•tro•se [ma'tro:zə] <-n, -n> *m* (MAR) **1.** (*Seemann*) sailor **2.** (*Dienstgrad*) rating
Matsch [matʃ] <-(e)s> *m* (*breiweiche Masse*) mush; (*Schlamm*) mud; (*Schnee~*) slush
mat•schig *adj* (*breiig*) mushy; (*schlammig*) muddy; (*Schnee*) slushy
matt [mat] *adj* **1.** (*glanzlos*) dull **2.** (*schwach*) weak **3.** (*beim Schach*) mate; **~es Papier** mat paper; **~e Glühbirne** opal bulb; **jdn ~ setzen** (*a. fig*) checkmate s.o.
Mat•te ['matə] <-, -n> *f* (*Decke*) mat; **jdn auf die ~ legen** (SPORT) floor s.o; **auf der ~ stehen** (*fam*) be there and ready for action
Matt•glanz *m* dull finish; **Matt•glas** <-es> *n* frosted glass, ground glass; **Matt•lack** *m* mat varnish; **Matt•schei•be** *f* (*fam Br*) telly; (*Am*) tube; **er hat ~** (*fig fam*) he's soft in the head
Mätz•chen ['mɛtsçən] *npl:* **mach keine ~!** don't try anything funny!
mau *adj* (*fam*) poor, bad; (*Geschäft*) slack; **mir ist ~** I feel poorly
Mau•er ['maʊɐ] <-, -n> *f* wall
mau•ern I. *tr* build, lay bricks **II.** *itr* (*beim Kartenspiel*) hold back
Mau•er•seg•ler *f* (ORN) swift; **Mau•er•stein** *m* building stone; **Mau•er•vor•sprung** *m* projection on the wall; **Mau•er•werk** *n* masonry, stonework
Maul [maʊl, *pl:* 'mɔɪlɐ] <-(e)s, ¨er> *n* mouth; (*Tierrachen*) jaws *pl;* **halt's ~!** (*vulg*) shut your gob!; **jdm das ~ stopfen** (*derb*) muzzle s.o., shut s.o. up; **ein großes ~ haben** (*derb*) be a big-mouth; **nimm das ~ nicht so voll!** (*derb*) don't be too cocksure!
Maul•beer•baum *m* (BOT) mulberry
mau•len ['maʊlen] *itr* moan
Maul•esel *m* (ZOO) mule
maul•faul *adj* (*fam*): **sei nicht so ~!** haven't you got a tongue in your head?
Maul•korb *m* (*a. fig*) muzzle
Maul•ta•schen *fpl* filled pasta squares

Maul•tier *n* (ZOO) mule; **Maul- und Klau•en•seu•che** *f* foot-and-mouth disease; **Maul•wurf** *m* (ZOO) mole; **Maul•wurfs•hau•fen** *m* molehill

Mau•rer(in) ['maʊrɐ] <-s, -> *m(f)* bricklayer; **Mau•rer•kel•le** *f* trowel; **Mau•rer•ko•lon•ne** *f* bricklaying gang; **Mau•rer•meis•ter(in)** *m(f)* master builder

Mau•re•ta•ni•en [maʊre'ta:niən] *n* Mauretania

Maus [maʊs, *pl:* 'mɔɪzə] <-, ¨-e> *f* (*a.* EDV) mouse (*pl* mice); **¨-e** (*sl: Geld*) dough *sing;* **weiße ¨-e sehen** (*fig*) see pink elephants

Mäu•se•bus•sard *m* (ORN) buzzard

Mau•se•fal•le *f* **1.** mousetrap **2.** (*fig*) deathtrap; **Mau•se•loch** *n* mouse-hole

Mau•ser ['maʊzɐ] <-> *f* (ORN) moult; **in der ~ sein** be moulting; **mau•sern** *refl* **1.** (ORN) moult **2.** (*fig*) blossom out

mau•se•tot *adj* (*fam*) stone dead

Maus•klick <-s, -s> *m* (EDV) click of the mouse; **Maus•kur•sor** <-s, -s> *m* (EDV) mouse cursor; **Maus•pad** ['maʊspæd] <-s, -s> *n* (EDV) mouse pad; **Maus•steue•rung** *f* (EDV) mouse control

Maut [maʊt] <-, -en> *f* toll; **Maut•ge•bühr** *f* toll; **Maut•stel•le** *f* toll gate, toll barrier; **Maut•stra•ße** *f* toll-road

ma•xi•mal [maksi'ma:l] **I.** *adj* maximum **II.** *adv* at most

Ma•xi•me [ma'ksi:mə] <-, -n> *f* maxim

Ma•xi•mum ['maksimʊm] <-s, -ma> *n* maximum

Ma•xi•rock *m* maxi-skirt

Ma•yon•nai•se *f s.* **Majonäse**

Ma•ze•do•nien [matse'do:niən] *n* Macedonia

Mä•zen [mɛ'tse:n] <-s, -e> *m* patron

MB <-(s), -(s)> *n Abk. von* **Megabyte** MB, Mb, MByte

MBA <-s, -> *m Abk. von* **Master of Business Administration** MBA

Me•cha•nik [me'ça:nɪk] *f* mechanics *pl;* **Me•cha•ni•ker(in)** *m(f)* mechanic; **me•cha•nisch** *adj* mechanical

me•cha•ni•sie•ren *tr* mechanize; **Mecha•ni•sie•rung** *f* mechanization; **Me•cha•ni•sie•rungs•pro•zess**[RR] *m* process of mechanization

Me•cha•nis•mus <-, -men> *m* mechanism

Me•cke•rei *f* grumbling, grousing; **me•ckern** ['mɛkɐn] *itr* **1.** (*Ziege*) bleat **2.** (*fam: Mensch: nörgeln*) bleat, grouse (*über* at)

Me•dail•le [me'daljə] <-, -n> *f* medal; **Me•dail•len•ge•win•ner(in)** *m(f)* medallist

Me•dail•lon [medal'jõ:] <-s, -s> *n* locket

Me•di•en ['me:diən] *pl* media; **Me•di•en•be•richt•er•stat•tung** *f* media reporting; **Me•di•en•for•schung** *f* media research; **Me•di•en•kon•zen•tra•ti•on** *f* media concentration; **Me•di•en•kon•zern** *m* media concern; **Me•di•en•land•schaft** *f* <-> (*fig*) media landscape; **Me•di•en•po•li•tik** *f* media policy; **Me•di•en•rum•mel** *m* media excitement; **Me•di•en•ver•bund** *m* **1.** (PÄD) multimedia system **2.** (COM) media syndicate; **me•di•en•wirk•sam** *adj* (*Person*) mediagenic

Me•di•ka•ment [medika'mɛnt] <-(e)s, -e> *n* medicine; **Me•di•ka•men•ten•sucht** *f* drug dependency; **Me•di•ka•men•ten•miss•brauch**[RR] *m* drug abuse; **Me•di•ka•men•ten•ver•ord•nung** *f* drug regulation

me•di•ka•men•tös *adj* medicinal

Me•di•ta•ti•on *f* meditation

me•di•ter•ran [meditɛ'ra:n] *adj* Mediterranean

me•di•tie•ren [medi'ti:rən] *itr* meditate; **über etw ~** ponder over s.th.

Me•di•zin [medi'tsi:n] <-, -en> *f* **1.** (*Arznei*) medicine **2.** (*Wissenschaft*) medicine

Me•di•zi•nal•as•sis•tent(in) *m(f)* (*Br*) houseman; (*Am*) intern

Me•di•zin•ball *m* medicine ball

Me•di•zi•ner(in) *m(f)* **1.** (*Arzt*) doctor **2.** (*Medizinstudent*) medic

me•di•zi•nisch *adj:* **jdn ~ behandeln** give s.o. medical treatment; **~e Fakultät** faculty of medicine

Me•di•zi•nisch-Tech•ni•sche(r) As•sis•tent(in) *m(f)* medical assistant

Me•di•zin•mann <-(e)s, ¨-er> *m* medicine man; **Me•di•zin•stu•dent(in)** *m(f)* medical student

Meer [me:ɐ] <-(e)s, -e> *n* sea; **die ~e** the oceans; **e-e Stadt am ~** a town by the sea; **als ich aufs ~ hinausblickte** as I looked out to sea; **Meer•bu•sen** *m* bay, gulf; **Meer•en•ge** *f* straits *pl*

Mee•res•al•ge *f* sea alga; **Mee•res•arm** *m* arm of the sea; **Mee•res•bio•lo•gie** *f* marine biology; **Mee•res•bo•den** *m* seabed; **Mee•res•for•schung** *f* oceanography; **Mee•res•früch•te** *pl* seafood; **Mee•res•grund** *m* bottom of the sea; **Mee•res•hö•he** *f s.* **Meeresspiegel;** **Mee•res•kli•ma** *n* maritime climate; **Mee•res•kun•de** *f* oceanography; **mee•res•kund•lich** *adj* oceanographic; **Mee•res•spie•gel** *m* sea-level; **über/unter dem ~** above/ below sea-level; **Mee•res•strö•mung** *f* ocean current; **Mee•res•ver•schmut•zung** *f* pollution of the sea(s)

Meer•kat•ze *f* (ZOO) guenon

Meer•ret•tich *m* (BOT) horseradish

Meer•schwein•chen *n* (ZOO) guineapig

Meer•was•ser *n* sea water; **Meer•was•ser•ent•sal•zungs•an•la•ge** *f* desalination plant
Me•ga•byte ['megabaɪt] *n* (EDV) megabyte
Me•ga•fon[RR] *n s.* Megaphon
Me•ga•hertz ['megahɛrts] *n* (PHYS) megahertz
Me•ga•phon [mega'fo:n] <-s, -e> *n* megaphone
Mehl [me:l] <-(e)s, -e> *n* **1.** (*Getreide~*) flour; (*grobes*) meal **2.** (*Pulver*) powder; **mit ~ bestreuen** flour; **meh•lig** *adj* **1.** (*mehlbestäubt*) floury **2.** (*Früchte etc*) mealy
Mehl•tau *m* (BOT: *Blattpilz*) mildew
Mehr <-(s)> *n* (*Zunahme*) increase (*an* of)
mehr [me:ɐ] *pron, adv* more; **ich will viel ~** I want a lot more; **immer ~** more and more; **etw ~** a little more; **viel(e) ~** much (many) more; **nicht ~ viel(e)** not much (many) more; **nichts ~** no more; **noch ~?** any more?; **noch ~** even more; **~ gibt es nicht** there isn't any more, there aren't any more; **gibt es noch ~?** is there any more?, are there any more?; **reden wir nicht ~ darüber!** let's say no more about it!; **~ kann man sich doch nicht wünschen** what more could one want?; **zum Kindererziehen gehört ~ als nur ...** there's more to bringing up children than just ...; **um so ~** all the more; **je ~ du ihnen gibst, desto ~ verlangen sie** the more you give them, the more they want; **das beschämt mich um so ~** that makes me all the more ashamed; **er hält sich für ~** he thinks he's something more; **es ist kein Wein ~ da** there isn't any more wine; **ich bin ~ als zufrieden** I'm more than satisfied; **kein Wort ~!** not another word!; **es war niemand ~ da** everyone had gone; **nicht ~ lange** not much longer
Mehr•ar•beit *f* overtime; **Mehr•auf•wand** *m* additional expenditure; **Mehr•be•las•tung** *f* **1.** (*allgemein*) excess load **2.** (*fig*) additional burden; **Mehr•be•reichs•öl** *n* (MOT) multigrade oil; **Mehr•be•trag** *m* surplus; **mehr•deu•tig** ['me:ɐdɔɪtɪç] *adj* ambiguous; **mehr•di•men•sio•nal** *adj* multidimensional; **Mehr•ein•nah•me** *f* additional revenue
meh•ren ['me:rən] *tr* (*ver~*) augment, increase
meh•re•re ['me:rərə] *pron, adj* several
mehr•fach ['me:ɐfax] **I.** *adj* **1.** (*vielfach*) multiple **2.** (*wiederholt*) repeated **II.** *adv* (*mehrere Male*) several times
Mehr•fach•fahr•schein *m* multi-journey ticket; **Mehr•fach•ste•cker** *m* (EL) multiple adaptor; **Mehr•fach•tä•ter(in)** *m(f)* serial offender
Mehr•fa•mi•li•en•haus *n* multiple dwelling, house for several families
mehr•far•big *adj* multicoloured
Mehr•heit *f* majority; **in der ~ sein** be in a majority; **e-e ~ von drei Stimmen haben** be in a majority of three; **mit knapper ~** by a small majority; **Mehr•heits•be•schluss**[RR] *m* majority decision; **durch ~** by a majority of votes; **mehr•heits•fä•hig** *adj* capable of winning a majority; **Mehr•heits•wahl•recht** *n* (POL) majority votes system
mehr•jäh•rig *adj* of several years; **~e ...** several years of ...
Mehr•kos•ten *pl* additional costs
Mehr•lin•ge <-> *pl* progeny of a multiple birth
mehr•mals *adv* several times
mehr•mo•to•rig *adj* (AERO) multi- engined; **Mehr•par•tei•en•sys•tem** *n* multi-party system; **mehr•platz•fä•hig** *adj* (EDV) multistation, capable of supporting multi-user operation; **Mehr•platz•rech•ner** *m* (EDV) multi-user [*o* multistation] system, networked system; **Mehr•platz•sys•tem** *nt* (EDV) multi-user system; **Mehr•preis** *m* extra, surcharge; **mehr•sil•big** *adj* polysyllabic; **mehr•spra•chig** *adj* multilingual; **mehr•stim•mig** *adj* (MUS) for several voices; **mehr•stö•ckig** *adj* multistorey; **mehr•stün•dig** *adj:* **sie trafen mit ~er Verspätung ein** they arrived several hours late; **mehr•tä•gig** *adj:* **ein ~er Aufenthalt** a stay of several days; **Mehr•ver•brauch** *m* additional consumption; **Mehr•weg-** *präfix* reusable; **Mehr•weg•fla•sche** *f* deposit bottle, returnable bottle; **Mehr•weg•ver•pa•ckung** *f* reusable packaging; **Mehr•wert•steu•er** *f* value added tax, VAT; **mehr•wö•chig** *adj* of [*o* lasting] several weeks; **Mehr•zahl** <-, -> *f* **1.** (GRAM) plural **2.** (*Mehrheit*) majority; **die ~ der Fälle** the majority of cases; **Mehr•zweck•fahr•zeug** *n* multi-purpose vehicle
mei•den ['maɪdən] *irr tr* avoid
Mei•le ['maɪlə] *f* mile; **e-e Fahrt von 50 ~n** a 50-mile journey; **Mei•len•stand** *m* mileage; **Mei•len•stein** *m* (*a. fig*) milestone; **mei•len•weit** *adv* miles and miles; **sie wohnen ~ weg** they live miles away; **vom Thema ~ entfernt sein** be miles off the subject
Mei•ler ['maɪlɐ] <-s, -> *m* charcoal-kiln
mein [maɪn] *pron* my; **ich habe ~e eigene Wohnung** I've got a flat of my own; **~es Wissens** as far as I know; **~e Damen u. Herren!** Ladies and Gentlemen!; **e-r ~er Lieblingsausdrücke** a favourite expression of mine

Mein•eid ['maɪnaɪt] <-(e)s, -e> *m* (JUR) perjury; **e-n ~ leisten** commit perjury; **zum ~ verleiten** suborn to perjury; **mein•ei•dig** *adj* (JUR) perjured; **~ werden** perjure o.s.

mei•nen ['maɪnən] *tr itr* **1.** (*denken, glauben*) think **2.** (*sagen wollen*) mean; **das habe ich nicht gemeint** I didn't intend that; **was ~ Sie?** what do you think?; **~ Sie nicht auch?** don't you agree?; **~ Sie?** do you think so?; **das will ich ~** I should think so; **~ Sie das im Ernst?** do you really think it?; **ich meine nur so ...** I was only thinking ...; **damit bin ich gemeint** that's meant for me; **so war das nicht gemeint** it wasn't meant like that; **wenn du meinst** if you like, I don't mind; **sie meint, sie sei intelligent** she thinks herself intelligent; **gutgemeint**^RR well-meant

mei•ner ['maɪnɐ] *pron* of me

meine(r, s) *pron* (*substantivisch*) mine; **s-e Freunde sind nicht meine** his friends are not mine; **das ist dein Schirm, u. wo ist meiner?** this is your umbrella, and where is mine?

mei•ner•seits *adv* as far as I am concerned, for my part; **ganz ~!** the pleasure's mine!

mei•nes•glei•chen ['--'--] *pron* **1.** (*mir Ebenbürtige*) my equals *pl* **2.** (*Leute wie ich*) people *pl* like me

mei•net•we•gen ['--'--] *adv* **1.** (*von mir aus*) for my part **2.** (*um meinetwillen*) for my sake; **er kann ~ sofort gehen** as far as I'm concerned he can leave at once; **kann ich gehen? – ~!** may I go? – all right!

mei•ni•ge ['maɪnɪgə] *pron:* **der** (**die, das**) **M~/~** mine

Mei•nung *f* opinion; **der ~ sein, dass ...** be of the opinion that ...; **meiner ~ nach** in my opinion; **s-e ~ äußern** express an opinion; **jdn nach s-r ~ fragen** ask someone's opinion; **keine gute ~ über jdn haben** have a poor opinion of s.o.; **jdm die ~ sagen** give s.o. a piece of one's mind; **s-e ~ ändern** change one's opinion; **e-e vorgefasste ~** a preconceived view

Mei•nungs•äu•ße•rung *f* opinion; **Mei•nungs•aus•tausch** *m* exchange of views (*über* on); **Mei•nungs•bil•dung** *f* formation of opinion; **Mei•nungs•for•scher(in)** *m(f)* canvasser, pollster; **Mei•nungs•for•schung** *f* public opinion research; **Mei•nungs•um•fra•ge** *f* opinion poll, canvassing; **Mei•nungs•um•schwung** *m* swing of opinion; **Mei•nungs•ver•schie•den•heit** *f* disagreement, difference of opinion

Mei•se ['maɪzə] <-, -n> *f* (ORN) titmouse; **e-e ~ haben** (*fig fam*) be nuts

Mei•ßel ['maɪsəl] <-s, -> *m* chisel; **mei•ßeln** *tr itr* chisel

meist *adv s.* **meistens**

meist•bie•tend *adj* highest bidding; **~ versteigern** sell to the highest bidder

Meist•bie•ten•de(r) <-n, -> *mf* highest bidder

meis•ten *adv:* **am ~** most of all

meis•tens *adv* mostly, most of the time

Meis•ter(in) ['maɪstɐ] <-s, -> *m(f)* **1.** (*Handwerk*) master **2.** (SPORT) champion; **s-n ~ finden** meet one's match; **s-n ~ machen** take one's master craftsman's diploma

meis•te(r, s) *pron:* **die meisten** most people; **das hat mir die meiste Freude gemacht** that gave me the most pleasure; **die meiste Zeit** most of the time; **die meisten sind Studenten** they are mostly students

Meis•ter•brief *m* master craftsman's certificate

meis•ter•haft **I.** *adj* masterly **II.** *adv* in a masterly manner

Meis•ter•leis•tung *f* masterly performance

meis•tern *tr* master; **Schwierigkeiten ~** overcome difficulties

Meis•ter•prü•fung *f* examination for master craftsman's diploma; **Meis•ter•schaft** *f* **1.** (*meisterliches Können*) mastery **2.** (SPORT) championship; **Meis•ter•stück** *n,* **Meis•ter•werk** *n* (*fig*) masterpiece

Me•lan•cho•lie [melaŋko'li:] *f* melancholy; **me•lan•cho•lisch** *adj* melancholy

Me•lan•za•ni [melan'tsa:ni] *pl* (*österr*) aubergine *Br,* eggplant *Am*

me•liert^RR [me'li:ɐt] *adj:* **grau ~** greying

Me•lis•se [me'lɪsə] <-> *f* balm

Mel•de•amt *n* registration office; **Mel•de•frist** *f* registration period; **Mel•de•schein** *m* certificate of registration

mel•den ['mɛldən] **I.** *tr* **1.** (*ankündigen*) announce **2.** (*benachrichtigen*) report; **er meldete mir, dass ...** he reported to me that ...; **du hast hier nichts zu ~!** you have no say in this! **II.** *refl* **1.** (*in der Schule*) put one's hand up **2.** (*sich zur Verfügung stellen*) report (*zu* for) **3.** (TELE) answer **4.** (*wieder von sich hören lassen*) get in touch (*bei* with); **melde dich mal wieder!** keep in touch!; **sich krank ~** report sick; **wenn Sie den Fehler gefunden haben, ~ Sie sich bitte!** when you've found the defect please let me know!

Mel•de•pflicht *f* compulsory registration; **mel•de•pflich•tig** *adj* **1.** (*Person*) obliged to register **2.** (*Krankheit*) notifiable

Mel•dung *f* **1.** (RADIO TV) report (*über* on) **2.** (SPORT) entry **3.** (*dienstlich*) report; **s-e ~**

zurückziehen withdraw
me•liert *adj* mottled, speckled
mel•ken ['mɛlkən] *irr tr* **1.** milk **2.** (*fam: anpumpen*) fleece; **Mel•ker(in)** *m(f)* milker
Me•lo•die [melo'diː] *f* melody; **me•lodisch** *adj* melodic, tuneful
me•lo•dra•ma•tisch *adj* melodramatic
Me•lo•ne [me'loːnə] <-, -n> *f* **1.** (BOT: *Frucht*) melon **2.** (*Hut, Br*) bowler; (*Am*) derby
Mem•bra•n(e) [mɛm'braːn(ə)] <-, -en> *f* **1.** (TECH TELE) diaphragm **2.** (ANAT) membrane
Mem•me ['mɛmə] <-, -n> *f* (*fam pej*) cissy
Me•moi•ren [memo'aːrən] *pl* memoirs
Me•mo•ran•dum [memo'randʊm] <-s, -den/-da> *n* memorandum
Men•ge ['mɛŋə] <-, -n> *f* **1.** (*bestimmte Anzahl*) quantity **2. e-e** ~ (*viele*) a great many, lots of **3.** (*Menschen~*) crowd **4.** (MATH) set; **e-e ziemliche ~ Essen** quite an amount of food; **ich will jede ~** (*fam*) I want lots and lots; **sich e-e ~ einbilden** think a lot of o.s.; **Men•gen•an•ga•be** *f* statement of quantity; **Men•gen•leh•re** *f* (MATH) set theory; **men•gen•mä•ßig** *adj* quantitative; **Men•gen•ra•batt** *m* bulk discount
Me•nis•kus [me'nɪskʊs] <-s, Menisken> *m* (ANAT) meniscus
Me•no•pau•se [meno'-] *f* menopause
Men•sa ['mɛnza] <-, -s/-sen> *f* canteen
Mensch [mɛnʃ] <-en, -en> *m* **1.** (*menschliches Wesen*) man, person **2. ~en** (*Leute*) people; **die ~en** mankind; **der ~ ist ein denkendes Wesen** man is a creature of thought; **~!** (*interj fam*) wow!; **~, daran habe ich gar nicht mehr gedacht!** boy, I forgot all about that!; **~, habe ich einen Hunger!** boy, am I hungry!; **sei ein ~!** don't be so hard!; **ich bin auch nur ein ~** I'm only human after all; **~en gibt's!** the people you meet!; **er ist ein guter ~** he's a good soul; **kein ~ war da** nobody was there; **so spricht heutzutage kein ~ (mehr)** nobody speaks like that nowadays; **gläserner ~** person who has no secrets
Men•schen•af•fe *m* (ZOO) ape; **Men•schen•al•ter** *n* generation; **Men•schen•feind(in)** *m(f)* misanthrope; **Men•schen•fleisch** *n* human flesh; **Men•schen•fres•ser** *m* cannibal; **Men•schen•freund** *m* philanthropist; **Men•schen•ge•den•ken** ['---'--] *n*: **seit ~** within living memory; **Men•schen•han•del** *m* slave trade; **Men•schen•ken•ner(in)** *m(f)* judge of human nature; **Men•schen•kennt•nis** *f* knowledge of human nature; **~ haben** know human nature; **Men•schen•ket•te** *f* human chain; **Men•schen•le•ben** *n* human life; **~ waren nicht zu beklagen** no casualties were reported; **der Unfall hat mehrere ~ gefordert** the accident claimed several lives; **men•schen•leer** ['--'-] *adj* deserted
Men•schen•lie•be *f*: **aus reiner ~** from the sheer goodness of one's heart; **Men•schen•men•ge** *f* crowd; **men•schen•mög•lich** *adj* humanly possible; **das ist doch nicht ~!** but that's ridiculous!; **Men•schen•rech•te** *npl* human rights; **men•schen•scheu** *adj* afraid of people; **Men•schen•rechts•kom•mis•si•on** *f* Commission on Human Rights; **Men•schen•rechts•ver•let•zung** *f* violation of human rights; **Men•schen•see•le** ['--'--] *f*: **keine ~ war da** not a soul was there
Men•schens•kind ['--'-] *n, interj*: **~!** heavens above!
men•schen•un•wür•dig ['--'---] *adj* beneath human dignity; **~e Behausung** dwelling unfit for human habitation; **men•schen•ver•ach•tend** *adj* inhuman; **Men•schen•ver•stand** *m*: **gesunder ~** common sense; **Men•schen•wür•de** *f* human dignity
Mensch•heit *f*: **die ~** humanity, mankind
mensch•lich *adj* **1.** (*nicht tierisch*) human **2.** (*human*) humane; **die ~e Gesellschaft** the society of man
Mensch•lich•keit *f* humanity
Mens•tru•a•ti•on [mɛnstrua'tsjoːn] *f* menstruation; **Mens•tru•a•ti•ons•schmer•zen** *mpl* menstrual pain; **Mens•tru•a•ti•ons•stö•run•gen** *fpl* menstrual disorders
Men•ta•li•tät [mɛntali'tɛːt] *f* mentality
Me•nü [me'nyː] <-s, -s> *n* (*a.* EDV) menu; **Me•nü•an•zei•ge** *f* menu display; **Me•nü•füh•rung** *f* menu-driven operation; **me•nü•ge•steu•ert** *adj* menu-driven; **Me•nü•zei•le** *f* menu line
Mer•chan•di•sing ['mɜːtʃəndaɪzɪŋ] <-s> *nt* (COM) merchandising
mer•ci [mɛrsi] *interj* (*CH*) thanks
Mer•gel ['mɛrgəl] <-s> *m* (GEOL) marl
Me•ri•di•an [meri'djaːn] <-s, -e> *m* (ASTR) meridian
Merk•blatt *n* leaflet
mer•ken ['mɛrkən] **I.** *tr* **1.** (*wahrnehmen*) notice **2.** (*spüren*) feel; **merkst du was?** can you feel anything?; **woran hast du das gemerkt?** how could you tell? **II.** *refl* (*im Gedächtnis behalten*) remember; **~ Sie sich das für die Zukunft!** remember that in future!; **das werd' ich mir ~!** I won't forget that!
merk•lich *adj* marked, noticeable
Merk•mal <-s, -e> *n* characteristic; **irgendwelche besonderen ~e?** any distin-

guishing marks?

Merk•satz *m* mnemotechnic verse

Mer•kur [mɛr'kuːɐ] <-(s)> *m* (ASTR) Mercury

merk•wür•dig *adj* (*seltsam*) curious, strange; **merk•wür•di•ger•wei•se** ['----'--] *adv* oddly enough, strange to say

me•schug•ge [me'ʃʊgə] *adj* (*sl*) meshuga, nuts; **dieser Krach macht mich ganz ~** this row is driving me silly

mess•bar[RR] *adj* measurable

Mess•be•cher[RR] *m* measuring jug; **Mess•da•ten**[RR] *pl* readings

Mess•die•ner[RR](**in**) *m(f)* (ECCL) server

Mes•se[1] ['mɛsə] <-, -n> *f* (ECCL) mass

Mes•se[2] *f* (MAR: *Offiziers~*) mess

Mes•se[3] *f* (COM: *Ausstellung*) fair; **Mes•se•aus•weis** *m* (trade) fair pass; **Mes•se•ge•län•de** *n* exhibition centre; **Mes•se•hal•le** *f* exhibition hall

mes•sen ['mɛsən] *irr* **I.** *tr* measure; **können Sie meinen Blutdruck ~?** could you take my blood pressure?; **jds Zeit ~** (SPORT) time s.o. **II.** *refl* compete (*mit* with)

Mes•se•neu•heit *f* (trade fair) innovation

Mes•ser ['mɛsɐ] <-s, -> *n* knife; **ein Kampf bis aufs ~** a fight to the finish; **unters ~ kommen** (*fam*) go under the knife; **jdm das ~ an die Kehle setzen** put a knife to someone's throat; **jdn ans ~ liefern** (*fig*) shop s.o.; **Mes•ser•spit•ze** *f* knife point; (*in Rezept*) pinch; **Mes•ser•ste•cher** *m* knifer; **Mes•ser•stich** *m* stab wound

Mes•se•stand *m* (*Br*) exhibition stand; (*Am*) booth

Mess•feh•ler[RR] *m* error of measurement; **Mess•ge•rät**[RR] *n* (*Br*) gauge; (*Am*) gage

Mes•si•as [mɛ'siːas] *m* (REL) Messiah

Mes•sing ['mɛsɪŋ] <-s> *n* brass; **mit ~ beschlagen** brass-bound

Mess•ins•tru•ment[RR] *n* measuring instrument; **Mess•tech•nik**[RR] *f* measuring technique; **Mess•tisch•blatt**[RR] *n* ordnance survey map

Mes•sung *f* **1.** (*das Abmessen*) measuring **2.** (*das Abgelesene*) reading **3.** (*Messergebnis*) measurement

Mess•wert[RR] *m* measurement

Mes•ti•ze [mɛs'tiːtsə] <-n, -n> *m* mestizo; **Mes•ti•zin** *f* mestiza

Me•tall [me'tal] <-s, -e> *n* metal; **aus ~** metallic; **Me•tall•ar•bei•ter**(**in**) *m(f)* metalworker; **me•tal•lic** *adj* metallic; **me•tal•lisch** *adj* **1.** (*aus Metall*) metal **2.** (*fig: Klang etc*) metallic; **Me•tall•ver•ar•bei•tung** *f* metal processing

Me•ta•mor•pho•se [metamɔr'foːzə] <-, -n> *f* metamorphosis

Me•ta•pher [me'tafɐ] <-, -n> *f* (LING) metaphor

Me•ta•phy•sik *f* metaphysics *sing;* **me•ta•phy•sisch** [meta'fyːzɪʃ] *adj* metaphysical

Me•tas•ta•se [meta'staːzə] <-, -n> *f* (MED) metastasis

Me•te•or [mete'oːɐ] <-s, -e> *n* (ASTR) meteor; **Me•te•o•rit** [meteo'riːt] <-en, -en> *m* (ASTR) meteorite

Me•te•o•ro•lo•ge, -lo•gin [meteoro'loːgə] <-n, -n> *m, f* meteorologist; (*fam*) weatherman (weather lady)

Me•ter ['meːtɐ] <-s, -> *n* (*m*) (*Br*) metre; (*Am*) meter; **nach ~n** by the metre; **Me•ter•maß** *n* **1.** (*Zollstock*) metre rule *Br,* meter rule *Am* **2.** (*Bandmaß*) tape-measure

Me•tha•don [meta'doːn] <-s> *n* methadone

Me•tho•de [me'toːdə] <-, -n> *f* method; **was sind denn das für (neue) ~n?** what sort of way is that to behave?; **me•tho•disch** *adj* methodical

Me•thyl•al•ko•hol [me'tyːl-] *m* (CHEM) methyl alcohol

me•t•risch ['meːtrɪʃ] *adj* metric

Me•t•ro•po•le [metro'poːlə] <-, -n> *f* metropolis

Me•t•rum ['meːtrʊm] <-s, Metren> *n* (LIT MUS) metre

Met•ze•lei [mɛtsə'laɪ] *f* (*pej*) butchery

Metz•ger(**in**) [mɛtsgɐ] <-s, -> *m(f)* butcher; **Metz•ge•rei** *f* butcher's

Meu•chel•mord *m* (treacherous) murder; **Meu•chel•mör•der**(**in**) *m(f)* (treacherous) assassin

meuch•le•risch ['mɔɪçlərɪʃ] *adj* murderous, treacherous

Meu•te ['mɔɪtə] <-, -n> *f* **1.** (*Jagdhunde*) pack of hounds **2.** (*fig: Pöbel*) mob

Meu•te•rei [mɔɪtə'raɪ] *f* mutiny; **Meu•te•rer** *m,* **Meu•t**(**r**)**e•rin** *f* mutineer; **meu•tern** *itr* **1.** (*rebellieren*) mutiny **2.** (*fam: aufmucken*) moan

Me•xi•ka•ner(**in**) [mɛksi'kaːnɐ] *m(f)* Mexican; **me•xi•ka•nisch** *adj* Mexican; **Me•xi•ko** ['mɛksiko] *n* Mexico

mi•au•en [mi'aʊən] <ohne ge-> *itr* miaow

mich [mɪç] *pron* me; (*reflexiv*) myself

mi•ck(**e**)**•rig** ['mɪk(ə)rɪç] *adj* (*fam*) **1.** (*kläglich*) pathetic **2.** (*lumpig*) mingy **3.** (*klein, schwächlich*) puny

Mie•der ['miːdɐ] <-s, -> *n* **1.** (*Leibchen*) bodice **2.** (*~gürtel*) girdle; **Mie•der•slip** *m* pantie briefs *pl;* **Mie•der•wa•ren** *pl* corsetry *sing*

Mief [miːf] <-(e)s> *m* (*fam: muffige Luft*) fug; **mie•fen** *itr* (*fam*): **hier mieft's** there's a pong in here

Mie•ne ['miːnə] <-, -n> *f* expression, face; **gute ~ zum bösen Spiel machen** grin and bear it; **ohne e-e ~ zu verziehen** without moving a muscle

mies [miːs] *adj* (*fam*) lousy; **mach nicht alles ~!** don't run everything down!; **Mies•ma•cher(in)** *m(f)* (*fam*) kill-joy; **Mies•ma•che•rei** *f* (*fam*) belly-aching

Mies•mu•schel *f* mussel

Miet•au•to *m* hire(d) car

Mie•te ['miːtə] <-, -n> *f* rent; **zur ~ wohnen** live in rented accommodation

Miet•ein•nah•men *fpl* rental income

mie•ten *tr* rent

Miet•er•hö•hung *f* rent increase

Mie•ter(in) *m(f)* tenant; **Mie•ter•schutz** *m* rent control

miet•frei *adj* rent-free; **Miet•ge•bühr** *f* rental fee; **Miet•kauf** *m* lease-purchase agreement; **Miet•rück•stän•de** *mpl* rent arrears

Miets•haus *n* tenement, block of flats; (*Am*) apartment house; **Miets•ka•ser•ne** *f* (*fam*) tenement house

Miet•spie•gel *m* rent level; **Miet•ver•hält•nis** *nt* tenancy; **Miet•ver•trag** *m* lease; **Miet•wa•gen** *m* hire(d) car; **Miet•wert** *m* (FIN) letting value; **Miet•woh•nung** *f* (*Br*) rented flat; (*Am*) rented apartment; **Miet•zins** *m* rent

Mie•ze ['miːtsə] <-, -n> *f* **1.** (*fam: Katze*) pussy **2.** (*sl: Mädchen*) bird *Br,* chick *Am*

Mi•grä•ne [mi'grɛːnə] <-, -n> *f* (MED) migraine

Mi•ka•do [mi'kaːdo] <-> *n* (*Spiel*) pick-a-stick

Mi•k•ro ['mikro] <-s, -s> *m* (*fam*) mike

Mi•k•ro•be [mi'kroːbə] <-, -n> *f* (BIOL) microbe

Mi•k•ro•bi•o•lo•gie *f* microbiology; **Mi•k•ro•chip** *m* (EDV) microchip; **Mi•k•ro•com•pu•ter** *m* micro(computer); **Mi•k•ro•e•lek•tro•nik** *f* microelectronics *sing;* **Mi•k•ro•fiche** <-s, -s> *nt oder m* microfiche; **Mi•k•ro•film** *m* microfilm; **Mi•k•ro•fon**[RR] [mikro'foːn] <-s, -e> *n* microphone; **Mi•k•ro•kli•ma** *n* micro climate; **Mi•k•ro•or•ga•nis•mus** *m* (BIOL) micro-organism

Mi•k•ro•phon *n s.* **Mikrofon**

Mi•k•ro•pro•zes•sor *m* (EDV) microprocessor

Mi•k•ro•s•kop [mikro'skoːp] <-s, -e> *n* microscope; **mi•k•ro•s•ko•pisch** *adj* microscopic; **etw ~ untersuchen** examine s.th. under the microscope

Mi•k•ro•wel•le *f* microwave; **Mi•k•ro•wel•len•herd** *m* microwave (oven)

Mil•be ['mɪlbə] <-, -n> *f* (ZOO) mite

Milch [mɪlç] <-> *f* **1.** (*Kuh~ etc*) milk **2.** (*Fischsamen*) milt, soft roe; **dicke ~** curds; **Milch•bart** *m* **1.** downy beard **2.** (*fig*) milksop; **Milch•drü•se** *f* mammary gland; **Milch•fla•sche** *f* milk bottle; **Milch•ge•schäft** *n* dairy; **Milch•glas** <-es> *n* frosted glass

mil•chig ['mɪlçɪç] *adj* milky

Milch•kaf•fee *m* white coffee; **Milch•kan•ne** *f* milk can; **Milch•kuh** *f* (*a. fig*) milk cow

Milch•mäd•chen•rech•nung *f* (*fig*) naïve fallacy

Milch•pro•duk•te *npl* dairy products, milk products; **Milch•pul•ver** *n* powdered milk; **Milch•quo•te** *f* (*EU*) milk quota; **Milch•reis** *m* rice pudding; **Milch•säu•re** *f* lactic acid; **Milch•scho•ko•la•de** *f* milk chocolate; **Milch•stra•ße** *f* (ASTR) Milky Way; **Milch•sup•pe** *f* (*fam: dichter Nebel*) pea souper; **Milch•tü•te** *f* milk carton; **Milch•wirt•schaft** *f* dairy farming; **Milch•zahn** *m* milk tooth

mild [mɪlt] *adj* **1.** (*sanft*) mild **2.** (*nachsichtig*) lenient; **~e gesagt** to put it mildly; **~e Luft** gentle air

Mil•de ['mɪldə] <-> *f* **1.** (*Sanftheit*) gentleness, mildness **2.** (*Nachsichtigkeit*) leniency; **~ walten lassen** be lenient

mil•dern ['mɪldɐn] *tr* **1.** (*Schmerz*) ease, soothe **2.** (*mäßigen*) moderate; **~de Umstände** (JUR) extenuating circumstances; **Mil•de•rung** *f* **1.** (*von Schmerz*) soothing **2.** (*Mäßigung*) mitigation, moderation; **Mil•de•rungs•grund** *m* (JUR) mitigating cause

Mi•lieu [mi'ljøː] <-s, -s> *n* **1.** background; (*Umwelt*) environment **2.** (*örtliche Atmosphäre*) atmosphere; **mi•lieu•ge•schä•digt** *adj* (PSYCH) maladjusted

mi•li•tant *adj* militant

Mi•li•tär [mili'tɛːɐ] <-s> *n* armed forces *pl;* **beim ~ sein** be in the forces; **zum ~ gehen** join up; **Mi•li•tär•a•ka•de•mie** *f* military academy; **Mi•li•tär•bünd•nis** *n* military alliance; **Mi•li•tär•dienst** *m* military service; **s-n ~ ableisten** do national service; **Mi•li•tär•dik•ta•tur** *f* military dictatorship; **Mi•li•tär•ge•richt** *n* military court, court martial; **vor ein ~ gestellt werden** be tried by a court martial

mi•li•tä•risch *adj* military; **hier geht's aber sehr ~ zu!** it's very regimented here!; **~es Ziel** (AERO) strategic target

Mi•li•ta•ris•mus [milita'rɪsmʊs] *m* militarism

Mi•li•tär•re•gie•rung *f* military government; **Mi•li•tär•stütz•punkt** *m* military base; **Mi•li•tär•zeit** *f* army days *pl*

Mi•liz [mi'liːts] <-, -en> *f* militia; **Mi•li•zio•när** [militsjo'nɛːɐ] *m* militiaman

Mil•li•ar•där(in) *m(f)* multi-millionaire(ss); **Mil•li•ar•de** [mɪ'ljardə] <-, -n> *f* billion; **sieben ~n Menschen** seven billion people; **Mil•li•ards•tel** *n* billionth

Mil·li·me·ter ['mɪli-] *n* (*Br*) millimetre; (*Am*) millimeter; **Mil·li·me·ter·pa·pier** [--'----] *n* graph paper

Mil·li·on [mɪ'ljo:n] *f* million; **drei ~en Tote** three million casualties

Mil·li·o·när(in) *m(f)* millionaire(ss); **mil·li·o·nen·fach I.** *adj* millionfold **II.** *adv* a million times; **Mil·li·o·nen·ge·winn** *m* **1.** (*Lotto etc*) prize of a million **2.** (COM) profit of millions; **Mil·li·o·nen·stadt** *f* town with over a million inhabitants

Mil·li·rem ['mɪli-] *n* millirem

Milz [mɪlts] <-, -en> *f* (ANAT) spleen

mi·men ['mi:mən] *tr* **1.** (THEAT) mime **2.** (*heucheln*) pretend; **den Ahnungslosen ~** act the innocent

Mi·mik ['mi:mɪk] *f* facial expression

mi·misch *adj* mimic

Mi·mo·se [mi'mo:zə] <-, -n> *f* (BOT) mimosa; **die reinste ~ sein** (*fig*) be oversensitive

Mi·na·rett [mina'rɛt] <-(e)s, -e> *n* minaret

min·der ['mɪndɐ] *adv* less; **das ist nicht ~ wichtig** that's no less important; **mehr o ~** more or less; **min·der·be·gabt** *adj* less gifted; **min·der·be·mit·telt** *adj* **1.** (*finanziell*) less well-off **2.** (*fig pej: geistig*) (mentally) less gifted; **min·de·re** *adj* (*geringere*) lesser; **Min·der·ein·nah·men** *fpl* decrease *sing* in receipts; **Min·der·heit** *f* minority; **in der ~ sein** be in the minority; **Min·der·hei·ten·fra·ge** *f* (POL) minorities problem; **Min·der·heits·re·gie·rung** *f* minority government; **min·der·jäh·rig** *adj:* **~ sein** be a minor; **Min·der·jäh·ri·ge(r)** *f m* minor; **Min·der·jäh·rig·keit** *f* minority

min·dern *tr* **1.** (*ver~*) lessen **2.** (*beeinträchtigen*) detract from **3.** (FIN: *herabsetzen*) reduce

Min·de·rung *f* **1.** (JUR) erosion **2.** (*~ des Wertes*) depreciation

min·der·wer·tig *adj* **1.** (*allgemein*) inferior **2.** (COM) low-quality; **Min·der·wer·tig·keit** *f* **1.** (*allgemein*) inferiority **2.** (COM) low quality; **Min·der·wer·tig·keits·ge·fühl** *n* feeling of inferiority; **~e haben** feel inferior; **Min·der·wer·tig·keits·kom·plex** *m* inferiority complex; **Min·der·zahl** <-> *f:* **in der ~ sein** be in the minority

Min·dest·ab·stand *m* minimum distance; **Min·dest·al·ter** *n* minimum age; **Min·dest·an·for·de·rung** *f* minimum requirement; **Min·dest·be·trag** *m* minimum amount

min·des·te ['mɪndəstə] **I.** *adj* least, slightest; **das wäre ja wohl das ~**[RR] **gewesen!** that's the least you could have done! **II.** *adv:* **nicht im ~n**[RR] not in the least; **min·des·tens** *adv* at least

Min·dest·ge·halt *n* **1.** (FIN) minimum salary **2.** (*Menge*) minimum content; **Min·dest·halt·bar·keits·da·tum** *n* shelf life, sell-by date; **Min·dest·lohn** *m* minimum wage; **Min·dest·maß** *n* minimum; **sich auf ein ~ beschränken** limit o.s. to the minimum; **Min·dest·preis** *m* minimum price; **Min·dest·stra·fe** *f* (JUR) minimum punishment; **Min·dest·um·tausch** *m* (HIST) minimum obligatory exchange

Mi·ne ['mi:nə] <-, -n> *f* **1.** (MIL) mine **2.** (*Bleistift~*) lead; (*Kugelschreiber~*) refill **3.** (MIN) mine; **auf e-e ~ laufen** hit a mine; **Mi·nen·feld** *n* minefield; **Mi·nen·such·boot** *n* mine-sweeper; **Mi·nen·wer·fer** *m* trench mortar

Mi·ne·ral [mine'ra:l] <-s, -e/-ien> *n* mineral; **Mi·ne·ral·bad** *n* **1.** (*Badeort*) spa **2.** (*Wannenbad*) mineral bath; **mi·ne·ra·lisch** *adj* mineral; **Mi·ne·ral·öl** *n* oil; **Mi·ne·ral·öl·steu·er** *f* tax on oil; **Mi·ne·ral·salz** *n* mineral salt; **Mi·ne·ral·stof·fe** *mpl* minerals; **Mi·ne·ral·was·ser** *n* mineral water

Mi·ni·a·tur [minia'tu:ɐ] <-, -en> *f* miniature; **Mi·ni·a·tur·aus·ga·be** *f* **1.** (*allgemein*) miniature version **2.** (*von Buch*) miniature edition

Mi·ni·bar *f* (*in Hotel etc*) mini-bar; **Mi·ni·cas·set·te** *f* mini-cassette

Mi·ni·golf *n* crazy golf

mi·ni·mal [mini'ma:l] *adj* minimal; **Mi·ni·mal·for·de·rung** *f* minimum demand

Mi·ni·mum ['mi:nimʊm] <-s, -ma> *n* minimum

Mi·ni·pil·le *f* (MED) mini-pill; **Mi·ni·rock** *m* miniskirt; **Mi·ni·spi·on** *m* miniaturized bugging device

Mi·nis·ter(in) [mi'nɪstɐ] <-s, -> *m(f)* minister, secretary

Mi·nis·te·ri·al·be·am·te, -be·am·tin *m, f* ministry employee; **Mi·nis·te·ri·al·rat** *m* assistant head of government department

Mi·nis·te·ri·um [minɪs'te:riʊm] *n* (*Br*) ministry; (*Am*) department

Mi·nis·ter·prä·si·dent(in) *m(f)* prime minister; **der ~ von Hessen** the chief minister of Hessen

Min·na ['mɪna] *f* (*fam*): **die grüne ~** (*Br*) the Black Maria; (*Am*) the paddy wagon; **jdn zur ~ machen** come down on s.o. like a ton of bricks

Mi·no·ri·tät <-, -en> *f* minority

Mi·nus ['mi:nʊs] <-, -> *n* **1.** (FIN) deficit **2.** (*fig: ~punkt*) bad point **3.** (*fig: Nachteil*) disadvantage

mi·nus *adv:* **zehn ~ vier ist sechs** ten minus four are six; **bei 20 Grad ~** at 20 degrees below zero

Mi•nus•punkt *m* **1.** (SPORT: *Strafpunkt*) penalty point **2.** (*fig*) minus point; **das ist ein ~ für dich** that counts against you; **Mi•nus•zei•chen** *n* (MATH) minus sign

Mi•nu•te [mi'nuːtə] <-, -n> *f* minute; **in letzter ~** at the last moment; **es dauert keine fünf ~n** it won't take five minutes; **mi•nu•ten•lang I.** *adv* for several, minutes **II.** *adj* several minutes of; **Mi•nu•ten•zei•ger** *m* minute-hand

Min•ze ['mɪntsə] <-, -n> *f* (BOT) mint

mir [miːɐ] *pron* to me; **ich habe ~ den Arm verletzt** I've hurt my arm; **diese Jacke gehört ~** this jacket is mine; **ein Freund von ~** a friend of mine; **von ~ aus!** I don't mind!; **~ nichts, dir nichts** just like that

Mi•ra•bel•le [mira'bɛlə] <-, -n> *f* (BOT) mirabelle

Misch•ar•beits•platz *m* (EDV) mixed work station; **Misch•bat•te•rie** *f* (*an Waschbecken etc*) mixer tap; **Misch•brot** *n bread made from more than one kind of flour;* **Misch•ehe** *f* mixed marriage

mi•schen ['mɪʃən] **I.** *tr* **1.** (*vermengen*) mix **2.** (*Karten ~*) shuffle **II.** *refl* (*sich ~ lassen*) mix; **sich unters Volk ~** mingle with the crowd

Misch•ge•we•be *n* mixed fibres *pl;* **Misch•haut** *f* combination skin; **Misch•kon•zern** *m* (COM) conglomerate

Misch•ling *m* **1.** (*Tier*) half-breed **2.** (*Mensch*) half-caste; **Misch•lings•kind** *n* half-caste child

Misch•masch ['mɪʃmaʃ] <-(e)s, -e> *m* (*fam*) hotchpotch

Misch•ma•schi•ne *f* (TECH) cement-mixer

Misch•pult *n* mixing desk

Mi•schung *f* **1.** (*Mixtur*) mixture; (*von Kaffee, Tee, Tabak etc*) blend **2.** (*fig: Kombination*) combination (*aus* of); **Mi•schungs•ver•hält•nis** *n* ratio (of a mixture)

Misch•wald *m* mixed woodland

mi•se•ra•bel [mize'raːbəl] *adj* **1.** (*mies*) lousy **2.** (*gemein*) wretched

Mi•se•re [mi'zeːrə] <-, -n> *f* plight; **das ist e-e schöne ~!** what a mess!

Mis•pel ['mɪspəl] <-, -n> *f* (BOT) medlar

miss•ach•ten[RR] [mɪs'axtən] *tr* **1.** (*kränken*) despise **2.** (*vernachlässigen*) disregard, ignore; **Miss•ach•tung**[RR] [-'--/'---] *f* **1.** (*Verachtung*) disdain (of) **2.** (*Geringschätzung*) disregard

Miss•be•ha•gen[RR] ['----] *n* uneasiness; **das bereitet mir ein gewisses ~** that causes me a certain uneasiness of mind

Miss•bil•dung[RR] ['---] *f* deformity, malformation

miss•bil•li•gen[RR] [mɪs'bɪlɪgən] *tr* disapprove of; **~des Gemurmel** murmur of disapproval; **Miss•bil•li•gung**[RR] [-'---/'----] *f* disapproval

Miss•brauch[RR] ['--] *m* abuse; (*von Notbremse etc*) improper use; **miss•brau•chen**[RR] [-'--] *tr* abuse; **jdn für etw ~** use s.o. for s.th.; **miss•bräuch•lich**[RR] *adj* improper

miss•deu•ten[RR] [mɪs'dɔɪtən] *tr* misinterpret; **Miss•deu•tung**[RR] [-'--/'---] *f* misinterpretation

mis•sen ['mɪsən] *tr:* **ich möchte das nicht ~** I wouldn't do without it

Miss•er•folg[RR] ['---] *m* failure; (*fam*) flop

Miss•ern•te[RR] ['---] *f* crop failure

Mis•se•tat ['mɪsətaːt] *f* misdeed; **Mis•se•tä•ter(in)** *m(f)* criminal, scoundrel *fam;* **der jugendliche ~** the young offender

Miss•fal•len[RR] ['--/'---] <-s> *n:* **jds ~ erregen** incur someone's displeasure; **miss•fal•len**[RR] [mɪs'falən] *irr itr* displease; **es missfällt mir, wenn du rauchst** I dislike your smoking cigarettes

Miss•ge•burt[RR] ['---] *f* (MED) **1.** deformed child **2.** (*fig: Schimpfwort*) freak

miss•ge•launt[RR] *adj* bad-tempered

Miss•ge•schick[RR] *n* mishap; **ihm ist ein kleines ~ passiert** he's had a slight mishap

miss•glü•cken[RR] [mɪs'glʏkən] *itr* fail; **sein Versuch missglückte** he failed in his attempt

miss•gön•nen[RR] [mɪs'gœnən] *tr:* **jdm etw ~** begrudge s.o. s.th.

Miss•griff[RR] ['--] *m* mistake

Miss•gunst[RR] ['--] *f* resentment, envy (*gegenüber jdm* of s.o.); **miss•güns•tig**[RR] *adj* resentful, envious

miss•han•deln[RR] [mɪs'handəln] *tr* ill-treat, maltreat; **Miss•hand•lung**[RR] [-'--] *f* maltreatment

Mis•si•on [mɪ'sjoːn] *f* (*a. fig*) mission; **innere ~** home mission; **Mis•si•o•nar(in)** *m(f)* (ECCL) missionary; **mis•si•o•na•risch** *adj* missionary; **Mis•si•ons•schu•le** *f* mission school

Miss•klang[RR] ['--] *m* **1.** (MUS) dissonance **2.** (*fig*) discordant note

Miss•kre•dit[RR] ['---] *m:* **etw in ~ bringen** bring s.th. into discredit

miss•lich[RR] ['mɪslɪç] *adj* awkward

miss•lie•big[RR] *adj* unpopular

Miss•lin•gen[RR] [-'--] *n* failure; **miss•lin•gen**[RR] [mɪs'lɪŋən] *irr itr* fail

Miss•ma•na•ge•ment[RR] <-s> *n* mismanagement

Miss•mut[RR] ['--] *m* displeasure; **miss•mu•tig**[RR] *adj* morose

miss•ra•ten[RR] [mɪs'raːtən] *irr itr* go wrong

Miss•stand[RR] ['--] *m* **1.** (*Mangel*) defect **2.**

(*Ungerechtigkeit*) abuse; **≈e abstellen** remedy abuses

Miss·trau·en[RR] ['---] <-s> *n* **1.** distrust, mistrust (*gegenüber* of) **2.** (*Verdacht*) suspicion; ~ **gegen jdn hegen** mistrust s.o.; **miss·trau·en**[RR] [mɪs'traʊən] *itr* mistrust; **Miss·trau·ens·an·trag**[RR] *m* (PARL) motion of 'no confidence'; **Miss·trau·ens·vo·tum**[RR] *n* (PARL) vote of 'no confidence'

miss·trau·isch[RR] ['mɪstraʊɪʃ] *adj* distrustful; **Sie sind aber ~!** you do have a suspicious mind!

Miss·ver·hält·nis[RR] ['----] *n* discrepancy, disparity

miss·ver·ständ·lich[RR] ['----] *adj* unclear

Miss·ver·ständ·nis[RR] ['----] *n* **1.** (*Nicht- o Falschverstehen*) misunderstanding **2.** (*leichter Streit*) disagreement

miss·ver·ste·hen[RR] ['----] *irr tr* misunderstand; **ich glaube, Sie haben mich missverstanden** I think you've misunderstood me; **Sie dürfen mich nicht** ~ don't get me wrong

Miss·wirt·schaft[RR] ['---] <-> *f* maladministration, mismanagement

Mist [mɪst] <-(e)s> *m* **1.** (*Dung*) dung; (*Dünger*) manure **2.** (*Misthaufen*) muck heap **3.** (*fam: Blödsinn, Quatsch*) rubbish; **~!** blast!; **was soll der ~!** what a nuisance!; **da hast du ~ gemacht!** you've boobed there!; **das ist nicht auf s·m ~ gewachsen** he didn't do that off his own bat, that wasn't his doing

Mis·tel ['mɪstəl] <-, -n> *f* (BOT) mistletoe

Mist·ga·bel *f* pitchfork; **Mist·hau·fen** *m* manure heap; **Mist·kä·fer** *m* (ZOO) dung beetle; **Mist·stück** *n* (*fig sl*): **~!** bastard! *vulg;* (*Frau*) bitch! *vulg;* **Mist·wet·ter** *n* (*fam*) lousy weather

mit [mɪt] **I.** *präp* with; **was ist ~ dir los?** what's the matter with you?; **bring ein Buch ~** bring a book with you; **ich hab' mein Scheckheft nicht ~** I haven't got my cheque book with me; **da komm' ich nicht ~** (*fig*) I'm not with you; ~ **dem Auto** by car; **komm ~!** come along!; ~ **e·m Wort** in a word; ~ **e·m Mal** all at once; ~ **der Zeit** in time **II.** *adv* (*ebenfalls*) as well; **das kommt noch ~ dazu** that's part and parcel of it

Mit·an·ge·klag·te(r) *f m* co-defendant

Mit·ar·beit *f* cooperation, collaboration; (*Teilnahme, a.* PÄD) participation; **unter ~ von ...** in collaboration with ...; **mit|ar·bei·ten** *itr* (*bei Projekt etc*) collaborate (*an* on); (*mithelfen*) cooperate (*bei* on); **im Unterricht ~** take an active part in lessons; **Mit·ar·bei·ter(in)** *m(f)* **1.** (*Angestellte*) employee **2.** (*Kollege*) colleague; **Mit·ar·bei·ter·stab** *m* staff

mit|be·kom·men *irr tr* **1.** (*verstehen*) get **2.** (*als Gabe*) get to take with one; **hast du den Unfall ~?** did you notice the accident?

mit|be·nut·zen *tr* share

mit|be·stim·men **I.** *itr* have a say (*bei* in) **II.** *tr* have an influence on; **Mitbe·stim·mung** *f* **1.** participation in decision-making **2.** (POL) co-determination; **Mit·be·stim·mungs·ge·setz** *n* worker participation law; **Mit·be·stim·mungs·recht** *n* right of participation

Mit·be·wer·ber(in) *m(f)* **1.** (COM) competitor **2.** (*für Stelle*) fellow applicant

Mit·be·woh·ner(in) *m(f)* fellow occupant

mit|brin·gen *irr tr* **1.** (*Geschenk*) bring **2.** (*Person*) bring along **3.** (*fig: besitzen*) have, possess; **kannst du mir etw ~ (aus der Stadt)?** can you bring s.th. for me (from town)?; **Mit·bring·sel** <-s, -> *n* **1.** (*Geschenk*) small present **2.** (*Andenken*) souvenir

Mit·bür·ger(in) *m(f)* fellow citizen

mit|den·ken *itr* follow what is being said

mit|dür·fen *itr* be allowed to go along

Mit·ei·gen·tü·mer(in) *m(f)* joint owner

mit·ein·an·der [mɪtaɪ'nandɐ/'----] *adv* **1.** with each other **2.** (*gemeinsam*) together; **alle ~** one and all; **gut ~ auskommen** get along well

Mit·er·be *m*, **Mit·er·bin** *f* joint heir

mit|er·le·ben *tr* see, witness

Mit·es·ser *m* (*Haut~*) blackhead

mit|fah·ren *irr itr* go with; **kann ich ~?** can you give me a lift?; **Mit·fah·rer(in)** *m(f)* (fellow) passenger; **Mit·fah·rer·zen·tra·le** *f* agency for arranging lifts; **Mit·fahr·ge·le·gen·heit** *f* lift

mit|füh·len *tr:* **ich kann dir das ~** I can feel for you; **mit·füh·lend** *adj* sympathetic

mit|füh·ren *tr* **1.** (*Fluss*) carry along **2.** (*Papiere, Ware*) carry

mit|ge·ben *irr tr:* **jdm etw ~** give s.o. s.th. to take with him (her, them)

Mit·ge·fan·ge·ne(r) *f m* fellow prisoner

Mit·ge·fühl *n* sympathy

mit|ge·hen *irr itr* **1.** (*mit jdm fortgehen*) go along **2.** (*fig: sich mitreißen lassen*) respond (*mit* to); **etw ~ lassen** (*fam*) lift s.th.

mit·ge·nom·men *adj* run-down, worn-out; **du siehst ~ aus** you look the worse for wear

Mit·gift <-, -en> *f* dowry

Mit·glied *n* member (*bei* of); **Mit·glieds·aus·weis** *m* membership card; **Mit·glieds·bei·trag** *m* membership subscription [*o* fee]; **Mit·glied·schaft** *f* membership; **Mit·glieds·land** *n* member country

mit|ha·ben *tr* have got s.th.

mit|hal•ten *irr itr* **1.** (*beim Essen o Trinken*) keep pace **2.** (*beim Bieten: Versteigerung*) stay in the bidding

mit|hel•fen *irr itr* help; **mit•hil•fe**[RR] *adv* with the help (*von* of); **Mit•hil•fe** *f* help, assistance; **unter ~ von ...** with the aid of ...

mit|hö•ren I. *tr* **1.** (*belauschen*) listen in on **2.** (*mitbekommen*) hear **II.** *itr* **1.** (*bei etw lauschen*) listen in (*bei* on) **2.** (*etw zufällig mitbekommen*) overhear

Mit•in•ha•ber(in) *m(f)* (COM) joint-proprietor

mit|kom•men *irr itr* **1.** (*begleiten*) come along (*mit* with) **2.** (*fig: geistig folgen*) keep up; **ich bin nicht ganz mitgekommen** I didn't catch what you said; **da komm' ich nicht mehr mit** that beats me; **kommst du mit?** (*kommst du auch?*) are you coming too?; **ich kann nicht ~** I can't come

mit|kön•nen *itr* be able to come [*o* go] along

mit|krie•gen *tr* (*fam*) understand, realize

Mit•läu•fer(in) *m(f)* (*pej*) fellow traveller

Mit•leid <-(e)s> *n* sympathy, compassion, pity (*mit* for); **mit jdm ~ haben** have pity on s.o.

Mit•lei•den•schaft *f*: **in ~ ziehen** affect

mit•lei•dig *adj* pitying; **mit•leid(s)•los** *adj* **1.** (*ohne Mitleid*) pitiless **2.** (*fig: schonungslos*) ruthless

mit|ma•chen *tr itr* **1.** (*sich beteiligen*) join in, take part in (*etw o bei etw* s.th.) **2.** (*leiden*) go through; **e-n Kurs ~** do a course; **das mache ich nicht länger mit** I've had quite enough of that

Mit•mensch *m* fellow creature; **mit•mensch•lich** *adj* human

mit|mi•schen *itr* (*fam*): **ich wollte da nicht ~** I didn't want to get involved

mit|müs•sen *itr* have to go too

Mit•nah•me•markt *m* cash and carry

mit|neh•men *irr tr* **1.** take along **2.** (*erschöpfen*) exhaust, wear out **3.** (*in Mitleidenschaft ziehen*) affect; **kannst du mich ~?** can you give me a lift?

mit•nich•ten *adv* not at all, by no means

mit|re•den *tr itr*: **ich habe da auch ein Wörtchen mitzureden** I'd like to have some say in this too; **da kann ich natürlich nicht ~** I wouldn't know anything about that

mit|rei•sen *itr* travel too, go too; **mit jdm ~** travel with s.o.

Mit•rei•sen•de(r) *f m* fellow passenger

mit|rei•ßen *irr tr* **1.** (*mitschleppen*) drag along **2.** (*fig*) carry away

mit•samt [mɪt'zamt] *adv* together with

mit|schi•cken *tr* **1.** (*a. schicken*) send along **2.** (*e-r Sendung beifügen*) enclose

mit|schnei•den *tr* (RADIO TV) tape-record

mit|schrei•ben *irr* **I.** *tr* take down **II.** *itr* take notes

Mit•schuld <-> *f* **1.** (*Mitverantwortung*) responsibility (*an* for) **2.** (*kriminell*) complicity (*an* in); **mit•schul•dig** *adj* partly to blame (*an* for); **Mit•schul•di•ge(r)** *f m* (JUR: *Komplize*) accomplice

Mit•schü•ler(in) *m(f)* **1.** (*Klassenkamerad*) class-mate **2.** (*Schulkamerad*) school-friend

mit|sin•gen *itr* sing along

mit|spie•len *itr* **1.** (*allgemein*) play too, join in **2.** (SPORT) play (*bei* in) **3.** (*fig: mitmachen*) play along **4.** (*fig: Gewicht haben*) be involved (*bei* in); **jdm übel ~** play s.o. a nasty trick

Mit•spra•che *f* a say; **Mit•spra•che•recht** *n* right to a say (in a matter); **jdm ein ~ einräumen** allow s.o. a say (*bei* in)

Mit•tag ['mɪta:k] *m* midday, noon, lunchtime; **gegen ~** at noon; **zu ~ essen** have dinner; **ich mache jetzt ~** I'm having my lunch- break; **was gibt's zum ~?** what's for lunch?; **Mit•tag•es•sen** *n* lunch

mit•tags *adv* at lunchtime

Mit•tags•pau•se *f* lunch-hour, lunch-break; **Mit•tags•ru•he** *f* period of quiet; **Mit•tags•schlaf** *m* afternoon nap; **Mit•tags•tisch** *m* dinner-table; **den ~ decken** lay the table for lunch; **Mit•tags•zeit** *f* lunch-time

Mit•tä•ter(in) *m(f)* accomplice; **Mit•tä•ter•schaft** <-> *f* (JUR) complicity

Mit•te ['mɪtə] <-, -n> *f* middle; **ab durch die ~!** (*fam*) be off with you!; **~ Mai** in the middle of May; **Vertreter der ~** (POL) middle-of-the-roader; **links von der ~** (POL) left of centre; **zur ~ spielen** (SPORT: *Fußball*) centre; **sie ist ~ zwanzig** she is in her mid-twenties; **~ des Jahres** half-way through the year; **in die ~ nehmen** take between

mit|tei•len I. *tr* tell; **wir freuen uns (bedauern)(,) Ihnen mitzuteilen ...** we are pleased (regret) to inform you ... **II.** *refl* communicate (*jdm* with s.o.); **mit•teil•sam** *adj* communicative; **Mit•tei•lung** *f* notification; (*Notiz*) memo; **jdm e-e ~ von etw machen** inform s.o. of s.th., communicate s.th. to s.o.

Mit•tel ['mɪtəl] <-s, -> *n* **1.** (*Präparat, Zubereitung*) preparation; (*Medizin*) medicine **2.** (*Hilfs~*) means *sing;* (*Maßnahme, Methode*) method **3.** (MATH) average **4.** (FIN) funds, resources; **ein ~ zum Zweck** a means to an end; **welches ~ nimmst du?** what do you use?; **~ u. Wege finden** find ways and means; **mir ist jedes ~ recht** I don't care how I do it; **etw mit allen ~n versuchen** try one's utmost to do s.th.; **sich ein ~ verschreiben lassen gegen ...** get the doctor to prescribe s.th. for ...; **aus öffentlichen ~n** from public funds; **Mit·tel·al·ter** *n* Middle Ages *pl;* **mit·tel·al·ter·lich** *adj* medieval; **Mit·tel·ame·ri·ka** ['---'---] *n* Central America

mit·tel·bar ['mɪtlbaːɐ] *adj* indirect

Mit·tel·bau *m* **1.** (ARCH) central block **2.** (PÄD: *Uni-Lehrkörper*) non-professorial teaching staff; **Mit·tel·ding** *n* (*fig fam*) something in between (*zwischen diesem u. jenem* this and that); **Mit·tel·eu·ro·pa** ['---'--] *n* Central Europe; **mit·tel·eu·ro·pä·isch** *adj* Central European; **Mit·tel·feld** *n* **1.** (SPORT) midfield **2.** (*fig*) centre-field; **Mit·tel·fin·ger** *m* middle finger; **mit·tel·fris·tig** *adj* medium-term; **Mit·tel·ge·bir·ge** *n* low mountain range; **Mit·tel·ge·wicht** *n* (SPORT) middleweight; **Mit·tel·klas·se** *f* mid-range sector; **Mit·tel·klas·se·wa·gen** *m* middle-market car; **Mit·tel·läu·fer** *m* (SPORT) centre-half; **Mit·tel·li·nie** *f* centre line

mit·tel·los *adj* without means; **Mit tel·lo·sig·keit** *f* lack of means

mit·tel·mä·ßig *adj* mediocre; **Mit·tel·mä·ßig·keit** *f* mediocrity

Mit·tel·meer *n* Mediterranean; **Mit·tel·ohr** *n* middle ear; **Mit·tel·ohr·ent·zün·dung** *f* middle ear infection; **mit·tel·präch·tig** *adj* (*fam*): **wie geht's? – ~** how are you? – middling; **Mit·tel·punkt** *m* centre; **im ~ stehen** (*fig*) be in the centre of attention

mit·tels ['mɪtəls] *präp* by means of

Mit·tel·schiff *n* (ARCH) nave

Mit·tels·mann <-(e)s, -leute/-männer> *m* intermediary

Mit·tel·stand *m* middle classes *pl;* **mit·tel·stän·disch** *adj* middle-class; **Mit·tel·stel·lung** *f* (TECH) neutral position; **Mit·tel·stre·cken·ra·ke·te** *f* (MIL) medium-range [*o* intermediate-range] missile; **Mit·tel·strei·fen** *m* (*auf Straße, Br*) central reservation; (*Am*) median strip; **Mit·tel·stu·fe** *f* (*Br*) middle school; (*Am*) junior high school; **Mit·tel·stür·mer(in)** *m(f)* (SPORT) centre-forward; **Mit·tel·weg** <-(e)s> *m* (*fig*) middle course; **e-n ~ ein·schlagen** steer a middle course; **Mit·tel·wel·le** *f* (RADIO) medium wave; **Mit·tel·wert** *m* mean, average value

mit·ten ['mɪtən] *adv:* **~ auf (in, unter) ...** in the midst of ...; **~ durch ...** right across ..., right through ...; **~ in der Nacht** in the middle of the night; **~ im Winter** in the depth of winter; **mit·ten·drin** ['--'-] *adv* right in the middle (*in etw* of s.th.); **mit·ten·durch** ['--'-] *adv* right through the middle

Mit·ter·nacht [mɪtɐnaxt] *f* midnight

Mitt·ler(in) ['mɪtlɐ] <-s, -> *m(f)* mediator; (*von Ideen, Sprache etc*) medium

mitt·le·re ['mɪtlərə] *adj attr* **1.** (*in der Mitte befindlich*) middle **2.** (*durchschnittlich*) average **3.** (*mittelmäßig*) mediocre, middling **4.** (MATH: *~r Wert etc*) mean **5.** (*mittelschwer*) intermediate; **von ~m Alter** middle-aged; **~ Entfernung** middle distance; **der** (**die, das**) **M~** the one in the middle

mitt·ler·wei·le ['--'--] *adv* in the meantime, meanwhile

mit|trin·ken *irr tr:* **trink e-n mit!** have a drink with me!

Mitt·woch ['mɪtvɔx] <-(e)s, -e> *m* Wednesday; **mitt·wochs** *adv* on Wednesdays

mit·un·ter [mɪt'ʊntɐ] *adv* from time to time, now and then, occasionally

mit·ver·ant·wort·lich *adj* jointly responsible; **Mit·ver·ant·wor·tung** *f* share of the responsibility; **die ~ für etw über·nehmen** assume a share of the responsibility for s.th.; **die ~ für etw tragen** bear a share of the responsibility for s.th.

Mit·ver·fas·ser(in) *m(f)* co-author

mit|ver·si·chern *tr* include in the insurance

mit|wir·ken *itr* **1.** (*mitarbeiten*) collaborate (*an, bei* on), contribute (*bei* to) **2.** (*beteiligt sein*) be involved (*an, bei* in) **3.** (*mitspielen*) take part (*an, bei* in) **4.** (*fig: mit im Spiel sein*) play a part (*an, bei* in) **5.** (*auftreten bei Aufführung*) perform (*an, bei* in); **Mit·wir·kung** *f:* **unter ~ aller Mitglieder** with the cooperation of all members; **unter ~ von ...** with the assistance of ...

Mit·wis·sen *n:* **ohne mein ~** unknown to me; **Mit·wis·ser(in)** *m(f)* (JUR) accessory (to); **jdn zum ~ machen** tell s.o. all about it; (JUR) make s.o. an accessory

mit|wol·len *itr:* **willst du mit?** do you want to come along?

mit|zäh·len I. *tr* (*einrechnen*) count in **II.** *itr* (*fig: eingeschlossen werden*) be included

Mix·be·cher *m* shaker

mi·xen ['mɪksən] *tr* mix; **Mi·xer** *m* **1.** (*Bar~*) cocktail waiter **2.** (*Mixgerät*) blender; (*zum Rühren*) mixer

Mix·ge·tränk *n* mixed drink

Mix·tur [mɪks'tuːɐ] *f* mixture

Mob·bing ['mɒbɪŋ] <-s> *n* mobbing

Mö·bel ['møːbəl] <-s, -> *pl* **1.** furniture *sing* **2.** (*~stück*) piece of furniture; **Mö·bel·pa·cker** *m* furniture packer, removal man; **Mö·bel·po·li·tur** *f* furniture polish;

Mö•bel•spe•di•ti•on *f* removal firm; **Mö•bel•stück** *n* piece of furniture; **Mö•bel•tisch•ler(in)** *m(f)* cabinetmaker; **Mö•bel•wa•gen** *m* (*Br*) removal van; (*Am*) furniture truck

mo•bil [mo'bi:l] *adj* **1.** (*beweglich*) movable, mobile **2.** (*flink*) nimble

Mo•bi•le ['mo:bile] <-s, -s> *n* mobile

Mo•bil•funk *m* mobile telephone (system)

Mo•bi•li•ar [mobi'lja:ɐ] <-s, -e> *n* furnishings *pl*

mo•bi•li•sie•ren [mobili'zi:rən] *tr* (*a. fig*) mobilize

Mo•bi•li•tät [mobili'tɛ:t] *f* mobility

mo•bil•ma•chen *itr* (MIL) mobilize; **Mo•bil•ma•chung** *f* (MIL) mobilization

Mo•bil•te•le•fon *n* mobile telephone

mö•blie•ren [mø'bli:rən] *tr* furnish; **möbliertes Zimmer** furnished room

mo•dal [mo'da:l] *adj* (LING) modal

Mo•da•li•tä•ten [modali'tɛ:tən] *pl* modalities

Mo•de ['mo:də] <-, -n> *f* **1.** (*Kleider~*) fashion **2.** (*Brauch*) custom; **wie es so ~ ist** as custom has it; **die neue(ste) ~** all the latest style; **in ~** modern; **es ist große ~** it's all the fashion; **aus der ~ kommen** go out of fashion; **Mo•de•ar•ti•kel** *m* fashion accessory; **Mo•de•aus•druck** *m* trendy expression; **Mo•de•far•be** *f* fashionable colour; **Mo•de•ge•schäft** *n* fashion shop; **Mo•de•heft** *n* fashion magazine

Mo•dell [mo'dɛl] <-s, -e> *n* **1.** (*allgemein*) model **2.** (MOT TECH: *Nachbildung*) mock-up **3.** (*Photo~ etc*) model; (*Mannequin*) fashion model; **jdm ~ stehen** sit for s.o.; **mo•del•lie•ren** *tr itr* model; **Mo•dell•ver•such** *m* experiment

Mo•dem ['mo:dɛm] <-s, -s> *n* (EDV) modem

Mo•den•schau *f* fashion parade; **Mo•de•pup•pe** *f* (*fam pej*) model type

Mo•de•ra•ti•on <-, -en> *f* presentation

Mo•de•ra•tor(in) [modə'ra:to:ɐ] *m(f)* (RADIO TV) presenter

mo•de•rie•ren *tr itr* (RADIO TV) present

mo•de•rig ['mo:dərɪç] *adj* musty

mo•dern [mo'dɛrn] *adj* **1.** (*zeitgemäß*) modern, up-to-date **2.** (*modisch*) fashionable

mo•dern ['mo:dɐn] *itr* (*faulen*) moulder

Mo•der•ne [mo'dɛrnə] <-> *f*: **Vertreter der ~** modernist

mo•der•ni•sie•ren [modɛrnɪ'zi:rən] *tr* bring up to date

Mo•de•schmuck *m* fashion jewellery; **Mo•de•schöp•fer(in)** *m(f)* stylist; **Mo•de•wort** *n* in-word; **Mo•de•zeich•ner(in)** *m(f)* fashion illustrator

mo•di•fi•zie•ren [modifɪ'tsi:rən] *tr* modify

mo•disch ['mo:dɪʃ] *adj* fashionable, stylish

Mo•dul [mo'du:l] <-s, -e> *n* (EL) module; **mo•du•lar** *adj* modular; **Mo•dul•tech•nik** *f* (EL) modular technique

Mo•dus ['mɔdʊs] <-, Modi> *m* **1.** (*Methode*) method **2.** (GRAM) mood **3.** (EDV) mode

Mo•fa ['mo:fa] <-(s), -s> *n* small moped; **Mo•fa•fah•rer(in)** *m(f)* autocyclist

mo•geln ['mo:gəln] *itr* cheat

Mo•gel•pa•ckung *f* deceptive packaging

mö•gen ['mø:gən] *irr* **I.** *tr* (*gern haben*) like; **ich mag ihn nicht** I don't like him; **was möchten Sie gern?** what would you like? **II.** *itr* **1.** (*können*) may **2.** (*wollen*) want; **da ~ Sie recht haben** you may be right; **das mag ja sein (, aber ...)** that's as may be ...; **man möchte meinen ...** you would think ...; **ich möchte es nicht** I do not wish it; **ich möchte allein sein** I wish to be alone; **das mag ja sein** that may be so

mög•lich ['mø:klɪç] *adj* **1.** (*allgemein*) possible **2.** (*eventuell, potenziell*) potential; **nicht ~!** never!; **schon ~** may be; **~ ist alles** anything is possible; **sein M~stes tun**[RR] do one's utmost; **mög•li•cher•wei•se** ['---'--] *adv* possibly; **kann das ~ stimmen?** can that possibly be true?

Mög•lich•keit *f* **1.** (*das Möglichsein*) possibility **2.** (*Aussicht*) chance; **die ~(,) etw zu tun** the possibility of doing s.th.; **es besteht die ~, dass ...** there is a possibility that ...; **besteht die ~, dass er sich verirrt hat?** is there any chance he might be lost?; **ist es die ~!** it's impossible!; **möglichst** *adv:* **~ ...** as ... as possible

Mo•ham•me•da•ner(in) [mohame'da:nɐ] *m(f)* Mohammedan; **mo•ham•me•da•nisch** *adj* Mohammedan

Mohn [mo:n] <-(e)s, (-e)> *m* (BOT) **1.** (*Pflanze*) poppy **2.** (*Samen*) poppy seed; **Mohn•ku•chen** *m* poppy-seed cake

Möh•re ['mø:rə] <-, -n> *f* carrot

Mo•kick ['mo:kɪk] <-(s), -s> *n* light motorcycle

mo•kie•ren [mo'ki:rən] *refl* sneer (*über* at)

Mok•ka ['mɔka] <-s, -s> *m* mocha

Molch [mɔlç] <-(e)s, -e> *m* (ZOO) newt

Mo•le ['mo:lə] <-, -n> *f* (MAR) mole

Mo•le•kül [mole'ky:l] <-s, -e> *n* (CHEM PHYS) molecule

mo•le•ku•lar [moleku'lɑ:ɐ] *adj* molecular; **Mo•le•ku•lar•bi•o•lo•gie** *f* molecular biology; **Mo•le•ku•lar•de•sign** *n* molecular design; **Mo•le•ku•lar•ge•wicht** *n* (CHEM PHYS) molecular weight

Mol•ke ['mɔlkə] <-, -n> *f* whey; **Mol•ke•rei** [mɔlkə'raɪ] *f* dairy

Moll [mɔl] <-> *n* (MUS) minor

mol•lig ['mɔlɪç] *adj* **1.** (~ *warm*) cosy **2.** (*dick*) plump
Mo•lo•tow-Cock•tail ['mɔlotɔf-] *m* Molotow Cocktail
Mo•ment[1] [mo'mɛnt] <-(e)s, -e> *m* (*Augenblick*) moment; **e-n ~!** one moment!; **im ~** at the moment; **im ersten ~** for a moment
Mo•ment[2] <-(e)s, -e> *n* **1.** (PHYS) moment **2.** (*fig: Element*) element
mo•men•tan I. *adj* momentary **II.** *adv* at the moment
Mo•narch(in) [mo'narç] <-s/-en, -en> *m(f)* monarch; **Mon•ar•chie** [monar'çi:] *f* monarchy; **Mon•ar•chist(in)** *m(f)* monarchist
Mo•nat ['mo:nat] <-(e)s, -e> *m* month; **wieviel verdient er im ~?** how much does he earn a month?; **zweimal im ~** twice a month, twice monthly; **mo•na•te•lang** *adv* for months; **es hat sich ~ hingezogen** it went on for months
mo•nat•lich *adj* monthly
Mo•nats•an•fang *m:* **am ~** at the beginning of the month; **Mo•nats•bin•de** *f* (MED) sanitary towel; **Mo•nats•blu•tung** *f* menstrual period; **Mo•nats•en•de** *n* end of the month; **Mo•nats•ge•halt** *n* monthly salary; **Mo•nats•kar•te** *f* (*Br*) monthly season ticket; (*Am*) commutationticket; **Mo•nats•lohn** *m* monthly wage; **Mo•nats•ra•te** *f* monthly instalment; **Mo•nats•schrift** *f* monthly
Mönch [mœnç] <-(e)s, -e> *m* monk
Mond [mo:nt] <-(e)s, -e> *m* **1.** (*der Erde*) moon **2.** (ASTR) satellite; **scheint heute der ~?** is there a moon tonight?; **die ist hinter dem ~** (*fig fam*) she's out of touch; **du lebst wohl hinter dem ~!?** (*fig fam*) where have you been!?
mon•dän [mɔn'dɛn] *adj* chic
Mond•bahn *f* **1.** (*von Erdmond*) moon's orbit **2.** (ASTR) lunar orbit; **Mond•fäh•re** *f* (ASTR) lunar module; **Mond•fins•ter•nis** *f* eclipse of the moon; **mond•hell** *adj* moonlit; **Mond•land•schaft** *f* moonscape; **Mond•lan•dung** *f* lunar landing, moon landing; **Mond•licht** <-(e)s> *n* moonlight; **Mond•ober•flä•che** *f* surface of the moon; **Mond•ra•ke•te** *f* mooncraft; **Mond•schein** <-(e)s> *m* moonlight; **Mond•schein•ta•rif** *m* moonlight rate; **Mond•si•chel** *f* crescent moon; **Mond•son•de** *f* (TECH) lunar probe; **Mond•stein** *m* (*Halbedelstein*) moonstone; **mond•süch•tig** *adj:* **~ sein** sleepwalk
Mo•ne•ten [mo'ne:tən] *pl* (*fam*) dough *sing*
Mon•go•le [mɔŋ'go:lə] *m*, **Mon•go•lin** *f* Mongol; **Mon•go•lei** *f:* **die ~** Mongolia; **mon•go•lisch** *adj* Mongolian
mo•nie•ren [mo'ni:rən] *tr* (*beanstanden*): **etw ~** complain about s.th.; **~, dass ...** complain that ...
Mo•ni•tor ['mo:nitɔr] <-s, -en> *m* (TV EDV) monitor
Mo•no•ga•mie [monoga'mi:] <-> *f* monogamy
Mo•no•gra•fie[RR] *f s.* **Monographie**
Mo•no•gramm [mono'gram] <-s, -e> *n* monogram
Mo•no•gra•phie *f* monograph
Mon•okel [mo'nɔkəl] <-s, -> *n* monocle
Mo•no•kul•tur *f* monoculture
Mo•no•log [mono'lo:k] <-(e)s, -e> *m* monologue; **e-n ~ sprechen** hold a monologue
Mo•no•pol [mono'po:l] <-s, -e> *n* monopoly (*auf, für* on); **Mo•no•pol•stel•lung** *f* monopoly
mo•no•the•is•tisch [monote'ɪstɪʃ] *adj* monotheistic
mo•no•ton [mono'to:n] *adj* monotonous; **Mo•no•to•nie** *f* monotony
Mons•ter ['mɔnstɐ] <-s, -> *n* monster; **Mons•ter•film** *m* **1.** (*aufwendiger Film, a. pej*) mammoth production **2.** (*Film mit Ungeheuern*) monster film
Mons•tranz [mɔn'strants] <-, -en> *f* (ECCL) monstrance
mons•trös *adj* **1.** (*ungeheuerlich*) monstrous **2.** (*ungeheuer groß*) monster
Mon•sun [mɔn'zu:n] <-s, -e> *m* monsoon
Mon•tag ['mo:nta:k] <-(e)s, -e> *m* Monday
Mon•ta•ge [mɔn'ta:ʒə] <-, -n> *f* **1.** (TECH: *Errichtung*) installation **2.** (TECH: *Montieren*) assembly; (*Einbauen*) fitting; **auf ~ sein** be away on a job; **Mon•ta•ge•band** *n* assembly line; **Mon•ta•ge•hal•le** *f* assembly shop
Mon•tan•in•dus•trie [mɔn'ta:n-] *f* coal and steel industry; **Mon•tan•uni•on** *f* European Coal and Steel Community
Mon•teur(in) [mɔn'tø:ɐ] <-s, -e> *m(f)* (TECH) fitter; (MOT) mechanic; (EL) electrician
mon•tie•ren [mon'ti:rən] *tr* **1.** (TECH: *aufbauen*) install **2.** (*zusammenbauen*) assemble **3.** (TYP) mount
Mon•tur [mɔn'tu:ɐ] <-, -en> *f* uniform; (*fam*) gear
Mo•nu•ment [monu'mɛnt] <-s, -e> *n* monument; **mo•nu•men•tal** *adj* monumental
Moor [mo:ɐ] <-(e)s, -e> *n* bog; (*Hoch~*) moor; **Moor•bad** *n* mud-bath
moo•rig *adj* boggy
Moos[1] *n* (*sl: Geld*) dough
Moos[2] [mo:s] <-es, (-e)> *n* (BOT) moss;

moos•be•deckt *adj* moss-covered
Mop *m s.* **Mopp**
Mo•ped ['mo:pɛt] <-s, -s> *n* moped
Mopp[RR] [mɔp] <-s, -s> *m* mop
Mops [mɔps, *pl:* 'mœpsə] <-es, ¨-e> *m* **1.** (ZOO) pug **2.** (*fig fam*) dumpling
mop•sen ['mɔpsn] *tr* (*fam*) pinch (*jdm etw* s.th. from s.o.)
Mo•ral [mo'ra:l] <-> *f* moral standards *pl;* (*e-r Geschichte*) moral; **e-e lockere ~** loose morals *pl;* **e-e doppelte ~** double standards *pl;* **mo•ra•lisch** *adj* moral; **kannst du das ~ vertreten?** do your morals allow you to do that?; **sich über etw ~ entrüsten** moralize about s.th.; **Mo•ral•pre•digt** *f:* **jdm e-e ~ halten** give s.o. a sermon
Mo•rä•ne [mo'rɛ:nə] <-, -n> *f* (GEOL) moraine
Mo•rast [mo'rast, *pl:* mo'rɛstə] <-(e)s, -e/¨-e> *m* (*a. fig*) morass, mire
Mo•ra•to•ri•um <-s> *nt* moratorium
Mor•chel ['mɔrçəl] <-, -n> *f* (BOT) morel
Mord [mɔrt] <-(e)s, -e> *m* murder; **e-n ~ begehen** commit a murder; **das gibt ~ u. Totschlag!** there'll be hell to pay!; **Mord•an•kla•ge** *f:* **~ erheben** (*Br*) lay a murder charge; (*Am*) lay a charge of homicide; **Mord•an•schlag** *m:* **e-n ~ auf jdn verüben** carry out an assassination attempt on s.o.; **Mord•dro•hung** *f* murder threat
mor•den ['mɔrdən] *tr itr* kill, murder
Mör•der(in) ['mœrdɐ] *m(f)* murderer (murderess); **Mör•der•ban•de** *f* gang of killers
mör•de•risch *adj* **1.** (*grässlich*) murderous **2.** (*rücksichtslos*) cutthroat
Mord•fall *m* murder case *Br,* homicide case *Am;* **Mord•kom•mis•si•on** *f* (*Br*) murder squad; (*Am*) homicide division
Mords•glück *n* (*fam*) amazing luck; **Mords•kerl** ['-'-] *m* (*fam*) hell of a guy; **Mords•krach** ['-'-] *m* (*fam*) terrible din; **mords•mä•ßig** *adj* (*fam*) incredible; **Mords•spaß** *m* (*fam*) great fun; **Mords•wut** *f* (*fam*): **e-e ~ im Bauch haben** be in a hell of a rage
Mord•ver•dacht *m:* **unter ~ stehen** be suspected of murder; **Mord•ver•such** *m* murderous attempt; **Mord•waf•fe** *f* murder weapon
mor•gen ['mɔrgən] *adv* **1.** tomorrow **2. ~ in e-r Woche** a week tomorrow; **~ ist er e-e Woche da** he'll have been here a week tomorrow; **von ~ an** as from tomorrow; **reicht es noch bis ~?** will tomorrow do?; **bis ~!** see you tomorrow!; *s. a.* **Morgen**
Mor•gen[1] *m* (*Feldmaß*) acre
Mor•gen[2] <-s, -> *m* (*Tageszeit*) morning; **am ~** in the morning; **der ~ dämmerte** morning dawned; **am frühen ~** early in the morning; **um 7 am ~** at 7 in the morning; **am nächsten ~** the morning after; **heute (gestern) ~**[RR] this (yesterday) morning; **Mor•gen•aus•ga•be** *f* (*von Zeitung*) morning edition; **Mor•gen•däm•me•rung** *f* dawn
mor•gend•lich ['mɔrgəntlɪç] *adj* morning
Mor•gen•es•sen *n* (*CH*) breakfast
Mor•gen•grau•en *n* daybreak; **im ~** in the first light of dawn; **Mor•gen•gym•nas•tik** *f:* **~ machen** do one's morning exercises *pl;* **Mor•gen•luft** <-> *f* early morning air; **~ wittern** (*fig fam*) see one's chance; **Mor•gen•man•tel** *m* dressing gown; **Mor•gen•muf•fel** *m* (*fam*): **ein ~ sein** be terribly grumpy in the morning; **Mor•gen•rock** *m* housecoat; **Mor•gen•rot** *n* dawn
mor•gens *adv* in the morning
Mor•gen•stern *m ohne pl* morning star; **Mor•gen•zug** *m* (RAIL) early train
mor•gig ['mɔrgɪç] *adj* **1.** (*von morgen*) tomorrow's **2.** (*am nächsten Tag*) tomorrow; **unser ~er Ausflug** our trip tomorrow; **der ~e Tag** tomorrow
Mo•ri•tat ['mo:rita:t] <-, -en> *f* street ballad
Mor•phi•um ['mɔrfiʊm] <-s> *n* morphine; **mor•phi•um•süch•tig** *adj* addicted to morphine
Mor•pho•lo•gie ['mɔrfolo'gi:] <-> *f* (LING) morphology
morsch [mɔrʃ] *adj* rotten, brittle
Mor•se•al•pha•bet *n* Morse code; **Mor•se•ap•pa•rat** *m* Morse telegraph
mor•sen ['mɔrzən] **I.** *tr* send in Morse **II.** *itr* send a message in Morse (code)
Mör•ser ['mœrzɐ] <-s, -> *m* (*a.* MIL) mortar
Mor•se•zei•chen *n* Morse signal
Mör•tel ['mœrtəl] <-s> *m* mortar; **Mör•tel•kel•le** *f* trowel
Mo•sa•ik [moza'i:k] <-s, -en/(-e)> *n* mosaic; **Mo•sa•ik•fuß•bo•den** *m* mosaic floor
Mo•schee [mɔ'ʃe:] <-, -n> *f* mosque
Mo•schus ['mo:ʃʊs] <-> *m* musk
Mö•se ['mø:zə] <-, -n> *f* (*vulg*) cunt
Mo•sel ['mo:zl] <-> *f* Moselle
mo•sern ['mo:zɐn] *itr* (*fam*) gripe
Mos•kau ['mɔskaʊ] *n* Moscow
Mos•ki•to [mɔs'ki:to] <-s, -s> *m* (ZOO) mosquito; **Mos•ki•to•netz** *n* mosquito-net
Mos•lem ['mɔslɛm] <-s, -s> *m* Muslim; **mos•le•misch** *adj* Muslim; **Mos•li•me** [mɔs'li:mə] <-,-n> *f* Muslim
Most [mɔst] <-(e)s, -e> *m* **1.** (*Saft*) fruit juice **2.** (*Wein~*) must
Mo•tel ['mo:tɛl] <-s,-s> *n* motel
Mo•tiv [mo'ti:f] <-s, -e> *n* **1.** (*Beweg-*

grund) motive **2.** (*Gegenstand*) subject **3.** (*Malerei, Musik*) motif, theme; **ohne ~** motiveless

Mo•ti•va•ti•on [motivaˈtsioːn] <-, -en> *f* motivation

mo•ti•vie•ren [motiˈviːrən] *tr* **1.** (*anregen*) motivate **2.** (*begründen*) give reasons (*etw* for s.th.); **Mo•ti•vie•rung** *f* **1.** (*Motiv*) motive **2.** (*Vorgang*) motivation

Mo•tor [ˈmoːtɔr/moˈtoːɐ] <-s, -en> *m* (MOT) engine; **Mo•tor•block** *m* (MOT) engine block; **Mo•tor•boot** *n* motorboat; **Mo•to•ren•ge•räusch** *n* sound of an engine; **Mo•tor•hau•be** *f* (*Br*) bonnet; (*Am*) hood

Mo•to•rik [moˈtoːrɪk] <-> *f* motor activity

mo•to•ri•sie•ren [motoriˈziːrən] **I.** *tr* motorize **II.** *refl* get motorized

Mo•tor•leis•tung *f* engine performance; **Mo•tor•rad** *n* motorbike; **Mo•tor•rad•fah•rer(in)** *m(f)* motorcyclist; **Mo•tor•rad•ren•nen** *n* motorcycle race; **Mo•tor•raum** *m* engine compartment; **Mo•tor•rol•ler** *m* scooter; **Mo•tor•sä•ge** *f* power saw; **Mo•tor•scha•den** *m* engine trouble; **Mo•tor•schlit•ten** *m* motorized sleigh; **Mo•tor•sport** *m* motor racing

Mot•te [ˈmɔtə] <-, -n> *f* (ZOO) moth; **von ~n zerfressen** moth-eaten; **Mot•ten•kis•te** *f* (*fam*): **aus der ~** ancient; **Mot•ten•ku•gel** *f* mothball

Mot•to [ˈmɔto] <-s, -s> *n* **1.** (*persönlicher Wahlspruch*) motto **2.** (*Wahlspruch in Buch, für Gedicht*) epigraph

mot•zen [ˈmɔtsən] *itr* (*sl*) beef; **was hast du zu ~?** what are you beefing about?

Moun•tain•bike [ˈmaʊntɪnbaɪk] <-s, -s> *n* mountain bike; **Moun•tain•bi•ker(in)** <-s, -> *m(f)* mountain biker

Mö•we [ˈmøːvə] <-, -n> *f* (ORN) seagull

Mo•zam•bique [mozamˈbɪk] *n* Mozambique

Mü•cke [ˈmʏkə] <-, -n> *f* (ZOO) gnat, midge

mu•cken [ˈmʊkn] *itr* (*fam*) mutter

Mü•cken•stich *m* gnat bite

Mucks [mʊks] *m* (*fam*): **keinen ~ sagen** not to make a sound; **ohne e-n ~** without a murmur; **muck•sen** *refl* (*fam*): **sich nicht ~** not budge; **mucks•mäus•chen•still** [ˈmʊksˈmɔɪsçənˈʃtɪl] *adj* (*fam*) as quiet as a mouse

mü•de [ˈmyːdə] *adj* **1.** (*schläfrig*) tired **2.** (*fig: überdrüssig*) tired, weary; **mit ~r Stimme** tiredly; **er wird es nie ~, über Politik zu sprechen** he never tires of talking about politics; **Mü•dig•keit** *f* tiredness

Muff[1] [mʊf] <-(e)s, -s> *m* (*Handwärmer*) muff

Muff[2] <-s> *m* (*fam: muffiger Geruch*) musty smell

Muf•fe [ˈmʊfə] <-, -n> *f* (TECH) sleeve; **~ haben** (*fig sl*) have the shits *pl*

Muf•fel [ˈmʊfəl] <-s, -> *m* (*fam*) drip, wet blanket

Muf•fen•sau•sen *n* (*sl*): **~ haben** be scared stiff

muf•fig *adj* **1.** (*Geruch*) musty **2.** (*mürrisch*) grumpy

Mü•he [ˈmyːə] <-, -n> *f* trouble; **mit Müh und Not** with great difficulty; **er machte sich nicht die ~(,) höflich zu sein** he made no effort to be polite; **es kostet einige ~(,) ...** it's an effort ...; **sich ~ geben(,) etw zu tun** be at pains to do s.th.; **das hast du nun für deine ~!** see what you get for your pains!; **das ist nicht der ~ wert** it's not worth the trouble; **jdm viel ~ machen** put s.o. to a lot of trouble; **mü•he•los** *adj* effortless; **mü•he•voll** *adj* laborious

Müh•le [ˈmyːlə] <-, -n> *f* **1.** mill **2.** (*Kaffee~*) grinder **3.** (*Spiel*) nine men's morris **4.** (*fam: altes Flugzeug*) bus, crate; **Mühl•rad** *n* mill wheel; **Mühl•stein** *m* millstone

müh•sam **I.** *adj* arduous **II.** *adv* with difficulty

müh•se•lig *adj* toilsome

Mu•ko•vis•zi•do•se [mukovɪstsɪˈdoːzə] <-> *f* muco-viscidosis

Mu•lat•te [muˈlatə] <-n, -n> *m*, **Mu•lat•tin** *f* mulatto

Mul•de [ˈmʊldə] <-, -n> *f* hollow

Mull [mʊl] <-(e)s, -e> *m* muslin; (MED) gauze

Müll [mʏl] <-(e)s> *m* (*Br*) refuse, rubbish; (*Am*) garbage; **etw in den ~ werfen** throw s.th. out; **Müll•ab•fuhr** *f* refuse collection *Br*, garbage collection *Am*; **Müll•ab•la•de•platz** *m* rubbish dump; **Müll•auf•be•rei•tung** *f* waste treatment; **Müll•auf•be•rei•tungs•an•la•ge** *f* waste-treatment plant; **Müll•berg** *m* rubbish heap; **Müll•be•sei•ti•gung** *f* refuse disposal *Br*, garbage disposal *Am*

Mull•bin•de *f* (MED) gauze bandage

Müll•con•tai•ner *m* waste container, rubbish container *Br*, garbage container *Am*; **Müll•de•po•nie** *f* (*Br*) waste disposal site; (*Am*) sanitary landfill; **Müll•ei•mer** *m* (*Br*) rubbish bin; (*Am*) garbage can

Mül•ler(in) [ˈmʏlɐ] <-s, -> *m(f)* miller

Müll•hau•fen *m* rubbish heap *Br*, garbage heap *Am*; **Müll•kom•pos•tie•rung** *f* waste composting; **Müll•schlu•cker** *m* (*Br*) refuse chute; (*Am*) garbage disposal unit; **Müll•sor•tier•an•la•ge** *f* refuse-sorting plant; **Müll•ton•ne** *f* (*Br*) dustbin; (*Am*) ashcan, trashcan; **Müll•ver•bren•nungs•an•la•ge** *f* incinerating plant;

Müll•ver•wer•tung *f* refuse utilization *Br*, garbage utilization *Am;* **Müll•ver•wer•tungs•an•la•ge** *f* waste reprocessing plant; **Müll•wa•gen** *m* (*Br*) dust-cart; (*Am*) garbage truck

mul•mig ['mʊlmɪç] *adj* (*fam*): **mir wird ganz ~ zumute** I'm feeling queasy

Mul•ti <-s, -s> *m* (*fam: multinationaler Konzern*) multinational

mul•ti•funk•ti•o•nell *adj* multifunctional

mul•ti•kul•tu•rell *adj* (*Gesellschaft etc*) multicultural, multiracial

mul•ti•na•tio•nal *adj* multinational; **~er Konzern** multinational company; **~e Friedenstruppe** (POL) multinational peacekeeping force

Mul•tip•le Skle•ro•se [mʊl'ti:plə skle'ro:zə] <-> *f* multiple sclerosis

Mul•ti•pli•ka•ti•on [mʊltiplika'tsjo:n] *f* multiplication; **mul•ti•pli•zie•ren** *tr* (*a. fig*) multiply (*mit* by)

Mul•ti•ta•lent *n* all-rounder

Mul•ti•vi•ta•min•prä•pa•rat *nt* multivitamin preparation

Mu•mie ['mu:miə] <-, -n> *f* mummy

Mumm [mʊm] <-s> *m* (*fam*): **die hat ~ (in den Knochen)** she's got guts *pl*

Mumps [mʊmps] <-> *m* (MED) mumps

Mund [munt, *pl:* 'mʏndɐ] <-(e)s, ¨-er> *m* mouth; **halt den ~!** shut up!; **jdm den ~ verbieten** order s.o. to be quiet; **jdm nach dem ~ reden** say what s.o. wants to hear; **du nimmst den ~ ganz schön voll!** you're talking pretty big!; **da läuft e-m ja das Wasser im ~e zusammen!** that looks really mouth-watering!; **den ~ auftun** (*fam*) speak out; **jdm etw in den ~ legen** (*fig*) put s.th. into someone's head; **sich etw vom ~e absparen** stint o.s. for s.th.; **sich den ~ fusselig reden** (*fam*) talk o.s. blue in the face; **Mund•art** *f* dialect; **Mund•du•sche** *f* water jet

mun•den ['mʊndən] *itr:* **sich etw ~ lassen** savour s.th.

mün•den ['mʏndən] *itr* **1.** (*Wasserlauf*) flow (*in* into) **2.** (*Weg etc, a. fig*) lead (to)

Mund•ge•ruch <-(e)s> *m* bad breath

Mund•har•mo•ni•ka *f* (MUS) mouth organ

mün•dig ['mʏndɪç] *adj* **1.** (JUR) of age **2.** (*verantwortungsbewusst*) responsible; **jdn für ~ erklären** declare s.o. of age; **Mün•dig•keit** *f* majority

münd•lich ['mʏntlɪç] *adj* verbal; **~e Prüfung** oral examination, oral test; **alles weitere ~!** I'll tell you the rest when I see you!

Mund•pro•pa•gan•da *f* verbal propaganda; **Mund•raub** *m* (JUR) petty theft; **Mund•schleim•haut** *f* mucous membrane of the mouth; **Mund•stück** *n* **1.** (*von Zigarette*) tip **2.** (MUS: *von Blasinstrument*) mouthpiece; **mund•tot** *adj:* **jdn ~ machen** muzzle s.o.

Mün•dung ['mʏndʊŋ] *f* mouth; (*von Schusswaffe*) muzzle; **Mün•dungs•feu•er** *n* flash from the muzzle

Mund•was•ser *n* mouthwash; **Mund•werk** *n:* **ein großes ~ haben** have a big mouth; **Mund•win•kel** *m* corner oft the mouth; **Mund-zu-Mund-Be•at•mung** *f* mouth-to-mouth resuscitation

Mu•ni•ti•on [muni'tsjo:n] *f* (*a. fig*) ammunition; **Mu•ni•ti•ons•la•ger** *n* ammunition dump; **Mu•ni•ti•ons•nach•schub** *m* ammunition supply

mun•keln ['mʊŋkəln] *itr:* **man munkelt, dass ...** there is a rumour that ...

Mun-Sek•te *f* Moonies *pl*

Müns•ter ['mʏnstɐ] <-s, -> *n* (ARCH ECCL) cathedral, minster

mun•ter ['mʊntɐ] *adj* **1.** (*lebhaft*) lively; (*lustig*) cheerful, merry **2.** (*wach*) awake; **gesund u. ~** safe and sound; **Mun•ter•keit** *f* (*Lebendigkeit*) liveliness; **Mun•ter•ma•cher** *m* (*fam: Aufputschmittel*) stimulant, pick-me-up *fam*

Münz•au•to•mat *m* slot machine

Mün•ze ['mʏntsə] <-, -n> *f* **1.** (*Geldstück*) coin **2.** (*Prägestätte*) mint; **Worte für bare ~ nehmen** take words at their face value; **jdm etw mit gleicher ~ heimzahlen** pay s.o. back in his (her, their) own coin for s.th.; **Münz•ein•wurf** *m* coin slot

mün•zen *tr* coin, mint; **das ist auf dich gemünzt** that's aimed at you

Münz•fern•spre•cher *m* (TELE) **1.** (*Gerät*) pay phone **2.** (*Zelle*) callbox; **Münz•samm•lung** *f* coin collection, numismatic collection; **Münz•tank** *m* (MOT) coin-operated, petrol pump *Br,* gas pump *Am;* **Münz•wechs•ler** *m* change machine

mür•be ['mʏrbə] *adj* **1.** (*krümelig*) crumbly **2.** (*zart*) tender **3.** (*brüchig*) brittle **4.** (*fig*) worn-down; **jdn ~ machen** (*fig*) wear s.o. down; **~ werden** (*fig*) be worn down; **Mür•b(e•)teig** *m* short pastry

mur•meln ['mʊrməln] *itr* murmur; (*unverständlich*) mumble, mutter

Mur•mel•tier *n* (ZOO) marmot; **wie ein ~ schlafen** (*fig fam*) sleep like a log

mur•ren ['mʊrən] *itr* grumble (*über* at)

mür•risch ['mʏrɪʃ] *adj* **1.** (*übel gelaunt*) grumpy **2.** (*abweisend*) morose, sullen

Mus [mu:s] <-es, -e> *n* mush

Mu•schel ['mʊʃəl] <-, -n> *f* **1.** (ZOO) mussel **2.** (*~schale*) shell **3.** (TELE) mouthpiece

Mu•se ['mu:zə] <-, -n> *f* Muse

Mu•se•um [mu'ze:ʊm] <-s, -seen> *n* museum

Mu•sik [mu'zi:k] <-, -en> *f* music; **~ machen** play some music; **Mu•sik•a•ka-**

de•mie *f* academy of music

mu•si•ka•lisch *adj* musical

Mu•si•kant(in) *m(f)* musician

Mu•sik•be•glei•tung *f*: **mit** ~ accompanied by music; **Mu•sik•box** *f* juke box; **Mu•sik•cas•set•te** *f* music cassette

Mu•si•ker(in) <-s, -> *m(f)* musician

Mu•sik•hoch•schu•le *f* college of music; **Mu•sik•ins•tru•ment** *n* musical instrument; **Mu•sik•ka•pel•le** *f* band; **Mu•sik•leh•rer(in)** *m(f)* music teacher; **Mu•sik•stück** *n* piece of music; **Mu•sik•un•ter•richt** *m* musical lessons *pl*

mu•sisch *adj* pertaining to the (fine) arts

mu•si•zie•ren [muzi'tsi:rən] *itr* play instruments

Mus•ka•tel•ler [mʊska'tɛlɐ] <-s, -> *m* (*Weinsorte*) muscatel

Mus•kat•nuss[RR] [mʊs'ka:t-] *f* nutmeg

Mus•kel ['mʊskəl] <-s, -n> *m* (ANAT) muscle; **Mus•kel•ka•ter** *m* (*fam*) aching muscles *pl*; ~ **haben** be stiff; **Mus•kel•protz** *m* (*fam*) muscleman; **Mus•kel•riss**[RR] *m* torn muscle; **Mus•kel•schwä•che** <-> *f* myasthenia; **Mus•kel•zer•rung** *f* pulled muscle

Mus•ku•la•tur ['mʊskula'tu:ɐ] <-> *f* muscles

mus•ku•lös [mʊsku'lø:s] *adj* muscular; ~ **gebaut sein** have a muscular build

Müs•li ['my:sli] <-s, -s> *n* muesli

Muss[RR] [mʊs] <-> *n*: **es ist kein** ~ it's not a must

Mu•ße ['mu:sə] <-> *f* leisure; **dafür habe ich keine** ~ I don't have the time (for it)

Muss•e•he[RR] ['mʊs,e:ə] *f* (*fam*) shot-gun wedding

müs•sen ['mʏsən] <muss, musste, gemusst> *itr* **1.** (*gezwungen sein*) have to, must **2.** (*eigentlich sollen*) ought to, should; **ich muss**[RR] **es nicht tun** I don't have to do it; **musst**[RR] **du jetzt unbedingt gehen?** have you got to go now?; **wir muss•ten**[RR] **diese Woche schon zweimal zu ihm** we've had to go and see him twice this week; **das muss**[RR] **leider sein** I'm afraid it has to be; **ich muss**[RR] **es wohl verloren haben** I must have lost it; **es** ~ **fünf gewesen sein** there must have been five of them; **natürlich musste sie gerade jetzt kommen** she had to come just now; **das hätte man tun** ~ this ought to have been done; **sein Gesicht hätten Sie sehen** ~ you ought to have seen his face; **ich hätte es tun** ~ I should have done it; **das müsste eigentlich reichen** this should be enough

Mu•ße•stun•den *pl* leisure hours

mü•ßig ['my:sɪç] *adj* **1.** (*untätig*) idle **2.** (*überflüssig*) pointless

Mü•ßig•gang <-(e)s> *m* idleness

Mus•ter ['mʊstɐ] <-s, -> *n* **1.** (*Probestück*) sample **2.** (*Stoff~*) pattern **3.** (*fig: Vorbild*) model (*an* of); **als** ~ **dienen** serve as a model; **Mus•ter•bei•spiel** *n* classic example; **Mus•ter•ex•em•plar** *n* fine specimen; **mus•ter•gül•tig** *adj* exemplary; **mus•ter•haft** *adj* exemplary; **Mus•ter•haus** *n* show house; **Mus•ter•kna•be** *m* paragon

mus•tern ['mʊstɐn] *tr* **1.** (*kritisch betrachten*) scrutinize **2.** (MIL: *auf Wehrdiensttauglichkeit prüfen*): **jdn** ~ give s.o. his medical

Mus•ter•pa•ckung *f* sample pack; **Mus•ter•schü•ler** *m* star pupil

Mus•ter•ung *f* **1.** (*Wehrdienst~*) medical examination for military service **2.** (*Durchsicht*) examinaton; **nach eingehender** ~ on thorough inspection

Mut [mu:t] <-(e)s> *m* courage; **ich habe einfach nicht den** ~**(,) nein zu sagen** I don't have the courage to refuse; **den** ~ **verlieren** lose one's courage; **nur** ~**!** take courage!; **jdm** ~ **machen** encourage s.o.; **mir ist nicht zum Lachen zu** ~**e**[RR] I am not in the mood for laughing; **wie ist dir zu** ~**e?**[RR] how do you feel?

Mu•ta•ti•on [muta'tsjo:n] <-, -en> *f* mutation

mu•tie•ren *itr* mutate

mu•tig *adj* brave, courageous

mut•los *adj* discouraged; **jdn** ~ **machen** discourage s.o.; **Mut•lo•sig•keit** *f* discouragement

mut•ma•ßen ['mu:tma:sən] *tr itr* conjecture; **über das, was folgt, kann man nur** ~ what will come next is a matter of conjecture; **mut•maß•lich** *adj attr* most probable

Mut•pro•be *f* test of courage

Mut•ter[1] <-, -n> *f* (TECH) nut

Mut•ter[2] ['mʊtɐ, *pl:* 'mʏtɐ] <-, ¨-> *f* (*Elternteil*) mother; **wie e-e** ~ **zu jdm sein** be like a mother to s.o.

Müt•ter•chen ['mʏtɐçən] *n* (*alte Frau*) granny

Mut•ter•er•de *f* **1.** (*Mutterboden*) topsoil **2.** (*fig: Heimaterde*) native soil; **Mut•ter•ge•sell•schaft** *f* (COM) parent company; **Mut•ter•got•tes** ['--'--] <-> *f* (REL) Mother of God

Mut•ter-Kind-Pass[RR] *m record of pregnancy, childbirth and regular infant health check-ups given to women in Germany once they are pronounced pregnant*

Mut•ter•kom•p•lex *m* (PSYCH) mother complex; **Mutter•land** *n* mother country; **Mut•ter•leib** *m* womb

müt•ter•lich ['mʏtɐlɪç] *adj* maternal, motherly; **müt•ter•li•cher•seits** *adv* on someone's mother side; **meine Großeltern** ~ my maternal grandparents

Mut·ter·lie·be *f* maternal [*o* motherly] love; **Mut·ter·mal** <-s, -e> *n* birthmark, mole; **Mut·ter·milch** *f* mother's milk; **Mut·ter·rol·le** *f* maternal role; **Mut·ter·schaft** *f* motherhood, maternity; **Mut·ter·schafts·geld** *n* maternity grant; **Mut·ter·schafts·ur·laub** *m* maternity leave; **Mut·ter·schutz** *m* maternity regulations *pl*

mut·ter·see·len·al·lein ['-----'-] *adj, adv* all alone

Mut·ter·söhn·chen *n* (*fam pej*) mummy's boy; **Mut·ter·spra·che** *f* mother tongue, native language; **Mut·ter·sprach·ler(in)** *m(f)* native speaker; **Mut·ter·tag** *m* Mother's Day

Mut·ti ['mʊti] <-, (s)> *f* (*fam Br*) mummy; (*Am*) mommy

mut·wil·lig ['muːtvɪlɪç] *adj* **1.** (*übermütig*) mischievous **2.** (*in böser Absicht*) malicious

Müt·ze ['mʏtsə] <-, -n> *f* cap; **was auf die ~ kriegen** (*fam*) get a ticking-off

MwSt *f Abk. von* **Mehrwertsteuer** VAT

Myr·rhe ['myrə] <-> *f* myrrh

Myr·te ['mʏrtə] <-, -n> *f* (BOT) myrtle

mys·te·ri·ös [mʏsteri'øːs] *adj* mysterious

Mys·te·ri·um [mys'teːriʊm] <-s, Mysterien> *n* mystery

Mys·tik ['ystɪk] *f* mysticism; **mys·tisch** *adj* mystic(al)

My·tho·lo·gie [mytolo'giː] *f* mythology

My·thos ['myːtɔs] <-, -then> *m* **1.** (*Gerücht*) myth **2.** (*Sage*) story, legend

N

N, n [ɛn] <-, -> *n* N, n

na [na(ː)] *interj* (*fam*) well; ~ **also!** ~ **eben!** ~ **bitte!** there you are!; ~, **wenn schon** even so; ~ **und?** so what?; ~, **und ob!** you bet!; ~, **dann nicht!** all right, have it your way!; ~ **warte!** just you wait!; ~ **so was!** well, I never!; ~, **wird's bald?** well, how much longer are you going to take?

Na•be ['naːbə] <-, -n> *f* (*Rad~*) hub

Na•bel ['naːbəl] <-s, -> *m* **1.** (ANAT) navel, umbilicus **2.** (*fig: Zentrum*) hub; **Na•bel•bruch** *m* umbilical hernia; **Nabel•schnur** *f* (MED) umbilical cord

nach [naːx] **I.** *präp* **1.** (*zeitlich, a. der Reihenfolge ~*) after **2.** (*die Richtung angebend*) to **3.** (*gemäß*) according to; (*in Anlehnung an*) after; ~ **jdm** (**etw**) **suchen** look for s.o. (s.th.); **sich sehnen** ~ **...** long for ...; **riechen** (**schmecken**) ~ **...** smell (taste) of ...; ~ **zwanzig Minuten** after twenty minutes; **sieben Minuten** ~ **neun** seven minutes past nine *Br*, seven minutes after nine *Am*; **zahlbar** ~ **Empfang** payable on receipt; **e-r** ~ **dem anderen** one after the other; **gehen Sie bitte** ~ **hinten** (**vorn**) please go to the back (front); **der Zug** ~ **Manchester** the train for Manchester; **ich ziehe** ~ **München** I'll move to Munich; ~ **Hause** home; ~ **dem Gesetz** according to the law; ~ **e-m alten chinesischen Märchen** according to an old Chinese fairy-tale; **jdn** (**etw**) ~ **jdm benennen** name s.o. (s.th.) after s.o. *Br*, name s.o. (s.th.) for s.o. *Am*; **aller Wahrscheinlichkeit** ~ in all probability; **es sieht** ~ **Regen aus** it looks like rain **II.** *adv* **1.** (*zeitlich*): ~ **u.** ~ little by little; ~ **wie vor** still **2.** (*räumlich*): **wir müssen ihm** ~ we must follow him

nach|äf•fen ['naːxɛfən] *tr* (*etw nachmachen*) ape; (*jdn karikieren*) mimic

nach|ah•men ['naːxaːmən] *tr* imitate; **nach•ah•mens•wert** *adj* exemplary; **Nach•ah•mung** *f* imitation; **Nach•ah•mungs•trieb** *m* imitative impulse

Nach•bar(in) ['naxbaːɐ] <-n/-s, -n> *m(f)* neighbour; **Nach•bar•haus** *n* neighbouring house, house next door; **nach•bar•lich** *adj* **1.** (*benachbart*) neighbouring **2.** (*nachbarschaftlich*) neighbourly; **Nach•bar•schaft** *f* neighbourhood; **Nach•bar•staat** *m* neighbouring state

Nach•be•hand•lung *f* (*a.* MED) aftertreatment

nach|be•stel•len *tr* order some more, reorder; **Nach•be•stel•lung** *f* **1.** (*Wiederholungsbestellung*) repeat order **2.** (*nachträgliche Bestellung*) later order

nach|be•ten *tr* (*fig fam*) parrot; **musst du ihm denn immer alles ~?** do you have to repeat everything he says parrot- fashion?

nach|bezahlen I. *tr* pay later **II.** *itr* pay the rest

nach|bil•den *tr* copy; **Nach•bil•dung** *f* imitation, copy

nach|da•tie•ren *tr* postdate

nach•dem [naːx'deːm] *konj* after; **je** ~ it (all) depends; **je** ~, **wie ...** depending on how ...

nach|den•ken *irr itr* think (*über* about); **nach•denk•lich** *adj* pensive, thoughtful

Nach•druck[1] <-(e)s> *m* **1.** (*Tatkraft*) energy, vigour **2.** (*Betonung*) emphasis, stress; **besonderen** ~ **auf etw legen** emphasize [*o* stress] s.th. particularly; **mit** ~ **arbeiten** work with vigour

Nach•druck[2] <-(e)s, -e> *m* (TYP) **1.** (*das ~en*) reprinting **2.** (*das Nachgedruckte*) reprint; ~ **verboten** no part of this publication may be reproduced without the prior permission of the publisher; **nach|drucken** *tr* reprint

nach•drück•lich ['naːxdrʏklɪç] *adj* emphatic

nach|ei•fern *itr:* **jdm** ~ emulate s.o.

nach|ei•len *itr sein* run after (*jdm* s.o., *e-r Sache* s.th.)

nach•ein•an•der ['--'--] *adv* **1.** (*räumlich*) one after another **2.** (*zeitlich*) in succession

nach|emp•fin•den *irr tr* **1.** (*nachfühlen*) feel **2.** (*anpassen, nachgestalten*) adapt (*etw e-r Sache* s.th. from s.th.); **können Sie meine Wut ~?** can you really feel my rage?; **das kann ich Ihnen** ~ I can understand your feelings

nach|er•zäh•len *tr* retell; **Nach•er•zäh•lung** *f* retelling; (PÄD: *e-r Geschichte*) reproduction

nach|fah•ren *itr* follow (on)

Nach•fass•ak•ti•on[RR] *f* (MARKT) follow-up campaign

nach|fei•ern *tr* (*Geburtstag*) celebrate after the event

Nach•fol•ge *f* **1.** (*Amts~ etc*) succession **2.**

(*fig: das Nacheifern*) emulation **3.** (*in Zusammensetzungen*) follow-up; **die** (**jds**) ~ **antreten** succeed (s.o.); ~ **Christi** imitation of Christ; **Nach•fol•ge•mo•dell** *n* (*von Produkt, Auto*) successor, follow-up model; **nach|fol•gen** *itr sein* (*a. fig*) follow (*jdm* s.o.); **Nach•fol•ger(in)** *m(f)* **1.** (*Amts~*) successor **2.** (*fig: Nacheiferer*) follower

nach|for•dern *tr* demand an extra; **Nach•for•de•rung** *f* subsequent demand

nach|for•schen *itr* investigate, try to find out; **Nach•for•schung** *f* enquiry *Br,* inquiry *Am;* (*amtliche ~*) investigation; **~en anstellen** make enquiries (*bezüglich* into)

Nach•fra•ge *f* **1.** (*Erkundigung*) enquiry *Br,* inquiry *Am* **2.** (COM) demand (*nach o in* for); **Nach•fra•ge•in•fla•ti•on** *f* demand inflation; **nach|fra•gen I.** *itr* ask, enquire *Br,* inquire *Am* **II.** *tr* (COM) ask for; **Nach•fra•ge•rück•gang** *m* (COM) slump in demand; **Nach•fra•ge•schub** *m* surge in demand; **Nach•fra•ge•über•hang** *m* surplus demand

Nach•frist *f* extension

nach|füh•len *tr* feel; **das kann ich dir** ~ I can understand your feelings

nach|fül•len *tr* **1.** (*Leeres wieder vollmachen*) refill **2.** (*auf~*) top up

Nach•füll•pa•ckung *f* refill (pack)

nach|ge•ben *irr itr* **1.** (MOT TECH: *federn*) give **2.** (*fig*) give way (*jdm o e-r Sache* to s.o., s.th.) **3.** (COM FIN: *Kurse*) drop, fall

Nach•ge•bühr *f* excess postage

Nach•ge•burt *f* (MED) afterbirth

nach|ge•hen *irr itr* **1.** (*folgen*) follow (*jdm* s.o.) **2.** (*ausüben*) practise (*e-r Sache* s.th.); (*verfolgen: Studium, Interessen etc*) pursue (*e-r Sache* s.th.) **3.** (*erforschen*) investigate, look into (*e-r Sache* s.th.) **4.** (*nicht aus dem Sinn gehen*) haunt (*jdm* s.o.) **5.** (*Uhr*) be slow; **meine Uhr geht zehn Minuten nach** my watch is ten minutes slow

Nach•ge•schmack *m* (*a. fig*) aftertaste

nach•ge•wie•se•ner•ma•ßen ['-----'--] *adv* as has been proved; **er ist ~ schuldig** he has been proved guilty

nach•gie•big ['na:xgi:bɪç] *adj* **1.** (*fig: weich*) soft; (*entgegenkommend*) compliant **2.** (*biegsam, elastisch*) pliable; **Nach•gie•big•keit** *f* **1.** (*fig: Weichheit*) softness; (*Entgegenkommen, Konzilianz*) compliance **2.** (*Biegsamkeit*) pliability

nach|grü•beln *itr* muse (*über* about)

nach|gu•cken *tr* (*fam*) check up, have a look

Nach•hall *m* **1.** reverberation **2.** (*fig: Anklang*) response (*auf* to); **nach|hal•len** *itr* reverberate

nach•hal•tig ['na:xhaltɪç] *adj* **1.** (*andauernd*) lasting **2.** (*ausdauernd*) sustained

nach|hän•gen *irr itr:* **s-n Erinnerungen** ~ indulge in one's memories

nach|hel•fen *irr itr:* **jdm** (**e-r Sache**) ~ give s.o. (s.th.) a helping hand

nach•her [na:x'he:ɐ/'--] *adv* (*danach*) afterwards; (*später*) later; **bis ~!** (*interj*) so long! see you later!

Nach•hil•fe *f* **1.** (*Hilfe*) assistance, help **2.** (*~unterricht*) extra [*o* private] tuition; **Nach•hil•fe•stun•de** *f* private lesson

nach|hin•ken *itr sein* (*fig fam*) lag behind (*hinter jdm o etw* s.o., s.th.)

Nach•hol•be•darf *m:* **einen ~ an etw** *dat* **haben** have a lot to catch up on in the way of s.th.

nach|ho•len *tr* **1.** (*Versäumtes etc aufholen*) make up (for), catch up (on) **2.** (*später holen*) get over; **ein Jahr später holte er s-e Familie nach** a year later he got his family over

Nach•hut <-> *f* (MIL) rearguard

nach|ja•gen *itr* **1.** *sein* chase after (*jdm o etw* s.o., s.th.) **2.** (*fig*) pursue (*e-r Sache* s.th.)

nach|kau•fen *tr* **1.** (*zeitlich*) buy later **2.** (*als Ersatz*) buy replacements (for); **Nach•kauf•ga•ran•tie** *f* availability guarantee

Nach•kom•me ['na:xkɔmə] <-n, -n> *m* descendant; **nach|kom•men** *irr itr* **1.** *sein* (*später kommen*) come later; (*folgen*) follow (*jdm* s.o.) **2.** (*Schritt halten*) keep up (*mit* with) **3.** (*fig: erfüllen*) comply with, fulfil (*e-r Sache* s.th.); **Nach•kom•men•schaft** *f* descendants *pl*

Nach•kömm•ling ['na:xkœmlɪŋ] <-s, -e> *m* **1.** (*Nachkomme*) descendant **2.** (*hum: Nachzügler(in)*) latecomer

Nach•kriegs•deutsch•land *n* postwar Germany; **Nach•kriegs•zeit** *f* postwar period

Nach•lass^{RR} ['na:xlas] <-es, -e/¨-e> *m* **1.** (COM: *Preis~*) discount, reduction (*auf* on) **2.** (*Erbe*) estate; **nach|las•sen I.** *irr tr* **1.** (*Preise*) reduce **2.** (*lockern*) slacken; **20 % vom Verkaufspreis** ~ give a 20 % discount on the retail price **II.** *itr* **1.** (*abnehmen, zurückgehen*) decrease **2.** (*sich abschwächen, abklingen*) ease off; (*von Kälte*) abate **3.** (*fallen: von Preisen*) drop, fall

nach•läs•sig ['na:xlɛsɪç] *adj* careless, negligent; **Nach•läs•sig•keit** *f* carelessness, negligence

nach|lau•fen *irr itr sein:* **jdm** (**e-r Sache**) ~ (*a. fig*) run after s.o. (s.th.)

Nach•le•se *f* **1.** (*Ähren~*) gleaning **2.** (*fig: literarische ~*) further selection

Nach•lö•se•ge•bühr *f extra fee payable when train ticket is purchased after journey*

has commenced
nach|lö•sen I. *tr* (RAIL): **eine Fahrkarte im Zug** ~ buy a ticket on the train II. *itr* (*zwecks Weiterfahrt*) pay the excess fare
nach|ma•chen *tr* 1. (*nachahmen*) copy, imitate 2. (*fälschen*) forge; (*kopieren*) copy 3. (*parodieren*) mimic; **das soll mir mal jem ~!** I'd like to see anybody else do that!
nach|mes•sen *irr tr* 1. (*zur Überprüfung*) check 2. (*noch einmal messen*) measure again
Nach•mie•ter(in) *m(f)* next tenant
Nach•mit•tag *m* afternoon; **am** ~ in the afternoon; **am** ~ **des 10.März** on the afternoon of March 10th; **heute** ~RR this afternoon; **gestern** ~RR yesterday afternoon; **nach•mit•tag** *adv s.* **Nachmittag**; **nach•mit•tags** *adv* in the afternoon; **Nach•mit•tags•vor•stel•lung** *f* matinée
Nach•nah•me *f* cash on delivery *Br*, collect on delivery *Am*; **etw per** ~ **schicken** send s.th. C.O.D; **Nach•nah•me•ge•bühr** *f* C.O.D. charge
Nach•na•me *m* last name, surname
Nach•por•to *n* excess postage
nach|prü•fen *tr* 1. (*nochmals prüfen*) reexamine 2. (*überprüfen*) check; (*auf Richtigkeit*) verify; **Nach•prü•fung** *f* 1. (*Überprüfung*) check (*e-r Sache* on s.th.) 2. (*nochmalige Prüfung*) re- examination; (*spätere Prüfung*) later examination
nach|rech•nen *tr itr* check
Nach•re•de *f* (JUR): **üble** ~ defamation of character; **nach|re•den** *tr* (*wiederholen*) repeat
nach|rei•chen *tr* hand in later
Nach•richt ['na:xrɪçt] <-, -en> *f* 1. (*Mitteilung*) message 2. (*Meldung*) (piece of) news *pl* 3. (*Bestätigung*) confirmation; **e-e** ~ a message [*o* a piece of news]; **die ~en** (RADIO TV) the news *sing;* **Nach•rich•ten•a•gen•tur** *f* news agency; **Nach•rich•ten•dienst** *m* 1. (RADIO TV) news service 2. (MIL POL) intelligence (service); **Nach•rich•ten•ka•nal** *m* (TV) news channel; **Nach•rich•ten•ma•ga•zin** *n* news magazine; **Nach•rich•ten•sa•tel•lit** *m* communications satellite; **Nach•rich•ten•sen•dung** *f* (RADIO TV) news cast; **Nach•rich•ten•sper•re** *f* news blackout; **Nach•rich•ten•spre•cher(in)** *m(f)* (RADIO TV) newsreader *Br*, newscaster *Am;* **Nach•rich•ten•tech•nik** *f* telecommunications *sing;* **Nach•rich•ten•we•sen** *n* communications *pl*
nach|rü•cken *itr sein* move up
Nach•ruf *m* obituary
nach|rüs•ten I. *tr* (*Gerät, Auto*) refit II. *itr* (MIL) rearm, deplay new arms; **Nach•rüs•tung** *f* 1. (*von Gerät, Auto*) refitting 2. (MIL) rearmament, deplayment of new arms
nach|sa•gen *tr* (*nachsprechen, wiederholen*) repeat; **jdm etw** ~ (*behaupten*) say s.th. of s.o.
Nach•sai•son *f* off-season, low season
nach|schau•en I. *tr* have a look at II. *itr* 1. (*hinterhersehen*) gaze after (*jdm* s.o., *e-r Sache* s.th.) 2. (*nachschlagen*) have a look
nach|schi•cken *tr* (*Briefe etc*) forward
nach|schla•gen I. *irr tr* (*Wort etc*) look up II. *itr* (*ähneln*): **jdm** ~ take after s.o.; **Nach•schla•ge•werk** *n* reference book
Nach•schlüs•sel *m* 1. (*weiterer Schlüssel*) duplicate key 2. (*Dietrich*) skeleton key
Nach•schrift *f* 1. (*im Brief*) postscript 2. (*Abschrift*) transcript
Nach•schub <-(e)s> *m* (MIL) 1. (*Verstärkung*) reinforcements *pl* 2. (*Verpflegung*) supplies *pl* (*an* of)
nach•schwät•zen *vt* (*österr*) repeat parrot-fashion
Nach•se•hen *n:* **das** ~ **haben** be left standing; **der allzu Bescheidene hat immer das** ~ (*prov*) modesty will never get you what you deserve; **nach|se•hen** I. *irr tr* 1. (*nachschlagen*) look up 2. (*nachsichtig sein*) forgive (*jdm etw* s.o. for s.th.) 3. (*überprüfen*) give a check II. *itr* 1. (*hinterhersehen*) gaze after (*jdm* s.o., *e-r Sache* s.th.) 2. (*nachschlagen*) have a look 3. (*überprüfen*) check
Nach•sen•de•an•schrift *f* forwarding adress
nach|sen•den *irr tr* (*Briefe etc*) forward; **bitte ~!** please forward!; **nicht ~!** not to be forwarded!
Nach•sicht *f* (*Geduld*) forbearance, leniency; ~ **haben (mit jdm)** be lenient (towards s.o.), be forbearing (with s.o.); **nach•sich•tig** *adj* 1. (*geduldig*) forbearing (*gegen o mit* with) 2. (*mild*) lenient (*gegen o mit* towards)
Nach•sil•be *f* (LING) suffix
nach|sit•zen *irr itr* (PÄD) be kept in, get detention; **jdn** ~ **lassen** keep s.o. in, give s.o. detention
Nach•sor•ge *f* (MED) after-care; **Nach•sor•ge•kli•nik** *f* after-care clinic
Nach•spei•se *f* dessert, sweet
Nach•spiel <-s> *n* 1. (THEAT) epilogue 2. (MUS) closing section 3. (*fig*) sequel; **ein tragisches** ~ **haben** (*fig*) have a tragic sequel
nach|spie•len I. *tr* play II. *itr* (SPORT) play extra time
nach|spre•chen *irr tr itr* repeat (*jdm etw* s.th. after s.o., *jdm* what s.o. says)
nächst [nɛ:çst] *präp* 1. (*am ~en*) next to 2.

(*außer*) aside from; **nächst•bes•te** ['-'--] *adj* the first ... that comes along; **Nächs•te(r)** *f m* **1.** (*in der Reihenfolge*) next one **2.** (*fig: Mitmensch*) neighbour; **nächs•te** *adj* **1.** (*am ~n gelegen*) nearest **2.** (*zeitlich o räumlich folgend*) next **3.** (*fig: eng: von Verwandtschaft etc*) closest; **aus ~r Nähe** from close by; **die ~ Umgebung** the immediate vicinity; **~n Mittwoch** next Wednesday; **in ~r Zukunft** in the near future; **Nächs•ten•lie•be** *f* love for one's fellow men

nach|ste•hen *irr itr* **1.** (*nachgestellt sein*) come after **2.** (*fig: geringer sein*): **jemandem (in etw) ~** be inferior to s.o. (in s.th.); **jdm in nichts ~** be someone's equal in every aspect

nach|stel•len **I.** *tr* **1.** (*nachstehen, folgen lassen*) put after **2.** (TECH: *neu justieren*) re-adjust; (*Uhr*) put back **II.** *itr:* **jdm ~** (*ihn verfolgen*) pursue s.o.; (*ihn belästigen*) pester s.o.

Nächs•ten•lie•be *f* **1.** (*Barmherzigkeit*) charity **2.** (*Liebe zum Nächsten*) brotherly love

nächs•tens *adv* **1.** (*bald*) before long, soon **2.** (*nächstes Mal*) next time

nächst•lie•gend *adj attr* (*fig*) most obvious; **das N~e** the most obvious thing

nach|su•chen *itr* **1.** (*suchen*) look (and see) **2.** (*ersuchen*) apply (*bei jdm um etw* to s.o. for s.th.)

Nacht [naxt, *pl:* 'nɛçtə] <-, ⸚e> *f* (*a. fig*) night; **bei ~, des ~s, in der ~** at night; **es wird ~** it's getting dark; **bei ~ u. Nebel** (*fig fam*) at dead of night; **e-s ~s** one night; **in tiefster ~** at dead of night; **die ganze ~ hindurch** all night (long); **in e-r dunklen ~** on a dark night; **über ~** (*a. fig*) overnight; **diese ~** (*heute ~*) tonight; **vergangene ~** last night; **über ~ bleiben** stay the night; **gute ~!** good night; **na, dann gute ~!** (*fam ironisch*) nice prospects!; **heute ~**[RR] (*letzte ~*) last night; (*kommende ~*) tonight; **Dienstag ~**[RR] Tuesday night; **nacht** *adv s.* **Nacht**

Nacht•ar•beit *f* night-work; **Nacht•blind•heit** *f* night blindness; **Nacht•creme** *f* night cream; **Nacht•dienst** *m* night duty

Nach•teil *m* **1.** (*Gegenteil von Vorteil*) disadvantage **2.** (*Schaden*) detriment; **jdm gegenüber im ~ sein** be at a disadvantage with s.o.; **zu jds ~** to some one's disadvantage [*o* detriment]; **es soll bestimmt nicht dein ~ sein!** you certainly won't lose by it!; **sich zu s-m ~ ändern** change for the worse; **nach•tei•lig** *adj* **1.** (*von Nachteil*) disadvantageous **2.** (*ungünstig*) unfavourable

näch•te•lang ['nɛçtə'laŋ] *adv* for nights on end

nach•ten *vi* (*CH*) grow dark

Nacht•es•sen *n* (*CH*) supper

Nacht•eu•le *f* (*fig fam*) night-bird; **Nacht•fal•ter** *m* (ZOO) moth; **Nacht•flug•ver•bot** *n* ban on night flights; **Nacht•frost** *m* night frost; **Nacht•hemd** *n* (*Damen~*) nightdress; (*fam*) nightie; (*Herren~*) nightshirt

Nach•ti•gall ['naxtɪgal] <-, -en> *f* (ORN) nightingale

näch•ti•gen *itr* spend the night

Nach•tisch *m* dessert

Nacht•klub *m* night club; **Nacht•la•ger** *n* place for the night; **Nacht•le•ben** *n* night life

nächt•lich ['nɛçtlɪç] *adj attr* **1.** (*jede Nacht*) nightly **2.** (*in der Nacht*) night, nocturnal

Nacht•lo•kal *n* night spot; **Nacht•por•tier** *m* night porter

Nach•trag ['naːxtraːk, *pl:* 'naːxtrɛːgə] <-(e)s, ⸚e> *m* **1.** (*zu e-m Buch*) supplement; (*zu e-m Manuskript*) addendum **2.** (*zu e-m Brief*) postscript; **nach|tra•gen** *irr tr* **1.** (*hinterhertragen*) carry after **2.** (*hinzufügen*) add **3.** (*fig*): **jdm etw ~** bear s.o. a grudge for s.th.; **nach•tra•gend** *adj* unforgiving

nach•träg•lich ['naːxtrɛːklɪç] *adj* **1.** (*zusätzlich*) additional **2.** (*später*) later **3.** (*verspätet*) belated; **~ herzlichen Glückwunsch** belated best wishes *pl*

Nach•trags•haus•halt *m* supplementary budget

nach|trau•ern *itr:* **jdm/e-r Sache ~** mourn the loss of s.o./s.th.

Nacht•ru•he *f* **1.** (*Schlaf in der Nacht*) sleep, night's rest **2.** (*Schlafenszeit*) lights-out

nachts ['naxts] *adv* at night *Br,* nights *Am;* **bis 2 Uhr ~** till two in the morning

Nacht•schal•ter *m* night desk; **Nacht•schicht** *f* nightshift; **~ haben** be on nightshift; **nacht•schla•fend** *adj* (*fam*): **zu ~er Zeit** in the very middle of the night; **aber doch nicht zu dieser ~en Zeit!** but not at this time of night!; **Nacht•schwes•ter** *f* night nurse; **Nacht•spei•cher•o•fen** *m* (EL) storage heater; **Nacht•strom** *m* cheap rate electricity; **Nacht•ta•rif** *m* night tariff; off-peak tariff; **Nacht•tisch** *m* bedside table; **Nacht•topf** *m* chamber pot; **Nacht•tre•sor** *m* night safe *Br,* night depository *Am;* **Nacht-und-Ne•bel-Ak•ti•on** *f* (*fam*) cloak-and-dagger operation; **Nacht•vor•stel•lung** *f* late-night performance; **Nacht•wa•che** *f* **1.** (*allgemein*) night-watch **2.** (*im Krankenhaus*) night duty; **Nacht•wäch•ter** *m* (*Wachmann*) night watchman; **Nacht•zeit** *f* night-time

Nach•un•ter•su•chung *f* (MED) check- up

nach•voll•zieh•bar *adj* comprehensible

nach|voll•zie•hen *irr tr* comprehend

nach|wach•sen *irr itr sein* (*wieder wachsen*) grow again

Nach•wahl *f* (POL) by-election *Br*, special election *Am*

Nach•we•hen *pl* **1.** (MED) after-pains **2.** (*fig*) after-effects, painful aftermath *sing*

nach|wei•nen *itr* shed tears (*jdm o e-r Sache* over s.o., s.th.)

Nach•weis ['na:xvaɪs] <-es, -e> *m* **1.** (*Beweis*) proof (*für, über* of) **2.** (*Bescheinigung*) certificate; **den ~ für etw führen** furnish proof of s.th.; **nach•weis•bar** *adj* **1.** (*beweisbar*) provable **2.** (TECH: *auffindbar*) detectable; **nach|wei•sen** *irr tr* **1.** (*beweisen*) prove **2.** (TECH: *Fehler etc auffinden*) detect; **nach•weis•lich** *adj* provable; **ein ~er Irrtum** a demonstrable error

Nach•welt *f*: **die ~** posterity

nach|wer•fen *irr tr*: **jdm etw ~** throw s.th. after s.o.; (*fig fam*) give s.o. s.th. on the cheap

nach|win•ken *itr*: **jdm ~** wave (goodbye) to s.o.

nach|wir•ken *itr* go on to have an effect; **Nach•wir•kung** *f* **1.** (*weitere, spätere Wirkung*) after-effect **2.** (*fig: Auswirkung*) consequence

Nach•wort <-(e)s, -e> *n* epilogue

Nach•wuchs *m* **1.** (*fig: beruflich*) young people *pl* **2.** (*hum: Nachkommen*) offspring *pl*

nach|zah•len *tr itr* **1.** (*mehr zahlen*) pay extra **2.** (*später zahlen*) pay later

nach|zäh•len *tr itr* check

Nach•zah•lung *f* additional payment

nach|zeich•nen *tr* **1.** (*Umrisse*) go over **2.** (*kopieren*) copy

nach|zie•hen I. *irr tr* **1.** (*Bein*) drag behind one **2.** (*Striche*) go over; (*Augenbrauen*) pencil over **3.** (*Schraube*) tighten up **II.** *itr sein* (*hinterherziehen*) follow (*jdm* s.o.)

Nach•zug *m*: **~ von Familienangehörigen** reuniting of family members, family reunification

Nach•züg•ler(in) ['na:xtsy:glɐ] *m(f)* (*a. fig*) latecomer

Na•cken ['nakən] <-s, -> *m* neck; **jdn im ~ haben** (*fig fam*) have s.o. on one's tail; **die Furcht saß ihr im ~** (*fig fam*) she was frightened out of her wits; **Na•cken•stüt•ze** *f* neck support

nackt [nakt] *adj* **1.** (*Mensch*) naked, nude **2.** (*entblößt, a. fig: unbewachsen etc*) bare; **jdn ~ ausziehen** strip s.o. naked; **Nackt•ba•de•strand** *m* nudist beach; **Nackt•heit** *f* **1.** (*von Mensch*) nakedness, nudity **2.** (*fig: Kahlheit*) bareness

Na•del ['na:dəl] <-, -n> *f* **1.** (*allgemein*) needle **2.** (*Ansteck~, etc*) pin; **Na•del•baum** *m* (BOT) conifer; **Na•del•dru•cker** *m* (EDV) dot-matrix printer; **Na•del•filz** *m* needle felting; **Na•del•höl•zer** *pl* conifers; **Na•del•kis•sen** *n* pin-cushion; **Na•del•la•ger** *n* (TECH) needle-roller bearing

na•deln *itr* (*Weihnachtsbaum*) shed its needles

Na•del•öhr ['na:dəlœ:ɐ] <-s, (-e)> *n* eye of a [*o* the] needle; **Na•del•stich** *m* **1.** (*Wunde*) prick **2.** (*beim Nähen, a.* MED) stitch **3.** (*fig*) pinprick; **Na•del•strei•fen•an•zug** *m* pinstripe suit; **Na•del•wald** *m* coniferous forest

Na•gel ['na:gəl, *pl:* 'nɛ:gəl] <-s, ¨-> *m* (*allgemein*) nail; (*großer*) spike; (*hölzerner*) peg; **den ~ auf den Kopf treffen** (*fig*) hit the nail on the head; **¨~ mit Köpfen machen** (*fig*) do the job properly; **etw an den ~ hängen** (*fig fam*) chuck s.th. in; **sich etw unter den ~ reißen** (*fig fam*) pinch s.th.; **an den ¨~n kauen** bite one's nails; **dieses Problem brennt mir unter den ¨~n** (*fig*) this problem is preying on my mind; **Na•gel•bürs•te** *f* nailbrush; **Na•gel•fei•le** *f* nailfile; **Na•gel•lack** *m* nail varnish; **Na•gel•lack•ent•fer•ner** *m* nail polish [*o* varnish] remover; **na•geln** *tr* nail (*an, auf* (on)to); **na•gel•neu** ['--'-] *adj* (*fam*) brand-new; **Na•gel•pfle•ge** *f* nail care; **Na•gel•sche•re** *f* nail-scissors *pl*

na•gen ['na:gən] *itr tr* **1.** (*a. fig*) gnaw (*an* at); (*knabbern*) nibble (*an* at) **2.** (*zerfressen*) eat (*an* into); **na•gend** *adj* **1.** (*Hunger*) gnawing **2.** (*fig: Zweifel etc*) nagging; **Na•ger** *m*, **Na•ge•tier** *n* (ZOO) rodent

nah [na:] <näher, nächst> **I.** *adj* **1.** (*räumlich*) close, near, nearby **2.** (*zeitlich*) approaching, near **3.** (*fig: eng, befreundet etc*) close; **jdm ~e sein** be near to s.o.; **der N~e Osten** the Middle East; **die ~e Zukunft** the near future; **von ~em** from close up **II.** *adv* **1.** (*räumlich*) close, near (*an, bei* to) **2.** (*zeitlich*) close **3.** (*fig: eng, intim etc*) closely; **jdm zu ~e treten** (*fig*) offend s.o.; **~ bevorstehen** be approaching; **ich war ~e daran zu gehen** (*fig*) I was on the point of leaving; **jdm etw ~e bringen**[RR] bring s.th. home to s.o.; **jdm ~e gehen**[RR] (*fig*) affect s.o.; **einander** [*o* **sich**] **~e kommen**[RR] become close; **jdm (e-r Sache) ~e kommen**[RR] (*fast gleichen*) come close to s.o. (s.th.); **jdm etw ~e legen**[RR] (*fig*) suggest s.th. to s.o.; **~e liegen**[RR] (*fig*) stand to reason, suggest itself; **~e liegend** nearby; **~e**

liegend[RR] (*fig*) manifest, obvious; **einem Menschen** [*o* **e-r Idee**] **~e stehen**[RR] be close to a person [*o* an idea]; **einer Partei ~e stehen**[RR] sympathize with a party **III.** *präp* close to, near; **ich war den Tränen ~e** I was on the verge of tears; **Nah•auf•nah•me** *f* close-up

Nä•he ['nɛːə] <-> *f* **1.** (*räumlich*) nearness, proximity; (*Nachbarschaft*) neighbourhood, vicinity **2.** (*zeitlich*) closeness; **es ist ganz in der ~** it is quite near; **ich habe ihn gern in meiner ~** I like to have him around; **in unmittelbarer ~** in close proximity; **in der** (**unserer**) **~** close by (us); **aus der ~** from close up

na•he•bei ['naːə'baɪ] *adv* nearby

na•he|brin•gen *s.* **nahe**

na•he|ge•hen *s.* **nahe**

na•he|kom•men *s.* **nahe**

na•he|le•gen *s.* **nahe**; **na•he|lie•gen** *s.* **nahe**; **na•he•lie•gend** *adj s.* **nahe**

na•hen ['naːən] *itr sein, refl haben* approach (*jdm* s.o., *e-r Sache* s.th.)

nä•hen ['nɛːən] *tr itr* **1.** (*allgemein*) sew **2.** (MED) suture

nä•her ['nɛːɐ] **I.** *adj* **1.** (*räumlich*) nearer (*jdm* to s.o., *e-r Sache* to s.th.) **2.** (*zeitlich*) closer **3.** (*fig: eingehender*) more detailed; **können Sie das ~ beschreiben?** could you explain that in more detail? **4.** (*fig: enger*) closer; **~e Umgebung** immediate vicinity **II.** *adv* **1.** (*räumlich, zeitlich*) closer, nearer **2.** (*fig: genauer*) more closely **3.** (*fig: eingehender*) in more detail; **das müssen wir uns einmal ~ ansehen** we ought to go into it; **~ kennenlernen** get to know better; **bitte treten Sie ~!** please step up!; **~ kommen** come nearer; **jdm ~ kommen**[RR] get closer to s.o.; **das kommt der Sache schon ~** that's nearer the mark

Nä•he•re *n* details *pl;* **ich möchte ~s darüber erfahren** I would like to know more about it

Nah•er•ho•lung *f* local recreation; **Nah•er•ho•lungs•ge•biet** *n* recreational area (close to a town)

Nä•he•rin ['nɛːərɪn] *f* seamstress

nä•her|kom•men *s.* **näher**

nä•hern ['nɛːɐn] **I.** *refl* approach (*jdm* s.o., *e-r Sache* s.th.) **II.** *tr* bring closer

Nä•he•rungs•wert *m* (MATH) approximate value

na•he|ste•hen *s.* **nahe**

na•he•zu ['naːə'tsuː] *adv* almost, nearly

Näh•garn *m* (*n*) (sewing) thread

Nah•kampf *m* **1.** (MIL) close combat **2.** (SPORT) clinch

Näh•kas•ten *m* sewing box; **Näh•korb** *m* work-basket; **Näh•ma•schi•ne** *f* sewing machine; **Näh•na•del** *f* (sewing) needle

Nähr•bo•den *m* **1.** (CHEM) nutrient medium **2.** (*fig*) breeding ground; **Nähr•creme** *f* nourishing cream, replenishing cream

näh•ren ['nɛːrən] **I.** *tr* **1.** (*er~*) feed **2.** (*fig*) cherish, foster **II.** *itr* (*nahrhaft sein*) be nourishing **III.** *refl* feed o.s.

nahr•haft ['naːɐhaft] *adj* **1.** (*Essen*) nourishing, nutritious **2.** (*Boden*) fertile

Nähr•lö•sung *f* nutrient solution, substrate; **Nähr•salz** *n* nutritive salt; **Nähr•stoff** *m* nutrient; **nähr•stoff•arm** *adj* **1.** (*Gewässer*) oligotrophic **2.** (*Nahrung*) nutrient-poor; **nähr•stoff•reich** *adj* **1.** (*Gewässer*) eutrophic **2.** (*Nahrung*) nutritious

Nah•rung ['naːrʊŋ] *f* food; **Nah•rungs•bi•o•top** *nt* food biotope; **Nah•rungs•ket•te** *f* (BIOL) food chain; **Nah•rungs•mit•tel** *n* foodstuff; **Nah•rungs•mit•tel•in•dus•trie** *f* food industry; **Nah•rungs•mit•tel•ver•gif•tung** *f* food poisoning; **Nah•rungs•su•che** *f* search for food

Nähr•wert *m* nutritional value

Näh•sei•de *f* sewing-silk

Naht [naːt, *pl:* 'nɛːtə] <-, ¨-e> *f* **1.** (*Saum*) seam **2.** (MED BOT) suture **3.** (TECH) joint

naht•los *adj* **1.** (*ohne Nähte*) seamless **2.** (*fig*) imperceptible, smooth; **~er Übergang** (*fig*) smooth transition

Naht•stel•le *f* link, interface

Nah•ver•kehr *m* local traffic; **Nah•ver•kehrs•zug** *m* local train, commuter train

Näh•zeug *n* sewing kit

na•iv [na'iːf] *adj* naive; **Na•i•vi•tät** [naivi'tɛːt] *f* naivety

Na•me ['naːmə] <-ns, -n> *m* **1.** (*Benennung*) name **2.** (*fig: Ruf*) name, reputation; **unter dem ~n XY** under the name of XY; **im ~n der Gerechtigkeit** in the name of justice; **ich gebe meinen ~n für e-e solche Schweinerei nicht her!** I'll not lend my name to such a mean trick!; **das Kind beim ~n nennen** (*fig fam*) call a spade a spade; **in Gottes ~n, ja!** (*fam*) for heaven's sake, yes!; **dem ~n nach** by name; **s-n ~n nennen** give one's name

na•men•los **I.** *adj* (*ohne Namen*) nameless; (*anonym*) anonymous **II.** *adv* (*äußerst*) unutterably

na•mens **I.** *adv* (*genannt*) by the name of, named **II.** *präp* (*im Auftrag von*) in the name of, on behalf of

Na•mens•tag *m* name day, Saint's day; **Na•mens•ver•zeich•nis** *n* list of names; **Na•mens•vet•ter** *m* namesake; **Na•mens•zug** *m* (*Unterschrift*) signature

na•ment•lich **I.** *adj* by name; **~e Abstimmung** roll call vote **II.** *adv* (*besonders*) especially, particularly

nam•haft *adj* **1.** (*bekannt*) renowned, well-known **2.** (*beträchtlich*) considerable

näm•lich ['nɛːmlɪç] **I.** *adj* same **II.** *adv* **1.** (*und zwar*) namely **2.** (*fam: weil*) you see; **ich kann nicht kommen, ich habe ~ noch zu tun** I can't come because I've still got some work to do, you see; **die Sache ist ~ die ...** it's like this you see ...

na•nu [na'nuː] *interj:* **~!** well I never!; **~, wer kommt denn da?** hello, who's this?

Napf [napf, *pl:* 'nɛpfə] <-(e)s, ⸚e> *m* bowl

Nar•be ['narbə] <-, -n> *f* **1.** (*a. fig*) scar **2.** (*Leder~*) grain **3.** (BOT) stigma; **nar•big** *adj* **1.** (*allgemein*) scarred **2.** (*Leder*) grained

Nar•ko•se [nar'koːzə] <-, -n> *f* (MED) an(a)esthesia; **nar•ko•ti•sie•ren** *tr* (*a. fig*) drug

Narr [nar] <-en, -en> *m* **1.** (*Dummkopf*) fool **2.** (HIST: *Hof~*) jester; **jdn zum ~en halten** make a fool of s.o.; **e-n ~en an jdm (etw) gefressen haben** dote on s.o. (s.th.); **sei kein ~!** don't be foolish!; **Nar•ren•haus** *n* madhouse; **Nar•ren•kap•pe** *f* fool's cap; **Narr•heit** *f* **1.** (*das Närrischsein*) folly **2.** (*närrische Tat*) foolish thing to do

När•rin *f* fool; **när•risch** ['nɛrɪʃ] *adj* foolish, crazy

Nar•zis•se [nar'tsɪsə] <-, -n> *f* (BOT) narcissus; **gelbe ~** daffodil

Na•sal(•laut) [na'zaːl] <-s, -e> *m* (LING) nasal (sound)

na•schen ['naʃən] **I.** *itr* **1.** (*Süßigkeiten essen*) eat titbits **2.** (*verstohlen probieren*) pinch a bit; **gern ~** have a sweet tooth **II.** *tr* nibble; **nasch•haft** *adj* fond of sweet things; **Nasch•kat•ze** *f* (*fam*): **eine ~ sein** have a sweet tooth

Na•se ['naːzə] <-, -n> *f* (*allgemein, a. fig*) nose; **auf der ~ liegen** (*fig fam: hingefallen sein*) be flat on one's face; (*krank sein*) be laid up; **jdn vor die ~ gesetzt bekommen** (*fam*) have s.o. plonked in front of one; **pro ~** (*fig fam: pro Kopf*) per head; **der ~e nach gehen** follow one's nose; **jdm etw unter die ~ reiben** (*fig fam*) rub someone's nose in s.th.; **jdm auf der ~ herumtanzen** (*fig fam*) play s.o. up; **ich lasse mir (von dir) nicht auf der ~ herumtanzen!** (*fig fam*) I won't stand any cheek (from you)!; **jdm etw auf die ~ binden** (*fig fam*) spill the beans about s.th. to s.o.; **s-e ~ in anderer Leute Angelegenheiten stecken** (*fig fam*) poke one's nose into other people's business; **jdn an der ~ herumführen** (*fig fam*) lead s.o. by the nose; **jdm die Tür vor der ~ zuschlagen** (*fam*) slam the door in someone's face; **jdm die Würmer aus der ~ ziehen** (*fig fam*) drag it all out of s.o.; **er hat die richtige ~ dafür** (*fig fam*) he's got the nose for it; **e-e gute ~ für etw haben** (*fig fam*) have a good nose for s.th.; **die ~ voll haben von ...** (*fig fam*) be fed up with ...

nä•seln ['nɛːzəln] *itr* speak through one's nose

Na•sen•bein *n* (ANAT) nasal bone; **Na•sen•blu•ten** *n* nosebleed; **er hat ~** his nose is bleeding; **Na•sen•flü•gel** *m* (ANAT) side of the nose; **Na•sen•län•ge** *f*: **jdm um eine ~ voraus sein** to beat s.o. by a nose; **Na•sen•loch** *n* (ANAT) nostril; **Na•sen•rü•cken** *m* (ANAT) bridge of the nose; **Na•sen•schei•de•wand** *f* (ANAT) nasal septum; **Na•sen•schleim•haut** *f* (ANAT) mucous membrane; **Na•sen•spit•ze** *f* tip of the nose; **man sieht es ihm an der ~ an** you can tell by his face; **Na•sen•spray** *n* nose spray; **Na•sen•trop•fen** *pl* nose drops

Na•se•weis ['naːzəvaɪs] <-es, -e> *m* **1.** (*Besserwisser*) know-all **2.** (*vorlauter Mensch*) precocious brat; **na•se•weis** *adj* cheeky, saucy

Nas•horn *n* (ZOO) rhinoceros

nass[RR] [nas] *adj* wet; **~ bis auf die Haut** wet to the skin; **wie ein nasser Sack** (*fig fam*) like a wet rag

Näs•se ['nɛsə] <-> *f* wetness; **vor ~ schützen** keep dry

nass•kalt[RR] *adj* chilly and damp

Nass•ra•sur[RR] *f* wet shave; **Nass•zel•le**[RR] *f* (ARCH) sanitary unit

Nas•tuch *n* (*CH*) handkerchief

Na•ti•on [na'tsjoːn] *f* nation; **na•ti•o•nal** [natsio'naːl] *adj* national; **Na•ti•o•nal•be•wusst•sein**[RR] *n* national consciousness; **Na•ti•o•nal•hym•ne** *f* national anthem; **Na•ti•o•na•list(in)** *m(f)* (POL) nationalist; **na•ti•o•na•lis•tisch** *adj* (POL) nationalist(ic)

Na•ti•o•na•li•tät *f* nationality; **Na•ti•o•nal•mann•schaft** *f* national team; **Na•ti•o•nal•rat** *m* (*österr, CH*) National Assembly, parliament; **Na•ti•o•nal•so•zia•lis•mus** *m* national socialism; **Na•ti•o•nal•staat** *m* nation state; **Na•ti•o•nal•ver•samm•lung** *f* national assembly

NATO [naːto] *f Abk. von* **North Atlantic Treaty Organization** NATO

Na•tri•um ['naːtriʊm] <-s> *n* (CHEM) sodium

Na•tron ['naːtrɔn] <-s> *n* (CHEM): **kohlensaures ~** sodium carbonate

Nat•ter ['natɐ] <-, -n> *f* (*a. fig*) adder, viper

Na•tur [na'tuːɐ] *f* **1.** (*a. ~zustand*) nature **2.** (*freie ~, Land*) countryside; **die [o Gottes] freie ~** the open countryside; **von ~ aus**

schüchtern shy by nature; **das liegt in der ~ der Dinge** that's in the nature of things; **das geht mir wider die ~** that goes against the grain (with me)

Na·tu·ra·li·en [natu'ra:liən] *pl* natural produce *sing;* **in ~ bezahlt werden** be paid in kind

na·tu·ra·li·si·eren *tr* (JUR POL) naturalize

Na·tu·ra·lis·mus *m* naturalism

Na·tu·ral·lohn *m* payment in kind

Na·tur·denk·mal *nt* natural monument

Na·tu·rell [natu'rɛl] <-s, -e> *n* disposition, temperament

Na·tur·er·eig·nis *n,* **Na·tur·er·schei·nung** *f* natural phenomenon; **na·tur·far·ben** *adj* natural-coloured; **Na·tur·fa·ser** *f* natural fibre; **Na·tur·for·scher(in)** *m(f)* natural scientist; **Na·tur·freund(in)** *m(f)* nature-lover; **na·tur·ge·mäß I.** *adj* natural **II.** *adv* naturally; **Na·tur·ge·setz** *n* law of nature; **na·tur·ge·treu** *adj* **1.** (*wie in der Realität*) lifelike, true to life **2.** (*lebensgroß*) full-scale, life-size; **Na·tur·haus·halt** *m* ecosystem; **Na·tur·heil·kun·de** *f* nature healing; **Na·tur·heil·ver·fah·ren** *nt* natural cure; **Na·tur·ka·tas·tro·phe** *f* natural disaster; **Na·tur·kos·me·tik** *f* natural cosmetics; **Na·tur·kost·la·den** *m* health food shop; **Na·tur·kraft** *f* natural power; **⸚e** physical agents; **Na·tur·kun·de** *f* natural history; **Na·tur·lehr·pfad** *m* nature trail

na·tür·lich [na'ty:ɐlɪç] **I.** *adj* natural **II.** *adv* **1.** (*der Natur entsprechend*) naturally **2.** (*selbstverständllich*) of course; **~!** of course! sure!; **Na·tür·lich·keit** *f* naturalness

na·tur·nah *adj* close to nature; **Na·tur·pro·dukt** *n* natural product; **Na·tur·recht** *n* natural right; **na·tur·rein** *adj* natural, pure; **Na·tur·schau·spiel** *n* natural spectacle; **Na·tur·schön·heit** *f* beauty spot; **Na·tur·schutz** *m* protection of nature; **Na·tur·schutz·be·auf·trag·te(r)** *f m* commissioner for nature preservation; **Na·tur·schutz·be·hör·de** *f* nature conservation authority; **Na·tur·schutz·ge·biet** *n* nature reserve; **Na·tur·volk** *n* primitive people; **Na·tur·wis·sen·schaft(en)** *f (pl)* natural sciences *pl;* **Na·tur·wis·sen·schaft·ler(in)** *m(f)* scientist; **na·tur·wis·sen·schaft·lich** *adj* scientific

Na·vel·oran·ge *f* navel orange

Na·vi·ga·ti·on [naviga'tsjo:n] *f* (MAR) navigation; **na·vi·gie·ren** *tr itr* navigate

Nazi ['na:tsi] <-s, -s> *m* Nazi

Ne·an·der·ta·ler [ne'andɐta:lɐ] <-s, -> *m* Neanderthal man

Ne·bel ['ne:bəl] <-s, -> *m* **1.** fog; (*dünn*) mist **2.** (*fig*) haze **3.** (ASTR) nebula; **ne·bel·haft** *adj* (*fig*) nebulous; **Ne·bel·horn** *n* (MAR) foghorn; **ne·b(e)·lig** *adj* foggy, misty; **Ne·bel·krä·he** *f* (ORN) hooded crow; **Ne·bel·schein·wer·fer** *m* (MOT) fog lamp *Br,* fog light *Am;* **Ne·bel·schluss·leuch·te**[RR] *f* (MOT) rear foglight; **Ne·bel·schwa·den** [-ʃva:dən] <-s, -> *m* waft of mist

ne·ben ['ne:bən] *präp* **1.** (*örtlich*) beside, next to ... **2.** (*außer*) apart from ... *Br,* aside from ... *Am* **3.** (*im Vergleich zu*) compared with ...; **ne·ben·an** [--'-] *adv* next door

Ne·ben·an·schluss[RR] *m* (TELE) extension; **Ne·ben·aus·ga·ben** *pl* incidentals; **Ne·ben·be·deu·tung** *f* secondary meaning

ne·ben·bei [--'-] *adv* **1.** (*zu gleicher Zeit*) at the same time **2.** (*außerdem*) besides, moreover **3.** (*beiläufig*) incidentally; **~ bemerkt** by the way; **~ arbeiten** work on the side; **das ist kein Problem, so etw mache ich ~!** (*fam*) that's no problem, I'll do that (with) no bother!

Ne·ben·be·ruf *m,* **Ne·ben·be·schäf·ti·gung** *f* sideline; **Ne·ben·buh·ler(in)** ['ne:bənbu:lɐ] *m(f)* rival; **Ne·ben·ef·fekt** *m* side effect; **Ne·ben·ein·an·der** <-s> *n* juxtaposition; **ne·ben·ein·an·der** *adv* **1.** (*räumlich*) side by side **2.** (*zeitlich*) at the same time; **Ne·ben·ein·gang** *m* side entrance; **Ne·ben·ein·nah·men** *pl* additional income *sing;* **Ne·ben·er·schei·nung** *f* side effect; **Ne·ben·fach** *n* subsidiary subject *Br,* minor *Am;* **Ne·ben·fluss**[RR] *m* tributary; **Ne·ben·ge·bäu·de** *n* **1.** (*benachbartes Haus*) adjacent building **2.** (*Anbau*) annex(e); **Ne·ben·gleis** *n* (RAIL) siding *Br,* sidetrack *Am;* **Ne·ben·ge·räusch** *n* (TELE RADIO TV) interference; **Ne·ben·hand·lung** *f* subplot

ne·ben·her ['--'-] *adv* **1.** (*gleichzeitig*) at the same time **2.** (*nebenbei, beiläufig*) by the by(e)

Ne·ben·kla·ge *f* (JUR) incidental action; **Ne·ben·klä·ger(in)** *m(f)* (JUR) joint plaintiff; **Ne·ben·kos·ten** *pl* additional costs, extra charges; **Ne·ben·li·nie** *f* (*in Genealogie*) collateral line; **Ne·ben·mann** <-(e)s, -männer/-leute> *m* neighbour; **Ne·ben·nie·re** *f* (ANAT) suprarenal capsule; **Ne·ben·pro·dukt** *n* by-product; **Ne·ben·rol·le** *f* minor part; **Ne·ben·sa·che** *f* minor matter, trifle; **ne·ben·säch·lich** *adj* minor, unimportant; **Ne·ben·sai·son** *f* dead season, off-season; **Ne·ben·satz** *m* (GRAM) subordinate clause; **ne·ben·ste·hend** *adv* in the margin; **~e Abbildung** illustration opposite; **Ne·ben·stel·le** *f* **1.** (TELE) extension **2.** (COM: *Vertretung*) agency; (*Filiale*) branch; **Ne·ben-**

stel•len•an•la•ge *f* (TELE) switchboard with extensions; **Ne•ben•stra•ße** *f* **1.** (*innerhalb e-r Stadt*) side street **2.** (*außerhalb der Stadt*) minor road; **Ne•ben•stre•cke** *f* (RAIL) branch line; **Ne•ben•ver•dienst** *m* side income; **Ne•ben•wir•kung** *f* side effect; **Ne•ben•zim•mer** *n* next [*o* adjoining] room; **in e-m ~** in an adjoining room

nebst [ne:pst] *präp* together with

ne•bu•lös [nebu'løs] *adj* nebulous, vague

ne•cken ['nɛkən] **I.** *tr* tease (*jdn mit etw* s.o. about s.th.) **II.** *refl* have a tease; **ne•ckisch** *adj* **1.** (*neckend*) teasing **2.** (*fam: kess*) saucy

Nef•fe ['nɛfə] <-n, -n> *m* nephew

Ne•ga•tiv <-s, -e> *n* (PHOT) negative

ne•ga•tiv ['ne(:)gati:f] *adj* negative

Ne•ger(in) ['ne:gɐ] <-s, -> *m(f)* negro (negress)

ne•gie•ren *tr* **1.** (*verneinen*) negate **2.** (*bestreiten*) deny

neh•men ['ne:mən] *irr tr itr* take; **etw in die Hand ~** pick s.th. up; (*fig*) take s.th. in hand; **wieviel ~ Sie dafür?** how much do you take for that?; **die ~'s von den Lebendigen** (*fam*) they make you pay through the nose; **die Dinge ~, wie sie kommen** take things as they come; **sie weiß ihn zu ~** she knows how to take him; **ein Hindernis ~** take an obstacle; **man nehme ...** take ...; **sich e-n Anwalt ~** get a lawyer; **jdn zu sich ~** take s.o. in; **etw zu sich ~** take [*o* have] s.th.; **etw auf sich ~** take s.th. upon o.s.; **wie man's nimmt** (*fam*) that depends (on your point of view); **es sich nicht ~ lassen(,) etw zu tun** insist on doing s.th.; **das nahm ihm alle Hoffnung** that took away all his hope; **etw schwer ~**[RR] take s.th. hard

Neid [naɪt] <-(e)s> *m* envy (*auf jdn* of s.o.); **vor ~ platzen** (*fam*) be eaten up with envy; **aus ~** out of envy; **der blanke ~** sheer envy; **vor ~ erblassen** grow pale with envy; **nei•den** ['naɪdən] *tr:* **jdm etw ~** envy s.o. s.th.; **Nei•der(in)** *m(f)* envious person; **viele ~ haben** be much envied; **nei•disch** *adj* envious, jealous (*auf* of)

Nei•ge ['naɪgə] <-, -n> *f* **1.** (*im Glas*) dregs *pl* **2.** (*Reste*) remains *pl;* **bis zur bitteren ~** (*fig*) right to the bitter end; **zur ~ gehen** draw to an end

nei•gen **I.** *tr* (*beugen*) bend; (*senken*) lower; (*kippen*) tilt **II.** *itr* (*fig*): **zu etw ~** tend [*o* have a tendency] to s.th. **III.** *refl* **1.** (*Ebene*) slope **2.** (*Person*) bend **3.** (*sich ver~*) bow

Nei•ge•zug *m* (RAIL) tilting train

Nei•gung *f* **1.** (*Gefälle*) incline **2.** (*fig: Tendenz*) tendency; (*Hang*) inclination

Nei•gungs•win•kel *m* angle of inclination

Nein [naɪn] <-s> *n* no; **zwei Ja gegen fünf ~** (PARL) two ayes to five, noes *Br,* nays *Am;* **mit ~ antworten** answer in the negative; **nein** *adv* no; **da sage ich nicht N~**[RR] [*o* ~] I wouldn't say no; **~ u. nochmals ~!** for the last time: no!; **~, wie kann man bloß!** fancy doing that!; **~, so was!** well I never!; **Nein•sa•ger(in)** *m(f)* (*fig*) engrained obstructionist; **Nein•stim•me** *f* no-vote

Nek•tar ['nɛkta:ɐ] <-s> *m* nectar

Nek•ta•ri•ne [nɛkta'ri:nə] <-, -n> *f* (BOT) nectarine

Nel•ke ['nɛlkə] <-, -n> *f* **1.** (BOT) pink, carnation **2.** (*Gewürz*) clove

nen•nen ['nɛnən] **I.** *irr tr* **1.** (*be~*) call **2.** (*aufzählen, angeben*) name **3.** (*erwähnen*) mention; **jdn (etw) nach jdm ~** name s.o. (s.th.), after s.o. *Br,* for s.o. *Am;* **~ Sie mir bitte e-n guten Arzt** please give me the name of a good doctor **II.** *refl* call o.s.; **und so was nennt sich Liebe** and that's what they call love; **nen•nens•wert** *adj* worth mentioning; **Nen•ner** *m* (MATH) denominator; **etw auf e-n gemeinsamen ~ bringen** (*a. fig*) reduce s.th. to a common denominator; **Nenn•wert** *m* (FIN) nominal value; **zum ~** at par

Ne•o•fa•schis•mus *m* neo-fascism

Ne•on ['ne:ɔn] <-s> *n* (CHEM) neon

Ne•o•na•zi ['ne:ona:tsi] <-s, -s> *m* neo-Nazi; **Ne•o•na•zis•mus** *m* neo-Nazi(i)sm; **ne•o•na•zis•tisch** *adj* neo-Nazi

Ne•on•licht *n* neon light; **Ne•on•röh•re** *f* neon tube

Ne•o•pren [neo'pre:n] <-s> *n* neoprene

Nepp [nɛp] *m* (*fam*): **so was von ~!** that's daylight robbery!; **nep•pen** *tr* (*fam*) fleece

Nerv [nɛrf] <-s, -en> *m* nerve; **jdm auf die ~en gehen** (*fam*) get on someone's nerves; **die ~en verlieren** lose one's head; **die ~en nicht verlieren** not to lose one's cool; **Sie haben ~en!** (*fam*) you've got a nerve! *sing;* **~en wie Drahtseile** (*fig*) nerves of steel

ner•ven *tr* (*fam*) irritate; **jdn ~** get on s.o.'s nerves

Ner•ven•arzt, **-ärz•tin** *m, f* (MED) neurologist; **ner•ven•auf•rei•bend** *adj* nerve-racking; **Ner•ven•bün•del** *m* (*fig fam*) bundle of nerves; **Ner•ven•gift** *n* nerve poison; **Ner•ven•heil•an•stalt** *f* psychiatric clinic; **Ner•ven•krank•heit** *f* nervous disease; **Ner•ven•krieg** *m* (*fig*) war of nerves; **Ner•ven•sä•ge** *f* (*fam pej*) pain in the neck; **Ner•ven•schmer•zen** *mpl* neuralgia; **ner•ven•schwach** *adj* with weak nerves; **ner•ven•stark** *adj* with strong nerves; **ner•ven•stär•kend** *adj* tonic; **Ner•ven•sys•tem** *n* (ANAT) nervous system; **Ner•ven•zel•le** *f* (ANAT) nerve cell; **Ner•ven•zen•trum** *n* (PHYS BIOL) nerve centre; **Ner•ven•zu•sam•men•bruch** *m* nervous breakdown

nerv•lich *adj:* **er ist ~ fertig** he is at the end of his tether

ner•vös [nɛrˈvøːs] *adj* nervous; **Ner•vo•si•tät** [nɛrvoziˈtɛːt] *f* nervousness

nerv•tö•tend *adj* nerve-racking; (*Geräusch*) irritating

Nerz [nɛrts] <-es, -e> *m* (ZOO) mink

Nes•sel [ˈnɛsəl] <-, -n> *f* (BOT) nettle; **sich in die ~n setzen** (*fig fam*) put o.s. in a spot; **Nes•sel•fie•ber** *nt* nettle rash; **Nes•sel•sucht** *f* urticaria

Nes•ses•sär[RR] <-(e)s> *n* manicure set

Nest [nɛst] <-(e)s, -er> *n* **1.** (*allgemein*) nest **2.** (*fam: Kleinstadt*) little place; (*pej: Dorf*) dump; **das eigene ~ beschmutzen** (*fig*) foul one's own nest; **Nest•wär•me** *f* (*fig*) love and security

nett [nɛt] *adj* **1.** (*freundlich*) nice **2.** (*hübsch*) cute, pretty

Net•tig•keit *f* kindness, goodness

net•to [ˈnɛto] *adv* (COM) net; **Net•to•ein•kom•men** *n* net income; **Net•to•ge•wicht** *n* net weight; **Net•to•lohn** *m* net wage

Netz [nɛts] <-es, -e> *n* **1.** (*allgemein*) net; (*Spinnen~*) web **2.** (RAIL RADIO TV EDV) network; (EL) grid **3.** (*Gepäck~*) rack; **ans ~ gehen** (*Kraftwerk*) go into service, join up with the national grid; **jdm ins ~ gehen** (*fig*) fall into someone's trap; **der Ball ging ins ~** (SPORT) the ball went into the net; **Netz•an•schluss**[RR] *m* (EL) mains connection; **netz•ar•tig** *adj* reticular; **Netz•au•ge** *n* compound eye; **Netz•ge•rät** *n* (EL) mains receiver; **Netz•haut** *f* (ANAT) retina; **Netz•hemd** *n* string, vest *Br,* undershirt *Am;* **Netz•kno•ten** *m* (EDV) node; **Netz•span•nung** *f* (EL) mains voltage; **Netz•ste•cker** *m* (EL) power plug; **Netz•strümp•fe** *mpl* fish-net stockings; **Netz•teil** *n* (EL) power supply; **Netz•teil•neh•mer** *m* (EDV) member of the network

neu [nɔɪ] *adj* **1.** (*allgemein*) new **2.** (*frisch*) fresh **3.** (*kürzlich*) recent; **aufs N~e**[RR], **von ~em** anew; **wieder ~ anfangen** start all over again; **die ~este Mode** the latest fashion; **~este Nachrichten** latest news; **was gibt es N~es?** what's the news? *Br,* what's new? *Am;* **das ist mir nichts N~es** that's no news to me; **das ist mir ~** that's new(s) to me

Neu•an•kömm•ling *m* newcomer; **Neu•an•schaf•fung** *f* new purchase; **neu•ar•tig** *adj* new; **Neu•auf•la•ge** *f* **1.** (*verbesserte, erweiterte etc Auflage*) new edition **2.** (*unveränderter Nachdruck*) reprint; **Neu•bau** *m* new building; **Neu•bau•ge•biet** *n* development area; **Neu•bau•woh•nung** *f* newly built flat *Br,* apartment *Am;* **Neu•be•ar•bei•tung** *f* (*von Buch*) revised edition; **Neu•be•wer•tung** *f* reassessment; **Neu•bil•dung** *f* **1.** (LING) neologism **2.** (*Regierung*) restructuring

neu•er•dings [ˈnɔɪɐˈdɪŋs] *adv* recently

Neu•er•schei•nung *f* (*Buch*) new book

Neu•e•rung *f* **1.** (*Innovation, neues Produkt etc*) innovation **2.** (*Reform*) reform

Neu•fund•land [nɔɪˈfʊntlant] <-s> *n* Newfoundland

neu•ge•bo•ren [ˈ--ˈ--] *adj* newborn; **ich fühle mich wie ~** I feel like a new man [*o* woman]; **Neu•ge•stal•tung** *f* rearrangement; **Neu•gier(•de)** <-> *f* curiosity; **aus ~** out of curiosity; **neu•gie•rig** *adj* curious (*auf* about); **da bin ich aber ~!** I can hardly wait!; **~ sein, ob ...** wonder if [*o* whether] ...; **sei doch nicht immer so ~!** curiosity killed the cat!; **Neu•heit** *f* novelty

Neu•ig•keit *f* (piece of) news

Neu•in•sze•nie•rung *f* (THEAT FILM) new production; **Neu•jahr** *n* New Year; **jdm zu ~ gratulieren** wish s.o. a Happy New Year; **Prost ~!** here's to the New Year!

Neu•ka•le•do•nien *n* New Caledonia

Neu•land <-(e)s> *n* (*fig*) new ground

neu•lich *adv* recently, the other day

Neu•ling *m* newcomer; **neu•mo•disch** *adj* (*fam*) new-fangled; **Neu•mond** *m* new moon

neun [nɔɪn] *num* nine; **alle ~e!** strike!; **Neun•tel** <-s, -> *n* ninth; **neun•zehn** *num* nineteen; **neun•zehn•te** *adj* nineteenth; **neun•zig** *num* ninety

Neu•ori•en•tie•rung *f* reorientation; **Neu•phi•lo•lo•ge, -lo•gin** *m, f* modern linguist

Neu•r•al•gie [nɔɪralˈgiː] *f* (MED) neuralgia; **neu•r•al•gisch** *adj* (MED) neuralgic; **ein ~er Punkt** (*fig*) a trouble spot

Neu•r•as•the•nie [nɔɪrasteˈniː] *f* (MED) neurasthenia

Neu•re•ge•lung *f* revision; **Neu•rei•che(r)** *f m* nouveau riche

Neu•ro•chi•r•urg(in) [ˈnɔɪroçirʊrk] <-en, -en> *m(f)* neurosurgeon

Neu•ro•der•mi•tis [nɔɪrodɛrˈmiːtɪs] <-> *f* neurodermitis

Neu•ro•se [nɔɪˈroːzə] <-, -n> *f* (MED) neurosis; **Neu•ro•ti•ker(in)** *m(f)* (PSYCH) neurotic; **neu•ro•tisch** *adj* (PSYCH) neurotic

Neu•schnee *m* fresh snow

Neu•see•land [-ˈ--] <-s> *n* New Zealand; **Neu•see•län•der(in)** *m(f)* New Zealander; **neu•see•län•disch** *adj* New Zealand

neu•t•ral [nɔɪˈtraːl] *adj* neutral; **neu•t•ra•li•sie•ren** *tr* neutralize; **Neu•t•ra•li•tät** *f* neutrality

Neu•tron [nɔɪ'troːn] <-s, -en> *n* (PHYS) neutron; **Neu•tro•nen•bom•be** *f* (MIL) neutron bomb; **Neu•tro•nen•strah•lung** *f* neutron radiation

Neu•trum ['nɔɪtrʊm] <-s, -tra> *n* (*a. fig*) neuter

Neu•ver•schul•dung *f* (FIN) new borrowings *pl*, taking on new debt; **Neu•wa•gen** *m* new car; **Neu•wahl** *f* (POL) re-election; **Neu•wert** *m* purchase price; **neu•wer•tig** *adj* as (good as) new

Neu•zeit *f* modern times *pl*

nicht [nɪçt] **I.** *adv* not; ~ **einmal das** not even that; ~ **doch!** (*gewiss* ~) certainly not!; (*hör auf*) don't! stop it!; **durchaus** ~ (**ganz u. gar** ~) not at all (by no means); **schön, ~?** nice, isn't it?; ~ **mehr** [*o* **länger**] no longer; ~ **mehr als ...** no more than ...; **noch** ~ not yet; **du kommst** (**liebst mich**) **doch, ~ wahr?** you're coming, aren't you? (you love me, don't you?); **es ist ~ zu glauben** it is unbelievable; **~, dass ich wüsste** not that I know of **II.** *adj:* ~ **leitend**[RR] (EL) non-conducting; ~ **rostend**[RR] stainless; ~ **Zutreffendes**[RR] **streichen** delete where non-applicable

Nicht•ach•tung *f* disregard (*jds o jdm gegenüber* for s.o., *e-r Sache gegenüber* for s.th.)

Nicht•an•er•ken•nung *f* non-recognition

Nicht•an•griffs•pakt *m* (POL) non- aggression pact

Nicht•be•ach•tung *f* non-observance

Nich•te ['nɪçtə] <-, -n> *f* niece

Nicht•ein•hal•tung *f* non-compliance (*e-r Sache* with s.th.)

Nicht•ein•mi•schung *f* (POL) non-intervention (*in* in)

Nicht•er•schei•nen *n* (JUR) non-appearance; (*zum Dienst*) non-attendance (*zu, bei* at); **nicht•ess•bar**[RR] *adj* non-edible

nich•tig *adj* **1.** (JUR) invalid, void **2.** (*fig: leer*) empty; (*unbedeutend*) trifling; **Nich•tig•keit** *f* **1.** (JUR: *Ungültigkeit*) invalidity, voidness **2.** (*fig: Leere, Eitelkeit*) emptiness, vanity; (*Kleinigkeit*) trifle; **Nich•tig•keits•er•klä•rung** *f* (JUR) annulment

nicht•lei•tend *adj s.* **nicht**; **Nicht•lei•ter** *m* (EL) non-conductor

Nicht•rau•cher(in) *m(f)* non-smoker

nicht•ros•tend *adj s.* **nicht**

Nichts <-> *n* **1.** (PHILOS) nothingness **2.** (*Geringfügigkeit*) trifle **3.** (*unbedeutender Mensch*) nobody

nichts [nɪçts] *pron* nothing; (*in fragenden o bedingenden Sätzen*) not anything; ~ **als ...** nothing [*o* not anything] but ...; **ganz u. gar** ~ nothing at all; **um** [*o* **für**] ~ for nothing; **es macht** ~ it doesn't matter; ~ **zu danken!** don't mention it!; ~ **da!** (~ *zu machen*) no chance!; (*weg da!*) no you don't!; ~ **zu machen!** nothing doing!; **soviel wie** ~ next to nothing; **wenn es weiter ~ ist!** if that's all there is to it!; **das hat ~ zu bedeuten** that doesn't mean anything; **das ist ~ für mich** that's not my kind of thing; ~ **sagend**[RR] meaningless

Nicht•schwim•mer(in) *m(f)* non-swimmer

nichts•des•to•we•ni•ger *adv* nevertheless

Nichts•nutz ['nɪçtsnʊts] <-, (-e)> *m* good-for-nothing

nichts•sa•gend *adj s.* **nichts**

Nichts•tuer(in) *m(f)* loafer; **Nichts•tun** *n* **1.** (*Faulenzen*) idleness **2.** (*Muße*) leisure

Nicht•wei•ter•ga•be *f* (*von Atomwaffen etc*) non-proliferation

Nicht•zah•lung *f:* **bei** ~ in default of payment

Nicht•zu•tref•fen•de *n:* **~s** (**bitte**) **streichen** delete where non-applicable

Ni•ckel ['nɪkəl] <-s> *n* (CHEM) nickel; **Ni•ckel•al•ler•gie** *f* nickel allergy

ni•cken ['nɪkən] *itr* **1.** (*a. fig*) nod **2.** (*fam: schlafen*) snooze; **Ni•cker•chen** ['nɪkɐçən] *n* (*fam*) nap, snooze; **ein ~ machen** have a nap

nie [niː] *adv* never; **fast** ~ hardly ever; **jetzt oder** ~ now or never; ~ **u. nimmer** never ever; ~ **wieder** never again

nie•der ['niːdɐ] **I.** *adj attr* **1.** (*niedrig*) low **2.** (*minderbedeutend, ~en Ranges*) lower **3.** (*fig: Triebe etc*) base **II.** *adv* down; **auf u.** ~ up and down; ~ **mit ...!** down with ...!

nie•der|beu•gen *tr refl* bend down; **nie•der|bren•nen** *irr tr itr* burn down

nie•der•deutsch *adj* **1.** (LING) Low German **2.** (GEOG: *norddeutsch*) North German

nie•der|drü•cken *tr* **1.** press down **2.** (*fig: bedrücken*) depress; **nie•der|fal•len** *irr itr sein* fall down

Nie•der•fre•quenz *f* (EL RADIO) low frequency

Nie•der•gang *m* (*fig: Verfall*) decline

nie•der|ge•hen *irr itr* **1.** (*Regen*) fall **2.** (AERO: *a. allg: sinken*) descend

nie•der•ge•schla•gen *adj* dejected, depressed; **Nie•der•ge•schla•gen•heit** *f* dejection

nie•der|ho•len *tr* (*Flagge*) lower; **nie•der|kni•en** *itr sein* kneel down; **nie•der|kom•men** *irr itr sein* (*obs*) be delivered (*mit* of)

Nie•der•kunft ['niːdɐkʊnft] <-, ¨-e> *f* (*obs*) delivery

Nie•der•la•ge *f* (*a. fig*) defeat; **e-e ~ er-**

leiden [*o* **einstecken müssen**] suffer a defeat; **jdm e-e ~ beibringen** inflict a defeat on s.o.
Nie•der•lan•de ['ni:dɐlandə] *pl:* **die** ~ the Netherlands *sing od pl;* **Nie•der•län•der(in)** ['ni:dɐlɛndɐ] *m(f)* Dutch; **nie•der•län•disch** *adj* Dutch
nie•der|las•sen *irr refl* **1.** (*sich setzen*) sit down **2.** (*s-n Wohnsitz nehmen*) settle down **3.** (*Geschäft etc eröffnen*) establish o.s. **4.** (*Arzt, Anwalt*) set up a practice; **die niedergelassenen Ärzte** the general practitioners
Nie•der•las•sung *f* **1.** (*das Sich-Niederlassen*) settling; (*e-s Rechtsanwaltes etc*) establishment **2.** (COM: *Geschäfts~*) registered office; (*Zweig~*) branch **3.** (*Siedlung*) settlement; **Nie•der•las•sungs•frei•heit** *f* right of establishment
nie•der|le•gen **I.** *tr* **1.** (*hinlegen*) lay down **2.** (*fig: Amt*) resign from **3.** (*fig*): **die Arbeit** ~ stop work **II.** *refl* (*sich hinlegen*) lie down; **Nie•der•le•gung** *f* **1.** (*von Kranz*) laying **2.** (*fig: von Amt etc*) resignation (*e-r Sache* from s.th.) **3.** (*fig: von Gedanken etc*) setting-out
nie•der•ma•chen *tr* (*fam: niedermetzeln*) butcher, massacre; **nie•der|rei•ßen** *irr tr* **1.** pull down **2.** (*fig: Grenzen etc*) tear down; **nie•der|schie•ßen** *irr tr itr* shoot down
Nie•der•schlag *m* **1.** (CHEM) precipitate **2.** (*Regen, Schnee etc*) precipitation **3.** (*fig: Ergebnis*) result; **nie•der|schla•gen** **I.** *irr tr* **1.** (*beim Boxen etc*) knock down **2.** (*Augen*) cast down **3.** (*unterdrücken*) suppress **4.** (JUR: *Verfahren*) dismiss **II.** *refl* **1.** (CHEM) precipitate **2.** (*ergeben*) result (*in* in); **Nie•der•schlags•men•ge** *f* (METE) (amount of) precipitation
nie•der|schmet•tern *tr* **1.** smash down **2.** (*fig*) shatter; **nie•der•schmet•ternd** *adj* (*fig*) shattering; **nie•der|schrei•ben** *irr tr* write down; **Nie•der•schrift** *f* **1.** (*das Niederschreiben*) writing down **2.** (*Ergebnis des Niederschreibens, Notizen*) notes *pl;* (*Protokoll*) minutes *pl;* **nie•der|set•zen** **I.** *tr* set down **II.** *refl* sit down; **Nie•der•span•nung** *f* (EL) low tension [*o* voltage]; **nie•der|sto•ßen** **I.** *irr tr* knock down **II.** *itr* (*von Raubvogel*) shoot down; **nie•der|stre•cken** **I.** *tr* lay low **II.** *refl* stretch out
Nie•der•ta•rif *m* low cost
Nie•der•tracht <-> *f* despicableness, vileness; **nie•der•träch•tig** *adj* despicable, vile, mean
nie•der|tre•ten *irr tr* trample down
Nie•de•rung *f* **1.** (*Grasland, Sumpf*) marsh **2.** (*Senke*) depression
nie•der|wer•fen **I.** *irr tr* **1.** (*hinwerfen*) throw down **2.** (*fig: unterdrücken*) suppress; (*besiegen*) overcome **II.** *refl* prostrate o.s.
nied•lich ['ni:tlɪç] *adj* cute, sweet *fam*
nied•rig ['ni:drɪç] *adj* (*a. fig: gering, gemein*) low; **Nied•rig•keit** *f* (*a. fig*) lowness; **Nie•drig•strah•lung** *f* (PHYS) low-level radiation
nie•mals ['ni:ma:ls] *adv* never
Nie•mand <-s, (-e)> *m* nobody; **nie•mand** ['ni:mant] *pron* nobody, no-one; **ich sehe ~en** I don't see anybody; ~ **anders** nobody else; ~ **als er** nobody but he; **Nie•mands•land** <-(e)s> *n* no man's land
Nie•re ['ni:rə] <-, -n> *f* (ANAT) kidney; **es geht mir an die ~n** (*fig fam*) it gets me down; **Nie•ren•be•cken•ent•zün•dung** *f* pyelitis; **nie•ren•för•mig** *adj* kidney-shaped; **Nie•ren•ko•lik** *f* renal colic; **Nie•ren•lei•den** *n* kidney disease; **Nie•ren•scha•le** *f* (MED) kidney dish; **Nie•ren•schüt•zer** *m* kidney belt; **Nie•ren•stein** *m* kidney stone; (MED) renal calculus; **Nie•ren•tisch** *m* kidney-shaped table; **Nie•ren•ver•sa•gen** *nt* kidney failure
nie•seln ['ni:zəln] *itr* drizzle; **Nie•sel•re•gen** *m* drizzle
nie•sen ['ni:zən] *itr* sneeze
Nieß•brauch ['ni:sbraʊx] <-(e)s> *m* (JUR) usufruct; **Nieß•brau•cher(in)** *m(f)* (JUR) usufructuary
Niet [ni:t] <-(e)s, -e> *m* (*Stift*) rivet; (*an Hosen etc*) stud; **niet- und na•gel•fest** *adj* (*fam*) nailed down; **Nie•te** <-, -n> *f* **1.** (*Los*) blank **2.** (*fig fam: Versager(in)*) dead loss failure; (*Reinfall*) flop; **nie•ten** *tr* rivet
Ni•ko•laus ['nɪkolaʊs] <-, ⸚e> *m* **1.** (*Name*) Nicholas **2.** (ECCL) St. Nicholas **3.** (ECCL: *Fest*) St. Nicholas' Day
Ni•ko•tin [niko'ti:n] <-s> *n* nicotine; **ni•ko•tin•arm** *adj* low-nicotine; **ni•ko•tin•frei** *adj* nicotine-free; **Ni•ko•tin•ge•halt** *m* nicotine content; **Ni•ko•tin•ver•gif•tung** *f* nicotine poisoning
Nil•pferd *n* (ZOO) hippopotamus
Nim•bus ['nɪmbʊs] <-, -se> *m* **1.** (*Heiligenschein*) halo **2.** (*fig: Aura*) aura
nim•mer ['nɪmɐ] *adv* never; **Nim•mer•satt** <-(e)s, (-e)> *m* glutton *Br,* grab-all *Am;* **nim•mer•satt** *adj* insatiable; **Nim•mer•wie•der•se•hen** ['--'----] *n:* **auf ~!** I never want to see you again!; **auf ~ ver•schwinden** disappear never to be seen again
nip•pen ['nɪpən] *itr* sip (*an* at)
Nip•pes *m,* **Nipp•sa•chen** ['nɪpəs] <-> *pl* knick-knacks *pl*
nir•gends ['nɪrgənts] *adv* nowhere, not ...

anywhere

nir•gend•wo *adv* nowhere, not ... anywhere

Ni•sche ['ni:ʃə] <-, -n> *f* niche

nis•ten ['nɪstən] *itr* **1.** nest **2.** (*fig*) lodge; **Nist•kas•ten** *m* nesting box; **Nist•platz** *m* nesting site

Ni•t•rat [ni'tra:t] <-(e)s, -e> *n* (CHEM) nitrate

Ni•t•rit [ni'tri:t] <-(e)s, -e> *m* (CHEM) nitrite

Ni•t•ro•lack ['ni:tro-] *m* cellulose; **Ni•t•ro•la•ckie•rung** *f* cellulose painting

Ni•t•ro•sa•mi•ne [nitroza'mi:nə] <-> *pl* nitrosoamines

Ni•t•ro•ver•dün•nung *f* cellulose thinner

Ni•veau [ni'vo:] <-s, -s> *n* (*a. fig*) level; **er hat** ~ he is a man of culture; **das Theaterstück hat** ~ the play is of a high standard; **das ist unter meinem** ~ that's beneath me; **ni•veau•los** *adj* mediocre; **ni•veau•voll** *adj* high-class

ni•vel•lie•ren [nivɛ'li:rən] <ohne ge-> *tr* (*a. fig*) level out; **Ni•vel•lie•rung** *f* **1.** (*beim Vermessen*) levelling **2.** (*fig*) levelling out

Ni•xe [nɪksə] <-, -n> *f* (*Märchen-, Sagenfigur*) water-sprite

no•bel ['no:bəl] *adj* **1.** (*edelmütig*) noble **2.** (*fam: großzügig*) generous; (*elegant, kostspielig*) posh; **No•bel•her•ber•ge** *f* (*fam pej*) posh hotel

No•bel•preis [no'bɛlpraɪs] *m* Nobel prize

noch [nɔx] **I.** *konj:* **weder A, ~ B** neither A nor B **II.** *adv* **1.** (*weiterhin, immer ~*) still **2.** (*außerdem, sonst*) else **3.** (*sogar ~*) even **4.** (*irgendwann*) one day **5.** (*gerade ~*) (only) just **6.** (*fam*): **Geld ~ u. ~** heaps and heaps of money; **~ e-n Kaffee, bitte** another cup of coffee please; (**wünschen Sie**) **~ etw?** (do you wish) anything else?; **wie war doch ~ Ihr Name?** what was your name again?; **~ vor zwei Tagen** no more than two days ago; **~ nicht** not yet; **ich möchte gern ~ bleiben** I'd like to stay on longer; **du wirst es schon ~ verstehen** you'll understand it one day; **~ am selben Tag** on the very same day; **~ heute** this very day; **dumm u. frech ~ dazu** stupid and cheeky with it; **~ obendrein** on top of everything; **ich habe nur ~ e-n Freund** I have only one friend left; **noch•ma•lig** *adj* renewed; **noch•mals** *adv* again

No•cken•wel•le *f* (TECH) camshaft

No•ma•de [no'ma:də] <-n, -n> *m*, **No•ma•din** *f* nomad; **No•ma•den•tum** *n* nomadism

No•men•kla•tur [nomɛnkla'tu:ɐ] *f* nomenclature

No•mi•nal•wert *m* face value, nominal value

No•mi•na•tiv ['nominati:f] *m* (GRAM) nominative

no•mi•nie•ren *tr* nominate; **No•mi•nie•rung** *f* nomination

Non•kon•for•mis•mus ['---'--] *m* nonconformism; **Non•kon•for•mist(in)** *m(f)* nonconformist

Non•ne ['nɔnə] <-, -n> *f* **1.** (ECCL) nun **2.** (ZOO: *Falter*) nun moth; **Non•nen•klos•ter** *n* convent

Nord•a•me•ri•ka *n* North America

Nord•at•lan•ti•sches Ver•tei•di•gungs•bünd•nis *n* (POL MIL) NATO Alliance

Nor•den ['nɔrdən] <-s> *m* (GEOG) north; **von ~** from the north; **nach ~** to the north; **das Zimmer liegt nach ~** the room faces north

Nord•eu•ro•pa *n* northern Europe

Nord•halb•ku•gel *f* Northern Hemisphere

Nord•ir•land *n* Northern Ireland

nor•disch *adj* **1.** (*nördlich*) northern **2.** (*skandinavisch*) nordic

nörd•lich ['nœrtlɪç] **I.** *adj* northern; **~er Polarkreis** Arctic Circle **II.** *adv* north (*von* of) **III.** *präp* to the north of

Nord•licht *n* northern lights *pl;* **Nord•osten** [-'--] *m* north-east; **nord•öst•lich I.** *adj* north-eastern **II.** *adv* north- east (*von* of) **III.** *präp* to the north-east of; **Nord•pol** *m* North Pole; **Nord•see** *f* North Sea; **Nord-Süd-Ge•fäl•le** *n* (POL) North-South divide; **Nord•wes•ten** [-'--] *m* north-west; **nord•west•lich I.** *adj* north-western **II.** *adv* north-west (*von* of) **III.** *präp* to the north-west of; **Nord•wind** *m* north wind

Nör•ge•lei <-, -en> *f* grumbling; **nör•geln** ['nœrgəln] *itr* **1.** (*murren, knurren*) grumble **2.** (*herum~, kritisieren*) carp (*an* about); **Nörg•ler(in)** *m(f)* **1.** (*stets Murrender*) grumbler **2.** (*Meckerer*) carper

Norm [nɔrm] <-, -en> *f* standard; **die ~ sein** (*normal sein*) be the usual thing

nor•mal [nɔr'ma:l] *adj* **1.** (*allgemein*) normal **2.** (*von Maß, Gewicht*) standard; **Nor•mal•ben•zin** *n* regular (petrol); **Nor•mal•fall** *m* normal case; **im ~** normally; **Nor•mal•grö•ße** *f* standard size

nor•ma•li•sie•ren I. *tr* normalize **II.** *refl* get back to normal

Nor•mal•maß *n* standard measure; **Nor•mal•null** *f* sea-level; **Nor•mal•ver•brau•cher** *m* average consumer; **Otto ~** (*fam*) Mr. Average; **Nor•mal•zeit** *f* standard time; **nor•men** *tr,* **nor•mie•ren** *tr* standardize; **Nor•mie•rung** *f,* **Nor•mung** *f* standardization

Nor•we•gen ['nɔrve:gən] *n* Norway; **Nor•we•ger(in)** *m(f)* Norwegian; **Nor•we•ger•pull•over** *m* Norwegian pullover; **nor•we•gisch** *adj* Norwegian

Nost•al•gie [nɔstal'giː] <-> *f* nostalgia; **nost•al•gisch** *adj* nostalgic

Not [noːt, *pl:* 'nøːtə] <-, ⸗e> *f* **1.** (*Mangel*) want; (*Elend*) neediness **2.** (*Zwang, ~wendigkeit*) necessity **3.** (*Schwierigkeit*) difficulty, trouble **4.** (*Bedrängnis*) distress; **zur ~** (*falls nötig*) if necessary; (*so eben noch*) at a pinch; **aus ~** out of poverty; **s-e liebe ~ haben mit ...** have a hard time with ...; **ich helfe dir, wenn ~ am Mann ist** (*fam*) I'll help you if you're short; **~ tun**[RR] be necessary; **aus der ~ e-e Tugend machen** (*prov*) make a virtue of necessity; **~ leiden** suffer deprivation; **~ leidend**[RR] needy; **in der ~ frisst der Teufel Fliegen** (*prov*) beggars can't be choosers; **~ macht erfinderisch** (*prov*) necessity is the mother of invention; **ich bin in großer ~** I'm in great distress; **not** *adj s.* **Not**

No•tar(in) [no'taːɐ] *m(f)* notary; **No•ta•ri•at** [notari'aːt] <-(e)s, -e> *n* notary's office; **no•ta•ri•ell** *adj* notarial; **~ beglaubigen lassen** have attested by a notary

Not•arzt, -ärz•tin *m, f* emergency doctor; **Not•arzt•wa•gen** *m* emergency doctor's car; **Not•auf•nah•me** *f* casualty (unit); **Not•aus•gang** *m* emergency exit; **Not•be•helf** *m* makeshift; **Not•be•leuch•tung** *f* emergency lighting; **Not•brem•se** *f* (RAIL) emergency brake; **Not•dienst** *m:* **~ haben** (*Apotheke*) be open 24 hours; (*Arzt*) be on call; **Not•durft** ['noːtdʊrft] *f* (*euph*): **s-e ~ verrichten** relieve o.s.; **not•dürf•tig** *adj* **1.** (*behelfsmäßig*) makeshift **2.** (*armselig*) poor; **etw ~ ausbessern** repair s.th. in a rough-and-ready way; **sich ~ verständigen können** be able to just about communicate

No•te ['noːtə] <-, -n> *f* **1.** (PÄD) mark **2.** (POL: *Schriftstück*) note **3.** (MUS) note **4.** (*Eigenart*) touch; **nach ~n singen (spielen)** sing (play) from music; **ganze ~** (MUS) semibreve *Br,* whole note *Am;* **halbe ~** (MUS) minim *Br,* half note *Am;* **~n** (MUS) music *sing;* **e-r Sache e-e persönliche ~ geben** give s.th. a personal touch

Note•book ['nəʊtbʊk] <-s, -s> *n* (EDV: *~computer*) notebook

No•ten•bank *f* (FIN) issuing bank, central bank; **No•ten•blatt** *n* (MUS) sheet of music; **No•ten•pa•pier** *n* (MUS) manuscript paper; **No•ten•schlüs•sel** *m* (MUS) (musical) clef; **No•ten•stän•der** *m* (MUS) music stand

Not•fall *m* emergency; **im ~** if needs be; **bei e-m ~** in case of emergency; **not•falls** *adv* if need be; **not•ge•drun•gen** ['--'--] **I.** *adj* imperative **II.** *adv* perforce; **Not•gro•schen** *m* nest egg

no•tie•ren [no'tiːrən] *tr itr* **1.** (*Notizen machen*) make a note of, note (down) **2.** (FIN: *an der Börse*) quote (*mit* at) **3.** (COM: *vormerken*) note; **No•tie•rung** *f* **1.** (FIN: *an der Börse*) quotation **2.** (COM: *Auftrags~*) note

nö•tig ['nøːtɪç] **I.** *adj* necessary; **etw (bitter) ~ haben** need s.th. (badly); **habe ich es eigentlich ~(,) zu ...?** do I really need to ...?; **Sie haben's gerade ~(,) sich zu beschweren!** (*fam*) you're a fine one to complain!; **nur das N~ste** only the bare necessities *pl* **II.** *adv* (*dringend*) urgently; **ich muss mal ganz ~** (*euph: zur Toilette*) I'm dying to go; **nö•ti•gen** ['nøːtɪgən] *tr* **1.** (*zwingen*) compel **2.** (*auffordern*) urge; **er lässt sich** [*o* **man muss ihn**] **immer erst ~** he always needs prompting; **nö•ti•gen•falls** *adv* if necessary; **Nö•ti•gung** *f* **1.** (*Zwang*) compulsion **2.** (JUR) coercion

No•tiz [no'tiːts] <-, -en> *f* **1.** (*Zeitungs~*) item **2.** (*Vermerk*) note; **(keine) ~ nehmen von** take (no) notice of; **sich ~en machen** take notes; **No•tiz•block** <-(e)s, -s> *m* notepad, memo pad; **No•tiz•buch** *n* notebook; **No•tiz•zet•tel** *m* piece of paper

Not•la•ge *f* (*Elend*) plight; **in e-r ~ sein** be in serious difficulties *pl;* **not|lan•den** *itr sein* (AERO) make a forced landing; **Not•lan•dung** *f* (AERO) forced [*o* emergency] landing; **not•lei•dend** *adj s.* Not; **Not•lö•sung** *f* temporary solution; **Not•lü•ge** *f* white lie

no•to•risch [no'toːrɪʃ] *adj* notorious

Not•ruf *m* (TELE) emergency call; **Not•ruf•säu•le** *f* emergency telephone; **Not•rut•sche** *f* (AERO) escape chute; **Not•sig•nal** *n* signal of distress; **Not•sitz** *m* (MOT) fold-away seat; **Not•stand** *m* **1.** (POL) state of emergency **2.** (*Krise*) crisis; **den ~ ausrufen** declare a state of emergency; **e-n ~ beheben** put an end to a crisis; **Not•stands•ge•biet** *n* **1.** (*wirtschaftliches*) depressed area **2.** (*Katastrophenregion*) disaster area; **Not•stands•ge•setz** *n* emergency law; **Not•strom•ag•gre•gat** *n* emergency generating set; **Not•strom•ver•sor•gung** *f* emergency power supply; **Not•un•ter•kunft** *f* emergency accommodation; **Not•ver•band** *m* (MED) first-aid dressing; **Not•ver•kauf** *m* forced sale; **Not•wehr** *f* self-defence *Br,* self-defense *Am*

not•wen•dig *adj* necessary; **~ brauchen** need urgently; **das N~ste** (*das Nötigste*) the bare necessities *pl;* (*das Wesentliche*) the essentials *pl;* **Not•wen•dig•keit** *f* necessity

Not•zucht <-> *f* (JUR) rape (*an* on)

Nou•gat *m s.* **Nugat**

No•vel•le [no'vɛlə] <-, -n> *f* **1.** (*Erzählung*) novella **2.** (POL PARL: *Gesetzes~*) amendment

No•vem•ber [no'vɛmbɐ] <-(s), -> *m* November

Nu [nuː] *m:* **im ~** in a flash [*o* a jiffy]

nüch•tern ['nʏçtɐn] *adj* **1.** (*nicht betrunken*) sober **2.** (*fig: vernünftig*) down-to-earth, rational **3.** (*fig: fade, trocken*) dry, insipid; **mit ~em (auf ~en) Magen** with (on) an empty stomach; **die ~en Tatsachen** the plain facts; **Nüch•tern•heit** *f* **1.** (*Abstinenz*) sobriety **2.** (*fig: Vernunft*) rationality **3.** (*fig: Fadheit*) insipidity **4.** (*fig: von Tatsachen*) plainness

Nu•del ['nuːdəl] <-, -n> *f* **1.** (*flache ~*) noodle; (*Faden~ n*) vermicelli **2.** (*fam*): **komische ~** funny character; **Nu•del•sup•pe** *f* noodle soup

Nu•gat[RR] ['nuːgat] <-s, -s> *m* nougat

nu•k•le•ar [nukle'aːɐ] *adj* nuclear; **Nu•k•le•ar•in•dus•trie** *f* nuclear industry; **Nu•k•le•ar•me•di•zin** *f* nuclear medicine; **Nu•k•le•ar•park** *m* nuclear arsenal; **Nu•k•le•ar•test** *m* nuclear test

Nu•k•le•in•säu•re [nukle'iːn-] *f* (CHEM) nucleid acid

Null [nʊl] <-, -en> *f* **1.** (*Ziffer*) nought; (*auf Skalen, Thermometer etc*) zero; (TELE) O *Br,* zero *Am* **2.** (*fig fam: Versager(in)*) washout

null *num* zero; (TELE) O *Br,* zero *Am;* (SPORT) nil; (*beim Tennis*) love; **es ist ~ Uhr zwanzig** it's twenty, past midnight *Br,* after midnight *Am;* **~ u. nichtig** null and void; **für ~ u. nichtig erklären** annul; **~ Komma zwei fünf** (MATH) 0,25, point two five (.25); **in ~ Komma nichts** (*fam*) in no time at all; **~ Ahnung haben von etw** (*sl*) be zero-rated at s.th.

Null•di•ät *f* (*fam*) calorie-free diet; **Null•lö•sung**[RR] *f* (POL) zero option; **Null•punkt** <-(e)s> *m* zero; **die Stimmung sank unter den ~** (*fig*) the atmosphere froze; **den ~ erreicht haben** (*fig*) have reached rock-bottom; **Null•run•de** *f* (*bei Tarifverhandlungen*) zero payround; **Null•ta•rif** *m* (*fam: kostenloses Fahren*) free travel; (*freier Eintritt*) free admission; **zum ~** free (of charge)

nu•me•rie•ren *s.* **nummerieren**

nu•me•risch [nu'meːrɪʃ] *adj* numerical

Nu•me•rus ['nuːmərʊs] <-, Numeri> *m:* **~ clausus** (UNIV) restricted entry

Num•mer ['nʊmɐ] <-, -n> *f* **1.** (*a. von Zeitung*) number **2.** (*Größe*) size **3.** (*fam hum: Typ*) character; **auf ~ Sicher gehen** (*fam*) play it safe; **zieh doch deine ~ woanders ab!** (*fam*) put on your show somewhere else!; **laufende ~** serial number; **e-e ~ wählen** (TELE) dial a number; **num•me•rie•ren**[RR] [nume'riːrən] *tr* number

Num•mern•kon•to *n* numbered account; **Num•mern•schei•be** *f* (TELE) dial; **Num•mern•schild** *n* (MOT) number plate *Br,* license plate *Am*

nun [nuːn] *adv* **1.** (*jetzt*) now **2.** (*dann*) then **3.** (*interj: los!*) come on!; **er will ~ mal nicht** he simply doesn't want to; **~ ja, aber ...** all right, but ...; **~ also** well, then; **von ~ an** from now on; **~, da ...** now that ...; **was ~?** what now?; **das habe ich ~ davon** serves me right; **~ erst recht!** just for that!; **nun•mehr** *adv* now

Nun•ti•us ['nʊntsiʊs] <-, -tien> *m* (ECCL) nuncio

nur [nuːɐ] *adv* **1.** (*einschränkend*) only **2.** (*eben*) just; **schon recht, ~ solltest du ...** all right, only you should ...; **wenn ~ ...** if only ...; **nicht ~ ..., sondern auch ...** not only ..., but also ...; **warum tut er das ~?** why on earth does he do that?; **~ zu!** (*interj*) go on!; **du brauchst es ~ zu sagen** just say the word; **sollen sie ~ alle lachen!** let them all laugh!; **was hat er ~?** I wonder what's wrong with him?

nu•scheln ['nʊʃəln] *tr itr* (*fam*) mumble

Nuss[RR] [nʊs, *pl:* 'nʏsə] <-, ¨-e> *f* (*a. fig*) nut; **e-e harte ~ zu knacken haben** (*fig*) have a tough nut to crack; **er ist e-e harte ~** (*fig*) he's a tough nut to crack; **Nuss•baum**[RR] *m* **1.** (BOT) walnut tree **2.** (*Holz des ~s*) walnut; **Nuss•kna•cker**[RR] *m* nutcrackers *pl;* **Nuss•scha•le**[RR] *f* **1.** nutshell **2.** (*fig: Boot*) cockleshell

Nüs•ter ['nʏstɐ] <-, -n> *f* nostril

Nu•te [nuːt(ə)] <-, -en> *f* chase, flute, groove

Nut•te ['nʊtə] <-, -n> *f* (*sl pej*) pro *Br,* hooker *Am*

Nutz ['nʊts] <-es> *m:* **sich etw zu ~e machen**[RR] (*verwenden*) utilize s.th.; (*ausnutzen*) take advantage of s.th.; **~ bringend**[RR] profitable; **etw ~ bringend anwenden**[RR] turn s.th. to good account

nutz•bar *adj* utilizable; **~ machen** utilize; **Nutz•bar•ma•chung** *f* utilization; **nutz•brin•gend** *adj s.* **Nutz**

nüt•ze ['nʏtsə] *adj pred:* **zu etw (nichts) ~ sein** be useful for s.th. (be of no use for anything)

Nutz•ef•fekt *m* efficiency

Nut•zen ['nʊtsən] <-s> *m* **1.** (*Vorteil*) advantage, benefit; (*Gewinn*) profit **2.** (*Nützlichkeit*) usefulness; **zum ~ von ...** for the benefit of ...; **jdm von ~ sein** be useful to s.o.; **wer hat den ~ davon?** who reaps the benefits of it?

nut•zen *tr,* **nüt•zen I.** *tr* (*gebrauchen*) make use of, use **II.** *itr* be of use (*jdm* to s.o., *zu etw* for s.th.); **es nützt nichts** it's no use; **das nützt wenig** that's not much use; **das nützt doch niemandem** but that's of no use to anyone

Nutz•fahr•zeug *n* (COM) commercial vehicle; **Nutz•flä•che** *f* **1.** (*in Geschäft etc*) usable floor-space **2.** (*in Landwirtschaft*) productive land; **Nutz•holz** *n* timber *Br,* lumber *Am;* **Nutz•last** *f* maximum load; **Nutz•leis•tung** *f* (TECH) useful power; **Nutz•pflan•ze** *f* useful plant

nütz•lich ['nʏtslɪç] *adj* **1.** (*nutzbringend*) useful **2.** (*hilfreich*) helpful; **Nütz•lich•keit** *f* **1.** (*Nutzen*) utility **2.** (*Vorteilhaftigkeit*) advantage **3.** (*Dienlichkeit*) helpfulness; **Nütz•lich•keits•den•ken** *n* utilitarian thinking

nutz•los *adj* useless; **Nutz•lo•sig•keit** *f* uselessness

Nutz•nie•ßer(in) ['nʊtsniːsɐ] *m(f)* (*allgemein*) beneficiary; (JUR) usufructuary

Nut•zung *f* **1.** (*Gebrauch*) use **2.** (*das Ausnutzen*) exploitation; **Nut•zungs•recht** *n* (JUR) usufruct

Ny•lon ['naɪlɔn] *n* (CHEM) nylon

Nym•phe ['nʏmfə] *f* nymph

Nym•pho•ma•nie [nʏmfomaˈniː] *f* nymphomania; **Nym•pho•ma•nin** *f* nymphomaniac

O

O, o [oː] <-, -> *n* O, o

o *interj* oh!; ~ **ja!** oh yes!; ~ **nein!** oh no!; ~ **weh!** oh dear!

O•a•se [o'aːzə] <-, -n> *f* (*a. fig*) oasis

ob [ɔp] *konj* **1.** (*Frage einleitend*) if, whether **2.** (*vergleichend*): **als** ~ as if **3.** (*fam*): **und** ~**!** you bet!; ~ **sie mich wohl liebt?** I wonder if she loves me; **ich weiß nicht,** ~ **sie kommen** I don't know whether or not they're coming; **und** ~ **ich stärker bin!** (*fam*) you bet I'm stronger!; **tu doch nicht so, als** ~ (**dich das interessiert**)! (*fam*) stop pretending (to be interested)!

Ob•dach *n* shelter; **ob•dach•los** *adj* homeless; ~ **werden** be made homeless; **Ob•dach•lo•se(r)** *f m* homeless person; **Ob•dach•lo•sen•asyl** *n* shelter for the homeless; **Ob•dach•lo•sig•keit** <-> *f* homelessness

Ob•duk•ti•on [ɔpdʊk'tsjoːn] *f* post-mortem (examination)

O-Bei•ne *pl* (*fam*) bandy legs, bowlegs; **o-bei•nig** *adj* bandy-legged

o•ben ['oːbən] *adv* **1.** (*vorher: in Brief*) above **2.** (*in der Höhe*) up **3.** (*hoch ~, am oberen Ende*) at the top **4.** (*die Treppe hinauf*) upstairs **5.** (*an der Oberfläche*) on the surface; **ganz** ~ (*a. fig*) right at the top; ~ **erwähnt**[RR] above-mentioned; **hier** (**dort**) ~ up here (there); **von** ~ **bis unten** from top to bottom; (*bei Person*) from head to toe; **nach** ~ upwards; (*im Haus*) upstairs; **der Befehl kommt von** ~ (*fig*) it's orders from above; **der Weg nach** ~ **ist hart** (*a. fig*) it's hard to get to the top; **siehe** ~ see above; **wie** ~ **erwähnt** as mentioned above; **von** ~ **herab** (*fig*) condescendingly; ~ **ohne** (**gehen**) (*fam*) (be) topless; **mit dem Gesicht nach** ~ face uppermost; **o•ben•an** ['--'-] *adv* at the top; **o•ben•auf** ['--'-] *adv* on the top; **wieder** ~ **sein** (*fig fam: wieder gesund sein*) be back on form; **o•ben•drein** ['--'-] *adv* (*fam*) on top of everything; **o•ben•er•wähnt** *adj s.* **oben**

O•ber ['oːbɐ] <-s, -> *m* waiter; **Herr** ~! waiter!

O•ber•arm *m* upper arm; **O•ber•arzt, -ärz•tin** *m, f* senior physician; **O•ber•be•fehl** <-s> *m* (MIL) supreme command (*über* of); **den** ~ **haben** be in supreme command; **O•ber•be•fehls•ha•ber** *m* (MIL) commander-in- chief, cominch *fam;* **O•ber•be•griff** *m* generic term; **O•ber•be•klei•dung** *f* outer clothing; **O•ber•bett** *n* quilt; **O•ber•bür•ger•meis•ter(in)** *m(f)* Lord Mayor

O•be•re <-n> *n* top; **o•be•re** ['ɔbərə] *adj attr* upper; **die ~n Zehntausend** (*fam*) the upper crust

O•ber•feld•we•bel *m* (MIL) **1.** (*beim Heer*) staff sergeant *Br,* first sergeant *Am* **2.** (*bei der Luftwaffe*) flight sergeant *Br,* master sergeant *Am;* **O•ber•flä•che** *f* **1.** (*a. fig*) surface **2.** (MATH) surface area; **an die** ~ **kommen** (come to the) surface; (*fig*) emerge; **o•ber•fläch•lich** *adj* (*a. fig*) superficial; **O•ber•fläch•lich•keit** *f* superficiality; **o•ber•gä•rig** *adj* (*Altbier etc*) top-fermented; **O•ber•ge•schoss**[RR] *n* upper floor; **im dritten** ~ on the, third floor *Br,* fourth floor *Am*

o•ber•halb *adv, präp* above

O•ber•hand *f* (*fig*): **die** ~ (**über jdn**) **gewinnen** get the better (of s.o.)

O•ber•haupt *n* head; **O•ber•haus** *n* (POL) **1.** (*allgemein*) upper house **2.** House of Lords *Br;* **O•ber•hemd** *n* shirt

O•be•rin ['oːbərɪn] *f* **1.** (ECCL) Mother Superior **2.** (*im Krankenhaus*) matron

o•ber•ir•disch *adj* above ground; (EL) overhead

O•ber•kell•ner(in) *m(f)* head waiter (waitress); **O•ber•kie•fer** *m* upper jaw; **O•ber•kom•man•do** *n* (MIL) **1.** (*Oberbefehl*) supreme command **2.** (*~stab*) headquarters *pl;* **O•ber•kör•per** *m* upper part of the body; **O•ber•lauf** *m* (*e-s Flusses*) headwaters *pl,* upper course *pl;* **O•ber•le•der** *n* uppers *pl;* **O•ber•lei•tung** *f* **1.** (*Führung*) direction **2.** (EL) overhead cable; **O•ber•lei•tungs•om•ni•bus** *m* trolleybus; **O•ber•leut•nant** *m* (MIL) **1.** (*beim Heer*) lieutenant *Br,* first lieutnant *Am* **2.** (*bei der Luftwaffe*) flying officer *Br,* first lieutenant *Am* **3.** (MAR): ~ **zur See** lieutenant; **O•ber•licht** *n* **1.** (*Fenster*) high window **2.** (*an Tür*) fanlight; **O•ber•lip•pe** *f* upper lip; **O•ber•ma•te•ri•al** <-s, -ien> *n* (*von Schuh*) upper; **O•ber•pri•ma** *f* (*obs*) upper sixth *Br,* senior grade *Am*

O•bers ['oːbɐs] <-> *n österr* cream

O•ber•schen•kel *m* thigh; **O•ber•schen•kel•bruch** *m* fracture of the thighbone [*o* femur]; **O•ber•schicht** *f* (*fig*) upper strata *pl;* **O•ber•schwes•ter** *f* senior nursing officer; **O•ber•sei•te** *f* top side

O•berst ['o:bɐst] <-en/-s, -en/(-e)> *m* (MIL) **1.** (*beim Heer*) colonel **2.** (*Luftwaffen~*) group captain *Br,* colonel *Am*

O•ber•staats•an•walt, -an•wäl•tin ['--'---] *m, f* (JUR) public prosecutor *Br,* district attorney *Am*

o•bers•te *adj* **1.** topmost, uppermost **2.** (*fig*) supreme; **das O~ zuunterst kehren** turn everything upside down; **O~r Gerichtshof** (*allgemein*) Supreme Court *a. Am,* High Court of Justice *Br*

O•ber•stu•fe *f upper forms in secondary school*

O•ber•trot•tel *m* (*fam*) prize idiot

O•ber•ver•wal•tungs•ge•richt ['---'----] *n* (JUR) Higher Administrative Court

O•ber•was•ser *n* (*bei Schleuse*) backwater; ~ **haben** (*fig fam*) have the upper hand

ob•gleich [-'-] *konj* although, even though

Ob•hut ['ɔphu:t] <-> *f* care; **jdn in (s-e) ~ nehmen** take care of s.o.

o•bi•ge *adj attr* above

Ob•jekt [ɔp'jɛkt] <-(e)s, -e> *n* (*a.* GRAM) object

Ob•jek•tiv <-s, -e> *n* (PHOT) lens, objective

ob•jek•tiv *adj* objective

Ob•jek•ti•vi•tät *f* objectivity; **sich um größtmögliche ~ bemühen** try to be as objective as possible

Ob•jekt•satz *m* (LING) object clause

Ob•la•te [o'bla:tə] <-, -n> *f* wafer

ob•lie•gen [-'--] <ohne ge-> *irr itr:* **jdm ~** be incumbent upon s.o.; **Ob•lie•gen•heit** *f* incumbency

ob•li•gat [obli'ga:t] *adj* obligatory; **Ob•li•ga•ti•on** *f* (*a.* FIN) obligation; **ob•li•ga•to•risch** *adj* obligatory; (*von Pflichtfächern in Schule*) compulsory

Ob•mann *m* representative; **~ der Geschworenen** foreman of the jury

O•boe [o'bo:ə] <-, -n> *f* (MUS) oboe

Ob•rig•keit ['o:brɪçkaɪt] *f:* **die ~** (*die Behörden*) the authorities *pl;* **ob•rig•keit•lich** *adj* authoritarian; **Ob•rig•keits•staat** *m* authoritarian state

ob•schon [-'-] *konj* although

Ob•ser•va•to•rium [ɔpzɛrva'to:riʊm] *n* observatory

Obst [o:pst] <-(e)s> *n* fruit; **Obst•bau** *m* fruit-growing; **Obst•baum** *m* fruit- tree; **Obst•ern•te** *f* fruit-crop; **Obst•gar•ten** *m* orchard; **Obst•hand•lung** *f* fruiterer's (shop) *Br,* fruit-store *Am*

Obs•ti•pa•ti•on [ɔpstipa'tsjo:n] <-, -en> *f* obstipation

Obst•ku•chen *m* fruit tart (*o* cake); **Obst•mes•ser** *n* fruit-knife; **Obst•pflü•cker(in)** *m(f)* fruit-gatherer; **Obst•sa•lat** *m* fruit-salad; **Obst•tor•te** *f* tart *Br,* fruit pie *Am*

ob•szön [ɔps'tsø:n] *adj* obscene; **Ob•szö•ni•tät** *f* obscenity

O•bus ['o:bʊs] <-ses, -se> *m* (*fam*) trolley

ob•wohl [-'-] *konj* (al)though

Och•se ['ɔksə] <-n, -n> *m* **1.** (ZOO) bullock, ox **2.** (*Schimpfwort*) blockhead, dope; **och•sen** *itr* (*fam*) mug, swot; **Och•sen•schwanz•sup•pe** *f* oxtail soup

O•cker ['ɔkɐ] <-s> *m o n* ochre

O•de ['o:də] <-, -n> *f* ode

Ö•de ['ø:də] <-, -n> *f* **1.** (*öde Gegend*) desert, waste(land) **2.** (*Langweiligkeit*) dreariness, monotony; **ö•de** *adj* **1.** (*leer, verlassen*) abandoned, empty; (*unbewohnt*) bleak, desolate; (*unbebaut*) waste **2.** (*langweilig*) dreary, dull

Ö•dem [ø'de:m] <-s, -e> *n* (MED) oedema

o•der ['o:dɐ] *konj* or; **~ aber ...** or else ...; **~ auch** or perhaps; **entweder ... ~** either ... or; **Sie kommen doch, ~?** you're coming, aren't you?; **sie kommt nicht, ~ doch?** she won't come, or will she?

O•der-Nei•ße-Li•nie *f* Oder-Neisse-Line

Ö•di•pus•kom•plex *m* Oedipus complex

Öd•land *n* wasteland

O•fen ['o:fən, *pl:* 'ø:fən] <-s, -> *m* **1.** (*Herd*) stove **2.** (*Back~*) oven **3.** (*Brenn~*) kiln; (EL: *Heiz~*) heater **4.** (*Hoch~*) furnace; **jetzt ist der ~ aus!** (*fig fam*) now it's curtains for you!; **O•fen•hei•zung** *f* stove heating; **O•fen•rohr** *n* stovepipe; **O•fen•schirm** *m* firescreen

Off <-> *n* (THEAT TV FILM) offstage

of•fen ['ɔfən] *adj* **1.** (*allgemein, a. fig: freimütig*) open **2.** (*fig: frei, vakant*) vacant **3.** (*fig: unerledigt, ~stehend*) outstanding; **auf ~er See** on the open sea; **Überfall auf ~er Straße** mugging; **~er Wein** wine by the carafe; **Tag der ~en Tür** open day; **ich bin Vorschlägen gegenüber stets ~** I am always open to suggestions; **~er Widerstand** open resistance; **wir ließen die Angelegenheit ~** we left the matter open; **zu jdm ~ sein** be open with s.o.; **~ gesagt ...** to tell you the truth ..., to be honest ...; **s-e Meinung ~ sagen** speak one's mind; **ein ~es Wort mit jdm reden** have a frank talk with s.o.; **mit ~em Mund dastehen** (*fig*) stand gaping; **~e Türen einrennen** (*fig*) kick at an open door *sing;* **~e Handelsgesellschaft** (COM) general partnership; **~e Stelle** vacant post, vacancy; **ein ~es Geheimnis** an open secret; **~ bleiben**[RR] (*a. fig*) remain open; **~ halten**[RR] (*a. fig*) keep open; **die Ohren ~ halten**[RR] keep one's ear open; **~ lassen**[RR] (*a. fig*) leave open; ~

stehen[RR] (*Fenster, Tür etc*) be open; (COM: *Rechnung*) be outstanding; **jdm ~ stehen**[RR] (*zugänglich, erreichbar sein*) be open to s.o.

of•fen•bar [ˈɔfənˈbaːɐ] **I.** *adj* obvious **II.** *adv* (*vermutlich*) apparently; **of•fen•ba•ren** [--ˈ--] <ohne ge-> **I.** *tr* reveal **II.** *refl:* **sich jdm ~** reveal o.s. to s.o.; **Of•fen•ba•rung** *f* revelation; **Of•fen•ba•rungs•eid** *m* (JUR) oath of manifestation

of•fen|blei•ben *s.* **offen**

of•fen|hal•ten *s.* **offen**

Of•fen•heit *f* candour, frankness, openness

of•fen•her•zig *adj* **1.** (*frank, freimütig*) candid, frank, open-hearted **2.** (*hum fam: tief ausgeschnitten*) revealing

of•fen•kun•dig [ˈ--ˈ--] *adj* clear, obvious; **~e Lüge** downright lie

of•fen|las•sen *s.* **offen**

of•fen•sicht•lich [ˈ--ˈ--] *adj* obvious

of•fen•siv [ɔfɛnˈziːf] *adj* offensive; **Of•fen•si•ve** <-, -n> *f* offensive; **in die ~ gehen** take the offensive

of•fen|ste•hen *s.* **offen**

öf•fent•lich [ˈœfəntlɪç] *adj* public; **~es Ärgernis erregen** cause public annoyance; **etw ~ bekanntmachen** make s.th. public; **~e Toilette** public convenience *Br,* public comfort station *Am;* **~e Betriebe** public utilities *pl;* **~e Verkehrsmittel** means of public transport; **Persönlichkeit des ~en Lebens** person in public life; **die ~e Meinung** public opinion; **~es Recht** (JUR) public law; **Anstalt ~en Rechts** public institution; **Öf•fent•lich•keit** *f* public; **mit etw an die ~ treten** bring s.th. before the public; **unter Ausschluss der ~ tagen** meet behind closed doors; **in aller ~** in public; **an die ~ gelangen** become known; **die ~ scheuen** shun publicity; **Öf•fent•lich•keits•ar•beit** *f* public relations *pl;* **öf•fent•lich-recht•lich** *adj* under public law

Of•fer•te [ɔˈfɛrtə] <-, -n> *f* offer

of•fi•zi•ell [ɔfiˈtsjɛl] *adj* official

Of•fi•zier [ɔfiˈtsiːɐ] <-s, -e> *m* (MIL) officer; **~ werden** (*zum ~ ernannt werden*) be commissioned; **mein Sohn will ~ werden** (*die ~slaufbahn einschlagen*) my son wants to be an officer; **diensthabender ~** officer of the day; **Of•fi•ziers•an•wär•ter** *m* officer cadet; **Of•fi•ziers•lauf•bahn** *f* officer's career

Off•line•be•trieb[RR] [ˈɔflaɪn-] *m* (EDV) offline mode

öff•nen [ˈœfnən] *tr itr refl* open; **Öff•ner** *m* opener; **Öff•nung** *f* opening; **Öff•nungs•po•li•tik** *f* policy of openness; **Öff•nungs•win•kel** *m* (PHOT TECH) aperture angle; **Öff•nungs•zei•ten** *pl* hours of business

Off•set•druck [ˈɔfsɛt-] *m* (TYP) offset printing

oft *adv,* **oft•mals** [ɔft] *adv* frequently, often; **je öfter ..., desto ...** the more often ... the ...; **des Öfteren**[RR] quite often

öf•ter [ˈœftɐ] *adv* (*gelegentlich*) (every) once in a while

oh [oː] *interj* oh!

oh•ne [ˈoːnə] **I.** *präp* without; **~ weiteres** just like that; **so ~ weiteres geht das nicht** it doesn't work that easily; **das kann man ~ weiteres sagen** it's quite all right to say that; **die Sache ist nicht ~** (*fam*) nicht schlecht, it's by no means bad; **er ist gar nicht so ~** (*fam*) he's pretty hot indeed; **sei ~ Sorge** don't worry **II.** *konj:* **~ etw zu tun** without doing s.th.; **~ dass ich es bemerkte, ...** without my noticing it ...; **oh•ne•dies** [--ˈ-/ˈ---] *adv* anyway; **oh•ne•glei•chen** [ˈ--ˈ--] *adj* unparalleled; **ein Sieg ~** an unparalleled victory

Ohn•macht <-, -en> *f* **1.** (*Bewusstlosigkeit*) faint, swoon **2.** (*fig: Machtlosigkeit*) powerlessness; **in ~ fallen** faint (*vor* from); **ohn•mäch•tig** *adj* **1.** (*bewusstlos*) unconscious **2.** (*fig: machtlos*) powerless; **werden** faint (*vor* from); **sie ist ~ !** she's fainted!; **~e Wut** (*fig*) helpless rage; **e-r Sache ~ gegenüberstehen** (*fig*) be helpless in the face of s.th.

Ohr [oːɐ] <-(e)s, -en> *n* ear; **sich aufs ~ legen** (*fam*) turn in; **ganz ~ sein** (*hum fam*) be all ears *pl;* **auf dem linken ~ taub sein** be deaf in the left ear; **jdm etw um die ~en hauen** (*fam*) hit s.o. over the head with s.th.; **viel um die ~en haben** (*fig fam*) have a lot on one's plate; **jdm zu ~en kommen** reach someone's ears; **sitzt du auf deinen ~en?** (*fam*) are you deaf or s.th.?; **jdn übers ~ hauen** (*fig fam*) pull a fast one on s.o.; **bis über die ~en in Schulden stecken** (*fig fam*) be up to one's ears in debt; **bis über beide ~en in jdn verliebt sein** (*fig fam*) be head over heels in love with s.o.; **jdm mit etw in den ~en liegen** (*fig fam*) badger s.o. for s.th.; **die ~en steif halten** (*fig fam*) keep a stiff upper lip; **die ~en spitzen** (*fig fam*) prick up one's ears; **es geht zum e-n ~ hinein u. zum anderen heraus** (*fam*) it goes in one ear and out the other; **auf dem ~ bin ich taub!** (*fig fam*) nothing doing!

Öhr [øːɐ] <-(e)s, -e> *n* (*Nadel~*) eye

oh•ren•be•täu•bend *adj* (*fig*) deafening; **Oh•ren•sau•sen** *n* buzzing in one's ears; **Oh•ren•schmalz** *n* earwax; **Oh•ren•schmer•zen** *mpl* earache; **Oh•ren•schüt•zer** *mpl* earmuffs

Ohr•fei•ge *f* box on the ears; **jdm e-e ~**

geben slap someone's face; **ohr•fei•gen** *tr* slap; **Ohr•läpp•chen** ['oːɐlɛpçən] *n* (ear)lobe; **Ohr•mu•schel** *f* outer ear; (ANAT) auricle; **Ohr•ring** *m* earring; **Ohr•ste•cker** *pl* stud earrings; **Ohr•wurm** *m* **1.** (ZOO) earwig **2.** (*fam: Musikstück*) catchy tune

ok•kult [ɔ'kʊlt] *adj* occult; **Ok•kul•tis•mus** *m* occultism

Ok•ku•pant [ɔku'pant] *m* (MIL) occupying power; **Ok•ku•pa•ti•on** *f* (POL) occupation; **ok•ku•pie•ren** *tr* occupy

Ö•ko- *präfix* ecological; **Ö•ko•lo•ge** [øko'loːgə] *m*, **Ö•ko•lo•gin** *f* ecologist; **Ö•ko•lo•gie** *f* ecology; **Ö•ko•lo•gie•be•we•gung** *f* ecology movement; **ö•ko•lo•gisch** *adj* ecological

Ö•ko•nom(in) [øko'noːm] <-en, -en> *m(f)* economist; **Ö•ko•no•me•trie** <-> *f* econometrics *pl;* **Ö•ko•no•mie** *f* **1.** (*Wirtschaftlichkeit*) economy **2.** (*Wirtschaft*) economy **3.** (*Wirtschaftswissenschaft*) economics *sing;* **ö•ko•no•misch** *adj* **1.** (*auf die Wirtschaft(lichkeit) bezogen*) economic **2.** (*sparsam*) economical

Ö•ko•par•tei *f* ecology party

Ö•ko•sys•tem *n* eco-system

Ok•ta•eder [ɔkta'eːdɐ] <-s, -> *m* (MATH) octohedron

Ok•tan•zahl [ɔk'taːn-] *f* octane rating

Ok•tav•band *m* octavo volume

Ok•ta•ve [ɔk'taːvə] <-, -n> *f* (MUS) octave

Ok•to•ber [ɔk'toːbɐ] <-(s), -> *m* October

Ok•to•ber•re•vo•lu•ti•on *f ohne pl* (HIST) October Revolution

O•ku•lar [oku'laːɐ] <-s, -e> *n* eyepiece, ocular

o•ku•lie•ren *tr* (BOT) graft

Ö•ku•me•ne [øku'meːnə] *f* (ECCL) ecumenical movement; **ö•ku•me•nisch** *adj* (ECCL) ecumenical

Ok•zi•dent [ɔktsi'dɛnt] <-s> *m* occident

Öl [øːl] <-(e)s, -e> *n* oil; ~ **ins Feuer gießen** (*fig*) add fuel to the fire; **in ~ malen** paint in oils *pl;* **auf ~ stoßen** strike oil; **Öl•ab•schei•der** *m* (*an Garage etc*) oil separator; **Öl•baum** *m* (BOT) olive tree; **Öl•bild** *n*, **Öl•ge•mäl•de** *n* oil painting

Old•ti•mer ['oːlt,taɪmɐ] <-s, -> *m* (MOT) **1.** (*Sammlerfahrzeug*) classic car **2.** (*hum: altes Auto*) veteran car

O•le•an•der [ole'andɐ] <-s> *m* oleander

ö•len *tr* oil; **wie ein geölter Blitz** (*fig fam*) like greased lightning

Öl•ex•por•teur *m* oil exporter; **Öl•far•be** *f* oil paint [*o* colour]; **Öl•feld** *n* oilfield; **Öl•film** *m* film of oil; **Öl•fleck** *m* oilstain; **Öl•för•de•rung** *f* oil production; **Öl•ge•mäl•de** *n* oil painting; **Öl•ge•win•nung** *f* oil production; **Öl•ha•fen** *m* oil terminal; **öl•hal•tig** *adj* (*Öl enthaltend*) containing oil; **Öl•hei•zung** *f* oil(-fired) heating

ö•lig *adj* (*a. fig*) oily

O•li•ve [o'liːvə] <-, -n> *f* (BOT) olive; **O•li•ven•baum** *m* olive tree; **O•li•ven•öl** *n* olive oil; **o•liv•grün** *adj* olive-green

Öl•ja•cke *f* (MAR) oilskin jacket; **Öl•ka•nis•ter** *m* oil can; **Öl•kon•zern** *m* oil company; **Öl•kri•se** *f* oil crisis

oll [ɔl] *adj* (*fam*) old; **je ~er, je doller** the older, the sillier; **wo habe ich nur das ~e Ding hingetan?** I wonder where I've put that silly old thing?

Öl•la•che *f* pool of oil; **Öl•lei•tung** *f* **1.** (*Pipeline*) pipeline **2.** (MOT) oil lead; **Öl•lie•fe•rant** *m* oil supplier; **Öl•mess•stab**[RR] *m* (MOT) dipstick; **Öl•pest** *f* oil pollution; **Öl•platt•form** *f* oil rig; **Öl•pum•pe** *f* (MOT) oil pump; **Öl•quel•le** *f* oil well; **Öl•raf•fi•ne•rie** *f* oil refinery; **Öl•sar•di•ne** *f* sardine; **wie die ~n dasitzen** (*fam*) be crammed in like sardines; **Öl•scheich** *m* (*hum*) oil sheikh; **Öl•schicht** *f* oil film; **Öl•stand** *m* (MOT) oil level; **Öl•stands•mes•ser** *m* (MOT) oil pressure gauge; **Öl•tan•ker** *m* oil tanker; **Öl•tep•pich** *m* oil slick

Ö•lung *f* oiling; **die Letzte ~** (ECCL) the extreme unction

Öl•ver•brauch *m* (MOT) oil consumption; **Öl•ver•knap•pung** *f* oil shortage; **Öl•vor•kom•men** *n* oil deposit; **Öl•wan•ne** *f* (MOT) sump *Br,* oil pan *Am;* **Öl•wech•sel** *m* (MOT) oil change; **e-n ~ machen** do an oil change

O•lym•pi•a•de [olʏm'pjaːdə] <-, -n> *f* Olympics *pl*

O•lym•pi•a•mann•schaft *f* Olympic team; **O•lym•pi•a•sta•di•on** *n* Olympic stadium; **O•lym•pi•a•stütz•punkt** *m* Olympic training centre

o•lym•pisch *adj* **1.** (REL) Olympian **2.** (*die O~en Spiele angehend*) Olympic; **die O~en Spiele** the Olympic Games

O•ma ['oːma] <-, -s> *f* (*fam*) grandma, granny

O•me•let•te [ɔm(ə)'lɛt] <-, -n> *f* omelet(te)

O•men ['oːmən] <-s, -> *n* omen; **o•mi•nös** [omi'nøːs] *adj* ominous

Om•ni•bus ['ɔmnibʊs] <-ses, -se> *m* bus; **mit dem ~ fahren** go by bus; **Om•ni•bus•hal•te•stel•le** *f* bus stop; **Om•ni•bus•li•nie** *f* bus line

O•na•nie [ona'niː] *f* masturbation

On•kel ['ɔŋkəl] <-s, -> *m* uncle; **der ~ Doktor** (*fam*) the nice doctor

On•line•be•trieb ['ɔnlaɪn-] *m* (EDV) on-line mode; **On•line•bib•lio•thek** *f* (EDV) online library

O•nyx ['o:nyks] <-(es)> *m* onyx

O•pa ['o:pa] <-s, -s> *m* (*fam*) grandad, grandpa

O•pal [o'pa:l] <-s, -e> *m* opal

O•per ['o:pɐ] <-, -n> *f* **1.** (MUS: *als Gattung*) opera **2.** (*~nhaus*) opera house; **in die ~ gehen** go to the opera

O•pe•ra•teur(in) [opəra'tø:ɐ] <-s, -e> *m(f)* (MED) surgeon; **O•pe•ra•ti•on** *f* operation; **sich e-r ~ unterziehen** undergo an operation; **O•pe•ra•ti•ons•saal** *m* (MED) operating theatre *Br*, operating room *Am*; **O•pe•ra•ti•ons•tisch** *m* operating table

o•pe•ra•tiv *adj* **1.** (MED) operative **2.** (MIL) operational

O•pe•ret•te [opə'rɛtə] <-, -n> *f* (MUS) operetta

o•pe•rie•ren **I.** *tr* operate on (*jdn am Magen* someone's stomach) **II.** *itr* operate; **sich ~ lassen** have an operation

O•pern•glas *n* opera glasses *pl*; **O•pern•haus** *n* opera house; **O•pern•sän•ger(in)** *m(f)* opera singer

Op•fer ['ɔpfɐ] <-s, -> *n* **1.** (*~gabe, a. fig*) sacrifice **2.** (*Geopferter, Geschädigter*) victim; **ein ~ (für jdn) bringen** make a sacrifice (for s.o.); **kein ~ scheuen** consider no sacrifice too great; **jdm etw zum ~ bringen** offer s.th. as a sacrifice to s.o.; **jdm (e-r Sache) zum ~ fallen** fall a victim to s.o. (s.th.); **Op•fer•be•reit•schaft** *f* willingness to make sacrifices [*o* to sacrifice o.s.]; **op•fern** **I.** *tr itr* (*a. fig*) sacrifice **II.** *refl* **1.** (*sich auf~*) sacrifice o.s. **2.** (*hum fam: sich hergeben*) be a martyr; **Op•fer•stock** *m* (ECCL) offertory box; **Op•fe•rung** *f* **1.** (*das Opfern*) sacrifice **2.** (ECCL) offertory; **op•fer•wil•lig** *adj* willing to make sacrifices

O•pi•at [o'pia:t] <-(e)s, -e> *n* opiate

O•pi•um ['o:piʊm] <-s> *n* opium

op•po•nie•ren [ɔpo'ni:rən] *itr* oppose (*gegen jdn o etw* s.o., s.th.)

op•por•tun [ɔpɔr'tu:n] *adj* opportune; **Op•por•tu•nis•mus** *m* oppertunism; **Op•por•tu•nist(in)** *m(f)* opportunist; **op•por•tu•nis•tisch** *adj* opportunist(ic)

Op•po•si•ti•on *f* opposition; **Op•po•si•ti•ons•füh•rer(in)** *m(f)* (PARL) opposition leader

Op•tik ['ɔptɪk] *f* **1.** optics *pl* **2.** (PHOT) lens system; **nur der ~ wegen** (*fig*) for visual effect only; **Op•ti•ker(in)** *m(f)* optician

op•ti•mal [ɔpti'ma:l] *adj* optimal; **das ist nicht ~** (*fam*) that's not ideal; **op•ti•mie•ren** *tr* optimize; **Op•ti•mis•mus** *m* optimism; **Op•ti•mist(in)** *m(f)* optimist; **op•ti•mis•tisch** *adj* optimistic

Op•ti•on [ɔp'tsjo:n] <-, -en> *f* (FIN) option; **Op•ti•ons•ge•schäft** *f* (*Börse*) options trading

op•tisch *adj* visual; (OPT) optical; **~e Täuschung** optical illusion; **rein ~** (*fam*) visually

O•pus ['o:pʊs] <-> *n* opus

O•ra•kel [o'ra:kəl] <-s, -> *n* oracle; **o•ra•keln** <ohne ge-> *itr* **1.** (*in dunklen Worten reden*) speak in riddles *pl* **2.** (*hum: über Zukünftiges*) prognosticate

O•rang-U•tan ['o:raŋ'u:tan] <-s, -s> *m* (ZOO) orang-outang

O•ran•ge[1] [o'raŋʒə] <-, -n> *f* (BOT) orange

O•range[2] <-> *n* (*Farbe*) orange

o•ran•ge•far•ben *adj* orange

O•ran•gen•mar•me•la•de *f* marmalade; **O•ran•gen•saft** *m* orange juice; **O•ran•gen•scha•le** *f* orange-peel

O•ran•ge•rie [---'-] *f* orangery

O•ra•to•ri•um [ora'to:riʊm] <-s, -rien> *n* (MUS) oratorio

Or•ches•ter [ɔr'kɛstɐ] <-s, -> *n* (MUS) orchestra; **Or•ches•ter•gra•ben** *m* orchestra pit

Or•chi•dee [ɔrçi'de:] <-, -n> *f* (BOT) orchid

Or•den ['ɔrdən] <-s, -> *m* **1.** (REL: *Mönchs~ etc*) order **2.** (*Auszeichnung*) decoration; **jdm e-n ~ für etw verleihen** decorate s.o. for s.th.; **Or•dens•band** *n* **1.** (*allgemein*) ribbon **2.** (MIL) medal ribbon; **Or•dens•geist•liche(r)** *m* (ECCL) priest in a religious order

or•dent•lich ['ɔrdəntlɪç] *adj* **1.** (*aufgeräumt*) orderly, tidy **2.** (*anständig*) decent; (*achtbar*) respectable **3.** (*annehmbar, vernünftig*) reasonable **4.** (*fam: tüchtig, gehörig*) proper, real; **ein ~es Frühstück** a proper breakfast; **e-e ~e Tracht Prügel** a proper hiding; **~er Professor** full professor; **sie haben ihn ~ über's Ohr gehauen** they cheated him properly

Or•der ['ɔrdɐ] <-, -s/-n> *f* (*Anweisung, Auftrag*) order; **an die ~ von ...** (COM) to the order of ...; **sich an s-e ~ halten** stick to one's orders *pl*

or•dern *tr* (COM) order

or•di•när [ɔrdi'nɛ:ɐ] *adj* **1.** (*vulgär*) vulgar **2.** (*alltäglich*) ordinary

Or•di•na•rius [ɔrdi'na:riʊs] <-, -rien> *m* professor (*für* of)

ord•nen ['ɔrdnən] **I.** *tr* **1.** (*organisieren*) order, organize **2.** (*in Ordnung bringen*) put in order **3.** (*an~, sortieren*) arrange **II.** *refl* **1.** (*in (e-e) Ordnung kommen*) get into order **2.** (*sich an~, bilden*) form (*zu etw* s.th.); **wohl geordnet**[RR] well arranged; **Ord•ner** *m* **1.** (*bei Versammlung etc*) steward **2.** (*Akten~*) file

Ord•nung *f* **1.** (*das Ordnen*) ordering **2.** (*Ergebnis des Ordnens*) order **3.** (*Regelung*) rules *pl* **4.** (*Gesetzmäßigkeit*) routine

5. (*Rang, a. in Mathematik und Biologie*) order; ~ **halten** keep things in order; (**er ist**) **in** ~ (he's) all right [*o* OK] *fam;* **jdn zur ~ rufen** call s.o. to order; **das bringen Sie wieder in ~!** you'll sort this out!; **können Sie diese Maschine wieder in ~ bringen?** can you fix this machine?; **die Maschine ist** (**wieder**) **in** ~ the machine is fixed (again); **mit meinem CD-Spieler ist etwas nicht in** ~ there's s.th. wrong with my CD-player; **klar, geht in ~!** (*fam*) sure, that's OK!; ~ **muss sein!** we must have order!; **man muss sich an die ~ halten** one must stick to the rules; **nur der ~ halber** only as a matter of form; **sie ist ein Genie erster** ~ she is a genius of the first order

Ord•nungs•amt *n municipal authorities;* **ord•nungs•ge•mäß** *adj* according to the rules; ~ **ablaufen** take its proper course

Ord•nungs•ruf *m* (PARL) call to order; **Ord•nungs•stra•fe** *f* fine; **jdn mit e-r ~ belegen** fine s.o.; **ord•nungs•wid•rig** *adj* (JUR) irregular; ~ **handeln** infringe regulations; **Ord•nungs•wid•rig•keit** *f* (JUR) infringement; **Ord•nungs•zahl** *f* **1.** (MATH) ordinal number **2.** (PHYS) atomic number

Or•gan [ɔr'ga:n] <-s, -e> *n* **1.** (MED ANAT: *Körper~*) organ **2.** (*fam: Stimme*) voice **3.** (*fig: Zeitung*) organ **4.** (*fig: Amt, Stelle*) instrument, organ

Or•gan•han•del *m* trade in human organs

Or•ga•ni•gramm [ɔrgani'gram] <-(e)s, -e> *n* organigram

Or•ga•ni•sa•ti•on [ɔrganiza'tsjo:n] *f* organization; **Or•ga•ni•sa•ti•ons•ko•mi•tee** *nt* organising committee; **Or•ga•ni•sa•ti•ons•ta•lent** *n* organizing ability; **Or•ga•ni•sa•tor**(**in**) *m(f)* organizer; **or•ga•ni•sa•to•risch** *adj* organizational; ~**es Talent besitzen** have a gift for organization

or•ga•nisch *adj* **1.** (CHEM) organic **2.** (MED: *körperlich*) physical

or•ga•ni•sie•ren I. *tr itr* **1.** organize **2.** (*sl: klauen*) lift **II.** *refl* organize; **das organisierte Verbrechen** organized crime

Or•ga•nis•mus *m* organism

Or•ga•nist(**in**) *m(f)* (MUS) organist

Or•gan•spen•de *f* organ donation; **Or•gan•spen•der**(**in**) *m(f)* (MED) (organ) donor; **Or•gan•trans•plan•ta•ti•on** *f* (MED) transplantation

Or•gas•mus [ɔr'gasmʊs] *m* orgasm; **or•gas•tisch** *adj* orgasmic

Or•gel ['ɔrgəl] <-, -n> *f* (MUS) organ; **Or•gel•kon•zert** *n* organ recital; **or•geln** *itr* (*Orgel spielen*) play the organ; **Or•gel•pfei•fe** *f* organ pipe

Or•gie ['ɔrgiə] *f* orgy; ~**n feiern** have orgies; (*fig*) go wild

O•ri•ent ['o:riɛnt/ori'ɛnt] <-> *m* Orient; **O•ri•en•ta•le** *m,* **O•ri•en•ta•lin** *f* man (woman) from the Middle East; **o•ri•en•ta•lisch** *adj* Middle Eastern

o•ri•en•tie•ren I. *refl* **1.** (*sich zurechtfinden*) orientate o.s. (*an o nach* by) **2.** (*sich ausrichten, anpassen*) orientate (*an* to) **3.** (*sich informieren*) inform o.s. (*über* about) **II.** *tr itr* **1.** (*ausrichten, a. fig*) orientate (*auf o nach* towards) **2.** (*informieren*) inform (*über* about); **s-e Ideen am Liberalismus** ~ orientate one's ideas to liberalism

O•ri•en•tie•rung *f* **1.** (*das Zurechtfinden, Ausrichten*) orientation **2.** (*Informierung*) information; **die ~ verlieren** (*a. fig*) lose one's bearings *pl;* **O•ri•en•tie•rungs•sinn** *m* sense of direction

O•ri•gi•nal [or(i)gi'na:l] <-s, -e> *n* **1.** original **2.** (*fig: origineller Mensch*) character, original person

o•ri•gi•nal *adj* original; **etw ~ übertragen** (RADIO TV) broadcast s.th. live

O•ri•gi•na•li•tät *f* **1.** (*Ursprünglichkeit, Urtümlichkeit*) originality **2.** (*Echtheit*) authenticity

O•ri•gi•nal•fas•sung *f* original (version); **in der englischen** ~ in the original English version

o•ri•gi•nell *adj* **1.** (*geistvoll, witzig*) witty **2.** (*neu*) novel **3.** (*original, selbstständig*) original

Or•kan [ɔr'ka:n] <-(e)s, -e> *m* **1.** hurricane **2.** (*fig*) storm; **or•kan•ar•tig** *adj* hurricanelike

Or•na•ment [ɔrna'mɛnt] <-(e)s, -e> *n* ornament; **or•na•men•tal** *adj* ornamental

Or•nat [ɔr'na:t] <-(e)s, -e> *m* **1.** (*allgemein*) regalia *pl* **2.** (ECCL) vestments *pl*

O•ro•pax® <-> *n* ear plugs *pl*

Ort¹ [ɔrt] <-(e)s, -e> *m* **1.** (*Platz, Stelle*) place **2.** (*~schaft*) place **3.** (MATH) locus; **am ~ des Verbrechens** in the locality of the crime; ~ **der Handlung** (THEAT FILM) scene of the action; **an ~ u. Stelle** (*sofort, o vor ~*) on the spot; **an ~ u. Stelle ankommen** arrive at one's destination; **ein abgelegener** ~ a remote spot; **von ~ zu ~** from place to place; **der nächste** ~ the next village [*o* town]

Ort² <-(e)s> *m* (MIN) coal face; **vor** ~ at the coal face

Ört•chen ['œrtçən] *n* (*hum euph*): **das stille** ~ the smallest room

or•ten *tr* (AERO MAR) locate

or•tho•dox [ɔrto'dɔks] *adj* (REL) orthodox

Or•tho•gra•phie [ɔrtogra'fi:] *f,* **Or•tho•gra•fie**RR *f* orthography; **or•tho-**

gra•phisch *adj,* **or•tho•gra•fisch**[RR] *adj* orthographic(al)

Or•tho•pä•de, -pä•din [ɔrto'pɛːdə] *m, f* (MED) orthop(a)edist; **Or•tho•pä•die** [---'-] *f* (MED) orthopaedics *pl;* **or•tho•pä•disch** *adj* (MED) orthopaedic

ört•lich ['œrtlɪç] *adj* local; **Ört•lich•keit** *f* locality; **sich mit der ~ vertraut machen** familiarize o.s. with the locality

Orts•an•ga•be *f* **1.** (*bei Briefen*) town **2.** (*bei Büchern etc*) place of publication; **orts•an•säs•sig** *adj* local; **die O~en** the local residents; **Orts•aus•gang** *m* end of a town [*o* village]; **Orts•be•sich•ti•gung** *f* local survey, site inspection; **Orts•be•stim•mung** *f* position fixing

Ort•schaft *f* (*Stadt*) town; (*Dorf*) village; **geschlossene ~** built-up area

Orts•ein•gang *m* entrance to a town [*o* village]; **orts•fremd** *adj* non-local; **Orts•ge•spräch** *n* (TELE) local call; **Orts•kran•ken•kas•se** *f* (*in Deutschland*) *pulsory medical assurance scheme;* **orts•kun•dig** *adj:* **~ sein** know one's way around [*o* know the place]; **Orts•na•me** *m* place name; **Orts•netz** *n* **1.** (TELE) local exchange area **2.** (EL) local grid; **Orts•netz•kenn•zahl** *f* (TELE) STD code; **Orts•schild** *n* place name sign; **Orts•sinn** <-(e)s> *m* sense of direction; **Orts•ta•rif** *m* (TELE) charge for local phone-call; **Orts•teil** *m* district; **orts•üb•lich** *adj:* **es ist hier ~** it's local custom here; **Orts•ver•band** *m* local committee; **Orts•wech•sel** *m* change of place; **Orts•zeit** *f* local time; **Orts•zu•schlag** *m* local weighting allowance *Br*

Or•tung *f* (MAR AERO) locating

Öse ['øːzə] <-, -n> *f* eyelet

Os•si ['ɔsɪ] <-s, -s> *m* (*fam*) *citizen of the former East Germany*

Ost [ɔst] *m* **1.** (*Himmelsrichtung*) East **2.** (*~wind*) East wind

Ost•a•fri•ka ['-'---] *n* East Africa; **Ost•a•sien** ['-'--] *n* Eastern Asia; **Ost-Ber•lin** *n* East Berlin; **Ost•block** <-s> *m* (POL) Eastern Bloc; **ost•deutsch** *adj* East German; **Ost•deutsch•land** *n* **1.** (*geographisch*) Eastern Germany **2.** (POL HIST) East Germany; **Os•ten** <-s> *m* **1.** (*Himmelsrichtung*) East **2.** (POL: *Ostblock*): **der ~** the East; **der Nahe** (**Mittlere, Ferne**) **~** the Near (Middle, Far) East; **im** (**in den**) **~** in (to) the East

os•ten•ta•tiv [ɔstɛnta'tiːf] *adj* pointed

Os•te•o•po•ro•se [ɔsteopo'roːzə] <-> *f* osteoporosis

Os•ter•ei *n* Easter egg; **Os•ter•feu•er** *n* *bonfire lit on Easter Saturday;* **Os•ter•gloc•ke** *f* (BOT) daffodil; **Os•ter•ha•se** *m* Easter Bunny

ös•ter•lich ['øːstɐlɪç] *adj* (of) Easter

Os•ter•marsch *m* peace march; **Os•ter•mon•tag** *m* Easter Monday

Os•tern ['oːstɐn] <-, -> *n* Easter; **frohe ~!** Happy Easter!

Os•ter•sonn•tag *m* Easter Sunday; **Os•ter•wo•che** *f* Easter Week

Ös•ter•reich ['øːst(ə)raɪç] *n* Austria; **Ös•ter•rei•cher(in)** *m(f)* Austrian; **ös•ter•rei•chisch** *adj* Austrian

Ost•eu•ro•pa *n* Eastern Europe

Ost•frie•se <-n, -n> *m,* **Ost•frie•sin** *f* East Frisian; **ost•frie•sisch** *adj* East Frisian; **Ost•fries•land** *n* East Frisia

Ost•go•te *m* (HIST) Ostrogoth

ost•in•disch ['-'--] *adj* East Indian

öst•lich ['œstlɪç] **I.** *adj* easterly **II.** *adv:* **~ von …** (to the) east of … **III.** *präp* (to the) east of …

Ös•tro•gen [œstro'geːn] <-s, -e> *n* estrogen

ost•rö•misch *adj* Byzantine

Ost•see *f:* **die ~** the Baltic (Sea); **Ost•staa•ten** *pl* (*der USA*) Eastern states; **Ost•ver•trä•ge** *pl* (POL) treaties with Eastern Bloc states

ost•wärts *adv* eastwards

Ost-West-Beziehungen *pl* (POL) East-West relations

Ot•ter[1] ['ɔtɐ] <-, -n> *f* (ZOO: *Schlange*) adder, viper

Ot•ter[2] <-s, -> *m* (ZOO: *Fisch~*) otter

Ot•to ['ɔto] *m* (*hum fam*): **den flotten ~ haben** (*Durchfall*) have the runs *pl*

Ot•to•mo•tor *m* otto engine

Out•sour•cing ['aʊtsɔːsɪŋ] <-s> *nt* outsourcing

Ou•ver•tü•re [ovɛr'tyːrə] <-, -n> *f* (MUS) overture

oval [o'vaːl] *adj* oval

Over•all ['oʊvərɔːl] <-s, -s> *m* overalls *pl*

O•vu•la•ti•on [ovula'tsjoːn] <-, -en> *f* ovulation; **O•vu•la•ti•ons•hem•mer** <-s, -> *m* ovulation inhibitor

O•xid [ɔ'ksiːt] <-(e)s, -e> *n* (CHEM) oxide; **O•xi•da•ti•on** *f* (CHEM) oxidation

o•xi•die•ren *tr itr* (CHEM) oxidise

O•ze•an ['oːtseaːn] <-s, -e> *m* ocean; **O•ze•an•damp•fer** *m* ocean steamer; **o•zea•nisch** *adj* oceanic

O•ze•lot ['oːtselɔt] <-s, -e> *m* (ZOO) ocelot

O•zon [o'tsoːn] <-s> *n* (CHEM) ozone; **O•zon•be•las•tung** *f ohne pl* ozone pollution; **O•zon•kil•ler** <-s, -> *m* (*fam*) ozone killer; **O•zon•loch** *n* hole in the ozone layer; **O•zon•schicht** *f* ozone layer, ozonosphere; **O•zon•schild** *m* ozone shield

P

P, p [peː] <-, -> *n* P, p

Paar [paːɐ] <-(e)s, -e> *n* pair; (*zwei Menschen*) couple; **ein ~ Schuhe** a pair of shoes; **die beiden sind ein ungleiches ~** the two of them make an odd couple

paar *adj:* **ein ~** a few; (*zwei, drei*) a couple of; **vor ein ~ Tagen** a few days ago; **die ~ Leute, die da waren** the few people who were there; **kannst du mir ein ~ Zeilen schreiben?** can you drop me a line?

paa•ren I. *tr* **1.** (ZOO) mate **2.** (*fig*) combine **II.** *refl* **1.** (ZOO) mate **2.** (*fig*) be combined

paa•rig *adj* in pairs

Paar•lauf *m* (SPORT) pair scating

paar•mal *adv:* **ein ~** a few times; (*zwei-, dreimal*) a couple of times

Paa•rung *f* **1.** (ZOO) mating **2.** (SPORT) match **3.** (*fig*) combination

paar•wei•se *adv* in pairs *pl*

Pacht [paxt] <-, -en> *f* **1.** (*~verhältnis*) lease **2.** (*Entgelt*) rent; **etw in ~ geben** let (out) s.th. on lease; **etw in ~ nehmen** (**haben**) take (have) s.th. on lease; **pach•ten** *tr* lease; **etw für sich gepachtet haben** (*fig fam*) have the [*o* a] monopoly on s.th.; **Päch•ter**(**in**) ['pɛçtɐ] *m(f)* tenant; **Pacht•ver•trag** *m* lease

Pack¹ [pak] <-(e)s> *m* **1.** (*Haufen*) stack **2.** (*Bündel*) bundle; **mit Sack u. ~** (*fam*) with bag and baggage

Pack² *n* (*Gesindel*) rabble, riffraff

Pa•cka•ger ['pækidʒə] <-s, -> *m* packager

Päck•chen ['pɛkçən] <-s, -> *n* **1.** (*allgemein*) package **2.** (*Packung, Schachtel*) packet **3.** (*Post~*) small parcel

Pack•eis *n* pack ice

pa•ckeln *vi* (*österr: paktieren*) make a deal

pa•cken I. *tr itr* **1.** (*festhalten*) grab, seize **2.** (*fig: begeistern, ergreifen*) grip, thrill **3.** (*ein~, verstauen*) pack; (*Päckchen, Pakete*) make up **4.** (*sl: hinkriegen, schaffen*) manage; **jdn beim Arm ~** grab someone's arm; **jdn am Kragen ~** grab s.o. by the collar; **der Zug geht in zehn Minuten, ~ wir das noch?** (*sl*) the train leaves in ten minutes, can we still make it?; **ich pack's nicht!** (*sl*) I don't believe it!; **~ packen wir's!** (*sl*) let's get going! **II.** *refl* (*fam: sich davonmachen*) clear off; **pa•ckend** *adj* (*fig: fesselnd*) gripping, thrilling; **Pa•cker**(**in**) *m(f)* packer; **Pack•e•sel** *m* **1.** (*Lastesel*) pack-ass **2.** (*fig*) packhorse; **Pack•pa•pier** *n* wrapping paper; **Pack•sat•tel** *m* pack-saddle

Pa•ckung *f* **1.** (*Päckchen, Schachtel*) packet **2.** (MED) compress **3.** (TECH) gasket; **e-e ~ Zigaretten** a packet of cigarettes *Br,* pack of cigarettes *Am*

Pack•wa•gen *m* (RAIL) luggage van *Br,* baggage car *Am*

Päd•a•go•ge, -gin [pɛda'goːgə] *m, f* education(al)ist; **Päd•a•go•gik** [--'--] *f* education; **päd•a•go•gisch** *adj* educational, pedagogical; **P~e Hochschule** teacher-training college

Pad•del ['padəl] <-s, -> *n* paddle; **Pad•del•boot** *n* canoe; **pad•deln** *itr* canoe, paddle

Päd•e•rast [pɛde'rast] <-en, -en> *m* pederast

paf•fen ['pafən] **I.** *tr* (*fam*) **1.** (*viel rauchen*) puff away at **2.** (*nicht inhalieren*) puff at **II.** *itr* **1.** (*viel rauchen*) puff away **2.** (*nicht inhalieren*) puff

Pa•ge ['paːʒə] <-n, -n> *m* **1.** (HIST) page **2.** (*Hotel~*) bellboy *Br,* bellhop *Am*

pa•gi•nie•ren [pagi'niːrən] *tr* (TYP) paginate

Pai•let•te *f* sequin

Pa•ket [pa'keːt] <-(e)s, -e> *n* **1.** (*Post~*) parcel **2.** (*Packung*) packet **3.** (*fig*) package; **ein ~ aufgeben** mail a parcel; **etw als ~ schicken** send s.th. by parcel post; **Pa•ket•an•nah•me** *f* parcels office; **Pa•ket•aus•ga•be** *f* parcel-delivery; **Pa•ket•kar•te** *f* dispatch form; **Pa•ket•post** *f* parcel post; **Pa•ket•schal•ter** *m* parcels counter

Pa•kis•tan ['paːkistaːn] *n* Pakistan

Pakt [pakt] <-(e)s, -e> *m* agreement, pact; **pak•tie•ren** *itr* make a pact

Pa•last [pa'last, *pl:* pa'lɛstə] <-es, ⸚e> *m* (*a. fig*) palace

Pa•läs•ti•na [palɛs'tiːna] *n* Palestine; **Pa•läs•ti•nen•ser**(**in**) [palɛsti'nɛnzɐ] *m(f)* Palestinian; **pa•läs•ti•nen•sisch** *adj* Palestinian

Pa•la•ver [pa'laːvɐ] <-s, -> *n* (*a. fig fam*) palaver; **pa•la•vern** <ohne ge-> *itr* (*a. fig fam*) palaver

Pa•let•te [pa'lɛtə] <-, -n> *f* **1.** (*Maler~*) palette **2.** (*Transport~*) pallet **3.** (MARKT: *Produkt~ etc*) range

pa•let•tie•ren *tr* to palletize

Pa•li•sa•de [pali'zaːdə] <-, -n> *f* palisade

Pal•me ['palmə] <-, -n> *f* (BOT) palm (tree); **so etw bringt mich wirklich auf die ~!** (*fam*) such a thing really makes me see red!; **Palm•öl** *n* palm oil

Palm•sonn•tag *m* Palm Sunday

Palm•top ['pɑːmtɒp] <-s, -s> *n* (EDV) palmtop

Palm•we•del *m* palm leaf; **Palm•zweig** *m* palm leaf

Pam•pe ['pampə] <-> *f* (*fam*) slop

Pam•pel•mu•se ['pampəlmuːzə] <-, -n> *f* grapefruit

Pam•phlet [pam'fleːt] <-(e)s, -e> *n* lampoon

pam•pig *adj* (*fam*) **1.** (*breiig*) gooey **2.** (*frech*) stroppy

Pa•na•ma ['panama] *n* Panama; **Pa•na•ma•er(in)** <-s, -> *m(f)* Panamanian

Pan•flö•te ['paːn-] *f* pan-pipes *pl*

pa•nie•ren [pa'niːrən] *tr* coat with breadcrumbs; **Pa•nier•mehl** *n* breadcrumbs *pl*

Pa•nik ['paːnɪk] *f* panic; **in ~ geraten** get into a panic; **nach dem Erdbeben brach e-e ~ aus** after the earthquake panic broke out; **Pa•nik•käu•fe** *pl* panic buying; **Pa•nik•ma•che** *f* (*fam*) panicmongering; **pa•nisch** *adj* panic-stricken; **~e Angst** panic-stricken fear; **e-e ~e Angst vor etw haben** be terrified of s.th.

Pan•ne ['panə] <-, -n> *f* **1.** (*allgemein und von Auto*) breakdown **2.** (*Reifen~*) puncture **3.** (*fam: Schnitzer*) boob *Br,* goof *Am;* **er hatte e-e ~** (*mit dem Auto*) his car broke down; (*e-e Reifen~*) he had a puncture; **da ist mir wohl e-e ~ passiert** (*fig fam*) I must have boobed there *Br,* I must have goofed there *Am;* **Pan•nen•dienst** *m* (MOT) breakdown service

Pa•no•ra•ma [pano'raːma] <-s, -men> *n* panorama

pan•schen ['pan(t)ʃən] *tr s.* **pan(t)schen**

Pan•sen ['panzən] <-s, -> *m* **1.** (ZOO) rumen **2.** (*fam*) belly

Pan•ther ['pantɐ] <-s, -> *m,* **Pan•ter**[RR] *m* (ZOO) panther

Pan•ti•ne [pan'tiːnə] <-, -n> *f* clog

Pan•tof•fel [pan'tɔfəl] <-s, -n> *m* slipper; **unterm ~ stehen** (*fig fam*) be henpecked; **Pan•tof•fel•held** *m* (*fam*) henpecked husband; **Pan•tof•fel•ki•no** *n* (*fam obs*) goggle-box *Br,* tube *Am*

Pan•to•mi•me[1] [panto'miːmə] <-, -n> *f* (*Kunst*) (panto)mime

Pan•to•mi•me[2] *m,* **Pan•to•mi•min** *f* mime; **pan•to•mi•misch** *adj* in mime

pan(t)•schen ['pan(t)ʃən] **I.** *tr* (*Wein, Whisky etc*) adulterate **II.** *itr* (*fam*) splash (about)

Pan•zer ['pantsɐ] <-s, -> *m* **1.** (HIST: *Rüstung*) armour **2.** (MIL) tank **3.** (ZOO: *von Schildkröte etc*) shell **4.** (*fig*) shield; **Pan•zer•ab•wehr** *f* (MIL: *~truppe*) anti-tank unit; **Pan•zer•ab•wehr•ka•no•ne** *f* (MIL) anti-tank gun; **Pan•zer•faust** *f* (MIL) bazooka; **Pan•zer•glas** <-es> *n* bullet-proof glass; **Pan•zer•gra•na•te** *f* (MIL) armour-piercing shell

pan•zern I. *tr* armour-plate **II.** *refl* (*fig*) arm o.s. (*gegen* against)

Pan•zer•schrank *m* safe; **Pan•zer•späh•wa•gen** [--'---] *m* (MIL) armoured scout car; **Pan•zer•sper•re** *f* tank trap, anti-tank barrier; **Pan•zer•wa•gen** *m* armoured car

Papa *m,* **Papi** ['papa/pa'paː] <-(s), -s> *m* (*fam*) dad(dy) *Br,* pa *Am,* pop

Pa•pa•gei [papa'gaɪ] <-en/-s, -en/(-e)> *m* (ZOO) parrot; **Pa•pa•gei•en•krank•heit** *f* (MED) parrot fever, psittacosis

Pa•per•back ['peːpɐbɛk] <-s, -s> *n* paperback

Pa•pier [pa'piːɐ] <-s, -e> *n* **1.** (*a. Schriftstück*) paper **2.** (FIN: *Wert~*) security, bond; **~e** (*Ausweis~*) (identity) papers; (*Dokumente*) documents; **ein Blatt ~** a sheet of paper; **nur auf dem ~ existieren** exist on paper only; **etw zu ~ bringen** put s.th. down on paper; **er verlangte s-e ~e** (*die Entlassungs~e*) he asked for his cards; **Pa•pier•ein•zug** *m* (*bei Drucker, Schreibmaschine*) paper feed; **Pa•pier•fa•brik** *f* paper mill; **Pa•pier•geld** *n* paper money; **Pa•pier•korb** *m* wastepaper basket *Br,* wastebasket *Am;* **Pa•pier•kram** *m* (*fam*) red tape, bumph *Br a.;* **Pa•pier•krieg** <-(e)s> *m* (*fam*) red tape; **e-n endlosen ~ mit den Behörden führen** go through an endless red tape with the authorities; **Pa•pier•stau** *m* (*bei Drucker*) paper jam; **Pa•pier•ta•schen•tuch** *n* paper handkerchief; **Pa•pier•ti•ger** *m* (*fig*) paper tiger; **Pa•pier•tra•ge•ta•sche** *f* paper carrier; **Pa•pier•tü•te** *f* paper bag; **Pa•pier•vor•schub** *m* (*an Drucker*) paper feed; **Pa•pier•wa•ren** *fpl* stationery *sing*

Papp•band *m* **1.** (*Einband*) pasteboard **2.** (*Buch*) hardback

Papp•be•cher *m* paper cup

Pap•pe ['papə] <-, -n> *f* cardboard; **nicht von ~ sein** (*fig fam*) not to be sneezed at

Pap•pel ['papəl] <-, -n> *f* (BOT) poplar

päp•peln ['pɛpəln] *tr* (*fam*) nourish

Pap•pen•hei•mer *pl* (*fam*): **ich kenne meine ~** I know you [*o* that] lot

Pap•pen•stiel *m* (*fig fam*): **etw für e-n ~ kriegen** get s.th. for a song; **hundert Mark sind kein ~** a hundred marks isn't chicken-feed

pap•per•la•papp ['papɐla'pap] *interj* (*fam*) rubbish

pap•pig *adj* sticky

Papp•kar•ton *m,* **Papp•schach•tel** *m* cardboard box; **Papp•ma•schee**[RR] ['papmaʃe:] <-s, -s> *n,* **Papp•ma•ché** *n* papier-mâché; **Papp•na•se** *f* false nose

Papp•schnee *m* sticky snow

Papp•tel•ler *m* paper plate

Pa•pri•ka ['paprika] <-s, -(s)> *m* **1.** (*Gewürz*) paprika **2.** (*~schote*) red [*o* green] pepper

Papst [pa:pst, *pl:* 'pɛ:pstə] <-es, ¨-e> *m* **1.** (ECCL) pope **2.** (*fig: Literatur~, Kritiker~ etc*) high priest; **päpst•lich** ['pɛ:pstlɪç] *adj* papal; **~er als der Papst sein** be more Catholic than the Pope; **Papst•tum** <-s> *n* (ECCL) papacy

Pa•ra•bel [pa'ra:bəl] <-, -n> *f* **1.** (*Gleichnis*) parable **2.** (MATH) parabola

Pa•ra•bol•an•ten•ne *f* (RADIO TV) satellite dish, parabolic receiving dish

Pa•ra•de [pa'ra:də] <-, -n> *f* **1.** (MIL) parade, review **2.** (SPORT: *Abwehr*) parry; (*Torwart~ beim Fußball*) save; **Pa•ra•de•bei•spiel** *n* outstanding [*o* prime] example

Pa•ra•dei•ser [para'daɪzɐ] <-s, -> *m* tomato *österr*

Pa•ra•de•schritt <-(e)s> *m* (MIL: *Stechschritt*) goose-step; **Pa•ra•de•u•ni•form** *f* (MIL) dress uniform

pa•ra•die•ren *itr* parade

Pa•ra•dies [para'di:s] <-es, -e> *n* (REL: *a. fig*) paradise; **pa•ra•die•sisch** *adj* **1.** (REL) paradisiac(al) **2.** (*fig*) heavenly; **~ schön sein** (*fig*) be like paradise

pa•ra•dox [para'dɔks] *adj* paradoxical; **Pa•ra•do•x(on)** [pa'radɔkso:n] <-es, -e> *n* paradox

Par•af•fin [para'fi:n] <-s, -e> *n* (CHEM) paraffin

Pa•ra•graph [para'gra:f] <-en, -en> *m,* **Pa•ra•graf**[RR] *m* (*Abschnitt*) paragraph; (JUR) section; **Pa•ra•gra•phen•dschun•gel** *m* verbiage; **sich im ~ zurechtfinden** wade one's way through the verbiage

Pa•ra•gu•ay ['pa:ragvai] *n* Paraguay

pa•r•al•lel [para'le:l] *adj* (*geometrisch, a. fig*) parallel (*zu* to); **Pa•r•al•le•le** <-, -n> *f* (*geometrisch, a. fig*) parallel (*zu* to); **Pa•r•al•le•lo•gramm** [paralelo'gram] <-s, -e> *n* (MATH) parallelogram

Pa•r•al•lel•schwung *m* (SPORT) parallel turn; **Pa•r•al•lel•stra•ße** *f* parallel road; **Pa•r•al•lel•ver•ar•bei•tung** *f* (EDV) multiprocessing; **Pa•r•al•lel•zu•griff** *m* (EDV) parallel access

pa•ra•mi•li•tä•risch ['pa:ra-] *adj* para-military

Pa•ra•me•ter [pa'ra:metɐ] <-, -> *m* parameter

Pa•ra•nuss[RR] *f* Brazil nut

pa•ra•phie•ren [para'fi:rən] *tr* (POL) initial

Pa•ra•psy•cho•lo•gie ['pa:ra-] *f* parapsychology

Pa•ra•sit [para'zi:t] <-en, -en> *m* (*a. fig*) parasite

pa•rat [pa'ra:t] *adj* ready; **etw ~ haben** (**halten**) have (keep) s.th. ready

Par•fum *n,* **Par•füm** [par'fœ:/(par'fy:m)] <-s, -s/-e> *n* perfume, scent; **Par•fü•me•rie** [---'-] *f* perfumery; **Par•füm•fla•sche** *f* perfume bottle; **par•fü•mie•ren I.** *tr* perfume, scent **II.** *refl* put perfume on

Pa•ria ['pa:ria] <-s, -s> *m* (*a. fig*) pariah

pa•rie•ren [pa'ri:rən] **I.** *tr* (*e-n Stoß, a. fig*) parry **II.** *itr* (*gehorchen*) obey

Pa•ri•ser [pa'ri:zɐ] <-s, -> **I.** *m* (*Einwohner von Paris*) Parisian **II.** *adj* Parisian; **Pa•ri•se•rin** *f* Parisienne

Pa•ri•tät [pari'tɛ:t] *f* (FIN POL) parity

Park [park] <-s, -s/(-e)> *m* park

Par•ka ['parka] <-(s), -s> *m* parka

Park•bank *f* park bench

Park•deck *f* (MOT) parking level

par•ken *tr itr* park; **P~ verboten!** no parking!

Par•kett [par'kɛt] <-(e)s, -e> *n* **1.** (*~fußboden*) parquet (flooring) **2.** (THEAT) stalls *Br,* parquet *Am;* **er legte e-e tolle Nummer aufs ~** (*fam*) he put on a great show; **er kann sich auf jedem ~ bewegen** (*fig*) he can move in any society; **Par•kett•bo•den** *m* parquet floor

Park•flä•che *f* parking place; **Park•ge•bühr** *f* parking tax; **Park•haus** *n* multi-stor(e)y covered car park; **Park•kral•le** *f* wheel clamp; **Park•land•schaft** *f* parkland; **Park•licht** <-s> *n* (MOT) parking light; **Park•lü•cke** *f* parking gap; **Park•platz** *m* parking lot; **Park•platz•not** *f* dearth of parking spaces; **Park•schei•be** *f* parking disc; **Park•strei•fen** *m* lay-by; **Park•sün•der(in)** *m(f)* parking offender; **Park•uhr** *f* parking meter; **Park•ver•bot** *n* "no parking"; **Park•wäch•ter(in)** *m(f)* **1.** (*in Parkanlage*) park keeper **2.** (*auf Parkplatz*) car-park attendant

Par•la•ment [parla'mɛnt] <-(e)s, -e> *n* parliament; **er wurde ins ~ gewählt** he was elected to parliament; **Par•la•men•ta•rier(in)** *m(f)* parliamentarian; **par•la•men•ta•risch** *adj* parliamentary; **Par•la•ments•aus•schuss**[RR] *m* parliamentary committee; **Par•la•ments•be•schluss**[RR] *m* vote of parliament; **Par•la•ments•de•bat•te** *f* parliamentary debate; **Par•la•ments•fe•rien** *pl* recess; **Par•la•ments•ge•bäu•de** *n* houses of parliament; **Par•la•ments•mit•glied** *n* member of parliament; **Par•la•ments•prä•si•dent** *m* president of the parliament; **Par•la•ments•sit•zung** *f* sitting

(of parliament); **Par•la•ments•wahl** *f* parliamentary election
Par•me•san [parme'za:n] <-s> *m* parmesan (cheese)
Pa•ro•die [paro'di:] *f* parody (*von* of, *auf* on); **pa•ro•die•ren** *tr* parody
Pa•ro•don•to•se [parodɔn'to:zə] <-> *f* periodontosis
Pa•ro•le [pa'ro:lə] <-, -n> *f* **1.** (MIL) password **2.** (*fig* POL) slogan **3.** (*fig: Wahlspruch*) motto
Par•sing *n* (EDV) parsing
Par•tei [par'taɪ] <-, -en> *f* **1.** (POL) party **2.** (*Mieter*) tenant **3.** (JUR) party; **die ~ wechseln** change parties *pl;* **~ sein** (*fig*) be bias(s)ed; **für jdn ~ ergreifen** take someone's part; **gegen jdn ~ ergreifen** (*fig*) take sides against s.o.; **nicht beteiligte ~** (JUR) third party; **schuldige ~** party in fault; **die vertragschließenden ~en** (JUR) the contracting parties; **Par•tei•ap•pa•rat** *m* (POL) party machinery; **Par•tei•buch** *n* (POL) party membership book; **er hat schon immer das richtige ~ gehabt** he's always been in the right party; **Par•tei•en•fi•nan•zie•rung** *f* party financing; **Par•tei•füh•rer(in)** *m(f)* (POL) party leader; **Par•tei•füh•rung** *f* party leadership; **Partei•ge•nos•se, -ge•nos•sin** *m, f* (POL) party member
par•tei•isch *adj* bias(s)ed
Par•tei•freund *m* fellow party member; **Par•tei•lich•keit** *f* partiality; **par•tei•los** *adj* (PARL) independent; **Par•tei•mit•glied** *n* (POL) party member; **Par•tei•nah•me** *f* partisanship; **Par•tei•or•gan** *n* party organ; **Par•tei•po•li•tik** *f* (POL) party politics *pl;* **par•tei•po•li•tisch** *adj* (POL) party political; **Par•tei•pro•gramm** *n* (POL) (party) manifesto *Br,* platform *Am;* **Par•tei•spen•de** *f* party donation; **Par•tei•spen•den•af•fä•re** *f* party donations scandal; **Par•tei•tag** *m* (POL) party convention [*o* conference]; **Par•tei•vor•sit•zen•de(r)** *f m* (POL) party leader; **Par•tei•vor•stand** *m* party executive; **Par•tei•zu•ge•hö•rig•keit** *f* (POL) party membership
Par•terre [par'tɛr] <-s, -s> *n* **1.** (ARCH) ground floor *Br,* first floor *Am* **2.** (THEAT) pit *Br,* parterre *Am;* **Par•ter•re•woh•nung** *f* ground-floor flat [*o* apartment]
Par•tie [par'ti:] *f* **1.** (*Teil*) part; (*Ausschnitt*) section **2.** (SPORT: *Spiel*) game; (*Tennis*) set **3.** (*fam: Glücksgriff*) catch **4.** (COM: *von Waren*) lot; **e-e ~ Schach spielen** play a game of chess; **sie ist e-e gute ~ (für ihn)** (*fam*) she's a good catch (for him); **sie hat e-e gute ~ gemacht** (*fam*) she has married well; **ich bin mit von der ~** you can count me in
par•ti•ell [par'tsjɛl] *adj* partial
Par•ti•kel [par'ti:kl] <-, -n> *f* particle
Par•ti•san(in) [parti'za:n] <-s/-en, -en> *m(f)* partisan
Par•ti•sa•nen•krieg *m* partisan war, guerilla war
Par•ti•tur [parti'tu:ɐ] *f* (MUS) score
Par•ti•zip [parti'tsi:p] <-s, -ien> *n* (GRAM) participle; **~ Präsens (Perfekt)** present (past) participle
Part•ner(in) ['partnɐ] *m(f)* partner; **Part•ner•schaft** *f* partnership; **Part•ner•stadt** *f* twin town; **Part•ner•tausch** *m* partner-swapping
Par•ty-Ser•vice *m* party catering service
Par•zel•le [par'tsɛlə] <-, -n> *f* plot *Br,* lot *Am;* **par•zel•lie•ren** *tr* parcel out
Pa•scha ['paʃa] <-s, -s> *m* pasha
Pass[RR] [pas] <-es, =e> *m* **1.** (*Gebirgs~*) pass **2.** (*Reise~*) passport **3.** (SPORT: *beim Fußfall*) pass
pas•sa•bel *adj* **1.** (*leidlich*) passable **2.** (*Aussehen*) reasonable
Pas•sa•ge [pa'sa:ʒə] <-, -n> *f* **1.** (*allgemein*) passage **2.** (*Einkaufs~*) arcade
Pas•sa•gier [pasa'ʒi:ɐ] <-s, -e> *m* passenger; **blinder ~** (MAR) stowaway; **Pas•sa•gier•damp•fer** *m* passenger steamer; **Pas•sa•gier•flug•zeug** *n* airliner; **Pas•sa•gier•lis•te** *f* passenger list; **Pas•sa•gier•schiff** *n* passenger ship
Pas•sant(in) *m(f)* passer-by
Pas•sat(•wind) [pa'sa:t] <-(e)s, -e> *m* trade wind
Pass•bild[RR] *n* passport photo(graph)
pas•see[RR] [pa'se:] *adj,* **pas•sé** *adj pred* out, passé
pas•sen ['pasən] **I.** *tr* **1.** (*ein~*) fit (*in* in(to)) **2.** (SPORT: *e-n Pass schlagen*) pass **II.** *itr* **1.** (*von der Größe o Form her*) fit **2.** (*harmonieren*) go (*zu etw* with s.th.), be suited (*zu jdm* to s.o.) **3.** ((*an*)*genehm sein*) suit (*jdm* s.o.) **4.** (SPORT: *e-n Pass schlagen*) pass **5.** (*beim Kartenspiel, a. beim Quiz*) pass; **~ Ihnen die Schuhe?** do the shoes fit you?; **das Kleid passt**[RR] **wie angegossen** the dress fits like a glove; **die Zeugenaussagen ~ nicht zusammen** the witnesses' reports don't fit; **diese Farben ~ nicht gut zueinander** these colours don't go together well; **sie ~ gut zueinander** they are well suited to each other; **passt**[RR] **es Ihnen am Montag?** is Monday all right for you?; **wann passt**[RR] **es Ihnen?** what time would suit you?; **pas•send** *adj* **1.** (*von der Größe o Form her*) fitting **2.** (*von Farbe, Stil etc her*) matching **3.** ((*an*)*genehm*) suitable **4.** (*treffend*) appropriate, fitting; **dazu ~de Schuhe** shoes to match; **haben Sie es ~?**

(*Geldbetrag*) have you got the right money?
Passe•par•tout [paspar'tu:] <-s, -s> *n* passe-partout
Pass•fo•toRR *n* passport photo(graph)
pas•sier•bar *adj* passable
pas•sie•ren [pa'si:rən] **I.** *tr* **1.** (*vorbeifahren*) pass **2.** (*durch Sieb ~ lassen*) strain **II.** *itr sein* (*sich ereignen*) happen (*mit* to); **Pas•sier•schein** *m* pass, permit
Pas•si•on [pa'sjo:n] *f* passion; **pas•sio•niert** *adj* enthusiastic, passionate
Pas•si•ons•frucht *f* passion fruit
Pas•siv ['pasi:f] <-s, (-e)> *n* (GRAM) passive (voice); **pas•siv** *adj* passive; **~er Wortschatz** passive vocabulary; **~es Mitglied** non-active member; **das ~e Wahlrecht** (POL) eligibility; **~er Widerstand** passive resistance
Pas•si•va [pa'si:va] *pl* (COM) liabilities
Pas•si•vi•tät *f* passivity
Pas•siv•rau•chen *n* passive smoking
Pass•kon•trol•leRR *f* passport control; **Pass•stel•le**RR *f* passport office
Pass•stra•ßeRR *f* (mountain) pass
Pass•stückRR *n* (TECH) adapter
Pass•wortRR *n* (EDV) password
Pas•te ['pastə] <-, -n> *f* paste
Pas•tell <-(s)> *n* pastel; **Pas•tell•far•be** *f* pastel; **Pas•tell•stift** *m* pastel crayon
Pas•te•te [pas'te:tə] <-, -n> *f* pie
pas•teu•ri•sie•ren [pastøri'zi:rən] *tr* pasteurize
Pas•til•le [pa'stɪlə] <-, -n> *f* lozenge, pastille
Pas•tor ['pastɔr] <-s, -en> *m* (ECCL: *anglikanisch*) vicar; (*freikirchlich*) minister
Pa•te ['pa:tə] <-n, -n> *m* (ECCL: *Tauf~*) godfather; **bei dieser Entwicklung hat er ~ gestanden** (*fig*) he sponsored this development; **Pa•ten•kind** *n* godchild; **Pa•ten•on•kel** *m* godfather; **Pa•ten•schaft** *f* (*a. fig*) sponsorship; (*für Täufling*) godparenthood
Pa•tent [pa'tɛnt] <-(e)s, -e> *n* **1.** patent **2.** (HIST MIL) commission; **ein ~ anmelden** apply for a patent (*auf* on)
pa•tent *adj* **1.** (*glänzend, klug*) ingenious **2.** (*fam: praktisch, handlich*) handy **3.** (*fam: prima, klasse*) great
Pa•tent•amt *n* patent office
Pa•ten•tan•te *f* godmother
Pa•tent•an•walt, **-an•wäl•tin** *m, f* patent agent *Br,* patent attorney *Am;* **pa•ten•tie•ren** *tr* patent; **(sich) etw ~ lassen** take out a patent on s.th.; **Pa•tent•in•ha•ber(in)** *m(f)* patentee; **Pa•tent•lö•sung** *f,* **Pa•tent•re•zept** *n* (*a. fig*) patent remedy; **Pa•tent•recht** *n* patent law; **Pa•tent•re•gis•ter** *n* patent rolls *pl;* **Pa•tent•ver•let•zung** *f* (JUR) patent infringement
Pa•ter ['pa:tɐ, *pl:* 'patre:s] <-s, -/-tres> *m* (ECCL) Father
pa•the•tisch [pa'te:tɪʃ] *adj* emotive; (*übertrieben ~*) histrionic
pa•tho•gen [pato'ge:n] *adj* pathogenous
pa•tho•lo•gisch [pato'logɪʃ] *adj* pathological
Pa•thos ['pa:tɔs] <-> *n* pathos
Patient(in) [pa'tsjɛnt] <-en, -en> *m(f)* patient; **Pa•tien•ten•kar•tei** *f* patients file
Pa•tin ['pa:tɪn] *f* (ECCL: *Tauf~*) godmother
Pa•ti•na ['pa:tina] <-> *f* (*a. fig*) patina; **pa•ti•nie•ren** *tr* patinate
Pa•t•ri•arch [patri'arç] <-en, -en> *m* (*a. fig*) patriarch; **pa•t•ri•ar•cha•lisch** *adj* (*a. fig*) patriarchal; **Pa•t•ri•ar•chat** <-(e)s> *n* patriarchy
Pa•t•ri•ot(in) [patri'o:t] *m(f)* patriot; **pa•t•ri•o•tisch** *adj* patriotic; **Pa•t•ri•o•tis•mus** *m* patriotism
Pa•t•ri•zier(in) [pa'tri:tsiɐ] *m(f)* patrician
Pa•t•ron(in) [pa'tro:n] <-s, -e> *m(f)* **1.** (HIST: *Schirmherr, Schirmherrin*) patron, patroness **2.** (*fig fam*): **ein schlauer** [*o* **unangenehmer**] **~** a shrewd [*o* tough] customer; **Pa•t•ro•nat** <-(e)s, -e> *n* patronage (*über* of)
Pa•t•ro•ne [pa'tro:nə] <-, -n> *f* (MIL FILM) cartridge
Pa•t•ro•nen•gurt *m* ammunition belt
Pa•t•rouil•le [pa'trʊljə] <-, -n> *f* patrol; **pa•t•rouil•lie•ren** [patrʊ'li:rən] *itr* patrol
patsch *interj* (*bei Schlag*) smack
Pat•sche ['patʃə] <-, -n> *f* (*fam*) **1.** (*Hand*) paw **2.** (*Matsch*) mud **3.** (*fig*) fix, jam; **in der ~ sitzen** (*fig*) be in a fix; **jdm aus der ~ helfen** (*fig*) get s.o. out of a jam; **patschen** *itr* **1.** (*spritzen*) splash **2.** (*schlagen*) smack; **Patsch•händ•chen** *f* (*fam: von Kindern*) (tiny) hand; **patsch•nass**RR ['-'-] *adj* (*fam*) soaking wet
Patt [pat] <-s, (-s)> *n* (*a. fig* POL) stalemate; **Patt•si•tu•a•ti•on** *f* (*fig*) stale mate
pat•zen ['patsn] *itr* make a boob, slip up
Pat•zer ['patsɐ] *m* (*fam: Schnitzer*) boob *Br,* goof *Am*
patzig *adj* (*fam*) snotty
Pau•ke ['paʊkə] <-, -n> *f* (MUS) kettledrum; **mit ~n u. Trompeten durchfallen** (*fig fam*) fail miserably; **auf die ~ hauen** (*fam: überschwänglich feiern*) paint the town red; (*übermäßig angeben*) blow one's own trumpet; **pau•ken I.** *tr* (*fam: büffeln*) swot up **II.** *itr* **1.** (MUS) drum **2.** (*fam: büffeln*) swot; **Pau•ken•schlag** *m* (MUS) drum beat; **wie ein ~** (*fig*) like a thunderbolt; **Pau•ken•wir•bel** *m* (MUS) roll on the kettledrum; **Pau•ker** *m* **1.** (MUS) drummer **2.** (*fam: Lehrer*) crammer
paus•bä•ckig ['paʊsbɛkɪç] *adj* chubby-

cheeked
pau•schal [paʊˈʃaːl] *adj* **1.** (*geschätzt*) estimated, overall **2.** (*alles inbegriffen*) inclusive **3.** (*einheitlich*) flat-rate **4.** (*fig: in Bausch u. Bogen*) sweeping, wholesale; **etw ~ bezahlen** pay s.th. in a lump sum; **jdm etw ~ berechnen** charge s.o. a flat rate for, s.th.; **~e Lohnerhöhung** flat-rate wage increase; **ein Volk ~ verdammen** (*fig*) condemn a people sweepingly [*o* wholesale]; **Pau•schal•be•trag** *m* flat sum; **Pau•scha•le** <-, -n> *f* **1.** (*Einheitspreis*) flat rate **2.** (*Schätzbetrag*) estimated amount; **pau•scha•lie•ren** *tr* (COM) estimate at a flat rate; **pau•scha•li•sie•ren I.** *tr* lump together **II.** *itr* lump things together; **Pau•schal•preis** *m* **1.** (*Zirkapreis*) estimated price **2.** (*Inklusivpreis*) inclusive price **3.** (*Einheitspreis*) flat rate; **Pau•schal•rei•se** *f* package tour; **Pau•schal•ur•laub** *m* package holiday; **Pau•schal•ver•si•che•rung** *f* comprehensive insurance
Pau•se¹ [ˈpaʊzə] <-, -n> *f* **1.** (*Erholungs~ etc*) break; (*kurzes Innehalten*) pause; (*Unterbrechung*) interval; (*Rast*) rest **2.** (MUS) rest; **e-e ~ machen** (*zur Erholung, Entspannung*) make a break; (*rasten*) have a rest; (*innehalten*) (make a) pause; **die große ~** (*in der Schule*) break *Br,* recess *Am*
Pau•se² *f* (*Durchzeichnung*) tracing
pau•sen *tr* trace
Pau•sen•fül•ler *m* stop gap; **pau•sen•los** *adj* incessant, non-stop; **~ arbeiten** work incessantly [*o* non-stop]; **Pau•sen•pfiff** *m* (SPORT) time-out whistle; **Pau•sen•stand** *m* (SPORT) half-time score; **Pau•sen•zei•chen** *n* **1.** (RADIO TV) call sign **2.** (MUS) rest
pau•sie•ren *itr* have a break
Paus•pa•pier <-s> *n* tracing paper
Pa•vi•an [ˈpaːviaːn] <-s, -e> *m* (ZOO) baboon
Pa•vil•lon [ˈpavɪljɔŋ] <-s, -s> *m* pavilion
Pay-TV [ˈpeɪtiːviː] *n* Pay TV
Pa•zi•fik [paˈtsiːfɪk] <-s> *m* Pacific
Pa•zi•fis•mus [patsiˈfɪsmʊs] *m* pacifism; **Pa•zi•fist(in)** *m(f)* pacifist; **pa•zi•fis•tisch** *adj* pacifist
PC *m* <-s, -s> *Abk. von* **Personalcomputer** PC
Pech [pɛç] <-(e)s, (-e)> *n* **1.** (*Material*) pitch **2.** (*fam: Missgeschick*) tough luck; **wie ~ und Schwefel zusammenhalten** be as thick as thieves; **bei etw ~ haben** (*fig fam*) have tough luck in s.th.; **~ gehabt!** (*fig fam*) tough!; **vom ~ verfolgt sein** (*fig fam*) be dogged by bad luck; **pech•schwarz** [ˈ-ˈ-] *adj* pitch- black; **Pech•sträh•ne** *f* (*fig fam*) run of bad luck; **Pech•vo•gel** *m* (*fig fam*) unlucky thing
Pe•dal [peˈdaːl] <-s, -e> *n* pedal; **fest in die ~e treten** pedal hard
Pe•dant(in) [peˈdant] <-en, -en> *m(f)* pedant; **Pe•dan•te•rie** [pedantəˈriː] *f* pedantry; **pe•dan•tisch** *adj* pedantic
Pe•dell [peˈdɛl] <-s, -e> *m* (*obs: an Schule*) janitor; (*an Uni*) porter
Pe•di•kü•re [pediˈkyːrə] <-> *f* pedicure
Pe•gel [ˈpeːgəl] <-s, -> *m* **1.** (*Wasserstand*) water-depth gauge **2.** (RADIO) level recorder; **Pe•gel•stand** *m* water level
Peil•an•la•ge *f* (AERO) direction finder; (MAR) sounding device; **pei•len** [ˈpaɪlən] *tr* **1.** (MAR: *ausloten*) sound **2.** (*e-n Standort, ein U-Boot etc*) take the bearings of ...; **die Lage ~** (*fig fam*) see how the land lies; **über den Daumen ~** (*fig fam*) guess [*o* estimate] roughly; **Peil•funk** *m* radio direction finder; **Peil•ge•rät** *n* direction finder; **Peil•stab** *m* (MOT) **1.** (*Öl~*) dipstick **2.** (*Einparkhilfe*) side marker, width indicator; **Peil•sta•ti•on** *f* direction finding station
Pein [paɪn] <-> *f* agony; **pei•ni•gen** [ˈpaɪnɪgən] *tr* **1.** torture **2.** (*fig*) torment; **Pei•ni•ger(in)** *m(f)* **1.** torturer **2.** (*fig*) tormentor
pein•lich *adj* **1.** (*unangenehm*) embarrassing **2.** (*genau, gewissenhaft*) meticulous; **es ist mir sehr ~, aber ich muss es Ihnen einmal sagen** I don't know how to put it, but you really ought to know; **er vermied es ~st(,) zu ...** he was at great pains not to ...; **er achtet ~st auf sein Äußeres** he takes great pains over his appearance
Peit•sche [ˈpaɪtʃə] <-, -n> *f* whip; **peit•schen** *tr itr* whip; **der Regen peitschte gegen die Fensterscheiben** rain was dashing against the window panes; **Peit•schen•hieb** *m* lash, stroke
Pe•ki•ne•se [pekɪˈneːzə] <-n, -n> *m* Pekinese
Pe•le•ri•ne [peləˈriːnə] <-, -n> *f* pelerine
Pe•li•kan [ˈpeːlikaːn] <-s, -e> *m* (ZOO) pelican
Pel•le [ˈpɛlə] <-, -n> *f* (*fam*) skin; **jdn auf der ~ haben** have got s.o. on one's back; **geh mir endlich von der ~!** get off my back!; **pel•len I.** *tr* (*fam*) peel, skin **II.** *refl* peel; **Pell•kar•tof•feln** *fpl* jacket potatoes
Pelz [pɛlts] <-es, -e> *m* **1.** (*gegerbt*) fur **2.** (*ungegerbtes Fell*) hide, skin **3.** (*~mantel etc.*) fur; **jdm auf den ~ rücken** (*fig fam*) crowd s.o.; **pelz•be•setzt** *adj* fur-trimmed; **pelz•ge•füt•tert** *adj* fur-lined; **Pelz•händ•ler(in)** *m(f)* fur trader; **Pelz•kra•gen** *m* fur collar; **Pelz•man•tel** *m* fur coat; **Pelz•müt•ze** *f* fur hat; **Pelz•tier** *n* fur-bearing animal

Pen•dant [pã'dã:] <-s, -s> *nt* counterpart, opposite number

Pen•del ['pɛndəl] <-s, -> *n* pendulum; **Pen•del•be•we•gung** *f* pendular movement; **pen•deln** *itr* **1.** (*schwingen*) swing (*hin und her* to and fro), oscillate **2.** (*von Personen*) commute; **Pen•del•tür** *f* swing door; **Pen•del•ver•kehr** *m* (AERO RAIL) **1.** shuttle service **2.** (*Vorort* ~) commuter traffic

Pend•ler(in) *m(f)* commuter

pe•ne•trant [pene'trant] *adj* **1.** (*Gestank etc*) penetrating **2.** (*fig: aufdringlich*) pushing

pe•ne•trie•ren *tr* penetrate

peng [pɛŋ] *interj:* ~! bang

pe•ni•bel [pe'ni:bəl] *adj* pernickety, precise

Pe•nis ['pe:nɪs] <-, -se> *m* penis

Pe•ni•zil•lin [penitsɪ'li:n] <-s, -e> *n* penicillin

Pen•nä•ler(in) [pɛ'nɛ:lɐ] *m(f)* (*Gymnasiastin*) grammar-school boy [*o* girl]

Penn•bru•der *m* (*fam*) bum *Br*, hobo *Am*

Pen•ne ['pɛnə] <-, -n> *f* (*sl: Schule*) school; **pen•nen** *itr* (*fam*) doss down, kip; **Pen•ner(in)** *m(f)* (*fam*) **1.** (*Nichtsesshafter*) bum *Br*, hobo *Am* **2.** (*Schlafmütze*) sleepyhead

Pen•si•on [pɛn'zio:n/pã'zio:n] *f* **1.** (*Ruhegehalt*) pension **2.** (*Ruhestand*) retirement **3.** (*Gästehaus*) pension **4.** (*Verpflegung*) board; **in ~ sein** (*p~iert sein*) be retired [*o* in retirement]; **Pen•si•o•när(in)** *m(f)* **1.** (*Ruheständlerin*) pensioner **2.** (*Dauergast*) boarder; **Pen•si•o•nat** <-(e)s, -e> *n* boarding school; **pen•si•o•nie•ren** *tr* pension off; **sich ~ lassen** retire; **pen•si•o•niert** *adj* retired; **Pen•si•ons•al•ter** *n* pensionable age; **pen•si•ons•be•rech•tigt** *adj* entitled to a pension; **Pen•si•ons•kas•se** *f* pension fund

Pen•sum ['pɛnzʊm] <-s, -sen/-sa> *n* **1.** (*allgemein*) workload **2.** (PÄD: *obs*) syllabus; **tägliches ~** daily quota

Pe•pe•ro•ni [pepe'ro:ni] <-, -> *f* chillies *pl*

pep•pig *adj* (*fam*) lively, upbeat

per [pɛr] *präp* **1.** (*bis, am, mittels*) by **2.** (COM: *pro*) per; **~ Adresse** care of, c/o; **~ Post** by post; **sie sind ~ du miteinander** (*fam*) they're on first- name terms with each other; **~ se** per se; **~ pedes** (*hum*) on Shank's pony

Per•fekt ['--] <-(e)s, -e> *n* (GRAM) perfect (tense)

per•fekt [pɛr'fɛkt] *adj* **1.** (*vollkommen*) perfect **2.** *pred* (*abgemacht*) settled; **etw ~ machen** (*abschließen, endgültig vereinbaren*) settle s.th.

Per•fek•ti•on <-> *f* perfection

per•fid(e) [pɛr'fi:t (-fi:də)] *adj* perfidious; **Per•fi•die** [--'-] *f* perfidy

Per•fo•ra•ti•on <-, -en> *f* perforation

per•fo•rie•ren [pɛrfo'ri:rən] <ohne ge-> *tr* perforate

Per•for•manz [pɛrfɔr'mants] <-, -en> *f* (LING) performance

Per•ga•ment [pɛrga'mɛnt] *n* parchment; **in ~ gebunden** vellum-bound; **Per•ga•ment•pa•pier** *n* greaseproof paper

Per•go•la ['pɛrgola] <-, Pergolen> *f* pergola

Pe•ri•o•de [peri'o:də] <-, -n> *f* **1.** (*Zeitabschnitt*) period **2.** (*Menstruation*) period **3.** (EL) cycle; **sie bekam ihre ~ nicht** she didn't get [*o* have] her period; **4,36 ~** (MATH) 4.36 recurring; **Pe•ri•o•den•sys•tem** *n* (CHEM) periodic system; **pe•ri•o•disch** *adj* periodic(al); **~er Dezimalbruch** (MATH) recurring decimal fraction

Pe•ri•phe•rie [perife'ri:] *f* **1.** (*Außenrand*) periphery; (MATH: *von Kreis*) circumference **2.** (*von Stadt*) outskirts *pl*

Pe•ri•phe•rie•ge•rät *n* (EDV) peripheral

Pe•ri•skop [perɪ'sko:p] <-(e)s, -e> *n* periscope

Per•le ['pɛrlə] <-, -n> *f* **1.** (*von Auster etc*) pearl; (*aus Holz, Glas etc*) bead **2.** (*fig*) gem **3.** (*Wasser~, Schweiß~*) bead **4.** (*Luftblase*) bubble; **per•len** *itr* **1.** (*von Gasen in Flüssigkeit*) sparkle, effervesce **2.** (*rinnen, herab~, fallen*) trickle; **Per•len•ket•te** *f* string of pearls; **Perl•huhn** *n* (ZOO) guinea fowl; **Perl•mu•schel** *f* (ZOO) pearl oyster; **Perl•mutt** <-s> *n* mother-of pearl

Per•lon ['pɛrlɔn] <-s> *n* nylon

per•ma•nent [pɛrma'nɛnt] *adj* permanent; **Per•ma•nenz** <-> *f* permanence

per•plex [pɛr'plɛks] *adj* dumbfounded

Per•ser(in) ['pɛrzɐ] *m(f)* Persian; **Per•ser•tep•pich** *m* Persian carpet

Per•si•aner [pɛrzi'a:nɐ] <-s, -> *m* **1.** (*Pelz*) Persian lamb **2.** (*Mantel*) Persian lamb coat

Per•sien ['pɛrziən] *n* Persia; **per•sisch** *adj* Persian

Per•si•fla•ge [pɛrzi'fla:ʒə] <-, -n> *f* pastiche

Per•son [pɛr'zo:n] <-, -en> *f* **1.** (*Mensch*) person **2.** (*Einzelwesen*) individual **3.** (THEAT FILM) character **4.** (GRAM) person; **ich für meine ~** I for my part; **in eigener ~ erscheinen** appear in person; **die Geduld in ~ sein** be patience personified

Per•so•nal <-s> *n* **1.** (*die Angestellten*) personnel, staff **2.** (*Dienerschaft*) servants *pl;* **Per•so•nal•ab•bau** *m* reduction in staff, staff cuts *pl;* **Per•so•nal•ab•tei•lung** *f* personnel department; **Per•so•nal•ak•te** *f* personal file; **Per•so•nal•aus•weis** *m* identity card; **Per•so•nal•bü•ro** *n* personnel office; **Per•so•nal-**

chef(in) *m(f)* personnel manager; **Per·so·nal·com·pu·ter** *m* personal computer

Per·so·na·li·en [pɛrzo'na:liən] *pl* particulars

per·so·na·li·sie·ren *tr itr* personalize

Per·so·nal·kos·ten *pl* staff(ing) [*o* personnel] costs; **Per·so·nal·pla·nung** *f* personnel planning; **Per·so·nal·po·li·tik** *f* personnel [*o* staffing] policy

Per·so·nal·pro·no·men *n* personal pronoun; **Per·so·nal·un·i·on** *f* (HIST) personal union; **Per·so·nal·we·sen** *n* personnel

Per·so·nen·auf·zug *m* lift *Br,* elevator *Am;* **Per·so·nen·be·för·de·rung** *f* carrying of passengers; **Per·so·nen·ge·sell·schaft** *f association without independent legal existence under German law,* partnership; **Per·so·nen(-kraft)·wa·gen** *m* motorcar *Br,* automobile *Am;* **Per·so·nen·kult** *m* personality cult; **Perso·nen·scha·den** *m* injury to persons; **Per·so·nen·schutz** *m* personal security; **Per·so·nen·ver·kehr** *m* passenger services *pl;* **Per·so·nen·waa·ge** *f* scales *pl;* **Per·so·nen·zug** *m* stopping train, passenger train; **per·so·ni·fi·zie·ren** [pɛrzonifi'tsi:rən] *tr* personify

per·sön·lich [pɛr'zø:nlɪç] **I.** *adj* personal **II.** *adv* personally; **ich ~ meine ...** I for my part think ...; **nehmen Sie doch nicht immer alles ~!** don't always take everything personally!; **der Kaiser ~** the Emperor himself; **sich für jdn (etw) ~ interessieren** take a personal interest in s.o. (s.th.); **~!** (*auf Brief*) private!; **Per·sön·lich·keit** *f* **1.** (*persönliche Eigenschaften*) personality **2.** (*bedeutender Mensch*) personality; **e-e ~ des öffentlichen Lebens** a public figure; **Per·sön·lich·keits·ent·fal·tung** *f* personality development; **Per·sön·lich·keits·merk·ma·le** *npl* personal characteristics, personality traits

Per·spek·ti·ve [pɛrspɛk'ti:və] <-, -n> *f* **1.** (*optisch*) perspective **2.** (*fig: Aussichten*) prospects *pl* **3.** (*fig: Blick-, Gesichtspunkt*) angle; **neue ~n eröffnen** (*fig*) open new horizons; **aus meiner ~** (*fig*) from my angle

per·spek·tiv·los *adj* without prospects; **Per·spek·tiv·lo·sig·keit** *f* lack of prospects

Pe·ru [pe'ru:] *n* Peru; **Pe·ru·a·ner(in)** [peru'a:nɐ] *m(f)* Peruvian; **pe·ru·a·nisch** *adj* Peruvian

Pe·rü·cke [pɛ'rʏkə] <-, -n> *f* wig

per·vers [pɛr'vɛrs] *adj* perverted; **Per·ver·si·on** *f* perversion; **Per·ver·si·tät** *f* perversity

Pe·se·te [pe'ze:tə] <-, -n> *f* Peseta

Pes·si·mis·mus [pɛsi'mɪsmʊs] *m* pessimism; **Pes·si·mist(in)** *m(f)* pessimist; **pes·si·mis·tisch** *adj* pessimistic; **da bin ich ziemlich ~** I'm rather pessimistic about it; **ich sehe das recht ~** I view that rather pessimistically

Pest [pɛst] <-> *f* plague; **jdn hassen wie die ~** (*fam*) hate someone's guts; **etw hassen wie die ~** (*fam*) loathe s.th. like hell; **stinken wie die ~** (*fam*) stink like hell

Pe·ter·li ['pe:tɐli:] <-s> *m ohne pl* parsley

Pe·ter·si·lie [petɐ'zi:liə] <-> *f* (BOT) parsley

Pe·ti·ti·on [peti'tsjo:n] *f* petition

Pe·tro·le·um [pe'tro:leʊm] <-s> *n* paraffin *Br,* kerosene *Am;* **Pe·tro·le·um·lam·pe** *f* paraffin lamp *Br,* kerosene lamp *Am*

Pe·trus *m* Peter

pet·to ['pɛto] *adv* (*fam*): **etw in ~ haben** have s.th. up one's sleeve

Pet·ze(r) *f* (*m*) (*fam*) telltale; **pet·zen** ['pɛtsən] *itr* (*fam*) tell tales

Pfad [pfa:t] <-(e)s, -e> *m* path; **Pfad·fin·der** *m* boy scout; **Pfad·fin·de·rin** *f* girl guide *Br,* girl scout *Am*

Pfaf·fe ['pfafə] <-n, -n> *m* (*pej*) cleric

Pfahl [pfa:l, *pl:* 'pfɛ:lə] <-(e)s, ¨-e> *m* (*Zaun~*) stake; (*Pfosten*) post; **Pfahl·bau** *m* **1.** (*Haus*) pile dwelling **2.** (*Bauweise*) building on stilts; **Pfahl·wur·zel** *f* tap root

Pfalz [pfalts] <-, -en> *f* **1.** (HIST: *Kaiser~*) imperial palace **2.** (GEOG): **die ~** the Palatinate

Pfand [pfant, *pl:* 'pfɛndɐ] <-(e)s, ¨-er> *n* **1.** (*a. fig*) pledge **2.** (*Flaschen~*) deposit; **etw als ~ geben** (*a. fig*) pledge s.th.; **ein ~ einlösen** redeem a pledge; **auf dieser Flasche sind 50 Pf ~** there's a deposit of 50 Pf on this bottle

pfänd·bar *adj* (JUR) distrainable

Pfand·brief *m* (FIN) bond

pfän·den ['pfɛndən] *tr* (JUR: *beschlagnahmen*) distrain upon; **jdn ~** impound someone's possessions; **jdn ~ lassen** get the bailiffs onto s.o.

Pfand·fla·sche *f* returnable bottle; **Pfand·haus** *n* pawnshop; **Pfand·lei·he** *f* pawnbroking, pawnbroker; **Pfand·schein** *m* (FIN) pawn ticket

Pfän·dung *f* (JUR) distraint

Pfan·ne ['pfanə] <-, -n> *f* **1.** (*Brat~*) pan **2.** (ANAT) socket **3.** (*Dach~*) pantile; **jdn in die ~ hauen** (*sl: herunterputzen, vernichtend schlagen*) slam s.o.; (*verreißen, zusammenstauchen*) slate s.o.; (*hereinlegen*) do the dirty on s.o.

Pfann·ku·chen *m* pancake

Pfarr•amt *n* priest's office; **Pfarr•be•zirk** *m* parish; **Pfar•re** *f*, **Pfar•rei** ['pfarə] <-, -n> *f* **1.** (*Gemeinde*) parish **2.** (*Pfarramt*) priest's office; **Pfar•rer** *m* (*anglikanisch*) vicar; (*von Freikirchen*) minister; (*katholisch*) parish priest; **Pfarr•ge•mein•de** *f* parish; **Pfarr•haus** *n* (*anglikanisch*) vicarage; (*katholisch*) presbytery; **Pfarr•kir•che** *f* parish church

Pfau [pfaʊ] <-(e)s/-en, -en> *m* (ZOO) peacock; **Pfau•en•au•ge** *n* (ZOO) **1.** (*Tag~*) peacock butterfly **2.** (*Nacht~*) peacock moth; **Pfau•en•fe•der** *f* peacock feather

Pfef•fer ['pfɛfɐ] <-s> *m* pepper; **er kann bleiben, wo der ~ wächst!** (*fam*) he can take a running jump!; **Pfef•fer•korn** *n* peppercorn

Pfef•fer•ku•chen *m* gingerbread

Pfef•fer•minz(bon•bon) *n* peppermint; **Pfef•fer•min•ze** [pfɛfɐ'mɪntsə] <-, -n> *f* (BOT) peppermint; **Pfef•fer•minz•ge•schmack** *m* peppermint flavour; **mit ~** peppermint-flavoured; **Pfef•fer•minz•tee** *m* peppermint tea

Pfef•fer•müh•le *f* pepper-mill

pfef•fern *tr* **1.** (*mit Pfeffer würzen*) pepper **2.** (*fam: schmeißen*) hurl

Pfei•fe ['pfaɪfə] <-, -n> *f* **1.** (*zum ~n*) whistle; (*Quer~*) fife; (*Orgel~*) pipe **2.** (*Tabaks~*) pipe **3.** (*fam: Versager*) wash-out; **nach jds ~ tanzen** (*fig*) dance to someone's tune; **~ rauchen** smoke a pipe

pfei•fen *irr tr itr* **1.** (*allgemein*) whistle **2.** (SPORT: *als Schiedsrichter*) ref **3.** (*Wind*) howl; **ich pfeife darauf!** (*fig fam*) I couldn't care less!; **aus dem letzten Loch ~** (*fig fam*) be on one's last legs; **Pfei•fen•kopf** *m* bowl; **Pfei•fen•rei•ni•ger** *m* pipe-cleaner; **Pfei•fen•stop•fer** *m* tamper

Pfei•fer *m* (MUS) piper; (MIL MUS) fifer

Pfeif•ton *m* whistle

Pfeil [pfaɪl] <-(e)s, -e> *m* **1.** arrow **2.** (*Wurf~*) dart; **wie ein ~ davonschießen** (*fig*) be off like a shot; **~ u. Bogen** bow and arrow

Pfei•ler ['pfaɪlɐ] <-s, -> *m* (*a. fig*) pillar

Pfeil•gift *n* arrow poison; **pfeil•schnell** ['-'-] *adj* as swift as an arrow; **Pfeil•spit•ze** *f* arrowhead

Pfen•nig ['pfɛnɪç] <-(e)s, -e> *m* (*fig*) penny; **Pfen•nig•ab•satz** *m* stiletto heel; **Pfen•nig•fuch•ser** *m* (*fam pej*) skinflint

Pferch [pfɛrç] <-(e)s, -e> *m* fold, pen

Pferd ['pfe:ɐt] <-(e)s, -e> *n* **1.** (ZOO A. SPORT) horse **2.** (*Schachfigur*) knight; **zu ~e** on horseback; **immer langsam mit den jungen ~en!** (*fig fam*) hold your horses!; **keine zehn ~e bringen mich dahin** (*fig fam*) wild horses won't drag me there; **man kann mit ihm ~e stehlen** (*fam*) he's a real sport!; **das ~ beim Schwanz aufzäumen** (*fig*) put the cart before the horse; **aufs falsche ~ setzen** (*a. fig*) back the wrong horse; **er arbeitet wie ein ~** (*fig fam*) he works like a Trojan; **Pfer•de•fleisch** *n* horseflesh; **Pfer•de•fuß** *m* (*fig*): **die Sache hat e-n ~** there's just one snag; **Pfer•de•renn•bahn** *f* race course; **Pfer•de•ren•nen** *n* horse-race; (*Sportart*) horse racing; **Pfer•de•schwanz** *m* horse's tail; (*Frisur*) pony-tail; **Pfer•de•stall** *m* stable; **Pfer•de•stär•ke** *f* horsepower, hp; **Pfer•de•zucht** *f* **1.** (*das Züchten*) horse-breeding **2.** (*Gestüt*) studfarm

Pfiff [pfɪf] <-(e)s, -e> *m* **1.** (*Pfeifen*) whistle **2.** (*Flair*) flair

Pfif•fer•ling ['pfɪfɐlɪŋ] <-s, -e> *m* (BOT) chanterelle; **keinen ~ wert** (*fig fam*) not worth a straw

pfif•fig *adj* cute, sharp, sly; **Pfif•fig•keit** *f* cuteness, sharpness; **Pfif•fi•kus** ['pfɪfikʊs] <-/-ses, -se> *m* (*fam*) sly fellow

Pfings•ten ['pfɪŋstən] *n* Whitsun; **Pfingst•mon•tag** [-'--] *m* Whit Monday; **Pfingst•fest** *n* Whitsun, Penetcost; **Pfingst•ro•se** *f* (BOT) peony; **Pfingst•sonn•tag** [-'--] *m* Whit Sunday; (ECCL) Pentecost

Pfir•sich ['pfɪrzɪç] <-s, -e> *m* (BOT) peach; **Pfir•sich•baum** *m* peach tree

Pflan•ze ['pflantsə] <-, -n> *f* plant

pflan•zen *tr* plant

Pflan•zen•be•stand *m* plant formation; **Pflan•zen•de•cke** *f* plant [*o* vegetation] cover; **Pflan•zen•fa•ser** *f* plant fibre *Br*, plant fiber *Am;* **Pflan•zen•fett** *n* vegetable fat; **Pflan•zen•fres•ser** *m* phytophage; **Pflan•zen•gift** *n* **1.** (*für Pflanze*) vegetable poison **2.** (*aus Pflanze*) plant poison; **Pflan•zen•kun•de** *f* botany; **Pflan•zen•öl** *n* vegetable oil; **Pflan•zen•reich** *n* plant world; **Pflan•zen•schutz•mit•tel** *n* pesticide; **Pflan•zer(in)** *m(f)* planter

pflanz•lich *adj* vegetable

Pflan•zung *f* (*Plantage*) plantation

Pflas•ter ['pflastɐ] <-s, -> *n* **1.** (*Straßen~*) pavement **2.** (*Heft~*) sticking-plaster; **ein teures ~** (*fig fam*) a pricey place; **ein heißes ~** (*fig fam*) a dangerous place; **Pflas•ter•ma•ler(in)** *m(f)* pavement artist; **pflas•tern** *tr* (*Straße*) pave; (*mit Kopfsteinpflaster*) cobble; **Pflas•ter•stein** *m* paving-stone; (*Kopfstein*) cobble

Pflau•me ['pflaʊmə] <-, -n> *f* **1.** (BOT) plum; (*getrocknete ~*) prune **2.** (*fam: Blödmann*) dope

Pflau•men•baum *m* plum(tree); **Pflau•men•mus** *n* plum jam

Pfle•ge ['pfle:gə] <-, -n> *f* **1.** (*allgemein*) care **2.** (*Kranken~*) nursing **3.** (*von Kunst, Garten*) cultivation **4.** (TECH: *Instandhaltung*) maintenance; **in ~ nehmen** look after; **jdn (etw) in ~ geben** have s.o. (s.th.) looked after; **pfle•ge•be•dürf•tig** *adj* needing [*o* in need of] care; **Pfle•ge•el•tern** *pl* foster parents; **Pfle•ge•fall** *m* person in need of care; **Pfle•ge•heim** *n* nursing home; **Pfle•ge•kind** *n* foster child; **Pfle•ge•kos•ten** *pl* nursing fees; **Pfle•ge•kos•ten•ver•si•che•rung** *f* private nursing insurance; **pfle•ge•leicht** *adj* (*von Kleidung*) easy-care; (*fig*) easy to handle; **Pfle•ge•mut•ter** *f* foster mother

pfle•gen I. *tr* **1.** care for, look after; (*Garten etc*) tend; (*Kranken*) nurse **2.** (*fig: Kunst, Beziehungen etc*) cultivate **3.** (TECH: *in Stand halten*) maintain **II.** *itr* (*gewohnt sein*) be accustomed (*zu* to) **III.** *refl* (*sein Äußeres ~*) care about one's appearance

Pfle•ge•not•stand *m shortage of nursing staff and facilities;* **Pfle•ge•per•so•nal** *n* nursing staff; **Pfle•ger** *m* male nurse; **Pfle•ge•rin** *f* nurse; **Pfle•ge•satz** *m* hospital charges *pl;* **Pfle•ge•se•rie** *f* (*Kosmetik*) line of cosmetic products; **Pfle•ge•sham•poo** *nt* conditioning shampoo; **Pfle•ge•spü•lung** *f* conditioner; **Pfle•ge•va•ter** *m* foster father; **Pfle•ge•ver•si•che•rung** *f* (old age) care insurance

pfleg•lich *adj* careful

Pfleg•schaft *f* (JUR) **1.** (*Vormundschaft*) tutelage **2.** (*Vermögensverwaltung*) trusteeship

Pflicht [pflɪçt] <-, -en> *f* **1.** (*Ver~ung*) duty **2.** (SPORT) compulsory exercises *pl;* **s-e ~ (gegenüber jdm) erfüllen** do one's duty (by s.o.); **seine ~ verletzen (vernachlässigen)** fail in (neglect) one's duty; **pflicht•be•wusst**[RR] *adj* conscious of one's duties

Pflich•ten•heft *n* specification

Pflicht•er•fül•lung *f* fulfilment of one's duty; **Pflicht•fach** *n* (*in der Schule*) compulsory subject; **Pflicht•ge•fühl** *n* sense of duty; **pflicht•ge•mäß** *adj* dutiful; **Pflicht•teil** *m o n* (JUR) legal portion; **Pflicht•übung** *f* compulsory exercise; **pflicht•ver•ges•sen** *adj* irresponsible; **Pflicht•ver•tei•di•ger** *m* (JUR) defence counsel appointed by the court

Pflock [pflɔk, *pl:* 'pflœkə] <-(e)s, ⸚e> *m* peg

pflü•cken ['pflʏkən] *tr* pick, pluck; (*sammeln*) gather

Pflug [pflu:k, *pl:* 'pfly:gə] <-(e)s, ⸚e> *m* plough *Br,* plow *Am;* **Pflug•bo•gen** *m* (SPORT) snowplough turn *Br,* snowplow turn *Am*

pflü•gen ['pfly:gən] *tr itr* (*a. fig*) plough *Br,* plow *Am*

Pfor•te ['pfɔrtə] <-, -n> *f* gate

Pfört•ner[1] ['pfœrtnɐ] <-s, -> *m* (ANAT) pylorus

Pfört•ner(in)[2] *m(f)* porter; (*in Industriebetrieb*) gateman; **Pfört•ner•lo•ge** *f* porter's office; (*in Industriebetrieb*) gatehouse

Pfos•ten ['pfɔstən] <-s, -> *m* post; (*Tür~*) doorpost; (*Mittel~ an Fenstern*) jamb; (*von Fußballtor*) (goal)post

Pfo•te ['pfo:tə] <-, -n> *f* **1.** (*Tier~*) paw **2.** (*sl: Hand*) mitt; **jdm eins auf die ~n geben** (*fam*) rap someone's knuckles; **sich die ~n verbrennen** (*fig fam*) burn one's fingers; **er hat überall s-e ~n drin** (*fig fam*) he's got a finger in every pie

Pfriem [pfri:m] <-(e)s, -e> *m* awl

Pfrop•fen ['pfrɔpfən] <-s, -> *m* (*Stöpsel*) stopper; (*Korken*) cork; (*Holz~, Watte~*) plug; (MED: *Blut~*) thrombus

pfrop•fen *tr* **1.** (*fam: stopfen*) cram (*in* into) **2.** (BOT) graft

Pfrün•de ['pfrʏndə] <-, -n> *f* **1.** (HIST ECCL) church living, prebend **2.** (*fig*) sinecure

Pfuhl [pfu:l] <-(e)s, -e> *m* (*obs*) **1.** (*Schlamm~*) mudhole **2.** (*fig*) mire

pfui [pfʊɪ] *interj* **1.** (*Ausdruck des Ekels*) ugh **2.** (*der Empörung: P~ruf*) boo **3.** (*der Missbilligung: ts ts*) tut tut

Pfund [pfunt] <-(e)s, -e> *n* pound *pl,* lbs; **~ Sterling** pound (sterling)

pfun•dig *adj* (*fam: erstklassig*) great *Br,* swell *Am*

pfu•schen *itr* (*fam*) **1.** (*in Schule, beim Spiel*) cheat **2.** (*bei Arbeit*) bungle; (*nachlässig ausführen*) scamp (*bei etw* s.th.); **jdm ins Handwerk ~** (*fig fam*) interfere with s.o.'s work; **Pfu•scher(in)** *m(f)* (*fam*) botcher, bungler; **Pfu•sche•rei** *f* (*fam*) bungling, botch-up

Pfüt•ze ['pfʏtsə] <-, -n> *f* puddle

Phä•no•men [fɛno'me:n] <-s, -e> *n* phenomenon; **phä•no•me•nal** *adj* phenomenal

Phan•ta•sie *f s.* Fantasie; **Phan•ta•sie•ge•bil•de** *n s.* Fantasiegebilde; **phan•ta•sie•los** *adj s.* fantasielos; **Phan•ta•sie•preis** *m s.* Fantasiepreis; **phan•ta•sie•ren** *s.* fantasieren; **phan•ta•sie•voll** *adj s.* **fantasievoll**

Phan•tast *m s.* Fantast; **Phan•tas•te•rei** *f s.* Fantasterei; **phan•tas•tisch** *adj s.* **fantastisch**

Phan•tom [fan'to:m] <-s, -e> *n* phantom; **e-m ~ nachjagen** (*fig*) tilt at windmills; **Phan•tom•bild** *n* identikit (picture)

Pha•ri•sä•er [fari'zɛ:ɐ] <-s, -> *m* **1.** (HIST REL) Pharisee **2.** (*fig: Heuchler*) hypocrite

Phar•ma•in•dus•trie *f* pharmaceutical industry; **Phar•ma•ko•lo•ge** [farmako'lo:gə] *m*, **Phar·ma·ko·lo·gin** *f* pharmacologist; **Phar·ma·ko·lo·gie** *f* pharmacology; **Phar·ma·re·fe·rent**(**in**) *m(f)* medical representative

Phar·ma·zeut(**in**) [farma'tsɔɪt] *m(f)* pharmacist; **phar·ma·zeu·tisch** *adj* pharmaceutical

Phar·ma·zie [farma'tsi:] <-> *f* pharmacy

Pha·se ['fa:zə] <-, -n> *f* phase

Phi·lan·trop(**in**) [filan'tro:p] *m(f)* philanthropist; **phi·lan·tro·pisch** *adj* philanthropic(al)

Phi·la·te·lie [filate'li:] *f* philately; **Phi·la·te·list**(**in**) *m(f)* philatelist

Phil·har·mo·nie *f* (MUS) **1.** (*philharmonisches Orchester*) philharmonia **2.** (*Konzertsaal*) philharmonic hall

Phi·lip·pi·ne *m*, **Phi·lip·pi·nin** *f* Filipino; **Phi·lip·pi·nen** [filɪ'pi:nən] *pl:* **die** ~ the Philippines; **phi·lip·pi·nisch** *adj* Philippine

Phi·lis·ter [fi'lɪstɐ] <-s, -> *m* (HIST) Philistine; **phi·lis·ter·haft** **I.** *adj* philistine **II.** *adv* like a philistine

Phi·lo·lo·ge [filo'lo:gə] *m*, **Phi·lo·lo·gin** *f* philologist; **Phi·lo·lo·gie** *f* philology

Phi·lo·so·phie [filozo'fi:] *f* philosophy; **phi·lo·so·phie·ren** *itr* philosophize (*über* about); **Phi·lo·soph**(**in**) *m(f)* philosopher; **phi·lo·so·phisch** *adj* philosophical

Phleg·ma ['flɛgma] <-s> *n* phlegm; **Phleg·ma·ti·ker**(**in**) *m(f)* phlegmatic person; **phleg·ma·tisch** *adj* phlegmatic

Pho·bie [fo'bi:] <-, -n> *f* phobia

Phon [fo:n] <-s, -(s)> *n* (PHYS) phon

Pho·nem [fo'ne:m] <-s, -e> *n* (LING) phoneme

Pho·ne·tik [fo'ne:tɪk] *f* (LING) phonetics *pl;* **Pho·ne·ti·ker**(**in**) *m(f)* (LING) phonetician; **pho·ne·tisch** *adj* (LING) phonetic

Pho·no·bran·che *f* hifi industry

Pho·no·ty·pist(**in**) [fonoty'pɪstɪn] *m(f)* audio-typist

Phos·phat [fɔs'fa:t] <-(e)s, -e> *n* (CHEM) phosphate; **Phos·phat·dün·ger** *m* phosphate fertilizer; **pho·spat·frei** *adj* phosphate-free; **phos·phat·hal·tig** *adj* containing phosphates

Phos·phor ['fɔsfɔr] <-s> *m* (CHEM) phosphorus; **phos·pho·res·zie·ren** [fɔsforɛs'tsi:rən] *itr* phosphoresce

Pho·to- ['fo:to] *präfix s.* **Foto-**

Pho·to·syn·the·se *f s.* **Fotosynthese**; **Pho·to·zel·le** *f s.* **Fotozelle**

Phra·se ['fra:zə] <-, -n> *f* phrase; **e-e abgedroschene** ~ a hackneyed phrase; **~n dreschen** (*fam*) churn out onecliché after another; **Phra·sen·dre·scher**(**in**) *m(f)* phrasemonger

pH-Wert *m* (CHEM) pH-value

Phy·sik [fy'zi:k] <-> *f* physics *pl;* **phy·si·ka·lisch** *adj* physical; **~e Experimente** experiments in physics; **Phy·si·ker**(**in**) *m(f)* physicist

Phy·si·kum <-s> *n* *preliminary examination in medicine at university*

Phy·si·o·gno·mie [fyziogno'mi:] *f* physiognomy

Phy·si·o·lo·gie *f* physiology; **phy·si·o·lo·gisch** *adj* physiological

Phy·si·o·the·ra·peut(**in**) *m(f)* (MED) physiotherapist; **Phy·si·o·the·ra·pie** *f* (MED) physiotherapy

phy·sisch ['fy:zɪʃ] *adj* physical

Pi [pi:] <-(s)> *n* (MATH) pi

Pi·a·nist(**in**) [pia'nɪst] *m(f)* pianist

Pi·a·no ['pja:no] <-s, -s> *n* piano

Pi·ckel[1] ['pɪkəl] <-s, -> *m* (TECH: *Spitzhacke*) pickaxe

Pi·ckel[2] *m* (*im Gesicht*) spot, pimple; **pi·cke·lig** ['pɪk(e)lɪç] *adj* spotty, pimply

pi·cken ['pɪkən] *tr itr* peck (*nach* at)

Pick·nick ['pɪknɪk] <-s, -e/-s> *n* picnic; ~ **machen** have a picnic

piek·fein ['pi:k'faɪn] *adj* (*fam*) posh

piek·sau·ber ['-'--] *adj* (*fam*) spotless

Piep *m* (*fam*): **keinen ~ sagen** not to say a word; **der sagt** [*o* **macht**] **keinen ~ mehr!** he's really had it!

piep [pi:p] *interj* chirp

piep·e(**gal**) *adj pred* (*fam*) all one; **mir ist alles** ~ it's all one to me

pie·pen *itr* (*Vögel*) cheep; (*Mäuse, a. Kinder*) squeak; **zum P~ sein** (*fam*) be a scream; **bei dir piept's doch!** (*fam*) you're really off your head!

piep·sig *adj* squeaky

Pier [pi:ɐ] <-s, -e> *m o f* (MAR) jetty, pier

pie·sa·cken ['pi:zakən] *tr* (*fam*) **1.** (*belästigen*) pester **2.** (*peinigen*) torment

Pie·tät [pie'tɛ:t] *f* **1.** (REL) piety **2.** (*Respekt*) respect (*gegenüber* for); (*Ehrfurcht*) reverence (*gegenüber* for); **pie·tät·los** *adj* irreverent; **pie·tät·voll** *adj* reverent

Pig·ment [pɪ'gmɛnt] <-(e)s, -e> *n* pigment

Pik[1] [pi:k] <-(s), -> *n* (*Kartenfarbe*) spade; **~-Ass**[RR] ace of spades

Pik[2] <-s, -e> *m* (*Groll*) grudge (*auf jdn* against s.o.)

pi·kant [pi'kant] *adj* piquant, spicy

Pi·ke ['pi:kə] <-, -n> *f* pike; **etw von der ~ auf lernen** (*fig*) learn s.th. starting from the bottom

pi·ken *tr* (*fam*) prick

pi·kiert *adj* (*fam*) put out (*über* by); **ein ~es Gesicht machen** look put out

Pik·ko·lo ['pɪkolo] <-s, -s> *m* quarter bottle (of champagne)

Pik•ko•lo•flö•te *f* (MUS) piccolo
pik(•s)en ['pi:k(s)ən] *tr itr* (*fam*) prick
Pik•to•gramm *n* pictogram
Pil•ger(in) ['pɪlgɐ] *m(f)* pilgrim; **Pil•ger•fahrt** *f* pilgrimage
pil•gern *itr* **1.** *sein* (*e-e Pilgerfahrt machen*) go on a pilgrimage **2.** (*fam: gehen, „marschieren"*) wend one's way
Pil•le ['pɪlə] <-, -n> *f* (*a. Antibaby~*) pill; **e-e bittere ~** (*fig*) a bitter pill; **Pil•len•knick** *m* (*fam*) slump in the birth-rate
Pi•lot(in) [pi'lo:t] <-en, -en> *m(f)* (AERO) pilot; **Pi•lot•an•la•ge** *f* pilot plant; **Pi•lot•pro•jekt** *n* pilot scheme
Pils [pɪls] <-es> *n* pilsner (beer)
Pilz [pɪlts] <-es, -e> *m* **1.** (BOT) fungus; (*essbarer*) mushroom; (*Gift~*) toadstool **2.** (MED) ringworm; **wie ~e aus der Erde schießen** spring up like mushrooms; **Pilz•er•kran•kung** *f* fungal infection; **Pilz•ver•gif•tung** *f* fungus poisoning
pin•ge•lig ['pɪŋəlɪç] *adj* (*fam*) pernickety
Pin•gu•in ['pɪŋgui:n] <-s, -e> *m* (ZOO) penguin
Pi•nie ['pi:niə] *f* (BOT) pine (tree)
Pin•kel ['pɪŋkl] <-s, -> *m*: **ein feiner ~** a prig
pin•keln ['pɪŋkəln] *itr* (*fam*) pee
Pin•ke(•pin•ke) ['pɪŋkə] <-> *f* (*sl: Geld*) dough
Pin•ne ['pɪnə] <-, -n> *f* pin
Pinn•wand *f* notice board
Pin•scher ['pɪnʃɐ] <-s, -> *m* **1.** (ZOO) pinscher **2.** (*fig fam*) pipsqueak
Pin•sel ['pɪnzəl] <-s, -> *m* **1.** (*Maler~*) brush **2.** (*fam*): **ein eingebildeter ~** a jumped-up so- and-so; **pin•seln** *tr itr* (*fam*) **1.** (*anstreichen*) paint **2.** (*schmieren*) daub
Pin•te ['pɪntə] <-, -n> *f* (*fam: Kneipe*) boozer *Br,* beer joint *Am,* dive
Pin•zet•te [pɪn'tsɛtə] <-, -n> *f* a (pair of) tweezers *pl*
Pi•o•nier [pio'ni:ɐ] <-s, -e> *m* **1.** (MIL) engineer **2.** (*fig: Bahnbrecher*) pioneer; **Pi•o•nier•geist** *m* pioneering spirit
Pi•pi•fax *m* (*fam hum*) nonsense
Pi•rat [pi'ra:t] <-en, -en> *m* pirate; **Pi•ra•ten•sen•der** *m* pirate radio station; **Pi•ra•te•rie** [pɪratə'ri:] *f* (*a. fig*) piracy
Pi•rol [pi'ro:l] <-s, -e> *m* (ORN) oriole
Pirsch [pɪrʃ] <-> *f* stalk; **auf die ~ gehen** go stalking
Pis•se ['pɪssə] <-, (-n)> *f* (*vulg*) piss
pis•sen *itr* (*vulg*) **1.** (*urinieren*) piss **2.** (*regnen*) piss down
Pis•ta•zie [pɪs'ta:tsiə] <-, -n> *f* (BOT) pistachio
Pis•te ['pɪstə] <-, -n> *f* **1.** (AERO) runway; (MOT) circuit **2.** (SPORT: *Ski~*) piste; **Pis•ten•rau•pe** *f* piste caterpillar
Pis•to•le [pɪs'to:lə] <-, -n> *f* pistol; **jdm die ~ auf die Brust setzen** (*fig*) hold a pistol to someone's head; **wie aus der ~ geschossen** (*fig*) like a shot; **er wurde mit vorgehaltener ~ gezwungen den Safe zu öffnen** he was forced to open the safe at gunpoint; **Pis•to•len•schuss**[RR] *m* pistol shot; **Pis•to•len•ta•sche** *f* holster
Pla•ce•bo [plɑ'tse:bo] <-s, -s> *n* (MED) placebo; **Pla•ce•bo•ef•fekt** *m* (MED) placebo effect
pla•cken ['plakən] *refl* (*fam: sich mühen*) drudge, slave away; **Pla•cke•rei** *f* (*fam*) drudgery, grind
plä•die•ren [plɛ'di:rən] *itr* (*vor Gericht, a. fig*) plead (*auf, für* for)
Plä•doy•er [plɛdoa'je:] <-s, -s> *n* **1.** (JUR) address to the jury *Br,* summation *Am* **2.** (*fig*) plea (*für* for)
Pla•ge ['pla:gə] <-, -n> *f* **1.** (*Seuche*) plague **2.** (*fig*) nuisance; **es ist wirklich e-e ~ mit ihm** (*fig*) he's a real nui- sance; **pla•gen I.** *tr* **1.** (*quälen*) harass, plague; (*belästigen*) bother **2.** (*fig: heimsuchen*) haunt; **von Zweifeln geplagt werden** be plagued by doubts **II.** *refl* **1.** (*sich herumschlagen*) be bothered (*mit* by) **2.** (*sich abmühen*) slog away
Pla•gi•at [plagi'a:t] <-(e)s, -e> *n* plagiarism; **ein ~ begehen** plagiarize
Pla•kat [pla'ka:t] <-(e)s, -e> *n* **1.** (*zum Ankleben o Anheften*) bill, poster **2.** (*zum Aufstellen*) placard; **~e ankleben verboten!** bill posters will be prosecuted!; **pla•ka•tie•ren** *tr* placard; **Pla•kat•säu•le** *f* advertisement pillar
Pla•ket•te [pla'kɛtə] <-, -n> *f* **1.** (*Ansteckknopf*) badge **2.** (*amtliche ~, a. Tafel an Häusern*) plaque
plan [pla:n] *adj* (*eben*) flat, level
Plan[1] [pla:n, *pl:* 'plɛ:nə] <-(e)s, ⸚e> *m* **1.** (*Vorhaben*) plan **2.** (*Zeit~, Fahr~, Stunden~*) schedule, timetable **3.** (GEOG: *Stadt~*) map **4.** (ARCH: *Bau~, Grundriss etc*) plan; **e-n ~ (für etw) machen** make plans (for s.th.); **sie hat große ⸚~e mit ihrem Sohn** she has great plans for her son; **schließlich fassten sie den ~(,) zu ...** finally they planned to ...
Plan[2] <-es> *m* (*ebene Fläche, freier Platz*) plain; **auf den ~ treten** (*fig: in Erscheinung treten*) arrive on the scene
Pla•ne ['pla:nə] <-, -n> *f* **1.** (*wasserdichter Stoff*) tarpaulin **2.** (*~ndach*) awning **3.** (*LKW~*) hood
pla•nen *tr itr* plan
Pla•net [pla'ne:t] <-en, -en> *m* planet; **Pla•ne•ta•ri•um** *n* planetarium
Plan•fest•stel•lungs•ver•fah•ren *n* planning permission hearings

pla•nie•ren *tr* **1.** (*Erdboden*) level **2.** (TECH: *Werkstück*) planish; **Pla•nier•rau•pe** *f* bulldozer

Plan•ke ['plaŋkə] <-, -n> *f* board, plank; (*Leit~*) crash barrier

Plän•ke•lei [plɛŋkə'laɪ] *f* **1.** (MIL HIST) skirmish **2.** (*fig: Zank(erei)*) squabble

plän•keln ['plɛŋkəln] *itr* **1.** (MIL HIST) skirmish **2.** (*fig: zanken*) squabble

Plank•ton ['plaŋktɔn] <-s> *n* plankton

plan•los *adj* **1.** (*ohne Plan*) unsystematic **2.** (*ohne Ziel*) random; **Plan•lo•sig•keit** *f* lack of planning; **plan•mä•ßig** *adj* **1.** (*wie geplant*) according to plan **2.** (AERO MAR RAIL: *fahr~*) on schedule; **Plan•soll** *n* (COM) output target; **Plan•stel•le** *f* post

Plan•ta•ge [plan'ta:ʒə] <-, -n> *f* plantation

Plan(t)sch•be•cken *n* paddling pool

plan•(t)schen *itr* splash around

Pla•nung *f* planning; (**noch**) **in ~ sein** be (still) being planned

plan•voll *adj* systematic

Plan•wa•gen *m* covered wag(g)on

Plan•wirt•schaft *f* planned economy; **Plan•ziel** *n* target

Plap•per•maul *n* (*fam*) babbler; **plap•pern** ['plapen] *itr* blab

plär•ren ['plɛrən] *tr itr* (*fam*) **1.** (*heulen, weinen*) howl **2.** (*schlecht singen*) screech **3.** (*von Schallplatte, Radio, Musik*) blare

Plas•ma ['plasma] <-s, Plasmen> *n* plasma

Plas•tik[1] ['plastɪk] *f* **1.** (*Skulptur*) sculpture **2.** (*Bildhauerkunst*) sculpture, plastic art **3.** (MED) plastic surgery

Plas•tik[2] <-(s)> *n* (*Kunststoff*) plastic; **Plas•tik•be•cher** *m* plastic beaker; **Plas•tik•beu•tel** *m* plastic bag; **Plas•tik•bom•be** *f* plastic bomb; **Plas•tik•fo•lie** *f* plastic foil; **Plas•tik•geld** *n* (*fam: Kreditkarten*) plastic money; **Plas•tik•tü•te** *f* plastic bag; carrier bag; **plas•tisch** *adj* **1.** (*formbar*) plastic **2.** (*fig: anschaulich*) vivid **3.** (*bildhauerisch*) plastic **4.** (MED: *Chirurgie*) plastic

Pla•ta•ne [pla'ta:nə] <-, -n> *f* (BOT) plane tree

Pla•tin ['pla:ti:n] <-s> *n* (CHEM) platinum

Pla•ti•tü•de *f s.* **Plattitüde**

pla•to•nisch [pla'to:nɪʃ] *adj* platonic

plät•schern ['plɛtʃen] *itr* (*Bach, Quelle*) ripple, splash

platt [plat] *adj* **1.** (*eben, flach*) flat **2.** (*fig: abgeschmackt*) flat; (*gewöhnlich*) dull **3.** (*fam: überrascht*) flabbergasted; **e-n P~en haben** (MOT: *fam*) have a flat; **ich war ~, ihn nach zehn Jahren zu treffen** (*fig fam*) I was flabbergasted to see him again after ten years

platt•deutsch *adj* Low German

Plat•te ['platə] <-, -n> *f* **1.** (*Metall~, Glas~ etc*) sheet; (*Tisch~*) (table-)top; (*Stein~, Fliese*) flag(stone); (*Holz~*) board; (*Felsen~, Stein~*) ledge, slab **2.** (PHOT) plate **3.** (*Schall~*) record, disc *Br,* disk *Am* **4.** (*Gericht*) dish; (*Servierteller*) platter **5.** (*fam: Glatze*) bald head; **kalte ~** cold dish; **die ~ hat e-n Sprung** the record's stuck; **etw auf ~ aufnehmen** record s.th.; **die ~ kenne ich schon!** (*fig fam*) I know that line! not that again!; **leg mal e-e neue ~ auf!** (*a. fig fam*) change the record, can't you?

Plätt•ei•sen *n* (*obs*) (smoothing)iron

plät•ten ['plɛtən] *tr* iron, press

Plat•ten•hül•le *f* record sleeve; **Plat•ten•la•bel** *n* record label; **Plat•ten•lauf•werk** *n* (EDV) disk drive

Plat•ten•spie•ler *m* record-player

Platt•form <-, -en> *f* **1.** platform **2.** (*fig: Basis*) basis

Platt•fuß *m* **1.** (ANAT MED) flat foot **2.** (*fam: Reifenpanne*) flat

plat•tie•ren *tr* (*bei Metallverarbeitung*) plate

Plat•ti•tü•de[RR] [plati'ty:də] <-, -n> *f* platitude

Platz [plats, *pl:* 'plɛtsə] <-es, ⸚e> *m* **1.** (*Stelle, Ort, Arbeits~, Position, Rang*) place **2.** (*freier Raum*) room, space **3.** (*öffentlicher ~*) square **4.** (*Sitz~*) seat **5.** (SPORT: *Spielfeld*) playing field; (*Tennis~, Handball~*) court; (*Fußball~*) field, pitch; **etw** (**wieder**) **an s-n ~ stellen** put s.th. (back) in its place; **fehl am ~e sein** be out of place; **auf die Plätze, fertig, los!** (SPORT) ready, steady, go!; **~ nehmen** take a seat; **~ machen** make room (*für* for); (*aus dem Wege gehen*) get out of the way; **das erste Haus am ~** (COM) das beste Warenhaus der Stadt, the best store in town; **ist hier noch ein ~ frei?** is there a free seat here?; **dieser ~ ist besetzt** this seat's taken; **der Schiedsrichter stellte den Mittelstürmer vom ~** (SPORT) the referee sent the centre-forward off; **das nächste Spiel ist auf eigenem** (**gegnerischem**) **~** (SPORT) the next match will be at home (away);
Platz•angst <-> *f* (MED PSYCH) agoraphobia; **Platz•an•wei•ser(in)** *m(f)* usher(ette)

Plätz•chen <-s, -> *n* biscuit

plat•zen *itr* **1.** *sein* (*bersten*) burst **2.** (*aufreißen*) split **3.** (*fam: fehlschlagen*) fall through; (*zerbrechen: von Freundschaft etc*) break up **4.** (*fam: von Wechsel*) bounce; **vor Neugierde ~** be bursting with curiosity; **vor Lachen ~** (*fig fam*) burst one's sides with laughter; **er platzte ins Zimmer** (*fam*) he burst into the room; **die**

Party ist geplatzt the party is off; **e-n Termin ~ lassen** (*fig fam*) bust up an appointment; **e-n Plan ~ lassen** (*fig fam*) make a plan fall through

plat·zie·ren[RR] [pla'tsi:rən] **I.** *tr* **1.** (*hinstellen, -setzen, -legen*) put **2.** (SPORT: *zielen*) place; **ein platzierter**[RR] **Schuss** (SPORT) a well-placed shot; **platziert**[RR] **schießen** (SPORT) place one's shots well **II.** *refl* **1.** (SPORT) be placed **2.** (*fam: sich stellen, setzen, legen*) plant o.s.

Plat·zie·rung[RR] <-, -en> *f* order, place

Platz·kar·te *f* (RAIL) seat reservation ticket; **sich e-e ~ bestellen** get a seat reservation; **Platz·man·gel** *m* lack of space

Platz·pa·tro·ne *f* blank cartridge

Platz·re·gen *m* downpour

Platz·re·ser·vie·rung *f* seat reservation

platz·spa·rend *adj attr* space-saving, saving space

Platz·wun·de *f* cut, laceration

Plau·de·rei *f* chat; (*über Nichtssagendes*) small talk; **Plau·de·rer** *m*, **Plau·d(r)e·rin** *f* conversationalist

plau·dern ['plaʊdɐn] *itr* **1.** (*plauschen*) chat (*über, von* about) **2.** (*aus~*) talk; **aus der Schule ~** (*fig*) tell tales out of school

plau·si·bel [plaʊ'zi:bl] *adj* plausible

Play·back ['ple:bɛk] <-s, -s> *n* (*bei Schallplattenaufnahme*) double-tracking; (*bei Fernsehaufnahme*) miming

Play·boy ['ple:bɔɪ] <-s, -s> *m* playboy

Pla·zen·ta [pla'tsɛnta] <-, -s oder Plazenten> *f* (ANAT) placenta

pla·zie·ren *s.* **platzieren**

Pla·zie·rung *f s.* **Platzierung**

Ple·bis·zit [plebɪs'tsi:t] <-s, -e> *n* (POL) plebiscite

Plei·te ['plaɪtə] <-, -n> *f* (*fam*) **1.** (COM) bankruptcy **2.** (*fig*) flop; **~ machen** (COM) go bust; **die ganze Sache war e-e ~** (*fig*) the whole affair was a flop; **plei·te** *adj* (*fam*) broke, bust; **~ gehen**[RR] go bust; **ich bin ~** I'm broke; **Plei·te·gei·er** *m* **1.** (*fam: bevorstehender Bankrott*) vulture **2.** (*Bankrotteur*) bankrupt

Ple·nar·saal [ple'na:ɐ-] *m* (PARL) plenary assembly hall; **Ple·nar·sit·zung** *f* (PARL) plenary session

Ple·num ['ple:nʊm] <-s> *n* (PARL) plenum

Pleu·el·stan·ge ['plɔɪəl-] *f* (MOT) connecting rod

Plis·see [plɪ'se:] <-s, -s> *n* pleats *pl;* **plis·sie·ren** *tr* pleat

Plom·be ['plɔmbə] <-, -n> *f* **1.** (*Verplombung*) lead seal **2.** (*Zahn~*) filling; **plom·bie·ren** *tr* **1.** (COM: *versiegeln*) seal **2.** (*Zähne*) fill

Plot·ter <-s, -> *m* (EDV) plotter

plötz·lich ['plœtslɪç] **I.** *adj* sudden **II.** *adv* all of a sudden, suddenly

plump [plʊmp] *adj* **1.** (*ungeschickt*) awkward; (*unbeholfen*) clumsy **2.** (*taktlos, roh*) crude **3.** (*unschön, unansehnlich*) ungainly; **Plump·heit** *f* **1.** (*Ungeschicklichkeit*) awkwardness; (*Unbeholfenheit*) clumsiness **2.** (*Taktlosigkeit, Rohheit*) crudeness **3.** (*der Figur, des Aussehens*) ungainliness

plumps *interj* bang!

plump·sen ['plʊmpsən] *itr sein* (*fam*) fall

Plun·der ['plʊndɐ] <-s> *m* junk

Plün·de·rer(in) ['plʏndərɐ] *m(f)* looter, plunderer; **plün·dern** *tr* **1.** loot, plunder **2.** (*fig hum*) raid; **Plün·de·rung** *f* looting, pillage

Plu·ral ['plu:ra:l] <-s, -e> *m* (GRAM) plural

Plu·ra·lis·mus *m* (POL) pluralism; **plu·ra·lis·tisch** *adj* pluralistic

Plus <-, -> *n* **1.** (MATH: *~zeichen*) plus **2.** (COM: *Mehrumsatz etc*) increase; (*Überschuss*) surplus; (*„schwarze Zahlen"*) profit **3.** (*fig: ~punkt*) advantage

plus [plʊs] *adv, präp* plus; **wir haben ~ 15 Grad** it's 15 degrees above zero

Plüsch [ply:ʃ] <-(e)s, -e> *m* plush; **Plüsch·tier** *n* soft toy

Plus·pol *m* plus pole

Plus·punkt *m* (*fig*) advantage; **etw als ~ für sich buchen** count s.th. to one's credit; **das ist noch ein ~ für Sie** that's another point in your favour

Plus·quam·per·fekt [-kvampɛrfɛkt] <-s, -e> *n* (GRAM) past perfect, pluperfect

Plus·zei·chen *n* plus sign

Plu·to·ni·um·wirt·schaft *f* plutonium industry

Pneu [pnɔ:] <-s, -s> *m* tyre *CH*

pneu·ma·tisch [pnɔɪ'ma:tɪʃ] *adj* pneumatic

Po [po:] <-(s), -s> *m* (*fam: ~po*) botty

Pö·bel ['pø:bəl] <-s> *m* mob, rabble; **pö·bel·haft** *adj* vulgar

po·chen ['pɔxən] *itr* **1.** (*klopfen*) knock (*an* at); (*leicht, leise*) rap **2.** (*Herz*) pound; (*Blut, Schläfen*) throb; **auf etw (sein gutes Recht) ~** (*fig*) insist on s.th (one's rights)

Po·cke ['pɔkə] <-, -n> *f* pock; **die ~n** (MED) smallpox; **Po·cken·imp·fung** *f* (MED) smallpox vaccination; **po·cken·nar·big** *f* pockmarked

Po·dest [po'dɛst] <-(e)s, -e> *n* **1.** (*Rednerbühne*) platform **2.** (*Sockel*) pedestal **3.** (*Treppenabsatz*) landing

Po·di·um ['po:diʊm] *n* (*a. fig*) platform; **Po·di·ums·dis·kus·si·on** *f* panel discussion

Po·e·sie [poe'zi:] *f* poetry

Po·e·sie·al·bum *n* autograph book

Po·et(in) [po'e:t] <-en, -en> *m(f)* poet;

po•e•tisch [po'e:tɪʃ] *adj* poetic
Po•grom [po'gro:m] <-(e)s, -e> *n* pogrom
Poin•te ['po̯ɛ̃:tə] <-, -n> *f* **1.** (*von Witz*) punch-line **2.** (*Hauptsache*) (main) point; **poin•tiert** *adj* pithy
Po•kal [po'ka:l] <-s, -e> *m* **1.** (*Trink~*) goblet **2.** (SPORT) cup; **Po•kal•sie•ger** *m* cup-winner; **Po•kal•spiel** *n* (SPORT) cup final
Pö•kel ['pøkəl] <-s, -> *m* brine, pickle; **Pö•kel•fleisch** *n* salt meat; **pö•keln** *tr* pickle, salt
Po•ker ['po:kɐ] <-s> *n* poker; **Po•ker•ge•sicht** *n* poker face; **po•kern** *itr* **1.** (*Poker spielen*) play poker **2.** (*fig: feilschen*) haggle (*um* over)
Pol [po:l] <-s, -e> *m* (*a.* EL) pole
po•lar *adj* polar; ~**e Kaltluft** an arctic cold front; **Po•lar•eis** *n* polar ice; **Po•lar•for•scher(in)** *m(f)* polar explorer; **po•la•ri•sie•ren** *tr itr* polarize; **Po•la•ri•tät** *f* polarity; **Po•lar•kreis** *m* polar circle; **nörd•licher (südlicher) ~** Arctic (Antarctic) circle; **Po•lar•licht** *n* polar lights *pl;* **Po•lar•stern** *m* Pole Star
Po•le ['po:lə] <-n, -n> *m*, **Po•lin** *f* Pole
Po•le•mik [po'le:mɪk] *f* polemics *pl;* **po•le•misch** *adj* polemic; **po•le•mi•sie•ren** *itr* polemicize; ~ **gegen ...** inveigh against ...
Po•len ['po:lən] <-s> *n* Poland
Po•len•te [po'lɛntə] <-> *f* (*sl*) cops *pl*
Po•li•ce [po'li:s(ə)] <-, -n> *f* policy
Po•lier [po'li:ɐ] <-s, -e> *m* site foreman
po•lie•ren *tr* polish; **Po•lier•tuch** *n* polishing cloth; **Po•lier•wachs** *n* wax polish
Po•li•kli•nik ['po:likli:nɪk] *f* **1.** (*Krankenhaus für ambulante Fälle*) clinic **2.** (*Krankenhausabteilung*) outpatients
Po•lio ['po:lio] <-> *f* (MED) polio
Po•lit•bü•ro [po'li:t-] *n* (POL) Politburo
Po•li•tes•se [poli'tɛsə] <-, -n> *f* (woman) traffic warden; (*fam*) meter maid
Po•li•tik [poli'ti:k] <-, (-en)> *f* **1.** (*allgemein*) politics *sing* **2.** (*bestimmte Richtung*) policy **3.** (*politischer Standpunkt*) politics *pl;* **e-e ~ der Eindämmung betreiben** pursue a policy of containment; **das ist nicht meine ~** these are not my politics
Po•li•ti•ker(in) *m(f)* politician; **Po•li•ti•kum** *n* political issue; **po•li•tisch** *adj* **1.** (*zur Politik gehörig*) political **2.** (*diplomatisch, klug*) politic
po•li•ti•sie•ren **I.** *itr* talk politics **II.** *tr* **1.** **jdn ~** make s.o. politically aware **2.** **etw ~** politicize s.th.; **Po•li•ti•sie•rung** *f* politicization
Po•li•to•lo•ge *m*, **Po•li•to•lo•gin** *f* political scientist; **Po•li•to•lo•gie** *f* political science
Po•li•tur [poli'tu:ɐ] <-, -en> *f* **1.** (*das Polieren*) polishing **2.** (*Poliermittel*) polish
Po•li•zei [poli'tsaɪ] *f* police *pl;* **dümmer als die ~ erlaubt** (*sl*) as thick as a brick; **Po•li•zei•auf•ge•bot** *n* police presence; **Po•li•zei•auf•sicht** *f* police supervision; **unter ~ stehen** have to report regularly to the police; **Po•li•zei•be•am•te(r)**, **-be•am•tin** *m, f* police officer; **Po•li•zei•dienst•stel•le** *f* police station; **Po•li•zei•hund** *m* police dog; **Po•li•zei•kel•le** *f* police, signalling disc disk *Br,* signaling disk *Am*
po•li•zei•lich *adj attr* police, of the police; ~ **angeordnet** by order of the police; ~ **gesucht** wanted by the police; **Rauchen ~ verboten!** No smoking! by order of the police!; **Parken ~ verboten!** no parking
Po•li•zei•prä•si•dent(in) *m(f)* chief constable *Br,* chief of police *Am;* **Po•li•zei•prä•si•dium** *n* police headquarters *pl;* **Po•li•zei•re•vier** *n* **1.** (*Wache*) police station *Br,* station house *Am* **2.** (*Bezirk*) police district *Br,* precinct *Am;* **Po•li•zei•schutz** *m* police protection; **Po•li•zei•spit•zel** *m* police informer *Br;* **Po•li•zei•staat** *m* police state; **Po•li•zei•stern** *m* police badge; **Po•li•zei•strei•fe** *f* police patrol; **Po•li•zei•stun•de** *f* closing time; **Po•li•zei•wa•che** *f* police station *Br,* station house *Am*
Po•li•zist(in) *m(f)* policeman (police woman)
Po•liz•ze [po'lɪtsə] <-, -n> *f* (insurance) policy *österr*
Pol•ka ['pɔlka] <-, -s> *f* polka
Pol•kap•pe *f* polar ice cap
Pol•len ['pɔlən] <-s, -> *m* pollen; **Pol•len•al•ler•gie** *f* pollen allergy; **Pol•len•flug** *m* pollen count; **Pol•len•flug•ka•len•der** *m* pollen count calendar; **Pol•len•flug•vor•her•sa•ge** *f* pollen count forecast; **Pol•len•warn•dienst** *m* advance pollen warning service
pol•nisch ['pɔlnɪʃ] *adj* Polish
Pols•ter ['pɔlstɐ] <-s, -> *n* **1.** (*~ung*) upholstery **2.** (*Wattierung bei Kleidung*) pad(ding) **3.** (*Kissen*) cushion **4.** (*fig: Geldreserven*) reserves *pl;* **Pols•ter•gar•ni•tur** *f* suite; **Pols•ter•mö•bel** *npl* upholstered furniture *sing;* **pols•tern** *tr* **1.** (*Möbel*) upholster **2.** (*aus~, ausstopfen: Kleidung, Türen etc*) pad; **Pols•ter•ses•sel** *m* easy chair; **Pols•te•rung** *f* upholstery
Pol•ter•abend *m* eve-of-wedding ceremony *Br,* shower *Am*
pol•tern ['pɔltɐn] *itr* **1.** (*laut sein, sich laut bewegen*) bang (about) **2.** (*rumpeln*)

rumble
Po•ly•a•mid [polyaˈmiːt] <-s, -e> *n* (CHEM) polyamide
Po•ly•ä•thy•len [polyɛtyˈleːn] <-s, -e> *n* (CHEM) polyethylene, polythene *Br a.*
Po•ly•e•ster [polyˈɛstɐ] <-s, -> *m* (CHEM) polyester
po•ly•gam [polyˈgaːm] *adj* polygamous; **Po•ly•ga•mie** [---ˈ-] *f* polygamy
Po•lyp [poˈlyːp] <-en, -en> *m* **1.** (ZOO) polyp **2.** (MED): ~**en** adenoids **3.** (*sl: Polizist*) cop
Po•ly•tech•ni•kum [polyˈtɛçnikʊm] <-s, -ka> *n* polytechnic
Po•ly•ure•than [polyureˈtaːn] <-s> *n* (CHEM) polyurethane
Po•ma•de [poˈmaːdə] <-, -n> *f* pomade
Po•me•ran•ze [poməˈrantsə] <-, -n> *f* (BOT) bitter orange
Pommes frites [ˈpɔmfrɪts/pɔmˈfriːt(s)] *pl* chips *Br,* French fries *Am*
Pomp [pɔmp] <-(e)s> *m* pomp; **pom•pös** *adj* **1.** (*grandios*) grandiose **2.** (*aufgeblasen*) pompous
Pon•cho [ˈpɔntʃo] <-s, -s> *m* poncho
Pon•ti•us [ˈpɔntsiʊs] *m:* **von ~ zu Pilatus** from pillar to post
Pon•ton [pɔnˈtõː] <-s, -s> *m* pontoon; **Pon•ton•brü•cke** *f* pontoon bridge
Po•ny [ˈpɔni] <-s, -s> *n* pony
Po•panz [ˈpoːpants] <-es, -e> *m* **1.** (*Schreckgespenst*) bog(e)y **2.** (*Mensch*) puppet
Po•pel [ˈpoːpəl] <-s, -> *m* (*fam: Rotz*) bog(e)y; **po•pe•lig** *adj* (*fam*) **1.** (*knauserig*) stingy **2.** (*armselig*) crummy
Po•pe•lin [popəˈliːn] <-s> *n* poplin
po•peln *itr* (*fam*) pick one's nose
Po•po [poˈpoː] <-(s), -s> *m* (*fam*) botty
Pop•per [ˈpɔpɐ] <-s, -> *m* (*fam*) preppie
po•pu•lär [popuˈlɛːɐ] *adj* popular (*bei* with); **po•pu•la•ri•si•eren** *tr* popularize; **Po•pu•la•ri•tät** *f* popularity; **po•pu•lär•wis•sen•schaft•lich I.** *adj* popular science **II.** *adv* in a popular scientific way
Po•pu•la•ti•on [populaˈtsjoːn] <-, -en> *f* (BIOL) population
Po•re [ˈpoːrə] <-, -n> *f* pore
Por•no [ˈpɔrno] <-s, -s> *m* porn; **harter ~** hardcore (porn); **Por•no•film** *m* blue movie; **Por•no•gra•fie**[RR] *f,* **Por•no•gra•phie** *f* pornography; **por•no•gra•fisch**[RR] *adj,* **por•no•gra•phisch** *adj* pornographic
po•rös [poˈrøːs] *adj* **1.** (*mit Poren*) porous **2.** (*brüchig*) perished
Por•ree [ˈpɔre] <-s, -s> *m* (BOT) leek
Por•tal [pɔrˈtaːl] <-s, -e> *n* portal
Porte•mon•nee[RR] [pɔrtmɔˈneː] <-s, -s> *n,* **Porte•mon•naie** *n* purse
Por•tier [pɔrˈtjeː] <-s, -s> *m* porter
Por•ti•on [pɔrˈtsjoːn] *f* **1.** (*beim Essen*) portion **2.** (*fam: Anteil*) amount; **e-e ~ Kaffee** a pot of coffee; **e-e halbe ~** (*fig: Schwächling*) a half-pint; **e-e ganz schöne ~ Frechheit** (*fig fam*) quite a fair amount of cheek
Por•to [ˈpɔrto] <-s, (-ti)> *n* postage; (*Paket~*) carriage (*für* on); **por•to•frei** *adj* postage paid, post free; **por•to•pflich•tig** *adj* liable [*o* subject] to postage
Por•trait [pɔrˈtrɛː] <-s, -s> *n* (*a. fig*) portrait; **por•trai•tie•ren** *tr* **1.** (*ein Portrait machen*) paint a portrait (*jdn* of s.o.) **2.** (*fig: schildern*) portray
Por•tu•gal [ˈpɔrtugal] *n* Portugal; **Por•tu•gie•se, -sin** [pɔrtuˈgiːzə] <-n, -n> *m, f* Portuguese; **por•tu•gie•sisch** *adj* Portuguese
Port•wein [ˈpɔrt-] *m* port (wine)
Por•zel•lan [pɔrtsɛˈlaːn] <-s, -e> *n* china; (*dünnes ~*) porcelain; **Por•zel•lan•ge•schirr** *n* china
Po•sau•ne [poˈzaʊnə] <-, -n> *f* (MUS) trombone
Po•se [ˈpoːzə] <-, -n> *f* pose; **po•sie•ren** *itr* pose; **Po•si•ti•on** *f* **1.** (*allgemein*) position **2.** (COM: *auf e-r Liste*) item; **Po•si•ti•ons•licht** *n* (MAR) navigation light
po•si•tiv [ˈpoːzitiːf] *adj* positive
Po•si•tiv <-s, -e> *n* (PHOT) positive
Po•si•tur *f:* **sich in ~ setzen** take up a posture
Pos•se [ˈpɔsə] <-, -n> *f* (*a. fig*) farce
Pos•sen <-s, -> *m* (*Unfug, Streich, Schabernack*) prank, tomfoolery; **pos•sen•haft** *adj* farcical
pos•sier•lich [pɔˈsiːɐlɪç] *adj* comical, funny
Post [pɔst] <-> *f* **1.** (*allgemein*) mail, post **2.** (*~gebäude, ~wesen*) post office; **zur ~ gehen** go to the post office; **die ~ war noch nicht da** the post has not yet come; **mit gleicher (getrennter) ~** (COM) by the same post (under separate cover); **e-n Brief auf die ~ geben** post a letter *Br,* mail a letter *Am;* **pos•ta•lisch** [pɔsˈtaːlɪʃ] *adj* postal; **Post•amt** *n* post office; **Post•an•wei•sung** *f* money order, M.O., postal order, P.O.; **telegrafische ~** money telegram; **Post•au•to** *n* (*LKW*) mail van *Br,* truck *Am;* **Post•be•am•te(r), -be•amtin** *m, f* post office official; **Postbe•zug** *m* mail-order; **Post•bo•te, -bo•tin** *m, f* postman (postwoman) *Br,* mailman (mailwoman) *Am*
Pos•ten [ˈpɔstən] <-s, -> *m* **1.** (*Anstellung*) job, position **2.** (COM: *~ e-r Aufstellung*) item **3.** (COM: *Warenmenge*) lot, quantity **4.** (*Streik~*) picket **5.** (MIL: *Wacht~*) guard,

sentry; **auf dem ~ sein** (*wachsam sein*) be awake; (*fig fam: fit, gesund sein*) be fit; **auf verlorenem ~ stehen** (*fig*) be fighting a lost cause; ~ **aufstellen** (*Wacht~*) post guards; (*Streik~*) set up pickets; **auf ~ stehen** be on guard; **ich bin heute noch nicht ganz auf dem ~** (*fig fam*) I'm not feeling quite up to par today; **e-n ~ neu besetzen** fill a vacancy

Post•fach *n* post-office box, P.O. box

post•fe•mi•nis•tisch *adj* post-feminist

Post•ge•heim•nis *n* secrecy of the post; **Post•gi•ro•amt** *n* National Giro office *Br;* **Post•gi•ro•kon•to** *n* Post Office Giro account *Br*

pos•tie•ren **I.** *tr* post **II.** *refl* position o.s.

Post•kar•te *f* postcard *Br,* postal *Am,* card; **Post•kut•sche** *f* (HIST) mail-coach; **post•la•gernd** **I.** *adj* to be called for **II.** *adv* poste restante; **Post•leit•zahl** *f* post code *Br,* zip code *Am*

post•mo•dern *adj* postmodern; **Post•mo•der•ne** *f* postmodernism

Post•pa•ket *n* parcel; **Post•scheck** *m* Post Office Giro cheque *Br*

Post•skrip•tum [pɔst'skrɪptʊm] <-s, -ta> *n* postscript, PS

Post•spar•kas•se *f* Post Office savings bank; **Post•spar•buch** *n* Post Office savings book; **Post•stem•pel** *m* postmark; **Post•ü•ber•wei•sung** *f* Girobank transfer; **Post•weg** *m:* **auf dem ~** by post

post•wen•dend ['-'--] *adv* **1.** by return of post [*o* mail *Am*] **2.** (*fig*) immediately

Post•wert•zei•chen *n* postage stamp; **Post•wurf•sen•dung** *f* direct-mail advertising; **Post•zu•stel•lung** *f* postal [*o* mail] delivery

Po•ten•tial *n s.* **Potenzial**

po•ten•tiell *adj s.* **potenziell**

Po•tenz <-, -en> *f* **1.** (*a. fig*) potency **2.** (MATH) power; **in höchster ~** (*fig*) to the highest degree; **die dritte ~ zu vier ist vierundsechzig** (MATH) four to the power of three is sixty-four

Po•ten•zial[RR] [potɛn'tsjaːl] <-s, -e> *n* potential

po•ten•ziell[RR] *adj* potential

Pot•pour•ri ['pɔtpʊri] <-s, -s> *n* (*a. fig*) medley, potpourri (*aus* of)

Pott [pɔt] <-(e)s, Pötte> *m* pot

Pou•let [pu'leː] <-s, -s> *n* (*CH: Speise*) chicken

Po•widl ['pɔvidl] <-> *m* plum jam *österr*

PR *f Abk. von* **Publicrelations** PR

Prä•am•bel [prɛ'ambəl] <-, -n> *f* preamble (*zu e-r Sache* to s.th.)

Pracht [praxt] <-> *f* (*a. fig*) splendour; **Pracht•aus•ga•be** *f* de luxe edition

präch•tig ['prɛçtɪç] *adj* splendid

Pracht•kerl *m* (*fam*) **1.** (*großartiger Kerl*) great guy **2.** (*Prachtexemplar*) beauty; **Pracht•stück** *n* (*fam*) beauty; **pracht•voll** *adj* magnificent, splendid

Prä•di•kat [prɛdi'kaːt] <-(e)s, -e> *n* **1.** (GRAM) predicate **2.** (*Titel, Rang*) title **3.** (*Schulzensur*) grade; **Prä•di•kats•no•men** *n* (GRAM) complement

Prä•fe•renz [prɛfe'rɛnts] <-, -en> *f* preference

Prä•fix [prɛ'fɪks] <-es, -e> *n* (GRAM LING) prefix

Prag [praːk] <-s> *n* Prague

prä•gen ['prɛːgən] *tr* **1.** (*allgemein*) stamp (*auf* on); (*Münzen, a. fig: Begriffe, Wörter*) coin **2.** (*fig: formen*) shape; (*kennzeichnen*) characterize; **dieses Bild hat sich ihm ins Gedächtnis geprägt** (*fig*) this picture is engraved on his memory

Prag•ma•tik [prak'maːtɪk] <-> *f* (PHIL LING) pragmatics; **Prag•ma•ti•ker(in)** *m(f)* pragmatist; **prag•ma•tisch** *adj* pragmatic

prä•gnant [prɛ'gnant] *adj* succinct, terse

Prä•gnanz <-> *f* succinctness, terseness

Prä•gung *f* **1.** (*das Prägen*) stamping; (*von Münzen, a. fig: von Begriffen*) coining **2.** (*fig: das Formen*) shaping **3.** (*auf Münzen*) strike

prä•his•to•risch *adj* prehistoric

prah•len ['praːlən] *itr* show off (*mit etw* s.th., *vor jdm* to s.o.); **Prah•ler(in)** *m(f)* boaster; **Prah•le•rei** *f* **1.** (*Großsprecherei*) bragging **2.** (*Angeberei*) showing- off; **prah•le•risch** *adj* boastful, bragging; **Prahl•hans** <-es, -hänse> *m* (*fam*) show-off

Prak•tik ['praktɪk] *f* method; **undurchsichtige ~en** shady practices

Prak•ti•kant(in) *m(f)* trainee

Prak•ti•ker(in) *m(f)* practical man (woman)

Prak•ti•kum ['praktikʊm] <-s, -ka> *n* practical (training)

prak•tisch **I.** *adj* practical; **~er Arzt** general practitioner, GP **II.** *adv* **1.** (*in der Praxis*) in practice **2.** (*geschickt, praxisbezogen*) practically **3.** (*fast, so gut wie*) virtually

prak•ti•zie•ren **I.** *itr* practise *Br,* practice *Am* **II.** *tr* (*handhaben*) practise *Br,* practice *Am*

Prä•lat [prɛ'laːt] <-en, -en> *m* (ECCL) prelate

Pra•li•ne [pra'liːnə] <-, -n> *f* chocolate *Br,* chocolate candy *Am*

prall *adj* **1.** (*Backen*) chubby; (*Hüften etc*) well-rounded **2.** (*straff, fest*) firm, tight; (*voll*) full **3.** (*Sonne*) blazing

pral•len *itr* **1.** *sein* (*von Ball*) bounce

(*gegen* against) **2.** (*zusammen~*) collide (*gegen* with) **3.** (*von Sonne*) blaze down (*auf* on)

Prä•mie ['prɛːmiə] <-, -n> *f* **1.** (*Preis*) award, prize **2.** (*Vergütung*) bonus **3.** (*Versicherungs~ etc*) premium; **prä•mi•(i)e•ren** [prɛ'miːrən/prɛmi'iːrən] *tr* **1.** (*mit e-m Preis*) give an award **2.** (*mit e-m Bonus*) give a bonus (*etw* for s.th.)

pran•gen ['praŋən] *itr* be [*o* hang] resplendent

Pran•ger <-s, -> *m* (HIST) pillory; **jdn (etw) an den ~ stellen** (*fig*) pillory s.o. (s.th.)

Pran•ke ['praŋkə] <-, -n> *f* (*a. fam: Hand*) paw

Prä•pa•rat [prɛpa'raːt] <-(e)s, -e> *n* (MED CHEM) **1.** (*vorbereitete Substanz*) preparation **2.** (*für Mikroskop*) slide; **prä•pa•rie•ren I.** *tr* **1.** (*konservieren*) preserve **2.** (MED: *sezieren*) dissect **3.** (*vorbereiten*) prepare **II.** *refl* prepare (*auf, für* for)

Prä•po•si•ti•on *f* (GRAM) preposition

Prä•rie [prɛ'riː] *f* prairie

Prä•sens ['prɛːzɛns] <-, -tia/-zien> *n* (GRAM) present (tense)

Prä•sen•ta•ti•on [prɛzɛnta'tsjoːn] <-, -en> *f* presentation; **prä•sen•tie•ren I.** *tr* present (*jdm etw* s.o. with s.th.) **II.** *refl* present o.s.

Prä•senz•bi•bli•o•thek *f* reference library

Prä•ser•va•tiv [prɛzɛrva'tiːf] <-s, -e> *n* condom

Prä•si•dent(in) [prɛzi'dɛnt] *m(f)* president; **Herr Präsident (Frau Präsidentin)** Mister (Madam) President; **prä•si•die•ren** *itr* preside (*e-r Sache* over s.th.); **Prä•si•di•um** *n* **1.** (*Vorsitz*) presidency **2.** (*Partei~ etc*) committee **3.** (*Amtssitz, Hauptquartier etc*) headquarters *pl*

pras•seln ['prasəln] *itr* **1.** *haben* (*Feuer*) crackle **2.** *sein* (*Regen*) drum **3.** *sein* (*fig: Vorwürfe etc*) rain down

pras•sen ['prasən] *itr* **1.** (*schlemmen*) feast **2.** (*schwelgen*) revel

Prä•teri•tum [prɛ'tɛritum] *n* (GRAM) preterite

prä•ven•tiv [prɛvɛn'tiːf] *adj* preventive

Pra•xis ['praksɪs] <-, -xen> *f* **1.** (*a. Arzt~, Rechtsanwalts~*) practice **2.** (*Sprechzimmer, Sprechstunde e-s Arztes*) surgery *Br,* doctor's office *Am* **3.** (*e-s Rechtsanwalts*) office

pra•xis•fern *adj,* **pra•xis•fremd** *adj* impractical; **pra•xis•nah** *adj* practical

Prä•ze•denz•fall [prɛtse'dɛnts-] *m* precedent; **e-n ~ schaffen** create a precedent

prä•zis [prɛ'tsiːs] *adj* precise; **prä•zi•sie•ren** *tr* render more precisely; **Prä•zi•si•on** *f* precision; **Prä•zi•si•ons•ins•tru•ment** *n* precision instrument

pre•di•gen ['preːdɪgən] **I.** *tr* **1.** (REL) preach **2.** (*fig fam*) lecture (*jdm etw* s.o. on s.th.) **II.** *itr* (*a. fig*) preach; **Pre•di•ger(in)** *m(f)* (woman) preacher; **Pre•digt** ['preːdɪçt] <-, -en> *f* (*a. fig*) sermon; **jdm e-e ~ halten über etw** (*fig*) give s.o. a sermon on s.th.

Preis [praɪs] <-es, -e> *m* **1.** (*a. fig*) price (*für* of) **2.** (*bei Wettbewerb*) prize **3.** (*Lob*) praise (*auf* of) **4.** (*Belohnung*) reward; **der ~ dieses Grundstücks** [*o* **für dieses Grundstück**] **beträgt 260000 Mark** the price of this piece of land is 260,000 marks; **um jeden (keinen) ~** (*fig*) (not) at any price; **im ~ steigen (fallen)** go up (down) in price; **zum ~ von ...** at a price of ...; **alles hat s-n ~** (*fig*) everything has its price; **gepfefferter ~** (*fig fam*) hefty price; **Preis•ab•bau** *m* price reduction; **Preis•an•ga•be** *f* price quotation; **Preis•an•stieg** *m* rise in prices; **Preis•auf•schlag** *m* supplementary charge; **Preis•aus•schrei•ben** *n* competition; **Preis•aus•zeich•nung** *f* price marking; **Preis•bil•dung** *f* price fixing; **Preis•bin•dung** *f* (~ *der zweiten Hand*) retail price maintenance; **Preis•druck** <-(e)s> *m* downward pressure of prices; **Preis•ein•bruch** *m* collapse of prices

Prei•sel•bee•re ['praɪzlbeːrə] <-, -n> *f* cranberry

Preis•emp•feh•lung *f*: **unverbindliche ~** recommended price; **Preis•ent•wick•lung** *f* price trend; **Preis•er•hö•hung** *f* price increase; **Preis•er•mä•ßi•gung** *f* price cut; **Preis•fra•ge** *f* **1.** (*Frage des Preises*) question of price **2.** (*Quizfrage*) prize question **3.** (*fam: großes Problem*) big question

Preis•ga•be *f* **1.** (*Übergabe, Aufgabe*) surrender **2.** (*von Geheimnis*) betrayal

preis|ge•ben *irr tr* **1.** (*übergeben*) surrender; (*aufgeben*) abandon **2.** (*fig: aussetzen, ausliefern*) expose **3.** (*verraten*) betray

Preis•ge•fü•ge *n* price structure; **preis•ge•krönt** *adj* award-winning; **dieser Film wurde ~** this film was given an award; **Preis•ge•richt** *n* (*Jury*) jury; **preis•güns•tig** *adj* inexpensive, low- priced; **Preis•in•dex** *m* price index; **Preis•klas•se** *f* price category; **Preis•la•ge** *f* price range; **Preis-Leis•tungs•ver•hält•nis** *n* cost effectiveness

preis•lich I. *adj attr* price **II.** *adv* in price

Preis•lis•te *f* price list; **Preis•nach•lass**[RR] *m* price reduction; **Preis•ni•veau** *n* price level; **Preis•po•li•tik** *f* prices policy; **Preis•rät•sel** *n* prize competition;

Preis•rück•gang *m* price recession; **Preis•schild** *n* price-tag; **Preis•schwan•kun•gen** *fpl* price fluctuations; **Preis•sen•kung** *f* price cut; **Preis•sta•bi•li•tät** *f* stability of prices; **Preis•stei•ge•rung** *f* price increase; **Preis•stopp** *m* price freeze; **Preis•trä•ger(in)** *m(f)* prize-winner; **Preis•trei•be•rei** ['---'-] *f* forcing up of prices; **Preis•un•ter•schied** *m* price difference; **preis•wert** *adj* **1.** (*preisgünstig*) inexpensive, low-priced **2.** (*s-n Preis wert*) good value; **ein ~es Hemd** a shirt which is good value; **kann man bei ... ~ einkaufen?** do you get good value (for money) at ...?

pre•kär [prɛ'kɛːɐ] *adj* **1.** (*heikel*) precarious **2.** (*peinlich*) awkward

Prell•bock *m* **1.** (RAIL) buffer-stop **2.** (*fig: Sündenbock*) scapegoat

prel•len ['prɛlən] **I.** *tr* **1.** (*fig fam*) cheat, swindle (*jdm um etw* s.o. out of s.th.) **2.** (*Körperteil*) bruise **II.** *refl* bruise o.s.

Prel•lung *f* (MED) bruise, contusion

Pre•mie•re [prə'mjeːrə] *f* premiere

Pre•mier•mi•nis•ter(in) *m(f)* (POL) prime minister

pre•schen ['prɛʃən] *itr sein* (*fam*) dash

Pres•se ['prɛsə] <-, -n> *f* (*allgemein*) press; **Pres•se•a•gen•tur** *f* press [*o* news] agency; **Pres•se•aus•weis** *m* press card; **Pres•se•chef(in)** *m(f)* chief press officer; **Pres•se•er•klä•rung** *f* statement to the press, press release; **Pres•se•frei•heit** *f* freedom of the press; **Pres•se•kon•fe•renz** *f* press conference; **Pres•se•mel•dung** *f* press report; **Pres•se•mit•tei•lung** *f* press release

pres•sen *tr* **1.** press, squeeze **2.** (*fig: zwingen, zwängen*) force (*in* into)

Pres•se•no•tiz *f* short announcement in the newspaper; **Pres•se•fo•to•graf(in)** *m(f)* press photographer; **Pres•se•recht** *n* press laws *pl;* **Pres•se•rum•mel** *m* throng of reporters; **Pres•se•spre•cher(in)** *m(f)* press spokesman [*o* spokesperson]; **Pres•se•stel•le** *f* (MARKT) public relations [*o* press] office; **Pres•se•stim•me** *f* press commentary; **Pres•se•zen•sur** *f* press curb

pres•sie•ren *itr* (*fam*) be urgent; **es pressiert nicht** there's no hurry [*o* it's not urgent]

Pres•si•on *f* pressure; **~en auf jdn ausüben** put pressure on s.o.

Press•koh•le^{RR} *f* briquette; **Press•luft**^{RR} *f* compressed air; **Press•luft•boh•rer**^{RR} *m* pneumatic drill; **Press•luft•ham•mer**^{RR} *m* air hammer

Pres•tige [prɛs'tiːʒ(ə)] <-s> *n* prestige; **Pres•tige•den•ken** *n* status thinking; **Pres•tige•ge•winn** *m* increase in prestige; **Pres•tige•ver•lust** *m* loss of prestige

Preu•ße ['prɔɪsə] <-n, -n> *m,* **Preu•ßin** *f* Prussian; **Preu•ßen** *n* <-s> Prussia; **preu•ßisch** *adj* Prussian

pri•ckeln ['prɪkəln] *itr* (*kribbeln*) tingle; **pri•ckelnd** *adj* **1.** (*kribbelnd*) tingling **2.** (*fig: pikant*) piquant; (*erregend*) thrilling

Priem [priːm] <-(e)s, -e> *m* quid of tobacco; **prie•men** *itr* chew tobacco

Pries•ter ['priːstɐ] *m* priest; **Pries•ter•amt** *n,* **Pries•ter•tum** *n* priesthood; **Pries•te•rin** *f* priestess; **Pries•ter•wei•he** *f* (ECCL) ordination (as a priest)

pri•ma *adj* (*fam*) **1.** (COM: *erstklassig*) first-class **2.** (*Klasse, dufte*) fantastic, great, swell *bes. Am*

Pri•ma•don•na [prima'dɔna] <-, Primadonnen> *f* primadonna

pri•mär *adj* primary

Pri•mat[1] <-en, -en> *m* (ZOO) primate

Pri•mat[2] *m o n* <-(e)s, -e> (*Priorität, Vorherrschaft*) primacy (*über* over)

Pri•mel ['priːməl] <-, -n> *f* (BOT) primrose; **eingehen wie e-e ~** (*fam*) be completely flattened

pri•mi•tiv [primi'tiːf] *adj* primitive; **Pri•mi•ti•vi•tät** *f* primitiveness; **Pri•mi•tiv•ling** *m* (*fam pej*) peasant; **Pri•mus** ['priːmʊs] <-, Primi oder -e> *m* top of the class

Prim•zahl ['priːm-] *f* (MATH) prime number

Prinz [prɪnts] <-en, -en> *m* prince; **Prin•zes•sin** [prɪn'tsɛsɪn] *f* princess; **Prinz•ge•mahl** *m* prince consort

Prin•zip [prɪn'tsiːp] <-s, -ien/(-e)> *n* principle; **im ~** in principle; **aus ~** as a matter of principle, on principle; **so etw ginge gegen s-e ~ien** such a thing would be against his principles; **er ist ein Mann mit ~ien** he's a man of principle(s); **prin•zi•pi•ell** *adv* **1.** (*aus Prinzip*) on principle **2.** (*grundsätzlich, im Prinzip*) in principle; **Prin•zi•pi•en•rei•ter(in)** *m(f)* (*pej*) stickler for one's principles; **prin•zi•pi•en•treu** *adj* true to one's principles

Prio•ri•tät [priori'tɛːt] *f* priority (*vor, gegenüber* over); **~en setzen** establish one's priorities; **höchste ~ haben** be of prime importance

Pri•se ['priːzə] <-, -n> *f* **1.** (*kleines bisschen*) pinch; **e-e ~ Salz** a pinch of salt **2.** (MAR) prize

Pris•ma ['prɪsma] <-s, -men> *n* prism

Prit•sche ['prɪtʃə] <-, -n> *f* **1.** (*Liegestatt*) plank bed **2.** (*LKW-Ladefläche*) platform

pri•vat [pri'vaːt] *adj* private; **~ versichert sein** be privately insured; **Pri•vat•adres•se** *f* home address; **Pri•vat•an•ge•le-**

gen•heit *f* private matter; **Pri•vat•au•di•enz** *f* private audience; **Pri•vat•be•sitz** *m* private property; **in ~** privately owned; **in ~ übergehen** pass into private hands; **~! Betreten verboten!** Private property! No trespassing!; **Pri•vat•de•tek•tiv(in)** *m(f)* private detective; (*fam*) private eye; **Pri•vat•fern•se•hen** *n* commercial television; **Pri•vat•ge•spräch** *n* private conversation; **Pri•vat•grund•stück** *n* private property; **~ kein Zutritt!** private property keep out!; **Pri•vat•hand** *f*: **in Privathand** in private hands; **Pri•vat•in•i•tia•ti•ve** *f* private initiative

Pri•va•ti•sie•rung *f* (POL) privatization

Pri•vat•kli•nik *f* private hospital; **Pri•vat•kon•to** *n* personal account, private account; **Pri•vat•kun•de** *m* private customer; **Pri•vat•le•ben** *n* private life; **Pri•vat•leh•rer(in)** *m(f)* private teacher, tutor; **Pri•vat•pa•tient(in)** *m(f)* private patient; **Pri•vat•per•son** *f* private person; **Pri•vat•recht** *n* civil law; **pri•vat•recht•lich** *adj attr* civil law; **Pri•vat•sa•che** *f* private matter; **Pri•vat•schu•le** *f* private school; **Pri•vat•se•kre•tär(in)** *m(f)* private secretary; **Pri•vat•sphä•re** *f* privacy; **Pri•vat•un•ter•neh•men** *n* private company; **Pri•vat•un•ter•richt** *m* private tuition; **Pri•vat•ver•gnü•gen** *n* (*fam*) private pleasure; **Pri•vat•ver•mö•gen** *n* private fortune; **Pri•vat•weg** *m* private way; **Pri•vat•wirt•schaft** *f* private industry; **pri•vat•wirt•schaft•lich** *adj* private-enterprise

Pri•vi•leg [privi'le:k] <-(e)s, -ien> *n* privilege; **pri•vi•le•gie•ren** *tr* privilege; **e-e privilegierte Kaste** a privileged caste

Pro *n*: **das ~ u. Kontra** the pros and cons *pl*

pro[1] [pro:] *präp* per; **~ Kopf (Person)** per capita (person); **drei Mark ~ Stück** three marks each

pro[2] (*in Zusammensetzungen*) pro-; **~amerikanisch** pro-American

pro•bat [pro'ba:t] *adj* proved, tried

Pro•be ['pro:bə] <-, -n> *f* **1.** (*Versuch, Prüfung*) test **2.** (*Muster*) pattern; (*Waren~, Beispiel, Kost~*) sample **3.** (THEAT) rehearsal; **die ~ aufs Exempel machen** put it to the test; **jdn (etw) auf die ~ stellen** put s.o. (s.th.) to the test; **auf** [*o* **zur**] **~** on test; **auf ~ angestellt** employed for a probationary period; **jds Geduld auf e-e harte ~ stellen** try someone's patience sorely; **die ~ machen** (MATH) (make a) check; **e-e ~ abhalten** (THEAT) rehearse; **Pro•be•ab•zug** *m* (TYP) proof; **Pro•be•alarm** *m* practice alarm; **Pro•be•an•ge•bot** *n* trial offer; **Pro•be•boh•rung** *f* exploratory boring, test drill; **Pro•be•ent•nah•me** *f* taking of samples; **Pro•be•e•x•em•plar** *n* sample; **Pro•be•fahrt** *f* test drive, trial run; **Pro•be•jahr** *n* probationary year; **Pro•be•lauf** *m* trial run

pro•ben *tr itr* rehearse

Pro•be•num•mer *f* trial copy; **Pro•be•pa•ckung** *f* trial package; **Pro•be•sei•te** *f* specimen page; **pro•be•wei•se** *adv* on trial; (COM) on approval; **Pro•be•zeit** *f* probationary period

pro•bie•ren *tr itr* (*versuchen, a. kosten*) try

Pro•blem [pro'ble:m] <-s, -e> *n* problem; **ein ~ in Angriff nehmen** get down to a problem; **sich mit e-m ~ auseinandersetzen** work on a problem; **Pro•ble•ma•tik** [--'--] *f* (*Schwierigkeit*) set of difficulties [*o* problems] (*jds* with s.o., *e-r Sache* with s.th.); **pro•ble•ma•tisch** *adj* **1.** (*problembeladen*) problematic **2.** (*fragwürdig*) questionable **3.** (*schwierig*) difficult; **die Lage ist ~** the situation is grave; **Pro•blem•be•reich** *m* problem area; **pro•blem•los I.** *adj* problem-free **II.** *adv* without any difficulties

Pro•ce•de•re [pro'tse:dərə] <-, -> *n* (method of) procedure

Pro•dukt [pro'dʊkt] <-(e)s, -e> *n* (*a. fig*) product; **Pro•dukt•a•na•ly•se** *f* product analysis; **Pro•duk•ten•han•del** *m* (COM) produce trade; **Pro•dukt•ent•wick•lung** *f* product development; **Pro•dukt•ge•stal•tung** *f* product design; **Pro•dukt•grup•pe** *f* product line; **Pro•dukt•haf•tung** *f* product liability

Pro•duk•ti•on *f* production; **Pro•duk•ti•ons•ab•tei•lung** *f* production department; **Pro•duk•ti•ons•an•la•gen** *pl* production equipment, production plant; **Pro•duk•ti•ons•aus•fall** *m* loss of production; **Pro•duk•ti•ons•feh•ler** *m* production fault [*o* error]; **Pro•duk•ti•ons•gü•ter** *npl* producer goods; **Pro•duk•ti•ons•ka•pa•zi•tät** *f* production capacity, productive capacity; **Pro•duk•ti•ons•kos•ten** *pl* production costs; **Pro•duk•ti•ons•leis•tung** *f* output; **Pro•duk•ti•ons•mit•tel** *npl* means *pl*, of production; **Pro•duk•ti•ons•rück•gang** *m* drop in production; **Pro•duk•ti•ons•stan•dard** *m* production standard; **Pro•duk•ti•ons•stät•te** *f* production facility, factory; **Pro•duk•ti•ons•stei•ge•rung** *f* increase in production; **Pro•duk•ti•ons•sto•ckung** *f* interruption in production; **Pro•duk•ti•ons•zweig** *m* industry

pro•duk•tiv [prodʊk'ti:f] *adj* productive; **Pro•duk•ti•vi•tät** *f* productivity; **Pro•duk•ti•vi•täts•zu•wachs** *m* gain in productivity

Pro•dukt•li•nie *f* product line; **Pro•dukt-**

ma•na•ger(in) *m(f)* product manager; **Pro•dukt•pa•let•te** *f* (MARKT) product range; **Pro•dukt•wer•bung** *f* product advertising

Pro•du•zent(in) *m(f)* producer; **pro•du•zie•ren** I. *tr* produce II. *refl* (*angeben*) show off

pro•fan [pro'fa:n] *adj* 1. (REL: *weltlich*) profane 2. (*gewöhnlich, banal*) mundane

Pro•fes•sio•na•li•tät *f* professionalism

pro•fes•sio•nell [profɛsio'nɛl] *adj* professional

Pro•fes•sor(in) *m(f)* professor; ~ **für Biologie** professor of Biology; **zerstreuter** ~ absent-minded professor

Pro•fes•sur *f* chair (*für* in)

Pro•fi ['pro:fi] <-s, -s> *m* (*fam*) pro; (SPORT: *Rad~, Schwimm~*) professional (cyclist, swimmer)

Pro•fil [pro'fi:l] <-s, -e> *n* **1.** (*Seitenansicht von Gesicht*) profile **2.** (GEOG) section **3.** (*Quer~*) cross-section; (*Längs~*) vertical section **4.** (AERO) wing profile **5.** (*Reifen~*) tread **6.** (*fig: Ansehen*) image; **pro•fi•lie•ren** I. *tr* **1.** (*Reifen etc*) put a tread on **2.** (*fig: abgrenzen*) define II. *refl* **1.** (*sich auszeichnen*) distinguish o.s. **2.** (*sich ein Image verleihen*) give o.s. a personal image; **pro•fi•liert** *adj* (*fig*) **1.** (*klar, scharf*) clear-cut **2.** (*hervorragend*) outstanding; (*hervorstechend*) distinctive; **Pro•fil•neu•ro•se** *f* (PSYCH) image complex

Pro•fit [pro'fi:t] <-(e)s, -e> *m* profit; ~ **aus etw schlagen** (*a. fig*) profit from s.th.; **pro•fi•ta•bel** *adj* profitable; **Pro•fit•den•ken** *n* profit orientation; **Pro•fit•gier** *f* greed for profit; **pro•fi•tie•ren** *itr* (*a. fig*) profit (*von* from, by); **Pro•fit•jä•ger(in)** *m(f)* (*fam*) profiteer

pro for•ma [pro'fɔrma] *adv* as a matter of form; **Pro•for•ma-Rech•nung** *f* (COM) pro forma invoice

pro•fund [pro'fʊnt] *adj* profound, deep

Pro•g•no•se [pro'gno:zə] <-, -n> *f* **1.** (*Wetter~*) forecast **2.** (*allgemein*) prognosis

pro•g•nos•ti•zie•ren [prognɔsti'tsi:rən] *tr* predict

Pro•gramm [pro'gram] <-s, -e> *n* **1.** (*allgemein*) programme *Br*, program *Am* **2.** (EDV: *Computer~*) program **3.** (*beim Rennen*) card **4.** (THEAT) bill **5.** (RADIO TV: *Sendefolge*) program(me)s *pl* **6.** (*Sendekanal*) channel **7.** (*~heft*) program(me) guide **8.** (COM: *Sortiment, Produktions~*) range **9.** (*Tagesordnung*) agenda; **was steht für heute auf dem ~?** (*was haben wir vor?*) what's the program(me) for today?; (*was steht auf der Tagesordnung?*) what's on today's agenda?; **was läuft im andern ~?** (RADIO TV) what's on the other channel?; **Pro•gramm•feh•ler** *m* (EDV) programm(ing) error; **Pro•gramm•fol•ge** *f* (RADIO TV) order of program(me)s; **Pro•gramm•hin•weis** *m* (RADIO TV) program(me) note

pro•gram•mier•bar *adj* programmable

pro•gram•mie•ren I. *tr* **1.** (EDV) program(me) **2.** (*fig: konditionieren*) condition (*auf* to); **programmierter Unterricht** programmed course; **auf Erfolg programmiert sein** be conditioned to success II. *itr* (EDV) program(me); **Pro•gram•mie•rer(in)** *m(f)* (EDV) programmer; **Pro•gram•mier•feh•ler** *m* programming error; **Pro•gram•mier•spra•che** *f* (EDV) programming language; **Pro•gram•mie•rung** <-, -en> *f* programming

Pro•gramm•ki•no *n* repertory cinema; **Pro•gramm•punkt** *m* (*Tagesordnungspunkt*) item on the agenda; **Pro•gramm•steu•e•rung** *f* (EDV) program control; **Pro•gramm•vor•schau** *f* **1.** (TV) program(me) round-up **2.** (FILM) trailer; **Pro•gramm•wahl** *f* **1.** (EL) cycle selection **2.** (TV) channel selection; **Pro•gramm•zeit•schrift** *f* program(me) guide

Pro•gres•si•on [progrɛ'sio:n] *f* (*a.* FIN) progression

pro•gres•siv [--'-] *adj* (*a.* FIN) progressive

Pro•hi•bi•ti•on [prohibi'tsjo:n] *f* Prohibition

Pro•jekt [pro'jɛkt] <-(e)s, -e> *n* project; **Pro•jekt•a•na•ly•se** *f* project analysis; **Pro•jekt•fi•nan•zie•rung** *f* project financing, project funding; **Pro•jekt•grup•pe** *f* project team; **pro•jek•tie•ren** *tr* project; **Pro•jekt•in•ge•nieur** *m* project engineer

Pro•jek•ti•on *f* projection

Pro•jekt•lei•ter *m* project manager

Pro•jek•tor *m* (FILM) projector

pro•ji•zie•ren [proji'tsi:rən] *tr* project

Pro•kla•ma•ti•on [proklama'tsjo:n] *f* proclamation; **pro•kla•mie•ren** *tr* proclaim

Pro-Kopf-Ein•kom•men *n* per capita income; **Pro-Kopf-Ver•brauch** *m* per-capita consumption

Pro•ku•ra [pro'ku:ra] <-, -ren> *f* (COM) procuration; **per ~** by proxy, per procurationem, per pro., p.p.; **jdm ~ erteilen** grant s.o. procuration; **Pro•ku•rist(in)** *m(f)* (COM) attorney

Pro•let [pro'le:t] <-en, -en> *m* (*pej*) prole

Pro•le•ta•ri•at [proletari'a:t] <-s> *n* proletariat; **Pro•le•ta•ri•er(in)** [--'--] *m(f)* proletarian; **pro•le•ta•risch** *adj* proletarian

Pro•log [pro'lo:k] <-s, -e> *m* prolog(ue)

Pro•lon•ga•ti•on [prolɔŋga'tsjo:n] <-, -en> *f* extension; renewal; **Pro•lon•ga•ti-**

ons•wech•sel *m* renewal bill
pro•lon•gie•ren *tr* extend; renew
Pro•me•na•de [promə'na:də] <-, -n> *f* promenade; **pro•me•nie•ren** *itr* promenade
Pro•mil•le [pro'mɪlə] <-(s), -> *n* **1.** (*Tausendstel*) thousandth **2.** (*fam: Blutalkohol*) alcohol level; **er hatte 2,6** ~ he had an alcohol level of 260 millilitres *Br*, he had an alcohol level of 260 milliliters *Am;* **Pro•mil•le•gren•ze** *f highest permitted level of alcohol in the bloodstream;* **Pro•mil•le•mes•ser** *m* breathalyzer
pro•mi•nent [promi'nɛnt] *adj* prominent; **Pro•mi•nen•te(r)** <-n, -n> *f* (*m*) prominent figure, VIP; **Pro•mi•nenz** <-> *f* prominent figures, VIP's *pl*
Pro•mo•ti•on¹ [prə'moʊʃən] *f* (MARKT COM) promotion
Pro•mo•ti•on² [promo'tsio:n] *f* doctorate, PhD
pro•mo•vie•ren [promo'vi:rən] **I.** *tr* confer a doctorate on **II.** *itr* do a doctorate (*über* in)
prompt [prɔmpt] **I.** *adj* prompt **II.** *adv* **1.** (*sofort*) promptly **2.** (*selbstverständlich*) of course
Pro•no•men [pro'no:mən] <-s, -mina> *n* (GRAM) pronoun
Pro•pa•gan•da [propa'ganda] <-> *f* **1.** (POL) propaganda **2.** (MARKT) publicity; **Pro•pa•gan•da•feld•zug** *m* **1.** (POL) propaganda campaign **2.** (MARKT) publicity campaign; **Pro•pa•gan•dist(in)** *m(f)* **1.** (POL) propagandist **2.** (MARKT) demonstrator; **pro•pa•gan•dis•tisch** *adj* propagandist(ic); **etw ~ ausnutzen** use s.th. as propaganda
pro•pa•gie•ren *tr* propagate
Pro•pan [pro'pa:n] <-s> *n* (CHEM) propane; **Pro•pan•gas** *n* propane gas
Pro•pel•ler [pro'pɛlɐ] <-s, -> *m* propeller; **ein Flugzeug mit ~antrieb** a propeller-driven plane
pro•per ['prɔpɐ] *adj* (*fam*) neat, trim
Pro•phet(in) [pro'fe:t] <-en, -en> *m(f)* prophet; **pro•phe•tisch** *adj* prophetic; **pro•phe•zei•en** [profə'tsaɪən] <ohne ge-> *tr* (*vorhersagen*) foretell; (REL) prophesy; **Pro•phe•zei•ung** *f* prophecy
pro•phy•lak•tisch [profy'laktɪʃ] *adj* prophylactic
Pro•por•ti•on [propɔr'tsjo:n] *f* proportion; **pro•por•tio•nal** *adj* proportional; **~ zu ...** in proportion to ...; **umgekehrt** ~ (MATH) in inverse proportion; **pro•por•tio•niert** *adj* proportioned
Pro•porz [pro'pɔrts] <-es> *m* proportional representation
prop•pe(n)•voll ['prɔpə(n)'fɔl] *adj* (*fam*) jam-packed
Propst [pro:pst, *pl:* 'prø:pstə] <-es, ¨-e> *m* (ECCL) provost
Pro•sa ['pro:za] <-> *f* prose; **pro•sa•isch** [pro'za:ɪʃ] *adj* (*a. fig: nüchtern*) prosaic
pro•s(i)t ['pro:st ('pro:zɪt)] *interj* cheers! here's to you! your health!; (*beim Niesen*) bless you!; ~ **Neujahr!** here's to the New Year!; ~ **allerseits!** cheers to everyone!; (*als Aufforderung zum Trinken*) bottoms up!
Pro•spekt [pro'spɛkt] <-(e)s, -e> *m* **1.** (*Aussicht*) prospect **2.** (COM: *Werbe~*) brochure; (*einzelner Zettel*) leaflet; **Pro•spekt•ma•te•ri•al** *n* descriptive material
Pros•ta•ta ['prostata] <-> *f* (ANAT) prostate gland; **Pros•ta•ta•krebs** *m* prostate cancer
pros•ti•tu•ie•ren [prostitu'i:rən] *refl* (*a. fig*) prostitute o.s.; **Pros•ti•tu•ier•te** <-n, -n> *f* prostitute; **Pros•ti•tu•ti•on** *f* prostitution
Pro•te•gé [prote'ʒe:] <-s, -s> *m* protégé
pro•te•gie•ren *tr* sponsor
Pro•te•in [prote'i:n] <-s, -e> *n* protein
Pro•tek•ti•on [protɛk'tsjo:n] *f* **1.** (*Schutz*) protection **2.** (*Förderung, Begünstigung*) patronage; **unter jds ~ stehen** (*von ihm beschützt werden*) be under someone's protection; (*von ihm begünstigt werden*) be someone's protégé [*o* under someone's patronage]; **Pro•tek•ti•o•nis•mus** *m* (COM POL) protectionism
Pro•tek•to•rat <-(e)s, -e> *n* **1.** (POL: *Schutzgebiet*) protectorate **2.** (*fig: Schutz-, Schirmherrschaft*) patronage
Pro•test [pro'tɛst] <-(e)s, -e> *m* protest; **aus** ~ in protest; **unter** ~ (*gezwungenermaßen*) under protest; (*protestierend*) protesting; **gegen jdn (etw) ~ einlegen** make a protest against s.o. (s.th.); **Pro•test•ak•ti•on** *f* protest
Pro•tes•tant(in) *m(f)* Protestant; **pro•tes•tan•tisch** *adj* Protestant; **Pro•tes•tan•tis•mus** *m* Protestantism
pro•tes•tie•ren *itr* protest (*gegen* against)
Pro•test•kund•ge•bung *f* protest rally; **Pro•test•no•te** *f* (POL) note of protest; **Pro•test•ver•samm•lung** *f* protest meeting; **Pro•test•wäh•ler(in)** *m(f)* protest voter
Pro•the•se [pro'te:zə] <-, -n> *f* (MED) prothesis, artificial limb; (*Zahn~*) dentures; (*fam*) false teeth
Pro•to•koll [proto'kɔl] <-s, -e> *n* **1.** (*Niederschrift*) record **2.** (*Sitzungs~*) minutes *pl* **3.** (*Polizei~ e-r Aussage*) statement **4.** (*Strafzettel*) ticket **5.** (*diplomatisches ~ bei Staatsbesuchen etc*) protocol; ~ **führen** (*Sitzungs~*) keep the minutes; (*Gerichts~*)

keep a record of the proceedings; (*Unterrichts~*) write a report; **etw zu ~ nehmen** take s.th. down; **etw zu ~ geben** have s.th. put on record; (*bei der Polizei*) say s.th. in one's statement; **pro•to•kol•la•risch** *adj* **1.** (*protokolliert*) on record; (*im Sitzungsprotokoll festgehalten*) in the minutes **2.** (*gemäß dem diplomatischen Protokoll, das Zeremoniell betreffend*): **~e Mindestforderungen** minimum demands of protocol; **~ gesehen** as regards protocol; **Pro•to•koll•füh•rer(in)** *m(f)* keeper of the minutes; (*amtlich*) recording clerk; (JUR) clerk of the court; **pro•to•kol•lie•ren I.** *tr* **1.** (*schriftlich festhalten*) take down **2.** (*Konferenz*) minute **3.** (*Unterrichtsverlauf*) write a report of **II.** *itr* **1.** (*bei Sitzung etc*) take the minutes down **2.** (*bei Aussage vor der Polizei*) take a [*o* the] statement down **3.** (*im Unterricht*) write the report

Pro•ton [pro'to:n] <-s, -en> *n* (PHYS) proton

Pro•to•typ ['pro:toty:p] <-(e)s, -en> *m* prototype

Protz [prɔts] <-en/-es, -e(n)> *m* (*fam*) swank; **prot•zen** *itr* (*fam*) show off; **vor jdm mit etw ~** show s.th. off to s.o.; **prot•zig** *adj* (*fam*) showy, swanky

Pro•vi•ant [provi'ant] <-(e)s, (-e)> *m* provisions *pl;* **sich mit ~ versehen** provide o.s. with food

Pro•vinz [pro'vɪnts] <-, -en> *f* **1.** (*Teil e-s Landes*) province **2.** (*kulturell zweitrangige Gebiete*): **die ~** the provinces *pl;* **pro•vin•zi•ell** *adj* (*a. pej*) provincial; **Pro•vinz•ler(in)** *m(f)* (*pej*) provincial; **Pro•vinz•stadt** *f* provincial town

Pro•vi•si•on [provi'zjo:n] *f* (COM) commission; **auf ~** on commission; **Pro•vi•si•ons•ba•sis** *f* commission basis; **auf Provisionsbasis arbeiten** work on a commission basis

pro•vi•so•risch *adj* provisional, temporary; **Pro•vi•so•rium** *n* provisional arrangement

pro•vo•kant *adj* provocative

Pro•vo•ka•teur(in) [provoka'tø:ɐ] *m(f)* troublemaker; **Pro•vo•ka•ti•on** *f* provocation; **pro•vo•zie•ren** *tr itr* provoke

Pro•ze•dur [protse'du:ɐ] *f* **1.** (*Vorgehen(sweise)*) procedure **2.** (*fam: „Theater"*) carry-on

Pro•zent [pro'tsɛnt] <-(e)s, -e> *n* per cent; **wieviel ~?** what percentage?; **zehn ~** (*fam*) ten per cent; **ich bekomme hier ~e** I get a discount here; **in ~en ausgedrückt** expressed as a percentage; **Pro•zent•satz** *m* percentage; **pro•zen•tu•al** *adj attr* percentage; **~ ausgedrückt** expressed as a percentage

Pro•zessRR [pro'tsɛs] <-es, -e> *m* **1.** (JUR: *Gerichtsverfahren*) trial; (*Rechtsfall*) case **2.** (*Vorgang, Verfahren*) process; **er hat s-n ~ gewonnen (verloren)** (JUR) he won (lost) his case; **gegen jdn e-n ~ anstrengen** (JUR) bring an action against s.o.; **in e-n ~ verwickelt sein** be involved in a lawsuit; **jdm den ~ machen** (JUR) bring s.o. to trial; **mit jdm (etw) kurzen ~ machen** (*fig fam*) make short work of s.o. (s.th.); **Pro•zess•ak•ten**RR *fpl* case files; **Pro•zess•geg•ner**RR**(in)** *m(f)* (JUR) opposing party

pro•zes•sie•ren *itr* take legal proceedings (*gegen* against)

Pro•zes•si•on *f* procession

Pro•zess•kos•tenRR *pl* legal costs; **Pro•zess•la•wi•ne**RR *f* spate of trials

Pro•zes•sor *m* (EDV) processor

Pro•zess•ord•nungRR *f* rules *pl,* of procedure

prü•de ['pry:də] *adj* prudish; **Prü•de•rie** [pry:də'ri:] *f* prudery

Prüf•ab•zug *m* (TYP) proof

prü•fen ['pry:fən] *tr* **1.** (*Kenntnisse abfragen*) examine **2.** (*proben, ausprobieren, auf die Probe stellen*) test **3.** (*besichtigen, mustern*) inspect **4.** (*nach~, über~*) check (*auf* for, *ob* to see if); (COM: *Bücher, Bilanz etc*) audit **5.** (*erwägen, betrachten*) consider **6.** (*heimsuchen*) afflict, try; **Prü•fer(in)** *m(f)* **1.** (*bei Examen*) examiner **2.** (COM: *Wirtschafts~, Buch~*) auditor; **Prüf•ge•rät** *n* **1.** (*Einzelgerät*) testing apparatus **2.** (*Gesamtheit der ~e*) testing equipment; **Prüf•ling** *m* examinee; **Prüf•stand** *m* (MOT) test bed; **Prüf•stein** *m* (*fig*) touchstone (*für* of, for); **Prüf•stem•pel** *m* test stamp

Prü•fung *f* **1.** (*Examen*) exam(ination) **2.** (*Erprobung, Ausprobieren, Auf-die-Probe-stellen*) testing **3.** (*Besichtigung, Musterung*) inspection **4.** (*Nach~, Über~*) check(ing); (COM: *Wirtschafts~*) audit **5.** (*Erwägung, Betrachtung*) consideration **6.** (*Heimsuchung*) trial; **sich e-r ~ unterziehen (e-e ~ machen)** take an exam(ination); **e-e ~ bestehen** pass an exam(ination); **Prü•fungs•angst** *f* exam nerves *pl;* **Prü•fungs•auf•ga•be** *f* test question; **Prü•fungs•aus•schuss**RR *m* **1.** (PÄD) board of examiners **2.** (*bei Sachen*) board of inspectors; **Prü•fungs•er•geb•nis** *n* result of an [*o* the] examination; **Prü•fungs•ge•büh•ren** *fpl* examination fee *sing;* **Prü•fungs•kom•mis•si•on** *f* **1.** (PÄD) board of examiners **2.** (*bei Sachen*) board of inspectors; **Prü•fungs•zeug•nis** *n* exam(ination) certificate

Prüf•ver•fah•ren *n* **1.** (*allgemein*) test

procedure **2.** (MARKT: *Signifikanztest*) test of significance

Prü•gel[1] ['pry:gəl] <-s, -> *m* (*fam: Knüppel*) cudgel

Prü•gel[2] *pl* (*Tracht* ~) thrashing; **Prü•gelei** *f* brawl, fight; **Prü•gel•kna•be** *m* (*fig*) whipping boy; **prü•geln I.** *tr itr* beat **II.** *refl* fight (*mit jdm* s.o., *um* for); **Prü•gel•stra•fe** *f* corporal punishment

Prunk [prʊŋk] <-(e)s> *m* splendour; **prunken** *itr* be resplendent; **mit etw ~** make a show of s.th.

prus•ten ['pru:stən] *itr* snort; **vor Lachen ~** snort with laughter

Psalm [psalm] <-s, -en> *m* (REL) psalm

Pseudo-Krupp ['psɔydokrʊp] *m* (MED) pseudo croup

Pseud•o•nym [psɔydo'ny:m] <-s, -e> *n* pseudonym

pst [pst] *interj:* **~!** hush!

Psy•che ['psy:çə] <-, -n> *f* psyche

psy•che•de•lisch [psyçe'de:lɪʃ] *adj* psychedelic

Psych•i•a•ter(in) [psy'çja:tɐ] <-s, -> *m(f)* psychiatrist; (*fam*) shrink; **Psych•i•a•trie** [psyçia'tri:] *f* psychiatry; **psych•i•a•trisch** *adj* psychiatric; **sich in ~er Behandlung befinden** be under psychiatric treatment

psy•chisch *adj* **1.** (*die Psyche betreffend*) psychic **2.** (*psychologisch*) psychological; **ein ~es Phänomen** a psychic phenomenon; **~e Erkrankung** mental illness; **~ bedingt** psychologically determined

Psy•cho•a•na•ly•se ['----'--] *f* psychoanalysis; **Psy•cho•a•na•ly•ti•ker(in)** *m(f)* psychoanalyst; **Psy•cho-Dro•ge** ['psyço-] *f* (CHEM) psychoactive drug; **psy•cho•gen** [psyço'ge:n] *adj* psychogenic; **Psy•cho•gramm** *n* **1.** (MED) psychograph **2.** (*fig*) profile; **Psy•cho•lin•guis•tik** *f* psycholinguistics *pl;* **Psy•cho•lo•ge** *m*, **Psy•cho•lo•gin** *f* psychologist; **psy•cho•lo•gisch** *adj* psychological; **Psy•cho•path(in)** [psyço'pa:t] <-en, -en> *m(f)* psychopath; **Psy•cho•phar•ma•ka** [-'farmaka] *pl* (CHEM MED) psychopharmacological [*o* psychotropic] drugs; **Psy•cho•se** [psy'ço:zə] <-, -n> *f* (MED) psychosis; **psy•cho•so•ma•tisch** *adj:* **~e Krankheit** psychosomatic illness; **Psy•cho•ter•ror** *m* psychological terror; **Psy•cho•the•ra•peut(in)** <-en, -en> *m(f)* psychotherapist; **Psy•cho•the•ra•pie** [----'-] *f* (MED) psychotherapy

Pu•ber•tät [pubɛr'tɛ:t] *f* puberty

Publicrelations[RR] <-, -> *f* public relations

pu•blik *adj* public

Pu•bli•ka•ti•on [publika'tsjo:n] *f* publication

Pu•bli•kum ['pu:blikʊm] <-s> *n* **1.** (*Öffentlichkeit*) public **2.** (*Zuhörerschaft, Zuschauer*) audience; **Pu•bli•kums•er•folg** *m* success with the public; **Pu•bli•kums•ge•schmack** *m* public taste; **Pu•bli•kums•lieb•ling** *m* darling of the public; **Pu•bli•kums•ma•gnet** *m* crowd-puller; **Pu•bli•kums•ver•kehr** *m* personal callers

pu•bli•zie•ren [publi'tsi:rən] *tr itr* publish

Pu•bli•zie•ren *n:* **elektronisches ~** electronic publishing

Pub•li•zist(in) *m(f)* publicist; **Pu•bli•zis•tik** *f* journalism; **Pu•bli•zi•tät** *f* publicity; **pu•bli•zi•täts•träch•tig** *adj* offering good publicity

Puck [pʊk] <-s, -s> *m* puck

Pud•ding ['pʊdɪŋ] <-s, -e/-s> *m* blancmange; (*Kaltrühr~*) instant whip

Pu•del ['pu:dəl] <-s, -> *m* (ZOO) poodle; **das also war des ~s Kern!** (*fig*) so that's it was all about!; **was stehst du da wie ein begossener ~?** (*fig fam*) why are you looking so sheepish?

Pu•del•müt•ze *f* bobble hat

pu•del•nass[RR] ['--'-] *adj* soaking wet; **pu•del•wohl** ['--'-] *adj* (*fam*): **sich ~ fühlen** feel really good

Pu•der ['pu:dɐ] <-s, -> *m* powder; **Pu•der•do•se** *f* powder tin; **pu•dern** *tr* powder; **Pu•der•quas•te** *f* powder puff; **Pu•der•zu•cker** *m* icing sugar

Puff[1] [pʊf, *pl:* 'pʏfə] <-(e)s, ¨e/-e> *m* **1.** (*Stoß*) thump; (*leichter, vertraulicher Stoß in die Seite*) nudge **2.** (*Knall*) bang

Puff[2] <-s, -s> *m* (*sl: Bordell*) cathouse

puf•fen I. *tr* **1.** (*stoßen*) thump; (*leicht, vertraulich in die Seite*) nudge **2.** (*Abgase, Rauch etc*) puff **II.** *itr* **1.** (*von Lokomotive*) puff **2.** (*fam: puff machen*) go phut

Puf•fer[1] *m* (*Kartoffel~*) potato fritter

Puf•fer[2] *m* (RAIL) buffer; **Puf•fer•staat** *m* (*fig* POL) buffer state

Pulk [pʊlk] <-(e)s, -s> *m* group, throng

Pul•le ['pʊlə] <-, -n> *f* (*fam: Flasche*) bottle; **volle ~** (*fig fam*) at full pelt

Pul•li ['pʊli] <-s, -s> *m* (*fam*) jersey, sweater; **Pull•over** [pʊ'lo:vɐ] <-s, -> *m* jersey, jumper *Br a.*, pullover, sweater; **Pull•un•der** [pʊ'lʊndɐ] <-s, -> *m* tank top

Puls [pʊls] <-es, -e> *m* (*a. fig*) pulse; **jdm den ~ fühlen** feel someone's pulse; **Puls•ader** *f* artery

pul•sie•ren *itr* (*a. fig*) pulsate, throb

Puls•mes•ser <-s, -> *m* (SPORT) pulse monitor; **Puls•schlag** *m* **1.** (ANAT) pulsebeat **2.** (*fig*) pulse; **Puls•wär•mer** *m* wristlet

Pult [pʊlt] <-(e)s, -e> *n* desk

Pul•ver ['pʊlvɐ] <-s, -> *n* **1.** (*allgemein*) powder **2.** (*Schieß~*) gunpowder; **er hat sein ~ verschossen** (*fig*) he's shot his bolt; **Pul•ver•fass**[RR] *n* (*a. fig*) powder keg; **pul•ve•ri•sie•ren** *tr* powder, pulverize; **Pul•ver•kaf•fee** *m* instant coffee; **Pul•ver•schnee** *m* powder snow

Pu•ma ['pu:ma] <-s, -s> *m* (ZOO) puma

Pum•mel(•chen) ['pʊməl] <-s, -> *m* (*n*) (*fam: Dickerchen*) roly-poly; **pum•me•lig** *adj* (*fam*) chubby

Pump <-s> *m* (*fam*) tick; **etw auf ~ kaufen** buy s.th. on tick

Pum•pe ['pʊmpə] <-, -n> *f* **1.** (*Wasser~ etc*) pump **2.** (*fam: Herz*) ticker; **pum•pen**[1] *tr itr* (*Wasser etc*) pump

pum•pen[2] *tr itr* (*fam*) **1.** (*verleihen*) give on tick **2.** (*entleihen*) take on tick

Pump•sta•ti•on *f* pumping station

Pun•ker(in) ['paŋkɐ] <-s, -> *m(f)* punk

Punkt [pʊŋkt] <-(e)s, -e> *m* **1.** (*zur Bewertung, a. im Sport*) point; (*beim Kartenspiel*) pip **2.** (TYP: *Satzzeichen*) full stop *Br,* period *Am;* (*i-Punkt*) dot **3.** (*Ort*) point, spot **4.** (*bei Bericht, Liste, Diskussion etc*) item, point; **ein kleiner ~ in der Ferne** a small dot [*o* spot] in the distance; **Sieger nach ~en** (SPORT) winner on points; **~ 10 Uhr** at ten sharp; **e-n wunden ~ berühren** (*fig*) touch a sore spot; **bis zu e-m gewissen ~** up to a certain point; **in allen ~en** in every respect; **~ für ~** point by point; **ein strittiger ~** a disputed point; **der springende ~** (*fig*) the salient [*o* crucial] point; **nun mach aber mal e-n ~!** (*fam*) come off it!

Punkt•ge•winn *m* (SPORT) score

punk•tie•ren *tr* **1.** (*tüpfeln*) dot **2.** (MED) aspirate

Punk•ti•on <-, -en> *f* (MED) aspiration

pünkt•lich ['pʏŋktlɪç] **I.** *adj* **1.** (*zur verabredeten Zeit*) punctual **2.** (*exakt*) precise **II.** *adv* **1.** (*zur verabredeten Zeit*) on time **2.** (*exakt*) precisely

Pünkt•lich•keit *f* **1.** (*zeitliche ~*) punctuality **2.** (*Exaktheit*) precision

Punkt•rich•ter(in) *m(f)* (SPORT) judge; **Punkt•sieg** *m* (SPORT) win on points; **Punkt•sie•ger(in)** *m(f)* (SPORT) winner on points

punk•tu•ell **I.** *adj* selective **II.** *adv:* **sich mit etw nur ~ befassen** deal with selected points of s.th. only

Punkt•zahl *f* score

Punsch [pʊnʃ] <-(e)s, -e> *m* punch

Pu•pil•le [pu'pɪlə] <-, -n> *f* (ANAT) pupil

Pup•pe ['pʊpə] <-, -n> *f* **1.** (*Kinderspielzeug*) doll; (*Marionette*) puppet; (*Schaufenster~*) dummy **2.** (ZOO) pupa **3.** (*sl: Mädchen*) doll; **Pup•pen•haus** *n* doll's house; **Pup•pen•spiel** *n* puppet show; **Pup•pen•the•a•ter** *n* puppet theatre; **Pup•pen•wa•gen** *m* doll's pram

pur [pu:ɐ] *adj* **1.** pure **2.** (*fig: völlig*) sheer; **~er Unsinn** utter nonsense

Pü•ree <-s, -s> *n* puree

Pu•ri•ta•ner(in) <-s, -> *m(f)* Puritan

Pur•pur ['pʊrpʊr] <-s> *m* purple; **pur•purn** *adj,* **pur•pur•rot** *adj* crimson

Pur•zel•baum *m* somersault; **e-n ~ machen** do a somersault

pur•zeln ['pʊrtsəln] *itr sein* tumble (*über* over)

Pus•te ['pu:stə] <-> *f* (*fam*) puff; **außer ~ sein** be out of puff

Pus•te•ku•chen *m:* **~!** (*interj*) fiddlesticks! no chance! nothing doing! that's what you think!

Pus•tel ['pʊstəl] <-, -n> *f* (*Pickel*) pimple; (MED) pustule

pus•ten ['pu:stən] *itr tr* (*fam*) blow, puff

Pu•te(r) ['pu:tə] <-, -n> *f* (*m*) (ZOO) turkey

pu•ter•rot ['--'-] *adj* scarlet [*o* as red as a beetroot]

Putsch [pʊtʃ] <-(e)s, -e> *m* (POL) coup d'état, revolt; **put•schen** *itr* (POL) rebel, revolt; **Put•schist(in)** *m(f)* rebel

Putz [pʊts] <-es> *m* **1.** (*Staat, Kleid*) finery; (*Besatz*) trimming **2.** (ARCH: *Ver~*) plaster; (*Rau~*) roughcast; **auf den ~ hauen** (*fam: groß feiern*) have a rave-up; (*prahlen*) show off; (*Krach schlagen*) kick up a fuss; **unter ~** under the plaster

put•zen ['pʊtsən] **I.** *tr* **1.** (*reinigen*) clean; (*abwischen*) wipe; (*Nase*) blow, wipe; (*Zähne*) brush; (*Schuhe*) polish *Br,* shine *Am* **2.** (*schmücken*) decorate **II.** *refl* **1.** (*sich reinigen*) clean o.s. **2.** (*sich schmücken*) do o.s. up

Putz•fim•mel *m* (*pej*) obsession with cleaning; **Putz•frau** *f* cleaning lady *Br,* cleaner, scrubwoman *Am*

put•zig *adj* (*fam*) **1.** (*komisch, merkwürdig*) funny **2.** (*süß, niedlich*) cute

Putz•ko•lon•ne *f* team of cleaners; **Putz•lap•pen** *m* (polishing) cloth; **Putz•ma•che•rin** *f* (*obs*) milliner; **Putz•mit•tel** *n* cleanser; **Putz•teu•fel** *m* (*fig fam*) housework maniac; **Putz•tuch** *n* **1.** (*Putz- o Wischlappen*) cloth **2.** (*Staubtuch*) duster; **Putz•wol•le** *f* steel wool; **Putz•zeug** *n* cleaning things *pl*

puz•zeln [pʌzəln] *itr* do a jigsaw puzzle; **Puz•zle** [pʌzəl] <-s, -s> *n* jigsaw puzzle

Pyg•mäe [py'gmɛ:ə] <-n, -n> *m,* **Pyg•mäin** *f* Pygmy; **pyg•mä•en•haft** *adj* pygmy-like

Py•ja•ma [py'(d)ʒa:ma] <-s, -s> *m* pyjamas *Br,* pajamas *Am;* **Py•ja•ma•ho•se** *f* pyjama trousers *Br,* pajama trousers *Am*

Py•ra•mi•de [pyra'mi:də] <-, -n> *f* pyramid; **py•ra•mi•den•för•mig I.** *adj* pyramid-shaped **II.** *adv* in the shape of a pyramid

Py•re•nä•en [pyrə'nɛ:ən] *pl:* **die** ~ the Pyrenees; **Py•re•nä•en•halb•in•sel** *f* Iberian Peninsula

Py•ro•ma•ne [pyro'ma:nə] *m*, **Py•ro•ma•nin** *f* pyromaniac; **Py•ro•ma•nie** [---'-] *f* pyromania; **Py•ro•tech•nik** ['----] *f* pyrotechnics *pl*

Pyr•rhus•sieg ['pʏrʊs-] *m* Pyrrhic victory

py•tha•go•re•isch [pytago're:ɪʃ] *adj* (MATH) Pythagorean; ~**er Lehrsatz** Pythagoras' theorem

Python(**schlange**) ['py:tɔn(-)] *m* (ZOO) python

Q

Q, q [ku:] <-, -> *n* Q, q

Quack·sal·ber ['kvakzalbɐ] <-s, -> *m* quack; **Quack·sal·be·rei** *f* quackery

Qua·der ['kva:dɐ] <-s, -> *m* **1.** (ARCH) ashlar **2.** (MATH) cuboid; **Qua·der·stein** *m* square stone

Qua·d·rant *m* quadrant

Qua·d·rat [kva'dra:t] <-(e)s, -e> *n* square; **e-e Zahl ins ~ erheben** square a number; **sechzehn zum ~** sixteen squared; **25 m im ~** 25 m square; **qua·d·ra·tisch** *adj* **1.** (MATH: *Gleichung*) quadratic **2.** (*quadratförmig*) square; **Qua·d·rat·ki·lo·me·ter** *n* square kilometre *Br,* square kilometer *Am;* **Qua·d·rat·me·ter** *n* square metre *Br,* square meter *Am;* **Qua·d·rat·wur·zel** *f* (MATH) square root; **die ~ aus 25 ziehen** work out the square root of 25; **Qua·d·rat·zahl** *f* (MATH) square number; **Qua·d·rat·zen·ti·me·ter** *n* square centrimetre *Br,* square centimeter *Am*

qua·d·rie·ren *tr* (MATH) square

Qua·d·ro·pho·nie ['kvadrofo'ni:] *f,* **Qua·d·ro·fo·nie**[RR] *f* quadrophonic sound; **qua·d·ro·pho·nisch** *adj,* **qua·d·ro·fo·nisch**[RR] *adj* quadrophonic

qua·ken ['kva:kən] *itr* **1.** (*Ente*) quack; (*Frosch*) croak **2.** (*fam: Menschen*) squawk

quä·ken ['kvɛ:kən] *tr itr* (*fam*) screech

Quä·ker(in) <-s, -> *m(f)* (REL) Quaker

Qual ['kva:l] <-, -en> *f* pain; (*Seelen~*) anguish

quä·len ['kvɛ:lən] **I.** *tr* **1.** (*allgemein*) torment; (*foltern*) torture **2.** (*belästigen*) pester **II.** *refl* **1.** (*sich mühen, abarbeiten*) struggle **2.** (*seelisch*) torture o.s.

Quä·le·rei *f* **1.** (*physisch*) torture; (*psychisch*) torment **2.** (*Mühseligkeit*) struggle

Quäl·geist *m* (*fam*) nuisance, pest

Qua·li·fi·ka·ti·on [kvalifika'tsjo:n] *f* qualification

qua·li·fi·zie·ren **I.** *tr* qualify **II.** *refl* (*a.* SPORT) qualify (*für* for)

Qua·li·tät *f* quality; **hervorragende ~** excellent [*o* top] quality; **schlechte ~** poor quality; **von der ~ her** as far as quality is concerned

qua·li·ta·tiv [kvalita'ti:f/'----] *adj* qualitative

Qua·li·täts·ar·beit *f* quality work; **qua·li·täts·be·wusst**[RR] *adj* quality-conscious; **Qua·li·täts·er·zeug·nis** *n* quality product; **Qua·li·täts·kon·trol·le** *f* quality control; **Qua·li·täts·min·de·rung** *f* impairment [*o* reduction] of quality; **Qua·li·täts·stei·ge·rung** *f* quality improvement *Br,* quality enhancement *Am;* **Qua·li·täts·un·ter·schied** *m* difference in quality; **Qua·li·täts·ver·bes·se·rung** *f* upgrading; **Qua·li·täts·wa·re** *f* quality goods *pl;* **Qua·li·täts·zer·ti·fi·kat** *nt* certificate of quality

Qual·le ['kvalə] <-, -n> *f* (ZOO) jellyfish

Qualm [kvalm] <-(e)s> *m* dense smoke; **qual·men** **I.** *tr* (*fam: Zigaretten etc rauchen*) puff away at ... **II.** *itr* **1.** (*allgemein*) smoke **2.** (*fam: Zigaretten etc rauchen*) puff away; **qual·mig** *adj* smoky

qual·voll ['kva:lfɔl] *adj* agonizing, painful

Quant [kvant] <-s, -en> *n* (PHYS) quantum; **Quänt·chen**[RR] ['kvɛntçən] <-s> *n* (*fam*) spot, tiny bit, modicum

Quan·ten·phy·sik *f* quantum physics *sing;* **Quan·ten·sprung** *m* quantitative leap; **Quan·ten·theo·rie** *f* (PHYS) quantum theory

Quan·ti·tät *f* quantity; **quan·ti·ta·tiv** [kvantita'ti:f/'----] *adj* quantitative

Quan·tum ['kvantʊm] *n* **1.** (*Anzahl, Menge*) quantity, quantum **2.** (*Anteil*) quota (*an* of)

Qua·ran·tä·ne [karan'tɛ:nə] <-, -n> *f* quarantine; **unter ~ stellen** put in quarantine; **Qua·ran·tä·ne·sta·ti·on** *f* quarantine ward

Quark [kvark] <-s> *m* **1.** soft curd cheese **2.** (*fam: Quatsch*) rubbish; **Quark·spei·se** *m pudding made with quark*

Quart [kvart] <-s> *n* (TYP: *~format*) quarto

Quar·tal [kvar'ta:l] <-s, -e> *n* quarter; **Quar·tals·ab·schluss**[RR] *m* quarterly balance sheet; **Quar·tal·säu·fer(in)** *m(f)* periodic heavy drinker; **Quar·tals·en·de** *n* end of the quarter; **quar·tals·wei·se** *adj, adv* quarterly

Quar·te ['kvartə] <-, -n> *f* (MUS) fourth

Quar·tett [kvar'tɛt] <-(e)s, -e> *n* (MUS) quartet(te)

Quar·tier [kvar'ti:ɐ] <-s, -e> *n* **1.** (*Stadtteil*) district, quarter **2.** (*Unterkunft*) accomodation; (MIL) billet, quarters *pl*

Quarz [kva:ɐts] <-es, -e> *m* quartz; **Quarz·uhr** *f* (*allgemein*) quartz clock;

(*Armbanduhr*) quartz watch
qua•si ['kva:zi] *adv* virtually; **er arbeitet hier ~ als Manager** he works here in a quasi-managerial function
quas•seln ['kvasəln] *tr itr* (*fam*) blether
Quas•sel•strip•pe *f* (*fam pej*) chatterbox
Quas•te ['kvastə] <-, -n> *f* **1.** (*Troddel*) tassel **2.** (*Pinsel~*) brush
Quatsch [kvatʃ] <-es> *m* (*fam*) **1.** (*Unsinn, dummes Geschwätz*) rubbish, twaddle **2.** (*Unüberlegtheiten, Dummheiten*) nonsense; **ach, ~!** rubbish!; **so ein ~!** what a load of rubbish!; **red doch nicht so e-n ~!** don't talk such a twaddle!; **lass den ~!** stop that nonsense!; **mach keinen ~!** don't be silly!
quat•schen **I.** *tr* (*fam: dummes Zeug reden*): **Blödsinn ~** talk twaddle **II.** *itr* **1.** (*dumm daherreden*) gab **2.** (*plaudern, quasseln*) blether **3.** (*salopp: reden, sich unterhalten*) have a chat (*über* about) **4.** (*sl: petzen*) squeal (*bei jdm* to s.o.); **musst du denn immer stundenlang ~?** do you have to blether for hours on end?
Quat•sche•rei *f* (*fam*) blethering
Quatsch•kopf *m* (*fam*) **1.** (*Schwätzer*) bletherer, windbag **2.** (*Blödmann*) fool
Que•cke ['kvɛkə] <-, -n> *f* (BOT) couch grass
Queck•sil•ber ['kvɛk-] *n* (CHEM) mercury, quicksilver; **Queck•sil•ber•säu•le** *f* column of mercury; **Queck•sil•ber•ver•gif•tung** *f* mercury poisoning
Quell [kvɛl] <-(e)s, -e> *m* (*poet*) spring; **Quel•le** <-, -n> *f* **1.** (*e-s Flusses etc*) spring **2.** (*Öl~ etc*) well **3.** (*fig: Ursprung*) source; **e-e ~ erschließen** develop a source; **aus zuverlässiger ~** (*fig*) from a reliable source; **an der ~ sitzen** (*fig*) be well-placed
quel•len *irr itr* **1.** (*heraus~*) well **2.** (*auf~, anschwellen*) swell
Quel•len•an•ga•be *f* reference; **Quel•len•for•schung** *f* source research; **Quel•len•schutz•ge•biet** *nt* spring protection area; **Quel•len•steu•er** *f* (FIN) tax at source; **Quel•len•text** *m* source material
Quell•ge•biet *n* head(water) of a river; **Quell•was•ser** *n* spring water
Quen•ge•lei *f* (*fam*) whining; **quen•ge•lig** *adj* (*fam*) whining; **~ werden** start to whine; **~ sein** whine
Quent•chen *n s.* **Quäntchen**
quen•geln ['kvɛŋəln] *itr* (*fam*) whine
quer [kve:ɐ] *adv* crossways, crosswise; **kreuz u. ~** (**durchs Land**) all over (the country); **die Schienen verlaufen ~ zur Straße** the rails run at right angles to the road; **~ gestreift**[RR] cross-striped; **sich ~ stellen**[RR] (*fig fam*) be awkward
Quer•ach•se *f* (TECH MOT) transverse axis; **Quer•bal•ken** *m* crossbeam
Quer•den•ker(in) *m(f)* maverick
Que•re ['kve:rə] <-> *f*: **der ~ nach** breadthways; **jdm in die ~ kommen** get in someone's way
Que•re•len [kve'relə] <-> *pl* disputes, quarrels
quer•feld•ein [--'-] *adv* across country; **Quer•feld•ein•ren•nen** *n* cross-country (race)
Quer•flö•te *f* (transverse) flute
Quer•for•mat *n* oblong format
quer•ge•streift *adj s.* **quer**; **Quer•kopf** *m* (*fam*) awkward customer; **quer•köp•fig** *adj* wrongheaded; **Quer•leis•te** *f* crosspiece; **Quer•schiff** *n* (ARCH) transept; **Quer•schlä•ger** *m* (MIL) ricochet; **Quer•schnitt** *m* (*a. fig*) cross-section
quer•schnitt(s)•ge•lähmt *adj* paraplegic, paralysed below the waist
quer|stel•len *s.* **quer**
Quer•stra•ße *f*: **Queensborough Terrace ist e-e ~ zur Bayswater Road** Queensborough Terrace runs at right angles to Bayswater Road; **zwei ~n entfernt wohnen** live two blocks from here [*o* there]; **bei der zweiten ~** at the second turning; **Quer•strich** *m* line; (*Gedankenstrich*) dash; **Quer•sum•me** *f* (MATH) total of the digits of a number; **die ~ von 23 bilden** add the digits in 23; **Quer•trei•ber(in)** *m(f)* troublemaker; **Quer•trei•be•rei** *f* troublemaking
Que•ru•lant(in) [kveru'lant] *m(f)* griper, grumbler
Quer•ver•bin•dung *f* **1.** connection, link **2.** (TECH) cross [*o* transverse] section; **e-e ~ zu etw herstellen** make a connection with s.th.; **Quer•ver•weis** *m* cross-reference
quet•schen ['kvɛtʃən] **I.** *tr* **1.** (*drücken*) squeeze **2.** (*zer~*) crush, squash **3.** (MED) crush; **sich den Finger ~** squash one's finger **II.** *refl* **1.** (*sich klemmen*) be crushed **2.** (*sich zwängen*) squeeze (*in etw* into s.th.)
Quetsch•fal•te *f* inverted pleat
Quet•schung *f* (MED) bruise, contusion
quie•ken ['kvi:kən] *itr* squeak, squeal
quiet•schen ['kvi:tʃən] *itr* **1.** (*knarren*) creak, squeak **2.** (*von Reifen, a. von Menschen*) squeal
quietsch•fi•del ['kvi:tʃfi'de:l] *adj*, **quietsch•ver•gnügt** *adj* (*fam*) as happy as a sandboy
Quietsch•ge•räusch *n* squealing
Quin•te ['kvɪnt(ə)] <-, -en> *f* (MUS) fifth
Quint•es•senz ['kvɪntɛsɛnts] <-, -en> *f* quintessence
Quin•tett [kvɪn'tɛt] <-(e)s, -e> *n* (MUS) quintet(te)

Quirl [kvɪrl] <-(e)s, -e> *m* **1.** (*Küchengerät*) beater, whisk **2.** (BOT) whorl

quir•len *tr* beat, whisk

quitt [kvɪt] *adj:* **jetzt sind wir** ~ now we're even

Quit•te ['kvɪtə] <-, -n> *f* (BOT) quince

quit•tie•ren *tr* **1.** (*bescheinigen*) give a receipt for **2.** (*Dienst*) quit

Quit•tung *f* receipt; **gegen** ~ on production of a receipt; **e-e** ~ **ausstellen** (**über etw**) give a receipt (for s.th.); **s-e** [*o* **die**] ~ **kriegen** (*fig fam*) get one's come-uppance; **Quit•tungs•block** *n* receipt book

Quiz [kvɪs] <-, -> *n* quiz; **Quiz•mas•ter** ['kvɪsma:stɐ] <-s, -> *m* quizmaster

Quo•te ['kvo:tə] <-, -n> *f* **1.** (COM: *Quantum*) quota **2.** (*statistischer Anteil*) proportion; **Quo•ten•re•ge•lung** *f* (POL) quota system

Quo•ti•ent [kvo'tsjɛnt] *m* (MATH) quotient

quo•tie•ren *tr* be listed, be quoted

R

R, r [ɛr] <-, -> *n* R, r

Ra•batt [ra'bat] <-(e)s, -e> *m* (COM) discount; ~ **bei Barzahlung** discount for cash; **5 % ~ auf etw geben** give a 5 % discount on s.th.

Ra•bat•te <-, -n> *f* (flower) border

Ra•bau•ke [ra'baʊkə] <-n, -n> *m* (*pej*) lout

Ra•be ['ra:bə] <-n, -n> *m* raven; **stehlen wie ein ~** thieve like a magpie; **ra•ben•schwarz** ['--'-] *adj* pitch-black

ra•bi•at [rabi'a:t] *adj* **1.** (*wild*) wild **2.** (*gewalttätig*) violent

Ra•che ['raxə] <-> *f* revenge; (*Vergeltung*) vengeance; ~ **nehmen an jdm für etw** take revenge on s.th. for s.th.; **sie tötete ihn aus ~** she killed him in revenge; **als ~ für ...** in revenge for ...; **die ~ des kleinen Mannes** (*hum*) the underdog's revenge; **Ra•che•akt** *m* act of revenge

Ra•chen ['raxən] <-s, -> *m* **1.** throat **2.** (*Maul*) jaws *pl* **3.** (*fig: Schlund*) abyss

rä•chen ['rɛçən] **I.** *tr* avenge **II.** *refl* take revenge (*an jdm für etw* on s.o. for s.th.); **sich für etw ~** be revenged for s.th.

Ra•chen•höh•le *f* pharynx

Rä•cher(in) *m(f)* avenger

Ra•chi•tis [ra'xi:tɪs] <-> *f* rickets *pl*

Rach•sucht *f* vindictiveness; **rach•süch•tig** *adj* vindictive

Rad [ra:t, *pl:* 'rɛ:dɐ] <-(e)s, ⸚er> *n* **1.** wheel **2.** (*Fahr~*) bicycle; (*fam*) bike **3.** (SPORT: *Übung*) cartwheel; **das fünfte ~ am Wagen sein** (*fig*) be out of place; **ein ~ schlagen** turn a cartwheel; **~ fahren**[RR] (*Fahrrad fahren*) ride a bike; (*pej: kriechen*) suck up

Ra•dar [ra'da:ɐ] <-s> *n* radar; **Ra•dar•fal•le** *f* radar trap; **Ra•dar•ge•rät** *n* radar unit; **Ra•dar•kon•trol•le** *f* radar speed check; **Ra•dar•schirm** *m* radar screen; **Ra•dar•sta•ti•on** *f* (MIL) radar station

Ra•dau [ra'daʊ] <-s> *m* (*fam*) din, row; ~ **machen** kick up a row

Rad•damp•fer *m* paddle-steamer

ra•de•bre•chen ['ra:dəbrɛçən] *itr:* **sie versuchte zu ~, dass ...** she tried to say in broken English that ...; **ra•deln** ['ra:dəln] *sein itr* (*fam*) bike, pedal

Rä•dels•füh•rer(in) ['rɛ:dəls-] *m(f)* ringleader

Rä•der•werk *n* **1.** (TECH) mechanism **2.** (*fig*) machinery

rad|fah•ren *s.* Rad; **Rad•fah•rer(in)** *m(f)* **1.** (*Fahrradfahrer*) cyclist **2.** (*pej fam*) crawler; **Rad•fahr•weg** *m* cycle track

Rad•ga•bel *f* fork

Ra•di <-s, -> *m* (*österr: Rettich*) radish

ra•die•ren [ra'di:rən] *itr* **1.** (*mit Gummi*) erase, rub out **2.** (*Grafiktechnik*) etch; **Ra•dier•gum•mi** *m* rubber *Br,* eraser *Am*

Ra•die•rung *f* (*Grafik*) etching

Ra•dies•chen [ra'di:sçən] <-s, -> *n* (BOT) radish

ra•di•kal [radi'ka:l] *adj* radical; **etw ~ ablehnen** deny s.th. categorically; **Ra•di•ka•le(r)** *f* (*m*) radical; **ra•di•ka•li•sie•ren I.** *tr* radicalize **II.** *refl* become radical; **Ra•di•ka•lis•mus** *m* radicalism; **Ra•di•kal•kur** [--'--] *f* drastic remedy; **e-e ~ machen** effect a radical cure

Ra•dio ['ra:dio] <-s, -s> *n* radio; **das kam gestern im ~** that was on the radio yesterday; **~ hören** listen to the radio; **etw im ~ hören** hear s.th. on the radio

ra•di•o•ak•tiv ['---'-] *adj* radioactive; **~er Niederschlag** fall-out; **Endlagerung von ~en Abfallprodukten** final [*o* ultimate] storage of radioactive wastes; **Ra•di•o•ak•ti•vi•tät** *f* radioactivity

Ra•di•o•ge•rät *m* radio set; **Ra•di•o•re•cor•der** [-re'kɔrdɐ] <-s, -> *m* radio recorder; **Ra•di•o•te•les•kop** *n* (ASTR) radio telescope; **Ra•di•o•we•cker** *m* radio-alarm

Ra•di•um ['ra:diʊm] <-s> *n* (CHEM) radium

Ra•di•us ['ra:diʊs] <-, -dien> *m* radius

Rad•kap•pe *f* (MOT) hub cap; **Rad•kas•ten** *m* (MOT) wheel casing; **Rad•la•ger** *n* (MOT) wheel bearing

Rad•renn•bahn *f* cycling track; **Rad•ren•nen** *n* cycle race; **Rad•renn•fah•rer(in)** *m(f)* racing cyclist; **Rad•sport** *m* cycling

Rad•stand *m* (MOT) wheelbase

Rad•tour *f* cycle tour

Rad•wech•sel *m:* **e-n ~ machen** do a wheel change

RAF *f Abk. von* **Rote Armee Fraktion** Red Army Faction, RAF; **RAF-Mitglied** *n* RAF member

raf•fen ['rafən] *tr* **1.** (*etw auf~*) snatch up **2.** (*anhäufen*) heap **3.** (*sl: verstehen*) cotton on (*etw* to s.th.)

Raff•gier *f* greed; **raff•gie•rig** *adj* grasp-

ing
Raf•fi•na•de [rafi'na:də] <-, -n> *f* refined sugar
Raf•fi•ne•rie [rafinə'ri:] *f* refinery
Raf•fi•nes•se [rafi'nɛsə] <-, -n> *f* artfulness, cunning; **mit allen ~n** with all refinements
raf•fi•nie•ren *tr* refine; **raf•fi•niert** *adj* **1.** (*Zucker, Öl*) refined **2.** (*fig*) cunning **3.** (*fig: ausgesucht*) stylish
Raff•ke *m* (*fam pej*) money-grubber
Ra•ge ['ra:ʒə] <-, -n> *f:* **in ~ kommen** get furious
ra•gen ['ra:gən] *itr* loom, tower (*über* over)
Ra•gout [ra'gu:] <-s, -s> *n* ragout
Ra•he ['ra:ə] <-, -n> *f* (MAR) yard
Rahm [ra:m] <-(e)s> *m* cream
Rah•men ['ra:mən] <-s, -> *m* **1.** (*allgemein*) frame; (*für Dias*) mount **2.** (*fig: Bereich etc*) framework; **im ~ des Möglichen** within the bounds of possibility; **in großem ~** on a big scale; **aus dem ~ fallen** be different (from the rest); **rah•men** *tr* (*Bilder*) frame; (*Dias*) mount; **Rah•men•be•din•gung** *f* general framework; **Rah•men•hand•lung** *f* (*lit*) background story; **Rah•men•plan** *m* overall economic plan; **Rah•men•richt•li•nien** *pl* guidelines
Rahm•so•ße *f* cream(y) sauce
Ra•ke•te [ra'ke:tə] <-, -n> *f* rocket; (MIL) missile; **e-e ~ abfeuern** launch a rocket, shoot a missile; **mit ~n beschießen** rocket; **Ra•ke•ten•ab•schuss•ba•sis**[RR] *f* (MIL) missile base; (*für Raumfahrt*) rocket launching site; **Ra•ke•ten•ab•wehr•ra•ke•te** *f* (MIL) antimissile missile; **Ra•ke•ten•ab•wehr•sys•tem** *n* missile defence system; **Ra•ke•ten•an•trieb** *m* rocket propulsion; **mit ~** rocket-propelled; **ra•ke•ten•be•stückt** *adj* (MIL) missile-equipped
Ral•lye ['rɛli] <-, -s> *f* rally
RAM <-s, -s> *n* (EDV) *Abk. von* **Random Access Memory** RAM
Ram•ba•zam•ba <-s> *n* (*fam*): **~ machen** kick up a fuss
Ram•bo-Typ ['ramboty:p] *m* (*fam*) Rambo
Ram•me ['ramə] <-, -n> *f* (TECH) rammer; (*Pfahl~*) pile-driver; **ram•men** *tr* ram
Ram•pe ['rampə] <-, -n> *f* **1.** (*Verlade~*) ramp **2.** (THEAT) apron **3.** (MIL: *Raketen~*) missile base; **Ram•pen•licht** *n:* **im ~ stehen** (*fig*) be in the limelight
ram•po•nie•ren [rampo'ni:rən] *tr* (*fam*) bash, ruin; **ramponiert aussehen** (*Mensch*) look the worse for wear
Ramsch [ramʃ] <-(e)s> *m* junk, rubbish; **Ramsch•la•den** *m* junk shop
Rand [rant, *pl:* 'rɛndɐ] <-(e)s, ⸗er> *m* **1.** (~ *des Abgrundes, a. fig*) brink **2.** (*Saum*) border **3.** (*um runde Gegenstände, Hut, Tasse usw*) brim, rim; (*Teller~*) edge **4.** (*von Buch*) margin; **etw an den ~ schreiben** write s.th. in the margin; **voll bis zum ~** full to the brim; **am ~e des Waldes** at the edge of the forest; **mit etw zu ~e kommen** cope with s.th.; **mit etw nicht zu ~e kommen** not to be able to manage s.th.
Ran•da•le [ran'da:lə] *f* (*fam*) riot; **~ machen** riot, go on a riot; **ran•da•lie•ren** *itr* rampage, riot
Rand•be•mer•kung *f* marginal note; **Rand•ge•biet** *n* **1.** (GEOG) fringe **2.** (*fig*) subsidiary; **Rand•grup•pe** *f* fringe group; **rand•los** *adj* (*Brille*) rimless; **Rand•strei•fen** *m* (*an Straße*) shoulder, verge; **Rand•zo•ne** *f* marginal zone
Rang [raŋ, *pl:* 'rɛŋə] <-(e)s, ⸗e> *m* **1.** (*Rangstufe*) rank; (*Stellung*) position **2.** (THEAT) circle; **von hohem ~** of high standing; **Rang•ab•zei•chen** *n* badge of rank, insignia
Ran•ge•lei *f* **1.** (*Balgerei*) scrapping **2.** (*fig*) wrangling
ran•geln *itr* (*fig*) wrangle (*um* for)
Rang•fol•ge *f* (order of) rank
Ran•gier•bahn•hof *m* marshalling yard *Br,* switchyard *Am;* **ran•gie•ren** [raŋ'ʒirən] **I.** *itr* (*Stellung einnehmen*) rank; **sie rangiert an siebter Stelle** she takes seventh place **II.** *tr* (RAIL) shunt *Br,* switch *Am;* **Ran•gier•gleis** *n* siding *Br,* sidetrack *Am*
Rang•lis•te *f* (SPORT) table; **Rang•ord•nung** *f* (*Hierarchie*) hierarchy
Ran•ke ['raŋkə] <-, -n> *f* **1.** (BOT: *Halte~*) tendril; (*Rebe*) (vine-)shoot **2.** (*Trieb*) branch
Rän•ke *fpl:* **~ schmieden** intrigue
ran•ken *refl* **1.** (*Pflanze*) entwine itself (*um* around) **2.** (*fig: sich um etw spinnen*) have grown up around s.th.
Ran•k(en)•ge•wächs *n* climber
Rän•ke•schmied(in) *m(f)* intriguer
ran|kom•men *irr itr* (*fam*): **an jdn ~** get at s.o.; **an den kommst du nicht ran!** you won't get anywhere with him!; **niemanden an sich ~ lassen** keep to o.s.
ran|ma•chen *tr* (*fam*): **der macht sich an jede ran** he makes up to everyone
Ran•zen ['rantsən] <-s, -> *m* (*Schulmappe*) satchel
ran•zig ['rantsɪç] *adj* rancid
Rap•pe ['rapə] <-n, -n> *m* black horse
Rap•pel ['rapəl] <-s, -> *m* (*fam*): **den ~ kriegen** get one of one's crazes; **rap•peln** *itr* rattle; **bei dir rappelt's wohl?** (*fig fam*) are you crazy?
Rap [ræp] <-s, -s> *m* (MUS) rap
ra•pid [ra'pi:t] *adj* rapid
Rap•per(in) ['ræpɐ] <-s, -> *m(f)* rapper, rap

artist
Raps [raps] <-es, (-e)> *m* (BOT) rape
rar [raːɐ] *adj* **1.** (*selten*) rare, scarce **2.** (*vorzüglich*) exquisite; **sich ~ machen** make o.s. scarce
Ra•ri•tät *f* **1.** (*Seltenheit*) rarity **2.** (*Sammlerstück*) collector's item
ra•sant [ra'zant] *adj* **1.** (*sehr schnell*) fast **2.** (*fig*) meteoric **3.** (*fig: attraktiv*) vivacious; **die ~e Entwicklung des Computers** the rapid development of the computer
rasch [raʃ] *adj* speedy, swift; **mach mal 'n bisschen ~!** get a move on!
ra•scheln ['raʃəln] *itr* rustle; **mit etw ~** rustle s.th.
Ra•sen ['raːzən] <-s, -> *m* **1.** (*Grasfläche*) grass, lawn **2.** (SPORT: *Feld*) field
ra•sen ['raːzən] *itr* **1.** *sein* (*sich schnell dahinbewegen*) race, tear **2.** *haben* (*toben*) rave; **~ gegen ...** crash into ...; **musst du so ~?** do you have to go so fast?
Ra•sen•ban•kett *n* (*an Straße*) grass verge
ra•send I. *adj* **1.** (*sehr schnell*) tearing **2.** (*sehr wütend*) furious, raging; **du machst mich noch ~!** you'll be driving me crazy!; **ich habe ~e Kopfschmerzen** I've got a splitting headache **II.** *adv* like mad
Ra•sen•mä•her *m* lawn-mower; **Ra•sen•spren•ger** *m* (lawn)sprinkler
Ra•ser(in) *m(f)* (*fam: mit Auto*) speeder; **Ra•se•rei** *f* **1.** (*das Schnellfahren*) speeding **2.** (*irres Wüten*) frenzy, fury
Ra•sier•ap•pa•rat *m* razor; **Ra•sier•creme** *f* shaving cream
ra•sie•ren [ra'ziːrən] *tr* shave; **sich ~ (lassen)** have a shave; **ich rasiere mich nass** I have a wet shave
Ra•sier•klin•ge *f* razorblade; **Ra•sier•mes•ser** *n* razor; **Ra•sier•pin•sel** *m* shaving brush; **Ra•sier•schaum** *m* shaving lather, shaving foam; **Ra•sier•sei•fe** *f* shaving soap; **Ra•sier•was•ser** *n* aftershave; **Ra•sier•zeug** *n* shaving- things *pl*
Ras•pel ['raspəl] <-, -n> *f* (*Gemüse~*) grater; **ras•peln** *tr* rasp
Ras•se ['rasə] <-, -n> *f* **1.** (*Menschen~*) race **2.** (*von Tieren*) breed; **sie hat ~** she's a hot-blooded girl
Ras•sel ['rasəl] <-, -n> *f* rattle; **ras•seln** *itr* rattle; **durch e-e Prüfung ~** (*fig fam*) flunk an exam
Ras•sen•dis•kri•mi•nie•rung *f* racial discrimination; **Ras•sen•hass**[RR] *m* racial hatred; **Ras•sen•kra•wall** *m* racial riot; **Ras•sen•tren•nung** *f* racial segregation; **Ras•sen•un•ru•hen** *pl* racial disturbances
ras•sig *adj* **1.** (*heißblütig*) hot-blooded **2.** (*schnittig*) sleek
ras•sisch *adj* racial
Ras•sis•mus *m* racialism, racism; **Ras•sist(in)** *m(f)* racialist, racist; **ras•sis•tisch** *adj* racist
Rast [rast] <-, -en> *f* rest, repose; (MIL) halt; **~ machen** stop; **mach mal ~!** take a rest!; **ohne ~** without respite; **ras•ten** *itr* rest
Ras•ter *n* **1.** (TV) raster **2.** (TYP) raster screen
Ras•ter•fahn•dung *f* screen search, computer search
Rast•hof *m* (*an Autobahn*) service area; **rast•los** *adj* **1.** (*unermüdlich*) untiring **2.** (*innerlich unruhig*) restless; **Rast•lo•sig•keit** *f* (*Ruhelosigkeit*) restlessness
Rast•platz *m* parking place, picnic area
Rast•stüt•ze *f* (*beim Motorrad*) prop stand
Ra•sur [ra'zuːɐ] <-, -en> *f* shave
Rat [raːt, *pl:* 'rɛːtə] <-(e)s, ⸚e> *m* **1.** *nur sing* (*Ratschlag*) advice **2.** (*Versammlung*) council **3.** (*Person*) councillor; **jdm e-n ~ geben** give s.o. a piece of advice; **jdn um ~ fragen** ask someone's advice; **jdn/etw zu ~e ziehen** consult s.o./s.th.; **er ist ~** (*Regierungs~ etc*) he is a senior official; (*Stadt~*) he is a councillor
Ra•te <-, -n> *f* instalment *Br,* installment *Am;* **auf ~n kaufen** buy on the instalment plan; **in ~n zahlen** pay in instalments
ra•ten *irr itr* **1.** (*e-n Rat geben*) advise, give advice **2.** (*erraten*) guess; **ich würde nicht dazu ~** I wouldn't advise it; **wozu würden Sie mir ~?** what would you advise me to do?; **ich werde tun, was Sie mir ~** I shall do as you advise; **zur Vorsicht ~** advise caution; **ich habe nur geraten** it was just a guess; **dreimal darfst du ~** I'll give you three guesses; **ich kann auch nur ~!** your guess is as good as mine!
Ra•ten•kauf <-(e)s, ⸚e> *m* hire purchase, instalment sale; **Ra•ten•zah•lung** *f* **1.** (*Zahlung e-r Rate*) payment of an instalment **2.** (*Zahlung in Raten*) payment by instalments
Rat•ge•ber(in) *m(f)* **1.** *nur m* (*Nachschlagewerk*) reference work **2.** (*Berater(in)*) adviser; **Rat•haus** *n* town hall; (*von größerer Stadt*) city hall
ra•ti•fi•zie•ren [ratifi'tsiːrən] *tr* ratify
Rä•tin ['rɛtɪn] *f* councillor
Ra•ti•on [ra'tsjoːn] *f* ration; **eiserne ~** iron rations *pl*
ra•ti•o•nal *adj* rational
ra•ti•o•na•li•sie•ren *itr* rationalize; **Ra•ti•o•na•li•sie•rung** *f* rationalization; **Ra•ti•o•na•li•sie•rungs•maß•nah•men** *pl* rationalization measures
Ra•ti•o•na•lis•mus *m* (PHILOS) rationalism
ra•ti•o•nell *adj* (*wirksam*) efficient
ra•ti•o•nie•ren *tr* ration; **Ra•ti•o•nie•rung** *f* rationing

rat•los I. *adj* helpless II. *adv* at a loss; **wir stehen diesem Problem ~ gegenüber** we are at a loss with this problem; **Rat•lo•sig•keit** *f* helplessness; **in ihrer ~ ...** not knowing what to do ...

Rä•to•ro•ma•nisch(e) *n* Rhaeto-Romanic

rat•sam *adj* 1. (*rätlich*) advisable 2. (*förderlich*) expedient; **etw für ~ halten** believe s.th. advisable

Rat•schlag *m* piece of advice

Rät•sel ['rɛ:tsəl] <-s, -> *n* 1. (~ *zur Lösung*) riddle 2. (*Kreuzwort~*) puzzle 3. (*fig: Geheimnis*) mystery, riddle; **das ist mir ein ~** it baffles me; **sie ist mir ein ~** she is a mystery to me; **des ~s Lösung** the solution [*o* answer] of the riddle; **rät•sel•haft** *adj* mysterious; (*undurchschaubar*) enigmatic

Rats•herr *m* councillor *Br*, councilman *Am;* **Rats•sit•zung** *f* council meeting; **Rats•ver•samm•lung** *f* 1. *s.* **Ratssitzung** 2. (*der versammelte Rat*) council board

Rat•tan ['ratan] <-s> *n* rattan

Rat•te ['ratə] <-, -n> *f* rat; **du dreckige ~!** (*vulg*) you dirty rat!; **Rat•ten•fal•le** *f* rat trap; **Rat•ten•gift** *n* rat poison

rat•tern ['ratɐn] *itr* clatter, rattle

rat•ze•kahl ['ratsə'ka:l] *adj* (*fam*) totally

rauRR [raʊ] *adj* 1. (*uneben*) rough 2. (*fig: Hals*) sore; (*Haut*) raw 3. (*fig: Stimme*) hoarse 4. (*fig: Sitten*) rude 5. (*Klima, Wetter*) harsh, raw; **in ~en Mengen** lots and lots of ...; **die ~e Wirklichkeit** the hard facts *pl*

Raub [raʊp] <-(e)s> *m* 1. (*Räuberei*) robbery 2. (*Geraubtes*) booty; **ein ~ der Flammen werden** fall victim to the flames; **Raub•bau** *m* overexploitation; **mit etw ~ treiben** overexploit s.th.; **mit s-r Gesundheit ~ treiben** ruin one's health; **Raub•druck** *m* pirate edition

rau•ben I. *tr* 1. rob (*jdm etw* s.o. of s.th.) 2. (*Person entführen*) abduct, kidnap; **jdm die Unschuld ~** (*fig*) take someone's virginity II. *itr* plunder, rob

Räu•ber(in) ['rɔɪbɐ] <-s, -> *m(f)* robber; **Räu•ber•ban•de** *f* 1. (*Bande von Räubern*) band of robbers 2. (*Diebsgesindel*) thieving riffraff

räu•be•risch *adj* rapacious; **~e Erpressung** (JUR) armed robbery

Raub•kat•ze *f* big cat; **Raub•ko•pie** *f* bootleg; **raub•ko•pie•ren** *tr* make a pirate copy of sth, pirate; **Raub•mord** *m* robbery with murder; **Raub•mör•der(in)** *m(f)* robber and murderer; **Raub•pres•sung** *f* pirate(d) copy; **Raub•rit•ter** *m* robber baron; **Raub•tier** *n* beast of prey; **Raub•ü•ber•fall** *m* robbery *Br*, holdup *Am;* **e-n ~ auf jdn begehen** hold s.o. up; **Raub•vo•gel** *m* bird of prey

Rauch [raʊx] <-(e)s> *m* smoke; **Rauch•ab•zug** *m* smoke outlet, flue; **Rauch•be•kämp•fung** *f* smoke control; **Rauch•be•läs•ti•gung** *f* smoke nuisance

Rau•chen *n* smoking; **~ verboten!** no smoking!

rau•chen[1] *tr itr* (*Tabak~*) smoke; **hast du was zu ~?** have you got a smoke?; **dieser Tabak raucht sich gut!** it's a nice smoke, this tobacco!; **e-e ~** have a smoke; **ich muss unbedingt e-e ~!** I'm dying for a smoke!

rau•chen[2] *itr* (*dampfen*) give off smoke, smoke; **~der Schlot** smoky chimney

Rauch•ent•wick•lung *f* formation of smoke

Räu•cher•aal *m* smoked eel

Rau•cher(in) *m(f)* smoker; **Rau•cher(-ab•teil)** *n* (RAIL) smoker, smoking compartment; **Rau•cher•bein** *n hardening of the arteries of the leg* (*caused by smoking*); **Rau•cher•hus•ten** *m* smoker's cough

Räu•cher•lachs *m* smoked salmon; **räu•chern** ['rɔɪçɐn] I. *tr* (*Fleisch*) smoke II. *itr* (*mit Räucherstäbchen etc*) burn incense; **Räu•cher•speck** *m* smoked bacon; **Räu•cher•stäb•chen** *n* joss stick

Rauch•fah•ne *f* smoke trail; **das Flugzeug zieht e-e ~ hinter sich her** the plane is leaving a smoke trail behind it; **Rauch•fleisch** *n* smoked meat; **Rauch•ga•se** *pl* flue gases; **Rauch•gas•ent•schwe•fe•lung** *f* flue gas desulphurization; **Rauch•glo•cke** *f* pall of smoke

rau•chig *adj* smoky

rauch•los *adj* smokeless; **Rauch•säu•le** *f* column of smoke; **Rauch•schwa•den** *pl* drifts of smoke; **Rauch•ver•bot** *n* smoking ban; **hier herrscht ~** there's no smoking here; **Rauch•ver•gif•tung** *f* fume poisoning; **e-e ~ erleiden** be overcome by fumes; **Rauch•wa•ren**[1] *pl* (*Tabakwaren*) tobacco

Rauch•wa•ren[2] *pl* (*Pelzwaren*) furs

Rauch•wol•ke *f* smoke cloud

Räu•de ['rɔɪdə] <-, -n> *f* mange; **räu•dig** *adj* mangy

Rau•fa•ser•ta•pe•teRR *f* woodchip paper

rau•fen ['raʊfən] *refl:* **sich mit jdm ~** have a scrap with s.o.; **sich die Haare ~** (*a. fig*) tear one's hair; **Rau•fe•rei** *f* scrap; **in e-e ~ mit jdm geraten** get into a scrap with s.o.

rauh *adj s.* **rau**

Rau•heit *f* 1. (*Unebenheit*) roughness 2. (*fig: von Stimme*) hoarseness 3. (*fig: Sitten*) coarseness, rudeness

Rauh•fa•ser•ta•pe•te *f s.* **Raufasertapete**

Rauh•reif *m s.* **Raureif**

Raum [raʊm, *pl:* 'rɔɪmə] <-(e)s, ⸚e> *m* **1.** (ASTR) space **2.** (*Zimmer*) room **3.** (*Gebiet*) area **4.** (*fig: Spiel~*) scope; ~ **schaffen** make some space; **der** ~ **Frankfurt** the Frankfurt area; ~ **sparend**RR space-saving

Raum•auf•tei•lung *f* floor plan

räu•men ['rɔɪmən] **I.** *itr* (*um~*) rearrange things **II.** *tr* **1.** (*beiseite* ~) clear away **2.** (*evakuieren*) clear, evacuate **3.** (*Zimmer, Wohnung*) vacate; **das Feld** ~ (*fig*) quit the field; **jdn aus dem Weg** ~ get rid of s.o.

Raum•fäh•re *f* (*Welt~*) space shuttle; **Raum•fah•rer(in)** *m(f)* spaceman (spacewoman); **Raum•fahrt** *f* spacetravel; **bemannte** ~ manned space travel; **Raumfahrt•be•hör•de** *f* space authority; **Raum•fahrt•zen•trum** *n* space centre *Br,* space center *Am;* **Raum•fahr•zeug** *n* spacecraft

Räum•fahr•zeug *n* (*für Schnee*) snowclearer

Raum•flug *m* space flight; **Raum•in•halt** *m* volume; **Raum•ge•stal•tung** *f* interior design; **Raum•kap•sel** *f* space capsule; **Raum•la•bor** *n* space lab

räum•lich ['rɔɪmlɪç] *adj:* ~ **beengt wohnen** live in cramped conditions; **Räum•lich•keit** *f* **1.** (*Zimmer*) room **2.** (*im Plural*): ~**en** premises

Raum•man•gel *m* lack of room [*o* space]; **Raum•me•ter** *f* (*Holz*) cubic metre; **Raum•ord•nung** *f* environmental planning; **Raum•pfle•ger(in)** *m(f)* cleaner

Raum•schiff *n* space ship; **Raum•son•de** <-, -n> *f* space probe; **raum•spa•rend** *adj s.* Raum; **Raum•sta•ti•on** *f* space station; **Raum•tei•ler** *m* (*Möbel*) partition

Räu•mung ['rɔɪmʊŋ] *f* **1.** (COM) clearance **2.** (*e-r Wohnung*) vacation **3.** (*Evakuierung*) evacuation; **Räu•mungs•kla•ge** *f* action for eviction; **Räu•mungs•verkauf** *m* clearance sale

Raum•ver•schwen•dung *f* waste of space; **Raum•ver•tei•lungs•plan** *m* room layout plan

rau•nen ['raʊnən] *itr tr* whisper; **man raunt, dass ...** it's being whispered that ...

Rau•pe ['raʊpə] <-, -n> *f* (ZOO A. TECH) caterpillar; **Rau•pen•fahr•zeug** *n* caterpillar vehicle

Rau•reifRR *m* hoarfrost, white frost

raus|be•kom•men I. *irr tr* (*zurückerhalten*): **e-n Moment, Sie bekommen noch was raus!** just a moment, you have some change coming! **II.** *itr* (*herausfinden*): **haben Sie rausbekommen, wer es war?** have you found out who did it?

Rausch [raʊʃ, *pl:* 'rɔɪʃə] <-(e)s, ⸚e> *m* **1.** (*Trunkenheit*) intoxication **2.** (*fig: Ekstase*) ecstasy; **er hat e-n** ~ he is drunk; **s-n** ~ **ausschlafen** sleep it off; **die Fans steigerten sich in e-n (wahren)** ~ **hinein** the fans worked themselves into a (real) frenzy

rau•schen ['raʊʃən] *itr* **1.** (*Wasser, Gewässer*) roar **2.** (*Wind*) murmur **3.** (*Stoff*) rustle; ~**der Beifall** resounding applause

rausch•frei *adj* (RADIO) low-noise

Rausch•gift *n* drugs *pl;* ~ **nehmen** take drugs; **Rausch•gift•de•zer•nat** *n* drug squad; **Rausch•gift•han•del** *m* drug trafficking; **Rausch•gift•händ•ler(in)** *m(f)* drug trafficker; **Rausch•gift•sucht** *f* drug addiction; **rausch•gift•süch•tig** *adj:* ~ **sein** be a drug addict; **Rauschgift•süch•ti•ge(r)** *f(m)* drug addict

raus|e•keln *vt* (*fam*) freeze out

raus|flie•gen *irr itr* (*fam*) **1.** (*entlassen werden*) get one's marching orders [*o* walking papers] **2.** (*herausgeworfen werden*) be chucked out

raus|ge•ben *irr tr:* **Sie haben mir zu wenig rausgegeben!** you've given me too little change!; **haben Sie es nicht kleiner? – auf zwanzig Mark kann ich nicht** ~ haven't you got anything smaller? – I haven't got change for twenty marks

räus•pern ['rɔɪspɐn] *refl* clear one's throat

raus•schmei•ßen *tr* chuck [*o* kick] out [*o* sling]; **das ist rausgeschmissenes Geld!** that's money down the drain!; **Rausschmei•ßer** *m* (*fam*) bouncer

Rau•te ['raʊtə] <-, -n> *f* **1.** (BOT) rue **2.** (MATH) rhomb; (*in Wappenkunde*) lozenge

Rave [reɪv] <-s, -s> *m* (*Jugendszene*) rave

Raz•zia ['ratsia, *pl:* 'ratsiən] <-, -ien/(-s)> *f* bust, raid; **e-e** ~ **machen in ...** make a raid on ...

Re•a•genz•glas *n* (CHEM) test-tube; **Re•agenz•pa•pier** *n* test paper

re•a•gie•ren [rea'gi:rən] *itr* react (*auf* to)

Re•ak•ti•on [reak'tsjo:n] *f* reaction; **Reak•ti•ons•fä•hig•keit** *f* reactions *pl*

Re•ak•tor <-s, -en> *m* reactor; **Re•aktor•block** *m* reactor block; **Re•ak•torkern** *m* reactor core; **Re•ak•tor•si•cherheit** *f* safety of the reactor; **Re•ak•tor•unglück** *n* nuclear disaster

re•al [re'a:l] *adj* real; **Re•al•ein•kom•men** *n* real income

re•a•li•sier•bar *adj* feasible; **Re•a•li•sierbar•keit** <-> *f* feasibility

re•a•li•sie•ren *tr* **1.** (*verwirklichen*) carry out **2.** (FIN: *Vermögenswerte*) realize **3.** (*sl: erkennen*) realize

Re•a•li•sie•rung <-, -en> *f* realisation

re•a•lis•tisch *adj* realistic

Reqa•li•tät *f* reality; **reqa•li•täts•fern** *adj* unrealistic; **Re•a•li•täts•ferne** *f* lack of content with reality; **re•a•li•täts•nah**

adj realistic; **Re•a•li•täts•nähe** *f* realism

Re•a•li•ty-TV [rɪ'ælətɪti:vi:] *n* reality TV

Re•al•ka•pi•tal *nt* real capital; **Re•al•kre•dit** *m* collateral loan; **Re•al•schu•le** *f* secondary modern school *Br;* **Re•al•wert** *m* real asset; **Re•al•zins** *m* real rate of interest

Re•be ['re:bə] <-, -n> *f* **1.** (*Rebstock*) vine **2.** (*Weinranke*) shoot

re•bel•lie•ren *itr* rebel, revolt; **Re•bell(in)** [re'bɛl] *m(f)* rebel; **Re•bel•li•on** <-,-en> *f* rebellion; **re•bel•lisch** *adj* rebellious

Reb•huhn ['re:p-] *n* partridge

Reb•sor•te *f* type of vine; **Reb•stock** *m* vine

Re•chaud [rɛ'ʃo:] <-(s), -s> *m* (*Spiritusbrenner*) spirit burner

Re•chen ['rɛçən] <-s, -> *m* rake; **re•chen** *tr* rake

Re•chen•art *f* type of calculation; **Re•chen•auf•ga•be** *f* (arithmetical) problem, sum; **Re•chen•buch** *n* arithmetic book; **Re•chen•feh•ler** *m* arithmetical error, miscalculation; **Re•chen•funk•ti•on** *f* (EDV) computational function; **Re•chen•ge•schwin•dig•keit** *f* computing speed; **Re•chen•ma•schi•ne** *f* adding machine

Re•chen•schaft *f:* **jdn zur ~ ziehen** call s.o. to account; **über etw ~ ablegen müssen** be held to account for s.th.; **dafür bin ich dir keine ~ schuldig** I don't have to account to you for that; **Re•chen•schafts•be•richt** *m* report

Re•chen•schie•ber *m* slide-rule; **Re•chen•zen•trum** *n* (EDV) computer centre

Re•cher•che [re'ʃɛrʃə] <-, -n> *f* investigation; **~n anstellen über ...** make enquiries about ...; **re•cher•chie•ren** *tr itr* investigate

Rech•nen *n* arithmetic, sums *pl*

rech•nen ['rɛçnən] **I.** *tr* **1.** (MATH) calculate, work out **2.** (*einrechnen*) estimate, reckon; **die Kinder nicht gerechnet** not counting the children; **ich hatte mit e-r Woche gerechnet** I was reckoning on one week **II.** *itr* **1.** (MATH) do sums **2.** (*fig: gelten*) count (*als* as) **3.** (*Haus halten*) economize; **ich hatte damit gerechnet, diese Woche fertigzuwerden** I had calculated on finishing by this week; **von heute an gerechnet** counting from today; **er wird zu den Reichen gerechnet** he is reckoned to be a rich man; **damit hatte ich nicht gerechnet** I wasn't expecting that

rech•ner•ge•steu•ert *adj* (EDV) computer-controlled; **rech•ner•ge•stützt** *adj* (EDV) computer-aided

rech•ne•risch *adj* arithmetic; **~er Wert** book value; **rein ~** as far as the figures go

Rech•ner•ver•bund *m* (EDV) computer network

Rech•nung *f* **1.** (*Abrechnung*) bill *Br,* check *Am;* (COM) invoice **2.** (*fig: Schätzung*) calculation; **das geht auf meine ~** (*zum Ober*) I'm paying; (*zum Bewirteten*) this one's on me; **auf ~ kaufen** by on account; **nach deiner ~ müsste er Sonntag ankommen** by your calculations he will arrive on Sunday

Rech•nungs•ab•tei•lung *f* invoicing department, billing department *Am;* **Rech•nungs•aus•stel•lung** *f* invoicing, billing *Am;* **Rech•nungs•da•tum** *nt* date of invoice; **Rech•nungs•jahr** *n* (COM) financial year; **Rech•nungs•le•gung** *f* rendering of accounts; **Rech•nungs•num•mer** *f* invoice number; **Rech•nungs•prü•fer(in)** *m(f)* auditor; **Rech•nungs•we•sen** *nt* accounting

Recht [rɛçt] <-(e)s, -e> *n* **1.** (*Anspruch*) right (*auf* to) **2.** (*Gesetz*) law; **im ~ sein** be in the right; **Sie haben ganz ~**[RR] you're quite right; **ein ~ auf etw haben** have a right to s.th.; **das ~ haben(,) etw zu tun** have the right to do s.th.; **mit welchem ~ sagen Sie das?** what right have you to say that?; **mit welchem ~?** by what right?; **das ist mein gutes ~** I'm within my rights *pl;* **von ~s wegen** by rights *pl;* **die ~e für etw haben** (COM) have the rights for s.th.; **nach französischem ~** in [*o* under] French law; **~ und Ordnung** law and order

recht **I.** *adj* **1.** (*Richtung*) right **2.** (*richtig*) right; **du bist auf dem ~en Weg** (*fig*) you're on the right track; **zur ~en Zeit** at the right time; **~er Hand sehen Sie die Brücke** on your right hand you see the bridge; **es ist nur ~ und billig ...** it's only right ...; **die ~e Hand des Direktors** the director's right-hand man **II.** *adv* **1.** (*richtig*) properly **2.** (*ganz, ziemlich*) quite **3.** (*sehr*) very; **es war ~ nett, aber ...** it was quite nice but ...; **wenn ich mich ~ erinnere ...** if I remember correctly ...; **jetzt erst ~** now more than ever; **wenn ich Sie ~ verstehe ...** if I get you right ...; **geschieht dir ~!** serves you right!; **ich weiß nicht ~** I don't really know

Rech•te ['rɛçtə] <-n, -n> *f* **1.** (*Hand*) right hand; (*beim Boxen*) right **2.** (PARL) the right

Recht•eck *n* rectangle; **recht•e•ckig** *adj* rectangular

recht•fer•ti•gen ['----] **I.** *tr* justify; **das ist durch nichts zu ~** that can in no way be justified **II.** *refl* justify o.s.; **Recht•fer•ti•gung** *f* justification; **zur ~ s-r Handlungsweise** as a justification for his action; **ihre einzige ~ war ...** her only defence was ...

recht•gläu•big *adj* orthodox; **recht•ha•be•risch** *adj* know-all; **recht•lich** *adj* legal; **jdn ~ belangen** take s.o. to court; **rein ~** from a legal point of view; **recht·los** *adj* without rights; **Recht·lo·sig·keit** *f* 1. (*Gesetzlosigkeit*) lawlessness **2.** (*von Personen*) lack of rights; **recht·mä·ßig** *adj* lawful, legitimate; **das steht mir ~ zu** I'm legally entitled to it; **der ~e Besitzer** the rightful owner; **Recht·mä·ßig·keit** *f* 1. legality **2.** (*Legitimität*) legitimacy

rechts [rɛçts] I. *adv* on the right; **nach ~** to the right; **~ eingestellt sein** (POL) be a rightist; **~ überholen** overtake on the right; **zweite Straße ~** second turn to your right; **~ von …** to the right of …; **sich ~ halten** keep right II. *adj:* **~ gerichtet**[RR] (POL) oriented towards the right

Rechts·ab·bie·ger *m:* **~ sein** be on the right-hand turn-off lane; **Rechts·ab·bie·ger·spur** *f* (MOT) right-hand turn-off lane

Rechts·ab·tei·lung *f* legal department; **Rechts·an·spruch** *m* legal right; **e-n ~ auf etw haben** be legally entitled to s.th.; **Rechts·an·walt, -an·wäl·tin** *m, f* lawyer *Br,* attorney *Am;* **sich e-n ~ nehmen** get a lawyer (attorney); **Rechts·auf·fas·sung** *f* legal opinion; **Rechts·aus·kunft** *f* legal advice

Rechts·au·ßen [rɛçts'aʊsən] <-(s), -> *m* (SPORT) outside-right

Rechts·bei·stand *m* legal advice; (*Person*) legal adviser; **Rechts·be·ra·ter(in)** *m(f)* legal counsel; **Rechts·be·ra·tung** *f* legal counselling; **Rechts·bruch** *m* infringement of the law

rechts·bün·dig *adj* (TYPE) ranged right

recht·schaf·fen *adj* honest, upright; **Recht·schaf·fen·heit** *f* honesty, uprightness

Recht·schreib·feh·ler *m* spelling mistake; **Recht·schreib·re·form** *f* spelling reform; **Recht·schrei·bung** *f* spelling

Rechts·emp·fin·den *n* sense of justice; **Rechts·ex·tre·mis·mus** *m* (POL) right-wing extremism; **Rechts·ex·tre·mist(in)** *m(f)* right-wing extremist; **rechts·fä·hig** *adj* incorporated; **Rechts·fä·hig·keit** *f* capacity to hold rights and duties; **Rechts·fra·ge** *f* legal question [*o* issue]; **rechts·ge·rich·tet** *adj s.* **rechts**; **Rechts·ge·win·de** *n* (TECH) right-handed thread; **Rechts·grund·lage** *f* legal basis; **rechts·gül·tig** *adj* legal; **Rechts·gut·ach·ten** *n* legal report; **Rechts·hän·der** <-s, -> *m* (*beim Boxen*) right-hander; **Rechts·kraft** <-> *f* legal validity; **~ erlangen** become law; **rechts·kräf·tig** *adj* **1.** (*Urteil*) final **2.** (*Vertrag*) legally valid; **Rechts·kur·ve** *f* right-hand bend; **Rechts·la·ge** *f* legal situation; **Rechts·mit·tel** *n* means of legal redress; **ein ~ einlegen bei …** lodge an appeal at …; **Rechts·nach·fol·ger(in)** *m(f)* legal successor; **Rechts·norm** *f* legal standard

Recht·spre·chung *f* **1.** (*Durchführung*) administration of justice **2.** (*Gerichtsbarkeit*) jurisdiction **3.** (*bisherige ~*) precedents *pl*

rechts·ra·di·kal *adj* radical right-wing; **Rechts·schutz** *m* legal protection; **Rechts·schutz·ver·si·che·rung** *f* legal costs insurance; **Rechts·staat** *m* constitutional state; **rechts·staat·lich** *adj* constitutional; **Rechts·steu·e·rung** *f* (MOT) right-hand drive; **Rechts·streit** *m* lawsuit; **Rechts·ver·dre·her** *m* (*pej*) shyster; **Rechts·ver·kehr** *m* (MOT) driving on the right; **Rechts·weg** *m:* **den ~ beschreiten** take legal action; **rechts·wid·rig** *adj* illegal; **rechts·wirk·sam** *adj* (legally) valid; **Rechts·wis·sen·schaft** *f* jurisprudence

recht·wink·lig *adj* right-angled

recht·zei·tig I. *adj* (*günstig*) timely **II.** *adv* **1.** (*früh genug*) in due [*o* good] time **2.** (*pünktlich*) punctually

Reck [rɛk] <-(e)s, -e> *n* (SPORT) horizontal bar

re·cken I. *tr* stretch; **die Glieder ~** stretch one's limbs; **den Hals ~** crane one's neck (*nach* at) **II.** *refl* stretch o.s.; **sich ~ und strecken** have a good stretch

re·cy·celn [ri'saikln] *tr* recycle; **Re·cy·cling** <-s> *n* recycling; **Re·cy·cling·pa·pier** *n* recycled paper

Re·dak·teur(in) [redak'tøːɐ] <-s, -e> *m(f)* editor; **Re·dak·ti·on** *f* **1.** (*die Redakteure*) editorial staff **2.** (*Büro*) editorial office **3.** (*Schriftleitung*) editing; **re·dak·ti·o·nell** *adj* editorial

Re·de ['reːdə] <-, -n> *f* 1. (*Vortrag*) speech; (*Ansprache*) address **2.** (*Gespräch*) talk; **e-e ~ halten** make a speech; **der führt bloß große ~n** he's all talk; **ihre ~ über …** her talk on …; **es ist die ~ davon, dass er zurücktreten will** there is some question of him resigning; **davon kann keine ~ sein** that's out of the question; **nicht der ~ wert!** don't mention it!; **jdn zur ~ stellen** take s.o. to task; **wovon ist die ~?** what are you talking about?; **vergiss deine ~ nicht!** don't forget what you were going to say!; **Re·de·frei·heit** *f* freedom of speech; **re·de·ge·wandt** *adj* eloquent

re·den *itr tr* speak, talk (*mit jdm* with s.o., to s.o., *über* about); **mit dir rede ich nicht (mehr)** I'm not speaking to you; **ich werde ein Wörtchen mit ihm ~** I'll speak to him about it; **antworte, wenn man mit dir redet!** speak when you're spoken to!;

lauter ~ speak up; **rede keinen Stuss!** (*fam*) don't talk silly!; **du hast gut ~!** it's easy for you to talk!; **wie redest du denn mit mir!** don't talk to me like that!; **du kannst gerade ~!** you should talk!; **wir wollen jetzt mal in Ruhe darüber** ~ let's talk it over quietly; **komm, red' nicht!** (*fam*) come off it!; ~ **wir nicht mehr davon!** let's drop it!; **darüber lässt sich** ~ that's a possibility; **er lässt nicht mit sich** ~ he's adamant

Re•dens•art *f*: **bloße ~en** empty talk; **das ist nur so e-e** ~ it's just a way of speaking

Re•de•wei•se *f* manner of speaking; **Re•de•wen•dung** *f* idiomatic expression

re•di•gie•ren [redi'gi:rən] *tr* edit

red•lich ['re:tlɪç] *adj* honest; **das hat er sich ~ verdient** he has really earned it

Red•ner(in) ['re:dnɐ] <-s, -> *m(f)* speaker; **Red•ner•büh•ne** *f* platform

red•se•lig *adj* talkative; **Red•se•lig•keit** *f* talkativeness

re•du•zie•ren [redu'tsi:rən] *tr* reduce (*auf* to)

Ree•de ['re:də] <-, -n> *f* (MAR) roadstead; **auf ~ liegen** be lying in the roads *pl;* **Ree•der(in)** *m(f)* shipowner; **Ree•de•rei** *f* shipping company

re•ell [re'ɛl] *adj* **1.** (COM: *solide*) solid **2.** (*anständig*) honest; **~e Preise** realistic prices

Reet ['re:t] <-(e)s> *n* reed; **Reet•dach** *n* thatched roof; **reet•ge•deckt** *adj* thatched

Re•ex•port *m* re-export

Re•fe•rat [refə'ra:t] <-(e)s, -e> *n* **1.** (PÄD: *schriftliches Seminar~*) seminar, paper; (*Bericht in Schule*) project **2.** (*Abteilung*) department **3.** (*Ressort*) department, section; **ein ~ halten** present a paper [*o* project]

Re•fe•ren•dar(in) [refərɛn'da:ɐ] <-s, -e> *m(f)* **1.** (JUR) articled clerk **2.** (PÄD) student teacher **3.** (*Anwärter(in) für höheren Dienst*) trainee

Re•fe•ren•dum [refe'rɛnʊm] <-s, Referenden oder Referenda> *n* referendum

Re•fe•rent(in) *m(f)* **1.** (*Berichterstatter(in)*) speaker **2.** (*Fach~*) consultant

Re•fe•renz *f* reference; **jdn als ~ angeben** give s.o. as a reference

re•fe•rie•ren *tr itr* give a talk (*über* on)

re•fi•nan•zie•ren *tr* refinance

Re•f•la•ti•on [refla'tsjo:n] <-, -en> *f* reflation; **re•f•la•tio•när** *adj* reflationary

re•f•lek•tie•ren [reflɛk'ti:rən] **I.** *tr* (OPT) reflect **II.** *itr* reflect (*über* upon s.th.); **auf etw ~** (*fig*) have one's eye on s.th.; **~des Kennzeichen** (MOT) reflectorized sign

Re•f•lex [re'flɛks] <-es, -e> *m* **1.** (*Nerven~*) reflex **2.** (PHYS) reflection

Re•f•le•xi•on *f* (PHYS: *a. Überlegung*) reflection; **Re•f•lex•be•we•gung** *f* reflex action

re•f•le•xiv [reflɛ'ksi:f] *adj* (GRAM) reflexive; **Re•f•le•xiv•pro•no•men** *n* reflexive pronoun

Re•form [re'fɔrm] <-, -en> *f* reform

Re•for•ma•ti•on *f* reformation

re•form•be•dürf•tig *adj* in need of reform; **re•form•freu•dig** *adj* avid for reform

Re•form•haus *n* health foods shop

re•for•mie•ren *tr* reform

Re•form•kost *f* health food

Re•frain [re'frɛ̃:] <-s, -s> *m* refrain, chorus

Re•gal [re'ga:l] <-s, -e> *n* (*Bücher ~*) shelves *pl*

Re•gat•ta [re'gata] <-, -tten> *f* (SPORT) regatta; **Re•gat•ta•stre•cke** *f* regatta course

re•ge ['re:gə] *adj* **1.** (*betriebsam*) active **2.** (*flink*) agile; ~ **Beteiligung** lively participation; **~r Besuch** high attendance

Re•gel ['re:gəl] <-, -n> *f* **1.** (*Vorschrift*) rule **2.** (*Menstruation*) period; **in der ~** as a rule; **sich etw zur ~ machen** make a habit of s.th.; **Re•gel•ar•beits•zeit** *f* core working hours *pl;* **re•gel•bar** *adj* **1.** (TECH: *einstellbar*) adjustable **2.** (*fig: klärbar*) easily arranged; **Re•gel•fall** *m* rule; **im ~** as a rule; **Re•gel•kreis** *m* control loop; **re•gel•los** *adj* **1.** (*unregelmäßig*) irregular **2.** (*unordentlich*) disorderly; **re•gel•mä•ßig** *adj* regular; **fährt der Bus ~?** is the bus regular?; ~ **spazierengehen** take regular walks; **Re•gel•mä•ßig•keit** *f* regularity; **in schöner ~** persistently

re•geln *tr* **1.** (*einstellen*) regulate **2.** (*fig: in Ordnung bringen*) settle; **es ist noch nichts geregelt** nothing has been arranged yet

re•gel•recht **I.** *adj* real **II.** *adv* really; **sie wurde ~ frech** she was getting downright cheeky

Re•gel•satz•steu•er *f* standard rate tax

Re•gel•schmer•zen *mpl* period pains; **Re•gel•stö•run•gen** *fpl* menstrual disorders

Re•ge•lung *f* **1.** (*Abmachung*) arrangement **2.** (*Vorschrift*) regulation **3.** (TECH) controls *pl;* **e-e ~ finden** come to an arrangement; **Re•gel•ven•til** *n* control valve; **re•gel•wid•rig** *adj* against the rules

Re•gen ['re:gən] <-s> *m* rain; **es sieht nach ~ aus** it looks like rain; **jdn im ~ stehen lassen** (*fig*) leave s.o. out in the cold; **im ~** in the rain; **dieser ~!** some rain!

re•gen ['re:gən] *tr refl* (*Person, a. fig*) move, stir; **ich kann mich kaum noch ~** I'm hardly able to move

re•gen•arm *adj* rainless

Re•gen•bo•gen *m* rainbow; **Re•gen•bo-**

gen•haut *f* iris

re•ge•ne•ra•tiv *adj* regenerative

Re•gen•fäl•le *pl* rains; **Re•gen•ge•biet** *n* rainfall area; **Re•gen•man•tel** *m* raincoat; **re•gen•reich** *adj* rainy, wet; **Re•gen•rin•ne** *f* **1.** (*an Hausdach*) gutter **2.** (MOT: *an Autodach*) roofrail; **Re•gen•schau•er** *m* shower; **Re•gen•schirm** *m* umbrella

Re•gent(in) [re'gɛnt] <-en, -en> *m(f)* (*Herrscher(in)*) ruler, sovereign

Re•gen•tag *m* rainy day; **Re•gen•trop•fen** *m* raindrop

Re•gent•schaft *f* **1.** (*Statthalterschaft*) regency **2.** (*Herrschaft*) reign; **die ~ über•nehmen** take over as regent

Re•gen•wald *m* rainforest; **Re•gen•was•ser** *n* rainwater; **Re•gen•wet•ter** *n* rainy weather; **Re•gen•wol•ke** *f* raincloud; **Re•gen•wurm** *m* earthworm; **Re•gen•zeit** *f* rainy season

Re•gie [re'ʒiː] <-, -n> *f* **1.** (*fig: Verwaltung*) management **2.** (THEAT FILM) direction, production; **ich mache das in eigener ~** I do it myself; **unter der ~ von ...** directed by ...; **Re•gie•an•wei•sung** *f* (stage) direction

re•gie•ren [re'giːrən] **I.** *itr* (*Herrscher*) reign; (*beherrschen*) rule **II.** *tr* (*beherrschen*) govern, rule (over)

Re•gie•rung *f* **1.** (*Kabinett*) government **2.** (*Herrschaft*) rule; (*von Monarch*) reign; **an die ~ kommen** come to office; **Re•gie•rungs•an•tritt** *m* taking of office; **beim ~** when the government took office; **Re•gie•rungs•ap•pa•rat** *m ohne pl* apparatus of government; **Re•gie•rungs•be•am•te(r)**, **-be•am•tin** *m, f* government official; **Re•gie•rungs•be•zirk** *m* (*in Deutschland*) administrative district, region *Br*, county *Am;* **Re•gie•rungs•bil•dung** *f* formation of a government; **Re•gie•rungs•chef(in)** *m(f)* head of the government; **Re•gie•rungs•er•klär•ung** *f* (inaugural) government statement; **Re•gie•rungs•fä•hig•keit** *f* ability to govern; **Re•gie•rungs•ge•schäf•te** *npl* government business *sing;* **Re•gie•rungs•kom•mis•si•on** *f* government commission; **Re•gie•rungs•kri•se** *f* government crisis, crisis of government; **Re•gie•rungs•par•tei** *f* ruling party; **Re•gie•rungs•spre•cher(in)** *m(f)* government spokesperson; **Re•gie•rungs•um•bil•dung** *f* government [*o* cabinet] reshuffle; **Re•gie•rungs•wech•sel** *m* change of government; **Re•gie•rungs•zeit** *f* period of office, reign, rule

Re•gime [re'ʒiːm] <-s, -(s)> *n* regime

Re•gi•ment [regi'mɛnt] <-(e)s, -er> *n* (MIL) regiment

Re•gi•on [re'gjoːn] *f* region; **re•gi•o•nal** *adj* regional; **~ verschieden** varying from region to region; **Re•gi•o•nal•plan** *m* regional plan

Re•gis•seur(in) [reʒɪ'søːɐ] <-s, -e> *m(f)* director

Re•gis•ter [re'gɪstɐ] <-s, -> *n* **1.** (*Buchindex*) index **2.** (*Verzeichnis*) register **3.** (*Orgel~*) stop; **führen Sie ein ~?** do you keep a register?; **alle ~ spielen lassen** (*fig*) pull out all the stops

Re•gis•tra•tur [regɪstra'tuːɐ] *f* **1.** (*Tätigkeit*) registry **2.** (*~büro*) records **3.** (*bei Orgel*) stops *pl*

re•gis•trie•ren *tr* **1.** (*verzeichnen*) register **2.** (*fig: bemerken, sich merken*) note; **Re•gis•trier•kas•se** *f* cash register; **Re•gis•trie•rung** *f* registration

Reg•ler ['reːglɐ] <-s, -> *m* **1.** (EL) control **2.** (MOT EL) governor

reg•los *adj* motionless

reg•nen ['reːgnən] *itr* rain; **es regnet in Strömen** it's pouring; **es regnete Proteste** protests were pouring in; **reg•ne•risch** *adj* rainy

Re•g•ress[RR] [re'grɛs] <-es, -e> *m* recourse; **jdn in ~ nehmen** have recourse against s.o.; **Re•g•ress•an•spruch**[RR] *m* right of recourse; **Re•g•ress•kla•ge**[RR] *f* recourse claim; **re•g•ress•pflich•tig**[RR] *adj* liable for compensation

re•gu•lär [regu'lɛːɐ] *adj* (*normal*) normal

re•gu•lie•ren *tr* **1.** (TECH: *einstellen*) adjust **2.** (*Rechnung, Schaden*) settle; **Re•gu•lie•rung** *f* (TECH) regulation

Re•gung ['reːgʊŋ] *f* (*sachte Bewegung*) movement; **ohne jede ~** without a flicker; **re•gungs•los** *adj* motionless

Reh [reː] <-(e)s, -e> *n* deer

Re•ha•bi•li•ta•ti•ons•zen•trum *n* rehabilitation centre *Br*, rehabilita tion center *Am;* **re•ha•bi•li•tie•ren** [rehabili'tiːrən] *tr* rehabilitate; **Re•ha•bi•li•tie•rung** *f* rehabilitation

Reh•bock *m* roebuck; **Reh•bra•ten** *m* roast venison; **Reh•keu•le** *f* haunch of venison; **Reh•rü•cken** *m* saddle of venison

Rei•bach ['raɪbax] *m* (*sl*): **e-n ~ machen** make a killing

Rei•be ['raɪbə] <-, -n> *f* grater; **Reib•ei•sen** *n:* **wie ein ~** like sandpaper

Rei•be•ku•chen *m kind of potato fritter*

rei•ben I. *irr tr* rub; **an etw ~** rub s.th.; **jdm etw unter die Nase ~** (*fig*) rub someone's nose in s.th.; **sich die Hände ~** rub one's hands **II.** *refl* rub o.s. (*an* on, against); **sie ~ sich ständig aneinander** (*fig*) there's a lot of friction between them

Rei•be•rei•en *fpl* friction *sing*

Rei•bung *f* (PHYS) friction; **Rei•bungs•flä•che** *f* (*fig*): **das bietet viele ~n** that's a potential cause of friction; **rei•bungs•los** *adj* **1.** (PHYS) frictionless **2.** (*fig*) trouble-free; **das verläuft ja ~** that's going off smoothly

Rei•bungs•ver•lust *m* friction loss; **Rei•bungs•wi•der•stand** *m* frictional resistance

Reich [raɪç] <-(e)s, -e> *n* **1.** (*Kaiser~, a. allg*) empire; (*König~*) kingdom **2.** (*fig: Bereich*) realm

reich [raɪç] *adj* **1.** (*Reichtümer habend*) rich, wealthy (*an* in) **2.** (*fig: umfassend*) large; **e-e ~e Auswahl an ...** a wide choice of ...

rei•chen I. *tr* (*geben*) hand; (*herüber~*) pass II. *itr* **1.** (*genügen*) be enough, do, suffice **2.** (*sich erstrecken*) stretch (*bis* to), reach (*bis zu etw* s.th.); **danke, das reicht!** thanks, that's sufficient!; **jetzt reicht's mir aber!** that's the last straw!; **diese Packung Kaffee reicht mir e-e Woche** this pack of coffee will last me one week; **soweit das Auge reicht** as far as the eye can see; **reicht die Milch?** is there enough milk?; **mir reicht's, ich gehe jetzt nach Hause!** I've had enough, I'm going home!

reich•hal•tig *adj* (*Essen*) rich

reich•lich I. *adj* (*umfangreich*) ample; (*reichlich vorhanden*) plentiful; **~ Zeit haben** have plenty of time II. *adv* **1.** (*überreich*) amply **2.** (*fam: ziemlich*) pretty; **vorhanden sein** be in plentiful supply; **das ist ja ~ wenig!** that's rather little!; **~ ausfallen** (*von Kleidung*) be on the big side

Reich•tum *m* **1.** (*Wohlstand*) wealth, riches *pl* **2.** (*Überfluss*) abundance (*an* of); **zu ~ gelangen** become rich

Reich•wei•te *f* **1.** (RADIO A. MIL) range **2.** (*nächste Nähe*) reach; **außer ~ sein** be out of reach; **große ~** long range

Reif[1] [raɪf] <-(e)s> *m* (*Raureif*) hoar [*o* white] frost

Reif[2] <-(e)s, -e> *m* **1.** (*Arm~*) bangle **2.** (*Fass~*) hoop

reif *adj* **1.** (*Früchte, Alter*) ripe **2.** (*fig: gereift*) mature; **wenn die Zeit dafür ~ ist** when the time is ripe; **Rei•fe** <-> *f* **1.** (*das Reifsein*) ripeness **2.** (*fig*) maturity; **ihm fehlt die nötige ~** he's somewhat lacking in maturity

Rei•fen <-s, -> *m* **1.** (*Gummi~*) tyre *Br,* tire *Am* **2.** (*Arm~*) bangle **3.** (*Fass~, Spiel~*) hoop

rei•fen *itr* **1.** ripen **2.** (*fig*) mature; **die Jahre ließen ihn ~** his character matured during the years

Rei•fen•druck *m* (MOT) tyre pressure *Br,* tire pressure *Am;* **Rei•fen•pan•ne** *f* flat, puncture; **Rei•fen•wech•sel** *m* change of tyres

Rei•fe•prü•fung *f s.* **Abitur**; **Rei•fe•zeug•nis** *n* A-level certificate *Br,* high-school graduation certificate *Am*

reif•lich *adj* careful, thorough; **nach ~er Überlegung** after careful consideration; **etw ~ überlegen** consider s.th. carefully

Rei•gen ['raɪgən] <-s, -> *m* round dance

Rei•he ['raɪə] <-, -n> *f* **1.** (*Aufreihung*) line, row **2.** (THEAT) tier **3.** (*Anzahl*) number; (*Serie*) series; **aus der ~ tanzen** (*fig*) step out of line; **in e-r Reihe** in a line; **John ist als nächster mit der Beförderung an der ~** John is next in line for promotion; **das erste Taxi in der ~** the taxi at the head of the rank; **stell sie in ~n auf!** arrange them in rows!; **in ~ geschaltet** (EL) series-wound; **arithmetische ~** arithmetical progression; **du bist an der ~!** it's your turn!; **sie kommt immer außer der ~** she always comes just when she pleases

rei•hen I. *tr:* **auf e-e Schnur ~** string on a thread II. *refl* (*fig*): **sich ~ an etw** follow after s.th.

Rei•hen•fol•ge *f* order; **sind sie in der richtigen ~?** are they in the right order?; **etw in der logisch richtigen ~ tun** do s.th. in logical sequence; **Rei•hen•haus** *n* terraced house; **Rei•hen•haus•sied•lung** *f* estate of terraced houses; **rei•hen•wei•se** *adv* **1.** (*in Reihen*) in rows **2.** (*in Mengen*) by the dozen; **in der Innenstadt wurden Grundstücke ~ aufgekauft** plots of land in the city centre were being bought up by the dozen

Rei•her ['raɪɐ] <-s, -> *m* heron

rei•hern *itr* (*sl*) puke

reih•um [raɪ'ʊm] *adv:* **etw ~ gehen lassen** pass s.th. round

Reim [raɪm] <-(e)s, -e> *m* rhyme; **darauf kann ich mir keinen ~ machen** I can't make head or tail of it; **rei•men** I. *tr* rhyme (*auf, mit* with) II. *refl* rhyme (*auf, mit* with); **das reimt sich irgendwie nicht (zusammen)** somehow that doesn't make sense; **Reim•sche•ma** *n* rhyme scheme

rein[1] [raɪn] *adv* (*fam*) *s.* **herein, hinein**

rein[2] I. *adj* **1.** (*sauber*) clean **2.** (*fig: völlig*) pure; **~es Gewissen** clear conscience; **~e Bosheit** malice pure and simple; **ein Kleid aus ~er Wolle** a pure wool dress; **der ~ste Blödsinn!** sheer nonsense! II. *adv* **1.** (*lediglich*) purely **2.** (*völlig*) absolutely; **~ zufällig** by sheer chance; **ist die Luft ~?** (*fig*) is it all clear now?; **~ waschen**[RR] clear

rein(e)|ma•chen *tr* (*fam*) do the cleaning

Rein•er•lös *m* net proceeds *pl;* **Rein•er•trag** *m* net profit

Rein•fall *m* disaster; (*fam*) flop; **rein|fal-**

len *irr itr* be taken in (*auf etw* by s.th.); **auf jdn** ~ fall for someone's line

Rein·ge·winn *m* (COM) net profit

Rein·hal·tung *f:* ~ **der Luft** prevention of air pollution; **Rein·heit** *f* **1.** (*Sauberkeit*) cleanness **2.** (*fig: Lauterkeit*) purity

rei·ni·gen ['raɪnɪɡən] **I.** *tr* clean; (*chemisch* ~) dry-clean **II.** *refl* **1.** (*Sache*) clean itself **2.** (*Person*) cleanse o.s.; **Rei·ni·gung** *f* **1.** (*Vorgang*) cleaning **2.** (*Anstalt*) dry cleaner's; **in der** ~ (*von Kleidungsstück*) at the cleaner's; **zur** ~ **geben** send to the cleaner's; **Rei·ni·gungs·lo·ti·on** *f* cleansing lotion; **Rei·ni·gungs·milch** *f* cleansing milk, cleanser; **Rei·ni·gungs·mit·tel** *n* detergent

rein·lich *adj* **1.** (*Mensch: sauber*) cleanly **2.** (*Kleidung*) neat; (*Zimmer*) tidy

Rein·ma·che·frau *f* cleaning lady

rein·ras·sig *adj* **1.** (*Pferd*) thoroughbred **2.** (*Hund*) pedigree **3.** (*fig*): **dies ist ein ~er Sportwagen** this is a genuine sports car

Rein·schrift *f* fair copy; **etw in** ~ **schreiben** write out a fair copy of s.th.

Rein·ver·mö·gen *nt* net assets, net worth

re·in·ves·tie·ren *tr* reinvest

rein|wa·schen *s.* **rein**

rein·zie·hen *tr* (*fam*): **sich etw** ~ (*Drogen*) take s.th.; (*Musik*) listen to s.th.; (*Film*) watch s.th.; (*Getränk*) Knock s.th. back; (*essen*) guzzle s.th. down

Reis[1] <-es, -er> *n* (*kleiner Zweig*) sprig

Reis[2] [raɪs] <-es, (-e)> *m* rice; **Reis·brei** *m* creamed rice

Rei·se ['raɪzə] <-, -n> *f* (*mit festem Ziel*) journey; (*Schiffs~*) voyage; (*kurze*) trip; **e-e** ~ **machen** go on a journey; **e-e** ~ **antreten** set out on a journey; **gute ~!** have a pleasant journey! [*o* a nice trip!]; **wir gehen jeden Sommer auf ~n** we go away every summer; **e-e** ~ **um die Welt machen** travel round the world; **Rei·se·an·den·ken** *n* souvenir; **Rei·se·a·po·the·ke** *f* first aid kit; **Rei·se·bran·che** *f* travel industry; **Rei·se·bü·ro** *n* travel agency; **Rei·se·bü·ro·kauf·mann, -kauf·frau** *m, f* travel agent; **rei·se·fer·tig** *adj* ready to leave; **Rei·se·füh·rer** *m* (*Buch*) guidebook; **Rei·se·ge·fähr·te, -ge·fähr·tin** *m, f* travelling companion; **Rei·se·ge·päck** *n* luggage *Br,* baggage *Am;* **Rei·se·ge·sell·schaft** *f* **1.** (*Personen*) party **2.** (*Veranstalter*) tour operator; **Rei·se·kos·ten** *pl* travelling expenses; **Rei·se·kos·ten·ab·rech·nung** *f* claim for travel expenses; **Rei·se·kos·ten·zu·schuss**[RR] *m* partial reimbursement of travel expenses; **Rei·se·krank·heit** *f* travel sickness; **Rei·se·land** *n* holiday destination; **Rei·se·lei·ter(in)** *m(f)* courier; **rei·se·lus·tig** *adj* keen on travel(ling); **Rei·se·ma·ga·zin** *nt* travel magazine

rei·sen *sein itr* travel; **gerne** ~ be fond of travelling; **weit gereist**[RR] well travelled

Rei·sen·de(r) *f* (*m*) traveller *Br,* traveler *Am;* (COM: *Handels~*) (commercial) travel(l)er

Rei·se·ne·ces·saire ['raɪzənɛsɛsɛːɐ] <-s, -s> *n,* **– nes·ses·sär**[RR] travelling manicure set; **Rei·se·pass**[RR] *m* passport; **Rei·se·plä·ne** *mpl* plans for one's journey; **Rei·se·pro·spekt** *m* travelling brochure; **Rei·se·rou·te** *f* travel route; **Rei·se·scheck** *m* traveller's cheque; **Rei·se·schreib·ma·schi·ne** *f* portable typewriter; **Rei·se·spe·sen** *pl* travel expenses; **Rei·se·ta·sche** *f* grip, travel(l)ing bag; **Rei·se·ver·an·stal·ter** *m* tour operator; **Rei·se·ver·kehr** *m* holiday traffic; **Rei·se·ver·si·che·rung** *f* travel insurance; **Rei·se·vor·be·rei·tung** *f* travel preparations; **Rei·se·wel·le** *f* wave of holiday makers; **Rei·se·wet·ter·be·richt** *m* holiday weather forecast; **Rei·se·zeit** *f* travelling time; **Rei·se·ziel** *n* destination

Reis·feld *n* paddy-field

Rei·sig ['raɪzɪç] <-s> *n* brushwood

Reiß·aus [raɪs'aʊs] *m:* ~ **nehmen** clear off [*o* take to one's heels]

Reiß·brett *n* drawing-board

rei·ßen ['raɪsən] **I.** *irr tr* **1.** (*zerren*) drag; (*fort~*) pull, tear (*etw von etw* s.th. off s.th.) **2.** (*zer~*) tear; **an sich** ~ seize hold of; **er riss es mir aus der Hand** he tore it out of my hand; **jdm die Maske vom Gesicht** ~ (*a. fig*) tear away someone's mask **II.** *itr* break, tear; **ich habe mir ein Loch in die Hose gerissen** I tore a hole in my trousers; **sich um etw** ~ (*fig*) scramble for s.th.; **er reißt sich um jede Gelegenheit sie zu sehen** he jumps at every chance of seeing her; **ich reiße mich nicht darum ihn kennenzulernen** I'm not exactly dying to make his acquaintance; **wenn alle Stricke** ~ (*fig*) if all else fails; **rei·ßend** *adj* **1.** (*Fluss*) torrential **2.** (*Schmerz*) searing, violent; **~en Absatz finden** sell like hot cakes

Rei·ßer *m* (*fam: Film*) thriller

Reiß·ver·schluss[RR] *m* zip(per); **mach mal den** ~ **auf** (**zu**) can you (unzip it) zip it up?; **Reiß·ver·schluss·prin·zip**[RR] *n* (MOT) principle of alternation; **Reiß·wolf** *m* shredder; **Reiß·zwe·cke** *f* drawing-pin

Reit·an·zug *m* riding habit

rei·ten ['raɪtən] *irr itr tr* ride; ~ **gehen** go for a ride; **auf e-m Pferd** ~ ride a horse; **bei e-m Rennen** ~ ride a race

Rei·ter(in) *m(f)* horseman (horsewoman),

rider; **Rei•te•rei** *f* cavalry; **Rei•ter•stand•bild** *n* equestrian statue; **Reit•ger•te** *f* riding crop; **Reit•ho•se** *f* riding-breeches *pl;* **Reit•peit•sche** *f* riding whip; **Reit•pferd** *n* saddle-horse; **Reit•schu•le** *n* riding school; **Reit•stie•fel** *m* riding-boot; **Reit•weg** *m* bridle-path

Reiz [raɪts] <-es, -e> *m* **1.** (*Anziehung*) attraction **2.** (*Anreiz*) stimulus; **der ~ des Neuen** the charm of novelty; **e-n ~ auf etw ausüben** act as a stimulus on s.th.; **e-n ~ auf jdn ausüben** hold great attractions for s.o.; **reiz•bar** *adj* sensitive, touchy; **er ist leicht ~** he is very irritable; **Reiz•bar•keit** *f* sensitivity [*o* irritability]

rei•zen *tr* **1.** (*Haut*) irritate **2.** (*verlocken*) appeal to **3.** (*provozieren*) provoke; **das könnte mich noch ~** that would appeal to me

rei•zend *adj* (*charmant*) charming, delightful; **das ist ja ~!** (*iro*) that's just dandy!

Reiz•kli•ma *nt* bracing climate; **reiz•los** *adj* dull; **Reiz•schwel•le** *f* **1.** (MED) stimulus threshold **2.** (MARKT) sales resistances *pl;* **Reiz•the•ma** *n* controversial issue; **Reiz•über•flu•tung** *f:* **bei der heutigen ~** with today's over-stimulation; **Rei•zung** *f* (MED) irritation; **reiz•voll** *adj* attractive, charming; **Reiz•wä•sche** *f* sexy underwear

re•keln ['re:kəln] *refl* loll about

Re•k•la•ma•ti•on [reklama'tsjo:n] *f* (COM) complaint; **Re•k•la•ma•ti•ons•ab•tei•lung** *f* complaints department

Re•k•la•me [re'kla:mə] <-, -n> *f* **1.** (*Reklamewesen*) advertising **2.** (*Anzeige*) advertisement; **~ machen für ...** advertise ...; **die Zeitung besteht zu 70% aus ~** 70% of the magazine is advertisement; **Re•k•la•me•schild** *nt* advertising hoarding [*o* sign]

re•k•la•mie•ren **I.** *tr* (*bemängeln*) query **II.** *itr* make a complaint

re•kons•tru•ie•ren [rekɔnstru'i:rən] *tr* reconstruct

Re•kon•va•les•zenz [rekɔnvalɛs'tsɛnts] <-> *f* (MED) reconvalescence

Re•kord [re'kɔrt] <-(e)s, -e> *m* record; **e-n ~ aufstellen** establish a record; **~e-n ~ brechen,** break a record; **e-n ~ einstellen** equal a record; **Re•kord•ge•winn** *m* record profit; **Re•kord•in•ha•ber(in)** *m(f)* record holder; **Re•kord•jahr** *nt* record year; **Re•kord•ver•lust** *m* record loss; **Re•kord•zeit** *f* record time

Re•krut [re'kru:t] <-en, -en> *m* recruit; **re•kru•tie•ren** *tr* recruit

Rek•tor(in) ['rɛktɔr] <-s, -en> *m(f)* **1.** (*an Universität*) vice-chancellor *Br,* rector *Am* **2.** (*an Schule*) headmaster (headmistress), principal *Am;* **Rek•to•rat** <-(e)s, -e> *n* **1.** (*Büro: Universität*) vice-chancellor's office *Br,* rector's office *Am;* (*Büro: Schule*) headmaster's study *Br,* principal's *Am,* room **2.** (*Amtszeit: Universitätsrektor*) vice-chancellorship *Br,* rectorship *Am*

Re•kul•ti•vie•rung *f* recultivation

Re•lais [rə'lɛ:] <-, -> *n* (EL) relay

Re•la•ti•on [relɑ'tsio:n] *f:* **das steht in keiner ~ zu ...** that bears no relation to ...

re•la•tiv [rela'ti:f/'---] **I.** *adj* relative **II.** *adv* relatively

Re•la•ti•vi•täts•the•o•rie *f* (PHYS) theory of relativity

re•le•vant [rele'vant] *adj* relevant

Re•li•ef [re'ljɛf] <-s, -s/-e> *n* relief

Re•li•gi•on [reli'gjo:n] *f* **1.** (REL) religion **2.** (PÄD: *Schulfach*) religious instruction; **Re•li•gi•ons•ge•mein•schaft** *f* religious community; **Re•li•gi•ons•frei•heit** *f* religious freedom; **Re•li•gi•ons•ge•schich•te** *f* history of religion; **re•li•gi•ons•los** *adj* (*atheistisch*) non-denominational; **Re•li•gi•ons•un•ter•richt** *m* religious instruction

re•li•gi•ös [reli'gjø:s] *adj* religious

Re•likt [re'lɪkt] <-(e)s, -e> *n* relic

Re•ling ['re:lɪŋ] <-, -s/(-e)> *f* (MAR) rail

Re•li•quie [re'li:kviə] <-, -n> *f* relic

Re•mis [rə'mi:] <-, -> *n* draw, deadlock

rem•peln ['rɛmpln] *itr* jostle, barge

Re•nais•sance [rənɛ'sã:s] <-, -n> *f* renaissance

Ren•dez•vous [rãde'vu:/'---] <-, -> *n* rendez-vous

Ren•di•te [rɛn'di:tə] <-, -n> *f* yield

re•ni•tent [reni'tɛnt] *adj* obstinate, refractory

Renn•bahn *f* track

Ren•nen <-s, -> *n:* **zum ~ gehen** (*Pferde~*) go to the races *pl;* (*Auto~*) go to the racing; **gut im ~ liegen** be well placed; **das ~ aufgeben** drop out; **das ~ machen** win the race

ren•nen ['rɛnən] *irr itr* **1.** (*laufen*) run **2.** (MOT) race; **um die Wette ~** have a race; **gegen jdn ~** bump into s.o.

Ren•ner *m* (COM) winner

Renn•fah•rer(in) *m(f)* **1.** (*Fahrrad~*) racing cyclist **2.** (MOT) racing driver; **Renn•pferd** *n* racehorse; **Renn•rad** *n* racing bike; **Renn•sport** *m* racing; **Renn•stall** *m* stable; **Renn•stre•cke** *f* **1.** (MOT) track **2.** (SPORT) course; (*für Läufer*) distance; **Renn•wa•gen** *m* racing car

Re•nom•mee [renɔ'me:] <-s, -s> *n* (*Ruf*) reputation; **re•nom•mie•ren** *itr* show off; **re•nom•miert** *adj* renowned (*wegen* for)

re•no•vie•ren [reno'vi:rən] *tr* renovate; **Re•no•vie•rung** *f* renovation

ren•ta•bel [rɛn'ta:bəl] *adj* profitable; **das ist e-e rentable Sache** it will pay; **Ren•ta•bi•li•tät** *f* profitability; **Ren•ta•bi•li•täts•be•rech•nung** *f* investment appraisal; **Ren•ta•bi•li•täts•stei•ge•rung** *f* increase in profitability

Ren•te ['rɛntə] <-, -n> *f* **1.** (*Alters~*) (old age) pension **2.** (*Zinseinkünfte*) income; **Ren•ten•al•ter** *n* retirement age; **Ren•ten•an•lei•he** *f* annuity bond; **Ren•ten•an•pas•sung** *f* index-linking of pensions; **Ren•ten•an•spruch** *m* right to a pension; **Ren•ten•bank** *f* public mortgage bank; **Ren•ten•ba•sis** *f* annuity basis; **Ren•ten•bei•trag** *m* pension payment; **ren•ten•be•rech•tigt** *adj* entitled to a pension; **Ren•ten•emp•fän•ger(in)** *m(f)* pensioner; **Ren•ten•fi•nan•zie•rung** *f* financing of pensions; **Ren•ten•fonds** *m* (FIN) annuity fund; **Ren•ten•markt** *m* (FIN) fixed-interest market; **Ren•ten•plan** *m* pension plan; **Ren•ten•ver•si•che•rung** *f* pension (insurance) scheme; **Ren•ten•ver•si•che•rungs•bei•trag** *m* pension scheme contribution; **Ren•ten•ver•si•che•rungs•sys•tem** *n* pension insurance system; **Ren•ten•wer•te** *pl* (FIN) fixed interest securities

Ren•tier ['rɛnti:ɐ] <-s, -e> *m* (ZOO) reindeer

ren•tie•ren *refl:* **es rentiert sich nicht das zu tun** it's not worthwhile doing it; **das rentiert sich nicht** it's not worth it

Rent•ner(in) ['rɛntnɐ] <-s, -> *m(f)* (old age) pensioner

Re•or•ga•ni•sa•ti•on *f* reorganisation; **re•or•ga•ni•sie•ren** *tr* reorganise

Re•pa•ra•tur [repəra'tu:ɐ] *f* repair; **in ~** being repaired; **etw in ~ geben** have s.th. repaired; **re•pa•ra•tur•be•dürf•tig** *adj* in need [*o* want] of repair; **Re•pa•ra•tur•kos•ten** *pl* repair costs; **Re•pa•ra•tur•werk•statt** *f* (*allgemein*) workshop; (MOT) garage

re•pa•rie•ren [repa'ri:rən] *tr* repair; (*ausbessern*) mend

Re•per•toire [repɛr'toa:ɐ] <-s, -s> *n* repertoire

Re•por•t(a•ge) [repɔr'ta:ʒə] <-, -n> *m* (*Bericht*) report; **Re•por•ter(in)** [re'pɔrtɐ] *m(f)* reporter

Re•prä•sen•tant(in) [reprɛzɛn'tant] <-en, -en> *m(f)* representative; **Re•prä•sen•tan•ten•haus** *n* (PARL) House of Representatives *Am*

Re•prä•sen•tanz <-, -en> *f* branch

Re•prä•sen•ta•ti•on <-, -en> *f* representation; **re•prä•sen•ta•tiv** [----'-] *adj* **1.** (*typisch*) representative (*für* of) **2.** (*prestigehaft*) prestigious; **Re•prä•sen•ta•tiv•er•he•bung** *f* sample survey; **re•prä•sen•tie•ren** *tr* (*darstellen*) represent

Re•pres•sa•lien [reprɛ'sa:liən] *fpl* reprisals; **~ ergreifen** take reprisals

re•pres•siv [--'-] *adj* repressive

re•pri•va•ti•sie•ren *tr* reprivatise

Re•pro•duk•ti•on *f* reproduction; **re•pro•du•zie•ren** *tr* reproduce

Rep•til [rɛp'ti:l] <-s, -ien/-e> *n* reptile

Re•pu•blik [repu'bli:k] <-, -en> *f* republic; **Re•pu•bli•ka•ner(in)** *m(f)* (POL) republican; **re•pu•bli•ka•nisch** *adj* republican

Re•qui•em ['re:kviɛm] <-s, -s> *n* requiem

re•qui•rie•ren [rekvi'ri:rən] *tr* (MIL) requisition

Re•qui•si•ten [rekvi'zi:tən] *npl* (THEAT) properties

resch *adj* (*österr: knusprig*) crisp

Re•ser•vat *n* **1.** (*für Menschen*) reservation **2.** (*für Tiere*) reserve

Re•ser•ve [re'zɛrvə] <-, -n> *f* reserve (*an* of); (*Geld~*) reserve fund; **in ~ haben** have in reserve; **jdn aus der ~ locken** (*fig*) bring s.o. out of his shell; **Re•ser•ve•ka•nis•ter** *m* (MOT) spare tank; **Re•ser•ve•of•fi•zier** *m* reserve officer; **Re•ser•ve•rad** *n* (MOT) spare wheel; **Re•ser•ve•spie•ler(in)** *m(f)* (SPORT) reserve

re•ser•vie•ren *tr* reserve; **re•ser•viert** *adj* reserved

Re•ser•vist *m* (MIL) reservist

Re•ser•voir [rezɛr'voa:ɐ] <-s, -e> *n* reservoir

Re•si•denz [rezi'den(t)s] *f* **1.** (*Wohnung*) residence **2.** (*~stadt*) royal capital

re•si•die•ren *itr* reside

Re•si•gna•ti•on [rezɪgna'tsjo:n] *f* resignation; **in ~ verfallen** become resigned

re•si•gnie•ren *itr* resign

re•so•lut [rezo'lu:t] *adj* (*entschlossen*) decisive

Re•so•lu•ti•on <-, -en> *f* resolution

Re•so•nanz [rezo'nants] <-, -en> *f:* **(keine) große ~ finden** meet with (little) good response

Res•sour•cen [rɛ'sʊrsə] <-> *pl* resources

Re•s•pekt [re'spɛkt] <-(e)s> *m* respect; **bei allem ~** with all due respect; **allen ~!** well done!; **re•s•pek•tie•ren** *tr* respect; **re•s•pekt•los** *adj* disrespectful; **re•s•pekt•voll** *adj* respectful

Res•sort [rɛ'so:ɐ] <-s, -s> *n* (*Abteilung*) department; **das gehört nicht zu meinem ~** (*fig*) that's out of my line; **das fällt in sein ~** (*fig*) that's his department

Rest [rɛst] <-(e)s, -e> *m* rest; (MATH) remainder; (*Stoff~*) remnant; **der ~ ist für Sie!** (*Trinkgeld*) keep the change!; **jdm den ~ geben** (*fig fam*) finish s.o. off; **der letzte ~** the last bit; **den ~ mache ich** I'll do the rest; **Rest•be•trag** *m* remaining sum

Res•tau•rant [rɛsto'rãː] <-s, -s> *n* restaurant

Res•tau•ra•tor(in) [restaʊ'raːtoːɐ] <-s, -en> *m(f)* restorer

res•tau•rie•ren *tr* restore

Rest•be•stand *m* remaining stock; **Rest•be•trag** *m* remaining sum

Res•te•ver•kauf *m* remnants sale

rest•lich *adj* remaining

rest•los **I.** *adj* complete **II.** *adv* entirely, completely

Rest•pos•ten *m* remaining stock

Res•trik•ti•on [restrik'tsjoːn] <-, -en> *f* restriction; **res•trik•tiv** *adj* restrictive

Rest•ri•si•ko *n* residual risk; **Rest•stoff** *m* residual [*o* recyclable] material; **Rest•sum•me** *f* balance, amount remaining; **Rest•wert** *m* residual; **Rest•zah•lung** *f* final payment

Re•sul•tat [rezʊl'taːt] <-(e)s, -e> *n* (*Ergebnis*) result; **zu e-m ~ kommen** arrive at a conclusion; **~e erzielen** get results

re•sul•tie•ren *itr* result (*aus* from)

Re•tor•te [re'tɔrtə] <-, -n> *f* retort; **aus der ~** (*pej*) synthetic; **Re•tor•ten•ba•by** *n* test-tube baby

Re•tour•bil•let [rətuːr-] *n* return ticket *CH*, round-trip ticket *Am*

Re•tour•geld *n* (*CH*) change

ret•ten ['rɛtən] **I.** *tr* (*er~*) save (*vor etw* from s.th.); (*befreien*) rescue; **bist du noch zu ~?** are you out of your mind? **II.** *refl* escape; **sich vor etw nicht ~ können** (*fig*) be swamped with s.th.

Ret•ter(in) *m(f)* rescuer, saviour; (*lit*) deliverer

Ret•tich ['rɛtɪç] <-s, -e> *m* (BOT) radish

Ret•tung *f* rescue; **jds letzte ~ sein** be someone's last hope; **Ret•tungs•ak•ti•on** *f* rescue (campaign); **Ret•tungs•boot** *n* lifeboat; **Ret•tungs•flug•wacht** *f* air rescue service; **Ret•tungs•hub•schrau•ber** *m* rescue helicopter; **Ret•tungs•in•sel** *f* (MAR) inflatable life raft; **ret•tungs•los** **I.** *adj:* **die Lage ist ~** the situation is hopeless **II.** *adv:* **~ verloren sein** be hopelessly lost; **Ret•tungs•mann•schaft** *f* rescue team; **Ret•tungs•ring** *m* lifebelt; **Ret•tungs•wa•gen** *m* ambulance, rescue vehicle

re•tu•schie•ren [retu'ʃiːrən] *tr* (*a. fig*) retouch, touch up

Reue ['rɔɪə] <-> *f* remorse, repentance (*über* of); **reu•en** *tr:* **jdn reut es(,) etw getan zu haben** s.o. regrets having done s.th.; **reu•mü•tig** ['rɔɪmyːtɪç] *adj* remorseful, contrite, repentant

Reu•se ['rɔɪzə] <-, -n> *f* fish trap

Re•van•che [re'vãːʃ(ə)] <-, -n> *f* **1.** (*allgemein*) revenge **2.** (*Spiel*) return match; **jdm ~ geben** let s.o. have his (her) return match; **Re•van•che•spiel** *n* return-match; **re•van•chie•ren** *refl* **1.** (*sich rächen*) take one's revenge (*bei jdm für etw* on s.o. for s.th.) **2.** (*sich erkenntlich zeigen*): **ich revanchiere mich gelegentlich!** I'll return the compliment some time!

Re•vers [re'veːɐ] <-, -> *n* reverse

re•vi•die•ren [revi'diːrən] *tr* revise

Re•vier [re'viːɐ] <-s, -e> *n* **1.** (*fig hum*) district **2.** (*Jagd~*) hunting ground **3.** (*Polizei~*) beat *Br*, precinct *Am* **4.** (*Polizeistation*) police station *Br*, station house *Am* **5.** (MIL: *Kranken~*) sick-bay

Re•vi•si•on *f* **1.** (*Überprüfung*) revision **2.** (JUR) appeal; **~ einlegen** lodge an appeal (*bei* with); **Re•vi•si•ons•ab•tei•lung** *f* audit department

Re•vi•sor(in) <-s, -en> *m(f)* auditor

Re•vol•te [re'vɔltə] <-, -n> *f* revolt; **re•vol•tie•ren** *itr* revolt

Re•vo•lu•ti•on [revolu'tsjoːn] *f* revolution; **re•vo•lu•tio•när** *adj* revolutionary; **Re•vo•lu•tio•när(in)** *m(f)* revolutionary

Re•vol•ver [re'vɔlvɐ] <-s, -> *m* revolver *Br*, gun *Am;* **Re•vol•ver•blatt** *n* (*pej*) scandal sheet; **Re•vol•ver•lauf** *m* barrel

Re•vue [re'vyː] <-, -n> *f* (THEAT) revue; **etw ~ passieren lassen** (*fig*) pass s.th. in review

Re•zen•sent(in) [retsɛn'zɛnt] *m(f)* reviewer; **re•zen•sie•ren** *tr* review; **Re•zen•si•on** *f* review; **Re•zen•si•ons•ex•em•plar** *f* review copy

Re•zept [re'tsɛpt] <-(e)s, -e> *n* **1.** (MED) prescription **2.** (*Koch~*) recipe **3.** (*fig*) cure (*für, gegen* for)

Re•zep•ti•on *f* (*in Hotel*) reception

re•zept•pflich•tig *adj* available on prescription

Re•zep•tur <-, -en> *f* dispensing

Re•zes•si•on [retsɛ'sjoːn] *f* recession

re•zi•tie•ren [retsi'tiːrən] *tr itr* recite

Rha•bar•ber [ra'barbɐ] <-s> *m* rhubarb

Rhein [raɪn] <-(e)s> *m* Rhine; **Rhein•ar•mee** *f* (MIL) British Army on the Rhine

Rhe•sus•fak•tor *m* (MED) rhesus factor; **Rhe•sus•un•ver•träg•lich•keit** *f* rhesus incompatibility

Rhe•to•rik [re'toːrɪk] <-, -en> *f* rhetoric; **rhe•to•risch** *adj* rhetorical

Rheu•ma ['rɔɪma] <-s> *n* rheumatism; **Rheu•ma•fak•to•ren** *mpl* rheumatoid factors; **Rheu•ma•mit•tel** *n* cure for rheumatics; **rheu•ma•tisch** *adj* rheumatic; **Rheu•ma•tis•mus** *m* rheumatism; **Rheu•ma•to•lo•ge** *m* rheumatologist

Rhi•no•ze•ros [ri'noːtserɔs] <-/-ses, -se> *n* (ZOO) rhinoceros

Rhom•bus ['rɔmbʊs] <-, -ben> *m* rhomb(us)
rhyth•misch *adj* rhythmical
Rhyth•mus ['rʏtmʊs] <-, -men> *m* rhythm
Ri•bi•sel ['riːbiːzl] <-, -n> *f* (*österr*): **rote (schwarze)** ~ redcurrant (blackcurrant)
Richt•an•ten•ne *f* (RADIO) directional aerial
rich•ten[1] ['rɪçtən] **I.** *tr* **1.** (*lenken*) direct (*auf* towards); (*Lichtstrahl*) turn (*auf* on); (*zielen*) point (*auf* at) **2.** (*in Ordnung bringen*) fix **3.** (*zubereiten, vorbereiten*) prepare **II.** *refl* **1.** (*sich wenden*) be directed (*auf* towards) **2.** (*fig: herantreten an*) consult **3.** (*fig: gemeint sein gegen*) be aimed at; **ich richte mich ganz nach dir** I'll fit in with you
rich•ten[2] *itr* (*urteilen*) judge (*über jdn* s.o.)
Rich•ter(in) *m(f)* judge; **vor den ~ bringen** take to court; **rich•ter•lich** *adj* judicial; **Rich•ter•spruch** *m* (JUR) judgment
Richt•funk•ver•bin•dung *f* (RADIO) directional radio link
Richt•ge•schwin•dig•keit *f* (MOT) recommended speed
rich•tig ['rɪçtɪç] **I.** *adj* **1.** (*nicht falsch*) correct, right **2.** (*wirklich*) proper, real; **es ist nicht ~ zu lügen** it is not right to lie; **du bist wohl nicht ganz ~!** (*fam*) you must be out of your mind!; **bin ich hier ~ nach Coventry?** is this the right road to Coventry?; **etw ~ machen** do s.th. the right way; **das ist die ~e Einstellung!** that's the right way of looking at it! **II.** *adv* **1.** (*korrekt*) correctly, right **2.** (*fig: geradezu*) really; **geht deine Uhr ~?** is your watch right?; **~!** (*stimmt!*) that's right!; **wenn ich mich ~ erinnere ...** if I remember correctly ...; **wenn man es ~ nimmt ...** properly speaking ...; **etw ~ stellen**[RR] (*berichtigen*) correct s.th.; **jdn ~ stellen**[RR] put s.o. right; **rich•tig•ge•hend I.** *adj* (*echt*) veritable **II.** *adv* (*wirklich*) really; **Rich•tig•keit** *f* accuracy, correctness; **das hat schon s-e ~** it's right enough; **rich•tig|stel•len** *s.* **richtig**
Richt•li•nien *fpl* guidelines; **Richt•preis** *m:* **unverbindlicher ~** recommended price; **Richt•schnur** <-> *f* guiding principle
Rich•tung *f* **1.** direction **2.** (*fig: Ansicht, Meinung, Tendenz*) trend; **ich fahre ~ Frankfurt** I'm heading for Frankfurt; **in jeder ~** each way; **etw in dieser ~** (*fig*) something along these lines; **die herrschende ~** the prevailing trend
rich•tung•wei•send *adj* (*fig*) guiding
Richt•wert *m* guide value, guideline
rie•chen ['riːçən] *irr tr itr* smell; **nach etw ~** smell of s.th.; **an etw ~** smell at s.th.; **gut (schlecht)** ~ smell good (bad); **er kann mich nicht ~** (*fig fam*) he hates my guts; **(das) kann ich doch nicht ~!** (*fig fam*) I'm not psychic!; **riechend** *adj:* **übel ~**[RR] evil-smelling
Rie•cher *m:* **e-en guten ~ für etw haben** have a nose for s.th.
Rie•ge <-, -n> *f* (SPORT) team, squad
Rie•gel ['riːgəl] <-s, -> *m* **1.** (*Schloss~*) bolt **2.** (*Stück*) bar; **den ~ vorlegen** bolt the door; **e-r Sache e-n ~ vorschieben** (*fig*) put a stop to s.th.
Rie•men[1] *m* (*Ruder~*) oar; **sich in die ~ legen** (*a. fig*) put one's back into it
Rie•men[2] ['riːmən] <-s, -> *m* (*Gürtel~*) strap; (*Schuh~*) leather shoelace; (*Peitschen~*) thong; (*Treib~*) belt; **den ~ enger schnallen** (*a. fig*) tighten one's belt; **sich am ~ reißen** (*fig*) get a grip on o.s.
Rie•se ['riːzə] <-n, -n> *m* giant; **nach Adam ~ bleiben noch 20 Mark übrig** that will leave 20 marks as my arithmetic tells me
Rie•sel•fel•der *pl* sewage farm *sing*
rie•seln ['riːzəln] *sein itr* **1.** (*Flüssigkeit*) trickle **2.** (*Schnee*) float down
Rie•sen•auf•trag *m* massive order; **Rie•sen•ge•winn** *m* huge profit; **rie•sen•groß** *adj* gigantic; **rie•sen•haft** *adj* colossal, gigantic; **Rie•sen•rad** *n* Ferris wheel; **Rie•sen•schlan•ge** *f* boa; **Rie•sen•schrit•te** *pl* giant strides; **sich mit ~n nähern** (*fig*) be drawing on apace; **Rie•sen•wuchs** *m* gigantism
Riff [rɪf] <-(e)s, -e> *n* reef
ri•go•ros [rigo'roːs] *adj* rigorous
Ril•le ['rɪlə] <-, -n> *f* groove
Rind [rɪnt] <-(e)s, -er> *n* **1.** (*Tier*) cow **2.** (*~fleisch*) beef; **~er** cattle
Rin•de ['rɪndə] <-, -n> *f* (*von Käse*) rind; (*Baum~*) bark; (*Brot~*) crust
Rin•der•bra•ten *m* **1.** (*Bratstück*) joint of beef **2.** (*Speise*) roast beef; **Rin•der•fi•let** *n* fillet of beef; **Rin•der•wahn•sinn** *m* mad cows disease; **Rind•fleisch** *n* beef; **Rinds•le•der** *n* leather; **Rind•vieh** *n* **1.** cattle **2.** (*fig: Schimpfwort*) ass
Ring [rɪŋ] <-(e)s, -e> *m* ring; **in den ~ steigen** (SPORT) climb into the ring
Ring•buch *n* ring binder
Rin•gel•blu•me *f* marigold
rin•geln ['rɪŋəln] *tr refl* curl; (*Schlange*) wriggle; **sich um etw ~** curl itself around s.th.
Rin•gel•nat•ter *f* grass snake
Rin•gel•spiel *nt* (*österr: Karussell*) roundabout
rin•gen ['rɪŋən] *irr itr* **1.** (SPORT: *Ringkampf machen*) wrestle (*mit* with) **2.** (*fig: kämpfen*) struggle (*um* for); **die Hände ~**

wring one's hands; **nach Atem** ~ gasp for breath; **Rin•ger(in)** *m(f)* wrestler
Ring•fin•ger *m* ring finger
ring•för•mig *adj* ring-like; ~ **umschließen** encircle
Ring•kampf *m* (SPORT) wrestling match
Ring•lei•tung *f* (TECH) circular main
rings [rɪŋs] *adv* all around; **sich ~ im Kreis aufstellen** make a circle
Ring•stra•ße *f* ring road
rings•um•her ['--'-] *adv* around
Rin•ne ['rɪnə] <-, -n> *f* **1.** (*Rille*) groove **2.** (*Abfluss~*) channel; **rin•nen** *sein irr itr* (*fließen*) run
Rinn•sal ['rɪnza:l] <-(e)s, -e> *n* rivulet
Rinn•stein *m* gutter; **im ~ enden** (*fig*) come to a sorry end
Ripp•chen ['rɪpçən] <-s, -> *n* (*Speise*) spare ribs *pl*
Rip•pe ['rɪpə] <-, -n> *f* **1.** (ANAT) rib **2.** (TECH: *Metallsegment*) fin; **nichts auf den ~n haben** (*fig*) be just skin and bones
Rip•pen•fell•ent•zün•dung *f* pleurisy
Ri•si•ko ['ri:ziko] <-s, -s/-ken> *n* risk; **ein ~ eingehen** take a risk; **das ~ eingehen(,) etw zu tun** take the risk of doing s.th.; **etw auf eigenes ~ tun** do s.th. at one's own risk; **Ri•si•ko•aus•gleich** *m* balancing of risk; **Ri•si•ko•fak•tor** *m* risk factor; **ri•si•ko•frei** *adj* risk-free, without risk; **Ri•si•ko•grup•pe** *f* (high) risk group; **ri•si•ko•los** *adj* risk-free, without risk; **ri•si•ko•reich** *adj* risky; **Ri•si•ko•schwan•ger•schaft** *f* high risk pregnancy; **Ri•si•ko•ver•si•che•rung** *f* term insurance
ris•kant [rɪs'kant] *adj* risky
ris•kie•ren *tr* risk; **das riskiere ich!** I'll risk it!; **sie wird es heute nicht ~ zu kommen** she won't risk coming today; **du riskierst deine Stelle** you'll risk losing your job
Riss[RR] [rɪs] <-es, -e> *m* **1.** (*in Stoff etc*) rip, tear **2.** (*Sprung*) crack **3.** (*Spalt*) crevice
ris•sig *adj* cracked; (*Haut*) chapped; ~ **werden** crack
Rist [rɪst] <-es, -e> *m* **1.** (*des Fußes*) instep **2.** (*der Hand*) back of the hand **3.** (*Pferde~*) withers *pl*
Ritt [rɪt] <-(e)s, -e> *m* ride; **e-n ~ machen** go for a ride
Rit•ter ['rɪtɐ] <-s, -> *m* (HIST) knight; **jdn zum ~ schlagen** knight s.o.; **Rit•ter•burg** *f* knight's castle; **Rit•ter•kreuz** *n* (MIL) Knight's Cross; **rit•ter•lich** *adj* **1.** knightly **2.** (*fig*) chivalrous; **Rit•ter•rüs•tung** *f* (HIST) knight's armour
ritt•lings ['rɪtlɪŋs] *adv* astride (*auf etw* s.th.)
Ri•tu•al [ritu'a:l] <-s, -e/-ien> *n* ritual
ri•tu•ell *adj* ritual
Ri•tus ['ri:tʊs] <-, -ten> *m* rite
Ritz [rɪts] <-es, -e> *m* **1.** (*Ritzer*) scratch **2.** (*Spalte*) crack
Rit•ze <-, -n> *f* (*Spalt*) crack; (*Fuge*) join, gap
rit•zen I. *tr* **1.** (*kratzen*) scratch **2.** (*ein~*) carve **II.** *refl* (*sich verletzen*) scratch o.s.
Ri•va•le [ri'va:lə] <-n, -n> *m*, **Ri•va•lin** *f* rival; **ri•va•li•sie•ren** *itr:* **mit jdm ~** compete with s.o.; **ri•va•li•sie•rend** *adj* rival; **Ri•va•li•tät** *f* rivalry
Ri•zi•nus ['ri:tsinʊs] <-, -/-se> *n* **1.** (*~öl*) castor-oil **2.** (*~pflanze*) castor-oil plant
RNS *f Abk. von* **Ribonukleinsäure** RNA
Rob•be ['rɔbə] <-, -n> *f* seal
rob•ben *sein itr* (MIL) crawl
Ro•be ['ro:bə] <-, -n> *f* **1.** (*Amts~*) robe **2.** (*Abendkleid*) gown
Ro•bo•ter ['rɔbɔtɐ] <-s, -> *m* robot
ro•bust [ro'bʊst] *adj* **1.** (*widerstandsfähig*) robust **2.** (*kräftig gebaut*) rough
Rö•cheln ['rœçəln] *n* groan
rö•cheln *itr* groan
Ro•chen ['rɔxən] <-s, -> *m* (ZOO) ray
Rock [rɔk, *pl:* 'rœkə] <-(e)s, ¨-e> *m* **1.** (*Kleidungsstück*) skirt **2.** (*Musik*) rock
Ro•cker ['rɔkɐ] <-s, -> *m* rocker; **Ro•cker•ban•de** *f* gang of rockers
Rock•fes•ti•val *n* (MUS) rock festival
ro•ckig *adj* (MUS) rocky
Ro•del ['ro:dəl] <-s, -> *m* sleigh, toboggan; **Ro•del•bahn** *f* toboggan-run; **ro•deln** *sein itr* sledge, toboggan
ro•den ['ro:dən] *tr* clear; **Ro•dung** *f* clearing
Ro•gen ['ro:gən] <-s, -> *m* roe
Rog•gen ['rɔgən] <-s, (-)> *m* rye; **Rog•gen•brot** *n* rye bread
roh [ro:] *adj* **1.** (*unfertig*) raw **2.** (*unbearbeitet*) rough; **jdn wie ein ~es Ei behandeln** (*fig*) kid-glove s.o.; **~e Gewalt** brute force; **Roh•bau** *m* shell; **im ~ fertig sein** be structurally complete; **Ro•heit** *f s.* **Rohheit**; **Roh•er•trag** *m* gross yield; **Roh•erz** *n* raw ore; **Roh•ge•winn** *m* gross profit; **Roh•heit**[RR] ['ro:haɪt] *f* **1.** (*Grobheit*) rudeness **2.** (*Brutalität*) brutality; **Roh•kost** *f* raw fruit and vegetables
Roh•ling *m* **1.** (*brutaler Mensch*) brute *Br*, ruffian, thug *Am* **2.** (TECH: *Rohblock*) blank
Roh•öl *n* crude oil
Rohr [ro:ɐ] <-(e)s, -e> *n* **1.** (*Röhre*) pipe **2.** (BOT: *Schilf*) reed; **Rohr•bruch** *m* burst pipe
Röh•re ['rø:rə] <-, -n> *f* **1.** (*Rohr*) tube **2.** (*Tiergang*) gallery; **in die ~ gucken** (*leer ausgehen*) not get one's dues; (*fam: TV schauen*) watch telly *Br*, watch the tube *Am*
rö(h)•ren ['rø:rən] *itr* (*Hirsch*) bell
Röh•ren•ver•stär•ker *m* valve amplifier

Rohr•lei•tung *f* pipe
Rohr•mat•te *f* (*als Sichtschutz*) reed mat
Rohr•mö•bel *pl* cane furniture *sing*
Rohr•netz *n* service system; **Rohr•post** *f* pneumatic dispatch system; **Rohr•schel•le** *f* (TECH) pipe clip
Rohr•stuhl *m* wickerwork chair
Rohr•zu•cker *m* cane sugar
Roh•sei•de *f* wild silk; **Roh•stoff** *m* raw material; **Roh•stoff•aus•beu•te** *f* raw material yield; **Roh•stoff•man•gel** *m* shortage of raw materials; **Roh•stoff•preis** *m* commodity price; **Roh•stoff•re•ser•ven** *pl* reserves of raw materials *pl;* **Roh•stoff•ver•ar•bei•tung** *f* processing of raw materials; **Roh•stoff•ver•knap•pung** *f* scarcity of resources; **Roh•zu•stand** *m:* **im ~** in its rough state
Ro•ko•ko ['rɔkoko] <-(s)> *n* rococo
Rol•la•den *m s.* **Rollladen**
Roll•bahn *f* **1.** (AERO: *Startbahn*) runway **2.** (AERO: *Zubringer~*) taxiway
Roll•bra•ten *m* roast
Roll•brett *n* skateboard
Rol•le ['rɔlə] <-, -n> *f* **1.** (*Gerolltes*) roll **2.** (*Garn~*) reel **3.** (TECH: *Möbelroller*) castor **4.** (SPORT) forward roll **5.** (FILM THEAT) part, role; **spielt keine ~!** never mind!; **das spielt hier keine ~!** that doesn't concern us now!; **e-e ~ machen** (SPORT) do a forward roll
rol•len *haben* **I.** *tr* **1.** roll **2.** (*auf~*) roll up **II.** *refl* curl up **III.** *itr* **1.** roll **2.** (*fig: Donner*) rumble **3.** (MAR: *schlingern*) roll; **den Stein ins R~ bringen** (*fig*) start the ball rolling
Rol•len•bild *n* role model; **Rol•len•spiel** *n* role play
Rol•ler <-s, -> *m* **1.** (*Spielzeug*) scooter **2.** (*Motor~*) motor scooter
Roll•feld *n* (AERO) runway; **Roll•film** *m* rollfilm; **Roll•geld** *n* carriage
Roll•kra•gen•pul•li *m* polo-neck, roll-neck sweater
Roll•la•den[RR] *m* shutters *pl*
Roll•schrank *m* roll-fronted cupboard; **Roll•schuh** *m* roller skate; **~ laufen** rollerskate; **Roll•splitt** *m* (loose) chippings; **Roll•stuhl** *m* wheel-chair; **an den ~ gefesselt** confined to a wheelchair; **Roll•stuhl•fah•rer(in)** *m(f)* spastic; **roll•stuhl•ge•recht** *adj* suitable for wheel chairs; **Roll•trep•pe** *f* escalator
ROM <-s, -s> (EDV) *Abk. von* **Read Only Memory** ROM
Roma ['ro:ma] *pl* Romany
Ro•man [ro'ma:n] <-s, -e> *m* novel; **ro•man•haft** *adj* like a novel
ro•ma•nisch *adj:* **~e Sprachen** Romance languages; **~er Stil** Romanesque style
Ro•ma•nis•tik [roma'nɪstɪk] <-> *f* Romance studies
Ro•man•schrift•stel•ler(in) *m(f)* novelist
Ro•man•tik [ro'mantɪk] *f* Romanticism; **ro•man•tisch** *adj* romantic
Rö•mer(in) [rø:mɐ] <-s, -> *m(f)* Roman; **rö•misch** *adj* Roman; **~ 12** 12 in Roman numerals
rönt•gen ['rœntgən] *tr* X-ray; **Rönt•gen•auf•nah•me** *f n* X-ray; **Rönt•gen•ge•rät** *n* X-ray equipment; **Rönt•gen•pass**[RR] *m* X-ray registration card; **Rönt•gen•strah•len** *mpl* X-rays
Ro•sé [ro'ze:] <-(s), (-s)> *m* (*Wein*) rosé
Ro•sa ['ro:za] *n* pink
ro•sa *adj* pink; **etw durch die ~ Brille sehen** (*fig*) see s.th. through rose-coloured glasses
Ro•se ['ro:zə] <-, -n> *f* rose
Ro•sen•kohl *m* Brussels sprouts *pl;* **Ro•sen•kranz** *m* rosary; **Ro•sen•mon•tag** *m* Shrove Monday; **Ro•sen•stock** *m* rose tree
Ro•set•te [ro'zɛtə] <-, -n> *f* rosette
ro•sig *adj* rosy; **~e Aussichten** (*fig*) rosy prospects; **die Lage sieht nicht sehr ~ aus** (*fig*) things don't look too rosy
Ro•si•ne [ro'zi:nə] <-, -n> *f* raisin
Ros•ma•rin ['ro:smari:n] <-s> *n* rosemary
Ross[RR] [rɔs] <-es, -e> *n* horse; (*poet*) steed; **auf dem hohen ~ sitzen** (*fig*) be on one's high horse; **Ross•kas•ta•nie**[RR] *f* horse chestnut; **Ross•kur**[RR] *f* kill-or-cure remedy; **e-e ~ machen** follow a drastic cure
Rost[1] [rɔst] <-(e)s, -e> *m* (*auf Metall*) rust; **~ ansetzen** start to rust
Rost[2] <-es> *m* (*Brat~*) grill; **Rost•bra•ten** *m* roast
ros•ten *itr* get rusty, rust
rös•ten ['rœstən] *tr* (*Brot*) toast; (*Kaffee*) roast
rost•frei *adj* stainless
Rös•ti *pl* <-> fried grated potatoes
ros•tig *adj* (*a. fig*) rusty
Rost•schutz•far•be *f* anti-rust paint; **Rost•schutz•mit•tel** *n* rust-proofer; **Rost•um•wand•ler** *m* (MOT) rust converter
Rot <-(s), -(s)> *n* red; **bei ~ über die Ampel fahren** jump the lights
rot [ro:t] *adj* red; **~ sehen** (*fig*) see red; **~ werden** blush; **da habe ich vielleicht e-n ~en Kopf bekommen!** was my face red!; **Fehler ~ unterstreichen** underline mistakes in red; **~ glühend**[RR] red-hot
Ro•ta•ti•ons•prin•zip *n* (POL) rota system
rot•blond *adj* strawberry blonde; **~es Haar** sandy hair; **rot•braun** *adj* reddish brown; **Rot•bu•che** *f* (common European) beech;

Rot•dorn <-(e)s, -e> *m* (BOT) pink hawthorn

Rö•te ['røːtə] <-> *f* red, redness

Ro•te-Ar•mee-Frak•ti•on *f* Red Army Faction

Rö•tel ['røːtəl] <-s, -> *m* red chalk

Rö•teln ['røːtəln] *pl* (MED) German measles *sing*

rö•ten I. *tr* redden II. *refl* turn red

rot•glü•hend *adj s.* **rot**; **rot•haa•rig** *adj* red-haired

ro•tie•ren [ro'tiːrən] *itr* rotate; **am R~ sein** (*fig fam*) be rushing around like a mad thing

Rot•käpp•chen ['roːtkɛpçən] *n* (*poet*) Little Red Riding-hood

Rot•kehl•chen *n* (ORN) robin

Rot•kohl *m* red cabbage

röt•lich ['røːtlɪç] *adj* reddish

Rot•licht•vier•tel *n* red-light district

Rot•stift *m* red pencil; **dem ~ zum Opfer fallen** be scrapped

Rot•te ['rɔtə] <-, -n> *f* (*Bande*) gang

Rot•wein *m* red wine; **Rot•wild** *n* red deer

Rotz [rɔts] <-es> *m* (*fam*) snot; **rot•zen** *itr* (*fam*) blow one's nose; **Rotz•fah•ne** *f* (*sl*) snot-rag; **rot•zig** *adj* snotty; **Rotz•na•se** *f* (*pej*) snotty(-nosed) kid *pej*

Rou•la•de [ru'laːdə] <-, -n> *f* beef olive

Rou•leau [ru'loː] <-s, -s> *n* roller blind

Rou•lette [ru'lɛt] <-s, -s> *f* roulette

Rou•te ['ruːtə] <-, -n> *f* route

Rou•ti•ne [ru'tiːnə] <-> *f* routine; **zur ~ werden** become routine; **Rou•ti•ne•an•ruf** *m* routine phone call; **Rou•ti•ne•ar•beit** *f* routine work; **rou•ti•ne•mä•ßig** *adj* routine; **Rou•ti•ne•prü•fung** *f* routine check; **rou•ti•niert** *adj* experienced

Row•dy ['raʊdi] <-s, -s> *m* hooligan

Rub•bel•mas•sa•ge *f* body scrub

rub•beln ['rʊbln] *itr* rub, scratch

Rü•be ['ryːbə] <-, -n> *f* **1.** (BOT): **gelbe ~** carrot; **weiße ~** turnip **2.** (*sl: Kopf*) nut; **jdm eins über die ~ geben** give s.o. a crack on the nut

Ru•bel ['ruːbəl] <-s, -> *m* rouble

Ru•bin [ru'biːn] <-s, -e> *m* ruby

Ru•brik [ru'briːk] <-, -en> *f* **1.** (*Zeitungsspalte*) column **2.** (*Kategorie*) category

ruch•bar ['ruːxbaːɐ] *adj:* **eine S wird ~** s.th. becomes known

ruch•los [ruːxloːs] *adj* dastardly

Ruck [rʊk] <-(e)s, -e> *m* **1.** (*Stoß*) jerk, start; (*von Fahrzeugen*) jolt **2.** (*fig*) swing; **mit e-m ~** at one go; **e-n ~ geben** give a start; **sich e-n ~ geben** make an effort; **die Arbeit war r~-zuck erledigt** the work was done before you could say Jack Robinson; **ruck•ar•tig** *adj* jerky

Rück•ant•wort *f* reply; **um ~ wird gebeten** please reply

Rück•blick *m:* **im ~ auf etw** looking back on s.th.; **rück•bli•ckend** *adj:* **~ lässt sich sagen, dass ...** looking back we can say that ...

Rü•cken ['rʏkən] <-s, -> *m* back; **jdm den ~ zuwenden** turn one's back on s.o.; **mit dem ~ in Fahrtrichtung** with one's back to the engine; **hinter jds ~** (*fig*) behind someone's back; **jdm in den ~ fallen** (*fig*) stab s.o. in the back

rü•cken ['rʏkən] I. *itr sein* move; **können Sie etw ~?** could you move over a bit?; **in weite Ferne ~** (*fig*) recede into the distance; **an etw ~** move s.th.; **näher ~** come closer II. *tr haben* move

Rü•cken•de•ckung *f* (*fig*) backing; **jdm ~ geben** back s.o.; **Rü•cken•leh•ne** *f* backrest; **Rü•cken•mark** *n* spinal cord; **Rü•cken•schmer•zen** *pl:* **~ haben** have got a backache; **Rü•cken•schwim•men** *n* backstroke; **Rü•cken•wind** *m* tail wind

rück•er•stat•ten *tr* refund, reimburse; **Rück•er•stat•tung** *f* refund, reimbursement

Rück•fahr•kar•te *f* return ticket *Br,* round-trip ticket *Am;* **Rück•fahr•schein•wer•fer** *m* reversing light; **Rück•fahrt** *f* return journey

Rück•fall *m* (*bei Krankheit, a. fig*) relapse; **rück•fäl•lig** *adj:* **~ werden** relapse; (JUR) lapse back into crime

Rück•fens•ter *n* (MOT) rear window

rück•fet•tend *adj* fat-restoring, fat-replenishing

Rück•flug *m* (AERO) return flight; **Rück•flug•ti•cket** *n* return (air) ticket

Rück•fra•ge *f:* **e-e ~ halten bei ...** check s.th. with ...

Rück•ga•be *f* return; **Rück•ga•be•recht** *n* right of return

Rück•gang *m:* **e-n ~ zu verzeichnen haben an ...** have to report a drop in ...; **rück•gän•gig** *adj:* **~ machen** (COM) a. Termin, cancel; (*absagen*) call off

Rück•ge•bäu•de *n* rear building

Rück•ge•win•nung *f* **1.** (*allgemein*) recovery **2.** (*von Rohstoffen*) recycling

Rück•grat ['rʏkraːt] <-(e)s, (-e)> *n* backbone, spine; **jdm das ~ brechen** (*fig*) ruin s.o.

Rück•halt <-(e)s> *m:* **an jdm ~ haben** find a support in s.o.; **rück•halt•los** *adj* **1.** (*uneingeschränkt*) complete **2.** (*offen*) frank

Rück•hand *f ohne pl* (SPORT: *Tennis*) backhand

Rück•kaufs•recht *n* right of repurchase; **Rück•kaufs•wert** *m* repurchase value

Rück•kehr <-> *f* return; **bei jds ~** on someone's return

Rück•la•ge *f* **1.** (FIN) reserves *pl* **2.** (*Erspartes*) savings *pl*

Rück•lauf *m* (TECH) return pipe; **rück•läu•fig** *adj* (COM) dropping; **~e Tendenz** downward tendency

Rück•licht <-(e)s, -er> *n* (MOT) rear light

rück•lings ['rʏklɪŋs] *adv* **1.** (*rückwärts*) backwards **2.** (*auf dem Rücken*) on one's back

Rück•marsch *m* march back; (*Rückzug*) retreat

Rück•mel•dung *f* **1.** (*an deutschen Universitäten*) re-registration **2.** (EDV) echo

Rück•por•to *n* return postage; **Rück•rei•se** *f* return journey; **Rück•rei•se•ver•kehr** *m* homebound traffic; **Rück•ruf•ak•ti•on** *f* (COM) call-back

Ruck•sack *m* rucksack, backpack *Am;* **Ruck•sack•tou•rist(in)** *m(f)* backpacker

Rück•schau *f:* **~ auf etw halten** look back on s.th; **Rück•schlag** *m* **1.** (*von Schusswaffe*) recoil **2.** (*fig*) set-back **3.** (MED: *Rückfall*) relapse; **e-n ~ erleiden** suffer a set-back; **Rück•schlag•ven•til** *n* backflow preventer, check [*o* reflux] valve; **Rück•schluss**[RR] *m:* **s-e Rückschlüsse ziehen aus ...** draw one's own conclusions from ...; **Rück•schritt** *m* (*fig*) step backwards; **Rück•sei•te** *f* (*von Blatt, Zeitung*) back page; (*von Banknote*) reverse; (*von Gebäude*) rear

Rück•sicht <-, -en> *f* consideration; **mit ~ auf jdn** out of consideration for s.o.; **keine ~ auf jdn nehmen** show no consideration for s.o.; **Rück•sicht•nah•me** <-> *f* consideration; **rück•sichts•los** *adj* **1.** (*unüberlegt*) inconsiderate **2.** (*skrupellos*) ruthless; **~es Verhalten** reckless behaviour; **Rück•sichts•lo•sig•keit** *f* inconsiderateness; **rück•sichts•voll** *adj* considerate, thoughtful (*gegen* towards)

Rück•sitz *m* **1.** (MOT) backseat **2.** (*von Zweirad*) pillion; **auf dem ~ mitfahren** ride pillion; **Rück•sitz•bank** *f* (MOT): **umlegbare ~** folding-down back seat; **Rück•spie•gel** *m* (MOT) rear(-view) mirror; **Rück•spiel** *n* (SPORT) return match; **Rück•spra•che** *f* consultation; **~ nehmen mit jdm** confer with s.o.

Rück•spul•au•to•ma•tik *f* (*von Kamera, Video etc*) automatic rewind

Rück•stand *m* **1.** (*Schuld*) arrears *pl* **2.** (*Verzug*) delay **3.** (CHEM) residue; **seine Miete ist 3 Monate im ~** his rent is 3 months in arrears; **mit drei Punkten im ~ sein** (SPORT) be three points down; **rück•stän•dig** *adj* **1.** (*überfällig*) overdue **2.** (*zurückgeblieben*) backwards; **Rück•stän•dig•keit** *f* backwardness

Rück•stau *m* (*von Wasser*) backwater; (MOT) tailback; **Rück•stel•lung** *f* accrual; **Rück•stoß** *m* **1.** (*Schub*) thrust **2.** (*e-r Schusswaffe*) recoil; **Rück•strah•ler** *m* reflector *Br,* bull's eye *Am;* **Rück•tas•te** *f* **1.** (*an Schreibmaschine*) back spacer **2.** (*an Tonbandgerät*) rewind key; **Rück•tritt** *m* **1.** (*vom Amt*) resignation **2.** (*vom Vertrag*) withdrawal; **seinen ~ einreichen** hand in one's resignation; **Rück•tritt•brem•se** *f* backpedal [*o* coaster] brake; **Rück•tritts•er•klä•rung** *f* announcement of one's resignation; **Rück•tritts•frist** *f* period for withdrawal; **Rück•tritts•recht** *n* (COM) right of withdrawal; **das ~ besagt, dass ...** the cancellation terms say that ...

Rück•um•schlag *m* business reply envelope

rück•ver•gü•ten ['----] <ohne ge-> *tr* refund (*jdm etw* s.o. s.th.); **Rück•ver•gü•tung** *f* refund

Rück•ver•si•che•rung *f* reinsurance

Rück•wand *f* rear wall

rück•wär•tig ['rʏkvɛrtɪç] *adj* rear

rück•wärts *adv* backwards; **~ fahren** back up, reverse; **Rück•wärts•gang** *m* (MOT) reverse gear

Rück•weg *m* way back; **sich auf den ~ machen** head back

ruck•wei•se *adj* jerkily

rück•wir•kend *adj* **1.** (FIN: *Zahlung*) backdated **2.** (JUR: *Gesetz*) retrospective; **Rück•wir•kung** *f* (*Auswirkung*) repercussion; **die Gehaltszahlung erfolgt mit ~ vom ...** salary payment will be backdated to ...; **rück•zahl•bar** *adj* repayable; **Rück•zah•lung** *f* **1.** (*von Schulden*) repayment **2.** (*Rückvergütung*) refund

Rück•zie•her *m:* **e-n ~ machen** (*fig*) climb down

Rück•zug *m* retreat; **auf dem ~** in the retreat

Rü•de ['ry:də] <-n, -n> *m* (ZOO) male

rü•de ['ry:də] *adj* impolite, rude

Ru•del ['ru:dəl] <-s, -> *n* (*Hunde, Wölfe*) pack; (*Wild*) herd

Ru•der ['ru:dɐ] <-s, -> *n* **1.** (*Boots~*) oar **2.** (AERO MAR: *Steuer~*) rudder; **die ~ einziehen** ship oars; **ans ~ kommen** (*fig*) take over the helm; **Ru•der•boot** *n* rowing-boat *Br,* row boat *Am;* **Ru•de•rer** *m* oarsman, rower; **Ru•de•rin** *f* oarswoman, rower; **ru•dern** *itr* row; **mit den Armen ~** wave one's arms about; **Ru•der•re•gat•ta** *f* rowing regatta

Rüeb•li ['ryəblɪ] <-s, -> *n* (*CH*) carrot

Ruf [ru:f] <-(e)s, -e> *m* **1.** call; (*Schrei*) cry, shout **2.** (*fig: Ansehen*) reputation; **e-n**

guten ~ haben have a good reputation; **jdn in schlechten ~ bringen** give s.o. a bad name

ru•fen I. *irr tr* (*herbei~*) call; **ins Gedächtnis ~** call to mind; **~ lassen** send for II. *itr* (*schreien*) cry, shout; **um Hilfe ~** cry for help; **wie gerufen kommen** be just what one needed

Ruf•mord *m* character assassination; **Ruf•na•me** *m* forename; **Ruf•num•mer** *f* (TELE) telephone number; **Ruf•wei•te** *f*: **in ~** within earshot; **Ruf•zei•chen** *n* (TELE) ringing tone

Rü•ge ['ry:gə] <-, -n> *f* (*leichter Tadel*) rebuke; **jdm e-e ~ erteilen** rebuke s.o. (*wegen* for); **rü•gen** *tr* reprimand (*wegen* for)

Ru•he ['ru:ə] <-> *f* **1.** (*Schweigen*) quiet; (*Stille*) silence **2.** (*innere ~*) calm, calmness **3.** (*Erholung*) rest; **in ~ lassen** let alone; **er ist immer die ~ selbst** he's as cool as a cucumber; **er hat die ~ weg** (*fam*) he takes his time; **immer mit der ~!** keep calm!; **~, bitte!** quiet, please!; **ich brauche meine ~** I need a bit of peace; **lass mich in ~!** stop bothering me!; **zur ~ kommen** get some peace; **die ~ weghaben** (*fam*) be unflappable; **immer mit der ~!** don't panic!

Ru•he•ge•halt *n* pension; **ru•he•los** *adj* restless; **Ru•he•lo•sig•keit** *f* restlessness

ru•hen *itr* **1.** rest **2.** (JUR) be suspended

Ru•he•pau•se *f* break; **e-e ~ einlegen** have a break; **Ru•he•stand** *m* retirement; **jdn in den ~ versetzen** retire s.o.; **Ru•he•ständ•ler(in)** *m(f)* (*fam*) retired person; **Ru•he•stel•lung** *f* resting position; **Ru•he•stö•rung** *f* (JUR) disturbance of the peace; **Ru•he•tag** *m* (*von Restaurant etc*) closing day; **Ru•he•zo•ne** *f* resting place

ru•hig *adj* **1.** (*gelassen*) calm **2.** (*geräuschlos*) quiet; **da kannst du ganz ~ sein, ...** I can assure you ...; **bleib ~!** keep calm!; **er sprach mit ~er Stimme** he spoke calmly; **ihr könnt ~ dableiben** feel free to stay here

Ruhm [ru:m] *m* <-(e)s> glory; **~ erlangen** come to fame

rüh•men ['ry:mən] I. *tr* (*loben*) praise II. *refl:* **sich e-r Sache ~** boast of s.th.

rühm•lich *adj* praiseworthy; **e-e ~e Ausnahme sein** be a notable exception

ruhm•los *adj* inglorious; **ruhm•reich** *adj* glorious

Ruhr [ru:ɐ] <-, (-en)> *f* (MED) dysentery

Rühr•ei *n* scrambled eggs *pl*

rüh•ren ['ry:rən] I. *tr* **1.** (*um~*) stir **2.** (*fig: innerlich*) move, touch; **das rührt mich nicht im mindesten** that leaves me cold II. *itr* (*um~*) stir III. *refl* stir; **hier kann man sich ja nicht ~!** you can't move in here!; **rüh•rend** *adj* (*fig: bewegend*) touching; **das ist ~ von dir!** that's sweet of you!

rüh•rig *adj* active, agile

Rühr•löf•fel *m* mixing spoon

rühr•se•lig *adj* sentimental

Rüh•rung *f* emotion; **vor ~ nicht sprechen können** be choked with emotion

Ru•in [ru'i:n] <-s> *m* ruin; **vor dem ~ stehen** be on the brink of ruin; **Ru•ine** [ru'i:nə] <-, -n> *f* **1.** (*Gebäude*) ruin **2.** (*fig: Mensch*) wreck; **rui•nie•ren** I. *tr* **1.** (*Menschen*) ruin **2.** (*Kleider*) spoil II. *refl* ruin o.s.

rülp•sen ['rʏlpsən] *itr* belch; **Rülp•ser** *m* belch, burp

Rum [rʊm] <-s, -s> *m* rum

Ru•mä•ne [ru'mɛ:nə] <-n, -n> *m*, **Ru•mä•nin** *f* Romanian; **Ru•mä•ni•en** <-s> *n* Rumania; **ru•mä•nisch** *adj* Romanian; **Ru•mä•nisch(e)** *n* Romanian

rum|krie•gen *tr* (*fam*): **jdn ~** talk s.o. round

Rum•mel ['rʊməl] <-s> *m* (*Betriebsamkeit*) bustle; **großen ~ um etw machen** make a great fuss about s.th.; **Rum•mel•platz** *m* fairground

ru•mo•ren [ru'mo:rən] <ohne ge-> *itr* **1.** (*lärmen*) rumble about **2.** (*fig: Vorstellungen*) float about; **es rumort in meinem Bauch** my stomach is rumbling

Rum•pel•kam•mer *f* junk room

rum•peln ['rʊmpəln] *itr* rumble

Rumpf [rʊmpf, *pl:* 'rʏmpfə] <-(e)s, ⸚e> *m* **1.** (*Körper, Leib*) trunk; (*Torso*) torso **2.** (MAR: *e-s Schiffes*) hull; (AERO) fuselage

Rump•steak ['rʊmpste:k] <-s, -s> *n* rump steak

rum•trei•ben *refl* bum around; **Rum•trei•ber(in)** *m(f)* lay-about

rund [rʊnt] I. *adj* round; **ein ~es Dutzend** a good round dozen II. *adv* **1.** (*~herum*) around **2.** (*etwa*) about; **heute Nacht geht's ~** (*ist viel los*) there'll be a lot on tonight; **Rund•bau** *m* (*mit Kuppeldach*) rotunda; **Rund•blick** *m* panorama; **Rund•brief** *m* circular

Run•de ['rʊndə] <-, -n> *f* **1.** (*im Rennsport*) lap **2.** (*Polizeirundgang*) round **3.** (*beim Boxen*) round **4.** (*~ Bier*) round; **über die ~n kommen** (*fig*) barely make it, scrape by; (SPORT) go the distance; **e-e ~ ausgeben** stand a round; **etw über die ~n bringen** get s.th. through; **e-e ~ um etw machen** ride round s.th.

run•den I. *tr* round II. *refl* become round

rund•er•neu•ern ['----] <ohne ge-> *tr* (*Reifen*) remould

Rund•fahrt *f* tour; **e-e ~ machen** go on a

tour; **Rund•flug** *m* sightseeing flight

Rund•funk *m* broadcasting; **im** ~ on the radio; **Rund•funk•an•stalt** *f* broadcasting company *Br*, radio station *Am;* **Rund•funk•ge•büh•ren** *pl* radio licence fee *sing;* **Rund•funk•pro•gramm** *n* **1.** (*ausgestrahltes* ~) radio programme **2.** (*Programmzeitschrift*) radio programme guide; **Rund•funk•sen•der** *m* radio station; **Rund•funk•sen•dung** *f* radio programme

Rund•gang *m* **1.** (*Besichtigung*) tour (*durch* of) **2.** (*Spaziergang*) walk **3.** (*Inspektions~*) rounds *pl;* **s-n** ~ **machen** do one's rounds

rund•her•aus ['--'-] *adv* bluntly, flatly

rund•her•um ['--'-] *adv* all round

rund•lich *adj* plump

Rund•rei•se *f* tour (*durch* of); **Rund•schrei•ben** *n* circular

Rund•um•schlag *m* (*a. fig*) sweeping blow

Run•dung *f* curve

Rund•wan•der•weg *m* circular route

rund•weg *adv* bluntly, flatly; **jdm etw** ~ **abschlagen** give s.o. a flat refusal

Ru•ne ['ruːnə] <-, -n> *f* rune; **Ru•nen•schrift** *f* runic writing; **Ru•nen•zei•chen** *n* runic character

Run•zel ['rʊntsəl] <-, -n> *f* wrinkle; **~n bekommen** get wrinkles; **run•ze•lig** *adj* wrinkled; **run•zeln** *tr:* **die Stirn** ~ frown

Rü•pel ['ryːpəl] <-s, -> *m* lout; **Rü•pe•lei** *f* (*Verhalten*) loutishness; **rü•pel•haft** *adj* loutish

rup•fen ['rʊpfən] *tr* (*Unkraut*) pull up; (*Huhn*) pluck; **jdn** ~ (*fig fam*) fleece s.o.

rup•pig ['rʊpɪç] *adj* gruff

Rü•sche ['ryːʃə] <-, -n> *f* (*an Kleidung*) frill, ruche

Ruß [ruːs] <-es> *m* soot; **Ruß•bil•dung** *f* soot formation

Rus•se ['rʊsə] <-n, -n> *m*, **Rus•sin** *f* Russian

Rüs•sel ['rʏsəl] <-s, -> *m* snout; (*von Elefant*) trunk; (*von Insekten*) proboscis

ru•ßen ['ruːsən] *itr* smoke; **ru•ßig** *adj* sooty

rus•sisch ['rʊsɪʃ] *adj* Russian

Russ•land[RR] ['rʊslant] <-s> *n* Russia; **Russ•land•deut•sche(r)**[RR] *f m* Russian of German origin, ethnic German from Russia

rüs•ten ['rʏstən] *itr* (MIL) arm

Rüs•ter ['ryːstɐ] <-, -n> *f* (*Ulme*) elm

rüs•tig ['rʏstɪç] *adj* sprightly

rus•ti•kal [rʊsti'kaːl] *adj* rustic

Rüs•tung[1] *f* (*Ritter~*) armour

Rüs•tung[2] *f* (MIL: *Auf~*) armament

Rüs•tungs•be•gren•zung *f* arms limitation; **Rüs•tungs•ex•port** *m* export of armaments; **Rüs•tungs•geg•ner(in)** *m(f)* supporter of disarmament; **Rüs•tungs•in•dus•trie** *f* armaments industry; **Rüs•tungs•kon•trol•le** *f* arms control; **Rüs•tungs•kon•troll•ver•hand•lungen** *pl* arms control talks; **Rüs•tungs•un•ter•neh•men** *n* armaments company [*o* manufacturer]

Ru•te ['ruːtə] <-, -n> *f* **1.** (*Stock*) rod; (*Gerte*) switch **2.** (*Penis von Tier*) penis **3.** (*Tierschwanz*) tail; (*Fuchs~*) brush; **Ru•ten•gän•ger(in)** *m(f)* dowser; **Ru•ten•ge•hen** *n* dowsing

Rutsch [rʊtʃ] <-(e)s, -e> *m* **1.** (*Ab~*) slide **2.** (*Erd~*) landslide **3.** (POL) shift; **guten ~!** Happy New Year!; **Rutsch•bahn** *f* (*für Kinder*) slide; **Rut•sche** *f* (*a.* TECH) slide; **rut•schen** *sein itr* **1.** (*gleiten*) slide **2.** (*aus~*) slip; (MOT) skid; **rutsch mal'n Stück!** (*fam*) shove up a bit!; **rutsch•fest** *adj* non-slip; **Rutsch•ge•fahr** *f* danger of skidding; **rut•schig** *adj* slippery

rüt•teln ['rʏtəln] *itr* (*wackeln, zittern*) shake; (*Fahrzeug*) jolt; **an etw** ~ rattle at s.th.; **daran gibt's nichts zu ~!** (*fig fam*) there's no doubt about that!

Rüt•tel•sieb *n* (TECH) vibrating screen

S

S, s [ɛs] <-, -> *n* S, s

Saal [zaːl, *pl:* ˈzɛːlə] <-(e)s, Säle> *m* hall; (*Theater~*) auditorium

Saat [zaːt] <-, -en> *f* **1.** (*das Säen, die Aussaat*) sowing **2.** (*das Ausgesäte*) seed **3.** (*Getreide auf dem Halm*) young crops *pl;* **die ~ für etw legen** (*fig*) sow the seed of s.th.; **Saat•gut** *n* seeds *pl*

Sab•bat [ˈzabat] <-s, -e> *m* (REL) Sabbath

sab•bern *itr* (*fam*) slobber

Sä•bel [ˈzɛːbəl] <-s, -> *m* sabre *Br,* saber *Am;* **krummer ~** scimitar; **mit dem ~ rasseln** (*fig*) rattle the sabre

Sa•bo•ta•ge [zaboˈtaːʒə] <-, -n> *f* sabotage; **Sa•bo•ta•ge•akt** *m* act of sabotage; **Sa•bo•teur(in)** *m(f)* saboteur; **sa•bo•tie•ren** *tr* sabotage

Sach•be•ar•bei•ter(in) *m(f)* (*auf Ämtern*) official in charge (*für* of); (*in Büro*) clerc; **Sach•be•schä•di•gung** *f* damage to property; **Sach•buch** *n* non-fiction; **sach•dien•lich** *adj* useful; **es ist nicht ~, wenn ...** it won't help the matter, if ...; **~er Hinweis** useful clue

Sa•che [ˈzaxə] <-, -n> *f* **1.** (*Ding*) thing; (*Gegenstand*) object **2.** (*Angelegenheit*) matter; **~n** Besitz, things; (*Kleider*) clothes; **kommen wir zur ~!** let's get to the point!; **das ist Ihre ~** that's your problem; **das gehört nicht zur ~** that's beside the point; **das tut nichts zur ~** it's of no account; **das ist nicht jedermanns ~** that's not to everybody's taste; **mit 120 ~n** (*fam*) at 120 kilometres per hour; **mach keine ~n!** don't be silly!; **da ist noch die ~ mit meinen Ausgaben ...** there's the matter of my expenses ...; **die ~ ist ernst** it's a serious matter; **s-e ~ verstehen** know one's business; **das ist meine ~!** that's my business!; **sie mag süße ~n** she likes sweet things; **ich muss mir die ~ überlegen** I must think things over; **bei der ~ sein** be on the ball; **sich s-r ~ sicher sein** be sure of one's grounds *pl*

Sach•ge•biet *n* area; **sach•ge•mäß** *adj* appropriate, proper; **bei ~er Anwendung** if used properly; **Sach•kennt•nis** *f* **1.** (*Fachwissen*) knowledge of the subject **2.** (*Kenntnis der Sachlage*) knowledge of the facts; **sach•kun•dig** *adj* well-informed, knowledgeable; **Sach•la•ge** *f* situation, state of affairs

sach•lich *adj* **1.** (*sachbezogen*) relevant **2.** (*objektiv*) objective **3.** (ARCH) functional **4.** (*unparteiisch*) impartial; **bleib mal ~!** don't get personal!

säch•lich [ˈzɛçlɪç] *adj* (GRAM) neuter

Sach•lich•keit *f* (*Objektivität*) objectivity

Sach•män•gel *pl* material defects; **Sach•scha•den** *m* damage to property

Sach•se [ˈzaksə] <-n, -n> *m* Saxon; **Sach•sen** *n* Saxony; **Säch•sin** [ˈzɛksɪn] <-, -nen> *f* Saxon; **säch•sisch** [ˈzɛksɪʃ] *adj* Saxon

sacht(e) *adj* **1.** (*sanft*) gentle **2.** (*vorsichtig*) cautious; **nun mal ~!** take it easy!; **~, ~!** come, come!

Sach•ver•halt *m* facts *pl;* **Sach•ver•stän•di•ge(r)** <-n, -n> *f m* expert, specialist; (JUR) expert witness; **Sach•ver•stän•di•gen•gut•ach•ten** *n* specialist report; **Sach•wert** *m* **1.** real [*o* intrinsic] value **2.** **~e** material assets; **Sach•zwang** *m* practical constraint, situational requirement

Sack [zak, *pl:* ˈzɛkə] <-(e)s, ¨-e> *m* **1.** (*aus Jute*) sack; (*aus Papier etc*) bag **2.** (*vulg: Hoden*) balls *pl;* **fauler ~!** (*fig fam*) lazy bugger!; **jdn in den ~ stecken** (*fig fam*) put s.o. in the shade; **die Katze im ~ kaufen** (*fig fam*) buy a pig in a poke; **Sack•bahn•hof** *m* terminus

Sä•ckel *m* (*Beutel*) bag; (*Geld~*) moneybag

Sack•gas•se *f* **1.** blind alley, dead end **2.** (*fig*) dead end; **in e-e ~ gelangen** (*a. fig*) finish up a blind alley; (POL) reach an impasse; **wir stecken in e-r ~** (*fig*) we've come to a dead end; **Sack•hüp•fen** *n* sack-race; **Sack•kar•re** *f* handcart; **Sack•tuch** *nt* (*österr: Taschentuch*) handkerchief

Sa•dis•mus [zaˈdɪsmʊs] <-> *m* sadism; **Sa•dist(in)** *m(f)* sadist; **sa•dis•tisch** *adj* sadistic

sä•en [ˈzɛːən] *tr* sow; **dünn gesät**[RR] (*fig*) few and far between

Sa•fa•ri [zaˈfaːri] <-, -s> *f* safari

Saf•fi•an [ˈzafia(ː)n] <-s> *m* (*Leder*) morocco

Saf•ran [ˈzafran] <-s> *m* saffron

Saft [zaft, *pl:* ˈzɛftə] <-(e)s, ¨-e> *m* **1.** (*Obst~*) juice; (*Pflanzen~*) sap; (*Flüssigkeit*) liquid **2.** (*sl: Strom, Kraftstoff*) juice **3.** (*vulg: Sperma*) come; **saf•tig** *adj* **1.** (*voll von Saft*) juicy **2.** (*fig*) lush; **e-e ~e Rechnung** a hefty bill

Saft•la•den *m* (*sl pej*) dump
Saft•sack *m* (*sl: Schimpfwort*) sod
Sa•ge ['za:gə] <-, -n> *f* legend; **es geht die ~, dass ...** rumour has it that ...
Sä•ge ['zɛ:gə] <-, -n> *f* saw; **Sä•ge•blatt** *n* saw blade; **Sä•ge•bock** *m* sawhorse *Br,* sawbuck *Am;* **Sä•ge•mehl** *n* sawdust
sa•gen ['za:gən] *tr* **1.** (*äußern*) say; (*mitteilen*) tell **2.** (*bedeuten*) mean; **~ wir ...** suppose [*o* say] ...; **viel ~d**[RR] meaningful, significant; **ich habe mir ~ lassen ...** as far as I've heard ...; **er lässt sich nichts ~** he won't listen to reason; **sie hat nichts zu ~** she has no say in the matter; **das hat nichts zu ~** it's of no account; **sage und schreibe ...** really and truly ...; **sag mal ...** say, ...; **sag bloß!** you don't say!; **wem ~ Sie das!** you don't need to tell me that!; **das kann man wohl ~!** you're telling me!; **sag bloß nicht, dass du nicht kommen kannst!** don't tell me you can't come!; **das sagt mir alles** that tells me all I need to know; **Sie haben mir nicht zu ~, was ich tun soll!** don't you tell me what to do!
sä•gen *itr* **1.** (*Holz~*) saw **2.** (*fam: schnarchen*) snore *Br,* saw wood *Am*
sa•gen•haft *adj* **1.** (*legendär*) legendary **2.** (*fam: enorm*) terrific
Sä•ge•spä•ne *pl* wood shavings; **Sä•ge•werk** *n* sawmill
Sa•ha•ra [za'ha:ra] <-> *f* Sahara
Sah•ne ['za:nə] <-> *f* cream; **die ~ abschöpfen** skim the cream off; **Sah•ne•tor•te** *f* cream gateau
Sai•son [zɛ'zõ(:)/zɛ'zɔŋ] <-, -s> *f* season; **Sai•son•ar•bei•ter(in)** *m(f)* seasonal worker; **sai•son•be•dingt** *adj* seasonal; **Sai•son•be•trieb** *m* seasonal operation [*o* business]
Sai•te ['zaɪtə] <-, -n> *f* string; **andere ~n aufziehen** (*fig*) get tough; **Sai•ten•ins•tru•ment** *n* stringed instrument
Sak•ko ['zako] <-s, -s> *m* sports jacket *Br,* sports coat *Am*
Sa•k•ra•ment [zakra'mɛnt] <-(e)s, -e> *n* (REL) sacrament
Sa•k•ri•leg [zakri'le:k] <-(e)s, -e> *n* sacrilege
Sa•k•ris•tei [zakrɪs'taɪ] *f* sacristy
Sa•la•man•der [zala'mandɐ] <-s, -> *m* (ZOO) salamander
Sa•la•mi [za'la:mi] <-, -(s)> *f* salami; **Sa•la•mi•tak•tik** *f* (POL) piecemeal tactics *pl*
Sa•lat [za'la:t] <-(e)s, -e> *m* **1.** (*Speise*) salad **2.** (*Pflanze*) lettuce; **da haben wir den ~!** (*fig fam*) what did I tell you!; **Sa•lat•be•steck** *n* salad-servers *pl;* **Sa•lat•gur•ke** *f* cucumber; **Sa•lat•schleu•der** *f* salad drainer; **Sa•lat•schüs•sel** *f* salad bowl; **Sa•lat•so•ße** *f* salad dressing
Sal•be ['zalbə] <-, -n> *f* ointment
Sal•bei ['zalbaɪ] <-s> *m* (BOT) sage
sal•bungs•voll *adj* (*pej*) unctuous
Sal•do ['zaldo] <-s, -den/-s/-di> *m* (FIN) balance; **per ~** on balance; **Sal•do•vor•trag** *m* balance carried [*o* brought] forward
Sa•li•ne [za'li:nə] <-, -n> *f* salt-works *pl*
Salm [zalm] <-(e)s, -e> *m* (ZOO) salmon
Sal•mi•ak ['zalmjak] <-s> *m* sal ammoniac; **Sal•mi•ak•geist** <-(e)s> *m* ammonia
Sal•mo•nel•len [zalmo'nɛlən] *pl* salmonellae *pl;* **Sal•mo•nel•len•ver•gif•tung** *f* salmonellae poisoning
Sa•lon [za'lõ:/za'lɔŋ] <-s, -s> *m* **1.** (*Gesellschaftszimmer*) drawing room *Br,* parlor *Am* **2.** (MAR) saloon **3.** (*Friseur~ etc*) salon; **sa•lon•fä•hig** *adj:* **der Witz ist nicht ~** it's a naughty joke
sa•lopp [za'lɔp] *adj* (*nachlässig*) sloppy, slovenly; (*Ausdruck, Sprache*) slangy; **~e Kleidung** casual wear
Sal•pe•ter [zal'pe:tɐ] <-s> *n* (CHEM) nitre
Sal•pe•ter•säu•re *f* nitric acid
Sal•to ['zalto] <-s, -s/-ti> *m* somersault; **e-n ~ machen** do a somersault
Sa•lut [za'lu:t] <-(e)s, -e> *m* salute; **~ schießen** fire a salute; **sa•lu•tie•ren** *tr itr* salute
Sal•ve ['zalvə] <-, -n> *f* (MIL) volley; **e-e ~ auf jdn abschießen** fire a salvo at s.o.
Salz [zalts] <-es, -e> *n* salt; **salz•arm** *adj* low-salt; **~ leben** live on a low-salt diet
sal•zen *tr* salt
Salz•fäss•chen[RR] *n* salt-cellar; **Salz•ge•halt** *m* salt content; **salz•hal•tig** *adj* (*Gestein*) saline
sal•zig *adj* salty
Salz•kar•tof•feln *pl* boiled potatoes; **Salz•säu•re** *f* hydrochloric acid; **Salz•stan•ge** *f* pretzel stick; **Salz•streu•er** *m* salt-sprinkler *Br,* salt-shaker *Am;* **Salz•was•ser** *n* saltwater
Sa•me ['za:mə] <-ns, -n> *m* **1.** (BOT: *a. fig*) seed **2.** (ZOO) sperm **3.** (*Sperma*) semen; **Sa•men** ['za:mən] <-s, -> *m s.* Same; **Sa•men•bank** *f* sperm bank; **Sa•men•er•guss**[RR] *m* ejaculation; **Sa•men•korn** *n* seed; **Sa•men•spen•der** *m* sperm donor; **Sa•men•strang** *m* (ANAT) spermatic cord; **Sa•men•zel•le** *f* sperm cell
Sam•mel•an•schluss[RR] *m* (TELE) private exchange; **Sam•mel•band** *m* **1.** (*Anthologie*) anthology **2.** (*Hefter für Broschüren etc*) bound volume; **Sam•mel•be•cken** *n* **1.** (*Behälter*) collecting tank **2.** (*fig*) melting pot (*von* for); **Sam•mel•be•griff** *m* collective name; **Sam•mel•be•häl•ter** *m* holding basin; **Sam•mel•be•stel•lung** *f* collective order; **Sam•mel•büch•se** *f* col-

lecting box; **Sam•mel•kas•se** *f* general pay desk

sam•meln ['zaməln] **I.** *tr* **1.** (*auf~, ernten*) gather **2.** (*an~*) collect; **E.A. Poe's gesammelte Werke** the collected works of E.A. Poe; **Kräfte ~** gather one's strength **II.** *refl* **1.** (*sich ver~*) gather **2.** (*sich an~*) collect; **sich ~** (*sich konzentrieren*) collect one's thoughts

Sam•mel•num•mer *f* (TELE) switchboard number; **Sam•mel•su•ri•um** [-'zu:riʊm] *n* (*fam*) conglomeration; **Sam•mel•tank** *m* collection tank

Samm•ler(in) *m(f)* collector; **Samm•ler•stück** *n* collector's item

Samm•lung *f* **1.** (*~ von Sammelstücken*) collection **2.** (*Anthologie*) anthology **3.** (*fig: innere Fassung*) composure; **e-e ~ für etw durchführen** hold a collection for s.th.

Sam•pler ['sɑ:mplə(r)] <-s, -> *m* (MUS) sampler

Sam•pling ['sɑmplɪŋ] <-s, -s> *n* (MUS) sampling

Sams•tag ['zamsta:k] *m* Saturday; **sams•tags** *adv* on Saturdays *pl*

Samt [zamt] <-(e)s, -e> *m* velvet; **in ~ u. Seide** in silks and satin

samt [zamt] **I.** *präp* (*fam: zusammen mit*) complete with **II.** *adv:* **ich hab' die Nase von euch ~ und sonders voll!** I'm fed up with you lot!

Samt•hand•schuh *m* velvet glove; **jdn mit ~en anfassen** (*fig*) kid-glove s.o.

sämt•lich ['zɛmtlɪç] *adj* (*alle*) all; **~e Kinder** all the children; **~e Anwesenden** all those present

Sa•na•to•ri•um [zana'to:riʊm] *n* sanatorium

Sand [zant] <-(e)s, -e> *m* sand; **etw in den ~ setzen** (*fig fam*) muck s.th. up; **im ~e verlaufen** (*fig*) come to nothing; **jdm ~ in die Augen streuen** (*fig*) throw sand into someone's eyes

San•da•le *f* sandal

San•da•let•te [zanda'lɛtə] <-, -n> *f* high-heeled sandal

Sand•bank *f* sandbank, sandbar; **Sand•bo•den** *m* sandy soil; **Sand•dorn** *m* sea buckthorn; **Sand•hau•fen** *m* pile of sand

san•dig *adj* sandy

San•di•nist(in) *m(f)* sandinista

Sand•kas•ten *m* **1.** sandpit *Br,* sand box *Am* **2.** (MIL) sand table; **Sand•korn** *n* grain of sand

Sand•ku•chen *m* Madeira cake

Sand•mann <-(e)s> *m* sandman

Sand•pa•pier *n* sandpaper

Sand•sack *m* sandbag; (SPORT: *beim Boxen*) punchbag; **Sand•stein** *m* sandstone; **sand•strah•len** ['---] *tr* sandblast; **Sand•strand** *m* sandy beach; **Sand•sturm** *m* sandstorm; **Sand•uhr** *f* hourglass; **Sandwüs•te** *f* (sandy) desert

sanft [zanft] *adj* **1.** (*weich*) soft **2.** (*leicht*) gentle **3.** (*fig: mild*) mild; **mit jdm ~ umgehen** be gentle with s.o.

Sänf•te ['zɛnftə] <-, -n> *f* sedan-chair; **Sänf•ten•trä•ger** *m* sedan-bearer

sanft•mü•tig *adj* meek

sang- und klang•los *adv* (*fig*) without any ado

Sän•ger(in) *m(f)* singer *Br,* vocalist *Am*

sa•nie•ren [za'ni:rən] *tr* **1.** (*Stadtgebiet*) redevelop **2.** (COM) put on it's feet; **Sa•nie•rung** *f* **1.** (*von Stadtgebiet*) redevelopment **2.** (COM) rehabilitation **3.** (MED) sanitation; **Sa•nie•rungs•ge•biet** *n* renewal area; **Sa•nie•rungs•maß•nah•me** *f* sanitation measures *pl*

sa•ni•tär [zani'tɛ:ɐ] *adj:* **~e Verhältnisse** sanitary conditions; **~e Anlagen** sanitation facilities

Sa•ni•tä•ter(in) *m(f)* (*zivil*) first-aid attendant; (MIL) medical orderly

Sa•ni•täts•dienst *m* (MIL): **er ist im ~** he's in the medical corps; **Sa•ni•täts•we•sen** *n* medical services *pl*

Sank•ti•on [zaŋk'tsjo:n] *f* sanction; **~en gegen jdn verhängen** take sanctions against s.o.

sank•ti•o•nie•ren *tr* sanction; **etw ~** give one's sanction to s.th.

Sa•phir [za'fi:ɐ] <-s, -e> *m* sapphire

Sar•del•le [zar'dɛlə] <-, -n> *f* anchovy; **Sar•del•len•pas•te** *f* anchovy paste

Sar•di•ne [zar'di:nə] <-, -n> *f* sardine; **Sar•di•nen•büch•se** *f* sardine-tin

Sar•di•ni•en [zar'di:niən] *n* Sardinia; **sar•disch** *adj* Sardinian

Sarg [zark, *pl:* 'zɛrgə] <-(e)s, -̈e> *m* coffin *Br,* casket *Am*

Sar•kas•mus [zɑr'kɑsmʊs] <-ses, -men> *m* sarcasm; **sar•kas•tisch** *adj* sarcastic

Sar•ko•phag [zarko'fa:k] <-s, -e> *m* sarcophagus

Sa•tan ['za:tan] <-s, -e> *m* Satan; **sa•ta•nisch** *adj* satanic

Sa•tel•lit [zatɛ'li:t] <-en, -en> *m* satellite; **Sa•tel•li•ten•an•ten•ne** *f* satellite aerial; **Sa•tel•li•ten•bild** *n* (TV) satellite picture; **Sa•tel•li•ten•fern•se•hen** *n* satellite television; **Sa•tel•li•ten•staat** *m* satellite state; **Sa•tel•li•ten•stadt** *f* satellite town

Sa•tin [sa'tɛ̃:] <-s, -s> *m* satin

Sa•ti•re [za'ti:rə] <-, -n> *f* satire (*auf* on); **Sa•ti•ri•ker(in)** <-s, -> *m(f)* satirist; **sa•ti•risch** *adj* satirical

satt [zat] *adj* **1.** (*gesättigt*) full **2.** (*fig: kräftig*) rich; **ich bin ~** I've had enough; **etw ~**

haben be fed up with s.th.; **sich (an etw) ~ essen** eat one's fill (of s.th.); **ich kann mich nicht daran ~ sehen** I can't see enough of it

Sat•tel ['zatəl, *pl:* 'zɛtəl] <-s, ¨-> *m* saddle; **jdn in den ~ heben** (*a. fig*) give s.o. a leg up; **fest im ~ sitzen** (*fig*) be firmly in the saddle; **Sat•tel•dach** *n* saddle roof; **sat•tel•fest** *adj:* **~ sein in ...** (*fig*) have a firm grasp of ...

sat•teln *tr* saddle

Sat•tel•schlep•per *m* articulated lorry *Br,* semitrailer *Am;* **Sat•tel•stüt•ze** *f* seat post; **Sat•tel•ta•sche** *f* **1.** (*an Pferdesattel*) saddlebag **2.** (*an Zweiradsattel*) pannier

sät•ti•gen ['zɛtɪgən] **I.** *tr* **1.** (*Person*) make replete **2.** (*fig: stillen*) satisfy **3.** (CHEM) saturate **II.** *itr* be filling; **sät•ti•gend** *adj* filling; **Sät•ti•gung** *f* **1.** (*Sattsein*) repletion **2.** (COM CHEM: *a. von Farbe*) saturation; **Sät•ti•gungs•grad** *m* degree of saturation

Satt•ler(in) *m(f)* **1.** (*Sattelmacher*) saddler **2.** (*Polsterer*) upholsterer

Sa•turn [za'tʊrn] <-s> *m* Saturn

Satz [zats, *pl:* 'zɛtsə] <-es, ¨-e> *m* **1.** (GRAM) sentence **2.** (TYP: *das Gesetzte*) type **3.** (SPORT: *Tennis~*) set **4.** (*Boden~*) dregs *pl;* (*Kaffee~*) grounds *pl* **5.** (MUS) movement **6.** (*Sprung*) jump, leap **7.** (FIN: *Gebühr*) charge; **e-n ~ machen** jump, leap; **Satz•bau** *m* (GRAM) sentence construction; **Satz•be•fehl** *m* (TYP) typographical command; **Satz•her•stel•lung** *f* (TYP) typesetting; **Satz•leh•re** *f* (GRAM) syntax; **Satz•spie•gel** *m* (TYP) type area; **Satz•teil** *m* (GRAM) constituent (of a sentence)

Sat•zung *f* **1.** (*von Körperschaften*) statutes *pl* **2.** (*von Vereinen, Gesellschaften etc*) rules *pl;* **sat•zungs•gemäß** *adj* according to the statutes [*o* rules]; **sat•zungs•wid•rig** *adj* against the statutes

Satz•ver•lust *m* (SPORT) loss of a set

Satz•zei•chen *n* (GRAM) punctuation mark

Sau [zaʊ, *pl:* 'zɔɪə] <-, ¨-e> *f* **1.** (ZOO) sow **2.** (*fig: Schimpfwort*) dirty swine; **zur ~ machen** (*fam*) smash up; **das war unter aller ~!** (*fam*) that was bloody awful!; **Sau•ban•de** *f* (*fam*) gang of hoodlums

sau•ber ['zaʊbɐ] *adj* **1.** (*rein*) clean **2.** (*fam: nicht übel*) great **3.** (*gut gearbeitet*) accurate; **e-e ~e Bescherung** a fine [*o* pretty] mess; **ist der Hund auch ~?** is the dog house-trained?; **~ halten**[RR] keep clean; **sauber|halten** *s.* **sauber**; **Sau•ber•keit** *f* **1.** (*Reinheit*) cleanness **2.** (*fig: Sauberkeit im Hause*) cleanliness; **Sau•ber•keits•fim•mel** *m* (*fam*) mania for cleanliness; **einen ~ haben** have a thing about cleanliness

säu•ber•lich ['zɔɪbɐlɪç] *adv:* **fein ~** neatly and tidily

Sau•ber•mann *m* (*fig*) Mr. Clean

säu•bern ['zɔɪbɐn] *tr* **1.** (*reinigen*) clean (*etw von etw* s.th. off s.th.) **2.** (MIL: *ein Gebiet von Feindtruppen ~*) clear (*von* of); **Säu•be•rung** *f* **1.** (*Reinigung*) cleaning **2.** (POL) purge

Sau•boh•ne *f* broad bean

Sau•ce ['zo:sə] <-, -n> *f* sauce

Sau•di-A•ra•bien ['zaʊdi-] *n* Saudi Arabia; **sau•di•a•ra•bisch** *adj* Saudi Arabian

sau•dumm ['-'-] *adj* (*fam*) damn stupid

sau•er ['zaʊɐ] *adj* **1.** (*nicht süß*) sour **2.** (CHEM) acidic **3.** (*fam: ärgerlich*) cross (*auf* with); **~ auf etw reagieren** (*fig*) take s.th. amiss; **saure Gurken** pickled cucumber; **saurer Regen** acid rain; **Sau•er•amp•fer** *m* (BOT) sorrel; **Sau•er•bra•ten** *m* braised beef *Br,* sauerbraten *Am*

Saue•rei [zaʊə'raɪ] *f* (*fam*): **so 'ne ~!** it's a bloody scandal!; **e-e schöne ~ ist das hier drin!** it's a mess in here!

Sau•er•kir•sche *f* sour cherry; **Sau•er•kraut** *n* pickled cabbage, sauerkraut

säu•er•lich ['zɔɪɐlɪç] *adj* sour

Sau•er•milch *f* sour milk

Sau•er•stoff *m* oxygen; **Sau•er•stoff•ge•rät** *n* **1.** (MED) respirator **2.** (*für Taucher*) oxygen cylinder; **Sau•er•stoff•man•gel** *m* **1.** (MED) oxygen deficiency **2.** (*~ der Luft*) lack of oxygen; **Sau•er•stoff•mas•ke** *f* oxygen mask; **Sau•er•stoff•zelt** *n* oxygen tent

Sau•er•teig *m* leaven

sau•fen ['zaʊfən] *irr tr itr* (*sl*) booze

Säu•fer(in) ['zɔɪfɐ] <-s, -> *m(f)* boozer

Sau•fe•rei *f* (*sl*) booze-up

Saug•bag•ger *m* suction dredge(r)

sau•gen ['zaʊgən] *irr itr tr* **1.** (*ein~*) suck **2.** (*mit Staubsauger*) vacuum; (*fam*) hoover; **an etw ~** suck s.th.; **sich etw aus den Fingern ~** (*fig*) dream s.th. up

säu•gen ['zɔɪgən] *tr* suckle

Sau•ger *m* **1.** (*auf Flasche*) teat *Br,* nipple *Am* **2.** (*fam: Staub~*) vacuum, Hoover®

Säu•ge•tier *n* mammal

saug•fä•hig *adj* absorbent

Säug•ling ['zɔɪklɪŋ] *m* baby; **Säug•lings•ba•de•wan•ne** *f* baby bath; **Säug•lings•pfle•ge** *f* babycare; **Säug•lings•schwes•ter** *f* infant nurse

Sau•käl•te ['-'--] *f* (*fam*): **was für e-e ~!** it's bloody freezing!

Säu•le ['zɔɪlə] <-, -n> *f* column; **Säu•len•gang** *m* colonnade; (*Innenhof*) perystile; **Säu•len•hal•le** *f* **1.** (*Halle mit Säulen*) columned hall **2.** (*am Eingang*) portico

Saum [zaʊm, *pl:* 'zɔɪmə] <-(e)s, ¨-e> *m* **1.**

(*Näh~*) seam **2.** (*Einfassung*) hem

sau•mä•ßig *adj* (*fam*) lousy

säu•men[1] ['zɔɪmən] *tr* (*einfassen*) hem

säu•men[2] *itr* (*zaudern*) tarry; **säu•mig** *adj:* **~er Zahler** defaulter

Säum•nis•zu•schlag *m* delay penalty

Sau•na ['zaʊna] <-, -s/Saunen> *f* sauna; **sau•nie•ren** *itr* have a sauna

Säu•re ['zɔɪrə] <-, -n> *f* **1.** (*von Frucht, Speise*) sourness **2.** (CHEM) acid; **säu•re•be•stän•dig** *adj* acid-proof; **säu•re•hal•tig** *adj* acidic

Sau•re•gur•ken•zeit [--'---] *f,* **Sau•re-Gur•ken-Zeit**[RR] (*fig fam*) silly season

Säu•re•schutz•man•tel *m* acidic layer of the skin

Sau•ri•er ['zaʊriɐ] <-s, -> *m* dinosaur

Saus [zaʊs] *m:* **in ~ und Braus leben** live like a lord

säu•seln ['zɔɪzəln] *itr* **1.** (*Blätter im Wind*) rustle **2.** (*Wind in den Bäumen*) whisper **3.** (*Stimme*) purr; **mit ~der Stimme** in a purring voice

sau•sen ['zaʊzən] *itr* **1.** *sein* (*Mensch: eilen*) tear; (*Fahrzeug*) roar **2.** (*durch die Luft ~*) whistle; **etw ~ lassen** (*fam*) drop s.th.

Sau•stall *m* (*fam*) pigsty; **Sau•wet•ter** *n* (*fam*) bloody weather; **sau•wohl** ['-'-] *adj* (*fam*): **sich ~ fühlen** feel bloody good

Sa•van•ne [za'vanə] <-, -n> *f* savanna(h)

Sa•xo•phon [zakso'fo:n] <-s, -e> *n,* **Sa•xo•fon**[RR] *n* saxophone; **Sa•xo•pho•nist** *m,* **Sa•xo•fo•nist**[RR] *m* saxophone player

SB- *präfix* self-service

S-Bahn *f* (RAIL) suburban railway; (*Zug*) suburban train

Scan•ner ['skɛnɐ] <-s, -> *m* (EDV) scanner

Scha•be ['ʃa:bə] <-, -n> *f* (ZOO) cockroach

scha•ben ['ʃa:bən] *tr* scrape

Scha•ber•nack ['ʃa:bɐnak] <-(e)s, -e> *m:* **jdm e-n ~ spielen** play a prank on s.o.

schä•big ['ʃɛ:bɪç] *adj* **1.** (*fadenscheinig*) shabby **2.** (*fig: gemein*) mean *Br,* tacky *Am*

Scha•blo•ne [ʃa'blo:nə] <-, -n> *f* (*Wachs~*) stencil; **ich lass' mich nicht gern in e-e ~ zwängen** (*fig*) I don't like being stereotyped; **scha•blo•nen•haft** *adj:* **er kann nur ~ denken** he can only think in stereotypes

Schach [ʃax] <-s, -s> *n* **1.** (*Spiel*) chess **2.** (*Spielstellung*) check; **jdn in ~ halten** (*fig*) stall s.o.; (*mit Waffe*) keep s.o. covered; **spielst du ~?** can you play chess? **Schach•brett** *n* chessboard; **Schach•brett•mus•ter** *n* checkered pattern; **Schach•fi•gur** *f* **1.** chessman **2.** (*fig*) pawn; (*fig* POL) figurehead; **schach•matt** ['-'-] *adj* **1.** (*im Spiel*) mated **2.** (*fig: erledigt*) knackered; **Schach•par•tie** *f* game of chess; **Schach•spie•ler(in)** *m(f)* chessplayer

Schacht [ʃaxt, *pl:* 'ʃɛçtə] <-(e)s, ⸚e> *m* **1.** (*Bergwerks~*) shaft **2.** (*Kanal~*) drain **3.** (*Einstiegs~*) manhole

Schach•tel ['ʃaxtəl] <-, -n> *f* box; **alte ~!** (*fam pej*) old bag!; **e-e ~ Zigaretten** a packet of cigarettes; **Schach•tel•halm** *m* horsetail

Schach•zug *m* (*a. fig*) move

scha•de ['ʃa:də] *adj:* **wie ~!** that's a shame!; **es ist sehr ~** it's a great pity; **es ist ~ um ihn** it is a pity about him; **um den ist es nicht ~** he's no great loss; **es ist ~ um das schöne Geld** what a shame that such money should go to waste; **sich für etw zu ~ sein** consider oneself too good für s.th.; **das Buch ist für ein so kleines Kind zu ~** the book is too valuable to be given to such a young child

Schä•del ['ʃɛ:dəl] <-s, -> *m:* **jdm den ~ einschlagen** knock out someone's brains *pl;* **mir brummt der ~** my head is throbbing; **Schä•del•bruch** *m* fractured skull; **Schä•del•de•cke** *f* top of the skull

Scha•den ['ʃa:dən, *pl:* 'ʃɛ:dən] <-s, ⸚> *m* damage (*durch* caused by, *an* to); **jdm ~ zufügen** do harm to s.o.; **großen ~ anrichten** do a lot of damage; **den ~ wiedergutmachen** make good the damage

scha•den *itr* **1.** (*Schaden zufügen*) damage **2.** (*schädlich sein*) harm; **das hat s-m Ruf sehr geschadet** that did a lot of damage to his reputation; **Rauchen schadet der Gesundheit** smoking can damage your health; **es wird mehr ~ als nützen** it will do more harm than good; **was kann denn das ~?** where's the harm in that?; **das schadet dir gar nichts** it serves you right

Scha•den•er•satz *m* compensation; **jdn auf ~ verklagen** claim compensation from s.o.; **~ leisten** pay compensation; **scha•den•er•satz•pflich•tig** *adj* liable for damages; **Scha•den•frei•heits•ra•batt** *m* no-claims bonus; **Scha•den•freu•de** *f* malicious joy; **scha•den•froh** *adj* gloating; **ein ~er Blick** a gloating look in her [*o* his] eyes; **Scha•dens•ab•tei•lung** *f* claims department; **Scha•dens•be•gren•zung** *f* damage containment; **Scha•den•er•satz•an•spruch** *m* claim for damages; **Scha•dens•frei•heits•ra•batt** *m* no-claim bonus [*o* discount]

schad•haft *adj* (*beschädigt*) damaged; (*Material*) defective, faulty

schä•di•gen ['ʃɛ:dɪgən] *tr* **1.** (*fig*) damage **2.** (*verletzen*) hurt, injure; **sich auf etw ~d auswirken** be damaging to s.th.; **Schä•di•gung** *f* **1.** (*fig*) damage **2.** (*Verletzung*) harm; **die ~ s-s Rufes** the damage to his reputation

schäd•lich *adj* damaging, harmful (*für* to); **Schäd•lich•keit** *f* harmfulness

Schäd•ling *m* (ZOO) pest; **Schäd•lings•be•kämp•fung** *f* pest control; **Schäd•lings•be•kämp•fungs•mit•tel** *n* pesticide

schad•los *adv:* **sich an jdm ~ halten** take advantage of s.o.

Schad•stoff *m* pollutant; **schad•stoff•arm** *adj* low pollution; **Schad•stoff•be•las•tung** *f* pollution; **Schad•stoff•kon•zen•tra•ti•on** *f* concentration of pollutants *pl*

Schaf [ʃa:f] <-(e)s, -e> *n* sheep; **du dummes ~!** (*Schimpfwort*) silly twit!; **das schwarze ~ der Familie** the black sheep of the family; **Schaf•bock** *m* ram

Schäf•chen ['ʃɛ:fçən] *n* lamb, little sheep; **sein(e) ~ ins Trockene bringen** (*fig*) feather one's own nest; **sein ~ im Trockenen haben** (*fig*) be out of the wood; **Schäf•chen•wol•ken** *pl* cirrus clouds *pl*

Schä•fer(in) *m(f)* shepherd(ess); **Schä•fer•hund** *m* Alsatian *Br,* German shepherd (dog) *Am*

Schaf•fell *n* sheepskin

schaf•fen[1] ['ʃafən] *irr tr* (*erzeugen*) create; **wie geschaffen sein für ...** be made for ...

schaf•fen[2] I. *tr* 1. (*erreichen*) manage 2. (*bringen*) take; **~ wir es allein?** can we manage to do it alone?; **ich schaffe es!** I'm gonna make it!; **das wäre geschafft!** there, that's done!; **kannst du das Paket zur Post ~?** can you get this parcel to the post office?; **etw aus der Welt ~** settle s.th. II. *itr* (*arbeiten*) work; **er macht sich im Garten zu ~** he's pottering about in the garden; **jdm zu ~ machen** give s.o. trouble; **damit habe ich nichts zu ~** I have nothing to do with it; **sich an etw zu ~ machen** fiddle about with s.th.

Schaf•fens•drang *m* creative urage; energy; **Schaf•fens•kraft** *f* creativity

Schaff•ner(in) ['ʃafnɐ] *m(f)* 1. (*Bus~*) conductor 2. (RAIL) guard *Br,* conductor *Am*

Schaf•gar•be ['ʃa:fgarbə] <-> *f* yarrow; **Schaf•her•de** *f* flock of sheep

Scha•fott [ʃa'fɔt] <-(e)s, -e> *n* (HIST) scaffold; **das ~ besteigen** mount the scaffold

Schafs•kä•se *m* sheep's milk cheese; **Schafs•kopf** *m* (*Schimpfwort*): **~!** blockhead!; **Schafs•pelz** *m* sheepskin

Schaft [ʃaft, *pl:* 'ʃɛftə] <-(e)s, ¨-e> *m* 1. (*Flinten~*) stock 2. (BOT) stalk 3. (*Stiefel~*) leg; **Schaft•stie•fel** *mpl* high boots

Schaf•zucht *f* sheepbreeding

Schah [ʃa:] <-s, -s> *m* shah

Scha•kal [ʃa'ka:l] <-s, -e> *m* jackal

schä•kern ['ʃɛ:kɐn] *itr* dally, flirt

Schal [ʃa:l] <-s, -e/-s> *m* scarf

schal [ʃa:l] *adj* (*abgestanden, a. fig*) stale

Schäl•chen ['ʃɛ:lçən] <-s, -> *n* small bowl

Scha•le[1] *f* (*Gefäß*) bowl

Scha•le[2] [ʃa:lə] <-, -n> *f* 1. (BOT: *äußere Hülle*) skin 2. (ZOO) shell 3. (BOT: *geschälte Hülle*) peel; **sich in ~ werfen** (*fam*) get dressed up

schä•len ['ʃɛ:lən] I. *tr* (*Äpfel*) pare; (*Orangen*) peel; (*Kartoffeln*) skin; (*Eier*) shell II. *refl* (*Haut*) peel

Scha•len•sitz *m* (MOT) bucket seat

Schall [ʃal, *pl:* 'ʃɛlə] <-(e)s, (-e/¨-e)> *m* sound; **schall•däm•men** *tr* sound-proof; **Schall•däm•mung** *f* sound insulation; **Schall•dämp•fer** *m* 1. (MOT) silencer *Br,* muffler *Am* 2. (*an Waffe*) silencer; **schall•dicht** *adj* soundproof; **~ machen** soundproof

schal•len *itr* (*tönen*) sound; (*er~*) ring out; (*widerhallen*) resound; **~des Gelächter** ringing laughter

Schall•ge•schwin•dig•keit *f* speed of sound; **Schall•i•so•lie•rung** *f* soundproofing; **Schall•mau•er** *f* sound barrier; **Schall•pe•gel** *m* noise level; **Schall•plat•te** *f* record; **schall•schlu•ckend** *adj* noise absorbing; **Schall•schluck•hau•be** *f* (EDV) noise reducer; **Schall•schutz** *m* soundproofing; **Schall•schutz•fens•ter** *n* soundproof window; **Schall•wel•le** *f* sound wave

Schalt•bild *n* (EL) wiring diagram; **Schalt•brett** *n* 1. (EL) switchboard 2. (MOT) instrument panel

schal•ten ['ʃaltən] *itr* 1. (MOT) change gear 2. (EL) switch (*auf* to) 3. (*fig: reagieren*) react; **in den dritten (Gang) ~** change into third (gear) *Br,* shift into third (gear) *Am*

Schal•ter[1] *m* (EL) switch

Schal•ter[2] *m* (*Ausgabefenster*) counter; (*Fahrkarten~*) ticket window; **Schal•ter•be•am•te(r)**, **-be•am•tin** *m, f* (RAIL) ticket clerk; (*in Bank, Post*) counter clerk; **Schal•ter•hal•le** *f* (RAIL) booking hall; (*in Bank, Post*) hall; **Schal•ter•schluss[RR]** *m* closing time; **Schal•ter•stun•den** *pl* business hours

Schalt•ge•trie•be *n* manual transmission *Br,* stick shift *Am*

Schalt•jahr *n* leap year; **Schalt•knüp•pel** *m* (MOT) gearstick; **Schalt•kreis** *m* (EL) (switching) circuit; **Schalt•plan** *m* (EL) wiring diagram [*o* scheme]; **Schalt•pult** *n* (EL) control desk; **Schalt•stel•le** *f* (*a. fig*) switch point; **Schalt•ta•fel** *f* (EL) switchboard; **Schalt•tag** *m* leap day

Schal•tung *f* 1. (MOT) gear-change 2. (EL) wiring

Scha•lung *f* (TECH) formwork, shuttering; **Scha•lungs•brett** *n* form board

Scham [ʃaːm] <-> *f* **1.** (*~haftigkeit*) shame **2.** (*Schande*) disgrace; **nur keine falsche ~!** no need for embarassment!; **Scham•bein** *n* (ANAT) pubic bone

schä•men [ˈʃɛːmən] *refl* be ashamed (*über* of); **er sollte sich was ~!** he ought to be ashamed of himself!; **schäm dich!** shame on you!; **sich vor jdm ~** feel ashamed in front of s.o.

Scham•ge•fühl *n* sense of shame; **Scham•haar** *n* pubic hair; **scham•haft** *adj* bashful; **Scham•lip•pen** *fpl* labia; **scham•los** *adj* (*a. fig*) shameless

Schan•de [ˈʃandə] <-> *f* disgrace; **jdm ~ machen** put s.o. to shame; **zu meiner ~ ...** to my eternal shame ...; **mach uns keine ~!** don't disgrace us!

schän•den [ˈʃɛndən] *tr* violate

Schand•fleck *m* (*fig*): **ein ~ für jdn sein** be a blot for s.o.

schänd•lich *adj* shameful; **es ist ~, dass sich niemand um diese Leute kümmert** it's a disgrace that nobody cares for these people

Schand•tat *f* scandalous deed; **zu jeder ~ bereit sein** (*fig*) be always ready for a lark

Schän•dung *f* violation

Schän•ke[RR] *f s.* **Schenke**

Schan•ker [ˈʃaŋkɐ] <-s, -> *m* (MED) chancre

Schan•ze [ˈʃantsə] <-, -n> *f* **1.** (MIL) entrenchment **2.** (SPORT: *Sprung~*) jump

Schar [ʃaːɐ] <-, -en> *f* **1.** (*Menge*) crowd **2.** (*Gruppe*) band; **scha•ren** *refl:* **sich um jdn ~** gather around s.o.; **scha•ren•weise** *adv* in droves

scharf [ʃarf] <schärfer, schärfst> *adj* **1.** (*schneidend*) sharp **2.** (*fig: ~ gewürzt*) hot **3.** (*fig: beißend*) caustic **4.** (*fig: streng*) severe **5.** (*fig: klar*) sharp **6.** (*sl: sexuell*) horny, randy; **ich bin nicht gerade ~ darauf** I'm not exactly keen on it; **jdn ganz ~ auf etw machen** make s.o. quite keen on doing s.th.; **~er Verstand** keen intellect; **~ nachdenken** think hard; **~ nach links abbiegen** turn sharp left; **~ durchgreifen gegen jdn** get tough with s.o.; **~er Hund** fierce dog; **~ schießen** shoot with live ammunition; **jdn ~ machen** (*fig*) turn s.o. on; **Scharf•blick** *m* penetration

Schär•fe [ˈʃɛrfə] <-, -n> *f* **1.** (*von Schneide*) sharpness **2.** (PHOT) focus **3.** (*fig: Strenge*) severity; **schär•fen** *tr* (*a. fig*) sharpen; **Schär•fen•ein•stel•lung** *f* (PHOT) focusing control

scharf•kan•tig *adj* sharp-edged

scharf|ma•chen *tr:* **jdn ~** stir s.o. up

Scharf•rich•ter *m* executioner; **Scharf•schüt•ze** *m* (MIL) marksman; **scharf•sich•tig** *adj* **1.** (*mit scharfen Augen*) sharp-sighted **2.** (*fig*) clear-sighted; **Scharf•sinn** *m* acumen, keen perception; **scharf•sin•nig** *adj* astute, sharp-witted

Schar•lach [ˈʃarlax] <-s, -e> *m* **1.** (*Farbe*) scarlet **2.** (MED) scarlet fever

Schar•la•tan [ˈʃarlataːn] <-s, -e> *m* charlatan

Schar•nier [ʃarˈniːɐ] <-s, -e> *n* hinge

Schär•pe <-, -en> *f* sash

schar•ren [ˈʃarən] *itr* scrape; (*Vogel*) scratch; (*Pferd*) paw

Schar•te [ˈʃartə] <-, -n> *f* nick; **e-e ~e auswetzen** (*fig*) make amends; **schar•tig** *adj* jagged, notched

schar•wen•zeln [ʃarˈvɛntsəln] <ohne ge-, sein> *itr* (*fam*) dance attendance (*um* on)

Schasch•lik <-s, -s> *m o n* shashlik

Schat•ten [ˈʃatən] <-s, -> *m* **1.** (*sonnengeschützt*) shade **2.** (*Schlag~, a. fig*) shadow; **im ~** in the shadow; **in jds ~ stehen** (*fig*) be in someone's shadow; **30° im ~** 30 degrees in the shade; **jdn in den ~ stellen** (*fig*) put s.o. in the shade; **Schat•ten•mo•rel•le** *f* (BOT) morello cherry; **Schat•ten•sei•te** *f* **1.** shady side **2.** (*fig: Nachteil*) draw-back; **Schat•ten•spiel** *n* shadow play

schat•tie•ren *tr* shade; **Schat•tie•rung** *f* (*a. fig*) shade

schat•tig *adj* shady

Scha•tul•le [ʃaˈtʊlə] <-, -n> *f* (*Geld~*) coffer

Schatz [ʃats, *pl:* ˈʃɛtsə] <-es, ⸚e> *m* **1.** treasure **2.** (*fig: Liebste(r)*) sweetheart *Br,* cutie *Am;* **mein ~** love; **⸚e** *pl* (*Reichtümer*) riches

Schatz•amt *n* Treasury

Schätz•chen [ʃɛtsçən] <-s, -> *n* (*fam*) darling, love

schät•zen [ˈʃɛtsən] *tr* **1.** (*hochachten*) think highly of; (*ehren*) respect **2.** (*ein~*) assess, estimate (*auf* at) **3.** (*meinen*) think; **gering ~**[RR] (*gering einschätzen*) disregard; (*verachten*) think little of; **schätz mal!** have a guess!; **£ 100 ist nur geschätzt** £ 100 is just an estimate; **grob geschätzt** at a rough estimate; **es lässt sich schwer ~** it's hard to estimate; **ich schätze, dass ...** my guess is that ...; **ich schätze, ja** I guess so; **etw zu ~ wissen** appreciate s.th.; **wie alt schätzt du ihn?** how old would you say he is?; **~ lernen**[RR] learn to appreciate

schät•zen|ler•nen *s.* **schätzen**

Schatz•grä•ber *m* treasure-hunter; **Schatz•kam•mer** *f* **1.** treasure vault **2.** (*fig*) storehouse; **Schatz•kanz•ler(in)** *m(f)* minister of finance, Chancellor of the Exchequer *Br;* **Schatz•meis•ter(in)** *m(f)* treasurer

Schät·zung *f* (*Veranschlagung*) estimate; (*Wertein~*) valuation; **meiner ~ nach** in my estimation; **schät·zungs·wei·se** *adv* approximately, roughly

Schätz·wert *m* estimated value

Schau [ʃaʊ] <-, -en> *f* (*Vorführung*) show; **das ist nur ~** (*fig fam*) it's just for show; **es war alles nur ~** (*fig fam*) it was all show; **e-e ~ abziehen** (*fig fam*) put on a show; **etw zur ~ stellen** exhibit s.th.; (*fig*) parade s.th.; **Schau·bild** *n* diagram; **Schau·bu·de** *f* (show-)booth

Schau·der [ˈʃaʊdɐ] <-s, -> *m* shiver, shudder; **ein ~ überlief sie** a shudder ran through her body; **schau·der·haft** *adj* **1.** (*grässlich*) horrible **2.** (*fam: schlimm*) awful, terrible; **schau·dern** *itr* shudder, shiver (*vor* with, *bei* at); **mich schaudert bei dieser Vorstellung** it gives me the creeps to think of that

schau·en [ˈʃaʊən] *itr* look; **schau, schau!** what do you know!; **aus dem Fenster ~** look out of the window

Schau·er[1] *m* (*Regenguss*) shower

Schau·er[2] [ˈʃaʊɐ] <-s, -> *m s.* **Schauder**; **Schau·er·ge·schich·te** *f* horror story; **schau·er·lich** *adj* **1.** (*grässlich*) horrific **2.** (*fam: schlimm*) dreadful

Schau·fel [ˈʃaʊfəl] <-, -n> *f* **1.** (*Grabe~*) shovel **2.** (TECH: *Turbinen~ etc*) vane; **e-e ~ Kohle** a shovel(ful) of coal; **schau·feln** *tr itr* shovel

Schau·fens·ter *n* shop-window; **im ~ ausstellen** display in the window; **Schau·fens·ter·aus·la·ge** *f* window display; **Schau·fens·ter·bum·mel** *m*: **e-n ~ machen** go window-shopping; **Schau·fens·ter·de·ko·ra·teur(in)** *m(f)* window-dresser; **Schau·fens·ter·pup·pe** *f* shop-window dummy; **Schau·fens·ter·wer·bung** *f* display advertising; **Schau·kas·ten** *m* showcase

Schau·kel [ˈʃaʊkəl] <-, -n> *f* swing

schau·keln *tr itr* **1.** (*auf Schaukel*) swing **2.** (*auf Stuhl*) rock **3.** (*pendeln*) sway to and fro; **wir werden das (Kind) schon ~!** (*fam*) we'll manage it!; **Schau·kel·pferd** *n* rocking horse; **Schau·kel·po·li·tik** *f* seesaw policy; **e-e ~ betreiben** pursue a fickle policy; **Schau·kel·stuhl** *m* rocking chair

schau·lus·tig *adj* curious; **Schau·lus·ti·ge** *pl* onlookers

Schaum [ʃaʊm, *pl:* ˈʃɔɪmə] <-(e)s, =e> *m* (*allgemein*) foam; (*Seifen~ etc*) lather; (*Bier~*) froth; **Schaum·bad** *n* bubble bath

schäu·men [ˈʃɔɪmən] *itr* foam, froth; (*Seife etc*) lather; (*Sekt, Sprudel*) bubble; **vor Wut ~** (*fig*) foam with rage

Schaum·fes·ti·ger *m* (styling) mousse; **Schaum·gum·mi** *m* foam rubber; **schau·mig** *adj* foamy, frothy; **etw ~ schlagen** whip s.th. until frothy; **Schaum·kel·le** *f* skimmer; **Schaum·löf·fel** *m* skimmer; **Schäum·mit·tel** *n* foaming agent; **Schaum·schlä·ger** *m* (*fig*) hot-air merchant; **Schaum·schlä·ge·rei** [ˈ---ˈ-] *f* (*fig*) hot-air; **Schaum·stoff** *m* foam material; **Schaum·wein** *m* sparkling wine

Schau·platz *m* scene; **am ~ sein** be on the spot; **Schau·pro·zess**[RR] *m* show trial

schau·rig [ˈʃaʊrɪç] *adj* **1.** (*entsetzlich*) gruesome **2.** (*fam: schlimm*) dreadful

Schau·spiel *n* **1.** (THEAT) drama, play **2.** (*fig: Anblick*) sight, spectacle; **Schau·spie·ler** *m* **1.** actor, player **2.** (*fig*) actor; **Schau·spie·le·rin** *f* (*a. fig*) actress; **schau·spie·lern** [ˈ---] *itr* (*a. fig*) act; **Schau·spiel·haus** *n* playhouse *Br,* theatre, theater *Am;* **Schau·spiel·kunst** *f* dramatic art; **Schau·spiel·schu·le** *f* drama school; **Schau·stel·ler** *m* showman

Scheck [ʃɛk] <-s, -s/(-e)> *m* cheque *Br,* check *Am;* **ein ~ über ...** a cheque for ...; **e-n ~ ausstellen** draw a cheque; **ein ungedeckter ~** a bounced cheque; **e-n ~ einlösen** cash a cheque; **mit ~ bezahlen** pay by cheque; **Scheck·be·trug** *m* cheque fraud; **Scheck·buch** *n* cheque book

Sche·cke [ˈʃɛkə] <-, -n> *f* (*scheckiges Pferd*) dappled horse

Scheck·heft *n* chequebook *Br,* checkbook *Am*

sche·ckig [ˈʃɛkɪç] *adj* (*bunt~*) spotted; (*Pferd*) dappled

Scheck·kar·te *f* cheque (guarantee) card; **Scheck·num·mer** *f* cheque number

scheel [ʃeːl] *adj*: **jdn ~ ansehen** give s.o. a dirty look

Schef·fel [ˈʃɛfl] <-s, -> *m* bushel; **schef·feln** [ˈʃɛfəln] *tr* (*fig*): **Geld ~** rake in money

schef·fel·wei·se *adv* by the sackful

Schei·be [ˈʃaɪbə] <-, -n> *f* **1.** (*allgemein*) disc **2.** (TECH: *Unterleg~*) washer **3.** (*Schieß~*) target **4.** (*Glas~*) pane **5.** (*Brot~*) slice; **von der könntest du dir e-e ~ abschneiden!** (*fig*) you could take a leaf out of her book!; **Schei·ben·brem·se** *f* (MOT) disc brake; **Schei·ben·gar·di·ne** *f* net curtain; **Schei·ben·rad** *n* disc wheel; **Schei·ben·schie·ßen** *n* target shooting; **Schei·ben·wasch·an·la·ge** *f* windscreen washer unit *Br,* windshield washer unit *Am;* **Schei·ben·wi·scher** *m* windscreen wiper *Br,* windshield wiper *Am;* **Schei·ben·wi·scher·gum·mi** *n* windscreen wiper blade *Br,* windshield wiper blade *Am*

Scheich [ʃaɪç] <-s, -s/-e> *m* sheik(h); **Scheich•tum** *n* sheik(h)dom

Schei•de ['ʃaɪdə] <-, -n> *f* **1.** (*Messer~*) sheath **2.** (ANAT) vagina

schei•den ['ʃaɪdən] **I.** *irr tr* (*Eheleute*) divorce; **sich ~ lassen** get divorced; **sie lässt sich nicht von ihm ~** she won't give him a divorce; **sich von jdm ~ lassen** get a divorce from s.o. **II.** *refl:* **da ~ sich aber unsere Meinungen!** that's where we begin to differ!

Schei•de•wand *f* partition

Schei•de•weg *m:* **am ~ stehen** (*fig*) be at a crossroads

Schei•dung *f* (JUR) divorce; **die ~ einreichen** file a petition for divorce; **Schei•dungs•grund** *m* **1.** (*Gründe*) grounds for divorce **2.** (*Person*) reason for (one's) divorce; **Schei•dungs•kla•ge** *f* petition for divorce; **Schei•dungs•pro•zess**[RR] *m* divorce proceedings *pl*

Schein[1] <-(e)s, -e> *m* **1.** (*Bescheinigung*) certificate **2.** (*Geld~*) note *Br,* bill *Am*

Schein[2] ['ʃaɪn] *m* <-(e)s> **1.** (*fig: An~*) appearances *pl* **2.** (*Licht~*) light; (*Schimmer*) gleam; **ihre Ehe besteht nur noch zum ~** their marriage has become a sham; **den ~ der Demokratie wahren** maintain a pretence of democracy; **um den ~ zu wahren** for the sake of appearances *pl;* **den äußeren ~ wahren** keep up appearances *pl;* **der ~ trügt oft** appearances are often deceptive *pl;* **zum ~** in pretence; **Schein•a•sy•lant(in)** *m(f)* pseudo asylum-seeker; **schein•bar** *adv* **1.** (*anscheinend*) apparent, seeming **2.** (*vorgeblich*) feigned

schei•nen *irr itr* **1.** (*leuchten*) shine **2.** (*den Anschein haben*) appear, seem; **es scheint mir, dass ...** it appears to me that ...; **mir scheint ...** it seems to me ...; **wie es scheint** as it seems; **es scheint fast so, als ob ...** it would seem that ...; **so will es ~** so it would appear

Schein•fir•ma *f* dummy firm; **Schein•ge•schäft** *n* dummy transaction; **Schein•ge•winn** *m* paper profit; **schein•hei•lig** *adj* hypocritical; **Schein•tod** *m* apparent death; **schein•tot** *adj* in a state of suspended animation

Schein•wer•fer *m* **1.** (MOT) headlamp, light **2.** (*zur Beleuchtung*) floodlight; **Schein•wer•fer•licht** *n* light of headlamps; **im ~ der Öffentlichkeit** (*fig*) in the glare of publicity

Scheiß *m* (*sl*): **red kein' ~!** don't talk crap!; **mach kein' ~!** stop messing about!; **Scheiß•dreck** *m* (*vulg*): **(das) geht dich e-n ~ an!** that's none of your bloody business!; **Schei•ße** ['ʃaɪsə] <-> **I.** *f* (*vulg*) shit; **in der ~ sitzen** (*fig*) be up shit creek **II.** *interj* (*vulg*) shit, fuck; **scheiß•egal** ['--'-] *adv* (*vulg*): **das ist mir (doch) ~** I couldn't care less; **schei•ßen** *irr itr* (*vulg*) shit; **auf etw ~** (*fig vulg*) not give a shit about s.th; **Schei•ßer** *m* (*vulg*) bugger; **scheiß•freund•lich** ['-'--] *adj* (*fam*) as nice as pie; **Scheiß•haus** *n* (*vulg*) shithouse

Scheit [ʃaɪt] <-(e)s, -e> *n* (*Holz~*) log

Schei•tel ['ʃaɪtəl] <-s, -> *m* parting *Br,* part *Am;* **vom ~ bis zur Sohle** from top to toe; **schei•teln** *tr* part; **Schei•tel•punkt** *m* vertex

Schei•ter•hau•fen *m* **1.** (HIST: *als Hinrichtung*) stake **2.** (HIST: *zur Leichenverbrennung*) pyre; **auf dem ~ verbrannt werden** be burned at the stake

Schei•tern <-s> *n* **1.** (*Fehlschlagen*) failure **2.** (*von Verhandlung etc*) breakdown; **zum ~ verurteilt** doomed to failure; **etw zum ~ bringen** make s.th. break down

schei•tern ['ʃaɪtɐn] *itr* **1.** *sein* (*fehlschlagen*) fail (*an* because of) **2.** (SPORT: *Misserfolg haben*) be defeated (*an* by); **sein Versuch scheiterte** he failed in his attempt; **die Verhandlungen sind gescheitert** the negotiations have broken down

Schel•le[1] *f* (TECH: *Rohr~*) clamp

Schel•le[2] ['ʃɛlə] <-, -n> *f* (*Türklingel*) bell; **schel•len** *itr:* **bei jdm ~** ring at someone's door; **es hat geschellt** there was a ring at the door

Schell•fisch *m* haddock

Schelm [ʃɛlm] <-(e)s, -e> *m* (*Spaßvogel*) rogue; **schel•misch** *adj* mischievous

Schel•te ['ʃɛltə] <-> *f:* **~ bekommen** get a scolding; **schel•ten** *irr tr* chide (*wegen* for); **mit jdm ~** scold s.o.

Sche•ma ['ʃe:ma, *pl:* 'ʃe:mata] <-s, -s/-mata> *n* **1.** (*Muster*) pattern **2.** (*Plan*) scheme **3.** (*Diagramm*) diagram; **nach ~ F gehen** (*fig*) go off pat; **sche•ma•tisch** *adj* **1.** (*nach Schema*) schematic **2.** (*fig: mechanisch*) mechanical

Sche•mel ['ʃe:məl] <-s, -> *m* stool

sche•men•haft *adj* shadowy

Schen•ke ['ʃɛŋkə] <-, -n> *f* inn, tavern

Schen•kel ['ʃɛŋkəl] <-s, -> *m* **1.** (*Ober~*) thigh **2.** (*Unter~*) shank **3.** (MATH: *von Winkel*) side; **sich auf den ~ klopfen** slap one's thigh

schen•ken ['ʃɛŋkən] **I.** *tr* give; **das habe ich geschenkt bekommen** I got it as a present; **sie schenkte ihm e-n Sohn** (*fig*) she presented him with a son; **das ist geschenkt!** (*fig: sehr billig*) that's a give-away!; **geschenkt!** (*fig fam*) forget it! **II.** *refl* (*fig: sein lassen*): **sich etw ~** skip s.th.

Schen•kung *f* (JUR) gift; **Schen•kungs•steu•er** *f* gift tax

Scher•be ['ʃɛrbə] <-, -n> *f* fragment, piece; **~n machen** break s.th.; **die ~n zusammenfegen** sweep up the pieces; **~n bringen Glück** (*prov*) broken crockery brings you luck

Sche•re ['ʃe:rə] <-, -n> *f* **1.** scissors *pl;* (*große ~e*) shears *pl* **2.** (*Krebs~*) claw

sche•ren[1] *irr tr* (*beschneiden*) crop; (*Schafe, Teppich*) shear; **kurz geschoren**[RR] cropped; **kurz geschorenes**[RR] **Haar** hair cropped short

sche•ren[2] *refl* (*fam: sich kümmern*): **was schert's (mich)?** what do I care?; **sie hat sich nicht im geringsten darum geschert** she couldn't have cared less

sche•ren[3] *refl* (*weggehen*): **scher dich fort!** beat it! get lost!

Sche•ren•schlei•fer(in) *m(f)* knife-grinder; **Sche•ren•schnitt** *m* silhouette

Sche•re•rei•en *pl* trouble *sing;* **jdm viel ~ machen** cause [*o* give] s.o. a lot of trouble

Scher•ge ['ʃɛrgə] <-n, -n> *m* thug

Scherz [ʃɛrts] <-es, -e> *m* joke; **zum ~** for a joke; **im ~** jokily; **mach keinen ~!** (*fam*) you're joking!; **ich bin nicht zu ~en aufgelegt** I'm not in a joking mood; **~ beiseite!** no kidding!; **Scherz•ar•ti•kel** *mpl* joke articles; **scher•zen** *itr* jest, joke; **Sie ~!** you can't be serious!; **mit ihr ist nicht zu ~** she is not to be trifled with; **er lässt nicht mit sich ~** he is not a man to be trifled with; **Scherz•fra•ge** *f* conundrum; **scherz•haft** *adv* (*aus Spaß*) jokingly; **etw ~ meinen** mean s.th. as a joke; **Scherz•keks** *m* (*hum fam*) joker

Scheu [ʃɔɪ] <-> *f* (*Schüchternheit*) shyness; **ohne jede ~** without any inhibition; **s-e ~ verlieren** lose one's inhibitions *pl;* **scheu** *adj* shy; (*zaghaft*) timid

scheu•chen *tr* scare (off)

scheu•en I. *tr* **1.** (*fürchten*) shy away from **2.** (*vermeiden*) shun; **keine Mühe ~** go to endless trouble; **keine Kosten ~** spare no expense; **er scheut die Verantwortung** he shies away from responsibilities *pl* **II.** *refl* (*zurückschrecken*): **sich nicht ~(,) etw zu tun** not be afraid of doing s.th. **III.** *itr* (*von Pferden*) shy (*vor* at)

Scheu•er•bürs•te *f* scrubbing brush; **Scheu•er•lap•pen** *m* floorcloth; **Scheu•er•mit•tel** *nt* abrasive

scheu•ern ['ʃɔɪɐn] *tr* **1.** (*putzen*) scour; (*schrubben*) scrub **2.** (*reiben*) chafe (*an* at); **sich wund~** chafe o.s.; **jdm e-e ~** (*fig fam*) give s.o. a clout

Scheu•klap•pe *f:* **~n haben** be blinkered

Scheu•ne ['ʃɔɪnə] <-, -n> *f* barn

Scheu•sal ['ʃɔɪza:l] <-s, -e> *n* monster; **ein wahres ~** a perfect fright

scheuß•lich ['ʃɔɪslɪç] *adj* (*schlimm*) dreadful; (*ekelhaft*) hideous; **~es Wetter** awful weather

Schicht[1] [ʃɪçt] <-, -en> *f* **1.** (*Lage, Sand~, Staub~ etc*) layer **2.** (*auf Flüssigkeiten*) film; (*Farb~*) coat **3.** (*fig: Gesellschafts~*) (social) class; **Leute aus allen ~en** people from all walks of life; **e-e ~ Farbe auftragen** give s.th. a coat

Schicht[2] *f* **1.** (*Arbeitsabschnitt*) shift **2.** (*Arbeitsgruppe*) gang; **zur ~ gehen** go on shift; **Schicht•ar•beit** *f* shift-work; **Schicht•ar•bei•ter(in)** *m(f)* shift-worker

schich•ten *tr* **1.** (*in Schichten legen*) layer **2.** (*stapeln*) stack; **Schicht•un•ter•richt** *m* (PÄD) instruction in shifts; **~ haben** be taught in shifts; **Schicht•wech•sel** *m* change of shift

schicht•wei•se *adv:* **~ Farbe auftragen** apply [*o* put on] paint in coats

Schick [ʃɪk] <-(e)s> *m* (*Eleganz in der Kleidung*) style; **schick** *adj* (*elegant*) elegant; (*modisch reizvoll*) stylish; **ein ~es Kleid** a smart dress; **o, ~!** (*fam*) oh, super!

schi•cken ['ʃɪkən] *tr* send; **jdn zu e-m Kurs ~** send s.o. on a course; **jdn einkaufen ~** send s.o. to do the shopping

Schi•cke•ria *f* <-> (*fam*) trendy set

Schi•cki(•mi•cki) *m* <-s, -s> (*fam*) trendy

schick•lich *adj* proper, fitting

Schick•sal ['ʃɪkza:l] <-s, -e> *n* fate; **das ist ~!** (*fam*) such is life!; **jdn s-m ~ überlassen** leave s.o. to his fate; **schick•sals•haft** *adj* fateful; **Schick•sals•schlag** *m* stroke of fate

Schie•be•dach *n* (MOT) sunroof; **Schie•be•fens•ter** *n* sliding window

schie•ben ['ʃi:bən] *irr tr itr* (*stoßend ~*) push; (*mit größerer Kraftanstrengung*) shove; **er schob die Hand in die Tasche** he put his hand in his pocket; **sich an die Spitze ~** (SPORT) push one's way to the front; **sich ineinander ~**[RR] telescope

Schie•ber[1] *m* (TECH) slide

Schie•ber[2] *m* (*Schwarzmarkthändler*) black marketeer

Schie•be•tür *f* sliding door

Schie•bung *f* (*fig: Begünstigung*) string-pulling; (SPORT) rigging; **~!** fix!

Schieds•ge•richt *n* court of arbitration, arbitration tribunal

Schieds•rich•ter(in) ['ʃi:ts-] *m(f)* **1.** (SPORT) referee; (*bei Ballspielen, Hockey*) umpire **2.** (*Preisrichter*) judge

schieds•rich•ter•lich *adj:* **~e Entscheidung** referee's [*o* umpire's] decision

Schieds•spruch *m* arbitration award; **Schieds•ver•fah•ren** *nt* arbitration proceedings *pl*

schief [ʃiːf] *adj* **1.** (*krumm*) crooked **2.** (*geneigt*) tilted; **dein Hut sitzt ~!** your hat's crooked!; **das Bild hängt ~** the picture isn't straight; **keine Sorge, wird schon ~ gehen!**RR don't worry, it'll go wrong nicely!; **irgendwas muss ~ gegangen sein!**RR s.th. must have gone wrong!; **wenn du glaubst, ich helfe dir, bist du (aber) ~ gewickelt!**RR (*fam*) if you think I'm going to help you you've got another think coming!

Schie·fer ['ʃiːfɐ] <-s, -> *m* slate; **Schie·fer·dach** *n* slate roof; **Schie·fer·ta·fel** *f* slate

schief|ge·hen *s.* **schief**

schief·ge·wi·ckelt *adj s.* **schief**

schief·la·chen *refl* double up with laughter

schie·len ['ʃiːlən] *itr* squint; **nach etw ~en** (*verstohlen*) sneak a look at s.th.; (*offen*) eye s.th. up

Schien·bein *n* shin; **jdn vor's ~ treten** kick s.o. on the shin

Schie·ne ['ʃiːnə] <-, -n> *f* **1.** (RAIL) rail **2.** (MED) splint; **schie·nen** *tr* (MED) put in splints, splint

Schie·nen·bus *m* rail bus; **Schie·nen·netz** *n* rail network; **Schie·nen·strang** *m* track

schier I. *adj* **1.** (*Fleisch*) lean and boneless **2.** (*fig*) sheer **II.** *adv* nearly, almost

Schieß·be·fehl *m* order to shoot

Schieß·bu·de *f* shooting gallery; **Schieß·bu·den·fi·gur** *f* (*fig fam*) clown; ludicrous figure

schie·ßen ['ʃiːsən] **I.** *irr tr* **1.** (*allgemein*) shoot; (*Kugel*) fire **2.** (SPORT: *Ball*) kick; (*Tor*) score **II.** *itr* **1.** (*allgemein*) shoot (*auf, nach* at); (*mit Schusswaffe*) fire (*auf* at) **2.** *sein* (*fam: sich schnell bewegen*) shoot **3.** *sein* (*Flüssigkeit*) shoot; (*spritzen*) spurt; **in die Höhe ~** (*fig*) shoot up

Schie·ße·rei *f* shoot-out

Schieß·hund *m:* **aufpassen wie ein ~** (*fam*) watch like a hawk; **Schieß·platz** *m* range; **Schieß·pul·ver** *n* gunpowder; **Schieß·schar·te** *f* embrasure; **Schieß·schei·be** *f* target; **Schieß·stand** *m* shooting range

Schiff [ʃɪf] <-(e)s, -e> *n* ship; **an Bord des ~es** on board ship

Schif(f·)fahrt *f s.* Schifffahrt; **Schif(f·)fahrts·li·nie** *f s.* Schifffahrtslinie; **Schif(f·)fahrts·weg** *m s.* **Schiffahrtsweg**

schiff·bar *adj* navigable

Schiff·bau <-(e)s> *m* shipbuilding; **Schiff·bruch** <-(e)s> *m* shipwreck; **~ erleiden** be shipwrecked; (*fig: scheitern*) fail; **schiff·brü·chig** *adj* shipwrecked; **Schiff·brü·chi·ge(r)** *f m* shipwrecked person

Schiff·chen ['ʃɪfçən] *n* **1.** (*kleines Schiff*) little ship, small boat **2.** (MIL: *Kopfbedeckung*) forage cap **3.** (*Weber~*) shuttle

Schif·fer *m* **1.** (*Seemann*) sailor **2.** (*Käpt'n*) skipper; **Schif·fer·kla·vier** *n* accordion; **Schif·fer·müt·ze** *f* yachting cap

Schiff·fahrtRR *f* **1.** (*Navigation*) navigation **2.** (*das Schifffahren*) shipping; **Schiff·fahrts·li·nie**RR *f* **1.** (*als Unternehmen*) shipping line **2.** (*Schifffahrtsweg*) shipping route; **Schiff·fahrts·weg**RR *m* **1.** (*Kanal*) waterway **2.** (*Schifffahrtslinie*) shipping route

Schiffs·arzt *m* ship's doctor; **Schiffs·jun·ge** *m* cabin-boy; **Schiffs·koch** *m* ship's cook; **Schiffs·kü·che** *f* caboose, galley; **Schiffs·la·dung** *f* shipload; **Schiffs·pa·pie·re** *pl* ship's papers; **Schiffs·rumpf** *m* hull; **Schiffs·schrau·be** *f* propeller; **Schiffs·zwie·back** *m* ship's biscuit

Schi·it [ʃi'iːt] <-en, -en> *m* shiite; **shi·itisch** *adj* shiite

Schi·ka·ne [ʃi'kaːnə] <-, -n> *f* **1.** harassment **2.** (SPORT) chicane; **eine Wohnung mit allen ~n** a flat with all the contemporary gadgets [*o* mod cons]; **das war reine ~** it was sheer bloody-mindedness; **schi·ka·nie·ren** *tr* harass; (*tyrannisieren*) bully

Schild1 [ʃɪlt] <-(e)s, -e> *m* **1.** (*Schutz~*) shield **2.** (*Tierpanzer*) shell; **etw im ~e führen** (*fig*) be up to s.th.

Schild2 *n* <-(e)s, -er> **1.** (*Zeichen*) sign; (*an Tür*) nameplate **2.** (*Aufkleber*) label; (*Preis~*) ticket

Schil·da ['ʃɪlda] *n* (*in Literatur*) Gotham

Schild·bür·ger *m* **1.** (*in Literatur*) Gothamite **2.** (*fig: Schwachkopf*) dimwit; **Schild·bür·ger·streich** *m:* **das war (ja) wirklich ein ~!** that was a piece of first-class stupidity!

Schild·drü·se *f* thyroid gland; **Schild·drü·sen·ü·ber·funk·ti·on** *f* hyperthyroidism; **Schild·drü·sen·un·ter·funk·ti·on** *f* hypothyroidism

schil·dern ['ʃɪldɐn] *tr* describe; (*umreißen*) sketch; **Schil·de·rung** *f* **1.** (*Beschreibung*) description **2.** (*Bericht*) account; **nach ihrer (eigenen) ~** by your own account

Schild·krö·te *f* (*See~*) turtle; (*Land~*) tortoise; **Schild·krö·ten·sup·pe** *f* turtle soup

Schilf [ʃɪlf] <-(e)s, -e> *n* **1.** (*~pflanze*) reed **2.** (*~fläche*) reeds *pl*

schil·lern ['ʃɪlɐn] *itr* shimmer; **schil·lernd** *adj* shimmering; (*in allen Farben*) opalescent; **e-e ~e Persönlichkeit** (*fig*) an enigmatic character

Schim•mel[1] ['ʃɪməl] <-s, -> *m* (*weißes Pferd*) white horse

Schim•mel[2] <-s, -> *m* (*~pilz*) mould; **schim•me•lig** *adj* **1.** (*verschimmelt*) mouldy **2.** (*moderig*) mildewed; **schim•meln** *itr* go mouldy; **Schim•mel•pilz** *m* mould

Schim•mer ['ʃɪmɐ] <-s, (-)> *m* gleam, glimmer, glitter; **keinen (blassen) ~ von etw haben** (*fig fam*) not have an inkling of s.th.; **schim•mern** *itr* (*Licht*) glimmer; (*Gegenstände*) shimmer

Schim•pan•se [ʃɪm'panzə] <-n, -n> *m* (ZOO) chimpanzee

Schimpf [ʃɪmpf] <-(e)s, -e> *m*: **mit ~ und Schande** in disgrace; **schimp•fen** *itr* curse (*auf* at); **mit jdm ~** tell s.o. off; **wie schimpfst du dich?** (*hum fam*) what do you call yourself?; **Schimpf•wort** <-(e)s, -e/ ⸗er> *n* swearword

Schin•del ['ʃɪndəl] <-, -n> *f* shingle; **Schin•del•dach** *n* shingle roof

schin•den ['ʃɪndən] **I.** *irr tr* **1.** (*peinigen*) maltreat **2.** (*Arbeitskräfte ausbeuten*) sweat **3.** (*fig fam: herausschlagen*) get, make; **Zeit ~** play for time; **Eindruck ~** try to impress **II.** *refl* (*sich abquälen*): **sich mit etw ~** slave away at s.th.; **Schin•der(in)** *m(f)* (*Antreiber*) slavedriver; **Schin•de•rei** *f* **1.** (*fig: Plackerei*) drudgery **2.** (*Antreiberei*) sweating; **Schind•lu•der** *n*: **mit jdm ~ treiben** (*fig*) make cruel sport of s.o.

Schin•ken ['ʃɪŋkən] <-s, -> *m* **1.** (*Speise*) ham **2.** (*fig hum: dickes Buch*) tome **3.** (*fig hum: großes Bild*) great daub; **Schin•ken•bröt•chen** *n* ham roll; **Schin•ken•speck** *m* gammon

Schip•pe ['ʃɪpə] <-, -n> *f* (*Schaufel*) shovel, spade; **jdn auf die ~ nehmen** (*fig*) take someone for a ride; **schip•pen** *tr itr* (*schaufeln*) shovel; **Schnee ~** clear the snow

schip•pern ['ʃɪpɐn] *itr sein* (*fam*) bob (along)

Schirm [ʃɪrm] <-(e)s, -e> *m* **1.** (*Regen~*) umbrella; (*Sonnen~*) parasol, sunshade **2.** (*Pilzkappe*) cap; **Schirm•herr(in)** *m(f)* patron(ess), protector; **Schirm•herr•schaft** *f*: **unter der ~ von ...** (*Leitung*) under the auspices of ... *pl;* **Schirm•müt•ze** *f* peaked cap; **Schirm•stän•der** *m* umbrella stand

Schiss[RR] [ʃɪs] *m* (*sl*): **~ haben** be in a blue funk; **~ vor etw haben** be shit scared of s.th.

schi•zo•phren *adj* schizophrenic

Schi•zo•phre•nie [ʃitsofre'ni:] <-> *f* schizophrenia

Schlacht [ʃlaxt] <-, -en> *f* battle; **die ~ bei ...** the battle of ...; **e-e regelrechte ~** (*fig*) a pitched battle

schlach•ten ['ʃlaxtən] *tr* slaughter; (*hinschlachten*) butcher

Schlach•ten•bumm•ler *m* (SPORT) away supporter

Schlach•ter *m* butcher; **Schlach•te•rei** *f* butcher's (shop)

Schläch•te•rei [ʃlɛçtə'raɪ] *f* (*fig*) massacre

Schlacht•feld *n* battle-field

Schlacht•hof *m* slaughter-house

Schlacht•plan *m* **1.** (MIL) battle plan **2.** (*fig*) plan of action; **Schlacht•ruf** *m* battle cry, war cry; **Schlacht•schiff** *n* battleship

Schlacht•vieh *n* animals for slaughter

Schla•cke ['ʃlakə] <-, -n> *f* **1.** (*Metall~*) slag **2.** (*Aschen~*) cinders *pl;* **~n** (MED) waste products

Schlaf [ʃla:f] <-(e)s> *m* sleep; **im ~ sprechen** talk in one's sleep; **keinen ~ finden** be unable to sleep; **e-n festen (leichten) ~ haben** be a sound (light) sleeper; **Schlaf•an•zug** *m* pyjamas *Br,* pajamas *Am*

Schläf•chen ['ʃlɛ:fçən] *n*: **ein ~ machen** have a nap

Schlä•fe ['ʃlɛ:fə] <-, -n> *f* temple

schla•fen *irr itr* sleep; **er saß da und schlief** he was sitting there, asleep; **versuche etw zu ~!** try and get some sleep!; **in dem Zelt können 10 Leute ~** the tent sleeps 10; **~ wir erst einmal darüber!** let's sleep on it!; **bei jdm ~** stay overnight with s.o.; **mit jdm ~** sleep with s.o.; **sich ~d stellen** pretend to be asleep

schlaff [ʃlaf] *adj* **1.** (*herabhängend*) slack **2.** (*welk, matt*) flabby **3.** (*kraftlos*) limp **4.** (*fig: Grundsätze*) lax; **~er machen, ~er werden** slacken

Schlaff•heit *f* slackness, limpness; exhaustion

Schlaf•ge•le•gen•heit *f* place to sleep; **ich habe fünf ~en** I can put up five people; **Schlaf•krank•heit** *f* sleeping sickness; **Schlaf•lied** *n* lullaby; **schlaf•los** *adj* sleepless; **eine ~e Nacht verbringen** have a sleepless night; **Schlaf•lo•sig•keit** *f* sleeplessness; (MED) insomnia; **Schlaf•mit•tel** *n* **1.** sleeping drug **2.** (*fig*) soporific; **Schlaf•müt•ze** *f* (*fig fam*) dope, sleepyhead

schläf•rig ['ʃlɛ:frɪç] *adj* drowsy, sleepy

Schlaf•saal *m* dorm(itory); **Schlaf•sack** *m* sleeping-bag; **Schlaf•stadt** *f* dormitory town; **Schlaf•stö•rung** *f* sleeplessness, insommia; **Schlaf•ta•blet•te** *f* sleeping pill; **schlaf•trun•ken** ['ʃla:ftrʊŋkən] *adj* drowsy; **Schlaf•wa•gen** *m* sleeping-car, sleeper; **Schlaf•wa•gen•platz** *m* berth; **Schlaf•wan•deln** <-s> *n* sleep-walking; **Schlaf•wand•ler(in)** *m(f)* sleepwalker; **Schlaf•zim•mer** *n* bedroom; **Schlaf•zim•mer•blick** *m* (*hum fam*) come-to-bed eyes *pl*

Schlag [ʃlaːk, *pl:* 'ʃlɛːgə] <-(e)s, ¨-e> *m* **1.** (*allgemein*) blow **2.** (*Herz~*) beat **3.** (MED) stroke **4.** (EL) shock **5.** (*Tauben~*) pigeon-loft; **ein ~ ins Gesicht** a slap in the face; **mit e-m ~e** (*fig*) all at once; **~ auf ~** (*fig*) one after the other; **ein ~ ins Wasser** (*fig fam*) a let-down; **ich dachte, mich trifft der ~!** I was as if struck by lightning!; **¨-e kriegen** get a hiding; **vom gleichen ~ sein** (*fig*) be cast in the same mould; **das ist ein harter ~** that's a hard blow; **Schlag•ab•tausch** *m* (*Boxen*) exchange of blows; (*fig*) clash; **Schlag•a•der** *f* artery; **Schlag•an•fall** *m* stroke; **e-n ~ bekommen** have a stroke; **schlag•ar•tig I.** *adj* **1.** (*unvermutet*) sudden **2.** (*heftig*) violent **II.** *adv* suddenly; **Schlag•baum** *m* barrier; **Schlag•bohr•ma•schi•ne** *f* percussion drill

schla•gen I. *irr tr* **1.** (*einmal*) strike **2.** (*prügeln*) beat **3.** (*treffen*) hit **4.** (*mit Werkzeug*) knock **5.** (*besiegen*) beat, defeat; **jdn im Tennis ~** beat s.o. at tennis; **gegen die Tür ~** beat on the door; **er schlägt hart** he hits hard; **jdn auf den Kopf ~** knock s.o. on the head; **jdn bewusstlos ~** knock s.o. unconscious; **jdn ins Gesicht ~** slap someone's face **II.** *itr* **1.** (*von Herz*) beat **2.** (*von Turmuhr*) strike; **ich gebe mich geschlagen** I admit defeat; **nach jdm ~** take after s.o.; **mit dem Kopf gegen etw ~** hit one's head against s.th. **III.** *refl* have a fight (*mit jdm* with s.o.); **sich gut ~** (*fig*) do well; **schla•gend** *adj* (*fig: treffend*): **~es Argument** cogent argument; **~er Beweis** convincing proof

Schla•ger ['ʃlaːgɐ] <-s, -> *m* **1.** (*~melodie*) pop-song **2.** (*Hit*) hit **3.** (*Buch*) bestseller

Schlä•ger[1] ['ʃlɛːgɐ] *m* (*bei Ballspiel*) racquet *Br*, racket *Am;* (*für Hockey*) stick; (*für Tischtennis*) bat

Schlä•ger[2] *m* (*Raufllustiger*) thug

Schlä•ge•rei *f* brawl, fight

Schla•ger•fes•ti•val *n* pop-song festival

schlag•fer•tig *adj* quick-witted; **~e Antwort** ready answer; **Schlag•fer•tig•keit** *f* ready wit

Schlag•ins•tru•ment *n* (MUS) percussion instrument

Schlag•kraft *f* (*allgemein, a. fig*) power; (MIL) striking power; **schlag•kräf•tig** *adj* (*a. fig*) powerful; **Schlag•loch** *n* pothole; **Schlag•o•bers** *n* (*österr*) whipped cream; **Schlag•sah•ne** *f* whipped cream; **Schlag•rahm** *m CH* whipped cream; **Schlag•sei•te** *f:* **~ haben** (MAR) be listing; (*fig fam: betrunken sein*) be half-seas over; **Schlag•stock** *m* (*von Polizei*) truncheon; **Schlag•werk** *n* (*von Uhr*) striking mechanism; **Schlag•wet•ter** *n* (*im Bergwerk*) firedamp; **Schlag•wort** <-(e)s, -e/(¨-er)> *n* (*Slogan*) slogan; **Schlag•wort•ka•ta•log** *m* (*in Bibliothek*) subject catalogue; **Schlag•zei•le** *f* headline; **~n machen** hit the headlines; **Schlag•zeug** *n* drums *pl;* **Schlag•zeu•ger(in)** *m(f)* drummer

Schla•mas•sel [ʃla'masəl] <-s> *m* (*fam*) mess; **wir sitzen ganz schön im ~** now we're in a pretty mess

Schlamm [ʃlam, *pl:* ('ʃlɛmə)] <-(e)s, (-e/ –¨e)> *m* mud; **schlam•mig** *adj* muddy

Schlam•pe ['ʃlampə] <-, -n> *f* (*fam*) slut; **schlam•pen** *itr* (*fam*) be sloppy; **Schlam•pe•rei** *f* **1.** (*Unordnung*) mess **2.** (*Nachlässigkeit*) sloppiness; **schöne ~!** what a mess!; **schlam•pig** *adj* **1.** (*unordentlich*) untidy **2.** (*Arbeit, Tätigkeit*) slipshod

Schlan•ge[1] ['ʃlaŋə] <-, -n> *f* (ZOO) snake

Schlan•ge[2] *f* (*Menschen~*) queue *Br,* line *Am;* **~ stehen** queue up *Br,* stand in line *Am*

schlän•geln ['ʃlɛŋəln] *refl* **1.** (*von Weg*) wind its way **2.** (*von Schlange*) wriggle

Schlan•gen•biss[RR] *m* snakebite; **Schlan•gen•gift** *n* snake poison; **Schlan•gen•le•der** *n* snakeskin; **Schlan•gen•li•nie** *f:* **in ~n fahren** swerve about

schlank [ʃlaŋk] *adj* **1.** (*Wuchs*) slim **2.** (*Körperteil, Gegenstand*) slender; **Schlank•heits•kur** *f:* **e-e ~ machen** be on a diet

schlank•weg *adv:* **~ ablehnen** refuse flatly

schlapp [ʃlap] *adj* **1.** (*erschöpft*) shattered, worn out **2.** (*fig: feige, weich*) yellow; **Schlap•pe** <-, -n> *f* **1.** (MIL SPORT: *Niederlage*) defeat **2.** (*fig: Rückschlag*) set-back; **e-e ~ erleiden** suffer a defeat [*o* setback]; **Schlapp•hut** *m* slouch hat; **schlapp•ma•chen** *itr* (*fam*) wilt; **Schlapp•schwanz** *m* (*fam pej*) sissy, weakling

Schla•raf•fen•land [ʃla'rafən-] *n* land of milk and honey

schlau [ʃlaʊ] *adj* (*verschlagen*) cunning, wily; (*klug*) clever, smart; **können Sie daraus ~ werden?** can you make this out? what do you make of this?; **Schlau•berger** *m* (*fam*) smart alec

Schlauch [ʃlaʊx, *pl:* 'ʃlɔɪçə] <-(e)s, ¨-e> *m* **1.** (*Wasser~*) hose **2.** (*Reifen~*) tube **3.** (*fam: Strapaze*) slog, grind; **Schlauch-**

boot *n* rubber dinghy
schlau•chen I. *tr* fag (s.o.) out II. *itr* wear one out
Schläue ['ʃlɔɪə] <-> *f* cunning
Schlau•fe ['ʃlaʊfə] <-, -n> *f* 1. (*Schleife*) loop 2. (*Aufhänge~*) hanger; **Schlau•fen•ver•schluss**[RR] *m* (*an Jacke*) loop fastening
Schlau•mei•er *m* (*fam*) clever-dick
schlecht [ʃlɛçt] I. *adj* 1. (*nicht gut*) bad; (*übel*) poor 2. (*verdorben: Milch etc*) off; **die Milch ist ~** the milk is [*o* has gone] off; **mir ist ~** I feel sick II. *adv* badly; **~ für jdn sein** be bad for s.o.; **er spielt ~ Tennis** he's bad at tennis; **ich kann ~ lügen** I'm very bad at telling lies; **ziemlich ~** baddish; **mehr ~ als recht** after a fashion; **~ über jdn reden** speak ill of s.o.; **er kann es sich ~ leisten abzulehnen** he can ill afford to refuse; **sie war immer ~ in Sprachen** she was always poor at languages; **das geht ~** (*fam*) that's not really possible; **das kann man ~ machen** one can't very well do that; **~ machen**[RR] run down, disparage; **schlech•ter•dings** ['ʃlɛçtɐ'dɪŋs] *adv:* **~ unmöglich** utterly impossible; **schlecht•ge•launt** *adj s.* **gelaunt**; **Schlecht•heit** *f* badness; **schlecht•hin** *adv:* **der Dramatiker ~** THE playwright; **Schlech•tig•keit** *f* 1. (*Niederträchtigkeit*) baseness, vileness 2. (*üble Tat*) misdeed
schlecht|ma•chen[RR] *s.* **schlecht**
Schlecht•wet•ter•geld *n* bad-weather pay
schle•cken ['ʃlɛkən] *tr* lick; **sie schleckt gerne** she likes eating sweets
Schle•cker•maul *n:* **ein ~ sein** have a sweet tooth
Schleh•dorn *m* (BOT) blackthorn, sloe tree
Schle•he ['ʃleːə] <-, -n> *f* (BOT) sloe
schlei•chen ['ʃlaɪçən] I. *irr itr* 1. (*langsam gehen*) creep; (*im Dunkeln herum~*) prowl about 2. (*Zeit etc*) drag II. *refl* creep [*o* sneak]; **schlei•chend** *adj:* **~es Gift** slow poison; **Schleich•han•del** *m* illicit trading (*mit* in); **Schleich•weg** *m* secret [*o* hidden] path; **auf ~en** (*fig*) on the quiet; **Schleich•wer•bung** *f* background advertising
Schleie ['ʃlaɪə] <-, -n> *f* (ZOO) tench
Schlei•er ['ʃlaɪɐ] <-s, -> *m* veil; **den ~ lüften** (*fig*) lift the veil of secrecy; **Schlei•er•eu•le** *f* barn owl; **schlei•er•haft** *adj* (*rätselhaft*) mysterious; **es ist mir völlig ~, wie ...** it's a complete mystery to me how ...
Schlei•er•kraut *n* (BOT) gypsophila
Schlei•fe <-, -n> *f* 1. (*Schlaufe*) loop; (*Schuh~*) bow 2. (*Wegkurve*) bend; (*Fluss~*) bow
schlei•fen[1] ['ʃlaɪfən] I. *irr tr* (*~d ziehen*) drag; **etw hinter sich her~** drag s.th. behind one II. *itr* drag, trail; **alles ~ lassen** (*fig*) slacken the reins; **die Kupplung ~ lassen** slip the clutch
schlei•fen[2] *tr* 1. (*zu~*) cut 2. (*schärfen*) sharpen, whet
schlei•fen[3] *tr* (MIL: *brutal drillen*) drill hard
Schleif•ge•räusch *n* grinding noise; **Schleif•ma•schi•ne** *f* grinding machine
Schleim [ʃlaɪm] <-(e)s, -e> *m* 1. (*allgemein*) slime; (MED) mucus 2. (*Hafer~*) gruel; **Schleim•beu•tel** *m* (ANAT) bursa
Schlei•mer(in) ['ʃlaɪmɐ] <-s, -> *m(f)* (*fam pej*) crawler
Schleim•haut *f* mucous membrane; **schlei•mig** *adj* (*a. fig*) slimy
Schleim•schei•ßer <-s, -> *m* (*pej*) arse-licker *pej*, brown-nose *pej*
schlem•men ['ʃlɛmən] *itr* feast; **Schlem•mer(in)** *m(f)* gourmet; **Schlem•me•rei** *f* feasting
schlen•dern ['ʃlɛndɐn] *itr sein* saunter, stroll; **Schlend•ri•an** ['ʃlɛndriaːn] <-(e)s> *m* (*fam*) inefficiency
Schlen•ker <-s, -> *m* swerve
schlen•kern ['ʃlɛŋkɐn] *tr itr* dangle, swing; **mit den Beinen ~** dangle one's legs
Schlepp•damp•fer *m* (MAR) tug
Schlep•pe <-, -n> *f* (*Kleider~*) train
schlep•pen ['ʃlɛpən] I. *tr* 1. (*schwer tragen*) lug 2. (*hinter sich her~*) drag along; (*ab~*) tow II. *refl* drag o.s.; **schlep•pend** *adj* 1. (*schleifend*) dragging 2. (*fig: zögernd*) sluggish; **~ in Gang kommen** be very slow to start; **Schlep•per** *m* 1. (MOT) tractor 2. (MAR) tug 3. (COM: *Kunden~*) tout; **Schlepp•kahn** *m* barge, lighter; **Schlepp•lift** *m* ski tow; **Schlepp•netz•fahn•dung** *f* dragnet; **Schlepp•tau** *n* 1. (MAR) tow rope 2. (*bei Segelfliegerei*) trail rope; **ins ~ nehmen** take in tow
Schle•sien ['ʃleːziən] *n* Silesia; **Schle•sier(in)** *m(f)* Silesian; **schle•sisch** *adj* Silesian
Schleu•der ['ʃlɔɪdɐ] <-, -n> *f* 1. (*Stein~*) sling *Br*, slingshot *Am* 2. (TECH: *Zentrifuge*) centrifuge; (*Wäsche~*) spin-drier
Schleu•der•ge•fahr *f* (MOT) risk of skidding
Schleu•der•ho•nig *m* extracted honey
schleu•dern I. *tr* 1. (*werfen, stoßen*) hurl; (*mit Schleuder*) sling 2. (*zentrifugieren*) centrifuge, spin II. *itr* (MOT) skid; **ins S~ kommen** go into a skid; (*fig*) run into trouble
Schleu•der•preis *m* throwaway price; **zu ~en** dirt-cheap; **Schleu•der•sitz** *m* 1. (AERO) ejector seat 2. (*fig*) hot seat
schleu•nig ['ʃlɔɪnɪç] *adj* (*schnell*) hasty,

speedy; **schleu•nigst** *adv* right away; **verschwinde, aber ~!** scram, on the double!

Schleu•se ['ʃlɔizə] <-, -n> *f* **1.** (*Kanal~*) lock **2.** (*Wehr~*) sluice; **schleu•sen** *tr* (*fam: einschmuggeln*) smuggle

Schlich [ʃlɪç] <-(e)s, -e> *m* (*Kunstgriff*) trick; **alle ~e kennen** know all the wheezes; **hinter jds ~e kommen** get on to s.o.

schlicht [ʃlɪçt] *adj* simple; **~ und einfach** plain and simple

schlich•ten *tr:* **e-n Streit ~** settle a dispute

Schlich•tung <-, -en> *f* arbitration, conciliation; **Schlich•tungs•ver•fah•ren** *nt* conciliation procedure; **Schlich•tungs•ver•hand•lun•gen** *pl* arbitration negotiations; **Schlich•tungs•ver•such** *m* attempt at mediation

Schlick [ʃlɪk] <-(e)s, -e> *m* ooze, silt

Schlie•ße <-, -n> *f* fastening

schlie•ßen ['ʃli:sən] **I.** *irr tr* **1.** (*zumachen*) close, shut **2.** (*beenden*) close, conclude; **Frieden ~** make peace; **e-e Lücke ~** close a gap **II.** *itr* **1.** (*zumachen*) close [*o* shut] down **2.** (*schlussfolgern*) infer; **tut uns leid, wir haben geschlossen** sorry, we're closed; **aus etw auf etw ~** infer s.th. from s.th.

Schließ•fach *n* (*Post~*) post-office box, P.O. Box; (*Bank~*) safe-deposit box; (*Gepäck~*) left-luggage locker

schließ•lich *adv* **1.** (*endlich*) eventually, finally **2.** (*immerhin*) after all; **~ u. endlich** at long last

Schließ•mus•kel *m* (ANAT) sphincter

Schlie•ßung *f* **1.** (*Betriebseinstellung*) shut-down **2.** (*~ e-r Versammlung*) breaking-up

Schliff [ʃlɪf] <-(e)s, -e> *m* **1.** (*Diamant, Glas*) cut **2.** (*das Schleifen*) cutting; **e-r Sache den letzten ~ geben** (*fig*) put the finishing touches to s.th.

schlimm [ʃlɪm] *adj* (*böse, a. fig*) bad; **e-e ~e Zeit durchmachen** go through a bad time; **es wird immer ~er** things are going from bad to worse; **es hätte ~er kommen können** it could have been worse; **um so ~er!** so much the worse!; **es könnte ~er sein** (*fam*) worse things happen at sea; **ist doch halb so ~** it's not as bad as all that; **es kommt noch ~er** there is worse to come; **das S~ste ist vorbei** the worst is over; **das S~ste daran ist ...** the worst of it is ...; **schlimms•ten•falls** *adv* at worst

Schlin•ge <-, -n> *f* **1.** (*Schleife, Öse*) loop **2.** (*zum Fangen*) snare **3.** (MED: *Binde*) sling; **sich aus der ~ ziehen** (*fig*) get out of a tight spot

Schlin•gel ['ʃlɪŋəl] <-s, -> *m* rascal

schlin•gen¹ ['ʃlɪŋən] **I.** *irr tr* **1.** (*binden*) tie **2.** (*um~*) wrap **II.** *refl:* **sich ~ um etw** coil itself around s.th.

schlin•gen² *tr* (*herunter~*): **schling nicht so!** don't bolt your food like that!

schlin•gern ['ʃlɪŋɐn] *itr* (*Schiff*) roll; (*Fahrzeug*) lurch

Schling•pflan•ze *f* creeper

Schlips [ʃlɪps] <-es, -e> *m* tie *Br,* necktie *Am;* **sich auf den ~ getreten fühlen** (*fig fam*) feel offended

Schlit•ten ['ʃlɪtən] <-s, -> *m* **1.** sledge *Br,* sled *Am* **2.** (*sl: Wagen*) motor; **~ fahren** go tobogganing; **mit jdm ~ fahren** (*fig fam*) give s.o. a ticking-off; **Schlit•ten•fahrt** *f* sledge ride

schlit•tern ['ʃlɪtɐn] *itr* **1.** *sein o haben* (*auf Rutschbahn*) slide **2.** (MOT: *bei Glatteis*) skid

Schlitt•schuh *m* (ice-) skate; **Schlitt•schuh•bahn** *f* ice-rink; **Schlitt•schuh•läu•fer(in)** *m(f)* skater; **Schlitt•schuh•schritt** *m* (SPORT) skating step

Schlitz [ʃlɪts] <-es, -e> *m* slit; (*Einwurf~*) slot; **Schlitz•au•ge** *n* **1.** (*schlitzförmiges Auge*) slit eye **2.** (*Schimpfwort*) chink; **schlitz•äu•gig** *adj* slant-eyed; **schlit•zen** *tr* slit; **Schlitz•ohr** *n* (*fig fam*) sly fox

Schlö•gel ['ʃlø:gl] <-s, -> *m österr* leg; (*vom Wild*) haunch

schloh•weiß ['ʃlo:'vaɪs] *adj* snow-white

Schloss[RR1] [ʃlɔs, *pl:* 'ʃlœsɐ] <-es, =er> *n* (*Burg*) castle; (*Palast*) palace

Schloss[RR2] *n* (*Verschluss*) lock; (*Koffer~*) fastener; **hinter ~ u. Riegel sitzen** be locked up

Schlos•ser ['ʃlɔsɐ] <-s, -> *m* locksmith; (*Bau~*) fitter; **Schlos•se•rei** *f* metalworking shop

Schloss•herr[RR] *m* lord of the castle; **Schloss•hund**[RR] *m:* **heulen wie ein ~** howl one's head off; **Schloss•park**[RR] *m* castle grounds *pl*

Schlot [ʃlo:t] *m* <-es,-e> **1.** (*Schornstein*) chimney; (*Fabrik~*) smokestack **2.** (*Vulkanöffnung*) vent; **rauchen wie ein ~** smoke like a chimney

schlot•t(e•)rig ['ʃlɔt(ə)rɪç] *adj* (*lose*) baggy

schlot•tern ['ʃlɔtɐn] *itr* **1.** (*lose hängen*) hang loose **2.** (*zittern*) shake, tremble; **mit ~den Knien** with trembling knees; **~ vor Angst** tremble with fear

Schlucht [ʃlʊxt] <-, -en> *f* gorge, ravine

Schluch•zen *n* sobs *pl*

schluch•zen ['ʃlʊxtsən] *itr* sob

Schluck [ʃlʊk] <-(e)s, -e> *m* gulp; (*Mundvoll*) sip; **Schluck•be•schwer•den** *fpl* difficulties in swallowing; **Schluck•brun•nen** *m* (*für Grundwasserwärmepumpe*) drain(age) well; **Schluck•auf** <-s> *m* hiccups *pl;* **schlu•cken** I. *tr* 1. (*a. fig*) swallow; (*herunterwürgen*) gulp down 2. (*fam: aufsaugen*) suck up II. *itr* swallow; **Schlu•cker** *m:* **armer ~** (*fam*) poor devil; **Schluck•imp•fung** *f* oral vaccine; **Schluck•specht** *m* (*fam*) boozer; **schluck•weise** *adv* by draughts

schlu•dern ['ʃlu:dɐn] *itr* (*fam*) work sloppily; **schlu•drig** *adj* (*fam: Arbeit*) slipshod; (*Person*) slapdash

Schlum•mer ['ʃlʊmɐ] <-s> *m* slumber; **schlum•mern** *itr* 1. slumber 2. (*fig*) be latent, lie dormant

Schlund [ʃlʊnt, *pl:* 'ʃlʏndə] <-(e)s, ¨-e> *m* 1. (ANAT) gullet 2. (*Abgrund*) abyss, chasm

schlüp•fen ['ʃlʏpfən] *itr* 1. *sein* slip 2. (*Jungvögel*) hatch out; **in die** [*o* **aus den**] **Kleider(n) ~** slip on [*o* off] one's clothes

Schlüp•fer *m* panties *pl*

Schlupf•lid *nt* receding eyelid, inverted eyelid

Schlupf•loch *n* 1. (*Durchlass für Tiere*) hole 2. (*Gaunerversteck*) hideout 3. (*fig*) loophole

schlüpf•rig ['ʃlʏpfrɪç] *adj* 1. (*glatt*) slippery 2. (*fig: anstößig*) lewd

Schlupf•win•kel *m* hiding place

schlur•fen ['ʃlʊrfən] *itr sein* shuffle along

schlür•fen ['ʃlʏrfən] *tr itr* slurp

Schluss[RR] [ʃlʊs, *pl:* 'ʃlʏsə] <-es, ¨-e> *m* 1. (*Ende, Halt*) end 2. (*Abschluss*) ending; **~ jetzt!** that's the end now!; **~ damit!** stop it!; **~ für heute!** that's it for today!; **~ machen** (*mit der Arbeit*) call it a day; (*Selbstmord begehen*) end it all; **mit jdm ~ machen** finish with s.o.; **zum ~** in the end; **welchen ~ ziehen Sie daraus?** what conclusion do you draw from all this?; **ein voreiliger ~** a rash conclusion; **Schluss•ab•rech•nung**[RR] *f* final account; **Schluss•ak•te**[RR] *f* (POL) closing agreement; **Schluss•be•mer•kung**[RR] *f* concluding remark; **Schluss•bi•lanz**[RR] *f* closing balance (sheet)

Schlüs•sel ['ʃlʏsəl] <-s, -> *m* 1. (*Tür~*) key 2. (TECH: *Schrauben~*) spanner *Br,* wrench *Am* 3. (MUS) clef 4. (*Verteilungsquote*) ratio

Schlüs•sel[2] *m* (MUS) clef

Schlüs•sel[3] *m* (*Verteilungsquote*) ratio

Schlüs•sel•an•hän•ger *m* keyring pendant; **Schlüs•sel•bein** *n* collarbone; **Schlüs•sel•blu•me** *f* cowslip; **Schlüs•sel•bund** *m* bunch of keys; **Schlüs•sel•dienst** *m* key cutting service; emergency locksmith; **Schlüs•sel•er•leb•nis** *n* (PSYCH) crucial experience; **schlüs•sel•fer•tig** *adj* ready for occupancy; **ein ~es Haus** a new house ready for moving in; **Schlüs•sel•in•dus•trie** *f* key industry; **Schlüs•sel•kind** *n* latchkey child; **Schlüs•sel•loch** *n* keyhole; **durchs ~ gucken** spy through the keyhole; **Schlüs•sel•rol•le** *f* key [*o* crucial] role; **Schlüs•sel•stel•lung** *f* key position; **Beamter in ~** key official

Schluss•fol•ge•rung[RR] *f:* **~en ziehen aus ...** draw conclusions from ...

schlüs•sig ['ʃlʏsɪç] *adj* conclusive; **sich über etw ~ sein** have made up one's mind about s.th.

Schluss•licht[RR] <-(e)s, -er> *n* 1. (MOT) taillight, tail lamp 2. (*fig*) back marker; **das ~ bilden** (*fig*) bring up the rear; **Schluss•pfiff**[RR] *m* (SPORT) final whistle; **Schluss•run•de**[RR] *f* (SPORT: *beim Boxen*) final round; (*beim Rennen*) final lap; **Schluss•sit•zung**[RR] *f* final [*o* closing] session; **Schluss•strich**[RR] *m* (*fig*) final stroke; **e-n ~ unter etw ziehen** consider s.th. finished; **Schluss•ver•kauf**[RR] *m* sale; **Schluss•wort**[RR] <-(e)s, -e> *n* 1. (*in Rede*) closing remarks *pl* 2. (*in Buch*) postscript

Schmach [ʃma:x] <-> *f:* **etw als ~ empfinden** see s.th. as a disgrace

schmach•ten ['ʃmaxtən] *itr* (*obs: vor Entbehrung*) languish; **nach etw ~** pine for s.th; **schmach•tend** *adj:* **ein ~er Blick** a languishing glance

schmäch•tig ['ʃmɛçtɪç] *adj* frail, slight

schmach•voll *adj* humiliating

schmack•haft ['ʃmakhaft] *adj* tasty; **jdm etw ~ machen** (*fig*) make s.th. palatable to s.o.

schmä•hen ['ʃmɛ:ən] *tr* abuse; **schmäh•lich** *adj* (*schändlich*) shameful; (*demütigend*) humiliating

schmal [ʃma:l] *adj* 1. (*eng*) narrow 2. (*schlank*) slender, slim; **~e Lippen** thin lips

schmä•lern ['ʃmɛ:lɐn] *tr* 1. (*beeinträchtigen*) diminish, lessen 2. (*herabsetzen*) belittle; **Schmä•le•rung** *f* detraction from

Schmal•film *m* cine-film; **Schmal•film•ka•me•ra** *f* cine-camera

Schmal•spur- (*in Zusammensetzungen*) small-time ...

Schmalz [ʃmalts] <-es, -e> *n* lard

schmal•zig *adj* (*fig fam*) slushy

schma•rot•zen [ʃma'rɔtsən] <ohne ge-> *itr* 1. (*Mensch*) sponge (*bei* on) 2. (BOT ZOO) be parasitic (*bei* on); **Schma•rot•zer** *m* 1. (*fig: Mensch*) sponger *Br,* freeloader *Am* 2. (BOT ZOO) parasite

Schmar•ren[1] <-s, -> *m* *pancake cut up into small pieces*

Schmar•ren[2] *m* (*fam: Unsinn*): **er versteht e-n ~ davon** he doesn't know a thing about it; **das geht Sie e-n ~ an!** that's none of your bloody business!

schmat·zen ['ʃmatsən] *itr* eat noisily
Schmaus [ʃmaʊs, *pl:* 'ʃmɔɪzə] <-es, ¨-se> *m* feast; **schmau·sen** *itr* feast
schme·cken ['ʃmɛkən] **I.** *itr* (*Geschmack haben*) taste (*nach* of); **das schmeckt mir nicht** I don't like the taste of it; **das Essen schmeckt nach nichts!** the cooking has no taste!; **gut ~** taste good [*o* nice]; **das schmeckt nicht schlecht** it tastes all right to me; **das hat geschmeckt!** that was good!; **wie schmeckt's?** how do you like it? **II.** *tr* taste; **ich kann nichts ~** (*feststellen*) I can't taste anything wrong
Schmei·che·lei *f* flattery; **mit ~en kommst du nicht weit** flattery will get you nowhere
schmei·chel·haft *adj* (*a. fig*) flattering
schmei·cheln ['ʃmaɪçəln] *itr* flatter (*jdm* s.o.); **er fühlte sich von ihrer Rede sehr geschmeichelt** he was very flattered by her speech; **Schmeich·ler(in)** *m(f)* flatterer; **schmeich·le·risch** *adj* flattering
schmei·ßen ['ʃmaɪsən] *irr tr* (*fam*) chuck, fling; **e-e Sache** [*o* **den Laden**] **~** (*fig*) run the show
Schmeiß·flie·ge *f* bluebottle
Schmelz [ʃmɛlts] <-es, -e> *m* **1.** (*Email, Zahn~*) enamel **2.** (*Glanz, Glasur*) glaze **3.** (*fig: der Stimme*) mellowness; **Schmel·ze** <-, -n> *f* **1.** (*von Metall*) melt **2.** (*Schmelzhütte*) smelting works *pl*
schmel·zen ['ʃmɛltsən] *irr tr haben, itr sein* (*a. fig*) melt; **Schmelz·hüt·te** *f* smelting works *pl;* **Schmelz·kä·se** *m* processed cheese *Br;* process cheese *Am;* **Schmelz·o·fen** *m* (*für Metallerz*) melting furnace; **Schmelz·punkt** *m* melting point; **Schmelz·tie·gel** *m* (*a. fig*) melting pot; **Schmelz·was·ser** *n* snow water
Schmer·bauch ['ʃmeːɐ-] *m* (*fam*) paunch
Schmerz [ʃmɛrts] <-es, -en> *m* pain; **hast du noch ~en?** is it still hurting?; **das ist gut gegen die ~en** this will help the pain; **~en haben** be in pain; **er schrie vor ~en** he screamed in pain; **ich habe ~en im Bein** I have a pain in my leg; **schmer·zen** *itr* (*weh tun*) hurt; **mein Arm fing an zu ~** my arm was becoming painful; **sein Arm schmerzt noch immer** his arm is still paining him; **schmerz·em·pfind·lich** *adj* sensitive to pain; **Schmer·zens·geld** *n* (JUR) damages *pl;* **Schmer·zens·schrei** *m* scream of pain; **Schmerz·gren·ze** *f* pain barrier; **schmerz·haft** *adj* **1.** painful **2.** (*fig: betrüblich*) sad; **schmerz·lich** *adj* (*fig: traurig*) sad; **ein ~er Verlust** a severe loss; **ihm wurde ~ bewusst, dass ...** he became painfully aware that ...; **schmerz·los** *adj* painless; **kurz und ~** quite painless; **Schmerz·mit·tel** *n* pain-killer; **schmerz·stil·lend** *adj* pain-killing; **~es Mittel** pain-killer *fam,* analgetic; **Schmerz·ta·blet·te** *f* pain-killer
Schmet·ter·ball *m* (SPORT) smash
Schmet·ter·ling ['ʃmɛtɐlɪŋ] *m* butterfly
schmet·tern ['ʃmɛtɐn] **I.** *tr* (*heftig werfen*) smash **II.** *itr* **1.** (SPORT: *Tennisball*) smash **2.** (MUS: *Trompete*) blare **3.** (*Stimme*) bellow
Schmied [ʃmiːt] <-(e)s, -e> *m* smith
Schmie·de ['ʃmiːdə] <-, -n> *f* forge, smithy; **schmie·de·ei·sern** *adj* wrought-iron; **schmie·den** *tr* forge (*zu* into); **Pläne ~** (*fig*) hatch plans
schmie·gen ['ʃmiːgən] *refl* nestle, snuggle (*an* to); **sich an jdn ~** nestle up to s.o.; **sich an jds Schulter ~** nestle against someone's shoulder; **schmieg·sam** *adj* supple
Schmie·re ['ʃmiːrə] <-, -n> *f* grease; **~ stehen** (*fig fam*) be the look-out
schmie·ren **I.** *tr* **1.** (*auf~*) smear **2.** (*Maschinen*) lubricate; **jdn ~** (*fam: bestechen*) grease someone's palms; **du kriegst gleich e-e geschmiert!** (*fam*) I'll clout you one in a minute! **II.** *itr* **1.** (*sudeln, schlecht schreiben*) scrawl **2.** (*schmierig sein*) smear; **es läuft wie geschmiert** it's going like clockwork; **voll ~**[RR] mess up; **Schmie·re·rei** *f* **1.** (*Sudelei*) scrawl **2.** (*schlechte Malerei*) daubing **3.** scribbling; **Schmier·fett** *n* grease; **Schmier·fink** *m* **1.** (*mieser Schreiberling*) muckraker *fam* **2.** (*Schüler*) messy fellow; **Schmier·geld(er)** *n (pl)* bribe *sing;* **als ~** as a bribe; **~(er) nehmen** take a bribe; **schmie·rig** *adj* **1.** (*fettig*) greasy **2.** (*fig: widerlich*) dirty, filthy **3.** (*fam: kriecherisch*) smarmy; **Schmier·mit·tel** *n* lubricant; **Schmier·öl** *n* lubricating oil; **Schmier·pa·pier** *n* rough paper; **Schmier·sei·fe** *f* soft soap; **Schmier·zet·tel** *m* piece of rough paper
Schmin·ke ['ʃmɪŋkə] <-, -n> *f* make-up; **schmin·ken** **I.** *tr* make up **II.** *refl* put on make-up; **Schmink·täsch·chen** *n* make-up bag
schmir·geln ['ʃmɪrgəln] *tr* sand; **Schmir·gel·pa·pier** *n* sandpaper
schmis·sig *adj* (*fam*) dashing
Schmö·ker ['ʃmøːkɐ] <-s, -> *m* (*fam*) book, piece of light reading
schmö·kern *itr:* **in e-m Buch ~** bury o.s. in a book
Schmoll·e·cke *f:* **sich in seine ~ zurückziehen** withdraw to one's corner to sulk; **schmol·len** ['ʃmɔlən] *itr* sulk; **mit jdm ~** be annoyed with s.o; **Schmoll·mund** *m* pout; **e-n ~ ziehen** pout
Schmor·bra·ten *m* pot-roast
schmo·ren ['ʃmɔːrən] *tr itr* braise; **jdn ~ lassen** (*fig*) leave s.o. to stew

Schmuck [ʃmʊk] <-(e)s, (-e)> *m* **1.** (*Juwelen*) jewellery *Br,* jewelry *Am* **2.** (*Dekoration*) decoration

schmü•cken ['ʃmʏkən] **I.** *tr* adorn, decorate **II.** *refl* adorn o.s.

Schmuck•käst•chen *n* jewellery box; **schmuck•los** *adj* (*fig*) plain, simple; **Schmuck•stück** *n* **1.** (*Juwel*) piece of jewellery **2.** (*fig*) gem

schmud•de•lig ['ʃmʊdəlɪç] *adj* messy, dirty

Schmud•del•kind *n* (*fam*) (street) urchin

Schmug•gel ['ʃmʊgəl] <-s> *m* smuggling; **schmug•geln** *tr itr* smuggle; **mit etw ~** smuggle s.th.; **Schmug•gel•wa•re** *f* contraband, smuggled goods *pl;* **Schmugg•ler(in)** *m(f)* smuggler

schmun•zeln ['ʃmʊntsəln] *itr* smile

schmu•sen ['ʃmu:zən] *itr* have a cuddle; **mit jdm ~** cuddle s.o.; **Schmu•se•pup•pe** *f* cuddly toy

Schmutz [ʃmʊts] <-es> *m* dirt; **jds Namen durch den ~ ziehen** drag someone's name through the mud; **schmutzen** *itr* get dirty; **Schmutz•fink** *m* (*fam: Kind*) mucky pup; **Sie ~!** (*fig*) don't be filthy!; **Schmutz•fleck** *m* dirty mark; **schmut•zig** *adj* dirty; **~ werden** get dirty; **etw ~ machen** get s.th. dirty; **e-e ~e Phantasie haben** have a dirty mind; **Schmutz•kam•pa•gne** *f* smear campaign; **Schmutz•schicht** *f* layer of dirt; **Schmutz•ti•tel** *m* (TYP) half-title

Schna•bel ['ʃna:bəl, *pl:* 'ʃnɛ:bəl] <-s, ⸚> *m* **1.** (ORN) beak, bill **2.** (*fam: Mund*) gob, trap; **darüber hältst du den ~!** keep your gob shut about this!; **halt den ~!** shut your trap!

Schna•ke ['ʃna:kə] <-, -n> *f* gnat, midge

Schnal•le ['ʃnalə] <-, -n> *f* **1.** (*Schuh~, Gürtel~*) buckle **2.** (*Schließe*) clasp; **schnal•len** *tr* strap (*an* to); **etw auf etw ~** strap s.th. onto s.th.; **hast du das jetzt geschnallt?** (*begriffen, fig fam*) have you got it now?

schnal•zen ['ʃnaltsən] *itr* (*mit der Zunge*) click one's tongue; (*mit den Fingern*) snap one's fingers

Schnäpp•chen ['ʃnɛpçən] *n* (*fam*) bargain

schnap•pen ['ʃnapən] **I.** *tr* **1.** (*etw ergreifen, erwischen*) grab, snatch **2.** (*fam: fangen*) nab; **er schnappte mich am Ärmel** he grabbed my sleeve; **die Polizei hat ihn dabei geschnappt, wie er ...** the police nabbed him when he ... **II.** *itr:* **nach etw ~** make a snap at s.th.; **nach Luft ~** gasp for air; **Schnapp•schuss**[RR] *m* (PHOT) snapshot

Schnaps [ʃnaps, *pl:* 'ʃnɛpsə] <-es, ⸚e> *m* booze *Br,* liquor *Am;* **Schnaps•idee** *f* (*fam*) crackpot idea

schnar•chen ['ʃnarçən] *itr* snore

schnar•ren ['ʃnarən] *itr* **1.** (*knarren*) creak **2.** (*summen*) buzz; **~de Geräusche** a series of creaks

schnat•tern ['ʃnatɐn] *itr* **1.** (*Gänse, Enten*) quack **2.** (*pej: durcheinander schwatzen*) gabble, prattle

schnau•ben ['ʃnaʊbən] *itr tr* (*bes. von Pferd*) snort; (*pusten*) blow, puff; **vor Wut ~** snort with rage

schnau•fen ['ʃnaʊfən] *itr* puff, wheeze

Schnauz•bart *m* moustache

Schnau•ze ['ʃnaʊtsə] <-, -n> *f* **1.** (*Tier~*) muzzle **2.** (*vulg: Mund*) trap **3.** (*Spitze, bes. Flugzeugspitze*) nose; (MOT: *Vorderteil*) front; **halt die ~!** (*vulg*) shut your trap!; **e-e große ~ haben** (*vulg*) be a bigmouth; **schnau•zen** *itr* (*fam*) shout

schnäu•zen[RR] ['ʃnɔɪtsən] *refl* blow one's nose

Schne•cke ['ʃnɛkə] <-, -n> *f* snail; **jdn zur ~ machen** (*fig fam*) give s.o. a ticking-off; **schne•cken•för•mig** *adj* spiral; **Schnecken•haus** *n* snail-shell; **Schne•cken•tem•po** *n:* **im ~** at a snail's pace

Schnee [ʃne:] <-s> *m* (*a. fig: Heroin, Kokain*) snow; **der ewige ~** the eternal snows *pl;* **Schnee•an•zug** *m* snow suit; **Schnee•ball** *m* **1.** snowball **2.** (BOT: *~strauch*) guelder rose; **Schnee•ball•effekt** *m* snowball effect; **Schnee•ball•schlacht** *f* snowball fight; **e-e ~ machen** have a snowball fight; **Schnee•be•sen** *m* whisk; **Schnee•bril•le** *f* snow goggles *pl;* **Schnee•de•cke** *f* blanket of snow; **Schnee•fall** *m* snowfall; **Schnee•flo•cke** *f* snowflake; **Schnee•ge•stö•ber** *n* snowstorm; **Schnee•glöck•chen** *n* (BOT) snowdrop; **Schnee•gren•ze** *f* snow-line; **Schnee•hemd** *n* white camouflage anorak; **Schnee•ka•no•ne** *f* snow cannon; **Schnee•ket•te** *f* (MOT) snow chain; **Schnee•mann** <-(e)s, ⸚er> *m* snowman; **Schnee•matsch** *m* slush; **Schnee•mo•bil** *n* snow mobile; **Schnee•pflug** *m* snowplough *Br,* snowplow *Am;* **Schnee•re•gen** *m* sleet; **Schnee•schau•er** *m* snow shower; **Schnee•schau•fel** *f* snow-shovel *Br,* snowpusher *Am;* **Schnee•schmel•ze** *f* thaw; **Schnee•sturm** *m* snowstorm *Br,* blizzard *Am;* **Schnee•trei•ben** *n* driving snow; **Schnee•ver•we•hung** *f* snowdrift; **schnee•weiß** ['-'-] *adj* snowy-white; **Schnee•witt•chen** *n* Snow White

Schneid [ʃnaɪt] <-(e)s> *m* guts *pl;* **Schneid•bren•ner** *m* (TECH) cutting torch

Schnei•de [ʃnaɪdə] <-, -n> *f* **1.** (*Schärfe,*

Kante) edge **2.** (*Klinge*) blade; **auf (des) Messers ~ stehen** (*fig*) be on a razor's edge

schnei·den I. *irr tr* (*a. fig*) cut; **sich die Nägel ~** cut one's nails; **sich am Finger ~** cut one's finger; **deine Haare könnten mal wieder geschnitten werden!** your hair could do with a cut!; **sich die Haare ~ lassen** have one's hair cut; **etw in zwei Teile ~** cut s.th. in half **II.** *refl* **1.** (*mit Messer*) cut o.s. **2.** (MATH: *Linien*) intersect; **schnei·dend** *adj* (*fig*) **1.** (*beißend*) biting **2.** (*durchdringend*) piercing

Schnei·der(in) *m(f)* tailor; (*Damen~*) dressmaker; **Schnei·de·rei** *f* tailor's [*o* dressmaker's]; **schnei·dern** *tr* (*anfertigen*) make

Schnei·der·sitz *m:* **im Schneidersitz** cross-legged

Schnei·de·zahn *m* incisor

schnei·dig *adj* dashing

schnei·en ['ʃnaɪən] *itr impers* snow

Schnei·se ['ʃnaɪzə] <-, -n> *f* **1.** (*Wald~*) aisle **2.** (AERO: *Flug~*) path

schnell [ʃnɛl] *adj* (*~fahrend*) fast; (*rasch*) quick; **mach ~!** be quick!; **~, ~!** quick, quick!; **das ging ja ~** you were quick; **etw ganz ~ tun** be quick to do s.th.; **wie komme ich am ~sten zum Bahnhof?** what's the quickest way to the station?; **lass mich mal ~ sehen** let me have a quick look; **wir haben ~ etw gegessen** we had a quick meal; **ich schreibe ihm ~ mal** I'll just drop him a line or two; **er arbeitet ~** he is a fast worker

Schnel(l·)la·der *m s.* Schnellader; **Schnell·bahn** *f* high-speed railway; **Schnell·bau·wei·se** *f* high-speed building methods *pl;* **Schnell·boot** *n* (MIL) motor-torpedo boat, MTB; **Schnell·drucker** *m* high-speed printer; **schnel(l·)le·big** *adj s.* **schnelllebig**

schnel·len ['ʃnɛlən] *itr sein:* **in die Höhe ~** shoot up, tip up

Schnell·feu·er·waf·fe *f* automatic weapon; **Schnell·hef·ter** *m* spring folder

Schnel·lig·keit *f* speed; **mit großer ~** at fast speed; **die ~ der Strömung** the rapidity of the current

Schnell·im·biss[RR] *f* snack-bar; **Schnell·koch·plat·te** *f* high-speed ring; **Schnell·koch·topf** *m* pressure cooker; **Schnell·la·der**[RR] *m* (MOT: *für Batterie*) fast charger; **schnell·le·big**[RR] *adj* fast-moving; **Schnell·rei·ni·gung** *f* express cleaner's; **Schnell·rück·lauf** *m* fast rewind

schnells·tens *adv* as quickly as possible

Schnell·stra·ße *f* expressway; **Schnell·such·lauf** *m* rapid search; **schnell·trock·nend** *adj* quick-drying; **Schnell·ver·fah·ren** *n* **1.** (TECH) high-speed processing **2.** (JUR) summary trial; **im ~ abgeurteilt werden** be sentenced by a summary trial; **Schnell·vor·lauf** *m* fast forward; **Schnell·zug** *m* fast train

Schnep·fe ['ʃnɛpfə] <-, -n> *f* (ORN) snipe

schneu·zen *s.* **schnäuzen**

schnie·fen ['ʃni:fən] *itr* (*fam*) sniffle

Schnipp·chen ['ʃnɪpçən] *n* (*fam*): **jdm ein ~ schlagen** outsmart s.o.

schnip·peln ['ʃnɪpln] *itr* snip

schnip·pisch *adj* pert, saucy

Schnip·sel *m n* scrap; **schnip·seln** *tr* snip (*an* at)

Schnitt [ʃnɪt] <-(e)s, -e> *m* **1.** (*allgemein*) cut **2.** (*Längs~, Quer~*) section; **e-n ~ mit etw machen** (*fig fam*) make a profit by s.th; **im ~** (*fig*) on average

Schnitt·blu·men *pl* cut flowers

Schnit·te <-, -n> *f* **1.** (*Scheibe*) slice **2.** (*belegtes Brot*) open sandwich; **e-e ~ Brot** a slice of bread

Schnitt·flä·che *f* section

schnit·tig *adj* smart

Schnitt·kä·se *m* sliced cheese, cheese slices; **Schnitt·lauch** *m* chives *pl;* **Schnitt·men·ge** *f* (MATH) intersection; **Schnitt·mus·ter** *n* paper pattern; **Schnitt·punkt** *m* (*von Linien*) point of intersection; **Schnitt·stel·le** *f* (EDV) interface

Schnitt·wun·de *f* cut; (*tiefe ~*) gash

Schnit·zel[1] *n* (*Speise*) pork [*o* veal] cutlet

Schnit·zel[2] ['ʃnɪtsəl] <-s, -> *n m* (*Papier~*) scrap of paper; **Schnit·zel·jagd** *f* paper-chase

schnit·zen ['ʃnɪtsən] *tr* carve; **Schnit·zer** *m* **1.** (*Holz~*) wood carver **2.** (*fam: Fehler*) blunder *Br,* howler *Am*

Schnitz·mes·ser *n* woodcarving knife

schnö·de ['ʃnø:də] *adj:* **der ~e Mammon** filthy lucre

Schnor·chel ['ʃnɔrçəl] <-s, -> *m* snorkel

Schnör·kel ['ʃnœrkəl] <-s, -> *m* (*bogenförmige Verzierung*) flourish; **schnör·kel·los** *adj* without frills

schnor·ren *tr itr* scrounge, cadge (*etw bei jdm* s.th. off s.b.); **Schnor·rer(in)** *m(f)* scounger, sponger

Schnüf·fe·lei *f* **1.** (*Schnuppern*) sniffling **2.** (*fig: Herumspionieren*) snooping

schnüf·feln ['ʃnʏfəln] *itr* **1.** (*schnuppern*) sniff (*an* at) **2.** (*fig*) snoop around

Schnul·ler ['ʃnʊlɐ] <-s, -> *m* **1.** (*für Säugling*) dummy *Br,* pacifier *Am* **2.** (*Fläschchenaufsatz*) teat *Br,* nipple *Am*

Schnul·ze ['ʃnʊltsə] <-, -n> *f* (*fam pej*) tearjerker; **Schnul·zen·sän·ger(in)** *m(f)* (*fam pej*) crooner

Schnup·fen [ˈʃnʊpfən] <-s, -> *m* cold (in the head); ~ **haben** have a cold; ~ **bekommen** catch cold

schnup·fen *tr* snort, sniff

schnup·pe [ˈʃnʊpə] *adj* (*fam*): **das ist mir** ~ it's all the same to me

schnup·pern [ˈʃnʊpɐn] *itr* sniff; **an etw** ~ sniff s.th.

Schnur [ʃnuːɐ, *pl:* ˈʃnyːrə] <-, ¨-e> *f* string; (*Kordel*) cord; (EL: *Leitungs~*) flex

Schnür·band *n* lace

Schnür·chen [ˈʃnyːɐçən] *n:* **das klappt ja wie am** ~ it's really going like clockwork

schnü·ren [ˈʃnyːrən] **I.** *tr* tie up **II.** *itr* (*zu fest sein*) be too tight

schnur·ge·ra·de [ˈ--ˈ--] *adv* dead straight

schnur·los *adj* (*Telefon*) cordless

Schnurr·bart *m* moustache *Br,* mustache *Am;* **schnurr·bär·tig** *adj* mustachioed

schnur·ren [ˈʃnʊrən] *itr* **1.** (*surren*) whir **2.** (*Katze*) purr

Schnurr·haa·re *pl* whiskers

Schnür·sen·kel *m* shoelace; **Schnür·stie·fel** *m* laced boot

schnur·stracks [ˈʃnuːɐˈʃtraks] *adv* straight away

Scho·ber [ˈʃoːbɐ] <-s, -> *m* (*österr: Scheune*) barn

Schock [ʃɔk] <-s, -s> *m* shock; **Schock·far·be** *f* blaze colour *Br,* electric colour, blaze color *Am,* electric color; **scho·ckie·ren** *tr* shock

Schöf·fe [ˈʃœfə] <-n, -n> *m,* **Schöf·fin** *f* (JUR) juror

Scho·ko·la·de [ʃokoˈlaːdə] <-, -n> *f* chocolate; **Scho·ko·(la·den·)rie·gel** *m* chocolate bar

Scho·ko·la·den·sei·te *f* (*fig*) attractive side of things

Schol·le¹ [ˈʃɔlə] <-, -n> *f* **1.** (*Fisch*) plaice **2.** (*auf Speisekarten*) sole

Schol·le² *f* (*Erd~*) clod; (*Eis~*) floe

schon [ʃoːn] *adv* **1.** (*bereits*) already **2.** (*jemals*) ever **3.** (*bloß*) just; **ich lebe ~ seit 2 Jahren in Berlin** I have been living in B. for 2 years; **sind Sie ~ (mal) in Spanien gewesen?** have you ever been to Spain?; **das habe ich ~ oft gehört** I've heard that often; **ich bin ~ lange fertig** I've been ready for ages; **wartest du ~ lange?** have you been waiting long?; ~ **immer** always; **wenn ich das ~ höre!** if I even hear that!; **na, wenn ~!** so what!; **was ist das ~!** that's nothing!; **ja, ~ ...** yes, well ...; **das ist ~ möglich** that's quite possible; **mach ~!** get a move on!; **morgen ~ gar nicht** tomorrow least of all

schön [ʃøːn] **I.** *adj* **1.** (*hübsch*) beautiful, lovely **2.** (*angenehm*) nice; **heute nachmittag wird es ~** it's going to be fine this afternoon; **wir gehen, wenn das Wetter ~ ist** we'll go if it's fine; **e-s ~en Tages** one fine day; **das ist ja e-e ~e Ausrede** that's a fine excuse; **du bist mir ein ~er Freund!** a fine friend you are!; **das ist ja alles ~ und gut, aber ...** that's all very well, but ...; **ich hab' mich ~ ausgeruht** I had a nice rest; **immer ~ sachte!** nice and easy does it!; **das sind ja ~e Zustände!** here's a nice state of affairs! **II.** *adv* **1.** (*gut*) well **2.** (*ziemlich*) pretty; **schlaf ~!** sleep well!; **ganz ~ lange** quite a while

scho·nen [ˈʃoːnən] **I.** *tr* **1.** (*verschonen*) spare **2.** (*sorgfältig behandeln*) look after, take care of **II.** *refl* take care of o.s; **scho·nend** *adj* **1.** (*vorsichtig*) gentle **2.** (*mild*) mild; **etw ~ behandeln** treat s.th. with care; **jdm etw ~ beibringen** break s.th. to s.o. gently

Schon·gang *f* (*Waschen*) gentle action wash

Schön·heit *f* **1.** beauty **2.** (*schöne Frau*) beautiful woman, beauty; **Schön·heits·farm** *f* beauty farm; **Schön·heits·feh·ler** *m* (*von Menschen*) blemish; (*von Sachen*) flaw; **Schön·heits·ope·ra·ti·on** *f* cosmetic surgery; **Schön·heits·pfle·ge** *f* beauty care

Schon·kost *f* light diet

Schön·schreib·dru·cker *m* (EDV) letter-quality printer

schöntun *irr itr:* **jdm** ~ soft-soap s.o.

Scho·nung¹ *f* (*vorsichtige Behandlung*) saving (of); **zur ~ der Möbel** for the protection of the furniture; **Scho·nung²** *f* (*Jungwald*) forest plantation area; **scho·nungs·los** **I.** *adj* (*ohne Gnade*) merciless **II.** *adv* bluntly

Schon·zeit *f* close season *Br,* closed season *Am*

Schopf [ʃɔpf, *pl:* ˈʃœpfə] <-(e)s, ¨-e> *m* (*Haar~*) shock of hair; (*Vogel~, Feder~*) crest; **die Gelegenheit beim ~e fassen** (*fig*) seize (on) the opportunity

schöp·fen [ˈʃœpfən] *tr itr* scoop (*aus* out of, from); **neuen Mut** ~ (*fig*) draw new courage (*aus* from)

Schöp·fer(in) *m(f)* creator; **schöp·fe·risch** *adj* creative

Schöpf·kel·le *f* scoop; **Schöpf·löf·fel** *m* ladle

Schöp·fung *f* **1.** (*Kreation, Werk*) creation **2.** (*Erfindung*) invention; **Schöp·fungs·ge·schich·te** *f* (REL) Genesis

Schöps <-es, -e> *m* (*österr: Hammel*) wether

Schorf [ʃɔrf] <-(e)s, -e> *m* (*Wundkruste*) scab

Schorn·stein [ˈʃɔrnʃtaɪn] <-(e)s, -e> *m* chimney; (MAR RAIL) funnel; (*Fabrik~*)

(smoke-) stack; **Schorn•stein•auf•satz** *m* chimney top; (*aus Blech*) chimney cowl; **Schorn•stein•fe•ger** *m* (chimney-) sweep

Schoss[RR] ['ʃɔs] <-es, -e> *m* (BOT: *Trieb*) shoot, sprout

Schoß ['ʃo:s, *pl:* 'ʃø:sə] <-es, ⸚e> *m* lap; **auf dem ~** on one's lap; **Schoß•hund** *m* lap-dog

Scho•te ['ʃo:tə] <-, -n> *f* (BOT) pod

Schott [ʃɔt] <-(e)s, -en/-s> *n* (MAR) bulkhead

Schot•te ['ʃɔtə] <-n, -n> *m* Scot, Scotsman; **die ~en** the Scottish

Schot•ter ['ʃɔtɐ] <-s> *m* **1.** (*Straßen~*) road-metal; (RAIL) ballast **2.** (*fam: Geld*) dough; **schot•tern** *tr* metal

Schot•tin *f* Scotswoman; **die ~nen** Scottish women; **schot•tisch** *adj* Scottish; **das ~e Hochland** the Scottish Highlands; **~er Whisky** Scotch Whisky; **Schott•land** *n* Scotland

schraf•fie•ren [ʃra'fi:rən] *tr* hatch; **Schraf•fur** *f* hatching

schräg [ʃrɛ:k] **I.** *adj* **1.** (*ungerade*) oblique **2.** (*geneigt*) sloping **3.** (*quer laufend*) diagonal **II.** *adv* **1.** (*nicht parallel*) obliquely **2.** (*diagonal*) diagonally; **~ gegenüber** diagonally opposite; **jdn ~ ansehen** look down on s.o.; **Schrä•ge** ['ʃrɛ:gə] <-, -n> *f* incline; **Schräg•heck** *n* (*am Auto*) coupé back; (*Auto*) coupé; **Schräg•schrift** *f* (TYP: *Kursivdruck*) italics *pl;* **Schräg•strich** *m* oblique stroke

Schram•me ['ʃramə] <-, -n> *f* scratch; **schram•men** *tr* scratch

Schrank [ʃraŋk, *pl:* 'ʃrɛŋkə] <-(e)s, ⸚e> *m* cupboard *Br;* closet *Am;* (*Kleider~*) wardrobe; **Schrank•bett** *n* fold-away bed

Schran•ke ['ʃraŋkə] <-, -n> *f* (*a. fig*) barrier; **das hält sich noch in ~n** that keeps within reasonable limits; **sein Ehrgeiz kennt keine ~n** there are no bounds to his ambition; **schran•ken•los** *adj* unrestrained; **Schran•ken•wär•ter(in)** *m(f)* level crossing attendant

Schrank•fach *n* shelf; **Schrank•wand** *f* wall unit

Schrap•nell [ʃrap'nɛl] <-s, -e/-s> *n* shrapnel

Schrau•be ['ʃraʊbə] <-, -n> *f* **1.** (*ohne Mutter, Holz~*) screw; (*~ mit Mutter*) bolt **2.** (AERO MAR) propeller; **e-e ~ anziehen** tighten a screw; **bei ihm ist e-e ~ los** (*fig fam*) he has a screw loose; **schrau•ben** *tr itr* screw; **etw höher (niedriger, fester) ~** screw s.th. up (down, tighter); **Schrau•ben•dre•her** *m* screwdriver; **Schrau•ben•schlüs•sel** *m* spanner; **Schrau•ben•zie•her** *m s.* **Schraubendreher**

Schraub•fas•sung *f* screw fixture; **Schraub•stock** *m* vice *Br,* vise *Am;* **etw wie ein ~ umklammern** clasp s.th. in a vice-like grip; **Schraub•ver•schluss**[RR] *m* screw top, screw cap

Schre•ber•gar•ten ['ʃre:bɐ-] *m* allotment

Schreck [ʃrɛk] <-(e)s, -e(n)> *m* fright, scare; **e-n ~ bekommen** have a fright; **jdm e-n ~ einjagen** give s.o. a fright; **mit dem ~en davonkommen** get off with no more than a fright

schre•cken *tr* frighten, scare; **Schre•ckens•bot•schaft** *f* alarming piece of news; **Schre•ckens•herr•schaft** *f* reign of terror

Schreck•ge•spenst *n* nightmare

schreck•haft *adj* easily frightened

schreck•lich I. *adj* (*furchtbar*) terrible; **du bist wirklich ~!** you're awful! **II.** *adv* (*fam: sehr*) awfully; **ist nicht so ~ wichtig** it's not awfully important; **~ gerne!** I'd absolutely love to!

Schreck•schrau•be *f* (*pej*) battle-axe; **Schreck•schuss**[RR] *m:* **e-n ~ abgeben** fire a warning shot; **Schreck•schuss•pis•to•le**[RR] *f* blank gun; **Schreck•se•kun•de** *f* (MOT) reaction time

Schrei [ʃraɪ] <-(e)s, -e> *m* cry; (*lauter*) shout; (*gellend*) yell; (*kreischend*) scream, screech, shriek; **der letzte ~** (*Mode etc*) the latest thing; **e-n ~ ausstoßen** utter a cry

Schreib•block *m* (writing-) pad

Schrei•be *f* (*fam*) writing

Schrei•ben <-s, -> *n* letter

schrei•ben ['ʃraɪbən] *irr tr itr* write; **er schrieb 5 Seiten voll** he wrote five sheets of paper; **~ Sie Ihren Namen in Druckschrift!** print your name!; **wie schreibt man das?** how do you spell that?; **jdm ~** write to s.o.; **wir ~ uns** we write to each other; **ich habe ihm geschrieben, er solle kommen** I wrote to him to come

Schrei•ber *m* **1.** (*Brief~, etc*) writer **2.** (*Amts~*) clerk **3.** (TECH: *Registrierapparat*) recorder

schreib•faul *adj:* **~ sein** be no great letter-writer; **Schreib•fe•der** *f* (*Stahl~*) nib; **Schreib•feh•ler** *m* (spelling) mistake; **Schreib•heft** *n* exercise-book; **Schreib•kraft** *f* typist; **Schreib•map•pe** *f* portfolio; **Schreib•ma•schi•ne** *f* typewriter; **~ schreiben** type; **mit ~ geschrieben** typewritten; **Schreib•ma•schi•nen•pa•pier** *n* typing paper; **Schreib•pa•pier** *n* writing paper; **Schreib•pult** *n* (writing) desk; **Schreib•schrift** *f* **1.** (*von Hand*) cursive writing **2.** (TYP) script; **Schreib•tisch** *m* desk; **Schreib•tisch•tä•ter** *m* (*pej*) brains behind the scenes of a crime

Schrei•bung *f* (*Orthographie*) spelling; **falsche** ~ misspelling

Schreib•un•ter•la•ge *f* desk pad; **Schreib•wa•ren** *pl* writing materials; **Schreib•wa•ren•händ•ler** *m* stationer; **Schreib•wa•ren•hand•lung** *f* stationer's; **Schreib•wei•se** *f* spelling; way of writing; **Schreib•zeug** <-(e)s> *n* writing things *pl*

schrei•en ['ʃraɪən] *irr itr* shout; (*laut* ~) scream; **sich die Lunge aus dem Halse** ~ (*fig*) scream one's head off; **sich heiser** ~ scream o.s. hoarse; **sie schrie nach jdm** she cried for s.o. to come; **schrei•end** *adj:* **e-e** ~**e Ungerechtigkeit** a crying scandal; ~**e Farben** loud colours; **Schrei•e•rei** *f* (*fam*) bawling; **Schrei•hals** *m* bawler

Schrein [ʃraɪn] <-(e)s, -e> *m* (REL) shrine

Schrei•ner(in) *m(f)* carpenter; **Schrei•ne•rei** *f* carpenter's workshop; **schrei•nern I.** *itr* do carpentry **II.** *tr* (*fertigen*) make

schrei•ten ['ʃraɪtən] *irr itr* stride; **im Zimmer auf u. ab**~ pace up and down the room; **zur Abstimmung** ~ come to the vote

Schrift [ʃrɪft] <-, -en> *f* **1.** (*Hand~*) handwriting **2.** (TYP) type **3.** (*Broschüre*) leaflet; **die Heilige** ~ the Holy scriptures *pl;* **s-e** ~**en** his writings; **sie hat e-e gute** ~ she has good handwriting; **Schrift•art** *f* **1.** (*von Hand~*) script **2.** (TYP) type; **Schrift•deutsch** *n* written [*o* standard] German; **Schrift•füh•rer(in)** *m(f)* secretary; **Schrift•grad** *m* (TYP) typesize; **Schrift•lei•tung** *f* editorship

schrift•lich I. *adj* written; ~**e Beweise** evidence in writing **II.** *adv* in writing; **etw** ~ **festhalten** put down s.th. in writing; **das kann ich dir** ~ **geben!** (*fig fam*) I can tell you that for free!

Schrift•satz *m* **1.** (TYP) type **2.** (JUR) pleadings *pl;* **Schrift•set•zer(in)** *m(f)* compositor, typesetter; **Schrift•spra•che** *f* written language; **Schrift•stel•ler(in)** *m(f)* author(ess), writer; **schrift•stel•le•risch** *adj* literary; ~ **begabt sein** have a literary talent; **Schrift•stück** *n* paper; (*amtlich*) document; **Schrift•ver•kehr** *m* correspondence; **Schrift•wech•sel** *m* correspondence

schrill [ʃrɪl] *adj* shrill

Schritt [ʃrɪt] <-(e)s, -e> *m* **1.** (*a. fig*) step; (*langer* ~) stride **2.** (*Gang*) gait, walk **3.** (*e-r Hose*) crotch; ~ **halten mit ...** keep up with ...; **e-n** ~ **machen** take a step; ~ **für** ~ step by step; ~ **fahren** go at crawl; **er beobachtete mich auf** ~ **und Tritt** he watched my every step; **es sind nur ein paar** ~**e** it's only a few steps; **den ersten** ~ **tun** make the first move; **ein entscheidender** ~ a decisive step; **Schritt•ge•schwin•dig•keit** *f* walking pace; **Schrit(t•)tem•po** *n s.* Schritttempo; **Schritt•ma•cher** *m* (*a.* MED) pacemaker; **Schritt•tem•po**[RR] *n:* **im** ~ **fahren** crawl along; **schritt•wei•se** *adv* gradually

schroff [ʃrɔf] *adj* **1.** (*steil abfallend*) steep; (*jäh*) precipitous **2.** (*zerklüftet*) rugged **3.** (*fig: barsch*) curt; ~**e Gegensätze** sharp contrasts; ~**er Widerspruch** downright contradiction

schröp•fen ['ʃrœpfən] *tr* (*fig*): **jdn** ~ fleece s.o.

Schrot [ʃro:t] <-(e)s, -e> *m, n* **1.** (*Blei~*) shot **2.** (*grob gemahlenes Getreide*) wholemeal *Br,* wholewheat *Am;* **von altem** ~ **u. Korn** of the good old type; **Schrot•brot** *n* wholemeal bread *Br,* wholewheat bread *Am;* **Schrot•flin•te** *f* shotgun

Schrott [ʃrɔt] <-(e)s, -e> *m* scrap metal; **Schrott•hal•de** *f* scrap heap; **Schrott•händ•ler(in)** *m(f)* scrap dealer; **Schrott•hau•fen** *m* **1.** (*Haufen von Schrott*) scrap heap **2.** (*fam: rostiges Auto*) pile of scrap; **Schrott•platz** *m* scrap yard; **schrott•reif** *adj* ready for the scrap heap; **Schrott•wert** *m* scrap value

schrub•ben ['ʃrʊbən] **I.** *tr* scrub **II.** *refl* scrub o.s.; **Schrub•ber** *m* scrubbing brush

Schrul•le ['ʃrʊlə] <-, -n> *f* (*fam*) quirk; **schrul•lig** *adj* odd

schrump•fen ['ʃrʊmpfən] *itr sein* (*a. fig*) shrink; (COM) decline; **Schrumpf•kopf** *m* shrunken head; **Schrump•fung** *f* (*a. fig*) shrinking; (COM) decline

Schub [ʃu:p, *pl:* 'ʃy:bə] <-(e)s, ¨-e> *m* **1.** (PHYS: *Vorschub*) thrust **2.** (*Stoß*) push; **Schu•ber** *m* slipcase; **Schub•fach** *n* drawer; **Schub•kar•re(n)** *m* wheelbarrow; **Schub•kraft** *f* thrust; **Schub•la•de** *f* drawer; **Schubs** [ʃʊps] <-es, -e> *m* (*fam*) push, shove; **jdm e-n** ~ **geben** give s.o. a shove; **schub•sen** *tr itr* (*fam*) push, shove

schüch•tern ['ʃʏçtɐn] *adj* shy; ~ **sein** feel shy; **Schüch•tern•heit** *f* shyness

Schuft [ʃʊft] <-(e)s, -e> *m* heel, scoundrel

schuf•ten *itr* (*fam*) slave away; **Schuf•te•rei** *f* (*fam*) graft; **schuf•tig** *adj* mean, vile

Schuh [ʃu:] <-(e)s, -e> *m* shoe; **jdm etw in die** ~**e schieben** (*fig*) put the blame for s.th. on s.o.; **wo drückt der Schuh?** what's the trouble?; **die** ~**e putzen** clean the shoes *Br,* shine the shoes *Am;* **Schuh•an•zie•her** *m* shoehorn; **Schuh•band** <-(e)s, ¨-er> *n* shoelace; **Schuh•bürs•te** *f* shoe-brush; **Schuh•creme** *f* shoe polish; **Schuh•ge•schäft** *n* shoe shop; **Schuh•grö•ße** *f* shoe size; **Schuh•löf•fel** *m* shoehorn; **Schuh•ma•cher(in)** *m(f)* shoemaker; **Schuh•putz•mit•tel** *n* shoe polish; **Schuh•putz•zeug** *n* shoe polish; **Schuh•soh•le** *f* sole; **Schuh•span•ner** *m* shoetree

Schu•ko•ste•cker ['ʃuːko-] *m* safety plug

Schul•ar•bei•ten *pl,* **Schul•auf•ga•ben** *pl* homework *sing;* ~ **aufhaben** have got homework to do; **Schul•arzt, -ärz•tin** *m, f* school doctor; **Schul•aus•flug** *m* school outing; **Schul•bank** *f* school desk; **Schul•bei•spiel** *n* (*fig*) classic example (*für* of); **Schul•bil•dung** *f* education; **e-e gute** ~ a thorough schooling; **Schul•buch** *n* school book; **Schul•buch•ver•lag** *m* educational publishing company; **Schul•bus** *m* school bus

Schuld [ʃʊlt] <-, -en> *f* **1.** (*moralische* ~) guilt **2.** (FIN) debt; **jdm die ~ an etw geben** blame s.o. for s.th.; **e-r Sache die ~ an etw geben** blame s.th. on s.th.; **du bist ganz allein s~** you only have yourself to blame; **daran bin ich s~** I'm to blame for this; **wer ist s~ an dem Unfall?** who is to blame for this accident?; **du bist s~, wenn wir den Zug versäumen** it's your fault if we miss the train; **die ~ auf sich nehmen** take the blame; **er ist s~** the blame lies with him; **wir sind beide s~** we share the blame; **ihn trifft keine ~** he can't be blamed, he's not to blame; **ich bin nicht s~, wenn ...** it won't be my fault if ...; **wer ist s~?** whose fault is it?; **du bist selbst s~** it's all your own fault; **£ 100 ~en haben bei ...** be £ 100 in debt to ...; **er hat ~en bei mir** he is in my debt; **~en machen** get [*o* run] into debt; **aus den ~en herauskommen** get out of debt; **e-e ~ begleichen** (*a. fig*) repay a debt; **sich etw zu ~en kommen lassen**[RR] do s.th. wrong; **schuld•be•wusst**[RR] *adj* feeling guilty; **~es Gesicht** guilty face; **schul•den** *tr itr* (*a. fig*) owe (*jdm etw* s.o. s.th.); **was schulde ich dir?** how much do I owe you?; **ich glaube, du schuldest mir e-e Erklärung!** I think you owe me an explanation!; **schul•den•frei** *adj* free of debts; **~es Haus** unmortgaged house; **Schuld•fra•ge** *f* question of guilt; **Schuld•ge•fühl** *n* feeling of guilt; **schuld•haft** *adj* culpable

Schul•dienst *m* teaching; **im ~ sein** be a teacher

schul•dig ['ʃʊldɪç] *adj* **1.** (JUR: *a. moralisch* ~) guilty **2.** (*verantwortlich*) to blame (*an* for); **jdm nichts ~ bleiben** (*fig*) give s.o. as good as one gets; **jdn für ~ befinden** find s.o. guilty; **was bin ich (Ihnen) ~?** what do I owe you?; **kann ich dir den Rest ~ bleiben?** can I owe you the rest?; **Ich bin dir noch ein Essen ~** I owe you a meal; **du bist mir noch mehr ~** you owe me more than that; **Schul•di•ge(r)** *f m* (JUR) guilty person; **Schul•dig•keit** *f:* **s-e ~ tun** do one's duty

Schuld•kom•plex *m* (PSYCH) guilt complex; **schuld•los** *adj:* **an e-m Verbrechen ~ sein** be innocent of a crime; **an e-m Unfalle ~ sein** be not to blame for an accident; **Schuld•ner(in)** *m(f)* debtor; **Schuld•ner•staat** *m* debtor nation; **Schuld•schein** *m* promissory note, I.O.U. (= I owe you); **Schuld•spruch** *m* verdict of guilty; **Schuld•un•fä•hig•keit** *f* (JUR) incapacity; **Schuld•ver•schrei•bung** *f* (FIN) debenture bond; **Schuld•zu•wei•sung** *f* accusation, assignment of guilt

Schu•le ['ʃuːlə] <-, -n> *f* (*a. fig*) school; **in der ~** at school; **in die ~ gehen** go to school; **morgen ist keine ~** there's no school tomorrow; **durch e-e harte ~ gehen** (*fig*) learn in a tough school; **~ machen** become the accepted thing; **schu•len** *tr* school, train; **Schul•eng•lisch** *f:* **mein ~** the English I learnt at school

Schü•ler(in) ['ʃyːlɐ] *m(f)* schoolboy (schoolgirl); **alle ~ dieser Schule** all the pupils of this school; **Schü•ler•aus•tausch** *m* school exchange; **Schü•ler•aus•weis** *m* student card; **Schü•ler•kar•te** *f* (school) season-ticket; **Schü•ler•mit•ver•wal•tung** [--'----] *f participation of pupils in school* (*administrative*) *affairs;* **Schü•ler•zei•tung** *f* school magazine

Schul•fach *n* school subject; **Schul•fe•ri•en** *pl* school holidays *Br,* vacation *Am;* **Schul•fern•se•hen** *n* educational television; **Schul•fest** *n* school function; **schul•frei** *adj:* **morgen ist ~** there's no school tomorrow; **Schul•freund** *m* school friend; **Schul•funk** *m* school's radio; **Schul•geld** *n* school fees *pl;* **Schul•heft** *n* exercise book; **Schul•hof** *m* school playground, schoolyard

schu•lisch *adj:* **jds ~e Leistungen** one's progress at school

Schul•jahr *n* **1.** school year **2.** (*Jahrgang*) year; **Schul•ka•me•rad** *m* schoolmate; **Schul•kennt•nis•se** *pl* knowledge acquired at school; **Schul•kind** *n* schoolchild; **Schul•klas•se** *f* class; **Schul•lei•ter(in)** *m(f)* headmaster (headmistress) *Br,* principal *Am;* **Schul•map•pe** *f* schoolbag; **Schul•me•di•zin** *f* school medicine; **Schul•mei•nung** *f* received opinion

schul•meis•tern ['---] *tr* (*belehren*) lecture

Schul•pflicht *f* compulsory school attendance; **schul•pflich•tig** *adj* required to attend school; **Schul•ran•zen** *m* satchel;

Schul•rat, **-rä•tin** <-(e)s, ⸚e> *m, f* schools inspector; **Schul•re•form** *f* educational reform; **Schul•schiff** *n* training ship; **Schul•schluss**RR <-es> *m* end of school; **um 13 Uhr ist** ~ school finishes at 13:00; **Schul•spei•sung** *f* free school meals *pl;* **Schul•spre•cher(in)** *m(f)* head boy (head girl); **Schul•stress**RR *m:* **unter** ~ **leiden** be under stress at school; **Schul•stun•de** *f* lesson, period; **Schul•ta•sche** *f* schoolbag

Schul•ter ['ʃʊltɐ] <-, -n> *f* shoulder; ~ **an** ~ shoulder to shoulder; (*dicht gedrängt*) closely packed; **breite ~n haben** be broad-shouldered; (*fig*) have a broad back; **mit den ~n zucken** shrug one's shoulders; **auf die** ~ **nehmen** shoulder; **jdn auf den ~n tragen** carry s.o. shoulder-high; **jdm bis an die ~n reichen** stand shoulder-high to s.o.; **nimm das nicht auf die leichte ~!** don't take it lightly!; **Schul•ter•blatt** *n* shoulder blade; **Schul•ter•brei•te** *f* breadth of the shoulders; **schul•ter•frei** *adj* strapless; **Schul•ter•ge•lenk** *n* shoulder joint; **Schul•ter•klap•pe** *f* (MIL) **1.** (*von Mannschaft*) shoulder-strap **2.** (*von Offizieren*) epaulette; **schul•ter•lang** *adj* shoulder-length

schul•tern *tr* shoulder

Schul•ter•rie•men *m* (MIL) shoulder strap; **Schul•ter•schluss**RR <-es> *m* shoulder-to-shoulder stance, solidarity; **Schul•ter•stück** *n* **1.** (MIL: *Offiziers~*) epaulette **2.** (*Fleischstück*) piece of shoulder

Schu•lung ['ʃuːlʊŋ] *f* training; **politische** ~ political instruction; **Schu•lungs•dis•ket•te** *f* (EDV) training diskette, didactic disk; **Schu•lungs•kurs** *m* training course

Schul•un•ter•richt *m* school lessons *pl;* **im** ~ in school; **Schul•wan•de•rung** *f* school hike; **Schul•weg** *m* way to school; **ich habe 25 Minuten** ~ it takes me 25 minutes to get to school; **Schul•weis•heit** *f* (*pej*) book learning; **Schul•we•sen** *n* educational system; **Schul•wör•ter•buch** *n* school dictionary; **Schul•zeit** *f* school days *pl;* **Schul•zei•tung** *f* school magazine; **Schul•zeug•nis** *n* school report; **Schul•zwe•cke** *pl:* **für** ~ for school

schum•meln ['ʃʊməln] *itr* (*fam*) cheat

schum•m(e)•rig ['ʃʊm(ə)rɪç] *adj* dim

Schund [ʃʊnt] <-(e)s> *m* rubbish, trash; **Schund•ro•man** *m* (*pej*) trashy novel

schun•keln ['ʃʊŋkəln] *itr* (*sich wiegen*) move to and fro

Schup•pe ['ʃʊpə] <-, -n> *f* **1.** (ZOO) scale **2.** (*Kopf~en*) dandruff **3.** (BOT) squama; **es fiel mir wie ~n von den Augen** (*fig*) the scales fell from my eyes

Schup•pen ['ʃʊpən] <-s, -> *m* **1.** (*Verschlag*) shed *Br,* shack *Am* **2.** (*sl: Lokal*) dive

schup•pen *refl* scale off; **schup•pen•ar•tig** *adj* scale-like; **Schup•pen•flech•te** *f* psoriasis; **Schup•pen•tier** *n* (ZOO) scaly ant-eater; **schup•pig** *adj* scaly; **deine Haut ist** ~ your skin is flaking off

Schur [ʃuːɐ] <-, -en> *f* shearing

schü•ren ['ʃyːrən] *tr* **1.** (*Feuer im Ofen*) poke, rake **2.** (*fig: Streit, Zwietracht*) stir up

schür•fen ['ʃʏrfən] **I.** *tr* **1.** (*schrammen*) scratch **2.** (MIN) mine **II.** *itr* prospect (*nach* for) **III.** *refl* graze o.s.; **Schürf•wun•de** *f* abrasion, graze; **schür•fend** *adj:* **tief** ~RR in-depth, profound

Schür•ha•ken *m* poker

Schur•ke ['ʃʊrkə] <-n, -n> *m* rascal, rogue; **Schur•ken•streich** *m* dirty trick

Schur•wol•le *f* new [*o* virgin] wool

Schurz [ʃʊrts] <-es, -e> *m* **1.** (*Arbeitsschürze*) apron **2.** (*Lenden~*) loincloth

Schür•ze ['ʃʏrtsə] <-, -n> *f* apron; **sich e-e** ~ **umbinden** put an apron on; **Schür•zen•jä•ger** *m* (*fam pej*) philanderer

SchussRR [ʃʊs, *pl:* 'ʃʏsə] <-es, ⸚e> *m* **1.** (*mit e-r Waffe*) shot **2.** (*Schusswunde*) bullet wound **3.** (*Fußball, Tor~*) shot **4.** (*kleine Menge e-r Flüssigkeit zum Zugießen*) dash **5.** (*sl: Heroininjektion*) fix, hit; **zum** ~ **kommen** (SPORT) get a chance to shoot; **ein** ~ **in den Ofen sein** (*fig fam*) go off at half-cock; **weit vom** ~ **sein** (*fam*) be miles from where the action is; **etw gut in** ~ **haben** have s.th. in perfect condition; **etw in** ~ **bringen** knock s.th. into shape; **sich e-n** ~ **setzen** (*sl: fixen*) give o.s. a fix; **ein** ~ **Whisky** a shot of whisky

Schüs•sel ['ʃʏsəl] <-, -n> *f* **1.** (*Küchengefäß*) bowl **2.** (*Toiletten~*) pan

Schuss•fahrtRR *f* (*beim Skifahren*) schuss

Schuss•li•nieRR *f* line of fire; **in die** ~ **geraten** come under fire; **Schuss•rich•tung**RR *f* direction of fire; **Schuss•waf•fe**RR *f* firearm; **Schuss•wech•sel**RR *m* exchange of shots; **Schuss•wei•te**RR *f* range of fire; **außer (in)** ~ within (out of) range; **Schuss•wun•de**RR *f* bullet wound

Schus•ter ['ʃuːstɐ] <-s, -> *m* shoemaker

Schutt [ʃʊt] <-(e)s> *m* rubble; ~ **abladen** deposit rubble; ~ **abladen verboten!** No tipping!; **in** ~ **und Asche liegen** lie in ruins; **in** ~ **und Asche legen** reduce to rubble; **Schutt•ab•la•de•platz** *m* refuse dump, tip

Schüt•tel•frost *m* (MED) shivering fit; **Schüt•tel•läh•mung** *f* (MED) Parkinson's disease

schüt•teln ['ʃʏtəln] **I.** *tr* shake; **jdn kräftig** ~ give s.o. a good shake; **jdm die Hand** ~ shake hands with s.o.; **e-e Flasche** ~ shake up a bottle **II.** *refl* shiver; **sich vor Lachen ~** shake with laughter

schüt·ten [ˈʃʏtən] *tr* **1.** tip **2.** (*gießen*) pour; **es schüttet** (*regnet*) it is pouring with rain

schüt·ter [ˈʃʏtɐ] *adj* (*spärlich*) thin

Schutt·hal·de *f* **1.** (*Schuttplatz*) rubble tip **2.** (*Schutthaufen*) rubble heap

Schutz [ʃʊts] <-es> *m* **1.** protection (*gegen* from) **2.** (*Obdach, Zuflucht*) shelter (*gegen, vor* from); **ich will ihn nicht in ~ nehmen, aber ...** I hold no brief for him but ...; **jdn in ~ nehmen** stand up for s.o.; **im ~ des Felsens** under the shelter of the rock; **jdn gegen Vorwürfe in ~ nehmen** shelter s.o. from blame; **im ~ der Dunkelheit** under cover of darkness; **Schutz·an·strich** *m* protective coating; **Schutz·an·zug** *m* protective clothing; **schutz·be·dürf·tig** *adj* in need of protection; **Schutz·be·haup·tung** *f* (JUR) lie to cover o.s.; **Schutz·blech** *n* (MOT) mudguard; **Schutz·brief** *m* (*für Autofahrer*) international travel cover; **Schutz·bril·le** *f* protective goggles *pl;* **Schutz·dach** *n* **1.** (*schützendes Dach*) protective roof **2.** (*Unterstand*) shelter

Schüt·ze [ˈʃʏtsə] <-n, -n> *m* **1.** marksman **2.** (MIL: *Dienstgrad*) private **3.** (ASTR) Sagittarius; **schüt·zen** [ˈʃʏtsən] **I.** *tr* protect (*gegen* against) **II.** *itr* (*Schutz bieten*) offer protection (*vor, gegen* from, against) **III.** *refl* protect o.s.; **ich werde mich (schon) zu ~ wissen!** I know how to look after myself!; **schüt·zend** *adj* protective; **s-e Hand ~ über jdn halten** take s.o. under one's wing

Schutz·en·gel *m* guardian angel

Schüt·zen·gra·ben *m* (MIL) trench; **Schüt·zen·hil·fe** *f* (*fam*): **jdm ~ geben** back up s.o.; **Schüt·zen·pan·zer** *m* (MIL) armoured personnel carrier

Schutz·film *m* protective coat; **Schutz·frist** *f* term of copyright; **Schutz·ge·bühr** *f* (token) fee; **Schutz·geld** *n* protection money; **Schutz·geld·er·pres·sung** *f* demanding protection money; **Schutz·git·ter** *n* **1.** (*Barriere*) protective barrier **2.** (ARCH TECH) protective grille; **Schutz·hand·schuh** *m* protective glove; **Schutz·helm** *m* safety helmet; **Schutz·hül·le** *f* protective cover; **Schutz·hüt·te** *f* refuge, shelter; **Schutz·impf·stoff** *m* protective vaccine; **Schutz·imp·fung** *f* vaccinataion, inoculation; **Schutz·kap·pe** *f* cap; **Schutz·leis·te** *f* protective strip

Schütz·ling [ˈʃʏtslɪŋ] *m* **1.** (*Protegé*) protégé **2.** (*Schutzbefohlene(r)*) charge

schutz·los *adj* **1.** (*ungeschützt*) unprotected **2.** (*wehrlos*) defenceless; **e-r Sache ~ ausgeliefert sein** be defenceless against s.th.; **jdm ~ ausgeliefert sein** be at the mercy of s.o; **Schutz·mar·ke** *f* trademark; **eingetragene ~** registered trademark; **Schutz·mas·ke** *f* mask; **Schutz·maß·nah·me** *f* precaution; (*Vorsichtsmaßnahme*) preventive measure; **Schutz·mit·tel** *n* **1.** (*äußerlich*) means of protection **2.** (*innerlich*) protective substance; **Schutz·pa·tron** *m* patron saint; **Schutz·po·li·zei** *f* police force; **Schutz·raum** *m* shelter; **Schutz·schicht** *f* protective layer; **Schutz·um·schlag** *m* (*von Buch*) dust cover, jacket; **Schutz·vor·rich·tung** *f* safety device; **Schutz·weg** *m* (*österr: Fußgängerüberweg*) pedestrian crossing; **Schutz·zoll** *m* protective duty

schwab·be·lig [ˈʃvabəlɪç] *adj* (*fam*) flabby, wobbly

Schwa·be [ˈʃvaːbə] <-n, -n> *m* Swabian; **Schwa·ben** *n* Swabia; **Schwä·bin** *f* Swabian; **schwä·bisch** [ʃvɛːbɪʃ] *adj* Swabian

schwach [ʃvax] *adj* **1.** (*körperlich*) weak **2.** (*gering, schlecht*) poor; **mir ist ganz ~** I feel a bit faint; **mir ist ganz ~ vor Hunger** I feel faint with hunger; **mit ~er Stimme** in a feeble voice; **ein ~er Witz** a poor joke; **das ist (aber) ein ~es Bild!** (*fam*) that's a poor show!; **ein ~er Trost** a poor consolation; **~ auf den Beinen sein** feel weak at the knees; **sie ist ~ in Mathematik** her maths is weak; **das ~e Geschlecht** the weaker sex; **mach mich nicht ~!** (*fam*) don't say that!

Schwä·che [ˈʃvɛçə] <-, -n> *f* **1.** (*a. fig*) weakness **2.** (*fig: Geringwertigkeit*) poorness; **das ist e-e ~ von ihr** that is her weak side; **e-e ~ haben für ...** have a weakness for ...; **Schwä·che·an·fall** *m* sudden feeling of weakness; **schwä·chen I.** *tr* (*a. fig*) weaken **II.** *refl* weaken o.s.

Schwach·kopf *m* (*fam*) dimwit

schwäch·lich *adj* weakly

Schwäch·ling *m* weakling

Schwach·punkt *m* weak point

Schwach·sinn *m* **1.** (MED) mental deficiency **2.** (*fam: Handlung*) rubbish; **das ist doch ~!** (*fam*) that's a mug's game!; **schwach·sin·nig** *adj* **1.** (MED) mentally deficient **2.** (*fam*) daft; **Schwach·sin·ni·ge(r)** <-n, -n> *f m* **1.** (MED) mental defective **2.** (*fam*) idiot; **Schwach·stel·le** *f* weak point; **Schwach·strom** <-(e)s> *m* (EL) low-voltage [*o* weak] current

Schwä·chung *f* weakening

Schwa·de [ˈʃvaːdə] <-, -n> *f* swathe; **~n** cloud

Schwa·d·ron [ʃvaˈdroːn] <-, -en> *f* (MIL HIST) squadron

schwa•feln [ˈʃvaːfəln] *itr* (*pej*) blether on

Schwa•ger [ˈʃvaːgɐ] <-s, -> *m* brother-in-law; **Schwä•ge•rin** [ˈʃvɛːgərɪn] *f* sister-in-law

Schwal•be [ˈʃvalbə] <-, -n> *f* swallow; **e-e ~ macht noch keinen Sommer** (*prov*) one swallow doesn't make a summer; **Schwal•ben•nest** *n* **1.** swallow's nest **2.** (MIL AERO: *M.G.-Stand*) blister, gun turret

Schwall [ʃval] <-(e)s, -e> *m* flood; **ein ~ von Worten** (*fig*) a torrent of words

Schwamm [ʃvam, *pl:* ˈʃvɛmə] <-(e)s, ⸚e> *m* **1.** sponge **2.** (*Haus~*) dry rot; **~ drüber!** (*fig fam*) let's forget about it!; **etw mit dem ~ abwischen** sponge s.th.; **schwam•mig** *adj* **1.** spongy **2.** (*aufgedunsen*) bloated; **~e Formulierung** woolly phrase

Schwan [ʃvaːn, *pl:* ˈʃvɛːnə] <-(e)s, ⸚e> *m* swan

schwa•nen [ˈʃvaːnən] *itr impers* (*fam*): **mir schwant, dass ...** I sense that ...; **mir schwant nichts Gutes** I don't like it; **mir schwant etw!** now, I understand!

Schwang [ʃvaŋ] *m:* **im ~e sein** (*fam*) be in

schwan•ger [ˈʃvaŋɐ] *adj* pregnant; **~ sein** be pregnant; **Schwan•ge•re** <-n, -n> *f* pregnant woman

schwän•gern [ˈʃvɛŋɐn] *tr* make pregnant; **geschwängert sein mit ...** (*fig*) be impregnated with ...

Schwan•ger•schaft *f* pregnancy; **Schwan•ger•schafts•ab•bruch** *m* abortion; **Schwan•ger•schafts•gym•nas•tik** *f* antenatal exercises *pl;* **Schwan•ger•schafts•test** *m* pregnancy test

Schwank [ʃvaŋk, *pl:* ˈʃvɛŋkə] <-(e)s, ⸚e> *m* **1.** (*lustige Geschichte*) merry tale **2.** (THEAT) farce

Schwan•ken *n* **1.** (*von Mensch*) staggering **2.** (*Preise, Kurse*) fluctuation **3.** (*fig: Zaudern, Zögern*) hesitation; (*Unbeständigkeit*) inconstancy; **der Kran geriet ins ~ und stürzte um** the crane began to sway and fell over

schwan•ken [ˈʃvaŋkən] *itr* **1.** (*wanken*) stagger **2.** (MAR: *rollen*) roll **3.** (*fig: zögern*) hesitate **4.** (*fig: fluktuieren*) fluctuate; **er schwankte lange, ob er annehmen sollte oder nicht** he vacillated so long about accepting; **der Preis schwankt von Geschäft zu Geschäft** the price varies from shop to shop; **schwan•kend** *adj* **1.** (*wankend*) staggering **2.** (*fig: zögernd*) hesitant; **sich auf ~em Boden bewegen** (*fig*) be on shaky ground; **Schwan•kung** *f* (*fig: Fluktuation*) fluctuation

Schwanz [ʃvants, *pl:* ˈʃvɛntsə] <-es, ⸚e> *m* **1.** (*Tier~*) tail **2.** (AERO) tail; (*Ende*) end **3.** (*sl: Penis*) cock, dick, prick; **den ~ hängen lassen** let its tail droop; (*fig*) be down in the dumps

schwän•zeln [ˈʃvɛntsəln] *itr* **1.** wag one's tail **2.** (*fig*) crawl

schwän•zen [ˈʃvɛntsən] **I.** *tr* (*fam*) skip **II.** *itr* (*fam*) play truant *Br,* play hooky *Am*

Schwarm [ʃvarm, *pl:* ˈʃvɛrmə] <-(e)s, ⸚e> *m* **1.** (*Flug~*) swarm **2.** (*fig: Idol*) idol; (*fam*) crush

schwär•men [ˈʃvɛrmən] *itr* **1.** *sein* (*Bienen*) swarm **2.** *haben:* **für jdn ~** be crazy about s.o.; **ins S~ geraten** go into raptures; **Schwär•mer(in)** *m(f)* **1.** (*Träumer, Fantast*) dreamer, visionary **2.** (ZOO: *Abendschmetterling*) hawkmoth, sphinx-moth **3.** (*Feuerwerk*) squib; **Schwär•me•rei** *f* enthusiasm

Schwar•te [ˈʃvaːɐtə] <-, -n> *f* **1.** (*Speck~*) rind **2.** (*fam: Buch*) tome

schwarz [ʃvarts] *adj* **1.** (*allgemein*) black **2.** (*fig: illegal*) illegal, illicit; **sieht für unser Vorhaben ziemlich ~ aus!** things are looking black for our project!; **es steht ~ auf weiß geschrieben** it's written down in black and white; **in den ~en Zahlen** (FIN) in the black; **sich das Gesicht ~ machen** blacken one's face; **~ werden** blacken; **ihm wurde ~ vor Augen** he had a blackout; **~ erworben** (*fam*) illicitly acquired; **etw ~ verdienen** (*fam*) earn s.th. on the side; **da kannst du warten, bis du ~ wirst!** (*fig fam*) you can wait till the cows come home!; **~es Loch** (ASTR) black hole; **~ sehen**[RR] be pessimistic; **ich sehe schwarz für die Zukunft** I'm not very optimistic about the future; **dafür sehe ich ~** I'm pessimistic about it

Schwarz•a•f•ri•ka *n* Black Africa

Schwarz•ar•beit *f* illicit work, moonlighting *fam;* **schwarz|ar•bei•ten** *itr* work on the side, moonlight *fam;* **Schwarz•ar•bei•ter(in)** *m(f)* moonlighter *fam;* **Schwarz•brot** *n* black bread; **Schwar•ze(r)** *f m* (*Person*) black

Schwär•ze [ˈʃvɛrtsə] <-, (-n)> *f* **1.** (*fig: Düsterkeit*) blackness **2.** (*Farbe*) black dye; **schwär•zen** *tr* blacken

schwarz|fah•ren *irr itr* **1.** (*mit PKW*) drive without licence **2.** (*mit öffentlichen Verkehrsmitteln*) dodge paying the fare *fam;* **Schwarz•geld** *n* illegal earnings; **schwarz•haa•rig** *f* black-haired; **Schwarz•han•del** *m* black marketeering; **Schwarz•kunst** *f* (*obs*) black magic

schwärz•lich *adj* blackish; (*Haut*) dusky

Schwarz•markt *m* black market; **Schwarz•markt•preis** *m* black market price, price on the black market; **schwarz|se•hen** *s.* **schwarz; Schwarz•se•her(in)** *m(f)* (*Pessimist*)

pessimist; **Schwarz•sen•der** *m* pirate station; **Schwarz•wald** *m* Black Forest; **Schwarz•wäl•der Kirsch•tor•te** *f* Black Forest gateau; **Schwarz•weiß•fern•se•her** ['-'----] *m* (TV) monochrome set; **Schwarz•weiß•film** ['-'--] *m* black-and-white film; **Schwarz•wild** *n* wild boars *pl;* **Schwarz•wur•zeln** *pl* black salsify

Schwatz [ʃvats] <-es, -e> *m* chat; **e-n ~ machen** have a chinwag; **schwat•zen** *itr* **1.** (*sich unterhalten*) talk **2.** (*pej: plappern*) prattle; **dummes Zeug ~** blether on; **Schwät•zer(in)** ['ʃvɛtsɐ] *m(f)* **1.** (*von Kind*) chatterbox **2.** (*von Erwachsenen*) bletherer; **schwatz•haft** *adj* **1.** (*redselig*) talkative **2.** (*pej: klatschsüchtig*) gossipy; **Schwatz•haf•tig•keit** *f* **1.** (*Redseligkeit*) talkativeness **2.** (*pej: Klatschsucht*) gossipy nature

Schwe•be ['ʃve:bə] <-> *f:* **in der ~ sein** be undecided; (JUR) be pending; **Schwe•be•bahn** *f* suspension railway; **Schwe•be•bal•ken** *m* (SPORT) balance beam; **schwe•ben** *itr* **1.** (*an etw ~*) be suspended; (*hängen*) hang **2.** (*in der Luft*) float; (*auf der Stelle in der Luft*) hover **3.** (*fig: noch unentschieden*) be undecided; **die Sache schwebt noch** (JUR) the matter is still pending; **in Gefahr ~** be in danger; **Schwe•be•stof•fe** *pl* (PHYS) suspended matter

Schwe•de ['ʃve:də] <-n, -n> *m* Swede; **Schwe•den** *n* Sweden; **Schwe•din** *f* Swede, Swedish woman; **schwe•disch** *adj* Swedish

Schwe•fel ['ʃve:fəl] <-s> *m* sulphur *Br,* sulfur *Am;* **Schwe•fel•di•o•xid** *n* sulphur dioxide; **schwe•fel•hal•tig** *adj* containing sulphur, sulphur(e)ous; **Schwe•fel•säu•re** *f* sulphuric acid; **Schwe•fel•was•ser•stoff** *m* hydrogen sulphide

Schweif [ʃvaɪf] <-(e)s, -e> *m* (*poet*) tail

schwei•fen *itr sein* roam, rove, wander about; **den Blick ~ lassen** let one's eye travel; **durch die Straßen ~** roam about the streets

Schwei•ge•geld *n* hush-money; **Schwei•ge•marsch** *m* silent march

Schwei•gen *n* silence; **jdm zum ~ bringen** silence s.o.; **sein ~ brechen** break one's silence

schwei•gen ['ʃvaɪgən] *irr itr* (*still sein*) be silent; **ganz zu ~ von ...** let alone ..., to say nothing of ...; **zu etw ~** remain silent; **~de Mehrheit** silent majority

Schwei•ge•mi•nu•te *f* one minute's silence; **Schwei•ge•pflicht** *f* pledge of secrecy; **unter ~ stehen** be bound to observe confidentiality; **ärztliche ~** medical secrecy

schweig•sam *adj* **1.** (*still*) quiet silent **2.** (*wortkarg*) taciturn **3.** (*verschwiegen*) discreet; **Schweig•sam•keit** *f* **1.** (*Wortkargheit*) taciturnity **2.** (*Verschwiegenheit*) discretion

Schwein [ʃvaɪn] <-(e)s, -e> *n* **1.** (ZOO) pig *Br,* hog *Am* **2.** (*sl*) bastard; **~ haben** (*fig fam*) be lucky; **armes ~!** (*fig fam*) poor sod!; **Schwei•ne•ban•de** *f* (*fig fam*) pack; **Schwei•ne•bra•ten** *m* roast pork; **Schwei•ne•fett** *n* pig fat; **Schwei•ne•fleisch** *n* pork; **Schwei•ne•hund** *m* (*sl pej*) stinker, swine; **Schwei•ne•ko•te•lett** *n* pork chop

Schwei•ne•rei *f* **1.** (*Unordnung*) dirty mess **2.** (*Gemeinheit*) dirty trick; **e-e ~ machen** make a mess

Schwei•ne•schmalz *n* lard; **Schwei•ne•stall** *m* (*a. fig*) pigsty *Br,* pig pen *Am;* **Schweins•äug•lein** ['ʃvaɪnsˌɔɪglaɪn] *pl* piggy eyes; **Schweins•le•der** *n* pigskin

Schweiß [ʃvaɪs] <-es, (-e)> *m* sweat, perspiration; **der ~ stand ihm auf der Stirn** drops of perspiration stood on his forehead; **in ~ gebadet** wet with perspiration; **im ~e seines Angesichts** (*fig*) in the sweat of his brow; **Schweiß•aus•bruch** *m* sweating; **schweiß•be•deckt** ['--'-] *adj* covered in sweat

Schweiß•bren•ner *m* (TECH) welding torch

Schweiß•drü•se *f* (ANAT) sweat gland

schwei•ßen ['ʃvaɪsən] *tr* (TECH) weld

Schweiß•fü•ße *pl* sweaty feet; **schweiß•ge•ba•det** ['--'--] *adj* bathed in sweat; **Schweiß•ge•ruch** *m* smell of sweat

Schweiß•naht *f* (TECH) welded seam

Schweiß•per•le *f* bead of sweat

Schweiß•stel•le *f* weld

schweiß•trei•bend *adj* (MED) sudorific; **~es Mittel** sudorific; **schweiß•trie•fend** ['-'--] *adj* dripping with sweat; **Schweiß•trop•fen** *m* bead of perspiration, drop of sweat

Schweiz [ʃvaɪts] <-> *f:* **die ~** Switzerland; **Schwei•zer** *m* Swiss; **~ Käse** Swiss cheese; **Schwei•zer•deutsch** *n* Swiss-German; **Schwei•ze•rin** *f* Swiss woman [*o* girl]; **schwei•ze•risch** *adj* Swiss

Schwel•brand *m* smouldering fire; **schwe•len** ['ʃve:lən] *itr* (*a. fig*) smoulder

schwel•gen ['ʃvɛlgən] *itr* indulge o.s. (*in* in); **im Luxus ~** wallow in luxury; **schwel•ge•risch** *adj* **1.** (*prachtvoll*) sumptuous **2.** (*fig: maßlos*) self-indulgent

Schwel•le ['ʃvɛlə] <-, -n> *f* **1.** (*Tür~, a. fig*) threshold **2.** (RAIL) sleeper *Br,* tie *Am;* **an der ~** on the threshold; **an der ~ zu einer großen Entdeckung stehen** (*fig*) be on the threshold of a great discovery

schwel·len ['ʃvɛlən] *irr tr itr* **1.** (*an~*) swell **2.** (*Wasser*) rise

Schwel·len·angst *f fear of embarking on something new;* **Schwel·len·land** *n* Newly Industrializing Country, NIC; **Schwel·len·preis** *m* threshold price; **Schwel·len·wert** *m* threshold value

Schwell·kör·per *m* (ANAT) erectile tissue

Schwel·lung *f* swelling

Schwem·me ['ʃvɛmə] <-, -n> *f* (*Überfluss*) glut (*an* of); **schwem·men** *tr* (*an~*) wash up; **Schwemm·land** *n* (GEOL) alluvial land

Schwen·gel ['ʃvɛŋəl] <-s, -> *m* **1.** (*Glocken~*) clapper **2.** (*Pumpen~*) handle; **Schwen·gel·pum·pe** *f* handle pump

Schwenk·arm *m* (TECH) pivoting arm

schwenk·bar *adj* swivelling; (MIL) traversable

schwen·ken ['ʃvɛŋkən] **I.** *tr* **1.** (*schwingen*) wave **2.** (*herum~, a.* TECH) swing; **s-n Hut ~** wave one's hat; **sie schwenkte drohend ihren Schirm nach ihm** she waved her umbrella threateningly at him **II.** *itr* (MIL) wheel; **die Kamera schwenkte auf das Haus** the camera panned in to the house; **Schwen·kung** *f* swing

schwer [ʃveːɐ] **I.** *adj* **1.** (*von Gewicht*) heavy **2.** (*fig: drückend, lästig*) oppressive **3.** (*fig: schwierig*) difficult, hard **4.** (*fig: schwerwiegend*) serious; **~en Herzens** with a heavy heart; **ich weiß, es ist ~ für sie, aber ...** I know it's hard on you, but ...; **es ist ~, mit ihm auszukommen** he is hard to get on with; **das dürfte dir doch nicht ~ fallen**[RR] you shouldn't find that too difficult; **es fällt mir schwer, ...**[RR] it's hard for me to ...; **es fällt mir ~, das zu glauben** I find it difficult to believe that; **es war nicht allzu ~, ihn zu finden** there was not much difficulty in finding him; **das Buch liest sich ~** the book is heavy going; **~ bewaffnet**[RR] heavily armed; **~ zu sagen** difficult to say; **jdm das Leben ~ machen**[RR] make life difficult for s.o; **~ nehmen**[RR] take s.th. hard **II.** *adv* (*fam: sehr*) really; **ich muss ~ aufpassen** I must be very careful; **der hat ~ Geld** he is stinking rich; **da hast du dich aber ~ getäuscht!** you are seriously mistaken there!; **ich werd' mich ~ hüten!** there's no way!

Schwer·ar·beit *f* heavy labour; **Schwer·ar·bei·ter** *m* labourer; **Schwer·be·hin·der·te(r)** *f m* seriously handicapped person; **Schwer·be·schä·dig·te(r)** *f m* disabled person; **schwer·be·waff·net** *adj s.* **bewaffnet**

Schwe·re ['ʃvɛːrə] <-> *f* **1.** (*Gewicht*) heaviness **2.** (*fig: Schwierigkeit*) difficulty **3.** (PHYS: *Gravität*) gravity; **Schwe·re·feld** *n* (PHYS) gravitational field; **schwe·re·los** *adj* weightless; **Schwe·re·lo·sig·keit** *f* weightlessness

Schwe·re·nö·ter [-nøːtɐ] <-s, -> *m* (*fam*) ladies' man

schwer·er·zieh·bar *adj s.* **erziehbar**; **schwer|fal·len** *s.* **schwer**; **schwer·fäl·lig** *adj* **1.** (*körperlich*) heavy **2.** (*geistig*) dull, slow; **~er Stil** awkward style; **sich ~ bewegen** move cumbersomely; **Schwer·fäl·lig·keit** *f* **1.** (*körperlich*) heaviness **2.** (*geistig*) dullness **3.** (*Ungeschicktheit*) clumsiness; **Schwer·ge·wicht** *n* **1.** (SPORT) heavyweight **2.** (*fig*) emphasis; **das ~ auf etw legen** put the emphasis on s.th. [*o* lay great stress on s.th.]; **Schwer·ge·wicht·ler** *m* (SPORT: *Boxer*) heavyweight; **schwer·hö·rig** *adj* hard of hearing; **Schwer·hö·rig·keit** *f* hardness of hearing; **Schwer·in·dus·trie** *f* heavy industry; **Schwer·kraft** <-> *f* gravity; **schwer·krank** ['-'-] *adj* seriously ill

schwer·lich *adv* hardly; **nur ~** only with difficulty

schwer·lös·lich ['-'--] *adj* not easily dissoluble; **schwer|ma·chen** *s.* **schwer**; **Schwer·me·tall** *m* heavy metal; **Schwer·mut** *f*, **Schwer·mü·tig·keit** *f* melancholy; **schwer·mü·tig** *adj* melancholy; **schwer|neh·men** *s.* **schwer**; **Schwer·punkt** *m* **1.** (PHYS) centre of gravity **2.** (*fig*) main emphasis, stress; **den ~ auf etw legen** put the main emphasis on s.th, lay great stress on s.th.; **Schwer·punkt·pro·gramm** *n* programme of emphasis; **Schwer·punkt·streik** *m* pinpoint strike

Schwert [ʃveːɐt] <-(e)s, -er> *n* **1.** (*Waffe*) sword **2.** (MAR: *am Schiffskiel*) centreboard; **Schwert·fisch** *m* sword-fish; **Schwert·li·lie** *f* (BOT) iris

Schwer·ver·bre·cher(in) *m(f)* criminal, serious offender; (JUR) felon; **schwer·ver·dau·lich** *adj s.* **verdaulich**; **schwer·ver·letzt** *adj s.* **verletzt**; **Schwer·ver·letz·te(r)** *f m* serious casualty; **schwer·ver·ständ·lich** *adj s.* **verständlich**; **Schwer·ver·wun·de·te(r)** *f m* major casualty; **Schwer·was·ser·re·ak·tor** *m* (TECH) heavy water reactor; **schwer·wie·gend** *adj* serious

Schwes·ter ['ʃvɛstɐ] <-, -n> *f* **1.** sister **2.** (*Kloster~*) nun **3.** (*Kranken~*) nurse; **Schwes·ter·fir·ma** *f* associate firm, associate company; **Schwes·tern·hel·fe·rin** *f* nursing auxiliary *Br*, nursing assistant *Am*

Schwie·ger·el·tern ['ʃviːgɐ-] *pl* parents-in-law; **Schwie·ger·mut·ter** *f* mother-in-law; **Schwie•ger•sohn** *m* son-in-law; **Schwie•ger•toch•ter** *f* daughter-in-law; **Schwie•ger•va•ter** *m* father-in-law

Schwie•le ['ʃviːlə] <-, -n> *f* callus; **schwie•lig** *adj* callused

schwie•rig ['ʃviːrɪç] *adj* difficult; **es ist ~ mit ihm auszukommen** he is difficult to get on with; **das ist nicht ~** there's nothing difficult about it; **Schwie•rig•keit** *f* difficulty; **die ~ liegt darin ...** the difficult thing is ...; **er will nur ~en machen** he's just trying to be difficult; **er hatte ~en dabei** he had difficulty in doing that *sing;* **in ~en geraten** get into difficulties; **~en überwinden** get out of difficulties

Schwimm•bad *n* swimming pool; **Schwimm•bag•ger** *m* dredger; **Schwimm•bahn** *f* (SPORT) lane; **Schwimm•be•cken** *n* pool; **Schwimm•dock** *n* (MAR) floating dock

schwim•men ['ʃvɪmən] *irr itr* **1.** swim **2.** (*Sachen*) drift, float **3.** (*fam: unter Wasser stehen*) be swimming **4.** (*fam: ratlos sein*) be all at sea; **~ gehen** go for a swim [*o* swimming]; **nachdem ich 2 km geschwommen war** after a 2 km swim; **ich geh' gern ~** I like a swim; **ins S~ geraten** (*unsicher werden*) begin to flounder; **mir schwimmt's vor den Augen** everything's going round

Schwim•mer(in) *m(f)* swimmer

Schwimm•flos•se *f* (*Fisch*) fin; (*Taucher, Wal, Robben*) flipper; **Schwimm•gür•tel** *m* swimming belt; **Schwimm•kran** *m* floating crane; **Schwimm•leh•rer(in)** *m(f)* swimming instructor; **Schwimm•sport** *m* swimming; **Schwimm•ver•ein** *m* swimming club; **Schwimm•vo•gel** *m* waterbird; **Schwimm•wes•te** *f* life jacket

Schwin•del ['ʃvɪndəl] <-s, -> *m* **1.** (MED) dizziness **2.** (*fig: Täuschung*) swindle; (*Betrug, Schwindelei*) fraud; **den ~ kennen** (*fig*) know the racket; **glaub doch diesen ~ nicht!** (*fam*) don't be taken in!; **das ganze war reiner ~** the whole thing was a fraud; **das ist ~!** it's a swindle!; **auf den ~ falle ich nicht herein!** it's an old trick!; **~ erregend**[RR] causing giddiness; **Schwin•del•an•fall** *m* dizzy turn

Schwin•de•lei *f:* **das ist alles eine große ~!** it's all a big fib!

schwin•del•er•re•gend *adj s.* **Schwindel**

schwin•del•frei *adj:* **~ sein** have a good head for heights; **schwind(e)lig** *adj* dizzy, giddy; **mir ist ~** I feel dizzy; **davon wird mir ~** it makes me feel giddy; **mir wird leicht ~** I get dizzy easily

schwin•deln¹ *itr* (*aus Schwindelgefühl*): **mir schwindelt** I feel dizzy; **in ~der Höhe** at a dizzy height

schwin•deln² *itr* (*fam: lügen*) fib

schwin•den ['ʃvɪndən] *irr itr* **1.** (*weniger werden*) dwindle **2.** (*vergehen*) fade

Schwind•ler(in) <-s, -> *m(f)* **1.** (*Gauner*) swindler **2.** (*fam: Lügner*) fibber

Schwind•sucht <-> *f* consumption; **schwind•süch•tig** *adj* consumptive

Schwin•ge ['ʃvɪŋə] <-, -n> *f* (*Flügel*) wing; (*poet*) pinion

schwin•gen ['ʃvɪŋən] **I.** *irr tr* swing **II.** *itr* **1.** (*Pendel etc*) swing **2.** (*vibrieren*) vibrate **III.** *refl:* **er schwang sich in den Sattel** he swung himself into the saddle; **Schwin•gung** *f* (PHYS) **1.** (*Vibration*) vibration **2.** (*Welle*) oscillation; **etw in ~ versetzen** start s.th. vibrating

Schwips [ʃvɪps] <-es, -e> *m* (*fam*): **e-n ~ haben** be tipsy

schwir•ren ['ʃvɪrən] *itr* **1.** *sein* (*sausen*) whizz **2.** (*surren*) buzz; **mir schwirrt der Kopf** my head is whirling

Schwitz•bad *n* Turkish bath

schwit•zen ['ʃvɪtsən] *itr* sweat, perspire; **wegen etw ins S~ geraten** (*fig*) get into a sweat about s.th.; **die Wände ~** (*fig*) the walls are damp with condensation; **beim Graben kommt man leicht ins S~** digging is sweaty work

schwö•ren ['ʃvøːrən] *irr tr itr* swear; **jdn ~ lassen, dass er nichts verrät** swear s.o. to secrecy; **ich könnte ~, dass ...** I could swear to it that ...; **sich etw ~** swear s.th. to o.s.

schwul [ʃvuːl] *adj* (*fam*) gay

schwül [ʃvyːl] *adj* close, sultry

Schwu•le <-n, -n> *m* (*fam*) gay *Br,* fag *Am*

Schwü•le ['ʃvyːlə] <-> *f* sultriness; **e-e furchtbare ~ heute!** an awfully sultry weather today!

schwüls•tig ['ʃvʏlstɪç] *adj* (*pej: Stil, Rede*) bombastic

Schwund [ʃvʊnt] <-(e)s> *m* **1.** (*Schwinden*) decline, decrease **2.** (*Material~*) shrinkage

Schwung [ʃvʊŋ, *pl:* 'ʃvʏŋə] <-(e)s, ¨-e> *m* **1.** (*fig: Elan*) zest **2.** (*Bewegung*) swing **3.** (*fam: Haufen*) pile; **etw in ~ bringen** get s.th. going; **jdm ~ geben** give s.o. momentum; **Schwung•fe•der** *f* (ORN) wing feather; **schwung•haft** *adj* **1.** (*Handel*) flourishing, roaring **2.** (*Rede*) emphatic

Schwung•rad *n* (TECH MOT) flywheel; **schwung•voll** *adj* sweeping; **~e Rede** stirring speech

Schwur [ʃvuːɐ, *pl:* 'ʃvyːrə] <-(e)s, ¨-e> *m* oath; **e-n ~ leisten** take an oath; **Schwur•ge•richt** *n* court with a jury

Screen•shot ['skriːnʃɒt] <-s, -s> *m* (EDV)

screenshot

sechs [zɛks] *num* six; **Sechs•eck** *n* hexagon; **sechs•fach** *adj* sixfold; **sechs•hun•dert** *num* six hundred; **sechs•jäh•rig** *adj* six-year-old; **sechs•mal** *adv* six times; **Sechs•ta•ge•ren•nen** [-'----] *n* (SPORT) six-day (cycling) race; **sechs•tau•send** *num* six thousand; **sechs•te** *adj* sixth; **Sechs•tel** <-s, -> *n* sixth part; **sechs•tens** *adv* in the sixth place, sixthly

sech•zehn ['zɛçtseːn] *num* sixteen; **sech•zehn•te** *adj* sixteenth; **Sech•zehn•tel** <-s, -> *n* sixteenth part

sech•zig ['zɛçtsɪç] *num* sixty; **Sech•zi•ger(in)** *m(f)* sexagenarian; **in den sechziger Jahren** in the sixties; **sech•zig•jäh•rig** *adj* sixty-year old; **sech•zigs•te** *adj* sixtieth; **Sech•zigs•tel** <-s, -> *n* sixtieth part

Se•cond•hand•la•den *m* secondhand shop

See[1] [zeː] <-s, -n> *m* (*Binnen~*) lake

See[2] <-> *f* (*Weltmeer*) sea; **e-e Stadt an der ~** a town by the sea; **auf ~** at sea; **zur ~ gehen** go to sea; **in ~ stechen** put to sea; **See•ad•ler** *m* sea eagle; **See•bad** *n* (*Ort*) seaside resort; **See•bär** *m* (*fam*): (**alter**) ~ sea-dog; **See•be•ben** *n* seaquake; **See•fah•rer** *m* seafarer; **See•fahrt** *f* **1.** (*Seereise*) voyage **2.** (*Kreuzfahrt*) cruise **3.** (*als Gewerbe*) navigation; **See•fisch** *m* salt-water fish; **See•fracht•brief** ['-'--] *m* (COM) bill of lading, B./L.; **See•gang** <-(e)s> *m:* **hoher ~** rough seas *pl;* **See•ge•fecht** *n* naval battle; **See•gras** <-es> *n* **1.** (*Tang*) eelgrass **2.** (*zum Polstern*) seagrass; **See•ha•fen** *m* seaport; **See•han•del** *m* maritime trade; **See•herr•schaft** *f* naval supremacy; **See•hund** *m* (ZOO) seal; **See•i•gel** *m* (ZOO) sea urchin; **See•kar•te** *f* nautical chart; **See•kli•ma** *n* maritime climate; **see•krank** *adj* seasick; **leicht ~ werden** be a bad sailor; **nicht ~ werden** be a good sailor; **See•krank•heit** *f* seasickness; **See•krieg** *m* naval warfare; **See•lachs** *m* pollack

See•le ['zeːlə] <-, -n> *f* **1.** (REL) soul **2.** (TECH: *bei Feuerwaffen*) bore; **von ganzer ~** with all one's heart; **sich die ~ aus dem Leibe reden** (*fig fam*) talk until one is blue in the face; **nun hat die arme ~ Ruh!** (*fam*) that'll put him out of his misery!; **See•len•heil** *n* spiritual welfare; **See•len•le•ben** *n* inner life; **See•len•ru•he** ['----/'--'--] *f* calmness; **in aller ~** calmly; **see•len•ru•hig** *adv* (*innerlich ~*) calmly; (*fam: eiskalt*) as cool as a cucumber

See•leu•te *pl* sailors, seamen

see•lisch *adj* mental; **~e Grausamkeit** mental cruelty; **~ bedingt sein** have psychological causes

See•lö•we *m* (ZOO) sea lion

Seel•sor•ge <-> *f* spiritual welfare; **Seel•sor•ger(in)** *m(f)* pastor

See•luft <-> *f* sea air; **See•macht** *f* naval [*o* sea] power; **See•mann** <-(e)s, -leute> *m* sailor, seaman; **See•mei•le** *f* (*= 1,852 km*) nautical [*o* sea] mile; **See•not** <-> *f* distress; **in ~ geraten** get into distress; **See•not•kreu•zer** *m* lifeboat; **See•not•ruf** *m* distress signal; **See•pferd•chen** *n* sea-horse; **See•räu•ber** *m* pirate; **See•räu•be•rei** *f* piracy; **See•räu•ber•schiff** *n* pirate (ship); **See•recht** *n* (JUR) maritime law; (*Kriegsrecht*) law of naval warfare; **See•rei•se** *f* voyage; (*Kreuzfahrt*) cruise; **See•ro•se** *f* (BOT) waterlily; **See•schiff•fahrt**[RR] *f* ocean shipping; **See•schlacht** *f* naval battle; **See•schlan•ge** *f* sea serpent; **See•stern** *m* (ZOO) starfish; **See•tang** *m* seaweed; **See•teu•fel** *m* (ZOO) monkfish; **see•tüch•tig** *adj* (COM) seaworthy; **See•u•fer** *n* lakeside; **See•vo•gel** *m* sea bird; **See•war•te** *f* naval observatory; **See•weg** *m* sea-route *Br,* sea-road *Am;* **auf dem ~** (COM) by sea, per sea; **auf dem ~ reisen** travel by sea; **See•wind** *m* sea breeze; **See•zun•ge** *f* (ZOO) sole

Se•gel ['zeːgəl] <-s, -> *n* (MAR) sail; **mit vollen ~n** under full sail; **~ setzen** make sail; **die ~ streichen** (MAR) strike sail; (*fig: einlenken*) give in; **Se•gel•boot** *n* sailing-boat *Br,* sailboat *Am;* **Se•gel•flie•gen** *n,* **Se•gel•flie•ge•rei** *n* gliding; **Se•gel•flie•ger(in)** *m(f)* glider pilot; **Se•gel•flug** *m* glider flight; **Se•gel•flug•platz** *m* gliding field; **Se•gel•flug•zeug** *n* glider; **Se•gel•klub** *m* sailing club; **se•geln** *itr sein* sail; **von hier aus segelt man 3 Tage** it's 3 days' sail from here; **~ gehen** go for a sail; **mit jdm ~ gehen** take s.o. for a sail; **sie segelten nach Athen** they sailed the ship to Athens; **durch ein Examen ~** (*fam*) flop in an exam; **Se•gel•oh•ren** *pl* (*fig fam*) flappy ears; **Se•gel•re•gat•ta** *f* sailing regatta; **Se•gel•schiff** *n* sailing ship [*o* vessel]; **Se•gel•törn** *m* cruise; **Se•gel•tuch** <-(e)s> *n* canvas; **Se•gel•yacht** *f* sailing boat

Se•gen ['zeːgən] <-s, -> *m* (*a. fig*) blessing; **ein wahrer ~** a real boon; **kein reiner ~ sein** be a mixed blessing; **meinen ~ hast du!** you have my blessing!; **se•gens•reich** *adj* (*fig*) beneficent

Seg•ler *m* **1.** (*Sport~*) yachtsman **2.** (*Schiff*) sailing vessel; **Seg•le•rin** *f* yachtswoman

Seg•ment [zɛ'gmɛnt] *n* segment

seg•nen ['zeːgnən] *tr* bless; **das Zeitliche ~** (*fig*) depart this life

Sehen *n* (*Sehkraft*) eyesight; **ich kenne sie nur vom ~** I know her only by sight
se•hen ['ze:ən] *irr tr itr* see; **~, wie jem etw macht** see s.o. do s.th.; **ich habe ihn noch nie schwimmen ~** I've never seen him swim(ming); **man hat ihn gesehen, wie er das Gebäude betrat** he was seen entering the building; **ich habe gesehen, wie es passiert ist** I saw it happen; **das habe ich schon dreimal gesehen** I've seen it done three times; **ich kann es nicht ~, wenn Menschen schlecht behandelt werden** I don't like to see people mistreated; **es war nichts zu ~** there was nothing to be seen; **wir ~ sie zur Zeit nur selten** we don't see much of them nowadays; **sie will mich nicht mehr ~** she doesn't want to see me anymore; **du siehst wohl Gespenster!** you must be seeing things!; **seh' ich richtig, ist das nicht ...?** am I seeing things or is ...?; **ich sehe mich nicht in der Lage das zu tun** I can't see my way to doing that; **ich sah mich gezwungen(,) zu ...** I saw myself obliged to ...; **mal ~, ob wir helfen können** we'll see if we can help; **wir werden ja bald ~, wer recht hat** we'll soon see who is right; **wollen wir mal ~, was passiert** let's just see what happens; **ich sehe nicht, wie ich da helfen kann** I don't see any way I can help; **mal ~, ob ich nicht was Besseres finden kann** let me see, if I can't find a better way; **wie ich sehe, hast du das immer noch nicht gemacht** I see you still haven't done that; **er sah kurz auf die Uhr** he had a quick look at his watch; **darf ich mal ~?** can I have a look?; **lass mal ~!** let's have a look!; **sieh doch, wer da ist!** look who's there!; **sieh mal!** just look!; **so gesehen** seen [*o* looked at] in this way; **sich ~ lassen** appear; **lass dich mal wieder ~!** do come again!; **nach jdm ~** come to see s.o; **se•hens•wert** *adj* **1.** (*interessant*) worth seeing **2.** (*bemerkenswert*) remarkable; **Se•hens•wür•dig•keit** *f* sight; **die ~en e-r Stadt besichtigen** see the sights of a town
Se•her(in) *m(f)* seer; **Se•her•blick** *m* prophetic look
Seh•feh•ler *m* visual defect; **Seh•kraft** <-> *f* (eye)sight, vision; **Seh•leis•tung** *f* visual acuity
Seh•ne ['ze:nə] <-, -n> *f* **1.** (ANAT) sinew, tendon **2.** (*Bogen~*) string **3.** (MATH) chord
seh•nen ['ze:nən] *refl:* **sich nach etw (jdm) ~** long for s.th. (s.o.); **ich sehne mich danach, meine Mutter wiederzusehen** I am longing to see my mother again
Seh•nen•riss[RR] *m* torn tendon; **Seh•nen•zer•rung** *f* pulled tendon
Seh•nerv *m* optic nerve
seh•nig *adj* **1.** (*von Fleisch*) stringy **2.** (*von Person*) sinewy
sehn•lich *adj* eager; (*glühend*) ardent
Sehn•sucht <-, ¨-e> *f* longing; (*stärker*) yearning (*nach* for); **~ haben** have a longing [*o* yearning]; **sehn•süch•tig** *adj* longing; (*stärker*) yearning; **~e Blicke auf etw werfen** look longingly at s.th.
sehr [ze:ɐ] *adv* very; (*nur beim Verb*) very much; **es ist ~ gut geschrieben** it's very well written; **~ gut möglich** very possible; **~ wenig Milch!** very little milk!; **~ viel größer** very much bigger; **ich bin nicht ~ musikalisch** I'm not much of a musician; **~ verlegen** much embarassed; **so ~ (zu ~)** so much (too much); **Ich kann ihn nicht ~ leiden** I don't like him too much; **wie ~ er sich auch bemüht** however much he tries; **~ zu meinem Erstaunen** much to my astonishment
Seh•schär•fe *f* keenness of sight, visual acuity; **Seh•stö•rung** *f* visual disorder; **Seh•test** *m* eye test; **Seh•ver•mö•gen** *n* powers of vision *pl*
seicht [zaɪçt] *adj* **1.** (*flach, nicht tief*) shallow **2.** (*fig*) trivial
Sei•de ['zaɪdə] <-, -n> *f* silk; **reine ~** real silk
Sei•del ['zaɪdəl] <-s, -> *n* (*Bier~*) mug
sei•den *adj* silk, silken; **Sei•den•band** *n* silk ribbon; **Sei•den•pa•pier** *n* tissue paper; **Sei•den•rau•pe** *f* silkworm; **Sei•den•strumpf** *m* silk stocking; **sei•den•weich** ['--'-] *adj* silky soft; **sei•dig** *adj* silky
Sei•fe ['zaɪfə] <-, -n> *f* soap; **ein Stück ~** a cake of soap; **sei•fen** *tr* soap; **Sei•fen•bla•se** *f* **1.** soap-bubble **2.** (*fig*) bubble; **~n machen** blow soap-bubbles; **die ~ zum Platzen bringen** (*fig*) dash someone's hopes *pl;* **Sei•fen•lau•ge** *f* soap suds *pl;* **Sei•fen•oper** *f* (*fam*) soap opera; **Sei•fen•pul•ver** *n* soap powder; **Sei•fen•scha•le** *f* soap dish; **Sei•fen•schaum** *m* lather; **Sei•fen•spen•der** *m* soap dispenser; **Sei•fen•was•ser** *n* suds *pl*
sei•hen ['zaɪən] *tr* sieve
Seil [zaɪl] <-(e)s, -e> *n* rope; (*Kabel*) cable; **Seil•bahn** *f* cable railway; **seil|hüp•fen** *itr,* **seil|sprin•gen** *itr* skip; **Seil•tän•zer(in)** *m(f)* tightrope walker; **Seil•win•de** *f* winch
Sein <-s> *n* being; (PHILOS) existence
sein [zaɪn] *irr itr* be; **ist was?** is s.th. wrong?; **was ist?** what's the matter?; **er ist Deutscher** he is a German; **wer ist das?** who is that?; **ich bin's** it's me; **sei mir nicht böse, aber ...** don't be angry with me but ...; **sei so nett und ...** be so kind as to ...; **das kann schon ~** that may well be;

das wär's! that's it!

sein [zaɪn] *pron* (*männlich*) his; (*weiblich*) her; (*Dinge, Tiere*) its; (*auf 'man' bezogen*) one's *Br,* his *Am;* **er raucht ~e 50 Zigaretten pro Tag** he smokes his 50 cigarettes per day; **er ist gut ~e 3 Zentner schwer** he weighs a good 200 pounds; **sei•ner•seits** *adv:* **er ~** he for his part; **sei•ner•zeit** *adv* (*früher*) in those days; **sei•nes•glei•chen** ['--'--] *pron* his equals; **jdn wie ~ behandeln** treat s.o. like one's equal; **er hat nicht ~** there is no one like him; **er und ~** he and the like of him; **sei•net•we•gen** *adv* **1.** (*wegen ihm*) on account of him, on his account **2.** (*für ihn*) on his behalf; **sei•net•wil•len** *adv:* **um ~** for his sake; **sie hat es um ~ getan** she did it for him; **sei•ni•ge** *pron* his, its; **das ~ tun** do one's bit; **die S~n** his people

Seis•mo•graph *m* <-en, -en>, **Seis•mo•graf**[RR] *m* (TECH) seismograph

seit [zaɪt] *präp* **1.** (*Zeitpunkt*) since **2.** (*Zeitraum*) for; **erst ~ kurzem** not long since; **er lebte da schon ~ 1900** he had been living there since 1900; **ich komme schon ~ 1970 hierher** I've been coming here since 1970; **ich habe sie ~ 2 Jahren nicht gesehen** I haven't seen her for 2 years; **ich kenne ihn schon ~ Jahren** I've known him for years; **~ langem** for a long while; **~ neuestem** lately; **~ wann?** (*von wann an?*) since when?; (*wie lange?*) how long?

seit•dem [-'-/'--] **I.** *konj* since **II.** *adv* since then

Sei•te ['zaɪtə] <-, -n> *f* **1.** (*allgemein*) side **2.** (*Flanke*) flank **3.** (*Richtung*) direction **4.** (*Druck~*) page; **rechte** (**linke**) **~** (*von Kleidungsstück*) right (wrong) side; **auf der anderen ~ Londons** on the other side of London; **er trat zur ~** he moved [*o* stood] to one side; **etw auf die ~ legen** put s.th. on one side; **~ an ~** side by side; **jdm zur ~ stehen** (*fig*) be by someone's side; **von väterlicher ~** on the paternal side; **alles hat s-e zwei ~n** (*fig*) there are always two sides to every story; **etw von der positiven ~ betrachten** look on the bright side of s.th.; **er ist auf unserer ~** he's on our side; **die ~n wechseln** (SPORT) change sides; **etw von dritter ~ erfahren** hear s.th. from a third party; **von meiner ~ aus** (*fig*) on my part; **beschreiben Sie beide ~n** write on both sides of the page; **auf ~ 17** on page 17

Sei•ten•an•ga•be *f* page reference; **Sei•ten•an•sicht** *f* side view; (ARCH TECH) side elevation; **Sei•ten•auf•prall•schutz** *m* (MOT) side impact protection (bar); **Sei•ten•aus•gang** *m* side exit; **Sei•ten•blick** *m* sidelong glance; **jm einen ~ zuwerfen** give s.o. a knowing glance, exchange a knowing glance with s.o.; **Sei•ten•ein•gang** *m* side entrance; **Sei•ten•flü•gel** *m* **1.** (ARCH) side wing **2.** (*Altar*) wing; **Sei•ten•gang** *m* (MAR) side strake; (RAIL) corridor; **Sei•ten•ge•bäu•de** *n* annex; **Sei•ten•ge•wehr** *n* (MIL) bayonet; **Sei•ten•hieb** *m* (*fig*) side-swipe; **Sei•ten•la•ge** *f* side position; **in ~ schlafen** sleep on one's side; **sei•ten•lang** *adj* going on for pages; **sich ~ über etw auslassen** go on for pages about s.th; **Sei•ten•leh•ne** *f* arm rest; **Sei•ten•li•nie** *f* **1.** (*genealogisch*) collateral line **2.** (SPORT: *Fußball*) touchline; (*Tennis*) sideline; **Sei•ten•ru•der** *f* (AERO) rudder

sei•tens ['zaɪtəns] *präp* on the part of

Sei•ten•schiff *n* (ARCH) aisle; **Sei•ten•sprung** *m:* **e-n ~ machen** have a bit on the side *fam;* **Sei•ten•ste•chen** *n:* **~ haben** have a stitch (in one's side); **Sei•ten•stra•ße** *f* side-street [*o* -road]; **Sei•ten•strei•fen** *m* **1.** (*von Straße*) verge **2.** (*an Autobahn*) hard shoulder *Br,* shoulder *Am;* **Sei•ten•ta•sche** *f* side pocket; **sei•ten•ver•kehrt** *adj* the wrong way round; **Sei•ten•wand** *f* side wall; **Sei•ten•wech•sel** *m* (SPORT) changeover; **Sei•ten•wind** *m* crosswind; **Sei•ten•zahl** *f* **1.** (*Zahl auf der Seite*) page number **2.** (*Gesamtzahl*) number of pages

seit•her *adv* since then

seit•lich **I.** *adj* lateral; **bei ~em Wind** in a crosswind **II.** *adv:* **~ von ...** at the side of ...; **ein Schiff ~ rammen** ram the side of a ship; **der Weg führt ~ am Haus entlang** the path goes down the side of the house

seit•wärts *adv* sideways

Se•kret [ze'kre:t] <-(e)s, -e> *n* (MED) secretion

Se•kre•tär(in) *m(f)* secretary

Se•kre•ta•ri•at [zekretari'a:t] <-(e)s, -e> *n* **1.** (*Büro*) office **2.** (POL) secretariate

Sekt [zɛkt] <-(e)s, -e> *m* sparkling wine

Sek•te ['zɛktə] <-, -n> *f* (REL) sect

Sekt•kelch *m* champagne flute

Se•kun•dant [zekʊn'dant] <-en, -en> *m* (HIST) second

se•kun•där *adj* secondary; **Se•kun•där•li•te•ra•tur** *f* secondary literature

Se•kun•de [ze'kʊndə] <-, -n> *f* second; **e-e ~, bitte!** just one second, please!; **auf die ~ genau** to the second; **im Bruchteil e-r ~** in a split second; **Se•kun•den•schnel•le** *f:* **in ~** in a matter of seconds; **Se•kun•den•zei•ger** *m* second hand

se•kun•die•ren *itr* second

selbst [zɛlpst] **I.** *pron:* **ich ~** I myself; **~ kommen** come personally; **das versteht sich von ~** that goes without saying; **von ~**

on one's own accord; **etw ~ tun** do s.th. o.s.; **das funktioniert von ~** it works automatically **II.** *adv* (*sogar*) even; **~ wenn ...** even if [*o* though] ...

Selbst•ach•tung *f* self-esteem, self-respect

selb•stän•dig *adj* independent; **sich ~ machen** (COM) set up on one's own; (*verloren gehen*) grow legs *hum;* **~ handeln** act on one's own; **Selb•stän•dig•keit** *f* independence

Selbst•aus•lö•ser *m* (PHOT) delay timer, delayed-action shutter release; **Selbst•be•die•nung** *f* self-service; **Selbst•be•die•nungs•la•den** *m* self-service shop; **Selbst•be•frie•di•gung** *f* masturbation; **Selbst•be•haup•tung** *f* self-assertion; **Selbst•be•herr•schung** *f:* **die ~ verlieren (wahren)** lose (keep) one's self-control; **Selbst•be•stä•ti•gung** *f:* **e-e ~ brauchen** need s.th. to boost one's ego; **Selbst•be•stim•mung** *f* self-determination; **Selbst•be•stim•mungs•recht** *n* right of self-determination; **Selbst•be•tei•li•gung** *f* excess; **Selbst•be•trug** *m* self-deception; **selbst•be•wusst**RR *adj* self-assured, self-confident; **Selbst•be•wusst•sein**RR *n* self-confidence; **Selbst•bräu•ner** <-s, -> *m* self-bronzer, self-tanner; **Selbst•dis•zi•plin** *f* self-discipline; **Selbst•er•fah•rungs•grup•pe** *f* encounter group; **Selbst•er•hal•tung** *f* self-preservation, survival; **Selbst•er•hal•tungs•trieb** *m* survival instinct; **Selbst•er•kennt•nis** *f* self-knowledge; **Selbst•fi•nan•zie•rung** *f* self-financing; **selbst•ge•fäl•lig** *adj* complacent, self-satisfied; **Selbst•ge•fäl•lig•keit** *f* complacency, self-satisfaction; **Selbst•ge•spräch** *n* (LIT) soliloquy; **~e führen** talk to oneself; **selbst•ge•strickt** *adj s.* **gestrickt**; **selbst•herr•lich** *adj* (*pej*) **1.** (*eigenwillig*) high-handed **2.** (*selbstgefällig*) self-satisfied; **Selbst•hil•fe** *f* self-help; **zur ~ greifen** take matters *pl,* in one's own hands; **Selbst•hil•fe•grup•pe** *f* self-help group; **Selbst•jus•tiz** *f* arbitrary law; **~ üben** take the law into one's own hands *pl;* **selbst•kle•bend** *adj s.* **kleben**; **Selbst•kle•be•eti•kett** *n* self-adhesive label; **Selbst•kon•trol•le** *f* self-regulation; **Selbst•kos•ten** *pl* (COM) prime costs; **Selbst•kos•ten•be•tei•li•gung** *f* first amount, deductible sum; **Selbst•kos•ten•preis** *m* cost price; **zum ~** at cost; **Selbst•kri•tik** *f* self-criticism; **Selbst•laut** *m* vowel; **selbst•los** *adj* unselfish; **Selbst•lo•sig•keit** *f* unselfishness; **Selbst•mit•leid** *n* self-pity

Selbst•mord *m* suicide; **~ begehen** commit suicide; **Selbst•mör•der(in)** *m(f)* suicide; **ich bin doch kein ~!** I have no desire to commit suicide!; **selbst•mör•de•risch** *adj* suicidal; **selbst•mord•ge•fähr•det** *adj* suicidal; **Selbst•mord•kom•man•do** *n* suicide squad; **Selbst•mord•ver•such** *m* suicide attempt

selbst•re•dend ['-'--] *adj* naturally, of course; **Selbst•rei•ni•gungs•ver•mö•gen** *n* (*von Gewässern*) self-purification capacity; **Selbst•schuss**RR *m* spring-gun; **Selbst•schutz** *m* self-protection; **selbst•sicher** *adj* self-confident; **selbst•stän•dig**RR *adj* independent; **sich ~ machen** (COM) set up on one's own; (*verloren gehen*) grow legs *hum;* **~ handeln** act on one's own; **Selbst•stän•dig•keit**RR *f* independence; **Selbst•sucht** *f* egoism; **selbst•süch•tig** *adj* selfish; **selbst•tä•tig** *adj* (TECH) automatic; **Selbst•täu•schung** *f* self-deception; **Selbst•über•schät•zung** *f* over-estimation of one's abilities; **Selbst•über•win•dung** *f* will-power; **selbst•ver•dient** *adj s.* **verdient**; **Selbst•ver•leug•nung** *f* self-denial; **Selbst•ver•sor•ger(in)** *m(f):* **~ sein** be self-sufficient; (*im Urlaub*) be self-caterer

selbst•ver•ständ•lich ['--'--] **I.** *adj* (*offenbar*) natural, obvious; **es ist ~** it goes without saying; **etw für ~ halten** take s.th. for granted **II.** *adv* of course; **Selbst•ver•ständ•lich•keit** *f:* **das war e-e ~** it was only natural; **es für e-e ~ erachten** take it as a matter of course

Selbst•ver•tei•di•gung *f* self-defence; **Selbst•ver•trau•en** *n* self-confidence; **Selbst•ver•wal•tung** *f* **1.** (POL) self-administration **2.** (*von Körperschaft*) self-governing body; **Selbst•ver•wirk•li•chung** *f* self-realisation; **Selbst•wähl•fern•dienst** *m* (TELE) subscriber trunk dialling; **Selbst•wert•ge•fühl** *n* feeling of one's own worth, self-esteem; **Selbst•zer•stö•rung** *f* autodestruction; **Selbst•zweck** *m* end in itself; **als ~** as an end in itself

Se•len [ze'le:n] <-s> *n* (CHEM) selenium

Se•lek•ti•on [zelɛk'tsjo:n] <-, -en> *f* selection

se•lig ['ze:lɪç] *adj* **1.** (REL) blessed **2.** (*wonnig*) blissful; **meine ~e Mutter** my late mother; **Se•lig•keit** *f* **1.** (REL) salvation **2.** (*großes Glücksgefühl*) bliss

Sel•le•rie ['zɛləri] <-s, (-s)> *m od f* **1.** (*~knolle*) celeriac **2.** (*Stangen~*) celery

sel•ten ['zɛltən] **I.** *adj* **1.** (*nicht häufig*) rare **2.** (*knapp*) scarce **3.** (*ungewöhnlich*) unusual; **~es Exemplar** (*e-s Buches*) scarce copy **II.** *adv* (*nicht oft*) rarely, seldom; **höchst ~** hardly ever; **~ so gelacht!** (*fam*) what a laugh!; **Sel•ten•heit** *f* **1.** (*seltenes*

Vorkommen) rareness **2.** (*Rarität*) rarity; **Sel•ten•heits•wert** *m* rarity value
selt•sam ['zɛltza:m] *adj* strange; (*sonderbar*) odd, queer; **Selt•sam•keit** *f* **1.** (~ *einer Sache*) strangeness **2.** (*seltsames Ding*) oddness
Se•man•tik [ze'mantɪk] <-> *f* semantics; **se•man•tisch** *adj* semantic
Se•mes•ter [ze'mɛstɐ] <-s, -> *n* term *Br,* semester *Am;* **im 10. ~ sein** be in one's fifth year
Se•mi•ko•lon [zemi'ko:lɔn] <-s, -s/-kola> *n* semicolon
Se•mi•nar [zemi'na:ɐ] <-s, -e> *n* **1.** (*Fakultätsabteilung*) department **2.** (*Kurs*) seminar **3.** (ECCL: *Priester~*) seminary **4.** (PÄD: *Studien~*) teacher training college; **Se•mi•nar•ar•beit** *f* seminar paper
Se•mit(in) [ze'mi:t] <-en, -en> *m(f)* Semite; **se•mi•tisch** *adj* Semitic
Sem•mel ['zɛməl] <-, -n> *f* roll; **wie warme ~n weggehen** sell like hot cakes
Se•nat [ze'na:t] <-(e)s, -e> *m* senate; **Se•na•tor(in)** *m(f)* senator; **Se•nats•aus•schuss**[RR] *m* senate committee
Send•bo•te *m* emissary
Sen•de•an•la•ge *f* transmitting installation; **Sen•de•an•ten•ne** *f* (RADIO) transmitting aerial; **Sen•de•be•reich** *m* transmission range; **Sen•de•fol•ge** *f* **1.** (*Serie*) series **2.** (*Teil e-r Serie*) episode **3.** (*Programme*) programmes *pl;* **Sen•de•ge•biet** *n* area; **Sen•de•lei•ter** *m* producer
sen•den[1] ['zɛndən] *irr tr* (*schicken*) send (*an* to); **jdm etw ~** send s.o. s.th.; **sen•den**[2] *itr tr* (RADIO TV) broadcast; (*Funksignal*) transmit; **Sen•de•pau•se** *f* (RADIO TV) intermission; **Sen•der** *m* (RADIO TV) **1.** (*Anlage*) transmitter **2.** (*Kanal*) channel *Br,* station *Am;* **Sen•de•raum** *m* studio; **Sen•de•rei•he** *f* (RADIO TV) series; **Sen•de•schluss**[RR] *m* closedown, end of broadcasts; **Sen•de•zei•chen** *n* callsign; **Sen•de•zeit** *f* (RADIO TV) broadcasting time
Sen•dung *f* **1.** (COM) shipment **2.** (*fig: Mission*) mission **3.** (RADIO TV) programme; **Sen•dungs•be•wusst•sein**[RR] *n* sense of mission
Se•ne•gal ['ze:negal] *m* Senegal; **Se•ne•ga•le•se** *m* Senegalese; **Se•ne•ga•le•sin** *f* Senegalese; **se•ne•ga•le•sisch** *adj* Senegalese
Senf [zɛnf] <-(e)s, -e> *m* mustard; **seinen ~ dazu geben** (*fig fam*) have one's say; **Senf•gas** *n* (MIL) mustard gas
sen•gen ['zɛŋən] **I.** *tr* singe **II.** *itr* scorch
se•nil [ze'ni:l] *adj* senile; **Se•ni•li•tät** *f* senility
Se•nior ['ze:njo:ɐ] <-s, -en> *m* (*allgemein*): **der ~** the senior; (*fam: Chef*) boss; **~en** (*ältere Mitbürger*) senior citizens; **Se•ni•o•ren•heim** *n* old people's home; **Se•ni•o•ren•pass**[RR] *f* (RAIL) senior citizens' travel pass; **Se•ni•o•rin** <-, -nen> *f* senior citizen
Sen•ke <-, -n> *f* (GEOG) valley
senken ['zɛŋkən] **I.** *tr* **1.** (*niedriger lassen*) lower **2.** (COM FIN) decrease **3.** (TECH) sink **II.** *refl* (*sinken*) sink; (*absacken*) sag; **die Nacht senkte sich über alles** night was descending on everything; **Senk•fuß** *m* (MED) fallen arches *pl;* **Senk•gru•be** *f* cesspit
senk•recht *adj* vertical; (MATH) perpendicular; **Senk•rech•te** *f* (MATH) perpendicular; **Senk•recht•star•ter** *m* **1.** (AERO) vertical take-off aircraft **2.** (*fig fam*) whizz kid
Sen•kung *f* **1.** (GEOG: *Vertiefung*) valley **2.** (*von Lohn, Preisen*) cut **3.** (*das Absacken*) sag **4.** (MED: *Blut~*) sedimentation of the blood
Sen•ne ['zɛnə] <-n, -n> *f* Alpine pasture; **Sen•ner(in)** *m(f)* dairyman (dairymaid); **Senn•hüt•te** *f* Alpine dairy hut
Sen•sa•ti•on [zɛnza'tsjo:n] *f* sensation; **sen•sa•ti•o•nell** *adj* sensational; **Sen•sa•ti•ons•gier** *f* sensation-seeking; **sen•sa•ti•ons•lüs•tern** *adj* sensation-seeking; **Sen•sa•ti•ons•nach•richt** *f* sensational news *sing;* **Sen•sa•ti•ons•pro•zess**[RR] *m* sensational trial
Sen•se ['zɛnzə] <-, -n> *f* scythe; **damit ist's ~!** (*fam*) that's off!
sen•si•bel [zɛn'zi:bəl] *adj* sensitive; **sen•si•bi•li•sie•ren** *tr* sensitize; **Sen•si•bi•li•tät** *f* sensitivity
Sen•sor *m* (EL) sensor; **Sen•sor•au•ge** *n* (EL) sensor eye; **Sen•sor•tas•te** *f* touch panel
sen•ti•men•tal [zɛntimɛn'ta:l] *adj* sentimental; **Sen•ti•men•ta•li•tät** *f* sentimentality
se•pa•rat [zepa'ra:t] *adj* separate; **~es Zimmer** self-contained room; **Se•pa•ra•tis•mus** *m* (POL) separatism; **Se•pa•ra•tist(in)** *m(f)* (POL) separatist
Sé•pa•rée [zepa're:] <-s, -s> *n,* **Se•pa•ree**[RR] *n* **1.** (*Nische*) private booth **2.** (*Raum*) private room
Sep•tem•ber [zɛp'tɛmbɐ] <-(s), -> *m* September
Se•quenz [ze'kvɛnts] <-, -en> *f* sequence
Ser•be ['zɛrbə] <-n, -n> *m* Serbian; **Ser•bien** ['zɛrbiən] *n* Serbia; **Ser•bin** <-, -en> *f* Serbian; **ser•bisch** *adj* Serbian
Se•re•na•de [zere'na:də] <-, -n> *f* (MUS) serenade
Se•rie ['ze:riə] <-, -n> *f* **1.** (*Folge e-r Fernsehserie*) series **2.** (COM) line; **in ~ gehen**

go into production; **se•ri•en•mä•ßig** *adj:* ~**e Ausrüstung** standard equipment; ~ **hergestellt werden** be mass-produced; **Se•ri•en•num•mer** *f* serial number; **Se•ri•en•pro•duk•ti•on** *f* series production; **in ~ gehen** go onto the production line; **Se•ri•en•schal•tung** *f* (EL) series connection; **se•ri•en•wei•se** *adv* one after another

se•ri•ös [zeri'øːs] *adj* serious; ~**e Firma** sound firm

Ser•mon [zɛr'moːn] *m:* **jdm e-n langen ~ halten** give s.o. a long lecture

Ser•pen•ti•ne [zɛrpɛn'tiːnə] <-, -n> *f* **1.** (*Straßenkehre*) double bend **2.** (*gewundene Straße*) winding road

Se•rum ['zeːrʊm] <-s, -ren/-ra> *n* serum

Ser•vice[1] ['søːɐvɪs] *m* (COM) service

Ser•vice[2] [zɛr'viːs] <-, -s> *n* (*Geschirr*) dinner service; (*Gläser~*) set

Ser•vier•brett *n* tray; **ser•vie•ren** [zɛr'viːrən] *tr* serve (*jdm etw* s.o. s.th.); **jdm den Ball ~** (*fam*) Tennis, hit the ball right to s.o; **Ser•vie•re•rin** *f* waitress; **Ser•vier•tisch** *m* serving table; **Ser•vier•toch•ter** *f* waitress *CH;* **Ser•vier•wa•gen** *m* trolley

Ser•vi•et•te [zɛr'vjɛtə] <-, -n> *f* napkin, serviette; **Ser•vi•et•ten•ring** *m* napkin ring

ser•vil [zɛr'viːl] *adj* servile

Ser•vo•brem•se ['zɛrvo-] *f* (MOT) power [*o* servo-assisted] brake; **Ser•vo•len•kung** *f* (MOT) power-assisted steering; **Ser•vo•mo•tor** *m* servomotor

Ser•vus ['zɛrvʊs] *interj* (*fam: zur Begrüßung*) hello!; (*beim Abschied*) so long!

Ses•sel ['zɛsəl] <-s, -> *m* easy chair; (*a. Lehnstuhl*) armchair; **Ses•sel•lift** *m* chairlift

sess•haft[RR] ['zɛshaft] *adj* **1.** (*stationär*) settled **2.** (*ansässig*) resident; **sich ~ machen** settle down

set•zen ['zɛtsən] **I.** *tr* **1.** (*hinstellen*) set; (*plazieren*) place; (*legen*) put **2.** (*Frist etc festlegen*) fix **3.** (*Baum: pflanzen*) plant **4.** (TYP) set **5.** (*Geld beim Spiel*) stake; **ein Kind auf die Knie ~** sit a child on one's knees; **etw an s-n Platz ~** put s.th. in its place; **sich den Hut auf den Kopf ~** put one's hat on one's head; **jdn über e-n Fluss ~** put s.o. across a river; **s-e Unterschrift unter ein Schriftstück ~** put one's signature to a document; **etw auf die Tagesordnung ~** put s.th. on the agenda; **ein Verb in die Vergangenheit ~** put a verb into the past tense **II.** *itr* **1.** (*springen*) jump (*über* over) **2.** (*bei Wette*) bet (*auf* on) **III.** *refl* sit down **1.** (*von Vögeln*) perch **2.** (CHEM: *Schwebstoffe*) settle; **darf ich mich zu Ihnen ~?** may I join you?; **setz dich zu mir** (**neben mich**)! sit by (with) me!; **sich auf e-n Stuhl ~** sit down in a chair; **Set•zer**(**in**) *m(f)* (TYP) typesetter; **Set•ze•rei** *f* (TYP) **1.** (*in Verlag*) composing room **2.** (*als Firma*) typesetters *pl;* **Setz•feh•ler** *m* printer's error; **Setz•kas•ten** *m* (TYP) case; **Setz•ling** *m* (*Ableger*) seedling; **Setz•ma•schi•ne** *f* (TYP) typesetting machine

Seu•che ['zɔɪçə] <-, -n> *f* epidemic; **es ist wie e-e ~** it's like an epidemic; **seu•chen•ar•tig** *adj:* **sich ~ ausbreiten** spread like the plague; **Seu•chen•be•kämp•fung** *f* control of epidemics; **Seu•chen•er•re•ger** *m* agent of epidemics; **Seu•chen•herd** *m* centre of an epidemic

seuf•zen ['zɔɪftsən] *itr* sigh (*vor* with); ~**d** with a sigh; **Seuf•zer** *m* groan, sigh; **e-n ~ ausstoßen** heave a sigh

Sex [zɛks] <-(es)> *m* sex; **Sex•film** *m* sex film, porno film; **Se•xis•mus** *m* sexism; **Se•xist**(**in**) <-en, -en> *m(f)* sexist; **se•xis•tisch** *adj* sexist; **Sex•shop** *m* sex shop

Sex•tant [zɛks'tant] <-en, -en> *m* (MAR) sextant

Sex•tett [zɛks'tɛt] <-s, -e> *n* sextet

Sex•tou•ris•mus *m* sex tourism

Se•xu•al•er•zie•hung *f* sex education; **Se•xu•al•hor•mon** *n* sex hormone; **Se•xu•a•li•tät** *f* sexuality; **Se•xu•al•ku•nde** *f* (PÄD) sexual education; **Se•xu•al•le•ben** *n* sex life; **Se•xu•al•mo•ral** *f* sexual morals; **Se•xu•al•mord** *m* sex killing; **Se•xu•al•mör•der** *m* sex murderer; **Se•xu•al•part•ner**(**in**) *m(f)* sex partner; **Se•xu•al•ver•bre•cher** *m* sex-offender

se•xu•ell [zɛksu'ɛl] *adj* sexual

Se•zes•si•ons•krieg [zetsɛ'sjoːns-] *m* (HIST) American Civil War

se•zie•ren [ze'tsiːrən] *tr* (ANAT) dissect

Sham•poo ['ʃampoː] <-(s), -s> *n* shampoo

Shet•land•po•ny ['ʃɛtlantpoːni] <-s, -s> *n* (ZOO) shetland pony

Show [ʃoː] <-, (-s)> *f* show; **e-e ~ abziehen** (*fam*) put on a show; **Show•busi•ness[RR]** ['ʃəʊbɪznɪs] <-> *n* show-business; **Show•mas•ter** *m* compère *Br,* emcee *Am*

Si•am ['ziːam] *n* (*Thailand*) Siam; **sia•me•sisch** [zia'meːzɪʃ] *adj* Siamese; ~**e Zwillinge** Siamese twins; **Si•am•kat•ze** *f* Siamese

Si•bi•rien [zi'biːriən] *n* Siberia; **si•bi•risch** *adj* Siberian; **~ Kälte** (*fam*) arctic temperatures

sich [zɪç] *pron refl* **1.** (*acc: 3. pers sing*) himself, herself, itself; (*3. pers pl*) themselves **2.** (*dat: 3. pers sing*) to himself, to herself, to itself; (*3. pers pl*) to themselves;

an ~ in itself; **an u. für** ~ considered by itself; **außer** ~ **sein** be beside o.s; **das spricht für** ~ **selbst** that speaks for itself; **das ist e-e Sache für** ~ that is another story; **wieder zu** ~ **kommen** recover consciousness; **sie haben** ~ **sehr gern** they are very fond of each other; **sie hat** ~ **das Bein gebrochen** she has broken her leg; **nur an** ~ **denken** think only of o.s.; **dieses Auto fährt** ~ **gut** this car drives well

Si•chel ['zɪçəl] <-, -n> *f* **1.** sickle **2.** (*Mond~*) crescent; **si•chel•för•mig** *adj* sickle-shaped

si•cher ['zɪçɐ] *adj* **1.** (*vor Gefahr*) safe; (*geborgen*) secure **2.** (*gewiss*) certain, sure **3.** (*selbstbewusst*) self-assured; **sind Sie sich (dessen)** ~**?** are you certain of that?; **wissen Sie das** ~**?** are you certain?; **ganz** ~ for certain; **ich bin mir nicht ganz** ~**, aber ...** I don't know for certain, but ...; **es ist absolut** ~**, dass ...** it's an absolute certainty that ...; **es ist** ~**, dass er kommt** it is sure that he will come; **der Erfolg ist dir** ~ you're sure of success; ~ **ist** ~ it's best to make sure; **ich bin mir da ganz** ~ I'm perfectly sure; **da bin ich nicht so** ~ I'm not so sure about that; **sich s-r Sache** ~ **sein** be sure of o.s.; **das meinst du doch** ~ **nicht so?** surely you don't mean it?; **das ist so** ~ **wie nur was** that is as sure as anything; **aber** ~**!** take it from me!; **vor etw** ~ **sein** be safe from s.th.; **etw** ~ **aufbewahren** keep s.th. safe; **es ist so gut wie** ~ it's a safe guess; **die Stelle** ~ **bekommen** be sure to get the job; **etw an e-m ~en Ort verwahren** put s.th. away safely; ~ **auf den Beinen** steady on one's feet; **ich weiß aus ~er Quelle, dass ...** I'm reliably informed that ...; ~ **stellen**RR (*garantieren*) guarantee; (JUR) take possession of

Si•cher•heit *f* **1.** (*vor Gefahr*) safety **2.** (COM: *Geld*) security **3.** (*Gewissheit*) certainty **4.** (*Auftreten, Überzeugung*) self-assurance; **mit tödlicher** ~ with absolute certainty; **mit** ~ **wissen, dass ...** know for certain that ...; **er wird mit** ~ **Erfolg haben** his success is certain; **wird das passieren? – ja, mit** ~ will it happen? – yes, for sure; **zur** ~ for security; **Geld gegen** ~ **leihen** lend money on security; **auf** ~ **spielen** (SPORT) play for safety; **sich in** ~ **bringen** get to safety; **das ist mit** ~ **richtig** that's definitely right; **Si•cher•heits•ab•stand** *m* safe distance; **Si•cher•heits•aus•schuss**RR *m* committee of public safety; **Si•cher•heits•be•ra•ter(in)** *m(f)* safety adviser; **Si•cher•heits•be•stim•mun•gen** *pl* safety regulations; **Si•cher•heits•bin•dung** *f* (*von Ski*) safety binding; **Si•cher•heits•glas** *n* safety glass; **Si•cher•heits•grün•de** *pl* safety reasons; **Si•cher•heits•gurt** *m* (MOT AERO) safety (seat) belt; **si•cher•heits•hal•ber** *adv* to be on the safe side; **Si•cher•heits•ket•te** *f* (*an Tür*) safety chain; **Si•cher•heits•maß•nah•me** *f* safety measures; **Si•cher•heits•na•del** *f* safety pin; **Si•cher•heits•pe•dal** *n* safety pedal; **Si•cher•heits•rat** *m* (*der UNO*) Security Council; **Si•cher•heits•schloss**RR *n* safety lock; **Si•cher•heits•ver•schluss**RR *m* safety clasp; **Si•cher•heits•vor•keh•rung** *f* safety precaution; **Si•cher•heits•vor•schrif•ten** *pl* safety regulations; **Si•cher•heits•wacht** *f* security patrol; **Si•cher•heits•wäch•ter(in)** *m(f)* security patrol [*o* guard]

si•cher•lich *adj* certainly *Br*, sure *Am*

si•chern I. *tr* **1.** (*sicher machen*) secure **2.** (*schützen*) safeguard **3.** (EDV) back up **4.** (*Gewehr*) put the safety catch on; **sich etw** ~ secure s.th. for o.s. **II.** *refl* **1.** (*sich schützen*) protect o.s. **2.** (*beim Bergsteigen*) secure o.s.; **sich gegen etw** ~ guard o.s. against s.th.

si•cher|stel•len *tr* (*garantieren*) guarantee; (JUR) take possession of

Si•che•rung *f* **1.** (*fig: Sicherstellung*) safeguarding **2.** (TECH) safety mechanism **3.** (EDV) back up **4.** (EL) fuse **5.** (*an Schusswaffe*) safety-catch; **die** ~ **ist durchgebrannt** I've fused the lights; **Si•che•rungs•ko•pie** *f* (EDV) back-up copy

Sicht [zɪçt] <-> *f* **1.** (*Sehen*) view **2.** (*Sichtverhältnisse*) visibility; **in** ~ **kommen** come into view; **(gute) schlechte** ~ (good) poor visibility; **die** ~ **beträgt nur 100 Meter** visibility is down to only 100 metres; **zahlbar bei** ~ (COM) payable at sight; **in** ~ **sein** be within sight; **die Küste kam in** ~ we came in sight of the coast; **auf lange** ~ in the long run; **sicht•bar** *adj* visible; ~ **werden** appear; (*fig*) become apparent; **Sicht•bar•keit** *f* visibility

sich•ten *tr* **1.** (MAR: *sehen*) sight **2.** (*prüfen*) examine **3.** (*aussuchen*) sift, sort out

Sicht•ge•rät *n* **1.** (*allgemein*) monitor **2.** (EDV) visual display unit, VDU; **Sicht•gren•ze** *f* visibility limit; **Sicht•kon•takt** *m* eye contact

sicht•lich *adj* (*offenkundig*) obvious

Sich•tung *f* **1.** (*das Sehen*) sighting **2.** (*Prüfung*) inspection **3.** (*Trennung, Aussortierung*) sifting, sorting

Sicht•ver•hält•nis•se *pl* visibility; **Sicht•ver•merk** *m* endorsement; **Sicht•wei•te** *f*: **außer** ~ out of sight; **in** ~ **kommen** come into sight

Si•cker•gru•be *f* soakaway

si•ckern ['zɪkɐn] *itr sein* seep; **nach außen ~** (*fig*) leak out
Si•cker•was•ser *n* percolating water, water seepage
Side•board ['saɪdbɔ:d] <-s, -s> *n* sideboard
Sie *pron* you; **gehen ~!** go!; **wissen ~ was ...?** do you know what ...?
sie [zi:] *pron* (*nom sing*) she; (*acc sing*) her; (*sächlich*) it; (*im pl*) they *pl,* them; **wenn ich ~ wäre** if I were her; **~ war's nicht, ich war's** it wasn't her, it was me; **~ sind es** it is they
Sieb [zi:p] <-(e)s, -e> *n* sieve; (*Tee~*) strainer; (*Durchschlag*) colander; **ein Gedächtnis wie ein ~** a memory like a sieve
Sieb•druck *m* (silk) screen print, (silk) screen printing
sie•ben *tr* **1.** (*Speisen*) sieve, sift **2.** (*fig: aussortieren*) weed; **es wird sehr gesiebt** they are very selective
sie•ben ['zi:bən] *num* seven
Sie•ben•bür•gen [-'bʏrgən] *n* (GEOG) Transylvania; **sie•ben•fach** *adj* sevenfold; **Sie•ben•ge•stirn** *n* (ASTR) Pleiades *pl;* **sie•ben•hun•dert** *num* seven hundred; **sie•ben•jäh•rig** *adj* seven-year-old; **der S~e Krieg** (HIST) the Seven Years' War; **sie•ben•mal** *adv* seven times; **Sie•ben•me•ter** [--'--] *m* (SPORT) penalty; **Sie•ben•sa•chen** ['--'--] *pl* belongings; **Sie•ben•schlä•fer** *m* (ZOO) dormouse
sie•b(en)•tens *adv* in the seventh place; **sieb•te** *adj* seventh; **im ~n Himmel sein** be in seventh heaven; **Sieb•tel** <-s, -> *n* seventh part
sieb•zehn ['zi:ptse:n] *num* seventeen; **sieb•zehn•te** *adj* seventeenth; **Sieb•zehn•tel** <-s, -> *n* seventeenth
sieb•zig ['zi:ptsɪç] *num* seventy; **Sieb•zi•ger(in)** *m(f)* septuagenarian; **sieb•zig•jäh•rig** *adj* seventy-year-old; **sieb•zigs•te** *adj* seventieth
sie•deln ['zi:dəln] *itr* settle
sie•den ['zi:dən] *irr itr* boil; **~d heiß** boiling hot; **Sie•de•punkt** *m* boiling-point; **Sie•de•was•ser•re•ak•tor** *m* boiling water reactor
Sied•ler(in) *m(f)* settler
Sied•lung *f* **1.** (*An~*) settlement **2.** (*Wohn~*) housing estates *pl*
Sieg [zi:k] <-(e)s, -e> *m* victory (*über* over); **den ~ davontragen** win the day; **den ~ erringen** be victorious
Siegel ['zi:gəl] <-s, -> *n* seal; **unter dem ~ der Verschwiegenheit** under the seal of secrecy; **Sie•gel•lack** *m* sealing wax; **e-e Stange ~** a stick of sealing wax; **sie•geln** *tr* **1.** (*Urkunde*) affix a seal to ... **2.** (*ver~*) seal; **Sie•gel•ring** *m* signet ring
siegen ['zi:gən] *itr* be victorious; (SPORT) win; **Sie•ger(in)** *m(f)* victor; (SPORT) winner; **zweiter ~** runner-up; **Sie•ger•eh•rung** *f* (SPORT) presentation ceremony; **Sie•ger•po•se** *f* victory pose; **Sie•ger•stra•ße** *f* (*fig*) road to victory; **Sie•ger•ur•kun•de** *f* (SPORT) winner's certificate
sie•ges•be•wusst[RR] *adj* confident of victory; **sie•ges•ge•wiss**[RR] *adj* sure of victory; **sie•ges•trun•ken** *adj* drunk with victory; **Sie•ges•zug** *m* **1.** (*Triumphzug*) triumphal march **2.** (*fig: e-r Laufbahn*) victorious career
sieg•reich *adj* victorious
Si•g•nal [zɪ'gna:l] <-s, -e> *n* **1.** (*das ~ für etwas*) signal **2.** (*Zeichen*) sign; **ein ~ geben** give a signal; **~e setzen** (*fig*) blaze a trail *sing;* **Si•gnal•an•la•ge** *f* set of signals *pl;* **Si•gnal•flag•ge** *f* signal flag; **si•gna•li•sie•ren** *tr* signal; **Si•gnal•lam•pe** *f* signal lamp; **Si•gnal•mast** *m* signal mast; **Si•gnal•pis•to•le** *f* Very pistol **Si•g•nal•wir•kung** *f* signal
Si•g•na•tur [zɪgna'tu:ɐ] *f* **1.** (*Unterschrift*) signature **2.** (*auf Karten*) symbol **3.** (*Buch~*) shelf mark
si•g•nie•ren *tr* sign
Sil•be ['zɪlbə] <-, -n> *f* syllable; **keine ~ sagen** not breathe a word; **ich verstehe keine ~** I don't understand a word; **Sil•ben•rät•sel** *n game involving combining syllables to form words*
Sil•ben•tren•nung *f* syllabification
Sil•ber ['zɪlbɐ] <-s> *n* **1.** (*das Metall*) silver **2.** (*~zeug*) silverware; **Sil•ber•bar•ren** *m* silver bar [*o* ingot]; **Sil•ber•be•steck** *n* silver cutlery; **Sil•ber•blick** *m* squint; **sil•ber•far•ben** *adj* silver; **Sil•ber•fisch•chen** *n* (ZOO) silverfish; **Sil•ber•fuchs** *m* silverfox; **Sil•ber•ge•halt** *m* silver content; **Sil•ber•geld** *n* silver; **Sil•ber•ge•schirr** *n* silverware; **sil•ber•hal•tig** *adj* silver-bearing; **Sil•ber•hoch•zeit** *f* silver wedding; **Sil•ber•lö•we** *m* (ZOO) puma; **Sil•ber•me•dail•le** *f* silver medal; **Sil•ber•mün•ze** *f* silver coin
sil•bern *adj* silver
Sil•ber•no•tie•rung *f* (quoted) price of silver; **Sil•ber•pa•pier** *n* (*Stanniol*) tinfoil; **Sil•ber•strei•fen** *m* (*fig*): **es zeichnet sich ein ~ am Horizont ab** one can see light at the end of the tunnel; **Sil•ber•wa•ren** *pl* silver *sing*
Sil•hou•et•te [zilu'ɛtə] <-, -n> *f* silhouette; **sich als ~ abzeichnen gegen ...** be silhouetted against ...
Si•li•zi•um [zi'li:tsiʊm] <-s> *n* (CHEM) silicon
Si•lo ['zi:lo] <-s, -s> *m* silo
Sil•ves•ter [zɪl'vɛstɐ] <-s, -> *m o n* New

Year's Eve

Si•mi•li(•stein) ['zi:mili] *m* artificial stone

Sim•pel *m* simpleton; **sim•pel** ['zɪmpəl] *adj* **1.** (*einfach*) plain, simple **2.** (*dumm*) stupid

Sims [zɪms] <-es, -e> *m o n* (*Fenster~*) sill; (ARCH: *vorspringender Rand*) ledge; (*Kamin~*) mantelpiece

Si•mu•lant(in) [zimu'lant] <-en, -en> *m(f)* malingerer; **si•mu•lie•ren** *tr* **1.** (*vortäuschen*) feign, sham **2.** (PHYS) simulate

si•mul•tan [zimʊl'ta:n] *adj* simultaneous; **Si•mul•tan•dol•met•scher(in)** *m(f)* simultaneous interpreter

Si•na•i•halb•in•sel *f* Sinai Peninsula

Sin•fo•nie [zɪnfo'ni:] *f* symphony; **Sin•fo•nie•kon•zert** *n* symphony concert; **Sin•fo•nie•or•ches•ter** *n* symphony orchestra

Sin•ga•pur ['zɪŋgapu:ɐ] <-s> *n* Singapore

Sin•gen *n* singing; (*im Chor*) chanting; **sin•gen** ['zɪŋən] *irr tr itr* **1.** sing **2.** (*sl: gestehen*) squeal; **Sing•sang** <-(e)s> *m* **1.** (*monotones Singen*) monotonous singing **2.** (*Aussprache*) singsong; **Sing•spiel** *n* lyrical drama

Sin•gu•lar ['zɪŋgula:ɐ] <-s, -e> *m* singular

Sing•vo•gel *m* song-bird

sin•ken ['zɪŋkən] *irr itr* **1.** (*allgemein*) sink **2.** (*fallen, bes. Preise*) drop, fall; **im Wert ~** decline in value; **in e-n Sessel ~** sink into an armchair; **in jds Achtung ~** sink in someone's eyes

Sink•stof•fe *pl* (CHEM) settleable solids

Sinn [zɪn] <-(e)s, -e> *m* **1.** (*~esorgan*) sense **2.** (*Verstand*) mind **3.** (*Bedeutung*) meaning; **von ~en sein** be out of one's senses; **das hat keinen ~** there is no sense in that; **was für e-n ~ soll das haben?** what's the sense of doing this?; **es hat keinen ~ zu weinen** there is no sense in crying; **e-n ~ ergeben** make sense; **in gewissem ~e** in a sense; **das geht mir nicht aus dem ~** I can't get it out of my mind; **im ~ haben(,) etw zu tun** have in mind to do s.th.; **mein Leben hat keinen ~** my life is meaningless; **Sinn•bild** *n* symbol; **sinn•bild•lich** *adj* symbolic(al)

Sin•nen ['zɪnən] *n*: **in ~ versunken** lost in meditation; **sin•nen** *irr itr*: **über etw ~** brood over s.th.; **auf Unheil ~** plot, mischief; **auf Rache ~** meditate revenge; **Sin•nen•lust** *f* sensuality

sinn•ent•leert *adj* bereft of content; **sinn•ent•stel•lend** *adj* distorting the meaning

Sin•nes•än•de•rung *f* change of mind; **Sin•nes•ein•drü•cke** *mpl* sensory impressions; **Sin•nes•or•gan** *n* sense organ; **Sin•nes•stö•rung** *f* sensory disorder; **Sin•nes•täu•schung** *f* illusion; **Sin•nes•wahr•neh•mung** *f* sensory perception; **Sin•nes•wan•del** *m* change of mind

sinn•fäl•lig *adj* obvious; **sinn•ge•mäß** *adj*: **etw ~ wiedergeben** give the gist of s.th; **etw ~ anwenden** (JUR) apply s.th. by analogy; **sinn•ge•treu** *adj* faithful

sin•nie•ren *itr* ruminate

sin•nig *adj* **1.** (*vernünftig*) sensible; (*sinnreich*) apt **2.** (*zweckmäßig*) practical

sinn•lich *adj* **1.** (*auf die Sinne bezüglich*) sensuous **2.** (*den Sinnengenuss betreffend*) sensual; **ein ~er Mensch** a sensualist; **die ~e Welt** the material world; **Sinn•lich•keit** *f* sensuality

sinn•los *adj* **1.** (*zwecklos*) useless **2.** (*absurd, verrückt*) absurd **3.** (*ohne Bedeutung*) meaningless; **~ betrunken** dead drunk; **es ist einfach ~** it just doesn't make sense; **Sinn•lo•sig•keit** *f* **1.** (*Zwecklosigkeit*) uselessness **2.** (*Absurdität*) absurdity; **sinn•reich** *adj* **1.** (*klug ersonnen*) ingenious **2.** (*geistreich*) witty; **sinn•ver•wandt** *adj* synonymous; **~es Wort** synonym; **sinn•voll** *adj* **1.** (*zweckmäßig*) convenient **2.** (*klug*) ingenious; **sinn•wid•rig** *adj* absurd, senseless

Sint•flut ['zɪntflu:t] <-> *f* **1.** (*in Bibel*) Flood **2.** (*fig*) deluge

Sip•pe ['zɪpə] <-, -n> *f* **1.** (*von Menschen*) family **2.** (ZOO) species; **Sipp•schaft** *f* **1.** (*pej: Verwandtschaft*) tribe **2.** (*pej: Gesindel*) bunch

Si•re•ne [zi're:nə] <-, -n> *f* (*a. fig*) siren; **Si•re•nen•ge•heul** *n* wail of sirens

Si•rup ['zi:rʊp] <-s, -e> *m* (*Zuckersaft*) treacle; (*Fruchtsaft mit Zucker*) syrup

Sit•te ['zɪtə] <-, -n> *f* custom; **es ist ~ ...** custom demands ...; **wie es ~ ist** as custom has it; **Sit•ten•de•zer•nat** *n* vice squad; **Sit•ten•ge•schich•te** *f* history of life and customs; **Sit•ten•leh•re** *f* ethics *pl*; **sit•ten•los** *adj* immoral; **Sit•ten•lo•sig•keit** *f* immorality; **Sit•ten•pre•di•ger** *m* (*fig*) sermonizer; **sit•ten•streng** *adj* puritanical; **Sit•ten•strolch** *n* (*fam*) sex fiend; **Sit•ten•ver•fall** *m* decline in moral standards

Sit•tich ['zɪtɪç] <-s, -e> *m* (ORN) parakeet

sitt•lich *adj* moral

Sitt•lich•keit *f* morality; **Sitt•lich•keits•ver•bre•chen** *n* sex crime

sitt•sam *adj* decent; **Sitt•sam•keit** *f* decency

Si•tua•ti•on [zitua'tsjo:n] *f* situation; **Herr der ~ sein** be master of the situation

Sitz [zɪts] <-es, -e> *m* **1.** (*allgemein*) seat **2.** (*Wohnsitz*) residence **3.** (*von Kleidern*) fit; **verstellbarer ~** adjustable seat; **mit ~ in Berlin** (COM) with the place of business and legal seat in Berlin; **Sitz•bad** *n* hip-

bath; **Sitz•blo•ckade** *f* sit-in
sit•zen *irr itr* 1. (*allgemein*) sit 2. (*Hieb*) go home 3. (*wohnen*) dwell, live 4. (*von Kleidern*) fit 5. (*fam: im Gefängnis*) be doing time; **auf dem Trockenen** ~ be left high and dry; (*fig: kein Geld haben*) be in low water; **er hat e-n** ~ (*fam*) he has one too many; ~ **bleiben** remain seated; **bleiben Sie** (**bitte**) ~! please don't get up!; ~ **bleiben** ~ (*in der Schule*) stay down; **auf einer Ware** ~ **bleiben**RR be left with a merchandise; **über e-r Arbeit** ~ be occupied with a task; **diese Beleidigung lasse ich nicht auf mir** ~! I am not going to take that insult lying down!; **das Kleid sitzt nicht** the dress doesn't fit properly; **die Bemerkung saß** the remark was very apt; ~ **lassen**RR (*bei Verabredung*) leave waiting; (*im Stich lassen*) leave in the lurch *Br;* **sit•zen|blei•ben** *s.* **sitzen**; **sit•zen|las•sen** *s.* **sitzen**
Sitz•fleisch *n:* **kein** ~ **haben** (*fig*) not have the staying power, not be able to sit still
Sitz•ge•le•gen•heit *f* seat, seating accomodation *pl;* **Sitz•kis•sen** *n* cushion; **Sitz•leh•ne** *f* seat back; **Sitz•platz** *m* seat; **Sitz•streik** *m* sit-down strike
Sit•zung *f* 1. (*Konferenz*) meeting 2. (JUR) session; **Sit•zungs•be•richt** *m* minutes *pl;* **Sit•zungs•pe•ri•ode** *f* session; **Sit•zungs•saal** *m* 1. (*für Konferenz*) conference hall 2. (JUR) court room
Si•zi•lien [zi'tsi:liən] *n* Sicily
Ska•la ['ska:la] <-, -len> *f* 1. (EL) scale 2. (*fig*) range; **Ska•len•be•leuch•tung** *f* instrument lighting; **Ska•len•ein•tei•lung** *f* graduation; **Ska•len•strich** *m* grading line
Skalp [skalp] <-s, -e> *m* scalp
Skal•pell [skal'pɛl] <-s, -e> *n* (MED) scalpel
skal•pie•ren *tr* scalp
Skan•dal [skan'da:l] <-s, -e> *m* 1. scandal 2. (*Lärm*) fuss, row; **es ist ein ~, dass sich niemand darum kümmert** it's a disgrace that nobody cares about that; **skan•da•lös** *adj* scandalous; **Skan•dal•pro•zess**RR *m* sensational case; **skan•dal•träch•tig** *adj* potentially scandalous
Skan•di•na•vien [skandi'na:viən] *n* Scandinavia; **skan•di•na•visch** *adj* Scandinavian
Skat [ska:t] <-(e)s, -e/-s> *m* skat
Skate•board ['skeɪtbɔ:d] <-s, -s> *n* skateboard; **Skate•board•fah•rer(in)** *m(f)* skateboarder
Ske•lett [ske'lɛt] <-(e)s, -e> *n* skeleton
Skep•sis ['skɛpsɪs] <-> *f* scepticism; **Skep•ti•ker(in)** *m(f)* sceptic; **skep•tisch** *adj* sceptical
Ski [ʃi:] <-(s), -er> *m* ski; **die ~er anschnallen** put on the skis; ~ **fahren,** ~ **laufen** ski; **Ski•an•zug** *m* ski suit; **Ski•aus•rüs•tung** *f* skiing gear; **Ski•fah•rer(in)** *m(f)* skier; **Ski•gym•nas•tik** *f* skiing exercises *pl;* **Ski•ho•se** *f* ski-pants *pl;* **Ski•lau•fen** *n* skiing; **Ski•läu•fer(in)** *m(f)* skier; **Ski•leh•rer(in)** *m(f)* instructor; **Ski•lift** *m* ski-lift
Skin•head <-s, -s> *m* skinhead
Ski•pis•te *f* ski-run; **Ski•sprin•gen** *n* ski jumping; **Ski•sprin•ger(in)** *m(f)* ski-jumper; **Ski•stock** *m* ski-stick; **Ski•trä•ger** *m* ski rack
Skiz•ze ['skɪtsə] <-, -n> *f* 1. (*Abriss*) sketch 2. (*Entwurf*) draft; (*Plan*) outline; **Skiz•zen•buch** *n* sketchbook; **skiz•zen•haft** *adj* (*fig*) in broad outline; **skiz•zie•ren** [skɪ'tsi:rən] *tr* 1. (*umreißen*) sketch 2. (*fig: Plan*) outline
Skla•ve ['skla:və] <-n, -n> *m,* **Skla•vin** *f* slave; **jdn zum ~n machen** make a slave of s.o; **Skla•ven•hal•ter(in)** *m(f)* slave-owner; **Skla•ven•han•del** *m* slave-trade; **Skla•ven•trei•ber(in)** *m(f)* (*a. fig*) slave-driver; **Skla•ve•rei** *f* slavery; **skla•visch** *adj* slavish
Skon•to ['skɔnto] <-s, -s/-ti> *m n* (COM) cash discount; **bei Barzahlung 5 %** ~ **geben** allow 5 % discount for cash
Skor•but [skɔr'bu:t] <-(e)s> *m* (MED) scurvy
Skor•pi•on [skɔrpi'o:n] <-s, -e> *m* 1. (ZOO) scorpion 2. (ASTR) Scorpio
Skript [skrɪpt] <-(e)s, -s oder -en> *n* script
Skru•pel ['skru:pəl] <-s, -> *m* scruple; **keine** ~ **haben(,) etw zu tun** have no scruples to do s.th.; **ohne jeden** ~ without the slightest scruple; **skru•pel•los** *adj* unscrupulous; **Skru•pel•lo•sig•keit** *f* unscrupulousness
Skulp•tur [skʊlp'tu:ɐ] <-, -en> *f* sculpture
skur•ril [skʊ'ri:l] *adj* comical, droll
Sla•lom ['sla:lɔm] <-s> *m* slalom
Sla•we ['sla:və] <-n, -n> *m,* **Sla•win** *f* Slav; **sla•wisch** *adj* Slavonic; **Sla•wis•tik** *f* Slavonic studies *pl;* **Sla•wist(in)** *m(f)* Slavist
Slip <-s, -s> *m* briefs *pl;* **Slip•ein•la•ge** *f* panty-liner
Slo•wa•ke [slo'va:kə] <-n, -n> *m,* **Slo•wa•kin** *f* Slovak; **Slo•wa•kei** *f* Slovakia; **slo•wa•kisch** *adj* Slovak(ian)
Slo•we•ni•en [slo've:niən] *n* Slovenia
Slum [slam] <-s, -s> *m* slum
Sma•ragd [sma'rakt] <-(e)s, -e> *m* emerald; **sma•ragd•grün** [-'-'-] *adj* emerald-green
Smart•card ['sma:tka:d] <-, -s> *f* smart card

Smog ['smɔk] <-s> *m* smog; **Smog·alarm** *m* smog alert

Smo·king ['smo:kɪŋ] <-s, -s> *m* dinner-jacket *Br,* tuxedo *Am*

Snow·board ['snəʊbɔ:d] <-s, -s> *n* (SPORT) snowboard

so [zo:] **I.** *adv* **1.** so **2.** (*auf diese Art*) like this, thus; **~!** (*da!*) there you are!; **~?** is that so?; **ach ~!** oh, I see!; **~ oder ~** one way or another; **so … wie** as … as; **na, ~ was!** what do you know! well, did you ever!; **~ hören Sie doch!** now, do listen!; **ich will mal nicht ~ sein** all right, but just this once; **~ siehst du aus!** (*fam*) that's what you think!; **~ viel Tee** so much tea; **er war ~ dumm und hat es ihnen gesagt** he was so stupid as to tell them; **ich bin ja ~ müde** I'm so very tired; **~ kam es, dass …** so it was that …; **wie lange dauert das? – ~ e-e Woche** how long will it take? – a week or so **II.** *adj:* **~ genannt**[RR] so-called **III.** *konj:* **~ dass …** so that …; **~ reich er auch ist** however rich he may be

so·bald [zo'balt] *konj* as soon as

So·cke ['zɔkə] <-, -n> *f* sock; **sich auf die ~n machen** (*fam*) take to one's heels

So·ckel ['zɔkəl] <-s, -> *m* base; (*von Statue etc*) pedestal; **So·ckel·be·trag** *m* (*tariflicher ~*) flat cash supplement; **ein ~ von £ 3.50** a basic rate of £ 3.50

So·da ['zo:da] <-> *f* soda

so·dann *adv* then, thereupon

So·da·was·ser *n* soda water

Sod·bren·nen ['zo:t-] *n* heartburn

So·do·mie [zodo'mi:] <-> *f* sodomy

so·e·ben [zo'e:bən] *adv* just, this minute

So·fa ['zo:fa] <-s, -s> *n* sofa; (*kleines ~*) settee; **So·fa·kis·sen** *n* sofa cushion

so·fern *konj* provided (that)

so·fort [zo'fɔrt] *adv* at once, immediately; **~!** (*komme ~!*) coming!; **So·fort·bild·ka·me·ra** *f* Polaroid camera®; **So·fort·hil·fe** *f* emergency aid [*o* relief]; **so·for·tig** *adj* immediate, instant; **So·fort·lie·fe·rung** *f* immediate delivery; **So·fort·maß·nah·me** *f* immediate measure

Sof·tie [zɔftɪ] <-s, -s> *m* (*fam*) caring type

Soft·ware·pa·ket *n* (EDV) software package; **Soft·ware·pi·ra·te·rie** *f* software piracy

Sog [zo:k] <-(e)s, -e> *m* **1.** (*Explosions~*) suction **2.** (*Wasser~*) undertow

so·gar [zo'ga:ɐ] *adv* even; **sie ist ~ gekommen** she even came

so·ge·nannt ['zo(:)gənant] *adj s.* **so**

so·gleich [zo'glaɪç] *adv* at once

Soh·le ['zo:lə] <-, -n> *f* **1.** (*Fuß~*) sole **2.** (MIN) bottom

Sohn [zo:n, *pl:* 'zø:nə] <-(e)s, ¨-e> *m* son; **der verlorene ~** the prodigal son

So·ja·boh·ne *f* soya bean

so·lang(e) [zo'laŋə] *adv* as long as, so long as

So·lar·e·ner·gie *f* solar energy

So·la·ri·um [zo'la:rɪʊm] <-s, -en> *n* solarium

So·lar·tech·nik [zo'la:ɐ-] *f* solar technology; **So·lar·zel·le** *f* solar cell

solch [zɔlç] *adj* such; **ich hätte gerne ~e** I'd like some of those; **~ ein Glück** such luck; **ich hab' ~en Durst!** I'm so thirsty!

Sold [zɔlt] <-(e)s, -e> *m* (MIL) pay

Sol·dat(in) [zɔl'da:t] <-en, -en> *m(f)* soldier; **der unbekannte ~** the Unknown Warrior

Sol·da·ten·fried·hof *m* military cemetery

Sol·da·tes·ka [zɔlda'tɛska] <-, -ken> *f* band of soldiers; **sol·da·tisch** *adj* **1.** (*soldatengemäß*) soldierlike **2.** (*militärisch*) military; **Söld·ner** ['zœldnɐ] <-s, -> *m* mercenary

So·le ['zo:lə] <-, -n> *f* brine, saltwater

so·li·da·risch [zoli'da:rɪʃ] *adj:* **~ sein mit …** show solidarity with …; **sich mit jdm ~ erklären** declare one's solidarity with s.o; **so·li·da·ri·sie·ren** *refl:* **sich mit jdm ~** show one's solidarity with s.o; **So·li·da·ri·tät** *f* solidarity; **So·li·da·ri·täts·streik** *m* sympathy strike; **So·li·da·ri·täts·zu·schlag** *m* solidarity levy; **So·li·dar·pakt** <-(e)s> *m* solidarity pact

so·lid(e) [zo'li:də] *adj* **1.** (*fest gebaut, a.* COM) solid **2.** (*fig: ansehnlich*) sound **3.** (*fig: anständig*) respectable; **So·li·di·tät** *f* **1.** (*Stärke*) solidity **2.** (*fig: Ansehnlichkeit*) soundness

So·list *m* soloist

Soll [zɔl] <-(s), -(s)> *n* (COM) **1.** debit **2.** (*Sollseite*) debit side **3.** (*Planvorsatz*) target; **~ u. Haben** debit and credit; **ins ~ eintragen** (**im ~ verbuchen**) debit (enter on the debit side)

sol·len ['zɔlən] *itr* shall; (*pret u. konjunktivisch*) should; (*subjunktivisch*) be to; (*angeblich*) be supposed to; (*Gerücht*) be said; **er soll sehr reich sein** he is said to be very rich; **was soll das (bedeuten)?** what's that supposed to mean?; **was soll (denn) das?** what do you think you're doing?; (**he**), **was soll das?** (*Vorwurf*) what's the point of that?; **was soll das denn?** what's that for?; **was soll ich hier?** what am I here for?; **was soll's?** so what?; (*fam*) what the heck!; **was soll das heißen?** what does that mean?; **was soll ich tun?** what am I to do?; **wer soll das sein?** who is that supposed to be?; **man sollte meinen …** one would think …; **sollte er es vergessen haben?** can he have forgotten it?; **sollte das möglich sein?** can this be possible?;

man sollte sie auch einladen she ought to be invited too; **das hätten Sie nicht glauben** ~ you shouldn't have believed it; **sie weiß nicht, was sie tun soll** she doesn't know what to do; **die Abreise soll heute stattfinden** the departure is to take place today; **wenn ich sterben sollte** if I come to die; **so etw soll es geben** these things happen

Soll•sei•te *f* debit side; **Soll•zin•sen** *pl* interest charges

So•lo ['zo:lo] <-s, -s/-li> *n* solo

sol•vent [zɔl'vɛnt] *adj* (FIN) solvent

Sol•venz [zɔl'vɛnts] <-> *f* solvency

So•ma•lia [zo'ma:lja] *n* Somalia; **So•ma•li•er(in)** *m(f)* Somalian; **so•ma•lisch** *adj* Somalian

so•mit ['--/-'-] *adv* consequently, therefore

Som•mer ['zɔmɐ] <-s, -> *m* summer; **im ~** in (the) summer; **im nächsten ~** next summer; **Som•mer•fri•sche** *f* (*obs*): **in die ~ fahren** go away for a summer holiday; **Som•mer•halb•jahr** *n* summer semester, summer term *Br;* **Som•mer•klei•dung** *f* **1.** (*in eigener Garderobe*) summer clothing **2.** (COM: *als Artikel*) summerwear; **som•mer•lich** *adj* **1.** (*~ warm*) summery **2.** (*~er Tag etc*) summer ...; **Som•mer•loch** *n* (*fam*) silly season; **Som•mer•man•tel** *m* summer coat; **Som•mer•pau•se** *f* summer break; (JUR POL) summer recess; **Som•mer•rei•fen** *m* (MOT) normal tyre; **Som•mer•schluss•ver•kauf**[RR] *m* summer sale; **Som•mer•spros•sen** [-ʃprɔsən] *fpl* freckles; **som•mer•spros•sig** *adj* freckled; **Som•mer•zeit** *f* summer time

So•na•te [zo'na:tə] <-, -n> *f* (MUS) sonata

Son•de ['zɔndə] <-, -n> *f* **1.** (MED: *a. Raum~*) probe; (*Wetter~*) sonde **2.** (MAR) plummet

Son•der•ab•schrei•bung *f* special depreciation [*o* allowance]; **Son•der•an•fer•ti•gung** *f* item [*o* goods] made to specification [*o* order]; **Son•der•an•ge•bot** *n* special offer; **Son•der•aus•füh•rung** *f* special model; **Son•der•aus•ga•be** *f* **1.** (*Extrablatt*) special edition; (*Buch*) separate edition **2.** (FIN) extraordinary expenses *pl*

son•der•bar *adj* odd, strange; **was ist daran ~?** what's strange about it?; **son•der•ba•rer•wei•se** ['----'--] *adv* strange to say

Son•der•be•din•gun•gen *fpl* special terms; **Son•der•bei•la•ge** *f* (COM) special supplement; (*in Zeitung*) inset; **Son•der•be•richt** *m* special report; **Son•der•be•stim•mun•gen** *fpl* special provision; **Son•der•ein•la•gen** *fpl* special deposit; **Son•der•fall** *m* **1.** (*besonderer Fall*) special case **2.** (*Ausnahme*) exception; **Son•der•ge•richt** *n* special court

son•der•glei•chen ['--'--] *adv* unequalled, unparallelled; **das ist e-e Frechheit ~** that's the height of cheek!

Son•der•in•te•res•se(n) *n (pl)* private [*o* particular] interest *sing;* **Son•der•kom•man•do** *n* special unit; **Son•der•kon•di•ti•o•nen** *fpl* special terms; **Son•der•kon•to** *nt* special account; **Son•der•ling** *m* eccentric; **Son•der•müll** *m* hazardous waste; **Son•der•müll•de•po•nie** *f* hazardous waste depot

son•dern *tr* (*abtrennen*) separate (*von* from)

son•dern ['zɔndɐn] *konj* but; **~ was?** what then?; **nicht nur ..., ~ auch ...** not only ... but also ...

Son•der•num•mer *f* special edition; **Son•der•pos•ten** *m* special item; **Son•der•preis** *m* special price; **Son•der•re•ge•lung** *f* special provision; **Son•der•schu•le** *f* special school; **Son•der•stel•lung** *f* special position; **Son•der•tisch** *m* bargain counter; **Son•der•ur•laub** *m* special leave; **Son•der•voll•macht** *f* special authority; **Son•der•zei•chen** *n* special character; **Son•der•zug** *m* special train

son•die•ren [zɔn'di:rən] **I.** *tr* sound out; **die Lage ~** (*fam*) find out how the land lies **II.** *itr* sound things out; **~, ob ...** try to sound out, whether ...

So•nett [zo'nɛt] <-(e)s, -e> *n* (LIT) sonnet

Sonn•a•bend ['zɔna:bənt] <-s, -e> *m* Saturday; **sonn•a•bends** *adv* on Saturdays

Son•ne ['zɔnə] <-, -n> *f* sun; **an die ~ gehen** go out in the sun

son•nen *refl* **1.** sun o.s **2.** (*fig*) bask (*in etw* in s.th.)

Son•nen•auf•gang *m* sunrise; **bei ~** at sunrise; **Son•nen•bad** *n* sunbathing; **Son•nen•bank** *f* tanning [*o* sun] bed; **son•nen•be•schie•nen** *adj* sunlit; **Son•nen•blo•cker** *m* sunblocker; **Son•nen•blu•me** *f* sunflower; **Son•nen•blu•men•öl** *n* sunflower oil; **Son•nen•brand** *m* sunburn; **Son•nen•bril•le** *f* sunglasses *pl;* **Son•nen•dach** *n* **1.** (*vor Fenstern*) sunblind **2.** (MOT) sun roof; **Son•nen•ein•strah•lung** *f* insolation; **Son•nen•e•ner•gie** *f* solar energy; **Son•nen•fins•ter•nis** *f* eclipse of the sun; **Son•nen•fleck** *m* (ASTR) sunspot; **Son•nen•kol•lek•tor** *m* solar panel; **Son•nen•kraft•werk** *n* solar power station; **Son•nen•licht** <-(e)s> *n* sunlight; **Son•nen•milch** *f* suntan lotion; **Son•nen•öl** *n* suntan oil; **Son•nen•schein** *m* sunshine; **Son•nen•schirm** *m* (*für Garten etc*) sunshade; (*für Straße*) parasol; **Son•nen-**

schutz·mit·tel *n* sunscreen agent; **Son·nen·sei·te** *f* sunny side; **Son·nen·stich** *m* sunstroke; **du hast wohl e-n ~!** (*fam*) you must have been out in the sun too long!; **Son·nen·strahl** *m* sunbeam; **Son·nen·sys·tem** *n* solar system; **Son·nen·uhr** *f* sundial; **Son·nen·un·ter·gang** *m* sunset *Br,* sundown *Am;* **Son·nen·wen·de** *f* solstice

son·nig *adj* sunny

Sonn·tag *m* Sunday; **sonn·täg·lich** *adj attr* Sunday ...; **~ gekleidet** dressed in one's Sunday best

sonn·tags *adv* on Sundays

Sonn·tags·ar·beit *f* Sunday working; **Sonn·tags·aus·flug** *m* Sunday trip; **Sonn·tags·bei·la·ge** *f* Sunday supplement; **Sonn·tags·dienst** *m:* **~ haben** (*Arzt*) be on Sunday duty; (*Apotheke*) be open on Sundays

Sonn·tags·fah·rer(in) *m(f)* (*hum*) Sunday driver; **Sonn- und Feiertage** *pl* Sundays and bank holidays

So·no·gra·phie <-> *f,*

So·no·gra·fie[RR] *f* (MED) sonography

sonst [zɔnst] *adv* **1.** (*im Übrigen*) otherwise **2.** (*außerdem*) else **3.** (*gewöhnlich, üblicherweise*) usually **4.** (*ehemals*) formerly; **~ noch etwas** anything else; **~ nichts** nothing else; **~ nirgends** nowhere else; **~ jemand**[RR] anybody else; **das kannst du ~ wem**[RR] **erzählen!** (*fam*) tell that to the marines!; **wenn es ~ nichts ist** if that is all; **wie ~** as usual

sons·tig *adj* other

sonst·wem *pron s.* **sonst**

So·p·ran [zo'praːn] <-s, -e> *m* (MUS) soprano

Sor·ge ['zɔrgə] <-, -n> *f* (*Kummer*) care; (*quälende ~e*) worry; (*Ungelegenheit*) trouble; **keine ~!** don't worry!; **~n haben** have problems; **~n haben, dass ...** be worried that ...; **jdm ~n machen** worry s.o; **sich ~n machen über (um) ...** worry about ..., fret about ...; **sich keine ~n machen über ...** not bother about ..., not trouble o.s. about ...; **in ~ sein, dass ...** be afraid lest ...; **das ist meine geringste ~** that is the least of my worries; **lass das meine ~ sein!** leave that to me!; **du hast ~n!** (*iro*) you think you've got problems!; **mach dir deshalb keine ~n!** don't worry about that!; **sor·gen I.** *tr* (*Sorge tragen, sich kümmern um*) take care (*für* of); **bitte ~ Sie dafür, dass ...** please, see that ..., make sure that ...; **dafür werde ich ~** leave that to me; **dafür ist gesorgt** that has been seen to **II.** *refl* worry; **sich ~ (um) wegen ...** be worried about ...; **Sor·gen·fal·te** *f* worry line; **sor·gen·frei** *adj* **1.** (*frei von Sorgen*) free of care **2.** (*unbekümmert*) carefree; **Sor·gen·kind** *n* problem child; **sor·gen·voll** *adj* **1.** (*voll von Sorgen*) full of worries **2.** (*besorgt*) worried

Sorge·recht *n* (JUR) custody

Sorg·falt ['zɔrkfalt] <-> *f* care; **viel ~ auf etw verwenden** take a lot of care over s.th; **sorg·fäl·tig** *adj* careful; **sorg·los** *adj* **1.** (*unachtsam*) careless **2.** (*unbekümmert*) carefree; **Sorg·lo·sig·keit** *f* **1.** (*Achtlosigkeit*) carelessness **2.** (*Unbekümmertheit*) carefreeness; **sorg·sam** *adj* careful

Sor·te ['zɔrtə] <-, -n> *f* **1.** (*Art*) kind, sort; (*Klasse*) grade **2.** (*Marke*) brand **3.** (FIN: *im pl*) foreign currency; **von allen ~n** of all sorts; **erste ~** best quality, A 1; **schlechtere ~** inferior quality; **du bist vielleicht 'ne ~!** (*fam*) you're a fine one!

sor·tie·ren *tr* sort; **etw in ein Regal ~** sort s.th. and put it in shelves; **Sor·tier·lauf** *m* (EDV) sort run; **Sor·tier·ma·schi·ne** *f* sorting machine

Sor·ti·ment <-(e)s, -e> *n* **1.** (*Auswahl*) assortment **2.** (COM) collection; **das ~** (*der Buchhandel*) the retail book trade; **Sor·ti·ments·brei·te** *f* product range; **Sor·ti·ments·er·wei·te·rung** *f* extension of product range

So·ße ['zoːsə] <-, -n> *f* **1.** (= *Sauce*) sauce; (*Braten~*) gravy **2.** (*fam: schmierige Substanz*) gunge

Souff·leur [zʊ'fløːɐ (zʊ'fløːzə)] *m,* **Souff·leu·se** *f* (THEAT) prompter

souf·flie·ren *itr* (THEAT) prompt

Sou·ter·rain [zutɛ'rɛ̃ː/'---] <-s, -s> *n* basement

Sou·ve·nir [zuvə'niːɐ] *n* souvenir; **Sou·ve·nir·la·den** *m* souvenir shop

Sou·ve·rän [zuvə'rɛːn] <-s, -e> *m* sovereign; **sou·ve·rän** *adj* **1.** (*selbständig*) sovereign **2.** (*fig*) superior; **die Lage ~ meistern** deal with the situation supremely well; **~ über etw hinweggehen** ignore s.th. blithely; **Sou·ve·rä·ni·tät** *f* sovereignty

so·viel [-'-/'--] **I.** *adv* so much; *s.* **viel II.** *konj* as far as; **~ er auch arbeitete** however much he worked

so·weit [-'-/'--] **I.** *adv:* **~ fertig sein** be more or less ready; *s.* **weit II.** *konj:* **~ ich sehe** as far as I can tell

so·we·nig [-'--/'---] **I.** *adv* (*eben~*) no more **II.** *konj* (*wie wenig ... auch*) however little ...

so·wie [-'-] *konj* **1.** (*sobald als*) as soon as **2.** (*und auch*) as well as

so·wie·so [--'-/'---] *adv* anyhow, in any case; **ich gehe ~ hin** I'm going there anyhow

So·wjet [zɔ'vjɛt/'--] <-s, -s> *m* Soviet; **So-**

wjet•bür•ger(in) *m(f)* Soviet citizen; **so•wje•tisch** [zɔ'vjɛtɪʃ] *adj* Soviet; **So•wjet•uni•on** *f* (HIST) Soviet Union

so•wohl [-'-] *konj:* ~ **... als auch** as well ... as, both ... and ...

so•zi•al [zo'tsjaːl] *adj* social; ~**e Fürsorge** [*o* **Wohlfahrt**] social welfare; **die** ~**en Verhältnisse** social conditions; ~ **denken** be socially minded; ~**es Jahr** *year spent by young person as voluntary assistant in hospitals, social services etc;* **er stammt aus e-m** ~ **schwachen Milieu** he comes from a disadvantaged background; **So•zi•al•ab•ga•ben** *pl* social welfare contributions; **So•zi•al•amt** *n* social welfare office; **So•zi•al•ar•bei•ter(in)** *m(f)* social worker; **So•zi•al•aus•ga•ben** *fpl* social expenditure; **So•zi•al•de•mo•krat(in)** *m(f)* social democrat; **so•zi•al•de•mo•kra•tisch** *adj* social-democratic; **So•zi•al•ge•richt** *n* welfare tribunal; **So•zi•al•hil•fe** *f* income support *Br,* welfare (aid) *Am;* **So•zi•al•hil•fe•emp•fän•ger(in)** *m(f) person receiving income support Br,* person receiving welfare aid *Am;* **So•zi•al•hil•fe•leis•tung** *f* supplementary benefit

So•zi•a•li•sa•ti•on *f* (PÄD) socialization; **so•zi•a•li•sie•ren** *tr* **1.** (PÄD) socialize **2.** (POL) nationalize

So•zi•a•lis•mus *m* socialism; **So•zi•a•list(in)** *m(f)* socialist; **so•zi•a•lis•tisch** *adj* socialist

So•zi•al•leis•tun•gen *fpl* social security benefits; **So•zi•al•plan** *m* social plan; **So•zi•al•po•li•tik** *f* social policy; **So•zi•al•staat** *m* welfare state; **So•zi•al•sta•ti•on** *f* health and advice centre; **So•zi•al•ver•siche•rung** *f* social security; **So•zi•al•ver•si•che•rungs•bei•trag** *m* social security contribution, national insurance contribution *Br;* **So•zial•wis•sen•schaf•ten** *pl* social sciences; **So•zi•al•woh•nung** *f* council flat [*o* house]

so•zi•o•kul•tu•rell *adj* socio-cultural

So•zi•o•lekt *m* (LING) sociolect

So•zio•lo•ge *m,* **So•zi•o•lo•gin** *f* sociologist

So•zi•o•lo•gie [zotsiolo'giː] *f* sociology

so•zi•o•ö•ko•no•misch *adj* socio-economic

So•zi•us ['zoːtsiʊs] <-, -se> *m* **1.** (COM) partner **2.** (MOT) pillion rider; **So•zi•us•sitz** *m* (MOT) pillion seat; **auf dem** ~ **mitfahren** ride pillion

so•zu•sa•gen [--'--/'----] *adv* as it were, so to speak

Spach•tel ['ʃpaxtəl] <-s, -> *m f* **1.** (*Werkzeug*) spatula **2.** (*Kitt*) filler; **spach•teln** *tr* fill

Spa•ghet•ti [ʃpa'gɛtɪ] *pl,* **Spa•get•ti**RR *pl* spaghetti *sing*

spä•hen ['ʃpɛːən] *itr* **1.** (*kundschaften*) reconnoitre, scout **2.** (*verstohlen*) peer; **nach jdm** ~ look out for s.o.; **Spä•her** *m* (*Kundschafter*) scout; **Späh•trupp** *m* (MIL) patrol

Spa•lier [ʃpa'liːɐ] <-s, -e> *n* **1.** (*am Haus*) trellis **2.** (*Reihe von Leuten*) line; **ein** ~ **bilden** (*a.* MIL) form a lane

Spalt [ʃpalt] <-(e)s, -e> *m* **1.** (*Fels~*) crevice, fissure **2.** (*Riss*) crack **3.** (*Öffnung*) opening **4.** (*fig*) split; **die Tür e-n** ~ **öffnen** open the door slightly; **spalt•bar** *adj* **1.** (*Holz*) cleavable **2.** (PHYS) fissionable; ~**er Stoff** fissionable material; **Spalt•bar•keit** *f* **1.** (*von Holz*) cleavability **2.** (PHYS: *von Atomen*) fissionability

Spal•te <-, -n> *f* **1.** (TYP) column **2.** (*Gletscher~*) crevasse; (*in Holz, Wand*) crack; **spal•ten** <gespaltet *o* gespalten> *tr* **1.** (*allgemein*) split; (*Holz* ~) chop, cleave **2.** (CHEM) crack; **die Partei hat sich gespalten** the party has split; **die Meinungen über diese Frage sind gespalten** opinions are divided on this question; **Spalt•ma•te•ri•al** *n* (PHYS) fission material; **Spalt•pro•dukt** *n* (*nukleares* ~) product of fission; **Spal•tung** *f* **1.** (*allgemein, a. fig*) splitting **2.** (PHYS: *Atom*) fission **3.** (*fig*) split

Span [ʃpaːn, *pl:* 'ʃpɛːnə] <-(e)s, ⸚e> *m* (*Holz~*) shaving; (*Metall~*) filing

Span•fer•kel *n* sucking pig

Span•ge ['ʃpaŋə] <-, -n> *f* **1.** (*an Buch, Schließe*) clasp **2.** (*Arm~*) bracelet **3.** (*Haar~*) hair slide *Br,* barrette *Am* **4.** (*Schuh~*) bar

Spa•ni•en ['ʃpaːniən] *n* Spain; **Spa•ni•er(in)** *m(f)* Spaniard; **spa•nisch** *adj* Spanish; ~**e Wand** folding screen; **das kommt mir** ~ **vor** (*fig*) that seems fishy to me

Spann [ʃpan] <-(e)s, -e> *m* (*Fußrist*) instep

Spann•be•ton *m* prestressed concrete

Spann•bett•tuchRR *n* fitted sheet

Span•ne ['ʃpanə] <-, -n> *f* **1.** (*Zeit~*) while **2.** (*kurze Entfernung*) short distance **3.** (*Reichweite*) range **4.** (COM: *Verdienst~, Preis~*) margin

span•nen I. *tr* **1.** (*strecken*) stretch; (*Saiten*) tighten **2.** (*Feder*) tension; (*Bogen*) draw **3.** (*Flinte*) cock; **den Verschluss** ~ (PHOT) cock the shutter **II.** *itr* **1.** (*zu eng sein*) be too tight; (*Kleider*) fit tightly **2.** (*sl: mitbekommen*) get, grasp **III.** *refl* (*Haut*) go tout; **sich über etw** ~ span s.th; **span•nend** *adj* (*fig*) exciting; (*aufregend*) thrilling; **Span•ner** *m* **1.** (*Schuh~*) shoetree **2.** (ZOO: *~falter*) geometer moth **3.** (*fig pej: Voyeur*) peeping Tom; **Spann-**

kraft *f* **1.** (*von Muskel*) tonus **2.** (TECH) tension **3.** (*fig*) vigour; **Spann•schrau•be** *f* clamp bolt

Span•nung *f* **1.** (TECH) tension **2.** (EL) tension voltage **3.** (*fig: Erregung*) excitement; (*Ungewissheit*) suspense; **~en** (POL) tension *sing;* **jdn in ~ halten** keep s.o. in suspense; **voller ~ warten** wait in suspense; **unter ~ stehen** (EL) be live; **Span•nungs•ge•biet** *n* (POL) flashpoint; **Span•nungs•mes•ser** *m* (EL) voltmeter; **Span•nungs•prü•fer** *m* (EL) voltage detector

Spann•wei•te *f* **1.** (*Flügel~*) wingspread **2.** (*Brücken~*) span width

Span•plat•te *f* chip board

Spar•brief *m* (FIN) savings certificate; **Spar•buch** *n* savings book; **Spar•büch•se** *f* moneybox; **Spar•ein•la•ge** *f* savings deposit

spa•ren ['ʃpa:rən] **I.** *tr* save; **dadurch ~ Sie £ 12 die Woche** that will save you £ 12 a week; **spar dir deine Ratschläge!** keep your advice! *sing* **II.** *itr* **1.** (*Geld*) save **2.** (*sparsam sein*) economize; **an etw ~** be sparing with s.th.; **auf etw ~** save up for s.th; **Spa•rer(in)** *m(f)* saver; **Spar•flam•me** *f* (*fig*): **auf ~** just ticking over

Spar•gel ['ʃpargəl] <-s, -> *m* (BOT) asparagus

Spar•gut•ha•ben *n* savings account; **Spar•kas•se** *f* savings bank; **Spar•kon•to** *n* savings account

spär•lich ['ʃpɛ:ɐlɪç] *adj* **1.** (*dürftig*) scanty **2.** (*zerstreut*) sparse; **~ bekleidet** scantily dressed; **~ bevölkert** sparsely populated; **~er Gewinn** meagre profit; **~e Nachrichten** meagre news; **~ vorhanden** scarce

Spar•maß•nah•me *f* economy measure; **Spar•pa•ckung** *f* (COM) economy size; **Spar•preis** *m* economy price

Spar•ren ['ʃparən] <-s, -> *m* rafter

Spar•rings•part•ner ['ʃparɪŋs-] *m* (SPORT) sparring partner

spar•sam *adj* **1.** (FIN) thrifty **2.** (*haushaltend*) economical; **~ umgehen mit etw** use s.th. sparingly; **Spar•sam•keit** *f* **1.** (FIN) thrift **2.** (*sparsame Lebensführung*) economizing

Spar•schwein *n* piggy bank

Spar•te ['ʃpartə] <-, -n> *f* (COM) line of business

Spaß [ʃpa:s, *pl:* 'ʃpɛ:sə] <-es, ⸚e> *m* **1.** (*Scherz*) joke **2.** (*Vergnügen*) fun; **aus ~** for fun; **Schwimmen macht mir ~** I enjoy swimming; **es hat mir überhaupt keinen ~ gemacht** I didn't enjoy it at all; **viel ~!** enjoy yourself!; **viel ~ an etw haben** have great fun doing s.th.; **es macht ~** it's fun; **den ~ verderben** spoil the fun; **das nimmt e-m den ~ an der Arbeit** it takes all the fun out of work; **es macht nicht gerade ~ pleite zu sein** it's no fun being broke; **es macht keinen ~ mehr mit ihm zusammen zu sein** he's no fun to be with any more; **ich hab' doch nur ~ gemacht** I was just having a bit of fun; **er versteht keinen ~** he can't take a joke; **das ist kein ~ mehr** it's beyond a joke; **ich bin nicht zu ⸚en aufgelegt** I'm not in a joking mood; **~ beiseite!** joking apart!; **mach keine ⸚e!** some hope!; **ich sag' das nicht nur zum ~** I'm not saying it for the fun of it

spa•ßen *itr* jest, joke; **Sie ~ wohl!** you must be joking!; **er lässt nicht mit sich ~** he is not to be trifled with; **damit ist nicht zu ~** that is no joking matter

spa•ßes•hal•ber *adv* for the fun of it

spaß•haft *adj*, **spa•ßig** *adj* droll, funny; **Spaß•ver•der•ber(in)** *m(f)* killjoy, spoilsport; **Spaß•vo•gel** *m* joker

Spat [ʃpa:t, *pl:* 'ʃpɛ:tə] <-(e)s, -e/⸚e> *m* (MIN) spar

spät [ʃpɛ:t] *adj, adv* late; **zu etw zu ~ kommen** be late for s.th.; **ich bin heute morgen zu ~ aufgestanden** I was late in getting up this morning; **er bezahlt s-e Miete immer zu ~** he is always late with his rent; **dadurch bin ich zu ~ zur Schule gekommen** that made me late for school; **es ist schon ~** it's getting late; **er geht sehr ~ ins Bett** he keeps very late hours; **~ zu Abend essen** have a late dinner

Spät•aus•sied•ler(in) *m(f) emigrant of German origin from any East European state*

Spa•tel ['ʃpa:təl] <-s, -> *m s.* **Spachtel**

Spa•ten ['ʃpa:tn] <-s, -> *m* spade

spä•ter *adj* (COMP) later; **bis ~!** see you later!; **früher oder ~** sooner or later; **komm um 6 und keine Minute ~** come at 6 and no later; **~ als ...** later than ...

spä•tes•tens *adv* at the latest; **~ in e-r Stunde** in one hour at the latest

Spät•fol•ge *f meist pl* delayed effect

Spät•go•tik *f* (ARCH) late Gothic; **Spät•herbst** *m* late autumn *Br,* fall *Am;* **Spät•le•se** *f* late vintage; **Spät•obst** *n* late fruit; **Spät•scha•den** *m meist pl* long-term damage; **Spät•schicht** *f* late shift; **Spät•som•mer** *m* late summer; **Spät•vor•stel•lung** *f* late show

Spatz [ʃpats] <-en/(-es), -en> *m* sparrow; **das pfeifen die ~en von den Dächern** (*fig*) that is the talk of the town [*o* the story is in everyone's mouth]; **Spat•zen•hirn** *n* (*fig pej*) birdbrain

Spätz•le ['ʃpɛtslə] <-> *pl kind of noodles traditionally made in south-western Germany*

Spät·zün·der *m:* **er ist ein** ~ (*fam*) he's slow on the uptake; **Spät·zün·dung** *f* (MOT) retarded ignition

spa·zie·ren [ʃpaˈtsiːrən] *itr* stroll; (~ *gehen*) go for a walk; ~ **fahren**[RR] (*im Auto*) go for a drive; (*auf Zweirad*) go for a ride; ~ **führen**[RR] take out for a walk; ~ **gehen**[RR] go for a walk; **spa·zie·ren|fah·ren** *s.* spazieren; **spa·zie·ren|füh·ren** *s.* spazieren; **spa·zie·ren|ge·hen** *s.* **spazieren**

Spa·zier·fahrt *f* (*im Auto*) drive; (*auf Zweirad*) ride; **Spa·zier·gang** *m* stroll, walk; **e-n** ~ **machen** go for a stroll [*o* walk]; **Spa·zier·gän·ger(in)** *m(f)* stroller; **Spa·zier·stock** *m* walking stick; **Spa·zier·weg** *m* walk

Specht [ʃpɛçt] <-(e)s, -e> *m* (ORN) woodpecker

Speck [ʃpɛk] <-(e)s, -e> *m* (*Schweine~*) bacon; **geräucherter** ~ smoked bacon; **mit** ~ **fängt man Mäuse** (*prov*) good bait catches fine fish; ~ **ansetzen** (*fig fam*) put it on; **spe·ckig** *adj* 1. (*fettig*) lardy 2. (*schmutzig*) greasy; **Speck·schei·be** *f* rasher; **Speck·sei·te** *f* flitch of bacon

Speck·stein *m* (MIN) soapstone, steatite

Spe·di·teur [ʃpediˈtøːɐ] *m* (COM: *Fuhrunternehmer*) forwarding agent; (*Schiffsfracht~*) shipping agent; (*Möbel~*) furniture remover

Spe·di·ti·on(s·fir·ma) *f* (COM: *Fuhrunternehmen*) forwarding agency; (*Schiffsfracht~*) shipping agency; (*Möbel~*) removal firm; **Spe·di·ti·ons·kos·ten** *pl* haulage costs

Speer [ʃpeːɐ] <-(e)s, -e> *m* (*Waffe*) spear; (SPORT) javelin; **Speer·wer·fen** *n* (SPORT) throwing the javelin

Spei·che [ˈʃpaɪçə] <-, -n> *f* 1. spoke 2. (ANAT) radius

Spei·chel [ˈʃpaɪçəl] <-s> *m* spittle; (MED) saliva; **Spei·chel·drü·se** *f* salivary gland; **Spei·chel·fluss**[RR] *m* (MED) salivation; **Spei·chel·le·cker(in)** *m(f)* (*pej*) bootlicker, toady

Spei·chen·rad *n* (MOT) wire wheel

Spei·cher [ˈʃpaɪçɐ] <-s, -> *m* 1. (*Lager~*) storehouse; (*Boden~*) attic, loft 2. (*Wasser~*) reservoir 3. (EDV) memory; **auf dem** ~ in the loft; **Spei·cher·funk·ti·on** *f* (EDV) memory function; **spei·chern I.** *tr* 1. (*Waren etc*) store 2. (*fig*) store up **II.** *refl* accumulate; **Spei·cher·platz** *m* (EDV) storage space; **Spei·cher·schreib·ma·schi·ne** *f* typewriter with memory; **Spei·cher·schutz** *m* (EDV) memory protection; **Spei·che·rung** *f* 1. (*Auf~*) storing 2. (EDV: *von Daten*) storage

spei·en [ˈʃpaɪən] *irr itr tr* 1. (*spucken*) spit 2. (*sich erbrechen*) vomit

Spei·se [ˈʃpaɪzə] <-, -n> *f* 1. (*Nahrung*) food 2. (*Gericht*) dish; **Spei·se·eis** *n* ice cream; **Spei·se·kam·mer** *f* pantry; **Spei·se·kar·te** *f* menu; **Herr Ober, bitte die** ~! excuse me, may I have the menu, please!; **spei·sen I.** *itr* (*essen*) eat; **zu Mittag** ~ have lunch; **zu Abend** ~ have dinner **II.** *tr* 1. (*beköstigen*) board, feed 2. (TECH) feed; **Spei·sen·auf·zug** *m* service lift; **Spei·sen·fol·ge** *f* order of the menu; **Spei·se·öl** *n* cooking oil; **Spei·se·quark** *m* soft curd (cheese); **Spei·se·röh·re** *f* (ANAT) gullet, oesophagus; **Spei·se·wa·gen** *m* (RAIL) dining car *Br,* diner *Am*

Spei·sung *f* 1. (*Beköstigung*) feeding 2. (TECH) supply

Spek·ta·kel [ʃpɛkˈtaːkəl] <-s, -> *m* (*fam: Radau*) row, shindy; **e-n großen** ~ **machen über ...** make a great fuss about ...

spek·ta·ku·lär *adj* spectacular

Spek·t·ral·a·na·ly·se *f* (PHYS) spectrum analysis; **Spek·t·ral·far·ben** *fpl* colours of the spectrum

Spek·t·rum [ˈʃpɛktrʊm] <-s, -tren/-tra> *n* spectrum

Spe·ku·lant [ʃpekuˈlant] *m* speculator; **Spe·ku·la·ti·on** *f* 1. (FIN) speculation 2. (*Vermutung*) speculation; **~en anstellen** make speculations; **Spe·ku·la·ti·ons·ob·jekt** *n* object of speculation

spe·ku·la·tiv *adj* speculative

spe·ku·lie·ren *itr* 1. (FIN) speculate (*mit* in) 2. (*vermuten*) speculate; ~ **auf ...** (*fig*) have hopes of ...

Spe·lun·ke [ʃpeˈlʊŋkə] <-, -n> *f* (*fam pej*) dive

spen·da·bel [ʃpɛnˈdaːbəl] *adj* open-handed

Spen·de [ˈʃpɛndə] <-, -n> *f* 1. (*Stiftung*) donation 2. (*Almosen*) alms *pl;* **e-e** ~ **machen** donate s.th; **spen·den** *tr* donate; **für e-n guten Zweck** ~ give for charity; **Spen·den·samm·ler(in)** *m(f)* fundraiser; **Spen·der(in)** *m(f)* 1. donator 2. (MED: *Blut~, Organ~*) donor; **spen·die·ren** *tr:* **jdm etw** ~ buy s.th. for s.o.; **seinen Freunden e-e Runde Bier** ~ treat one's friends to a round of beer

Sper·ber [ˈʃpɛrbɐ] <-s, -> *m* (ORN) sparrowhawk

Spe·ren·zi·en [ʃpeˈrɛntsiən] *pl* (*fam*): **mach keine** ~! don't be difficult!

Sper·ling [ˈʃpɛrlɪŋ] *m* (ORN) sparrow

Sper·ma [ˈʃpɛrma] <-s, -en/-mata> *n* sperm

sper·mi·zid *adj* spermicidal

sperr·an·gel·weit [ˈ-ˈ--ˈ-] *adv:* ~ **offen** gaping wide open

Sper•re ['ʃpɛrə] <-, -n> *f* **1.** (TECH) catch, stop **2.** (*Straßen~*) roadblock **3.** (*Bahnhofs~*) barrier *Br,* gate *Am* **4.** (*fig: Blockierung*) blockade; (*Verbot*) ban

sper•ren **I.** *tr* **1.** (*Licht, Gas ~*) cut off **2.** (*Straße*) close **3.** (SPORT) disqualify **4.** (TYP) space out; **etw für jdn ~** close s.th. for s.o.; **e-n Scheck ~** stop a cheque **II.** *refl* (*fig*): **sich ~ gegen ...** jib at ...

Sperr•feu•er *n* (MIL) barrage; **ins ~ der Kritik geraten** (*fig*) run into a barrage of criticism; **Sperr•frist** *f* (SPORT) suspension; **Sperr•ge•biet** *n* prohibited area; **Sperr•gut** *n* bulky goods *pl Br,* bulk freight *Am;* **Sperr•holz** *n* plywood

sper•rig *adj* bulky

Sperr•kon•to *n* (COM) blocked account; **Sperr•müll** *m* bulky refuse; **Sperr•müll•ab•fuhr** *f* removal of bulky refuse; **Sperr•sitz** *m* (*im Kino*) back seats *pl;* **Sperr•stun•de** *f* **1.** (*im Lokal*) closing time *Br* **2.** (MIL) curfew; **Sper•rung** *f* **1.** (*allgemein*) closing **2.** (EL TELE) cutting off **3.** (COM: *Konto~*) blocking; (COM: *Scheck~*) stopping; **Sperr•ver•merk** *m* notice of non-negotiability

Spe•sen ['ʃpe:zən] *pl* expenses; **außer ~ nichts gewesen** that was a complete waste of time (money, effort)

spe•zi•al•an•ge•fer•tigt [ʃpe'tsja:l-] *adj* specially manufactured; **Spe•zi•al•aus•bil•dung** *f* specialized training; **Spe•zi•al•aus•füh•rung** *f* special version; **Spe•zi•al•ge•biet** *n* special subject; **spe•zia•li•sie•ren** *refl:* **sich auf Geschichte ~** specialize in history *Br,* major in history *Am;* **Spe•zia•li•sie•rung** *f* specialization

Spe•zia•list(in) <-en, -en> *m(f)* specialist

Spe•zia•li•tät *f* speciality *Br,* specialty *Am;* **Spe•zia•li•tä•ten•res•tau•rant** *n* speciality restaurant

spe•zi•ell [ʃpe'tsjɛl] *adj* special

Spe•zi•fi•ka•ti•on <-, -en> *f* specification; **spezi•fisch** *adj* specific; **~es Gewicht** (PHYS) specific gravity; **spe•zi•fi•zie•ren** *tr* specify; **Spe•zi•fi•zie•rung** <-, -en> *f* specification, itemisation

Sphä•re ['sfɛ:rə] <-, -n> *f* sphere; **sphä•risch** *adj* **1.** (MATH) spherical **2.** (*fig: himmlisch*) celestial

Sphinx [sfɪŋks] <-, -en> *f* sphinx

spi•cken ['spɪkən] **I.** *tr* **1.** (*Braten*) lard **2.** (*fam: bestechen*) square **II.** *itr* (*sl: abschreiben*) crib (*bei* from)

Spick•zet•tel *m* crib-sheet

Spie•gel ['ʃpi:gəl] <-s, -> *m* **1.** mirror **2.** (*Wasser~*) surface; (*Meeres~*) level **3.** (TYP: *Satz~*) type area; **in den ~ sehen** look in the mirror; **Spie•gel•bild** *n* **1.** reflected image; (*Luftspiegelung*) mirage **2.** (*fig*) reflection; **spie•gel•blank** ['--'-] *adj* bright as a mirror, shining; **Spie•gel•ei** *n* fried egg; **spie•gel•glatt** ['--'-] *adj* as smooth as glass; (*Wasser*) glassy

spie•geln **I.** *tr* reflect **II.** *itr* glitter, shine **III.** *refl* be reflected

Spie•gel•re•flex•ka•me•ra *f* reflex camera; **Spie•gel•schrank** *m* (*in Bad*) mirrored bathroom cabinet; **Spie•gel•schrift** *f* mirror writing

Spie•ge•lung *f* reflection; (*Luft~*) mirage

Spiel [ʃpi:l] <-(e)s, -e> *n* **1.** (*das Spielen*) play **2.** (*Karten, Billard, Sport*) game; (SPORT: *Wettkampf*) match **3.** (*~ Karten*) pack of cards *Br,* deck of cards *Am;* (*Schach~, Kegel~*) set **4.** (TECH: *Maßunterschied*) play; (*von Pedalen*) free travel; (*von Lagern*) clearance; **ein ~ spielen** play a game; **im ~ sein** (*fig*) be at work; **leichtes ~ mit jdm haben** have an easy job of it with s.o.; **das ~ ist aus!** (*fig*) the game's up!; **jdn aus dem ~ lassen** (*fig*) keep s.o. out of it; **das ~ abbrechen** (SPORT) abandon play; **ins ~ kommen** (*fig*) come into play; **etw ins ~ bringen** (*fig*) bring s.th. up; **auf dem ~ stehen** be at stake; **aufs ~ setzen** risk s.th.; **jdm das ~ verderben** (*fig*) spoil someone's little game; **Spiel•art** *f* (ZOO BOT: *Abart*) variety; **Spiel•au•to•mat** *m* slot machine **Spiel•ball** *m* (*fig*) plaything; **Spiel•bank** *f* casino

spie•len **I.** *tr* **1.** (*ein Spiel~*) play **2.** (*von Schauspieler*) act, play **3.** (FILM) show **4.** (*simulieren*) play; **spiel nicht die Unschuldige!** don't play the innocent!; **was wird hier gespielt?** (*fig fam*) what's going on here? **II.** *itr* **1.** (*ein Spiel~*) play **2.** (*simulieren*) feign, simulate; **rausgehen und ~** go out to play; **mit dem Gedanken ~(,) etw zu tun** toy with the idea of doing s.th.; **s-e Freude war gespielt** he was pretending to be happy; **um Geld ~** play for money; **auf dem Platz spielt es sich gut** (SPORT) the pitch plays well; **spie•lend** **I.** *adj* playing **II.** *adv* easily

Spie•ler(in) *m(f)* **1.** player **2.** (*Glücks~*) gambler; **Spie•le•rei** *f* **1.** (*Zeitvertreib*) pastime **2.** (*Kinderei*) silly trick **3.** (*fig: Leichtigkeit*) child's play, trifle; **spie•le•risch** **I.** *adj* **1.** (*verspielt*) playful **2.** (*mit Leichtigkeit*): **er tat es mit ~er Leichtigkeit** he did it with the greatest of ease; **die ~e Leistung** (SPORT) the playing **II.** *adv* with the greatest of ease; **Spie•ler•wech•sel** *m* (SPORT) substitution

Spiel•feld *n* field; (*für Schlag~ u. Wurfball*) court; **Spiel•film** *m* feature film; **Spiel•hal•le** *f* amusement arcade; **Spiel•ka•me•rad** *m* playfellow, playmate; **Spiel-**

kar•te *f* playing card; **Spiel•ka•si•no** *n* casino; **Spiel•lei•ter(in)** *m(f)* **1.** (THEAT: *Regisseur*) director; (FILM RADIO) producer **2.** (SPORT) organizer **3.** (TV) emcee *fam;* **Spiel•ma•cher(in)** *m(f)* (SPORT) key player; **Spiel•mann** <-(e)s, -leute> *m* **1.** (HIST) minstrel **2.** (MIL) bandsman; **Spiel•mar•ke** *f* chip, counter; **Spiel•plan** *m* (THEAT RADIO TV) program(me); **vom ~ absetzen** drop a play; **Spiel•platz** *m* (*von Schule*) playground; (SPORT) playfield

Spiel•raum *m* **1.** (*fig*) scope; (*zeitlich*) time **2.** (COM) margin **3.** (TECH) play; (*Lager~*) clearance; **~ lassen** leave a margin

Spiel•re•gel *f* rule (of a game); **sich an die ~n halten** (*a. fig*) stick to the rules; **Spiel•sa•chen** *fpl* playthings, toys; **Spiel•schuld** *f* gambling debt; **Spiel•sucht** *f* addiction to gambling; **Spiel•süch•ti•ge(r)** *f m* gambling addict; **Spiel•the•o•rie** *f* (MATH) game theory; **Spiel•trieb** <-(e)s> *m* play instinct; **Spiel•uhr** *f* musical box *Br,* music box *Am;* **Spiel•ver•bot** *n* (SPORT) ban; **~ haben** be banned; **Spiel•ver•der•ber(in)** *m(f)* spoilsport; **Spiel•wa•ren** *fpl* toys; **Spiel•wei•se** *f* way of playing; **Spiel•zeit** *f* (THEAT SPORT) season; **Spiel•zeug** <-(e)s, -e> *n* toy

Spieß[1] [ʃpiːs] <-es, -e> *m* **1.** (*Waffe*) spear **2.** (*Brat~*) spit; **am ~ braten** roast on a spit *Br,* barbecue *Am;* **den ~ umkehren** (*fig*) turn the tables *pl*

Spieß[2] *m* (MIL: *sl*) kissem *Br,* topkick *Am*

Spieß•bür•ger(in) *m(f)* (*pej*) bourgeois; **spieß•bür•ger•lich** *adj* (*pej*) narrow-minded

spie•ßen *tr:* **etw auf etw ~** (*Nadel*) pin s.th. on s.th.

Spie•ßer *m* (*fam*), **Spieß•ge•sel•le** *m* accomplice; **spie•ßig** *adj* (*fam pej*) narrow-minded; **Spieß•ru•te** *f* (*fig*): **~n laufen** run the gauntlet

Spi•nat [ʃpiˈnaːt] <-(e)s, -e> *m* spinach

Spind [ʃpɪnt] <-(e)s, -e> *m* (MIL SPORT: *Schrank*) locker

Spin•del [ˈʃpɪndəl] <-, -n> *f* **1.** spindle **2.** (*Hydrometer*) hydrometer; **spin•del•dürr** [ˈ--ˈ-] *adj* lean as a rake

Spi•nett [ʃpiˈnɛt] <-(e)s, -e> *n* (MUS) spinet

Spin•ne [ˈʃpɪnə] <-, -n> *f* spider; **spin•ne•feind** [ˈ--ˈ-] *adj:* **jdm ~ sein** be bitterly hostile to s.o.

spin•nen [ˈʃpɪnən] **I.** *irr tr* (*Garn*) spin **II.** *itr* (*fig fam*) be nutty; **spinnst du?** are you crazy?; **du spinnst wohl!** you must be kidding!

Spinn•ge•we•be *n* cobweb

Spin•ner(in) *m(f)* **1.** (*Garn~*) spinner **2.** (*fig fam*) nutcase *Br,* screwball *Am* **3.** (ZOO) silkworm moth; **Spin•ne•rei** *f* **1.** (*Fabrik*) spinning mill **2.** (*fam: Blödsinn*) rubbish

Spinn•rad *n* spinning-wheel; **Spinn•we•be** *f* spider's web

Spi•on [ʃpiˈoːn] <-s, -e> *m* **1.** (MIL) spy **2.** (*fig: Tür~*) spy-hole; **Spi•o•na•ge** [ʃpioˈnaːʒə] <-> *f* espionage; **Spi•o•na•ge•ab•wehr** *f* counter-espionage *Br,* counter-intelligence *Am;* **Spi•o•na•ge•netz** *n* spy network; **Spi•o•na•ge•ring** *m* spynetwork; **spi•o•nie•ren** *itr* **1.** (MIL) spy **2.** (*fig*) snoop about

Spi•ra•le [ʃpiˈraːlə] <-, -n> *f* **1.** (*abstrakt*) spiral **2.** (*Draht~*) coil; **Spi•ral•fe•der** *f* coil spring; **Spi•ral•ne•bel** *m* (ASTR) spiral nebula

Spi•ri•tis•mus [ʃpiriˈtɪsmʊs] *m* spiritism, spiritualism; **Spi•ri•tist(in)** *m(f)* spiritualist; **spi•ri•tis•tisch** *adj* spiritualist

Spi•ri•tu•o•sen [ʃpirituˈoːzən] *fpl* spirits

Spi•ri•tus [ˈʃpiritʊs] <-, -se> *m* spirit; **Spi•ri•tus•ko•cher** *m* spirit stove; **Spi•ri•tus•lam•pe** *f* spirit lamp

Spi•tal [ʃpiˈtaːl] <-s, -äler> *n CH* hospital

Spitz <-es, -e> *m* (ZOO: *Hund*) Pomeranian, Spitz

spitz [ʃpɪts] *adj* **1.** pointed **2.** (*fig: beißend*) pointed **3.** (*sl: lüstern*) horny; **~ auslaufen** end in a point, taper; **~er Winkel** acute angle; **etw ~ kriegen** (*fam*) get wise to s.th; **Spitz•bart** *m* goatee *Br;* **spitz|be•kom•men** *irr tr* (*fam*): **etw ~** get the point of s.th. get wise on s.th.; **Spitz•bo•den** *m* (ARCH) pitched roof; **Spitz•bo•gen** *m* pointed arch; **Spitz•bu•be** *m* **1.** (*Schurke*) knave, rascal, rogue **2.** (*fam: frecher Bengel*) scamp; **spitz•bü•bisch** [-byːbɪʃ] *adj* mischievous

Spit•ze[1] [ˈʃpɪtsə] <-, -n> *f* **1.** (*von Gegenständen*) point; (*von Fingern*) tip; (*von Gebäuden*) top **2.** (*fig: Führungsschicht*) head **3.** (*Zigaretten~*) holder; **das ist ~!** (*fig fam*) that's groovy!; **etw auf die ~ treiben** (*fig*) carry s.th. too far; **an der ~ von etw stehen** be at the head of s.th.

Spit•ze[2] *f* (*scharfe Bemerkung*): **das war e-e ~ gegen dich** that was aimed at you

Spit•ze[3] *f* (*an Geweben*) lace

Spit•zel [ˈʃpɪtsəl] <-s, -> *m* (*fam: Schnüffler*) snooper; (*Polizei~*) police-informer; **spit•zeln** *itr* act as an informer

spit•zen *tr* (*schärfen*) sharpen; **die Ohren ~** (*fig*) prick up; **die Lippen ~** (*fig*) pucker one's lips

Spit•zen•an•la•ge *f* first-class investment; **Spit•zen•be•am•te(r)**, **-be•am•tin** *m, f* top civil servant; **Spit•zen•ge•halt** *n* top salary; **Spit•zen•ge•schwin•dig•keit** *f* top speed; **Spit•zen•jahr** *n* vintage year; **Spit•zen•kan•di•dat** *m* favourite candidate; **Spit•zen•klas•se** *f* (*fig*) top rate; **Spit•zen•kleid** *n* lace dress; **Spit•zen•leis•tung** *f* **1.** (*fig*) top-rate performance **2.** (MOT) peak performance; **Spit•zen•lohn** *m* top salary; **Spit•zen•qua•li•tät** *f* top quality; **Spit•zen•rei•ter** *m* **1.** (*Hit*) hit **2.** (SPORT) leader **3.** (COM) top seller; **Spit•zen•tech•no•lo•gie** *f* state-of-the-art technology; **Spit•zen•ver•die•ner(in)** *m(f)* top earner

spitz•fin•dig *adj* over-subtle; **Spitz•fin•dig•keit** *f* **1.** subtlety **2.** (*Haarspalterei*) hairsplitting; **Spitz•ha•cke** *f* pick-axe; **Spitz•maus** *f* shrew; **Spitz•na•me** *m* nickname; **spitz•wink•lig** *adj* acute-angled

Spleen [ʃpliːn] <-s, -e/-s> *m* (*fam*) craze; **du hast wohl 'n ~!** you must be round the bend!

Splitt [ʃplɪt] <-(e)s, -e> *m* grit

Split•ter ['ʃplɪtɐ] <-s, -> *m* (*Holz~*) splinter; (*Bruchstück*) fragment; (*Metall~*) scale; **split•ter(•fa•ser)•nackt** ['--('--)'-] *adj* stark naked; **Split•ter•grup•pe** *f* (POL) splinter group; **split•tern** *itr sein* splinter; **Split•ter•par•tei** *f* splinter party

spon•sern ['spɔnzɐn] *tr* sponser; **Spon•sor(in)** ['spɔnzɐ] <-s, -en> *m(f)* sponsor

spon•tan [ʃpɔn'taːn] *adj* spontaneous

spo•ra•disch [ʃpo'raːdɪʃ] *adj* sporadic

Spo•re ['ʃpoːrə] <-, -n> *f* (BOT) spore

Sporn ['ʃpɔrn] <-(e)s, Sporen> *m* **1.** (*pl Sporen*) spur **2.** (BOT) spur **3.** (AERO) tail skid; **e-m Pferd die Sporen geben** spur a horse; **sich die Sporen verdienen** win one's spurs; **spor•nen** *tr* spur

Sport [ʃpɔrt] <-(e)s> *m* sport; **~ treiben**[RR] go in for sports; **~ treibend** sporting; **gut im ~ sein** be good at sports; **Sport•ab•zei•chen** *n* sports certificate; **Sport•an•zug** *m* sports clothes *pl;* **Sport•art** *f* kind of sport; **Sport•arzt** *m* sports physician; **Sport•bei•la•ge** *f* (*in Zeitung*) sport section; **Sport•be•richt** *m* sports report; **Sport•bril•le** *f* sports spectacles; **Sport•ge•schäft** *n* sports shop *Br,* sports store *Am;* **Sport•ge•tränk** *n* sports drink; **Sport•hal•le** *f* sports hall; **Sport•leh•rer** *m* sports instructor; (PÄD) PE [*o* physical education] teacher

Sport•ler *m* sportsman; **Sport•le•rin** *f* sportswoman

sport•lich *adj* **1.** (*trainiert*) athletic **2.** (*fig: sportliebend*) sporting **3.** (MOT) sporty; **~e Kleidung** casual wear

Sport•ma•schi•ne *f* (AERO) sporting plane; **Sport•nach•rich•ten** *pl* (*Zeitung*) sports news; **Sport•platz** *m* sports field *Br,* sporting ground *Am;* (PÄD) playing field; **Sport•ver•an•stal•tung** *f* sport(ing) event; **Sport•ver•ein** *m* sports club; **Sport•wa•gen** *m* **1.** (MOT) sports car; (*Zweisitzer*) open two-seater *Br,* roadster *Am* **2.** (*Kinderwagen*) folding pram; **Sport•zei•tung** *f* sports paper

Spott [ʃpɔt] <-(e)s> *m* mockery; (*Verachtung ausdrückend*) derision; **voller ~** mockingly; **Spott•bild** *n* travesty; **spott•bil•lig** ['-'--] *adj* dirt-cheap

Spöt•te•lei [ʃpœtə'laɪ] *f* **1.** (*Spott*) mockery **2.** (*spöttische Bemerkung*) taunt; **spöt•teln** *itr* mock (*über etw* s.th.); **spot•ten** *itr* mock; **spotte nicht!** don't mock!; **über jdn ~** mock s.o., poke fun at s.o; **Spöt•ter(in)** ['ʃpœtɐ] *m(f)* (*Satiriker*) satirist; **spöt•tisch** *adj* **1.** (*spottend*) mocking **2.** (*satirisch*) satirical; **Spott•preis** *m* ridiculously low price

sprach•be•gabt *adj* good at languages; **Sprach•be•ga•bung** *f* talent for languages

Spra•che ['ʃpraːxə] <-, -n> *f* **1.** (*allgemein*) language **2.** (*Sprechweise*) speech; **heraus mit der ~!** out with it!; **etw zur ~ bringen** mention s.th.; **die ~ bringen auf ...** bring the conversation round to ...; **mit der ~ herausrücken** speak freely; **zur ~ kommen** be mentioned; **es verschlägt einem die ~** it takes your breath away; **Sprach•er•ken•nung** *f* (EDV) speech [*o* voice] recognition; **Sprach•er•werb** *m* language acquisition; **Sprach•feh•ler** *m* (MED) speech defect; **Sprach•for•scher(in)** *m(f)* linguist; **Sprach•füh•rer** *m* guide; **Sprach•ge•brauch** *m* usage; **der heutige ~** the language of the present day; **Sprach•ge•fühl** *n* feeling for language; **Sprach•gren•ze** *f* linguistic boundary; **Sprach•kennt•nis•se** *fpl* linguistic proficiency *sing;* **Bewerber mit deutschen ~n** applicants with a knowledge of German; **Sprach•kom•pe•tenz** *f* (LING) linguistic competence; **sprach•kun•dig** *adj* proficient in [*o* good at] languages; **Sprach•kurs** *m* language course; **Sprach•la•bor** *n* language laboratory; **Sprach•leh•re** *f* grammar; **Sprach•leh•rer(in)** *m(f)* language teacher

sprach•lich *adj* linguistic

sprach•los *adj:* **einfach ~ sein** be simply speechless; **jdn ~ machen** strike s.o. dumb; **Sprach•rohr** *n* (*fig*) mouthpiece; **sich zum ~ von ... machen** become the mouthpiece of ...; **Sprach•stö•rung** *f* speech disorder; **Sprach•stu•dium** *n* linguistic studies *pl,* study of languages; **Sprach•ur•laub** *m* language-learning holiday; **Sprach•wis•sen•schaft** *f* linguistics *pl;* **deutsche ~** German philology; **vergleichende ~** comparative linguistics

Spray [spreɪ] <-s, -s> *n* spray

spre·chen ['ʃprɛçən] *irr tr itr* speak (*mit* to, with, *über* of, about); (*sich unterhalten*) talk (*mit* with, to, *von* about, of); **sprich doch endlich!** do say s.th.!; **es spricht vieles dafür, dass ...** there's every reason to believe that ...; **was spricht dagegen?** what's there to be said against it?; **kann ich dich e-n Moment ~?** can I see you for a moment?; **wir ~ uns noch!** you haven't heard the last of this!; **mit dir spreche ich nicht mehr!** I'm not speaking to you!; **antworte, wenn man mit dir spricht!** speak when you're spoken to!; **ich spreche im Namen aller** I speak for all of us; **kann ich bitte Herrn X. ~?** could I talk to Mr. X. please?; **er hat davon gesprochen, dass er ins Ausland fahren will** he's been talking of going abroad; **er ist nicht zu ~** he's not in; **spre·chend** *adj:* **~e Blicke** knowing glances

Spre·cher(in) *m(f)* **1.** (*Redner*) speaker **2.** (*offizieller ~*) spokesperson **3.** (RADIO: *Ansager*) announcer; **sich zum ~ von etw machen** become the spokesperson of s.th.

Sprech·funk·ge·rät *n* radiotelephone; **Sprech·funk·ver·kehr** *m* local radio traffic; **Sprech·stun·de** *f* (*Arzt~*) consulting hours *pl;* **~ samstags von ... bis ...** there will be a surgery from ... to ... on Saturdays; **Sprech·stun·den·hil·fe** *f* doctor's receptionist; **Sprech·übung** *f* speech exercise; **Sprech·wei·se** *f* manner of speaking; **Sprech·zim·mer** *n* consulting room *Br,* doctor's office *Am*

sprei·zen ['ʃpraɪtsən] **I.** *tr* spread **II.** *refl* **1.** (*sich zieren*) kick up **2.** (*vornehm tun*) put on airs

Spreiz·fuß *m* (MED) splayfoot

Spreng·bom·be *f* (AERO MIL) high explosive bomb

spren·gen[1] ['ʃprɛŋən] *tr* **1.** (*mit Sprengstoff*) blow up **2.** (*aufbrechen*) force; (*Fesseln*) break; **e-e Versammlung ~** (*fig*) break up a meeting

spren·gen[2] *tr* (*be~*) sprinkle

Spreng·kom·man·do *n* demolition squad; **Spreng·kopf** *m* warhead; **Spreng·kör·per** *m* explosive device; **Spreng·kraft** <-> *f* explosive force; **Spreng·la·dung** *f* explosive charge; **Spreng·satz** *m* blasting composition; **Spreng·stoff** *m* explosive; **Spreng·stoff·an·schlag** *m* bomb attack; **es wurde ein ~ auf ... verübt** ... was the subject of a bomb attack

Spren·gung *f* blowing up; (*Fels~*) blasting

Spreng·wa·gen *m* (*für Wasser*) street sprinkler

Spreng·wir·kung *f* explosive effect

Spreu [ʃprɔɪ] <-> *f* chaff; **die ~ vom Weizen trennen** separate the wheat from the chaff

Sprich·wort ['ʃprɪç-] *n* proverb; **wie es im ~ heißt** as the saying goes; **sprich·wört·lich** *adj* proverbial

sprie·ßen ['ʃpriːsən] *irr itr* **1.** (*Triebe etc*) sprout **2.** (*aus dem Boden ~*) shoot, spring up

Spring·brun·nen *m* fountain; **sprin·gen** ['ʃprɪŋən] *irr itr* **1.** (SPORT: *a. fig*) jump; (*mit e-m Satz*) leap; (*von Ball*) bounce; (*ins Wasser*) dive **2.** (*von Wasser*) gush, spout **3.** (*platzen*) burst; (*Risse bekommen*) crack; **etw ~ lassen** (*fig fam*) fork s.th. out; **in die Bresche ~** throw oneself into the breach; **die Lokomotive sprang aus den Schienen** the engine jumped the track; **dünnes Glas springt leicht** thin glass cracks easily; **sprin·gend** *adj:* **der ~e Punkt** the crucial [*o* salient] point; **Sprin·ger(in)** *m(f)* jumper; (*bei Stabhochsprung*) vaulter; (*beim Schach*) knight; **Spring·flut** *f* spring tide; **Spring·rei·ten** *n* show jumping

Sprink·ler·an·la·ge ['ʃprɪŋklɐ-] *f* sprinkler system

Sprit [ʃprɪt] <-(e)s, -e> *m* **1.** (*Alkohol*) spirit **2.** (*fam: Benzin, Betriebsstoff*) juice

Sprit·ze ['ʃprɪtsə] <-, -n> *f* **1.** (MED: *Instrument*) syringe **2.** (MED: *Einspritzung*) injection **3.** (*Feuer~*) hose; **e-e ~ geben** give an injection; **e-e ~ bekommen** have an injection

sprit·zen **I.** *tr* **1.** (MED: *Medikament*) inject **2.** (*Injektion geben*) give an injection **3.** (MOT: *lackieren*) spray **4.** (*Wasser ver~*) splash **5.** (*sl: Heroin*) shoot **II.** *itr* (*sprühen*) spray; (*heraus~*) spurt

Sprit·zen·haus *f* (*fam*) fire station

Sprit·zer *m* splash

sprit·zig *adj* **1.** (*fig: lebendig*) lively **2.** (*Wein*) tangy

Spritz·ku·chen *m* fritter *Br,* cruller *Am;* **Spritz·la·ckie·rung** *n* spraying; **Spritz·pis·to·le** *f* spray gun; **Spritz·tour** *f* (*fam*) spin

sprö·de ['ʃprøːdə] *adj* **1.** (*brüchig*) brittle **2.** (*Haut*) rough **3.** (*fig: verschlossen*) aloof; **Sprö·dig·keit** *f* **1.** (*Brüchigkeit*) brittleness **2.** (*der Haut*) roughness **3.** (*fig: von Personen*) aloofness

Spross[RR] [ʃprɔs] <-es, -e> *m* **1.** (BOT) shoot, sprout **2.** (*fig: Abkömmling*) offspring; **ihre ~e** her offspring *pl*

Spros·se ['ʃprɔsə] <-, -n> *f* **1.** (*Leiter~*) rung, step **2.** (*Fenster~*) mullion **3.** (*Geweih~*) branch, tine; **spros·sen** *itr* **1.** *sein* (*Triebe: sprießen*) sprout **2.** (*aus dem Boden schießen*) shoot up; **Spros·sen-**

wand *f* (SPORT) wall bars *pl*

Spröss•ling[RR] ['ʃprœslɪŋ] *m* (*fig hum: Abkömmling*) offspring

Sprot•te ['ʃprɔtə] <-, -n> *f* (ZOO) sprat

Spruch [ʃprʊx, *pl:* 'ʃprʏçə] <-(e)s, ¨-e> *m* **1.** (*Ausspruch*) saying; (*Lehrspruch, Sentenz*) aphorism **2.** (JUR: *Strafsachenurteil*) sentence; (*Richter~*) judg(e)ment; (*Entscheidung*) decision **3.** (*Geschworenen~*) verdict; (*Schieds~*) ruling; **e-n ~ fällen** (JUR) pronounce a sentence; **mach keine ¨~e!** (*fam*) come off it!; **¨~e klopfen** (*fam*) talk fancy; **Spruch•band** *n* banner

spruch•reif *adj* **1.** (JUR) ripe for decision **2.** (*fig fam*) definite

Spru•del ['ʃpru:dəl] <-s, -> *m* **1.** (*Mineralwasser*) mineral water **2.** (*Mineralquelle*) spring; **spru•deln I.** *itr sein o haben* **1.** (*auf~*) bubble **2.** (*vor Kohlensäure*) fizz **II.** *itr haben* (*fig: überstürzt reden*) pour out

Sprüh•do•se *f* aerosol

sprü•hen ['ʃpry:ən] **I.** *itr* **1.** *sein* (*Flüssigkeit*) spray **2.** *sein* (*Funken*) fly **II.** *tr haben* (*a. lackieren*) spray; **sprü•hend** *adj* (*fig: überschäumend*) bubbling; **Sprüh•ne•bel** *m* mist; **Sprüh•re•gen** *m* drizzle

Sprung [ʃprʊŋ, *pl:* 'ʃprʏŋə] <-(e)s, ¨-e> *m* **1.** jump; (*~ ins Wasser*) dive **2.** (*Riss*) crack; **bei jdm auf e-n ~ vorbeikommen** (*fam*) drop in to see s.o.; **ein großer ~ nach vorn** (*fig*) a great leap forward; **ein ~ ins Ungewisse** (*fig*) a leap in the dark; **(na,) dir werd' ich auf die ¨~e helfen!** (*fig fam*) I'll show you what's what!; **er kann keine großen ¨~e machen** (*fig fam*) he can't make a big splash; **Sprung•brett** *n* (*a. fig*) diveboard; **Sprung•ge•lenk** *n* ankle joint; **Sprung•gru•be** *f* (SPORT) pit; **sprung•haft** *adj* **1.** (*unbeständig*) volatile **2.** (*sehr rasch*) rapid; **Sprung•haf•tig•keit** *f* **1.** (*Unbeständigkeit*) volatile nature **2.** (*rasches Ansteigen*) rapidity; **Sprung•schan•ze** *f* ski-jump; **Sprung•tuch** *n* (*von Feuerwehr*) jumping sheet *Br*, life net *Am;* **Sprung•turm** *m* (SPORT) diving platform

Spu•cke ['ʃpʊkə] <-> *f* spittle; **mir bleibt die ~ weg!** I am flabbergasted!; **spu•cken** *itr* **1.** (*speien*) spit **2.** (*euph: sich erbrechen*) puke **3.** (MOT) sputter; **spuck's aus!** (*fig fam*) cough it up! spit it out!; **große Töne ~** (*fig fam*) talk big; **Spuck•napf** *n* spittoon

Spuk [ʃpu:k] <-(e)s,(-e)> *m* **1.** (*Erscheinung, Gespenst*) apparition **2.** (*fam: Ärger*) fuss; **spu•ken** *itr* haunt; **hier spukt's** this place is haunted; **bei dir spukt's!** (*fig fam*) you must be round the bend!

Spu•le ['ʃpu:lə] <-, -n> *f* **1.** (*Web~*) spool; (*Nähmaschinen~*) bobbin; (*Nähfaden~*) reel *Br*, spool *Am* **2.** (EL) coil

Spü•le ['ʃpy:lə] <-, -n> *m* sink unit

spu•len ['ʃpu:lən] *tr* reel, spool

spü•len *tr itr* **1.** (*WC*) flush **2.** (*Geschirr*) wash up **3.** (*Waschmaschine*) rinse **4.** (*Vagina*) douche; **Spül•kas•ten** *m* (*bei Toilette*) cistern; **Spül•lap•pen** *m* dishcloth; **Spül•ma•schi•ne** *f* dishwasher; **spül•ma•schi•nen•fest** *adj* dishwasher-proof; **Spül•mit•tel** *n* washing-up liquid; **Spül•stein** *m* sink; **Spü•lung** *f* **1.** (*Toilette*) flush **2.** (*Scheiden~*) douche; **Spül•was•ser** *n* dishwater

Spul•wurm *m* (MED) roundworm

Spur [ʃpu:ɐ] <-, -en> *f* **1.** (*Bodenabdruck*) trace; (*Fährte*) track **2.** (*winzige Menge*) trace; (*von Gewürz*) touch **3.** (*Fahrbahn~*) lane **4.** (MOT: *Rad~*) tracking; **keine ~ davon!** there's no trace of it!; **jdm auf der ~ sein** be on someone's track; **s-e ~en verwischen** cover up one's tracks; **nicht die ~!** (*fam*) not in the slightest!; **wird die Operation ~en hinterlassen?** will the operation leave a mark?; **auf der richtigen ~ sein** be on the right track; **auf der rechten ~ fahren** drive in the right-hand lane; **auf der falschen ~ sein** (*fig*) be barking up the wrong tree

spu•ren *itr* (*fam: gehorchen*) toe the line

spü•ren ['ʃpy:rən] *tr* (*fühlen*) feel; **es zu ~ bekommen, dass ...** feel the effects of the fact that ...; **ich spürte, wie es sich bewegte** I felt it move; **ich spürte, dass er wütend wurde** I could feel him getting angry

Spu•ren•e•le•ment *n* trace element

Spu•ren•si•che•rung *f* **1.** (*polizeiliche Tätigkeit*) securing of evidence **2.** (*Polizeiabteilung*) forensic unit

Spür•hund *m* bloodhound

spur•los *adv* without (leaving) a trace; **~ an jdm vorübergehen** have no effect on s.o.

Spür•na•se *f* (*fig*) prying fellow; **eine ~ für etw haben** have a feel for s.th.; **Spür•sinn** *m:* **~ für etw haben** have a scent [*o* flair] for s.th.

Spurt [ʃpʊrt] <-s, -s> *m* spurt

spur•ten ['ʃpʊrtən] *itr sein* (SPORT) make a final spurt

Spur•wei•te *f* **1.** (MOT: *von Fahrgestell*) track **2.** (RAIL: *des Geleises*) ga(u)ge

spu•ten ['ʃpu:tən] *refl* make haste

Squash ['skvɔʃ] <-, -> *n* (SPORT) squash; **Squash•hal•le** *f* squash courts *pl*

Staat [ʃta:t] <-(e)s, -en> *m* **1.** (*Staatswesen*) state; (*Land*) country **2.** (*fig: Prunk*) pomp; **Vater ~** (*hum*) the state; **damit kann man nicht viel ~ machen** that is nothing to write home about; **zum Wohle des ~es** in the national interest;

Staa•ten•bund *m* confederation; **staa•ten•los** *adj:* ~ **sein** be a stateless person; **Staa•ten•lo•se**(**r**) *f m* stateless person

staat•lich *adj* **1.** (*staatsbezüglich*) state; (*national*) national **2.** (*öffentlich*) public; ~ **anerkannt** state-approved; ~**es Hoheitsgebiet** state territory; ~**e Unterstützung** state allowance; **staat•li•cher•seits** *adv* on a governmental level

Staats•akt *m* state occasion; **Staats•ak•ti•on** *f* (*fig*) major operation; **Staats•an•ge•hö•ri•ge**(**r**) *f m:* **ein deutscher** ~**r sein** be a German national; **Staats•an•ge•hö•rig•keit** *f* nationality; **Staats•an•lei•he** *f* government bond; **Staats•an•walt** *m* public prosecutor *Br,* district attorney *Am;* **Staats•an•walt•schaft** *f* public prosecutor's office *Br,* district attorney's office *Am;* **Staats•ap•pa•rat** *m* apparatus of state; **Staats•auf•trag** *m* government contract; **Staats•aus•ga•ben** *fpl* state [*o* government] spending; **Staats•be•am•te**, **-be•am•tin** *m, f* civil servant; **Staats•be•gräb•nis** *n* state funeral; **Staats•be•sitz** *m* state ownership; **Staats•be•such** *m* state visit; **Staats•be•trieb** *m* state-owned [*o* government-owned] company; **Staats•bür•ger**(**in**) *m(f)* citizen; **staats•bür•ger•lich** *adj* civic; ~**e Rechte** civil rights; **Staats•dienst** *m* civil service *Br,* public service *Am;* **im** ~ in the service of the state; **Staats•ei•gen•tum** *n* state property; **Staats•e•xa•men** *n* state exam(ination); **Staats•feind** *m* public enemy; **Staats•fi•nan•zen** *pl* public finances; **Staats•form** *f* type of state; **Staats•ge•biet** *n* national territory; **Staats•ge•heim•nis** *n* official [*o* state] secret; **Staats•ge•walt** *f* authority of the state; **Staats•haus•halt** *m* national budget; **Staats•kas•se** *f* treasury; **Staats•kir•che** *f* state church; **Staats•kos•ten** *pl:* **auf** ~ at public expense; **Staats•mann** <-(e)s, -männer> *m* statesman; **staats•män•nisch** ['ʃta:tsmɛnɪʃ] *adj* statesmanlike; **Staats•mi•nis•ter**(**in**) *m(f)* state minister; **Staats•o•ber•haupt** *n* head of a state; **Staats•prä•si•dent**(**in**) *m(f)* president; **Staats•rat** *m* **1.** (*Institution*) council of state **2.** (*Person*) councillor of state; **Staats•recht** *n* constitutional law; **Staats•schuld** *f* national debt; **Staats•se•kre•tär**(**in**) *m(f)* permanent secretary *Br,* undersecretary *Am;* **Staats•si•cher•heits•dienst** ['-'----] *m* (*in ehemaliger DDR*) state security service; **Staats•streich** *m* coup d'état; **Staats•the•a•ter** *n* state theatre; **Staats•ver•trag** *m* international treaty

Stab[1] *m* **1.** (*leitende Gruppe*) panel **2.** (MIL: *~sabteilung*) staff **3.** (MIL: *Hauptquartier*) headquarters *pl*

Stab[2] [ʃta:p, *pl:* 'ʃtɛ:bə] <-(e)s, ¨-e> *m* (*Stange*) rod; (*Stock*) stick; **Stab•hoch•sprin•ger**(**in**) *m(f)* pole-vaulter; **Stab•hoch•sprung** *m* pole-vault

sta•bil [ʃta'bi:l] *adj* **1.** (*nicht schwankend*) stable **2.** (*fest*) firm; (*kräftig*) sturdy; **Sta•bi•li•sa•tor** *m* (MOT) anti-roll bar; **sta•bi•li•sie•ren** *tr* **1.** (*allgemein*) stabilize **2.** (POL: *Macht*) consolidate; **Sta•bi•li•sie•rung** *f* **1.** (*allgemein*) stabilization **2.** (POL: *von Macht*) consolidation; **Sta•bi•li•tät** *f* **1.** (*Schwankungsfreiheit*) stability **2.** (*Steifheit: von Bau etc*) rigidity

Stab•reim *m* (LING) alliterative rhyme

Stabs•arzt *m* (MIL) captain (in the Medical Corps); (MAR MIL) staff-surgeon; **Stabs•chef** *m* chief of staff; **Stabs•feld•we•bel** *m* warrant officer class II *Br,* master sergeant *Am*

Stab•wech•sel *m* (SPORT: *bei Staffellauf*) baton change

Sta•chel ['ʃtaxəl] <-s, -n> *m* prickle; (*Dorn*) thorn; (*bei Insekten*) sting; (BOT) spine; (*des Igels*) spine; **Sta•chel•bee•re** *f* gooseberry; **Sta•chel•beer•strauch** *m* gooseberry bush; **Sta•chel•draht** *m* barbed wire; **Sta•chel•draht•ver•hau** *m* barbed-wire entanglement; **Sta•chel•draht•zaun** *m* barbed-wire fence

sta•che•lig ['ʃtax(ə)lɪç] *adj* (*allgemein*) prickly; (BOT) thorny; (ZOO) spiny

Sta•chel•schwein *n* porcupine

Sta•del ['ʃta:dl] <-s, -> *m CH, österr* barn shed

Sta•di•on ['ʃta:diɔn] <-s, -dien> *n* (SPORT) stadium

Sta•di•um ['ʃta:diʊm] <-s, -dien> *n* stage; **in vorgerücktem** ~ (MED) at an advanced stage

Stadt [ʃtat, *pl:* 'ʃtɛ(:)tə] <-, ¨-e> *f* town; (*Groß~*) city; **in die** ~ **gehen** go into town; **in der** ~ **wohnen** live in town; **raten Sie mal, wer zur Zeit in der** ~ **ist?** guess who's in town?; **er ist nicht in der** ~ he's out of town; **die** ~ **Manchester** the city of Manchester; **Stadt•au•to•bahn** *f* urban motorway; **stadt•be•kannt** ['--'-] *adj* well-known; **es ist ~, dass ...** it is the talk of the town that ...; **Stadt•be•zirk** *m* municipal district; **Stadt•bib•li•o•thek** *f* city library; **Stadt•bild** *n* (*von Kleinstadt*) townscape; (*von Großstadt*) urban features *pl*

Städt•chen ['ʃtɛ(:)tçən] <-s, -> *n* small town

Städ•te•bau <-(e)s> *m* urban development

Städ•te•part•ner•schaft *f* town twinning
Städ•ter(in) *m(f)* city dweller
Stadt•flucht *f* exodus from the cities; **Stadt•ge•biet** *n* (*von Kleinstadt*) entire town; (*von Großstadt*) entire city; **Stadt•ge•spräch** *n*: **das ~ sein** be the talk of the town; **Stadt•gue•ril•la** *m* urban guerilla
städ•tisch ['ʃtɛ(:)tɪʃ] *adj* **1.** (*aus der Stadt*) town, city **2.** (*nach Art der Stadt, a. fig*) urban; **~e Bevölkerung** the town [*o* city] population; **~e Lebensweise** the urban way of life
Stadt•kom•man•dant *m* (MIL) military governor of a town [*o* city]; **Stadt•mau•er** *f* city wall; **Stadt•mit•te** ['-'--] *f* town [*o* city] centre; **Stadt•plan** *m* (town) map; **Stadt•pla•nung** *f* town [*o* city] planning; **Stadt•rand** *m* outskirts of a town [*o* city]; **Stadt•rand•sied•lung** *f* suburban housing scheme; **Stadt•rat** <-(e)s, ¨-e> *m* **1.** (*Gremium*) town [*o* city] council **2.** (*Person*) town [*o* city] councillor; **Stadt•rund•fahrt** *f* town [*o* city] sightseeing tour; **Stadt•staat** *m German city with the status of a federal state;* **Stadt•strei•cher(in)** *m(f)* town [*o* city] vagrant; **Stadt•teil** *m* district, part of town; **Stadt•tor** *n* town [*o* city] gate; **Stadt•vä•ter** *pl* (*hum*) city fathers; **Stadt•ver•kehr** *m* city traffic; **Stadt•ver•wal•tung** *f* municipal authority, town council; **Stadt•vier•tel** *n* district, part of town, quarter; **Stadt•wer•ke** *pl* town's [*o* city's] department of works; **Stadt•zen•trum** *nt* town [*o* city] centre
Staf•fa•ge [ʃta'fa:ʒə] <-, -n> *f* decoration
Staf•fel ['ʃtafəl] <-, -n> *f* **1.** (MIL AERO: *Flug~*) squadron **2.** (MIL AERO: *Kompanie*) company **3.** (SPORT) relay; **~ laufen** run in a relay
Staf•fe•lei *f* easel
Staf•fel•lauf *m* (SPORT) relay race
staf•feln *tr* graduate *Br*, grade *Am*
Staf•fel•ta•ri•fe *mpl* sliding charges
Staf•fe•lung *f* (*der Gehälter, etc*) graduation *Br*, grading *Am*
Sta•g•na•ti•on [ʃtagna'tsjo:n] *f* stagnancy, stagnation; **sta•g•nie•ren** *itr* stagnate
Stahl [ʃta:l, *pl:* 'ʃtɛ:lə] <-(e)s, ¨-e/(-e)> *m* **1.** (*Metall*) steel **2.** (*poet: Schwert, Dolch*) blade; **Nerven aus ~** (*fig*) iron nerves; **so hart wie ~** as hard as steel; **Stahl•be•ton** *m* reinforced concrete; **Stahl•blech** *n* **1.** (*stählernes Blech*) sheet-steel **2.** (*Stück ~*) steel sheet
stäh•len ['ʃtɛ:lən] **I.** *tr* (*abhärten*) toughen **II.** *refl* **1.** (*sich abhärten*) toughen o.s. **2.** (*sich innerlich vorbereiten*) steel o.s.
Stahl•fe•der *f* **1.** (*Schreib~*) steel nib **2.** (*Sprungfeder*) steel spring; **Stahl•ge•rüst** *n* tubular steel scaffolding; **stahl•hart** ['-'-] *adj* as hard as steel; **Stahl•helm** *m* steel helmet; **Stahl•in•dus•trie** *f* steel industry; **Stahl•ko•cher** *m* (*fam*) steelworker; **Stahl•rohr•mö•bel** *pl* tubular steel furniture; **Stahl•trä•ger** *m* steel girder; **Stahl•wa•ren** *fpl* steelware *sing;* **Stahl•werk** *n* steelworks
Sta•ke ['ʃta:kə] <-, -n> *f* (MAR: *Bootshaken*) grappling hook; **sta•ken** ['ʃta:kən] *itr* pole, punt
stak•sen ['ʃta:ksən] *itr sein* stalk
Stall [ʃtal, *pl:* 'ʃtɛlə] <-(e)s, ¨-e> *m* (*Pferde~*) stable; (*Kuh~*) cowshed *Br*, cow barn *Am;* (*Schweine~*) pigsty *Br*, pen *Am;* **in den ~ bringen** put in stable; **wir sind aus dem gleichen ~** (*fig*) we're out of the same stable; **s-e Pferde stehen im ~ des Trainers** he stables his horses with the trainer; **Stall•knecht** *m* stableman; **Stal•lung** *f* stables *pl*
Stamm [ʃtam, *pl:* 'ʃtɛmə] <-(e)s, ¨-e> *m* **1.** (*Baum~*) trunk **2.** (LING) stem **3.** (COM: *Kundschaft*) regulars *pl* **4.** (MIL: *Stammannschaft*) permament staff **5.** (*Volks-, Eingeborenen~*) tribe **6.** (BOT ZOO) phylum; **Stamm•ak•tie** *f* ordinary share *Br*, common share *Am;* **Stamm•baum** *m* **1.** (*Abstammung*) family [*o* genealogical] tree; (*von Tieren*) pedigree; (*von Pferden*) studbook **2.** (BOT ZOO) phylogenetic tree; **Stamm•buch** *n* (*Familien~*) family bible
stam•meln ['ʃtaməln] *tr itr* stammer
stam•men *itr* **1.** (*ab~, a. fig*) come [*o* stem] (*aus, von* from) **2.** (*zeitlich*) date (*aus, von* from); **das Rezept stammt von meiner Tante** I've got this recipe from my aunt; **woher ~ Sie?** where do you come from?; **der Kupferstich stammt noch von meinem Vater** the copper-engraving belonged to my father
Stamm•form *f* base form; **Stamm•gast** *m* regular; **Stamm•hal•ter** *m* son and heir; **Stamm•haus** *n* **1.** (*Familien~*) ancestral mansion **2.** (*fig: in Fürstengeschlecht*) principal line **3.** (COM) parent branch
stäm•mig ['ʃtɛmɪç] *adj* (*kräftig*) sturdy *Br*, husky *Am*
Stamm•ka•pi•tal *n* (COM) ordinary share capital *Br*, common stack capital *Am;* **Stamm•knei•pe** *f* local (pub); **Stamm•kun•de, -kun•din** *m, f* regular customer; **Stamm•lo•kal** *n* favourite restaurant; **Stamm•per•so•nal** *n* permanent staff; **Stamm•platz** *m* usual seat; **Stamm•rol•le** *f* (MIL) muster roll; **Stamm•tisch** *m*: **er ist zum ~ gegangen** he's gone off for a drink with his mates (to the local); **Stamm•va•ter** *m* progenitor; **stamm•ver•wandt** *adj* (LING) cognate; **Stamm-**

vo•kal *m* (LING) root vowel; **Stamm•wäh•ler(in)** *m(f)* (POL) staunch supporter, loyal voter

stamp•fen ['ʃtampfən] **I.** *itr* **1.** (*mit dem Fuß*) stamp **2.** (*von Schiff*) pitch **3.** (*Kolbengeräusch von Schiffsdiesel*) pound **4.** (*stapfen*) trudge **II.** *tr* (*fest~*) stamp; **Kartoffeln** ~ mash potatoes; **Stamp•fer** *m* **1.** (TECH) pounder **2.** (*fam: dicke Beine*) treetrunks

Stand [ʃtant, *pl:* 'ʃtɛndə] <-(e)s, ⸚e> *m* **1.** (*das Stehen*) standing position **2.** (~ *für den Fuß, fester Halt*) foothold, footing **3.** (*Bude, Markt~*) booth, stand **4.** (*Wasser~*) level; (ASTR: *der Gestirne*) position; (*der Sonne*) height position; (*von Barometer*) height; (*von Thermometer etc*) reading **5.** (SPORT: *Spiel~*) score; (*Tabellen~*) standings *pl* **6.** (*Zustand*) condition, state **7.** (*Beruf, Gewerbe*) profession, trade **8.** (*soziale Stellung*) status; **e-n schweren ~ haben** have a tough job; **nach ~ der Dinge** as things stand; **beim jetzigen ~ der Dinge** the way things stand at the moment; **etw auf den neuesten ~ bringen** bring s.th. up to date; **etw in ~ halten**[RR] maintain s.th.; **etw in ~ setzen** [*o* **halten**][RR] get s.th. into working order, repair s.th.; **außer ~e sein(,) etw zu tun**[RR] be incapable of doing s.th.

Stan•dard ['ʃtandart] <-s, -s> *m* standard; **Stan•dard•ar•ti•kel** *m* standard article; **Stan•dard•aus•füh•rung** *f* standard design; **Stan•dard•aus•rüs•tung** *f* standard equipment; **Stan•dard•brief** *m* standard letter; **Stan•dard•ge•bühr** *f* standard fee; **Stan•dard•grö•ße** *f* standard size; **stan•dar•di•sie•ren** *tr* standardize; **Stan•dar•di•sie•rung** *f* standardization

Stan•dar•te [ʃtan'dartə] <-, -n> *f* standard

Stand•bild *n* statue

Ständ•chen ['ʃtɛntçən] <-s, -> *n* serenade; **jdm ein ~ bringen** serenade s.o.

Stän•der ['ʃtɛndɐ] *m* (*Gestell*) stand

Stan•des•amt *n* registry office; **stan•des•amt•lich** *adj:* **~e Trauung** registry office wedding *Br,* civil wedding *Am;* ~ **trauen** perform a registry office wedding *Br,* perform a civil wedding *Am;* **Stan•des•be•am•te** *m* registrar

stan•des•ge•mäß *adv* befitting one's rank; ~ **leben** live according to one's rank

stand•fest *adj* **1.** (*stabil*) stable **2.** (*fig*) steadfast; **Stand•fes•tig•keit** *f* **1.** (*Stabilität*) stability **2.** (*fig*) steadfastness; **Stand•geld** *nt* demurrage, stallage; **Stand•ge•richt** *n* (MIL JUR) court martial; **stand•haft** *adj* steadfast; **sich ~ weigern** refuse staunchly; **Stand•haf•tig•keit** *f* steadfastness; (*Entschlossenheit*) resolution; **stand|hal•ten** *irr itr* **1.** (*Bauwerk*) hold **2.** (*fig: widerstehen*) stand firm; **der Versuchung** ~ resist temptation

Stand•hei•zung *f* (MOT) stationary heating

stän•dig ['ʃtɛndɪç] *adj* **1.** (*dauernd*) permanent **2.** (*laufend*) constant, continual; **~es Einkommen** regular income; **~es Mitglied** full member; ~ **krank sein** be always ill; ~ **zu spät kommen** be constantly late; **~er Wohnsitz** permanent address

Stand•licht *n* (MOT) sidelights *pl;* **mit ~ fahren** drive on sidelights; **Stand•mie•te** *f* stall rental; **Stand•ort** *m* **1.** (*Ort des Aufenthaltes*) location, site **2.** (AERO MAR) position **3.** (MIL: *Garnison*) garrison **4.** (*fig*) position **5.** (BOT) habitat; **Stand•ort•wahl** *f* choice of location; **Stand•pau•ke** *f* (*fam*): **jdm eine ~ halten** give s.o. a telling-off; **Stand•punkt** *m* **1.** (*Beobachtungspunkt*) point of view **2.** (*fig: Ansicht*) standpoint; (*Gesichtspunkt*) point of view; **jdm s-n ~ klarmachen** give s.o. a piece of one's mind; **auf dem ~ stehen, dass ...** take the view that ...; **von meinem ~ aus ...** from my point of view ...; **Stand•recht** *n* (MIL) martial law; **das ~ verhängen** establish martial law; **stand•recht•lich** *adj:* ~ **erschießen** shoot by sentence of the courtmartial; **Stand•spur** *f* hard shoulder; **Stand•uhr** *f* grandfather clock

Stan•ge ['ʃtaŋə] <-, -n> *f* **1.** (*Stab*) pole; (*Gardinen~, Gitter~*) bar, rod **2.** (*Geweih~*) branch; **bei der ~ bleiben** stick at it; **jdm die ~ halten** stand up for s.o.; **jdn bei der ~ halten** (*fig*) bring s.o. up to scratch; **e-e ~ Geld** (*fig*) a mint of money; **ein Anzug von der ~** a suit off the peg; **e-e ~ Zigaretten** a carton of cigarettes

Stän•gel[RR] <-s, -> *m* (BOT) stalk, stem; **Stan•gen•brot** *n* French loaf [*o* stick]

stän•kern ['ʃtɛŋkɐn] *itr* (*fam*) stir things up

Stan•ni•ol [ʃta'njo:l] <-s, -e> *n* silver foil; **Stan•ni•ol•pa•pier** *n* silver paper

Stan•ze ['ʃtantsə] <-, -n> *f* (TECH) **1.** (*Loch~*) punch **2.** (*Präge~*) die; **stan•zen** *tr* **1.** (*aus~*) punch **2.** (*ein~*) stamp

Sta•pel ['ʃta:pəl] <-s, -> *m* **1.** (*Haufen*) pile, stack **2.** (*Woll~*) staple; **auf ~ legen** (MAR) lay down; **vom ~ lassen** (MAR) launch; (*fig*) come out with; **vom ~ laufen** (MAR) be launched; **Sta•pel•kas•ten** *m* crate; **Sta•pel•lauf** *m* (MAR) launching; **sta•peln I.** *tr* stack up **II.** *refl* pile up

stap•fen ['ʃtapfən] *itr sein* plod, trudge

Star[1] <-s, -e> *m* (ORN) starling

Star[2] <-(e)s> *m* (MED) cataract; **grüner ~** glaucoma

Star[3] [ʃta:ɐ] <-s, -s> *m* (*Film~*) star

Star•al•lü•ren *pl:* ~ **haben** put on airs;

Star•an•walt *m* star lawyer

Sta•ren•kas•ten *m* (*Nistkasten*) nesting box

stark [ʃtark] <stärker, stärkst> I. *adj* 1. (*allgemein*) strong; (*mächtig*) powerful 2. (*beleibt*) large 3. (*heftig, schwer*) heavy 4. (*sl: großartig*) great; **das ist ja ein ~es Stück!** that's really a bit thick!; **sich für etw ~ machen** (*fig*) stand up for s.th.; **~er Motor** powerful engine; **der ~e Mann** (POL) strongman; **~̈er werden** increase in strength II. *adv* 1. (*beträchtlich*) greatly 2. (*sehr: mit Verb*) a lot; (*mit adj*) very 3. (*sl: hervorragend*) great; **~ befahrene Straße** busy road; **ich bin ~ erkältet** I have a bad cold; **~ gefragt** (COM) in great demand; **~ gesalzen** very salty

Stär•ke[1] *f* (*Speise~*) starch

Stär•ke[2] [ˈʃtɛrkə] <-, -n> *f* 1. (*Kraft*) strength 2. (*Intensität*) intensity 3. (*Macht*) power 4. (*Dicke von Werkstoffen*) thickness 5. (MIL SPORT: *Anzahl*) size 6. (*fig: starke Seite*) strong point; **nicht die volle ~ haben** (MIL) be below strength; **stär•ken** [ˈʃtɛrkən] I. *tr* 1. (*kräftigen*) strengthen 2. (*erfrischen*) fortify 3. (*Wäsche*) starch; **jds Selbstvertrauen ~** give a boost to someone's confidence II. *refl* (*sich erfrischen*) fortify o.s.

Stark•strom *m* (EL) power [*o* heavy] current; **Stark•strom•lei•tung** *f* power line

Stär•kung *f* 1. (*das Starkmachen*) strengthening; (*Kräftigung*) invigoration 2. (*Erfrischung*) refreshment; **eine kleine ~ zu sich nehmen** have a light snack; **Stär•kungs•mit•tel** *n* (MED) tonic

starr [ʃtar] *adj* 1. (*steif*) stiff; (*unbeweglich*) rigid 2. (*bewegungslos*) motionless 3. (*unbeugsam*) obstinate, stern; **~ vor Schrecken** paralysed with terror; **jdn ~ ansehen** stare at s.o.; **Star•re** <-> *f* stiffness

star•ren *itr* 1. (*starr blicken*) stare (*auf* at) 2. (*strotzen*): **~ vor ...** be thick with ...; **vor Löchern ~** be riddled with holes

Starr•heit *f* 1. (TECH) stiffness, rigidity 2. (*fig*) obstinacy, stubbornness; **Starr•kopf** *m* obstinate mule; **Starr•krampf** *m* (MED) tetanus; **Starr•sinn** *m* obstinacy, stubbornness; **starr•sin•nig** *adj* stubborn

Start [ʃtart] <-(e)s, -s/(-e)> *m* 1. (*allgemein, a.* SPORT) start 2. (AERO) take-off; (*von Rakete*) launch; **gut vom ~ wegkommen** get off to a good start; **jdm zu e-m ~ im Geschäftsleben verhelfen** start s.o. in business; **fliegender ~** flying start; **stehender ~** dead [*o* standing] start; **zum ~ rollen** (AERO) taxi to the take-off point; **Start•bahn** *f* (AERO) runway; **start•be•reit** *adj* 1. (SPORT) ready to start 2. (AERO) ready for take-off; **Start•block** *m* starting block

star•ten I. *itr* 1. *sein* (*allgemein, a.* SPORT) start off 2. (AERO) take off 3. (*fam: abreisen*) set off II. *tr* 1. *haben* (*Rakete*) launch 2. (*fig: in Gang setzen*) start

Start•er•laub•nis *f* 1. (SPORT) permission to take part 2. (AERO) clearance (for take-off); **Start•hil•fe** *f* (*fig*): **die richtige ~ bekommen** get off to a flying start; **jdm e-e gute ~ geben** give s.o. a good start in life; **Start•hil•fe•ka•bel** *n* (MOT) jump leads *pl;* **Start•ka•pi•tal** *n* starting capital; **start•klar** *adj s.* **startbereit**; **Start•schuss**[RR] *m* (SPORT) starting signal; **Start•zei•chen** *n*, **Start•si•gnal** *n* (*a. fig*) start signal (*zu* for)

Sta•tik [ˈʃtaːtɪk] *f* 1. (PHYS) statics *pl* 2. (ARCH) structural engineering; **Sta•ti•ker(in)** *m(f)* structural engineer

Sta•ti•on [ʃtaˈtsjoːn] *f* 1. (*fig: Abschnitt*) stage 2. (RAIL) station 3. (RADIO) station 4. (*im Krankenhaus*) ward; **wir haben in Berlin zwei Tage ~ gemacht** we stopped over in Berlin for two days; **sta•ti•o•när** *adj* 1. (*fest eingerichtet*) stationary 2. (MED) in-patient; **~ behandeln** treat in hospital; **sta•ti•o•nie•ren** *tr* (MIL) station; **Sta•ti•o•nie•rung** *f* (MIL) stationing; **Sta•ti•ons•arzt (-ärz•tin)** *m(f)* ward doctor; **Sta•ti•ons•schwes•ter** *f* ward sister; **Sta•ti•ons•vor•ste•her** *m* (RAIL) stationmaster *Br*, station agent *Am*

sta•tisch [ˈʃtaːtɪʃ] *adj* statical

Sta•tist [ʃtaˈtɪst] *m* (THEAT) supernumerary; (FILM) extra; **Sta•tis•tik** *f* statistics *pl;* **sta•tis•tisch** *adj* statistical; **~e Angaben** statistical returns

Sta•tiv [ʃtaˈtiːf] <-s, -e> *n* (PHOT) tripod

Statt <-> *f*: **an jds ~** in someone's place

statt [ʃtat] I. *präp*: **~ dessen** instead; **~ meiner** in my place II. *konj* instead of; **~ zur Schule zu gehen ...** instead of going to school ...

Stät•te [ˈʃtɛtə] <-, -n> *f* place

statt|fin•den *irr itr* take place; (*sich ereignen*) occur; **statt|ge•ben** *irr itr* grant; **statt•haft** *adj* allowed, permitted

Statt•hal•ter *m* governor

statt•lich [ˈʃtatlɪç] *adj* 1. (*Gebäude*) stately; (*ansehnlich*) imposing; (*prächtig*) magnificent 2. (*beträchtlich*) considerable; **Statt•lich•keit** *f* 1. (*von Gebäude*) stateliness 2. (*Ansehnlichkeit*) imposingness; (*Pracht*) magnificence

Sta•tue [ˈʃtaːtuə] <-, -n> *f* statue

Sta•tur [ʃtaˈtuːɐ] <-, -en> *f* build, stature

Sta•tus [ˈʃtaːtʊs] <-> *m* status; **Sta•tus•sym•bol** *n* status symbol

Sta•tut [ʃtaˈtuːt] <-(e)s, -en> *n* statute; **~en** (*e-r Gesellschaft*) articles

Stau [ʃtaʊ] <-(e)s, -e> *m* **1.** (*Verkehrs~*) traffic jam **2.** (*Wasser~*) build-up

Staub [ʃtaʊp] <-(e)s> *m* dust; ~ **wischen** dust; ~ **saugen**RR vacuum; (*fam*) hoover; **sich aus dem ~ machen** (*fam*) make off; **viel ~ aufwirbeln** (*fig*) cause a big stir; **diese Angelegenheit hat viel ~ aufgewirbelt** (*fig*) this affair has caused quite a stir; **Staub•beu•tel** *m* **1.** (BOT) anther **2.** (*von Staubsauger*) dust bag

Stau•be•cken *n* reservoir

stau•ben *itr* **1.** (*staubig sein*) be dusty **2.** (*Staub machen*) make dust

Staub•fa•den *m* (BOT) filament; **Staub•fän•ger** [ˈʃtaʊpfɛŋɐ] *m* dust collector; **Staub•flo•cke** *f* fluff; **Staub•ge•fäß** *n* (BOT) stamen

stau•big *adj* dusty

Staub•korn <-s, ¨er> *n* dust particle; **Staub•nie•der•schlag** *m* deposition of airborne solid matter; **staub•sau•gen** *tr* vacuum, hoover; **Staub•sau•ger** *m* vacuum cleaner; (*fam*) Hoover®; **Staub•tuch** <-(e)s, ¨er> *n* duster; **Staub•wol•ke** *f* cloud of dust

stau•chen [ˈʃtaʊxən] *tr* (TECH) upset; **Stau•chung** *f* **1.** (TECH) upsetting **2.** (MED) compression

Stau•damm *m* dam

Stau•de [ˈʃtaʊdə] <-, -n> *f* (BOT) perennial herb; (*Strauch*) bush

stau•en I. *tr* **1.** (*Wasser*) dam up **2.** (*Waren*) stow **II.** *refl* **1.** (*Verkehr*) get jammed; (*Menschen*) crowd **2.** (*Wasser*) build up; **der Verkehr staut sich** there is a tailback

Stau•er *m* (MAR) stevedore

Stau•ge•fahr *f* risk of congestion

Stau•mau•er *f* dam wall

Stau•nen *n* astonishment, amazement

stau•nen [ˈʃtaʊnən] *itr* be astonished [*o* amazed] (*über* at); **da staunst du, was?** you didn't expect that, did you?; **nein, wirklich? – da staune ich aber!** no, really? – you amaze me!; **sie sah mich ~d an** she looked at me in astonishment

Stau•pe [ˈʃtaʊpə] <-, -n> *f* (*Hundekrankheit*) distemper

Stau•raum *m* (MOT) storage capacity [*o* space]; (MAR) stowage room

Stau•see *m* reservoir

Stau•ung *f* **1.** (*Verkehrs~*) traffic jam, tailback **2.** (*Stockung*) pile-up

Ste•a•rin [ʃteaˈriːn] <-s, -e> *n* (CHEM) stearin

Stech•ap•fel *m* (BOT) thorn-apple

ste•chen [ˈʃtɛçən] **I.** *irr itr tr* **1.** (*Dorn*) prick; (*Biene*) sting; (*Mücke*) bite **2.** (*mit Waffe*) stab (*nach* at) **3.** (*fig: im Kartenspiel*) take; **Torf ~** cut peat; **in See ~** put to sea; **das sticht!** that's prickly!; (*tut weh*) that hurts!; **es sticht mich in der Seite** I have stitches in my side **II.** *refl* prick o.s. (*an* on); **ich hab mich in den Daumen gestochen!** I've pricked my thumb!; **ste•chend** *adj* **1.** (*fig: Blick*) piercing **2.** (*Schmerz*) sharp **3.** (*Geruch*) pungent; **Stech•gins•ter** *m* (BOT) furze, gorse; **Stech•kar•te** *f* clocking-in card; **Stech•mü•cke** *f* gnat, mosquito; **Stech•pal•me** *f* (BOT) holly; **Stech•uhr** *f* time-clock; **Stech•zir•kel** *m* dividers *pl*

Steck•brief *m* description (of the wanted person); **s~lich gesucht werden** be on the wanted list

Steck•do•se *f* (EL) socket

Ste•cken [ˈʃtɛkən] <-s, -> *m* stick

ste•cken I. *tr* **1.** put **2.** (*befestigen*) pin (*an* onto) **II.** *itr* **1.** (*sein*) be **2.** (*fest~*) be stuck; **steckt der Schlüssel?** is the key in the lock?; **was steckt dahinter?** (*fig*) what's behind it?; **ich werd' ihm zeigen, was in mir steckt!** I'll show him what I'm made of!; **jdm etw ~** (*sl*) verraten, tell s.o. s.th.; **sich Watte in die Ohren ~** stuff cotton wool in one's ears; **~ bleiben**RR get stuck, stick fast; (*in e-r Rede*) falter; **die Kugel blieb stecken**RR the bullet was lodged; **den Schlüssel ~ lassen**RR leave the key in the lock; **ste•cken|blei•ben** *s.* **stecken**; **ste•cken|las•sen** *s.* **stecken**

Ste•cken•pferd *n* hobby-horse

Ste•cker *m* (EL) plug

Steck•kon•takt *m* (EL) plug; **Steck•na•del** *f* pin; **jdn wie e-e ~ suchen** look for s.o. high and low; **Steck•rü•be** *f* swede, turnip; **Steck•schlüs•sel** *m* (TECH) box spanner *Br*, socket wrench *Am*

Steg [ʃteːk] <-(e)s, -e> *m* **1.** (*Laufbrett*) gangplank **2.** (*Fußgängerbrücke*) footbridge **3.** (AERO: *Holm*) web **4.** (*Geigen~*) bridge

Steg•reif [ˈʃteːkˌraɪf] *m:* **eine Rede aus dem ~ halten** make an off-the-cuff speech; **aus dem ~ spielen** improvise

Steh•auf•männ•chen [ˈʃteːaʊfˌmɛnçən] *n* tumbler

Ste•hen [ˈʃteːən] *n* standing; **zum ~ bringen** stop

ste•hen I. *irr itr* **1.** stand **2.** (*von Kleidern: gut passen*) suit **II.** *tr* (*Wache*) stand **III.** *refl:* **sich gut ~** be well-off; **auf etw (jdn) ~** (*sl*) gern mögen, go for s.th. (s.o.); **darauf steht Gefängnis** that's punishable by imprisonment; **darauf steht eine Belohnung** there's a reward for it; **das steht dir** (*passt*) that suits you; **wie stehst du dazu?** what's your opinion on that?; **wie stehst du mit ihr?** how do you get on with her?; **wie steht's?** how's things?; **wo steht das?** where does it say that?; **was steht im**

Brief? what does the letter say?; **mir steht's bis hier** (*fam*) I'm sick and tired of it; **wo stehst du?** (*mit dem Auto*) where have you parked?; **es steht nicht gut für ihn** things don't look too bright for him; ~ **bleiben**[RR] (*Fahrzeuge, Kolonne*) come to a standstill; **er blieb plötzlich** ~[RR] suddenly he stopped; **er blieb als Einziger stehen** he was the only one to remain standing; **der Motor blieb stehen** the engine cut out; **ich bin auf Seite 16 stehen geblieben**[RR] I left off on page 16; ~ **lassen**[RR] (*dalassen*) leave; (*vergessen*) leave behind; **er ließ die Suppe stehen** he left the soup untouched; **jdn draußen** ~ **lassen**[RR] leave s.o. standing outside

ste•hen|blei•ben *s.* **stehen**

ste•hend *adj:* ~**er Ausdruck** stock phrase; ~**en Fußes** instanter; ~**es Heer** regular army; ~**er Satz** (TYP) standing matter; ~**es Wasser** stagnant water

ste•hen|las•sen *s.* **stehen**

Steh•kra•gen *m* stand-up collar; **Steh•lam•pe** *f* standard lamp *Br,* floor lamp *Am;* **Steh•lei•ter** *f* stepladder

steh•len ['ʃte:lən] *irr tr itr* steal; **er kann mir gestohlen bleiben!** (*fig fam*) I couldn't care less about him!; **jdm die Zeit** ~ waste someone's time

Steh•lo•kal *n* stand-up café; **Steh•platz** *m* (*in Verkehrsmittel*) standing room; **einen** ~ **haben** have to stand

Stei•er•mark ['ʃtaɪɐmark] *f* Styria

steif [ʃtaɪf] *adj* **1.** (*straff, starr, unbeweglich*) stiff; (*Penis*) erect; (*erstarrt*) numb **2.** (*Teig etc*) thick **3.** (*fig: geziert*) strained; (*förmlich*) formal; ~ **u. fest behaupten, dass ...** swear up and down that ...; **die Ohren** ~ **halten**[RR] (*fig*) keep a stiff upper lip; ~ **machen,** ~ **werden** stiffen; ~**e Brise** stiff breeze; **Steif•heit** *f* **1.** stiffness; (*Starrheit*) numbness **2.** (*fig*) formality

Steig [ʃtaɪk] <-(e)s, -e> *m* steep track

Steig•bü•gel *m* stirrup

Stei•ge <-, -n> *f* **1.** (*steile Stiege, Treppe*) staircase **2.** (*steiler Weg*) steep track; **Steig•ei•sen** *n* **1.** (*zum Klettern*) crampon **2.** (*Eisentritt in Mauer*) rung

stei•gen ['ʃtaɪgən] *irr itr* **1.** (*hinaufklettern, von Flugzeug*) climb **2.** (*sich nach oben bewegen: Temperatur, Preise, Wasser etc*) rise; (*anwachsen, zunehmen*) increase; **ins Auto** ~ get into one's car; **Drachen** ~ **lassen** fly kites; **aus dem Bett** ~ get out of bed; **stei•gend** *adj:* ~**e Tendenz** upward tendency; **Stei•ger** *m* (MIN) foreman

stei•gern ['ʃtaɪgɐn] **I.** *tr* **1.** increase **2.** (*intensivieren*) intensify **II.** *itr* **1.** (GRAM) compare **2.** (*bei Auktionen*) bid (*um* for) **III.** *refl* **1.** (*anwachsen*) increase **2.** (*sich verbessern*) improve; **Stei•ge•rung** *f* **1.** increase **2.** (*Intensivierung*) intensification **3.** (GRAM) comparison **4.** (*Verbesserung*) improvement

Steig•rie•men *m* stirrup-strap

Stei•gung *f* **1.** (*Hang*) slope **2.** (*e-r Straße etc*) gradient *Br,* grade *Am*

steil [ʃtaɪl] *adj* steep; ~ **abfallen** plunge; ~**es Dach** high roof; **e-e** ~**e Karriere machen** rise quickly in one's career; **Steil•hang** *m* steep slope; **Steil•heck** *n* (MOT) hatchback; **Steil•küs•te** *f* cliffs *pl;* **Steil•pass**[RR] *m* (SPORT: *Fußball*) through ball; **Steil•ufer** *n* steep bank

Stein [ʃtaɪn] <-(e)s, -e> *m* **1.** stone **2.** (*Spiel~*) piece **3.** (BOT) stone; **da fällt mir ein** ~ **vom Herzen!** that's a load off my mind!; ~ **und Bein schwören** (*fam*) swear blind; **jdm** ~**e in den Weg legen** (*fig*) put obstacles in someone's way; **den** ~ **ins Rollen bringen** (*fig*) start the ball rolling; **ich hab' bei ihr einen** ~ **im Brett** (*fam*) I'm well in with her; **ein Herz aus** ~ (*fig*) a heart of stone; **Stein•ad•ler** *m* (ORN) golden eagle; **stein•alt** ['-'-] *adj* as old as the hills; **Stein•bock** *m* **1.** (ZOO) ibex **2.** (ASTR) Capricorn; **Stein•bruch** *m* quarry; **Stein•butt** *m* (ZOO) turbot

stei•nern ['ʃtaɪnɐn] *adj* **1.** stone **2.** (*fig*) stony

Stein•gut *n* stoneware; **stein•hart** ['-'-] *adj* hard as stone

stei•nig *adj* stony

stei•ni•gen ['ʃtaɪnɪgən] *tr* stone; **Stei•ni•gung** *f* stoning; **Stein•koh•le** *f* hard coal; **Stein•koh•len•berg•werk** *n* coal mine, colliery; **Stein•mar•der** *m* (ZOO) beech-marten; **Stein•metz** ['ʃtaɪnmɛts] <-(es), -e(n)> *m* stonemason; **Stein•pilz** *m* (BOT) yellow boletus; **stein•reich** ['-'-] *adj* (*fam: sehr reich*) stinking rich, stony; **Stein•salz** <-es> *n* rock salt; **Stein•schlag** *m* rockfall; **Stein•schüt•tung** *f* (*an Flussufer*) riprap; **Stein•zeit** *f* Stone Age; **Stein•zeug** *n* stoneware

Steiß [ʃtaɪs] <-es, -e> *m* buttocks *pl;* (*von Vögeln*) rump; **Steiß•bein** *n* coccyx; **Steiß•la•ge** *f* (MED) breech presentation

Stell•dich•ein ['ʃtɛldɪç,aɪn] <-(s), -(s)> *n* (*obs*) rendezvous *Br,* date *Am;* **ein** ~ **mit jdm nicht einhalten** stand s.o. up *Br;* (*fam*) break a date *Am*

Stel•le ['ʃtɛlə] <-, -n> *f* **1.** (*Ort*) place **2.** (*Fleck*) patch **3.** (*Anstellung*) job **4.** (*Buch~*) passage; (*Zitat*) quotation **5.** (*Behörde*) authority *Br,* agency *Am* **6.** (MATH) digit; **an erster** ~ in the first place; **an meiner** ~ in my place; **an dieser** ~ in this place; **wenn ich an Ihrer** ~ **wäre ...** if I were you ...; **an** ~ **von ...** in place of ..., instead of …; **auf der** ~ (*sofort*) on the spot; **an Ort u.** ~ **sein** be on the spot; **an jds** ~ **treten** take the place of s.o.; **sich um e-e** ~ **bewerben** apply for a vacancy; **zur** ~ **sein** be at hand, be present; **offene** ~, **freie** ~ vacancy

stel•len ['ʃtɛlən] I. *tr* **1.** (*setzen, hin*~) put **2.** (*besorgen, zur Verfügung* ~) provide **3.** (*regulieren, ein*~) set (*auf* at) **4.** (*Feind* ~) corner; **die Heizung kleiner** ~ turn the heating down; **e-e Frage** ~ ask a question; **e-e Uhr** ~ set a watch [*o* clock]; **sich schlafend** ~ pretend to be asleep; **das Radio leiser** (**lauter**) ~ turn the radio down (up); **auf sich selbst gestellt sein** stand on one's own two feet; **jdm etw auf den Tisch** ~ put s.th. on the table for s.o.; **etw richtig** ~[RR] correct s.th.; **jdn richtig** ~[RR] put s.o. right II. *refl* **1.** (*sich hin*~) stand up **2.** (*sich der Polizei* ~) give o.s. up to the police; **wie stellst du dich dazu?** what's your opinion on that?; **sich quer** ~[RR] (*fig fam*) be awkward

Stel•len•ab•bau *m* reduction [*o* shedding] of staff; **Stel•len•an•ge•bot** *n* job offer; **Stel•len•aus•schrei•bung** *f* job advertisement; **Stel•len•be•schrei•bung** *f* job description; **Stel•len•ge•such** *n* application for a job; **Stel•len•su•che** *f* job search; **Stel•len•ver•mitt•lung** *f* employment agency; **stel•len•wei•se** *adv* here and there, in places; **Stel•len•wert** *m* (*fig*) rank, rating; **einen hohen** ~ **haben** play an important role

Stell•ma•cher *m* **1.** (*für Wagen*) cartwright **2.** (*Radmacher*) wheelwright

Stell•platz *m* (*für Auto*) parking space

Stel•lung *f* **1.** (*Körper*~) position **2.** (MIL) position **3.** (MIL: *Geschütz*~) emplacement **4.** (*Ansehen*) standing; (*Rang*) status **5.** (*Posten*) job, situation; **seine** ~ **behaupten** stand one's ground; ~ **beziehen** (MIL) move into position; **die** ~ **halten** hold one's position; (*fig hum*) hold the fort; **in** ~ **bringen** (bring into) position; ~ **nehmen zu …** express one's opinion on …; **für jdn** ~ **beziehen** (*fig*) come out in favour of s.o; **Stel•lung•nah•me** <-, -n> *f* **1.** (*Entgegnung*) statement (*zu* on) **2.** (*Haltung*) attitude; **s-e** ~ **zu etw abgeben** make a statement on s.th.

Stel•lungs•be•fehl *m* (MIL) call-up *Br*, draft papers *Am*; **Stel•lungs•krieg** *m* positional warfare

stel•lungs•los *adj* unemployed, without a job

stell•ver•tre•tend *adj* **1.** (*vorübergehend*) acting **2.** (*amtlich*) deputy; ~**er Vorsitzender** vice-chairman; ~**e Geschäftsführerin** deputy managing director; ~ **für etw stehen** stand in for s.th; **Stell•ver•tre•ter(in)** *m(f)* **1.** (*vorübergehender*) representative; (*von Arzt*) locum **2.** (*amtlicher*) deputy; (MIL) second in command; **Stell•ver•tre•tung** *f*: **in** ~ **von …** for …; **die** ~ **von jdm übernehmen** stand in for s.o.

Stell•werk *n* (RAIL) signal box *Br*, switchtower *Am*

Stel•ze ['ʃtɛltsə] <-, -n> *f* stilt; **stel•zen** *itr* **1.** *sein* (*auf Stelzen gehen*) walk on stilts **2.** (*fam: lang ausschreiten*) stalk along; **Stelz•vö•gel** *mpl* waders

Stemm•ei•sen *n* crowbar

stem•men ['ʃtɛmən] *tr* **1.** (*hoch*~) lift **2.** (*aufmeißeln*) chisel; **die Hände in die Seiten** ~ set one's arms akimbo; **sich** ~ **gegen …** (*dagegendrücken*) brace o.s. against …; (*sich auflehnen*) oppose …

Stem•pel ['ʃtɛmpəl] <-s, -> *m* **1.** (*Gummi*~) stamp **2.** (*Präge*~, *Münz*~) die **3.** (MIN: *Stütz*~) prop **4.** (~*abdruck*) stamp; (*eingebrannter* ~) brand; (*Post*~) postmark; (*Echtheits*~ *auf Gold, Silber*) hallmark; **Stem•pel•auf•druck** *m* stamp; **Stem•pel•far•be** *f* stamping ink; **Stem•pel•ge•bühr** *f* stamp duty; **Stem•pel•geld** *n* dole (money); **Stem•pel•kis•sen** *n* ink pad; **stem•peln** *tr* stamp; (*postalisch*) postmark; ~ **gehen** (*fam*) be on the dole

Sten•gel ['ʃtɛŋəl] <-s, -> *m s.* **Stängel**

Ste•no•block *m* shorthand pad; **Ste•no•gramm** [ʃteno'gram] <-s, -e> *n* shorthand dictation; **ein** ~ **aufnehmen** take down in shorthand; **Ste•no•graf**[RR]**(in)** [ʃteno'gra:f] <-en, -en> *m(f)* stenographer; **Ste•no•gra•fie**[RR] *f* shorthand; **ste•no•gra•fie•ren**[RR] I. *itr* do shorthand II. *tr* take down in shorthand; **ste•no•gra•fisch**[RR] I. *adj* shorthand II. *adv* in shorthand; **Ste•no•graph** *m s.* Stenograf; **Ste•no•gra•phie** *f s.* Stenografie; **ste•no•gra•phie•ren** *s.* stenografieren; **ste•no•gra•phisch** *adj s.* stenografisch; **Ste•no•ty•pist(in)** [ʃtenoty'pɪst] *m(f)* shorthand typist

Stepp•a•no•rak *m* quilted anorak; **Stepp•an•zug** *m* quilted suit; **Stepp•de•cke** *f* quilt *Br*, comforter *Am*

Step•pe ['ʃtɛpə] <-, -n> *f* steppe

step•pen[1] *itr* (*tanzen*) tap-dance

step•pen[2] ['ʃtɛpən] *tr* (*wattieren*) quilt; (*ab*~) stitch; **Stepp•wes•te** *f* quilted waistcoat

Ster•be•bett *n* death-bed; **Ster•be•fall** *m* death; **Ster•be•geld** *n* death benefit; **Ster•be•hil•fe** *f* (*Euthanasie*) euthanasia; **Ster•be•kas•se** *f* death benefit fund

Ster•ben *n* death; **die Angst vorm** ~ fear of death; **im** ~ **liegen** be dying; **zum** ~

langweilig (*fig*) deadly boring

ster•ben ['ʃtɛrbən] *irr itr* die (*an* of); **daran wirst du nicht** ~! (*fig fam*) it won't kill you!; **e-s gewaltsamen Todes** ~ die a violent death; **e-s natürlichen Todes** ~ die a natural death; **vor Langeweile** ~ (*fig*) be bored to death; **die ist für mich gestorben!** (*fig fam*) she might as well be dead!

Ster•bens•wört•chen ['--'vœrtçən] *n*: **kein** ~ **verraten** not breathe a (single) word

Ster•be•ort *m* deathplace; **Ster•be•ra•te** *f* death rate, mortality; **Ster•be•sa•kra•men•te** *pl* last sacraments; **Ster•be•ur•kun•de** *f* death certificate

sterb•lich *adj* mortal; **jds** ~**e Überreste** someone's mortal remains; **Sterb•lich•keit** *f* mortality

Ste•reo ['ʃte:reo] <-(s)> *n* stereo; **in** ~ in stereo; **Ste•re•o•an•la•ge** *f* stereo (system); **Ste•re•o•auf•nah•me** *f* **1.** stereo recording **2.** (PHOT) stereoscopic picture; **Ste•re•o•me•trie** [ʃtereome'tri:] *f* (MATH) solid geometry, stereometry; **Ste•re•o•skop** [ʃtereo'sko:p] <-s, -e> *n* stereoscope

Ste•re•o•turm *m* hi-fi stack

ste•re•o•typ [ʃtereo'ty:p] **I.** *adj* **1.** (TYP) stereotype **2.** (*fig*) stereotyped; ~**e Wendung** (LING) cliché **II.** *adv* (*fig*) in a stereotyped way

Ste•re•o•ty•pie [---'-] *f* (TYP) stereotype printing

ste•ril [ʃte'ri:l] *adj* sterile; **Ste•ri•li•sa•ti•on** [ʃteriliza'tsjo:n] *f* sterilization; **ste•ri•li•sie•ren** *tr* sterilize; **Ste•ri•li•sie•rung** *f* sterilization; **Ste•ri•li•tät** *f* sterility

Stern [ʃtɛrn] <-(e)s, -e> *m* (ASTR: *a.* ~*förmiges Zeichen*) star; **mit** ~**en besät** starry; **es steht in den** ~**en** it's all in the stars; ~**e sehen** (*hum fam*) see stars; **Stern•bild** *n* **1.** (ASTR) constellation **2.** (*in der Astrologie*) sign; **Ster•ne-Ho•tel** *nt* top class hotel; **Ster•nen•ban•ner** *n* Star-Spangled Banner, Stars and Stripes *pl;* **ster•nen•klar** ['--'-] *adj* starlit; **Ster•nen•zelt** *n* (*poet*) starry firmament

Stern•fahrt *f* (MOT) rally

stern•ha•gel•voll ['---'-] *adj* (*fam*) dead drunk

Stern•hau•fen *m* star cluster; **stern•hell** ['-'-] *adj* starlit; **Stern•kar•te** *f* celestial chart; **Stern•kun•de** *f* astronomy; **Stern•schnup•pe** *f* shooting star; **Stern•sin•ger** *pl* carol singers; **Stern•stun•de** *f* **1.** great moment **2.** (ASTR: *im Horoskop*) sidereal hour; **Stern•sys•tem** *n* (ASTR) galaxy; **Stern•war•te** *f* observatory; **Stern•zeit** *f* (*im Horoskop*) sidereal time

Sterz [ʃtɛrts] <-es, -e> *f* **1.** (*Schwanz, Steiß*) rump **2.** (*Pflug*~) handle

stet [ʃte:t] *adj* constant; ~**er Tropfen höhlt den Stein** (*prov*) constant dripping wears away the stone

Ste•tho•skop [ʃteto'sko:p] <-(e)s, -e> *n* stethoscope; **ste•tig** *adj* steady; ~**e Funktion** (MATH) steady function; **Ste•tig•keit** *f* steadiness; (*Beständigkeit*) constancy; (*Kontinuität*) continuity; **stets** [ʃte:ts] *adv* (*immer*) always; ~ **zu Diensten** ever at your service

Steu•er[1] ['ʃtɔɪɐ] <-s, -> *n* **1.** (MAR) helm **2.** (MOT) steering wheel **3.** (AERO) controls *pl;* **am** ~ **stehen** (**sitzen**) be at the helm [*o* wheel] [*o* controls]; **das** ~ **übernehmen** take over; **jdn ans** ~ **lassen** let someone drive

Steu•er[2] <-, -n> *f* **1.** (FIN) tax **2.** (*fam: Behörde*) the tax people; **nach** (**vor**) **Abzug der** ~**n** after (before) tax; ~**n eintreiben** collect taxes; ~**n erheben** levy taxes; ~**n hinterziehen** evade taxes; ~**n zahlen** pay tax *sing;* **Steu•er•ab•zü•ge** *mpl* tax deductions; **Steu•er•an•pas•sun•gen** *fpl* tax adjustments; **Steu•er•an•rech•nung** *f* tax credit; **Steu•er•an•spruch** *m* tax claim; **Steu•er•auf•kom•men** *n* tax yield *Br,* internal revenue *Am;* **steu•er•be•güns•tigt** *adj* tax-deductible; **Steu•er•be•las•tung** *f* tax load; **Steu•er•be•mes•sungs•grund•la•ge** *f* basis of assessment; **Steu•er•be•ra•ter(in)** *m(f)* tax consultant; **Steu•er•be•scheid** *m* tax assessment; **Steu•er•be•trug** *m* tax fraud; **Steu•er•be•voll•mäch•tig•te(r)** *m* agent in tax matters

steu•er•bord *adj* (MAR) starboard

Steu•er•ein•nah•men *fpl* tax revenue; **Steu•er•er•hö•hung** *f* tax increase; **Steu•er•er•klä•rung** *f* tax return [*o* declaration]; **die** ~ **abgeben** file a return; **Steu•er•er•lass**[RR] *m* tax exemption; **Steu•er•er•leich•te•rung** *f* tax relief; **Steu•er•er•mä•ßi•gung** *f* tax allowance; **Steu•er•er•stat•tung** *f* tax rebate [*o* refund]; **Steu•er•fahn•dung** *f* investigation of tax evasion; **Steu•er•for•mu•lar** *n* tax form; **steu•er•frei** *adj* exempt from tax; **Steu•er•frei•be•trag** *m* tax allowance [*o* exemption]; **Steu•er•ge•hil•fe, -ge•hil•fin** *m, f* articled clerk; **Steu•er•gel•der** *pl* taxes; **Steu•er•ge•rät** *n* **1.** (TECH) controller **2.** (RADIO) tuner; **Steu•er•ge•setz•ge•bung** *f* tax legislation; **Steu•er•hin•ter•zie•hung** *f* tax evasion; **Steu•er•kar•te** *f* wage tax card; **Steu•er•klas•se** *f* tax class

Steu•er•knüp•pel *m* (AERO) control col-

umn *Br,* control stick *Am*
steu•er•lich *adj:* **aus ~en Gründen** for tax purposes
Steu•er•mann <-(e)s, -männer/-leute> *m* **1.** (*eingeteilter ~*) helmsman **2.** (*Schiffsoffizier*) first mate; **Steu•er•manns•pa•tent** *n* (MAR) mate's ticket
Steu•er•mar•ke *f* (*für Hunde*) dog license disc *Br,* dog tag *Am*
steu•ern *tr* **1.** (MAR) navigate, steer; (AERO) pilot; (MOT) drive **2.** (*regulieren, a. fig*) control
Steu•er•nach•lass[RR] *m* tax rebate; **Steu•er•pa•ra•dies** *n* tax haven; **steu•er•pflich•tig** *adj* liable to tax; **Steu•er•pflich•ti•ge(r)** *f m* person liable to tax; **Steu•er•po•li•tik** *f* fiscal policy; **Steu•er•prü•fer(in)** *m(f)* tax inspector; **Steu•er•prü•fung** *f* tax inspector's investigation
Steu•er•pult *n* (TECH) control desk
Steu•er•rad *n* (MOT) (steering) wheel; **das ~ übernehmen** take over
Steu•er•re•form *f* tax reform
Steu•er•ru•der *n* rudder
Steu•er•satz *m* rate of taxation; **Steu•er•schrau•be** *f* (*fig*): **die Regierung zieht die ~ an** the government is putting the screws on the taxpayer; **Steu•er•schuld** *f* tax owing; **Steu•er•sen•kung** *f* tax cut
Steu•er•sün•der(in) *m(f)* tax evader; **Steu•er•um•ge•hung** *f* tax avoidance
Steu•e•rung *f* **1.** (MAR: *das Steuern*) steering; (AERO) piloting **2.** (*fig*) control **3.** (*Mechanismus e-r ~*) steering gear; (AERO) controls *pl*
Steu•er•ver•an•la•gung *f* tax assessment; **Steu•er•vor•aus•zah•lung** *f* prepayment of tax; **Steu•er•vor•teil** *m* tax advantage [*o* break]; **Steu•er•zah•ler(in)** *m(f)* taxpayer
Steu•er•zei•chen *n* (EDV) control character
Ste•ward ['stjuːɐt] <-s,-s> *m* steward
Ste•war•dess[RR] ['stjuːɐdɛs] <-,-en> *f* stewardess
sti•bit•zen [ʃti'bɪtsən] <ohne ge-> *tr* (*fam*) pilfer, swipe
Stich [ʃtɪç] <-(e)s, -e> *m* **1.** (*Nadel~*) prick; (*Messer~*) stab **2.** (*Mücken~*) bite; (*Bienen~*) sting **3.** (*Näh~*) stitch **4.** (*Schmerz*) piercing pain **5.** (*Kupfer~, Stahl~*) engraving; **e-n ~ haben** (*Speisen*) be off; (*fam: etw verrückt sein*) be round the bend; **jdn im ~ lassen** let s.o. down; **ein ~ ins Grüne** a tinge of green
Sti•che•lei *f* (*fig*) sneering remarks *pl*
sti•cheln ['ʃtɪçəln] *itr* **1.** (*nähen*) sew **2.** (*fig*) make sneering remarks (*gegen* at)
Stich•flam•me *f* tongue of flame
stich•hal•tig *adj* sound, valid; **~e Gründe** sound arguments; **stich•häl•tig** *adj* (*österr: überzeugend*) sound; **Stich•hal•tig•keit** *f* soundness, validity
Stich•ling *m* (ZOO) stickleback
Stich•pro•be *f* spot check; **~n machen** make spot checks
Stich•punkt *m* headword; **Stich•sä•ge** *f* fret- saw; **Stich•tag** *m* qualifying date; **Stich•waf•fe** *f* stabbing weapon; **Stich•wahl** *f* final ballot *Br,* run- off *Am;* **Stich•wort** <-(e)s, ¨er> *n* **1.** (*im Wörterbuch*) headword **2.** (THEAT) cue **3.** (*schriftliches ~*) keyword; **stich•wort•ar•tig** *adj:* **geben Sie es nur ~ wieder!** recount the main points of it!; **Stich•wort•ka•ta•log** *m* (*Bibliothek*) classified catalogue; **Stich•wun•de** *f* stab wound
sti•cken ['ʃtɪkən] *tr itr* embroider; **Sti•cke•rei** *f* embroidery; **Stick•garn** *n* embroidery silk
sti•ckig ['ʃtɪkɪç] *adj* **1.** (*muffig*) close, stuffy **2.** (*fig*) stifling
Stick•mus•ter *n* embroidery pattern; **Stick•na•del** *f* embroidery needle
Stick•oxid *n* nitric oxide
Stick•stoff *m* nitrogen; **Stick•stoff•dün•ger** *m* nitrogen fertilizer
stie•ben ['ʃtiːbən] *irr itr* **1.** (*Funken*) fly **2.** (*rennen*) flee
Stief•bru•der *m* stepbrother
Stie•fel ['ʃtiːfəl] <-s, -> *m* boot; **Stie•fel•knecht** *m* boot-jack
Stief•el•tern *pl* step-parents; **Stief•kind** *n* stepchild; **Stief•mut•ter** *f* stepmother
Stief•müt•ter•chen *n* (BOT) pansy
Stief•schwes•ter *f* stepsister; **Stief•sohn** *m* stepson; **Stief•toch•ter** *f* stepdaughter; **Stief•va•ter** *m* stepfather
Stie•ge ['ʃtiːgə] <-, -n> *f* staircase; **Stie•gen•haus** *nt* (*österr: Treppenhaus*) stairwell
Stieg•litz ['ʃtiːglɪts] <-es, -e> *m* (ORN) goldfinch
Stiel [ʃtiːl] <-(e)s, -e> *m* **1.** (*Griff*) handle; (*Besen~*) stick **2.** (BOT) stalk; (*Stengel*) stem; **Stiel•au•gen** *pl:* **~ machen** (*fam*) fig, be pop-eyed; **stiel•äu•gig** ['ʃtiːl,ɔɪgɪç] *adj* (*fam*) stalk-eyed; **Stiel•kamm** *m* tail comb; **Stiel•topf** *m* saucepan
Stier [ʃtiːɐ] <-(e)s, -e> *m* **1.** (ZOO) bull **2.** (ASTR) Taurus
stier [ʃtiːɐ] *adj* (*Blick*) glassy; (*leer*) vacant; **stie•ren** *itr* stare (*auf* at)
Stier•kampf *n* bull-fight; **Stier•kämp•fer** *m* bull-fighter
Stift[1] [ʃtɪft] <-(e)s, -e> *m* **1.** (*Holz~*) peg; (*Nagel*) tack **2.** (*Blei~*) pencil; (*Kugelschreiber*) pen
Stift[2] *n* **1.** (ECCL: *Diözese*) diocese **2.** (*Anstalt*) home **3.** (ECCL: *Domkapitel*) chapter

Stift[3] *m* (*fam: Lehrling*) apprentice

stif•ten ['ʃtɪftən] *tr* **1.** (*schenken, geben*) donate **2.** (*gründen*) found **3.** (*verursachen*) bring about, cause; **Frieden ~** make peace; **Unfrieden ~** sow discord; **~ gehen**[RR] (*fam*) beat a hasty retreat, make off

stif•ten|ge•hen *s.* **stiften**

Stif•ter(in) *m(f)* **1.** (*Schenkender*) donator **2.** (*Gründer*) founder

Stift•schlüs•sel *m* (TECH) **1.** (*allgemein*) pin spanner **2.** (*Sechskant~*) socket screw key

Stifts•kir•che *f* collegiate church

Stif•tung *f* **1.** (*Schenkung*) donation **2.** (*Gründung*) foundation **3.** (JUR) foundation **4.** (*Stipendium aus ~*) endowment

Stift•zahn *m* post crown

Stil [ʃti:l] <-(e)s, -e> *m* style; **ein Gedicht im ~ der Romantik** a poem in the Romantic style; **so ein Haus ist nicht mein ~** that house is not my style; **alles in großem ~ tun** do things in style; **Stil•blü•te** *f* (*fam*) howler

Sti•lett [ʃti'lɛt] <-s, -e> *n* stiletto

Stil•ge•fühl *n* sense of style; **stil•ge•treu** *adj* in original style; **sti•li•sie•ren** *tr* stylize; **Sti•lis•tik** *f* stylistics *pl;* **sti•lis•tisch** *adj* stylistic

still [ʃtɪl] *adj* **1.** (*ruhig, schweigend*) quiet, silent **2.** (*unbewegt*) still; **halt das Glas ~!** hold your glass steady!; **~er Teilhaber** (COM) sleeping partner *Br,* silent partner *Am;* **sei ~!** be quiet!; **im S~en**[RR] without saying anything; **sich im S~en**[RR] **denken** think to o.s.; **Stil•le** ['ʃtɪlə] <-> *f* **1.** (*Ruhe*) quietness **2.** (*Unbewegtheit*) stillness; **sich in aller ~ davonmachen** make off secretly; **er wurde in aller ~ begraben** he was given a quiet burial; **Stil(l•)le•ben** *n s.* Stillleben; **stil(l•)le•gen** *s.* stilllegen; **Stil(l•)•le•gung** *f s.* **Stilllegung**

stil•len *tr* **1.** (*befriedigen*) satisfy; (*Durst*) quench **2.** (*Schmerz*) allay, ease **3.** (*Blut*) staunch **4.** (*Kind*) breast-feed

Still•hal•te•ab•kom•men *n* moratorium; **still|hal•ten** *irr itr* **1.** keep still **2.** (*fig*) keep quiet; **Still•le•ben**[RR] *n* (*Malerei*) still life; **still•le•gen**[RR] *tr* **1.** (*Betrieb*) close [*o* shut] down **2.** (*Fahrzeug*) lay up; **Still•le•gung**[RR] *f* **1.** (*von Betrieb*) closure, shut-down **2.** (*von Fahrzeug*) laying up; **still|lie•gen**[RR] *irr itr* **1.** (*Verkehr etc*) have come to a standstill **2.** (TECH: *eingestellt sein*) be at a standstill **3.** (*Fabrik*) be closed [*o* shut] down

stil•los ['ʃti:l,lo:s] *adj* **1.** (*nicht zusammenpassend*) incongruous **2.** (*fig*) having no sense of style

Still•schwei•gen *n* silence; **über etw ~ bewahren** maintain silence about s.th; **still|schwei•gen** *irr itr* remain silent; **zu etw ~** remain silent in the face of s.th.; **still•schwei•gend** *adj* (*fig*): **~es Einvernehmen** (**Übereinkommen**) tacit understanding (agreement); **still|sit•zen** *irr itr* sit still; **Still•stand** <-(e)s> *m* **1.** (*Halt*) standstill **2.** (*Unterbrechung*) interruption; **zum ~ bringen** bring to a stop; **die Produktion zum ~ bringen** bring production to a standstill; **zum ~ kommen** come to a standstill; (*Motor*) stop; **still|ste•hen** *irr itr* **1.** be at a standstill; (MIL) stand at attention **2.** (*stehen bleiben*) stop

Stil•mö•bel *npl* period furniture; **stil•voll** *adj* stylish

Stimm•ab•ga•be *f* voting; **Stimm•bän•der** *pl* vocal cords; **stimm•be•rech•tigt** *adj* entitled to vote; **nicht ~** non-voting; **Stimm•be•rech•tig•te(r)** *f m* person entitled to vote; **Stimm•bruch** <-(e)s> *m:* **er ist im ~** his voice is breaking

Stim•me ['ʃtɪmə] <-, -n> *f* **1.** voice **2.** (PARL: *Wahl~*) vote **3.** (MUS) part **4.** (*Presse~*) comment; **ich habe keine ~ mehr** I have lost my voice; **sie hat keine besonders gute ~** she hasn't got much of a voice; **mit tiefer ~** in a deep voice; **jdm s-e ~ geben** (PARL) give one's vote to a person; **Mehrheit von e-r Stimme** (PARL) single-vote majority; **er gewann mit e-r Mehrheit von 150 ~n** he won by 150 votes

stim•men **I.** *itr* **1.** (*richtig sein*) be right **2.** (PARL: *ab~*) vote (*für/gegen* for/against); **stimmt das?** is that true?; **stimmt's?** right?; **stimmt so!** (*beim Geben von Trinkgeld*) keep the change!; **das stimmt nicht** that's wrong **II.** *tr* (*ein Instrument ~*) tune (*höher/niedriger* up/down); **jdn gegen etw ~** (*fig*) turn s.o. against s.th.

Stim•men•aus•zäh•lung *f* (PARL) count of votes; **Stim•men•ge•win•ne** *pl* (PARL) votes gained; **Stim•men•ge•wirr** *n* confused din of voices; **Stim•men•gleich•heit** *f* (PARL) tie; **bei ~ den Ausschlag geben** give the casting vote; **bei ~ entscheidet die Stimme des Vorsitzenden** the vote of the chairman shall be decisive in the event of a tie; **Stim•men•mehr•heit** ['----/--'--] *f* majority of votes *Br,* plurality of votes *Am;* **einfache ~** bare [*o* mere] majority; **Stimm•ent•hal•tung** ['----/--'--] *f* abstention; **Stim•men•ver•lus•te** *pl* (PARL) votes lost

Stimm•ga•bel *f* tuning fork; **stimm•haft** *adj* (LING) voiced; **stim•mig** *adj* (*Argumente*) coherent; **Stim•mig•keit** *f* coherence; **Stimm•la•ge** *f* (MUS) register; **stimm•los** *adj* (LING) voiceless; **Stimm•recht** *n* right to vote; **~ haben** have a vote; **Stimm•rit•ze** *f* (ANAT) glottis

Stim•mung [ˈʃtɪmʊŋ] *f* **1.** (*Gemüts~*) mood **2.** (*öffentliche Meinung*) public opinion; **ich bin nicht in der ~ für diese Musik** I'm not in the mood for this type of music; **ich bin nicht in der richtigen ~** I'm not in the mood; **~ für (gegen) etw machen** stir up public opinion in favour of (against) s.th; **Stim•mungs•um•schwung** *m* **1.** (*allgemein*) change of atmosphere; (POL) swing **2.** (COM: *Börse, Markt*) change of tendency; **stim•mungs•voll** *adj* (*idyllisch*) idyllic

Stimm•zet•tel *m* ballot paper

Sti•mu•la•ti•on [ʃtimʊlaˈtsjoːn] *f* (*a. fig*) stimulation; **sti•mu•lie•ren** *tr* (*a. fig*) stimulate

Stink•bom•be *f* stink bomb

stin•ken [ˈʃtɪŋkən] *irr itr* stink; **hier stinkt's!** it stinks in here!; **die ganze Sache stinkt!** (*fig fam*) the whole business stinks!; **die ganze Angelegenheit stinkt mir!** (*fig fam*) I'm fed up to the back teeth!; **stin•kend** *adj* stinking; **stink•faul** [ˈ-ˈ-] *adj* (*fam*) bone-lazy; **stink•lang•wei•lig I.** *adj* deadly boring **II.** *adv* in a deadly boring way; **Stink•tier** *n* (ZOO) skunk; **Stink•wut** [ˈ-ˈ-] *f* (*fam*): **e-e ~ haben** be furious

Sti•pen•di•um [ʃtiˈpɛndiʊm] <-s, -dien> *n* **1.** (*als Auszeichnung*) scholarship **2.** (*Studienbeihilfe*) grant

Stipp•vi•si•te [ˈʃtɪp-] *f* (*fam*) flying visit

Stirn [ʃtɪrn] <-, -en> *f* forehead, brow; **hohe (niedrige) ~** high (low) forehead; **die ~ bieten** defy; **er hatte die ~ mir das zu sagen** he had the cheek to tell me that; **die ~ runzeln** frown; **Stirn•band** *n* **1.** (*Band um die Stirn*) headband **2.** (*Schweißband in Hut*) sweatband; **Stirn•bein** *n* (ANAT) frontal bone; **Stirn•höh•le** *f* frontal sinus; **Stirn•höh•len•ver•ei•te•rung** *f* (MED) sinusitis; **Stirn•rad** *n* (TECH) spurwheel; **Stirn•run•zeln** <-s> *n* frown(ing); **Stirn•sei•te** *f* (*von Gebäude*) gable-end

stö•bern [ˈʃtøːbɐn] *itr* rummage (*nach* for)

sto•chern [ˈʃtɔxɐn] *itr* poke (*in* at); **in den Zähnen ~** pick one's teeth

Stock [ʃtɔk, *pl:* ˈʃtœkə] <-(e)s, ⸚e> *m* **1.** (*allgemein*) stick; (*Stab*) staff; (*Spazier~*) cane; (*Billard~*) cue **2.** (*Baum~*) roots *pl* **3.** (*~werk*) floor *Br,* storey, story *Am;* **am ~ gehen** walk with a stick; **im ersten ~** on the first floor *Br,* on the second floor *Am;* **über ~ u. Stein** up hill and down dale

stock•be•sof•fen [ˈ--ˈ--] *adj* (*sl*) pissed; **stock•dumm** [ˈ-ˈ-] *adj* (*fam*) thick; **stock•dun•kel** [ˈ-ˈ--] *adj* pitch-dark

stö•ckeln [ˈʃtœkəln] *itr sein* mince, trip

Stö•ckel•schuh *m* stiletto

sto•cken [ˈʃtɔkən] *itr* **1.** (*innehalten*) break off, stop short **2.** (*fig: nicht weitergehen*) make no progress **3.** (*Verkehr*) be halted; **ins S~ geraten** (*fig*) begin to flag; **sto•ckend** *adj* hesitant

stock•fins•ter [ˈ-ˈ--] *adj* pitch-dark

Stock•fisch *m* **1.** (ZOO) dried cod **2.** (*fig fam*) stuffed shirt

stock•kon•ser•va•tiv *adj:* **er ist ~** he is a dyed-in-the-wool conservative

stock•steif [ˈ-ˈ-] *adj* stiff as a poker

Sto•ckung *f* **1.** (*von Verhandlungen*) break-down **2.** (*Unterbrechung*) interruption **3.** (*Verkehrs~*) traffic- jam

Stock•werk *n* floor *Br,* storey, story *Am;* **im oberen ~** upstairs

Stoff [ʃtɔf] <-(e)s, -e> *m* **1.** (*Gewebe*) fabric, material; (COM: *Kleider~*) cloth **2.** (*Materie*) matter **3.** (*sl: Rauschgift*) dope, stuff **4.** (*Gesprächs~*) subject; **~ für ein Buch** material for a book; **e-e Medizin mit schädlichen ~en** a medicine with harmful substances; **~ zu etw geben** furnish matter for s.th.; **sich ~ beschaffen** (*Rauschgift*) score some stuff; **Stoff•bahn** *f* length of material; **Stoff•bal•len** *m* roll of cloth

Stof•fel [ˈʃtɔfəl] <-s, -> *m* (*fam*) boor, yokel

Stoff•tier *n* soft toy

Stoff•wech•sel *m* (MED) metabolism; **Stoff•wech•sel•pro•dukt** *n* metabolic product

Stöh•nen [ˈʃtøːnən] *n* **1.** (*Seufzer*) groan **2.** (*Gestöhne*) groaning; **stöh•nen** *itr* groan

Stol•len[1] [ˈʃtɔlən] <-s, -> *m* (*Kuchen*) fruit loaf *Br,* stollen *Am*

Stol•len[2] *m* **1.** (MIN) gallery **2.** (MIL: *bombensicherer Unterstand*) underground shelter

stol•pern [ˈʃtɔlpɐn] *itr sein* stumble, trip (*über* over)

Stolz <-es> *m* pride; **jdn mit ~ erfüllen** be a source of pride to s.o.; **ihr ganzer ~** her pride and joy

stolz [ʃtɔlts] *adj* **1.** proud (*auf* of) **2.** (*anmaßend*) arrogant **3.** (*großartig*) majestic, stately; **~ sein auf ...** be proud of ...; **zu ~ sein(,) etw zu tun** have too much pride to do s.th.; **das ist nichts, worauf man ~ sein kann** that's nothing to be proud of

stol•zie•ren *itr* (*hochmütig*) stalk; (*angeberisch*) strut

Stopf•ei *n* darner; **Stop•fen** *m s.* **Stöp•sel 1**

stop•fen [ˈʃtɔpfən] **I.** *tr* **1.** (*Pfeife ~, Loch füllen*) fill; (*hinein~*) stuff **2.** (*Strümpfe etc ausbessern*) darn, mend **3.** (*mit Stöpsel etc zu~, Leck ~*) plug, stop up; **jdm den Mund ~** (*fig*) silence s.o.; **er stopfte es in s-e Tasche** he stuffed it away in his pocket **II.**

itr (MED): **voll** ~[RR] cram full, be constipating; **Stopf·garn** *n* darning cotton, mending thread; **Stopf·na·del** *f* darning needle

Stopp [ʃtɔp] <-s, -s> *m* (*Halt*) halt, stop

Stop·pel ['ʃtɔpəl] <-, -n> *f* stubble; **Stop·pel·bart** *m* stubbly beard; **Stop·pel·feld** *n* stubble-field

stop·pe·lig ['ʃtɔp(ə)lɪç] *adj* stubbly

stop·pen ['ʃtɔpən] **I.** *tr* **1.** (*anhalten*) stop **2.** (*mit der Uhr ab~*) time **II.** *itr* stop; **halt! stopp!** stop right there!; **Stopp·schild** *n* stop sign; **Stopp·uhr** *f* stop-watch

Stöp·sel ['ʃtœpsəl] <-s, -> *m* **1.** (*Pfropfen*) stopper; (*für Wasserbecken etc*) plug **2.** (*fam: kleiner Junge*) runt *Br,* shortie *Am*

Stör [ʃtøːɐ] <-(e)s, -e> *m* (ZOO) sturgeon

Storch [ʃtɔrç, *pl:* 'ʃtœrçə] <-(e)s, ⸚e> *m* stork; **da brat' mir e-r e-n ~!** (*fig*) that beats everything!; **Stor·chen·nest** *n* stork's nest

stö·ren ['ʃtøːrən] **I.** *tr* **1.** (*beeinträchtigen*) disturb **2.** (*lästig sein*) bother **3.** (*unterbrechen*) disrupt; **eins stört mich noch ...** one thing is still bothering me ...; **ich hoffe, ich störe (Sie) nicht** I hope I'm not disturbing you **II.** *itr* (*im Weg sein*) be in the way; **störe ich?** am I intruding?; **etw als ~d empfinden** find s.th. bothersome; **du hast mich im Schlaf gestört** you disturbed my sleep; **‚bitte nicht ~'** 'please do not disturb'; **Stö·ren·fried** *m* troublemaker; **Stör·fak·tor** *m* source of irritation; **Stör·fall** *m* disruptive incident, malfunction; **Stör·ge·räusch** *n* (RADIO) interference; **Stör·ma·nö·ver** *n* disruptive action

stor·nie·ren [ʃtɔr'niːrən] *tr:* **e-n Auftrag ~** cancel an order; **e-e Buchung ~** reverse an entry

Stor·nie·rung <-, -en> *f* cancellation, reversal

Stor·no <-s, -s> *m* reversal

stör·risch ['ʃtœrɪʃ] *adj* obstinate, stubborn; **ein ~es Kind** a refractory child; **~e Haare** unmanageable hair; **ein ~es Pferd** a restive horse

Stör·sen·der *m* (RADIO) jammer

Stö·rung *f* **1.** (*Beeinträchtigung*) disturbance **2.** (*Unterbrechung*) disruption **3.** (RADIO) interference **4.** (EL TECH) trouble; (*Fehler*) fault; **ohne ~** without accident; **entschuldigen Sie bitte die ~!** pardon the intrusion!; **e-e ~ beseitigen** (EL TECH) clear a fault

Stö·rungs·dienst *m* (TECH) fault-complaint service; **stö·rungs·frei** *adj* **1.** (*allgemein*) trouble-free **2.** (RADIO) free from interference

Stoß [ʃtoːs, *pl:* 'ʃtøːsə] <-es, ⸚e> *m* **1.** push, shove; (*leichter Schlag*) nudge **2.** (*Erschütterung*) shock **3.** (*Stich*) stab **4.** (*Fecht~*) thrust **5.** (*Schwimm~*) stroke **6.** (*Trompeten~*) blast, sound **7.** (*Haufen*) pile; (*Akten~*) file (of deeds); (*Papier~*) bundle; **jdm e-n ~ versetzen** deal s.o. a blow; **geben Sie Ihrem Herzen e-n ~!** (*fig*) come on! get a move on!; **jdm e-n ~ in die Rippen geben** poke s.o. in the ribs; **Stoß·dämp·fer** *m* (MOT) shock absorber

Stö·ßel ['ʃtøːsəl] <-s, -> *m* **1.** (*in Mörser*) pestle **2.** (MOT: *Ventil~*) tappet

sto·ßen **I.** *irr tr* **1.** (*e-n Stoß geben*) push; (*leicht*) poke; (*mit der Faust*) punch **2.** (*mit e-r Waffe*) thrust **3.** (*Stich*) stab; **sich den Kopf ~** hit one's head; **jdn vor den Kopf ~** (*fig*) offend s.o. **II.** *itr* **1. an etw ~** hit s.th. **2.** (*angrenzen an*) border on; **gegen etw ~** run into s.th.; **auf Widerstand ~** meet with resistance; **zu jdm ~** (*fig*) join s.o. **III.** *refl* (*sich wehtun*) bump [*o* knock] o.s.; **sich an etw ~** bump against s.th.; (*fig*) take offence at s.th; **stoß·fest** *adj* shock-proof; **Stoß·ge·bet** *n* quick prayer; **Stoß·seuf·zer** *m* deep sigh; **Stoß·stan·ge** *f* (MOT) bumper; **hintere (vordere) ~** rear (front) bumper; **Stoß·trupp** *m* (MIL) raiding party; **Stoß·ver·kehr** *m* rush-hour traffic; **stoß·wei·se** *adv* by fits and starts, spasmodically; **Stoß·zahn** *m* tusk; **Stoß·zeit** *f* (*im Verkehr*) rush hour

stot·tern ['ʃtɔtɐn] *itr* **1.** stutter **2.** (MOT) splutter

stracks [ʃtraks] *adv* **1.** (*direkt*) straight **2.** (*sofort*) immediately

Straf·an·dro·hung *f* (JUR): **unter ~** under threat of penalty; **Straf·an·stalt** *f* penal institution; **Straf·an·trag** *m:* **einen ~ stellen** institute legal proceedings *pl;* **Straf·an·zei·ge** *f:* **~ gegen jdn erstatten** bring a charge against s.o; **Straf·ar·beit** *f* (PÄD) homework given as a punishment *Br;* (*fam*) lines *pl,* extra work *Am;* **Straf·auf·schub** *m* suspension of the sentence; (*von Hinrichtung*) reprieve; **Straf·bank** *f* (SPORT) penalty bench; (*fam*) sinbin

straf·bar *adj* punishable; **~ nach ...** punishable under ...; **~ sein** be an offence; **~e Handlung** offence *Br,* offense *Am;* **sich ~ machen** commit an offence

Straf·be·fehl *m* (JUR) order of summary punishment

Stra·fe ['ʃtraːfə] <-, -n> *f* **1.** (*Bestrafung*) punishment **2.** (*Geld~*) fine; (*Gefängnis~*) sentence **3.** (JUR SPORT) penalty; **zur ~** as a punishment; **du weißt, welche ~ darauf steht** you know the penalty; **das ist die ~ dafür, dass ...** that's the penalty you pay for ...; **seine gerechte ~ bekommen** get one's just deserts; **sie musste £ 50 ~ dafür**

zahlen she had to pay a £ 50 fine for it

stra•fen *tr* punish; **er ist genug gestraft worden** he has been punished enough; **jdn für etw** ~ punish s.o. for s.th.; **jdn Lügen** ~ give the lie to s.o.; **jdn mit Verachtung** ~ treat s.o. with contempt

Straf•er•lass[RR] *m* **1.** (*Amnestie*) amnesty **2.** (*Strafnachlass*) remission (of a sentence)

straff [ʃtraf] *adj* **1.** (*Seil: gespannt*) taut **2.** (*eng sitzend*) close-fitting, tight **3.** (*aufrecht, stramm*) erect **4.** (*fig: strikt, exakt*) strict; **~e Haltung** straight military carriage; ~ **sitzen** (*Kleidung*) fit tightly; ~ **spannen** tighten; **~e Haut** firm skin

straf•fäl•lig *adj:* ~ **werden** commit a criminal offence

straf•fen ['ʃtrafən] **I.** *tr* **1.** (*enger machen*) tighten **2.** (*Seil: spannen*) tauten **II.** *refl* **1.** (*enger werden*) tighten **2.** (*sich spannen*) become taut **3.** (*sich aufrichten*) straighten oneself

straf•frei *adj:* ~ **ausgehen** [*o* **bleiben**] go unpunished; **Straf•frei•heit** *f* (JUR) exemption from punishment; (*Straflosigkeit*) impunity; **Straf•ge•fan•ge•ne(r)** *f m* prisoner; **Straf•ge•richt** *n:* **ein** ~ **über jdn abhalten** (*fig*) sit in judgment on s.o; **Straf•ge•setz** *n* criminal [*o* penal] law; **Straf•ge•setz•buch** *m* Criminal Code; **Straf•jus•tiz** *f* criminal justice

sträf•lich ['ʃtrɛːflɪç] *adj* **1.** (*zu bestrafend*) criminal **2.** (*unverzeihlich*) unpardonable; **es ist ~, bei so schönem Wetter drinnen zu bleiben** it's criminal to stay indoors in such lovely weather

Sträf•ling *m* prisoner; (*Zuchthäusler*) convict; **Sträf•lings•klei•dung** *f* prison clothing

straf•los *adj:* ~ **ausgehen** come off clear; **Straf•maß** *n* sentence; **straf•mil•dernd** ['-'--] *adj* extenuating; **straf•mün•dig** *adj:* ~ **sein** be of the age of criminal responsibility; **noch nicht** ~ **sein** be under the age of criminal responsibility; **Straf•por•to** *n* excess postage; **Straf•pre•digt** *f:* **jdm eine** ~ **halten** give s.o. a dressing-down; **Straf•pro•zess**[RR] *m* criminal case, criminal proceedings *pl;* **Straf•punkt** *m* (SPORT) penalty point; **Straf•raum** *m* (SPORT) penalty area; **Straf•recht** *n* criminal law; **straf•recht•lich** *adj* criminal; **Straf•re•gis•ter** *n* criminal records *pl;* **Auszug aus dem** ~ excerpt from the criminal records; **Straf•stoß** *m* (SPORT) penalty kick; **Straf•tat** *f* criminal offence *Br,* criminal offense *Am;* **straf•ver•schär•fend** ['--'--] *adj* aggravating; **als** ~ **kam hinzu, dass ...** the crime was compounded by the fact that ...; **Straf•ver•set•zung** *f* disciplinary transfer; **Straf•ver•tei•di•ger(in)** *m(f)* counsel for the defence; **Straf•voll•zug** *m* penal system; **Straf•wurf** *m* (SPORT) penalty throw; **Straf•zet•tel** *m* ticket

Strahl [ʃtraːl] <-(e)s, -en> *m* **1.** (*Licht~*) ray **2.** (*Elektronen~*) beam **3.** (*Wasser~*) jet

Strah•le•mann *m* (*fam*) golden boy

strah•len *itr* **1.** (*Wärme*) radiate; (*scheinen*) shine **2.** (*Radioaktivität*) be radioactive **3.** (*fig: Gesicht*) beam; **sie strahlte übers ganze Gesicht** her face was beaming with joy

Strah•len•be•las•tung *f* (*radioaktive*) radiation exposure; **Strah•len•bi•o•lo•gie** *f* radiobiology; **Strah•len•bre•chung** *f* refraction; **Strah•len•bün•del** *n* pencil of rays

strah•lend *adj:* **~es Gesicht** beaming face; **~er Tag** bright day; **~er Abfall** radioactive waste

Strah•len•do•sis *f* dose of radiation; **Strah•len•ri•si•ko** *n* radiation risk; **Strah•len•schutz** *m* radiation protection; **Strah•len•the•ra•pie** *f* (MED) radiotherapy; **strah•len•ver•seucht** *adj* contaminated (with radiation)

Strah•ler <-s, -> *m* **1.** (*Heiz~*) electric wall heater **2.** (*Punkt~*) spotlight

Strah•lung *f* radiation; **strah•lungs•arm** *adj* (EDV: *Bildschirm*) low-radiation; **Strah•lungs•e•ner•gie** *f* radiation energy; **Strah•lungs•in•ten•si•tät** *f* dose of radiation; **Strah•lungs•wär•me** *f* radiant heat

Sträh•ne ['ʃtrɛːnə] <-, -n> *f* strand; **sträh•nig** **I.** *adj* straggly **II.** *adv* in strands

stramm [ʃtram] *adj* **1.** (*engsitzend*) close-fitting, tight; (*Seil: gespannt*) taut **2.** (*fam: stark*) strapping; ~ **sitzen** (*Kleidung*) fit tightly; **stramm•ste•hen** *itr* (MIL) stand at attention; **stramm•zie•hen** *tr* tighten; **jdm die Hosen** ~ give s.o. a good hiding

stram•peln ['ʃtrampəln] *itr* **1.** thrash about **2.** (*fig: sich abmühen*) drudge

Strand [ʃtrant, *pl:* 'ʃtrɛndə] <-(e)s, ¨-e> *m* (*Ufer*) shore; (*sandiger ~, Bade~*) beach; **am** ~ on the beach; **Strand•an•zug** *m* beach suit; **stran•den** *itr* **1.** *sein* be stranded, run aground **2.** (*fig: scheitern*) fail; **Strand•gut** *n* (*angespültes ~*) jetsam; (*treibendes ~*) flotsam; **Strand•ha•fer** *m* marram; **Strand•ho•tel** *n* seaside hotel; **Strand•korb** *m* canopied beach-chair; **Strand•läu•fer** *m* (ORN) sandpiper

Strang [ʃtraŋ, *pl:* 'ʃtrɛŋə] <-(e)s, ¨-e> *m* **1.** (*Strick*) rope **2.** (ANAT) cord; **am gleichen** ~ **ziehen** (*fig*) be in the same boat; **stran•gu•lie•ren** [ʃtraŋgu'liːrən] *tr* strangle

Stra•pa•ze [ʃtra'paːtsə] <-, -n> *f* hardship, strain; **stra•pa•zie•ren** *tr* **1.** (*erschöpfen,* *fertigmachen*) knock up **2.** (*abnützen*) wear hard; **seine Nerven ~** strain one's nerves; **stra·pa·zier·fä·hig** *adj* **1.** hardwearing **2.** (*fam: Nerven*) strong, tough; **~e Schuhe** sturdy shoes; **stra·pa·zi·ös** *adj* tiring, wearing

Straps [ʃtraps] <-es, -e> *m* suspender *Br,* garter belt *Am*

Stra·ße [ʃtraːsə] <-, -n> *f* **1.** street; (*Landstraße*) road **2.** (*Meerenge*) Straits *pl;* **auf die ~ setzen** (*fig*) turn out; (*fristlos kündigen*) sack; **auf die ~ gehen** (*demonstrieren*) take to the streets; **in e-r ~ wohnen** live in a street; **die ~ nach London** the London road; **über die ~ gehen** cross the road; **der Mann auf der ~** (*fig*) the man in the street

Stra·ßen·bahn *n:* **mit der ~ fahren** go by tram *Br,* go by streetcar *Am;* **Stra·ßen·bah·ner(in)** *m(f)* tramway employee *Br,* streetcar employee *Am;* **Stra·ßen·bahn·hal·te·stel·le** *f* tram stop *Br,* streetcar stop *Am;* **Stra·ßen·bahn·li·nie** *f* tram route *Br,* streetcar line *Am;* **Stra·ßen·bahn·netz** *n* tramway system *Br,* streetcar system *Am*

Stra·ßen·bau *m* road construction; **Stra·ßen·be·lag** *m* road surfacing; **Stra·ßen·be·leuch·tung** *f* street lighting; **Stra·ßen·be·nut·zungs·ge·bühr** *f* toll; **Stra·ßen·de·cke** *f* road surface; **Stra·ßen·e·cke** *f* street corner; **Stra·ßen·fe·ger** *m* road sweeper *Br,* street cleaner *Am;* **Stra·ßen·fest** *n* street party; **Stra·ßen·gra·ben** *m* (road) ditch; **Stra·ßen·haf·tung** *f* (MOT) **1.** (*von Kfz*) roadability **2.** (*von Reifen*) road adhesion; **Stra·ßen·händ·ler** *m* street-vendor *Br,* corner facer *Am;* **Stra·ßen·jun·ge** *f* street urchin *Br,* dead-end kid *Am;* **Stra·ßen·kampf** *m* (MIL) street fight; **Stra·ßen·kar·te** *f* road map; **Stra·ßen·kehr·ma·schi·ne** *f* street-sweeper *Br,* street cleanser *Am;* **Stra·ßen·kreu·zer** *m* (*fam*) big limousine; **Stra·ßen·kreu·zung** *f* crossroads *pl;* **Stra·ßen·kri·mi·na·li·tät** *f* street crime; **Stra·ßen·la·ge** *f* (MOT) road holding; **Stra·ßen·lärm** *m* road noise; **Stra·ßen·la·ter·ne** *f* street lamp; **Stra·ßen·mar·kie·rung** *f* (*Mittellinie etc*) road marking; (*größere ~en*) traffic zoning; **Stra·ßen·meis·te·rei** *f* road maintenance department; **Stra·ßen·mu·si·kant(in)** *m(f)* street musician, busker; **Stra·ßen·netz** *n* road network [*o* system]; **Stra·ßen·rei·ni·gung** *f* street cleaning; **Stra·ßen·samm·lung** *f* street collection; **Stra·ßen·sän·ger(in)** *m(f)* street singer; **Stra·ßen·schild** *n* street sign; **Stra·ßen·schlacht** *f* street battle; **Stra·ßen·sper·re** *f* roadblock; **Stra·ßen·trans·port** *m* road transport; **Stra·ßen·tun·nel** *m* road tunnel; **Stra·ßen·über·füh·rung** *f* **1.** (*für Fahrzeuge*) flyover *Br,* overpass *Am* **2.** (*für Fußgänger*) pedestrian bridge, viaduct; **Stra·ßen·un·ter·füh·rung** *f* underpass, subway; **Stra·ßen·ver·hält·nis·se** *pl* road conditions; **Stra·ßen·ver·kehr** *m* traffic; **Stra·ßen·ver·kehrs·amt** ['---'--] *n* Road Traffic Licensing Department; **Stra·ßen·ver·kehrs·ord·nung** ['---'---] *f* Highway Code; **Stra·ßen·ver·zeich·nis** *nt* street directory; **Stra·ßen·zu·stand** *m* road conditions *pl;* **Stra·ßen·zu·stands·be·richt** *m* road report

Stra·te·ge [ʃtraˈteːgə] <-n, -n> *m,* **Stra·te·gin** *f* strategist; **Stra·te·gie** [--'-] *f* strategy; **stra·te·gisch** *adj* strategical

Stra·to·sphä·re [ʃtratoˈsfɛːrə] <-> *f* stratosphere

sträu·ben [ˈʃtrɔɪbən] *refl* **1.** (*Haare*) stand on end **2.** (*sich widersetzen*) struggle [*o* strive] against; (*sich innerlich ~*) be reluctant

Strauch [ʃtraʊx, *pl:* ˈʃtrɔɪçɐ] <-(e)s, ¨-er> *m* shrub; (*Busch*) bush

strau·cheln [ˈʃtraʊxəln] *itr* **1.** (*stolpern*) stumble, trip (*über* over) **2.** (*fig*) go astray

Strauch·werk *n* shrubs *pl;* (*Unterholz*) brushwood, underwood

Strauß[1] [ʃtraʊs, *pl:* ˈʃtrɔɪsə] <-es, ¨-e> *m* (*Blumen~*) bunch of flowers

Strauß[2] <-es, -e> *m* (ORN) ostrich; **Strau·ßen·ei** *n* ostrich egg; **Strau·ßen·fe·der** *f* ostrich feather

Stre·be [ˈʃtreːbə] <-, -n> *f* **1.** (*Stütze, Pfeiler*) prop **2.** (*Verstrebung*) strut; **Stre·be·bo·gen** *m* (ARCH) flying buttress

Stre·ben *n* **1.** (*Trachten*) striving (*nach* for) **2.** (*Bestrebung*) movement; **stre·ben** *itr* (*sich mühen um*) strive (*nach* for, after); **in die Höhe ~** (*emporschweben*) rise aloft

Stre·be·pfei·ler *m* (ARCH) buttress

Stre·ber(in) *m(f)* (*fam*) swot *Br,* grind *Am;* **Stre·be·rei** *f* (*fam*) swotting *Br,* grinding *Am;* **stre·ber·haft** *adj* over-ambitious, pushing; **streb·sam** *adj* (*fleißig*) industrious; (*eifrig*) zealous

Stre·cke[1] [ˈʃtrɛkə] <-, -n> *f* **1.** (*Distanz*) distance; (MATH) line **2.** (*Streckenabschnitt*) stretch **3.** (*Route*) route **4.** (RAIL SPORT) track; **auf der ~ bleiben** (*fig*) fall by the wayside; **es hat auf der ganzen ~ geregnet** it rained all the way there

Stre·cke[2] *f* (*Jagdbeute*) bag; **zur ~ bringen** (*Jagd*) bag; (*fig: Menschen*) hunt down

stre·cken **I.** *tr* **1.** (*dehnen*) stretch **2.** (*fig: verlängern*) eke out; (*Speisen verdünnen*) thin down; **jdn zu Boden** ~ knock s.o. to the ground; **die Waffen** ~ lay down one's arms; **die Zunge aus dem Mund** ~ stick out one's tongue **II.** *refl* have a stretch

Stre•cken•ab•schnitt *m* (RAIL) track section; **Stre•cken•ar•bei•ter** *m* plate-layer *Br,* construction laborer *Am;* **Stre•cken•netz** *n* (rail) network; **Stre•cken•netz•plan** *m* (RAIL) railway map *Br,* railroad map *Am;* **Stre•cken•still•le•gung** *f* (RAIL) railway closure; **Stre•cken•wär•ter** *m* (RAIL) linesman *Br,* trackwalker *Am;* **stre•cken•wei•se** *adv* here and there

Streck•mus•kel *m* (ANAT) extensor (muscle); **Streck•ver•band** *m* (MED) traction bandage

Street•worker [striːtwɜːkɐ] <-s, -> *m* (*Sozialarbeiter*) community worker

Streich [ʃtraɪç] <-(e)s, -e> *m* **1.** (*Hieb, Schlag*) blow **2.** (*fig: Possen, Schabernack*) prank, trick; **jdm e-n** ~ **spielen** play a trick on s.o.

Strei•chel•ein•hei•ten *pl* tender loving care

strei•cheln [ˈʃtraɪçəln] *tr* **1.** (*liebkosen*) caress **2.** (*streichen*) stroke

strei•chen I. *irr tr* **1.** (*mit Hand, Gegenstand*) stroke **2.** (*mit Farbe*) paint **3.** (*löschen*) delete **4.** (COM: *Auftrag*) cancel; (SPORT: *von Liste, Meldung*) scratch; **sich ein Brot** ~ butter o.s. a slice of bread **II.** *itr* **1.** (*fliegen*) sweep **2.** (*umher~*) ramble; **über etw** ~ (*mit der Hand*) stroke s.th.

Strei•cher *pl* (MUS) strings

streich•fä•hig *adj* easy to spread; **Streich•holz** *n* match; **Streich•holz•schach•tel** *f* matchbox; **Streich•ins•tru•ment** *n* (MUS) string(ed) instrument

Streich•kä•se *m* cheese spread

Streich•or•ches•ter *n* string orchestra; **Streich•quar•tett** *n* string quartet

Strei•chung *f* **1.** (FIN) cut **2.** (*Aus~*) deletion

Streich•wurst *f* meat paste, pâté

Streif•band *n* wrapper

Strei•fe [ˈʃtraɪfə] *f* patrol; ~ **gehen** do one's rounds *pl*

Strei•fen [ˈʃtraɪfən] <-s, -> *m* **1.** (*Strich*) stripe; (*breiter Strich*) streak **2.** (*Stück*) strip; (*Klebe~*) tape

strei•fen I. *tr* **1.** (*leicht berühren*) brush, touch **2.** (*hinweg~*) glide (*über* over) **3.** (*fig: im Gespräch*) touch upon; **die Kugel streifte ihn nur** the bullet only grazed him; **den Ring vom Finger** ~ slip the ring off one's finger **II.** *itr* **1.** (*fig: angrenzen*) border (*an* upon) **2.** (*umher~*) ramble, roam; **jdn mit einem Blick** ~ glance fleetingly at s.o.

Strei•fen•wa•gen *m* patrol car *Br,* squad car *Am*

Streif•licht *n:* **ein** ~ **auf etw werfen** (*fig*) highlight s.th; **Streif•schuss**[RR] *m* graze; **e-n** ~ **bekommen** be grazed by a bullet; **Streif•zug** *m* **1.** (*Erkundungszeit*) expedition; (MIL) raid **2.** (*fig*) brief survey (*durch* of)

Streik [ʃtraɪk] <-(e)s, -s> *m* strike; **e-n** ~ **abbrechen** call off a strike; **e-n** ~ **ausrufen** call a strike; **in den** ~ **treten** go on strike; **jdn zum** ~ **aufrufen** bring s.o. out on strike; **wilder** ~ wildcat strike; **Streik•ab•stim•mung** *f* strike ballot; **Streik•auf•ruf** *m* strike call; **Streik•bre•cher(in)** *m(f)* strike-breaker, scab *fam;* **strei•ken** *itr* **1.** be on strike, strike **2.** (*fam: Gerät*) pack up; **Strei•ken•de(r)** *f m* striker; **Streik•geld** *n* strike pay; **Streik•pos•ten** *m* picket; ~ **aufstellen** put up pickets; ~ **stehen** picket; **Streik•recht** *n* freedom to strike; **Streik•wel•le** *f* series of strikes

Streit [ʃtraɪt] <-(e)s, -e> *m* **1.** (*Wort~*) dispute; (*Gezänk, bes. zwischen Kindern*) squabble **2.** (*Kampf*) fight; **mit jdm einen** ~ **anfangen** pick a quarrel with s.o; **einen** ~ **vom Zaune brechen** kick up a row; ~ **anfangen** start an argument; **streit•bar** *adj* (*streitlustig*) pugnacious

strei•ten I. *irr itr* **1.** (*zanken*) quarrel; (*mit Worten* ~) argue (*mit jdm über* with s.o. about) **2.** (*kämpfen*) fight; (SPORT) compete (*um* for); **er muss immer** ~ he is always arguing; **darüber lässt sich** ~ this is open to argument **II.** *refl* (*sich* ~) quarrel; (*mit Worten*) argue; **wir wollen uns nicht darüber** ~ let's not have a quarrel about it; **Strei•ter** *m* **1.** (*Kämpfer*) fighter **2.** (*fig: Verfechter*) champion; **Strei•te•rei** *f* (*Zank*) quarrelling; (*Wortgefecht*) arguing; (*Auseinandersetzung*) argument; **Streit•fall** *m* dispute; (JUR) case at issue; **Streit•fra•ge** *f* point at issue *Br,* issue *Am*

strei•tig *adj:* ~ **sein** (JUR) be under dispute; **jdm ein Recht** ~ **machen** contest someone's right to do s.th.

Streit•kräf•te *pl* forces; **streit•lus•tig** *adj* pugnacious; (*aggressiv*) aggressive; **Streit•schrift** *f* polemic; **streit•süch•tig** *adj* quarrelsome, litigious; **Streit•wert** *m* (JUR) amount in dispute

streng [ʃtrɛŋ] *adj* **1.** (*unnachsichtig*) severe; (*unnachgiebig, ernst*) stern **2.** (*Kälte*) intense **3.** (*bestimmt*) strict; (*Regeln*) stringent **4.** (*Charakter, Sitten*) austere **5.** (*Geschmack*) sharp; **mit ~er Miene** with a stern face; **~er Arrest** close confinement; **es wird** ~ **auf Pünktlichkeit geachtet** they are very strict about punctuality; **~e Maßnahmen ergreifen** take stringent measures; **jdn ~ bestrafen** punish s.o. severely; **~ verboten!** strictly forbidden!; **~ geheim** top secret

Stren·ge <-> *f* **1.** (*Unnachsichtigkeit*) severity; (*Ernst*) sternness **2.** (*Sitten, Charakter*) austerity **3.** (*Bestimmtheit*) strictness

streng·ge·nom·men *adv* strictly speaking

Strep·to·kok·ken [ʃtrɛpto'kɔkən] <-> *pl* streptococci

Stress[RR] [ʃtrɛs] <-(es)> *m* stress; **stres·sen** *tr* stress, put under stress; **stress·frei**[RR] *adj* stress-free; **stres·sig** *adj* (*fam*) stressful; **Stress·si·tua·ti·on**[RR] *f* stress situation

Streu [ʃtrɔɪ] <-, -en> *f* **1.** (*für das Vieh*) litter **2.** (*Strohlager*) bed of straw; **streu·en I.** *tr* (*ver~*) scatter (*etw mit etw* s.th. with s.th.); (*Materialien ~*) spread; (*in der Küche*) sprinkle; **jdm Sand in die Augen ~** (*fig*) pull the wool over someone's eyes **II.** *itr* (*z. B. Schusswaffe*) scatter

streu·nen ['ʃtrɔɪnən] *itr sein* (*Menschen*) roam (*umher* about); (*Tiere*) stray

Streu·salz *n* road salt; **Streu·sand** *m* grit

Streu·sel ['ʃtrɔɪzəl] *n* crumble mixture; **Streu·sel·ku·chen** *m* crumble-topping cake

Streu·ung *f* **1.** (EL PHYS) scattering **2.** (*fig: Streubreite*) mean variation **3.** (MIL: *von Geschütz*) dispersion

Strich [ʃtrɪç] <-(e)s, -e> *m* **1.** (*Pinsel~, Feder~, Feilen~*) stroke; (*Linie*) line; (*kurzer ~, Gedanken~*) dash **2.** (*von Teppich*) pile; **unter dem ~** (*fig: insgesamt*) in total; (*tatsächlich*) in actual fact; **jdn. nach ~ u. Faden betrügen** sell s.o. down the river; **es geht mir gegen den ~** (*fig*) it goes against the grain; **auf den ~ gehen** (*sl: sich prostituieren*) go on the game; **e-n ~ unter etw machen** underline s.th.; (*fig*) put an end to s.th.; **jdm e-n ~ durch die Rechnung machen** (*fig*) put a spoke in someone's wheel

Strich·code *m* bar code

stri·cheln ['ʃtrɪçəln] *tr* **1.** sketch in **2.** (*schraffieren*) hatch; **eine gestrichelte Linie** a dotted line

Stri·cher ['ʃtrɪçɐ] *m* (*sl*) rent boy

Strich·jun·ge *m* rent boy; **Strich·mäd·chen** *n* (*fam*) streetwalker; **Strich·punkt** *m* semicolon; **srich·wei·se** *adv* here and there

Strick [ʃtrɪk] <-(e)s, -e> *m* cord; (*dicker*) rope; **jdm e-n ~ aus etw drehen** (*fig fam*) trip s.o. up with s.th.; **wenn alle ~e rei·ßen** (*fig fam*) if all else fails; **Strick·bund** *m* knitted welt

stri·cken ['ʃtrɪkən] *tr itr* knit

Strick·garn *n* knitting wool; **Strick·hemd** *n* knitted shirt; **Strick·ja·cke** *f* cardigan; **Strick·kra·gen** *m* knitted collar; **Strick·lei·ter** *f* rope ladder; **Strick·ma·schi·ne** *f* knitting machine; **Strick·na·del** *f* knitting needle; **Strick·wa·ren** *pl* knitwear *sing;* **Strick·wes·te** *f* cardigan

Strie·gel ['ʃtri:gəl] <-s, -> *m* (*Pferde~*) currycomb; **strie·geln** *tr* (*Pferd*) curry

Strie·me ['ʃtri:mə] <-, -n> *f* weal

strikt [ʃtrɪkt] *adj* strict

strin·gent *adj* stringent; (*Handlung*) tight

Strip·pe ['ʃtrɪpə] <-, -n> *f* (*fam*) **1.** (*Faden*) string **2.** (*fam: Telefon*) blower; **an der ~ hängen** be on the blower; **jdn an der ~ haben** have s.o. on the blower

strit·tig ['ʃtrɪtɪç] *adj* controversial [*o* debatable]

Stroh [ʃtro:] <-(e)s> *n* straw; **~ im Kopfe haben** (*fig fam*) have sawdust between one's ears *Br,* be dead from the neck up *Am;* **stroh·blond** ['-'-] *adj* straw-coloured; **sie ist ~** she is flaxen-haired; **Stroh·blu·me** *f* strawflower; **Stroh·dach** *n* thatched roof; **Stroh·feu·er** *n* (*fig*): **ein ~ sein** be a short-lived passion; **Stroh·halm** *m* straw; **sich an einen ~ klammern** (*fig*) clutch at any straw; **Stroh·hut** *m* straw hat

Stroh·kopf *m* (*fam*) blockhead; **Stroh·mann** <-(e)s, -̈er> *m* (*fig*) front man *Br,* stooge *Am;* **Stroh·sack** *m* palliasse; **hei·liger ~!** Great Scott!; **Stroh·wit·we** *f* grass widow *Br,* sod widow *Am;* **Stroh·wit·wer** *m* grass widower

Strolch [ʃtrɔlç] <-(e)s, -e> *m* scamp *Br,* rogue *Am,* bum

Strom[1] [ʃtro:m] <-(e)s, -̈e> *m* **1.** (*Fluss*) large river **2.** (*Strömung*) current **3.** (*Menschen~*) stream; **mit (gegen) den ~** with (against) the current; **gegen den ~ schwimmen** (*fig*) go against the tide (of opinion, fashion); **in ~̈en fließen** (*fig*) flow freely; **es gießt in ~̈en** it's pouring

Strom[2] *m* (EL) current; **mit ~ versorgen** provide electricity; **den ~ einschalten (ausschalten)** turn on (turn off) the current; **unter ~ stehen** be live; (*fig: high sein*) be high; **Strom·ab·neh·mer** *m* **1.** (EL) pantograph **2.** (*Stromkunde*) consumer of electricity

strom·ab(·wärts) [-'-] *adv* downstream; **strom·auf(·wärts)** [-'-] *adv* upstream

Strom·aus·fall *m* (EL) power failure

strö·men ['ʃtrømən] *itr sein* stream; **Menschen strömten heraus** people came streaming out; **Schweiß strömte ihm übers Gesicht** his face was covered in sweat; **Blut strömte aus der Wunde** the wound was streaming with blood; **~der Regen** pouring rain

Strom•er•zeu•ger *m* electrical generator set; **Strom•er•zeu•gung** *f* power generation; **strom•füh•rend** *adj:* **es Kabel** live wire
Strom•ge•biet *n* (*Flusseinzugsgebiet*) river-basin
Strom•ka•bel *n* power cable; **Strom•kreis** *m* (EL) circuit
strom•li•ni•en•för•mig *adj* streamlined
Strom•netz *n* power supply system; **Strom•quel•le** *f* source of power; **Strom•rech•nung** *f* electricity bill
Strom•schnel•le *f* rapids *pl*
Strom•sperre *f* power cut; **Strom•stär•ke** *f* strength of the electric current; **Strom•stoß** *m* electric shock
Strö•mung [ˈʃtrømʊŋ] *f* **1.** current **2.** (*fig: Tendenz, Richtung*) trend
Strom•ver•brauch *m* power consumption; **Strom•ver•sor•gung** *f* power supply; **Strom•zäh•ler** *m* electricity meter
Stro•phe [ˈʃtroːfə] <-, -n> *f* (*in Lied*) verse; (*in Gedicht*) stanza
strot•zen [ˈʃtrɔtsən] *itr* abound (*vor* with); **vor Gesundheit/Kraft ~** be bursting with health/strength; **vor Ungeziefer ~** be teeming with vermin
Stru•del [ˈʃtruːdəl] <-s, -> *m* **1.** whirlpool **2.** (*fig*) whirl **3.** (*Gebäck*) strudel
Struk•tur [ʃtrʊkˈtuːɐ] <-, -en> *f* structure; (*von Gewebe*) texture; **struk•tu•rell** *adj* structural; **Struk•tu•rie•rung** *f* structuring; **struk•tur•schwach** *adj* lacking in infrastructure; **Struk•tur•wan•del** *m* structural change
Strumpf [ʃtrʊmpf, pl ˈʃtrʏmpfə] <-(e)s, ⸗e> *m* (*Herren~*) sock; (*Damen~*) stocking; **die Strümpfe anziehen** (**ausziehen**) put on (take off) one's socks (od stockings); **Strumpf•band** <-(e)s, ⸗er> *n* garter; **Strumpf•fa•bri•kant** *m* hosiery manufacturer; **Strumpf•hal•ter** *m* suspender *Br,* garter *Am;* **Strumpf•ho•se** *f* pair of tights *Br,* pantyhose *Am;* **Strumpf•wa•ren** *pl* hosiery
strup•pig *adj* unkempt; (*Tier*) shaggy
Stu•be [ˈʃtuːbə] <-, -n> *f* room; (*gute ~*) parlour; **Stu•ben•äl•tes•te(r)** *m* (MIL) senior soldier of a barrack room; **Stu•ben•ar•rest** *m* confinement to one's room (mil quarters) *Br,* arrest in quarters *Am;* (*~ haben*) be confined to quarters; **Stu•ben•ho•cker(in)** *m(f)* (*fam*) stay-at-home; **stu•ben•rein** *adj* (*Hund etc*) house-trained *Br,* housebroke *Am*
Stuck [ʃtʊk] <-e(s)> *m* (ARCH) arch stucco
Stück [ʃtʏk] <-(e)s> *n* **1.** piece **2.** (*Abschnitt*) part; (*Bruch~*) fragment **3.** (*Theater~*) play **4.** (MUS) piece; **ein starkes ~** (*fig fam*) a bit thick; **ein ~ Seife** a bar (od cake) of soap; **er kam ein ~ mit** he came along part of the way; **jdn ein ~ im Wagen mitnehmen** give s.o. a lift; **2 DM das ~** 2 DM each; **~ für ~** piece by piece; **aus freien ~en** voluntarily; **in ~e gehen** break in pieces; **große ~e auf jdn halten** think highly of s.o.; **ein ~ spazierengehen** go for a walk; **ein schönes ~ Geld** a pretty penny; **ich möchte drei ~ von diesen** I'll take three of these; **du mieses ~!** you rotten bastard!; **ein freches ~ sein** be a cheeky devil; **Stück•ar•beit** *f* piecework; **Stück•gut** *n* parcel service; **Stück•lohn** *m* piece rate; **Stück•preis** *m* price for one; **Stück•werk** *n* (*fig pej*) imperfect work; **Stück•zahl** *f* number of pieces
Stu•dent(in) [ʃtuˈdɛnt] <-en, -en> *m(f)* student; **Stu•den•ten•aus•weis** *m* student card; **Stu•den•ten•heim** *n* student hostel *Br,* dormitory *Am;* **Stu•den•ten•schaft** *f* students *pl;* **stu•den•tisch** *adj* student
Stu•die [ˈʃtuːdiə] <-, -n> *f* **1.** (*Malerei*) study **2.** (*literarisch*) essay (*über* on)
Stu•di•en•an•fän•ger(in) *m(f)* first year student; **Stu•di•en•bei•hil•fe** *f* educational grant; **Stu•di•en•di•rek•tor** *m* deputy principal; **Stu•di•en•fach** *n* subject; **Stu•di•en•fahrt** *f* (PÄD) educational trip; **Stu•di•en•ge•bühr** *f* tuition fee; **stu•di•en•hal•ber** *adv* for the purpose of studying; **Stu•di•en•jahr** *n* academic year; **Stu•di•en•rat, -rä•tin** *m, f* teacher at a secondary school; **Stu•di•en•rei•se** *f* study trip
stu•die•ren I. *itr* study; **sie studiert noch** she's still a student; **bei jdm ~** study under s.o. **II.** *tr* study; **Medizin ~** study for the medical profession; **etwas genau ~** (*prüfend betrachten*) look closely at s.th.; **Stu•die•ren•de(r)** *f m,* **stu•diert** *adj* educated; **ein S~er** (*fam*) an intellectual
Stu•dio [ˈʃtuːdio] <-s, -s> *n* studio
Stu•di•um [ˈʃtuːdiʊm] <-s, -dien> *n* study; **ein ~ aufnehmen** begin one's studies *pl*
Stu•fe [ˈʃtuːfə] <-, -n> *f* **1.** (*Treppen~*) step **2.** (*fig: Stadium*) stage; (*Rang*) grade **3.** (*Raketen~*) stage; **auf gleicher ~ stehen mit ...** be on a level with ...; **sich mit jdm auf eine ~ stellen** (*fig*) place o.s. on a level with s.o.; **Vorsicht ~!** Mind the step!; **Stu•fen•bar•ren** *m* asymmetric bars *pl;* **stu•fen•för•mig** *adj* **1.** (*allg*) stepped **2.** (GEOG) terraced **3.** (*fig*) in stages; **Stu•fen•heck** *n* (MOT) notchback; **Stu•fen•lei•ter** *f* (*fig*): **e-e ~ zum Erfolg** a ladder to success; **stu•fen•los** *adj* direct; **~ ein•stellbar** fully adjustable; **Stu•fen•schnitt** *m* (*Haarschnitt*) layered cut; **stu-**

fen•wei•se *adv* step by step

Stuhl[1] <-(e)s> *m* (MED: *~gang*) stool; **ich habe heute noch keinen ~ gehabt** I haven't had a bowel movement today

Stuhl[2] [ʃtu:l] <-(e)s, -e> *m* (*Sitz~*) chair; **ist der ~ noch frei?** is this chair taken?; **der Heilige ~** (ECCL) the Holy See; **auf dem elektrischen ~ hinrichten** electrocute *Am;* **sich zwischen zwei Stühle setzen** (*fig*) fall between two stools; **das haut e-n ja vom ~!** (*fam*) it knocks you sideways!; **Stuhl•bein** *n* chair leg; **Stuhl•leh•ne** *f* back of a chair

Stul•le ['ʃtʊlə] <-, -n> *f* (*fam*) sandwich

Stul•pe ['ʃtʊlpə] <-, -n> *f* **1.** (*am Stiefel*) (boot-)top **2.** (*Ärmelaufschlag*) cuff **3.** (*Handschuh~*) gauntlet

stül•pen ['ʃtʏlpən] *tr:* **etw über etw ~** put s.th. over s.th.

stumm [ʃtʊm] *adj* **1.** (*sprechunfähig*) dumb **2.** (LING) mute **3.** (*fig: schweigend*) silent; **jdn ~ machen** (*fam: töten*) silence s.o.; **Stumme(r)** *f m* dumb person

Stum•mel ['ʃtʊməl] <-s, -> *m* stub

Stumm•film *m* silent movie

Stüm•per(in) ['ʃtʏmpɐ] *m(f)* botcher [*o* bungler]; **Stüm•pe•rei** *f* botching [*o* bungling]; **stüm•per•haft** *adj* bungled; **~e Arbeit** a botchy job; **stüm•pern** *itr* (*fam*): **er kann nur ~** he's just a bungler

Stumpf [ʃtʊmpf] <-(e)s, ⸚e> *m* (*Arm~ Baum~*) stump; **mit ~ u. Stiel ausrotten** eradicate root and branch

stumpf [ʃtʊmpf] *adj* **1.** (*ohne Ecke*) blunt **2.** (MATH: *Winkel*) obtuse **3.** (*fig: geistig abgestumpft*) dull; **~er Kegel** truncated cone; **~ werden** grow blunt

Stumpf•heit *f* **1.** bluntness **2.** (*fig: Dummheit*) dullness; **Stumpf•sinn** *m* **1.** (*Sinnlosigkeit*) mindlessness **2.** (*Langweiligkeit*) tedious business; **stumpf•sin•nig** *adj* **1.** (*geistig ~*) mindless **2.** (*elend langweilig*) tedious; **stumpf•wink•lig** *adj* (MATH) obtuse

Stun•de ['ʃtʊndə] <-, -n> *f* **1.** hour **2.** (*Unterrichts~*) lesson; **e-e halbe ~** half an hour; **e-e dreiviertel ~** three quarters of an hour; **von hier geht man 3 ~n** it's a three hours' walk from here; **jede volle ~** every hour on the hour; **er kriegt 30 Mark die ~** he is paid 30 marks an hour; **meine ~ ist gekommen** my hour has come

stun•den *tr:* **jdm etw ~** give s.o. time to pay s.th.; **e-e Zahlung ~** (COM) grant delay for payment; **können Sie mir den nächsten Betrag bis zum nächsten Ersten ~?** can you give me until the first of next month to replay the amount?

Stun•den•ge•schwin•dig•keit *f* speed per hour; **Stun•den•ki•lo•me•ter** *pl* kilometers per hour; **stun•den•lang** ['--'-] *adv* lasting for hours; **Stun•den•lohn** *m* hourly wage; **Stun•den•plan** *m* (PÄD) time-table *Br,* schedule *Am;* **stun•den•wei•se** *adv* **1.** (*ein paar Stunden*) for a few hours at a time **2.** (*pro Stunde*) by the hour; **~ Beschäftigung** part-time job; **Stun•den•zei•ger** *m* hour-hand

Stünd•lein ['ʃtʏntlaɪn] *n* (*Diminutiv von Stunde*) short hour; **sein letztes ~ hatte geschlagen** his last hour had come

stünd•lich ['ʃtʏntlɪç] **I.** *adj* hourly **II.** *adv* every hour

Stunk [ʃtʊŋk] <-s> *m:* **~ machen** (*fam*) kick up (od create) a stink

stu•pi•de [ʃtu'pi:də] *adv* (*geistlos*) mindless

Stups [ʃtʊps] <-es, -e> *m* nudge; **stupsen** *tr* nudge; **Stups•na•se** *f* snub nose

stur [ʃtu:ɐ] *adj* (*fam: eigensinnig*) stubborn; (*unnachgiebig*) obdurate; **Stur•heit** *f* (*Eigensinn*) stubborness; (*Unnachgiebigkeit*) obdurateness

Sturm [ʃtʊrm] <-(e)s, ⸚e> *m* **1.** (*Unwetter*) storm **2.** (MIL: *Angriff*) assault **3.** (SPORT: *beim Fußball*) forward line; **~ laufen gegen ...** (*fig*) be up in arms against ...; **~ läuten** ring the alarm; **im ~ nehmen** take by storm; **die Ruhe vor dem ~** (*fig*) the calm before the storm; **Sturm•an•griff** *m* (MIL) assault (*auf* on)

stür•men ['ʃtʏrmən] **I.** *itr* **1.** *haben* (*Wind*) blow **2.** (*im Sturme toben*) rage **3.** *sein* (*fig: eilen*) storm; **es stürmt** it's blowing a gale! **II.** *tr* (MIL: *a. fig*) storm

Stür•mer(in) *m(f)* (SPORT) forward

Sturm•flut *f* storm tide; **sturm•ge•peitscht** *adj* storm-lashed

stür•misch ['ʃtʏrmɪʃ] *adj* **1.** (*Wetter*) stormy **2.** (*fig: ungestüm*) impetuous; (*unruhig*) turbulent; (*wild*) wild; **~er Jubel** tumultuous applause; **~e See** rough sea; **~er Liebhaber** ardent lover; **nicht so ~!** take it easy!

Sturm•schä•den *mpl* storm damage *sing;* **Sturm•vo•gel** *m* (ORN) petrel; **Sturm•war•nung** *f* gale warning

Sturz [ʃtʊrts] <-es, ⸚e> *m* **1.** (*Fall, a. fig*) fall **2.** (MOT) camber **3.** (ARCH) lintel; **~ e-r Regierung** overthrow of a government

stür•zen ['ʃtʏrtsən] **I.** *tr* **1.** *haben* (*kippen*) turn upside down **2.** (PARL: *Regierung etc*) overthrow **II.** *itr* **1.** *sein* (*fallen*) fall (down) [*o* tumble] **2.** (*rennen*) come bursting **3.** (PARL) fall; **ins Wasser ~** plunge **III.** *refl:* **sich auf jdn ~** rush upon s.o.; **sich in Schulden ~** plunge into debt *sing;* **sich ins Unglück ~** plunge into misery; **sich in Unkosten ~** go to some expense; **sich auf die**

Zeitung ~ grab the newspaper
Sturz•flug *m* (AERO) nose-dive; **Sturz•helm** *m* crash helmet; **Sturz•see** *f* breaker; **Sturz•wel•le** *f* breakers *pl*
Stuss[RR] [ʃtʊs] *m* (*fam*): **red keinen ~!** don't talk such rubbish!
Stu•te ['ʃtuːtə] <-, -n> *f* mare
Stüt•ze ['ʃʏtsə] <-, -n> *f* **1.** (*allg*) support; (*Pfeiler*) pillar **2.** (*fig: Hilfe*) aid [*o* help]; **er ist meine größte ~** he is my mainstay
Stut•zen ['ʃtʊtsən] <-s, -> *m* (TECH: *Verbindungsstück*) connecting piece
stüt•zen ['ʃtʏtsən] **I.** *tr* **1.** (*allg*) support; (*ab~*) shore up **2.** (FIN) back **3.** (*fig*) back up; **e-n Verdacht durch etw ~** base a suspicionon s.th. **II.** *refl* **1.** lean (*auf* on) **2.** (*fig: basieren*) be base (*auf* on)
stut•zen[1] ['ʃtʊtsən] *tr* (*beschneiden*) trim; (*Flügel, Hecke*) clip
stut•zen[2] *itr* **1.** (*zögern*) hesitate **2.** (*plötzlich stehenbleiben*) stop short; **über etw ~** be startled at s.th.
stut•zig *adj:* **jdn ~ machen** make s.o. suspicious; **~ werden** begin to wonder
Stütz•mau•er *f* supporting wall
Stütz•punkt *m* base
sty•len ['staɪln] *tr haben* (*Auto, Wohnung*) design
Sty•ro•por® [ʃtyro'poːɐ] <-s, -> *n* polystyrene
Sub•jekt [zʊp'jɛkt] <-(e)s, -e> *n* **1.** (GRAM) subject **2.** (*Kerl, pej*) creature; **sub•jek•tiv** *adj* subjective; **Sub•jek•ti•vi•tät** *f* subjectivity
Sub•kul•tur *f* subculture
Sub•s•kri•bent [zʊpskri'bɛnt] <-en, -en> *m* subscriber; **sub•s•kri•bie•ren** *tr* subscribe (*etw* to s.th.); **Sub•s•krip•ti•on** *f* subscription
subs•tan•ti•ell *adj s.* **substanziell**
Subs•tan•tiv ['zʊpstantiːf] <-s, -e> *n* noun
Subs•tanz <-, -en> *f* **1.** (*Stoff*) substance **2.** (*innerer Gehalt*) essence **3.** (FIN) capital assets *pl;* **subs•tan•zi•ell**[RR] [zʊpstan'tsjɛl] *adj* substantial
sub•til [zʊp'til] *adj* **1.** (*zart*) delicate **2.** (*spitzfindig*) subtle
sub•tra•hie•ren [zʊptra'hiːrən] *tr* subtract; **Sub•trak•ti•on** [zʊptrak'tsjoːn] *f* subtraction
Sub•tro•pen *pl* (GEOG) subtropics; **sub•tro•pisch** ['-'--] *adj* subtropical
Sub•un•ter•neh•mer(in) *m(f)* sub-contractor
Sub•ven•ti•on [zʊpven'tsjoːn] *f* (*von privater Seite*) subvention; (*vom Staat*) subsidy; **sub•ven•ti•o•nie•ren** *tr* subsidize; **staatlich subventioniert** state-subsidized
Such•ak•ti•on *f* search operation; **Such•dienst** *m* missing persons tracing service
Su•che ['zuːxə] <-, (-n)> *f* search (*nach* for); **vergebliche ~** wild goose chase; **auf der ~ nach etw sein** be looking for s.th.; **auf die ~ gehen nach ...** go in search of ...; **bei meiner ~ habe ich ein interessantes Buch gefunden** I found an interesting book in my search
su•chen ['zuːxən] **I.** *tr* **1.** look for; (*intensiv ~*) search for **2.** (*danach streben*) seek; **ich habe den Streit nicht gesucht** the quarrel is not of my seeking **II.** *itr* search (*nach etw* for s.th.); **Su•cher** *m* **1.** (*Mensch*) searcher [*o* seeker] **2.** (PHOT) view-finder; **Such•funk•ti•on** *f* (EDV) search function; **Such•ge•rät** *n* locating equipment; **Such•lauf** *m* (*Hi-fi-Geräte*) search
Sucht [zʊxt] <-, -e> *f* **1.** (MED) addiction (*nach* to) **2.** (*fig*) obsession (*nach* with); **sucht•er•zeu•gend** *adj* addictive; **Sucht•ge•fahr** *f* danger ofaddiction
süch•tig ['zʏçtɪç] *adj* addicted (*nach* to); **davon wirst du ~!** that's addictive/; **Süch•ti•ge(r)** *f m* addict; **Sucht•kran•ke(r)** *f m* addict
Süd•a•f•ri•ka ['-'---] *n* South Africa
Süd•a•me•ri•ka ['--'---] *n* South America; **süd•a•me•ri•ka•nisch** *adj* South American
Su•dan [zu'daːn] *m* Sudan
Süd•deutsch *nt* South German; **Süd•deut•sche(r)** *f m* South German; **Süd•deutsch•land** *n* South Germany
Su•de•lei *f* **1.** (*Malerei*) daubing **2.** (*schlampige Arbeit*) botch
su•deln ['zuːdəln] *itr* **1.** (*Malerei*) daub; (*beim Schreiben*) scribble **2.** (*schlampen*) botch [*o* bungle]
Süden ['zyːdən] <-s> *m* south; **im ~ von ...** in the south of; **aus dem ~** from the south
Süd•eng•land ['-'--] *n* the South of England; **Süd•früch•te** *pl* citrus and tropical fruit; **Süd•halb•ku•gel** *f* southern hemisphere
süd•lich **I.** *adj* southern; **Wind aus ~er Richtung** southerly wind **II.** *adv:* **~ von ...** to the south of ...; **weiter ~ sein** be further south
Süd•ost(en) ['-'-] *m* southeast; **süd•öst•lich** *adj* southeast; **~ von ...** to the southeast of ...; **Süd•pol** *m* South Pole; **Süd•see** *f* South Pacific; **Süd•staa•ten** *pl* Southern States; **Süd•staat•ler(in)** *m(f)* (*fam*) Southerner; **süd•wärts** *adv* southward(s); **Süd•wes•ten** ['-'--] *m* southwest; **aus ~** from the southwest; **süd•west•lich** *adj* **1.** (GEOG) southwestern **2.** (*Wind*) southwest; **Süd•wind** *m* south wind
Suff [zʊf] <-(e)s> *m* (*fam*): **dem ~e verfallen sein** be on the bottle

süf•fig ['zʏfɪç] *adj* light and sweet; **der Wein ist** ~ the wine is nice to drink

sug•ge•rie•ren [zʊge'riːrən] *tr* suggest; **jdm etw** ~ influence s.o. by suggesting s.th.; **Sug•ges•ti•on** [zʊgɛs'joːn] <-, -en> *f* suggestion; **sug•ges•tiv** [--'-] *adj* suggestive; **Sug•ges•tiv•fra•ge** *f* suggestive question

Suh•le ['zuːlə] <-, -n> *f* muddy pool; **suhlen** *refl* wallow

Süh•ne [zyːnə] <-, -n> *f* (ECCL) atonement; (*Buße*) expiation; **als** ~ **für ...** to atone for ...; **süh•nen** *tr:* **seine Schuld** ~ atone for one's wrongs *pl;* **ein Verbrechen** ~ atone for a crime

suk•zes•siv [zʊktsɛ'siːf] *adj* gradual

Sulfat [zʊl'faːt] <-(e)s, -e> *n* (CHEM) sulphate

Sul•fid [zʊl'fiːt] <-(e)s, -e> *n* (CHEM) sulphide

Sul•fit [zʊl'fɪt] <-s, -e> *n* (CHEM) sulphite

Sul•tan ['zʊltaːn] <-s, -e> *m* sultan

Sul•ta•ni•ne [zʊlta'iːnə] *f* sultana *Br;* seedless raisin *Am*

Sül•ze ['zʏltsə] <-, -n> *f* brawn

sum•ma•risch [zʊ'maːrɪʃ] *adj* summary; (*kurz*) brief; **etw** ~ **darstellen** summarize s.th.

Sum•me ['zʊmə] <-, -n> *f* sum; **die** ~ **meiner Wünsche** the total of my ambitions

sum•men ['zʊmən] **I.** *tr* hum **II.** *itr* (*Insekt, Motor*) buzz; **Sum•mer** <-s, -> *m* (EL) buzzer

sum•mie•ren *refl:* **sich** ~ **auf ...** amount to ..., run up to ...

Sumpf [zʊmpf] <-(e)s, -̈e> *m* **1.** marsh; (*in den Tropen*) swamp **2.** (MOT: *Ölsumpf*) sump; **ein** ~ **des Lasters** a den of vice; **Sumpf•fie•ber** *n* malaria; **Sumpf•gas** *n* marsh-gas; **Sumpf•ge•biet** *n* marshy (od swampy) district, wetlands *pl;* **sump•fig** *adj* marshy; (*in den Tropen*) swampy; **Sumpf•pflan•ze** *f* marsh plant

Sün•de ['zʏndə] <-, -n> *f* sin; **e-e** ~ **begehen** sin; **sie hasste ihn wie die** ~ she hated him like poison; **Sün•den•bock** *m* scapegoat; **Sün•den•fall** *m* (ECCL) Fall; **Sün•der(in)** *m(f)* sinner; **sün•dig** *adj* sinful; **sün•di•gen** ['zʏndɪən] *itr* **1.** (REL) sin **2.** (*fig: fehlen*) trespass

su•per ['zuːpɐ] *adj* (*fam*) great, super; **Su•per(•benzin)** *n* (MOT) four-star petrol *Br,* premium *Am;* **Su•per•chip** *m* (EDV) superchip; **Su•per•ding** *n* (*fam*) super job; **Su•per•la•tiv** ['zuːpɐlatiːf] <-s, -e> *m* superlative; **Su•per•macht** *f* superpower; **Su•per•markt** *m* supermarket; **Su•per•tan•ker** *m* supertanker

Sup•pe ['zʊpə] <-, -n> *f* (*dünne* ~) soup; (*dicke* ~) broth; **die** ~ **auslöffeln müssen** (*fig*) have to face the music; **jdm e-e schöne** ~ **einbrocken** (*fig*) get s.o. into a nice mess; **jdm die** ~ **versalzen** (*fig*) queer someone's pitch; **Sup•pen•fleisch** *nt* stewing meat; **Sup•pen•grün** <-s> *n* herbs and vegetables *pl;* **Sup•pen•huhn** *n* boiling fowl; **Sup•pen•kü•che** *f* soup kitchen; **Sup•pen•schüs•sel** *f* tureen; **Sup•pen•tel•ler** *m* soup plate; **Sup•pen•wür•fel** *m* stock cube

su•p•ra•lei•tend *adj* (*Physik*) superconductive

Surf•brett ['sœːɐf-] *n* surfboard; **sur•fen** ['sœːfən] *itr* surf; **Surfer(in)** *m(f)* surfer

sur•ren ['zʊrən] *itr* buzz

Sur•ro•gat [zʊro'gaːt] <-(e)s, -e> *n* surrogate

sus•pekt [zʊ'spɛkt] *adj* suspicious; **das ist mir** ~ that seems fishy to me *fam*

sus•pen•die•ren [zʊspɛn'diːrən] *tr* suspend

süß [zyːs] *adj* **1.** (*Geschmack*) sweet **2.** (*fig: lieblich*) lovely **3.** (*lieb*) sweet; **Sü•ße** <-, (-n)> *f* sweetness; **sü•ßen** *tr* sweeten; **Süß•holz** *n* liquorice; ~ **raspeln** (*fig*) soft-soap s.o.; **Sü•ßig•kei•ten** *fpl* sweets *Br,* candy *Am;* **Süß•kir•sche** *f* sweet cherry; **süß•lich** *adj* **1.** (*von Geschmack*) sweetish **2.** (*fig: widerlich*) mawkish; (*rührseelig*) maudlin *Br,* sugar-coated *Am*

süß•sau•er *adj* **1.** (*von Geschmack*) sweet-and-sour **2.** (*fig: Lächeln etc*) forced; **Süß•spei•se** *f* sweet dish *Br,* dessert *Am;* **Süß•stoff** *m* sweetener; **Süß•wa•ren** *pl* sweets *Br,* candy *Am;* **Süß•wa•ren•ge•schäft** *m* sweetshop *Br,* candy store *Am;* **Süß•was•ser** <-s> *n* freshwater; **Süß•wein** *m* dessert wine

Sym•bol [zʏm'boːl] <-s, -e> *n* symbol; **sym•bo•lisch** *adj* symbolic (*für* of); **sy•bo•li•sie•ren** *tr* symbolize

Sym•me•trie [zʏme'triː] *f* symmetry; **sym•me•trisch** *adj* symmetrical

Sym•pa•thie [zʏmpa'tiː] *f* sympathy; **Sym•pa•thi•sant(in)** *m(f)* sympathizer; **sym•pa•thisch** *adj:* **ein ~es Lächeln** a pleasant smile; **das ~e Nervensystem** the sypathetic nervous system; **er war mir gleich** ~ I liked him at once; **sie ist ein ~es Mädchen** she is a nice girl; **sym•pa•thi•sie•ren** *itr* sympathize (*mit* with)

Sym•pho•nie [zʏmfo'niː] *f* symphony

Sym•p•tom [zʏmp'toːm] <-s, -e> *n* symptom; **sym•p•to•ma•tisch** *adj* symptomatic (*für* of)

Sy•na•go•ge [zʏna'goːgə] <-, -n> *f* synagogue

syn•chron [zʏŋ'kroːn] *adj* (*allg*) synchronous; (LING) synchronic; **syn•chro•ni•sie-**

ren *tr* **1.** (TECH: *a.fig*) synchronize **2.** (FILM) dub; **Syn•chro•ni•sie•rung** *f* **1.** (TECH) synchronization **2.** (FILM) dubbing

Syn•di•kat [zʏndiˈkaːt] <-(e)s, -e> *n* syndicate

Syn•di•kus [ˈzʏndikʊs] <-, -sse/-dizi> *m:* **der ~ der Firma** the company lawyer *Br,* the corporation lawyer *Am*

Sy•no•de [zyˈnoːdə] <-, -n> *f* (ECCL) synod

Sy•no•nym [zynoˈnyːm] <-s, -e> *n* synonym; **sy•no•nym** *adj* synonymous

syn•tak•tisch [zʏnˈtaktɪʃ] *adj* syntactic(al); **Syn•tax** [ˈzʏntaks] <-, -en> *m* syntax

Syn•the•se [zʏnˈteːzə] <-, -n> *f* synthesis; **syn•the•tisch** *adj* synthetic; **syn•the•ti•sie•ren** *tr haben* (CHEM) syntheticize

Sy•phi•lis [ˈzyfilɪs] <-> *f* syphilis

Sy•ri•en [ˈzyːriən] <-s> *n* Syria; **Sy•ri•er(in)** <-s, -> *m(f)* Syrian; **sy•risch** *adj* Syrian

Sys•tem [zʏsˈteːm] <-s, -e> *n* **1.** (*Anlage*) system **2.** (*Methode*) method; **dahinter steckt ~!** there's method behind it!; **Sys•tem•a•na•ly•se** *f* (EDV) systems analysis; **Sys•te•ma•tik** [zʏsteˈaːtɪk] *f* **1.** (*systematische Anordnung*) system **2.** (*Wissenschaft*) systematology; **sys•te•ma•tisch** *adj* systematic; **~er Katalog** classified catalogue; **sys•te•ma•ti•sie•ren** *tr* systematize; **sys•tem•be•dingt** *adj* determined by the system; **Sys•tem•feh•ler** *m* (EDV) system error; **Sys•tem•kri•ti•ker(in)** *m(f)* (POL) critic of the system; **Sys•tem•zwang** *m* obligation to conform the system

Sze•ne [ˈstseːnə] <-, -n> *f* **1.** (*Bühne*) stage **2.** (*Auftritt*) scene **3.** (*Milieu, fam*) scene; **ein Stück in ~ setzen** stage a play; **jdm e-e ~ machen** make a scene in front of s.o.; **sich in der ~ auskennen** (*sl*) know the scene; **Sze•nen•wech•sel** *m* scene change; **Sze•ne•rie** *f* **1.** (*Theater*) set **2.** (*Schauplatz*) scene

T

T, t [teː] <-, -> *n* T, t

T-Trä·ger *m* T-girder, T-bar

Ta·bak ['tabak] <-s, -e> *m* tobacco; **Ta·bak·händ·ler** *m* tobacconist; **Ta·baks·beu·tel** *m* tobacco pouch; **Ta·baks·do·se** *f* tobacco tin; **Ta·bak(s)·pfei·fe** *f* pipe; **Ta·bak·steu·er** *f* duty on tobacco; **Ta·bak·wa·ren** *pl* tobacco *sing*

ta·bel·la·risch [tabɛ'laːrɪʃ] *adj* tabular; **ta·bel·la·ri·sie·ren** *tr* tabulate; **Ta·bel·la·ri·sie·rung** <-, -en> *f* tabulation

Ta·bel·le [ta'bɛlə] <-, -n> *f* (*allgemein*) table; (*als Grafik*) chart; **Ta·bel·len·form** *f*: **in ~** in tabular form; **Ta·bel·len·füh·rer** *m* (SPORT) league leaders *pl;* **~ sein** be at the top of the league table; **Tabel·len·kal·ku·la·ti·on** *f* spreadsheet; **Ta·bel·len·platz** *m* (SPORT) place [*o* position] in the league; **Ta·bel·len·stand** *m* (SPORT) league situation

Ta·ber·na·kel [tabɛr'naːkl] <-s, -> *m* tabernacle

Ta·blett [ta'blɛt] <-(e)s, -s/(-e)> *n* tray

Ta·blet·te [ta'blɛtə] <-, -n> *f* pill, tablet; **Ta·blet·ten·miss·brauch**^RR^ *m* pill abuse; **Ta·blet·ten·süch·ti·ge(r)** *f m* pill addict

ta·bu [ta'buː] *adj* taboo

Ta·bu·la·tor <-s, -en> *m* tabulator, tab

Ta·cho(·me·ter) ['taxo'meːtɐ] <-s, -> *m* speedo(meter); **Ta·cho·me·ter·an·trieb** *m* speedo drive

Ta·del ['taːdəl] <-s, -> *m* **1.** (*Vorwurf*) reproach; (*Verweis*) reprimand; (*Rüge*) censure **2.** (*Schule*) black mark; **ta·del·los** *adj* **1.** (*Benehmen*) irreproachable **2.** (*vollkommen*) perfect; **ta·deln** *tr* (*zurechtweisen*) rebuke, reprimand; (*kritisieren*) criticize; **ta·delnd** *adj:* **ein ~er Blick** a reproachful look; **ta·delns·wert** *adj* blameworthy, reprehensible

Ta·fel ['taːfəl] <-, -n> *f* **1.** (*Schul~*) blackboard; (*Platte*) slab; (*Schiefer~*) slate; (*Schokoladen~*) bar; (*Holz~*) panel **2.** (*Illustration*) plate; (*Tabelle*) index, list **3.** (*Tisch*) (dinner-) table; **die ~ aufheben** officially end the meal; **ta·feln** *itr* feast; **mit jdm ~** dine with s.o.

tä·feln ['tɛːfəln] *tr* (*Decke*) panel; (*Wand*) wainscot

Ta·fel·obst *n* (dessert) fruit; **Ta·fel·run·de** *f* company at table; **Ta·fel·sil·ber** *n* silver *Br,* flatware *Am,* flat silver

Tä·fe·lung *f* panelling, wainscoting

Ta·fel·was·ser *nt* table water; **Ta·fel·wein** *m* table wine

Ta·fel·zeich·nung *f* (PÄD) blackboard drawing

Taft [taft] <-(e)s, -e> *m* taffeta

Tag [taːk] <-(e)s, -e> *m* **1.** day **2.** (*Tageslicht*) daylight; **s-e ~e haben** (*euph*) have one's period; **bei ~e** in the daytime; **es ist ~** it is light; **es wird ~** it is getting light; **~ für ~** day after day; **in acht ~en** a week today, in a week's time; **er kommt in 3 ~en** he's coming in 3 days; **er muss jeden ~ kommen** he will arrive any day now; **welcher ~ ist heute?** what day is it today?; **zweimal am ~** twice a day; **von dem ~ an** from that day on; **den ganzen ~** all day; **irgendwann im Laufe des ~es** some time during the day; **den andern ~, am folgenden ~** the next day; **eines ~es** one day; **e-s schönen ~es** one fine day; **guten ~!** (*morgens*) good morning!; (*nachmittags*) good afternoon!; (*allgemein*) how do you do?; **schönen ~ noch!** have a nice day!; **~s darauf** the next day; **~s zuvor** the day before; **an den ~ bringen (kommen)** (*fig*) bring (come) to light; **es ist noch nicht aller ~e Abend** (*fig*) it's early days yet; **zu ~e fördern**^RR^ unearth; (*fig*) bring to light; **zu ~e kommen**^RR^ [*o* **zu ~e treten**^RR^] (*a. fig*) come to light

tag·aus [-'-] *adv:* **~, tagein** day in, day out

Ta·ge·bau <-(e)s> *m* (MIN) open-cast mining; **Ta·ge·buch** *n* diary; **Ta·ge·dieb** *m* idler, loafer; **Ta·ge·geld** *n* daily allowance; **ta·ge·lang** *adj* lasting for days (on end); **Ta·ge·löh·ner** *m* day- labourer

ta·gen ['taːgən] *itr* **1.** (*Tag werden*) dawn **2.** (*beraten*) sit

Ta·ges·ab·lauf *m* course of the day; **Ta·ges·an·bruch** *m:* **bei ~** at daybreak; **Ta·ges·be·fehl** *m* (MIL) Order of the Day; **Ta·ges·creme** *f* day cream; **Ta·ges·geld** *n* (FIN) overnight money; **Ta·ges·ge·sche·hen** *n* events *pl,* of the day; **Ta·ges·ge·spräch** *n* talk of the town; **Ta·ges·kar·te** *f* **1.** (*für Bus, Straßenbahn*) day ticket **2.** (*Speisekarte*) menu of the day; **Ta·ges·ki·lo·me·ter·zäh·ler** *m* (MOT) mileage recorder, odometer; **Ta·ges·kurs** *m* current rate; **Ta·ges·licht** <-(e)s> *n* daylight; **das ~ scheuen** shun the daylight; **ans ~ kommen** (*fig*) come to light; **Ta·ges·licht·pro·jek·tor** *m* overhead projector; **Ta·ges·mut·ter** *f* child minder; **Ta·ges·ord·nung** *f* agenda; **auf die ~ setzen** put on the agenda; **zur ~ übergehen** (*fig: an die Arbeit gehen*) get down to business; **Ta·ges·ord·nungs·punkt** *m* item on the agenda; **Ta·ges·preis** *m* (COM) current price; **Ta·ges·pro·duk·ti·on** *f* daily production; **Ta·ges·ra·ti·on** *f* daily rations *pl;* **Ta·ges·satz** *m* daily rate; **Ta·ges·stun·den** *fpl* hours of daylight; **Ta·ges·sup·pe** *f* soup of the day; **Ta·ges·um·satz** *m* daily turnover; **Ta·ges·ver·brauch** *m* daily consumption; **Ta·ges·zeit** *f* time of day; **zu jeder ~** at any hour; **Ta·ges·zei·tung** *f* daily paper

Ta·ge·werk *n* day's work

tag·hell ['-'-] *adj* as light as day

täg·lich ['tɛːklɪç] I. *adj* daily II. *adv* every day

tags·ü·ber *adv* during the day

tag·täg·lich ['-'--] I. *adj* daily II. *adv* every single day

Ta·gung *f* conference; (PARL JUR) sitting

Tai·fun [taɪ'fuːn] <-s, -e> *m* (METE) typhoon

Tail·le ['taljə] <-, -n> *f* waist

Takt [takt] <-(e)s, -e> *m* 1. (MUS: *Rhythmus*) time 2. (MOT) stroke 3. (*fig: ~gefühl*) tact; **im ~** in time; **den ~ halten** keep time, play in time; **aus dem ~ kommen** play out of time; **den ~ schlagen** beat time; **Takt·ge·fühl** *n* tact

tak·tie·ren *itr* manoeuvre; **Tak·tik** ['taktɪk] *f* tactics *pl;* **Tak·ti·ker(in)** *m(f)* tactician; **tak·tisch** *adj* tactical

takt·los *adj* tactless; **Takt·lo·sig·keit** *f* tactlessness

Takt·stock *m* baton; **Takt·strich** *m* (MUS) bar(-line)

takt·voll *adj* tactful

Tal [taːl, *pl:* 'tɛːlɐ] <-(e)s, ¨er> *n* valley; (*poet*) vale; **tal(·ab)·wärts** *adv* 1. down into the valley 2. (*flussabwärts*) downstream

Ta·lar [ta'laːɐ] <-s, -e> *m* (*von Professor an Universität*) gown; (JUR) robe

tal·auf·wärts [-'--] *adv* 1. up the valley 2. (*flussaufwärts*) upstream

Ta·lent [ta'lɛnt] <-(e)s, -e> *n* 1. (*Begabung*) gift, talent (*zu* for) 2. (*Person*) talented person; **ta·len·tiert** *adj* gifted, talented

Tal·fahrt *f* descent; **~ der Preise** (*fig*) downward trend of prices

Talg [talk] <-(e)s, (-e)> *m* 1. (*roh*) suet; (*ausgelassen*) tallow 2. (ANAT) sebum; **Talg·drü·se** *f* (ANAT) sebaceous gland

Ta·lis·man ['taːlɪsman] <-s, -e> *m* (lucky) charm

Tal·kes·sel *m,* **Tal·mul·de** *f* basin, hollow

Talkshow[RR] ['tɔːkʃoʊ] <-, -s> *f* talkshow

Tal·mi·gold ['talmi-] *n* pinchbeck gold

Tal·soh·le *f* 1. bed [*o* bottom] of a/the valley 2. (COM: *wirtschaftliches Tief*) trough; **Tal·sper·re** *f* 1. (*Staumauer*) river dam 2. (*Speichersee*) storage reservoir; **Tal·sta·ti·on** *f* (*von Skilift*) station at the bottom end; **tal·wärts** *adv* down to the valley

Tam·pon ['tampɔn] *m* tampon; (*für Wunde*) plug

Tand [tant] <-(e)s> *m* knicknacks *pl,* trinkets *pl*

Tän·de·lei *f* 1. (*Herumtrödelei*) dallying, trifling 2. (*Liebelei*) dalliance

tän·deln ['tɛndəln] *itr* 1. (*trödeln*) dilly-dally 2. (*flirten*) dally

Tang [taŋ] <-(e)s, (-e)> *m* seaweed

Tan·gen·te [taŋ'gɛntə] <-, -n> *f* (MATH) tangent

tan·gie·ren *tr* 1. (*berühren*) touch 2. (*fig: kümmern*) affect, bother

Tan·go ['taŋgo] <-s, -s> *m* tango

Tank [taŋk] <-s, -s/(-e)> *m* (*Behälter, a. Panzer*) tank; **Tank·de·ckel** *m* filler cap

tan·ken *tr itr* tank [*o* fill] up; **voll ~**[RR] fill up with petrol; **ich muss noch ~** I have to get some petrol; **wo kann man hier ~?** where can I get petrol round here?

Tan·ker *m* tanker; **Tank·füll·stut·zen** *m* tank filler neck; **Tank·in·halt** *m* tank capacity [*o* volume]; **Tank·la·ger** *n* (*in Hafen etc*) petrol depot; **Tank·last·zug** *m* tanker; **Tank·stel·le** *f* service [*o* filling] station [*o* petrol] *Br,* gas station *Am;* **Tank·wa·gen** *m* 1. (MOT) tanker 2. (RAIL) tank car; **Tank·wart(in)** *m(f)* petrol pump attendant *Br,* gas station attendant *Am*

Tan·ne ['tanə] <-, -n> *f* fir, pine; **Tan·nen·baum** *m* fir tree, pine tree; **Tan·nen·na·deln** *fpl* fir-needles; **Tan·nen·wald** *m* firwood, pine forest; **Tan·nen·zap·fen** *m* fir [*o* pine] cone

Tan·sa·nia [tanza'niːa] *nt* Tanzania; **Tan·sa·ni·er(in)** *m(f)* Tanzanian; **tan·sa·nisch** *adj* Tanzanian

Tan·te ['tantə] <-, -n> *f* aunt; **Tan·te-Em·ma-La·den** *m* (*fam*) corner shop

Tan·tie·me [tã'tjɛːmə] <-, -n> *f* (*für Autoren, Erfinder*) royalty

Tanz [tants, *pl:* 'tɛntsə] <-es, ¨e> *m* dance; **darf ich Sie um den nächsten ~ bitten?** may I have the next dance?; **zum ~en gehen** go to a dance; **Tanz·bein** *n:* **das ~ schwingen** (*hum*) shake a leg

tän·zeln ['tɛntsəln] *itr* (*Mensch*) mince; (*Pferd*) step delicately

tan•zen *itr tr* dance
Tän•zer(in) ['tɛntsɐ] *m(f)* dancer; (*Ballet~*) ballet dancer
Tanz•flä•che *f* dance floor; **Tanz•kurs** *m* dancing course; **Tanz•lo•kal** *n* café with dancing; **Tanz•mu•sik** *f* dance music; **Tanz•or•ches•ter** *n* dance orchestra; **Tanz•schu•le** *f* dancing school; **Tanz•stun•de** *f* dancing lesson; **Tanz•tee** *m* tea-dance; **Tanz•tur•nier** *n* dancing contest
Ta•pet [ta'pe:t] *n:* **etw aufs ~ bringen** (*fam*) bring s.th. up
Ta•pe•te [ta'pe:tə] <-, -n> *f* wallpaper; **Ta•pe•ten•mus•ter** *n* design; **Ta•pe•ten•rol•le** *f* roll of wallpaper; **Ta•pe•ten•wech•sel** *m* (*fig*) change of scenery
ta•pe•zie•ren [tape'tsi:rən] *tr* paper; **Ta•pe•zier•tisch** *m* trestle table
tap•fer ['tapfɐ] *adj* brave; (*mutig*) bold, courageous; **Tap•fer•keit** *f* bravery; (*Mut*) boldness, courage
tap•pen ['tapən] *itr sein* go [*o* come] falteringly; **im Dunkeln ~** grope in the dark
täp•pisch ['tɛpɪʃ] *adj* awkward, clumsy
Ta•ra ['ta:ra] <-, -ren> *f* (COM) tare
Ta•ran•tel [ta'rantəl] <-, -n> *f* tarantula; **wie von der ~ gestochen** as if stung by a bee
Ta•rif [ta'ri:f] <-s, -e> *m* **1.** (*Lohn~*) rate **2.** (*Zoll~*) tariff; **Ta•rif•ab•schluss**[RR] *m* wage settlement; **Ta•rif•be•zirk** *m* collective-agreement area; **Ta•rif•ge•halt** *n* union rates *pl;* **Ta•rif•grup•pe** *f* grade; **Ta•rif•kom•mis•si•on** *f* joint working party on pay; **ta•rif•lich** *adj* agreed; **Ta•rif•lohn** *m* standard wage; **Ta•rif•part•ner** *pl:* **die ~** union and management; **beide ~ ...** both parties to the wage agreement ...; **Tarif•run•de** *f* round of wage talks, wage negotiations *pl;* **Ta•rif•strei•tig•keit** *f* wage dispute; **Ta•rif•ver•hand•lun•gen** *fpl* salary [*o* wage] negotiations; **Ta•rif•ver•trag** *m* wage agreement; **Ta•rif•zo•ne** *f* (*Verkehr*) fare zone
tar•nen ['tarnən] *tr* **1.** camouflage **2.** (*fig: Absichten*) disguise
Tarn•far•be *f* camouflage colour [*o* paint]
Tar•nung *f* **1.** (MIL) camouflage **2.** (*fig: von Agenten*) disguise
Ta•sche ['taʃə] <-, -n> *f* **1.** (*bei Kleidungsstücken*) pocket **2.** (*Beutel*) pouch; (*Hand~*) bag *Br,* purse *Am;* (*Akten~*) briefcase; **in die ~ stecken** pocket; **jdn in die ~ stecken** (*fig*) put s.o. in the shade; **jdm auf der ~ liegen** be living off s.o.; **nimm die Hände aus der ~!** take your hands out of your pockets!; **Ta•schen•buch** *n* paperback; **Ta•schen•dieb** *m* pickpocket; **vor ~en wird gewarnt!** beware of pickpockets!; **Ta•schen•for•mat** *n:* **im ~** pocket-sized; **Ta•schen•geld** *n* pocket-money; **Ta•schen•ka•len•der** *m* pocket diary; **Ta•schen•krebs** *m* common crab; **Ta•schen•lam•pe** *f* torch *Br,* flashlight *Am;* **Ta•schen•mes•ser** *n* pocket-knife *Br,* jackknife *Am;* (*kleines*) penknife; **Ta•schen•rech•ner** *m* pocket calculator; **Ta•schen•schirm** *m* collapsible umbrella; **Ta•schen•spie•gel** *m* pocket mirror; **Ta•schen•spie•ler•trick** *m* sleight of hand; **Ta•schen•tuch** <-(e)s, ⸚er> *n* handkerchief, hanky *fam;* **Ta•schen•uhr** *f* pocket watch; **Ta•schen•wör•ter•buch** *n* pocket dictionary
Tas•se ['tasə] <-, -n> *f* cup; **e-e ~ Tee** a cup of tea; **sie hat nicht alle ~n im Schrank!** (*fig fam*) she's off her rocker!; **tas•sen•fer•tig** *adj* instant
Tas•ta•tur [tasta'tu:ɐ] *f* keyboard; **Tas•ta•tur•ab•de•ckung** *f* (*an PC*) keyboard cover
Tas•te ['tastə] <-, -n> *f* (*von Klavier, Schreibmaschine, Computer*) key; (*Telefon, Radio etc*) button; **auf die ~n hauen** (*fig fam*) hammer away at the keyboard
tas•ten I. *itr* feel; **nach etw ~** grope for s.th.; **sich ~** feel one's way **II.** *tr* (TELE) key; (*drücken*) press
Tas•ten•feld *n* (*Tastatur*) keypad, keys; **Tas•ten•te•le•fon** *n* push-button telephone
Tast•sinn <-(e)s> *m* sense of touch
Tat [ta:t] <-, -en> *f* **1.** (*das Handeln*) action **2.** (*Helden~, Un~*) act, deed; (*Leistung*) feat; **auf frischer ~ ertappen** catch in the act; **ein Mann der ~** a man of action; **in der ~** indeed; **in die ~ umsetzen** put into action; **gute ~** good deed; **meine erste ~ war, ihn anzurufen** the first thing I did was phone him; **Tat•be•stand** *m* (JUR) facts *pl,* of the case; (*Sachlage*) facts *pl;* **Ta•ten•drang** *m* thirst for action; **ta•ten•los** *adj* idle; **ich konnte nur ~ zusehen** I could only stand and watch
Tä•ter(in) ['tɛ:tɐ] *m(f)* (JUR) perpetrator; **unbekannte ~** persons unknown; **Tä•ter•schaft** *f* guilt; **die ~ leugnen** deny one's guilt
tä•tig ['tɛ:tɪç] *adj* active; **in e-r Sache ~ werden** take action in a matter; **tä•ti•gen** ['tɛ:tɪgən] *tr* (COM: *Geschäft*) effect; (*Abschluss*) conclude; **Tä•tig•keit** *f* **1.** (*Aktivität*) activity **2.** (*Beruf*) job; (*Beschäftigung*) occupation; (*Arbeit*) work; **die ~ einstellen** (*fam*) close up shop; **Tä•tig•keits•be•reich** *m* field of activity; **Tä•tig•keits•merk•ma•le** *pl* job description *sing*
Tat•kraft *f* drive, energy, vigour; **tat•kräf-**

tig *adj* energetic; ~**e Hilfe** active help
tät•lich ['tɛ:tlɪç] *adj* violent; ~ **werden** come to blows; **jdn** ~ **angreifen** assault s.o.; **Tät•lich•keit** *f* violence; **sich zu** ~**en hinreißen lassen** get violent
Tat•ort *m* scene of the crime
tä•to•wie•ren [tɛto'vi:rən] *tr* tattoo; **sich** ~ **lassen** have o.s. tattooed; **Tä•to•wie•rung** *f* tattooing
Tat•sa•che *f* fact; **den** ~**n ins Auge blicken** face the facts; **Tat•sa•chen•be•richt** *m* documentary; **tat•säch•lich I.** *adj* actual, real **II.** *adv* (*in Wirklichkeit*) actually, really; **ich weiß** ~ **nicht, was ich davon halten soll** I really don't know what to think
tät•scheln ['tɛtʃəln] *tr* pat
Tat•ze ['tatsə] <-, -n> *f* paw
Tau[1] [taʊ] <-(e)s, -e> *n* (*Seil*) rope
Tau[2] <-(e)s> *m* (*Niederschlag*) dew
taub [taʊp] *adj* **1.** (*ohne Gehör*) deaf **2.** (*fig: leer*) empty, hollow; (*Gestein*) dead **3.** (*betäubt*) numb; **für etw** ~ **sein** be deaf to s.th.; **sich** ~ **stellen** pretend not to hear; **sich jdm gegenüber** ~ **stellen** turn a deaf ear to s.o.; **meine Hände waren** ~ **vor Kälte** my hands were numb with cold
Tau•be ['taʊbə] <-, -n> *f* dove, pigeon; **Tau•ben•schlag** *m* dovecot; (*für Brieftauben*) pigeon loft
Täu•be•rich ['tɔɪbərɪç] <-s, -e> *m* cock-pigeon
Taub•heit *f* **1.** (*Gehörlosigkeit*) deafness **2.** (*Erstarrung von Körperteil*) numbness
taub•stumm *adj* deaf and dumb; **Taub•stum•me(r)** *f m* deaf-mute
tau•chen ['taʊxən] **I.** *itr* **1.** *sein o haben* dive (*nach* for) **2.** (*U-Boot*) submerge **II.** *tr haben* **1.** (*kurz* ~) dip **2.** (*Menschen* ~) duck
Tau•cher(in) *m(f)* diver
Tau•cher•an•zug *m* diving suit; **Tau•cher•aus•rüs•tung** *f* diving equipment; **Tau•cher•bril•le** *f* diver's goggles *pl;* **Tau•cher•flos•sen** *fpl* fins; **Tau•cher•glo•cke** *f* diving bell; **Tau•cher•krank•heit** *f* diver's paralysis; **Tau•cher•mas•ke** *f* diving mask
Tauch•sie•der *m* (EL) portable immersion heater
Tauch•tie•fe *f* (MAR) navigable depth
tau•en ['taʊən] *sein o haben itr* melt, thaw
Tauf•be•cken *n,* **Tauf•stein** *m* font
Tau•fe ['taʊfə] <-, -n> *f* **1.** (*das Sakrament*) baptism **2.** (*Vorgang*) christening; **ein Kind aus der** ~ **heben** stand sponsor to a child; **etw aus der** ~ **heben** (*fig*) start s.th. up; **tau•fen** *tr* **1.** baptize **2.** (*nennen*) christen; **sich** ~ **lassen** be baptized
Tauf•ka•pel•le *f* baptistry; **Tauf•pa•te** <-n, -n> *m,* **Tauf•pa•tin** *f* godfather, godmother; **Tauf•re•gis•ter** *n* parish register; **Tauf•schein** *m* certificate of baptism
tau•gen [taʊgən] *itr* **1.** (*wert sein*) be good **2.** (*geeignet sein*) be suitable (*zu, für* for); **zu etw** ~ be fit for s.th.; **er taugt nichts** he is no good; **ob das wohl was taugt?** I wonder whether it is any good?; **Tau•ge•nichts** ['taʊgənɪçts] <-/-es, -e> *m* good-for-nothing
taug•lich *adj* (*geeignet*) suitable (*zu, für* for); (MIL) fit (for service); **Taug•lich•keit** *f* (*allgemein*) suitability; (MIL) fitness
Tau•mel ['taʊməl] <-s> *m* **1.** (*Schwindel*) giddiness **2.** (*fig*) frenzy; **tau•me•lig** *adj* (*schwindlig*) giddy; **tau•meln** *haben o sein itr* stagger; **er taumelte über die Straße** he staggered across the street; ~**d** staggering
Tausch [taʊʃ] <-(e)s, -e> *m* exchange; (~*handel*) barter; **im** ~ **gegen ...** in exchange for ...; **e-n** ~ **machen** effect an exchange; **e-n guten** ~ **machen** get a good deal; **Tausch•ab•kom•men** *n* barter agreement
tau•schen ['taʊʃən] *tr* exchange (*gegen* for); (*Güter*) barter
täu•schen ['tɔɪʃən] **I.** *tr* (*jdn*) deceive; **so leicht können Sie mich nicht** ~**!** you won't fool me so easily! **II.** *itr* (*irreführend sein*) be deceptive **III.** *refl* be wrong, be mistaken (*über* about); **sich** ~ **lassen** let o.s. be deceived [*o* fooled]; **ich glaube ja, ich kann mich aber auch** ~ I think so, but I may be wrong; **wir haben uns in ihr sehr getäuscht** she was a great disappointment to us; **täu•schend** *adj* **1.** (*Nachahmung*) remarkable **2.** (*Ähnlichkeit*) striking
Tausch•ge•schäft *n* barter deal; **Tausch•han•del** *m* barter; **Tausch•ob•jekt** *n* barter object
Täu•schung *f* **1.** (*das Täuschen*) deception **2.** (*Irrtum*) mistake; **gib dich nur keiner** ~ **hin!** you must not delude yourself!; **Täu•schungs•ma•nö•ver** *n* **1.** (MIL) deception tactics *pl* **2.** (*fam*) ploy; **Täu•schungs•ver•such** *m* (PÄD) attempted cheating
tau•send ['taʊzənt] *num* a [*o* one] thousand; **viele T**~**e** thousands of; **ich habe** ~ **Dinge zu tun** (*fig*) I have a thousand and one things to do; ~ **Ängste ausstehen** (*fig fam*) die a thousand deaths; **Tau•sen•der** <-s, -> *m* (*a. Geldschein*) thousand; **tau•sen•der•lei** ['taʊzəndɐ'laɪ] *adj* a thousand kinds of; **tau•send•fach I.** *adj* thousandfold **II.** *adv* in a thousand ways; **Tau•send•füß(•l)er** ['taʊzəntfy:slɐ] <-s, -> *m* millipede; **tau•send•jäh•rig** *adj* **1.** (*Alter*) thousand year old **2.** (*Dauer*) thou-

sand year long; **tau•send•mal** *adv* a thousand times; **tau•sends•te** *adj* thousandth; **Tau•sends•tel** <-s, -> *n* thousandth

Tau•trop•fen *m* dewdrop; **Tau•wet•ter** *n* thaw

Tau•zie•hen *n* (SPORT: *a. fig*) tug-of-war

Ta•xa•me•ter [taksa'me:tɐ] <-s, -> *m* taximeter

Ta•xi ['taksi] <-(s), -(s)> *n* cab, taxi(cab); **ein ~ nehmen** take a taxi

ta•xie•ren [ta'ksi:rən] *tr* value; **~ auf ...** estimate at ...

Ta•xi•fah•rer(in) *m(f)* taxi driver, cab driver; **Ta•xi•fahrt** *f* taxi ride; **Ta•xi•stand** *m* taxi rank

Team [ti:m] <-s, -s> *n* team; **Team•ar•beit** *f* teamwork

Tech•nik ['tɛçnɪk] *f* **1.** (*Technologie*) technology **2.** (*Funktionsweise*) mechanics *pl* **3.** (*Ingenieurwissenschaft*) engineering **4.** (*Verfahren*) technique; **tech•nik•be•ses•sen** *adj* obsessed with new technologies; **Tech•ni•ker(in)** *m(f)* **1.** (technical) engineer **2.** (SPORT) technician; **tech•nik•feind•lich** *adj* hostile to new technologies; **Tech•nik•fol•gen•ab•schät•zung** *f* assessment of the effects of (new) technology; **Tech•ni•kum** ['tɛçnikʊm] <-s, -ka/-ken> *n* college of technology

tech•nisch *adj* **1.** (*technologisch*) technological **2.** (*die Ausführung betreffend*) technical; **~e Daten** specifications; **~e Hochschule** institute of technology; **er ist ~ begabt** he is technically minded; **~e(r) Zeichner(in)** engineering draughtsperson; **Tech•ni•scher Über•wa•chungs•ver•ein** *m* Technical Control Board

Tech•no•krat(in) [tɛçno'kra:t] *m(f)* technocrat; **tech•no•kra•tisch** *adj* technocratic

Tech•no•lo•gie *f* technology; **Tech•no•lo•gie•park** *m* technology park; **Tech•no•lo•gie•trans•fer** *m* transfer of technology; **tech•no•lo•gisch** *adj* technological

Tee [te:] <-s, -s> *m* tea; **Fünf-Uhr-~** five o'clock tea; **~ machen** make tea; **e-e Tasse ~** a cup of tea; **Tee•beu•tel** *m* tea bag; **Tee-Ei** *n* infuser *Br,* tea ball *Am;* **Tee•fil•ter** *m* tea filter; **Tee•ge•bäck** *n* biscuits *pl;* **Tee•kan•ne** *f* teapot; **Tee•löf•fel** *m* teaspoon

Tee•ny ['ti:ni] <-s, -s> *m* (*fam*) teeny bopper

Teer [te:ɐ] <-(e)s, -e> *m* tar; **tee•ren** *tr* tar; **Teer•pap•pe** *f* tarboard

Tee•ser•vice *n* tea-set; **Tee•sieb** *n* tea-strainer; **Tee•stu•be** *f* tea-room; **Tee•wa•gen** *m* tea-trolley

Teich [taɪç] <-(e)s, -e> *m* pond; **Teich•ro•se** *f* yellow water-lily

Teig [taɪk] <-(e)s, -e> *m* (*Brot~*) dough; (*Blätter~*) pastry; **tei•gig** *adj* doughy; **Teig•wa•ren** *pl* pasta *sing*

Teil [taɪl] <-(e)s, -e> *m* **1.** (*Bruchteil, Teil von etw*) part **2.** (*Anteil*) share; **zum ~** partly; **der größte ~ davon ist fertig** the greater part of it is done; **zum größten ~** for the most part; **ich für meinen ~** I, for my part; **ich habe e-n ~ davon für mich behalten** I kept part of it for myself; **5 ~e Sand auf einen ~ Zement** 5 parts of sand to 1 of cement; **sich seinen ~ denken** draw one's own conclusions *pl;* **ein ~ der Leute** some of the people; **in zwei ~e zerschneiden** cut in two; **Teil•ab•schnitt** *m* section, segment; **teil•ab•schrei•ben** *tr* write down; **Teil•ab•schrei•bung** *f* writedown; **Teil•auf•la•ge** *f* (MARKT) split run; **teil•bar** *adj* divisible (*durch* by); **Teil•bar•keit** *f* divisibility; **Teil•be•trag** *m* partial amount; (*auf Rechnung*) item; (*Abzahlung*) instal(l)ment

Teil•chen ['taɪlçən] *n* (*a.* PHYS) particle

tei•len I. *tr* **1.** (*zerlegen*) divide (*in* into, *unter* among, *durch* by) **2.** (*auf~*) share (*unter* amongst, *mit* with) **3.** (*teilhaben*) share **II.** *refl* **1.** (*Straße, Fluss etc*) fork; (*Vorhang*) part **2.** (*in Gruppen*) split up **3.** (*auseinandergehen*) diverge; **geteilter Meinung sein** be of different opinions

Teil•er•folg *m* partial success; **Teil•er•geb•nis** *n* partial result; **Teil•ge•biet** *n* (*räumlich*) area; (*Bereich*) branch

teil|ha•ben *irr itr* participate (*an* in)

Teil•ha•ber(in) *m(f)* (COM: *Gesellschafter*) partner; **stiller ~** sleeping partner *Br,* silent partner *Am;* **Teil•ha•ber•schaft** <-> *f* partnership

Teil•kas•ko•ver•si•che•rung *f* partial coverage insurance; **Teil•lie•fe•rung** *f* delivery by instalments; **teil•mö•bliert** *adj* partially furnished

Teil•nah•me <-> *f* **1.** (*Beteiligung*) participation (*an* in) **2.** (*Anwesenheit*) attendance (*an* at) **3.** (*Interesse*) interest (*an* in); (*Mitgefühl*) sympathy; (*Beileid*) condolences; **teil•nahms•los** *adj* (*gleichgültig*) apathetic, indifferent (*gegen* towards); **Teil•nahms•lo•sig•keit** *f* apathy, indifference; **teil•nahms•voll** *adj* sympathetic

teil|neh•men *irr itr* **1.** (*sich beteiligen*) participate [*o* take part] (*an* in) **2.** (*anwesend sein*) attend s.th **3.** (*sich interessieren*) take an interest (*für* in); **an e-m Lehrgang ~** do a course; **an e-m Wettbewerb ~** take part in a competition, enter for a competition; **Teil•neh•mer(in)** *m(f)* **1.** (*Beteiligte(r)*) participant **2.** (TELE) subscriber **3.** (SPORT) competitor; **der ~ meldet sich**

nicht (TELE) there is no reply; **Teil•neh•mer•ver•zeich•nis** *n* (TELE) telephone directory

teils *adv* partly; **wie geht's dir? – ~, ~** how are you? – so-so

Teil•scha•den *m* partial damage [*o* loss]; **Teil•stre•cke** *f* **1.** (RAIL) stretch **2.** (*bei Reise*) stage

Teil•strich *m* (*auf Skala*) secondary graduation line

Tei•lung *f* division

teil•wei•se **I.** *adv* partly; (*manchmal*) sometimes; **der Roman ist ~ gut** the novel is good in parts **II.** *adj* partial

Teil•zah•lung *f* **1.** (*~skauf*) hire-purchase **2.** (*Rate*) instal(l)ment; **auf ~ kaufen** buy on hire-purchase; **Teil•zah•lungs•kauf** *m* instalment sale

Teil•zeit•ar•beit *f* part-time employment; **teil•zeit•be•schäf•tigt** *adj* part-time employed; **Teil•zeit•kraft** *f* part-time worker

Teint [tɛ̃ː] <-s> *m* complexion

Te•le•brief *m* telemessage, mailgram *Am*

Te•le•fax *n* fax; **te•le•fa•xen** *tr* fax, send by fax; **Te•le•fax•ge•rät** *n* fax machine [*o* terminal]; **Te•le•fax•teil•neh•mer** *m* fax subscriber

Te•le•fon [tele'foːn] <-s, -e> *n* (tele)phone; **ans ~ gehen** answer the phone; **Te•le•fon•an•la•ge** *f* telephone equipment; **Te•le•fon•an•ruf** *m* phone call; **Te•le•fon•an•schluss**RR *m* telephone-connection; **~ haben** be on the (tele)phone

Te•le•fo•nat <-(e)s, -e> *nt* telephone call

Te•le•fon•aus•kunft *f* directory enquiries *Br*, directory information *Am;* **Te•le•fon•buch** *n* (tele)phone book; **Te•le•fon•ge•bühr** *f* **1.** (*Gesprächsgebühr*) call charge **2.** (*Grundgebühr*) telephone rental; **Te•le•fon•ge•spräch** *n* **1.** (*Anruf*) (telephone) call **2.** (*Unterhaltung am Telefon*) telephone conversation

te•le•fo•nie•ren *itr* make a telephone call; **sie telefoniert den ganzen Tag** she's on the phone all day long; **mit jdm ~** speak to s.o. on the phone; **kann ich mal (bei dir) ~?** can I use your phone?

te•le•fo•nisch *adj* telephonic; **~ anfragen** inquire by telephone; **e-e ~e Mitteilung** a telephone message; **er ist ~ erreichbar** he can be contacted by phone

Te•le•fo•nist(in) *m(f)* telephonist; (*in Firma*) switchboard operator

Te•le•fon•kar•te *f* phonecard; **Te•le•fon•lei•tung** *f* telephone line; **Te•le•fon•netz** *n* telephone network; **Te•le•fon•num•mer** *f* (tele)phone number; **e-e ~ wählen** dial a number; **Te•le•fon•rech•nung** *f* (tele)phone bill; **Te•le•fon•sys•tem** *n* telephone system; **Te•le•fon•ver•bin•dung** *f* telephone connection; **Te•le•fon•ver•zeich•nis** *n* telephone directory; **Te•le•fon•zel•le** *f* (tele)phone box *Br*, (tele)phone booth *Am;* **Te•le•fon•zen•tra•le** *f* telephone exchange

te•le•gen [tele'geːn] *adj* telegenic

Te•le•gramm [tele'gram] <-s, -e> *n* telegram *Br*, wire *Am;* (*Kabel~*) cable; **ein ~ aufgeben** hand in a telegram; **Te•le•gramm•adres•se** *f* telegraphic address; **Te•le•gramm•for•mu•lar** *n* telegram form; **Te•le•gramm•stil** *m* telegram style

Te•le•graf [tele'graːf] *m* telegraph; **Te•le•gra•fen•amt** *n* telegraph office; **Te•le•gra•fen•lei•tung** *f* telegraph circuit; **Te•le•gra•fen•mast** *m* telegraph pole; **Te•le•gra•fen•netz** *n* telegraph network

Te•le•gra•fie *f* telegraphy; **drahtlose ~** radio [*o* wireless] telegraphy; **te•le•gra•fie•ren** *tr itr* telegraph, wire; (*kabeln*) cable; **te•le•gra•fisch** *adj* telegraphic; **jdm ~ Geld überweisen** wire s.o. money

Te•le•ki•ne•se [teleki'neːzə] *f* telekinesis

Te•le•kol•leg ['teːləkoleːk] *n* (TV PÄD) course of television lectures, Open University *Br*

Te•le•kom•mu•ni•ka•ti•on *f* telecommunications *pl;* **Te•le•ko•pie** *f* fax

Te•le•ob•jek•tiv ['teːlə-] *n* (PHOT) telephoto lens

Te•le•pa•thie [telepa'tiː] *f* telepathy

Te•le•skop [tele'skoːp] <-s, -e> *n* telescope

Te•le•spiel ['teːlə-] *n* (TV) **1.** (*Fernsehspiel*) television play **2.** (*Computerspiel*) video game

Te•lex ['teːlɛks] <-, -(e)> *n* telex; **Te•lex•an•schluss**RR *m* (TELE) telex link; **te•le•xen** *tr* telex

Tel•ler ['tɛlɐ] <-s, -> *m* plate; **Tel•ler•ge•richt** *n* one course meal; **Tel•ler•mi•ne** *f* (MIL) flat anti-tank mine; **Tel•ler•wä•scher(in)** *m(f)* dishwasher

Tem•pel ['tɛmpəl] <-s, -> *m* temple

Tem•pe•ra(•far•be) ['tɛmpəra] *f* tempera

Tem•pe•ra•ment [tɛmp(ə)ra'mɛnt] *n* **1.** (*Wesen*) temper, temperament **2.** (*Lebhaftigkeit*) vivacity **3.** (*Wesensart*) character, constitution, disposition, frame of mind; (*Gemütsart*) humour; **tem•pe•ra•ment•voll** *adj* lively, vivacious

Tem•pe•ra•tur [tɛmpəra'tuːɐ] *f* temperature; **jds ~ messen** take someone's temperature; **erhöhte ~ haben** have a temperature; **Tem•pe•ra•tur•füh•ler** *m* (TECH EL) temperature senser; **Tem•pe•ra•tur•rück•gang** *m* fall in temperature; **Tem•pe•ra•tur•schwan•kung** *f* variation in temperature

Tem•po ['tɛmpo] <-s, -s/-pi> *n* **1.** (*Geschwindigkeit*) speed **2.** (MUS) time; **das ~ angeben** (*fig*) set the pace; **~!** hurry up!; **~ zulegen** (MOT) speed up; **Tem•po•li•mit** *n* (MOT) speed limit

tem•po•rär *adj* temporary

Tem•po•sün•der(in) *m(f)* speeder

Tem•po(ta•schen•tuch)® *n* paper handkerchief, (paper) hanky *fam*

Ten•denz [tɛn'dɛnts] <-, -en> *f* trend; (*Neigung*) tendency; **die ~ haben zu ...** tend to ...; **ten•den•zi•ös** *adj* tendentious; (*voreingenommen*) bias(s)ed, prejudiced

ten•die•ren *itr* tend (*zu* towards)

Ten•ne ['tɛnə] <-, -n> *f* threshing floor

Ten•nis ['tɛnɪs] <-> *n* tennis; **Ten•nis•hal•le** *f* indoor tennis centre; **Ten•nis•platz** *m* tennis court; **Ten•nis•schlä•ger** *m* tennis racket; **Ten•nis•spiel** *n* game of tennis

Te•nor[1] ['te:nɔr] <-s> *m* (*Essenz*) tenor

Te•nor[2] [te'no:ɐ, *pl:* te'nø:rə] <-s, ⸗e> *m* (MUS) tenor; **Te•nor•stim•me** *f* (MUS) tenor

Tep•pich ['tɛpɪç] <-s, -e> *m* carpet; **etw unter den ~ kehren** (*fig*) sweep s.th. under the carpet; **Tep•pich•bo•den** *m* fitted carpet; **Tep•pich•kehr•ma•schi•ne** *f* carpet-sweeper; **Tep•pich•klop•fer** <-s, -> *m* carpet beater; **Tep•pich•schaum** *m* carpet foam

Ter•min [tɛr'mi:n] <-s, -e> *m* **1.** (*für Fertigstellung*) date, deadline; (COM: *Liefertag*) delivery date; (*bei Verabredung*) appointment **2.** (JUR) hearing; **e-n ~ anberaumen für ...** set a day [*o* date] for ...; **e-n ~ einhalten** keep (to) a date; **schon e-n anderen ~ haben** have a prior engagement

Ter•mi•nal ['tø:ɐmɪnəl] <-s, -s> *n* (EDV AERO) terminal

Ter•min•bör•se *f* (COM) futures market; **ter•min•ge•mäß** *adj* on schedule; **Ter•min•ge•schäft** *nt* dealing in futures; **Ter•min•ka•len•der** *m* (appointments) diary; **Ter•min•lie•fe•rung** *f* future delivery; **Ter•min•plan** *m* (time) schedule; **Ter•min•ver•kauf** *m* forward sale

Ter•mi•no•lo•gie [tɛrminolo'gi:] *f* terminology

Ter•min•pla•nung *f* time scheduling

Ter•mi•te [tɛr'mi:tə] <-, -n> *f* termite, white ant

Ter•pen•tin [tɛrpɛn'ti:n] <-s, -e> *n* turpentine

Ter•rain [tɛ'rɛ̃:] *n* **1.** land, terrain **2.** (*fig*) territory; **sich auf unsicheres ~ begeben** (*fig*) get onto shaky ground

Ter•ras•se [tɛ'rasə] <-, -n> *f* terrace; **Ter•ras•sen•dach** *n* platform roof; **ter•ras•sen•för•mig** *adj* terraced

Ter•ri•ne [tɛ'ri:nə] <-, -n> *f* tureen

Ter•ri•to•ri•um <-s, -rien> *n* territory

Ter•ror ['tɛro:ɐ] <-s> *m* terror; **Ter•ror•an•schlag** *m* terrorist attack; **ter•ro•ri•sie•ren** *tr* terrorize; **Ter•ro•ris•mus** *m* terrorism; **Ter•ro•ris•mus•be•kämp•fung** *f* counter terrorism; **Ter•ro•rist(in)** *m(f)* terrorist; **ter•ro•ris•tisch** *adj* terrorist; **~e Vereinigung** terrorist organization

Terz [tɛrts] <-, -en> *m* **1.** (MUS) third **2.** (*beim Fechten*) tierce

Ter•zett [tɛr'tsɛt] <-(e)s, -e> *n* (MUS) trio

Te•sa•film® ['te:za-] *m* Sellotape® *Br,* Scotch tape® *Am*

Test [tɛst] <-(e)s, -s/(-e)> *m* test; **tes•ten** *tr* test (*auf* for); **Test•pro•gramm** *n* (EDV) test program

Tes•ta•ment [tɛsta'mɛnt] <-(e)s, -e> *n* **1.** (JUR) will **2.** (*fig: Vermächtnis*) legacy; **Altes (Neues) ~** (ECCL) Old (New) Testament; **eigenhändiges ~** holograph [*o* handwritten] will; **gemeinschaftliches ~** joint will; **sein ~ machen** make one's will; **tes•ta•men•ta•risch** *adj* testamentary; **~ festgelegt** written in the will; **~e Verfügung** instruction in the will; **Tes•ta•ments•er•öff•nung** *f* reading of the will; **Tes•ta•ments•voll•stre•cker(in)** *m(f)* executor

Test•bild *f* (TV) testcard

tes•tie•ren *tr* (*bescheinigen*) certify; **jdm etw ~** certify s.th. for s.o.

Test•per•son *f* subject; **Test•pi•lot(in)** *m(f)* test pilot; **Test•ver•si•on** *f* test version

Te•ta•nus•schutz•imp•fung *f* (MED) tetanus vaccination

Tête-à-tête [tɛta'tɛ:t] <-, -s> *n,* **Tete-a-tete**[RR] *n* tête-à-tête

teu•er ['tɔɪɐ] <teurer, teuerst> *adj* **1.** (*kostspielig*) expensive **2.** (*fig: lieb*) dear; **das wird ihn ~ zu stehen kommen** that will cost him dear; **wie ~ ist es?** how much is it?; **da ist guter Rat ~** it's hard to know what to do; **Öl ist schon wieder teurer!** oil has gone up again!; **Teu•e•rung** *f* rise in prices; **Teu•e•rungs•ra•te** *f* rate of price increases; **Teu•e•rungs•zu•la•ge** *f* cost-of-living allowance

Teu•fel ['tɔɪfəl] <-s, -> *m* devil; **pfui ~!** how disgusting!; **des ~s sein** (*fig*) have taken leave of one's senses; **in ~s Küche kommen** (*fig*) get into trouble; **mal' den ~ nicht an die Wand!** (*schwarzmalen*) don't think the worst!; (*Unheil heraufbeschwören*) don't tempt fate!; **zum ~!** blast! damn!; **mein Mantel ist zum ~** (*fig*) my coat is ruined; **wer zum ~ ...?** who the devil ...?; **jdn zum ~ wünschen** wish s.o. in hell; **Teu•fels•aus•trei•bung** *f* exorcism; **Teu•fels•kerl** *m* devil of a fellow; **Teu•fels•kreis** *m* (*fig*) vicious circle

teuf•lisch *adj* devilish, diabolical, fiendish

Text [tɛkst] <-(e)s, -e> *m* **1.** (*Buch~*) text; (*Lied*) words *pl;* (*von Schlager*) lyrics *pl* **2.** (*unter Bild*) caption; **weiter im ~!** go on!; **Text•buch** *n* **1.** (FILM) script **2.** (*für Lieder*) songbook; **Text•dich•ter(in)** *m(f)* (*Oper*) librettist; (FILM) scenario writer; **tex•ten** *tr* **1.** (MUS) write the lyrics [*o* words] [*o* text] **2.** (MARKT) copywrite; **Tex•ter(in)** *m(f)* (MARKT) ad writer, copywriter

Tex•til•fa•brik *f* textile factory [*o* mill]; **Tex•til•fa•ser** *f* spun rayon; **Tex•til•ge•schäft** *n* clothes shop; **Tex•ti•lien** *pl,* **Tex•til•wa•ren** [tɛks'tiːliən] *pl* textiles; **Tex•til•in•dus•trie** *f* textile industry

Text•kri•tik *f* textual criticism; **Text•stel•le** *f* passage; **Text•ver•ar•bei•tung** *f* (EDV) word processing; **Text•ver•ar•bei•tungs•an•la•ge** *f* (EDV) word processing set-up; **Text•ver•ar•bei•tungs•pro•gramm** *n* (EDV) word processing program, word processor; **Text•ver•ar•bei•tungs•sys•tem** *n* (EDV) word processing system

The•a•ter [te'aːtɐ] <-s, -> *n* **1.** (THEAT) theatre *Br,* theater *Am* **2.** (*fam: Aufheben*) fuss; **mach kein ~!** don't make a fuss!; **ins ~ gehen** go to the theatre; **~ spielen** (*fig*) put on an act; **das ist doch alles bloß ~!** (*fig*) it's all just play-acting!; **The•a•ter•auf•füh•rung** *f* performance; **The•a•ter•be•such** *m* visit to the theatre; **The•a•ter•be•su•cher(in)** *m(f)* theatregoer; **The•a•ter•kar•te** *f* ticket; **The•a•ter•kas•se** *f* box-office *Br,* ticket-office [*o* window] *Am;* **The•a•ter•pro•be** *f* rehearsal; **The•a•ter•stück** *n* (stage) play; **The•a•ter•vor•stel•lung** *f* performance

the•a•tra•lisch [tea'traːlɪʃ] *adj* theatrical

The•ke ['teːkə] <-, -n> *f* (*im Lokal*) bar; (*im Laden*) counter

The•ma ['teːma, *pl:* 'teːmən] <-s, -men/-mata> *n* **1.** (*Gegenstand*) subject, topic **2.** (*Leitgedanken*) theme; **kommen wir zum ~!** let's get to the point!; **das Wetter ist ein beliebtes ~** the wheather is a popular topic of conversation; **kein ~ sein** be no subject for discussion; **das ~ wechseln** change the subject; **The•ma•tik** [te'maːtɪk] *f* topic

Them•se ['tɛmzə] *f* Thames

The•o•lo•ge [teo'loːgə] <-n, -n> *m,* **The•o•lo•gin** *f* theologian; **The•o•lo•gie** *f* theology; **the•o•lo•gisch** *adj* theological

The•o•re•ti•ker(in) [teo'reːtɪkɐ] *m(f)* theorist; **the•o•re•tisch** *adj* theoretical; **the•o•re•ti•sie•ren** *itr* theorize

The•o•rie [teo'riː] *f* theory

The•ra•peut(in) <-en, -en> *m(f)* therapist; **The•ra•peu•tik** [tera'pɔɪtɪk] *f* therapeutics *pl*

The•ra•pie [--'-] *f* therapy; **the•ra•pie•ren** *tr* give therapy to, treat

Ther•mal•bad [tɛr'maːl-] *n* thermal bath; **Ther•mal•quel•le** *f* thermal spring

Ther•men ['tɛrmən] *pl* (*Mineralquellen*) thermal springs

ther•misch *adj* thermal; **~e Belastung** heat level; **~es Kraftwerk** thermal power station

Ther•mo•dru•cker *m* (EDV) thermal printer

ther•mo•dy•na•misch *adj* thermodynamic; **ther•mo•e•lek•trisch** *adj* thermoelectric; **Ther•mo•ho•se** *f* insulated trousers *pl*

Ther•mo•me•ter [tɛrmo'meːtɐ] <-s, -> *n* thermometer; **Ther•mo•me•ter•stand** *m* thermometer reading

ther•mo•nu•kle•ar *adj* thermonuclear

Ther•mos•fla•sche ['tɛrmɔs-] *f* thermos [*o* vacuum] flask; **Ther•mos•kan•ne** *f* thermos jug

Ther•mos•tat [tɛrmo'staːt] <-(e)s/-en, -e(n)> *m* thermostat

The•se ['teːzə] <-, -n> *f* thesis

Throm•bo•se [trɔm'boːzə] <-, -n> *f* (MED) thrombosis

Throm•bo•zyt [trɔmbo'tsyːt] <-en, -en> *m* thrombomcyte

Thron [troːn] <-(e)s, -e> *m* throne; **den ~ besteigen** ascend the throne; **Thron•be•stei•gung** *f* accession to the throne; **thro•nen** *itr* **1.** (*auf dem Thron sitzen*) sit enthroned **2.** (*fig*) sit in state; **Thron•fol•ge** *f* line of succession; **Thron•fol•ger(in)** *m(f)* heir to the throne; **Thron•re•de** *f* (PARL) King's [*o* Queen's] speech

Thun•fisch ['tuːn-] *m* tuna(fish)

Thü•rin•gen ['tyːrɪŋən] *n* Thuringia; **Thü•rin•ger(in)** *m(f)* Thuringian; **thü•rin•gisch** *adj* Thuringian

Thy•mi•an ['tyːmiaːn] <-s, -e> *m* thyme

Tick [tɪk] <-(e)s, -s> *m* **1.** (MED) tic **2.** (*fam: Schrulle*) quirk; **der Kerl hat doch e-n ~!** that fellow's just crazy!

ti•cken *itr* (*Uhr etc*) tick; **du tickst (ja) nicht richtig!** (*fig fam*) you're off your rocker! you must be mad!

Tick•tack *n* tick-tock

Tie-Break ['taɪbreɪk] <-s, -s> *m* (*Tennis*) tiebreak(er)

Tief <-s, -s> *n* **1.** (METE) depression **2.** (*fig*) low

tief [tiːf] *adj* **1.** (*allgemein*) deep **2.** (*~gründig*) profound **3.** (*niedrig*) low **4.** (*fig: dunkel*) deep **5.** (*fig: Schlaf*) deep, sound; **der Teich war 3 Meter ~** the pond was 3 metres deep; **10 Meter ~ unter Wasser**

10 metres deep in water; ~ **in jds Schuld stehen** be deeply indebted to s.o.; ~ **in die Nacht hinein** far into the night; **im ~sten Afrika** in darkest Africa; **im ~sten Winter** in the depths of winter; ~ **atmen** draw a deep breath; ~ **im Innern** in one's heart of hearts; ~ **greifend**RR far reaching

Tief•bau *m* civil engineering; **tief•be•trübt** *adj s.* **betrübt**; **tief•be•wegt** *adj s.* **bewegt**; **Tief•druck** <-s, -e> *m* (METE) low pressure; **Tief•druck•ge•biet** *n* (METE) low- pressure area

Tie•fe ['ti:fə] <-, -n> *f* **1.** depth **2.** (*fig: Tiefgründigkeit*) deepness, profundity **3.** (*fig: Stärke, Größe*) intensity; **in der ~ versinken** sink into the depths *pl*

Tief•ebe•ne *f* lowlands, plain

Tie•fen•psy•cho•lo•gie *f* depth psychology; **Tie•fen•schär•fe** *f* (PHOT) depth of focus [*o* field]; **Tie•fen•wir•kung** *f* (PHOT) depth effect

Tief•flie•ger *m* (MIL) low-flying aircraft; **Tief•flug** *m* low-level flight; **Tief•gang** <-(e)s> *m* **1.** (MAR) draught **2.** (*fig*) depth; **tief•ge•kühlt** *adj* frozen; **tief•grei•fend** *adj s.* **tief**; **tief•grün•dig** ['ti:fgrʏndɪç] *adj* deep, profound; **Tief•kühl•fach** *n* deep-freeze compartment; **Tief•kühl•kost** *f* frozen food; **Tief•kühl•tru•he** *f* freezer; **Tief•land** <-(e)s, -e/⸚er> *n* lowlands; **Tief•preis** *m* low price; **Tief•punkt** *m* low point; **Tief•schlag** *m* (*a. fig*) hit below the belt; **tief•schür•fend** *adj s.* **schürfend**; **Tief•see** *f* deep sea; **Tief•see•for•schung** *f* deep sea exploration; **Tief•see•ka•bel** *n* deep-sea cable; **tief•sin•nig** *adj* profound; **Tief•stand** <-(e)s> *m* (*a. fig*) low; **tief•sta•peln** *vi* be overmodest; **tief•ste•hend** *adj s.* **tief**

Tiefst•kurs *m* lowest price; **Tiefst•preis** *m* rock-bottom price

Tie•gel ['ti:gəl] <-s, -> *m* **1.** (*zum Kochen*) saucepan **2.** (*Schmelz~*) crucible **3.** (TYP: *Druck~*) platen

Tier [ti:ɐ] <-(e)s, -e> *n* **1.** animal; (*großes ~*) beast **2.** (*fig: brutale Person*) brute; **hohes ~** (*fig fam*) big shot; **Tier•art** *f* animal species; **Tier•arzt, -ärz•tin** *m, f* vet *Br,* veterinary surgeon, veterinarian *Am;* **Tier•chen** ['ti:ɐçən] *n* little animal; **jdm ~ sein Pläsierchen** (*prov*) each to his own

tie•risch *adj* **1.** animal **2.** (*fig: roh*) bestial **3.** (*sl: unerträglich*) beastly; **er gibt sich ~ viel Mühe** (*fam*) he goes to a hell of a lot of trouble

Tier•kreis *m* zodiac; **Tier•kreis•zei•chen** *n* (ASTR) sign of the zodiac; **welches ~ bist du?** what sign are you? *fam;* **Tier•kun•de** *f* zoology; **tier•lie•bend** *adj* fond of animals; **Tier•me•di•zin** *f* veterinary science; **Tier•nah•rung** *f* pet food; **Tier•park** *m* zoo; **Tier•quä•le•rei** ['---'-] *f* cruelty to animals; **Tier•schutz** *m* prevention of cruelty to animals; **Tier•schüt•zer(in)** *m(f)* animal conservationist; **Tier•schutz•ver•ein** *m* Royal Society for the prevention of cruelty to animals *Br,* RSPCA; **Tier•ver•such** *m* animal experiment; **Tier•welt** <-> *f* animal kingdom; **Tier•zucht** *f* stockbreeding

Ti•ger ['ti:gɐ] <-s, -> *m* tiger

Til•de ['tɪldə] <-, -n> *f* (TYP) tilde

tilg•bar *adj* (*Schuld*) redeemable

til•gen ['tɪlgən] *tr* **1.** (*beseitigen*) wipe out **2.** (*Schuld*) pay off

Til•gung *f* (*von Schulden*) repayment; **Til•gungs•ra•te** *f* redemption; **Til•gungs•sum•me** *f* redemption sum; **Til•gungs•zeit•raum** *m* redemption period

ti•men ['taɪmən] *tr* time; **Ti•ming** ['taɪmɪŋ] <-s> *n* timing

Tink•tur [tɪŋk'tu:ɐ] *f* tincture

Tin•nef ['tɪnɛf] <-s> *m* (*fam*) junk, rubbish

Tin•te ['tɪntə] <-, -n> *f* ink; **in der ~ sitzen** (*fig fam*) be in the soup; **Tin•ten•fass**RR *n* inkpot; **Tin•ten•fisch** *m* cuttlefish, octopus, squid; **Tin•ten•fleck** *m* (*auf Papier*) ink-blot; (*auf Kleidung*) ink- stain; **Tin•ten•strahl•dru•cker** *m* (EDV) ink-jet (printer)

TippRR [tɪp] <-s, -s> *m* (*Rat*) tip; (*Andeutung*) hint; (*~ an Polizei*) tip-off; **ein todsicherer ~** a dead cert; **gib mir e-n ~, wie ich ...** give me a tip how to ...; **können Sie mir nicht e-n ~ geben, an welchen der Herren ich mich wenden muss?** couldn't you advise me which of the gentlemen I should approach?

Tip•pel•bru•der *m* (*fam*) gentleman of the road

tip•peln ['tɪpəln] *sein itr* (*kurze Schritte machen*) trip; (*von Kindern*) patter

tip•pen ['tɪpən] **I.** *tr* **1.** (*auf Schreibmaschine*) type (*etw* s.th.) **2.** (*leicht berühren*) tap, touch lightly **II.** *itr* **1.** (*raten*) bet, guess **2.** (*Tippzettel ausfüllen*) fill in the pools [*o* lottery] coupon; **jdm auf die Schulter ~** tap s.o. on the shoulder; **auf etw ~** (*fig*) reckon; **ich tippe im Lotto** I do the lottery

Tipp-Ex® ['tɪpɛks] <-> *n* Tipp-Ex *Br,* whiteout *Am*

Tipp•feh•ler *m* typing mistake; **Tipp•schein** *m* pool [*o* lottery] ticket

tipp•topp ['tɪp'tɔp] *adj* (*fam*) **1.** (*blitzsauber*) immaculate **2.** (*prima*) first-class; ~ **sauber** spotless

Ti•rol [ti'ro:l] *n* the Tyrol; **Ti•ro•ler(in)** *m(f)* Tyrolese, Tyrolean

Tisch [tɪʃ] <-(e)s, -e> *m* **1.** (*allgemein*) table **2.** (*fig: Mahlzeit*) meal; **am ~** at the table; **sich zu ~ setzen** sit down at table; **wer saß bei Ihnen am ~?** who was at your table?; **jdn unter den ~ trinken** drink s.o. under the table; **den ~ decken** set [*o* lay] the table, lay the cloth; **unter den ~ fallen** (*fig fam*) go by the board; **etw unter den ~ fallen lassen** (*fig*) drop s.th.; **reinen ~ machen** (*fig*) get things straight; **am grünen ~** from a bureaucratic ivory tower; **bitte zu ~!** dinner/lunch is served!; **Tisch•bein** *n* table-leg; **Tisch•de•cke** *f* tablecloth; **tisch•fer•tig** *adj* ready-to-serve; **Tisch•feu•er•zeug** *f* table-lighter; **Tisch•fuß•ball** *n* table football; **Tisch•ge•sell•schaft** *f* dinner party; **Tisch•kar•te** *f* place card; **Tisch•lam•pe** *f* table lamp

Tisch•ler(in) *m(f)* joiner; (*Möbel~*) cabinet-maker; (*Bau~*) carpenter; **Tisch•le•rei** *f* joiner's workshop

Tisch•nach•bar(in) *m(f)* fellow diner; **Tisch•plat•te** *f* tabletop; **Tisch•rech•ner** *m* (EDV) desktop calculator; **Tisch•re•de** *f* after-dinner speech; **Tisch•ten•nis** *n* table tennis; **Tisch•ten•nis•plat•te** *f* table-tennis table; **Tisch•ten•nis•schlä•ger** *m* table-tennis bat; **Tisch•tuch** *n* tablecloth; **Tisch•wä•sche** *f* table linen; **Tisch•wein** *m* table wine

Ti•tel ['tiːtəl] <-s, -> *m* title; **e-n ~ führen** have a title; **Ti•tel•bild** *n* cover; **Ti•tel•blatt** *n* title page; **Ti•tel•rol•le** *f* title role; **Ti•tel•sei•te** *f* front page; **Ti•tel•ver•tei•di•ger** *m* (SPORT) title holder; **Ti•tel•vor•spann** *m* (FILM) opening credits [*o* titles]

Tit•ten ['tɪtən] *fpl* (*vulg*) tits

ti•tu•lie•ren [titu'liːrən] *tr* call; (*anreden*) address (*mit* as)

Toast¹ [toːst] <-(e)s, -s> *m* (*Trinkspruch*) toast; **e-n ~ auf jdn ausbringen** propose a toast to s.o.

Toast² *m* (*Toastbrot*) toast; **Toas•ter** <-s, -> *m* toaster

to•ben ['toːbən] *itr* **1.** (*wüten*) rage **2.** (*Kinder*) rollick about

Tob•sucht <-> *f* mad rage; **tob•süch•tig** *adj* raving mad, maniacal; **Tob•suchts•an•fall** *m* maniacal fit

Toch•ter ['tɔxtɐ, *pl:* 'tœçtɐ] <-, ⸚> *f* daughter; **Toch•ter•ge•sell•schaft** *f* (COM) subsidiary company

Tod [toːt] <-(e)s, (-e)> *m* death; **sich vor dem ~ fürchten** be afraid of death; **sich zu ~e schämen** be utterly ashamed of o.s.; **des ~es sein** (*obs*) be doomed; **jdn zu ~e erschrecken** (*fig*) scare the daylights out of s.o.; **zu ~e erschrocken sein** be frightened to death; **zu ~e betrübt** in the depths of despair; **zu ~e langweilen** (*fig*) bore to death; **zum ~e verurteilen** sentence to death; **jdn auf den ~ nicht leiden können** (*fam*) not to be able to stand s.o.; **sich den ~ holen** (*vor Kälte*) catch one's death of cold; **tod•brin•gend** *adj* (*Krankheit*) fatal; (*Gift*) deadly; **tod•ernst** ['-'-] **I.** *adj* deadly serious **II.** *adv* in dead earnest

To•des•angst *f* mortal agony; **~ ausstehen** be scared to death; **To•des•an•zei•ge** *f* obituary; **To•des•fall** *m* death; **To•des•fal•le** *f* death-trap; **To•des•kampf** *m* death throes *pl;* **To•des•kan•di•dat** *m* (*Verurteilter*) condemned man; **To•des•kom•man•do** *n* death squad; **To•des•op•fer** *n* casualty, death; **To•des•stoß** *m* deathblow; **e-r Sache den ~ versetzen** (*fig*) deal the deathblow to s.th.; **jdm den ~ versetzen** deal s.o. a mortal blow; **To•des•stra•fe** *f* death penalty; **To•des•strei•fen** *m* (*an Grenzen*) death strip; **To•des•tag** *m* **1.** (*Sterbetag*) day of someone's death **2.** (*Jahrestag*) anniversary of someone's death; **To•des•ur•sa•che** *f* cause of death; **To•des•ur•teil** *n* death sentence; **To•des•ver•ach•tung** *f*: **mit ~** (*fig fam*) with utter disgust

Tod•feind(in) *m(f)* deadly enemy

tod•krank ['-'-] *adj* dangerously ill

töd•lich ['tøːtlɪç] *adj* deadly, mortal; (*Waffe, Dosis*) lethal; (*Unfall*) fatal; **~ verunglücken** be killed in an accident

tod•mü•de ['-'--] *adj* dead tired *fam;* **tod•schick** ['-'-] *adj* (*fam*) dead smart; **tod•si•cher** ['-'--] *adj* dead certain; (*Methode*) sure-fire; **Tod•sün•de** *f* mortal sin

To•i•let•te [toa'lɛtə] <-, -n> *f* **1.** (*WC*) lavatory, toilet **2.** (*Körperpflege*) toilet; **auf die ~ gehen** go to the toilet; **auf der ~ sein** be in the toilet; **To•i•let•ten•ar•ti•kel** *mpl* toiletries; **To•i•let•ten•gar•ni•tur** *f* bathroom set; **To•i•let•ten•pa•pier** *n* toilet paper; **To•i•let•ten•sei•fe** *f* toilet soap

toi, toi, toi ['tɔy 'tɔy 'tɔy] *interj* touch wood

To•kio ['toːkio] <-s> *n* Tokyo

to•le•rant [tole'rant] *adj* tolerant (*gegen* of); **To•le•ranz** *f* tolerance (*gegen* of); **To•le•ranz•gren•ze** *f* limit of tolerance

to•le•rie•ren *tr* tolerate

toll [tɔl] *adj* **1.** (*fam: herrlich*) groovy, terrific **2.** (*verrückt*) crazy; mad; **es kommt noch ~er!** there's more to come!; **er treibt es (etwas) zu ~** he's carrying on (a little) too much; **das war ein ~es Ding!** that was madness!; **es ging ~ her** it was a riot; **das ist das T~ste, was ich je gehört habe!** that beats everything I've heard!; **das T~ste dabei ist ...** the most incredible part about it is ...

Tol•le ['tɔlə] <-, -n> *f* quiff

Toll•kir•sche *f* belladonna, deadly nightshade

toll•kühn *adj* daring; **Toll•kühn•heit** *f* daring

Toll•patsch[RR] ['tɔlpatʃ] <-(e)s, -e> *m* (*fam*) clumsy creature

Toll•wut *f* (MED) rabies

Tol•patsch *m s.* **Tollpatsch**

Töl•pel ['tœlpəl] <-s, -> *m* fool; **töl•pel•haft** *adj* foolish, silly

To•ma•te [to'ma:tə] <-, -n> *f* tomato; **To•ma•ten•ketsch•up** *m* tomato ketchup; **To•ma•ten•mark** *n* tomato puree

Tom•bo•la ['tɔmbola] <-, -s/(-len)> *f* tombola

To•mo•gra•phie *f*,
To•mo•gra•fie[RR] *f* (MED) tomography

Ton[1] [to:n] <-(e)s, (-e)> *m* (*Erdart*) clay

Ton[2] [to:n, *pl:* 'tø:nə] <-(e)s, ⸚e> *m* **1.** (*Laut*) sound **2.** (*Betonung*) stress **3.** (*fig: Atmosphäre*) atmosphere **4.** (*fig: Farb~*) tone; **lass keinen ~ darüber verlauten!** don't say a word about it!; **keinen ~ von sich geben** not to utter a sound; **das gehört zum guten ~** (*fig*) that's how the best people do it; **der ~ macht die Musik** it's not what you say but the way you say it; **ich verbitte mir diesen ~!** I won't be spoken to like that!; **den richtigen ~ finden** strike the right note; **den ~ angeben** give the note; (*fig*) set the tone; **große ⸚~e spucken** (*fig fam*) talk big; **etw in den höchsten ⸚~en loben** praise s.th. to high heaven; **hast du ⸚~e ...!** (*fam*) did you ever ...!; **sich im ~ vergreifen** (*fig*) hit the wrong note; **Ton•ab•neh•mer** *m* pick-up; **ton•an•ge•bend** *adj:* **~ sein** set the tone; **Ton•arm** *m* (*von Plattenspieler*) pick-up arm; **Ton•arm•lift** *m* tone arm lift; **Ton•art** *f* **1.** (MUS) key **2.** (*fig: Tonfall*) tone; **e-e andere ~ anschlagen** (*fig*) change one's tune; **Ton•band** *n* **1.** (*Magnetband*) tape **2.** (*~gerät*) tape recorder; **auf ~ aufnehmen** record on tape; **Ton•band•auf•nah•me** *f* tape recording

tö•nen ['tø:nən] **I.** *itr* **1.** (*erklingen*) sound; (*schallen*) resound **2.** (*sl: großspurig reden*) hold forth, sound off **II.** *tr* (*färben*) tint

Ton•er•de *f* aluminium oxide; **essigsaure ~** aluminium acetate

tö•nern ['tø:nɐn] *adj* clay

Ton•fall *m* tone of voice; (*Intonation*) intonation; **Ton•film** *m* sound film

Ton•ge•fäß *n* earthenware vessel; **Ton•ge•schirr** *n* earthenware

Ton•hö•he *f* pitch; **Ton•kopf** *m* recording head; **Ton•la•ge** *f* pitch (level); **Ton•lei•ter** *f* scale; **ton•los** *adj* toneless; (*Stimme*) flat

Ton•na•ge [tɔ'na:ʒə] <-, -n> *f* (MAR) tonnage

Ton•ne ['tɔnə] <-, -n> *f* **1.** (*Behälter*) cask, barrel **2.** (MAR) ton **3.** (*fig fam*) fatty; **Ton•nen•ge•wöl•be** *n* (ARCH) barrel vaulting; **ton•nen•wei•se** *adj* by the ton

Ton•spur *f* (TECH) sound track; **Ton•stö•rung** *f* sound interference; **Ton•stu•dio** *n* recording studio

Ton•sur [tɔn'zu:ɐ] *f* tonsure

Ton•tau•be *f* clay pigeon; **Ton•tau•ben•schie•ßen** *n* clay pigeon shooting

Ton•tech•ni•ker(in) *m(f)* sound technician; **Ton•trä•ger** *m* sound carrier

Tö•nung *f* **1.** (*das Tönen*) tinting **2.** (*Farbton*) shade, tone; **Tö•nungs•creme** *f* colouring cream

To•pas [to'pa:s] <-es, -e> *m* topaz

Topf [tɔpf, *pl:* 'tœpfə] <-(e)s, ⸚e> *m* **1.** (*Gefäß*) pot **2.** (*fam: Toilette*) loo *Br*, john *Am;* **alles in e-n ~ werfen** (*fig*) lump everything together

Top•fen ['tɔpfn] <-s, -> *m* (*österr*) curd cheese

Töp•fer(in) ['tœpfɐ] *m(f)* potter; **Töp•fe•rei** *f* pottery; **Töp•fer•schei•be** *f* potter's wheel; **Töp•fer•wa•ren** *pl* earthenware *sing*

Topf•gu•cker *n* (*fig fam*) nosy parker; **Topf•lap•pen** *m* ovencloth; **Topf•pflan•ze** *f* potted plant

To•po•gra•fie[RR] *f s.* **Topographie**; **to•po•gra•fisch**[RR] *adj s.* **topogrphisch**; **To•po•gra•phie** [topogra'fi:] *f* topography; **to•po•gra•phisch** *adj* topographical

Tor[1] <-en, -en> *m* (*Narr*) fool

Tor[2] [to:ɐ] <-(e)s, -e> *n* **1.** (*Zugang, a. fig*) gate; (*Durchfahrt*) gateway **2.** (SPORT: *bei Fußball*) goal; **das ~ öffnen (schließen)** open (shut) the gates *pl;* **ein ~ erzielen** score a goal; **im ~ stehen** be in goal

Tor•bo•gen *m* archway; **Tor•ein•fahrt** *f* entrance gate

Torf [tɔrf] <-(e)s> *m* peat; **~ stechen** cut peat; **Torf•bo•den** *m* peat; **Torf•moor** *n* peat bog

Tor•heit *f* **1.** (*törichte Art*) foolishness **2.** (*törichte Handlung*) foolish action

tö•richt ['tø:rɪçt] *adj* **1.** (*dumm*) foolish, stupid **2.** (*nutzlos, unerfüllbar*) idle

tor•keln ['tɔrkəln] *sein itr* reel, stagger

Tor•li•nie *f* (SPORT) goal-line

Törn ['tœrn] <-s, -s> *m* (MAR) cruise

Tor•na•do [tɔr'na:do] <-s, -s> *m* tornado

Tor•nis•ter [tɔr'nɪstɐ] <-s, -> *m* (MIL) knapsack; (*Schulranzen*) satchel

tor•pe•die•ren [tɔrpe'di:rən] *tr* (MIL MAR: *a. fig*) torpedo; **Tor•pe•do** [tɔr'pe:do] <-s, -s> *m* torpedo; **Tor•pe•do•boot** *n* torpedo-boat

Tor•pfos•ten *m* **1.** gatepost **2.** (SPORT) goalpost; **Tor•raum** *m* (SPORT) goal area; **Tor•schluss**[RR] *m:* **kurz vor ~** at the eleventh hour; **Tor•schluss•pa•nik**[RR] *f* (PSYCH) fear of being left on the shelf; **Tor•schüt•ze**, **-schüt•zin** *m, f* (SPORT) scorer

Tor•so ['tɔrzo] <-s, -s/-si> *m* torso

Tor•te ['tɔrtə] <-, -n> *f* (*Sahne~*) gâteau; (*Obst~*) flan; **Tor•ten•he•ber** *m* cake slice; **Tor•ten•plat•te** *f* cake plate

Tor•tur [tɔr'tu:ɐ] *f* **1.** (*Folter*) torture **2.** (*fig*) ordeal

Tor•wart(in) ['to:ɐvart] <-(e)s, -e> *m(f)* goalkeeper

to•sen ['to:zən] *itr* (*Meer*) roar; (*Sturm*) rage

tot [to:t] *adj* dead; **er ist seit zwei Jahren ~** he has been dead for two years; **~es Kapital** dead capital; **~er Punkt** (*fig: in Verhandlungen*) deadlock; (*Stillstand*) standstill; **~er Winkel** blind spot; **das T~e Meer** the Dead Sea; **~ umfallen** drop dead; **~ geboren**[RR] still-born

to•tal [to'ta:l] *adj* **1.** (*völlig*) total **2.** (*Staat*) totalitarian; **To•tal•aus•ver•kauf** *m* clearance sale; **to•ta•li•tär** *adj* totalitarian; **To•ta•li•tät** *f* totality; **To•tal•scha•den** *m* write-off

tot|ar•bei•ten *refl* (*fig*) work o.s. to death

To•te(r) ['to:tə] *f m* deceased, dead person; (MIL) casualty; **es gab 50 ~** fifty people were killed

tö•ten ['tø:tən] *tr* **1.** (*umbringen*) kill **2.** (*fig: Nerv*) deaden

To•ten•bett *n* deathbed; **to•ten•blass**[RR] ['--'-] *adj* deathly pale; **To•ten•fei•er** *f* funeral ceremony; **To•ten•grä•ber** *m* grave-digger; **To•ten•hemd** *n* shroud; **To•ten•kopf** *m* **1.** (*Schädel*) death's head, skull **2.** (*Symbol*) skull and crossbones; **To•ten•mas•ke** *f* death mask; **To•ten•mes•se** *f* mass for the dead; **To•ten•schein** *m* death certificate; **to•ten•still** ['--'-] *adj* deathly silent; **To•ten•stil•le** *f* deathly silence; **To•ten•tanz** *m* danse macabre; **To•ten•wa•che** *f* wake

tot|fah•ren *irr tr* knock down and kill; **tot•ge•bo•ren** *adj s.* tot; **Tot•ge•burt** *f* stillbirth; **tot|la•chen** *refl* (*fig*) laugh one's head off; **tot|lau•fen** *irr refl* (*fig*) peter out

To•to ['to:to] <-s, -s> *m* (*Fußball~*) football pools *pl;* **ich spiele ~** I do the pools; **To•to•schein** *m* pools coupon

tot|schie•ßen *irr tr* shoot dead; **Tot•schlag** *m* (JUR) manslaughter *Br,* homicide *Am;* **tot|schla•gen** *irr tr* kill; **Tot•schlä•ger** *m* **1.** (*Mörder*) killer, murderer **2.** (*Knüppel*) cudgel *Br,* blackjack *Am;* **tot•schwei•gen** *irr tr* hush up; **tot|stel•len** *refl* play dead; **tot|tre•ten** *tr* (*Mensch, Tier*) trample to death; (*Insekt*) tread on and kill

Tö•tung *f* killing; **fahrlässige ~** (JUR) manslaughter through culpable negligence

Tou•pet [tu'pe:] *n* toupee; **tou•pie•ren** *tr* back-comb

Tour [tu:ɐ] <-, -en> *f* **1.** (*Ausflug*) tour; (*Fahrt*) trip **2.** (MOT: *Umdrehung*) revolution **3.** (*fam: Art und Weise*) play; **in einer ~** (*fam*) incessantly; **er macht es auf die gemütliche ~** (*fam*) he does it the easy way; **jdm die ~ vermasseln** (*fam*) mess up someone's plans *pl;* **auf ~en kommen** (MOT) reach top speed; (*fig fam*) get into top gear; **krumme ~en** sharp practices; **auf vollen ~en laufen** (*fig*) go at full speed; **Tou•ren•ski** *m* (SPORT) cross-country ski; **Tou•ren•zahl** *f* (MOT) number of revolutions

Tou•ris•mus *m* tourism; **Tou•rist(in)** *m(f)* tourist; **Tou•ris•ten•klas•se** *f* (AERO) tourist class; **Tou•ris•ten•vi•sum** *n* tourist visa; **Tou•ris•tik•un•ter•neh•men** *n* tour company

Tour•nee [tʊr'ne:] <-, -s/-n> *f* (THEAT) tour; **auf ~ gehen** go on tour

To•xi•ko•lo•ge [tɔksiko'lo:gə] <-n, -n> *m,* **To•xi•ko•lo•gin** *f* toxicologist; **to•xisch** ['tɔksɪʃ] *adj* toxic

Trab [tra:p] <-(e)s> *m* trot; **im ~** at a trot; **jdn auf ~ bringen** (*fig fam*) make s.o. get a move on; **jdn in ~ halten** keep s.o. on the go

Tra•bant [tra'bant] <-en, -en> *m* (ASTR) satellite; **Tra•ban•ten•stadt** *f* satellite town

Trab•bi ['trabɪ] <-s, -s> *m* (*fam*) East German Trabant car

tra•ben ['tra:bən] *sein itr* trot

Tracht [traxt] <-, -en> *f* (*Kleidung*) dress, garb; (*Schwestern~*) uniform; **e-e ~ Prügel** a good hiding

Trach•ten *n* (*Streben*) endeavour; **trach•ten** ['traxtən] *itr* (*streben*) strive (*nach* for, after); **jdm nach dem Leben ~** seek to kill s.o.

träch•tig ['trɛçtɪç] *adj* pregnant

Tra•di•ti•on [tradi'tsjo:n] *f* tradition; **tra•di•ti•o•nell** *adj* traditional

Trag•bah•re *f* stretcher; **trag•bar** *adj* **1.** (*Gerät*) portable **2.** (*fig: erträglich*) bearable **3.** (*fig: annehmbar*) acceptable (*für* to)

trä•ge ['trɛ:gə] *adj* **1.** (*antriebsschwach*) sluggish **2.** (PHYS: *Masse*) inert

Tra•gen *n:* **zum ~ kommen** have an effect

tra•gen ['tra:gən] **I.** *irr tr* **1.** carry **2.** (*Namen, Kosten, Schulden, Früchte*) bear **3.** (*hervorbringen*) bear, yield, produce **4.** (*Kleider*) wear; (*anhaben*) have on **5.** (*fig: erdulden*) endure **6.** (*stützen*) support;

etw bei sich ~ carry s.th. (with one); **viele Früchte** ~ produce a good crop of fruit; **der Brief trägt das Datum von ...** the letter is dated ... **II.** *itr* **1.** (*Eis*) bear **2.** (*Baum, Acker etc*) crop **III.** *refl* (*Kleid, Stoff*) wear; **sich mit dem Gedanken ~, etw zu tun** entertain the idea of doing s.th.

Trä•ger ['trɛgɐ] <-s, -> *m* **1.** (*Gepäck~*) porter **2.** (*von Namen*) bearer **3.** (*von Kleidung*) wearer **4.** (*Balken*) beam; (*Eisen~*) girder **5.** (*an Kleidung*) strap; (*Hosen~*) braces *pl* **6.** (*fig: Kultur~, Staat etc*) representative; (*Veranstaltungs~*) sponsor; **trä•ger•los** *adj* (*Kleid*) strapless; **Trä•ger•ra•ke•te** *f* carrier rocket

Tra•ge•ta•sche *f* carrier bag

trag•fä•hig *adj* able to take a load; **Trag•fä•hig•keit** *f* **1.** (MOT) load-capacity **2.** (*Brücke*) maximum load; **Trag•flä•che** *f* (AERO) wing; **Trag•flü•gel•boot** *n* hydrofoil

Träg•heit ['trɛ:khaɪt] *f* **1.** (*Antriebslosigkeit*) sluggishness; (*Faulheit*) idleness, laziness **2.** (PHYS) inertia; **Träg•heits•mo•ment** *n* (PHYS) moment of inertia

Tra•gik ['tra:gɪk] *f* tragedy

tra•gi•ko•misch ['tra:giko:mɪʃ] *adj* tragicomic

tra•gisch *adj* tragic; **das ist nicht so ~** that's not the end of the world

Trag•last *f* load; (*Gepäck*) heavy luggage *Br*, heavy baggage *Am*

Tra•gö•die [tra'gø:diə] <-, -n> *f* (*a. fig*) tragedy

Trag•wei•te *f* **1.** (MIL: *Reichweite*) range **2.** (*fig*) scope; consequences *pl*

Trag•werk *n* wing assembly

Trai•ner(in) ['tre:nɐ] <-s, -> *m(f)* (SPORT) coach, trainer

trai•nie•ren I. *tr* train; (*e-e Mannschaft*) coach (*zu* for) **II.** *itr:* **da musst du schon noch etw ~!** you'll have to practise that a bit more!

Trai•ning ['tre:nɪŋ] <-s, -s> *n* **1.** training **2.** (*fig: Übung*) practice; **Trai•nings•an•zug** *m* tracksuit; **Trai•nings•ho•se** *f* tracksuit trousers *pl;* **Trai•nings•la•ger** *n* training camp

Trakt [trakt] <-(e)s, -e> *m* (*Gebäude~*) part, wing

trak•tie•ren *tr* (*schlecht behandeln*) maltreat

Trak•tor ['trakto:ɐ] <-s, -en> *m* tractor

Tram [tram] <-s, -s> *n CH* tram(way)

tram•peln ['trampəln] *tr itr* trample; **die Zuschauer ~ mit den Füßen** the audience are stamping their feet

Tram•pel•pfad *m* path, track

tram•pen ['trɛmpən] *sein itr* hitchhike

Tram•po•lin [trampo'li:n] <-s, -s/(-e)> *n* (SPORT) trampoline

Tran [tra:n] <-(e)s, (-e)> *m* **1.** train-oil **2.** (*fig fam*): **er läuft wie im ~ herum** he's running around in a daze

tran•chie•ren *s.* **transchieren; Tran•chier•mes•ser** *n s.* **Transchiermesser**

Trä•ne ['trɛ:nə] <-, -n> *f* tear; **in ~n ausbrechen** burst into tears; **unter ~n** in tears; **~n vergießen** shed tears; **ihr standen ~n in den Augen** there were tears in her eyes; **~ lachen** laugh till one cries; **trä•nen** *itr* water; **Trä•nen•drü•se** *f* lachrymal gland; **Trä•nen•gas** *n* tear gas; **Trä•nen•sack** *m* lachrymal sac

Trank [traŋk, *pl:* 'trɛŋkə] <-(e)s, ¨-e> *m* beverage, drink

Trän•ke ['trɛŋkə] <-, -n> *f* watering-place; **trän•ken** *tr* **1.** (*Tiere*) water **2.** (*fig: durchnässen*) soak

Trans•ak•ti•on [transak'tsjo:n] *f* transaction

trans•at•lan•tisch *adj* transatlantic

tran•schie•ren[RR] [trã'ʃi:rən] *tr* carve; **Tran•schier•mes•ser**[RR] *n* carving-knife

Trans•fer [trans'fe:ɐ] <-s, -s> *m* transfer; **trans•fe•rie•ren** *tr* transfer

Trans•for•ma•tor [transfɔr'ma:to:ɐ] <-s, -en> *m* transformer

trans•for•mie•ren *tr* transform

Trans•fu•si•on *f* (MED) transfusion

trans•gen *adj* transgenic

Tran•sis•tor [tran'zɪsto:ɐ] <-s, -en> *m* transistor; **Tran•sis•tor•zün•dung** *f* (MOT) transistorized ignition system

Tran•sit [tran'zɪt/ tran'zi:t] <-s, -e> *m* transit; **Tran•sit•gü•ter** *npl* transit goods

tran•si•tiv ['tranziti:f] *adj* (GRAM) transitive

Tran•sit•ver•kehr *m* transit traffic; (*Handel*) transit trade; **Tran•sit•vi•sum** *n* transit visa

Trans•mis•si•on *f* transmission

trans•na•tio•nal *adj* trans-national

Trans•pa•rent [transpa'rɛnt] <-(e)s, -e> *n* (*Spruchband*) banner; **trans•pa•rent** *adj* **1.** (*durchscheinend*) transparent **2.** (*fig: Argument etc*) lucid

tran•spi•rie•ren [transpi'ri:rən] *itr* perspire; (*Pflanzen*) transpire

Trans•plan•ta•ti•on [transplanta'tsjo:n] *f* transplantation

Trans•port [trans'pɔrt] <-(e)s, -e> *m* transport; **trans•por•ta•bel** [transpɔr'ta:bəl] *adj* transportable; **Trans•port•band** *n* conveyer belt; **Trans•por•ter** *m* **1.** (MAR) cargo ship **2.** (AERO) transport plane **3.** (MOT) van; **trans•port•fä•hig** *adj* moveable; **Trans•port•flug•zeug** *n* transport aircraft; **trans•por•tie•ren I.** *tr* **1.** (*Güter*) transport **2.** (*Patienten*) move

II. *itr* (*Förderband*) move; (*Kamera*) wind on; **Trans•port•kos•ten** *pl* carriage *sing;* **Trans•port•mit•tel** *n* means of transport; **Trans•port•schiff** *n* cargo ship; (MIL) transport ship; **Trans•port•un•ter•neh•men** *nt* haulage firm; **Trans•port•un•ter•neh•mer(in)** *m(f)* transport contractor, haulier; **Trans•port•weg** *m* transport route

Trans•ves•tit [transvɛs'ti:t] <-en, -en> *m* transvestite

tran•szen•den•tal [transtsɛndɛn'ta:l] *adj* transcendental; **~e Meditation** transcendental meditation

Tra•pez [tra'pe:ts] <-es, -e> *n* **1.** (MATH) trapezium **2.** (*im Zirkus*) trapeze

Tras•se ['trasə] <-, -n> *f* marked-out route

Tratsch [tra:tʃ] <-(e)s> *m* (*fam*) gossip, tittle-tattle; **trat•schen** *itr* gossip

Trat•te ['tratə] <-, -n> *f* (COM) draft

Trau•al•tar *m* altar

Trau•be ['traʊbə] <-, -n> *f* **1.** (*ganzer Fruchtstand*) bunch of grapes; (*einzelne Beere*) grape **2.** (*fig: Haufen, Gruppe*) bunch, cluster; **Trau•ben•saft** *f* grape juice; **Trau•ben•zu•cker** *m* dextrose, glucose

trau•en ['traʊən] **I.** *tr* (*verheiraten*) marry; **sich ~ lassen** get married **II.** *itr* (*vertrauen*) trust; **ich traute meinen Ohren nicht** I couldn't believe my ears; **jdm nicht über den Weg ~** not to trust s.o. an inch **III.** *refl* (*wagen*) dare

Trau•er ['traʊɐ] <-> *f* **1.** (*Gram*) grief, sorrow **2.** (*um e-n Toten*) mourning; **in tiefer ~ ...** (*Traueranzeige*) much loved and sadly missed by ...; **Trau•er•an•zei•ge** *f* death notice; **Trau•er•bin•de** *f* mourning armband; **Trau•er•fall** *m* death, bereavement; **Trau•er•flor** [-flo:ɐ] <-(e)s, (-e)> *m* black ribbon; **Trau•er•jahr** *n* year of mourning; **Trau•er•klei•dung** *f* mourning; **Trau•er•kloß** *m* (*fam*) wet blanket; **Trau•er•marsch** *m* funeral march

trau•ern *itr* mourn (*um jdn* for s.o.)

Trau•er•spiel *n* (*a. fig*) tragedy

Trau•er•wei•de *f* (BOT) weeping willow

Trau•fe ['traʊfə] <-, -n> *f* eaves *pl;* **vom Regen in die ~ kommen** (*prov*) jump out of the frying pan into the fire

träu•feln ['trɔɪfəln] **I.** *tr haben* dribble **II.** *itr sein* trickle

Traum [traʊm, *pl:* 'trɔɪmə] <-(e)s, ⸚e> *m* dream; **der ~ ist ausgeträumt!** (*fig*) the honeymoon is over!; **aus der ~!** (*fig*) well, that was that!; **mein ~ ging in Erfüllung** my dream came true; **ich denke nicht im ~ daran!** I wouldn't dream of it!; **das ging wie im ~** (*fig fam*) it worked like a dream

Trau•ma *n* <-s, -men *o* -ta> (*a. fig*) trauma; **trau•ma•tisch** *adj* (*a. fig*) traumatic

Traum•be•ruf *m* dream job; **Traum•deu•ter(in)** *m(f)* interpreter of dreams

träu•men ['trɔɪmən] **I.** *itr* dream; **das hätte ich mir nicht ~ lassen** I'd never have thought it possible; **schlecht ~** have a bad dream; **davon ~, reich zu werden** dream of becoming rich; **von etw ~** dream about s.th.; **ich hätte mir nie ~ lassen, dass sie kommen würde** I never dreamt she would come **II.** *tr* dream; **etw Schönes ~** have a pleasant dream; **Träu•me•rei** *f* **1.** (*das Träumen*) (day)dreaming **2.** (*die Vorstellung*) daydream, reverie; **Träu•mer(in)** *m(f)* (day)dreamer; **träu•me•risch** *adj* **1.** (*verträumt*) dreamy **2.** (*schwärmerisch*) wistful

traum•haft *adj* **1.** (*wie im Traume*) dreamlike **2.** (*fig: fantastisch*) fantastic; **Traum•land•schaft** *f* dreamscape; **Traum•paar** *n* (*fam*) perfect couple; **Traum•tän•ze•r(in)** *m(f)* dreamer *fam,* space cadet *sl*

trau•rig ['traʊrɪç] *adj* **1.** sad **2.** (*beklagenswert*) sorry; **ein ~er Anblick** a sorry sight; **Trau•rig•keit** *f* sadness

Trau•ring *m* wedding ring; **Trau•schein** *m* marriage certificate

traut [traʊt] *adj* **1.** (*gemütlich*) cosy **2.** (*vertraut*) familiar; **~es Heim Glück allein** (*prov*) home sweet home

Trau•ung *f* marriage ceremony, wedding; **Trau•zeu•ge, -zeu•gin** *m, f* witness

Treck [trɛk] <-s, -s> *m* trek

Tre•cker *m* tractor

Treff <-s, -s> *m* (*fam*) **1.** (*Treffen*) meeting **2.** (*Treffpunkt*) haunt; **konspirativer ~** conspiratorial meeting; **Tref•fen** <-s, -> *n* meeting; (SPORT) encounter

tref•fen ['trɛfən] **I.** *irr tr itr* **1.** (*schlagen*) hit, strike (*an* in, on) **2.** (*begegnen*) meet; (*stoßen auf*) hit upon, run into **3.** (*fig: kränken*) hurt **4.** (*Maßnahmen etc*) take **II.** *itr* (*Schlag etc*) hit; **nicht ~** miss; **auf etw (jdn) ~** meet s.th. (s.o.); **getroffen!** a hit! **III.** *refl* **1.** (*geschehen*) happen **2.** (*zusammen~*) meet; **es trifft sich gut, dass ...** it is convenient [*o* good] that ...; **sich getroffen fühlen** to feel hurt; **tref•fend** *adj* (*passend*) apt

Tref•fer *m* (*a. fig*) hit; (*in Lotterie*) winner; (SPORT: *Tor*) goal; **e-n ~ erzielen** score a hit; (*im Fußball*) shoot a goal

treff•lich *adj* excellent, splendid

Treff•punkt *m* meeting place; (*auf Flughafen, Bahnhof*) meeting point

Treib•eis *n* drift-ice

Trei•ben *n* (*Getriebe*) hustle and bustle; **ich beobachte ihr ~ schon lange** I've been watching what they've been getting up to for a long time

trei•ben ['traɪbən] **I.** *irr tr haben* **1.** (*in Bewegung setzen, a. fig*) drive **2.** (*Geschäfte, Handel etc*) do **3.** (*Blüten, Knospen*) sprout; **du treibst mich noch zum Wahnsinn!** (*fig fam*) you're driving me mad!; **etw auf die Spitze** ~ carry s.th. too far; **zur Verzweiflung** ~ drive to despair **II.** *itr* **1.** *sein* (*sich fortbewegen, a. fig*) drift **2.** *haben* (BOT) sprout **3.** *haben* (MED) have a diuretic effect; **na, was treibt er denn so?** well, what's he been up to lately?; **es zu weit** ~ go too far; **es mit jdm** ~ (*sexuell*) have it off with s.o. *sl;* **treibend** *adj:* **die ~e Kraft** the driving force (*bei etw* behind s.th.)

Trei•ber *m* (*Vieh~*) drover; (*Jagd~*) beater

Treib•gas *n* propellant; **Treib•gut** *nt* flotsam; **Treib•haus** *n* hothouse; **Treib•haus•ef•fekt** *m* greenhouse effect; **Treib•holz** <-es> *n* driftwood; **Treib•jagd** *f* battue; **Treib•sand** *m* quicksand; **Treib•satz** *m* (*von Rakete*) rocket composition; **Treib•stoff** *m* fuel; (*Raketen~*) propellant; **Treib•stoff•ver•brauch** *m* fuel consumption

Trend [trɛnt] <-s, -s> *m* trend; **Trend•set•ter** <-s, -> *m* trendsetter

trenn•bar *adj* separable

tren•nen ['trɛnən] **I.** *tr* **1.** (*entfernen*) separate (*von* from) **2.** (*Naht etc*) undo **3.** (EL TELE) disconnect, interrupt **4.** (*fig: unterscheiden*) distinguish (*zwischen* between); **uns kann nichts** ~ nothing can come between us **II.** *refl* **1.** part (*von jdm* from, with, *von etw* with) **2.** (*auseinandergehen*) separate; **von der Uhr kann ich mich nicht** ~ I can't bear to part with this watch [*o* clock]

Tren•nung *f* **1.** (*Getrenntsein, -werden*) separation **2.** (GRAM: *Silben~*) division **3.** (*Auflösung*) dissolution **4.** (*Abschied*) parting; **Tren•nungs•strich** *m* hyphen

Trenn•wand *f* partition wall

trepp•ab [-'-] *adv:* **treppauf,** ~ up and down stairs

Trep•pe ['trɛpə] <-, -n> *f* staircase *Br,* stairs *pl,* stairway *Am;* **die ~ heraufgehen** go upstairs; **die ~ hinuntergehen** go downstairs, go down the stairs; **oben an der** ~ at the top of the stairs; **Trep•pen•ab•satz** *m* landing; **Trep•pen•ge•län•der** *n* banister; **Trep•pen•haus** *n* stairwell, staircase; **Trep•pen•stu•fe** *f* stair, step

Tre•sen ['tre:zən] <-s, -> *m* (*Theke*) bar; (*Ladentisch*) counter

Tre•sor [tre'zo:ɐ] <-s, -e> *m* **1.** (*Raum*) vault **2.** (*Schrank*) safe; **Tre•sor•raum** *m* strongroom, vault

Tret•boot *n* pedal boat, pedalo

tre•ten ['tre:tən] **I.** *irr itr sein* **1.** (*in Pfütze, auf etw etc*) step, tread **2.** (*Radfahrer*) pedal **3.** (*mit Fuß anstoßen*) kick (*gegen etw* s.th., *nach* out at); **treten Sie näher!** move closer!; **jdm auf die Füße** ~ (*fig*) tread on someone's toes; **er ist mir auf den Fuß getreten!** he stepped on my foot!; **in den Streik** ~ go on strike **II.** *tr haben* (*Fußtritt geben*) kick; **nach jdm (etw)** ~ take a kick at s.o. (s.th.); **er trat mit Wucht gegen den Ball** he gave the ball a tremendous kick; **gegen das Bein getreten werden** get kicked in the leg

Tret•müh•le *f* (*a. fig*) treadmill

treu [trɔɪ] *adj* (*Ehegatte, Hund etc*) faithful; (*Freund, Sohn etc*) loyal; (*Diener*) devoted; **seinem Vorsatz ~ bleiben** keep to one's resolution; **zu ~en Händen** in trust

Treu•bruch *m* breach of faith

Treue ['trɔɪə] <-> *f* faith; (*eheliche ~*) fidelity; (*Ergebenheit*) loyalty; **jdm die ~ halten** keep faith with s.o., remain faithful to s.o.; **Treu(•e)•eid** *m* oath of allegiance

Treu•hand <-> *f* trust (company); **Treu•hän•der** *m* fiduciary, trustee; **Treu•hand•ge•sell•schaft** *f* trust company; **treu•her•zig** *adj* innocent; (*vertrauensselig*) trusting; **Treu•her•zig•keit** *f* innocence; **treu•los** *adj* faithless, disloyal; **Treu•lo•sig•keit** *f* faithlessness

Tri•ath•let(in) <-en, -en> *m(f)* triathlete

Tri•ath•lon ['tri:atlɔn] <-s> *m* triathlon

Tri•bü•ne [tri'by:nə] <-, -n> *f* (*Redner~*) platform, rostrum; (*Zuschauer~*) gallery, stand

Tri•but [tri'bu:t] <-(e)s, -e> *m* tribute; **jdm ~ zollen** (*a. fig*) pay tribute to s.o.; **tri•but•pflich•tig** *adj* (*obs*) tributary

Tri•chi•ne [trɪ'çi:nə] <-, -n> *f* trichina

Trich•ter ['trɪçtɐ] <-s, -> *m* funnel; (*Granat~*) crater; **trich•ter•för•mig** *adj* funnel-like

Trick [trɪk] <-s, -s/(-e)> *m* trick; **ich kenne da noch e-n viel besseren** ~ I know a much better trick; **er steckt voller ~s** he is full of tricks; **ein ganz gemeiner** ~ a dirty trick; **da ist ein ~ dabei** there's a special trick to it; **wenn du erst einmal den ~ heraushast, wie man das einstellt** once you get the trick of adjusting it; **Trick•auf•nah•me** *f* fake photo; **Trick•be•trü•ger(in)** *m(f)* confidence trickster; **Trick•film** *m* trick film; (*Zeichen~*) cartoon; **Trick•kis•te** *f* (*fig fam*) bag of tricks; **trick•reich** *adj* (*fam*) tricky

trick•sen ['trɪksən] *itr* (*fam*) fiddle, trick

Trieb [tri:p] <-(e)s, -e> *m* **1.** (*Natur~*) drive; (*Drang, Verlangen*) desire, urge; (*Selbsterhaltungs~*) instinct **2.** (BOT) shoot; **Trieb•fe•der** *f* (*fig*) motivating force; **trieb•haft** *adj* (*von Handlung*) compulsive; (*von Menschen*) ruled by one's physical urges; **Trieb•kraft** *f* **1.** (PHYS) motive power **2.** (*fig*) driving force; **Trieb•tä•ter(in)** *m(f)* sex offender; **Trieb•wa•gen** *m* (RAIL) railcar; **Trieb•werk** *n* (AERO) engine

trie•fen ['tri:fən] *irr itr* **1.** (*~d sein*) be dripping wet **2.** (*rinnen*) drip; **vor Nässe ~** be soaking wet

trif•tig ['trɪftɪç] *adj* (*Argument*) convincing; (*Grund*) good

Tri•go•no•me•trie [trigonome'tri:] *f* trigonometry

Tri•kot *n* jersey; (*Turnanzug*) leotard; (*e-s Fußballspielers*) shirt; **Tri•kot•wer•bung** *f* (SPORT) shirt advertising

Tril•ler ['trɪlɐ] *m* (MUS) trill; (*Vogel~*) warble; **tril•lern** *itr tr* trill; (*Vögel*) warble; **Tril•ler•pfei•fe** *f* whistle

trim•men ['trɪmən] **I.** *tr* (MAR AERO: *a. Hund*) trim **II.** *refl* (*fam*) do keep-fit exercises; **Trimm•pfad** *m* (*fam*) keep-fit trail

trink•bar *adj* drinkable

trin•ken ['trɪŋkən] *irr tr itr* drink; (*Tee, Kaffee*) have; **kann ich 'was zu ~ haben?** may I have something to drink?; **jdm etw zu ~ geben** give s.o. a drink; **trink doch 'was!** have a drink!; **~ wir 'was!** let's have a drink!; **ich brauche 'was zu ~!** I need a drink!; **zu ~ anfangen** (*Alkohol*) take to drink; **e-n ~ gehen** go out drinking; **möchtest du etwas zu ~?** would you like s.th. to drink?; **darauf trinke ich** I'll drink to that

Trin•ker(in) *m(f)* drinker

trink•fest *adj* hard-drinking; **Trink•ge•la•ge** *n* drinking session; **Trink•geld** *n* tip; **jdm ein ~ geben** tip s.o.; **Trink•glas** *n* drinking glass; **Trink•hal•le** *f* **1.** (*in Kurort*) pump-room **2.** (*an Straße*) refreshment kiosk; **Trink•halm** *m* (drinking) straw; **Trink•spruch** *m* toast; **Trink•was•ser** <-s> *n* drinking water; **Trink•was•ser•auf•be•rei•tung** *f* drinking water preparation; **Trink•was•ser•knapp•heit** *f* drinking, water shortage; **Trink•was•ser•ver•sor•gung** *f* drinking water supply

trip•peln ['trɪpəln] *sein itr* trip; (*geziert gehen*) mince

Trip•per ['trɪpɐ] <-s, -> *m* gonorrh(o)ea, clap *sl*

Tritt [trɪt] <-(e)s, -e> *n* **1.** (*Schritt*) step **2.** (*Gang*) tread **3.** (*Fußspur*) footprint **4.** (*Stufe*) step **5.** (*Fuß~*) kick; **jdm e-n ~ geben** give s.o. a kick; (*fig: herauswerfen*) kick s.o. out; **~e hören** hear footsteps; **~ fassen** (*fig*) get off the mark; **Tritt•blech** *n* (MOT) running board; **Tritt•ho•cker** *m* step stool; **Tritt•lei•ter** *f* stepladder

Tri•umph [tri'ʊmf] <-(e)s, -e> *m* triumph; **Tri•umph•bo•gen** *m* triumphal arch; **Tri•umph•ge•schrei** *n* howl of triumph; **tri•um•phie•ren** *itr* (*frohlocken*) exult; **tri•um•phie•rend** *adj* triumphant; **Tri•umph•zug** *m* triumphal procession

tri•vi•al [trivi'ɑ:l] *adj* trivial

Tri•vi•al•li•te•ra•tur *f* light fiction

tro•cken ['trɔkən] *adj* **1.** (*nicht feucht, a. fig*) dry; (*dürr*) arid **2.** (*fig: Husten*) hacking; **~ werden** dry off [*o* out]; **auf dem T~en sitzen**[RR] (*fig*) be in a tight spot

Tro•cken•au•to•mat *m* (*für Wäsche*) automatic dryer; **Tro•cken•dock** *n* dry dock; **Tro•cken•eis** *n* dry ice; **Tro•cken•ge•stell** *n* drying rack; **Tro•cken•hau•be** *f* (TECH) hairdryer; **Tro•cken•heit** *f* dryness; (*Dürre*) drought; **tro•cken|le•gen** *tr* **1.** (*Land*) drain **2.** (*Kind*) change **3.** (*fam: Trinker*) dry out; **Tro•cken•milch** *f* dried milk; **Tro•cken•sham•poo** *n* dry shampoo; **Tro•cken•spi•ri•tus** *m* solid fuel; **Tro•cken•zeit** *f* **1.** (*von Wäsche etc*) drying time **2.** (*Jahreszeit*) dry season

trock•nen ['trɔknən] *tr itr* dry

Trö•del ['trø:dəl] <-s> *m* (*fam*) junk

Trö•de•lei *f* dawdling

trö•deln *itr* dawdle

Tröd•ler(in) *m(f)* **1.** (*Händler*) junk-dealer **2.** (*fam: Bummler*) dawdler

Trog [tro:k, 'trø:gə] <-(e)s, ⸚e> *m* trough; (*Wasch~*) tub

trol•len ['trɔlən] *refl* (*fam*) push off, take o.s. off *fam*

Trom•mel ['trɔməl] <-, -n> *f* **1.** (MUS) drum **2.** (TECH) barrel **3.** (*in Revolver*) revolving breech; **die ~ schlagen** play the drum; **die ~ für etw rühren** (*fig*) drum up support for s.th; **Trom•mel•fell** *n* eardrum; **Trom•mel•feu•er** *n* drumfire; **trom•meln** *itr tr* **1.** (*auf Trommel*) (beat the) drum **2.** (*fig: Regen*) beat down; **Trom•mel•re•vol•ver** *m* revolver; **Trom•mel•wir•bel** *m* drum-roll; **Tromm•ler** *m* drummer

Trom•pe•te [trɔm'pe:tə] <-, -n> *f* trumpet; **trom•pe•ten** <ohne ge-> **I.** *itr* trumpet **II.** *tr* (*ein Stück ~*) play on the trumpet; **Trom•pe•ter** *m* trumpeter

Tro•pen ['tro:pən] *pl* tropics; **Tro•pen•an•zug** *m* tropical suit; **Tro•pen•helm** *m* sun-helmet; **Tro•pen•ins•ti•tut** *nt* tropical institute; **Tro•pen•krank•heit** *f* tropical disease

Tropf[1] [trɔpf] <-(e)s> *m* (MED) drip; **am ~ hängen** (*fam*) be on a drip

Tropf[2] [*pl:* 'trœpfə] <-(e)s, ⸚e> *m* (*fam*): **armer ~** poor devil

Trop•fen <-s, -> *m* drop; (*Schweiß~*) bead; **ein ~ Blut** a drop of blood; **ein ~ auf den**

heißen Stein (*fig*) a drop in the ocean; **ein guter** ~ (*Wein*) a good wine; **steter** ~ **höhlt den Stein** (*prov*) constant dripping wears away the stone

trop•fen [ˈtrɔpfən] *itr* drip; **deine Nase tropft!** your nose is running!; **pass auf mit dem Bier, es tropft!** careful with that beer, you're dripping!; **pass auf, die Farbe tropft mir auf den Mantel!** careful, you're dripping paint over my coat!; **von s-n Kleidern tropfte Wasser** his clothes were dripping water; **trop•fen•wei•se** *adv* drop by drop

Tropf•in•fu•si•on *f* (MED) intravenous drip; **tropf•nass**[RR] [ˈ-ˈ-] *adj* dripping wet; **Tropf•stein** *m* (*hängend*) stalactite; (*aufsteigend*) stalagmite; **Tropf•stein•höh•le** *f* stalactite cave

Tro•phäe [troˈfɛːə] <-, -n> *f* trophy

tro•pisch [ˈtroːpɪʃ] *adj* tropical

Tross[RR] [trɔs] <-es, -e> *m* (MIL) baggage, train

Trost [troːst] <-(e)s> *m* comfort, consolation; **das ist ein schwacher** ~ (*iro*) some comfort that is; **nicht recht bei** ~ **sein** be out of one's mind

trös•ten [ˈtrøːstən] **I.** *tr* comfort, console **II.** *refl* cheer up, console o.s. (*mit* with); ~ **Sie sich!** (*fig*) never mind!; **tröst•lich** *adj* comforting; **das ist ja sehr** ~**!** (*iro*) that's some comfort!

trost•los *adj* **1.** (*hoffnungslos*) hopeless **2.** (*freudlos*) cheerless **3.** (*elend*) wretched **4.** (*öde*) dreary; **Trost•lo•sig•keit** *f* dreariness, hopelessness; **Trost•preis** *m* consolation prize; **trost•reich** *adj* comforting

Trös•tung *f* **1.** (*Trost*) comfort, consolation **2.** (*das Trösten*) comforting

Trott [trɔt] <-(e)s, -e> *m* **1.** (*Gangart*) trot **2.** (*fig*) routine, rut

Trot•tel [ˈtrɔtəl] <-s, -> *m* (*fam*) fool, idiot, dope

trot•ten *sein itr* trot along

Trot•toir [trɔˈtoaːɐ] <-s, -s/-e> *n* (*CH*) pavement *Br*, sidewalk *Am*

Trotz [trɔts] <-es> *m* **1.** defiance **2.** (*trotziges Verhalten*) contrariness; **jdm zum** ~ in defiance of s.o.; **aus** ~ for spite

trotz *präp* despite, in spite of; ~ **alledem** for all that

Trotz•al•ter *n*: **er befindet sich gerade im** ~ he's going through a defiant phase

trotz•dem [ˈ--/-ˈ-] *adv* nevertheless

trot•zen *itr* **1.** (*die Stirne bieten*) defy (*jdm* s.o.); (*Gefahren*) brave **2.** (*trotzig sein*) be awkward [*o* contrary]; **trot•zig** *adj* **1.** (*die Stirne bietend*) defiant; (*Kind*) awkward **2.** (*trotzköpfig*) contrary; **Trotz•kopf** *m* (*fam*) contrary person; **Trotz•re•ak•ti•on** *f* act of defiance

trü•be [ˈtryːbə] *adj* **1.** (*glanzlos*) dim, dull; (*Flüssigkeit*) muddy; (*Himmel*) cloudy, overcast **2.** (*fig: Stimmung*) gloomy, pretty bleak; ~ **Tasse** (*fig fam*) drip

Tru•bel [ˈtruːbəl] <-s> *m* hurly-burly

trü•ben [ˈtryːbən] **I.** *tr* **1.** (*verdunkeln*) dim; (*stumpf machen, a. fig*) dull; (*Wasseroberfläche*) ruffle **2.** (*fig: Freude, Verhältnis*) mar, spoil; (*Beziehungen*) strain **II.** *refl* grow cloudy [*o* gloomy] [*o* dull]

Trüb•sal [ˈtryːpzaːl] <-, -e> *f* afflictions *pl*; (*Kummer*) sorrow; ~ **blasen** (*fam*) mope; **trüb•se•lig** *adj* **1.** (*betrübt*) gloomy **2.** (*trostlos*) bleak, depressing

trüb•sin•nig *adj* gloomy, melancholy

Trü•bung *f* **1.** (*das Trübwerden*) dulling, ruffling **2.** (*fig*) spoiling, straining

tru•deln [ˈtruːdəln] *sein itr* (AERO) spin

Trüf•fel [ˈtrʏfəl] <-, -n> *f* truffle

Trug [ˈtruːk] <-(e)s> *m* deception; (*Fantasiegebilde*) delusion; **Trug•bild** *n* delusion

trü•gen [ˈtryːgən] **I.** *irr tr* deceive; **wenn mich nicht alles trügt** unless I am very much mistaken **II.** *itr* be deceptive; **der Schein trügt** appearances are deceptive; **trü•ge•risch** [ˈtryːgərɪʃ] *adj* **1.** (*betrügerisch*) deceitful **2.** (*irreführend*) deceptive

Trug•schluss[RR] *m* fallacy; **e-m** ~ **unterliegen** be labouring under a misapprehension

Tru•he [ˈtruːə] <-, -n> *f* chest, trunk

Trüm•mer [ˈtrʏmɐ] *pl* **1.** rubble *sing*; (*Ruinen, a. fig*) ruins *pl* **2.** (*Überreste*) remnants *pl*; **in** ~**n liegen** be in ruins; **in** ~ **gehen** be ruined; **Trüm•mer•feld** *n* **1.** expanse of rubble **2.** (*fig*) scene of devastation; **Trüm•mer•hau•fen** *m* (*a. fig*) heap of rubble

Trumpf [trʊmpf, *pl:* ˈtrʏmpfə] <-(e)s, ¨-e> *m* (*a. fig*) trump, trump-card; **Herz ist** ~ hearts are trumps *pl*; **alle ¨-e in der Hand haben** (*fig*) hold all the trumps

Trunk [trʊŋk, *pl:* (ˈtrʏŋkə)] <-(e)s, (¨-e)> *m* (*Getränk*) drink

trun•ken *adj* **1.** (*betrunken*) intoxicated **2.** (*fig: vor Freude etc*) drunk (*vor* with); **Trun•ken•bold** <-(e)s, -e> *m* drunkard; **Trun•ken•heit** *f* drunkenness, intoxication; ~ **am Steuer** (JUR) drunken driving

Trunk•sucht <-> *f* alcoholism; **trunk•süch•tig** *adj* alcoholic

Trupp [trʊp] <-s, -s> *m* bunch; (MIL) squad; (*beritten*) troop

Trup•pe [ˈtrʊpə] <-, -n> *f* **1.** (*Schauspieler*) company, troupe **2.** (MIL) troops *pl*; (*Einheit*) unit; **kämpfende** ~ combat element; **er ist nicht gerade von der schnellen** ~ (*fig fam*) he's pretty slow on the uptake; **Trup•pen** *pl* troops; **Trup•pen•ab•zug** *m* withdrawal of troops; **Trup•pen•an-**

samm•lung *f* concentration of troops; **Trup•pen•be•we•gun•gen** *fpl* troop movements; **Trup•pen•teil** *m* unit; **Trup•pen•ü•bung** *f* field exercise; **Trup•pen•ü•bungs•platz** *m* military training area; **Trup•pen•ver•schie•bung** *f* moving of troops

Trust [trast/trʊst] <-(e)s, -e/-s> *m* (COM) trust

Tru•te <-, -n> *f* (*CH: Truthenne*) turkey

Trut•hahn ['tru:t-] *m* turkey(-cock); **Trut•hen•ne** *f* turkey(-hen)

Tschad [tʃat] <-> *m* Chad

Tsche•che ['tʃɛçə] *m*, **Tsche•chin** *f* Czech; **tsche•chisch** *adj* Czech

Tsche•chi•sche Re•pu•blik *f* Czech republik

Tsche•cho•slo•wa•kei [-slova'kaɪ] *f* (HIST) Czechoslovakia

T-Shirt ['ti:ʃə:t] <-s, -s> *n* T-Shirt

Tu•be ['tu:bə] <-, -n> *f* tube; **auf die ~ drücken** (*fig fam*) put one's foot down

Tu•ber•ku•lo•se [tubɛrku'lo:zə] <-, -n> *f* tuberculosis

Tuch [tu:x, *pl:* 'ty:çɐ] <-(e)s, ⸚er> *n* cloth; **wie ein rotes ~ wirken** be like a red rag to a bull (*auf jdn* to s.o.); **Tuch•bal•len** *m* bale of cloth; **Tuch•füh•lung** *f* physical contact; **auf ~ gehen** move closer (*mit jdm* to s.o., *miteinander* together); **~ haben mit jdm** be in close touch with s.o.

tüch•tig ['tʏçtɪç] **I.** *adj* **1.** (*fähig*) capable; (*leistungsfähig*) efficient **2.** (*fleißig*) good **3.** (*fam: groß*) big, huge **4.** (*fam: fest: Schlag*) hard **II.** *adv* **1.** (*fleißig*) hard **2.** (*fam: sehr*) good and proper; **~ arbeiten** work hard; **~ essen** eat heartily; **Tüch•tig•keit** *f* ability, efficiency

Tü•cke ['tʏkə] <-, -n> *f* **1.** (*Bosheit*) malice, spite **2.** (*Gefahr*) peril **3.** (*Unberechenbarkeit*) perniciousness; **das ist die ~ des Objekts!** (*fam*) things have a will of their own!; **tü•ckisch** *adj* **1.** (*boshaft*) malicious **2.** (*gefährlich*) treacherous **3.** (*unberechenbar*) pernicious

Tüf•te•lei *f* fiddly job; **tüf•teln** ['tʏftəln] *itr:* **über etw ~** puzzle over s.th.

Tu•gend ['tu:gənt] <-, -en> *f* virtue; **aus der Not e-e ~ machen** (*fig*) make a virtue of necessity; **tu•gend•haft** *adj* virtuous; **Tu•gend•haf•tig•keit** *f* virtuousness

Tüll [tʏl] <-(e)s, (-s/-e)> *m* tulle

Tül•le ['tʏlə] <-, -n> *f* (*e-r Kanne*) spout

Tul•pe ['tʊlpə] <-, -n> *f* tulip

tum•meln ['tʊməln] *refl* **1.** (*sich beeilen*) hurry up, make haste **2.** (*umhertollen*) romp about; **Tum•mel•platz** *m* **1.** (*Spielplatz*) playground **2.** (*fig*) hotbed

Tu•mor ['tu:mo:ɐ] <-s, -e> *m* tumor

Tüm•pel ['tʏmpəl] <-s, -> *m* pool

Tu•mult [tu'mʊlt] <-(e)s, -e> *m* **1.** (*Bewegung in Menschenmenge*) commotion **2.** (*fig: innerer Aufruhr*) tumult, turmoil

Tun <-s> *n* conduct, doings *pl;* **mein ganzes ~** everything I do

tun [tu:n] *irr tr itr* **1.** (*allgemein*) do **2.** (*legen, stellen*) put; **wir müssen da etw ~** we'll have to do s.th. about it; **und was soll ich da ~?** and what do you want me to do about it?; **alle Hände voll zu ~ haben mit etw** have one's hands full with s.th.; **sie tut nur so** she's only pretending; **nichts mit ... zu ~ haben wollen** want nothing to do with ...; **jdm Unrecht ~** do s.o. an injustice; **sein möglichstes ~** do one's best [*o* utmost]; **20 Mark ~'s auch!** 20 marks should do!; **es zu ~ bekommen mit ...** get into trouble with ...; **tu mir bloß den (e-n) Gefallen und halt den Mund!** do me a favour and shut up!; **etw noch einmal ~** do s.th. again; **zu ~ haben** have things to do; **er tut es ungern** he hates to do it; **es tut mir sehr leid** I am very sorry; **er tut mir leid** I am sorry for him; **tut mir leid, (ist) ausgeschlossen** sorry, it's impossible; **es tut sich was** something is going on; **gesagt, getan** no sooner said than done; **was tut's?** what does it matter?; **das Auto tut's nicht mehr** (*fam*) the car has had it

Tün•che ['tʏnçə] <-, -n> *f* **1.** whitewash **2.** (*fig*) veneer; **tün•chen** *tr* whitewash

Tu•ning *n* <-> tuning; **tu•nen** *tr* tune

Tu•ner ['tju:næ] <-s, -> *m* (EL) tuner-amplifier

Tu•ne•sien [tu'ne:ziən] *n* Tunisia; **Tu•ne•sier(in)** *m(f)* Tunisian; **tu•ne•sisch** *adj* Tunisian

Tun•fisch[RR] *m s.* **Thunfisch**

Tu•nicht•gut ['tu:nɪç(t)gu:t] <-s, -e> *m* (*fam*) good-for-nothing

Tun•ke ['tʊŋkə] <-, -n> *f* sauce; (*Braten~*) gravy; **tun•ken** *tr* dip

tun•lich ['tu:nlɪç] *adj* (*ratsam*) advisable; **etw für ~ halten** think s.th. advisable; **tun•lichst** *adv:* **ich werde es ~ vermeiden ...** I'll do my best to avoid ...

Tun•nel ['tʊnəl] <-s, -/-s> *m* tunnel

Tun•te ['tʊntə] <-, -n> *f* (*sl: Homosexueller*) fairy *fam*

Tüp•fel(•chen) ['tʏpfəl] <-s, -> *m* (*n*) dot; **das ~ auf dem i** the icing on the cake; the finishing touch

tüp•feln *tr* dot, spot

Tup•fen ['tʊpfən] <-s, -> *m* spot; (*kleiner ~*) dot; **tup•fen** *tr* dab; **Tup•fer** *m* (MED) swab

Tür [ty:ɐ] <-, -en> *f* door; **da ist jem an der ~** there's s.o. at the door; **in der ~ stehen** stand in the doorway; **vor der ~** at the door; **zwischen ~ und Angel** in passing; **vor der ~ stehen** be on the doorstep; (*fig: bevorstehen*) be just around the corner; **offene ~en einrennen** (*fig*) kick at an open door *sing;* **~ und Tor öffnen für …** (*fig*) leave the way open for …; **mit der ~ ins Haus fallen** (*fig*) blurt things out; **jdm die ~ vor der Nase zuschlagen** slam the door in someone's face; **~ an ~ mit jdm leben** live next door to s.o.; **Weihnachten steht vor der ~** Christmas is almost upon us; **Tür•an•gel** *f* door hinge

Tur•bi•ne [tʊrˈbiːnə] <-, -n> *f* turbine; **Tur•bi•nen•an•trieb** *m* turbine drive

Tur•bo•la•der *m* (MOT) turbocharger; **Tur•bo•mo•tor** *m* (MOT) turbo engine

tur•bu•lent [tʊrbuˈlɛnt] *adj* turbulent

Tür•griff *m* door handle; **Tür•griff•si•che•rung** *f* (MOT) door handle lock

Tür•ke [ˈtʏrkə] *m,* **Tür•kin** *f* Turk; **Tür•kei** [-ˈ-] <-> *f* Turkey

Tür•kis [tʏrˈkiːs] <-(es), -e> *m* turquoise

tür•kisch *adj* Turkish; **T~er Honig** Turkish delight

Tür•klin•ke *f* door handle; **Tür•klop•fer** *m* doorknocker

Turm [tʊrm, *pl:* ˈtʏrmə] <-(e)s, ⸚e> *m* **1.** tower; (*Kirch~*) steeple **2.** (*Schachfigur*) castle, rook

Tur•ma•lin [tʊrmaˈliːn] <-s> *n* tourmaline

Türm•chen [ˈtʏrmçən] *n* turret

tür•men [ˈtyrmən] *haben* **I.** *tr* pile up **II.** *itr* (*fam: flüchten*) take to one's heels **III.** *refl* tower

turm•hoch [ˈ-ˈ-] *adj* lofty, towering

Turm•sprin•gen *n* (SPORT) high diving

Turm•uhr *f* (*Kirch~*) church clock

Tur•nen [ˈtʊrnən] <-s> *n* (*Sportart*) gymnastics *pl;* (*Schulfach, fam*) PE [*o* PT]; **tur•nen** *itr* **1.** do gymnastics **2.** (*herum~*) climb about; (*von Kindern*) romp; **Tur•ner(in)** *m(f)* gymnast; **Turn•ge•rät** *n* **1.** (*Reck etc*) gymnastic apparatus **2.** (*Medizinbälle etc*) gymnastic equipment; **Turn•hal•le** *f* gym(nasium); **Turn•ho•se** *f* gym shorts *pl*

Tur•nier [tʊrˈniːɐ] <-s, -e> *n* **1.** (SPORT) tournament **2.** (*Tanz~*) competition; **Tur•nier•pferd** *n* competition horse; **Tur•nier•rei•ter(in)** *m(f)* competition rider

Turn•leh•rer(in) *m(f)* gym [*o* PE] teacher [*o* PT]; **Turn•schu•he** *mpl* gym-shoes; **Turn•schuh•fir•ma** *f* (*fam*) trainer manufacturer; **Turn•stun•de** *f* gym [*o* PE] lesson [*o* PT]; **Turn•ü•bung** *f* gymnastic exercise; **Turn•un•ter•richt** *m* gymnastic instruction; (*Turnstunde*) gym, PE, PT; **Turn•ver•ein** *m* gymnastics club

Tür•öff•ner *m* (EL) buzzer; **Tür•rah•men** *m* door frame; **Tür•schild** *n* doorplate; **Tür•schnalle** *f* (*österr*) door handle

Tusch [tʊʃ] <-es, -e> *m* (MUS) flourish

Tu•sche [ˈtʊʃə] <-, -n> *f* Indian ink

tu•scheln [ˈtʊʃəln] *itr* whisper; **hinter jds Rücken ~** talk behind someone's back

Tusch•kas•ten *m* paintbox; **Tusch•zeich•nung** *f* pen-and-ink drawing

Tus•si <-, -s> *f* (*sl pej*) female; **so eine blöde ~!** (*sl*) what a silly cow!

Tü•te [ˈtyːtə] <-, -n> *f* bag; **in ~n verpacken** put in bags; **kommt nicht in die ~!** (*fig fam*) no way!

Tu•ten <-s> *n* tooting; (*von Autohupe*) hooting; **von ~ und Blasen keine Ahnung haben** (*fig fam*) not to have a clue; **tu•ten** [ˈtuːtən] *itr* toot

TÜV [ˈtyf] <-s, -s> *m Akr. von* **Technischer Überwachungsverein** MOT; **TÜV-Pla•ket•te** *f German MOT sticker*

TV-Mo•de•ra•tor(in) *m(f)* TV presenter; **TV-Po•si•tio•nie•rung** *f* product placement

Twen [tvɛn] *m* <-s, -s> *person in her/his twenties*

Twist[1] [tvɪst] <-(e)s, -e> *m* (*Garn*) twist

Twist[2] <-s, -s> *m* (*Tanz*) twist

Typ [tyːp] <-s, -en> *m* **1.** (*Modell*) model **2.** (*Menschenart*) type **3.** (*fam: Kerl*) bloke; **nicht mein ~** not my type; **vom ~ her völlig verschiedene Menschen sein** be totally different types of person; **dein ~ wird verlangt!** (*hum fam*) you're wanted!; **sie ist mein ~** she's my type; **dufter ~** (*fam*) great guy; **kaputter ~** (*sl*) bum

Ty•pe [ˈtyːpə] <-, -n> *f* **1.** (*Schreibmaschinen~*) type **2.** (*fam: Mensch*) character; **der ist eine komische ~** he's a strange character; **Ty•pen•be•zeich•nung** *f* (TECH) type designation; **Ty•pen•rad** *n* (*bei Schreibmaschine*) daisy wheel; **Ty•pen•rad•dru•cker** *m* (EDV) daisy-wheel printer; **Ty•pen•rad•schreib•ma•schine** *f* daisy-wheel typewriter

Ty•phus [ˈtyːfʊs] <-> *m* typhoid fever

ty•pisch *adj* typical (*für* of)

ty•pi•sie•ren *tr* **1.** (*Produkte*) standardize **2.** (*Charakter*) stylize

Ty•po•gra•fie[RR] [typograˈfiː] *f* typography; **ty•po•gra•fisch**[RR] *adj* typographic(al)

Ty•po•gra•phie *f s.* **Typografie**; **ty•po•gra•phisch** *adj s.* **typografisch**

Ty•pus [ˈtyːpʊs] <-, -pen> *m* type

Ty•rann [tyˈran] <-en, -en> *m* tyrant; **Ty•ran•nei** *f* tyranny; **ty•ran•nisch** *adj* tyrannical; **ty•ran•ni•sie•ren** *tr* tyrannize

U

U, **u** [uː] <-, -> *n* U, u

U-Bahn *f* (*allgemein*) underground, subway *Am;* **mit der ~ fahren** go by underground [*o* subway]; **U-Bahn•hof** *m* underground station

U-Boot *n* submarine, sub *fam;* **U-Boot-Krieg** *m* submarine warfare

U-Ei•sen *n* (TECH) E-channel; **U-Pro•fil** *n* (TECH) channel section

Ü•bel <-s, -> *n* (*Missstand, Plage*) evil; **das kleinere ~ sein** be the lesser evil; **zu allem ~ ...** to make matters worse ...

ü•bel ['yːbəl] **I.** *adj* **1.** (*körperlich ~*) bad, nasty **2.** (*böse, schlecht*) wicked; **in e-e üble Lage geraten** fall on evil days *pl;* **jdm etw ~ auslegen** take s.th. amiss; **nicht ~** not bad; **ein übler Bursche** a bad lot *fam;* **~ dran sein** be in a bad way; **davon kann e-m ja ~ werden!** it's enough to make you feel sick! **II.** *adv* (*schlecht, schlimm*) badly; **das wäre gar nicht so ~** that wouldn't be such a bad thing; **übler Trick** nasty trick; **mir ist ~** I feel sick; **wohl oder ~** willy-nilly; **er wird es wohl oder ~ tun müssen** he'll have to do it whether he likes it or not; **etw ~ aufnehmen** take s.th. badly; **das schmeckt gar nicht so ~** it doesn't taste so bad; **ich hätte nicht ~ Lust ...** I wouldn't mind ...; **~ nehmen**[RR] take amiss [*o* in bad part]; **nehmen Sie es mir nicht ~, aber ...** don't take it amiss but ...; **ich nehme es Ihnen nicht ~** I do not blame you for it; **~ riechend**[RR] evil-smelling; **jdm ~ wollen**[RR] wish s.o. ill

ü•bel•ge•launt *adj s.* **gelaunt**; **Ü•bel•keit** *f* (*a. fig*) nausea; **ü•bel•keits•er•re•gend** *adj* nauseating; **ü•bel|neh•men** *s.* **übel**; **ü•bel•rie•chend** *adj s.* **übel**; **Ü•bel•stand** *m* (social) evil; **Ü•bel•tat** *f* misdeed, wicked deed; **Ü•bel•tä•ter(in)** *m(f)* wrongdoer; **ü•bel|wol•len** *s.* **übel**

ü•ben ['yːbən] **I.** *tr* practise; (MIL) drill; **Geduld ~** be patient; **Kritik an etw (jdm) ~** criticize s.th. (s.o.) **II.** *refl:* **sich in etw ~** practise s.th. **III.** *itr* practise

ü•ber ['yːbɐ] **I.** *präp* **1.** (*räumlich*) over; (*oberhalb*) above, on top of; (*darüber hinaus*) across, beyond; (*auf*) on, upon **2.** (*während, bei, länger als*) over **3.** (*betreffend*) about, on **4.** (*bei Zahlenangaben: in Höhe von*) for; (*mehr als*) over **5.** (*auf dem Wege, vermittels*) via; **Fehler ~ Fehler** one mistake after another; **jdm ~ sein in ...** beat s.o. in ...; **~ fünfzig Jahre alt** past fifty; **bis ~ die Ohren** up to one's ears; **~ all der Aufregung** what with all the excitement; **~ Bord** overboard; **~ jdn lachen** laugh at s.o.; **es geht nichts ~ ...** there is nothing better than ...; **Literatur geht ihr ~ alles** she loves literature more than anything else; **~ Frankfurt** via Frankfort; **ein Scheck ~ 1000 Mark** a cheque for 1000 marks; **ein Buch ~ ...** a book on ...; **~ Nacht** during the night; **~ den Dingen stehen** be above it all; **~ Mittag bleiben** stay over lunch; **~ kurz o lang** sooner or later **II.** *adv:* **~ u. ~** all over

ü•ber•all ['yːbɐ'al] *adv* everywhere *Br,* all over *Am;* **~ u. nirgends** here, there and everywhere; **~ u. nirgends zuhause sein** be at home everywhere and nowhere; **ü•ber•all•her** ['---'-] *adv* from all over; **ü•ber•all•hin** ['---'-] *adv* everywhere

ü•ber•al•tert [--'--] *adj* superannuated

Ü•ber•an•ge•bot *n* surplus (*an* of)

ü•ber•ängst•lich *adj* over-anxious

ü•ber•an•stren•gen *tr refl* overexert, overstrain; **überanstrenge dich bloß nicht!** (*iro*) don't strain yourself!; **Ü•ber•an•stren•gung** *f* overexertion; **nervliche ~** nervous strain

ü•ber•ar•bei•ten **I.** *tr* go over; (*Buch*) revise **II.** *refl* overwork; **Ü•ber•ar•bei•tung** *f* **1.** (*von Text*) revision; (*Neufassung*) revised version **2.** (*körperliche ~*) overwork

ü•ber•aus ['---/--'-] *adv* exceedingly, extremely

ü•ber•ba•cken *tr* put in the oven; (*bräunen*) brown

Ü•ber•bau *m* (PHILOS) superstructure

ü•ber•be•an•spru•chen ['------] *tr* **1.** (*Materialien*) overstrain; (*gewichtmäßig*) overload **2.** (*den Körper*) overtax; **Ü•ber•be•an•spru•chung** *f* **1.** (*Materialien*) overstraining **2.** (*von Körper*) overtaxing

Ü•ber•bein *n* (MED) ganglion

ü•ber•be•las•ten ['-----] *tr* overload

ü•ber•be•legt ['----] *adj* overcrowded

ü•ber•be•lich•ten ['-----] *tr* (PHOT) overexpose

Ü•ber•be•schäf•ti•gung *f* overemployment

ü•ber•be•setzt *adj* overmanned, overstaffed; **Ü•ber•be•set•zung** *f* overmanning, overstaffing

ü•ber•be•to•nen ['-----] *tr* **1.** (*fig*) overstress **2.** (*bestimmte Körperteile*) overaccentuate

ü•ber•be•völ•kert *adj* overpopulated; **Ü•ber•be•völ•ke•rung** *f* overpopulation

ü•ber•be•wer•ten ['-----] *tr* **1.** (FIN) overvalue **2.** (*fig*) overrate; **wollen wir das doch nicht ~!** let's not attach too much importance to this!; **Ü•ber•be•wer•tung** *f* overvaluation, overrating

Ü•ber•be•zah•lung *f* overpayment

ü•ber•bie•ten **I.** *irr tr* **1.** (*bei Auktion*) outbid (*um* by) **2.** (*fig*) outdo; **einander ~** vie with each other (*in etw* in s.th.); **das ist nicht mehr zu ~!** (*fam*) that beats everything!; **e-n Rekord ~** break a record **II.** *refl* (*sich selbst*) surpass o.s.

Ü•ber•bleib•sel ['y:bɐblaɪpsl] <-s, -> *n* **1.** (*Rest*) remnant; (*Restbestände*) remainder; (*Speiserest*) leftover **2.** (*Brauch*) survival

Ü•ber•blick ['---] *m* **1.** (*freie Sicht*) view **2.** (*Abriss*) survey; (*Übersicht, Zusammenstellung*) summary; **sich e-n ~ verschaffen über ...** get a general idea of ...; **den ~ verlieren** lose track; **ü•ber•bli•cken** *tr* **1.** (*Stadt etc*) overlook **2.** (*fig*) have a view of; **etw lässt sich leicht ~** (*fig*) s.th. can be seen at a glance; **das lässt sich noch nicht ~** I cannot say as yet; **die Entwicklung lässt sich leicht ~** the development can be seen at a glance

ü•ber•brin•gen *irr tr* deliver; **Ü•ber•brin•ger(in)** *m(f)* bearer

ü•ber•brü•cken *tr* bridge; **die Gegensätze zwischen ... u. ... ~** bridge the gap between ... and ...; **Ü•ber•brü•ckungs•kre•dit** *m* bridging loan

ü•ber•da•chen *tr* roof over

ü•ber•dau•ern *tr* survive

ü•ber•den•ken *irr tr* consider, think over; **etw noch einmal ~** reconsider s.th.

ü•ber•dies [--'-] *adv* **1.** (*außerdem*) moreover **2.** (*ohnehin*) anyway

ü•ber•di•men•sio•nal *adj* oversize

ü•ber•do•sie•ren ['-----] *tr* overdose; **Ü•ber•do•sis** *f* (MED) overdose; **e-e ~ Schlaftabletten nehmen** take an overdose of sleeping pills

ü•ber•dre•hen *tr* **1.** (*Uhr*) overwind **2.** (*Gewinde*) strip **3.** (*Motor*) overrev; **ü•ber•dreht** *adj* (*fam*) wound up

Ü•ber•druck[1] <-(e)s, -e> *m* (TYP) overprint

Ü•ber•druck[2] <-(e)s> *m* (TECH PHYS) excess pressure

Ü•ber•druss[RR] ['y:bɐdrʊs] <-es> *m* (*Widerwille*) aversion (*an* to); (*Übersättigung*) surfeit (*an* of); **bis zum ~** ad nauseam; **ü•ber•drüs•sig** ['y:bɐdrʏsɪç] *adj*: **~ werden, ~ sein** grow [*o* be] tired (*jds* of s.o., *e-r Sache* of s.th.)

ü•ber•dün•gen *tr* over-fertilize; **Ü•ber•dün•gung** *f* over-fertilization

ü•ber•durch•schnitt•lich *adj* above-average

ü•ber•eif•rig *adj* overzealous, overenthusiastic

ü•ber•eig•nen *tr* transfer (*jdm etw* s.th. to s.o.)

ü•ber•ei•len *tr*: **nur nichts ~!** don't rush things!; **ü•ber•eilt** *adj* **1.** (*zu eilig*) hasty, rash **2.** (*fig: unbedacht*) thoughtless; premature

ü•ber•ein•an•der ['---'--] *adv* **1.** (*räumlich*) on top of each other **2.** (*einander betreffend*) about each other; **~ legen**[RR] put on top of each other; **die Beine ~ schlagen**[RR] cross one's legs; **ü•ber•ein•an•der|le•gen** *s.* **übereinander**; **ü•ber•ein•an•der|schla•gen** *s.* **übereinander**

ü•ber•ein|kom•men [y:bɐ'aɪn-] *irr itr* agree; **Ü•ber•ein•kom•men** <-s, -> *n*, **Ü•ber•ein•kunft** <-, ⸚e> *f* agreement, arrangement; **stillschweigendes Übereinkommen** tacit agreement; **ein Übereinkommen erzielen** come to [*o* reach] an agreement

ü•ber•ein|stim•men [y:bɐ'aɪn-] *itr* **1.** (*Personen*) agree (*mit jdm in etw* with s.o. on s.th.) **2.** (*Messdaten, Rechnungen etc*) correspond; (*zusammenpassen*) match; **ü•ber•ein•stim•mend** **I.** *adj* **1.** (*Meinungen*) concurring **2.** (*einander entsprechend*) corresponding **II.** *adv* unanimously; **Ü•ber•ein•stim•mung** *f* **1.** (*von Meinungen*) agreement **2.** (*Einklang*) correspondence; **in ~ mit jdm** in agreement with s.o.; (*mit etw*) in accordance with s.th.; **in ~ bringen** accommodate, conform

ü•ber•emp•find•lich *adj* oversensitive (*gegen* to); (MED) hypersensitive; **Ü•ber•emp•find•lich•keit** *f* oversensitivity; (MED) hypersensitivity

ü•ber•es•sen *irr refl*: **sich an etw** gorge o.s. on

ü•ber•fah•ren[1] *irr tr* **1.** (*e-n Menschen, ein Tier*) run over **2.** (*übersehen: Ampel*) go through **3.** (*fam: übertölpeln*) stampede (*jdn* s.o. into it)

ü•ber|fah•ren[2] **I.** *tr* (*mit e-m Boot etc*) take across **II.** *itr sein* cross over

Ü•ber•fahrt ['---] *f* crossing

Ü•ber•fall ['---] *m* **1.** (*Angriff*) attack (*auf* on); (*Bank~*) holdup **2.** (*fam: unerwartetes Auftauchen*) invasion; **keine Bewegung, dies ist ein ~!** freeze, this is a holdup!; **ü•ber•fal•len** *irr tr* **1.** (*angreifen*) attack; (*Bank*) hold up **2.** (*fig: Schlaf etc*) come over **3.** (*fam: unerwartet ~*) descend upon; **heftiges Fieber überfiel mich** I had a bad attack of fever; **jdn mit Fragen** ~ bombard s.o. with questions; **ü•ber•fäl•lig** *adj:* **seit drei Tagen** ~ three days overdue; **Ü•ber•fall•kom•man•do** *n* flying squad *Br,* riot-squad *Am*

ü•ber•flie•gen *irr tr* **1.** fly over **2.** (*fig*) glance over

Ü•ber•flie•ger(in) *m(f)* (*fam*) high-flyer

ü•ber|flie•ßen *sein irr itr* overflow

ü•ber•flü•geln *tr* (*fig*) outdo, outstrip, surpass

Ü•ber•flussRR <-es> *m* abundance, plenty (*an* of); **zu allem** ~ superfluously; (*obendrein*) into the bargain; **im** ~ **leben** live in luxury; **im** ~ **vorhanden** in plentiful supply; **Ü•ber•fluss•ge•sell•schaft**RR *f* affluent society; **ü•ber•flüs•sig** *adj* superfluous; (*unnötig*) unnecessary; ~ **zu sagen, dass ...** it goes without saying that ...

ü•ber•flu•ten *tr* (*a. fig*) flood

ü•ber•for•dern *tr* overtax; **damit ist sie überfordert** that's asking too much of her

ü•ber•frach•ten *tr* **1.** overload **2.** (*fig*) overcharge

ü•ber•fra•gen *tr:* **tut mir leid, aber da bin ich überfragt** sorry, but I don't know, I'm afraid you've got me there

Ü•ber•frem•dung *f* (*pej: e-r Sprache, Kultur*) foreign infiltration

ü•ber•frie•ren <sein, ohne -ge-> *irr itr* freeze over; ~**de Nässe** black ice

ü•ber•füh•ren *tr* **1.** transfer; (*Kfz etc*) drive; (*Leiche*) transport **2.** (JUR: *Täter*) convict (*e-r Sache* of s.th.); **Ü•ber•füh•rung** *f* **1.** (*Transport*) transport **2.** (*Brücke*) bridge; (*Fußgänger~*) footbridge **3.** (JUR) conviction

ü•ber•füt•tern *tr* (*a. fig*) overfeed

Ü•ber•fül•le ['----] *f* superabundance

ü•ber•füllt [--'-] *adj* overcrowded; (COM: *Lager*) overstocked; (PÄD: *Kurs*) oversubscribed; **Ü•ber•fül•lung** *f* overcrowding; (*von Kurs*) oversubscription

Ü•ber•ga•be ['----] *f* handing over; (MIL) surrender; (*von Neubau*) opening

Ü•ber•gang ['---] *m* **1.** (*das Überqueren*) crossing **2.** (*Fußgänger~*) crossing *Br,* crosswalk *Am;* (*Brücke*) footbridge **3.** (*Grenz~*) checkpoint **4.** (*Bahn~*) level crossing *Br,* grade crossing *Am* **5.** (*fig: Wechsel*) transition; **Ü•ber•gangs•be•stim•mung** *f* interim regulation; **Ü•ber•gangs•er•schei•nung** *f* transitory phenomenon; **Ü•ber•gangs•lö•sung** *f* provisional solution, temporary arrangement; **Ü•ber•gangs•man•tel** *m* between-seasons coat; **Ü•ber•gangs•sta•dium** *n* stage of transition; **Ü•ber•gangs•zeit** *f* transitional period

Ü•ber•gar•di•nen *pl* curtains *Br,* drapes *Am*

ü•ber•ge•ben **I.** *irr tr* **1.** (*abliefern*) hand over **2.** (MIL) surrender **3.** (*Amt, Würde*) hand over; **e-e Sache e-m Anwalt** ~ place a matter in the hands of a lawyer; **e-e Straße dem Verkehr** ~ open a road to traffic **II.** *refl* (*erbrechen*) vomit

ü•ber|ge•hen[1] *sein irr itr* **1.** (*zu e-r Partei*) go over **2.** (*sich verändern*) change [*o* turn] (into); (*Farben*) merge (into) **3.** (*übernommen werden*) pass (*auf jdn* to s.o.); **die Augen gingen ihm über** his eyes were almost popping out of his head; **es geht nichts über ein gutes Glas Wein** there's nothing better than a glass of good wine; **ein gutes Glas Wein geht mir über alles** I like nothing better than a glass of good wine; **zum nächsten Punkt** ~ go on to the next point; **in andere Hände** ~ pass into other hands; **in jds Besitz** ~ become someone's property; **zum Angriff** ~ take the offensive

ü•ber•ge•hen[2] *haben tr* **1.** (*auslassen*) skip **2.** (*übersehen*) overlook, pass over [*o* by]; **jds Einwände** ~ ignore someone's objections

ü•ber•ge•nau *adj* overprecise

ü•ber•ge•nug ['--'-] *adv* more than enough

ü•ber•ge•ord•net *adj* higher

Ü•ber•ge•päck *n* (AERO) excess baggage

Ü•ber•ge•wicht *n* **1.** overweight **2.** (*fig*) predominance; **das** ~ **bekommen** (*fig*) become predominant; **an** ~ **leiden** be overweight; **militärisches** ~ military dominance; **ü•ber•ge•wich•tig** *adj* overweight

ü•ber•glück•lich ['--'--] *adj* overjoyed

ü•ber|grei•fen *irr itr* **1.** (*ineinander* ~) overlap **2.** (*unberechtigt eindringen*) encroach [*o* infringe] (*auf* on) **3.** (*sich verbreiten*) spread (*auf* to); **ü•ber•grei•fend** *adj* predominant; **Ü•ber•griff** *m* encroachment, infringement (*auf* on)

Ü•ber•grö•ße *f* (*von Kleidung*) outsize; (*von Reifen*) oversize

ü•ber•handRR [y:bɐ'hant] *irr itr:* ~ **nehmen**RR get out of hand; **ü•ber•hand|neh•men** *s.* **überhand**

Ü•ber•hang *m* **1.** (FIN: *von Geld*) surplus money **2.** (*von Fels*) overhang; ~ **an Aufträgen** (COM) backlog; **ü•ber|hän•gen** **I.** *itr* overhang **II.** *refl:* **sich e-n Mantel** ~ put a coat round one's shoulders; **sich ein Gewehr** ~ sling a rifle over one's shoulders

ü•ber•has•ten *tr* rush; **nur nichts** ~**!** don't rush things!; **ü•ber•has•tet** *adj* overhasty

ü•ber•häu•fen *tr* overwhelm (*mit* with); (*Schreibtisch etc*) pile high; **überhäuft werden von Arbeit** be snowed under with work; **jdn mit Vorwürfen** ~ heap reproaches upon someone's head

ü•ber•haupt [y:bɐ'haʊpt/'---] *adv* 1. (*sowieso*) in general 2. (*außerdem*) anyway 3. (*eigentlich*) actually; **ich denke ~ nicht daran ...** I've no intention whatsoever of ...; **weißt du ~, ...?** do you realize ...?; **wer sind Sie ~?** who do you think you are?

ü•ber•heb•lich [y:bɐ'he:plɪç] *adj* arrogant; **Ü•ber•heb•lich•keit** *f* arrogance

ü•ber•hei•zen *tr* overheat

ü•ber•hit•zen *tr* overheat

ü•ber•höht [--'-] *adj* 1. (*Kurve*) superelevated *Br*, banked *Am* 2. (*Preise etc*) excessive

ü•ber|ho•len[1] *itr* (MAR: *Schiff*) keel over

ü•ber•ho•len[2] I. *tr* 1. (MOT) overtake, pass *Am* 2. (*ausbessern*) overhaul; (*Motor*) recondition II. *itr* overtake, pass *Am*; **~ verboten!** no overtaking!, no passing! *Am*; **Ü•ber•hol•ma•nö•ver** *n* (MOT) overtaking manœuvre; **Ü•ber•hol•spur** *f* overtaking lane *Br*, passing lane *Am*

ü•ber•holt *adj* 1. out-dated 2. (MOT) reconditioned

Ü•ber•hol•ver•bot *n* ban on overtaking *Am*

ü•ber•hö•ren *tr* not to hear; (*absichtlich*) ignore; **sie überhörte meine Anspielungen geflissentlich** she studiously ignored my hints; **das möchte ich überhört haben!** I didn't hear that!

Ü•ber-Ich <-s> *n* (PSYCH) super-ego

ü•ber•ir•disch *adj* (*fig*) celestial, heavenly; (*übernatürlich*) supernatural

ü•ber•kan•di•delt ['y:bɐkandidəlt] *adj* (*fam*) eccentric

Ü•ber•ka•pa•zi•tät *f* overcapacity

ü•ber•kle•ben *tr*: **etw mit ... ~** stick ... over s.th.

ü•ber|ko•chen *sein itr* (*a. fig*) boil over

ü•ber•kom•men I. *irr tr* (*befallen*) come over II. *itr sein* (*überliefert werden*) be handed down (*jdm* to s.o.); **mich überkam Furcht** I was overcome with fear

ü•ber•la•den *irr tr* 1. (*zu stark belasten*) overload 2. (*zu voll packen, a. fig*) clutter; **ü•ber•la•den** *adj* 1. (*Fahrzeug*) overloaded 2. (*fig: Stil*) ornate 3. (*fig: Bild*) cluttered

ü•ber•la•gern I. *tr* 1. (RADIO TV) blot out 2. (*Thema etc*) eclipse II. *refl* overlap

Ü•ber•land•bus *m* coach; **Ü•ber•land•lei•tung** *f* (EL) overhead power line

ü•ber•lap•pen [y:bɐ'lapən] *refl* overlap

ü•ber•las•sen[1] *irr tr* 1. (*jdm etw ~*) let s.o. have s.th. 2. (*jdm anheim stellen*) leave it up to s.o. 3. (*preisgeben*) abandon; **das bleibt Ihnen ~** that's up to you; **jdn sich selbst ~** leave s.o. to his own devices; **ü•ber|las•sen**[2] *irr tr* (*übriglassen*) leave (*jdm etw* s.th. for s.o.)

ü•ber•las•ten *tr* 1. (*allgemein*) put too great a strain on; (*Mensch*) overtax 2. (EL TELE) overload; **Ü•ber•las•tung** *f* 1. (*von Mensch*) overtaxing; (*zu großer Stress*) overstress; (*Zustand*) strain 2. (EL TELE) overloading; (TECH) overload; **Ü•ber•las•tungs•schutz** *m* (EL) overload protection

Ü•ber•lauf ['---] *m* (TECH) overflow; **ü•ber•lau•fen** [--'--] *adj* (*sehr überfüllt*) overcrowded

ü•ber•lau•fen[1] *irr itr* (*gegnerische Abwehr*) overrun

ü•ber|lau•fen[2] *sein irr itr* 1. (*Wasser*) overflow 2. (MIL) desert; **zum ~ voll** full to overflowing; **Ü•ber•läu•fer** *m* (MIL) deserter; (PARL) turncoat

ü•ber•le•ben *tr itr* 1. (*länger leben als*) outlive, survive (*um* by) 2. (*durchstehen*) live through; **das hat sich überlebt** that's had it's day; **das überlebe ich nicht!** (*fam*) that'll be the death of me!; **du wirst es schon ~** (*iro*) it won't kill you; **Ü•ber•le•ben•de(r)** *f m* survivor; **ü•ber•le•bens•groß** ['--'--'-] *adj* larger than life; **Ü•ber•le•bens•trai•ning** *n* survival training

ü•ber•le•gen[1] I. *itr* (*nachdenken*) think; **lass mich mal ~** now let me think II. *tr* (*durchdenken*) think over [*o* about]; **das werde ich mir ~** I'll give it some thought; **hin und her ~** deliberate; **das wäre zu ~** it's worth thinking about; **es wäre (noch) zu ~** it should be considered; **sie hat es sich anders überlegt** she's changed her mind

ü•ber•le•gen[2] [--'--] *adj* superior (*jdm* to s.o.); **ein ~er Sieg** a convincing victory

Ü•ber•le•gen•heit *f* superiority

ü•ber|legt *adj* (well-)considered; **wohl ~**[RR] well-considered; **etw wohl ~ tun**[RR] do s.th. after careful consideration; **Ü•ber•le•gung** *f* consideration, reflection; **~en anstellen** make observations (*zu* about); **das wäre wohl e-e ~ wert** that is worth thinking about

ü•ber|lei•ten *itr* (*fig*) lead up (*zu etw* to s.th.); **Ü•ber•lei•tung** *f* transition

ü•ber•le•sen *irr tr* overlook, miss

ü•ber•lie•fern *tr* (*der Nachwelt*) hand down; **Ü•ber•lie•fe•rung** *f* 1. tradition 2. (*Brauch*) custom; **an der ~ festhalten** hold on to tradition; **nach alter ~** according to tradition

ü•ber•lis•ten *tr* outwit

Ü•ber•macht <-> *f* 1. superior strength 2. (*fig: von Gefühlen etc*) predominance; **ü•ber•mäch•tig** *adj* 1. (*durch Gewalt*) superior; (*Feind*) powerful 2. (POL) all-powerful

ü•ber•ma•len *tr* paint over
ü•ber•man•nen *tr* overcome
Ü•ber•maß <-es> *n* excess; **im ~** excessively, to excess; **ü•ber•mä•ßig** *adj* excessive; **sich ~ anstrengen** overdo things
Ü•ber•mensch *m* superman; **ü•ber•mensch•lich** *adj* superhuman
ü•ber•mit•teln *tr* convey, transmit
ü•ber•mor•gen ['----] *adv* the day after tomorrow
ü•ber•mü•det [--'--] *adj* overtired; **Ü•ber•mü•dung** *f* overtiredness
Ü•ber•mut *m* **1.** (*Ausgelassenheit*) high spirits *pl* **2.** (*Mutwille*) mischief; **ü•ber•mü•tig** *adj* **1.** (*ausgelassen*) high-spirited **2.** (*anmaßend*) arrogant
ü•ber•nächst *adj* next ... but one; **~e Woche** the next week but one, the week after next; **am ~en Tag** two days later
ü•ber•nach•ten *itr* sleep; **bei jdm ~** stay at someone's place; **wie viele Leute können bei Ihnen ~?** how many people can you put up?; **wo haben Sie übernachtet?** where did you sleep?; **ü•ber•näch•tigt** [yːbɐˈnɛçtɪçt] *adj* tired, sleepy; **Ü•ber•nach•tung** *f* overnight stay; **~ mit Frühstück** bed and breakfast; **was berechnen Sie für die ~?** what do you charge for the night?; **Ü•ber•nach•tungs•mög•lich•keit** *f* overnight accommodation
Ü•ber•nah•me ['----] <-, -n> *f* **1.** (*das Übernehmen*) taking over; (*als Ergebnis*) takeover **2.** (*Ausdruck, Meinung*) adoption **3.** (*Amt*) assumption; **er hat sich zur ~ der Kosten verpflichtet** he has undertaken to pay the costs; **durch ~ dieser Aufgabe ...** by undertaking this task ...; **Ü•ber•nah•me•an•ge•bot** *n* takeover bid; **Ü•ber•nah•me•ver•such** *m* takeover attempt, attempted takeover; **Ü•ber•nah•me•zeit•raum** *m* takeover period
ü•ber•na•tür•lich ['-----] *adj* supernatural
ü•ber•neh•men **I.** *irr tr* **1.** (*a. jdn ablösen*) take over **2.** (*Arbeit*) take on, undertake **3.** (*Amt, Verantwortung*) assume; **das ~ wir!** we'll take care of that! **II.** *refl* overreach o.s.; take on too much; (*sich überanstrengen*) overdo it; (*im Essen*) overeat
ü•ber|ord•nen *tr:* **jdm jdn ~** put [*o* place] s.o. over s.o.; **etw e-r Sache ~** give s.th. precedence over s.th.
Ü•ber•pro•duk•ti•on *f* overproduction
ü•ber•prü•fen *tr* **1.** check (*auf* for); (POL: *Person*) screen; (*untersuchen*) scrutinize **2.** (*Maschine*) inspect; **Ü•ber•prü•fung** *f* **1.** checking; (*von Person*) screening **2.** (TECH) inspection; (*Kontrolle*) check
ü•ber•que•ren *tr* cross
ü•ber•ra•gen[1] *tr* **1.** (*größer sein*) tower above **2.** (*fig: übertreffen*) outshine (*an* in)
ü•ber|ra•gen[2] *itr* (*senkrecht*) protrude; (*waagerecht*) jut out
ü•ber•ra•schen [yːbɐˈraʃən] *tr* surprise; **wir wurden von e-m Gewitter ~** we were caught in a storm; **lassen wir uns ~!** let's wait and see!; **ü•ber•ra•schend** *adj* surprising; **Ü•ber•ra•schung** *f* surprise; **Ü•ber•ra•schungs•ef•fekt** *m* shock effect
Ü•ber•re•ak•ti•on *f* overreaction
ü•ber•re•den *tr* persuade (*jdn etw zu tun* s.o. to do s.th.); **Ü•ber•re•dung** *f* persuasion
ü•ber•re•gio•nal *adj* nationwide
ü•ber•reich *adj* abundant (*an* in)
ü•ber•rei•chen *tr* hand over; (*feierlich*) present
ü•ber•reif *adj* overripe
ü•ber•rei•zen **I.** *tr* (*Fantasie*) overexcite; (*Nerven*) overstrain **II.** *refl* (*beim Kartenspiel*) overbid; **ü•ber•reizt** *adj* overwrought
ü•ber•ren•nen *irr tr* **1.** (*allgemein*) run down; (MIL) overrun **2.** (*fig*) overwhelm
Ü•ber•reste *m* remains *pl*, remmants *pl*
Ü•ber•roll•bü•gel *m* (MOT) roll bar
ü•ber•rum•peln *tr* take by surprise; **jdn mit e-r Frage ~** throw s.o. with a question
ü•ber•run•den *tr* **1.** (SPORT) lap **2.** (*fig*) outstrip
ü•ber•sät [--'-] *adj:* **~ mit** strewn with
ü•ber•sät•ti•gen *tr* satiate
Ü•ber•schall•flug•zeug *n* supersonic jet; **Ü•ber•schall•ge•schwin•dig•keit** *f* supersonic speed
ü•ber•schät•zen *tr* overrate; (*Entfernung etc*) overestimate
ü•ber•schau•en *tr* **1.** (*Ortschaft, Platz*) overlook **2.** (*fig*) see
ü•ber|schäu•men *sein itr* **1.** foam over **2.** (*fig*) brim over (*vor* with); **~de Begeisterung** effervescent enthusiasm
ü•ber•schla•fen *irr tr* sleep on
Ü•ber•schlag ['---] *m* **1.** (*Purzelbaum*) somersault; (AERO) loop **2.** (*ungefähre Berechnung*) estimate; **e-n ~ machen** do a somersault
ü•ber•schla•gen[1] **I.** *irr tr* (*berechnen*) estimate roughly **II.** *refl* **1.** (*Fahrzeug*) turn over **2.** (*fig: Ereignisse*) come thick and fast **3.** (*Stimme*) crack
ü•ber|schla•gen[2] *tr:* **s-e Beine ~** cross one's legs
ü•ber|schnap•pen *sein itr* **1.** (*Stimme*) crack **2.** (*fam*) crack up
ü•ber•schnei•den *irr refl* **1.** (*Linien*) intersect **2.** (*fig*) overlap; (*gleichzeitig geschehen*) coincide, overlap; **Ü•ber•schnei•dung** *f* **1.** (*Linien*) intersection **2.** (*fig*) overlap; (*Gleichzeitigkeit*) coincidence

ü•ber•schrei•ben *irr tr* 1. (*mit Überschrift versehen*) head 2. (*übertragen*) sign (*etw* s.th.), over (*jdm* to s.o.)

ü•ber•schrei•ten *irr tr* 1. (*überqueren*) cross 2. (*fig: Maß*) exceed; (*Grenze*) transgress; **er hat die Sechzig schon überschritten** he's past sixty already

Ü•ber•schrift ['---] *f* heading; (*Kopfzeile*) headline

Ü•ber•schul•dung *f* excessive debts *pl*

Ü•ber•schuss[RR] *m* surplus (*an* of)

ü•ber•schüs•sig ['y:bɐʃʏsɪç] *adj* surplus

Ü•ber•schuss•ma•te•ri•al[RR] *n* excess material; **Ü•ber•schuss•pro•duk•ti•on**[RR] *f* surplus production

ü•ber•schüt•ten *tr* 1. (*bedecken*) cover (*mit* with) 2. (*fig: mit Geschenken*) shower (*mit* with)

Ü•ber•schwang ['y:bɐʃvaŋ] <-(e)s> *m* exuberance; **im ersten** ~(**e**) in the first flush of excitement; **ü•ber•schwäng•lich**[RR] ['y:bɐʃvɛŋlɪç] *adj* effusive

ü•ber|schwap•pen *sein itr* slop [*o* splash] over

ü•ber•schwem•men *tr* (*a. fig*) flood; **Ü•ber•schwem•mung** *f* 1. (*Flut*) flood 2. (*das Überschwemmen*) flooding; (*fig*) inundation; **Ü•ber•schwem•mungs•ge•biet** *n* flood area

ü•ber•schweng•lich *adj s.* **überschwänglich**

Ü•ber•see ['---] <-> *f* overseas *pl;* **nach/in** ~ overseas; **Ü•ber•see•damp•fer** *m* ocean liner; **Ü•ber•see•han•del** *m* overseas trade; **ü•ber•see•isch** *adj:* ~**e Besitzungen** overseas territories; **Ü•ber•see•markt** *m* overseas market

ü•ber•seh•bar [--'--] *adj* 1. visible at a glance 2. (*fig: erkennbar*) clear; (*absehbar*) assessable; **der Schaden ist noch nicht** ~ the damage cannot be assessed yet; **ü•ber•se•hen**[1] *irr tr* 1. (*Gegend*) look over 2. (*fig: erkennen*) see clearly; (*Bescheid wissen über*) have an overall view of … 3. (*ignorieren*) overlook; (*nicht bemerken*) fail to notice; **die Lage** ~ be in full command of the situation

ü•ber|se•hen[2] *irr tr:* **sich** (**an**) **etw** ~ get tired of seeing s.th.

ü•ber•sen•den *irr tr* send; (*Geld*) remit; **anbei** ~ **wir Ihnen …** (COM) enclosed please find …

ü•ber|set•zen[1] I. *tr* (*mit Fähre*) ferry across II. *itr sein* cross (over)

ü•ber•set•zen[2] *tr itr* 1. translate (*aus dem … ins …* from … into …) 2. (TECH: *übertragen*) transmit; **etw falsch** ~ (*Sprache*) mistranslate s.th.; **dieses Gedicht lässt sich nur schwer** ~ this poem is hard to translate

Ü•ber•set•zer(in) *m(f)* translator; **Ü•ber•set•zung** *f* 1. (*sprachlich*) translation 2. (TECH) transmission ratio

Ü•ber•sicht ['---] <-, (-en)> *f* 1. (*Überblick*) overall view 2. (*Zusammenfassung*) survey; (*in Tabellenform*) table; **die** ~ **verlieren** lose track of things; **ü•ber•sicht•lich** *adj* 1. (*erfassbar, klar*) clear 2. (*Gelände*) open; **Ü•ber•sicht•lich•keit** *f* clarity

ü•ber|sie•deln *sein itr* move (*nach* to); **Ü•ber•sied•ler(in)** *m(f)* migrant

ü•ber•sinn•lich *adj* 1. supersensory 2. (*übernatürlich*) supernatural; ~**e Wahrnehmung** extrasensory perception

ü•ber•span•nen *tr* 1. (*Brücke etc*) span 2. (*zu stark spannen*) put too much strain on … 3. (*fig: Forderungen*) push too far; **den Bogen** ~ (*fig*) overstep the mark; **ü•ber•spannt** *adj* (*exaltiert*) eccentric; (*Ideen*) extravagant

ü•ber•spitzt [--'-] *adj* (*fig*) oversubtle; (*übertrieben*) exaggerated

ü•ber|sprin•gen[1] *sein irr itr* (*a. fig*) jump (*auf* to); **zwischen ihnen sprang der Funke über** s.th. clicked between them; **ü•ber•sprin•gen**[2] *irr tr* 1. (*Hindernis*) jump 2. (*auslassen*) skip

ü•ber•staat•lich *adj* supra-national

ü•ber|ste•hen[1] *itr* jut out, project

ü•ber•ste•hen[2] *irr tr* 1. (*durchstehen*) get through 2. (*überwinden*) overcome 3. (*überleben*) survive; **das wäre überstanden!** thank heavens that's over!

ü•ber•stei•gen *irr tr* 1. (*überklettern*) climb over 2. (*fig: hinausgehen über*) exceed; **jds Erwartungen** ~ exceed someone's expectations

ü•ber•stim•men *tr* outvote; (*e-n Antrag*) outvote, vote down

ü•ber•strah•len *tr* 1. illuminate 2. (*fig*) outshine

Ü•ber•stun•den *fpl* overtime; ~ **machen** work overtime; **fünf** ~ **machen** (*fam*) do five hours overtime; **Ü•ber•stun•den•lohn** *m* overtime pay; **Ü•ber•stun•den•ta•rif** *m* overtime rate; **Ü•ber•stun•den•ver•bot** *n* overtime ban

ü•ber•stür•zen I. *tr* rush into; **man soll nichts** ~! look before you leap! II. *refl* (*Ereignisse*) happen in a rush; **ü•ber•stürzt** *adj* overhasty, precipitate; **Ü•ber•stür•zung** *f* rush

ü•ber•töl•peln [y:bɐ'tœlpəln] *tr* dupe, take in

ü•ber•tö•nen *tr* drown (out)

Ü•ber•trag ['y:bɐtra:k *pl:* 'y:bɐtrɛgə] <-(e)s, ¨-e> *m* (*Summe*) sum carried forward; **ü•ber•trag•bar** *adj* 1. (*allgemein*) transferable 2. (MED) communicable (*auf* to); **ü•ber•tra•gen** I. *irr tr* 1. (*übersetzen*) render (*in* into) 2. (*an andere Stelle schreiben*) transfer; (*abschreiben*) copy out 3. (*auf anderen Anwendungsbereich ~*) apply (*auf* to) 4. (*an jdn übergeben*) transfer; (MED: *Krankheit*) communicate (*auf* to) 5. (TECH: *Kraft ~*) transmit 6. (*verleihen*) confer (*jdm* on s.o.); (*auftragen*) assign (*jdm* to s.o.) 7. (RADIO TV) broadcast 8. (MUS: *in andere Tonart*) transpose; **etw im Fernsehen ~** broadcast s.th. on television II. *refl* 1. (*Krankheit*) be communicated (*auf* to) 2. (TECH) be transmitted (*auf* to); **ihre Fröhlichkeit hat sich auf uns ~** we were infected by their happiness; **ü•ber•tra•gen** *adj* figurative; **Ü•ber•tra•gung** *f* 1. (*Übersetzung*) rendering 2. (MED: *von Krankheit*) communication 3. (COM: *von Auftrag*) assignment 4. (RADIO TV) broadcast

ü•ber•tref•fen *irr tr* surpass (*an* in, *bei weitem* by far); **alle Erwartungen ~** exceed all expectations; **das übertrifft alles** that beats everything; **nicht zu ~ sein** be unsurpassable

ü•ber•trei•ben *irr tr* 1. exaggerate 2. (*zu weit treiben*) overdo; **man kann's auch ~** you can overdo things; **Ü•ber•trei•bung** *f* exaggeration; **man kann ohne ~ feststellen ...** it's no exaggeration to state ...

ü•ber|tre•ten¹ *irr itr* 1. (*Fluss*) break its banks 2. (*zu e-r anderen Partei*) go over (to) 3. (SPORT) overstep; **zum Protestantismus ~** turn Protestant

ü•ber•tre•ten² *irr tr* 1. (*Grenze etc*) cross 2. (*fig: Gesetz, Verbot etc*) break, violate; **Ü•ber•tre•tung** *f* (*von Gesetz*) violation

ü•ber•trie•ben [--'--] *adj* 1. exaggerated 2. (*unmäßig*) excessive

Ü•ber•tritt ['---] *m* 1. (*Grenz~*) crossing (*über* of) 2. (REL) conversion 3. (POL) defection

ü•ber•trump•fen *tr* 1. (*beim Kartenspiel*) overtrump 2. (*fig*) outdo

ü•ber•tün•chen *tr* 1. whitewash 2. (*fig*) cover up

ü•ber•völ•kert [--'--] *adj* overpopulated; **Ü•ber•völ•ke•rung** *f* overpopulation

ü•ber•voll ['--'-] *adj* overfull; **~ von Menschen** crammed with people

ü•ber•vor•tei•len *tr* cheat

ü•ber•wa•chen *tr* 1. (*kontrollieren*) supervise 2. (*beobachten*) keep a, watch on 3. (*auf Monitor*) monitor; **Ü•ber•wa•chung** *f* 1. (*Kontrolle*) supervision 2. (*Beobachtung*) observation; (*von Verdächtigen*) surveillance; **Ü•ber•wa•chungs•staat** *m* police state

ü•ber•wäl•ti•gen [y:bɐ'vɛltɪgən] *tr* 1. overpower 2. (*fig: Angst etc*) overcome; (*Schönheit*) overwhelm; **ü•ber•wäl•ti•gend** *adj* (*überragend*) overwhelming; (*Schönheit*) stunning

ü•ber|wech•seln *sein tr* change over (*zu* to)

ü•ber•wei•sen *irr tr* 1. (FIN: *Geld*) transfer 2. (*Patienten*) refer (*an* to); **Ü•ber•wei•sung** *f* (COM) 1. (FIN: *Geld~*) transfer 2. (*von Patienten*) referral; **Ü•ber•wei•sungs•auf•trag** *m* bank giro credit, transfer order

ü•ber|wer•fen¹ *irr tr* (*Kleidungsstück*) throw on

ü•ber•wer•fen² *irr refl:* **sich mit jdm ~** fall out with s.o.

ü•ber•wie•gen I. *irr tr* outweigh II. *itr* predominate; **ü•ber•wie•gend** *adj* predominant; **~e Mehrheit** vast majority

ü•ber•win•den I. *irr tr* 1. overcome; (*Schwierigkeiten*) get over 2. (*hinter sich lassen*) outgrow II. *refl* overcome one's inclinations; **sich ~(,) etw zu tun** bring o.s. to do s.th.; **Ü•ber•win•dung** *f* 1. overcoming; (*von Schwierigkeiten*) surmounting 2. (*Selbst~*) will power; **das hat mich viel ~ gekostet** that took me a lot of willpower; **auch unter größter ~ könnte ich so etw nicht tun** I simply couldn't bring myself to do a thing like that

ü•ber•win•tern *itr* winter; (*Tiere*) hibernate

ü•ber•wu•chern *tr* overgrow

Ü•ber•zahl *f:* **in der ~ sein** be superior in numbers, outnumber s.o.; **in der ~ sein** be in the majority; **ü•ber•zäh•lig** ['y:bɐtsɛ:lɪç] *adj* 1. (*überschüssig*) surplus 2. (*überflüssig*) superfluous 3. (*übrig*) spare

ü•ber•zeu•gen I. *tr* 1. convince 2. (*überreden*) persuade II. *itr* be convincing III. *refl:* **~ Sie sich selbst davon!** go and see for yourself!; **ü•ber•zeu•gend** *adj* convincing; **Ü•ber•zeu•gung** *f* 1. (*das Überzeugen*) convincing 2. (*das Überzeugtsein*) conviction; **es ist meine feste ~** it's my firm conviction; **der ~ sein, dass ...** be convinced that ...; **Ü•ber•zeu•gungs•kraft** *f* persuasive power

ü•ber•zie•hen¹ I. *irr tr* 1. (*bedecken*) cover; (*mit Belag*) coat 2. (FIN: *Konto*) overdraw (*um* by) II. *itr* (FIN) overdraw one's account III. *refl* (*sich bedecken*) become overcast

ü•ber|zie•hen² *irr tr* 1. (*anziehen*) put on 2. (*fam*): **jdm eins ~** give s.o. a clout

Ü•ber•zie•her ['----] <-s, -> *m* (*Übermantel*) greatcoat, overcoat; (*leichter ~*) topcoat *Br,* duster *Am;* **Ü•ber•zie•hung** [-'--] *f* (FIN: *Konto~*) overdraft; **Ü•ber•zie•hungs•kre•dit** *m* overdraft provision

Ü•ber•zug ['---] *m* 1. (*Beschichtung*) coating; (*metallener ~*) plating 2. (*Bett~, Sofa~*)

cover

üb•lich ['y:plɪç] *adj* **1.** (*allgemein*) usual **2.** (*herkömmlich*) customary **3.** (*normal*) normal; **nicht ~** unusual; **das ist bei uns so ~** that's usual for us; **allgemein ~ sein** be common practice; **~e Größe** standard size

U-Boot *n* submarine, sub *fam;* **U-Boot-Krieg** *m* submarine warfare

üb•rig ['y:brɪç] *adj* left, remaining; **das Ü~e**RR the remainder; **ein Ü~es tun**RR do one more thing; **im Ü~en**RR by the way; **hast du e-e Zigarette ~?** could you spare me a cigarette?; **für jdn etw ~ haben** (*fam*) have a soft spot for s.o.; **für jdn nichts ~ haben** (*fam*) have no time for s.o; **~ bleiben**RR be left (over); **es bleibt ihm nichts anderes ~** he has no other choice; **was blieb mir anderes ~, als ...?** what choice did I have but ...?; **jdm etw ~ lassen**RR leave s.th. for s.o.; **zu wünschen ~ lassen**RR leave s.th. to be desired; **üb•rig-blei•ben** *s.* **übrig**

üb•ri•gens ['y:brɪgəns] *adv* by the way, incidentally

üb•rig|las•sen *s.* **übrig**

Übung ['y:bʊŋ] *f* **1.** (MIL SPORT: *a. ~saufgabe*) exercise **2.** (*praktische Ausübung*) practice; **~ macht den Meister** (*prov*) practice makes perfect; **in der ~ bleiben** keep in practice; **aus der ~** out of practice; **das ist alles nur ~** it all comes with practice; **Übungs•buch** *n* exercise-book

UdSSR *f* (HIST) *Abk. von* **Union der Sozialistischen Sowjetrepubliken** USSR

U-Ei•sen *n* (TECH) E-channel

U•fer ['u:fɐ] <-s, -> *n* (*Fluss~*) bank; (*See~*) shore; **direkt am ~** right on the waterfront; **etw ans ~ spülen** wash s.th. ashore; **das rettende ~ erreichen** reach terra firma; **U•fer•bö•schung** *f* embankment; **u•fer•los** *adj* (*fig: grenzenlos*) boundless; **... sonst geraten wir ins U~e ...** otherwise things will get out of hands; **die Debatte ging ins U~e** the debate went on and on; **die Kosten gehen ins U~e** the costs are going up and up

U•fo <-(s), -s> *n Abk. von* **unbekanntes Flugobjekt** Ufo

U•gan•da [u'ganda] *nt* Uganda; **U•gan•der(in)** *m(f)* Ugandan; **u•gan•disch** *adj* Ugandan

Uhr [u:ɐ] <-, -en> *f* **1.** (*Wand~, Stand~*) clock; (*Armband~, Taschen~*) watch **2.** (*Anzeigeinstrument*) gauge; **wieviel ~ ist es?** what time is it?; **um wieviel ~?** at what time?; **meine ~ geht vor (nach)** my watch is fast (slow); **meine ~ geht genau** my watch keeps exact time; **nach meiner ~** by my watch; **Uhr•arm•band** *n* watch strap; **Uh•ren•in•dus•trie** *f* watch-and-clock-making industry; **Uhr•ket•te** *f* watch chain; **Uhr•ma•cher** *m* watchmaker; **Uhr•werk** *n* clockwork; **Uhr•zei•ger** *m* hand; **Uhr•zei•ger•sinn** *m:* **im ~** clockwise; **im entgegengesetzten ~** anticlockwise; **Uhr•zeit** *f* time; **haben sie die genaue ~?** do you have the correct time?

U•hu ['u:hu] <-s, -s> *m* eagle-owl

U•krai•ne [u'kraɪnə] *f* Ukraine; **U•krai•ner(in)** *m(f)* Ukrainian; **u•krai•nisch** *adj* Ukrainian

Ulk [ʊlk] <-(e)s, -e> *m* lark; **etw aus ~ tun** do s.th. as a joke; **ul•ken** *itr* clown around; **ul•kig** *adj* (*fam*) funny

Ul•me ['ʊlmə] <-, -n> *f* elm

Ul•ti•ma•tum [ʊltɪ'ma:tʊm] <-s, -en> *n* ultimatum

Ult•ra•kurz•wel•le [--'---] *f* (RADIO) ultra-high frequency, ultra-short wave; **Ult•ra•kurz•wel•len•sen•der** *m* (RADIO) UHF station; **Ult•ra•schall** *m* (PHYS) ultrasound; **Ult•ra•schall•bild** *n* (MED) ultrasound picture; **Ult•ra•schall•ge•rät** *n* (MED) ultrasonic receiver; **Ult•ra•schall•un•ter•su•chung** *f* (MED) scan *Br;* **ult•ra•vio•lett** ['----'-] *adj* (PHYS) ultra-violet; **~e Strahlen** ultra-violet rays

um [ʊm] **I.** *präp* **1.** (*räumlich*) round; (*unbestimmter*) about, around; **~ die Ecke** round the corner; **~ die Welt** round the world; **die Erde dreht sich ~ die Sonne** the earth goes round the sun; **~ e-n Tisch sitzen** sit round a table; **besorgt sein ~ ...** feel anxious about ...; **sich ängstigen ~ ...** be worried about ... **2.** (*Maße*) about, at, by, for, toward(s); **~ 6 Uhr** at six (o'clock); **~ jeden Preis** at any rate, at any price; **~ keinen Preis** not at any price; **~ alles in der Welt** for anything in the world; **~ diese Zeit** by this time; **~ e-n Kopf größer** taller by a head; **~ ein Haar** by a hair; **etwa ~ 6 Uhr** towards six; **~ so besser** all the better, so much the better; **~ so weniger** the more ... the less **3.** (*~ ... willen*) because of ..., for ...; (*wegen*) for the sake of ...; **~ Himmels willen!** for heaven's sake!; **ich beneide sie ~ ihren Erfolg** I envy them their success; **es tut mir leid ~ ihn!** I'm sorry for him! **II.** *konj* **1.** (*final*) (in order) to **2.** (*je ... ~ so*) the ... the **III.** *adv* (*ungefähr*) about; **so ~ Ostern** about Easter; **deine Zeit ist ~** your time is up

um•a•dres•sie•ren *tr* readdress

um|än•dern *tr* alter; (*modifizieren*) modify

um|ar•bei•ten *tr* (*allgemein*) alter; (*Buch*) revise; (*Schriftstück*) rewrite; **e-n Roman zu e-m Drehbuch ~** adapt a novel for the screen

um•ar•men *tr* embrace; (*fester*) hug; **Um•ar•mung** *f* embrace; (*festere ~*) hug

Um•bau ['--] <-s, -e/-ten> *m* **1.** (ARCH) rebuilding **2.** (*fig: organisatorischer* ~) reorganization; **um|bau•en¹** *tr* **1.** (*Gebäude*) rebuild; (*Kulissen*) change **2.** (*Organisation*) reorganize

um•bau•en² *tr* enclose; **umbauter Raum** enclosed area

um|be•nen•nen *irr tr:* **etw in etw** ~ rename s.th. s.th.

um|be•set•zen *tr* (THEAT) recast; (*Posten*) reassign; (*Mannschaft*) reorganize; (POL: *Kabinett*) reshuffle

um|bie•gen I. *irr tr haben* bend **II.** *itr sein* **1.** (*Weg*) bend **2.** (*umkehren*) turn round **III.** *refl haben* curl

um|bil•den *tr* **1.** (*Verwaltung*) reorganize **2.** (POL: *Regierung*) reshuffle *Br,* shake up *Am*

um|bin•den *irr tr* put on; tie on

um|blät•tern *tr itr* turn over

um|bli•cken *refl* look round; **sich nach jdm (etw)** ~ turn round to look at s.o. (s.th.)

um|brin•gen *irr tr* kill; **dieses endlose Warten bringt mich noch um!** (*fam*) this endless waiting will be the death of me!; **sich vor Höflichkeit fast** ~ (*fig*) fall over o.s. to be polite

Um•bruch *m* **1.** (*Erneuerung*) radical change **2.** (TYP) makeup

um|bu•chen *tr itr* **1.** (FIN COM: *Betrag*) transfer (*auf* to) **2.** (*Reise*) alter one's booking (*auf* for)

um|den•ken *itr* change one's views

um|dis•po•nie•ren *itr* change one's arrangements *pl*

um|dre•hen I. *tr* **1.** (*auf andere Seite*) turn over; (*auf den Kopf stellen*) turn up **2.** (*um die Achse*) turn round; (*Schlüssel*) turn **3.** (*Hals*) wring; **den Spieß** ~ (*fig*) turn the tables *pl* **II.** *refl* **1.** (*sich umsehen*) turn round (*nach* to look at) **2.** (*im Bett*) turn over; **Um•dre•hung** [-'--] *f* **1.** (*allgemein*) turn **2.** (PHYS) rotation **3.** (MOT) revolution; **Um•dre•hungs•zahl** *f* (MOT: *pro Minute*) revolutions per minute

um•ein•an•der [--'--] *adv* about each other; (*räumlich*) round each other

um|er•zie•hen *tr* re-educate

um•fah•ren¹ *irr tr* (MOT) drive round; (MAR) sail round; (MOT: *um etw zu vermeiden*) make a detour round

um|fah•ren² *irr tr* (*niederfahren*) run down

um|fal•len *sein irr itr* **1.** (*allgemein*) fall down *Br,* fall over *Am* **2.** (*fam: nachgeben*) give in [*o* way] **3.** (*fam: ohnmächtig werden*) pass out; **vor Müdigkeit fast** ~ be almost dead on one's feet

Um•fang *m* **1.** (*Kreis~*) perimeter; (*Leibes~*) girth **2.** (*Fläche*) area; (*Größe*) size **3.** (*Anzahl*) amount **4.** (*fig: Ausmaß*) extent; (*von Arbeit etc*) scope; **in großem** ~ on a large scale; **in vollem** ~ fully; **solchen ~ annehmen, dass ...** assume such proportions that ...; **dieses Buch hat e-n ~ von 500 Seiten** this book has 500 pages; **um•fang•reich** *adj* extensive

um•fas•sen *tr* **1.** clasp, grasp; (*umarmen*) embrace **2.** (*enthalten*) contain; (*Zeitperiode*) cover; **um•fas•send** *adj* **1.** (*vieles enthaltend*) comprehensive **2.** (*weitreichend*) extensive **3.** (*vollständig*) complete, full

Um•feld *n* (associated) area [*o* field]

um|fi•nan•zie•ren *itr* refinance

um|for•men *tr* **1.** remodel (*in* into) **2.** (EL) convert; **Um•for•mer** *m* (EL) converter; **Um•for•mung** *f* **1.** (*allgemein*) remodelling **2.** (EL) conversion

Um•fra•ge *f* survey; (*zur Erforschung der öffentlichen Meinung*) poll; **e-e ~ machen** carry out at survey; **e-e ~ unter Schülern machen** ask (around) pupils

um|fül•len *tr* decant

um|funk•tio•nie•ren *tr:* **etw zu etw** ~ turn s.th. into s.th.

Um•gang ['--] <-(e)s> *m* **1.** (*gesellschaftlicher* ~) contact **2.** (*Bekanntenkreis*) acquaintances *pl;* **im ~ mit ... muss man ...** in dealing with ... one must ...; **ich habe so gut wie keinen ~ mit ihm** I have little to do with him; **um•gäng•lich** ['ʊmgɛŋlɪç] *adj* **1.** (*gesellig*) sociable **2.** (*verträglich*) affable **3.** (*entgegenkommend*) obliging; **Um•gangs•for•men** *pl* manners; **Um•gangs•spra•che** *f* colloquial speech; **Um•gangs•ton** *m* tone, ray of speaking

um•ge•ben *irr tr* surround; **Um•ge•bung** *f* **1.** (*Umwelt*) surroundings *pl* **2.** (*von Stadt*) environs *pl* **3.** (*Nachbarschaft*) neighbourhood **4.** (*Milieu*) background; **London und** ~ London and surroundings; **in s-r ~ fühle ich mich unwohl** I feel uneasy in his company

um|ge•hen¹ *sein irr itr* **1.** (*Gerücht etc*) circulate **2.** (*Gespenst*) walk **3.** (*behandeln*) handle (*mit jdm, etw* s.o., s.th.); **hier geht ein Gespenst um** this place is haunted; **mit jdm grob** ~ treat s.o. roughly

um•ge•hen² *irr tr* **1.** (*um etw herumgehen*) go round **2.** (*Hindernis*) by-pass **3.** (JUR) evade; (*Verordnung*) circumvent; **um•ge•hend** ['---] *adj* immediate

Um•ge•hung [-'--] *f* **1.** (*das Umgehen*) going round; (MIL) outflanking **2.** (*Straße*) detour; **unter ~ der Vorschriften** by circumventing the regulations; **Um•ge•hungs•stra•ße** *f* by-pass

um•ge•kehrt I. *adj* 1. reversed; (*Reihenfolge*) reverse 2. (*gegenteilig*) contrary 3. (*anders herum*) the other way round; **mit ~em Vorzeichen** (*fig*) with the roles reversed II. *adv* 1. (*am Satzanfang: dagegen*) conversely 2. (*anders herum*) the other way round; **gerade ~!** quite the contrary!

um|ge•stal•ten *tr* (*ändern*) alter; (*Verwaltung*) reorganize; (*umbilden*) remodel

um|gra•ben *irr tr* dig over; (*Boden*) turn over

um|grup•pie•ren *tr* rearrange; (*auf andere Gruppen verteilen*) regroup

um|gu•cken *refl* (*fam*) look about (*nach etw* for s.th.); **du wirst dich noch ~!** (*fam*) you've got another think coming!

Um•hang *m* cape; **um|hän•gen** *tr* 1. put on; (*Gewehr*) sling on 2. (*Bild*) rehang; **sich etw ~** put s.th. on; **jdm etw ~** drape s.th. around s.o.; **Um•hän•ge•ta•sche** *f* shoulder-bag

um|hau•en *irr tr* 1. (*allgemein*) cut down, fell 2. (*fam: erstaunen*) bowl over

um•her [ʊm'heːɐ] *adv* about, around; **rings ~** all around; **um•her|bli•cken** *itr* glance round, look about; **um•her|ge•hen** *irr itr* walk about; **um•her|ir•ren** *sein itr* 1. (*von Person*) wander around [*o* about] 2. (*Blicke*) roam about; **um•her|schlen•dern** *itr* stroll about (*in* s.th.)

um•hin [ʊm'hɪn] *adv:* **ich kann nicht ~ zu lachen** (*etc*) I cannot but laugh, I can't help laughing

um•hö•ren *refl* ask around

um•hül•len *tr* wrap (*mit* in)

um•ju•beln *tr* cheer

Um•kehr <-> *f* 1. turning back 2. (*fig: Änderung*) change; **um•kehr•bar** *adj* reversible; **um|keh•ren** I. *itr sein* 1. turn back 2. (*fig*) change one's ways II. *tr haben* 1. (*Kleidungsstück*) turn inside out 2. (*Verhältnisse*) overturn 3. (MATH MUS) invert III. *refl haben* (*fig: Verhältnisse*) become inverted; **Um•kehr•schluss**[RR] *m* inversion of an argument; **Um•keh•rung** *f* 1. (*allgemein*) reversal 2. (MATH MUS) inversion; **die ~ der Gesellschaftsordnung** turning society upside down

um|kip•pen I. *tr haben* (*allgemein*) tip over; (*Vase*) knock over II. *itr sein* 1. tip over; (*Getränk*) be spilled 2. (*fam: ohnmächtig werden*) pass out 3. (*Gewässer*) be [*o* become] polluted

um•klam•mern *tr* clasp; (*Boxen*) clinch; **Um•klam•me•rung** *f* 1. (*allgemein*) clutch; (*beim Boxen*) clinch 2. (MIL) pincer movement

um|klap•pen *tr* fold down

um•klei•den[1] *tr* (*beziehen: mit Stoff etc*) cover

um|klei•den[2] *refl* (*sich umziehen*) change one's clothes

Um•klei•de•raum ['----] *m* changing room; (THEAT) dressing-room

um|kom•men *sein irr itr* be killed, die; **ich komme um vor Hitze!** (*fam*) the heat is killing me!; **vor Langeweile ~** (*fam*) be bored to death

Um•kreis ['--] <-es> *m* (*Umgebung*) surroundings *pl;* **im ~ von ...** within a radius of ...; **im näheren ~** in the vicinity

um•krei•sen *tr* circle; (ASTR) revolve round; (*Raumfahrt*) orbit

um|krem•peln ['ʊmkrɛmpəln] *tr* (*Hose, Ärmel*) turn up; (*umwenden*) turn inside out; **jdn ~** (*fam*) change someone's ways

um|la•den *irr tr* reload; (MAR) transship

Um•la•ge <-, -n> *f* levy, contribution

um•la•gern[1] *tr* (*umgeben*) surround

um|la•gern[2] *tr* (*anders lagern*) re-store

Um•lauf *m* 1. (ASTR: *Erd~*) revolution 2. (FIN: *Geld~*) circulation 3. (*Rundschreiben*) circular; **in ~ bringen** circulate, put into circulation; (*Gerüchte*) spread; **im ~ sein** be circulating; **Um•lauf•bahn** *f* (ASTR) orbit; **~ um die Sonne** solar orbit; **um•lau•fen** I. *tr* (*umrennen*) knock over II. *itr sein* (*a.* FIN: *zirkulieren*) circulate

Um•laut *m* (LING) umlaut, vowel mutation

um|le•gen *tr* 1. (*umhängen*) put round 2. (*Leitungen, Schienen*) re-lay; (*Kranke*) move 3. (*Termin*) change (*auf* to) 4. (*sl: töten*) bump off

um|lei•ten *tr* (*Verkehr*) divert; **Um•lei•tung** *f* (*Verkehrs~*) detour, diversion

um|ler•nen *itr* 1. retrain 2. (*fig: Ansichten ändern*) change one's views

um•lie•gend *adj* surrounding; **die ~e Gegend** the environs *pl*

um•man•teln *tr* (TECH) jacket

um|mo•deln ['ʊm,moːdəln] *tr* (*fam*) change

Um•nach•tung *f* (mental) derangement

um|pa•cken *tr* repack

um|pflü•gen *tr* plough up

um|po•len *tr* (EL) change the polarity

um•quar•tie•ren *tr* re-accomodate

um•rah•men *tr* frame

um•ran•den *tr* border, edge

um|räu•men I. *tr* (*anders anordnen*) rearrange; (*an anderen Platz bringen*) shift II. *itr* (*Möbel*) rearrange the furniture

um|rech•nen *tr* (FIN) convert (*in* into); **Um•rech•nungs•kurs** *m* (FIN) rate of exchange

um•rei•ßen *haben irr tr* (*grob darstellen*) outline

um|ren•nen *irr tr* run into and knock down

um•rin•gen *tr* surround

Um•riss[RR] ['--] *m* outline; (*Kontur*) contour;

um•ris•sen [ʊmˈrɪsən] *adj:* **scharf** ~ well defined
um|rüh•ren *tr* stir
um|rüs•ten *tr* **1.** (MIL) re-equip (*auf* to) **2.** (TECH) re-set **3.** (EL) convert
Um•rüs•tung <-, -en> *f* retooling, re-engineering
um|sat•teln *itr* (*fig*) change jobs *pl;* (*an Universität*) change courses; **von etw auf etw** ~ switch from s.th. to s.th.
Um•satz *m* (COM) turnover; **Um•satz•be•richt** *m* sales report; **Um•satz•be•tei•li•gung** *f* commission; **Um•satz•kur•ve** *f* sales curve; **Um•satz•plus** *n* (COM) increase in turnover; **Um•satz•pro•g•no•se** *f* predicted sales [*o* turnover]; **Um•satz•rück•gang** *m* decline [*o* drop] in sales; **um•satz•schwach** *adj* inactive, weak; **Um•satz•sta•tis•tik** *f* sales statistics *pl;* **Um•satz•stei•ge•rung** *f* increase [*o* upswing] in sales; **Um•satz•steu•er** *f* sales tax
um•säu•men *tr* **1.** (*beim Nähen*) edge **2.** (*Platz: umgeben*) line
um|schal•ten I. *tr* (EL) switch over **II.** *itr* **1.** (RADIO TV: *auf anderen Sender*) change over (*auf* to) **2.** (*fig: in Denken*) change (*auf* to) **3.** (MOT) shift (*in* to); **Um•schalt•tas•te** *f* **1.** (TELE) reversing key **2.** (*bei Schreibmaschine*) shift-key
Um•schau <-> *f* review; **um|schau•en** *refl* look around (*nach* for); (*nach hinten*) look back
Um•schich•tung *f* regrouping, shifting; **gesellschaftliche** ~ social upheaval
um•schif•fen *tr* sail round; (*Kap*) double
Um•schlag *m* **1.** (*Brief~*) envelope; (*Hülle*) cover **2.** (*Buch~*) jacket **3.** (*Hose*) turn-up; ; (*Ärmel*) cuff **4.** (*Veränderung*) (sudden) change (*von etw* in s.th., *in etw* into s.th.) **5.** (MED) compress **6.** (COM: *Waren~*) volume of traffic; **um|schla•gen I.** *irr tr* **1.** (*Seite*) turn over **2.** (*Saum*) turn up **3.** (*Ärmel*) tuck up; (*Kragen*) turn down **4.** (COM: *umladen*) transfer **5.** (COM: *umsetzen*) turn over **II.** *itr* **1.** (*Wetter*) change **2.** (*Wind*) veer round **3.** (*Boot*) capsize; **Um•schlag•ha•fen** *m* port of transshipment; **Um•schlag•platz** *m* (COM) trade centre *Br,* trade center *Am*
um•schlie•ßen *irr tr* enclose, surround
um•schlin•gen *irr tr* **1.** (*Pflanze*) twine round **2.** (*umarmen*) embrace
um|schmei•ßen *irr tr* **1.** (*fam: umwerfen*) knock flying **2.** (*fam: erstaunen*) bowl over; **das schmeißt meine Pläne um** that mucks my plans up
um|schnal•len *tr* buckle on
um|schrei•ben[1] *irr tr* **1.** (*Text*) rewrite **2.** (*bearbeiten*) adapt (*für* for) **3.** (*Besitz*) transfer **4.** (COM: *Wechsel*) alter (*auf* for)
um•schrei•ben[2] *irr tr* **1.** (*mit anderen Worten ausdrücken*) paraphrase **2.** (*darlegen*) outline **3.** (*abgrenzen*) circumscribe **4.** (*nicht beim Namen nennen*) refer to obliquely; **Um•schrei•bung** [-ˈ--] *f* **1.** (*fig*) paraphrase **2.** (*euphemistisch*) oblique reference (*von* to)
Um•schrift [ˈ--] *f* **1.** (*auf Münze*) inscription **2.** (LING: *phonetische ~*) transcription
um|schul•den *tr* reschedule, restructure
Um•schul•dung *f* funding
um|schu•len *tr* **1.** (*auf andere Schule*) transfer to another school **2.** (*auf etw Neues*) retrain; **Um•schu•lung** <-, -en> *f* retraining; **Um•schu•lungs•kurs** *m* course for retraining
um|schüt•ten *tr* **1.** (*ausschütten*) spill **2.** (*in ein anderes Gefäß*) decant
um•schwär•men *tr* (*fig*) idolize; **von Verehrern umschwärmt** besieged by admirers
Um•schwei•fe *pl:* **ohne** ~ without beating about the bush
um•schwir•ren *tr* (*a. fig*) buzz round
Um•schwung *m* (*Änderung*) drastic change (*zum Besseren* for the better); (*ins Gegenteil*) reversal
um|se•hen *irr refl* look around (*nach* for); (*zurück*) look back; **sich in der Welt** ~ see s.th. of the world; **sich in der Stadt** ~ have a look around the town
um•sei•tig *adj* overleaf; **die ~e Abbildung** the illustration overleaf
um|set•zen I. *tr* **1.** (*Personen*) move to another seat **2.** (COM: *Waren*) turn over **3.** (*umwandeln*) convert (*etw in etw* s.th. into s.th.); (MUS) transpose **4.** (*Pflanze*) transplant **5.** (TYP) reset; **etw in die Tat** ~ translate s.th. into action; **sein Geld in Kleidung** ~ spend all one's money on clothes **II.** *refl* **1.** (*Personen*) change seats **2.** (*sich umwandeln*) be converted (*in etw* into s.th.)
Um•sicht *f* circumspection, prudence; **um•sich•tig** *adj* circumspect, prudent
um|sie•deln *tr haben, itr sein* resettle; **Um•sied•ler(in)** *m(f)* resettler; **Um•sied•lung** *f* resettlement
um|sin•ken *irr itr* sink to the ground; **vor Müdigkeit** ~ drop with exhaustion
um•sonst [ʊmˈzɔnst] *adv* **1.** (*vergeblich*) in vain **2.** (*erfolglos*) without success **3.** (*ohne Bezahlung*) for nothing, free of charge; **das hast du nicht ~ getan!** (*fam*) you'll pay for that!; ~ **ist der Tod** (*prov*) you don't get anything for nothing in the world
um•sor•gen *tr* care for
um•span•nen[1] *tr* (*a. fig*) encompass; **etw mit beiden Armen** ~ get both arms all the

way round s.th.

um|span·nen[2] *tr* **1.** (EL: *Strom*) transform **2.** (*Pferde*) change; **Um·spann·werk** ['---] *n* (EL) transformer station

um|sprin·gen *irr itr* (*Wind*) veer round (*nach* to); **mit jdm grob ~** treat s.o. roughly; **so können Sie mit mir nicht ~!** you can't push me around like that!

Um·stand *m* circumstance; (*Tatsache*) fact; **ein unvorhergesehener ~** s.th. unforeseen

Um·stän·de ['ʊmʃtɛndə] *mpl* **1.** circumstances *pl* **2.** (*Förmlichkeiten*) fuss *sing* **3.** (*Schwierigkeiten*) trouble *sing;* **es geht ihr den ~n entsprechend gut** she is as well as can be expected under the circumstances; **ohne große ~** without much fuss; **unter ~n** circumstances permitting; **unter keinen ~n** under no circumstances; **unter allen ~n** at all costs; **mildernde ~** (JUR) extenuating circumstances; **in anderen ~n sein** (*euph*) schwanger, be pregnant; **machen Sie sich meinetwegen keine ~!** don't trouble yourself on my account!; **um·ständ·lich** *adj* **1.** (*Arbeitsweise*) awkward and involved **2.** (*Vorbereitung*) elaborate **3.** (*Erklärung*) long-winded; **sei doch nicht so ~!** don't make such heavy weather of everything!

Um·stands·kleid *n* maternity dress; **Um·stands·klei·dung** *f* maternity clothes; **Um·stands·wort** *n* (GRAM) adverb

um·ste·hend *adj* **1.** (*umseitig*) overleaf **2.** (*in der Nähe stehend*) standing round about; **die U~en** the bystanders

um|stei·gen *sein irr itr* **1.** (*Bahn, Bus*) change (*nach* for) **2.** (*fam*) switch (*auf* to)

um·stel·len[1] *tr* (*umringen*) surround

um|stel·len[2] **I.** *tr itr* **1.** (*Möbel etc*) rearrange **2.** (*Betrieb, Hebel*) switch over; **auf Computer ~** computerize **II.** *refl* (*im Lebensstil*) get used to a different lifestyle; **sich auf etw ~** adjust to s.th.; **Um·stel·lung** ['---] *f* **1.** (*allgemein*) rearrangement **2.** (*von Gerät, Hebel etc*) switch-over **3.** (*Anpassung*) adjustment (*auf* to); **~ auf Computer** computerization; **~ auf Erdgas** conversion to natural gas; **das wird eine große ~ für ihn sein** it will be a big change for him

um|stim·men *tr* (*fig*): **jdn ~** change someone's mind; **er lässt sich nicht ~** he's not to be persuaded

um|sto·ßen *irr tr* **1.** (*allgemein*) knock over **2.** (*fig: Pläne etc*) upset

um·strit·ten [-'--] *adj* **1.** (*noch nicht ausdiskutiert*) disputed **2.** (*fraglich*) controversial

um|struk·tu·rie·ren *tr* change the structure of ...; **Um·struk·tu·rie·rung** *f* restructuring

um|stül·pen ['ʊmʃtʏlpən] *tr* turn upside down [*o* inside out]; (*Tasche*) turn out

Um·sturz *m* (POL) coup d'état; **um|stür·zen** **I.** *tr haben* **1.** overturn **2.** (POL) overthrow **II.** *itr sein* (*umfallen*) fall; (*Fahrzeug*) overturn; **Um·sturz·ver·such** *m* attempted coup [*o* putsch]

Um·tausch *m* exchange; **um|tau·schen** *tr* exchange; (*Geld*) change (*in* into); **kann ich das ~?** is it possible to exchange this?

um·tun *irr refl* (*fam*): **sich nach etw ~** be looking for s.th.

um|ver·tei·len *tr* redistribute

um|wäl·zen *tr* **1.** (TECH) circulate **2.** (*fig: revolutionieren*) revolutionize; **um·wäl·zend** *adj* (*revolutionär*) revolutionary; **Um·wälz·pum·pe** *f* circulating pump; **Um·wäl·zung** *f* **1.** (TECH) circulation **2.** (*fig: Revolutionierung*) radical change

um|wan·deln *tr* change (*in* into); (JUR: *Strafe*) commute; (COM) convert; **sie ist wie umgewandelt** she's a different person

Um·wand·lung <-, -en> *f* transformation, conversion

um|wech·seln *tr* (*Geld*) change (*in* into)

Um·weg *m* **1.** detour **2.** (*fig*) roundabout way; **auf ~en** indirectly; **e-n ~ machen** (*unabsichtlich*) go the long way round; (*absichtlich*) make a detour

Um·welt *f* environment; **Um·welt·auf·la·ge** *f* environmental requirement; **Um·welt·be·din·gun·gen** *fpl* environmental conditions; **Um·welt·be·las·tung** *f* ecological damage; **Um·welt·be·wusst·sein**[RR] *n* environmental awareness; **Um·welt·bun·des·amt** *n* department of the environment; **Um·welt·ein·flüs·se** *mpl* environmental influences; **Um·welt·er·hal·tung** *f* environmental preservation; **um·welt·feind·lich** *adj* ecologically harmful; **Um·welt·for·schung** *f* environmental research; **um·welt·freund·lich** *adj* non-polluting; ecologically friendly; **um·welt·ge·fähr·dend** *adj* harmful to the environment; **Um·welt·ge·fähr·dung** *f* endangering the environment; **Um·welt·ge·fah·ren** *pl* environmental hazards; **Um·welt·gift** *n* environmental pollutant; **Um·welt·ka·tas·tro·phe** *f* ecological disaster; **Um·welt·mi·nis·te·rium** *n* Ministry of the Environment; **Um·welt·po·li·tik** *f* environment(al) policy; **Um·welt·pro·gramm** *n* environmental policies *pl;* **Um·welt·qua·li·tät** *f* quality of the environment; **Um·welt·schä·den** *pl* environmental damage *sing;* **Um·welt·schutz** *m* environmental conservation; **Um·welt·schutz·ge·setz** *nt* environmental (protection) law; **Um·welt-**

schutz•pa•pier *n* recycled paper; **Um•welt•schutz•tech•nik** *f* conservation technology; **Um•welt•schüt•zer(in)** *m(f)* environmentalist, conservationist; **Um•welt•steu•er** *f* ecology tax; **Um•welt•ver•gif•tung** *f* contamination of the environment; **Um•welt•ver•schmut•zer** *m* polluter; **Um•welt•ver•schmut•zung** *f* pollution of the environment; **um•welt•ver•träg•lich** *adj* (*Produkte, Stoffe*) ecologically compatible; **Um•welt•zer•stö•rung** *f* destruction of the environment

um|wen•den I. *irr tr* turn over **II.** *refl* turn round (*nach* to)

um•wer•ben *irr tr* court

um|wer•fen *irr tr* **1.** (*allgemein*) overturn **2.** (*fig: ändern*) upset; **ein Bier wird dich nicht gleich ~** one beer won't knock you out

um•wi•ckeln *tr* (*mit Stoff etc*) wrap round; **etw mit Draht ~** wind wire round s.th.

um•zäu•nen *tr* fence round; **Um•zäu•nung** *f* fence

um|zie•hen *sein* **I.** *irr refl* change one's clothes **II.** *itr* move (to)

um•zin•geln *tr* encircle, surround

Um•zug *m* **1.** (*Festzug*) procession **2.** (*Wohnungswechsel*) move, removal; **Um•zugs•kar•ton** *m* packing case; **Um•zugs•kos•ten** *pl* removal costs

un•ab•än•der•lich ['--'---] *adj* **1.** (*unwiderruflich*) unalterable **2.** (*ewig*) immutable

un•ab•ding•bar *adj* (*Voraussetzung*) indispensable

un•ab•hän•gig *adj* indepedent (*von* of); **~ davon, was Sie meinen** irrespective of what you think; **Un•ab•hän•gig•keit** *f* independence

un•ab•kömm•lich *adj* engaged

un•ab•läs•sig *adj* incessant, unceasing

un•ab•seh•bar ['--'--] *adj* (*Schaden*) immeasurable; (*Folgen*) unforeseeable; **der Schaden ist noch ~** the amount of damage is not yet known

un•ab•sicht•lich *adj* unintentional

un•ab•wend•bar ['--'--] *adj* inevitable

un•acht•sam *adj* **1.** (*unaufmerksam*) inattentive **2.** (*nicht sorgsam*) careless; **Un•acht•sam•keit** *f* **1.** (*Unaufmerksamkeit*) inattentiveness **2.** (*Achtlosigkeit*) carelessness

un•ähn•lich *adj* dissimilar, unlike; **Un•ähn•lich•keit** *f* dissimilarity

un•an•fecht•bar ['--'--] *adj* incontestable

un•an•ge•bracht *adj* **1.** (*unzweckmäßig*) inappropriate **2.** (*unpassend*) unsuitable; **diese Bemerkung war ~** that remark was uncalled-for

un•an•ge•foch•ten *adj* unchallenged

un•an•ge•mel•det *adj* **1.** (*nicht vorangemeldet*) unannounced; (*Besucher*) unexpected **2.** (*polizeilich*) unregistered

un•an•ge•mes•sen *adj* **1.** (*unvernünftig*) unreasonable **2.** (*unzulänglich*) inadequate

un•an•ge•nehm *adj* (*allgemein*) unpleasant; **er kann ~ werden** he can get quite nasty; **es ist mir ~, dass ich Sie gestört habe** I feel bad about having disturbed you; **von etw ~ berührt sein** be embarrassed by s.th.

un•an•ge•passt[RR] *adj* nonconformist

un•an•ge•tas•tet *adj* untouched

un•an•greif•bar ['--'--] *adj* unassailable

un•an•nehm•bar ['--'--] *adj* unacceptable

Un•an•nehm•lich•keit *f* trouble; **~en haben (bekommen)** be in (get into) trouble *sing*

un•an•sehn•lich *adj* unsightly; (*Person*) plain

un•an•stän•dig *adj* **1.** (*Kleidung*) indecent **2.** (*obszön*) dirty; **Un•an•stän•dig•keit** *f* **1.** (*von Kleidung*) indecency **2.** (*Obszönität*) dirtiness; (*Ungehörigkeit*) rudeness

un•an•tast•bar ['--'-] *adj* **1.** (*über jeden Zweifel erhaben*) unimpeachable **2.** (*nicht verletzbar*) unviolable

un•ap•pe•tit•lich *adj* (*a. fig*) unappetizing

Un•art *f* bad habit; **un•ar•tig** *adj* naughty

un•äs•the•tisch *adj* unappetizing

un•auf•fäl•lig *adj* inconspicuous; (*unscheinbar*) unobtrusive

un•auf•find•bar ['--'--] *adj* nowhere to be found

un•auf•ge•for•dert I. *adj* unsolicited **II.** *adv* without being asked

un•auf•halt•sam ['--'--] *adj* **1.** (*nicht aufzuhalten*) unstoppable **2.** (*unerbittlich*) inexorable

un•auf•hör•lich ['--'--] *adj* incessant

un•auf•lös•lich ['--'--] *adj* (*allgemein*) indissoluble; (CHEM) insoluble

un•auf•merk•sam *adj* inattentive; **Un•auf•merk•sam•keit** *f* inattentiveness

un•auf•rich•tig *adj* insincere

un•auf•schieb•bar ['--'--] *adj* urgent; **die Angelegenheit ist ~** the matter can't be put off

un•aus•bleib•lich ['--'--] *adj* inevitable

un•aus•ge•füllt *adj* **1.** (*Formular*) blank **2.** (*fig: Mensch*) unfulfilled

un•aus•ge•gli•chen *adj* **1.** (*allgemein*) unbalanced **2.** (*fig: Mensch*) moody; **Un•aus•ge•gli•chen•heit** *f* **1.** unbalance **2.** (*fig*) moodiness; **die ~ seines Wesens** the unevenness of his temper

un•aus•ge•go•ren *adj* (*fig*) immature; (*Plan*) half-baked *fam*

un•aus•lösch•lich ['--'--] *adj* (*a. fig*) indelible

un•aus•sprech•lich ['--'--] *adj* **1.** (*Wort*) unpronounceable **2.** (*fig: unerhört*) unspeakable
un•aus•steh•lich ['--'--] *adj* intolerable
un•aus•weich•lich ['--'--] *adj* unavoidable
un•bän•dig *adj* **1.** (*ausgelassen*) boisterous **2.** (*ungezügelt*) unrestrained; **ich habe ~en Hunger** I'm ravenous
un•barm•her•zig *adj* merciless; **Un•barm•her•zig•keit** *f* mercilessness
un•be•ab•sich•tigt *adj* unintentional
un•be•ach•tet *adj* unnoticed; **das dürfen wir nicht ~ lassen** we mustn't leave that out of account; **etw ~ lassen** let s.th. pass
un•be•an•stan•det *adj* not objected to
un•be•baut *adj* **1.** (*Grundstück*) vacant **2.** (*Feld*) uncultivated
Un•be•stimmt•heit *f* **1.** (*allgemein*) uncertainty **2.** (*Unklarheit*) vagueness
un•be•dacht *adj* (*unüberlegt*) thoughtless; (*übereilt*) rash
un•be•deckt *adj* bare
un•be•denk•lich *adj* completely harmless
un•be•deu•tend *adj* **1.** (*unwichtig*) insignificant, unimportant **2.** (*geringfügig*) minor
un•be•dingt ['---/--'-] **I.** *adj* **1.** (*absolut*) absolute **2.** (*bedingungslos*) unconditional **II.** *adv* **1.** (*auf jdn Fall*) really **2.** (*erforderlich*) absolutely; **das ist nicht ~ nötig** that's not absolutely necessary; **er wollte sie ~ sehen** he was hell-bent on seeing her; **das Buch musst du ~ lesen** you really must read that book; **Sie müssen ~ kommen!** you really must come!
un•be•fan•gen *adj* **1.** (*natürlich*) natural; (*ungehemmt*) uninhibited **2.** (*unparteiisch*) impartial; **Un•be•fan•gen•heit** *f* **1.** (*Natürlichkeit*) naturalness **2.** (*Unparteilichkeit*) impartiality
un•be•frie•di•gend *adj* unsatisfactory
un•be•fugt *adj* unauthorized
un•be•gabt *adj* untalented
un•be•greif•lich ['--'--] *adj* **1.** (*unverständlich*) incomprehensible **2.** (*unergründlich*) inscrutable; **das ist mir ~** I can't understand that
un•be•grenzt *adj* unlimited
un•be•grün•det *adj* groundless, un founded
un•be•haart *adj* hairless
Un•be•ha•gen *n* **1.** (*körperlich*) discomfort **2.** (*gefühlsmäßig*) uneasiness; **un•be•hag•lich** *adj* **1.** (*körperlich*) uncomfortable **2.** (*gefühlsmäßig*) uneasy
un•be•hel•ligt *adj* unmolested
un•be•hol•fen *adj* awkward, clumsy; **Un•be•hol•fen•heit** *f* awkwardness
un•be•irr•bar ['--'--] *adj* unwavering
un•be•kannt *adj* unknown; **das ist mir ~** I don't know that; **er ist hier ~** he is a stranger here; **~es Flugobjekt** unidentified flying object, UFO
Un•be•kann•te *f* (MATH) unknown
Un•be•kann•te(r) *m* unknown person, stranger
un•be•klei•det *adj* bare
un•be•küm•mert *adj* **1.** (*unbesorgt*) unconcerned **2.** (*sorglos*) happy-go- lucky; **seien Sie ganz ~** don't worry
un•be•las•tet *adj* **1.** (*Grundstück*) unencumbered **2.** (POL HIST) guiltless **3.** (*ohne Last*) unloaded **4.** (*fig: unbeschwert*) free from worries
un•be•lehr•bar ['--'--] *adj* fixed in one's views; **er ist einfach ~** you just can't tell him anything
un•be•leuch•tet *adj* (*Straße*) unlit
un•be•liebt *adj* unpopular (*bei* with); **Un•be•liebt•heit** *f* unpopularity
un•be•mannt *adj* (*Raumflug*) unmanned
un•be•merkt *adj* unnoticed; **~ bleiben** go unnoticed
un•be•nom•men ['--'--] *adj*: **es bleibt Ihnen ~(,) zu ...** you are quite at liberty to ...
un•be•nutzt *adj* unused
un•be•o•b•ach•tet *adj* unobserved; **in einem ~en Augenblick** when nobody was looking
un•be•quem *adj* **1.** (*lästig*) inconvenient **2.** (*ungemütlich*) uncomfortable
Un•be•quem•lich•keit *f* **1.** (*Lästigkeit*) inconvenience **2.** (*Ungemütlichkeit*) discomfort
un•be•re•chen•bar ['--'---] *adj* unpredictable
un•be•rührt ['--'-] *adj* **1.** untouched **2.** (*fig: sexuell unerfahren*): **~ sein** be a virgin **3.** (*Natur*) unspoiled
un•be•scha•det *präp* regardless of
un•be•schä•digt *adj* undamaged
un•be•schol•ten *adj* **1.** (*Person*) respectable **2.** (*Ruf*) spotless
un•be•schränkt *adj* unrestricted; (*Macht*) absolute; **jdm ~e Vollmacht geben** give s.o. carte blanche
un•be•schreib•lich ['--'--] *adj* indescribable
un•be•schrie•ben *adj* (*Papier*) blank
un•be•schwert *adj* **1.** unweighted **2.** (*fig: sorglos*) carefree; (*Lektüre etc*) light-hearted
un•be•se•hen ['--'--] *adv* indiscriminately; **das glaube ich dir ~** I believe it if you say so; **das glaube ich nicht ~** I'll believe that when I see it
un•be•setzt *adj* vacant, unoccupied
un•be•sieg•bar ['--'--] *adj* invincible
un•be•siegt *adj* undefeated
un•be•son•nen *adj* rash; **Un•be•son-**

nen•heit *f* rashness

un•be•sorgt ['--'-] *adj* unconcerned; **seien Sie ~!** don't worry!; **Sie können ganz ~ sein** you can set your mind at ease

un•be•stän•dig *adj* **1.** (*Wetter*) changeable **2.** (*Mensch*) unsteady; **Un•be•stän•dig•keit** *f* **1.** (*von Wetter*) changeability **2.** (*von Mensch*) unsteadiness

un•be•stä•tigt *adj* unconfirmed

un•be•stech•lich *adj* **1.** (*Person*) incorruptible **2.** (*fig: Urteil*) unerring; **Un•be•stech•lich•keit** *f* **1.** (*von Person*) incorruptibility **2.** (*von Urteil*) unerringness

un•be•stimmt *adj* **1.** (*ungewiss*) uncertain **2.** (*unklar*) vague **3.** (GRAM) indefinite; **auf ~e Zeit** for an indefinite period; **etw ~ lassen** leave s.th. open

un•be•streit•bar ['--'--] *adj* (*Tatsache*) indisputable; (*Verdienste*) unquestionable

un•be•strit•ten ['--'--] *adj* undisputed; **es ist ~, dass ...** nobody denies that ...

un•be•tei•ligt *adj* **1.** (*gleichgültig*) indifferent, unconcerned **2.** (*nicht teilnehmend*) uninvolved (*an o bei* in)

un•be•tont *adj* (LING) unstressed

un•beug•sam ['---/-'--] *adj* uncompromising

un•be•wacht *adj* unguarded; (*Parkplatz*) unattented

un•be•waff•net *adj* unarmed

un•be•weg•lich *adj* **1.** (*nicht bewegbar*) immovable **2.** (*fig: geistig ~*) inflexible; **~e Habe** (JUR) immovable property; **Un•be•weg•lich•keit** *f* inflexibility

un•be•wohn•bar ['--'--] *adj* uninhabitable

un•be•wohnt *adj* (*Gegend*) uninhabited; (*Haus*) unoccupied

un•be•wusst[RR] *adj* unconscious

un•be•zahl•bar ['--'--] *adj* **1.** (*zu teuer*) prohibitive **2.** (*sehr nützlich*) invaluable

un•be•zahlt *adj* **1.** (*Urlaub*) unpaid **2.** (*Rechnung*) unsettled

un•be•zwing•lich ['--'--] *adj* **1.** (*allgemein*) unconquerable **2.** (*Drang*) invincible, uncontrollable

un•blu•tig **I.** *adj* bloodless **II.** *adv* without bloodshed

un•bot•mä•ßig *adj* insubordinate

un•brauch•bar ['---/-'--] *adj* of no use, useless; (*nicht zu verwenden*) unusable

un•bü•ro•kra•tisch *adj* unbureaucratic

un•christ•lich *adj:* **eine ~e Zeit** (*fam*) an ungodly hour

und [ʊnt] *konj* and; **~ wenn ...** even if ...; **~ selbst ...** even ...; **~?** so what?; **~ so weiter** and so forth [*o* and so on]; **~ dann?** (*danach*) and then?; (*was dann*) then what?; **~ wenn du noch so bettelst** no matter how much you beg; **~ das tat ich auch** which I did; **seien Sie so gut ~ ...** be so kind as to ...; **ich ~ ihm Geld leihen?** (*fam*) me, lend him money?; **ich konnte ~ konnte nicht aufhören** I simply couldn't stop

Un•dank *m* ingratitude; **~ ernten** get little thanks *pl;* **un•dank•bar** *adj* **1.** (*Mensch*) ungrateful (*gegen* to) **2.** (*Aufgabe etc*) thankless; **Un•dank•bar•keit** *f* **1.** (*menschliche ~*) ingratitude **2.** thanklessness

un•da•tiert ['--'-] *adj* undated

un•de•fi•nier•bar ['---'--] *adj* indefinable

un•denk•bar ['---/-'--] *adj* unthinkable

un•denk•lich ['---/-'--] *adj:* **seit ~en Zeiten** since time immemorial

un•deut•lich *adj* indistinct

un•dicht *adj* (*gegen Luft*) not air-tight; (*gegen Wasser*) not water-tight; **~ sein** leak; **~e Stelle** (*a. fig*) leak

un•dif•fe•ren•ziert *adj* undifferentiated

Un•ding <-(e)s, -e> *n* absurdity; **es ist ein ~(,) zu ...** it is preposterous to ...

un•dis•zi•pli•niert *adj* undisciplined

un•duld•sam *adj* intolerant; **Un•duld•sam•keit** *f* intolerance

un•durch•dring•lich ['--'--] *adj* **1.** impenetrable (*für* to) **2.** (*Miene*) inscrutable

un•durch•führ•bar ['--'--] *adj* impracticable

un•durch•läs•sig *adj* impermeable, impervious (*für* to)

un•durch•sich•tig *adj* **1.** opaque **2.** (*fig: obskur*) obscure

un•e•ben *adj* uneven; (*rau*) rough

un•echt *adj* false; (*vorgetäuscht*) fake; (*künstlich*) artificial

un•e•he•lich *adj* illegitimate

un•eh•ren•haft *adj* dishonourable

un•ehr•lich *adj* dishonest; **Un•ehr•lich•keit** *f* dishonesty

un•ei•gen•nüt•zig *adj* unselfish; **un•ein•ge•löst** *adj* (*Versprechen*) unfulfilled

un•ein•ge•schränkt *adj* unlimited, unrestricted

un•ein•ge•weiht *adj* uninitiated

un•ein•heit•lich *adj* non-uniform

un•ei•nig *adj,* **un•eins** *adj* divided; **mit jdm ~ sein** disagree with s.o.; **ich bin mit mir selbst noch uneins** I haven't made up my mind yet; **Un•ei•nig•keit** *f* disagreement

un•ein•nehm•bar ['--'--] *adj* impregnable

un•emp•fäng•lich *adj* unsusceptible (*für* to)

un•emp•find•lich *adj* **1.** insensitive (*gegen* to) **2.** (*strapazierfähig*) hard-wearing; (*Pflanzen*) hardy

un•end•lich [-'--] *adj* infinite; (*zeitlich*) endless; **~ klein** (MATH) infinitesimal; **~ viele** (*Dinge*) things; (*Leute*) no end of people; **auf ~ eingestellt** (PHOT) focused at infinity; **Un•end•lich•keit** *f* infinity; (*zeitlich*)

endlessness
un•ent•behr•lich ['--'--] *adj* (*Person*) indispensable; (*Wissen*) essential
un•ent•gelt•lich ['--'--] *adj* free (of charge)
un•ent•schie•den *adj* **1.** (*noch nicht entschieden*) undecided **2.** (*unentschlossen*) indecisive **3.** (*Spiel*) drawn; ~ **enden** end in a draw; ~ **spielen** draw
un•ent•schlos•sen *adj* indecisive; **ich bin noch** ~ I haven't decided yet; **Un•ent•schlos•sen•heit** *f* indecision
un•ent•schuld•bar ['--'--] *adj* inexcusable; **das ist** ~ it allows of no excuse
un•ent•wegt ['--'-] *adj* incessant
un•ent•wirr•bar ['--'--] *adj* inextricable
un•er•bitt•lich ['--'--] *adj* inexorable
un•er•fah•ren *adj* inexperienced
un•er•find•lich ['--'--] *adj* (*unverständlich*) incomprehensible; **aus ~en Gründen** for some obscure reason *sing*
un•er•freu•lich *adj* unpleasant
un•er•gie•big *adj* unproductive
un•er•gründ•lich ['--'--] *adj* unfathomable
un•er•heb•lich *adj* insignificant
un•er•hört ['--'-] **I.** *adj* **1.** (*ungeheuer*) enormous **2.** (*empörend*) outrageous; **er weiß** ~ **viel** he knows a tremendous amount; ~ **talentiert** exceedingly gifted **II.** *adv* incredibly; **~!** honestly ...!; **das ist ja ~!** that's the limit!
un•er•kannt *adj* unrecognized
un•er•klär•lich ['--'--] *adj* inexplicable
un•er•läss•lichRR ['--'--] *adj* imperative
un•er•laubt *adj* forbidden; (*ungesetzlich*) illegal; **~e Entfernung von der Truppe** (MIL) absence without leave; **~e Handlung** (JUR) tort
un•er•le•digt *adj* unsettled
un•er•mess•lichRR ['--'--] *adj* immense, immeasurable
un•er•müd•lich ['--'--] *adj* tireless, untiring
un•er•quick•lich *adj* **1.** (*unerfreulich*) unedifying **2.** (*nutzlos*) fruitless
un•er•reich•bar ['--'--] *adj* **1.** (*fig*) unattainable **2.** (*unzugänglich*) inaccessible
un•er•reicht *adj* **1.** (*fig*) unequalled **2.** (*Ziel*) unattained
un•er•sätt•lich ['--'--] *adj* insatiable
un•er•schöpf•lich ['--'--] *adj* inexhaustible
un•er•schüt•ter•lich ['--'---] *adj* unshakeable
un•er•schwing•lich ['--'--] *adj* (*Preis*) exorbitant, prohibitive; **für jdn** ~ **sein** be beyond someone's means
un•er•setz•lich ['--'--] *adj* irreplaceable
un•er•träg•lich ['--'--] *adj* unbearable; (*Frechheit*) insufferable
un•er•wähnt ['---/--'-] *adj* unmentioned
un•er•war•tet ['----/--'--] *adj* unexpected
un•er•wi•dert ['----/--'--] *adj* **1.** (*Brief etc*) unanswered **2.** (*Liebe*) unrequited
un•er•wünscht *adj* unwelcome; (*Kind*) unwanted
un•fä•hig *adj* **1.** (*untüchtig*) incompetent **2.** (*nicht fähig*) incapable (of); **er ist einfach** ~ he is simply incompetent; **Un•fä•hig•keit** *f* **1.** incapacity **2.** (*mangelndes Können*) inability (for)
un•fair *adj* **1.** (*unschön*) unfair **2.** (SPORT) foul
Un•fall *m* accident; **Un•fall•an•zei•ge** *f* notice of accident; **Un•fall•arzt** *m* specialist for accident injuries; **Un•fall•be•tei•lig•te(r)** *f m* person involved in an [*o* the] accident; **Un•fall•flucht** *f* hit-and-run (driving); **Un•fall•ren•te** *f* accident benefits *pl;* **Un•fall•ri•si•ko** *n* risk of accident; **Un•fall•scha•den** *m* accident damage; **Un•fall•schutz** *m* **1.** (*im Betrieb*) prevention of accidents **2.** (*durch Versicherung*) accident insurance cover; **Un•fall•sta•ti•on** *f* accident ward; **Un•fall•stel•le** *f* scene of the accident; **un•fall•träch•tig** *adj* accident-prone; **Un•fall•ver•hü•tung** *f* accident prevention; **Un•fall•ver•si•che•rung** *f* accident insurance; **Un•fall•wa•gen** *m* **1.** (*verunglückter Wagen*) crash car **2.** (*unfallbeteiligter Wagen*) car involved in the accident
un•fass•barRR [-'--] *adj,* **un•fass•lich**RR [-'--] *adj* incomprehensible
un•fehl•bar [-'--] *adj* infallible; **Un•fehl•bar•keit** *f* infallibility
un•fein *adj* indelicate; **das ist mehr als** ~ that's most ungentlemanly; (*bei Damen*) that's most unladylike
un•flä•tig ['ʊnflɛːtɪç] *adj* offensive; (*Sprache*) obscene
un•för•mig *adj* **1.** (*formlos*) shapeless **2.** (*nicht elegant*) inelegant **3.** (*groß*) cumbersome
un•frei *adj* not prepaid
un•frei•wil•lig *adj* **1.** (*unbeabsichtigt*) unintentional **2.** (*gezwungen*) compulsory
un•freund•lich *adj* **1.** (*Person*) unfriendly **2.** (*Wetter*) inclement
Un•frie•de *m* strife; **in ~n mit jdm leben** live in conflict with s.o.
un•frucht•bar *adj* **1.** (*allgemein*) infertile **2.** (*fig: fruchtlos*) fruitless; **Un•frucht•bar•keit** *f* **1.** (*allgemein*) infertility **2.** (*fig: Fruchtlosigkeit*) fruitlessness
Un•fug ['ʊnfuːk] <-(e)s> *m* nonsense; ~ **treiben** get up to mischief; **lass den ~!** stop that nonsense!
Un•gar(in) ['ʊŋgar] <-n, -n> *m(f)* Hungarian; **un•ga•risch** ['ʊŋgarɪʃ] *adj* Hungarian; **Un•garn** *n* Hungary
un•gast•lich *adj* inhospitable
un•ge•ach•tet ['--'--] *präp* despite, in spite

of; ~ **dessen, dass es regnet** in spite of it raining; ~ **aller Ermahnungen** despite all warnings

un•ge•ahnt ['--'-] *adj* undreamt-of

un•ge•be•ten *adj* uninvited; **~er Gast** intruder

un•ge•bil•det *adj* **1.** (*ohne Bildung*) uneducated **2.** (*unkultiviert*) uncultured

un•ge•bo•ren ['--'--] *adj* unborn

un•ge•bräuch•lich *adj* uncommon

un•ge•bühr•lich *adj* improper

un•ge•bun•den *adj* **1.** (*Buch*) unbound **2.** (*frei*) free; (*unabhängig*) fancy-free; **frei u.** ~ footloose and fancy-free

un•ge•deckt ['--'-] *adj* **1.** (*schutzlos*) unprotected **2.** (SPORT: *Spieler*) unmarked **3.** (COM: *Scheck*) uncovered **4.** (*Tisch*) unlaid

Un•ge•duld *f* impatience; **vor** ~ with impatience; **un•ge•dul•dig** *adj* impatient

un•ge•eig•net *adj* unsuitable (*für* to, for)

un•ge•fähr ['ʊngəfɛːɐ/'--'-] **I.** *adv* approximately, roughly; ~ **10 Uhr** about 10 o'clock; **kannst du mir ~ sagen, wie ...?** can you give me a rough idea of how ...?; **ich sage das nicht von** ~ I have my reasons for saying this; **nach ~en Schätzungen** at a rough guess *sing* **II.** *adj* approximate; **es hat sich ~ so abgespielt ...** it happened s.th. like this ...

un•ge•fähr•lich *adj* **1.** (*sicher*) safe **2.** (*harmlos*) harmless

un•ge•färbt *adj* undyed

un•ge•hal•ten *adj* indignant (*über* about)

Un•ge•heu•er ['ʊngəhɔɪɐ] <-s, -> *n* monster

un•ge•heu•er ['----/--'--] **I.** *adj* **1.** (*riesig*) enormous, immense **2.** (*genial, kühn*) tremendous **3.** (*vermessen*) outrageous **4.** (*monströs*) monstrous; **~e Ausmaße annehmen** take on enormous dimensions **II.** *adv* **1.** (*sehr*) enormously **2.** (*negativ*) terribly

un•ge•heu•er•lich *adj* **1.** (*allgemein*) monstrous **2.** (*Verdacht*) dreadful **3.** (*Leichtsinn, Verleumdung*) outrageous

un•ge•hin•dert ['--'--] *adj* unhindered

un•ge•ho•belt *adj* (*fig*) uncouth

un•ge•hö•rig *adj* impertinent; **Un•ge•hö•rig•keit** *f* impertinence

un•ge•hor•sam *adj* disobedient; **Un•ge•hor•sam** *m* disobedience; (MIL) insubordination; **ziviler** ~ civil disobedience

un•ge•klärt ['--'-] *adj* (*Frage, Verbrechen*) unsolved

un•ge•kün•digt *adj:* **in ~er Stellung** not under notice

un•ge•küns•telt *adj* unaffected

un•ge•kürzt *adj* (*Buch*) unabridged; (*Film*) uncut

un•ge•la•den ['--'--] *adj* **1.** (*Gäste*) uninvited **2.** (*Gewehr*) unloaded

un•ge•le•gen *adj* inconvenient; **das kommt mir** ~ that's inconvenient for me; **komme ich ~?** is this an inconvenient time for you?; **Un•ge•le•gen•heit** *f:* **jdm ~en machen** inconvenience s.o.

un•ge•leh•rig *adj* unteachable

un•ge•lenk *adj* awkward

un•ge•lernt *adj* unskilled

un•ge•liebt *adj* unloved

un•ge•lo•gen ['--'--] *adv* honestly; **dafür hab' ich ~ 2 Stunden gebraucht!** this took me 2 hours, and that's the honest truth!

un•ge•mein ['--'-] **I.** *adj* immense **II.** *adv* exceedingly

un•ge•müt•lich *adj* **1.** (*örtlich*) uncomfortable **2.** (*Person*) uncomfortable to be with **3.** (*Wetter etc*) unpleasant; **ich kann auch ~ werden!** I can be very unpleasant if I choose!; **es kann hier gleich sehr ~ werden!** things could get very nasty here in a moment!; **sei doch nicht so ~!** don't be so unsociable!

un•ge•nau *adj* **1.** (*nicht fehlerlos*) inaccurate **2.** (*nicht wahrheitsgetreu*) inexact **3.** (*ungefähr*) rough

Un•ge•nau•ig•keit *f* **1.** (*durch Fehler*) inaccuracy **2.** (*durch Abweichung von Tatsachen*) inexactitude

un•ge•niert ['ʊnʒe'niːɐt] *adj* **1.** (*frei, ungehemmt*) free and easy **2.** (*taktlos*) uninhibited; **greifen Sie bitte ~ zu!** please feel free to help yourself!

un•ge•nieß•bar ['--'--] *adj* **1.** (*nicht essbar*) inedible; (*nicht trinkbar*) undrinkable **2.** (*fam: Angelegenheit*) unpalatable **3.** (*fam: Mensch*) unbearable

un•ge•nü•gend *adj* **1.** (*allgemein*) insufficient **2.** (PÄD: *Schulnote*) unsatisfactory

un•ge•nutzt ['--'-] *adj* unused; **e-e Gelegenheit ~ vorübergehen lassen** let an opportunity slip; **~e Energien** unexploited energies

un•ge•ord•net *adj* (*a. fig*) disordered; **~e Verhältnisse** disorder *sing*

un•ge•pflegt *adj* (*Hände, Rasen etc*) neglected; (*Mensch*) untidy

un•ge•ra•de *adj* (*Zahl*) odd

un•ge•recht *adj* unfair, unjust; **un•ge•recht•fer•tigt I.** *adj* unjustified **II.** *adv* unjustly; **Un•ge•rech•tig•keit** *f* injustice; **so eine ~!** how unjust!

un•ge•re•gelt *adj* irregular; **ein ~es Leben führen** lead a disorderly life

un•ge•reimt *adj* **1.** (*ohne Reim*) unrhymed **2.** (*fig: unzusammenhängend*) inconsistent

un•gern *adv* unwillingly, reluctantly; **das tue ich nur höchst** ~ I really dislike doing it; **das tue ich gar nicht einmal** ~ I don't mind doing that at all

un•ge•sal•zen *adj* unsalted

un•ge•sche•hen *adj* undone; **etw ~ machen** undo s.th.

un•ge•schickt *adj* **1.** (*allgemein*) clumsy **2.** (*undiplomatisch*) undiplomatic

un•ge•schlif•fen *adj* **1.** (*Edelstein*) uncut; (*Messer*) blunt **2.** (*fig: Benehmen*) uncouth

un•ge•schminkt *adj* **1.** without make-up **2.** (*fig*) unvarnished; **die ~e Wahrheit** the unvarnished truth

un•ge•scho•ren ['--'--] *adj* **1.** unshorn **2.** (*fig*) spared; **jdn ~ lassen** (*fig*) spare s.o.; **jdn ~ davonkommen lassen** (*fig*) let s.o. off scot-free

un•ge•se•hen ['--'--] *adj* unseen

un•ge•sel•lig *adj* unsociable

un•ge•setz•lich *adj* illegal, unlawful

un•ge•si•chert *adj* unhedged

un•ge•stillt ['--'-] *adj* **1.** (*Hunger*) unappeased; (*Durst*) unquenched **2.** (*Neugier*) unsatisfied; (*Verlangen*) unfulfilled

un•ge•stört ['--'-] *adj* undisturbed

un•ge•straft ['--'-] *adv* with impunity

Un•ge•stüm ['ʊngəʃty:m] <-(e)s> *n* impetuousness; **un•ge•stüm** *adj* impetuous

un•ge•sund *adj* unhealthy

un•ge•trübt ['--'-] *adj* **1.** (*Wasser etc*) clear **2.** (*fig: Verhältnis etc*) unspoilt

Un•ge•tüm ['ʊngəty:m] <-(e)s, -e> *n* monster

un•ge•übt *adj* unpracticed

un•ge•wiss[RR] *adj* uncertain; **jdn (über etw) im Ungewissen lassen** leave s.o. in the dark (about s.th.); **eine Reise ins Ungewisse** a journey into the unknown; **Un•ge•wiss•heit**[RR] *f* uncertainty

un•ge•wöhn•lich *adj* unusual

un•ge•wohnt *adj* **1.** (*fremd*) unfamiliar **2.** (*unüblich*) unusual; **das ist ~ für mich** I am not used to it

un•ge•wollt *adj* unintentional

un•ge•zählt ['--'-] *adj* **1.** (*zahllos*) countless **2.** (*nicht gezählt*) uncounted

Un•ge•zie•fer ['ʊngətsi:fɐ] <-s> *n* pests, vermin *pl*

un•ge•zo•gen *adj* (*Kind*) naughty; **Un•ge•zo•gen•heit** *f* **1.** naughtiness **2.** (*ungezogene Handlungen*) bad manners *pl*

un•ge•zü•gelt ['--'--] *adj* (*fig*) unbridled

un•ge•zwun•gen *adj* (*fig*) natural; **sich ~ bewegen** feel quite free; **Un•ge•zwun•gen•heit** *f* (*fig*) casualness

Un•glau•be *m* **1.** (*Misstrauen*) unbelief **2.** (REL) infidelity; **un•gläu•big** *adj* **1.** (*allgemein*) unbelieving **2.** (REL) infidel; **~er Thomas** doubting Thomas

un•glaub•lich [-'--/'---] *adj* incredible

un•glaub•wür•dig *adj* **1.** (*Sache*) implausible **2.** (*Mensch*) unreliable; **sich ~ machen** lose credibility

un•gleich *adj* **1.** (*nicht gleichwertig*) unequal **2.** (*unähnlich*) dissimilar, unlike **3.** (*verschieden*) different; **Un•gleich•ge•wicht** *n* imbalance; **un•gleich•mä•ßig** *adj* uneven

Un•glück <-(e)s, -e> *n* **1.** (*Unheil*) misfortune **2.** (*Unfall*) accident; (*Missgeschick*) mishap **3.** (*Schicksalsschlag*) disaster **4.** (*Pech*) bad luck **5.** (*seelisch*) unhappiness; **du hast Glück im ~ gehabt** it could have been a great deal worse for you; **du stürzt mich noch ins ~!** you'll be my undoing!; **sich ins ~ stürzen** rush headlong into disaster; **so ein ~!** what a disaster!; **un•glück•lich** *adj* **1.** (*bedauerlich*) unfortunate **2.** (*glücklos*) unlucky **3.** (*traurig*) unhappy; (*Liebe*) unrequited; **~ ausgehen** turn out badly; **e-e ~e Figur abgeben** cut a sorry figure; **~ verliebt** crossed in love; **un•glück•li•cher•wei•se** ['----'--] *adv* unfortunately; **Un•glücks•fall** *m* accident

Un•gna•de <-> *f*: **bei jdm in ~ fallen** fall out of favour with s.o.; **un•gnä•dig** *adj* ungracious; **etw ~ aufnehmen** take s.th. with bad grace

un•gül•tig *adj* **1.** (*nichtig*) void **2.** (*nicht gültig*) invalid; (SPORT: *Tor*) disallowed; **etw für ~ erklären** declare s.th. null and void; **~ werden** (*Pass*) expire; **Un•gül•tig•keit** *f* invalidity; **Un•gül•tig•keits•er•klä•rung** *f* invalidation, declaration of invalidity

Un•gunst[RR] *f*: **zu ~en**[RR] **von ...** to the disadvantage of ...; **un•güns•tig** *adj* (*Situation etc*) unfavourable; (*Termin*) inconvenient

un•gut *adj*: **ein ~es Gefühl haben** have an uneasy feeling; **nichts für ~!** no offence!

un•halt•bar [-'--/'---] *adj* **1.** (*Behauptung etc*) untenable **2.** (*Zustand*) intolerable **3.** (*Torschuss*) unstoppable

un•hand•lich *adj* unwieldy

un•har•mo•nisch *adj* unharmonious

Un•heil *n* disaster

un•heil•bar [-'--/'---] *adj* incurable; **~ krank sein** have a terminal illness

un•heil•voll *adj* disastrous

un•heim•lich **I.** *adj* **1.** (*beängstigend*) frightening; (*nicht geheuer*) uncanny **2.** (*fam: hervorragend*) tremendous; **mir ist ~** I have an uncanny feeling; **er ist mir ~** he gives me the creeps **II.** *adv* (*fam: sehr*) incredibly; **~ viele Menschen** (*fam*) an incredible number of people

un•höf•lich *adj* impolite; **Un•höf•lich•keit** *f* impoliteness

un•hy•gi•e•nisch *adj* unhygienic

U•ni•form [uni'fɔrm] <-, -en> *f* uniform

U•ni•kum ['u:nikʊm, *pl:* 'u:nika] <-s, -ka/-s> *n* **1.** (*Einzigartiges*) unique object **2.** (*fam: Mensch*) real character

un•in•ter•es•sant *adj* uninteresting; **das ist doch völlig ~!** that's of absolutely no interest!

un•in•ter•es•siert *adj* **1.** (*nicht interessiert*) uninterested **2.** (*gleichgültig*) disinterested

U•ni•ver•si•tät [univɛrzi'tɛ:t] *f* university; **U•ni•ver•si•täts•kli•nik** *f* university hospital; **U•ni•ver•si•täts•stadt** *f* university town

U•ni•ver•sum [uni'vɛrzʊm] <-s, -sen> *n* universe

Un•ke ['ʊŋkə] <-, -n> *f* **1.** (ZOO) toad **2.** (*fig: Schwarzseher*) Jeremiah

un•kennt•lich *adj* unrecognizable

Un•kennt•nis <-> *f* ignorance; **~ schützt vor Strafe nicht** ignorance is no excuse; **über etw in ~ sein** be ignorant about s.th.

un•klar *adj* **1.** (*unverständlich*) unclear **2.** (*ungeklärt*) unclarified **3.** (*undeutlich*) indistinct; **über etw im ~en sein** be in the dark about s.th.; **Un•klar•heit** *f* **1.** (*allgemein*) lack of clarity **2.** (*Ungewissheit*) uncertainty; **darüber herrscht noch ~** it is still uncertain

un•klug *adj* unwise

un•kom•pli•ziert *adj* straightforward

un•kon•trol•lier•bar ['---'--] *adj* uncontrollable

un•kon•zen•triert *adj* lacking in concentration; **~ arbeiten** lack concentration in one's work

Un•kos•ten *pl* (*Ausgaben*) costs, expenses; **laufende ~** running costs; **sich in ~ stürzen** go to a lot of expense *sing;* **das ist mit großen ~ verbunden** that involves a great deal of expense *sing*

Un•kraut *n* weeds *pl;* **~ vergeht nicht** (*prov*) it would take more than that to finish me

un•künd•bar *adj* (*Stellung*) permanent

un•längst *adv* recently

un•lau•ter *adj* dishonest; (*Wettbewerb*) unfair

un•le•ser•lich *adj* unreadable

un•leug•bar [-'--/'---] *adj* undeniable

un•lieb•sam *adj* unpleasant; **das ist mir noch in ~er Erinnerung** that's still an unpleasant memory

un•li•niert ['--'-] *adj* unruled

un•lo•gisch *adj* illogical

un•lös•bar [-'--/'---] *adj* (*fig*) **1.** (*nicht lösbar*) insoluble **2.** (*untrennbar*) indissoluble

un•lös•lich *adj* (CHEM) insoluble

Un•lust <-> *f* **1.** (*Lustlosigkeit*) listlessness **2.** (*Widerwille*) reluctance

un•maß•geb•lich *adj* **1.** (*unwichtig*) inconsequential **2.** (*nicht entscheidend*) unauthoritative

un•mä•ßig *adj* immoderate; **~ essen (trinken)** eat (drink) to excess

Un•men•ge *f* **1.** vast amount **2.** (*Unzahl*) vast number

Un•mensch *m* brute; **un•mensch•lich** *adj* (*allgemein*) inhuman; **Un•mensch•lich•keit** *f* inhumanity

un•merk•lich [-'--/'---] *adj* imperceptible

un•miss•ver•ständ•lich[RR] ['---'--] *adj* unequivocal

un•mit•tel•bar ['---'-] *adj* **1.** (*direkt*) direct **2.** (*Nachbarschaft etc*) immediate; **in ~em Zusammenhang** in direct relationship (*mit* to)

un•mo•dern *adj* old-fashioned

un•mög•lich [-'--/'---] *adj* **1.** (*allgemein*) impossible **2.** (*fam: lächerlich*) ridiculous; **das ist mir ~** that's impossible for me; **jdn (sich) ~ machen** make s.o. (o.s.) look ridiculous

un•mo•ra•lisch *adj* immoral

un•mo•ti•viert **I.** *adj* unmotivated **II.** *adv* without motivation

un•mün•dig *adj* **1.** underage **2.** (*fig: unreif*) sheeplike; **Un•mün•dig•keit** *f* **1.** (*allgemein*) minority **2.** (*fig: geistige Unreife*) mental immaturity

un•mu•si•ka•lisch *adj* unmusical

Un•mut *m* ill-humour

un•nach•ahm•lich ['--'--] *adj* inimitable

un•nach•gie•big *adj* **1.** (*Material etc*) inflexible **2.** (*fig*) intransigent, unyielding

un•nach•sich•tig *adj* (*streng*) severe; (*gnadenlos*) unrelenting

un•nah•bar *adj* unapprochable

un•na•tür•lich *adj* unnatural

un•nö•tig ['---/-'--] *adj* unnecessary; **sich ~ aufregen** get unnecessarily excited

un•nütz *adj* useless

un•or•dent•lich *adj* **1.** (*Lebenswandel*) disorderly **2.** (*Zimmer*) untidy; **Un•ord•nung** *f* disorder; (*Durcheinander*) mess; **in ~** in a mess; **in ~ bringen** mess up; **in ~ sein** be in a muddle

un•or•tho•dox *adj* unorthodox

un•par•tei•isch *adj* impartial; **Un•par•tei•ische(r)** *f m* umpire, referee; **die Meinung e-s ~n** an impartial opinion

un•pas•send *adj* inappropriate, unsuitable; (*Zeitpunkt a.*) inopportune

un•per•sön•lich *adj* impersonal

un•po•li•tisch *adj* unpolitical

un•prak•tisch *adj* **1.** (*Mensch*) unpractical **2.** (*Maschine*) impractical

un•pro•duk•tiv *adj* unproductive

un•pünkt•lich *adj* (*Mensch*) unpunctual; (*Zug*) not on time; **Un•pünkt•lich•keit** *f* unpunctuality

un·ra·siert *adj* unshaven
Un·rat <-(e)s> *m* refuse
Un·recht <-(e)s> *n* injustice, wrong; (JUR) tort; **im ~ sein** be wrong; **nicht zu ~** not without good reason; **jdm ~ geben** contradict s.o.; **sich ins ~ setzen** put o.s. in the wrong; **zu ~** unjustly; **ihr ist viel ~ geschehen** she has often been wronged; **un·recht** *adj* wrong; **das ist mir gar nicht mal ~** I don't really mind; **jdm ~ tun** do wrong by s.o; **un·recht·mä·ßig** *adj* illegitimate
un·red·lich *adj* dishonest
un·re·ell *adj* (*unlauter*) unfair; (*unehrlich*) dishonest
un·re·gel·mä·ßig *adj* irregular; **Un·re·gel·mä·ßig·keit** *f* irregularity
un·reif *adj* **1.** unripe **2.** (*fig*) immature
un·rein *adj* **1.** (*schmutzig*) dirty **2.** (*fig: Gedanken, Töne etc*) impure
un·ren·ta·bel *adj* unprofitable
un·rett·bar [-'--/'---] *adj:* **~ verloren** irretrievably lost; (*aus Krankheitsgründen*) beyond all hope
un·rich·tig *adj* incorrect
Un·ru·he *f* **1.** (*innere ~*) restlessness **2.** (*Unfrieden*) unrest **3.** (*Lärm*) disturbance; (*Geschäftigkeit*) bustle; **~ stiften** create unrest; (*zu Hause o in der Schule*) make trouble; **~n** (POL) unrest *sing;* **~n auslösen** (POL) create a disturbance *sing;* **un·ru·hig** *adj* **1.** (*ohne Ruhe*) restless **2.** (*laut*) noisy **3.** (*Meer, Schlaf, Zeit etc*) troubled **4.** (*nervös*) fidgety
uns [ʊns] *pron* (*im Akkusativ*) us; (*im Dativ*) (to) us; (*in Verbindung mit reflexivem Verb*) (to) ourselves
un·sach·ge·mäß *adj* improper
un·sach·lich *adj* (*nicht objektiv*) unobjective; **nun werden Sie mal nicht ~!** now, don't become personal!
un·sag·bar [-'--] *adj,* **un·säg·lich** ['---] *adj* unspeakable, unutterable
un·sanft *adj* ungentle
un·sau·ber *adj* **1.** (*schmutzig*) dirty **2.** (*unordentlich*) untidy **3.** (*fig: unlauter*) unfair
un·schäd·lich *adj* harmless, innocuous; **etw ~ machen** render s.th. harmless
un·scharf *adj* **1.** (*Bild*) blurred **2.** (*Munition*) blank **3.** (*fig: Begriff*) poorly defined
un·schätz·bar [-'--/'---] *adj* (*allgemein*) inestimable; **von ~em Wert** invaluable; (*Schmuck etc*) priceless
un·schein·bar *adj* inconspicuous; (*unattraktiv*) unprepossessing
un·schlag·bar *adj* unbeatable
un·schlüs·sig *adj* undecided; **sich über etw ~ sein** be undecided about s.th.; **Un·schlüs·sig·keit** *f* indecision
Un·schuld <-> *f* **1.** (*allgemein*) innocence **2.** (*fig: Jungfräulichkeit*) virginity; **die ~ vom Lande** (*fam*) a real innocent; **ich wasche meine Hände in ~** (*fig*) I wash my hands of it; **un·schul·dig** *adj* **1.** (*allgemein*) innocent **2.** (*jungfräulich*) virginal; **an etw ~ sein** not to be guilty of s.th.; **an dem Unfall bin ich völlig ~** I am completely without blame in the accident; **~ tun** act the innocent
un·selb·stän·dig *adj s.* **unselbstständig**; **Un·selb·stän·dig·keit** *f s.* **Unselbstständigkeit**
un·selbst·stän·dig[RR] *adj* dependent; **sei doch nicht immer so ~!** show a bit of independence once in a while!; **Einkommen aus ~er Arbeit** income from salaried employment; **Un·selbst·stän·dig·keit**[RR] *f* dependence
un·ser ['ʊnzɐ] *pron* **1.** *poss* our; (*substantiv. gebr.*) ours **2.** (*1. pers pl*) of us; **un·ser·ei·ner** *pron,* **un·ser·eins** *pron* (*fam*) the likes of us; **un·se·res·glei·chen** ['---'--] *pron* people like us; **un·s(e·)ri·ge** ['ʊnz(ə)rɪgə] *pron* ours; **die U~n** our people; **wir haben das U~ getan** we have done our part; **un·sert·we·gen** *adv* on our behalf
un·si·cher *adj* **1.** (*gefährlich*) unsafe **2.** (*Hand*) unsteady **3.** (*Kenntnisse*) shaky **4.** (*verunsichert*) shaky, unsure **5.** (*zweifelhaft*) uncertain; **~ auf den Beinen** unsteady on one's feet; **er macht die Gegend ~** (*fig*) he knocks about the district; **Un·si·cher·heit** *f* **1.** (*Gefahr*) danger **2.** (*Ungeübtheit, Verunsicherung*) unsureness **3.** (*Ungewissheit*) uncertainty; **Un·si·cher·heits·fak·tor** *m* element of uncertainty
un·sicht·bar *adj* invisible
Un·sinn <-(e)s> *m* nonsense, rubbish; **~!** nonsense!; **lass den ~!** stop fooling about!; **~ reden** talk nonsense; **un·sin·nig** *adj* **1.** (*sinnlos*) nonsensical **2.** (*ungerechtfertigt*) absurd
Un·sit·te *f* **1.** (*üble Angewohnheit*) bad habit **2.** (*lästiger Brauch*) silly custom; **un·sitt·lich** *adj* immoral
un·so·li·de *adj* **1.** (*Lebenswandel*) free- living **2.** (COM) unreliable; **er lebt ziemlich ~** he has a rather unhealthy life-style
un·so·zial *adj* (*Maßnahme*) unsocial; (*Einstellung*) antisocial
un·sport·lich *adj* **1.** (*ungelenkig*) unathletic **2.** (*fig: unfair*) unsporting
un·sterb·lich [-'--] **I.** *adj* immortal; **~e Liebe** (*fig*) undying love **II.** *adv* utterly; **sich ~ blamieren** make a complete fool of o.s.; **sich ~ verlieben** fall in love head over heels; **Un·sterb·lich·keit** *f* immortality
un·stet *adj* (*Entwicklung*) unsteady; (*Gefühl, Glück*) fickle

un•still•bar [-'--/'---] *adj* **1.** (*Durst, a. fig*) unquenchable; (*Hunger, a. fig*) insatiable **2.** (*Blutung*) uncontrollable
Un•stim•mig•keit *f* discrepancy; (*innerer Widerspruch*) inconsistency
Un•sum•me ['-'--] *f* enormous sum
un•sym•me•trisch *adj* assymetrical
Un•sym•path <-en, -en> *m* (*fam pej*) creep
un•sym•pa•thisch *adj* disagreeable, unpleasant; **der ist mir ~** I don't like him
Un•tat *f* atrocity
un•tä•tig *adj* **1.** idle **2.** (*nicht handelnd*) passive
un•taug•lich *adj* **1.** (MIL) unfit; (*Person*) incompetent **2.** (*unpassend*) unsuitable
un•teil•bar [-'--/'---] *adj* indivisible
un•ten ['ʊntən] *adv* below, underneath; (*im Hause*) downstairs; (*am unteren Ende, im unteren Teil*) at the bottom; **er ist bei mir ~ durch** (*fam*) I've finished with him; **von ~ nach oben** from the bottom toward the top; **von oben bis ~** from top to bottom; **von ~ her** from underneath; **ich weiß schon nicht mehr, was oben und ~ ist** (*fig*) I don't know whether I'm coming or going; **hier ~** down here; **wie ~** as below
un•ter ['ʊntɐ] *präp* **1.** under; (*unterhalb*) below, underneath **2.** (*zwischen*) among, amongst, between **3.** (*weniger als*) below, under; **~ dem Durchschnitt** below average; **~ Freunden** among friends; **wir sind ~ uns** we are by ourselves; **~ anderem** among other things *pl;* **~ uns gesagt** between you and me; **~ etw leiden** suffer from s.th.
Un•ter•arm *m* forearm
Un•ter•bau <-(e)s, -ten> *m* **1.** (*von Gebäude*) foundations *pl* **2.** (*fig*) substructure
un•ter•be•lich•tet *adj* (PHOT) underexposed
un•ter•be•setzt *adj* understaffed
un•ter•be•wer•ten ['-----] *tr* undervalue
Un•ter•be•wusst•sein[RR] *n* subconscious; **im ~** subconsciously
un•ter•be•zahlt *adj* underpaid
un•ter•bie•ten *irr tr* undercut
un•ter•bin•den *irr tr* **1.** prevent, stop **2.** (MED: *Blutung*) ligature
un•ter•blei•ben *sein irr itr* **1.** (*nicht geschehen*) not happen **2.** (*aufhören*) cease **3.** (*versäumt werden*) be omitted; **die letzte Bemerkung wäre besser unterblieben** your final remark would have been better left unsaid; **das hat in Zukunft zu ~** that will have to stop in the future
Un•ter•bo•den•schutz *m* (MOT) underseal
un•ter•bre•chen **I.** *irr tr* interrupt; (*Stille etc*) break; (TELE) disconnect; **wir sind unterbrochen worden** (TELE) we've been cut off; **verzeihen Sie, dass ich Sie unterbreche** forgive me for interrupting **II.** *itr* break off; **Un•ter•bre•chung** *f* (*allgemein*) interruption; (*von Stille etc*) break; (TELE) disconnection; **mit ~en** with a few breaks in between; **ohne ~** without a break
un•ter•brei•ten *tr* present; **darf ich Ihnen einen Vorschlag ~?** may put a suggestion to you?
un•ter|brin•gen *irr tr* **1.** (*verstauen*) put **2.** (*beherbergen*) accommodate; (*in Haus, Hotel, Krankenhaus*) put up **3.** (*Arbeitslose*) fix up (*bei* with); **wie sind Sie untergebracht?** what's your accomodation like?; **ich kann Sie im Augenblick nirgends ~** (*fam: einordnen*) I can't place you at the moment; **etw ~** find room for s.th.; **jdn ~** put s.o. up
un•ter•des•sen ['--'--] *adv* in the meantime, meanwhile
Un•ter•druck <-(e)s, ⸚e> *m* **1.** (PHYS) below atmospheric pressure; (MOT: *in Reifen*) underinflation **2.** (MED) low blood pressure
un•ter•drü•cken *tr* **1.** (*beherrschen*) oppress; (*Aufstand, Freiheit*) suppress **2.** (*Bemerkung, Gefühl, Tränen*) hold back; (*Lachen, Neugierde*) suppress; **Un•ter•drü•ckung** *f* oppression, suppression
un•ter•durch•schnitt•lich *adj* below average
un•te•re *adj* lower
un•ter•ei•n•an•der *adv* **1.** (*räumlich*) one below the other **2.** (*gegenseitig*) each other; (*miteinander*) among one another
un•ter•ent•wi•ckelt *adj* underdeveloped
un•ter•er•nährt *adj* undernourished; **Un•ter•er•näh•rung** *f* malnutrition
Un•ter•füh•rung [--'--] *f* underpass
Un•ter•gang <-(e)s, (⸚e)> *m* **1.** (ASTR) setting **2.** (*von Schiff*) sinking **3.** (*Zugrundegehen*) decline; **dem ~ geweiht** doomed; **du bist noch mal mein ~!** (*fam*) you'll be the death of me!
Un•ter•ge•be•ne(r) [--'---] *f m* subordinate
un•ter|ge•hen *sein irr itr* **1.** (ASTR) set **2.** (*Schiff*) sink **3.** (*zugrundegehen*) decline; (*von e-m Menschen*) perish; **davon geht die Welt nicht unter!** (*fig*) that isn't the end of the world!; **hier musst du deine Ellenbogen gebrauchen, oder du gehst unter!** (*fig*) you must use your elbows here or you'll go under!
un•ter•ge•ord•net *adj* **1.** (*Stellung*) subordinate **2.** (*Bedeutung*) secondary
Un•ter•ge•schoss[RR] *n* basement
Un•ter•ge•wicht *n:* **~ haben** be underweight
un•ter•gra•ben *irr tr* undermine

Un•ter•grund *m* **1.** (*Farbschicht*) undercoat **2.** (*Erdschicht*) subsoil **3.** (POL) underground; **in den ~ gehen** (POL) go underground; **im ~ leben** (POL) live underground; **Un•ter•grund•bahn** *f* underground, tube *Br,* subway *Am*

un•ter|ha•ken *tr* (*fam*): **jdn ~** take someone's arm; **sich bei jdm ~** link arms with s.o.

un•ter•halb *adv* below; (*bei Fluss*) downstream

Un•ter•halt <-(e)s> *m* (*Lebens~*) maintenance; **sie muss für seinen ~ aufkommen** she must pay for his keep; **s-n ~ verdienen** earn one's living

un•ter•hal•ten **I.** *irr tr* **1.** (*Gebäude, Kontakte*) maintain **2.** (*Geschäft*) run **3.** (*Gäste etc*) entertain **4.** (*versorgen*) support **II.** *refl* **1.** (*sprechen*) talk (*mit* to, with) **2.** (*sich vergnügen*) amuse o.s., enjoy o.s.; **ich würde mich gern mal mit dir ~** I should like to have a little talk with you; **man kann sich (sehr) gut mit ihr ~** she's (really) easy to talk to; **sich mit jdm ~** have a talk with s.o.; **sich mit etw ~** amuse o.s. with s.th.; **ich hoffe, dass Sie sich gut ~** I hope you'll have a good time; **un•ter•hal•tend** *adj,* **un•ter•halt•sam** *adj* entertaining

un•ter•halts•be•rech•tigt *adj* entitled to maintenance; **Un•ter•halts•geld** *n* maintenance; **Un•ter•halts•pflicht** *f* obligation to pay maintenance

Un•ter•hal•tung [--'--] *f* **1.** (*Amüsement*) entertainment **2.** (*Gespräch*) conversation **3.** (*Erhaltung*) maintenance, upkeep; **mit jdm e-e ~ führen** have a talk [*o* conversation] with s.o.; **Un•ter•hal•tungs•e•lek•tro•nik** *f* entertainment electronics *pl;* **Un•ter•hal•tungs•in•dus•trie** *f* entertainment industry; **Un•ter•hal•tungs•li•te•ra•tur** *f* light fiction; **Un•ter•hal•tungs•wert** <-s> *m* entertainment value

un•ter•han•deln *itr* negotiate (*über etw* on s.th.); (MIL) parley; **Un•ter•händ•ler** ['----] *m* negotiator; (MIL) parliamentary

Un•ter•haus *n* House of Commons *Br,* Lower House; **Mitglied des ~es** member of parliament *Br,* MP; **Un•ter•haus•wahl** *f* (POL: *in Großbritannien*) Commons vote

Un•ter•hemd *n* vest *Br,* undershirt *Am*

un•ter•höh•len *tr* **1.** hollow out **2.** (*fig: unterminieren*) undermine

Un•ter•holz <-es> *n* undergrowth

Un•ter•ho•se *f* (pair of) pants [*o* briefs]

un•ter•ir•disch *adj* subterranean

un•ter•jo•chen *tr* subjugate

un•ter•kel•lern *tr* provide with a cellar; **das Gebäude ist nicht unterkellert** the building doesn't have a cellar

Un•ter•kie•fer *m* lower jaw

Un•ter•klei•dung *f* underwear

un•ter|kom•men *sein irr itr* **1.** (*Unterkunft finden*) find lodgings [*o* accommodation] **2.** (*fam: Beschäftigung*) find a job (*als* as, *bei* at, with); **so etw ist mir (ja) noch nie untergekommen!** (*fam*) I've never come across anything like this!

un•ter|krie•gen *tr* (*fam*) get down; **lass dich nicht von denen ~!** don't let them get you down!

Un•ter•küh•lung [--'--] *f* undercooling

Un•ter•kunft ['ʊntɐkʊnft, *pl:* -kʏnftə] <-, -¨e> *f* **1.** (*Wohnung*) accommodation **2.** (MIL) quarters *pl;* **~ u. Verpflegung** board and lodging

Un•ter•la•ge *f* **1.** (*Schreib~*) pad **2.** (*Schriftstück*) document

Un•ter•lass[RR] ['ʊntɐlas] *m:* **ohne ~** incessantly

un•ter•las•sen *irr tr* (*versäumen*) omit; (*nicht durchführen*) not carry out; (*nicht tun*) refrain from; **~ Sie das!** stop that!; **~e Hilfeleistung** (JUR) failure to give assistance; **er hat es ~, mich zu benachrichtigen** he omitted to notify me; **~ Sie alles, was ...** you should refrain from doing anything which ...

Un•ter•las•sung <-, -en> *f* omission, default

Un•ter•lauf *m* (*von Fluss*) lower stretches *pl*

un•ter•le•gen[1] [--'--] *adj* **1.** (*schwächer*) inferior **2.** (*im Kampfe*) defeated; **jdm ~ sein** be inferior to s.o.

un•ter•le•gen[2] *tr* (*etw verstärken*) underlay; (*mit Stoff etc*) line; **e-r Melodie e-n Text ~** put words to a tune

un•ter|le•gen[3] *tr* (*darunterlegen*) put underneath; **Un•ter•leg•schei•be** ['-----] *f* (TECH) shim, washer

Un•ter•leib *m* abdomen; **Un•ter•leibs-** abdominal

un•ter•lie•gen *sein irr itr* **1.** be defeated **2.** (*fig*) succumb to **3.** (*unterworfen sein*) be subject to; **Luxusartikel ~ e-r hohen Steuer** luxury goods are liable to a high tax

Un•ter•lip•pe *f* lower lip

un•ter•mau•ern *tr* **1.** (*Gebäude*) underpin **2.** (*fig*) back up, underpin

Un•ter•me•nü *n* (EDV) submenu

Un•ter•mie•te *f:* **zur ~ wohnen** be a subtenant [*o* lodger]; **Un•ter•mie•ter(in)** *m(f)* lodger *Br,* roomer *Am*

Un•ter•neh•men [--'--] *n* (*Firma, a. Vorhaben*) enterprise; (MIL: *Operation*) operation

un•ter•neh•men *irr tr* (*tun*) do; (*durchführen*) undertake; **Schritte gegen jdn ~** take steps against s.o.; **dagegen müssen**

wir etw ~ we must take some action against that

Un•ter•neh•mens•be•ra•ter(in) *m(f)* management consultant; **Un•ter•neh•mens•be•ra•tung** *f* management consultancy; **Un•ter•neh•mens•form** *f* form of business (organisation); **Un•ter•neh•mens•füh•rung** *f* management; **Un•ter•neh•mens•ge•win•ne** *pl* corporate profits; **Un•ter•neh•mens•grün•dung** *f* founding of a company; **Un•ter•neh•mens•grup•pe** *f* group (of companies); **Un•ter•neh•mens•lei•ter(in)** *m(f)* top manager, business executive; **Un•ter•neh•mens•lei•tung** *f* corporate management; **Un•ter•neh•mens•plan** *m* corporate plan; **Un•ter•neh•mens•po•li•tik** *f* corporate policy; **Un•ter•neh•mens•spit•ze** *f* top management; **Un•ter•neh•mer(in)** [--'--] *m(f)* enterpreneur; (*Arbeitgeber*) employer; **un•ter•neh•me•risch** *adj* enterprising; **Un•ter•neh•mer•lohn** *m* managerial income; **Un•ter•neh•mer•ri•si•ko** *nt* commercial risk; **Un•ter•neh•mer•ver•band** *m* trade [*o* employers'] association

Un•ter•neh•mungs•geist *m* enterprise; **un•ter•neh•mungs•lus•tig** *adj* enterprising

Un•ter•of•fi•zier *m* **1.** (*Funktion*) non-commissioned officer, N.C.O, non- com *Am* **2.** (*Dienstgrad: Armee*) sergeant; (*Luftwaffe*) corporal *Br,* airman first class *Am*

un•ter|ord•nen I. *tr* subordinate to **II.** *refl* subordinate o.s. (to)

un•ter•pri•vi•le•giert *adj* underprivileged

Un•ter•re•dung [--'--] *f* discussion; (POL) talks *pl*

Un•ter•richt ['ʊntɐrɪçt] *m* **1.** (PÄD) classes *pl,* lessons *pl* **2.** (PÄD: *Lehren*) teaching; **am ~ teilnehmen** attend classes; **theoretischer** ~ theoretical instruction; ~ **geben** teach

un•ter•rich•ten I. *tr* **1.** (*Schüler*) teach (*jdn in etw* s.o. s.th.) **2.** (*informieren*) inform (*von, über* about) **II.** *itr* teach; **gut unterrichtete Kreise** wellinformed circles **III.** *refl:* **sich über etw** ~ inform o.s. about s.th.; **sich von jdm über etw ~ lassen** be informed by s.o. about s.th.; **Un•ter•richts•stoff** *m* subject matter; **Un•ter•richts•stun•de** *f* lesson *Br,* period *Am;* **Un•ter•rich•tung** *f* **1.** (*Informierung*) information **2.** (*Belehrung*) instruction; **nur zur** ~ for information only

Un•ter•rock *m* slip, petticoat

un•ter•sa•gen *tr* forbid (*jdm etw* s.o. s.th.)

Un•ter•satz *m* mat; (*für Blumentopf*) saucer; **fahrbarer** ~ (*fam*) wheels *pl*

un•ter•schät•zen *tr* underestimate

un•ter•schei•den I. *irr tr* distinguish; (*auseinanderhalten*) tell apart; **können Sie die beiden ~?** can you tell which is which?; **man kann John einfach nicht von Paul** ~ you simply can't tell John from Paul **II.** *refl* differ (*von* from); **worin ~ sich die beiden?** what is the difference between the two of them?; **Un•ter•schei•dung** *f* differentiation; **e-e ~ treffen** make a distinction

Un•ter•schen•kel *m* lower leg

un•ter|schie•ben[1] *irr tr* **1.** (*darunterschieben*) push underneath (*unter etw* s.th.) **2.** (*fig*) foist (*jdm etw* s.th. on s.o)

un•ter•schie•ben[2] *irr tr* (*unterstellen*): **jdm etw** ~ attribute s.th. to s.o.; **Sie ~ meiner Äußerung e-n völlig anderen Sinn!** you twist the meaning of my statement completely!

Un•ter•schied ['ʊntɐʃiːt] <-(e)s, -e> *m* difference; (*Unterscheidung*) distinction; **im ~ zu jdm (etw)** unlike s.o. (s.th.); **das ist kein großer** ~ that makes no difference; **e-n ~ machen zwischen ... u. ...** make a distinction between ... and ...; **un•ter•schied•lich** *adj* **1.** (*allgemein*) different **2.** (*veränderlich*) variable; **das ist sehr** ~ it varies a lot; **Beiträge von ~er Qualität** features of varying quality; **un•ter•schieds•los** *adj* indiscriminate

un•ter•schla•gen *irr tr* (FIN: *beiseiteschaffen*) embezzle; (*Brief, Beweise*) withhold; (*Testament*) suppress; **wollten Sie mir diese Nachricht ~?** did you want to keep quiet about this news?; **Un•ter•schla•gung** *f* (FIN) embezzlement; (*von Dokumenten*) interception

Un•ter•schlupf ['ʊntɐʃlʊpf, *pl:* -ʃlypfə] <-(e)s, ⸚e> *m* **1.** (*Obdach*) shelter **2.** (*Versteck*) hiding-place

un•ter•schrei•ben *irr tr* sign; **der Brief ist mit ... unterschrieben** the letter is signed ...; **das kann ich nur ~!** (*fig*) I'll subscribe to that!

un•ter•schrei•ten *irr tr* (*allgemein*) fall short of; (*bei Betrag, Temperatur*) fall below of

Un•ter•schrift ['---] *f* signature; **s-e ~ unter etw setzen** put one's signature to s.th.

un•ter•schwel•lig *adj* subliminal

Un•ter•see•boot *n* submarine

Un•ter•sei•te *f* underside; **an der** ~ on the underside; **mit der ~ nach oben** upside down

un•ter•set•zen *tr* (TECH: *Getriebe*) reduce speed; **un•ter•setzt** [--'-] *adj* **1.** (*Mensch*) stocky **2.** (TECH: *Getriebe*) reduced; **Un•ter•set•zungs•ver•hält•nis** *n* (TECH) reduction ratio

un•ter•spü•len *tr* undermine, wash away the base of
un•ters•te *adj* lowest; **die ~ Schub** the bottom drawer
un•ter•ste•hen **I.** *irr itr* be subordinate (*jdm* to s.o.), be under the control (*jdm* of s.o.); **alle Bürger ~ dem Gesetz** all citizens are subject to the law; **ihm ~ acht Arbeiter** he is in charge of eight workers **II.** *refl* (*sich trauen*) dare; **untersteh dich bloß nicht!** don't you dare!; **was ~ Sie sich!** how dare you!
un•ter|stel•len[1] **I.** *tr* (*unterbringen*) keep **II.** *refl* take shelter
un•ter•stel•len[2] **I.** *tr* **1.** (*unterordnen*) subordinate (*jdn jdm* s.o. to s.o.) **2.** (*annehmen*) suppose **3.** (*unterschieben*) insinuate (*jdm, dass ...* that s.o. ...) **II.** *refl* subordinate o.s. (*jdm* to s.o.); **ich bin Herrn ... direkt unterstellt** I am directly under Mr. ...; **14 Mitarbeiter sind mir unterstellt** I'm in charge of 14 employees; **wollen Sie mir Fahrlässigkeit ~?** do you want to insinuate that I was negligent?; **Un•ter•stel•lung** [--'--] *f* **1.** (*Unterordnung*) subordination **2.** (*Andeutung*) insinuation **3.** (*falsche Behauptung*) misrepresentation **4.** (*Annahme*) assumption
un•ter•strei•chen *irr tr* (*a. fig*) underline
Un•ter•stu•fe *f* (*in Schule*) lower grade
un•ter•stüt•zen *tr* (*a. fig*) support; (*finanziell*) subsidize; (*fördern*) sponsor; **jdn moralisch ~** give s.o. moral support; **Un•ter•stüt•zung** *f* **1.** (*Tätigkeit*) support **2.** (*Zuschuss*) aid, assistance; (*Beihilfe*) benefit payment
un•ter•su•chen *tr* **1.** examine (*auf* for); (*genau prüfen*) scrutinize; (*erforschen*) investigate **2.** (*wissenschaftlich*) survey **3.** (JUR) try **4.** (CHEM TECH) test (*auf* for) **5.** (*nachprüfen*) check, verify
Un•ter•su•chung [--'--] *f* **1.** (*allgemein*) examination; (*genau*) investigation (*über* into) **2.** (*wissenschaftliche ~*) survey **3.** (JUR) trial *Br*, probe *Am* **4.** (CHEM TECH) test; **ärztliche ~** medical examination; **bei näherer ~** on investigation; **Un•ter•su•chungs•aus•schuss**[RR] *m* committee of inquiry; **Un•ter•su•chungs•be•am•ter, -beamtin** *m, f* investigative officer; **Un•ter•su•chungs•ge•fan•ge•ne(r)** *f m* prisoner awaiting trial; **Un•ter•su•chungs•haft** *f* detention while awaiting trial; **in ~ nehmen** commit for trial; **in ~ sein** [*o* **sitzen**] be in detention awaiting trial; **Un•ter•su•chungs•rich•ter(in)** *m(f)* examining magistrate
Un•ter•tan <-s/(-en), -en> *m* (HIST) subject
un•ter•tan ['ʊntɐta:n] *adj*: **jdm ~ sein** be subject to s.o.; **un•ter•tä•nig** ['ʊntɐtɛ:nɪç] *adj* submissive, subservient; **Ihr ~ster Diener** your most humble servant
Un•ter•tas•se *f* saucer; **fliegende ~** (*fam*) flying saucer
un•ter|tau•chen **I.** *tr haben* (*etw ~*) immerse; (*jdn ~*) duck **II.** *itr sein* **1.** dive; (*U-Boot*) submerge **2.** (*fig: verschwinden*) disappear
un•ter•tei•len *tr* subdivide (*in* into); **Un•ter•tei•lung** *f* subdivision (*in* into)
Un•ter•ti•tel *m* **1.** subtitle **2.** (FILM: *Bildunterschrift*) caption
un•ter•trei•ben *itr* understate; **Un•ter•trei•bung** *f* understatement
un•ter•tun•neln *tr* tunnel; **Un•ter•tun•ne•lung** *f* tunnelling
un•ter•ver•mie•ten ['-----] *tr* sublet
un•ter•ver•si•chert *adj* underinsured
un•ter•wan•dern *tr* (POL) infiltrate; **Un•ter•wan•de•rung** *f* (POL) infiltration
Un•ter•wä•sche *f* underwear, undies *fam*
Un•ter•was•ser•mas•sa•ge *f* underwater massage
un•ter•wegs [ʊntɐ've:ks] *adv* on the way; **bei ihr ist ein Kind ~** (*fam*) she is expecting; **schreib mir mal von ~!** drop me a line while you're away!
un•ter•wei•sen *irr tr* instruct (*in* in)
Un•ter•welt *f* (*a. fig*) underworld
un•ter•wer•fen **I.** *irr tr* **1.** (*unterziehen*) subject to **2.** (*Land, Volk*) subjugate **II.** *refl* submit (to); **un•ter•wor•fen** *adj*: **die ~en Völker** the subjugated nations; **dem Zeitgeschmack ~** subject to prevailing tastes *pl*; **un•ter•wür•fig** [ʊntɐ'vʏrfɪç] *adj* submissive; (*kriecherisch*) obsequious, servile; **Un•ter•wür•fig•keit** *f* submissiveness; (*Kriecherei*) obsequiousness
un•ter•zeich•nen *tr* sign; **Un•ter•zeich•ner(in)** *m(f)* signatory; **Un•ter•zeich•ne•te(r)** *f m* undersigned
un•ter•zie•hen **I.** *irr refl* undergo (*e-r Sache* s.th.); **sich der Mühe ~(,) etw zu tun** take the trouble to do s.th.; **sich e-r Operation ~** undergo an operation; **sich e-r Prüfung ~** take an examination **II.** *tr* subject (to); **jdn (etw) e-r Prüfung ~** subject s.o. (s.th.) to an examination
Un•tie•fe *f* shallow, shoal
Un•tier *n* monster
un•trag•bar [-'--] *adj* intolerable, unbearable
un•trenn•bar [-'--/'---] *adj* inseparable
un•treu *adj* unfaithful; **bin ich dir jemals ~ gewesen?** have I ever been unfaithful to you?; **sich selbst ~ werden** be untrue to o.s.; **Un•treue** *f* unfaithfulness
un•tröst•lich [-'--] *adj* inconsolable (*über* about)
un•trüg•lich [-'--/'---] *adj* unmistakable

un•ty•pisch *adj* atypical (*für* of)
un•ü•ber•hör•bar *adj* unmistakable
un•ü•ber•legt *adj* ill-considered; (*übereilt*) rash
un•ü•ber•seh•bar ['---'--] *adj* **1.** (*nicht übersehbar*) immense, vast **2.** (*nicht abschätzbar*) incalculable **3.** (*offensichtlich*) obvious
un•ü•ber•setz•bar ['-----/'---'--] *adj* untranslatable
un•ü•ber•sicht•lich *adj* **1.** (*Kurve etc*) blind **2.** (*Organisation etc*) confused
un•ü•ber•treff•lich ['---'--] **I.** *adj* unsurpassable **II.** *adv* superbly
un•ü•ber•trof•fen ['---'--] *adj* unsurpassed
un•ü•ber•wind•lich ['---'--] *adj* **1.** (*Gegner*) invincible **2.** (*Schwierigkeiten*) insurmountable
un•um•gäng•lich ['--'--] *adj* **1.** (*wesentlich*) essential **2.** (*unvermeidlich*) inevitable
un•um•schränkt ['--'-] *adj* unlimited; (POL: *Macht*) absolute
un•um•stöß•lich ['--'--] *adj* (*Entschluss*) irrevocable; (*Tatsache*) irrefutable
un•um•strit•ten ['--'--] *adj* undisputed
un•un•ter•bro•chen ['---'--] *adj* **1.** (*nicht unterbrochen*) uninterrupted **2.** (*unaufhörlich*) continuous, incessant
un•ver•än•der•lich ['--'---] *adj* **1.** (*unwandelbar*) unchangeable **2.** (*gleichbleibend*) invariable
un•ver•än•dert ['--'--] *adj* unchanged
un•ver•ant•wort•lich ['--'---] *adj* irresponsible
un•ver•äu•ßer•lich *adj* (*Rechte*) inalienable
un•ver•bes•ser•lich ['--'---] *adj* incorrigible
un•ver•bind•lich *adj* **1.** (*nicht bindend*) not binding, without obligation **2.** (*allgemein gehalten*) noncommittal **3.** (*kein Entgegenkommen zeigend*) curt; **lassen Sie es sich ~ zuschicken!** have it sent to you without obligation!
un•ver•bleit *adj* lead-free, unleaded
un•ver•blümt *adj* blunt, open
un•ver•däch•tig *adj* **1.** (*nicht verdächtigt*) unsuspected **2.** (*harmlos*) unsuspicious
un•ver•dau•lich *adj* indigestible
un•ver•dien•ter•wei•se ['----'--] *adv* undeservedly
un•ver•dor•ben ['----/--'--] *adj* (*a. fig*) unspoilt
un•ver•dros•sen ['--'--] *adj* (*unermüdlich*) indefatigable; (*unverzagt*) undaunted
un•ver•ein•bar ['--'--] *adj* incompatible; **miteinander ~ sein** be incompatible
un•ver•fälscht *adj* unadulterated
un•ver•fäng•lich *adj* harmless
un•ver•fro•ren *adj* insolent
un•ver•gäng•lich ['--'--] *adj* imperishable
un•ver•ges•sen *adj* unforgotten
un•ver•gess•lichRR ['--'--] *adj* unforgettable; **das bleibt mir ~** I'll always remember that
un•ver•gleich•lich ['--'--] *adj* incomparable
un•ver•hält•nis•mä•ßig *adv* **1.** disproportionately **2.** (*übermäßig*) excessively
un•ver•hei•ra•tet *adj* unmarried
un•ver•hofft ['--'-] *adj* unexpected; **völlig ~** out of the blue
un•ver•hoh•len ['--'--] *adj* unconcealed
un•ver•käuf•lich *adj* unmarketable; **~es Muster** free sample; **„~"** "not for sale"
un•ver•kenn•bar ['--'--] *adj* unmistakable
un•ver•letz•lich ['--'--] *adj* (*fig*) inviolable
un•ver•letzt *adj* unhurt, uninjured; (*Körperteil*) undamaged
un•ver•meid•lich ['--'--] *adj* inevitable; (*nicht zu umgehen*) unavoidable
un•ver•min•dert ['--'--] *adj* undiminished
Un•ver•mö•gen *n* inability
un•ver•mö•gend *adj* without means
un•ver•mu•tet ['--'--] *adj* unexpected
Un•ver•nunft *f* **1.** (*Uneinsichtigkeit*) unreasonableness **2.** (*Torheit*) stupidity **3.** (*Irrationalität*) irrationality; **un•ver•nünf•tig** *adj* **1.** unreasonable **2.** (*töricht*) stupid
un•ver•packt *adj* loose, unpackaged
un•ver•rich•tet *adj:* **~er Dinge** without having achieved anything
un•ver•schämt ['ʊnfɛrʃɛːmt] *adj* **1.** (*Benehmen*) impertinent, impudent **2.** (*Lüge*) blatant **3.** (*Preis*) exorbitant; **grinse nicht so ~!** take that cheeky grin off your face!; **Un•ver•schämt•heit** *f* (*Benehmen*) impertinence, impudence; **die ~ haben(,) zu ...** have the face to ...; **so e-e ~!** it's outrageous!
un•ver•schul•det ['--'--] *adj* **1.** (*ohne Schulden*) free from debt; (*Grundstück*) unencumbered **2.** (*ohne Schuld*) through no fault of one's own
un•ver•se•hens *adv* **1.** (*plötzlich*) all of a sudden **2.** (*überraschenderweise*) unexpectedly
un•ver•sehrt ['--'-] *adj* (*Mensch*) unscathed; (*Sache*) undamaged
un•ver•söhn•lich ['--'--] *adj* irreconcilable
un•ver•ständ•lich ['--'--] *adj* **1.** (*unbegreifbar*) incomprehensible **2.** (*kaum zu hören*) inaudible
un•ver•steu•ert *adj* untaxed
un•ver•sucht ['--'-] *adj:* **nichts ~ lassen** try everything
un•ver•träg•lich *adj* **1.** (*streitsüchtig*) quarrelsome **2.** (MED: *unbekömmlich*) intolerable
un•ver•wandt **I.** *adj:* **~en Blickes** with a steadfast gaze **II.** *adv* fixedly, steadfastly

un•ver•wech•sel•bar ['--'---] *adj* unmistakable
un•ver•wund•bar ['--'--] *adj* invulnerable
un•ver•wüst•lich ['--'--] *adj* **1.** (*strapazierfähig*) indestructible; (*Gesundheit*) robust **2.** (*fig: Humor*) irrepressible
un•ver•zagt ['--'-] *adj* undaunted
un•ver•zeih•lich ['--'--] *adj* unpardonable
un•ver•zollt *adj* duty-free
un•ver•züg•lich ['--'--] *adj* immediate
un•voll•en•det ['----/--'--] *adj* unfinished; **die U~e von Schubert** (MUS) Schubert's unfinished symphony
un•voll•kom•men *adj* **1.** (*mangelhaft*) imperfect **2.** (*unvollständig*) incomplete; **Un•voll•kom•men•heit** *f* **1.** (*Mangelhaftigkeit*) imperfection **2.** (*Unvollständigkeit*) incompleteness
un•voll•stän•dig *adj* incomplete; **tut mir Leid, aber Sie haben das Formular ~ ausgefüllt!** sorry, but you didn't fill the form out properly!
un•vor•be•rei•tet *adj* unprepared (*auf* for)
un•vor•ein•ge•nom•men *adj* unbiased, unprejudiced
un•vor•her•ge•se•hen ['--'----] *adj* unforeseen; (*Besuch*) unexpected
un•vor•schrifts•mä•ßig *adj* against the regulations; **~ parken** park improperly
un•vor•sich•tig *adj* **1.** (*allgemein*) careless **2.** (*voreilig*) rash; **Un•vor•sich•tig•keit** *f* **1.** (*allgemein*) carelessness **2.** (*Voreiligkeit*) rashness
un•vor•stell•bar *adj* inconceivable
un•vor•teil•haft *adj* disadvantageous; **du siehst heute wirklich ~ aus!** you really don't look your best today!
un•wahr *adj* untrue
un•wahr•schein•lich ['----/--'--] **I.** *adj* **1.** (*allgemein*) improbable, unlikely **2.** (*fam: groß*) incredible **II.** *adv* (*fam: sehr*) incredibly
un•wan•del•bar [-'---/'----] *adj* **1.** (*unveränderlich*) immutable **2.** (*Gefühlshaltung*) unwavering
un•weg•sam *adj* rough
un•wei•ger•lich [-'---/'----] **I.** *adj* inevitable **II.** *adv* **1.** (*grundsätzlich*) invariably **2.** (*unvermeidlich*) inevitably
un•weit *präp* not far from
Un•we•sen *n*: **sein ~ treiben** do mischief
un•we•sent•lich *adj* **1.** (*nichts zur Sache tuend*) irrelevant **2.** (*unwichtig*) unimportant; (*unbedeutend*) insignificant; **das ist ~** that doesn't matter
Un•wet•ter *n* thunderstorm
un•wich•tig *adj* **1.** (*allgemein*) unimportant; (*unbedeutend*) insignificant **2.** (*ohne Belang*) irrelevant
un•wi•der•leg•bar ['---'--] *adj* irrefutable
un•wi•der•ruf•lich ['---'--] *adj* irrevocable; **~ die letzte Warnung** positively the last warning
un•wi•der•steh•lich ['---'--] *adj* irresistible
un•wie•der•bring•lich ['---'--] *adj* irretrievable
Un•wil•le *m* **1.** (*allgemein*) indignation (*über* at) **2.** (*Widerwille*) reluctance **3.** (*Ungeduld*) irritation; **jds ~ erregen** incur someone's indignation; **s-m ~n Luft machen** give vent to one's indignation; **un•wil•lig** *adj* **1.** indignant (*über* about) **2.** (*widerstrebend*) reluctant, unwilling; **un•will•kom•men** *adj* unwelcome; **un•will•kür•lich** ['--'--] *adj* **1.** (*spontan*) spontaneous **2.** (*instinktiv*) instinctive; **ich musste ~ lachen** I couldn't help laughing
un•wirk•lich *adj* unreal
un•wirk•sam *adj* **1.** (*wirkungslos*) ineffective **2.** (JUR: *nichtig*) null, void
un•wirsch ['ʊnvɪrʃ] *adj* gruff; (*verdrießlich*) morose
un•wirt•lich *adj* inhospitable
un•wirt•schaft•lich *adj* uneconomic
un•wis•send *adj* ignorant; **Un•wis•sen•heit** *f* ignorance; **~ schützt vor Strafe nicht** ignorance is no excuse
un•wis•sen•schaft•lich *adj* **1.** (*Vorgehensweise*) unscientific **2.** (*Ausdrucksweise*) unacademic
un•wis•sent•lich *adv* unwittingly
un•wohl *adj* **1.** (*unpässlich*) indisposed, unwell **2.** (*unbehaglich*) uneasy; **ich fühle mich ~** I don't feel well; **Un•wohl•sein** *n* indisposition
un•wür•dig *adj* unworthy (of)
Un•zahl *f* huge number; **un•zäh•lig** *adj* countless, innumerable
Un•ze ['ʊntsə] <-, -n> *f* ounce
Un•zeit *f*: **zur ~** at an inopportune moment, inopportunely; **un•zeit•ge•mäß** *adj* **1.** (*nicht zur Zeit passend*) untimely **2.** (*altmodisch*) old-fashioned
un•zer•brech•lich ['--'--] *adj* unbreakable
un•zer•kaut *adj* whole; **~ schlucken!** (*auf Medikamentenbeipackzettel*) to be swallowed whole!
un•zer•stör•bar ['--'--] *adj* indestructible
un•zer•trenn•lich ['--'--] *adj* inseparable
Un•zucht *f* (JUR) sexual offence; **~ mit Kindern** illicit sexual relations with children; **un•züch•tig** *adj* (JUR) indecent; (*obszön*) obscene
un•zu•frie•den *adj* discontented, dissatisfied; (*unglücklich*) unhappy; **Un•zu•frie•den•heit** *f* discontent, dissatisfaction
un•zu•gäng•lich *adj* **1.** (*örtlich*) inaccessible **2.** (*fig: verschlossen*) inapproachable
un•zu•läng•lich *adj* **1.** (*nicht ausreichend*) insufficient **2.** (*unangemessen*) in-

adequate
un•zu•läs•sig *adj* **1.** (JUR: *verboten*) inadmissible **2.** (*Anwendung, Verwendung*) improper; (TECH: *Belastung etc*) excessive
un•zu•mut•bar *adj* unreasonable; **Un•zu•mut•bar•keit** *f* unreasonableness
un•zu•rech•nungs•fä•hig *adj* not responsible for one's actions; **er wurde für ~ erklärt** he was certified insane; **Un•zu•rech•nungs•fä•hig•keit** *f* unsoundness of mind; **er machte ~ geltend** he put forward a plea of insanity
un•zu•rei•chend *adj* insufficient
un•zu•sam•men•hän•gend *adj* disjointed, incoherent
un•zu•ver•läs•sig *adj* unreliable
un•zweck•mä•ßig *adj* **1.** (*nicht ratsam*) inexpedient **2.** (*ungeeignet*) unsuitable **3.** (*unpraktisch*) impractical
un•zwei•deu•tig *adj* unambiguous, unequivocal
un•zwei•fel•haft [-'---/'----] **I.** *adj* undoubted **II.** *adv* undoubtedly, without doubt
üp•pig ['ʏpɪç] *adj* **1.** (*Lebensstil*) luxurious **2.** (*Fantasie*) rich **3.** (*Ausstattung, Essen*) sumptuous **4.** (*weibliche Formen*) voluptuous **5.** (*Vegetation, Wachstum*) luxuriant
U-Pro•fil *n* (TECH) channel section
Ur•ab•stim•mung ['uːɐ-] *f* strike ballot
ur•alt ['uːɐ'alt] *adj* ancient, very old; **aus ~en Zeiten** from long, long ago; **das Problem ist ~** the problem is age-old
U•ran [u'raːn] <-s, -e> *n* uranium; **U•ran•vor•kom•men** *n* uranium deposit
ur•auf•füh•ren ['uːɐˌaʊffyːrən] *tr* (THEAT) play for the first time; (FILM) première; **uraufgeführt werden** have its première; **Ur•auf•füh•rung** *f* (THEAT) first night [*o* performance], première; (FILM) first showing
ur•bar ['uːɐbaːɐ] *adj:* **~ machen** (*Wald*) clear; (*Land*) cultivate
Ur•bild *n* prototype; **Ur•ein•woh•ner(in)** *m(f)* native, original inhabitant; **Ur•en•kel** *m* great-grandson; **Ur•en•ke•lin** *f* great-granddaughter
ur•ge•müt•lich ['--'--] *adj* really comfortable
Ur•ge•schich•te *f* prehistory; **Ur•groß•el•tern** *pl* great-grandparents; **Ur•groß•mut•ter** *f* great-grandmother; **Ur•groß•va•ter** *m* great- grandfather
Ur•he•ber(in) *m(f)* (*allgemein*) originator; (JUR: *Verfasser*) author; **Ur•he•ber•ge•bühr** *f* copyright fee; **Ur•he•ber•recht** *n* copyright (*an* on)
ur•he•ber•recht•lich *adj* on copyright
u•rig ['uːrɪç] *adj* (*fam*) **1.** (*Mensch*) earthy **2.** (*Atmosphäre, Pub etc*) ethnic
U•rin [u'riːn] <-s, -e> *m* urine; **u•ri•nie•ren** *itr* urinate; **U•rin•zu•cker** *m* urine sugar
ur•ko•misch *adj* (*fam*) incredibly funny
Ur•kun•de ['uːɐkʊndə] <-,-n> *f* document; (*e-s Kaufes*) deed; (*Bescheinigung etc*) certificate; **e-e ~ ausfertigen** (JUR) draw up a document (*über* about); **Ur•kun•den•fäl•schung** *f* falsification [*o* forgery] of a document
ur•kund•lich *adj* documentary
Ur•laub ['uːɐlaʊp] <-(e)s, -e> *m* **1.** (*Ferien*) holiday(s) *Br,* vacation *Am* **2.** (MIL) leave of absence; **im ~** on holiday *Br,* on vacation *Am;* **~ haben** have holiday *Br,* have vacation *Am;* **~ nehmen** take a holiday *Br,* take a vacation *Am;* **drei Wochen ~** three weeks' holiday *Br,* three weeks' vacation *Am;* **in ~ fahren** go on holiday *Br,* go on vacation *Am;* **letztes Jahr haben wir in Spanien ~ gemacht** last year we were on holiday in Spain; **nächste Woche nehme ich mir einen Tag ~** next week I'll take a day off; **Ur•lau•ber(in)** *m(f)* holidaymaker *Br,* vacationist *Am;* **Ur•laubs•an•spruch** *m* holiday entitlement *Br,* vacaton entitlement *Am;* **Ur•laubs•geld** *n* holiday pay *Br,* leave pay *Am;* **Ur•laubs•zeit** *f* holiday season
Ur•ne ['ʊrnə] <-, -n> *f* **1.** (*für Asche*) urn **2.** (PARL: *für Wahlzettel*) ballot-box; **an die ~n gehen** (*fam*) go to the polls
Ur•sa•che *f* **1.** (*allgemein*) cause **2.** (*Grund*) reason **3.** (*Beweggrund*) motive; **keine ~!** (*sich zu entschuldigen*) that's all right!; (*sich zu bedanken*) don't mention it! *Br,* you're welcome! *Am;* **alle ~ haben(,) etw zu tun** have every reason to do s.th.; **ich habe dazu keine ~** I have no reason for that; **ohne jede ~** for no reason at all; **und was ist die ~ dafür?** and what's the cause of it?; **~ und Wirkung** cause and effect
Ur•sprung *m* **1.** origin **2.** (*fig*) source **3.** (*Herkunft*) extraction; **seinen ~ haben in** originate in
ur•sprüng•lich ['uːɐʃprʏŋlɪç/-'--] **I.** *adj* **1.** (*allgemein*) original; (*anfänglich*) first **2.** (*urwüchsig*) natural **II.** *adv* originally; (*anfänglich*) at first
Ur•sprungs•land *nt* country of origin
Ur•teil ['ʊrtaɪl] <-s, -e> *n* **1.** judgement **2.** (*Ansicht*) opinion **3.** (JUR: *Spruch*) verdict; (*Strafmaß*) sentence; (*von Schiedsgericht*) award; **darüber können Sie sich überhaupt kein ~ erlauben!** you're in no position to judge that!; **sich ein ~ bilden** form an opinion (*über* about); **das ~ sprechen** pronounce judgement (*über* on); **ein ~ fällen** pass judgement (*über* on); **ein ~ vollstrecken** enforce [*o* execute] a judge-

ment; **nach dem ~ von Sachverständigen** according to expert opinion; **ur•tei•len** *itr* judge (*über etw* s.th., *nach* by); **man sollte nie vorschnell ~** one should never make a hasty judgement; **~ Sie nicht zu hart über ihn** don't judge him too harshly; **wie ~ Sie über den Fall?** give us your opinion on the case; **Ur•teils•be•grün•dung** *f* (JUR) opinion; **Ur•teils•kraft** *f* power of judgement; **Ur•teils•spruch** *m* (JUR: *von Strafgericht*) sentence; (*von Geschworenen*) verdict; (*von Schiedsgericht*) award; **Ur•teils•ver•mö•gen** *n* faculty of judgement; **Ur•teils•voll•stre•ckung** *f* execution of the sentence

Ur•text *m* original text

Ur•ur•groß•va•ter ['-'----] *m* great- great-grandfather

Ur•viech ['u:fi:ç] <-s, -er> *n* (*fam*) real character

Ur•wald ['u:ɐvalt, *pl:* 'u:ɐvɛldɐ] <-(e)s, -¨er> *m* jungle

ur•welt•lich *adj* primeval

ur•wüch•sig *adj* **1.** (*ursprünglich*) native, original **2.** (*unverbildet*) natural, unspoilt **3.** (*derb*) sturdy **4.** (*urgewaltig*) elemental

Ur•zeit *f* primeval times *pl;* **seit ~en** (*fam*) for donkey's years; **vor ~en** ages ago

Ur•zu•stand *m* original state

USA *pl* USA *sing*

U•sur•pa•tor [uzʊr'pa:to:ɐ] *m* usurper; **u•sur•pie•ren** *tr* usurp

U•sus ['u:zʊs] <-> *m* (*fam*) custom

U•ten•si•lien [utɛn'zi:liən] *pl* utensils

U•ti•li•ta•ris•mus [utilita'rɪsmʊs] <-s> *m* (PHILOS) utilitarianism; **u•ti•li•ta•ris•tisch** *adj* (PHILOS) utilitarian

U•to•pie [uto'pi:] *f* utopia; **u•to•pisch** [u'to:pɪʃ] *adj* utopian

UV-Strah•len *pl* (PHYS) UV rays

V

V, v [faʊ] <-, -> *n* V, v

Va•banque•spiel [va'baŋk-] <-(e)s> *n* (*fig*) dangerous game

Va•ga•bund [vaga'bʊnt] <-en, -en> *m* vagabond; **va•ga•bun•die•ren** *itr* **1.** (*als Vagabund leben*) live as a vagabond, live as vagabonds **2.** (*umherstreifen*) rove

va•ge [va:gə] *adj* vague

Va•gi•na ['va:gina] <-> *f* (ANAT) vagina

Va•gi•nal•zäpf•chen *n* vaginal pessary

va•kant [va'kant] *adj* vacant

Va•ku•um ['va:kuʊm] <-s, -en/-a> *n* vacuum; **im** ~ in a vacuum; **va•ku•um•ver•packt** *adj* vacuum-packed

Va•len•tins•tag ['valənti:ns-] *m* Valentine's Day

Va•lenz [va'lɛnts] <-, -en> *f* (LING CHEM) valency

Va•lu•ta [va'lu:ta] <-, -ten> *f* **1.** (COM: *Datum*) value date **2.** (FIN: *Währung*) foreign currency

Vam•pir [vam'pi:ɐ] <-s, -e> *m* vampire

Van•da•le [van'da:lə] <-n, -n> *m* **1.** vandal, hooligan **2.** (HIST) Vandal; **hausen** [*o* **sich benehmen**] **wie die ~n** act like vandals; **Van•da•lis•mus** [vanda'lɪsmʊs] *m* vandalism

Va•nil•le [va'nɪl(j)ə] <-> *f* vanilla; **Va•nil•le•eis** *n* vanilla ice-cream; **Va•nil•le•sau•ce** *f* custard

va•ri•a•bel [vari'a:bəl] *adj* variable

Va•ri•an•te [vari'antə] <-, -n> *f* variant (*zu* on)

Va•ri•a•ti•on *f* variation (*zu* on)

Va•ri•e•tät [varɪe'tɛ:t] <-, -en> *f* variety

Va•ri•e•tee[RR] [variə'te:] <-(s), -s> *n*, **Va•ri•e•té** *n* variety *Br*, vaudeville *Am*

va•ri•ie•ren [vari'i:rən] *tr itr* vary

Va•sall [va'zal] <-en, -en> *m* (*a. fig*) vassal

Va•se ['va:zə] <-, -en> *f* vase

Va•ter ['fa:tɐ, *pl:* 'fɛ:tɐ] <-s, ⸚> *m* father; **vom ~ auf den Sohn** from father to son; ~ **Staat** (*hum fam*) the State; **Va•ter•land** *n* fatherland, native [*o* mother] country; **mein** ~ my country; **Va•ter•lands•lie•be** *f* patriotism

vä•ter•lich ['fɛ:tɐlɪç] *adj* **1.** (*wie ein Vater*) fatherly **2.** (*dem Vater gehörig*) paternal; **~es Erbteil** patrimony; **vä•ter•li•cher•seits** *adv* on one's father's side; **meine Großmutter** ~ my paternal grandmother

va•ter•los *adj* fatherless; **Va•ter•mord** *m* patricide; **Va•ter•mör•der(in)** *m(f)* patricide; **Va•ter•schaft** *f* fatherhood; (JUR) paternity; **Va•ter•schafts•kla•ge** *f* paternity suit; **Va•ter•schafts•ur•laub** *m* paternity leave; **Va•ter•stadt** *f* home town; **Va•ter•stel•le** *f*: **bei jdm ~ vertreten** be a father to s.o.; **Va•ter•un•ser** ['--'--] <-s, -> *n* Lord's Prayer

Va•ti ['fa:ti] <-s, -s> *m* (*fam*) dad(dy), pa *Am a.*

Va•ti•kan [vati'ka:n] *m* vatican; **Va•ti•kan•stadt** <-> *f* Vatican City

V-Aus•schnitt *m* V-neck; **ein Pullover mit** ~ a V-neck sweater

Ve•ge•ta•ri•er(in) [vege'ta:riɐ] *m(f)* vegetarian; **ve•ge•ta•risch** *adj* vegetarian

Ve•ge•ta•ti•on *f* vegetation

ve•ge•ta•tiv *adj* (MED) vegetative; **~es Nervensystem** autonomic nervous system; **ve•ge•tie•ren** *itr* **1.** vegetate **2.** (*kümmerlich leben*) eke out a miserable existence

Ve•he•menz [vehe'mɛnts] <-> *f* vehemence

Veil•chen ['faɪlçən] *n* **1.** (BOT) violet **2.** (*fam: blaues Auge*) shiner, black eye; **veil•chen•blau** ['--'-] *adj* violet

Vek•tor ['vɛktɔr] <-s, -en> *m* (MATH) vector

Ve•lo ['velo] <-s, -s> *n CH* bicycle

Ve•lours [ve'lu:ɐ] <-, -> *m* (*Textilgewebe*) velours; **Ve•lours(•le•der)** *n* suede

Ve•ne ['ve:nə] <-, -n> *f* vein; **Ve•nen•ent•zün•dung** *f* phlebitis

ve•ne•risch [ve'ne:rɪʃ] *adj* (MED) venereal

Ve•ne•zi•a•ner(in) [venetsi'a:nɐ] *m(f)* Venetian; **ve•ne•zi•a•nisch** *adj* Venetian

Ve•ne•zo•la•ner(in) [venetso'la:nɐ] *m(f)* Venezuelan; **ve•ne•zo•la•nisch** *adj* Venezuelan; **Ve•ne•zu•e•la** [vene'tsue:la] *n* Venezuela

Ven•til [vɛn'ti:l] <-s, -e> *n* **1.** (MOT TECH) valve **2.** (*fig*) outlet

Ven•ti•la•ti•on *f* **1.** (*das Lüften*) ventilation **2.** (*die Anlage*) ventilation system

Ven•ti•la•tor *m* ventilator

ven•ti•lie•ren *tr* **1.** (*belüften*) ventilate **2.** (*sorgfältig erwägen*) consider carefully

ver•ab•re•den [fɛr'apre:dən] **I.** *tr* (*arrangieren*) arrange; (*Zeitpunkt*) fix; **verabredet sein** have a date (*mit jdm* with s.o.) **II.** *refl:* **sich mit jdm** ~ arrange to meet s.o;

Ver•ab•re•dung *f* **1.** (COM) appointment

2. (*Vereinbarung*) arrangement **3.** (*Treffen*) engagement; (*mit Freund(in)*) date; **ich habe heute e-e ~** I'm meeting s.o. today

ver•ab•rei•chen *tr:* **jdm Medizin ~** administer medicine to s.o.

ver•ab•scheu•en *tr* abhor, detest, loathe

ver•ab•schie•den I. *tr* **1.** say goodbye to **2.** (*entlassen*) discharge **3.** (POL: *Gesetz*) pass; (FIN: *Etat*) adopt **II.** *refl* say good-by(e) (*von jdm* to s.o.); (*formell*) take one's leave (*von jdm* of s.o.)

ver•ach•ten *tr* **1.** despise; (*Tod, Gefahr etc*) scorn **2.** (*verschmähen*) disdain; **das ist nicht zu ~** (*fam*) that's not to be sneezed at; **ver•ächt•lich** [fɛɐ'ɛçtlɪç] *adj* **1.** contemptuous, scornful **2.** (*verachtenswert*) contemptible, despicable; **etw ~ machen** belittle s.th.; **jdn ~ machen** run s.o. down; **Ver•ach•tung** *f* contempt, disdain, scorn; **sie strafen ihn mit ~** they treat him with contempt

ver•all•ge•mei•nern [---'--] *tr* generalize; **Ver•all•ge•mei•ne•rung** *f* generalization

ver•al•ten *itr* (*ungebräuchlich werden*) become obsolete; (*Ansichten*) become antiquated; (*Mode*) go out of date; **ver•al•tet** *adj* (*ungebräuchlich*) obsolete; (*Ansichten*) antiquated; (*aus der Mode*) out-of-date

Ve•ran•da [ve'randa] <-, -den> *f* porch, veranda

ver•än•der•lich *adj* (*Mensch, Wetter etc*) changeable; (MATH) variable; **Ver•än•der•lich•keit** *f* changeability, variability; **ver•än•dern I.** *tr* change **II.** *refl* change (*beruflich* one's job); **Ver•än•de•rung** *f* change (*beruflich* of job); **an etw ~en vornehmen** make changes to s.th.

ver•ängs•tigt [fɛr'ɛŋstɪçt] *adj* **1.** (*eingeschüchtert*) intimidated **2.** (*erschreckt*) scared

ver•an•kern *tr* **1.** (MAR) anchor **2.** (*fig*) establish (*in* in)

ver•an•la•gen *tr* (FIN: *zu Steuern*) assess (*mit* at); **ver•an•lagt** *adj:* **künstlerisch ~ sein** have an artistic bent; **er ist eben so ~** that's just the way he is; **Ver•an•la•gung** *f* **1.** (FIN: *steuerlich*) assessment **2.** (*charakterlich*) disposition **3.** (*körperlich*) predisposition **4.** (*Hang*) tendency **5.** (*Talent*) bent

ver•an•las•sen *tr* **1.** (*bewegen*) cause (*jdn, etw zu tun* s.o. to do s.th.) **2.** (*anordnen*) arrange (*etw* for s.th.); **das Nötige ~** take the necessary steps *pl;* **bitte ~ Sie, dass ...** please see to it that ...; **sich veranlasst sehen(,) etw zu tun** feel prompted to do s.th.

Ver•an•las•sung *f* **1.** (*Beweggrund*) cause, reason **2.** (*Betreiben*) instigation; **auf ~ von ...** at the instigation of ...; **~ geben** give cause (*zu etw* for s.th.); **ich habe keine ~ dazu** I have no reason for doing it

ver•an•schau•li•chen *tr* illustrate (*jdm etw an etw* s.th. to s.o. with s.th.)

ver•an•schla•gen *irr tr* estimate (*auf* at); **zu hoch ~** overestimate; **zu niedrig ~** underestimate

ver•an•stal•ten *tr* **1.** (*organisieren*) arrange, organize **2.** (*Empfang etc: abhalten, geben*) give; (*Wahlen*) hold; **e-e Sammlung ~** take up a collection; **Ver•an•stal•ter(in)** *m(f)* (*Organisator*) organizer; (*von Konzerten, Shows etc*) promoter

Ver•an•stal•tung *f* event (*von* organized by); **Ver•an•stal•tungs•ka•len•der** *m* calendar of events; **Ver•an•stal•tungs•ort** *m* venue

ver•ant•wor•ten I. *tr* **1.** accept the responsibility for **2.** (*die Folgen tragen*) answer for (*etw vor jdm* s.th. to s.o.) **II.** *refl* justify (*für etw* s.th., *vor jdm* to s.o.); **ver•ant•wort•lich** *adj* **1.** responsible **2.** (*haftbar*) liable; **jdm gegenüber für etw ~ sein** be responsible to s.o. for s.th.; **jdn für etw ~ machen** hold s.o. responsible for s.th.; **Ver•ant•wort•lich•keit** *f* **1.** responsibility **2.** (*Haftbarkeit*) liability; **Ver•ant•wor•tung** *f* responsibility (*für* for); **die volle ~ für etw übernehmen** take full responsibility for s.th.; **zur ~ ziehen** call to account; **auf Ihre ~!** you take the responsibility!; **ich habe es auf eigene ~ getan** I did it on my own responsibility; **jdm die ~ für etw übertragen** put the responsibility for s.th. on s.o.; **ver•ant•wor•tungs•be•wusst**[RR] *adj* responsible; **Ver•ant•wor•tungs•be•wusst•sein**[RR] *n* sense of responsibility; **ver•ant•wor•tungs•los** *adj* irresponsible; **ver•ant•wor•tungs•voll** *adj* responsible

ver•ar•bei•ten *tr* **1.** use (*zu etw* to make s.th.) **2.** (TECH: *Rohstoffe, Daten etc*) process (*zu* into) **3.** (*verbrauchen*) consume **4.** (*fig: geistig ~*) assimilate, digest

ver•är•gern *tr* annoy, vex

ver•ar•men *sein itr* become impoverished; **Ver•ar•mung** *f* impoverishment; (*a. fig*) pauperization

ver•ar•schen *tr* (*fam*): **jdn ~** take the piss out of s.o.

ver•arz•ten *tr* (*fam: versorgen*) fix up

ver•äs•teln [fɛr'ɛstəln] *refl* **1.** (*Zweige*) branch out **2.** (*fig: Adern, Probleme etc*) ramify; **Ver•äs•te•lung** *f* **1.** (*von Gezweig*) branching **2.** (*fig*) ramifications *pl*

Ver•ät•zung *f* burn

ver•aus•ga•ben *refl* **1.** (*finanziell*) overspend **2.** (*Kräfte*) overtax o.s.

ver•äu•ßern *tr* dispose of

Ver•äu•ße•rung *f* disposal; **Ver•äu•ße•rungs•ge•winn** *m* capital gain; **Ver•äu•ße•rungs•wert** *m* residual [*o* scrap] value

Verb [vɛrp] <-s, -en> *n* verb; **ver•bal** *adj* verbal; **Ver•bal•phra•se** *f* (LING) verbal phrase

ver•ball•hor•nen [fɛr'balhɔrnən] *tr* **1.** (*e-n Text etc*) corrupt **2.** (*parodieren*) parody

Ver•band <-(e)s, ⸚e> *m* **1.** (MED) dressing; (*mit Binden*) bandage **2.** (MIL: *Einheit*) unit; (AERO MAR: *Formation*) formation **3.** (*Vereinigung*) association, federation; **Ver•band(s)•kas•ten** *m* first-aid box; **Ver•band•stoff** *m* dressing; **Ver•band•zeug** *n* first-aid supplies *pl*

ver•ban•nen *tr* (*a. fig*) banish, exile (*aus* from, *nach* to); **Ver•bann•te(r)** *f m* exile; **Ver•ban•nung** *f* **1.** (*das Verbannen*) banishment **2.** (*Exil*) exile

ver•bar•ri•ka•die•ren I. *tr* barricade **II.** *refl* barricade o.s. in (*in etw* s.th.)

ver•bau•en *tr* **1.** (*versperren*) obstruct **2.** (*falsch bauen*) construct badly **3.** (*als Material verbrauchen*) use in building; **sich (jdm) den Weg** ~ (*fig*) bar one's (someone's) way (*zu* to); **jdm den Aufstieg** ~ (*fig*) wreck someone's chances in life

ver•be•am•ten *tr:* **jdn** ~ give the status of civil servant to s.o.

ver•ber•gen I. *irr tr* conceal, hide (*vor* from) **II.** *refl* conceal o.s., hide (*vor* from)

ver•bes•sern I. *tr* **1.** (*Lage etc*) improve; (*Leistung*) improve on **2.** (*berichtigen*) correct **II.** *refl* **1.** (*Lage etc*) get better, improve **2.** (*Mensch in s-r Leistung*) do better **3.** (*durch beruflichen Aufstieg*) better o.s. **4.** (*sich berichtigen*) correct o.s.; **Ver•bes•se•rung** *f* **1.** improvement (*der Lage etc* in, *von Kenntnissen, Leistungen* on) **2.** (*durch berufl. Aufstieg*) betterment **3.** (PÄD) correction; **ver•bes•se•rungs•fä•hig** *adj* open to improvement; **Ver•bes•se•rungs•vor•schlag** *m* suggestion for improvement

ver•beu•gen *refl* bow (*vor* to); **Ver•beu•gung** *f* bow

ver•beu•len *tr* dent; **ver•beult** *adj* battered

ver•bie•gen I. *irr tr* bend **II.** *refl* bend; (*Holz*) warp

ver•bies•tert *adj* (*fam*) grumpy

ver•bie•ten *irr tr* forbid; (*vor allem amtlicherseits*) prohibit (*jdm etw* s.o. from doing s.th.); **viele Ärzte ~ ihren Patienten das Rauchen** many doctors forbid their patients to smoke; **solche Dinge ~ sich von selbst** such things must be ruled out; **jdm den Mund** ~ (*fig*) forbid s.o. to speak

ver•bil•li•gen I. *tr* **1.** (*Preis*) reduce the price of **2.** (*Kosten*) reduce the cost of **II.** *refl* get cheaper

ver•bil•ligt *adj* cheap, at a reduced price

ver•bin•den I. *irr tr* **1.** (*verknüpfen, a. fig*) connect, link **2.** (*gefühlsmäßig*) join together, unite **3.** (TELE) put through (*mit jdm* to s.o.) **4.** (MED) dress; (*mit Binden*) bandage **5.** (*kombinieren*) combine; **jdm die Augen** ~ blindfold s.o.; **Sie sind leider falsch verbunden!** I'm sorry you've got the wrong number! **II.** *refl* **1.** (*gefühlsmäßig*) join together (*zu etw* in, to form s.th, *in etw* in s.th.) **2.** (*vereinigen, a.* CHEM) combine (*mit* with, *zu* to form) **III.** *itr* (*gefühlsmäßig*) form a bond [*o* bonds]

ver•bind•lich *adj* **1.** (*entgegenkommend*) obliging **2.** (*verpflichtend*) obligatory; (*bindend*) binding; **~sten Dank!** my best thanks! thank you ever so much!; ~ **zusagen** accept definitely

Ver•bind•lich•keit *f* **1.** (*Entgegenkommen*) obligingness **2.** (*e-s Vertrags, e-r Rechnung*) obligatory [*o* binding] nature **3.** (*Verlässlichkeit*) reliability **4.** (COM JUR): **~en** (*Verpflichtungen allg*) obligations *pl;* (FIN) liabilities *pl;* **seinen ~en nachkommen** (*allgemein*) fulfil one's obligations; (FIN) meet one's liabilities; **e-e ~ eingehen** incur a liability

Ver•bin•dung *f* **1.** (*Kombination, a. chemischer Prozess*) combination **2.** (*Vereinigung*) association **3.** (*Beziehung, Kontakt*) contact (*zu, mit* with) **4.** (*Funk~*) communication **5.** (*Telefonanschluss, Verbindungsteil*) connection (*nach* to) **6.** (CHEM: *Prozessergebnis*) compound (*aus* of); **sich in ~ setzen mit ...** get in touch with ... *Br,* contact ... *Am;* **in ~ stehen mit jdm (etw)** be in touch with s.o. (s.th.); **mit jdm in ~ bleiben** keep in touch with s.o.; **e-e ~ eingehen** (CHEM) form a compound (*mit etw* with s.th.); **e-e ~ herstellen zwischen ...** establish a connection between ...; **Ihr Name wird mit dem Skandal in ~ gebracht** your name is mentioned in connection with the scandal; **ich werde meine ~en spielen lassen** I'll use my connections; **in ~ mit ...** (*im Zus.-hang mit*) in connection with ...; (*zusammen mit*) in conjunction with ...; **studentische** ~ fraternity

Ver•bin•dungs•mann <-(e)s, -männer/-leute> *m* (COM: *Agent*) contact; (MIL) liaison man; (*Mittelsmann*) intermediary; **Ver•bin•dungs•of•fi•zier** *m* (MIL) liaison officer; **Ver•bin•dungs•stück** *n* connecting piece

ver•bis•sen [fɛr'bɪsən] *adj* dogged, grim; **Ver•bis•sen•heit** *f* doggedness, grimness

ver•bit•ten *irr refl:* **ich verbitte mir diesen Ton!** I refuse to be talked to like

that!; **das verbitte ich mir!** I won't have it!
ver•bit•tern I. *tr* embitter II. *itr* become embittered; **ver•bit•tert** *adj* embittered; **Ver•bit•te•rung** *f* bitterness
ver•blas•sen *itr* (*a. fig*) fade, pale
Ver•bleib [fɛrˈblaɪp] <-(e)s> *m* whereabouts *pl;* **ver•blei•ben** *irr itr sein* remain; **es dabei ~ lassen** let the matter rest; **wir sollten so ~, dass ...** we should agree to ...
ver•blei•en *tr* (*Benzin*) lead; **ver•bleit** *adj* (*Benzin*) leaded
ver•blen•den *tr* 1. (ARCH: *mit Verblendsteinen*) face 2. (*blind machen*) blind; **Ver•blend•stein** *m* (ARCH) facing brick; **Ver•blen•dung** *f* blindness
ver•bli•chen [fɛrˈblɪçən] *adj* 1. (*verbleicht*) faded 2. (*gestorben*) deceased
ver•blö•den *sein itr* (*fam*) become a zombie
ver•blüf•fen [fɛrˈblʏfən] *tr* 1. (*erstaunen*) amaze, stun 2. (*verwirren*) baffle, stupefy; **Ver•blüf•fung** *f* 1. (*Erstaunen*) amazement, stupefaction 2. (*Verwirrung*) bafflement
ver•blü•hen *sein itr* (*a. fig*) fade, wither
ver•blu•ten *sein itr* bleed to death
ver•bo•cken *tr* (*fam: verpfuschen*) botch
ver•boh•ren *refl:* **sich in etw ~** become obsessed with s.th.; **ver•bohrt** *adj* 1. (*eigensinnig*) obdurate, stubborn 2. (*unflexibel*) inflexible; **Ver•bohrt•heit** *f* inflexibility
ver•bor•gen *tr* lend out (*an* to)
ver•bor•gen [fɛrˈbɔrgən] *adj* hidden; **im V~en**[RR] secretly; **im V~en leben**[RR] live hidden away; **im V~en blühen**[RR] (*fig*) flourish in obscurity; **sich ~ halten** hide
Ver•bor•gen•heit *f* seclusion, secrecy
Ver•bot [fɛrˈboːt] <-(e)s, -e> *n* ban, prohibition; (JUR ECCL) interdiction; **trotz ärztlichen ~es** in spite of doctor's orders *pl;* **gegen ein ~ verstoßen** ignore a ban; **ein ~ aufheben** lift a ban
ver•bo•ten *adj* forbidden; (*amtlich*) prohibited; (*ungesetzlich*) illegal; **Eintritt ~!** keep out! no admittance!; **Zutritt ~** off limits; **du siehst wirklich ~ aus!** (*fam*) you look a real sight!; **Ver•bots•schild** *n* prohibitive sign
Ver•brauch <-(e)s> *m* consumption (*von, an* of); (*Geld~*) expenditure; **sparsam im ~** (MOT) economical; **ver•brau•chen** *tr* 1. consume; (*aufbrauchen*) use up 2. (*abnutzen*) wear out 3. (*erschöpfen*) exhaust; **das Auto verbraucht 8 Liter (auf 100km)** the car does 8 kilometres to the litre; **verbrauchte Luft** stale air
Ver•brau•cher(in) <-s, -> *m(f)* consumer; **Ver•brau•cher•ab•hol•markt** *m* cash and carry; **Ver•brau•cher•aus•ga•ben** *fpl* consumer spending; **Ver•brau•cher•be•fra•gung** *f* consumer survey; **Ver•brau•cher•be•ra•tung** *f* consumer advice (service); **ver•brau•cher•feind•lich** *adj* anti-consumer; **ver•brau•cher•freund•lich** *adj* consumer-friendly; **Ver•brau•cher•grup•pe** *f* consumer group; **Ver•brau•cher•markt** *m* superstore, hypermarket; **Ver•brau•cher•schutz** *m* consumer protection; **Ver•brau•cher•ver•band** *m* consumers' association; **Ver•brau•cher•zen•tra•le** *f* consumer advice centre; **Ver•brauchs•gü•ter** *npl* consumer goods; **ver•braucht** *adj* used up, finished; (*Luft*) stale; (*Mensch*) worn-out
Ver•bre•chen <-s, -> *n* (*a. fig*) crime (*gegen, an* against); **ver•bre•chen** *irr tr* (*fam: anstellen*) do (wrong); **was habe ich denn nun schon wieder verbrochen?** (*fam*) what on earth have I done now?; **wer hat denn dieses Gedicht verbrochen?** (*fam hum*) who's the perpetrator of this poem?; **Ver•bre•cher(in)** *m(f)* criminal; **Ver•bre•cher•ban•de** *f* gang of criminals; **ver•bre•che•risch** *adj* criminal
ver•brei•ten I. *tr* 1. (*allgemein*) spread 2. (RADIO TV: *ausstrahlen*) radiate 3. (*Zeitung*) distribute II. *refl* 1. (*Nachricht, Krankheit*) spread 2. (*über ein Thema etc*) hold forth on
ver•brei•tern I. *tr* broaden, widen II. *refl* widen out; **Ver•brei•te•rung** *f* widening
ver•brei•tet *adj* common; **e-e ~e Zeitung** a newspaper with a wide distribution; **Verbrei•tung** *f* 1. (*allgemein*) spreading 2. (RADIO TV) radiation 3. (*Verteilung*) distribution; **Ver•brei•tungs•ge•biet** *n* (MARKT) circulation area
ver•bren•nen I. *irr tr* 1. burn; (*Leiche*) cremate 2. (*versengen*) scorch; **sich die Finger ~** (*a. fig*) burn one's fingers II. *itr sein* burn (*Mensch* to death) III. *refl* burn o.s.; **Ver•bren•nung** *f* 1. (*das Verbrennen*) burning; (*von Treibstoff*) combustion; (*Leichen~*) cremation 2. (MED) burn; **sie trug nur leichte ~en davon** she was not seriously burned; **~en zweiten Grades** second degree burns; **Ver•bren•nungs•mo•tor** *m* internal combustion engine; **Ver•bren•nungs•o•fen** *m* combustion furnace; **Ver•bren•nungs•wär•me** *f* heat of combustion
ver•brieft *adj:* **~es Recht** vested interest [*o* right]
ver•brin•gen *irr tr* pass, spend
ver•brü•dern [fɛrˈbryːdɐn] *refl* 1. (*sich zus.-tun*) ally o.s. (*mit* with) 2. (*fraternisieren*) fraternize (*mit* with); **Ver•brü•de-**

rung *f* **1.** (*Zusammenarbeit*) alliance **2.** (*Fraternisierung*) fraternization

ver•brü•hen I. *tr* scald **II.** *refl* scald o.s.; **Ver•brü•hung** *f* scald

ver•bu•chen *tr* (FIN) enter in the books; **diesen Erfolg kann ich immerhin für mich ~** (*fig*) anyhow I can credit myself with this success

ver•bum•meln *tr* (*fam*) **1.** (*vertrödeln*) idle away **2.** (*verlieren*) lose **3.** (*verpassen*) miss

Ver•bund [fɛrˈbʊnt] <-(e)s> *m* (COM) combine; **ver•bun•den** *adj* **1.** (*verknüpft*) connected **2.** (*verpflichtet*) obliged (*jdm für etw* to s.o. for s.th.); **damit sind Gefahren (Kosten) ~** that involves dangers (costs); **falsch ~!** (TELE) sorry, wrong number!

ver•bün•den [fɛrˈbʏndən] *refl* ally o.s. (*mit* with)

Ver•bun•den•heit *f* **1.** (*zwischen Personen*) closeness (*mit* to) **2.** (*mit Bräuchen, Heimat etc*) attachment (*mit* to)

Ver•bün•de•te(r) *f m* ally

Ver•bund•fahr•aus•weis *m* travel pass (*valid for all forms of public transport*)

Ver•bund•glas *n* laminated glass; **Ver•bund•netz** *n* (EL) (integrated) grid system; **Ver•bund•stein** *m* interlocking paving stone; **Ver•bund•stein•pflas•ter** *n* interlocking pavement; **Ver•bund•sys•tem** *n* **1.** (*von Verkehrsbetrieben*) integrated system **2.** (COM) compound system **3.** (EL) grid [*o* interconnected] system; **Ver•bund•wer•bung** *f* (MARKT) joint advertising; **Ver•bund•werk•stoff** *m* composite (material)

ver•bür•gen *tr refl* guarantee; **sich für etw (jdn) ~** vouch for s.th. (s.o.); **ver•bürgt** *adj* authentic; **ein ~es Recht** an established right

ver•bü•ßen *tr:* **s-e Strafe ~** serve one's sentence

ver•chromt *adj* chromium-plated; **Ver•chro•mung** *f* chrome plating

Ver•dacht [fɛrˈdaxt] <-(e)s> *m* suspicion; **~ erregen** arouse suspicion; **in ~ haben** suspect; **den ~ auf jdn lenken** cast suspicion on s.o.; **der ~, dass ..., wäre mir nie gekommen** I had no suspicion that ...; **ich habe den ~, dass ...** I have a suspicion that ...; **auf ~** (*fam*) on spec; **es besteht ~ auf ...** ... is suspected; **mein ~ hat sich bestätigt** I was right in my suspicion; **über jeden ~ erhaben sein** be above all suspicion; **unter ~ stehen** be under suspicion; **der ~ fiel auf ihn** suspicion fell on him; **ver•däch•tig** [fɛrˈdɛçtɪç] *adj* suspicious; **sich ~ machen** lay o.s. open to suspicion; **der V~e** the suspect; **er ist des Mordes ~** he is suspected of murder; **das sieht mir ~ nach Masern aus** (*fam*) it looks suspiciously like measles to me; **ver•däch•ti•gen** *tr* suspect (*e-r Sache* of s.th.); **Ver•däch•ti•gung** *f* suspicion; **falsche ~** false charge; **Ver•dachts•mo•ment** *n* suspicious circumstance

ver•dam•men [fɛrˈdamən] *tr* **1.** (*verurteilen*) condemn **2.** (REL: *verfluchen*) damn; **ver•dam•mens•wert** *adj* damnable; **Ver•damm•nis** *f* (REL) damnation; **ver•dammt I.** *interj:* **~ (nochmal)!** damn (it all)!, blast! **II.** *adj* damned, bloody, fucking; **die sieht ~ gut aus!** (*fam*) she looks damned good!; **das tut ~ weh!** (*fam*) that hurts like hell!

ver•damp•fen *tr haben, itr sein* vaporize

ver•dan•ken *tr:* **jdm etw zu ~ haben** [*o* **jdm etw ~**] owe s.th. to s.o.; **das haben wir nur dir zu ~** (*als Vorwurf*) we've got you to thank for it

ver•dat•tert [fɛrˈdatɐt] *adj, adv* (*fam*) flabbergasted

ver•dau•en [fɛrˈdaʊən] **I.** *tr* (*a. fig*) digest **II.** *itr* digest one's food; **verdau•lich** *adj* digestible; **leicht ~**[RR] easy to digest, easily digestible; **schwer ~**[RR] hard to digest, indigestible; **Ver•dau•ung** *f* digestion; **schlechte (gute) ~** poor (good) digestion; **Ver•dau•ungs•be•schwer•den** *pl* digestive trouble *sing;* **Ver•dau•ungs•säf•te** *mpl* digestive juices; **Ver•dau•ungs•stö•run•gen** *fpl* indigestion *sing;* **Ver•dau•ungs•trakt** *m* digestive tract

Ver•deck [fɛrˈdɛk] <-(e)s, -e> *n* **1.** (MOT) hood **2.** (MAR: *Sonnendeck*) sundeck; **ver•de•cken** *tr* **1.** (*zudecken*) cover **2.** (*verstecken*) hide **3.** (*fig: Absichten etc*) conceal; **ver•deckt** *adj* **1.** (*versteckt*) concealed **2.** (*fig: verborgen*) hidden

ver•den•ken *irr tr:* **jdm etw ~** blame s.o. for s.th.

Ver•derb [fɛrˈdɛrp] <-(e)s> *m* ruin; **jdm auf Gedeih u. ~ ausgeliefert sein** be completely and utterly at someone's mercy; **Ver•der•ben** <-s> *n* **1.** (*Ruin, Untergang*) ruin **2.** (*von Nahrung*) going off **3.** (*von Material*) spoiling; **jdn ins ~ stürzen** bring disaster on s.o.; **er rennt in sein ~** he's rushing headlong towards ruin; **ver•der•ben I.** *irr tr haben* **1.** (*Geschäft, Spaß*) spoil **2.** (*ruinieren*) ruin **3.** (*sittlich*) corrupt, deprave; **an diesem Essen ist sowieso nichts mehr zu ~!** this meal is absolutely ruined anyway!; **sich den Magen ~** upset one's stomach; **es sich mit jdm ~** fall out with s.o.; **sich die Augen ~** ruin one's eyesight; **jdm die Freude ~** spoil someone's enjoyment (*an etw* of s.th.) **II.** *itr sein* **1.** (*Nahrungsmittel*) go off **2.** (*Ernte*) be ruined **3.** (*Material*) become spoiled;

ver•derb•lich *adj* **1.** (*schädlich*) pernicious; (*Charakter schädigend*) corrupting **2.** (*Nahrungsmittel*) perishable; **leicht** ~[RR] easily perishable

ver•deut•li•chen *tr* show clearly; (*klar machen*) clarify; (*erklären*) explain

ver•deut•schen *tr* **1.** (*ins Deutsche übertragen*) translate into German **2.** (*fam: in einfachen Worten sagen*) translate into normal English

ver•dich•ten I. *tr* **1.** (PHYS) compress **2.** (*komprimieren*) condense **II.** *refl* **1.** (*dichter werden*) thicken; (PHYS) become compressed **2.** (*fig: sich häufen*) increase; (*sich vertiefen*) deepen; **Ver•dich•tung** *f* (PHYS) compression

ver•die•nen I. *tr* **1.** (*einnehmen*) earn; (*Gewinn machen*) make **2.** (*fig: wert sein*) deserve; **damit verdiente er sich viel Geld** this earned him a lot of money; **das hat er sich verdient** (*fig*) he's earned it; **er verdient es, bestraft zu werden** he deserves to be punished; **er bekam, was er verdiente** he got what he deserved **II.** *itr* (*einnehmen*) earn; (*Gewinn machen*) make a profit (*an* on), profit (*an* from); **Ver•dienst**[1] *n* **1.** (*Anspruch auf Anerkennung*) merit; (*Anspruch auf Dank*) credit **2.** (*Beitrag*) contribution (*um etw* to s.th.); (*Dienst*) service (*um jdn o etw* to s.o.,to s.th.); **Ihnen allein gebührt das** ~ the credit is entirely yours; **Russells ~e um die Mathematik** Russell's contribution to mathematics; **Nelsons ~e um England** Nelson's services to England; **nach s-n ~en** according to one's deserts; **Ver•dienst**[2] <-(e)s, -e> *m* **1.** (*Gewinn*) profit **2.** (*Einkommen*) earnings *pl;* **Ver•dienst•aus•fall** *m* loss of earnings *pl;* **Ver•dienst•aus•fall•ent•schä•di•gung** *f* compensation for loss of earnings; **Ver•dienst•mög•lich•kei•ten** *pl* earning capacity *sing;* **Ver•dienst•span•ne** *f* profit margin; **ver•dienst•voll** *adj* deserving

ver•dient *adj* **1.** (*Lob, Strafe*) well-deserved **2.** (*Staatsmann, Wissenschaftler etc*) of great merit; **sich um etw ~ machen** render a great contribution [*o* great services] to s.th.; **selbst ~es Geld**[RR] money one has earned o.s; **ver•dien•ter•ma•ßen** [-'--'--] *adv* deservedly

ver•dop•peln I. *refl* double **II.** *tr* (*fig: Anstrengungen etc*) redouble; (*allgemein*) double

Ver•dop•pe•lung *f* **1.** doubling **2.** (*fig*) redoubling

ver•dor•ben [fɛr'dɔrbən] *adj* **1.** (*Laune, Freude, Party etc*) spoiled **2.** (*Lebensmittel*) tainted **3.** (*Magen*) upset **4.** (*moralisch*) corrupt; **Ver•dor•ben•heit** *f* depravity

ver•dor•ren [fɛr'dɔrən] *sein itr* wither

ver•drah•ten *tr* (EL) wire

ver•drän•gen *tr* **1.** (*ersetzen*) supersede **2.** (*vertreiben*) drive out; (*ausbooten*) oust **3.** (PHYS: *Luft, Wasser etc*) displace **4.** (*fig: Sorgen*) drive away; (PSYCH: *ins Unterbewusstsein*) repress

Ver•drän•gung *f* **1.** (*das Ersetzen*) superseding **2.** (*das Vertreiben*) driving out **3.** (PHYS) displacement **4.** (*fig*) driving away; (PSYCH) repression; **Ver•drän•gungs•wett•be•werb** *m* destructive competition

ver•dre•hen *tr* **1.** (*allgemein*) twist **2.** (*Augen*) roll; (*Glieder*) contort **3.** (*fig: Tatsache*) distort; **jdm den Kopf** ~ (*fig*) turn someone's head

ver•drei•fa•chen *tr refl* triple

ver•drie•ßen [fɛr'driːsən] *irr tr* annoy, irritate; **es verdrießt mich** I'm sick and tired of it; **ver•drieß•lich** *adj* **1.** (*Person*) morose **2.** (*Arbeit*) irksome, unpleasant

ver•dros•sen [fɛr'drɔsən] *adj* **1.** (*lustlos*) unwilling **2.** (*verdrießlich*) morose; **Ver•dros•sen•heit** *f* **1.** (*Lustlosigkeit*) unwillingness **2.** (*Verdrießlichkeit*) moroseness

ver•drü•cken I. *tr* (*fam: Essen*) polish off **II.** *refl* (*fam*) slink away; ~ **wir uns!** let's beat it!

Ver•druss[RR] [fɛr'drʊs] <-es> *m* annoyance; **zu meinem** ~ to my annoyance; **er tut es nur mir zum** ~ he just does it to spite me

ver•duf•ten *sein itr* (*fam*) beat it, slip away

ver•dum•men *tr* (*dumm machen*) dull someone's mind

ver•dun•keln I. *tr* **1.** (*allgemein*) darken; (THEAT MIL) black out **2.** (*fig: Beweggründe*) obscure **II.** *refl* **1.** (*allgemein*) darken **2.** (*fig: Verstand*) become dulled; **Ver•dun•ke•lung** *f* **1.** (*allgemein*) darkening; (THEAT MIL) blacking out **2.** (*fig*) dulling, obscuring **3.** (JUR) suppression of evidence

ver•dün•nen *tr* thin down; (CHEM: *Lösung*) dilute; (*Getränk mit Wasser* ~) water down; **Ver•dün•ner** *m* (*Farb~*) thinner

ver•dün•ni•sie•ren *refl* (*hum fam*) clear off

ver•duns•ten *sein itr* evaporate; **Ver•duns•ter** *m* (TECH) humidifier; **Ver•duns•tung** *f* evaporation

ver•durs•ten *sein itr* die of thirst

ver•düs•tern [fɛr'dyːstɐn] *tr refl* darken

ver•dutzt [fɛr'dʊtst] *adj* (*fam*) **1.** (*erstaunt*) taken aback **2.** (*verwirrt*) baffled

ver•e•deln *tr* **1.** (*Industrieprodukte*) finish **2.** (*weiterverarbeiten: Rohstoffe*) refine

ver•eh•ren *tr* **1.** (ECCL: *anbeten*) honour **2.** (*bewundern*) admire **3.** (*fam: schenken*) present (*jdm etw* s.o. with s.th.); **Verehr-**

tester (*hum*) dear Sir!; **verehrte Anwesende!** Ladies and Gentlemen!; **Ver•eh•rer(in)** *m(f)* admirer; **Ver•eh•rung** *f* **1.** (*anbetende Liebe*) adoration **2.** (ECCL: *e-s Heiligen etc*) worship **3.** (*Hochachtung*) admiration; **ver•eh•rungs•wür•dig** *adj* (*ehrwürdig*) venerable

ver•ei•di•gen [fɛr'aɪdɪgən] *tr* swear in; **jdn auf die Bibel** ~ make s.o. swear on the Bible; **ver•ei•digt** *adj* sworn; **Ver•ei•di•gung** *f* swearing in

Ver•ein [fɛr'aɪn] <-(e)s, -e> *m* **1.** (*Gesellschaft*) association; (*Sport~*) club **2.** (*fam hum*) bunch; **eingetragener** ~ registered society

ver•ein•bar *adj* compatible; (*logisch*) consistent; **ver•ein•ba•ren** *tr* **1.** (*absprechen*) agree; (*Termin, Treffen etc*) arrange **2.** (*fig: in Einklang bringen*) reconcile (*etw mit etw* s.th. with s.th.); **ver•ein•bart** *adj* agreed

Ver•ein•ba•rung *f* agreement, arrangement; **e-e** ~ **treffen** make an agreement; **laut** [*o* **nach**] ~ by arrangement

ver•ei•nen I. *tr* unite **II.** *refl* join together; **in diesem Plan ~ sich ... u. ...** this plan combines ... with ...

ver•ein•fa•chen *tr* simplify; (MATH) reduce; **Ver•ein•fa•chung** *f* simplification; (MATH) reduction

ver•ein•heit•li•chen *tr* standardize

ver•ei•ni•gen *tr refl* **1.** unite **2.** (*verbinden*) combine **3.** (COM: *fusionieren*) merge (*zu* into, *mit* with); **die beiden Flüsse ~ sich bei ...** the two rivers meet at ...; **wir müssen unsere Kräfte** ~ we must combine our forces; **Ihr Plan vereinigt die Vorzüge der beiden anderen** your plan combines the merits of the other two; **ver•ei•n(ig)t** *adj* united; **die Vereinigten Staaten** (*von Amerika*) the United States; **das Vereinigte Königreich** (**Großbritannien und Nordirland**) the United Kingdom (of Great Britain and Northern Ireland); **die Vereinten Nationen** the United Nations; **Ver•ei•ni•gung** *f* **1.** (*Vereinigen*) uniting; (*Verbinden*) combining; (COM: *Fusionieren*) merging **2.** (*Bund, ehel.* ~) union **3.** (*Organisation*) organization

ver•ein•sa•men *sein itr* become isolated [*o* lonely]; **ver•ein•samt** *adj* isolated, lonely; **Ver•ein•sa•mung** *f* isolation, loneliness

Ver•eins•bei•trag *m* club subscription; **Ver•eins•mit•glied** *n* club member; **Ver•eins•sat•zung** *f* club statutes

ver•eint *adj* united

ver•ein•zelt *adj* occasional, sporadic

ver•ei•sen [fɛr'aɪzən] *sein itr* (*Gegenstand*) freeze; (*Straße*) freeze over; (*Scheibe*) ice over; (AERO: *Tragfläche*) ice up

ver•ei•teln [fɛr'aɪtəln] *tr* foil, frustrate, thwart

ver•ei•tern *itr* go septic; **vereitert sein** be septic; **Ver•ei•te•rung** *f* sepsis

ver•en•den *sein itr* (*Tiere*) die, perish

ver•en•gen I. *tr* **1.** make narrower **2.** (*zus.-ziehen*) contract **3.** (*fig: Horizont*) narrow **II.** *refl* **1.** become narrow **2.** (*sich zus.-ziehen*) contract **3.** (*fig: Horizont*) narrow

ver•er•ben I. *tr* **1.** (*Eigentum*) leave, bequeath (*jdm* to s.o.) **2.** (*Krankheit*) transmit; (*Eigenschaften*) pass on (*jdm o auf jdn* to s.o.) **II.** *refl* be transmitted [*o* passed] on (*auf jdn* to s.o.); **ver•erb•lich** *adj* (MED) hereditary; **Ver•er•bung** *f* **1.** (*das Vererben*) bequeathing **2.** (*von Krankheit*) transmission; (*von Eigenschaften*) passing on **3.** (MED: *das Phänomen*) heredity; **das ist** ~ it's a matter of heredity [*o* it's hereditary]; **Ver•er•bungs•le•hre** *f* genetics *pl*

ver•e•wi•gen I. *tr* **1.** (*unsterblich machen*) immortalize **2.** (*System, Verhältnisse*) perpetuate **II.** *refl* (*sich unsterblich machen*) immortalize o.s.

Ver•fah•ren <-s, -> *n* **1.** (*Methode*) method **2.** (JUR) proceedings; (*als Einrichtung*) procedure **3.** (TECH) process, technique; **ein ~ einleiten** (JUR) initiate legal proceedings *pl* (*gegen jdn* against s.o.); **das ~ einstellen** (JUR) quash [*o* drop] the proceedings

ver•fah•ren[1] *adj* (*fam*) bungled, muddled; **e-e ~e Angelegenheit** a bungle, a muddle

ver•fah•ren[2] *irr itr sein* (*vorgehen*) proceed; **schlecht mit jdm** ~ deal badly with s.o.

ver•fah•ren[3] *haben* **I.** *tr* **1.** (*Benzin*) use up **2.** (*Zeit, Geld*) spend in driving about **II.** *irr refl* lose one's way

Ver•fah•rens•fra•gen *pl* procedural questions; **Ver•fah•rens•kos•ten** *pl* cost of proceedings; **Ver•fah•rens•tech•nik** *f* process engineering; **Ver•fah•rens•wei•se** *f* procedure, modus operandi

Ver•fall <-(e)s> *m* **1.** (*Zerfall*) decay; (*von Häusern*) dilapidation **2.** (*Niedergang*) decline **3.** (COM FIN: *Ungültigwerden von Wechsel etc*) expiry, maturity; **in ~ geraten** decay, go to ruin; **dem ~ preisgeben** let go to ruin; **bei** ~ (COM FIN) at maturity [*o* when due]

ver•fal•len[1] *sein irr itr* **1.** (*zerfallen*) decay, go to ruin; (*körperlich, geistig, kulturell*) decline **2.** (COM FIN: *Wechsel*) fall due, mature; (*Scheck, a. Fahrkarte etc*) expire; (*Banknoten, Briefmarken etc*) become invalid **3.** (*abhängig werden*) become a slave (*jdm o e-r Sache* to s.o., to s.th.) **4.** (*an etw denken*) think (*auf etw* of s.th.); **wir**

wollen nicht in denselben Fehler ~! let's not make the same mistake!; **dem Alkohol** ~ become addicted to alcohol; **wie bist du nur darauf ~?** whatever gave you that idea?

ver•fal•len² *adj* **1.** (*Häuser etc*) dilapidated; (*abgezehrt*) emaciated; (*senil*) senile **2.** (COM FIN: *Banknoten etc*) invalid; (*Scheck*) expired **3.** (*e-m Laster*) addicted to; **er ist ihr völlig** ~ he's completely under her spell

Ver•falls•da•tum *n* best-before date; **Ver•falls•er•schei•nung** *f* symptom of decline (*bei* in); **Ver•falls•tag** *m* **1.** (COM FIN) expiry date **2.** (*bei Lebensmitteln a.*) eat-by date

ver•fäl•schen *tr* **1.** (*allgemein*) falsify **2.** (*Wein, Geschmack etc*) adulterate; **Ver•fäl•schung** *f* falsification

ver•fan•gen *irr itr refl* become entangled, get caught

ver•fäng•lich [fɛrˈfɛŋlɪç] *adj* **1.** (*heimtückisch*) insidious **2.** (*gefährlich*) dangerous **3.** (JUR: *belastend*) incriminating

ver•fär•ben *refl* **1.** (*Kleidung etc*) change colour **2.** (*erblassen*) grow pale; (*erröten*) flush

ver•fas•sen *tr* write; **Ver•fas•ser(in)** *m(f)* author, writer

Ver•fas•sung *f* **1.** (POL: *Staats~*) constitution **2.** (*Zustand*) state (*gesundheitl.* of health, *gemütsmäßig* of mind); **ich bin nicht in der ~, zu ...** I'm in no fit state to ...; **ver•fas•sung•ge•bend** *adj* constituent

Ver•fas•sungs•än•de•rung *f* alteration to constitution; **Ver•fas•sungs•be•schwer•de** *f* complaint of unconstitutionality; **Ver•fas•sungs•ge•richt** *n* (JUR) constitutional court; **Ver•fas•sungs•kla•ge** *f* (JUR) complaint of unconstitutionality; **ver•fas•sungs•mä•ßig** *adj* constitutional; **Ver•fas•sungs•re•form** *f* constitutional reform; **Ver•fas•sungs•rich•ter(in)** *m(f)* judge of the constitutional court; **Ver•fas•sungs•schutz** *m* (*Amt für ~*) Office for the Protection of the Constitution; **ver•fas•sungs•wid•rig** *adj* unconstitutional

ver•fau•len *sein itr* **1.** decay, rot **2.** (*fig*) degenerate

ver•fech•ten *irr tr* defend, maintain, stand up for; **Ver•fech•ter(in)** *m(f)* advocate, champion

ver•feh•len *tr* (*nicht treffen*) miss; **verfehlt** *adj* (*nicht angebracht*) inappropriate; **Ver•feh•lung** *f* **1.** (*Sünde*) transgression; (*Vergehen*) misdemeanour **2.** (*Ziel~*) missing

ver•fein•den *refl:* **sich mit jdm** ~ make an enemy of s.o.

ver•fei•nern I. *tr* refine; (*verbessern*) improve **II.** *refl* become refined; (*sich verbessern*) improve; **ver•fei•nert** *adj* (*Geschmack, Verfahren etc*) sophisticated

Ver•fet•tung *f* (MED: *des Körpers*) obesity; (*einzelner Organe*) adiposity

ver•feu•ern *tr* **1.** (*Munition*) fire **2.** (*Brennmaterial*) burn

ver•fil•men *tr* make a film of; **Ver•fil•mung** *f* **1.** (*Vorgang*) filming **2.** (*Ergebnis*) film version

ver•filzt *adj* **1.** (*fig*) entangled **2.** (*Wolle etc*) felted, matted

ver•fins•tern I. *tr* (*allgemein*) darken; (ASTR: *Gestirne*) eclipse **II.** *refl* (*a. fig*) darken

ver•fla•chen *sein itr* (*fig: Diskussion etc*) become shallow

Ver•flech•tung *f* (*fig*) interconnection

ver•flie•gen I. *irr itr sein* **1.** (*fig: vergehen*) pass, vanish **2.** (CHEM: *sich verflüchtigen*) vanish; (*Geruch*) fade away **II.** *refl haben* (AERO) lose one's bearings

ver•flie•ßen *sein irr itr* **1.** (*Zeit*) go by, pass **2.** (*Farben*) run

ver•flixt [fɛrˈflɪkst] **I.** *adj* **1.** (*fam*) darned **2.** (*schwierig*) tricky **II.** *adv* darned **III.** *interj:* ~ **(noch mal)**! blast (it)! darn!; ~ **u. zugenäht!** damn and blast!

ver•flos•sen [fɛrˈflɔsən] *adj* (*vergangen*) past, former; **s-e V~e** (*hum*) his ex-girlfriend

ver•flu•chen *tr* curse; **ver•flucht I.** *adj, adv* (*fam*) damn, bloody *Br,* fucking **II.** *interj:* ~! damn (it)!; ~ **noch mal!** fucking hell!; ~ **viel** a hell of a lot; **wir haben ~ geschuftet** we toiled like hell

ver•flüch•ti•gen *refl* **1.** (*verdampfen*) evaporate **2.** (*fam: Person*) vanish **3.** (*fig: Bedenken*) be dispelled

ver•flüs•si•gen *tr refl* liquefy; **Ver•flüs•si•gung** *f* liquefaction

ver•fol•gen *tr* **1.** (*a. Ziel, Idee etc*) pursue **2.** (*Entwicklung, Spur, Unterricht, Person*) follow **3.** (POL) persecute; (JUR: *gerichtlich*) prosecute **4.** (*heimsuchen*) haunt; **Ver•fol•ger(in)** *m(f)* **1.** pursuer **2.** (REL POL) persecutor; **Ver•folg•te(r)** *f m* (REL POL) victim of persecution; **Ver•fol•gung** *f* **1.** (*das Nachjagen*) pursuit **2.** (REL POL) persecution; (JUR) prosecution; **die ~ aufnehmen** take up the chase; **Ver•fol•gungs•jagd** *f* chase, pursuit; **Ver•fol•gungs•kam•pa•gne** *f* persecution campaign; **Ver•fol•gungs•wahn** *m* (MED) persecution mania

ver•for•men I. *tr* distort, make go out of shape (*zu* into) **II.** *refl* go out of shape

ver•frach•ten *tr* **1.** (*transportieren*) transport; (MAR) ship **2.** (*fam: Person*) bundle off

ver•fran•zen [fɛr'frantsən] *refl* **1.** (*fam*) lose one's bearings **2.** (*fam*) get in a muddle

ver•frem•den *tr* defamiliarize; **Ver•frem•dung** *f* defamiliarization

ver•fres•sen *adj* (*fam pej*) greedy

ver•früht *adj* premature

ver•füg•bar *adj* available, disposable

ver•fü•gen I. *tr* (*anordnen*) order; (*per Gesetz*) decree **II.** *itr* (*zur Verfügung haben*): **über etw ~** have s.th. at one's disposal; (*bestimmen*) be in charge of s.th.; **er kann über s-e Zeit nicht frei ~** he is not master of his time; **~ Sie über mich!** I am at your disposal!; **Ver•fü•gung** *f* (*Erlass*) decree; (*Anordnung*) order; (*~srecht*) disposal; **sich jdm zur ~ halten** be available to s.o.; **zu Ihrer ~** at your disposal; **einstweilige ~** (JUR) temporary injunction; **jdm zur ~ stehen** be at someone's disposal; **jdm etw zur ~ stellen** put s.th. at someone's disposal; **Ver•fü•gungs•ge•walt** *f* (JUR) right of disposal

ver•füh•ren *tr* **1.** (*in Versuchung führen*) tempt **2.** (*sexuell verleiten*) seduce; **jdn zu etw ~** encourage s.o. to do s.th.; **Ver•füh•rer(in)** *m(f)* seducer (seductress); **ver•füh•re•risch** *adj* (*verlockend*) enticing; **Ver•füh•rung** *f* **1.** (*sexuell*) seduction **2.** (*Verlockung*) enticement

Ver•ga•be *f*: **~ von Aufträgen** placing of orders; **~ von Verträgen** award of contracts

ver•gäl•len [fɛr'gɛlən] *tr* (*fig*) embitter; (*Freude*) spoil; (*Leben etc schwermachen*) sour

ver•ga•lop•pie•ren *refl* **1.** (*fam: irren*) blunder **2.** (*zu weit vorpreschen*) go too far

ver•gam•meln I. *itr sein* (*fam*) **1.** (*verfaulen*) go bad, rot **2.** (*fig: Person*) go to seed **II.** *tr haben:* **seine Zeit ~** idle away one's time; **e-n Tag ~** have a day doing nothing; **ver•gam•melt** *adj* (*fam pej*) scruffy

ver•gan•gen [fɛr'gaŋən] *adj* **1.** (*früher*) bygone, past **2.** (*letzte*) last; **~es Jahr** last year; **~e Größe** former greatness; **Ver•gan•gen•heit** *f* **1.** past **2.** (GRAM) past tense **3.** (*Geschichte*) history; **Ver•gan•gen•heits•be•wäl•ti•gung** *f process of coming to terms with the past;* **ver•gäng•lich** [fɛr'gɛŋlɪç] *adj* transient, transitory; **Ver•gäng•lich•keit** *f* transitoriness

ver•ga•sen *tr* **1.** (*durch Gas töten*) gas **2.** (*Kohle*) gasify; **Ver•ga•ser** *m* (MOT) carburettor

ver•ge•ben *irr tr* **1.** (*Auftrag, Preis etc*) award (*an* to) **2.** (*verzeihen*) forgive (*jdm etw* s.o. for s.th.), pardon (*jdm etw* s.o. s.th.) **3.** (*Chancen etc*) throw away; **ist die Stelle schon ~?** has the vacancy been filled already?; **sind diese Plätze ~?** have these seats been taken?; **ich bin schon ~** (*fam*) I'm already spoken for; **er würde sich nichts vergeben, wenn er sich einmal bedanken würde** it wouldn't hurt him to say thank you once in a while

ver•ge•bens *adv* in vain, vainly

ver•geb•lich I. *adj* futile **II.** *adv* in vain; **Ver•geb•lich•keit** *f* futility

Ver•ge•bung *f* forgiveness, pardon

ver•ge•gen•wär•ti•gen [---'---] *refl* **1.** (*vorstellen*) imagine **2.** (*vor Augen rufen*) visualize **3.** (*erinnern*) recall

Ver•ge•hen <-s, -> *n* **1.** (*das Schwinden*) fading **2.** (JUR) offence; **ver•ge•hen I.** *irr itr* **1.** (*vorbeigehen*) pass; (*Liebe etc*) die **2.** (*dahinschwinden*) fade, waste away; (*nachlassen*) wear off; **das vergeht!** (*fam*) it'll pass!; **vor Neugier ~** be dying of curiosity; **mir verging Hören und Sehen** (*fam*) I didn't know whether I was coming or going; **wie die Zeit vergeht!** how time flies! **II.** *refl* (*eine Untat begehen*) commit an offence; **sich an jdm ~** do s.o. wrong; (*sexuell*) assault s.o. indecently; **sich gegen etw ~** commit an offence against s.th.

ver•geis•tigt *adj* spiritual

ver•gel•ten *irr tr* repay (*jdm etw* s.o. for s.th.); **Gleiches mit Gleichem ~** give tit for tat; **Gutes mit Bösem ~** return good for evil; **Ver•gel•tung** *f* retribution; (*Rache*) retaliation; **Ver•gel•tungs•maß•nah•me** *f* retaliatory measure; **Ver•gel•tungs•schlag** *m* act of reprisal

ver•ges•sen [fɛr'gɛsən] **I.** *irr tr itr* **1.** forget **2.** (*liegen lassen*) leave; **das werde ich Ihnen nie ~** (*Gutes*) I will always remember you for that; (*Schlechtes*) I will never forget that **II.** *refl* forget o.s.; **Ver•ges•sen•heit** *f*: **in ~ geraten** fall into oblivion; **ver•gess•lich**[RR] *adj* forgetful; **Ver•gess•lich•keit**[RR] *f* forgetfulness

ver•geu•den [fɛr'gɔɪdən] *tr* waste; **Ver•geu•dung** *f* waste

ver•ge•wal•ti•gen [fɛrgə'valtɪgən] *tr* **1.** (*sexuell*) rape **2.** (*fig: Sprache, Kunst etc*) violate; **Ver•ge•wal•ti•ger** *m* rapist; **Ver•ge•wal•ti•gung** *f* **1.** (*sexuell*) rape **2.** (*fig*) violation

ver•ge•wis•sern [fɛrgə'vɪsɐn] *refl* make sure (*e-r Sache* of s.th.)

ver•gie•ßen *irr tr* (*Blut, Tränen*) shed; (*Flüssigkeit*) spill

ver•gif•ten *tr* (*a. fig*) poison; **Ver•gif•tung** *f* poisoning

ver•gilbt [fɛr'gɪlpt] *adj* yellowed

Ver•giss•mein•nicht[RR] [fɛr'gɪsmaɪnɪçt] <-(e)s, -(e)/(s)> *n* forget-me-not

ver·git·tern *tr* put a grate over ...; **Ver·git·te·rung** *f* grating

ver·gla·sen [fɛr'gla:zən] *tr* glaze; **Ver·gla·sung** *f* glazing

Ver·gleich <-(e)s, -e> *m* **1.** comparison **2.** (JUR) settlement; **im ~ zu ...** compared to ..., in comparison with ...; **e-n ~ anstellen** make a comparison (*zwischen* between); **e-m ~ standhalten** bear comparison; **sein Wagen ist überhaupt kein ~ zu meinem Jaguar** his car can't be compared to my Jag; **es schneidet im ~ überhaupt nicht gut ab** it doesn't compare very well at all; **e-n gütlichen ~ schließen** (JUR) reach an amicable settlement

ver·gleich·bar *adj* comparable; **Ver·gleich·bar·keit** *f* comparability

ver·glei·chen **I.** *irr tr* compare (*mit* to, with); **ein Sonett mit e-m anderen ~** compare one sonnet with another **II.** *refl* **1.** (*allgemein*) compare o.s. (*mit jdm* with s.o, to s.o.) **2.** (JUR: *sich verständigen*) settle (*mit jdm* with s.o.); **wollen Sie sich etwa mit ihm ~?** don't tell me you mean to compare yourself to him!; **in Punkto Geschwindigkeit lässt sich der alte Wagen nicht mit dem neuen ~** the old car can't be compared for speed with the new one

Ver·gleichs·jahr *nt* base year; **Ver·gleichs·ver·fah·ren** *n* composition proceedings; **ver·gleichs·wei·se** *adv* comparatively; **es schneidet ~ schlecht (gut) ab** it compares badly (well)

Ver·gnü·gen <-s, -> *n* (*Genuss*) pleasure; (*Freude*) joy; (*Amüsement*) amusement; (*Spaß*) fun; **(nur) zum ~** (just) for fun; **mit ~** with pleasure; **das macht mir ~** I enjoy it; **das wird ein teures ~** that's going to be an expensive bit of fun; **na dann viel ~!** (*iro*) I wish you joy!; **viel ~!** enjoy yourself! have a good time!; **an etw ~ finden** take pleasure in s.th.; **etw zu s-m ~ tun** do s.th. for one's own amusement; **ich mache das nicht zu meinem ~** I'm not doing it for the fun of it; **er fand großes ~ daran, Vögel zu beobachten** he got a lot of enjoyment from bird-watching

ver·gnü·gen [fɛr'gny:gən] <ohne ge> *refl* amuse o.s., enjoy o.s.; **sich mit jdm/etw/e-r Tätigkeit ~** amuse o.s. with s.o./s.th./by doing s.th.; **ver·gnüg·lich** *adj* enjoyable, pleasureable; **ver·gnügt** *adj* enjoyable; (*freudig, heiter*) cheerful; **Ver·gnü·gung** *f* **1.** (*Amüsement, Freude*) pleasure **2.** (*~sveranstaltung*) entertainment; **Ver·gnü·gungs·park** *m* amusement park; **Ver·gnü·gungs·rei·se** *f* pleasure trip; **Ver·gnü·gungs·steu·er** *f* entertainment tax *Br*, admission tax *Am*; **ver·gnü·gungs·süch·tig** *adj* pleasure-craving

ver·gol·den *tr* **1.** (*mit Farbe*) paint gold **2.** (*mit Blattgold*) gild **3.** (*feuervergolden*) gold-plate

ver·gön·nen *tr* not begrudge (*jdm etw* s.o. s.th.); **es war ihm vergönnt, den König zu sehen** he was granted the privilege of seeing the King

ver·göt·tern [fɛr'gœtɐn] *tr* (*fig*) idolize

ver·gra·ben **I.** *irr tr* bury **II.** *refl* (*fig: sich zurückziehen*) hide o.s. away; **sie vergräbt sich in ihren Büchern** (*fig*) she buries herself in her books

ver·grämt [fɛr'grɛ:mt] *adj* (*obs*) grief-stricken

ver·grei·fen *irr refl* (*daneben greifen*) take the wrong; **sich an jdm ~** (*angreifen*) lay hands on s.o.; (*sexuell*) assault s.o.; **sich an etw ~** (*unterschlagen*) embezzle s.th.; **Sie ~ sich im Ton!** that's the wrong tone to speak to me in!

ver·grei·sen *itr* become senile

ver·grif·fen [fɛr'grɪfən] *adj* (*Ware allg*) sold out, out of stock; (*Buch*) out of print

ver·grö·ßern [fɛr'grø:sɐn] **I.** *tr* **1.** (*an Fläche, Umfang*) enlarge **2.** (*an Zahl, Umfang*) increase **3.** (*ausdehnen*) extend; (COM: *Absatzmärkte*) expand **4.** (OPT) magnify; (PHOT) blow up **II.** *refl* **1.** be enlarged **2.** (*anwachsen*) increase **3.** (*sich ausdehnen*) be extented, expand **4.** (*Pupille, Blutgefäße*) dilate; (*Leber, Niere etc*) become enlarged **III.** *itr* (OPT) magnify; **Ver·grö·ße·rung** *f* **1.** (*flächenmäßig*) enlargement; (*nach Ausdehnung*) extension; (COM MARKT) expansion **2.** (*zahlenmäßig*) increase **3.** (OPT) magnification; (PHOT) enlargement **4.** (*von Pupille, Blutgefäßen*) dilation; (*von Organ*) enlargement; **Ver·grö·ße·rungs·glas** *n* magnifying glass

ver·gu·cken *refl* (*fam*) see wrong; **sich in etw (jdn) ~** fall for s.th. (s.o.)

ver·güns·tigt *adj*: **etw ~ kaufen** buy s.th. at a reduced price; **Ver·güns·ti·gung** *f* **1.** (*preislich*) reduction **2.** (*Vorrecht*) favour, privilege

ver·gü·ten [fɛr'gy:tən] *tr* **1.** (*Verlust ersetzen*) compensate (*jdm etw* s.o. for s.th.) **2.** (*Auslagen*) reimburse (*jdm etw* s.o. for s.th.) **3.** (*Arbeitsleistung*) recompense, remunerate (*jdm etw* s.o. for s.th.) **4.** (TECH: *Stahl*) temper **5.** (PHOT: *Linse*) coat; **Ver·gü·tung** *f* **1.** (*Kompensation*) compensation **2.** (*Auslagenersatz*) reimbursement **3.** (*Lohn*) recompense, remuneration **4.** (TECH: *von Stahl*) tempering **5.** (PHOT: *Linsenbeschichtung*) coating

ver·haf·ten [fɛr'haftən] *tr* arrest; **Sie sind verhaftet!** you are under arrest!; **Ver·haf·tung** *f* arrest; **Ver·haf·tungs·wel·le** *f* wave of arrests

ver•hal•len *sein itr* die [*o* fade] away; **ungehört** ~ (*fig*) go unheeded

Ver•hal•ten <-s> *n* **1.** (*Benehmen*) behaviour **2.** (*Haltung*) attitude **3.** (*Vorgehen*) conduct

ver•hal•ten **I.** *irr tr* (*unterdrücken*) keep back; (*Zorn*) retain; (*Atem*) hold **II.** *refl* **1.** (*sich benehmen*) behave; (*handeln*) act **2.** (*sein*) be, be the case **3.** (MATH) be; **a verhält sich zu b wie c zu d** a is to b as c to d **4.** (CHEM: *reagieren*) react; **sich ruhig** ~ keep quiet; **wenn sich das so verhält ...** if that is the case ...; **die Sache verhält sich anders** the matter is different; **wie** ~ **Sie sich dazu?** what is your attitude to that?

Ver•hal•tens•for•schung *f* behavioural research; **ver•hal•tens•ge•stört** *adj* disturbed, maladjusted; **Ver•hal•tens•maß•re•gel** *f* rule of conduct; **Ver•hal•tens•stö•rung** *f* behavioural disorder; **Ver•hal•tens•the•ra•pie** *f* behavioural therapy; **Ver•hal•tens•wei•se** *f* behaviour

Ver•hält•nis [fɛr'hɛltnɪs] <-ses, -se> *n* **1.** (*Relation*) proportion, relation **2.** (*Liebes~*) (love-)affair **3.** (*im pl: Lage*) conditions *pl*, situation; (*Umstände*) circumstances *pl* **4.** (*menschl. Beziehung*) relationship (*mit jdm o etw* with s.o., to s.th.); (*zwischen Staaten*) relations *pl* (*zu* with); **mit jdm ein** ~ **haben** have an affair with s.o.; **in keinem** ~ **zu etw stehen** be out of all proportion to s.th.; **bei den derzeitigen ~sen** under present conditions; **er hat kein** ~ **zur Dichtung** he cannot relate to poetry; **wir müssen klare ~se schaffen** we must get things straight; **ich bin für klare ~se** I want to know how we stand; **umgekehrtes** ~ (MATH) inverse ratio; **in gesicherten ~sen** in easy circumstances; **er lebt über seine ~se** he lives beyond his means; **ver•hält•nis•mä•ßig** *adv* **1.** (*proportional*) proportionally **2.** (*ziemlich*) relatively; **Ver•hält•nis•mä•ßig•keit** *f*: **die** ~ **der Mittel** the appropriateness of the means; **Ver•hält•nis•wahl•recht** *n* proportional representation; **Ver•hält•nis•wort** *n* (GRAM) preposition

ver•han•deln **I.** *tr* **1.** negotiate **2.** (JUR) hear **II.** *itr* **1.** negotiate (*über* about) **2.** (JUR) hear a [*o* the] case; **Ver•hand•lung** *f* **1.** negotiations *pl* **2.** (JUR) hearing; (*in Strafsache*) trial; **~en aufnehmen** enter into negotiations (*mit jdm* with s.o.); **da lasse ich mich auf keine ~en ein** (*fam*) I don't propose to enter into any long debates!; **Ver•hand•lungs•aus•schuss**[RR] *m* negotiating committee; **Ver•hand•lungs•ba•sis** *f* basis for negotiations; **ver•hand•lungs•be•reit** *adj* ready to negotiate; **Ver•hand•lungs•be•reit•schaft** *f* readiness to negotiate; **Ver•hand•lungs•füh•rer(in)** *m(f)* (chief) negotiator; **Ver•hand•lungs•po•si•ti•on** *f* negotiating position; **Ver•hand•lungs•sa•che** *f* negotiable matter; **Ver•hand•lungs•stär•ke** *f* negotiating strength, bargaining power

ver•hän•gen *tr* **1.** (*mit Stoff etc*) cover (*mit* with) **2.** (*Strafe*) impose (*über jdn* on s.o.)

Ver•häng•nis <-ses, -se> *n* (*Unglück*) disaster; **jdm zum** ~ **werden** be s.o.'s undoing; **ver•häng•nis•voll** *adj* (*fatal*) fatal, fateful; (*katastrophal*) disastrous

ver•harm•lo•sen *tr* belittle, play down; **Ver•harm•lo•sung** *f* belittlement

ver•härmt [fɛr'hɛrmt] *adj* careworn

ver•har•ren *itr* pause, remain; **auf s-m Standpunkt** ~ persist in one's viewpoint

ver•har•schen [fɛr'harʃən] *sein itr* (*Schnee*) crust

ver•has•peln [fɛr'haspəln] *refl* get into a tangle

ver•hasst[RR] *adj* hated; **sich** (**bei jdm**) ~ **machen** make o.s. hated (by s.o.); **wie mir so was** ~ **ist!** how much I hate such things!

ver•hät•scheln *tr* pamper; (*verderben*) spoil

Ver•hau [fɛr'haʊ] <-(e)s, -e> *m* **1.** (*Sperre*) barrier **2.** (*fam: Unordnung*) mess

ver•hau•en **I.** *irr tr* **1.** (*fam: prügeln*) beat up; (*Kind*) lick, thrash **2.** (*fam: schlecht o völlig falsch machen*) muff **II.** *refl* (*fam: sich irren*) slip up; (*e-n Fehler machen*) make a mistake

ver•he•ben *irr refl* hurt o.s. lifting s.th.

ver•hed•dern [fɛr'hɛdɐn] *refl* get into a tangle

ver•hee•ren [fɛr'heːrən] *tr* devastate; **ver•hee•rend** *adj* **1.** devastating **2.** (*fam: schrecklich*) frightful, ghastly

ver•heh•len [fɛr'heːlən] *tr* conceal, hide (*jdm etw* s.th. from s.o.)

ver•hei•len *sein itr* (*a. fig*) heal

ver•heim•li•chen *tr* conceal, keep secret (*jdm etw o etw vor jdm* s.th. from s.o.); **Ver•heim•li•chung** *f* concealment

ver•hei•ra•ten **I.** *tr* marry (*mit* to); **er ist mit s-m Job verheiratet** (*hum fam*) he's married to his job **II.** *refl* get married (*mit jdm* to s.o.), marry (*mit jdm* s.o.)

ver•hei•ßen *irr tr* promise; **Ver•hei•ßung** *f* promise; **das Land der** ~ (ECCL) the Promised Land; **ver•hei•ßungs•voll** *adj* promising

ver•hel•fen *irr tr:* **jdm zu etw** ~ help s.o. to (get) s.th.

ver•herr•li•chen *tr* glorify; **Ver•herr•li•chung** *f* glorification

ver•het•zen *tr* incite

ver•he•xen *tr* bewitch; **das ist doch wie**

verhext! (*fig fam*) there must be a jinx on it!

ver•hin•dern *tr* prevent; (*Unheil*) avert; **das ließ sich leider nicht** ~ it couldn't be helped; **ein verhinderter Schriftsteller** a would-be author; **Ver•hin•de•rung** *f* avertion, prevention; **im Falle Ihrer ~ ...** should you be unable to come ...

ver•höh•nen *tr* deride, scoff at; **Ver•höh•nung** *f* deriding, scoffing

Ver•hör [fɛr'hø:ɐ] <-(e)s, -e> *n* (*Befragung*) interrogation, questioning; (*vor Gericht*) examination; **ver•hö•ren I.** *tr* (*befragen*) interrogate, question; (*vor Gericht*) examine **II.** *refl* mishear

ver•hül•len *tr* cover, veil

ver•hun•gern *sein itr* **1.** die of starvation, starve **2.** (*fam: großen Hunger haben*) be starving; **jdn ~ lassen** let s.o. starve to death

ver•hun•zen [fɛɐ'hʊntsən] *tr* (*fam*) ruin, spoil

ver•hü•ten *tr* prevent; **das möge Gott ~!** God forbid!; **~de Maßnahmen** preventive measures; **Ver•hü•tung** *f* **1.** (*Verhinderung*) prevention **2.** (MED) prophylaxis **3.** (*Empfängnis~*) contraception; **Ver•hü•tungs•mit•tel** *n* contraceptive

ve•ri•fi•zie•ren *tr* verify; **Ve•ri•fi•zie•rung** *f* verification

ver•in•ner•li•chen *tr* internalize (*etw* s.th.)

ver•ir•ren *refl* **1.** lose one's way **2.** (*fig*) go astray

ver•ja•gen *tr* (*a. fig*) chase away

ver•jäh•ren [fɛr'jɛ:rən] *sein itr* (JUR) fall under the statute of limitation; (*Anspruch*) be in lapse; **ver•jährt** *adj* **1.** (JUR) statute-barred **2.** (*fam*): **das ist schon längst ~** that's all over and done with; **Ver•jäh•rung** *f* (JUR) **1.** (*von Straftat*) limitation **2.** (*von Anspruch*) lapse

ver•ju•beln *tr* (*fam*) blow (*für etw* on s.th.)

ver•jün•gen [fɛr'jʏŋən] **I.** *tr* rejuvenate **II.** *refl* (*nach oben o unten dünner werden*) narrow, taper

ver•ka•beln *tr* (EL TELE) **1.** (*Drähte etc*) cable **2.** (*Apparate*) connect up **3.** (RADIO TV) link up to the cable network; **Ver•ka•be•lung** *f* (EL TELE) cabling

ver•kal•ken *sein itr* **1.** (*Kalk ansetzen*) calcify; (*Arterien*) get hardened; (*Wasserleitung*) fur up **2.** (*fam: Person*) become senile

ver•kal•ku•lie•ren *refl* miscalculate

Ver•kal•kung *f* **1.** (*das Kalkansetzen*) calcification; (*von Wasserleitung*) furring **2.** (*fam: Vergreisung*) senility

ver•kannt *adj* unappreciated

ver•kappt *adj* disguised

ver•ka•tert *adj* (*fam*) hung-over

Ver•kauf <-(e)s, ¨e> *m* **1.** sale; (*das ~en*) selling **2.** (*~sabteilung*) sales *sing;* **etw zum ~ anbieten** put s.th. up for sale; **steht es zum ~?** is it up for sale?; **ver•kau•fen I.** *tr* (*a. fig*) sell (*für* for); **verraten u. verkauft** (*fam*) well and truly sunk; **zu ~** for sale; **gegen bar ~** sell for cash; **von dem Buch wurden 300 Exemplare verkauft** this book sold 300 copies; **sein Leben teuer ~** (*fig*) sell one's life dearly; **ihr Produkt lässt sich nicht ~** nothing will sell this product **II.** *refl* **1.** (*Ware*) sell **2.** (*fig: Person*) sell o.s.

Ver•käu•fer(in) *m(f)* **1.** seller **2.** (*im Ladengeschäft*) shop assistant *Br,* clerk *Am* **3.** (*im Außendienst*) salesman (saleswoman) *Br,* salesperson **4.** (JUR) vendor; **ver•käuf•lich** *adj* **1.** (COM MARKT: *verkaufbar*) marketable, sal(e)able **2.** (*kaufbar*) for sale; **leicht (schwer) ~** easy (hard) to sell; **Ver•kaufs•ab•tei•lung** *f* sales department; **Ver•kaufs•an•ge•bot** *n* offer to sell; **Ver•kaufs•auf•for•de•rung** *f* invitation to sell

Ver•kaufs•aus•stel•lung *f* sales exhibition; **Ver•kaufs•be•din•gun•gen** *fpl* conditions of sale; **Ver•kaufs•ge•spräch** *n* sales talk; **Ver•kaufs•lei•ter(in)** *m(f)* sales manager; **Ver•kaufs•preis** *m* retail price; **Ver•kaufs•re•kord** *m* sales record; **Ver•kaufs•schla•ger** *m* big seller; **Ver•kaufs•un•ter•la•gen** *pl* sales documentation; **Ver•kaufs•zah•len** *fpl* sales figures; **Ver•kaufs•ziel** *n* sales objective

Ver•kehr [fɛr'ke:ɐ] <-(e)s> *m* **1.** (*Straßen~*) traffic **2.** (*Verbindung*) communication **3.** (COM) circulation **4.** (*sexuell*) intercourse; **im brieflichen ~ stehen mit ...** be corresponding with ...; **dem ~ übergeben** open to traffic; **den ~ umleiten** divert the traffic; **etw aus dem ~ ziehen** (COM FIN) withdraw s.th. from circulation; (*aus dem Straßen~*) withdraw s.th. from service

ver•keh•ren I. *tr:* **etw ins Gegenteil ~** reverse s.th. **II.** *itr* **1.** (*fahren*) run; (*fliegen*) fly **2.** (*gesellschaftl.*) associate (*mit jdm* with s.o.), frequent (*bei jdm* someone's house, *in e-m Lokal* a pub, restaurant) **3.** (*sexuell*) have (sexual) intercourse (*mit jdm* with s.o.) **III.** *refl:* **sich ins Gegenteil ~** become reversed

Ver•kehrs•ader *f* arterial road; **Ver•kehrs•am•pel** *f* traffic lights *pl;* **Ver•kehrs•amt** *n* **1.** traffic office **2.** (*Verkehrsbüro*) tourist information office; **Ver•kehrs•auf•kom•men** *n* traffic volume; **ver•kehrs•be•ru•higt** *adj* (MOT) traffic-calmed; **Ver•kehrs•be•ru•hi•gung** *f* traffic calming; **Ver•kehrs•cha•os** *n* traffic chaos; **Ver•kehrs•de•likt** *n* traffic offence; **Ver•kehrs•dich•te** *f* traffic density; **Ver•kehrs•durch•sa•ge** *f* traffic announcement; **Ver•kehrs•er•zie•hung** *f* road safety training; **Ver•kehrs•flug•zeug** *nt* commercial aircraft; **Ver•kehrs•fluss**RR *m* traffic flow; **Ver•kehrs•funk** *m* radio traffic service; **ver•kehrs•güns•tig** *adj* convenient; **Ver•kehrs•hin•weis** *m* traffic announcement; **Ver•kehrs•in•sel** *f* traffic island *Br,* safety isle *Am;* **Ver•kehrs•kno•ten•punkt** *m* railroad [*o* traffic] junction; **Ver•kehrs•kon•trol•le** *f* traffic control; **bei jdm e-e ~ machen** stop s.o.; **Ver•kehrs•leit•sys•tem** *n* traffic guidance system; **Ver•kehrs•mi•nis•ter(in)** *m(f)* Minister of Transport; **Ver•kehrs•mit•tel** *n* means of transport *Br,* means of transportation *Am;* **Ver•kehrs•netz** *n* transport network; **Ver•kehrs•pla•nung** *f* transport planning; **Ver•kehrs•po•li•zei** *f* traffic police; **Ver•kehrs•po•li•zist(in)** *m(f)* traffic policeman (-woman) *Br;* (*Am: fam*) speed- cop; **Ver•kehrs•re•gel** *f* traffic regulation; **Ver•kehrs•re•ge•lung** *f* traffic control; **ver•kehrs•reich** *adj* (*Gegend*) busy; **~e Zeit** peak time; **Ver•kehrs•schild** *n* traffic sign; **ver•kehrs•schwach** *adj* **1.** (*Gegend*) with little traffic **2.** (*Zeit*) off-peak; **in ~en Zeiten** during slack periods *Br,* during light hours *Am;* **Ver•kehrs•si•cher•heit** *f* **1.** (*von Straßen*) road safety **2.** (*von Fahrzeugen*) roadworthiness; **Ver•kehrs•stau•ung** *f* traffic jam; **Ver•kehrs•stö•rung** *f* traffic hold-up *Br,* tie-up *Am;* **Ver•kehrs•sün•der(in)** *m(f)* traffic offender; **ver•kehrs•tech•nisch** **I.** *adj:* **~e Schwierigkeiten** technical difficulties involved in traffic engineering **II.** *adv:* **~ gesehen** from the technical viewpoint of traffic engineering; **Ver•kehrs•teil•neh•mer(in)** *m(f)* road user; **Ver•kehrs•to•te** *pl* road casualties; **die Zahl der ~n** the toll of the road; **ver•kehrs•tüch•tig** *f* **1.** (*Kfz*) roadworthy **2.** (*Person*) fit to drive; **Ver•kehrs•un•fall** *m* road accident; **Ver•kehrs•un•ter•richt** *m* traffic instruction; **Ver•kehrs•ver•bin•dung** *f* (transport) link; **Ver•kehrs•ver•bund** *m* combined transport authority; **Ver•kehrs•ver•ein** *m* tourist information office; **Ver•kehrs•vor•schrift** *f* traffic regulation; **Ver•kehrs•wacht** *f* road patrol; **Ver•kehrs•wert** *m* (COM FIN) market value; **Ver•kehrs•we•sen** *n* transport and communications *pl;* **ver•kehrs•wid•rig** *adj* contrary to road traffic regulations; **sich ~ verhalten** break the road traffic regulations; **Ver•kehrs•zäh•lung** *f* traffic census; **Ver•kehrs•zei•chen** *n* road sign, traffic sign

ver•kehrt **I.** *adj* (*falsch*) wrong; **e-e ~e Welt** a topsy-turvy world **II.** *adv* wrongly; **etw ~ machen** do s.th. the wrong way; **du kannst gar nichts ~ machen** you can't go wrong; **etw ~ rum anhaben** (*fam*) have s.th. on back to front; (*innen nach außen*) inside out; **gar nicht (so) ~!** (*fam*) that can't be bad!; **du hältst das Bild ~ rum** you're holding the picture the wrong way round; **das V~este, was du tun konntest** the worst thing you could do

ver•ken•nen *irr tr* misjudge; (*unterschätzen*) underestimate; **deine Absichten sind nicht zu ~** your intentions are unmistakable; **wir ~ ja nicht, dass ...** we do not deny that ...

ver•ket•ten *tr* (*fig*) link together; **verkettet sein** be interlinked

ver•kit•ten *tr* cement; (*Fenster*) putty

ver•kla•gen *tr* (JUR) sue (*wegen* for), take to court (*jdn auf etw* s.o. for s.th.)

ver•klap•pen *tr* (*Abfallstoffe*) dump (in the sea); **Ver•klap•pung** *f* (*Abfallstoffe*) dumping (into the sea); **ver•klärt** *adj* transfigured

ver•klau•su•lie•ren [fɛrklaʊzuˈliːrən] *tr* (*fam*) hedge in with clauses

ver•kle•ben *tr* **1.** (*zus.kleben*) stick together **2.** (*zukleben*) cover (*mit* with)

ver•klei•den **I.** *tr* **1.** (*a. fig*) disguise; (*kostümieren*) dress up **2.** (*Wand: mit Stoff*) line; (*täfeln*) wainscot **II.** *refl* disguise o.s., dress up; **Ver•klei•dung** *f* **1.** (*das Verkleiden*) disguising; (*das Kostümieren*) dressing up **2.** (*als Ergebnis*) disguise **3.** (*Stoff~*) lining; (*Täfelung*) wainscoting

ver•klei•nern **I.** *tr* make smaller; (*Maßstab*) scale down; (PHOT) reduce **II.** *itr* (OPT) make everything (seem) smaller **III.** *refl* **1.** become smaller **2.** (*sich verringern*) decrease **3.** (*fig*) become less; **ver•klei•nert** *adj* reduced; (*Maßstab*) scaled down; **Ver•klei•ne•rung** *f* **1.** (*das Verkleinern*) making smaller; (*Maßstab*) scaling down **2.** (*von Bild*) reduced size reproduction; (PHOT) reduction; **Ver•klei•ne•rungs•form** *f* (LING) diminutive form

ver•klem•men *refl* become [*o* get] stuck; **ver•klemmt** *adj* (*fig: Person*) inhibited

ver•kli•ckern [fɛrˈklɪkɐn] *tr* (*fam*): **jdm etw ~** make s.th. clear to s.o.

ver•klin•gen *irr itr sein* **1.** (*Ton etc*) die away **2.** (*fig*) fade

ver•klop•pen [fɛrˈklɔpən] *tr* (*fam*) **1.** (*verprügeln*): **jdn ~** give s.o. what-for **2.** (*verkaufen*): **etw ~** flog s.th.

ver•knal•len *refl* (*fam*): **sich in jdn ~** fall

for s.o.

Ver•knap•pung <-, -en> *f* shortage, scarcity

ver•knaut•schen [fɛr'knaʊtʃən] **I.** *tr* (*fam*) crumple, crush **II.** *refl* crease

ver•knei•fen *irr refl* (*fam*): **sich etw ~** stop o.s. from doing [*o* saying] s.th.

ver•knif•fen [fɛr'knɪfən] *adj* **1.** (*angestrengt: Gesicht*) strained **2.** (*verbissen: Gesicht*) pinched

ver•knit•tern *tr* crumple

ver•knö•chert [fɛrknœçɐt] *adj* (*fig*) ossified

ver•kno•ten *tr* **1.** (*Schnur etc*) knot **2.** (*Paket*) tie up

ver•knüp•fen *tr* **1.** (*Schnur etc*) knot, tie together **2.** (*fig*) combine; (*assoziieren*) associate

ver•koh•len **I.** *tr* (*fig fam*) have s.o. on **II.** *itr* char; (*Braten*) burn to a cinder

ver•kom•men *sein irr itr* **1.** (*zugrunde gehen*) go to the dogs; (*sittlich*) become dissolute; (*Kind*) run wild **2.** (*Gebäude etc*) become dilapidated **3.** (*Lebensmittel*) go off; **ver•kom•men** *adj* **1.** (*Person*) depraved **2.** (*Gebäude etc*) dilapidated; **Ver•kom•men•heit** *f* **1.** (*von Person*) depravity **2.** (*von Gebäude etc*) dilapidation

ver•kom•pli•zie•ren *tr* complicate

ver•kon•su•mie•ren *tr* (*fam*) get through

ver•kor•ken *tr* cork (up)

ver•kork•sen [fɛr'kɔrksən] *tr* (*fam*) mess up; **jdm etw ~** mess s.th. up for s.o.; **sich den Magen ~** upset one's stomach; **verkorkst** *adj* (*fam*): **die Sache ist völlig ~** it's a real mess

ver•kör•pern *tr* **1.** (*personifizieren*) embody **2.** (THEAT) portray; **Ver•kör•pe•rung** *f* **1.** (*Personifizierung*) embodiment, personification **2.** (THEAT) portrayal

ver•kra•chen *refl* (*fam*): **sich mit jdm ~** fall out with s.o; **ver•kracht** *adj* (*fam: ruiniert*) ruined; **~er Typ** dead-beat type; **~e Existenz** failure

ver•kraf•ten *tr* come to terms with, cope with

ver•kral•len *refl:* **sich in etw ~** (*fig*) get stuck into s.th.

ver•krampft *adj* **1.** (*Sitzhaltung etc*) cramped **2.** (*fig*) tense

ver•krie•chen *haben irr refl* (*fig*) hide o.s. away

ver•krü•meln [fɛr'kry:məln] *tr refl* (*fig fam*) make off

ver•krüm•men *tr refl* bend; **Ver•krüm•mung** *f* (MED) curvature

ver•krüp•pelt *adj* crippled

ver•krus•ten *itr sein, refl haben* become encrusted; **ver•krus•tet** *adj* **1.** (*Wunde*) scabby **2.** (*fig: Strukturen*) decrepit

ver•küh•len *refl* catch a chill

ver•küm•mern *sein itr* **1.** (*Instinkt*) become stunted; (*Person*) waste away; (*Talent*) go to waste **2.** (MED) atrophy

ver•kün•d(i•g)en *tr* **1.** (*bekannt machen*) proclaim; (*ankündigen*) announce **2.** (ECCL: *predigen*) preach **3.** (JUR: *Urteil*) pronounce **4.** (*fig: Unheil*) forebode; **Ver•kün•d(i•g)ung** *f* **1.** (*Bekanntmachung*) proclamation; (*Ankündigung*) announcement **2.** (ECCL: *Predigen*) preaching **3.** (JUR: *Urteils~*) pronouncement

ver•kup•fern *tr* copper-plate

ver•kup•peln *tr* (*pej*) procure (*jdn an jdn* s.o. for s.o.)

ver•kür•zen **I.** *tr* **1.** shorten **2.** (*beschränken, herabsetzen*) cut down, reduce **II.** *refl* **1.** (*kürzer werden*) be shortened **2.** (*fig: abkürzen: Aufenthalt etc*) be reduced; **Ver•kür•zung** *f* shortening

ver•la•chen *tr* deride, laugh at

Ver•la•de•bahn•hof *m* loading station; **Ver•la•de•brü•cke** *f* loading bridge; **ver•la•den** *irr tr* load (on to); (MAR) embark; (AERO) emplane; **Ver•la•de•ram•pe** *f* loading platform; **Ver•la•dung** *f* loading; (MAR) embarkation; (AERO) emplaning

Ver•lag [fɛr'la:k] <-(e)s, -e> *m* publishing house, publishers *pl;* **bei welchem ~ ist das erschienen?** who published it?; **im ~ von ...** published by ...

ver•la•gern **I.** *tr* shift; (*Interessen*) transfer **II.** *refl* **1.** shift **2.** (METE) move; **Ver•la•ge•rung** *f* **1.** shift; (*Interessen~*) transfer **2.** (METE) movement, moving

Ver•lags•buch•han•del *m* publishing trade; **Ver•lags•haus** *n* publishing house *Br,* book concern *Am;* **Ver•lags•ka•ta•log** *m* publisher's catalogue; **Ver•lags•lei•ter(in)** *m(f)* publishing director; **Ver•lags•re•dak•teur(in)** *m(f)* (publishing) editor

Ver•lan•gen <-s> *n* **1.** (*Forderung*) demand; (*Wunsch*) desire, wish **2.** (*Erfordernis*) request **3.** (*Sehnsucht*) longing, yearning; (*Begierde*) craving (*nach* for); **auf ~** by request, on demand; **auf~ der Lehrer** at the request of the teachers; **ich habe kein ~, ihn zu sehen** I have no desire to see him; **ver•lan•gen** [fɛr'laŋən] **I.** *tr* **1.** (*fordern*) demand **2.** (*wünschen*) desire **3.** (*haben wollen*) ask for, want **4.** (*erfordern*) require **5.** (*beanspruchen*) claim; **am Telefon verlangt werden** be wanted on the phone **II.** *itr* **1.** ask (*nach* for) **2.** (*sich sehnen*) long (*nach* for); **er verlangte zu wissen, was passiert war** he demanded to know what had happened; **das ist zu viel verlangt** that's asking too much; **ver•lan•gend** *adj* (*sehnsüchtig*) longing

ver•län•gern [fɛr'lɛŋɐn] **I.** *tr* **1.** (*länger machen*) lengthen **2.** (*Frist*) extend, prolong **3.** (COM: *Wechsel*) renew **4.** (SPORT: *Ball*) play [*o* touch] on (*zu jdm* to s.o.) **II.** *refl* **1.** (*räumlich*) be lengthened **2.** (*zeitlich*) be prolonged; **Ver•län•ge•rung** *f* **1.** (*das Längermachen*) lengthening **2.** (*von Frist*) prolongation **3.** (SPORT: *e-s Passes*) play-on (*zu* to) **4.** (*von Spielzeit*) extra time *Br,* overtime *Am;* **Ver•län•ge•rungs•schnur** *f* (EL) extension lead

ver•lang•sa•men I. *tr* slow down; (*Geschwindigkeit a.*) reduce **II.** *refl* slow down

Ver•lass[RR] [fɛr'las] <-es> *m:* **es ist kein ~ auf ihn** there is no relying on him

ver•las•sen[1] **I.** *irr tr* **1.** leave **2.** (*fig: im Stich lassen*) abandon, desert, forsake; **und da verließen sie ihn** (*fam*) that's as far as I got **II.** *refl:* **sich ~ auf ...** count [*o* rely] on ...; **Sie können sich darauf ~** you can count on it

ver•las•sen[2] *adj* **1.** (*im Stich gelassen*) deserted, forsaken **2.** (*einsam*) lonely **3.** (*öde*) desolate; **wer sich auf ihn verlässt**[RR]**, ist ~** if you rely on him, you've had it; **Ver•las•sen•heit** *adj* (*Einsamkeit*) loneliness

ver•läss•lich[RR] [fɛr'lɛslɪç] *adj* reliable

Ver•laub [fɛr'laʊp] *m:* **mit ~** (*hum*) by your leave, if you will pardon my saying so

Ver•lauf *m* **1.** (*von Zeit*) course **2.** (*Ausgang*) end; **im ~ des Gesprächs** in the course of the conversation; **e-n guten (schlechten) ~ nehmen** go well (badly); **im weiteren ~ der Angelegenheit ...** as things developed ...; **ver•lau•fen I.** *irr itr sein* **1.** (*Zeit*) pass **2.** (*vor sich gehen*) proceed, run **3.** (*auseinander fließen*) run **4.** (*sich erstrecken*) run; **alles ist gut ~** everything went well; **im Sande ~** (*fig*) peter out **II.** *refl* **1.** (*verschwinden*) disperse; (*sich verlieren*) disappear **2.** (*sich verirren*) get lost, lose one's way

Ver•laufs•form *f* (LING) progressive form, continuous form; **ver•laust** *adj* lice-ridden

ver•laut•ba•ren [fɛr'laʊtba:rən] *tr:* **etw ~ lassen** let s.th. be announced

ver•lau•ten *sein itr:* **etw (nichts) ~ lassen** give an (no) indication; **der Minister hat ~ lassen, dass ...** the minister indicated that ...

ver•le•ben *tr* (*verbringen*) spend; **ver•lebt** *adj* (*Person*) dissipated

ver•le•gen[1] **I.** *tr* **1.** (*an falschen Platz legen*) mislay, misplace **2.** (*Platz verändern*) move, shift; (MIL) transfer *Br,* redeploy *Am* **3.** (*zeitlich*) postpone (*auf* until) **4.** (*Buch*) publish **5.** (*Kabel, Fliesen etc*) lay **6.** (*Straße*) relocate **II.** *refl::* **sich ~ auf ...** (*beginnen mit*) take up; (*als Ausweg*) resort to

ver•le•gen[2] *adj* embarrassed; **um etw ~ sein** be at a loss for s.th.; **um Geld ~ sein** be short of money; **Ver•le•gen•heit** *f* **1.** (*Befangensein*) embarrassment **2.** (*Klemme*) embarrassing situation; (*fam*) fix; **in ~ sein** be at a loss (*um* for); **jdn in ~ bringen** embarrass s.o.; **in ~ kommen** get embarrassed; **Ver•le•gen•heits•lö•sung** *f* stop-gap

Ver•le•ger(in) *m(f)* publisher

Ver•le•gung *f* **1.** (*Platzveränderung*) moving, shifting; (MIL: *Truppen~*) transfer **2.** (*von Kabel*) laying **3.** (*zeitl. Verschiebung*) postponement

ver•lei•den *tr:* **jdm etw ~** put s.o. off s.th.

Ver•leih <-(e)s, -e> *m* **1.** (*allgemein*) hire service **2.** (FILM: *~firma*) distributors **3.** (*Auto~*) car rental; **ver•lei•hen** *irr tr* **1.** (*verborgen*) lend (out) *Br,* loan *Am;* (*gegen Entgelt*) rent (out) (*an jdn* to s.o.) **2.** (*Amt, Titel*) bestow, confer (*jdm* on s.o.) **3.** (*Auszeichnung*) award (*jdm* to s.o.) **4.** (*geben, verschaffen*) give; **Ver•lei•hung** *f* **1.** (*von Geld*) lending *Br,* loaning *Am;* (*von Gegenstand gegen Entgelt*) renting **2.** (*von Amt, Titel*) bestowal, conferring **3.** (*von Auszeichnung*) award(ing)

ver•lei•ten *tr* **1.** (*verlocken*) tempt; (*verführen*) lead astray **2.** (*veranlassen*) lead (*jdn zu etw* s.o. to s.th.)

ver•ler•nen *tr* forget, unlearn

ver•le•sen I. *irr tr* **1.** read out; (*Namen*) call out **2.** (*auslesen*) sort **II.** *refl* read wrong

ver•letz•bar *adj* (*a. fig*) vulnerable; **ver•let•zen** [fɛr'lɛtsən] **I.** *tr* **1.** hurt, injure **2.** (*fig*) hurt (someone's) feelings, wound **3.** (*Gesetz*) break; (*Rechte, Intimsphäre*) violate; **sich am [*o* das] Bein ~** injure one's leg; **er wurde bei dem Unfall nicht verletzt** he was not injured in the crash; **es verletzte ihn sehr** (*fig*) it was very hurtful to him; **seine Pflicht ~** fail in one's duty; **den guten Geschmack ~** offend against good taste **II.** *refl* get hurt; **wenn ihr so weitermacht, verletzt sich bestimmt noch jemand!** if you go on like that someone is bound to get hurt!; **mit der Axt können Sie sich ~!** you could do yourself harm with that axe!; **ver•let•zend** *adj* (*Bemerkung etc*) hurtful, offending; **... sagte sie in ~em Ton** ... she said hurtfully

verletzt *adj:* **schwer ~**[RR] seriously injured; **Ver•letz•te(r)** <-n, -n> *f m* injured person; (*bei Unfall*) casualty; **Ver•let•zung** *f* **1.** (*Wunde*) injury; (*das Verletzen*) injuring, wounding **2.** (*fig*) hurting, wounding

ver•leug•nen *tr* deny; **sich ~ lassen** pretend not to be there

ver•leum•den [fɛr'lɔɪmdən] *tr* slander; (*schriftlich*) libel; **Ver•leum•der(in)** *m(f)* slanderer; **ver•leum•de•risch** *adj* slanderous; **Ver•leum•dung** *f* **1.** (*das Verleumden*) slandering **2.** (*Wort, Bemerkung*) slander; (*in Schriftform*) libel

ver•lie•ben *refl* fall in love (*in* with); **ver•liebt** *adj* amorous; **in jdn ~ sein** be in love with s.o.; **bis über beide Ohren ~** head over heels in love; **Ver•liebt•heit** *f* being in love

ver•lie•ren [fɛr'li:rən] **I.** *irr tr* **1.** lose **2.** (*Blätter, Haare*) shed; **den Verstand ~** get out of one's mind **II.** *itr* lose; **wir wollen kein Wort mehr darüber ~** let's not waste another word on it; **du kannst nichts ~** (*fig*) you can't lose **III.** *refl* **1.** (*sich verirren*) lose one's way **2.** (*verschwinden*) disappear **3.** (*fig: abschweifen*) lose one's train of thought; **er verliert sich gern in Erinnerungen** he likes to lose himself in his memories; **er hatte sich bald in der Menge verloren** he was soon lost in the crowd; **Ver•lie•rer(in)** *m(f)* loser; **ein schlechter ~ sein** be a bad loser

Ver•lies [fɛr'li:s] <-es, -e> *n* dungeon

ver•lo•ben *refl* become engaged (*mit jdm* to s.o.); **Ver•lob•te(r)** *f m* fiancé (fiancée); **Ver•lo•bung** *f* engagement

ver•lo•cken *tr* entice; (*versuchen*) tempt; **ver•lo•ckend** *adj* enticing; (*verführerisch*) tempting; **Ver•lo•ckung** *f* enticement; (*Versuchung*) temptation

ver•lo•gen [fɛr'lo:gən] *adj* **1.** (*Person*) mendacious **2.** (*Moral etc*) hypocritical; **Ver•lo•gen•heit** *f* **1.** (*von Person*) mendacity **2.** (*Heuchelei von Moral etc*) hypocrisy

ver•lo•ren [fɛr'lo:rən] *adj* **1.** lost **2.** (*hilflos*) forlorn; **eine ~e Partie** a lost game; **auf ~em Posten stehen** (*fig*) be fighting a lost cause; **~ gehen**RR be lost; **an dir ist ein Schauspieler verloren gegangen**RR you would have made a good actor; **ver•lo•ren|ge•hen** *s.* **verloren**; **Ver•lo•ren•heit** *f* forlornness

ver•lo•sen *tr* draw lots for, raffle off; **Ver•lo•sung** *f* draw, raffle

ver•lö•ten *tr* solder

ver•lot•tern [fɛr'lɔtɐn] *sein itr* (*fam*) **1.** (*Mensch*) go to the dogs **2.** (*Lokal, Stadtteil etc*) get run down; **ver•lot•tert** *adj* (*fam: moralisch*) dissolute; (*Erscheinung*) scruffy; (*heruntergewirtschaftet*) run- down

Ver•lust [fɛr'lʊst] <-es, -e> *m* loss; **~e** (MIL) casualties; **mit ~ verkaufen** sell at a loss; **beträchtliche ~e erleiden** suffer heavy losses; **ver•lust•brin•gend** *adj* loss-making; **ver•lus•tig** *adj*: **e-r Sache ~ gehen** lose [*o* forfeit] s.th.; **Ver•lust•fak•tor** *m* loss factor; **Ver•lust•mel•dung** *f* report of the loss; **e-e ~ machen** report the loss; **ver•lust•reich** *adj* **1.** (COM: *Firma*) heavily loss- making; (*Jahr, Geschäft etc*) of heavy losses **2.** (MIL) involving heavy casualties

ver•ma•chen *tr* bequeath (*jdm etw* s.th. to s.o.); **Ver•mächt•nis** [fɛr'mɛçtnɪs] <-ses, -se> *n* bequest; (*a. fig*) legacy

ver•mäh•len [fer'mɛ:lən] *tr refl* marry, wed (*jdn o sich mit jdm* s.o.); **Ver•mäh•lung** *f* marriage

ver•mark•ten *tr* **1.** (MARKT) market **2.** (*fig*) commercialize

Ver•mark•tung *f* marketing

ver•mas•seln [fɛr'masəln] *tr* (*fam*) mess up (*jdm etw* s.th. for s.o.)

ver•meh•ren *tr refl* **1.** (*allgemein*) increase **2.** (*fortpflanzen*) breed; **Ver•meh•rung** *f* **1.** increase **2.** (*durch Fortpflanzung*) breeding, reproduction

ver•mei•den *irr tr* avoid; **es lässt sich nicht ~** it cannot be helped

ver•meint•lich [fɛr'maɪntlɪç] *adj* putative, supposed

Ver•merk <-(e)s, -e> *m* note, remark; **ver•mer•ken** *tr* note down; (*in Personalausweis, Kartei etc*) record

ver•mes•sen[1] **I.** *irr tr* **1.** measure **2.** (*Land*) survey **II.** *refl* (*falsch messen*) measure wrongly

ver•mes•sen[2] *adj* (*sehr kühn*) presumptuous; **Ver•mes•sen•heit** *f* (*Anmaßung*) presumption

Ver•mes•sung *f* measurement; (*von Land*) survey; **Ver•mes•sungs•amt** *n* land survey office; **Ver•mes•sungs•in•ge•nieur(in)** *m(f)* land surveyor

ver•mie•sen [fɛr'mi:zən] *tr* (*fam*): **jdm etw ~** spoil things for s.o.; **ich werde mir die Reise von keinem ~ lassen!** I won't have anyone spoil the journey for me!

ver•mie•ten *tr itr* let *Br*, rent *Am*; **Zimmer zu ~** rooms to let *Br*, rooms for rent *Am*; **Ver•mie•ter(in)** *m(f)* landlord (landlady); (JUR) lessor; **Ver•mie•tung** *f* letting out *Br*, renting out *Am*

ver•min•dern **I.** *tr* lessen, reduce; **verminderte Zurechnungsfähigkeit** (JUR) diminished responsibility **II.** *refl* decrease

ver•mi•nen *tr* mine

ver•mi•schen **I.** *tr* mix; (*Whisky, Tee, Tabak*) blend **II.** *refl* **1.** (*allgemein*) mix **2.** (*fig*) mingle; **Ver•misch•te(s)** *n* miscellany

ver•mis•sen [fɛr'mɪsən] *tr* miss; **jdn als vermisst**RR **melden** report s.o. missing; **vermisst**RR **werden** be missing; **er wurde sehr vermisst**RR his absence was a real lack; **Ver•miss•te(r)**RR <-n, -n> *f m* missing person

ver•mit•tel•bar *adj* **1.** (*Idee, Gefühl*) communicable **2.** (*Arbeitsloser*) easy to place, employable

ver•mit•teln I. *tr* 1. (*Vertrag, Anleihe*) arrange, negotiate (*jdm* for s.o.) 2. (*Wissen*) impart (*jdm* to s.o.) 3. (TELE) connect, put through; **jdm etw ~** (*besorgen*) get s.th. for s.o. II. *itr* mediate (*bei* in); **Ver•mitt•ler(in)** *m(f)* 1. mediator 2. (COM) agent 3. (FIN: *a. Heirats~*) broker; **Ver•mitt•lung** *f* 1. (*Schlichtung*) mediation 2. (*Stellen~*) employment agency; (*Wohnungs~*) estate agency *Br,* realtor *Am* 3. (TELE: *Amt*) exchange 4. (TELE: *Telefonistin*) operator; **etw durch ~ von Freunden bekommen** get s.th. via friends; **Ver•mitt•lungs•aus•schuss**[RR] *m* (*a.* PARL) mediation committee

ver•mö•beln [fɛr'mø:bəln] *tr* (*fam: verprügeln*) give (s.o.) a good hiding; (*bei Schlägerei*) beat (s.o.) up

ver•mo•dern [fɛr'mo:dɐn] *sein itr* decay, moulder

Ver•mö•gen <-s, -> *n* 1. (FIN: *Mittel*) means *pl;* (FIN: *Reichtum*) fortune 2. (*Fähigkeit*) capability; **nach bestem ~** to the best of one's ability; **ein ~ kosten** cost a fortune; **ver•mö•gen** *irr tr:* **~(,) etw zu tun** be capable of doing s.th.; **es nicht ~(,) etw zu tun** be unable to do s.th.; **ver•mö•gend** *adj* (*reich*) wealthy, well-off

Ver•mö•gens•ab•ga•be *f* capital levy; **Ver•mö•gens•an•la•ge** *f* investment; **Ver•mö•gens•be•ra•ter(in)** *m(f)* investment consultant; **Ver•mö•gens•be•ra•tung** *f* investment consultancy; **Ver•mö•gens•bi•lanz** *f* asset and liability statement; **ver•mö•gens•bil•dend** *adj* (FIN) wealth-creating; **Ver•mö•gens•bil•dung** *f* capital formation; **Ver•mö•gens•steu•er** *f* wealth tax; **Ver•mö•gens•ver•hält•nis•se** *pl* pecuniary circumstances; **Ver•mö•gens•ver•wal•ter(in)** *m(f)* investment manager; **Ver•mö•gens•wert** *m* assets *pl;* **ver•mö•gens•wirk•sam** *adj:* **~ anlegen** save under the employees' savings scheme; **~e Leistung** *employer's capital-forming payment under the employees' savings scheme*

ver•mum•men I. *tr* (*warm anziehen*) wrap up warm II. *refl* 1. (*sich warm anziehen*) wrap up warm 2. (*sich verkleiden*) cloak, disguise; **ver•mummt** *adj* 1. (*verkleidet*) cloaked, disguised 2. (*eingemummt*) muffled-up; **Ver•mum•mungs•ver•bot** *n* (*bei Demonstrationen*) ban on face coverings

ver•murk•sen *tr* (*fam*): **etw ~** muck s.th. up

ver•mu•ten [fɛr'mu:tən] *tr* (*annehmen*) presume *Br,* suppose, reckon *Am;* (*mutmaßen*) suspect *Br,* guess *Am;* **ver•mut•lich** I. *adj* presumable; (*Täter*) suspected II. *adv* presumably; **Ver•mu•tung** *f* 1. (*Annahme*) assumption, supposition; (*Mutmaßung*) conjecture 2. (*Verdacht*) suspicion; **die ~ liegt nahe, dass ...** there are grounds for the assumption that ...; **das ist e-e reine ~ von dir** you're only guessing

ver•nach•läs•si•gen [fɛr'na:xlɛsɪgən] I. *tr* 1. neglect 2. (*nicht berücksichtigen*) ignore II. *refl* (*sein Äußeres*) neglect one's appearance; **Ver•nach•läs•si•gung** *f* 1. neglect 2. (*Nichtberücksichtigung*) ignoring

ver•na•geln *tr* nail up

ver•nä•hen *tr* (*Stoffe*) neaten; (*Wunde*) stitch up

ver•nar•ben *sein itr* heal up

ver•narrt *adj* infatuated (*in* with)

ver•na•schen *tr* (*fam: ein Mädchen, e-n Mann*) make it with

Ver•neh•men <-s> *n:* **dem ~ nach** according to rumour, from what I hear

ver•neh•men *irr tr* 1. (*hören*) hear 2. (*erfahren*) learn, understand 3. (JUR: *vor Gericht*) examine; (*verhören*) question; **dem V~ nach** from what I/we hear; **ver•nehm•lich** *adj* audible, clear; **Ver•neh•mung** *f* (JUR: *vor Gericht*) examination; (*Verhör*) questioning

ver•nei•gen *refl* 1. bow (*vor* to) 2. (*fig:* **~ *vor***) bow down before; **Ver•nei•gung** *f* bow

ver•nei•nen *tr* 1. (*leugnen*) deny 2. (*Frage*) answer in the negative; **ver•nei•nend** *adj* negative; **Ver•nei•nung** *f* 1. (*Leugnung*) denial 2. (*verneinte Form*) negative 3. (GRAM) negation

ver•net•zen *tr* 1. connect (*mit* up to) 2. (EDV) network, integrate into a network; **Ver•net•zung** *f* (EDV) networking

ver•nich•ten [fɛr'nɪçtən] *tr* 1. (*ausrotten, a. fig*) exterminate 2. (*zerstören*) destroy; **ver•nich•tend** *adj* 1. (*zerstörerisch*) devastating 2. (*Niederlage*) crushing; **~e Kritik** scathing criticism; **jdn ~ schlagen** (SPORT) beat s.o. hollow; (MIL) destroy s.o. utterly; **jdm e-n ~en Blick zuwerfen** (*fig*) look devastatingly at s.o.; **Ver•nich•tung** *f* 1. (*Ausrottung, a. fig*) extermination 2. (*Zerstörung*) destruction; **Ver•nich•tungs•waf•fe** *f* (MIL) destructive weapon

ver•ni•ckeln *tr* nickel-plate

ver•nied•li•chen *tr* trivialize

ver•nie•ten *tr* rivet

Ver•nunft [fɛr'nʊnft] <-> *f* good sense, reason; **~ annehmen** see reason; **zur ~ bringen** bring s.o. to his senses *pl;* **ver•nünf•tig** [fɛr'nʏnftɪç] I. *adj* 1. (*einsichtig*) sensible 2. (*rational*) rational 3. (*akzeptabel*) reasonable; **sei doch ~!** be reasonable!

II. *adv* (*fam: akzeptabel*) reasonably well; **ver•nunft•o•ri•en•tiert** *adj* rational

ver•ö•den I. *itr sein* (*wüst werden*) become desolate II. *tr haben* (MED: *Krampfadern*) atrophy, obliterate

ver•öf•fent•li•chen *tr itr* publish; **Ver•öf•fent•li•chung** *f* publication

ver•ord•nen *tr* 1. (*anordnen, befehlen*) order 2. (MED) prescribe (*jdm etw* s.th. for s.o.) 3. (*gesetzlich*) decree; **Ver•ord•nung** *f* 1. (MED) prescription 2. (*gesetzliche* ~) decree

ver•pach•ten *tr* lease (*an* to); **verpachtet sein** be under lease

ver•pa•cken *tr* 1. pack; (*einwickeln*) wrap 2. (*fig: Gedanken etc*) package

Ver•pa•ckung *f* 1. packing; (*Papier~*) wrapping 2. (*fig*) packaging; **Ver•pa•ckungs•ge•wicht** *n* tare (weigh); **Ver•pa•ckungs•in•dus•trie** *f* packaging industry; **Ver•pa•ckungs•kos•ten** *pl* packing charges; **Ver•pa•ckungs•ma•te•rial** *n* packaging; **Ver•pa•ckungs•müll** *m* packaging waste

ver•pas•sen *tr* 1. (*versäumen*) miss 2. (*fam: geben*) give; **jdm e-e** ~ (*fam*) clout s.o. one; **jdm e-n Denkzettel** ~ (*fam*) give s.o. s.th. to think about

ver•pat•zen *tr* (*fam*) make a mess of; mess up

ver•pen•nen I. *itr* (*fam*) oversleep II. *tr* (*fam*) miss by oversleeping

ver•pes•ten *tr* contaminate, pollute; **Ver•pes•tung** *f* contamination, pollution

ver•pet•zen *tr* (*fam*) sneak on (*bei* to)

ver•pfän•den *tr* 1. pawn 2. (JUR: *Hypothek*) mortgage

ver•pfei•fen *irr tr* (*sl*) grass on (*bei* to)

ver•pflan•zen *tr* (*a. fig*) transplant; **Ver•pflan•zung** *f* (*a. fig*) transplantation

ver•pfle•gen *tr* 1. feed 2. (MIL) ration; **Ver•pfle•gung** *f* 1. (*das Verpflegen*) catering; (MIL) rationing 2. (*Essen*) food; (MIL) rations *pl*; **Ver•pfle•gungs•kos•ten** *pl* cost of food

ver•pflich•ten I. *tr* 1. (*moralisch*) oblige 2. (*binden*) commit 3. (*einstellen*) engage; **sich verpflichtet fühlen(,) etw zu tun** feel obliged to do s.th.; **sich jdm verpflichtet fühlen** feel under an obligation to s.o.; **jdm zu Dank verpflichtet sein** be obliged to s.o. II. *itr* (*moralisch*) carry an obligation (*zu etw* to do s.th.) III. *refl* (*durch Vertrag*) commit o.s.; **Ver•pflich•tung** *f* 1. (*moralische* ~) obligation (*zu etw* to do s.th.); (*Aufgabe*) duty 2. (*Einstellung*) engagement; **dienstliche ~en haben** have official duties; **s-n ~en nachkommen** fulfil one's obligations

ver•pfu•schen *tr* make a mess of, bungle

ver•plap•pern *refl* (*fam*) open one's mouth too wide

ver•plem•pern [fɛr'plɛmpɐn] *tr* (*fam*) fritter away, waste

ver•plom•ben *tr* seal

ver•pönt [fɛɐ'pø:nt] *adj* frowned on (*bei* by)

ver•pras•sen *tr* dissipate, squander (*für* on)

ver•prel•len *tr* put off

ver•prü•geln *tr* thrash

ver•puf•fen *sein itr* 1. go pop 2. (*fig: Wirkung etc*) fall flat

Ver•putz <-es> *m* plasterwork; **ver•put•zen** *tr* 1. (*mit Verputz*) plaster; (*Rauhputz*) roughcast 2. (*fig fam: aufessen*) polish off

ver•qual•men *tr* (*verräuchern*) fill with smoke; **ver•qualmt** *adj* filled with [*o* full of] smoke

ver•quat•schen *tr* (*fam*): **s-e Zeit** ~ chat away one's time

ver•qui•cken [fɛr'kvɪkən] *tr* (*fig*) bring together; (*vermischen*) mix

ver•quol•len [fɛr'kvɔlən] *adj* 1. (*Holz*) warped 2. (*Gesicht*) bloated; (*Augen*) puffy

ver•ram•meln [fɛr'ramәln] *tr* barricade

ver•ram•schen *tr* (COM) sell off cheap; (*fam*) flog *Br*

Ver•rat <-(e)s> *m* betrayal (*an* of); (JUR) treason (*an* against); **ver•ra•ten** I. *irr tr* 1. (*Geheimnis, Freunde, Land etc*) betray 2. (*ausplaudern*) tell 3. (*fig: zeigen*) reveal; **verrate nichts!** don't say a word!; **hast du das etwa ~?** did you let it out?; ~ **und verkauft sein** (*fig fam*) be done for, have had it II. *refl* give o.s. away; **Ver•rä•ter(in)** [fɛr'rɛ:tɐ] *m(f)* traitor; **ver•rä•te•risch** *adj* 1. treacherous 2. (*heimtückisch*) perfidious 3. (*aufschlussreich*) revealing; (*verdächtig*) telltale

ver•rau•chen I. *itr sein* (*fig*) cool down II. *tr haben* spend on smoking

ver•räu•chert *adj* (*fam*) smoky

ver•rech•nen I. *tr* 1. (COM: *gegeneinander aufrechnen*) set off against 2. (COM: *Scheck einziehen*) clear II. *refl* 1. miscalculate 2. (*fig fam: sich täuschen*) be mistaken; **da hast du dich aber schwer verrechnet!** (*fig fam*) you're very much mistaken there!; **wenn du denkst, ich helfe dir, hast du dich verrechnet!** if you think I'm going to help you, you've got another think coming!; **Ver•rech•nung** *f* (COM) 1. (*Ausgleich*) settling of account 2. (*Einzug von Scheck*) clearing; **Ver•rech•nungs•scheck** *m* crossed cheque *Br*, voucher check *Am*

ver•re•cken [fɛr'rɛkən] *sein itr* (*sl*) croak

ver•reg•net *adj* 1. (*regnerisch*) rainy 2. (*Urlaub etc*) spoiled by rain

ver•rei•sen *itr* go out of town [*o* away [*o* on] a journey]; **verreist sein** be away

ver•rei•ßen *irr tr* (*fam: kritisieren*) tear to pieces

ver•ren•ken [fɛr'rɛŋkən] **I.** *tr* dislocate **II.** *refl* contort o.s.; **Ver•ren•kung** *f* **1.** (*e-s Akrobaten etc*) contortion **2.** (MED) dislocation; **geistige ~en** (*fig*) mental contortions

ver•ren•nen *haben refl:* **sich in etw ~** get stuck on s.th.

ver•rich•ten *tr* perform; **Ver•rich•tung** *f:* **ihre täglichen ~en** her daily [*o* routine] tasks

ver•rie•geln *tr* bolt

ver•rin•gern [fɛr'rɪŋɐn] **I.** *tr* reduce **II.** *refl* **1.** (*abnehmen*) decrease **2.** (*sich verschlechtern*) deteriorate; **Ver•rin•ge•rung** *f* **1.** reduction **2.** (*Abnahme*) decrease **3.** (*Verschlechterung*) deterioration

ver•rin•nen *sein irr itr* **1.** (*Wasser*) trickle away **2.** (*fig: Zeit*) elapse

ver•ro•hen **I.** *tr* brutalize **II.** *itr sein* become brutalized

ver•ros•ten *sein itr* rust; **ver•ros•tet** *adj* rusty

ver•rot•ten [fɛr'rɔtən] *sein itr* **1.** (*verfaulen*) rot **2.** (*zu Kompost werden*) decompose; **ver•rot•tet** *adj* rotten

ver•rucht [fɛr'ru:xt] *adj* despicable, loathsome

ver•rü•cken *tr* (*verschieben*) shift

ver•rückt *adj* **1.** (*geisteskrank*) insane, mad **2.** (*fam*) crazy (*nach* about); **jdn ~ machen** drive s.o. mad; **so was V~es!** what a crazy idea!; **du bist wohl ~!** you must be crazy!; **ich werd' ~!** (*fig fam*) I'll be blowed!; **bist du total ~ geworden?** are you raving mad?; **es ist ~ darauf zu hoffen** it's a mad hope; **Ver•rückt•heit** *f* (*fam*) **1.** (*Zustand*) craziness, madness **2.** (*Handlung*) crazy thing; **Ver•rückt•wer•den** *n:* **es ist zum ~!** (*fam*) it's enough to drive you round the bend!

Ver•ruf *m:* **in ~ geraten** (**bringen**) fall (bring) into disrepute; **ver•ru•fen** *adj* disreputable

ver•rüh•ren *tr* mix

ver•ru•ßen *sein itr* get sooty; **ver•rußt** *adj* sooty

ver•rut•schen *sein itr* slip

Vers [fɛrs] <-es, -e> *m* **1.** (*Lied, Strophe*) verse **2.** (*Zeile*) line; **in ~e bringen** put into verse *sing*

ver•sach•li•chen *tr* de-emotionalize

Ver•sa•gen <-s> *m* **1.** (*Fehlschlag*) failure **2.** (*von Maschine*) breakdown *Br,* slip-up *Am;* **menschliches ~** human error; **ver•sa•gen** **I.** *tr* (*verweigern*) refuse; **jdm etw ~** deny s.o. s.th. **II.** *itr* **1.** (*Person*) fail **2.** (*Maschine*) break down; (*Bremse*) fail; (*Gewehr*) fail to go off; **Ver•sa•ger(in)** *m(f)* failure

ver•sal•zen *irr tr* **1.** (*Speisen*) oversalt **2.** (*fam: verderben*) spoil

ver•sam•meln **I.** *tr* assemble; **vor versammelter Mannschaft** before the assembled company; (*fig*) in front of everybody **II.** *refl* assemble; (*Parlament*) sit; (*Mitglieder e-s Vereins etc*) meet; **Ver•samm•lung** *f* **1.** (*Veranstaltung*) meeting **2.** (*versammelte Menschen*) assembly; **e-e ~ abhalten** hold a meeting; **e-e ~ einberufen** (**vertagen**) convene (adjourn) a meeting; **Ver•samm•lungs•frei•heit** *f* freedom of assembly

Ver•sand [fɛr'zant] <-(e)s> *m* dispatch; **Ver•sand•ab•tei•lung** *f* shipping department; **Ver•sand•an•schrift** *f* dispatch note, parcel address

ver•san•den *sein itr* **1.** silt up **2.** (*fig*) peter out

Ver•sand•han•del *m* mail order; **Ver•sand•haus** *nt* mail order company; **Ver•sand•haus•ka•ta•log** *m* mail order catalogue; **Ver•sand•kos•ten** *pl* delivery [*o* shipping] costs; **Ver•sand•pa•pie•re** *pl* shipping documents; **Ver•sand•ta•sche** *f* (padded) envelope; **Ver•sand•vor•schrif•ten** *pl* forwarding [*o* shipping] instructions

ver•sau•en *tr* (*fam*) mess up

Ver•sau•e•rung *f,* **Ver•säu•e•rung** *f* (*von Gewässer, Boden*) acidification

ver•sau•fen *irr tr* (*fam: Geld*) spend on booze

ver•säu•men [fɛɐ'zɔymən] *tr* **1.** (*vernachlässigen*) neglect **2.** (*Unterricht*) miss **3.** (*Zeit*) lose; **~(,) etw zu tun** fail to do s.th.; **Ver•säum•nis** <-ses, -se> *n* **1.** (*Unterlassung*) omission **2.** (*Nachlässigkeit, Fehler*) failing

ver•scha•chern [-'ʃaxɐn] *tr* (*fam*) barter away

ver•schaf•fen **I.** *tr* procure (*jdm etw* s.o. with s.th., s.th. for s.o.) **II.** *refl* get, obtain; **sich Klarheit ~** clarify the [*o* a] matter

ver•scha•len *tr* (*Heizung etc*) encase; (*Wand*) panel; **Ver•scha•lung** *f* (TECH) casing, panelling; (*aus Brettern*) framework

ver•schämt *adj* embarrassed

ver•schan•deln [fɛr'ʃandəln] *tr* (*fam*) disfigure, spoil

ver•schan•zen *refl* (*Deckung suchen*) entrench o.s. (*hinter* behind)

ver•schär•fen **I.** *tr* **1.** (*erhöhen*) increase; (*intensivieren*) intensify **2.** (*verschlimmern*) aggravate **3.** (*Vorschriften*) tighten up; **Spannungen ~** heighten tensions **II.** *refl* **1.** (*sich steigern*) increase **2.** (*sich verschlimmern*) become aggravated

ver•schar•ren *tr* bury

ver•schau•keln *tr* (*fam*): **jdn ~** have s.o.

for a sucker

ver•schei•den *sein irr itr* (*euph*) expire, pass away

ver•schei•ßern *tr* (*sl*): **jdn** ~ take the piss out of s.o.

ver•schen•ken *tr* (*a. fig*) give away; **sein Herz an jdn** ~ (*fig*) poet, give s.o. one's heart

ver•scher•beln [fɛr'ʃɛrbəln] *tr* (*fam: verkaufen*) flog *Br*

ver•scher•zen *refl* forfeit, lose; **sich Sympathien** ~ lose popularity

ver•scheu•chen [fɛr'ʃɔɪçən] *tr* **1.** frighten [*o* scare] away **2.** (*fig: Sorgen etc*) drive away

ver•scheu•ern [fɛr'ʃɔɪɐn] *tr* (*fam*) sell off

ver•schi•cken *tr* **1.** (*versenden*) dispatch **2.** (*zur Erholung etc*) send away

ver•schieb•bar *adj* (*Hebel etc*) sliding; (*Möbel*) movable

Ver•schie•be•bahn•hof *m* marshalling [*o* shunting] yard *Br*, switchyard *Am*

ver•schie•ben **I.** *irr tr* **1.** (*verrücken*) move, shift **2.** (*aufschieben*) defer, postpone, put off (*um* for) **3.** (*fam: Devisen, Waren etc*) traffic in **II.** *refl* **1.** move out of place **2.** (*Blickwinkel*) shift **3.** (*aufgeschoben werden*) be postponed; **Ver•schie•bung** *f* (*Aufschiebung*) postponement

ver•schie•den [fɛr'ʃi:dən] **I.** *adj* **1.** (*unterschiedlich*) different (*von* from); (*auseinander gehend*) differing **2.** (*mehrere, einige*) several, various **3.** (JUR) sundry; ~ **sein** differ, vary; **V~es**[RR] several things *pl;* **V~s** miscellaneous **II.** *adv* differently; **das ist** ~ (*hängt davon ab*) that depends; **ver•schie•den•ar•tig** *adj* **1.** (*unterschiedlich*) different **2.** (*mannigfaltig*) various; **Ver•schie•den•ar•tig•keit** *f* **1.** (*Unterschiedlichkeit*) different nature **2.** (*Vielfalt*) variety; **Ver•schie•den•heit** *f* **1.** (*Unterschiedlichkeit*) difference; (*Unähnlichkeit*) dissimilarity; (*in der Meinung*) discrepancy **2.** (*Mannigfaltigkeit*) diversity, variety; **ver•schie•dent•lich** *adv* **1.** (*gelegentlich*) occasionally **2.** (*mehrmals*) several times

ver•schie•ßen **I.** *irr tr* **1.** (MIL: *Munition*) use up **2.** (SPORT: *Ball etc*) miss **II.** *itr* (*Stoff*) fade

ver•schif•fen *tr* ship

ver•schim•meln *sein itr* get mouldy

ver•schla•fen[1] **I.** *irr tr* **1.** (*Termin*) miss by oversleeping **2.** (*Tag*) sleep through **3.** (*fig: Leben*) sleep away **II.** *itr* oversleep

ver•schla•fen[2] *adj* **1.** (*beim Aufwachen*) drowsy, sleepy **2.** (*trottelig*) dozy

Ver•schlag <-(e)s, ⸚e> *m* (*Schuppen*) shack, shed

ver•schla•gen[1] *irr tr* (*Ball*) mishit; **auf e-e einsame Insel** ~ **werden** be cast up on a desert island; **irgendwohin** ~ **werden** end up somewhere; **jdm den Atem** ~ take someone's breath away

ver•schla•gen[2] *adj* sly, wily; **Ver•schla•gen•heit** *f* slyness

ver•schlam•pen *tr* (*fam: verlieren*) go and lose

ver•schlech•tern [fɛr'ʃlɛçtɐn] **I.** *tr* **1.** (*allgemein*) make worse **2.** (*Qualität*) impair **3.** (*verschlimmern*) aggravate **II.** *refl* deteriorate, get worse; **ich will mich nicht** ~ (*finanziell*) I won't be worse off financially; **Ver•schlech•te•rung** *f* deterioration

ver•schlei•ern **I.** *tr* **1.** veil **2.** (*fig: Absichten etc*) cover up **II.** *refl* **1.** (*Frau*) veil o.s. **2.** (*fig: Blick*) become blurred **3.** (*Himmel*) become hazy; **ver•schlei•ert** *adj* **1.** (*Frau*) veiled **2.** (*fig: Blick*) blurred **3.** (*Himmel*) hazy; **Ver•schleie•rungs•tak•tik** *f* (*fam*) cover-up tactics

Ver•schleiß [fɛr'ʃlaɪs] <-es, (-e)> *m* **1.** (*Abnutzung*) wear and tear **2.** (*Verbrauch*) consumption; **ver•schlei•ßen** *irr tr itr refl* wear out; **Ver•schleiß•fes•tig•keit** *f* (TECH) wear resistance; **Ver•schleiß•teil** *n* (TECH) wearing part

ver•schlep•pen *tr* **1.** (*Menschen*) abduct **2.** (*ausbreiten*) spread **3.** (*verzögern*) draw out; (*Gesetzesvorlagen etc*) delay; (*Krankheit*) protract; **Ver•schlep•pung** *f* **1.** (*von Personen*) abduction **2.** (*Ausbreiten*) spreading **3.** (*Verzögern*) delay; (*von Krankheit*) protraction

ver•schleu•dern *tr* **1.** (*vergeuden*) squander **2.** (COM) sell dirt cheap

ver•schließ•bar *adj* (*Flaschen etc*) closeable; (*Tür, Zimmer etc*) lockable; **ver•schlie•ßen** **I.** *irr tr* **1.** (*abschließen*) lock **2.** (*wegschließen*) lock away **3.** (*zumachen*) close **II.** *refl* (*fig: Person*) shut o.s. off (*vor* from); **sich e-r Sache** ~ shut one's mind to s.th.

ver•schlim•mern **I.** *tr* aggravate, make worse **II.** *refl* get worse, worsen; **Ver•schlim•me•rung** *f* worsening

ver•schlin•gen *irr tr* **1.** (*verknoten*) entwine **2.** (*verschlucken*) devour, swallow; (*gierig*) gobble up; **jds Worte** ~ (*fig*) lap up someone's words

ver•schlis•sen [fɛr'ʃlɪsən] *adj* worn-out; (*fadenscheinig*) threadbare

ver•schlos•sen [fɛr'ʃlɔsən] *adj* **1.** (*zu*) closed, shut; (*mit Schlüssel*) locked **2.** (*fig: reserviert*) reserved; **vor ~er Tür stehen** be left standing on the doorstep; **Ver•schlos•sen•heit** *f* (*fig*) reserve

ver•schlu•cken **I.** *tr* swallow **II.** *refl* swallow the wrong way; **choke over one's**

food,

ver•schlu•dern *tr* (*fam*) **1.** (*verlieren*) go and lose **2.** (*verlegen*) mislay

ver•schlun•gen [fɛr'ʃlʊŋən] *adj* entwined

Ver•schluss[RR] [fɛr'ʃlʊs] <-es, ¨-e> *m* **1.** (*Schloss*) lock; (*Deckel*) top; (*von Flasche*) stopper **2.** (PHOT) shutter **3.** (*an Waffe*) breechblock; **unter ~** under lock and key; **Ver•schluss•de•ckel**[RR] *m* (MOT: *Tank~*) filler cap

ver•schlüs•seln *tr* (en)code

Ver•schlüs•se•lung <-, -en> *f* (EDV) encryption

ver•schmach•ten *sein itr* **1.** (*hinsterben*) be dying (*vor Durst* of thirst, *vor Hitze* of heat) **2.** (*fig*) languish (*vor* for)

ver•schmä•hen *tr* spurn

ver•schmel•zen *irr tr itr* (*Metalle*) fuse

ver•schmer•zen *tr* get over

ver•schmie•ren *tr* **1.** (*Löcher, Risse etc*) fill in **2.** (*verstreichen*) spread (*in* over) **3.** (*schmierig machen*) smear

ver•schmitzt [fɛr'ʃmɪtst] *adj* mischievous; **Ver•schmitzt•heit** *f* mischievousness

ver•schmo•ren *sein itr* (EL: *Kontakte*) glaze, pit

ver•schmut•zen I. *tr* **1.** dirty, soil **2.** (*Umwelt*) pollute **II.** *itr* **1.** (*Gegenstand, Person*) get dirty **2.** (*Umwelt*) become polluted; **ver•schmutzt** *adj* **1.** (*Gegenstand, Person*) dirty, soiled **2.** (*Umwelt*) polluted

ver•schnau•fen *itr refl* (*fam*) take a breather

ver•schneit *adj* snow-covered

Ver•schnitt *m* **1.** (*Schnapsmischung*) blend **2.** (*Abfall*) clippings *pl*

ver•schnör•kelt *adj* ornate

ver•schnupft *adj*: **~ sein** (*erkältet*) have a cold; (*fig fam*) be peeved (*über* about)

ver•schnü•ren [fɛr'ʃny:rən] *tr* tie up; **Ver•schnü•rung** *f* string

ver•schol•len [fɛr'ʃɔlən] *adj* missing; (*Kunstwerk*) forgotten; (JUR) presumed dead

ver•scho•nen *tr* spare (*jdn von etw* s.o. s.th.); **von etw verschont bleiben** escape s.th.

ver•schö•nern [fɛr'ʃø:nɐn] *tr* brighten up, embellish

ver•schrän•ken [fɛr'ʃrɛŋkən] *tr* (*Arme*) fold; (*Beine*) cross

ver•schrei•ben I. *irr tr* **1.** (*verordnen*) prescribe **2.** (*Papier*) use up; **s-e Seele dem Teufel ~** sign away one's soul to the devil **II.** *refl* **1.** (*falsch schreiben*) make a slip of the pen **2.** (*sich widmen*) dedicate o.s. (*e-r Sache* to s.th.); **ver•schrei•bungs•pflich•tig** *adj* (MED) only available on prescription

ver•schrien [fɛr'ʃri:(ə)n] *adj* notorious

ver•schro•ben [fɛr'ʃro:bən] *adj* eccentric, odd

ver•schrot•ten *tr* scrap; **Ver•schrot•tung** *f* scrapping

ver•schüch•tert [fɛr'ʃʏçtɐt] *adj* intimidated, timid

Ver•schul•den <-s> *n* fault; **ohne mein ~** through no fault of my own; **ver•schul•den I.** *tr* be to blame for **II.** *itr refl* (*Schulden machen*) get into debt; **ver•schul•det** *adj* indebted (*bei jdm* to s.o.); **Ver•schul•dung** *f* indebtedness

ver•schüt•ten *tr* **1.** (*Flüssigkeit*) spill **2.** (*Menschen*) bury alive

ver•schwä•gert [fɛr'ʃvɛ:gɐt] *adj* related by marriage (*mit* to)

ver•schwei•gen *irr tr* conceal, hide (*jdm etw* s.th. from s.o.)

ver•schwei•ßen *tr* weld together

ver•schwen•den [fɛr'ʃvɛndən] *tr* waste; (*Geld sinnlos verbrauchen*) squander (*an, für* on); **Ver•schwen•der(in)** *m(f)* spendthrift, squanderer; **ver•schwen•de•risch** *adj* **1.** spendthrift, wasteful **2.** (*extravagant*) extravagant; **Ver•schwen•dung** *f* wastefulness; **so eine ~!** what a waste!; **Ver•schwen•dungs•sucht** *f* extravagance

ver•schwie•gen [fɛr'ʃvi:gən] *adj* **1.** (*Person*) discreet **2.** (*Ort*) secluded; **Ver•schwie•gen•heit** *f* (*von Person*) discretion

ver•schwim•men *sein irr itr* (*undeutlich werden*) become blurred

Ver•schwin•den <-s> *n* disappearance; **ver•schwin•den** *sein irr itr* disappear, vanish; **verschwinde!** (*fam*) clear off!; **~d klein** minute

ver•schwit•zen *tr* **1.** (*durchschwitzen*) make sweaty **2.** (*fam: vergessen*) forget; **ver•schwitzt** *adj* **1.** (*Kleidung*) sweat-stained **2.** (*Mensch*) sweaty

ver•schwom•men [fɛr'ʃvɔmən] *adj* **1.** (*vage*) vague **2.** (*ohne scharfe Konturen*) blurred; **ich sehe alles nur ~** everything looks hazy to me

ver•schwö•ren *irr refl* conspire, plot (*mit* with, *gegen* against); **Ver•schwo•re•ne(r)** *f m* **1.** (*Verschwörer*) conspirator **2.** (*fig: Komplize*) accomplice; **Ver•schwö•rer(in)** *m(f)* conspirator, plotter; **Ver•schwö•rung** *f* conspiracy, plot; **e-e ~ anzetteln** hatch a plot

Ver•se•hen <-s, -> *n* mistake, slip; (*Irrtum*) error; **aus ~** by mistake

ver•se•hen I. *irr tr* **1.** (*ausstatten*) provide, supply **2.** (*Amt*) occupy; (*Dienst*) perform **3.** (*geben*) give; **mit etw ~ sein** have s.th.; **etw mit s-r Unterschrift ~** affix one's signature to s.th. **II.** *refl* **1.** (*sich irren*) be mistaken **2.** (*sich versorgen*) provide o.s. (*mit* with); **ehe man sich's versieht** before you could say Jack Robinson *fam*

ver•se•hent•lich I. *adj* inadvertent; (*irrtümlich*) erroneous **II.** *adv* by mistake, inadvertently

Ver•sehr•te(r) [fɛr'ze:ɐtə] <-n, -n> *f m* disabled person

ver•sen•den *irr tr* send; (COM) forward; (*verfrachten*) ship

ver•sen•gen *tr* scorch; (*anbrennen*) singe

ver•sen•ken I. *tr* **1.** (*Schiff etc*) send to the bottom, sink **2.** (TECH) lower; (*Armlehne*) fold **II.** *refl* (*fig*) become absorbed (*in* in); **Ver•sen•kung** *f* **1.** (*das Versenken*) sinking **2.** (THEAT) trap-door **3.** (*fig: das Sichversenken*) immersion; **in der ~ verschwinden** (*vergessen werden*) sink into oblivion; **aus der ~ auftauchen** (*fig*) re-emerge on the scene

ver•ses•sen [fɛr'zɛsən] *adj* (*fig*): **auf etw ~** keen on s.th., mad about s.th; **Ver•ses•sen•heit** *f* keenness (*auf* on)

ver•set•zen I. *tr* **1.** (*von e-r Stelle zu e-r andern*) move, shift; (*Pflanze*) transplant **2.** (*Person*) transfer; (PÄD: *in höhere Schulklasse*) move up **3.** (*verpfänden*) pawn **4.** (*vermischen*) mix **5.** (*Schlag: geben*) give **6.** (*erwidern*) retort **7.** (*fam: nicht kommen*) stand up; **ihr Freund hat sie versetzt** her friend stood her up; **in den vorzeitigen Ruhestand ~** pension off; **jdn in Wut ~** send s.o. into a rage; **jdn in die Lage ~(,) etw zu tun** put s.o. in a position to do s.th.; **in Angst ~** terrify **II.** *refl:* **~ Sie sich in meine Lage!** put yourself in my place!; **Ver•set•zung** *f* **1.** (*beruflich*) transfer; (*Höher~*) promotion **2.** (PÄD: *schulisch*) moving up; **Ver•set•zungs•zeug•nis** *n* end-of-year report

ver•seu•chen [fɛr'zɔɪçən] *tr* **1.** (*infizieren*) infect **2.** (*vergiften, a. fig*) contaminate; **Ver•seu•chung** *f* **1.** (*Infektion*) infection **2.** (*mit Giftstoff*) contamination

Vers•fuß *m* foot

Ver•si•che•rer *m* insurer; **ver•si•chern** I. *tr* **1.** (*beteuern*) affirm; (*bestätigen*) assure (*etw* s.th., *jdn e-r Sache* s.o. of s.th.) **2.** (*sein Leben*) assure; (*Sache*) insure **II.** *refl* **1.** (*sich vergewissern*) make sure (of) **2.** (*Versicherung abschließen*) insure o.s.; **Ver•si•cher•te(r)** <-n, -n> *f m* insured [*o* assured] party; **Ver•si•che•rung** *f* **1.** (*des Eigentums*) insurance; (*des Lebens*) assurance **2.** (*Bekräftigung*) affirmation; (*Bestätigung*) assurance; : **Ver•si•che•rungs•an•spruch** *m* insurance claim; **Ver•si•che•rungs•bei•trag** *m* insurance premium; **Ver•si•che•rungs•be•trug** *m* insurance fraud; **Ver•si•che•rungs•dau•er** *f* period of (insurance) cover; **ver•si•che•rungs•fä•hig** *adj* insurable; **Ver•si•che•rungs•fall** *m* insured event; **Ver•si•che•rungs•ge•sell•schaft** *f* insurance [*o* assurance] company; **Ver•si•che•rungs•kauf•mann** *m*, **-kauf•frau** *f* insurance broker; **Ver•si•che•rungs•pflicht** *f* compulsory insurance; **Ver•si•che•rungs•po•li•ce** *f* insurance policy; **Ver•si•che•rungs•prä•mie** *f* insurance premium; **Ver•si•che•rungs•schutz** *m* insurance cover; **Ver•si•che•rungs•sum•me** *f* sum insured [*o* assured]; **Ver•si•che•rungs•ver•tre•ter(in)** *m(f)* insurance agent; **Ver•si•che•rungs•wert** *m* insurable value

ver•si•ckern *sein itr* **1.** seep away **2.** (*fig: Unterhaltung etc*) dry up

ver•sie•geln *tr* seal

ver•sie•gen *sein itr* (*a. fig*) dry up

ver•siert [vɛr'zi:ɐt] *adj* (*fachmännisch erfahren*) experienced; **sie ist sehr ~ in Latein** she is well-versed in Latin

ver•sil•bern *tr* **1.** silver-plate **2.** (*fam: verkaufen*) flog *Br;* **Ver•sil•be•rung** *f* **1.** (*Silberschicht*) silver-plate **2.** (*das Versilbern*) plating

ver•sin•ken *irr itr sein* **1.** (*untergehen*) sink; (*Schiff*) founder **2.** (*fig*) lose o.s. (*in etw* in s.th.); **in Gedanken versunken sein** be lost in thought; **die Sonne versank am Horizont** the sun sank beneath the horizon

ver•sinn•bild•li•chen [fɛr'zɪnbɪltlɪçən] *tr* symbolize

Ver•si•on [vɛr'zjo:n] *f* version

ver•skla•ven *tr* (*a. fig*) enslave

Vers•maß *n* metre

ver•snobt [fɛr'snɔpt] *adj* snobbish

ver•sof•fen [fɛr'zɔfən] *adj* (*sl*) boozy

ver•soh•len *tr* (*fam*) belt

ver•söh•nen [fɛr'zø:nən] I. *tr* (*a. fig*) reconcile (*mit* to); (*besänftigen*) appease **II.** *refl* get reconciled (*mit* to); **ver•söhn•lich** *adj* conciliatory; (*vergebend*) forgiving; **~ stimmen** placate; **Ver•söh•nung** *f* reconciliation; (*Besänftigung*) appeasement

ver•son•nen [fɛr'zɔnən] *adj* (*gedankenverloren*) lost in thought; (*träumerisch*) dreamy

ver•sor•gen I. *tr* **1.** (*sich kümmern um*) look after, take care of **2.** (*beliefern*) provide [*o* supply] (*mit* with) **3.** (*unterhalten*) provide for **II.** *refl* provide o.s. (*mit etw* with s.th.); **sich selbst ~** take care of o.s.; **Ver•sor•gung** *f* **1.** (*das Sichkümmern*) care **2.** (COM: *Belieferung, Bestückung*) supply **3.** (*Unterhalt: von Familie etc*) providing (*jds* for s.o.); **~ mit Energie** power supply; **öffentliche ~** provision of public utilities; **ver•sor•gungs•be•rech•tigt**

adj entitled to maintenance; **Ver•sor•gungs•ket•te** *f* supply chain; **Ver•sor•gungs•lei•tung** *f* supply line; **Ver•sor•gungs•netz** *n* **1.** (*öffentliches* ~) supply grid **2.** (COM: *Waren~*) supply network; **Ver•sor•gungs•schwie•rig•kei•ten** *pl* supply problems

ver•spach•teln *tr* (*mit Spachtel verschmieren*) fill in

ver•span•nen *refl* (*Muskel*) tense up

Ver•span•nung *f* tenseness

ver•spä•ten *refl* **1.** (*zu spät kommen*) be late **2.** (*aufgehalten werden*) be delayed; **ver•spä•tet** *adj* belated, late; **Ver•spä•tung** *f* (RAIL AERO) delay; (*von Person*) late arrival; **alle Züge haben** ~ there are delays to all trains; (**15 Minuten**) ~ **haben** be (15 minutes) late

ver•spei•sen *tr* consume

ver•spe•ku•lie•ren **I.** *tr* (*Geld*) lose through speculation **II.** *refl* **1.** (FIN) ruin o.s. by speculation **2.** (*fig*) be out in one's calculations

ver•sper•ren *tr* **1.** (*blockieren*) bar, block; (*verschließen*) lock up **2.** (*fig: Zukunftsaussichten etc*) obstruct; **Sie** ~ **mir die Sicht!** you're obstructing my view!

ver•spie•len **I.** *tr* (*a. fig*) gamble away **II.** *itr* (*fig*): (**bei jdm**) **verspielt haben** have had it (as far as s.o. is concerned)

ver•spon•nen *adj* eccentric; (*Idee*) odd

ver•spot•ten *tr* mock

ver•spre•chen **I.** *irr tr* promise (*jdm etw* s.o. s.th.) **II.** *refl* **1.** (*erwarten*) expect to gain (*etw von etw* by s.th.) **2.** (*Nichtgemeintes sagen*) make a slip of the tongue; **viel** ~**d**^{RR} (very) promising; **Ver•spre•chen** *n*, **Ver•spre•chung** *n* promise

ver•sprit•zen *tr* **1.** (*versprühen*) spray **2.** (*durch Planschen*) spatter, splash

ver•spü•ren *tr* feel

ver•staat•li•chen *tr* nationalize; **Ver•staat•li•chung** *f* nationalization

Ver•städ•te•rung *f* urbanization

Ver•stand [fɛrˈʃtant] <-(e)s> *m* (*Intellekt*) intellect, mind; (*Denkfähigkeit*) reason; (*Vernunft*) (common) sense; (*Urteilsfähigkeit*) judgement; **ein scharfer** ~ a keen mind; **er hat nicht für fünf Pfennig** ~ (*fig*) he hasn't the sense he was born with; **nicht bei** ~ **sein** be out of one's mind; **den** ~ **verlieren** go out of one's mind; **mehr Glück als** ~ **haben** have more luck than brains; **ver•stan•des•mä•ßig** *adj* rational, intellectual; **Ver•stan•des•mensch** *m* rational person

ver•stän•dig [fɛrˈʃtɛndɪç] *adj* **1.** (*einsichtig*) understanding **2.** (*vernünftig*) reasonable, sensible; **ver•stän•di•gen** **I.** *tr* inform, notify (*von* of) **II.** *refl* **1.** (*kommunizieren*) communicate (*mit jdm* with s.o.) **2.** (*sich einigen*) come to an understanding (*mit jdm* with s.o.); **Ver•stän•di•gung** *f* **1.** (*Informierung*) information, notification **2.** (*Kommunikation*) communication **3.** (*Übereinkunft*) agreement, understanding **4.** (TELE) audibility

ver•ständ•lich *adj* **1.** (*einsichtig*) intelligible **2.** (*begreiflich*) understandable; (*begreifbar*) comprehensible **3.** (*hörbar*) audible; **jdm etw** ~ **machen** make s.o. understand s.th.; **sich** ~ **machen** make o.s. understood; **schwer** ~^{RR} difficult to understand; **Ver•ständ•lich•keit** *f* **1.** comprehensibility **2.** (*Hörbarkeit*) audibility

Ver•ständ•nis [fɛrˈʃtɛntnɪs] <-ses, (-se)> *n* **1.** (*Begreifen*) comprehension, understanding (*für* of) **2.** (*Mitgefühl*) sympathy (*für* for) **3.** (*Sinn für etw*) appreciation (*für* of); **dafür habe ich kein** ~ I have no time for that kind of thing; **ver•ständ•nis•los** *adj* **1.** (*nicht verstehend*) uncomprehending **2.** (*ohne Einfühlungsvermögen*) unsympathetic (*für* towards) **3.** (*ohne Sinn für etw*) unappreciative (*für* of); **ver•ständ•nis•voll** *adj* **1.** (*verstehend*) understanding **2.** (*mitfühlend*) sympathetic (*für* towards)

ver•stär•ken **I.** *tr* **1.** (*stärker machen, a. fig*) reinforce, strengthen **2.** (EL) amplify **3.** (*steigern*) intensify **4.** (*vermehren*) increase; **s-e Anstrengungen** ~ increase one's efforts **II.** *refl* **1.** (*sich vermehren*) increase **2.** (*fig: intensiver werden*) intensify, strengthen; **Ver•stär•ker** *m* (RADIO) amplifier; **Ver•stär•kung** *f* **1.** reinforcement, support **2.** (RADIO) amplification **3.** (*Intensivierung, a.* PHOT) intensification **4.** (*Vermehrung*) increase; (MIL) reinforcements *pl*

ver•stau•ben *sein itr* get dusty; **verstaubt** *adj* dusty

ver•stau•chen [fɛrˈʃtaʊxən] *tr* sprain; **ich habe mir die Hand verstaucht** I've sprained my hand

Ver•stau•chung *f* sprain(ing)

ver•stau•en *tr* **1.** (*Gepäck*) pack (*in* into) **2.** (MAR) stow

Ver•steck [fɛrˈʃtɛk] <-(e)s, -e> *n* hiding-place; ~ **spielen** play hide-and-seek; **aus dem** ~ **auftauchen** come out of concealment; **ver•ste•cken** **I.** *tr* conceal, hide (*vor* from) **II.** *refl* conceal o.s. *Br,* hide, hide up *Am;* **Sie brauchen sich vor ihm nicht zu** ~ (*fig*) you do not need to fear comparison with him; **er hat etw in s-r Tasche versteckt** he's hiding s.th. in his pocket; **Ver•steck•spiel** *n* hide-and-seek *Br,* hide-and-coop *Am;* **ver•steckt** *adj* **1.** (*verborgen*) concealed, hidden **2.** (*fig: verstohlen*) furtive; **sich** ~ **halten** stay in concealment

ver•ste•hen I. *irr tr itr* **1.** understand **2.** (*deuten*) interpret **3.** (*einsehen*) see **4.** (*können*) know (*etw zu tun* how to do s.th., *etw* s.th., *von etw* about s.th.); **das kann ich eben nicht** ~ that's what I can't understand; **was ~ Sie unter „exzentrisch"?** what do you understand by "eccentric"?; **wie ~ Sie s-e Bemerkungen?** what do you understand by those remarks?; **ich verstehe die Situation so, dass ...** my understanding of the situation is that ...; **falsch** ~ misunderstand; **jdm zu ~ geben, dass ...** give s.o. to understand that ...; **verstanden?** do you understand me?, got the idea? *fam,* O.K.? *Am;* **ich verstehe!** I see! II. *refl* **1.** (*sich verstehen können*) understand each other **2.** (*miteinander auskommen*) get along with each other; **er versteht sich als Künstler** he sees himself as an artist; **das versteht sich von selbst** that goes without saying; **sich auf etw** ~ be an expert at s.th.

ver•stei•fen I. *tr* **1.** (*verstärken*) reinforce, strengthen **2.** (TECH) strut II. *refl* **1.** stiffen up **2.** (*sich verhärten*) harden; **sich auf etw** ~ (*fig*) become set on s.th.

ver•stei•gen *irr refl haben* (*fig*) have the presumption (*zu* to)

Ver•stei•ge•rer *m* auctioneer; **ver•stei•gern** *tr* auction (off); **etw ~ lassen** put s.th. up for auction; **Ver•stei•ge•rung** *f* auction

ver•stei•nern *itr* petrify, turn (in)to stone; **Ver•stei•ne•rung** *f* **1.** (*Vorgang*) petrifaction **2.** (*Fossil*) fossil

ver•stell•bar *adj* adjustable; **ver•stel•len** I. *tr* **1.** (*in Unordnung bringen*) misplace, put in the wrong place **2.** (*Möbel etc*) shift **3.** (*versperren*) block **4.** (*Stimme, Handschrift*) disguise II. *refl* (*fig*) dissemble, hide one's true feelings; **Ver•stell•schrau•be** *f* (MOT) adjusting screw; **Ver•stel•lung** *f* (*Vortäuschung*) pretending; **Ver•stel•lungs•künst•ler(in)** *m(f)* (*fam*) phoney

ver•step•pen *itr* turn into desert; **Ver•step•pung** *f* desertification

ver•steu•ern *tr* pay on; **Ver•steu•e•rung** *f* taxation

ver•stim•men *tr* (*fig*) disgruntle, put out; **ver•stimmt** *adj* **1.** (MUS) out of tune **2.** (*fig: verärgert*) put out **3.** (*Magen*) upset; **Ver•stim•mung** *f* ill-feeling

ver•stockt [fɛr'ʃtɔkt] *adj* **1.** (*widerspenstig*) obstinate, stubborn **2.** (*unbußfertig*) unrepentant; **Ver•stockt•heit** *f* **1.** (*Widerspenstigkeit*) obstinacy, stubbornness **2.** (*Unbußfertigkeit*) unrepentance

ver•stoh•len [fɛr'ʃto:lən] *adj* furtive, surreptitious

ver•stop•fen *tr* **1.** (*Loch etc*) stop up **2.** (*Straße*) block, jam; **ver•stopft** *adj* **1.** (*blockiert*) blocked **2.** (MED) constipated **3.** (*Nase*) stuffed up; **Ver•stop•fung** *f* **1.** (*Blockierung*) blockage **2.** (MED) constipation

ver•stor•ben [fɛr'ʃtɔrbən] *adj* deceased; (*attr*) late

ver•stört [fɛr'ʃtø:ɐt] *adj* (*verwirrt*) disconcerted

Ver•stoß *m* offence (*gegen* against), violation (*gegen* of); **ver•sto•ßen** I. *irr tr* (*vertreiben*) expel (*aus* from) II. *itr* offend (*gegen etw* against s.th.)

ver•strahlt *adj* contaminated by radiation

Ver•stre•bung *f* (TECH) support

ver•strei•chen I. *irr itr sein* (*Zeit*) elapse, pass (by); (*Frist*) expire II. *tr haben* **1.** (*Farbe, Salbe*) put on (*auf* to) **2.** (*Mauerrisse: verspachteln*) fill in

ver•streu•en *tr* scatter

ver•stri•cken *refl* (*fig*) become entangled

ver•stüm•meln [fɛr'ʃtʏməln] *tr* **1.** mutilate **2.** (*fig: Nachricht etc*) distort; **Ver•stüm•me•lung** *f* **1.** mutilation **2.** (*fig: Verzerrung*) distortion

ver•stum•men *sein itr* **1.** (*Ton etc, a. fig*) become silent **2.** (*Person*) fall silent

Ver•such [fɛr'zu:x] <-(e)s, -e> *m* **1.** attempt (*etw zu tun* at doing s.th., to do s.th.) **2.** (*Experiment*) experiment; (*Test*) test **3.** (*Essay*) essay; **es ist e-n ~ wert** it's worth trying; **beim ersten ~** at the first try; **er unternahm keinen ~ uns zu helfen** he made no attempt to help us; **das kommt auf e-n ~ an** we'll have to have a try; **e-n ~ anstellen** carry out an experiment; **alle ~e scheiterten** all attempts were defeated

ver•su•chen I. *tr* **1.** attempt, try **2.** (*sich bemühen*) strive **3.** (*kosten*) taste **4.** (*in Versuchung führen*) tempt; **~(,) etw zu tun** attempt [*o* try] to do s.th.; **es ~** have a try; **lass mich mal ~!** let me have a try!; **versuch's noch mal!** have another try!; **ich werd' es mal ~** I'll give it a try; **bitte versuche doch zu verstehen!** do try to understand! II. *refl:* **sich an etw ~** try one's hand at s.th.; **Ver•suchs•an•la•ge** *f* experimental [*o* pilot] plant; **Ver•suchs•bal•lon** *m* sounding balloon; **e-n ~ steigen lassen** (*fig*) fly a kite; **Ver•suchs•boh•rung** *f* (*Erdöl~*) test drilling; **Ver•suchs•er•geb•nis** *n* result of experiments; **Ver•suchs•ka•nin•chen** *n* (*fig*) guinea-pig; **Ver•suchs•per•son** *f* test subject; **Ver•suchs•pro•jekt** *nt* research [*o* experimental] project; **Ver•suchs•rei•he** *f* series of experiments; **Ver•suchs•tier** *n* experimental animal; **ver•suchs-**

wei•se *adv* (*als Versuch*) on a trial basis; **Ver•such•ung** *f* (*a.* REL) temptation; **in ~ führen** lead into temptation; **in ~ kommen** be tempted
ver•sump•fen *sein itr* **1.** become boggy [*o* marshy] **2.** (*fam: verwahrlosen*) go to pot **3.** (*sich in Lokal betrinken*) get involved in a booze-up
ver•sün•di•gen *refl* sin (*an* against)
ver•sun•ken [fɛr'zʊŋkən] *adj* **1.** (*gesunken*) sunken **2.** (*fig: Kultur*) submerged **3.** (*fig: vertieft*) absorbed, immersed
ver•sü•ßen *tr* (*fig*) make more pleasant (*jdm etw* s.th. for s.o.)
Ver•tä•fe•lung *f* paneling
ver•ta•gen I. *tr* adjourn; (*verschieben*) postpone (*auf* until, till); (PARL) prorogue *Br*, table *Am* **II.** *refl* be adjourned; (JUR) adjourn; **Ver•ta•gung** *f* adjournment; (PARL) prorogation
ver•tau•schen *tr* **1.** (*tauschen*) exchange (*gegen, mit* for); (*auswechseln*) interchange **2.** (*verwechseln*) mix up
ver•tei•di•gen [fɛr'taɪdɪgən] **I.** *tr itr* defend **II.** *refl* defend o.s.; **sich selbst ~** (*vor Gericht*) conduct one's own defence; **Ver•tei•di•ger(in)** *m(f)* **1.** (*allgemein*) defender **2.** (*Befürworter*) advocate **3.** (JUR) counsel for the defence *Br*, attorney for the defense *Am* **4.** (SPORT: *beim Fußball*) back; **Ver•tei•di•gung** *f* defence *Br*, defense *Am*; **Ver•tei•di•gungs•fä•hig•keit** *f* (MIL) defensive capability; **Ver•tei•di•gungs•krieg** *m* defensive war; **Ver•tei•di•gungs•mi•nis•ter** *m* Minister of Defence; **Ver•tei•di•gungs•mi•nis•te•rium** *n* Ministry of Defence; **Ver•tei•di•gungs•re•de** *f* **1.** (JUR) speech for the defence **2.** (*fig*) apologia; **Ver•tei•di•gungs•zweck** *m*: **für ~e** for defence purposes
ver•tei•len I. *tr* **1.** distribute (*an* to, *unter* among) **2.** (*ausstreuen*) spread (*über* over); **verteilen Sie die Farbe gleichmäßig!** spread the paint evenly! **II.** *refl* (*Personen*) spread out; (*zeitlich*) be spread (*über* over); **Ver•tei•ler** *m* **1.** (MOT) distributor **2.** (*~schlüssel auf Rundschreiben*) list of people to receive a copy; **Ver•tei•ler•kas•ten** *m* (EL TELE) distributor box; **Ver•tei•ler•netz** *nt* distribution network
Ver•tei•lung *f* **1.** (*Austeilung*) distribution **2.** (*Zuteilung*) allocation
ver•teu•ern I. *tr* make dearer **II.** *refl* become dearer; **Ver•teu•e•rung** *f* increase [*o* rise] in price
ver•teu•feln *tr* condemn; **ver•teu•felt I.** *adj* (*fam*) devilish **II.** *adv* damned; **das war vielleicht ~, ich konnte überhaupt nichts sehen!** I couldn't see a darn thing!; **Ver•teu•fe•lung** *f* condemnation
ver•tie•fen *tr refl* (*a. fig*) deepen; **sich in etw ~** become absorbed in s.th.; **Ver•tie•fung** *f* **1.** deepening **2.** (*fig: Vertieftsein*) absorption
ver•ti•kal [vɛrti'ka:l/'---] *adj* vertical
ver•til•gen *tr* **1.** (*ausrotten*) exterminate **2.** (*Unkraut etc: vernichten*) destroy **3.** (*fam: verzehren*) devour; **Ver•til•gung** *f* **1.** (*Ausrottung*) extermination **2.** (*Unkraut etc: Vernichtung*) destruction; **Ver•til•gungs•mit•tel** *n* (*Insekten~*) pesticide; (*Unkraut~*) weed- killer
ver•tip•pen *refl* (*mit Schreibmaschine*) make a typing error
ver•to•nen *tr* set to music; **Ver•to•nung** *f* setting
ver•trackt [fɛr'trakt] *adj* (*fam*) confounded
Ver•trag [fɛr'tra:k, *pl:* fɛr'trɛ:gə] <-(e)s, ¨-e> *m* (*Arbeits~ etc*) contract; (*Abkommen*) agreement; (POL) treaty
ver•tra•gen I. *irr tr* (*ertragen*) endure, stand, tolerate; **er kann keinen Fisch ~** fish does not agree with him; **er kann viel ~** (*fam: Alkohol*) he's able to hold his drink; **Spaß ~** take a joke; **ich kann alles ~, nur keine Schlamperei** I can tolerate anything except sloppiness; **die Wand könnte noch e-n Anstrich ~** (*fam*) the wall could stand another coat of paint; **ich glaub, ich kann noch ein Stück Kuchen ~** I think I can manage another piece of cake **II.** *refl* **1.** get along (*mit jdm* with s.o.) **2.** (*vereinbar sein*) be consistent (*mit etw* with s.th.); **ver•trag•lich I.** *adj* contractual **II.** *adv* by contract
ver•träg•lich [fɛr'trɛ:klɪç] *adj* **1.** (*umgänglich*) amicable, peaceable **2.** (*bekömmlich*) wholesome; (*Speisen*) digestible **3.** (*vereinbar*) compatible (with)
Ver•trags•ab•schluss[RR] *m* completion of a contract; **Ver•trags•be•din•gun•gen** *fpl* terms [*o* conditions] of a contract; **Ver•trags•bruch** *m* breach of contract; **ver•trags•brü•chig** *adj*: **~ werden** break a contract; **Ver•trags•dau•er** *f* contractual period; **ver•trag•schlie•ßend** *adj*: **~e Partei** contracting party; **Ver•trags•ent•wurf** *m* draft contract [*o* agreement] [*o* treaty]; **Ver•trags•händ•ler** *m* appointed dealer; **Ver•trags•part•ner** *m* partner to a contract [*o* treaty]; **Ver•trags•stra•fe** *f* penalty of breach of contract; **Ver•trags•ver•let•zung** *f* violation of contract; **ver•trags•wid•rig I.** *adj* contrary to the agreement **II.** *adv* in breach of contract
Ver•trau•en <-s> *n* confidence, trust (*zu, in, auf* in); **im ~ (gesagt)** strictly in confidence; **im ~ auf ...** relying on ..., trusting to ...; **zu jdm ~ haben** be confident in s.o.;

jds ~ besitzen enjoy someone's confidence; **jdn ins ~ ziehen** admit [*o* take] s.o. into one's confidence; **ich habe volles ~ zu ihm** I have every trust in him; **er ist ein ~ erweckender Mensch**[RR] he is a person inspiring confidence

ver•trau•en *itr* trust (*jdm o e-r Sache* s.o., s.th., *auf jdn o etw* in s.o., s.th.), have confidence (*jdm* in s.o.); **ver•trau•en•er•we•ckend** *adj s.* **Vertrauen**

Ver•trau•ens•arzt, **-ärz•tin** *m, f* independent examining doctor; **ver•trau•ens•bil•dend** *adj* confidence building; **Ver•trau•ens•bruch** *m* breach of trust; **Ver•trau•ens•fra•ge** *f* (PARL) question of confidence; **Ver•trau•ens•kri•se** *f* (POL) confidence crisis; **Ver•trau•ens•leh•rer(in)** *m(f)* (PÄD) liaison teacher; **Ver•trau•ens•mann** <-(e)s, -männer/-leute> *m* intermediary agent; (*gewerkschaftlich*) union representative; **Ver•trau•ens•sa•che** *f* **1.** (*vertrauliche Sache*) confidential matter **2.** (*Sache des Vertrauens*) matter of trust; **Ver•trau•ens•schwund** *m* loss of confidence; **Ver•trau•ens•stel•lung** *f* position of trust; **ver•trau•ens•voll** *adj* trusting; **Ver•trau•ens•vo•tum** *n* (PARL) vote of confidence; **ver•trau•ens•wür•dig** *adj* trustworthy; **Ver•trau•ens•wür•dig•keit** *f* trustworthiness

ver•trau•lich *adj* **1.** (*geheim*) confidential **2.** (*plump~*) familiar; **Ver•trau•lich•keit** *f* **1.** (*vertrauliche Haltung*) confidentiality **2.** (*vertrauliche Mitteilung*) confidence **3.** (*plumpe ~*) familiarity

ver•träu•men *tr* dream away; **ver•träumt** *adj* **1.** (*träumerisch*) dreamy **2.** (*idyllisch*) sleepy

ver•traut *adj* **1.** intimate **2.** (*bekannt*) familiar; **sich mit dem Gedanken ~ machen, dass ...** get used to the idea that ...; **sich mit etw ~ machen** acquaint o.s. with s.th.; **Ver•trau•te(r)** *f m* intimate friend; **Ver•traut•heit** *f* **1.** (*Intimität*) intimacy **2.** (*Bekanntheit*) familiarity

ver•trei•ben *irr tr* **1.** drive away; (*aus Land*) expel (from) **2.** (COM: *verkaufen*) sell; **sich die Zeit ~** while [*o* pass] away one's time; **jdm die Zeit ~** help s.o. pass the time; **Ver•trei•bung** *f* expulsion

ver•tret•bar *adj* justifiable; **nicht ~** (*unhaltbar*) untenable

ver•tre•ten *tr* **1.** (*als Bevollmächtigter*) represent **2.** (*zeitweilig ersetzen*) replace **3.** (*einstehen*) answer for **4.** (JUR) plead (*jdn* someone's case) **5.** (*Interessen*) attend to **6.** (*Ansicht*) take; **sich die Beine ~** (*fam*) stretch one's legs; **er vertritt die Firma in London** he represents the firm in London

Ver•tre•ter(in) *m(f)* **1.** (*Repräsentant*) representative **2.** (*Stell~*) deputy; (*bei Ärzten, Geistlichen*) locum tenens **3.** (*Fürsprecher*) advocate **4.** (COM: *Handels~*) sales representative; **Ver•tre•ter•pro•vi•si•on** *f* agent's commission

Ver•tre•tung *f* **1.** (*Repräsentanz*) representation **2.** (*Ersatz*) replacement **3.** (*im Amt*) substitution **4.** (COM: *Agentur*) agency; **in ~** (*bei Briefen*) on behalf of ...; **die ~ übernehmen für ...** take the place of ...

Ver•trieb [fɛr'tri:p] *m* **1.** sales, marketing **2.** (*Abteilung*) sales department

Ver•trie•be•ne(r) *f m* exile

Ver•triebs•ab•tei•lung *f* (COM) sales department; **Ver•triebs•er•lös** *m* (COM) sales revenue; **Ver•triebs•ge•sell•schaft** *f* (MARKT) marketing organization; **Ver•triebs•kos•ten** *pl* distribution [*o* sales] costs; **Ver•triebs•lei•ter(in)** *m(f)* (MARKT) sales manager; **Ver•triebs•netz** *n* marketing network; **Ver•triebs•po•li•tik** *f* (MARKT) distribution policy; **Ver•triebs•weg** *m* distribution channel

ver•trin•ken *tr* spend on drink

ver•trock•nen *sein itr* **1.** (*Quelle*) dry up **2.** (*Pflanze*) wither; (*Lebensmittel*) go dry

ver•trö•deln *tr* fritter away

ver•trös•ten *tr:* **jdn von e-m Tag zum anderen ~** put s.o. off from day to day

ver•tu•schen [fɛr'tʊʃən] *tr* hush up

ver•ü•beln *tr:* **jdm etw ~** blame s.o. for s.th.

ver•ü•ben *tr* commit, perpetrate

ver•ul•ken *tr* (*fam*) make fun of, tease

ver•un•glimp•fen [fɛr'ʊnglɪmpfən] *tr* disparage

ver•un•glü•cken *sein itr* **1.** (*Person*) have an accident; (*Flugzeug*) crash **2.** (*fam: misslingen*) go wrong; **mit dem Auto ~** have a car accident; **mit dem Flugzeug ~** be in a plane crash; **tödlich ~** be killed in an accident; **ver•un•glückt** *adj* (*fig: nicht gelungen*) unsuccessful

ver•un•rei•ni•gen [fɛr'ʊnraɪnɪgən] *tr* **1.** (*Kleidung etc*) soil **2.** (*Umwelt*) pollute; **Ver•un•rei•ni•gung** *f* **1.** (*von Kleidung etc*) soiling **2.** (*von Umwelt*) pollution

ver•un•si•chern *tr* make uncertain (*in* of); **ver•un•si•chert** *adj* uncertain; **Ver•un•si•che•rung** *f* uncertainty

ver•un•stal•ten [fɛr'ʊnʃtaltən] *tr* disfigure

ver•un•treu•en [fɛr'ʊntrɔɪən] *tr* embezzle; **Ver•un•treu•ung** *f* embezzlement

ver•ur•sa•chen *tr* cause; **Beschwerden ~** (MED) give rise to trouble; **Ver•ur•sa•cher(in)** *m(f)* cause

ver•ur•tei•len *tr* (*a. fig*) condemn; (JUR: *zu Strafe*) sentence; **jdn zu einer Geldstrafe ~** impose a fine on s.o.; **der zum Tode Verurteilte** the condemned man; **Ver•ur-**

teiˑlung *f* (*a. fig*) condemnation; (JUR: *Schuldspruch*) conviction
verˑvielˑfaˑchen *tr* multiply
verˑvielˑfälˑtiˑgen [fɛrˈfiːlfɛltɪgən] *tr* duplicate; **Verˑvielˑfälˑtiˑgung** *f* **1.** duplication **2.** (*Kopie*) copy
verˑvierˑfaˑchen *tr refl* quadruple
verˑvollˑkommˑnen [fɛrˈfɔlkɔmnən] **I.** *tr* perfect **II.** *refl* perfect o.s.; **Verˑvollˑkommˑnung** *f* perfection
verˑvollˑstänˑdiˑgen *tr* complete; **Verˑvollˑstänˑdiˑgung** *f* completion
verˑwaˑckeln *tr* (*Foto*) blur
verˑwähˑlen *refl* (TELE) dial the wrong number; **Verzeihung, habe mich verwählt!** sorry, wrong number!
verˑwahˑren **I.** *tr* have in safekeeping, keep (safe); **etw an e-m sicheren Ort ~** put s.th. away safely **II.** *refl:* **sich ~ gegen ...** protest against ...
verˑwahrˑlost [fɛrˈvaːɐloːst] *adj* **1.** (*vernachlässigt*) neglected; (*Äußeres e-r Person*) unkempt **2.** (*moralisch*) decadent; **Verˑwahrˑloˑsung** *f* **1.** (*von Person: Vernachlässigung*) neglect of o.s.; (*von Gebäude etc*) dilapidation **2.** (*moralisch*) depravity
Verˑwahˑrung *f* (*von Geld etc*) keeping; (*von Straftäter*) custody; **jdm etw in ~ geben** give s.th. to s.o. for safekeeping; **jdn in ~ nehmen** take s.o. into custody; **etw in ~ nehmen** take s.th. into safekeeping
verˑwaist [fɛrˈvaɪst] *adj* **1.** (*ohne Eltern*) orphaned **2.** (*fig: verlassen*) deserted
verˑwalˑten *tr* **1.** (*Erbe, Vermögen*) administer **2.** (*Fabrik*) manage, run; (POL: *leiten*) govern **3.** (*Amt*) hold; **Verˑwalˑter(in)** *m(f)* administrator; (*Treuhänder*) trustee
Verˑwalˑtung *f* **1.** (*Administration*) administration **2.** (COM: *Firmenleitung*) management; **Verˑwalˑtungsˑapˑpaˑrat** *m* administrative machinery; **Verˑwalˑtungsˑarˑbeit** *f* administrative work; **Verˑwalˑtungsˑausˑschuss**[RR] *m* management committee; **Verˑwalˑtungsˑbeˑamˑte, -beˑamˑtin** *m, f* civil servant; **Verˑwalˑtungsˑbeˑzirk** *m* administrative district; **Verˑwalˑtungsˑgeˑricht** *n* Administrative Court; **Verˑwalˑtungsˑgeˑrichtsˑhof** *m* Higher Administrative Court; **Verˑwalˑtungsˑkosˑten** *pl* administrative costs; **Verˑwalˑtungsˑrat** *m* administrative board, board of directors; **verˑwalˑtungsˑtechˑnisch** *adj:* **aus ~en Gründen** for administrative reasons
verˑwanˑdelˑbar *adj* **1.** (*allgemein*) transformable **2.** (TECH) convertible
verˑwanˑdeln *tr refl* change, turn (*in* into); **Verˑwandˑlung** *f* change, transformation; **Verˑwandˑlungsˑszeˑne** *f* (THEAT) transformation scene
verˑwandt [fɛrˈvant] *adj* **1.** related (*mit* to) **2.** (*fig*) kindred (*mit* to); **einander sehr ~ sein** (*fig*) be very much akin to each other; **Verˑwandˑte(r)** *f m* relation, relative; **Verˑwandtˑschaft** *f* **1.** (*Verwandtsein*) relationship **2.** (*die Verwandten*) relations *pl* **3.** (*fig*) affinity, kinship; **verˑwandtˑschaftˑlich** *adj* family
verˑwarˑnen *tr* caution, warn; **er ist oft genug verwarnt worden** he had plenty of warning; **Verˑwarˑnung** *f* caution, warning; **jdm e-e ~ geben** give s.o. a warning; (*gebührenpflichtig*) fine s.o.
verˑwaˑschen *adj* **1.** (*verblichen*) faded **2.** (*fig fam*) wishy-washy
verˑwäsˑsern *tr* **1.** water down **2.** (*fig*) dilute
verˑwechˑseln *tr* mix up; **jdn mit jdm ~** take s.o. for s.o. else; **zwei Probleme miteinander ~** confuse two problems; **zum V~ ähnlich** as like as two peas; **Verˑwechsˑlung** *f* **1.** confusion **2.** (*Irrtum*) mistake
verˑweˑgen [fɛrˈveːgən] *adj* daring, bold; **Verˑweˑgenˑheit** *f* daring, boldness
verˑweˑhen **I.** *tr* **1.** blow away; (*Schnee*) drift **2.** (*zudecken*) cover over **II.** *itr* (*Rauch: zerstreut werden*) drift away
verˑwehˑren *tr* **1.** (*verhindern*) bar (*jdm, etw zu tun* s.o. from doing s.th.) **2.** (*verweigern*) refuse (*jdm etw* s.o. s.th.)
Verˑweˑhung *f* (*Schnee~, Sand~ etc*) drift
verˑweichˑliˑchen **I.** *tr haben* make soft **II.** *refl sein* grow soft; **Verˑweichˑliˑchung** *f* softness
Verˑweiˑgeˑrer *m* refusenik; **verˑweiˑgern** *tr* deny, refuse (*jdm etw* s.o. s.th.); **Verˑweiˑgeˑrung** *f* denial, refusal
verˑweiˑlen *itr* **1.** linger, stay **2.** (*fig*): **bei etw ~** dwell on s.th.
verˑweint *adj* **1.** (*Gesicht*) tear-stained **2.** (*Augen*) tear-swollen
Verˑweis <-es, -e> *m* **1.** (*Rüge*) rebuke, reprimand **2.** (*Hinweis*) reference (*auf* to); **jdm e-n ~ erteilen** reprimand [*o* rebuke] s.o.
verˑweiˑsen *irr tr* **1.** (*hinweisen*) refer (*jdn auf etw o an jdn* s.o. to s.th., s.o.) **2.** (*des Landes, von der Schule*) expel; **auf etw ~** refer to s.th.
verˑwelˑken *sein itr* **1.** (*Blumen*) wilt **2.** (*fig: Schönheit etc*) fade
verˑwendˑbar *adj* usable (*zu* for)
verˑwenˑden **I.** *irr tr* use; (*benutzen*) employ; (*verwerten*) utilize; **Fleiß auf etw ~** put hard work into s.th.; **viel Zeit ~ auf ...** spend [*o* put in] a lot of time on ... *fam* **II.** *refl* (*fürsprechen*) intercede (*bei jdm für jdn* with s.o. on someone's behalf); **Ver-**

wen•dung *f* employment, use; (*von Geld, Zeit etc*) expenditure (*auf* on); **Ver•wen•dungs•zweck** *m* purpose, use
ver•wer•fen I. *irr tr* 1. (*ablehnen*) reject; (*Antrag etc*) dismiss 2. (*verdammen*) condemn II. *refl* 1. (*Holz*) warp 2. (GEOL) fault; **ver•werf•lich** *adj* reprehensible
ver•wer•ten *tr* make use of, utilize; (COM) exploit; **Ver•wer•tung** *f* using, utilization
ver•we•sen [fɛr'veːzən] *sein itr* (*in Fäulnis übergehen*) decay; (*Fleisch*) rot; **Ver•we•sung** *f* decomposition; **in ~ übergehen** start to decay
ver•wi•ckeln I. *tr* 1. (*Fäden etc*) tangle up 2. (*fig*) involve (*jdn in etw* s.o. in s.th.) II. *refl* 1. become tangled 2. (*fig: in Widersprüche etc*) get o.s. tangled up (*in etw* in s.th.); **ver•wi•ckelt** *adj* (*fig*) complicated, intricate; **Ver•wick•lung** *f* involvement (*in* in); (*Komplikation*) complication
ver•wil•dern *sein itr* 1. (*Gärten*) overgrow 2. (*Tier*) become wild 3. (*fam: Person*) run wild; **ver•wil•dert** *adj* 1. (*Tier*) wild 2. (*Garten*) overgrown 3. (*fam: Aussehen*) unkempt
ver•win•den *irr tr* get over
ver•win•kelt *adj* full of corners
ver•wir•ken *tr* forfeit
ver•wirk•li•chen I. *tr* realize II. *refl* 1. (*in Erfüllung gehen*) be realized, come true 2. (*von Person*) fulfil o.s.; **Ver•wirk•li•chung** *f* 1. (*Realisierung*) realization 2. (*Selbst~*) fulfilment
ver•wir•ren [fɛr'vɪrən] I. *tr* 1. (*Haare*) ruffle; (*Fäden*) tangle up 2. (*durcheinander bringen*) confuse; **verwirrt dich das?** am I confusing you? II. *refl* (*fig*) become confused; **Ver•wirr•spiel** *n* confusion; **ver•wirrt** *adj* 1. (*durcheinander*) confused 2. (*verlegen*) embarrassed; **Ver•wir•rung** *f* (*Durcheinander*) confusion; **jdn in ~ bringen** confuse s.o.
ver•wi•schen I. *tr* (*a. fig*) blur II. *refl* (*a. fig*) become blurred
ver•wit•tern [fɛr'vɪtɐn] *sein itr* (*Stein*) weather; **ver•wit•tert** *adj* weathered; **Ver•wit•te•rung** *f* weathering
ver•wit•wet *adj* widowed; **Frau X, ~e Y** Mrs X, the widow of Mr Y
ver•wöh•nen [fɛr'vøːnən] *tr* spoil; (*verzärteln*) pamper; **ver•wöhnt** *adj* 1. (*Kind*) spoiled 2. (*Geschmack*) discriminating; **vom Schicksal ~** smiled upon by fate
ver•wor•fen [fɛr'vɔrfən] *adj* depraved; **Ver•wor•fen•heit** *f* depravity
ver•wor•ren [fɛr'vɔrən] *adj* 1. (*Lage: kompliziert*) complicated, intricate 2. (*Gedanken*) confused
ver•wund•bar *adj* (*a. fig*) vulnerable; **ver•wun•den** *tr* injure, wound
ver•wun•der•lich *adj* 1. (*erstaunlich*) amazing, surprising 2. (*sonderbar*) strange; **es ist nicht ~, dass ...** it is small wonder that ...; **das ist kaum ~** it's hardly to be wondered at; **ver•wun•dern** I. *tr* astonish II. *refl* be surprised, wonder (*über* at); **Ver•wun•de•rung** *f* astonishment; **zu meiner ~** to my astonishment
ver•wun•det *adj* (*a. fig*) wounded; **leicht ~** [RR] slightly wounded; **Ver•wun•de•te(r)** *f m* wounded [*o* injured] person; **die ~n** the wounded; (MIL *a.*) the casualties; **Ver•wun•dung** *f* wound, injury
ver•wun•schen [fɛr'vʊnʃən] *adj* enchanted
ver•wün•schen *tr* 1. (*verzaubern*) cast a spell on 2. (*verfluchen*) curse; **ver•wünscht** *adj* 1. (*verflucht*) cursed 2. (*verhext*) bewitched
ver•wur•zelt *adj* (*fig*) deeply rooted (*in o mit etw* in s.th.)
ver•wüs•ten *tr* devastate, ravage; **Ver•wüs•tung** *f* devastation
ver•za•gen *sein itr* lose courage [*o* heart]; **an etw ~** despair of s.th.; **ver•zagt** *adj* despondent, disheartened
ver•zäh•len *refl* count wrong(ly), miscount
ver•zahnt *adj* linked together; **Ver•zah•nung** *f* (*a. fig*) dovetailing; (TECH: *von Zahnrädern*) gearing
ver•zap•fen *tr* (*fam*): **Blödsinn ~** come out with rubbish
ver•zau•bern *tr* 1. put a spell on 2. (*fig: bezaubern*) enchant; **jdn in etw ~** turn s.o. into s.th.
ver•zehn•fa•chen *tr refl* increase ten-fold
Ver•zehr <-(e)s> *m* consumption; **Ver•zehr•bon** *m* meal voucher; **ver•zeh•ren** I. *tr* (*a. fig*) consume II. *refl* eat one's heart out; (*vor Kummer etc*) be consumed (*vor* with); (*vor Sehnsucht*) pine (*nach jdm* for s.o.)
ver•zeich•nen *tr* 1. (*aufzeichnen*) record 2. (*falsch zeichnen*) draw wrongly; **Ver•zeich•nis** <-ses, -se> *n* (*Liste*) list; (*Register*) register; (TELE) directory
ver•zei•hen [fɛr'tsaɪən] *irr tr* 1. (*vergeben*) forgive 2. (*entschuldigen*) excuse, pardon; **~ Sie!** excuse me! (I) beg your pardon!; **ver•zeih•lich** *adj* 1. forgivable 2. (*entschuldbar*) excusable, pardonable; **Ver•zei•hung** *f* 1. (*Vergebung*) forgiveness 2. (*Entschuldigung*) pardon; **~!** excuse me! sorry!; **jdn um ~ bitten** apologize to s.o., beg someone's pardon
ver•zer•ren I. *tr* 1. (*~d zeigen, a. fig*) distort; (*Gesicht*) contort 2. (*Muskel etc*) strain II. *refl* become contorted [*o* distorted] (*zu* in); **ver•zerrt** *adj:* **ein ~es Bild von der Wirklichkeit** a distorted view of life;

er sieht die Ereignisse völlig ~ he has a distorted impression of what is happening; **Ver•zer•rung** *f* (*a. fig*) distortion

ver•zet•teln I. *tr* (*s-e Kräfte*) dissipate II. *refl* waste a lot of time; (*in Details*) get bogged down

Ver•zicht [fɛr'tsɪçt] <-(e)s, -e> *m* renunciation (*auf* of); **ver•zich•ten** *itr* (*auskommen ohne*) do without; ~ **auf ...** (*Erbschaft, Eigentum*) renounce; (*Anspruch*) waive; **Ver•zicht•er•klä•rung** *f* waiver, disclaimer; **Ver•zicht•klau•sel** *f* waiver clause

ver•zie•hen I. *irr tr haben* 1. (*Kind*) spoil 2. (*Mund*) twist (*zu* into) II. *refl haben* 1. (*Holz*) warp 2. (*fam: verschwinden*) disappear; (*Gewitter*) pass; (*Wolken*) disperse; (*fam: schlafengehen*) be off to bed III. *itr sein* (*umziehen*) move (*nach* to); **das Gesicht** ~ pull a face

ver•zie•ren *tr* decorate; **Ver•zie•rung** *f* decoration; (ARCH: *Ornamentik*) ornamentation

ver•zin•sen I. *tr* pay interest on ...; **mit 8% verzinst sein** bear interest at 8%; **verzinstes Darlehen** loan with interest II. *refl* bear [*o* yield] interest; **ver•zins•lich** *adj:* ~**es Darlehen** loan with interest

ver•zo•gen [fɛr'tso:gən] *adj* 1. (TECH: *Holz*) warped 2. (*Kind*) spoiled 3. (*aus Wohnung*) moved away; **‚Empfänger ~'** 'no longer at this address'

ver•zö•gern I. *tr* delay; (*verlangsamen*) slow down II. *refl* be delayed; **der Beginn des Spiels verzögerte sich wegen Regens** (SPORT) rain delayed play; **Ver•zö•ge•rung** *f* 1. delay 2. (*das Verzögern*) delaying 3. (*Verlangsamung*) slowing down; **e-e ~ um den Bruchteil e-r Sekunde** a split-second's delay; **Ver•zö•ge•rungs•tak•tik** *f* delaying tactics *pl*

ver•zol•len *tr:* **etw** ~ pay duty on s.th.; **haben Sie etw zu ~?** have you anything to declare?; **ver•zollt** *adj* duty-paid

ver•zückt [fɛr'tsʏkt] *adj* (*ekstatisch*) ecstatic, enraptured; **Ver•zü•ckung** *f:* **in ~ über etw geraten** go into raptures over s.th.

Ver•zug [fɛr'tsu:k] <-(e)s> *m* delay; **ohne** ~ without delay; **in ~ geraten** fall behind (*mit etw* with s.th.); **es ist Gefahr im** ~ there is danger ahead; **Ver•zugs•zin•sen** *mpl* (COM) interest *sing,* on arrears

ver•zwei•feln *haben o sein itr* despair (*an* of); **es ist zum V~!** it's enough to drive one to despair!; **ver•zwei•felt** *adj* 1. (*von Situation*) despairing 2. (*aussichtslos*) desperate; ~ **sein** (*von Person*) be in despair; ~ **kämpfen** fight with desperation; **die Lage wird allmählich** ~ things are getting desperate; **Ver•zweif•lung** *f* 1. (*als Gemütszustand*) despair 2. (*Ratlosigkeit*) desperation; **aus reiner** ~ in sheer desperation; ~ **überkam ihn** he was filled with despair; **sie tötete ihn aus** ~ in despair, she killed him; **s-e ~ darüber, vielleicht nie mehr nach Hause zurückkehren zu können** his despair of ever being able to return home; **in ~ geraten** despair; **jdn zur ~ bringen** be the despair of s.o.; **Ver•zweif•lungs•tat** *f* act of desperation; **sich zu e-r ~ hinreißen lassen** do s.th. desperate

ver•zwei•gen *refl* 1. (*Bäume*) branch out; (*Straße*) branch off 2. (*fig*) ramify; **ver•zweigt** *adj* (*a. fig*) ramified; **Ver•zwei•gung** *f* 1. (*von Bäumen*) branching 2. (*fig*) ramification

ver•zwickt [fɛr'tsvɪkt] *adj* (*fam*) knotty, tricky, complicated

Ve•te•ran [vetə'ra:n] <-en, -en> *m* (MIL: *a. fig*) veteran

Ve•te•ri•när [vetəri'nɛ:ɐ] *m* veterinary surgeon *Br,* veterinarian *Am*

Ve•to ['ve:to] <-s, -s> *n* veto; **sein ~ einlegen gegen etw** veto s.th.; **wenn sie ihr ~ einlegen ...** if they veto it ...; **Ve•to•recht** *n* power of veto; **das ~ haben** have a veto; **von s-m ~ Gebrauch machen** use one's veto

Vet•ter ['fɛtɐ] <-s, -n> *m* cousin; **Vet•tern•wirt•schaft** *f* nepotism

VHS *f Abk. von* **Volkshochschule** adult education centre

via [vi:a] *präp* via

Vi•a•dukt [via'dʊkt] <-(e)s, -e> *m* viaduct

Vi•bra•ti•on [vibra'tsjo:n] <-, -en> *f* vibration; **vi•bra•ti•ons•frei** *adj* vibration-free

Vi•bra•tor [vi'bra:to:ɐ] <-s, -en> *m* vibrator; **vi•brie•ren** [vi'bri:rən] *itr* vibrate; (*Stimme*) tremble

Vi•de•o•auf•zeich•nung ['vi:deo-] *f* video recording; **Vi•de•o•band** *n* video tape; **Vi•de•o•clip** *m* video clip; **Vi•de•o•ge•rät** *m* video set; **Vi•de•o•ka•me•ra** *f* video camera; **Vi•de•o•kas•set•te** *f* video cassette; **Vi•de•o•kas•set•ten•re•cor•der** *m* video cassette recorder; **Vi•de•o•künst•ler(in)** *m(f)* video artist; **Vi•de•o•re•cor•der** *m* video recorder; **Vi•de•o•spiel** *n* video game; **Vi•de•o•thek** [video'tɛ:k] <-, -en> *f* video-tape library

Vieh [fi:] <-(e)s> *n* 1. (ZOO) livestock 2. (*fam: tierischer Mensch*) bastard, swine; **500 Stück** ~ 500 head of cattle; **Vieh•be•stand** *m* livestock; **Vieh•fut•ter** *n* fodder; **Vieh•han•del** *m* cattle trade; **Vieh•händ•ler** *m* cattle [*o* livestock] dealer; **vie•hisch** ['fi:ɪʃ] *adj* (*pej*) brutish; **Vieh•seu•che** *f* livestock disease; **Vieh-**

trän•ke *f* cattle watering place; **Viehzucht** *f* cattle [*o* stock] breeding

viel [fiːl] *pron, adj* a great deal, a lot of, much, lots of *fam;* **~e** a lot of, many; **so viel(e)** so much (so many); **so viel**[RR] so much; **so ~ du willst**[RR] as much as you like; **halb so ~**[RR] half as much; **so ~ wie gestern**[RR] as much as yesterday; **wie ~**[RR] how much *pl;* (*wie viele*) how many; **um ~ viel größer**[RR] how much bigger; **sehr ~(e)** very much (a great many); **ein bisschen ~** a little too much; **davon gibt es nicht mehr ~e** there aren't a lot left; **die Straße ist ~ befahren**[RR] this street is very busy; **noch einmal so ~**[RR] as much again; **~ besser** much better; **ziemlich ~** a good deal (of); **ziemlich ~e** a good many; **sich nicht ~ aus etw machen** not to make much of s.th.; **~ Vergnügen!** have a good time!; **~ Glück!** good luck!; **~en Dank!** thanks a lot!; **zu ~**[RR] too much; **er hat zu ~ getrunken**[RR] he's had too much to drink; **mach dir nicht zu ~ Sorgen!**[RR] don't worry too much!; **viel•be•schäf•tigt**[RR] *adj s.* **beschäftigt**; **viel•deu•tig** *adj* ambiguous; **Viel•eck** *n* polygon

vie•ler•lei ['fiːlɐ'laɪ] *adj* **1.** (*substantivisch*) all kinds of things **2.** (*attr*) all sorts of, various

viel•fach ['fiːlfax] **I.** *adj* manifold; (*attr*) multiple **II.** *adv* (*mehrfach*) many times; (*in vielen Fällen*) in many cases; **ich habe diese alte Geschichte ~ gehört** many's the time I've heard this old story

Viel•falt ['fiːlfalt] <-, -en> *f* great variety; **e-e ~ an Vogelarten** a large variety of birds; **viel•fäl•tig** ['fiːlfɛltɪç] *adj* diverse, varied; **Viel•fraß** ['fiːlfraːs] <-es, -e> *m* (*Tier, a. fig*) glutton; **viel•ge•kauft** *adj s.* **gekauft**; **viel•ge•liebt** *adj s.* **geliebt**

viel•leicht [fi'laɪçt] *adv* **1.** maybe, perhaps **2.** (*fam: verstärkend: wirklich*) really; **könnten Sie mir ~ behilflich sein?** could you by any chance be able to help?; **der ist ~ ein Idiot!** he really is an idiot!

viel•mal(s) *adv* **1.** (*viele Male*) many times **2.** (*sehr*) a lot, very much; **ich bitte ~ um Entschuldigung** I'm awfully sorry; **ich danke Ihnen ~** many thanks

viel•mehr ['--/-'-] *konj* **1.** rather **2.** (*sondern, nur*) just; **dies soll Ihnen ~ zeigen, wie es funktioniert** this is just to show you how it works; **er ist, vielmehr war, Soldat** he is, or rather was, a soldier

viel•po•lig *adj* (EL) multipolar; **viel•sagend** *adj s.* **sagen**; **viel•sei•tig** *adj* **1.** (*mit vielen Seiten*) many-sided **2.** (*fig: Mensch*) versatile; (*Interessen*) varied; (*Bildung, Können*) all-round; **auf ~en Wunsch** by popular request; **viel•verspre•chend** *adj* versprechen; **Viel•zahl** *f* **1.** (*Menge*) multitude **2.** (*fig: Fülle*) abundance

vier [fiːɐ] *num* four; **unter ~ Augen** face to face; **jdn unter ~ Augen sprechen** speak to s.o. privately; **wir sind zu ~t** there are four of us; **zu je ~en** in fours; **auf allen ~** on all fours; **alle ~e von sich strecken** (*fam*) stretch out full length; **die V~** the four; **Vier-Au•gen-Ge•spräch** *n* face-to-face discussion; **vier•bän•dig** ['fiːrbɛndɪç] *adj* four-volume; **vier•di•men•sional** *adj* four-dimensional; **Vier•eck** *n* quadrangle, square; **vier•e•ckig** *adj* quadrangular, square

vier•ein•halb ['--'-] *num* four and a half

Vie•rer ['fiːrɐ] <-s, -> *m* (*Ruderboot*) four; **Vie•rer•bob** *m* four-man bob; **vie•rer•lei** ['fiːrɐlaɪ] *adj* **1.** (*substantivisch*) four different sorts **2.** (*attr*) four kinds of

vier•fach **I.** *adj* fourfold, quadruple; **in ~er Ausfertigung** in quadruplicate **II.** *adv* fourfold, four times

Vier•far•ben•druck [-'---] <-(e)s, -e> *m* **1.** (*Verfahren*) four-colour printing **2.** (*Ergebnis*) four-colour print

Vier•gang•ge•trie•be *n* (MOT) four-speed gearbox

vier•ge•schos•sig *adj* four-storey

vier•hän•dig ['fiːɐhɛndɪç] *adj* (MUS) four-handed; **~ spielen** play s.th. for four hands

vier•hun•dert *num* four hundred

Vier•jah•res•plan ['-'---] *m* four-year plan

vier•jäh•rig *adj* **1.** (*vier Jahre alt*) four- year-old **2.** (*vier Jahre lang*) four-year

Vier•kant•ei•sen *n* square steel bar; **vierkan•tig** *adj* square (-headed)

Vier•lin•ge ['fiːɐlɪŋə] *mpl* quadruplets, quads *fam*

Vier•mäch•te•ab•kom•men ['-'-----] *n* (POL) Quadripartite agreement

vier•mal *adv* four times; **~ so viele** four times as many; **vier•ma•lig** *adj* done four times

vier•mo•to•rig *adj* (AERO) four-engined

Vier•rad•an•trieb *m* four-wheel drive; **vier•rä•d(e•)rig** ['fiːɐrɛːd(ə)rɪç] *adj* four-wheeled; **vier•spu•rig** *adj* **1.** (*Straße*) four-lane **2.** (*Tonband*) four-track; **vierstel•lig** *adj* four-figure; **~e Zahl** four-figure number; **Vier•ster•ne•ho•tel** *n* 4-star hotel; **Vier•takt•mo•tor** *m* four-stroke engine

vier•te *adj* fourth; **im ~n Gang fahren** drive in fourth; **wir brauchen noch e-n V~n zum Bridge** we need a fourth for our game of bridge

vier•tei•lig *adj:* **~er Roman** a four-part novel; **~es Service** a four piece set

vier•tel *adj* quarter; **ein ~ Pfund** a quarter

of a pound

Vier•tel[1] ['fɪrtəl] <-s, -> *n* (*Maß*) fourth (part); ~ **nach elf** (a) quarter past eleven; ~ **vor zwölf** (a) quarter to twelve; **ein** ~ (*fam*) 1/4 ltr Wein, a quarter

Vier•tel[2] *n* (*Stadtteil*) district, quarter

Vier•tel•jahr ['--'-] *n* quarter (of a year), three months; **Vier•tel•jah•res•schrift** ['--'---] *f* quarterly; **vier•tel•jähr•lich I.** *adj* quarterly **II.** *adv* every three months, quarterly; **Vier•tel•li•ter** *m* quarter of a litre; **Vier•tel•no•te** *f* (MUS) crotchet *Br*, quarter note *Am;* **Vier•tel•pau•se** *f* (MUS) crotchet-rest *Br*, quarter-note rest *Am;* **Vier•tel•stun•de** ['--'--] *f* quarter of an hour *Br*, quarter hour *Am;* **vier•tel•stünd•lich I.** *adj* quarter-hour **II.** *adv* every quarter of an hour

Vier•tü•rer *m* (MOT) four-door model

vier•zehn ['fɪrtse:n] *num* fourteen; ~ **Tage** a fortnight *Br*, two weeks *Am;* **vier•zehn•tä•gig** *adj* fortnightly; **vier•zehn•te** *adj* fourteenth; **Vier•zehn•tel** *n* fourteenth

vier•zig ['fɪrtsɪç] *num* forty; **vier•zigs•te** *adj* fortieth

Vier•zim•mer•woh•nung ['-'----] *f* four-room flat *Br*, four-room apartment *Am*

Vi•et•nam [viət'na(:)m] *n* Vietnam; **Vi•et•na•me•se** [viətna'me:zə] *m*, **Vi•et•na•me•sin** *f* Vietnamese; **vi•et•na•me•sisch** *adj* Vietnamese; **Vi•et•na•mi•sie•rung** *f* (POL) Vietnamization; **Vi•gi•lan•ten•tum** [vigi'lantentu:m] <-s> *n practice of forming vigilance committees*

Vi•kar [vi'ka:ɐ] <-s, -e> *m* (ECCL) curate

Vil•la ['vɪla] <-, -len> *f* villa; **Vil•len•vier•tel** *n* exclusive residential district [*o* area]

vi•o•lett [vio'lɛt] *adj* violet

Vi•o•li•ne [vio'li:nə] <-, -n> *f* violin; **Vi•o•li•nist(in)** *m(f)* violinist; **Vi•o•lin•schlüs•sel** *m* (MUS) treble clef; **Vi•o•lon•cel•lo** [violɔn'tʃɛlo] <-s, -s> *n* (violon)cello

V.I.P. <-, -s> *m Abk. von* **Very Important Person** VIP

Vi•per ['vi:pɐ] <-, -n> *f* (ZOO) adder, viper; **Vi•pern•nat•ter** *f* (ZOO) **1.** (*in Europa*) viperine snake **2.** (*in Nordamerika*) garter snake

Vir•tual Re•al•ity [ˌvɜ:tʃʊəl rɪ'ælətɪ] <-> *f* virtual reality

Vir•tu•o•se *m*, **Vir•tu•o•sin** *f* virtuoso

Vi•rus ['vi:rʊs] <-, -ren> *n* virus; **schleichender** ~ slow virus; **Vi•rus•krank•heit** *f* viral disease

Vi•sa•ge [vɪ'za:ʒə] <-, -n> *f* (*fam pej*) face, mug

Vi•sa•gist(in) *m(f)* make-up artist

Vi•sier [vi'zi:ɐ] <-s, -e> *n* **1.** (*von Helm*) visor **2.** (*von Gewehr*) sight; **ins** ~ **bekommen** get in one's sights; **ins** ~ **nehmen** train one's sights on …

Vi•si•on [vi'zjo:n] <-, -en> *f* vision; **Vi•si•o•när(in)** *m(f)* visionary

Vi•si•ta•ti•on [vizita'tsjo:n] <-, -en> *f* **1.** (*Durchsuchung*) search **2.** (*Besichtigung*) inspection; **Vi•si•te** [vi'zi:tə] <-, -n> *f* **1.** (*im Krankenhaus*) round **2.** (*zu Hause*) house call, visit; ~ **machen** do one's rounds *pl;* **zur** ~ **kommen** come on a visit; **Vi•si•ten•kar•te** *f* (*a. fig*) visiting card *Br*, calling card *Am*

Vis•ko•se [vɪs'ko:zə] <-> *f* (CHEM) viscose

Vis•ko•si•tät *f* (TECH) viscosity

vi•su•ell [vizu'ɛl] *adj* visual

Vi•sum ['vi:zʊm] <-s, -sa/-sen> *n* visa

vi•tal [vi'ta:l] *adj* vigorous; **Vi•ta•li•tät** *f* vitality

Vi•t•a•min [vita'mi:n] <-s/(-), -e> *n* vitamin; **Vi•t•a•min•man•gel** <-s> *m* vitamin deficiency; **vi•t•a•min•reich** *adj* rich in vitamins; **Vi•t•a•min•ta•blet•ten** *fpl* vitamin tablets

Vi•tri•ne [vi'tri:nə] <-, -n> *f* **1.** (COM: *Schaukasten*) show-case **2.** (*Glasschrank*) glass cabinet

Vi•ze•kö•nig(in) *m(f)* viceroy (vicereine)

Vi•ze•prä•si•dent(in) *m(f)* **1.** (POL) vice-president **2.** (COM) deputy chairman (chairwoman)

V-Mann *m* contact

Vo•gel ['fo:gəl, *pl:* 'føgəl] <-s, ⸚> *m* (*a. fig*) bird; **der** ~ **ist ausgeflogen** (*fig*) the bird has flown; **e-n** ~ **haben** (*fam*) be off one's rocker; **den** ~ **abschießen** (*fam*) surpass everyone; **jdm den** ~ **zeigen** tap one's forehead; ~ **friss oder stirb!** do or die!; **Vo•gel•bau•er** *n* birdcage; **Vo•gel•beer•baum** *m* mountain ash, rowan; **Vo•gel•bee•re** *f* rowan- berry

Vö•gel•chen ['fø:gəlçən] *n* birdie

Vo•gel•ei *n* bird's egg; **vo•gel•frei** *adj* outlawed; **für** ~ **erklären** outlaw; **Vo•gel•fut•ter** *n* bird-seed; **Vo•gel•haus** *n* (*im Garten*) bird-house; **Vo•gel•kir•sche** *f* wild cherry; **Vo•gel•mil•be** *f* (ZOO) chicken mite

vö•geln ['fø:gəln] *itr tr* (*vulg*) screw

Vo•gel•nest *n* bird's nest; **Vo•gel•per•spek•ti•ve** *f* bird's-eye view; **Hamburg aus der** ~ a bird's-eye view of H; **Vo•gel•scheu•che** <-, -n> *f* (*a. fig fam*) scarecrow; **Vo•gel•war•te** *f* ornithological station; **Vo•gel•zug** *m* (bird) migration

Vo•gerl•sa•lat *m* (*österr*) lamb's lettuce

Vo•ge•sen [vo'ge:zn] *pl* Vosges

Vo•ka•bel [vo'ka:bəl] <-, -n> *f* word; **Vo•ka•bu•lar** [vokabu'la:ɐ] <-s, -e> *n* vocabulary

Vo•kal [vo'ka:l] <-s, -e> *m* vowel

Volk [fɔlk, *pl:* 'fœlkɐ] <-(e)s, -̈er> *n* **1.** people; (*Nation*) nation **2.** (*~smenge*) crowd **3.** (*die unteren Schichten*) the lower classes *pl;* **das litauische ~** the Lithuanian people; **das einfache ~** the common people; **das gemeine ~** (*pej*) the mob, the rabble; **ein Mann aus dem ~** a man of the people; **die Stimme des ~es** the voice of the nation; **zum ~ sprechen** address the nation; **viel ~** lots of people; **das ist ein ~ für sich** they're a race apart

Völ•ker•bund *m* (HIST POL) League of Nations; **Völ•ker•ge•mein•schaft** *f* community of nations; **Völ•ker•kun•de** *f* ethnology; **Völ•ker•kun•de•mu•se•um** *n* museum of ethnology; **Völ•ker•mord** *m* genocide; **Völ•ker•recht** *n* international law; **völ•ker•recht•lich** *adj* **1.** (*das Völkerrecht betreffend*) according to international law **2.** (*dem Völkerrecht unterliegend*) under international law; **Völ•ker•ver•stän•di•gung** *f* international understanding; **Völ•ker•wan•de•rung** *f* **1.** (HIST) migration of the people **2.** (*hum*) mass migration

Volks•ab•stim•mung *f* plebiscite; **Volks•be•fra•gung** *f* public opinion poll; **Volks•be•geh•ren** *n* petition for a referendum; **Volks•cha•rak•ter** *m* national character; **Volks•de•mo•kra•tie** *f* people's democracy; **volks•ei•gen** *adj* nationally-owned; **Volks•emp•fin•den** *n* public feeling; **Volks•ent•scheid** *m* referendum; **Volks•fest** *n* public festival; (*Kirmes*) funfair; **Volks•front** *f* (POL) popular front; **Volks•ge•sund•heit** *f* health of the nation, public health; **Volks•held** *m* popular hero; **Volks•hoch•schu•le** *f* adult education centre; **Volks•krank•heit** *f* widespread disease; **Volks•kun•de** *f* folklore; **volks•kund•lich** *adj* folkloristic; **Volks•lied** *n* folk song; **Volks•mär•chen** *n* folk tale; **Volks•re•pu•blik** *f* People's Republic; **Volks•schu•le** *f* (*obs*) elementary [*o* primary] school *Br,* grade school *Am;* **Volks•stamm** *m* tribe; **Volks•tanz** *m* folk dance; **Volks•tracht** *f* (*Nationaltracht*) national costume; **Volks•tum** <-(e)s> *n* national traditions *pl;* **volks•tüm•lich** ['fɔlksty:mlɪç] *adj* **1.** (*traditionell*) traditional **2.** (*beim Volk beliebt*) popular; **Volks•ver•het•zung** *f* incitement of the people; **Volks•ver•tre•ter(in)** *m(f)* representative of the people; **Volks•ver•tre•tung** *f* representative body (of the people); **Volks•wirt(in)** *m(f)* economist; **Volks•wirt•schaft** *f* **1.** (*die Nationalökonomie*) national economy **2.** (*~slehre*) economics *pl;* **Volks•zäh•lung** *f* (*national*) census

voll [fɔl] **I.** *adj* **1.** full (*von* of); (*gedrängt*) crowded **2.** (*ganz*) complete, entire, whole **3.** (*~zählig*) complete **4.** (*gefüllt*) filled **5.** (*fam: betrunken*) plastered; **die ~e Summe** the entire sum; **die ~e Wahrheit** the whole truth; **mit ~em Mund** with one's mouth full; **in ~er Fahrt** at full speed; **so, das Maß ist ~!** (*fig*) so that's enough of that!; **mit ~em Recht etw tun** be perfectly right to do s.th.; **aus dem V~en schöpfen**[RR] draw on unlimited resources *pl;* **jdn für ~ nehmen** take s.o. seriously **II.** *adv* **1.** fully **2.** (*vollkommen*) completely; **den Mund ~ nehmen** (*fig*) overdo it; **~ dahinter stehen** be fully behind s.th.; **~ dabei sein** (*fam*) be totally involved; **~ machen**[RR] (*Gefäß*) fill up; (*vervollständigen*) complete; **die Windeln ~ machen**[RR] (*fam*) fill the nappies

Vol(l•)last *f s.* **Volllast**; **voll•auf** ['-'-] *adv* completely, fully; **voll•au•to•ma•tisch** ['----'--] *adj* fully automatic; **voll•au•to•ma•ti•siert** ['-----'-] *adj* fully automated; **Voll•bad** *n* (proper) bath; **Voll•bart** *m* (full) beard; **Voll•be•schäf•ti•gung** <-> *f* full employment; **Voll•blut** <-(e)s, -e> *n* (*Pferde~*) thorough-bred (horse) *Br,* blooded horse *Am;* **Voll•brem•sung** *f* emergency stop; **e-e ~ machen** do an emergency stop; **voll•brin•gen** *irr tr* accomplish, achieve; **ein Wunder ~** perform a miracle; **voll•bu•sig** *adj* full-bosomed; **Voll•dampf** *m:* **mit ~** (*fig fam*) flat out; **mit ~ voraus** (*fig fam*) full tilt

Völ•le•ge•fühl ['fœlə-] *n* satiety

voll•e•lek•tro•nisch ['---'--] *adj* fullyelectronic

voll•en•den I. *tr* **1.** (*abschließen*) complete **2.** (*vervollkommnen*) make complete; **mein Roman ist noch nicht vollendet** my novel is not yet complete **II.** *refl* **1.** (*zum Abschluss kommen*) come to an end **2.** (*vollkommen werden*) be completed; **voll•en•det** *adj* **1.** (*vollkommen*) completed **2.** (*Schönheit etc*) perfect **3.** (*Person*) accomplished; **das Design erscheint ~** the design has a sense of completeness about it; **es war ~e Zeitverschwendung** it was altogether a waste of time

voll•ends ['fɔlɛnts] *adv* (*völlig*) completely; (*gänzlich*) altogether

Voll•en•dung *f* **1.** completion **2.** (*Vervollkommnung, Vollkommenheit*) perfection; **vor ~ des 30. Lebensjahres** before completion of the 30th year of one's life

Völ•le•rei [fœlə'raɪ] *f* gluttony

Vol•ley•ball ['vɔlibal] <-> *m* (SPORT) volleyball

voll•füh•ren *tr* execute, perform

voll|fül•len *s.* **füllen**

Voll•gas *n:* **mit** ~ (MOT) at full throttle; (*fig fam*) full tilt; ~ **geben** open it right up; (*fam*) step on the gas
voll•ge•pfropft *adj s.* **gepropft**
völ•lig ['fœlɪç] *adj* complete; ~**er Blödsinn!** utter nonsense!
voll•jäh•rig *adj* of age; **Voll•jäh•rig•keit** *f* majority
Voll•ju•rist(in) *m(f)* fully qualified lawyer
voll•kas•ko•ver•si•chert *adj:* **ich bin** ~ I have fully comprehensive insurance; **Voll•kas•ko•ver•si•ch•erung** *f* fully comprehensive insurance
voll•kli•ma•ti•siert ['----'-] *adj* fully air-conditioned
voll•kom•men [-'--/'---] *adj* **1.** (*perfekt*) perfect **2.** (*völlig*) complete; **Voll•kom•men•heit** *f* perfection
Voll•korn•brot *n* wholemeal bread
Voll•last[RR] *f* (MOT) full load
voll|ma•chen *s.* **voll**
Voll•macht <-, -en> *f* power, authority; (JUR) power of attorney; **jdm e-e** ~ **aus-stellen** [*o* **erteilen**] give s.o. power of attorney
Voll•milch *f* full-cream milk
Voll•mond *m* full moon
Voll•pen•si•on *f full board*
voll|pum•pen *s.* **pumpen**
voll•schlank *adj* (*euph*) full-figured
voll|schmie•ren *tr s.* **schmieren**
voll|schrei•ben *s.* **schreiben**
voll•stän•dig *adj* complete, entire; ~ **machen** complete; **Voll•stän•dig•keit** *f* completeness; **der** ~ **halber** to complete the picture
voll|stop•fen *tr s.* **stopfen**
voll•stre•cken *tr* carry out, execute; **Voll•stre•ckung** *f* execution; **Voll•stre•ckungs•be•fehl** *m* (JUR) writ of execution
voll•syn•chro•ni•siert *adj* (MOT) fully synchronized
voll|tan•ken *s.* **tanken**
Voll•text•su•che *f* (EDV) full text search
Voll•tref•fer *m* (*a. fig*) bull's eye
voll•ver•chromt *adj* full-chrome
Voll•ver•samm•lung *f* plenary meeting
Voll•wasch•mit•tel *n* detergent
voll•wer•tig *adj* **1.** (*Kost*) full **2.** (*Ersatz*) fully adequate; **Voll•wert•kost** *f* wholefoods *pl*
voll•zäh•lig ['fɔltsɛːlɪç] *adj* complete; **wir sind** ~ **erschienen** everyone of us came
voll•zie•hen **I.** *irr tr* carry out, execute **II.** *refl* (*stattfinden*) take place; **Voll•zug** <-(e)s> *m* **1.** (*Ausführung*) carrying out, execution **2.** (*Straf~*) penal system; **Voll•zugs•an•stalt** *f* penal institution
Vo•lon•tär(in) [volɔn'tɛːɐ] *m(f)* trainee; **vo•lon•tie•ren** *itr* work as a trainee
Volt [vɔlt] <-/-(e)s, -> *n* (EL) volt
Vo•lu•men [vo'luːmən] <-s, -/-mina> *n* (*a. fig*) volume
von [fɔn] *präp* **1.** (*allgemein*) of **2.** (*durch*) by **3.** (~ ... (*weg*)) from; ~ **... an** from ... on; ~ **nun an** henceforth; ~ **morgen an** from tomorrow; ~ **hinten** from behind; ~ **selbst** automatically; ~ **wegen!** (*fam*) no way!; ~ **mir aus!** I don't mind!; ~ **vorn-herein** from the (very) beginning; ~ **Zeit zu Zeit** from time to time; ~ **klein auf** from childhood; **dieses Gedicht ist von Milton** this poem is by Milton; **das hängt vom Wetter ab** that depends on the weather; **sich** ~ **... ernähren** feed on ...; **wimmeln** ~ **...** crawl with ...; **sie haben** ~ **dir gesprochen** they were talking about you; **grüßen Sie ihn** ~ **mir** my best regards to him; **von•ein•an•der** ['----/--'--] *adv* from [*o* of] each other; **von•nö•ten** [fɔn'nøːtən] *adj:* ~ **sein** be necessary; **von•stat•ten** [fɔn'ʃtatən] *adv:* ~ **gehen** (*stattfinden*) take place; **wie geht so etw ~?** what is the procedure for that?
vor [foːɐ] **I.** *präp* **1.** (*örtlich, zeitlich*) before **2.** (*Zeit*) before, prior to; (*nachgestellt*) ago; (*bei Uhrzeit*) to **3.** (*Ort*) in front of **4.** (*ursächlich*) with; ~ **allem** above all, first of all; **nicht** ~ **...** not till ...; ~ **der Zeit** before time *Br,* ahead of time *Am;* **fünf Minuten** ~ **zehn** five minutes to ten *Br,* five minutes of ten; ~ **3 Wochen** three weeks ago; **warnen** ~ **...** warn against ...; ~ **Aufregung** for excitement; **sich fürchten** ~ **...** be afraid of ...; ~ **Schmerz schreien** cry out with pain; ~ **Freude hüpfen** jump for joy; ~ **Zeugen** in presence of witnesses; ~ **unserem Hause** in front of our house; ~ **sich hin** to o.s.; ~ **sich gehen** take place **II.** *adv:* ~ **u. zurück** backwards and forwards; **nach wie** ~ still; **vor•ab** [foːɐ'ap] *adv* first of all, to begin with
Vo•r•a•bend *m* **1.** (*der vorhergehende Abend*) evening before **2.** (*fig*) eve
Vor•ah•nung *f* premonition, presentiment
vo•r•an [fo'ran] *adv* **1.** (*vorn*) first, in front of **2.** (*vorwärts*) forwards; **vo•r•an|ge•hen** *sein irr itr* **1.** go in front **2.** (*fig*) precede; **mit gutem Beispiel** ~ set a good example; **jdm** ~ go ahead of s.o.; **vo•r•an•kom•men** *sein irr itr* **1.** get on **2.** (*fig: Fortschritte erzielen*) make progress
Vor•an•mel•dung *f* **1.** (*terminlich*) appointment **2.** (TELE) booking
Vor•an•schlag *m* estimate
Vor•an•zei•ge *f* **1.** (THEAT) advance notice **2.** (FILM) trailer *Br,* preview *Am*
Vor•ar•beit *f* groundwork, preparatory work; **die** ~ **leisten für ...** prepare the

ground for …; **vor|ar•bei•ten** I. *itr* work in advance II. *refl* work one's way forward; **Vor•ar•bei•ter(in)** *m(f)* foreman (forewoman)

vor•aus [fo'raʊs] *adv* 1. (*voran*) in front (*jdm* of s.o.) 2. (*vorher*): **im Voraus**RR in advance; **Joyce war s-r Zeit** ~ Joyce was ahead of his time

vor•aus|ah•nen *tr* anticipate

vor•aus|ei•len *sein itr* (*a. fig*) hurry on ahead (of)

vor•aus|ge•hen *sein irr itr* 1. go in front 2. (*fig*) precede

vor•aus•ge•setzt *konj s.* **voraussetzen**

vor•aus|ha•ben *irr tr:* **jdm etw** (**viel**) ~ have the advantage of (a great advantage over) s.o.

Vor•aus•sa•ge *f* prediction; (*Wetter~*) forecast; **vor•aus|sa•gen** *tr* predict (*jdm etw* s.th. for s.o.); **vor•aus•schau•end** [--'--] I. *adj* foresighted II. *adv* with regard to the future

vor•aus|schi•cken *tr* 1. (*Sachen*) send on ahead 2. (*fig: einleitend sagen*) say in advance

vor•aus•seh•bar *adj* foreseeable; **vor•aus|se•hen** *irr tr* foresee

vor•aus|set•zen *tr* presuppose; **als selbstverständlich** ~ take for granted; **vorausgesetzt, dass …** provided that …; **Voraus•set•zung** *f* 1. (*Vorbedingung*) prerequisite 2. (*Annahme*) premise 3. (*Qualifikation*) qualification; **unter der ~, dass …** on condition that …

Vor•aus•sicht [-'--] <-> *f* foresight; **aller ~ nach** in all probability; **in weiser** ~ with great foresight; **vor•aus•sicht•lich** I. *adj* (*vorauszusehend*) expected II. *adv* (*wahrscheinlich*) probably

vor•aus|zah•len *tr* pay in advance; **Voraus•zah•lung** [-'---] *f* advance payment; (**nur**) **gegen ~!** cash in advance!

Vor•bau *m* porch; (*Balkon*) balcony

Vor•be•dacht *m:* **mit** ~ deliberately, on purpose

Vor•be•deu•tung *f* portent

Vor•be•halt <-(e)s, -e> *m* reservation; **geheimer** [*o* **innerer**] ~ mental reservation; **unter dem ~, dass …** with the reservation that …; **vor|be•hal•ten** *irr tr* 1. reserve (*sich etw* s.th. for o.s.) 2. leave (*jdm etw* s.th. up to s.o.); **alle Rechte** ~ all rights reserved; **Irrtümer** ~ errors excepted; **vor•be•halt•lich** *adv* subject to …; ~ **anderer Regelungen** unless otherwise provided; **vor•be•halt•los** *adj* unconditional

Vor•be•hand•lung *f* pretreatment

vor•bei [fɔr'baɪ/foːɐ'baɪ] *adv* 1. (*räumlich*) past 2. (*zeitlich*) gone, over, past; **das ist jetzt alles** ~ all that is now past; **was ~ ist,** **ist** ~ what's past, is past; ~**!** (*nicht getroffen*) missed!

vor•bei|fah•ren *sein irr itr* go/drive/sail past (*an jdm o etw* s.o., s.th.)

vor•bei|ge•hen *sein irr itr* 1. (*a. fig*) go past, pass by (*an jdm* s.o.) 2. (*aufhören*) pass; **e-e Gelegenheit ~ lassen** let an opportunity slip by; **im V~** (*a. fig*) in passing; **ich gehe nachher mal bei ihm vorbei** I'll look in on him later in the day

vor•bei|kom•men *sein irr itr* (*fam: besuchen*) drop in (*bei jdm* on s.o.); **ich komme nicht daran vorbei …** I have no alternative but …

vor•bei|las•sen *irr tr* let pass

Vor•bei•marsch *m* march-past *Br,* street parade *Am;* **vor•bei|mar•schie•ren** *itr* march past (*an jdm* s.o.)

vor•bei|re•den *itr:* **aneinander** ~ talk at cross purposes; **an etw** ~ talk round s.th.

vor•bei|schie•ßen I. *irr itr sein* (*schnell* ~) shoot past (*an jdm o etw* s.o., s.th.) II. *tr haben* (*am Ziel*) miss (*an etw* s.th.)

vor•be•las•tet *adj* handicapped; **da ist er erblich** ~ it runs in the family

Vor•be•mer•kung *f* preliminary note [*o* remark]

vor•be•rei•ten I. *tr* prepare II. *refl* prepare o.s. (*auf* for); **vor•be•rei•tend** *adj* preparatory; **Vor•be•rei•tung** *f* preparation; **Vor•be•rei•tungs•dienst** *m* (PÄD: *Referendarszeit*) teaching practice

Vor•be•sit•zer(in) *m(f)* previous possessor

vor|be•stel•len *tr* order in advance; (*Zimmer, Tisch etc*) book; **Vor•be•stellung** *f* advance order; (*Zimmer~*) booking *Br,* reservation *Am*

vor•be•straft *adj* previously convicted; **nicht V~er** (JUR) bei erster Verurteilung, first offender

Vor•beu•ge•haft *f* preventive detention; **vor|beu•gen** I. *itr* (*vermeiden*) prevent; (*ausschließen*) preclude (*e-r S.* s.th.) II. *refl* bend forward; **vor•beu•gend** *adj* preventive, prophylactic; **Vor•beu•gung** *f* prevention (*von, gegen* of); (MED) prophylaxis; **zur ~ gegen …** for the prevention of …

Vor•bild *n* model; (*Beispiel*) example; **jdn als ~ hinstellen** hold s.o. up as a model; **dieses Gedicht nimmt Shakespeares Sonette zum** ~ this poem is modelled on Shakespeare's sonnets; **sich jdn zum ~ nehmen** model o.s. on s.o.; **Vor•bild•funk•ti•on** *f* function as a model [*o* an example]

vor•bild•lich *adj* exemplary

Vor•bil•dung *f* (*schulisch*) educational background

Vor•bo•te *m* harbinger

vor|brin•gen *irr tr* 1. (*sagen*) say; (*Mei-*

nung, Forderung) express **2.** (*Beweise*) bring forward
vor•christ•lich *adj* pre-Christian
Vor•dach *n* canopy; (*von Zelt*) awning
vor|da•tie•ren *tr* antedate, predate
Vor•den•ker(in) *m(f)* mentor
Vor•der•ach•se ['fɔrdɐ-] *f* front axle
Vor•der•an•sicht *f* front view
Vor•der•a•si•en ['--'--] *n* Near East
Vor•der•bein *n* foreleg
Vor•der•deck *n* fore deck
vor•de•re ['fɔrdərə] *adj* front
Vor•der•front *f* frontage; **Vor•der•grund** *m* foreground; **im ~** in the foreground; **sich in den ~ schieben** (*fig*) push o.s. to the fore; **im ~ stehen** (*fig*) be to the fore; **vor•der•grün•dig** ['fɔrdɐgrʏndɪç] *adj* (*fig: oberflächlich*) superficial
Vor•der•mann <-(e)s, ⸚er> *m* person in front; **jdn auf ~ bringen** (*fam*) make s.o. toe the line
Vor•der•rad *n* front wheel; **Vor•der•rad•an•trieb** *m* front-wheel drive
Vor•der•schin•ken *m* shoulder ham
Vor•der•sei•te *f* front; (*von Münze*) obverse; (*von Buch*) odd page
Vor•der•sitz *m* front seat
vor•ders•te *adj* frontmost
Vor•der•teil *n o m* front, front part; (TECH) head, nosepiece; (*von Schiff*) prow
Vor•di•plom *n* intermediate exam
vor|drän•gen *refl* push to the front; **sich in e-r Schlange ~** jump a queue *Br,* push to the front of a line *Am;* **vor|drin•gen** *sein irr itr* advance; (*in den Weltraum etc*) penetrate (*in* into); **vor•dring•lich** *adj* urgent
Vor•druck <-(e)s, -e> *m* (*Formular*) form *Br,* blank *Am*
vor•e•he•lich *adj* premarital
vor•ei•lig *adj* rash; **~e Schlüsse ziehen** jump to conclusions; **es war ~ von ihm, das zu versprechen** it was rash of him to promise that
vor•ein•ge•nom•men *adj* biased, prejudiced (*für* in favour of, *gegen* against)
vor|ent•hal•ten *irr tr* withhold (*jdm* from s.o.)
Vor•ent•schei•dung *f* preliminary decision; **e-e ~ fällen** make [*o* come to] a preliminary decision; **Vor•ent•schei•dungs•run•de** *f* (SPORT) preliminary round
Vor•ent•wurf *m* project investigations *pl*
vor•erst [fo:ɐ'e:ɐst/'--] *adv* for the time being
vor•ex•er•zie•ren *tr* (*fam*) demonstrate
Vor•fahr ['fo:ɐfa:ɐ] <-en, -en> *m* ancestor, forefather
vor|fah•ren *sein irr itr* **1.** (*ankommen*) drive up (*bei* to) **2.** (*an die Spitze fahren*) drive in front; **Vor•fahrt** <-> *f* right of way; **die ~ (nicht) beachten** observe (ignore) the right of way; **vor•fahrts•be•rech•tigt** *adj:* **ich war ~** I had the right of way; **Vor•fahrts•stra•ße** *f* major road; **Vor•fahrt(s)•zei•chen** *n* give way sign *Br,* yield sign *Am*
Vor•fall *m* **1.** (*Geschehnis*) incident, occurrence **2.** (MED) prolapse; **vor|fal•len** *irr itr* **1.** (*geschehen*) happen, occur **2.** (*fallen*) fall forward; **in dem Haus sind seltsame Dinge vorgefallen** some strange things have happened in that house
vor|fin•den *irr tr* discover, find
Vor•form *f* early form
Vor•freu•de *f* anticipation
Vor•früh•ling *m* early spring
vor|füh•len *itr* (*fig*) put out a few feelers; **bei jdm ~** sound s.o. out
vor|füh•ren *tr* **1.** (FILM) show **2.** (*präsentieren*) present; (*Mode*) model **3.** (*Angeklagten: hereinbringen*) bring forward; **Vor•führ•ge•rät** *n* projector; **Vor•führ•raum** *m* projection; **Vor•füh•rung** *f* **1.** (FILM) show **2.** (THEAT: *a. Varietee*) performance **3.** (*Mode~*) presentation; **Vor•führ•wa•gen** *m* demonstration car
Vor•ga•be *f* (SPORT) handicap
Vor•gang *m* **1.** (*Ereignis*) event **2.** (*Hergang*) course of events **3.** (BIOL CHEM TECH: *Prozess*) process **4.** (JUR: *Akten*) file; **erzählen Sie uns den ~** tell us how it happened; **Vor•gän•ger(in)** *m(f)* predecessor
Vor•gar•ten *m* front garden *Br,* dooryard *Am*
vor|ge•ben *irr tr* **1.** (SPORT) give **2.** (*fig: vortäuschen*) pretend **3.** (*nach vorne reichen*) pass forward
Vor•ge•bir•ge *n* foothills *pl;* (*am Meer*) cape
vor•geb•lich I. *adj* (*sogenannt*) so- called **II.** *adv* (*angeblich*) supposedly
vor•ge•fasstRR *adj* preconceived; **~e Meinung** prejudice
vor•ge•fer•tigt *adj* prefabricated
Vor•ge•fühl <-(e)s> *n* anticipation; (*Vorahnung*) presentiment
vor•ge•heizt *adj* preheated
Vor•ge•hen *n* (*Verfahren*) procedure; **gemeinsames ~** concerted action; **vor|ge•hen** *sein irr itr* **1.** (*nach vorn gehen*) go forward **2.** (*früher gehen*) go on ahead; (*als Erster gehen*) go first **3.** (*handeln*) act, proceed **4.** (JUR) take legal proceedings (*gegen* against) **5.** (*wichtiger sein*) have priority **6.** (*sich ereignen*) go on, happen **7.** (*Uhr*) be fast (*um 3 Minuten* 3 minutes); **wir gehen schon vor und treffen euch dann am Bahnhof** we'll leave now and we'll see you at the station; **was geht hier vor?** what's

going on here?; **die Arbeit geht vor** work comes first

Vor•ge•schich•te *f* **1.** (*Urgeschichte*) prehistory **2.** (*e-r Person o e-s Falles*) antecedents *pl*

Vor•ge•schmack <-(e)s> *m* (*fig*) foretaste

Vor•ge•setz•te(r) <-n, -n> *f m* superior

vor•ges•tern *adv* the day before yesterday; **das ist doch von ~!** (*fig fam*) that's antiquated!; **vor•ges•trig** *adj* of the day before yesterday

vor|grei•fen *irr itr* (*e-r Sache*) anticipate (s.th.); **jdm ~** forestall s.o.; **Vor•griff** *m* anticipation (*auf* of); (*beim Erzählen*) leap ahead

Vor•ha•ben <-s, -> *n* **1.** (*Plan*) plan **2.** (*Absicht*) intention; **vor|ha•ben** *irr tr* **1.** (*beabsichtigen*) have in mind, intend; (*geplant haben*) have planned **2.** (*im Begriff sein*) be about to; **haben Sie morgen (schon) etw vor?** do you have any plans for tomorrow?; **wenn Sie nichts anderes ~** unless you are otherwise engaged; **mit jdm Großes ~** have great plans for s.o.; **wir hatten es nicht vor** we weren't planning to

Vor•hal•le *f* entrance hall, vestibule; (*im Parlament*) lobby

vor|hal•ten I. *irr tr* **1. jdm jdn ~** (*als Beispiel*) hold s.o. up to s.o. **2.** (*fig: vorwerfen*) reproach (*jdm etw* s.o. with s.th.); **jdm e-n Fehler ~** reproach s.o. for his mistake **II.** *itr* (*ausreichen*) last; **Vor•hal•tun•gen** *fpl* reproaches; **jdm ~ dafür machen, dass er etw getan hat** reproach s.o. for having done s.th.

Vor•hand <-> *f* (*Tennis*) forehand

vor•han•den [foːɐ'handən] *adj* **1.** (*verfügbar*) available **2.** (*existierend*) existing; **ein Bad war nicht ~** there was no bathroom; **Vor•han•den•sein** *n* existence

Vor•hang *m* curtain *Br*, shade *Am*

Vor•hän•ge•schloss[RR] *n* padlock

Vor•haut *f* (ANAT) foreskin, prepuce

vor•her [foːɐ'heːɐ/'--] *adv* (*früher*) before now; **am Tag ~** the day before [*o* the previous day]; **kurz ~** a short time before; **weitermachen wie ~** continue as before; **konntest du das nicht ~ sagen?** couldn't you have said that earlier?

vor•her•be•stimmt *adj* predestined; **Vor•her•be•stim•mung** *f* predestination

vor•her|ge•hen [-'---] *sein irr itr* **1.** (*vorangehen*) go first **2.** (*fig*) precede

vor•he•rig [foːɐ'heːrɪç] *adj* **1.** (*früher*) previous **2.** (*ehemalig*) former

Vor•herr•schaft *f* predominance; (POL: *Hegemonie*) hegemony; **vor|herr•schen** *itr* (*überwiegen*) prevail; (*Ton angeben*) predominate; **vor•herr•schend** *adj* **1.** (*tonangebend*) predominant **2.** (*weitverbreitet*) prevailing

Vor•her•sa•ge <-, -n> *f* prediction; (*von Wetter*) forecast; **vor•her|sa•gen** [-'---] *tr* foretell, predict; (*Wetter*) forecast; **das hab' ich dir doch vorhergesagt!** I told you so!

vor•her•seh•bar *adj* foreseeable; **vor•her|se•hen** [-'---] *irr tr* foresee

vor|heu•cheln *tr:* **jdm etw ~** feign [*o* pretend] s.th. to s.o.

vor•hin [foːɐ'hɪn] *adv* just now

Vor•hof *m* **1.** (ARCH) forecourt **2.** (ANAT: *Herz~*) vestibule

Vor•hut ['foːɐhuːt] <-, (-en)> *f* (MIL) vanguard

vo•rig *adj* **1.** (*früher*) previous **2.** (*vergangen*) last; **~en Monat habe ich das letzte Mal von ihm gehört** I last heard from him a month ago

Vor•jahr *n* previous year; **vor•jäh•rig** *adj* last year's

Vor•kämp•fer(in) *m(f)* champion (*für* of), pioneer

Vor•kas•se *f* cash in advance

Vor•kaufs•recht *n* option of purchase

Vor•keh•rung ['foːɐkeːrʊŋ] <-, -en> *f* precaution; **die nötigen ~en treffen** take the necessary precautions

Vor•kennt•nis•se *pl* **1.** (*Wissen*) previous knowledge **2.** (*Erfahrung*) previous experience; **~ nicht erforderlich** no previous experience necessary

vor|knöp•fen *tr* (*fam*): **sich jdn ~** button s.o.

Vor•kom•men <-s> *n* **1.** (*das Auftreten*) occurrence **2.** (MIN) deposit; **vor|kom•men** *irr itr* **1.** (*geschehen*) happen **2.** (*den Anschein haben*) seem; **es kommt mir so vor** it seems to me like that; **so etw ist mir noch nicht vorgekommen** I've never heard of such a thing; **so was soll ~!** that's life!; **das kann schon mal ~** that can happen to anybody; **das Wort kommt sechsmal auf e-r Seite vor** the word appears six times on one page; **ich komme mir dumm vor** I feel stupid; **das kommt dir nur so vor** it only seems to you like that; **Vor•komm•nis** <-sses, -sse> *n* incident, occurrence

Vor•kriegs•zeit *f* prewar days *pl*

vor|la•den *irr tr* (JUR) summon; **jdn ~ lassen** take out a summons against s.o.; **Vor•la•dung** *f* (JUR) summons

Vor•la•ge *f* **1.** (*das Vorlegen*) presentation **2.** (*Muster*) model, pattern **3.** (*Entwurf*) draft; (PARL) bill **4.** (SPORT: *von Fußball*) through-ball; **jdm e-e ~ unterbreiten** make a submission to s.o.

vor|las•sen *irr tr* **1.** (*vorgehen lassen*) let

go in front **2.** (*zulassen*) admit, allow in

Vor•lauf *m* **1.** (MOT: *Rad~*) caster **2.** (TECH: *Pumpen~*) flow pipe

Vor•läu•fer *m* precursor

vor•läu•fig I. *adj* temporary; (*provisorisch*) provisional **II.** *adv* (*einstweilig*) temporarily; (*fürs erste*) for the time being; **weil es nur ~ ihr Zuhause war** because of the temporariness of her home

vor•laut *adj* cheeky *Br,* pert; (*Am sl*) fresh; **~es Wesen** pertness

Vor•le•ben *n* former life, past

Vor•le•ge•be•steck *n* carvers *pl;* **vor|le•gen** *tr* **1.** (*bei Tisch*) serve (*jdm etw* s.o. with s.th.) **2.** (*zeigen*) produce, show; (*Schriftstück*) submit **3.** (*unterbreiten*) present

vor|le•sen *irr tr* read aloud *Br,* read out loud *Am;* **jdm etw ~** read s.th. to s.o.; **Vor•le•sung** *f* **1.** (*einzelne akademische ~*) lecture **2.** (*Reihe von ~en*) lectures *pl;* **~en halten** give lectures (*über etw* on s.th.); **e-e ~ hören** go to lectures *pl;* **Vor•le•sungs•ver•zeich•nis** *n* lecture timetable

vor•letzt *adj* last but one, penultimate; **~es Jahr** the year before last

vor•lieb[RR] [foːɐ'liːp] *adv:* **mit etw ~ neh•men**[RR] put up with s.th., make do with s.th.; **Vor•lie•be** <-, -n> *f* preference; **etw mit ~ tun** particularly like doing s.th.; **ich habe e-e ~ für Gorgonzola** I like G. a lot; **er redet mit ~ über Politik** he loves talking politics; **vor•lieb|neh•men** *s.* **vorlieb**

vor|lie•gen *irr itr* **1.** (*zur Verfügung stehen*) be available **2.** (*eingereicht sein*) be in; (POL: *Gesetzesvorlage*) be before the house **3.** (*vorhanden sein*) be, exist; **da muss ein Irrtum ~** there must be some mistake; **was liegt hier vor?** (*was ist los?*) what's up here then?; **vor•lie•gend** *adj* **1.** (*Akten*) on hand **2.** (*Gründe*) existing; **im ~en Fall(e)** in the present case

vor|lü•gen *irr tr:* **jdm etw ~** tell s.o. lies *pl*

vor|ma•chen *tr:* **jdm etw ~** (*zeigen*) show s.o. how to do s.th.; (*fig: täuschen*) humbug s.o.; **machen Sie sich nichts vor!** don't fool [*o* kid] yourself!; **wir wollen uns doch nichts ~!** let's stop pretending!, let's be honest about this!

Vor•macht(•stel•lung) *f* supremacy (*gegenüber* over)

vor•ma•lig *adj* former; **vor•mals** *adv* formerly

Vor•mann *m* foreman

Vor•marsch <-(e)s> *m* (MIL) advance; **auf dem ~ sein** be on the advance; **im ~ sein** (*fig*) be gaining ground

vor|mer•ken *tr* make a note of, note down; **e-n Platz ~** book [*o* reserve] a seat

Vor•mit•tag *m* morning; **vor•mit•tags** *adv* in the morning; (*bei Uhrzeit*) a.m

Vor•mund <-(e)s, -e/-̈er> *m* guardian; **Vor•mund•schaft** *f* guardianship, tutelage

vorn [fɔrn] *adv* **1.** in front **2.** (*am Anfang*) at the beginning **3.** (*am Vorderende*) at the front; **nach ~** forward; **ganz ~** right in the front; **~ in ...** at the front of ...; **blicken Sie nach ~!** look in front of you!; **von ~** from the beginning; **noch einmal von ~** all over again; **von ~ anfangen** (*neues Leben*) start afresh; **sich von ~ und hinten bedienen lassen** be waited on hand and foot; **nach ~ rücken** move up front; **weit ~** a long way ahead

Vor•na•me *m* Christian name *Br,* first name *Am*

vor•nehm ['foːɐneːm] *adj* **1.** (*kultiviert*) distinguished **2.** (*edel*) noble **3.** (*sozial hochgestellt*) high-ranking; (*adlig*) aristocratic **4.** (*elegant*) fashionable, posh *fam;* **~e Gesinnung** high mind; **die ~e Gesellschaft** high society; **~ tun** (*fam*) act posh; **die ~ste Pflicht** the first [*o* foremost] duty

vor|neh•men *irr tr* **1.** (*durchführen*) carry out; (*Änderungen*) make **2.** (*in Angriff nehmen*) get to work (*sich etw* on s.th.) **3.** (*planen*) intend (*sich etw* to do s.th.); **sich jdn ~** (*fam*) have a word with s.o.; **vor•nehm•lich** *adv* **1.** (*hauptsächlich*) especially, principally **2.** (*vorzugsweise*) first and foremost

vor|nei•gen *refl* lean forward

vorn•her•ein ['--'-] *adv:* **von ~** from the start

vorn•ü•ber ['-'--] *adv* forwards

Vor-Ort- [-'--'-] (*in Zusammensetzungen*) on-site

Vor•ort <-(e)s, -e> *m* suburb; **Vor•ort(s)•zug** *m* suburban train *Br,* shuttle train *Am*

Vor•platz *m* forecourt

Vor•pos•ten *m* (MIL) outpost

vor|pre•schen *sein itr* hurry ahead, shoot forward

vor•pro•gram•miert *adj* **1.** (*automatisch*) automatic **2.** (*vorbestimmt*) predetermined

Vor•rang <-(e)s> *m* **1.** (*Vordringlichkeit*) priority **2.** (*Reihenfolge*) precedence (*gegenüber* over); **den ~ vor jdm haben** have precedence over s.o.; **vor•ran•gig** *adj* primary, (having) priority; **Vor•rang•stel•lung** *f:* **e-e ~ einnehmen** [*o* **haben**] **in ...** have a position of importance in ...

Vor•rat ['foːɐraːt, *pl:* 'foːɐrɛːtə] <-(e)s, -̈e> *m* stock, supply; **e-n ~ anlegen** lay in stocks; **auf ~ haben** (COM) keep in stock; **mein Wein ist fast alle, ich muss meinen ~ auffüllen** I must stock up on wine, I've almost run out; **vor•rä•tig** ['fo:rɛ:tɪç] *adj* (*auf Lager*) in stock; (*verfügbar*) available; **nicht** ~ out of stock; **Vor•rats•be•häl•ter** *m* storage tank; **Vor•rats•raum** *m* store room; (*in Ladenlokal*) stock room

Vor•raum *m* anteroom; (THEAT FILM: *Foyer*) foyer

vor|rech•nen *tr* **1.** reckon up (*jdm etw* s.th. for s.o.) **2.** (*fig: aufzählen*) enumerate

Vor•recht *n* prerogative; (*Privileg*) privilege

Vor•re•de *f* **1.** (*Vorwort*) preface **2.** (THEAT) prologue **3.** (*einleitende Rede*) introductory speech; **Vor•red•ner(in)** *m(f)* previous speaker; **mein** ~ the previous speaker

Vor•rei•ter(in) *m(f)* forerunner

Vor•rich•tung *f* device, gadget

vor|rü•cken I. *tr haben* move forward; (*Schachfiguren*) move on **II.** *itr sein* move forward; (MIL) advance; (*im Beruf etc*) move up

Vor•ru•he•stand *m* early retirement; **Vor•ru•he•stands•re•ge•lung** *f* early retirement scheme

Vor•run•de *f* (SPORT) preliminary round

vor|sa•gen *tr* tell (*jdm etw* s.o. s.th., *jdm* s.o. the answer)

Vor•sai•son *f* early season

Vor•satz[1] *n* (*von Buch*) endpaper

Vor•satz[2] *m* intention; **mit** ~ (JUR) with intent; **mit guten** **≈en** with good intentions; **er hat immer gute ≈e, aber er führt sie selten aus** his intentions are good, but he seldom carries them out; **mit dem ~ zu ...** with the intention of ...; **den ~ fassen(,) etw zu tun** resolve to do s.th.; **vor•sätz•lich** ['fo:ɐzɛtslɪç] *adj* deliberate, intentional; (*willentlich*) wilful; (JUR) premeditated; **etw ~ tun** do s.th. with intent

Vor•satz•lin•se *f* (PHOT) ancillary lens

Vor•schau *f* **1.** (*allgemein*) preview *Br*, prevue *Am* **2.** (FILM) trailer

Vor•schein *m:* **zum ~ kommen** (*wörtlich: sichtbar werden*) appear; (*fig: ans Licht kommen*) come to light

vor|schi•cken *tr* send forward

vor|schie•ben I. *irr tr* **1.** (*davor schieben*) push in front **2.** (*nach vorn schieben*) push forward **3.** (MIL: *Truppen*) move forward **4.** (*fig: vorschützen*) put forward as a pretext **II.** *refl* (*Personen*) press forward; (*Wolken etc*) move forward

vor|schie•ßen I. *irr tr haben* (*Geld*) advance **II.** *itr sein* shoot forward

Vor•schlag *m* proposal *Br*, proposition *Am*; (*Anregung*) suggestion; **auf meinen** ~ at my suggestion; **das soll ein ~ sein!** (*fam*) that's an idea!; **mein ~ lautet ...** my suggestion is ...; **≈e sind willkommen** I'm open to suggestions; **vor|schla•gen** *irr tr* propose, suggest; (*nominieren*) nominate (*jdn für etw* s.o. for s.th.); **ich schlage vor, wir gehen** I suggest going; **was schlagen Sie vor?** what do you suggest we do?

Vor•schlag•ham•mer *m* sledge-hammer

Vor•schlag•we•sen *n:* **innerbetriebliches** ~ suggestion-book system

vor•schnell *adj* rash

vor|schrei•ben *irr tr* **1.** (*Text etc*) write out (*jdm* for s.o.) **2.** (*anordnen*) stipulate; (*diktieren*) dictate; (MED: *Dosis*) prescribe

Vor•schrift *f* **1.** (*Bestimmung*) regulation **2.** (*Anweisung*) instruction, order; **laut** ~ according to regulation; **das verstößt gegen die ~en** that is contrary to the regulations; **welche ~en hatten Sie?** what were your instructions?; **ich lasse mir von niemandem ~en machen** I don't take orders from anyone; **Dienst nach** ~ work-to-rule; **vor•schrifts•mä•ßig I.** *adj* regulation; (*korrekt*) correct; (MED: *Dosis*) prescribed **II.** *adv* according to (the) regulations, as instructed

Vor•schub *m:* ~ **leisten** encourage (*jdm* s.o., *e-r Sache* s.th.)

Vor•schul•al•ter *n* pre-school age; **Vor•schu•le** *f* nursery school; **Vor•schul•er•zie•hung** *f* pre-school education

Vor•schuss[RR] *m* (FIN) advance; **jdm e-n ~ geben** give s.o. an advance

vor|schüt•zen *tr* plead as an excuse; **nur keine Müdigkeit ~!** (*fam*) don't you tell us you're tired!

vor|schwe•ben *itr:* **jdm** ~ be in someone's mind

vor|schwin•deln *tr:* **jdm etw** ~ lie to s.o.

vor|se•hen I. *irr tr* **1.** (*planen*) plan *Br*, schedule *Am* **2.** (*einplanen*) provide for **3.** (*zuweisen*) intend (*etw für etw* s.th. for s.th.) **4.** (*bestimmen*) designate (*jdn für etw* s.o. for s.th.); **der Vertrag sieht vor, dass ...** the contract [*o* treaty] stipulates that ...; **wie vorgesehen** according to plan; **so war das nicht vorgesehen** it wasn't planned to happen that way **II.** *refl* beware (*vor* of), take care; **sieh dich vor, dass du nicht fällst!** beware of falling!; **sieh dich vor, was du sagst!** watch what you say!; **sieh dich vor, dass er dich nicht betrügt!** take care he doesn't cheat you!

Vor•se•hung *f* Providence

vor|set•zen *tr* **1.** (*nach vorn*) put forward; (*davor setzen*) put in front **2.** (*anbieten*) offer (*jdm etw* s.o. s.th.) **3.** (*fam: Lügen etc* ~) dish (*jdm etw* s.th. up to s.o.)

Vor•sicht <-> *f* care; (*bei Gefahr*) caution; (*Umsicht*) prudence; (*Behutsamkeit*) wariness; **~!** beware! take care!; (*auf Kisten*) with care!; **~ Stufe!** mind the step!; **es ist**

trotz aller ~ kaputtgegangen it got broken despite all the care we took; **vor·sich·tig** *adj* careful; (*besonnen*) cautious; **sei ~ mit den Gläsern!** be careful with the glasses!; **sei ~, dass sie dich nicht hören!** be careful they don't hear you!; **vor·sichts·hal·ber** *adv* as a precaution; **etw ~ tun** take the precaution of doing s.th.; **Vor·sichts·maß·nah·me** *f* precaution; **es ist e-e reine ~** it's purely precautionary; **~n treffen** take precautions

Vor·sil·be *f* (GRAM) prefix

vor|sin·gen I. *irr tr* sing (*jdm etw* s.th. to s.o.) II. *itr* (THEAT: *als Probe vor Engagement*) audition

vor·sint·flut·lich *adj* (*hum fam*) antediluvian

Vor·sitz <-es> *m* chairmanship; (*Präsidentenamt*) presidency; **den ~ führen** be the chairman (*bei etw* of s.th.); **den ~ übernehmen** take the chair; **unter dem ~ von ...** under the chairmanship of ...; **Vor·sit·zen·de** *m* chairman (chairwoman); (*Präsident, Vereins~*) president; **der ~ Deng** Chairman Deng

Vor·sor·ge <-> *f* 1. (*Fürsorge*) provision 2. (*Vorsichtsmaßnahme*) precaution; **~e treffen** take precautions; (*fürs Alter*) make provisions; **vor|sor·gen** *itr* provide (for), make provisions (*für* for, *dass* so that); **Vor·sor·ge·un·ter·su·chung** *f* (MED) preventive medical check-up; **vor·sorg·lich** I. *adj* precautionary II. *adv* as a precaution

Vor·spann ['foːɐʃpan] <-(e)s, -e> *m* 1. (*Vorlauf von Tonband, Film etc*) leader 2. (FILM) opening credits *pl*

Vor·spei·se *f* appetizer, hors d'oevre, starter; **was nehmen wir als ~?** what do we have for a starter?

Vor·spie·ge·lung *f*: **unter ~ von etw** under the pretence of s.th.; **unter ~ falscher Tatsachen** under false pretences

Vor·spiel *n* 1. (MUS) prelude 2. (THEAT) prologue 3. (*bei Geschlechtsverkehr*) foreplay; **vor|spie·len** I. *tr* 1. (MUS) play (*jdm etw* s.th. for s.o.) 2. (THEAT) act (*jdm etw* s.th. for s.o.) 3. (*fig*) act out a sham (*jdm etw* of s.th. in front of s.o.); **spiel mir doch nichts vor!** (*fig*) don't try and pretend to me! II. *itr* 1. (*allgemein*) play 2. (THEAT MUS: *als Probe vor Engagement*) audition (*jdn ~ lassen* s.o.); **jdm e-e Komödie ~** (*fig*) play out a farce in front of s.o.

vor|spre·chen I. *irr tr* pronounce (*jdm etw* s.th. for s.o.) II. *itr* 1. (*besuchen*) call (*bei jdm* on s.o.) 2. (THEAT: *zur Probe*) audition

vor|sprin·gen *sein irr itr* 1. leap forward 2. (*hervorragen*) jut out, project, protrude; **vor·sprin·gend** *adj* projecting; (*Nase, Kinn etc*) prominent

Vor·sprung *m* 1. (ARCH) projection 2. (*Vorteil*) advantage (*über* of) 3. (SPORT) lead (*vor* over); **er hat 10 m ~** he is in the lead by ten meters; **jdm 15 Minuten ~ geben** give s.o. a 15-minute start

Vor·stadt *f* suburb; **Vor·städ·ter(in)** *m(f)* suburban(ite); **vor·städ·tisch** *adj* suburban

Vor·stand *m* 1. (*Gremium*) board; (*von Verein*) committee 2. (*Person*) chairman (of the board), managing director; **Vor·stands·e·ta·ge** *f* boardroom; **Vor·stands·mit·glied** *n* member of the executive [*o* board]; (*von Verein*) committee member; **Vor·stands·sit·zung** *f* board meeting; **Vor·stands·vor·sit·zen·de(r)** *f m* chairperson, chairman (chairwoman) of the board of directors

vor|ste·hen *irr itr* 1. (*hervorragen*) project, protrude 2. (*leiten*): **e-r Sache ~** [*o* **Schule**] be the, head *Br*, principal of s.th. *Am*; (*e-m Haushalt*) preside over; (*e-m Geschäft*) manage s.th.; (*e-r Abtlg*) be in charge of s.th.; **vor·ste·hend** *adj* 1. (*Zähne, Nase, Ecken etc*) prominent, protruding 2. (*in Brief: obenstehend*) above; **Vor·ste·her(in)** *m(f)* (*Büro~*) (office) manager; (*Bahnhofs~*) station-master; **Vor·ste·her·drü·se** *f* (ANAT) prostate gland

vor|stel·len I. *tr* 1. (*Uhr*) put on (*um* by) 2. (*einführen*) introduce (*jdn jdm* s.o. to s.o.) 3. (*darstellen*) respresent; (*bedeuten*) mean, signify 4. (*vorführen, bekannt machen*) present, show (*jdm etw* s.o. s.th.); **darf ich Ihnen Herrn X. ~?** allow me to introduce Mr. X *Br*, I'd like you to meet Mr. X *Am* II. *refl* 1. (*in der Phantasie*) imagine (*etw* s.th.); (*sich ausmalen*) picture (*etw* s.th.) 2. (*sich bekannt machen*) introduce o.s. (*jdm* to s.o.) 3. (*bei Bewerbung*) go for an interview; **stell dir vor!** fancy that!; **stell dir mal vor, du seiest reich** imagine yourself rich; **du kannst dir nicht ~ wie ...** you can't imagine how ...; **vor·stel·lig** *adj*: **bei jdm ~ werden** go to s.o; (*sich beschweren*) lodge a complaint with s.o.; **Vor·stel·lung** *f* 1. (THEAT) performance; (*Film~*) showing 2. (*Gedanke*) idea, notion; (*~skraft*) imagination 3. (*Einführung: von Person*) introduction; (*von Martkneuheiten etc*) presentation; **wenn das deine ~ von Spaß ist ...** if that's your idea of fun ...; **du hast manchmal merkwürdige ~en** you have some strange ideas; **sich e-e ~ von etw machen** form an idea of s.th.; **Vor·stel·lungs·ge·spräch** *n* interview; **Vor·stel·lungs·kraft** *f* imagination; **Vor·stel·lungs·ver·mö·gen** *n* powers of imagination; **Vor·steu·er** *f* VAT on input

Vor•stoß *m* 1. (*Vordringen*) venture 2. (MIL) advance, push 3. (*fig: Versuch*) attempt; **vor|sto•ßen** I. *irr tr haben* push forward II. *itr sein* venture; (MIL) advance

Vor•stra•fe *f* previous conviction; **Vor•stra•fen•re•gis•ter** *n* criminal record

vor|stre•cken *tr* 1. (*Gegenstand*) stretch forward; (*Arme, Hände*) stretch out; (*Krallen*) put out 2. (*Geld*) advance (*jdm* s.o.)

Vor•stu•fe *f* preliminary stage

Vor•tag *m* day before

vor|täu•schen *tr* feign; **Vor•täu•schung** *f* pretence; **unter ~ falscher Tatsachen** under false pretences

Vor•teil ['fɔrtaɪl] *m* advantage; **~e bringen** be advantageous; **die Vor- u. Nachteile** the pros and cons; **sich zu s-m ~ ändern** change for the better; **damit sind Sie mir gegenüber im ~** that gives you an advantage over me; **sich durch etw jdm gegenüber e-n ~ verschaffen** get the advantage of s.o. by doing s.th.; **für jdn von ~ sein** be advantageous to s.o.; **jdm gegenüber im ~ sein** have the advantage over s.o.; **~e aus etw ziehen** benefit from s.th.; **vor•teil•haft** *adj* advantageous; **es ist ~ für mich ...** it is to my advantage to ...; **es wirkte sich ~ für uns aus** it worked out advantageously for us

Vor•trag ['foːɐtraːk, *pl:* 'foːɐtrɛːgə] <-(e)s, ¨-e> *m* 1. (*Bericht, Lesung*) lecture 2. (FIN) balance carried forward; **e-n ~ halten** give a lecture; **ich wollte nur e-e kurze Erklärung und bekam e-n Vortrag zu hören** I asked for a short explanation and got a lecture; **vor|tra•gen** *irr tr* 1. (*berichten*) report; (*darlegen*) present 2. (FIN) carry forward; **ein Gedicht ~** recite a poem; **Vor•trags•abend** *m* lecture evening; **Vor•trags•rei•he** *f* series of lectures

vor•treff•lich [foːɐ'trɛflɪç] *adj* excellent, splendid; **Vor•treff•lich•keit** *f* excellence

vor|trei•ben *irr tr* (*Bergbau*): **e-n Stollen ~** drive a gallery on

vor|tre•ten *sein irr itr* 1. step forward 2. (*hervorragen*) jut out, project

Vor•tritt <-(e)s> *m* precedence; **jdm den ~ lassen** let s.o. go first; **den ~ haben** have precedence (*in etw* in s.th., *vor* over)

vo•r•ü•ber [vo'ryːbɐ] *adv* over, past; **vo•r•ü•ber|ge•hen** *sein irr itr* 1. (*räumlich*) go past, pass by (*an jdm o etw* s.o., s.th.) 2. (*zeitlich*) pass 3. (*zu Ende gehen*) be over 4. (*fig: ignorieren*) ignore (*an jdm o etw* s.o., s.th.); **das ging nicht spurlos an ihr vorüber** it left its mark on her; **vo•r•ü•ber•ge•hend** *adj* 1. (*momentan*) momentary 2. (*zeitweilig*) temporary; **sich ~ aufhalten** stay for a short time; **Vo•r•ü•ber•ge•hen•de(r)** *f m* passer by

Vor•ü•bung *f* preliminary exercise

Vor- und Zu•na•me *m* first and second name

Vor•un•ter•su•chung *f* (JUR) preliminary investigation

Vor•ur•teil *n* bias, prejudice; **das ist ein ~** it's prejudice; **ein ~ haben gegen ...** be prejudiced against, have a prejudice against ...; **es gibt e-e Menge ~e hinsichtlich ...** there's a lot of prejudice about ...; **vor•ur•teils•frei** *adj,* **vor•ur•teils•los** I. *adj* unprejudiced; (*Entscheidung*) unbiased II. *adv* without prejudice [*o* bias]

Vor•vä•ter ['foːɐˌfɛːtɐ] *pl* ancestors, forefathers

Vor•ver•kauf *m* (THEAT SPORT) advance booking; **Vor•ver•kaufs•stel•le** *f* advance booking office

vor|ver•le•gen *tr* 1. (*Termin*) bring forward 2. (MIL: *Front*) push forward

Vor•ver•stär•ker *m* (EL RADIO) pre-amplifier

vor•vor•ges•tern *adv* three days ago

vor|wa•gen *refl* venture forward

Vor•wahl *f* 1. preliminary election *Br,* primary *Am* 2. (TELE) dialling code *Br,* area code *Am*

Vor•wand <-(e)s, ¨-e> *m* pretext; **unter dem ~, dass ...** under the pretext that ...; **unter dem ~(,) etw zu tun** under the pretext of doing s.th.; **er sucht nur nach e-m ~** he's only making excuses *pl*

vor•wärts ['fɔrvɛrts] *adv* forward, onward; **~!** let's go!; (MIL) forward march!; **~ bringen**RR (*fig*) advance; **jdn ~ bringen**RR help s.o. to get on; **~ gehen**RR come on, progress; **in/mit etw ~ kommen**RR make progress in/with s.th.; (*fig*) get on with s.th.; **wir kamen im Schlamm nur langsam ~** we made slow progress through the mud; **sie kamen im offenen Gelände gut ~** they made good progress across the open country; **vor•wärts|brin•gen** *s.* **vorwärts**; **Vor•wärts•gang** *m* (MOT) forward gear; **vor•wärts|ge•hen** *s.* **vorwärts**; **vor•wärts|kom•men** *s.* **vorwärts**

Vor•wä•sche *f* prewash; **vor|wa•schen** *irr tr* pre-wash

vor•weg [foːɐ'vɛk] *adv* 1. (*vorher*) before 2. (*an der Spitze*) at the front 3. (*von vornherein*) at the outset; **vor•weg|neh•men** *irr tr* anticipate

vor|wei•sen *irr tr* produce, show; **etw ~ können** (*fig*) have s.th.

vor|wer•fen *irr tr* 1. (*hinwerfen*) throw (*jdm etw* s.th. down for s.o.) 2. (*fig: tadeln*) reproach (*jdm etw* s.o. for s.th.); (*beschul-*

digen) accuse (*jdm etw* s.o. of s.th.); **sich nichts vorzuwerfen haben** have nothing to reproach o.s. with
vor•wie•gend I. *adj* predominant **II.** *adv* chiefly, mainly, predominantly
Vor•wis•sen *n:* **ohne mein** ~ without my previous knowledge
Vor•witz <-es> *m* (*obs*) **1.** (*Vorlautheit*) forwardness, pertness **2.** (*Keckheit*) cheek; **vor•wit•zig** *adj* **1.** (*vorlaut*) forward, pert **2.** (*keck*) cheek
Vor•wort <-(e)s, -e> *n* foreword, preface
Vor•wurf *m* reproach; (*Beschuldigung*) accusation; **jdm etw zum ~ machen** reproach s.o. with s.th.; **jdm den ~ der ... machen** accuse s.o. of ...; **vor•wurfs•voll** *adj* reproachful
Vor•zei•chen *n* **1.** (*Omen*) omen **2.** (MED) preliminary symptom **3.** (MUS: *vor Einzelnote*) accidental; (*Kreuz*) sharp sign; (*b*) flat sign **4.** (MATH) plus [*o* minus] sign; **mit umgekehrtem ~** (*fig*) the other way round; **unter gleichem ~** under the same circumstances *pl*
vor•zeig•bar *adj* presentable; **Vor•zei•ge•frau** *f* token woman; **vor|zei•gen** *tr* produce, show; **Vor•zei•ge•ob•jekt** *n* showpiece
Vor•zeit *f* **1.** (*Urzeit*) prehistoric times *pl* **2.** (*weit zurückliegende Zeit*) dim and distant past; **vor•zei•tig** *adj* (*zu früh*) early; (*Altern, Tod*) premature
vor|zie•hen *haben irr tr* **1.** (*hervorziehen*) pull out; (*Vorhänge*) draw **2.** (*lieber mögen*) prefer (*etw e-r anderen Sache* s.th. to s.th. else); (*bevorzugen*) favour **3.** (*bevorzugt abfertigen*) give priority to ...; **was ziehen Sie vor?** which do you prefer?; **ich ziehe das Leben auf dem Land vor** my preference is for country life; **er zog es vor, in der Heimat zu bleiben, statt ins Ausland zu gehen** he chose to stay at home in preference to going abroad
Vor•zim•mer *n* anteroom; (*von Büro*) outer office; **Vor•zim•mer•da•me** *f* (*obs*) receptionist
Vor•zug *m* **1.** (*gute Eigenschaft*) merit **2.** (*Vorliebe*) preference **3.** (*Vorteil*) advantage; **e-r Sache den ~ geben** prefer s.th.; (*Vorrang geben*) give s.th. precedence (*über* over); **den ~ haben, dass ...** have the advantage that ...
vor•züg•lich [foːɐ'tsyːklɪç] *adj* excellent, superb; (*Qualität*) exquisite
Vor•zugs•ak•ti•en *fpl* preference shares; **Vor•zugs•be•din•gun•gen** *fpl* preferential conditions; **Vor•zugs•preis** *m* special price; **vor•zugs•wei•se** *adv* **1.** by preference, preferably **2.** (*hauptsächlich, vorwiegend*) chiefly, mainly
Vo•tum ['voːtʊm] <-s, -ten/-ta> *n* vote
vul•gär [vʊl'gɛːɐ] *adj* vulgar
Vul•kan [vʊl'kaːn] <-s, -e> *m* volcano; **Vul•kan•aus•bruch** *m* volcanic eruption; **vul•ka•nisch** *adj* volcanic
Vul•ka•ni•sier•an•stalt *f* recapping shop; **vul•ka•ni•sie•ren** *tr* vulcanize; (*Reifen runderneuern*) recap

W

W, w [ve:] <-, -> *n* W, w

WAA <-> *f Abk. von* **Wiederaufbereitungsanlage** reprocessing plant

Waa•ge ['va:gə] <-, -n> *f* **1.** (*Gerät*) balance, (pair of) scales *pl;* (*Brücken~ für Lastwagen etc*) weighbridge **2.** (ASTR: *Sternbild*) Libra; **sich die ~ halten** (*fig*) counterbalance each other; **waa•ge•recht** *adj* horizontal, level

Waag•scha•le *f* pan, scale; **er legt jedes Wort auf die ~** (*fig*) he weighs every word; **s-n Einfluss in die ~ werfen** (*fig*) bring one's influence to bear

wab•be•lig ['vab(ə)lɪç] *adj* **1.** (*Pudding*) wobbly **2.** (*Person*) flabby

Wa•be ['va:bə] <-, -n> *f* honeycomb; **wa•ben•för•mig** *adj* honeycombed; **Wa•ben•ho•nig** *m* comb honey

wach [vax] *adj* **1.** *pred* awake **2.** (*fig: aufgeweckt*) alert, wide-awake; **~ liegen** lie awake; **~ werden** wake up

Wa•che ['vaxə] <-, -n> *f* **1.** (*Wachdienst*) guard **2.** (*Wachlokal*) guard-house, guard-room **3.** (*Polizei~*) police station **4.** (MIL: *Posten*) sentinel, sentry **5.** (MAR) watch; **~ haben** be on watch [*o* on guard duty]; **auf ~** on guard; **bei jdm ~ halten** keep watch over s.o.; **die ~ ablösen** relieve the guard; **wa•chen** *itr* **1.** (*wach sein*) be awake; (*nicht schlafen können*) lie awake **2.** (*aufpassen*) watch (*über* over) **3.** (*Wache halten*) keep watch (*bei jdm* by someone's bedside); **Wach•mann** *m* watchman

Wa•chol•der [va'xɔldɐ] <-s, -> *m* juniper; **Wa•chol•der•schnaps** *m* gin

Wach•pos•ten *m s.* **Wachtposten**

wach|ru•fen *irr tr* (*fig: Erinnerungen etc*) call to mind, evoke

Wachs [vaks] <-es, -e> *n* wax; **wie ~ in jds Händen sein** (*fig*) be like wax in someone's hands

wach•sam *adj* **1.** vigilant, watchful **2.** (*vorsichtig*) on one's guard; **ein ~es Auge auf etw (jdn) haben** keep a watchful eye upon s.th. (s.o.); **die Zollbeamten haben stets ein ~es Auge auf Drogenhändler** the customs officers are ever vigilant for drug traffickers; **Wach•sam•keit** *f* **1.** vigilance **2.** (*Vorsichtigkeit*) guardedness

wachs•ar•tig *adj* cereous

wach•sen¹ ['vaksən] *irr itr* **1.** *sein* (*größer werden*) grow **2.** (*fig: zunehmen*) increase, mount; **er ist mir ans Herz gewachsen** I've got fond of him; **in die Höhe ~** grow taller; **jdm gewachsen sein** be a match for s.o.; **e-r Sache gewachsen sein** be equal to s.th.; **er ist mir über den Kopf gewachsen** he's become too much for me; **gut gewachsen** (*Frau*) having a good figure; (*Mann*) being well built; (*Baum*) well-grown; **sich e-n Bart ~ lassen** grow a beard; **sich die Haare ~ lassen** let one's hair grow; **wild ~d**^RR^ wild(-growing)

wach•sen² *tr haben* (*mit Wachs versehen*) wax

wäch•sern ['vɛksɐn] *adj* (*a. fig*) waxen

Wachs•fi•gur *f* wax work; **Wachs•fi•gu•ren•ka•bi•nett** *n* waxworks *pl;* **Wachs•tuch** *n* oilcloth

Wachs•tum ['vakstu:m] *n* **1.** growth **2.** (*fig*) increase; **Wachs•tums•ak•tie** *f* (FIN) growth stock; **Wachs•tums•bran•che** <-, -n> *f* growth industry; **wachs•tums•för•dernd** *adj* growth-promoting; **wachs•tums•hem•mend** *adj* growth-inhibiting; **Wachs•tums•hor•mon** *n* growth hormone; **Wachs•tums•in•dus•trie** *f* growth industry; **wachs•tums•o•ri•en•tiert** *adj* growth-oriented; **Wachs•tums•ra•te** *f* growth rate

Wäch•ter ['vɛçtɐ] <-s, -> *m* **1.** guardian **2.** (*Aufseher*) attendant

Wacht•meis•ter *m* constable *Br,* patrolman *Am;* **Wacht•pos•ten** *m* **1.** (MIL) guard, sentry **2.** (*bei Diebstahl etc*) lookout

Wach•traum *m* daydream

Wach•turm *m* watch-tower

Wach•wech•sel *m* (MIL) changing of the guard

wa•ck(e)•lig ['vak(ə)lɪç] *adj* **1.** wobbly; (*Zahn*) loose; (*Möbel*) rickety **2.** (*fig: Wirtschaft, Unternehmen etc*) shaky; **~ auf den Beinen sein** be shaky on one's legs

Wa•ckel•kon•takt *m* (EL) loose connection

wa•ckeln ['vakəln] *itr* **1.** wobble; (*zittern*) shake; (*Zahn, Schraube etc*) be loose **2.** (*fig: Herrschaft*) totter **3.** *sein* (*unsicher gehen*) totter; **der Stuhl wackelt** the chair has a wobble; **mit dem Kopf ~** wag one's head

wa•cker ['vakɐ] *adj* **1.** (*tapfer*) brave **2.** (*tüchtig*) upright; **sich ~ halten** hold one's ground

Wa•de ['va:də] <-, -n> *f* calf; **Wa•den•bein** *n* fibula; **Wa•den•krampf** *m* cramp in the [*o* one] 's calf; **Wa•den•wi•ckel** *m* leg compress

Waf•fe ['vafə] <-, -n> *f* (*a. fig*) weapon; (*Schuss~*) gun; **zu den ~n!** to arms!; **~n tragen** carry arms; **gegen jdn zu den ~n greifen** take up arms against s.o.

Waf•fel ['vafəl] <-, -n> *f* **1.** (*in Fett gebacken*) waffle **2.** (*Eis~*) wafer; **Waf•fel•ei•sen** *n* waffle iron

Waf•fen•be•sitz *m* possession of arms; **Waf•fen•em•bar•go** *n* arms embargo; **Waf•fen•gat•tung** *f* arm of the service; **Waf•fen•ge•walt** *f*: **mit ~** by force of arms; **Waffenhandel** *m* arms traffic; **Waf•fen•kam•mer** *f* (MIL) armoury *Br*, armory *Am;* **Waf•fen•la•ger** *n* **1.** (MIL: *von regulärer Armee*) ordnance depot **2.** (*von Terroristen*) cache; **Waf•fen•lie•fe•rung** *f* supply of arms; **Waf•fen•ru•he** *f* ceasefire; **Waf•fen•schein** *m* fire-arms licence *Br*, gun-license *Am;* **Waf•fen•schmug•gel** *m* gun-running; **Waf•fen•still•stand** *m* armistice; **Waf•fen•sys•tem** *n* weapons system

Wa•ge•mut *m* daring; **wa•ge•mu•tig** *adj* daring

Wa•gen ['va:gən] <-s, -> *m* **1.** (*PKW*) car; (*Liefer~*) van **2.** (*LKW*) lorry *Br*, truck *Am* **3.** (*Taxi*) cab, taxi **4.** (*Karren*) cart **5.** (*Kutsche*) coach **6.** (*Fracht~, Plan~*) wag(g)on **7.** (RAIL) carriage *Br*, car *Am* **8.** (TECH: *Schreibmaschinen~*) carriage **9.** (ASTR): **der Große (Kleine) ~** the Big (Little) Dipper; **jdm an den ~ fahren** (*fig fam*) pick holes in s.o.; **sich nicht an den ~ fahren lassen** (*fig fam*) not to stick s.th.; **mit dem ~ fahren** go by car

wa•gen ['va:gən] **I.** *tr* **1.** venture **2.** (*aufs Spiel setzen*) risk **3.** (*sich getrauen*) dare **II.** *refl* dare; **es ~** (*es darauf ankommen lassen*) take a chance; **ich wage sogar zu behaupten ...** I venture to say that ...; **sich vor die Tür ~** venture out of doors; **wer wagt, gewinnt** (*prov*) nothing ventured, nothing gained; **~ Sie nicht(,) zu ...!** don't you dare (to) ...!; **das wagt er nicht!** he daren't do it!; **wie kannst du es ~, solche Dinge zu sagen!** how dare you say such things!

Wa•gen•burg-Men•ta•li•tät *f* siege mentality

Wa•gen•dach *n* (MOT) body ceiling; **Wa•gen•he•ber** *m* jack; **Wa•gen•ko•lon•ne** *f* vehicular convoy; **Wa•gen•la•dung** *f* **1.** (RAIL) wag(g)onload **2.** (MOT: *Last~*) truck-load; **Wa•gen•park** *m* fleet of cars; **Wa•gen•rad** *n* cart wheel; **Wa•gen•schmie•re** *f* cart-grease; **Wa•gen•wä•sche** *f* car washing

Wag•gon [va'gõ:] <-s, -s> *m* **1.** (RAIL: *Fahrzeug*) wag(g)on *Br*, freight car *Am* **2.** (*Ladung*) wag(g)onload *Br*, carload *Am;* **wag•gon•wei•se** *adv* by the wag(g)onload *Br*, by the carload *Am*

wag•hal•sig *adj* daredevil

Wag•nis <-ses, -se> *n* **1.** (*Risiko*) risk **2.** (*waghalsiges Unternehmen*) hazardous business; **ein ~ auf sich nehmen** run risks *pl*

Wa•gon[RR] *m s.* Waggon; **wa•gon•wei•se**[RR] *adv s.* **waggonweise**

Wahl [va:l] <-, -en> *f* **1.** (PARL) election **2.** (*Auswahl*) choice; **keine andere ~ haben, als ...** have no alternative but ...; **jdm die ~ lassen** leave s.o. to choose; **erste ~** top quality; **zweite ~** second quality; **welchen Verlauf nimmt die ~?** which way is the voting going?; **bei der ~ führen** head the poll; **zur ~ gehen** go to the polls; **er erhielt bei der ~ wenige Stimmen** he polled badly in the election

Wähl•au•to•ma•tik *f* (TELE) automatic dialling

wähl•bar ['vɛ:lba:ɐ] *adj* eligible; **Wähl•bar•keit** *f* eligibility

wahl•be•rech•tigt *adj* entitled to vote; **Wahl•be•rech•tig•te(r)** *f m* person entitled to vote; **Wahl•be•tei•li•gung** *f* poll; **e-e hohe ~** a heavy poll; **Wahl•be•trug** *m* electoral fraud; **Wahl•be•zirk** *m* ward

wäh•len ['vɛ:lən] **I.** *itr* **1.** (PARL: *abstimmen*) vote **2.** (PARL: *Wahl abhalten*) hold elections **3.** (*aus~*) choose **4.** (TELE) dial; **~ gehen** go to the polls **II.** *tr* **1.** (PARL) elect, vote for ... **2.** (*aus~*) choose **3.** (TELE) dial; **er wurde zum Vorsitzenden gewählt** he was elected chairman; **jdn in den Bundestag ~** elect s.o. to the B; **vom Volk gewählt** elected by the vote of the people

Wahl•er•geb•nis *n* election result

Wäh•ler(in) *m(f)* **1.** (POL) elector, voter **2.** (TECH) selector

wäh•le•risch *adj* discriminating, particular

Wäh•ler•schaft *f* (*die Wähler*) electorate; (*~ e-s Abgeordneten*) constituents *pl;* **Wäh•ler•schicht** *f* section of the electorate

Wahl•fach *n* (PÄD) optional subject; **Wahl•ge•heim•nis** *n* (PARL) election secrecy; **Wahl•ge•schenk** *n* (PARL) pre- election promise

Wahl•hei•mat *f* country of one's choice; **Wahl•hel•fer(in)** *m(f)* electoral assistant; **Wahl•ka•bi•ne** *f* polling booth; **Wahl•kampf** *m* election campaign; **Wahl•kreis** *m* constituency *Br*, district *Am;* **Wahl•lo•kal** *n* polling station

wahl•los I. *adj* indiscriminate II. *adv* 1. (*nicht wählerisch*) indiscriminately 2. (*zufällig*) at random, haphazardly

Wahl•nie•der•la•ge *f* election defeat; **Wahl•pflicht•fach** ['-'--] *n* (PÄD) compulsory optional subject; **Wahl•pla•kat** *n* election poster; **Wahl•pro•gramm** *n* (PARL) platform *Br*, ticket *Am;* **Wahl•pro•pa•gan•da** *f* election propaganda; **Wahl•recht** <-(e)s> *n* 1. (*aktives*) right to vote; (*passives*) eligibility 2. (*Gesetzeswerk*) electoral law; **allgemeines ~** universal suffrage

Wahl•re•de *f* election speech *Br*, campaign speech *Am;* **Wahl•red•ner(in)** *m(f)* stump speaker

Wähl•schei•be *f* (TELE) dial

Wahl•schein *m* polling card; **Wahl•sieg** *m* electoral victory; **Wahl•spruch** *m* motto; **Wahl•tag** *m* election day

Wähl•ton *m* (TELE) dialling tone

Wahl•ur•ne *f* ballot box; **Wahl•ver•samm•lung** *f* election meeting *Br*, caucus *Am;* **Wahl•ver•spre•chen** *n* pre-election promise; **wahl•wei•se** *adv* alternatively; **Wahl•zet•tel** *m* ballot-paper

Wahn [vaːn] <-(e)s> *m* 1. delusion, illusion 2. (MED: *Manie*) mania; **in e-m ~ leben** labour under a delusion; **in dem ~ leben, dass ...** labour under the delusion that ...; **Wahn•sinn** ['vaːnzɪn] <-(e)s> *m* 1. (MED) insanity 2. (*fam: Verrücktheit*) madness; **das ist reiner ~!** it's sheer madness!; **das ist doch ~!** what madness!; **wahn•sin•nig** I. *adj* 1. (MED) insane 2. (*fam: verrückt*) crazy, mad (*vor* with) 3. (*fam: herrlich*) terrific 4. (*fam: sehr viel*) awful, dreadful; **jdn ~ machen** drive s.o. crazy [*o* mad]; **~ werden** go crazy [*o* mad]; **du bist ja ~!** you must be mad!; **sich ~ freuen** be mad with joy; **wie ~** like mad; **es ist mir ~ peinlich** I feel dreadful about it II. *adv* (*fam*) incredibly; **Wahn•sin•ni•ge(r)** *f m* lunatic

wahr [vaːɐ] *adj* 1. (*nicht falsch*) true 2. (*echt, wirklich*) genuine, real 3. (*eigentlich*) real, veritable; **nicht ~?** is it not so?; **das ist nicht das W~e** (*fam*) it's not the real thing; **das ist ein ~es Wunder** it's a real miracle; **wie ~!** too true!; **die ~e Liebe** true love; **das ist das W~e!** (*fam*) that's the genuine article!

wah•ren ['vaːrən] *tr* 1. (*bewahren*) keep, preserve 2. (*wahrnehmen: Interessen, Rechte etc*) look after, protect; **den Schein ~** keep up appearances *pl*

wäh•ren ['vɛːrən] *itr* last; **was lange währt, wird endlich gut** (*prov*) a happy outcome is worth waiting for

wäh•rend ['vɛːrənt] I. *präp* during II. *konj* while; (*bei Gegensätzen*) whereas; **sie schlief ~ des Lesens ein** she fell asleep while reading

wahr•ha•ben ['---] *irr tr:* **etw nicht ~ wollen** not want to admit s.th.

wahr•haft ['vaːɐhaft/-'-] I. *adj* 1. (*ehrlich*) truthful 2. (*echt*) real, true 3. (*wirklich*) veritable II. *adv* really, truly; **wahr•haf•tig** [-'--] I. *adj* 1. (*ehrlich*) truthful 2. (*aufrichtig*) honest 3. (*wahr*) true II. *adv* 1. really 2. (*tatsächlich*) actually

Wahr•heit *f* truth; **die ~ sagen** tell the truth; **die ~ sieht etw anders aus** reality is somewhat different; **um die ~ zu sagen(,) ...** to tell the truth ...; **die ~ ist, dass ...** the truth of it is that ...; **in ~** in reality; **wahr•heits•ge•treu** *adj* truthful

wahr•nehm•bar *adj* noticeable, perceptible; **nicht ~** imperceptible; **wahr|neh•men** *irr tr* 1. (*sinnlich*) perceive; (*bemerken*) be aware of ... 2. (*Gelegenheit*) take; (*Termin, Frist etc*) observe 3. (*Interessen*) look after; **Wahr•neh•mung** *f* 1. (*sinnlich*) perception 2. (*von Gelegenheit*) taking; (*von Termin etc*) observing 3. (*von Interessen*) looking after; **außersinnliche ~** extrasensory perception

wahr|sa•gen ['---] *tr itr* predict the future (*jdm* to s.o.); (*aus Karten*) read cards; **sich ~ lassen** have one's fortune told; **Wahr•sa•ger(in)** *m(f)* fortune-teller; **Wahr•sa•ge•rei** *f* fortune-telling

Wahr•sa•gung *f* prediction

wahr•schein•lich [vaːɐ'ʃaɪnlɪç] I. *adj* likely, probable; (*plausibel*) plausible; **das ist nicht ~** there is no likelihood of that II. *adv* probably; **es ist nicht sehr ~, dass er kommt** he is not likely to come; **es ist ~, dass er sich hier aufhält** this is a likely place for him to stay; **~ wird er weggehen** the probability is that he will leave; **Wahr•schein•lich•keit** *f* likelihood, probability; (*Plausibilität*) plausibility; **aller ~ nach** in all probability; **wie groß ist die ~, dass die beiden heiraten?** how likely is it that they'll get married?; **Wahr•schein•lich•keits•grad** *m* degree of probability; **Wahr•schein•lich•keits•rech•nung** *f* probability calculus

Wah•rung *f* (*Erhaltung*) preservation

Wäh•rung ['vɛːrʊŋ] *f* currency; **Wäh•rungs•aus•gleich** *m* exchange equalisation, currency conversion compensation; **Wäh•rungs•ein•heit** *f* monetary unit; **Wäh•rungs•fonds** *m* Monetary Fund; **wäh•rungs•po•li•tisch** *adj* in terms of monetary policy; **Wäh•rungs•re•form** *f* currency [*o* monetary] reform; **Wäh•rungs•re•ser•ven** *fpl* foreign exchange reserves; **Wäh•rungs•u•ni•on** *f* monetary union; **Wäh•rungs•sys•tem** *n* currency [*o* monetary] system

Wahr•zei•chen *n* emblem

Wai•se ['vaɪzə] <-, -n> *f* orphan; **Wai•sen•haus** *n* orphanage; **Wai•sen•kna•be** *m:* **ich bin ein ~ gegen ihn** (*fig fam*) I'm a beginner compared with him; **Wai•sen•ren•te** *f* orphan's allowance

Wal [va:l] <-(e)s, -e> *m* whale

Wald [valt, *pl:* 'vɛldɐ] <-(e)s, ⸚er> *m* (*allgemein*) wood; (*Forst*) forest; **den ~ vor lauter Bäumen nicht sehen** (*fig fam*) miss the wood for the trees; **ich glaub' ich steh' im ~!** (*fig fam*) I must be seeing [*o* hearing] things!; **Wald•be•stand** *m* forest cover; **Wald•brand** *m* forest fire; **Wald•erd•bee•re** *f* wild strawberry; **Wald•horn** *n* (MUS) French horn

wal•dig *adj* wooded, woody

Wald•lauf *m* cross-country run; **Wald•lehr•pfad** ['-'--] *m* nature trail; **Wald•meis•ter** *m* (BOT) woodruff; **Wald•rand** *m* edge of the forest; **wald•reich** *adj* densely wooded; **Wald•scha•den** *m* damage to woods [*o* forests]; **Wald•ster•ben** *n* dying of the forests

Wal•dung *f* woodland

Wald•weg *m* forest path; **Wald•wie•se** *f* glade; **Wald•wirt•schaft** *f* forestry

Wal•fang *m* whaling

Wa•li•ser(in) *m(f)* Welshman (Welsh woman); **die ~** the Welsh *pl;* **wa•li•sisch** *adj* Welsh

Walk•man ['wɔ:kmən] <-s, -s> *m* (RADIO) walkman

Wall [val, *pl:* 'vɛlə] <-(e)s, ⸚e> *m* **1.** (*Erd~*) embankment **2.** (*fig: Schutzwall*) rampart

Wal•lach ['valax] <-(e)s, -e> *m* gelding

wal•len ['valən] *itr* **1.** (*Dämpfe etc: aufsteigen*) surge **2.** (*brodeln*) seethe; **~des Haar (Kleid)** flowing hair (dress)

Wall•fah•rer(in) *m(f)* pilgrim; **Wall•fahrt** *f* pilgrimage; **Wall•fahrts•ort** *m* place of pilgrimage

Wal•nuss[RR] *f* walnut

Wal•ross[RR] *n* walrus

wal•ten ['valtən] *itr:* **über etw ~** rule over s.th.; **Gnade ~ lassen** show mercy; **jdn frei schalten u. ~ lassen** give s.o. a free hand; **Vernunft ~ lassen** let reason prevail

Walz•blech *n* sheet metal

Wal•ze ['valtsə] <-, -n> *f* **1.** (*Rolle*) roller **2.** (*Schreibmaschinen~*) platen **3.** (*in Musikinstrumenten*) barrel; (*in Spieluhr*) cylinder, drum

wal•zen ['valtsən] **I.** *tr* roll **II.** *itr* (*tanzen*) waltz

wäl•zen ['vɛltsən] **I.** *tr* **1.** (*rollen*) roll; (*in Butter*) toss **2.** (*fam: Akten, Bücher etc*) pore over ...; **Probleme ~** (*fig*) turn over problems in one's mind **II.** *refl* **1.** (*sich rollen*) roll **2.** (*vor Schmerzen*) writhe (*vor* with) **3.** (*fig: Menschenmenge etc*) surge; **die Schuld auf jdn ~** shift the blame onto s.o.

wal•zen•för•mig *adj* cylindrical

Wal•zer ['valtsɐ] <-s, -> *m* (MUS) waltz

Wäl•zer ['vɛltsɐ] <-s, -> *m* (*fam: dickes Buch*) heavy tome

Walz•stra•ße *f* rolling train; **Walz•werk** *n* rolling mill

Wam•pe ['vampə] <-,-n> *f* (*fam*) paunch

Wams [vams, *pl:* 'vɛmzɐ] <-es, ⸚er> *n* (HIST) jerkin

Wand [vant, *pl:* 'vɛndə] <-, ⸚e> *f* **1.** (*allgemein, a.* ANAT) wall **2.** (*Scheide~*) partition **3.** (*von Gefäß*) side; **spanische ~** folding screen; **mit dem Kopf gegen die ~ rennen** (*fig*) be banging one's head against a brick wall; **weiß wie die ~ sein** be as white as a sheet; **die Wände haben Ohren** walls have ears; **die Wände hochgehen** (*fig fam*) go up the walls; **Wand•be•hang** *m* wall hanging

Wan•del ['vandəl] <-s> *m* **1.** (*Änderung*) change **2.** (*Lebens~*) mode of life; **im ~ der Zeiten** throughout the ages; **Wan•del•an•lei•he** *f* (FIN) convertible loan; **wan•del•bar** *adj* changeable

Wan•del•gang *m* covered walk; **Wan•del•hal•le** *f* (THEAT) foyer; (*im Kurhaus*) pump room

wan•deln[1] *itr sein* (*sich ergehen*) stroll, walk; **ein ~des Wörterbuch** (*fig*) a walking dictionary

wan•deln[2] *refl* (*ändern*) change

Wan•der•aus•stel•lung *f* touring [*o* travelling] exhibition; **Wan•der•büh•ne** *f* touring company; **Wan•der•dü•ne** *f* drifting dune

Wan•de•rer *m*, **Wan•de•rin** *f* hiker

Wan•der•kar•te *f* trail map

wan•dern ['vandɐn] *itr* **1.** *sein* (*gehen*) roam, wander; (*reisen*) travel **2.** (*als Freizeitgestaltung*) hike, ramble **3.** (*umherschweifen*) roam **4.** (*sich bewegen*) move, travel; (*treiben*) drift; **das wandert in den Papierkorb!** (*fam*) that's for the wastepaper basket!

Wan•der•po•kal *m* challenge cup; **Wan•der•rat•te** *f* brown rat; **Wan•der•schaft** *f* travels *pl;* **auf ~ gehen** go off on one's travels; **auf ~ sein** be on one's travels

Wan•der•tag *m* (PÄD) *day in German schools on which pupils go on an outing*

Wan•de•rung *f* **1.** (*Ausflug*) walk **2.** (*von Vögeln, Völkern etc*) migration; **e-e ~ machen** go on a walk, hike; **Wan•de•rungs•be•we•gung** *f* migration

Wan•der•vo•gel *m* **1.** (*passionierter Wan-*

derer) hiker **2.** (*fam: unsteter Mensch*) rolling stone

Wand•ka•len•der *m* wall calendar; **Wand•kar•te** *f* wall map; **Wand•lam•pe** *f* wall lamp [*o* light]

Wand•lung ['vandlʊŋ] *f* **1.** change; (*Um~*) transformation **2.** (ECCL) transubstantiation **3.** (JUR) cancellation; **e-e ~ zum Besseren** a change for the better

Wand•schrank *m* wall cupboard; **Wand•ta•fel** *f* blackboard; **Wand•tep•pich** *m* tapestry; **Wand•uhr** *f* wall clock; **Wand•ver•klei•dung** *f* (*aus Holz*) panelling

Wan•ge ['vaŋə] <-, -n> *f* **1.** (ANAT) cheek **2.** (*von Treppe*) stringboard; **~ an ~ tanzen** dance cheek to cheek; (**auch noch**) **die andere ~ hinhalten** turn the other cheek

Wan•kel•mo•tor ['vaŋkəl-] *m* rotary piston [*o* Wankel] engine

Wan•kel•mut ['vaŋkəlmu:t] *m* fickleness, inconstancy; **wan•kel•mü•tig** *adj* fickle, inconstant

wan•ken ['vaŋkən] *itr* **1.** *haben* (*schwanken*) sway; (*Knie*) shake; (*Boden*) rock **2.** *haben* (*fig: unsicher sein o werden*) waver; (*Regierung, Herrschaft*) totter; (*unentschieden sein*) vacillate **3.** *sein* (*~d gehen*) stagger; **ins W~ bringen** cause to rock [*o* sway]; **ins W~ geraten** begin to rock [*o* sway]; **das brachte ihren Entschluss ins W~** that made her waver in her decision

wann [van] *adv* when; **~ kommen Sie?** when are you coming?; **Ich weiß nicht, ~ sie kommt** I don't know when she is coming; **bis ~ ist das Visum gültig?** until when is the visa valid?; **von ~ bis ~?** during what times?; **seit ~?** (*zeitlich*) how long?; (*entrüstet od bezweifelnd etc*) since when?

Wan•ne ['vanə] <-, -n> *f* **1.** (*Bade~*) tub **2.** (MOT: *Öl~*) sump *Br,* oil pan *Am;* **Wan•nen•bad** *n* bath

Wanst [vanst, *pl:* 'vɛnstə] <-es, ⸚e> *m* (*fam: dicker Bauch*) belly, paunch; **sich den ~ vollschlagen** (*pej*) stuff o.s.

Wan•ze ['vantsə] <-, -n> *f* (*a. Minispion*) bug

Wap•pen ['vapən] <-s, -> *n* **1.** (*Familien~*) (coat of) arms **2.** (*auf Münze*) heads *pl;* **Wap•pen•kun•de** *f* heraldry; **Wap•pen•schild** *m* shield; **Wap•pen•tier** *n* heraldic animal

wapp•nen ['vapnən] *refl* prepare (o.s.) (*gegen etw* for s.th.)

Wa•re ['va:rə] <-, -n> *f* **1.** (*als Produkt*) product **2.** (*Artikel*) article **3.** (*als Verkaufs~*) merchandise; **~n** goods; **s-e ~n anpreisen** cry one's wares; **Wa•ren•an•ge•bot** *n* range of goods for sale; **Wa•ren•auf•zug** *m* goods hoist; **Wa•ren•aus•fuhr** *f* exportation of goods; **Wa•ren•aus•gang** *m* sales of goods; **Wa•ren•be•stand** *m* stocks *pl,* of goods; **Wa•ren•ein•fuhr** *f* importation of goods; **Wa•ren•ein•gang** *m* receipt of goods; **Wa•ren•haus** *n* (department) store; **Wa•ren•haus•ket•te** *f* chain of department stores; **Wa•ren•korb** *m* (COM) basket of goods; **Wa•ren•la•ger** *n* **1.** (*Vorrat*) stocks *pl* **2.** (*Raum*) warehouse; **Wa•ren•lie•fe•rung** *f* delivery of goods; **Wa•ren•mus•ter** *n* commercial sample; **Wa•ren•pro•be** *f* trade sample; **Wa•ren•sen•dung** *f* consignment of goods; **Wa•ren•sor•ti•ment** *n* line [*o* assortment] of goods; **Wa•ren•ter•min•ge•schäft** *n* commodity future (transaction); **Wa•ren•ver•kehr** *m* movement of goods, trade; **Wa•ren•vor•rat** *m* goods in stock, stocks; **Wa•ren•wirt•schaft** *f* commodities management; **Wa•ren•zei•chen** *n* trade-mark

warm [varm] <wärmer, wärmst> *adj* **1.** (*a. fig*) warm; (*Wetter, Essen, Trinken*) hot **2.** (*fam: homosexuell*) queer; **das hält ~** it keeps you warm; **mir ist** (**zu**) **~** I'm warm; **bist du ~ angezogen?** are you dressed up warmly?; **das Essen ~ stellen** keep the food warm; **mir wird ganz ~ ums Herz, wenn ...** it warms my heart to ...; **~ werden** warm up; **sich ~ laufen**[RR] (SPORT) warm up; **sich jdn ~ halten**[RR] keep in with s.o.

Wär•me ['vɛrmə] <-, (-n)> *f* **1.** (*allgemein, a. fig*) warmth **2.** (PHYS) heat; **ist das e-e ~!** isn't it warm!; **die Wintersonne hat nicht viel ~** there isn't much warmth in the winter sun; **die ~ regulieren** regulate the heat; **Wär•me•ab•lei•tung** *f* (*in Gewässer*) thermal water discharge; **Wär•me•be•hand•lung** *f* heat treatment; **Wär•me•be•las•tung** *f* (*der Umwelt*) calefaction, thermal pollution; **Wär•me•däm•mung** *f* (heat) insulation; **wär•me•emp•find•lich** *adj* sensitive to heat; **Wär•me•haus•halt** *m* (*der Umwelt*) heat [*o* thermal] level; **Wär•me•i•so•lie•rung** *f* heat insulation; **Wär•me•kraft•werk** *n* thermal power station, thermo-electric station; **Wär•me•leh•re** *f* theory of heat; **Wär•me•lei•ter** *m* heat conductor; **Wär•me•lei•tung** *f* (MOT: *Weiterleitung*) heat conduction

wär•men ['vɛrmən] **I.** *tr* warm; (*Speisen, Getränke etc*) heat up **II.** *refl* warm o.s. **III.** *itr* (*Kleidung*) be warm

Wär•me•pum•pe *f* heat pump; **Wär•me•reg•ler** *m* thermostat; **Wär•me•rück•ge•win•nung** *f* heat recovery; **Wär•me•spei•cher** *m* heat accumulator; **Wär•me•strah•lung** *f* thermal radiation; **Wär•me-**

tau•scher *m* heat exchanger

Wärm•fla•sche *f* hot-water bottle

warm|hal•ten *s.* warm; **warm•her•zig** *adj* warm-hearted; **warm|lau•fen** *s.* warm; **Warm•luft** <-> *f* warm air; **Warm•start** *m* (EDV) warm start; **Warm•was•ser•be•rei•ter** [-'-----] *m* water heater; **Warm•was•ser•spei•cher** [-'----] *m* hot-water tank

Warn•blink•an•la•ge *f* (MOT) warning flasher device; **Warn•drei•eck** *n* (MOT) warning triangle

war•nen ['varnən] *tr itr* warn; **jdn davor ~(,) etw zu tun** warn s.o. not to do s.th.; **ich warne dich!** I'm warning you!; **sag nicht, ich hätte dich nicht gewarnt!** you have been warned!; **er hat mich davor gewarnt** he warned me off

Warn•kreuz *n* (RAIL) warning cross; **Warn•licht** *n* warning light; **Warn•licht•schal•ter** *m* (MOT) hazard flasher switch; **Warn•mel•dung** *f* warning (announcement); **Warn•ruf** *m* warning cry; **Warn•schild** *n* warning sign; **Warn•schuss**[RR] *m* warning shot; **Warn•si•gnal** *n* **1.** (*allgemein*) warning signal **2.** (RAIL) level-crossing signal; **Warn•streik** *m* token strike

War•nung *f* warning (*vor etw* about s.th., *vor Gefahr* of danger); **lass dir das e-e ~ sein!** let this be a warning to you!; **sich etw e-e ~ sein lassen** take warning from s.th.

Warn•zei•chen *n* warning sign

War•schau ['varʃaʊ] *n* Warsaw; **War•schau•er Pakt** *m* (POL MIL) Warsaw pact

War•te•frist *f* waiting period; **War•te•hal•le** *f* (AERO) departure lounge; **War•te•lis•te** *f* waiting list

war•ten¹ ['vartən] *itr* (*harren*) wait (*auf* for); **darauf ~, dass jem etw tut** wait for s.o. to do s.th.; **es hat sich wirklich gelohnt, darauf zu ~** it was definitely worth waiting for; **da kannst du lange ~!** (*fam*) I wouldn't dream of it!; **worauf wartest du denn noch?** well, what are you waiting for?; **wart's ab, gleich wird er wütend!** wait for it, he's going to get mad!; **warte mal ...** wait a minute ...; **~, bis man an der Reihe ist** wait one's turn; **warte mit dem Abendessen nicht auf mich!** don't wait with supper for me!

war•ten² *tr* (*pflegen*) service, maintain

Wär•ter(in) ['vɛrtɐ] *m(f)* **1.** (*allgemein*) attendant **2.** (*in psychiatrischer Anstalt*) orderly **3.** (*Gefängnis~*) warder (wardress) *Br*, guard *Am*

War•te•raum *m* waiting room; **War•te•saal** *m* (RAIL) waiting-room; **War•te•schlan•ge** *f* queue; **War•te•schlei•fe** *f* (AERO): **~n ziehen** circle; **War•te•zeit** *f* waiting period; **lange ~** long wait; **War•te•zim•mer** *n* waiting- room

War•tung *f* **1.** (TECH) maintenance **2.** (MOT) servicing; **war•tungs•arm** *adj* low-maintenance; **war•tungs•frei** *adj* maintenance- [*o* service-]free

war•um [va'rʊm] *adv* why; **das W~ u. Weshalb** the whys and wherefores *pl;* **~ nicht gleich so?!** that's better!

War•ze ['vartsə] <-, -n> *f* **1.** (*Haut~*) wart **2.** (*Brust~*) nipple

was¹ [vas] *pron* **1.** (*Frage*) what **2.** (*fam: wieso*) what ... for, why; **was brauchen Sie?** what can I get you?; **~ ist denn?** what is it now?; **~ du nicht sagst!** you don't say!; **~ hast du da grade gesagt?** what's that you said?; **~ geht dich das an?** what's that to you?; **~ macht das schon!** what does it matter!; **weißt du ~, ...** tell you what, ...; **und ~ weiß ich ...** and what have you ...

was² *pron s.* **etwas**: **is ~?** something the matter?; **na, so ~!** (*fam*) well, I never!; **ich muss dir ~ sagen ...** let me tell you something ...

Wasch•an•la•ge *f* (MOT) **1.** (*Auto~*) car wash **2.** (*Scheiben~*) windscreen wiper *Br*, windshield washer *Am;* **Wasch•au•to•mat** *m* automatic washing machine; **wasch•bar** *adj* washable; **Wasch•bär** *m* raccoon; **Wasch•be•cken** *n* washbasin; **Wasch•be•ton** *m* exposed aggregate concrete; **Wasch•be•ton•plat•te** *f* exposed aggregate panel

Wä•sche ['vɛʃə] <-, -n> *f* **1.** (*Bett~*) linen **2.** (*das Waschen*) washing; **schmutzige ~ waschen** (*fig*) wash one's dirty linen in public; **in der ~ sein** be in the wash; **dumm aus der ~ gucken** (*fam*) look stupid; **~ waschen** do the washing

wasch•echt *adj* **1.** (*Farbe*) fast **2.** (*fig: echt*) genuine, pukka

Wä•sche•ge•schäft *n* draper's; **Wä•sche•klam•mer** *f* clothes-peg; **Wä•sche•korb** *m* dirty clothes basket; **Wä•sche•lei•ne** *f* (clothes-)line

wa•schen ['vaʃən] **I.** *irr tr* **1.** wash **2.** (*Wäsche*) do the washing; **sich die Haare ~** wash one's hair; **das nennst du dich ~!** call that a wash! **II.** *refl* have a wash; **du kriegst e-e Ohrfeige, die sich gewaschen hat!** you'll get a hand box on the ears!

Wä•sche•rei [vɛʃə'raɪ] *f* laundry

Wä•sche•schleu•der *f* spin-drier; **Wä•sche•schrank** *m* linen cupboard; **Wä•sche•stän•der** *m* clothes-horse; **Wä•sche•trock•ner** *m* (EL) tumble-drier

Wasch•kü•che *f* **1.** laundry **2.** (*sl: Nebel*)

pea-souper; **Wasch•lap•pen** *m* **1.** flannel *Br,* washrag *Am* **2.** (*pej: Feigling*) sissy, softy; **Wasch•ma•schi•ne** *f* washing machine; **Wasch•mit•tel** *n* detergent; **Wasch•pul•ver** *n* washing powder; **Wasch•raum** *m* washroom; **Wasch•sa•lon** *m* launderette *Br,* laundromat *Am;* **Wasch•schüs•sel** *f* wash-basin; **Wasch•stra•ße** *f* (MOT) car-wash plant; **Wasch•tisch** *m* washstand; **Wasch•was•ser** *n* washing water; **Wasch•weib** *n* (*pej*) gossip; **Wasch•zet•tel** *m* (TYP) blurb; **Wasch•zeug** <-(e)s> *n* toilet things *pl*

Was•ser ['vasɐ] <-s, -> *n* water; **unter ~ stehen** be under water; **der Ausflug ist ins ~ gefallen** (*fig*) the excursion is off; **zu Lande und zu ~** on land and water; **~ lassen** (*urinieren*) pass water; **sich über ~ halten** stay above water; **mir lief das ~ im Munde zusammen** (*fig*) my mouth watered; **ein Boot zu ~ lassen** launch a boat; **der kocht auch nur mit ~!** (*fig*) he's only human after all!; **jdm das ~ abgraben** (*fig*) steal someone's thunder; **Was•ser•an•schluss**[RR] *m* water connection; **Was•ser•auf•be•rei•tung** *f* treatment of water; **Was•ser•auf•be•rei•tungs•an•la•ge** *f* water treatment plant; **Was•ser•ball** *m* **1.** (*Ball*) beach ball; water-polo ball **2.** (*Spiel*) water polo; **Was•ser•bett** *n* water bed

Wäs•ser•chen ['vɛsɐçən] *n:* **er sieht aus, als ob er kein ~ trüben könnte** he looks as if butter wouldn't melt in his mouth

Was•ser•dampf *m* steam; **was•ser•dicht** *adj* **1.** (*a. fig*) waterproof **2.** (*wasserundurchlässig*) watertight; **Was•ser•ei•mer** *m* bucket, pail; **Was•ser•fall** *m* waterfall; **reden wie ein ~** (*fig fam*) talk nineteen to the dozen; **Was•ser•far•be** *f* water-colour; **Was•ser•floh** *m* water-flea; **Was•ser•flug•zeug** *n* seaplane; **was•ser•ge•kühlt** *adj* (MOT) water-cooled; **Was•ser•glas** *n* tumbler, water glass; **Was•ser•gra•ben** *m* **1.** (*um Burg*) moat **2.** (SPORT) water-jump; **Was•ser•hahn** *m* water tap *Br,* faucet *Am;* **Was•ser•haus•halt** *m* water balance

wäs•se•rig ['vɛsərɪç] *adj* watery; **~e Lösung** (CHEM) aqueous solution; **jdm den Mund ~ machen** make someone's mouth water

Was•ser•kes•sel *m* **1.** (TECH) boiler **2.** (*im Haushalt*) kettle; **Was•ser•kopf** *m* (MED) hydrocephalus; **Was•ser•kraft** *f* water-power; **Was•ser•kraft•werk** *n* hydro-electric power station; **Was•ser•kreis•lauf** *m* water cycle; **Was•ser•küh•lung** *f* (MOT) water-cooling; **Was•ser•lauf** *m* watercourse; **Was•ser•lei•che** *f* corpse found in water; **Was•ser•lei•tung** *f* **1.** (*Rohr*) water pipe **2.** (*Anlagen*) plumbing; **Was•ser•li•lie** *f* water- lily; **Was•ser•man•gel** <-s> *m* water shortage; **Was•ser•mann** <-(e)s> *m* **1.** (*poet*) water sprite **2.** (ASTR) Aquarius; **Was•ser•me•lo•ne** *f* water-melon

was•sern ['vasɐn] *itr haben o sein* (AERO) land on water [*o* the sea]

wäs•sern ['vɛsɐn] *tr* **1.** (*Erbsen etc*) soak **2.** (*bewässern*) water

Was•ser•nut•zungs•recht *n* water right; **Was•ser•pflan•ze** *f* aquatic plant; **Was•ser•pis•to•le** *f* water-pistol; **Was•ser•rad** *n* water-wheel; **Was•ser•rat•te** *f* **1.** (ZOO) water-rat **2.** (*fam: Kind*) water-baby; **was•ser•reich** *adj* **1.** (*Fluss*) containing a lot of water **2.** (*Gegend*) abounding in water; **Was•ser•rohr** *n* water-pipe; **Was•ser•scha•den** *m* water damage; **was•ser•scheu** *adj* scared of water; **Was•ser•schutz•ge•biet** *n* protected water gathering grounds *pl;* **Was•ser•ski** *m* water-ski; **~ fahren** go [*o* do] water-skiing; **Was•ser•spei•cher** *m* reservoir; **Was•ser•spei•er** *m* gargoyle; **Was•ser•spie•gel** *m* **1.** (*Wasserstand*) water-level **2.** (*Wasseroberfläche*) surface of the water; **Was•ser•sport** *m* water sports *pl;* **Was•ser•spü•lung** *f* flush; **Was•ser•stand** *m* water-level; **hoher (niedriger) ~** high (low) water

Was•ser•stoff <-(e)s> *m* hydrogen; **Was•ser•stoff•bom•be** *f* hydrogen bomb, H-bomb; **Was•ser•stoff•su•per•o•xyd** ['---'----] *n* hydrogen peroxide

Was•ser•strahl *m* jet of water; **Was•ser•stra•ße** *f* waterway; **Was•ser•trop•fen** *m* water-drop; **Was•ser•turm** *m* water-tower; **Was•ser•uhr** *f* water meter

Was•se•rung *f* (AERO) alighting on water

Was•ser•ver•brauch *m* water consumption; **Was•ser•ver•drän•gung** *f* (MAR) displacement of water; **Was•ser•ver•sor•gung** *f* water supply; **Was•ser•ver•un•rei•ni•gung** *f* water pollution; **Was•ser•vo•gel** *m* waterfowl; **Was•ser•waa•ge** *f* spirit-level; **Was•ser•weg** *m* waterway; **auf dem ~** by water [*o* sea]; **Was•ser•wel•le** *f* shampoo and set; **Was•ser•wer•fer** *m* water cannon; **Was•ser•werk** *n* waterworks *pl;* **Was•ser•wirt•schaft** *f* water engineering; **Was•ser•zei•chen** *n* watermark

wa•ten ['va:tən] *itr sein* wade

wat•scheln ['vatʃəln] *itr sein* waddle

Wat•schen <-, -> *f* (*österr*) slap on the face

Watt[1] [vat] <-(e)s, -en> *n* (*~landschaft*) mud-flats *pl*

Watt[2] <-s, -> *n* (EL) watt

Wat•te ['vatə] <-, -n> *f* cotton wool *Br,* cotton *Am;* **jdn in ~ packen** (*fig*) wrap s.o. in cotton wool; **Wat•te•bausch** *m* cotton-wool ball; **Wat•te•stäb•chen** *n* cotton-wool tip

wat•tie•ren *tr* **1.** (*füttern*) line with padding **2.** (*absteppen*) quilt

we•ben ['ve:bən] *irr tr itr* weave; **We•be•rei** *f* **1.** (*Betrieb*) weaving-mill **2.** (*das Weben*) weaving; **We•ber(in)** *m(f)* weaver; **Web•feh•ler** *m* weaving flaw; **Web•stuhl** *m* loom

Wech•sel ['vɛksəl] <-s, -> *m* **1.** (*Änderung*) change **2.** (*abwechselnder ~*) alternation **3.** (FIN: *Geld~*) exchange **4.** (COM FIN) bill (of exchange) **5.** (SPORT: *beim Staffellauf*) baton change; **ein ~ der Regierung** a change in government; **im ~** alternately; **e-n ~ ausstellen** (COM) draw a draft; **Wech•sel•au•to•mat** *m* change machine [*o* dispenser]; **Wech•sel•be•zie•hung** *f* correlation, interrelation; **in ~ zueinander stehen** be correlated; **Wech•sel•fäl•le** *mpl* vicissitudes; **Wech•sel•geld** <-(e)s> *n* change; **wech•sel•haft** *adj* changeable; (*Mensch: launisch*) fickle; **Wech•sel•jah•re** *pl* menopause; **in den ~n sein** be suffering from the menopause; **in die ~ kommen** start the menopause; **Wech•sel•kurs** *m* rate of exchange; **Wech•sel•kurs•schwan•kun•gen** *fpl* exchange rate fluctuations

wech•seln ['vɛksəln] *tr* **1.** change (*in* into) **2.** (*austauschen*) exchange; **können Sie mir ein Pfund ~?** can you give me change for a pound?; **ich kann auf £ 5 nicht ~** I haven't got change for £ 5; **ein Rad ~** change a wheel; **den Besitzer ~** change hands *pl;* **ich habe von Philosophie zu Mathematik gewechselt** I changed from philosophy to maths; **DM in Pfund ~** exchange DM for pounds; **wech•selnd** *adj* **1.** changing; (*ab~*) alternating **2.** (*unterschiedlich*) variable **3.** (*fig: wechselhaft*) changeable; **~e Winde** variable winds

wech•sel•sei•tig *adj* reciprocal; (*gegenseitig*) mutual; **die ~e Beziehung zwischen ...** the reciprocal relationship between ...

Wech•sel•spiel *n* interplay; **Wech•sel•strom** *m* alternating current, A.C.; **Wech•sel•stu•be** *f* bureau de change; **wech•sel•voll** *adj* varied; **wech•sel•wei•se** *adv* alternately, in turn; **Wech•sel•wir•kung** *f* interaction; **in ~ stehen** interact

We•cken *n:* **Ausgang bis zum ~ haben** (MIL) have overnight leave

we•cken ['vɛkən] *tr* **1.** wake (up), waken **2.** (*fig*) arouse; **sich ~ lassen** have s.o. wake one up; **We•cker** *m* alarm-clock; **jdm auf den ~ gehen** (*fam*) get on someone's nerves, give s.o. the needle; **Weck•mit•tel** *n* (MED) cerebral stimulant

We•del ['ve:dəl] <-s, -> *m* **1.** (*Fächer*) fan **2.** (*Staub~*) duster **3.** (BOT: *Blatt~*) frond; **we•deln** *itr* **1. mit etw ~** (*winken*) wave s.th.; **mit e-m Fächer ~** wave a fan; **mit dem Schwanz ~** wag one's tail **2.** (*beim Skifahren*) wedel

weder ['ve:dɐ] *konj:* **~ ... noch ...** neither ... nor, not ... either ... or; **sie weiß es weder, noch will sie es wissen** she neither knows nor cares; **weder in dem e-n, noch in dem anderen Fall(e)** in neither case

Weg [ve:k] <-(e)s, -e> *m* **1.** (*Pfad, a. fig*) path **2.** (*Route*) way **3.** (*fig: Art u. Weise*) way **4.** (*fam: Besorgung*) errand; **der ~ zum Bahnhof** the way to the station; **auf dem ~ hierher** on the way here; **es gibt da ein kleines Cafè auf dem ~ nach Hause** there's a little cafe on the way home; **jdn aus dem ~ räumen** get s.o. out of the way; **jdm aus dem ~ gehen** keep out of someone's way; **jetzt steht uns nichts mehr im ~e** (*fig*) now nothing stands in our way; **ich will dir nicht im ~e stehen** (*fig*) don't let me stand in your way; **es gibt viele ~e, das Problem zu lösen** there are many ways of solving this problem; **wir nahmen den ~ über das Feld** we took a path across the fields; **wir müssen uns auf den ~ machen** we must be making tracks; **du bist auf dem richtigen ~** (*fig*) you're on the right track; **etw zu ~e bringen**[RR] manage s.th.; (*erreichen*) accomplish s.th.

weg [vɛk] *adv:* **ich muss ~** I must be off; **er ist schon ~** he has already gone; **meine Uhr ist ~** my watch is gone; **er war ~, bevor ich den Mund auftun konnte** he was away before I could say a word; **~ mit euch!** scram!; **los, ~ von hier!** let's scram!; **~ da!** out of the way!; **~ vom Fenster sein** (*fig fam*) be out of the game; **ich kann jetzt nicht ~** I can't leave now

Weg•be•rei•ter(in) ['ve:k-] *m(f)* forerunner, precursor; **~ für etw sein** pave the way for s.th.; **~ für jdn sein** prepare the way for s.o.

weg|bla•sen *irr tr* blow away; **wie weggeblasen sein** (*fig*) have vanished

weg|blei•ben *irr itr* **1.** stay away **2.** (*nicht mehr kommen*) stop coming **3.** (*ausgelassen werden*) be omitted; **mir bleibt die Spucke weg!** (*fig fam*) I'm absolutely flabbergasted!

weg|brin•gen *irr tr* **1.** take away **2.** (*zur Reparatur*) take in **3.** (*fam: Flecken*) get off (*von* from)

We•ge•la•ge•rer ['ve:gəla:gərɐ] *m* highwayman

we•gen ['ve:gən] *präp* because of, on account of; (*infolge*) due to; **jdn ~ etw bestrafen** punish s.o. for s.th.; **~ s-r Mutter** on account of his mother; **hat er dir geholfen? – von ~! Rausgeworfen hat er mich!** did he help you? – nothing of the sort! He threw me out!; **von ~!** (*fam*) no way!

We•ge•rich ['ve:gərɪç] <-s, -e> *m* (BOT) plantain

weg|fah•ren I. *irr itr sein* (*abfahren*) leave; (*mit Auto*) drive away; (*verreisen*) go away II. *tr haben* (*wegschaffen*) take away; (*Auto*) drive away

weg|fal•len *irr itr* **1.** *sein* (*ausgelassen werden*) be omitted **2.** (*abgeschafft werden*) cease to apply **3.** (*überflüssig werden*) become no longer necessary; **etw ~ lassen** discontinue s.th.; **wir lassen das Mittagessen morgen ~** we'll do without lunch tomorrow

weg|fe•gen *tr* (*a. fig*) sweep away

weg|flie•gen *irr itr sein* fly away; (*Hut*) fly off; (AERO) fly out (*von* of)

weg|führen *tr* **1.** lead away **2.** (*fig: vom Thema etc*) lead off

Weg•gang ['vɛkgaŋ] *m* leaving, departure

weg|ge•ben *irr tr* **1.** (*verschenken*) give away **2.** (*in Pflege geben*) have looked after **3.** (*zum Reparieren bringen*) take in

weg|ge•hen *irr itr* **1.** *sein* go, leave; (*ausgehen*) go out **2.** (*fam: Fleck*) come off **3.** (*fam: Waren*) sell; **geh mir bloß damit weg!** (*fig fam*) don't talk to me about that!

weg|gie•ßen *irr tr* pour away

Weg•guck•men•ta•li•tät *f* don't-want-to-know mentality

weg|ha•ben *irr tr* (*fam: erledigt haben*) have got done; **e-n ~** (*betrunken sein*) be tight; (*verrückt sein*) be off one's head

weg|ho•len *tr* take away; **sich was ~** (*fam: Krankheit etc*) catch s.th.

weg|ja•gen *tr* chase [*o* drive] away

weg|kom•men *irr itr* (*fam*) **1.** *sein* (*weggehen können*) get away **2.** (*abhanden kommen*) disappear, get lost; **gut bei etw ~** come off well with s.th.; **mach, dass du wegkommst!** make yourself scarce!

weg|las•sen *irr tr* **1.** (*fam: gehen lassen*) let go **2.** (*auslassen*) leave out

weg|lau•fen *irr itr sein* run away (*vor* from)

weg|le•gen *tr* put away; (*zur Seite*) put aside

weg|müs•sen *irr itr* **1.** (*fortgehen müssen*) have to be off **2.** (*entfernt werden müssen*) have to be removed; **der Schrank muss hier erstmal weg!** (*fam*) we'll have to move the cupboard!

weg|neh•men *irr tr* take away; **Gas ~** (MOT) ease off the accelerator *Br,* ease off the gas *Am*

weg|ra•tio•na•li•sie•ren *tr* (*Arbeitsplätze*) rationalize away

weg|räu•men *tr* clear away

weg|schaf•fen *tr* **1.** (*beseitigen*) get rid of … **2.** (*wegräumen*) clear away

weg|sche•ren *refl* (*fam*) shove off

weg|schi•cken *tr* **1.** (*um etw zu holen*) send off **2.** (*abschicken, hinausschicken*) send away

weg|schie•ben *irr tr* shove away

weg|schlep•pen I. *tr* drag away II. *refl* haul o.s. away

weg|schmei•ßen *irr tr* (*fam*) chuck away

weg|schüt•ten *tr* pour away

weg|se•hen *irr itr* look away

weg|set•zen *refl* (*woandershin*) move away

weg|ste•cken *tr* put away

weg|stel•len *tr* (*fortstellen*) put away

weg|sto•ßen *irr tr* push away; (*mit Fuß*) kick away

Weg•stre•cke ['ve:k-] *f* stretch of road; **schlechte ~** poor road surface

weg|tra•gen *irr tr* carry away

weg|tre•ten *irr itr sein* (MIL) fall out; **du bist wohl geistig weggetreten!** (*fam*) you must be not all there!

weg|tun *irr tr* (*fam*) **1.** (*fortlegen*) put away **2.** (*wegwerfen*) throw away

Weg•wei•ser ['ve:k-] *m* sign(post)

weg|wer•fen *irr tr* throw away; **du wirfst wirklich dein Geld weg!** (*fig*) you're pouring money down the drain!; **Weg•werf•pa•ckung** *f* throwaway [*o* one-way] pack; **Weg•werf•win•del** *f* disposable nappy *Br,* diaper *Am*

weg|wi•schen *tr* **1.** wipe off **2.** (*fig*) dismiss

weg|zie•hen I. *irr tr* **1.** *haben* (*Mensch: fortziehen*) pull away (*jdm* from s.o.) **2.** (*beiseite ziehen*) draw back II. *itr sein* (*die Wohnung wechseln*) move away; (*von Vögeln*) migrate

Weh [ve:] <-(e)s, -e> *n* woe; **ich habe die Behandlung überstanden, aber nur mit Ach und ~** I had the treatment but I screamed blue murder *fam;* **weh** I. *interj:* **o ~!** oh dear! II. *adj* (*wund*) sore; **mir tut der Magen ~** my stomach aches; **davon tun mir die Augen ~** it makes my eyes ache; **mir tut alles ~** I'm aching all over; **es tut mir ~, zu …** (*fig*) it grieves me to …; **we•he** ['ve:ə] *interj:* **~ dir, wenn …** you'll be sorry if …; **~!** (*bloß nicht!*) you dare!; **~, du gehst dahin!** watch out if you go there!

We•he[1] *f* **1.** (*Geburts~*): **~n** labour pains **2.** (*fig*) birth pangs

We•he² <-, -n> *f* (*Schnee~*) drift; **we•hen** ['ve:ən] I. *itr* 1. (*Wind*) blow 2. (*Fahne*) wave 3. (*Haare*) blow about 4. (*fig: Geruch, Klang etc*) drift; **es wehte ein starker Wind** the wind was blowing hard II. *tr* blow; (*sanft*) waft

Weh•kla•ge *f* lament(ation); **weh•kla•gen** ['---] *itr* lament (*über* over); **weh•lei•dig** *adj* 1. (*überempfindlich*) oversensitive to pain 2. (*voller Selbstmitleid*) self-pitying 3. (*jammernd*) snivelling; **Weh•mut** <-> *f* 1. (*Melancholie*) melancholy 2. (*Sehnsucht*) wistfulness; **weh•mü•tig** *adj* 1. (*melancholisch*) melancholy 2. (*sehnsüchtig*) wistful

Wehr¹ [ve:ɐ] <-(e)s, -e> *n* (*Wasser~*) weir

Wehr² <-, -en> *f* (*Feuer~*) fire brigade *Br,* fire department *Am;* **sich zur ~ setzen** defend o.s.

Wehr•be•auf•trag•te(r) *m* ombudsman for the Armed Forces; **Wehr•dienst** <-(e)s> *m* military service; **jdn zum ~ ein•berufen** call s.o. up *Br,* draft s.o. *Am;* **Wehr•dienst•ver•wei•ge•rer** *m* conscientious objector; **Wehr•dienst•ver•wei•ge•rung** *f* conscientious objection

weh•ren ['ve:rən] I. *refl* 1. (*sich widersetzen*) (put up a) fight 2. (*sich verteidigen*) defend o.s.; **sich s-r Haut ~** defend o.s. vigorously; **dagegen werde ich mich ~!** I know how to deal with that! II. *itr* (*Einhalt gebieten*) check; **wehret den Anfängen!** these things must be nipped in the bud!; **Wehr•ex•per•te, -ex•per•tin** *m, f* defense expert; **wehr•haft** *adj* 1. (*kampfesbereit*) able to put up a fight 2. (*befestigt*) well-fortified; **wehr•los** *adj* 1. defenceless 2. (*fig: hilflos*) helpless; **jdm ~ ausgeliefert sein** be at someone's mercy; **Wehr•lo•sig•keit** *f* 1. defencelessness 2. (*fig: Hilflosigkeit*) helplessness; **Wehr•macht** <-> *f*: **die ~** (HIST) The German Armed Forces *pl;* **Wehr•pass**^RR^ *m* service-record book; **Wehr•pflicht** <-> *f* conscription; **allgemeine ~** conscription; **wehr•pflich•tig** *adj* liable for military service; **Wehr•pflich•ti•ge(r)** *m* 1. (*vor der Erfassung*) person liable for military service 2. (*Eingezogener*) conscript *Br,* draftee *Am;* **Wehr•sold** *m* (military) pay; **Wehr•sport•grup•pe** *f* para-military group; **wehr•taug•lich** *adj* fit for military service; **Wehr•tech•nik** *f* defence engineering; **Wehr•übung** *f* reserve duty training exercise

Weib [vaɪp] <-(e)s, -er> *n* (*obs: Frau*) woman; female; **Weib•chen** ['vaɪpçən] *n* (*Tier~*) female, mate; **Wei•ber•feind** *m* (*sl*) misogynist, woman-hater; **Wei•ber•held** *m* (*pej*) lady-killer, womanizer; **Wei•ber•volk** <-s> *n* (*pej*) females *pl,* womenfolk; **wei•bisch** *adj* effeminate; **weib•lich** *adj* 1. (*das Geschlecht bezeichnend*) female 2. (*feminin*) feminine; **Weib•lich•keit** *f* (*Eigenschaft*) femininity; **die holde ~** (*hum*) the fair sex; **Weibs•bild** *n* (*pej*) female

weich [vaɪç] *adj* 1. (*nicht hart, a. fig*) soft 2. (*Fleisch: zart*) tender; **~ werden** soften; (*nachgeben*) give in; (*fig: gerührt werden*) be moved; **ich bekam ~e Knie** my knees turned to jelly; **ein ~ gekochtes**^RR^ [*o* **~es**] **Ei** a soft-boiled egg

Wei•che¹ ['vaɪçə] <-, -n> *f* (RAIL) points *Br,* switch *Am;* **die ~n stellen** switch the points; (*fig*) set the course

Wei•che² *f* 1. (*Weichheit*) softness 2. (ANAT: *Flanke*) side

wei•chen ['vaɪçən] *irr itr* 1. (*Platz machen, a. fig: nachgeben*) give way 2. (*zurück~*) retreat (*vor jdm* from s.o.) 3. (*nachlassen*) ease 4. (*verschwinden*) go; **jdm nicht von der Seite ~** not leave someone's side

weich•ge•kocht *adj s.* **weich**

Weich•heit *f* 1. (*allgemein*) softness 2. (*Zartheit*) tenderness 3. (*Schwachheit*) weakness 4. (*Weichherzigkeit*) soft- heartedness; **weich•her•zig** *adj* soft- hearted; **Weich•her•zig•keit** *f* soft- heartedness; **Weich•kä•se** *m* soft cheese

weich•lich *adj* 1. (*weich*) soft 2. (*fig: schwächlich*) weak; (*verweichlicht*) effeminate; **Weich•lich•keit** *f* (*fig*) weakness; **Weich•ling** *m* (*pej*) softy, weakling

Weich•sel ['vaɪksəl] <-> *f* Vistula

Weich•sel ['vaɪksl] <-, -n> *f österr, CH* sour cherry

Weich•spü•ler *m* (*Wäsche~*) softener

Wei•de¹ *f* (BOT) willow

Wei•de² ['vaɪdə] <-, -n> *f* (*Vieh~*) pasture; **wei•den** I. *itr* graze II. *tr* graze, put out to pasture III. *refl* (*fig*): **sich an etw ~** revel in s.th.; (*sadistisch*) gloat over s.th.

Wei•den•ge•büsch *n* willow bush; **Wei•den•ge•flecht** *n* wicker-work; **Wei•den•ru•te** *f* willow rod [*o* switch]

Weid•mann ['vaɪtman] <-(e)s, ⸚er> *m* huntsman; **weid•män•nisch** ['vaɪt mɛnɪʃ] I. *adj* huntsman's II. *adv* in a huntsman's manner; **Weid•manns•heil** ['--'-] *interj:* **~!** good hunting!

wei•gern ['vaɪgɐn] *refl* refuse; **Wei•ge•rung** *f* refusal

Weih•bi•schof *m* (ECCL) suffragan bishop

Wei•he¹ *f* (ORN) harrier

Wei•he² ['vaɪə] <-, -n> *f* 1. (ECCL) consecration 2. (*Feierlichkeit*) solemnity; **wei•hen** *tr* (ECCL) consecrate; **dem Untergang geweiht sein** be doomed to disaster

Wei•her ['vaɪɐ] <-s, -> *m* pond

Weih•nach•ten ['vaɪnaxtən] *n* Christmas; **fröhliche ~!** merry Christmas!; **das ist ein Gefühl wie ~** *(fam)* it's an odd feeling; **weih•nacht•lich** *adj* **1.** Christmassy **2.** *(festlich)* festive; **Weih•nachts•abend** ['--'--/'----] *m* Christmas Eve; **Weih•nachts•baum** *m* Christmas tree; **Weih•nachts•ein•käu•fe** *pl:* **s-e ~ erledigen** do one's Christmas shopping; **Weih•nachts•fei•er•tag** *m:* **zweiter ~** Boxing Day; **Weih•nachts•fest** *n* Christmas; **Weih•nachts•geld** *n* Christmas money; **Weih•nachts•ge•schenk** *n* Christmas present, Christmas gift *Am;* **Weih•nachts•gra•ti•fi•ka•ti•on** *f* Christmas bonus; **Weih•nachts•lied** *n* carol; **Weih•nachts•mann** <-(e)s, ¨-er> *m* **1.** Father Christmas, Santa Claus **2.** *(pej)* clown; **Weih•nachts•markt** *m* Christmas fair

Weih•rauch *m* incense; **Weih•was•ser** *n* holy water

weil [vaɪl] *konj* because

Weil•chen ['vaɪlçən] *n* little while

Wei•le <-> *f* while; **e-e ganze ~** a good while; **vor e-r ganzen ~** a long while ago

wei•len *itr* **1.** *(bleiben)* stay **2.** *(sein)* be

Wei•ler ['vaɪlɐ] <-s, -> *m* hamlet

Wein [vaɪn] <-(e)s, -e> *m* **1.** wine **2.** *(Pflanze)* vine; **wilder ~** Virginia creeper; **jdm reinen ~ einschenken** *(fig)* tell s.o. the plain truth; **Wein•bau** <-(e)s> *m* wine-growing; **Wein•bee•re** *f* grape; **Wein•berg** *m* vineyard; **Wein•berg•schne•cke** *f* **1.** (ZOO) snail **2.** *(als Speise)* escargot; **Wein•brand** *m* brandy

wei•nen ['vaɪnən] *tr itr* cry; *(aus Kummer)* weep *(um* for, *über* over, *aus o vor* with); **ich weinte, als ich die Nachricht hörte** I wept on hearing the news; **nachdem er geweint hatte, fühlte er sich besser** after a weep he felt better; **wei•ner•lich** *adj* whining

Wein•es•sig *m* vinegar; **Wein•fass**[RR] *n* wine cask; **Wein•fla•sche** *f* wine bottle; **Wein•glas** *n* wineglass; **Wein•gut** *n* wine-growing estate; **Wein•händ•ler(in)** *m(f)* wine dealer; **Wein•hand•lung** *f* wine shop; **Wein•kar•te** *f* wine list; **Wein•kel•ler** *m* **1.** *(Kellerei)* wine-cellar **2.** *(Lokal)* wine tavern; **Wein•ken•ner(in)** *m(f)* connoisseur of wine; **Wein•le•se** *f* grape harvest, vintage; **Wein•pro•be** *f* wine-tasting; **Wein•re•be** *f* vine; **wein•rot** *adj* wine-red; **Wein•sor•te** *f* sort of wine; **Wein•stock** <-(e)s, ¨-e> *m* vine; **Wein•stu•be** *f* wine tavern; **Wein•trau•be** *f* grape

Wei•se ['vaɪzə] <-, -n> *f* **1.** *(Verfahren)* fashion, manner, way **2.** *(Melodie)* melody, tune; **mach es auf diese ~!** do it this way!; **jdm zeigen, auf welche Art u. ~ etw gemacht wird** show s.o. the way to do s.th.; **man kann mit ihm nur auf e-e Art u. ~ reden** there's only one way to speak to him; **auf irgendeine Art u. ~** in one way or another; **in gewisser ~** in a way

wei•se ['vaɪzə] *adj* wise

wei•sen ['vaɪzən] **I.** *irr tr:* **jdm den Weg ~** show s.o. the way **II.** *itr (zeigen)* point *(auf* at, *nach* to)

Weis•heit *f* **1.** wisdom **2.** *(weiser Spruch, Lebens~)* wise saying; **das ist auch nicht der ~ letzter Schluss!** that's not exactly the ideal solution!; **Weis•heits•zahn** *m* wisdom tooth

weis|ma•chen *tr:* **jdm etw ~** make s.o. believe s.th.; **lassen Sie sich nichts ~!** don't be taken in!; **das kannst du wem anders ~!** pull the other one! *fam*

weiß [vaɪs] *adj* **1.** white **2.** *(unbeschrieben)* blank; **die Tennisspieler spielten in W~** the tennis players were wearing white; **das W~e Haus** the White House; **~ werden** turn white; **~ glühend**[RR] incandescent, white-hot

weis•sa•gen ['---] *tr* foretell, prophesy; **Weis•sa•gung** *f* prophecy

Weiß•blech *n* tinplate; **Weiß•brot** *n* **1.** *(Brotart)* white bread **2.** *(Laib)* white loaf; **Weiß•buch** *n* (POL) white paper; **Weiß•dorn** <-(e)s, -e> *m* (BOT) hawthorn

wei•ßen ['vaɪsən] *tr (tünchen)* whitewash

weiß•glü•hend *adj s.* **weiß**; **Weiß•glut** <-> *f* incandescence, white heat; **jdn zur ~ bringen** *(fig)* make s.o. livid; **Weiß•gold** *n* white gold; **weiß•haa•rig** *adj* white-haired; **Weiß•kohl** *m (österr)* white cabbage

weiß•lich *adj* whitish

Weiß•wand•rei•fen *m* (MOT) whitewall tyre *Br,* whitewall tire *Am;* **Weiß•wein** *m* white wine

Wei•sung *f* direction; **auf ~** on instructions *pl;* **wei•sungs•ge•mäß** *adj* as instructed

weit [vaɪt] **I.** *adj* **1.** *(allgemein)* wide **2.** *(breit)* broad **3.** *(fig: lang)* long; **im ~eren Sinne** in the broader sense; **das liegt noch in ~er Ferne** it's still in the distant future **II.** *adv (Entfernung: weit, a. fig)* far; **ziemlich ~ am (Anfang) Ende** fairly near the (beginning) end; **von ~em** from a long way off; **~ gefehlt!** far from it!; **wie ~ bist du?** how far have you got?; **wie ~ ist das Essen?** how far have you got with the meal?; **wie ~ fahren Sie?** how far are you going?; **ist es noch ~?** is it far?; **kommen Sie von ~ her?** have you come far?; **so ~ ich mich erinnern kann** as far (back) as I can remember; **so ~ ist es noch nicht** it has not come to that yet; **das geht zu** ~ that's going too far; **das würde zu** ~ **führen** that would be taking things too far; ~ **blickend**[RR] (*fig*) far-sighted; ~ **gehend**[RR] (*adjektivisch*) far-reaching; (*adverbial*) largely, to a large extent; ~ **gehende Übereinstimmung erzielen**[RR] reach a large degree of consensus; ~ **hergeholt**[RR] far-fetched; ~ **reichend**[RR] (MIL: *Waffen*) long-range; (*fig*) far-reaching; ~ **gereist**[RR] well travelled; ~ **verbreitet** widespread; ~ **verzweigt**[RR] with many branches; **so** ~[RR] **fertig sein** be more or less ready; **es ist gleich so** ~[RR] it'll soon be time

weit•ab *adv* far away (*von* from); **weit•aus** ['--/-'-] *adv* far; ~ **der beste ...** by far the best ...; **Weit•blick** <-(e)s, -e> *m* (*fig*) far-sightedness; **weit•bli•ckend** *adj s.* **weit**

Wei•te[1] *f* (*Entfernung*) distance; **das** ~ **suchen** (*fam*) take to one's heels

Wei•te[2] ['vaɪtə] <-, -n> *f* **1.** (*als Maß*) width **2.** (*Größe*) expanse; **s-e Hose in der** ~ **ändern** alter the width of one's trousers; **das Hemd passt in der** ~ **nicht** the shirt doesn't fit as regards width; **wei•ten I.** *tr* widen; (*Schuhe*) stretch **II.** *refl* widen; (*a. fig*) broaden

wei•ter ['vaɪtɐ] **I.** *adj* (*Komparativ von weit*) farther **II.** *adj* (*fig: zusätzlich*) further; **es besteht keine ~e Gefahr** there is no further danger; **~e Informationen** further information *sing* **III.** *adv* **1.** (*zudem*) furthermore **2.** (*noch hinzu*) further **3.** (*sonst*) otherwise; **das ist** ~ **kein Unglück** that presents no great problem; **sie hat nicht** ~ **geweint** she didn't really cry much; **es besteht** ~ **keine Gefahr** there is no real danger; ~ **nichts?** is that all?; **ich brauche** ~ **nichts als ...** all I need is ...; **immer** ~ on and on; **und** ~**?** and then?; **und so** ~ and so on

wei•ter|be•han•deln *tr* (MED) **1.** (*allgemein*) give further treatment **2.** (*mit Arznei*) carry on medication

wei•ter|bil•den *refl* continue one's education; **Wei•ter•bil•dung** *f* continuation of one's education, further education

wei•ter|brin•gen *irr tr* advance, take further

Wei•te•re *n* **1.** (*das Weitere*) the rest **2.** (*Genaueres*): **~s** further details *pl;* **ohne Weiteres** just like that; **bis auf Weiteres** for the time being; **alles** ~ everything else

wei•ter|emp•feh•len *irr tr* recommend

wei•ter|ent•wi•ckeln *irr tr refl* develop (*zu* into)

Wei•ter•fahrt *f* continuation of one's journey; **vor meiner** ~ **...** before continuing my journey ...

wei•ter|füh•ren I. *tr* (*fortsetzen*) carry on, continue **II.** *itr* lead on; **~de Schularten** secondary schools; **das führt uns nicht weiter** that doesn't get us anywhere

Wei•ter•ga•be *f* **1.** (*das Weiterreichen*) passing on **2.** (*fig: Übermittlung*) transmission; **wei•ter|ge•ben** *irr tr* **1.** (*weiterreichen*) pass on **2.** (*fig: übermitteln*) transmit

wei•ter|ge•hen *irr itr sein* go on; ~**!** move on!; **so kann es nicht** ~ (*fig*) things can't go on like this; **wie soll es nun** ~**?** what's going to happen now?

wei•ter|hel•fen *irr itr:* **jdm** ~ help s.o. along

wei•ter•hin *adv* furthermore

wei•ter|kom•men *irr itr* **1.** *sein* (*auf dem Wege*) get further **2.** (*Fortschritte machen*) make headway; **hier kommen wir nicht weiter** we're just not getting anywhere

wei•ter|lei•ten *tr* pass on (*an* to); (*weiterbefördern*) forward

wei•ter|ma•chen *itr* carry on (*etw* with s.th.)

Wei•ter•rei•se *f* continuation of one's journey; **gute** ~**!** hope the rest of your journey goes well!

wei•ter|sa•gen *tr* pass on

Wei•ter•ver•ar•bei•tung *f* (further) processing

Wei•ter•ver•kauf *m* resale

weit•ge•hend *adj s.* **weit**

weit•ge•reist *adj s.* **reisen**

weit•her ['--/'-'-] *adv* from far away; **weit•her•ge•holt** *adj s.* **weit**

weit•her•zig ['vaɪthɛrtsɪç] *adj* charitable, understanding

weit•hin ['--/'-'-] *adv* **1.** (*weit im Umkreis*) for a long way **2.** (*bekannt, beliebt*) widely **3.** (*weitgehend*) to a large extent; ~ **unbekannt** largely unknown

weit•läu•fig *adj* **1.** (*Gebäude*) spacious **2.** (*verzweigt*) rambling **3.** (*Verwandte*) distant

weit•ma•schig *adj* (*Strickware*) loose knit; (*Netz*) wide-meshed

weit•rei•chend *adj s.* **weit**

weit•schwei•fig *adj* circuitous, lengthy; ~ **werden** grow lengthy

weit•sich•tig *adj* **1.** (MED) long- sighted *Br,* far-sighted *Am* **2.** (*fig*) far- sighted; **Weit•sich•tig•keit** *f* **1.** (MED) long-sightedness *Br,* far-sightedness *Am* **2.** (*fig*) far-sightedness

Weit•sprung *m* long jump *Br,* broad jump *Am*

weit•ver•brei•tet *adj s.* **weit**

weit•ver•zweigt *adj s.* **weit**

Weit•win•kel•ob•jek•tiv *n* (PHOT) wide-angle lens

Wei•zen ['vaɪtsən] <-s, -> *m* wheat; **Wei•zen•mehl** *n* wheaten flour

welch [vɛlç] *pron:* ~ **ein ...** what ...; **wel•che(r, s)** *pron* **1.** (*interrogativ*) which **2.** (*relativ*) that, which, who; **~s Kleid soll ich heute anziehen?** which dress shall I wear today?; **~r von den beiden?** which of the two?; **diejenigen, ~ ...** those who ...; **derjenige, ~r ...** he who ...

welk [vɛlk] *adj* **1.** (*Blume*) faded, wilted; (*Blatt*) dead **2.** (*fig: Schönheit*) wilting; **~e Haut** (*fig*) flaccid skin; **wel•ken** *itr sein* (*a. fig*) fade, wilt

Well•blech *n* corrugated iron; **Well•blech•hüt•te** *f* corrugated-iron shelter

Wel•le ['vɛlə] <-, -n> *f* **1.** (*allgemein, a.* PHYS) wave **2.** (RADIO) wavelength **3.** (TECH) shaft **4.** (*fig: Mode*) craze; **~n schlagen** (*fig*) create a stir *sing;* **die Neue ~** the nouvelle vogue; **die ~n schlagen gegen die Felsen** the waves are beating against the rocks; **grüne ~** (MOT) traffic pacer, linked traffic lights *Br,* synchronized traffic lights *Am*

wel•len *refl* become wavy

Wel•len•be•reich *m* (PHYS) frequency range; (RADIO) waveband; **Wel•len•berg** *m* giant wave; **Wel•len•bre•cher** *m* breakwater; **wel•len•för•mig I.** *adj* wave-like, wavy **II.** *adv* in the form of waves; **Wel•len•gang** <-(e)s> *m* waves *pl;* **Wel•len•län•ge** *f* (PHYS) wavelength; **auf gleicher ~ liegen** [*o* **sein**] (*fig*) be on the same wavelength; **Wel•len•li•nie** *f* wavy line; **Wel•len•rei•ten** *n* (SPORT) surfing; **Wel•len•schlag** <-(e)s> *m* breaking of the waves; **Wel•len•sit•tich** *m* budgerigar; (*fam*) budgie; **Wel•len•tal** *n* wave trough

wel•lig *adj* (*Oberfläche*) undulating; (*Haar*) wavy

Well•pap•pe *f* corrugated cardboard

Wel•pe ['vɛlpə] <-n, -n> *m* whelp

Wels [vɛls] <-es, -e> *m* (ZOO) catfish

Welt [vɛlt] <-, -en> *f* world; **alle ~** all the world, everybody; **auf der ~** on earth; **in aller ~** all over the world; **auf die ~ kommen** come into the world; **nicht um alles in der ~** not for anything on earth; **aus der ~ schaffen** do away with, eliminate, settle; **in die ~ setzen, zur ~ bringen** bring into the world, give birth to; **in der ~ herumgekommen sein** have been all over the world; **das kostet doch nicht die ~!** it won't cost the earth!; **die ~ ist klein!** (*fam*) it's a small world!; **in etw in der ~ führend sein** lead the world in s.th.; **davon geht die ~ nicht unter!** (*fam*) it's not the end of the world!; **Welt•all** *n* universe; **Welt•an•schau•ung** *f* philosophy of life; **Welt•aus•stel•lung** *f* world exhibition; **Welt•bank** *f* World Bank; **welt•be•rühmt** ['-·'-] *adj* world-famous; **Welt•bes•te(r)** *f m* (SPORT) world record holder *Br,* world's record holder *Am;* **Welt•be•völ•ke•rung** *f* world population; **Welt•bild** *n* view of life; **Wel•ten•bumm•ler(in)** *m(f)* globetrotter

welt•fremd *adj* unworldly; **Welt•ge•schich•te** *f* universal history; **Welt•han•del** *m* world trade; **Welt•herr•schaft** *f* world domination; **Welt•kar•te** *f* map of the world; **Welt•krieg** *m* World War; **der erste (zweite) ~** World War one (two)

welt•läu•fig *adj* cosmopolitan

welt•lich *adj* mundane, worldly; (*diesseitig*) secular

Welt•li•te•ra•tur *f* world literature; **Welt•macht** *f* world power; **welt•män•nisch** ['vɛltmɛnɪʃ] *adj* sophisticated, urbane; **Welt•markt** <-(e)s> *m* world market; **Welt•meer** *n* ocean; **Welt•meis•ter(in)** *m(f)* world champion *Br,* world's champion *Am;* **Welt•meis•ter•schaft** *f* world championship *Br,* world's championship *Am;* **Welt•öf•fent•lich•keit** *f* world public; **Welt•po•li•tik** *f* world politics *pl;* **Welt•rang** *m:* **von ~** world-famous; **Welt•rang•lis•te** *f* (SPORT) world ranking

Welt•raum <-(e)s> *m* space; **Welt•raum•be•hör•de** *f* space agency; **Welt•raum•fäh•re** *f* space shuttle; **Welt•raum•fahrt** *f* space travel; **Welt•raum•for•schung** *f* space research; **Welt•raum•la•bor** *n* space laboratory; **Welt•raum•rüs•tung** *f* space armament; **Welt•raum•waf•fe** *f* space weapon

Welt•rei•se *f* journey round the world; **e-e ~ machen** go round the world; **Welt•rei•sen•de(r)** *f m* globetrotter; **Welt•re•kord** *m* world record *Br,* world's record *Am;* **Welt•re•kord•ler(in)** *m(f)* world record holder *Br,* world's record holder *Am;* **Welt•schmerz** <-es> *m* worldweariness; **Welt•si•cher•heits•rat** [-'----] *m* U.N. Security Council; **Welt•spra•che** *f* world language; **Welt•stadt** *f* metropolis; **Welt•tour•nee** *f* world tour; **Welt•un•ter•gang** *m* (*a. fig*) end of the world; **Welt•un•ter•gangs•stim•mung** *f* apocalyptic mood; **welt•weit** ['-'-] *adj* global, worldwide; **Welt•wirt•schaft** *f* world economy; **Welt•wirt•schafts•kri•se** *f* world economic crisis; **Welt•wun•der** *n:* **die sieben ~** the Seven Wonders of the World; **Welt•zeit** *f* universal time; **Welt•zeit•uhr** *f* world clock

wem [ve:m] *pron* (*dat*) to whom; **~ von euch soll ich das Geld geben?** to which, of you should I give the money?; ~ **... auch (immer)** no matter who ... to

wen [veːn] *pron* (*acc*) whom; ~ **von diesen hast du gestern gesehen?** which of these did you see yesterday?; ~ **auch immer ...** whoever ...

Wen•de ['vɛndə] <-, -n> *f* **1.** (*Wendung*) turn **2.** (*Änderung*) change **3.** (SPORT) face vault; **Wen•de•flä•che** *f* (MOT) turning area; **Wen•de•ja•cke** *f* reversible jacket; **Wen•de•kreis** *m* **1.** (GEOG) tropic **2.** (MOT) turning circle

Wen•del•trep•pe ['vɛndəl-] *f* spiral staircase

wen•den I. *a. irr tr* turn (*in entgegengesetzte Richtung* round, *auf die andere Seite* over); **du kannst es drehen oder ~, wie du willst, ...** (*fig*) whichever way you look at it ... **II.** *itr* **1.** (MAR: *gieren*) yaw **2.** (*umkehren*) turn round **III.** *refl* turn round; **sich ~ an ...** (*um Hilfe*) turn to ...; (*um Auskunft*) consult ...; **sich ~ gegen ...** come out against ...; **sich zum Guten ~** take a turn for the better; **bitte ~!** (please) turn over!, P.T.O.

Wen•de•punkt *m* turning point

wen•dig *adj* **1.** (*behende*) agile, nimble **2.** (MOT: *leicht zu handhaben*) manoeuvrable **3.** (*Person*) agile; **Wen•dig•keit** *f* **1.** (*Behändigkeit*) nimbleness **2.** (MOT) manoeuvrability **3.** (*von Person*) agility

Wen•dung *f* **1.** turn **2.** (*Änderung*) change **3.** (*Rede~*) expression, phrase; **die Dinge nahmen e-e neue ~** things took a new turn; **die Dinge nahmen e-e tragische ~** events took a tragic turn

we•nig ['veːnɪç] *adj, adv* little; **~e** few, some; **das ~e, was ich von s-m Buch gelesen habe** the little of his book that I have read; **er tat das W~e, das er tun konnte** he did what little he could; **ein ~ besser** a little better; **das ist ~** that isn't much; **ich habe zu ~ Geld** I don't have enough money; **mit ~en Ausnahmen** with few exceptions; **wie ~e das sind!** how few they are!; **gar nicht so ~e** some few; **genauso ~ wie du** as few as you; **ich habe sowieso schon zu ~** I've got too few [*o* too little] as it is; **ihr seid zu ~e** there are too few of you

we•ni•ger I. *adj, pron comp von* **wenig** less *pl,* fewer; **es wird immer ~** it's getting less and less; **~ bedeutend** of less importance; **nichts ~ als ...** no fewer than ... **II.** *adv* less; **noch ~** even less; **ich finde den Film nicht ~ interessant** I don't find the film any the less interesting; **je mehr ... desto ~ ...** the more ... the less ...; **das finde ich ~ schön** that's not so nice

we•nigs•te *adj sing* least *pl,* fewest; **am ~n** fewest; **er hat am ~n Geld** he has the least money; **darüber mache ich mir die ~n Sorgen** that's the least of my worries; **und das ist noch das ~!** and that's the least of it!

we•nigs•tens *adv* at least; **wir können es ~ versuchen** we can at least try; **du könntest dich ~ entschuldigen** at the very least you could apologize

wenn [vɛn] *konj* **1.** (*bedingend*) if, in case **2.** (*zeitlich*) when; **~ er auch noch so dumm sein mag ...** however stupid he may be ...; **na, ~ das so ist!** well, in that case!; **na, ~ schon!** (*fam*) so what of it!; **immer ~ ...** whenever ...; **~ man bedenkt, dass ...** considering ...; **außer ~** unless ...; **~ es nicht anders geht** if there's no other way; **wenn•gleich** [-'-] *konj* although, even though

wer [veːɐ] *pron* **1.** (*relativ*) he who, the person who **2.** (*interrogativ*) who; (*auswählend*) which **3.** (*fam: jemand*) somebody, s.o.; (*in Fragen, Konditionalsätzen*) anybody, anyone; **~ auch immer ...** whoever ...; **da ist ~ für dich** there's s.o. to see you; **ist ~ gekommen?** did anyone come?; **~ da?** (MIL) who goes there?; **~ von ...** which (one) of ...; **ist da ~?** (*fam*) is anybody there?; **~ sein** (*fam*) be somebody

Wer•be•ab•tei•lung *f* advertising [*o* publicity] department; **Wer•be•a•gen•tur** *f* advertising agency; **Wer•be•ak•ti•on** *f* advertising [*o* publicity] campaign; **Wer•be•auf•wen•dun•gen** *pl* gross advertising expenditure *sing;* **Wer•be•bei•la•ge** *f* advertising supplement; **Wer•be•bran•che** *f ohne pl* advertising industry; **Wer•be•ein•nah•men** *fpl* advertising revenue; **Wer•be•fach•leu•te** *pl* advertising [*o* publicity] specialists; **Wer•be•fach•mann** *m* advertising man; **Wer•be•fern•se•hen** *n* television commercials *pl;* **Wer•be•film** *m* advertising film; (*Werbespot*) commercial; **Wer•be•flä•che** *f* advertising space; **Wer•be•funk** *m* commercials *pl;* **Wer•be•ge•schenk** *n* (promotional) gift; **Wer•be•kam•pa•gne** *f* advertising campaign; **Wer•be•kos•ten** *pl* advertising expenses; **Wer•be•lei•ter(in)** *m(f)* advertising [*o* publicity] manager; **Wer•be•ma•te•ri•al** *n* advertising material; **Wer•be•mit•tel** *n* means of advertising

wer•ben ['vɛrbən] **I.** *irr itr* (COM) advertise (*für etw* s.th.); **um junge Wähler ~** try to attract young voters; **um ein Mädchen ~** court [*o* woo] a girl **II.** *tr:* **Kunden ~** win customers; **neue Leser ~** attract new readers

Wer•be•pro•spekt *m* publicity leaflet; **Wer•be•schrift** *f* (POL) publicity leaflet; (COM) advertising leaflet; **Wer•be•slo-**

gan *m* advertising slogan; **Wer•be•spot** *m* advertising spot, commercial; **Wer•be•text** *m* advertising copy; **Wer•be•trä•ger** *m* (MARKT) (advertising) medium; **Wer•be•trom•mel** *f*: **die ~ rühren** (*fig fam*) beat the big drum (*für etw* for s.th.); **wer•be•wirk•sam** *adj* effective (for advertising purposes); **Wer•be•wir•kung** *f* advertising effect; **Wer•be•zweck** *m* advertising purpose

Wer•bung *f* **1.** (COM: *Propaganda*) advertising **2.** (*Werbeabteilung*) publicity department **3.** (*das Hinzuwerben*) attracting, winning **4.** (*Liebes~*) courting (*um* of); **~ machen für etw** advertise s.th.; **ich habe die ~ für X im Fernsehen gesehen** I've seen X advertised on television; **die ~ im Fernsehen** the TV advertisements *pl;* **die Zeitschrift besteht zu 90% aus ~** 90% of the magazine is advertisements *pl;* **sie ist in der ~** she's in advertising; **Wer•bungs•kos•ten** *pl* advertising costs, income-related costs

Wer•de•gang <-(e)s> *m* **1.** (*Entwicklung*) development **2.** (*beruflich*) career

Wer•den *n* **1.** (*Entwicklung*) development **2.** (*philosophisch*) Becoming; **im ~ sein** be in the making

wer•den ['veːɐdən] *irr itr* **1.** (*futurisch, konjunktivisch*) will [*o* shall] **2.** (*zu etw ~*) become, get **3.** (*sein ~*) be going to be **4.** (*sich verwandeln in*) turn into ...; **anders ~** change; **wer wird denn gleich!** (*fam*) come on, now!; **es wird gleich regnen** it's going to rain; **verrückt ~** go crazy; **kalt ~** turn cold; **wird schon ~!** it'll turn out all right!; **was soll das ~?** what's that going to be?; **wird Zeit, dass du kommst** it's time you came; **das Stück wurde verfilmt** the play was turned into a film; **nichts wird ihn von s-m Vorhaben abbringen** nothing will turn him from his purpose; **alt ~** become old; **Arzt ~** become a doctor; **er wird zum Problem** he's becoming a problem; **ich weiß nicht, was aus ihm noch werden soll** I don't know what will become of him

wer•fen ['vɛrfən] **I.** *irr tr itr* **1.** throw (*nach* at) **2.** (*Junge kriegen*) have; **e-n Blick auf etw ~** cast one's eyes over s.th.; **e-n Schatten werfen auf ...** throw a shadow on ...; **e-n Brief in den Kasten ~** drop a letter in the postbox; **sich in e-n Sessel ~** drop into an arm-chair; **e-n Ball 50 m weit ~** throw a ball 50 metres; **sich auf jdn ~** throw o.s. at s.o.; **sie warf ihm e-n eisigen Blick zu** she threw him an icy look **II.** *itr:* **mit etw ~** throw s.th.; **mit Fremdwörtern um sich ~** bandy foreign words about; **hat die Katze geworfen?** has the cat had its youngs? **III.** *refl* (TECH: *Holz etc: sich ver~*) warp; (*Metall*) buckle

Werft [vɛrft] <-, -en> *f* (MAR) shipyard; (AERO) hangar; **Werft•ar•bei•ter(in)** *m(f)* shipyard worker; **Werft•kran** *m* quayside crane

Werg [vɛrk] <-(e)s> *n* tow; **mit ~ verstopfen** tow

Werk [vɛrk] <-(e)s, -e> *n* **1.** (*hergestelltes ~*) work **2.** (*Gesamt~*) works *pl* **3.** (*Fabrik*) works *pl* **4.** (TECH: *Mechanismus*) mechanism; **das ist mein ~** this is my doing; **ab ~** (COM) ex works *pl;* **am ~ sein** be at work; **es sind Kräfte am ~, die ...** there are forces at work which ...; **ein literarisches ~** a work of literature

Werk•bank <-, ¨-e> *f* workbench

wer•keln ['vɛrkəln] *itr:* **ich muss daran noch ein wenig ~** it still needs a bit of fixing

Werk•kunst•schu•le *f* arts and crafts school; **Werk•meis•ter** *m* foreman; **Werks•an•ge•hö•ri•ge(r)** *f m* works [*o* factory] employee; **Werk•schutz** *m* works [*o* factory], security service

Werks•arzt, **-ärztin** *m, f* company doctor; **werks•ei•gen** *adj* company; **Werks•ge•län•de** *n* factory premises *pl;* **werk•ge•treu** *adj* true to the original; **Werks•lei•ter(in)** *m(f)* works [*o* factory] manager

Werk•spi•o•na•ge *f* industrial espionage; **Werk•statt** *f* workshop; (MOT: *Auto~*) garage; (*e-s Künstlers*) studio; **Werk•statt•wa•gen** *m* repair [*o* workshop] truck; **Werk•stoff** *m* material; **Werk•stück** *n* (TECH) workpiece

Werks•ver•trag *m* contract of manufacture; **Werks•woh•nung** *f* company flat *Br,* company apartment *Am*

Werk•tag *m* work(ing) day; **werk•tags** *adv* on workdays

werk•tä•tig *adj* working; **~e Bevölkerung** working classes *pl;* **die W~en** the working people

Werk•zeug <-(e)s, -e> *n* (*a. fig*) tool; **Werk•zeug•kas•ten** *m* toolbox; **Werk•zeug•ma•cher(in)** *m(f)* toolmaker; **Werk•zeug•ma•schi•ne** *f* machine tool; **Werk•zeug•schrank** *f* tool cabinet; **Werk•zeug•ta•sche** *f* tool bag

Wer•mut ['veːɐmuːt] <-(e)s> *m* **1.** (BOT) wormwood **2.** (*Wein*) vermouth; **ein ~stropfen** (*fig*) a drop of bitterness

Wert [veːɐt] <-(e)s, -e> *m* **1.** (*Geld~, Bedeutung*) value **2.** (*~gegenstand*) article of value; **~e** (*Ergebnis~, Test~*) results; **e-n ~ von £ 10 haben** be worth £ 10; **von ~ sein** be of value; **ich lege keinen großen ~ darauf** I don't attach great importance to it; **sie kennen ihren wahren ~ nicht**

they don't appreciate her real value; **sittliche ~e** moral standards; **wenn Sie ~ auf meine Meinung legen ...** if you value my opinion ...; **Bücher im ~ von £ 500** £ 500 worth of books; **s-n wahren ~ zeigen** show one's true worth; **im ~ steigen** increase in worth

wert [veːɐt] *adj:* **was ist der Wagen ~?** what's the value of the car?; **was ist er gebraucht ~?** what's it's second-hand value?; **es ist sein Geld ~!** it's good value!; **der ist sein Geld nicht ~!** it doesn't give you value for money!; **was ist das ~?** what's this worth?; **soviel kann es unmöglich ~ sein!** it can't be worth that!; **ob es der Mühe ~ ist?** is it worth the trouble?; **wieviel ist das momentan ~?** what's the current worth of this?

Wert·an·ga·be *f* declaration of value; **Wert·ar·beit** *f* workmanship; **wert·be·stän·dig** *adj* stable in value; **Wert·be·stän·dig·keit** *f* stability of value; **Wert·brief** *m* registered letter

wer·ten *tr* **1.** (*beurteilen*) judge (*als* to be) **2.** (*einstufen*) rate (*als* as) **3.** (SPORT: *Punkte geben*) give a score; (*als gültig ~*) allow; **ein Tor nicht ~** (SPORT) disallow a goal

Wer·te·sys·tem *n* system of values; **Wer·te·wan·del** *m* change in values

wert·frei *adj* (*fig*) unbiased, without prejudice; **Wert·ge·gen·stand** *m* object of value; **¨~e** valuables

Wer·tig·keit *f* (CHEM LING) valency

wert·los *adj* valueless, worthless; **Wert·maß·stab** *m* standard; **Wert·min·de·rung** *f* reduction in value; **Wert·pa·pier** *n* bond, security; **Wert·pa·pier·bör·se** *f* stock exchange; **Wert·pa·pier·han·del** *m* securities trading; **Wert·pa·pier·händ·ler(in)** *m(f)* securities dealer; **Wert·pa·pier·markt** *m* securities market; **Wert·schät·zung** *f* esteem, high regard; **Wert·schöp·fung** *f* value-added; **Wert·stoff·hof** *m* recycling centre

Wer·tung *f* assessment, evaluation; (*Beurteilung*) judging; (SPORT: *nach Punkten*) scoring

Wert·ur·teil *n* value judgement; **Wert·ver·lust** *m* depreciation; **wert·voll** *adj* **1.** precious, valuable **2.** (*ethisch*) worthy; **Wert·vor·stel·lung** *f* moral concept; **Wert·zu·wachs** *m* increase in value

We·sen ['veːzən] <-s, -> *n* **1.** (*fig: Natur*) nature **2.** (*Kreatur*) creature; **ein menschliches ~** a human being; **sie ist ein armes ~** she's a poor creature; **ein fröhliches ~ haben** have a happy nature; **es entspricht nicht meinem ~, so etw zu sagen** it is not my nature to say things like that; **we·sen·haft** *adj* essential, intrinsic; **we·sen·los** *adj* insubstantial; **We·sens·zug** *m* characteristic feature, trait

we·sent·lich I. *adj* **1.** (*essenziell*) essential **2.** (*grundlegend*) fundamental **3.** (*eigentlich*) intrinsic **4.** (*beträchtlich*) substantial **5.** (*wichtig*) important; **das W~e** the essential part; (*Kern*) the gist **II.** *adv* **1.** (*beträchtlich*) considerably **2.** (*grundlegend*) fundamentally; **es ist mir ~ lieber, wenn ...** I'd much rather we ...; **im W~en**[RR] essentially

wes·halb *adv,* **wes·we·gen** [-'-] *adv* **1.** (*Frage*) why **2.** (*relativ*) for which reason; **der Grund, ~ ...** the reason why ...

Wes·pe ['vɛspə] <-, -n> *f* wasp; **Wes·pen·nest** *n* wasps' nest; **in ein ~ stechen** (*fig*) stir up a hornets' nest

wes·sen ['vɛsən] *pron* **1.** (*von wem*) whose **2.** (*wovon*) of what; **in ~ Auto bist du gefahren?** whose car did you go in?; **~ ... das auch immer ist ...** no matter whose ... it may be ...

West·deutsch·land *n* Western Germany

Wes·te ['vɛstə] <-, -n> *f* waistcoat *Br,* vest *Am;* **e-e reine ~ haben** (*fig*) have a clean slate

Wes·ten ['vɛstən] <-s> *m* West; **im ~ von ...** to the west of ...; **der Wind kommt von ~** the wind is blowing from the west; **nach ~ unterwegs** west-bound

Wes·ten·ta·sche *f* waistcoat pocket *Br,* vest pocket *Am;* **etw wie s-e ~ kennen** (*fig fam*) know s.th. like the palm of one's hand

Wes·tern ['vɛstɐn] <-s, -> *m* (FILM) western

West·fa·len [vɛst'faːlən] <-s> *n* Westphalia

West·geld *n* (*fam*) Western currency

west·in·disch ['-'--] *adj* West Indian; **die ~en Inseln** the West Indies

West·küs·te *f* west coast

west·lich I. *adj* **1.** (GEOG) western **2.** (POL) Western **3.** (METE) westerly; **~ ausgerichtet** (*fig*) westernized; **am weitesten ~** westernmost **II.** *adv* to the west (*von* of) **III.** *präp* west of ...

West·mäch·te ['vɛstmɛçtə] *fpl* (POL) Western Powers

west·wärts *adv* westward(s), (to the) west

West·wind *m* west wind

Wett·an·nah·me *f* betting office

Wett·be·werb ['vɛtbəvɛrp] <-(e)s, -e> *m* competition; **in ~ treten** enter into competition (*mit jdm* with s.o.); **Wett·be·wer·ber(in)** *m(f)* competitor; **Wett·be·werbs·fä·hig·keit** *f* competitiveness; **Wett·be·werbs·ver·zer·rung** *f* competitive distortions *pl*

Wet·te ['vɛtə] <-, -n> *f* bet; **ich gehe jede ~ ein, dass ...** I'll bet you anything that ...; **mit jdm um die ~ laufen** race s.o.; **lass**

uns um die ~ laufen! let's run race!; **darauf gehe ich jede ~ ein!** I'll bet you anything you like!; **mit jdm e-e ~ eingehen** have a bet with s.o.; **was gilt die ~?** what will you bet me?

Wett•ei•fer *m* competitive zeal; **wett•ei•fern** ['---] *itr* vie (*mit jdm um etw* with s.o. for s.th.)

wet•ten *tr itr* bet (*auf etw* on s.th., *mit jdm* with s.o., *mit jdm um etw* s.o. s.th.); **ich habe mit ihm gewettet, dass …** I have a bet with him that …; **ich habe mit ihm um 10 Mark gewettet** I bet him 10 marks; **zehn gegen eins ~** bet ten to one; **~, dass er kommt!** I bet he'll come!; **~, dass du das nicht tust!** bet you won't do it!; **~, dass ich das tue!** bet you I do!

Wet•ter ['vɛtɐ] <-s, -> *n* (METE) **1.** weather **2.** (*Un~*) storm, tempest; **bei (diesem) kalten ~** in (this) cold weather; **was für ein ~!** what weather!; **wie ist das ~?** what's the weather like?; **bei jedem ~** in all weathers *pl;* **bei jdm gut ~ machen** (*fig*) make up to s.o.; **schlagende ~** (MIN) fire-damp *sing*

Wet•ter•amt *n* weather office; **Wet•ter•aus•sich•ten** *pl* weather outlook [*o* prospects]; **Wet•ter•be•richt** *m* weather report; **wet•ter•be•stän•dig** *adj* weatherproof; **Wet•ter•dienst** *m* meteorological [*o* weather] service; **Wet•ter•fah•ne** *f* weather vane; **wet•ter•fest** *adj* weatherproof; **wet•ter•füh•lig** *adj* sensitive to changes in the weather; **Wet•ter•füh•lig•keit** *f* sensitivity to the weather; **Wet•ter•hahn** *m* weathercock; **Wet•ter•kar•te** *f* weather chart [*o* map]; **Wet•ter•la•ge** *f* weather situation; **Wet•ter•leuch•ten** *n* **1.** sheet lightning **2.** (*fig*) storm clouds *pl*

wet•tern ['vɛtɐn] *itr* **1.** (*unwetterhaft sein*): **es wettert** there's a thunderstorm **2.** (*fig: schimpfen*) curse and swear; **gegen [*o* auf] etw ~** rail against s.th.

Wet•ter•sa•tel•lit *m* weather satellite; **Wet•ter•um•schwung** *m* sudden change in the weather; **Wet•ter•vor•her•sa•ge** *f* weather forecast; **Wet•ter•war•te** *f* meteorological [*o* weather] station; **Wet•ter•wol•ke** *f* storm cloud

Wett•kampf *m* competition; **Wett•kämp•fer(in)** *m(f)* competitor; **Wett•lauf** *m* race; **e-n ~ machen** run a race; **wett•lau•fen** ['---] *itr* run a race; **Wett•läu•fer(in)** *m(f)* runner

wett|ma•chen *tr* make up for …; (*Verluste*) make good; (*Rückstand*) make up

Wett•ren•nen *n* race; **Wett•rüs•ten** <-s> *n* arms race; **Wett•streit** *m* competition, contest; **mit jdm in ~ liegen** compete with s.o.; **mit jdm in ~ treten** enter into competition with s.o.

wet•zen ['vɛtsən] **I.** *tr haben* (*schärfen*) sharpen, whet **II.** *itr sein* (*fam: rennen*) scoot; **Wetz•stein** *m* whetstone

WG <-, -s> *f* (*fam*) *Abk. von* **Wohngemeinschaft** shared flat

Whirl•pool ['wɜːlpuːl] <-s, -s> *m* whirlpool bath; **Whirl•wan•ne** *f* whirlpool bath

Wich•se ['vɪksə] <-, -n> *f* **1.** (*Schuh~*) shoe polish **2.** (*fam: Prügel*) hiding; **du kriegst gleich ~!** you'll get a good hiding!; **wich•sen I.** *itr* (*vulg: onanieren*) jerk off **II.** *tr:* **s-e Schuhe ~** polish one's shoes *Br,* shine one's shoes *Am*

Wicht [vɪçt] <-(e)s, -e> *m* **1.** (*kleines Geschöpf*) creature **2.** (*poet: Gnom*) goblin; **armer ~** poor wretch; **Wich•tel•männ•chen** ['vɪçtəlmɛnçən] *n* brownie

wich•tig ['vɪçtɪç] *adj* important; **ich verstehe nicht, warum das ~ sein soll** I don't see the importance of that; **nicht (besonders) ~ sein** be of no (great) importance; **sie will sich nur ~ machen** she just wants to get attention; **sich ~ vorkommen** be full of o.s.; **Wich•tig•keit** *f* importance; **Wich•tig•tu•er(in)** *m(f)* pompous ass, stuffed shirt; **Wich•tig•tu•e•rei** *f* pomposity, pompousness

Wi•cke ['vɪkə] <-, -n> *f* (BOT) garden pea

Wi•ckel ['vɪkəl] <-s, -> *m* **1.** (MED) compress **2.** (*Locken~*) curler; **beim ~ kriegen** (*fam*) grab by the scruff of the neck; (*fig*) have someone's guts for garters; **Wi•ckel•kind** *n* **1.** (*Säugling*) babe-in-arms **2.** (*fig*) baby; **Wi•ckel•kom•mo•de** *f* baby's changing unit

wi•ckeln I. *tr* **1.** (*ein~*) wrap (*in* in) **2.** (*schlingen*) wind (*um* round) **3.** (EL: *Spule etc*) coil; **jdn um den Finger ~** (*fig*) twist s.o. round one's finger; **da bist du aber schief gewickelt!** (*fig fam*) you've got another think coming!; **e-n Säugling ~** put on a baby's nappy *Br,* put on a baby's diaper *Am* **II.** *refl* wrap o.s. [*o* itself] (*in* in, *um* around)

Wi•ckel•raum *m* nursing room

Wid•der ['vɪdɐ] <-s, -> *m* **1.** (ZOO) ram **2.** (ASTR) Aries

wi•der ['viːdɐ] *präp:* **~ Erwarten** contrary to expectations *pl;* **~ meinen Willen** against my will; **das Für u. ~** the pros and cons *pl;* **wi•der•fah•ren** *irr itr sein* happen (*jdm* to s.o.); (*Unglück etc*) befall (*jdm* s.o.); **jdm Gerechtigkeit ~ lassen** do s.o. justice

Wi•der•ha•ken *m* (*an Angel, Pfeil*) barb

Wi•der•hall *m* **1.** echo, reverberation **2.** (*fig*) response; **bei jdm keinen ~ finden** (*fig*) meet with no response from s.o.; **wi•der|hal•len** *itr* echo, reverberate (*von* with)

wi•der•le•gen *tr* 1. (*Argumente*) disprove, refute 2. (*Person*) prove wrong

wi•der•lich ['vi:dɐlɪç] *adj* 1. (*eklig*) disgusting 2. (*Person*) repulsive 3. (*fam: schlimm*) nasty

wi•der•na•tür•lich *adj* 1. (*unnatürlich*) unnatural 2. (*pervers*) perverted

wi•der•recht•lich *adj* illegal, unlawful; **sich etw ~ aneignen** misappropriate s.th.

Wi•der•re•de *f* contradiction; **keine ~!** don't argue!; **ich dulde keine ~** I will not have any arguments about it; **ohne ~** without protest

Wi•der•ruf *m* revocation; (COM: *von Bestellung*) cancellation; **bis auf ~** until revoked; **~ leisten** recant; **wi•der•ru•fen** *irr tr* (*Erlaubnis*) revoke; (*Befehl*) countermand; (*Aussage, Geständnis*) retract

Wi•der•sa•cher(in) *m(f)* adversary, antagonist, opponent

Wi•der•schein *m* reflection

wi•der•set•zen *refl* oppose (*jdm, e-r Sache* s.o., s.th.)

Wi•der•sinn <-(e)s> *m* absurdity; **wi•der•sin•nig** *adj* absurd, nonsensical

wi•der•spens•tig ['vi:dɐʃpɛnstɪç] *adj* 1. (*aufsässig*) unruly, wilful; (*eigensinnig*) stubborn 2. (*fig*) unmanageable; **„Der W~en Zähmung"** (*Drama von Shakespeare*) "The Taming of the Shrew"; **~e Haare** unruly hair; **Wi•der•spens•tig•keit** *f* 1. (*Aufsässigkeit*) unruliness; (*Eigensinn*) stubbornness 2. (*fig*) unmanageableness

wi•der|spie•geln I. *tr* (*a. fig*) reflect II. *refl* be reflected

wi•der•spre•chen I. *irr itr* contradict (*jdm, e-r Sache* s.o., s.th.); **da muss ich aber ~!** I've got to contradict you there!; **er widersprach mir bei jedem Wort** he contradicted every word I said; **rundheraus ~** give a flat contradiction II. *refl* 1. (*von Person*) contradict (*sich selbst* o.s., *einander* each other) 2. (*Aussagen*) be inconsistent; **wi•der•spre•chend** *adj* (*Aussagen*) inconsistent, contradictory

Wi•der•spruch *m* contradiction; **im ~ stehen zu etw** be contradictory to s.th.; **er duldet keinen ~** he dislikes any contradiction of his view; **auf ~ stoßen** meet with opposition (*bei* from); **zu etw im ~ stehen** be contradictory to s.th.; **es ist kein ~(,) zu behaupten ...** it is not contradictory to say ...; **wi•der•sprüch•lich** *adj* contradictory; **~es Verhalten** inconsistent behaviour; **Wi•der•spruchs•geist** *m* spirit of opposition; **er war voller ~** he was in a contradictory mood; **wi•der•spruchs•los** *adv* without arguing

Wi•der•stand *m* 1. (*Widersetzung*) resistance 2. (EL) resistor; **zum ~ aufrufen** call upon people to resist; **auf ~ stoßen** meet with resistance; **jdm (gegen etw) keinen ~ leisten** offer no resistance to s.o. (s.th.); **es erhebt sich ~** there is resistance; **Wi•der•stands•be•we•gung** *f* resistance movement; **wi•der•stands•fä•hig** *adj* (MED TECH) resistant (*gegen* to); (*robust*) robust; **Wi•der•stands•fä•hig•keit** *f* (MED TECH) resistance (*gegen* to); (*Robustheit*) robustness; **Wi•der•stands•kämp•fer(in)** *m(f)* resistance fighter; **Wi•der•stands•kraft** *f* power of resistance; **wi•der•stands•los** *adj, adv* without resistance

wi•der•ste•hen *irr itr* resist; (*standhalten*) withstand

Wi•der•stre•ben [--'--] *n* reluctance; **wi•der•stre•ben** *itr* 1. oppose (*jdm, e-r Sache* s.o., s.th.) 2. (*zuwider sein*): **es widerstrebt mir, so etw zu tun** I am reluctant to do anything like that; **wi•der•stre•bend** *adj* 1. (*widerwillig*) reluctant 2. (*gegensätzlich*) conflicting; **etw ~ tun** do s.th. with reluctance

Wi•der•streit *m* conflict (*zu* with)

wi•der•wär•tig ['vi:dɐvɛrtɪç] *adj* 1. (*ekelhaft*) disgusting 2. (*unangenehm*) objectionable; **Wi•der•wär•tig•keit** *f* 1. offensiveness; (*Ekelhaftigkeit*) disgusting nature 2. (*Unannehmlichkeit*) objectionable nature

Wi•der•wil•le *m* 1. (*Abscheu*) disgust (*gegen* for) 2. (*Abneigung*) distaste (*gegen* for) 3. (*Widerstreben*) reluctance; **mit ~n** reluctantly; **etw mit ~n tun** do s.th. with reluctance; **wi•der•wil•lig** *adj* reluctant, unwilling; **er ist nur ~ Soldat** he is a reluctant soldier; **etw ~ tun** do s.th. with reluctance

wid•men ['vɪtmən] I. *tr* (*zueignen*) dedicate (*jdm etw* s.th. to s.o.); (*schenken, verwenden auf*) devote (*jdm etw* s.th. to s.o.) II. *refl* (*hingeben*) devote o.s. to ...; (*e-m Problem, Gästen etc*) attend to ...; **Wid•mung** <-, -en> *f* dedication (*an* to)

wid•rig ['vi:drɪç] *adj* adverse; (*ungünstig*) unfavourable

wie [vi:] *adv, konj* 1. (*fragend*) how; (*welcher Art, was*) what 2. (*vergleichend bei adj o adv*) as; (*vergleichend bei Substantiv*) like; **so groß, ~ er ist ...** as big as he is ...; **~ dem auch sei ...** be that as it may ...; **ich habe es ~ er gemacht** I did as he did; **~ Sie selbst gesagt haben** as you yourself said; **~ kommt denn das?** how come?; **~ kommt es, dass ...?** how is it that ...?; **~ ist das möglich?** how can that be?; **~ viele?** how many?; **~ viel**[RR] how much *pl;* (*wie viele*) how many; **um ~ viel größer**[RR] how much bigger; **~ geht's?** how are you?; ~ **wäre es damit?** how about it?; ~ **wär's mit e-m Spaziergang?** how about going for a walk?; ~ **geht's im Betrieb?** how are things at the office?; **na, und ~!** and how!; ~ **sie nun mal ist ...** the way she is ...; ~ **noch nie** as never before; ~ **ist er?** what's he like?; ~ **ein Mann** like a man; ~ **verrückt** (*fam*) like anything; **mach es so ~ ich** do it like I do; ~ **findest du das?** how do you like that?; ~ **bitte?** pardon?; ~ **man's nimmt** that depends

Wie•de•hopf ['vi:dəhɔpf] <-(e)s, -e> *m* (ZOO) hoopoe

wie•der ['vi:dɐ] *adv* again; **da sieht man mal ~ ...** it just shows ...; **immer ~** time and again; **schon ~!** not again!; **schon ~ Eier!** not eggs again!; **da bin ich ~** it's me again; **du schon ~?** you again!; **da wären wir ~!** here we are again!; ~ **aufbauen**RR rebuild, reconstruct; ~ **aufbereiten**RR recycle, reprocess; ~ **aufladen** recharge; ~ **beleben**RR revive; ~ **einführen**RR reintroduce; ~ **eingliedern**RR reintegrate; ~ **einsetzen**RR reinstate; ~ **einstellen**RR re-employ; ~ **erkennen**RR recognize; ~ **ernennen**RR reappoint; ~ **eröffnen**RR reopen; ~ **erzählen**RR retell; ~ **finden**RR find again; ~ **gutmachen**RR make good, compensate for; ~ **sehen**RR see again, meet again; ~ **vereinigen** reunite; **wie•der-** *präfix* re-

Wie•der•auf•bau <-(e)s> *m* (*a. fig*) rebuilding, reconstruction; **wie•der•auf•bau•en** [--'---] *s.* **wieder**

wie•der•auf|be•rei•ten [--'----] *s.* **wieder**; **Wie•der•auf•be•rei•tung** *f* **1.** recycling **2.** (*von Atommüll*) reprocessing; **Wie•der•auf•be•rei•tungs•an•la•ge** *f* (*für Kernbrennstoff*) reprocessing plant

wie•der•auf|la•den *s.* **wieder**

Wie•der•auf•nah•me *f* **1.** (*von Gespräch etc*) resumption; (*von Ideen*) readoption **2.** (JUR) reopening; **Wie•der•auf•nah•me•ver•fah•ren** *n* (JUR: *im Strafrecht*) retrial; (*im Zivilrecht*) rehearing; **wie•der•auf•neh•men** [--'---] *irr tr* **1.** (*Gespräch etc*) resume; (*Ideen, Hobbies etc*) take up again **2.** (JUR) reopen **3.** (*in Gemeinschaft etc*) readmit

wie•der|be•kom•men *irr tr* get back

wie•der|be•le•ben *s.* **wieder**; **Wie•der•be•le•bung** *f* (*a. fig*) revival; (MED) resuscitation; **Wie•der•be•le•bungs•ver•such** *m* **1.** (MED) attempt at resuscitation **2.** (*fig*) attempt at revival; **~e bei jdm anstellen** attempt to revive s.o.

Wie•der•be•schaf•fung *f* replacement

wie•der|brin•gen *irr tr* bring back

Wie•der•ein•fuhr *f* re-importation; **wie•der•ein|füh•ren** *s.* **wieder**; **Wie•der•ein•füh•rung** *f* reintroduction

wie•der•ein|glie•dern [--'---] *s.* **wieder**; **Wie•der•ein•glie•de•rung** *f* **1.** (*allgemein*) reintegration **2.** (*von Straftätern*) rehabilitation

wie•der•ein|set•zen [--'---] *s.* **wieder**

wie•der•ein|stel•len [--'---] *s.* **wieder**; **Wie•der•ein•stel•lung** *f* re- employment

Wie•der•ein•tritt *m* re-entry (*in* into)

wie•der|er•hal•ten *irr tr* recover

wie•der|er•ken•nen *s.* **wieder**

wie•der|er•lan•gen *tr* regain; (*Eigentum*) recover

wie•der•er•nen•nen *s.* **wieder**

Wie•der•er•nen•nung *f* reappointment

wie•der|er•öff•nen *s.* **wieder**; **Wie•der•er•öff•nung** *f* reopening

wie•der|er•stat•ten *tr* refund, reimburse (*jdm etw* s.o. for s.th.)

wie•der|er•zäh•len *s.* **wieder**

wie•der|fin•den *s.* **wieder**

Wie•der•ga•be *f* **1.** (*von Bild*) reproduction **2.** (*fig*) rendering **3.** (*Übersetzung*) translation; **bei der ~** in reproduction; **getreue ~** (*von Bild, Ton*) high fidelity

wie•der|ge•ben *irr tr* **1.** (*zurückgeben*) give back **2.** (*beschreiben*) describe **3.** (*reproduzieren*) reproduce; **was ich empfinde, lässt sich nicht ~** words cannot convey what I feel

Wie•der•ge•burt *f* rebirth, reincarnation

wie•der|ge•win•nen *irr tr* (*a. fig*) regain; (*Person*) win back

wie•der•gut|ma•chen [--'---] *s.* **wieder**; **Wie•der•gut•ma•chung** *f* compensation; (POL) reparations *pl;* (JUR) redress; **als ~ für ...** (*fam*) to make up for ...

wie•der|ha•ben *irr tr* (*fam*) have got back; **etw ~ wollen** want s.th. back

wie•der•her|stel•len [--'---] *tr* restore; (*reparieren*) repair; (*Beziehungen*) re- establish; **wiederhergestellt sein** (*gesundheitlich*) have recovered; **Wie•der•her•stel•lung** *f* **1.** (*allgemein*) re-establishment, repair, restoration **2.** (*gesundheitlich*) restoration of one's health

wie•der|ho•len¹ *tr* (*zurückholen*) get back

wie•der•ho•len² **I.** *tr itr* (*noch einmal tun*) repeat; (*mehrmals*) reiterate **II.** *refl* **1.** (*Person*) repeat o.s. **2.** (*noch einmal geschehen*) recur; **wie•der•holt** *adj* repeated; **zum ~en Male** once again; **~e Male** repeatedly; **Wie•der•ho•lung** *f* repetition; (*mehrmalige ~*) reiteration; (RADIO TV) repeat; (PÄD: *von Lernstoff*) revision; (SPORT: *von Spiel*) replay; (*von Strafstoß*) retake

Wie•der•hö•ren *n:* **auf ~!** (TELE) goodbye!; (RADIO) goodbye for now!

Wie•der•in•stand•set•zung [---'---] *f* repair, repairs (*e-r Sache* to s.th.)

wie•der|käu•en ['vi:dɐkɔɪən] I. *tr* 1. (*von Tier*) ruminate 2. (*fig fam*) go over and over again II. *itr* 1. ruminate 2. (*fig fam*) harp on; **Wie•der•käu•er** *m* ruminant

Wie•der•kehr ['vi:dɐke:ɐ] <-> *f* 1. (*Rückkehr*) return 2. (*ständiges Vorkommen*) recurrence; **bei meiner ~** on my return; **wie•der|keh•ren** *itr* 1. *sein* (*sich wiederholen*) be repeated 2. (*immer wieder vorkommen*) recur 3. (*zurückkehren*) return

wie•der|kom•men *irr itr sein* come back; **komm doch mal wieder vorbei!** you must come round again!

Wie•der•se•hen *n* meeting; reunion; **auf ~!** goodbye! so long! *Br,* see you again! *Am;* **wie•der|se•hen** *s.* **wieder**; **Wie•der•se•hens•freu•de** *f* pleasure of seeing each other again

wie•de•r•um ['vi:dərʊm] *adv* 1. (*nochmals*) again, anew 2. (*hingegen*) on the other hand; **sie ~ sagte, ...** she, for her part, said ...

wie•der|ver•ei•ni•gen *s.* **wieder**

Wie•der•ver•ei•ni•gung *f* reunification

Wie•der•ver•hei•ra•tung *f* remarriage

Wie•der•ver•käu•fer *m* reseller; (*Einzelhändler*) retailer; **Wie•der•ver•kaufs•wert** *m* resale value

Wie•der•ver•wen•dung *f* reuse; **Wie•der•ver•wer•tung** *f* reutilization

Wie•der•vor•la•ge ['--'---] *f* renewed submission

Wie•der•wahl *f* re-election; **wie•der•wäh•len** *tr* re-elect

Wie•der•zu•las•sung ['--'---] *f* re- admission; (MOT) relicensing

Wie•ge ['vi:gə] <-, -n> *f* cradle

Wie•ge•mes•ser *n* chopping knife

wie•gen¹ ['vi:gən] *irr tr itr* (*Gewicht feststellen*) weigh; **~ lassen** (*Gepäck*) weigh in

wie•gen² I. *tr* 1. (*schaukeln*) rock; (*Hüften*) sway; (*Kopf*) shake slowly 2. (*zerkleinern*) chop up II. *refl* (*Boot etc*) rock gently; (*Bäume, Personen*) sway; **sich in trügerischen Hoffnungen ~** nurture false hopes; **Wie•gen•lied** *n* cradle song, lullaby

wie•hern ['vi:ɐn] *itr* 1. (*von Pferd*) neigh 2. (*fam: lachen*) bray

Wien [vi:n] *n* Vienna; **Wie•ner(in)** *m(f)* Viennese; **~ Schnitzel** veal cutlet, Wiener schnitzel; **~ Würstchen** frankfurter *Br,* wiener *Am*

Wie•se ['vi:zə] <-, -n> *f* meadow

Wie•sel ['vi:zəl] <-s, -> *n* weasel

wie•so [vi'zo:] *adv* why; **~ weißt du das?** how do you know that?

wie•viel *adv s.* **wie**

wie•viel•t *adj:* **der ~e Kunde ist das?** how many customers have come before this one?; **den W~n haben wir heute?** what day of the month is it?

Wild [vɪlt] <-(e)s> *n* 1. (*~tiere*) game; (*Rot~*) deer 2. (*Fleisch vom Rot~*) venison

wild *adj* 1. wild 2. (*unzivilisiert*) savage 3. (*heftig*) fierce, furious; **den ~en Mann markieren** (*fam*) come the heavy; **~ durcheinanderliegen** be strewn all over the place; **sei nicht so ~!** (*fam*) calm down a bit!; **das ~e Durcheinander im Zimmer** the wild disorder of the room; **das ist doch halb so ~!** (*fam*) it's not all that bad!; **~ wachsend**[RR] wild(-growing)

Wild•bach *m* torrent; **Wild•bret** ['vɪltbrɛt] <-s> *n* (*Fleisch vom Rotwild*) venison; **Wild•dieb** *m* poacher

Wil•de(r) <-n, -n> *f m* 1. savage 2. (*fig: Übergeschnappter*) madman, madwoman

Wild•en•te *f* wild duck

Wil•de•rer *m,* **Wil•de•rin** *f* poacher; **wildern** ['vɪldɐn] *itr* 1. (*vom Menschen*) poach 2. (*von Hund etc*) kill game

wild•fremd *adj* (*fam*) completely strange

Wild•heit *f* (*allgemein*) wildness; (*Kampf, Blicke*) fierceness; (*von Eingeborenen*) savagery; **Wild•hü•ter(in)** *m(f)* gamekeeper; **Wild•le•der** *n* suede

Wild•nis <-> *f* wilderness

Wild•park *m* (*für Rotwild*) game [*o* deer] park

wild•reich *adj* abounding in game

Wild•sau *f* 1. (ZOO) wild sow 2. (*fig sl*) pig; **Wild•scha•den** *m* damage caused by game; **Wild•schwein** *n* wild boar [*o* pig]; **wild•wach•send** *adj s.* **wild**; **Wild•was•ser•fahrt** *f* rapid-river canoeing; **Wild•wech•sel** *m* deer pass

Wild•west•film [-'--] *m* western

Wil•le ['vɪlə] <-ns, (-n)> *m* 1. will 2. (*Absicht*) intention; **s-n ~n durchsetzen** have one's own way; **e-n eigenen ~n haben** have a will of one's own; **gegen s-n ~n handeln** go against one's will; **aus freiem ~n** of one's own free will; **beim besten ~n nicht** not with all the will; **das geschah gegen meinen ~n** that was done against my will; **ich kann mich beim besten ~n nicht erinnern** I can't for the life of me remember; **wil•len•los** *adj* spineless, weak-willed; **er ist völlig ~** he has no will of his own; **jds ~es Werkzeug sein** (*fig*) be someone's mere tool

wil•lens ['vɪləns] *adj:* **~ sein** be willing

Wil•lens•frei•heit *f* freedom of will; **Wil•lens•kraft** *f* strength of mind, will- power; **wil•lens•schwach** *adj* weak- willed; **wil•lens•stark** *adj* strong- willed; **wil•lent•lich** ['vɪləntlɪç] *adj* deliberate, wilful

will•fäh•rig ['vɪlfɛ:rɪç/-'--] *adj:* **jdm ~ sein**

submit to s.o.
wil•lig *adj* willing
Will•kom•men [-'--/'---] *n* welcome; **will•kom•men** [-'--] *adj* welcome; **Sie sind uns jederzeit ~!** you always are welcome here!; **herzlich ~!** welcome!; **jdn bei sich ~ heißen** welcome s.o. to one's house
Will•kür ['vɪlkyːɐ] <-> *f* arbitrariness; **jds ~ ausgeliefert sein** be completely at someone's mercy; **will•kür•lich** *adj* **1.** (*despotisch*) arbitrary **2.** (*vorsätzlich*) at will
wim•meln ['vɪməln] *itr* swarm, teem (*von* with); **die Bahnhofshalle wimmelte von Leuten** the station was swarming with people
wim•mern ['vɪmɐn] *itr* whimper
Wim•pel ['vɪmpəl] <-s, -> *m* pennant
Wim•per ['vɪmpɐ] <-, -n> *f* eyelash; **ohne mit der ~ zu zucken** (*fig*) without batting an eyelid; **Wim•pern•tu•sche** *f* mascara
Wind [vɪnt] <-(e)s, -e> *m* (*allgemein*) wind; **der ~ kommt von Westen** it's a west wind; **hart am ~ segeln** sail close to the wind; **jetzt weht hier ein frischerer ~** (*fig*) now there's a wind of change here; **sehen, woher der ~ weht** (*fig*) see which way the wind blows; **jdm den ~ aus den Segeln nehmen** (*fig*) take the wind out of someone's sails; **von etw ~ bekommen** (*fig*) get wind of s.th.; **jds Bedenken in den ~ schlagen** (*fig*) cast someone's caution to the winds; **mach nicht soviel ~!** (*fig fam*) don't make such fuss!
Wind•beu•tel *m* **1.** (*Gebäck*) cream puff **2.** (*fam: Person*) rake; **Wind•bö(e)** *f* gust of wind
Win•de[1] ['vɪndə] <-, -n> *f* (TECH) winch, windlass
Win•de[2] *f* (BOT) bindweed
Wind•ei *n* (*fig fam*) non-starter
Win•del ['vɪndəl] <-, -n> *f* nappy *Br*, diaper *Am*; **Win•del•hös•chen** *n* disposable nappy *Br*, disposable diaper *Am*
win•del•weich ['--'-] *adj* (*fig fam*): **jdn ~ schlagen** beat the shit out of s.o.
win•den I. *irr tr* **1.** (*wickeln*) wind **2.** (*hoch~*) hoist, winch **3.** (*Kranz*) bind **4.** (*ent~*) wrest (*jdm etw aus der Hand* s.th. out of someone's hand) **II.** *refl* **1.** (*Pflanze, Schlange*) wind (itself) **2.** (*vor Verlegenheit*) squirm (*vor* with, in); (*vor Schmerz*) writhe (*vor* with, in) **3.** (*Fluss*) meander; (*Weg*) wind
Wind•e•ner•gie *f* wind energy
Win•des•ei•le *f*: **sich mit ~ verbreiten** spread like wildfire; **etw in ~ tun** do s.th. in no time at all
Wind•fang *m* **1.** (*als Vorflur*) draught-excluder *Br*, draft-excluder *Am* **2.** (*als Vorbau*) porch; **wind•ge•schützt** I. *adj* sheltered (from the wind) **II.** *adv*: **das Haus liegt ~** the house lies in a sheltered place; **Wind•hauch** *m* breath of wind; **Wind•ho•se** *f* vortex; **Wind•hund** *m* **1.** (ZOO) greyhound **2.** (*fig: Person*) rake
win•dig *adj* **1.** windy **2.** (*fig: unsicher*) dubious
Wind•ja•cke *f* windcheater; **Wind•kraft•werk** *n* wind power station; **Wind•licht** *n* storm lantern; **Wind•müh•le** *f* windmill; **Wind•müh•len•flü•gel** *m* windmill vane; **Wind•park•an•la•ge** *f* wind-farm; **Wind•po•cken** *pl* chicken-pox *sing*; **Wind•rad** *n* (TECH) wind turbine; **Wind•rich•tung** *f* wind direction; **Wind•ro•se** *f* **1.** (MAR) compass card **2.** (METE) wind rose; **Wind•schat•ten** <-s> *m* lee; (*von Fahrzeugen*) slipstream; **wind•schief** *adj* crooked; **Wind•schutz•schei•be** *f* windscreen *Br*, windshield *Am*; **Wind•schutz•strei•fen** *m* shelter belt, windbreak; **Wind•stär•ke** *f* wind-force; **wind•still** *adj* windless; **es ist völlig ~** there's no wind at all; **Wind•stil•le** *f* calm; **Wind•stoß** *m* gust of wind
Wind•sur•fen *n* (SPORT) windsurfing; **wind•sur•fen** *itr* (SPORT) go windsurfing; **Wind•sur•fer(in)** *m(f)* windsurfer
Win•dung *f* **1.** (EL: *Spulen~*) coil **2.** (*Fluss~*) meander **3.** (TECH: *Schrauben~*) thread; **die Straße hat viele ~en** the road is full of twists and turns
Wink [vɪŋk] <-(e)s, -e> *m* **1.** (*Hinweis*) hint, tip **2.** (*Zeichen*) sign; **jdm e-n ~ geben** (*Tip*) drop s.o. a hint; **jdm e-n leisen ~ geben ...** give s.o. a gentle hint ...; **e-n ~ verstehen** know how to take a hint; **er gab mir durch e-n ~ zu verstehen, ich solle bleiben** he made me a sign to stay
Win•kel ['vɪŋkəl] <-s, -> *m* **1.** (MATH) angle **2.** (TECH: *Werkzeug*) square **3.** (*fig: Stelle, Ecke*) corner; **spitzer, stumpfer, rechter ~** acute, obtuse, right angle; **toter ~** dead angle [*o* space]; **Win•kel•ad•vo•kat** *m* shyster; **Win•kel•ei•sen** *n* angle iron
win•k(e•)lig *adj* **1.** (*Gässchen*) twisty **2.** (*Städtchen*) full of nooks and crannies
Win•kel•li•ne•al *n* triangle; **Win•kel•mes•ser** *m* protractor; **Win•kel•zug** *m* dodge, trick
win•ken ['vɪŋkən] I. *irr tr itr*: **jdm ~** wave one's hands to s.o.; **jdm zum Abschied ~** wave s.o. goodbye; **jdn zu sich ~** beckon [*o* wave] s.o. over to one; **er winkte mich zu sich** he waved me over; **mit dem Taschentuch ~** wave one's handkerchief; **e-m Taxi ~** hail a taxi; **e-m Kellner ~** call a waiter **II.** *itr* (*in Aussicht stehen*) be in store; **dem Gewinner winkt e-e Reise**

nach London the winner will receive a trip to London

win•seln ['vɪnzəln] *itr* (*Hund*) whine; (Mensch); (*pej*) whimper; (*um Gnade*) grovel

Win•ter ['vɪntɐ] <-s, -> *m* winter; **durch den ~ bringen** winter; **es wird ~** winter is coming; **im ~** in winter; **mitten im ~** in the depth of winter; **Win•ter•dienst** *m* (MOT) winter road clearance; **Win•ter•fell** *n* winter coat; **Win•ter•gar•ten** *m* winter garden; **Win•ter•ge•trei•de** *n* winter crop; **Win•ter•klei•dung** *f* winter clothing

win•ter•lich *adj* wintry; **~ gekleidet** dressed for winter

Win•ter•man•tel *m* winter (over) coat; **Win•ter•rei•fen** *m* (MOT) winter tyre *Br;* winter tire *Am;* **Win•ter•ru•he** *f* winter rest period; **Win•ter•schlaf** *m* (*von Tieren*) hibernation; **~ halten** hibernate; **Win•ter•schluss•ver•kauf**RR *m* winter (clearance) sales; **Win•ter•se•mes•ter** *m* winter semester; **Win•ter•son•nen•wen•de** *f* winter solstice; **Win•ter•sport** *m* winter sports *pl;* **Win•ters•zeit** *f* (*literarisch*) wintertime

Win•zer(in) ['vɪntsɐ] *m(f)* wine-grower

win•zig ['vɪntsɪç] *adj* **1.** (*sehr klein*) tiny **2.** (*fig: unbedeutend*) petty; **ein ~es Bisschen** a tiny little bit; **~ klein** minute

Winz•ling ['vɪntslɪŋ] <-, -e> *m* (*fam*) mite

Wip•fel ['vɪpfəl] <-s, -> *m* treetop

Wip•pe ['vɪpə] <-, -n> *f* seesaw; **wip•pen** *itr* **1.** (*auf Wippe*) seesaw **2.** (*auf u. ab ~*) bob up and down; (*hin u. her ~*) teeter; **mit dem Fuß ~** jiggle one's foot; **in den Knien ~** give at the knees

wir [viːɐ] *pron* we; **~ beide** (**drei**) the two (three) of us; **wer war das? – ~ nicht!** who was that? – it wasn't us!; **wer ist da? – ~ sind's!** who's there? – it's us!

Wir•bel ['vɪrbəl] <-s, -> *m* **1.** (*a. fig*) whirl **2.** (*Wasser~*) eddy, whirlpool **3.** (ANAT: *Rücken~*) vertebra **4.** (*am Scheitel*) crown; **mach nicht so 'n ~!** (*fig fam*) don't make such a to-do!; **das hat e-n ganz schönen ~ gemacht!** (*fam*) that caused a lot of commotion!; **wir•bel•los** *adj* (*Lebewesen*) invertebrate

wir•beln *tr itr* **1.** *sein* (*allgemein*) whirl; (*Staub, Laub*) swirl **2.** (*Trommel*) roll

Wir•bel•säu•le *f* spinal column; **Wir•bel•sturm** *m* whirlwind; **Wir•bel•tier** *n* vertebrate

Wir•ken <-s> *n* work; **am ~ sein** be at work

wir•ken[1] ['vɪrkən] **I.** *itr* **1.** (*wirksam sein*) have an effect (*auf* on) **2.** (*so erscheinen*) appear, seem **3.** (*zur Geltung kommen*) be effective **4.** (*am Werk sein*) be at work; **wirkt die Pille schon?** is the pill taking effect?; **sie wirkt jünger, als sie ist** she seems younger than she is; **das wirkt nur so** it only seems like it **II.** *tr:* **Wunder ~** work wonders

wir•ken[2] *tr* (*weben*) weave

wirk•lich **I.** *adv* really; **ach ~?** not really!; **ich weiß ~ nicht, was ich davon halten soll** I really don't know what to think; **sie ist ~ blöd** (*fam*) she is really an idiot; **hat er das ~ gesagt?** did he actually say that?; **wenn du ~ e-n Jaguar hast ...** if you actually own a Jaguar ... **II.** *adj* (*tatsächlich*) real; **ein ~er Freund** a true friend; **Wirk•lich•keit** *f* reality; **~ werden** come true

wirk•sam *adj* effective; **~ werden** take effect; **~ bleiben** remain in effect; **Wirk•sam•keit** *f* effectiveness

Wirk•stoff *m* active agent [*o* substance]

Wir•kung *f* effect (*bei, auf* on); **unsere Warnung hatte keine ~** our warning was to no effect; **s-e ~ verfehlen** not have the desired effect; **zur ~ kommen** (*fig*) come into effect; **Wir•kungs•be•reich** *m* **1.** (MIL) effected area **2.** (*Tätigkeitsbereich*) domain; **Wir•kungs•grad** *m* (TECH) (degree of) effectiveness; **Wir•kungs•kreis** *m* sphere of activity; **wir•kungs•los** *adj* ineffective; **Wir•kungs•lo•sig•keit** *f* ineffectiveness; **wir•kungs•voll** *adj* effective, efficacious; **Wir•kungs•wei•se** *f* (mode of) action; **die ~ e-s ...** the way a ... works

wirr [vɪr] *adj* **1.** (*durcheinander*) confused **2.** (*unordentlich*) tangled **3.** (*verworren*) weird; (*verstiegen*) wild; **~e Gedanken** weird thoughts; **er ist ein ~er Kopf** he has crazy ideas; **Wir•ren** *pl* (POL) confusion *sing;* **Wirr•kopf** *m* muddle-head; **Wirr•warr** ['vɪrvar] <-s> *m* **1.** (*Durcheinander*) confusion **2.** (*Stimmen~*) hubbub

Wir•sing(•kohl) ['vɪrzɪŋ] <-s> *m* savoy (cabbage)

Wirt [vɪrt] <-(e)s, -e> *m* (*Gast~*) landlord; **ich hatte die Rechnung ohne den ~ gemacht** (*fig fam*) there was one thing I hadn't reckoned with; **Wir•tin** *f* (*Gast~, Vermieterin*) landlady

Wirt•schaft ['vɪrtʃaft] *f* **1.** (*Volks~*) economy **2.** (*Industrie*) business world **3.** (*Gast~*) pub *Br,* saloon *Am;* **das ist ja e-e saubere ~ hier!** (*fig fam*) that's a fine state of affairs!; **die ~ ankurbeln** improve economies *pl;* **in der freien ~ tätig sein** work in industry; **wirt•schaf•ten** *itr* **1.** (*sparsam sein*) economize **2.** (*sich beschäftigen*) potter about; **Wirt•schaf•te•rin** *f* housekeeper

wirt•schaft•lich *adj* **1.** (*volks~*) economic

2. (*sparsam, a.* MOT) economical; **mit etw ~ umgehen** use s.th. economically; **man muss ~ denken** one has to be economically minded; **in ~er Hinsicht schon, aber ...** economically yes, but ...; **~ vertretbar** economically defendable; **Wirt·schaft·lich·keit** *f* economy

Wirt·schafts·ab·kom·men *n* trade agreement; **Wirt·schafts·auf·schwung** *m* economic recovery [*o* upswing]; **Wirt·schafts·be·reich** *m* economic sector; **Wirt·schafts·be·zie·hun·gen** *fpl* business relations; **Wirt·schafts·ent·wick·lung** *f* commercial development; **Wirt·schafts·flücht·ling** *m* economic refugee; **Wirt·schafts·ge·bäu·de** *n* working quarters *pl;* **Wirt·schafts·geld** *n* housekeeping money; **Wirt·schafts·gym·na·sium** *n* commercial high school; **Wirt·schafts·hil·fe** *f* economic aid; **Wirt·schafts·jahr** *n* financial year; **Wirt·schafts·kraft** *f* economic power; **Wirt·schafts·kri·mi·na·li·tät** *f* business delinquency; **Wirt·schafts·kri·se** *f* economic crisis; **Wirt·schafts·la·ge** *f* economic situation; **Wirt·schafts·le·ben** *n* business; **Wirt·schafts·macht** *f* economic power; **Wirt·schafts·mi·nis·ter(in)** *m(f)* minister of trade and commerce; **Wirt·schafts·mi·nis·te·rium** *n* Ministry of Trade and Commerce *Br;* Department of Commerce *Am;* **Wirt·schafts·ord·nung** *f* economic system; **Wirt·schafts·pla·nung** *f* economic planning; **Wirt·schafts·po·li·tik** *f* economic policy; **Wirt·schafts·prü·fer(in)** *m(f)* accountant; **Wirt·schafts·raum** *m* economic region; **Wirt·schafts·sys·tem** *n* economic system; **Wirt·schafts·teil** *m* (*in Zeitung*) financial [*o* business] section; **Wirt·schafts·u·ni·on** *f* economic union; **Wirt·schafts·wachs·tum** *n* economic growth; **Wirt·schafts·wis·sen·schaft** *f* economics *pl;* **Wirt·schafts·wun·der** *n* economic miracle; **Wirt·schafts·zweig** *m* branch of industry

Wirts·haus *n* (*Lokal*) pub *Br,* saloon *Am;* (*Gasthof*) inn; **Wirts·leu·te** *pl* landlord and landlady

Wisch [vɪʃ] <-(e)s, -e> *m* **1.** (*pej: Zettel*) piece of paper **2.** (*mit Gedrucktem*) scrap of bumph

wi·schen ['vɪʃən] *tr itr* **1.** wipe; (*reinigen*) wipe clean **2.** (*fam: sich schnell bewegen*) whisk; **jdm e-e ~** (*fam*) clout s.o. one; **e-n gewischt bekommen** (*fam: e-n Stromschlag bekommen*) get a shock

Wi·scher·blatt *n* (MOT) wiper blade

Wisch·lap·pen *m* cloth

Wi·sent ['vi:zɛnt] <-s, -e> *m* bison

Wis·mut ['vɪsmu:t] <-(e)s> *n* bismuth

wis·pern ['vɪspɐn] *tr itr* whisper

Wiss·be·gier(·de)[RR] *f* thirst for knowledge; **wiss·be·gie·rig**[RR] *adj* eager to learn

wis·sen ['vɪsən] *irr tr* **1.** (*informiert sein, kennen*) know (*von* about) **2.** (*sich erinnern*) remember **3.** (*sich vor Augen führen*) realize; **von jdm (etw) nichts ~ wollen** not be interested in s.o. (s.th.); **nicht dass ich wüsste** not that I know; **als ob ich das wüsste!** how should I know!; **Bescheid ~** (*fig fam*) know a thing or two; **das hättest du doch ~ müssen!** you ought to have known that!; **das möchte ich auch ~** that's what I'd like to know, too; **was weiß ich?** who knows?; **weiß ich doch nicht!** I wouldn't know!; **man kann nie ~ ...** you never know ...; **er weiß, was gut ist** he knows a good thing when he sees it; **weiß der Teufel!** (*fam*) God knows!; **wenn ich das wüsste!** goodness knows!; **jdn etw ~ lassen** tell s.o. s.th.; **er hält sich für wer weiß wie schlau** he thinks he's ever so smart; **Wis·sen** <-s> *n* knowledge; **meines ~s** to the best of my knowledge; **ohne ihr ~** without her knowledge; **ohne ~ s-r Mutter** without his mother's knowledge

Wis·sen·schaft *f* science; **Wis·sen·schaft·ler(in)** *m(f)* scientist; (*Geistes~*) academic; **wis·sen·schaft·lich** *adj* scientific; (*geistes~*) arts; **~ arbeiten** work scientifically; **Wis·sen·schafts·mi·nis·ter(in)** *m(f)* minister of science; **Wis·sens·drang** *m,* **Wis·sens·durst** *m* thirst for knowledge; **Wis·sens·ge·biet** *n* field (of knowledge); **wis·sens·wert** *adj* worth knowing

wis·sent·lich ['vɪsəntlɪç] **I.** *adj* deliberate, intentional **II.** *adv* deliberately, intentionally, knowingly

wit·tern ['vɪtɐn] **I.** *tr* (*a. fig*) scent **II.** *itr* (*von Wild*) sniff the air

Wit·te·rung *f* **1.** (*Wetter*) weather **2.** (*Geruchswahrnehmung*) scent (*von* of); **bei günstiger ~** if the weather is good; **Wit·te·rungs·ver·hält·nis·se** *pl* weather conditions

Wit·we ['vɪtvə] <-, -n> *f* widow; **~ werden** be widowed; **Wit·wen·ren·te** *f* widow's pension; **Wit·wer** <-s, -> *m* widower

Witz [vɪts] <-es, -e> *m* **1.** (*Scherz, Spaß*) joke **2.** (*fig: geistvolle Schärfe*) wit; **das ist kein ~!** it's no joke!; **das ist kein ~ mehr!** it's beyond a joke!; **e-n ~ über etw machen** make a joke about s.th.; **das soll wohl ein ~ sein!** you must be joking!; **mach keine ~e!** you're joking!; **und das ist der ganze ~ dabei!** and that's all there is to it!; **Witz•blatt** *n* joke book; **Witz•blatt•fi•gur** *f* (*a. fig*) joke figure; **Witz•bold** ['vɪtsbɔlt] <-(e)s, -e> *m* joker; **du ~!** (*fam*) you're a great one!

Wit•ze•lei *f* teasing

wit•zeln ['vɪtsəln] *itr* joke (*über* about)

wit•zig *adj* **1.** (*spaßig*) funny **2.** (*geistreich*) witty; **sehr ~!** (*fig fam*) you're a great one!

WM <-, -s> *f Abk. von* **Weltmeisterschaft** world championship

wo [vo:] **I.** *adv* where; **ach ~!** (*fam*) nonsense!; **~ gehst du hin?** where are you going to? **II.** *konj:* **~ ... doch** (*Gegensatz*) when ...; **warum machst du es denn auf diese Art, ~ es doch so viel einfacher wäre?** why do you do it that way when it would be much easier like this?; **wo•an•ders** [-'--] *adv* elsewhere, somewhere else

wo•bei [-'-] *pron* **1.** (*Frage*) how?; (*bei was*) at what? **2.** (*relativ*) in which; **~ ist das passiert?** how did that happen?; **~ habt ihr ihn beobachtet?** what were you watching him do?; **... ~ mir einfällt, ...** ... which reminds me ...

Wo•che ['vɔxə] <-, -n> *f* week; **das ist e-e ~ Arbeit** (*fam*) that's a week's work; **in e-r ~** in a week; **~ für ~** week in, week out; **dreimal die ~** three times a week; **heute in e-r ~** this day week; **morgen in e-r ~** a week tomorrow; **zwei ~n Ferien** two weeks' holiday; **Wo•chen•ar•beits•zeit** *f* working week; **Wo•chen•be•richt** *m* weekly report; **Wo•chen•bett** *n* (*obs*) lying-in; **im ~ liegen** be lying in; **Wo•chen•blatt** *n* weekly; **Wo•chen•ein•nah•men** *pl* weekly income; **Wo•chen•end•bei•la•ge** *f* (*in Zeitung*) weekly supplement; **Wo•chen•en•de** <-(e)s, -en> *n* weekend; **zum ~** for the weekend; **schönes ~!** have a nice weekend!; **übers ~ verreisen** go away for the weekend; **ein langes ~ machen** take a long weekend; **er verbringt die ~n auf dem Lande** he spends his weekends in the country; **Wo•chen•end•haus** *m* weekend house; **Wo•chen•kar•te** *f* weekly season ticket

wo•chen•lang *adj, adv* for weeks

Wo•chen•lohn *m* weekly wage; **Wo•chen•schau** *f* (FILM) newsreel; **Wo•chen•tag** *m* **1.** (*im Gegensatz zum Sonntag*) weekday **2.** (*bestimmter*) day of the week; **wo•chen•tags** *adv* on weekdays

wö•chent•lich ['vœçəntlɪç] **I.** *adj* weekly; **der ~e Großeinkauf** the weekly shopping trip **II.** *adv* weekly; **einmal ~** once a week; **~ bezahlen** pay by the week; **sich ~ abwechseln** take turns every week

Wo•chen•zeit•schrift *f* weekly (magazine)

Wöch•ne•rin ['vœçnərɪn] *f* woman in childbed

wo•durch [-'-] *pron* **1.** (*Frage*) how **2.** (*relativ*) which

wo•für [-'-] *pron* **1.** (*Frage*) for what? what ... for?; (*warum auch*) why **2.** (*relativ*) for which, which ... for; **~ ist das gut?** what is that good for?; **~ halten Sie mich?** what do you take me for?; **..., ~ er jetzt zahlen muss** ... which he has to pay for now

Wo•ge ['vo:gə] <-, -n> *f* wave; **wenn sich die ~n geglättet haben** (*fig*) when things have calmed down

wo•ge•gen [-'--] *adv* **1.** (*gegen was?*) against what? **2.** (*relativ*) against which, which ... against

wo•gen ['vo:gən] *itr* (*a. fig*) surge; (*Getreide*) wave; (*Busen*) heave

wo•her [-'-] *pron* **1.** (*Frage*) from where? where ... from? **2.** (*wie*) how **3.** (*relativ*) from which, where ... from; **~ wissen Sie das?** how do you know that?; (*fam*) how come you know that?; **ach, ~!** (*fam*) nonsense!

wo•hin [-'-] *pron* **1.** (*Frage*) where (to)? **2.** (*relativ*) where; **~ du auch siehst** wherever you look; **ich muss mal ~** (*euph*) zur Toilette, I've got to go somewhere

Wohl [vo:l] <-(e)s> *n* well-being; **auf Ihr ~!** here's to you! your health!; **zum ~!** cheers!

wohl I. *adv* **1.** (*gut, gesund*) well **2.** (*zwar, freilich*) all right, it is true, to be sure **3.** (*vielleicht*) perhaps **4.** (*wahrscheinlich*) probably; **~ tuend**RR most agreeable; **~ tun**RR do good; **ich fühle mich nicht ~** I don't feel well; **~ bekomm's!** your health!; **~ oder übel** like it or not; **das ist ~ das Beste** I suppose it's the best thing; **was er ~ hat?** I wonder what's wrong with him?; **du bist ~ verrückt!** you must be mad!; **das mag ~ sein** that may well be; **das ist doch ~ nicht dein Ernst!** you can't be serious!; **~ tuend**RR most agreeable; **jdm ~ tun**RR (*angenehm sein*) do s.o. good; (*Gutes tun*) benefit s.o. **II.** *konj:* **ich habe es ~ gewusst, aber was konnte ich machen?** it's true that I knew but what could I have done?; **sie hat es ~ gesagt, aber ...** she may have promised, but ...

wohl•an [-'-] *interj* well now!

wohl•auf [-'-] **I.** *interj* well then! **II.** *adj* in good health, well; **~ sein** be in good health

wohl•aus•ge•wo•gen *adj* balanced

wohl•be•dacht *adj s.* **bedacht**

Wohl•be•fin•den *n* well-being

wohl•be•grün•det *adj s.* **begründet**

Wohl•be•ha•gen *n* comfort, ease

wohl•be•hal•ten *adj* **1.** (*Person*) safe and sound **2.** (*Gegenstand*) intact

wohl•be•kannt *adj* well-known

wohl•durch•dacht *adj s.* **durchdenken**
Wohl•er•ge•hen <-s> *n* welfare
wohl•er•wo•gen *adj s.* **erwogen**
wohl•er•zo•gen *adj* (*Erwachsene*) well-bred; (*Kind*) well-mannered
Wohl•fahrt <-> *f* welfare; **Wohl•fahrts•ein•rich•tun•gen** *pl* social services; **Wohl•fahrts•staat** *m* welfare state
Wohl•ge•fal•len <-s> *n* pleasure, satisfaction; **sein ~ an etw haben** take pleasure in s.th.; **sich in ~ auflösen** (*fam*) vanish into thin air; **wohl•ge•fäl•lig** *adj* **1.** (*gefallend*) pleasing **2.** (*erfreut, zufrieden*) well-pleased
wohl•ge•meint *adj* well-meant
wohl•ge•merkt *adv* mark you, mind (you)
wohl•ge•nährt *adj* well-fed
wohl•ge•ord•net *adj s.* **ordnen**
wohl•ge•ra•ten *adj* **1.** (*Werk*) successful **2.** (*Kind*) fine
Wohl•ge•ruch *m* fragrance
Wohl•ge•schmack *m* pleasant taste
wohl•ge•sinnt *adj* well-disposed (*jdm* towards s.o.)
wohl•ha•bend *adj* prosperous, well-to- do
woh•lig *adj* pleasant; (*heimelig*) cosy
Wohl•klang *m* melodious sound
wohl•mei•nend *adj* well-meaning
wohl•rie•chend *adj* fragrant
wohl•schme•ckend *adj* palatable
Wohl•sein *n:* **zum ~!** your health!
Wohl•stand <-(e)s> *m* affluence, prosperity; **Wohl•stands•ge•sell•schaft** *f* affluent society
Wohl•tat *f:* **das ist e-e wahre ~!** that's a real comfort!; **jdm e-e ~ erweisen** do s.o. a good turn; **Wohl•tä•ter(in)** *m(f)* benefactor (benefactress); **wohl•tä•tig** *adj* charitable; **Wohl•tä•tig•keit** *f* charity; **Wohl•tä•tig•keits•ver•an•stal•tung** *f* charity performance
wohl•tu•end *adj s.* **wohl**; **wohl|tun** *s.* **wohl**
wohl•über•legt *adj s.* **überlegt**
wohl•ver•dient ['--'-] *adj* well-deserved
Wohl•ver•hal•ten *n* good conduct
wohl•ver•stan•den **I.** *adj* well-understood **II.** *adv* mark you, mind (you)
wohl•weis•lich *adv* very wisely
Wohl•wol•len <-s> *n* benevolence, goodwill; **selbst mit dem größten ~ ...** with the best will in the world ...; **wohl|wol•len** *irr itr:* **jdm ~** wish s.o. well; **wohl•wol•lend** *adj* benevolent; **jdm gegenüber ~ sein** be kindly disposed towards s.o.
Wohn•an•hän•ger *m* caravan *Br,* (house-)trailer *Am;* **Wohn•an•la•ge** *f* housing development, housing estate *Br;* **Wohn•be•völ•ke•rung** *f* residential population; **Wohn•block** <-s, -s> *m* block of flats; **Wohn•con•tai•ner** *m* portacabin; **Wohn•dich•te** *f* housing [*o* residential] density
woh•nen ['vo:nən] *itr* live, stay (*bei* with); **er wohnt bei s-n Eltern** he lives with his parents; **ein Haus, in dem man nicht ~ kann** a house not fit to live in; **im Hotel ~** stay at a hotel
Wohn•flä•che *f* living space; **Wohn•ge•biet** *n* residential district [*o* area]; **Wohn•geld** *n* public housing allowance; **Wohn•ge•mein•schaft** *f people sharing a flat, people sharing a house;* **Wohn•haus** *n* residential building *Br,* apartment house *Am;* **Wohn•heim** *n* **1.** (*allgemein*) residential home *Br,* rooming house *Am* **2.** (*Studenten~*) hostel; **Wohn•kom•fort** *m* home comfort; **Wohn•kü•che** *f* kitchen-cum-living room; **Wohn•la•ge** *f* residential area; **ein Haus in schöner ~** a nicely situated house
wohn•lich *adj* cosy; **es sich ~ machen** make o.s. comfortable
Wohn•mo•bil <-s, -e> *n* (MOT) dormobile®, mobile home
Wohn•ort *m* (place of) residence; **Wohn•qua•li•tät** *f* quality of housing; **Wohn•recht** *n* (JUR) right of residence; **Wohn-Schlafzimmer** *n* bed-sitting room; **Wohn•sied•lung** *f* housing estate; **Wohn•si•lo** *m* concrete block; **Wohn•sitz** *m* domicile; **ständiger ~** permanent residence; **ohne festen ~** of no fixed abode
Woh•nung *f* flat *Br,* apartment *Am;* **neue ~en bauen** build new homes; **freie ~ haben** have free lodging; **Woh•nungs•amt** *n* housing office; **Woh•nungs•an•ge•bot** *n* housing stock; **Woh•nungs•bau** <-(e)s> *m* house building; **Woh•nungs•bau•pro•gramm** *n* housing programme; **Woh•nungs•be•darf** *m* housing need; **Woh•nungs•be•set•zer(in)** *m(f)* squatter; **Woh•nungs•in•ha•ber(in)** *m(f)* householder, occupant; **Woh•nungs•man•gel** <-s> *m* housing shortage; **Woh•nungs•markt** <-(e)s> *m* housing market; **Woh•nungs•markt•an•zei•ge** *f* residential property advertisement; **Woh•nungs•nach•fra•ge** *f* housing demand; **Woh•nungs•nach•weis** *m* accomodation registry; **Woh•nungs•not** *f* (serious) housing shortage; **Woh•nungs•su•che** *f:* **auf ~ sein** be flat-hunting; **Woh•nungs•su•chen•de(r)** *f m* home-seeker; **Woh•nungs•wech•sel** *m* change of address
Wohn•vier•tel *n* residential quarter [*o* section]; **Wohn•wa•gen** *m* caravan *Br,* trailer *Am;* **Wohn•wert** <-(e)s> *m* residential

amenity; **Wohn•zim•mer** *n* living-room

wöl•ben ['vœlbən] *refl* (*allgemein*) curve; (*Straße: durch Winterschaden*) buckle

Wöl•bung *f* (*allgemein*) curvature; (ARCH: *bogenförmig*) arch; (ARCH: *kuppelförmig*) dome

Wolf [vɔlf, *pl:* 'vœlfə] <-(e)s, ⸗e> *m* **1.** (ZOO) wolf **2.** (MED) intertrigo **3.** (TECH: *Fleisch~*) mincer *Br,* grinder *Am;* (*für Schrott etc*) shredder; ~ **im Schafspelz** (*fig*) wolf in a sheep's clothing; **jdn durch den ~ drehen** (*fig*) put s.o. through his paces; **Wöl•fin** ['vœlfɪn] *f* she-wolf

Wolf•ram ['vɔlfram] <-s> *n* (CHEM) tungsten, wolfram

Wolfs•hun•ger ['-'--] *m* (*fig fam*) ravenous hunger; **e-n ~ haben** be ravenous

Wol•ke ['vɔlkə] <-, -n> *f* (*a. fig*) cloud; **aus allen ~n fallen** (*fig*) be flabbergasted; **Wol•ken•bruch** *m* cloudburst; **Wol•ken•de•cke** <-> *f* cloud cover [*o* pall]; **Wol•ken•krat•zer** *m* skyscraper; **wol•ken•los** *adj* cloudless

wol•kig *adj* cloudy

Woll•de•cke *f* (woollen) blanket

Wol•le ['vɔlə] <-, -n> *f* wool; **reine ~** pure wool; **sich mit jdm in der ~ haben** (*fam*) be at loggerheads with s.o.; **sich mit jdm in die ~ kriegen** (*fig fam*) start squabbling with s.o.; **wol•len** *adj* (*aus Wolle*) woollen

wol•len ['vɔlən] **I.** *irr itr* (*Willen haben*): **da ist nichts zu ~** there's nothing I can do about it; **er will es nicht gewesen sein** he maintains that it wasn't him; **na, dann ~ wir mal!** all right, let's get started!; **wenn du willst, kannst du gehen** you can go if you want; **ich will nicht** I don't want to; **will sie es wirklich?** does she really want to?; **tu, was du willst** do as you want; **willst du jetzt wohl ruhig sein!** will you be quiet!; **das will nichts heißen!** that doesn't mean anything!; **die Schnittwunde will nicht heilen** the cut won't heal; **du kannst sagen, was du willst ...** (*fam*) say what you will ...; **das ist, wenn du so willst, ...** it is, if you will, ...; **ich will unbedingt ins Kino!** I'm set on going to the cinema! **II.** *tr* (*bezwecken, wünschen*) want; **etw tun ~** want to do s.th.; **ich will zu Herrn Y.** I want to see Mr. Y; **ich will, dass du herkommst** I want you to come here; **ich will das sofort erledigt haben** I want it done now; **was will er von dir?** what does he want with you?; **sonst willst du nichts?** (*ironisch*) you don't want much; **er will nicht unterschreiben** he won't sign; **ich wollte nur helfen** I only meant to help; **willst du damit sagen, dass du nicht kommst?** do you mean to say you're not coming?; **er wollte niemand beleidigen** he meant no offence

wol•lig *adj* wooly; **Woll•ja•cke** *f* cardigan; **Woll•stoff** *m* woollen material

Wol•lust ['vɔlʊst] <-> *f* **1.** (*Sinnlichkeit*) voluptuousness **2.** (*Lüsternheit*) lust; **wol•lüs•tig** ['vɔlʏstɪç] *adj* **1.** (*sinnlich*) sensual, voluptuous **2.** (*lüstern*) lusty; **jdn ~ ansehen** give s.o. a lascivious look

Woll•wa•ren *pl* woollen goods; **Woll•wä•sche** *f* washing woollens

wo•mit [-'-] *pron* **1.** (*Frage*) with what? what ... with? **2.** (*relativ*) with which; (*bei Bezug auf ganzen Satz*) by which; **~ kann ich dienen?** what can I do for you?; **~ ich nicht sagen will, dass ...** which doesn't mean to say that ...

wo•mög•lich [-'--] *adv* possibly

wo•nach [-'-] *pron* **1.** (*Frage*) after what? what ... after? **2.** (*relativ: zufolge*) according to which; **~ ich mich sehne, ist ...** what I am longing for is ...; **das Land, ~ ich mich sehne** the country which I am longing for; **~ riecht das?** what does it smell of?

Won•ne ['vɔnə] <-, -n> *f* bliss; **aber mit ~!** with great pleasure!; **das ist e-e wahre ~** it's a sheer delight

wo•r•an [vo'ran] *pron* **1.** (*Frage*) by what? **2.** (*relativ, mit Bezug auf vorausgehenden Satz*) by which; **~ denken Sie?** what are you thinking of [*o* about]; **~ arbeiten Sie?** what are you working at?; **~ erinnert Sie das?** what does that remind you of?; **man weiß bei ihm nie, ~ man ist** with him you never know where you are at; **..., ~ man sieht ...** ... by which is shown ...

wo•r•auf [vo'raʊf] *pron* **1.** (*Frage*) (up)on what? **2.** (*relativ: zeitlich*) whereupon; **~ du dich verlassen kannst!** ... of which you can be sure!; **~ wartest du?** what are you waiting for?

wo•r•aus [vo'raʊs] *pron* **1.** (*Frage*) (out) of what? what ... of? **2.** (*relativ*) out of which, from which; **~ schließen Sie das?** from what do you deduce that?; **..., ~ ich schließe, dass ...** ... from which I conclude that ...

wo•r•in [vo'rɪn] *pron* **1.** (*Frage*) in what? what ... in? **2.** (*relativ*) in which, which ... in, wherein; **~ besteht der Unterschied?** what is the difference?

Wort [vɔrt, *pl:* 'vœrtə] <1. -(e)s, ⸗er, 2. -es, -e> *n* **1.** (*allgemein*) word **2.** (*Ausspruch*) saying; **~ für ~** word for word; **sowas kann man mit ~en nicht beschreiben** words cannot describe it; **mir fehlen die ~e** words fail me; **mit e-m ~** in a word; **mit anderen ~en** in other words; **ein paar ~e sprechen** say a few words; **jdn beim ~**

nehmen take s.o. at his word; **du hast mir das ~ aus dem Munde genommen** you took the words out of my mouth; **für jdn ein gutes ~ einlegen** put in a word for s.o.; **sein ~ halten** keep one's word; **ich gebe dir mein ~** I give you my word; **sein ~ brechen** break one's word; **ich habe sein ~** I have his word for it; **das ist ein ~!** wonderful!; **davon hat man mir kein ~ gesagt** they didn't tell me anything about it; **dein ~ in Gottes Ohr!** let us hope so!; **jdm ins ~ fallen** interrupt s.o.; **jdm das ~ abschneiden** cut s.o. short; **zu ~ kommen** get a chance to speak; **jdm das ~ erteilen** allow s.o. to speak; **in ~e fassen** put into words; **Wort•art** *f* (GRAM) part of speech; **wort•brü•chig** *adj* false; **~ werden** break one's word

Wör•ter•buch *n* dictionary; **Wör•ter•ver•zeich•nis** *n* glossary

Wort•füh•rer(in) *m(f)* spokesman (spokeswoman), spokesperson; **Wort•ge•fecht** *n* battle of words; **wort•ge•treu** *adj, adv* verbatim; **wort•karg** *adj* taciturn; **Wort•klau•be•rei** ['vɔrtklaʊbəˈraɪ] *f* cavilling, quibbling; **Wort•laut** <-(e)s> *m* wording; **im ~** verbatim; **nach dem ~ des Vertrages** by the terms of the contract

wört•lich ['vœrtlɪç] *adj* (*Bedeutung*) literal; (*Wiedergabe*) word-for-word; **~e Rede** direct speech; **etw ~ übersetzen** translate s.th. literally

wort•los I. *adj* silent II. *adv* without saying a word; **Wort•mel•dung** *f* request to speak; **~en liegen nicht vor** there is nobody who asked leave to speak; **wort•reich** *adj* (*Rede*) verbose, wordy; (*Protest*) voluble; **Wort•schatz** <-es, ⸚e> *m* vocabulary; **Wort•schwall** <-(e)s> *m* torrent of words; **Wort•spiel** *n* play upon words, pun; **Wort•stel•lung** *f* (GRAM) word order; **Wort•wech•sel** *m* verbal exchange; **e-n ~ haben** have a quarrel; **wort•wört•lich** ['-'--] I. *adj* word-for-word, verbatim II. *adv* word for word, verbatim

wo•r•über [vo'ry:bɐ] *adv* 1. (*Frage*) about what? what ... about? 2. (*örtlich*) over what? what ... over? 3. (*relativ*) about which, which ... about; (*örtlich*) over which, which ... over; (*bei Bezug auf vorausgehenden Satz*) which

wo•r•um [vo'rʊm] *adv* 1. (*Frage*) about what? what ... about? 2. (*relativ*) about which, which ... about; **~ handelt es sich?** what's it all about?

wo•r•un•ter [vo'rʊntɐ] *adv* 1. (*Frage*) under what? what ... under? 2. (*relativ*) under which, which ... under; **~ leidest du denn?** what are you suffering from?

wo•von [-'-] *adv* 1. (*Frage*) from what? what ... from? 2. (*relativ*) from which, which ... from; (*bei Bezug auf vorausgehenden Satz*) about which, which ... about; **~ sprechen Sie?** what are you talking about?; **~ hat er das abgeleitet?** what did he derive that from?; **~ auch immer Sie sprechen** whatever you're talking about

wo•vor [-'-] *adv* 1. (*Frage*) before what? what ... before? 2. (*relativ*) before which, which ... before; **~ fürchtest du dich?** what are you afraid of?; **etw, ~ ich euch schon immer gewarnt habe** s.th. I have always warned you about

wo•zu [-'-] *adv* 1. (*Frage*) to what? what ... to?; (*warum*) why? 2. (*relativ*) to which, which ... to; **~ soll das gut sein?** what is that supposed to be good for?; **~ denn?** why should I?

Wrack [vrak] <-(e)s, -s/(-e)> *n* (*a. fig*) wreck

wrin•gen ['vrɪŋən] *irr tr* wring

Wu•cher ['vu:xɐ] <-s> *m* profiteering; (*bei Geldverleih*) usury; **das ist doch der reinste ~!** that's daylight robbery!; **Wu•che•rer** *m*, **Wu•che•rin** *f* profiteer; (*Geldverleiher(in)*) usurer; **wu•che•risch** *adj* profiteering; (*Zinsen*) usurious; **Wu•cher•mie•te** *f* extortionate rent

wu•chern ['vu:xɐn] *itr* 1. *sein* (*empor~*) proliferate 2. (*von Haaren*) grow profusely; **wu•chernd** *adj* proliferous

Wu•cher•preis *m* exorbitant price

Wu•che•rung *f* 1. (MED) growth, tumour 2. (BOT) proliferation

Wu•cher•zins *m* usurious interest

Wuchs [vu:ks] <-es> *m* 1. (*Wachstum*) growth 2. (*Körper~*) stature

Wucht [vʊxt] <-> *f* 1. force; (*Stoßkraft*) momentum 2. (*fam: e-e ganze Menge*) load 3. (*fam: Prügel*) good hiding; **Cornelia ist e-e ~!** (*fig fam*) C. is smashing!; **wuch•ten** *tr itr* (*hochheben*) heave; **wuch•tig** *adj* 1. (*schwer, a. fig*) heavy 2. (*kräftig*) powerful

wüh•len ['vy:lən] I. *itr tr* 1. dig (*nach* for); (*von Nager*) burrow 2. (*stöbern*) root, rummage (*nach etw* for s.th.) 3. (*fig: Schmerzen etc*) gnaw (*in* at) 4. (*fig: zersetzend tätig sein*) stir things up; **in den Haaren ~** run one's fingers through one's hair II. *refl* (*durch Akten etc*) burrow one's way (through)

Wühl•korb *m* bargain basket; **Wühl•maus** *f* (ZOO) vole; **Wühl•tisch** *m* bargain counter

Wulst [vʊlst, *pl:* 'vʏlstə] <-(e)s, ⸚e> *m* bulge; (*Flaschen~, Glas~*) lip; (MOT: *Reifen~*) bead; (*Falte*) fold; **wuls•tig** *adj* bulged; (*Lippen*) thick

wund [vʊnt] *adj* sore; **~er Punkt** (*fig*) sore

point; **sich ~ reiben** make o.s. sore (by chafing); **sich die Füße ~ laufen** walk one's legs off; **sich ~ liegen**RR get bedsore

Wun•de ['vʊndə] <-, -n> *f* (*a. fig*) wound; **alte ~n wieder aufreißen** (*fig*) open up old sores

Wun•der ['vʊndɐ] <-s, -> *n* **1.** (*überraschendes Ereignis*) wonder **2.** (REL: *Übernatürliches*) miracle **3.** (*fig: Person*) marvel; **das ist kein ~** no wonder; **~ tun** work wonders; **er wird sein blaues ~ erleben** (*fam*) he won't know what's hit him; **es geschehen noch Zeichen u. ~** (*hum*) wonders will never cease; **sich ~ was einbilden**RR think one is too wonderful for words; **wun•der•bar** *adj* **1.** (*schön*) marvellous, wonderful; (*fam*) smashing **2.** (*übernatürlich*) miraculous; **wun•der•ba•rer•wei•se** ['----'--] *adv* miraculously; **Wun•der•kind** *n* child prodigy; **Wun•der•land** <-(e)s> *n* wonderland

wun•der•lich *adj* **1.** (*merkwürdig*) odd, strange **2.** (*wundersam*) wondrous

wun•dern I. *tr* surprise; **das wundert mich aber!** you amaze me!; **es würde mich nicht ~, wenn ...** I wouldn't be surprised if ...; **es wundert mich, dass du nicht daran gedacht hast** I'm surprised you didn't think of that **II.** *refl* be surprised [*o* astonished] (*über* at)

wun•der•schön ['--'-] *adj* lovely, wonderful; **wun•der•voll** *adj* marvellous, wonderful

wund|lie•gen *s.* **wund**; **Wund•sal•be** *f* ointment; **Wund•starr•krampf** *m* tetanus

Wunsch [vʊnʃ, *pl:* 'vʏnʃə] <-(e)s, ⁼e> *m* **1.** wish; (*sehnliches Verlangen*) desire **2.** (*Bitte*) request; **es ging alles nach ~** everything was going smoothly; **ich lese ihr jeden ~ von den Augen ab** I anticipate her every wish; **dein ~ sei mir Befehl** your wish is my command; **dein ~ soll in Erfüllung gehen** you shall have your wish; **haben Sie noch e-n ~?** is there anything else you'd like?; **da war der ~ der Vater des Gedankens** the wish was father to the thought; **Wunsch•den•ken** *n* wishful thinking

Wün•schel•ru•te ['vʏnʃəlru:tə] *f* dowsing rod; **Wün•schel•ru•ten•gän•ger(in)** *m(f)* dowser

wün•schen [vʏnʃən] *tr itr* wish (*sich etw* s.th., *jdm etw* s.o. s.th.); (*im stillen*) wish (*sich etw* for s.th.); (*bitten*) ask (*sich etw* for s.th.); (*begehren, verlangen*) want; **ich wünschte, du wärest still** I wish you'd be quiet; **jdm alles Gute ~** wish s.o. well; **jdm frohe Weihnachten ~** wish s.o. a happy Christmas; **es war genauso wie ich es mir gewünscht hatte** it was everything I had wished for; **sie hat alles, was man sich nur ~ kann** she has everything she could wish for; **das lässt zu ~ übrig** that leaves s.th. to be de sired; **wün•schens•wert** *adj* desirable

wunsch•ge•mäß *adv* as planned [*o* requested]; **Wunsch•kind** *n* wanted [*o* planned] child; **Wunsch•kon•zert** *n* request progamme; **Wunsch•traum** *m* dream; (*Illusion*) illusion; **Wunsch•zet•tel** *m* list of things desired

Wür•de ['vʏrdə] <-, -n> *f* **1.** dignity **2.** (*Ehre*) honour **3.** (*Titel*) title; **in Amt u. ~n** in an exalted position; **unter jds ~** beneath someone's dignity; **unter aller ~** (*fam*) beneath contempt; **wür•de•los** *adj* undignified; **Wür•den•trä•ger(in)** *m(f)* dignitary; **wür•de•voll** *adj* dignified

wür•dig *adj* **1.** (*wert*) worthy **2.** (*würdevoll*) dignified; **du bist ihrer nicht ~** you are unworthy of her

wür•di•gen ['vʏrdɪgən] *tr* **1.** (*einschätzen*) appreciate **2.** (*respektieren*) respect **3.** (*für würdig befinden*) deem (*jdn e-r Sache* s.o. worthy of s.th.); **etw zu ~ wissen** appreciate s.th.; **sie ~te ihn keines Blickes** she did not deign to look at him

Wür•di•gung *f* **1.** (*Anerkennung*) appreciation **2.** (*Ehrung*) honour

Wurf [vʊrf, *pl:* 'vʏrfə] <-(e)s, ⁼e> *m* **1.** throw; (SPORT: *beim Handball*) shot **2.** (*das Werfen*) throwing **3.** (ZOO: *Jungtiere*) litter; (*das Werfen*) birth; **mit dieser Platte ist ihm ein großer ~ gelungen!** (*fig*) this record is a great hit for him!; **e-n guten ~ tun** (*fig: Glück haben*) hit the jackpot; **zum ~ ausholen** get ready to throw

Wür•fel ['vʏrfəl] <-s, -> *m* **1.** (*Spiel~*) die, dice *pl* **2.** (MATH) cube; **die ~ sind gefallen** the die is cast *pl;* **~ spielen** play at dice; **Wür•fel•be•cher** *m* shaker; **wür•fel•för•mig** *adj* cube- shaped, cubic; **Wür•fel•spiel** *n* **1.** (*als Spielart*) dice **2.** (*e-e Partie ~*) game of dice; **Wür•fel•zu•cker** *m* cube sugar

Wurf•ge•schossRR *m* missile, projectile; **Wurf•pfeil** *m* dart; **Wurf•sen•dung** *f* circular; mailing piece; **Wurf•spieß** *m* javelin

wür•gen ['vʏrgən] **I.** *tr* **1.** (*Luft ab~*) strangle, throttle **2.** (*fig: schlucken*) choke **II.** *itr* **1.** (*mühsam schlucken*) choke **2.** (*hoch~*) retch; **mit Hängen und W~** (*fig*) by the skin of one's teeth

Wurm [vʊrm, 'vʏrmɐ] <-(e)s, ⁼er> *m* **1.** worm; (*Made, Larve*) maggot **2.** (*fam: kleines o armes Kind*) (little) mite; **da ist der ~ drin!** (*fig fam*) there's s.th. wrong somewhere!; **jdm die ⁼er aus der Nase**

ziehen (*fig fam*) drag it all out of s.o.
Würm•chen ['vʏrmçən] *n* **1.** (*kleiner Wurm*) small worm **2.** (*fam: Kind*) (poor) little mite
wur•men ['vʊrmən] *tr* (*fam*): **es wurmt mich** I'm rankling with it
wurm•för•mig *adj* vermiform, worm-shaped; **Wurm•fort•satz** *m* (ANAT) vermiform appendix; **wurm•sti•chig** *adj* (*Obst*) maggoty; (*Holz*) full of worm-holes
Wurst [vʊrst, 'vʏrstə] <-, ¨-e> *f* sausage; **das ist mir ~** (*fam*) it is all the same to me *Br*, I don't give a hang *Am*; **jetzt geht's um die ~!** (*fig fam*) here we go! now for it!
Würst•chen ['vʏrstçən] *n* **1.** (small) sausage **2.** (*fam: ein Niemand*) squirt; **heiße ~** hot sausages; **armes ~** poor devil; **Würst•chen•stand** *m* sausage stand *Br*, hot-dog stand *Am*
wurs•teln ['vʊrstəln] *itr* (*fam*) muddle along
Wurst•fa•brik *f* sausage factory
wurs•tig *adj* (*fam*) couldn't-care-less; **Wurs•tig•keit** *f* (*fam*) couldn't-care-less attitude
Wurst•kon•ser•ve *f* tinned sausages *sing*; **Wurst•ver•gif•tung** *f* sausage poisoning; **Wurst•wa•ren** *pl* sausages
Wür•ze ['vʏrtsə] <-, -n> *f* **1.** (*Gewürz*) seasoning, spice **2.** (*fig: Reiz*) spice; **in der Kürze liegt die ~** (*prov*) brevity is the soul of wit
Wur•zel ['vʊrtsəl] <-, -n> *f* (*von Pflanze und allgemein*) root; (LING) radical, stem; **~n schlagen** root; (*fig: sich einleben*) put down roots; (*fig: irgendwo hängenbleiben*) grow roots; **etw mit der ~ ausrotten** (*fig*) eradicate s.th.; **die ~ aus e-r Zahl ziehen** (MATH) find the root of a number; **Wur•zel•be•hand•lung** *f* (MED) root treatment
wur•zeln *itr* (*a. fig*) be rooted; (*verursacht worden sein*) have its roots (*in etw* in s.th.)
Wur•zel•zei•chen *n* (MATH) radical sign
wür•zen ['vʏrtsən] *tr* **1.** season **2.** (*fig*) add spice to
wür•zig *adj* **1.** (*Speisen*) tasty; (*scharf*) spicy **2.** (*aromatisch*) aromatic **3.** (*Luft*) fragrant
Würz•mit•tel *n* condiment; **Würz•stoff** *m* flavouring
Wust [vu:st] <-(e)s> *m* **1.** (*unordentlicher Haufen*) heap **2.** (*Menge*) pile **3.** (*Durcheinander*) jumble
wüst [vy:st] *adj* **1.** (*öde*) desert, waste; (*verlassen*) deserted, desolate **2.** (*unordentlich*) chaotic; (*wild*) wild **3.** (*liederlich, ausschweifend*) dissolute, wild **4.** (*rüde*) vile **5.** (*schlimm, schrecklich*) awful; **~ aussehen** look a real mess
Wüs•te ['vy:stə] <-, -n> *f* **1.** desert **2.** (*Öde, a. fig*) wilderness; **jdn in die ~ schicken** (*fig fam*) send s.o. packing; **Wüs•ten•sand** *m* desert sand
Wüst•ling ['vy:stlɪŋ] *m* lecher
Wut [vu:t] <-> *f* **1.** (*Zorn*) fury, rage **2.** (*Verbissenheit*) frenzy; **jdn in ~ bringen** infuriate s.o.; **er kochte vor ~** (*fig fam*) he was boiling with rage; **wenn ihn die ~ packt ...** when he gets in(to) a rage ...; **s-e ~ in sich hineinfressen** (*fig fam*) lump it; **er schäumte vor ~** he foamed with rage; **er ließ seine ~ an mir aus** he vented his rage on me; **in ~ geraten** fly into a rage; **der hat vielleicht 'ne ~ im Bauch!** (*fam*) he's hopping mad!; **Wut•an•fall** *m* fit of rage; **Wut•aus•bruch** *m* outburst of rage
wü•ten ['vy:tən] *itr* **1.** (*toben*) rage **2.** (*Zerstörungen anrichten*) cause havoc **3.** (*mit Worten*) storm (*gegen* at); **wü•tend** *adj* **1.** (*erzürnt*) enraged, furious; (*Menschenmenge*) angry, rioting **2.** (*Sturm*) raging **3.** (*heftig*) fierce; **auf jdn ~ sein** be mad at s.o.; **über etw ~ sein** be furious about s.th.; **~ sein** be in a rage; **jdn ~ machen** put s.o. into a rage
wut•ent•brannt ['--'-] *adj* enraged, furious; **wut•schnau•bend** *adj* snorting with rage; **Wut•schrei** *m* yell of rage; **wut•ver•zerrt** ['--'-] *adj* distorted with rage

X

X, x [ɪks] <-, -> *n* X, x

X *n:* **jdm ein ~ für ein U vormachen** (*fam*) put one over on s.o.

x *adj* (*fam*): **sie lebt hier schon seit ~ Jahren** she has lived here since the year dot

x-Ach•se *f* (MATH) x-axis

X-Bei•ne *pl* knock-knees; **~ haben** be knock-kneed; **x-bei•nig** *adj* knock-kneed

x-be•lie•big ['--'--] *adj* (*fam*) any old …; **das würde ich nicht für jeden ~en tun** I wouldn't do that for just anyone

x-fach *adj* (*fam*): **trotz ~er Ermahnungen** in spite of umpteen warnings

x-mal *adv* (*fam*): **ich hab' dir ~ gesagt …** I've told you umpteen times …

x-te *adj* (*fam*): **zum ~n Mal** for the umpteenth time

Xan•thip•pe [ksan'tɪpə] <-, -n> *f* (*fig*) shrew

Xe•non ['kseːnɔn] <-s> *n* (CHEM) xenon

xe•no•phob [kseno'foːp] *adj* xenophobic; **Xe•no•pho•bie** <-> *f* xenophobia

Xe•ro•gramm [kseːro'gram] *n* (TYP) xerographic copy; **Xe•ro•gra•phie** *f*, **Xe•ro•gra•fie**[RR] *f* (TYP) xerography; **Xe•ro•ko•pie** *f* xerographic print; (*fam*) Xerox

Xy•lo•phon [ksylo'foːn] <-s, -e> *n*, **Xy•lo•fon**[RR] *n* xylophone

Y

Y, **y** ['ypsilɔn] <-, -> *n* Y, y
y-Ach•se <-, -n> *f* (MATH) y-axis
Yacht *f* yacht; *s.* **Jacht**
Yak [jak] <-s, -s> *m* (ZOO) yak
Yo•ga ['jo:ga] <-s> *m o n* yoga; **Yo•ga-sitz** *m* lotus position
Yo•ghurt ['jo:gʊrt] <-s, -s> *m o n* yoghurt, yogurt
Yo•gi ['jo:gi] <-(s), -s> *m* yogi
Yp•si•lon *n* **1.** (*Buchstabe*) y **2.** (*griechischer Buchstabe*) upsilon
Ysop ['i:zɔp] <-s, -e> *m* (BOT) hyssop
Ytong® ['y:tɔŋ] <-s, -s> *m* breezeblock
Yuc•ca ['jʊka] <-, -s> *f* yucca
Yup•pie ['jʊpɪ] <-s, -s> *m* (*fam*) yuppie

Z

Z, z [tsɛt] <-, -> *n* Z, z
z.A. *Abk. von* **zur Anstellung** on probation
Zack [tsak] *m* (*fam*): **auf ~ sein** be on the ball; **jdn auf ~ bringen** knock s.o. into shape; **jdn auf ~ halten** keep s.o. on his toes; **zack** *interj*: **~, ~!** chop, chop!; **Za·cke(n)** <-s, -> *f* (*m*) point; (*Auszackung*) indentation; (*von Gabel*) prong; (*von Kamm*) tooth; **ihm würde kein ~ aus der Krone fallen, wenn er sich einmal bedanken würde** it wouldn't hurt him to say thankyou for once; **za·ckig** *adj* **1.** (*gezackt*) jagged; (*Blätter*) serrated **2.** (*fam: Mensch*) smart **3.** (*fam: Rhythmus*) brisk
za·gen ['tsa:gən] *itr* be apprehensive, hesitate; **zag·haft** *adj* timid; **Zag·haf·tig·keit** *f* timidity
zäh [tsɛ:] *adj* **1.** (*~flüssig*) glutinous **2.** (*hart, widerstandsfähig*) tough; **~ wie Leder** (*fam*) as tough as leather; **~ werden** toughen up; **sie hielt ~ an ihren Prinzipien fest** she held tenaciously to her principles; **sein ~er Lebenswille** his tenacity of life; **~er Verkehr** slow- moving traffic; **zäh·flüs·sig** *adj* **1.** thick, viscous **2.** (*Verhandlung etc*) slow-moving; **Zäh·flüs·sig·keit** *f* thickness, viscosity; **Zä·hig·keit** *f* (*Strapazierfähigkeit*) toughness; (*Hartnäckigkeit*) tenacity
Zahl [tsa:l] <-, -en> *f* (MATH GRAM) number; (*Ziffer*) figure, numeral; (*Zahlzeichen*) cipher; **e-e große ~ von Leuten** large numbers of people; **dreistellige ~** three-figure number; **der ~ nach** in number; **an ~ übertreffen** outnumber; **haben Sie die ~en vom Vorjahr gesehen?** (COM) have you seen last year's figures?
zahl·bar *adj* payable (*an* to); **~ bei Erhalt** payable on receipt; **~ bei Lieferung** cash on delivery
zah·len ['tsa:lən] *tr itr* pay; **auf Rechnung ~** pay on account; **ich zahle!** I'm paying; **dieses Mal zahle ich!** this is on me; **Herr Ober, bitte ~!** waiter, the bill please! *Br*, waiter, the check please! *Am*; **Kinder ~ die Hälfte** children half-price; **sie zahlten ihm die Reise nach England** they paid for him to go to England; **e-e Rate für etw ~** make a payment on s.th.
zäh·len ['tsɛ:lən] *tr itr* (*gehören zu*) count; **bis zehn ~** count to ten; **jdn zu s-n Freunden ~** count s.o. among one's friends; **die Kinder ~ nicht** the children don't count; **du kannst auf s-e Hilfe ~** you can count on him to help; **Picasso zählt zu den bekanntesten Malern unserer Zeit** Picasso ranks as one of the best-known painters of our time; **man kann ihn nicht zu den Punks ~** one cannot number [*o* count] him among the punks
Zah·len·fol·ge *f* order of numbers; **Zah·len·kom·bi·na·ti·on** *f* combination of numbers; **zah·len·mä·ßig** *adv* in numerical terms, numerically; **Zah·len·ma·te·rial** *n* figures *pl*; **Zah·len·rei·he** *f* sequence of numbers; **Zah·len·schloss**RR *n* combination lock; **Zah·len·ver·hält·nis** *n* ratio
Zah·ler *m* payer; **pünktlicher ~** prompt payer; **säumiger ~** slow payer
Zäh·ler *m* **1.** (MATH) numerator **2.** (*Ablesegerät*) meter; **Zäh·ler·stand** *m* meter reading
Zahl·kar·te *f* giro transfer form
zahl·los *adj* countless, innumerable
Zahl·meis·ter *m* (MIL) paymaster; (MAR) purser
zahl·reich *adj* numerous
Zahl·tag *m* pay day
Zah·lung *f* payment; **in ~ geben** trade in; **in ~ nehmen** take as a trade-in; **e-e ~ leisten** make a payment; **etw zur ~ vorlegen** present s.th. for payment; **die ~en einstellen** stop payments
Zäh·lung *f* count; (TECH) metering; (*Volks~*) census
Zah·lungs·ab·kom·men *n* payments agreement; **Zah·lungs·an·wei·sung** *f* (*durch Bank*) giro transfer order; (*durch Post*) post-office order, P.O.O.; **Zah·lungs·art** *f* method of payment; **Zah·lungs·auf·for·de·rung** *f* request [*o* demand] for payment; **Zah·lungs·auf·schub** *m* extension of credit; (JUR) moratorium; **Zah·lungs·auf·trag** *m* payment order; **Zah·lungs·be·din·gun·gen** *pl* terms *pl*, of payment; **Zah·lungs·be·fehl** *m* order to pay; **Zah·lungs·emp·fän·ger** *m* payee; **zah·lungs·fä·hig** *adj* solvent; **Zah·lungs·fä·hig·keit** *f* ability to pay; **Zah·lungs·frist** *f* time allowed for payment; **zah·lungs·kräf·tig** *adj* wealthy; **Zah·lungs·mit·tel** *n* (*gesetzliches ~*) (legal) tender *Br*, lawful

money *Am;* (*Währung*) currency; **zah·lungs·pflich·tig** *adj* obliged [*o* liable] to pay; **Zah·lungs·schwie·rig·kei·ten** *pl* financial difficulties; **Zah·lungs·un·fä·hig·keit** *f* inability to pay; **zah·lungs·un·wil·lig** *adj* unwilling to pay; **Zah·lungs·ver·kehr** *m* monetary [*o* payment] transactions; **bargeldloser** ~ cashless transfer system; **Zah·lungs·ver·pflich·tun·gen** *pl* liabilities to pay; **Zah·lungs·ver·zug** *m* arrears *pl,* default; **Zah·lungs·wei·se** *f* method of payment; **Zah·lungs·ziel** *n* period allowed for payment

Zähl·werk *n* counter

Zahl·wort <-(e)s, ⸚er> *n* numeral; **Zahl·zei·chen** *n* numerical symbol

zahm [tsa:m] *adj* (*a. fig*) tame

zäh·men ['tsɛ:mən] *tr* **1.** tame **2.** (*Leidenschaft etc*) control; **Zahm·heit** *f* tameness; **Zäh·mung** *f* taming

Zahn [tsa:n, *pl:* 'tsɛ:nə] <-(e)s, ⸚e> *m* **1.** (ANAT) tooth *pl,* teeth **2.** (TECH: *von Zahnrad*) cog **3.** (*von Briefmarke*) perforation; **ein steiler** ~ (*sl*) a smasher; **falsche** ⸚**e** false teeth; **jdm auf den** ~ **fühlen** (*aushorchen*) sound s.o. out; (*scharf befragen*) grill s.o.; **Haare auf den** ⸚**en haben** (*fig*) be a Tartar; **sich e-n** ~ **ziehen lassen** have a tooth out; **bis an die** ⸚**e bewaffnet sein** be armed to the teeth; **die** ⸚**e zeigen** (*a. fig*) show one's teeth; **sich die** ⸚**e putzen** brush one's teeth; **der** ~ **der Zeit** the ravages *pl,* of time; **e-n** ~ **zulegen** (*sl*) get a move on

Zahn·arzt, **-ärz·tin** *m, f* dentist; **Zahn·arzt·be·such** *m* visit to the dentist; **Zahn·arzt·hel·fer(in)** *m(f)* dentist's assistant; **Zahn·be·hand·lung** *f* dental treatment; **Zahn·bein** *n* dentine; **Zahn·be·lag** <-(e)s> *m* film [*o* crusts] on the teeth; **Zahn·brü·cke** *f* (dental) bridge; **Zahn·bürs·te** *f* tooth brush

Zäh·ne·flet·schen *n* snarling; **Zäh·ne·klap·pern** *n* chattering of teeth

zah·nen ['tsa:nən] *itr* cut one's teeth, teethe

Zahn·er·satz *m* dentures *pl;* **Zahn·fäu·le** <-> *f* caries; **Zahn·fleisch** *n* gum; **auf dem** ~ **gehen** (*fam*) be all- in; **Zahn·fleisch·blu·ten** *n* bleeding of the gums; **Zahn·fül·lung** *f* filling; **Zahn·kli·nik** *f* dental clinic; **Zahn·kro·ne** *f* (dental) crown; **zahn·los** *adj* toothless; **Zahn·lü·cke** *f* gap between one's teeth; **Zahn·me·di·zin** *f* dental medicine; **Zahn·nerv** *m* dental nerve; **Zahn·pas·ta** ['tsa:npasta] <-, (-s)> *f* tooth paste; **Zahn·pfle·ge** *f* dental hygiene; **Zahn·pro·the·se** *f* dental prothesis, denture; **Zahn·putz·glas** *n* toothbrush glass; **Zahn·rad** *n* (TECH) cogwheel, gear; **Zahn·rad·bahn** *f* rack-railway *Br,* rack-railroad *Am;* **Zahn·schmelz** *m* (tooth) enamel; **Zahn·schmer·zen** *pl:* **ich hab'** ~ I have a toothache *sing;* **Zahn·sei·de** *f* dental floss; **Zahn·span·ge** *f* brace; **Zahn·spü·lung** *f* (*Zahnspüllotion*) mouthwash; **Zahn·stan·ge** *f* (TECH) gear rack; **Zahn·stein** <-(e)s> *m* tartar; **Zahn·sto·cher** *m* tooth pick; **Zahn·tech·ni·ker(in)** *m(f)* dental technician; **Zahn·wur·zel** *f* root of a [*o* the] tooth

Zam·pa·no [tsam'pa:no] <-s, -s> *m* (*fam*): **der große** ~ the big cheese

Zan·ge ['tsaŋə] <-, -n> *f* **1.** (TECH: *Kneif~, Flach~*) pliers *pl;* (*Beiß~, a. von Tier*) pincers *pl;* (*Feuer~*) tongs *pl;* (*medizinische ~*) forceps *pl* **2.** (SPORT: ~ *beim Ringkampf*) double lock; **e-e** ~ a pair of pincers; **jdn in die** ~ **nehmen** (*fam: fertig machen*) give s.o. a pasting; (*in die Enge treiben*) put the screws on s.o.; (SPORT: *beim Ringkampf*) put a double lock on s.o.; **jetzt habe ich dich in der** ~! (*fig*) I've got you now!; **zan·gen·för·mig** *adj* pincer-shaped; **Zan·gen·ge·burt** *f* forceps delivery

Zank [tsaŋk] <-(e)s> *m* quarrel, row; **Zank·ap·fel** *m* (*fig*) bone of contention

zan·ken I. *itr* (*schimpfen*) scold (*mit jdm* s.o.) **II.** *refl* quarrel, row, squabble; **sich** ~ **mit ...** have a row with ...; **sie haben sich gezankt** they've had a quarrel

Zän·ke·rei [tsɛŋkə'raɪ] *f* quarrelling, squabbling

zän·kisch ['tsɛŋkɪʃ] *adj* (*streitlustig*) quarrelsome; **e-e** ~**e Frau** a shrewish woman

Zank·sucht <-> *f* quarrelsomeness

Zäpf·chen ['tsɛpfçən] *n* **1.** (MED: *Einführ~*) suppository **2.** (ANAT: *Gaumen~*) uvula **3.** (TECH) small plug

Zap·fen ['tsapfən] <-s, -> *m* **1.** (*Nadelbaum~*) cone **2.** (TECH: *Lager~*) journal **3.** (TECH: *Möbelholz~*) tenon **4.** (TECH: *in Dreh~lager*) pin **5.** (*Eis~*) icicle

zap·fen *tr* tap

Zap·fen·streich *m* (MIL) tattoo *Br,* taps *Am*

Zapf·ge·schwin·dig·keit *f* delivery rate; **Zapf·hahn** *m* tap; **Zapf·pis·to·le** *f* nozzle; **Zapf·säu·le** *f* petrol pump *Br,* gas pump *Am;* **Zapf·ven·til** *n* delivery nozzle

zap·pe·lig *adj* fidgety, wriggly; **jdn** ~ **machen** give s.o. the fidgets *pl;* ~ **werden** get the fidgets *pl*

zap·peln ['tsapəln] *itr* (*herum~*) fidget; (*sich winden*) wriggle; **zappel nicht so rum!** don't fidget!; **jdn** ~ **lassen** (*fig*) keep s.o. in suspense

Zap·pel·phi·lipp *m* (*fam*) fidget; **was bist du für ein** ~! have you got the fidgets?

zap·pen·dus·ter ['tsapən'du:stɐ] *adj*

(*fam*): **nun ist es aber ~!** now we're really in the soup!

Zar [tsaːɐ] <-s/-en, -en> *m* (HIST) czar; **Za·rin** *f* (HIST) czarina

zart [tsaːɐt] *adj* **1.** (*schwächlich, a. lieblich*) tender; (*Gesundheit*) delicate; (*zerbrechlich*) fragile, frail **2.** (*feinfühlig*) sensitive **3.** (*Farbe*) pale; ~ **besaitet sein**[RR] (*fig*) be highly sensitive; **~e Haut** (**~es Fleisch**) soft skin (soft meat); ~ **fühlend**[RR] sensitive; **zart·be·sai·tet** *adj s.* zart; **zart·füh·lend** *adj s.* zart; **Zart·ge·fühl** *n* delicacy of feeling, sensitivity; **zart·grün** ['-'-] *adj* pale green

zärt·lich ['tsɛːɐtlɪç] *adj* loving, tender; (*streichelnd*) caressing; **Zärt·lich·keit** *f* **1.** (*Zärtlichsein*) tenderness **2.** (*Liebkosung*) caress

Zau·ber ['tsaʊbɐ] <-s, -> *m* **1.** (*Magie*) magic **2.** (*Reiz*) charm **3.** (*~spruch*) (magic) spell; **fauler** ~ (*fam*) humbug *Br,* punk *Am;* **was soll der ganze ~?** (*fam*) why all the fuss?; **Zau·be·rei** *f* **1.** (*Magie*) magic, sorcery, witchcraft **2.** (*Zauberkunststück*) conjuring trick; **ein Buch über** ~ a book on witchcraft; **wie durch** ~ as if by magic

Zau·be·rer *m,* **Zau·be·rin** *f* **1.** (*Magier(in)*) magician; (*Hexe(r)*) sorcerer, wizard **2.** (*Taschenspieler(in)*) conjurer; **ein ~ mit dem Ball** (SPORT) a wizard with the ball

Zau·ber·for·mel *f* magic formula; **zau·ber·haft** *adj* enchanting; **Zau·ber·kunst** *f* **1.** (*Magie*) magic **2.** (*Taschenspielerei*) conjuring; **Zau·ber·künst·ler(in)** *m(f)* conjurer; **Zau·ber·kunst·stück** *n* conjuring trick; **er unterhielt sie mit ein paar ~en** he entertained them with a display of magic; **Zau·ber·land·schaft** *f* fairytale scene

zau·bern ['tsaʊbɐn] **I.** *itr* **1.** (*Magie ausüben*) do magic **2.** (*Zauberkunststücke zeigen*) do conjuring tricks; **ich kann doch nicht ~!** (*fam*) I'm not a magician! **II.** *tr* produce as if by magic; **er zauberte die Taube in s-n Hut** he made the dove disappear in his hat by magic

Zau·ber·spruch *m* (magic) spell; **Zau ber·stab** *m* (magic) wand; **Zau·ber·trank** *m* magic potion; **Zau·ber·wort** *n* magic word

Zau·de·rer *m* vacillator

zau·dern ['tsaʊdɐn] *itr* (*schwanken*) vacillate; (*zögern*) hesitate; **ohne auch nur e-n Augenblick zu** ~ without the slightest hesitation

Zaum [tsaʊm, *pl:* 'tsɔɪmə] <-(e)s, ⸚e> *m* bridle; **im ~(e) halten** (*fig*) bridle, keep a tight rein on ...

zäu·men ['tsɔɪmən] *tr* bridle

Zaun [tsaʊn, *pl:* 'tsɔɪnə] <-(e)s, ⸚e> *m* fence; **e-n Streit vom ~e brechen** pick a quarrel; **Zaun·gast** *m* (*fam*) deadhead *Br,* fence-rider *Am;* **Zaun·kö·nig** *m* (ZOO) wren; **Zaun·lat·te** *f* pale, stake; **Zaun·pfahl** *m* (fencing) post; **ein Wink mit dem** ~ a broad hint

zau·sen ['tsaʊzən] *tr* ruffle

z. B. *Abk. von* **zum Beispiel** e.g

Ze·bra ['tseːbra] <-s, -s> *n* (ZOO) zebra; **Ze·bra·strei·fen** *m* zebra crossing *Br,* crosswalk *Am*

Ze·che ['tsɛçə] <-, -n> *f* **1.** (*Wirtshausrechnung*) bill *Br,* check *Am* **2.** (*Bergwerk*) (coal-)mine **3.** (*Bergwerksgesellschaft*) mining company; **die ~ bezahlen** (*a. fig*) foot the bill; **ze·chen** *itr* (*ein Zechgelage machen*) carouse; (*fam: sich betrinken*) booze; **Ze·cher(in)** *m(f)* (*bei Trinkgelage*) carouser, reveller; (*fam: Säufer(in)*) boozer; **Zech·ge·la·ge** *n* carouse; **Zech·kum·pan** *m* (*fam*) drinking-mate

Ze·cke ['tsɛkə] <-, -n> *f* (ZOO) tick; **Ze·cken·biss**[RR] *m* tick bite

Ze·cken·imp·fung *f* tick vaccination

Ze·der ['tseːdɐ] <-, -n> *f* (BOT) cedar; **Ze·dern·holz** *n* cedar wood

Ze·he ['tseːə] <-, -n> *f* **1.** (ANAT) toe **2.** (*Knoblauch~*) clove; **große** ~ big toe; **jdm auf die ~n treten** (*fam*) tread on someone's toes; **Ze·hen·na·gel** *m* toe nail; **Ze·hen·spit·ze** *f* tip of the toe; **auf (den) ~n gehen** (walk on) tiptoe

zehn [tseːn] *adj* ten; **etwa** ~ about ten; **ich wette ~ zu eins, dass sie nicht kommt** ten to one she won't come; **neun von ~ Leuten würden mir zustimmen** nine out of ten people would agree with me

Zeh·ner <-s, -> *m* **1.** (MATH) ten **2.** (*fam: Geldschein*) tenner; **Zeh·ner·kar·te** *f* (*für Schwimmbad etc*) 10-visit-ticket; **zeh·ner·lei** *adj* of ten different sorts; **Zeh·ner·pa·ckung** *f* packet of ten

Zehn·fin·ger·sys·tem [-'----] *n* touch- typing method; **zehn·jäh·rig** *adj* ten- year-old; **Zehn·kampf** *m* (SPORT) decathlon; **zehn·mal** *adv* ten times; **Zehn·mark·schein** ['-'--] *m* ten-mark note

zehn·tau·send *adj* ten thousand; **die oberen ~**[RR] the upper ten *Br,* the four hundred *Am;* **Z~e von Menschen** tens of thousands of people

zehn·te *adj* tenth; **Zehn·tel** <-s, -> *n* tenth; **zehn·tens** *adv* in the tenth place, tenthly

zeh·ren ['tseːrən] *itr* **1.** (*leben*) live (*von etw* on s.th.) **2.** (*fig*) feed (*von etw* on s.th.) **3.** (*entkräften*) wear (*an jdm* s.o.), out **4.** (*nagen: Kummer, etc*) gnaw (*an jdm* at s.o.); (*an Gesundheit*) undermine (*an etw* s.th.)

Zei•chen ['tsaɪçən] <-s, -> *n* **1.** sign; (*Hinweis, Signal*) signal **2.** (*Merkmal*) token; (*An~*) indication; (*Erkennungs~*) identification **3.** (*Schrift~*) character; (*Karten~, Symbol*) symbol; (*Satz~*) punctuation mark; **ein ~ geben** give a sign [*o* signal]; **er nickte zum ~, dass er mich erkannt hatte** he nodded as a sign of recognition; **jdm ein ~ machen** make a sign to s.o.; **er gab mir durch ein ~ zu verstehen, ich solle bleiben** he made me a sign to stay; **jdm ein ~ geben(,) etw zu tun** sign to s.o. to do s.th.; **als ~ der Verehrung** as a token of respect; **zum ~, dass ...** to show that ...; **seines ~s Tischler** (*obs*) a joiner by trade

Zei•chen•block <-(e)s, -s/=e> *m* drawing-pad; **Zei•chen•brett** *n* drawing-board; **Zei•chen•drei•eck** *n* set-square; **Zei•chen•er•klä•rung** *f* (*auf Landkarte*) legend; (*auf Fahrplänen etc*) key to the symbols; **Zei•chen•kunst** *f* (art of) drawing; **Zei•chen•leh•rer(in)** *m(f)* art teacher; **Zei•chen•pa•pier** *n* drawing paper; **Zei•chen•saal** *m* art-room; **Zei•chen•set•zung** *f* punctuation; **Zei•chen•spra•che** *f* sign language; **Zei•chen•stift** *m* drawing pencil; **Zei•chen•stun•de** *f* art lesson; **Zei•chen•tisch** *m* drawing table; **Zei•chen•trick•film** *m* animated cartoon; **Zei•chen•un•ter•richt** *m* **1.** (*Unterrichtsstunde*) drawing lesson **2.** (*Schulfach*) art

zeich•nen ['tsaɪçnən] **I.** *itr* draw; **gezeichnet: xy** signed, xy **II.** *tr* **1.** (*ab~*) draw **2.** (FIN: *Anleihe etc*) subscribe to; **e-e Kurve ~** map a graph, plot a curve

Zeich•ner(in) *m(f)* **1.** draughtsman *Br*, draftsman (-woman) *Am;* (*technische(r) ~*) engineering draughtsman (-woman) **2.** (*Künstler*) artist

Zeich•nung *f* **1.** (*Darstellung, Entwurf*) drawing; (*Skizze*) sketch **2.** (*Schilderung*) depiction **3.** (FIN: *e-r Anleihe*) subscription **4.** (*Struktur von Fell etc*) markings *pl;* **zur ~ auflegen** (FIN) invite subscriptions for ...; **das Gefieder hat e-e hübsche ~** the plumage has attractive markings; **zeich•nungs•be•rech•tigt** *adj* authorized to sign

Zei•ge•fin•ger *m* forefinger, index finger

zei•gen ['tsaɪgən] **I.** *tr* show; **ohne irgendwelche Gefühle zu ~** without any show of emotion *sing;* **jdm etw ~** show s.th. to s.o.; **zeig mir, wie man das macht!** show me how to do it!; **dir werd' ich's ~!** (*fam*) I'll show you!; **dem hab' ich's aber gezeigt!** (*fam*) that showed him!; **ihnen wurde die Fabrik gezeigt** they were shown around the factory **II.** *itr* (*anzeigen, deuten*) point (*auf* at); **der Zeiger zeigt auf Rot, wenn ...** the dial will show red if ...; **zeig nicht mit dem Finger!** don't point!; **er zeigte mit dem Stock auf das Haus** he pointed his stick in the direction of the house; **in welche Richtung zeigt es?** in which direction is it pointing?; **kannst du mir ~, wer er ist?** could you point him out to me? **III.** *refl* **1.** (*offensichtlich werden, a. sichtbar sein*) appear **2.** (*sich herausstellen*) prove, turn out; **wie sich gleich ~ wird** as will presently appear; **da zeigt sich mal wieder, dass ...** it all goes to prove that ...; **es zeigte sich, dass er selbst der Mörder war** he turned out to be the murderer himself; **sich dankbar ~** show one's gratitude

Zei•ger *m* (*Instrumenten~*) indicator, pointer; (*Uhren~*) hand

Zei•ge•stock *m* pointer

Zei•le ['tsaɪlə] <-, -n> *f* **1.** (*Text~*) line **2.** (TV) scanning line **3.** (*Reihe, Häuser~*) row; **Zei•len•ab•stand** *m* line spacing; **Zei•len•län•ge** *f* length

Zei•sig ['tsaɪzɪç] <-s, -e> *m* (ORN) siskin

Zeit ['tsaɪt] <-, -en> *f* **1.** time **2.** (*Ära, Epoche*) age **3.** (GRAM) tense; **es ist ~, dass wir gehen** it's time we went; **seit einiger ~** for some time past; **das wird aber auch ~!** about time too!; **von ~ zu ~** from time to time; **morgen um diese ~** this time tomorrow; **von der ~ an** from that time on; **wie die ~ vergeht!** how time flies!; **es ist an der ~** the time has come; **das braucht s-e ~** it takes time to do that; **sich bei etw ~ lassen** take one's time over s.th.; **keine ~ für jdn haben** have no time for s.o.; **sich ~ für etw nehmen** make time for s.th.; **Ich fahre längere ~ weg** I'm going away for a long time; **die ganze ~** all the time; **zur ~** at present; **welche ~ hatte er?** (SPORT) what was his time?; **es wird langsam ~, dass sie kommt** it's about time she was here; **alles zu s-r Zeit!** there's a time and a place for everything!; **dies ist wohl kaum die rechte ~(,) um ...** this is hardly the time to ...; **jetzt ist die richtige ~ es zu tun** now's the time to do it; **es ist an der ~(,) etw zu tun** the time has come to do s.th.; **jds ~ auf 100 m stoppen** (SPORT) time s.o. over 100 metres; **das war genau zur rechten ~** that was very timely; **das waren noch ~en!** those were the days!; **die ~ drängt** time is pressing; **das hat ~** there's no hurry about it; **damit hat es ~ bis morgen** that can wait until tomorrow; **wir sind die längste ~ Freunde gewesen** this is the end of our friendship; **e-e ~ lang**[RR] (for) a while

zeit *präp:* **~ meines Lebens** in my lifetime

Zeit•ab•schnitt *m* period (of time); **Zeit•ab•stand** *m* time interval; **Zeit•al•ter** <-s, -> *n* age; **Zeit•an•ga•be** *f* **1.** (*Datum*) date **2.** (*Uhrzeit*) time (of day); **Zeit•an•sa•ge** *f* **1.** (RADIO) time check **2.** (TELE) speaking clock; **Zeit•ar•beit** *f* temporary work; **Zeit•bom•be** *f* time bomb; **Zeit•dau•er** *f* duration; **Zeit•druck** <-(e)s> *m* pressure of time; **unter ~** under pressure; **Zeit•ein•heit** *f* unit of time; **Zeit•ein•tei•lung** *f* timing; **Zeit•er•spar•nis** *f* saving of time; **Zeit•fah•ren** *n* (SPORT) time trial

zeit•ge•bun•den *adj* **1.** (*abhängig von der Zeit*) dependent on a particular time **2.** (*vorübergehend*) temporary

Zeit•geist <-es> *m* spirit of the times; **zeit•ge•mäß** *adj* up-to date; **~ sein** be keeping with the times; **Zeit•ge•nos•se** *m*, **Zeit•ge•nos•sin** *f* contemporary; **seltsamer ~** (*iro*) oddball; **zeit•ge•nös•sisch** *adj* contemporary; **Zeit•ge•schich•te** *f* contemporary history; **Zeit•ge•schmack** *m* prevailing taste; **Zeit•ge•winn** *m* gain in time; **Zeit•his•to•ri•ker(in)** *m(f)* contemporary historian

zei•tig *adj, adv* early

zei•ti•gen ['tsaɪtɪgən] *tr* (*hervorbringen*) bring about

Zeit•kar•te *f* season ticket *Br*, commutation ticket *Am*; **Zeit•lang** *f s.* **Zeit**

zeit•le•bens [tsaɪt'le:bəns] *adv* all one's life

zeit•lich I. *adj* **1.** (*auf die Zeit bezogen*) temporal **2.** (*chronologisch*) chronological **II.** *adv* **1.** timewise **2.** (*chronologisch*) chronologically; **passt dir das ~?** is the time convenient for you?; **~ zusammenfallen** coincide; **das Z~e segnen** (*fam: Mensch*) depart this life; **Dinge ~ aufeinander abstimmen** synchronize things

zeit•los *adj* timeless

Zeit•lu•pe *f*: **etw in ~ zeigen** show s.th. in slow motion; **Zeit•lu•pen•tem•po** *n* slow motion; **im ~** (*fig*) at a snail's pace; **Zeit•man•gel** <-s> *m* lack of time; **Zeit•ma•schi•ne** *f* time machine; **Zeit•neh•mer(in)** *m(f)* (SPORT) timekeeper; **Zeit•plan** *m* schedule; **Zeit•punkt** *m* **1.** (*Termin*) time **2.** (*Augenblick*) moment; **Zeit•raf•fer** *m* (PHOT FILM) time-lapse photography; **zeit•rau•bend** *adj* time-consuming; **Zeit•raum** *m* period of time; **Zeit•rech•nung** *f* calendar; **die christliche ~** the Christian calendar; **nach (vor) unserer ~** A.D. (B.C.); **Zeit•rei•se** *f* time travel; **Zeit•rei•sen•de(r)** *f m* time traveller; **Zeit•schalt•uhr** *f* time switch; **Zeit•schrift** *f* magazine; (*wissenschaftlich*) journal, periodical; **Zeit•schrif•ten•a•bon•ne•ment** *nt* magazine subscription; **Zeit•schrif•ten•bei•la•ge** *f* magazine supplement; **Zeit•schrif•ten•stän•der** *m* magazine rack; **Zeit•schrif•ten•zu•stel•lung** *f* delivery of a magazine; **Zeit•sol•dat** *m* (MIL) regular soldier; **Zeit•span•ne** *f* period of time; **zeit•spa•rend** *adj* time-saving; **Zeit•ta•fel** *f* chronological table; **Zeit•takt** *m* (TELE) unit length

Zei•tung ['tsaɪtʊŋ] *f* (news)paper; **e-e ~ abonnieren** (*beziehen*) subscribe to [*o* take in] a newspaper; **Zei•tungs•an•zei•ge** *f*, **Zei•tungs•in•se•rat** *n* newspaper advertisement, announcement in the (news)paper; **Zei•tungs•ar•ti•kel** *m* newspaper article; (*kurzer ~*) item; **Zei•tungs•aus•schnitt** *m* newspaper cutting; **Zei•tungs•aus•trä•ger(in)** *m(f)* newspaper carrier; **Zei•tungs•bei•la•ge** *f* newspaper supplement; **Zei•tungs•en•te** *f* (*fam*) canard; **Zei•tungs•jar•gon** *m* (*pej*) journalese; **Zei•tungs•ki•osk** *m* newsstand; **Zei•tung•le•sen** *n*: **beim ~ sein** be reading the newspaper; **Zei•tung•le•ser(in)** *m(f)* newspaper reader; **Zei•tungs•mel•dung** *f* (piece of) news; **Zei•tungs•pa•pier** *n* newsprint; (*als Altpapier, zum Einwickeln etc*) newspaper; **Zei•tungs•re•kla•me** *f* newspaper advertising; **Zei•tungs•stand** *m* newspaper rack; **Zei•tungs•ver•käu•fer(in)** *m(f)* newsvendor; **Zei•tungs•ver•le•ger** *m* newspaper publisher; **Zei•tungs•we•sen** <-s> *n* newspaper world, press; **Zei•tungs•zar** *m* (*fam*) press baron

Zeit•ver•lust *m* loss of time; **Zeit•ver•schie•bung** *f* time lag; **Zeit•ver•schwen•dung** *f* waste of time; **Zeit•ver•treib** *m* (*Hobby*) pastime; **zum ~** to pass the time; **Zeit•ver•zö•ge•rung** *f* time delay

zeit•wei•lig *adj* temporary

zeit•wei•se *adv* at times

Zeit•wort *n* verb; **Zeit•zei•chen** *n* time signal; **Zeit•zeu•ge, -zeu•gin** *m, f* contemporary witness; **Zeit•zün•der** *m* time fuse

ze•le•brie•ren [tsele'bri:rən] *tr* celebrate

Zel•le ['tsɛlə] <-, -n> *f* **1.** (*kleiner Raum*) cell **2.** (EL) cell **3.** (TELE) booth

Zell•ge•we•be *n* cell tissue; **Zell•kern** *m* (cell) nucleus

Zel•lo•phan® [tsɛlo'fa:n] <-s, (-e)> *n* cellophane

Zell•stoff *m* cellulose; **Zell•tei•lung** *f* cell division

Zel•lu•li•tis [tsɛlu'li:tɪs] <-> *f* (MED) cellulitis

Zel•lu•loid [tsɛlu'lɔɪt] <-(e)s> *n* celluloid

Zel•lu•lo•se [tsɛlu'lo:zə] <-, (-n)> *f* cellulose

Zell•wand *f* cell wall; **Zell•wol•le** *f* spun rayon

Zelt [tsɛlt] <-(e)s, -e> *n* tent; (*Indianer~*) tepee, wigwam; (*Zirkus~*) big top; **s-e ~e abbrechen** (*fig*) pack one's bags; **s-e ~e aufschlagen** (*fig*) settle down; **Zelt•bahn** *f* strip of canvas; **Zelt•dach** *n* **1.** (*Dach e-s Zeltes*) tent-roof **2.** (ARCH: *Hausdachform*) pyramid roof

zel•ten *itr* camp

Zelt•la•ger *n* camp; **Zelt•lei•ne** *f* guy (line); **Zelt•lein•wand** *f* canvas; **Zelt•stan•ge** *f* tent pole

Ze•ment [tse'mɛnt] <-(e)s, -e> *m* (*a.* MED) cement; **ze•men•tie•ren** *tr* (*a. fig*) cement

Ze•nit [tse'ni:t] <-(e)s> *m* (*a. fig*) zenith; **die Sonne steht im ~** the sun is at its zenith

zen•sie•ren *tr* **1.** (*der Zensur unterziehen*) censor **2.** (PÄD: *beurteilen, benoten*) mark

Zen•sor(in) *m(f)* censor

Zen•sur [tsɛn'zu:ɐ] *f* **1.** (*Kontrolle*) censorship **2.** (*~stelle*) board of censors **3.** (PÄD: *Note*) mark; **der ~ unterliegen** be censored; **gute ~en** (PÄD) a good report *sing*

zen•su•rie•ren *vt* (*österr: zensieren*) censor

Zen•ti•me•ter ['tsɛnti-] *n* centimetre *Br,* centimeter *Am*

Zent•ner ['tsɛntnɐ] <-s, -> *m* hundredweight; **Zent•ner•last** *f* (*fig*) heavy burden; **mir fiel e-e ~ vom Herzen** (*fig*) it was a great weight off my mind; **zent•ner•wei•se** *adv* by the hundredweight

zen•t•ral [tsɛn'tra:l] *adj* (*a. fig*) central

Zen•t•ral•bank *f* central bank

Zen•t•ra•le <-, -n> *f* **1.** (*Zentralbüro*) head office **2.** (*Taxi~*) headquarters *pl* **3.** (TECH: *Schalt~*) central office; (TELE: *Amt*) exchange; (TELE: *in Firma*) switchboard

Zen•t•ral•ein•heit *f* (EDV) central processing unit, CPU; **Zen•t•ral•ein•kauf** *m* central buying; **Zen•t•ral•hei•zung** *f* central heating

zen•t•ra•li•sie•ren *tr* centralize; **Zen•t•ra•lis•mus** <-> *m* centralism; **zen•t•ra•lis•tisch** *f* centralistic

Zen•t•ral•ko•mit•tee *n* central committee; **Zen•t•ral•rech•ner** *m* (EDV) mainframe; **Zen•t•ral•re•gie•rung** *f* central government; **Zen•t•ral•stel•le** *f*: **~ für die Vergabe von Studienplätzen** UCCA *Br,* SAT center *Am;* **Zen•t•ral•ver•rie•ge•lung** *f* (MOT) central door locking

zen•t•rie•ren *tr* centre *Br,* center *Am*

Zen•t•ri•fu•gal•kraft *f* centrifugal force

Zen•t•ri•fu•ge [tsɛntri'fu:gə] <-, -n> *f* centrifuge

zen•t•ri•pe•tal [tsɛntripe'ta:l] *adj* centripetal

Zen•t•rum ['tsɛntrʊm] <-s, -tren> *n* (*a. fig*) centre *Br,* center *Am;* **im ~ New Yorks** in the centre of New York *Br,* in downtown New York *Am*

Zep•ter ['tsɛptɐ] <-s, -> *n* sceptre; **das ~ führen** (*fam*) wield the sceptre

zer•bei•ßen *irr tr* chew; (*auseinander beißen*) chew through

zer•bom•ben *tr* bomb out; **zer•bombt** *adj* bombed out

zer•bre•chen *irr tr haben, itr sein* break into pieces; **sich den Kopf ~** rack one's brains *pl;* **am Leben ~** be destroyed by life; **zer•brech•lich** *adj* fragile; **„Vorsicht, ~!"** "fragile, handle with care"

zer•brö•ckeln *tr haben, itr sein* crumble

zer•drü•cken *tr* **1.** crush; (*zerquetschen*) mash **2.** (*Stoff: zerknittern*) crease

Ze•re•mo•nie [tseremo'ni:/ tsere'mo:nɪə] <-, -n> *f* ceremony; **Ze•re•mo•ni•ell** <-s, -e> *n* ceremonial; **ze•re•mo•ni•ell** *adj* ceremonial

zer•fah•ren *adj* **1.** (*Weg*) rutted **2.** (*unkonzentriert*) distracted; **Zer•fah•ren•heit** *f* **1.** (*Unkonzentriertheit*) distraction **2.** (*Schusseligkeit*) scattiness

Zer•fall <-(e)s> *m* **1.** (*Auflösung*) disintegration; (*Gebäude~*) decay **2.** (*fig*) decline **3.** (*Fäulnis*) decomposition; **zer•fal•len** *irr itr* **1.** *sein* (*Häuser*) decay, fall into ruin **2.** (*verwesen*) decompose **3.** (*fig*) decline **4.** (*sich gliedern*) fall (*in* into); **zu Staub ~** crumble into dust; **zer•fal•len** *adj* (*Gebäude*) tumble-down; **Zer•falls•pro•dukt** *n* (PHYS) daughter product; **Zer•falls•pro•zess**[RR] *m* decomposition

zer•fet•zen *tr* (*a. fig*) tear to pieces; **zer•fetzt** *adj* (*Kleidung*) ragged, tattered; (*Körper*) lacerated

zer•flei•schen *tr* tear to pieces; **sich gegenseitig ~** (*fig*) tear each other apart; **sich mit Selbstvorwürfen ~** (*fig*) torment o.s. with self-reproaches

zer•flie•ßen *irr itr sein* (*Tinte, Make-up etc*) run; (*schmelzen, a. fig*) melt away; **vor Mitleid ~** be overcome with pity

zer•fres•sen *irr tr* **1.** (CHEM) corrode **2.** (*fig*) consume; **von Motten ~** moth- eaten

zer•furcht *adj* furrowed

zer•ge•hen *irr itr sein* (*sich auflösen*) dissolve; **auf der Zunge ~** (*Eis*) melt in the mouth; (*Fleisch*) fall apart

zer•glie•dern *tr* **1.** (BIOL) dissect **2.** (*analysieren*) analyse

zer•ha•cken *tr* chop up

zer•hau•en *irr tr* chop in two; (*Knoten*) cut

zer•klei•nern *tr* reduce to small pieces; (*Holz*) chop; (*zermahlen*) crush

zer•klüf•tet [tsɛr'klʏftət] *adj* fissured
zer•knautscht *adj* creased
zer•knirscht *adj* remorseful; **Zer•knir•schung** *f* remorse
zer•knit•tern *tr* crease, crumple
zer•knül•len *tr* crumple [*o* scrunch] up
zer•ko•chen *tr itr sein* cook to a pulp; (*zu lange kochen*) overcook
zer•krat•zen *tr* scratch to pieces
zer•krü•meln *tr* crumble
zer•las•sen *irr tr* melt
zer•leg•bar *adj:* **etw ist ~** s.th. can be taken apart
zer•le•gen *tr* **1.** (*auseinander nehmen*) take apart; (MOT: *Getriebe etc*) strip down **2.** (*Braten*) carve up; (BIOL) dissect **3.** (GRAM) analyse **4.** (MATH) reduce (*in* to); **e-e Zahl in ihre Faktoren ~** (MATH) factorize a number; **e-n Satz ~** (GRAM) parse a sentence; **etw in s-e Einzelteile ~** take s.th. to pieces; **Zer•le•gung** *f* **1.** (*das Auseinandernehmen*) taking apart; (MOT) stripping down **2.** (*von Braten*) carving up **3.** (BIOL) dissection **4.** (GRAM) analysis **5.** (MATH) reduction
zer•lumpt *adj* ragged, tattered
zer•mal•men [tsɛr'malmən] *tr* (*a. fig*) crush; (*mit den Zähnen*) crunch
zer•mar•tern *tr:* **sich den Kopf ~** rack one's brains (*über* over)
zer•mür•ben *tr* (*fig*): **jdn ~** wear s.o. down; **zer•mür•bend** *adj* trying
zer•na•gen *tr* gnaw to pieces
zer•pflü•cken *tr* (*a. fig*) pick to pieces
zer•quet•schen *tr* crush, squash
Zerr•bild *n* **1.** (*fig*) caricature **2.** (*in Spiegelkabinett*) distorted image
zer•re•den *tr* (*fam: Problem*) flog to death
zer•rei•ben *irr tr* (*a. fig*) crumble, crush; (*im Mörser etc*) grind
zer•rei•ßen **I.** *irr tr haben* (*versehentlich*) tear; (*absichtlich*) tear up; (*zerstückeln*) dismember; (*zerfleischen*) tear apart; **es zerreißt mir das Herz** it breaks my heart **II.** *itr sein* (*Papier, Stoff*) tear; (*Faden, Seil etc*) break **III.** *refl haben* (*fig*): **man kann sich doch nicht ~!** one can't be in two places at once!; **ich könnte mich vor Wut ~!** I'm hopping mad!
Zer•reiß•pro•be *f* **1.** pull test **2.** (*fig*) crucial test (*für* of)
zer•ren ['tsɛrən] *tr* **1.** (*fort~*) drag **2.** (*Muskel*) pull, strain; (*reißen*) tear (*an* at); **hinter sich her ~** drag along [*o* pull behind one]; **sich den Muskel ~** tear a muscle; **er zerrte sie an den Haaren** he pulled her hair; **an etw ~** tug at s.th.
zer•rin•nen *irr itr sein* (*a. fig*) melt away; **wie gewonnen so zerronnen** (*prov*) easy come easy go
Zer•rung *f* (MED) pulling
zer•rüt•ten [tsɛr'rʏtən] *tr* destroy, ruin; (*Nerven, Gesundheit*) shatter; **in zerrüttetem Zustand** in a very bad way
zer•sä•gen *tr* saw up
zer•schel•len [tsɛr'ʃɛlən] *itr sein* be dashed [*o* smashed] to pieces; (*Schiff*) be wrecked
zer•schla•gen **I.** *irr tr* **1.** (*in Stücke ~*) smash; (*zerschmettern*) shatter **2.** (*auseinander schlagen*) break up **3.** (*fig*) crush **II.** *refl* (*fehlschlagen*) fall through
zer•schla•gen *adj* (*erschöpft*) washed out; **sich wie ~ fühlen** feel washed-out
zer•schmet•tern *tr itr* (*a. fig*) shatter; (*Gegner*) crush
zer•schnei•den *irr tr* cut; (*entzweischneiden*) cut in two; (*in Stücke*) cut up
zer•set•zen **I.** *tr* **1.** (*verfaulen lassen*) decompose **2.** (*zerätzen*) corrode **3.** (*unterminieren*) undermine **II.** *refl* **1.** (*verfaulen*) decompose **2.** (*zerätzt werden*) corrode; **zer•set•zend** *adj* (*fig*) subversive; **Zer•set•zung** *f* **1.** (*Fäulnis*) decomposition **2.** (*Zerätzung*) corrosion **3.** (*Unterminierung*) undermining; **Zer•set•zungs•pro•dukt** *n* educt; **Zer•set•zungs•pro•zess**[RR] *m* breakdown [*o* decomposition] process
zer•sie•deln *tr* spoil (by development); **Zer•sie•de•lung** *f:* **~ der Landschaft** despoliation of the landscape, uncontrolled urban spread
zer•split•tern *tr itr refl* (*in Stücke ~*) shatter; (*Holz*) splinter; **sich ~** (POL) fragment
zer•sprin•gen *irr itr* **1.** *sein* (*in Stücke gehen*) shatter **2.** (*Sprünge bekommen*) crack **3.** (*Saite: reißen*) break; **vor Ungeduld ~** burst with impatience
zer•stamp•fen *tr* **1.** (*zerstoßen*) grind, pound **2.** (*zerquetschen*) mash
zer•stäu•ben [tsɛr'ʃtɔɪbən] *tr* spray; **Zer•stäu•ber** *m* (*Spray*) spray; (*Parfüm~*) atomizer
zer•ste•chen *tr* **1.** (*Material: durchstechen*) puncture **2.** (*Insekten: beißen*) bite; **von Mücken zerstochen** bitten all over by midges
zer•stö•ren *tr* (*a. fig*) destroy; (*ruinieren*) ruin; **jds Hoffnungen ~** wreck someone's hopes; **Zer•stö•rer** *m* (MAR MIL) destroyer; **zer•stö•re•risch** *adj* destructive; **Zer•stö•rung** *f* destruction; (*Ruin*) ruin; **Zer•stö•rungs•wahn** *m* (MED) detrimental delusion; **Zer•stö•rungs•wut** *f* (MED) destructive mania
zer•sto•ßen *irr tr* **1.** (*Gewürz etc*) grind, pound **2.** (*abwetzen*) scuff
zer•streu•en **I.** *tr* **1.** (*auflösen, vertreiben*) disperse **2.** (*verstreuen*) scatter (*über* over) **3.** (*unterhalten*) divert; **jds Zweifel** (*fig*) ~

dispel someone's doubts **II.** *refl* **1.** (*auseinandergehen*) disperse **2.** (*sich ablenken*) amuse o.s.; **zer•streut** *adj* (*fig*) absent-minded; **Zer•streut•heit** *f* absent-mindedness; **Zer•streu•ung** *f* **1.** (*Ablenkung*) diversion **2.** (*Zerstreutheit*) absent-mindedness **3.** (*Auflösung: von Zweifel etc*) dissipation

zer•stü•ckeln *tr* **1.** (*Leiche ~*) dismember **2.** (*Bauland ~*) carve up; **Zer•stü•cke•lung** *f* (*Leichen~*) dismemberment

zer•tei•len *tr* **1.** (*aufteilen*) split up **2.** (*zerschneiden*) cut up; ~ **Sie das Blatt in 4 Teile** divide the piece of paper into 4 parts

zer•tram•peln *tr* trample on

zer•tre•ten *irr tr* crush

zer•trüm•mern *tr* smash, destroy, wreck

Zer•ve•lat•wurst [tsɛrvəˈla:t-] *f* cervelat

zer•wüh•len *tr* **1.** (*zerknautschen*) ruffle up **2.** (*Erde: aufwühlen*) churn up

Zer•würf•nis [tsɛrˈvʏrfnɪs] <-ses, -se> *n* disagreement, row

zer•zau•sen *tr* dishevel, tousle; **zer•zaust** *adj* windswept

Ze•ter [ˈtse:tɐ] *n:* ~ **und Mordio schreien** scream blue murder, raise a hue and cry; **ze•tern** *itr* **1.** (*schreien*) clamour; (*keifen*) nag **2.** (*jammern*) moan

Zet•tel [ˈtsɛtəl] <-s, -> *m* (*Stück Papier*) piece of paper; (*beschriebener*) note; (*Kassen~, Beleg*) receipt; (*Formular*) Form; **Zet•tel•kas•ten** *m* **1.** (*Kasten für Zettel*) file-card box **2.** (*Kartei*) card index

Zeug [tsɔɪk] <-(e)s, -e> *n* **1.** (*fam allg*) stuff **2.** (*fam: Kleider*) things *pl* **3.** (*fam: Dinge, Getier*) things *pl* **4.** (*fam: Quatsch*) rubbish; **red kein dummes ~!** don't talk drivel!; **das ~ zu etw haben** have got what it takes to be s.th.; **mach kein dummes ~!** don't be stupid!; **jdm etw am ~e flicken** (*fig*) run s.o. down; **sich ins ~ legen** put one's shoulder to the wheel

Zeu•ge [ˈtsɔɪgə] <-n, -n> *m* (*a. fig*) witness (*e-r Sache* to s.th.); **als ~ aussagen** (bear) witness; **unter ~n** in front of witnesses

zeu•gen[1] *itr:* **von etw ~** show s.th.; **für (gegen) jdn ~** testify for (against s.o.)

zeu•gen[2] *tr:* **ein Kind ~** father a child

Zeu•gen•aus•sa•ge *f* testimony; **Zeu•gen•stand** *m* witness-box *Br,* witness-stand *Am;* **Zeu•gen•ver•neh•mung** *f* examination of the witness(es)

Zeug•nis <-ses, -se> *n* **1.** (PÄD) report **2.** (*Arbeits~*) reference; **gute ~se haben** (*fig*) have good qualifications; **jdm ein ~ ausstellen** give s.o. a. reference; **gegen jdn ~ ablegen** give evidence against s.o.

Zeu•gung *f* fathering; **Zeu•gungs•akt** *m* act of procreation; **zeu•gungs•fä•hig** *adj* fertile; **zeu•gungs•un•fä•hig** *adj* sterile

z.H. *Abk. von* **zu Händen (von)** att; ~ **Frau Müller** att.: Mrs. Müller

Zick•zack [ˈtsɪktsak] <-(e)s, -e> *m* zigzag; **im ~ fahren** [*o* **gehen**] [*o* **laufen**] zigzag; **zick•zack•för•mig** *adj* zigzag; ~ **verlaufen** zigzag

Zie•ge [ˈtsi:gə] <-, -n> *f* goat; **blöde ~!** (*fam*) silly bitch!

Zie•gel [ˈtsi:gəl] <-s, -> *m* **1.** (*~stein*) brick **2.** (*Dach~*) tile; **Zie•gel•dach** *n* tiled roof; **Zie•ge•lei** *f* brickworks *pl;* (*für Dachziegel*) tile-making works *pl;* **zie•gel•rot** *adj* brick-red; **Zie•gel•stein** *m* brick

Zie•gen•bock *m* billy goat; **Zie•gen•kä•se** *m* goat's cheese; **Zie•gen•le•der** *n* kid(-leather), kidskin; **Zie•gen•pe•ter** *m* (*fam: Krankheit*) mumps *sing*

Zie•hen *n* (*Schmerz*) dragging pain

zie•hen [ˈtsi:ən] **I.** *irr tr* **1.** pull; (*zerren*) tug; (*schleppen*) drag **2.** (*züchten von Pflanzen*) grow **3.** (*züchten,* ZOO) breed; **er zog sie an sich** he pulled her towards him; **e-n Revolver ~** pull a gun on s.o.; **sie zog es ihm aus den Händen** she pulled it away from him; **e-n Zahn ~** pull out a tooth; **nach oben ~** pull up; **e-n Graben ~** dig a ditch; **er zog sich den Hut übers Gesicht** he drew his hat over his eyes; **die Blicke auf sich ~** attract attention; **den Kürzeren ~** (*fam*) come off worst, get the worst of it **II.** *itr* **1.** (*zerren*) pull **2.** (*Luftzug*): **es zieht** there's a draught **3.** *sein* (*Tee etc*) draw **4.** *sein* (*ein~*) penetrate (*in etw* s.th.) **5.** *sein* (*wandern*) go, move; **lass mich mal ~!** (*an Zigarette*) give me a drag!; **sich in die Länge ~** (*fig*) drag; **etw nach sich ~** lead to [*o* entail] s.th.; **er zog sie an den Haaren** he gave her hair a pull; **der Wagen zieht nicht richtig** the car isn't pulling very well; **nach rechts ~** (MOT) pull to the right; **an s-r Zigarette ~** pull at one's cigarette; **er zog auf die linke Spur** (MOT) he pulled across to the left-hand lane; **das zieht bei mir nicht!** (*fam*) I don't like that sort of thing!; **so was zieht immer!** (*fam*) that sort of thing always goes down well!; **zieht's dir?** (*durch Luftzug*) are you in a draught?; **zu jdm ~** move in with s.o.; **mir zieht's in der Schulter** my shoulder hurts; **was zieht dich denn nach Chicago?** what is so special about Chicago then?

Zieh•har•mo•ni•ka *f* concertina

Zie•hung *f* (*von Lotterie*) draw

Ziel [tsi:l] <-(e)s, -e> *n* **1.** (*Reise~*) destination; (*Zweck, Absicht*) aim, goal, objective **2.** (*~ der Wünsche, ~ der Kritik*) object **3.** (*im Rennsport*) finish **4.** (*~scheibe, etc*) target **5.** (COM: *Zahlungs~*) credit period; **durchs ~ gehen** (SPORT) cross the finishing line; (*Pferdesport*) pass the winning-post;

sein ~ verfehlen miss one's aim; **mit dem ~(,) etw zu tun** with the aim of doing s.th.; **sich hohe ~e setzen** (*fig*) aim high; **zum ~ gelangen** (*fig*) reach one's goal; **ins ~ treffen** hit the target; **Ziel•band** <-(e)s, -¨er> *n* (SPORT) finishing-tape; **ziel•be•wusst**[RR] *adj* purposeful

zielen *itr* **1.** aim (*auf* at) **2.** (*Bemerkung etc*) be aimed (*auf* at); **mit dem Revolver auf jdn ~** aim a pistol at s.o.

Ziel•fern•rohr *n* telescopic sight; **Ziel•ge•ra•de** *f* (SPORT) home straight; **ziel•ge•rich•tet** *adj* purposeful, purposive; **Ziel•grup•pe** *f* (MARKT) target audience [*o* group]; **Ziel•grup•pen•for•schung** *f* (MARKT) target group research; **Ziel•ka•me•ra** *f* finish camera; **Ziel•kauf** *m* credit purchase; **Ziel•li•nie** *f* (SPORT) finishing-line; **ziel•los** *adj* aimless, purposeless; **Ziel•markt** *m* target market; **Ziel•ort** *m* destination; **Ziel•schei•be** *f* **1.** target **2.** (*von Angriffen etc*) object; **Ziel•set•zung** *f* objective, target; **ziel•si•cher** *adj* **1.** (*Mensch*) unerring **2.** (*Planen, Handeln*) purposeful; **Ziel•spra•che** *f* target language; **ziel•stre•big I.** *adj* determined **II.** *adv* full of determination; **Ziel•vor•stel•lung** *f* objective

zie•men ['tsiːmən] *refl:* **das ziemt sich nicht** it isn't proper

ziem•lich I. *adv* **1.** (*beträchtlich*) quite; (*fam*) pretty **2.** (*fam: fast*) almost, nearly; **das ist so ~ dasselbe** it's pretty much the same; **~ viele Leute** quite a few people; **so ~ fertig** pretty well finished **II.** *adj* (*beträchtlich*) considerable; **mit ~er Sicherheit** fairly certainly; **e-e ~e Enttäuschung** quite a disappointment

Zier•de ['tsiːɐdə] <-, -n> *f* **1.** (*Schmuck*) decoration **2.** (*Ehre*) honour; **zur ~** for decoration

zie•ren ['tsiːrən] **I.** *tr* **1.** (*schmücken*) adorn **2.** (*auszeichnen*) grace **II.** *refl* **1.** (*Umstände machen*) make a fuss; (*beim Essen*) need a lot of pressing **2.** (*Frau*) act coyly **3.** (*sich gekünstelt benehmen*) be affected; **ohne sich zu ~** without having to be pressed

Zier•gar•ten *m* ornamental garden; **Zier•leis•te** *f* **1.** (*allgemein*) edging **2.** (TYP) vignette **3.** (MOT) moulding *Br,* molding *Am*

zier•lich *adj* (*niedlich*) dainty; (*fein, zerbrechlich*) delicate; **Zier•lich•keit** *f* (*Niedlichkeit*) daintiness; (*Feinheit, Zerbrechlichkeit*) delicateness

Zier•naht *f* decorative stitching; **Zier•pflan•ze** *f* ornamental plant; **Zier•schrift** *f* ornamental lettering; **Zier•strauch** *m* ornamental shrub

Zif•fer ['tsɪfɐ] <-, -n> *f* **1.** (*Zahl*) figure, number; (*Zahlzeichen*) digit; (*Schriftzeichen*) cipher **2.** (*e-s Paragraphen*) clause; **in ~n schreiben** write in figures; **Zif•fer•blatt** *n* (*an Uhr*) dial, face

zig *adj* (*fam*) umpteen; **ich habe dir ~mal gesagt …** I've told you umpteen times …

Zi•ga•ret•te [tsiga'rɛtə] <-, -n> *f* cigarette; **e-e ~ drehen** roll a cigarette; **Zi•ga•ret•ten•an•zün•der** *m* cigarette lighter; **Zi•ga•ret•ten•au•to•mat** *m* cigarette machine; **Zi•ga•ret•ten•e•tui** *n* cigarette case; **Zi•ga•ret•ten•pa•ckung** *f* cigarette packet *Br,* cigarette pack *Am;* **Zi•ga•ret•ten•spit•ze** *f* cigarette-holder; **Zi•ga•ret•ten•stum•mel** *m* cigarette-end *Br,* cigarette-butt *Am*

Zi•ga•ril•lo [tsiga'rɪlo] <-s, -s> *m* cigarillo

Zi•gar•re [tsi'garə] <-, -n> *f* cigar; **Zi•gar•ren•kis•te** *f* cigar-box; **Zi•gar•ren•spit•ze** *f* cigar-holder; **Zi•gar•ren•stum•mel** *m* cigar-butt

Zi•geu•ner(in) [tsi'gɔɪnɐ] *m(f)* gipsy

Zi•ka•de [tsi'kaːdə] <-, -n> *f* (ZOO) cicada

Zim•bab•we [zɪm'bapve] <-s> *n* Zimbabwe; **zim•bab•wisch** *adj* Zimbabwean

Zim•mer ['tsɪmɐ] <-s, -> *n* room; **„~ frei"** "vacancies"; **Zim•mer•an•ten•ne** *f* (RADIO) indoor aerial; **Zim•mer•de•cke** *f* ceiling; **Zim•mer•ein•rich•tung** *f* furniture; **Zim•mer•flucht** *f* suite (of rooms); **Zim•mer•kell•ner** *m* room- waiter; **Zim•mer•laut•stär•ke** *f:* **können Sie ihren Apparat auf ~ stellen?** could you turn it down a bit?; **Zim•mer•mäd•chen** *n* chambermaid; **Zim•mer•mann** <-(e)s, -leute> *m* carpenter

zim•mern ['tsɪmɐn] **I.** *tr* **1.** make [*o* construct] from wood **2.** (*konstruieren*) construct **II.** *itr* do carpentry; **an etw ~** make s.th. from wood; (*fig*) work on s.th.

Zim•mer•nach•weis *m* accomodation service; **Zim•mer•pflan•ze** *f* indoor plant; **Zim•mer•tem•pe•ra•tur** *f* room temperature; **Zim•mer•ver•mitt•lung** *f* **1.** (*als Einrichtung*) accomodation agency **2.** (*als Tätigkeit*) accomodation service

zim•per•lich ['tsɪmpɐlɪç] *adj* **1.** (*überempfindlich*) nervous (*gegen* about); (*zart besaitet*) squeamish **2.** (*geziert*) affected **3.** (*prüde*) prissy; **sei doch nicht so ~!** don't be so silly!; **Zim•per•lich•keit** *f* **1.** (*Überempfindlichkeit*) nervousness **2.** (*Wehleidigkeit*) softness

Zimt [tsɪmt] <-(e)s, -e> *m* (*Gewürz*) cinnamon

Zink [tsɪŋk] <-(e)s> *n* zinc

Zin•ke ['tsɪŋkə] <-, -n> *f* (*an Gabel*) prong; (*am Kamm*) tooth

zin•ken *adj* (*aus Zink*) zinc

zin•ken *tr* (*sl: Karten markieren*) mark

Zinn [tsɪn] <-(e)s> *n* tin; **Zinn•be•cher** *m* pewter tankard

Zin•ne ['tsɪnə] <-, -n> *f* **1.** (*von Burgmauer*): ~**n** battlements **2.** (*Berg~*) pinnacle

zin•ne(r)n *adj* pewter

Zinn•ge•schirr *m* pewter ware

Zin•no•ber [tsɪ'no:bɐ] <-s, -> *m* **1.** (*Farbe*) cinnabar, vermilion **2.** (*fam: Unsinn*) rubbish; (*Getue*) fuss; **zin•no•ber•rot** *adj* vermilion

Zinn•sol•dat *m* tin soldier

Zins•be•las•tung *f* interest load

Zin•sen ['tsɪnzən] *pl* interest *sing;* ~ **tragen** bear interest; **das werd' ich dir mit ~ heimzahlen!** (*fig*) I'll pay you back with interest!; **ein Darlehen zu 15 %** ~ a loan at 15 % interest

Zins•er•hö•hung *f* rise in the interest rate; **Zins•er•trag** *m* interest proceeds *pl;* **Zin•ses•zins** *m* compound interest; **Zins•fuß** *m* interest rate; **zins•güns•tig** *adj* at a favourable rate of interest; **zins•los** *adj* interest-free; **Zins•po•li•tik** *f* interest rate policy; **Zins•satz** *m* interest rate, rate of interest; **Zins•sen•kung** *f* reduction in the interest rate, interest rate cut; **Zins•ver•lust** *m* loss of interest; **Zins•zah•lung** *f* interest payment

Zi•o•nis•mus [tsio'nɪsmʊs] <-> *m* Zionism; **Zi•o•nist(in)** *m(f)* Zionist; **zi•o•nis•tisch** *adj* Zionist

Zip•fel ['tsɪpfəl] <-s, -> *m* **1.** (*Stoff~*) corner **2.** (*Wurstendchen*) end **3.** (*Mützen~*) point; **Zip•fel•müt•ze** *f* pointed cap

Zir•bel•drü•se ['tsɪrbəl-] *f* (ANAT) pineal gland

zir•ka ['tsɪrka] *adv* about, circa

Zir•kel ['tsɪrkəl] <-s, -> *m* **1.** (*Gerät*) compasses *pl* **2.** (*Personenkreis*) circle

Zir•ku•la•ti•on [tsɪrkula'tsjo:n] *f* circulation

zir•ku•lie•ren *itr haben o sein* circulate

Zir•kus ['tsɪrkʊs] <-, -se> *m* **1.** circus **2.** (*fam: Theater, Getue*) to-do; **Zir•kus•zelt** *n* big top

zir•pen ['tsɪrpən] *itr* cheep, chirp

zisch *interj* hiss; **zi•scheln** ['tsɪʃəln] *itr* whisper

zi•schen ['tsɪʃən] **I.** *itr* **1.** hiss; (*brutzeln: Fett*) sizzle **2.** *sein* (*fam: verschwinden*) whizz **II.** *tr* (*sprechen*) hiss; **Zisch•laut** *f* (LING) sibilant

zi•se•lie•ren [tsizə'li:rən] *tr* (*Schwert, Messer etc*) chase

Zis•ter•ne [tsɪs'tɛrnə] <-, -n> *f* cistern, well

Zi•ta•del•le [tsita'dɛlə] <-, -n> *f* citadel

Zi•tat [tsi'ta:t] <-(e)s, -e> *n* quotation; **falsches** ~ misquotation

Zi•ther ['tsɪtɐ] <-, -n> *f* (MUS) zither

zi•tie•ren *tr* **1.** (*Zitat angeben*) quote **2.** (*vorladen*) summon (*vor* before)

Zi•tro•nat <-(e)s, -e> *n* candied lemon peel

Zi•tro•ne [tsi'tro:nə] <-, -n> *f* lemon; **jdn wie e-e ~ auspressen** squeeze s.o. until the pips squeak; **Zi•tro•nen•fal•ter** *m* (ZOO) brimstone butterfly; **Zi•tro•nen•saft** *m* **1.** (*purer Saft*) lemon juice **2.** (*Mischgetränk*) lemon squash; **Zi•tro•nen•sch•ale** *f* lemon peel

Zi•trus•frucht ['tsi:trʊs-] *f* citrus fruit

zit•t(e)•rig *adj* shaky

zit•tern ['tsɪtɐn] *itr* **1.** (*Wut, Furcht*) tremble (*vor* with); (*Schwäche*) shake (*vor* with); (*Kälte*) shiver (*vor* with) **2.** (*vibrieren*) quiver; **am ganzen Körper** ~ be all of a shake; **mit ~der Stimme** with a shaky voice; **ich zittere, wenn ich daran denke, was hätte geschehen können** I tremble to think what might have happened; **Zit•tern** *n* trembling; **das große ~ haben** (*fam*) be all of a tremble; **das große ~ kriegen** (*fam*) tremble in one's shoes

Zit•ter•pap•pel *f* (BOT) aspen

Zit•ze ['tsɪtsə] <-, -n> *f* (ZOO) teat

Zi•vil [tsi'vi:l] <-s> *n:* **in** ~ in civilian clothes; (*fam*) in civvies; **zi•vil** *adj* **1.** (*nicht mil*) civilian **2.** (*fam: anständig, angemessen*) civil; (*Preise*) reasonable; **~er Bevölkerungsschutz** civil defence *Br,* civil defense *Am;* **Zi•vil•be•völ•ke•rung** *f* civilian population; **Zi•vil•cou•ra•ge** *f* courage (to stand up for one's beliefs); **Zi•vil•dienst** *m* civilian [*o* community] service; **Zi•vil•dienst•leis•ten•de(r)** *m person doing social work instead of military service*

Zi•vi•li•sa•ti•on [tsiviliza'tsjo:n] *f* civilization; **Zi•vi•li•sa•ti•ons•er•schei•nung** *f* phenomenon of civilization; **Zi•vi•li•sa•ti•ons•krank•heit** *f* illness caused by civilization

zi•vi•li•sa•to•risch **I.** *adj* of civilization **II.** *adv* in terms of civilization

zi•vi•li•sie•ren *tr* civilize

Zi•vi•list(in) *m(f)* civilian

Zi•vil•le•ben *n* civilian life; (*fam*) civvy street; **Zi•vil•pro•zess**[RR] *m* civil action; **Zi•vil•pro•zess•ord•nung**[RR] *f* (JUR) Civil Practice Act *Br,* Rules of Civil Procedure *Am;* **Zi•vil•recht** *n* civil law; **zi•vil•recht•lich** *adj* (of) civil law; **Zi•vil•schutz** *m* civil defence *Br,* civil defense *Am*

Zo•bel ['tso:bəl] <-s, -> *m* (ZOO) sable

zo•cken ['tsɔkn] *itr* (*sl*) gamble

Zoff ['tsɔf] <-s> *m* (*fam: Ärger*) trouble

Zö•gern *n* hesitation; **ein Augenblick des ~s** a moment's hesitation

zö•gern ['tsø:gɐn] *itr* hesitate; **wir sollten nicht länger** ~ we should not hesitate any longer; **ohne auch nur einen einzigen Augenblick zu ~** without the slightest hesitation

Zög•ling ['tsø:klɪŋ] *m* (*obs*) pupil

Zö•li•bat [tsøli'ba:t] <-(e)s> *m o n* (ECCL) celibacy; **im ~ leben** be celibate

Zoll[1] <-, -> *m* (*altes Längenmaß*) inch

Zoll[2] [tsɔl, *pl:* 'tsœlə] <-(e)s, ⸚e> *m* **1.** (*Waren~*) customs duty **2.** (*Amt, Behörde*) customs *pl;* **~ auf etw zahlen** pay duty on s.th.; **Zoll•ab•fer•ti•gung** *f* **1.** (*Vorgang*) customs clearance **2.** (*Dienststelle*) checkpoint; **Zoll•ab•ga•be** *f* customs duty; **Zoll•amt** *n* customs house; **Zoll•be•am•te(r)**, **-be•am•tin** *m, f* customs officer [*o* official]; **Zoll•be•gleit•pa•pie•re** *npl* customs documents; **Zoll•be•hör•de** *f* customs authority

zol•len ['tsɔlən] *tr:* **jdm Beifall ~** applaud s.o.; **jdm Tribut ~** pay tribute to s.o.; **jdm Achtung ~** respect s.o.

Zoll•er•klä•rung *f* customs declaration; **Zoll•fahn•der(in)** *m(f)* customs investigator; **Zoll•fahn•dung** *f* customs investigation department; **zoll•frei** *adj* duty- free; **Zoll•ge•biet** *n* customs district; **Zoll•ge•bühr** *f* (customs) duty; **Zoll•gren•ze** *f* customs frontier; **Zoll•in•halts•er•klä•rung** [-'-----] *f* customs declaration; **Zoll•kon•trol•le** *f* customs check; **zoll•pflich•tig** *adj* dutiable *Br,* customable *Am;* **Zoll•schran•ke** *f* customs barrier

Zoll•stock *m* inch, rule, ruler

Zoll•ta•rif *m* customs tariff; **Zoll•u•ni•on** *f* customs union

Zom•bie ['tsɔmbɪ] <-(s), -s> *m* (*a. fig*) zombie

Zo•ne ['tso:nə] <-, -n> *f* **1.** (*Gebiet*) zone **2.** (*Geltungsbereich von Verkehrsmittel*) fare stage; **Zo•nen•gren•ze** *f* (HIST) zonal border

Zoo *m* zoo; **in den ~ gehen** go to the zoo; **Zo•o•lo•ge** [tso:o'lo:gə] *m,* **Zo•o•lo•gin** *f* zoologist; **Zo•o•lo•gie** *f* zoology; **zo•o•lo•gisch** *adj* zoological

Zoom ['zu:m] <-s> *n* (PHOT) zoom lens; **zoo•men I.** *tr* (PHOT) zoom in on **II.** *itr* (PHOT) zoom

Zopf [tsɔpf, *pl:* 'tsœpfə] <-(e)s, ⸚e> *m* **1.** (*Haar~*) pigtail **2.** (*Gebäck*) plaited loaf; **sein Haar in ⸚e flechten** plait one's hair; **ein alter ~ sein** (*fig*) be a hoary relic

Zorn [tsɔrn] <-(e)s> *m* anger; (*Wut*) rage; **was man im ~ sagt** words spoken in anger; **in großem ~** in great anger; **s-n ~ auslassen an ...** vent one's anger on ...; **Zor•nes•aus•bruch** *m* fit of anger; **Zor•nes•rö•te** *f* flush of anger

zor•nig *adj* angry; **auf jdn ~ sein** be angry [*o* furious] with s.o.

Zo•te ['tso:tə] <-, -n> *f* smutty joke

Zot•tel ['tsɔtəl] <-s, -n> *m* rat's tail; **zot•te•lig** *adj* (*Haar*) shaggy

zu [tsu:] **I.** *präp* **1.** (*örtlich: ~ ... hin*) to **2.** (*örtlich: Lage*) at **3.** (*zeitlich*) at **4.** (*für*) for; **~ Spottpreisen** dirt cheap; **~ Weihnachten** at Christmas; **~m Fenster hinaus** out of the window; **~m Arzt gehen** go to the doctor's; **jdn ~m Freund haben** have s.o. as a friend; **was sollen wir ~m Essen trinken?** what shall we drink with our meal?; **etw ~ etw legen** put s.th. with s.th.; **sich ~ jdm setzen** sit with s.o.; **~ nichts ~ gebrauchen sein** be no use at all; **jdm ~ etw gratulieren** congratulate s.o. on s.th.; **~r Belohnung** as a reward; **~r Probe** on approval; **jdn ~ etw machen** make s.o. s.th.; **~ etw werden** turn into s.th.; **es steht 3 : 1** (SPORT) the score is three-one **II.** *adv* **1.** (*allzu*) too **2.** (*geschlossen*) closed, shut **3.** (*örtlich: hin*) towards; **keineswegs ~ früh** none too soon; **das ist wirklich ~ nett von dir!** (*iro*) too kind of you!; **wir haben ~!** (*Laden*) we're closed!; **ihre Augen fielen ~** her eyes closed; **~ Ende gehen** come to a close **III.** *konj* **1.** (*mit Infinitiv*) to; **ich habe noch ~ arbeiten** I have some work to do **2.** (*mit Partizip*): **das ist noch ~ prüfen** that's still to be checked; **es ist ~m Verrücktwerden!** it's enough to lose your sanity!

zu•al•ler•erst [-'--'-] *adv* first of all

zu•al•ler•letzt [-'--'-] *adv* last of all

Zu•be•hör ['tsu:bəhø:ɐ] <-(e)s, (-e)> *n* accessories *pl;* **ohne ~** bare, plain; **mit ~** with all conveniences; **Zu•be•hör•teil** *n* accessory, attachment

zu|bei•ßen *irr itr* bite; (*Hund*) snap

Zu•ber ['tsu:bɐ] <-s, -> *m* tub

zu|be•rei•ten *tr* prepare; (*Getränk*) mix; **Zu•be•rei•tung** *f* preparation

zu|bil•li•gen *tr* grant (*jdm etw* s.o. s.th.)

zu|bin•den *irr tr* tie up; (*Schuhe*) lace up

zu|blei•ben *irr itr sein* (*fam*) stay shut

zu|blin•zeln *itr* wink (*jdm* at s.o.)

zu|brin•gen *irr tr* **1.** (*verbringen: Zeit etc*) pass, spend **2.** (*fam: zumachen können*) get shut

Zu•brin•ger *m* **1.** (*~straße*) feeder road **2.** (AERO: *~bus*) airport bus; **Zu•brin•ger•dienst** *m* shuttle service

Zuc•chi•ni [tsu'ki:nɪ] *fpl* courgettes *Br,* zucchini *Am*

Zucht [tsʊxt] <-> *f* **1.** (*Auf~, Züchten*) breeding; (*von Pflanzen*) cultivation **2.** (*~generation*) breed; (*von Pflanzen*) stock **3.** (*Disziplin*) discipline; **~ u. Ordnung** discipline; **in ~ halten** keep in hand; **Tiere zur ~ halten** keep animals for breeding;

Zucht•bul•le *m* breeding bull
züch•ten ['tsʏçtən] *tr* **1.** (*Tiere*) breed; (*Bienen*) keep **2.** (*Pflanzen*) cultivate; **Züch•ter(in)** *m(f)* **1.** (*von Tieren*) breeder **2.** (*von Pflanzen*) cultivator
Zucht•haus *n* prison *Br*, penitentiary *Am;* **Zucht•häus•ler(in)** *m(f)* convict; (*sl*) con; **Zucht•haus•stra•fe** *f* prison sentence
Zucht•hengst *m* stud horse
züch•ti•gen ['tsʏçtɪgən] *tr* (*prügeln*) beat, flog; **Züch•ti•gung** *f* (*Prügel*) beating, flogging; **körperliche** ~ corporal punishment
zucht•los *adj* undisciplined; **Zucht•lo•sig•keit** *f* lack of discipline
Zucht•vieh *n* breeding cattle
zu•cken ['tsʊkən] **I.** *itr* **1.** (*nervös, krampfhaft*) twitch; (*zusammenfahren*) jerk **2.** *sein* (*Blitz: aufleuchten*) flash; **es zuckt mir in der Schulter** I have a twinge in my shoulder; **ohne mit der Wimper zu** ~ without batting an eyelid **II.** *tr:* **die Achseln** ~ shrug one's shoulders
zü•cken ['tsʏkən] *tr* **1.** (*Messer etc*) draw **2.** (*fam: Brieftasche etc*) pull out
Zu•cker ['tsʊkɐ] <-s, (-)> *m* sugar; **Zu•cker•aus•tausch•stoff** *m* sugar substitute; **Zu•cker•brot** *n:* **mit** ~ **u. Peitsche** (*fig*) with a stick and a carrot; **Zu•cker•do•se** *f* sugar bowl; **Zu•cker•guss**[RR] *m* icing *Br*, frosting *Am;* **Zu•cker•hut** *m* sugar loaf
zu•cke•rig *adj* sugary
zu•cker•krank *adj* diabetic; **Zu•cker•kran•ke(r)** *f m* diabetic; **Zu•cker•krank•heit** *f* diabetes
zu•ckern *tr* sugar; **der Kaffee ist zu stark gezuckert** the coffee has too much sugar in it
Zu•cker•rohr *n* sugar-cane; **Zu•cker•rü•be** *f* sugar beet; **Zu•cker•streu•er** *m* sugar sprinkler; **zu•cker•süß** *adj* (*a. fig*) sugar-sweet, (as) sweet as sugar
Zu•ckung *f:* **nervöse ~en** nervous twitches
zu|de•cken *tr* cover (up) (*mit etw* with s.th.)
zu•dem [tsu'de:m] *adv* in addition, moreover
zu|den•ken *irr tr:* **jdm etw zugedacht haben** have s.th. in store for s.o.
zu|dre•hen I. *tr* **1.** (*Wasserhahn*) turn off **2.** (*zuwenden*) turn; **jdm den Rücken** ~ turn one's back upon s.o. **II.** *refl* (*sich zuwenden*) turn (to)
zu•dring•lich *adj* intrusive; ~ **werden** (*sexuell*) make advances *pl* (*zu jdm* to s.o.); **Zu•dring•lich•keit** *f* intrusiveness; (*sexuell*) advances *pl*
zu|drü•cken *tr* press shut; **ein Auge** ~ (*fam*) turn a blind eye; **jdm die Kehle** ~ throttle s.o.
zu|ei•len *itr sein* rush (*auf jdn o etw* towards s.o., s.th.)
zu•ein•an•der *adv* **1.** (*gegenseitig*) to each other **2.** (*zusammen*) together; ~ **passen** (*Farben, etc*) go together; (*Personen*) suit each other
zu|er•ken•nen *irr tr* (*belohnen*) award (*jdm etw* s.th. to s.o.); **jdm e-e Auszeichnung** ~ bestow a decoration on s.o.
zu•erst [-'-] *adv* **1.** (*als erster*) first **2.** (*zunächst*) at first **3.** (*zum ersten Male*) first, for the first time; **wer** ~ **kommt, mahlt** ~ first come, first served; ~ **hast du etw anderes gesagt** that's not what you said first; ~ **gehe ich schwimmen** first of all I'm going swimming
zu|er•tei•len *tr* award (*jdm etw* s.th. to s.o.)
zu|fä•cheln *tr:* **sich** (**jdm**) **Kühlung** ~ fan o.s. (s.o.)
zu|fah•ren *irr itr* **1.** *sein:* **auf jdn** ~ drive towards s.o. **2.** (*fam: los-, weiterfahren*) get a move on; **Zu•fahrt** *f* **1.** (*Hinfahrt*) approach **2.** (*Einfahrt*) entrance **3.** (~ *zu e-m Haus*) drive(way); **Zu•fahrts•stra•ße** *f* access road; (*zur Autobahn*) approach road
Zu•fall *m* accident, chance; **durch** ~ by chance; **das ist** ~**!** it's pure chance!; **es war reiner** ~**, dass ...** it was pure accident that ...; **es ist kein** ~**, dass ...** it's no accident that ...; **die Dinge dem** ~ **überlassen** leave things to chance; **welch** (**ein**) ~**!** what a coincidence!
zu|fal•len *irr itr sein* **1.** (*Tür*) close, shut **2.** (*zuteil werden Aufgabe, Rolle*) fall (*jdm* to s.o., upon s.o); (*Preis*) go (*jdm* to s.o.); **die Augen fallen ihr ja schon zu!** she can scarcely keep her eyes open!
zu•fäl•lig I. *adj* chance; (*Ergebnis, Zus.-treffen*) accidental; **e-e ~e Begegnung** a chance meeting **II.** *adv* by chance; **das war rein** ~ it was pure chance; **ich war** ~ **da** I happened to be there; **haben Sie** ~ **ihre Telefonnummer?** have you got her phone number by any chance?
Zu•falls•be•kannt•schaft *f* chance acquaintance; **Zu•falls•tref•fer** *m* **1.** fluke **2.** (SPORT) lucky goal
zu|fas•sen *itr* **1.** (*zugreifen*) take hold of it [*o* them] **2.** (*Gelegenheit ergreifen*) seize an [*o* the] opportunity **3.** (*helfen*) lend a hand
zu|flie•gen *irr itr* **1.** *sein* (*fam: Tür*) slam shut **2. ihm fliegen die Sympathien zu** he wins everyone's affection **3.** (*Vogel: Menschen* ~) fly to
zu|flie•ßen *irr itr* flow towards; **jdm Geld** ~ **lassen** (*fig*) pour money into someone's

coffers

Zu•flucht <-> *f* (*a. fig*) refuge, shelter (*vor* from); **seine ~ zu etw nehmen** (*fig*) resort to s.th.; **du bist meine letzte ~** you are my last hope

Zu•fluss[RR] *m* 1. (*a. fig*) influx 2. (*Nebenfluss*) tributary; (*zu e-m See*) inlet

zu|flüs•tern *tr itr* whisper (*jdm etw* s.th. to s.o.)

zu•fol•ge [tsu'fɔlgə] *präp* 1. (*gemäß*) according to 2. (*aufgrund*) as a consequence of

zu•frie•den [tsu'fri:dən] *adj* content(ed); **mit etw ~ sein** be satisfied with s.th.; **sich mit etw ~ geben**[RR] be content with s.th.; **~ lassen** let alone, leave in peace; **~ stellen**[RR] satisfy; **schwer zufrieden zu stellen**[RR] difficult to please; **~ stellend**[RR] satisfactory; **zu•frie•den|ge•ben** *s.* zufrieden; **Zu•frie•den•heit** *f* 1. contentedness 2. (*Befriedigtsein*) satisfaction; **zu•frie•den|las•sen** *s.* zufrieden; **zu•frie•den|stel•len** *s.* zufrieden; **zu•frie•den•stel•lend** *adj s.* **zufrieden**

zu|frie•ren *irr itr sein* freeze up [*o* over]

zu|fü•gen *tr* 1. (*fam: dazutun*) add 2. (*antun*) cause, do; (*Böses*) inflict (upon)

Zu•fuhr ['tsu:fu:ɐ] <-, -en> *f* 1. (*Versorgung*) supply (*nach* to); (MIL: *Nachschub*) supplies *pl* 2. (METE: *~ von Luftstrom*) influx; **jdm die ~ abschneiden** cut off supplies to s.o.; **die ~ von Lebensmitteln** the supply of provisions; **zu|füh•ren** *tr* 1. (*versorgen*) supply (*jdm etw* s.o. with s.th.) 2. (*bringen, zur Verfügung stellen*) bring; **etw s-r Bestimmung ~** put s.th. to its intended use; **jdn der gerechten Strafe ~** give s.o. the punishment he [*o* she] deserves

Zug[1] [tsu:k, *pl:* 'tsy:gə] <-(e)s, ⸚e> *m* (RAIL) train; **mit dem ~ fahren** go by train; **im ~** on the train; **der ~ hat Verspätung** the train is late

Zug[2] *m* 1. (*Charakter~*) characteristic, trait 2. (*Gesichts~*) feature; **das war kein schöner ~ von dir!** that wasn't very nice of you!; **er hat e-n ~ zur Extravaganz** he tends to be extravagant; **es war ein netter ~, sie einzuladen** it was a nice touch inviting them

Zug[3] *m* 1. (*~luft*) draught *Br,* draft *Am* 2. (*an Zigarette etc*) drag, pull 3. (*langgezogene Gruppe*) procession 4. (MIL: *Kompaniegruppe*) platoon 5. (*Spielstein setzen*) move 6. (*Schluck*) gulp, mouthful 7. (TECH: *~kraft*) tension; **du bist am ~!** it's your move!; **~ um ~** step by step; **e-n ~ machen** (*an Zigarette etc*) take a pull; **(nicht) zum ~(e) kommen** (*fig*) (not) get a look-in; **in den letzten ⸚en liegen** be at one's last gasps; **etw in vollen ⸚en genießen** enjoy s.th. to the full

Zu•ga•be *f* (*Zuschlag*) extra; (*Bonus*) bonus; (COM: *Werbegeschenk*) free gift; (MUS THEAT) encore; **als ~** (COM) into the bargain

Zug•ab•teil *n* railway compartment

Zu•gang *m* 1. (*Zutritt, a. fig*) access 2. (*Eingang, Einfahrt*) entrance 3. (COM: *Neueingang von Waren*) receipt; (*von Schülern*) intake; (*von Patienten*) admission; **~ haben zu etw** have access to s.th.; **zu•gäng•lich** ['tsu:gɛŋlɪç] *adj* 1. (*erreichbar*) accessible; (*benutzbar*) available; (*öffentl. Bibliotheken etc*) open 2. (*Personen*) approachable; **der Allgemeinheit ~** open to the public; **sie ist Komplimenten leicht ~** she is quite amenable to compliments

Zug•brü•cke *f* drawbridge

zu|ge•ben *irr tr* 1. (*eingestehen*) admit 2. (*hinzufügen*) add; **gib's zu!** admit it!; **~, dass etw wahr ist** admit the truth of s.th.; **ich gebe zu ...** I have to admit ...; **gibst du zu, das Geld gestohlen zu haben?** do you admit having stolen the money?

zu•ge•gen [-'--] *adv* present (*bei* at)

zu|ge•hen *irr itr* 1. *sein* (*fam: schließen*) shut 2. (*erreichen: Nachricht*) reach (*jdm* s.o.); **auf jdn ~** approach [*o* go towards] s.o.; **ist Ihnen mein Brief schon zugegangen?** have you already received my letter?; **es geht auf den Winter zu** winter is drawing near; **hier geht es nicht mit rechten Dingen zu** there's something fishy around here; **dort ging's sehr lustig zu** we had a great time there

zu|ge•hö•ren *itr* belong (*jdm* to s.o.); **zu•ge•hö•rig** *adj* (*dazugehörend*) accompanying; **Zu•ge•hö•rig•keit** *f* 1. (*Mitgliedschaft*) membership (*zu* of); (*zu Konfession, Nation etc*) affiliation 2. (*~sgefühl*) sense of belonging

zu•ge•knöpft *adj* (*fam*) reserved, uncommunicative

Zü•gel ['tsy:gəl] <-s, -> *m* (*a. fig*) rein; **die ~ anziehen** draw in the reins; (*fig*) keep a tighter rein (*bei* on); **die ~ schießen lassen** (*fig*) give free rein to one's rage [*o* feelings]

zu•ge•las•sen *adj* 1. (MOT) licensed 2. (*autorisiert*) authorized

zü•gel•los *adj* (*a. fig*) unbridled; (*ausschweifend*) licentious; **Zü•gel•lo•sig•keit** *f* lack of restraint, licentiousness

zü•geln I. *tr* 1. (*Pferd*) rein in 2. (*fig*) check, curb II. *refl* (*sich zurückhalten*) restrain o.s.

zu•ge•stan•de•ner•ma•ßen ['-----'--] *adv* admittedly *Br,* concededly *Am*

Zu•ge•ständ•nis *n* concession (*an* to); **zu-**

ge•ste•hen *irr tr* **1.** (*einräumen*) concede, grant **2.** (*zugeben*) admit

zu•ge•tan ['tsu:gəta:n] *adj* fond (of)

Zug•fahr•kar•te *f* train ticket; **Zug•füh•rer(in)** *m(f)* **1.** (RAIL) chief guard *Br,* conductor *Am* **2.** (MIL) platoon [*o* section] commander

zu|gie•ßen *irr tr* **1.** (*mit Zement etc*) fill **2.** (*hin~*) add; **darf ich Ihnen noch (etwas Kaffee) ~?** would you like some more (coffee)?

zu•gig *adj* draughty *Br,* drafty *Am*

Zug•kraft *f* **1.** (TECH) tractive power **2.** (*fig*) appeal, attraction; **zug•kräf•tig** *adj* (*fig*) catchy, eye-catching

zu•gleich [-'-] *adv* **1.** (*ebenso*) both **2.** (*zur gleichen Zeit*) at the same time; **sie lachte und weinte ~** she was both laughing and crying

Zug•luft *f* draught *Br,* draft *Am*

Zug•ma•schi•ne *f* (*von Sattelschlepper*) traction engine, tractor

Zug•per•so•nal *n* (RAIL) train personnel

Zug•pferd *n* **1.** draught horse *Br,* draft horse *Am* **2.** (*Zugnummer*) crowd puller

zu|grei•fen *irr itr* **1.** (*schnell nehmen*) grab it [*o* them]; (*bei Tisch*) help o.s. **2.** (*schnell handeln*) act fast; **greifen Sie zu!** help yourself!

Zug•res•tau•rant *n* (RAIL) dining car

Zu•griff *m* **1.** (*das Zugreifen*): **durch raschen ~** by acting quickly **2.** (EDV) access; **Zu•griffs•zeit** *f* (EDV) access time

zu•grun•de *adv:* **etw ~ legen** base s.th. on s.th.; **etw ~ liegen** be based on s.th.; **~ richten** ruin, destroy

Zug•schaff•ner(in) *m(f)* (RAIL) train conductor; **Zug•se•kre•ta•ri•at** *n* (RAIL) secretarial compartment

zu•guns•ten [-'--] *präp* (*von o mit Genitiv*) in favour of

zu•gu•te [-'--] *adv:* **jdm etw ~ halten** make allowances for s.th.; **jdm ~ kommen** be of benefit to s.o.; **jdm etw ~ kommen lassen** let s.o. have s.th.

Zug•ver•bin•dung *f* train connection; **Zug•ver•kehr** *m* railway traffic *Br,* railroad traffic *Am*

Zug•vo•gel *m* **1.** (ZOO) migratory bird **2.** (*fig*) bird of passage

zu|ha•ben I. *irr itr* (*Laden*) be closed **II.** *tr:* **sie hatte die Augen zu** her eyes were closed

zu|hal•ten I. *irr tr* keep closed [*o* shut]; **jdm den Mund ~** cover someone's mouth with one's hands; **sich die Ohren ~** put one's hands over one's ears **II.** *itr:* **auf etw ~** make straight for ...

Zu•häl•ter ['tsu:hɛltɐ] *m* pimp, ponce

zu|hau•en I. *irr tr* **1.** (*Stein*) pare; (*Baumstamm*) hew **2.** (*fam: Tür*) slam **II.** *itr* (*zuschlagen*) strike out

zu•hauf [-'-] *adv* (*poet*) in throngs

Zu•hau•se [tsu'haʊzə] <-s, -> *n* home; **hast du kein ~?** haven't you got a home to go to?; **zu•hau•se** *adv* at home

zu|hei•len *itr sein* heal up [*o* over]

Zu•hil•fe•nah•me [-'----] *f:* **unter (ohne) ~ von ...** with (without) the help of ...

zu|hö•ren *itr* listen (*jdm* to s.o.); **nun hören Sie mal zu!** now listen!; **ich höre sehr genau zu!** I'm all ears!; **Zu•hö•rer(in)** *m(f)* listener *pl a.,* audience *sing;* **Zu•hö•rer•schaft** *f* audience

zu|ju•beln *itr* cheer (*jdm* s.o.)

zu|keh•ren *tr:* **jdm das Gesicht ~** turn to face s.o.; **jdm den Rücken ~** (*a. fig*) turn one's back (up)on s.o.

zu|klap•pen *tr haben, itr sein* snap shut; (*Fenster, Tür*) click shut

zu|kle•ben *tr* (*Briefumschlag*) stick down; (*Loch*) stick up

zu|knöp•fen *tr* button up

zu|kom•men *irr itr* **1.** *sein* (*gebühren*) become, befit **2.** (*hingehen*) come towards (*auf jdn* s.o.); **jdm etw ~ lassen** (*schenken*) give s.o. s.th.; (*senden*) send s.o. s.th.; **dieser Titel kommt ihm nicht zu** he has no right to this title; **diesem Treffen kommt große Bedeutung zu** this meeting is of great importance; **etw auf sich ~ lassen** wait and see

zu|kor•ken *tr* cork (up)

Zu•kunft ['tsu:kʊnft] <-> *f* **1.** future **2.** (GRAM) future tense; **in ~** in future; **in naher ~** in the near future; **das liegt noch in weiter ~** that is still very much in the future; **e-e große ~ haben** have a great future

zu•künf•tig I. *adj* future; **mein Z~er, meine Z~e** (*hum*) my intended **II.** *adv* in future

Zu•kunfts•aus•sich•ten *fpl* future prospects; **Zu•kunfts•be•ruf** *m* job for the future; **Zu•kunfts•bran•che** *f* new industry; **Zu•kunfts•for•scher(in)** *m(f)* futurist, futurologist; **Zu•kunfts•for•schung** *f* futurology; **Zu•kunfts•mu•sik** *f* (*fam*) a pie in the sky; **Zu•kunfts•per•spek•ti•ve** *f* future prospects *pl;* **Zu•kunfts•plä•ne** *mpl* plans for the future; **zu•kunfts•si•cher** *adj* with a safe [*o* guaranteed] future; **Zu•kunfts•tech•no•lo•gie** *f* new technology

Zu•kurz•ge•kom•me•ne(r) *f m one who came off badly, one who missed out*

zu|lä•cheln *itr* smile (*jdm* at s.o.)

Zu•la•ge *f* **1.** (*Geld~*) extra pay; (*Gefahren~*) danger-money **2.** (*Gehaltserhöhung*) rise *Br,* raise *Am*

zu|lan•gen *itr* (*bei Tisch*) help o.s.

zu|las•sen *irr tr* **1.** (*Tür*) leave shut **2.** (*Zugang gewähren*) admit **3.** (*dulden*) allow, permit **4.** (*amtlich*) authorize; (*Arzt, Heilpraktiker*) register; (*Kraftfahrzeug*) license; **~, dass etw geschieht** allow s.th. to happen

zu•läs•sig ['tsu:lɛsɪç] *adj* allowed, permissible, permitted; (*amtlicherseits*) authorized; **~es Gesamtgewicht** (MOT) maximum laden weight

Zu•las•sung *f* **1.** (MOT) papers *pl* **2.** (*amtliche Autorisierung*) authorization; (*von Kfz*) licensing; **Antrag auf ~ zur Prüfung** application to enter the examination; **Zu•las•sungs•be•din•gun•gen** *fpl* admission requirements, registration requirements; **Zu•las•sungs•be•schrän•kung** *f* restriction of admissions; **Zu•las•sungs•pa•pie•re** *npl* (vehicle) registration documents; **Zu•las•sungs•stel•le** *f* registration office; **Zu•las•sungs•ver•fah•ren** *n* registration [*o* admission] procedure

Zu•lauf <-(e)s> *m:* **großen ~ haben** (*gut besucht sein*) be very popular; (FILM THEAT) draw large crowds; **zu|lau•fen** *irr itr* **1. auf jdn zugelaufen kommen** come running towards s.o. **2. spitz ~** run to a point **3.** (*Wasser: nachlaufen*) run in; **die Katze ist zugelaufen** it's a stray cat

zu|le•gen **I.** *tr* **1.** (*da~*) put on **2.** (*hinzufügen*) add; (*bei Verlustgeschäft*) lose; **e-n Zahn ~** (*fam*) get a move on **II.** *itr* (*fam: an Gewicht*) put on weight **III.** *refl* (*fam*): **sich etw ~** get o.s. s.th., treat o.s. to s.th.

zu•lei•de [-'--] *adv:* **jdm etw ~ tun** do s.o. harm, harm s.o.; **er tut keiner Fliege was ~** he wouldn't hurt a fly

zu|lei•ten *tr* **1.** (*durch Leitung zuführen*) let in, supply **2.** (*zusenden*) forward, send on; **Zu•lei•tung** *f* (TECH) supply; (EL) conductor; **Zu•lei•tungs•rohr** *n* feed pipe

zu•letzt [-'-] *adv* **1.** (*als Letzter*) last **2.** (*endlich*) in the end; **damit hatte ich ~ gerechnet** that was the last thing I expected

zu•lie•be [-'--] *adv:* **jdm ~** for someone's sake

Zu•lie•fe•rer *m* (COM) supplier

Zu•lie•fer•in•dus•trie *f* supply industry

Zu•lu ['tsu:lu] *m* Zulu

zum [tsʊm] (*zu dem*): **~ Beispiel** for instance; **~ Glück** fortunately; **~ Teil** partially; **~ Essen gehen** go to lunch

zu|ma•chen **I.** *tr* (*schließen*) close, shut; (*Loch*) stop up; (*Brief*) seal; (*Weinflasche*) cork up **II.** *itr* **1.** (*fam: sich beeilen*) get a move on **2.** (*fam: den Laden ~*) close down

zu•mal [-'-] **I.** *konj* especially [*o* particularly] as **II.** *adv* especially, particularly

zu|mau•ern *tr* brick [*o* wall] up

zu•meist [-'-] *adv* for the most part, mostly

zu|mes•sen *irr tr:* **e-r Sache Bedeutung ~** attach importance to s.th.

zu•min•dest [-'--] *adv* at least

zu•mu•te [-'--] *adv:* **mir ist nicht zum Lachen ~** I am not in the mood for laughing; **wie ist dir ~?** how do you feel?

zu|mu•ten ['tsu:mu:tən] *tr:* **jdm etw ~** expect s.th. of s.o.; **jdm zuviel ~** expect too much of s.o.; **sich zuviel ~** take on too much; **s-m Körper zuviel ~** overtax o.s.; **Zu•mu•tung** *f* unreasonable demand; (*Frechheit*) cheek; **das ist e-e ~!** that's a bit much!

zu•nächst [-'-] *adv* **1.** (*vor allem*) first, first of all **2.** (*vorläufig*) for the time being

zu|nä•hen *tr* sew up

Zu•nah•me *f* increase; (*Ansteigen*) rise

Zu•na•me *m* surname *Br,* last name *Am*

Zünd•ein•stel•lung *f* (MOT) ignition [*o* timing] adjustment

zün•den [tsʏndən] **I.** *itr* **1.** (*Feuer fangen*) catch fire **2.** (MOT) fire **II.** *tr* **1.** (*Rakete*) fire **2.** (*Bombe*) detonate; **zün•dend** *adj* (*Rede*) stirring; (*Vorschlag*) exciting

Zün•der ['tsʏndɐ] <-s, -> *m* (MIL) fuse

Zünd•flam•me *n* (*in Gasbrenner*) pilot flame [*o* light]; **Zünd•holz** *n* (*österr*) match; **ein ~ anreißen** strike a match; **Zünd•holz•schach•tel** *f* match-box; **Zünd•hüt•chen** ['tsʏnthy:tçən] *n* percussion cap; **Zünd•ka•bel** *n* (MOT) plug lead; **Zünd•ker•ze** *f* (MOT) sparking-plug *Br,* spark-plug *Am;* **Zünd•schlüs•sel** *m* (MOT) ignition key; **Zünd•schnur** *f* fuse; **Zünd•spu•le** *f* (MOT) ignition [*o* spark] coil; **Zünd•stoff** *m* (*fig*) dynamite; **Zün•dung** *f* (MOT) ignition; **die ~ einstellen** adjust the timing; **Zünd•ver•tei•ler** *m* (MOT) distributor

zu|neh•men *irr tr* **1.** (*Person: an Gewicht*) gain weight **2.** (*anwachsen*) increase (*an* in); **5 Kilo ~** gain 5 kilos; **~der Mond** waxing moon

zu|nei•gen **I.** *itr* be inclined towards; **ich neige zu der Ansicht, dass ...** I'm inclined to think that ... **II.** *refl* lean towards; **sich dem Ende ~** be drawing to a close; (*knapp werden*) be running out; **Zu•nei•gung** *f* affection; **~ zu jdm fassen** take a liking to s.o.; **~ für jdn empfinden** feel affection for s.o.

Zunft [tsʊnft, *pl:* 'tsʏnftə] <-, ⸚e> *f* guild

zünf•tig ['tsʏnftɪç] *adj* **1.** (*fam: geziemend*) proper **2.** (*professionell*) professional; **eine ~e Anglerkluft** a proper angler's outfit

Zun•ge ['tsʊŋə] <-, -n> *f* **1.** (ANAT) tongue **2.** (ZOO: *See~*) sole; **jdm die ~ herausstrecken** stick one's tongue out at s.o.; **e-e scharfe ~ haben** (*fig*) have a sharp tongue;

dabei bricht man sich ja die ~ ab! (*fam*) I can't get my tongue round it!; **auf der ~ brennen** burn the tongue; **ich hab's auf der ~!** (*fam*) I have it on the tip of my tongue!
zün•geln ['tsʏŋəln] *itr* **1.** (*Schlange*) dart its tongue in and out **2.** *sein* (*Flamme*) lick; **die Flamme züngelte an dem Gebäude empor** a tongue of fire licked the building
Zun•gen•be•lag *m* coating of the tongue; **Zun•gen•bre•cher** *m* (*Wort*) tongue-twister; **Zun•gen•fer•tig•keit** *f* eloquence, volubility; **Zun•gen•kuss**[RR] *m* French kiss; **Zun•gen•spit•ze** *f* tip of the tongue
Züng•lein ['tsʏŋlaɪn] *n*: **das ~ an der Waage sein** (*fig*) tip the scales, hold the balance of power
zu•nich•te [-'--] *adv*: **~ machen** (*zerstören*) destroy, ruin; (*vereiteln*) frustrate
zu|ni•cken *itr* nod (*jdm* to, at s.o.)
zu•nut•ze [-'--] *adv*: **sich etw ~ machen** (*verwenden*) utilize s.th.; (*ausnutzen*) take advantage of s.th.
zu•o•berst [-'--] *adv* right on [*o* at] the top
zu|ord•nen *tr* assign to
zu|pa•cken *itr* (*fam*) **1.** (*bei e-r Gelegenheit*) grasp **2.** (*bei der Arbeit*) get down to it **3.** (*helfen*) lend a hand
zup•fen ['tsʊpfən] *tr* (*Unkraut, Fäden, Maschen*) pull; (*Wolle*) pick; **jdn am Ärmel ~** tug at someone's sleeve
zur [tsuːɐ] *präp* (*zu der*): **~ Ansicht** (COM) on approval; **~ Zeit** at the moment; **~ See fahren** go to sea
zu•ran•de[RR] *adv*: **mit etw ~ kommen** cope with s.th.; **mit etw nicht ~ kommen** not to be able to manage s.th.
zu•ra•te[RR] *adv*: **jdn/etw ~ ziehen** consult s.o./s.th.
zu|ra•ten *irr itr* advise (strongly) (*jdm, etw zu tun* s.o. to do s.th.); (*empfehlen*) recommend; **auf ihr Z~ (hin)** on her advice
zu•rech•nungs•fä•hig *adj* of sound mind; **Zu•rech•nungs•fä•hig•keit** *f* soundness of mind; **verminderte ~** diminished responsibility; **an jds ~ zweifeln** (*fam*) wonder if s.o. is compos mentis
zu•recht|fin•den *irr refl* find one's way (*in* around); **findest du dich damit zurecht?** can you get the hang of it?
zu•recht|kom•men *irr itr* **1.** *sein* (*rechtzeitig*) come in time **2.** (*auskommen*) manage (*mit £ 10.~* on £ 10.~) **3.** (*bewältigen*) cope (*mit* with); **mit jdm ~** get on (well) with s.o.; **mit etw ~** cope with s.th.
zu•recht|le•gen *tr* get out ready; **sich etw ~** get s.th. out ready; (*fig*) work s.th. out
zu•recht|ma•chen *tr* **1.** (*Zimmer, Essen etc*) prepare *Br*, fix *Am* **2.** (*anziehen*) dress **3.** (*schminken*) make up; **sich ~** get dressed; (*sich schminken*) put on one's make-up
zu•recht|wei•sen *irr tr* (*tadeln*) reprimand; **Zu•recht•wei•sung** *f* reprimand
Zu•re•den *n*: **auf mein ~ (hin)** with my encouragement; (*Überreden*) with my persuasion; **freundliches ~** friendly persuasion; **zu|re•den** *itr* **1.** (*überreden*) keep on (*jdm* at s.o.) **2.** (*ermutigen*) encourage (*jdm* s.o.)
zu|rei•ten I. *irr tr haben* (*Pferd*) break in **II.** *itr sein* (*hinreiten*) ride (*auf jdn o etw* towards s.o., s.th.)
zu|rich•ten *tr* **1.** (TECH: *zubereiten*) dress, finish **2.** (*beschädigen*) make a mess of **3.** (*verletzen*) injure; **jdn übel ~** beat s.o. up
zu|rie•geln *tr* bolt
zür•nen ['tsʏrnən] *itr* be angry (*jdm* with s.o.)
Zur•schau•stel•lung [-'---] *f* display, parading
zu•rück [tsu'rʏk] *adv* **1.** back **2.** (COM: *im Rückstand*) behind; **hin u. ~** there and back; **bis ins 16. Jahrhundert ~** as far back as the 16th century; **hinter s-r Zeit ~ sein** (*fig*) be behind the times *pl*
zu•rück|be•hal•ten *irr tr* keep back
zu•rück|be•kom•men *irr tr* get back
zu•rück|be•zah•len *tr* pay back, repay
zu•rück|blei•ben *irr itr* **1.** *sein* stay [*o* remain], behind **2.** (*nicht Schritt halten, a. fig*) fall behind; (*entwicklungsmäßig*) be backward **3.** (*übrigbleiben*) be left (behind); (*als Krankheitsfolge, Schaden etc*) remain; **das bleibt hinter meinen Erwartungen zurück** that doesn't come up to my expectations
zu•rück|bli•cken *itr* look back
zu•rück|brin•gen *irr tr* **1.** (*wieder herbringen*) bring back **2.** (*wieder wegbringen*) take back
zu•rück|da•tie•ren *tr* backdate
zu•rück|den•ken *irr itr* think back (*an* to)
zu•rück|drän•gen *tr* **1.** drive [*o* force] back [*o* push] **2.** (*fig*) repress
zu•rück|er•obern *tr* (MIL) reconquer
zu•rück|er•stat•ten *tr* refund; (*Ausgabe*) reimburse
zu•rück|fah•ren I. *irr itr sein* **1.** drive [*o* go] back **2.** (*plötzlich zurückweichen*) start back **II.** *tr haben* drive back
zu•rück|fal•len *irr itr sein* **1.** (*in e-n Fehler, in ein Laster etc*) relapse (*in* into) **2.** (SPORT) drop back **3.** (COM: *Umsätze*) drop **4.** (*an Besitzer*) revert (*an* to) **5.** (*leistungsmäßig*) fall behind **6.** (*Schande, Untat etc*) reflect (*auf jdn* on s.o.)
zu•rück|fin•den *irr itr* find one's way back
zu•rück|flie•ßen *irr itr sein* flow back
zu•rück|for•dern *tr* demand back
zu•rück|füh•ren I. *tr* **1.** lead back **2.**

(MATH) reduce; (*ableiten, erklären*) put down to **3.** (*zurückverfolgen*) trace back **II.** *itr* lead back

zu•rück|ge•ben *irr tr* **1.** give back **2.** (*erwidern*) return; **jdm die Freiheit** ~ restore s.o. to freedom

zu•rück•ge•blie•ben *adj* retarded

zu•rück|ge•hen *irr itr* **1.** *sein* go back (*nach, in* to) **2.** (*zurückweichen*) retreat **3.** (*Geschäft*) fall off; (*Preise, Vorräte etc*) go down; (*Schmerz, Sturm*) die down; ~ **auf ...** go back to ...; ~ **lassen** (*Warensendung*) return, send back

zu•rück•ge•zo•gen **I.** *adj* **1.** (*Leben*) secluded **2.** (*Person*) withdrawn **II.** *adv* in seclusion; **Zu•rück•ge•zo•gen•heit** *f* seclusion

zu•rück|grei•fen *irr itr* fall back (*auf* upon)

zu•rück|hal•ten **I.** *irr tr* **1.** (*nicht fortlassen*) hold [*o* keep] back **2.** (*aufhalten*) hold up **3.** (*Zensur: nicht freigeben*) withhold **4.** (*fig: unterdrücken*) repress **5.** (*hindern*) keep (*jdn von etw* s.o. from s.th.) **II.** *itr* (*verheimlichen*) hold back (*mit etw* s.th.) **III.** *refl* **1.** (*reserviert sein*) be reserved **2.** (*sich beherrschen*) contain o.s. **3.** (*bescheiden sein*) keep in the background; **zu•rück•hal•tend** *adj* **1.** (*beherrscht*) restrained **2.** (*vorsichtig*) cautious **3.** (*reserviert*) reserved; **Zu•rück•hal•tung** *f* **1.** (*Beherrschtheit*) restraint **2.** (*Vorsicht*) caution

zu•rück|ho•len *tr* fetch back; **jdn** ~ (*fig*) ask s.o. to come back

zu•rück|keh•ren *itr* **1.** *sein* come back, return (*von, aus* from) **2.** (*fortgehen*) go back, return (*nach, zu* to)

zu•rück|kom•men *irr itr* **1.** *sein* (*a. fig*) come back, return **2.** (*fig: Bezug nehmen*) refer (*auf* to)

zu•rück|las•sen *irr tr* **1.** (*hinterlassen*) leave **2.** (*liegen lassen*) leave behind, allow back; **e-e Nachricht** ~ leave word

zu•rück|le•gen **I.** *tr* **1.** (*an s-n Platz*) put back; (*Kopf*) lay back **2.** (*aufbewahren, reservieren*) put aside; (*Geld*) lay aside **3.** (*Strecke*) cover; **können Sie es mir ~?** could you put it aside for me?; **ein gutes Stück Weg** ~ cover quite a distance **II.** *refl* lie back

zu•rück|lie•gen *irr itr* **1.** (*örtlich*) be behind **2.** (*zeitlich*) be ... ago; **das liegt zehn Jahre zurück** that was ten years ago

Zu•rück•nah•me <-, -n> *f* **1.** (*das Zurücknehmen*) taking back **2.** (*e-r Bestellung, e-r Beleidigung, e-er Klage*) withdrawal; (*e-r Anordnung, Zustimmung*) revocation; (*e-r Beschuldigung*) retraction

zu•rück|neh•men *irr tr* **1.** take back **2.** (*Behauptung*) withdraw; (*Gesetz, Anordnung*) revoke; (COM: *Auftrag*) cancel; (*Vorwurf*) retract; **sein Wort** ~ go back on one's promise

zu•rück|pfei•fen *tr* (*fig*) bring s.o. back into line

zu•rück|pral•len *itr sein* bounce back; (*Geschoss*) ricochet; (*Strahlen, Hitze*) be reflected; **von etw** ~ be bounced back off s.th.

zu•rück|rei•sen *itr sein* return, travel back

zu•rück|ru•fen *irr tr* **1.** (*a.* TELE) call back **2.** (*zurückbeordern*) recall; **sich etw ins Gedächtnis** ~ call s.th. to mind

zu•rück|schal•ten *tr* (MOT) change back

zu•rück|schau•dern *itr sein* shrink back (*vor* from)

zu•rück|schau•en *itr* (*a. fig*) look back (*auf* at, on)

zu•rück|schi•cken *tr* send back

zu•rück|schie•ben *irr tr* push back

zu•rück|schla•gen **I.** *irr tr* **1.** (*Angriff, Feind*) beat back, repulse **2.** (*Ball*) return **3.** (*umschlagen*) fold back; (*Buchseiten*) leaf back; (*Schleier*) lift **II.** *itr* **1.** (*a. fig*) hit back, strike back **2.** (*Pendel*) swing back

zu•rück|schre•cken *irr itr sein* shrink [*o* start] back (*vor* from); **vor nichts** ~ stop at nothing

zu•rück|seh•nen **I.** *refl* long to return (*nach* to) **II.** *tr* long for the return (*jdn o etw* of s.o., s.th.)

zu•rück|sen•den *irr tr* send back

zu•rück|set•zen **I.** *tr* **1.** (*an frühere Stelle*) put back **2.** (*nach hinten*) move back; (MOT: *Wagen*) reverse **3.** (*fig: benachteiligen*) neglect; **sich zurückgesetzt fühlen** feel neglected **II.** *itr* (MOT: *mit Wagen*) reverse

zu•rück|sprin•gen *irr tr sein* jump [*o* leap] back

zu•rück|ste•cken **I.** *tr* (*Gegenstand*) put back **II.** *itr* (*fig*) **1.** (*anspruchsmäßig*) lower one's expectations; (*weniger ausgeben*) cut back **2.** (*nachgeben*) backtrack

zu•rück|ste•hen *irr itr* **1.** (*fig: hintanstehen*) take second place **2.** (*fig: unberücksichtigt bleiben*) be left out

zu•rück|stel•len *tr* **1.** (*allg a. Uhr*) put back **2.** (*beiseite stellen*) put aside **3.** (*fig: hintanstellen*) defer **4.** (*fig: beiseiteschieben*) put aside; **s-e Pläne** ~ shelve one's plans

zu•rück|sto•ßen *irr tr* **1.** push back **2.** (*fig*) reject

zu•rück|strö•men *itr* **1.** *sein* (*Fluss*) flow back **2.** (*Menschen*) stream back

zu•rück|stu•fen *tr* downgrade

zu•rück|trei•ben *irr tr* drive back

zu•rück|tre•ten *irr itr* **1.** *sein* (*sich zurückstellen*) step back **2.** *haben* (SPORT: *beim*

Fußball) kick back **3.** *sein* (*fig: Regierung etc*) resign **4.** *sein* (*fig: von e-m Vertrag*) withdraw (*von* from) **5.** *sein* (*fig: an Bedeutung verlieren*) fade; **bitte ~!** stand back, please!; **hinter jdm (etw) ~** (*fig*) come second to s.o. (s.th.)

zu•rück|ver•lan•gen *tr* demand back

zu•rück|ver•set•zen **I.** *tr* **1.** (*zurückverwandeln*) restore (*in* into) **2.** (PÄD: *Schüler in alte Klasse*) move down (*in* into) **II.** *refl* (*sich zurückdenken*) think o.s. back (*in* to)

zu•rück|wei•chen *irr itr* **1.** *sein* (MIL) fall back; (*erschrocken*) shrink back (*vor* from) **2.** (*fig*) retreat

zu•rück|wei•sen *irr tr* **1.** (*Gegenstand, a. fig*) reject **2.** (*abweisen*) turn away; (*zurückschicken*) turn back; **e-n Angriff ~** repel an attack; **e-n Antrag ~** reject [*o* turn down] an application; **Zu•rück•wei•sung** *f* **1.** (*von Gegenstand, a. fig*) rejection **2.** (*Abweisung*) turning away **3.** (*Abschlagen von Angriff*) repulsion

zu•rück|wer•fen *irr tr* **1.** (*Ball etc*) throw back **2.** (MIL: *Feind*) repulse **3.** (*fig: reflektieren*) reflect **4.** (*fig: wirtschaftlich*) set back (*um* by)

zu•rück|wir•ken *itr* react (*auf* upon)

zu•rück|wol•len *itr* want to go back

zu•rück|zah•len *tr* pay back, repay; **wann soll ich das Geld ~?** when do you want me to pay back the money?

zu•rück|zie•hen **I.** *irr tr haben* **1.** pull [*o* draw] back **2.** (*fig: zurücknehmen*) withdraw **II.** *refl haben* **1.** retire, withdraw (*von, aus* from) **2.** (MIL) retreat **III.** *itr sein* **1.** move back **2.** (*Vögel*) fly back

Zu•ruf *m* call, shout; **zu|ru•fen** *irr tr itr* shout (*jdm etw* s.th. at s.o.)

Zu•sa•ge <-, -n> *f* **1.** (*Versprechen*) promise **2.** (*Zustimmung*) assent, consent **3.** (*Annahme*) acceptance **4.** (*Bestätigung*) confirmation; **zu|sa•gen** **I.** *tr* **1.** (*versprechen*) promise **2.** (*bestätigen*) confirm; **jdm etw auf den Kopf ~** tell s.o. s.th. outright **II.** *itr* **1.** (*auf Einladung*) accept, promise to come **2.** (*behagen, gefallen*) appeal (*jdm* s.o.)

zu•sam•men [tsu'zamən] *adv* together; **etw ~ tun** do s.th. together; **nur wir beide ~** just you and me together

Zu•sam•men•ar•beit *f* co-operation; (*mit dem Feind*) collaboration; (*e-r Gemeinschaft*) team work; **im Geiste freundschaftlicher ~** in a spirit of friendship and collaboration; **in ~ mit ...** in co-operation with ...; **zu•sam•men|ar•bei•ten** *itr* co-operate, work together; (*mit dem Feind*) collaborate

zu•sam•men|bal•len **I.** *tr* (*zus.kneten*) make into a ball; (*zus.knüllen*) screw up into a ball **II.** *refl* (*sich ansammeln*) accumulate; (*Menschenmenge*) mass (together)

zu•sam•men|bau•en *tr* put together; (TECH MOT) assemble; **etw wieder ~** reassemble s.th.

zu•sam•men|bei•ßen *irr tr:* **die Zähne ~** grit one's teeth

zu•sam•men|bin•den *irr tr* bind [*o* tie] together

zu•sam•men|blei•ben *itr sein* stay together

zu•sam•men|bre•chen *irr itr sein* (*zus.fallen*) cave in; (*Wirtschaft*) collapse; (*Mensch*) break down; **der Verkehr ist völlig zusammengebrochen** traffic has come to a complete standstill

zu•sam•men|brin•gen *irr tr* **1.** (*sammeln*) bring together, collect; (*Geld*) raise **2.** (*Leute*) bring together [*o* into contact with each other] **3.** (*fam: zustande bringen*) manage; (*Gedanken, Worte, Sätze*) put together

Zu•sam•men•bruch *m* breakdown, collapse

zu•sam•men|drän•gen *tr refl* **1.** (*Menschen*) crowd [*o* huddle] together **2.** (*fig: Ereignisse, Schilderung*) condense

zu•sam•men|drü•cken *tr* press together; (*verdichten*) compress

zu•sam•men|fah•ren **I.** *irr itr* **1.** *sein* (*erschrecken*) start **2.** (MOT: *zus.stoßen*) collide **II.** *tr* **1.** *haben* (*fam: überfahren*) run over **2.** (*fam: Kfz kaputtfahren*) wreck

zu•sam•men|fal•len *irr itr* **1.** *sein* (*einstürzen, in sich ~*) collapse **2.** (*fig: sich decken*) coincide **3.** (*sich senken*) go down

zu•sam•men|fal•ten *tr* fold (up)

zu•sam•men|fas•sen **I.** *tr* **1.** (*kombinieren*) combine (*zu* to) **2.** (*vereinigen*) unite **3.** (MATH) sum **4.** (*in Bericht*) summarize **II.** *itr* (*als Fazit*) sum up; **lassen Sie mich (kurz) ~ ...** just to sum up ...; **Zu•sam•men•fas•sung** *f* **1.** (*Kombinierung*) combination **2.** (*Vereinigung*) union **3.** (*Abriss, Auszug*) abstract; (*e-s Textes*) résumé, summary

zu•sam•men|flie•ßen *irr itr sein* (*Wasserläufe*) flow together; (*Farben*) run together; **Zu•sam•men•fluss**[RR] *m* confluence

zu•sam•men|fü•gen *tr refl* fit together

zu•sam•men|füh•ren *tr* bring together; (*Familien*) reunite

zu•sam•men|ge•hö•ren *itr* **1.** belong together **2.** (*Gegenstände: zus.-passen*) go together; **zu•sam•men•ge•hö•rig** *adj* **1.** (*Kleidungsstück*) matching **2.** (*Menschen*) related; **Zu•sam•men•ge•hö•rig•keit** *f* identity, unity; **Zu•sam•men•ge•hö•rig•keits•ge•fühl** *n* **1.** (*e-r Gruppe*) communal spirit; (*e-r Mannschaft*) team spirit **2.** (POL) feeling of solidarity

zu•sam•men•ge•setzt *adj* composed (*aus etw* of s.th.); ~ **sein aus ...** be composed of ..., consist of ...

zu•sam•men•ge•wür•felt *adj* (*bunt* ~) motley, oddly assorted

Zu•sam•men•halt <-(e)s> *m* **1.** (*fig: das Zus.halten*) cohesion **2.** (TECH: *Kohäsion*) cohesive strength; **zu•sam•men|hal•ten** **I.** *irr tr* hold together; (*Geld*) hold on to **II.** *itr* **1.** hold together **2.** (*als Freunde*) stick together

Zu•sam•men•hang <-(e)s, ¨-e> *m* connection (*von, zwischen* between); (*Text*~) context; (*Wechselbeziehung*) correlation (*von, zwischen* between); (*Verflechtung*) interrelation (*von, zwischen* between); (*innerhalb e-r Erzählung*) coherence; **etw aus dem ~ reißen** detach s.th. from its context; **im ~ mit ...** in connexion with ...; **im ~ stehen mit ...** be connected with ...; **in diesem ~** in this context; **zu•sam•men-hän•gen** *irr itr* **1.** (*Gegenstände*) be joined **2.** (*fig*) be connected; **wie hängt das ~?** how is that?; **zu•sam•men•hän-gend** *adj* coherent; (*ununterbrochen*) continous; **zu•sam•men•hang(s)•los** *adj* (*nicht zus.hängend*) incoherent; (*weitschweifig*) rambling; **Zu•sam•men-hang(s)•lo•sig•keit** *f* incoherence

zu•sam•men•klapp•bar *adj* folding; (*Stuhl, Tisch*) collapsible; **zu•sam•men-klap•pen** **I.** *tr haben* (*Messer, Stuhl*) fold up; (*Schirm*) shut **II.** *itr* **1.** *sein* (*Stuhl etc*) collapse **2.** (*fam: Person*) flake out

zu•sam•men|kle•ben *tr haben, itr sein* stick together

zu•sam•men|knül•len *tr* crumple up

zu•sam•men|kom•men *irr itr* **1.** *sein* come together; (*sich treffen*) meet (*mit jdm* s.o.); (*Umstände*) combine **2.** (*fam: sich ansammeln*) accumulate

zu•sam•men|kra•chen *itr* **1.** *sein* (*fam: Gebäude*) break down with a crash **2.** (*fam: Fahrzeuge*) crash into each other

zu•sam•men|krat•zen *tr* (*a. fig*) rake [*o* scrape] together

Zu•sam•men•kunft [tsu'zamənkʊnft, *pl:* -kʏnftə] <-, ¨-e> *f* gathering, meeting

zu•sam•men|lau•fen *irr itr* **1.** *sein* (*Flüssigkeit: sich sammeln*) collect **2.** (*Farben: ineinander laufen*) run together **3.** (*Menschen: sich sammeln*) gather

Zu•sam•men•le•ben *n* living together; **im ~ mit ...** living together with ...

zu•sam•men•leg•bar *adj* collapsible, foldable; **zu•sam•men|le•gen** **I.** *tr* **1.** (*zus.falten*) fold **2.** (*fig: kombinieren*) combine **3.** (*stapeln*) pile together **II.** *itr* (*Geld*) club together

zu•sam•men|neh•men **I.** *irr refl* **1.** (*sich anstrengen*) make an effort **2.** (*im Benehmen*) control o.s., pull o.s. together; **nimm dich ~!** pull yourself together! **II.** *tr* (*Gegenstände*) gather up; **alles zusammengenommen** all in all

zu•sam•men|pa•cken **I.** *tr* pack up **II.** *itr* (*fam: aufgeben*) pack it all in

zu•sam•men|pas•sen *itr* **1.** (*Personen*) suit each other **2.** (*Dinge*) go together

zu•sam•men|pfer•chen *tr* **1.** (*Tiere*) herd together **2.** (*fig: Personen*) pack together

Zu•sam•men•prall *m* **1.** (*Kollision*) collision **2.** (*fig*) clash; **zu•sam•men|pral•len** *itr* **1.** *sein* (*kollidieren*) collide **2.** (*fig*) clash

zu•sam•men|pres•sen *tr* squeeze together; (*verdichten*) compress

zu•sam•men|raf•fen *tr* **1.** (*Dinge: aufraffen*) bundle together **2.** (*fig: aufhäufen*) amass, pile up **3.** (*Rock*) gather up

zu•sam•men|rech•nen *tr* add [*o* total] up; **alles zusammengerechnet** all together; (*fig*) all in all

zu•sam•men|rei•men **I.** *tr* (*fam*): **sich den Rest ~** put two and two together; **das kann ich mir nicht ~** I can't make head or tail of it **II.** *refl* make sense; **wie reimt sich das zusammen?** that doesn't make any sense!

zu•sam•men|rei•ßen *irr refl* pull o.s. together

zu•sam•men|rol•len **I.** *tr haben* roll up **II.** *refl haben* curl up; (*Schlange*) coil up; (*Igel*) roll up into a ball

zu•sam•men|rot•ten *refl* band together (*gegen* against)

zu•sam•men|rü•cken **I.** *tr* **1.** *haben* (*Möbel etc*) move closer together **2.** (*Wörter*) close up **II.** *itr sein* move up closer

zu•sam•men|ru•fen *irr tr* call together

zu•sam•men|schei•ßen *irr tr* (*sl*): **jdn ~** give s.o. a bollocking

zu•sam•men|schie•ßen *irr tr* (*niederschießen*) shoot down; (*mit Kanonen*) batter down, pound to pieces

zu•sam•men|schla•gen **I.** *irr tr* **1.** (*zerschlagen*) smash up **2.** (*aneinander schlagen*) knock together; (*die Hände*) clap; (*Hacken*) click **3.** (*verprügeln*) beat up **II.** *itr* (*von Wasser*) close, dash (*über jdm o etw* over s.o., s.th.)

zu•sam•men|schlie•ßen *irr refl* combine, join together; (COM: *fusionieren*) amalgamate; **Zu•sam•men•schluss**[RR] *m* **1.** combining, joining together **2.** (COM) amalgamation

zu•sam•men|schnü•ren *tr* tie up; **jdm das Herz ~** (*fig*) make someone's heart bleed

zu•sam•men|schrau•ben *tr* bolt [*o* screw] together

zu•sam•men|schrei•ben *irr tr* **1.** (*Wörter*) write together **2.** (*schlechte Romane etc*) scribble down; **er hat sich ein Vermögen zusammengeschrieben** he made a fortune with his writing

zu•sam•men|schrump•fen *itr* **1.** *sein* shrivel up **2.** (*fig*) dwindle (*auf* to)

zu•sam•men|schwei•ßen *tr* (*a. fig*) weld together

Zu•sam•men•sein <-s> *n* get-together

zu•sam•men|set•zen I. *tr* **1.** put together; (*aus Teilen*) assemble (*zu* to make) **2.** (*Personen nebeneinander setzen*) seat together **II.** *refl* **1.** sit together **2.** (*zwecks Konferenz etc*) get together **3.** (*bestehen aus*) consist of, be composed of; **Zu•sam•men•set•zung** *f* (*Aufbau*) composition; (*Kombination*) combination

Zu•sam•men•spiel <-(e)s> *n* **1.** (MUS) ensemble playing **2.** (THEAT) ensemble acting **3.** (SPORT) teamwork **4.** (*fig*) co- operation; (*von Kräften etc*) interaction

zu•sam•men|ste•cken I. *tr* fit together; **die Köpfe ~** (*flüstern*) whisper to each other **II.** *itr* (*fam*) be together

zu•sam•men|stel•len *tr* **1.** put together **2.** (*arrangieren*) arrange **3.** (*kompilieren*) compile; (*Liste etc: aufstellen*) draw up **4.** (*Gruppe: aufstellen*) assemble; **e-e Mannschaft ~** (SPORT) pick a team; **Zu•sam•men•stel•lung** *f* **1.** (*Arrangement*) arrangement **2.** (*Kompilierung*) compilation **3.** (*Übersicht: Liste*) survey **4.** (*Zusammensetzung*) composition

Zu•sam•men•stoß *m* **1.** (*Auto, Zug, Schiff etc, a. fig*) collision, crash **2.** (MIL: *~ der Meinungen*) clash; **zu•sam•men|sto•ßen I.** *irr tr haben* knock together **II.** *itr sein* **1.** (*kollidieren*) collide **2.** (MIL: *streiten*) clash **3.** (*sich treffen*) meet

zu•sam•men|strei•chen *irr tr* (*Budget*) cut down

zu•sam•men|stür•zen *itr sein* (*zus.fallen*) collapse, tumble down

zu•sam•men|tra•gen *irr tr* (*a. fig*) collect

Zu•sam•men•tref•fen *n* **1.** (*Treffen*) meeting **2.** (MIL: *Kampf*) encounter **3.** (*zeitlich*) coincidence; **zu•sam•men|tref•fen** *irr itr* **1.** *sein* meet (*mit jdm* s.o.) **2.** (*feindlich*) encounter **3.** (*gleichzeitig geschehen*) coincide

zu•sam•men|tre•ten *irr itr sein* (*sich treffen: Konferenz*) meet; (PARL) assemble; (JUR: *Gericht*) sit

zu•sam•men|tun I. *irr tr* (*fam*) **1.** put together **2.** (*mischen*) mix **II.** *refl* combine forces, get together

Zu•sam•men•wir•ken *n* combination, interaction; **zu•sam•men|wir•ken** *itr* act in combination, combine

zu•sam•men|zäh•len *tr* add [*o* sum] up

zu•sam•men|zie•hen I. *irr tr* **1.** *haben* draw together; (*enger machen*) narrow **2.** (*kürzen*) shorten **3.** (MATH: *addieren*) add together **4.** (MATH: *reduzieren*) reduce **5.** (*fig: Truppen etc*) assemble, concentrate; **s-e Augenbrauen ~** knit one's eyebrows **II.** *itr sein* (*in e-e Wohnung*) move in together (*mit jdm* with s.o.) **III.** *refl* **1.** *haben* (*sich kontrahieren*) contract; (*enger werden*) narrow **2.** (*Gewitter, a. fig*) be brewing

Zu•satz *m* **1.** (*allgemein*) addition **2.** (*zusätzl. Bemerkung*) additional remark, postscript **3.** (*Additiv*) additive; **unter ~ von ...** with the addition of ...; **Zu•satz•aus•rüs•tung** *f* extra equipment; **Zu•satz•ge•rät** *n* **1.** (*allgemein*) attachment **2.** (TECH) additional implement; **Zu•satz•klau•sel** *f* additional clause; **Zu•satz•kos•ten** *pl* additional costs

zu•sätz•lich ['tsu:zɛtslɪç] **I.** *adj* additional; (*ergänzend*) supplementary **II.** *adv* in addition

zu|schan•zen ['tsu:ʃantsən] *tr*: **jdm etw ~** make sure s.o. gets s.th.

zu|schau•en *itr* watch (*jdm* s.o., *bei etw* s.th., *jdm bei etw* s.o. doing s.th.); **ich schaue nur zu** I'm only looking on

Zu•schau•er(in) *m(f)* (SPORT) spectator; (THEAT) member of the audience; (*Fernseh~*) viewer; (*neugieriger ~*) bystander, onlooker; **Zu•schau•er•be•fra•gung** *f* (TV) audience survey; **Zu•schau•er•raum** *m* (THEAT) auditorium; **Zu•schau•er•tri•bü•ne** *f* stand; **Zu•schau•er•zahl** *f* attendance figure

zu|schi•cken *tr* send (*jdm etw* s.th. to s.o.); **sich etw ~ lassen** send for s.th.

zu|schie•ben *irr tr* **1.** (*schließen*) slide shut; (*Schublade*) push shut **2.** (*heimlich*) slip s.o. s.th.; **jdm die Schuld ~** put [*o* lay] the blame on s.o.; **jdm die Verantwortung ~** saddle the responsibility upon s.o.

zu|schie•ßen I. *irr itr sein* rush (*auf jdn, etw* up to s.o., s.th.) **II.** *tr haben* (*beitragen*) contribute; **jdm den Ball ~** kick the ball to s.o.

Zu•schlag *m* **1.** (RAIL) supplement **2.** (COM: *Preis~*) surcharge **3.** (*bei Auktion*): **jdm den ~ erteilen** knock down the lot to s.o.; (*bei Ausschreibung*) award the contract to s.o.; **zu|schla•gen I.** *irr tr* (*Tür*) slam; (*Buch*) shut; (*Gebiet*) annex to **II.** *itr* **1.** (*Fenster, Tür*) bang shut **2.** (*schlagen*) strike **3.** (*fam: zugreifen*) get in quickly

zu|schlie•ßen *irr tr* lock; **den Laden ~** lock up the shop

zu|schnap•pen *itr sein* (*Schloss*) snap shut

zu|schnei•den *irr tr* cut to size; **auf jdn (etw) genau zugeschnitten sein** (*a. fig*) be tailor-made for s.o. (s.th.)
Zu•schnitt *m* **1.** (*Vorgang*) cutting **2.** (*fig: Kaliber*) calibre *Br,* caliber *Am*
zu|schnü•ren *tr* **1.** (*Paket etc*) tie up **2.** (*Schuhe*) lace up; **die Angst schnürte ihm die Kehle zu** he was choked with fear
zu|schrau•ben *tr* **1.** (*Ventil etc*) screw shut **2.** (*Schraubdeckel*) screw on
zu|schrei•ben *irr tr* (*fig*) ascribe (*jdm etw* s.th. to s.o.); **das hat er nur sich selbst zuzuschreiben** he's got himself to blame
Zu•schrift *f* (*Brief*) letter; (*auf Anzeige etc*) reply
zu•schul•den [-'--] *adv:* **sich etw ~ kommen lassen** do s.th. wrong
Zu•schuss[RR] *m* **1.** (*Unterstützungszahlung*) grant, subsidy; (*Extrageld*) something towards it **2.** (TYP) overplus; **Zu•schuss•be•trieb**[RR] *m* subsidized establishment
zu|schüt•ten *tr* **1.** (*zufüllen*) fill up **2.** (*dazugießen*) add, pour (on)
zu|se•hen *irr itr* **1.** (*beobachtend*) watch (*jdm* s.o., *bei etw* s.th., *jdm bei etw* s.o. doing s.th.); (*unbeteiligt*) look on **2.** (*Sorge tragen*): **~, dass ...** see to it that ...; **mir blieb nichts übrig, als zuzusehen** I could only stand by and watch; **ich kann doch nicht (einfach) ~, wie sie ...** I can't sit back and watch her ...; **zu•se•hends** *adv* (*offensichtlich*) visibly; (*merklich*) noticeably; (*rasch*) rapidly
zu|sen•den *irr tr* forward, send
zu|set•zen **I.** *tr* **1.** (*hinzufügen*) add **2.** (*fam: Geld*) shell out **II.** *itr* **1. jdm ~** lean on s.o. **2.** (*Kälte, Krankheit etc*) take a lot out of s.o.
zu|si•chern *tr* assure (*jdm etw* s.o. of s.th.)
Zu•spät•kom•men•de(r) [-'----] *f m* latecomer
zu|sper•ren *tr* (*zuschließen*) lock; (*verriegeln*) bolt
zu|spie•len *tr* **1.** (SPORT) pass (to) **2.** (*fig*): **jdm etw ~** play s.th. on to s.o.
zu|spit•zen **I.** *refl* (*fig: Lage etc*) come to a crisis, get critical, worsen **II.** *tr* (*spitz machen*) sharpen
zu|spre•chen **I.** *irr itr* **1.** (*e-m Getränk*) drink copiously; (*dem Essen*) eat heartily **2.** (*e-m Menschen*) talk (*jdm* to s.o.) **II.** *tr* **1.** (JUR: *gerichtlich*) adjudge **2.** (*Preis, Gewinn*) award; **jdm Mut ~** encourage s.o.; **jdm Trost ~** comfort s.o.; **das Kind wurde der Mutter zugesprochen** the mother was granted custody of the child
Zu•spruch <-(e)s> *m* **1.** (*Aufmunterung*) words *pl,* of encouragement; (*Trost*) words *pl,* of comfort **2.** (*Anklang*): **~ finden** be popular; (THEAT FILM) meet with general acclaim
Zu•stand *m* **1.** (*Beschaffenheit*) condition, state **2.** (*Lage*) situation; (*rechtliche, politische Lage, Stand*) status **3.** (*Entwicklungsstufe*) phase **4. ¨e** state of affairs; **der gegenwärtige ~** the status quo; **in gutem (schlechtem) ~** in good (bad) shape; (*Gebäude*) in good (bad) repair; **in angetrunkenem ~** under the influence of alcohol; **das sind ja schöne ¨e!** (*iro*) that's a fine state of affairs!; **¨e kriegen** (*fam*) hit the roof
zu•stan•de [-'--] *adv:* **~ bringen** achieve, manage; **~ kommen** (*geschehen*) come about; (*erreicht werden*) be achieved; **Zu•stan•de•kom•men** *n* (*Geschehen*) taking place; (*Erreichen*) achievement, achieving
zu•stän•dig *adj* (*kompetent*) competent; (*verantwortlich*) responsible; (JUR: *Gericht*) having jurisdiction; **nicht ~** incompetent; **dafür bin ich nicht ~** that's not in my department; **~ sein** (JUR) have jurisdiction; **Zu•stän•dig•keit** *f* **1.** (*Kompetenz*) competence; (*des Gerichts*) jurisdiction **2.** (*~sbereich*) area of responsibility; **Zu•stän•dig•keits•be•reich** *m* area of authority [*o* responsibility]
zu•stat•ten [-'--] *adv:* **jdm ~ kommen** come in useful for s.o.
zu|ste•cken *tr:* **jdm etw (heimlich) ~** slip s.o. s.th.; **sie steckte ihm etw Geld zu** she slipped him some money
zu|ste•hen *irr itr:* **etw steht jdm zu** s.o. is entitled to s.th.; **es steht ihm nicht zu, darüber zu urteilen** he has no right to judge that
zu|stel•len *tr* **1.** (*Brief*) deliver (*jdm etw* s.th. to s.o.); (JUR) serve (*jdm etw* s.o. with s.th.) **2.** (*verbarrikadieren*) block (up); **Zu•stel•ler** *m* **1.** (*Briefträger*) postman **2.** (*Speditionsfirma*) delivery agent; **Zu•stell•ge•bühr** *f* delivery charge; **Zu•stel•lung** *f* (*Post~*) delivery; (JUR) service (of a writ)
zu|stim•men *itr* agree (*e-r Sache* to s.th.); (*einwilligen*) consent (to s.th.); (*billigen*) approve (of s.th.); **Zu•stim•mung** *f* (*Einverständnis*) agreement, assent; (*Einwilligung*) consent; (*Billigung*) approval; **allgemeine ~ finden** meet with general approval
zu|sto•ßen **I.** *irr tr* (*heftig schließen*) push shut **II.** *itr* **1.** (*zustechen*): **mit dem Messer ~** plunge one's knife in ... **2.** (*geschehen*) happen (*jdm* to s.o.)
zu|stre•ben *itr* **1.** *sein* head [*o* make] (*auf* for) **2.** (*fig*) strive (*auf* for)
Zu•strom <-(e)s> *m* (*fig: hineinströmende*

Menschenmenge) influx; (*Andrang*) crowd, throng; **großen ~ (zu verzeichnen) haben** be very popular

zu|stür•zen *itr sein* rush (*auf* up to)

zu•ta•ge [-'--] *adv:* **~ fördern** unearth; (*fig*) bring to light; **~ kommen, ~ treten** (*a. fig*) come to light

Zu•tat *f* **1.** (*meist pl: ~en*) ingredient, ingredients *pl* **2.** (*fig*) accessories *pl*, extras *pl*

zu•teil [-'-] *adv:* **jdm wird etw ~** s.th. falls to someone's share; **jdm etw ~ werden lassen** bestow s.th. (up)on s.o.; **ihm wurde die Ehre ~, zu ...** he was given the honour of ...

zu|tei•len *tr* (*zuweisen*) allocate, allot; **mir wurde die fünfte Klasse zugeteilt** I was assigned the fifth class [*o* form]; **Zu•tei•lung** *f* **1.** (*Zuweisung*) allocation **2.** (*das Zugewiesene*) allotment

zu•tiefst [-'-] *adv* deeply

zu|tra•gen I. *irr tr* (*fig: Neuigkeiten*) report (*jdm* to s.o.) **II.** *refl* (*geschehen*) happen, take place

zu•träg•lich ['tsu:trɛ:klɪç] *adj* good (for); (*förderlich*) conducive (to)

Zu•trau•en *n* confidence (*zu* in); **~ zu jdm haben, ~ in jdn setzen** trust s.o.; **~ zu jdm fassen** begin to trust s.o.; **zu|trau•en** *tr:* **jdm etw ~** credit s.o. with s.th.; (*für fähig halten*) believe s.o. capable of s.th.; **jdm nicht viel ~** have no high opinion of s.o.; **sich zuviel ~** (*sich übernehmen*) take on too much; **das hätte ich dir nie zugetraut!** I never thought you had it in you!; **dem ist alles zu~!** I can well believe it of him!; **das trau' ich mir zu** I think I can do it; **zu•trau•lich** *adj* (*Mensch*) trusting; (*Tier*) friendly

zu|tref•fen *irr itr* **1.** (*richtig sein*) be correct; (*wahr sein*) be true **2.** (*gelten*) apply (*für* to); **das trifft besonders auf Sie zu!** that applies especially to you!; **zu•tref•fend** *adj* **1.** (*richtig*) correct, right **2.** (*auf etw ~*) applicable; **Z~es bitte ...** ... where applicable

zu|trin•ken *irr itr* drink (*jdm* to s.o.); (*mit Trinkspruch*) toast (*jdm* s.o.)

Zu•tritt <-(e)s> *m* (*Einlass*) admission (to), admittance; (*Zugang*) (free) access; **kein ~! ~ verboten!** no admittance! no entry!; **sich ~ verschaffen zu ...** gain admission to ...; **~ für Unbefugte verboten** no admittance except on business

Zu•tun *n* assistance

zu|tun *irr tr:* **kein Auge ~** (*nicht schlafen können*) not sleep a wink

zu•un•guns•ten [-'---] *präp:* **~ von ...** to the disadvantage of ...

zu•ver•läs•sig ['tsu:fɛrlɛsɪç] *adj* reliable; (*vertrauenswürdig*) trustworthy; **ich weiß aus ~er Quelle, dass ...** I am reliably informed that ...; **Zu•ver•läs•sig•keit** *f* reliability, trustworthiness

Zu•ver•sicht ['tsu:fɛrzɪçt] <-> *f* confidence; **ich teile Ihre ~ nicht, dass ...** I don't share your confidence that ...; **zu•ver•sicht•lich** *adj* confident; **ich bin ~, dass ich gewinne** I'm confident of succeeding; **wir schauen ~ ...** we look with confidence ...; **ich bin ganz ~, dass ...** I have every confidence that ...

zu•viel *adv s.* **viel**

zu•vor [-'-] *adv* before; (*zuerst*) beforehand; **kurz ~** shortly before; **im Jahr ~** in the previous year; **am Tag ~** the day before; **zu•vor|kom•men** *irr itr sein* anticipate; (*verhindern*) forestall; **man ist ihm bei s-r Erfindung zuvorgekommen** he was anticipated in his invention; **zu•vor•kom•mend** *adj* (*hilfsbereit*) helpful; (*höflich*) courteous; **Zu•vor•kom•men•heit** *f* (*Hilfsbereitschaft*) helpfulness; (*Höflichkeit*) courtesy

Zu•wachs ['tsu:vaks] <-es> *m* increase (*an* of); **~ bekommen** (*fam: ein Kind*) have an addition to the family; **zu|wach•sen** *irr itr* **1.** *sein* (*Loch*) grow over; (*hum: mit Haaren*) become overgrown **2.** (*Wunde*) heal (over) **3.** (FIN: *zufallen*) accrue (*jdm* to s.o.); **Zu•wachs•ra•te** *f* rate of increase

zu|wan•dern *itr sein* immigrate; **Zu•wan•de•rung** *f* immigration

zu•we•ge [-'--] *adv:* **~ bringen** manage; (*erreichen*) accomplish

zu•wei•len [-'--] *adv* from time to time, now and then

zu|wei•sen *irr tr* allot, assign (*jdm etw* s.th. to s.o.); **Geld für ein Projekt ~** allocate money for a project

zu|wen•den I. *irr tr* **1.** (*a. fig*) turn towards **2.** (*fig: zuteilen*) give (*jdm etw* s.o. s.th.) **II.** *refl* **1.** turn to face (*jdm, e-r Sache* s.o., s.th.) **2.** (*fig: sich widmen*) devote o.s. (*jdm, e-r Sache* to s.o., s.th.); **Zu•wen•dung** *f* **1.** (*Geldbetrag*) sum; (*Schenkung*) donation **2.** (*liebevolle Aufmerksamkeit*) care

zu|wer•fen *irr tr* **1.** (*Tür etc*) slam **2.** (*hinwerfen zu jdm*) throw (*jdm etw* s.th. to s.o.); **jdm e-n Blick ~** cast a glance at s.o.; **jdm e-n bösen Blick ~** look daggers *pl*, at s.o.

zu•wi•der [-'--] *adv* **1.** (*entgegen*) contrary (*e-r Sache* to s.th.) **2.** (*ungünstig*) unfavourable to ...; **das ist mir ~** I detest that; **Zu•wi•der•han•deln•de(r)** *f m* offender *Br*, violator *Am;* **Zu•wi•der•hand•lung** *f* contravention, violation; **zu•wi•der•lau•fen** *irr itr* go directly against

zu|win•ken *itr* wave (*jdm* to s.o.)

zu|zah•len I. *itr* pay extra II. *tr:* **£ 50** ~ pay another £ 50
zu|zie•hen I. *irr tr* 1. *haben* (*Vorhang etc*) draw 2. (*schließen*) close 3. (*Schlinge etc*) tighten; **sich jds Hass** ~ incur someone's hatred II. *itr sein* (*in Ortschaft*) move in III. *refl haben* (*Schlinge etc*) pull tight
Zu•zug <-(e)s> *m* 1. (*Umzug*) move (*nach* to) 2. (*Zustrom*) influx
zu•züg•lich ['tsu:tsy:klɪç] *präp* plus
Zwang [tsvaŋ, *pl:* 'ts-vɛŋə] <-(e)s, ¨-e> *m* 1. (*Notwendigkeit*) compulsion 2. (*moralischer*) constraint; (*Verpflichtung*) obligation 3. (*Gewalt*) force; **tu dir keinen** ~ **an!** feel free!; **etw unter** ~ **tun** be forced to do s.th.; **sich keinen** ~ **antun** feel free and easy
zwän•gen ['tsvɛŋən] *tr* force; **sich durch etw** ~ squeeze through s.th.
zwang•los *adj* (*locker*) casual; (*ungezwungen*) free and easy; (*ohne Förmlichkeit*) informal; **Zwang•lo•sig•keit** *f* (*Unbekümmertheit*) casualness
Zwangs•ab•ga•be *f* compulsory levy [*o* charge]; **Zwangs•ar•beit** *f* forced labour, penal servitude; **Zwangs•ein•wei•sung** *f* compulsory hospitalization; **zwangs•er•näh•ren** *tr* force-feed; **Zwangs•er•näh•rung** *f* forced feeding; **Zwangs•hand•lung** *f* (PSYCH) compulsive act; **Zwangs•ja•cke** *f* (*a. fig*) straitjacket; **jdm e-e** ~ **anlegen** put s.o. in a straitjacket; **Zwangs•la•ge** *f* dilemma, predicament
zwangs•läu•fig *adj* inevitable; **das war wohl** ~ it was inevitable that that would happen
Zwangs•maß•nah•me *f* compulsory measure; (POL: *Sanktion*) sanction; **Zwangs•räu•mung** *f* compulsory evacuation; **zwangs•um•sie•deln** ['----] <zwangsumgesiedelt> *tr* displace by force; **Zwangs•ver•kauf** *m* forced sale; **Zwangs•ver•stei•ge•rung** *f* compulsory auction; **Zwangs•voll•stre•ckung** *f* execution; **Zwangs•vor•stel•lung** *f* obsession; **zwangs•wei•se** I. *adj* compulsory II. *adv* compulsorily
zwan•zig ['tsvantsɪç] *num* twenty; **Zwan•zi•ger** *m* 1. (*Zwanzigjähriger*) twenty-year-old 2. (*fam: Geldschein*) twenty mark/pound note; **Zwan•zi•ger•pa•ckung** *f* packet of twenty *Br*, pack of twenty *Am*; **zwan•zig•fach** *adj* twentyfold; **zwan•zig•jäh•rig** *adj* twenty-year-old; **Zwan•zig•mark•schein** ['--'--] *m* twenty mark note; **zwan•zigs•te** *adj* twentieth; **Zwan•zigs•tel** <-s, -> *n* twentieth part
zwar [tsva:ɐ] *adv* 1. (*erklärend*) it is true, to be sure 2. (*wohl ..., aber*): **...** ~ **..., aber...** ..., but ...; **u.** ~ namely [*o* that is]; **ich wollte** ~ **etw arbeiten, aber ...** I meant to do some work, but ...; **es wird** ~ **nicht einfach sein** it won't be easy, in fact; **tut's weh? – ja, und** ~ **ganz schön!** does it hurt? – as a matter of fact it's very painful!
Zweck ['tsvɛk] <-(e)s, -e> *m* 1. (*Verwendung*) purpose 2. (*Ziel*) aim 3. (*Sinn, Nutzen*) point; **sich für e-n guten** ~ **einsetzen** work for a good cause; **zu welchem** ~**?** to what end?; **der** ~ **heiligt die Mittel** the end justifies the means; **es hat keinen** ~ **zu bleiben** there's no point in staying; **Sinn und** ~ **ist ...** the point is that ...; **jds ~en dienen** serve someone's purposes; **für unsere ~e** for our purposes; **es hat keinen ~!** it's no use!; **es hat keinen ~, wenn man protestiert** it's no use protesting; **zweck•be•dingt** *adj* determined by its function; **zweck•dien•lich** *adj* (*förderlich*) expedient; (*nützlich*) useful; **~e Hinweise** relevant information *sing*
Zwe•cke ['tsvɛkə] <-, -n> *f* (*Heft~*) drawing-pin *Br*, thumbtack *Am*
zweck•ent•frem•den ['----] <ohne ge-> *tr* misuse; **zweck•ent•spre•chend** *adj* appropriate; **Zweck•ge•mein•schaft** *f* partnership of convenience; **zweck•los** *adj* (*unnütz*) useless; (*sinnlos*) pointless; **zweck•mä•ßig** *adj* (*passend*) suitable; (*ratsam, förderlich*) expedient; (*nützlich*) useful; (*wirksam*) effective; **Zweck•op•ti•mis•mus** *m* calculated optimism
zwecks [tsvɛks] *präp* for the purpose of
Zweck•spa•ren *n* target saving; **Zweck•ver•band** *m* ad hoc authority, joint body; **zweck•wi•drig** *adj* inappropriate
zwei [tsvaɪ] *num* two; **zu ~en** in twos, in pairs, two by two; (**nur**) **wir** ~ (just) the two of us; **dazu gehören** ~ (*fam*) it takes two; **zwei•ar•mig** *adj* (TECH) with two branches; **Zwei•bettka•bi•ne** *f* (MAR) double berth; **Zwei•bett•zim•mer** *n* twin room; **zwei•deu•tig** ['tsvaɪdɔɪtɪç] *adj* 1. ambiguous, equivocal 2. (*obszön*) suggestive; **Zwei•deu•tig•keit** *f* 1. ambiguity, equivocalness 2. (*Obszönität*) suggestiveness; **zwei•di•men•si•o•nal** *adj* two-dimensional; **Zwei•drit•tel•mehr•heit** [-'----] *f* (PARL) two- thirds majority
Zwei•er ['tsvaɪɐ] <-s, -> *m* (*fam: Schulnote*) good; **Zwei•er•bob** *m* (SPORT) two-man bob; **Zwei•er•ka•jak** *m* (SPORT) double kayak
zwei•er•lei *adj* (*Brot, Käse etc*) two kinds of ...; (*Möglichkeiten, Meinungen, Fälle etc*) two different; **aus** ~ **Leder** of two kinds of leather; **das ist** ~ (*fam*) that's two different things; ~ **Sorten** two different kinds
zwei•fach *adj* 1. (*doppelt*) double 2.

(*zweimal*) twice; **in ~er Ausfertigung** in duplicate

Zwei•fa•mi•lien•haus [--'---] *n* two- family house *Br*, duplex house *Am*

zwei•far•big *adj* two-colour, two-tone

Zwei•fel ['tsvaɪfəl] <-s, -> *m* doubt (*an* about); **ich habe so meine ~, ob ...** I am in doubt as to whether ...; **etw in ~ ziehen** cast doubt on s.th.; **daran gibt's keinen ~** there's no doubt about it; **es steht außer ~, dass ...** it's beyond doubt that ...; **ohne jeden ~** without question; **er ist ohne ~ ...** without question he is ...; **jdm gegenüber ~ hegen** be doubtful about s.o.; **zwei•fel•haft** *adj* doubtful; (*verdächtig*) dubious; **es ist ~, ob er starten wird** (SPORT) he's a doubtful starter; **zwei•fel•los** I. *adj* (*unbezweifelbar*) undisputed II. *adv* without doubt; (*als Antwort*) undoubtedly

zwei•feln *itr* doubt (*an etw o jdm* s.th., s.o.); **ich zweifle nicht daran** I don't doubt it; **ich zweifle noch, wie ich ...** I am still in two minds about how ...

Zwei•fels•fall *m* doubtful case; **im ~** in case of doubt; (*fam: gegebenenfalls*) if necessary

zwei•fels•frei I. *adj* unequivocal II. *adv* beyond all doubt

Zweif•ler(in) *m(f)* sceptic

Zweig [tsvaɪk] <-(e)s, -e> *m* (*a. fig*) branch; (*kleiner*) twig; **auf keinen grünen ~ kommen** (*fam*) get nowhere; **Zweig-ge•schäft** *n* branch; **Zweig•ge•sell-schaft** *f* subsidiary

zwei•glei•sig *adj* (RAIL) double-track; **~ fahren** (*fam*) have two strings to one's bow

Zweig•nie•der•las•sung *f* subsidiary; **Zweig•stel•le** *f* branch

zwei•hän•dig ['tsvaɪhɛndɪç] *adj* two-handed; (MUS) for two hands

zwei•hun•dert *num* two hundred

zwei•jäh•rig *adj* 1. (*zwei Jahre alt*) two-year-old 2. (BOT) biennial

Zwei•kampf *m* single combat; (*Duell*) duel

zwei•mal *adv* twice; **sich etw nicht ~ sagen lassen** not have to be told s.th. twice; **zwei•ma•lig** *adj* done twice; (*wiederholt*) repeated

Zwei•mas•ter *m* (MAR) two-master

zwei•mo•to•rig *adj* twin-engined; **~es Düsenflugzeug** twin-jet

Zwei•par•tei•en•sys•tem [--'----] *n* (POL) two-party system

zwei•po•lig *adj* (EL) bipolar

Zwei•rad *n* (*Fahrrad*) bicycle; (*fam*) bike; **zwei•räd•rig** ['tsvaɪrɛːdrɪç] *adj* two-wheeled

zwei•rei•hig I. *adj* 1. (*in zwei Reihen*) double-row, in two rows 2. (*Jacke*) double-breasted II. *adv* in two rows

zwei•schnei•dig *adj* (*a. fig*) double-edged; **das ist ein ~es Schwert** (*fig*) it cuts both ways

zwei•sei•tig I. *adj* 1. (POL: *Vertrag, Beziehungen*) bilateral 2. (*Stoff*) reversible II. *adv* on two sides

zwei•sit•zig *adj* two-seat(er)

zwei•spal•tig *adj* (TYP) double-columned, in double columns

Zwei•spän•ner ['tsvaɪʃpɛnɐ] *m* carriage and pair

zwei•spra•chig *adj* (*Wörterbuch, Land*) bilingual; (*Dokument, Vertrag*) in two languages

zwei•stim•mig *adj* (MUS) for two voices

zwei•stö•ckig *adj* two-storeyed

zwei•stu•fig *adj* two-stage; **~er Scheibenwischer** two-stage windscreen wiper *Br*, two-stage windshield wiper *Am*

zwei•stün•dig *adj* of two hours, two hour

zweit [tsvaɪt] *adv*: **zu ~** (*in Paaren*) in twos; **das Leben zu ~** living with s.o.; **wir sind zu ~** there are two of us

Zwei•tak•ter *m*, **Zwei•takt•mo•tor** *m* two-stroke (engine)

zweit•äl•tes•te *adj* second eldest

Zweit•aus•fer•ti•gung *f* duplicate

zweit•bes•te *adj* second best

zwei•te *adj* second; (*nächster*) next; **Z~r** (SPORT) runner-up; **an ~r Stelle** in second place; **~r Klasse fahren** (RAIL) go second; **ich sage dir das kein ~s Mal!** I won't tell you a second time!; **als ~s machte sie ...** the second thing she did was ...; **e-n guten ~n Platz belegen** (SPORT) come a good second; **ein ~r John Donne** another John Donne

Zwei•tei•ler *m* (*Badeanzug*) bikini; **zwei•tei•lig** *adj* (*Kleidungsstück*) two- piece; (*Plan*) two-stage; (*Fernsehserie etc*) two-part

zwei•tens ['tsvaɪtəns] *adv* secondly

zweit•klas•sig *adj* (*fig*) second-rate; **zweit•letz•te** *adj* last but one; **zweit-ran•gig** *adj* second-rate; **Zweit•schrift** *f* copy; **Zweit•stim•me** *f* (POL) second vote

Zwei•tü•rer *m* (MOT) two-door

Zweit•wa•gen *m* second car; **Zweit-woh•nung** *f* second home; **Zwei•we-ge•box** *f* two-way speaker

zwei•zei•lig *adj* 1. (*mit zwei Zeilen*) two-lined 2. (TYP: *mit ~em Abstand*) double-spaced

Zwerch•fell ['tsvɛrçfɛl] *n* (ANAT) diaphragm

Zwerg•be•trieb *m* dwarf enterprise

zwer•gen•haft *adj* 1. dwarfish 2. (*fig*) diminutive

Zwerg•huhn *n* bantam

Zwerg(in) *m(f)* 1. dwarf; (*Garten~*) gnome

2. (*Knirps*) midget **3.** (*fig: verächtlich*) squirt; **Zwerg•schu•le** *f* village school; **Zwerg•staat** *m* mini- state; **Zwerg•volk** *n* pygmy tribe; **Zwerg•wuchs** *m* stunted growth, dwarfism

Zwetsch•ge ['tsvɛtʃgə] <-, -n> *f* plum; **Zwetsch•gen•was•ser** *n* plum brandy

Zwi•ckel ['tsvɪkəl] <-s, -> *m* **1.** (*Stoffkeileinsatz*) gusset; (MAR: *am Segel*) gore **2.** (ARCH) spandrel

zwi•cken ['tsvɪkən] *itr tr* **1.** (*kneifen*) pinch **2.** (*schmerzen*) hurt; **Zwi•cker** <-s, -> *m* (*österr*) pince-nez; **Zwick•müh•le** *f* (*beim Mühlespiel*) double-mill; **in der ~ sitzen** (*fig*) be in a dilemma

Zwie•back ['tsvi:bak] <-(e)s, -e> *m* rusk *Br,* cracker *Am*

Zwie•bel ['tsvi:bəl] <-, -n> *f* onion; (*Blumen~*) bulb; **zwie•bel•för•mig** *adj* bulbous

zwie•beln *tr* (*fam: antreiben*) drive hard; (*schikanieren*) harass

Zwie•bel•scha•le *f* onion-skin; **Zwie•bel•sup•pe** *f* onion soup; **Zwie•bel•turm** *m* onion dome

Zwie•ge•spräch *n* dialogue; **Zwie•licht** <-(e)s> *n* twilight; (*abends*) dusk; (*morgens*) half-light; **ins ~ geraten** (*fig*) become suspect; **zwie•lich•tig** *adj* shady; **Zwie•spalt** <-(e)s, (-e/¨-e)> *m* conflict; **in e-n ~ geraten** get into a conflict; **zwie•späl•tig** ['tsvi:ʃpɛltɪç] *adj* (*gemischt*) mixed; (*wiederstreitend*) conflicting; **Zwie•tracht** <-> *f* discord; **~ säen** sow the seeds of discord

Zwil(•l)ich ['tsvɪlɪç] <-s, -e> *m* ticking

Zwil•ling ['tsvɪlɪŋ] <-s, -e> *m* **1.** twin **2.** (ASTRON): **~e** Gemini **3.** (*doppelläufige Flinte*) double-barrelled gun; **eineiige ~** identical twins; **Zwil•lings•bru•der** *m* twin brother; **Zwil•lings•ge•burt** *f* twin birth; **Zwil•lings•schwes•ter** *f* twin sister; **Zwil•lings•ste•cker** *m* (EL) biplug

Zwing•burg *f* (*a. fig*) stronghold

Zwin•ge <-, -n> *f* (TECH: *Werkzeug*) clamp

zwin•gen ['tsvɪŋən] **I.** *irr tr* compel, force **II.** *refl* force o.s.; **sich ~(,) etw zu tun** force o.s. to do s.th. **III.** *itr:* **ich sehe mich gezwungen ...** I feel compelled to ...; **ich sehe mich zu der Folgerung gezwungen, dass ...** I feel forced to conclude that ...; **zwin•gend** *adj* **1.** (*Notwendigkeit*) urgent **2.** (*logisch ~*) necessary **3.** (*schlüssig*) conclusive; **er legte s-n Fall mit ~er Logik dar** he presented his case compellingly; **ein ~es Argument** a forcible argument

Zwin•ger *m* (*Hunde~*) kennels *pl*

zwin•kern ['tsvɪŋken] *itr* (*lustig*) blink; (*um auf etw hinzuweisen*) wink; **mit den Augen ~** twinkle

Zwirn [tsvɪrn] <-(e)s, -e> *m* **1.** thread, yarn **2.** (*fam: Geld*) dough; **Zwirns•fa•den** *m* thread

zwi•schen ['tsvɪʃən] *präp* **1.** (*in der Mitte von zwei Dingen*) between **2.** (*unter e-r Anzahl*) among, amongst; **~ ihnen ist nichts** there's nothing between them; **sich ~ den Büschen verstecken** hide among the bushes; **Zwi•schen•akt** *m* (THEAT) interval; **Zwi•schen•auf•ent•halt** *m* intermediate stop; **Zwi•schen•be•mer•kung** *f* incidental remark; (*Unterbrechung*) interruption; **Zwi•schen•be•richt** *m* interim report; **Zwi•schen•be•scheid** *m* provisional notification; (JUR) interlocutory decree; **Zwi•schen•bi•lanz** *f* **1.** (COM) interim balance **2.** (*fig*) provisional appraisal; **e-e ~ ziehen** (*fig*) take stock provisionally; **Zwi•schen•deck** *n* (MAR) 'tween decks; **Zwi•schen•de•cke** *f* false ceiling; **Zwi•schen•ding** <-s> *n* cross; **ein ~ sein zwischen ...** be halfway between ...

zwi•schen•durch ['--'-] *adv* (*zeitlich*) in between times; **etw ~ machen** (*nebenher*) fit s.th. in

Zwi•schen•er•geb•nis *n* provisional [*o* interim] result; (SPORT) latest score; **Zwi•schen•fall** *m* incident; **ohne ¨-e** without incidents; **Zwi•schen•fra•ge** *f* question; **Zwi•schen•gas** *n* (MOT): **~ geben** double-declutch; **Zwi•schen•ge•richt** *n* (*Speise*) entrée; **Zwi•schen•glied** *n* (*a. fig*) (connection) link; **Zwi•schen•grö•ße** *f* in-between size; **Zwi•schen•han•del** *m* intermediate trade; **Zwi•schen•händ•ler** *m* middleman; **zwi•schen•kup•peln** *n* (MOT) double-clutch; **zwi•schen|la•gern** *tr* store (temporarily); **Zwi•schen•la•ge•rung** *f* temporary storage; **Zwi•schen•lan•dung** *f* (AERO) stopover; **Zwi•schen•mahl•zeit** *f* snack

zwi•schen•mensch•lich *adj* between people; **~e Beziehungen** interpersonal relations

Zwi•schen•prü•fung *f* intermediate examination; **Zwi•schen•raum** *m* **1.** (*zeitlich*) interval **2.** (TYP) space; (*Lücke*) gap; **Zwi•schen•ruf** *m* interruption; **~e** heckling; **Zwi•schen•ru•fer(in)** *m(f)* heckler; **Zwi•schen•run•de** *f* (SPORT) intermediate round; **Zwi•schen•spiel** *n* (*a. fig*) interlude; **zwi•schen•staat•lich** *adj* (*international*) international; (*auf Bundesstaatenebene*) interstate; **Zwi•schen•sta•ti•on** *f* intermediate stop; **~ machen** stop off; **Zwi•schen•ste•cker** *m* (EL) adaptor; **Zwi•schen•stück** *n* connecting piece, connection; **Zwi•schen•ti•tel** *m* (FILM) title link; **Zwi•schen•wand** *f* dividing wall; (*Stellwand*) partition; **Zwi·schen·zeit** *f* **1.** (*Zeitraum*) interval **2.** (SPORT) intermediate time; **in der ~** in the meantime; **zwi·schen·zeit·lich** *adv* meantime; **Zwi·schen·zeug·nis** *n* interim report

Zwist [tsvɪst] <-es, -e> *m* discordance; **mit jdm über etw in ~ geraten** become involved in a dispute with s.o. over s.th.; **Zwis·tig·keit** *f* dispute

zwit·schern ['tsvɪtʃɐn] *itr* chirp, twitter

Zwit·ter ['tsvɪtɐ] <-s, -> *m* hermaphrodite; **zwit·ter·haft** *adj* hermaphroditic

zwo [tsvo:] *num* (*fam*) two

zwölf [tsvœlf] *num* twelve; **~ Uhr** (**mittags**) twelve noon; **fünf Minuten vor ~** (*fig*) at the eleventh hour; **Zwölf·en·der** *m* (*Hirsch*) royal; **zwölf·fach** *adj* twelvefold; **Zwölf·fin·ger·darm** [-'---] *m* (ANAT) duodenum; **zwölf·jäh·rig** *adj* twelve-year-old; **Zwölf·kampf** *m* (SPORT) twelve-exercise event; **zwölf·ma·lig** *adv* repeated twelve times; **zwölf·tä·gig** *adj* of twelve days, twelve-day; **zwölf·te** *adj* twelfth; **Zwölf·tel** <-s, -> *n* twelfth; **zwölf·tens** *adv* in (the) twelfth place, twelfth(ly); **Zwölf·ton·leh·re** *f* (MUS) dodecaphony; **Zwölf·ton·mu·sik** [-'---] *f* (MUS) twelve-tone music

Zy·a·nid [tsya'ni:t] <-s, -e> *n* (CHEM) cyanide

Zy·an·ka·li [tsyaŋ'ka:li] <-(s)> *n* (CHEM) potassium cyanide

zy·k·lisch ['tsy:klɪʃ] *adj* cyclic(al)

Zy·k·lon [tsy'klo:n] <-s, -e> *m* (METE) cyclone

Zy·k·lo·tron [tsyklo'tro:n] *n* (PHYS) cyclotron

Zy·k·lus ['tsy:klʊs] <-, -klen> *m* cycle

Zy·lin·der [tsi'lɪndɐ/tsy'lɪndɐ] <-s, -> *m* **1.** (MATH TECH MOT) cylinder **2.** (*Hut*) top-hat; (*fam*) topper; **Zy·lin·der·block** *m* (MOT) cylinder block; **Zy·lin·der·kopf** *m* (MOT) cylinder head; **Zy·lin·der·kopf·dich·tung** *f* (MOT) cylinder head gasket; **zy·lin·drisch** *adj* cylindrical

Zy·ni·ker(**in**) ['tsy:nɪkɐ] *m(f)* cynic; **zy·nisch** *adj* cynical; **Zy·nis·mus** <-, -men> *m* cynicism

Zy·pern ['tsy:pɐn] *n* Cyprus

Zy·p·res·se [tsy'prɛsə] <-, -n> *f* (BOT) cypress

Zy·p·ri·ot(**in**) ['tsypri'o:t] <-en, -en> *m(f)* Cypriot; **zy·p·risch** *adj* Cyprian

Zys·te ['tsʏstə] <-, -n> *f* (MED) cyst

Zy·to·sta·ti·kum [tsyto'sta:tikʊm] <-s, -statika> *n* cytostatic drug

American and British Abbreviations

AA 1. *Alcoholics Anonymous;* **2.** *(Br) Automobile Association;* **3.** *antiaircraft*
AAA *Amateur Athletic Association*
AB *(Am) Artium Baccalaureus (Bachelor of Arts)*
ABC 1. *American Broadcasting Company;* **2.** *Australian Broadcasting Commission*
ABM *anti-ballistic missile*
AC *alternating current*
a/c *account*
ACAS *(Br) Advisory, Conciliation, and Arbitration Service*
ACORN *(EDV) automatic checkout and recording network*
AD *anno Domini* a. D.
ad. lib. *ad libitum* aus dem Stegreif
Adm. *Admiral* Adm.
AEA *(Br) Atomic Energy Authority*
AEC *(Am) Atomic Energy Commission*
AGM 1. *air-to-ground missile;* **2.** *annual general meeting*
AGR *advanced gas-cooled reactor*
AI 1. *artificial insemination;* **2.** *artificial intelligence*
AID 1. *Agency for International Development;* **2.** *artificial insemination by donor*
AIDS *acquired immune deficiency syndrome*
a. k. a. *also known as*
ALGOL *(EDV) algorithmic language* ALGOL
a. m. *ante meridiem* vormittags
amp. *ampere*
a. o. b. *any other business*
APA *American Psychiatric Association*
APR *annual percentage rate*
APT *advanced passenger train*
arr. *arrival*
a. s. a. p. *as soon as possible*
ASPCA *American Society for Prevention of Cruelty to Animals*
ATC *(Br) Air Training Corps*
Att-Gen *(Am) Attorney General*
AUT *(Br) Association of University Teachers*
AV 1. *audiovisual;* **2.** *Authorized Version of the Bible*
av. *average*
Av. *avenue*
AWACS *Airborne Warning and Control System* AWACS
AWOL *(mil) absent without (official) leave*

BA 1. *Bachelor of Arts;* **2.** *British Airways*
B & B *bed and breakfast*
BAOR *British Army on the Rhine*
BASIC *(EDV) Beginner's All-purpose Symbolic Instruction Code* BASIC
BBC *British Broadcasting Corporation* BBC
BC *before Christ*
BCG *bacillus of Calmette and Guérin* BCG
BEd *Bachelor of Education*
BEM *British Empire Medal*
BFPO *British Forces Post Office*
bhp *brake horsepower*
bit *(EDV) binary digit*
BM *British Museum*
BMA *British Medical Association*
BO *body odor*
BOSS *(Südafrika) Bureau of State Security*
BOT *Board of Trade*
Bq *becquerel*
BR *British Rail*
BSc *Bachelor of Science*
BST *British Summer Time*
Btu *British thermal unit*

c. *circa*
CAA *Civil Aviation Authority*
CAB 1. *Citizens' Advice Bureau;* **2.** *(Am) Civil Aeronautics Board*
CAD/CAM *computer-aided design and manufacture* CAD/CAM
cal. *calorie* cal.
CAP *(EU) Common Agricultural Policy*
Caps. *capitals*
CARE *Cooperative for American Relief Everywhere*
CAT *(Br) Centre for Alternative Technology*
CB *citizens' band (radio)* CB
CBI *(Br) Confederation of British Industry*

CBW *chemical and biological warfare*
cc *cubic centimeters* cc, cm^3
CCTV *closed-circuit television*
ccw. *counterclockwise*
CD *compact disc* CD
CET *Central European Time* MEZ
cf. *confer* vgl.
CFC *chlorofluorocarbon* FCKW
c/h *central heating*
chap. *chapter* Kap.
CIA *(Am) Central Intelligence Agency* CIA
CID *(Br) Criminal Investigation Department* Kripo
CIO *(Am) Congress of Industrial Organizations*
CIS *Commonwealth of Independent States*
ckw. *clockwise*
cm *centimeter* cm
CND *Campaign for Nuclear Disarmament*
Co *cobalt*
CO *Commanding Officer*
COBOL *(EDV) common business-oriented language* COBOL
COD *(Br)* **1.** *cash on delivery;* **2.** *chemical oxygen demand*
COI *(Br) Central Office of Information*
COL *computer-oriented language*
cols *columns*
Comecon *Council for Mutual Economic Assistance* COMECON
COMSAT *(Am) communications satellite*
CORE *(Am) Congress of Racial Equality*
cos *(Math) cosine* cos
cosec *(Math) cosecant* cosec
cot *or* **cotan** *(Math) cotangent* cot
CP *Communist Party* KP
CPU *(EDV) central processing unit*
CRT *cathode ray tube*
CSCE *Conference on Security and Cooperation in Europe* KSZE
CSE *(Br) Certificate of Secondary Education*
CTC *(Br) city technology college*
CV *curriculum vitae*
cwt. *hundredweight*

d. **1.** *day;* **2.** *diameter;* **3.** *died*
DA *(Am) District Attorney*
DAT *digital audio tape*
dB *decibel*
DC **1.** *direct current;* **2.** *District Commissioner;* **3.** *District of Columbia*
DD *Doctor of Divinity*
DDT *Dichlorodiphenyl-trichloroethane* DDT
deg. *degree*
dep. *department* Abt.
DES *(Br) Department of Education and Science*
Det *Detective*
DEW *distant early warning*
Dip *Diploma* Dipl.
DIY *do-it-yourself*
DJ **1.** *dinner jacket;* **2.** *disc jockey*
DM *Deutschmark* DM
DNA *deoxyribonucleic acid* DNS
DOA *dead on arrival*
DOD *(Am) Department of Defense*
DoE *(Br) Department of the Environment*
DOS *(EDV) Disk Operating System* DOS
doz. *dozen*
DP **1.** *data processing;* **2.** *displaced person*
DPhil *Doctor of Philosophy*
Dr *Doctor*
DS *Detective Sergeant*
DSc *Doctor of Science* Dr. rer. nat.
DTP *desktop publishing* DTP
dup. *duplicate*
DVLA *(Br) Driver and Vehicle Licensing Authority*

E *east*
ECG *electrocardiogram* EKG
ECT *electroconvulsive therapy* Elektroshock
ECU *European Currency Unit* ECU
ed. **1.** *editor;* **2.** *edition;* **3.** *edited*
EDP *electronic data processing* EDV
EEC *(obs.) European Economic Community* EWG
EEG *electroencephalogram* EEG
EFTA *European Free Trade Association* EFTA
e. g. *(exempli gratia) for example* z. B.
EIS *(EDV) executive information system*
ELT *English language teaching*
enc. *or* **encl.** *enclosure* Anl.
ENE *east-northeast* ONO
ENT *ear, nose and throat* HNO
EOC *(Br) Equal Opportunities Commission*

EOF *(EDV) end of file*
EP *extended play* Schallplatte mit verlängerter Spieldauer
EPNS *electroplated nickel silver*
eq. *or* **equiv.** *equivalent*
ER *Elizabeth Regina*
ESE *east-southeast* OSO
ESN *educationally subnormal*
ESL *English as a second language*
ESP *extrasensory perception* ASW
Esq. *Esquire*
est. 1. *estimated;* **2.** *established*
ETA *estimated time of arrival*
et al. *et alii* et al.
etc. *et cetera* usw.
ETD *estimated time of departure*
EU *European Union*
Euratom *European Atomic Energy Community* EURATOM

F *Fahrenheit*
f 1. *folio;* **2.** *feminine*
FA *(Br) Football Association*
FBI *(Am) Federal Bureau of Investigation*
FCO *(Br) Foreign and Commonwealth Office*
Fed. *federal*
ff *the following* ff.
FIFA *Federation of International Football Association* FIFA
fig. 1. *figure;* **2.** *figurative*
FM 1. *(Physics) frequency modulation;* **2.** *Field Marshal*
FO *(Br) Foreign Office*
fob *free-on-board*
FoE *Friends of the Earth*
foll. *followed* or *following* folg.
FORTRAN *(EDV) formula translation* FORTRAN
FRG *Federal Republic of Germany* BRD
ft *foot* or *feet*

g *gram*
gall. *gallon*
GATT *General Agreement on Tariffs and Trade* GATT
GB *Great Britain*
GBH *(Br jur.) grievous bodily harm*
GCE *General Certificate of Education*
GCHQ *(Br) Government Communications Headquarters*
GCSE *(Br) General Certificate of Secondary Education*
Gdns *Gardens*
GDP *Gross Domestic Product*
GDR *(History) German Democratic Republic*
GFR *German Federal Republic* BRD
GI *government issue*
GMT *Greenwich Mean Time* WEZ
GNP *Gross National Product* BSP
Gov. *Governor*
GP *general practitioner*
GPO *General Post Office*
GT *Gran Turismo* GT

h & c *hot and cold (water)*
HGV *heavy goods vehicle*
HIV *human immunodeficiency virus* HIV
hl *hectoliter* hl
HMG *Her/His Majesty's Government*
HMI *Her/His Majesty's Inspector (of schools)*
HMSO *Her/His Majesty's Stationery Office*
HNC *Higher National Certificate*
HND *Higher National Diploma*
HMS 1. *Her/His Majesty's Service;* **2.** *Her/His Majesty's Ship*
HO 1. *head office;* **2.** *Home Office*
Hon. *Honorary*
hons *honors*
HP 1. *Hewlett Packard;* **2.** *Houses of Parliament*
HQ *headquarters*
HRH *Her/His Royal Highness*
HST *high-speed train*
ht *height*
Hz *hertz* Hz

IAEA *International Atomic Energy Agency*
IATA *International Air Transport Association* IATA
ibid. *ibidem (in the same place)*
IC *integrated circuit*
i/c *in charge (of)*
ICBM *intercontinental ballistic missile*
ICU *intensive care unit*
ID *identification*
IDDD *(Am) international direct distance dial(ing)*

IDP 1. *integrated data processing;* **2.** *International Driving Permit*
i. e. *id est* d. h.
illus. *illustrated* or *illustration* Abb.
ILO *International Labour Organisation* IAO
ILS *instrument landing system*
IMF *International Monetary Fund* IWF
in *inch*
Inc. *Incorporated*
INS *International News Service*
Interpol *International Criminal Police Commission* Interpol
I/O *(EDV) input/output*
IOC *International Olympic Committee* IOK
IOM *Isle of Man*
IOU *I owe you*
IOW *Isle of Wight*
IPA 1. *International Phonetic Association;* **2.** *International Phonetic Alphabet* IPA
IQ *Intelligence Quotient* IQ
IRA *Irish Republican Army* IRA
IRBM *intermediate-range ballistic missile*
ISBN *International Standard Book Number* ISBN
ISD *international subscriber dialing*
ITA 1. *Independent Television Authority;* **2.** *initial teaching alphabet*
ITN *(Br) Independent Television News*
ITV *(Br) Independent Television*
IUD *intrauterine device*
i. v. *intravenous*

JP *(Br) Justice of the Peace*
Jr *Junior*
jt *joint*

kbyte *kilobyte*
KC *King's Counsel*
kc *kilocycle*
kg *kilogram*
kHz *kilohertz*
KIA *killed in action* gef.
kJ *kilojoule* kJ
km *kilometer* km
km/h *kilometers per hour* km/h
KO *knockout* K. o.
kw *kilowatt* kW
kWh *kilowatt hour* kWh
KWIC *(EDV) key word in context*
KWOC *(EDV) key word out of context*

L 1. *(Br mot.) Learner;* **2.** *large*
l *liter*
lab. *laboratory* Lab.
LAN *(computing) local area network* LAN
lat. *latitude* Br.
lb *pound* lb
LCD 1. *liquid crystal diode;* **2.** *liquid crystal display* LCD-Anzeige
LCM *London College of Music*
LED *light-emitting diode*
LEM *lunar excursion module*
LF *low frequency* LF
Lieut *Lieutenant* Lt.
loc. cit. *loco citato* l. c., a. a. O.
log *logarithm*
long. *longitude* L.
LP *long-playing (record)* LP
LPG *liquid petroleum gas*
LSD *lysergic acid diethylamide* LSD
Ltd *Limited*
LV *luncheon voucher*
LW *long wave* LW

M 1. *male;* **2.** *medium;* **3.** *mass*
m 1. *meter;* **2.** *mile;* **3.** *million;* **4.** *minutes;* **5.** *married;* **6.** *masculine*
MA *Master of Arts*
mA *milliampere* mA
MAFF *(Br) Ministry of Agricultural, Fisheries and Food*
Maj. *Major*
MASH *(Am) Mobile Army Surgical Hospital*
max. *maximum*
mb *millibar*
MC 1. *Master of Ceremonies;* **2.** *Medical Corps;* **3.** *Member of Congress;* **4.** *Military Cross*
MD 1. *managing director;* **2.** *Doctor of Medicine*
med. *medium*
MEP *Member of the European Parliament*
met. *meteorological*
Mg *magnesium*
MHR *(Am) Member of the House of Representatives*
Mhz *megahertz* mHz

MICR *(EDV) magnetic-ink character recognition*
MIDAS *Missile Defence Alarm System*
min. 1. *minute* min; **2.** *minimum* min
MIRV *multiple independently targeted reentry vehicle*
MLR *minimum lending rate*
mm *millimeter* mm
MO 1. *modus operandi;* **2.** *Medical Officer;* **3.** *money order*
MOD *(Br) Ministry of Defense*
mod. *modern* mod.
MOL *manned orbiting laboratory*
MOT *Ministry of Transport* TÜV
MP 1. *Member of Parliament;* **2.** *Metropolitan Police;* **3.** *Military Police*
mpg *miles per gallon*
mph *miles per hour*
Mr *Mister* Herr
MRBM *medium-range ballistic missile*
Mrs *Mistress* Frau
Ms *Miss* Frau (auch für Unverheiratete)
MS *multiple sclerosis* MS
ms *manuscript*
MSc *Master of Science*
MSG *monosodium glutamate*
MT *(Am) Mountain Time*
Mt. *Mountain*
MW *medium wave* MW

N *north*
n 1. *(Math) n;* **2.** *noun;* **3.** *neuter*
NAACP *(Am) National Association for the Advancement of Colored People*
Naafi *Navy, Army and Air Force Institutes*
NALGO *(Br) National and Local Government Officers Association*
NASA *(Am) National Aeronautics and Space Administration* NASA
NATO *North Atlantic Treaty Organization* NATO
NB *nota bene* NB
NCC *(Br) Nature Conservancy Council*
NCO *non-commissioned officer*
NE *northeast* NO
NF *(Br) National Front*
NHS *(Br) National Health Service*
NNE *north-northeast* NNO
NNW *north-northwest* NNW
no *number*
NSPCC *National Society for the Prevention of Cruelty to Children*
NT 1. *New Testament;* **2.** *National Trust*
NW *northwest* NW
NY *New York*
NZ *New Zealand*

OAP *old-age pensioner*
OAS *Organization of American States* OAS
OAU *Organization of African Unity* OAU
OCR *(EDV) optical character recognition* OCR
OD *overdose*
OECD *Organization for Economic Cooperation and Development* OECD
OHMS *On Her/His Majesty's Service*
ONC *Ordinary National Certificate*
o. n. o. *or nearest offer*
op. cit. *opere citato* op. cit.
OPEC *Organization of Petroleum Exporting Countries* OPEC
OS 1. *ordinary seaman;* **2.** *Ordnance Survey;* **3.** *outsize*
OT *Old Testament* AT
OU *(Br) Open University*
OXFAM *Oxford Committee for Famine Relief*
oz *ounce*

p 1. *page;* **2.** *penny*
PA 1. *Press Association;* **2.** *public address system*
p. a. *per annum (yearly)*
PABX *private automatic branch exchange*
PACE *Police and Criminal Evidence Act*
p & p *postage and packing*
par. *paragraph* Abs.
Parl. *Parliament*
PAT *Professional Association of Teachers*
PAYE *Pay As You Earn*
PBS *(Am) Public Broadcasting Service*
PC 1. *Police Constable;* **2.** *Privy Councillor;* **3.** *personal computer*
p. c. *per cent*
PE *physical education*
PEN *International Association of Poets, Playwrights, Editors, Essayists and Novelists*
per pro. *per procurationem (by proxy)*

PERT *(EDV) program evaluation and review technique*
PGCE *(Br) Postgraduate Certificate of Education*
PhD *Philosophiae Doctor (Doctor of Philosophy)*
PIN *personal identification number*
plc *public limited company*
PLO *Palestine Liberation Organization* PLO
PLP *(Br) Parliamentary Labour Party*
PM 1. *Prime Minister;* **2.** *post mortem*
p. m. *post meridiem* nachm.
PO 1. *parole officer;* **2.** *personal officer*
POB *Post-Office Box* Postf.
POD *pay on delivery*
poss. *(Grammar) possessive*
POW 1. *Prince of Wales;* **2.** *prisoner of war*
pp *pages*
PR 1. *proportional representation;* **2.** *public relations*
Pres. *Presbyterian*
Prof. *Professor*
prog. *program*
PROM *(EDV) programmable read-only memory*
PS *postscript* PS
PSV *public service vehicle*
PT 1. *physical therapy;* **2.** *physical training*
pt 1. *pint;* **2.** *point*
pto *please turn over* b. w.
PVC *polyvinyl chloride* PVC
PWR *pressurized water reactor*
PX *(Am) Post Exchange*

Q *Queen*
QC *(Br) Queen's Counsel*
QED *quod erat demonstrandum* q. e. d.
qtr *quarter*
qv *quod vide*

R 1. *resistance;* **2.** *River;* **3.** *restricted*
r. *run*
RAC *Royal Automobile Club*
RAF *Royal Air Force*
RAM *(EDV) random-access memory* RAM
R & B *rhythm and blues*
RC 1. *Red Cross* DRK; **2.** *Roman Catholic* rk
RCMP *Royal Canadian Mounted Police*
Rd *road* Str.
RE 1. *religious education;* **2.** *Royal Exchange*
REM *rapid eye movement* REM
Rep. 1. *Republic* Rep.; **2.** *Republican* Rep.
Revd. *Reverend* Ehrw.
RFC *(Br) Rugby Football Club*
Rh *rhesus* Rh.
RI *religious instruction*
RIP *rest in peace* R. I. P.
RN *Royal Navy*
RNA *ribonucleic acid* RNS
RNLI *Royal National Lifeboat Institution*
ROM *(EDV) read-only memory* ROM
RoSPA *Royal Society for the Prevention of Accidents*
RP *received pronunciation*
rpm *revolutions per minute* Umd. p. min.
RR *(Am) Railroad*
RSPCA *Royal Society for the Prevention of Cruelty to Animals*
RSVP *répondez s'il vous plaît* u. A. w. g.
Rt Hon. *Right Honourable*
RUC *Royal Ulster Constabulary*

S 1. *south;* **2.** *small*
s *second*
SA 1. *South Africa;* **2.** *South America;* **3.** *South Australia;* **4.** *Salvation Army*
s. a. e. *stamped addressed envelope*
SALT *Strategic Arms Limitation Talks* SALT
SAM *surface-to-air missile*
SAS *(Br) Special Air Service*
SAYE *Save As You Earn*
sci-fi *science fiction*
SDI *(Am) Strategic Defense Initiative*
SE *southeast* SO
SEATO *South-East Asia Treaty Organization* SEATO
Sen. *(Am) Senator*
s. g. *specific gravity*
SHAPE *Supreme Headquarters Allied Powers Europe*
SJ *Society of Jesus*
SNP *Scottish National Party*
sonar *sound navigation and ranging*
Sq. *square* Pl.
SS 1. *steamships;* **2.** *saints*

SSE *south-southeast* SSO
SSM *surface-to-surface missile*
SSR *Soviet Socialist Republic*
SSW *south-southwest* SSW
St. 1. *Strait;* **2.** *street*
st. *stone*
STD *(Br) subscriber trunk dialing*
START *Strategic Arms Reduction Talks*
STOL *short takeoff and landing*
STUC *Scottish Trades Union Congress*
SU *Scripture Union*
SUM *surface-to-underwater missile*
SW *southwest* SW
SWAPO *South West African People's Organization* SWAPO

t *ton*
TA *(Br) Territorial Army*
tan *(Math) tangent* tan.
TB *tuberculosis* TB
tbs. *tablespoon(ful)* Eßl.
TCBM *transcontinental ballistic missile*
TD 1. *touchdown;* **2.** *(Med.) tardive dyskinesia*
tel. *telephone* Tel.
temp. 1. *temperature* Temp.; **2.** *temporary* zeitw.
TIR *International Road Transport*
TNT *trinitrotoluene*
trig. *trigonometry*
TT 1. *teetotal;* **2.** *(mot.) Tourist Trophy;* **3.** *(agr.) tuberculin-tested*
TUC *Trades Union Congress*
TV *television* TV
TVP *textured vegetable protein*

UAE *United Arab Emirates*
UCCA *(Br) Universities Central Council for Admissions* ZVS
UDA *Ulster Defence Association*
UDR *Ulster Defence Regiment*
UDI *unilateral declaration of independence*
UEFA *Union of European Football Associations* UEFA
UFO *unidentified flying object* UFO
UHF *ultrahigh frequency*
UHT *ultra heat treated*
UK *United Kingdom*
UN *United Nations* UN
UNA *(Br) United Nations Association*
UNCTAD *United Nations Commissions for Trade and Development* UNCTAD
UNESCO *United Nations Educational, Scientific and Cultural Organization* UNESCO
UNICEF *United Nations International Children's Emergency Fund* UNICEF
Univ. *University* Univ.
UNO *United Nations Organization* UNO
UPI *(Am) United Press International*
US *United States* US
USA 1. *United States of America;* **2.** *United States Army*
USAF *United States Air Force*
USM 1. *underwater-to-surface missile;* **2.** *United States Mail*
USS 1. *United States Ship;* **2.** *United States Senate*
USW *ultrashort waves*
UV *ultraviolet* UV
UVF *Ulster Volunteer Force*

V 1. *volume;* **2.** *volt*
vac. *vacant*
VAT *value-added tax* MwSt.
VC 1. *Victoria Cross;* **2.** *Vice-Chairman*
VCR *videocassette recorder* VCR
VD *venereal disease*
VDU *visual display unit* VDU
VE *Victory in Europe*
VERA *vision electronic recording apparatus*
v. g. *very good*
VHF *very high frequency*
VIP *very important person* VIP
viz *videlicet (namely)*
vol *volume* Bd.
VSO *very superior old*
VSOP *very superior old pale*
VTOL *vertical takeoff and landing*
VTR *videotape recorder*

W *west*
w *watt*
WAAF *Women's Auxiliary Air Force*
WAC *Women's Army Corps*
WASP *(Am) White Anglo-Saxon Protestant*
w. c. *water closet* WC
w. e. f. *with effect from*
WHO *World Health Organization* WGO
WI *(Br) Women's Institute*

WNW *west-northwest* WNW
w/o *without* o.
WPC *(Br) Woman Police Constable*
wpm *words per minute* WpM
WRAC *(Br) Women's Royal Army Corps*
WRAF *(Br) Women's Royal Air Force*
WRNS *(Br) Women's Royal Naval Service*
WSW *west-southwest* WSW
wt *weight* Gew.
WW *World War*
WWF *World Wildlife Fund* WWF
WYSIWYG *(EDV) what you see is what you get*

X *(Math)* ×
XL *extra large* XL
Xmas *Christmas*

y. *year*
yd *yard(s)*
YHA *Youth Hostel Association*
YMCA *Young Men's Christian Association* CVJM
yr *your*

ZIP *(Am) zone improvement program*

German Abbreviations

A *Ampere* amp.
a *Ar* are
AA *Auswärtiges Amt* Foreign Office
a. a. O. *am angegebenen* od *angeführten Ort* loc. cit.
Abb. *Abbildung* illus.
Abf. *Abfahrt* dep.
Abk. *Abkürzung* abbreviation
ABM *Arbeitsbeschaffungsmaßnahme* job creation scheme
Abs. *Absatz* para.
ABS *Antiblockiersystem* anti-lock braking system
Abt. *Abteilung* dep., dept.
abzgl. *abzüglich* less, minus
a. Chr. (n.) *ante Christum (natum)* BC
a. D. *außer Dienst* retd.
A. D. *anno Domini* AD
ADAC *Allgemeiner Deutscher Automobil-Club* General German Automobile Association
Add. *Addenda, Ergänzungen* addenda, additions, supplements
Adr. *Adresse* address
AG *Aktiengesellschaft* (Br) plc
ahd. *althochdeutsch* OHG
Aids, AIDS *Acquired Immune Deficiency Syndrome, erworbene Immunschwäche* aids, AIDS
Akad. *Akademie, (Hochschule)* academy, a. college
Akt.-Nr. *Aktennummer* file no.
AKW *Atomkraftwerk* nuclear power station
allg. *allgemein* general
allj. *alljährlich* annual(ly *adv*), yearly
a. M. *am Main* on the Main
amtl. *amtlich* official
Anh. *Anhang* appendix
Ank. *Ankunft* arr.
Anm. *Anmerkung* note
anschl. *anschließend* following, subsequent(ly *adv*)
a. o. *außerordentlich* extraordinary, special
a. o. Prof. *außerordentlicher Professor* (Br) senior lecturer, (Am) associate professor
APO *Außerparlamentarische Opposition* extra-parliamentary opposition
App. *Apparat, Telefon* appliance, instrument, telephone
arab. *Arabisch* Arab(ian), Arabic figures, *etc.*
a. Rh. *am Rhein* on the Rhine
Art. *Artikel* article
ASCII *American Standard Code for Information Interchange* ASCII
Assist. *Assistent, Assistenz* assistant, assistance
ASTA *Allgemeiner Studentenausschuss* general students' committee
ASU *Abgassonderuntersuchung* anti-pollution test of exhaust fumes
A. T. *Altes Testament* OT
atü *Atmosphärenüberdruck* high atmospheric pressure
Aufl. *Auflage* ed.
Auftr.-Nr. *Auftragsnummer* order no.
Ausg. *Ausgabe, Exemplar, Ausgang* copy, edition, exit
Az. *Aktenzeichen* file number

B *Bundesstraße* federal highway
b. *bei, per Adresse* c/o
BAföG *Bundesausbildungsförderungsgesetz* grant
B(au)j. *Baujahr* year of construction *or* manufacture
b. a. W. *bis aus Widerruf* until recalled, unless countermanded *or* canceled
b. a. w. *bis auf weiteres* until further notice
Bd *Band (Buch)* vol.; *Bund (Vereinigung)* union, association; *Bündnis* alliance, *(Staat)* confederacy, confederation
Bde. *Bände* vols.
Bea(mt). *Beamte(r) (staatlich)* civil servant, official
Begl. *Beglaubigung* certification
begl. *beglaubigt* certified; *beglichen* paid
Benelux *Belgien, Niederlande, Luxemburg* Belgium, the Netherlands, and Luxemburg
bes. *besonders* esp.
Best. *Bestellung* order

Best.-Nr. *Bestellnummer* order no.
Betr. *Betreff, betrifft* re
betr. *betreffend, betreffs* re
Bez. *Bezeichnung, Bezirk* mark; *(Name)* name, designation, district
bfr *belgischer Franc* Belgian franc
BGB *Bürgerliches Gesetzbuch* Civil Code
BGH *Bundesgerichtshof* Federal Supreme Court
Bhf. *Bahnhof* station
BND *Bundesnachrichtendienst* Federal Intelligence Service
B. P. a. *Bundespatent angemeldet* pat. pend.
BRD *Bundesrepublik Deutschland* FRG, GFR
BRT *Bruttoregistertonne* g. r. t.
BSE *bovine spongiforme Enzephalopathie* BSE
BSP *Bruttosozialprodukt* GNP
Btx *Bildschirmtext* viewdata, videotext
b. w. *bitte wenden* p. t. o.
bzgl. *bezüglich* with reference to
bzw. *beziehungsweise* respectively

C *Celsius* C
c *Cent* cent; *Centime* centime
ca. *circa, ungefähr* approximately
CAD *Computer Aided/Assisted Design, computergestützter Entwurf und Konstruktion* CAD
CAM *Computer Aided/Assisted Manufacture, computergestützte Fertigung* CAM
cbm *Kubikmeter* m^3
ccm *Kubikzentimeter* cm^3
CD *Compact Disc* CD
CDU *Christlich-Demokratische Union* Christian Democratic Union
cf. *confer, vergleiche* cf.
CIM *Computer Integrated Manufacture, computerintegrierte Fertigung* CIM
cl *Zentiliter* cl
cm *Zentimeter* cm
Co. *Gesellschaft* Co.
cos *Kosinus* cosine
CPU *Central Processing Unit, Zentraleinheit* CPU
ct. *Cent* ct; *Centime* centime
c. t. *cum tempore, mit akademischem Viertel* 15 minutes later
CVJM *Christlicher Verein Junger Menschen* Young Men's/Women's Christian Association YMCA/YWCA

d. Ä. *der Ältere* senior
DAAD *Deutscher Akademischer Austauschdienst* Academic Exchange Service
DAG *Deutsche Angestelltengewerkschaft* Trade Union for German Employees
DB *Deutsche Bahn* German Railway
DBP(a) *Deutsches Bundespatent (angemeldet)* German Federal Patent (pending)
DDR *Deutsche Demokratische Republik* GDR
DGB *Deutscher Gewerkschaftsbund* Federation of German Trade Unions
dgl. *der-, desgleichen* the like
d. Gr. *der Große* the Great
d. h. *das heißt* i.e.
DIN *Deutsche Industrie-Norm* DIN
Dipl. *Diplom* Dip.
dipl. *diplomatisch* diplomatic; *diplomiert* holding a diploma
Dipl.-Ing. *Diplomingenieur* graduate engineer
Diss. *Dissertation* dissertation, (doctoral) thesis
d. J. *der Jüngere* junior
DKP *Deutsche Kommunistische Partei* German Communist Party
DLRG *Deutsche Lebensrettungs-gesellschaft* RNLA
dkr *dänische Krone* Danish crown
DM *Deutsche Mark* DM
DNS *Desoxiribonukleinsäure* DNA
d. O. *der* od *die* od *das Obige* the above-mentioned
dpa *Deutsche Presse-Agentur* German Press Agency
Dr. *Doktor* Dr.
dr. *Drachme* drachma
d. Red. *die Redaktion* the ed.
Dr. jur. *Doktor der Rechte* LLD
DRK *Deutsches Rotes Kreuz* German Red Cross
Dr. med. *Doktor der Medizin* MD
Dr. phil. *Doktor der Philosophie* PhD
Dr. rer. nat. *Doktor der Naturwissenschaften* DSc
Dr. theol. *Doktor der Theologie* DD

dt(sch). *deutsch* Ger.
D(t)z(d). *Dutzend* doz.
d. U. *der Unterzeichnete* the undersigned
Dupl. *Duplikat* duplicate; *Abschrift* copy
Durchw.(-Nr.) *Durchwahl(nummer)* STD (code)
DV *Datenverarbeitung* DP
d. V(er)f. *der Verfasser* the author
dz *Doppelzentner* metric (*or* double) centner
D-Zug *Schnellzug* express *or* through train

EAN *Europäische Artikelnummer* EAN
ebd. *ebenda* ibid.
EC *Eurocity(zug)* EC
Ecu, ECU *European Currency Unit, europäische Währungseinheit* ECU
Ed. *Edition, Ausgabe* ed.
ed. *hat herausgegeben* ed.
EDV *Elektronische Datenverarbeitung* EDP
EG *Europäische Gemeinschaft* EC
e. G. *eingetragene Gesellschaft* registered company
eh(e)m. *ehemalig* former; *ehemals* formerly
Ehrw. *Ehrwürden* Rev.
Eing.-Nr. *Eingangsnummer* number of entry, receipt number
Einh. *Einheit* unit
EKD *Evangelische Kirche in Deutschland* Protestant Church in Germany
EKG *Elektrokardiogram* ECG
Empf. *Empfänger* addressee of letter, receiver, *etc.*
et al. *et alii* et al.
EU *Europäische Union* EU
EURATOM *Europäische Atomgemeinschaft* European Atomic Community, EURATOM
e. V. *eingetragener Verein* registered association *or* society
ev. *evangelisch* Protestant
ev.-luth. *evangelisch-lutherisch* Lutheran (Protestant)
ev.-ref. *evangelisch-reformiert* Reformed
evtl. *eventuell* poss.
EWG *Europäische Wirtschaftsgemeinschaft* EEC
EWS *Europäisches Währungssystem* EMS
EWU *Europäische Währungsunion* EMU
e. Wz. *eingetragenes Warenzeichen* regd. trademark
exkl. *exklusive* excl.
Expl. *Exemplar* copy, sample
Exz. *Exzellenz* Excellency

F *Fahrenheit* F
Fa. *Firma* firm (*in Briefen:* Messrs)
Fahrg(est).-Nr. *Fahrgestellnummer* chassis (*or* serial) no.
F(ahr)z. *Fahrzeug* vehicle
Fam. *Familie* family
FC *Fußballclub* FC
FCKW *Fluorchlorkohlenwasserstoff* CFC
FDP *Freie Demokratische Partei* Liberal Democratic Party
FF *französischer Franc* French franc
ff. *folgende Seiten* PP
FH *Fachhochschule* technical college
Fig. *Figur* fig.
fm *Festmeter* cubic meter
Fr. *Frau* Mrs., Ms.
Frl. *Fräulein* Miss
Frh. *Freiherr* Baron
frz. *französisch* Fr.

g *Gramm* gram
GATT *General Agreement on Tariffs and Trade, Allgemeines Zoll- und Handelsabkommen* GATT
GAU *größter anzunehmender Unfall* MCA
geb. *geboren (geborene)* b., (née)
Gebr. *Gebrüder* Brothers, Bros.
gebr. *gebräuchlich* common, usual; *gebraucht* second(-)hand, used
gegr. *gegründet* founded
GEMA *Gesellschaft für musikalische Aufführungs- u. mechanische Vervielfältigungsrechte* (Br) Performing Rights Society PRS; Mechanical Copyright Protection Society MCPS; (Am) American Society of Composers, Authors and Publishers ASAP
gepr. *geprüft* certified document, checked, tested, *etc.*
ger. *gerichtlich* judicial, legal
Ges. *Gesellschaft* assn.; *Gesetz* law

gez. *gezeichnet* signed
ggf. *gegebenenfalls* if need be
ggs. *gegensätzlich* opposite; *gegenseitig* mutual
GmbH *Gesellschaft mit beschränkter Haftung* (Br) Ltd., (Am) Inc.
Gr. *Grad* degree

H *Haltestelle* bus, *etc.* stop
h *Hekto …* hecto; *… hora, Stunde* hour
ha *Hektar* hectare
habil. *habilitatus, habilitiert* habilitated
Hbf. *Hauptbahnhof* central station
h. c. *honoris causa, ehrenhalber* honorary
hfl *holländischer Gulden* Dutch guilder (*or* florin)
HGB *Handelsgesetzbuch* Commercial Code
HIV *Human Immunodeficiency Virus, menschliches Immunschwächevirus* HIV
Hj. *Halbjahr* six months *pl*
hl *Hektoliter* hl.
hl. *heilig* holy, St.
Hochw. *R. C. Hochwürden* Rev.
HR(eg). *Handelsregister* Commercial Register
Hr(n). *Herr(n)* Mr.
Hrsg. *Herausgeber* ed.
hrsg. *herausgegeben* ed.
Hz *Hertz* cycle Hz

i. A. *im Auftrag* pp
i. Allg. *im Allgemeinen* in general
ibd. *ibidem, ebenda, -dort* ibid.
IC *Intercity(zug)* IC
ICE *Intercityexpress* ICE
i. D. *im Dienst* on duty; *im Durchschnitt* on av.
i. d. M(in). *in der Minute* per minute
i. d. Sek. *in der Sekunde* per second
i. d. St(d). *in der Stunde* per hour
IFO *Institut für Wirtschaftsforschung* Institute for Economic Research
IG *Industriegewerkschaft* industrial trade union
i. H. *im Hause* on the premises
IHK *Industrie- und Handelskammer* Chamber of Industry and Commerce
i. J. *im Jahr* p. a.
i. M. *im Monat* in (the month of) July, *etc.*; *monatlich* monthly, per month
Ing. *Ingenieur* (Br) engineer, (Am) civil engineer
Inh. *Inhaber* proprietor; *Inhalt* contents *pl*
inkl. *inklusive* incl.
Interpol *Internationale Kriminalpolizei-Kommission* Interpol
i. R. *im Ruhestand* retd.
IQ *Intelligenzquotient* IQ
IRK *Internationales Rotes Kreuz* International Red Cross
ISBN *Internationale Standardbuchnummer* ISBN
ISDN *Integrated Services Digital Network, diensteintegrierendes digitales Fernmeldenetz* ISDN
i. Tr. *in der Trockenmasse* in dry matter, *etc.* percentage of fat
i. V. *in Vertretung* by proxy, on behalf of; *in Vorbereitung* in preparation
IWF *Internationaler Währungsfonds* IMF

J *Joule* joule
JH *Jugendherberge* YH
jhrl. *jährlich* annual
jr., jun. *junior* jun.
jur. *juristisch* legal

kath. *katholisch* catholic
kcal *Kilokalorie* kilocalorie
Kfm *Kaufmann* agent, businessman, dealer, merchant, trader
kfm. *kaufmännisch* commercial
Kfz. *Kraftfahrzeug* motor vehicle
KG *Kommanditgesellschaft* limited partnership
kg *Kilogramm* kg.
kgl. *königlich* royal
kHz *Kiloherz* kHz
KKW *Kernkraftwerk* nuclear power station
km *Kilometer* kilometer
km/h *Kilometer pro Stunde* kilometers per hour
KP *Kommunistische Partei* CP
kpl. *komplett* compl.
Kripo *Kriminalpolizei* Criminal Investigation Department
Krs. *Kreis* (administrative) district

KSZE *Konferenz über Sicherheit und Zusammenarbeit in Europa* CSCE
Kto. *Konto* a/c
Kto.-Nr. *Kontonummer* a/c no.
Ktr.-Nr. *Kontrollnummer* check *or* code number
KW *Kurzwelle* SW
kW *Kilowatt* kw
kWh *Kilowattstunde* kWh, kwh

l *Liter* l
LAN *Local Area Network, Lokalnetz* LAN, lan
LCD *Liquid Crystal Display, Leuchtdiodenanzeige* LCD
led. *ledig* s.
lfd. *laufend* current, running
lfd. Nr. *laufende Nummer* current number
LG *Landgericht* district court
LKW, Lkw *Lastkraftwagen* HGV
LP *Langspielplatte* LP
LSD *Lysergsäurediäthylamid* LSD
lt. *laut* according to, as per
luth. *lutherisch* Lutheran
LW *Langwelle* LW

m *Meter* m.
MA *Magister Artium* MA
MA. *Mittelalter* Middle Ages *pl*
mA *Milliampere* mA
mbH, m.b.H. *mit beschränkter Haftung* with limited liability
MdB *Mitglied des Bundestages* Member of the (German) "Bundestag"
MdL *Mitglied des Landtags* member of the "Landtag"
m. E. *meines Erachtens* in my opinion
MEZ *mitteleuropäische Zeit* Central European Time
MG *Maschinengewehr* machine-gun
mg *Milligramm* mg
mhd. *mittelhochdeutsch* MHG
MHz *Megahertz* MHz
Min., min *Minute* min.
mm *Millimeter* mm
MP *Maschinenpistiole* submachine gun; *Militärpolizei* MP
Mrd. *Milliarde(n)* (Br) thousand million(s), (Am) billion(s)
Ms *Manuskript* ms
m/sec *Meter pro Sekunde* m/sec
m. ü. M. *Meter über Meer* meters above sea level
MW *Mittelwelle* MW
m. W. *meines Wissens* as far as I know
MwSt. *Mehrwertsteuer* VAT

N *Norden* N; *Leistung* power
N(a)chf. *Nachfolger* successor
NATO *Nordatlantikpakt-Organisation* North Atlantic Treaty Organization NATO
N. B. *nota bene* NB
n. Br. *nördlicher Breite* northern latitude
n. Chr. *nach Christus* AD
nhd. *neuhochdeutsch* NHG
NO *Nordosten* NE
Nr(n). *Nummer(n)* no(s).
N. T. *Neues Testament* NT
nto. *netto* net
NW *Nordwesten* NW

O *Osten* E
o. *oben* above; *oder* or; *ohne* without
o.ä. *oder ähnlich* or the like
O B *Oberbürgermeister* Lord Mayor
OECD *Organization for Economic Cooperation and Development, Organisation für wirtschaftliche Zusammenarbeit und Entwicklung* OECD
OEZ *osteuropäische Zeit* time of the East European zone
OHG *offene Handelsgesellschaft* general partnership
OLG *Oberlandesgericht* Higher Regional Court
Op. *Opus* composition, opus
op. cit. *opere citato, im angegebenen Werk* op. cit.
o. Prof. *ordentlicher Professor* Prof.
OP *Operationssaal* (operating) theater
OPEC *Organization of Petroleum Exporting Countries, Organisation der Erdöl exportierenden Länder* OPEC
orth. *orthodox* orthodox

P. *Pater* father
p. *Peso* peso
p. Adr. *per Adresse, bei* c/o
Pat. *Patent* pat.
PC *Personalcomputer* PC

p. Chr. (n) *post Christum (natum), nach Christus (nach Christi Geburt)* AD
Pf *Pfennig* penny
PLO *Palestine Liberation Organization, Palästinensische Befreiungsorganisation* PLO
pp *per procura* pp
Prof. *Professor* Prof.
prot. *protestantisch* Protestant
PS *Pferdestärke(n)* HP
PVC *Polyvinylchlorid* PVC

qcm *Quadratzentimeter* cm^2
q. e. d. *quod erat demonstrandum, was zu beweisen war* Q. E. D.
qkm *Quadratkilometer* km^2
qm *Quadratmeter* m^2

RA *Rechtsanwalt* barrister, lawyer, solicitor, (Am) a. attorney
RAF *Rote-Armee-Fraktion* RAF
RAM *Random Access Memory, Direktzugriffsspeicher* RAM
rd. *rund* c.
Ref. *Referat (Abteilung)* section, subject, department
Reg. *Regierung* govt.
Reg.-Bez. *Regierungsbezirk* administrative district
rh *Rhesusfaktor* Rh
R. I. P. *requiescat in pace* rest in peace, RIP
rk. *römisch-katholisch* RC
RNS *Ribonukleinsäure* RNA
ROM *Read Only Memory, Festwertspeicher* ROM
RT *Registertonne* registered ton

S *Süden* S; *Schilling* shilling
S. *Seite* p.
s. *sieh(e)* v.
SB *Selbstbedienung* self-service
s. Br. *südlicher Breite* southern latitude
scil. *scilicet, nämlich* namely, that is (to say)
SDI *Strategic Defense Initiative, Strategische Verteidigungsinitiative* SDI
Sek. *Sekunde* sec.
sFr., sfr *schweizer Franken* Swiss Franc
sin *Sinus* sine
SJ *Societatis Jesu, von der Gesellschaft Jesu* SJ
skr *schwedische Krone* Swedish krona
sm *Seemeile* nautical mile
S. M. S. *Seiner Majestät Schiff* HMS
SO *Südost(en)* SE
s. o. *siehe oben* see above
SOS *save our ship* (or *our souls*), *Internationales Notsignal* SOS
Sr. *Senior, der Ältere* senior
SSV *Sommerschlussverkauf* summer sale
s. t. *sine tempore, ohne (akademisches) Viertel, pünktlich* sharp, on time
staatl. *staatlich* state ..., government ... statal
StGB *Strafgesetzbuch* Penal Code
StPO *Strafprozessordnung* Code of Criminal Procedure
Str. *Straße* St.
StVO *Straßenverkehrsordnung* road traffic regulations *pl*
s. u. *siehe unten* see below
SW *Südwest(en)* SW

t *Tonne* T
Tb(c) *Tuberkulose* TB
TEE *Trans-Europ-Express* TEE
Tel. *Telefon* tel.
TH *technische Hochschule* technical college *or* university
TU *technische Universität* technical university
TÜV *Technischer Überwachungsverein* ≈ MoT

UB *Universitätsbibliothek* University library
u. a. *und andere(s)* and others; *unter anderem* od *anderen* among others *or* among other things *or* inter alia
u. Ä. *und Ähnliche(s)* and the like
u. d. M. *unter dem Meeresspiegel* below sea level
ü. d. M. *über dem Meeresspiegel* above sea level
u. E. *unseres Erachtens* in our opinion
UFO, Ufo *unbekanntes Flugobjekt* UFO, Ufo
U-Haft *Untersuchungshaft* imprisonment (*or* period) on remand, detention (pending trial)
UKW *Ultrakurzwelle* UHF
U/min *Umdrehungen in der Minute* rpm

UN *United Nations, Vereinte Nationen* UN
UNO *United Nations Organization, Organisation der Vereinten Nationen* UNO
Unterz. *Unterzeichnete(r)* undersigned
US(A) *Vereinigte Staaten von Amerika* US(A)
usw. *und so weiter* etc.
u. U. *unter Umständen* circumstances permitting
UV *Ultraviolett* UV

V *Volt* V; *Volumen* vol.
v. Chr. *vor Christus* BC
v. D. *vom Dienst* in charge, on duty
vgl. *vergleiche* cf.
v. H. *vom Hundert* pc
VHS *Volkshochschule* adult education center
V. I. P. *Very Important Person* VIP
v. J. *vorigen Jahres* of last year
v. l. n. r. *von links nach rechts* from left to right
VR *Volksrepublik* People's Republic

W *Watt* w; *Westen* W
WAA *Wiederaufbereitungsanlage* reprocessing plant
WEZ *westeuropäische Zeit* GMT
WG *Wohngemeinschaft* shared flat
WM *Weltmeisterschaft* world championship
WSV *Winterschlussverkauf* winter sale
WWW *world wide web* www
Wz. *Warenzeichen* regd. trademark

z. B. *zum Beispiel* e.g.
z. H. *zu Händen* attn.
ZPO *Zivilprozessordnung* Code of Civil Procedure
z. T. *zum Teil* partly
Ztr. *Zentner* centner
z(u)zgl. *zuzüglich* plus
z. Z. *zur Zeit* at present, for the time being

The United States of America

The states with common abbreviations, post office abbreviations, and capitals

Alabama	(Ala.)	AL	Montgomery
Alaska	(Alas.)	AK	Juneau
Arizona	(Ariz.)	AZ	Phoenix
Arkansas	(Ark.)	AR	Little Rock
California	(Cal., Calif.)	CA	Sacramento
Colorado	(Colo.)	CO	Denver
Connecticut	(Conn.)	CT	Hartford
Delaware	(Del.)	DE	Dover
Florida	(Fla.)	FL	Tallahassee
Georgia	(Ga.)	GA	Atlanta
Hawaii		HI	Honolulu
Idaho	(Id., Ida.)	ID	Boise
Illinois	(Ill.)	IL	Springfield
Indiana	(Ind.)	IN	Indianapolis
Iowa	(Ia.)	IA	Des Moines
Kansas	(Kan., Kans.)	KS	Topeka
Kentucky	(Ken., Ky.)	KY	Frankfort
Louisiana	(La.)	LA	Baton Rouge
Maine	(Me.)	ME	Augusta
Maryland	(Md.)	MD	Annapolis
Massachusetts	(Mass.)	MA	Boston
Michigan	(Mich.)	MI	Lansing
Minnesota	(Minn.)	MN	St. Paul
Mississippi	(Miss.)	MS	Jackson
Missouri	(Mo.)	MO	Jefferson City
Montana	(Mont.)	MT	Helena
Nebraska	(Nebr.)	NB	Lincoln
Nevada	(Nev.)	NV	Carson City
New Hampshire	(N.H.)	NH	Concord
New Jersey	(N.J.)	NJ	Trenton
New Mexico	(N.Mex., N.M.)	NM	Santa Fe
New York	(N.Y.)	NY	Albany
North Carolina	(N.C.)	NC	Raleigh
North Dakota	(N.Dak., N.D.)	ND	Bismarck
Ohio	(Oh.)	OH	Columbus
Oklahoma	(Okla.)	OK	Oklahoma City
Oregon	(Oreg.)	OR	Salem
Pennsylvania	(Pa., Penn., Penna.)	PA	Harrisburg
Rhode Island	(R.I.)	RI	Providence
South Carolina	(S.C.)	SC	Columbia
South Dakota	(S.D., S.Dak.)	SD	Pierre
Tennessee	(Tenn.)	TN	Nashville
Texas	(Tex.)	TX	Austin
Utah	(Ut.)	UT	Salt Lake City
Vermont	(Vt.)	VT	Montpelier
Virginia	(Va.)	VA	Richmond

Washington	(Wash.)	WA	Olympia
West Virginia	(W.Va.)	WV	Charleston
Wisconsin	(Wis.)	WI	Madison
Wyoming	(Wyo., Wy.)	WY	Cheyenne

The Federal Republic of Germany

States and capitals

Baden-Württemberg Hauptstadt: Stuttgart	Baden-Württemberg Capital: Stuttgart
Bayern Hauptstadt: München	Bavaria Capital: Munich
Berlin Hauptstadt: Berlin	Berlin Capital: Berlin
Brandenburg Hauptstadt: Potsdam	Brandenburg Capital: Potsdam
Bremen Hauptstadt: Bremen	Bremen Capital: Bremen
Hamburg Hauptstadt: Hamburg	Hamburg Capital: Hamburg
Hessen Hauptstadt: Wiesbaden	Hesse Capital: Wiesbaden
Mecklenburg-Vorpommern Hauptstadt: Schwerin	Mecklenburg-West Pomerania Capital: Schwerin
Niedersachsen Hauptstadt: Hannover	Niedersachsen Capital: Hanover
Nordrhein-Westfalen Hauptstadt: Düsseldorf	North-Rhine-Westphalia Capital: Düsseldorf
Rheinland-Pfalz Hauptstadt: Mainz	Rhineland-Palatinate Capital: Mainz
Saarland Hauptstadt: Saarbrücken	Saarland Capital: Saarbrücken
Sachsen Hauptstadt: Dresden	Saxony Capital: Dresden
Sachsen-Anhalt Hauptstadt: Magdeburg	Saxony-Anhalt Capital: Magdeburg
Schleswig-Holstein Hauptstadt: Kiel	Schleswig-Holstein Capital: Kiel
Thüringen Hauptstadt: Erfurt	Thuringia Capital: Erfurt

American and British Weights and Measures

Linear measures – Längenmaße

1 inch (in) 1″		= 2.54 cm
1 foot (ft) 1′	= 12 inches	= 30.48 cm
1 yard (yd)	= 3 feet	= 91.44 cm
1 furlong (fur)	= 220 yards	= 201.17 m
1 mile (m)	= 1760 yards	= 1.609 km
1 league	= 3 miles	= 4.828 km

Nautical measures – Nautische Maße

1 fathom	= 6 feet	= 1.829 m
1 cable	= 608 feet	= 185.31 m
1 nautical, sea mile	= 10 cables	= 1.852 km
1 sea league	= 3 nautical miles	= 5.550 km

Surveyors' measures – Feldmaße

1 link	= 7.92 inches	= 20.12 cm
1 rod, perch, pole	= 25 links	= 5.029 m
1 chain	= 4 rods	= 20.12 m

Square measures – Flächenmaße

1 square inch		= 6.452 cm^2
1 square foot	= 144 sq inches	= 929.029 cm^2
1 square yard	= 9 sq feet	= 0.836 m^2
1 square rod	= 30.25 sq yards	= 25.29 m^2
1 acre	= 4840 sq yards	= 40.47 Ar
1 square mile	= 640 acres	= 2.59 km^2

Cubic measures – Raummaße

1 cubic inch		= 16.387 cm^3
1 cubic foot	= 1728 cu inches	= 0.028 m^3
1 cubic yard	= 27 cu feet	= 0.765 m^3
1 register ton	= 100 cu feet	= 2.832 m^3

Liquid measures of capacity – Flüssigkeitsmaße

1 gill		= 0.118 l
1 pint	= 4 gills	= 0.473 l
1 quart	= 2 pints	= 0.946 l
1 gallon	= 4 quarts	= 3.785 l
1 barrel	= (*for oil*) 42 gallons	= 159.106 l

Avoirdupois weights – Handelsgewichte

1 grain (gr)		= 0.0648 g
1 dram (dr)	= 27.3438 grains	= 1.772 g
1 ounce (oz)	= 16 drams	= 28.35 g
1 pound (lb)	= 16 ounces	= 453.59 g
1 stone	= 14 pounds	= 6.348 kg

1 quarter	= 28 pounds	= 12.701 kg
1 hundredweight (cwt)	= (*Br long cwt*) 112 pounds	= 50.8 kg
	(*Am short cwt*) 100 pounds	= 45.36 kg
1 ton	= (*Br long ton*) 20 cwt	= 1016 kg
	(*Am short ton*) 2000 pounds	= 907.185 kg

Temperatures

Fahrenheit – Celsius

°F	°C
0	−17.8
32	0
50	10
70	21.1
90	32.2
98.4	37
212	100

to convert subtract 32 and multiply by 5⁄9

Celsius – Fahrenheit

°C	°F
−10	14
0	32
10	50
20	68
30	86
37	98.4
100	212

to convert multiply by 9⁄5 and add 32

Official German Weights and Measures

		Symbol	Multiple of Unit
Length			
Seemeile	*nautical mile*	sm	1852 m
Kilometer	*kilometer*	km	1000 m
Meter	*meter*	m	Grundeinheit
Dezimeter	*decimeter*	dm	0.1 m
Zentimeter	*centimeter*	cm	0.01 m
Millimeter	*millimeter*	mm	0.001 m
Surface			
Quadratkilometer	*square kilometer*	km^2	100 000 m^2
Hektar	*hectare*	ha	10 000 m^2
Ar	*are*	a	100 m^2
Quadratmeter	*square meter*	m^2	1 m^2
Quadratdezimeter	*square decimeter*	dm^2	0.01 m^2
Quadratzentimeter	*square centimeter*	cm^2	0.0001 m^2
Quadratmillimeter	*square millimeter*	mm^2	0.000 001 m^2
Volume			
Kubikmeter	*cubic meter*	m^3	1 m^3
Hektoliter	*hectoliter*	hl	0.1 m^3
Kubikdezimeter	*cubic decimeter*	dm^3	0.001 m^3
Liter	*liter*	l	
Kubikzentimeter	*cubic centimeter*	cm^3	0.000 001 m^3
Weight			
Tonne	*ton*	t	1000 kg
Doppelzentner	—	dz	100 kg
Kilogramm	*kilogram*	kg	1000 g
Gramm	*gram*	g	1 g
Milligramm	*milligram*	mg	0.001 g

Numerals

1. Cardinal numbers – Grundzahlen

0 null *nought, cipher, zero*
1 eins *one*
2 zwei *two*
3 drei *three*
4 vier *four*
5 fünf *five*
6 sechs *six*
7 sieben *seven*
8 acht *eight*
9 neun *nine*
10 zehn *ten*
11 elf *eleven*
12 zwölf *twelve*
13 dreizehn *thirteen*
14 vierzehn *fourteen*
15 fünfzehn *fifteen*
16 sechzehn *sixteen*
17 siebzehn *seventeen*
18 acthzehn *eighteen*
19 neunzehn *nineteen*
20 zwanzig *twenty*
21 einundzwanzig *twenty-one*
22 zweiundzwanzig *twenty-two*
23 dreiundzwanzig *twenty-three*
30 dreißig *thirty*
31 einunddreißig *thirty-one*
32 zweiunddreißig *thirty-two*
33 dreiunddreißig *thirty-three*
40 vierzig *forty*
41 einundvierzig *forty-one*
50 fünfzig *fifty*
51 einundfünfzig *fifty-one*
60 sechzig *sixty*
61 einundsechzig *sixty-one*
70 siebzig *seventy*
71 einundsiebzig *seventy-one*
80 achtzig *eighty*
81 einundachtzig *eighty-one*
90 neunzig *ninety*
91 einundneunzig *ninety-one*
100 hundert *one hundred*
101 hundert(und)eins *hundred and one*
102 hundert(und)zwei *hundred and two*
110 hundert(und)zehn *hundred and ten*
200 zweihundert *two hundred*
300 dreihundert *three hundred*
451 vierhundert(und)einundfünfzig four hundred and fifty-one
1000 tausend *a* (or *one*) *thousand*
2000 zweitausend *two thousand*
10 000 zehntausend *ten thousand*
1 000 000 eine Million *a* (or *one*) *million*
2 000 000 zwei Millionen *two million*
1 000 000 000 eine Milliarde *Br a* (or *one*) *milliard, Am billion*
1 000 000 000 000 eine Billion *Br a* (or *one*) *billion, Am trillion*

2. Ordinal numbers – Ordnungszahlen

1. erste *first*
2. zweite *second*
3. dritte *third*
4. vierte *fourth*
5. fünfte *fifth*
6. sechste *sixth*
7. siebente *seventh*
8. achte *eighth*
9. neunte *ninth*
10. zehnte *tenth*
11. elfte *eleventh*
12. zwölfte *twelfth*
13. dreizehnte *thirteenth*
14. vierzehnte *fourteenth*
15. fünfzehnte *fifteenth*
16. sechzehnte *sixteenth*
17. siebzehnte *seventeenth*
18. achtzehnte *eighteenth*
19. neunzehnte *nineteenth*
20. zwanzigste *twentieth*
21. einundzwanzigste *twenty-first*
22. zweiundzwanzigste *twenty-second*
23. dreiundzwanzigste *twenty-third*
30. dreißigste *thirtieth*

31. einunddreißigste *thirty-first*
40. vierzigste *fortieth*
41. einundvierzigste *forty-first*
50. fünfzigste *fiftieth*
51. einundfünfzigste *fifty-first*
60. sechzigste *sixtieth*
61. einundsechzigste *sixty-first*
70. siebzigste *seventieth*
71. einundsiebzigste *seventy-first*
80. achtzigste *eightieth*
81. einundachtzigste *eighty-first*
90. neunzigste *ninetieth*
100. hunderste *(one) hundredth*
101. hundertunderste *hundred and first*
200. zweihunderste *two hundredth*
300. dreihunderste *three hundredth*
451. vierhundert(und)einundfünfzigste *four hundred and fifty-first*
1000. tausendste *(one) thousandth*
1100. tausend(und)einhundertste *(one) thousand and (one) hundredth*
2000. zweitausendste *two thousandth*
100 000. einhunderttausendste *(one) hundred thousandth*
1 000 000. millionste *millionth*
10 000 000. zehnmillionste *ten millionth*

3. Fractional numbers – Bruchzahlen

$\frac{1}{2}$ ein halb *one* (or *a*) *half*
$\frac{1}{3}$ ein Drittel *one* (or *a*) *third*
$\frac{1}{4}$ ein Viertel *one* (or *a*) *fourth* (or *a quarter*)
$\frac{1}{5}$ ein Fünftel *one* (or *a*) *fifth*
$\frac{1}{10}$ ein Zehntel *one* (or *a*) *tenth*
$\frac{1}{100}$ ein Hundertstel *one hundredth*
$\frac{1}{1000}$ ein Tausendstel *one thousandth*
$\frac{1}{1\,000\,000}$ ein Millionstel *one millionth*
$\frac{2}{3}$ zwei Drittel *two thirds*
$\frac{3}{4}$ drei Viertel *three fourths, three quarters*
$\frac{2}{5}$ zwei Fünftel *two fifths*
$\frac{3}{10}$ drei Zehntel *three tenths*
$1\frac{1}{2}$ anderthalb *one and a half*
$2\frac{1}{2}$ zwei(und)einhalb *two and a half*
$5\frac{3}{8}$ fünf drei achtel *five and three eighths*
1,1 eins Komma eins *one point one (1.1)*

4. Multiples – Vervielfältigungszahlen

einfach *single*
zweifach *double*
dreifach *threefold, treble, triple*
vierfach *fourfold, quadruple*
fünffach *fivefold*
hundertfach *(one) hundredfold*

Notizen **Notes**

Notizen

Notes

Notizen **Notes**

Notizen

Notes

Notizen **Notes**

Notizen **Notes**

Notizen **Notes**

Notizen

Notes

Notizen

Notes

Notizen

Notes